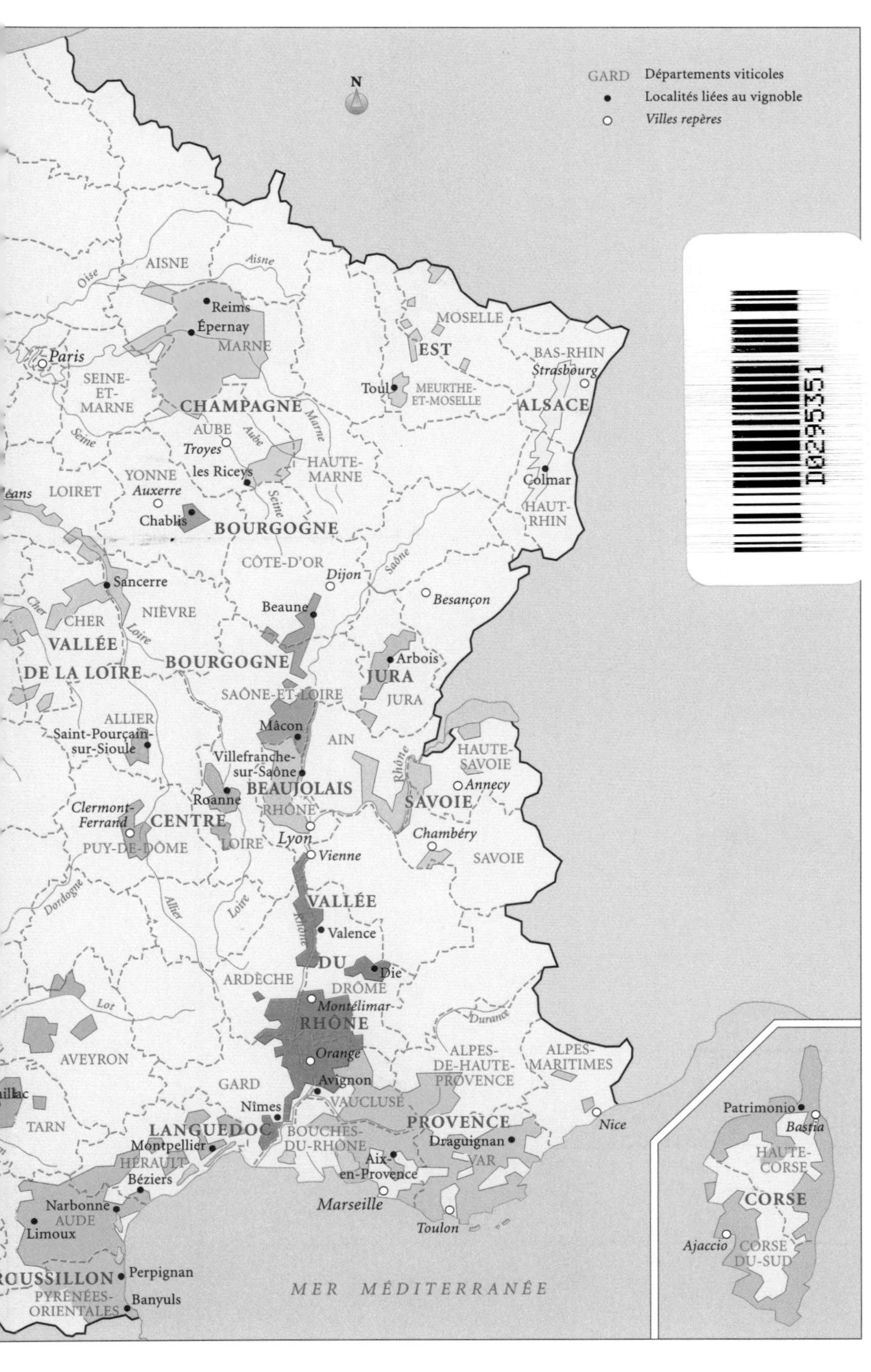
GARD Départements viticoles
Localités liées au vignoble
Villes repères
N
AISNE
Aisne
Oise
Reims
Épernay
MARNE
Paris
SEINE-ET-MARNE
CHAMPAGNE
AUBE
Troyes
Aube
Marne
Seine
les Riceys
HAUTE-MARNE
YONNE
Auxerre
LOIRET
Chablis
BOURGOGNE
MOSELLE
EST
Toul
MEURTHE-ET-MOSELLE
BAS-RHIN
Strasbourg
ALSACE
Colmar
HAUT-RHIN
CÔTE-D'OR
Dijon
Saône
Besançon
Sancerre
NIÈVRE
CHER
Cher
Loire
VALLÉE DE LA LOIRE
Beaune
BOURGOGNE
Arbois
JURA
JURA
SAÔNE-ET-LOIRE
ALLIER
Saint-Pourçain-sur-Sioule
Mâcon
AIN
Villefranche-sur-Saône
BEAUJOLAIS
Roanne
RHÔNE
Rhône
HAUTE-SAVOIE
Annecy
SAVOIE
Chambéry
SAVOIE
Clermont-Ferrand
CENTRE
PUY-DE-DÔME
LOIRE
Lyon
Vienne
Dordogne
Allier
Loire
VALLÉE
Rhône
Valence
DU
Die
ARDÈCHE
DRÔME
Montélimar
RHÔNE
Durance
Lot
AVEYRON
Orange
ALPES-DE-HAUTE-PROVENCE
ALPES-MARITIMES
GARD
Avignon
VAUCLUSE
TARN
Nîmes
LANGUEDOC
BOUCHES-DU-RHÔNE
PROVENCE
Draguignan
VAR
Nice
Montpellier
HÉRAULT
Aix-en-Provence
Béziers
Narbonne
AUDE
Limoux
Marseille
Toulon
ROUSSILLON
Perpignan
PYRÉNÉES-ORIENTALES
Banyuls
MER MÉDITERRANÉE
Patrimonio
Bastia
HAUTE-CORSE
CORSE
Ajaccio
CORSE-DU-SUD

LE GUIDE HACHETTE DES VINS

2008

GUIDE HACHETTE DES VINS

Direction de l'ouvrage : François Bachelot.

Conseiller éditorial : Catherine Montalbetti.

Ont collaboré : Christian Asselin, INRA, *Unité de recherche vigne et vin ;* Jean-François Bazin ; Claude Bérenguer ; Richard Bertin, *œnologue ;* Jean-Jacques Cabassy, *œnologue ;* Pierre Carbonnier ; Pierre Casamayor ; Jean Casanova ; Jean-Pierre Cathala ; Béatrice de Chabert, *œnologue ;* César Compadre ; Jacques Conscience ; Michel Dovaz ; Régis d'Espinay ; Michel Feuillat, *professeur à la Faculté des Sciences de Dijon ;* Bernard Hébrard, *œnologue ;* Pierre Huglin, *directeur de recherche à l'INRA ;* Robert Lala, *œnologue ;* Antoine Lebègue ; William Luret ; Jean-Pierre Martinez, *chambre d'Agriculture du Loir-et-Cher ;* Marc Médevielle ; Pierre Pérez ; Mariska Pezzutto, *œnologue ;* Pascal Ribéreau-Gayon, *ancien doyen de la faculté d'œnologie de l'université de Bordeaux II ;* André Roth, *ingénieur des travaux agricoles ;* Alex Schaeffer, *œnologue ;* Anne Seguin ; Bernard Thévenet, *ingénieur des travaux agricoles ;* Michèle Trévoux ; Yves Zier.

Editeurs assistants : Christine Cuperly, Anne Le Meur.

Avec : Patricia Abbou ; Christelle Barbereau ; Nicole Chatelier ; Bénédicte Gaillard ; Brigitte Hammond ; Sylvie Hano ; Corinne Julien ; Micheline Martel ; François Merveilleau.

Informatique éditoriale : Marie-Line Gros-Desormeaux ; Luc Audrain ; Martine Lavergne ; Sylvie Clochez ; Michèle Boucher.

Nous exprimons nos très vifs remerciements aux 900 membres des commissions de dégustation réunies spécialement pour l'élaboration de ce guide, et qui, selon l'usage, demeurent anonymes, ainsi qu'aux organismes qui ont bien voulu apporter leur appui à l'ouvrage ou participer à sa documentation générale : l'Institut National des Appellations d'Origine, INAO ; l'Institut National de la Recherche Agronomique, INRA ; la Direction de la Concurrence de la Consommation et de la Répression des Fraudes ; UBIFRANCE ; la DGDDI ; les Comités, Conseils, Fédérations et Unions interprofessionnels ; Viniflhor ; l'Institut des Produits de la Vigne de Montpellier et l'ENSAM ; l'Université Paul Sabatier de Toulouse et l'ENSAT ; les Syndicats viticoles ; les Chambres d'agriculture ; les laboratoires départementaux d'analyse ; les lycées agricoles d'Amboise, d'Avize, de Blanquefort, de Bommes, de Montagne-Saint-Émilion, de Montreuil-Bellay, de Nîmes-Rodilhan, d'Orange ; les lycées hôteliers de Bastia et de Tain-l'Hermitage ; le CFPPA d'Hyères ; l'Institut Rhodanien ; l'Union française des œnologues et les Fédérations régionales d'œnologues ; les Syndicats des Courtiers de vins ; l'Union de la Sommellerie française ; pour la Suisse, l'Office fédéral de l'agriculture, la Commission fédérale du Contrôle du commerce des vins, les responsables des Services de la viticulture cantonaux, l'OVV, l'OPAV, l'OPAGE ; pour le Grand-Duché de Luxembourg, l'institut viti-vinicole luxembourgeois ; la Marque nationale du vin luxembourgeois ; le Fonds de solidarité.

Couverture : Bruno Bayol, Nicole Dassonville.

Maquette : François Huertas.

Cartographie : Frédéric Clémençon ; Aurélie Huot. **Illustrations :** Véronique Chappée.

Production : Patricia Coulaud, Charles De Roy, Adrian Hurst, Nathalie Lautout, Nicole Thiériot-Pichon.

Composition et photogravure : Maury, Malesherbes.

Impression : Brodard Graphique, Coulommiers et Groupe Qualibris. **Papier :** Terra Press, Stora Enso.

Crédits iconographiques : Charlus (p. 37, 50) ; Scope/J.-L. Barde (p. 9, 14, 20, 24, 32, 40, 42, 44, 53, 142, 699, 874, 1107, 1252) ; Scope/J. Guillard (p. 16, 19, 22, 28, 30, 31, 38, 61, 71, 73, 422, 625, 1198, 1245) ; Scope/M. Guillard (p. 197, 813) ; Scope/Marc Combier (p. 12) ; Scope/N. Hautemanière (p. 732) ; Scope/Roland Huitel (p. 821) ; Scope/M. Plassart (p. 944).

Imprimé en France. – Dépôt légal : Août 2007
23.7085.6/01 – ISBN 978.2.01.237085.2

LE GUIDE HACHETTE DES VINS

2008

Sommaire

Table des cartes

SOMMAIRE

10 000 vins à découvrir

SYMBOLES

SYMBOLES UTILISÉS DANS LE GUIDE

La reproduction d'une étiquette signale un « coup de cœur » décerné à l'aveugle par les jurys.

★★★ vin exceptionnel
★★ vin remarquable
★ vin très réussi
vin cité (sans étoile)
2005 millésime ou année du vin dégusté
■ vin tranquille blanc — ● vin effervescent blanc
■ vin tranquille rosé — ● vin effervescent rosé
■ vin tranquille rouge — ● vin effervescent rouge
50 000, 12 500... nombre moyen de bouteilles du vin présenté
4 ha superficie de production du vin présenté
élevage en cuve — élevage en fût
vente à la propriété — gîte rural
dégustation — chambre d'hôte
visite
(r.-v. = sur rendez-vous)
adresse, téléphone, fax, e-mail
nom du propriétaire, si différent de celui figurant dans l'adresse
n.c. information non communiquée.

LES PRIX

- Les prix (prix moyen de la bouteille en France par carton de 12) sont donnés sous toutes réserves. L'indication de la fourchette de prix **en rouge signale un bon rapport qualité/prix 11 à 15 €.**

- 3 €	3 à 5 €	5 à 8 €	8 à 11 €	11 à 15 €	15 à 23 €	23 à 30 €	30 à 38 €	38 à 46 €	46 à 76 €	+ 76 €

- Chambre d'hôte
Prix moyen par nuit en haute saison
1 = - 35 €
2 = 35 à 45 €
3 = 46 à 55 €
4 = 56 à 65 €
5 = 66 à 75 €
6 = 76 à 85 €
7 = + de 85 €

- Gîte rural
Prix moyen par semaine en haute saison
A = - 200 €
B = 200 à 300 €
C = 301 à 400 €
D = 401 à 500 €
E = + de 500 €

LES MILLÉSIMES (82) **83** 85 |**86**| **89** |90| 91 |92| 93 |**95**| |**96**| |97| **98 99 00** (01) 02 **03** 04 **05**

83 01 — les millésimes en rouge sont à boire (01 = millésime 2001)

99 05 — les millésimes en noir sont à garder (05 = millésime 2005)

|95| |02| — les millésimes en noir entre deux traits verticaux sont à boire pouvant attendre

83 95 — les meilleurs millésimes sont en gras

(90) — le millésime exceptionnel est dans un cercle

Les millésimes indiqués n'impliquent pas une disponibilité à la vente chez le producteur. On pourra les trouver chez les cavistes ou les restaurateurs.

Tous les vins présentés dans le Guide ont été sélectionnés à l'aveugle par des jurys d'experts.
Ceux-ci jugent les vins en toute indépendance. Seul un numéro d'anonymat figure sur les bouteilles.
Aucune participation financière n'est demandée aux producteurs.
La reproduction d'une étiquette signale un vin élu coup de cœur - à l'aveugle - par le grand jury.

AVERTISSEMENT

Comment le *Guide Hachette des Vins* est-il élaboré ?

Ce guide présente les 10 950 meilleurs vins de France, du Luxembourg et de Suisse, tous dégustés en 2007. Il s'agit d'une **sélection entièrement nouvelle**, portant sur le dernier millésime mis en bouteilles. Ces vins ont été élus pour vous par **900 experts au cours des commissions de dégustation à l'aveugle**, parmi plus de 35 000 vins de toutes les appellations. 6 600 producteurs ont été ainsi sélectionnés.

Un guide objectif

L'absence de toute participation publicitaire et financière des producteurs, coopératives ou négociants retenus assure **l'impartialité de l'ouvrage**, dont l'unique ambition est d'être un guide d'achat au service des consommateurs.
Les notes de dégustation doivent être comparées au sein d'une même appellation : il est en effet impossible de juger des appellations différentes avec le même barème.

Un classement par étoiles

Les bouteilles portent seulement un numéro afin de préserver l'**anonymat**. Chaque vin est examiné par un jury qui décrit sa couleur, ses qualités olfactives et gustatives et lui attribue une note de 0 à 5.

0 vin à défaut, il est éliminé ;	3 vin très réussi, une étoile ;
1 petit vin ou vin moyen, il est éliminé ;	4 vin remarquable par sa structure, deux étoiles ;
2 vin réussi, il est cité sans étoile ;	5 vin exceptionnel, modèle de l'appellation, trois étoiles.

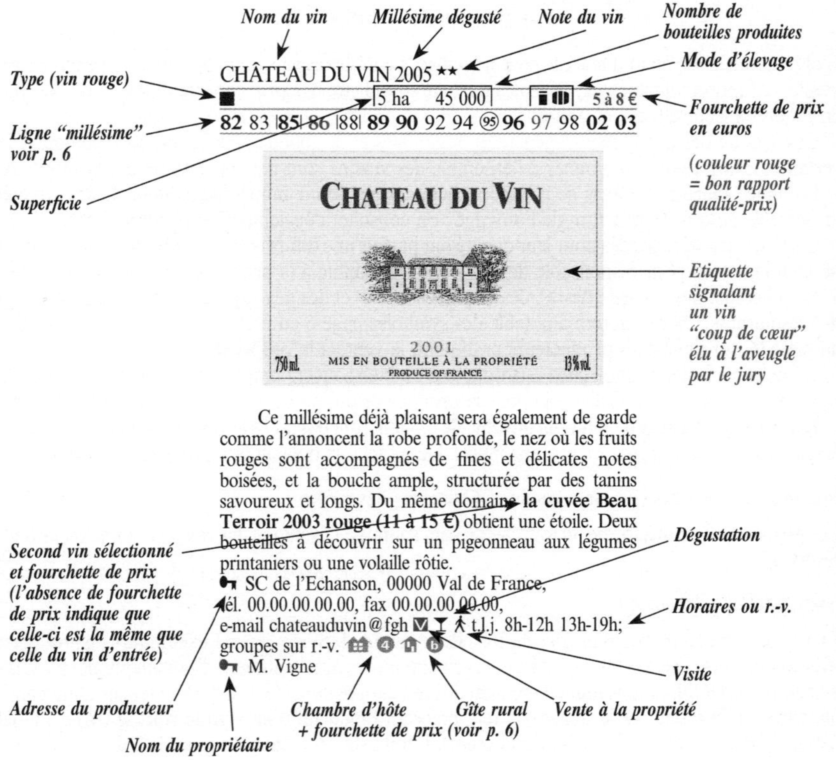

Les étiquettes coups de cœur

Les vins dont l'étiquette est reproduite constituent les « coups de cœur », librement élus, eux aussi à l'aveugle, par les dégustateurs du Guide.

Une lecture claire

Les vins sélectionnés sont répertoriés :

- par régions, classées alphabétiquement ;
- par appellations ;
- par ordre alphabétique à l'intérieur de chaque appellation.

Quelque 2 000 vins sélectionnés, sans faire l'objet d'une entrée, sont mentionnés en **caractères gras** dans la notice consacrée au vin le mieux noté du producteur. L'absence de prix signale que celui-ci se situe dans la même fourchette que l'entrée vedette.

– Quatre index en fin d'ouvrage permettent de retrouver les appellations, les communes, les producteurs et les vins.

– Les temps de garde : ils sont indiqués par les dégustateurs sous réserve de bonnes conditions de garde. On les prendra en compte à partir de l'année d'édition et non du millésime.

Les raisons de certaines absences

Des vins connus, parfois même réputés, peuvent être absents de cette édition : soit parce que les producteurs ne les ont pas présentés ; soit parce qu'ils ont été éliminés lors des dégustations.

550 gîtes ruraux et 300 chambres d'hôtes chez les producteurs sélectionnés

Le guide de l'acheteur

L'objet de ce guide étant d'**aider le consommateur à choisir ses vins** selon ses goûts et à découvrir les meilleurs rapports qualité/prix (signalés par une fourchette des prix en rouge), tout a été fait pour en rendre la lecture facile et pratique.

– Une lecture des introductions générales, régionales et de chaque appellation est recommandée : certaines informations communes à l'ensemble des vins ne sont pas répétées pour chacun d'eux.

– Le signet, placé en vis-à-vis de n'importe quelle page, donne immédiatement la **clé des symboles** et rappelle, au dos, la structure de l'ouvrage ; on consultera également les pages 4, 5 et 6.

– Certains vins sélectionnés pour leur qualité ont parfois une diffusion quasi confidentielle. L'éditeur ne peut être tenu pour responsable de leur non-disponibilité à la propriété, mais invite les lecteurs à les rechercher auprès des cavistes, des grandes surfaces et des négociants, ou sur les cartes des vins des restaurants. On se réfèrera à la table des symboles page 6 en prêtant une attention particulière au picto ☑ qui signale les producteurs pratiquant la vente à la propriété.

– Un conseil : la dégustation chez le producteur est bien souvent gratuite. On n'en abusera pas : elle représente un coût non négligeable pour le producteur qui ne peut ouvrir ses vieilles bouteilles.

– Enfin, **les amateurs qui conduisent un véhicule** n'oublieront pas qu'ils ne doivent pas boire le vin, mais le recracher comme le font les professionnels. Des crachoirs doivent être proposés dans les caves.

Important : le prix des vins, des chambres d'hôtes et gîtes ruraux

Les prix présentés sous forme de fourchette, sont soumis à l'**évolution des cours** et donnés **sous toutes réserves**.

Numérotation téléphonique

En France, tous les numéros ont dix chiffres. Pour joindre de Suisse ou du Luxembourg un producteur français, on composera le 00.33 suivi des 9 derniers chiffres de son numéro. Pour téléphoner en Suisse, on composera le 00.41 suivi immédiatement de l'indicatif régional (ex. : 27). Pour les communications nationales à l'intérieur de la Suisse, on fera précéder l'indicatif d'un zéro lorsque le correspondant habite dans une autre zone (indicatif différent). L'indicatif du Luxembourg est le 352.

Ces dernières années, la presse a souvent fait état de la situation de crise du secteur vitivinicole. Ce n'est pas la première fois, l'histoire viticole de la France étant scandée par les crises. Il y a juste cent ans, en 1907, la révolte des vignerons du Midi tournait à l'insurrection. Des réformes s'ensuivirent, menées sur plusieurs décennies, pour définir la qualité du vin, puis le concept d'appellation. À peine franchi le troisième millénaire et son euphorie festive, le monde viticole connaît la surproduction, aggravée dans l'Hexagone par une nette contraction du marché intérieur, alors qu'émergent de nouveaux pays producteurs. Certaines voix critiquent l'offre française, sa diversité, sa complexité, et souhaitent une simplification ; elles mettent en cause sa philosophie, celle d'un prétendu « ancien monde » qui distingue le vin des denrées agro-alimentaires et l'ancre au terroir. Les pouvoirs publics s'inscrivent dans cette approche et proposent des réformes, tant à Bruxelles – avec une incitation à l'arrachage –, qu'à Paris où la réorganisation des organismes de contrôle marque un net désengagement de l'État. Pourtant, l'année 2006 pourrait inciter à une vision moins morose. La courbe du commerce extérieur s'oriente de nouveau à la hausse, tant en valeur qu'en volume. Si la compétition mondiale demeure, tout comme les problèmes sectoriels et sociaux, la viticulture française dispose de nombreux atouts, dont le moindre n'est pas la place qu'elle tient dans l'aménagement du territoire et dans la préservation des paysages.

2006, une embellie ?

En 2006 et plus encore en 2007, il n'est question que de primes d'arrachage. Sans le succès escompté par les économistes : sur les 842 000 ha de vigne que compte la France, 13 000 ha ont disparu, essentiellement en Languedoc-Roussillon. La France reste le premier producteur mondial, devant l'Italie, l'Espagne, les États-Unis et l'Australie. Elle a produit près de 53 Mhl de vin, un volume en légère baisse ; 25 Mhl de vins d'appellation (47 %) et 19 Mhl (36 %) de vins de table (en majorité des vins de pays, 15 hl), le reste servant essentiellement à élaborer de l'eau-de-vie.

La France reste aussi le premier exportateur, proclame-t-on à Vinexpo en juin 2007. Derrière elle, l'Espagne (en forte hausse), l'Italie, l'Australie (en crise avec 40 % de *wineries* dans le rouge) et le Chili. Alors que la France s'enfonce globalement dans le déficit commercial (- 29,2 Mds € pour 2006), les chiffres des exportations françaises de vins (14,6 Mhl, 6,23 Mds €) affichent pour cette année un bilan positif, tant en valeur (+ 9,9 %) qu'en volume (+ 4 %), et ce malgré des taux de change défavorables. La hausse des volumes concerne surtout les champagnes (+ 11,9 %), les mousseux (+ 7,2 %), les vins de pays et de table (+ 4,8 %), mais bénéficie aussi aux vins tranquilles d'appellation (+ 1,6 %). Quant aux bons chiffres en valeur, ils sont uniquement portés par les vins d'appellation, car les vins de table et de pays connaissent une baisse de 1,2 % en valeur. Les champions à l'export ? Les champagnes (+ 11,9 % en volume et + 14,1 % en valeur), les bordeaux, en particuliers les crus coûteux (+ 0,6 % en volume, mais + 19,4 % en valeur), les bourgognes (+ 8,7 % et + 7,7 %), les vins du Rhône (+ 1,4 % et + 13,1 %), les alsace (+ 7,8 % et + 7,9 %), les vins de Loire (+ 6,6 % et + 7,2%). Le Beaujolais (- 3,3 % et - 4,2 %) et le Languedoc-Roussillon (- 10,5 % et - 2,9 %) reculent.

Une reprise durable ?

Rien n'est moins sûr. Le marché du vin reste plus que jamais concurrentiel et volatil. Certains facteurs conjoncturels ont joué dans la bonne tenue des chiffres, comme le boycott des vins moldaves par la Russie, la vogue du pinot noir aux États-Unis à la suite du film *Sideways*, ou encore des récoltes moins abondantes. Cependant, ces chiffres montrent que les vins à forte image et à haute valeur ajoutée sont la force de la viticulture française qui a tout intérêt à demeurer un artisanat profitable et à garder son image de produit sophistiqué, dont la légitimité repose sur le concept de terroir, plutôt que de se donner une image de perdant qui copie les recettes des autres. Dans ces conditions, à l'heure où la Chine plante chaque année l'équivalent du vignoble des côtes-du-rhône, le nouveau « vin de pays des vignobles de France », qui autorise les assemblages interrégionaux sur le modèle australien, sera-t-il à la hauteur de l'enjeu alors qu'à l'échelle mondiale on constate que le consommateur devient un « amateur averti » recherchant dans le vin un miroir social ? Le cabinet conseil britannique Wine Intelligence souligne que les jeunes consommateurs urbains, plutôt aisés, sont assez traditionnels dans leurs choix et que certains acteurs britanniques de la grande distribution envisagent d'augmenter le prix moyen des bouteilles. Un espoir pour les producteurs à l'échelle planétaire.

QUOI DE NEUF EN ALSACE ?

Des rendements mieux maîtrisés, une production en nette diminution, un marché stable, des progrès à l'export, un œnotourisme bien portant, l'Alsace semble vouloir donner un visage heureux à la viticulture. Qu'en est-il du millésime 2006 ?

Un climat contrasté

Une année « à sauts et à gambades » aurait dit Montaigne : un débourrement tardif (25 avril), mais une fleur au rendez-vous habituel, autour du 19 juin, car ce mois a été ensoleillé. Beaucoup de chaleur en juillet : la vigne semblait vouloir prendre de l'avance. Août s'est fait plus froid. Septembre a été assez beau. Parfois orageuses, les pluies ont débuté le 24 pour se poursuivre jusqu'au début du mois d'octobre. Trombes d'eau les 3 et 4 octobre (70 mm), puis beau temps.

Les crémants ont inauguré les vendanges, le 11 septembre. Pour les vins tranquilles, les premiers sécateurs sont entrés en action le 25 septembre, sauf pour le riesling et le gewurztraminer (27 septembre). Le raisin a souvent souffert lors des dernières vendanges. Trier, clarifier les jus, vinifier au plus juste, le vigneron a dû montrer ses talents. Vendanges tardives et sélections de grains nobles se sont égrenées à partir du 11 octobre. La qualité ? Vendangé tôt, le crémant-d'alsace se montre élégant et structuré. Les blancs secs sont souples et frais, assez aromatiques, gouleyants et à consommer jeunes. Le pinot noir offre un rouge léger et fruité.

La récolte

La récolte globale (1 081 000 hl) est en nette diminution (- 8 %) par rapport à la plus récente moyenne quinquennale. La discipline de production progresse. L'Alsace était souvent critiquée pour ses forts rendements dans le passé. Le rendement autorisé en 2006 a été fixé à 80 hl/ha sans plafond limite de classement pour les blancs et à 75 hl/ha pour le pinot noir, également sans PLC. Chaque cépage blanc a un rendement-butoir depuis 1999. Le degré naturel minimum varie de 9 à 11 % vol.

L'alsace grand cru – 50 terroirs délimités rejoints par le Kaefferkopf d'Ammerschwihr – montre l'exemple. Ses quelque 33 000 hl représentent une baisse de 25 % en volume sur la moyenne 2001/2005. La production de l'AOC alsace, à 825 000 hl, diminue en 2006 de 12 % par rapport à cette moyenne. Le crémant progresse de 18 %, toujours en volume, depuis 2001, mais la diminution est analogue de 2005 à 2006. Avec 9 400 hl en vendanges tardives, et 3 000 hl en sélection de grains nobles, ces deux productions phares sont en forte diminution par rapport à 2005, la pourriture noble n'étant pas atteinte partout où on la souhaitait. Mais les sélections de grains nobles ont beaucoup progressé par rapport aux années 2001/2004 où elles étaient infimes.

Stabilité du marché

En 2006 les ventes de vins d'Alsace se sont élevées à 1 113 000 hl, soit 148,4 millions de cols (+ 2,3 % en volume sur un an, avec un chiffre d'affaires stable, à près de 500 millions d'euros HT). Le marché français ne progresse que de 1 % en fin d'année. En revanche l'export montre une bonne tenue. Il représente 283 000 hl, contre 831 000 hl vendus en France.

À l'export, les vins tranquilles progressent de 5,1 % en volume et de 4,8 % en valeur, ce qui est un peu inférieur à la moyenne nationale pour les blancs. Le principal client reste la Belgique (23 % de part de marché, près de 20 % en valeur, ce qui représente une petite progression). Le recul est sensible pour le n° 2, les Pays-Bas (- 4,4 % en volume et - 6,1 % en valeur) et pour l'Allemagne (- 4,1 % en valeur) alors qu'elle fut pendant trente ans, et jusqu'en 1999, le premier client des vins d'Alsace tranquilles. Ensuite vient le Danemark (+ 10 % en volume et + 5,7 % en valeur). Les États-Unis qui avaient fortement augmenté leurs achats en 2005 connaissent une pause (stabilité). Progression en Grande-Bretagne. Sans doute s'agit-il d'un marché modeste, mais le Canada fait un bond en avant très prometteur : + 50 % en valeur et + 38 % en volume. Suisse, Norvège, Italie et Finlande développent leurs achats. Quant à la Chine, elle triple son volume, devenant le 17e client étranger.

Le crémant-d'alsace renforce ses ventes en 2006 (+ 7,3 % à 194 000 hl). Leader français des effervescents (hors champagne), il progresse de 5,5 % sur le marché national (162 000 hl) et de 17 % à l'export (32 000 hl). Cette performance est due à l'Allemagne qui redevient en 2006 la première destination étrangère (36,5 % des parts de marché, + 21,2 % en volume et + 14,7 % en valeur). La Belgique passe de la première à la deuxième place (34,1 % des parts de marché malgré une très légère progression). Puis, dans l'ordre, on trouve le Danemark, les États-Unis, la Suède et les Pays-Bas.

Le tokay restitué à la Hongrie
Depuis le 1er avril 2007, les viticulteurs alsaciens ne peuvent plus faire figurer le nom de tokay sur leurs étiquettes. Le 16 octobre 2006, l'Alsace a restitué cette dénomination à la Hongrie, lors d'une cérémonie à l'ambassade de Hongrie à Paris. En réalité, le « tokay » alsacien n'est pas le furmint hongrois, mais le pinot gris bourguignon devenu grauer tokayer, cultivé depuis trois siècles.

Brèves du vignoble
Le dessinateur alsacien Hansi a été à l'honneur en Bourgogne lors du millième chapitre de la confrérie des Chevaliers du Tastevin en juin 2007. Il dessina l'emblème héraldique de cette institution en 1934.
La biodynamie ainsi que le bio progressent dans le vignoble alsacien. Vignes certifiées : 474 ha en 2001, 797 ha en 2005, le nombre des domaines passant de 52 à 83. La célèbre foire écobiologique de Rouffach, haut lieu du bio, se tient maintenant à Colmar.

QUOI DE NEUF EN BEAUJOLAIS ?

Le Beaujolais en crise ? On voit des dépôts de bilan, des reconversions, des métayages donnés gratuitement, des arrachages, des cessions. Le tableau n'est cependant pas partout aussi noir. Il y a d'excellents 2006 et certains marchés se portent bien. Le Beaujolais prend son destin à bras-le-corps.

Une météo capricieuse
Le nord du vignoble (les crus) a souffert davantage que le sud des hauts et des bas de la météo de 2006. L'hiver n'en finissait plus. La floraison a été suivie par un soleil radieux en juillet et par un mois d'août frais et humide (tem-pératures de 3 à 4 degrés en dessous des normales saisonnières, 70 mm de pluie en plus de la normale). Un épisode de chaleur a été suivi par de nouvelles précipitations. Le succès dépend de la maîtrise des rendements, seul gage de maturité, et du tri.

45 000 vendangeurs, 115 nationalités
Le Beaujolais sait garder une authentique convivialité, qui s'exprime aux vendanges : quelque 45 000 vendangeurs de 115 nationalités, logés et nourris pour 90 % comme le veut la tradition (les autres travaillant à la grande journée) sont venus participer à la récolte. Les sécateurs sont entrés en action entre le 2 et le 5 septembre 2006, un peu plus tard que ne le laissait prévoir la chaleur de juillet. Le raisin est dans un bon état sanitaire.

La récolte 2006 s'élève à 1 024 097 hl, les blancs (13 000 hl) représentant une goutte parmi les rouges. Les beaujolais rouges et rosés, les beaujolais-supérieurs représentent 452 000 hl ; les beaujolais-villages rouges 309 000 hl ; les crus : 325 000 hl. La récolte 2005 était de 1 111 444 hl, soit déjà moindre par rapport au 1,3 million d'hectolitres de naguère. Certains crus cependant voient leur production progresser de 2005 à 2006 : brouilly, morgon, fleurie, de façon très sensible.

Un marché contrasté
Les sorties des chais de la propriété 2005/2006 portent sur 1 057 800 hl : environ une récolte. Reste à savoir à quel prix. La vente directe représente en tout 22 %, atteignant 30 % dans les crus, plus faible en *villages* convoités par le négoce (80 % des ventes).
L'export est en légère baisse en 2006 : 452 000 hl contre 465 000 hl l'année précédente. Il frôlait les 800 000 hl en 1998. Le Japon garde la première place (près de 100 000 hl, contre 35 000 hl en 1997). Les États-Unis importent 80 000 hl. Le

Canada, la Suède et le Bénélux améliorent leurs scores. Le recul est net en Suisse.

Le beaujolais nouveau dont le volume agréé atteint 435 000 hl diminue en 2006 de 5 % à l'export en volume, le Japon restant chef de file avec 85 000 hl. On note en France un léger repli en volume en grande distribution sur un chiffre d'affaires stable. Fait nouveau et positif : les ventes s'étalent sur plusieurs semaines et non plus sur les tout premiers jours. Notez que désormais, la demande d'agrément en beaujolais nouveau est liée à la commercialisation : sans contrat de commercialisation, un vin ne peut pas être présenté à l'agrément. Les bouchages synthétiques et les capsules à vis représentaient 32,2 % des bouteilles de beaujolais nouveau 2006. Plus de goût de bouchon !

Brèves du vignoble

Une campagne publicitaire a été menée en Grande-Bretagne, « By Beaujolais » : *light*, *chilled*, *fruit*, *soirée* ou *spring*.

Une partie de la 210e vente aux enchères des vins des hospices de Beaujeu a porté sur le millésime 2006 ; 52 lots ont été présentés pour un total de 2 304 bouteilles. Le chiffre d'affaires de 19 335 € est en diminution de 11,7 % par rapport à l'année précédente. Mais l'opération de communication est positive, un public étranger nombreux étant venu pour cette fête.

QUOI DE NEUF EN BORDELAIS ?

Si la situation économique s'est améliorée dans le plus grand vignoble d'appellation de France, l'actualité a été surtout marquée en Gironde par l'annulation du classement des crus bourgeois du Médoc et la suspension de celui de Saint-Émilion. Quant au millésime 2006, il est plus hétérogène que le précédent. L'inscription fin juin 2007 d'une partie de la ville de Bordeaux au patrimoine mondial de l'Unesco, après celle de Saint-Émilion en 1999, devrait attirer de plus en plus de touristes vers la Gironde et ses vignobles.

Une climatologie chahutée

Le millésime 2006 a été enfanté dans des conditions inédites en Bordelais. L'hiver frais et pluvieux avait entraîné un débourrement tardif alors que les réserves en eau se reconstituaient après la sécheresse de 2005. Il y eut quelques gelées en mars. Un printemps sec et ensoleillé a permis à la végétation de rattraper son retard. La floraison a été rapide, entre fin mai et début juin, une date proche de la moyenne de la dernière décennie.

Juillet amena du soleil : par endroits la croissance végétative s'arrêta. Fin juillet, le potentiel était globalement aussi prometteur que pour le 2005. La suite fut moins favorable : le climat d'août – le plus frais depuis vingt ans – perturba la maturation du raisin. De plus, les précipitations furent nettement supérieures aux normales saisonnières.

Les bans des vendanges furent ouverts le 30 août pour les sauvignons servant aux crémants ; le 4 puis le 8 septembre pour toutes les AOC de blancs secs, le 15 septembre pour les rouges et le 18 septembre pour les moelleux et liquoreux.

Septembre, le gros mois des vendanges, fut extrêmement capricieux. Une première semaine estivale et sèche a permis la récolte des premiers blancs secs puis, à nouveau, des pluies importantes – de 100 à 150 mm – ont perturbé toutes les stratégies pour récolter : fallait-il prendre le risque d'attendre la pleine maturité ?

Heureusement, le soleil est revenu à partir du 22 septembre, ce qui a permis de vendanger l'essentiel du cabernet, moins précoce que le merlot. Le retour de la pluie début octobre hâta la récolte des parcelles les plus tardives, alors que l'on sait que les millésimes rouges sont plus réussis en Bordelais quand les cabernets sont cueillis le plus tard possible.

Les atouts des blancs

Sur les terroirs les plus précoces, la composition des raisins était remarquable : composés phénoliques, acidité basse et fruit très présent. Les terroirs d'argile et de graves ont logiquement mieux résisté que les sols limoneux ou sableux. Les blancs secs se montrent aromatiques : les sauvignons expriment des arômes de cassis et de pêche blanche, les sémillons des saveurs d'agrumes. Les rouges sont plus hétérogènes, mais ils affichent souvent une bonne structure tannique, ce qui laisse augurer certaines capacités de garde. Du côté des liquoreux, la succession de périodes humides et sèches a permis une belle pourriture noble ; les vins allient concentration des sucres et acidité. Avec des rendements faibles et une sélection des baies sans concession, le millésime 2006 peut être très réussi.

Une reprise encore fragile

Après plusieurs campagnes difficiles, le Bordelais reprend des couleurs. La récolte 2006 (5,9 Mhl) est en léger retrait sur la précédente. Après les 1 650 ha finalement arrachés en 2006, c'est un nouvelle vague de 1 200 ha qui a suivi en 2007. Ces 2 850 ha ont été arrachés volontairement, contre une prime versée par Bruxelles, les pouvoirs publics français et l'interprofession. La Gironde compte désormais 121 500 ha. Une troisième campagne d'arrachage se tiendra en 2008. Sur le front de la distillation de crise, autre mesure volontaire subventionnée, 185 000 hl ont été envoyés à la chaudière en 2005 et 368 000 hl l'année suivante.

Au total, une baisse des quantités de vin mises sur le marché a refait passer les indicateurs au vert. La notoriété du 2005 a joué son rôle dans ce rebond. En 2006, le Bordelais a ainsi vendu 5,65 Mhl (+ 1 % par rapport à 2005) pour un chiffre d'affaires estimé à 3,2 milliards d'euros. Le marché français (deux tiers des débouchés en volume) se stabilise alors que l'exportation se ressaisit. Sur les marchés d'Europe du Nord et d'Amérique du Nord, la bouderie à l'endroit des vins bordelais semble terminée.

Un vignoble à deux vitesses

Ces bonnes nouvelles, confirmées sur les premiers mois de 2007, restent cependant fragiles, car la reprise girondine s'effectue essentiellement en volume : c'est en comprimant ses tarifs pour faire face à la concurrence que la région s'en sort. Comme les coûts de production s'envolent, les marges fondent et nombre de producteurs sont obligés de décapitaliser (vente de parcelles, de biens immobiliers...) de réduire leurs investissements ou de chercher une activité complémentaire.

De leur côté, les négociants travaillant sur les grands crus confortent leurs marges alors que les autres luttent au centime près sur les linéaires de la grande distribution ou du *hard discount* (10 % de la production bordelaise). En fait, en cette année 2007 tous les écarts s'accroissent. On y côtoie des grands crus amassant des fortunes ; des producteurs vendant en direct qui s'en sortent en multipliant leurs heures de travail ; des vendeurs de vrac au négoce encore enlisés avec des cours flirtant avec les coûts de production ; des jeunes endettés, adeptes d'une qualité qui ne paie plus...

La création d'un vin de pays de l'Atlantique (voir « Quoi de neuf en Sud-Ouest ») permettra-t-elle de créer des débouchés supplémentaires ?

Une campagne primeur crispante

En mai et juin, lors de la campagne primeur, la guerre psychologique a joué à plein entre producteurs et négociants. Seules les 200 à 300 étiquettes les plus réputées sont concernées par ce marché, soit environ 3 % des volumes bordelais pour un quart de son chiffre d'affaires.

Après la campagne sur les 2005 qui avait vu s'envoler les prix, on attendait une baisse sérieuse du 2006 : on tablait sur des tarifs plus proches des 2004. Et bien non ! Les prix moyens des 2006 sont plus près des sommets du 2005 (- 10 % seulement) que des 2004. Et ce alors que le 2005 avait grimpé de 60 % par rapport au 2004 ! Si les Américains et les Asiatiques ont été moins demandeurs de 2006 que de 2005, les Européens du Nord et les Français sont revenus sur ce marché.

Effet collatéral, on trouve désormais sur la place des vins livrables de millésimes antérieurs de bonne facture et à meilleur marché que le tarif primeur du 2006. Dernier point de crispation sur cette campagne primeur atypique : la vingtaine d'étiquettes les plus prestigieuses du vignoble ont attendu la semaine suivant le rendez-vous mondial de Vinexpo (17 au 21 juin) – fait rarissime – pour annoncer leur prix de sortie.

Les classements au piquet

Depuis la proclamation du classement 2003 des crus bourgeois du Médoc, la justice avait été saisie par les producteurs rejetés. Rappelons que cette mention, utilisée depuis des décennies, avait perdu de sa crédibilité en l'absence de vrai cadrage qualitatif. Le syndicat avait entrepris une remise à plat, en concertation avec le ministère de l'Agriculture. Des années d'efforts, 500 dossiers, l'expertise bénévole d'un jury (courtiers, négociants, professeurs...) et pour finir 247 châteaux retenus dans le nouveau classement officialisé en juin 2003. Après plusieurs batailles dans les prétoires, la justice a annulé, en février 2007, ce classement, mettant en cause l'impartialité du jury : des vignerons candidats y siégeaient. Pendant plusieurs mois, les crus bourgeois ont alors vécu dans un vide juridique : qui pouvait utiliser la mention sur l'étiquette ? Le doute fut tranché fin juin par la DGCCRF : « en l'absence de tout classement, la mention cru bourgeois ne peut être utilisée. Et ce en attendant un nouveau classement. » Il n'est pas exclu que plusieurs millésimes ne puissent plus utiliser la mention, au risque qu'elle se fasse oublier par le marché.

Un deuxième classement bordelais est tombé, au moins provisoirement : celui de Saint-Émilion. Ce classement datant des années 1950 prévoit une révision décennale. Le cinquième, en 2006 (61 châteaux retenus), a été suspendu par la justice en mars 2007. Également saisi par des propriétés présentes dans le classement de 1996 et exclues, le tribunal administratif de Bordeaux, statuant en référé en attendant un jugement au fond prévu dans les prochains mois, a annulé ce classement. Motif ? « En visitant seulement certaines exploitations, la commission aurait rompu l'égalité de traitement entre les candidats. » L'absence de blindage juridique est donc à l'origine de ces deux décisions qui s'appuient avant tout sur des questions de forme.

Brèves du vignoble

Deux importants négociants de la place tournent une page. CVBG Dourthe et Kressmann (Parempuyre, près de Bordeaux) est vendu au Champagne Alain Thiénot, déjà présent en Bordelais via plusieurs châteaux. Son propriétaire historique (avec d'autres associés), Jean-Marie Chadronnier, également président du salon Vinexpo, tire sa révérence. Également à l'orée de la soixantaine, Jean-François Mau, à la tête de la maison Yvon Mau, cède aussi sa place. Cette maison centenaire appartient depuis 2001 à l'Espagnol Freixenet.

Du côté des propriétés, notons la mort accidentelle, début 2007, d'Hubert Perrodo, homme d'affaires dans le secteur du pétrole et propriétaire de 85 ha de vignes à Margaux ; ses enfants prennent le relais. À Pauillac, May-Éliane de Lencquesaing, figure de la viticulture girondine, a vendu le château Pichon Longueville Comtesse au Champagne Louis Roederer (famille Rouzaud). Alors qu'Arnaud et Laurent Momméja, héritiers de la famille Hermès, ont acheté le château Fourcas-Hosten, 47 ha en listrac.

QUOI DE NEUF EN BOURGOGNE ?

Une météo chaotique et un millésime 2006 finalement réussi, qui tire cependant davantage ses qualités du savoir-faire des vignerons que des bienfaits de la nature. Une bonne nouvelle : la Bourgogne retrouve de l'allant commercial ; le marché redevient porteur.

Une météo chahutée

Une climatologie contrastée a marqué toute l'année. Si l'hiver a été long, la fleur est apparue avec une rare précocité, début mai. Aux grosses chaleurs de juillet ont succédé des semaines fraîches et pluvieuses en août. Quelques orages de grêle ont frappé la Côte chalonnaise au début de l'été. Peu de pluies en septembre et un temps assez clément : les vendanges ont été plutôt précoces, comme en 2005. Une maturité convenable, quelques foyers de botrytis en général contenus, quelques attaques du mildiou et de l'oïdium. Le fait marquant ? La maturité est venue à toute vitesse et la plupart des domaines ont vendangé rapidement. Le tri a fait la qualité...

Sans prétendre devenir l'année du siècle, 2006 fait bonne figure (degré naturel satisfaisant et acidité moyenne). En Côte-d'Or, les rouges de la Côte de Nuits et les blancs de la Côte de Beaune sont en tête. À Chablis, où les vendanges ont commencé dès le 16 septembre, on tient une bonne année. Le millésime est honorable en Mâconnais. Les volumes ? Une légère baisse (- 2,2 %) : 1,47 Mhl alors que le millésime précédent représentait déjà -3,5 % en volume. Cette diminution porte essentiellement sur les vins rouges (- 7,5 %), sauf en Côte de Nuits, ainsi que sur les crémants. La production de vins blancs est en très légère progression (+ 0,5 %).

Économie : retour des beaux jours

Avec 199 millions de bouteilles, les ventes globales de la Bourgogne durant la campagne 2005-2006 progressent de plus de 10 % en volume. L'export rebondit après trois années difficiles et retrouve les sommets de la fin des années 1990. Si l'on excepte la Suisse et la Russie, tous les marchés d'export affichent des progressions significatives. Les États-Unis redeviennent le premier client en valeur. Chablis augmente également ses ventes dans ce pays (+ 24 %, soit 28 % des vins de Bourgogne à l'export). Forte reprise au Canada et au Japon. La Suède se porte très bien. Avec 28 millions de bouteilles (+ 6 %), la Grande-Bretagne reste en volume le premier client de la Bourgogne, pour 135 millions d'euros de CA (- 3 %). Elle absorbe près d'un tiers de l'export bourguignon.

Les blancs (+ 16 %) mènent le bal. Les rouges (+ 9 %) y sont aussi invités. La qualité du millésime 2005 explique en outre le retour des beaux jours.

Sur le marché français, + 7 % en volume, ce sont 105 millions de bouteilles. La grande distribution (+ 3,3 %) connaît un rythme de croissance régulier, avec 40 % des ventes pour les supérettes et le *hard-discount* ; il s'agit surtout des appellations régionales (75 % des ventes). Les réseaux de cavistes reprennent du poids alors que la restauration chute. Les chiffres du premier trimestre 2007 sont positifs à l'export, surtout aux États-Unis et en Grande-Bretagne.

L'embellie profite cette fois aux rouges plus qu'aux blancs. En tout + 10 % en volume et + 15 % en valeur, meilleure performance française en vins tranquilles. Combien la vente directe, en constant développement, pèse-t-elle ? Une étude récente l'estime à plus de 30 millions de bouteilles par an. Le négoce a augmenté ses achats à la propriété de 4 %.

Nouveaux classements

L'INAO vient de classer 6,73 ha supplémentaires en monthélie 1er cru. À Volnay, du nouveau sur les étiquettes 2006 : le 1er cru Pitures accueille Chanlins ; Les Mitans accueillent En l'Ormeau ; Le Ronceret, Les Aussy ; Carelle-sous-la-Chapelle et Carelle-Dessous fusionnent pour devenir Carelle-Dessous-la-Chapelle.

La vente des hospices

La vente des hospices de Beaune, présidée par Fanny Ardant, a produit 3,8 millions d'euros pour 680 pièces (228 l ou 300 bouteilles) et 8 pièces d'eau-de-vie et de fine. Pour 116 pièces en blanc, le prix moyen était de 11 150 € (+ 63,6 %) alors que le prix moyen des 564 pièces en rouge (4 417 €) a représenté une hausse de 1 %. Certains lots ont atteint des hausses fabuleuses (+ 131 % pour le meursault Loppin, + 142 % pour le corton-charlemagne François de Salins). Une pièce de pommard et une pièce de beaune partent pour 20 000 €. La pièce de bâtard-montrachet monte à 65 000 € ; celle de mazis-chambertin, entre 22 000 et 28 000 €.

Christie's conserve la direction du marteau d'ivoire pendant trois ans encore à tout le moins (à partir de 2008). Peu familière de ce type de vente aux enchères, l'illustre maison a fait disparaître la traditionnelle « vente à la bougie » sauf pour la pièce dite de charité, acquise pour 200 000 €. Plus discutée fut l'autorisation d'achat direct et anonyme par des particuliers et par le réseau Christie's de pièces à l'unité, bouleversant parfois le prix d'un lot alors que l'usage est d'indiquer le nom des acquéreurs. Les négociants-éleveurs ont peu apprécié ce système (33 pièces vendues) qui les prive de leur rôle traditionnel d'intermédiaire et de conseil. Cela pourrait être revu à l'avenir.

La vente des hospices de Nuits-Saint-Georges (appellation nuits pour l'essentiel) s'est tenue en mars 2007 et non plus en novembre 2006 ;

elle a produit une somme de 486 744 € pour 133 pièces à un prix moyen de 3 587 € l'unité en rouge, de 5 000 € l'unité en blanc. Respectivement + 11,45 et + 12,78 % de hausse.

Brèves du vignoble

Régine Deforges emporte sur sa bicyclette bleue les 100 bouteilles du prix de la Paulée de Meursault. Pierre Poupon reçoit lui aussi le prix 2006 de la Paulée, *ad honorem.*

L'homme d'affaires François Pinault, déjà présent dans le monde du vin avec Latour en pauillac et propriétaire de Christie's, s'offre le domaine Engel à Vosne-Romanée (6 ha, notamment en clos-de-vougeot) pour 13 millions d'euros, à la suite de la disparition de Philippe Engel. Le domaine de la Romanée-Conti et la famille Faiveley étaient, ensemble, également sur les rangs. On disait il n'y a pas si longtemps : une ouvrée de vignes (24 ouvrées dans 1 ha) vaut une pièce de tel vin. Maintenant, c'est 15 pièces pour certains domaines mais pas pour tous : selon la SAFER, le prix moyen des vignes aurait baissé de 2,5 % en 2005.

La maison Chanson Père et fils (Bollinger depuis 1999) a acheté 7,35 ha (le domaine en comptait déjà 38) en Côte de Beaune. Champy reprend une partie du domaine Carré-Courbin (5 ha en volnay et en pommard notamment). À Fuissé, le domaine Cordier achète le domaine Patissier (4 ha de pouilly-fuissé, 1 ha de mâcon-fuissé) pour 680 000 €, et il prend pied en Beaujolais à Leynes.

Naissance du groupe Rodet-Dufouleur, par accord entre Antonin Rodet à Mercurey (Sequana Capital) et Dufouleur Père et Fils à Nuits-Saint-Georges.

La Bourgogne perd trois célèbres producteurs : Pierre Amiot (Morey-Saint-Denis), Bernard Dupont-Tisserandot (Gevrey-Chambertin) et Henri Jayer (Vosne-Romanée). Veillant longtemps sur le domaine Méo-Camuzet, propriétaire de quelques vignes (dont le Crot-Parantoux), Henri Jayer était la mémoire et la conscience du vignoble.

Dijon, Beaune et la Côte bâtissent leur dossier pour obtenir leur inscription au patrimoine mondial de l'Unesco. Une chaire de l'Unesco « vigne et vin » vient d'ailleurs d'être instituée en Bourgogne. La confrérie des Chevaliers du Tastevin a fêté le 9 juin 2007 son 1 000e chapitre, avec un clos-de-vougeot 1934, année de sa fondation.

QUOI DE NEUF EN CHAMPAGNE ?

Seule l'absence de gelées de printemps apparaît comme un point positif de l'année 2006. Car le ciel ne s'est guère montré clément. Et pourtant, le pinot noir réussit souvent une jolie prestation. Heureusement, le climat économique hésite entre l'optimisme et l'euphorie. Au pire, la stabilité, au mieux un bond en avant.

Des vendanges étalées dans le temps

Une année au climat complexe. Le premier trimestre 2006 souffre d'un déficit hydrique important. Puis deux mois de pluie et un soleil très discret. Une fraîcheur persistante retarde le débourrement (21 avril pour le chardonnay, 25 avril pour le pinot noir et le lendemain pour le meunier, alors que la moyenne 1982-2006 se situait au 15 avril). Juin voit le retour d'un temps ensoleillé et sec. Pleine fleur dans la moyenne, du 15 au 18 juin. État sanitaire satisfaisant.

Tout se préparait bien... Hélas ! de violents orages de grêle éclatent sur la Côte des Bar ainsi qu'au sud et à l'ouest de Reims. Aux premiers jours de juillet, des orages et parfois de la grêle au nord du massif de Saint-Thierry jusqu'à la rive gauche de la vallée de la Marne. On dénombre les dégâts sur 2 400 ha et 35 communes : cela représente plus de 600 ha détruits à 100 % sur 32 400 ha en production.

Juin assez chaud, juillet caniculaire, août frais et humide. Le thermomètre est inférieur de 2 à 3 °C aux valeurs moyennes. Et sans fin, de la pluie : sur ce seul mois d'août, de deux à trois fois les précipitations normales. Si septembre est satisfaisant, assez sec et plutôt ensoleillé, la pluviométrie très variable de l'été, selon les vignobles, a établi de fortes différences de maturation. Jamais la Champagne n'a connu un tel étalement des vendanges, du 6 septembre dans les vignobles les plus hâtifs (chardonnay du Sézannais) jusqu'au 25 septembre et jours suivants là où le raisin est le plus tardif (pinot noir de la vallée de la Marne et de la Montagne de Reims). Le rendement moyen atteint 12 980 kg/ha. La richesse en sucres ne pose pas problème avec 10,2 % vol. en moyenne et l'acidité moyenne de 7 H_2SO_4g/l est tendre, mais suffisante.

Avantage au pinot noir

Si le pinot meunier (33 % de l'encépagement) est fruité, souple et relativement faible, et si le chardonnay (28 %) est en retrait, le pinot noir (39 %) prend l'avantage particulièrement dans les dernières foulées. Bollinger millésimera ainsi un rosé. Les vins 2006 sont dans l'ensemble de bonne à très bonne maturité. La récolte est de 1 307 000 pièces champenoises de 205 litres, c'est-à-dire supérieure à la précédente (1 287 000 pièces). Une très grande année ? Non, mais très honorable.

Le vent en poupe

Les expéditions s'élèvent à 321 666 120 cols en 2006, contre 307 millions en 2005. Le champagne ignore la crise. Les maisons de Champagne progressent : de 207 à 217 millions de cols d'une année sur l'autre. Coopératives et récoltants passent de 100 à 104 millions de cols. La France représente 56,3 % du marché en 2006 (58 % en 2005), récoltants et coopératives voyant légèrement augmenter leur part de marché (47,2 %). À l'export, les maisons continuent de se tailler la part du lion : 86,8 % des ventes, mais avec une légère diminution au profit des coopératives et des récoltants (87,5 % en 2005). La Grande-Bretagne reste en tête avec près de 37 millions de cols, résultat un peu supérieur à 2005. Les États-Unis (de 20,6 millions à 23,2 millions de cols) progressent. Viennent ensuite l'Allemagne (de 11,9 à 12,3 millions de cols), la Belgique (stable), l'Italie (en progression), le Japon (de 5,9 à 8 millions de cols), la Suisse, les Pays-Bas, l'Espagne et l'Australie.

Brèves du vignoble

Yves Bénard (LVMH), président de l'Union des maisons de Champagne, est nommé président du comité vins de l'INAO. Il est remplacé, à la tête de l'Union, par Ghislain de Montgolfier (Bollinger).

Propriétaire récent de Perrier Jouët, Patrick Ricard annonce le champagne le plus cher du monde, à 1 000 € la bouteille (cuvée spéciale Belle Époque). Après le Dom Pérignon 1998, Karl Lagerfeld renouvelle sa collaboration avec LVMH pour le lancement du Dom Pérignon rosé 1996. La bouteille de Moët sertie de cristaux de Swarovski atteint des prix spectaculaires.

Le groupe Vranken (Pommery, etc.) gérant la distribution de Listel (2 000 ha) prend le contrôle de ces vignobles méditerranéens.

Le vignoble champenois est une terre de mission pour le bio : seulement 23 domaines pour 220 ha. Certes en progression de 10 %, mais très rares sont les maisons (Duval-Leroy notamment) à s'y intéresser.

QUOI DE NEUF DANS LE JURA ?

Malgré des conditions climatiques difficiles, la récolte 2006 est sauvée. Les résultats paraissent meilleurs en blanc qu'en rouge, homogènes dans leur réussite. Dans les deux couleurs, les vins possèdent de bonnes vertus de garde.

Météo contrastée, qualité préservée

Après une floraison normale, les vignes ont affronté des périodes de chaleur qui alternaient avec des épisodes maussades. En août, on s'attendait alors au pire quand le soleil a fait sa réapparition en septembre, permettant aux raisins d'atteindre une maturité satisfaisante. Il a fallu cependant vendanger en hâte car la situation s'est à nouveau dégradée le 23 septembre, provoquant le développement de la pourriture. En 2006, la qualité est souvent liée à la date de la vendange, au tri et à la maîtrise des rendements. Les efforts des viticulteurs bio (18 en 2005 sur 139 ha certifiés ou en conversion) sont en général reconnus. Le bon équilibre sucre-acidité donne aux blancs une finesse appréciable. Des vins de garde portés par leur acidité. Les disparités apparaissent plus importantes en rouge. Friand et fruité, légèrement épicé, le poulsard sera à boire assez jeune et donne d'agréables rosés. Plus structuré, le trousseau est moins coloré qu'en 2005, mais on pourra le conserver quelques années. Le pinot est souple, agréable et destiné à une consommation rapide. Si la qualité est préservée, les volumes diminuent.

Un marché national

Le marché des vins du Jura reste français, l'export représentant 2,4 % seulement en volume durant la campagne 2005-2006. Mais les ventes progressent de 3 % en volume (77 500 hl). Le crémant a le vent en poupe : +12 %. Les spécialités sont dynamiques mais confidentielles : macvin-du-jura (+ 9 %, plus de 3 100 hl mais 4 % des sorties) ; vin de paille, (+ 3 %, 1 % de la production). Si les blancs se redressent après une tendance à la baisse, les volumes des rouges sont en diminution depuis 2002 : - 6 % pour l'arbois rouge (17 048 hl) tandis que l'arbois blanc augmente de près de 9 % (12 277 hl) et les côtes-du-jura blanc de 4,7 % (14 533 hl). Production phare, le vin jaune est globalement stable. Les ventes en arbois approchent les 1 000 hl, en côtes-du-jura, 750 hl ; pour l'étoile, la diminution est sensible (près de 40 %) sur un très faible volume. Château-chalon a produit 610 hl (- 3,5 %).

Brève du vignoble
La Percée du vin jaune est devenue un événement majeur qui attire 50 000 visiteurs. Elle est accueillie chaque année par un nouveau site ; l'édition des 2 et 3 février 2008 se tiendra dans les villages de Vincelles et de Sainte-Agnès, au sud de Lons-le-Saunier dans l'AOC côtes-du-jura : vente aux enchères de vieux millésimes, cuisine comtoise et atmosphère chaleureuse. On découvrira alors les secrets bien gardés du millésime 2002 en château-chalon.

QUOI DE NEUF EN SAVOIE ?

Le millésime 2006 ? Une année difficile... Août n'a guère fait le moût, tant il faisait maussade. Par bonheur, septembre chaud et sec a pansé quelques plaies, mais le retour des pluies a gêné la récolte des cépages tardifs. Il a fallu trier rigoureusement les raisins.

Un millésime finalement honorable
Une météo contrastée comme partout en 2006 entraîne mildiou et pourriture grise en fin de saison avec des pluies d'orage. Dans la Combe de Savoie, la grêle, fin juin, avait déjà fragilisé les vignes. Les bans des vendanges ont été proclamés entre le 7 septembre (chardonnay, pinot) et le 30 septembre pour les secteurs tardifs parfois victimes de vendanges humides (jacquère). Les vinifications ont été complexes. Cependant, la richesse en sucre et les acidités sont dans l'ensemble correctes. Le talent des hommes fait le reste ! Les blancs gardent leur fraîcheur traditionnelle, les rouges ont de la charpente et des tanins fondus. Un millésime qui revient de loin.

Une production maîtrisée, un marché difficile
La récolte (132 000 hl) reste dans la moyenne des cinq dernières années. Les surfaces déclarées sont stables (un peu moins de 2 200 ha, dont 70 % de cépages blancs). Si 75 % des vins produits sont commercialisés dans la région, ils subissent la concurrence qui pratique des cours très bas ; or le prix de revient d'un vin produit en montagne est 30 % plus élevé que celui qui naît en plaine.
Certes le tourisme et les sports de montagne constituent le principal socle commercial de ces vins, l'export ne représentant aujourd'hui que 1 à 2 % de la production, essentiellement vers le Nord de l'Europe. Encore faut-il défendre ses appellations et ses cépages originaux. Une Maison des vins de Savoie ouvrira ses portes à Apremont au début de l'année 2008.

Brève du vignoble
Terre de mission pour le bio, la Savoie a mis à disposition du Groupe de recherche en agriculture biologique d'Avignon une parcelle sur laquelle sont expérimentées des alternatives à l'utilisation de la bouillie bordelaise.

QUOI DE NEUF EN LANGUEDOC-ROUSSILLON ?

Grâce à des conditions climatiques clémentes, l'année 2006 a produit d'excellents vins. Mais la qualité du millésime a eu peu d'impact sur la crise qui n'en finit pas de sévir dans la région. En 2007, cent ans après la révolte des vignerons du Midi, 10 000 ha de vignes vont encore disparaître. Regroupements et fusions s'accélèrent. Les producteurs d'appellation font cause commune en lançant l'AOC régionale Languedoc. Autre motif d'espoir, l'intérêt persistant des investisseurs étrangers.

Des raisins exceptionnellement sains

Un hiver froid et pluvieux qui a permis de reconstituer les réserves hydriques du sol. Un printemps plutôt doux : dès le mois d'avril, sous l'effet de températures élevées, le cycle de la vigne s'est accéléré. Juillet caniculaire, suivi d'un mois d'août parmi les plus frais de ces dix dernières années – une fraîcheur qui a permis de constituer un bon potentiel aromatique en blanc comme en rouge, des tanins fins et de la couleur pour les vins rouges. Le retour de la chaleur en septembre a offert des conditions de vendanges idéales avec des maturités optimales. L'état sanitaire des raisins était exceptionnel.

Les blancs, dont la production est en légère baisse, sont aromatiques, fruités et floraux, souvent riches en alcool et équilibrés par une élégante acidité.

De couleur très soutenue, les rouges sont marqués par une belle concentration en arômes. Riches et puissants, ils n'en présentent pas moins une acidité relativement élevée qui laisse présager une bonne garde. Le volume de récolte est quasiment identique à celui de l'année dernière : 13,9 Mhl dont 2,6 Mhl en AOC.

Toujours la crise

Malgré tous les efforts de restructuration du vignoble et d'investissements en cave, le Languedoc-Roussillon n'en finit pas de subir la crise : certes, le volume des transactions sur le début de la campagne est reparti à la hausse pour les AOC (+ 7,4 %) et les vins de pays (+ 25 %), mais les cours, qui avaient déjà chuté l'an dernier continuent à baisser pour les vins de pays (- 6 à - 9 % pour les rouges, - 2 à - 5 % pour les blancs). Les prix des AOC se sont stabilisés mais à des niveaux très bas. Les exploitations restent dans une situation financière très fragile. Le découragement gagne, comme en témoignent les demandes d'arrachage : encore près de 10 000 ha de vigne vont disparaître cette année et l'inquiétude est grande de voir le rythme s'accélérer avec la nouvelle réforme de l'OCM qui veut encourager le mouvement pour éliminer les vignes les moins rentables en Europe. La menace de la friche n'inquiète pas seulement les responsables professionnels viticoles, mais aussi les collectivités locales et les professionnels du tourisme, préoccupés par les dégâts sur l'environnement, les paysages et leur impact sur le développement touristique.

L'heure des fusions
Face à ce climat morose, l'heure est aux regroupements et aux fusions. Le mouvement était déjà bien engagé au sein des caves coopératives, très affectées par la perte du potentiel de production. Au cours des sept dernières années, 67 coopératives ont disparu, ramenant à 293 le nombre total de caves coopératives dans la région. Le rythme s'est accéléré ces derniers temps avec des fusions emblématiques, témoin la création des Terroirs de la voie domitienne, union de 7 coopératives héraultaises, qui a investi 10,5 millions d'euros dans un centre de vinification ultramoderne à Cournonsec, digne des *wineries* du Nouveau Monde. En Roussillon, la cave de Rivesaltes, qui a récemment fusionné avec celle de Salses, fait le même pari sur l'avenir en investissant 10 millions d'euros dans un nouveau site où seront concentrées toutes ses installations de vinification, de stockage et de conditionnement. Les quatre fédérations de caves coopératives de la région ont elles aussi opté pour la fusion. Cette démarche a gagné les interprofessions régionales, qui avaient fait un premier pas l'an dernier en se fédérant sous la bannière Sud de France. La prochaine étape, en janvier 2008, sera la fusion avec pour enjeu un colossal renforcement des actions de promotion et de communication. Grâce à la mise en commun de leurs moyens financiers et au soutien du Conseil régional, les vins du Languedoc-Roussillon vont bénéficier d'un budget de 15 millions d'euros pour asseoir leur notoriété en France comme à l'export.

Appellation régionale languedoc
La nouveauté de l'année. L'AOC régionale languedoc a été officialisée par décret le 3 mai 2007. Selon Jean-Benoît Cavalier, président des coteaux-du-languedoc, cette appellation qui peut être produite dans toutes les aires d'AOC du Languedoc et du Roussillon « doit être la référence tant en termes de notoriété que de qualité. Ce sera la base de notre offre pyramidale. Elle permettra de disposer de volumes suffisants pour attaquer le cœur de gamme du marché (3 à 5 € la bouteille) ». La nouvelle appellation languedoc peut compter sur l'appui des Catalans, acteurs de cette réalisation régionale sous la houlette de B. de Roquette Buisse. Au-dessus se positionneront les AOC sous-régionales : corbières, minervois, côtes-du-roussillon... Le sommet de la pyramide sera constitué par les appellations communales. Par ailleurs, les côtes-de-la-malepère, sous le nom de malepère, accèdent à l'AOC, et Pézenas devient une nouvelle dénomination des coteaux-du-languedoc.

Brèves du vignoble
L'année a également été marquée par quelques belles réussites individuelles. Du côté du négoce notamment. Ainsi, les Domaines Paul Mas qui avec leur vin de pays d'Oc Arrogant Frog font un malheur en Australie. En début d'année, la société a acquis le domaine des Tannes – 35 ha à Montagnac convertis à l'agriculture biologique. Le même appétit de conquête anime l'Audois Gérard Bertrand qui, déjà propriétaire de quatre domaines dans quatre terroirs de la région, investit à Limoux avec le rachat du domaine de l'Aigle et devient l'opérateur principal de la dénomination côtes-du-roussillon-villages-Tautavel. Enfin Jeanjean reprend la maison bordelaise Moueix-Lebègue et finalise son implantation dans le Grand Sud. Autre signe encourageant : les investisseurs étrangers continuent à acquérir vignes et bâtisses : 70 domaines viticoles du Languedoc-Roussillon sont aujourd'hui entre les mains de vignerons étrangers, dont une grande majorité de Britanniques. Un atout non négligeable pour développer la notoriété des terroirs languedociens outre-Manche.

QUOI DE NEUF EN PROVENCE ?

Toujours aussi rose, la Provence est passée au travers du rouge grâce au bon accueil du rosé, tant en France qu'à l'international, mais également grâce à l'effort de tous pour une meilleure gestion des mises en marché.

Persistance de la sécheresse
Dans la lignée des millésimes précédents, la campagne 2005-2006 a été marquée par un hiver peu rigoureux et peu arrosé. Les réserves en eau n'étaient donc pas reconstituées dans les sols avant la désormais traditionnelle période de sécheresse qui a sévi dès le printemps. Même si l'été n'a pas connu d'épisodes caniculaires, cette situation a entraîné des baisses de récolte et a marqué les vins par des accents de surmaturation perceptibles dans la complexité aromatique des vins rosés. Les vins rouges ont profité de ces conditions de maturation lorsque

la vigne n'a pas atteint le stade de blocage dû au stress hydrique. Une fois de plus se pose la question de l'irrigation et du mode de conduite du vignoble.

2006, la relance !

De qualité, avec un volume légèrement en baisse pour l'ensemble des appellations – significativement pour les côtes-de-provence – cette récolte 2006 confirme la forte orientation vers la production de vins rosés, tant en bandol qu'en palette ou bellet.

Surfant sur la vague rose, la Provence ne ménage pas ses efforts pour rester en tête de ce marché. De nombreux investissements ont permis d'augmenter le niveau qualitatif, tant en cave (cuverie, pressoir, maîtrise du froid) que dans la vigne (maîtrise de la charge, travail du sol, soin apporté à la récolte – vendange matinale, rentrée la plus fraîche possible ou refroidie dès son arrivée au chai).

Des mesures drastiques ont été mises en place pour mieux gérer les mises en marché. De multiples outils ont été mis en œuvre : destruction de stocks, notamment au sein des coteaux-varois-en-provence et des coteaux-d'aix-en-provence, limitation des rendements revendiqués allant même jusqu'à l'abaissement du rendement de base inscrit dans le décret d'appellation pour les bandol, maîtrise de la libération des vins par des blocages interprofessionnels imposés pour les appellations côtes-de-provence et coteaux-varois-en-provence. Ces décisions ont permis à la Provence de sortir du rouge en répondant à de fortes demandes avec des prix en progression ou, au pire, stabilisés.

Le paysage viticole provençal

L'urbanisation croissante de la région et son développement économique remettent souvent en question les Plans Locaux d'Urbanisme, menaçant le paysage viticole. Aujourd'hui, s'ajoutent des inquiétudes quant au tracé de la future ligne à grande vitesse qui doit traverser le région. La Provence n'en demeure pas moins attractive pour de nombreux investisseurs qui voient dans la région un formidable outil de développement. On ne vient plus seulement en Provence pour profiter de son charme, mais aussi pour en vivre et participer à son économie florissante.

QUOI DE NEUF EN CORSE ?

Un millésime 2006 perturbé par de fortes pluies à mi-vendange, sans grand dommage heureusement. Cette même année voit la mise en place d'un plan de relance de la viticulture afin de s'éloigner durablement de la crise viticole. Une réflexion est menée sur les terroirs et sur le préoccupant problème de la sécheresse.

Orageux

Les vendanges 2006 ont débuté dans la quiétude, vers le 20 août. La campagne viticole 2006 s'annonçait sans histoires : de bonnes conditions climatiques, une maturité plus tardive qu'à l'accoutumée, une récolte correcte en quantité, riche en qualité. Or le 14 septembre, à mi-vendange, en quelques heures, les précipitations, entre 250 et 450 mm, ont représenté plus du tiers de ce que reçoit l'île en une année. La côte orientale a été particulièrement meurtrie par cet orage. Sur certaines parcelles, les raisins prêts à la vendange se sont retrouvés noyés sous un torrent de boue. Les blancs, les rosés et les muscats étaient heureusement déjà en cave. Le ciel s'est ensuite montré clément, permettant aux vignerons d'attendre le moment opportun pour vendanger en rouge les nielluciu, sciaccarellu et syrah qui avaient résisté. Finalement, le millésime est de qualité, mais on a eu très peur. Seule ombre au tableau, la production de rosé ne sera pas suffisante pour répondre à la demande, confortée à la hausse comme dans tout le bassin méditerranéen.

Une viticulture insulaire soutenue

La viticulture corse bénéficie depuis 2006 d'un plan de relance exceptionnel sur trois ans pour accompagner la filière dans la promotion et l'export. Une campagne de communication, en France et en Europe, devrait favoriser la vente à la propriété. La crise est en passe d'être surmontée ; les producteurs ont un atout majeur : l'originalité de leurs cuvées.

Enquête sur le terroir

La profession a souhaité en 2004 que le Comité national de l'INAO examine sa situation au regard de la délimitation réalisée dans les années 1980, alors que des arrachages massifs ont mité certaines aires. Le secteur des caves particulières s'étant considérablement développé par la reprise ou le rachat d'exploitations, tandis que le secteur coopératif subissait une diminution notable de ses superficies et de ses apporteurs, il était urgent de vérifier que les terroirs déclassés pour des raisons économiques pourraient réintégrer la délimitation en AOC.

Plus de 60 demandes ayant été formulées, une commission d'enquête a été nommée en 2005 et les premiers travaux d'étude ont débuté fin 2006. Par ailleurs la réforme de l'INAO et de la nouvelle organisation des signes de qualité a incité les syndicats viticoles d'AOC corses à se fédérer au sein d'un seul organisme de gestion. Ce dernier travaille à la mise en place des plans de contrôles qui seront opérationnels en juin 2008.

La sécheresse récurrente

Depuis une dizaine d'années, la sécheresse touche la Corse comme bien d'autres régions françaises. Désormais chronique, elle affecte essentiellement le vignoble de Balagne et l'extrême-sud de l'île. Le recours à l'irrigation dans certaines situations qui mettent en péril la pérennité de la vigne s'avère de plus en plus urgent.

QUOI DE NEUF DANS LE SUD-OUEST ?

À l'instar du Bordelais, le millésime 2006 a été moins favorisé par la météo que le précédent mais globalement, la qualité est au rendez-vous. Les ventes restent difficiles, notamment sur les marchés du vrac. La nouveauté de l'année : l'avènement dans la région (Gironde incluse) des vins de pays de l'Atlantique.

Un millésime sans influence sur les ventes

Aujourd'hui, la qualité intrinsèque d'un millésime influe peu sur les débouchés commerciaux d'un vignoble. Il est vrai que désormais les progrès techniques et l'excellente formation des professionnels ont permis une amélioration de la qualité et de la régularité, quel que soit le millésime. 2005 a bénéficié de très bonnes conditions climatiques et tous ses vins sont de belle tenue. Le millésime suivant, chahuté par un mois d'août frais et des pluies en septembre, n'en est pas moins une réussite. Les rouges ont de belles couleurs en Marmandais, les blancs secs et les liquoreux sont aromatiques en Bergeracois et les rosés sont souvent gouleyants et flatteurs. Pourtant, les marchés n'ont été porteurs ni avec les 2005 ni avec les 2006. Tout le Sud-Ouest souffre. Et ce même si des stratégies de reconquête mûrissent, comme à Buzet où la cave se montre offensive ou à Cahors qui mise à nouveau sur le malbec, cépage local.

Les difficultés de Bergerac

« Sur des marchés spécifiques, certains s'en sortent mais globalement la situation reste préoccupante. Sur les deux dernières campagnes, nous avons perdu 17 % du chiffre d'affaires sur le vrac qui représente plus des deux tiers de l'activité du vignoble », indiquait le négociant Patrick Montfort en prenant la présidence tournante de l'interprofession, le 26 juin 2007. La campagne 2005-2006 s'était soldée par 540 000 hl vendus, un total en recul. Et sur les neuf premiers mois de la campagne 2006-2007 (à fin avril), la tendance ne s'améliorait pas, notamment pour les blancs secs. Ainsi malgré une récolte 2006 faible, de 554 000 hl (- 5 % par rapport 2005), les stocks s'alourdissent.

Les raisons de cette situation sont connues. Bergerac, essentiellement présent dans l'Hexagone et trop peu à l'export, ne dispose pas d'un négoce local et est parfois, pour le vrac, une variable d'ajustement des metteurs en marché du grand voisin bordelais. Pour tenter d'y remédier, plusieurs coopératives se sont réunies, formant Bergerac Vins, pour concentrer l'offre et peser sur les prix lors des négociations. Comme on a pu le constater lors de Vinexpo, les producteurs bataillant au centime près savent qu'aucun écart ne leur sera pardonné ; aussi trouve-t-on en Périgord, pour quelques euros, la bouteille au superbe rapport qualité-prix recherchée par le consommateur. Que ce soit en bergerac, en pécharmant, en montravel ou dans les AOC de liquoreux.

Sachez aussi que le jeune œnologue Florent Girou, enfant de Bergerac, a réalisé un très beau documentaire, *Les Voix du terroir*, recensant les diverses acceptions du mot « terroir » à travers le monde.

Traitement de cheval en Lot-et-Garonne

Dans le département voisin du Lot-et-Garonne, les côtes-du-marmandais et les côtes-de-duras (près de 4 000 ha à elles deux) ont assaini leur marché grâce à un traitement de cheval. En Marmandais, la cave coopérative (95 % des surfaces d'une AOC comptant aussi une dizaine de caves particulières) aura arraché près de 500 ha en trois campagnes. Une saignée record en Aquitaine, à laquelle il faut ajouter l'équivalent de deux tiers d'une récolte distillée sur trois campagnes. Chez les voisins de Duras, arrachage et distillation furent aussi nécessaires : une centaine d'hectares en moins et près d'un quart d'une récolte envoyée à la chaudière. Cette AOC fête son 70e anniversaire.

Enfin, à Buzet, autre vignoble du département, la cave coopérative, totalisant 96 % des 2 000 ha du vignoble, est revenue à l'équilibre en 2006 après avoir distillé l'équivalent d'un tiers d'une récolte (35 000 hl en deux campagnes) et arraché 70 ha dans les terroirs les moins bons grâce notamment à une surprime proposée par la cave elle-même pour abonder les subventions européennes. Elle part à la reconquête des marchés, notamment à l'export (seulement 15 % des ventes). Pendant Vinexpo, les Vignerons de Buzet ont annoncé un accord stratégique avec les Celliers des Dauphins (vallée du Rhône), Jaillance (effervescents) et Wolfberger (Alsace), trois autres groupes coopératifs, et ce pour une force de vente partagée en France (18 vendeurs et chefs de secteurs).

Vin de pays de l'Atlantique

Cette catégorie est l'une des grandes nouveautés de l'année. Sur une zone géographique comptant cinq départements (les deux Charentes, la Dordogne, la Gironde et une partie du Lot-et-Garonne), 40 000 hl ont été élaborés pour cette Année Un, et ce dans les trois couleurs (des rouges pour les deux tiers). Cette nouveauté s'inscrit dans le cadre de la politique des bassins de production élargis. Ces VDP ont des rendements plus élevés (85 hl/ha pour les rouges et les rosés, 90 hl/ha pour les blancs) et peuvent utiliser des copeaux. Les cépages sont mis en avant sur les étiquettes de ces vins fruités et à boire jeunes, le plus souvent à moins de 4 € la bouteille.

Du mieux à Cahors et Gaillac

Avec une récolte moyenne à hauteur de 183 000 hl, l'année 2006 se présentait à Cahors sous de meilleurs auspices. La campagne 2005-2006 avait connu une forte hémorragie des ventes ; celle-ci a été stoppée : 156 000 hl ont été écoulés. Mais les cours du vrac s'effritent toujours à 70 €/hl. Comme partout, on tente ici de regrouper l'offre de vrac et de muscler la promotion autour des spécificités locales, en l'occurrence le cépage rouge malbec, très planté en Argentine.

Même tendance à Gaillac : les ventes repartent légèrement mais les cours du vrac continuent de baisser : 75 à 80 €/hl. Il a fallu distiller pour tenter de rééquilibrer offre et demande. La récolte 2006 est à 187 000 hl. À côté de Toulouse, le petit vignoble de Fronton (récolte 2006 à 89 000 hl) s'en sort un peu mieux grâce aux ventes en bouteilles.

Grêle et santé à Madiran

Alors que son voisin de Jurançon s'en sort grâce au tourisme, le Madiranais a connu un coup dur en juin avec une centaine d'hectares grêlés – dommage qui a aussi touché les voisins gersois de Saint-Mont. Si la récolte 2006 est dans la moyenne (66 000 hl) et que 8 000 hl ont été ici aussi distillés, l'année a été marquée par la publication d'une étude scientifique dans la revue *Nature*. Elle relève les bienfaits des vins de Madiran pour la santé grâce aux caractéristiques du cépage tannat. Colloques, communications : les professionnels se sont évertués à le faire savoir.

QUOI DE NEUF DANS LA VALLÉE DE LA LOIRE ?

Marqué par des précipitations importantes à partir de la mi-septembre, 2006 n'est guère une année faste pour les liquoreux à base de chenin. Économiquement, la vallée de la Loire connaît de belles réussites et progresse à l'export, tant en volume qu'en valeur. Les tendances des années précédentes se confirment : ce sont les rosés et les effervescents qui tirent les chiffres vers le haut, tandis que les rouges et les blancs secs sont souvent à la peine, sauf dans quelques appellations réputées, et que les vins moelleux connaissent des résultats inégaux, malgré l'excellence des productions phares.

DANS LA RÉGION NANTAISE

L'année 2006 est à nouveau atypique. Après un hiver long et froid, les premiers bourgeons sont sortis environ 14 jours plus tard qu'en 2005, le débourrement moyen se situant au 21 avril. Un printemps en dents de scie : avril assez doux et sec, mai et juin secs et chauds avec des épisodes caniculaires (33 °C le 13 juin à Vallet). Les températures de juin supérieures à la normale de 2 à 3 degrés et l'ensoleillement généreux ont accéléré le cycle végétatif et entraîné une floraison précoce, autour du 10 juin.

Un millésime délicat

L'été a été très contrasté : juillet, caniculaire et orageux (moyenne des températures supérieure de 3 à 5 °C à la normale, proche d'août 2003), a été suivi d'un mois d'août frais et humide. Néanmoins, la maturité des raisins s'est déroulée dans de bonnes conditions. Le ban des vendanges a été proclamé le 6 septembre, soit 4 jours après celui du millésime 2005.

Les rendements sont identiques à ceux de 2005 (58 hl/ha) car les débourbages ont dû être sévères en raison de conditions climatiques défavorables en fin de vendange. Les superficies revendiquées en muscadet sont de l'ordre de 12 000 ha pour un volume d'environ 701 000 hl. 500 ha ont été arrachés.

Les précipitations de septembre (proches du double de la normale à la fin du mois) n'ont pas permis d'obtenir les concentrations en sucre des années précédentes. Les vignes dont la vigueur a été maîtrisée ont fourni des raisins de bonne qualité chaque fois que les vignerons ont vendangé rapidement. Souples et équilibrés, les vins blancs sont aromatiques et d'une agréable fraîcheur ; les vins rouges, colorés et amples, seront à boire dans leur jeunesse.

L'assainissement du marché

Au cours des dernières campagnes, le volume commercialisé en muscadet s'est stabilisé autour de 650 000 hl. La campagne 2005-2006 marque un regain (715 000 hl). Néanmoins, depuis 2002, le déséquilibre entre l'offre et la demande a conduit à une augmentation des stocks qui pèse sur le marché et qui s'accompagne d'une diminution des cours à la production, tout particulièrement en AOC sous-régionales sans mention « sur lie ».

En gros-plant du pays nantais (99 846 hl), la demande a été assez soutenue car les superficies revendiquées, de l'ordre de 1 400 ha, ne cessent de fléchir depuis une dizaine d'années.

Comme ailleurs, les professionnels tentent de maîtriser la production par un programme d'arrachage financé par les fonds européens ; cette première mesure devrait permettre une réduction de 3 000 ha des superficies plantées.

Deux autres mesures ont été initiées par les professionnels : une nouvelle hiérarchisation des AOC muscadet et gros-plant, et une redélimitation afin de favoriser un recentrage qualitatif sur les terroirs les plus aptes à permettre l'expression de la typicité des vins de muscadet.

Trois niveaux d'appellation sont retenus pour le muscadet : une vaste base AOC muscadet, un noyau central combinant les AOC régionales et sur lie, et un muscadet haut de gamme. Cinq critères discriminants ont été retenus : sélection des parcelles par une nouvelle délimitation, l'âge d'entrée en production des vignes, la maîtrise des rendements, la conduite de la vigne et la maturité de la récolte, enfin la durée minimale d'élevage sur lie avant conditionnement.
La redélimitation de la zone de production du muscadet et du gros-plant sur les secteurs de sèvre-et-maine et coteaux-de-la-loire contribuera également à une réorganisation qualitative entre les deux niveaux hiérarchiques des appellations du muscadet : AOC régionale et AOC sous-régionale.
Dans la région Sèvre-et-Maine, des projets de délimitation sont prêts sur 9 communes, totalisant près des deux tiers des surfaces plantées en melon et en folle blanche. Les projets de délimitation des coteaux-de-la-loire ont été établis sur 15 des 24 communes de l'aire géographique.

En Anjou-Saumur

Le début de saison assez humide (88 mm en mars contre une moyenne de 51 mm ces cinquante dernières années) a permis de combler le déficit hydrique. Avril est redevenu sec (17 mm contre 48 mm), avec des niveaux de température proches de la moyenne. Le débourrement, entre le 5 et le 13 avril, a marqué un retard de 10 jours sur les millésimes précédents tout en étant dans la norme des vingt dernières années.
Insolation faible en mai (seulement 169 heures contre 208 en moyenne), puis le soleil s'est montré plus généreux en juin et juillet, avec des températures assez élevées (23,8 °C en moyenne contre 19,2 °C sur les cinquante dernières années). Floraison précoce, entre le 9 et le 13 juin, pour l'ensemble des cépages, sous un climat quasi idéal. Mais une sécheresse non observée depuis des décennies a perturbé le grossissement des baies : les volumes récoltés ont donc été faibles.
En août, températures et pluviométrie normales avec une durée d'insolation assez basse, comparable à celle de 2004. Véraison vers le 15 août, dans la moyenne des derniers millésimes. Les vendanges se sont donc déroulées tôt, dès le 7 septembre pour les cépages les plus précoces (chardonnay et sauvignon), comme en 2005. Mais à partir du 20 septembre, en quelques jours, la pluviométrie a atteint 136 mm alors qu'elle n'est que de 53 mm en moyenne sur les cinquante dernières années. Le très bon potentiel observé en début de mois a été préservé sur les vendanges précoces. Pour les autres, et particulièrement pour les liquoreux récoltés en octobre, le travail des vignerons et la situation des parcelles (en coteaux, ventées ou non...) ont été déterminants.

Très bonne tenue du marché

La situation d'ensemble est favorable, comme l'illustre l'augmentation des ventes à l'export (+ 10 %) et dans la grande distribution (+ 2 %) par le négoce. Les exportations globales des vins d'Anjou-Saumur progressent (excepté vers le Royaume-Uni ; la Belgique est désormais le premier marché à l'export). Cette tendance s'explique à la fois par l'essor des rosés et des vins à fines bulles alors que les vins rouges et blancs rencontrent des difficultés. Pour la sixième année consécutive, les sorties de chais des vins rosés montrent une évolution positive (+ 5,3 %). La production représente environ 500 000 hl, soit plus de la moitié des volumes produits dans le vignoble d'Anjou-Saumur. Le cabernet-d'anjou connaît à nouveau une augmentation (14 %) : les cours sont stables, les stocks quasi inexistants. Le rosé-d'anjou, avec 150 000 hl, se maintient à la deuxième place des appellations d'Anjou et de Saumur. Son marché est globalement stable depuis une dizaine d'années même si les ventes diminuent sur le marché traditionnel du Royaume-Uni. Enfin le rosé-de-loire (environ 50 000 hl) reste une petite appellation dont les cours s'effritent légèrement.

Le succès des fines bulles

En doublant ses volumes en deux ans, le crémant-de-loire dope le marché des vins à fines bulles de Loire : + 12 % en grande distribution et un bond de 48 % à l'export, avec plus de 3,2 millions de cols vendus (triplement des volume en moins de quatre ans).
L'appellation saumur reste la principale appellation d'effervescents du vignoble. Les sorties de chai sont stables, les cours en légère augmentation, avec une très grande pénétration dans la grande distribution qui commercialise plus de la moitié des volumes.

Les vins rouges à la peine

Les sorties de chais des vins rouges se replient légèrement pour la cinquième année consécutive. La vente directe, qui est leur principal mode de commercialisation, diminue et les achats du négoce restent stables. Les cours du vrac baissent sensiblement pour toutes les appellations, à l'exception de l'AOC saumur-champigny qui maintient sa position.

Le syndicat des vins d'Anjou souhaite qu'un décret permette l'introduction en assemblage d'un cépage local, le grolleau, qui arrive à maturité à des degrés naturels plus faibles que ceux des cabernet franc et cabernet-sauvignon afin d'élaborer des vins plus légers et friands. Sortie prévue pour 2008.

Résultats contrastés en blanc

Les appellations de vins secs ne progressent pas malgré l'énorme potentiel du cépage chenin. Le succès de ce type réside dans la production de vins à forte expression, comme le montre le succès de certaines exploitations ou d'appellations comme savennières.

Les appellations de vins liquoreux sont stables, avec des cours qui restent néanmoins très faibles. Là aussi, les appellations de renom et les vignerons reconnus tirent leur épingle du jeu grâce à des vins haut de gamme, mais la situation d'ensemble est assez difficile. Et ce ne sont pas les oppositions fratricides, que l'on observe depuis les années 1950, qui bénéficieront à l'ensemble : l'appellation chaume-cru-des-coteaux-du-layon a été annulée en juillet 2005 par le Conseil d'État après un recours déposé par un des deux syndicats représentant l'AOC quarts-de-chaume. L'AOC chaume reconnue en février 2007 est à nouveau attaquée...

En Touraine

Les conditions météorologiques printanières avaient permis d'atteindre la pleine floraison à une date située dans la moyenne des 25 dernières années. Ce sont les températures et l'ensoleillement exceptionnellement élevés de juillet qui ont accéléré le cycle physiologique. Le mois d'août a plutôt favorisé l'évolution de la maturation. Le 4 septembre, les vendangeurs auraient dû prendre le chemin des vignes car les degrés s'annonçaient flatteurs, mais la maturité physiologique était à peine atteinte. On avait de bonnes richesses en sucre mais des tanins guère évolués. Était-ce une conséquence du réchauffement climatique ? C'était un cas de figure peu habituel. On a laissé les raisins sur le cep.

Dégradation à la mi-septembre

La récolte a commencé le 13 pour les sauvignons, premiers comme à l'habitude. Ce fut la surprise. Les vins se sont révélés riches, avec un bouquet délicat, sans la lourdeur que montre parfois ce cépage en été chaud, et en prime avec une vivacité inattendue. Les gamays ont suivi, amples, bien mûrs. Pinot noir et chardonnay, les derniers ramassés, sont denses et élégants.

L'appellation touraine s'en sort bien

Les chinon et bourgueil reviennent de loin. Les vendanges ont été menées à bien rapidement dès la deuxième quinzaine de septembre.

Aujourd'hui le millésime, plus qu'honorable, est assez proche du 2005, mais avec un caractère de garde moins affirmé. La matière, riche sans lourdeur, révèle un fruit surprenant. 2006 possède un caractère facile et une palette aromatique étendue.

Pour les vouvray et montlouis, tous les espoirs étaient permis début septembre. Autour du 14, les prélèvements étaient à l'image du millésime 2005. Mais les orages se sont succédé jusqu'à la fin du mois : il n'était plus possible d'espérer une surmaturation du chenin ; la pourriture grise était à l'affût. La récolte s'est faite rapidement en deux semaines et a donné de très beaux vins secs, voire demi-secs, dotés d'une structure plaisante, ronde et typée. Les réserves de vins de base ont été reconstituées. Dans les appellations périphériques coteaux-du-vendômois, valençay, cheverny, jasnières et coteaux-du-loir, l'alerte a été chaude mais les résultats sont très satisfaisants.

Récolte en nette régression

Les volumes vendangés en Touraine, toutes appellations confondues, frôlent les 600 000 hl soit une régression de plus de 13 %. Les rouges accusent une chute de production de près de 18 %. Les blancs s'en sortent mieux (- 11 %). Les vins de la Sarthe, jasnières et coteaux-du-loir, sont logés à la même enseigne (- 15 %). Mais là aussi il s'agit d'un retour à une récolte normale. Dans les appellations périphériques, seul valençay tire son épingle du jeu avec un déficit de 1,5 %. Cour-cheverny accuse une diminution de 27 %, coteaux-du-vendômois de 12,8 % et cheverny de 5,8 %.

Le phénomène rosé

La consommation des rosés progresse chaque année. Les consommateurs aiment leur légèreté ; les jeunes en sont friands : les appellations se « rosifient ». La récolte 2006 dans cette couleur est en progression de 13,4 %. Chinon est la vedette : elle a multiplié par 8 sa production depuis dix ans et cette année, avec plus de 11 000 hl, progresse de 58 %. Bourgueil et saint-nicolas-de-bourgueil lui emboîtent le pas avec près de 4 000 hl (+ 45 %). L'appellation touraine, avec 18 411 hl, augmente ses volumes de rosés de 5,5 %. L'appellation du noble-joué (1 622 hl), qui a relancé son vin rosé il y a vingt ans, ne regrette certainement pas sa décision.

Les prix et les débouchés

Lors de la campagne 2005-2006, pour les vins rouges, ce sont les appellations touraine et bourgueil qui ont le plus souffert. Les sorties de chais ont régressé de 3,8 % pour la première et 12,8 % pour la seconde. En mars 2007, la situation semblait se stabiliser. Quant aux cours, ils ont chuté : le touraine, à 72,50 €/hl à la fin de la campagne, est tombé à 68,47 € actuellement. Pour le bourgueil, même régression en fin de campagne (- 3,7 %) mais progression en mars de cette année (+ 1,5 %). En chinon, le marché est bon : + 1,5 % l'an dernier et + 22 % en mars 2007. Mais les prix déclinent légèrement. Le saint-nicolas-de-bourgueil s'enlève sans problème mais les cours amorcent depuis trois ans une baisse : partis de 222 €/hl en 2004, ils atteignent encore 175,80 €/hl (147,73€/hl pour chinon, 130,51 €/hl pour bourgueil).
Le touraine blanc (sauvignon en majorité) connaît en mars 2007 une accélération des sorties, avec des cours inchangés l'an passé. Bien parti l'an dernier, le marché du vouvray tranquille ralentit en ce milieu de campagne 2006-2007. Les cours ont tendance à stagner ou à baisser légèrement (178,11 €/hl). Même situation pour les vins de base.
Ainsi le marché des vins de la Touraine se positionne-t-il à un niveau moyen. Négociants et producteurs sont néanmoins optimistes car les volumes récoltés sont modérés. Le Val de Loire occupe la deuxième place de la consommation à domicile et occupe la troisième en grande distribution, avec 100 millions de bouteilles vendues, soit une sur quatre.
En 2006, l'interprofession a multiplié ses actions en Europe et aux États-Unis. Ces investissements ont entraîné une progression de 7 % des exportations.

Brèves de Touraine

Orléans et orléans-cléry (en rouge) deviennent AOC.
La fusion du Comité des vins de Nantes avec Interloire qui regroupe déjà l'Anjou, le Saumurois et la Touraine est plus que jamais d'actualité. Cette opération qui devait avoir lieu dans le courant de 2006 ne sera effective qu'au premier janvier 2008 et ce pour des raisons d'harmonisation des comptabilités et des procédés informatiques.

Dans le centre

L'hiver a connu une pluviométrie déficitaire. Puis le printemps a été frais et assez arrosé. Juin et juillet ont été très chauds (+ 2,0 °C pour juin et + 4,7 °C pour juillet) et très secs, certains secteurs n'ayant reçu que 20 mm d'eau au cours de ces deux mois ; la vigne est arrivée à la véraison avec une avance de deux semaines. Le climat d'août fut favorable : les températures basses (- 3,0 °C) arrivèrent à point pour permettre aux ceps de récupérer et les pluies, normales pour le mois, furent suffisantes pour empêcher les blocages de maturation. Enfin, septembre (+ 2,5 °C) commença par deux semaines de très fortes chaleurs et sans eau, compensées par un gros orage le 14. La deuxième quinzaine fut douce avec quelques pluies éparses. Les degrés alcooliques potentiels augmentèrent rapide-

ment jusqu'au 14 septembre pour reprendre ensuite un rythme normal d'évolution. Les niveaux d'acidité et de pH sont équilibrés, les arômes développés et la fraîcheur préservée.

Des vins subtils à l'image de leurs terroirs
Les blancs sont expressifs. Leurs arômes élégants dévoilent toute la gamme des fruits frais aux fruits mûrs et des fragrances florales, minérales, épicées liées aux différentes facettes des terroirs. Agréables dès les premiers mois, les vins devraient avoir un potentiel de conservation intéressant. Les rouges montrent de jolies couleurs et des arômes de fruits rouges typés. Les tanins de bonne maturité leur confèrent une structure équilibrée.

Un marché qui se redresse
Avec une production de 293 840 hl, le Centre-Loire se tient globalement bien. Le niveau des transactions est élevé, avec des sorties records sur les douze derniers mois. Le marché français se redresse, mais c'est l'export qui connaît les plus fortes hausses. Les cours sont soutenus et orientés à la hausse car la demande est forte, notamment en vins blancs (238 335 hl). Les ventes de rosés, dont la production reste minoritaire, enregistrent une hausse significative conforme à la tendance nationale.

Brève du vignoble
L'œnotourisme a le vent en poupe. Privées ou collectives, les initiatives fleurissent : après la Maison des sancerre, voici la Villa Quincy qui, sur 800 m^2, présente l'appellation dans une scénographie originale, avec un parcours d'initiation, un jardin et une boutique qui propose aux visiteurs les vins de la quasi-totalité des viticulteurs.

QUOI DE NEUF DANS LA VALLÉE DU RHÔNE ?

Le millésime 2006 s'annonce remarquable dans le Nord et souvent très réussi dans le Sud. Cependant, la crise viticole qui touche toutes les régions de France produit dans la vallée du Rhône les mêmes effets : concentration, cessations d'activité, ventes de domaines. On voit aussi apparaître de nouvelles synergies et une forte volonté de préparer un avenir meilleur à ce vignoble qui a connu trois années de sécheresse.

Année précoce, été contrasté
Par rapport aux normales saisonnières, le millésime 2006 est beaucoup plus venté, plus ensoleillé et surtout, beaucoup plus sec. En cela il ressemble beaucoup à 2005. Les quantités d'eau tombées d'octobre 2005 à septembre 2006 sont très déficitaires, inférieures de 20 % à la moyenne (585 mm contre 722 mm). Comme en 2005, ces précipitations sont épisodiques. Seuls deux mois sont excédentaires (juillet et septembre).
Après un hiver froid, le plus froid de ces quinze dernières années (jusqu'à - 7 °C en janvier sur Orange), et malgré un épisode neigeux fin janvier (20 cm à Orange et jusqu'à 40 cm sur le haut Vaucluse), le printemps connaît, outre la sécheresse, des températures supérieures aux valeurs de saison, ce qui hâte la croissance végétative : le millésime 2006 est le plus précoce de ces cinq dernières années alors qu'au 19 mars on s'attendait à connaître l'année la plus tardive. La floraison débute vers le 25 mai dans les secteurs précoces ; globalement elle se déroule dans de bonnes conditions.
L'été est contrasté ; certains terroirs ont subi de fortes précipitations, d'autres non. Cette pluviométrie influencera la qualité du millésime. Juillet connaît des températures élevées (plus de 30 °C), supérieures aux normales saisonnières, alors qu'août est plus frais et donc favorable à la maturation. Les températures relevées en septembre dépassent la moyenne. La sécheresse aura pour conséquence de petits rendements, ce qui devrait permettre un meilleur équilibre du marché.

De bonnes bouteilles en perspective
Les bons niveaux des polyphénols (couleur et tanins), l'équilibre sucre-acidité et les très faibles teneurs en azote assimilable ont permis un bon déroulement des vinifications. Les fermentations malolactiques se sont enclenchées très rapidement, favorisées par des températures fort clémentes, presque estivales, notamment à la fin octobre.
Dans le vignoble septentrional, le millésime 2006 est remarquable. La richesse en sucres des raisins a été exceptionnelle. Les vins blancs sont très aromatiques et de grande classe ; les rouges, d'une couleur intense et profonde, affichent une réelle concentration.

Dans la partie méridionale, les conditions climatiques contrastées de l'été ont entraîné une grande diversité des vins, qui vont du fruité au corsé. La concentration varie mais l'équilibre est presque toujours là. Les indicateurs analytiques de couleur et de tanins sont particulièrement élevés et s'approchent de ceux obtenus en 2000.

De manière générale, les dégustations mettent en évidence des vins riches, complexes, élégants, d'une grande finesse. Mais l'hétérogénéité liée aux rendements et aux pluies de la fin septembre est très nettement perceptible.

Une redistribution des cartes

La crise viticole produit concentration, cessations d'activité, ventes de domaines. La concentration touche les caves coopératives. Celles de Bagnols-sur-Cèze, de Tresques et des Quatre Chemins à Laudun se regroupent dans le Gard, tout comme celles de Saint-Victor-la-Coste et de Connaux. D'autres se rapprochent comme celles de Chusclan et de Tavel qui tentent des synergies commerciales.

De grandes propriétés changent de mains comme le Château Joanny ou le Château Renjardière à Sérignan dans le Vaucluse. À Châteauneuf-du-Pape, les Domaines Jean-Michel Cazes (Pauillac et Languedoc) viennent d'acquérir le domaine des Sénéchaux (27 ha). Le domaine des Relagnes a été repris par le propriétaire du Château de Calissanne (coteaux-d'aix-en-provence). À la fin de l'année 2006, le Cellier des Dauphins et la Cave de Rasteau ont adhéré au Groupe OVS qui fédère déjà une dizaine d'unions de caves coopératives françaises. Des côtes-du-rhône seront désormais vendus sous la marque Chamarré. Lancé voilà un an à l'occasion de Vinisud, l'OVS regroupait déjà huit unions de coopératives à travers la France : Producta (Bordelais), Val d'Orbieu (Languedoc-Roussillon), les Vignerons de la Ténarèze (Gers), Viticop Beaujolais, la Cave de Jurançon, la Distillerie des Moissans (Cognac), l'Union des Vignerons de l'Île de Beauté (UVIB-Corse), Saint-Cyr Participation (Loire). En un an, près de 1 million de cols ont déjà été vendus, tous marchés confondus. Les objectifs portent sur 6 millions de bouteilles en 2007 et 13 millions en 2008.

Brèves du vignoble

Ridley Scott a tourné son film *Une Grande année*, d'après un roman de Peter Mayle, dans le Luberon où l'un comme l'autre possèdent une maison, dans le cadre du domaine de Jean-Pierre Margan (Château La Canorgue).

La viticulture française sait aussi convaincre hors des frontières. Ainsi le vin espagnol produit dans le Priorat par Jean-Michel Gerin (côte-rôtie), Laurent Combier (crozes-hermitage) et Peter Fischer (coteaux-d'aix) vient-il d'être sacré meilleur vin rouge d'Espagne 2006 par le quotidien *El Mundo*. Trio Infernal n° 2/3 (c'est le nom du vin) rejoint ainsi les plus grands crus du monde.

Le vin n'est pas une simple boisson, mais un produit gastronomique, d'une grande variété gustative tant ses producteurs sont nombreux. Le choisir exige quelques connaissances préalables : comprendre l'étiquette, savoir où l'acheter, tenir compte des conditions de sa conservation en cave.

COMMENT IDENTIFIER UN VIN ?

Les rayons des cavistes et des grandes surfaces offrent une large palette de vins français et étrangers. Chance pour l'amateur, cette variété rend aussi le choix fort difficile : la France produit à elle seule plusieurs dizaines de milliers de vins qui ont tous des caractères propres. Leur carte d'identité ? L'étiquette, que les pouvoirs publics et les instances professionnelles se sont attachés à réglementer. L'acheteur a donc tout intérêt à en percer les arcanes.

Les catégories de vin

Le premier devoir de l'étiquette est d'indiquer l'appartenance du vin à l'une des quatre catégories réglementées en Europe : *vin de table, vin de pays, appellation d'origine vin délimité de qualité supérieure* (AOVDQS) ou *appellation d'origine contrôlée* (AOC), ces deux dernières étant assimilées dans la terminologie européenne au *vin de qualité produit dans des régions déterminées* (VQPRD).

• L'appellation d'origine contrôlée

C'est la classe reine, celle de tous les grands vins. L'étiquette porte obligatoirement la mention « X appellation contrôlée » ou « appellation X contrôlée ». L'appellation désigne expressément une région, un ensemble de communes, une commune, parfois un lieu-dit (*climat* en Bourgogne) dans lequel le vignoble est implanté. Pour avoir droit à l'appellation d'origine contrôlée, un vin doit avoir été élaboré suivant « les usages locaux, loyaux et constants », c'est-à-dire à partir de cépages nobles homologués, plantés dans des sols choisis, et vinifiés selon les traditions régionales. Rendement à l'hectare et titre alcoométrique (minimal et parfois maximal) sont fixés par la loi. Les producteurs choisissent librement de revendiquer l'AOC pour leur production : chaque année, ils soumettent leurs vins à une commission de dégustation qui délivre l'agrément.

Ces règles nationales sont complétées par des usages locaux. Ainsi, en Alsace, l'appellation régionale est-elle pratiquement toujours doublée de la mention du cépage. En Bourgogne, seuls les premiers crus peuvent être mentionnés en caractères d'imprimerie de dimension égale à ceux employés pour l'appellation communale, les *climats* non classés ne pouvant figurer qu'en petits caractères dont la dimension ne peut être supérieure à la moitié de celle employée pour désigner l'appellation. Le nom de la commune ne figure pas sur l'étiquette des grands crus, ceux-ci bénéficiant d'une appellation propre.

COMMENT LIRE UNE ÉTIQUETTE ?

Chaque dénomination catégorielle est astreinte à des règles d'étiquetage spécifiques.

VIN DE TABLE : les mentions du degré alcoolique, du volume, du nom et de l'adresse de l'embouteilleur sont obligatoires ; celle du millésime est interdit.

VIN DE PAYS : catégorie de vin de table ayant une origine géographique. Un vin de pays ne peut porter sur son étiquette les noms « château », « cru » ou « clos », lesquels sont réservés aux AOC.

APPELLATION D'ORIGINE VIN DÉLIMITÉ DE QUALITÉ SUPÉRIEURE (AOVDQS).

APPELLATION D'ORIGINE CONTRÔLÉE (AOC).

AOC Alsace

timbre fiscal (capsule) vert

❶ dénomination catégorielle (obligatoire)
❷ indication du cépage
(autorisée seulement en cas de cépage pur)
❸ volume (obligatoire)
❹ toutes mentions obligatoires
❺ exigé pour l'exportation vers certains pays
❻ degré (obligatoire)
❼ numéro de lot (obligatoire)

AOC Bordelais

timbre fiscal vert

❶ assimilé à une marque (facultatif)
❷ millésime (facultatif)
❸ classement (facultatif)
❹ dénomination catégorielle (obligatoire)
❺ nom et adresse de l'embouteilleur (obligatoire)
le mot « propriétaire » (facultatif)
fixe le statut de l'exploitation
❻ facultatif
❼ volume (obligatoire)
❽ exigé pour l'exportation vers certains pays
❾ degré (obligatoire)
❿ numéro de lot (obligatoire)

AOC Bourgogne

timbre fiscal vert

souvent sur une collerette, le millésime est facultatif

❶ nom du cru (facultatif) ;
la même dimension de caractères
que l'appellation indique qu'il s'agit d'un 1er cru
❷ dénomination catégorielle (obligatoire)
❸ degré (obligatoire)
❹ nom et adresse de l'embouteilleur (obligatoire) ;
indique en outre la mise en bouteilles à la propriété,
et qu'il ne s'agit pas d'un vin de négoce
❺ volume (obligatoire)

AOC Champagne
timbre fiscal vert
❶ obligatoire
tout champagne est AOC : la mention ne figure pas ; c’est la seule exception à la règle exigeant la mention de la dénomination catégorielle
❷ marque et adresse
(obligatoire ; sous-entendu « mis en bouteille par… »)
❸ volume (obligatoire)
❹ statut de l’exploitation
et n° du registre professionnel (facultatif)
❺ type de vin, dosage (obligatoire)

AOVDQS
timbre fiscal vert
❶ millésime (facultatif)
❷ cépage
(facultatif ; autorisé uniquement en cas de cépage pur)
❸ nom de l’appellation (obligatoire)
❹ dénomination catégorielle (obligatoire)
❺ degré (obligatoire)
❻ nom et adresse de l’embouteilleur (obligatoire)
❼ mention « à la propriété » (facultatif)
❽ vignette (obligatoire)
❾ volume (obligatoire)
❿ n° de contrôle (obligatoire en France)

Vins de pays
timbre fiscal bleu
vins de table, ils sont astreints aux mêmes obligations.
Les mots « vin de pays » doivent être suivis de l’unité géographique (obligatoire)
❶ « à la propriété » : mention facultative
❷ unité géographique (obligatoire)
❸ nom et adresse de l’embouteilleur (obligatoire)
❹ degré (obligatoire)
❺ volume (obligatoire)

Les mentions légales figurent parfois sur la contre-étiquette.

• L'appellation d'origine vin délimité de qualité supérieure
Antichambre de l'appellation d'origine contrôlée, cette catégorie est soumise sensiblement aux mêmes règles et les vins sont labellisés après dégustation. L'étiquette porte obligatoirement une vignette AOVDQS. Si ces bouteilles ne sont généralement pas de garde, quelques-unes gagnent pourtant à vieillir.

• Les vins de pays
L'étiquette des vins de pays précise la provenance géographique du vin. On lira donc *Vin de pays de...* suivi d'une mention régionale, départementale ou de zone. Ces vins sont issus de cépages dont la liste est légalement définie et qui sont plantés dans une aire assez vaste certes, mais définie. En outre, leur titre alcoométrique, leur acidité, leur acidité volatile font l'objet de contrôles. D'autres informations, facultatives mais soumises à la réglementation, peuvent compléter les étiquettes.

Le responsable légal du vin
L'étiquette doit permettre d'identifier le vin et son responsable légal en cas de contestation. Le dernier intervenant dans l'élaboration du vin est celui qui le met en bouteilles ; c'est obligatoirement son nom et son adresse qui figure sur l'étiquette. Il peut s'agir d'un négociant, d'une coopérative ou d'un propriétaire-récoltant. Dans certains cas, ces renseignements sont confirmés par les mentions portées au sommet de la capsule de surbouchage.

La mise en bouteilles
L'amateur exigeant ne tolérera que les mises en bouteilles au (ou du) domaine, à (ou de) la propriété, au (ou du) château. Les formules « Mis en bouteilles dans la région de production, mis en bouteilles par nos soins, mis en bouteilles dans nos chais, mis en bouteilles par X (X étant un intermédiaire) », pour exactes qu'elles soient, n'apportent pas la garantie d'origine que procure la mise à la propriété où le vin a été vinifié. Le souci des pouvoirs publics et des comités interprofessionnels a toujours été double : d'abord inciter les producteurs à améliorer la qualité et à soumettre leur vin à une dégustation d'agrément ; ensuite faire en sorte que la bouteille revendiquant l'appellation sur l'étiquette contienne bien le vin agréé, sans mélange, sans coupage, sans substitution. En dépit de toutes les précautions possibles, y compris le contrôle du cheminement des vins, la meilleure garantie d'authenticité du produit demeure la mise en bouteilles à la propriété ; car un propriétaire-récoltant ne doit posséder dans son chai que le vin qu'il produit lui-même ; il n'a pas le droit d'acheter du vin pour l'entreposer. À noter que les mises en bouteilles effectuées à la cave coopérative au bénéfice du coopérateur peuvent être qualifiées de « mise en bouteilles à la propriété ».

Le millésime
La mention du millésime, année de naissance du vin, c'est-à-dire de la vendange, n'est pas obligatoire. Elle est portée soit sur l'étiquette – ce qui est préférable –, soit sur une collerette collée au niveau de l'épaule de la bouteille. Les vins issus d'assemblage de différentes années ne sont pas millésimés, tels certains champagnes et crémants, ou encore certains vins de liqueur et vins doux naturels. Les vins de table ne sont pas autorisés à porter de millésime.

La capsule
La plupart des bouteilles sont coiffées d'une capsule de surbouchage qui porte généralement une vignette fiscale, preuve que les droits de circulation auxquels toute boisson alcoolisée est soumise ont été acquittés. Cette vignette permet aussi de déterminer le statut du producteur (propriétaire ou négociant) et la région de production. À défaut de capsule fiscalisée, les bouteilles doivent être accompagnées d'un document délivré par le producteur (voir ci-après *Le transport du vin*).

L'étampage des bouchons
Les producteurs de vins de qualité ont éprouvé le besoin de marquer leurs bouchons, car si une étiquette peut être décollée et remplacée frauduleusement, le bouchon demeure ; l'origine du vin et le millésime y sont ainsi étampés. Pour les vins effervescents, l'indication de l'AOC sur le bouchon est obligatoire.

COMMENT ACHETER, À QUI ACHETER ?

En grande surface, chez le caviste et chez le producteur... Les circuits de distribution du vin sont multiples, chacun présentant des avantages et des inconvénients. De même, les modes de commercialisation prennent des formes différentes : vente en vrac, en *bag in box* ou en bouteilles, ventes en primeur. A chacun de trouver la formule qui lui convient : bénéficier d'une vaste palette de vins en un seul point de vente, solliciter l'avis d'un expert pour les accords gourmands, aller à la rencontre des hommes qui font le vin. Sur les routes viticoles, l'amateur se souviendra du slogan : « Celui qui conduit est celui qui ne boit pas ». Les producteurs ont prévu des crachoirs pour goûter sans risques.

Vins à boire, vins à encaver

La démarche de l'amateur sera différente selon qu'il souhaite consommer ses vins sur une courte période ou les encaver pour suivre leur évolution dans le temps. S'il recherche une bouteille prête à boire, il lui sera difficile (voire impossible) de trouver sur le marché de grands vins parvenus à leur apogée. Il se tournera plutôt vers des vins de primeur (de type beaujolais nouveau, côtes-du-rhône, touraine ou gaillac primeur), vers des vins de pays ou d'appellation de petite et moyenne origine, vers des millésimes faciles, à évolution rapide.

Les vins de garde méritent d'être achetés jeunes dans le dessein de les faire vieillir en cave. Ils doivent non seulement résister à l'usure du temps, mais aussi se bonifier avec les années. Il est judicieux de privilégier les meilleurs producteurs et les meilleurs millésimes.

L'achat en vrac

Le vin non logé en bouteilles est dit en vrac. L'expression achat en cercle est réservée à l'achat en tonneaux, alors que le vrac peut être transporté en citernes de toute nature, du wagon de 220 hl en acier au cubitainer de plastique d'une contenance de 5 l, en passant par la bonbonne de verre. La vente en vrac est pratiquée par les coopératives, par des propriétaires, par quelques négociants et même par des détaillants qui commercialisent certains vins « à la tireuse ». Il s'agit de vins ordinaires et de qualité moyenne. Dans certaines régions, notamment dans les crus classés du Bordelais, ce type de commercialisation est interdit. Il faut garder en mémoire qu'un vin vendu en vrac par un vigneron n'est jamais tout à fait identique à celui qu'il vend en bouteilles : le producteur sélectionne toujours les meilleures cuves pour ses mises en bouteilles.

L'achat du vin en vrac permet une économie de l'ordre de 25 %, puisqu'il est d'usage de payer au maximum pour un litre de vin le prix facturé pour une bouteille de 0,75 l. L'acheteur réalise également une économie sur les frais de transport. Il lui faut cependant compter les frais (peu élevés) de retour du fût si la transaction s'est faite en cercle.

Les capacités de fûts les plus usitées sont :

Barrique bordelaise	225 l
Pièce bourguignonne	228 l
Pièce mâconnaise	216 l
Pièce de Chablis	132 l
Pièce champenoise	205 l

Le bib

Le *bag-in-box*, ou bib, est une solution intermédiaire entre le vrac et la bouteille. Cette poche en plastique rétractable, enveloppée dans un carton et munie d'un robinet préserve le vin de l'air et permet ainsi de le conserver en bon état après ouverture sur une longue période. Sa capacité varie généralement entre 3 à 5 l.

L'achat en bouteilles

Il est possible d'acheter du vin en bouteilles chez une vigneron, dans une coopérative, chez un négociant et par les circuits de distribution habituels. Où l'amateur doit-il acheter pour réaliser la meilleure affaire ? Il faut savoir que les producteurs et les négociants sont tenus de ne pas concurrencer déloyalement leurs diffuseurs, donc de ne pas commercialiser des bouteilles moins chères qu'eux. Ainsi nombre de châteaux bordelais, peu portés sur la vente au détail, proposent-ils leurs crus à des prix supérieurs à ceux pratiqués par les détaillants, afin de dissuader les acheteurs qui s'obstinent malgré tout, par ignorance ou pour d'inexplicables raisons... D'autant que les revendeurs obtiennent, grâce à des commandes massives, des prix infiniment plus intéressants que le particulier qui n'achète qu'une caisse.

Dans ces conditions, on peut émettre un principe général : les vins de producteurs dont la diffusion est limitée (et ils sont légion...) seront achetés sur place, tandis que les vins de domaines ou de châteaux notoires, largement diffusés, seront acquis auprès des diffuseurs, sauf s'il s'agit de millésimes rares ou de cuvées spéciales.

Alsace Muscadet Anjou Provence

Clavelin Jura Bourgogne Italienne Bordeaux Champagne

L'achat en primeur

La vente par souscription, dite en primeur, a connu un grand succès au cours des années 1980. Le principe est simple : acquérir un vin avant qu'il ne soit élevé et mis en bouteilles à un prix supposé très inférieur à celui qu'il atteindra à sa sortie de la propriété. Les souscriptions sont ouvertes pour un volume contingenté et pour un temps limité, généralement au printemps et au début de l'été qui suit les vendanges. Elles sont organisées directement par les propriétaires ou par des sociétés de négoce et des clubs de vente de vin. L'acheteur s'acquitte de la moitié du prix convenu à la commande et s'engage à verser le solde à la livraison des bouteilles, c'est-à-dire de douze à quinze mois plus tard. Ainsi, le producteur s'assure des rentrées d'argent rapides et l'acheteur réalise une bonne opération lorsque le cours des vins augmente. Ce fut le cas de 1974 à la fin des années 1980. Ce type de transaction s'apparente à ce que l'on nomme, à la Bourse, le marché à terme.

Que se passe-t-il si les cours s'effondrent – en cas de surproduction ou de crise – entre le moment de la souscription et celui de la livraison ? Les souscripteurs paient leurs bouteilles plus cher que ceux qui n'ont pas souscrit. Cela s'est déjà vu, cela se revoit. A ce jeu spéculatif et dans le but d'assurer leur approvisionnement, de grands négociants se sont ruinés ; leur contrat était d'autant plus risqué qu'il portait sur plusieurs années. En revanche, lorsque tout va bien, la vente en primeur est sans doute la seule façon de payer un vin en dessous de son cours (de 20 à 40 % environ).

Chez le producteur

La visite rendue au producteur, indispensable si son vin n'est pas ou peu diffusé, apporte à l'amateur bien d'autres satisfactions que celle d'un simple bon achat. Au contact du vigneron, père de son vin, l'œnophile découvre un terroir, un mode de vinification, l'art de tirer la quintessence d'un cépage, comprend les relations étroites qui existent entre un homme et son vin. Le savoir-boire, le mieux boire, passe par cette irremplaçable rencontre.

En cave coopérative

La qualité des vins élaborés par les coopératives progresse constamment. Ces caves commercialisent des vins en vrac et en bouteilles, à des prix généralement légèrement inférieurs à ceux pratiqués par les autres circuits de vente à qualité égale.

Comment fonctionne une coopérative vinicole ? Les adhérents apportent leur raisin et les responsables techniques, dont un œnologue, se chargent du pressurage, de la vinification, de l'élevage et de la commercialisation. Des systèmes de primes accordées aux raisins nobles et aux raisins les plus mûrs, l'instauration de chartes de qualité avec les vignerons, la possibilité d'élaborer des cuvées selon la qualité spécifique de chaque livraison de raisin ou selon une sélection de terroirs ouvrent aux meilleures coopératives le secteur des vins de qualité, voire de garde.

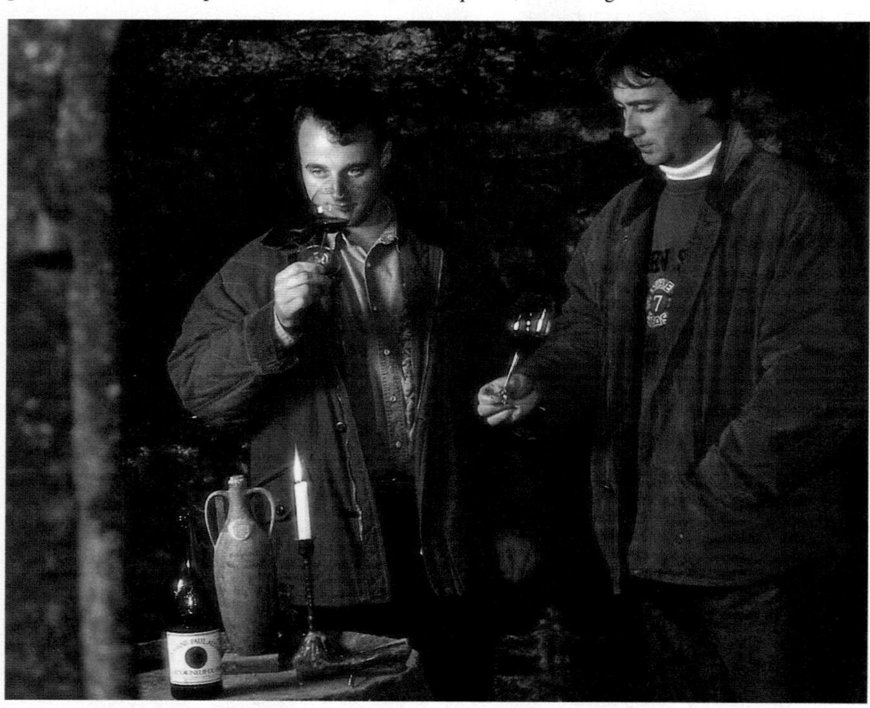

Chez le négociant

Le négociant, par définition, achète des vins pour les revendre, mais il est souvent lui-même propriétaire de vignobles : il peut donc agir en producteur et commercialiser sa production, ou bien vendre le vin de producteurs indépendants sans autre intervention que le transfert (cas des négociants bordelais qui ont à leur catalogue des vins mis en bouteilles au château), ou encore signer un contrat de monopole de vente avec une unité de production. Le négociant-éleveur assemble des vins de même appellation fournis par divers producteurs et les élève dans ses chais. Il est ainsi le créateur du produit à double titre : par le choix de ses achats et par l'assemblage qu'il exécute.

Les maisons de négoce sont installées dans les grandes zones viticoles, mais rien n'empêche un négociant bourguignon de commercialiser du vin de Bordeaux et inversement. Le propre d'un négociant est de diffuser, donc d'alimenter les réseaux de vente qu'il ne doit pas concurrencer en vendant chez lui ses vins à des prix très inférieurs.

Chez le caviste

C'est le mode d'achat le plus facile et le plus rapide, le plus sûr également lorsque le caviste est qualifié. Il existe nombre de boutiques spécialisées dans la vente de vins de qualité. Mais qu'est-ce qu'un bon caviste ? Celui qui est équipé pour entreposer les vins dans de bonnes conditions, celui qui sait choisir des vins originaux de producteurs amoureux de leur métier. En outre, le bon détaillant saura conseiller l'acheteur, lui faire découvrir des vins que celui-ci ignore et l'inciter à marier mets et vins pour valoriser les uns et les autres.

En grande surface

Si quelques déficiences sont à regretter dans la présentation des vins en grandes surfaces (chaleur, lumière crue des néons, bouteilles rangées à la verticale), elles deviennent de plus en plus rares. Aujourd'hui, nombre d'établissements possèdent un rayon spécialisé bien équipé, où les bouteilles sont couchées et classées par région et appellation. L'amateur trouve dans les grandes surfaces non seulement des vins courants, mais aussi des crus prestigieux. Seuls les appellations confidentielles et les vins de petites propriétés sont moins représentés. Contrairement à une idée assez répandue, il peut être très avantageux d'acheter une grande bouteille en grande surface.

Dans les clubs

Quantité de bouteilles, livrées en cartons ou en caisses, arrivent directement chez l'amateur grâce aux clubs qui offrent à leurs adhérents un certain nombre d'avantages. Le choix est assez vaste et comporte parfois des vins peu courants. Il faut toutefois noter que beaucoup de clubs sont des négociants.

Les ventes aux enchères

De plus en plus fréquentées, ces ventes sont organisées par des commissaires-priseurs assistés d'un expert. Il est de la première importance de connaître l'origine des bouteilles. Si elles proviennent d'un grand restaurant ou de la riche cave d'un amateur qui s'en dessaisit (renouvellement d'une cave, succession, par exemple), leur conservation est probablement parfaite. Si elles constituent un regroupement de petits lots divers, rien ne prouve que leur garde ait été satisfaisante. Seule la couleur du vin et son niveau dans la bouteille peut renseigner l'acheteur. L'amateur averti ne surenchérira jamais lorsque se présentent des bouteilles dont le niveau n'atteint que le bas de l'épaule, ni lorsque la teinte des vins blancs vire au bronze plus ou moins foncé ou que la robe des vins rouges est visiblement usée.
Il est rare de pouvoir réaliser de bonnes affaires dans les grandes appellations qui intéressent des restaurateurs pour enrichir leur carte. En revanche, les appellations marginales, moins recherchées par les professionnels, sont parfois très abordables.
Lors des ventes à but caritatif, telles celles des Hospices de Beaune ou de Beaujeu, les vins vendus sont logés en pièces (fûts) et doivent encore être élevés durant douze à quatorze mois. Ils sont de ce fait réservés aux professionnels.

Le transport du vin

Une fois résolu le problème du choix des vins et sachant que l'on pourra les accueillir et les conserver dans de bonnes conditions, il faut les transporter. Le transport des vins de qualité impose quelques précautions et obéit à une réglementation stricte.
Qu'on le transporte soi-même en voiture ou qu'on use des services d'un transporteur, le gros de l'été et le cœur de l'hiver ne sont pas favorables au voyage du vin. Il faut préserver le vin des températures extrêmes, surtout des températures élevées qui l'affectent définitivement, quelle que soit la période de repos (même des années) qu'on lui accorde ultérieurement, quels que soient sa couleur, son type et son origine.
Arrivé à domicile, on déposera tout de suite les bouteilles à la cave. Si l'on a acquis du vin en vrac, on entreposera les récipients directement au lieu de la mise en bouteilles, à la cave si la place le permet, afin de n'avoir plus à les déplacer. Les cubitainers seront déposés à 80 cm du sol (la hauteur d'une table), les fûts à 30 cm, pour permettre de tirer le vin jusqu'à la dernière goutte sans modifier sa position.
Le transport des boissons alcoolisées est soumis à un régime particulier et fait l'objet de taxes fiscales matérialisées soit par une capsule représentative des droits apposée au sommet de chaque bouteille, soit par un document d'accompagnement commercial délivré par le vigneron. Le vin en vrac doit toujours être accompagné du document le concernant.
Sur ce document figurent notamment le nom du vendeur et le cru, le volume et le nombre de récipients, le destinataire. Transporter du vin sans capsule ou document d'accompagnement est assimilé à une fraude fiscale et puni comme telle.

L'exportation du vin

Il est prudent de se renseigner sur les conditions d'importation des vins et alcools dans le pays d'accueil, chacun ayant sa propre réglementation qui s'étend de la taxation douanière au contingentement, voire à l'interdiction pure et simple.

Au sein de l'Union européenne, un particulier peut acheter un volume non limité de vin pour sa consommation personnelle. Le document d'accompagnement lui permettra de justifier auprès de son administration de la régularité de ses achats et du transport.

Hors de l'Union européenne, comme pour tout ce qui est produit ou manufacturé en France, puis exporté, il est possible d'obtenir l'exemption ou le remboursement de la TVA et des accises. Lorsqu'un voyageur veut bénéficier de la détaxe à l'exportation, le vin qu'il achète à la propriété et qu'il transporte par ses propres moyens doit être accompagné de son titre de mouvement ; ce document est visé par le bureau de douane qui constate la sortie de la marchandise du territoire communautaire. Si les bouteilles sont tributaires de capsules, leur détaxation est impossible ; il convient donc, au moment de l'achat, de préciser au vendeur que l'on entend exporter son acquisition et bénéficier de détaxation.

CONSERVER SON VIN

Constituer une cave demande de l'organisation. Avant tout, il est nécessaire d'évaluer le budget dont on dispose et la capacité de sa cave. Ensuite, il convient d'acquérir des vins dont l'évolution n'est pas semblable, afin qu'ils n'atteignent pas tous en même temps leur apogée. Et pour ne pas boire toujours les mêmes vins, fussent-ils les meilleurs, il est judicieux d'élargir sa sélection afin de disposer de bouteilles adaptées à différentes occasions et préparations culinaires.

Aménager sa cave

Une bonne cave est un lieu clos, sombre, à l'abri des trépidations et du bruit, exempte de toutes odeurs, protégée des courants d'air, mais bien ventilée, ni trop sèche ni trop humide, d'un degré hygrométrique de 75 %, et surtout d'une température stable, la plus proche possible de 11 °C.

Les caves citadines présentent rarement de telles caractéristiques. Il faut donc, avant d'encaver du vin, améliorer le local : établir une légère aération ou au contraire obstruer un soupirail trop ouvert ; humidifier l'atmosphère en déposant une bassine d'eau contenant un peu de charbon de bois ou l'assécher par du gravier et en augmentant la ventilation ; tenter de stabiliser la température par des panneaux isolants ; éventuellement, monter les casiers sur des blocs caoutchouc pour neutraliser les vibrations. Mais si une chaudière se trouve à proximité, si des odeurs de mazout se répandent, il n'y a pas grand-chose à espérer.

Si l'on ne dispose pas de cave ou que celle-ci est inutilisable, deux solutions sont possibles :

acheter une armoire à vin, unité d'une capacité de 50 à 500 bouteilles, dont la température et l'hygrométrie sont automatiquement maintenues ; construire de toutes pièces, en retrait dans son appartement, un lieu de stockage dont la température varie sans à-coups et ne dépasse pas 16 °C. Plus la température est élevée, plus le vin évolue rapidement. Or, un vin qui atteint rapidement son apogée dans de mauvaises conditions de garde ne sera jamais aussi bon que s'il avait vieilli lentement dans une cave fraîche. Il appartient à l'amateur de moduler ses achats et le plan d'encavement en fonction des conditions particulières imposées par ses locaux.

Choisir ses casiers

L'expérience prouve qu'une cave est toujours trop petite. Le rangement des bouteilles doit donc être rationnel. Le casier à bouteilles, à un ou deux rangs, offre bien des avantages : il est peu coûteux, s'il est installé immédiatement, et donne accès aisément à l'ensemble des flacons encavés. Malheureusement, il est volumineux au regard du nombre de bouteilles logées. Pour gagner de la place, une seule méthode : l'empilement des bouteilles. Afin de séparer les piles pour avoir accès aux différents vins, il faut construire ou faire construire – ce n'est pas compliqué – des casiers en parpaings pouvant contenir 24, 36 ou 48 bouteilles en pile, sur deux rangs. Si la cave le permet, si le bois ne pourrit pas, il est possible d'élever des casiers en planches. Il faudra alors les surveiller car des insectes peuvent s'y installer, qui attaquent les bouchons et rendent les bouteilles couleuses.
Deux instruments complètent l'aménagement de la cave : un thermomètre à maxima et minima, et un hygromètre. Des dégustations régulières permettent de corriger les défauts détectés et d'estimer l'évolution du vin cave.

Ranger ses bouteilles

Dans la mesure du possible, les principes suivants doivent être respectés : les vins blancs sont entreposés près du sol, les vins rouges au-dessus ; les vins de garde dans les rangées (ou casiers) du fond, les moins accessibles ; les bouteilles à boire, en situation frontale. Si les bouteilles achetées en carton ne doivent pas y demeurer, celles livrées en caisse de bois peuvent y être conservées, notamment si l'on envisage de revendre le vin. Néanmoins, les caisses prennent beaucoup de place et sont une proie aisée des pilleurs de cave. Il convient de repérer casiers et bouteilles par un système de notation (algébrique, par exemple), à reporter dans le livre de cave, indispensable outil pour gérer ses achats, dans lequel sont notés également la date d'entrée des vins, le nombre de bouteilles de chaque cru, leur identification précise, leur prix, leur apogée présumée, les accords gourmands et un commentaire de dégustation.

METTRE SON VIN EN BOUTEILLES

La mise en bouteilles, opération plaisante si on la réalise à plusieurs, ne pose pas de réels problèmes pourvu que l'on se conforme aux règles d'hygiène élémentaires. Si le vin a été transporté en cubitainer, il doit être embouteillé très rapidement ; s'il a voyagé dans un tonneau, il faut impérativement le laisser reposer une quinzaine de jours au préalable. Il convient de mettre le vin en bouteilles par un temps clément, un jour de haute pression, un jour sans pluie ni orage.

Les bonnes bouteilles

Les bouteilles méritent d'être adaptées au vin, sans tomber dans le purisme : bouteilles bordelaises pour les vins du Sud-Ouest et même du Midi, bourguignonne pour ceux du Sud-Est, du Beaujolais et de la Bourgogne, sachant qu'il existe d'autres bouteilles régionales réservées à certaines appellations. Chaque type de bouteille admet des modèles plus ou moins lourds, à fond plat ou presque plat, de hauteur et de diamètre différents.
Si toutes conservent favorablement le vin, les bouteilles les plus légères sont moins aptes au stockage en pile sur une longue durée. Lorsqu'elles sont trop remplies et que l'on enfonce énergiquement le bouchon, elles peuvent en outre éclater. D'une façon générale, mieux vaut utiliser des bouteilles lourdes. Il est incongru d'embouteiller un grand vin dans du verre léger, de même qu'un vin rouge dans des bouteilles blanches, incolores.
Bien que certains vins blancs, dont on souhaite mettre en valeur la robe, soient logés dans des bouteilles transparentes, cet usage n'est pas recommandé car ceux-ci sont sensibles à la lumière. Les maisons de champagne qui commercialisent ainsi leur production protègent toujours les bouteilles par un papier opaque.
Avant la mise, il convient de vérifier que l'on dispose d'un nombre suffisant de bouteilles et de bouchons, car une fois l'opération commencée, elle doit être achevée rapidement. On ne peut laisser le fût ou le cubitainer en vidange au risque que le vin restant ne s'oxyde ou ne devienne acescent et impropre à la consommation.

Les bouteilles doivent être parfaitement propres, rincées et séchées.

Les bons bouchons

En dépit de nombreuses recherches et du développement récent des capsules à vis pour résoudre le problème du « goût de bouchon », le liège demeure le matériau privilégié pour obturer les bouteilles. Les bouchons de liège ne sont pas tous identiques ; ils diffèrent en diamètre, en longueur et en qualité. Dans tous les cas, le diamètre du bouchon sera supérieur de 6 mm à celui du goulot. Meilleur est le vin, plus long sera le bouchon : taille nécessaire à une longue garde et hommage rendu au vin comme à ceux qui le boivent.
La qualité du liège est difficile à évaluer. Un liège d'une dizaine d'années a toute la souplesse désirée. Les beaux bouchons ne présentent pas ou peu de ces petites fissures que l'on obstrue parfois avec de la poudre de liège (bouchons améliorés). Des bouchons prêts à l'emploi, stérilisés à l'ozone et conditionnés en emballages stériles sont proposés à la vente. Il n'est plus nécessaire de les humidifier : on bouche à sec, ce qui présente un avantage certain. Il est possible d'acheter des bouchons étampés (ou de les faire étamper), portant le millésime du vin à embouteiller.

Les bons gestes

La tireuse est l'appareil idéal pour remplir la bouteille. Des tireuses à amorçage et à vanne commandées par contact avec la bouteille se vendent dans les grandes surfaces à un prix modique. On veillera à faire couler le vin le long de la paroi de la bouteille, maintenue légèrement oblique, afin de limiter le brassage et l'oxydation. Cette précaution est encore plus nécessaire pour les vins blancs. En aucun cas une écume ne doit apparaître à la surface du liquide. Les bouteilles seront remplies le plus haut possible afin que le bouchon soit en contact avec le vin (bouteille verticale). Le bouchon sera introduit dans la bouteille à l'aide d'une boucheuse, qui le comprimera latéralement avant l'introduction. Il existe une vaste gamme d'appareils, à tous les prix, destinés à cet usage.

L'étiquette

On préparera de la colle de tapissier ou un mélange d'eau et de farine, ou, plus simplement, on humectera les étiquettes avec du lait pour les coller sur le bas de la bouteille, à 3 cm de son pied. Les perfectionnistes habillent le goulot de capsules préformées posées grâce à un petit appareil manuel.

TROIS PROPOSITIONS DE CAVES

Chacun garnit sa cave selon ses goûts et dans le souci de la diversité. Nos propositions de caves n'incluent ni de vins de primeur, ni de vins à boire jeunes. Plus le nombre de bouteilles est restreint, plus l'amateur devra veiller à les renouveler. Les valeurs indiquées ne sont bien sûr que des ordres de grandeur.

CAVE DE 55 BOUTEILLES (environ 880 EUROS)

25 Bordeaux	17 rouges (graves, saint-émilion, médoc, pomerol, fronsac) 8 blancs : 5 secs (graves) 3 liquoreux (sauternes-barsac)
20 Bourgogne	12 rouges (crus de la Côte de Nuits, crus de la Côte de Beaune) 8 blancs (chablis, meursault, puligny)
10 vallée du Rhône	7 rouges (côte-rôtie, hermitage, châteauneuf-du-pape) 3 blancs (hermitage, condrieu)

CAVE DE 150 BOUTEILLES (environ 2 700 EUROS)

Région		Rouge	Blanc
40 Bordeaux	30 rouges 10 blancs	fronsac, pomerol, saint-émilion, graves, médoc (crus classés, crus bourgeois)	5 grands secs 5 { sainte-croix-du-mont sauternes-barsac
30 Bourgogne	15 rouges 15 blancs	crus de la Côte de Nuits, crus de la Côte de Beaune, vins de la Côte chalonnaise	chablis meursault puligny-montrachet
25 vallée du Rhône	19 rouges 6 blancs	côte-rôtie, hermitage rouge, cornas, saint-joseph, châteauneuf-du-pape, gigondas, côtes-du-rhône-villages	condrieu hermitage blanc châteauneuf-du-pape blanc
12 vallée de la Loire	5 rouges 7 blancs	bourgueil, chinon, saumur-champigny	pouilly-fumé, vouvray coteaux-du-layon
10 Sud-Ouest	7 rouges 3 blancs	madiran, cahors	jurançon (secs et doux)
8 Sud-Est	6 rouges 2 blancs	bandol, palette rouge	cassis palette blanc
7 Alsace	(blancs)		gewurztraminer riesling, tokay
4 Jura	(blancs)		vins jaunes côtes-du-jura, arbois
4 Languedoc-Roussillon	2 rouges 2 VDN	coteaux-du-languedoc, corbières, banyuls	banyuls rivesaltes
10 champagnes et autres vins effervescents			Crémants Divers types de champagnes

CAVE DE 300 BOUTEILLES

La création d'une telle cave suppose un investissement d'environ 6 500 euros. On doublera les chiffres de la cave de 150 bouteilles, en se souvenant que plus le nombre de flacons augmente, plus la longévité des vins doit être grande. Ce qui se traduit malheureusement (en général) par l'obligation d'acquérir des vins de prix élevé…

L'ART DE BOIRE

Si boire est une nécessité physiologique, boire du vin est un plaisir. A condition que le vin soit de qualité et que la dégustation se déroule dans de bonnes conditions. Savoir déguster, c'est découvrir toutes les facettes du vin et créer un moment de partage.

LA DÉGUSTATION

Il existe plusieurs types de dégustation aux finalités distinctes : dégustations technique, analytique, comparative, triangulaire en usage chez les professionnels. L'œnophile, lui, pratique une dégustation hédoniste, celle qui lui permet de tirer la quintessence d'un vin, de pouvoir en parler tout en développant l'acuité de son nez et de son palais.

Les conditions de la dégustation

La dégustation ne saurait se faire n'importe où et n'importe comment. Les locaux doivent être agréables, bien éclairés (lumière naturelle ou éclairage ne modifiant pas les couleurs, dit lumière du jour), de couleur claire de préférence, exempts de toutes odeurs parasites telles que parfum, fumée (tabac ou cheminée), odeurs de cuisine ou de bouquets de fleurs. La température ne doit pas dépasser 18-20 °C.

Le choix d'un verre adéquat est extrêmement important. Il doit être incolore afin que la robe du vin soit bien visible, et si possible fin ; sa forme sera celle d'une fleur de tulipe, c'est-à-dire non pas évasée mais légèrement refermée. Le corps du verre doit être séparé du pied par une tige de manière à ce que le vin ne se réchauffe pas lorsqu'on tient le verre par son pied et à ce qu'il puisse être tourné pour s'oxygéner et révéler son bouquet.

La forme du verre a une telle influence sur l'appréciation olfactive et gustative du vin que l'Association française de normalisation (Afnor) et les instances internationales de normalisation (Iso) ont adopté, après étude, un verre qui offre toutes les garanties d'efficacité au dégustateur et au consommateur ; ce type de verre, appelé communément verre INAO, n'est pas réservé qu'aux professionnels. Il est en vente dans les maisons spécialisées. Les verriers français, allemands et autrichiens proposent un vaste choix de verres.

Les étapes de la dégustation

La dégustation fait appel à la vue, à l'odorat, au goût et au sens tactile, non par l'intermédiaire des doigts bien sûr, mais par l'entremise de la bouche, sensible aux effets mécaniques du vin : température, consistance, gaz dissous, etc.

• L'œil

Par l'œil, le consommateur prend un premier contact avec le vin. L'examen de la robe (ensemble des caractères visuels), marquée par le cépage d'origine et le mode d'élaboration, est riche d'enseignements. C'est un premier test.

Quelle que soit sa couleur, le vin doit être limpide, sans trouble. Des traînées ou des brouillards sont signes de maladies : le vin doit être rejeté. Seuls sont admissibles de petits cristaux de bitartrates (insolubles), la gravelle, précipitation que connaissent les vins victimes d'un coup de froid ; leur qualité n'en est pas altérée. L'examen de la *limpidité* se pratique en interposant le verre entre l'œil et une source lumineuse placée si possible à même hauteur. La *transparence* (vin rouge) est déterminée en examinant le vin sur un fond blanc, nappe ou feuille de papier ; cet examen implique que l'on incline son verre. Le disque (la surface) devient elliptique et son observation informe sur l'âge du vin et sur son état de conservation ; on examine alors la nuance de la robe. Tous les vins jeunes doivent être transparents, ce qui n'est pas toujours le cas des vins vieux de qualité.

Vin	Nuance de la robe	Déduction
Blanc	Presque incolore	Très jeune, très protégé de l'oxydation. Vinification moderne en cuve.
	Jaune très clair à reflets verts	Jeune à très jeune. Vinifié et élevé en cuve.
	Jaune paille, jaune or	La maturité. Peut-être élevé dans le bois.
	Or cuivre, or bronze	Déjà vieux.
	Ambré à noir	Oxydé, trop vieux.
Rosé	Blanc taché, œil-de-perdrix à reflets rosés	Rosé de pressurage et vin gris jeune.
	Rose saumon à rouge très clair franc	Rosé jeune et fruité à boire.
	Rose avec nuance jaune à pelure d'oignon	Commence à être vieux pour son type.
Rouge	Violacé	Très jeune. Bonne teinte de gamay de primeur et des beaujolais nouveaux (6 à 18 mois).
	Rouge pur (cerise)	Ni jeune ni évolué. L'apogée pour les vins qui ne sont ni primeurs ni de garde (2-3 ans).
	Rouge à franges orangées	Maturité de vin de petite garde. Début de vieillissement (3-7 ans).
	Rouge brun à brun	Seuls les grands vins atteignent leur apogée vêtus de cette robe. Pour les autres, il est trop tard.

L'examen visuel s'intéresse encore à l'*éclat*, ou *brillance*, du vin. Un vin qui a de l'éclat est gai, vif ; un vin terne est probablement triste... Cette inspection visuelle de la robe s'achève par l'intensité de la couleur, qu'on se gardera de confondre avec la nuance (le ton) de celle-ci.

Intensité de la robe	Vin	Déduction
Robe trop claire	Manque d'extraction Année pluvieuse Rendement excessif Vignes jeunes Raisins insuffisamment mûrs Raisins pourris Cuvaison trop courte Fermentation à basse température	Vins légers et de faible garde Vins de petits millésimes
Robe foncée	Bonne extraction Rendement faible Vieilles vignes, Vinification réussie	Bons ou grands vins Bel avenir

C'est encore l'œil qui découvre les *jambes*, ou larmes, écoulements que le vin forme sur la paroi du verre quand on l'anime d'un mouvement rotatif pour humer les arômes du vin (voir ci-après). Celles-ci rendent compte du degré alcoolique : le cognac et les vins liquoreux en produisent toujours.

Exemple de vocabulaire se rapportant à l'examen visuel

Nuances : pourpre, grenat, rubis, violet, cerise, pivoine.
Intensité : légère, soutenue, foncée, profonde, intense.
Éclat : mat, terne, triste, éclatant, brillant.
Limpidité et transparence : opaque, louche, voilée, cristalline.

• Le nez

L'examen olfactif est la deuxième épreuve que le vin doit subir. Certaines odeurs sont éliminatoires, telles l'acidité volatile (acescence, vinaigre), l'odeur du liège moisi (goût de bouchon) ; mais dans la plupart des cas, le bouquet du vin – l'ensemble des odeurs se dégageant du verre – procure des découvertes toujours renouvelées.

Les composants aromatiques s'expriment selon leur volatilité. C'est en quelque sorte une évaporation du vin, ce qui explique que la température de service soit si importante : trop froide, les arômes ne s'expriment pas ; trop chaude, ils s'évaporent trop rapidement, s'oxydent, les parfums très volatils disparaissent, tandis que ressortent des éléments aromatiques lourds, anormaux.

Le nez du vin rassemble un faisceau de parfums en mouvance permanente, qui se présentent successivement selon la température et l'oxydation. Le maniement du verre est donc important. On commencera par humer ce qui se dégage du verre immobile, puis on imprimera au vin un mouvement de rotation : l'air fait alors son effet et d'autres parfums apparaissent.

La qualité d'un vin est fonction de l'intensité et de la complexité du bouquet. Les petits vins n'offrent que peu ou pas de bouquet : ils sont simplistes, monocordes. Au contraire, les grands vins se caractérisent par des bouquets amples, profonds et complexes. Le vocabulaire relatif aux arômes est infini, car il procède par analogie. Divers systèmes de classification des arômes ont été proposés ; pour simplifier, retenons les familles florale, fruitée, végétale (ou herbacée), épicée, balsamique, animale, boisée, empyreumatique (en référence au feu), chimique.

Exemple de vocabulaire se rapportant à l'examen olfactif

Fleurs : violette, tilleul, jasmin, sureau, acacia, iris, pivoine.
Fruits : framboise, cassis, cerise, griotte, groseille, abricot, pomme, banane, pruneau.
Végétal : herbacé, fougère, mousse, sous-bois, terre humide, crayeux, champignons divers.
Épicé : toutes les épices, du poivre au gingembre en passant par le clou de girofle et la muscade.
Balsamique : résine, pin, térébenthine.
Animal : viande, viande faisandée, gibier, fauve, musc, fourrure.
Empyreumatique : brûlé, grillé, pain grillé, tabac, foin séché, tous les arômes de torréfaction (café, par exemple).

• La bouche

Après avoir triomphé des épreuves de l'œil et du nez, le vin subit un dernier examen. Une faible quantité de vin est mise en bouche. Un filet d'air est aspiré afin de permettre sa diffusion dans l'ensemble de la cavité buccale. A défaut, il est simplement mâché. Dans la bouche, le vin s'échauffe, il diffuse de nouveaux éléments aromatiques recueillis par voie rétronasale, étant entendu que les papilles de la langue ne sont sensibles qu'aux quatre saveurs élémentaires : amer, acide, sucré et salé ; voilà pourquoi une personne enrhumée ne peut goûter un vin (ou un aliment), la voie rétronasale étant alors inopérante.

Outre les quatre saveurs élémentaires, la bouche est sensible à la température du vin, à sa viscosité, à la présence ou à l'absence de gaz carbonique et à l'astringence (effet tactile : absence de lubrification par la salive et contraction des muqueuses sous l'action des tanins). C'est en bouche que se révèlent l'équilibre, l'harmonie ou, au contraire, le caractère de vins mal bâtis qui ne doivent pas être achetés.

Les vins blancs, gris et rosés se caractérisent par un bon équilibre entre acidité et moelleux.

Trop d'acidité : le vin est agressif ;
pas assez, il est plat.
Trop de moelleux : le vin est lourd, épais ;
pas assez, il est mince, terne.

Pour les vins rouges, l'équilibre tient compte de l'acidité, du moelleux et des tanins.

Excès d'acidité :	vin trop nerveux, souvent maigre.
Excès de tanins :	vin dur, astringent.
Excès de moelleux (rare) :	vin lourd.
Carence en acidité :	vin mou.
Carence en tanins :	vin sans charpente, informe.
Carence en moelleux :	vin qui sèche.

Un bon vin se situe au point d'équilibre des trois composantes ci-dessus. Ces éléments supportent sa richesse aromatique ; un grand vin se distingue d'un bon vin par sa construction rigoureuse et puissante, quoique fondue, par son ampleur et sa complexité aromatique.

Exemple de vocabulaire relatif au vin en bouche

Critique : informe, mou, plat, mince, aqueux, limité, transparent, pauvre, lourd, massif, grossier, épais, déséquilibré.
Laudatif : structuré, construit, charpenté, équilibré, corpulent, complet, élégant, fin, qui a du grain, riche.

Après cette analyse en bouche, le vin est avalé. L'œnophile se concentre alors pour mesurer sa persistance aromatique, appelée aussi longueur en bouche. Cette longueur s'exprime en caudalies, unité savante valant tout simplement une seconde. Plus un vin est long, plus il est estimable. La persistance permet de hiérarchiser les vins, du plus petit au plus grand. Cette mesure en secondes est à la fois simple et compliquée ; elle ne porte que sur la longueur aromatique, à l'exclusion des éléments de structure du vin (acidité, amertume, sucre et alcool).

La reconnaissance d'un vin

La dégustation consiste à goûter pleinement un vin et à déterminer s'il est grand, moyen ou petit. Souvent, il est question de savoir s'il est conforme à son type ; mais encore faut-il que son origine soit précisée.

La dégustation d'identification, c'est-à-dire de reconnaissance, est un jeu de société ; mais c'est un jeu injouable sans un minimum d'informations. On peut reconnaître un cépage, par exemple un cabernet-sauvignon. Mais est-ce un cabernet-sauvignon d'Italie, du Languedoc, de Californie, du Chili, d'Argentine, d'Australie ou d'Afrique du Sud ? Lorsqu'on se limite à la France, l'identification des grandes régions est possible, mais il est bien difficile d'être plus précis : si l'on propose six verres de vin en précisant qu'ils représentent les six appellations du Médoc (listrac, moulis, margaux, saint-julien, pauillac, saint-estèphe), combien y aura-t-il de sans fautes ?

Une expérience classique que chacun peut renouveler prouve la difficulté de la dégustation : le dégustateur, les yeux bandés, goûte en ordre dispersé des vins rouges peu tanniques et des vins blancs non aromatiques, de préférence élevés dans le bois. Il doit simplement distinguer le blanc du rouge : il est très rare qu'il ne se trompe pas ! Paradoxalement, il est beaucoup plus facile de reconnaître un vin très typé dont on a encore en tête et en bouche le souvenir ; mais combien a-t-on de chances que le vin proposé soit justement celui-là ?

Régions	Cépages	Caractères
Toutes les AOC de bourgogne rouge	pinot	vins fins de garde
Toutes les AOC de bourgogne blanc	chardonnay	vins fins de garde
Beaujolais	gamay	vins de primeur ou de consommation rapide
Rhône Nord rouge	syrah	vins fins de garde
Rhône Nord blanc	marsanne, roussanne	garde variable
Rhône Nord blanc	viognier	vins fins de garde
Rhône Sud, Languedoc, Côtes de Provence	grenache, cinsault, mourvèdre, syrah	vins plantureux de moyenne ou petite garde
Alsace (chaque cépage,vinifié seul, donne son nom au vin)	riesling, pinot gris, gewurztraminer, sylvaner, muscat...	vins aromatiques à boire rapidement sauf les grands crus, vendanges tardives ou sélections de grains nobles
Champagne	pinot, chardonnay	à boire dès l'achat
Loire blanc	sauvignon	vins aromatiques à boire rapidement
Loire blanc	muscadet	à boire rapidement
Loire blanc	chenin	de longue garde
Loire rouge	cabernet franc (breton)	petite à grande garde
Toutes les AOC de Bordeaux rouges, bergerac et Sud-Ouest	cabernet-sauvignon, cabernet franc et merlot	vins fins de garde
Madiran	tannat, cabernets	vins fins de garde
Bordeaux blanc, bergerac, montravel, monbazillac, duras...	sémillon, sauvignon, muscadelle	secs : de petite à longue garde ; liquoreux : longue garde
Jurançon	petit manseng, gros manseng	secs : petite garde ; moelleux : longue garde

Déguster pour acheter

Lorsque l'on se rend dans le vignoble dans l'intention d'acheter du vin, il convient de déguster les échantillons proposés. Il s'agit alors de pratiquer des dégustations appréciatives et comparatives. Il est fort difficile de présumer de l'évolution d'un vin, d'évaluer leur période d'apogée. Les vignerons eux-mêmes se trompent parfois lorsqu'ils tentent d'imaginer l'avenir de leur vin. Quelques indices peuvent néanmoins fournir des éléments d'appréciation.

Pour se bonifier, les vins doivent être solidement construits. Ils doivent avoir un titre alcoométrique suffisant, et l'ont en fait toujours : la chaptalisation (ajout de sucre réglementé par la loi) y contribue si nécessaire ; il faut donc porter son attention ailleurs, sur l'acidité et les tanins. Un vin trop souple, qui peut être cependant très agréable, dont l'acidité est faible, voire trop faible, sera fragile, et sa longévité ne sera pas assurée. Un vin faible en tanins n'aura guère plus d'avenir. Dans le premier cas, le raisin aura souffert d'un excès de soleil et de chaleur, dans le second, d'un manque de maturité, d'attaques de pourriture ou encore d'une vinification inadaptée.

Ces deux constituants du vin, acidité et tanins, se mesurent : l'acidité s'évalue en équivalence d'acide sulfurique, en grammes par litre, à moins que l'on ne préfère le pH ; les tanins, selon l'indice de Folain, mais il s'agit là d'un travail de laboratoire. L'avenir d'un vin qui comporte moins de 3 g/l d'acidité n'est pas assuré. Quant à l'estimation du seuil de tanins en dessous duquel une longue garde est problématique, elle n'est pas rigoureuse. Cependant, la connaissance de cet indice est utile, car des tanins mûrs, doux, enrobés sont parfois sous-évalués ou ne se révèlent pas toujours à la dégustation.

Dans tous les cas, on dégustera le vin dans de bonnes conditions, sans se laisser influencer par l'atmosphère de la cave du vigneron. On évitera de le goûter au sortir d'un repas, après l'absorption d'eau-de-vie, de café, de chocolat ou de bonbons à la menthe, ou encore après avoir fumé. Si le vigneron propose des noix, méfiance, car elles améliorent tous les vins. Méfiance également à l'égard du fromage qui modifie la sensibilité du palais. Tout au plus mangera-t-on un morceau de pain, nature.

S'exercer à la dégustation

La dégustation s'apprend. On peut la pratiquer chez soi en suivant les principes énoncés ci-avant. On peut aussi, si l'on est passionné, suivre des stages, de plus en plus nombreux. On peut encore s'inscrire à des cycles d'initiation proposés par divers organismes privés : étude de la dégustation, étude de l'accord des mets et des vins, exploration par la dégustation des grandes régions de production françaises ou étrangères, analyse de l'influence des cépages, des millésimes, des sols, incidence des techniques de vinification, dégustations commentées en présence du propriétaire, etc.

LE SERVICE DES VINS

Si au restaurant, le service du vin est l'apanage du sommelier, cette lourde responsabilité revient au maître ou à la maîtresse de maison dans le cadre familial. Il faut choisir les bouteilles les mieux adaptées aux plats composant le repas et qui ont atteint leur apogée. Le goût de chacun intervient bien sûr dans le mariage des mets et des vins, mais des siècles d'expérience ont permis de dégager des principes généraux, des alliances idéales et des incompatibilités majeures.

Quand faut-il boire le vin ?

Un vin de garde connaît trois phases au cours de sa vie en bouteille et de sa conservation en cave : d'abord, une phase d'ascension qui traduit la maturation et l'amélioration du vin, puis une phase de plafonnement correspondant à la meilleure période de la vie du vin, à son point d'épanouissement optimal, c'est-à-dire à l'apogée, enfin une phase de récession révélatrice du déclin du vin.

Les vins évoluent de manière très différente. Selon leur appellation – et donc selon le cépage, le terroir et la vinification –, ils peuvent atteindre leur apogée après une garde plus ou moins longue : de un à vingt ans. La qualité du millésime influe aussi sur leur longévité : un vin de petit millésime peut évoluer deux ou trois fois plus rapidement. Néanmoins, il est possible d'évaluer le potentiel de garde des vins selon leur origine géographique. A chacun, ensuite, de la moduler en fonction des conditions de conservation dans sa cave et de sa connaissance des millésimes.

L'apogée (en années)

B = blanc ; R = rouge	
Alsace (B) : dans l'année	Vallée du Rhône Sud (B) : 2 ; (R) : 4-8
Alsace grand cru (B) : 1-4	Loire (B) : 1-5 ; (R) : 3-10
Alsace vendanges tardives (B) : 8-12	Loire moelleux, liquoreux (B) : 10-15
Jura (B) : 4 ; (R) : 8	Vins du Périgord (B) : 2-3 ; (R) : 3-4
Jura rosé : 6	Vins du Périgord liquoreux (B) : 6-8
Vin jaune (B) : 20	Bordeaux (B) : 2-3 ; (R) : 6-8
Savoie (B) : 1-2 ; (R) : 2-4	Grands bordeaux (B) : 4-10 ; (R) : 10-15
Bourgogne (B) : 5 ; (R) : 7	Bordeaux liquoreux (B) : 10-15
Grands bourgognes (B) : 8-10 ; (R) : 10-15	Jurançon sec (B) : 2-4
Mâcon (B) : 2-3 ; (R) : 1-2	Jurançon moelleux, liquoreux (B) : 6-10
Beaujolais (R) : dans l'année	Madiran (R) : 5-12
Crus du Beaujolais (R) : 1-4	Cahors (R) : 3-10
Vallée du Rhône Nord (B) : 2-3 ; (R) : 4-5	Gaillac (B) : 1-3 ; (R) : 2-4
Côte-rôtie, hermitage, etc. (B) : 8 ; (R) : 8-15	Languedoc (B) : 1-2 ; (R) : 2-4
	Côtes-de-provence (B) : 1-2 ; (R) : 2-4
	Corse (B) : 1-2 ; (R) : 2-4

Remarques :
– Ne pas confondre l'apogée avec la longévité maximale.
– Une cave chaude ou à température variable accélère l'évolution.

Les règles du service

Rien ne doit être négligé depuis l'enlèvement de la bouteille en cave jusqu'au moment du service dans le verre. Plus un vin est âgé, plus il exige de soins. La bouteille sera prise sur pile et redressée lentement pour être amenée à table, à moins qu'on ne la dépose directement dans un panier verseur. Les vins de peu d'ambition seront servis de la façon la plus simple, tandis que les vins de grand âge, très fragiles, seront versés de la bouteille soigneusement déposée dans le panier, dans l'exacte position qu'elle occupait sur pile. Les vins jeunes comme les vins robustes seront décantés, soit pour les aérer parce qu'ils contiennent encore quelques traces de gaz, souvenir de leur fermentation, soit pour amorcer une oxydation bénéfique pour la dégustation, ou encore pour isoler le vin clair des sédiments déposés au fond de la bouteille. Dans ce cas, le vin sera transvasé avec soin et on le versera devant une source lumineuse, traditionnellement une bougie (habitude qui date d'avant l'éclairage électrique et qui n'apporte aucun avantage) pour laisser dans la bouteille le vin trouble et les matières solides.

Quand déboucher, quand servir ?

Selon le professeur Émile Peynaud, il est inutile d'ôter le bouchon longtemps avant de consommer le vin, la surface en contact avec l'air (le goulot et la bouteille) étant trop petite. Cependant, le tableau ci-dessous résume des usages qui, s'ils n'améliorent pas systématiquement le vin, ne l'abîment jamais.

Vins blancs aromatiques Vins de primeur rouges et blancs Vins courants rouges et blancs Vins rosés	Déboucher, boire sans délai. Bouteille verticale.
Vins blancs de la Loire Vins blancs liquoreux	Déboucher, attendre une heure. Bouteille verticale.
Vins rouges jeunes Vins rouges à leur apogée	Décanter une demi-heure à deux heures avant consommation.
Vins rouges anciens fragiles	Déboucher en panier verseur et servir sans délai ; éventuellement décanter et consommer tout de suite.

Déboucher

La capsule doit être coupée en dessous de la bague ou au milieu. Le vin ne doit pas entrer en contact avec le métal de la capsule. Dans le cas où le goulot est ciré, donner de petits coups afin d'écailler la cire ou, mieux, enlever la cire avec un couteau sur la partie supérieure du col, cette méthode ayant l'avantage de ne pas ébranler la bouteille et le vin.

Pour extraire le bouchon, seul le tire-bouchon à vis en queue de cochon donne satisfaction (avec le tire-bouchon à lames, d'un maniement délicat). Théoriquement, le bouchon ne doit pas être transpercé. Une fois extrait, le humer : il ne doit présenter aucune odeur parasite et ne pas sentir le liège (goût de bouchon). Ensuite, goûter le vin pour une ultime vérification avant de le servir aux convives.

À quelle température ?

On peut tuer un vin en le servant à une température inadéquate ou, au contraire, l'exalter en le servant à la température appropriée. On vérifie la température de service à l'aide d'un thermomètre à vin, de poche si l'on va au restaurant ou à plonger dans la bouteille lorsque l'on opère chez soi. Celle-ci dépend du type de vin, de son âge et, dans une moindre mesure, de la température ambiante. On n'oubliera pas que le vin se réchauffe dans le verre.

Grands vins rouges de Bordeaux à leur apogée	16-17 °C
Grands vins rouges de Bourgogne à leur apogée	15-16 °C
Vins rouges de qualité, grands vins rouges avant leur apogée	14-16 °C
Grands vins blancs secs	14-16 °C
Vins rouges légers, fruités, jeunes	11-12 °C
Vins rosés, vins de primeur	10-12 °C
Vins blancs secs vifs et légers	10-12 °C
Champagne, vins effervescents	7-8 °C
Vins liquoreux	6 °C

Ces températures doivent être augmentées d'un ou deux degrés lorsque le vin est vieux.

On a tendance à servir légèrement plus frais les vins destinés à l'apéritif et à boire les vins de repas légèrement chambrés. On tiendra compte du climat de la région ou de la température qui règne dans la pièce : sous un climat torride, un vin bu à 11 °C paraîtra glacé, il conviendra donc de le porter à 13 ou 14 °C. Néanmoins, on se gardera de dépasser 20 °C car, au-delà, des phénomènes physico-chimiques altèrent les qualités du vin et le plaisir qu'on peut en attendre.

Les verres

À chaque région correspond un type de verre. Dans la pratique, à moins de tomber dans un purisme excessif, on se contentera soit d'un verre universel (de style verre à dégustation), soit des deux types les plus usités, le verre à bordeaux et le verre à bourgogne. Quel que soit le verre choisi, il sera rempli modérément, plus près du tiers que de la moitié. Lavé à l'eau claire ou légèrement savonneuse, il sera bien rincé et séché à l'air libre, tête en bas.

Bourgogne — Alsace — Bordeaux — INAO — Champagne

Au restaurant

Le sommelier s'occupe de la bouteille, hume le bouchon, puis fait goûter le vin à celui qui l'a commandé. Auparavant il aura suggéré des vins en fonction des mets. La lecture de la carte des vins est instructive : elle dévoile non seulement les secrets de la cave, mais aussi éclaire sur les compétences du sommelier, du caviste ou du restaurateur. Une carte correcte doit impérativement comporter, pour chaque vin, les informations suivantes : appellation, millésime, lieu de la mise en bouteille, nom du négociant ou du propriétaire, auteur et responsable du vin. Ce dernier point est malheureusement très souvent omis.

Une belle carte doit présenter un large éventail d'appellations et de millésimes (nombre de restaurateurs ont la fâcheuse habitude de toujours proposer les petites années). Intelligente, elle sera adaptée à la gastronomie de l'établissement ou fera la part belle aux vins régionaux. Il est parfois proposé une cuvée du patron : vin agréable, généralement sans appellation d'origine.

Dans les bistrots à vin

Apparus dans les années 1970, les bistrots à vin ou bars à vin vendent au verre des vins de qualité, bien souvent de propriétaires, sélectionnés par le patron lui-même au cours de ses visites dans les vignobles. La mise au point d'un appareil protégeant le vin dans les bouteilles ouvertes par une couche d'azote – le *cruover* – leur a permis de proposer de grands vins de millésimes prestigieux. Des assiettes de charcuteries et de fromages sont souvent proposées aux clients en accompagnement, mais une restauration moins rudimentaire a complété leurs cartes.

LES MILLÉSIMES

Tous les vins de qualité sont millésimés à l'exception des vins de liqueur, de certains champagnes et vins doux naturels élaborés par assemblage de plusieurs années. Dans ce cas, la qualité du produit dépend du talent de l'assembleur ; généralement le vin assemblé est supérieur à chacun de ses composants, mais il est déconseillé de faire vieillir ces bouteilles.

Qu'est-ce qu'un grand millésime ?

Un vin né d'un grand millésime se révèle concentré et équilibré. Il est généralement issu, mais pas obligatoirement, de faibles rendements et de vendanges précoces. Dans tous les cas, il a été élaboré à partir de raisins parfaitement sains, exempts de pourriture.

Peu importe les conditions météorologiques qui ont marqué le début du cycle végétatif : on peut même soutenir que quelques mésaventures, telles que gel ou coulure (chute de jeunes baies avant maturation) sont favorables puisqu'elles diminuent le nombre de grappes par pied. En revanche, la période qui s'étend du 15 août aux vendanges de la fin septembre est capitale : un maximum de chaleur et de soleil est alors nécessaire. 1961 demeure la grande année du XXe siècle. *A contrario*, les années 1963, 1965 et 1968 furent désastreuses, parce qu'elles cumulèrent froid et pluie, d'où l'absence de maturité et un fort rendement de raisins gorgés d'eau. Pluie et chaleur ne valent guère mieux, car l'eau tiédie favorise la pourriture ; 1976, le grand millésime potentiel du Sud-Ouest, en a pâti. Quant à la canicule de 2003, elle a parfois grillé le raisin et produit des vins lourds.

Les traitements phytosanitaires et fongicides (notamment contre le ver de la grappe et le développement de la pourriture) permettent d'attendre une pleine maturité pour vendanger et de récolter des raisins de qualité malgré des conditions climatiques difficiles. Dès 1978, on a pu enregistrer d'excellents millésimes vendangés tardivement.

Il est d'usage de résumer la qualité des millésimes dans des tableaux de cotation. Ces notes ne représentent que des moyennes : elles ne prennent pas en compte les microclimats, pas plus que les efforts héroïques de tris de raisins à la vendange ou les sélections forcenées des vins en cuve. Le vin de Graves, Domaine de Chevalier 1965 – millésime par ailleurs épouvantable – démontre que l'on peut élaborer un grand vin dans une année cotée zéro.

Propositions de cotation (de 0 à 20)

	Alsace	Beaujolais	Bordeaux rouge	Bordeaux liquoreux	Bordeaux sec	Bourgogne rouge	Bourgogne blanc	Champagne	Jura (vin jaune)	Languedoc-Roussillon	Provence rouge	Sud-Ouest rouge	Sud-Ouest blanc liquoreux	Loire rouge	Loire blanc liquoreux	Rhône (nord)	Rhône (sud)
1945	20		20	20	18	20	18	20					19				
1946	9		14	9	10	10	13	10					12				
1947	17		18	20	18	18	18	18					20				
1948	15		16	16	16	10	14	11					12				
1949	19		19	20	18	20	18	17					16				
1950	14		13	18	16	11	19	16					14				
1951	8		8	6	6	7	6	7					7				
1952	14		16	16	16	16	18	16					15				
1953	18		19	17	16	18	17	17					18				
1954	9	9	10			14	11	15					9				
1955	17	13	16	19	18	15	18	19					16				
1956	9	6	5										9				
1957	13	11	10	15		14	15						13				
1958	12	7	11	14		10	9						12				
1959	20	13	19	20	18	19	17	17					19				
1960	12	5	11	10	10	10	7	14					9				
1961	19	16	20	15	16	18	17	16					16				
1962	14	13	16	16	16	17	19	17					15				
1963		6					10										
1964	18	8	16	9	13	16	17	18					16				
1965					12								8				
1966	12	11	17	15	16	18	18	17					15				
1967	14	13	14	18	16	15	16						13				
1968																	
1969	16	14	10	13	12	19	18	16					15				
1970	14	13	17	17	18	15	15	17					15				
1971	18	15	16	17	19	18	20	16					17				
1972	9	6	10		9	11	13						9				
1973	16	7	13	12		12	16	16					16				
1974	13	8	11	14		12	13	8					11				
1975	15	7	18	17	18		11	18					15				
1976	19	16	15	19	16	18	15	15					18				
1977	12	9	12	7	14	11	12	9					11				
1978	15	12	17	14	17	19	17	16					17				
1979	16	13	16	18	18	15	16	15					14				
1980	10	10	13	17	18	12	12	14					13			15	
1981	17	14	16	16	17	14	15	15					15				
1982	15	12	18	14	16	14	16	16			17	17	15	14		14	15
1983	20	17	17	17	16	15	16	15	16			16	18	12		16	16
1984	15	11	13	13	12	13	14	5		7		10		10		13	15
1985	19	16	18	15	14	17	17	17	17	18	17	17	17	16	16	17	16
1986	10	15	17	17	12	12	15	9	17	15	16	16	16	13	14	15	13
1987	13	14	13	11	16	12	11	10	16	14	14	14		13		16	12
1988	17	15	16	19	18	16	14	18	16	17	17	18	18	16	18	17	15
1989	16	16	18	19	18	16	18	16	17	16	16	17	17	20	19	18	16
1990	18	14	18	20	17	18	16	18	18	17	16	16	18	17	20	19	19
1991	13	15	13	14	13	14	15	11		14	13	14		12	9	15	13

	Alsace	Beaujolais	Bordeaux rouge	Bordeaux liquoreux	Bordeaux sec	Bourgogne rouge	Bourgogne blanc	Champagne	Jura (vin jaune)	Languedoc-Roussillon	Provence rouge	Sud-Ouest rouge	Sud-Ouest blanc liquoreux	Loire rouge	Loire blanc liquoreux	Rhône (nord)	Rhône (sud)
1992	12	9	12	10	14	15	17	12		13	9	9		14		12	11
1993	13	11	13	8	15	14	13	12		14	11	14	14	13	12	11	14
1994	12	14	14	14	17	14	16	12		12	10	14	15	14	12	14	11
1995	12	16	16	18	17	14	16	16	17	15	15	15	16	17	17	15	16
1996	12	14	15	18	16	17	18	19	18	13	14	14	13	17	17	15	13
1997	13	13	14	18	14	14	17	15	16	13	13	13	16	16	16	14	13
1998	13	13	15	16	14	15	15	13	14	17	16	16	13	14		18	15
1999	10	11	14	17	13	13	12	15	17	15	16	14	10	12	10	16	14
2000	12	12	18	10	16	11	15	15	16	16	14	14	13	16	13	17	15
2001	13	11	15	17	16	13	16	9		16	14	16	18	13	16	17	11
2002	10	10	14	18	16	17	17	17	14	12	11	15	14	14	10	8	9
2003	12	15	15	18	13	17	18	14	17	15	13	14	17	15	17	16	14
2004	13	12	14	10	17	13	15	16	13	15	15	13	15	14	10	12	16
2005	13	18	18	17	18	19	18	14	17	15	12	16	17	16	18	16	18
2006	13	12	14	16	14	14	16	15		15	16	13	15	10	10	15	13

Les zones cernées d'un trait épais indiquent les vins d'AOC communales à mettre en cave.

Quels millésimes boire maintenant ?
Les vins évoluent différemment selon qu'ils sont nés d'une année maussade ou ensoleillée, mais aussi selon leur appellation, leur hiérarchie au sein de cette appellation, leur vinification, leur élevage ; la qualité et la durée de leur vieillissement dépend également de la cave où ils sont entreposés. Le tableau de cotation des millésimes concerne des vins de bonne facture, à leur apogée ; il n'intègre pas l'évolution actuelle des millésimes anciens. Il ne prend en compte ni les vins ni les cuvées exceptionnels.

LA CUISINE AU VIN

La cuisine au vin ne date pas d'aujourd'hui. Au Ier s. av. J.-C., Apicius donne la recette du porcelet à la sauce au vin (il s'agissait de vin de paille). Pourquoi user du vin en cuisine ? Pour les saveurs qu'il apporte et pour les vertus digestives qu'il ajoute aux plats grâce à la glycérine et aux tanins. En outre, l'alcool disparaît presque totalement à la cuisson.

On pourrait retracer une histoire de la cuisine à travers le vin. Les marinades ont été inventées pour conserver des pièces de viande ; aujourd'hui on les perpétue pour l'apport d'éléments sapides. La cuisson, donc la réduction des marinades, est à l'origine des sauces. En cuisant la viande avec la marinade, on a inventé les civets et les daubes.

Quelques conseils

- Inutile de gaspiller de vieux millésimes pour la cuisine.
- Ne jamais user en cuisine de vins ordinaires ou de vins trop légers.
- Boire avec le plat le vin de cuisson ou de la même origine.

LE VINAIGRE DE VIN

Vins et vinaigres jouent chacun leur partie dans l'orchestre des saveurs dont l'homme se régale. Jeter des fonds de bouteilles de qualité serait regrettable. Le vinaigrier est là pour les accueillir. Il s'agit d'un récipient de 3 à 5 l en bois ou, mieux, en terre vernissée, généralement muni d'un robinet. L'acidité du vinaigre est un révélateur. Pour contenir ses ardeurs, le gourmet a inventé le vinaigre aromatisé : ail, échalote, petits oignons, estragon, graines de moutarde, grains de poivre, clous de girofle, fleurs de sureau, de capucine, pétales de roses, laurier, thym, etc.

Quelques conseils

- Ne jamais déposer un vinaigrier dans une cave, au risque de gâter les bouteilles de vin.
- Placer le vinaigrier dans un lieu tempéré (20 °C).
- Éliminer du vinaigrier la mère du vinaigre (masse visqueuse).
- Ne jamais le boucher hermétiquement car l'air contribue à la vie des bactéries acétiques qui transforment l'alcool du vin en acide acétique.
- Le vinaigrier doit vivre. Chaque fois que l'on retire du vinaigre, ajouter un volume équivalent de vin. Un vinaigre laissé en souffrance dans un vinaigrier plus de deux ou trois mois (maximum) n'est plus qu'acétique. Il perd son goût de vin, il n'a plus d'intérêt.
- Ne jamais introduire dans le vinaigrier de vin sans origine.
- Ne jamais placer les aromates dans le vinaigrier. Il faut extraire le vinaigre du vinaigrier et conserver le vinaigre aromatisé dans un autre récipient, de préférence hermétique.

PAIN ET VIN : LES BONS COMPAGNONS

Le sait-on ? Ce sont les mêmes procédés de fermentation qui transforment le raisin en vin et le blé ou le seigle en pain. Lien naturel, lien culturel aussi. Car si la culture des céréales a précédé celle de la vigne en Mésopotamie, 8 000 ans avant notre ère, une longue histoire unit, depuis la préhistoire, le pain et le vin, à la fois aliments de base, offrandes et symboles sacrés. Les Égyptiens, puis les Grecs ont parfait la fabrication du pain au levain comme l'art de la vinification. Dans les banquets, pain et vin font honneur aux hôtes, et l'auteur Athénée, au IIIe s. apr. J.-C., conseille de ne jamais boire sans pain afin de garder tous ses sens.

Dans le monde et tout particulièrement en France, la diversité des pains n'a d'égale que celle des vins. Une richesse régionale que certains boulangers ont remis à l'honneur à partir des années 1970. Lassés du pain noir des temps de guerre, puis d'un pain blanc sans saveur, les consommateurs ont redécouvert le goût du pain d'antan grâce au travail et au savoir-faire de quelques artisans passionnés. Créée à Paris en 1932, la maison Poilâne n'a ainsi jamais renoncé à la fabrication traditionnelle de son pain au levain, référence d'un pain de qualité. Lorsque l'on déguste un vin, quel meilleur compagnon qu'un morceau de bon pain qui laisse les papilles en éveil ?

LES METS ET LES VINS

Rien n'est plus difficile que de trouver « le » vin idéal pour accompagner un plat. D'ailleurs, peut-il y avoir un vin idéal ? Au chapitre du mariage des mets et des vins, la monogamie n'a pas de place ; il faut profiter de l'extrême variété des vins français et faire des expériences : une bonne cave permet par approximations successives d'approcher de la vérité…

HORS-D'ŒUVRE, ENTRÉES

ANCHOÏADE
- côtes du roussillon rosé
- coteaux d'aix-en-provence rosé
- alsace sylvaner

ARTICHAUTS BARIGOULE
- coteaux d'aix-en-provence rosé
- rosé de loire
- bordeaux rosé

ASPERGES SAUCE MOUSSELINE
- alsace muscat

AVOCAT
- champagne
- bugey blanc
- bordeaux sec

CUISSES DE GRENOUILLE
- corbières blanc
- touraine sauvignon
- entre-deux-mers

ESCARGOTS À LA BOURGUIGNONNE
- bourgogne aligoté
- alsace riesling
- touraine sauvignon

FOIE GRAS AU NATUREL
- barsac
- corton-charlemagne
- listrac
- banyuls rimage

FOIE GRAS EN BRIOCHE
- alsace tokay grains nobles
- montrachet
- pécharmant

FOIE GRAS GRILLÉ
- jurançon
- graves rouge

POIVRONS ROUGES GRILLÉS VINAIGRETTE
- clairette de bellegarde
- muscadet
- mâcon Lugny blanc

SALADE NIÇOISE
- coteaux d'aix-en-provence rosé

SALADE DE SOJA
- alsace tokay
- clairette du languedoc
- muscadet

CHARCUTERIE

JAMBON BRAISÉ
- alsace tokay
- côtes du rhône rouge
- côtes du roussillon rosé

JAMBON PERSILLÉ
- chassagne-montrachet blanc
- coteaux du tricastin rouge
- beaujolais rouge

JAMBON DE BAYONNE
- côtes du rhône-villages
- bordeaux clairet
- corbières rosé

JAMBON DE SANGLIER FUMÉ
- côtes de saint-mont rouge
- bandol rouge
- sancerre blanc

PÂTÉ DE LIÈVRE
- côtes de duras rouge
- saumur-champigny
- moulin à vent

RILLETTES
- bourgogne rouge
- alsace pinot noir
- touraine gamay

RILLONS
- touraine cabernet
- beaujolais-villages
- rosé de loire

SAUCISSON
- côtes du rhône-villages
- beaujolais
- côtes du roussillon rosé

TERRINE DE FOIE BLOND
- meursault-charmes
- saint-nicolas de bourgueil
- morgon

COQUILLAGES ET CRUSTACES

BOUQUET MAYONNAISE
- bourgogne blanc
- alsace riesling
- haut-poitou sauvignon

BROCHETTES DE SAINT-JACQUES
- graves blanc
- alsace sylvaner
- beaujolais-villages rouge

CALMARS FARCIS
- mâcon-villages
- premières côtes de bordeaux
- gaillac rosé

CASSOLETTE DE MOULES AUX ÉPINARDS
- muscadet
- bourgogne aligoté bouzeron
- coteaux champenois blanc

CLOVISSES AU GRATIN
- pacherenc du vic-bilh
- rully blanc
- beaujolais blanc

COCKTAIL DE CRABE
- jurançon sec
- fiefs vendéens blanc
- bordeaux sec sauvignon

ÉCREVISSES À LA NAGE
- sancerre blanc
- côtes du rhône blanc
- gaillac blanc

HOMARD À L'AMÉRICAINE
- arbois jaune
- juliénas

HOMARD GRILLÉ
- hermitage blanc
- pouilly-fuissé
- savennières

HUÎTRES DE MARENNES
- muscadet
- bourgogne aligoté
- alsace sylvaner
- chablis
- beaujolais primeur rouge

HUÎTRES AU CHAMPAGNE
- bourgogne hautes-côtes de nuits blanc
- coteaux champenois blanc
- rousette de savoie

LANGOUSTE MAYONNAISE
- patrimonio blanc
- alsace riesling
- vin de savoie Apremont

LANGOUSTINES AU COGNAC
- chablis premier cru
- graves blanc
- muscadet sèvre-et-maine

MOUCLADE DES CHARENTES
- saint-véran
- bergerac sec
- haut-poitou chardonnay

Moules (crues) de Bouzigues
- coteaux du languedoc blanc
- muscadet sèvre-et-maine
- coteaux d'aix-en-provence blanc

Moules marinières
- bourgogne blanc
- alsace pinot
- bordeaux sec sauvignon

Palourdes farcies
- graves blanc
- montagny
- anjou blanc

Plateau de fruits de mer
- chablis
- muscadet
- alsace sylvaner

Salade de coquillages au concombre
- graves blanc
- muscadet
- alsace klevner

POISSONS

Anguille poêlée persillade
- corbières rosé
- gros plant du pays nantais
- blaye blanc

Alose à l'oseille
- anjou blanc
- rosé de loire
- haut-poitou chardonnay

Bar (loup) grillé
- auxey-duresses blanc
- bellet blanc
- bergerac sec

Barbue à la dieppoise
- graves blanc
- puligny-montrachet
- coteaux du languedoc blanc

Barquettes girondines
- bâtard-montrachet
- graves supérieurs
- quincy

Baudroie en gigot de mer
- mâcon-villages
- châteauneuf-du-pape blanc
- bandol rosé

Bouillabaisse
- côtes du roussillon blanc
- côteaux d'aix-en-provence blanc
- muscadet des coteaux de la loire

Bourride
- coteaux d'aix-en-provence rosé
- rosé de loire
- bordeaux rosé

Brandade
- haut-poitou rosé
- bandol rosé
- corbières rosé

Carpe farcie
- montagny
- touraine azay-le-rideau blanc
- alsace pinot

Colin froid mayonnaise
- pouilly-fuissé
- vin de savoie Chignin bergeron
- alsace klevner

Coquilles de poissons
- saint-aubin blanc
- saumur sec blanc
- crozes-hermitage blanc

Darnes de saumon grillées
- chassagne-montrachet blanc
- cahors
- côtes du rhône rosé

Filets de sole bonne femme
- graves blanc
- chablis grand cru
- sancerre blanc

Feuilleté de blanc de turbot
- chevalier-montrachet
- crozes-hermitage blanc

Gravettes d'Arcachon à la bordelaise
- graves blanc
- bordeaux sec
- jurançon sec

Koulibiak de saumon
- pouilly-vinzelles
- graves blanc
- rosé de loire

Lamproie à la bordelaise
- graves rouges
- bergerac rouge
- bordeaux rosé

Lisettes au vin blanc
- alsace sylvaner
- haut-poitou sauvignon
- quincy

Matelote de l'Ill
- chablis premier cru
- arbois blanc
- alsace riesling

Merlan en colère
- alsace gutedel
- entre-deux-mers
- seyssel

Morue à l'aïoli
- coteaux d'aix-en-provence rosé
- bordeaux rosé
- haut-poitou rosé

Morue grillée
- gros plant du pays nantais
- rosé de loire
- coteaux d'aix-en-provence rosé

Œufs de saumon
- haut-poitou rosé
- graves rouge
- côtes du rhône rouge

Petite friture
- beaujolais blanc
- béarn blanc
- fiefs vendéens blanc

Petits rougets grillés
- chassagne-montrachet blanc
- hermitage blanc
- bergerac

Pochouse
- meursault
- l'étoile
- mâcon-villages

Quenelle de brochet lyonnaise
- montrachet
- pouilly-vinzelles
- beaujolais-villages rouge

Rouille sétoise
- clairette du languedoc
- côtes du roussillon rosé
- rosé de loire

Sandre au beurre blanc
- muscadet
- saumur blanc
- saint-joseph blanc

Sardines grillées
- clairette de bellegarde
- jurançon sec
- bourgogne aligoté

Saumon fumé
- puligny-montrachet premier cru
- pouilly-fumé
- bordeaux sec sauvignon

Sole meunière
- meursault blanc
- alsace riesling
- entre-deux-mers

Soufflé Nantua
- bâtard-montrachet
- crozes-hermitage blanc
- bergerac sec

Thon rouge aux oignons
- coteaux d'aix blanc
- coteaux du languedoc blanc
- côtes de duras sauvignon

Thon (germon) basquaise
- graves blanc
- pacherenc de vic-bilh
- gaillac blanc

Tourteau farci
- premières côtes de bordeaux blanc
- bourgogne blanc
- muscadet

Truite aux amandes
- chassagne-montrachet blanc
- alsace klevner
- côtes du roussillon

Turbot sauce hollandaise
- graves blanc
- saumur blanc
- hermitage blanc

VIANDES ROUGES ET BLANCHES

Agneau

Baron d'agneau au four
- haut-médoc
- vin de savoie-mondeuse
- minervois

Carré d'agneau Marly
- saint-julien
- ajaccio
- coteaux du lyonnais

Épaule d'agneau boulangère
- hermitage rouge
- côtes de bourg rouge
- moulin à vent

Filet d'agneau en croûte
- pomerol
- mercurey
- coteaux du tricastin

Ragoût d'agneau au thym
- châteauneuf-du-pape rouge
- saint-chinian
- fleurie

Sauté d'agneau provençal
- gigondas
- côtes de provence rouge
- bourgogne passetoutgrain rouge

Selle d'agneau aux herbes
- vin de corse rouge
- côtes du rhône rouge
- coteaux du giennois rouge

Mouton

Curry de mouton
- montagne saint-émilion
- alsace tokay
- côtes du rhône

Daube de mouton
- patrimonio rouge
- côtes du rhône-villages rouge
- morgon

Gigot à la ficelle
- morey-saint-denis
- saint-émilion
- côte de provence rouge

Gigot froid mayonnaise
- saint-aubin blanc
- bordeaux rouge
- entre-deux-mers

Mouton en carbonade
- graves de vayres rouge
- fitou
- crozes-hermitage rouge

Navarin
- anjou rouge
- bordeaux côtes-de-francs rouge
- bourgogne marsannay rouge

Poitrine de mouton farcie
- côtes du jura rouge
- graves rouge
- haut-poitou gamay

Bœuf

Bœuf bourguignon
- rully rouge
- saumur rouge
- côte du marmandais rouge

Chateaubriand
- margaux
- alsace pinot
- coteaux du tricastin

Daube
- buzet rouge
- côtes du vivarais rouge
- arbois rouge

Entrecôte bordelaise
- saint-julien
- saint-joseph rouge
- côtes du roussillon-villages

Filet de bœuf duchesse
- côte rôtie
- gigondas
- graves rouge

Fondue bourguignonne
- bordeaux rouge
- côtes du ventoux rouge
- bourgogne rosé

Gardiane
- lirac rouge
- côtes du luberon rouge
- costières de nîmes rouge

Pot-au-feu
- anjou rouge
- bordeaux rouge
- beaujolais rouge

Rosbif chaud
- moulis
- aloxe-corton
- côtes du rhône rouge

Rosbif froid
- madiran
- beaune rouge
- cahors

Steack maître d'hôtel
- bergerac rouge
- arbois rosé
- chénas

Tournedos béarnaise
- listrac
- saint-aubin rouge
- touraine amboise rouge

Porc

Andouillette à la crème
- touraine blanc
- bourgogne blanc
- saint-joseph blanc

Andouillette grillée
- coteaux champenois blanc
- petit chablis
- beaujolais rouge

Baeckeoffe
- alsace riesling
- alsace sylvaner

Cassoulet
- côtes du frontonnais rouge
- minervois rouge
- bergerac rouge

Chou farci
- côtes du rhône rouge
- touraine gamay
- bordeaux sec sauvignon

Choucroute
- alsace riesling
- alsace sylvaner

Cochon de lait en gelée
- graves de vayres blanc
- costières du gard rosé
- beaujolais-villages rouge

Confit
- tursan rouge
- corbières rouge
- cahors

Côte de porc charcutiere
- bourgogne blanc
- côtes d'auvergne rouge
- bordeaux clairet

Palette au sauvignon
- bergerac sec
- menetou-salon
- bordeaux rosé

Potée
- côtes du luberon
- côte de brouilly
- bourgogne aligoté

Rôti de porc à la sauge
- rully blanc
- côtes du rhône rouge
- minervois rosé

Rôti de porc froid
- bourgogne blanc
- lirac rouge
- bordeaux sec

Saucisse de Toulouse grillée
- saint-joseph ou bergerac rouges
- côtes du frontonnais rosé

Veau

Brochettes de rognons
- cornas
- beaujolais-villages
- coteaux du languedoc rosé

Blanquette de veau à l'ancienne
- arbois blanc
- alsace grand cru riesling
- côtes de provence rosé

Côte de veau grillée
- côtes du rhône rouge
- anjou blanc
- bourgogne rosé

Escalope panée
- côtes du jura blanc
- corbières blanc
- côtes du ventoux rouge

Foie de veau à l'anglaise
- médoc
- coteaux d'aix-en-provence rouge
- haut-poitou rosé

Noix de veau braisée
- mâcon-villages blanc
- côtes de duras rouge
- brouilly

Paupiettes de veau
- anjou gamay
- minervois rosé
- costières de nîmes blanc

Ris de veau aux langoustines
- graves blanc
- alsace tokay
- bordeaux rosé

Rognons sautés au vin jaune
- arbois blanc
- gaillac vin de voile
- bourgogne aligoté

Rognons de veau à la moëlle
- saint-émilion
- saumur-champigny
- coteaux d'aix-en-provence rosé

Veau Marengo
- côtes de duras merlot
- alsace klevner
- coteaux du tricastin rosé

Veau Orloff
- chassagne-montrachet blanc
- chiroubles
- lirac rosé

VOLAILLES ET LAPIN

Barbarie aux olives
- vin de savoie-mondeuse
- canon-fronsac
- anjou cabernet rouge

Brochettes de cœurs de canard
- saint-georges-saint-émilion
- chinon
- côtes du rhône-villages

Canard à l'orange
- côtes du jura jaune
- cahors
- graves rouge

Canard farci
- saint-émilion grand cru
- bandol rouge
- buzet rouge

Canard aux navets
- puisseguin saint-émilion
- saumur-champigny
- coteaux d'aix-en-provence rouge

Canette aux pêches
- banyuls
- chinon rouge
- graves rouge

Chapon rôti
- bourgogne blanc
- touraine-mesland
- côtes du rhône rosé

Coq au vin rouge
- ladoix
- côte de beaune
- châteauneuf-du-pape rouge
- touraine cabernet

Curry de poulet
- montagne saint-émilion
- alsace tokay
- côtes du rhône

Dinde aux marrons
- saint-joseph rouge
- sancerre rouge
- meursault blanc

Dindonneau à la broche
- monthélie
- graves blanc
- châteaumeillant rosé

Escalopes de dinde au roquefort
- côtes du jura blanc
- bourgogne aligoté
- coteaux d'aix-en-provence rosé

Fricassée de lapin
- touraine rosé
- côtes de blaye blanc
- beaujolais-villages rouge

Lapin rôti à la moutarde
- sancerre rouge
- tavel
- côtes de provence blanc

Magret au poivre vert
- saint-joseph rouge
- bourgueil rouge
- bergerac rouge

Oie farcie
- anjou cabernet rouge
- côtes du marmandais rouge
- beaujolais-villages

Pigeonneaux à la printaniere
- crozes-hermitage rouge
- bordeaux rouge
- touraine gamay

Pintadeau à l'armagnac
- saint-estèphe
- chassagne-montrachet rouge
- fleurie

Poularde demi-deuil
- chevalier-montrachet
- arbois blanc
- juliénas

Poularde en croûte de sel
- listrac
- mâcon-villages blanc
- côtes du rhône rouge

Poulet au riesling
- alsace grand cru riesling
- touraine sauvignon
- côtes du rhône rosé

Poulet basquaise
- côtes de duras sauvignon
- bordeaux sec
- coteaux du languedoc rosé

Poulet sauté aux morilles
- savigny-lès-beaune rouge
- arbois blanc
- sancerre blanc

Poussin de la Wantzenau
- côtes de toul gris
- alsace gutedel
- beaujolais

GIBIER

Bécasse flambée
- pauillac
- musigny
- hermitage

Brochette de mauviettes
- pernand-vergelesses rouge
- pomerol
- côtes du ventoux rouge

Civet de lièvre
- canon-fronsac
- bonnes-mares
- minervois rouge

Côtelettes de chevreuil Conti
- lalande de pomerol
- côtes de beaune rouge
- crozes-hermitage rouge

Cuissot de sanglier sauce venaison
- chambertin
- montagne saint-émilion
- corbières rouge

Faisan en chartreuse
- moulis
- pommard
- saint-nicolas de bourgueil

Filet de sanglier bordelaise
- pomerol
- bandol
- gigondas

Gigue de chevreuil grand veneur
- hermitage rouge
- corton rouge
- côtes du roussillon rouge

Grives au genièvre
- échézeaux
- coteaux du tricastin rouge
- chénas

Halbran rôti
- saint-émilion grand cru
- côte rotie
- faugères

Jambon de sanglier braisé
- fronsac
- châteauneuf-du-pape rouge
- moulin à vent

Lapereau rôti
- auxey-duresses rouge
- puisseguin saint-émilion
- crozes-hermitage rouge

Lièvre à la royale
- saint-joseph rouge
- volnay
- pécharmant

Merles à la façon corse
- ajaccio rouge
- côtes de provence rouge
- coteaux du languedoc rouge

Perdreau rôti
- haut-médoc
- vosne-romanée
- bourgueil

Perdrix aux choux
- bourgogne irancy
- arbois rosé
- cornas

Perdrix à la catalane
- maury
- côtes du roussillon rouge
- beaujolais-villages

Râble de lièvre au genièvre
- chambolle musigny
- savoie-mondeuse
- saint-chinian

Salmis de colvert
- côte rôtie
- chinon rouge
- bordeaux supérieur

Salmis de palombe
- saint-julien
- côte de nuits-villages
- patrimonio

LÉGUMES

Beignets d'aubergines
- bourgogne rouge
- beaujolais rouge
- bordeaux sec

Céleri braisé
- côtes du ventoux rouge
- alsace pinot noir
- touraine sauvignon

Champignons
- beaune blanc
- alsace tokay
- coteaux de giennois rouge

Gratin dauphinois
- bordeaux côtes de castillon
- châteauneuf-du-pape blanc
- alsace riesling

Grisets sautés persillade
- beaune blanc
- alsace tokay
- coteaux du giennois rouge

Haricots verts
- côte de beaune blanc
- sancerre blanc
- entre-deux-mers

Pâtes
- côtes du rhône rouge
- coteaux d'aix rosé

Petits pois
- saint-romain blanc
- côtes du jura blanc
- touraine sauvignon

Pois gourmands
- graves blanc
- côtes du rhône rouge
- alsace riesling

Poivrons farcis
- mâcon-villages
- côtes du rhône rosé
- alsace tokay

FROMAGES

Au lait de vache

Beaufort
- arbois jaune
- meursault
- vin de savoie Chignin bergeron

Bleu d'Auvergne
- côtes de bergerac moelleux
- beaujolais
- touraine sauvignon

Bleu de Bresse
- côtes du jura blanc
- mâcon rouge
- côtes de bergerac blanc

Brie
- beaune rouge
- alsace pinot noir
- coteaux du languedoc rouge

Camembert
- bandol rouge
- côtes du roussillon-villages
- beaujolais-villages

Cantal
- coteaux du vivarais rouge
- côtes de provence rosé
- lirac blanc

Carré de l'Est
- saint-joseph rouge
- coteaux d'aix-en-provence rouge
- brouilly

Carré frais
- cahors
- côtes du roussillon rosé
- côtes du rhône blanc

Chaource
- montagne saint-émilion
- cadillac
- chénas

Cîteaux
- aloxe-corton
- coteaux champenois rouge
- fleurie

Comté
- château-chalon, graves blanc
- côtes du luberon blanc

Édam demi-etuvé
- pauillac
- fixin
- costières de nîmes rouge

Époisses
- savigny
- côtes du jura rouge
- côte de brouilly

Fourme d'Ambert
- l'étoile vin jaune
- cérons
- banyuls rimage

GOUDA DEMI-ÉTUVÉ
- saint-estèphe
- chinon
- coteaux du tricastin

LIVAROT
- bonnezeaux
- sainte-croix-du-mont
- alsace gewurztraminer

MAROILLES
- jurançon
- alsace gewurztraminer vendanges tardives

MIMOLETTE DEMI-ÉTUVÉE
- graves rouge
- santenay
- côtes du rhône rouge

MORBIER
- gevrey-chambertin
- madiran
- côtes du ventoux rouge

MUNSTER
- coteaux du layon-villages
- loupiac
- alsace gewurztraminer

PÂTE FONDUE (FROMAGES À)
- alsace riesling
- haut-poitou sauvignon
- côtes du rhône-villages

PONT-L'ÉVÊQUE
- côtes de saint-mont
- bourgueil
- nuits-saint-georges

RACLETTE
- vin de savoie Apremont
- côtes de duras sauvignon
- juliénas

REBLOCHON
- mercurey
- lirac rouge
- touraine gamay

RIGOTTE
- bourgogne hautes-côtes de nuits rouge
- côtes du forez
- saint-amour

SAINT-MARCELLIN
- faugères
- tursan rouge
- chiroubles

SAINT-NECTAIRE
- fronsac
- bourgogne rouge
- mâcon-villages blanc

VACHERIN
- corton
- premières côtes de bordeaux
- barsac

Au lait de chèvre

CABÉCOU
- bourgogne blanc
- tavel
- gaillac blanc

CROTTIN DE CHAVIGNOL
- sancerre blanc
- bordeaux sec
- côte roannaise

CHÈVRE FRAIS
- champagne
- montlouis demi-sec
- crémant d'alsace

CORSE (FROMAGE DE CHÈVRE DE)
- patrimonio blanc
- cassis blanc
- costières de nîmes blanc

PÉLARDON
- condrieu
- roussette de savoie
- coteaux du lyonnais rouge

SAINTE-MAURE
- rivesaltes blanc
- alsace tokay
- cheverny gamay

SELLES-SUR-CHER
- coteaux de l'aubance
- cheverny
- romorantin
- sancerre rosé

VALENÇAY
- vouvray moelleux
- haut-poitou rosé
- valençay gamay

Au lait de brebis

CORSE (FROMAGE DE BREBIS DE)
- bourgogne irancy
- ajaccio
- côtes du roussillon rouge

EISBARECH
- lalande-de-pomerol
- cornas
- marcillac

LARUNS
- bordeaux côtes de castillon
- gaillac rouge
- côtes de provence rouge

ROQUEFORT
- côtes du jura vin jaune
- sauternes
- muscat de rivesaltes

DESSERTS

BRIOCHE
- rivesaltes rouge
- muscat de beaumes-de-venise
- alsace vendanges tardives

BÛCHE DE NOEL
- champagne demi-sec
- clairette de die tradition

CRÈME RENVERSÉE
- coteaux du layon-villages
- sauternes
- muscat de saint-jean-de-minervois

FAR BRETON
- pineau des charentes
- anjou coteaux de la loire
- cadillac

FRAISIER
- muscat de rivesaltes
- maury

GÂTEAU AU CHOCOLAT
- banyuls grand cru
- pineau des charentes rosé

GLACE À LA VANILLE AU COULIS DE FRAMBOISE
- loupiac
- coteaux du layon

ÎLE FLOTTANTE
- loupiac
- rivesaltes blanc
- muscat de rivesaltes

KOUGLOF
- quarts de chaume
- alsace vendanges tardives
- muscat de mireval

PITHIVIERS
- maury
- bonnezeaux
- muscat de lunel

SALADE D'ORANGES
- sainte-croix-du-mont
- rivesaltes blanc
- muscat de rivesaltes

TARTE AU CITRON
- alsace sélection de grains nobles
- cérons
- rivesaltes blanc

TARTE TATIN
- pineau des charentes
- arbois vin de paille
- jurançon

DE LA VIGNE AU VIN

À l'origine du vin se trouve une plante domestiquée par l'homme depuis des millénaires, la vigne. Alliée au terroir, elle lègue au vin un caractère incomparable, différent selon sa variété. Au vigneron ensuite de le mettre en valeur. Loin de jouer le simple rôle de faire-valoir, l'homme entretient un lien privilégié avec son vin : il sélectionne les terroirs et les cépages les mieux adaptés aux sols et aux microclimats, étudie les vinifications en fonction de sa matière première, choisit le mode d'élevage. L'élaboration du vin est un art exigeant.

LA VIGNE, UNE CULTURE MONDIALE

C'est en Transcaucasie, région qui correspond à la Géorgie et à l'Arménie actuelles, que la culture de la vigne se serait développée dès les temps préhistoriques. Elle se diffusa ensuite en Asie Mineure, puis sur tout le pourtour méditerranéen, suivant ainsi les peuples dans leurs migrations : Égyptiens, Perses, Grecs, Romains et tant d'autres. L'histoire ne fit que se répéter lorsque, à la fin du XVe siècle, les cépages européens voyagèrent jusqu'en Amérique avec les conquistadores espagnols. Aux Hollandais ensuite de les implanter en Afrique du Sud, puis aux Anglais de les porter jusqu'aux Antipodes.

Vitis vinifera

La vigne appartient au genre *Vitis* dont il existe de nombreuses espèces. Ainsi, *Vitis vinifera*, originaire du continent européen, est l'espèce la mieux adaptée à la production vinicole. La quasi-totalité des vins, dans le monde entier, est issue de différentes variétés de *Vitis vinifera* importées d'Europe. D'autres espèces sont originaires d'Amérique, mais certaines sont infertiles et d'autres donnent des produits au caractère organoleptique très particulier, qualifié de foxé (fourrure de renard) et peu apprécié. Cependant, ces espèces présentent une résistance aux maladies supérieure à celle de *Vitis vinifera*. Dans les années 1930, on a donc cherché à créer, par hybridation, de nouvelles variétés moins vulnérables, comme les espèces américaines, mais produisant des vins de même qualité que ceux de *Vitis vinifera* : ce fut un échec qualitatif. Heureusement, l'analyse chimique de la matière colorante a permis de différencier les vins de *Vitis vinifera* de ceux des vignes hybrides qui ont ainsi pu être éliminées du territoire des appellations d'origine contrôlée.

Le phylloxéra : révolution dans le vignoble

À la fin du XIXe s., un puceron, le phylloxéra, fut introduit en France par importation de plants de vignes américaines infestés, mais qui n'avaient pas manifesté la maladie en raison de leur résistance. Il fut responsable de dévastations incommensurables en Europe, en s'attaquant aux racines de *Vitis vinifera*. Les nombreuses tentatives de protection par des méthodes chimiques se soldèrent par un échec ; le fléau ne put être combattu sans une révolution des modes de culture. Toutes les vignes durent être greffées sur un porte-greffe de vigne américaine résistant au phylloxéra : contrairement à l'hybridation qui crée de nouvelles variétés partageant les caractères des deux parents, le cep garde dans ce cas les propriétés de l'espèce *vinifera*, mais ses racines ne sont pas infectées par l'insecte. *Vitis vinifera* est aussi sensible à d'autres parasites : un champignon, le mildiou, et la cicadelle, sorte de petite cigale originaire d'Amérique qui inocule la flavescence, maladie qui détruit la vigne.

À chaque région ses cépages

L'espèce *Vitis vinifera* comprend de nombreuses variétés, appelées cépages. Alors que dans certains vignobles les vins proviennent d'un seul cépage

(riesling, gewurztraminer, pinot gris, sylvaner, muscat en Alsace ou encore pinot et chardonnay en Bourgogne), dans d'autres régions ils peuvent résulter de l'association de plusieurs cépages complémentaires. Chaque aire viticole a sélectionné les plants les mieux adaptés, mais l'encépagement évolue au gré de l'évolution du goût des consommateurs et donc des marchés. Sachant qu'il faut attendre quatre ans après sa plantation pour qu'un cep produise du vin, les vignerons ont de plus en plus recours au surgreffage : les greffons d'un nouveau cépage sont greffés sur les anciens pieds de vigne dont les vins ne correspondaient plus à la demande des consommateurs.

Des progrès constants

Chaque cépage admet différents clones, c'est-à-dire des individus qui se distinguent par certaines caractéristiques : plus grande productivité, maturité plus précoce, plus grande résistance aux maladies. Pour les hommes du vin, il s'est toujours agi de sélectionner les meilleures souches tout en veillant à respecter une certaine diversité des clones plantés qui doit se retrouver dans les caractères du vin. Des recherches sont actuellement en cours pour améliorer la résistance des vignes grâce à des modifications génétiques.

LES TERROIRS VITICOLES

Prise dans son sens le plus large, la notion de terroir viticole regroupe de nombreuses données d'ordre biologique (choix du cépage), géographique, climatique, géologique et pédologique. Il faut ajouter aussi des facteurs humains, historiques et commerciaux.

L'adaptation au climat

La vigne est cultivée dans l'hémisphère Nord entre le 35e et le 50e parallèle ; elle est donc adaptée à des climats très différents. Cependant, les vignobles septentrionaux, les plus froids, permettent essentiellement la culture des cépages blancs, que l'on choisit précoces et dont les fruits peuvent mûrir avant les froids de l'automne ; sous des climats chauds sont cultivés les cépages tardifs. Pour faire du bon vin, il faut un raisin bien mûr, mais la maturation ne doit être ni trop rapide ni trop complète au risque de perdre des éléments aromatiques. Les grands vignobles des zones climatiques marginales sont confrontés à l'irrégularité des conditions climatiques pendant la période de maturation d'une année à l'autre.

Un sol pauvre et bien drainé

La vigne est une plante particulièrement peu exigeante qui pousse sur des sols pauvres, mais équilibrés. Cette pauvreté est d'ailleurs un élément de la qualité des vins, car elle favorise des rendements limités qui évitent la dilution des pigments colorants, des arômes et des constituants sapides.

En climat chaud et sec, la régulation de l'alimentation en eau se fait par le contrôle de l'irrigation. En climat tempéré et océanique, avec les précipitations variables d'une année à l'autre et quelquefois importantes, le sol du vignoble joue un rôle essentiel pour régulariser l'alimentation en eau de la plante par ses propriétés physico-chimiques : il apporte de l'eau au printemps, lors de la croissance, et élimine les excès éventuels de pluie pendant la maturation. Un drainage artificiel peut éventuellement pallier les déficiences du sol.

Certes, les sols graveleux et calcaires assurent particulièrement bien ces régulations, mais il existe aussi des crus réputés sur des sols sableux et même argileux. De fait, d'excellents vins peuvent être produits sur des terroirs en apparence très différents. *A contrario*, des vignobles implantés sur des sols apparemment voisins présentent parfois de grandes disparités de qualité parce que l'aptitude de leur sol à la régularisation de l'eau n'est pas la même.

Tous les goûts sont dans la nature du sol

La couleur ou les caractères aromatiques et gustatifs des vins issus d'un même cépage et produits sous un même climat varient selon la nature du sol et du sous-sol : calcaires, molasses argilo-calcaires, sédiments argileux, sableux ou gravelo-sableux. Par exemple, l'augmentation de la proportion d'argile dans les graves donne des vins plus acides, plus tanniques et corsés, au détriment de la finesse ; le sauvignon blanc prend des arômes plus ou moins puissants sur calcaires, sur graves ou sur marnes.

LE CYCLE DES TRAVAUX DE LA VIGNE

La vigne est une plante bisannuelle, à feuilles caduques, qui se développe selon un cycle régulier au fil des saisons. Tout commence au printemps par la sortie des bourgeons : le débourrement. Puis apparaissent les fleurs au mois de mai, suivies des fruits (la nouaison). En juillet-août, les grains changent progressivement de couleur et les rameaux se couvrent d'une écorce ligneuse : c'est la véraison, puis l'aoûtement. Seule la maturation du raisin décidera du moment optimal pour vendanger. À l'automne, la vigne perd ses feuilles et entre dans sa période de repos, appelée dormance.

Tailler

Destinée à équilibrer la production des fruits, en évitant le développement exagéré du bois, la taille annuelle s'effectue normalement entre décembre et mars. La longueur des sarments, choisie en fonction de la vigueur de la plante, commande directement l'importance de la récolte. Les labours de printemps déchaussent la plante, en ramenant la terre vers le milieu du rang, et créent une couche meuble qui restera aussi sèche que possible. Le décavaillonnage consiste à enlever la terre qui reste, sous le rang, entre les ceps.

CYCLE ANNUEL DE LA VIGNE

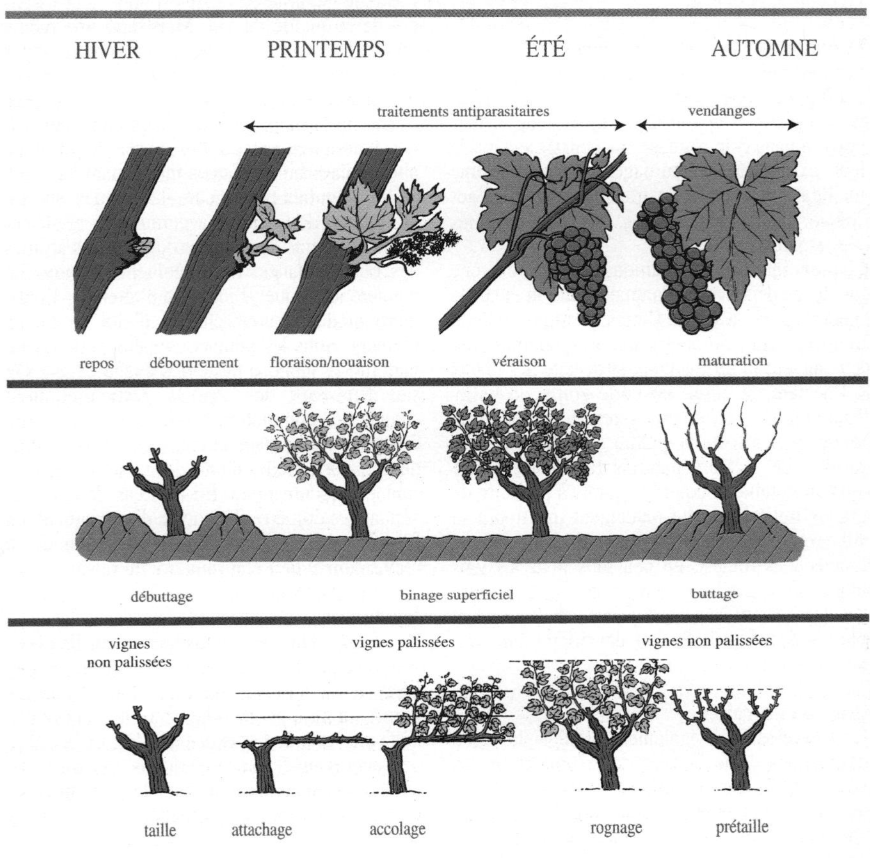

Travailler le sol

Au début de l'hiver, le vigneron laboure son vignoble : il ramène la terre vers les ceps afin de les protéger des gelées ; la formation d'une rigole au centre des rangs permet d'évacuer les eaux de ruissellement. Le labour peut être utilisé pour enfouir des engrais.
En fonction des besoins, les travaux du sol sont poursuivis pendant toute la durée du cycle végétatif ; ils détruisent la végétation adventice, maintiennent le sol meuble et évitent les pertes d'eau par évaporation. Le désherbage peut être effectué chimiquement ; s'il est total, il est effectué à la fin de l'hiver et les travaux aratoires sont complètement supprimés ; on parle alors de non-culture, qui constitue une économie substantielle. Cependant, certains producteurs soucieux de l'environnement préfèrent les vignes enherbées qui permettent de limiter la vigueur de la plante.

Maîtriser la vigne et ses rendements

Pendant toute la période végétative, on procède à différentes opérations pour limiter la prolifération végétale : l'épamprage, suppression de certains rameaux; le rognage, raccourcissement de leur extrémité; l'effeuillage, qui permet une meilleure exposition des raisins au soleil, l'accolage, pour maintenir les sarments dans les vignes palissées.
L'amélioration des conditions de culture a une incidence décisive sur la qualité du vin et sur le rendement de la vigne. Certes, il est possible de modifier considérablement le rendement en agissant sur la fertilisation, la densité des plants à l'hectare, le choix du porte-greffe, la taille. Toutefois, la recherche systématique de forts rendements affecte la qualité. L'abondance doit résulter de facteurs naturels favorables à une vendange saine et équilibrée, apte à produire de grands millésimes. Le rendement maximum se situe entre 45 et 60 hl/ha pour produire de grands vins rouges, un peu plus pour les vins blancs secs. Les bons vins proviennent en outre de vignes suffisamment âgées (trente ans et plus) qui ont parfaitement développé leur système racinaire.

Protéger et traiter

Le viticulteur doit également protéger la vigne des maladies : le Service de la protection des végétaux diffuse des informations qui permettent de prévoir les traitements nécessaires, faits par pulvérisation de produits actifs, qu'ils soient naturels (agrobiologie) ou issus de la chimie industrielle.

La lutte raisonnée

La vigne est une plante sensible à de nombreuses maladies – mildiou, oïdium, blackrot, pourriture – qui compromettent la récolte et communiquent aux raisins de mauvais goûts susceptibles de se retrouver dans le vin. Les viticulteurs disposent de moyens de traitement efficaces, facteurs certains de l'amélioration générale de la qualité. Si, par souci de sécurité, les viticulteurs ont autrefois abusé de l'emploi des pesticides chimiques, ils se sentent aujourd'hui impliqués dans la recherche d'une culture raisonnée qui limite les traitements au strict nécessaire. D'autre part, l'agrobiologie, s'appuyant sur une biodynamique du sol, cherche à créer des conditions naturelles rendant la vigne moins sensible aux maladies.

Évaluer la maturité du raisin

L'état de maturité du raisin est un facteur essentiel de la qualité du vin. Mais dans une même région, les conditions climatiques sont variables d'une année à l'autre, entraînant des différences de constitution des raisins, qui déterminent les caractéristiques propres de chaque millésime. Il faut prendre en compte l'existence de plusieurs phénomènes biochimiques intervenant au cours de la maturation : accumulation des sucres, diminution de l'acidité, accumulation et affinement des tanins des raisins rouges et des arômes des raisins blancs. Ils n'évoluent pas tous de manière identique ; l'idéal est d'atteindre l'optimum qualitatif pour chacun d'eux au même moment. Sous les climats tempérés, une bonne maturation suppose un temps chaud et sec. On sait que sous des climats particulièrement chauds, l'accumulation de sucre dans le raisin, donc de l'alcool dans le vin, peut obliger à vendanger alors que les tanins des raisins rouges ne sont pas encore mûrs. En tout cas, la date des vendanges doit être fixée avec discernement, en fonction de la situation, de l'évolution de la maturation et de l'état sanitaire du raisin.

Vendanger

De plus en plus, les vendanges manuelles laissent place au ramassage mécanique. Les machines, munies de batteurs, font tomber les grains sur un tapis mobile; un ventilateur élimine la plus grande partie des feuilles. La brutalité de l'action sur le raisin n'est pas a priori favorable à la qualité, surtout pour les vins blancs : malgré des progrès considérables dans la conception et la conduite de ces machines, les crus de haute réputation seront les derniers à faire appel à ce procédé de ramassage, parce que

CALENDRIER DU VIGNERON

JANVIER

Si la taille s'effectue
de décembre à mars,
c'est bien « à la Saint-Vincent
que l'hiver s'en va ou se reprend ».

JUILLET

Les traitements contre
les parasites continuent
ainsi que la surveillance du vin
sous les fortes variations
de température !

FEVRIER

Le vin se contracte avec l'abaissement
de la température. Surveiller les tonneaux
pour l'ouillage qui se fait
périodiquement toute l'année.
Les fermentations malolactiques
doivent être alors terminées.

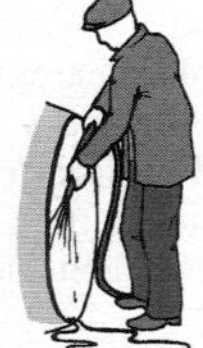

AOUT

Travailler le sol serait nuisible
à la vigne, mais il faut être vigilant
devant les invasions possibles
de certains parasites.
On prépare la cuverie
dans les régions précoces.

MARS

On « débutte ». On finit la taille
(« taille tôt, taille tard,
rien ne vaut la taille de mars »).
On met en bouteilles les vins
qui se boivent jeunes.

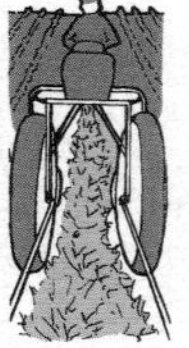

SEPTEMBRE

Étude de la maturation
par prélèvement régulier
des raisins pour fixer la date
des vendanges qui commencent
en région méditerranéenne.

AVRIL

Avant le phylloxéra,
on plantait les paisseaux.
Maintenant on palisse
sur fil de fer, sauf à l'Hermitage,
Côte Rôtie et Condrieu.

OCTOBRE

Les vendanges ont lieu
dans la plupart des vignobles
et la vinification commence.
Les vins de garde vont être
mis en fût pour y être élevés.

MAI

On surveille la vigne
et on la protège
contre les gelées
de printemps. Binage.

NOVEMBRE

Les vins primeurs
sont mis en bouteilles.
On surveille l'évolution
des vins nouveaux.
La prétaille commence.

JUIN

On « accole » les vignes palissées
et on commence à rogner les sarments.
La « nouaison » (= donner des baies)
ou la « coulure » vont commander
le volume de la récolte.

DECEMBRE

La température des caves
doit être maintenue pour
assurer l'achèvement des
fermentations alcoolique
et malolactique.

leurs moyens financiers leur permettent d'effectuer un travail très soigné (de sélection et de trie des raisins), certainement favorable à la qualité, mais relativement onéreux.

Corriger la vendange

Dans le cas d'une maturité excessive de la vendange, l'acidité trop basse peut être compensée par l'addition d'acide tartrique. Si la maturité est insuffisante, on peut au contraire diminuer l'acidité par ajout de carbonate de calcium. Un raisin insuffisamment sucré pourrait donner un vin d'un degré alcoolique insuffisant ; dans ce cas, on procède parfois à une concentration du moût, en éliminant une partie de l'eau du raisin par divers procédés (osmose inverse, évaporation sous vide, cryo-extraction). Enfin, dans des conditions bien précises, la législation permet d'augmenter la richesse saccharine du moût par addition de sucre : c'est la chaptalisation. Sept zones climatiques, du nord au sud (et donc des plus fraîches aux plus chaudes) ont été légalement définies dans le vignoble européen ; les aires les plus septentrionales ont droit de chaptaliser leur moût dans des proportions strictement définies. C'est le cas, par exemple, de l'Allemagne, de l'Alsace ou de la Champagne. Dans tous les cas, un vigneron ne peut jamais acidifier son moût puis le chaptaliser, ou bien le chaptaliser puis le concentrer. Bien que le procédé soit plus onéreux que la chaptalisation, il a été proposé, pour l'enrichissement de la vendange, d'utiliser du moût de raisin concentré et rectifié, ce qui permet de supprimer une partie des excédents de production.

LA NAISSANCE DU VIN

Depuis quand élabore-t-on du vin ? Depuis que l'homme découvrit que des raisins conservés trop longtemps dans une jarre fermentaient et changeaient de goût, soit entre 6 000 et 8 000 ans avant notre ère. Aujourd'hui, le sens que nous donnons au mot vin n'a guère changé, la réglementation européenne le définissant comme « le produit obtenu exclusivement par la fermentation alcoolique, totale ou partielle, de raisins frais, foulés ou non, ou de moûts de raisins ».

La fermentation alcoolique

Le vin naît d'un phénomène microbiologique : des levures de l'espèce *Saccharomyces cerevisae* se développent à l'abri de l'air et décomposent le sucre du raisin en alcool et en gaz carbonique. C'est la fermentation alcoolique. Au cours de ce processus, de nombreux produits secondaires apparaissent (glycérol, acide succinique, esters, etc.), qui participent aux arômes et au goût du vin. Dans la majorité des cas, les levures trouvent dans le moût du raisin tous les constituants chimiques (carbone, azote, éléments minéraux, vitamines, etc.) nécessaires à leur vie ; un apport complémentaire peut être souhaitable (composés azotés) dans certaines situations.

D'où viennent ces levures ? De la nature elle-même : elles ont été déposées sur la peau du raisin ou se sont développées dans la cave à l'occasion des manipulations de la vendange. Elles peuvent aussi provenir de cultures en laboratoire : ces levures sélectionnées, déshydratées, sont ajoutées dans la cuve. Elles favorisent un bon déroulement de la fermentation et évitent certains défauts (odeurs de réduction). Dans certains cas, une souche adaptée permet de révéler les arômes spécifiques d'un cépage, tel le sauvignon, présents à l'état de molécules inodores (les précurseurs d'arômes) dans le raisin. En tout état de cause, la qualité et la typicité du vin reposent essentiellement sur la qualité du raisin, donc sur des facteurs naturels (cépages, crus et terroirs).

Le degré alcoolique du vin

Légalement, le vin a une teneur en alcool minimale de 8,5 % vol. ou de 9,5 % vol. selon les zones viticoles. Ce degré alcoolique est exprimé en pourcentage du volume du vin constitué par de l'alcool pur. Il faut environ 17 g de sucre par litre de moût (jus qui s'écoule lors du pressurage des raisins frais) pour produire 1 % vol. d'alcool par la fermentation.

La température, clé du succès

La fermentation dégage des calories qui provoquent l'échauffement de la cuve. Or, au-delà de 35 °C, le processus risque de s'interrompre brutalement avant que la totalité du sucre ait été transformée en alcool. Les levures meurent et laissent alors le champ libre aux bactéries qui décomposent le sucre restant et produisent de l'acide acétique (acidité volatile) ; il s'agit d'un accident grave, connu sous le nom de piqûre. Le vigneron s'attache donc à maîtriser la température à l'aide de divers mécanismes de thermorégulation : serpentins, échangeurs thermiques, cuves Inox informatisées. Les vins rouges fermentent à 28-32 °C afin d'extraire au mieux les constituants de la pellicule du raisin (couleur, tanins), les vins blancs à 18-20 °C pour protéger les arômes. L'introduction d'oxygène par aération du moût en début de fermentation est nécessaire pour les levures ; c'est une autre condition essentielle pour éviter les arrêts prématurés de la fermentation.

La fermentation malolactique
Dans certains cas, une seconde fermentation intervient après la fermentation alcoolique : c'est la fermentation malolactique. Sous l'influence de bactéries, l'acide malique du raisin est décomposé en acide lactique et en gaz carbonique. La conséquence est une baisse d'acidité et un assouplissement du vin, avec affinement des arômes. Simultanément, le vin acquiert une meilleure stabilité pour sa conservation. Si les vins rouges s'en trouvent toujours améliorés, l'avantage est moins systématique pour les vins blancs.

Comment limiter les risques bactériens ?
Au cours de la conservation, il reste toujours des populations bactériennes résiduelles dans le vin qui peuvent provoquer des accidents graves : décomposition de certains constituants du vin ; oxydation et formation d'acide acétique (processus de fabrication du vinaigre). Les soins apportés aujourd'hui à la vinification permettent d'éviter ces risques. La première condition est une parfaite propreté qui évite les contaminations microbiennes excessives ; elle peut être complétée par des procédés d'élimination des microbes présents dans le vin (soutirage, collage, filtration). Enfin, le dioxyde de soufre (SO_2) est un antiseptique très puissant ; bien utilisé, à faible dose, il ne compromet pas la qualité des vins, tout au contraire.

LES TYPES ET STYLES DE VINS

Au-delà de leur couleur rouge, blanc ou rosé, les vins se distinguent selon leur type : tranquille ou effervescent. Dans un cas, la surpression du CO_2 dans la bouteille est inférieure à 0,5 kg, dans l'autre elle dépasse 3 kg (à 20 °C) et un dégagement de gaz carbonique se produit au débouchage. Les vins ont aussi un style : sec ou doux, avec toutes les nuances imaginables entre les deux saveurs. Un large éventail de sensations gustatives s'offre ainsi au dégustateur.

Les vins secs
Les vins secs contiennent moins de 4 g/l de sucres résiduels ; le goût sucré n'est donc pas perceptible à la dégustation. Ils sont rouges, blancs ou rosés, tranquilles ou effervescents et présentent une grande variété de caractères selon les cépages, les terroirs et les modes de vinification.

Les vins doux
Demi-secs, moelleux ou liquoreux
Les vins doux sont caractérisés par un taux de sucre variable, mais toujours supérieur à 4 g/l : ils peuvent être *demi-secs, moelleux* (entre 12 et 45 g/l de sucres) ou *liquoreux* (plus de 50 g/l). Leur production suppose des raisins très mûrs, riches en sucre, dont une partie seulement est transformée en alcool par la fermentation.
Les vins liquoreux, comme le sauternes, proviennent de raisins surmûris dont l'extrême concentration est due soit à un passerillage sur souche ou sur un lit de paille après la récolte, soit à l'action d'un champignon, le *Botrytis cinerea*, provoquant dans des conditions particulières une forme de pourriture, qualifiée de « noble » : les baies sont alors vendangées à mesure du développement du *Botrytis*, par tries successives. Le titre alcoométrique de ces vins atteint entre 13 et 16 % vol.

Vins de liqueur et vins doux naturels
Un vin de liqueur – à ne pas confondre avec un vin liquoreux – est obtenu par addition, avant, pendant ou après la fermentation, d'alcool neutre, d'eau-de-vie de vin, de moût de raisin concentré ou d'un mélange de ces produits. L'objectif est d'interrompre la fermentation afin de garder une grande quantité de sucres résiduels : cette opération est appelée mutage. Le pineau-des-charentes, le floc-de-gascogne et le macvin-du-jura en France, de même que le porto produit dans la vallée du Douro, au Portugal, sont des vins de liqueur. Certains vins mutés français, héritiers d'une longue tradition, portent le nom de vins doux naturels. Produits par les cépages muscat, grenache, maccabéo et malvoisie, ils sont originaires du Languedoc-Roussillon, de la vallée du Rhône et de la Corse. (Voir les chapitres correspondants dans la sélection).

Les vins effervescents
Les vins effervescents, ou *mousseux*, doivent leur forte teneur en gaz carbonique (pression de l'ordre de 6 à 8 bars) à une seconde fer-

mentation – la prise de mousse – qui peut s'effectuer en bouteille (selon la *méthode traditionnelle*, autrefois dite champenoise) ou en cuve (*méthode en cuve close*). Il existe aussi des vins mousseux gazéifiés, obtenus par addition de gaz, procédé interdit pour les vins de qualité d'appellation.

Les *vins pétillants* possèdent une pression de gaz carbonique comprise entre 1 et 2,5 bars. Leur degré alcoolique est supérieur à 7 % vol. À ne pas confondre avec le pétillant de raisin, obtenu par fermentation partielle du moût de raisin et dont le titre alcoométrique peut être inférieur à 7 % vol. (mais supérieur à 1 % vol.).

LA VINIFICATION

Selon le type de vin souhaité, la couleur et la qualité du raisin vendangé, le vigneron doit choisir un mode de vinification adapté. Un travail patient et méthodique lui permettra d'élaborer un vin équilibré et stable, susceptible de satisfaire le consommateur.

Les vins rouges

La macération et la fermentation

Dans la majorité des cas, le raisin est d'abord égrappé ; les grains sont ensuite foulés et le mélange de pulpe, de pépins et de pellicules est envoyé dans la cuve de fermentation, après légère addition de dioxyde de soufre pour assurer une protection contre les oxydations et les contaminations microbiennes. Dès le début de la fermentation, le gaz carbonique soulève toutes les particules solides qui forment, à la partie supérieure de la cuve, une masse compacte appelée chapeau ou marc.

Dans la cuve, la fermentation alcoolique se déroule en même temps que la macération des pellicules et des pépins dans le jus. Elle dure en général de cinq à quinze jours. La macération apporte essentiellement au vin rouge sa couleur et sa structure tannique. Les vins destinés à un long vieillissement doivent être riches en tanin et subissent donc une longue macération (de deux à trois semaines) à une température de 25 à 30 °C ; ils supposent des raisins de grande qualité possédant des tanins fondus et souples. En revanche, les vins rouges à consommer jeunes, de type primeurs, doivent être fruités et peu tanniques : leur macération est réduite à quelques jours.

Le pressurage

Après la fermentation, le vinificateur sépare la partie liquide, appelée vin de goutte ou grand vin, des parties solides, le marc : c'est l'écoulage. Il presse le marc de façon à obtenir un vin de presse, plus chargé en extraits, qu'il assemblera éventuellement au vin de goutte, selon les caractères gustatifs souhaités.

Vins de goutte et vins de presse sont remis en cuve séparément pour subir les fermentations d'achèvement : disparition des sucres résiduels et fermentation malolactique. Pour les grands vins, l'écoulage peut être fait directement dans des fûts de chêne, dans lesquels s'effectue la fermentation malolactique. Les vins rouges acquièrent ainsi un caractère boisé plus harmonieux.

La macération carbonique

La technique précédemment décrite est la méthode de base, mais il existe, ou il a existé, d'autres procédés de vinification qui présentent un intérêt particulier dans certains cas (thermovinification, vinification continue, macération carbonique). Seule la macération carbonique a connu un développement certain. Son succès repose sur le fait que la baie de raisin entière, maintenue à l'abri de l'air, subit une fermentation intracellulaire qui apporte, après fermentation alcoolique, des arômes caractéristiques appréciés.

Les vins rosés

Les vins clairets, rosés ou gris sont obtenus par macération d'importance variable de raisins noirs.

Les rosés de pressurage direct

Les raisins noirs sont vinifiés comme pour élaborer un vin blanc, après un léger pressurage afin d'obtenir un moût peu coloré. De couleur assez pâle, les rosés de pressurage direct doivent être consommés jeunes afin de profiter de leur fraîcheur et de leur fruité.

Les rosés de saignée

La cuve est remplie de raisins comme pour une vinification en rouge classique. Au bout de quelques heures, une certaine proportion de jus est tirée et fermente séparément pour donner un rosé. Le reste de la cuve, complété de raisin, poursuit sa fermentation. Cette technique est souvent utilisée pour obtenir, dans la cuve ainsi saignée, un vin rouge de meilleure qualité, car plus concentré en tanins et en couleur du fait de la diminution du volume de jus par rapport au marc. Les vins rosés de saignée ont une couleur

VINIFICATION DES VINS ROUGES

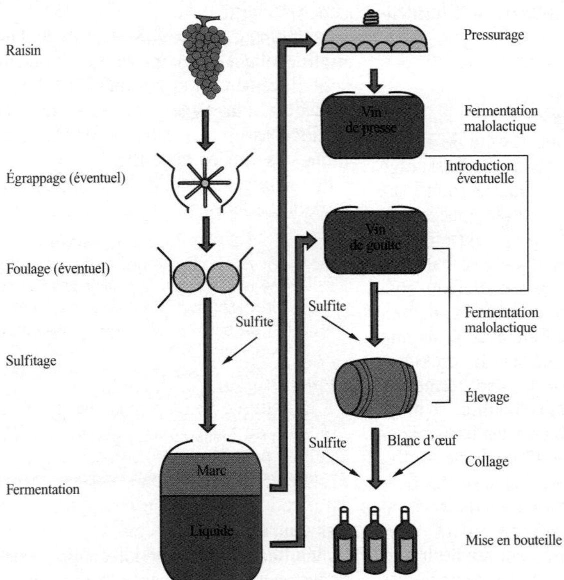

VINIFICATION DES VINS BLANCS

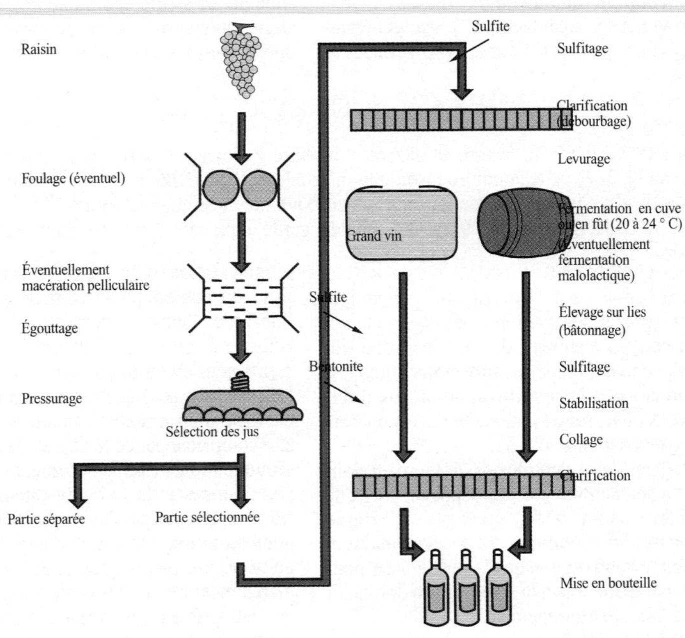

plus soutenue, mais d'intensité variable, allant du rose classique au rouge léger des vins clairets. Plus tanniques que les vins de pressurage direct, ils doivent être assouplis par une fermentation malolactique.

Les vins blancs secs

La fermentation alcoolique

Le plus souvent, le vin blanc résulte de la fermentation d'un pur jus de raisin : le pressurage précède donc la fermentation. Dans certains cas, cependant, on effectue une courte macération pelliculaire préfermentaire pour extraire les arômes ; les raisins doivent donc être parfaitement sains et mûrs afin d'éviter des défauts gustatifs (amertume) et olfactifs (mauvaises odeurs). L'extraction du jus doit être faite avec beaucoup de soin, par foulage, égouttage et enfin pressurage. Les derniers jus de presse sont fermentés séparément, car de moins bonne qualité. Le moût blanc, très sensible à l'oxydation, est immédiatement protégé par addition de dioxyde de soufre. Dès l'extraction du jus, on procède à sa clarification par débourbage. La clarification du moût est nécessaire à la qualité des arômes du vin, mais une clarification trop poussée peut rendre la fermentation difficile, surtout à basse température (18-20 °C) nécessaire à la qualité du vin.

La fermentation malolactique

La fermentation malolactique n'est généralement pas mise en œuvre pour les vins blancs, car ceux-ci méritent de conserver leur fraîcheur due à l'acidité. En outre, cette fermentation secondaire tend à diminuer l'intensité aromatique des cépages vinifiés.
Néanmoins, certains vins blancs peuvent en tirer profit en gagnant du gras et du volume lorsqu'ils sont élevés en fût et destinés à un long vieillissement (Bourgogne). La fermentation malolactique assure en outre la stabilisation biologique des vins en bouteille.

La vinification en barrique

Les grands vins blancs sont vinifiés en barrique ; ils acquièrent ainsi un caractère boisé et fondu. Ils sont ensuite élevés sous bois, sur leurs lies fines (levures) que le maître de chai remet régulièrement en suspension par bâtonnage. Cette pratique permet d'accentuer le caractère gras et moelleux du vin. Les vins blancs ne doivent pas être tirés en barriques, surtout si celles-ci sont neuves, après une fermentation en cuve, comme on le fait pour les vins rouges.

Les vins blancs doux

La vinification des vins doux suppose des raisins riches en sucre. Une partie du sucre est transformée en alcool, mais la fermentation est arrêtée avant son achèvement : le vinificateur ajoute du dioxyde de soufre et élimine les levures par soutirage ou centrifugation (ou encore par pasteurisation dans les vins ordinaires seulement).

L'ÉLEVAGE

Le vin nouveau est brut, trouble et gazeux. La phase d'élevage (clarification, stabilisation, affinement de la qualité) va le conduire jusqu'à la mise en bouteilles. Elle est plus ou moins longue selon les types de vin : les vins primeurs sont mis en bouteilles quelques semaines, voire quelques jours après la fin de la vinification ; les grands vins de garde, eux, sont élevés pendant deux ans et plus.

Clarifier et stabiliser

La clarification peut être obtenue par simple sédimentation et décantation (soutirage) si le vin est conservé en récipients de petite capacité (fût de bois), pendant un temps suffisamment long. Il faut faire appel à la centrifugation ou aux différents types de filtration lorsque le vin est conservé en cuve de grand volume.
Compte tenu de sa complexité, le vin peut donner lieu à des troubles et à des dépôts. Il s'agit de phénomènes tout à fait naturels, d'origine microbienne ou chimique. Ces accidents sont extrêmement graves lorsqu'ils ont lieu en bouteille ; pour cette raison la stabilisation doit avoir lieu avant le conditionnement.
Les accidents microbiens (piqûre bactérienne ou refermentation) sont évités en conservant le vin dans des conditions de propreté satisfaisantes, à l'abri de l'air en récipient plein. L'ouillage consiste à faire régulièrement le plein des récipients pour éviter le contact avec l'air. En outre, le dioxyde de soufre est un antiseptique et un antioxydant d'un emploi courant. Son action peut être complétée par celle de l'acide sorbique (antiseptique) ou de l'acide ascorbique (antioxydant).
Les traitements des vins résultent d'une nécessité. Les produits utilisés sont relativement peu nombreux : on connaît bien leur mode d'action, qui n'affecte pas la qualité, et leur innocuité est bien démontrée. Des tests de laboratoire permettent de prévoir les risques d'instabilité et de limiter les traitements au strict nécessaire. La

tendance moderne consiste à agir dès la vinification de façon à limiter autant que possible les traitements ultérieurs des vins et les manipulations qu'ils nécessitent.
Le dépôt de tartre est évité par le froid, avant la mise en bouteilles ; inhibiteur de cristallisation, l'acide métatartrique a un effet immédiat, mais sa protection n'est pas indéfinie. Le collage consiste à ajouter au vin une matière protéique (albumine d'œuf, gélatine) qui flocule dans le vin en éliminant les particules en suspension ainsi que des constituants susceptibles de le troubler. Le collage des vins rouges (au blanc d'œuf) est une pratique ancienne, indispensable pour éliminer l'excès de matière colorante qui floculerait en tapissant l'intérieur de la bouteille. La gomme arabique a un effet similaire ; elle n'est utilisée que pour les vins de table consommés rapidement après la mise en bouteilles. La coagulation des protéines naturelles dans les vins blancs (casse protéique) est évitée en les éliminant par fixation sur une argile colloïdale, la bentonite. L'excès de certains métaux (fer et cuivre) donne également lieu à des troubles ; leur élimination peut être effectuée par le ferrocyanure de potassium. Ces accidents ont été très graves dans les années 1930, au moment de la généralisation de l'emploi dans les chais de matériel en métal (fer, cuivre). Aujourd'hui, l'utilisation systématique de l'acier inoxydable a fait pratiquement disparaître ces différents accidents.

Affiner

L'élevage comprend aussi une phase d'affinage. Il s'agit d'abord d'éliminer le gaz carbonique en excès provenant de la fermentation et dont le taux final dépend du style de vin recherché. Si le gaz carbonique donne de la fraîcheur aux vins blancs secs et aux vins jeunes, il durcit en revanche les vins de garde, particulièrement les grands vins rouges.
L'introduction ménagée d'oxygène assure également une transformation nécessaire des tanins des vins rouges jeunes. Elle est indispensable à leur vieillissement ultérieur en bouteille. L'oxydation ménagée se produit spontanément en fût de chêne ; les techniques dites de microbullage permettent d'introduire, de façon régulière, les quantités d'oxygène juste nécessaires, surtout pour les vins conservés en cuve.

L'influence du chêne

Le chêne a toujours été le meilleur allié du vin. Celui de l'Allier (forêt de Tronçais) est particulièrement réputé dans le monde entier. À la différence du chêne américain, le bois des chênes sessiles et pédonculés européens doit être fendu (et non scié) puis séché à l'air pendant trois ans avant que le tonnelier n'utilise le merrain pour la fabrication de douelles. Le chêne américain (*Quercus alba*) permet d'obtenir rapidement une note boisée, mais qui n'a pas la complexité et la finesse du caractère boisé donné au vin par un élevage de plusieurs mois en chêne de l'Allier.
L'élevage sous bois fait partie de la tradition des grands vins, mais il est onéreux (prix d'achat des fûts, travail manuel, perte par évaporation) et exige une grande rigueur : les fûts devenus vieux peuvent être source de contamination microbienne et apporter au vin plus de défauts que de qualités.
Le bois de chêne apporte aux vins des arômes complexes de vanille, d'épices, de grillé, etc., qui doivent s'harmoniser parfaitement avec ceux du fruit, surtout lorsque le bois est neuf. Il doit donc être réservé à des vins naturellement riches et structurés, capables d'intégrer son caractère sans perdre leur typicité ni s'assécher en vieillissant. Pour nuancer son empreinte, le maître de chai joue sur la durée de l'élevage, sur la proportion de barriques neuves et même sur le degré de chauffe des douelles susceptible de transmettre des arômes plus ou moins torréfiés. Un caractère boisé peut être apporté à moindre frais en laissant macérer dans le vin des copeaux de chêne, mais cette pratique est interdite pour les vins d'appellation d'origine contrôlée.

L'ÉVOLUTION DU VIN EN BOUTEILLE

L'expression « vieillissement » est spécifiquement réservée aux transformations lentes du vin conservé en bouteille, à l'abri complet de l'oxygène de l'air. Le vin quitte alors le chai et l'œil bienveillant du vigneron pour rejoindre la cave de l'amateur. Au consommateur, dès lors, de juger de sa qualité.

La mise en bouteille
L'embouteillage demande beaucoup de soin et de propreté : il faut éviter que le vin, parfaitement clarifié, soit contaminé par cette opération. Des précautions doivent également être prises pour respecter le volume indiqué. Aujourd'hui, des chaînes d'embouteillage automatisées assurent les meilleures conditions de mise en bouteille.

Le bouchon de liège
Le liège reste le matériau de choix pour l'obturation des bouteilles. Grâce à son élasticité, il assure une bonne herméticité. Cependant, parce que ce matériau est dégradable, il est recommandé de changer les bouchons tous les vingt-cinq ans de façon à éviter le risque des bouteilles couleuses. Le goût de bouchon est dû à la présence dans le liège d'une molécule odorante, le TCA (trichloro-anisole), formée par un micro-organisme à différentes étapes de la transformation du liège en bouchon. Compte tenu de l'importance de ces défauts, on a cherché des solutions de remplacement : bouchon synthétique ou, mieux, bouchage par capsule à vis dont les qualités s'imposent de plus en plus.

Les transformations du vin
Les transformations du vin en bouteille sont multiples et complexes, mais elles sont lentes, donc difficiles à décrire. Il intervient d'abord une modification de la couleur, parfaitement mise en évidence dans le cas des vins rouges : rouge vif dans les vins jeunes, la teinte évolue vers des tons plus jaunes, tuilés ou brique. Dans les vins très vieux, la nuance rouge a complètement disparu au profit du jaune et du marron et l'on observe un dépôt de matière colorante sur les parois de la bouteille. Les vins rouges connaissent aussi une évolution structurelle : leurs tanins s'arrondissent et laissent une impression de souplesse.
Au cours de la garde en bouteille, les arômes du vin se développent et gagnent en complexité : un bouquet spécifique des vins vieux apparaît.

QU'EST-CE QU'UN VIN DE QUALITÉ

S'il existe une hiérarchie réglementaire bien établie qui classe la production vinicole depuis les vins de table jusqu'aux grands crus, en passant par tous les intermédiaires, la qualité naît avant tout de facteurs naturels et humains. Le savoir-faire de l'homme est indispensable pour valoriser les facteurs de qualité et élaborer un bon vin, mais la création d'un grand vin exige avant tout un environnement spécifique : un sol, un climat, des cépages adaptés.

Déguster pour évaluer
Si l'analyse chimique permet de déceler des anomalies et de mettre en évidence certains défauts du vin, ses limites pour définir la qualité sont bien connues. En dernier ressort, la dégustation est le critère essentiel d'appréciation de la qualité. Des progrès considérables ont été accomplis depuis une vingtaine d'années dans les techniques d'analyse sensorielle permettant de mieux en mieux de s'affranchir des aspects subjectifs ; ils s'appuient sur le développement des connaissances en matière de physiologie de l'odorat et du goût, et des conditions pratiques de la dégustation.

Les contrôles réglementaires
L'expertise gustative intervient de plus en plus dans le contrôle de la qualité pour l'agrément des vins d'appellation d'origine contrôlée ou dans le cadre d'expertises judiciaires. Le contrôle réglementaire de la qualité du vin s'est en effet imposé depuis longtemps. La loi du 1er août 1905 sur la loyauté des transactions commerciales constitue le premier texte officiel, mais la réglementation a été progressivement affinée à mesure que progressaient les connaissances de la constitution du vin et de ses transformations. En s'appuyant sur l'analyse chimique, la réglementation définit une sorte de qualité minimale en évitant les principaux défauts. Elle incite en outre la technique à améliorer ce niveau minimum.
La Direction générale de la concurrence, de la consommation et de la répression des fraudes est responsable de la vérification des normes analytiques ainsi établies et, d'une façon générale, de la conformité du produit à son origine. Cette action est complétée par celle de l'Institut national des appellations d'origine (INAO, composé des organisations professionnelles), chargé, après consultation des syndicats intéressés, de déterminer les conditions de production et d'en assurer le contrôle : aire de production, nature des cépages, mode de plantation et de taille, pratiques culturales, techniques de vinification, constitution des moûts et du vin, rendement. Cet organisme assure également la défense des vins d'appellation d'origine en France et à l'étranger.

Pascal Ribéreau-Gayon.

L'ALSACE
ET LA LORRAINE

L'Alsace

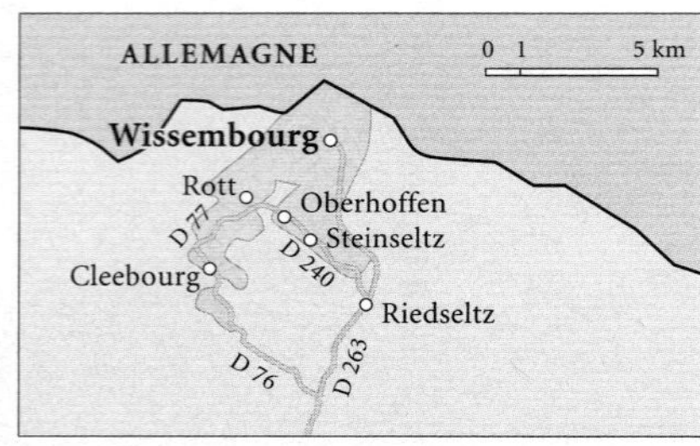

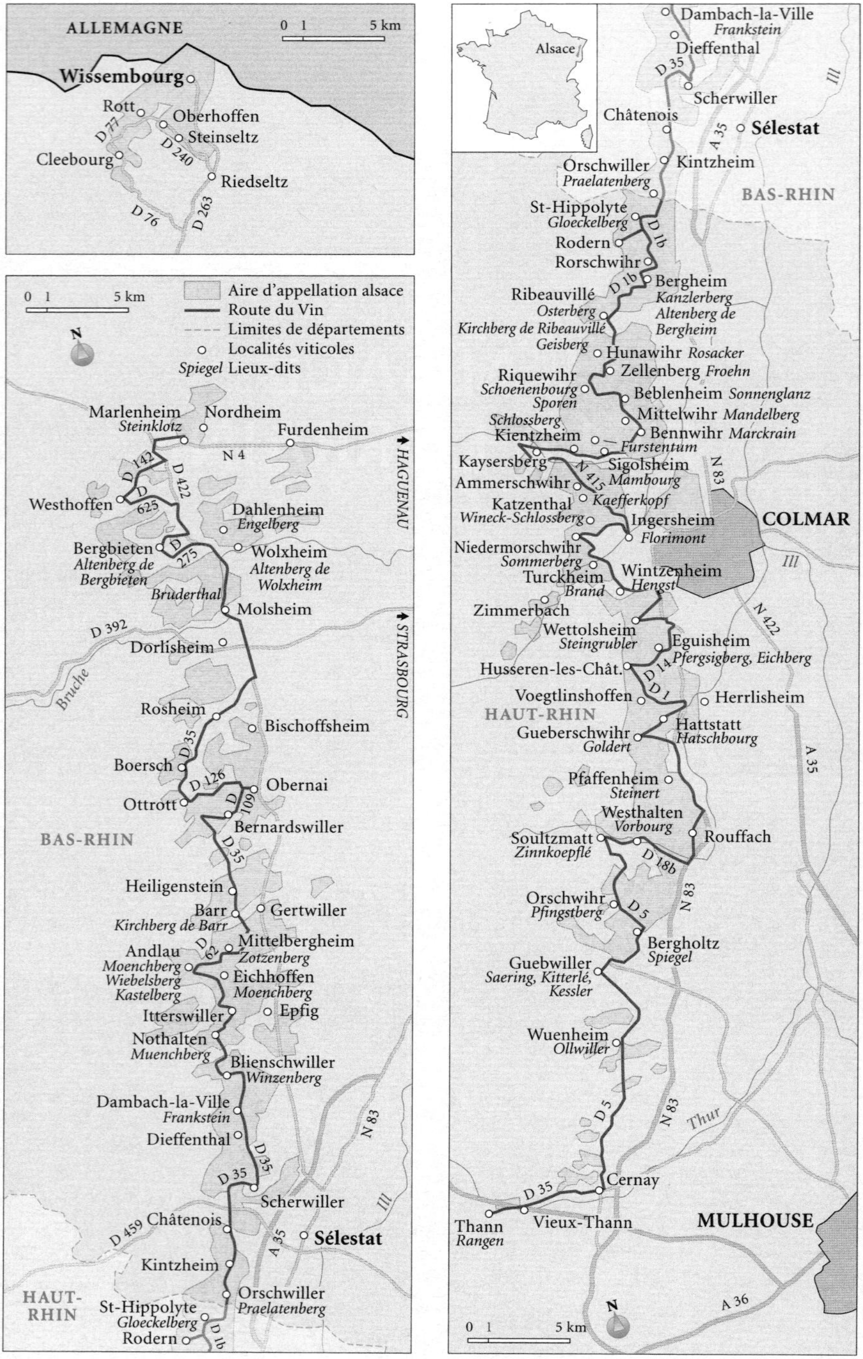

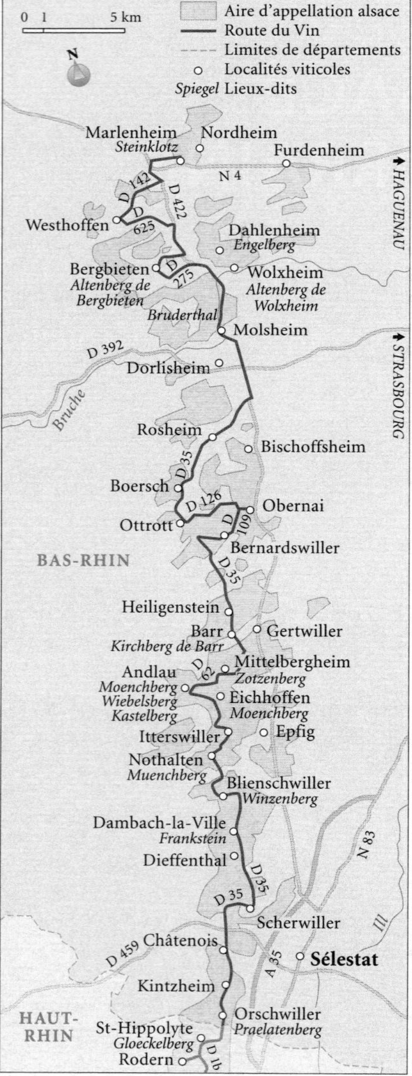

ALLEMAGNE
0 1 5 km
Wissembourg
Rott
Oberhoffen
Steinseltz
Cleebourg
Riedseltz
D 77
D 240
D 76
D 263
0 1 5 km
Aire d'appellation alsace
Route du Vin
Limites de départements
Localités viticoles
Spiegel Lieux-dits
N
Marlenheim
Steinklotz
Nordheim
Furdenheim
N 4
HAGUENAU
D 142
D 422
D 625
Westhoffen
Dahlenheim
Engelberg
Bergbieten
Altenberg de Bergbieten
D 275
Wolxheim
Altenberg de Wolxheim
Bruderthal
Molsheim
STRASBOURG
D 392
Dorlisheim
Bruche
Rosheim
Bischoffsheim
D 35
Boersch
D 126
Obernai
Ottrott
D 109
Bernardswiller
BAS-RHIN
D 35
Heiligenstein
Barr
Gertwiller
Kirchberg de Barr
Andlau
D 62
Mittelbergheim
Zotzenberg
Moenchberg
Wiebelsberg
Kastelberg
Eichhoffen
Moenchberg
Itterswiller
Epfig
Nothalten
Muenchberg
Blienschwiller
Winzenberg
Dambach-la-Ville
Frankstein
Dieffenthal
N 83
D 35
D 35
Scherwiller
Ill
D 459
Châtenois
A 35
Sélestat
Kintzheim
HAUT-RHIN
Orschwiller
Praelatenberg
St-Hippolyte
Gloeckelberg
Rodern
D 1b
Alsace
Dambach-la-Ville
Frankstein
Dieffenthal
D 35
Scherwiller
Ill
Châtenois
A 35
Sélestat
Orschwiller
Praelatenberg
Kintzheim
BAS-RHIN
St-Hippolyte
Gloeckelberg
D 1b
Rodern
Rorschwihr
Ribeauvillé
Osterberg
Kirchberg de Ribeauvillé
Geisberg
D 1b
Bergheim
Kanzlerberg
Altenberg de Bergheim
Hunawihr Rosacker
Zellenberg Froehn
Riquewihr
Schoenenbourg
Sporen
Beblenheim Sonnenglanz
Mittelwihr Mandelberg
Schlossberg
Kientzheim
Bennwihr Marckrain
Furstentum
Kaysersberg
Sigolsheim
Mambourg
N 415
N 83
Ammerschwihr
Kaefferkopf
Katzenthal
Wineck-Schlossberg
Ingersheim
Florimont
COLMAR
Niedermorschwihr
Sommerberg
Ill
Turckheim
Brand
Wintzenheim
Hengst
Zimmerbach
N 422
Wettolsheim
Steingrubler
Eguisheim
Pfergsigberg, Eichberg
Husseren-les-Chât.
D 14
D 1
Voegtlinshoffen
Herrlisheim
HAUT-RHIN
Hattstatt
Hatschbourg
Gueberschwihr
Goldert
A 35
Pfaffenheim
Steinert
Westhalten
Vorbourg
Soultzmatt
Zinnkoepflé
Rouffach
D 18b
N 83
Orschwihr
Pfingstberg
D 5
Bergholtz
Spiegel
Guebwiller
Saering, Kitterlé, Kessler
Wuenheim
Ollwiller
D 5
N 83
Thur
Cernay
D 35
Thann
Rangen
Vieux-Thann
MULHOUSE
A 36
N
0 1 5 km

L'ALSACE ET LA LORRAINE

L'Alsace

La plus grande partie du vignoble d'Alsace est implantée sur les collines qui bordent le massif vosgien et qui prennent pied dans la plaine rhénane. Les Vosges, qui se dressent entre l'Alsace et le reste du pays, donnent à la région son climat spécifique, car elles captent la grande masse des précipitations venant de l'Océan. C'est ainsi que la pluviométrie moyenne annuelle de la région de Colmar, avec moins de 500 mm, est la plus faible de France ! En été, cette chaîne fait obstacle à l'influence rafraîchissante des vents atlantiques, mais ce sont surtout les différents microclimats, nés des nombreuses sinuosités du relief, qui jouent un rôle prépondérant dans la répartition et la qualité des vignobles.

Une autre caractéristique de ce vignoble est la grande diversité de ses sols. Alors que dans un passé considéré comme récent par les géologues, même s'il remonte à quelque cinquante millions d'années, Vosges et Forêt-Noire formaient un seul ensemble, issu d'une succession de phénomènes tectoniques (immersions, érosions, plissements...), à partir de l'ère tertiaire, la partie médiane de ce massif a commencé à s'affaisser pour donner naissance, bien plus tard, à une plaine. Par suite de ce tassement, presque toutes les couches de terrain qui s'étaient accumulées au cours des différentes périodes géologiques ont été remises à nu sur la zone de rupture. Or, c'est surtout là que sont localisés les vignobles. C'est ainsi que la plupart des communes viticoles sont caractérisées par au moins quatre ou cinq formations de terrains différents.

L'histoire du vignoble alsacien se perd dans la nuit des temps, et les populations préhistoriques ont sans doute déjà dû tirer parti de la vigne, dont la culture proprement dite ne semble cependant dater que de la conquête romaine. L'invasion des Germains, au Vᵉs., entraîna un déclin passager de la viticulture, mais des documents écrits nous révèlent que les vignobles ont assez rapidement repris de l'importance, sous l'influence déterminante des évêchés, des abbayes et des couvents. Des documents antérieurs à l'an 900 mentionnent déjà plus de cent soixante localités où la vigne était cultivée.

Cette expansion se poursuivit sans interruption jusqu'au XVIᵉs., qui marqua l'apogée de la viticulture en Alsace. Les magnifiques maisons de style Renaissance que l'on rencontre encore dans maintes communes viticoles témoignent indiscutablement de la prospérité de ce temps, où de grandes quantités de vins d'Alsace étaient déjà exportées dans toute l'Europe. Mais la guerre de Trente Ans, période de dévastation par les armes, le pillage, la faim et la peste, eut des conséquences catastrophiques pour la viticulture, comme pour les autres activités économiques de la région.

La paix revenue, la culture de la vigne reprit peu à peu son essor, mais l'extension des vignobles se fit principalement à partir de cépages communs. Un édit royal de 1731 tenta bien de mettre fin à cette situation, sans grand succès. Cette tendance s'accentua encore après la Révolution, et la superficie du vignoble passa de 23 000 ha en 1808 à 30 000 ha en 1828. Mais l'avènement du chemin de fer et de la concurrence des vins du Midi, ainsi que l'apparition du phylloxéra et de diverses maladies de la vigne entraînèrent un long processus de déclin. Il s'ensuivit, à partir de 1902, une diminution de la superficie du vignoble, qui continua jusque vers 1948, année qui le vit tomber à 9 500 ha, dont 7 500 en appellation alsace.

L'essor économique de l'après-guerre et les efforts de la profession influèrent favorablement sur le développement du vignoble alsacien, qui possède actuellement, sur une superficie de quelque 15 630 ha, un potentiel de production de l'ordre de 1,2 million d'hectolitres (1 081 690 hl déclarés en 2006) – dont 32 942 hl en grands crus et 223 942 hl en crémant-d'alsace, les exportations atteignant plus du quart des ventes totales. Ce développement a été l'œuvre de l'ensemble des trois branches professionnelles qui se répartissent harmonieusement le marché. Il s'agit des vignerons indépendants, des coopératives et des négociants (souvent eux-mêmes producteurs), qui achètent des quantités importantes à des viticulteurs ne vinifiant pas eux-mêmes leur récolte.

Tout au long de l'année, de nombreuses manifestations vinicoles se déroulent dans les diverses localités qui bordent la route du Vin. Celle-ci est l'un des attraits touristiques et culturels majeurs de la province. Le point culminant de ces manifestations est sans doute la Foire annuelle du vin d'Alsace qui a lieu en août à Colmar, précédée par celles de Guebwiller, d'Ammerschwihr, de Ribeauvillé, de Barr et de Molsheim. Mais il convient également de citer l'activité, particulièrement prestigieuse, de la confrérie Saint-Étienne, née au XIVes. et restaurée en 1947.

Le principal atout des vins d'Alsace réside dans le développement optimal des constituants aromatiques des raisins, qui s'effectue souvent mieux dans des régions à climat tempéré frais, où la maturation est lente et prolongée. Leur spécificité dépend naturellement de la variété, et l'une des particularités de la région est la dénomination des vins d'après la variété qui les a produits, alors qu'en règle générale les autres vins français d'appellation d'origine contrôlée portent le nom de la région ou d'un site géographique plus restreint qui leur a donné naissance.

Les raisins, récoltés courant octobre, sont transportés le plus rapidement possible au chai pour y subir un foulage, parfois un égrappage, puis le pressurage. Le moût qui s'écoule du pressoir est chargé de « bourbes » qu'il importe d'éliminer le plus vite possible par sédimentation ou par centrifugation. Le moût clarifié entre ensuite en fermentation, phase au cours de laquelle on veille tout particulièrement à éviter un excès de température. Par la suite, le vin jeune et trouble demande de la part du viticulteur toute une série de soins : soutirage, ouillage, sulfitage raisonné, clarification. La conservation en cuve ou en fût se poursuit ensuite jusque vers le mois de mai, époque à laquelle le vin subit son conditionnement final en bouteilles. Cette façon de procéder concerne la vendange destinée à l'obtention des vins blancs secs, c'est-à-dire 80 % de la production alsacienne.

Les alsaces « vendanges tardives » et « sélections de grains nobles » sont des productions issues de vendanges surmûries et ne constituent des mentions officielles que depuis 1984. Ils sont soumis à des conditions de production extrêmement rigoureuses, les plus exigeantes de toutes pour ce qui concerne le taux de sucre des raisins. Il s'agit évidemment de vins de classe exceptionnelle, qui ne peuvent être obtenus tous les ans et dont le prix de revient est très élevé. Seuls le gewurztraminer, le pinot gris, le riesling et plus rarement le muscat peuvent bénéficier de ces mentions spécifiques.

Dans l'esprit des consommateurs, le vin d'Alsace doit se boire jeune, ce qui est en grande partie vrai pour le sylvaner, le chasselas, le pinot blanc et l'edelzwicker ; mais cette jeunesse est loin d'être éphémère, et riesling, gewurztraminer, pinot gris ont souvent intérêt à n'être consommés qu'après deux ans d'âge. Il n'existe en réalité aucune règle fixe à cet égard, et certains vins, nés au cours des années de grande maturité des raisins, se conservent beaucoup plus longtemps, des dizaines d'années parfois, en particulier ceux de l'AOC alsace grand cru, qui ajoutent à la typicité du cépage l'empreinte de leur terroir d'origine.

L'appellation alsace, applicable dans l'ensemble des cent vingt aires de production communales, est subordonnée à l'utilisation de douze cépages : gewurztraminer, riesling rhénan, pinot gris, muscats blanc et rose à petits grains, muscat ottonel, pinot blanc vrai, auxerrois blanc, pinot noir, sylvaner blanc, chasselas blanc et rose.

L'AOC crémant-d'alsace, reconnue en 1976, et réservée aux vins effervescents de la région, connaît depuis l'origine un développement spectaculaire. Elle représente environ 20 % de la production alsacienne.

Alsace klevener-de-heiligenstein

Le klevener-de-heiligenstein n'est autre que le vieux traminer (ou savagnin rose) connu depuis des siècles en Alsace. Il a fait place progressivement à sa variante épicée ou « gewurztraminer » dans l'ensemble de la région, mais est resté vivace à Heiligenstein et dans cinq communes voisines. Il constitue une originalité par sa rareté et son élégance. Ses vins sont à la fois très bien charpentés et discrètement aromatiques.

CHARLES BOCH
L'Authentique Cuvée numéro 1 2005 **

0,8 ha 2 000 5 à 8 €

S'il produit toute la gamme des cépages régionaux, Charles Boch cultive avec bonheur la variété locale. Jaune clair aux brillants reflets ambrés, ce 2005 sort de l'ordinaire. Intense, typé et fin, le nez de fruits mûrs annonce un palais riche, puissant, ample et harmonieux. Les mêmes fruits mûrs, associés à des notes briochées, s'épanouissent en bouche et persistent longuement. L'ensemble, souple et rond, laisse une impression d'équilibre et d'élégance. Déjà fort plaisante, cette bouteille gagnera à attendre trois ou quatre ans. (Sucres résiduels : 18 g/l.)

Charles Boch, 6, rue Principale, 67140 Heiligenstein, tél. 03.88.08.41.26, fax 03.88.08.58.25, e-mail charles.boch@wanadoo.fr
t.l.j. 9h-12h 14h-18h; f. dernière semaine d'août

DOM. DOCK Cuvée Prestige 2005

2 ha 10 000 5 à 8 €

Ce domaine familial dont les origines remontent à 1742 est aussi un spécialiste du klevener-de-heiligenstein. Ce 2005, originaire de sols argilo-siliceux, s'habille de jaune pâle brillant. Fermé au nez comme en bouche, il révèle au palais une matière chaleureuse, fondue et harmonieuse, agrémentée de touches épicées. La finale est assez longue. À servir dès maintenant. (Sucres résiduels : 11 g/l.)

Dom. Christian Dock, 20, rue Principale, 67140 Heiligenstein, tél. 03.88.08.02.69, fax 03.88.08.19.72, e-mail c.dock@wanadoo.fr
t.l.j. 8h-12h 13h-19h

PAUL DOCK Cuvée Prestige 2005 **

0,6 ha 3 000 8 à 11 €

Le coup de cœur de la précédente édition. Le millésime suivant est de la même veine. Cette cuvée Prestige est née d'un terroir argilo-calcaire particulièrement favorable au klevener. La robe, d'un jaune intense, étincelle de reflets dorés. Le nez, avec ses senteurs d'abricot et de fruits exotiques, évoque la surmaturation. Ce caractère se retrouve en bouche, où l'on découvre un vin ample, gras, riche, puissant et chaleureux, aux arômes de fruits mûrs, voire confits. L'ensemble rappelle une vendange tardive. La longue finale fraîche est de bon augure pour la garde : on peut attendre cette bouteille trois ou quatre ans, et la garder jusqu'à huit ans. (Sucres résiduels : 32 g/l.)

GAEC Paul Dock et Fils, 55, rue Principale, 67140 Heiligenstein, tél. 03.88.08.02.49, fax 03.88.08.25.65 r.-v.

DANIEL RUFF L'Authentique 2005 *

0,55 ha 2 600 8 à 11 €

À la tête de 12 ha de vignes, les Ruff sont très attachés au klevener local. Déjà « étoilée » dans le millésime précédent, cette cuvée jaune pâle brillant présente un nez discret mais prometteur, tout en finesse. Ample et grasse, elle dégage une forte impression de chaleur et de puissance. Sa longue finale aux accents de pêche blanche est de bon augure. Une bouteille équilibrée qui pourrait gagner à vieillir deux à quatre ans. (Sucres résiduels : 25 g/l.)

Dom. Daniel Ruff, 64, rue Principale, 67140 Heiligenstein, tél. 03.88.08.10.81, fax 03.88.08.43.61, e-mail ruffvigneron@wanadoo.fr
t.l.j. 8h-12h 13h30-18h30

Alsace sylvaner

Les origines du sylvaner sont très incertaines, mais son aire de prédilection a toujours été limitée au vignoble allemand et à celui du Bas-Rhin en France. En Alsace même, où il couvre environ 1 680 ha, c'est un cépage extrêmement intéressant grâce à son rendement et à sa régularité de production. Son vin est d'une remarquable fraîcheur, assez acide, doté d'un fruité discret. On trouve en réalité deux types de sylvaner sur le marché. Le premier, de loin supérieur, provient de terroirs bien exposés et peu enclins à la surproduction. Le second est apprécié par ceux qui aiment un type de vin sans prétention, agréable et désaltérant. Le sylvaner accompagne volontiers choucroute, hors-d'œuvre et entrées, de même que les fruits de mer, tout spécialement les huîtres.

BURCKEL-JUNG 2005 *

0,5 ha 3 000 3 à 5 €

L'exploitation familiale (12 ha aujourd'hui) produit du vin depuis la Révolution et la cave possède une cuve en bois centenaire. Le beau-père, Charles Burckel, et son gendre Thierry Jung signent conjointement leurs cuvées. Issu d'un terroir limono-sableux, ce sylvaner jaune pâle brillant présente un nez discret mais prometteur à dominante florale, avec quelques notes de sous-bois. Gras et fruité en attaque, gouleyant et équilibré, il offre tout ce que l'on attend du cépage. À boire dans les deux années qui viennent.

Dom. Burckel-Jung, 67, rue de Barr, 67140 Gertwiller, tél. 03.88.08.49.07, fax 03.88.08.59.99, e-mail burckel-jung@wanadoo.fr
t.l.j. sf dim. 10h-12h 13h30-19h

RENÉ KOCH ET FILS Zellberg 2005 *

0,48 ha 4 000 5 à 8 €

Vous trouverez cette propriété à 50 m d'une des deux fontaines Renaissance qui ornent le village de Nothalten, commune du pays de Barr. Michel Koch a succédé à son père René à la tête du domaine familial : 11 ha de vignes. Si la cave date du XVIII[e]s., les chais ont été restructurés et rénovés en 2000. Le sylvaner du Zellberg provient d'un terroir de coteau. Or pâle aux reflets argentés et verts, il retient l'attention par la finesse et l'élégance de son nez fruité, floral et minéral. Tout aussi aromatique au palais, c'est un vin croquant, marqué d'une fine acidité qui lui confère une agréable fraîcheur.

EARL René et Michel Koch, 5, rue de la Fontaine, 67680 Nothalten, tél. 03.88.92.41.03, fax 03.88.92.63.99, e-mail vin.koch@wanadoo.fr

r.-v.

PAUL KUBLER «Z» 2005 **

0,2 ha 1 500 8 à 11 €

Ce sylvaner n'est pas commun : il provient d'un grand coteau calcaro-gréseux de la vallée Noble. « Z » comme ? Quel terroir de Soultzmatt pourrait bien se cacher sous la lettre Z ? Cherchez sur la carte... (Les grands crus, pour la plupart, ne peuvent s'afficher sur l'étiquette que lorsqu'ils sont plantés de cépages nobles, comme le riesling ou le gewurztraminer.) Autre singularité, l'élevage de dix mois en fût. Le résultat ? Une robe jaune soutenu animée de reflets verts, une palette aromatique complexe où la fleur blanche se mêle à la bergamote confite et à un léger boisé ; une attaque grasse, une fine acidité rehaussant les arômes floraux, une finale agrémentée de notes de vanille et de moka léguées par la barrique. Fruit d'une excellente matière première remarquablement vinifiée, ce vin accompagnera pendant deux ou trois ans viandes blanches et poissons en sauce.

Dom. Paul Kubler, 103, rue de la Vallée, 68570 Soultzmatt, tél. 03.89.47.00.75, fax 03.89.47.65.45, e-mail kubler@lesvins.com

t.l.j. sf dim. 9h-12h 14h-19h

DOM. KUMPF ET MEYER Vieilles Vignes 2005 *

0,6 ha 5 000 3 à 5 €

Installés à Rosheim, à une trentaine de kilomètres au sud-ouest de Strasbourg, Sophie Kumpf et Philippe Meyer exploitent 16 ha de vignes qu'ils tiennent de leurs familles respectives. Héritiers de lignées vigneronnes remontant au XVII[e]s., ils se sont équipés de chais modernes entre 2000 et 2004. Leur sylvaner Vieilles Vignes s'est déjà distingué ces dernières années. Les ceps sont vraiment âgés : plus de cinquante ans. Or clair étincelant de reflets argentés, le 2005 libère des parfums mûrs de fruits exotiques. Les fruits mûrs se prolongent dans une bouche complexe, souple et harmonieuse. Prêt à boire, ce sylvaner pourra accompagner tout un repas.

Dom. Kumpf et Meyer, 34, rte de Rosenwiller, 67560 Rosheim, tél. 03.88.50.20.07, fax 03.88.50.26.75, e-mail kumpfetmeyer@free.fr

t.l.j. 8h30-12h 13h30-19h

JULES MULLER Réserve 2004

8 ha 65 000 5 à 8 €

Établie à Bergheim de longue date, cette maison fait partie du groupe Lorentz. Elle exploite 32 ha de vignes sur des terroirs argilo-calcaires particulièrement adaptés au cépage sylvaner. Jaune pâle étincelant de reflets argentés, ce vin s'ouvre rapidement sur de délicats et frais effluves un peu fumés. De discrets arômes de fleurs blanches agrémentent la bouche. Un ensemble plaisant, typé, équilibré et gouleyant, que l'on pourra servir sur une assiette de poissons légèrement fumés.

Jules Muller, 91, rue des Vignerons, 68750 Bergheim, tél. 03.89.73.22.22, fax 03.89.73.30.49

t.l.j. sf dim. 10h-12h 14h-18h30

C. Lorentz

FRANCIS MURÉ 2005 **

0,3 ha 2 400 5 à 8 €

Un sylvaner « sudiste » : il est signé par Francis Muré, vigneron à Westhalten. Les vignes couvrent les coteaux ensoleillés aux sols argilo-calcaires de la vallée de Soulzmatt. Jaune pâle aux brillants reflets, ce vin surprend par l'intensité de son nez de fruits frais, nuancé d'élégants parfums de fleurs (acacia) et de touches de fines herbes. Une même finesse séduit en bouche : souplesse de l'attaque, fraîcheur fruitée, délicatesse des nuances épicées, persistance des arômes de fleurs blanches, équilibre du palais, tout plaît dans ce vin typé et bien sec qui offre le meilleur du cépage. On pourra le conserver deux ou trois ans.

Francis Muré, 30, rue de Rouffach, 68250 Westhalten, tél. 03.89.47.64.20, fax 03.89.47.09.39, e-mail mure_francis@club-internet.fr

r.-v.

Alsace pinot ou klevner

Sous ces deux dénominations (la seconde étant un vieux nom alsacien), le vin de cette appellation peut provenir de deux cépages : le pinot blanc vrai et l'auxerrois blanc. Ce sont deux variétés assez peu exigeantes, capables de donner des résultats remarquables dans des situations moyennes, car leurs vins allient agréablement fraîcheur, corps et souplesse. Cette dénomination couvre 3 184 ha. Dans la gamme des vins d'Alsace, le pinot blanc représente le juste milieu, et il n'est pas rare qu'il surclasse certains rieslings. Du point de vue gastronomique, il s'accorde avec de nombreux plats, à l'exception des fromages et des desserts.

FRANÇOIS BLÉGER Auxerrois Adrien 2005 ★

0,35 ha 3 000 5 à 8 €

Pluri-actifs, les parents de François Bléger vendaient leurs vins en vrac. Ce dernier, qui a repris l'exploitation familiale il y a une dizaine d'années, élabore lui-même ses cuvées. Provenant d'un terroir granitique, cet auxerrois a donné naissance à un vin jaune pâle à reflets or et au nez fin et bien fruité, rappelant la poire. Franc et frais en attaque, il révèle ensuite une structure souple et suave, des arômes de fruits mûrs avec une touche balsamique. Un ensemble typé et facile à boire.

François Bléger, 63, rte du Vin, 68590 Saint-Hippolyte, tél. et fax 03.89.73.06.07, e-mail domaine.bleger@wanadoo.fr r.-v.

DOM. LÉON BOESCH 2005 ★★★

1,5 ha 10 000 8 à 11 €

Gérard et Mathieu Boesch exploitent en biodynamie leurs vignes dans la partie méridionale de la route du Vin, sur les terroirs de Westhalten et de Soultzmatt. Ces deux communes possèdent un trésor, le grand cru Zinnkoepflé. Les Boesch en tirent des liquoreux de qualité qui se hissent parfois aux premières places (voir l'édition 2006). Les voici couronnés cette année grâce à un simple alsace pinot blanc. Mais un pinot gorgé de soleil – voyez cette robe jaune d'or, ces reflets orangés, annonciateurs de senteurs surmûries : agrumes confits, raisins secs, rehaussés de notes de pain grillé et de noisette. Cette palette complexe se prolonge dans une bouche ample qui concilie richesse, onctuosité et fraîcheur. La longue finale sur la confiture d'agrumes achève de convaincre. Un ensemble délicat et élégant à savourer maintenant ou dans deux ans sur une viande blanche en sauce, et même à l'apéritif.

Dom. Léon Boesch, 6, rue Saint-Blaise, 68250 Westhalten, tél. 03.89.47.01.83, fax 03.89.47.64.95, e-mail domaine-boesch@wanadoo.fr r.-v.

ALBERT BOHN 2005

0,4 ha 1 500 3 à 5 €

Albert Bohn exploite 7 ha autour d'Ammerschwihr, l'une des premières communes viticoles d'Alsace en superficie. D'un jaune paille brillant, son pinot blanc s'exprime avec une certaine discrétion, puis s'ouvre sur des notes de brioche et de pain chaud nuancées de beurre et de touches végétales. En bouche, il ne s'attarde pas, mais sa matière ample, riche, vineuse et charnue intéresse. On le servira dès maintenant sur des entrées chaudes ou froides.

EARL Albert Bohn et Fils, 4, rue du Cerf, 68770 Ammerschwihr, tél. 03.89.78.25.77, fax 03.89.78.16.34, e-mail vins.bohn@wanadoo.fr r.-v.

Vincent Bohn

DOM. FRITSCH Auxerrois 2005

1 ha 6 000 3 à 5 €

Romain Fritsch est établi à Marlenheim, importante commune viticole située à une vingtaine de kilomètres de Strasbourg. Il a proposé un auxerrois prometteur, or clair aux brillants reflets dorés et au nez expressif de fleurs blanches et de fruits très mûrs. Ample, solide et bien équilibré, le palais surprend : les sucres résiduels prennent le dessus jusqu'en finale, donnant à ce vin sec un côté moelleux. Les jurés concluent en chœur : surtout pas de poisson ! Il reste de nombreux accords possibles, des terrines aux viandes blanches.

EARL Romain Fritsch, 49, rue du Gal-de-Gaulle, 67520 Marlenheim, tél. 03.88.87.51.23, fax 03.88.87.59.44 t.l.j. sf dim. 8h-12h 13h-19h; dim. sur r.v.

FERNAND FROEHLICH ET FILS 2005 ★★

0,4 ha 4 000 3 à 5 €

Si cette exploitation familiale a son siège dans la plaine, à 10 km au nord de Colmar, ses quelque 8 ha de vignes se répartissent sur quatre communes réputées, au cœur de la route du Vin : Ribeauvillé, Beblenheim, Riquewihr et Zellenberg. Elle bénéficie donc d'une grande variété de terroirs. Des sols légers sont à l'origine de ce vin remarquable de présence et d'élégance. Jaune pâle à reflets verts, ce 2005 ravit par son fruité de pomme et ses senteurs de fleurs blanches. Cette palette complexe se poursuit dans un palais ample, puissant et dense. La finale fraîche, délicatement citronnée, laisse un bon souvenir. Une bouteille à servir dans les deux années qui viennent.

EARL Fernand Froehlich et Fils, 29, rte de Colmar, 68150 Ostheim, tél. 03.89.86.01.46, fax 03.89.86.01.54 t.l.j. sf dim. 8h-11h45 13h30-18h; groupes sur r.-v.

PAUL GASCHY 2005 ★★

0,55 ha 4 100 3 à 5 €

Vous trouverez cette exploitation familiale à 50 m du centre ancien d'Eguisheim, pittoresque bourg au plan circulaire. La propriété est maintenant conduite par Bernard et Hervé Gaschy, fils et petit-fils du fondateur. D'un auxerrois planté sur terrains argilo-limoneux, le tandem a tiré l'un des meilleurs pinots de la série. Jaune pâle aux brillants reflets verts, ce 2005 délivre des senteurs élégantes, complexes et fraîches : des fleurs blanches (aubépine) et un fruité citronné que l'on retrouve au palais. Une arête vive et minérale structure la bouche, remarquable de puissance, de richesse et d'ampleur. La finale longue et fine évoque la pierre à fusil. Une superbe matière pour une bouteille qui peut se garder deux ans.

Maison Paul Gaschy, 16, Grand-Rue, 68420 Eguisheim, tél. 03.89.41.67.34, fax 03.89.24.33.12, e-mail info@vins-paul-gaschy.fr r.-v.

JEAN GEILER Cuvée Sainte-Marguerite 2005 ★★

2 ha 10 210 5 à 8 €

Ingersheim, à 3 km de Colmar, possède un vignoble varié : partiellement implanté en plaine, celui-ci couvre aussi des coteaux réputés des alentours. La coopérative – dont la marque est Jean Geiler – en exploite une importante partie. Avec ce 2005 issu d'un terroir argilo-calcaire, elle propose un vin remarquable et singulier, à 38 g/l. de sucres résiduels. Jaune clair à reflets dorés, ce pinot blanc

surprend par son nez de coing confit : un caractère de surmaturation qui se confirme dans une bouche ample, riche et souple. La longue finale est marquée par des notes de fruits exotiques. Apte à une petite garde, une bouteille que l'on peut servir à l'apéritif ou au dessert.
Cave vinicole d'Ingersheim,
45, rue de la République, 68040 Ingersheim,
tél. 03.89.27.90.27, fax 03.89.27.90.30,
e-mail vin@geiler.fr r.-v.

GUETH Val Saint-Grégoire Vieilles Vignes 2005 *

0,15 ha 1 000 8 à 11 €

Entre Turckheim au nord et Wintzenheim au sud, la Fecht entaille la montagne en direction de Munster. Dans ce val Saint-Grégoire environné des forêts du parc naturel des Ballons des Vosges se cachent des vignerons comme Edgard Gueth, à la tête d'un domaine de 5 ha. Assemblage à parts égales de pinot blanc et d'auxerrois, sa cuvée Vieilles Vignes est issue d'un terroir de coteaux aux sols sablo-granitiques. Jaune pâle à reflets or, elle séduit par son nez typé de fruits frais et de fleurs blanches (aubépine). Tout aussi fruitée, équilibrée, la bouche conjugue souplesse et fraîcheur. La longue finale est soulignée d'une pointe citronnée. À découvrir dès maintenant.
Edgard Gueth,
5, rue Saint-Sébastien, 68230 Walbach,
tél. 03.89.71.19.50, fax 03.89.71.18.13 r.-v.

DOM. LANDMANN Fronholz Vieilles Vignes 2005

0,7 ha 5 000 5 à 8 €

Cette exploitation de 9 ha a pignon sur rue à Nothalten, village viticole s'étirant le long de la route du Vin à une dizaine de kilomètres au sud de Barr. La partie ancienne de la cave a conservé son torchis d'époque, ce qui n'empêche pas les chais d'être régulièrement rénovés. Armand Landmann signe un vin jaune pâle à reflets verts, au nez floral discret mais élégant (fleurs blanches). Très souple à l'attaque, suffisamment structurée, la bouche reste dans la même tonalité aromatique, des touches fruitées et balsamiques venant compléter sa palette. Un ensemble aérien à déguster à la sortie du Guide.
EARL Armand Landmann, 74, rte du Vin,
67680 Nothalten, tél. et fax 03.88.92.41.12 r.-v.

LEIPP-LEININGER 2005 *

1 ha 5 000 3 à 5 €

Ces vignerons sont établis depuis 1911 au pied du mont Sainte-Odile, à Barr, dans une maison où l'on fait du vin depuis 1760. Provenant d'un terroir argilo-calcaire, leur pinot blanc s'annonce par une robe jaune d'or. Discret au premier nez, il s'ouvre sur des impressions complexes et élégantes, qui se confirment au palais : fleurs (bouillon blanc) et agrumes mûrs assortis de touches briochées. Après une attaque souple, il se montre riche et ample. On peut l'attendre au moins un an.
Leipp-Leininger, 11, rue du Dr-Sultzer, 67140 Barr,
tél. 03.88.08.95.98, fax 03.88.08.43.26,
e-mail info@leipp-leininger.com r.-v. B

ALFRED MEYER ET FILS 2005 **

1 ha 5 000 5 à 8 €

Dominé par le donjon du Wineck, Katzenthal se niche au fond d'un vallon à quelque 5 km à l'ouest de Colmar. Installé en 2003 sur l'exploitation familiale, Daniel Meyer exploite 7 ha. Le vignoble se répartit entre

coteaux granitiques et terrains alluvionnaires au débouché de la vallée. C'est de ces derniers que provient ce pinot blanc salué par le jury. La robe or s'anime de brillants reflets verts, le nez exquis mêle les fleurs blanches à des notes de surmaturation rappelant les fruits au sirop. Au palais, ce vin souple, ample et riche séduit par sa très bonne structure, avec des sucres résiduels bien intégrés, et par sa finale persistante, florale et fruitée.
EARL Alfred Meyer et Fils,
98, rue des Trois-Épis, 68230 Katzenthal,
tél. 03.89.27.24.50, fax 03.89.27.55.40
t.l.j. sf dim. 9h-12h 13h30-19h
Daniel Meyer

CHARLES MULLER ET FILS
Auxerrois de Traenheim Vieilles Vignes 2005 *

0,55 ha 3 500 5 à 8 €

Les Muller sont établis depuis plus de quatre siècles à Traenheim, village situé à une vingtaine de kilomètres à l'ouest de la capitale régionale, dans cette partie du vignoble appelée « Couronne d'or de Strasbourg ». Ils cultivent leur 10,50 ha de vignes en agriculture biologique. De l'auxerrois, ils ont tiré un vin jaune paille intense à reflets brillants, plutôt discret au nez : des nuances briochées, quelques touches boisées. En bouche, on découvre un vin harmonieux, sec, bien vif, avec une attaque franche et fraîche et un fruité citronné. Ce caractère lui permettra d'accompagner crustacés et poissons grillés.
Charles Muller et Fils, 89c, rte du Vin,
67310 Traenheim, tél. 03.88.50.38.04,
fax 03.88.50.58.54, e-mail earlmullercharles@hotmail.fr
r.-v. C

GILBERT RUHLMANN FILS
Auxerrois Cuvée Prestige 2005 *

0,35 ha 1 500 5 à 8 €

Lorsque l'on quitte Sélestat et la plaine pour aborder la route du Vin, on trouve très vite le village de Scherwiller. Ses terroirs ne manquent pas d'intérêt. Sur des sols limoneux et sablonneux, Guy et Gilbert Ruhlmann cultivent de l'auxerrois qui a donné ici un vin limpide et brillant à reflets dorés. Une bouteille très marquée par la surmaturation, avec ses notes d'agrumes confits, auxquelles le coing fait escorte au palais, dans un ensemble puissant, riche et ample. Une sucrosité importante (29 g/l de sucres résiduels) ne nuit pas à son harmonie. Pour les amateurs de douceur.
Gilbert Ruhlmann Fils, 31, rue de l'Ortenbourg,
67750 Scherwiller, tél. 03.88.92.03.21,
fax 03.88.82.30.19, e-mail vin.ruhlmann@terre-net.fr
t.l.j. 9h-11h45 13h15-18h30; dim. sur r.-v.

EDMOND SCHUELLER Petits Grains 2005 ★

0,2 ha 1 900 **5 à 8 €**

Ce petit domaine familial (4,50 ha) est implanté à Husseren-les-Châteaux, village perché qui a la particularité de dominer tout son vignoble. Né d'un terroir argilo-gréseux, ce pinot blanc s'habille d'une robe jaune d'or intense et brillant, et laisse des larmes sur les parois du verre. Discret au premier nez, il révèle des notes de pain frais, avant de libérer à l'agitation des notes beurrées, des nuances de banane mûre et de pâte d'amandes. Une richesse que l'on retrouve en bouche : ce vin n'est que souplesse, rondeur, ampleur, fruits mûrs et onctuosité. Rien de vif, mais pas de lourdeur non plus. Une certaine longueur. Le pinot blanc pour pâtés en croûte et viandes blanches en sauce.

Edmond et Damien Schueller, 26, rte du Vin, 68420 Husseren-les-Châteaux, tél. 03.89.49.32.60, e-mail damienschueller@aol.com r.-v. 3 B

NICOLAS SIMMLER Bouquet d'Alsace 2005 ★★

0,25 ha 1 500 **5 à 8 €**

Cette exploitation familiale a son siège à Saint-Hippolyte, au pied du Haut-Kœnigsbourg, mais ses vignes se répartissent sur quatre communes. Provenant d'un terroir limoneux, jaune pâle brillant, son Bouquet d'Alsace mêle d'intenses senteurs d'abricot surmûri à de légères touches citronnées et briochées. Un complexe aromatique qui se prolonge au palais, escorté par un discret boisé en finale. Riche, ample et mûr sans lourdeur, souple mais laissant une impression de fraîcheur, un pinot blanc remarquablement bien fait, à servir sur tourtes et entrées chaudes.

Maison Nicolas Simmler, 1, pl. de l'Hôtel-de-Ville, 68590 Saint-Hippolyte, tél. 03.89.73.00.31, fax 03.89.73.03.28, e-mail earlsimmlernicolas@wanadoo.fr r.-v. 2 D

ZEYSSOLFF Auxerrois Réserve particulière 2005

1 ha 9 333 **5 à 8 €**

Établis non loin de Barr, les Zeyssolff vinifient leur production selon la tradition, dans une cave à foudres du XIXes. Ils proposent un auxerrois typique du millésime. Jaune intense aux brillants reflets or, ce 2005 associe au nez comme en bouche la reinette mûre à une touche vanillée. Des impressions de souplesse, de richesse et de puissance dominent la dégustation de cette bouteille bien structurée. Peu porté sur la vivacité, c'est un vin de viande plutôt que de poisson.

G. Zeyssolff, 156, rte de Strasbourg, 67140 Gertwiller, tél. 03.88.08.90.08, fax 03.88.08.91.60, e-mail yvan.zeyssolff@wanadoo.fr r.-v. C

Alsace edelzwicker

Parmi les appellations alsaciennes, une place particulière est occupée par l'edelzwicker. Cette dénomination extrêmement ancienne désigne les vins issus d'un assemblage de cépages. N'oublions pas qu'il y a un siècle, les parcelles du vignoble alsacien plantées d'une seule variété étaient rares. Les cépages qui entrent dans la composition de l'edelzwicker sont essentiellement les pinot blanc, auxerrois, sylvaner et chasselas. Cette production est particulièrement appréciée par les Alsaciens, et la plupart des restaurants et des cafés mettent un point d'honneur à en servir de très agréables en carafe. Il s'agit d'une appellation qui mériterait davantage de considération. Elle pourrait répondre à l'une des revendications actuelles de certains vignerons pour qui les vertus de l'assemblage semblent évidentes.

CH. D'ITTENWILLER Grande Réserve 2005

0,7 ha 2 500 **5 à 8 €**

Ancien prieuré augustin fondé au XIIes. près de Barr, la propriété fut sécularisée à la Révolution. Pleyel en fut le propriétaire, avant que l'ancêtre de François d'Ardlau, le baron de Coehorn, ne l'achète en 1808. Elle ne compte que 3 ha de vignobles valorisés depuis 1980. Cette cuvée assemble trois cépages : les pinots blanc et gris, et le gewurztraminer. Jaune clair à reflets verts, elle présente un nez intense et suave de fruits mûrs et de fleurs blanches avec des notes de miel et une touche anisée. Souple, assez bien structuré et bien équilibré, ce vin plaisant trouvera facilement sa place à table, sur des quiches ou des tourtes, par exemple. (Sucres résiduels : 7 g/l.)

Comtes d'Andlau-Hombourg, Château d'Ittenwiller, 67140 Saint-Pierre, tél. et fax 03.88.08.13.30 r.-v.

LICHTLÉ Marinès 2005

0,5 ha 5 000 **3 à 5 €**

Le vin ? son métier ; la voile ? son plaisir. Éric Lichtlé a assemblé riesling (45 %), sylvaner (40 %) et gewurztraminer (15 %) pour créer cette cuvée destinée aux produits de la mer. Des notes végétales un peu florales et une touche de miel se mêlent au nez. Une attaque vive introduit une bouche légère, marquée en finale par une nuance anisée. Un vin bien sec pour poisson et crudités. (Sucres résiduels : 4 g/l.)

Éric Lichtlé, 10, rue des Forgerons, 68420 Gueberschwihr, tél. 03.89.49.22.76, e-mail lichtlewines@hotmail.com r.-v. 3

DOM. ALFRED WANTZ Triptyque 2005

0,4 ha 3 000 **5 à 8 €**

D'origine autrichienne, les Wantz se sont fixés à Mittelbergheim au XVIes. Aujourd'hui, le domaine est géré par Jean-Marc Wantz et son fils Stéphane. Son siège se situe dans une maison Renaissance. Mariage de muscat, de riesling et de pinot gris, cet edelzwicker fait preuve d'une certaine complexité aromatique, mêlant des notes de fleurs, d'agrumes et de muscat ; au palais, des fruits et des épices. De la souplesse, puis de la fraîcheur, pour un vin léger et gouleyant à servir à l'apéritif sous la tonnelle, puis avec des salades. (Sucres résiduels : 5 g/l.)

Dom. Alfred Wantz, 3, rue des Vosges, 67140 Mittelbergheim, tél. 03.88.08.91.43, fax 03.88.08.58.74, e-mail stephane.wantz@wanadoo.fr r.-v.

Alsace riesling

Le riesling est le cépage rhénan par excellence, et la vallée du Rhin est son berceau. Il s'agit d'une variété tardive pour la région, dont la production est régulière et bonne. Elle occupe environ 3 355 ha. Le riesling alsacien est un vin sec, ce qui le différencie de façon générale de son homologue allemand. Ses atouts résident dans l'harmonie entre son bouquet et son fruité délicats, son corps et son acidité assez prononcée mais extrêmement fine. Mais pour atteindre cet apogée, il doit provenir d'une bonne situation. Le riesling a essaimé dans de nombreux autres pays viticoles, où la dénomination riesling, sauf si l'on précise « riesling rhénan », n'est pas totalement fiable : une dizaine d'autres cépages ont, de par le monde, été baptisés de ce nom ! Du point de vue gastronomique, le riesling convient tout particulièrement aux poissons, aux fruits de mer, aux fromages de chèvre et, bien entendu, à la choucroute garnie à l'alsacienne ou au coq au riesling chaque fois qu'il ne contient pas de sucres résiduels ; les sélections de grains nobles et vendanges tardives se prêtent aux accords des vins liquoreux.

J.-B. ADAM Kaefferkopf Vieilles Vignes 2005 ★★★

1,1 ha 4 800 11 à 15 €

VIN D'ALSACE
APPELLATION ALSACE CONTRÔLÉE
2005
LE
Riesling
KAEFFERKOPF
DE
JEAN-BAPTISTE
ADAM
AMMERSCHWIHR
VIEILLES VIGNES

Des caves du XVII[e]s. abritant de nombreux foudres centenaires témoignent de l'ancienneté de cette célèbre maison fondée en 1614. Après un riesling du Letzenberg jugé exceptionnel l'an dernier, c'est le Kaefferkopf qui se détache cette année. Et ce 2005 montre que ce lieu-dit – qui va s'ajouter (à partir du millésime 2007) aux 50 grands crus alsaciens – mérite sa réputation. Vinifié sans levurage, ce vin a fermenté en foudre puis a été élevé sur lies fines. Son nez, d'une grande complexité, mêle les agrumes, les fruits secs et la brioche. Cette richesse aromatique se retrouve dans une bouche ample et d'une rare persistance, fraîche en finale. De classe et de garde. (Sucres résiduels : 7 g/l.)

Jean-Baptiste Adam,
5, rue de l'Aigle, 68770 Ammerschwihr,
tél. 03.89.78.23.21, fax 03.89.47.35.91,
e-mail adam@jb-adam.com
t.l.j. 8h-12h 14h-18h; f. dim de janv. à avr.

DOM. YVES AMBERG
Damgraben Vieilles Vignes 2005 ★★

0,35 ha 3 000 5 à 8 €

Installé à Epfig, au sud de Barr, Yves Amberg réunit 11 ha de vignes conduits en agriculture biologique depuis une dizaine d'années. Le domaine s'illustre encore cette année en riesling avec cette cuvée issue de ceps âgés de plus de cinquante ans plantés sur le granite. Son nez très élégant développe des arômes de fleurs et de fruits surmûris. Assez souple et rond à l'attaque, riche et puissant, suffisamment vif, ce vin devrait faire merveille avec le temps. Attendez-le au moins deux ans. (Sucres résiduels : 7 g/l.)

Yves Amberg, 19, rue Fronholz, 67680 Epfig,
tél. 03.88.85.51.28, fax 03.88.85.52.71 r.-v. B

CAVE VINICOLE D'ANDLAU-BARR
Weinberg 2005 ★

n.c. 13 000 5 à 8 €

Cité viticole pittoresque, Barr est le siège de cette coopérative qui a étendu son aire de collecte sur tous les villages environnants. La cave propose un riesling aux parfums élégants de fleurs et de fruits mûrs. Une belle attaque introduit un palais net et très sec, à la finale citronnée : tout ce qu'il faut pour les produits de la mer. (Sucres résiduels : 5,2 g/l.)

Cave vinicole d'Andlau et environs,
15, av. des Vosges, 67140 Barr, tél. 03.88.08.90.53,
fax 03.88.47.60.22 r.-v.

ANSTOTZ ET FILS Westerweingarten 2005 ★

0,45 ha 3 000 5 à 8 €

Située à 25 km de Strasbourg, cette exploitation dispose de 15 ha de vignes et s'est lancée dans la lutte intégrée depuis plusieurs années. Le cadre est intéressant : une ferme du XVI[e]s., des foudres de chêne sculptés, dont le plus ancien remonte à 1807. Les vins ne le sont pas moins. Voyez ce riesling, jugé très réussi comme le millésime précédent. Conforme à son terroir marneux d'origine, ce 2005 est encore jeune, discret au nez, marqué par des notes de tilleul et d'agrumes. D'une belle attaque, c'est un vin vif, citronné et bien typé, recommandé pour les poissons et crustacés. (Sucres résiduels : 6,1 g/l.)

Anstotz et Fils, 51, rue Balbach, 67310 Balbronn,
tél. 03.88.50.30.55, fax 03.88.50.58.06,
e-mail christine.anstotz@wanadoo.fr
t.l.j. 9h-12h 13h30-19h; dim. sur r.-v. B
Marc Anstotz

FRANCIS BECK Hertenstein 2005 ★

0,52 ha 3 600 5 à 8 €

Francis Beck, rejoint par son fils Julien, œnologue, exploite en famille près de 8 ha de vignes. Le résultat est au rendez-vous avec ce riesling au bouquet élégant, fait de fleurs et d'agrumes. Assez tendre à l'attaque, puissant et persistant, le palais finit sur une touche minérale. Une bouteille de bonne facture, prête à accompagner poissons blancs et spécialités alsaciennes. (Sucres résiduels : 11 g/l.)

EARL Francis Beck et Fils,
79, rue Sainte-Marguerite, 67680 Epfig,
tél. 03.88.85.54.84, fax 03.88.57.83.81,
e-mail vins@francisbeck.com
t.l.j. 9h-19h; dim. sur r.-v. A

LÉON BEYER Les Écaillers 2005 ★

1,4 ha 12 000 15 à 23 €

Au service du vin depuis 1580, les Beyer sont installés à Eguisheim, dans un relais de poste bâti au temps de

Louis XIV. Leur cuvée des Écaillers est l'un des fleurons de leur maison. Elle est issue d'une sélection de rieslings d'origine argilo-calcaire. Marquée au nez par des notes de menthol et de citron vert, vive, puissante et bien structurée, c'est une bouteille de classe que l'on peut déboucher dès maintenant sur un plateau de fruits de mer ou une choucroute de poisson. (Sucres résiduels : 2 g/l.)
Léon Beyer, 2, rue de la 1re-Armée,
68420 Eguisheim, tél. 03.89.21.62.30,
fax 03.89.23.93.63, e-mail contact@leonbeyer.fr
t.l.j. sf mer. 10h-12h 14h-18h; f. janv. fév.

DOM. CLAUDE ET CHRISTOPHE BLÉGER
Coteaux du Haut-Kœnigsbourg 2005 *

0,6 ha 4 400 5 à 8 €

Descendant d'une lignée de vignerons remontant à 1630, Claude Bléger exploite 8 ha de vignes. Il a été rejoint par son fils Christophe en 2005. Originaire des pentes du Haut-Kœnigsbourg aux sols gneissiques sablonneux, leur riesling est très expressif au nez avec ses arômes d'agrumes et de surmaturation. Souple à l'attaque, complexe et persistant, il révèle une belle matière. On le mariera avec de la volaille ou du poisson en sauce. (Sucres résiduels : 7 g/l.)
Dom. Claude et Christophe Bléger, 23, Grand-Rue,
67600 Orschwiller, tél. 03.88.92.32.56,
fax 03.88.82.59.95, e-mail vins.c.bleger@wanadoo.fr
t.l.j. 9h-12h15 13h15-19h30

MARIE-CLAIRE ET PIERRE BORÈS
Schieferberg Rêve de pierres 2004 **

0,3 ha 1 700 8 à 11 €

Installés depuis 1988 à Reichsfeld, à l'entrée du Val de Villé, Marie-Claire et Pierre Borès sont aujourd'hui à la tête d'un domaine de 9 ha, au pied de la montagne. Leur riesling du Schieferberg provient d'un terroir schisteux, ce qui est assez rare, et se caractérise par un bouquet intense et complexe dominé par les fruits exotiques. Une belle attaque introduit un palais puissant et gras, structuré et bien équilibré. Un ensemble harmonieux que l'on pourra servir sur des mets exotiques. (Sucres résiduels : 10 g/l.)
Marie-Claire et Pierre Borès, 15, lieu-dit Leh,
67140 Reichsfeld, tél. 03.88.85.58.87,
fax 03.88.85.56.07, e-mail vinsbores@wanadoo.fr
r.-v.

JOSEPH CATTIN 2005 *

5,5 ha 45 000 5 à 8 €

Si cette propriété existe depuis 1850, elle s'est considérablement développée sous l'impulsion de Jacques Cattin. Elle propose un riesling d'origine argilo-calcaire, au nez fort élégant mêlant les fleurs et les fruits jaunes (pêche, abricot). Vif et sec, bien équilibré, racé, ce 2005 offre tout ce que l'on attend du cépage. Il accompagnera aussi bien du poisson grillé que des crustacés ou de la volaille. (Sucres résiduels : 6 g/l.)
Joseph Cattin, 18, rue Roger-Frémeaux,
68420 Vœgtlinshoffen, tél. 03.89.49.30.21,
fax 03.89.49.26.02, e-mail gcattin@terre-net.fr
t.l.j. 8h-12h 14h-18h; sam. dim. sur r.-v.

CHARLES KELLNER 2005 *

1,4 ha 13 800 3 à 5 €

Fondée en 1898, la maison de négoce Jean Hauller et Fils dispose de 18 ha de vignes. Depuis quelques années, elle a lancé une nouvelle marque, Charles Kellner. Originaire d'un terroir granitique, ce riesling est intense et complexe au nez, les notes d'agrumes s'enrichissant de senteurs d'abricot et de miel d'acacia. Cette richesse se retrouve au palais, à la fois chaleureux et puissamment charpenté. (Sucres résiduels : 6,3 g/l.)
SA Hauller, 3, rue de la Gare,
67650 Dambach-la-Ville, tél. 03.88.92.40.21,
fax 03.88.92.45.41, e-mail j.hauller@wanadoo.fr
r.-v.

DOM. DU CHÂTEAU DE RIQUEWIHR
Les Murailles 2005 *

8 ha 26 000 8 à 11 €

Cette cuvée tire son nom des remparts de Riquewihr, proches du siège de la maison Dopff et Irion, établie dans l'ancien château des ducs de Wurtemberg. La société dispose de 27 ha de vignes et complète ses besoins par une activité de négoce. Originaire d'une sélection de terroirs marneux, ce riesling affiche un nez élégant aux nuances d'agrumes et de fruits mûrs. Une belle attaque, un palais droit, très bien structuré et persistant, composent une bouteille classique, prête à servir. (Sucres résiduels : 5,5 g/l.)
Dopff et Irion, Dom. du Château de Riquewihr,
68340 Riquewihr, tél. 03.89.47.92.51,
fax 03.89.47.98.90, e-mail post@dopff-irion.com
t.l.j. sf dim. 9h-19h

JEAN DIETRICH Sélection de grains nobles 2004

0,3 ha 1 300 23 à 30 €

Les Dietrich exploitent 11,50 ha autour de Kaysersberg, la ville natale du docteur Schweitzer. Ils signent une Sélection de grains nobles d'un jaune d'or intense, au nez complexe et très ouvert sur des notes de fruits secs, de fruits confits et de fleurs séchées. Ces dernières s'associent en bouche au coing et à l'abricot confit. Ample, puissant, frais en finale, ce liquoreux peut s'apprécier dès maintenant mais il pourrait bénéficier d'une petite garde. (Sucres résiduels : 83 g/l. ; bouteilles de 37,5 cl.)
Jean Dietrich,
51, rte de Lapoutroie, 68240 Kaysersberg,
tél. 03.89.78.25.24, fax 03.89.47.30.72,
e-mail dietrich.jean-et-fils@wanadoo.fr
t.l.j. 10h-12h 14h-19h

DIRLER Belzbrunnen 2005 *

0,6 ha 4 900 11 à 15 €

En 1871, Jean Dirler renonce à son métier d'instituteur et se fait vigneron. Depuis, le domaine, devenu Dirler-Cadé en 1998, n'a cessé de se développer pour atteindre aujourd'hui 17 ha, exploités en biodynamie. Proche de Guebwiller, il offre une large gamme de grands crus. Originaire d'un terroir gréseux, ce riesling associe au nez les fleurs blanches à des nuances minérales. Vif, équilibré et persistant, c'est le produit d'une belle matière. (Sucres résiduels : 13 g/l.)
EARL Dirler-Cadé, 13, rue d'Issenheim,
68500 Bergholtz, tél. 03.89.76.91.00,
fax 03.89.76.85.97, e-mail dirler-cade@terre-net.fr
t.l.j. sf dim. 8h-12h 13h30-18h; sam. 17h

DOPFF AU MOULIN 2005 *

4,3 ha 23 500 8 à 11 €

Forte de ses 63 ha de vignes, dont la production est complétée par des achats de raisins, cette maison fondée en 1634 est toujours restée dans le giron familial. Ce riesling, issu de la propre récolte du domaine, provient d'un terroir marneux. Très expressif au nez, il associe le citron et le pamplemousse, avec une note de torréfaction. Frais au palais, intense et persistant, c'est un vin digne du vignoble de Riquewihr. Il peut attendre de deux à cinq ans. (Sucres résiduels : 6,3 g/l.)

Dopff au Moulin,
2, av. Jacques-Preiss, 68340 Riquewihr,
tél. 03.89.49.09.69, fax 03.89.47.83.61
t.l.j. 9h-12h 14h-19h; groupes sur r.-v.

EBLIN-FUCHS Zellenberg 2005

1 ha 4 000 5 à 8 €

Descendants d'une lignée de vignerons remontant au XIIIes., Christian et Joseph Eblin sont à la tête de 10 ha de vignes qu'ils conduisent en biodynamie. D'origine marno-gréseuse, le riesling qu'ils ont soumis au jury est un archétype du cépage avec son nez élégant et citronné, son attaque vive et son palais équilibré, sec et persistant. Il aimera les fruits de mer. (Sucres résiduels : 2 g/l.)

Christian et Joseph Eblin, 19, rte des Vins,
68340 Zellenberg, tél. 03.89.47.91.14,
fax 03.89.49.05.12, e-mail eblin-fuchs@tiscali.fr
t.l.j. sf dim. 9h-12h 13h-18h

JEAN-PAUL ECKLÉ Lieu-dit Hinterbourg 2005 ★★

0,45 ha 5 800 5 à 8 €

Jean-Paul Ecklé est toujours à la tête de l'exploitation familiale sur laquelle il s'est installé en 1955. Il exploite près de 9 ha autour de Katzenthal, village situé à quelques kilomètres à l'ouest de Colmar. Planté sur le terroir caillouteux de l'Hinterbourg, ce riesling figure régulièrement en bonne place dans le Guide. Le 2003 fut coup de cœur. Le 2005 séduit d'emblée par la complexité de son nez où se mêlent l'acacia, le sureau, les agrumes et une pointe minérale. Franc à l'attaque, puissant, chaleureux et persistant, il devrait tenir cinq ans. (Sucres résiduels : 6 g/l.)

Jean-Paul Ecklé et Fils, 29, Grand-Rue,
68230 Katzenthal, tél. 03.89.27.09.41,
fax 03.89.80.86.18, e-mail eckle.jean-paul@wanadoo.fr
t.l.j. sf dim. 9h-12h 13h30-18h30

CHARLES ET DOMINIQUE FREY
Vieilles Vignes 2005

1,5 ha 12 000 5 à 8 €

Dominique Frey, qui représente la quatrième génération, a rejoint son père Charles en 1986. Leurs 11 ha de vignes sont conduits en biodynamie. Reflétant son origine granitique, leur riesling Vieilles Vignes est intense et élégant au nez, marqué par une touche minérale. Vif à l'attaque, bien sec, il est représentatif du cépage. (Sucres résiduels : 4 g/l.)

Charles et Dominique Frey, 4, rue des Ours,
67650 Dambach-la-Ville, tél. 03.88.92.41.04,
fax 03.88.92.62.23, e-mail frey.dom.bio@wanadoo.fr
t.l.j. sf dim. 9h-12h 13h30-18h

W. GISSELBRECHT Schiefferberg 2005 ★

0,8 ha 6 000 8 à 11 €

Depuis le XVIIes., la famille Gisselbrecht est établie dans le vignoble alsacien. Aujourd'hui, la dernière génération, représentée par Christine, Philippe et Claude, forte d'un vignoble de 17 ha complété par des achats de raisins, exporte 60 % de ses cuvées. Celle-ci, issue d'un terroir schisteux, exprime les fruits confits et la mangue, tant au nez qu'en bouche. D'une belle attaque, équilibré et expressif, ce riesling accompagnera volontiers la cuisine chinoise ou thaïlandaise. (Sucres résiduels : 9 g/l.)

Willy Gisselbrecht et Fils, 5, rte du Vin,
67650 Dambach-la-Ville, tél. 03.88.92.41.02,
fax 03.88.92.45.50, e-mail info@vins-gisselbrecht.com
r.-v.

GOETZ
Riesling de Wolxheim Sélection particulière 2005 ★★

0,4 ha 1 800 5 à 8 €

Le village de Wolxheim s'est rendu célèbre par son riesling, prisé, dit-on, par Napoléon Ier. Installé à la tête de 7,5 ha de vignes depuis 1991, Mathieu Goetz perpétue cette tradition d'excellence. Marqué au nez comme en bouche par des notes d'agrumes associées à une touche minérale, ce vin est déjà très ouvert malgré son origine marno-calcaire. Son ampleur se conjugue à une fraîcheur et à une vivacité typiques du cépage. Un vin parfaitement structuré et d'une rare harmonie. (Sucres résiduels : 8 g/l.)

Mathieu Goetz, 2, rue Jeanne-d'Arc,
67120 Wolxheim, tél. 03.88.38.10.47,
fax 03.88.38.67.61, e-mail mathieu.goetz@wanadoo.fr
r.-v.

DOM. HATTERER Lerchenberg 2004

0,38 ha 3 000 8 à 11 €

Installée à Zellenberg, village proche de Riquewihr perché sur un éperon, cette maison associe une affaire de négoce à l'exploitation d'un domaine de 20 ha. Né d'un terroir argilo-calcaire, son riesling du Lerchenberg affiche une belle complexité au nez, où des notes minérales voisinent avec des nuances d'agrumes. Vif à l'attaque, équilibré, il montre déjà une certaine évolution : à boire. (Sucres résiduels : 11 g/l.)

SARL Hatterer Rentz, 7, rte des Vins,
68340 Zellenberg, tél. 03.89.47.90.17,
fax 03.89.47.97.27 t.l.j. sf dim. 8h-12h 14h-18h

LOUIS HAULLER Fronholz Vieilles Vignes 2005 ★

0,5 ha 3 000 8 à 11 €

Descendants d'une lignée de tonneliers depuis le XVIIIes., les Hauller ont élargi leur activité à la viticulture au début du XXes. Louis et son petit-fils Claude exploitent aujourd'hui 10 ha de vignes. De nouveau retenu, leur riesling du Fronholz se montre très expressif au nez, mêlant des parfums épicés et citronnés. Ample, capiteux et persistant, il peut déjà accompagner du poisson cuisiné tout en étant armé pour la garde. (Sucres résiduels : 7 g/l.)

Louis et Claude Hauller,
La Cave du Tonnelier, 88, rue Foch,
67650 Dambach-la-Ville, tél. 03.88.92.40.00,
fax 03.88.92.65.80, e-mail claude@louishauller.com
r.-v.

ÉMILE HERZOG Lieu-dit Langgass 2005 ★★

0,16 ha 1 025 5 à 8 €

Turckheim est l'un des bourgs viticoles les plus charmants d'Alsace. La famille Herzog y exploite un vignoble depuis 1686. Reflétant son origine caillouteuse, ce riesling est déjà bien ouvert au nez, où l'on respire des fragrances citronnées, mentholées et des nuances de tilleul. Après une attaque jugée « sensuelle » par un dégustateur, la bouche se montre complexe, ample, fraîche et persistante. Une bouteille de classe, qui peut attendre cinq ans. (Sucres résiduels : 6,5 g/l.)

Émile Herzog, 28, rue du Florimont, 68230 Turckheim, tél. et fax 03.89.27.08.79, e-mail e.herzog@laposte.net r.-v.

Anne-Marie Herzog

HORCHER Cuvée Sélection 2005 ★

0,65 ha 5 000 8 à 11 €

Mittelwihr tire sa notoriété de sa côte des Amandiers, superbement exposée. Les Horcher y sont vignerons de père en fils depuis quatre générations. Issu d'un terroir argilo-calcaire, ce riesling révèle au nez des arômes de fleurs et de fruits mûrs. Ample et bien équilibré, c'est le produit d'une grande matière première. On pourra le servir dès maintenant. (Sucres résiduels : 5 g/l.)

Horcher, EARL du Hagel, 8, rue du Vignoble, 68630 Mittelwihr, tél. 03.89.47.93.26, fax 03.89.49.04.92, e-mail info@horcher.fr
t.l.j. sf dim. 9h-12h 14h-19h

HOSPICES DE COLMAR 2005 ★

1 ha 8 000 5 à 8 €

Depuis 1255, date de leur fondation, les hospices de Colmar ont accumulé de nombreuses donations. Toutes leurs vignes (25 ha) sont aujourd'hui exploitées par le Domaine de la Ville de Colmar. Marqué par son terroir de graves, ce riesling développe au nez des notes florales et citronnées. Ample, gras et structuré, il offre un agréable retour aromatique sur les agrumes et laisse en finale une impression d'harmonie. Prêt à boire, il peut aussi attendre un an ou deux et s'accordera avec un filet de sandre à la crème. (Sucres résiduels : 8 g/l.)

Dom. viticole de la Ville de Colmar, 2, rue du Stauffen, 68000 Colmar, tél. 03.89.79.11.87, fax 03.89.80.38.66, e-mail cave@domaineviticoledecolmar.fr
t.l.j. sf dim. 8h-12h 14h-18h

MARCEL IMMÉLÉ 2005 ★

0,6 ha 5 400 3 à 5 €

La famille Immélé perpétue une tradition viticole qui remonte au milieu du XIX[e]s et exploite 8 ha de vignes. D'origine argilo-calcaire, son riesling associe au nez des notes de fruits mûrs et de surmaturation à une touche muscatée. Franche à l'attaque, vive, équilibrée et persistante, c'est une bouteille élégante. On peut l'ouvrir dès maintenant ou l'attendre jusqu'à cinq ans. (Sucres résiduels : 6 g/l.)

Marcel Immélé, 8, rue Roger-Frémeaux, 68420 Vœgtlinshoffen, tél. 03.89.49.35.21, fax 03.89.49.27.50 r.-v.

JOSMEYER Les Pierrets 2004 ★

1 ha 7 000 15 à 23 €

Depuis Aloyse Meyer, qui fonda la maison en 1854, cinq générations se sont succédé sur ce domaine situé à Wintzenheim, près de Colmar. Aujourd'hui, la famille est à la tête d'un important domaine (27 ha) qu'elle exploite en biodynamie. Vinifié sans levurage, ce riesling reflète bien son terroir de graves : intense et élégant au nez, il mêle les agrumes et la brioche. Vif à l'attaque, équilibré, bien structuré et persistant, il accompagnera dès maintenant volailles, homard ou spécialités chinoises. Le 2001 avait obtenu un coup de cœur. (Sucres résiduels : 9 g/l.)

Josmeyer, 76, rue Clemenceau, 68920 Wintzenheim, tél. 03.89.27.91.90, fax 03.89.27.91.99, e-mail josmeyer@wanadoo.fr
t.l.j. sf dim. 9h-12h 14h-18h; sam. 9h-12h

DOM. JUX Réserve 2005 ★

n.c. 7 830 5 à 8 €

En Alsace, les grands domaines sont rares et présentent une histoire singulière. Le domaine Jux est de ceux-là, avec ses 110 ha de vignes qui profitent du microclimat chaud et sec de Colmar. Marqué par son terroir de graves, ce riesling est déjà très ouvert au nez où des notes de fruits exotiques cohabitent avec des nuances minérales. D'une belle attaque, ample, équilibré, vif et persistant, c'est un vin bien typé, qui se mariera avec tous les produits de la mer. (Sucres résiduels : 3 g/l.)

Dom. Jux, 5, chem. de la Fecht, 68000 Colmar, tél. 03.89.79.13.76, fax 03.89.79.62.93 r.-v.

KIRSCHNER 2005

1 ha 7 500 5 à 8 €

Fondée au début du XIX[e]s., cette propriété se flatte d'avoir conservé une étiquette de 1825 – une époque où la pratique de l'étiquetage était peu répandue. Elle réunit aujourd'hui 9,50 ha de vignes. Originaire d'un terroir granitique, son riesling libère des parfums d'agrumes et de fruit de la Passion. Vif et fruité, long et croquant, il s'accordera avec le poisson et les fruits de mer. (Sucres résiduels : 2,5 g/l.)

EARL Kirschner, 26, rue Théophile-Bader, 67650 Dambach-la-Ville, tél. 03.88.92.40.55, fax 03.88.92.62.54, e-mail kirschner.pierre@wanadoo.fr
t.l.j. sf dim. 8h-12h 13h-19h

KLEIN-BRAND Lieu-dit Breitenberg 2005

0,5 ha 2 400 5 à 8 €

Village historique niché à l'entrée de la vallée Noble, Soultzmatt vit principalement de la vigne et du vin. Cette propriété exploite quelque 10 ha aux alentours. Originaire d'un terroir calcaro-gréseux, son riesling du Breitenberg commence à s'ouvrir sur des notes de fruits mûrs et de miel. Après une bonne attaque sur le fruit, il se montre assez gras et bien structuré. (Sucres résiduels : 8 g/l.)

Klein-Brand, 96, rue de la Vallée, 68570 Soultzmatt, tél. 03.89.47.00.08, fax 03.89.47.65.53, e-mail kleinbrand@tele2.fr
t.l.j. sf dim. 8h-12h 13h30-18h

KROSSFELDER Cuvée des Guillemettes 2005

n.c. 51 000 5 à 8 €

Dambach-la-Ville n'est pas qu'une bourgade pittoresque au cachet médiéval. C'est aussi l'une des plus importantes communes viticoles d'Alsace. Fusionnée depuis peu avec celle d'Eguisheim, cette coopérative s'est imposée comme l'une des entreprises majeures de la filière. Elle propose un riesling marqué au nez par des nuances de pain grillé et de fleurs blanches. Vif à l'attaque, bien équilibré, ce vin mérite d'attendre un à deux ans avant

d'être servi sur des crustacés ou du poisson grillé. (Sucres résiduels : 4 g/l.)
Cave vinicole Krossfelder, 39, rue de la Gare, 67650 Dambach-la-Ville, tél. 03.88.92.40.03, fax 03.88.92.42.89 r.-v.

KUEHN Kaefferkopf 2005

1,2 ha 5 140 **5 à 8 €**

Propriétaire de la très ancienne « cave de l'Enfer », cette maison figure parmi les grands noms du négoce régional. Son riesling du Kaefferkopf mêle au nez le citron et le pamplemousse. Ample et équilibré au palais, il n'est pas très long mais il révèle une bonne matière première. (Sucres résiduels : 14,2 g/l.)
Kuehn, 3, Grand-Rue, 68770 Ammerschwihr, tél. 03.89.78.23.16, fax 03.89.47.18.32, e-mail vin@kuehn.fr r.-v.

JACQUES LINDENLAUB Lieu-dit Stierkopf 2005

0,54 ha 4 200 **5 à 8 €**

Jacques Lindenlaub, le père, est aux vignes ; Christophe, le fils, au chai. Ce dernier s'occupe aussi de la commercialisation. Le tandem a présenté un riesling issu de sols argilo-calcaires. Reflétant son terroir, ce vin se montre encore assez fermé au nez. Sa vivacité en bouche prouve qu'il s'agit d'un vin de garde qui ne demande qu'à s'épanouir avec le temps : on l'attendra deux ans. (Sucres résiduels : 5 g/l.)
Jacques et Christophe Lindenlaub, 6, fbg des Vosges, 67120 Dorlisheim, tél. 03.88.38.21.78, fax 03.88.38.55.38, e-mail jacques.lindenlaub@estvideo.fr
t.l.j. sf dim. 8h30-11h30 14h-18h

FRANÇOIS LIPP Cuvée particulière 2005 ★★

0,3 ha 2 000 **5 à 8 €**

Vignerons depuis cinq générations, les Lipp ont su trouver leur place parmi les fournisseurs attitrés de la célèbre brasserie parisienne homonyme grâce à la qualité de leurs produits. Ce riesling a recueilli beaucoup de voix. D'origine argilo-calcaire, il allie au nez des nuances florales et citronnées. Très présent au palais, vif et persistant, c'est le fruit d'une grande matière première. Il pourra se garder quelques années. (Sucres résiduels : 7 g/l.)
François Lipp et Fils, 6, rte du Vin, 68420 Husseren-les-Châteaux, tél. 03.89.49.30.37, fax 03.89.49.32.23, e-mail lipp-francois-etfils@wanadoo.fr r.-v.

LOBERGER Vieilles Vignes 2005 ★★

0,65 ha 5 200 **5 à 8 €**

Installés depuis bientôt quatre siècles dans la partie méridionale de la route du Vin, les Loberger ont acquis une solide réputation et ont plus d'un coup de cœur à leur actif. Né de ceps âgés de cinquante ans implantés sur un terroir argilo-sableux, leur riesling Vieilles Vignes a séduit. Très expressif au nez, il marie des nuances de pain grillé à des notes minérales. Plutôt rond et ample au palais, il révèle une grande matière première et laisse en finale une impression d'équilibre et d'harmonie. À servir avec des viandes blanches ou du poisson en sauce. (Sucres résiduels : 4 g/l.)
EARL Joseph Loberger, 10, rue de Bergholtz-Zell, 68500 Bergholtz, tél. 03.89.76.88.03, fax 03.89.74.16.89, e-mail contact@loberger.fr
r.-v.

DOM. LOEW Bruderbach Clos des Frères 2005 ★

0,75 ha 4 000 **8 à 11 €**

Installé depuis dix ans à Westhoffen, à l'ouest de Strasbourg, Étienne Loew ne dispose que de 6 ha mais il a su s'imposer et figure régulièrement dans le Guide. Né d'un terroir calcaro-gréseux, son riesling du Bruderbach apparaît particulièrement expressif au nez où les fruits secs côtoient les agrumes et une touche minérale. Plutôt souple à l'attaque, ample et persistant, il devrait gagner en complexité avec le temps. Aussi mérite-t-il d'attendre un à deux ans, voire davantage. (Sucres résiduels : 6 g/l.)
Dom. Étienne Loew, 28, rue Birris, 67310 Westhoffen, tél. et fax 03.88.50.59.19, e-mail domaine.loew@orange.fr r.-v.

JÉRÔME LORENTZ FILS
Cuvée des Templiers 2005

6,5 ha 60 000 **5 à 8 €**

Forte de son domaine de 32 ha et de la fidélité de ses livreurs de raisins, cette maison fondée au début du XIXe s. a pignon sur rue à Bergheim. Reflétant son terroir de naissance argilo-calcaire, sa cuvée des Templiers reste assez fermée au nez. Nerveux et sec au palais, c'est un vin de garde racé qui s'épanouira avec le temps. (Sucres résiduels : 2,5 g/l.)
Jérôme Lorentz, 1-3, rue des Vignerons, 68750 Bergheim, tél. 03.89.73.22.22, fax 03.89.73.30.49
t.l.j. sf dim. 10h-12h 14h-18h30
C. Lorentz

DOM. MADER Muhlforst 2005 ★

0,22 ha 900 **8 à 11 €**

Installé depuis 1981 à Hunawihr, village célèbre par son église fortifiée, Jean-Luc Mader exploite plus de 8 ha de vignes. Il a été rejoint en 2005 par son fils Jérôme. Issu d'un terroir marno-gréseux, leur riesling du Muhlforst commence à s'ouvrir au nez. D'abord floral, il évolue vers des notes minérales. Vif à l'attaque, structuré et persistant, ce vin typique est déjà plaisant mais il montre un bon potentiel de garde. Il accompagnera des poissons de rivière en sauce. (Sucres résiduels : 3 g/l.)
Jean-Luc Mader, 13, Grand-Rue, 68150 Hunawihr, tél. 03.89.73.80.32, fax 03.89.73.31.22, e-mail vins.mader@laposte.net
t.l.j. sf dim. 10h-12h 14h-18h; f. janv.

MARZOLF 2005

0,4 ha 2 400 **5 à 8 €**

Dominé par son clocher roman de grès rose, Gueberschwihr, au sud de Colmar, est l'un des bourgs viticoles les plus pittoresques de la région. Les Marzolf y cultivent la vigne depuis le début du XXe s. Ils signent un riesling or pâle à reflets verts. Originaire d'un terroir argilo-calcaire, ce 2005 est pourtant déjà très ouvert et prodigue des parfums citronnés et minéraux. Assez vif à l'attaque, c'est un classique. (Sucres résiduels : 7 g/l.)
GAEC Marzolf, 9, rte de Rouffach, 68420 Gueberschwihr, tél. 03.89.49.31.02, fax 03.89.49.20.84, e-mail vins@marzolf.fr
t.l.j. 8h-12h 13h-19h; f. fin août

ANDRÉ MERCKLÉ ET FILS Sonnenberg 2005

0,85 ha 2 000 **5 à 8 €**

Fondé en 1932, ce domaine dispose de près de 89 ha de vignes. Il exporte 30 % de sa production, dont une part s'écoule même au Japon. Le caveau de dégustation est

installé dans une tour du XIVᵉs. attenante à la maison. Conforme à son origine granitique, ce riesling affiche déjà une certaine évolution : ses senteurs florales se nuancent d'arômes minéraux. Assez ample en bouche, vif et persistant, l'ensemble révèle une vendange de belle maturité. (Sucres résiduels : 11 g/l.)
SCEA André et Pierre Mercklé,
1, pl. du Vieux-Marché, 68770 Ammerschwihr,
tél. 03.89.78.28.82, fax 03.89.78.14.26,
e-mail pmerckle@terre-net.fr
t.l.j. sf dim. 8h-12h 13h30-19h
Pierre Mercklé

ARTHUR METZ Vieilles Vignes 2005

n.c. 6 765 5 à 8 €

Fondée en 1904, cette maison de négoce a développé un partenariat exemplaire avec l'association de ses fournisseurs de raisins. Quant à ses clients, elle leur propose d'apprendre à déguster. Que dire de ce 2005 ? La robe ? Paille clair. Le nez ? Des notes minérales à côté de nuances florales, ce qui témoigne d'une certaine évolution. En bouche ? Une attaque vive, des notes citronnées : bref, un riesling typique. (Sucres résiduels : 12 g/l.)
SAS Arthur Metz, 102, rue du Gal-de-Gaulle,
67520 Marlenheim, tél. 03.88.59.28.60,
fax 03.88.87.67.58 r.-v.

DOM. GÉRARD METZ
Fruehmess Vieilles Vignes 2005 *

1,38 ha 14 000 8 à 11 €

Village fleuri, Itterswiller doit sa réputation aussi bien à ses vins qu'à la qualité de son accueil : quatre hôtels, plus de lits que d'habitants... Éric Casimir, gendre de Gérard Metz, conduit depuis 1993 les 11 ha du domaine familial. D'origine marno-calcaire, son riesling Vieilles Vignes est le fruit d'une macération pelliculaire et d'un élevage sur lies. Complexe au nez, il associe les fleurs, les agrumes et les fruits confits. Citronné à l'attaque, vif et persistant, il met bien en valeur le cépage. À boire ou à attendre un à deux ans. (Sucres résiduels : 4,8 g/l.)
Dom. Gérard Metz, 23, rte du Vin,
67140 Itterswiller, tél. 03.88.57.80.25,
fax 03.88.57.81.42, e-mail eric@vinsgerardmetz.net
r.-v.

GILBERT MEYER Cuvée Saint-Michel 2005

0,44 ha 4 500 5 à 8 €

Les Meyer sont établis à Vœgtlinshoffen, au sud de Colmar : un village perché qui bénéficie d'une vue imprenable sur la plaine d'Alsace. Née d'un terroir marno-calcaire, leur cuvée Saint-Michel libère un fruité délicat. Bien équilibré au palais, c'est un vin typé et expressif, à servir avec du poisson ou de la choucroute. (Sucres résiduels : - 3 g/l.)
SCEA Gilbert Meyer, 5, rue du Schauenberg,
68420 Vœgtlinshoffen, tél. 03.89.49.36.65,
fax 03.89.86.42.45, e-mail meyerfab@aol.com
r.-v. C

JEAN-LUC MEYER Vieilles Vignes 2005 **

n.c. 4 000 5 à 8 €

Jean-Luc Meyer a repris en 1982 l'exploitation fondée par son père. Il exploite 10 ha autour d'Eguisheim, pittoresque village qui se flatte d'être le berceau du vignoble alsacien. La cuvée Vieilles Vignes provient d'un terroir argilo-calcaire. Son nez, complexe, associe les fleurs à des notes de surmaturation. Pourtant, ce riesling reste très sec au palais. Structuré et persistant, reflet d'une excellente matière première, il accompagnera un poisson fin comme la lotte ou des coquilles Saint-Jacques. (Sucres résiduels : 3 g/l.)
Jean-Luc Meyer,
4, rue des Trois-Châteaux, 68420 Eguisheim,
tél. 03.89.24.53.66, fax 03.89.41.66.46,
e-mail info@vins-meyer-eguisheim.com
t.l.j. sf dim. 8h-12h 13h30-19h 2 C

RENÉ MEYER
Croix de Pfoeller Vendanges tardives 2004 **

0,52 ha 1 200 11 à 15 €

Il y a plus d'une raison de rendre visite à Jean-Paul Meyer au fond du vallon de Katzenthal : une cave intéressante où l'on peut voir des fûts bicentenaires, et un réel savoir-faire, témoins de nombreuses cuvées mentionnées en bonne place dans le Guide. Ces vendanges tardives s'habillent d'or et s'ouvrent délicatement sur la poire confite et des notes de pâtisserie beurrée. Tout en finesse, sans excès de sucre, bien vive, la bouche persiste longuement sur une pointe de fraîcheur. Une belle expression du cépage dans cette bouteille élégante que l'on pourra apprécier six ou sept ans. (Sucres résiduels : 24 g/l.)
EARL Dom. René Meyer et Fils,
14, Grand-Rue, 68230 Katzenthal,
tél. 03.89.27.04.67, fax 03.89.27.50.59,
e-mail domaine.renemeyer@wanadoo.fr
t.l.j. sf dim. 8h-12h 14h-18h
Jean-Paul Meyer

FRANCIS MURÉ 2005 **

0,4 ha 2 500 5 à 8 €

Au cœur de la vallée Noble, au sud de Colmar, Westhalten se blottit au pied de ses trois collines calcaires qui offrent aux vignes un milieu sec et bien abrité. Francis Muré tire le meilleur de ces terroirs, comme le montrent les résultats de cette année – suivant d'autres coups de cœur. Après un 2001, ce riesling se trouve ainsi distingué. Il provient de sols argilo-calcaires, qui passent pour engendrer des vins longs à s'épanouir. Pourtant, celui-ci est déjà très expressif, et les dégustateurs louent son « fruité multiple qui surprend chaque fois qu'on hume ». La poire et l'ananas ressortent. Cette intensité fruitée se confirme dans un palais vif, équilibré et persistant. La classe. (Sucres résiduels : 3 g/l.)
Francis Muré,
30, rue de Rouffach, 68250 Westhalten,
tél. 03.89.47.64.20, fax 03.89.47.09.39,
e-mail mure_francis@club-internet.fr
r.-v. D

DOM. DE L'ORIEL Tradition 2005

0,5 ha 3 000 **5 à 8 €**

Malgré l'escarpement du vignoble, comment ne pas perpétuer une tradition qui remonte à trois cent soixante-dix-huit ans ! D'autant plus que la famille est installée dans une maison Renaissance classée Monument historique. Claude Weinzorn a donc pris le relais en 1995, au décès de son père. Malgré une origine granitique, son riesling Tradition est encore discret au nez. Souple à l'attaque, c'est un vin ample et puissant. (Sucres résiduels : 7 g/l.)

Gérard Weinzorn et Fils,
133, rue des Trois-Épis, 68230 Niedermorschwihr,
tél. 03.89.27.40.55, fax 03.89.27.04.23,
e-mail oriel.weinzorn@club-internet.fr
t.l.j. 9h-12h 14h-18h; dim. sur r.-v.

CH. D'ORSCHWIHR Bollenberg 2005 *

1,2 ha 1 200 **5 à 8 €**

Hubert Hartmann s'est lancé en 1986 dans une belle aventure : redonner vie à un château du XIIIes. et en développer le vignoble. Ce dernier s'étend aujourd'hui sur 23 ha. Issu d'une célèbre colline calcaire, le riesling du Bollenberg affiche une réelle intensité au nez et révèle déjà une touche minérale que l'on retrouve au palais. Après une belle attaque, ce vin séduit par son ampleur et sa persistance. (Sucres résiduels : 3,5 g/l.)

Ch. d'Orschwihr,
1, rue du Centre, 68500 Orschwihr,
tél. 03.89.74.25.00, fax 03.89.76.56.91,
e-mail info@chateau-or.com r.-v.
Hartmann

DOM. PFISTER
Silberberg Vendanges tardives 2003

0,59 ha 3 700 **15 à 23 €**

Situé dans le vignoble proche de Strasbourg, ce domaine fondé au XVIIIes. s'étend sur 9 ha et possède un puits du XVIIes. Il est aujourd'hui conduit par André Pfister, rejoint récemment par sa fille Mélanie, œnologue. Leur riesling vendanges tardives revêt une brillante robe jaune vert. Il apparaît très minéral au nez, avec des notes de fleurs blanches. La bouche confirme ce côté minéral. Chaleureuse et ronde, elle est dominée par le sucre, mais la finale délicate et assez longue laisse envisager une certaine capacité d'évolution. (Sucres résiduels : 57 g/l ; bouteilles de 50 cl.)

André Pfister,
53, rue Principale, 67310 Dahlenheim,
tél. 03.88.50.66.32, fax 03.88.50.67.49,
e-mail andre.pfister@evc.net
t.l.j. 8h-12h 13h30-19h; dim. sur r.-v.

ERNEST PREISS Cuvée particulière 2005

n.c. 7 000 **8 à 11 €**

Riquewihr, le bourg le plus visité d'Alsace pour son cachet médiéval. La vigne n'y a pas perdu ses droits, grâce à des terroirs renommés, et de nombreuses maisons, comme celle-ci, y gardent pignon sur rue. Cette Cuvée particulière s'annonce par un nez assez intense mêlant les agrumes et les fruits confits à une touche minérale d'évolution. Une minéralité qui se confirme au palais. Un ensemble léger mais dynamique, vif et bien équilibré. (Sucres résiduels : 7 g/l.)

Ernest Preiss, BP 3, 68340 Riquewihr,
tél. 03.89.47.91.21, fax 03.89.47.98.90 r.-v.

PREISS-ZIMMER
Réserve Comte Jean de Beaumont 2005

3 ha 24 000 **5 à 8 €**

Malgré le flot continu des touristes qui la parcourent en tous sens à la belle saison, Riquewihr a gardé son âme vigneronne. La maison Preiss-Zimmer y est installée depuis des générations. Elle propose un riesling marqué au nez par des notes de fleurs et de pain grillé. Vif et équilibré au palais, ce vin harmonieux exprime bien son cépage. (Sucres résiduels : 3,6 g/l.)

SARL Preiss-Zimmer, 40, rue du Gal-de-Gaulle,
68340 Riquewihr, tél. 03.89.47.86.91,
fax 03.89.27.35.33, e-mail preiss-zimmer@calixo.net

RAYMOND RENCK 2005 *

0,3 ha 1 900 **5 à 8 €**

Connu pour son grand cru Sonnenglanz, délimité officiellement avant même la création du système d'appellation d'origine contrôlée, le village de Beblenheim est fortement ancré dans l'histoire du vignoble. Ce domaine exploite 5 ha aux alentours. Il signe un riesling intense au nez. On y respire les agrumes et des senteurs de fruits confits reflétant la surmaturation. Vif à l'attaque, ample, gras et assez persistant, ce vin racé se mariera bien avec un poisson en sauce. (Sucres résiduels : 8 g/l ; bouteilles de 100 cl.)

EARL Raymond Renck, 11, rue de Hoen,
68980 Beblenheim, tél. 03.89.47.91.59,
fax 03.89.47.91.75 t.l.j. sf dim. 8h-12h 14h-19h

HUBERT REYSER Stephansberg 2005 *

1 ha 6 700 **5 à 8 €**

Installé depuis 1983, Hubert Reyser exploite 11 ha de vignes bien exposées sur le flanc du Stephansberg, qui domine la plaine d'Alsace dans la partie nord de la route du Vin. Les sols argilo-calcaires de ce coteau sont à l'origine d'un riesling marqué au nez par des nuances d'agrumes et de surmaturation. L'attaque fraîche est suivie d'un palais puissant et long. Un ensemble harmonieux, à servir sur de la volaille ou un poisson en sauce. (Sucres résiduels : 4 g/l.)

Hubert Reyser, 26, rue de la Chapelle,
67520 Nordheim, tél. 03.88.87.76.38,
fax 03.88.87.59.67, e-mail reyser@reperes.com
t.l.j. sf dim. 8h30-12h 13h30-18h

CAVE DE RIBEAUVILLÉ Prestige 2005

15 ha 50 000 **5 à 8 €**

Fondée en 1895, la cave vinicole de Ribeauvillé est la plus ancienne de France. Elle vinifie aujourd'hui 260 ha de vignes et vient d'inaugurer un nouveau vendangeoir. Sa cuvée Prestige est issue d'une sélection de terroirs argilo-calcaires. Elle exhale des senteurs de fruits mûrs et de fruit de la Passion. Vive au palais, puissante, elle séduit par ses arômes de fruits exotiques. (Sucres résiduels : 6,5 g/l.)

Cave de Ribeauvillé, 2, rte de Colmar,
68150 Ribeauvillé, tél. 03.89.73.61.80,
fax 03.89.73.31.21, e-mail cave@cave-ribeauville.com
t.l.j. 8h-12h 14h-18h

WILLY ROLLI-EDEL Silberberg 2005

0,79 ha 2 030 **8 à 11 €**

Cette exploitation familiale dispose de 11 ha de vignes couvrant les coteaux dominés par l'ombre tutélaire du Haut-Kœnigsbourg. Un paysage illustré sur son étiquette traditionnelle. Issu d'un terroir limono-sableux, le riesling du Silberberg affiche une palette aromatique complexe où l'on reconnaît les fleurs et des touches minérales. Plutôt souple, il est long et typé. (Sucres résiduels : 14 g/l.)

Willy Rolli-Edel, 5, rue de l'Église,
68590 Rorschwihr, tél. 03.89.73.63.26,
fax 03.89.73.83.50 r.-v.

RUHLMANN
Coteau du Blettig Vieilles Vignes 2005 *

0,65 ha 6 500 5 à 8 €

Installés à Dambach-la-Ville depuis 1688, les Ruhlmann gèrent un domaine de 26 ha, une affaire de négoce et même un petit train touristique. Issu de sols argilo-calcaires, leur riesling du coteau du Blettig associe au nez des nuances citronnées à une touche minérale. Vif et ample, c'est un vin typé que l'on peut déguster dès maintenant avec un poisson en sauce ou attendre deux ou trois ans. (Sucres résiduels : 9 g/l.)

Ruhlmann, 34, rue du Mal-Foch,
67650 Dambach-la-Ville, tél. 03.88.92.41.86,
fax 03.88.92.61.81, e-mail vins@ruhlmann-schutz.fr
t.l.j. 8h-12h 14h-18h 3

SCHILLINGER 2005 *

0,2 ha 1 250 5 à 8 €

Gueberschwihr, à une quinzaine de kilomètres au sud de Colmar, possède un clocher roman ouvragé qui mérite un détour. Le village abrite de nombreux vignerons, comme les Schillinger, à la tête de 5,5 ha de vignes. Leur riesling, qui provient d'un terroir argilo-calcaire, libère des parfums séducteurs de pamplemousse et de bergamote. Vif, équilibré et persistant, il accompagnera dès maintenant du poisson et, pourquoi pas, du poulet au citron. (Sucres résiduels : 2,6 g/l.)

EARL Émile Schillinger, 2, rue de la Chapelle,
68420 Gueberschwihr, tél. 03.89.47.91.59,
fax 03.89.47.91.75 t.l.j. sf dim. 8h-12h 14h-19h

DOM. ROLAND SCHMITT Glintzberg 2005 **

1,5 ha 6 400 5 à 8 €

Bergbieten est un village viticole du tronçon nord de la route du Vin, dans la vallée de la Mossig. Anne-Marie Schmitt y a géré le vignoble familial (une dizaine d'hectares) depuis 1993. Avec l'installation de ses deux fils en 2001, le domaine s'est lancé dans des projets touristiques : gîtes, organisation de séjours à thèmes gastronomiques et œnologiques. On pourra goûter ce riesling né d'un terroir argilo-marneux : avec son nez élégant de fruits mûrs et d'agrumes et son palais ample, fruité, bien structuré et persistant, soutenu par une fine acidité, c'est un vin typé qui s'accordera avec des poissons en sauce. (Sucres résiduels : 5 g/l.)

Dom. Roland Schmitt, 35, rue des Vosges,
67310 Bergbieten, tél. 03.88.38.20.72,
fax 03.88.38.75.84, e-mail rschmitt@terre-net.fr
t.l.j. 9h-12h 13h-19h; dim. sur r.-v.
Anne-Marie Schmitt

DOM. SCHMITT & CARRER
Schloessel Mühle Cuvée Séduction 2005 **

0,53 ha 4 800 5 à 8 €

Enserré dans ses murailles du Moyen Âge, le village de Kientzheim est situé au cœur de la route du Vin, près de Kaysersberg et de Riquewihr. Ce domaine familial dispose de 14 ha aux alentours. Sa cuvée Séduction mérite bien son nom : son nez flatteur aux accents de fruits mûrs (mirabelle) et d'agrumes évoque une matière première de qualité. Intense à l'attaque, bien présent en bouche, persistant et toujours fruité, ce vin séduira, c'est certain, maintenant ou dans trois ans. Il sera à la hauteur d'un homard grillé. (Sucres résiduels : 5 g/l.)

Schmitt & Carrer, 7, rue du Hohlandsbourg,
68240 Kientzheim, tél. 03.89.78.24.17,
fax 03.89.78.00.00, e-mail carrer.vins@wanadoo.fr
t.l.j. sf dim. 8h-12h 13h30-19h

JEAN-LOUIS SCHOEPFER 2005

0,6 ha 5 700 5 à 8 €

En 1656, Louis Schoepfer achète ses premières vignes à Wettolsheim, près de Colmar. Trois cent cinquante ans plus tard, la treizième génération cultive la même passion. Installé en 1991, Jean-Louis Schoepfer conduit 9,50 ha de vignes. D'un sol de graves siliceuses, il a tiré un riesling au nez de citron et de pamplemousse. Frais à l'attaque, nerveux, chaleureux et assez persistant, l'ensemble ne manque pas de potentiel. (Sucres résiduels : 6,4 g/l.)

Jean-Louis Schoepfer, 35, rue Herzog,
68920 Wettolsheim, tél. 03.89.80.71.29,
fax 03.89.79.61.35, e-mail jlschoepfer@libertysurf.fr
t.l.j. sf dim. 8h-12h 13h30-19h; sam. 18h

PIERRE SPARR Altenbourg Vin d'exception 2005

1,97 ha 4 266 11 à 15 €

Fondée en 1680, cette maison a développé son activité de négoce sous le Second Empire. Elle s'est relevée des ravages des combats de la Poche de Colmar, qui ont ruiné Sigolsheim en 1945. La huitième et la neuvième génération sont aujourd'hui aux commandes. Marqué au nez par des notes de fruits confits et de fruits exotiques, leur riesling de l'Altenbourg se caractérise par une grande maturité et se montre plutôt souple et rond. Il ne manque pas de matière et devrait bien évoluer. (Sucres résiduels : 7,4 g/l.)

SA Pierre Sparr et ses Fils,
2, rue de la 1re -Armée-Française, 68240 Sigolsheim,
tél. 03.89.78.24.22, fax 03.89.47.32.62,
e-mail vins-sparr@alsace-wines.com r.-v.

ANDRÉ STENTZ Rosenberg 2005 **

0,75 ha 2 600 8 à 11 €

Dans la même famille depuis plus de trois cents ans, ce domaine proche de Colmar s'étend aujourd'hui sur 9 ha. Il est conduit en agrobiologie depuis le début des années 1980. Issu d'un terroir argilo-calcaire, son riesling du Rosenberg fait preuve d'une réelle complexité au nez : fruits secs ou confits expriment la surmaturation, associés à des épices. On retrouve la même richesse dans un palais plutôt rond, ample et persistant. Cette bouteille préférera des coquilles Saint-Jacques à la crème à des produits trop iodés. (Sucres résiduels : 15 g/l.)

André Stentz, 2, rue de la Batteuse,
68920 Wettolsheim, tél. 03.89.80.64.91,
fax 03.89.79.59.75, e-mail andre-stentz@wanadoo.fr
r.-v.

DOM. VINCENT STOEFFLER
Lieu-dit Muhlforst 2004

0,8 ha 5 000 5 à 8 €

Établi à Barr, Vincent Stoeffler cultive son domaine en agriculture biologique. La propriété, qui ne compte pas

moins de 13 ha, se répartit sur de nombreuses communes autour de Barr et de Riquewihr, ce qui lui permet de proposer 35 cuvées différentes. Celle-ci est née d'un terroir marno-calcaire. Ce type de sols donne des vins assez longs à s'épanouir, et de fait, ce vin apparaît jeune, discret au nez. Au palais, il est vif et expressif. S'il est déjà prêt, sa structure lui assure un certain potentiel. (Sucres résiduels : 9,5 g/l.)
Dom. Vincent Stoeffler, 1, rue des Lièvres, 67140 Barr, tél. 03.88.08.52.50, fax 03.88.08.17.09, e-mail info@vins-stoeffler.com
t.l.j. sf dim. 10h-12h 13h30-18h

ANDRÉ THOMAS ET FILS Kaefferkopf 2005

0,15 ha 1 000 8 à 11 €

Attaché à la culture biologique, André Thomas revendique le titre d'« artisan vigneron ». Un souci du travail bien fait qui lui a valu plus d'un coup de cœur. Son riesling du Kaefferkopf exprime bien son terroir granitique de naissance : ses parfums sont très épanouis, floraux avec une nuance minérale plus évoluée. Bien typé au palais, vif, fin et équilibré, l'ensemble est de bonne facture.
André Thomas et Fils, 3, rue des Seigneurs, 68770 Ammerschwihr, tél. 03.89.47.16.60, fax 03.89.47.37.22 r.-v.

DOM. VOGT Riesling de Wolxheim 2004 ★★

0,25 ha 1 800 5 à 8 €

Appartenant à une vieille famille vigneronne,Thomas Vogt a pris la succession de son père en 1998. Il exploite aujourd'hui 11 ha de vignes. La commune de Wolxheim est renommée pour ses rieslings, et celui-ci se montre digne de sa réputation. Originaire d'un terroir argilo-calcaire, ce vin marie avec élégance les fruits confits et la pierre à fusil. Cette palette fruitée et minérale se prolonge dans une bouche équilibrée, parfaitement structurée, grasse sans lourdeur, longue et fraîche en finale. À servir dès maintenant avec des plats gastronomiques, crustacés ou poissons en sauce. (Sucres résiduels : 9 g/l.)
EARL Laurent Vogt, 4, rue des Vignerons, 67120 Wolxheim, tél. et fax 03.88.38.50.41, e-mail thomas@domaine-vogt.com
t.l.j. 8h-12h 13h-19h; sam. dim. sur r.-v.

VORBURGER 2005 ★

n.c. n.c. 5 à 8 €

Veillé par trois châteaux, le village de Vœgtlinshoffen domine la plaine d'Alsace. Il abrite de nombreux vignerons, dont Jean-Pierre Vorburger qui exploite le vignoble familial en « bio ». Son riesling se montre fort expressif au nez, où les parfums de fleurs et d'agrumes sont soutenus par une belle minéralité. Ample et chaleureux en attaque, équilibré et persistant, c'est le produit d'une grande matière. Il pourra attendre trois à cinq ans. (Sucres résiduels : 6,5 g/l.)
EARL Jean-Pierre Vorburger et Fils, 3, rue de la Source, 68420 Vœgtlinshoffen, tél. 03.89.49.35.52, fax 03.89.86.40.56 r.-v.

CH. WANTZ Collection personnelle «S» 2005 ★

0,5 ha 3 500 5 à 8 €

Conduite par Éliane et Erwin Moser, cette maison de négoce est restée familiale. Elle signe une cuvée marquée par son terroir calcaire, au nez à la fois citronné et minéral. L'attaque vive est suivie d'une bouche équilibrée et d'une bonne persistance aromatique. Un riesling racé qui devrait s'épanouir après un an ou deux de garde. (Sucres résiduels : 8,9 g/l.)
Charles Wantz, 36, rue Saint-Marc, 67140 Barr, tél. 03.88.08.90.44, fax 03.88.08.54.61, e-mail charles.wantz@wanadoo.fr
t.l.j. sf dim. 9h-12h30 14h-18h30
E. Moser

WASSLER Fruehmess 2004

0,35 ha 2 600 5 à 8 €

Proche de Barr, le village d'Itterswiller s'étire au flanc d'un coteau comme lézard au soleil. L'émulation y règne, non seulement en matière d'accueil et de fleurissement mais aussi de viticulture. Les Wassler exploitent 7 ha de vignes aux alentours. Leur riesling du Fruehmess libère des parfums de fleurs blanches caractéristiques du cépage. Tout aussi typées, son attaque vive et sa bouche fraîche composent une bouteille destinée aux poissons et aux crustacés. (Sucres résiduels : 6 g/l.)
EARL Wassler Successeurs, 71, rte du Vin, 67140 Itterswiller, tél. et fax 03.88.57.82.19, e-mail vinswassler@free.fr r.-v.
Sohler

JEAN WEINGAND 2005

8 ha 75 000 5 à 8 €

Jacques et Jean-Marie Cattin disposent d'un vaste domaine : 50 ha dans diverses communes au sud de Colmar. Ils gèrent aussi une structure de négoce qui vend des vins sous l'étiquette Jean Weingand. Issu d'une sélection de terroirs argilo-calcaires, ce riesling révèle des senteurs de fruits bien mûrs. Chaleureux à l'attaque, vif et persistant, il est destiné au poisson. (Sucres résiduels : 6 g/l.)
Jean Weingand, 19, rue Roger-Frémeaux, 68420 Vœgtlinshoffen, tél. 03.89.49.30.21, fax 03.89.49.26.02 t.l.j. sf dim. 8h-12h 14h-18h

DOM. XAVIER WYMANN
Steinacker de Ribeauvillé 2005

0,4 ha 1 900 5 à 8 €

Jean-Luc Schaerlinger a repris il y a dix ans le domaine exploité naguère par son oncle Xavier Wymann : 6 ha autour de Ribeauvillé, conduits en agrobiologie. Les rieslings issus de terroirs granitiques s'expriment souvent assez vite. Tel n'est pas le cas de celui-ci, qui présente un nez discrètement floral. Au palais, ce 2005 se montre bien équilibré et très subtil. (Sucres résiduels : 6 g/l.)
Dom. Xavier Wymann, 41, rue de la Fraternité, 68150 Ribeauvillé, tél. 03.89.73.66.83 r.-v.

ZIEGLER-MAULER
Cuvée Philippe Vieilles Vignes 2004 ★

0,25 ha 1 300 8 à 11 €

Philippe Ziegler a repris l'exploitation familiale en 1996. Partisan des pratiques culturales respectueuses de l'environnement, il a recours à l'enherbement et au labour. Issue d'un terroir argilo-calcaire, sa cuvée Philippe affiche une réelle élégance au nez, avec ses arômes de fruits mûrs (poire, fruits jaunes), de coing et de fruits secs. Équilibré, ample et persistant, c'est un vin harmonieux qui se mariera aussi bien avec le poisson qu'avec les viandes blanches en sauce. (Sucres résiduels : 10,3 g/l.)

Dom. J.-J. Ziegler-Mauler et Fils, 2, rue des Merles, 68630 Mittelwihr, tél. 03.89.47.90.37, fax 03.89.47.98.27 r.-v.
Philippe Ziegler

MAISON ZOELLER
Riesling de Wolxheim Cuvée réservée 2004 ★

0,8 ha 6 000 3 à 5 €

Le visiteur peut voir un pressoir du XVIIe s. dans cette exploitation située à une vingtaine de kilomètres à l'ouest de Strasbourg. On ne sait si la propriété est aussi ancienne, mais en tout cas, elle a pratiqué précocement la mise en bouteilles, dès 1900. Le riesling est le cépage roi de Wolxheim. Planté sur un terroir argilo-calcaire, il a donné ici naissance à un vin d'une belle complexité, mêlant au nez l'anis et le sureau. Vif, concentré et puissant au palais, l'ensemble est fort harmonieux et ne manque pas de personnalité. (Sucres résiduels : 6 g/l.)
EARL Maison Zoeller, 14, rue de l'Église, 67120 Wolxheim, tél. et fax 03.88.38.15.90, e-mail vins.zoeller@wanadoo.fr
t.l.j. 9h-12h 13h30-18h; dim. et groupes sur r.-v.

Alsace muscat

Deux variétés de muscat servent à élaborer ce vin sec et aromatique qui donne l'impression que l'on croque du raisin frais. Le premier, dénommé de tout temps muscat d'Alsace, n'est rien d'autre que celui que l'on connaît mieux sous le nom de muscat de Frontignan. Comme il est tardif, on le réserve aux meilleures expositions. Le second, plus précoce et de ce fait plus répandu, est le muscat ottonel. Ces deux cépages occupent un peu plus de 350 ha. Le muscat d'Alsace doit être considéré comme une spécialité aimable et étonnante, à boire en apéritif et lors de réceptions avec, par exemple, du kugelhopf ou des bretzels. Il s'accorde aussi à merveille avec les asperges.

HENRI BRECHT 2005 ★

0,3 ha 3 000 5 à 8 €

Henri Brecht a débuté sa carrière en 1972 et exploite aujourd'hui 5 ha de vignes en viticulture raisonnée. Originaire d'un terroir de graves, son muscat est déjà très expressif au nez : il donne l'impression de croquer le raisin. Assez souple à l'attaque, ample et persistant, il sera idéal à l'apéritif ou sur des asperges. À découvrir au caveau de dégustation, à l'intérieur des remparts d'Eguisheim. (Sucres résiduels : 8 g/l.)
Henri Brecht, 4, rue du Vignoble, 68420 Eguisheim, tél. 03.89.41.96.34, fax 03.89.24.45.29 r.-v.

CLAUDE DIETRICH 2005

0,3 ha 1 200 5 à 8 €

Voilà vingt ans que Claude Dietrich a repris l'exploitation familiale. Il met en valeur 6,5 ha de vignes, dont un certain nombre de parcelles en grand cru. Son muscat, issu d'un terroir sablonneux, développe un nez d'intenses arômes de fleurs blanches et de fruits mûrs. D'une attaque plutôt souple, c'est un vin léger, destiné à l'apéritif. (Sucres résiduels : 1,7 g/l.)
Claude Dietrich, 13, rte du Vin, 68240 Kientzheim, tél. 03.89.47.19.42, fax 03.89.47.36.67, e-mail claude-dietrich@wanadoo.fr r.-v.

DIRINGER Côte de Rouffach 2005 ★

0,29 ha 2 540 5 à 8 €

Établis dans une demeure du XVIe s., les Diringer sont vignerons depuis 1740. Leur domaine, qui compte aujourd'hui 14 ha de vignes, est situé dans la partie méridionale de la route du Vin. Leur muscat provient d'un terroir argilo-calcaire. Il révèle une palette aromatique complexe avec des nuances fruitées intenses. Une belle attaque introduit un palais ample et équilibré. Un ensemble harmonieux. (Sucres résiduels : 6 g/l.)
Dom. Diringer, 18, rue de Rouffach, 68250 Westhalten, tél. 03.89.47.01.06, fax 03.89.47.62.64, e-mail info@diringer.fr
t.l.j. sf dim. 9h-12h 14h-19h

HABSIGER 2005

0,3 ha 3 200 5 à 8 €

À 5 km, le mont Sainte-Odile. À 50 m, le musée du Pain d'Épice (spécialité du village de Gertwiller). Le domaine est installé au centre de la commune, dans une maison du XVIIIe s. Créé par Paul Habsiger en 1965, il compte aujourd'hui 9,5 ha de vignes. Reflétant son origine argilo-calcaire, le muscat de la propriété est encore très jeune au nez, sur sa réserve. Vif à l'attaque au palais, c'est un vin bien équilibré et fruité. (Sucres résiduels : 5 g/l.)
Habsiger, 15, rue Principale, 67140 Gertwiller, tél. 03.88.08.07.54, fax 03.88.08.48.92, e-mail gaec.alsace@wanadoo.fr
t.l.j. 8h30-12h 13h30-18h30

DOM. LÉON HEITZMANN Vieilles Vignes 2005

0,46 ha 4 300 5 à 8 €

Ammerschwihr est un haut lieu incontesté du vignoble d'Alsace, berceau de la fameuse confrérie Saint-Étienne. La famille Heitzmann y a pignon sur rue depuis six générations. Elle exploite ses 11,5 ha de vignes en agriculture biologique. D'origine limoneuse, son muscat Vieilles Vignes est bien ouvert au nez, libérant des notes de fruits mûrs. Ample en attaque au palais, il se montre généreux et persistant. (Sucres résiduels : 3 g/l.)
Dom. Léon Heitzmann, 2, Grand-Rue, 68770 Ammerschwihr, tél. 03.89.47.10.64, fax 03.89.78.27.76, e-mail leon.heitzmann@wanadoo.fr
t.l.j. sf dim. 8h-12h 13h30-18h

HUMBRECHT Vendanges tardives 2004 ★

0,32 ha 950 **15 à 23 €**

Claude et Georges Humbrecht sont installés à Gueberschwihr, village pittoresque avec son clocher roman et ses ruelles qui se faufilent entre les propriétés viticoles. Ils signent un muscat de vendanges tardives fort réussi. Jaune d'or soutenu, ce 2004 présente un nez intense marqué par des arômes de surmaturation (fruits confits) et de fleurs blanches. En bouche, ce vin s'épanouit sur les mêmes arômes confits, assortis de nuances de mirabelle. Très long, il finit sur une pointe agréable de fraîcheur. Il plaira aussi bien à l'apéritif que sur du foie gras ou une tarte aux fruits. (Sucres résiduels : 31,5 g/l.)

🔑 Claude et Georges Humbrecht,
33, rue de Pfaffenheim, 68420 Gueberschwihr,
tél. 03.89.49.31.51 ☑ Y 🚶 r.-v. 🏠 3 🏠 G

MEYER-KRUMB 2005 *

0,12 ha	1 200	▮	5 à 8 €

Christiane et Fernand Meyer-Krumb ont constitué leur vignoble en 1980. Ils exploitent 6,50 ha de vignes autour de Sigolsheim, près de Colmar. En 2006, ils ont eu la satisfaction de voir leur fille Aurélie les rejoindre sur le domaine. Originaire d'un terroir argilo-calcaire, leur muscat est très expressif au nez avec ses nuances de pêche, d'abricot, accompagnées d'une touche mentholée. On retrouve ces arômes dans une bouche bien structurée, équilibrée et persistante. (Sucres résiduels : 10 g/l.)
🔑 Meyer-Krumb, 1A, rte des Vins, 68240 Sigolsheim,
tél. 03.89.47.13.20, fax 03.89.47.13.90,
e-mail meyer-krumb-earl@wanadoo.fr
☑ Y 🚶 t.l.j. 10h30-18h30; groupes sur r.-v.

LES VIGNERONS DE PFAFFENHEIM ET GUEBERSCHWIHR 2005 *

1,3 ha	9 500	▮	5 à 8 €

Créée en 1957, la Cave vinicole de Pfaffenheim-Gueberschwihr a connu un essor fulgurant. Des investissements réguliers lui ont permis en effet de vinifier dans d'excellentes conditions la production de ses 260 ha de vignes. Élégant et complexe au nez avec ses notes de fleurs blanches et de citron, son muscat révèle une belle ampleur au palais. Un vin racé et persistant, tout en rondeur. (Sucres résiduels : 5,5 g/l.)
🔑 Cave vinicole de Pfaffenheim,
5, rue du Chai, BP 33, 68250 Pfaffenheim,
tél. 03.89.78.08.08, fax 03.89.49.71.65,
e-mail cave@pfaffenheim.com
☑ Y 🚶 t.l.j. 9h-12h 14h-19h

CHARLES SCHLÉRET Sélection 2005

0,45 ha	4 500	▮	8 à 11 €

Installé depuis 1950, Charles Schléret exporte la moitié de sa production. De vignes âgées de quarante ans plantées sur des sols graveleux, il a tiré un muscat qui reflète bien son terroir : ce vin est déjà très ouvert et bien typé au nez grâce à ses arômes de raisin et de pêche de vigne. Plutôt souple à l'attaque, équilibré et persistant, il s'invitera à la saison des asperges. (Sucres résiduels : 8,9 g/l.)
🔑 Charles Schléret, 1-3, rte d'Ingersheim,
68230 Turckheim, tél. et fax 03.89.27.06.09,
e-mail charles.schleret@orange.fr
☑ Y 🚶 t.l.j. 9h-19h; dim. 10h-13h

DOM. FRANÇOIS SCHWACH ET FILS 2005 *

1 ha	8 200	▮	5 à 8 €

Proche de la célèbre église fortifiée de Hunawihr, cette propriété fait partie des domaines qui comptent en Alsace, avec ses 18 ha de vignes. Issu d'un terroir argilo-calcaire, ce muscat affiche une réelle typicité. Intense et très fruité au nez, il donne l'impression de croquer le raisin lorsqu'on le porte en bouche. Racé et assez rond en finale, il trouvera sa place à l'apéritif. (Sucres résiduels : 12 g/l.)
🔑 Dom. François Schwach et Fils,
28, rte de Ribeauvillé, 68150 Hunawihr,
tél. 03.89.73.62.15, fax 03.89.73.37.84,
e-mail info@schwach.com ☑ Y 🚶 r.-v. 🏠 4 🏠 G

J.-M. WASSLER 2005

0,15 ha	2 000		5 à 8 €

Vigneron de la troisième génération, Jean-Marie Wassler a repris cette exploitation de Nothalten en 1976. Il propose un muscat bien typé, qui mêle au nez les arômes du cépage et des nuances de pêche et d'ananas assez intenses. Plutôt souple à l'attaque, il se montre plus vif en finale. Un vin bien équilibré. (Sucres résiduels : 10 g/l.)
🔑 EARL Jean-Marie Wassler et Fils, 22, rte des Vins,
67680 Nothalten, tél. 03.88.92.43.51,
fax 03.88.92.63.97, e-mail jeanmarie.wassler@free.fr
☑ Y 🚶 r.-v. 🏠 2

WUNSCH ET MANN Cuvée particulière 2005

0,7 ha	3 517	▮	5 à 8 €

Établie à Wettolsheim, près de Colmar, la famille Mann cultive la vigne depuis la fin du XVIIIe s. Elle est aujourd'hui aux commandes de cette maison de négoce fondée avec Joseph Wunsch en 1948. La société exploite en propre un domaine de 20 ha et complète ses besoins par l'achat de raisins. Elle a proposé cette cuvée originaire d'un terroir marno-calcaire. Jaune pâle à reflets verts, c'est un muscat encore très jeune, mais il développe au nez des arômes de citron et de gingembre d'une grande finesse. Au palais, il se montre équilibré, ample et typé. (Sucres résiduels : 2,8 g/l.)
🔑 Wunsch et Mann, 2, rue des Clefs,
68920 Wettolsheim, tél. 03.89.22.91.25,
fax 03.89.80.05.21, e-mail wunsch-mann@wanadoo.fr
☑ Y 🚶 t.l.j. sf dim. 8h-12h 13h30-18h30

ZIMMERMANN Réserve spéciale 2005

0,63 ha	4 000	▮▮	5 à 8 €

Installés au pied du célèbre château du Haut-Kœnigsbourg, les Zimmermann sont particulièrement attachés à leur terroir puisqu'ils sont vignerons de père en fils depuis 1693. Ils sont aujourd'hui à la tête d'un coquet domaine de 16 ha. Malgré une origine granitique, leur Réserve s'exprime encore peu au nez. D'une belle attaque, ce muscat révèle ensuite une certaine souplesse, et il ne demande qu'à s'épanouir. Sa rondeur pourrait lui permettre d'être servi avec certains desserts. (Sucres résiduels : 24 g/l.)
🔑 EARL A. Zimmermann Fils, 3, Grand-Rue,
67600 Orschwiller, tél. 03.88.92.08.49,
fax 03.88.92.94.55 ☑ Y 🚶 t.l.j. 8h-12h 13h-18h

MAISON ZOELLER Vendanges tardives 2003 *

0,15 ha	400	▮	15 à 23 €

Les muscats de vendanges tardives sont assez rares. Celui-ci, né dans le tronçon nord de la route du Vin, à l'ouest de Strasbourg, mérite tout votre intérêt. Jaune soutenu à nuances ambrées, ce 2003 privilégie au nez les arômes variétaux, assortis de notes de buis, d'encens et de menthe. La cannelle vient compléter cette palette dans une bouche moelleuse à l'attaque, puissante et longue, vinifiée par une finale fraîche. Un vin tout en nuances et « sensuel », qu'un dégustateur suggère de servir avec des pâtisseries orientales. À boire maintenant. (Sucres résiduels : 60 g/l.)
🔑 EARL Maison Zoeller, 14, rue de l'Église,
67120 Wolxheim, tél. et fax 03.88.38.15.90,
e-mail vins.zoeller@wanadoo.fr
☑ Y 🚶 t.l.j. 9h-12h 13h30-18h; dim. et groupes sur r.-v.

Alsace gewurztraminer

Le cépage qui est à l'origine de ce vin est une forme particulièrement aromatique de la famille des traminer. Un traité publié en 1551 le désigne déjà comme une variété typiquement alsacienne. Cette authenticité, qui s'est affirmée à travers les siècles, est sans doute due au fait qu'il atteint dans ce vignoble un optimum de qualité. Ce qui lui a conféré une réputation unique dans la viticulture mondiale. Son vin est corsé, bien charpenté, en général sec mais parfois moelleux, et caractérisé par un bouquet merveilleux, plus ou moins puissant selon les situations et les millésimes. Le gewurztraminer, qui a une production relativement faible et irrégulière, est un cépage précoce aux raisins très sucrés. Il occupe environ 2 800 ha. Souvent servi en apéritif, lors de réceptions ou sur des desserts, il accompagne aussi, surtout lorsqu'il est puissant, les fromages à goût relevé comme le roquefort et le munster, ou la cuisine épicée.

LAURENT BANNWARTH
Lieu-dit Bildstoecklé 2005

1,2 ha 11 200 8 à 11 €

Installés à une dizaine de kilomètres au sud de Colmar, les Bannwarth père et fils exploitent plus de 10 ha de vignes. Leur gewurztraminer du Bildstoecklé provient d'un terroir marno-calcaire. Jaune d'or intense, souple en attaque, c'est un vin volumineux, riche et ample, équilibré et long. Un ensemble agréable mais surprenant : ses arômes s'orienteraient pour l'heure vers le cassis ! Vont-ils s'exprimer plus tard ? (Sucres résiduels : 35 g/l.)

Laurent Bannwarth, 9, rte du Vin, 68420 Obermorschwihr, tél. 03.89.49.30.87, fax 03.89.49.29.02, e-mail laurent@bannwarth.fr r.-v. 3 B

LAURENT BARTH Vieilles Vignes 2005 ★

0,15 ha 600 8 à 11 €

La coopération occupe une place très importante à Bennwihr. Laurent Barth, lui, prend le large, fait ses classes dans le monde entier (Liban, Afrique du Sud, Inde et Australie). Après son installation, il quitte la coopérative en 2004. Il exploite en bio ses 3,50 ha de vignes. Son gewurztraminer ? Né de sols limono-sableux, ce vin jaune pâle à reflets verts se présente avec retenue et s'ouvre sur des parfums d'ananas et d'agrumes. Mangue et litchi viennent compléter cette palette exotique dans un palais aérien, bien équilibré. Une fine acidité souligne la persistance de la finale. Un ensemble élégant et plein d'allant, qui trouvera sa place à l'apéritif. Entente possible avec un canard à l'orange. (Sucres résiduels : 40 g/l.)

Laurent Barth, 3, rue du Mal-de-Lattre, 68630 Bennwihr, tél. et fax 03.89.47.96.06, e-mail laurent.barth@wanadoo.fr r.-v.

DOM. BAUMANN Vieilles Vignes 2005 ★

1,6 ha 17 387 8 à 11 €

Installée dans la cité la plus touristique de la route des Vins et forte de 17 ha de vignes, cette affaire familiale vient d'être rachetée par Pierre Sparr, maison de négoce de Sigolsheim. Jaune pâle aux reflets très vifs, son gewurztraminer Vieilles Vignes s'annonce par un nez floral et suave rappelant la violette. Flatteur et bien présent en bouche, il séduit par son fruité épicé et par sa finale élégante et longue. À servir maintenant ou dans deux ou trois ans. (Sucres résiduels : 25 g/l.)

Dom. Baumann, 8, av. Mequillet, 68340 Riquewihr, tél. 03.89.47.92.14, fax 03.89.47.99.31, e-mail info@domaine-baumann.com r.-v.

Sparr

FRANCIS BECK Fronholz 2005 ★

0,37 ha 2 700 8 à 11 €

Vous trouverez ces vignerons à Epfig, dans le pays de Barr, en face de la chapelle romane de Sainte-Marguerite. L'exploitation (près de 8 ha) est conduite par Francis Beck et son fils Julien, œnologue. Leur gewurztraminer du Fronholz est issu d'un terroir lourd, argilo-calcaire. Pâle et limpide dans le verre, il présente un joli nez léger et fin. La bouche ne déçoit pas, fruitée, ample, assez puissante, dominée par des impressions de rondeur. Ce vin devrait gagner en expression après une petite garde. (Sucres résiduels : 27 g/l.)

EARL Francis Beck et Fils, 79, rue Sainte-Marguerite, 67680 Epfig, tél. 03.88.85.54.84, fax 03.88.57.83.81, e-mail vins@francisbeck.com

t.l.j. 9h-19h; dim. sur r.-v. A

FRANÇOIS BOHN
Dorfburg Vendanges tardives 2004 ★★★

0,1 ha 850 15 à 23 €

Troisième coup de cœur consécutif pour François Bohn. Installé en 1992 sur un domaine de 7 ha, ce viticulteur, apporteur de raisins jusqu'en 1998, prouve une fois de plus qu'il est également bon vigneron. En 2005, il a construit une nouvelle cave. Récolté à la mi-novembre sur des sols marno-calcaires, ce gewurztraminer jaune d'or intense s'ouvre sur des arômes complexes de fruits confits. Abricot, pêche, agrumes y voisinent avec la mangue et la figue. Ces arômes de surmaturation persistent dans une bouche ample, riche, concentrée, d'un superbe équilibre. La finale légèrement épicée est d'une rare élégance. Un grand liquoreux qui mérite d'attendre jusqu'à cinq ans. (Sucres résiduels : 115 g/l.)

François Bohn, 24, lieu-dit Langematten, 68040 Ingersheim, tél. et fax 03.89.27.31.27 r.-v.

BOTT FRÈRES
Steinacker Réserve personnelle 2005 *

	2 ha	10 000		8 à 11 €

Au service du vin depuis le XIXᵉs., les Bott exportent plus du tiers de leur production. Né de sols argilo-calcaires, ce gewurztraminer jaune d'or brillant mêle au nez des notes grillées, épicées et des senteurs de fruits tropicaux (litchi, fruit de la Passion et goyave). En bouche, cet exotisme s'oriente vers le fruit jaune (mangue, pêche jaune, abricot) et l'ananas. Ample et équilibré, l'ensemble persiste sur d'élégantes touches poivrées. Une bouteille harmonieuse à boire maintenant ou dans un an. (Sucres résiduels : 35 g/l.)

Dom. Bott Frères, 18, av. du Gal-de-Gaulle, 68150 Ribeauvillé, tél. 03.89.73.22.50, fax 03.89.73.22.59, e-mail vins@bott-freres.fr
t.l.j. 8h-12h 14h-18h; groupes sur r.-v.

CAMILLE BRAUN Cuvée Annabelle 2005 *

	0,45 ha	2 000		8 à 11 €

Héritiers d'une lignée de vignerons remontant au XVIIᵉs., les Braun exploitent 13,50 ha de vignes dans la partie méridionale de la route du Vin. Leur cuvée Annabelle, issue d'un terroir argilo-calcaire, montre des reflets argentés dans sa robe dorée. Exubérante au nez, elle libère d'intenses parfums confits qui se prolongent au palais, formant une palette complexe nuancée de fruits exotiques. Puissante et riche, elle finit sur des impressions de fraîcheur qui soulignent sa persistance. À servir dès maintenant à l'apéritif avec des canapés de foie gras. (Sucres résiduels : 45 g/l.)

Camille Braun, 16, Grand-Rue, 68500 Orschwihr, tél. 03.89.76.95.20, fax 03.89.74.35.03, e-mail cbraun@camille-braun.com
t.l.j. sf dim. 8h-12h 13h30-18h30 D

FRANÇOIS BRAUN ET SES FILS
Cuvée Sainte-Cécile 2005 *

	1,4 ha	11 500		8 à 11 €

Une autre famille Braun enracinée à Orschwihr ; un domaine de 21 ha de vignes, exploité par Philippe et Pascal. Leur cuvée Sainte-Cécile fait preuve d'une belle régularité dans le Guide. Une fois de plus, ce gewurztraminer originaire de sols argilo-calcaires y brille d'une étoile. Jaune paille limpide, il s'ouvre sur de fines notes épicées. Puissant, ample, équilibré et long, il finit sur une légère pointe d'amertume qui ne nuit pas à son agrément. Prêt à boire, un vin typé qui s'accordera avec la cuisine exotique. (Sucres résiduels : 19 g/l.)

François Braun et ses Fils, 19, Grand-Rue, 68500 Orschwihr, tél. 03.89.76.95.13, fax 03.89.76.10.97, e-mail francois-braun@orange.fr
t.l.j. sf dim. 8h-12h 14h-18h
Philippe et Pascal Braun

BROBECKER 2005

	0,35 ha	2 400		5 à 8 €

Installé à l'intérieur des murs d'Eguisheim, Pascal Joblot a repris l'exploitation de ses beaux-parents en 1998. Issu d'un terroir marno-calcaire, son gewurztraminer s'habille d'une robe jaune pâle aux reflets argentés. Le nez est avenant, sur les fruits exotiques, arômes qui se prolongent dans une bouche équilibrée et assez longue, marquée en finale par une légère amertume. À servir dès maintenant. (Sucres résiduels : 27 g/l.)

SCEA Vins Brobecker, 3, pl. de l'Église, 68420 Eguisheim, tél. 06.87.52.80.72, fax 03.89.41.55.93, e-mail pascal.joblot@free.fr
r.-v. C
Pascal Joblot

BURGHART-SPETTEL
Vendanges tardives 2004 **

	0,53 ha	3 100		15 à 23 €

Si vous visitez Mittelwihr en février, vous apercevrez des amandiers en fleur. Une preuve de la précocité de ce « Midi » de l'Alsace. Récolté le 17 novembre sur une parcelle argilo-calcaire, ce gewurztraminer a donné naissance à des vendanges tardives typiques et élégantes ; jaune d'or intense, ce 2004 offre un nez puissant de surmaturation. Ample, opulent dans un bel équilibre, avec de la fraîcheur, le palais révèle une structure solide. La longue finale marquée par la rose laisse un excellent souvenir. Déjà plaisant, ce vin de foie gras s'épanouira dans les cinq ans qui viennent. (Sucres résiduels : 55 g/l ; bouteilles de 50 cl.)

Burghart-Spettel, 9, rte du Vin, 68630 Mittelwihr, tél. 03.89.47.93.19, fax 03.89.49.07.62, e-mail burghart-spettel@wanadoo.fr
t.l.j. sf dim. 10h-19h 3 C

GÉRARD DOLDER Cuvée de la Tulipe 2005

	0,12 ha	1 000		15 à 23 €

La cuvée de la Tulipe délivre des fragrances de rose... quand on la sollicite, car ce vin jaune clair brillant reste sur sa réserve. S'y mêlent un léger fruité et des impressions fraîches et franches. Cette palette aromatique, cette netteté et cette fraîcheur se poursuivent dans un palais agréable, équilibré, plus expressif que le nez, jusqu'à une longue finale un rien mentholée. Un vin à découvrir à Mittelbergheim, pittoresque village du pays de Barr, et à servir dès l'apéritif, maintenant ou dans un an. (Sucres résiduels : 33 g/l.)

Gérard Dolder, 29, rue de la Montagne, 67140 Mittelbergheim, tél. 03.88.08.02.94, fax 03.88.08.55.86 t.l.j. sf dim. 8h-18h

DOM. ANDRÉ DUSSOURT Fronholtz 2005 **

	0,45 ha	4 383		11 à 15 €

Un ancêtre des Dussourt est arrivé en Alsace avec les armées de Louis XIV. Très vite, la famille s'est intéressée à la vigne. Aujourd'hui, elle exploite un domaine de plus de 10 ha. Né de sols argilo-lœssiques, son gewurztraminer offre tout ce que l'on attend de ce cépage : une robe brillante, jaune franc, des fragrances délicates de rose et d'épices qui s'affirment en bouche, un palais équilibré, riche, frais et long, qui renoue avec les épices en finale. Ce vin pourra attendre quatre ou cinq ans. Les accords ? Régionaux – foie gras, kouglof, pain d'épice...– ou asiatiques – canard laqué. (Sucres résiduels : 23 g/l.)

Dom. André Dussourt, 2, rue de Dambach, 67750 Scherwiller, tél. 03.88.92.10.27, fax 03.88.92.18.44, e-mail info@domainedussourt.com
t.l.j. sf dim. 8h30-12h 13h30-18h

FAHRER-ACKERMANN
Lieu-dit du Silbergrub 2005

	0,5 ha	3 000		8 à 11 €

En 1999, Vincent Ackermann rachète l'exploitation de son employeur, située au pied du Haut-Kœnigsbourg, et, cinq ans plus tard, une maison datée de 1709 sise à

Rorschwihr pour accueillir les visiteurs. Né sur un terroir siliceux, son gewurztraminer du Silbergrub s'habille d'une robe jaune d'or. Il présente un nez très mûr, où la rose et la pâte de fruits se nuancent de discrètes touches épicées et mentholées. Une gamme aromatique également présente dans une bouche fraîche, équilibrée et longue. Un vin élégant et typé. (Sucres résiduels : 32 g/l.)

Dom. Fahrer-Ackermann, 10, rte du Vin, 68590 Rorschwihr, tél. 06.07.19.28.68, e-mail vincent.ackermann@wanadoo.fr
r.-v.

RENÉ FLEITH ESCHARD ET FILS Letzenberg 2004 *

0,7 ha 1 500 11 à 15 €

Établi près de Colmar, Vincent Fleith est l'héritier de onze générations de vignerons, ce qui ne l'empêche pas d'être installé dans des bâtiments récents. Il exploite ses 9 ha de vignes en agriculture biologique. Il a présenté un 2004 issu de sols argilo-calcaires. D'un jaune doré intense, ce vin libère les senteurs caractéristiques du cépage, où ne manque pas la pointe d'épices. La bouche est fruitée, puissante, fondue et longue. Équilibrée, elle a gardé sa fraîcheur. Une bouteille prête à paraître à table et qui peut attendre encore un peu. (Sucres résiduels : 25 g/l.)

René Fleith-Eschard et Fils, lieu-dit Lange Matten, 68040 Ingersheim, tél. 03.89.27.24.19, fax 03.89.27.56.79, e-mail vins.fleith@free.fr
r.-v.
Vincent Fleith

FREY-SOHLER Vendanges tardives 2004 **

0,9 ha 3 500 23 à 30 €

Vignerons et négociants, les Sohler sont installés à Scherwiller, près de Sélestat. Ils possèdent 28 ha de vignes en propre. Né de sols granitiques, leur gewurztraminer vendanges tardives offre un caractère liquoreux. La robe jaune d'or montre des reflets ambrés. Le nez exubérant, concentré et complexe, mêle la pomme cuite à la cannelle, les fruits exotiques (mangue, litchi), le raisin sec, la cire et les épices. Ces caractères de richesse et de surmaturation se retrouvent dans une bouche ample, puissante et persistante. À déguster dès maintenant. (Sucres résiduels : 74,5 g/l.)

Frey-Sohler, 72, rue de l'Ortenbourg, 67750 Scherwiller, tél. 03.88.92.10.13, fax 03.88.82.57.11, e-mail contact@frey-sohler.fr
t.l.j. sf dim. 8h-12h 13h-19h

GOCKER Vieilles Vignes 2005 *

0,5 ha 2 700 8 à 11 €

Mittelwihr s'étire le long de la route du Vin, dans sa partie centrale. Ce bourg est dominé par ses terroirs qui rejoignent au nord ceux de Riquewihr. Philippe Gocker exploite 8 ha aux environs. Dans le millésime 2005, son gewurztraminer Vieilles Vignes revêt une robe jaune d'or ; avec ses fragrances miellées qui imprègnent aussi la bouche et son palais ample et puissant, il affiche un caractère nettement surmûri. Plus riche que vif, ce vin trouvera sa place à l'apéritif et au dessert. (Sucres résiduels : 19 g/l.)

Philippe Gocker, 1, pl. des Cigognes, 68630 Mittelwihr, tél. 03.89.49.01.23, fax 03.89.49.04.72, e-mail philippe.gocker@wanadoo.fr
r.-v.

HENRI GROSS Cuvée Christine 2004 **

0,45 ha 2 200 11 à 15 €

Christine ? La vigneronne. Henri ? Le père du vigneron. L'exploitant actuel, installé en 1990, est Rémy Gross, à la tête de 6,5 ha. Dans cette famille, on cultive aussi la musique classique, et peut-être aurez-vous la chance de déguster ce gewurztraminer en écoutant quelque morceau. Mais ce vin vieil or offre à lui seul une belle harmonie. C'est un 2004 récolté le 3 novembre sur un terroir sablonneux et il a fort bien évolué. Des notes épicées complexes (cannelle, pain d'épice) s'expriment au nez comme en bouche. Volumineux, puissant et concentré, le palais persiste sur des arômes torréfiés et poivrés. Une bouteille prête à paraître à l'apéritif, avec du foie gras ou au dessert. (Sucres résiduels : 35 g/l.)

EARL Henri Gross et Fils, 11, rue du Nord, 68420 Gueberschwihr, tél. 03.89.49.24.49, fax 03.89.49.33.58, e-mail vins.gross@wanadoo.fr
r.-v.

HENRI GSELL 2005

0,4 ha 1 800 11 à 15 €

Henri Gsell se flatte d'être le plus petit vigneron d'Eguisheim : il cultive moins de 4 ha de vignes. Les murs épais de sa cave sont des éléments des anciens remparts de la petite cité qui attire tant d'amoureux des vieilles pierres. Né de sols argilo-calcaires, ce gewurztraminer jaune clair délivre des parfums fruités caractéristiques du cépage. Au palais, les sucres résiduels demandent à se fondre : cette bouteille devrait gagner en harmonie après un séjour d'un à deux ans au cellier. (Sucres résiduels : 23 g/l.)

Henri Gsell, 22, rue du Rempart-Sud, 68420 Eguisheim, tél. et fax 03.89.41.96.40, e-mail gsell-henri@orange.fr r.-v.

GSELL 2005

0,8 ha 6 000 8 à 11 €

Proche de Guebwiller, dans la partie sud de la route du Vin, Orschwihr vivait déjà de la vigne au VIII[e]s. Joseph Gsell exploite 8,50 ha aux alentours. D'un terroir argilo-calcaire, il a tiré un vin jaune doré à reflets verts, au fruité exotique. Un ensemble équilibré, bien structuré, assez frais et facile à boire. On peut déjà le servir, mais il devrait s'exprimer davantage dans un an ou deux. (Sucres résiduels : 23 g/l.)

Joseph Gsell, 26, Grand-Rue, 68500 Orschwihr, tél. 03.89.76.95.11, fax 03.89.76.20.54, e-mail joseph.gsell@wanadoo.fr
t.l.j. 9h-12h30 13h30-19h

AIMÉ GUTHMANN 2005 *

9 ha 70 000 8 à 11 €

Une marque des établissements Lorentz de Bergheim, maison de négoce à la tête d'un important vignoble (32 ha). Jaune brillant à reflets or, ce 2005 surprend par l'intensité de son nez, où les fleurs voisinent avec les agrumes et une touche beurrée. Franc et vif à l'attaque, long en finale avec un joli retour épicé, ce vin de repas peut déjà être apprécié, mais il apparaît encore jeune et mérite d'attendre un à deux ans. (Sucres résiduels : 18 g/l.)

Aimé Guthmann, 91, rue des Vignerons, 68750 Bergheim, tél. 03.89.73.22.22, fax 03.89.73.30.49
t.l.j. sf dim. 10h-12h 14h-18h30
C. Lorentz

DOM. ROBERT HAAG ET FILS 2005 ★★

1,1 ha 6 600 5 à 8 €

Viticulteurs de père en fils depuis le XVIIIe s., les Haag sont établis à Scherwiller, près de Sélestat, dans une maison à colombage de la même époque. Leurs 8,50 ha de vignes s'étendent surtout sur des sols sablo-granitiques. Jaune paille brillant, ce gewurztraminer séduit par ses arômes de fruits jaunes relevés d'une touche épicée. Capiteux, riche, équilibré et persistant, c'est un beau vin de gastronomie qui sera mis en valeur par des mets exotiques. (Sucres résiduels : 18,7 g/l.)

Dom. Robert Haag et Fils, 21, rue de la Mairie, 67750 Scherwiller, tél. 03.88.92.11.83, fax 03.88.82.15.85, e-mail vins.haag.robert@estvideo.fr
t.l.j. sf dim. 9h-12h 14h-19h

HALBEISEN Goldesch 2005 ★★

0,71 ha 3 590 8 à 11 €

Venus des environs de Bâle, les ancêtres de cette famille se sont fixés à Bergheim au début du XVIIIe s. L'exploitation actuelle s'étend sur 8,6 ha. Aurélien a rejoint en 2001 sa mère Yvette et son grand-père Émile sur le domaine. C'est un remarquable gewurztraminer qu'ils nous ont donné à goûter : jaune d'or à reflets plus clairs, ce 2005 libère des parfums de rose discrets mais délicats. Les arômes s'épanouissent en bouche, harmonieux mariage de fruits et de fleurs. Ample, riche, gras, ce vin reste très équilibré grâce à sa fraîcheur. La finale persistante sur l'écorce d'orange laisse une impression d'élégance. L'ensemble se suffit à lui-même mais s'accordera aussi au foie gras, aux fromages et aux plats exotiques épicés. (Sucres résiduels : 50,4 g/l.)

Émile et Yvette Halbeisen, 3, rte du Vin, 68750 Bergheim, tél. 03.89.73.63.81, fax 03.89.73.38.81, e-mail info@halbeisen-vins.com
t.l.j. 10h-12h 14h-18h
Aurélien Halbeisen

HARTWEG 2005 ★

1,5 ha 12 000 5 à 8 €

Au cœur de l'Alsace viticole, Beblenheim se trouve un peu à l'écart de la route du Vin, en contrebas de Zellenberg. Jean-Paul et Frank Hartweg y sont établis dans une propriété vigneronne typique avec sa cave à foudres. Jaune d'or à reflets argentés, leur gewurztraminer exprime un fruité fin accompagné d'une touche boisée. Riche, plein, gras et dense en bouche, il laisse une impression dominante de douceur, les sucres résiduels demandant à se fondre. (Sucres résiduels : 30 g/l.)

Jean-Paul et Frank Hartweg, 39, rue Jean-Macé, 68980 Beblenheim, tél. 03.89.47.94.79, fax 03.89.49.00.83, e-mail frank.hartweg@free.fr
t.l.j. sf dim. 8h-11h45 14h-17h45; sam. sur r.-v.

HERTZOG Cuvée Sainte-Cécile 2005 ★★★

1,06 ha 8 900 8 à 11 €

Sylvain Hertzog organise des dégustations dans les vignes, quand le temps le permet. Il a présenté cette année deux gewurztraminers jugés exceptionnels : un exploit. Cette cuvée Sainte-Cécile obtient en outre un coup de cœur. Or pâle à légers reflets verts, ce 2005 captive par son nez riche et intense où des notes de surmaturation (miel et fruits secs) côtoient l'ananas, d'autres fruits exotiques et les épices typiques du cépage. La rose et le jasmin font escorte aux fruits secs et au miel dans un palais soyeux à

l'attaque, concentré, puissant, équilibré et persistant. (Sucres résiduels : 30 g/l.) Même présence et même complexité dans la cuvée **Bildstoecklé 2005**. Au nez, des parfums floraux un rien mentholés, du pain d'épice ; en bouche, de la pêche, de la mangue et de l'ananas. De la richesse, mais aussi de la fraîcheur pour ce vin croquant et long. (Sucres résiduels : 34 g/l.) Déjà prêtes, ces bouteilles peuvent aussi attendre deux ans.

EARL Sylvain Hertzog, 18, rte du Vin, 68420 Obermorschwihr, tél. 03.89.49.31.93, fax 03.89.49.28.85, e-mail sylvainhertzog@wanadoo.fr
r.-v.

MICHEL HEYBERGER 2005

0,4 ha 4 000 5 à 8 €

Installés dans la partie ancienne de Saint-Hippolyte, village dominé par le Haut-Kœnigsbourg, Michel Heyberger et son fils exploitent 9 ha de vignes. Originaire d'un terroir argilo-gréseux, leur gewurztraminer présente une robe jaune d'or brillant et un nez très floral, mêlant la rose et une touche épicée caractéristiques du cépage. Riche, ample et rond, ce vin est marqué par des sucres qui demandent à se fondre. La finale assez longue inspire confiance. (Sucres résiduels : 25 g/l.)

EARL Michel Heyberger, 4, rue de l'Ancien-Abattoir, 68590 Saint-Hippolyte, tél. et fax 03.89.73.00.78, e-mail remy-heyberger@laposte.net r.-v.

ROGER HEYBERGER Bildstoecklé Vieilles Vignes 2004 ★★

1 ha 3 000 5 à 8 €

Ce domaine important (20 ha) est implanté à Obermorschwihr, à une dizaine de kilomètres au sud de Colmar. Issu d'un terroir argilo-calcaire, son gewurztraminer du Bildstoecklé montre des reflets ambrés dans sa robe d'or. Complexe au nez, il associe les fruits confits et le miel aux fleurs. Cette palette se confirme en bouche, marquée elle aussi par des notes de surmaturation évoquant les fruits confiturés ; les épices ajoutent en finale à sa complexité. Ce vin ample et long, rond sans excès, est marqué par une pointe de fraîcheur qui souligne sa persistance. (Sucres résiduels : 16,5 g/l.)

Roger Heyberger et Fils, 5, rue Principale, 68420 Obermorschwihr, tél. 03.89.49.30.01, fax 03.89.49.22.28, e-mail info@vins-heyberger.fr
t.l.j. sf dim. 8h-11h45 14h-18h

MARCEL HUGG Réserve des Chevaliers 2005

9 ha 70 000 8 à 11 €

Implantée à Bergheim, importante cité viticole encore ceinte de murailles, cette exploitation dispose de

10 ha de vignes sur des terroirs variés. Né sur argilo-calcaires, ce gewurztraminer est caractéristique d'un vin issu de sols lourds. Jaune intense à reflets dorés, il libère des arômes expressifs et typés du cépage : fruits frais et rose, accompagnés d'une pointe délicatement épicée. Ample et riche en bouche, équilibré, il apparaît assez jeune mais prometteur. Deux ou trois ans de garde lui permettront de donner toute sa mesure. (Sucres résiduels : 17 g/l.)
Marcel Hugg, BP 37, 68750 Bergheim,
tél. 03.89.73.25.26 ☑ Y t.l.j. sf dim. 10h-12h 14h-18h30

MAISON MARTIN JUND
Colmar Harth Cuvée Sainte-Cécile 2005 *

1 ha n.c. **11 à 15 €**

Colmar a gardé des vignerons, comme les Jund, établis en plein cœur de la préfecture du Haut-Rhin. Leurs 8 ha de vignes, implantés sur les sols limono-sablonneux de la Hardt, sont conduits en agriculture biologique. Jaune doré à reflets argentés, ce gewurztraminer mêle au nez d'intenses parfums de mangue et de litchi à une touche de rose fanée. Cette palette complexe, dominée par les fruits exotiques, se retrouve dans un palais plein, ample et gras. La longue finale est soulignée par une pointe de fraîcheur. Un vin épanoui à apprécier maintenant. (Sucres résiduels : 50 g/l.)
Maison Martin Jund, 12, rue de l'Ange,
68000 Colmar, tél. 03.89.41.58.72, fax 03.89.23.15.83,
e-mail martinjund@hotmail.com
☑ Y r.-v. 2 B

KELHETTER 2005 **

0,25 ha 2 533 5 à 8 €

Installé dans la partie septentrionale de la route du Vin, Damien Kelhetter exploite 10 ha de vignes. Fournisseur du négoce, il n'est passé qu'en 2004 à la mise en bouteilles à la propriété et à la vente directe. Heureuse initiative, à en juger par ce 2005. Jaune clair, ce gewurztraminer développe un joli nez floral et se montre épicé, ample et long en bouche. Une petite rondeur ne nuit pas à son harmonie. (Sucres résiduels : 14,29 g/l.)
Damien Kelhetter, 24, rue Principale,
67310 Dahlenheim, tél. et fax 03.88.50.34.74
☑ Y ⚲ t.l.j. 9h-19h; dim. sur r.-v.

RENÉ KIENTZ FILS 2005 ***

0,75 ha 5 000 5 à 8 €

Cette exploitation est implantée à Blienschwiller, village viticole situé entre Barr au nord et Sélestat au sud. Elle a son siège dans une demeure fort ancienne, la Metzig, dont les arcades datent de 1602. Quant à son gewurztraminer, issu d'un terroir limoneux, il a conquis le jury. Sa robe jaune doré limpide annonce un nez tout en finesse et typé, au fruité complexe nuancé d'épices. Ce côté épicé marque aussi la bouche. L'ensemble s'impose par sa structure, son ampleur, son équilibre parfait et par sa longue finale. Il trouvera de nombreuses occasions de séduire, de l'apéritif au dessert. (Sucres résiduels : 13 g/l.)
René Kientz Fils, 51, rte du Vin,
67650 Blienschwiller, tél. 03.88.92.49.06,
fax 03.88.92.45.87, e-mail alsacekientz@wanadoo.fr
☑ Y ⚲ r.-v.

LOBERGER Weingarten 2005 **

1,12 ha 6 300 8 à 11 €

Établi à Bergholtz, à l'entrée de la vallée de Guebwiller, dans le tronçon sud de la route du Vin, Joseph Loberger est à la tête d'un domaine de 7,50 ha. Il a bien cultivé son « jardin de vignes » (Weingarten) pour proposer un gewurztraminer de grande qualité. Issu d'un terroir argilo-sablonneux, ce vin jaune clair brillant offre tout ce que l'on attend de ce cépage : un nez expressif, floral, fruité et épicé, une belle présence en bouche, avec de l'ampleur, de la richesse et une finale poivrée persistante. Un vin de gastronomie harmonieux, ouvert à un grand nombre d'accords gourmands. (Sucres résiduels : 15 g/l.)
EARL Joseph Loberger, 10, rue de Bergholtz-Zell,
68500 Bergholtz, tél. 03.89.76.88.03,
fax 03.89.74.16.89, e-mail contact@loberger.fr
☑ Y ⚲ r.-v.

DOM. LOEW Westhoffen 2005

0,5 ha 3 000 5 à 8 €

Voilà dix ans qu'Étienne Loew a repris le domaine familial : 6 ha de vignes autour de Westhoffen, à l'extrémité nord de la route du Vin. Les sols y sont souvent lourds, comme les marnes rouges d'où provient ce gewurztraminer jaune paille à reflets verts. Typé au nez, épicé et long, ce 2005 est un vin puissant dominé par des impressions chaleureuses. Une puissance qui pourrait se confronter avec celle d'un munster. (Sucres résiduels : 20 g/l.)
Dom. Étienne Loew, 28, rue Birris,
67310 Westhoffen, tél. et fax 03.88.50.59.19,
e-mail domaine.loew@orange.fr ☑ Y ⚲ r.-v.

FÉLIX MEYER 2005 ***

0,4 ha 3 000 5 à 8 €

Félix Meyer est une petite structure de négoce créée par le domaine Meyer-Fonné. La maison est implantée à Katzenthal, village lové au fond d'un vallon, à l'ouest de Colmar. Elle a proposé un superbe gewurztraminer issu d'argilo-calcaires et d'alluvions. Jaune d'or intense à reflets dorés, ce 2005 séduit par la finesse de ses parfums, où l'on découvre les accents fruités, floraux et épicés du cépage. Les fruits confits marquent un palais ample, riche, capiteux et parfaitement structuré. La finale persistante achève de convaincre. (Sucres résiduels : 15 g/l.)
Félix Meyer, 24, Grand-Rue, 68230 Katzenthal,
tél. 03.89.27.16.50, fax 03.89.27.34.17,
e-mail felix.meyer-fonne@libertysurf.fr ☑ r.-v.

LUCIEN MEYER ET FILS 2005 *

0,72 ha 9 400 5 à 8 €

Cette exploitation familiale, implantée à Hattstatt, village situé à une quinzaine de kilomètres au sud de Colmar, accueille les visiteurs dans une maison du XVII[e]s. Elle dispose de 9 ha de vignes. Issu de sols marno-calcaires, ce gewurztraminer jaune franc offre un fruité expressif qui s'épanouit en bouche. Sa finesse, son équilibre et sa persistance séduisent. Cette bouteille devrait trouver facilement sa place à table. (Sucres résiduels : 12,5 g/l.)

🔑 EARL Lucien Meyer et Fils,
57, rue du Mal-Leclerc, 68420 Hattstatt,
tél. 03.89.49.31.74, fax 03.89.49.24.81
r.-v.

FRANCIS MURÉ 2005

0,6 ha 3 600 8 à 11 €

Habitué du Guide, Francis Muré est installé à Westhalten. Ce village viticole du tronçon méridional de la route du Vin est niché entre les collines du Bollenberg, du Strangenberg et du Zinnkoepflé, dans l'une des zones les plus sèches de France. Provenant de coteaux argilo-calcaires, ce gewurztraminer jaune d'or brillant mêle au nez la rose et le litchi, puis évolue vers les épices. Cette palette aromatique caractéristique du cépage se retrouve dans un palais agréable, ample et de bonne tenue, qui gagnera en harmonie et en fondu après un à deux ans de garde. Le millésime 2002 avait obtenu un coup de cœur. (Sucres résiduels : 25 g/l.)

🔑 Francis Muré, 30, rue de Rouffach,
68250 Westhalten, tél. 03.89.47.64.20,
fax 03.89.47.09.39,
e-mail mure_francis@club-internet.fr
r.-v.

EDMOND RENTZ Réserve personnelle 2005

n.c. 16 000 5 à 8 €

Zellenberg est ce village perché sur un éperon que l'on découvre en allant de Ribeauvillé vers Mittelwihr et Bennwihr. Installé sur la route du Vin à l'entrée du bourg, Edmond Rentz exploite un important domaine (20 ha) constitué par sa famille à partir de la fin du XVIII[e]s. Jaune pâle à reflets verts, sa Réserve apparaît encore fermée au nez, ne laissant percer que les épices typées du cépage. C'est un vin agréable, dans un style léger et gouleyant assez rare pour le gewurztraminer. On retrouve en finale les épices perçues au nez. Pour un apéritif en plein air. (Sucres résiduels : 20 g/l.)

🔑 Edmond Rentz, 7, rte des Vins, 68340 Zellenberg,
tél. 03.89.47.90.17, fax 03.89.47.97.27,
e-mail info@edmondrentz.com
t.l.j. sf dim. 8h-12h 14h-18h

ROLLY GASSMANN
Stegreben de Rorschwihr 2005 ★

1,13 ha 6 800 15 à 23 €

Ces vignerons renommés, issus d'une lignée très anciennement établie à Rorschwihr, au pied du Haut-Kœnigsbourg, sont attachés à la vinification par terroirs. Ils ont recensé 21 types de sous-sols dans leur village. Récolté à la mi-octobre, ce gewurztraminer provient de conglomérats de calcaires oolithiques et de marnes interstratifiées. Jaune d'or à reflets argentés, il libère d'intenses parfums de rose et de fruits exotiques nuancés d'épices. Arômes que l'on retrouve au palais, avec des notes de surmaturation, au sein d'un corps ample, gras, puissant, complexe, soyeux, élégant et persistant en finale. Ce vin, qui rappelle une vendange tardive, tiendra sa place à l'apéritif comme au dessert, ou encore avec du foie gras. (Sucres résiduels : 59 g/l.)

🔑 Rolly Gassmann, 2, rue de l'Église,
68590 Rorschwihr, tél. 03.89.73.63.28,
fax 03.89.73.33.06, e-mail rollygassmann@wanadoo.fr
r.-v.

DOM. SCHMITT Vieilles Vignes 2005

0,7 ha 5 000 8 à 11 €

Epfig est aujourd'hui la plus grande commune viticole d'Alsace. Des exploitations importantes y sont installées, comme celle de Gérard Schmitt, à la tête de 20 ha de vignes. Récolté à la mi-novembre sur un terroir argilo-calcaire, le gewurztraminer a engendré ici un vin jaune d'or aux brillants reflets, au nez bien ouvert sur les fruits mûrs (pêche) accompagnés d'une pincée de poivre blanc. L'attaque franche introduit un palais dominé par des impressions de richesse et de puissance chaleureuse. La longue finale associe le poivre et une nuance de marc. Une bouteille à découvrir maintenant. (Sucres résiduels : 35 g/l.)

🔑 Gérard Schmitt, 18, rue Sainte-Marguerite,
67680 Epfig, tél. 03.88.85.54.38, fax 03.88.57.82.52,
e-mail info@domaine-schmitt.fr r.-v.

JEAN-PAUL SCHMITT
Rittersberg Vieilles Vignes 2005

0,45 ha 1 950 15 à 23 €

Au pied de la forteresse de l'Ortenbourg, cette exploitation est installée à l'emplacement d'un moulin. Une ancienne voie romaine traverse le vignoble. Les ceps sont implantés sur les terroirs sablo-argileux et granitiques du lieu-dit Rittersberg. Ils ont donné naissance à un vin jaune d'or, au nez encore fermé : à peine laisse-t-il percer quelques notes végétales. La bouche, dans la continuité du nez, reste discrète, sur les fruits jaunes. La longue finale laisse espérer que ce vin s'épanouira. (Sucres résiduels : 37 g/l.)

🔑 Jean-Paul Schmitt, Hühnelmühle, 67750 Scherwiller,
tél. 03.88.82.34.74, fax 03.88.82.33.95,
e-mail vins-schmitt@wanadoo.fr
t.l.j. 9h-19h; f. 15 -31 jan.

DOM. MAURICE SCHOECH Kaefferkopf 2005

1,2 ha 7 000 8 à 11 €

Enracinée à Ammerschwihr depuis plus de trois siècles, cette famille a exercé tous les métiers du vin. La dernière génération exploite une dizaine d'hectares, situés principalement en coteau. Du Kaefferkopf, terroir promu en grand cru en 2007, elle a tiré un gewurztraminer jaune doré étincelant de reflets. Le nez, expressif et épicé, est caractéristique du cépage. La bouche, un peu fugace, est envahie par des sucres résiduels qui demandent à se fondre. Une bouteille à servir à l'apéritif ou avec du munster. (Sucres résiduels : 24 g/l.)

🔑 Dom. Maurice Schoech, 4, rte de Kientzheim,
68770 Ammerschwihr, tél. 03.89.78.25.78,
fax 03.89.78.13.66, e-mail domaine.schoech@free.fr
t.l.j. sf dim. 9h-12h 13h30-18h

SCHOENHEITZ Holder 2005

1,5 ha 5 400 8 à 11 €

Établi dans le Val Saint-Grégoire, à l'entrée de la vallée de Munster, Henri Schoenheitz est à la tête d'un domaine de 14 ha. Son vignoble repose directement sur les terrains primaires des Vosges, et le sol est constitué de granite à deux micas. Jaune pâle aux reflets argentés, son gewurztraminer du Holder présente un joli nez associant de subtiles fragrances de rose à des parfums plus lourds de litchi. En bouche, ce vin est équilibré, bien structuré, mais marqué par des sucres résiduels qui demandent à se fondre. (Sucres résiduels : 28 g/l.)

Henri Schoenheitz, 1, rue de Walbach, 68230 Wihr-au-Val, tél. 03.89.71.03.96, fax 03.89.71.14.33, e-mail vins.schoenheitz@calixo.net r.-v.

EDMOND SCHUELLER 2005 *

0,8 ha 6 500 5 à 8 €

Veillé par ses trois châteaux, Husseren domine son vignoble et toute la plaine d'Alsace. Installé en 1999, Damien Schueller exploite les 4,5 ha du domaine familial aux alentours. Des terroirs argilo-gréseux sont à l'origine de son gewurztraminer. Or blanc aux brillants reflets verts, ce 2005 séduit par l'élégance de son nez floral, épicé et légèrement toasté. Fruité au palais et ample, il présente un très bon équilibre sucre-alcool-acidité. À servir à l'apéritif, avec le fromage ou, pourquoi pas, avec un poulet à l'ananas. (Sucres résiduels : 12 g/l.)

Edmond et Damien Schueller, 26, rte du Vin, 68420 Husseren-les-Châteaux, tél. 03.89.49.32.60, e-mail damienschueller@aol.com r.-v. 3 B

Damien Schueller

DOM. FRANÇOIS SCHWACH ET FILS
Kaefferkopf 2005

0,5 ha 3 650 11 à 15 €

Cette exploitation familiale exporte 50 % de sa production. Elle a son siège à Hunawihr, mais ses 20 ha de vignes sont répartis dans les terroirs de plusieurs communes avoisinantes. Ainsi ce vin jaune d'or intense provient-il du Kaefferkopf, célèbre lieu-dit d'Ammerschwihr promu en grand cru en 2007. Ses parfums intenses de litchi, de pêche jaune et de miel d'acacia évoquent le fruit mûr, voire surmûri. Le pain d'épice et la pâte de fruits dominent dans une bouche soyeuse à l'attaque, riche, puissante et qui persiste sur des notes épicées. À servir dès maintenant sur de la cuisine asiatique. (Sucres résiduels : 34 g/l.)

Dom. François Schwach et Fils, 28, rte de Ribeauvillé, 68150 Hunawihr, tél. 03.89.73.62.15, fax 03.89.73.37.84, e-mail info@schwach.com r.-v. 4 C

LA CAVE DE SIGOLSHEIM
Vogelgarten 2005 ***

n.c. 21 700 8 à 11 €

Voisine de Colmar vers le nord, la commune de Sigolsheim a été totalement rasée en 1945 lors des combats pour la libération de l'Alsace. La coopérative a été le premier bâtiment reconstruit après la guerre : il fallait bien loger la nouvelle récolte. La cave mérite toujours que l'on s'y arrête, témoins les deux vins retenus, dont le premier, ce gewurztraminer du Vogelgarten, se détache du lot. Ce vin jaune clair offre un nez typé et flatteur, dominé par la rose et nuancé d'épices. Ces arômes floraux et poivrés prennent un caractère exubérant en bouche. Ample, riche et gras au palais, remarquablement équilibré, ce 2005 persiste longuement sur des notes de confiture d'abricots. Un vin d'avenir. (Sucres résiduels : 14,7 g/l.) Le **Vieilles Vignes 2005** est cité pour sa typicité et son équilibre. (Sucres résiduels : 20 g/l.)

La Cave de Sigolsheim, 11, rue Saint-Jacques, 68240 Sigolsheim, tél. 03.89.78.10.10, fax 03.89.78.21.93 r.-v.

JEAN-PAUL SIMONIS Kaefferkopf 2005 *

0,31 ha 2 600 8 à 11 €

La commune d'Ammerschwihr, où sont installés Jean-Paul et Jean-Marc Simonis, est réputée pour son Kaefferkopf. C'est de ce lieu-dit, reconnu juridiquement dès 1932 et consacré en grand cru en 2007 qu'est issu ce gewurztraminer jaune vif à reflets dorés. Au nez comme en bouche, il offre avec finesse tous les caractères du cépage : des parfums de rose, de litchi, d'épices avec du fruit jaune ; une matière ample, puissante et bien équilibrée, un joli retour épicé en finale. Les accords ? Apéritif, fromage et cuisine exotique aux fruits. (Sucres résiduels : 22 g/l.)

EARL Jean-Paul Simonis et Fils, 1, rue des Chasseurs-Besombes-et-Brunet, 68770 Ammerschwihr, tél. et fax 03.89.47.13.51, e-mail jmsimonis@orange.fr t.l.j. sf dim. 8h-11h45 13h30-18h D

Jean-Marc Simonis

JEAN SIPP Cuvée Carole 2005 **

1 ha 4 000 15 à 23 €

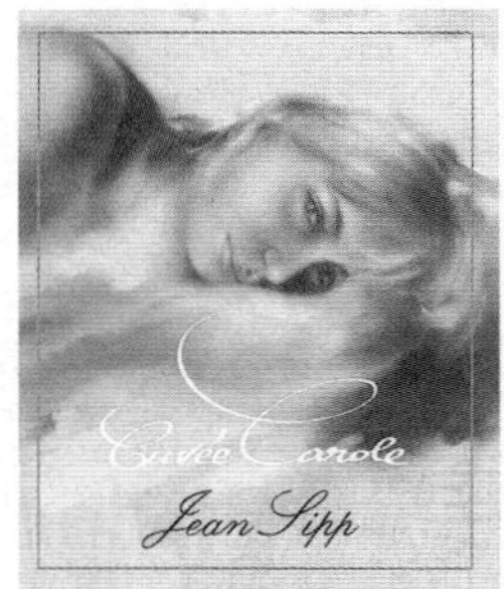

Établi dans une ancienne possession des Ribeaupierre, seigneurs de Ribeauvillé, J.-J. Sipp et son fils vinifient 20 ha de vignes. Des ceps de quarante-cinq ans, plantés sur des sols argilo-calcaires, sont à l'origine de ce gewurztraminer qui a conquis le jury. Une rose exubérante, environnée de fruits exotiques et de pêche, s'exhale d'une robe jaune d'or aux brillants reflets argentés et imprègne la bouche, nuancée de litchi. Ample, rond, complexe, puissant sans lourdeur, le palais est d'une réelle élégance. La longue finale sur la pêche et le coing achève de convaincre. Un modèle de gewurztraminer, que l'on pourra déboucher pour l'apéritif, puis servir avec du foie gras ou un plat gastronomique comme du lapin au pain d'épice. (Sucres résiduels : 46 g/l.)

Dom. Jean Sipp, 60, rue de la Fraternité, 68150 Ribeauvillé, tél. 03.89.73.60.02, fax 03.89.73.82.38, e-mail domaine@jean-sipp.com t.l.j. sf dim. 9h-11h30 14h-18h; groupes sur r.-v. 5

PAUL SPANNAGEL
Steinbruchreben Vieilles Vignes 2005 *

0,49 ha 2 000 8 à 11 €

Comme ses ancêtres il y a quatre siècles, Yves Spannagel cultive la vigne sur les coteaux de Katzenthal, village situé à quelques kilomètres à l'ouest de Colmar. Des ceps de quarante ans plantés sur des sols bruns calcaires ont donné naissance à ce vin d'un jaune intense, au fruité caractéristique du cépage, tirant sur le litchi et les fruits jaunes. En bouche, on note une petite rondeur, puis des impressions d'ampleur et de puissance. Une finale fraîche et fruitée conclut la dégustation de ce vin riche et bien structuré. À boire ou à attendre, selon votre patience. (Sucres résiduels : 30 g/l.)

Paul Spannagel et Fils, 1, Grand-Rue,
68230 Katzenthal, tél. 03.89.27.01.70,
fax 03.89.27.45.93, e-mail paul.spannagel@wanadoo.fr
t.l.j. 8h-12h 14h-18h30; dim. sur r.-v.

ACHILLE THIRION Vendanges tardives 2003

0,5 ha 3 000 **15 à 23 €**

Il est rond, ce gewurztraminer vendanges tardives de l'année de la canicule... Opulent, ample, liquoreux, plein de douceur, un peu lourd pour certains. Jaune d'or brillant, il n'est pas avare de parfums de fruits confits et d'épices (poivre), avec des notes grillées. Une complexité qui se retrouve en bouche où les fruits jaunes en confiture voisinent avec le raisin sec ; on décèle même un soupçon de liqueur de framboise dans la longue finale. Un vin réussi dans le millésime, à déguster dès maintenant à l'apéritif ou au dessert. (Sucres résiduels : 63 g/l.)

Dom. Achille Thirion, 69, rte du Vin,
68590 Saint-Hippolyte, tél. 03.89.73.00.23,
fax 03.89.73.06.46 r.-v. 2 B

ANDRÉ THOMAS ET FILS
Vieilles Vignes 2005 ★★★

0,4 ha 3 000 **8 à 11 €**

« Artisan vigneron », ce viticulteur exploite son domaine en agriculture biologique. Il a quatre coups de cœur à son actif et n'est pas loin d'améliorer l'exploit avec ce gewurztraminer issu de sols argilo-calcaires. De couleur jaune d'or, ce vin attire par un nez tout en finesse où des notes fruitées (mandarine, abricot, litchi) se font complices de la rose. Puissante, riche et ample, la bouche imprégnée d'arômes de fruits exotiques révèle une grande matière. Sa finale poivrée est d'une réelle élégance. On peut déjà ouvrir cette bouteille, mais elle devrait s'épanouir dans les cinq prochaines années. (Sucres résiduels : 20 g/l.)

André Thomas et Fils, 3, rue des Seigneurs,
68770 Ammerschwihr, tél. 03.89.47.16.60,
fax 03.89.47.37.22 r.-v.

CH. WAGENBOURG Vendanges tardives 2004

0,45 ha 2 400 **15 à 23 €**

Au niveau de Soultzmatt, la vallée Noble tire son nom des sept châteaux qui la gardaient. Il n'en reste qu'un, construit en 1506 et occupé aujourd'hui par Joseph et Jacky Klein. D'un jaune d'or intense, leur gewurztraminer vendanges tardives libère des notes de surmaturation : fruits confits, raisin sec, abricot, figue. Une belle attaque introduit une bouche riche et élégante, dans le même registre aromatique. La vivacité, très présente, s'affiche dans une longue finale. Une bouteille prometteuse à garder un à deux ans pour permettre à l'acidité de se fondre. (Sucres résiduels : 74 g/l.)

Joseph et Jacky Klein,
Ch. Wagenbourg, 25 A, rue de la Vallée,
68570 Soultzmatt, tél. 03.89.47.01.41,
fax 03.89.47.65.61
t.l.j. sf dim. 8h-12h 13h30-18h C

WELTY Cuvée Aurélie 2005 ★

0,6 ha 2 900 **8 à 11 €**

Établi dans une cave dîmière de 1579 classée Monument historique, Jean-Michel Welty exploite 9,50 ha de vignes dans la partie sud de la route du Vin. Avec sa robe jaune d'or brillant, son nez de rose évoluant vers des notes complexes de fruit mûr, sa cuvée Aurélie sait se présenter. En bouche, elle tient ses promesses. Dominée par des impressions de rondeur et d'ampleur, agrémentée de fruits confits, elle offre une longue finale très élégante. (Sucres résiduels : 29,7 g/l.)

Dom. Jean-Michel Welty, 22-24, Grand-Rue,
68500 Orschwihr, tél. 03.89.76.09.03,
fax 03.89.76.16.80,
e-mail jean-michel.welty@terre-net.fr
t.l.j. 8h30-11h45 13h45-19h;
dim. sur r.-v. 3 C

W. WURTZ Vendanges tardives 2004 ★★

0,4 ha 1 500 **15 à 23 €**

Établie à Mittelwihr, au cœur du vignoble alsacien, cette exploitation a présenté des vendanges tardives pleines de séduction. Flatteur dès l'approche, ce 2004 affiche une robe jaune d'or intense et brillant, et libère une gamme complexe de parfums : fruits secs et confits (abricot, coing, figue...) assortis de touches fumées, épicées et réglissées. Une complexité aromatique qui se prolonge en bouche, où l'on retrouve l'abricot et, dans une longue finale harmonieuse, la figue et les fruits secs du nez, accompagnés de litchi. Autre atout, un palais ample, puissant sans lourdeur. Un ensemble élégant qui mérite d'attendre un à trois ans. (Sucres résiduels : 69 g/l.)

EARL Willy Wurtz et Fils, 6, rue du Bouxhof,
68630 Mittelwihr, tél. 03.89.47.93.16,
fax 03.89.47.89.01 t.l.j. 9h-19h

ALBERT ZIEGLER Cuvée Anne Cécile 2005 ★

1,5 ha 12 000 **5 à 8 €**

18 ha de vignes sur les pentes du Pfingstberg et du Bollenberg, dans le tronçon sud de la route du Vin, une cave voûtée du XVII^e^s. : le domaine des Ziegler. Or pâle aux légers reflets verts, leur cuvée Anne Cécile s'ouvre sur la rose et les épices, avec une touche mentholée. Après une attaque fraîche, on découvre un vin net, riche, ample, équilibré malgré une petite rondeur due à la présence de sucres résiduels. La finale longue, aux subtils accents de litchi et de fruits jaunes surmûris, est très flatteuse. Une bouteille à déboucher maintenant, à l'apéritif ou au dessert. (Sucres résiduels : 31,6 g/l.)

Albert Ziegler, 10, rue de l'Église, 68500 Orschwihr,
tél. 03.89.76.01.12, fax 03.89.74.91.32,
e-mail ziegler.voelklin@wanadoo.fr
t.l.j. 8h-12h 13h-19h; dim. sur r.-v.

Alsace pinot gris

La dénomination locale tokay qui fut donnée au pinot gris pendant quatre siècles est un fait étonnant, puisque cette variété n'a jamais été utilisée en Hongrie orientale... La légende disait que le tokay aurait été rapporté de ce pays par le général L. de Schwendi, grand propriétaire de vignobles en Alsace. Son aire d'origine semble être, comme celle de tous les pinots, le territoire de l'ancien duché de Bourgogne. Le pinot gris, en forte progression, occupe près de 2 100 ha. Il peut produire un vin capiteux, très corsé, plein de noblesse, susceptible de remplacer un vin rouge sur les plats de viande. Lorsqu'il est somptueux comme en 1989, 1990 ou 2000, années exceptionnelles, c'est l'un des meilleurs accompagnements du foie gras.

ADAM

Letzenberg Le Pinot gris de Jean-Baptiste 2005 ★

3 000 ▮ **11 à 15 €**

En 1783, des registres attestent déjà l'importante activité commerciale de la maison Adam, fondée en 1614 à Ammerschwihr par un courtier. Aujourd'hui, cette activité de négoce reste importante, et la société exporte 30 % de ses vins vers plus de dix pays. Elle repose aussi sur un domaine familial de plus de 13 ha, exploité depuis 2004 en biodynamie. Le Letzenberg, terroir argilo-calcaire situé sur le territoire d'Ingersheim, a donné naissance à ce pinot gris aux fins arômes de fruits surmûris, au palais riche, ample et long. On peut l'attendre deux à trois ans. (Sucres résiduels : 39 g/l.)

Jean-Baptiste Adam, 5, rue de l'Aigle, 68770 Ammerschwihr, tél. 03.89.78.23.21, fax 03.89.47.35.91, e-mail adam@jb-adam.com

t.l.j. 8h-12h 14h-18h; f. dim de janv. à avr.

DOM. ALLIMANT-LAUGNER

Au Puits des Moines 2005 ★

0,5 ha 3 000 ▮ **11 à 15 €**

Un ancêtre célèbre : Antoine Allimant, qui suivit Napoléon dans toutes ses campagnes, puis acheta des vignes sur les côtes du Haut-Kœnigsbourg. Depuis 1984, le domaine (12 ha) est conduit par Hubert Laugner. Le nom de cette cuvée fait référence aux moines défricheurs qui mirent en valeur le terroir granito-gneissique du Moenchborn. De couleur dorée, ce pinot gris se présente avec discrétion mais délicatesse au nez. Ample et souple au palais, il persiste sur des notes d'agrumes confits tout en finesse. Il est prêt. (Sucres résiduels : 50 g/l.)

Allimant-Laugner, 10, Grand-Rue, 67600 Orschwiller, tél. 03.88.92.06.52, fax 03.88.82.76.38, e-mail alaugner@terre-net.fr

t.l.j. 9h-12h 14h-18h

Hubert Laugner

FRÉDÉRIC ARBOGAST ET FILS

Vieilles Vignes 2005 ★

0,5 ha 3 800 ▮ **5 à 8 €**

Installé au début du nouveau millénaire sur le domaine familial situé à l'ouest de Strasbourg, Frédéric Arbogast perpétue une tradition viticole vieille de quatre siècles. L'année de la canicule l'a inspiré (elle lui a valu deux coups de cœur !) ; le pinot gris aussi : ce fut le coup de cœur de l'an dernier (des vendanges tardives). Quant à cette cuvée, issue de ceps de quarante ans, elle s'ouvre discrètement sur des notes fumées, grillées, accompagnées de nuances de sous-bois. Très structuré, gras avec de la fraîcheur, ce vin invite à la dégustation. On l'appréciera dès maintenant. (Sucres résiduels : 18 g/l.)

EARL Frédéric Arbogast, 3, pl. de l'Église, 67310 Westhoffen, tél. 03.88.50.30.51, fax 03.88.50.36.40, e-mail fredarbogast2@wanadoo.fr

r.-v.

DOM. BARMÈS BUECHER

Rosenberg Calcarius 2005 ★

0,7 ha 4 860 ▮ **15 à 23 €**

Constitué en 1985, ce domaine de 16 ha s'étend sur cinq lieux-dits et trois grands crus. Depuis 1998, il est conduit en biodynamie par François Barmès, qui cherche à valoriser l'expression des raisins, des terroirs et du millésime. Né sur des sols argilo-calcaires, ce pinot gris révèle le fruité caractéristique du cépage, avec ses nuances fumées, épicées et miellées. Bien structuré, opulent, équilibré et long, c'est un vin de garde : il gagnera à attendre deux ans, et devrait pouvoir tenir dix ans. (Sucres résiduels : 30,4 g/l.)

Dom. Barmès Buecher, 30, rue Sainte-Gertrude, 68920 Wettolsheim, tél. 03.89.80.62.92, fax 03.89.79.30.80, e-mail barmesbuecher@terre-net.fr

r.-v.

LÉON BAUR 2005 ★

0,9 ha 7 000 ▮ **5 à 8 €**

Il est agréable de flâner dans les ruelles circulaires et très fleuries de la cité médiévale d'Eguisheim. Ses remparts abritent de nombreux vignerons, comme Jean-Louis Baur, qui exploite les 8 ha de vignes du domaine familial depuis 1976. Produit sur un terroir argilo-calcaire, son pinot gris offre une belle expression du cépage : un nez fruité et fumé, un palais équilibré, gras et assez nerveux, de bonne persistance. On l'appréciera à l'apéritif ou avec une tourte vosgienne. (Sucres résiduels : 7 g/l.)

Jean-Louis Baur, 22, rue du Rempart-Nord, 68420 Eguisheim, tél. 03.89.41.79.13, fax 03.89.41.93.72, e-mail jean-louis.baur@terre-net.fr

r.-v.

JEAN BECKER Rimelsberg 2005 ★

n.c. 3 400 ▮ **11 à 15 €**

La famille Becker est au service du vin depuis 1610. Aujourd'hui, Martine, Jean-Philippe et François Becker sont à la tête d'une maison de négoce tout en exploitant 18 ha de vignes. Ils exportent 20 % de leur production au-delà des océans. Terroir argilo-marneux, le Rimelsberg leur a valu un coup de cœur en gewurztraminer l'an dernier. Il engendre régulièrement des pinots gris très généreux. Assez réservé au nez, celui-ci s'inscrit dans un registre de surmaturation. Bien structuré, gras, rond et long, il mérite d'attendre deux à trois ans. (Sucres résiduels : 88 g/l.)

SA Jean Becker, 4, rte d'Ostheim, 68340 Zellenberg, tél. 03.89.47.90.16, fax 03.89.47.99.57, e-mail vinsbecker@aol.com

t.l.j. 8h-12h 13h30-18h; f. de janv. à mars

ANDRÉ BLANCK ET SES FILS

Ancienne cour des Chevaliers de Malte
Cuvée Margaux 2005 ★★

0,55 ha 2 600 **8 à 11 €**

Cette exploitation est installée dans une ancienne commanderie des Templiers de Saint-Jean de Jérusalem, voisine du château de Kientzheim. Les deux bâtiments appartenaient au XVIe s. à Lazare de Schwendi qui, selon la légende, aurait rapporté le « tokay » en Alsace. C'est bien de pinot gris, et non de cabernet ou de furmint, que provient cette cuvée Margaux au nez très typé sur des notes de confit et de miel. Ces arômes s'épanouissent au palais dans une harmonie franche, puissante et persistante. Un ensemble fort plaisant, à boire sans hâte pendant deux ou trois ans. (Sucres résiduels : 18 g/l.)

André Blanck et ses Fils,
Ancienne cour des Chevaliers de Malte,
68240 Kientzheim, tél. 03.89.78.24.72,
fax 03.89.47.17.07, e-mail charles.blanck@free.fr
t.l.j. sf dim. 8h-19h B

JEAN BOESCH ET PETIT-FILS

Cuvée Alexia et Émilie 2005 *

0,22 ha 1 600 8 à 11 €

Jean Boesch s'est installé à Soultzmatt en 2002, prenant la suite de son grand-père et d'une lignée de vignerons remontant à 1735. À la tête de 7 ha de vignes, il a dédié cette cuvée à ses filles jumelles. Au nez, des notes de surmaturation évoquant les agrumes confits annoncent une bouche grasse et très ronde, soutenue cependant par un peu de fraîcheur. Pour l'heure alourdi par le sucre, ce pinot gris devrait mieux s'exprimer après une petite garde. (Sucres résiduels : 54 g/l.)

EARL Jean Boesch et Petit-Fils,
1, rue Wagenbourg, 68570 Soultzmatt,
tél. 03.89.47.00.87, fax 03.89.47.08.19,
e-mail jean.boesch@wanadoo.fr
t.l.j. 8h-11h30 14h-19h; dim. sur r.-v. C

JOSEPH CATTIN 2005 **

8,5 ha 60 000 5 à 8 €

Depuis 1978, les frères Jean-Marie et Jacques Cattin exploitent l'important domaine familial (50 ha dans la partie sud du Haut-Rhin) tout en développant une activité de négoce. Ils signent un pinot gris né sur un terroir argilo-calcaire. Jaune paille à reflets or, ce vin s'affirme par son fruité et son côté fumé caractéristique du cépage, agrémentés de notes de surmaturation (raisin de Corinthe). Cette richesse se retrouve dans un palais puissant, soutenu par une pointe de fraîcheur. Un ensemble agréable, à boire durant les cinq prochaines années. (Sucres résiduels : 13 g/l.)

Joseph Cattin, 18, rue Roger-Frémeaux,
68420 Vœgtlinshoffen, tél. 03.89.49.30.21,
fax 03.89.49.26.02, e-mail gcattin@terre-net.fr
t.l.j. 8h-12h 14h-18h; sam. dim. sur r.-v.

CLOS SAINTE-APOLLINE

Bollenberg Cuvée sélectionnée Vinification en fût de chêne 2005 *

1,8 ha 16 000 8 à 11 €

Développé par la famille Meyer au cours du XXe s., le Clos Sainte-Apolline s'étend sur 25 ha dans la partie sud de la route du Vin, entre Rouffach et Guebwiller. Bien abritées des vents d'ouest par les plus hauts sommets vosgiens, les vignes croissent sur les terrains calcaires et pierreux de la colline du Bollenberg. Elles ont donné ici naissance à un vin doré, aux arômes fumés, puissant, fruité, franc et bien structuré. (Sucres résiduels : 11 g/l.)

Clos Sainte-Apolline, Dom. du Bollenberg,
68250 Westhalten, tél. 03.89.49.67.10,
fax 03.89.49.76.16, e-mail info@bollenberg.com
t.l.j. sf lun. 8h-19h

CLOS SAINTE-ODILE 2005

n.c. 18 600 8 à 11 €

Le Clos Sainte-Odile domine la pittoresque ville d'Obernai. Propriété d'une filiale de la Cave vinicole d'Obernai, c'est un vignoble en terrasse étayé par des murs de grès rose. Le pinot gris y a donné naissance à un vin au nez caractéristique du cépage, fin et fruité avec des nuances de sous-bois. Il n'est ni très long ni très complexe mais se montre équilibré et agréable. À boire dans les trois ans. (Sucres résiduels : 12,5 g/l.)

Sté vinicole Sainte-Odile, 30, rue du Gal-Leclerc,
67210 Obernai, tél. 03.88.47.60.29, fax 03.88.47.60.22
r.-v.

DOM. ANDRÉ EHRHART Herrenweg 2005 *

0,25 ha 2 300 5 à 8 €

Cette exploitation fondée en 1959 s'étend sur 9 ha. Elle a son siège à Wettolsheim, près de Colmar, dans une maison à colombage de 1738. Ses pinots gris sont souvent mentionnés dans le Guide (les anciens lecteurs se souviendront d'un 1997 coup de cœur). Né sur un terroir graveleux, celui-ci exprime une nuance grillée et une touche de champignon. Le fruité s'affiche au palais sur une structure à la fois ronde et fraîche. Cette bouteille mérite d'attendre deux à trois ans. (Sucres résiduels : 13 g/l.)

André Ehrhart et Fils, 68, rue Herzog,
68920 Wettolsheim, tél. 03.89.80.66.16,
fax 03.89.79.44.20, e-mail ehrhart.andre@neuf.fr
t.l.j. sf dim. 8h-12h 14h-18h

CHARLES FAHRER Cuvée Christiane 2005 **

0,4 ha 3 800 8 à 11 €

Installé dans l'un des villages situés en contrebas du Haut-Kœnigsbourg, Charles Fahrer a constitué son domaine en 1965. Originaire d'un terroir granitique, sa cuvée Christiane présente des caractères de surmaturation dans sa robe vieil or et ses arômes fruités, assortis de nuances réglissées. Charpenté, puissant, soutenu par une acidité délicate, c'est un vin fort harmonieux, que l'on peut déguster pour lui-même ou avec du foie gras. Déjà séduisant, il pourra se garder. (Sucres résiduels : 40 g/l.)

Charles Fahrer et Fils, 5-7, Grand-Rue,
67600 Orschwiller, tél. 03.88.92.08.25,
fax 03.88.82.56.14, e-mail charles.fahrer@evc.net
t.l.j. 8h-19h 2 B

LES FAÎTIÈRES 2005

4,45 ha 33 500 5 à 8 €

Cette coopérative a été créée il y a cinquante ans par quelques viticulteurs de Kintzheim, Saint-Hippolyte et Orschwiller, communes situées au pied du Haut-Kœnigsbourg. Elle a son siège dans ce dernier village et vinifie les vendanges de 145 ha de vignes. Sous la marque Les Faîtières, elle propose un pinot gris jaune pâle à reflets verts, qui libère des arômes assez intenses et caractéristiques du cépage. Bien structuré, ce vin laisse deviner des nuances de fruits secs et confits, mais il doit encore s'ouvrir : à attendre deux à trois ans. (Sucres résiduels : 12 g/l.)

Les Faîtières, 4A, rte du Vin, 67600 Orschwiller,
tél. 03.88.92.09.87, fax 03.88.82.30.92,
e-mail cave@cave-orschwiller.fr r.-v.

LUC FALLER Délice de Henri Barrique 2005

0,35 ha 2 000 11 à 15 €

Henri et Luc Faller cultivent 8 ha de vignes autour d'Itterswiller, petit village très fleuri à l'écart des grands

axes. Ils s'essaient à des vinifications originales, comme celle-ci : un pinot gris vieilli en barrique. L'élevage lui a légué des nuances vanillées et épicées au nez, et le merrain s'exprime en bouche. Un ensemble harmonieux où le cépage ne ressort guère, mais qui plaira sans doute aux amateurs de vins boisés. Il devrait gagner à attendre au moins un an. (Sucres résiduels : 14 g/l.)
Henri et Luc Faller,
22, rte des Vins, 67140 Itterswiller,
tél. 03.88.85.51.42, fax 03.88.57.83.30
t.l.j. 10h-12h 14h-18h; f. 15-31 août

RENÉ FLECK Vendanges tardives 2004 ★★

0,21 ha 2 050 15 à 23 €

Établi à Soultzmatt, dans la vallée Noble, ce domaine familial est exploité depuis 1995 par la fille et le gendre de René Fleck. C'est la première qui se charge des vinifications. De couleur jaune d'or soutenu, ses vendanges tardives s'ouvrent sur des notes de fruits confits, de miel et de cire d'abeille. La surmaturation marque aussi l'attaque, et des nuances d'agrumes confits et de figue imprègnent le palais. Ample et puissant, ce vin persiste longuement sur une élégante note de fraîcheur. Un ensemble équilibré que les amateurs patients pourront attendre cinq ans. (Sucres résiduels : 82 g/l.)
Dom. René Fleck et Fille, 27, rte d'Orschwihr,
68570 Soultzmatt, tél. 03.89.47.01.20,
fax 03.89.47.09.24, e-mail renefleck@voila.fr
r.-v.

MARCEL FREYBURGER Cuvée Sébastien 2005

0,65 ha 5 630 5 à 8 €

Cette exploitation familiale s'étend sur plus de 6 ha autour d'Ammerschwihr, en plaine et en coteau. Elle est conduite depuis 1995 par Christophe Freyburger. Ce dernier dédie cette cuvée de pinot gris à son grand-père qui reconstruisit après guerre l'exploitation détruite par les combats de 1944-1945. Ce pinot gris exprime un fin fruité aux nuances de pêche et de coing, accompagné de notes de verveine. Puissant, chaleureux et bien structuré, il peut attendre deux ou trois ans. (Sucres résiduels : 22 g/l.)
Marcel Freyburger, 13, Grand-Rue,
68770 Ammerschwihr, tél. 03.89.78.25.72,
fax 03.89.78.15.50,
e-mail marcel-freyburger@libertysurf.fr
t.l.j. 9h-12h 14h-18h; dim. sur r.-v.

DOM. FRITZ Cuvée Elian 2005 ★

0,47 ha 2 800 8 à 11 €

Une succession sereine : édition 2006, un coup de cœur en grand cru 2003 pour Daniel Fritz et fils ; édition 2007 : même distinction pour un pinot gris grand cru du Domaine Fritz ; la propriété (8 ha à Sigolsheim) a été reprise par Thierry, et son nom figure sur l'étiquette. En décembre 2005 naît Elian – futur vigneron ? Ce vin lui est dédié. Ses parfums de fruits mûrs méritent de s'ouvrir ; les arômes s'épanouissent à l'attaque, soulignés par une fine fraîcheur, au sein d'un ensemble riche, rond et long. Pour l'apéritif et le foie gras. (Sucres résiduels : 40 g/l.)
Dom. Fritz, 3, rue du Vieux-Moulin,
68240 Sigolsheim, tél. 03.89.47.11.15,
fax 03.89.78.17.07, e-mail domaine.fritz@wanadoo.fr
r.-v.
Thierry Fritz

GOETTELMANN 2005

0,3 ha 2 900 5 à 8 €

Michel Goettelmann a succédé à ses parents en 1991 et commencé à vinifier l'année suivante. Son domaine s'étend sur 6 ha autour de Châtenois, village proche de Sélestat. De couleur dorée, son pinot gris s'inscrit dans un registre classique : fruité avec un léger fumé au nez, c'est un vin franc, net et sec, assez puissant et bien structuré, prêt à passer à table. (Sucres résiduels : 2 g/l.)
Michel Goettelmann, 27, rue des Goumiers,
67730 Châtenois, tél. et fax 03.88.82.12.40,
e-mail mgoettelmann@wanadoo.fr
t.l.j. 8h-12h 13h-19h; dim. 9h-12h 14h-18h

MATERNE HAEGELIN ET SES FILLES Cuvée Élise Prestige 2005 ★

2 ha 21 300 8 à 11 €

Une propriété à découvrir fin avril, lors de la journée portes ouvertes invitant à un parcours dans les sentiers viticoles. Le vignoble, développé par Materne Haegelin et aujourd'hui géré par sa fille aînée Régine Garnier, s'étend sur 18 ha au pied des Ballons des Vosges. Cette cuvée, dédiée à l'aînée des petites-filles, offre avec élégance le fruité et le fumé caractéristiques du cépage, complétés par des nuances de sous-bois et de fruits secs. Un vin étoffé, riche, persistant et suave, à servir avec du poisson en sauce. Il gagnera à attendre au moins un an et tiendra au moins cinq ans. (Sucres résiduels : 27 g/l.)
Materne Haegelin et ses Filles, 45-47, Grand-Rue,
68500 Orschwihr, tél. 03.89.76.95.17,
fax 03.89.74.88.87, e-mail filles@materne-haegelin.fr
t.l.j. 8h15-18h;
dim. 10h-12h 14h-18h (mai à mi-sept.)

VICTOR HERTZ 2005 ★★

0,5 ha 2 500 11 à 15 €

Proche de Colmar, Herrlisheim est un village situé entre vignoble et plaine. Ce domaine dispose de parcelles sur le territoire de plusieurs communes proches. Son pinot gris, issu d'argilo-calcaire, a reçu fort bon accueil : les dégustateurs apprécient sa robe dorée aux nuances chaudes « qui invite à le goûter », ses arômes surmûris intenses (miel et confit), son palais souple, gras et riche, au fruité épicé. Un vin racé, apte à la garde (trois ans) et qui appelle le foie gras – au confit d'oignon suggère un juré. (Sucres résiduels : 17 g/l.)
Dom. Victor Hertz, 8, rue Saint-Michel,
68420 Herrlisheim-près-Colmar, tél. 03.89.49.31.67,
fax 03.89.49.22.84, e-mail beatrice@victorhertz.com
t.l.j. 8h-12h 14h-18h; sam. dim. sur r.-v.

HUNOLD Côte de Rouffach 2005

0,7 ha 5 000 5 à 8 €

Cette exploitation a son siège au cœur de Rouffach, à une vingtaine de kilomètres au sud de Colmar, non loin des anciens remparts et de l'église. L'œnophile y trouvera ce pinot gris au nez intensément fruité, assorti d'une touche de réglisse. Le fruité frais s'accompagne de nuances grillées au palais. La structure n'est pas énorme, mais l'ensemble est agréable. (Sucres résiduels : 13 g/l.)
EARL Bruno Hunold, 29, rue Aux-Quatre-Vents,
68250 Rouffach, tél. 03.89.49.60.57, fax 03.89.49.67.66,
e-mail info@bruno-hunold.com
t.l.j. 9h-12h 14h-18h; dim. 9h-12h

JOGGERST Cuvée Henri Guillaume 2005

0,6 ha 4 200 **11 à 15 €**

Cette exploitation familiale regroupe 7,4 ha de vignes conduites en production intégrée. Son siège est situé au centre de Ribeauvillé. Délicate et fine, assez longue, sa cuvée Henri Guillaume respire le fruit confit et reste marquée par la douceur. (Sucres résiduels : 42 g/l.)

EARL Joggerst et Fils, 19, Grand-Rue, 68150 Ribeauvillé, tél. 03.89.73.66.32, fax 03.89.73.65.45, e-mail info@vins-joggerst.com

t.l.j. 9h-12h 14h-18h

JOSMEYER 1854 Fondation Vieilles Vignes 2004 *

0,6 ha 3 500 **15 à 23 €**

Ce 2004 marque l'anniversaire de la fondation de cette maison, créée en 1854 par Aloyse Meyer, alors négociant, « gourmet » (courtier), hôtelier-restaurateur et élu local. Son fils Joseph fut à l'origine des caves actuelles et légua son nom à la société. En 2007, l'affaire associe un domaine de 27 ha exploité en biodynamie et une activité de négoce. La cuvée Fondation présente un nez flatteur aux nuances légèrement confites. Ample et gras, grillé en finale, c'est un vin harmonieux à servir dès maintenant sur des viandes blanches ou des terrines de gibier. (Sucres résiduels : 5,6 g/l.)

Josmeyer, 76, rue Clemenceau, 68920 Wintzenheim, tél. 03.89.27.91.90, fax 03.89.27.91.99, e-mail josmeyer@wanadoo.fr

t.l.j. sf dim. 9h-12h 14h-18h; sam. 9h-12h

Jean Meyer

MAISON JÜLG 2005 *

0,35 ha 1 500 5 à 8 €

Tout au nord de l'Alsace, aux confins du Palatinat, le verdoyant pays de Wissenbourg vit aujourd'hui dans la paix de la viticulture. Ses quelques vignobles sont bien exposés et le pinot gris y a trouvé ses lettres de noblesse. Celui-ci, signé par Peter Jülg, est agréablement fruité, typé avec ses notes grillées. Franc à l'attaque, bien équilibré, il a du corps et offre sur une finale fraîche une bonne persistance aromatique. Il devrait tirer profit d'une petite garde de deux ans. (Sucres résiduels : 15 g/l.)

Peter Jülg, 116, rue des Églises, 67160 Seebach, tél. 03.88.94.79.98, fax 03.88.53.16.34, e-mail maisonpjulg@free.fr

jeu., ven., sam. 9h-12h 13h-18h 3

ROBERT KARCHER Harth 2005

0,7 ha 8 300 **5 à 8 €**

Le corps de ferme où vous trouverez ce domaine, daté de 1602, est en plein Colmar : à 50 m, la cathédrale et la zone piétonne. Quant au vignoble, il est situé à l'autre bout de la ville, que ces vignerons traversent avec leur tracteur pour rapporter la vendange ! Ce pinot gris provient d'un terroir de graves et d'alluvions. Son fruité est net et fin. La mise en bouche révèle un vin frais, simple et facile. À boire dans les deux ans. (Sucres résiduels : 9,4 g/l.)

Dom. Robert Karcher et Fils, 11, rue de l'Ours, 68000 Colmar, tél. 03.89.41.14.42, fax 03.89.24.45.05, e-mail info@vins-karcher.com

t.l.j. 8h-12h 14h-19h; dim. 8h-12h

ALBERT KLÉE Vieilles Vignes 2005

0,42 ha 2 800 **8 à 11 €**

Un domaine situé à Katzenthal, non loin de Colmar. Depuis qu'il a pris la tête de l'exploitation, en 1978, Albert Klée a mis l'accent sur l'adéquation terroir-cépage. Il est installé dans une maison ornée d'un oriel et a rénové sa cave en 2005. Son pinot gris Vieilles Vignes présente encore des caractères de jeunesse : une robe paille clair, un nez sur sa réserve – qui pourra s'épanouir –, un léger perlant, de discrètes nuances exotiques, une forte présence des sucres résiduels. À déboucher en 2008. (Sucres résiduels : 19,6 g/l.)

Albert Klée, 13, Grand-Rue, 68230 Katzenthal, tél. 03.89.27.25.27, fax 03.89.27.52.91, e-mail vinsklee@free.fr r.-v.

HENRI KLÉE Cuvée Martin 2005 ***

1,2 ha 3 000 8 à 11 €

Cette autre famille Klée de Katzenthal cultive la vigne depuis 1624. C'est Philippe Klée, fils de Henri, qui conduit l'exploitation depuis 1985. Sa cuvée Martin a été récoltée fin octobre sur un terroir granitique. D'un jaune doré, ce pinot gris s'ouvre doucement sur des notes confites et des nuances de fruits bien mûrs. Les arômes s'affirment avec exubérance et complexité dans un palais riche et équilibré par une belle acidité ; les agrumes surmûris y voisinent avec une touche minérale de terroir qui souligne sa persistance. Déjà prête à servir à l'apéritif ou au repas, cette superbe bouteille pourra vieillir quelques années. (Sucres résiduels : 48 g/l.)

EARL Henri Klée et Fils, 11, Grand-Rue, 68230 Katzenthal, tél. 03.89.27.03.81, fax 03.89.27.28.17, e-mail contact@vins-klee-henri.com

r.-v. C

Philippe Klée

CLÉMENT KLUR Klur 2005 **

0,65 ha 4 000 8 à 11 €

Des deux côtés, paternel et maternel, les ancêtres de ce producteur cultivaient la vigne en 1600. Cette famille a eu précocement le souci de l'environnement, et Clément Klur, qui a pris son indépendance en 1999, s'est engagé résolument dans la voie biodynamique : les foudres sont placés en cercle dans la cave ronde au toit végétalisé. Même les gîtes sont « bio » ! Le vin ? Issu d'un terroir argilo-calcaire, ce pinot gris est typé et fin ; ses parfums de miel, de coing, de fruits surmûris prennent des nuances confites en bouche. Un ensemble racé, frais et persistant. On peut le servir dès maintenant, sur un canard au coing, par exemple. (Sucres résiduels : 16 g/l.)

Clément Klur, 105, rue des Trois-Épis, 68230 Katzenthal, tél. 03.89.80.94.29, fax 03.89.27.30.17, e-mail info@klur.net t.l.j. sf dim. 10h-12h 13h30-18h30

PIERRE KOCH ET FILS Lieu-dit Heissenberg 2005

0,25 ha 1 600 5 à 8 €

Installés à Nothalten, village-rue proche de Barr, Pierre et François Koch exploitent en production intégrée 14 ha de vignes aux alentours. Ils proposent un pinot gris né sur un terroir limono-argileux. Le nez, aux nuances de pêche et d'abricot, est fin et typé. La mise en bouche révèle une bonne matière, avec de la douceur et de la nervosité en finale. Une bouteille à attendre un à deux ans pour lui permettre de gagner en fondu. (Sucres résiduels : 17 g/l.)

Dom. Pierre Koch et Fils, 2, rte du Vin, 67680 Nothalten, tél. 03.88.92.42.30, fax 03.88.92.62.91, e-mail pierrekoch1@wanadoo.fr t.l.j. sf dim. 9h-12h 13h-19h

HUBERT KRICK Cuvée particulière 2005

0,45 ha 4 000 5 à 8 €

Situé à l'ouest de Colmar, le bourg de Wintzenheim est dominé par le Hohlandsbourg, château fort ruiné (XIIIe s.) d'où l'on découvre un vaste panorama. Les Krick sont installés au centre de la ville et exploitent 12 ha. Ce pinot gris s'ouvre sur des notes de fruits secs. Équilibré et franc, il est agréable par sa persistance aromatique. À servir dès maintenant sur tourtes et terrines. (Sucres résiduels : 10 g/l.)

EARL Hubert Krick, 93, rue Clemenceau, 68920 Wintzenheim, tél. 03.89.27.00.01, fax 03.89.27.54.75, e-mail krick.hubert@wanadoo.fr r.-v.

KUEHN Collection Douceurs 2005

4,2 ha 24 780 8 à 11 €

Cette maison de négoce dirigée par l'œnologue Francis Klée dispose d'anciennes caves, dont celle de l'Enfer qui recèle de vénérables fûts ovales toujours en service. Son pinot gris de la collection Douceurs se présente vêtu de jaune d'or et offre un nez typé tourné vers l'abricot sec. Équilibré, riche, onctueux et long, il ne manque pas de potentiel. (Sucres résiduels : 33,9 g/l.)

Kuehn, 3, Grand-Rue, 68770 Ammerschwihr, tél. 03.89.78.23.16, fax 03.89.47.18.32, e-mail vin@kuehn.fr r.-v.

MICHEL MEISTERMANN 2005 *

0,25 ha 2 500 5 à 8 €

Montez au Schauenberg en passant par les vignes et vous bénéficierez d'une vue imprenable sur la plaine d'Alsace et sur le village de Pfaffenheim où les Meistermann sont établis depuis trois générations. Michel Meistermann conduit l'exploitation (5 ha) depuis 1989. Son pinot gris est né d'un terroir de loess, limono-calcaire. De couleur dorée, il mêle des arômes intenses d'abricot, de pêche et une note fumée caractéristique du cépage. Soyeux, ample et gras, il peut se garder deux à trois ans. (Sucres résiduels : 7 g/l.)

Michel Meistermann, 37, rue de l'Église, 68250 Pfaffenheim, tél. 03.89.49.60.61, fax 03.89.49.79.30, e-mail michel.meistermann@wanadoo.fr r.-v.

MOLTÈS Vendanges tardives 2004 **

0,7 ha 1 000 15 à 23 €

MOLTÈS

ALSACE

PINOT GRIS

VENDANGES TARDIVES

2004

Antoine Moltès et ses fils exploitent 12 ha sur le territoire de trois communes du canton de Rouffach. Leur pinot gris de vendanges tardives, modèle du genre, offre tout ce que l'on attend de ce type de vins : une robe jaune soutenu, un nez de fruits confits, de miel et de cire d'abeille, un palais suave et très doux à l'attaque, avec ce qu'il faut de fraîcheur pour créer l'harmonie, une finale tout en finesse, un rien minérale. Il est recommandé d'attendre ce 2004 au moins un an pour permettre à ses arômes d'abricot et d'agrumes confits de s'ouvrir davantage. Cette bouteille ne manque pas de potentiel : elle pourrait bien vivre une décennie. (Sucres résiduels : 74 g/l.)

Dom. Antoine Moltès et Fils, 8, rue du Fossé, 68250 Pfaffenheim, tél. 03.89.49.60.85, fax 03.89.49.50.43, e-mail domaine@vin-moltes.com r.-v.

OTTER Dorfschatz 2005 *

0,35 ha 2 000 8 à 11 €

Installé à Hattstatt, au sud-ouest de Colmar, Jean-François Otter poursuit depuis 1998 le travail de trois générations sur le domaine familial qui compte aujourd'hui plus de 11 ha. Il conduit ses vignes en agriculture biologique. Il a obtenu naguère trois coups de cœur en pinot noir. Que vaut son pinot gris ? Il attire par un nez profond, fruité et floral. La bouche s'inscrit dans la typicité ; équilibrée par une fraîcheur délicate, elle finit sur des notes fumées et minérales. (Sucres résiduels : 63,2 g/l.)

Dom. François Otter et Fils, 4, rue du Muscat, 68420 Hattstatt, tél. 03.89.49.33.00, fax 03.89.49.38.69, e-mail jf.otter@wanadoo.fr r.-v.

LES VIGNERONS DE PFAFFENHEIM ET DE GUEBERSCHWIHR Cuvée Rabelais 2005

2,1 ha 16 000 8 à 11 €

Fondée en 1957, la coopérative de Pfaffenheim a fusionné onze ans plus tard avec celle du village voisin, Gueberschwihr. En 2003, elle a rénové ses installations de pressurage et de vinification. La cave regroupe aujourd'hui 260 ha et exporte 42 % de sa production, vers l'Europe du Nord, le Canada et le Japon. De couleur jaune paille, ce pinot gris révèle un fruité marqué aux

nuances d'ananas, avec des notes grillées. En continuité avec le nez, le palais est bien équilibré. Un vin pour maintenant. (Sucres résiduels : 14,5 g/l.)
🔑 Cave vinicole de Pfaffenheim,
5, rue du Chai, BP 33, 68250 Pfaffenheim,
tél. 03.89.78.08.08, fax 03.89.49.71.65,
e-mail cave@pfaffenheim.com
t.l.j. 9h-12h 14h-19h

PREISS-ZIMMER 2005 ★★

5 ha 36 500 5 à 8 €

Fondée en 1848, cette société de négoce est maintenant rattachée à la Cave de Turckheim. Elle a gardé l'ancienne enseigne *À l'Étoile*. Elle signe un pinot gris bien doré dans le verre, au nez intense et complexe : de la pêche et de l'abricot, puis des notes fumées et des nuances de sous-bois. La suite ne déçoit pas : une belle attaque, un corps mûr, gras, chaleureux et persistant. « Bien représentatif du pinot gris : il faut l'avoir dans sa cave », conclut un dégustateur. (Sucres résiduels : 16 g/l.)
🔑 SARL Preiss-Zimmer, 40, rue du Gal-de-Gaulle,
68340 Riquewihr, tél. 03.89.47.86.91,
fax 03.89.27.35.33, e-mail preiss-zimmer@calixo.net

CHRISTOPHE RIEFLÉ 2005 ★★

0,15 ha 1 000 5 à 8 €

En 2003, Christophe Rieflé, associé pendant quinze ans au domaine Rieflé, décide d'individualiser son exploitation. Son vignoble s'étend sur 11 ha. La construction de sa cave débute en 2005, et voici le premier millésime à son nom, un pinot gris issu d'un terroir argilo-calcaire. Ce 2005 présente un nez mûr et typé, aux nuances miellées et fumées, une structure bien étoffée, dominée par la rondeur, et convainc enfin par sa persistance. Il est prêt. (Sucres résiduels : 18 g/l.)
🔑 Christophe Rieflé, 32 A, rue de la Lauch,
68250 Pfaffenheim, tél. 03.89.49.77.85,
fax 03.89.59.77.85, e-mail christopheriefle@aol.com
r.-v.

ROLLY GASSMANN
Rotleibel de Rorschwihr 2005 ★

1,3 ha 8 700 15 à 23 €

Est-ce la présence d'un champ de failles dans la zone de Ribeauvillé ? Les sous-sols recensés à Rorschwihr ne sont pas moins de 21. Une mosaïque géologique qui passionne les maîtres des lieux, qui vivent en symbiose avec leurs terroirs. Ainsi le Rotleibel, d'où provient ce pinot gris récolté à la mi-octobre, est constitué de limon argilo-marneux brun, caillouteux, plaqué sporadiquement de loess. Mais ce vin couleur or ? Il s'ouvre sur des notes fumées et grillées qui se prolongent au palais, assorties de nuances de fruits confits. Sa structure est ronde et riche. Si la fraîcheur n'est pas absente, la douceur domine : mieux vaut attendre cette bouteille. (Sucres résiduels : 64 g/l.)
🔑 Rolly Gassmann, 2, rue de l'Église,
68590 Rorschwihr, tél. 03.89.73.63.28,
fax 03.89.73.33.06, e-mail rollygassmann@wanadoo.fr
r.-v.

RUHLMANN-DIRRINGER Réserve 2005

1 ha 8 000 5 à 8 €

Dambach-la-Ville est toujours enserrée dans ses fortifications qui rappellent de vieux combats – la cité fut assiégée durant la guerre de Cent Ans. Elle avait retrouvé la prospérité au XVIe s., comme en témoignent le siège et la cave de ce domaine, datés de 1578. La propriété actuelle s'étend sur 13 ha. Elle signe un pinot gris qui garde l'empreinte du terroir granitique d'où il est issu. Expressif, le nez évoque la surmaturation. Au palais, ce vin est fruité et capiteux, sans excès de vivacité : à boire maintenant et à servir très frais. (Sucres résiduels : 10 g/l.)
🔑 Ruhlmann-Dirringer, 3, imp. Mullenheim,
67650 Dambach-la-Ville, tél. 03.88.92.40.28,
fax 03.88.92.48.05
t.l.j. sf dim. 9h-12h 13h-18h30

BERNARD SCHERB ET FILS 2005 ★

0,45 ha 4 000 8 à 11 €

Bernard Scherb, ou l'alliance de la viticulture et de l'hôtellerie : un restaurant, un hôtel équipé d'une cave en sous-sol (*Le Relais du vignoble*), un domaine – géré par Pierre Scherb. Le siège social et le caveau de dégustation se trouvent au centre du village. Vous pourrez y découvrir ce pinot gris né d'un terroir marno-calcaire. Le nez aux nuances d'agrumes est attirant, la bouche persistante allie une belle matière et une grande fraîcheur. Un vin de repas prêt à paraître à table. (Sucres résiduels : 18 g/l.)
🔑 Bernard Scherb et Fils, 3, rue Basse,
68420 Gueberschwihr, tél. 03.89.49.33.82,
fax 03.89.49.35.83, e-mail vins.scherb@orange.fr
t.l.j. 8h-12h 13h30-18h; f. fév.

THIERRY SCHERRER Cuvée Saint-Michel 2005

0,15 ha 1 000 11 à 15 €

À la retraite de ses parents en 1993, Thierry Scherrer reprend le domaine familial. Fort de son diplôme d'œnologue et d'une première expérience dans des maisons réputées, il décide de quitter la coopérative. Sa cuvée Saint-Michel, issue de sols d'alluvions, présente un nez discret évoquant les agrumes confits et garde en bouche ce profil aromatique, sur une structure ronde. Une touche d'amertume marque la finale. (Sucres résiduels : 50 g/l.)
🔑 Thierry Scherrer, 1, rue de la Gare,
68770 Ammerschwihr, tél. et fax 03.89.47.15.86,
e-mail thierry.scherrer@wanadoo.fr
r.-v. 2 B

DOM. SCHIRMER Vallée Noble 2005 ★

0,7 ha 7 400 5 à 8 €

Un ancêtre de Lucien et Thierry Schirmer cultivait déjà la vigne en 1819. Mais l'exploitation est restée en polyculture jusqu'au début des années 1970. Aujourd'hui, le domaine s'étend sur 8 ha autour de Soultzmatt, dans la vallée Noble. Des sols argilo-gréseux sont à l'origine de ce pinot gris discret mais fin et frais au nez, et qui s'ouvre déjà sur des notes fumées. Au palais, ce 2005 conjugue rondeur, puissance et charpente dans un bel équilibre. Un vin de gastronomie élégant et prometteur qui peut attendre deux à trois ans. (Sucres résiduels : 12 g/l.)
🔑 Dom. Lucien Schirmer et Fils, 22, rue de la Vallée,
68570 Soultzmatt, tél. 03.89.47.03.82,
fax 03.89.47.02.33 r.-v.

ALINE ET RÉMY SIMON Vieilles Vignes 2005 ★

0,2 ha 2 000 8 à 11 €

Créé il y a seulement dix ans, ce domaine proche du Haut-Kœnigsbourg n'en a pas moins son siège dans une maison du XVIIIe s. Ses pinots gris sont souvent bien accueillis des jurys, notamment cette cuvée. Le 2005 attire par sa robe jaune doré. Le nez, discret, ne demande qu'à s'ouvrir davantage. En bouche apparaissent des notes briochées. La matière est ronde et ample, la finale chaleureuse. Cette bouteille peut attendre deux à trois ans. (Sucres résiduels : 19 g/l.)

🔑 Dom. Aline et Rémy Simon, 12, rue Saint-Fulrade, 68590 Saint-Hippolyte, tél. et fax 03.89.73.04.92, e-mail alineremy.simon@wanadoo.fr
r.-v.

VINCENT SPANNAGEL Cuvée réservée 2005 *

0,55 ha 4 800 5 à 8 €

Vincent Spannagel exploite depuis 1982 le domaine familial créé à la fin des années 1950 : 9 ha de vignes à Katzenthal, petit village situé à quelques kilomètres à l'ouest de Colmar. Pour la vinification et l'élevage, il privilégie les fûts de chêne. Il propose un pinot gris aux arômes d'agrumes fins et nets. Un vin franc, rond, gras et assez long, que l'on peut commencer à boire ou attendre un an ou deux. (Sucres résiduels : 19 g/l.)

🔑 Vincent Spannagel, 82, rue du Vignoble, 68230 Katzenthal, tél. 03.89.27.52.13, fax 03.89.27.56.48, e-mail domainespannagel@orange.fr r.-v.

PIERRE SPERRY 2005

1,17 ha 8 000 5 à 8 €

Établi à Blienschwiller, entre Barr et Sélestat, Jean-Pierre Sperry a pris la tête du domaine familial en 1979. D'un terroir granitique, il a tiré un vin jaune pâle au nez finement fruité. Une touche fumée se révèle dans un palais rond et assez persistant. Ce vin devrait s'ouvrir dans l'année qui vient. (Sucres résiduels : 6,4 g/l.)

🔑 Pierre Sperry Fils, 3, rte des Vins, 67650 Blienschwiller, tél. 03.88.92.41.29, fax 03.88.92.62.38, e-mail pierre.sperry@wanadoo.fr
r.-v.

SPITZ ET FILS Sélection 2005

0,88 ha 5 900 5 à 8 €

Le grand-père était viticulteur-restaurateur, le père directeur d'école et viticulteur pendant ses loisirs. La nouvelle génération exploite à plein temps plus de 10 ha de vignes sur le territoire de quatre communes : Blienschwiller, Dambach-la-Ville, Epfig et Scherwiller. Née de sols sablonneux, cette Sélection libère des parfums discrets mais subtils. Assez équilibrée entre fraîcheur et puissance, c'est un classique. Plutôt sec, ce vin tiendra bien sa place à table. On peut le déguster maintenant ou l'attendre au moins un an. (Sucres résiduels : 14 g/l.)

🔑 Spitz et Fils, 2-4, rte du Vin, 67650 Blienschwiller, tél. 03.88.92.61.20, fax 03.88.92.61.26, e-mail vinspitzalsace@orange.fr
t.l.j. 8h30-12h 13h30-19h

🔑 Dominique et Marie-Claude Spitz

ACHILLE THIRION Vieilles Vignes 2005 **

0,6 ha 6 000 5 à 8 €

Implantée à Saint-Hippolyte, au pied du Haut-Kœnigsbourg, cette exploitation familiale, dont les origines remontent à 1760, est aujourd'hui conduite par Michel et Dominique Thirion. La propriété s'étend sur 21 ha. Dans son caveau de dégustation récemment rénové, peut-être aurez-vous la chance de découvrir cette cuvée née de sols argilo-calcaires. Elle affiche d'emblée son intensité par sa robe doré brillant et par son nez mêlant les fleurs, le coing et la pêche. Riche au palais, ce vin allie puissance, gras et fraîcheur. De l'élégance et du panache. (Sucres résiduels : 23 g/l.)

🔑 Dom. Achille Thirion, 69, rte du Vin, 68590 Saint-Hippolyte, tél. 03.89.73.00.23, fax 03.89.73.06.46 r.-v.

DOM. DE LA TOUR Oberberg 2005 **

0,4 ha 4 000 5 à 8 €

Le domaine tire son nom d'une tour qui donne au siège de cette exploitation un cachet médiéval. Un ancêtre des Straub cultivait d'ailleurs la vigne en 1510. En 2005, Jean-Sébastien a pris le relais. Bien fleurie, la cour de la propriété invite à rejoindre la cave pour découvrir les vins. Ce pinot gris, issu d'un sol granitique, apparaît intense par son fruité, ample et corsé en bouche. Un vin agréable, plutôt sec, qui n'aura aucun mal à trouver sa place à table. Il peut attendre deux ou trois ans. (Sucres résiduels : 9 g/l.)

🔑 J.-François, M.-Anne et J.-Séb. Straub, Dom. de la Tour, 35, rte des Vins, 67650 Blienschwiller, tél. 03.88.92.48.72, fax 03.88.92.62.90, e-mail joseph.straub.fils@wanadoo.fr
t.l.j. 9h-12h 14h-18h; sam. dim. sur r.-v.

JEAN WACH Vieilles Vignes 2005 *

0,5 ha 3 500 5 à 8 €

Deux raisons de se rendre à Andlau : l'abbatiale romane, dont les lointaines origines remontent à sainte Richarde (IXe s.), et le vignoble riche de plusieurs grands crus. Ce pinot gris, d'origine marno-calcaire, inspire confiance : la robe est jaune doré, le nez discret mais agréable et frais. On retrouve en bouche cette fraîcheur, au sein d'un ensemble équilibré et bien structuré. La vivacité laisse présager une évolution intéressante. À attendre un an ou deux. (Sucres résiduels : 12 g/l.)

🔑 Jean Wach et Fils, 16A, rue du Mal-Foch, 67140 Andlau, tél. et fax 03.88.08.09.73, e-mail raph.wach@wanadoo.fr
t.l.j. 8h-12h 14h-19h; dim. sur r.-v.

DOM. WEINBACH

Cuvée Sainte-Catherine Clos des Capucins 2005 *

1,2 ha 6 200 23 à 30 €

Un prestigieux domaine d'origine monastique, mentionné dès le IXe s. et exploité depuis 1898 par la famille Faller. Colette, associée à ses filles Catherine et Laurence (cette dernière au chai), est aux commandes depuis 1979. La propriété, convertie à la biodynamie en 1998, exporte 60 % de sa production. Cette cuvée Sainte-Catherine, très ouverte au nez, mêle des notes de fleurs, de miel et de surmaturation. Équilibrée et franche en bouche, elle révèle une belle matière, et laisse présager une bonne évolution dans les deux ou trois prochaines années. Du caractère et de la finesse. (Sucres résiduels : 12 g/l.)

🔑 Colette Faller et ses Filles, Dom. Weinbach, Clos des Capucins, 68240 Kaysersberg, tél. 03.89.47.13.21, fax 03.89.47.38.18, e-mail contact@domaineweinbach.com r.-v.

DOM. DU WINDMUEHL 2005 *

1,5 ha 10 000 5 à 8 €

Ce domaine de 7 ha s'étend autour de Saint-Hippolyte, au pied du Haut-Kœnigsbourg, l'un des sites les plus visités d'Alsace. Son pinot gris porte la marque de son terroir argilo-granitique. Il exprime des arômes complexes, où l'on décèle le coing, le miel et le fumé du cépage. L'attaque douce est suivie d'une palais équilibré, dominé par des impressions de richesse et de puissance. Des arômes d'agrumes et de fruits confits persistent en finale. À déguster avec du foie gras, maintenant ou dans deux ans. (Sucres résiduels : 18 g/l.)

EARL Claude Bléger, Dom. du Windmuehl,
92, rte du Vin, 68590 Saint-Hippolyte,
tél. 03.89.73.00.21, fax 03.89.73.04.22,
e-mail vins.bleger.claude@wanadoo.fr
r.-v.

W. WURTZ Cuvée Édouard 2005 ★

0,25 ha 1 000 8 à 11 €

S'il a été détruit par les combats de 1944-1945, le village de Mittelwihr n'en a pas moins gardé son caractère viticole. Cette exploitation s'est développée à partir des années 1950. Née d'un terroir argilo-calcaire, sa cuvée Édouard évoque au nez la pêche jaune. Ronde et ample, la bouche s'exprime dans le même registre aromatique. Encore très marquée par les sucres, elle mérite d'attendre au moins un an. Elle sera alors plus harmonieuse. Accord intéressant avec un foie gras poêlé. (Sucres résiduels : 20 g/l.)

EARL Willy Wurtz et Fils, 6, rue du Bouxhof,
68630 Mittelwihr, tél. 03.89.47.93.16,
fax 03.89.47.89.01 t.l.j. 9h-19h

ZIMMERMANN Réserve exceptionnelle 2005 ★

1 ha 7 500 8 à 11 €

Les Zimmermann sont vignerons de père en fils depuis l'époque du Roi-Soleil. Située à Orschwiller, leur propriété est dominée par le Haut-Kœnigsbourg, distant de 3 km. Elle s'étend sur 16 ha, ce qui n'est pas négligeable. De couleur jaune doré, cette Réserve délivre des arômes intenses et complexes. La mise en bouche révèle une structure ronde et grasse, encore marquée par les sucres résiduels. Mieux vaut attendre cette bouteille avant de la servir à l'apéritif ou au dessert. (Sucres résiduels : 78 g/l.)

EARL A. Zimmermann Fils, 3, Grand-Rue,
67600 Orschwiller, tél. 03.88.92.08.49,
fax 03.88.92.94.55 t.l.j. 8h-12h 13h-18h

Alsace pinot noir

L'Alsace est surtout réputée pour ses vins blancs ; mais sait-on qu'au Moyen Âge les rouges y occupaient une place considérable ? Après avoir presque disparu, le pinot noir (le meilleur cépage rouge des régions septentrionales) occupe aujourd'hui quelque 1 440 ha et a produit 65 500 hl d'AOC alsace en 2005. On connaît surtout le type rosé ou rouge léger, vin agréable, sec et fruité, susceptible comme d'autres rosés d'accompagner une foule de mets. On remarque cependant une tendance à élaborer un véritable vin rouge de garde à partir de ce cépage. Cette tendance, en plein essor, se révèle très prometteuse.

PIERRE ET FRÉDÉRIC BECHT
Cuvée Frédéric 2004 ★

0,9 ha 8 000 8 à 11 €

Pinot noir élevé en barrique, la cuvée Frédéric est l'un des fleurons de cette exploitation située à 25 km à l'ouest de Strasbourg. Des millésimes précédents (1998, 2000, 2002) ont été couverts de compliments. Grenat intense, le 2004 exprime sur un fond boisé des notes fruitées : griotte, framboise, baies sauvages. Souple en attaque, la bouche est chaleureuse et bien équilibrée, avec des tanins fondus. La finale longue et veloutée est fort agréable. On peut déboucher cette bouteille dès à présent, ou l'attendre deux ou trois ans.

Pierre et Frédéric Becht, 26, fbg des Vosges,
67120 Dorlisheim, tél. 03.88.38.18.22,
fax 03.88.38.87.81, e-mail info@domaine-becht.com
t.l.j. sf dim. 8h30-11h 14h-18h

BECK DOMAINE DU REMPART
Clos du Sonnenbach Élevé en barrique 2005

0,3 ha 1 500 5 à 8 €

Ce pinot noir provient du village d'Albé, situé dans le Val de Villé, à l'ouest de Dambach-la-Ville. Exposée plein sud, la vigne est plantée à 460 m d'altitude, ce qui en fait l'une des parcelles les plus élevées d'Alsace. Les sols schisteux communiquent aux vins un léger fumé. Celui-ci, d'un rouge grenat intense, offre un nez de cerise et de framboise, légèrement boisé. Puissant et rond au palais, il est dominé par le merrain de l'élevage et, en finale, par des impressions tanniques encore austères. Il devrait gagner en amabilité après deux ou trois ans de cave.

Gilbert Beck, Dom. du Rempart,
5, rue des Remparts, 67650 Dambach-la-Ville,
tél. 03.88.92.42.43, fax 03.88.92.49.40,
e-mail beck.domaine@wanadoo.fr r.-v.

AGATHE BURSIN 2004 ★★★

0,25 ha 900 8 à 11 €

Une jeune œnologue reprend le vignoble familial en 2001 : un peu plus de 3 ha à Westhalten, dans la partie sud de la route du Vin. D'emblée, les cuvées présentées sont jugées remarquables (voir les précédentes éditions), et cette année, ce pinot noir obtient un coup de cœur. Une robe grenat profond, presque noire ; un nez tout aussi profond, d'une rare complexité, où les petits fruits noirs (myrtille et cassis) côtoient la violette, le sous-bois et des notes boisées ; un palais velouté, à la fois puissant et fondu, au boisé léger et bien marié ; une longue finale marquée par un retour délicat du fruité (cerise) : vraiment, cette bouteille sort du lot. Du vin de gibier, à servir avec

chevreuil ou sanglier, maintenant ou dans cinq ans. Il n'y en aura pas pour tout le monde ? La propriété s'agrandit prudemment (30 a l'an dernier...).
Agathe Bursin, 11, rue de Soultzmatt, 68250 Westhalten, tél. et fax 03.89.47.04.15, e-mail agathe.bursin@orange.fr r.-v.

DOM. ROLAND CARRER

Élevé en fût de chêne 2005 **

■ 0,28 ha 2 660 11 à 15 €

Ce petit domaine de 2,75 ha, situé sur la commune d'Ammerschwihr, a été repris en 2003 par Roland Carrer, déjà vigneron à Kientzheim. Ce dernier a élevé huit mois en barrique ce pinot noir né sur un terroir argileux. D'un rouge intense, ce 2005 présente un nez puissant, très vanillé, marqué par le bois neuf. Cette puissance se retrouve dans un palais volumineux et long, gras en finale. À attendre deux ou trois ans et à servir sur une pièce de bœuf.
Roland Carrer, 11, pl. du Lieutenant-Dutilh, 68240 Kientzheim, tél. 03.89.78.24.17, fax 03.89.78.00.00, e-mail carrer.vins@wanadoo.fr
t.l.j. sf dim. 8h-12h 13h30-19h

SYLVIE FAHRER

Rouge de Saint-Hippolyte Vieilles Vignes 2005

■ 0,6 ha 1 650 5 à 8 €

Situé au pied du Haut-Kœnigsbourg, le village de Saint-Hippolyte produit des vins rouges renommés. Sylvie Fahrer, qui a pris en 1995 les rênes de l'exploitation familiale (9,50 ha), possède des parcelles aux sols légers et sablonneux, plantées en pinot noir. Elle en a tiré un vin à la robe intense qui mise sur le fruit. Au nez comme au palais, la cerise joue les premiers rôles. La structure n'est pas énorme, mais les tanins sont bien fondus et la finale assez longue est bien plaisante. À servir dans les deux ans, autant sur les viandes blanches que sur les viandes rouges.
SCEA Sylvie Fahrer, 24, rte du Vin, 68590 Saint-Hippolyte, tél. 03.89.73.00.40, fax 03.89.73.05.01, e-mail sylvie.fahrer@wanadoo.fr
t.l.j. 9h-11h30 13h30-18h30; f. dim. ap.-m.; hors saison sur r.-v.

PAUL GINGLINGER

Les Rocailles Élevé en fût de chêne 2004 **

■ 0,3 ha 1 200 11 à 15 €

Michel Ginglinger a repris en 2002 le domaine familial dont les origines remontent à 1636. Aujourd'hui la propriété compte 12 ha de vignes. Ce vin est issu du terroir de l'Eichberg aux sols argilo-calcaires caillouteux. Ce grand cru d'Eguisheim ne peut pas s'afficher sur les étiquettes lorsqu'il n'est pas planté de cépages « nobles » (des variétés blanches), mais il montre ici, une fois de plus, qu'il est également propice aux vignes rouges. De couleur rouge sombre, ce 2004 exprime d'abord les fruits rouges à noyau, puis un boisé vanillé. L'attaque sur le fruit fait place à des tanins mûrs. Bien charpenté mais suave, l'ensemble finit sur une note chaleureuse. À déguster sans hâte pendant quatre ou cinq ans. Le 2003 avait obtenu un coup de cœur.
Paul Ginglinger, 8, pl. Charles-de-Gaulle, 68420 Eguisheim, tél. 03.89.41.44.25, fax 03.89.24.94.88, e-mail info@paul-ginglinger.fr
t.l.j. sf dim. 8h-12h 14h-18h
Michel Ginglinger

GINGLINGER-FIX 2005 *

■ 0,9 ha 8 900 5 à 8 €

Héritière d'une lignée au service du vin depuis le XVIIe s., l'exploitation (7,50 ha) est aujourd'hui conduite par un tandem père-fille. Le premier veille sur les vignes ; la seconde, œnologue, travaille aux chais et accueille les clients. Issu d'un terroir à dominante calcaire, leur pinot noir grenat intense respire la cerise. On y décèle aussi quelques notes grillées. Volumineux, généreux et riche, ce 2005 révèle une certaine vivacité soulignée d'un fruité de groseille. Sa longueur, sa bonne tenue en bouche sont de bon augure : cette bouteille devrait s'ouvrir encore dans les deux à trois ans qui viennent.
Ginglinger-Fix, 38, rue Roger-Frémeaux, 68420 Vœgtlinshoffen, tél. 03.89.49.30.75, fax 03.89.49.29.98, e-mail ginglinger-fix@wanadoo.fr
r.-v.
André Ginglinger

HEITZ Hahnenberg 2005

■ 0,35 ha 2 000 5 à 8 €

Cinquante ans d'existence pour cette propriété située à une vingtaine de kilomètres au sud-ouest de Strasbourg. Depuis 1999, Philippe Heitz exploite en bio les 7 ha du domaine. Grenat intense, son pinot noir apparaît encore fermé au nez. Quelques impressions boisées l'emportent sur de timides notes de fruits rouges. Le fruité (cerise et framboise) est davantage présent en bouche, même si des tanins un peu sévères marquent la finale. Une bouteille à déboucher dans les deux ans.
Philippe Heitz, 4, rue Ettore-Bugatti, 67120 Molsheim, tél. 03.88.38.25.38, fax 03.88.38.82.53, e-mail contact@vins-heitz.com
t.l.j. 9h-12h 14h-19h; dim. sur r.-v.

MICHEL HEYBERGER

Rouge de Saint-Hippolyte 2005

■ 0,4 ha 3 500 5 à 8 €

Première commune du Haut-Rhin quand on parcourt la route du Vin du nord au sud, Saint-Hippolyte a fait du pinot noir sa spécialité. Une tradition ancienne certainement due à la particularité de ses terroirs. C'est de sols granitiques que provient ce 2005 élevé huit mois en foudre. Rubis léger un rien tuilé, il mêle la cerise et la framboise. C'est aussi le fruit qui s'exprime au palais. Un vin gouleyant, fait pour maintenant, et qui pourra égayer un buffet servi en plein air.
EARL Michel Heyberger, 4, rue de l'Ancien-Abattoir, 68590 Saint-Hippolyte, tél. et fax 03.89.73.00.78, e-mail remy-heyberger@laposte.net r.-v.

JEAN HIRTZ ET FILS

Rouge de Mittelbergheim Cuvée Prestige 2004

■ 0,2 ha 1 700 3 à 5 €

Établi à Mittelbergheim, l'un des plus pittoresques villages de la route du Vin, Edy Hirtz conduit l'exploitation familiale (8 ha) depuis vingt ans. Il propose un pinot noir issu d'un terroir argilo-gréseux. Grenat foncé, ce 2004 mêle au nez des touches fumées, grillées et des nuances de cassis. La bouche associe un fruité de cerise à des impressions tanniques plus sévères. Ce vin accompagnera dès maintenant une pièce de bœuf. Nul besoin de l'attendre, mais on aura intérêt à le carafer.

🔑 EARL du Rotland-Edy Hirtz, 13, rue Rotland, 67140 Mittelbergheim, tél. et fax 03.88.08.47.90, e-mail edy-hirtz@9business.fr ☑ Y ⛹ r.-v.
🔑 Edy Hirtz

HUBER ET BLÉGER

Burgreben Rouge de Saint-Hippolyte 2005

■ 0,72 ha 6 350 ▮ 5 à 8 €

Cette exploitation dispose de près de 25 ha, ce qui est important dans cette région. Elle est implantée à Saint-Hippolyte, l'une des terres d'élection du pinot noir. Cultivée sur un terroir granitique, cette variété a donné naissance à un vin rubis clair montrant quelques reflets tuilés. Discrètement fruitée, gouleyante, agréable et typée du cépage, une bouteille prête à passer à table.

🔑 Dom. Huber et Bléger, 6, rte des Vins, 68590 Saint-Hippolyte, tél. 03.89.73.01.12, fax 03.89.73.00.81, e-mail domaine@huber-bleger.fr ☑ Y t.l.j. sf dim. 9h-12h 14h-17h30; sam. sur r.-v.

PHILIPPE KIRMANN 2005 ★★

■ 0,85 ha 5 900 ▮ 5 à 8 €

Si Rosheim donne avant tout à voir des vestiges médiévaux, dont la célèbre église romane, le site a connu une occupation continue depuis sept mille ans. Quant à ces vignerons, ils sont au service du vin depuis près de quatre siècles. D'un terroir argilo-calcaire, Philippe Kirmann a tiré un vin grenat intense aux généreux parfums de mûre et de cassis que l'on retrouve en bouche. Ample, d'un excellent équilibre, ce 2005 finit sur la sensation veloutée de tanins fondus. Une remarquable bouteille à servir avec viandes rouges ou gibier à plume. Elle devrait se bonifier dans les deux ou trois ans qui viennent.

🔑 Philippe Kirmann, 2, rue du Gal-de-Gaulle, 67560 Rosheim, tél. 03.88.50.43.01, fax 03.88.50.22.72, e-mail info@baronkirmann.com ☑ Y ⛹ r.-v.

HENRI KLÉE Élevé en fût de chêne 2005

■ 0,4 ha 1 600 ⦀ 8 à 11 €

Cette famille est établie à Katzenthal, petit village blotti depuis 1624 au pied du donjon du Wineck. Ce pinot noir mêle au nez un fruité dominant et des nuances vanillées et torréfiées léguées par l'élevage. En bouche, il est encore marqué par la barrique et par des tanins un peu sévères en finale. De structure moyenne, il révèle suffisamment de matière pour s'épanouir dans les deux ans qui viennent.

🔑 EARL Henri Klée et Fils, 11, Grand-Rue, 68230 Katzenthal, tél. 03.89.27.03.81, fax 03.89.27.28.17, e-mail contact@vins-klee-henri.com ☑ Y ⛹ r.-v. 🏠 G

KOEBERLÉ KREYER Élevé en barrique 2005 ★

■ 0,42 ha 4 700 ⦀ 8 à 11 €

Au XVIe s., Rodern et ses vignes dépendaient des Ribeaupierre, seigneurs de Ribeauvillé. Depuis, la notoriété de ses vins rouges s'est établie, et le village fête le pinot noir en juillet. Celui-ci, né d'un terroir sablo-granitique, revêt une robe aux nuances rubis. Son fruité fin s'allie à une touche boisée. Franc et frais en attaque, le palais est imprégné d'arômes de fruits cuits. Les tanins commencent à se fondre mais donnent encore un air de sévérité à la finale. On peut cependant déjà ouvrir cette bouteille ou la garder deux ans.

🔑 Koeberlé Kreyer, 28, rue du Pinot-Noir, 68590 Rodern, tél. et fax 03.89.73.00.55, e-mail fkoeberle@free.fr
☑ Y ⛹ t.l.j. 8h-12h 13h-19h; dim. 8h-12h 🏠 3
🔑 Koeberlé

MADER Cuvée Théophile 2005 ★

■ 0,3 ha 1 100 ⦀ 8 à 11 €

Établis à Hunawihr, commune célèbre par son église fortifiée, les Mader exploitent plus de 8 ha de vignes et exportent 40 % de leur production. L'année 2005 a vu l'installation de Jérôme, fils de Jean-Luc. Le tandem père-fils a proposé un pinot noir issu de sols argilo-calcaires. Une bouteille qui ne manque pas d'atouts : une robe grenat profond, un nez expansif de fruits rouges et noirs (cerise, mûre, cassis), un palais de bonne tenue, à la fois fruité, souple, puissant et long, soutenu par des tanins fondus. Déjà plaisant, ce 2005 mérite d'attendre deux ou trois ans. Il accompagnera viandes rouges et gibier.

🔑 Jean-Luc Mader, 13, Grand-Rue, 68150 Hunawihr, tél. 03.89.73.80.32, fax 03.89.73.31.22, e-mail vins.mader@laposte.net ☑ Y ⛹ t.l.j. sf dim. 10h-12h 14h-18h; f. janv.
🔑 Jérôme Mader

DENIS MEYER 2005

■ 0,3 ha 1 500 5 à 8 €

Denis Meyer exploite plus de 8 ha avec ses deux filles : Patricia est au chai, Valérie dans les vignes. Cultivé sur un terroir lœssique, ce pinot noir a été vinifié en rosé. S'il a séjourné en foudre de chêne, il ne porte pas l'empreinte du bois. C'est le cépage qui parle dans cette robe rubis clair, ce fruité vif de groseille et de griotte. En bouche, toujours de la cerise, avec subtilité, et une belle fraîcheur finale. Un vin gouleyant à marier avec grillades et salades composées.

🔑 Denis Meyer, 2, rte du Vin, 68420 Vœgtlinshoffen, tél. 03.89.49.38.00, fax 03.89.49.26.52, e-mail vins.denis.meyer@terre-net.fr ☑ Y ⛹ r.-v.

JEAN RAPP 2005 ★★

■ 0,4 ha 1 800 ▮ 3 à 5 €

Installés non loin de Molsheim, à l'ouest de Strasbourg, les Rapp perpétuent une tradition vigneronne qui remonte à 1765. Ils vinifient selon la tradition en foudres de chêne. Provenant de sols argilo-calcaires, leur pinot noir est remarquablement bien fait et typique. Grenat foncé à reflets violets, il exhale des parfums de myrtille et de cassis accompagnés d'une touche de torréfaction. Au palais, il s'impose par sa puissance et son harmonie. Le cassis s'allie à la cerise dans une longue finale, modèle d'élégance. Ce 2005 mérite un tournedos de charolais ou une pièce de bœuf aux champignons. On peut le boire ou le garder deux à quatre ans.

🔑 EARL Jean et Guillaume Rapp, 1, fg des Vosges, 67120 Dorlisheim, tél. et fax 03.88.38.28.43, e-mail vins-rapp@wanadoo.fr
☑ Y ⛹ t.l.j. sf dim. 8h-12h 13h30-19h

SCHAEFFER-WOERLY Élevé en barrique 2005 ★★

■ 0,24 ha 1 200 ⦀ 8 à 11 €

Cette ancienne famille vigneronne habite une maison du XVIe s., située au cœur de la cité fortifiée de Dambach-la-Ville. Un vieux pressoir du XVIIIe s. trône dans la salle de dégustation où l'œnophile peut découvrir cette cuvée. La robe grenat profond à reflets violets est de bon augure. Le nez mêle les fruits rouges et la cerise noire aux notes épicées et boisées de l'élevage. Franc à l'attaque, le palais est soutenu par des tanins déjà arrondis. Le gras et la fraîcheur assurent une persistance agréable. Cette bouteille, qui mérite d'attendre trois ou quatre ans, accompagnera canard, gibier à plumes ou filet de bœuf.

Schaeffer-Woerly, 3, pl. du Marché, 67650 Dambach-la-Ville, tél. 03.88.92.40.81, fax 03.88.92.49.87, e-mail schaeffer-woerly@wanadoo.fr

t.l.j. 9h-12h 13h-18h; dim. sur r.-v.

Vincent Woerly

ANDRÉ SCHERER Réserve particulière 2005

0,5 ha	2 400	5 à 8 €

Héritiers d'une lignée au service du vin depuis 1750, les Scherer exportent les deux tiers de leur production. Ils ont vinifié en foudre un pinot noir né sur sols argilo-calcaires. Grenat intense à reflets rubis, ce 2005 présente un nez flatteur où la groseille s'allie à des fragrances florales (violette, jasmin). En bouche, la groseille épouse la cerise au sein d'un ensemble puissant et chaleureux, plus sévère en finale. À servir dès maintenant avec un rôti de porc.

Vignoble André Scherer, 12, rte du Vin, BP 4, 68420 Husseren-les-Châteaux, tél. 03.89.49.30.33, fax 03.89.49.27.48, e-mail contact@andre-scherer.com

t.l.j. sf dim. 8h-12h 13h-18h

SCHLEGEL-BOEGLIN «V» 2005

0,85 ha	4 000	8 à 11 €

Un domaine assez récent, fondé en 1971. S'étendant sur 12 ha, il est implanté dans la partie sud de la route du Vin, à l'entrée de la vallée Noble. Originaire d'un terroir calcaro-gréseux, ce pinot noir montre quelques reflets tuilés dans sa robe grenat. Le nez associe la vanille et le sous-bois. C'est encore le boisé qui domine dans une bouche intense, puissante et ample, aux tanins très présents en finale. Une belle matière qui s'exprimera davantage après deux ans de garde.

Dom. Schlegel-Boeglin, 22 A, rue d'Orschwihr, 68250 Westhalten, tél. 03.89.47.00.93, fax 03.89.47.65.32, e-mail schlegel-boeglin@wanadoo.fr

r.-v.

Jean-Luc Schlegel

FRANÇOIS SCHMITT
Cœur de Bollenberg 2005 ★★★

0,3 ha	1 500	15 à 23 €

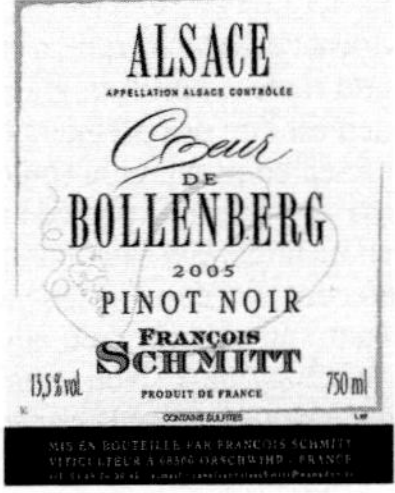

Établis à l'entrée nord d'Orschwihr, village du tronçon méridional de la route du Vin, François et Marie-France Schmitt se sont lancés dans la vente directe au début des années 1970. Leurs deux fils, Frédéric et Alain (ce dernier œnologue), les ont rejoints sur la propriété qui est passée entre-temps de 3 à 12 ha. Ce pinot noir provient de la colline du Bollenberg, réputée pour son microclimat particulièrement sec. Grenat profond, il séduit par son nez exubérant et complexe où cassis et framboise s'associent à la violette et, en bouche, à la cerise. Sa puissance, le fondu de ses tanins et sa longue finale fruitée emportent l'adhésion. À déguster dès maintenant avec un cuissot de biche aux airelles.

GAEC François Schmitt, 19, rte de Soultzmatt, 68500 Orschwihr, tél. 03.89.76.08.45, fax 03.89.76.44.02, e-mail cavefrancoisschmitt@wanadoo.fr

t.l.j. 8h-12h 13h30-19h30; groupes sur r.-v.

CHRISTIAN SCHWARTZ
Collection Marine Vieilles Vignes 2005 ★

0,3 ha	2 000	8 à 11 €

Blienschwiller est un charmant village viticole situé sur la route du Vin, à quelques kilomètres de Dambach-la-Ville. Christian Schwartz exploite plus de 7 ha aux alentours. Son pinot noir, né sur des terrains alluviaux, résulte d'une macération longue et d'un élevage en barrique. C'est un vin pourpre intense qui laisse s'exprimer la cerise sur un fond légèrement boisé. En bouche, il révèle une belle matière ; la palette aromatique confirme le nez : fruit rouge (toujours la cerise) et merrain. La finale est délicate. Une bouteille harmonieuse et qui gagnera à attendre au moins deux ans avant d'accompagner viandes rouges ou gibier.

Christian Schwartz, 8, rue de l'Ungersberg, 67650 Blienschwiller, tél. 03.88.92.41.73, fax 03.88.92.63.06, e-mail christian.schwartz@tele2.fr

t.l.j. sf dim. 11h-12h 14h-18h

DOM. J.-L. SCHWARTZ Élevé en barrique 2003 ★★

0,4 ha	2 900	8 à 11 €

Dans l'Antiquité, Itterswiller s'appelait *Itineris Villa*. La localité était traversée par une voie romaine le long de laquelle est établie cette exploitation. Regroupant 8 ha de vignobles exposés au sud, la propriété est aux mains de Jean-Luc Schwartz depuis 1980. Ce dernier signe un 2003 fidèle au millésime avec sa robe grenat, son nez riche, typé et bien boisé, son palais puissant, charnu, équilibré et persistant. Un grand vin qui mérite d'attendre un an ou deux avant d'accompagner viandes rouges ou gibier.

Dom. J.-L. Schwartz, 70, rte des Vins, 67140 Itterswiller, tél. 03.88.85.51.59, fax 03.88.85.59.16, e-mail schwartz.jean-luc@wanadoo.fr

t.l.j. 9h-19h; dim. 9h-12h30

LOUIS SIPP Grossberg 2005 ★★

0,98 ha	1 772	15 à 23 €

Installée dans l'ancienne cour des nobles du Pflixbourg (1512), cette propriété dispose d'un important vignoble (40 ha) et complète sa capacité de production par des achats de raisin. Elle exporte 45 % de ses vins, jusqu'aux antipodes... Les Australiens goûteront-ils cet excellent pinot noir ? Grenat intense, ce 2005 présente un nez floral, un rien vanillé. La mise en bouche révèle une grande matière, concentrée, puissante, riche et ample. Le boisé reste à sa place. Subtil, il apparaît en finale mais laisse s'exprimer les fruits rouges, en particulier la cerise qui persiste longuement. Un vin de garde (trois ou quatre ans), qui s'accordera avec du gibier.

🔑 Louis Sipp, 5, Grand-Rue, 68150 Ribeauvillé,
tél. 03.89.73.60.01, fax 03.89.73.31.46,
e-mail louis@sipp.com
☑ 🍷 🚶 t.l.j. 8h-12h 14h-18h; sam. dim. sur r.-v.
🔑 Pierre Sipp

STRAUB Élevé en barrique 2003 ★★

■ 0,28 ha 2 000 🛢 8 à 11 €

Datée de 1715, la maison des Straub abrite une cave voûtée où s'alignent des fûts de chêne. Sa restauration se poursuit afin de préserver l'âme du lieu. Une âme à laquelle ce vin contribuera : d'un rouge profond, il libère des arômes intenses de fruits rouges, d'épices et des notes vanillées. La puissance et le gras s'allient à des tanins mûrs et à une belle fraîcheur. Ce 2003, qui peut encore attendre (au moins deux ans), aimera une pièce de gibier.

🔑 Jean-Marie Straub, 61, rte des Vins,
67650 Blienschwiller, tél. et fax 03.88.92.40.42
☑ 🍷 🚶 r.-v.

ULMER Rouge d'Ottrott 2004

■ 0,26 ha 1 200 🍾 5 à 8 €

Cette exploitation familiale a son siège à Rosheim, à 100 m de la célèbre église romane. Une partie de ses 12 ha de vignes est implantée sur la commune voisine d'Ottrott, qui a fait du pinot noir sa spécialité. Celui-ci, grenat profond, se distingue par l'originalité de sa palette aromatique : à la classique cerise se mêlent des senteurs de violette, au nez comme en bouche. Le palais est généreux, puissant, souple, plus rond que vif, atypique lui aussi.

🔑 EARL Rémy Ulmer, 3, rue des Ciseaux,
67650 Rosheim, tél. 03.88.50.45.62, fax 03.88.48.65.83,
e-mail domaineulmer@wanadoo.fr
☑ 🍷 🚶 t.l.j. 9h-12h 13h-19h; dim. lun. sur r.-v. 🏠 B

ZEYSSOLFF Cuvée Z 2005

■ 0,15 ha 500 🛢 15 à 23 €

Dans la cave du XIXe s., on peut voir un foudre fabriqué pour l'Exposition universelle de Paris en 1889. Typiques de la région, ces grands fûts servent toujours à la vinification. Cette cuvée est un peu en retrait par rapport aux deux millésimes précédents, coups de cœur du Guide, mais elle ne démérite pas. Grenat foncé, généreuse au nez, elle associe la cerise noire à une touche de cassis. En bouche, elle ne manque ni d'ampleur ni de puissance. Les tanins boisés, encore perceptibles, commencent à se fondre et un joli retour du fruit rouge conclut la dégustation. À boire sans hâte sur un magret de canard aux pruneaux, du gibier ou du fromage.

🔑 G. Zeyssolff, 156, rte de Strasbourg,
67140 Gertwiller, tél. 03.88.08.90.08,
fax 03.88.08.91.60, e-mail yvan.zeyssolff@wanadoo.fr
☑ 🍷 🚶 r.-v. 🏠 C

Alsace grand cru

Dans le but de promouvoir les meilleures situations du vignoble, un décret de 1975 a institué l'appellation « alsace grand cru », liée à un certain nombre de contraintes plus rigoureuses en matière de rendement et de teneur en sucre. Une appellation réservée au gewurztraminer, au pinot gris, au riesling et au muscat, jusqu'au décret de mars 2005 qui autorise l'introduction du sylvaner, en assemblage avec le gewurztraminer, le pinot gris et le riesling dans le grand cru altenberg-de-bergheim, et en remplacement du muscat dans le grand cru zotzenberg. Les terroirs délimités produisent le *nec plus ultra* des vins d'Alsace. En 1983, un décret a défini un premier groupe de 25 lieux-dits admis dans cette appellation. Il a été complété par trois décrets, en 1992, 2001 et 2007. Le vignoble d'Alsace compte ainsi officiellement 51 grands crus, répartis sur 47 communes et dont les surfaces sont comprises entre 3,23 ha et 80,28 ha, en raison du principe d'homogénéité géologique propre aux grands crus. La production de ces grands crus reste modeste : 32 942 hl ont été déclarés pour le millésime 2006 sur une superficie de 750 ha. Les disciplines nouvelles, depuis 2001, concernent l'élévation à 11 % vol. du degré minimum des rieslings et des muscats, et à 12,5 % vol. de celui des pinots gris et des gewurztraminers, la codification des règles de conduite de la vigne (densité de plantation, treille), ainsi que la responsabilisation de chacun des 51 syndicats de cru. Un décret de janvier 2007 a reconnu le kaefferkopf en grand cru. Cette dénomination s'applique à partir du millésime 2007.

Alsace grand cru altenberg-de-bergbieten

FRÉDÉRIC MOCHEL
Riesling Cuvée Henriette 2005

□ 1,15 ha 6 700 🛢 11 à 15 €

Frédéric Mochel et son fils, qui l'a rejoint en 2001, exploitent 10 ha de vignes, dont 5 en grand cru. L'Altenberg de Bergbieten est l'un des premiers terroirs réputés que l'on rencontre en empruntant la route du Vin par le nord. Bien exposé au sud-est, il possède des sols argilo-marneux aérés par un important cailloutis qui favorise leur réchauffement précoce. Il a donné naissance à un riesling jaune clair brillant, au nez discret alliant des notes minérales à un côté surmûri. Net, ample, puissant et équilibré, ce vin pourra être dégusté assez rapidement. (Sucres résiduels : 4,3 g/l.)

🔑 Dom. Frédéric Mochel,
56, rue Principale, 67310 Traenheim,
tél. 03.88.50.38..67, fax 03 88.50.56.19,
e-mail infos@mochel.net ☑ 🍷 🚶 r.-v.

Alsace grand cru altenberg-de-bergheim

JACQUES ILTIS Riesling 2005 ★★★

0,19 ha 1 000 8 à 11 €

Les fils de Jacques Iltis, Benoît et Christophe, ont repris le domaine en 1999 : 10 ha de vignes et une cave recelant d'anciens fûts de chêne légués par des ancêtres tonneliers. Leur riesling grand cru provient d'un sol marno-calcaire propice à ce cépage. Jaune paille à reflets dorés, il libère un fruité complexe et exubérant où l'abricot côtoie la mangue, le citron confit et d'autres agrumes. L'attaque est moelleuse à souhait, le palais plein et opulent, vivifié par une fine acidité minérale. La longue finale chaleureuse laisse une impression de puissance. Une superbe bouteille que l'on pourra apprécier cinq ans avec des crustacés et des poissons en sauce. (Sucres résiduels : 14 g/l.)

Jacques Iltis et Fils, 1, rue Schlossreben, 68590 Saint-Hippolyte, tél. 03.89.73.00.67, fax 03.89.73.01.82, e-mail jacques.iltis@calixo.net
t.l.j. 8h-12h 14h-18h; dim. sur r.-v.

LORENTZ Gewurztraminer 2005 ★

9 ha 25 000 15 à 23 €

Dominant Bergheim, l'Altenberg couvre tout le flanc sud de la colline appelée Grasberg. La maison Lorentz, qui possède en propre 32 ha de vignes, y exploite une parcelle importante (9 ha) uniquement plantée en gewurztraminer. Cette variété a donné naissance à une bouteille élégante et pleine de jeunesse. D'un jaune paille brillant, ce 2005 séduit par ses parfums de rose et de poivre. Frais à l'attaque, gras, ample et harmonieux, il fait preuve d'une belle tenue au palais et garde son côté aromatique. La finale ? Épicée, vive, tout en finesse. Un vin de gastronomie. (Sucres résiduels : 18 g/l.)

Gustave Lorentz, 91, rue des Vignerons, 68750 Bergheim, tél. 03.89.73.22.22, fax 03.89.73.30.49, e-mail info@gustavelorentz.com
t.l.j. sf dim. 10h-12h 14h-18h30

DOM. SYLVIE SPIELMANN Gewurztraminer 2001 ★

0,54 ha 2 000 15 à 23 €

Sylvie Spielmann dirige le domaine familial qu'elle conduit en bio. Ses aïeux, durant un siècle, ont exploité la marne à gypse de la colline du Grasberg. Cette roche, qui forme le substrat de la propriété, engendre des vins de garde. Avec ce 2001, on peut voir leur excellente capacité d'évolution. Jaune d'or brillant, ce gewurztraminer décline une palette d'arômes complexe et intense : on y décèle la rose et les épices, alliés à des nuances de surmaturation (fruits confits). On retrouve ces mêmes accents dans un palais suave et doux à l'attaque, puissant et ample, équilibré par une belle acidité qui rafraîchit la finale. Riche et harmonieux, ce vin est prêt pour les prochaines fêtes. (Sucres résiduels : 36 g/l.)

Dom. Sylvie Spielmann, 2, rte de Thannenkirch, 68750 Bergheim, tél. 03.89.73.35.95, fax 03.89.73.27.35, e-mail sylvie@sylviespielmann.com
t.l.j. sf dim. 9h-12h 14h-18h; sur r.-v. le sam. d'oct. à mars

Alsace grand cru altenberg-de-wolxheim

CAVE DU ROI DAGOBERT Riesling 2005 ★

3 ha 10 800 8 à 11 €

Le village de Traenheim fait partie de la Couronne d'or de Strasbourg, qui regroupe les vignobles proches de la capitale régionale. Sa coopérative vinifie 740 ha, et l'Alterberg du village voisin de Wolxheim constitue l'un de ses fleurons. Ce grand cru est réputé pour son riesling, cépage qui a valu trois coups de cœur à la cave. D'un jaune brillant, ce 2005 monte en puissance et s'ouvre sur des notes de citron nuancées par une minéralité naissante. Vif en attaque, il s'impose ensuite par son gras, sa puissance et sa longueur, avant de renouer en finale avec une délicate minéralité. Un ensemble très plaisant, bien construit et apte à la garde. (Sucres résiduels : 7 g/l.)

Cave du Roi Dagobert, 1, rte de Scharrachbergheim, 67310 Traenheim, tél. 03.88.50.69.00, fax 03.88.50.69.09, e-mail dagobert@cave-dagobert.com r.-v.

DOM. JOSEPH SCHARSCH Riesling 2005

0,52 ha 3 800 8 à 11 €

Ce domaine familial dispose de 12 ha de vignes autour de Wolxheim, dont une partie importante couvre les coteaux de l'Altenberg. Ce grand cru a engendré un vin jaune d'or au nez vif, à la fois minéral et citronné. Les fruits à chair blanche se révèlent dans une bouche puissante, fraîche à l'attaque, puis dominée par les sucres résiduels qui demandent à se fondre. Ce vin peut déjà se boire, mais il devrait gagner à attendre quelques années. (Sucres résiduels : 9 g/l.)

Dom. Joseph Scharsch, 12, rue de l'Église, 67120 Wolxheim, tél. 03.88.38.30.61, fax 03.88.38.01.13, e-mail domaine.scharsch@wanadoo.fr
r.-v.

Alsace grand cru brand

PAUL BUECHER Riesling 2004

0,44 ha 2 900 11 à 15 €

Descendants d'une lignée de viticulteurs venus de Suisse après la guerre de Trente Ans, Paul Buecher a développé le domaine à partir des années 1950, et ses deux fils ont continué son œuvre : la propriété est passée de 5 ha à 30 ha, ce qui est considérable pour la région. Les extensions se sont faites notamment en grand cru. Le Brand a donné ici naissance à un vin or jaune, surmûri au premier nez, puis minéral. Ce fruité surmûri imprègne un corps riche, puissant et persistant. Plus souple que vif, ce vin ne fera pas un long séjour en cave. (Sucres résiduels : 12 g/l.)

Paul Buecher et Fils, 15, rue Sainte-Gertrude, 68920 Wettolsheim, tél. 03.89.80.64.73, fax 03.89.80.58.62, e-mail vins@paul-buecher.com
t.l.j. sf dim. 8h-12h 13h-18h

LES CINQUANTE ET UN

Grands crus	Communes	Surface délimitée (ha)
Altenberg-de-bergbieten	Bergbieten (67)	30
Altenberg-de-bergheim	Bergheim (68)	35
Altenberg-de-wolxheim	Wolxheim (67)	31
Brand	Turckheim (68)	58
Bruderthal	Molsheim (67)	18
Eichberg	Eguisheim (68)	57
Engelberg	Dahlenheim, Scharrachbergheim (67)	14
Florimont	Ingersheim, Katzenthal (68)	21
Frankstein	Dambach-la-Ville (67)	56
Froehn	Zellenberg (68)	14
Furstentum	Kientzheim, Sigolsheim (68)	30
Geisberg	Ribeauvillé (68)	8
Gloeckelberg	Rodern, Saint-Hippolyte (68)	23
Goldert	Gueberschwihr (68)	45
Hatschbourg	Hattstatt, Voegtlinshoffen (68)	47
Hengst	Wintzenheim (68)	76
Kaefferkopf	Ammerschwihr (68)	71
Kanzlerberg	Bergheim (68)	3
Kastelberg	Andlau (67)	6
Kessler	Guebwiller (68)	28
Kirchberg-de-barr	Barr (67)	40
Kirchberg-de-ribeauvillé	Ribeauvillé (68)	11
Kitterlé	Guebwiller (68)	25
Mambourg	Sigolsheim (68)	62
Mandelberg	Mittelwihr, Beblenheim (68)	22
Marckrain	Bennwihr, Sigolsheim (68)	53
Moenchberg	Andlau, Eichhoffen (67)	12
Muenchberg	Nothalten (67)	18
Ollwiller	Wuenheim (68)	36
Osterberg	Ribeauvillé (68)	24
Pfersigberg	Eguisheim, Wettolsheim (68)	74
Pfingstberg	Orschwihr (68)	28
Praelatenberg	Kintzheim (67)	18
Rangen	Thann, Vieux-Thann (68)	19
Rosacker	Hunawihr (68)	26
Saering	Guebwiller (68)	27
Schlossberg	Kientzheim (68)	80
Schoenenbourg	Riquewihr, Zellenberg (68)	53
Sommerberg	Niedermorschwihr, Katzenthal (68)	28
Sonnenglanz	Beblenheim (68)	33
Spiegel	Bergholtz, Guebwiller (68)	18
Sporen	Riquewihr (68)	23
Steinert	Pfaffenheim, Westhalten (68)	38
Steingrubler	Wettolsheim (68)	23
Steinklotz	Marlenheim (67)	40
Vorbourg	Rouffach, Westhalten (68)	72
Wiebelsberg	Andlau (67)	12
Wineck-schlossberg	Katzenthal, Ammerschwihr (68)	27
Winzenberg	Blienschwiller (67)	19
Zinnkoepflé	Soultzmatt, Westhalten (68)	68
Zotzenberg	Mittelbergheim (67)	36

GRANDS CRUS ALSACIENS

Exposition	Sols	Cépages de prédilection
S.-E.	Marnes dolomitiques du keuper	Riesling, gewurztraminer
S.	Sols marno-calcaires caillouteux d'origine jurassique	Gewurztraminer
S.-S.-O.	Terroir du lias, marno-calcaires riches en cailloutis	Riesling
S.	Granite	Riesling, gewurztraminer
S.-E.	Marno-calcaires caillouteux du muschelkalk	Riesling, gewurztraminer
S.-E.	Marnes mêlées de cailloutis calcaires ou siliceux	Gewurztraminer puis riesling, pinot gris
S.	Calcaires du muschelkalk	Gewurztraminer
S. et E.	Marno-calcaires recouverts d'éboulis calcaires du bathonien et du bajocien	Gewurztraminer puis riesling
S.-E.	Arènes granitiques	Riesling
S.	Marnes schisteuses	Gewurztraminer
S.	Sols bruns calcaires caillouteux	Gewurztraminer puis riesling
S.	Marnes dolomitiques du muschelkalk	Riesling
S.-E.	Sols bruns à dominante sableuse de grès vosgien	Gewurztraminer, pinot gris
E.	Marnes riches en cailloutis calcaires	Gewurztraminer
S.-E	Marnes	Gewurztraminer, pinot gris, muscat
S.-E.	Marno-calcaires oligocènes	Gewurztraminer, pinot gris
E. et S.-E.	Sols bruns d'origine granitique, calcaire ou gréseuse	Gewurztraminer, assemblages
S. et S.-O.	Marno-calcaires	Riesling, gewurztraminer
S.	Schistes caillouteux	Riesling
S.-E.	Sable de grès rose et matrice argileuse	Gewurztraminer
S.	Calcaires du jurassique moyen	Gewurztraminer, riesling, pinot gris
S.-S.-O.	Marnes dolomitiques	Riesling
S.-O.	Grès	Riesling
S.	Marno-calcaires	Gewurztraminer
S.-S.-E.	Marno-calcaires oligocènes	Riesling, gewurztraminer
E.	Marno-calcaire	Gewurztraminer
S.	Sols limono-sableux du quaternaire	Riesling
S.	Terroirs sablonneux du permien	Riesling
S.-S.-E.	Marnes caillouteuses	Riesling
E.-S.-E.	Sols triasiques assez marneux	Gewurztraminer puis riesling
S.-E.	Sols caillouteux calcaires de l'oligocène	Gewurztraminer puis riesling
S.-E.	Grès et calcaires du buntsandstein et du muschelkalk	Riesling
E.-S.-E.	Sables gneissiques	Riesling
S.	Sols volcaniques	Pinot gris, riesling
E.-S.-E.	Marnes et calcaires du muschelkalk	Riesling
S.-E.	Sols marno-sableux avec cailloutis	Riesling
S.	Arènes granitiques	Riesling
S. et S.-E.	Marnes du keuper recouvertes de calcaires coquilliers	Riesling
S.	Arènes granitiques	Riesling
S.-E.	Conglomérats et marnes de l'oligocène	Gewurztraminer, pinot gris
E.	Marnes de l'oligocène et sables gréseux du trias	Gewurztraminer
S.-E.	Sols marneux du lias	Gewurztraminer
E.	Cailloutis calcaires oolithiques	Gewurztraminer, pinot gris
S.	Marnes oligocènes	Gewurztraminer, riesling, pinot gris
S.	Marnes recouvertes d'éboulis calcaires du muschelkalk	Riesling, gewurztraminer
S.-S.-E.	Marno-calcaires	Gewurztraminer, puis riesling, pinot gris
S.	Sables gréseux triasiques	Riesling
S. et S.-E.	Granite	Riesling
S.-S.-E.	Arènes granitiques	Riesling
S.	Terroir calcaro-gréseux	Gewurztraminer
S.	Calcaires jurassiques et conglomérats marno-calcaires de l'oligocène	Riesling

ARMAND HURST Riesling 2005 *

0,5 ha 3 265 11 à 15 €

Établie à Turckheim, la maison Hurst exploite plus de 9 ha, dont une partie sur le grand cru qui domine la commune. Ce terroir granitique exigeant a engendré un vin jaune paille, qui s'ouvre sur des nuances minérales avant de développer des notes d'agrumes et de fruits jaunes. On retrouve une minéralité pure en attaque, puis une belle expression fruitée en bouche. La finale persistante est soulignée par une pointe de fraîcheur. Ce vin bien structuré et harmonieux mérite d'attendre au moins un an et pourra se garder cinq ans (sucres résiduels : 5,6 g/l). Le **gewurztraminer Cuvée Angélique 2005**, équilibré et fin, est cité. (Sucres résiduels : 16 g/l.)

Armand Hurst, 8, rue de la Chapelle, BP 46, 68230 Turckheim, tél. 03.89.27.40.22, fax 03.89.27.47.67, e-mail vinsahurst@wanadoo.fr
r.-v.

CAVE DE TURCKHEIM Riesling 2005 *

3 ha 17 800 11 à 15 €

La cave a vinifié sa première récolte en 1956. Aujourd'hui, la coopérative propose des vins de plusieurs grands crus. Le superbe coteau du Brand, fleuron de Turckheim, constitue évidemment l'un des fleurons de sa production. Son exposition plein sud favorise le riesling. Celui-ci, or clair, exprime des notes minérales, puis s'oriente vers des nuances d'acacia. Dans une belle continuité, cette palette se prolonge dans un palais bien équilibré, gras, frais et long. Un grand classique, à déguster maintenant ou dans deux à trois ans avec poisson ou choucroute. (Sucres résiduels : 5 g/l.)

Cave de Turckheim, 16, rue des Tuileries, 68230 Turckheim, tél. 03.89.30.23.60, fax 03.89.27.35.33, e-mail brandt@cave-turckheim.com
r.-v.

Alsace grand cru bruderthal

ROBERT KLINGENFUS Gewurztraminer 2005 *

0,26 ha 2 000 11 à 15 €

Mis en valeur par tous les moines qui se sont successivement établis à Molsheim, notamment les Chartreux, le « vallon des frères » possède des sols marno-calcaires caillouteux où s'épanouit notamment le gewurztraminer. Cette variété a donné naissance à un vin jaune clair, signe de jeunesse. Discret mais fin au nez, ce 2005 exprime des notes de fruits à chair blanche. En bouche, il surprend par son ampleur, sa puissance et sa générosité, et finit par des notes grillées. Déjà prêt, cet ensemble gourmand peut patienter deux à trois ans. (Sucres résiduels : 20 g/l.)

Dom. Robert Klingenfus, 60, rue de Saverne, 67120 Molsheim, tél. 03.88.38.07.06, fax 03.88.49.32.47, e-mail alsace-klingenfus@wanadoo.fr
t.l.j. sf lun. et mer. 10h-12h30 14h30-19h

GÉRARD NEUMEYER Pinot gris 2005 **

1,18 ha 3 300 15 à 23 €

Dominant la cité de Molsheim au nord-ouest, le Bruderthal regarde le sud-est. Gérard Neumeyer, installé

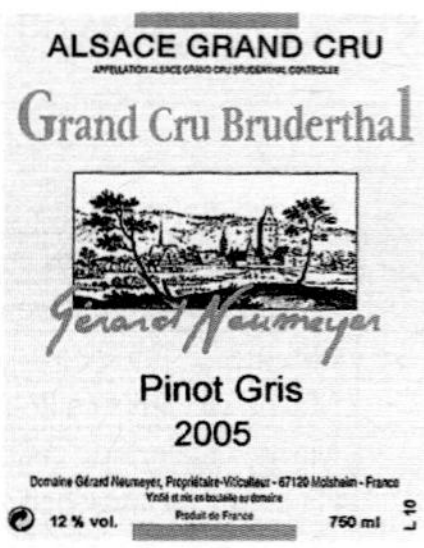

depuis vingt ans sur le domaine familial, en tire le meilleur. N'obtient-il pas son troisième coup de cœur sur ce grand cru ? Un terroir réputé pour ses rieslings et ses gewurztraminers, mais où le pinot gris réussit, à en juger par les séries de millésimes remarquables produits ici. Ce 2005 en robe jaune d'or étincelante de reflets affiche un nez intense, fin et complexe, mêlant le miel d'acacia et les fruits confits. Il s'épanouit en bouche, droit, ample, puissant et gras. La palette aromatique, dans une belle continuité avec le nez, renoue en finale avec le miel. À déguster à l'apéritif ou sur du foie gras (sucres résiduels : 95,7 g/l). Dans ce même grand cru, deux étoiles vont aussi au **gewurztraminer 2005**, pour son élégance, sa bonne structure et ses arômes de surmaturation évoquant l'abricot. (Sucres résiduels : 64,4 g/l.)

Dom. Gérard Neumeyer, 29, rue Ettore-Bugatti, 67120 Molsheim, tél. 03.88.38.12.45, fax 03.88.38.11.27, e-mail domaine.neumeyer@wanadoo.fr
t.l.j. sf dim. 9h-12h 14h-19h

BERNARD WEBER
Muscat Cuvée Marie-Odile 2003

0,18 ha 1 300 15 à 23 €

Molsheim a connu la prospérité grâce à la vigne puis grâce aux « purs sangs de l'automobile », les voitures Bugatti que l'on peut voir défiler à la mi-septembre. Bernard Weber perpétue la tradition viticole en exploitant 6 ha de vignes, dont la moitié en grand cru Bruderthal. Il a présenté un rare muscat de l'année de la canicule. Or clair limpide, ce vin s'ouvre discrètement sur le raisin surmûri et une touche minérale. L'attaque révèle un ensemble équilibré, dominé par des impressions de rondeur, de puissance et de douceur, puis on retrouve en finale la touche minérale. À servir à l'apéritif. (Sucres résiduels : 27 g/l.)

Bernard Weber, 49, rue de Saverne, 67120 Molsheim, tél. 03.88.38.52.67, fax 03.88.38.58.81, e-mail info@bernard-weber.com
r.-v.

Alsace grand cru eichberg

CHARLES BAUR Gewurztraminer 2005 *

0,29 ha 1 950 11 à 15 €

Œnologue et descendant d'une lignée de vignerons remontant au XVIIIe s., Armand Baur tire pleinement profit de ses compétences pour mettre en valeur les 12 ha du domaine familial, en partie situé sur les grands crus d'Eguisheim. Son gewurztraminer de l'Eichberg attire l'attention par sa robe jaune d'or brillant et par son nez concentré associant le litchi, le tilleul et les fruits confits. Une nuance de fleurs séchées apparaît en bouche. Un vin tout en finesse, droit et équilibré, à servir à l'apéritif, sur de la cuisine exotique ou un dessert fruité. (Sucres résiduels : 21 g/l.)

Dom. Charles Baur, 29, Grand-Rue, 68420 Eguisheim, tél. 03.89.41.32.49, fax 03.89.41.55.79, e-mail cave@vinscharlesbaur.fr
t.l.j. 9h-12h 13h30-18h
Armand Baur

VIGNOBLE HAEFFELIN Pinot gris 2005 *

0,2 ha 1 300 8 à 11 €

Installé il y a vingt ans, Daniel Haeffelin a pris la suite d'une lignée de vignerons qui remonte à 1770. S'il a transféré son exploitation hors de l'enceinte étroite d'Eguisheim, il accueille toujours les visiteurs dans le centre historique de la cité médiévale. Sur ses 14 ha, il cultive une parcelle de pinot gris en grand cru. Vendangée le 27 octobre, cette vigne a donné un vin jaune clair brillant, au nez profond et typé, où des nuances fumées côtoient le miel et les fruits confits. En bouche, ce 2005 révèle des notes de sous-bois au sein d'une matière ample et longue. (Sucres résiduels : 38,8 g/l.)

Vignoble Daniel Haeffelin, 35, Grand-Rue, 68420 Eguisheim, tél. 03.89.41.77.85, fax 03.89.23.32.43, e-mail vins.alsace.haeffelindaniel@wanadoo.fr
r.-v.

PAUL SCHERER Gewurztraminer 2005 **

n.c. 1 200 11 à 15 €

Si Didier Scherer est installé à Husseren-les-Châteaux, il possède des vignes dans le grand cru Eichberg situé sur le territoire d'Eguisheim, la commune voisine. Ce terroir a engendré un vin assez pâle, de couleur or clair, mais complexe et dense. Le nez associe des nuances de fruits confits et de musc, relevées par des notes de poivre et d'amande grillée. La bouche concentrée, riche, ample et puissante fait preuve d'un bon équilibre sucre-acidité et persiste longuement sur une pointe de fraîcheur. Cette bouteille, qui mérite d'attendre un peu, pourra être appréciée au moins cinq ans, à l'apéritif, sur du foie gras, un fromage fort ou un dessert pas trop sucré. (Sucres résiduels : 45 g/l.)

EARL Paul Scherer et Fils, 40, rue Principale, 68420 Husseren-les-Châteaux, tél. 03.89.49.30.34, fax 03.89.86.41.67
t.l.j. 9h-12h 14h-18h; dim. sur r.-v.

ANTOINE STOFFEL Pinot gris 2005

0,3 ha 1 800 5 à 8 €

Le grand cru Eichberg est situé en contrebas des trois donjons qui dominent la cité médiévale d'Eguisheim. À l'intérieur de ce terroir existent des lieux-dits plus petits. La parcelle d'où provient ce pinot gris se nomme ainsi « Schneckenrad ». Jaune clair brillant à reflets verts, ce vin est dominé par des parfums de sous-bois qui se confirment en bouche. L'ensemble est bien équilibré. À boire. (Sucres résiduels : 30 g/l.)

Antoine Stoffel, 21, rue de Colmar, 68420 Eguisheim, tél. 03.89.41.32.03, fax 03.89.24.92.07, e-mail domaine@antoinestoffel.com
t.l.j. sf dim. 8h-12h 14h-18h

PAUL ZINCK Gewurztraminer 2004 *

2 ha 10 000 11 à 15 €

Bien qu'installé dans la cité médiévale d'Eguisheim, Philippe Zinck ne renie pas la modernité : il vinifie en cuve inox et utilise la capsule à vis pour les vins à boire jeunes. Il exporte 70 % de sa production. Outre un important domaine (30 ha), il possède un restaurant. Le grand cru Eichberg engendre souvent des vins de garde. C'est le cas de ce 2004, qui peut encore attendre quatre ans. Le nez floral (rose, bouillon blanc) se nuance de notes confites de surmaturation et de touches épicées. La bouche, dans la même ligne aromatique, est bien structurée et persistante. (Sucres résiduels : 20 g/l.)

Paul Zinck, 18, rue des Trois-Châteaux, 68420 Eguisheim, tél. 03.89.41.19.11, fax 03.89.24.12.85, e-mail info@zinck.fr r.-v.
Philippe Zinck

Alsace grand cru engelberg

BECHTOLD Gewurztraminer 2005

0,55 ha 2 900 11 à 15 €

Le grand cru Engelberg est l'un des plus proches de Strasbourg. Ses sols marno-calcaires sont propices au gewurztraminer. Celui-ci, pâle dans le verre, privilégie la finesse. Au nez, son fruité discret se nuance de miel et d'une touche citronnée. La bouche reste elle aussi sur sa réserve ; elle est droite, équilibrée, délicate en finale. (Sucres résiduels : 41 g/l.)

Dom. Bechtold, 49, rue Principale, 67310 Dahlenheim, tél. 03.88.50.66.57, fax 03.88.50.67.34, e-mail domainebechtold@wanadoo.fr r.-v.

Alsace grand cru florimont

JEAN GEILER Gewurztraminer 2005 **

3,5 ha 25 170 8 à 11 €

Jean Geiler est la marque de la coopérative d'Ingersheim. Situé sur le territoire de la commune, le Florimont se caractérise par des sols marno-calcaires à dominante calcaire où le gewurztraminer s'exprime bien. Voyez celui-ci : la robe jaune d'or annonce un nez captivant et complexe, mêlant les fragrances florales (rose, acacia) et épicées caractéristiques du cépage à des nuances de surmaturation (miel, abricot confit). Ample à l'attaque, gras, puissant et long, suave et vif à la fois, le palais reste dans le même registre aromatique et laisse une impression de finesse. Ce vin pourrait tenir une décennie. (Sucres résiduels : 46 g/l.)

Cave vinicole d'Ingersheim, 45, rue de la République, 68040 Ingersheim, tél. 03.89.27.90.27, fax 03.89.27.90.30, e-mail vin@geiler.fr r.-v.

RENÉ MEYER Gewurztraminer 2005 **

0,34 ha 2 500 11 à 15 €

Cette exploitation s'étend sur plus de 9 ha autour de Katzenthal. Ses terroirs, en majorité argilo-calcaires, sont propices au gewurztraminer. C'est le cas du grand cru Florimont dont les Meyer tirent des vins somptueux souvent salués dans le Guide. De même qualité que le millésime précédent, ce 2005 affiche une robe soutenue, couleur or, qui annonce un nez concentré et surmûri, où la compote de coings et le miel sont relevés d'épices. Des arômes un peu lourds qui règnent également dans une bouche ronde, puissante, liquoreuse et longue, où la surmaturation s'exprime plus que le cépage ou le terroir. Le 2000 avait eu un coup de cœur. (Sucres résiduels : 65 g/l.)

EARL Dom. René Meyer et Fils, 14, Grand-Rue, 68230 Katzenthal, tél. 03.89.27.04.67, fax 03.89.27.50.59, e-mail domaine.renemeyer@wanadoo.fr
t.l.j. sf dim. 8h-12h 14h-18h
Jean-Paul Meyer

DOM. BRUNO SORG Pinot gris 2005 ★★

0,32 ha 1 600 11 à 15 €

Le siège et la vitrine du domaine sont situés dans le centre historique d'Eguisheim, les chais à la périphérie. Le vignoble comprend des parcelles dans trois grands crus. Dominant Ingersheim, le Florimont est une butte, avancée des collines sous-vosgiennes. Son sol marno-calcaire s'étend sur un substrat calcaire très favorable aux grands cépages. De couleur or clair, ce pinot gris présente un nez typé, confit et un peu grillé. La bouche impressionne par son ampleur, sa puissance et sa persistance. À déguster dès maintenant sur du foie gras ou du gibier à plume. (Sucres résiduels : 30,8 g/l.)

Dom. Bruno Sorg, 8, rue Mgr-Stumpf, 68420 Eguisheim, tél. 03.89.41.80.85, fax 03.89.41.22.64 r.-v.

Alsace grand cru frankstein

PIERRE ARNOLD Gewurztraminer 2005

0,14 ha 1 200 8 à 11 €

Vaste commune viticole du sud du Bas-Rhin, Dambach-la-Ville abrite des dizaines de vignerons comme Pierre Arnold, dont les ancêtres se sont installés en 1711. Son gewurztraminer du Frankstein se présente avec discrétion et finesse : une robe jaune pâle limpide, un nez subtilement floral puis fruité. L'attaque est dominée par des impressions de douceur, puis le palais gras et ample montre une bonne tenue. Un vin prometteur à laisser un peu en cave pour permettre aux sucres résiduels de se fondre. (Sucres résiduels : 20 g/l.)

Pierre Arnold, 16, rue de la Paix, 67650 Dambach-la-Ville, tél. 03.88.92.41.70, fax 03.88.92.62.95, e-mail alsace.pierre.arnold@wanadoo.fr
t.l.j. 9h-19h; dim. 9h-12h

YVETTE ET MICHEL BECK-HARTWEG Gewurztraminer 2005

0,31 ha 2 000 11 à 15 €

Le grand cru Frankstein englobe l'ensemble des versants exposés au sud-est des coteaux qui dominent Dambach-la-Ville. De structure granitique homogène, il donne des vins complexes et aériens. Jaune paille brillant, ce gewurztraminer apparaît jeune mais bien typé, laissant déjà percer quelques nuances de litchi et de mangue. Il est un peu alourdi par les sucres en attaque, mais son gras, sa puissance et sa finale fraîche laissent présager une bonne évolution. On pourra apprécier cette bouteille sans tarder. (Sucres résiduels : 29 g/l.)

Yvette et Michel Beck-Hartweg, 5, rue Clemenceau, 67650 Dambach-la-Ville, tél. 03.88.92.40.20, fax 03.88.92.63.44, e-mail beckhartweg@tiscali.fr
r.-v.

DIETRICH Muscat 2005 ★★

0,48 ha 3 000 8 à 11 €

Cette exploitation, qui vivait de polyculture et d'élevage jusqu'au début des années 1960, a vu en 2004 le retour d'un cheval comtois pour les labours. Michel Dietrich sait mettre en valeur ses 14 ha de vignes et renoue cette année avec le coup de cœur, grâce à un muscat or pâle brillant au disque très clair. Le nez bien typé séduit par sa finesse et sa complexité : une touche d'amande grillée accompagne le fruité du cépage. Souple à l'attaque, flatteur, bien structuré, parfaitement équilibré, le palais persiste longuement sur le croquant du raisin. Un bel apéritif pour les trois ans qui viennent. (Sucres résiduels : 16 g/l.)

Michel Dietrich, 3, rue des Ours, 67650 Dambach-la-Ville, tél. 03.88.92.41.31, fax 03.88.92.62.88 r.-v.

KAMM Riesling 2005 ★

0,39 ha 1 300 5 à 8 €

Jean-Louis Kamm exploite 6,5 ha de vignes. Lors de l'installation de son fils Éric en 2005, le caveau de dégustation a été rénové. On pourra y déguster ce riesling du Frankstein, grand cru particulièrement propice à cette variété. De couleur jaune clair, ce 2005 présente un nez discret mais fin, minéral et floral (fleurs blanches). Ample en bouche, bien structuré et expressif, il est pour l'heure un peu marqué par les sucres, qui devraient se fondre dans les mois à venir. Un vin bien né. (Sucres résiduels : 14 g/l.)

Jean-Louis Kamm et Fils, 59, rue du Mal-Foch, 67650 Dambach-la-Ville, tél. et fax 03.88.92.49.03
t.l.j. 8h-18h; l'hiver sur r.-v.

GUY MERSIOL ET FILS Riesling 2004

0,45 ha 3 800 8 à 11 €

Les deux fils de Guy Mersiol viennent de s'installer sur le domaine familial. La propriété s'étend sur 14 ha dont 3,5 ha en grand cru. Terroir léger d'arènes granitiques, le Frankstein engendre des vins droits, au caractère aérien. Il a bien réussi à ce riesling jaune clair, au nez discret mêlant les fleurs blanches à des nuances minérales. On retrouve cette palette aromatique dans une bouche fraîche de l'attaque à la finale. Léger et élégant, ce vin de poisson et de fruits de mer devrait s'épanouir dans les deux à trois ans à venir. (Sucres résiduels : 5,8 g/l.)

Guy Mersiol, 13, rte du Vin, 67650 Dambach-la-Ville, tél. 03.88.92.40.43, fax 03.88.92.48.73, e-mail domaine-mersiol@orange.fr
t.l.j. 8h-12h 13h-19h

MICHEL NARTZ Muscat 2005

0,24 ha 1 800 8 à 11 €

Michel Nartz héberge et restaure les visiteurs au cœur de Dambach, dans une demeure classée Monument historique. Il leur propose aussi les vins de ses 6 ha de vignes, dont ce rare muscat du Frankstein, spécialité du domaine. Jaune pâle laissant de fines larmes sur les parois du verre, ce 2005 s'ouvre sur les senteurs délicates évocatrices du cépage. Ces arômes s'épanouissent dans une bouche fraîche à l'attaque, équilibrée et assez longue. À servir dès maintenant à l'apéritif ou avec des asperges. (Sucres résiduels : 12,5 g/l.)

Michel Nartz, 12, pl. du Marché, 67650 Dambach-la-Ville, tél. 03.88.92.41.11, fax 03.88.92.63.01, e-mail nartz.michel@wanadoo.fr
r.-v. 3

SCHAEFFER-WOERLY Riesling 2005 *

0,44 ha 2 300 8 à 11 €

À Dambach-la-Ville, la place du Marché offre à l'œil du flâneur ses façades anciennes à colombage. C'est là que vous trouverez la famille Woerly, qui exploite 7 ha de vignes. Avec ses sols sablo-granitiques qui se réchauffent facilement, le Frankstein convient parfaitement au riesling. Il a donné ici un vin or pâle à reflets argentés. Déjà ouvert sur les fleurs blanches et le sureau, le nez laisse percer une pointe de minéralité. Frais, agréable et bien équilibré, le palais est souligné en finale par une fine acidité. À déguster maintenant ou dans deux à trois ans. (Sucres résiduels : 15 g/l.)

Schaeffer-Woerly, 3, pl. du Marché, 67650 Dambach-la-Ville, tél. 03.88.92.40.81, fax 03.88.92.49.87, e-mail schaeffer-woerly@wanadoo.fr
t.l.j. 9h-12h 13h-18h; dim. sur r.-v.

J.-P. WASSLER Riesling 2005 *

0,24 ha 1 600 5 à 8 €

Ce vigneron de Blienschwiller exploite 12 ha de vignes. Il a acquis des parcelles dans le Frankstein, grand cru situé à Dambach, commune qui jouxte son village vers le sud. Il en a tiré un vin élégant et prometteur. D'un jaune pâle brillant, ce riesling libère de délicats parfums de fleurs blanches rehaussés par une fine minéralité. Fruité, ample, bien structuré, frais et long, il mérite d'attendre deux ou trois ans. (Sucres résiduels : 7 g/l.)

EARL Jean-Paul Wassler Fils, 1, rte d'Epfig, 67650 Blienschwiller, tél. 03.88.92.41.53, fax 03.88.92.63.11, e-mail marc.wassler@wanadoo.fr
r.-v.
Marc Wassler

Alsace grand cru froehn

BECKER Muscat 2005

0,4 ha 2 679 8 à 11 €

Anciennement établie à Zellenberg, village perché sur un éperon à l'est de Riquewihr, cette exploitation de 10 ha est aujourd'hui conduite en bio. Le grand cru Froehn couvre les pentes sud de cette hauteur. Ses sols argilo-marneux conviennent particulièrement au muscat. De couleur jaune clair, celui-ci décline une palette délicate et complexe : outre les parfums évocateurs du cépage, on y décèle quelques nuances de coing et d'épices. En bouche, on découvre une bonne matière, fruitée mais assez nerveuse à l'attaque. (Sucres résiduels : 17 g/l.)

GAEC Becker, 2, rte d'Ostheim, 68340 Zellenberg, tél. 03.89.47.87.56, fax 03.89.47.99.57 r.-v.

SCHEIDECKER Muscat 2005 **

0,15 ha 1 300 8 à 11 €

Philippe Scheidecker possède une parcelle de muscat dans le grand cru Froehn, situé dans le proche village de Zellenberg. Le muscat, il semble l'affectionner : cette variété valut au domaine un de ses premiers coups de cœur (un 1989 !). Quant à cette vigne, il la soigne : les 2003 et 2004 ont obtenu deux étoiles, comme ce 2005 au nez séducteur, intense, frais et riche : on y retrouve bien le cépage, assorti de nuances plus confites. Ample, puissant, opulent et persistant, ce vin s'impose en bouche, offrant à la fois « le fruité du muscat et la complexité du terroir ». À savourer pendant cinq ans. (Sucres résiduels : 28 g/l.)

Philippe Scheidecker, 13, rue des Merles, 68630 Mittelwihr, tél. 03.89.47.94.34, fax 03.89.49.06.63 t.l.j. 9h-12h 14h-19h

Alsace grand cru furstentum

DOM. BOTT-GEYL Gewurztraminer 2005 *

0,42 ha 2 000 15 à 23 €

Jean-Christophe Bott exploite 14 ha en biodynamie. Il possède des parcelles dans plusieurs grands crus des alentours de Beblenheim, dont il tire le meilleur. Pas de coup de cœur cette année (une exception), mais un gewurztraminer prometteur. Le jaune d'or étincelant de la robe, le nez encore discret mais fin, associant la mangue et les épices caractéristiques du cépage à des nuances d'abricot confit, l'attaque franche, le palais ample, riche et frais à la fois, le retour des fruits exotiques et des épices dans une longue finale : tout donne satisfaction. On pourra laisser ce vin s'épanouir deux à trois ans avant de le servir avec du foie gras ou un dessert pas trop sucré. (Sucres résiduels : 35 g/l.)

Dom. Bott-Geyl, 1, rue du Petit-Château, 68980 Beblenheim, tél. 03.89.47.90.04, fax 03.89.47.97.33, e-mail info@bott-geyl.com
r.-v.

JOSEPH FRITSCH Gewurztraminer 2005

0,22 ha 1 700 ▮ 8 à 11 €

Comme nombre de vignerons alsaciens, les Fritsch ont transformé leur ancienne cave en salle d'accueil et aménagé des locaux de vinification modernes. Établis à Kientzheim, ils possèdent des vignes dans le grand cru de leur commune, où prospère le gewurztraminer. De couleur jaune paille, ce 2005 libère des effluves de pêche et d'abricot bien mûrs, nuancés de clou de girofle. Ample, équilibré, il est déjà agréable mais il pourrait gagner en expression dans les années à venir : à boire ou à attendre. (Sucres résiduels : 47 g/l.)

EARL Joseph Fritsch,
31, Grand-Rue, 68240 Kientzheim,
tél. 03.89.78.24.27, fax 03.89.78.16.53,
e-mail vinsjosephfritsch@wanadoo.fr r.-v.

DOM. ALBERT MANN
Gewurztraminer Vieilles Vignes 2005 ★★

0,8 ha 3 500 ▮ 15 à 23 €

Descendants de lignées vigneronnes remontant au XVII[e]s., les frères Barthelmé sont installés près de Colmar. Ils exploitent 19 ha de vignes. En bio, avec talent (plusieurs coups de cœur) et succès à l'export (70 % de leur production, sur tous les continents). Né de ceps âgés de cinquante ans, ce gewurztraminer or pâle à reflets argentés présente un nez discret mais tout en finesse, fruité et épicé. Une superbe attaque, un palais concentré, intense, riche, ample, persistant, presque liquoreux et pourtant frais dessinent les contours d'une bouteille pleine de promesses, qui mérite d'attendre trois ou quatre ans. (Sucres résiduels : 50 g/l.)

Dom. Albert Mann,
13, rue du Château, 68920 Wettolsheim,
tél. 03.89.80.62.00, fax 03.89.80.34.23,
e-mail vins@albertmann.com r.-v.
Barthelmé

Alsace grand cru gloeckelberg

KOEHLY Pinot gris 2005

0,32 ha 2 000 ▮ 5 à 8 €

Jean-Marie Koehly est installé à Kintzheim, sur la route du Haut-Kœnigsbourg. Son coquet domaine (16 ha) se répartit sur sept communes, ce qui lui permet de disposer de terroirs variés. Plantés sur le Gloeckelberg, le pinot gris a engendré un vin jaune d'or au nez marqué par le sous-bois. Après une attaque franche, on retrouve le champignon au sein d'un palais équilibré, bien structuré et donnant une impression de légèreté. Ces arômes devraient bien s'accorder avec un pâté en croûte. À boire. (Sucres résiduels : 8 g/l.)

Jean-Marie Koehly,
64, rue du Gal-de-Gaulle, 67600 Kintzheim,
tél. 03.88.82.09.77, fax 03.88.82.70.49,
e-mail jean-marie.koehly@wanadoo.fr
t.l.j. 8h-12h 13h-18h

CHARLES NOLL Pinot gris 2005 ★★

0,1 ha 800 11 à 15 €

S'il est établi à Mittelwihr, ce domaine possède aussi des vignes plus au nord, aux confins du Bas-Rhin, dans le grand cru Gloeckelberg. Sur un substrat granitique, ce terroir laisse apparaître des sols bruns sableux, plus ou moins argileux. Un milieu propice au pinot gris, à en juger par ce vin or clair qui a manqué de peu le coup de cœur. Le nez profond et complexe, mêlant des nuances fumées au miel et aux fruits confits (abricot, coing) d'une légère surmaturation, annonce une belle présence. Dans le même registre aromatique, le palais est ample, franc, moelleux sans lourdeur et fort persistant. Une grande matière première bien vinifiée pour cette bouteille de classe que l'on pourra attendre au moins trois ans. (Sucres résiduels : 25 g/l.)

EARL Charles Noll, 2, rue de l'École,
68630 Mittelwihr, tél. 03.89.47.93.21,
fax 03.89.47.86.23, e-mail info@vinsnoll.com
t.l.j. 9h-12h 13h30-20h
Daniel Noll

Alsace grand cru geisberg

FALLER Riesling 2005 ★

1,3 ha 5 200 15 à 23 €

Le Geisberg est sans doute le terroir le plus délicat de Ribeauvillé. Très pentu, exposé au sud, il se caractérise par des sols complexes (marnes, calcaires coquilliers, grès et gypse) et engendre souvent des vins à évolution lente. Tel ne semble pourtant pas le caractère de ce 2005 jaune d'or : il est bien ouvert sur des notes de fruits exotiques, de fruits confits et de miel. On retrouve la surmaturation dans un palais souple, puissant, gras et ample. Un riesling original, plutôt destiné aux viandes blanches qu'aux fruits de mer. On pourrait l'essayer avec du fromage de chèvre. (Sucres résiduels : 15 g/l.)

Robert Faller et Fils, 36, Grand-Rue,
68150 Ribeauvillé, tél. 03.89.73.60.47,
fax 03.89.73.34.80, e-mail sarlfaller@aol.com
r.-v.

Alsace grand cru goldert

LUCIEN GANTZER Pinot gris 2005 ★★

0,2 ha 1 200 ▮ 8 à 11 €

L'Alsace a sa « Côte d'Or » : le Goldert. Le nom du lieu-dit évoque le métal précieux dont la couleur et la brillance se retrouvent dans le verre. Un coteau exposé à l'est, au pied duquel se blottit le petit village de Gueberschwihr. Plantés sur des sols lourds, les raisins y mûrissent patiemment, développant de captivants arômes. C'est le cas de ce pinot gris au nez intense. Rose ? Pivoine ? Violette ? Floral en tout cas. En bouche, le fruit domine : abricot ? coing ? Un rien de surmaturation. Une touche d'agrumes, une finale grillée. Le tout avec rondeur, ampleur et puissance. Une bouteille harmonieuse, prête à passer à table. (Sucres résiduels : 15 g/l.)

SCEA Lucien Gantzer, 9, rue du Nord, 68420 Gueberschwihr, tél. 03.89.49.31.81, fax 03.89.49.23.34 r.-v.

SAULNIER Pinot gris Les Éboulis 2005

0,32 ha 1 500 8 à 11 €

Vous trouverez ce domaine à Gueberschwihr, village situé à l'ouest de la route reliant Colmar à Rouffach. Vigneron depuis 1992, Marco Saulnier détient une parcelle dans le grand cru de la commune, qu'il a plantée de pinot gris : ces Éboulis aux sols argilo-gréseux ont donné un vin jaune pâle, au nez intense mariant les fruits confits (coing, abricot) à une touche d'agrumes. Aérien en bouche, toujours fruité, équilibré, le palais finit agréablement sur une pointe de fraîcheur. On pourra servir cette bouteille dès la sortie du Guide. (Sucres résiduels : 15 g/l.)

Marco Saulnier, Auberge Saint-Marc, rte de Saint-Marc, 68420 Gueberschwihr, tél. 03.89.86.42.02, fax 03.89.49.34.82, e-mail marco.saulnier@wanadoo.fr r.-v.

Alsace grand cru hatschbourg

ANDRÉ HARTMANN
Gewurztraminer Armoirie Hartmann 2005 *

0,7 ha 4 300 11 à 15 €

Au sud de Colmar, le village de Vœgtlinshoffen est surnommé le « balcon de l'Alsace ». La famille Hartmann y est établie depuis le XVIIe s. Tout aussi réussi que l'an dernier, son gewurztraminer du Hatschbourg, jaune brillant, exhale d'intenses parfums d'agrumes confits et d'ananas, et quelques fragrances de rose. Équilibré, ample, rond, puissant, gras et long, il renoue en finale avec les arômes du nez. Un moelleux aimable à classer parmi les « vins plaisir ». (Sucres résiduels : 35 g/l.)

André Hartmann, 11, rue Roger-Frémeaux, 68420 Vœgtlinshoffen, tél. 03.89.49.38.34, fax 03.89.49.26.18, e-mail andre.hartmann@free.fr t.l.j. sf dim. 9h-12h 14h-18h; sur r.-v. pdt les vendanges

Alsace grand cru hengst

JEAN-PAUL SCHAFFHAUSER
Gewurztraminer 2005 *

0,32 ha 2 550 5 à 8 €

Avant la Révolution, nobles et notables de Colmar se partageaient le terroir déjà réputé du Hengst. Ce grand cru de Wintzenheim est maintenant recherché par les vignerons de ce secteur du Haut-Rhin. Ses sols marneux ou argilo-calcaires donnent des vins de garde et sont particulièrement propices au gewurztraminer. Jaune brillant, celui-ci est marqué au nez comme en bouche par un fruité exotique mangue-Passion. Équilibré, riche et puissant, il n'en laisse pas moins une impression de légèreté et de finesse. Il a du potentiel – trois à cinq ans au moins. (Sucres résiduels : 32 g/l.)

Jean-Paul Schaffhauser, 8, rte du Vin, 68920 Wettolsheim, tél. 03.89.79.99.97, fax 03.89.80.58.21, e-mail schaffhauser.jpaul@free.fr t.l.j. sf dim. 8h30-12h 13h30-19h

STENTZ-BUECHER Pinot gris 2005 *

0,19 ha 1 000 11 à 15 €

Quand on quitte Colmar en direction de l'ouest, on découvre le vignoble pentu du Hengst, situé sur le finage de Wintzenheim. Ce domaine familial établi tout à côté, à Wettolsheim, possède une parcelle de pinot gris dans ce grand cru. Le terroir réussit aussi à ce cépage, à en juger par ce 2005 jaune clair brillant, au nez franc d'agrumes, un peu beurré. Bien équilibré et fondu, ce vin donne une impression agréable de légèreté. Son caractère plutôt sec lui permettra de trouver sa place avec de nombreux mets, y compris le poisson en sauce. (Sucres résiduels : 12 g/l.)

Stentz-Buecher, 21, rue Kleb, 68920 Wettolsheim, tél. 03.89.80.68.09, fax 03.89.79.60.53, e-mail stentz-buecher@wanadoo.fr t.l.j. 9h-12h 14h-18h

WUNSCH ET MANN Gewurztraminer 2005

1 ha 5 733 8 à 11 €

Installée à Wettolsheim, cette maison de négoce exploite 20 ha de vignes en propre. Elle possède une parcelle en grand cru Hengst, dans le village voisin de Wintzenheim. Sur ce terroir marno-calcaire, le gewurztraminer prospère. Il a donné ici un vin jaune d'or, au nez de mangue relevé par des notes épicées caractéristiques du cépage. Ces arômes se prolongent dans une bouche équilibrée, puissante et ample. Une bouteille déjà prête mais qui devrait tirer profit d'une garde de deux ans. (Sucres résiduels : 32 g/l.)

Wunsch et Mann, 2, rue des Clefs, 68920 Wettolsheim, tél. 03.89.22.91.25, fax 03.89.80.05.21, e-mail wunsch-mann@wanadoo.fr t.l.j. sf dim. 8h-12h 13h30-18h30

Alsace grand cru kastelberg

GUY WACH Riesling 2005 *

0,58 ha 4 000 11 à 15 €

Située dans une vallée resserrée, la petite cité d'Andlau possède des terroirs variés, dont trois grands crus. Le Kastelberg, au nord de la commune, se distingue par ses sols schisteux, caillouteux en surface. Il donne naissance à des rieslings de haute expression. Celui-ci, jaune clair brillant, possède un nez accueillant et complexe, miellé, confit et minéral. Très équilibré, il allie richesse, puissance et ampleur à une belle fraîcheur. On retrouve au palais un fruité confit de surmaturation et une minéralité exquise en finale. Un vin harmonieux qui devrait connaître une bonne évolution dans les cinq prochaines années. (Sucres résiduels : 12 g/l.)

🔑 Guy Wach,
Dom. des Marronniers, 5, rue de la Commanderie, 67140 Andlau, tél. 03.88.08.93.20, fax 03.88.08.45.59, e-mail guy.wach@tiscali.fr ☑ 🍷 🚶 r.-v. 🏠 ❸ 🏠 ⓓ

Alsace grand cru kirchberg-de-barr

KLIPFEL Pinot gris 2005

	3 ha	14 000	11 à 15 €

Fondée en 1824, développée par Louis Klipfel, figure marquante du vignoble alsacien, cette maison est aujourd'hui dirigée par André Lorentz. Une affaire importante : il faut voir ses immenses foudres, sa collection de vieux millésimes (des liquoreux). Le vaste vignoble (35 ha) comprend de nombreuses parcelles dans les grands crus de Barr et d'Andlau. Pas moins de 3 ha pour ce pinot gris planté dans le Kirchberg de Barr. Le vin ? Jaune clair, délicat, aromatique et typé au nez ; franc, fruité et vif à l'attaque, puis suave et moelleux. (Sucres résiduels : 14 g/l.)

🔑 Klipfel, 6, av. Marcel-Krieg, 67140 Barr, tél. 03.88.58.59.00, fax 03.88.08.53.18, e-mail alsacewine@klipfel.com ☑ 🍷 🚶 r.-v.
🔑 André Lorentz

Alsace grand cru kirchberg-de-ribeauvillé

JEAN SIPP Riesling 2005 ★★

	1,5 ha	8 000	15 à 23 €

Logé dans l'ancienne demeure des seigneurs de Ribeauvillé (XV[e]s.), Jean Sipp, à la tête de 20 ha de vignes, détient des parcelles dans les fleurons viticoles de la cité, notamment le Kirchberg. Très pentu, ce terroir engendre des rieslings de haute expression. Jaune d'or brillant, celui-ci décline des notes de fruits confits, de réglisse et d'herbe sèche. Une même complexité aromatique séduit en bouche, où l'on découvre une superbe matière, puissante, équilibrée et longue. Encore jeune et de garde, cette bouteille peut attendre cinq ans. Un bel ambassadeur des vins de la maison, exportés pour la moitié d'entre eux. Le 2001 avait obtenu un coup de cœur. (Sucres résiduels : 9 g/l.)

🔑 Dom. Jean Sipp, 60, rue de la Fraternité, 68150 Ribeauvillé, tél. 03.89.73.60.02, fax 03.89.73.82.38, e-mail domaine@jean-sipp.com ☑ 🍷 🚶 t.l.j. sf dim. 9h-11h30 14h-18h; groupes sur r.-v. 🏠 ❺

LOUIS SIPP Pinot gris Vendanges tardives 2001 ★★

	0,35 ha	2 600	23 à 30 €

Cette maison de négoce, qui a son siège dans l'ancienne cour des Nobles de Pflixbourg (1512), s'est développée entre les deux guerres. Dirigée depuis 1996 par Étienne Sipp, ancien ingénieur, elle détient 40 ha de vignes autour de Ribeauvillé. La production est exportée jusqu'en Asie et en Océanie. Ce n'est pas la première fois que le Guide remarque un de ses pinots gris de surmaturation. Une robe soutenue, jaune d'or, un premier nez minéral, puis des parfums de sous-bois et de fruits confits (abricot) constituent une excellente entrée en matière pour celui-ci. Une attaque franche, au fruité varié (pêche de vigne, abricot, prune, agrumes), un palais puissant, ample, frais et long : l'impression reste excellente pour ce vin de garde qui peut attendre cinq ans. (Sucres résiduels : 74 g/l.)

🔑 Louis Sipp, 5, Grand-Rue, 68150 Ribeauvillé, tél. 03.89.73.60.01, fax 03.89.73.31.46, e-mail louis@sipp.com
☑ 🍷 🚶 t.l.j. 8h-12h 14h-18h; sam. dim. sur r.-v.
🔑 Pierre Sipp

Alsace grand cru mambourg

DANIEL FRITZ ET FILS Pinot gris 2002 ★★★

	0,11 ha	760	11 à 15 €

Le Mambourg favorise le pinot gris. Depuis quelques années, les Fritz père et fils tirent le meilleur de ce cépage : rappelez-vous le 2004 du même grand cru, coup de cœur l'an dernier. Quant à ce 2002 jaune doré, signé par le père, il montre le potentiel de ces vins. Le nez s'est épanoui, déployant des nuances de surmaturation rappelant le miel et les fruits confits. Dans le même registre aromatique, le palais se montre ample, gras, puissant et moelleux, soutenu par une fine acidité qui souligne la persistance de la finale. Une superbe évolution pour cette bouteille qui rappelle une vendange tardive. (Sucres résiduels : 47 g/l.)

🔑 Dom. Fritz, 3, rue du Vieux-Moulin, 68240 Sigolsheim, tél. 03.89.47.11.15, fax 03.89.78.17.07, e-mail domaine.fritz@wanadoo.fr
☑ 🍷 🚶 r.-v.

DOM. PIERRE SCHILLÉ Gewurztraminer 2005

	0,37 ha	2 800	8 à 11 €

Créé dans les années 1950 à Sigolsheim et conduit depuis 1990 par Christophe Schillé, ce domaine regroupe une palette de terroirs variés répartis sur le territoire de plusieurs communes. Jaune à reflets dorés, son gewurztraminer du Mambourg se montre floral au premier nez, associant les fleurs blanches et la rose. Puis apparaissent les nuances confites d'un fruit surmûri. Ample, moelleux, ce vin est marqué en finale par des impressions fraîches et vives. On pourra l'attendre deux ans et le servir sur une cuisine exotique relevée. (Sucres résiduels : 27 g/l.)

🔑 Pierre Schillé et Fils, 14, rue du Stade, 68240 Sigolsheim, tél. 03.89.47.10.67, fax 03.89.47.39.12, e-mail vinsalsaceschille@wanadoo.fr
☑ 🍷 🚶 t.l.j. sf dim. 9h-12h 14h-19h; f. pdt les vendanges

ALBERT SCHOECH Gewurztraminer 2005 ★

1,9 ha 12 950 8 à 11 €

Établi à Sigolsheim, près de Colmar, ce négociant propose des vins produits dans les grands crus avoisinants comme le Mambourg. Ce gewurztraminer a séduit. Sa robe jaune intense, son nez complexe, associant la rose épicée caractéristique du cépage à des notes de fruits confits, annoncent une riche matière. Dans une belle continuité aromatique, le palais se montre ample, opulent, concentré. La finale allie la chaleur des épices et celle de l'alcool. À déguster dans les cinq prochaines années sur du foie gras, du fromage à croûte lavée ou un dessert peu sucré. (Sucres résiduels : 33 g/l.)

Albert Schoech, pl. du Vieux-Marché, 68770 Ammerschwihr, tél. 03.89.78.23.17, fax 03.89.27.90.30, e-mail vin@schoech.fr

MAURICE SCHOECH
Gewurztraminer Vendanges tardives 2004

0,23 ha 1 000 15 à 23 €

Le Mambourg est formé par le versant escarpé d'une colline qui longe l'entrée de la vallée de Kaysersberg au-dessus de Sigolsheim. Exposé plein sud, il est très propice au gewurztraminer. Récolté le 4 novembre, ce cépage a engendré des vendanges tardives jaune d'or au fruité intense évoquant la pêche, l'abricot et la mangue, avec une pointe de minéralité. En bouche apparaissent des notes de fruits confits caractéristiques de la surmaturation. Ample, équilibré, mais dominé par les sucres restants, ce vin gagnera à attendre quelques mois en cave. (Sucres résiduels : 48 g/l.)

Dom. Maurice Schoech, 4, rte de Kientzheim, 68770 Ammerschwihr, tél. 03.89.78.25.78, fax 03.89.78.13.66, e-mail domaine.schoech@free.fr

t.l.j. sf dim. 9h-12h 13h30-18h

DOM. STIRN Gewurztraminer 2005 ★

0,35 ha 2 500 8 à 11 €

Le domaine Stirn est fait de nombreuses parcelles disséminées sur des terroirs variés, dont plusieurs grands crus. Odile et Fabien Stirn l'ont repris en 1999. Ces œnologues ont eu à cœur d'assurer eux-mêmes les vinifications. Jaune doré dans le verre, leur riesling du Mambourg exprime surtout la rose et les épices dans un nez tout en finesse. Un côté surmûri aux accents de fruits confits apparaît au palais. Ample, équilibré par une belle acidité, le vin renoue en finale avec les touches épicées caractéristiques du cépage. Un ensemble harmonieux qui sera mis en valeur par du foie gras ou un dessert fruité. (Sucres résiduels : 40 g/l.)

Fabien Stirn, Dom. Stirn, 3, rue du Château, 68240 Sigolsheim, tél. et fax 03.89.47.30.58, e-mail domainestirn@free.fr

t.l.j. 13h30-18h30; dim. sur r.-v.

Alsace grand cru mandelberg

DOM. DU BOUXHOF Riesling 2005

0,16 ha 1 050 8 à 11 €

Situé en plein vignoble, ce domaine d'origine ecclésiastique a huit siècles d'histoire. Ses imposants bâtiments, qui s'ordonnent autour d'une cour, sont classés. La propriété viticole est exploitée par la famille Edel depuis les années 1920. Jaune paille à reflets verts, son riesling grand cru évoque les fleurs blanches. Il émane de ce vin fruité une « douce fraîcheur », car les sucres résiduels sont très présents et demandent à se fondre. À servir sur des entrées plutôt que sur des produits de la mer. (Sucres résiduels : 25 g/l.)

EARL François Edel et Fils, Dom. du Bouxhof, 68630 Mittelwihr, tél. 03.89.47.90.34, fax 03.89.47.84.82, e-mail edel.bouxhof@online.fr

t.l.j. 9h-12h30 13h30-19h 3 B

BURGHART-SPETTEL Gewurztraminer 2005 ★

0,2 ha 1 050 11 à 15 €

Fondée à la fin des années 1940, cette propriété familiale s'étend sur plus de 8 ha. Implantée à Mittelwihr, elle détient des parcelles dans le grand cru de la commune, qui se distingue par sa précocité. Il a donné naissance à un gewurztraminer or brillant. D'abord réservé, ce vin consent à s'ouvrir sur des senteurs de rose nuancées d'une touche fumée. En bouche, il parle de fruit de la Passion. Ample, puissant, assez long, il fera plaisir dès maintenant à l'apéritif ou avec du foie gras, et pourra se garder cinq ans. (Sucres résiduels : 45 g/l.)

Burghart-Spettel, 9, rte du Vin, 68630 Mittelwihr, tél. 03.89.47.93.19, fax 03.89.49.07.62, e-mail burghart-spettel@wanadoo.fr

t.l.j. sf dim. 10h-19h 3 C

CHARLES NOLL Riesling 2005 ★

0,16 ha 1 000 8 à 11 €

Les ancêtres de Daniel Noll sont établis à Mittelwihr depuis le Second Empire. Aujourd'hui, de nombreuses parcelles sont exploitées sur le territoire de six communes, près de 7 ha en tout. Celles du Mandelberg ont mérité des mentions fréquentes dans le Guide, notamment en riesling, cépage qui se plaît sur ce terroir précoce. Jaune paille aux reflets dorés, ce 2005 présente un nez élégant associant les fleurs blanches, le citron et des nuances minérales. Rond à l'attaque, intense, ample, très équilibré, il persiste en finale sur une fraîcheur fruitée. « On en redemande ! », écrit un dégustateur. Un vin de garde. (Sucres résiduels : 8 g/l.)

EARL Charles Noll, 2, rue de l'École, 68630 Mittelwihr, tél. 03.89.47.93.21, fax 03.89.47.86.23, e-mail info@vinsnoll.com

t.l.j. 9h-12h 13h30-20h

Daniel Noll

SCHALLER Riesling 2004 ★

0,26 ha 1 700 11 à 15 €

Depuis 2003, ce domaine de 9,50 ha associe Patrick Schaller, le père, et son fils Charles. Dès avant la consécration du Mandelberg en grand cru, il produisait des cuvées en provenance exclusive de ce terroir bien abrité des froids du nord. Sa précocité sert les cépages tardifs comme le riesling. Récolté le 12 octobre, celui-ci a donné un vin jaune paille, citronné et un rien fumé au nez. Vif en attaque, il se montre volumineux, puissant, ample et gras. La longue finale minérale signe un vin de classe qui devrait bien évoluer avec le temps. (Sucres résiduels : 4 g/l.)

GAEC Edgard Schaller et Fils, 1, rue du Château, 68630 Mittelwihr, tél. 03.89.47.90.28, fax 03.89.49.02.66, e-mail edgard-schaller@wanadoo.fr

t.l.j. 9h-12h 14h-18h

WOLFBERGER Gewurztraminer 2005 ★

n.c. 1 740 8 à 11 €

Aux origines de Wolfberger, la cave d'Eguisheim, fondée à l'aube du XXᵉs., est l'une des plus anciennes coopératives vinicoles d'Alsace. Aujourd'hui, le groupe est l'un des principaux acteurs du vignoble. Or brillant, son gewurztraminer du Mandelberg s'annonce par un nez discret mais typé, alliant les fleurs, l'ananas et un soupçon de vanille. Au palais, il révèle une matière puissante et ample, imprégnée d'arômes de coing. Les impatients peuvent déjà apprécier cette bouteille, mais une forte présence de sucres résiduels suggère de l'attendre : elle devrait gagner en expression. (Sucres résiduels : 57,5 g/l.)

Wolfberger,
Cave vinicole d'Eguisheim, 6, Grand-Rue,
68420 Eguisheim, tél. 03.89.22.20.20,
fax 03.89.23.47.09 r.-v.

BERNARD WURTZ Riesling 2005 ★★

0,45 ha 1 200 38 à 46 €

Établi à Mittelwihr, ce vigneron détient une parcelle dans le fleuron de la commune, le Mandelberg ou « Côte des Amandiers ». L'arbre fruitier méditerranéen voisine en effet avec la vigne sur ce terroir auquel son exposition sud-sud-est confère une rare précocité. Le riesling, qui craint les frimas d'automne, y donne de remarquables résultats. Voyez celui-ci : sa robe jaune d'or annonce un nez très mûr, sur les fruits jaunes et les fruits confits. La même maturité s'affiche dans un palais dense, puissant, vif, équilibré et long, marqué en finale par une harmonieuse touche de minéralité. À boire ou à attendre, comme il vous plaira. (Sucres résiduels : 10 g/l.)

Bernard Wurtz, 12, rue du Château,
68630 Mittelwihr, tél. 03.89.47.93.24,
fax 03.89.86.01.69 r.-v.

Alsace grand cru marckrain

RENÉ BARTH Gewurztraminer 2005 ★

0,6 ha 3 000 11 à 15 €

Michel Fonné met ses compétences d'œnologue pour valoriser le domaine familial autour de Bennwihr. Soucieux de développer les vins de terroir, il soigne ses vignes implantées sur le grand cru de la commune. Très réussi comme plusieurs millésimes précédents, ce gewurztraminer affiche une robe jaune d'or brillant et mêle au nez des notes de fruits confits à des nuances de fruits exotiques (mangue, litchi). Les agrumes confits viennent compléter cette palette aromatique en bouche. Puissant, ample et gras, ce vin finit sur une pointe de fraîcheur très agréable et de bon augure pour la garde. (Sucres résiduels : 45 g/l.)

Dom. Michel Fonné, 24, rue du Gal-de-Gaulle,
68630 Bennwihr, tél. 03.89.47.92.69,
fax 03.89.49.04.86, e-mail michel@michelfonne.com
t.l.j. 9h-12h 13h-18h

BESTHEIM Pinot gris 2005 ★

2,1 ha 16 800 8 à 11 €

À Bennwihr, quand on emprunte la route du Vin vers le sud, en direction de Sigolsheim, on trouve sur la droite les pentes du Marckrain, grand cru situé à cheval sur les deux communes. La coopérative, qui réunit les caves de Westhalten et de Bennwihr, propose naturellement des vins de ce terroir, où se plaît le pinot gris. De couleur jaune paille, celui-ci présente un nez plutôt discret mais fin, sur un léger fumé et des notes beurrées. Vif à l'attaque, il reste frais, marqué par un fruité d'agrumes. Ce vin de repas est prêt. (Sucres résiduels : 28 g/l.)

Bestheim Cave de Bennwihr,
3, rue du Gal-de-Gaulle, 68630 Bennwihr,
tél. 03.89.49.09.29, fax 03.89.49.09.20,
e-mail alsace@bestheim.com
t.l.j. sf dim. 9h-12h 14h-18h

RENÉ SIMONIS Gewurztraminer 2005 ★★

0,36 ha 1 300 11 à 15 €

Ce coup de cœur vient couronner la dizième vendange d'Étienne Simonis, installé en 1996 sur le vignoble familial. Il consacre un gewurztraminer où parle le terroir, fermenté avec les levures indigènes. Vêtu d'or brillant, ce 2005 séduit par son bouquet complexe, panier de fruits confits : abricot, coing, mandarine, nuancés de litchi. La mise en bouche confirme ces impressions : c'est un vin liquoreux, ample, puissant, concentré, proche d'une vendange tardive. Le fruit de la Passion vient ajouter sa note fraîche dans un concert d'arômes confits et miellés. La longue finale vive signe un vin remarquablement équilibré et de garde. (Sucres résiduels : 70 g/l.)

René et Étienne Simonis, 2, rue des Moulins,
68770 Ammerschwihr, tél. 03.89.47.30.79,
fax 03.89.78.24.10,
e-mail rene.etienne.simonis@gmail.com r.-v.

Alsace grand cru moenchberg

RÉMY GRESSER Riesling 2005 ★

0,8 ha 5 000 11 à 15 €

Rémy Gresser cultive 11 ha en biodynamie : un souci d'agriculture durable chez ce producteur dont l'ancêtre cultivait déjà la vigne à Andlau il y a cinq siècles. Son domaine comprend des parcelles dans tous les grands crus de la commune et notamment le Moenchberg où excelle le riesling. Jaune pâle aux brillants reflets verts, celui-ci, encore sur sa réserve, libère quelques senteurs de sureau. Souple en attaque, il séduit par son ampleur, sa finesse et

surtout par la fraîcheur minérale de sa longue finale qui lui donne beaucoup de classe. Il mérite d'attendre quelques années. (Sucres résiduels : 9 g/l.)
🔑 Dom. Rémy Gresser, 2, rue de l'École,
67140 Andlau, tél. 03.88.08.95.88, fax 03.88.08.55.99,
e-mail domaine@gresser.fr
☑ 🍷 🚶 t.l.j. 9h-12h 14h30-18h30;
dim. et groupes sur r.-v.

DOM. KOBLOTH Gewurztraminer 2005

0,11 ha 900 ■ 5 à 8 €

Implanté à Nothalten, cet important domaine (19 ha) possède une parcelle dans le Moenchberg, grand cru situé un peu plus au nord, à l'entrée du val d'Andlau. Le gewurztraminer y a donné naissance à un vin jaune brillant tout en douceur et en surmaturité : au nez, de la pêche et d'autres fruits jaunes confits ; au palais, de l'ampleur, de la puissance et de l'onctuosité, de la persistance, un peu de fraîcheur en finale, toujours dans cet environnement confit. On attendra cette bouteille pour lui permettre de gagner en harmonie. (Sucres résiduels : 35 g/l.)
🔑 EARL Dom. Kobloth, 1, rue des Mimosas,
67680 Nothalten, tél. 03.88.92.44.50,
fax 03.88.92.49.20, e-mail arnaud-kobloth@yahoo.fr
☑ 🍷 🚶 r.-v.

ALBERT MAURER Pinot gris 2005

0,6 ha 3 500 8 à 11 €

Établi à Eichhoffen, village voisin d'Andlau, le domaine s'étend sur 15 ha. Il détient plusieurs parcelles dans le Moenchberg qui domine le village à l'ouest. Les sols de ce grand cru sont argilo-limoneux à texture fine, son exposition sud-sud-est crée un microclimat sec et chaud. Jaune soutenu, celui-ci distille avec parcimonie quelques notes fruitées, un rien fumées. Après une attaque franche, il révèle une structure concentrée, vive, ample et assez persistante. La finale évoque le pain d'épice. (Sucres résiduels : 45 g/l.)
🔑 Albert Maurer, 11, rue du Vignoble,
67140 Eichhoffen, tél. 03.88.08.96.75,
fax 03.88.08.59.98
☑ 🍷 🚶 t.l.j. sf dim. 8h-12h 13h30-18h 🏠 C

GUY WACH Riesling 2005 *

0,32 ha 2 200 ■ 11 à 15 €

Les ancêtres de Guy Wach, artisans-tonneliers, sont devenus vignerons propriétaires à la fin du XIXe s. Celui-ci conduit 7,5 ha de vignes autour d'Andlau, avec des parcelles dans tous les grands crus de la commune, et pousse le souci du détail jusqu'à créer lui-même ses étiquettes. Jaune à reflets verts, son riesling du Moenchberg est fort réussi et « typé d'un terroir argilo-calcaire », écrit un dégustateur. Au nez, quelques frais effluves citronnés. Une attaque vive, puis de l'ampleur, de la puissance, dans un bel équilibre. Un ensemble jeune et prometteur. (Sucres résiduels : 9,5 g/l.)
🔑 Guy Wach,
Dom. des Marronniers, 5, rue de la Commanderie,
67140 Andlau, tél. 03.88.08.93.20, fax 03.88.08.45.59,
e-mail guy.wach@tiscali.fr ☑ 🍷 🚶 r.-v. 🏨 3 🏠 D

JEAN WACH Riesling 2005 *

0,4 ha 3 000 5 à 8 €

Andlau mérite un détour pour son abbatiale, ses châteaux et ses trois grands crus mis en valeur par des vignerons talentueux comme Jean Wach, qui y cultive 10 ha. Son riesling du Moenchberg montre de nombreux reflets verts dans sa robe jaune pâle et s'exprime avec discrétion sur des nuances d'agrumes. Il séduit par la franchise de son attaque, son ampleur et sa fraîcheur croquante. Une bouteille typée que l'on pourra servir dès maintenant avec des produits de la mer. (Sucres résiduels : 5 g/l.)
🔑 Jean Wach et Fils, 16A, rue du Mal-Foch,
67140 Andlau, tél. et fax 03.88.08.09.73,
e-mail raph.wach@wanadoo.fr
☑ 🍷 🚶 t.l.j. 8h-12h 14h-19h; dim. sur r.-v.

Alsace grand cru ollwiller

BRUCKER Muscat 2005

0,16 ha 1 400 ▮▮ 5 à 8 €

Dominé par le Ballon des Vosges et le Vieil-Armand – où les combats firent rage pendant la Première Guerre mondiale – Wuenheim est situé à l'extrémité méridionale de la route du Vin. La famille Brucker y a créé un vignoble dans les années 1950, conduit depuis dix ans par la deuxième génération. Jaune clair à reflets verts, son muscat d'Ollwiller laisse des larmes sur les parois du verre. Le nez se montre discret, mais le muscat est bien là, assorti de quelques touches de réglisse. Même retenue en bouche, au sein d'un palais ample et souple. À servir dès à présent à l'apéritif. (Sucres résiduels : 15 g/l.)
🔑 EARL Dom. viticole Brucker, 2, rte de Cernay,
68500 Wuenheim, tél. 03.89.76.73.54
☑ 🍷 🚶 t.l.j. 8h-12h 13h30-19h; dim. 8h-12h
🔑 Thomy Brucker

Alsace grand cru pfersigberg

PAUL GINGLINGER Gewurztraminer 2005 *

0,7 ha 4 500 ■ 11 à 15 €

L'un des grands noms d'Eguisheim : une propriété fondée en 1636, et aujourd'hui 12 ha de vignes conduits depuis 2002 par Michel Ginglinger, œnologue. Cinq coups de cœur, obtenus aussi bien par le père que par le fils. On trouve le domaine en haut du village, à l'extérieur de la vieille enceinte. Son gewurztraminer du Pfersigberg s'est hissé au sommet dans le millésime précédent. Jaune d'or brillant, le 2005 se place sous le signe de la richesse. Le nez, encore discret, annonce une future opulence, avec élégance : on y respire le fruit confit et la pâte de coings, arômes que l'on retrouve en bouche. Concentré, ample et long, ce vin finit sur une note de fraîcheur bienvenue. On pourra le servir sur des spécialités asiatiques. (Sucres résiduels : 50 g/l.)
🔑 Paul Ginglinger, 8, pl. Charles-de-Gaulle,
68420 Eguisheim, tél. 03.89.41.44.25,
fax 03.89.24.94.88, e-mail info@paul-ginglinger.fr
☑ 🍷 🚶 t.l.j. sf dim. 8h-12h 14h-18h

HUBERT ET HEIDI HAUSHERR
Gewurztraminer 2005

0,37 ha 1 638 11 à 15 €

Ce petit domaine familial (près de 5 ha) vinifie sa propre production depuis 2000. Il propose un gewurztraminer du Pfersigberg, grand cru situé à flanc de coteau, dans la montée vers Husseren-les-Châteaux. La texture argilo-limoneuse de ce terroir favorise le réchauffement des sols et la maturation des raisins. De fait, ce vin jaune pâle brillant est fort prometteur. Au nez, il commence à s'ouvrir sur les fruits exotiques et les épices. Dans la même tonalité aromatique, ce 2005 équilibré, ample et puissant offre dans sa longue finale un beau retour épicé. Ce vin pourra donner la réplique dès maintenant à une cuisine relevée. (Sucres résiduels : 56 g/l.)

Hubert et Heidi Hausherr, 6B, rue Pasteur, 68420 Eguisheim, tél. et fax 03.89.23.40.67, e-mail contact@vinhaussher.fr r.-v.

JEAN-LOUIS ET FABIENNE MANN
Riesling Vendanges tardives 2004 *

0,39 ha 1 940 15 à 23 €

Installée à Eguisheim depuis 1950, la famille Mann est sortie de la coopérative en 1998, avec Jean-Louis et Fabienne. Les fidèles du Guide connaissent leur étiquette : ils ont obtenu deux coups de cœur ces deux dernières années. Voici des vendanges tardives très réussies : une robe vieil or intense annonce un nez de surmaturation aux nuances de figue accompagnées d'une note de pâtisserie vanillée ; cette palette aromatique se confirme dans une bouche fine et ronde en attaque, ample et puissante, soutenue par une belle fraîcheur qui allonge la finale. À servir maintenant ou dans deux à trois ans. (Sucres résiduels : 32 g/l.)

EARL Jean-Louis Mann, 11, rue du Traminer, 68420 Eguisheim, tél. 03.89.24.26.47, fax 03.89.24.09.41, e-mail mann.jean.louis@wanadoo.fr r.-v.

MICHEL SCHOEPFER Riesling 2005

0,29 ha 2 000 8 à 11 €

Trois cent cinquante ans après la fondation de ce domaine (1656), Vincent Schoepfer a pris les rênes de la propriété : 8 ha de vignes et une cave très ancienne dans le centre historique d'Eguisheim. Jaune pâle à reflets dorés, son riesling du Pfersigberg, discret au nez, marie la pêche blanche à quelques touches minérales. Frais, équilibré, sans lourdeur, il n'est pas très long mais laisse une impression de finesse. On peut l'attendre un an ou deux. (Sucres résiduels : 10,63 g/l.)

Michel Schoepfer, 43, Grand-Rue, 68420 Eguisheim, tél. 03.89.41.09.06, fax 03.89.23.08.50, e-mail michel.schoepfer@tele2.fr t.l.j. 8h-11h30 13h30-18h; groupes sur r.-v.

Vincent Schoepfer

Alsace grand cru pfingstberg

LUCIEN ALBRECHT Riesling Clos Schild 2005

0,47 ha 3 000 23 à 30 €

Une famille enracinée à Orschwihr, village viticole du sud de la route du Vin : ne fait-elle pas remonter son arbre généalogique au XV[e]s. ? Son domaine de 32 ha, cultivé en bio, comprend une superficie importante sur les pentes escarpées du Pfingstberg, dont le Clos Schild, un véritable clos entouré de murs de pierres sèches et planté de riesling. Jaune clair à reflets dorés, ce 2005 mêle au nez des senteurs florales et une fine minéralité. Frais à l'attaque, vif, il révèle des arômes de fruits jaunes bien mûrs jusqu'à la finale qui renoue avec une élégante minéralité. Prêt à boire, il pourrait aussi tenir une décennie. (Sucres résiduels : 6,4 g/l.)

Lucien Albrecht, 9, Grand-Rue, 68500 Orschwihr, tél. 03.89.76.95.18, fax 03.89.76.20.22, e-mail lucien.albrecht@wanadoo.fr t.l.j. sf dim. 8h-19h

Jean Albrecht

GSELL Riesling 2005

0,3 ha 1 400 11 à 15 €

Joseph Gsell exploite 8,5 ha répartis sur plusieurs communes du tronçon méridional de la route du Vin. Il détient des parcelles sur le Pfingstberg, terroir dominant Orschwihr. Les sols de ce grand cru calcaro-gréseux à cailloutis se réchauffent facilement et sont très favorables à un cépage tardif comme le riesling. Celui-ci a donné ici un vin jaune d'or, associant au nez les fruits jaunes (pêche) à une touche minérale. La bouche reste dans le même registre. Ni très long ni très intense, ce 2005 séduit par sa netteté et son équilibre. À boire maintenant où à attendre un an ou deux. (Sucres résiduels : 7 g/l.)

Joseph Gsell, 26, Grand-Rue, 68500 Orschwihr, tél. 03.89.76.95.11, fax 03.89.76.20.54, e-mail joseph.gsell@wanadoo.fr t.l.j. 9h-12h30 13h30-19h

Alsace grand cru praelatenberg

ENGEL FRÈRES Muscat 2005 **

0,47 ha 3 700 8 à 11 €

Ce domaine dispose d'un vignoble de 20 ha couvrant pour l'essentiel les coteaux dominés par le château du Haut-Kœnigsbourg. Pas moins de 7 ha sont classés en grand cru praelatenberg. Mentionné dès le IX[e]s., ce terroir dépendait des prélats de l'abbaye d'Ebermunster, d'où son nom. Ses sols siliceux se réchauffent facilement et sont propices à de nombreux cépages. Or pâle à reflets verts, ce muscat séduit par son nez intense et complexe où le fruit s'allie à une minéralité très fine. Cette complexité et cette élégance se poursuivent au palais, franc à l'attaque, ample, puissant et bien équilibré. « On a le muscat et le terroir », conclut un dégustateur sous le charme. Ce vin fera plaisir pendant au moins trois ans. Quant au **gewurztraminer grand cru praelatenberg 2005**, il obtient une étoile pour son élégance. (Sucres résiduels : 22 g/l pour les deux vins.)

Dom. Engel Frères, 1, rue des Vignes, Haut-Kœnigsbourg, 67600 Orschwiller, tél. 03.88.92.01.83, fax 03.88.92.17.27, e-mail vins-engel@wanadoo.fr t.l.j. 9h-11h30 14h-18h

Alsace grand cru rangen

CLOS SAINT-THÉOBALD Gewurztraminer 2005 *

0,58 ha 1 500 30 à 38 €

Le domaine Schoffit exploite 18 ha répartis sur divers terroirs. Sa production la plus en vue est sans doute celle du Rangen, un vignoble escarpé aux sols volcaniques situé à l'entrée de la vallée de Thann. Jaune d'or intense, ce gewurztraminer présente un nez complexe dominé par des parfums de fruits en compote, agrémenté de notes de mandarine, d'abricot, de mangue et litchi. Les fruits exotiques se prolongent dans une bouche ample, suave, tout en rondeur, marquée par des impressions douces et chaleureuses. (Sucres résiduels : 40 g/l.)

Dom. Schoffit, 66-68, Nonenholz-Weg, 68000 Colmar, tél. 03.89.24.41.14, fax 03.89.41.40.52

r.-v.

MARTIN SCHAETZEL Riesling 2005 **

0,4 ha 1 500 23 à 30 €

Situé à l'extrémité méridionale du vignoble, le Rangen, remarqué par Montaigne au cours de ses voyages, est impressionnant par ses pentes qui surplombent la ville de Thann. Difficile à travailler, ce vignoble faillit tomber à l'abandon avant que quelques maisons ne contribuent à sa renaissance. C'est le cas de ce vigneron-négociant qui exploite en propre 8 ha. Son riesling de Rangen exprime aussi bien les qualités du cépage que celles du terroir. Dans le verre, un jaune d'or soutenu, un disque épais, de belles larmes. Au nez, la puissance des agrumes et du coing. Une attaque fraîche, une minéralité pure, du fruit confit, une ampleur voluptueuse, du gras et une finale très longue dessinent le portrait d'un vin de classe et de garde. (Sucres résiduels : 8,2 g/l.)

Martin Schaetzel, 3, rue de la 5e-D.-B., 68770 Ammerschwihr, tél. 03.89.47.11.39, fax 03.89.78.29.77, e-mail jean.schaetzel@wanadoo.fr

t.l.j. sf dim. 10h-12h 13h30-18h

Jean Schaetzel

Alsace grand cru rosacker

CAVE VINICOLE DE HUNAWIHR
Pinot gris 2005 **

1,54 ha 11 000 8 à 11 €

Fondée en 1955, cette coopérative fédère aujourd'hui cent dix adhérents qui cultivent 200 ha. Elle se flatte de n'exploiter que des vignobles en coteau. Celui du Rosacker lui a valu deux coups de cœur, en pinot gris (millésimes 2001 et 2004). Ce 2005 ne démérite pas. D'un jaune soutenu et brillant, il libère des parfums complexes où les fleurs et les fruits frais se mêlent aux fruits secs et à des notes confites de coing et d'agrumes. L'attaque parfaite est relayée par une bouche ample, grasse et riche, au caractère presque liquoreux et aux arômes de fruits jaunes (abricot, pêche). La fraîcheur est là aussi, qui confère équilibre et élégance à ce vin persistant et généreux. Cette bouteille peut attendre deux à trois ans. (Sucres résiduels : 55 g/l.) Le **riesling Rosacker 2005** est cité pour son équilibre et son potentiel.

Cave vinicole de Hunawihr, 48, rte de Ribeauvillé, 68150 Hunawihr, tél. 03.89.73.61.67, fax 03.89.73.33.95, e-mail info@cave-hunawihr.com

t.l.j. 9h-12h 14h-18h

FRÉDÉRIC MALLO
Riesling Sélection de grains nobles Vieilles Vignes 2004

0,08 ha 480 15 à 23 €

Difficile de ne pas remarquer Hunawihr et son église fortifiée prise d'assaut par les vignes, lorsqu'on parcourt la partie centrale de la route du Vin. Installée à 300 m de là, la famille Mallo exploite 7 ha aux alentours. Elle a élaboré une rare sélection de grains nobles. Récolté le 10 novembre, le riesling a donné naissance à un vin jaune paille intense. Encore fermé, le nez s'ouvre à l'aération sur des notes de fruits confits nuancées de sous-bois. Une attaque franche introduit un palais ample et puissant, où l'on retrouve la surmaturation à travers des notes de raisin sec et de fruits confiturés, assorties de touches briochées. Ce liquoreux devrait bien évoluer dans les prochaines années. (Sucres résiduels : 85 g/l ; bouteilles de 50 cl.)

EARL Frédéric Mallo et Fils, 2, rue Saint-Jacques, 68150 Hunawihr, tél. 03.89.73.61.41, fax 03.89.73.68.46, e-mail dominique.mallo@libertysurf.fr

t.l.j. sf dim. 8h-11h30 13h30-18h

DOM. MITTNACHT FRÈRES Pinot gris 2005 *

0,2 ha 1 500 11 à 15 €

Hunawihr appartient au cercle fermé des « plus beaux villages de France ». Le village viticole est dominé au nord par le Rosacker. Ce terroir marno-calcaire est réputé pour ses rieslings mais réussit à d'autres cépages, témoin ce pinot gris jaune soutenu au nez de coing et d'agrumes confits. Cette palette aromatique évoquant la vendange surmûrie se prolonge dans un palais ample, rond et opulent. On pourra attendre cette bouteille deux ans avant de la servir avec du foie gras ou de la cuisine exotique. (Sucres résiduels : 55 g/l.)

Dom. Mittnacht Frères, 27, rte de Ribeauvillé, 68150 Hunawihr, tél. 03.89.73.62.01, fax 03.89.73.38.10, e-mail mittnacht.freres@wanadoo.fr t.l.j. sf dim. 10h-12h 14h-18h

SIPP-MACK Riesling 2004

1,3 ha 8 000 11 à 15 €

Héritiers d'une lignée vigneronne remontant au XVIIe s., les frères Sipp exploitent un important domaine constitué par leurs parents : 20 ha de vignes, dont le Rosacker constitue un des fleurons. Ce terroir lourd, aéré par un cailloutis calcaire et bien exposé à l'est-sud-est, est particulièrement propice au riesling. Jaune clair à reflets plus intenses, celui-ci développe un nez frais de fleurs blanches. Après une attaque vive, la bouche est dominée

par des impressions de rondeur. Le fruité, qui rappelle l'ananas, se nuance en finale de touches poivrées. Ce vin devrait être plaisant à l'apéritif. (Sucres résiduels : 8 g/l.)
🔑 Dom. Sipp-Mack, 1, rue des Vosges,
68150 Hunawihr, tél. 03.89.73.61.88,
fax 03.89.73.36.70, e-mail sippmack@sippmack.com
✉ 🍷 🚶 t.l.j. sf dim. 9h-12h 14h-18h 🏠 D

Alsace grand cru schlossberg

ANNE BOECKLIN Gewurztraminer 2005 ★

	2 ha	16 000	▮ 8 à 11 €

Cette coopérative, qui vinifie aujourd'hui 180 ha de vignes et qui a modernisé ses installations en 2005, a produit son premier millésime il y a cinquante ans. Elle s'est investie dans la promotion du Schlossberg en grand cru, et ce terroir constitue le fer de lance de sa production. Ce terroir très pentu, exposé plein sud, s'étire tout au long du coteau de l'entrée de la vallée de Kaysersberg et se caractérise par des sols granitiques friables, riches en éléments minéraux. Il vaut à la cave deux mentions : une citation pour le **riesling Anne Boecklin 2005**, floral, jeune et vif (5,5 g/l de sucres résiduels) et une étoile pour ce gewurztraminer paille clair, au nez de rose et de fruits surmûris relevé d'épices. Attaque perlante, bouche équilibrée aux arômes de fruits exotiques, longue finale : un vin de garde dans sa jeunesse. (Sucres résiduels : 85 g/l.)
🔑 Cave vinicole de Kientzheim-Kaysersberg,
10, rue des Vieux-Moulins, 68240 Kientzheim,
tél. 03.89.47.13.19, fax 03.89.47.34.38,
e-mail cave-kaysersberg@vinsalsace-kaysersberg.com
✉ 🍷 🚶 r.-v.

J. FRITSCH Riesling 2005

	0,18 ha	1 400	▮ 5 à 8 €

Ce vigneron installé en 1977 accueille le visiteur dans une cave datée de 1703 au cœur du centre historique de Kientzheim. Quant au vin, il est élaboré dans des locaux fonctionnels. Ce riesling jaune pâle montre des reflets vert brillant et révèle des parfums de pêche blanche. Franc et vif en attaque, puissant, gras, d'une ampleur agréable, il persiste longuement sur une fraîcheur florale. Une bouteille harmonieuse, à boire ou à attendre deux à trois ans. (Sucres résiduels : 5 g/l.)
🔑 EARL Joseph Fritsch, 31, Grand-Rue,
68240 Kientzheim, tél. 03.89.78.24.27,
fax 03.89.78.16.53,
e-mail vinsjosephfritsch@wanadoo.fr ✉ 🍷 🚶 r.-v.

SALZMANN Riesling Cuvée Prestige 2004 ★

	0,6 ha	3 200	▮ 8 à 11 €

À Kaysersberg, il est facile de trouver ce domaine de l'Oberhof : il est situé juste à l'angle du pont fortifié. Le vignoble était mis en valeur par les Cisterciens au Moyen Âge. Le Schlossberg est à l'origine d'un riesling à l'image de son terroir granitique. Jaune clair à reflets argentés, ce 2004 présente un nez intense, où les fruits mûrs côtoient la bergamote et une minéralité naissante. Une attaque suave relayée par une fine acidité, une finale chaleureuse et longue avec un retour de la minéralité composent une bouteille pleine de charme. À servir maintenant sur du poisson en sauce. (Sucres résiduels : 9 g/l.)
🔑 Salzmann-Thomann,
Dom. de l'Oberhof, 3, rue de l'Oberhof,
68240 Kaysersberg, tél. 03.89.47.10.26,
fax 03.89.78.13.08 🍷 🚶 t.l.j. sf dim. 9h-12h 14h-18h30

DOM. WEINBACH
Riesling Cuvée Sainte-Catherine 2005 ★

	1 ha	4 300	▮▮ 38 à 46 €

D'une grande notoriété internationale, le domaine Weinbach exporte 60 % de sa production. Est-ce l'ancienneté de cet ancien vignoble monastique situé au cœur de la route du Vin ? La richesse de ses terroirs (plusieurs grands crus) ? Sa conduite en biodynamie ? Sa direction féminine ? Sans doute tout cela à la fois. La cuvée Sainte-Catherine est toujours un riesling très riche. De couleur jaune paille, celui-ci laisse des larmes sur les parois du verre. Le nez tout en subtilité mêle la noisette grillée et des effluves anisés, avec une minéralité sous-jacente. Suave à l'attaque, concentrée, la bouche est soutenue par une acidité fine. On y retrouve des accents minéraux associés aux fruits mûrs. Particulièrement élégante, la longue finale signe un vin de garde, qui accompagnera dès maintenant quelque homard. (Sucres résiduels : 6 g/l.)
🔑 Colette Faller et ses Filles,
Dom. Weinbach, Clos des Capucins,
68240 Kaysersberg, tél. 03.89.47.13.21,
fax 03.89.47.38.18,
e-mail contact@domaineweinbach.com ✉ 🍷 r.-v.

Alsace grand cru schoenenbourg

BARON DE HOEN Riesling 2005 ★

	1,2 ha	2 200	▮ 8 à 11 €

Fondée en 1952, la coopérative de Beblenheim vinifie les récoltes de 230 ha. Elle propose plusieurs grands crus, dont ce schoenenbourg, fleuron de la proche Riquewihr. Le riesling est roi sur ce terroir argilo-marneux recouvert de calcaire coquillier. « Beau riesling issu de raisins mûrs, marqué par le terroir argileux », lit-on sur le rapport de dégustation à l'aveugle. Traduisez : jeune et pâle de couleur, avec des reflets verts ; réservé au nez, un peu grillé, beurré, citronné en finale ; des sucres restants dans un ensemble équilibré et persistant. Attendre. (Sucres résiduels : 12 g/l.)
🔑 SICA Baron de Hoen, 20, rue de Hoen,
68980 Beblenheim, tél. 03.89.47.89.93
✉ 🍷 🚶 t.l.j. 9h-12h 14h-18h; f. jan.-mi-mars

DOM. LAURENCE ET PHILIPPE GREINER
Riesling 2005 ★★

	0,2 ha	1 060	▮ 11 à 15 €

Un nouveau nom dans le Guide. Premier millésime pour Philippe Greiner, coopérateur jusqu'en 2005. Sa femme l'a rejoint dans cette entreprise. Sur leur étiquette,

un petit archer. Il a tiré dans le mille : un coup de cœur pour ce riesling bien né, original et racé. La robe jaune d'or à reflets ambrés annonce un nez complexe d'agrumes confits évoquant la surmaturation. On trouve au palais de la rondeur, du volume, de l'ampleur, du gras, de l'opulence. Le fruité accompagne la longue finale soulignée d'une fraîcheur minérale. Un vin de gastronomie et de garde, à marier à un flan d'écrevisses ou quelque fin poisson bien cuisiné. (Sucres résiduels : 23 g/l.)

Laurence et Philippe Greiner, rue des Prés, 68340 Riquewihr, tél. et fax 03.89.86.04.68, e-mail philippe.greiner@wanadoo.fr r.-v.

Alsace grand cru sommerberg

ALBERT BOXLER
Riesling Vendanges tardives 2004 ★

n.c. n.c. **23 à 30 €**

Un curieux clocher vrillé : vous arrivez à Niedermorschwihr, à l'ouest de Colmar. Le grand cru, au nord du village, s'appelle ici Sommerberg : « mont de l'Été », exposition sud. Arènes granitiques, qui savent faire parler le riesling. La famille Boxler en tire de jolies choses, comme dans ses autres terroirs (cinq coups de cœur). Ces vendanges tardives ? Un vieil or brillant, un nez discret d'orange et de pamplemousse avec un soupçon de résine de pin. Une attaque puissante, des agrumes confits encore, une acidité fondue dans un corps concentré, une longue finale : tous les caractères de la pourriture noble. Une bouteille de garde. (Sucres résiduels : 58 g/l.)

Albert Boxler, 78, rue des Trois-Épis, 68230 Niedermorschwihr, tél. 03.89.27.11.32, fax 03.89.27.70.14 r.-v.

JUSTIN BOXLER Pinot gris 2005 ★

0,28 ha 1 900 **11 à 15 €**

Veillée par l'église, la maison à elle seule mérite un détour : oriel du XVIe s., vaste porche, cour fleurie, foudres luisants, tout le pittoresque régional. Le vignoble ? 11 ha, des parcelles dans quatre grands crus, notamment dans ce Sommerberg si pentu qu'il semble se précipiter sur le village. Il a donné naissance à un vin tout d'or vêtu, au nez à la fois profond et flatteur : on y hume la surmaturation (coing et abricot confit) et ces touches de sous-bois typées du pinot gris. On retrouve en bouche ce côté confit, assorti de quelques notes beurrées. Suave, puissant, fondu et long, un ensemble harmonieux, pour l'apéritif et le foie gras. (Sucres résiduels : 31 g/l.)

GAEC Justin Boxler, 15, rue des Trois-Épis, 68230 Niedermorschwihr, tél. 03.89.27.11.07, fax 03.89.27.01.44, e-mail justin.boxler@online.fr t.l.j. 8h-12h 13h30-19h

Alsace grand cru sonnenglanz

BARON DE HOEN Pinot gris 2005

1,8 ha 16 200 **8 à 11 €**

La coopérative de Beblenheim vinifie une parcelle importante de pinot gris issu du Sonnenglanz, grand cru situé sur le finage de la commune. Aussi ce pinot gris n'a-t-il rien de confidentiel. Jaune clair limpide, il présente un nez intense associant des notes briochées et des nuances confites rappelant l'abricot. La bouche est dominée par des impressions de rondeur et de douceur. Une courte garde devrait lui permettre de gagner en expression. (Sucres résiduels : 32 g/l.)

SICA Baron de Hoen, 20, rue de Hoen, 68980 Beblenheim, tél. 03.89.47.89.93 t.l.j. 9h-12h 14h-18h; f. jan.-mi-mars

CH. ET J. EBLIN Pinot gris 2005 ★★

0,1 ha 400 **15 à 23 €**

Le village de Zellenberg se perche sur un éperon en face de Riquewihr. La famille Eblin y est établie depuis la nuit des temps et exploite en biodynamie 10 ha aux alentours. Jaune d'or brillant comme le « rayon de soleil » (Sonnenglanz) qui désigne ce grand cru, ce pinot gris est moelleux à souhait. Au nez comme en bouche, il mêle les agrumes à des notes de surmaturation évoquant les fruits secs et confits. Gras, riche, souple, suave et long, il est prêt. (Sucres résiduels : 40 g/l.)

Christian et Joseph Eblin, 19, rte des Vins, 68340 Zellenberg, tél. 03.89.47.91.14, fax 03.89.49.05.12, e-mail eblin-fuchs@tiscali.fr t.l.j. sf dim. 9h-12h 13h-18h

J.-P. ET FRANK HARTWEG Pinot gris 2005 ★

0,2 ha 1 730 **11 à 15 €**

Situé au cœur de l'Alsace viticole, ce domaine familial de 9 ha a été repris en 1996 par Frank Hartweg à l'issue de ses études d'œnologie à Beaune. Jaune clair brillant, son pinot gris du Sonnenglanz libère des senteurs complexes où les agrumes voisinent avec une minéralité délicate que l'on retrouve en bouche. La riche matière est dominée par des impressions de rondeur qui donnent à ce vin un caractère presque liquoreux. On peut le déguster dès maintenant. (Sucres résiduels : 50 g/l.)

Jean-Paul et Frank Hartweg, 39, rue Jean-Macé, 68980 Beblenheim, tél. 03.89.47.94.79, fax 03.89.49.00.83, e-mail frank.hartweg@free.fr t.l.j. sf dim. 8h-11h45 14h-17h45; sam. sur r.-v.

RAYMOND RENCK Pinot gris 2005

0,5 ha 3 200 **8 à 11 €**

La famille Schillinger exploite un peu plus de 5 ha de vignes, dont des parcelles en grand cru. Délimité dès 1936,

le Sonnenglanz se caractérise par une exposition sud-est et un sol marno-calcaire très caillouteux qui convient au pinot gris. Celui-ci, jaune clair limpide, offre une harmonie légère et fruitée. Porté vers le fruit jaune et les agrumes, il séduit par son équilibre, son ampleur et sa finale fraîche. (Sucres résiduels : 23 g/l.)
EARL Raymond Renck, 11, rue de Hoen, 68980 Beblenheim, tél. 03.89.47.91.59, fax 03.89.47.91.75 t.l.j. sf dim. 8h-12h 14h-19h

DOM. STIRN Pinot gris 2005

0,2 ha 1 500 8 à 11 €

Tous deux œnologues, Odile et Fabien Stirn ont repris les vinifications au domaine après leur installation en 1999. Il faut dire que leur vignoble comprend de nombreux terroirs et notamment des parcelles dans plusieurs grands crus. Le Sonnenglanz possède des sols assez lourds et caillouteux ; il a engendré ce pinot gris d'approche discrète, avec sa robe jaune pâle brillant et son nez réservé, floral et fruité. L'équilibre en bouche penche vers la rondeur et la richesse, mais une pointe de fraîcheur vivifie la finale. (Sucres résiduels : 30 g/l.)
Fabien Stirn, Dom. Stirn, 3, rue du Château, 68240 Sigolsheim, tél. et fax 03.89.47.30.58, e-mail domainestirn@free.fr
t.l.j. 13h30-18h30; dim. sur r.-v.

Alsace grand cru spiegel

DOMAINES SCHLUMBERGER Pinot gris 2004 *

2,48 ha 9 936 11 à 15 €

Sous l'Empire, Nicolas Schlumberger, industriel, acquit les premiers vignobles, qui dépendaient de la proche abbaye de Murbach avant la Révolution. Le domaine s'est beaucoup développé entre les deux guerres pour atteindre 140 ha, ce qui en fait le plus vaste domaine d'Alsace. De nombreuses parcelles couvrent de fortes pentes aménagées en terrasses. Le Spiegel s'étire à mi-coteau. Sa forme incurvée permet un ensoleillement optimal. Il en résulte un vin jaune d'or, au nez intense, confit et un rien fumé. Puissant et ample, le palais finit sur de délicates impressions miellées et épicées. (Sucres résiduels : 35 g/l.)
Domaines Schlumberger, 100, rue Théodore-Deck, 68500 Guebwiller, tél. 03.89.74.27.00, fax 03.89.74.85.75, e-mail mail@domaines-schlumberger.com r.-v.

Alsace grand cru sporen

DOM. DE LA VIEILLE FORGE
Gewurztraminer 2005

0,15 ha 1 300 11 à 15 €

Jeune œnologue, Denis Wurtz a repris en 1998 le domaine familial : 5 ha autour de Beblenheim, au cœur de la route du Vin, avec des parcelles dans trois grands crus. Le Sporen se déploie en pente douce, ce qui le rend facile à travailler. Ses sols marneux sont favorables au gewurztraminer. De couleur jaune clair, celui-ci mêle au nez les fruits mûrs, voire confits, et les épices. Ample, rond et puissant, avec suffisamment de fraîcheur, il est marqué en finale par des sucres résiduels qui demandent à se fondre. (Sucres résiduels : 26 g/l.)
Dom. de la Vieille Forge, 5, rue de Hoen, 68980 Beblenheim, tél. 03.89.86.01.58, fax 03.89.47.86.37, e-mail virginie.wurtz@wanadoo.fr
r.-v.
Denis Wurtz

JEAN ZIEGLER Gewurztraminer 2005

0,28 ha 1 700 8 à 11 €

Quatre générations de viticulteurs double-actifs se sont succédé sur cette petite propriété familiale (2,5 ha). Le père était préposé aux PTT, le fils est pilote de ligne... tout en pilotant son domaine. Jaune à reflets dorés, son gewurztraminer du Sporen s'ouvre peu à peu sur des parfums de fruits très mûrs et de coing. L'abricot sec vient compléter cette palette dans un palais rond en attaque et soutenu par une bonne fraîcheur. Une vivacité qui persiste en finale, laissant augurer des capacités d'évolution. Cette bouteille devrait profiter d'un séjour d'au moins deux ans en cave. (Sucres résiduels : 18,8 g/l.)
Jean Ziegler, 3, chem. de la Daensch, 68340 Riquewihr, tél. et fax 03.89.47.86.02
r.-v. 2 B
Serge Ziegler

Alsace grand cru steinert

DOM. FREUDENREICH
Gewurztraminer Cuvée Sainte-Catherine 2005

0,42 ha 2 600 5 à 8 €

Vignerons depuis 1714, les Freudenreich exploitent 13 ha autour de Pfaffenheim, notamment dans le Steinert. Ce grand cru se distingue par des sols argilo-calcaires à cailloutis important qui se réchauffent précocement. Le gewurztraminer s'y exprime pleinement. D'un jaune d'or éclatant, celui-ci présente un nez floral avec une touche épicée. Dans le même registre fruité et épicé, il se montre riche, ample, équilibré et long au palais, sans lourdeur aucune. Il est prêt. (Sucres résiduels : 28 g/l.)
Dom. J.-C. et Hugues Freudenreich, rue du Sylvaner, lieu-dit Wirrenweg, 68250 Pfaffenheim, tél. 03.89.49.60.93, fax 03.89.78.54.46, e-mail domfreudenreich@aol.com
r.-v. 3 B

DOM. DU MITTELBURG Gewurztraminer 2005 *

0,25 ha 2 000 8 à 11 €

Le Steinert est exposé est-sud-est ; son sol argilo-calcaire repose sur un éboulis important, d'où son nom évoquant la pierre. Le cailloutis favorise un bon drainage du terrain et son réchauffement dès le printemps. Le gewurztraminer y prospère. Celui-ci revêt une livrée jaune soutenu. Au nez, il associe des parfums floraux (rose), fruités et épicés. Les épices s'affirment dans un palais ample, puissant et long. Un vin de garde qui bénéficiera d'un séjour en cave. (Sucres résiduels : 58 g/l.)

🔑 EARL Henri Martischang, 15, rue du Fossé, 68250 Pfaffenheim, tél. 03.89.49.60.83, fax 03.89.49.76.61, e-mail vin.h.martischang@free.fr
r.-v.

DOM. MOLTÈS Pinot gris 2005

0,31 ha 1 800 **11 à 15 €**

Installé en 1997 sur la propriété familiale, Stéphane et Mickaël Moltès exploitent 12 ha sur le territoire de trois villages du canton de Rouffach, au sud de Colmar. Ils détiennent une parcelle plantée en pinot gris dans le Steinert. Jaune d'or, ce 2005 a bien tiré profit de ce terroir caillouteux qui favorise la maturation, voire la surmaturation. Il exprime le miel et le coing, avec une touche épicée. Cette note miellée se confirme en bouche, où l'on découvre aussi des arômes d'abricot confit. Ample, riche, concentré et long au palais, ce vin évoque une vendange tardive. Il peut attendre trois ans. (Sucres résiduels : 37 g/l.)

🔑 Dom. Antoine Moltès et Fils, 8, rue du Fossé, 68250 Pfaffenheim, tél. 03.89.49.60.85, fax 03.89.49.50.43, e-mail domaine@vin-moltes.com
r.-v.

RIEFLÉ Riesling Bonheur exceptionnel 2005 ★

0,5 ha 3 500 **11 à 15 €**

Comme dans l'édition précédente, le domaine Rieflé signe un riesling très réussi issu du Steinert. Ce terroir calcaire aéré par un cailloutis important se révèle propice à ce cépage tardif. Jaune à reflets verts, ce 2005 mêle au nez la noisette, la cire, les agrumes et les fruits jaunes. Souple à l'attaque, toujours portée vers les fruits mûrs, la bouche est équilibrée et fraîche. À boire ou à attendre deux à trois ans. (Sucres résiduels : 10 g/l.)

🔑 Dom. Rieflé, BP 43, 7, rue du Drotfeld, 68250 Pfaffenheim, tél. 03.89.78.52.21, fax 03.89.49.50.98, e-mail riefle@riefle.com
t.l.j. sf dim. 9h-12h 14h-18h

Alsace grand cru wiebelsberg

BOECKEL Riesling 2005 ★

1,3 ha 8 000 **8 à 11 €**

À la sortie de la vallée d'Andlau, sur la rive gauche de la rivière, le Wiebelsberg se caractérise par des sols gréseux avec intercalations locales de strates argileuses. Pentu, bien exposé au sud et sud-est, sableux, se réchauffant vite, ce terroir engendre des rieslings de haute expression. Jaune d'or brillant, celui-ci présente un nez intense et complexe associant les fleurs blanches et les fruits confits. Une attaque franche révèle un palais ample, souple, puissant et long. Dans la même ligne que l'olfaction, la palette aromatique mêle les fruits à chair blanche et des nuances confites de surmaturation. Cette bouteille harmonieuse peut attendre trois à cinq ans. (Sucres résiduels : 7 g/l.)

🔑 Émile Boeckel, 2, rue de la Montagne, 67140 Mittelbergheim, tél. 03.88.08.91.02, fax 03.88.08.91.88, e-mail boeckel@boeckel-alsace.com
r.-v.

RIEFFEL Riesling 2005 ★

0,76 ha 3 800 **11 à 15 €**

Situé sur la commune d'Andlau, à une altitude comprise entre 220 et 300 m, le Wiebelsberg est très propice au riesling. Le cépage a donné ici naissance à un vin jaune d'or, au nez intense et complexe où le pamplemousse et d'autres agrumes voisinent avec les fleurs, la pêche et des nuances confites de surmaturation. Après une attaque souple et élégante, on découvre une bouche vive, structurée, équilibrée et d'une grande persistance. Cette bouteille de garde gagnera à attendre deux à trois ans et vivra au moins cinq ans. (Sucres résiduels : 10 g/l.)

🔑 Rieffel, 11, rue Principale, 67140 Mittelbergheim, tél. 03.88.08.95.48, fax 03.88.08.28.94, e-mail andre-rieffel@wanadoo.fr r.-v.

Alsace grand cru vorbourg

RENÉ MURÉ
Pinot gris Clos Saint-Landelin Vendanges tardives 2001

2,45 ha 9 800 **30 à 38 €**

D'origine monastique, le prestigieux clos Saint-Landelin, situé à l'entrée du vallon de Westhalten, a été acquis par la famille Muré en 1935. Cette partie du vignoble méridional alsacien est particulièrement sèche et a joui, en 2001, d'une arrière-saison très ensoleillée qui a permis ces vendanges tardives. D'un jaune intense, ce pinot gris s'ouvre sur de discrets arômes de sous-bois. Ces arômes, associés aux fruits confits, se confirment dans un palais puissant, équilibré et frais en finale. Cette bouteille est prête. (Sucres résiduels : 78 g/l.)

🔑 René Muré, Dom. du Clos Saint-Landelin, rte du Vin, 68250 Rouffach, tél. 03.89.78.58.00, fax 03.89.78.58.01, e-mail rene@mure.com r.-v.

Alsace grand cru wineck-schlossberg

JEAN-MARC BERNHARD Riesling 2005

0,46 ha 2 900 **8 à 11 €**

Jean-Marc Bernhard et son fils Frédéric – qui l'a rejoint en 2000 après plusieurs stages à l'étranger – exploitent un domaine de 9 ha riche de parcelles situées dans plusieurs grands crus. Le terroir granitique du Wineck-Schlossberg est particulièrement adapté à l'expression du riesling. Jaune pâle à reflets verts, celui-ci offre un nez discret mais fin, évocateur de citron et de pamplemousse. Le citron se confirme dans une harmonie très fraîche qui destine cette bouteille aux produits de la mer. (Sucres résiduels : 8 g/l.)

🔑 Dom. Jean-Marc Bernhard, 21, Grand-Rue, 68230 Katzenthal, tél. 03.89.27.05.34, fax 03.89.27.58.72, e-mail jeanmarcbernhard@online.fr
t.l.j. sf dim. 9h-12h 14h-18h30

JEAN-PAUL ECKLÉ Riesling 2005 ★★

0,26 ha 3 600 8 à 11 €

Jean-Paul Ecklé et son fils Emmanuel exploitent plus de 8 ha. Le Wineck-Schlossberg leur a valu deux coups de cœur. Dominant au nord le village de Katzenthal, abrité au fond d'un vallon, ce terroir pentu au sol de granite désagrégé sert en général le riesling. Voyez celui-ci : jaune pâle aux brillants reflets verts, il libère des parfums intenses de coing, de fruits confits et de cire. Ces accents surmûris se prolongent en bouche : on y trouve la pêche, l'abricot et la figue. Une fine acidité porte ces arômes jusqu'à la finale fruitée et persistante. Cette bouteille harmonieuse peut attendre deux ou trois ans. (Sucres résiduels : 7 g/l.)

Jean-Paul Ecklé et Fils, 29, Grand-Rue, 68230 Katzenthal, tél. 03.89.27.09.41, fax 03.89.80.86.18, e-mail eckle.jean-paul@wanadoo.fr t.l.j. sf dim. 9h-12h 13h30-18h30 B

MEYER-FONNÉ Gewurztraminer 2005 ★

0,45 ha 2 500 11 à 15 €

François et Felix Meyer cultivent 11,5 ha de vignes autour de Katzenthal. Si le Wineck-Schlossberg est renommé pour ses rieslings, ils montrent à eux deux que l'on peut aussi obtenir de bons résultats avec d'autres cépages. Vendangé le 20 octobre, ce gewurztraminer a engendré un vin jaune d'or, au nez complexe déclinant la rose puis les fruits confits. Cette palette s'épanouit en bouche où elle se complète de touches exotiques. Puissant et long, ce vin ne manque pas de fraîcheur. Il pourra patienter au moins cinq ans en cave. (Sucres résiduels : 35 g/l.)

Dom. Meyer-Fonné, 24, Grand-Rue, 68230 Katzenthal, tél. 03.89.27.16.50, fax 03.89.27.34.17, e-mail felix.meyer-fonne@libertysurf.fr r.-v.

François et Félix Meyer

SCHLOESSEL MÜHLE Pinot gris 2004 ★

0,25 ha 1 930 15 à 23 €

Les Schmitt, qui se sont alliés aux Carrer en 1985, cultivent la vigne depuis le XVII[e]s. mais n'en ont fait leur activité principale que depuis le début du XX[e]s. Établis à Kientzheim, ils exploitent 14 ha aux alentours, jusqu'à Katzenthal, situé un peu plus au sud. Récolté à la mi-octobre 2004, ce pinot gris rappelle un peu une vendange tardive : la robe est jaune d'or, le nez s'ouvre sur un léger sous-bois accompagné de notes de fruits confits qui s'épanouissent en bouche. Ample, riche, profond et persistant, ce vin s'accordera avec des fromages forts. (Sucres résiduels : 46 g/l.)

Schmitt & Carrer, 7, rue du Hohlandsbourg, 68240 Kientzheim, tél. 03.89.78.24.17, fax 03.89.78.00.00, e-mail carrer.vins@wanadoo.fr t.l.j. sf dim. 8h-12h 13h30-19h

Alsace grand cru winzenberg

J.-M. SOHLER Pinot gris 2005 ★

0,13 ha 900 8 à 11 €

« Winzenberg », le « mont des Vignerons » : un coteau escarpé, aux sols granitiques, d'exposition sud-sud-est. Les Sohler, qui exploitent 9 ha autour de Blienschwiller, n'ont pas moins de soixante-dix parcelles ! Bien sûr, ils détiennent un petit morceau du fleuron de leur village. Le pinot gris a donné naissance à un vin or brillant, au nez discret, floral et fruité, nuancé de pierre à fusil. Un ensemble léger, aérien, frais et élégant. (Sucres résiduels : 14,7 g/l.)

Jean-Marie et Hervé Sohler, 16, rue du Winzenberg, 67650 Blienschwiller, tél. 03.88.92.92.93 r.-v. E

Alsace grand cru zinnkoepflé

DOM. LÉON BOESCH
Gewurztraminer Vendanges tardives 2004 ★★

0,8 ha 2 000 30 à 38 €

Gérard Boesch et son fils Matthieu signent ces vendanges tardives fermentées en foudre avec des levures indigènes et longuement élevées sur lies. La robe jaune d'or limpide annonce un nez complexe et élégant, associant les nuances exotiques du cépage (mangue, litchi) et des notes de surmaturation (fruits confits). L'attaque révèle un vin concentré, puissant, opulent, où l'on retrouve des arômes surmûris évoquant l'abricot. Cette richesse se conjugue à une fraîcheur assurant un remarquable équilibre. La longue finale laisse présager un vin de garde qui mérite d'attendre un an ou deux. Dans le même grand cru et le même cépage, une sélection de grains nobles 2002 fut coup de cœur de la dernière édition. (Sucres résiduels : 84 g/l.)

Dom. Léon Boesch, 6, rue Saint-Blaise, 68250 Westhalten, tél. 03.89.47.01.83, fax 03.89.47.64.95, e-mail domaine-boesch@wanadoo.fr r.-v. B

Gérard et Matthieu Boesch

AGATHE BURSIN Gewurztraminer 2005 ★★

0,6 ha 2 500 11 à 15 €

Cette jeune œnologue s'est lancée avec passion et talent dans la mise en valeur du vignoble familial situé dans le tronçon méridional de la route du Vin. Elle a élaboré un gewurztraminer typique de ce grand cru favorisé par un microclimat méditerranéen. La robe jaune d'or à reflets ambrés annonce un nez puissant où le litchi et la mangue voisinent avec des fruits secs et confits. Ces arômes complexes et surmûris se confirment en bouche, au sein d'un corps volumineux, ample, gras et long. Cette bouteille de garde, déjà agréable, aimera un lapin au pain d'épice, des fromages de caractère ou des plats exotiques. (Sucres résiduels : 32 g/l.)

Agathe Bursin, 11, rue de Soultzmatt, 68250 Westhalten, tél. et fax 03.89.47.04.15, e-mail agathe.bursin@orange.fr r.-v.

RENÉ FLECK Gewurztraminer 2005

0,48 ha 2 900 8 à 11 €

Ce gewurztraminer récolté à la mi-octobre a été vinifié par Nathalie Fleck qui a pris les rênes du domaine familial en 1995. Jaune clair brillant, il apparaît encore fermé au nez mais laisse deviner sa complexité à travers des parfums de fruits très mûrs. Ces accents surmûris accompagnés de nuances épicées se prolongent dans une bouche charpentée et longue. À déboucher dès maintenant à l'apéritif. (Sucres résiduels : 71 g/l.)

🔑 Dom. René Fleck et Fille, 27, rte d'Orschwihr, 68570 Soultzmatt, tél. 03.89.47.01.20, fax 03.89.47.09.24, e-mail renefleck@voila.fr
▼ Y ★ r.-v. 🏠 ©

JEAN-MARIE HAAG
Gewurztraminer Cuvée Maria 2005

0,3 ha 1 500 ▮ 11 à 15 €

Ce domaine de 6 ha n'exporte pas moins de 30 % de sa production ; son gewurztraminer du Zinnkoepflé montre sa jeunesse dans une robe jaune pâle limpide. Puissant au nez, il associe les fruits exotiques, la pâte d'amandes et les épices. Au palais, il poursuit dans le même registre : litchi, mangue, épices. Chaleureux, ample et persistant, il possède un bon potentiel d'évolution et gagnera à attendre un an ou deux. (Sucres résiduels : 38 g/l.)

🔑 Jean-Marie Haag, 17, rue des Chèvres, 68570 Soultzmatt, tél. 03.89.47.02.38, fax 03.89.47.64.79, e-mail jean-marie.haag@wanadoo.fr
▼ Y ★ r.-v.

RAYMOND ET MARTIN KLEIN
Gewurztraminer 2005

2,08 ha 8 000 ▮ 5 à 8 €

Culminant à 420 m, le Zinnkoepflé est considéré comme le toit du vignoble alsacien. Protégé de l'humidité océanique par les plus hauts sommets vosgiens, il jouit d'un microclimat aride propice au gewurztraminer. De couleur paille à reflets dorés, ce 2005 distille des notes épicées dans un environnement plutôt floral. Puissant, volumineux, équilibré et assez long au palais, il ne s'exprime pas encore pleinement. Il peut déjà être débouché mais il gagnera à attendre. (Sucres résiduels : 21 g/l.)

🔑 Raymond et Martin Klein, 61, rue de la Vallée, 68570 Soultzmatt, tél. 03.89.47.01.76, fax 03.89.47.64.53
▼ Y ★ t.l.j. sf dim. 9h-11h30 14h-18h30 🏠 ©

PAUL KUBLER Gewurztraminer 2005 *

0,6 ha 2 400 ▮ 11 à 15 €

Avec ses 68 ha, le Zinnkoepflé figure au nombre des grands crus les plus étendus : de nombreux vignerons le mettent en valeur. Parmi eux, Paul Kubler exploite 9 ha de vignes autour de Soultzmatt. Son gewurztraminer jaune pâle mêle au nez des notes épicées à des nuances de pâte d'amandes. L'attaque révèle un palais gras, ample, puissant et équilibré, où l'acidité assure un bel équilibre. La longue finale épicée est soulignée par une pointe de fraîcheur. Un vin de garde qui mérite d'attendre. (Sucres résiduels : 34 g/l.)

🔑 Dom. Paul Kubler, 103, rue de la Vallée, 68570 Soultzmatt, tél. 03.89.47.00.75, fax 03.89.47.65.45, e-mail kubler@lesvins.com
▼ Y ★ t.l.j. sf dim. 9h-12h 14h-19h

ÉRIC ROMINGER
Gewurztraminer Les Sinneles 2005 **

0,7 ha 2 000 ▮ 11 à 15 €

Installé depuis vingt ans, Éric Rominger est bien connu des fidèles lecteurs du Guide et régulièrement mentionné grâce à ses vignes du Zinnkoepflé. Jaune pâle à reflets dorés, ce gewurztraminer s'ouvre à l'agitation sur des parfums de rose, de fruits exotiques et de fruits confits. La bouche séduit par son équilibre : elle conjugue richesse, gras, volume et finesse. (Sucres résiduels : 84 g/l.) Le **riesling Les Sinneles 2005** est cité. Très marqué par la surmaturation, puissant et souple, il gagnera à attendre deux ou trois ans. (Sucres résiduels : 14 g/l.)

🔑 Éric Rominger, 16, rue Saint-Blaise, 68250 Westhalten, tél. 03.89.47.68.60, fax 03.89.47.68.61, e-mail vins-rominger.eric@wanadoo.fr ▼ Y ★ r.-v.

DOM. SCHIRMER Gewurztraminer 2005 **

0,4 ha 2 600 ▮ 11 à 15 €

À la suite de Sébastien Schirmer, vigneron sous l'Empire, Lucien et Thierry Schirmer mettent en valeur le domaine familial totalement consacré à la vigne depuis les années 1970. Leur gewurztraminer du Zinnkoepflé est souvent retenu dans le Guide. Le 2001 fut même coup de cœur. Jaune d'or, le 2005 laisse des larmes sur les parois du verre. Intense au nez, il mêle le litchi aux fruits secs et confits (figue). Les fruits exotiques imprègnent une bouche puissante, équilibrée et longue, qui devrait s'épanouir avec le temps. (Sucres résiduels : 64 g/l.)

🔑 Dom. Lucien Schirmer et Fils, 22, rue de la Vallée, 68570 Soultzmatt, tél. 03.89.47.03.82, fax 03.89.47.02.33 ▼ Y ★ r.-v.

SCHLEGEL BOEGLIN Riesling 2005 *

0,6 ha 3 300 ▮ 8 à 11 €

Cette exploitation familiale disposant de 12 ha dans la partie du vignoble alsacien s'est illustrée dans les dernières éditions du Guide. Ce riesling grand cru affiche une robe or limpide avec quelques reflets verts. Un nez de pêche annonce une bouche moelleuse aux accents miellés de surmaturité. L'ensemble, chaleureux et souple, est pour l'heure alourdi par les sucres et devrait tirer profit d'un séjour en cave de deux ou trois ans. (Sucres résiduels : 41 g/l.)

🔑 Dom. Schlegel-Boeglin, 22 A, rue d'Orschwihr, 68250 Westhalten, tél. 03.89.47.00.93, fax 03.89.47.65.32, e-mail schlegel-boeglin@wanadoo.fr
▼ Y ★ r.-v.
🔑 Jean-Luc Schlegel

Alsace grand cru zotzenberg

BOECKEL Sylvaner 2005

0,7 ha 3 600 ▮▮ 8 à 11 €

Dominant le village de Mittelbergheim, le Zotzenberg épouse la forme d'une cuvette exposée plein sud. De longue date, le sylvaner a fait la réputation de ce terroir, et ces vignerons-négociants, établis ici depuis 1530, en cultivent une parcelle parmi leurs 21 ha de vignes. Avec sa robe or soutenu, son nez de fruits très mûrs voire confits, son palais ample, gras et long, davantage porté sur la rondeur que sur la vivacité, ce vin se plaira davantage à l'apéritif ou sur une terrine que sur les fruits de mer. À boire. (Sucres résiduels : 7 g/l.)

🔑 Émile Boeckel, 2, rue de la Montagne, 67140 Mittelbergheim, tél. 03.88.08.91.02, fax 03.88.08.91.88, e-mail boeckel@boeckel-alsace.com ☑ 🍷 🚶 r.-v.

DOM. ARMAND GILG Gewurztraminer 2005

0,06 ha 8 300 ■ 8 à 11 €

Très prospère au XVI[e]s., l'Alsace viticole était comme une Terre promise : les Gilg, venus d'Autriche, s'y sont établis à cette époque et ont fait souche à Mittelbergheim en 1601. Installés dans une demeure Renaissance, ils exploitent 22 ha, dont plusieurs parcelles dans ce grand cru. Plus modeste que dans le millésime précédent, ce gewurztraminer est la retenue même : robe jaune pâle, nez discrètement floral et épicé. Sans grande complexité, il n'en est pas moins frais, fruité et élégant. (Sucres résiduels : 23,8 g/l.)

🔑 Dom. Armand Gilg, 2-4, rue Rotland, 67140 Mittelbergheim, tél. 03.88.08.92.76, fax 03.88.08.25.91, e-mail bureau@domaine-gilg.com ☑ 🍷 🚶 t.l.j. 8h-12h 13h30-18h; dim. 9h-11h30; groupes sur r.-v. 🏠 B

DOM. HAEGI Gewurztraminer 2005

0,15 ha 1 160 ■ 8 à 11 €

Daniel Haegi a repris l'exploitation familiale en 1986 et se trouve à la tête de plus de 8,5 ha de vignes. Il signe un gewurztraminer de belle présentation avec sa robe jaune doré et son nez assez expressif, sur la rose et les fruits exotiques (litchi et mangue). L'attaque révèle un vin puissant, ample et gras. Une bouteille intéressante, à laquelle il ne manque qu'un peu de longueur pour décrocher une étoile. (Sucres résiduels : 26 g/l.)

🔑 Daniel Haegi, 33, rue de la Montagne, 67140 Mittelbergheim, tél. 03.88.08.95.80, fax 03.88.08.91.20, e-mail domaine.haegi@mittelbergheim.fr ☑ 🍷 🚶 t.l.j. sf dim. 8h-11h45 13h30-18h 🏨 2 🏠 C

HANSMANN Sylvaner 2005 ★

0,24 ha 1 700 ⏸ 8 à 11 €

Un récit familial savoureux : l'aïeul a hérité du domaine au XIX[e]s. en le tirant à la courte paille ! Ses héritiers sont restés : quitte-t-on Mittelbergheim, l'un des joyaux de la route du Vin ? À la tête de 7 ha de vignes, les Hansmann cultivent une parcelle de sylvaner en Zotzenberg, sur le flanc sud de la colline qui domine le village. Un sylvaner promu depuis peu en grand cru. Jaune clair, celui-ci est bien ouvert sur les agrumes et les fleurs blanches. Vif et franc à l'attaque, puissant, ample et gouleyant, il montre en finale la fraîcheur qu'on aime à trouver dans ce cépage. (Sucres résiduels : 2,6 g/l.)

🔑 Bernard et Frédéric Hansmann, 66, rue Principale, 67140 Mittelbergheim, tél. 03.88.08.07.44, e-mail bernard.hansmann@libertysurf.fr ☑ 🍷 🚶 t.l.j. sf dim. 8h-12h 14h-18h

RIEFFEL Riesling 2005 ★

0,38 ha 2 500 ■ 8 à 11 €

Comme nombre de vignerons de Mittelbergheim, Lucas et André Rieffel possèdent des caves du XVI[e]s. Leur riesling du Zotzenberg a pleinement profité de l'exposition méridionale de ce grand cru : de couleur paille dorée, il laisse des larmes sur les parois du verre. Franc et complexe au nez, il mêle les agrumes et les fleurs blanches, parfums que l'on retrouve en bouche. Vif et bien équilibré, assez long, encore marqué par quelques sucres résiduels qui gagneront à se fondre, il est déjà agréable à boire. (Sucres résiduels : 11 g/l.)

🔑 Rieffel, 11, rue Principale, 67140 Mittelbergheim, tél. 03.88.08.95.48, fax 03.88.08.28.94, e-mail andre-rieffel@wanadoo.fr ☑ 🍷 🚶 r.-v.

RIETSCH Riesling 2005 ★

0,48 ha 2 500 ■ 8 à 11 €

La famille Rietsch exploite 11,5 ha de vignes autour de Mittelbergheim. Elle pratique l'enherbement et vinifie par terroirs. Du Zotzenberg, elle a tiré un **sylvaner 2005** puissant et plutôt souple, cité par le jury, et ce riesling jaune clair à reflets dorés. Flatteur au nez, ce dernier mêle les fleurs blanches et de délicates notes d'agrumes. La fraîcheur des agrumes règne en bouche, et forme avec une minéralité naissante un ensemble harmonieux. Puissant, équilibré, soutenu par une fine acidité, le palais persiste longuement et laisse une impression d'élégance. Ce vin devrait être de garde. (Sucres résiduels : 9 g/l.)

🔑 Dom. Rietsch, 32, rue Principale, 67140 Mittelbergheim, tél. 03.88.08.00.64, fax 03.88.08.40.91, e-mail rietsch@wanadoo.fr ☑ 🍷 🚶 r.-v.

FERNAND SELTZ ET FILS Gewurztraminer 2005

0,23 ha 1 500 ■ 11 à 15 €

Les sols marno-calcaires du Zotzenberg engendrent souvent des vins de garde. D'un jaune-vert brillant, le gewurztraminer signé par Michel Seltz n'a pas encore trouvé sa pleine expression. Encore fermé au nez, il libère de subtils parfums miellés et fumés. Chaleureux, il est marqué par la douceur des sucres résiduels. Il ne manque pas de caractère et mérite de patienter en cave. (Sucres résiduels : 24 g/l.)

🔑 EARL Fernand Seltz et Fils, 42, rue Principale, 67140 Mittelbergheim, tél. et fax 03.88.08.93.92, e-mail seltz.michel@wanadoo.fr ☑ 🍷 🚶 r.-v.

WITTMANN Sylvaner 2005 ★★

0,33 ha 2 400 ⏸ 8 à 11 €

Installés dans une maison Renaissance, les Wittmann sont établis à Mittelbergheim depuis 1785. Leur sylvaner explique comment ce cépage, cultivé avec ferveur sur le Zotzenberg par les vignerons de la commune, a été finalement promu officiellement en grand cru, accédant ici, en quelque sorte, au rang de cépage noble. Or limpide, ce 2005 séduit par son élégance florale (fleurs blanches), tant au nez qu'au palais. Rond et frais à la fois, il est riche sans perdre le côté gouleyant qui plaît dans cette variété. Il pourra accompagner pendant trois ans des poissons grillés et même des plats un peu relevés. (Sucres résiduels : 8 g/l.)

🔑 EARL André Wittmann et Fils, 7, rue Principale, 67140 Mittelbergheim, tél. 03.88.08.95.79, fax 03.88.08.53.81, e-mail nicolas.wittmann@wanadoo.fr ☑ 🍷 🚶 r.-v. 🏨 2 🏠 C

Crémant-d'alsace

La reconnaissance de cette appellation, en 1976, a donné un nouvel essor à la production de vins effervescents élaborés selon la méthode traditionnelle, qui existait depuis longtemps à une échelle réduite. Les cépages qui peuvent entrer dans la composition de ce produit de plus en plus apprécié sont le pinot blanc, l'auxerrois, le pinot gris, le pinot noir, le riesling et le chardonnay. La production de crémant-d'alsace atteignait un nouveau record avec 223 942 hl lors de la récolte 2006.

CAVE DE BEBLENHEIM Sub Rosa ★★

n.c. 16 000 ▮ 8 à 11 €

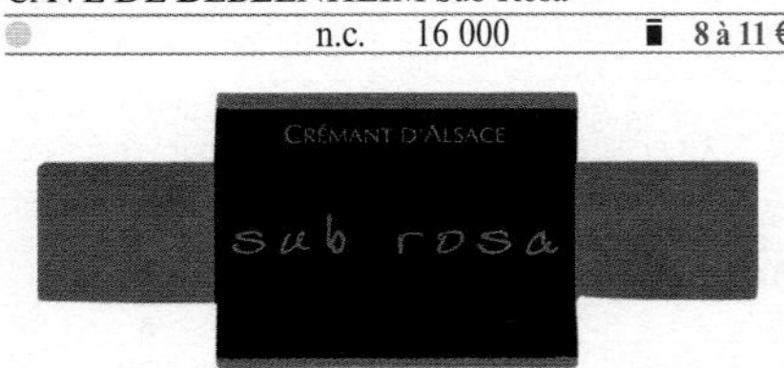

Fondée en 1952, cette coopérative vinifie la production de quelque 230 ha. Née d'un mariage de pinot noir et de chardonnay, sa cuvée Sub Rosa s'habille d'une robe or pâle aux reflets rosés. De bonne fraîcheur, elle s'affirme par son ampleur, son gras et sa complexité, et par l'élégance de sa finale. Un crémant de plaisir qui pourra s'attarder à table, après l'apéritif. Sa puissance devrait même lui permettre d'affronter le foie gras. Pour les initiés *sub rosa* signifie « entre amis intimes ». Vous n'êtes pas obligés de porter des couronnes de roses, comme certains Romains lors des libations.

Cave vinicole de Beblenheim, 14, rue de Hoen, 68980 Beblenheim, tél. 03.89.47.90.02, fax 03.89.47.86.85
t.l.j. 9h-12h 14h-18h; f. 1er jan.-15 mars

BERNARD BECHT Chardonnay 2004

0,65 ha 6 600 **8 à 11 €**

Situé à Dorlisheim, près de Molsheim, cette exploitation a son siège au centre du bourg, non loin de l'église du XIIe s. et du puits Renaissance. Elle dispose de 14 ha de vignes. Le chardonnay est à l'origine de ce crémant qui s'ouvre sur des arômes fruités et floraux. Bien équilibré, assez persistant, ce brut prépare le palais au repas.

SCEA Bernard Becht, 84, Grand-Rue, 67120 Dorlisheim, tél. 03.88.38.20.37, fax 03.88.38.88.00, e-mail contact@vignoble-bernardbecht.com
t.l.j. 8h-12h 13h30-19h; dim. sur r.-v.

HUBERT BECK 2004

0,8 ha 6 000 ▮ **5 à 8 €**

Dambach-la-Ville abrite de nombreux vignerons, qui vivent aussi du tourisme, comme les Beck. Issu de pinot blanc (80 %) et de pinot gris plantés sur un terroir granitique, leur crémant est tout en finesse : nez subtil, assez discret, palais léger, équilibré et agréable.

Hubert Beck, 25, rue du Gal-de-Gaulle, 67650 Dambach-la-Ville, tél. 03.88.92.45.90, fax 03.88.92.61.28, e-mail alsace.beck@free.fr
r.-v. 2 B

BESTHEIM ★

12 ha 130 000 ▮ 5 à 8 €

Fruit de l'union des caves de Bennwihr et de Westhalten, la coopérative Bestheim a ses caves sur deux sites. Celui de Westhalten est spécialisé dans l'élaboration des crémants. Celui-ci est un assemblage de pinot blanc, d'auxerrois et de pinot noir. Le nez est subtil, sur sa réserve. De la souplesse à l'attaque, relayée par de la fraîcheur et des notes d'agrumes : un crémant vif et flatteur, à ouvrir à l'apéritif et à servir ensuite sur des entrées chaudes (coquilles Saint-Jacques, bouchées à la reine...), de la volaille ou du poisson en sauce.

Bestheim Cave de Westhalten, 52, rte de Soultzmatt, 68250 Westhalten, tél. 03.89.49.09.29, fax 03.89.49.09.20, e-mail alsace@bestheim.com r.-v.

LÉON BLEESZ 2004

1 ha 7 000 ▮ **5 à 8 €**

Situé un peu à l'écart de la route du Vin, en direction de la montagne, ce domaine familial s'étend sur 10 ha. Né du pinot blanc, avec un appoint de riesling, ce crémant affiche des bulles régulières dans sa robe jaune pâle. Souple, un rien évolué, c'est un vin d'apéritif.

Christophe Bleesz, 1, pl. de l'Église, 67140 Reichsfeld, tél. 03.88.85.53.57, fax 03.88.57.83.44, e-mail christophe.bleesz@wanadoo.fr
t.l.j. 8h-19h; dim. sur r.-v. 3 B

JEAN-CLAUDE BUECHER

4,95 ha 53 740 **5 à 8 €**

Depuis le début des années 1980, cette exploitation proche de Colmar consacre la totalité de sa superficie (près de 5 ha) au crémant. Cinq cépages (dont 33 % de pinot noir, 30 % d'auxerrois et 22 % de pinot blanc) collaborent à ce brut animé d'une belle effervescence mais discret au nez. Franc au palais, agréable par sa fraîcheur, un peu doux en finale, ce crémant est destiné à l'apéritif.

Jean-Claude Buecher et Fils, 31, rue des Vignes, 68920 Wettolsheim, tél. 03.89.80.14.01, fax 03.89.80.17.78, e-mail cremant.jcb@orange.fr
r.-v.

CHARLES KELLNER ★★

3,75 ha 40 000 ▮ 5 à 8 €

Marque créée en 1998 par le négociant J. Hauller de Dambach-la-Ville. Trois pinots (blanc, auxerrois, gris) à parts égales contribuent à cet excellent crémant, bien ouvert sur les fruits mûrs et des notes toastées. Franc et vif à l'attaque, fin et long, ce brut fera plaisir à l'apéritif, puis il pourra passer à table pour accompagner une terrine de poisson, un vol-au-vent ou une volaille à la crème.

SA Hauller, 3, rue de la Gare, 67650 Dambach-la-Ville, tél. 03.88.92.40.21, fax 03.88.92.45.41, e-mail j.hauller@wanadoo.fr
r.-v.

DOM. DOCK 2004 ★

0,6 ha 5 000 ▮ 5 à 8 €

Cette famille se consacre à la viticulture depuis 1742. Christian Dock exploite aujourd'hui une dizaine d'hectares. Son crémant fait la part belle à l'auxerrois (90 %). Animé d'une effervescence abondante et régulière, il séduit par un fruité intense, souligné d'une belle fraîcheur au palais. Équilibré et harmonieux, il trouvera sa place à l'apéritif.

Dom. Christian Dock, 20, rue Principale, 67140 Heiligenstein, tél. 03.88.08.02.69, fax 03.88.08.19.72, e-mail c.dock@wanadoo.fr
t.l.j. 8h-12h 13h-19h D

FERNAND ENGEL ET FILS Chardonnay 2005 ★

1,52 ha 11 800 ▮ 8 à 11 €

Rejoint par les jeunes générations, Bernard Engel est depuis quarante ans à la tête de ce domaine situé au pied du Haut-Kœnigsbourg. De superficie importante (51 ha), le vignoble est conduit en agriculture biologique. Le chardonnay a donné naissance à cette cuvée fruitée au nez comme en bouche et d'une belle fraîcheur en finale.

Dom. Fernand Engel et Fils, 1, rte du Vin, 68590 Rorschwihr, tél. 03.89.73.77.27, fax 03.89.73.63.70, e-mail f-engel@wanadoo.fr t.l.j. 8h-11h30 13h-18h; dim. 10h-12h

Bernard Engel

PAUL FAHRER 2004 ★

0,15 ha 1 200 ▮ 5 à 8 €

Orschwiller compte au nombre des villages dominés par le Haut-Kœnigsbourg. Cette propriété viticole a son siège dans l'ancienne résidence du bailli du château. Elle a élaboré à partir du pinot noir un rosé en robe saumonée, aux arômes de fruits rouges au nez comme en bouche. L'ensemble est bien structuré et harmonieux.

SCEA Paul Fahrer, 3, pl. de la Mairie, 67600 Orschwiller, tél. 03.88.92.86.57, fax 03.88.92.20.41 r.-v.

ANTOINE FONNÉ Blanc de blancs 2004 ★

0,34 ha 3 500 ▮ 5 à 8 €

Ce domaine familial est installé au centre d'Ammerschwihr et dispose de 5 ha. Assemblage d'auxerrois (60 %) et de pinot blanc, son crémant revêt une robe jaune pâle traversée de bulles fines et régulières. Il séduit par ses parfums floraux printaniers et par son fruité que l'on retrouve au palais. Élégant, fin et harmonieux, il sera parfait à l'apéritif.

Antoine Fonné, 14, Grand-Rue, 68770 Ammerschwihr, tél. et fax 03.89.47.37.90, e-mail fonne.vins@wanadoo.fr r.-v.

JOSEPH FREUDENREICH 2005 ★

2,1 ha 20 000 ▮ 5 à 8 €

Cette propriété est logée au centre de la cité médiévale d'Eguisheim. Elle a assemblé cinq cépages (principalement du pinot noir, du pinot blanc et de l'auxerrois) pour élaborer ce crémant jaune pâle animé de fines bulles. Frais et fruité au nez comme en bouche, ce vin conjugue finesse et persistance pour offrir un moment de plaisir. À boire à l'apéritif ou sur des noix de Saint-Jacques à l'aneth.

Joseph Freudenreich et Fils, 3, cour Unterlinden, 68420 Eguisheim, tél. 03.89.41.36.87, fax 03.89.41.67.12, e-mail info@joseph-freudenreich.fr t.l.j. 8h-12h 13h30-19h; groupes sur r.-v.

FREY-SOHLER Riesling 2004 ★

2 ha 20 000 8 à 11 €

Une confrérie des Rieslinger, une fête consacrée au cépage en août : Scherwiller est l'un des fiefs du riesling. Plantée sur un terroir granitique, cette variété est à l'origine d'un crémant aux arômes fins et complexes de fleurs blanches et de fruits secs. Vif, plein, structuré et long, ce vin donnera la réplique à des crustacés ou à des poissons nobles.

Frey-Sohler, 72, rue de l'Ortenbourg, 67750 Scherwiller, tél. 03.88.92.10.13, fax 03.88.82.57.11, e-mail contact@frey-sohler.fr t.l.j. sf dim. 8h-12h 13h-19h

Sohler Frères

GRUSS 2004

2 ha 15 000 5 à 8 €

Classé parmi les « plus beaux villages de France », Eguisheim mérite une visite. Pour le crémant, retenez l'adresse de ce domaine familial, fondé en 1947 et repris en 1998 par André Gruss, œnologue : trois coups de cœur, dont un l'an dernier. Assemblage d'auxerrois (80 %) et de riesling, ce brut, plus modeste, s'inscrit parmi les classiques, avec sa robe jaune parcourue de bulles persistantes, son nez s'ouvrant progressivement sur l'amande grillée et son palais riche, un peu lourd mais non dénué de fraîcheur.

Joseph Gruss et Fils, 25, Grand-Rue, 68420 Eguisheim, tél. 03.89.41.28.78, fax 03.89.41.76.66, e-mail domainegruss@hotmail.com t.l.j. sf dim. 8h-12h 14h-18h30; f. pdt vendanges

CHRISTIAN ET VÉRONIQUE HEBINGER 2004 ★

1,05 ha 11 000 ▮ 5 à 8 €

La cité d'Eguisheim, qui a donné jadis un pape à la chrétienté, est-elle vraiment le berceau du vignoble alsacien ? Vous pourrez en discourir à loisir à l'apéritif, sans épuiser le débat, autour de ce crémant, mariage de pinot blanc et d'un soupçon de riesling. Un vin racé et fin au nez, sur des notes de fruits et de pain grillé, vif et gras en attaque, franc au palais et nuancé d'agrumes en finale.

Christian et Véronique Hebinger, 14, Grand-Rue, 68420 Eguisheim, tél. 03.89.41.19.90, fax 03.89.41.15.61, e-mail hebinger.christian@wanadoo.fr t.l.j. sf dim. 8h-12h 14h-18h

HEIM ★★

10 ha 120 000 8 à 11 €

Heim était une vénérable maison de négoce fondée en 1765. Elle fait aujourd'hui partie du groupe Bestheim qui, pour cette cuvée, a valorisé la production de 10 ha de pinot noir. Rose clair saumoné, ce crémant exprime de plaisants arômes aux nuances de framboise. Frais et net à l'attaque, il est à la fois onctueux, soyeux et puissant.

Heim, 53, rte de Soultzmatt, 68250 Westhalten, tél. 03.89.78.09.08, fax 03.89.49.09.20 t.l.j. sf dim. 9h-11h45 14h-17h45; sam. 14h-17h45

ALBERT HERTZ Prince Albert 2004

0,71 ha 6 000 ▮ 5 à 8 €

Cuvée princière ? Certainement par ses origines : la cité médiévale d'Eguisheim, un terroir granitique et le cépage chardonnay, qui compose presque exclusivement ce crémant. Ses bulles persistantes séduisent, tout comme son fruité fin et son palais vif et équilibré. La finale laisse le souvenir d'un ensemble harmonieux, qui trouvera sa place à l'apéritif.

Albert Hertz, 3, rue du Riesling, 68420 Eguisheim, tél. 03.89.41.30.32, fax 03.89.23.99.23, e-mail info@alberthertz.com t.l.j. sf dim. 9h-12h 13h30-19h

LOUIS IRION Blanc de blancs ★

n.c. 30 000 ▮ 5 à 8 €

Une marque de la maison Dopff et Irion. Assemblage de pinot blanc et d'auxerrois, ce crémant s'habille d'une robe pâle parcourue d'une fine effervescence, en harmonie avec ses arômes délicats. Une belle attaque et un

corps frais composent une bouteille agréable, à servir à l'apéritif ou avec du poisson grillé.
Louis Irion, BP 3, 68340 Riquewihr, tél. 03.89.47.92.51

DOM. JUX ★

n.c. 98 000 5 à 8 €

Situé près de Colmar, ce domaine de 110 ha fait aujourd'hui partie du groupe Wolfberger, un poids lourd du secteur. Il propose un crémant expressif où se conjuguent la fraîcheur du fruit et une note toastée. Ample, encore assez vif, c'est un vin plein de jeunesse, qui se dégustera bien à la fin de 2007.
Dom. Jux, 5, chem. de la Fecht, 68000 Colmar, tél. 03.89.79.13.76, fax 03.89.79.62.93 r.-v.

KUENTZ Cuvée Prestige 2004

0,7 ha 7 500 **5 à 8 €**

Romain Kuentz, son épouse et son fils Michel, qui vient de rejoindre le domaine, accueillent les amateurs dans leur cave du XVII[e]s. Ils proposent un crémant assez discret mais équilibré, tout en fraîcheur, aux arômes de fleurs blanches, que l'on pourra servir à l'apéritif.
Romain Kuentz et Fils, 22-24, rue du Fossé, 68250 Pfaffenheim, tél. 03.89.49.61.90, fax 03.89.49.77.17, e-mail vinskuentz@yahoo.fr
t.l.j. 9h-12h 13h30-19h; dim. sur r.-v. B

DENIS MEYER Cuvée Valérie ★

0,25 ha 1 100 5 à 8 €

Les origines de ce domaine remontent à 1761. Aujourd'hui, la propriété, qui s'étend sur 8,30 ha, est gérée par Denis Meyer et ses deux filles, Patricia et Valérie. Cette dernière signe un crémant rosé aux nuances tuilées qui reste fidèle à ses origines : le pinot noir. On trouve dans ce brut un fruité frais de cassis et de groseille ainsi qu'une matière riche et équilibrée. Un vin festif.
Denis Meyer, 2, rte du Vin, 68420 Vœgtlinshoffen, tél. 03.89.49.38.00, fax 03.89.49.26.52, e-mail vins.denis.meyer@terre-net.fr r.-v.

DOM. XAVIER MULLER 2004 ★★

0,55 ha 4 138 5 à 8 €

À l'ouest de Strasbourg, Marlenheim constitue la porte nord de la route du Vin. La première mention de la culture de la vigne dans la région, par Grégoire de Tours (VI[e]s.), se rapporte à ce village. Mais les céréales faisaient aussi partie de son économie ; c'est dans une ancienne minoterie que Xavier Muller, arrière-petit-fils de meunier, a installé en 2002 son exploitation. Né de pinot blanc, son crémant présente un corps dense et des arômes à profusion. Il s'affirme par son fruité, sa fraîcheur et sa persistance. À servir à l'apéritif ou sur du poisson.
Xavier Muller, 1, rue du Moulin, 67520 Marlenheim, tél. et fax 03.88.59.57.90, e-mail xavier.muller3@wanadoo.fr r.-v.

CHARLES MULLER ET FILS 2004

0,45 ha 2 800 **5 à 8 €**

Situé dans la basse vallée de la Mossig, à quelque 25 km de Strasbourg, le village de Traenheim est viticole depuis l'époque mérovingienne. Aujourd'hui, la famille Muller exploite 10,5 ha en agriculture biologique. Son crémant rosé s'habille d'une robe tuilée et libère des notes de fruits mûrs. Frais et bien structuré, il peut accompagner tout un repas.
Charles Muller et Fils, 89c, rte du Vin, 67310 Traenheim, tél. 03.88.50.38.04, fax 03.88.50.58.54, e-mail earlmullercharles@hotmail.fr
r.-v. C

RENÉ MURÉ Cuvée Prestige ★★

n.c. 80 000 8 à 11 €

La famille Muré cultive la vigne depuis 1648 du côté de Rouffach, dans la partie sud de la route du Vin. Aujourd'hui, René Muré est à la tête de 22 ha, dont le célèbre clos Saint-Landelin. Il a aussi développé une activité de négoce pour élaborer certains vins comme les crémants. Celui-ci, élevé en foudre, est né d'un assemblage judicieux de quatre cépages : riesling (39 %), pinot blanc (35 %), pinot gris (20 %) et pinot noir (6 %). Frais et élégant, il trouve son originalité dans une touche fumée et finement boisée. Son palais gras et vineux lui permettra d'accompagner un repas fin (poisson, tourte ou volaille).
René Muré, Dom. du Clos Saint-Landelin, rte du Vin, 68250 Rouffach, tél. 03.89.78.58.00, fax 03.89.78.58.01, e-mail rene@mure.com r.-v.

OSTERTAG-HURLIMANN Cuvée Prestige 2004 ★

0,76 ha 8 800 5 à 8 €

Quinze hectares de vignes pour cette propriété établie à Epfig, non loin de la chapelle romane de Sainte-Marguerite. Une bulle fine et régulière anime la robe de sa cuvée Prestige, assemblage de pinot blanc et d'auxerrois. Un nez délicat, sur des notes de fruits mûrs, une attaque vive, rafraîchissante, précédant une structure souple, marquée par une certaine douceur, composent un ensemble agréable.
Ostertag-Hurlimann, 44, rue Sainte-Marguerite, 67680 Epfig, tél. 03.88.85.52.70, fax 03.88.57.82.65, e-mail ostertag-hurlimann@wanadoo.fr
t.l.j. sf dim. 10h-18h
Hurlimann

DOM. RUNNER 2004 ★

1 ha 10 000 5 à 8 €

Proche de Rouffach, Pfaffenheim est un village viticole très actif, grâce à la coopérative et aux vignerons metteurs en marché, nombreux et très impliqués. Les Runner sont de ceux-là. Assemblage de trois cépages (pinots et chardonnay), leur crémant offre un fruité net et assez complexe. Équilibré, vif, franc et racé, il persiste longuement sur une note de fraîcheur. Un vin de gastronomie.
EARL Runner et Fils, 1, rue de la Liberté, 68250 Pfaffenheim, tél. 03.89.49.62.89, fax 03.89.49.73.69, e-mail francoisrunner@aol.com
t.l.j. sf dim. 9h-12h 13h-19h; groupes sur r.-v. C

SCHALLER Extra-brut 2004 ★

2,2 ha 21 000 5 à 8 €

Patrick Schaller est l'un des pionniers du crémant-d'alsace. Associé depuis 2003 à son fils Charles, il exploite 9,5 ha au cœur de la route du Vin. Le mariage du pinot blanc et du riesling apporte à son Extra-brut des nuances florales et fruitées ainsi qu'une réelle élégance, au nez comme en bouche. À déguster à l'apéritif ou sur du poisson en papillote.

🔑 GAEC Edgard Schaller et Fils, 1, rue du Château, 68630 Mittelwihr, tél. 03.89.47.90.28, fax 03.89.49.02.66, e-mail edgard-schaller@wanadoo.fr
V Y ⚲ t.l.j. 9h-12h 14h-18h

JEAN-MARC SIMONIS 2004 *

0,27 ha 3 000 5 à 8 €

Cette exploitation transmise de père en fils depuis 1660 est conduite par Jean-Marc Simonis depuis 1993. Ce dernier a acquis une parcelle d'auxerrois pour développer sa propre production de crémant. Ce cépage, complété par le pinot blanc, est à l'origine de ce brut jaune pâle à l'effervescence légère ; le nez fin allie des senteurs fruitées aux nuances plus complexes d'un vin ayant bien mûri. Le palais équilibré débouche sur une finale agréable.

🔑 EARL Jean-Paul Simonis et Fils, 1, rue des Chasseurs-Besombes-et-Brunet, 68770 Ammerschwihr, tél. et fax 03.89.47.13.51, e-mail jmsimonis@orange.fr
V Y ⚲ t.l.j. sf dim. 8h-11h45 13h30-18h 🏠 D
🔑 Jean-Marc Simonis

J.-M. SOHLER Blanc de blancs 2004 *

0,4 ha 4 200 5 à 8 €

Jean-Marie et Hervé Sohler vinifient et élèvent leurs vins en foudre. Très morcelé, leur vignoble comporte soixante-dix parcelles (pour 9 ha). Ce sont toujours les mêmes qui sont utilisées pour élaborer le crémant. Ce 2004 est issu d'auxerrois implanté sur un terroir granitique. Il s'annonce par une robe soutenue, presque dorée, et par un fruité intense qui se prolonge en bouche. Nerveux, riche et croquant, c'est un beau vin d'apéritif.

🔑 Jean-Marie et Hervé Sohler, 16, rue du Winzenberg, 67650 Blienschwiller, tél. 03.88.92.92.93 V Y ⚲ r.-v. 🏠 E

PHILIPPE SOHLER 2005

n.c. 4 000 5 à 8 €

À la tête du domaine familial depuis dix ans, Philippe Sohler exploite 10 ha de vignes. À partir du pinot noir planté sur un terroir gréseux, il a élaboré un crémant rosé aux nuances tuilées et aux arômes intenses de fruits noirs et rouges. L'ensemble peut encore gagner en harmonie.

🔑 Dom. Philippe Sohler, 80A, rte des Vins, 67680 Nothalten, tél. et fax 03.88.92.49.89, e-mail sohler.philippe@wanadoo.fr V Y ⚲ r.-v.

BERNARD STAEHLÉ 2004

0,5 ha 4 000 5 à 8 €

Situé aux portes de Colmar, le gros bourg de Wintzenheim a gardé son caractère viticole en son centre. Bernard Staehlé exploite près de 8 ha aux alentours. Assemblage de pinot blanc et d'auxerrois, son crémant présente des arômes discrets mais fins, et fait preuve d'un bon équilibre au palais. Un vin d'apéritif.

🔑 Dom. Bernard Staehlé, 15, rue Clemenceau, 68920 Wintzenheim, tél. 03.89.27.39.02, fax 03.89.27.59.37
V Y t.l.j. sf dim. 10h-12h 15h-19h; f. début sept.

AIMÉ STENTZ
Extra-brut Chardonnay Cuvée Prestige 2005

0,5 ha 5 300 8 à 11 €

Importante commune viticole avec ses 450 ha de vignes, Wettolsheim a su garder son caractère villageois malgré la proximité de Colmar. Ce domaine dispose de 15 ha. Il a proposé une cuvée issue exclusivement de chardonnay planté sur des sols argilo-sableux et graveleux. C'est un vin or clair au fruité intense. Ce fruité mûr se prolonge dans un palais équilibré, marqué par une petite rondeur.

🔑 Aimé Stentz, 37, rue Herzog, 68920 Wettolsheim, tél. 03.89.80.63.77, fax 03.89.79.78.68, e-mail stentz.e@calixo.net
V Y ⚲ t.l.j. sf dim. 8h-12h 14h-18h

STINTZI 2001 **

1,05 ha 12 200 8 à 11 €

Cette propriété familiale est conduite depuis 2004 par Olivier Stintzi qui représente la troisième génération sur l'exploitation. Sous une mousse fine et légère, son crémant développe des arômes grillés et beurrés. Au palais, fraîcheur et richesse s'allient pour faire de cette bouteille un vin de gastronomie.

🔑 Gérard Stintzi et Fils, 29, rue Principale, 68420 Husseren-les-Châteaux, tél. 03.89.49.30.10, fax 03.89.49.34.99, e-mail gerard.stintzi@wanadoo.fr
V Y ⚲ t.l.j. sf dim. 10h-12h 14h-18h

STRUSS Brut de Riesling 2004 *

0,3 ha 2 650 5 à 8 €

À la tête de cette exploitation familiale depuis 1994, Philippe Struss a orienté la production vers la qualité. Une robe jaune paille habille son brut de riesling qui s'annonce par une fraîcheur un peu minérale avant de s'ouvrir sur une palette fruitée. Ce fruité se retrouve au palais et participe à l'harmonie de ce vin très bien équilibré, que l'on pourra servir à l'apéritif ou avec des crustacés.

🔑 André Struss et Fils, 16, rue Principale, 68420 Obermorschwihr, tél. 03.89.49.36.71, fax 03.89.49.37.30 V Y ⚲ r.-v. 🏠 C
🔑 Philippe Struss

CAVE DE TURCKHEIM Mayerling 2005 *

25 ha 200 000 5 à 8 €

Créée en 1955, cette coopérative a développé progressivement une démarche qualité, de la vigne jusqu'à la vente. Jaune pâle animé d'une mousse légère, discrètement fruité, son brut Mayerling se présente avec fraîcheur, au nez comme en bouche, et fait preuve d'un bel équilibre. Autant d'atouts qui lui vaudront de nombreux amateurs. Pour l'apéritif.

🔑 Cave de Turckheim, 16, rue des Tuileries, 68230 Turckheim, tél. 03.89.30.23.60, fax 03.89.27.35.33, e-mail brandt@cave-turckheim.com
V Y ⚲ r.-v.

LAURENT VOGT Chardonnay 2004

0,4 ha 4 500 5 à 8 €

À une vingtaine de kilomètres à l'ouest de Strasbourg, Wolxheim offre au promeneur de bucoliques promenades le long du canal de la Bruche ou parmi les maisons vigneronnes, comme celle de la famille Vogt, avec sa cour ornée d'un puits du XVIII[e]s. Thomas Vogt, qui a pris en 1998 la tête du domaine (11 ha), a élaboré une cuvée au fruité gourmand, complexe en bouche et bien équilibrée.

🔑 EARL Laurent Vogt, 4, rue des Vignerons, 67120 Wolxheim, tél. et fax 03.88.38.50.41, e-mail thomas@domaine-vogt.com
V Y ⚲ t.l.j. 8h-12h 13h-19h; sam. dim. sur r.-v.
🔑 Thomas Vogt

WAEGELL 2004 ★

0,51 ha 5 900 ▮ 5 à 8 €

Situé à Nothalten, entre Barr et Sélestat, ce domaine familial créé au début des années 1930 exploite 8 ha de vignes. Il propose un crémant issu d'auxerrois planté sur des sols légers. Une robe jaune pâle animée d'une effervescence régulière, un fruité franc, une attaque vive et un palais équilibré, fin et persistant composent une bouteille agréable qui trouvera sa place avant le repas.

Gérard Waegell, 77, rte du Vin, 67680 Nothalten, tél. et fax 03.88.92.63.78 t.l.j. sf dim. 9h-19h

JEAN WEINGAND ★

20 ha 150 000 5 à 8 €

Jacques Cattin dirige cette activité de négoce qui tire son nom d'un parent de la famille. Son crémant s'habille d'une robe jaune parcourue de fines bulles et exprime un fruité intense. Complexe et persistant au palais, il conviendra aussi bien pour l'apéritif que pour le repas.

Jean Weingand, 19, rue Roger-Frémeaux, 68420 Vœgtlinshoffen, tél. 03.89.49.30.21, fax 03.89.49.26.02 t.l.j. sf dim. 8h-12h 14h-18h

La Lorraine

Les vignobles des Côtes de Toul et de la Moselle restent les deux seuls témoins d'une viticulture lorraine autrefois florissante par son étendue, supérieure à 30 000 ha en 1890. Elle l'était aussi par sa notoriété. Les deux vignobles connurent leur apogée à la fin du XIXe s. Dès cette époque, plusieurs facteurs se conjuguèrent pour entraîner leur déclin : la crise phylloxérique, qui introduisit l'usage de cépages hybrides de moindre qualité ; la crise économique viticole de 1907 ; la proximité des champs de bataille de la Première Guerre mondiale ; l'industrialisation de la région, à l'origine d'un formidable exode rural. Ce n'est qu'en 1951 que les pouvoirs publics reconnurent l'originalité de ces vignobles. En 1998, les vins-de-moselle sont devenus AOC sous le nom de moselle.

Côtes-de-toul

Situé à l'ouest de Toul et du coude caractéristique de la Moselle, le vignoble a accédé à l'AOC le 31 mars 1998. Il couvre environ 87 ha et se trouve sur le territoire de huit communes qui s'échelonnent le long d'une côte résultant de l'érosion de couches sédimentaires du Bassin parisien. On y rencontre des sols de période jurassique, composés d'argiles oxfordiennes, avec des éboulis calcaires en notable quantité, très bien drainés et d'exposition sud ou sud-est. Le climat semi-continental qui renforce les températures estivales est favorable à la vigne. Toutefois, les gelées de printemps sont fréquentes. Le gamay domine toujours, bien qu'il régresse sensiblement au profit du pinot noir. L'assemblage de ces deux cépages produit des vins gris caractéristiques, obtenus par pressurage direct. En outre, le décret précise l'obligation d'assembler au minimum 10 % de pinot noir au gamay en superficie pour la production de gris, ceci conférant au vin une plus grande rondeur. Le pinot noir seul, vinifié en rouge, donne des vins corsés et agréables ; l'auxerrois d'origine locale, en progression constante, des vins blancs tendres. Au départ de Toul, une route du Vin et de la Mirabelle parcourt le vignoble.

FRANCIS DEMANGE Gris 2006

1,31 ha 4 533 ▮ 3 à 5 €

Francis Demange est viticulteur à Bruley, à la suite de son père et de son grand-père. Son vin gris a bien la couleur attendue, saumon pâle aux reflets argentés. Discrètement floral, il est vif et élégant, et pourrait s'épanouir dans les prochains mois. Rouge franc, le **pinot noir 2006** présente un nez fin et distingué, caractéristique du cépage. Ample en bouche, avec des tanins souples, il fait preuve d'une certaine vivacité qui demande à s'assagir. On l'attendra un peu.

Francis Demange, 93, rue des Triboulottes, 54200 Bruley, tél. et fax 03.83.64.33.47, e-mail demangefrancis@hotmail.fr r.-v.

VINCENT LAROPPE

Pinot noir Élevé en fût de chêne 2005 ★

n.c. 12 000 5 à 8 €

L'ancêtre, François Laroppe, cultivait les vignes du château de Bruley au XVIIIe s. Au XXe s., Marcel suscite le mouvement coopératif, puis Michel et Vincent, œnologues, développent la production du domaine : vins et mirabelle. Depuis les premières éditions, le pinot noir de cette famille a obtenu cinq coups de cœur ; le dernier en date couronne un 2003 signé Vincent. Rubis brillant, ce 2005 offre un nez fin aux nuances de cerise et de cassis. Complexe, concentré et long, soutenu par une trame tannique serrée mais soyeuse, c'est un vin de garde. Autre pinot noir, **La Chaponière 2005 (8 à 11 €)** résulte d'un élevage d'un an en fût neuf. Dense et fermé, ce vin demande de la patience. Il est cité, tout comme le **gris 2006**, fleurs au nez, fruits exotiques en bouche, ou encore l'**auxerrois 2006**, un vin prometteur, floral, ample et persistant.

⊶ Michel et Vincent Laroppe,
253, rue de la République, 54200 Bruley,
tél. 03.83.43.11.04, fax 03.83.43.36.92,
e-mail vignoble-laroppe@wanadoo.fr
▣ Y ☆ t.l.j. sf dim. 9h-12h 13h-18h

ANDRÉ ET ROLAND LELIÈVRE Gris 2006 ★★

■ 7,65 ha 13 000 ▮ 5 à 8 €

La topographie du village de Lucey illustre ce que les géographes appellent les reliefs de cuesta : le bois au sommet, le talus porteur de vignes et le village bucolique en contrebas. La famille Lelièvre y a développé son vignoble depuis une trentaine d'années et cultive aujourd'hui plus de 12 ha. Son vin gris comprend une goutte d'auxerrois (blanc) dans une mer de gamay (83 %) et de pinot noir. Le mariage est réussi : saumon brillant, flatteur et amylique au nez, ce rosé séduit en attaque puis par sa palette aromatique associant le bonbon anglais à la fraise. Un vin croquant. L'**auxerrois 2006** obtient pour sa part une étoile. Jaune pâle à reflets verts, délicatement floral, vif, perlant et persistant, il est bien typé.

⊶ André et Roland Lelièvre, 1, rue de la Gare,
54200 Lucey, tél. 03.83.63.81.36, fax 03.83.63.84.45,
e-mail info@vins-lelievre.com
▣ Y ☆ t.l.j. 8h30-12h30 13h30-19h30; groupes sur r.-v.

DOM. DE LA LINOTTE Auxerrois 2006 ★★

■ 0,25 ha 2 000 ▮ 3 à 5 €

Situé dans le Parc naturel régional de Lorraine, Bruley est une étape pour les amateurs de vins et de mirabelles. Marc Laroppe et son épouse ont misé sur la viticulture et le tourisme vert. Coup de cœur l'an dernier pour un gris, le domaine a présenté cette année un remarquable blanc. Or pâle aux légers reflets tirant sur le vert, cet auxerrois s'annonce par un nez floral discret mais élégant. En bouche, il révèle une très belle matière, fraîche, ample et puissante. La longue finale laisse le souvenir d'un ensemble harmonieux.

⊶ Marc Laroppe, 90, rue Victor-Hugo, 54200 Bruley,
tél. 03.83.63.29.02, fax 03.83.63.00.39
▣ Y ☆ t.l.j. 10h-12h 14h-19h ⌂ ❷

LA CAVE DE MONT-LE-VIGNOBLE
Pinot noir 2006 ★

■ 1,28 ha 9 000 ▮ 5 à 8 €

Cette coopérative n'est pas un groupe puissant, mais reste à l'échelle du vignoble lorrain : elle vinifie 8,30 ha de vignes. Elle se développe, puisqu'elle a doublé sa superficie et aménagé un centre de pressurage en 2003. Son pinot noir revêt une robe rubis à reflets violacés. Il respire la cerise mûre, avec des notes un peu grillées. Sa belle attaque est relayée par une bouche ample et persistante, caractéristique du cépage. Cité par le jury, l'**auxerrois 2006 (3 à 5 €)** se montre typé, fruité, perlant, aussi élégant au nez qu'au palais.

⊶ Les Vignerons du Toulois, 43, pl. de la Mairie,
54113 Mont-le-Vignoble, tél. et fax 03.83.62.59.93
▣ Y ☆ t.l.j. sf lun.14h-18h

DOM. RÉGINA Auxerrois 2006 ★★

■ 2 ha 4 000 ▮ 5 à 8 €

Situé au sud du Parc naturel régional de Lorraine, le village de Bruley, bâti à flanc de côte, cultive la vigne et les arbres fruitiers depuis la nuit des temps. Les Mangeot sont installés dans une maison vigneronne de 1822 au large porche. Leur auxerrois, déjà remarquable dans le millésime précédent, obtient cette année un coup de cœur. Une couleur or pâle limpide, un nez élégant évoquant un verger fleuri, une belle attaque, un palais à la fois concentré et croquant, structuré et désaltérant, soutenu par une fine acidité ; autant d'arguments qui font l'unanimité. Quant au **pinot noir 2005**, il obtient trois étoiles. Intensité de la robe, finesse et complexité du nez, qui affiche l'héritage vanillé de son élevage en fût, bouche concentrée, ample, soutenue par des tanins soyeux, finale très longue et d'une rare finesse : pas de coup de cœur ? La séduction est sans doute moins immédiate, mais les qualités sont exceptionnelles. Deux étoiles enfin au **gris 2006 (3 à 5 €)**, pour son nez distingué et typé de griotte et sa grande matière, fraîche et mûre.

⊶ Dom. Régina, 350, rue de la République,
54200 Bruley, tél. 03.83.64.49.52, fax 03.83.64.83.84,
e-mail domaine-regina@wanadoo.fr
▣ Y ☆ t.l.j. 10h-19h ⌂ ❷
⊶ J.-M. Mangeot

Moselle AOVDQS

Le vignoble représentant 38 ha s'étend sur les coteaux qui bordent la vallée de la Moselle ; ceux-ci ont pour origine les couches sédimentaires formant la bordure orientale du Bassin parisien. L'aire délimitée se concentre autour de trois pôles principaux : le premier au sud et à l'ouest de Metz, le deuxième dans la région de Sierck-les-Bains ; le troisième pôle se situe dans la vallée de la Seille, autour de Vic-sur-Seille. La viticulture est influencée par celle du Luxembourg tout proche, avec ses vignes hautes et larges, et sa dominante de vins blancs secs et fruités. En volume, cette AOVDQS reste très modeste. Son expansion est contrariée par l'extrême morcellement de la région.

DOM. DIETRICH-GIRARDOT
Réserve Saint-Christophe 2006 ★

■ 1,22 ha 6 500 ▮ 5 à 8 €

Vic-sur-Seille est situé à l'extrémité sud de la Moselle, non loin de Nancy, sur le territoire du Parc naturel régional de Lorraine. Véronique et Denis Dietrich y ont acquis un domaine en 2004. Leur Réserve Saint-Christophe est un assemblage de gamay (66 %) et de pinot noir. Ce vin rouge a tout de la cerise, la couleur et les arômes : griotte cuite au nez, il prend des accents confiturés en bouche. L'ensemble, souple et long, est fort plaisant. L'**auxerrois 2006** est cité ; discrètement floral au nez, vif au palais, typé et bien fait, ce vin pâle aux reflets verts est l'exemple même du « vin de soif » à marier à des plats simples comme la charcuterie.

Véronique Dietrich, 32, rue Meynier,
57630 Vic-sur-Seille, tél. et fax 03.87.01.84.48
r.-v.

MICHEL MAURICE 2006 **

0,67 ha	8 500	5 à 8 €

Ce vigneron établi à la sortie sud-ouest de Metz a déjà obtenu trois coups de cœur en blanc. Il montre cette année son savoir-faire en rosé. De couleur saumoné limpide aux reflets roses, cet assemblage de pinot noir et de gamay libère des parfums intenses de fruits rouges, avec des nuances de bonbon anglais que l'on retrouve en bouche. Très équilibré au palais, il est servi par une agréable vivacité qui donne du nerf à une bouche veloutée. Sous l'étiquette **Domaine des Béliers rouge 2006**, un pinot noir a été cité pour sa robe rouge franc, ses arômes de cerise et son palais souple. Un vin à boire jeune, sur son fruit.

Michel Maurice, 3, pl. Foch,
57130 Ancy-sur-Moselle, tél. 03.87.30.90.07,
fax 03.87.30.91.48, e-mail mauricem@netcourrier.com
r.-v.

MUR DU CLOÎTRE Auxerrois 2005 *

0,13 ha	1 280	8 à 11 €

Jean-Paul Paquet est installé depuis dix ans dans la région de Sierck-les-Bains. Son petit domaine est orienté au sud-est. L'auxerrois y a donné un vin jaune pâle limpide aux discrets parfums d'ananas. Ample et grasse, plus ronde que vive, cette bouteille est à servir sans attendre avec quelque volaille.

Jean-Paul Paquet, 31 B, rue Principale,
57480 Haute-Kontz, tél. et fax 03.87.67.44.29
r.-v.

PASCAL OURY Pinot noir 2006

1,55 ha	6 000	5 à 8 €

Établi au sud de Metz, Pascal Oury exploite 9 ha de vignes. Ses vins figurent très souvent en bonne place dans le Guide. D'un rouge profond, ce pinot noir, réservé au nez, laisse percer quelques notes de fraise et de réglisse. Assez boisé au palais, encore sévère, il révèle des tanins de bonne qualité qui ne demandent qu'à s'arrondir. Il faut lui laisser un peu de temps. La **Cuvée du Maréchal Fabert 2006** assemble le pinot gris, l'auxerrois et le gewurztraminer : pâle de couleur, avec des reflets verts, discrète au nez, sur les fruits à chair blanche, elle s'affirme au palais, équilibrée, fruitée et soutenue par une belle acidité.

Pascal Oury, 29, rue des Côtes,
57420 Marieulles-Vezon, tél. 03.87.52.09.02 r.-v.

M.-A. SONTAG Pinot gris 2005

n.c.	n.c.	3 à 5 €

Cette petite exploitation (2,50 ha), située aux confins du Luxembourg et de l'Allemagne, signe un pinot gris de couleur jaune pâle, aux discrets effluves de fleurs blanches. Souple mais servi par une belle acidité, c'est un vin de structure assez légère mais il est bien équilibré et caractéristique du cépage.

Marie-Antoinette Sontag,
Dom. Sontag, 3-5, rue Saint-Jean,
57480 Contz-les-Bains, tél. 03.82.83.68.48,
fax 03.82.83.71.58 r.-v.
Claude Sontag

DOM. DU STROMBERG
Auxerrois Les Contemplations 2006 **

1,5 ha	5 000	5 à 8 €

Au pays des Trois Frontières, proche de l'Allemagne et du Luxembourg, la cinquième génération d'« alchimistes » produit des vins et eaux-de-vie. Entré dans le Guide dans l'édition 2005, le domaine voit couronner son auxerrois. Timide à l'approche, ce vin pâle à reflets verts est tout en arômes vifs et rondeurs aimables : vivacité du citron et du pamplemousse, assortis de touches grillées, agrumes encore au palais ; souplesse caressante de la texture. Le jury est conquis par son superbe équilibre. Quant au **pinot gris 2006**, une étoile, il se gardera trois ans. On apprécie déjà sa robe jaune aux nuances orangées, ses nuances de fruits exotiques (mangue) au nez comme en bouche et sa finale longue et fraîche. Un troisième blanc, le **muller-thurgau 2006 (3 à 5 €)**, est cité : c'est un vin léger, facile, souple et fruité, pour maintenant.

Dom. du Stromberg,
21, Grand-Rue, Petite-Hettange, 57480 Malling,
tél. 03.82.50.10.15, fax 03.82.50.33.23,
e-mail j.marie.leisen@wanadoo.fr
t.l.j. 9h-12h 14h-19h
Leisen, Petit, Caboz

CH. DE VAUX Pinot noir Les Clos 2005 **

0,9 ha	4 500	15 à 23 €

Au Moyen Âge, le vignoble de Vaux dépendait d'une abbaye bénédictine. On y produisait du *Sekt* (mousseux) à l'époque allemande et on refait du vin depuis les années 1980. Marie-Geneviève et Norbert Molozay, qui l'exploitent depuis 1999, en tirent le meilleur, témoins deux coups de cœur récents. Ce pinot noir élevé un an dans le bois affiche une robe profonde et un boisé vanillé très présent à l'attaque mais bien fondu. Le pinot noir, avec ses arômes de fruits rouges, reprend ses droits en fin de bouche. Une très belle matière. Dominé par le pinot noir (80 %), le **rosé Les Boserés 2006 (5 à 8 €)** s'habille d'une robe soutenue, tirant sur l'orangé. Intense et amylique au nez, il offre en bouche des notes acidulées de citron et de pamplemousse. Alliant vivacité et rondeur, il obtient une étoile.

Ch. de Vaux,
4, pl. Saint-Rémi, 57130 Vaux,
tél. 03.87.60.20.64, fax 03.87.60.24.67,
e-mail vignoblesmolozay@free.fr r.-v.

LE BEAUJOLAIS ET LE LYONNAIS

LE BEAUJOLAIS ET LE LYONNAIS

Le Beaujolais

Officiellement – et légalement – rattachée à la Bourgogne viticole, la région du Beaujolais n'en a pas moins une spécificité largement consacrée par l'usage. Celle-ci est d'ailleurs renforcée par la promotion dynamique de ses vins, menée avec ardeur par tous ceux qui ont rendu le beaujolais célèbre dans le monde entier. Ainsi, qui pourrait ignorer, chaque troisième jeudi de novembre, la joyeuse arrivée du beaujolais nouveau ? Déjà, sur le terrain, les paysages diffèrent de ceux de l'illustre voisine ; ici, point de côte linéaire et presque régulière, mais le jeu varié de collines et de vallons, qui multiplient à plaisir les coteaux ensoleillés ; et les maisons elles-mêmes, où les tuiles romaines remplacent les tuiles plates, prennent déjà un petit air du Midi.

Extrême midi de la Bourgogne, et déjà porte du Sud, le Beaujolais s'étend sur 22 500 ha et quatre-vingt-seize communes des départements de Saône-et-Loire et du Rhône, formant une région de 50 km du nord au sud, sur une largeur moyenne d'environ 15 km. Il est plus étroit dans sa partie septentrionale. Au nord, l'Arlois semble être la limite avec le Mâconnais. À l'est, en revanche, la plaine de la Saône, où scintillent les méandres de la majestueuse rivière dont Jules César disait qu'« elle coule avec tant de lenteur que l'œil à peine peut juger de quel côté elle va », est une frontière évidente. À l'ouest, les monts du Beaujolais sont les premiers contreforts du Massif central ; leur point culminant, le mont Saint-Rigaux (1 012 m), apparaît comme une borne entre les pays de Saône et de Loire. Au sud enfin, le vignoble lyonnais prend le relais pour conduire jusqu'à la métropole, irriguée, comme chacun sait, par trois « fleuves » : le Rhône, la Saône et le... beaujolais !

Il est sûr que les vins du Beaujolais doivent beaucoup à Lyon, dont ils alimentent toujours les célèbres « bouchons », et où ils trouvèrent évidemment un marché privilégié après que le vignoble eut pris son essor au XVIII[e]s. Deux siècles plus tôt, Villefranche-sur-Saône avait succédé à Beaujeu comme capitale du pays, qui en avait pris le nom. Habiles et sages, les sires de Beaujeu avaient assuré l'expansion et la prospérité de leurs domaines, stimulés en cela par la puissance de leurs illustres voisins, les comtes de Mâcon et du Forez, les abbés de Cluny et les archevêques de Lyon. L'entrée du Beaujolais dans l'étendue des cinq grosses fermes royales dispensées de certains droits pour les transports vers Paris (qui se firent longtemps par le canal de Briare) entraîna donc le développement rapide du vignoble.

Aujourd'hui, le Beaujolais produit environ 1 110 000 hl de vins rouges typés (la production de blancs et de rosés est extrêmement limitée), mais – et c'est là une différence essentielle avec la Bourgogne – à partir d'un cépage presque exclusif, le gamay. Cette production se répartit entre les trois appellations beaujolais, beaujolais supérieur et beaujolais-villages, ainsi qu'entre les dix « crus » : brouilly, côte-de-brouilly, chénas, chiroubles, fleurie, morgon, juliénas, moulin-à-vent, saint-amour et régnié. Les appellations beaujolais et beaujolais-villages peuvent être revendiquées pour les vins rouges, rosés ou blancs. Les autres appellations sont réservées aux vins rouges. Seuls les crus, à l'exception du dernier, le régnié, ont légalement la possibilité d'être déclarés en AOC bourgogne. Géologiquement, le Beaujolais a subi successivement les effets des plissements hercyniens à l'ère primaire et alpin à l'ère tertiaire. Ce dernier a façonné le relief actuel, disloquant les couches sédimentaires du secondaire et faisant surgir les roches primaires. Plus près de nous, au quaternaire, les glaciers et les rivières s'écoulant d'ouest en est ont creusé de nombreuses vallées et modelé les terroirs, faisant apparaître des îlots de roches dures résistant à l'érosion, compartimentant le coteau viticole qui, tel un gigantesque escalier, regarde le levant et vient mourir sur les terrasses de la Saône.

De part et d'autre d'une ligne virtuelle passant par Villefranche-sur-Saône, on distingue traditionnellement le Beaujolais Nord du Beaujolais Sud. Le premier présente un relief plutôt doux, aux formes arrondies, aux fonds de vallons en partie comblés par des sables. C'est la région des roches anciennes de type granite, porphyre, schiste, diorite. La lente décomposition du granite donne des sables siliceux, ou « gores », dont l'épaisseur peut varier dans certains endroits d'une dizaine de centimètres à plusieurs mètres, sous forme d'arènes granitiques. Ce sont des sols acides, filtrants et pauvres. Ils retiennent mal les éléments fertilisants en l'absence de matière organique, sont sensibles à la sécheresse mais faciles à travailler. Avec les schistes, ce sont les terrains privilégiés des appellations locales et des beaujolais-villages. Le deuxième secteur, caractérisé par une plus grande proportion de terrains sédimentaires et argilo-calcaires, est marqué par un relief un peu plus accusé. Les sols sont plus riches en calcaire et en grès. C'est le secteur des Pierres dorées, dont la couleur, qui vient des oxydes de fer, donne aux constructions un aspect chaleureux. Les sols sont plus riches et gardent mieux l'humidité. C'est la zone de l'AOC beaujolais. Ces deux entités, où la vigne prospère entre 190 et 550 m d'altitude, ont comme toile de fond le haut Beaujolais, constitué de roches métamorphiques plus dures, couvert à plus de 600 m par des forêts de résineux alternant avec des châtaigniers et des fougères. Les meilleurs terroirs, orientés sud-sud-est, sont situés entre 190 et 350 m.

La région beaujolaise jouit d'un climat tempéré, résultat de trois régimes climatiques différents : une tendance continentale, une tendance océanique et une tendance méditerranéenne. Chaque tendance peut dominer, le temps d'une saison, avec des transitions brutales faisant s'affoler baromètre et thermomètre. L'hiver peut être froid ou humide ; le printemps, humide ou sec ; les mois de juillet et août, brûlants quand souffle le vent desséchant du Midi, ou humides avec des pluies orageuses accompagnées de fréquentes chutes de grêle ; l'automne, humide ou chaud. La pluviométrie moyenne est de 750 mm, la température peut varier de -20 °C à +38 °C. Mais des microclimats modifient sensiblement ces données, favorisant l'extension de la vigne dans des situations *a priori* moins propices. Dans l'ensemble, le vignoble profite d'un bon ensoleillement et de bonnes conditions pour la maturation.

L'encépagement, en Beaujolais, est réduit à sa plus simple expression, puisque 99 % des surfaces sont plantées en gamay noir. Celui-ci est parfois désigné dans le langage courant sous le terme de « gamay beaujolais ». Banni de la Côte-d'Or par un édit de Philippe le Hardi qui, en 1395, le traitait de « très desloyault plant » (très certainement en comparaison du pinot), il s'adapte pourtant à de nombreux sols et prospère sous des climats très divers ; il couvre en France près de 33 000 ha. Remarquablement bien adapté aux sols du Beaujolais, ce cépage à port retombant doit, durant les dix premières années de sa culture, être soutenu pour se former ; d'où les parcelles avec échalas que l'on peut observer dans le nord de la région. Il est assez sensible aux gelées de printemps, ainsi qu'aux principaux parasites et maladies de la vigne. Le débourrement peut se manifester tôt (fin mars), mais le plus souvent on l'observe au cours de la deuxième semaine d'avril. Ne dit-on pas ici : « Quand la vigne brille à la Saint-Georges, elle n'est pas en retard » ? La floraison a lieu dans la première quinzaine de juin, et les vendanges commencent à la mi-septembre.

Les autres cépages ouvrant le droit à l'appellation sont le pinot noir pour les vins rouges et rosés, et, pour les vins blancs, le chardonnay et l'aligoté, ce dernier cépage pour les vignes existantes avant le 28 novembre 2004 est admis jusqu'à la récolte 2024 incluse. Jusqu'en 2015, les parcelles de pinot noir pourront être assemblées dans la limite de 15 % ; l'usage d'incorporer en mélange dans les vignes des plants de pinot noir et gris, de chardonnay, de melon et d'aligoté dans la limite de 15 % reste autorisé pour l'élaboration des vins rouges et rosés. Deux principaux modes de taille sont pratiqués : une taille courte en forme de gobelet en éventail, en cordon simple, double ou charmet pour toutes les appellations, et en plus une taille avec baguette (ou taille guyot simple) pour l'appellation beaujolais et beaujolais supérieur.

Le Beaujolais

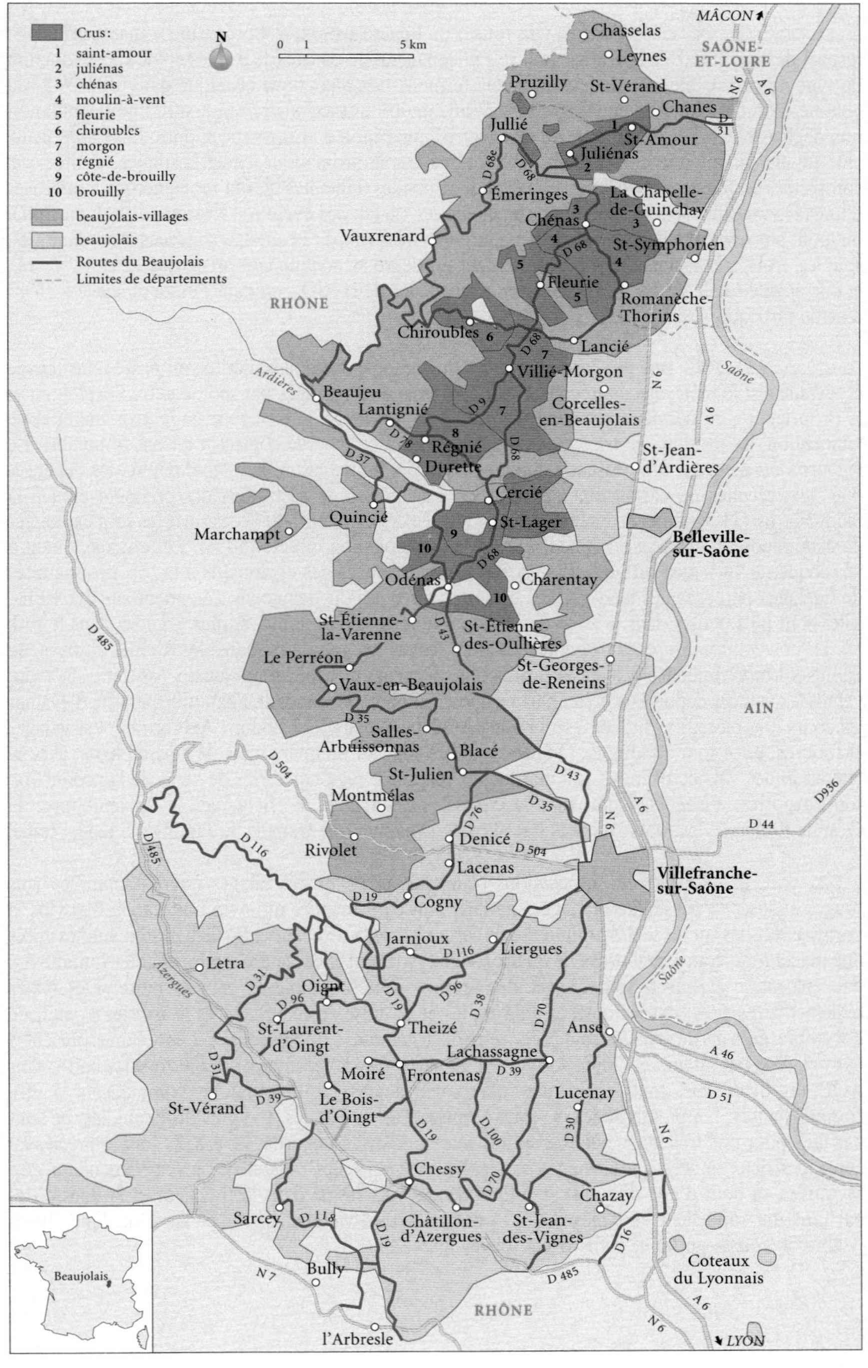
Crus:
1 saint-amour
2 juliénas
3 chénas
4 moulin-à-vent
5 fleurie
6 chiroubles
7 morgon
8 régnié
9 côte-de-brouilly
10 brouilly
beaujolais-villages
beaujolais
Routes du Beaujolais
Limites de départements
N
0 1 5 km
MÂCON
SAÔNE-ET-LOIRE
RHÔNE
AIN
Chasselas
Leynes
Pruzilly
St-Vérand
Chanes
Jullié
St-Amour
Juliénas
Émeringes
La Chapelle-de-Guinchay
Chénas
Vauxrenard
St-Symphorien
Fleurie
Romanèche-Thorins
Chiroubles
Lancié
Villié-Morgon
Beaujeu
Lantignié
Corcelles-en-Beaujolais
Régnié
Durette
St-Jean-d'Ardières
Cercié
Quincié
St-Lager
Marchampt
Belleville-sur-Saône
Odénas
Charentay
St-Étienne-la-Varenne
St-Étienne-des-Oullières
Le Perréon
St-Georges-de-Reneins
Vaux-en-Beaujolais
Salles-Arbuissonnas
Blacé
St-Julien
Montmélas
Denicé
Rivolet
Lacenas
Villefranche-sur-Saône
Cogny
Jarnioux
Liergues
Letra
Oingt
St-Laurent-d'Oingt
Theizé
Anse
Lachassagne
Moiré
Frontenas
Lucenay
St-Vérand
Le Bois-d'Oingt
Chessy
Chazay
Sarcey
Châtillon-d'Azergues
St-Jean-des-Vignes
Coteaux du Lyonnais
Bully
l'Arbresle
LYON
Ardières
Azergues
Saône
Beaujolais

Une majorité de vins rouges du Beaujolais sont élaborés selon le même principe : respect de l'intégralité de la grappe associé à une macération courte (de trois à sept jours en fonction du type de vin). Cette technique combine la fermentation alcoolique classique dans 10 à 20 % du volume de moût libéré à l'encuvage, et la fermentation intracellulaire qui assure une dégradation non négligeable de l'acide malique du raisin avec l'apparition d'arômes spécifiques. Elle confère aux vins du Beaujolais une constitution ainsi qu'une trame aromatique caractéristiques, exaltées ou complétées en fonction du terroir. Elle explique aussi les difficultés qu'ont les vignerons à maîtriser d'une façon parfaite leurs interventions œnologiques, du fait de l'évolution aléatoire du volume initial du moût par rapport à l'ensemble. Schématiquement, les vins du Beaujolais sont secs, peu tanniques, souples, frais, très aromatiques ; ils présentent un degré alcoolique compris entre 12 et 13 % vol., et une acidité totale de 3,5 g/l exprimée en équivalence de $H_2 SO_4$ ou dans l'unité officielle 5,36 g/l d'acide tartrique.

L'une des caractéristiques du vignoble beaujolais, héritée du passé mais tenace et vivante, est le métayage : la récolte et certains frais sont partagés par moitié entre l'exploitant et le propriétaire, ce dernier fournissant les terres, le logement, le cuvage avec le gros matériel de vinification, les produits de traitement, les plants, mais ce type de contrat n'est pas immuable. Le vigneron ou métayer, qui possède l'outillage pour la culture, assure la main-d'œuvre, les dépenses dues aux récoltes, le parfait état des vignes. Les contrats de métayage, qui prennent effet à la Saint-Martin (11 novembre), intéressent de nombreux exploitants ; 40 % des surfaces sont exploitées de cette façon et viennent en concurrence avec l'exploitation directe (50 %). Le fermage, quant à lui, concerne 10 % des surfaces. Il n'est pas rare de trouver des exploitants à la fois propriétaires de quelques parcelles et métayers. Les exploitations types du Beaujolais s'étendent sur 7 à 10 ha. Elles sont plus petites dans la zone des crus, où le métayage domine, et plus grandes dans le sud, où la polyculture est omniprésente. Dix-huit caves coopératives dans le Rhône et trois en Saône-et-Loire vinifient 30 % de la production. Éleveurs et expéditeurs locaux assurent 85 % des ventes, exprimées depuis la récolte 2001 en euro/hectolitre. Cependant, l'habitude persiste d'évaluer les cours à la pièce, par fûts de 216 l pour l'AOC beaujolais, 215 l pour l'AOC beaujolais-villages et les crus, et ce tout au long de l'année ; mais ce sont les premiers mois de la campagne, avec la libération des vins de primeur, qui marquent l'économie régionale. Près de 50 % de la production sont exportés, essentiellement vers la Suisse, l'Allemagne, la Belgique, le Luxembourg, la Grande-Bretagne, les États-Unis, les Pays-Bas, le Danemark, le Canada, le Japon, la Suède, l'Italie.

Seules les appellations beaujolais et beaujolais-villages ouvrent pour les vins rouges et rosés la possibilité de dénomination « vin de primeur » ou « vin nouveau ». Ces vins, à l'origine récoltés sur les sables granitiques de certaines zones de beaujolais-villages, sont vinifiés après une macération courte de l'ordre de quatre jours, favorisant le caractère tendre et gouleyant du vin, une coloration pas trop soutenue et des arômes fruités comme la banane mûre. Des textes réglementaires précisent les normes analytiques et de mise en marché. Dès le troisième jeudi de novembre, ces vins de primeur sont prêts à être dégustés dans le monde entier. Les volumes présentés dans ce type ont atteint, en 2006, 434 841 hl. À partir du 15 décembre, ce sont tous les autres vins AOC du Beaujolais dont les « crus » qui, après analyse et dégustation, commencent à être commercialisés, l'optimum de leurs ventes se situant après Pâques. Les vins du Beaujolais ne sont pas faits pour une très longue conservation ; mais si, dans la majorité des cas, ils sont appréciés au cours des deux années qui suivent leur récolte, de très belles bouteilles peuvent cependant être savourées au bout d'une décennie. L'intérêt de ces vins réside dans la fraîcheur et la finesse des parfums qui rappellent certaines fleurs – pivoine, rose, violette, iris – et aussi quelques fruits – abricot, cerise, pêche et petits fruits rouges.

Beaujolais et beaujolais supérieur

L'appellation beaujolais est celle de près de la moitié de la production. 9 400 ha, localisés en majorité au sud de Villefranche, ont fourni, en 2006, 458 219 hl dont 9 434 hl de vins blancs élaborés à partir du chardonnay et récoltés pour 16 % des volumes dans le canton de La Chapelle-de-Guinchay, zone de transition entre les terrains siliceux des crus et les terrains calcaires du Mâconnais. Dans le secteur des Pierres dorées, à l'est du Bois-d'Oingt et au sud de Villefranche, on trouve des vins rouges aux arômes plus fruités que floraux, parfois avec des pointes olfactives végétales ; ces vins colorés, charpentés, un peu rustiques, se conservent assez bien. Dans la partie haute de la vallée de l'Azergues, à l'ouest de la région, on retrouve des roches cristallines qui communiquent aux vins une mâche plus minérale, ce qui les fait apprécier un peu plus tardivement. Enfin, les zones plus en altitude offrent des vins vifs, plus légers en couleur, mais aussi plus frais les années chaudes. Les huit caves coopératives implantées dans ce secteur ont fait considérablement évoluer les technologies et l'économie de cette région, dont sont issus près de 75 % des vins de primeur.

L'appellation beaujolais supérieur ne comporte pas de territoire délimité spécifique, mais une identification des vignes est réalisée chaque année. Elle peut être revendiquée pour des vins dont les moûts présentent, à la récolte, une richesse en équivalent alcool de 0,5 % vol. supérieure à ceux de l'appellation beaujolais. En 2006, ce sont 3 566 hl qui ont été déclarés, principalement sur le territoire de l'AOC beaujolais.

L'habitat est dispersé, et l'on admirera l'architecture traditionnelle des maisons vigneronnes : l'escalier extérieur donne accès à un balcon à auvent et à l'habitation, au-dessus de la cave située au niveau du sol. À la fin du XVIII^e^s., on construisit de grands cuvages extérieurs à la maison de maître. Celui de Lacenas, à 6 km de Villefranche, dépendance du château de Montauzan, abrite la confrérie des Compagnons du Beaujolais, créée en 1947 pour servir les vins du Beaujolais, et qui a aujourd'hui une audience internationale. Une autre confrérie, les Grappilleurs des pierres dorées, anime depuis 1968 les nombreuses manifestations beaujolaises. Quant à déguster un « pot » de beaujolais, ce flacon de 46 cl à fond épais qui garnit les tables des bistrots, on le fera avec grattons, tripes, boudin, cervelas, saucisson et toute cochonnaille, ou sur un gratin de quenelles lyonnaises. Les primeurs iront sur les cardons à la moelle ou les pommes de terre gratinées avec des oignons.

Beaujolais

DOM. DE BALUCE Vieilles Vignes 2006

■ 0,3 ha 2 000 ▮◖◗ 5 à 8 €

Située au pays des Pierres dorées, cette ancienne dépendance du château de Bagnols, créée à la fin du XVIII^e^s. et exploitée par la famille Sonnery depuis quatre générations, a conservé deux clos. Elle possède aussi des caves voûtées où a été élevé ce beaujolais couleur cerise burlat, qui associe au nez le cassis, la pêche de vigne, la pivoine et les épices. Aromatique, ronde, bien structurée et équilibrée, la bouche est assez puissante pour accompagner dans l'année une viande rouge. Comme l'an dernier, le domaine est mentionné dans les deux couleurs : son **beaujolais blanc 2005** est cité.

Jean-Yves et Annick Sonnery, Dom. de Baluce, 69620 Bagnols, tél. et fax 04.74.71.71.43, e-mail baluce@bagnols.org r.-v.

DOM. DES BAS-CIEUX Cuvée Terroir 2006 ★

■ 4 ha n.c. ▮ 3 à 5 €

Comme son nom ne le suggère pas, ce domaine est perché sur une colline d'où l'on découvre la vallée de la Saône et la chaîne des Alpes. Georges Rebut exploite 10 ha aux alentours. D'un rouge sombre et limpide, sa cuvée Terroir libère une intense palette de parfums fort attirants. La groseille, le cassis, la mûre, la fraise et la pêche s'y mêlent aux épices. Même séduction en bouche, où l'on découvre une structure, une chair ronde et puissante. Harmonieux et aromatique, ce beaujolais accompagnera pendant un an ou deux un coq au vin, un lapin ou une andouillette.

Georges Rebut, EARL du Dom. des Bas, 1517, chem. de la Vigne-des-Garçons, 69480 Anse, tél. 04.74.67.07.43, e-mail domaine.des-bas-cieux@wanadoo.fr t.l.j. 11h-12h30 17h-19h

CAVE DU BEAU VALLON
Au pays des pierres dorées 2006

□ 3 ha 15 000 ▮ 3 à 5 €

Fondée par vingt-quatre vignerons au début des années 1960, cette coopérative vinifie aujourd'hui 475 ha de vignes. Si l'essentiel des superficies est complanté de gamay, quelques hectares portent du chardonnay. Vêtu d'une robe pâle, ce beaujolais blanc s'ouvre sur de discrets parfums vineux. Franc mais d'une puissance mesurée, il est à servir dès à présent.

Cave du Beau Vallon, 69620 Theizé, tél. 04.74.71.48.00, fax 04.74.71.84.46, e-mail cave-du-beauvallon@wanadoo.fr r.-v.

PHILIPPE BÉRÉZIAT Fraîcheur d'Été 2006

■ 0,35 ha 2 300 3 à 5 €

Installé en 1991 à Saint-Lager, Philippe Béréziat produit plusieurs crus, mais se distingue ici grâce à un

rosé. Un rosé limpide et brillant, aromatique, et qui rappelle un vin rouge par sa couleur soutenue et sa structure. Il sera apprécié dès maintenant avec des crudités épicées ou des viandes blanches.
Philippe Béréziat, 19, imp. de Briante, 69220 Saint-Lager, tél. 04.74.66.89.86, fax 04.74.66.89.67, e-mail bereziatph@wanadoo.fr
r.-v.

DOM. DE BOIS DIEU 2006

■ n.c. 2 000 3 à 5 €

Cette propriété familiale a quitté le secteur coopératif en 2003, date de la création du cuvage. Située au pays des Pierres dorées, elle ne produit que du beaujolais. Rubis soutenu, ce vin délivre un fruité complexe, un peu surmûri, où dominent la fraise, la mûre et le cassis associés à des nuances amyliques. Tapissant agréablement le palais d'une matière vive et aromatique, typée, gouleyante et longue, cette bouteille est faite pour maintenant. À boire également, le **beaujolais blanc 2005** du domaine, souple et rond : même note.
Dom. de Bois Dieu, Les Sapins, 69400 Liergues, tél. 04.74.03.82.03, fax 04.74.03.83.94
t.l.j. 9h-12h30 14h30-19h; dim. sur r.-v.

DOM. DU BOIS DU JOUR 2006 *

n.c. 2 000 3 à 5 €

Dans cette partie du Beaujolais, les maisons en pierres dorées sont légion, mais toutes ne possèdent pas, comme celle de Gilles Carreau, une cave du XVe s. Or pâle à reflets verts, son beaujolais blanc livre d'intenses parfums de fleurs blanches, de pamplemousse et de raisin frais. Après une attaque vive, on retrouve cette palette aromatique, complétée de notes de pêche et d'une touche minérale, dans un palais équilibré. Nerveux et élégant, ce vin plein de jeunesse s'accordera dès maintenant avec une viande blanche.
Gilles Carreau, Lachanal, Dom. du Bois du Jour, 69640 Cogny, tél. 04.74.67.41.40, e-mail carreau.gilles@wanadoo.fr r.-v.

CH. DE BOISFRANC 2006

■ 6 ha 12 000 5 à 8 €

Il aurait presque une allure de château du vin bordelais, cet élégant édifice coiffé d'ardoises, entouré de son parc. De fait, il date du Second Empire, et fit la fierté d'un soyeux lyonnais. Aujourd'hui, la propriété accueille toutes sortes de réceptions et de manifestations – des mariages aux stages de danse. Le domaine viticole s'étend sur 10 ha cultivés en « bio ». Son beaujolais rouge donne une impression de légèreté : robe rouge franc à reflets rosés, nez discret, floral, vineux, avec des nuances de raisin et de framboise ; structure aérienne ; un peu de tanins en finale, mais c'est le côté gouleyant qui ressort. À boire.
Thierry Doat, Ch. de Boisfranc, 69640 Jarnioux, tél. 04.74.68.88.88, fax 04.74.62.93.39, e-mail earl.doat@wanadoo.fr r.-v. 7
GFA Doat

CH. DE BUSSY 2006

■ 3 ha 20 000 3 à 5 €

Un pavillon de chasse du XVIIIe s. remanié en 1892 commande ce domaine viticole qui compte aujourd'hui 16 ha de vignes. Il est une fois de plus présent dans le Guide en beaujolais rouge. Le 2006 affiche une robe intense aux reflets violets et séduit par son nez expressif et élégant fait de groseille et de myrtille. Il est bien structuré, pour l'heure un peu austère : on l'attendra un an pour permettre à ses tanins de s'assouplir.
GFA Bussy, Ch. de Bussy, 69640 Saint-Julien, tél. 04.74.67.55.54, fax 04.74.69.09.75

CH. DE CERCY Tradition 2005 **

1,5 ha 10 000 5 à 8 €

Acquise par la famille de Michel Picard en 1909, cette propriété possède une cour intérieure et une cave du XVIe s. Elle mise sur le beaujolais blanc, presque tous les ans sélectionné en bonne place dans le Guide. Jaune paille à reflets brillants, le 2005 a fait grande impression. Ses parfums intenses d'acacia, de pêche et d'abricot se prolongent dans une bouche charnue, équilibrée, fraîche et longue. Ce vin harmonieux et prêt n'est pas loin du coup de cœur.
Michel Picard, Ch. de Cercy, 69640 Denicé, tél. 04.74.67.34.44, fax 04.74.67.32.35, e-mail earl-michel.picard@wanadoo.fr r.-v.

VIGNOBLE CHARMET
Lieu-dit Moulin la Blanche 2006

■ 0,5 ha 3 000 5 à 8 €

Les origines de cette propriété remontent au milieu du XVIIe s. Elle est fidèle au rendez-vous du Guide, toujours en rouge, avec cette année la cuvée du lieu-dit Moulin la Blanche. Au nez, de délicats parfums de fruits rouges et de cassis. En bouche, de la structure, un bon équilibre entre l'alcool et l'acidité, et de jeunes tanins qui demandent à s'assagir. On attendra quelques mois cette bouteille pour l'apprécier à son apogée, mais d'ores et déjà, on imagine la viande rouge grillée qui pourra l'accompagner.
Vignoble Charmet, La Ronze, 69620 Le Breuil, tél. 04.78.43.92.69, fax 04.78.43.90.31
t.l.j. sf dim. 8h-12h 14h-18h

DOM. CHASSELAY 2005 *

0,35 ha 2 000 5 à 8 €

Cette propriété familiale dont les origines remontent au début du XVIIe s. s'étend sur 13 ha. Elle a proposé un beaujolais blanc de couleur dorée, aux parfums intenses mêlant un boisé vanillé à des touches agréablement évoluées, avec une petite note de rancio. L'omniprésence du chêne ne dépare pas la rondeur d'une matière charnue, qui a gardé de la vivacité. Un 2005 bien conservé, prêt à servir avec du poisson.
Dom. Jean-Gilles Chasselay, 123-157, chem. de la Roche, 69380 Châtillon-d'Azergues, tél. 04.78.47.93.73, fax 04.78.43.94.41, e-mail jg.chasselay@wanadoo.fr
t.l.j. 8h-12h 14h-19h 3 C

CH. DU CHATELARD Vieilles Vignes 2005 *

1,37 ha 7 072 5 à 8 €

La façade est classique : le château a été reconstruit au XVIIIe s., mais on cultivait ici la vigne au VIIIe s. Le domaine, racheté en 2000 par la famille Rosier, s'étend sur 20 ha. Les terroirs argilo-calcaires sont particulièrement favorables à l'expression du chardonnay. Ce beaujolais blanc, d'un doré limpide et brillant, livre d'intenses parfums de raisin très mûr, de miel et de tilleul. Dans le même registre aromatique, la bouche vineuse, riche, ronde et encore fraîche fera apprécier ce vin dès maintenant, à l'apéritif. Sous la même étiquette Château du

Chatelard mais comme négociant, Sylvain Rosier a proposé deux crus : le **fleurie cuvée Les Vieux Granits 2006**, une étoile, et le **moulin-à-vent cuvée Terre de lumière 2006**, cité.

Sylvain Rosier, Ch. du Chatelard, 69220 Lancié, tél. 04.74.04.12.99, fax 04.74.69.86.17, e-mail vinduchato@aol.com t.l.j. sf dim. 9h-12h 14h-17h; f. août

DOM. CHATELUS DE LA ROCHE
Cuvée Terroir 2006

n.c. 120 000 5 à 8 €

19 ha de vignes pour ce domaine régulièrement mentionné dans le Guide. On retrouve sa cuvée Terroir. Grenat soutenu, le 2006 livre des parfums de bonbon anglais, de fraise et d'agrumes. Ils accompagnent une bouche marquée en finale par une présence tannique plutôt sévère. De bonne facture mais encore fermé, ce vin devra patienter un an en cave. Le **beaujolais blanc 2006** de la propriété est également cité.

Pascal Chatelus, La Roche, 69620 Saint-Laurent-d'Oingt, tél. 04.74.71.24.78, fax 04.74.71.28.36 r.-v.

CLOS DES VIEUX MARRONNIERS 2005

0,45 ha 3 000 3 à 5 €

Cette propriété de 13,5 ha exploitée par Jean-Louis Large depuis 1989 possède un authentique clos ceint de murs en pierres dorées. Ses beaujolais blancs sont souvent sélectionnés dans le Guide, et c'est encore le cas cette année. Le 2005 est un vin or pâle aux reflets verts. Ses parfums frais et élégants de fleurs blanches (acacia) s'agrémentent d'une touche minérale. Ils accompagnent une bouche assez fine, acidulée et d'une bonne harmonie. Une personnalité discrète mais plaisante pour cette bouteille à déboucher dès maintenant.

EARL Ghyslaine et Jean-Louis Large, Le Bourg, 69380 Charnay-lès-Mâcon, tél. et fax 04.78.47.95.28, e-mail jean-louis.large@wanadoo.fr r.-v.

DOM. COMMARMONT 2006 ★

0,35 ha 1 800 3 à 5 €

Succombant à un coup de foudre pour le Beaujolais alors qu'étudiant, il faisait les vendanges, Jean-Pierre Commarmont s'est fait vigneron en 1978. Il exploite un petit domaine (2,3 ha) éparpillé sur des coteaux escarpés. Son rosé s'habille d'une robe intense et limpide aux reflets orangés et diffuse des fragrances florales. Vif, charnu, fruité, équilibré et persistant, il fera plaisir au moins un an.

Jean-Pierre Commarmont, Le Merlier, 69620 Létra, tél. 04.74.71.31.80, e-mail beaujolaisjpc@wanadoo.fr r.-v.

OLIVIER COQUARD 2006 ★

0,25 ha 2 000 5 à 8 €

BTS viti-œno en poche, Olivier Coquard a fait ses classes en Afrique du Sud avant de reprendre le domaine familial au pays des Pierres dorées. La propriété se distingue de nouveau dans le Guide, mais cette année en blanc. Jaune pâle à reflets verts, ce 2006 se parfume de pêche blanche, d'abricot, de fleurs et de citronnelle. Bien fruité en bouche, il tapisse le palais de délicates sensations de rondeur. L'ensemble, tout en finesse, sera apprécié au cours de l'année.

Olivier Coquard, 1324, rte de Saint-Fonds, 69480 Pommiers, tél. et fax 04.74.03.92.91, e-mail olivier.coquard@mageos.com r.-v.

DOM. DES CRÊTES Cuvée des Varennes 2006 ★

1,8 ha 10 000 3 à 5 €

Deux moments privilégiés pour découvrir ce domaine : les 19 et 20 mai, pour une journée Portes ouvertes, et du 15 au 18 novembre, pour la sortie du beaujolais primeur. Une propriété en vedette dans la dernière édition, avec un blanc 2004 coup de cœur. Gras et rond, prêt à boire, le **beaujolais blanc 2005** obtient une étoile, tout comme cette cuvée grenat. Le nez intense associe les fruits rouges et noirs à la prune. La prune, de nouveau, ainsi que le pruneau, imprègne une chair ample aux tanins fins et soyeux. Des impressions gustatives variées pour un ensemble complexe, plaisant par sa structure à la fois ferme et douce. On l'attendra un à deux ans avant de le déguster avec des viandes rouges ou blanches.

EARL Jean-François et Martine Brondel, 750, rte des Crêtes, Graves, 69480 Anse, tél. 04.74.67.11.62, fax 04.74.60.24.30, e-mail contact@domainedescretes.com r.-v.

DOM. DE LA CREUZE NOIRE
La Perle blanche 2006

0,92 ha 7 000 5 à 8 €

À la limite du Beaujolais et du Mâconnais, l'exploitation vient de rénover ses installations de vinification. D'un jaune doré limpide, sa cuvée La Perle blanche révèle des notes fraîches de citron et de fleur d'acacia. Les fleurs imprègnent aussi la bouche. Charnu, ample et persistant, ce beaujolais blanc de bonne tenue est à boire dans l'année.

Dominique et Christine Martin, Dom. de La Creuze Noire, 71570 Leynes, tél. 03.85.37.46.43, fax 03.85.37.44.17, e-mail martin.dcn@orange.fr r.-v.

LA CAVE DES VIGNERONS DU DOURY 2006 ★

6 ha 6 000 3 à 5 €

Cette coopérative implantée dans la partie sud-ouest du vignoble vinifie 450 ha de vignes. Si son **beaujolais Tradition rouge 2006** est cité, il s'éclipse cette année devant le blanc. Or limpide aux reflets verts, ce vin libère des parfums floraux jeunes et fins qui se prolongent agréablement dans une bouche fraîche et tendre à la fois. On l'appréciera dès maintenant à l'apéritif.

Cave des Vignerons du Doury, 69620 Létra, tél. 04.74.71.30.52, fax 04.74.71.35.28, e-mail cavedoury@wanadoo.fr r.-v.

EMPREINTE Cuvée Tradition 2006

10 ha 10 000 3 à 5 €

Une étiquette moderne pour la famille Brossette, qui perpétue une tradition viticole depuis 1710. Le vigneron ne craint pas d'apposer son empreinte digitale sur ses étiquettes : souci de traçabilité ? La **cuvée Vieilles Vignes 2006 (5 à 8 €, étiquette noire)** est citée, tout comme cette cuvée Tradition. D'un rouge violet profond, cette dernière mêle au nez les fleurs, le cassis, la myrtille, la banane et une touche empyreumatique. Vif, structuré et tannique, ce vin est pour l'heure sévère malgré un retour aromatique. On l'attendra deux ans.

🔑 Paul-André et Fils Brossette, Cruix, 69620 Theizé, tél. 04.74.71.24.83, fax 04.74.71.28.98, e-mail contact@domaine-brossette.com
☑ 🍷 🚶 t.l.j. 8h-19h

DOM. DE LA FEUILLATA Élégance 2006

■ 1 ha 5 000 ■ **3 à 5 €**

Sur les 15 ha de ce vignoble exposé au sud, seul 1 ha contribue à cette cuvée dont le millésime précédent était cité dans la dernière édition. Pourpre à reflets roses, ce 2006 associe au nez des notes de cassis, de fraise et de framboise qui se prolongent au palais. Frais, persistant et typé, ce vin fait pour le plaisir immédiat accompagnera des viandes blanches.

🔑 Dom. de la Feuillata, 69620 Saint-Vérand, tél. et fax 04.74.71.74.53, e-mail domainefeuillata@free.fr ☑ 🍷 🚶 r.-v.
🔑 Rollet

JEAN-FRANÇOIS GARLON 2006

■ 4,5 ha 30 000 ■ **5 à 8 €**

Installé en 1994, Jean-François Garlon cultive 15 ha de vignes dans le respect de l'environnement, pratiquant l'enherbement naturel de l'interrang, le travail du sol sous le rang et le traitement des effluents vinicoles. Fidèle au rendez-vous du Guide, il a proposé un vin pourpre sombre au nez de fruits rouges et de mûre. Ce 2006 n'est pas très long, mais la bouche assez puissante et souple aux tanins fins en fait un vin plaisant et convivial pour les deux ans à venir. On le servira avec des grillades ou des viandes blanches.

🔑 Jean-François Garlon, Le Bourg, 69620 Theizé, tél. 04.74.71.11.97, fax 04.74.71.23.30, e-mail jf.garlon@chello.fr ☑ 🍷 🚶 r.-v.

ODETTE GERMAIN 2005

■ 0,6 ha 6 500 **5 à 8 €**

Or vert très limpide, ce beaujolais blanc associe des parfums de fleurs blanches à des nuances vineuses plus évoluées. L'agréable attaque sur des impressions florales et végétales met en valeur une chair ronde et souple où perce une discrète amertume. Une harmonie à apprécier maintenant.

🔑 Odette Germain, Les Crozettes, 69380 Charnay, tél. et fax 04.78.43.94.52, e-mail odette-germain@orange.fr
☑ 🍷 🚶 t.l.j. 8h-12h 14h-19h

CAVE DE GLEIZÉ 2006 ★

■ 1,5 ha 7 500 ■ **3 à 5 €**

Intégrée dans le tissu urbain de l'agglomération caladoise, la cave coopérative de Gleizé, construite en 1932 sur l'emplacement d'un ancien prieuré, voit sa production de **rosé 2006** faire jeu égal avec ce vin grenat limpide et brillant. Ses parfums suaves de cassis et de framboise accompagnent une chair ronde et équilibrée qui s'épanouit harmonieusement au palais. Une bouteille tout en finesse à servir maintenant.

🔑 Cave vinicole de Gleizé, 1471, rte de Tarare, 69400 Gleizé, tél. 04.74.68.39.49, fax 04.74.62.09.67, e-mail cave.vinicole.gleize@wanadoo.fr ☑ 🍷 🚶 r.-v.

CH. DU GRAND TALANCÉ 2006 ★

■ 2,5 ha 16 000 ■ **3 à 5 €**

Ce vaste domaine (42 ha) est un habitué du Guide. Typique et prêt à boire, le **rouge 2006** est cité, éclipsé cette année par le rosé. Avec ses reflets orangés pleins d'attraits, ses frais parfums fruités soutenus en bouche par une bonne vivacité, ses arômes francs, c'est un représentant de l'appellation très agréable, à apprécier dans l'année, comme la majorité des rosés.

🔑 GFA du Grand Talancé, Ch. du Grand Talancé, 69640 Denicé, tél. et fax 04.74.67.55.83 ☑ 🍷 🚶 r.-v.
🔑 J.-M. Truchot

DOM. LES GRYPHÉES 2005

■ 0,5 ha 4 000 ■ **3 à 5 €**

Située dans le pays des Pierres dorées, cette exploitation possède une cave voûtée de 1850 où a été élevé ce beaujolais or pâle qui s'ouvre à l'aération sur des notes discrètes mais élégantes de foin coupé, d'agrumes et de fleurs. Ces fleurs marquent de leur empreinte fugitive une bouche délicate, ronde, charnue et tout en finesse. À servir dès à présent à l'apéritif.

🔑 Pierre Durdilly, 2, rte de Saint-Laurent, 69620 Le Bois-d'Oingt, tél. 04.74.72.49.93, fax 04.74.71.62.95, e-mail domainelesgryphees@wanadoo.fr ☑ 🍷 🚶 r.-v.

DOM. DU GUELET Le Fournel 2006 ★★

■ 0,41 ha 3 000 ■ **3 à 5 €**

Installés depuis 1994 à Rivolet, du côté de Villefranche-sur-Saône, Christine et Didier Puillat ont tiré d'un très jeune chardonnay un vin léger aux reflets verts et au nez complexe et élégant de miel et de fleurs blanches (aubépine, acacia). Après une attaque tout en rondeur, la dégustation se poursuit sur des impressions souples et des arômes d'agrumes et d'ananas. Harmonieux et fin, ce 2006 sera apprécié dans l'année. Autre vin du domaine à boire maintenant, le **rosé 2006** (cité).

🔑 Christine et Didier Puillat, Le Fournel, 69640 Rivolet, tél. et fax 04.74.67.34.05 ☑ 🍷 🚶 r.-v.

CH. DE LAVERNETTE 2005 ★

■ 3 ha 9 000 ■ **5 à 8 €**

Au XVI[e]s., ce domaine appartenait à l'abbaye de Tournus, dans le Mâconnais. Il produit aussi du pouilly-fuissé. Quant à ce beaujolais blanc, il est issu d'une ancienne parcelle cadastrée, « Les Vignes de la roche ». Un 2005 or pâle dont les parfums de fleurs blanches, d'agrumes et de miel sont restés étonnamment frais. On les retrouve dès l'attaque, associés à de la poire, de la pêche et de l'abricot. Plein de jeunesse, nerveux, équilibré et élégant, ce vin sera à déboucher dans l'année, sur une poularde à la crème par exemple.

🔑 Bertrand de Boissieu, Ch. de Lavernette, 71570 Leynes, tél. 03.85.35.63.21, fax 03.85.35.67.32, e-mail chateau@lavernette.com
☑ 🍷 🚶 t.l.j. 10h-12h 14h-18h30

CAVE DES VIGNERONS DE LIERGUES 2006 ★★

■ 1,5 ha 4 000 ■ 🛢 **3 à 5 €**

Fondée dès 1929, cette coopérative proche de Villefranche-sur-Saône vinifie aujourd'hui 560 ha de vignes. Son **beaujolais blanc Réserve particulière 2005 (5 à 8 €)**, boisé, est cité ; son **beaujolais rouge 2006**, frais et gouleyant, à boire maintenant, obtient une étoile. Mais, cette année, c'est le rosé qui tient la vedette. Rose pâle limpide et brillant, il exprime un fruité intense. L'attaque franche prélude à une bouche ronde, aromatique et persistante. À savourer dès la sortie du Guide au cours des belles journées d'arrière-saison.

Cave des Vignerons de Liergues, 168, rue du Beaujolais, 69400 Liergues, tél. 04.74.65.86.00, fax 04.74.62.81.20, e-mail contact@cave-liergues.com
t.l.j. sf dim. 8h-12h 14h-18h30

DOM. DU LOUP 2006

7,5 ha 54 000 3 à 5 €

Ce domaine a pris pour emblème un loup un peu ermite qui aurait vécu sur les lieux il y a très longtemps. L'animal aimait les raisins, à en juger par la gravure médiévale reproduite sur l'étiquette. Le vin ? Une robe rubis intense, des parfums tout aussi intenses de cassis et une bouche structurée par des tanins encore fermes. Un an d'érémitisme dans une sombre cave devrait lui rendre le poil plus souple.

Jean Bosse-Platière, Les Places, 69480 Lucenay, tél. 04.74.67.05.54, fax 04.74.69.09.75

DAVID MARCHAND 2005

0,63 ha 3 500 5 à 8 €

La pierre dorée, matériau noble de cette partie méridionale du vignoble, habille l'ensemble des bâtiments de la propriété, cave incluse. Le doré est aussi la couleur de ce beaujolais blanc mêlant au nez les fruits très mûrs et le miel. Rond et fruité à l'attaque, plus sévère en finale, ce vin est à déboucher maintenant, à l'apéritif ou avec du poisson.

David Marchand, Les Meules, 69640 Cogny, tél. 06.82.42.34.94, fax 04.74.67.33.94 r.-v.

CÉDRIC MARTIN 2006

1 ha 4 000 5 à 8 €

Installé il y a dix ans, Cédric Martin est fils de vignerons déjà mentionnés dans le Guide, qui ont été ses formateurs. Nos fidèles lecteurs se souviennent qu'il obtint un coup de cœur en saint-amour 2003, distinction qui lui valut la Grappe de bronze du Guide. Il a montré depuis son savoir-faire en blanc. Jaune paille aux reflets dorés, ce 2006 libère des parfums frais et délicats d'agrumes et de fruits exotiques qui accompagnent une bouche équilibrée, souple et longue. De structure assez légère, c'est un vin pour maintenant.

Cédric Martin, Les Verchères, 71570 Chânes, tél. et fax 03.85.37.46.32 r.-v.

MATHIEU D'UZARD 2006

0,7 ha 4 500 3 à 5 €

Antoine Mathieu conduit depuis 2002 ce domaine de 27 ha situé dans le secteur des Pierres dorées. Il propose un rosé de couleur soutenue, brillante et limpide, au bon fruité nuancé d'amande. Rond et franc, équilibré et aromatique, c'est une bouteille à boire dans l'année.

EARL Mathieu d'Uzard, Le Peynaud, 69640 Ville-sur-Jarnioux, tél. 06.62.56.33.84, fax 04.74.02.86.42, e-mail mathieu.uzard@wanadoo.fr
r.-v.

DOM. MATRAY 2006 ***

0,37 ha 3 000 5 à 8 €

Lilian Matray exploite les 11 ha du domaine familial depuis 1988. Il est établi à Juliénas et les vins de ce cru figurent très souvent dans le Guide. Il montre avec ce superbe beaujolais blanc que le chardonnay n'a pas non plus de secrets pour lui. La robe jaune pâle à reflets verts est de bon augure, ainsi que le nez complexe et élégant, fait de fruits bien mûrs, de fleurs blanches (chèvrefeuille) et de troène. L'attaque ronde et équilibrée révèle une matière charnue, fruitée et fine. Harmonieuse et longue, reflet d'une vinification particulièrement réussie, cette bouteille est prête mais elle peut encore attendre.

EARL Lilian et Sandrine Matray, Les Paquelets, 69840 Juliénas, tél. 04.74.04.45.57, fax 04.74.04.47.63, e-mail domaine.matray@wanadoo.fr
t.l.j. 8h-20h

DOM. G. MINGRET 2005 *

0,18 ha 1 620 3 à 5 €

À l'origine ferme d'élevage et pépinière viticole, cette propriété familiale fondée dans les années 1900 a créé son vignoble en 2000. Elle n'a pas renoncé à l'élevage, dont les produits alimentent la ferme-auberge ouverte en 2006. Quant à ce chardonnay, vinifié par les établissements Loron à Fleurie, il a donné naissance à un vin doré au nez expressif de pamplemousse, de tilleul et d'acacia. La vivacité de sa matière charnue met en valeur ses arômes de fruits exotiques associés à la noisette. Équilibré et de bonne facture, c'est un vin pour maintenant.

EARL du Dom. Mingret, Le Bourg, 69460 Vaux-en-Beau, tél. et fax 04.74.03.26.13, e-mail cyrillemingret@wanadoo.fr r.-v.

DOM. MONTERNOT 2006 *

0,84 ha 4 500 3 à 5 €

Ce domaine, dont les origines remontent à 1854, s'étend sur 14 ha. Le dernier millésime se voit distingué dans deux couleurs : le **beaujolais-villages rouge Tête de cuvée 2006** est cité, tandis que ce beaujolais blanc obtient une étoile. D'un jaune très pâle, presque transparent, ce vin livre des parfums frais et caractéristiques de fruits à chair blanche et de fleurs. Ces arômes se prolongent dans un palais équilibré et harmonieux, vineux en finale. On pourra apprécier cette bouteille au moins un an.

GAEC J. et B. Monternot, Les Places, 69460 Blacé, tél. 04.74.67.56.48, fax 04.74.60.51.13 r.-v.

DOM. DU MOULIN BLANC Cuvée Tradition 2006 *

1,6 ha 10 000 3 à 5 €

Ce domaine du secteur des Pierres dorées avait brillé dans le millésime 2003 grâce à cette même cuvée, coup de cœur dans l'édition 2005. Le 2006 n'est pas mal du tout. La robe carmin à reflets violets est pimpante, le nez expressif évoque le bourgeon de cassis. L'attaque fruitée est suivie d'impressions tanniques qui ne remettent pas en question l'équilibre d'ensemble. À la sortie du Guide, ce vin sera prêt. Il accompagnera une assiette de charcuterie, ou une viande blanche, un rôti de veau farci par exemple.

Alain et Danièle Germain, Crière, Dom. du Moulin Blanc, 69380 Charnay-lès-Mâcon, tél. et fax 04.78.43.98.60, e-mail domaine-du-moulin-blanc@wanadoo.fr
r.-v. 2 C

DOM. LE MOULIN DU PRINCE 2006 **

0,26 ha 1 400 5 à 8 €

Ce domaine associe le tourisme et la viticulture, sur 8,4 ha. Son **beaujolais-villages rouge 2005 (3 à 5 €)** a été cité, mais ce beaujolais blanc issu de jeunes plants de chardonnay cultivés sur des sols limono-siliceux lui vole la vedette. Sa robe jaune paille limpide attire, et ses parfums de pêche, de pamplemousse et de citron vert sont du plus

bel effet. Après une attaque vive, les arômes perçus au nez imprègnent la bouche. Encore jeune, ce 2006 sera prêt à la sortie du Guide. On le servira à l'apéritif, avec du poisson ou un poulet à la crème.
Mathieu, Moulin du Prince, 69820 Vauxrenard, tél. et fax 04.74.69.92.20, e-mail brd.math@orange.fr r.-v.

DOM. DE L'OISILLON 2006

2,94 ha	12 000	3 à 5 €

Le troisième week-end de novembre, le domaine organise des journées Portes ouvertes. C'est l'époque du beaujolais nouveau, mais n'oubliez pas les cuvées plus durables de la propriété, régulièrement sélectionnées, en particulier ces dernières années. Un nouveau millésime s'y ajoute avec ce vin rouge sombre aux parfums assez intenses de fruits rouges et de cassis. Structuré, avec des rondeurs qui gomment les tanins et l'acidité, aromatique, l'ensemble est harmonieux. Il accompagnera au cours des douze prochains mois une assiette de charcuterie. Intensément fruité, le **beaujolais-villages 2006** obtient la même note.
Michel et Béatrix Canard, Dom. de l'Oisillon, Le Bourg, 69820 Vauxrenard, tél. 04.74.69.90.51, fax 04.26.74.90.51, e-mail beatrix-michel.canard@wanadoo.fr r.-v.

LE PÈRE LA GROLLE 2006

18 ha	130 000	3 à 5 €

Le vin de Gnafron, compagnon de Guignol, a eu son heure de gloire dans le millésime précédent. De couleur violine, le 2006 se partage au nez entre le cassis et la mûre, avec intensité. Ce fruité persiste harmonieusement dans une bouche encore tannique et ferme en finale. Cette bouteille devrait être prête à la fin de l'année 2007.
Maison Pellerin, Ch. de Pierreux, 69460 Odenas, tél. 04.74.03.18.30, fax 04.74.69.09.75, e-mail marketing@boisset.fr

DOM. DES PÉRELLES 2006 *

2 ha	n.c.	5 à 8 €

Ce domaine de 11,5 ha, situé dans la partie nord du vignoble, se distingue surtout en blanc, aussi bien dans les appellations beaujolaises que mâconnaises. Son beaujolais blanc a obtenu un coup de cœur dans le millésime précédent. Des vignes d'une trentaine d'années cultivées sur des terrains argilo-limoneux sont à l'origine de ce vin couleur or aux parfums délicats et tout en nuances de menthol, d'agrumes et de fruits secs (abricot). L'attaque douce introduit une bouche fraîche et charnue, où l'on retrouve la palette aromatique du nez, complétée de notes minérales. Harmonieux et persistant, ce chardonnay sera apprécié pendant un an à l'apéritif ou avec un poisson à la crème.
EARL Jean-Yves Larochette, Les Pérelles, 71570 Chânes, tél. 03.85.37.41.47, fax 03.85.37.15.25, e-mail jylarochette@tiscali.fr r.-v.

DOM. PÉROL Vieilles Vignes 2006 *

0,7 ha	4 666	5 à 8 €

Fondé sous l'Empire, ce domaine est entré dans la famille Pérol un siècle plus tard, en 1912. Il est implanté dans un hameau qui fait face au village de Châtillon-d'Azergues et à son château. Sa cuvée Vieilles Vignes s'annonce par une robe rubis léger typique de l'appellation et exprime un fruité intense et complexe, où le cassis, la groseille et la pêche se nuancent d'une touche florale. Bien équilibré, rond avec des tanins fins, ce vin accompagnera dès maintenant un pot-au-feu. Il pourra être servi à l'apéritif ou avec des fraises.
Frédéric Pérol, 447, chem. de La Colletière, 69380 Châtillon-d'Azergues, tél. 04.78.43.99.84, fax 04.26.63.49.23 r.-v.

DOM. PICOTIN 2005 *

4 ha	4 000	3 à 5 €

Ce domaine du secteur des Pierres dorées, qui ne compte pas moins de 34 ha, a été fondé modestement au XIXes. par l'aïeule Marie Picotin. De nouveau retenu, son beaujolais blanc affiche dans ce millésime une robe or à reflets verts et libère des parfums délicats de fleurs blanches ponctués d'une touche végétale. Rond, charnu et bien équilibré, le palais finit sur une légère pointe d'amertume qui devrait s'estomper. Encore jeune et plutôt floral, ce vin est à découvrir dès à présent.
GAEC Mercier Père et Fils, 260, rue du Genetay, 69480 Lucenay, tél. 04.74.67.04.37, fax 04.37.55.00.91, e-mail domainepicotin@domainepicotin.fr r.-v.

JEAN-CHARLES PIVOT 2006 *

0,9 ha	6 000	5 à 8 €

Jean-Charles Pivot a développé une activité de négoce. Sa maison est implantée non loin de Beaujeu, l'ancienne capitale, où un « pôle œnologique » a ouvert, consacré au transport et aux étiquettes de vins. Elle signe un beaujolais blanc limpide, à la robe jaune paille animée de reflets verts et dorés. Ce vin s'ouvre à l'aération sur de délicates fragrances de fleurs blanches et de miel. Souple, acidulé et frais au palais, il renoue en finale avec le miel. Un ensemble harmonieux à déguster au cours des deux prochaines années.
Jean-Charles Pivot, Les Dépôts, 69430 Saint-Didier-sur-Beaujeu, tél. 04.74.04.30.32, fax 04.74.69.00.70, e-mail jcpivot@club-internet.fr r.-v.

DOM. DE LA ROCAILLÈRE 2006 *

0,4 ha	3 000	5 à 8 €

Installé en 1996, Vincent Fontaine cultive la totalité de l'exploitation familiale depuis 2004, année du départ à la retraite de son père, prenant ainsi la suite d'une lignée de vignerons remontant à 1786. On retrouve son beaujolais blanc, avec une étoile de plus que dans le précédent millésime. Or pâle brillant, ce 2006 exprime des parfums agréables et assez puissants d'agrumes et de fruits secs, accompagnés de touches minérales. Son léger perlant met en valeur la fraîcheur des arômes qui s'épanouissent longuement au palais. L'ensemble, très plaisant, est à découvrir à l'automne 2007.
Vincent Fontaine, 384, montée de Corbay, 69480 Pommiers, tél. 04.74.02.59.15, fax 04.74.65.97.68 r.-v.

DOM. DE ROCHEBONNE Vent d'Ange 2006 *

0,6 ha	1 500	5 à 8 €

Sur le domaine transmis de père en fils depuis 1848, a été tourné le téléfilm *Douce France*. La propriété (15 ha) est majoritairement composée de gamay, mais elle possède une parcelle de chardonnay d'une vingtaine d'années plantée sur le terroir argilo-calcaire de Cruix, d'où est issu ce vin blanc. Jaune paille à reflets dorés, ce 2006 exprime un boisé exubérant qui fait passer au second plan des

nuances de fruits et de verveine. Particulièrement riche et fraîche, la chair soutient le chêne qui reste très présent. De bonne facture, l'ensemble devra attendre au moins deux ans pour permettre au boisé de se fondre. En attendant, on peut déboucher le **beaujolais rouge 2006 (3 à 5 €)** de la propriété, qui est cité.
Dominique Pein, La Roche, 69620 Theizé,
tél. et fax 04.74.71.21.47,
e-mail emmanuel.pein@tiscali.fr r.-v.

DOM. ROMY 2006

	1 ha	6 000		3 à 5 €

Installé en 2003 sur la propriété familiale située dans la région des Pierres dorées, Nicolas Romy cultive 8 ha. Après toute une série de vins blancs, c'est le gamay qui lui vaut cette année d'être cité pour un vin rouge burlat limpide, au nez agréable et assez puissant de cassis, de mûre et de petits fruits rouges. Un ensemble équilibré, aromatique et long, qui laisse une bouche fraîche. À déboucher dans l'année.
Nicolas Romy, 1020, rte de Saint-Pierre,
69480 Morancé, tél. et fax 04.78.43.65.06,
e-mail nicolasromy@yahoo.fr r.-v.

DOM. DE ROTISSON Cuvée Tradition 2006 *

	2,5 ha	23 000		5 à 8 €

Deux manifestations annuelles sur ce domaine, dirigé depuis 1998 par Didier Pouget : un marché paysan en novembre, un salon de la voiture ancienne en avril. Mais les vins, régulièrement retenus dans le Guide, méritent tout votre intérêt. Cette année, c'est un blanc qui se distingue. Or blanc à reflets dorés, il libère des parfums intenses de fleurs blanches et d'agrumes, nuancés d'une touche amylique. Ces arômes sont rehaussés au palais par un perlant qui confère à ce vin beaucoup de fraîcheur. Gourmand, harmonieux, fin et long, l'ensemble pourra être apprécié pendant au moins un an.
Dom. de Rotisson, rte de Conzy,
69210 Saint-Germain-sur-l'Arbresle,
tél. 04.74.01.23.08, fax 04.74.01.55.41,
e-mail didier.pouget@domaine-de-rotisson.com
t.l.j. 9h-12h30 14h-18h; dim. sur r.-v.
Didier Pouget

DOM. DES SABLES D'OR 2006

	6,5 ha	20 000		5 à 8 €

Une propriété familiale où se sont succédé cinq générations. Douze hectares aujourd'hui. Des sols siliceux sur machefer, complantés de vignes de cinquante ans, sont à l'origine de ce vin d'un rouge franc, au nez riche et plaisant, fait de fraise, de figue et de fleurs. Une attaque nette introduit un palais structuré, volumineux et aromatique. Un « vin plaisir » qui pourrait cependant durer plus d'une saison et accompagner pendant deux à trois ans viandes en sauce et fromages.
EARL Olivier et Jean-Charles Ravier,
Dom. des Sables d'Or, Descours, 69220 Belleville,
tél. 04.74.66.12.66, fax 04.74.66.57.50,
e-mail olivier.ravier@wanadoo.fr r.-v.

CAVE BEAUJOLAISE DE SAINT-LAURENT-D'OINGT Carré rose 2006

	3,2 ha	22 900		3 à 5 €

Fondée au début des années 1960, cette coopérative vinifie plus de 330 ha de vignes. Elle vient de créer une marque de rosé habillée d'une étiquette moderne. Des reflets saumonés parcourent la robe rose limpide et brillante de ce vin au nez expressif, fruité et frais. L'attaque vive introduit une bouche équilibrée et friande, au fruité amylique. À boire dans l'année.
Cave coop. beaujolaise de Saint-Laurent-d'Oingt,
Le Gonnet, 69620 Saint-Laurent-d'Oingt,
tél. 04.74.71.20.51,
e-mail cave-saintlaurent@wanadoo.fr r.-v.

CAVE BEAUJOLAISE DE SAINT-VÉRAND Excellence Vieilles Vignes 2006

	4 ha	7 000		5 à 8 €

Créée en 1959, cette coopérative regroupe cent soixante adhérents et vinifie 350 ha de vignes dans le sud du Beaujolais. Son **beaujolais blanc Château de Chanzé 2005 (3 à 5 €)** est cité, tout comme cette cuvée rubis léger au nez de fruits rouges et de cassis. Ce fruité imprègne une chair souple et assez fine et persiste longuement. Un vin friand pour maintenant.
Cave beaujolaise de Saint-Vérand, Le Bady,
69620 Saint-Vérand, tél. 04.74.71.73.19,
fax 04.74.71.83.45, e-mail cbsv@wanadoo.fr
r.-v.

GUY ET BERNARD SAPIN Tradition Vieilles Vignes 2006

	2 ha	5 000		3 à 5 €

Des vignes d'une cinquantaine d'années plantées sur des terrains granitiques et argilo-calcaires ont donné naissance à ce vin rubis soutenu au nez de cassis et de myrtille, nuancé de touches amyliques. Une attaque fruitée, une bouche équilibrée à la finale vive composent un vin friand, à apprécier dans les deux prochaines années.
GAEC Guy et Bernard Sapin, Le Barnigat,
69620 Saint-Laurent-d'Oingt, tél. et fax 04.74.71.20.82
t.l.j. 8h30-19h; dim. 9h30-12h

DOM. DE TANAY 2006 *

	3,8 ha	n.c.		5 à 8 €

Cette métairie du château de Pizay pratique depuis 1999 l'agriculture biologique. Elle signe un vin d'un rouge soutenu et brillant, qui exprime d'intenses parfums de fruits mûrs et de pivoine. Une agréable attaque, une bouche intense, ronde et structurée dessinent un vin typé et gai, prêt à accompagner un osso bucco.
Gilles Perez, Pizay, 69220 Saint-Jean-d'Ardières,
tél. 04.74.66.26.10, fax 04.74.69.60.69 r.-v.

DOM. DES TOURRIÈRES 2006

	3,5 ha	5 000		3 à 5 €

Son père travaillait à EDF : Daniel Perrusset est venu à la vigne en 1981, après avoir étudié la viticulture, défriché des bois et planté ses vignes. Rouge soutenu à reflets violets, son 2006 mêle au nez la fraise des bois et d'autres petits fruits rouges. Ces arômes se prolongent dans l'attaque, puis les fruits noirs viennent compléter la palette, au sein d'une bouche soutenue par une bonne structure tannique. Complet et bien représentatif de l'appellation, ce vin est prêt, mais il peut attendre un à deux ans. Il s'accordera avec la charcuterie, la volaille ou le petit gibier.
Daniel Perrusset, La Roche,
69430 Quincié-en-Beaujolais, tél. 06.88.21.64.27,
fax 04.74.04.30.38 r.-v.

CH. LA VÉNERIE Vieilles Vignes 2006

■ 2 ha 9 000 ▮ 3 à 5 €

Au XVIIIe s., c'était le rendez-vous de chasse des sires de Beaujeu. Aujourd'hui, le domaine commande un vignoble de quelque 5 ha. D'un pourpre profond aux reflets violets, sa cuvée Vieilles Vignes s'ouvre à l'aération sur des senteurs de fruits rouges accompagnées de notes de cassis. Le cassis, relevé de poivre, se prolonge en bouche. Des tanins puissants et une réelle nervosité révèlent un fort potentiel : on attendra un an cette bouteille avant de la servir avec du gibier.

Benoît Proton de la Chapelle, Les Alouettes, 69640 Denicé, tél. 04.74.62.93.02, e-mail benoit.proton@wanadoo.fr r.-v.

DOM. VIDONNEL 2005

0,27 ha 2 500 ▮ 3 à 5 €

Depuis de nombreuses années, ce domaine s'est distingué par ses beaujolais blancs, aujourd'hui très nombreux dans le Guide. Les fidèles lecteurs se souviennent d'un 1995, qui fut coup de cœur. Pour cette édition, c'est de nouveau un chardonnay qui est retenu. Or paille, ce 2005 présente un nez fort agréable où le miel et l'acacia se mêlent à la noisette grillée et au coing. Au palais, l'abricot s'ajoute aux fruits secs au sein d'un palais charnu, dominé par des impressions de rondeur et de souplesse. Un vin pour maintenant.

Guy Vignat, 70, rte de Chazay, 69480 Morancé, tél. 04.78.43.64.34, fax 04.78.43.77.31, e-mail guy.vignat@wanadoo.fr r.-v.

Beaujolais supérieur

DOM. BOURBON Les Terrasses 2006

■ 1 ha 6 500 ▮ 5 à 8 €

Deux citations pour ce domaine de la région des Pierres dorées : le **beaujolais rouge cuvée Claudius 2006 (8 à 11 €)**, dédié par Jean-Luc Bourbon à son grand-père qui acquit la propriété ; et cette cuvée Les Terrasses issue de vignes en coteau. Rouge sombre, ce 2006 libère d'agréables parfums de cassis mêlés de sureau et de pivoine. Il reste aromatique en bouche, où apparaissent des notes poivrées, presque pimentées. Bien structuré avec de la rondeur, puissant et long, ce vin sera servi pendant deux à trois ans avec du petit gibier.

Dom. Jean-Luc Bourbon, Le Marquison, 69620 Theizé, tél. et fax 04.74.71.14.13, e-mail domaine-bourbon@wanadoo.fr r.-v.

CAVE DES VIGNERONS DE BULLY 2006 *

■ 13 ha 30 000 ▮ 3 à 5 €

Implantée dans la partie sud du Beaujolais, cette coopérative fondée en 1959 est devenue une importante structure vinifiant 830 ha de vignes. Son **beaujolais rouge cuvée Terra Vitis 2006**, qui fait allusion à la lutte intégrée, est cité. Une étoile distingue pour son équilibre le **beaujolais blanc 2006**, qui fait jeu égal avec ce beaujolais supérieur. Rouge sombre, ce dernier associe le bonbon anglais et le cassis au sureau. Les fruits rouges et les épices (clou de girofle) viennent compléter au palais sa palette aromatique. Structuré et rond à la fois, bien fait, un peu technologique pour certains, ce vin plaira aux nouveaux consommateurs. On pourra le servir pendant un à deux ans avec un saucisson brioché.

Cave des vignerons de Bully, La Martinière, 69210 Bully, tél. 04.74.01.27.77, fax 04.74.01.14.53, e-mail cavedebully@wanadoo.fr r.-v.

VINCENT PERRAUD 2006

■ 1 ha 6 000 3 à 5 €

À 2 km de la propriété, le village perché d'Oingt, tout en pierres dorées comme la maison du vigneron. Installé en 1992, Vincent Perraud exploite 11 ha de vignes aux alentours, et a adopté comme nombre de ses collègues du Beaujolais l'agriculture raisonnée. De couleur cerise burlat, son beaujolais supérieur offre un nez typé mêlant le cassis, la groseille à la pivoine et au clou de girofle, avec quelques nuances végétales. Un peu en retrait, le palais séduit par son attaque charnue et fruitée. À déboucher dès maintenant.

Perraud, 301, chem. du Pérou, 69620 Le Bois-d'Oingt, tél. et fax 04.74.71.61.74 r.-v.

Beaujolais-villages

Le mot « villages » a été adopté pour remplacer la multiplicité des noms de communes qui pouvaient être ajoutés à l'appellation beaujolais pour distinguer des productions considérées comme supérieures. La quasi-totalité des producteurs ont opté pour la formule beaujolais-villages.

Trente-huit communes, dont huit dans le canton de La Chapelle-de-Guinchay, ont droit à l'appellation beaujolais-villages, mais seulement trente peuvent ajouter le nom de la commune à celui de beaujolais. Si le terme de beaujolais-villages facilite la commercialisation depuis 1950, certains noms synonymes d'un cru peuvent créer des confusions. Les 6 300 ha, dont la quasi-totalité est comprise entre la zone des beaujolais et celle des crus, ont assuré en 2006 une production de 308 901 hl de rouges et 3 685 hl de blancs.

Les vins de l'appellation se rapprochent des crus et en ont les contraintes culturales (taille en gobelet ou éventail, cordon simple ou double charmet, degré initial des moûts supérieur de 0,5 % vol. à ceux des beaujolais). Originaires de sables granitiques, ils sont fruités, gouleyants, parés d'une robe d'un beau rouge vif : ce sont les inimitables têtes de cuvée des vins de primeur. Sur les terrains granitiques, plus en altitude, ils apportent la vivacité requise pour l'élaboration de bouteilles consommables toute l'année. Entre ces extrêmes, toutes les nuances sont représentées, alliant finesse, arôme et corps, s'accommodant aux mets les plus variés, pour la plus grande joie des convives : le brochet à la crème, les terrines, le pavé de charolais iront bien avec un beaujolais-villages plein de finesse.

DOM. DE LA BEAUCARNE Quintessence 2006 *

■ 2 ha 10 000 ▮ **5 à 8 €**

Ce domaine emprunte son nom – en guise d'hommage – au chanteur et poète belge Julos Beaucarne. Cette cuvée, née de ceps âgés d'un demi-siècle, « gagne » une étoile par rapport au millésime précédent. D'un rouge violet très foncé, elle libère des parfums bien typés de cassis et de fruits rouges. Moelleuse et souple, l'attaque accentue l'impression suave de la chair. La fraîcheur n'est cependant pas absente et contribue à l'harmonie de l'ensemble, qui finit sur une note de terroir. Une garde d'une année est envisageable. Le **chiroubles 2006** de la propriété est cité.

Michel Nesme, Les Vergers, 69430 Lantignié, tél. 04.74.04.86.23, fax 04.74.04.83.41, e-mail nesme.goutte@wanadoo.fr r.-v.

CH. DE BEL AVENIR 2005

■ 6 ha 18 000 ▮ **5 à 8 €**

Ce domaine, qui date du XIX^e^s., est constitué d'un clos de 12 ha ; des vignes de quarante ans, cultivées sur des sols limoneux et argileux, sont à l'origine de ce vin rouge sombre aux parfums complexes de fruits rouges très mûrs ou en confiture (framboise), nuancés d'une pointe minérale. La bouche, de structure moyenne, est un peu en retrait mais elle reste plaisante par son fruité et ses tanins fondus. Une bouteille à apprécier dans l'année.

SCI Ch. de Bel Avenir, Le Bel Avenir, 71570 La Chapelle-de-Guinchay, tél. 04.74.66.62.05, fax 04.74.69.61.38, e-mail fmanigand@cemir.com r.-v.

FRÉDÉRIC BERNE 2006

■ 1 ha 3 000 ▮ **5 à 8 €**

Premier millésime pour Frédéric Berne qui représente la troisième génération sur le domaine. Ses vignes sont si pentues que des vendangeurs peinent à rester debout ! Dans le cuvage de son grand-père a été vinifié ce 2006 d'une couleur soutenue, presque violacée. Assez discret au nez, ce vin laisse percer des notes de fruits rouges accompagnées de nuances épicées. Souple et soutenue par une charpente douce, sa chair est imprégnée d'arômes de cassis, de fleurs et de muscade. Une finale plus évoluée incite à boire cette bouteille maintenant.

Frédéric Berne, Le Perroud, 69430 Les Ardillats, tél. 06.83.46.05.06, e-mail fred903890@hotmail.com r.-v.

DOM. FRANÇOIS BEROUJON 2006

■ 6 ha 19 400 ▮ **3 à 5 €**

Des artistes du Châtelet avaient leurs habitudes sur ce domaine fondé au début du XX^e^s. Rouge moyen aux reflets roses, son beaujolais-villages 2006 exprime des parfums complexes et subtils de fruits noirs et de fleurs associés à des notes empyreumatiques. Sa chair très fine, fruitée et d'une fraîcheur presque nerveuse révèle quelques nuances de terroir. Cet honnête représentant de l'appellation est prêt à boire.

François Beroujon, La Laveuse, 69460 Salles-Arbuissonnas, tél. et fax 04.74.67.52.47 r.-v.

CH. DU BOST 2006

■ 13 ha 26 000 ▮ **5 à 8 €**

Les vignes de cette propriété de 13 ha sont cultivées sur des coteaux exposés au sud-est. Elles sont à l'origine d'un vin à la pimpante robe rouge et au nez assez fin partagé entre parfums amyliques et petits fruits rouges. L'attaque ronde et nette introduit une bouche plaisante au fruité acidulé. Une bouteille pour ceux qui aiment prolonger les charmes des beaujolais-primeur. Ne l'oubliez pas en cave !

Ch. du Bost, 69640 Blacé, tél. 04.74.69.58.10, fax 04.74.69.09.75

DOM. DE LA CHAPELLE DE VÂTRE 2006 *

■ 4,4 ha 8 000 ▮ **5 à 8 €**

Une chapelle romane qui veille sur les ceps a donné son nom à ce domaine dont le vignoble s'étend sur plus de 7 ha. Dominique Capart a pris les rênes de la propriété il y a dix ans. D'un rouge profond, son beaujolais-village libère des parfums intenses de fruits rouges (cerise) et de cassis. Ample en bouche, structuré et équilibré, ce vin révèle déjà d'affables rondeurs qui incitent à le boire dans l'année. Dans la même appellation, la **cuvée Allys 2006,** qui a connu le bois, obtient également une étoile. Elle a quelques réserves.

Dom. de la Chapelle de Vâtre, Le Bourbon, 69840 Jullié, tél. 04.74.04.43.57, fax 04.74.04.40.27, e-mail capart@wanadoo.fr r.-v. 7 E

Dominique Capart

DOM. CHASSAGNE Charme des Bruyères 2006

■ 2 ha 12 000 ▮ **5 à 8 €**

« Observer la nature, respecter l'environnement, exprimer le terroir », telle est la devise de cette exploitation, que l'on peut lire sur l'étiquette. Elle pratique l'agriculture intégrée sur ses 18 ha de vignes. Sa cuvée Charme des Bruyères prend ses habitudes dans le Guide. D'un rouge éclatant aux brillants reflets, ce 2006 libère d'intenses parfums de framboise et d'épices. La bouche est « réveillée » : vive et friande, à la beaujolaise, et correctement structurée. Quelques jeunes tanins commencent à s'arrondir. Ce gentil vin sera apprécié au cours de l'année.

SCEA Chassagne-Bertoldo, Les Bruyères, 69430 Lantignié, tél. 04.74.04.82.11, fax 04.74.69.25.53, e-mail domaine.chassagne@wanadoo.fr r.-v.

CLOCHEMERLE 2006

■ 15 ha 100 000 **3 à 5 €**

Grâce à Gabriel Chevallier, Clochemerle, inspiré par la commune de Vaux, est devenu l'archétype du village beaujolais. Et ce beaujolais-villages présenté par une jeune maison de négoce créée en 2004 est lui-même archétypique de son vignoble et de son appellation. Rouge profond, il délivre des parfums plutôt discrets de groseille et de framboise. L'attaque franche prélude à une bouche au fruité expressif et caractéristique, soutenue par une structure légère. Gouleyante et facile d'accès, cette bouteille fera plaisir à un large public dès maintenant.

Maison Coquard, hameau Le Boitier, 69620 Theizé-en-Beaujolais, tél. 04.74.71.11.59, fax 04.74.71.11.60, e-mail contact@maison-coquard.com r.-v.

LES COLLINES 2006 *

4 ha 25 000 3 à 5 €

Rouge sombre aux reflets fuchsia, ce 2006, sélectionné par un négociant, libère des senteurs de bourgeon de cassis presque végétales. Sa chair riche et puissante, où l'on retrouve le cassis allié à des notes minérales, se montre vive et tannique. D'une très bonne longueur, cette bouteille pourra tenir deux ans. Également présenté par Spal Boissons, le **morgon les Fiefs de l'Abbaille 2006 (5 à 8 €)**, à déguster sans trop attendre, est cité.

Spal Boissons, 31, allée des Mousquetaires, Parc de Tréville, 91078 Bondoufle, tél. 01.69.64.22.33, fax 01.69.64.22.38

LA COMBE 2005 *

0,4 ha 1 500 3 à 5 €

De couleur rubis intense, cette petite cuvée séduit par ses parfums de fruits rouges confits, de fraise bien mûre et d'épices. Si elle n'est pas des plus longues, elle est bien construite et typique, et laisse une impression de richesse, de rondeur et de souplesse grâce à sa structure agréablement fondue. Elle tiendra sa place dès maintenant au cours d'un mâchon tout en pouvant attendre dix-huit mois.

Dominique et Évelyne Mergey, Les Préaux, 71570 Chânes, tél. 03.85.23.80.87, fax 03.85.23.80.88, e-mail d.mergey@libertysurf.fr r.-v.

DOM. DE LA COMBE DES FÉES 2005

n.c. 4 000 5 à 8 €

Un nom poétique pour cette propriété, dans la famille depuis cinq générations : c'est celui du vallon qui la borde. Le vignoble s'étend sur 7,5 ha. Il a engendré un vin aussi intense à l'œil – un grenat profond presque noir – qu'il est discret et léger au nez. En bouche, ce 2005 conjugue richesse, puissance et rondeur. On le servira dès la sortie du Guide.

Jean-Charles Perrin, La Maison Jaune, 69460 Vaux-en-Beaujolais, tél. 04.74.03.24.55, fax 04.74.02.15.59, e-mail jeancharles.perrin@wanadoo.fr r.-v.

DOM. DE LA COMBE-GOUTY 2006

1 ha 2 500 3 à 5 €

Maître de chai pendant douze ans au domaine des Hospices de Beaune, Louis-Noël Chopin a constitué son domaine en 1994 pour signer ses propres vins. Il exploite aujourd'hui 9,50 ha de vignes. D'un rouge brillant et limpide, son beaujolais-villages livre de plaisantes notes fruitées qui se développent agréablement au palais. Sa chair un peu légère le rapproche d'un primeur et le destine à une consommation dans l'année.

Louis-Noël Chopin, Le Trève, 69460 Le Perréon, tél. 04.74.03.21.59, fax 04.74.02.13.30, e-mail ln.chopin@wanadoo.fr r.-v.

CH. DES CORREAUX 2006

10,5 ha 80 000 5 à 8 €

Un vrai château d'époque Louis XIV, avec une galerie typiquement mâconnaise : nous sommes à Leynes, à l'extrême-nord du Beaujolais où la famille Bernard cultive la vigne depuis 1803. Dans la cave du XVII[e]s. a été élevé un vin rouge foncé brillant aux senteurs discrètes de fruits rouges accompagnées de nuances florales, minérales et épicées. Malgré quelques tanins un peu jeunes, la bouche reste équilibrée et laisse une impression dominante de souplesse et de rondeur. De bonne facture, ce beaujolais-villages est à boire dans l'année.

Jean Bernard, Les Correaux, 71570 Leynes, tél. 03.85.35.11.59, fax 03.85.35.13.94, e-mail bernardleynes@yahoo.fr t.l.j. 9h-12h 14h-18h

DOM. DU COTEAU DES CHARMES 2005 *

0,4 ha 1 500 3 à 5 €

Créé en 1830, ce domaine s'est agrandi au fil des générations pour s'étendre aujourd'hui sur 12 ha. Il est conduit par Jean-Luc Dupeuble qui en a pris les rênes en 1984. Son beaujolais blanc éclipse le rouge. D'une franche couleur or vert limpide, ce 2005 libère de frais parfums acidulés de citron et de fleurs, mêlés à quelques nuances grillées, et d'une touche d'orgeat. Équilibrée, vive et longue, la bouche se révèle fort séduisante. Cette bouteille harmonieuse est prête à paraître à table. Elle accompagnera aussi bien des fruits de mer qu'une terrine de lapin. Le **beaujolais rouge 2006** de l'exploitation est cité.

Sylvie et Jean-Luc Dupeuble, Changy, 69820 Vauxrenard, tél. et fax 04.74.69.90.01, e-mail dupeuble.domaineducoteaudescharmes@wanadoo.fr r.-v.

GÉRARD CROZET 2006 *

2 ha 6 000 3 à 5 €

Installé depuis 1994, Gérard Crozet exploite quelque 8 ha de vignes autour de Salles-Arbuissonnas. Il ne produit que du beaujolais-villages. Rubis sombre, ce 2006 affiche un nez bien ouvert de cassis et de fruits rouges mûrs. Si les tanins font sentir leur présence en finale, apportant un air de sévérité, le palais aromatique et bien structuré fait montre d'un bon équilibre. Cette bouteille peut encore attendre un à deux ans.

Gérard Crozet, La Folie, 69460 Salles-Arbuissonnas-Beaujolais, tél. et fax 04.74.67.58.30 r.-v.

MICHÈLE ET FRANÇOIS DESCOMBES
Fût de chêne 2006 *

0,3 ha 1 200 5 à 8 €

La quatrième génération de Descombes conduit cette exploitation créée il y a un siècle et commandée par une grande bâtisse du XVIII[e]s. tournée vers la vallée de la Saône et la chaîne des Alpes. Elle propose une cuvée rouge intense, élevée pour partie dans des fûts de chêne neufs. Aussi découvre-t-on sans surprise de complexes parfums vanillés sur fond fruité. Bien marquée elle aussi par le bois, la bouche fait preuve d'une belle finesse, avec des tanins fondus qui tapissent harmonieusement le palais. Typé et de bonne facture, ce jeune 2006 sera à boire dans les deux ans avec une viande blanche ou des fromages. Le **beaujolais-villages Vieilles Vignes 2006 (3 à 5 €)** n'a pas connu le bois. Il obtient la même note pour son harmonie, sa longueur et son potentiel.

François et Michèle Descombes, Bel-Air, 69430 Lantignié, tél. et fax 04.74.69.20.33, e-mail descombes.francois@wanadoo.fr r.-v.

DOM. DES FOUDRES 2006

■ 0,8 ha 5 500 ▮ 3 à 5 €

Commandé par des bâtiments datant de 1800 et exploité par la même famille depuis trois générations, le domaine s'étend sur 23 ha et produit quatre appellations. Rouge violet, ce beaujolais-villages ne se livre pas spontanément ; il faut atteindre le fond du verre pour y trouver les fruits mûrs. La bouche, assez riche et fraîche, est agréable malgré la pointe d'amertume de la finale. Un peu technologique, ce vin sera à apprécier dès la sortie du Guide.

Roger et Jean-Philippe Sanlaville, Le Plageret, 69460 Vaux-en-Beaujolais, tél. 06.82.39.70.42, fax 04.74.03.21.77, e-mail info@domainedesfoudres.com
t.l.j. 9h-19h

GUY ET HÉLÈNE GAILLETON 2006 *

■ 3 ha 4 600 ▮ 3 à 5 €

Un siècle d'existence pour cette propriété qui s'étend sur 10 ha et a rénové sa cave en 2005. Ce millésime a-t-il profité des travaux ? Toujours est-il qu'il a été jugé plus réussi que le 2005. D'un rouge intense, ce vin apparaît discret mais droit au nez, libérant des parfums vineux. L'attaque franche est suivie d'impressions tanniques assez douces qui donnent de l'élégance à cette bouteille. Très ronde mais néanmoins bien structurée, cette cuvée sera appréciée au cours des dix-huit prochains mois.

Hélène et Guy Gailleton, Les Bonnerues, 69220 Lancié, tél. et fax 04.74.69.83.98 r.-v.

DAVID GOBET Dom. des Pins 2006

■ 1 ha 3 000 3 à 5 €

Rouge sombre, ce beaujolais-villages s'ouvre sur des notes de fruits rouges et révèle une matière assez fine et aromatique. Agréable malgré des tanins austères, il sera servi dès l'automne. David Gobet signe aussi un **régnié 2006 (5 à 8 €)** qui obtient la même note.

David Gobet, Les Pins, 69430 Lantignié, tél. et fax 04.74.69.22.10, e-mail sanybonn@wanadoo.fr
r.-v.

DOM. DE LA GRANGE CHARTON 2006 *

■ 10 ha 30 000 ▮ 5 à 8 €

Depuis 1240, 250 bienfaiteurs ont constitué les hospices de Beaujeu qui vendent depuis 1797 une partie de leur production aux enchères. L'établissement possède un vaste domaine, la Grange Charton (80 ha de vignes), exploité par plusieurs viticulteurs et commandé par des bâtiments typiques de la région. D'un rouge violacé limpide, ce beaujolais-villages exprime des parfums de fruits rouges assez intenses que l'on retrouve au palais. Vive, dotée d'une belle structure et pourtant ronde, la bouche est gourmande et longue. Cette bouteille pourra être servie tout au long d'un repas au cours des dix-huit prochains mois. Le **morgon Cuvée Judith Jonchier 2006 des Hospices de Beaujeu** a obtenu une citation.

Hospices de Beaujeu, La Grange-Charton, 69430 Régnié-Durette, tél. 04.74.04.31.05, fax 04.74.04.38.87, e-mail nesme.l@mommessin.fr
r.-v.

DOM. GRANGE MASSON 2006

■ n.c. 6 000 ▮ 3 à 5 €

À la tête de la propriété depuis 1984, Alain Deshayes exploite plus de 17 ha en beaujolais et beaujolais-villages et s'est équipé depuis 1999 d'une cuverie en Inox. Il a vinifié un vin rubis limpide aux reflets grenat et aux parfums de fraise des bois et de sous-bois. En bouche, les premières impressions charnues et souples laissent la place à des sensations plus austères, mais ce vin corsé devrait bien évoluer. Dès l'automne, il aura gagné en aménité et accompagnera des cochonnailles telles que le fromage de tête.

Alain Deshayes, Grange Masson, 69460 Saint-Étienne-des-Oullières, tél. 04.74.03.50.34, fax 04.74.03.32.08, e-mail asdeshayes@aol.com
r.-v.

DOM. DU GRANIT BLEU 2006 *

■ 3,36 ha 15 000 ▮ 3 à 5 €

Avant 1789 les ancêtres de Jocelyne et Jean Favre étaient déjà vignerons dans la même commune. L'exploitation s'étend aujourd'hui sur près de 9 ha. Des vignes cultivées sur de fortes pentes exposées au midi et plantées sur des sols de granit bleu et de porphyre sont à l'origine de ce vin rubis clair au nez complexe mêlant les fruits rouges et des notes vineuses. La chair ronde emplit agréablement et longuement le palais d'impressions aromatiques de bonne intensité. Un ensemble harmonieux à apprécier au cours des douze prochains mois.

Jocelyne et Jean Favre, Dom. du Granit Bleu, Brouilly-Le Perrin, 69460 Le Perréon, tél. et fax 04.74.03.20.90, e-mail granit-bleu@wanadoo.fr r.-v.

DOM. DE HAUTE-MOLIÈRE 2006

■ 0,7 ha 4 500 ▮ 3 à 5 €

Chez Gaston Patissier, on fait du pain et du vin. Du pain, pour la nostalgie : on met en service l'ancien four à pain du domaine cinq à six fois par an. Du vin, pour garder la main : le vigneron est à la tête de l'exploitation depuis 1965. Quant aux vignes à l'origine de cette cuvée, elles ont une soixantaine d'années. Elles ont donné naissance à un beaujolais-villages rouge sombre aux parfums de cassis discrets mais francs. La bouche encore vive, aux tanins assez bien fondus, révèle un ensemble d'une rusticité de bon aloi, qui gagnera à attendre un an.

Patissier, Le Bourg, 69820 Vauxrenard, tél. et fax 04.74.69.92.58 r.-v.

DOM. DES HAYES 2006

■ 18 ha 25 000 ▮ 3 à 5 €

Depuis 1971, Pierre Deshayes est à la tête de l'exploitation familiale créée par son arrière-grand-père en 1920. Il a vinifié un vin rubis aux nuances violacées et au nez bien ouvert sur les fleurs et les petits fruits rouges. Une finale fugace, une bouche fraîche et légère incitent à servir cette bouteille dans l'année.

EARL Pierre Deshayes, Les Grandes-Vignes, 69460 Le Perréon, tél. 04.74.03.25.47, fax 04.74.03.23.90, e-mail domainedeshayes@wanadoo.fr r.-v.

CARINE, LAURENT, ANNIE, RENÉ JAMBON Dom. de Thulon Opale 2005

■ 2 ha n.c. ▮ 5 à 8 €

Annie et René Jambon se sont installés comme métayers en 1968 avant d'acheter l'exploitation en 1987. Rejoints par leurs enfants, Carine et Laurent en 2002, ils sont aujourd'hui à la tête d'un domaine de 15 ha en plein essor, qui se tourne vers l'exportation. Habillée d'une étiquette design, leur cuvée Opale est un vin marqué par des notes de boisé et de torréfaction. Le chêne domine également en bouche, masquant le fruité. Structuré et équilibré, ce vin bénéficiera d'un séjour de quelques mois en cave.

Annie, René, Carine et Laurent Jambon, hameau de Thulon, 69430 Lantignié, tél. 04.74.04.80.29, fax 04.74.69.29.50, e-mail jambon.annie-rene@wanadoo.fr r.-v.

DOM. DE LA JOUBETTE Cuvée Tradition 2006

n.c. n.c. **5 à 8 €**

Le nom du lieu-dit des premières parcelles achetées en propriété a été choisi pour désigner ce domaine qui s'étend sur 8 ha. De couleur rouge sombre, son beaujolais-villages s'annonce par un nez franc et flatteur, associant des nuances amyliques au cassis et aux épices. Ces arômes accompagnent une bouche charnue et réveillée par une belle vivacité. Un ensemble plaisant à apprécier dans l'année.

Chantal Guignier, Le Bourg, 69820 Vauxrenard, tél. et fax 04.74.69.90.65, e-mail c.guignier@chello.fr r.-v.

JÉRÔME LACONDEMINE Cuvée Georges L. 1876 2006

0,5 ha 2 000 **5 à 8 €**

On compte parfois ainsi en Beaujolais : « ce 2006 représente la 130e récolte réalisée dans la famille. » Le vigneron chargé depuis 1993 de perpétuer la tradition viticole familiale s'appelle Jérôme Lacondemine et cultive 8,6 ha. De couleur rouge intense sa cuvée Georges L. 1876 s'ouvre rapidement sur des notes de cassis et de fruits rouges nuancées de touches vanillées. Au palais, ces dernières impressions de rondeur passées, le chêne s'impose, empreinte de l'élevage. D'une bonne longueur, cette bouteille gagnera à séjourner quelques mois en cave.

Jérôme Lacondemine, Dom. Croix-Charnay, 69430 Beaujeu, tél. et fax 04.74.69.29.80, e-mail jlacondemine@hotmail.fr r.-v.

PATRICK ET ODILE LE BOURLAY 2006

3 ha 20 000 **3 à 5 €**

Ce domaine se partage entre l'exploitation viticole (7 ha de vignes) et l'accueil des touristes en chambre d'hôtes. Ses vins sont élaborés à Vauxrenard, dans le cuvage du château du Thil datant de 1850. De couleur rouge foncé, celui-ci s'ouvre sur d'intenses parfums de fruits rouges bien mûrs. Malgré quelques impressions austères, l'impression en bouche est favorable. Vive, aromatique et persistante, c'est une bouteille facile, pour maintenant.

EARL Patrick et Odile Le Bourlay, Forétal, 69820 Vauxrenard, tél. et fax 04.74.69.90.44, e-mail le.bourlay@wanadoo.fr r.-v. 2

GEORGES LENOIR ET FILS La Saigne 2006

7 ha 20 000 **3 à 5 €**

Des vignes d'une quarantaine d'années cultivées sur des sols granitiques sont à l'origine de ce vin rouge profond aux nez discrètement fruité. Cette timidité persiste en bouche, mais le vin montre assez de rondeur et de structure pour passer la barre. On l'appréciera sur son fruit, dans l'année qui vient.

Lenoir Fils, Cimes de Cherves, 69430 Quincié-en-Beaujolais, tél. 04.74.69.02.03, fax 04.74.69.01.45 r.-v.

DOM. LONGÈRE Le Vin des roches 2005

0,8 ha 3 500 **5 à 8 €**

Cette exploitation familiale a conservé une cave voûtée en granite datant du milieu du XIXes., époque de sa fondation. Installé en 1981, Jean-Luc Longère s'intéresse de longue date aux façons culturales protectrices de l'environnement. Voilà vingt ans qu'il pratique la lutte intégrée. Il a aussi planté des bandes fleuries entre les rangs de vignes pour favoriser le développement de la faune auxiliaire amie. De couleur rubis limpide, son Vin des roches présente un nez de framboise et de fraise un peu évolué. La bouche, construite sur des tanins bien fondus, est dominée par des impressions de richesse et de rondeur, ainsi que par un léger boisé. Une bouteille à apprécier dans l'année, comme le **beaujolais blanc 2006 (3 à 5 €)** du domaine, également cité.

Régine et Jean-Luc Longère, Le Duchamp, 69460 Le Perréon, tél. et fax 04.74.03.27.63, e-mail jean-luc.longere@wanadoo.fr r.-v. 2 B

DOM. DE LA MADONE 2005 ★

2,5 ha 11 000 **5 à 8 €**

Si la famille Bérerd vend depuis plus de cinquante ans ses vins directement en bouteille, son attachement au terroir remonte encore plus loin puisque des ancêtres viticulteurs étaient dans le même village au XVIes. et qu'une aïeule portait le nom de Perréon. Sur les 29 ha du domaine, les Bérerd ont planté il y a huit ans quelques parcelles en chardonnay. Ce cépage a engendré un vin or vert limpide, mêlant au nez d'élégantes nuances florales à la noisette et au pain grillé. La riche attaque dévoile une bouche charnue aromatique et longue, où l'acidité, pour être présente, reste mesurée. La finale est marquée par une légère pointe d'amertume. Ce 2005 accompagnera pendant deux ans une terrine de poisson, des escargots, des écrevisses ou une viande blanche à la crème.

Jean Bérerd et Fils, Le Bourg, 69460 Le Perréon, tél. 04.74.03.21.85, fax 04.74.03.27.19, e-mail bererd@terre-net.fr r.-v.

DOM. MANOIR DU CARRA 2006 ★★

5 ha 20 000 **5 à 8 €**

DOMAINE
MANOIR DU CARRA
2006
BEAUJOLAIS-VILLAGES
Appellation Beaujolais-Villages Contrôlée
NON-FILTRÉ
13% alc. by vol.
Product of France
750 ml

À la tête du domaine depuis 1972, Jean-Noël Sambardier a été rejoint par ses fils Frédéric et Damien. La famille investit pour l'avenir : projets de gîte, extension dans les crus... Après un beaujolais-villages blanc 2005 très réussi l'an dernier, elle montre son savoir-faire avec ce beaujolais-villages rouge non filtré qui obtient le 2e coup de cœur du grand jury. Habillé d'une robe soutenue, rouge

violacé, ce vin se révèle d'emblée digne de son appellation : ses fines nuances florales et fruitées se mêlent à des notes minérales typiques du terroir. En bouche, la pureté du gamay cultivé sur granite est particulièrement appréciée : son fruité un rien minéral s'épanouit avec fraîcheur et laisse le souvenir d'une réelle harmonie. On dégustera cette bouteille au cours des dix-huit prochains mois.
Jean-Noël Sambardier, Dom. Manoir du Carra, 69640 Denicé, tél. 04.74.67.38.24, fax 04.74.67.40.61, e-mail jfsambardier@aol.com r.-v.

MANOIR DU PAVÉ 2006

3,3 ha 19 000 5 à 8 €

Cette importante maison bourgeoise tournée vers le soleil levant a été achetée en 1972 par le beau-père de l'actuel propriétaire séduit par la beauté de sa grande cave voûtée. Rubis foncé, le beaujolais-villages du domaine livre des parfums développés de fruits noirs. Sa matière équilibrée et fruitée révèle assez rapidement des tanins assez sévères. Une bouteille à déboucher dès l'automne.
Évelyne et Claude Geoffray, Le Pavé, 69220 Saint-Lager, tél. 04.74.03.47.53, fax 04.74.03.52.87, e-mail geoffray@chateau-thivin.com t.l.j. sf dim. 10h-12h30 14h-19h E

CELLIER DE LA MERLATIÈRE Lancié 2006

3,5 ha 600 3 à 5 €

Les productions de l'exploitation sont vinifiées dans des cuves en bois et élevées dans des foudres de chêne. De couleur rubis très vif, ce 2006 associe d'intenses parfums amyliques, aux fleurs et aux fruits rouges et tapisse le palais d'impressions souples et rondes. Un vin friand et « rieur », pour reprendre le terme du jury. Tout ce qu'il faut pour faire d'un casse-croûte un moment de plaisir. À boire.
EARL Paul et Sébastien Pariaud, La Merlatière, 69220 Lancié, tél. 04.74.04.10.16, fax 04.74.69.83.64 r.-v.

DOM. MIOLANE Coteau de la Folie 2006

10,5 ha 20 000 3 à 5 €

Le cloître roman de Salles-Arbuissonnas attire les visiteurs. La famille Miolane a investi pour les recevoir : cent cinquante personnes peuvent se rassembler dans le cuvage du domaine qui comporte aussi une salle de réception et un gîte. Cette année, le jury a retenu le beaujolais-villages rouge. De couleur profonde, ce 2006 respire le bonbon anglais. Ces nuances amyliques associées au cassis se prolongent dans une bouche bien structurée et souple, aux tanins fondus. Friand et particulièrement aromatique, ce vin est fait pour le plaisir immédiat.
EARL Dom. Christian Miolane, La Folie, 69460 Salles-Arbuissonnas, tél. 04.74.67.52.67, fax 04.74.67.59.95, e-mail domainemiolane@wanadoo.fr r.-v. E

DOM. DE PAULE 2006

28 ha 90 000 3 à 5 €

Disposer de 140 ha de vignes n'est pas chose courante en Beaujolais. Les terres ont été acquises pour l'essentiel au XVIII[e]s. par les ancêtres de Louis Durieu de Lacarelle. Elles sont toutes situées sur l'aire du beaujolais-villages. Le Domaine de Paule, marque créée en 2005, propose des vins issus des parcelles implantées dans la partie sud de la propriété. Ce 2006 associe de subtils parfums de fraise très mûre à des notes vineuses. Sa chair structurée, aux tanins présents mais fondus, se montre fraîche et fruitée. Une pointe d'amertume marque la finale. Une bouteille à boire dans l'année, tout comme le **beaujolais-villages Château de Lacarelle rouge 2006 (5 à 8 €)**, également cité.
Ch. de Lacarelle, 69460 Saint-Étienne-des-Oullières, tél. 04.74.03.40.80, fax 04.74.03.50.18, e-mail info@lacarelle.com r.-v. 3 C

CH. DE PIERRE-FILANT Vieilles Vignes 2006 *

3,2 ha 20 000 5 à 8 €

Construit entre vignes, prés et bois, le château de Pierre-Filant dispose de caves voûtées et d'un cuvage à la belle charpente. Les fortes pentes de Rivolet sont célèbres pour leurs sols de porphyre, la pierre bleue, d'où est issu le **beaujolais-villages Vieilles Vignes Côte de Champey 2006**, un vin tannique et bien structuré, cité. Mais le jury a préféré celui-ci, né de sols granitiques. Ce 2006 affiche une robe brillante, d'un rouge soutenu. Ses parfums riches et puissants évoquent les fleurs et les fruits rouges bien mûrs, avec des nuances amyliques. Sa chair ample et bien structurée, sans la moindre astringence, dessine un vin équilibré et complet à servir au cours des dix-huit prochains mois avec un civet ou du fromage.
Ch. de Pierre-Filant, 69640 Rivolet, tél. 04.74.67.37.75 r.-v.
N. Perret

DOM. JOËL ROCHETTE 2006

2 ha 10 000 3 à 5 €

Installé en 1980, Joël Rochette est établi dans une bâtisse du XIX[e]s. et exploite 8 ha de vignes. Des ceps de trente-cinq ans sont à l'origine de ce vin d'un rubis clair lumineux aux parfums nets et délicats d'églantine et de cassis. Des arômes de pêche de vignes et de fruits rouges imprègnent la bouche et rendent ce vin « vif comme il faut », très agréable à boire malgré une touche plus sévère en finale. Cette bouteille est sans doute « le résultat d'une macération préfermentaire à chaud », écrit l'un des dégustateurs. Un joli « villages » pour maintenant.
Joël Rochette, Le Chalet, 69430 Régnié-Durette, tél. 04.74.04.35.78, fax 04.74.04.31.62, e-mail joelchantal.rochette@wanadoo.fr r.-v.

CELLIER DES SAINT-ÉTIENNE 2006 **

n.c. 15 000 3 à 5 €

Fondée en 1957, cette coopérative regroupe aujourd'hui deux cent cinquante viticulteurs établis dans six communes et vinifie 420 ha de vignes (24 000 hl). Elle a présenté un beaujolais-villages fort remarqué. Grenat intense, ce 2006 exprime d'intenses parfums de bourgeon de cassis et de petits fruits rouges et tapisse harmonieusement le palais d'une matière fraîche et fruitée aux tanins souples. Résultat sans doute d'une thermovinification, cette bouteille est à servir dès à présent. À signaler encore, le **brouilly 2006 (5 à 8 €)**, de la cave, qui obtient une citation.
Cellier des Saint-Étienne, rue du Beaujolais, 69460 Saint-Étienne-des-Oullières, tél. 04.74.03.43.69, fax 04.74.03.48.29, e-mail cellier-st-etienne@wanadoo.fr r.-v.

CAVE DE SAINT-JULIEN 2006 ***

n.c. 3 000 3 à 5 €

Créée à la fin des années 1980, c'est la plus jeune coopérative du Beaujolais. 244 ha de vignes et des

sélections régulières dans le Guide. Premier coup de cœur du grand jury des beaujolais-villages, ce 2006 n'est pas le premier millésime de la cave à se distinguer : il fait suite à un 2001 de la même appellation. Grenat intense, ce vin attire l'attention par son nez expressif mêlant les fleurs et les fruits noirs. Riche, équilibrée et ronde, la bouche révèle une belle structure soutenue par de la vinosité. L'ensemble, long et frais, fera plaisir pendant les deux prochaines années. Rond et structuré, le **brouilly 2006 (5 à 8 €)** de la cave obtient une étoile, tandis que son **beaujolais 2006** est cité.

Cave de Saint-Julien, Les Fournelles, 69640 Saint-Julien, tél. 04.74.67.57.46, fax 04.74.67.51.93, e-mail cave.stjulien@wanadoo.fr r.-v.

CH. DU SOUZY 2006 *

12 ha 60 000 3 à 5 €

D'un rouge sombre limpide, cette sélection de négociant exprime des parfums de fruits rouges et de cassis un rien végétaux. Après une attaque fraîche, on découvre une matière charnue, harmonieuse, fruitée et longue, structurée par des tanins fondus et prometteurs. Ce beaujolais-villages accompagnera une assiette de charcuterie au cours des deux prochaines années. À signaler encore, le **beaujolais rouge Le Chat rouge 2006** et le **brouilly Domaine de La Hottée 2006 (5 à 8 €)**, tous deux cités.

Grands Terroirs et Signatures, Les Jacquets, BP 10, 69430 Quincié-en-Beaujolais, tél. 04.74.03.52.72, fax 04.74.03.38.58, e-mail signe-vigneron1@wanadoo.fr

DOMINIQUE TERRIER 2006 *

0,5 ha 5 000 3 à 5 €

Des vignes de soixante ans cultivées sur des terrains granitiques sont à l'origine de cette cuvée rubis aux parfums délicats et nets de cassis et de groseille. Rond et corsé, construit sur des tanins très fins, particulièrement équilibré, ce vin offre une belle expression de l'appellation. Il accompagnera une viande blanche, maintenant ou dans un an.

Dominique Terrier, La Croix Fer, 69460 Blacé, tél. 06.87.17.64.99 r.-v.

VAVRIL 2005

10,2 ha 25 000 3 à 5 €

Le domaine de Vavril a été acheté en 2004 par deux associés dans une structure de négoce : des bâtiments en pierre de taille de 1850 et 1900 bien restaurés et un vignoble de 4 ha qui s'est agrandi (plus de 10 ha aujourd'hui). Grenat foncé, ce 2005 séduit par son nez expressif, associant le bonbon acidulé, le cassis et les fleurs. Si la bouche est un peu en retrait, ce vin n'en constitue pas moins un honorable représentant de l'appellation.

SARL Brague et Ducruix, Dom. de Vavril, 69430 Beaujeu, tél. 06.63.72.30.80, fax 04.74.69.24.47, e-mail vavril@googlemail.com r.-v.

Brague

CH. DES VERGERS

Cuvée non filtrée Terra vitis 2006

1 ha 6 000 5 à 8 €

Resté quatre cents ans dans la même famille, le château des Vergers est géré depuis 2002 par la famille Bassouls qui propose à des hôtes privilégiés la « vie de château » et des réceptions dans ses caves. Le vignoble s'étend sur 12 ha. En 2006, le cuvage a été rééquipé d'un pressoir dit américain et de cuves en bois traditionnelles. De couleur grenat foncé, cette cuvée livre des parfums expressifs de fruits rouges et de cassis. Après une attaque franche, la dégustation se poursuit sur des impressions fruitées et nerveuses, plutôt agréables. Un petit manque de rondeur a sans doute coûté à ce vin son étoile, mais cette bouteille reste plaisante. On l'appréciera maintenant.

Ch. des Vergers, Les Vergers, 69430 Lantignié, tél. 04.74.04.85.63, fax 04.74.04.83.50, e-mail chateaudesvergers@wanadoo.fr t.l.j. sf dim. 9h-20h 7

Bassouls

DOM. LES VILLIERS 2006 *

0,4 ha 2 000 3 à 5 €

Ce domaine propose du beaujolais-villages blanc. Or jaune intense aux reflets verts, celui-ci mêle au nez le pamplemousse et le jasmin en une palette tout en finesse et pleine de fraîcheur. Charnue et riche d'arômes fruités, la bouche reflète une vinification technologique. Un « orphelin du terroir » regrette un amateur de typicité. L'ensemble devrait plaire à un large public qui pourra l'accompagner d'un cocktail d'avocat, crevettes et pamplemousse.

Lucien Chemarin, Les Villiers, 69430 Marchampt, tél. 04.74.04.37.11 r.-v. C

D'YS Les Plantes Gallets 2005

1,5 ha 1 600 5 à 8 €

Installés en novembre 2004 aux confins du Mâconnais, Yann et Stéphanie Desgouille ont appris à vinifier en Bourgogne du Nord – entendez « en Côte d'Or ». Ils labourent avec des chevaux de trait, ont renoncé aux herbicides et aux insecticides chimiques et conservent leurs vins en fûts. Celui-ci, d'un rouge intense, est marqué par le chêne du premier nez à la finale : dix-huit mois dans le bois ! Si le fruit beaujolais est masqué, le jury apprécie à sa juste valeur la vinification et la richesse de la matière. Attente impérative pour ce « villages » atypique.

Yann et Stéphanie Desgouille, 71570 Leynes, tél. 08.77.96.52.44, fax 03.85.35.78.06, e-mail yanndesgouille@free.fr r.-v.

Brouilly et côte-de-brouilly

Le dernier samedi d'août, le vignoble retentit de chants et de musique ; les vendanges ne sont pas commencées et pourtant, une nuée de marcheurs, panier de victuailles au bras, escaladent les 484 m de la colline de Brouilly, en direction du sommet où s'élève une chapelle près de laquelle seront offerts le pain, le vin et le sel. De là, les pèlerins découvrent le Beaujolais, le Mâconnais, la Dombes, le mont d'Or. Deux appellations sœurs se sont disputé la délimitation des terroirs environnants : brouilly et côte-de-brouilly.

Le vignoble de l'AOC côte-de-brouilly, installé sur les pentes du mont, repose sur des granites et des schistes très durs, vert-bleu, dénommés « cornes-vertes » ou diorites. Cette montagne serait un reliquat de l'activité volcanique du primaire, à défaut d'être, selon la légende, le résultat du déchargement de la hotte d'un géant ayant creusé la Saône... La production (16 236 hl pour 312 ha) est répartie sur quatre communes : Odenas, Saint-Lager, Cercié et Quincié. L'appellation brouilly, elle, ceinture la montagne en position de piémont sur 1 331 ha, et a produit 69 889 hl en 2006. Outre les communes déjà citées, elle déborde sur Saint-Étienne-la-Varenne et Charentay ; sur la commune de Cercié se trouve le terroir bien connu de la Pisse-Vieille.

Brouilly

CH. D'ALEYRAC 2006

■ 6 ha 38 000 ▮ **5 à 8 €**

Ce domaine, diffusé par le négociant Aujoux, signe un brouilly rubis foncé aux reflets violacés. Le nez, agréable, mêle les petits fruits rouges au bonbon anglais et à des nuances végétales. Quant à la bouche, elle est marquée par un fruité acidulé aux accents de groseille et de fraise des bois. Un vin net, simple et direct, gouleyant, équilibré et tendre, à boire dans l'année avec quelque jambon braisé.

🔑 Les Vins Aujoux, La Bâtie, RN6,
71570 La Chapelle-de-Guinchay, tél. 03.85.23.83.50,
fax 03.85.23.83.71, e-mail aujoux@aujoux.fr 🍷 r.-v.

AVRINIUM 2005 ★★

■ 10 ha 70 000 ▮ 🛢 8 à 11 €

Sur le principe du commerce équitable, des vignerons ont constitué une société de négoce pour mettre en commun, sous une même étiquette (« *Traditional winemakers from Southern Burgundy* »), la commercialisation à l'export de leurs vins embouteillés. Le **morgon 2005** est cité, tandis que ce brouilly est jugé remarquable. Pourpre intense laissant des larmes sur le verre, il s'ouvre à l'aération sur le sous-bois et la truffe. Sa chair acidulée met en valeur des arômes amyliques en harmonie avec une bouche ronde aux tanins puissants. Équilibrée et prête à boire, cette bouteille pourra tirer profit d'une petite garde. Deux étoiles encore pour le **beaujolais-villages 2006 (5 à 8 €)**, intense, complexe et ample.

🔑 SARL Avrinium, 69640 Rivolet, tél. 04.74.67.37.75,
fax 04.74.67.39.06

ANTOINE BARRIER 2006

■ 13,5 ha 94 000 ▮ **5 à 8 €**

Ce négociant est cité cette année pour un brouilly rubis soutenu aux parfums intenses de bonbon anglais et de fruits rouges. L'attaque vive introduit une bouche imprégnée d'arômes de framboise et de cerise. Plutôt souple, ce vin peut être servi dès maintenant, mais deux ou trois ans de cave devraient permettre à quelques jeunes tanins de gagner en affabilité.

🔑 Antoine Barrier, 52, rue Camille-Desmoulins,
92135 Issy-les-Moulineaux, tél. 01.46.62.76.00,
fax 04.74.69.09.75, e-mail marketing@boisset.fr

CH. DU BLUIZARD 2005

■ 12,76 ha 33 000 ▮ **5 à 8 €**

Près de 44 ha pour ce domaine commandé par un château du XVII[e]s. Le vignoble fait coup double avec deux citations : pour un **beaujolais-villages 2005 (3 à 5 €)**, vif et souple, et pour ce brouilly grenat limpide. Intense au nez, ce dernier mêle les fruits exotiques aux fruits rouges, avec une pointe de kirsch. Après une attaque tonique et fruitée, la dégustation révèle des tanins assez austères. L'ensemble, aromatique, n'en laisse pas moins une impression d'harmonie. Une bouteille à boire dans l'année, avec une carbonade flamande par exemple.

🔑 SCE Dom. Saint-Charles, Le Bluizard,
69460 Saint-Étienne-la-Varenne, tél. 04.74.03.30.90,
fax 04.74.03.30.80, e-mail saint-charles@sofradi.com
☑ 🍷 🚶 r.-v.
🔑 Jean de Saint-Charles

PIERRE CHANAU 2006 ★

■ n.c. 180 000 ▮ 5 à 8 €

Distribuée par Auchan, la marque Pierre Chanau obtient une citation pour un **beaujolais-villages rouge 2006 (3 à 5 €)**, typique et prêt à boire, et pour un **juliénas 2006**, de structure moyenne mais équilibré. C'est le brouilly qui a la préférence des dégustateurs. D'un rouge soutenu et limpide, ce 2006 livre d'agréables senteurs florales et épicées. L'attaque franche révèle une matière souple et riche, aromatique et bien structurée, aux tanins fondus. Complet et généreux, ce vin accompagnera pendant un an ou deux un rôti de bœuf ou une bavette à l'échalote.

🔑 Auchan, 200, rue de la Recherche,
59650 Villeneuve-d'Ascq, tél. 03.28.37.67.00,
fax 03.28.37.61.57

CAVE DU CHÂTEAU DES LOGES 2006 ★

■ 5 ha 24 000 5 à 8 €

Cette coopérative est citée pour son **beaujolais-villages rouge 2006 (3 à 5 €)**, assez tannique, ainsi que pour son **régnié 2006**, fruité et souple. L'étoile va à ce brouilly rouge profond aux reflets violines. Assez discret au nez, ce 2006 mêle les petits fruits noirs, la pivoine et l'iris à des notes épicées. Expressive, sa chair se montre puissante et fraîche, soutenue par des tanins bien présents mais fondus. L'ensemble, apte à une garde de deux ans, pourra accompagner dès cet automne un filet mignon ou une andouillette.

🔑 Cave du Château des Loges, Le Bourg,
69460 Le Perréon, tél. 04.74.03.22.83,
fax 04.74.03.27.60 ☑ 🍷 r.-v.

FLORENCE ET DIDIER CONDEMINE
Pisse-Vieille 2006

■ 5 ha 10 000 ▮ **5 à 8 €**

Florence et Didier Condemine exploitent 12,5 ha de vignes appartenant aux hospices de Beaujeu. Leur brouilly

Pisse-Vieille, dans ce millésime, s'habille d'une robe rubis aux reflets violets et laisse percer un fruité assez mesuré. Les arômes accompagnent une bouche fraîche aux jeunes tanins bien perceptibles. De bonne constitution mais d'une présence discrète, cette bouteille accompagnera pendant un an viandes grillées ou brochettes d'abats bien relevés.
EARL Florence et Didier Condemine, La Martingale, 69220 Cercié-en-Beaujolais, tél. et fax 04.74.66.72.24, e-mail didier.condemine@wanadoo.fr
t.l.j. 9h-12h 14h-19h

DOM. DE LA CÔTE DE BERNE 2005 *

2,5 ha 4 000 5 à 8 €

Cette exploitation familiale, constituée à la fin du XIXᵉs., dispose d'un cuvage des années 1900 et d'une cave de vinification rénovée en 2005. Elle signe un brouilly rouge sombre à reflets grenat, au nez fait de fruits noirs, de sous-bois, de violette et de touches épicées. Après une attaque ronde, une structure corsée et plus nerveuse se fait jour. Une touche minérale apporte une conclusion heureuse à la dégustation. Ce vin plaisant a encore de la ressource, mais on le découvrira dès l'automne.
Jean-Jacques Sandrin, Le Fond de Blacé, 69460 Blacé, tél. 04.74.67.58.00, fax 04.74.67.58.29, e-mail jjmr.sandrin@club-internet.fr r.-v.

DOM. CRÊT DES GARANCHES 2006 *

8,6 ha 60 000 5 à 8 €

Créé il y a une cinquantaine d'années et repris il y a cinq ans par Sylvie Dufaitre-Genin, ce domaine a développé depuis une trentaine d'années la vente directe aux particuliers et à la restauration. Rouge intense, son brouilly se montre discret au premier nez ; puis des notes florales (violette) s'affirment à l'aération et se prolongent en bouche, complétées par des arômes fruités et des notes épicées et minérales. Rond, riche, soutenu par des tanins souples, ce vin révèle un bon potentiel. On l'appréciera pendant deux à trois ans.
Sylvie Dufaitre-Genin, Crêt des Garanches, 69460 Odenas, tél. 04.74.03.41.46, fax 04.74.03.51.65, e-mail sylvie.dufaitre-genin@wanadoo.fr
t.l.j. sf sam. dim. 8h-12h 14h-18h

DOM. DIT BARRON 2006

1,5 ha 10 000 5 à 8 €

Le domaine tire son nom d'un ancêtre de Gilles Aujogues qui, ayant remplacé le fils du baron pour aller à la guerre, fut autorisé à porter son titre. Rouge foncé à reflets violines, ce brouilly associe de puissants parfums de fruits rouges et noirs à quelques touches d'épices et de sous-bois. Fruitée et corsée, la bouche finit sur des impressions un peu sévères. Dotée d'un bon potentiel de garde, cette bouteille sera appréciée au cours des deux prochaines années. À signaler encore, le **morgon 2006** du domaine, déjà prêt.
Muriel et Gilles Aujogues, Les Bruyères, 69220 Cercié-en-Beaujolais, tél. 04.74.66.87.59, fax 04.74.66.72.55, e-mail gilles.aujogues@wanadoo.fr
r.-v.

CYRILLE DUVERNAY Vieilles Vignes 2006 *

1 ha 1 000 5 à 8 €

Depuis 1996, Cyrille Duvernay exploite 9 ha de vignes. Son vignoble, qui appartient à une congrégation religieuse, est cultivé par sa famille depuis 1855. Sa cuvée Vieilles Vignes mérite vraiment son nom : les ceps ont quatre-vingt-dix ans. Ils ont engendré un vin rouge soutenu aux reflets grenat ; le nez intense mêle les fruits rouges et noirs, la violette et des touches d'épices. La belle attaque met en évidence une chair puissante, fruitée, souple et vive à la fois. Déjà plaisante dans sa prime jeunesse, cette bouteille sera appréciée pendant deux ans. Le **brouilly Tradition 2006** du domaine a été cité.
Cyrille Duvernay, Saburin, 69430 Quincié-en-Beaujolais, tél. et fax 04.74.69.04.36, e-mail cyrilleduvernay@wanadoo.fr r.-v.

FAUVETTE 2006 *

n.c. 65 000 5 à 8 €

Cette affaire de négoce familiale créée en 1993 s'est spécialisée dans la mise en bouteilles de vins à la propriété. Elle propose un brouilly rubis profond et limpide aux parfums intenses de mûre, de myrtille, de cerise et de cassis. Le cassis se prolonge dans une bouche aux tanins bien présents mais fondus, si bien que l'impression dominante est celle d'une rondeur aimable. L'ensemble sera prêt dès l'automne, mais son potentiel lui permettra d'attendre un an. Gourmand et sur le fruit, le **chiroubles 2006** de la maison est cité.
Fauvette Vins, 5, av. Léon-Foillard, 69830 Saint-Georges-de-Reneins, tél. 04.74.67.73.74, fax 04.74.67.70.24, e-mail dfauvettevins@orange.fr
Daniel Fauvette

DOM. DE LA GARENNE 2006 **

8,3 ha 25 000 5 à 8 €

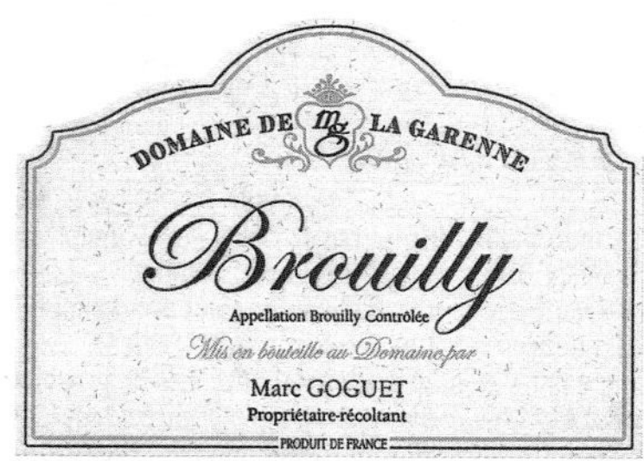

Le domaine de La Garenne a été constitué par son actuel propriétaire au début des années 1970. Il s'étend sur 24 ha, et la majeure partie de sa production a été retenue : le **beaujolais-villages rouge 2006 (3 à 5 €)** – 50 000 bouteilles produites sur 15 ha –, gouleyant et fruité, est cité. Mais c'est le brouilly qui est à l'honneur : second coup de cœur du grand jury. Pourpre profond, ce vin attire d'emblée par ses parfums de cassis et de mûre, relevés de touches épicées, palette qui se prolonge bien en bouche. C'est surtout sa belle constitution qui emporte l'adhésion : charnu, riche et puissant, le palais est soutenu par une trame tannique pleine de promesses pour la garde. On attendra cette bouteille un an avant de la servir sur une viande en sauce, civet de lièvre ou cuissot de chevreuil.
Marc Goguet, La Garenne, 69220 Charentay, tél. 04.74.03.48.32, fax 04.74.03.51.53, e-mail contact@domaine-goguet.com r.-v.

CUVÉE GEOFFRAY 2006 *

8,5 ha 15 000 5 à 8 €

Depuis 1980, Denis Geoffray exploite une métairie du château de Saint-Lager (8,5 ha de vignes). D'un rouge

profond, son brouilly mêle au nez les fruits rouges confits à une pointe végétale. Après une attaque franche, on découvre une chair riche et structurée par des tanins très présents mais fondus, d'une belle fraîcheur aromatique. Complet et étoffé, ce vin ne gagnera pas à attendre.
Denis Geoffray, 69220 Saint-Lager,
tél. 04.74.66.26.10, fax 04.74.69.60.66

GORGE DE LOUP 2005 *

■ 0,6 ha 3 000 8 à 11 €

Jean-Marc Lafont a plus d'une corde à son arc : viticulteur (Domaine de Bel Air), négociant et vinificateur, comme pour cette cuvée. Rubis brillant, ce brouilly présente un nez franc, où des nuances fruitées (griotte, cassis, figue sèche) se mêlent à un léger boisé et à des touches minérales. Les premières impressions, charnues, amples et souples s'effacent sous l'empire du merrain qui estompe le côté friand du gamay. Ce vin de terroir ambitieux devra attendre au moins un an pour atteindre une complète harmonie. On le servira alors avec une entrecôte charolaise.
SARL Bel Air, Bel-Air, 69430 Lantignié,
tél. 04.74.04.82.08, fax 04.74.04.89.33,
e-mail dombelair@yahoo.fr r.-v.

DOM. DE LA GRANGE BOURBON 2006

■ 3,1 ha 5 000 5 à 8 €

La propriété dépendait des Templiers au Moyen Âge. Entrée dans la famille de Benoît Chastel il y a un peu plus d'un siècle, elle s'étend sur plus de 18 ha. Rouge soutenu aux reflets violets, son brouilly s'ouvre sur des notes de fruits rouges très mûrs et de sous-bois. Les arômes s'affirment en bouche. Le cassis s'y allie à la framboise, le tout relevé d'une touche poivrée. Le palais encore vif et bien constitué doit s'affiner. Mieux vaut attendre cette bouteille un an ou deux avant de la servir avec une volaille rôtie. Le **beaujolais-villages Château de Monvallon Élevé en fût de chêne 2006 (3 à 5 €)** est également cité.
Françoise et Benoît Chastel, La Grange-Bourbon,
69220 Charentay, tél. 04.74.66.86.60,
fax 04.74.66.73.23, e-mail francoise.chastel@voila.fr
t.l.j. sf dim. 8h-12h 14h-19h

JEAN-MARC LAFOREST 2006 **

■ 7,45 ha 40 000 5 à 8 €

Jean-Marc Laforest, qui conduit l'exploitation familiale depuis 1973, représente la troisième génération sur la propriété. Son **régnié 2006**, puissant et rond, obtient une étoile. Mais c'est en brouilly que le vigneron s'impose, avec ce millésime premier coup de cœur du grand jury. D'un rouge si profond qu'il en paraît presque noir, ce 2006 déploie une palette aromatique complexe et intense de fruits noirs et d'épices. Une attaque ample, une bouche fruitée, puissante, charnue, veloutée, révélatrice d'une structure pleine de promesses, une finale persistante sur des notes minérales dessinent une bouteille déjà plaisante mais apte à une garde d'au moins trois ans.
Jean-Marc Laforest, Chez le Bois,
69430 Régnié-Durette, tél. 04.74.04.35.03,
fax 04.74.69.01.67,
e-mail jean-marc.laforest@wanadoo.fr
t.l.j. 8h-20h

ALAIN MERLE 2006

■ 1 ha 5 000 5 à 8 €

Installé sur l'exploitation familiale depuis 1989, Alain Merle conduit 11 ha de vignes répartis dans trois crus. Il a élaboré à partir de vignes de quatre-vingts ans un vin en robe rouge violacé, aux parfums friands et intenses de petits fruits rouges et de kirsch, nuancés de notes poivrées. Ces arômes se prolongent en bouche. Malgré quelques tanins sévères, l'ensemble laisse une impression d'équilibre et de légèreté. À déboucher maintenant sur une volaille.
Alain Merle, Les Bois, 69430 Régnié-Durette,
tél. et fax 04.74.66.70.72, e-mail al1-merle@orange.fr
r.-v.

DOM. DE MONDENET 2005

■ 11 ha 50 000 5 à 8 €

Ce domaine familial ne compte pas moins de 18 ha. Pourpre soutenu, son brouilly livre des parfums assez intenses de fruits et de pivoine, avec une touche végétale. Imprégnée d'arômes de fruits noirs, sans excès d'ampleur, structurée de tanins plutôt doux, la bouche offre une finale persistante et vive. À boire.
Gabriel Jambon, Vuril, 69220 Charentay,
tél. 04.74.07.91.62, fax 04.74.07.97.72,
e-mail jambongabriel@alicepro.fr r.-v.

COMTE DE MONSPEY 2006

■ 6 ha 38 000 5 à 8 €

Le domaine, d'un seul tenant en coteau, est exploité par la même famille depuis 1682. C'est dans un bel ensemble (cave et cuvage), datant du XVIIIe s., qu'a été élaboré ce brouilly rouge sombre, au nez de fruits rouges et noirs, assortis de notes animales. Sa chair ronde et plutôt légère invite à apprécier ce 2006 dès l'automne.
Dom. Comte de Monspey, 69220 Charentay,
tél. 04.26.47.02.62, fax 04.74.66.72.64,
e-mail domaine.monspey@free.fr r.-v.

AGNÈS ET PIERRE-ANTHELME PEGAZ 2005

■ 2,6 ha 4 500 5 à 8 €

Cette exploitation familiale créée en 1830 s'étend sur près de 14 ha. Elle figure de nouveau en brouilly, grâce à un vin rubis limpide, mêlant au nez la framboise à des nuances végétales et amyliques. Après une attaque très souple, on découvre une chair fine et tendre, vivifiée par une pointe acidulée rafraîchissante. De bonne longueur, cette bouteille accompagnera dès maintenant un gigot braisé.
Agnès et Pierre-Anthelme Pegaz, Le Gaillard,
69220 Charentay, tél. et fax 04.74.66.82.34,
e-mail vinspegaz@wanadoo.fr
t.l.j. 10h-12h30 15h-20h

DOM. DU PÈRE BENOIT 2006

■ 3 ha 20 000 ▮ 5 à 8 €

La quatrième génération dirige le domaine depuis 1991. Elle a élaboré à partir de vignes de soixante ans un vin pourpre brillant au nez discret mais fin de fruits et de sous-bois. L'attaque fraîche introduit une bouche ronde qui finit cependant sur des tanins sévères demandant à s'arrondir. Aussi fera-t-on patienter cette bouteille quelques mois.

Dom. du Père Benoit, Bergeron, 69220 Saint-Lager, tél. 04.74.66.81.20, fax 04.74.66.78.38, e-mail contact@domaine-pere-benoit.com
r.-v.

Mutin

DOM. LES ROCHES BLEUES 2005 *

■ 4,65 ha 19 000 5 à 8 €

Acheté en 1968 et rénové par les beaux-parents de Dominique Lacondemine, le domaine présente une cave voûtée qui servit naguère de salle des fêtes au village. Il accueille les groupes dans un gîte d'étape. Le vignoble s'étend sur 7,30 ha, et toute sa production de 2005 a été retenue : le **côte-de-brouilly 2005**, consistant, équilibré, déjà prêt mais de garde, obtient une étoile. Ce brouilly rouge sombre fait jeu égal. Son nez bien ouvert et agréable se partage entre la cerise noire et la réglisse. L'attaque franche prélude à une bouche ronde, riche et persistante, structurée par des tanins fondus et aromatiques. L'ensemble est prêt mais il peut attendre un an.

Dominique Lacondemine, Dom. Les Roches Bleues, Côte de Brouilly, 69460 Odenas, tél. 04.74.03.43.11, fax 04.74.03.50.06, e-mail lacondemine.dominique@wanadoo.fr
t.l.j. 8h30-19h30; dim. sur r.-v.

DOM. ROLLAND 2006 **

■ 32 ha 20 000 8 à 11 €

Exclusivité de la maison Pierre Ferraud, affaire de négoce-éleveur créée en 1882, ce vin est le fruit d'un long partenariat entre cinq générations de propriétaires (les Rolland), de régisseurs (les Champier) et de négociants. Rubis soutenu nuancé de noir, il exprime de riches parfums de fruits compotés, de noyau, d'épices et de vanille. Ces arômes se prolongent en bouche, soulignés par la fraîcheur de l'attaque. Concentrée pour le millésime, équilibrée, assez soyeuse, la bouche révèle un certain potentiel. On pourra attendre cette bouteille un an et la servir aussi bien sur de la charcuterie que sur des viandes rouges.

Pierre Ferraud et Fils, 31, rue du Mal-Foch, 69220 Belleville, tél. 04.74.06.47.60, fax 04.74.66.05.50, e-mail ferraud@ferraud.com r.-v.

DOM. DES ROSES D'OR 2006

■ 1,5 ha 5 000 ▮ 5 à 8 €

Les Bernillon ont transformé leur demeure en maison de villégiature d'inspiration provençale, avec piscine. Ils proposent un vin pourpre à reflets violets, et au nez intense évoquant la vendange mûre. En bouche, on trouve bien le caractère de l'appellation, mais sur un mode léger, avec un peu de fermeté en finale. Brouilly, certes, mais 2006 aussi : à déboucher sans attendre.

Jean-Luc Bernillon, Les Poutoux, 69220 Belleville, tél. et fax 04.74.07.99.95, e-mail bernillonj@yahoo.fr
r.-v.

CH. DE SAINT-LAGER 2006 **

■ 8,5 ha 25 000 ▮ 5 à 8 €

Autrefois, toute la face orientale du mont Brouilly dépendait de ce château. Aujourd'hui, le vignoble se limite aux 8,50 ha qui entourent les bâtiments. Et le château a été racheté par un autre château : celui de Pizay. Ce brouilly est particulièrement réussi dans ce millésime. D'un grenat presque noir, il libère des parfums capiteux de cassis et de violette, accompagnés de notes amyliques et végétales. L'attaque franche et généreuse introduit une bouche aux tanins assez fondus. Malgré une extraction optimale, ce 2006 reste équilibré. Complet et étoffé, encore un peu ferme, il gagnera à s'affiner au moins un an en cave.

Ch. de Saint-Lager, 69220 Saint-Lager, tél. 04.74.66.26.10, fax 04.74.69.60.66 r.-v.

SCEA Château Pizay

DOM. DU SANCILLON 2005 *

■ 4 ha 8 000 ▮ 5 à 8 €

Établi au pied du mont Brouilly, Charles Champier est à la tête de son domaine depuis plus de quarante ans. Il produit les deux crus locaux, tous deux retenus. Le **côte-de-brouilly 2005**, souple et léger, à boire, est cité. Quant à ce brouilly grenat violacé, il dispense un fruité varié (raisin frais, fruits noirs et à noyau) accompagné de notes florales (iris, pivoine) et relevé de poivre. L'attaque sur le fruit révèle une chair ample aux tanins puissants mais agréables, escortée d'une pointe de minéralité. Plein de force et concentré, ce vin n'en apparaît pas moins gouleyant et bien équilibré. On le dégustera dès l'automne.

Charles Champier, Dom. du Sancillon, Le Moulin Favre, 69460 Odenas, tél. 04.74.03.42.18 r.-v.

DOM. FRANÇOIS SIGAUX 2006

■ n.c. 30 000 ▮ 5 à 8 €

La propriété viticole, de la fin du XVIII[e]s., possède une vaste cave voûtée garnie des traditionnels foudres en bois. Elle signe un brouilly rubis brillant au nez expressif mêlant la framboise, la groseille, la pêche et le menthol. Ample et fruitée, la bouche se montre particulièrement gouleyante et fraîche. Issue d'une vinification moderne, cette bouteille sans sophistication pourra être servie dès l'automne avec des cochonnailles comme le fromage de tête.

R. Sigaux, Les Sigaux, 69460 Odenas, tél. 04.74.03.42.23 t.l.j. sf dim. 8h-19h

CH. DE LA TERRIÈRE

Cuvée Jules du Souzy Vieilli en fût de chêne 2006 *

■ 1 ha 6 000 11 à 15 €

Bâti au XIII[e]s., ce château a gardé une allure de forteresse mais quelques remaniements ultérieurs lui donnent un côté moins farouche. Le brouilly constitue l'essentiel de la production de son vignoble de 12,50 ha. La **cuvée principale 2006 (8 à 11 €)**, élevée en cuve, friande et typique, est citée. La cuvée Jules du Souzy a séjourné huit mois dans le bois. Grenat foncé aux reflets violacés, elle exprime d'intenses notes de vanille et de grillé ; le fruit rouge bien mûr arrive à pointer son nez, comme en embuscade. L'attaque tout en douceur se développe sur des tanins soyeux – « comme une étoffe bien tramée » écrit un dégustateur. Fruit d'un mariage harmonieux du vin et du bois, cet ensemble bien construit et long est à attendre deux ans.

SCEA des Deux Châteaux, La Terrière, 69220 Cercié-en-Beaujolais, tél. 04.74.66.73.19, fax 04.74.66.73.07, e-mail chateau.terriere@esct.c-si.fr
r.-v.

CH. THIVIN 2005 *

■ 6 ha 42 000 5 à 8 €

C'est en 1877 que la famille Geoffray a acquis cette ancienne terre noble nichée à flanc de coteau. Elle a œuvré à la promotion des crus locaux en recevant sur le domaine des personnalités du monde des arts et des lettres, comme Colette. Le vignoble compte aujourd'hui 19 ha. Drapé d'un pourpre flatteur, son brouilly associe le cassis, la mûre, les épices et des fragrances printanières évoquant la violette et la rose. La bouche souple et ronde, bâtie sur des tanins fins et élégants, ne manque pourtant ni de richesse ni de puissance. La longue finale aux nuances de cerise noire et de kirsch est particulièrement séduisante (la seconde étoile n'est pas loin...). Cette bouteille accompagnera, pendant trois ans, une volaille, un poulet de Bresse par exemple.

Claude Geoffray, Ch. Thivin, La Côte de Brouilly, 69460 Odenas, tél. 04.74.03.47.53, fax 04.74.03.52.87, e-mail geoffray@chateau-thivin.com
t.l.j. sf dim. 10h-12h30 14h-18h

CH. DES TOURS 2006

■ 70 ha 300 000 5 à 8 €

Deux tours, l'une ronde et l'autre carrée, ont donné son nom à cette propriété qui propose aux visiteurs un gîte d'étape. Le vignoble s'étend sur 70 ha, d'où le volume important de cette production. Rubis foncé, ce 2006 associe les fruits rouges à des nuances plus végétales. Après une attaque souple, la dégustation se poursuit sur des impressions tendres et fraîches. Fruité et long, « c'est le brouilly que l'on sort du panier de pique-nique » écrit l'un des dégustateurs. Prévoyez de préférence le pique-nique dans l'année qui vient.

SCI Dom. des Tours, Ch. des Tours, 69460 Saint-Étienne-la-Varenne, tél. 04.74.03.40.86, fax 04.74.03.50.22, e-mail chateaudestours@wanadoo.fr
r.-v.

LES TOURS DE PIERREUX 2006

■ 10 ha 60 000 5 à 8 €

Un château du XIX^e^s., un cuvage du XVII^e^s. avec des caves voûtées et enterrées. La propriété ne compte pas moins de 76 ha. On y trouvera un brouilly rouge sombre aux parfums de fruits confits un peu réglissés. L'attaque franche prélude à des impressions assez fermes laissées par de jeunes tanins un peu végétaux. Ce vin solide est à attendre.

SCEV Ch. de Pierreux, Pierreux, 69460 Odenas, tél. 04.74.03.18.30, fax 04.74.69.09.75

DOM. BENOÎT TRICHARD 2005 *

■ 6 ha 20 000 8 à 11 €

Des vignes d'une cinquantaine d'années cultivées sur des sols de granite rose ont donné naissance à un vin rouge sombre aux reflets violines, aux parfums flatteurs de fruits très mûrs et d'épices, accompagnés de quelques notes végétales. La bouche ne manque pas de rondeur mais se montre plus austère, car sa charpente est encore apparente et son fruité reste mesuré. Corsé et typé, ce 2005 est à boire dans les deux ans.

Dom. Benoît Trichard, Le Vieux-Bourg, 69460 Odenas, tél. 04.74.03.40.87, fax 04.74.03.52.02, e-mail dbtricha@club-internet.fr r.-v.

DOM. VALLETTE 2006 *

■ 3 ha 6 000 5 à 8 €

Non loin de la voie verte beaujolaise, qui relie pour le plaisir des promeneurs Beaujeu à Saint-Jean-d'Ardières, ce domaine s'étend sur 11 ha. D'un rouge intense, son brouilly séduit par un nez bien ouvert sur les fruits rouges. L'attaque souple se poursuit sur les impressions flatteuses d'une chair gouleyante, fruitée et fraîche. Friand et long, ce vin est à servir maintenant.

Robert Vallette, Les Grandes Bruyères, 69220 Cercié-en-Beaujolais, tél. et fax 04.74.66.84.07, e-mail domaine.vallette@wanadoo.fr r.-v.

Côte-de-brouilly

DOM. DU BARVY 2005 *

■ n.c. n.c. 5 à 8 €

Installée depuis 1982, Dominique Bouillard exploite 8 ha de vignes. Elle signe un vin rubis intense aux parfums soutenus et frais de cassis et de cerise noire, avec des nuances florales et minérales. On retrouve ces impressions minérales sur un fond fruité dans un palais rond, charnu et persistant. Harmonieux et complet, ce vin exprime fortement le terroir du mont Brouilly. On l'appréciera dans les deux à trois prochaines années.

Dom. du Barvy, La Commune, 69460 Odenas, tél. 04.74.03.40.30, fax 04.74.03.49.27
r.-v.
Bouillard

DOM. DES BUSSIÈRES 2006

■ 5,2 ha 3 000 5 à 8 €

Située sur les pentes du mont Brouilly, la propriété, qui s'étend aujourd'hui sur plus de 8 ha, dispose d'une maison de maître qui devient gîte rural en dehors de la période des vendanges. Si la vinification est réalisée en cuve, le stockage des vins s'effectue dans des foudres de 50 à 70 hl. Pourpre soutenu, ce 2006 présente un nez de petits fruits rouges bien mûrs, nuancé de cuir. Après une attaque généreuse, de fines touches épicées et minérales viennent compléter la palette aromatique. Rond, souple, bâti sur des tanins soyeux, ce côte-de-brouilly typique de l'appellation pourra être servi dès l'automne avec un magret de canard ou une pièce de bœuf.

Colette Deverchère, Dom. des Bussières, 144, av. de la Libération, 69400 Villefranche-sur-Saône, tél. 04.74.65.13.51, e-mail c.deverchere@wanadoo.fr r.-v.

DOM. CHEVALIER MÉTRAT 2006 *

■ 3 ha 10 000 5 à 8 €

Exploité en métayage depuis 1956, ce domaine a été acquis en 1987 par Sylvain Métrat. Ce dernier a élaboré un vin rouge profond, au nez intense et complexe mêlant la fraise, la noisette et des notes minérales. Dans le même registre aromatique, la bouche franche et longue est

construite sur des tanins arrondis. Cette bouteille harmonieuse accompagnera dès maintenant une viande blanche ou un reblochon affiné. Elle peut aussi attendre un an.
Sylvain Métrat, Le Roux, 69460 Odenas,
tél. 04.74.03.50.33,
e-mail domainechevaliermetrat@wanadoo.fr
r.-v.

PIERRE-ANDRÉ DUMAS 2005 ★

■ 0,7 ha 1 300 8 à 11 €

À la tête de l'exploitation familiale depuis 1983, Pierre-André Dumas a porté sa superficie à plus de 14 ha. Il signe un côte-de-brouilly à la robe profonde, presque noire, aux reflets violines. Une même profondeur caractérise son nez complexe, où les fruits compotés du gamay mûr cohabitent avec les notes minérales du terroir et le boisé grillé de l'élevage. Ample, ronde et tonique à la fois, riche et longue, la bouche porte elle aussi l'empreinte du fût. Bien fait et typé, l'ensemble, qui peut attendre au moins un an, s'accordera avec du gibier et des viandes en sauce.
EARL Pierre-André Dumas, Pierreux,
69460 Odenas, tél. 04.74.03.40.89, fax 04.74.03.49.22,
e-mail earldumas@cegetel.net r.-v.

JULIEN DUPORT 2006

■ 3,5 ha 6 000 5 à 8 €

Le millésime de la canicule fut le premier que Julien Duport vinifia après son installation en 2003 sur le domaine exploité par sa famille (quelque 8 ha répartis dans les deux crus du mont Brouilly). Trois étoiles ! 2006 est plus modeste. Rien de superlatif, mais tout est honnête dans ce vin complet et équilibré : la couleur rouge vif, le nez expressif de framboise, de groseille et de cassis, l'attaque plutôt légère, la structure suffisante, une certaine longueur. Bonne expression de l'appellation et du millésime, cette bouteille mérite d'attendre un an. Elle accompagnera gibier et viandes en sauce.
Julien Duport, Brouilly, 69460 Odenas,
tél. et fax 04.74.03.44.13,
e-mail jul.duport@wanadoo.fr r.-v.

DOM. DE LA FEUILLÉE
Cuvée Vieilles Vignes 2005 ★

■ 0,7 ha 3 500 5 à 8 €

Isabelle Thivend-Richonnier dirige seule depuis 2000 cette exploitation constituée en 1990 et située sur le versant sud du mont Brouilly. D'un grenat sombre attirant, son côte-de-brouilly Vieilles Vignes présente un nez intéressant, où l'on respire la pierre à fusil et le pain d'épice. Frais, friand et persistant, structuré par de fins tanins, le palais imprégné d'arômes de fruits noirs évolue vers des notes plus minérales. Représentative d'un vin de la Côte, cette agréable bouteille sera appréciée au cours des deux prochaines années. Elle aimera un poulet de Bresse aux morilles.
Isabelle Thivend-Richonnier, La Roche,
69430 Quincié-en-Beaujolais, tél. 04.74.69.02.52
r.-v.

DOM. GOUILLON Vieilles Vignes 2005 ★

■ 0,8 ha 5 000 5 à 8 €

Créé en 1983, le domaine dispose de 12 ha et a réalisé sa première vinification en côte-de-brouilly en 2005. L'année suivante a vu la rénovation de la cave. Une robe rouge sombre habille ce 2006 aux parfums complexes de fruits noirs et rouges, un rien poivrés. Ample et agréable, l'attaque annonce une bouche franche et fine soutenue par des tanins ronds et agrémentée d'une minéralité bien intégrée. Ce vin harmonieux et typique de l'appellation sera servi dès l'automne avec des grillades, un rôti de veau ou un gigot d'agneau. Le **beaujolais-villages blanc 2005** de la propriété est cité.
Dominique Gouillon, Les Vayvolets,
69430 Quincié-en-Beaujolais, tél. 04.74.04.38.50,
fax 04.74.69.00.67,
e-mail dominique.gouillon@club-internet.fr
r.-v. 4

DOM. LAGNEAU Vieilles Vignes 2006 ★

■ 0,58 ha 3 000 5 à 8 €

Didier Lagneau a réalisé en 1999 sa première vendange à l'âge de vingt ans, sur 1,5 ha. Depuis, il a fait du chemin : 8,50 ha de vignes et de nombreuses mentions dans le Guide (dont un coup de cœur). D'un rouge soutenu, ce côte-de-brouilly livre des parfums assez puissants de fruits noirs et d'épices. Bien présents mais fins, ses tanins sont mis en valeur par les arômes du fruit noir encore, et de la griotte. Cette bouteille friande et équilibrée sera prête à l'automne mais elle peut attendre un à deux ans. Elle accompagnera viandes blanches et fromages.
Didier Lagneau, Huire,
69430 Quincié-en-Beaujolais, tél. 06.07.05.97.66,
fax 04.74.04.89.44, e-mail dilagneau@wanadoo.fr
t.l.j. 9h-12h 14h-18h

DOM. DE LA MERLETTE 2006 ★

■ 0,77 ha 5 000 5 à 8 €

Le nom du domaine vient d'une vigneronne que ses joyeux amis surnommaient la Merlette ! Nous sommes à Vaux-en-Beaujolais, village porté à l'écran par Gabriel Chevallier sous le nom de Clochemerle, en 1934. René Tachon et sa fille Marie-Claire exploitent 15 ha aux alentours. D'un rouge violacé, leur côte-de-brouilly sent bon la mûre. Ample, gras et long, il mérite qu'on l'attende un peu. On devine d'aimables qualités derrière sa jeune charpente de tanins fins, qui ne demandent qu'à devenir caressants. À boire au cours des deux prochaines années.
René et Marie-Claire Tachon, Le Sottizon,
69460 Vaux-en-Beaujolais, tél. et fax 04.74.03.24.80,
e-mail info@tachon.fr r.-v.

JEAN-FRANÇOIS MORIN
Cuvée Tradition Élevé en fût de chêne 2005

■ 0,33 ha 1 600 5 à 8 €

Établi à Saint-Lager près du mont Brouilly, Jean-François Morin exploite 4 ha de vignes. Rubis profond à reflets violines, sa cuvée Tradition a séjourné six mois en barriques de plusieurs vins. Si au nez, le boisé laisse la place à des notes minérales et épicées, en bouche l'empreinte du chêne fait passer au second plan le fruité beaujolais. Au reste, l'ensemble est équilibré, voire élégant. Il accompagnera dès maintenant des grillades et des fromages à pâte pressée cuite tels que le comté.
Jean-François Morin,
Chateland, 916, rte des Wazins, 69220 Saint-Lager,
tél. et fax 04.74.66.83.12, e-mail vin_morinjf@yahoo.fr
r.-v.

DOM. D'ORPHÉE 2006

■ 3,75 ha 26 000 5 à 8 €

Situé au pied du mont Brouilly, le domaine d'Orphée appartient à la même famille depuis 1914. Son côte-de-brouilly a été mis en bouteilles par la maison Pellerin Domaines et Châteaux. D'un rouge sombre, ce 2006 s'ouvre sur des notes complexes et fines de fruits noirs bien mûrs et d'épices. Après une attaque fruitée, la bouche se fait plus sévère et tannique, tout en restant équilibrée. Elle ne manque pas de matière et cette bouteille, déjà prête, pourra attendre un an. Le **brouilly Wine and Art 2006** de Pellerin est également cité.

⊶ Maison Pellerin, Ch. de Pierreux, 69460 Odenas, tél. 04.74.03.18.30, fax 04.74.69.09.75, e-mail marketing@boisset.fr

DOM. ROBERT PERROUD

La Fournaise du Pérou 2005

■ 0,45 ha 3 000 🛢 11 à 15 €

Cette cuvée doit son nom aux vendangeurs de Robert Perroud : trimant sur les pentes abruptes du mont Brouilly écrasées par le soleil de plomb de l'an 2000, ils parlèrent de la « fournaise du Perroud ». Rouge violacé, le 2005 mêle à des notes intenses de fruits rouges et de cassis, des nuances minérales et animales. Sa bouche est marquée par des arômes originaux de poivron vert. Assez longue, elle possède des tanins en réserve qui permettront à ce vin de se garder deux à trois ans. Atypique, l'ensemble accompagnera des mets accompagnés de poivron, une cassolette d'escargots par exemple.

⊶ Robert Perroud, Les Balloquets, 69460 Odenas, tél. 04.74.04.35.63, fax 04.74.04.32.46, e-mail robertperroud@wanadoo.fr ☑ Y ⚘ r.-v.

LE PUITS DU BESSON 2005

■ 1,3 ha 1 500 ▮ 5 à 8 €

Un côte-de-brouilly présenté par Gilbert Jomain, à la tête depuis 1972 d'un domaine de 13 ha. Rouge grenat aux reflets violacés, ce 2005 présente un nez de fruits noirs intense et typique. Fruitée, soutenue par une bonne charpente tannique, la bouche ne manque pas de longueur. Ce vin bien fait donnera la réplique dès maintenant et pendant un à deux ans à des viandes et à des fromages.

⊶ Gilbert Jomain, 1496, rte d'Anse, 69400 Limas, tél. et fax 04.74.68.66.64, e-mail lepuitsdubesson@orange.fr ☑ Y r.-v.

CAVE BEAUJOLAISE DE QUINCIÉ 2006 *

■ 4 ha 15 000 ▮ 5 à 8 €

Créée à la fin des années 1920, cette coopérative vinifie aujourd'hui 860 ha de vignes. La troisième génération de maîtres de chai y officie. Les crus du mont Brouilly y sont à l'honneur : la cave obtint un coup de cœur en brouilly 2005 et trois étoiles en côtes-de-brouilly 2003. Ce millésime s'habille d'une robe très foncée à reflets bleutés et présente un nez expressif et riche associant les fruits rouges et le cassis à la minéralité du terroir. Vif et franc au palais, structuré par des tanins doux, il révèle des arômes flatteurs, fruités avec une touche épicée. Technologique sans doute mais bien fait, ce vin au fort potentiel sera apprécié au cours des deux ou trois prochaines années avec des viandes rouges.

⊶ Cave beaujolaise de Quincié, Le Ribouillon, 69430 Quincié-en-Beaujolais, tél. 04.74.04.32.54, fax 04.74.69.01.30, e-mail contact@cavedequincie.com ☑ Y ⚘ r.-v.

DOM. DES RAVATYS Les Andésithes 2005

■ 26 ha 10 000 ▮ 5 à 8 €

L'Institut Pasteur gère ce domaine de 33 ha légué par Mathilde Courbe en 1937. Le sous-sol de granite bleu et d'andésite a donné son nom à cette cuvée d'un rubis intense encore violacé, au nez un peu grillé de fruits rouges ou noirs accompagné de nuances de violette. La vivacité de la chair souligne le fruité bien présent et persistant de ce vin riche et complet, qui pourra être apprécié dès cet automne.

⊶ Institut Pasteur, Ch. des Ravatys, 69220 Saint-Lager, tél. 04.74.66.80.35, fax 04.74.69.61.38, e-mail infos@chateaudesravatys.com ☑ Y ⚘ t.l.j. 9h-12h 14h30-18h; sam. dim. sur r.-v.; f. août

DOM. DE LA ROCHE SAINT-MARTIN 2006

■ 1 ha 7 000 ▮ 5 à 8 €

À la tête d'une dizaine d'hectares depuis 1978, Jean-Jacques Béréziat s'était distingué dans le dernier millésime : trois étoiles en côte-de-brouilly, une en brouilly. Pour être moins ambitieuse cette année, sa production n'en est pas moins retenue dans les deux crus : le **brouilly 2006** est cité, tout comme ce côte-de-brouilly. Grenat profond, ce dernier présente un nez assez intense de fruits noirs. La bouche n'est pas des plus longues, mais elle séduit par ses arômes de framboise et de pêche de vigne, ses tanins soyeux et sa fraîcheur qui lui donnent un côté friand. À déboucher dans l'année.

⊶ SCEA Jean-Jacques Béréziat, 1079, rte de Briante, 69220 Saint-Lager, tél. 04.74.66.85.39, fax 04.74.66.70.54 ☑ Y ⚘ r.-v.

TANTE ALICE 2006

■ 0,82 ha 3 000 ▮ 5 à 8 €

Installé en 1988 sur 6,60 ha, Jean-Paul Peyrard a repris deux métairies en 2002 et 2004 respectivement, ce qui a porté son exploitation à plus de 11 ha. Il a deux coups de cœur à son actif, en blanc. Rouge intense, son côte-de-brouilly s'annonce par un joli nez fruité et floral. L'attaque gourmande introduit une bouche légère mais élégante. Un ensemble fin et friand à servir maintenant sur une viande blanche en sauce.

⊶ Jean-Paul Peyrard, SCEA Tante Alice, La Pilonnière, 1160, rte de Charentay, 69220 Saint-Lager, tél. 04.74.66.89.33, fax 04.74.66.86.20, e-mail peyrard.jean-paul@wanadoo.fr ☑ Y ⚘ r.-v.

AGNÈS ET FRANCK TAVIAN

Cuvée Tradition 2005

■ 4,2 ha 5 000 ▮ 5 à 8 €

Agnès et Franck Tavian ont repris en 1994 l'exploitation familiale créée à l'aube du XX[e]s. Leur cave la plus ancienne date de 1850 ; elle est construite en pierre bleue typique du mont Brouilly. Les autres locaux de vinification ont été rénovés en 2002. Rouge prononcé, leur cuvée Tradition exprime un fruité intense, épicé et réglissé. La griotte mûre règne dans une bouche puissante. Un vin harmonieux et à son apogée, à servir sans attendre avec viandes en sauce ou gibier.

⊶ Agnès et Franck Tavian, 1130, rte des Gilets, 69220 Saint-Lager, tél. 04.74.69.02.26, fax 04.74.66.85.42, e-mail franck.tavian@wanadoo.fr ☑ Y ⚘ r.-v.

DOM. DE LA VOÛTE DES CROZES 2006 *

■ 4 ha 20 000 8 à 11 €

À la tête de l'exploitation depuis 1980, Nicole Chanrion cultive sur des sols de diorite du Permien des vignes de quarante-cinq ans qui sont à l'origine de ce vin grenat foncé. Élégant au nez, ce 2006 mêle des notes de pierre sèche, de fraise confiturée et de cerise à l'alcool. Ample et aromatique en bouche, il se montre vif et tannique, ce qui lui donne un côté plus sévère qu'à l'olfaction. On l'attendra un à deux ans avant de le servir sur des viandes rouges ou du gibier.

Nicole Chanrion, Les Crozes, 80, Grande-Rue, 69220 Cercié-en-Beaujolais, tél. 04.74.66.80.37, fax 04.74.66.89.60, e-mail chanrion.nicole@wanadoo.fr r.-v.

Chénas

La légende raconte que ce lieu était autrefois couvert d'une immense forêt de chênes, et qu'un bûcheron, constatant le développement de la vigne plantée naturellement par quelque oiseau, à n'en pas douter divin, se mit en devoir de défricher pour introduire la noble plante ; celle-là même qui aujourd'hui s'appelle gamay noir.

C'est l'une des plus petites appellations du Beaujolais, couvrant 266 ha aux confins du Rhône et de la Saône-et-Loire ; elle a donné, en 2006, 13 795 hl récoltés sur les communes de Chénas et de La Chapelle-de-Guinchay. Les chénas produits sur les terrains pentus et granitiques à l'ouest sont colorés, puissants mais sans agressivité excessive, exprimant des arômes floraux à base de rose et de violette ; ils rappellent ceux du moulin-à-vent qui occupe la plus grande partie des terroirs de la commune. Les chénas issus de vignes du secteur plus limoneux et moins accidenté de l'est présentent une charpente plus ténue. Cette appellation, qui, sans pour autant démériter, fait figure de parent pauvre par rapport aux autres crus du Beaujolais, souffre de la petitesse de son potentiel de production. La cave coopérative du château vinifie 45 % de l'appellation et offre une belle perspective de fûts de chêne sous ses voûtes datant du XVII^e^s.

DOM. BEL AVENIR Grand Guinchay 2005 ★★

■ 1,86 ha 10 000 5 à 8 €

En ces temps moroses où le mot « crise » est sur toutes les lèvres, le nom de ce domaine constitue une profession de foi. Le programme est réalisé depuis trente ans (le vignoble a été constitué en 1977). L'avenir pourrait s'annoncer souriant grâce à des vins tels que celui-ci. Revêtue d'une robe grenat attirante, cette cuvée livre des parfums intenses de fruits rouges et noirs associés à des nuances florales. Après une attaque fruitée très flatteuse, la dégustation se poursuit tout aussi agréablement sur une structure de tanins souples. Ce vin ample et plaisant, bien représentatif du cru, est déjà prêt mais il peut attendre un an ou deux de plus.

Alain Dardanelli, 1087, Bel Avenir, 71570 La Chapelle-de-Guinchay, tél. 03.85.36.75.02, fax 03.85.33.86.91, e-mail domaine.bel.avenir@wanadoo.fr r.-v. 3 G

DOM. DES BRUREAUX Cuvée Tradition 2005 ★

■ 4 ha 10 000 5 à 8 €

Nathalie Fauvin se consacre à la gastronomie beaujolaise sur tous les fronts : aux fourneaux (elle a ouvert une auberge à Chénas) et aux chais (elle a repris en 2002 le domaine de son grand-père). Toute la production des Brureaux (5,6 ha) est retenue. Ce n'est pas la **cuvée Prestige (8 à 11 €)**, qui vient en tête. Très tannique, elle est citée. Le jury a préféré la cuvée principale, un vin grenat au nez de fruits noirs et de fleurs, assortis d'une nuance minérale. La bouche tendre, aux tanins souples et fondus, révèle des arômes flatteurs de cassis et de fruits rouges. Fin et racé, ce 2005 est déjà plaisant mais il peut attendre deux à trois ans, voire davantage.

Nathalie Fauvin, Les Gandelins, Dom. des Brureaux, 71570 La Chapelle-de-Guinchay, tél. 04.74.06.76.31, fax 03.85.36.59.50, e-mail brureaux@wanadoo.fr r.-v. 5

DOM. DE CHÊNEPIERRE 2006 ★

■ 1,15 ha 8 000 5 à 8 €

Ce domaine s'étend sur 7 ha. Issu de vignes de quarante-cinq ans, son chénas est presque de la même veine que le millésime précédent. Le jury a loué sa robe rouge franc soutenu et ses intenses parfums de fruits rouges qui se prolongent dans une bouche tannique et puissante. Équilibrée et bien représentative du millésime, cette bouteille sera à découvrir dès cet automne. Le **moulin-à-vent Cuvée fût de chêne 2005** a été cité.

Mme Gérard Lapierre, Les Deschamps, 69840 Chénas, tél. 03.85.36.70.74, fax 03.85.33.85.73, e-mail lapierre-gerard@wanadoo.fr t.l.j. 9h-19h

DOM. DE LA CHÈVRE BLEUE Vieilles vignes 2005

■ 1,1 ha 4 000 5 à 8 €

Une vigneronne de souche et un ancien informaticien londonien reconverti aux travaux du vin conduisent ce domaine de plus de 8 ha situé à cheval sur le Mâconnais et le Beaujolais. Cette année, on découvre leur chénas. Rouge violacé, ce 2005 livre des parfums agréables aux nuances poivrées et minérales mêlées aux fruits rouges et au cassis. Après une attaque franche et fraîche, on retrouve des sensations fruitées et minérales au sein d'une structure fondue. Un bel équilibre règne entre la fraîcheur et les tanins fondus. Cette bouteille sera appréciée dès l'automne.

Michèle et Gérard Kinsella, Les Deschamps, 69840 Chénas, tél. 08.75.46.74.10, fax 03.85.33.85.70, e-mail gerard@chevrebleue.com r.-v.

DOM. DE LA CROIX MARZELLE 2006

■ 4 ha 20 000 5 à 8 €

La croix qui a donné son nom au petit vignoble acquis par Pierre Perrachon en 1988 est du granit breton. C'est dans la même roche, mais bien beaujolaise, que

s'enfoncent les racines du gamay planté sur les coteaux sud de Chénas. Elles ont engendré un vin grenat foncé aux parfums marqués par une agréable minéralité qui accompagne une chair fruitée et persistante. Puissant, l'ensemble sera apprécié dans l'année.
🔑 Pierre Perrachon, Les Paquelets,
71570 La Chapelle-de-Guinchay, tél. 03.85.36.71.02

DOM. DES GANDELINS 2006

■ 4,2 ha 9 000 ▮ **5 à 8 €**

L'exploitation qui totalise 5,5 ha pratique l'agriculture raisonnée. On peut venir y voir le pressurage des raisins réalisé avec un ancien pressoir en bois. Des ceps de cinquante ans sont à l'origine de ce chénas rouge franc, au nez flatteur, floral et fruité. Sa chair ronde et aromatique révèle une structure plutôt légère qui incitera à boire cette bouteille dans l'année.
🔑 Patrick Thévenet,
1887, rte des Deschamps, Cidex 324,
Hameaux Les Gandelins,
71570 La Chapelle-de-Guinchay, tél. 03.85.36.72.68,
fax 03.85.33.89.51, e-mail patrick-thevenet@wanadoo.fr
t.l.j. 9h-19h

PASCAL GRANGER 2006 **

■ 0,75 ha 4 000 ▮ **5 à 8 €**

Héritier d'une lignée vigneronne remontant à plus de deux siècles, Pascal Granger a repris le domaine familial en 1983 et cultive 13 ha de vignes. Il tire le meilleur du cru chénas, à en juger par deux coups de cœur récents (millésime 2003 et 2005) et par le 2006 qui donne toute satisfaction. Rubis intense, ce vin exprime des nuances de silex puis des senteurs de fleurs et de cassis. Il révèle une belle structure aux tanins assez souples et tapisse agréablement la bouche d'une chair riche et ample. On retrouve au palais de fins arômes à tonalité florale et minérale qui persistent longuement. On pourra déguster cette bouteille dès maintenant ou l'attendre deux à trois ans. Pascal Granger a également élaboré le **juliénas Domaine de la Croix rouge 2006** qui est cité. Un vin distribué par Signé Vigneron.
🔑 Pascal Granger, Les Poupets, 69840 Juliénas,
tél. 04.74.04.44.79, fax 04.74.04.41.24
t.l.j. 8h-20h

CH. PORTIER 2005

■ 1 ha 5 000 ▮ **5 à 8 €**

Œnologue et vigneron, Denis Chastel-Sauzet a repris en 1986 le domaine familial (10 ha) dont les origines remontent à 1853. La propriété compte également l'historique moulin-à-vent du XVᵉs., qui a donné son nom à l'appellation voisine. Elle s'est agrandie en 2006 de 12 ha supplémentaires avec la reprise de Château Portier situé au pied du moulin, d'où est issu ce chénas rubis intense aux reflets violets. Assez discret au nez, ce vin mêle les fruits rouges et le sous-bois. Sa chair plutôt tendre et bien fruitée, imprégnée d'arômes de fruits noirs et à noyau laisse une impression d'harmonie. Sa structure moyenne et sa finale un peu brève incitent à déboucher cette bouteille dans l'année.
🔑 Denis Chastel-Sauzet,
Ch. Portier, Le Moulin à Vent,
71570 Romanèche-Thorins, tél. et fax 03.85.35.59.39,
e-mail moulinavent.com@wanadoo.fr
r.-v. 7 B

DOM. DU POURPRE 2006 *

■ 1 ha 5 000 ▮ **5 à 8 €**

Bernard Méziat, qui représente la cinquième génération de vignerons est à la tête de ce domaine de 16 ha depuis 1978. Il commercialise 25 % de sa production à l'étranger. D'un rouge franc, son chénas s'affirme d'emblée, libérant des parfums fruités assez intenses assortis de nuances minérales. Sa forte structure tannique s'impose en bouche et fait presque oublier le fruité. Puissant et long, ce vin semble fait pour la garde. On l'attendra au moins deux ans.
🔑 Bernard Méziat,
EARL Dom. du Pourpre, Les Pinchons,
69840 Chénas, tél. 04.74.04.48.81, fax 04.74.04.49.22,
e-mail meziat.bernard@wanadoo.fr
t.l.j. 8h-20h B

LES VIGNERONS DU PRIEURÉ
Les Bruyères 2006

■ 1,7 ha 12 000 ▮ **5 à 8 €**

Les vins étiquetés *Vignerons du Prieuré* sont élaborés par la Cave du Bois de la Salle, coopérative fondée au début des années 1960 et installée à Juliénas. Ce dernier cru constitue sa principale production, et le jury a cité le **juliénas Chevalier Saint-Vincent 2006**. Il a placé ce chénas sur un pied d'égalité. Des vignes d'une quarantaine d'années cultivées sur des sols argilo-granitiques sont à l'origine de ce vin d'un rouge assez franc et limpide, qui s'ouvre sur des parfums agréables évoquant le terroir. Fruitée, assez persistante et agréablement structurée, la bouche révèle une production à apprécier dans l'année.
🔑 Les Vignerons du Prieuré, Ch. du Bois de la Salle,
69840 Juliénas, tél. 04.74.04.41.66, fax 04.74.04.47.05,
e-mail contact@cave-de-julienas.fr r.-v.

DOM. DES ROSIERS 2006 **

■ 1,6 ha 10 000 ▮ **5 à 8 €**

Le nom de ce domaine lui vient de ses anciens propriétaires, des Parisiens, et la famille Charvet qui a racheté les terres en 1975, l'a conservé. Gérard Charvet fait preuve d'une belle régularité dans cette appellation qui lui a même valu un coup de cœur (pour un 1999). Deux étoiles viennent distinguer ce millésime grenat sombre, au nez intense, franc et complexe de cassis, de mûre et de fruits confits. L'attaque fruitée est associée à une structure tannique marquée et de qualité et soulignée par une belle acidité. Équilibré et prometteur l'ensemble est bien représentatif de l'appellation. Mieux vaut l'attendre un à deux ans. Quant au **moulin-à-vent 2006** du domaine, « pas mal du tout », il obtient une étoile.
🔑 Gérard Charvet, Les Rosiers, 69840 Chénas,
tél. 04.74.04.48.62, fax 04.74.04.49.80
t.l.j. 8h30-19h; groupes sur r.-v.

DOM. DES TOURNIERS 2005

■ 1,5 ha n.c. **8 à 11 €**

À la tête de l'exploitation depuis 2002, Fabrice Rude a élaboré un vin rubis foncé montrant quelques reflets orangés. Les parfums intenses évoquent la banane, la fraise écrasée et les fruits noirs. Également très fruitée, la bouche est ample, puissante et bien structurée. Marquée par une vinification de type moderne, cette bouteille est à boire maintenant.
🔑 Fabrice Rude, 7, rue des Frebouches,
69220 Lancié, tél. 06.76.52.72.74, fax 01.46.67.94.20,
e-mail regisbourgine@wanadoo.fr r.-v.

Chiroubles

Le plus « haut » des crus du Beaujolais. Récolté sur les 358 ha d'une seule commune perchée à près de 400 m d'altitude, dans un site en forme de cirque aux sols constitués de sable granitique léger et maigre, il a produit, en 2006, 18 839 hl à partir du gamay noir. Le chiroubles, élégant, fin, peu chargé en tanins, gouleyant, charmeur, évoque la violette. Créée en 1996, la Confrérie des Damoiselles de Chiroubles, assistée de ses chevaliers, fait connaître avec tact ce vin quelquefois désigné comme étant le plus féminin des crus. Rapidement consommable, il a parfois un peu le caractère du fleurie ou du morgon, crus limitrophes. Il accompagne à toute heure quelque plat de charcuterie. Pour s'en convaincre, il suffit de prendre la route au-delà du bourg, en direction du Fût d'Avenas, dont le sommet, à 700 m, domine le village et abrite un « chalet de dégustation ».

Chiroubles célèbre chaque année, en avril, l'un de ses enfants, le grand savant ampélographe Victor Pulliat, né en 1827, dont les travaux consacrés à l'échelle de précocité et au greffage des espèces de vigne sont mondialement connus ; pour parfaire ses observations, il avait rassemblé dans son domaine de Tempéré plus de 2 000 variétés ! Chiroubles possède une cave coopérative qui vinifie 3 000 hl du cru.

PATRICK BOULAND 2006 ★★

■ 1 ha 5 000 ▮ 5 à 8 €

Patrick Bouland exploite les 10 ha du domaine familial depuis 1982. Il a donné plus d'une fois aux lecteurs du Guide des indices de son savoir-faire. Ainsi, il a obtenu récemment deux coups de cœur en morgon (millésimes 2002 et 2004). Le **morgon Vieilles Vignes 2006** est cité. Cette année, le jury lui a préféré le chiroubles. Grenat violacé, ce vin séduit par ses parfums complexes de framboise et de mûre. Après une attaque franche, la dégustation se poursuit sur une chair fruitée et souple. Un ensemble harmonieux et persistant, un cru authentique. Malgré une pointe tannique en finale, il est à savourer dès maintenant avec une viande blanche.

Patrick Bouland, 77, montée des Rochauds, 69910 Villié-Morgon, tél. 04.74.69.16.20, fax 04.74.69.13.55, e-mail patrick.bouland@free.fr
r.-v.

DOM. DE LA COUR PROFONDE
La Côte Bel-Air Vieilles Vignes 2006 ★

■ 1,3 ha 9 300 ▮ 5 à 8 €

Créé par Patricia et Cyril Revollat lors de leur installation en 1998, le domaine s'étend sur 9 ha répartis sur trois crus : morgon, fleurie et chiroubles. Leur maison, typiquement beaujolaise, est située au pied du village de Chiroubles et comprend sept caves voûtées. Vous y découvrirez un 2006 en robe moirée de nuances noires et aux agréables parfums de fruits rouges. Équilibré, bien structuré, un rien tannique, c'est un vin « carré », bien fait et complet. Il peut encore attendre dix-huit mois.

Cyril et Patricia Revollat, La Cour Profonde, 69115 Chiroubles, tél. 04.74.69.13.72, fax 04.74.04.22.84, e-mail revollat-cyril@wanadoo.fr
t.l.j. 9h-19h

ANNE-MARIE ET ARMAND DESMURES
Cuvée Tradition 2005

■ 6,4 ha 20 000 ▮ 5 à 8 €

Depuis l'acquisition de ce domaine, dans les années 1930, trois générations se sont succédé. Armand Desmures est à la tête de la propriété depuis 1975. Il a élaboré à partir de vignes d'une quarantaine d'années un vin grenat foncé qui s'ouvre sur de légers effluves de fruits bien mûrs. L'attaque franche révèle une structure fraîche, fruitée et tendre. Un ensemble harmonieux à déboucher dès maintenant.

Anne-Marie et Armand Desmures, Le Bourg, 69115 Chiroubles, tél. 04.74.69.10.61, fax 04.74.69.15.12 r.-v.

LES GATILLES 2005

■ 10 ha 20 000 ▮ 5 à 8 €

L'étiquette intrigue et attire : un lézard ! L'explication vient sur la contre-étiquette : « Les Gatilles, c'est ainsi qu'à Chiroubles on appelle les petits lézards gris qui se chauffent au soleil sur les coteaux granitiques et sableux de Javernand. » Les ceps de quarante ans à l'origine de ce vin couleur cerise burlat surmûrie ont sans doute, eux aussi, pris le soleil. Cela donne des parfums un peu confiturés de mûre et de pêche, qui se prolongent dans une bouche ronde et bien structurée, accompagnés de notes poivrées et minérales. De bonne facture, équilibrée et longue, cette bouteille est à boire au cours des deux prochaines années.

SCE de Javernand, 69115 Chiroubles, tél. et fax 04.74.69.16.04, e-mail pierre@javernand.com
r.-v.

DOM. LAURENT GAUTHIER
Chatenay Vieilles Vignes 2006 ★

■ 1,5 ha 10 000 ▮ 8 à 11 €

Le millésime précédent fut coup de cœur. Il provient de vignes de quarante ans. De couleur cerise noire, le 2006 exprime d'intenses parfums de fruits rouges avec des notes de réglisse. Sa chair concentrée et ample révèle des tanins assez suaves. Bien structuré, ce vin prometteur mérite d'attendre deux ans avant d'accompagner une viande rôtie ou un ragoût de queue de bœuf.

EARL Laurent Gauthier, Morgon-le-Bas, 69910 Villié-Morgon, tél. 04.74.04.26.57, fax 04.74.69.12.08 r.-v.

DOM. DE LA GROSSE PIERRE 2006 ★

■ 9 ha 30 000 ▮ 5 à 8 €

Ce domaine familial appartient à la famille Passot depuis les années 1950. Exposées au sud-est à flanc de coteaux, des vignes de quarante ans sont à l'origine de ce 2006 qui reçoit une étoile comme le 2004. De couleur grenat profond, ce vin livre d'intenses et élégants parfums de fruits très mûrs rappelant la cerise. Rond, équilibré, soutenu par des tanins assouplis, il a beaucoup de présence en bouche. Bien faite et harmonieuse, cette bouteille pourra attendre un ou deux ans et accompagnera gibier et viandes rouges. Le **chiroubles cuvée Claudius 2005**, né de très vieux ceps, reçoit une citation.

Alain Passot, La Grosse Pierre, 69115 Chiroubles, tél. 04.74.69.12.17, fax 04.74.69.13.52, e-mail apassot@wanadoo.fr
t.l.j. sf dim. 9h-18h

DOM. DES MARRANS Cuvée Les Côtes 2005 ★★

2 ha 5 500 5 à 8 €

Entièrement créé par Jean-Jacques et Liliane Mélinand à partir de 1970, le domaine rassemble 18 ha de vignes répartis dans cinq appellations. Les superficies les plus importantes (10 ha) sont consacrées au fleurie. Le **fleurie 2005** de l'exploitation est cité. Le jury a préféré ce chiroubles issu d'une parcelle ayant appartenu à la propriété de l'ampélographe, Victor Pulliat. D'un grenat presque noir, ce vin séduit par des parfums de cassis et de mûre d'une grande délicatesse. Sa riche matière constituée de tanins fins et souples est jugée remarquable. Déjà agréable, cette bouteille peut attendre un à deux ans. Elle accompagnera terrine et volailles.

Jean-Jacques et Liliane Mélinand, Dom. des Marrans, 69820 Fleurie, tél. 04.74.04.13.21, fax 04.74.69.82.45, e-mail domainedesmarrans@wanadoo.fr
r.-v.

BERNARD MÉTRAT Vieilles Vignes 2005

2 ha 10 000 5 à 8 €

Des vignes d'une cinquantaine d'années, cultivées sur des sols d'arènes granitiques, ont donné un vin grenat sombre, presque noir. Ses parfums très fins évoquent la violette et la pivoine. Ferme à l'attaque, plus végétal au palais, il reste équilibré et fait preuve d'une bonne longueur. Une bouteille pour maintenant.

Bernard Métrat, La Roilette, 69820 Fleurie, tél. 04.74.69.84.26, fax 04.74.69.84.49, e-mail domaine-metrat-et-fils@wanadoo.fr r.-v.

DOM. MÉZIAT-BELOUZE Élevé en fût de chêne 2006

1,5 ha 6 000 5 à 8 €

Ce domaine de 8 ha se partage entre beaujolais, morgon et chiroubles. Grand vin de garde issu de vignes de soixante-dix ans, le millésime précédent de cette cuvée avait fait sensation. Le 2006 est moins ambitieux. De couleur grenat, il associe au nez les fruits noirs et le poivre à la vanille de l'élevage. Le boisé omniprésent, judicieusement marié à une chair plutôt fine et épicée, s'impose en bouche et persiste très longuement. On attendra cette bouteille un an ou deux avant de la servir sur des viandes rouges.

GAEC Méziat-Belouze, Rochefort, 69115 Chiroubles, tél. 04.74.69.10.79, fax 04.74.69.11.81 r.-v.

DOM. MORIN 2006 ★★

5 ha 34 000 5 à 8 €

Perché à 400 m d'altitude, ce domaine signe un chiroubles pourpre aux nuances noires. Ses parfums intenses de framboise et de fruits rouges confits, caractéristiques du gamay, imprègnent une bouche charnue et persistante, soutenue par des tanins fondus. À la fois puissant et délicat, ce vin sera prêt dès cet automne mais il pourra encore attendre un à deux ans.

Guy Morin, Le Bois, 69115 Chiroubles, tél. 04.74.69.13.29, fax 04.74.69.09.75

DOM. DU MOULIN D'ÉOLE 2006

1,09 ha 7 600 5 à 8 €

Des vignes d'une cinquantaine d'années cultivées sur des sols de granite et de porphyre sont à l'origine de ce 2006 pourpre foncé, moiré de noir. Le cassis émerge de parfums intenses et complexes, puis accompagne une matière riche et longue, assez fortement structurée. Ce vin prometteur est à attendre un à deux ans.

Philippe Guérin, Le Bourg, 69840 Chénas, tél. 04.74.04.46.88, fax 04.74.04.47.29, e-mail moulindeole@wanadoo.fr
t.l.j. sf dim. 9h-12h 14h-19h; sur r.-v. de déc. à mars

DOM. DU MOULIN FAVRE Vieilles Vignes 2006 ★

1 ha 7 000 5 à 8 €

Située à 1 km du château de la Chaize, cette exploitation est souvent mentionnée en chiroubles ou en brouilly. Cette année, son **brouilly 2006 cuvée Vieilles Vignes**, équilibré et frais, est cité, tandis que ce chiroubles rubis profond et lumineux est jugé très réussi. Ses plaisants parfums de fraise et de framboise précèdent une bouche tout aussi aromatique, ample et puissante. Ce vin bien fait peut attendre un an ou deux ; il accompagnera du gibier ou de la viande rouge en sauce.

Armand Vernus, Le Vieux-Bourg, 69460 Odenas, tél. 04.74.03.40.63, fax 04.74.03.40.76, e-mail moulin-favre@wanadoo.fr
r.-v.

DOM. DU PRESSOIR FLEURI Vieilles Vignes 2005 ★★

n.c. n.c. 5 à 8 €

Cette exploitation s'étend sur 8 ha environ et possède des parcelles dans trois crus. Elle a été reprise par Sandrine Méziat et Franck Brunel, fille et gendre d'André et Monique Méziat qui s'étaient distingués dans la décennie précédente (deux coups de cœur). Déjà mentionné l'an dernier dans cette appellation, le domaine s'affirme dans le millésime 2005 avec ce chiroubles couronné coup de cœur par le grand jury. D'un rubis très prononcé, ce vin s'impose au nez, où l'on respire d'intenses parfums de mûre confite et de fruits rouges. Puissante, riche, ronde et très structurée, sa chair s'épanouit largement et révèle des tanins bien fondus. Cette harmonieuse bouteille, déjà agréable, peut encore attendre un à deux ans. Quant au **beaujolais blanc Cuvée de garde 2005** du domaine, à boire dans l'année, il est cité.

Franck et Sandrine Brunel, Dom. du Pressoir Fleuri, Le Bourg, 69115 Chiroubles, tél. 04.74.04.23.12, fax 04.74.69.12.65, e-mail dom.pressoir.fleuri@terre-net.fr
t.l.j. 8h-12h 13h-19h; groupes sur r.-v.

DOM. CHRISTOPHE SAVOYE
Cuvée Loïc 2005 ★★

■ 6 ha 21 000 ▮ 5 à 8 €

Christophe Savoye est installé à Chiroubles depuis 1991. De vignes d'une cinquantaine d'années exposées au sud et sud-est, il a tiré un vin grenat sombre qui libère à l'aération des senteurs de framboise accompagnées de riches notes vineuses. En bouche, cette bouteille fait l'unanimité grâce à ses tanins fins, souples et caressants et à son fruité tendre. Elle fera plaisir pendant deux ans, servie sur une viande blanche.

⊶ Christophe Savoye, Le Bourg, 69115 Chiroubles, tél. 04.74.69.11.24, fax 04.74.04.22.11, e-mail c.savoye1@chello.fr ☑ Y ⛹ t.l.j. 8h-19h

DOM. DE LA SERVE 2006

■ 3 ha 15 000 ▮ 5 à 8 €

Présentée par un négociant, cette sélection d'un rubis soutenu limpide séduit par son nez frais associant les fleurs à des notes fruitées évoquant la framboise. Franche, intense et ronde, la bouche est soutenue par des tanins simples et fondus qui lui donnent un caractère soyeux. Malgré une pointe d'amertume en finale, ce vin harmonieux est à consommer au cours des deux prochaines années. Il accompagnera du gibier ou des viandes rouges. Proposé par la même maison, le **chénas, Château des Paquelets 2006** est également cité.

⊶ La Réserve des Domaines, La Batie RN6, 71570 La Chapelle-de-Guinchay, tél. 03.85.23.83.50, fax 03.85.23.83.71, e-mail aujoux@aujoux.fr Y r.-v.

Fleurie

Posée au sommet d'un mamelon totalement planté de gamay noir, une chapelle semble veiller sur le vignoble : c'est la Madone de Fleurie, qui marque l'emplacement du troisième cru du Beaujolais par ordre d'importance, après le brouilly et le morgon. Les 870 ha de l'appellation ne s'échappent pas des limites communales, où l'on produit un vin issu d'un ensemble géologique assez homogène, constitué de granites à grands cristaux qui communiquent au vin une impression de finesse et de charme. La production a atteint, en 2006, 45 734 hl. Certains l'aiment frais, d'autres tempéré, mais tous, à la suite de la famille Chabert qui créa le célèbre plat, apprécient l'andouillette beaujolaise préparée avec du fleurie. C'est un vin qui apparaît, tel un paysage printanier, plein de promesses, de lumière, d'arômes aux tonalités d'iris et de violette.

Au cœur du village, deux caveaux (l'un près de la mairie, l'autre à la cave coopérative qui est l'une des plus importantes puisqu'elle vinifie 30 % du cru) offrent toute la gamme des vins aux noms de terroirs évocateurs : la Rochette, la Chapelle-des-Bois, les Roches, Grille-Midi, la Joie-du-Palais...

CH. DE L'ABBAYE SAINT-LAURENT D'ARPAYÉ 2006

■ 3 ha 20 000 ▮ 3 à 5 €

Les origines du domaine remontent au temps de la splendeur de l'abbaye de Cluny. La propriété familiale, acquise au début du XXe s., a développé depuis 1960 une activité de négoce. La maison est depuis 1992 partie intégrante des Grands Chais de France, un des tout premiers groupes du secteur. D'un pourpre foncé presque noir, ce fleurie libère d'intenses parfums de cassis et de prune. Issu d'une longue fermentation, il est corsé, long et fortement charpenté. Ses tanins très présents et une certaine fermeture plaident en faveur d'une garde de deux ans. Le **beaujolais-villages Victor Bérard 2006 (moins de 3 €)** obtient la même note.

⊶ SA Quinson, EURL Ch. d'Arpayé, 69820 Fleurie, tél. 04.74.69.87.08, fax 04.74.04.14.26 r.-v.

MÉLANIE AUCŒUR Vieilles Vignes 2006

■ 0,5 ha 3 500 **8 à 11 €**

Première vinification en fleurie pour Mélanie Aucœur qui s'est installée en 2005 sur un minuscule domaine. Ce 2006 est issu d'une parcelle de vignes de quatre-vingts ans. Rouge profond, il mêle un nez de cassis et de fleurs. Très fortement charpenté, bâti sur des tanins pour l'heure assez sévères, l'ensemble est prometteur. On le découvrira dans deux ans.

⊶ Le Domaine de Mélanie, Le Colombier, rte de Fleurie, 69910 Villié-Morgon, tél. 04.74.04.16.89, e-mail domainedemelanie@yahoo.fr ☑ Y ⛹ r.-v.

⊶ Mélanie Aucœur

DOM. DE LA BOURONIÈRE 2006 ★

■ 6,3 ha 30 000 ▮ 5 à 8 €

Fabien de Lescure exploite 11 ha autour de Fleurie. Les vignes sont conduites en agriculture raisonnée. Celles qui sont à l'origine de ce vin sont âgées de quarante-cinq ans. D'un rouge profond, ce 2006 apparaît assez intense et fin au nez, associant la cerise noire à des nuances florales et amyliques. Fruité au palais, il révèle une structure un peu légère mais élégante. Ce vin gourmand est à boire dès l'automne. Il ne déparera pas un repas en plein air.

⊶ Fabien de Lescure, La Bouronière, 69820 Fleurie, tél. 04.74.69.82.13, fax 04.74.69.85.40, e-mail bouroniere@wanadoo.fr ☑ Y ⛹ t.l.j. sf dim. 9h-12h 15h-19h30; f. 15 au 28 août

DOM. CHAINTREUIL
La Madone Vieilles Vignes 2006 ★

■ 3 ha 15 000 ⊕ 5 à 8 €

Depuis 1992, la quatrième génération est à la tête de cette propriété familiale. Élevée en foudre, sa cuvée Vieilles Vignes naît de ceps de quatre-vingts ans. Grenat foncé, elle mêle des nuances de vanille, de grillé à des notes d'agrumes et d'épices. Le bois reste présent dans un palais riche, équilibré, bien construit sur des tanins fins. L'ensemble, harmonieux, sera dégusté au cours des deux ou trois prochaines années.

⊶ SCEA Dom. Chaintreuil, La Chapelle-des-Bois, 69820 Fleurie, tél. 04.74.04.11.35, fax 04.74.04.10.40, e-mail odgichaint@aol.com ☑ Y ⛹ r.-v.

DOM. DE LA CHAPELLE DES BOIS 2006

■ 8,5 ha n.c. **8 à 11 €**

Une fois de plus, le fleurie de La Chapelle des Bois est retenu. Sélectionné et mis en bouteilles par le négociant

Paul Beaudet, il est élaboré par Chantal et Éric Coudert, qui exploitent 8,4 ha de vignes. D'un rubis limpide, ce 2006 s'ouvre sur des nuances de cerise cuite. Charnu et onctueux, il est construit sur des tanins bien enrobés et révèle de riches arômes de fruits très mûrs. À la sortie du Guide, il sera prêt à donner la réplique à un bœuf bourguignon ou à un coq au vin.
Paul Beaudet, La Terrière,
69220 Cercié-en-Beaujolais,
tél. 04.74.66.77.80, fax 04.74.66.77.85,
e-mail contact@paulbeaudet.com r.-v.

DOM. CHIGNARD Les Moriers 2005 *

■ 2 ha 14 000 ■ 8 à 11 €

Michel Chignard, à la tête des 8 ha de la propriété depuis 1967, passe cette année le relais à Cédric, son fils, qui représente la quatrième génération. Il signe encore ce fleurie pourpre soutenu, au nez complexe fait de fruits surmûris (cerise, fraise et fruits noirs), d'épices, de réglisse et même de miel. Riche, onctueux et suave, construit sur des tanins soyeux, le palais est imprégné d'arômes de fleurs et d'hydromel. Une bouteille harmonieuse, originale et de caractère, faite pour maintenant.
Michel Chignard, Le Point du Jour, 69820 Fleurie,
tél. 04.74.04.11.87, fax 04.74.69.81.97,
e-mail domaine.chignard@wanadoo.fr
t.l.j. sf dim. 8h-12h 14h-19h

CLOS DE LA ROILETTE 2005

■ 8 ha 40 000 ■ 5 à 8 €

Sur l'étiquette de ce fleurie, un cheval vient rappeler que l'ancien propriétaire possédait ici une écurie de course. Le père d'Alain Coudert s'est installé sur le domaine à la fin des années 1960 et Alain a pris le relais en 1983. De couleur rouge vif montrant quelques reflets orangés, son fleurie mêle au nez la cerise et les fruits rouges surmûris à des fragrances de pivoine et d'épices. La belle attaque ronde met en valeur de fins tanins et fait ressortir les arômes (on retrouve les épices et les fleurs escortées de poivron et de sous-bois). Bien équilibré, ce 2005 est prêt à passer à table.
SCEA Coudert Père et Fils, La Roilette,
69820 Fleurie, tél. 04.74.69.84.37, fax 04.74.69.81.21,
e-mail clos-de-la-roilette@wanadoo.fr r.-v.
Alain Coudert

DOM. DU CLOS DES GARANDS Vieilles Vignes 2005 *

■ 1 ha 4 000 8 à 11 €

Dirigée depuis 2004 par Audrey Charton, cette propriété familiale, plus importante que le clos initial, se compose de 6,17 ha de vignes d'un seul tenant implantées sur un coteau. Issu de ceps de quatre-vingts ans, son fleurie Vieilles Vignes est un vin grenat profond aux subtils parfums de clou de girofle, d'iris et de pivoine. Riche, ample, vineux, bâti sur des tanins soyeux, il imprègne longuement le palais d'arômes de pruneau et de notes chocolatées. Il est puissant et donne pourtant une impression de légèreté. On l'appréciera dans les deux prochaines années.
Audrey Charton, Le Clos des Garands,
69820 Fleurie, tél. 04.74.69.81.06,
fax 04.74.69.82.05, e-mail contact@closdesgarands.fr
r.-v.

DOM. ANDRÉ COLONGE ET FILS 2006

■ 7,3 ha 50 000 ■ 8 à 11 €

Cette exploitation dispose de 35 ha de vignes. Celles qui sont à l'origine de ce fleurie rubis soutenu ont trente-cinq ans. Les parfums qui en émanent évoquent principalement le cassis et les autres fruits noirs. On y trouve aussi des nuances florales. Souple et très fruitée, la bouche ne manque pourtant pas de charpente et se montre persistante. Ce vin gourmand dénote une vinification technique et moderne. Il est à boire dans l'année.
Dom. André Colonge et Fils, Les Terres-Dessus,
69220 Lancié, tél. 04.74.04.11.73, fax 04.74.04.12.68,
e-mail contact@domaine-andre-colonge-et-fils.com
r.-v.
Serge Colonge

DOM. GILLES COPÉRET 2005 *

■ 4 ha 8 000 ■ 5 à 8 €

Gilles Copéret a repris en 1986 les 2 ha de vignes exploités par son grand-père maternel et a porté le domaine à 9 ha. Il vient aussi d'aménager un nouveau cuvage avec pressoir pneumatique. Vêtu d'une robe attirante, rouge profond, son fleurie livre d'intenses parfums de cassis. Charnu, rond, soutenu par de fins tanins et assez vif, il apparaît équilibré, représentatif du cru et révèle un certain potentiel de garde. On l'attendra au moins deux ans. Le **morgon Vieilli en fût de chêne 2005**, lui aussi à garder un peu en cave, obtient une citation.
Gilles Copéret, Les Chastys, 69430 Régnié-Durette,
tél. 04.74.04.38.08, fax 04.74.69.01.33,
e-mail gilles-coperet@wanadoo.fr r.-v.

DOM. DE LA CÔTE D'ADULE 2005

■ n.c. 50 000 ■ 5 à 8 €

Trois frères, Bruno, Denis et Patrick Matray exploitent deux domaines à Fleurie : le château du Bourg, commandé par une demeure du XVIIIᵉs. située au cœur du village, où la propriété a son siège et, depuis 2003, le domaine de la Côte d'Adule, implanté dans le vallon d'Adule, sur les hauteurs. Ce dernier a engendré un vin rubis soutenu, au nez complexe de fruits rouges et de cerise confite, assortis d'une nuance de violette. La chair ronde et ample où l'on retrouve les fruits rouges à noyau et les fleurs s'épanouit harmonieusement et avec souplesse au palais. L'ensemble est à servir dès l'automne avec une viande rouge. Quant au **Château du Bourg cuvée Prestige 2005 (8 à 11 €)**, également cité, il plaira aux amateurs de vins boisés et pourra attendre un peu.
Bruno, Denis et Patrick Matray, Le Bourg,
69820 Fleurie, tél. 04.74.69.81.15, fax 04.74.69.86.80,
e-mail denis@chateau-du-bourg.com r.-v.

DOM. DES DEUX FONTAINES 2005 *

■ 2 ha 12 000 ■ 5 à 8 €

Ce domaine a été créé en 1885. À l'époque, c'était une ferme exploitée en polyculture. Installé en 1978, Michel Desprès conduit aujourd'hui plus de 10 ha de vignes. Il signe un vin grenat profond aux intenses parfums de fruits noirs confiturés, de mûre et d'épices. L'attaque souple révèle très vite la richesse d'une chair ample, structurée par des tanins soyeux. La palette aromatique fait ressortir les épices, dans une belle continuité avec le nez. Bien représentative du cru, ample et équilibrée, cette bouteille est prête tout en pouvant supporter une garde de deux à trois ans.

🔑 Michel Despres, Les Raclets, 69820 Fleurie, tél. 04.74.69.80.03, fax 04.74.69.86.16, e-mail 2fontaines@despres-michel.com
☑ Y 🚶 t.l.j. 9h-12h30 13h30-19h

FLEURILÈGE 2005 **

■ 1,1 ha 6 600 ▮ 8 à 11 €

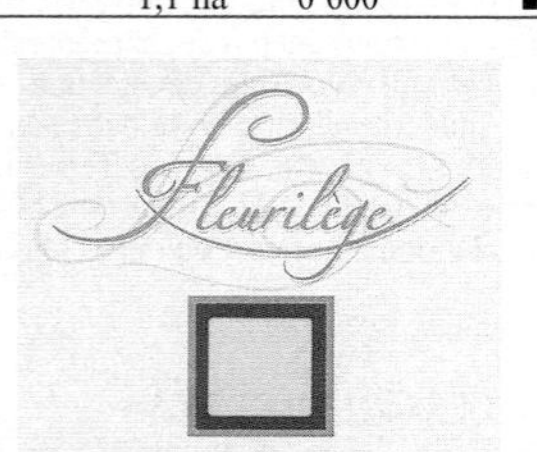

Fondée dès 1927, la cave de Fleurie vinifie plus de 450 ha de vignes, pour l'essentiel dans le cru de la commune. Elle s'est équipée il y a une vingtaine d'années d'un vaste cuvage de près de 10 000 m² et a mis en place en 2003 un nouvel espace de vente. En 2005, elle a créé la marque Fleurilège qui a été lancée sous de bons auspices puisque le Guide distingue d'un coup de cœur son fleurie ! Grenat profond, ce vin livre de séduisants parfums de fruits rouges, de cassis et de fleurs. Riche, rond, puissant et fruité, il tapisse agréablement la bouche de ses fins tanins et fait preuve d'une belle persistance. Cette bouteille harmonieuse fera plaisir pendant les trois prochaines années. Dans la même gamme, le **morgon 2005** obtient une étoile pour son élégance et le **moulin-à-vent 2005** est cité.

🔑 Cave des producteurs de Fleurie, BP 2, le Bourg, 69820 Fleurie, tél. 04.74.04.11.70, fax 04.74.69.84.73, e-mail cave-de-fleurie-commercial@wanadoo.fr
☑ Y 🚶 r.-v.

DOM. DE GRAND GARANT 2006 *

■ 2 ha 12 000 ▮◖ 8 à 11 €

Viticultrice depuis 1999, Dominique Grosjean exploite 12 ha de vignes avec son mari. En 2005, elle a tenu à créer « sa » marque, *Révélation*. En direction du public féminin ? De couleur cerise noire, son fleurie intéresse par son nez intense et complexe où la groseille côtoie le cassis, le coing, les fleurs, les épices et le miel. Souple et frais en bouche, il se révèle assez structuré, élégant mais un peu léger pour ce cru. L'ensemble, net et agréable, est à consommer au cours des deux prochaines années. Quant au **moulin-à-vent Révélation 2006**, lui aussi de style plutôt léger, il est cité.

🔑 Claude Grosjean, Dom. de Grand Garant, Le Vivier, 69820 Fleurie, tél. 04.74.69.81.74, fax 04.74.04.12.30 ☑ Y 🚶 r.-v.

LUCIEN LARDY
Les Moriers Vieilles Vignes 2005 **

■ 2 ha 12 000 ▮◖ 11 à 15 €

Voilà trente ans que Lucien Lardy met en valeur le domaine familial qui s'étend sur 13 ha. De très vieux ceps implantés sur le lieu-dit les Moriers sont à l'origine de ce fleurie vêtu d'une superbe robe rubis profond. Le nez livre de riches parfums de fruits bien mûrs aux nuances de framboise, de cassis et de mûre. Une belle structure de tanins soyeux soutient la chair onctueuse et longue. L'harmonie entre le nez et la bouche révèle une bonne origine. Déjà plaisant, l'ensemble pourra accompagner un cuissot de chevreuil pendant plusieurs années. De la même propriété, le **fleurie Les Roches 2006 (8 à 11 €)** est cité.

🔑 Terroirs Originels, Les Treilles, 69430 Quincié-en-Beaujolais, tél. 04.74.69.53.82, fax 04.74.69.50.08, e-mail terroirs-originels@wanadoo.fr ☑ Y 🚶 r.-v.

DOM. MONROZIER Les Moriers 2005

■ 2,15 ha 4 100 ▮◖ 5 à 8 €

Présenté par une propriété fondée en 1860, ce fleurie se montre original au nez, une touche de garrigue venant compléter sa palette aux nuances complexes de fleurs et de fruits rouges. Après une attaque fruitée et acidulée, la dégustation se poursuit sur des notes de fruits à noyau et de sous-bois. Bien structuré, le palais s'appuie sur des tanins encore jeunes qui doivent s'affiner. L'ensemble est déjà plaisant. À boire ou à attendre ? Comme il vous plaira.

🔑 SCEA du dom. Monrozier, Les Moriers, 69820 Fleurie, tél. 04.74.69.83.78, fax 04.74.04.12.17
☑ Y 🚶 t.l.j. 9h-12h 14h-18h

DOM. DES NUGUES 2005 **

■ 2,5 ha n.c. ▮ 5 à 8 €

DOMAINE
DES NUGUES
FLEURIE
APPELLATION FLEURIE CONTRÔLÉE
E.A.R.L. GELIN
PROPRIÉTAIRE-VITICULTEUR
LES PASQUIERS 69220 LANCIÉ
PRODUIT DE FRANCE

Cette propriété familiale a fait l'acquisition en 2005 de vignes en AOC fleurie dont la première vinification au domaine est saluée d'un coup de cœur par le grand jury. Pourpre soutenu, ce vin séduit par son nez franc et élégant, fait de fruits rouges et de fleurs. Il emplit le palais d'une chair aux arômes de fruits très mûrs ; les tanins de qualité vivent en parfaite intelligence avec l'acidité ; la finale douce et persistante laisse le souvenir d'un ensemble délectable et tout en finesse. Un régal dès cet automne. Quant au **beaujolais-villages 2005** du domaine, il est cité pour sa fraîcheur.

🔑 EARL Gelin, Dom. des Nugues, Les Pasquiers, 69220 Lancié, tél. 04.74.04.14.00, fax 04.74.04.16.73, e-mail earl-gelin@wanadoo.fr ☑ Y 🚶 r.-v.

DOM. DU POINT DU JOUR Cuvée Tradition 2005

■ 3 ha 24 000 ▮ 5 à 8 €

Ce domaine, aux mains de la cinquième génération, s'étend sur 8,5 ha. S'il propose plusieurs crus du Beaujolais, le fleurie représente une part notable de sa production. D'un rouge tirant sur le violet, cette cuvée laisse percer des parfums discrets mais bien nets de fruits rouges. La bouche apparaît équilibrée mais les tanins demandent à se fondre et donnent à cette bouteille un air de sévérité. Les impatients pourront déjà la consommer. Les autres surveilleront sans hâte son évolution.

⊶ GAEC Depardon-Copéret, Dom. du Point du Jour, 69820 Fleurie, tél. 04.74.69.82.93, fax 04.74.69.82.87, e-mail depardon-coperet@terre-net.fr ☑ Ῑ ⚲ r.-v.

OLIVIER RAVIER La Madone 2006 ★★

■ 1,5 ha 10 000 ▮ 8 à 11 €

Ce négociant possède en propre son domaine dont il commercialise les productions. On attend avec curiosité les résultats de ce fleurie dont les millésimes 2002 et 2005 ont obtenu un coup de cœur. Ce 2006, presque de même niveau, a eu de chauds partisans. Très coloré, avec des reflets violets, il exprime de délicats parfums de cassis, de bonbon acidulé et de violette. Sa chair croquante, fruitée, harmonieusement équilibrée, s'épanouit avec élégance au palais. Les tanins nobles laissent une belle fraîcheur en finale. Déjà prêt, cet excellent ambassadeur de l'appellation pourra également supporter une garde de deux à trois ans.

⊶ SARL Olivier Ravier, Les Descours, 69220 Belleville, tél. 04.74.66.12.66, fax 04.74.66.57.50, e-mail olivier.ravier@wanadoo.fr ☑ Ῑ ⚲ r.-v.

DOM. DE LA TREILLE 2006 ★

■ 5 ha 15 000 ▮ 5 à 8 €

Cette propriété familiale s'étend sur plus de 15 ha de vignes. Celles qui ont donné naissance à ce vin rubis foncé sont âgées de cinquante ans. Intense et élégant, le nez mêle la framboise et la fraise aux épices et à la rose. Après une attaque gourmande, fruitée et fraîche, la bouche révèle une solide charpente avec des tanins de qualité. Harmonieux, long et typique, ce fleurie peut tenir deux à trois ans. Du même domaine, le **moulin-à-vent 2005 Élevé en fût** reçoit lui aussi une étoile pour son ampleur et son harmonie, mais il ne sera pas de garde.

⊶ EARL Jean-Paul et Hervé Gauthier, Les Frébouches, 69220 Lancié, tél. 04.74.04.11.03, fax 04.74.69.84.13, e-mail jean-paul.gauthier2@wanadoo.fr ☑ Ῑ ⚲ r.-v.

Juliénas

Cru impérial d'après l'étymologie : Juliénas tiendrait en effet son nom de Jules César, de même que Jullié, l'une des quatre communes qui composent l'aire géographique de l'appellation (avec Émeringes et Pruzilly, cette dernière se trouvant en Saône-et-Loire). Occupant des terrains granitiques à l'ouest et des terrains sédimentaires avec des alluvions anciennes à l'est, les 579 ha de gamay noir ont permis en 2006 la production de 30 212 hl de vins bien charpentés, riches en couleur, appréciés au printemps après quelques mois de conservation. Gaillards et espiègles, ils sont à l'image des fresques qui ornent le caveau de la Vieille Église, au centre du bourg. Dans cette chapelle désaffectée, chaque année à la mi-novembre est remis le prix Victor-Peyret à l'artiste, peintre, écrivain ou journaliste qui a le mieux « tasté » les vins du cru ; celui-ci reçoit 104 bouteilles : 2 par week-end... La cave coopérative, installée dans l'enceinte de l'ancien prieuré du château du Bois de la Salle, vinifie 30 % de l'appellation.

GUY BARRAUD
Les Rizières Vieilles Vignes 2005 ★

■ 2 ha 12 000 ▮ 8 à 11 €

On trouve des rizières en juliénas : elles sont chez Guy Barraud, vigneron depuis 1979, à la tête d'un domaine de 9 ha. Cette parcelle a donné naissance à un vin de caractère, complexe au nez comme en bouche, et de bonne tenue. Habillé de pourpre profond, ce 2005 livre des senteurs de cerise noire très mûre et d'épices. Après une première impression un peu vive, une matière charpentée par des tanins soyeux et légers tapisse le palais. Ses arômes de fruits rouges, avec une touche de fruits confits et de cannelle, se montrent persistants. Déjà prête, cette bouteille pourra supporter un ou deux ans de garde. Elle aimera un bœuf bourguignon ou une entrecôte marchand de vin.

⊶ Guy Barraud, Le Moulin, 69840 Juliénas, tél. et fax 04.74.04.44.17 ☑ Ῑ r.-v.

CAVE DU BOIS DE LA SALLE
Sélection du Bois de la Salle 2006 ★

■ 4,95 ha 30 000 ▮ 5 à 8 €

Cette coopérative a son siège à Juliénas. Cette appellation représente donc une part notable de sa production. La Sélection du Bois de la Salle 2006 attire l'œil par la densité de sa robe rubis profond. Ses agréables parfums de fruits rouges s'accompagnent en bouche d'arômes de mûre relevés d'une touche épicée, presque pimentée. Chaleureux, structuré par des tanins souples, l'ensemble, déjà très plaisant, pourra être servi pendant un à deux ans sur une viande blanche à la crème, par exemple. Produit par la cave, le **beaujolais-villages rouge l'Amitié 2006 (3 à 5 €)** a été cité.

⊶ Cave coop. des grands vins du Bois de la Salle, Ch. du Bois de la Salle, 69840 Juliénas, tél. 04.74.04.42.61, fax 04.74.04.47.47, e-mail cavejulienas@wanadoo.fr ☑ Ῑ ⚲ r.-v.

CH. DE LA BOTTIÈRE
Cuvée Vieilles Vignes 2005 ★★

■ 0,8 ha 5 000 ⦀ 5 à 8 €

Enracinés à Juliénas, les Perrachon exploitent 22 ha répartis sur cinq crus et trois domaines. Les vins sont élevés dans l'impressionnante cave du château de La Bottière où s'alignent 150 fûts. C'est dans l'un d'eux qu'a séjourné cette cuvée qui a fait l'unanimité. De couleur grenat violacé, elle associe d'intenses nuances minérales au kirsch et à la réglisse. Riche et puissante à l'attaque, elle révèle en bouche une solide structure aux tanins serrés et une palette aromatique complexe faite de prune, de vanille et de granite. Typique du cru, puissant et encore jeune, ce 2005 ne manque pas de ressources. Il pourra accompagner pendant de nombreuses années un coq au vin avec lardons et champignons. Le **juliénas Domaine des Mouilles 2006** a pour sa part été cité.

Laurent Perrachon, Dom. des Mouilles, 69840 Juliénas, tél. et fax 04.74.04.40.44, e-mail laurent.perrachon@wanadoo.fr
t.l.j. 8h-19h

DOM. DE LA BOTTIÈRE-PAVILLON 2006

n.c. 47 300 5 à 8 €

Pourpre sombre aux reflets violets, ce 2006 livre des parfums assez discrets de fruits rouges et noirs. Charmeur et plaisant à l'attaque, le palais présente une structure tannique assez souple, plus sévère en finale. L'ensemble, léger et aromatique, est fait pour le plaisir immédiat.

Dom. de La Bottière, 69840 Juliénas, tél. 04.74.69.09.18, fax 04.74.69.09.75

DOM. ALAIN CHAMBARD 2006

4 ha 10 000 5 à 8 €

Des vignes de quarante-cinq ans cultivées sur des sols granitiques ont donné naissance à un vin d'une couleur rouge violacé très attirante. Le nez s'ouvre sur de complexes et puissants parfums de mûre et de rose, accompagnés d'une pointe de réglisse. Après une attaque souple et sur le fruit, des impressions tanniques marquent le palais, mais ce 2006 ne demande que quelques mois de garde pour être apprécié à son optimum. On pourra le servir avec des cuisses de grenouilles.

Alain Chambard, Les Pins, 69840 Émeringes, tél. et fax 04.74.04.46.00, e-mail chambardalain@wanadoo.fr r.-v.

DOM. LE CHAPON 2006 *

5,12 ha 12 000 5 à 8 €

Ce domaine de 5 ha ne produit que du juliénas. Installés depuis 1972, Marie-Thérèse et Jean Buiron ne sont pas des novices. Un coup de cœur en 1993 et des mentions régulières dans le Guide, souvent avec une étoile. C'est encore le cas de ce 2006 pourpre, aux parfums discrets et élégants de groseille, de framboise et de raisin. La bouche fruitée et capiteuse est marquée par la fraîcheur de tanins enrobés qui la prolongent agréablement. L'ensemble, élégant et fin, est à apprécier au cours des deux prochaines années.

Marie-Thérèse et Jean Buiron, Le Chapon, 69840 Juliénas, tél. 04.74.04.40.39, fax 04.74.04.47.52
r.-v.

LE CLOS DU FIEF 2005 **

0,5 ha 2 400 5 à 8 €

Les campeurs pourront faire halte dans ce domaine qui s'est ouvert au tourisme vert. De très vieux ceps plantés sur granite, Franck Besson a tiré un juliénas à la superbe robe rouge profond. Le nez se partage entre les fruits mûrs (cassis, fraise des bois) et la vanille léguée par un élevage en fût. Le boisé, harmonieusement marié à une chair fruitée, apporte du volume et de la richesse à ce vin d'une belle longueur. Ce juliénas typé et très bien fait est déjà prêt mais il peut attendre plusieurs années. On suggère de le servir avec une daube de sanglier.

Franck Besson, Les Chanoriers, 69840 Jullié, tél. et fax 04.74.04.46.12, e-mail domainebesson@wanadoo.fr r.-v.

DOM. DE LA COMBE DARROUX
Cuvée Prestige Vieilles Vignes 2006 *

3 ha 15 000 5 à 8 €

Installés en 1990, Anne et Pascal Guignet expoitent plus de 7 ha de vignes ; le juliénas consitue la majeure partie de leur production. Leur cuvée Vieilles Vignes est souvent mentionnée dans le Guide, parfois aux meilleures places (le 2003 obtint un coup de cœur). Le 2006 exprime d'assez discrètes notes de sous-bois, de vanille et de fleurs. Marquée par un séjour dans le bois, sa chair riche et très bien équilibrée révèle une bonne structure. L'ensemble reste frais et élégant, ce qui dénote un bon travail d'élevage. On attendra cette bouteille au moins un an.

EARL Anne et Pascal Guignet, Les Janroux, 69840 Juliénas, tél. 04.74.06.70.90, fax 04.74.04.45.08, e-mail domaine.guignet@wanadoo.fr
r.-v.

DOM. DE LA CONSEILLÈRE 2006

6 ha 26 000 5 à 8 €

Le souvenir de la veuve d'un conseiller au Parlement, ancienne propriétaire avant la Révolution, se perpétue dans le nom de ce domaine, dont les vins sont élevés et mis en bouteilles par la maison Mommessin. Pourpre sombre aux nuances violines, ce 2006 livre des parfums complexes et délicats de fruits noirs et de fleurs (pivoine et violette) relevés de notes poivrées. Après une attaque franche et fruitée, la bouche équilibrée, assez ronde et aromatique, laisse percevoir une charpente fine : pas d'excès d'extraction dans cette bouteille élégante et homogène.

Dom. de La Conseillère, La Conseillère, 69840 Juliénas, tél. 04.74.04.46.51, fax 04.74.69.09.75

THIERRY DESCOMBES Coteau des vignes 2006

3,3 ha 10 000 5 à 8 €

Thierry Descombes exploite 11,50 ha de vignes implantées à 300 m d'altitude sur des coteaux exposés au sud et à l'est. Des ceps d'une cinquantaine d'années ont engendré ce vin rubis limpide au nez flatteur et complexe associant le cassis et la groseille à de fines notes de rose fanée, de foin sec et de noisette. Charnu et fruité, bâti sur des tanins serrés mais souples, l'ensemble est équilibré et gouleyant. À apprécier dans l'année.

Thierry Descombes, Les Vignes, 69840 Jullié, tél. et fax 04.74.04.42.03 t.l.j. 8h-20h

DOM. DE FONTABAN 2006 *

0,43 ha 2 500 5 à 8 €

À la tête de l'exploitation depuis 1982, Jean-Marc Bessone a acheté en 2004, au lieu-dit Les Capitans, des vignes de juliénas, dont le vin est une fois de plus bien accueilli par les dégustateurs. Pourpre brillant, ce 2006 exprime de discrets parfums de framboise, de fraise, de mûre et de fruits à noyau. Il s'affirme davantage en bouche. Riche, vineux et fruité, il est marqué en finale par des tanins encore vifs mais agréables par leur fraîcheur. Typique du cru, cette bouteille peut accompagner dès

maintenant des cochonnailles telles que le fromage de tête, tout en étant apte à une garde d'un an ou deux.
⊶ Jean-Marc Bessone, Le Trêve, 69840 Juliénas, tél. et fax 04.74.04.45.50, e-mail jean-marc-bessone@wanadoo.fr ☑ ⵊ

DOM. MAISON DE LA DÎME 2006

■ 6,5 ha 40 000 ▮ 5 à 8 €

Souvent investies par des vignerons après la Révolution, les cours dîmières, où était perçu et stocké l'impôt en nature destiné à l'Église, sont souvent d'un grand intérêt architectural. C'est le cas de la Maison de la Dîme de Juliénas, qui date de 1592. Daniel Foillard en a hérité. Son juliénas est une fois de plus au rendez-vous du Guide. Grenat brillant, le 2006 révèle des parfums intenses de fruits rouges (framboise) accompagnés d'une touche poivrée. Les fruits confits viennent compléter cette palette dans une bouche équilibrée, aux tanins bien présents, et qui ne manque ni de vivacité ni de persistance. Cette bouteille, qui sera prête dès l'automne, accompagnera viandes en sauce et fromages affinés.
⊶ Daniel Foillard, Maison de la Dîme, 69840 Juliénas, tél. 04.74.04.41.74, fax 04.74.69.09.75

PATRICE MARTIN 2005 *

■ 0,86 ha 3 000 ▮ 5 à 8 €

Jean-Jacques, Sylvaine, Cédric, Patrice Martin : toute une famille dévouée à la cause du vin, chaque membre sur son domaine. Elle est représentée ici par Patrice qui s'est installé en 1997 en fermage et métayage. Sa première acquisition en 1999 a porté sur la parcelle à l'origine de ce vin. Grenat intense, ce 2005 affiche un nez subtil et complexe de fleurs et de mûre. Bien équilibré, droit et sans défaut, il emplit le palais d'une chair ronde aux arômes de fruits noirs, de prune et d'amande. L'ensemble harmonieux et tout en finesse est prêt à boire. Le **saint-amour 2006** du domaine, apte à la garde, reçoit également une étoile.
⊶ Patrice Martin, Le Bourg, 71570 Chânes, tél. 03.85.36.53.58, fax 03.85.37.47.43, e-mail martinpatris@club-internet.fr ☑ ⵊ ⛹ r.-v.

DOM. DU MAUPAS 2006 *

■ 5 ha 20 000 ▮ 5 à 8 €

Repris par Nathalie et Jacques Lespinasse, ce domaine couvre 8 ha de vignes réparties sur différents coteaux et produit principalement du juliénas. Rouge soutenu, celui-ci libère des parfums fruités et floraux assez intenses associés à des nuances minérales, balsamiques (thym et girofle) et de sous-bois. Sa chair franche et fruitée aux arômes de cerise noire glisse agréablement et finit sur une pointe minérale fraîche et plaisante. Un vin de terroir gouleyant, à boire dans l'année avec une entrecôte charolaise.
⊶ Jacques Lespinasse, La Bottière, 69840 Juliénas, tél. 03.85.33.84.21, fax 03.85.33.86.70
☑ ⵊ ⛹ t.l.j. 8h30-19h ⌂ 2 ⌂ B

DOM. DE LA MILLERANCHE 2006 *

■ 7,5 ha 20 000 ▮ 5 à 8 €

Huit générations de vignerons et deux familles sont à l'origine de ce domaine de 11,50 ha. Rouge profond, son juliénas livre de discrets parfums de fruits noirs associés à de fines notes de fruits rouges, de pruneau et de noyau. Bien structuré et fruité, il finit sur des impressions minérales et fraîches. Ce vin typé pourra accompagner de la volaille dès cet automne. Il possède un certain potentiel de garde (deux ou trois ans).
⊶ EARL Fernand et Jérôme Corsin, Le Bourg, 69840 Jullié, tél. 04.74.04.40.64, fax 04.74.04.49.36, e-mail milleranche.corsin@wanadoo.fr
☑ ⵊ ⛹ r.-v. ⌂ A

DOM. DU MOULIN BERGER Vayolette 2006

■ 3,2 ha 6 500 5 à 8 €

Michel Laplace a cultivé ses vignes comme salarié, puis comme métayer avant de les acheter à la fin des années 1990. Fruité, souple et vif, son **beaujolais rouge 2006** est cité. Il fait jeu égal avec ce juliénas qui s'ouvre sur des parfums de cassis et de mûre ponctués de notes poivrées. Doté d'une bonne structure, ce vin plutôt rond présente une finale harmonieuse. Il gagnera à attendre un à deux ans.
⊶ Michel Laplace, Le Moulin Berger, 71570 Saint-Amour-Bellevue, tél. 03.85.37.41.57, fax 03.85.37.44.75
☑ ⵊ ⛹ t.l.j. 8h-12h 14h-19h; f. 15-25 août

ALAIN PEYTEL Aux Paquelets Vieilles Vignes 2005

■ 1 ha 2 300 ▮ 8 à 11 €

La maison qui commande l'exploitation date de 1707. Elle comporte un auvent soutenu par quatre colonnes. Quant aux vignes à l'origine de ce juliénas, elles sont âgées de soixante-quinze ans. D'un rubis éclatant, cette cuvée mêle au nez la fraise des bois et le sous-bois. L'attaque met en valeur la mâche de ce vin corsé au goût de cerise bien mûre. La finale minérale est dominée par une certaine austérité tannique : on attendra un à deux ans cette bouteille de terroir avant de la servir avec de la viande rouge ou du gibier.
⊶ Alain Peytel, Les Fouillouses, 69840 Juliénas, tél. 04.74.04.44.73, fax 04.74.04.48.39, e-mail alain.peytel@wanadoo.fr
☑ ⵊ ⛹ t.l.j. 8h-19h ⌂ 2

BERNARD SANTÉ 2006

■ 3 ha 13 000 ▮ 5 à 8 €

Créé par le grand-père de Bernard Santé en 1945, le vignoble s'est peu à peu agrandi dans les AOC chénas et moulin-à-vent. Il s'étend sur 9 ha. Le domaine est commandé par une maison de caractère du XVIIes. dotée d'une cave voûtée où sont stockées les bouteilles. De couleur grenat, ce juliénas exprime de subtils parfums de fleurs et de fruits rouges. Frais et un peu vif, il révèle une fine charpente au fruité discret. Sa finale minérale est marquée par des tanins un peu austères. On peut servir cette bouteille dès maintenant ou l'attendre un à deux ans.
⊶ Bernard Santé, 3521, rte de Juliénas, 71570 La Chapelle-de-Guinchay, tél. 03.85.33.82.81, fax 03.85.33.84.46, e-mail earl.sante-bernard@wanadoo.fr ☑ ⵊ ⛹ r.-v.

DOM. CHRISTIAN ET MICHÈLE SAVOYE Cuvée Vieilles Vignes 2006 *

■ 0,5 ha 4 000 ▮ 5 à 8 €

Un tout nouveau cuvage (2006) et de très vieux ceps pour ce juliénas rouge profond aux nuances violines. Le nez associe de délicats parfums de fruits exotiques et de fruits noirs, à des notes d'épices et de violette. L'attaque franche et vive, avec une pointe de minéralité, introduit une bouche bien construite au fruité un peu végétal. Ce vin jeune et prometteur accompagnera une volaille de Bresse, un chaource ou un brillat-savarin maintenant ou dans les deux ou trois ans à venir.

🔑 Christian et Michèle Savoye, Les Combiers, 69820 Vauxrenard, tél. et fax 04.74.69.91.60, e-mail savoye.christian@wanadoo.fr ☒ Y r.-v.

TRÉNEL L'Esprit de Marius Sangouard 2006

■ n.c. 16 000 ▮ 5 à 8 €

Fondée en 1928, cette maison de négoce est spécialisée dans les vins du Mâconnais et du Beaujolais, ainsi que dans les spiritueux. Elle propose une sélection rubis soutenu aux reflets grenat, et aux parfums intenses de cassis, de groseille et de fleurs. L'attaque introduit une bouche structurée, imprégnée d'arômes de cerise et marquée en finale par des tanins serrés et réglissés. L'ensemble est déjà agréable mais sa charpente lui permettra d'attendre au moins un an. On pourra servir cette bouteille avec une épaule roulée. Vif et fruité, le **beaujolais-villages rouge 2006** de la maison obtient la même note.

🔑 Trénel Fils, 33, chem. du Buéry, 71850 Charnay-lès-Mâcon, tél. 03.85.34.48.20, fax 03.85.20.55.01, e-mail contact@trenel.com ☒ Y ⛹ t.l.j. sf sam. dim. 8h-12h 14h-18h

RAYMOND TRICHARD 2005

■ 1 ha 4 000 ▮ 5 à 8 €

Des vignes d'une soixantaine d'années, cultivées sur des sols argilo-siliceux, sont à l'origine de cette cuvée rouge vif aux reflets violacés. Ses parfums assez puissants de fruits rouges, de myrtille, de pivoine et de violette accompagnent une bouche aux tanins fondus. Plus expressif au nez qu'au palais, ce 2005 bien équilibré est prêt mais il peut attendre un an. Le **chénas 2005** du domaine est également cité.

🔑 Raymond Trichard, 84, rue des Blémonts, 71570 La Chapelle-de-Guinchay, tél. et fax 03.85.36.79.41 ☒ Y ⛹ t.l.j. 8h-20h

CELLIER DE LA VIEILLE ÉGLISE
Cuvée Fût de chêne 2005 ★

■ n.c. 5 000 ⦀ 8 à 11 €

En 1954, sous l'impulsion de Victor Peyret, les viticulteurs de juliénas ont transformé une vieille église désaffectée en caveau de dégustation voué au culte de Bacchus. Tous les ans, à l'occasion de la fête des Vins, vers le 11 novembre, y est remis le prix Victor-Peyret au meilleur chantre du juliénas. Lauréat 2005 : Pierre Arditi. En 2006 : Fabienne Thibeault. De couleur rubis à reflets violacés, cette cuvée mêle des parfums vineux et riches de figue bien mûre et de pêche de vigne à un léger boisé. Ample, corsée, expressive, minérale, la bouche est marquée par un terroir plutôt argileux. Ce vin harmonieux et complet donnera la réplique à du gibier mariné, maintenant ou dans deux à trois ans.

🔑 Cellier de La Vieille Église, Association des producteurs du cru Juliénas, 69840 Juliénas, tél. et fax 04.74.04.42.98 ☒ Y ⛹ t.l.j. 10h-12h 15h-18h30; f. jan.-fév.

Morgon

Le deuxième cru en importance après le brouilly est localisé sur une seule commune. Ses 1 112 ha revendiqués en AOC ont fourni, en 2006, 58 332 hl d'un vin robuste, généreux, fruité, évoquant la cerise, le kirsch et l'abricot. Ces caractéristiques sont dues aux sols issus de la désagrégation des schistes à prédominance basique, imprégnés d'oxyde de fer et de manganèse, que les vignerons désignent par les termes de « terre pourrie » et qui confèrent aux vins des qualités particulières ; celles qui font dire que les vins de Morgon... « morgonnent ». Cette situation est propice à l'élaboration, à partir du gamay noir, d'un vin de garde qui peut prendre des allures de bourgogne, et qui accompagne parfaitement un coq au vin. Non loin de l'ancienne voie romaine reliant Lyon à Autun, le terroir de la colline de Py, situé à 300 m d'altitude sur cette croupe aux formes parfaites, en est l'archétype.

La commune de Villié-Morgon s'enorgueillit à juste titre d'avoir été la première à se préoccuper de l'accueil des amateurs de vin de Beaujolais : son caveau, construit dans les caves du château de Fontcrenne, peut recevoir plusieurs centaines de personnes. Dans ce lieu privilégié qui fait le bonheur des visiteurs et des associations à la recherche d'une « ambiance vigneronne », sont proposés à la vente des vins de producteur, représentatifs des différents terroirs de l'appellation.

L'ÂME DU TERROIR 2006 ★★

■ 12 ha 80 000 ▮ 5 à 8 €

Trois vins sélectionnés par le négociant Thorin pour la grande distribution. Ce morgon est le préféré. Grenat intense, il associe de vifs parfums de fruits noirs, de kirsch et de confiture de cerises à une pointe de minéralité. L'attaque puissante introduit une bouche volumineuse, structurée et longue aux accents de griotte. Intense et typique, cette plaisante bouteille accompagnera pendant les deux ou trois prochaines années un gigot d'agneau ou un jarret de porc braisé. Le **juliénas 2006** et le **beaujolais Domaine des Bories 2006 (3 à 5 €)** sont cités.

🔑 Cora Âme du Terroir, Croissy-Beaubourg, 77423 Marne-la-Vallée, tél. 01.64.62.79.00, fax 04.74.69.09.75

DOM. AUCŒUR Cuvée Vieilles Vignes 2006

■ 5 ha 35 000 ▮ 5 à 8 €

Cette propriété familiale fait valoir son ancienneté : elle a été fondée en 1825. Elle pourrait aussi mettre en avant des mentions régulières dans le Guide en morgon (et un 1997 coup de cœur). 12 ha de vignes aujourd'hui. Des ceps de soixante-cinq ans sont à l'origine de cette cuvée grenat aux parfums intenses de confiture de mûres, de cerise et d'épices. La bouche au fruité mesuré révèle une pointe de vivacité. De bons tanins plaident en faveur de cette bouteille encore sur sa réserve. On la servira au cours des deux prochaines années.

🔑 Dom. Aucœur, Le Rochaud, 69910 Villié-Morgon, tél. 04.74.04.22.10, fax 04.74.69.16.82, e-mail arnaudaucoeur@yahoo.fr ☒ Y ⛹ r.-v.

JEAN BARONNAT 2005

■ n.c. n.c. 5 à 8 €

En 1920, un vigneron du Beaujolais devient négociant : la maison Baronnat est fondée. L'affaire, dirigée depuis 1985 par son petit-fils, a tourné ses regards au sud de Lyon : elle propose aussi des vins du Rhône, du Languedoc et de Provence. Ses crus du Beaujolais figurent régulièrement dans le Guide. Cette année, son morgon est retenu pour sa robe grenat sans défaut, son nez de petits fruits rouges offrant une intéressante expression du terroir et pour sa bouche droite, puissante et tannique, qui permettra une garde d'un an ou deux. Le **moulin-à-vent 2005 (8 à 11 €)** est à boire maintenant : cité également.

Jean Baronnat, 491, rte de Lacenas, 69400 Gleizé,
tél. 04.74.68.59.20, fax 04.74.62.19.21,
e-mail info@baronnat.com r.-v.

ANTOINE BARRIER 2006 *

n.c. n.c. 5 à 8 €

Ce négociant voit quatre de ses sélections retenues : avec une citation, un **brouilly 2006** et un **beaujolais-villages 2006 (3 à 5 €)** ; avec une étoile, un « sympathique » **juliénas 2006**, souple et friand, à boire sans trop tarder, et ce morgon dont la robe rouge dense, presque violacée, annonce le potentiel. Assez réservé mais complexe au nez, ce vin libère des parfums fruités nuancés de touches minérales. L'attaque vive introduit une bouche corsée, fortement charpentée, chaleureuse en finale. Une bouteille de garde qui patientera au moins un à deux ans en cave.

Antoine Barrier, 52, rue Camille-Desmoulins,
92135 Issy-les-Moulineaux, tél. 01.46.62.76.00,
fax 04.74.69.09.75, e-mail marketing@boisset.fr

DOM. DE LA BÊCHE Cuvée Vieilles Vignes 2005 *

5 ha 30 000 5 à 8 €

Transmis de père en fils depuis 1848, ce domaine s'étend sur 15 ha et produit trois appellations. Des vignes d'une soixantaine d'années cultivées sur schistes ont donné naissance à ce vin pourpre violacé. Le nez franc et délicat mêle le bigarreau aux nuances léguées par l'élevage : un léger boisé porté vers l'amande grillée et le cacao. La belle attaque révèle des tanins aimables puis des arômes de quetsche légèrement vanillés. Le corps n'est pas énorme mais l'agrément est là, la longueur aussi. De bonne facture, ce vin accompagnera pendant deux ans un faisan aux girolles ou un bœuf braisé.

Olivier Depardon, Dom. de la Bêche,
69910 Villié-Morgon, tél. 04.74.69.15.89,
fax 04.74.04.21.88,
e-mail depardon.olivier.morgon@wanadoo.fr
r.-v.

CAVE DES VIGNERONS DE BEL AIR

Entre chien et loup 2006

15 ha 65 000 5 à 8 €

Fondée en 1929 par quelques vignerons, cette coopérative vinifie aujourd'hui 555 ha de vignes. Située en bordure orientale de la zone des crus, elle propose de nombreuses appellations beaujolaises, comme le morgon. Cette cuvée était remarquable dans le millésime 2005. Le 2006 n'a pas le même potentiel : on le débouchera dans les deux prochaines années. Ce vin grenat montre déjà tous ses agréments : un nez fruité aux nuances épicées, fumées et réglissées, une attaque vive, de l'ampleur, une certaine concentration, des arômes de kirsch et la rondeur affable de tanins fondus. À boire lui aussi, le **côte-de-brouilly Veillée 2006** reçoit la même note.

Cave des Vignerons de Bel-Air,
rte de Beaujeu, RD 37, 69220 Saint-Jean-d'Ardières,
tél. 04.74.06.16.05, fax 04.74.06.16.09,
e-mail com@cave-belair.com r.-v.

DOM. DES BOIS 2005

1,3 ha 7 700 5 à 8 €

Installée depuis 1978, Marie-Hélène Labruyère propose un morgon rubis intense, au nez assez discret fait de fruits, d'épices et d'iris. Après une belle attaque, ce vin est marqué par la nervosité de jeunes tanins et par un léger boisé bien fondu. L'ensemble, de bonne facture, gagnera à attendre quelques mois.

Marie-Hélène et Roger Labruyère, Les Bois,
69430 Régnié-Durette, tél. 04.74.04.24.09,
fax 04.74.69.15.16, e-mail roger.labruyere@wanadoo.fr
r.-v. 2

GÉRARD BRISSON

Les Charmes Vieilles Vignes 2005

1,5 ha 4 900 8 à 11 €

L'ancienne voie romaine Lyon-Autun traverse la propriété, autrefois métairie des seigneurs de Fontcrenne à Villié-Morgon. Le domaine comprend une maison du XVIIIe s. sur cave voûtée et des bâtiments d'exploitation autour d'une cour datant du XIXe s. Le vin ? Une robe pourpre brillant, de légers parfums fruités et boisés, une attaque sur le fruit puis l'assaut de jeunes tanins encore peu amènes. L'ensemble est équilibré et trouvera sa pleine harmonie dans un à deux ans.

Gérard Brisson, Les Pillets, chem. des Romains,
69910 Villié-Morgon, tél. 04.74.04.21.60,
fax 04.74.69.15.28, e-mail vin.brisson@wanadoo.fr
r.-v.

DOM. LOÏC ET NOËL BULLIAT

Cuvée du Colombier 2005

2,5 ha 15 000 5 à 8 €

Agrandi au fil des années, ce domaine familial couvre aujourd'hui 16 ha de vignes répartis dans cinq appellations différentes. De couleur soutenue, sa cuvée du Colombier s'annonce par des senteurs de framboise fraîche, d'épices et d'iris. La bouche aux tanins fondus tapisse longuement le palais d'arômes de fruits des bois, avec une touche florale. Un vin à boire sur son fruit dès l'automne.

Loïc et Noël Bulliat, Le Colombier,
69910 Villié-Morgon, tél. 04.74.69.13.51,
fax 04.74.69.14.09, e-mail bulliat.noel@wanadoo.fr
r.-v.

JEAN-MARC BURGAUD Côte du Py 2005 *

8 ha 25 000 5 à 8 €

Jean-Marc Burgaud conduit depuis 1989 un domaine de 14 ha. La plupart des superficies sont situées en AOC morgon. Il possède des vignes au sommet de la colline du Py, et ses vins produits sur ce célèbre climat aux sols de schistes décomposés sont souvent mentionnés dans le Guide. D'un rubis sombre, ce 2005 apparaît d'abord fermé, puis s'ouvre sur des notes de fruits cuits accompagnées de touches minérales. Malgré des tanins encore perceptibles, sa chair ronde, bien équilibrée, sans excès de nervosité, développe un agréable fruité. À déboucher dès l'automne.

🔑 Jean-Marc Burgaud, Morgon, 69910 Villié-Morgon, tél. et fax 04.74.69.16.10,
e-mail burgaud@jean-marc-burgaud.com ☑ 🍷 🚶 r.-v.

DOM. CALOT Cuvée Jeanne 2005 *

■	0,6 ha	4 000	🍾	5 à 8 €

Jean et François Calot sont vignerons et pépiniéristes viticoles. Leurs 11 ha de vignes sont principalement situés en AOC morgon. Des vignes de quarante-cinq ans cultivées sur un terroir granitique ont produit cette cuvée rubis profond aux parfums concentrés et fort agréables de fruits rouges et de bourgeon de cassis. Ce fruité imprègne une chair ronde et ample, qui semble trop courte tant le plaisir est grand. Pour amateurs de « morgon sur le fruit », à boire jeune.

🔑 SCEA François et Jean Calot, 42, pl. de la Pompe, 69910 Villié-Morgon, tél. 04.74.04.20.55,
fax 04.74.69.12.93, e-mail domainecalot@terre-net.fr
☑ 🍷 🚶 r.-v.

DOM. DE LA CHAPONNE
Cuvée Joseph Élevé en fût de chêne 2005

■	n.c.	n.c.	🛢	5 à 8 €

Installé depuis vingt ans sur le domaine familial, Laurent Guillet signe une cuvée issue de vignes cinquantenaires. Ce morgon rouge foncé associe au nez les fruits rouges du gamay et quelques notes de grillé et de café léguées par un passage d'un an sous bois. L'attaque franche est suivie d'une bouche charnue et aromatique, reflet d'un mariage heureux du bois et du vin. Équilibrée et plaisante malgré une finale un peu sévère, cette bouteille sera appréciée au cours des deux prochaines années.

🔑 Laurent Guillet, 70, montée des Gaudets,
69910 Villié-Morgon, tél. 04.74.69.15.73,
fax 04.74.69.11.43,
e-mail domaine-chaponne@wanadoo.fr
☑ 🍷 🚶 t.l.j. 8h-12h 13h-20h

ARMAND ET RICHARD CHATELET
Vieilles Vignes 2005 **

■	2 ha	5 000	🛢	5 à 8 €

Créateur du domaine en 1969, Armand Chatelet prend cette année sa retraite. La vie de l'exploitation suit son cours sans rupture : son fils Richard est installé sur l'exploitation depuis 1998. Un fils vient de naître. La relève ? Ce morgon prend la suite d'une série de cuvées décrites ces dernières années. Rouge sombre, il mêle au nez des notes fruitées (fruits rouges, fruits jaunes, kirsch), minérales et florales. Sa matière charnue et aromatique compose avec des tanins souples et fins un ensemble élégant et long. Un vin typé qui évoque les morgon traditionnels, à servir au cours des deux prochaines années avec une assiette de charcuterie ou un tablier de sapeur.

🔑 EARL Armand et Richard Chatelet,
Les Marcellins, 69910 Villié-Morgon,
tél. 04.74.04.21.08, fax 04.74.69.16.48,
e-mail armand.richard.chatelet@tiscali.fr ☑ 🍷 🚶 r.-v.

CYRILLE CHAVY Fût de chêne 2005 *

■	n.c.	4 000	🛢	5 à 8 €

Un des fils d'Henri : autre adresse à Villié-Morgon, mais une étiquette identique à celle du père, à la réserve de la signature. Cyrille exploite un peu plus de 6 ha en morgon. Sa cuvée Fût de chêne libère au nez des notes grillées léguées par l'élevage. Le bois n'étouffe pas le raisin, qui s'exprime en nuances complexes : cerise mûre, pivoine et violette. Cette gamme fruitée et florale se prolonge dans une bouche ronde et grasse, aux tanins aimables et au boisé bien fondu. Ce vin, à apprécier dans sa jeunesse, trouvera sa place sur de nombreux plats.

🔑 Cyrille Chavy, Les Versauds, 69910 Villié-Morgon, tél. 04.74.04.20.47, fax 04.74.69.20.00 ☑ 🍷 🚶 r.-v.

CHAVY ET FILS Les Charmes 2005 **

■	3 ha	10 000	🍾	5 à 8 €

Visitez la région en voiture, à vélo ou à pied. Ancien coureur cycliste, Henri Chavy est un passionné de cyclotourisme et vous aidera à choisir votre itinéraire. Vous pourrez aussi vous loger dans la famille, et découvrir ce vin rouge foncé aux intenses parfums de fruits noirs assortis de notes minérales et d'un soupçon de cacao. Un morgon qui se croque comme un fruit. Avec son palais équilibré et d'une grande finesse bâti sur des tanins soyeux, ses arômes de fruits mûrs aux nuances empyreumatiques, ce vin sera prêt dès l'automne, tout en pouvant attendre. Il s'accordera avec une viande rouge.

🔑 Henri Chavy, Le Chazelet, 69430 Régnié-Durette, tél. 04.74.69.24.34, fax 04.74.69.20.00,
e-mail franck.vinchavy@wanadoo.fr ☑ 🍷 🚶 r.-v. 🏠 G

LA MAISON DES VIGNERONS
À CHIROUBLES Cuvée de la Chenevière 2006

■	2,73 ha	19 300	🍾	5 à 8 €

Fondée en 1928, cette coopérative regroupe une cinquantaine d'adhérents et vinifie 90 ha de vignes répartis sur six appellations. D'un rubis limpide, ce morgon s'ouvre sur des notes de fruits des bois. Bien équilibré, net et expressif, suffisamment long, il pourra être apprécié dès l'automne tout en étant apte à une petite garde (un an ou deux). Le **fleurie cuvée des Baies sauvages 2006** obtient la même note.

🔑 La Maison des Vignerons à Chiroubles,
Le Bourg, 69115 Chiroubles,
tél. 04.74.69.14.94, fax 04.74.69.10.59,
e-mail lamaisondesvignerons@wanadoo.fr
☑ 🍷 🚶 t.l.j. 10h-12h30 14h-18h

COLLECTION VIGNOBLES ET SOLEILS
Côte du Py 2005 *

■	0,5 ha	3 000	🍾	8 à 11 €

Ce morgon est proposé par une jeune affaire de négoce qui associe depuis 2006 deux œnophiles aux compétences complémentaires. De couleur grenat, ce 2005 mêle au nez les fruits rouges et le sous-bois. L'attaque fraîche est suivie des impressions de rondeur d'une chair très structurée, puis des tanins un peu sévères font sentir leur présence en finale. Des arômes minéraux signent un morgon typique, qu'il faudra attendre jusqu'au printemps 2008.

🔑 Collection Vignobles et Soleils, Le Bourg,
71260 Péronne, tél. 06.08.61.62.17, fax 03.85.23.05.22,
e-mail contact@collection-vignobles.com ☑ 🍷 r.-v.

DOM. DE LA CÔTE DES CHARMES
Les Charmes Vieilles Vignes 2006 *

■	6 ha	15 000	🍾	5 à 8 €

Le millésime précédent fut coup de cœur. Ce morgon est le produit de vignes vraiment vieilles, plantées sur granite décomposé et vinifiées par un vigneron chevronné – à la tête de la propriété depuis 1969. De couleur grenat aux reflets violines, le 2006 livre des parfums discrets mais délicats évocateurs de cerise confiturée. Dans la même

tonalité aromatique (cerise et noyau), la bouche fraîche et structurée par des tanins souples montre beaucoup de finesse et d'équilibre. Ce vin pourra être apprécié dès l'automne mais gagnera en expression si on le laisse en cave quelques mois.
🔑 Jacques Trichard, Les Charmes,
69910 Villié-Morgon, tél. 04.74.04.20.35,
fax 04.74.69.13.49,
e-mail contact@cotedescharmes.com ☑ 🍷 🚶 r.-v.

DOM. DE LA CROIX DE CHÈVRE
Vieilles Vignes 2005 ★

■	4 ha	6 000	🍾	5 à 8 €

Ce domaine appartient aux descendants de l'inventeur du pressoir mécanique, dit pressoir Marmonier. De couleur rubis, son morgon Vieilles Vignes libère après aération des parfums expressifs, fruités et floraux. Son fruité, flatteur dès l'attaque, accompagne une bouche assez finement charpentée, un peu sévère en finale. Cette bouteille sera prête dès l'automne tout en pouvant attendre un an. Le **régnié Vieilles Vignes 2005**, rond et soyeux, obtient la même note.
🔑 EARL Striffling, La Ronze, 69430 Régnié-Durette,
tél. 04.74.69.20.16, fax 04.74.04.84.79 ☑ 🍷 🚶 r.-v.

DOM. DE LA CROIX MULINS 2006 ★

■	5,45 ha	40 000	🍾	5 à 8 €

Cette exploitation est située au pied de l'emblématique colline du Py. Elle propose un morgon tout aussi réussi que dans le millésime précédent. Pourpre aux reflets grenat, ce 2006 libère de frais parfums de cerise et de fruits noirs accompagnés d'une touche amylique. Des nuances de fruits secs viennent compléter en bouche cette palette aromatique. Charnu, rond et long, ce vin accompagnera pendant deux ans des viandes blanches. Essayez-le par exemple avec du veau braisé aux chanterelles ou avec un rôti de porc aux figues.
🔑 Pierre Depardon, Les Raisses, 69910 Villié-Morgon,
tél. 04.74.69.10.15, fax 04.74.69.09.75 ☑ 🍷 🚶 r.-v.

BERNARD ET VINCENT DONZEL
Cuvée Tradition 2005 ★

■	3,2 ha	19 000	5 à 8 €

La propriété a été fondée en 1948. Bernard Donzel en a pris les rênes en 1986, rejoint en 2004 par Vincent. Le tandem exploite 10 ha de vignes. Une fois de plus, il s'est distingué en morgon. La **cuvée Prestige 2005** (coup de cœur dans le millésime 2001), très boisée, est citée. Mieux vaut l'attendre. Cette cuvée Tradition s'annonce par une robe grenat dont les reflets bleutés disent la jeunesse. Au nez, elle marie la cerise, la pêche de vigne et la prune à une touche de cuir. Les tanins, très fins, se révèlent dès l'attaque mais ils laissent rapidement la vedette à une chair aromatique où l'on retrouve la cerise et le noyau. Corsé, équilibré et long, l'ensemble peut attendre un an.
🔑 EARL Bernard et Vincent Donzel, Fondlong,
69910 Villié-Morgon, tél. 04.74.04.20.56,
fax 04.74.69.14.52, e-mail vincent-donzel@orange.fr
☑ 🍷 🚶 r.-v.

GEORGES DUBŒUF 2005 ★★

■	n.c.	24 000	🍾	3 à 5 €

Créée en 1964, cette maison de négoce, qui s'est dotée en 2002 d'un centre de vinification, figure parmi les principaux acteurs viticoles de la région. Dans son

« Hameau du vin », elle fait découvrir l'univers des vins du Beaujolais. Ce 2005 permet à Georges Dubœuf de décrocher son premier coup de cœur en morgon – mais c'est la douzième fois que la société obtient une telle distinction. Grenat foncé, ce vin exprime des parfums complexes et frais de fruits rouges, accompagnés de nuances de pêche et de prune mûres. Tout aussi riche, le palais ajoute la fraise à cette gamme aromatique. Bâti sur des tanins encore très présents, ample, généreux et long, il dessine une bouteille pleine de promesses, qui peut attendre un an ou deux. Trois étoiles encore pour le **moulin-à-vent 2005 élevé en fût de chêne (8 à 11 €)** : une cuvée taillée pour la garde et à attendre deux à quatre ans ; une citation pour le **brouilly 2006 (5 à 8 €)**.
🔑 Les Vins Georges Dubœuf, La Gare,
71570 Romanèche-Thorins, tél. 03.85.35.34.20,
fax 03.85.35.34.25, e-mail gduboeuf@duboeuf.com
☑ 🍷 🚶 t.l.j. 10h-18h au Hameau du Vin; f. début janv.

GÉRARD DUCROUX 2006 ★

■	1,65 ha	11 600	🍾	5 à 8 €

À la tête de son exploitation depuis trente ans, Gérard Ducroux vient de rénover sa cave. Il a tiré un bon parti du millésime et proposé un **beaujolais-villages 2006 (3 à 5 €)** frais, souple et fruité, qui obtient une étoile comme ce morgon rubis limpide. Expressif au nez, ce dernier associe les fruits rouges et des nuances minérales particulièrement flatteuses qui évoquent le terroir. En bouche, de jeunes tanins font sentir leur présence, mais l'ensemble reste équilibré et franc. De structure plutôt fine, cette bouteille trouvera sa pleine harmonie dans un an.
🔑 Gérard Ducroux, Saint-Joseph-en-Beaujolais,
69910 Villié-Morgon, tél. et fax 04.74.69.90.14
☑ 🍷 🚶 r.-v.

HENRY FESSY Cuvée Calot 2005

■	0,9 ha	6 500	🍾	8 à 11 €

Cette maison créée à la fin des années 1880 a pris son nom actuel après la Première Guerre mondiale quand elle a été reprise par le gendre du fondateur. Aujourd'hui gérée par la quatrième génération, elle propose une cuvée vêtue d'une livrée très sombre animée de reflets pourpres. Le nez décline les fruits, les fleurs (pivoine), des notes minérales et épicées. D'agréables arômes de fruits cuits nuancés d'une touche balsamique apparaissent dans une bouche ronde soutenue par des tanins et par une acidité encore sensibles. Un morgon pour l'année qui vient, à servir avec une viande rouge. Le **chénas Cave Broyer 2005 (5 à 8 €)** obtient la même note.
🔑 Vins Henry Fessy, 644, rte de Bel-Air,
69220 Saint-Jean-d'Ardières, tél. 04.74.66.00.16,
fax 04.74.69.61.67, e-mail vins.fessy@wanadoo.fr
☑ 🍷 🚶 r.-v.

FLACHE SORNAY 2005 ★

■ 4 ha 15 000 ▮ 5 à 8 €

À la tête de l'exploitation familiale depuis 2001, Corinne et Vincent Flache ont élaboré à partir de vignes d'une cinquantaine d'années un vin grenat foncé aux discrets parfums de prune et de noyau. La bouche aux tanins arrondis est imprégnée d'arômes de kirsch. Ce morgon élégant, à servir avec des viandes en sauce ou du petit gibier, ne manque pas de réserves : on peut l'attendre un an ou deux.

EARL Flache-Sornay, Fondlong, 69910 Villié-Morgon, tél. et fax 04.74.04.26.70 r.-v.

Vincent Flache

DOM. DE FONTRIANTE Vieilles Vignes 2005 ★

■ 4,3 ha 4 000 5 à 8 €

Voilà trente ans que Jacky Passot conduit le domaine familial : 11 ha répartis sur quatre appellations. Son morgon Vieilles Vignes, issu de ceps de quatre-vingts ans, s'ouvre sur des parfums de fruits rouges et de kirsch accompagnés de notes vanillées léguées par un court séjour en fût. La bouche est dans le même registre : cerise et vanille. « Un vrai vin issu d'un "vrai" raisin », écrit-on à propos de ce vin aromatique, gras et ample, qui peut attendre un an ou deux. Le **chiroubles 2005** est cité.

Jacky Passot, Fontriante, 69910 Villié-Morgon, tél. 04.74.69.10.03, fax 04.74.69.14.29, e-mail jacky.passot@wanadoo.fr r.-v.

DOM. GOUILLON Fût de chêne 2005

■ 0,25 ha 1 300 8 à 11 €

Danielle Gouillon est installée dans une demeure typiquement beaujolaise qu'elle ouvre largement aux visiteurs. Elle signe un vin rubis aux reflets violacés pleins de jeunesse et au nez de groseille nuancé de notes boisées. Souple et suave, presque moelleuse, l'attaque révèle une chair ronde bâtie sur des tanins fins. Une finale chaleureuse conclut la dégustation de ce morgon à déboucher dès l'automne. Une petite production de **brouilly 2005 (5 à 8 €)** élevée en cuve obtient la même note.

Danielle Gouillon, Les Grandes Granges, 69430 Quincié-en-Beaujolais, tél. 04.74.04.30.41, fax 04.74.69.00.67, e-mail contact@daniellegouillon.fr t.l.j. 9h-12h 14h-19h 4

GRAVALLON LATHUILIÈRE Vieilles Vignes 2005

■ 1,5 ha 8 000 8 à 11 €

Cathy, fille de Fernand Gravallon, et Cédric Lathuilière représentant la quatrième génération sur le domaine. Issue de ceps de quatre-vingts ans, leur cuvée Vieilles Vignes affiche une robe grenat et s'ouvre sur de fines notes de vanille, de muscade et de fruits à noyau. Après une attaque souple et vive à la fois, la dégustation se poursuit sur des impressions tanniques et sévères aux nuances de torréfaction. Le vin, qui reste équilibré, sera à déboucher dès l'automne.

Gravallon Lathuilière, Vermont, 69910 Villié-Morgon, tél. 04.74.04.23.23, fax 04.74.69.10.49, e-mail lathuiliere@gravallon.fr t.l.j. 8h-12h 14h-18h

DOM. DOMINIQUE JAMBON 2006

■ 1,8 ha n.c. ▮ 5 à 8 €

Installé en 1982 sur un domaine en métayage, Dominique Jambon a repris des vignes familiales en 1995 et construit en 2003 un cuvage et une cave de stockage. Cité comme l'an dernier, son morgon s'habille d'une robe rouge vif et s'ouvre sur d'agréables senteurs de fruits rouges pleines de fraîcheur. Sa bouche fraîche construite sur une structure tannique assez fine est imprégnée d'arômes de fraise. Un vin friand et gourmand à partager maintenant autour d'un mâchon.

Dominique Jambon, Arnas, 69430 Lantignié, tél. et fax 04.74.04.80.59, e-mail dominique.jambon@wanadoo.fr r.-v.

DOM. DE JAVERNIÈRE 2006 ★★

■ 3 ha 20 000 ▮ 5 à 8 €

Fils de Noël, Hervé Lacoque exploite la quasi-totalité du domaine de Javernière. En 2001, il a réalisé des achats qui portent la surface de la propriété à plus de 10 ha. De couleur rouge vif, son morgon a besoin d'être aéré pour livrer des parfums aux nuances de vendanges fraîches. Un univers olfactif complexe où l'on décèle des notes de kirsch, des touches minérales et animales. En bouche, on découvre une matière vive et une charpente tannique pleine de promesses. Un très bel équilibre pour ce vin typique de l'appellation qui gagnera à patienter au moins un an ou deux en cave pour permettre à ses jeunes tanins de s'arrondir.

Hervé Lacoque, Javernière, 69910 Villié-Morgon, tél. 04.74.04.26.64, fax 04.74.04.27.10 r.-v.

DOM. DE JAVERNIÈRE 2006

■ n.c. 4 000 ▮ 5 à 8 €

Noël Lacoque, qui avait pris en 1974 les commandes de l'exploitation familiale, a transmis l'essentiel des superficies à son fils Hervé, tout en gardant 70 a qui sont à l'origine de ce morgon. Issu d'une vinification soignée, ce 2006 rubis foncé s'ouvre sur des notes de fruits à l'eau-de-vie. La mise en bouche révèle des arômes fruités et de jeunes tanins qui suggèrent d'attendre cette bouteille un an ou deux.

Noël Lacoque, Javernière, 69910 Villié-Morgon, tél. 04.74.04.24.26 r.-v.

JOËL LACOQUE Côte du Py 2005 ★

■ 8 ha 30 000 5 à 8 €

Plus de 8 ha sur la célèbre côte du Py : un atout pour Joël Lacoque qui conduit le domaine familial depuis vingt ans. Des ceps d'une cinquantaine d'années sont à l'origine de ce vin rubis soutenu au nez agréable et fin associant les fruits rouges à des notes de torréfaction et de cacao. L'attaque ronde introduit une bouche aromatique et persistante, construite sur de puissants tanins. Ce morgon peut attendre un an.

Joël Lacoque, Morgon, 69910 Villié-Morgon, tél. 04.74.69.16.52, fax 04.74.04.27.03, e-mail joel.lacoque@wanadoo.fr r.-v.

FRÉDÉRIC LAISSUS 2006 ★

■ 1,5 ha 4 000 ▮ 5 à 8 €

Frédéric Laissus a repris assez récemment l'exploitation familiale. Il a de nouveau présenté un morgon issu de vignes d'une quarantaine d'années. Le 2006 s'annonce par une élégante robe rouge profond aux nuances bleutées et par des parfums assez discrets mais élégants de framboise et de cassis nuancés de rose. Sa matière charnue et souple associe de fins tanins à des arômes de cerise et de fraise. Elle s'épanouit assez longuement en laissant une bouche fraîche. Bien représentative du cru, cette bouteille accompagnera pendant deux ans une volaille.

Frédéric Laissus, La Grange-Charton, 69430 Régnié-Durette, tél. 04.74.69.00.19, fax 04.74.04.37.75 t.l.j. 9h-12h 13h-20h

JEAN-PIERRE LARGE 2005

■ 1,25 ha 10 000 ▮◖◗ 5 à 8 €

Les vignes de cette petite propriété, qui proviennent du grand-père de Jean-Pierre Large, ont plus de cinquante ans, et pour certaines parcelles, un siècle. Elles sont à l'origine d'un vin rouge sombre au nez discret fait de fruits rouges et jaunes nuancés de violette. Le fruité prend en bouche des accents de framboise vanillée. Puissant et vineux, ce 2005 ne sera pas de longue garde mais il « morgonne » à souhait. Il est à servir dès maintenant sur de la charcuterie ou des viandes en sauce.

Jean-Pierre Large, Bellevue, 69910 Villié-Morgon, tél. 04.74.69.17.88, fax 04.74.69.14.16
t.l.j. 9h-18h

DOM. DE LA LEVRATIÈRE 2005 **

■ 8 ha 10 000 ▮ 5 à 8 €

André et Marylenn Meyran exploitent 14 ha de vignes ; une partie des superficies en AOC morgon appartient à la famille Marmonier, dont un des membres est l'inventeur d'un pressoir à vis, dit américain, qui porte son nom. Grenat foncé, ce 2005 libère des parfums intenses de fruits des bois qui se prolongent agréablement au palais. Ample, puissant, construit sur des tanins harmonieux, il pourra être dégusté dès l'automne tout en offrant un potentiel de garde de quelques années.

André et Marylenn Meyran, Dom. de La Levratière, Les Presles, 69910 Villié-Morgon, tél. 04.74.69.11.80, fax 04.74.69.16.51, e-mail domlalevratiere@aol.com
r.-v.

CH. DES LUMIÈRES 2005 *

■ n.c. n.c. ◖◗ 15 à 23 €

Issu de ceps de trente-cinq ans, ce morgon a été vinifié par Louis Jadot, maison bourguignonne qui a acquis des vignes dans les appellations beaujolaises. Grenat limpide, il mêle d'intenses parfums de fruits rouges et noirs à des nuances de grillé, de cacao et de poivre. Après une belle attaque, le fruité se prolonge en bouche, vite dominé par le boisé de l'élevage. L'ensemble, structuré et puissant, accompagnera pendant deux ou trois ans des mets forts en goût tels qu'un civet de lièvre ou un canard aux olives.

Ch. des Lumières, c/o Ch. des Jacques, 71570 Romanèche-Thorins, tél. 03.85.35.51.64, fax 03.85.35.59.15, e-mail chateau-des-jacques@wanadoo.fr r.-v.

DOM. DES MULINS 2006

■ 1 ha 4 000 ▮ 5 à 8 €

À la tête de ce domaine depuis 1990, Alain Aufranc exploite 8 ha de vignes. Il a élaboré l'an dernier l'un des coups de cœur de l'appellation. Le 2006 n'a pas les mêmes perspectives de garde. Ce vin grenat sait toutefois se faire aimer par ses parfums assez intenses et complexes de cerise bien mûre, de violette et d'épices et par sa bouche légère et fruitée aux tanins soyeux : le type même du vin friand à apprécier dans les deux ans.

Alain Aufranc, Les Mulins, 69910 Villié-Morgon, tél. et fax 04.74.69.13.02 r.-v.

DOM. PASSOT-COLLONGE Les Charmes 2005 ***

■ 1,77 ha 8 000 ▮ 5 à 8 €

Cinq générations se sont succédé sur ce domaine qui s'étend sur près de 10 ha. Cette année, Monique et

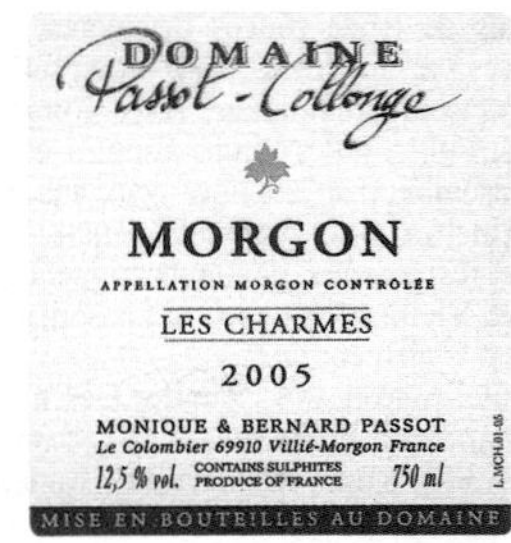

Bernard Passot décrochent le premier coup de cœur décerné par le grand jury de l'appellation, grâce à ce vin rouge profond aux reflets violets, qui laisse des larmes sur les parois du verre. Ses parfums riches et fruités accompagnent une bouche ample, construite sur des tanins ronds à souhait. Charnu et très long, ce morgon révèle déjà une superbe harmonie. Les amateurs patients pourront l'attendre un an ou deux. « Une valeur sûre pour la cave », conclut un dégustateur. Prêt à boire, le **chiroubles Domaine Passot les Rampaux Bel Air 2005** a été cité.

Bernard et Monique Passot, Le Colombier, rte de Fleurie, 69910 Villié-Morgon, tél. 04.74.69.10.77, fax 04.74.69.13.59, e-mail mbpassot@yahoo.fr r.-v. 3

DOM. DU PÈRE DUDU Douby 2006 *

■ 1,1 ha 5 000 ▮ 5 à 8 €

Cette jeune exploitation a été créée de toutes pièces en 2003 et s'étend sur 4 ha. On retrouve dans le Guide son morgon du climat Douby, né de vignes d'une cinquantaine d'années. Grenat intense, le 2006 mêle des notes de figues sèches à de friands parfums de fruits noirs qui règnent en bouche. Rond et bien structuré, ce morgon issu d'une vinification moderne ne manque pas de ressources : il peut attendre deux à trois ans.

David Duthel, Le Pérou, 69910 Villié-Morgon, tél. et fax 04.74.69.17.61, e-mail david.duthel@aliceadsl.fr t.l.j. 9h-19h

CH. DE PIZAY 2006 *

■ 13 ha 115 000 ▮ 5 à 8 €

Construit en 970, le château de Pizay dépendait des sires de Beaujeu. Les bâtiments, qui portent surtout l'empreinte des XVIe et XIXe s., abritent depuis 1983 un hôtel-restaurant quatre étoiles. Quant au vin, il est de nouveau présent grâce à ce 2006 grenat aux reflets rosés qui s'ouvre sur des parfums de cerise noire bien mûre. En bouche, ce morgon affiche un volume intéressant et de fins tanins, gages d'une bonne garde. Un peu sévères pour l'heure, ces derniers incitent à mettre en cave cette bouteille un an ou deux. À signaler encore, le **régnié 2006** du château, qui est cité.

Ch. de Pizay, 69220 Saint-Jean-d'Ardières, tél. 04.74.66.26.10, fax 04.74.69.60.66, e-mail chateau-de-pizay@chateau-de-pizay.com
r.-v.

POTEL-AVIRON Côte du Py Vieilles Vignes 2005

■ 2,5 ha 15 000 ◖◗ 8 à 11 €

Signé par un négociant-éleveur spécialisé dans les appellations du Beaujolais et du Mâconnais, ce morgon d'un rouge profond presque noir associe à d'assez puis-

sants parfums de fruits rouges des notes vanillées et brûlées léguées par un élevage d'un an en fût. Ce côté à la fois fruité et empyreumatique se prolonge dans une bouche construite sur des tanins souples et fins. Déjà agréable, l'ensemble peut attendre deux ans. Une petite garde qui permettra au boisé, actuellement très présent, de s'estomper. Très marqué par la barrique lui aussi, le **juliénas 2005 Vieilles Vignes** de la maison, au potentiel équivalent, est également cité.
🔑 SARL Potel-Aviron, 2093, rte des Deschamps,
71570 La Chapelle-de-Guinchay, tél. 03.85.36.76.18,
fax 03.85.36.73.55, e-mail potel.aviron@wanadoo.fr
☑ Y 🚶 r.-v.

CH. DE RAOUSSET 2005

■ 3,2 ha 15 000 **5 à 8 €**

Cette exploitation qui s'étend sur 12 ha associe les deux propriétaires du château de Raousset à deux vignerons. Dans des caves datant de 1850 a été vinifié un morgon grenat très foncé qui libère à l'aération des parfums de cerise, de pêche de vigne et quelques légères notes boisées qui se prolongent en bouche. Ce vin complet sera à déboucher dès la sortie du Guide.
🔑 SCEA Héritiers du Comte de Raousset, Les Prés,
69115 Chiroubles, tél. 04.74.69.16.19,
fax 04.74.04.21.93, e-mail remy@scea-de-raousset.fr
☑ Y 🚶 r.-v.

DOM. DE ROCHE-BRIDAY Les Charmes 2005 *

■ 5 ha 34 500 ⏸ 5 à 8 €

Située en bordure de l'ancienne voie romaine qui reliait Lyon à Autun, cette exploitation a été fondée il y a une soixantaine d'années par le grand-père de Bernard Collonge, lequel l'a reprise il y a trente ans. Son morgon Les Charmes se présente dans une robe d'un rouge léger aux reflets rubis et exprime un boisé élégant et mesuré. Boisé que l'on retrouve en bouche, mis en valeur par une belle attaque. Le chêne est bien fondu, la chair agréable, un peu fine. De bonne facture et persistant, ce vin pourra attendre quelques mois après la sortie du Guide.
🔑 Bernard Collonge, Saint-Joseph,
69910 Villié-Morgon, tél. 04.74.69.91.43,
fax 04.74.69.92.47, e-mail roche_briday@yahoo.fr
☑ Y 🚶 t.l.j. 9h30-19h

DOM. DES ROCHES DU PY Côte du Py 2005 **

■ 2,6 ha 12 000 ▮ 5 à 8 €

L'emblématique chêne du Py marque le centre de cette exploitation fondée en 1870. Le domaine s'étend sur le versant sud de la colline du Py, d'où est issu ce morgon pourpre violacé au nez intense et séducteur de cerise, de cassis et de framboise en confiture, relevé de notes épicées. Les épices se prolongent au palais, où les arômes de fruits rouges très mûrs prennent des nuances de kirsch, composant avec une matière charnue un élégant ensemble. Puissant, harmonieux et typique de l'appellation, ce 2005 est prêt, mais il peut attendre deux à trois ans.
🔑 Marie-Claude Jonchet, Côte du Py,
69910 Villié-Morgon, tél. 04.74.04.23.03,
fax 04.74.69.10.35 ☑ Y 🚶 r.-v.

DOM. RUET Les Grands Cras 2006 **

■ 1,5 ha 6 400 ▮ 8 à 11 €

Depuis plus de trente-cinq ans, Jean-Paul Ruet exploite avec une rare maîtrise les 16 ha du domaine familial situé au pied de la colline de Brouilly. Un brouilly 1984 fut couronné dans la première édition du Guide. Ce morgon vaut au vigneron son cinquième coup de cœur (le deuxième du grand jury), après un côte-de-brouilly dans le millésime précédent. Grenat aux reflets fuchsia, il exprime des parfums floraux, accompagnés de nuances fruitées et épicées. Après une attaque fraîche, le vin déploie sa chair harmonieuse, souple et bien structurée, au bon goût de fruits à noyau. Sa finale est marquée par des tanins de qualité qui signent une bouteille de garde. Typique de l'appellation, ce 2006 donnera le meilleur de lui-même après un séjour en cave d'un à deux ans. Le **régnié 2006 (5 à 8 €)** de la propriété obtient une étoile.
🔑 SARL Dom. Jean-Paul Ruet, Voujon,
69220 Cercié-en-Beaujolais, tél. 04.74.66.85.00,
fax 04.74.66.89.64, e-mail ruet.beaujolais@wanadoo.fr
☑ Y 🚶 t.l.j. sf dim. 8h-12h 14h-19h

NOËL ET CHRISTOPHE SORNAY 2006 *

■ 2 ha 13 000 ▮ 5 à 8 €

Associé à sa mère Christiane, Christophe Sornay perpétue la tradition viticole sur cette exploitation de 11 ha. Cette année, c'est un morgon qui se détache de sa production. Grenat profond, ce 2006 libère des parfums discrets mais délicats de raisin bien mûr. Ronde et souple, harmonieusement constituée, sa chair laisse une impression agréable. Belle expression du terroir, cette bouteille sera appréciée au cours des deux prochaines années.
🔑 Noël et Christophe Sornay,
GAEC des Gaudets, 312, rue Baudelaire,
69910 Villié-Morgon, tél. 04.74.04.21.69,
fax 04.74.69.10.70 ☑ Y 🚶 r.-v.

DOM. DES SOUCHONS Cuvée Lys 2005 **

■ 10 ha 50 000 ▮ 5 à 8 €

Ce domaine dont les origines remontent au milieu du XVIII[e]s. peut accueillir quotidiennement cinq camping-cars. Des vignes de cinquante ans cultivées sur des sols de schistes micacés ont donné naissance à un morgon rubis brillant au nez expressif, fait de fruits rouges, d'épices et de giroflée. Après une attaque riche et ronde, la bouche se développe avec puissance, mettant en valeur des tanins harmonieux et des arômes persistants. Un très bel équilibre pour ce vin de garde, qui mérite d'attendre un an ou deux.
🔑 Serge Condemine-Pillet, Morgon-le-Bas,
69910 Villié-Morgon, tél. 04.74.69.14.45,
fax 04.74.69.15.43,
e-mail domainesouchons@wanadoo.fr
☑ Y 🚶 t.l.j. 9h-12h 14h-19h; dim. sur r.-v.

DOM. DE LA VOIE ROMAINE 2006

■ 5,45 ha 40 000 ▮ **5 à 8 €**

La « Voie romaine » ? Un lieu-dit qui recouvre une réalité : l'ancienne route reliant Lyon à Autun passait dans

les parages. La propriété propose un morgon grenat intense au nez fait de fraise, de cassis et de pruneau. La belle attaque confirme les arômes de l'olfaction, sur des tanins agréables et fins. L'ensemble, harmonieux, sera servi dès la sortie du Guide avec une viande blanche bien cuisinée, jarret de porc braisé ou salmis de pintade.
🗝 SCEA Dufour, La Grange Cochard,
69910 Villié-Morgon, tél. 04.74.69.11.04,
fax 04.74.69.09.75 ☑ Y ✯ r.-v.

Moulin-à-vent

Le « seigneur » des crus du Beaujolais campe ses 655 ha sur les communes de Chénas, dans le Rhône, et de Romanèche-Thorins, en Saône-et-Loire. L'appellation, symbolisée par le vénérable moulin à vent qui a retrouvé ses ailes en 1999, en présence des navigateurs Laurent et Yvan Bourgnon, se dresse à une altitude de 240 m au sommet d'un mamelon aux formes douces, de pur sable granitique, au lieu-dit Les Thorins. En 2006, elle a produit 34 593 hl élaborés à partir de gamay noir. Les sols peu profonds, riches en éléments minéraux tels que le manganèse, apportent aux vins une couleur d'un rouge profond, un arôme rappelant l'iris, du bouquet et du corps, qui, quelquefois, les font comparer à leurs cousins bourguignons de la Côte-d'Or. Selon un rite traditionnel, chaque millésime est porté aux fonts baptismaux, d'abord à Romanèche-Thorins (fin octobre), puis dans tous les villages et, début décembre, dans la « capitale ».

S'il peut être apprécié dans les premiers mois de sa naissance, le moulin-à-vent supporte sans problème une garde de quelques années. Ce « prince » fut l'un des premiers crus reconnus appellation d'origine contrôlée, en 1936, après qu'un jugement du tribunal civil de Mâcon en eut défini les limites. Deux caveaux permettent de le déguster, l'un au pied du moulin, l'autre au bord de la route nationale. Ici ou ailleurs, on appréciera pleinement le moulin-à-vent sur tous les plats généralement accompagnés de vin rouge.

CH. DE BELLEVERNE 2006

■ 3,2 ha 22 000 ▮ **5 à 8 €**

Ancien monastère, ce domaine est la propriété de la famille Bataillard depuis 1969. Il s'étend sur près de 33 ha et a produit un **chénas 2006** gentiment fruité et fait pour maintenant, cité comme ce moulin-à-vent rubis léger. Discret au nez, rond et équilibré en bouche, droit et plaisant, ce vin révèle des tanins arrondis et des arômes de fleurs et de raisin. De bonne longueur, il ne jouera pas pour autant les prolongations : on l'appréciera dans les deux prochaines années.
🗝 Ch. de Belleverne, rue Jules-Chauvet, Belleverne, 71570 La Chapelle-de-Guinchay, tél. 03.85.36.71.06, fax 03.85.33.86.41, e-mail cavesdebelleverne@orange.fr
☑ Y ✯ t.l.j. sf dim. 8h-12h 13h30-18h30
🗝 Bataillard

CH. BONNET Vieilles Vignes 2006 ★

■ 3 ha 20 000 ▮ ⓘ **5 à 8 €**

Une gentilhommière Renaissance au vaste toit pentu, remaniée sous l'Empire. Cet ancien relais de chasse trouva sa vocation viticole dès 1630 avec le sieur Bonnet, échevin de Mâcon. Le domaine est passé dans la famille Perrachon en 1973. Pierre-Yves, installé depuis 1988, exploite 12 ha de vignes. Son moulin-à-vent Vieilles Vignes attire l'attention par la profondeur de sa robe. Plutôt discret au nez, il mêle la framboise et les fleurs à des notes sauvages et minérales. Dans le même registre aromatique, la bouche se montre franche, ample, ronde et bien structurée. Ce vin fruité et croquant accompagnera dès maintenant une côte de bœuf. Le **juliénas Vieilles Vignes 2006**, élégant et long, fait jeu égal.
🗝 Pierre-Yves Perrachon, Ch. Bonnet,
71570 La Chapelle-de-Guinchay, tél. 03.85.36.70.41,
fax 03.85.36.77.27, e-mail chbonnet@terre-net.fr
☑ Y ✯ r.-v.

DOM. BOURBON 2005 ★★

■ 7 ha 5 000 ▮ **8 à 11 €**

Ce vigneron installé dans la partie sud du Beaujolais a créé en 2006 une structure de négoce pour diffuser des vins mis en bouteilles à la propriété. Il a sélectionné un moulin-à-vent rubis foncé aux parfums intenses et complexes de violette, de pivoine, de kirsch et d'épices. L'attaque ronde introduit une matière riche et aromatique aux nuances d'iris, de cassis et de groseille, et qui compose avec des tanins soyeux un ensemble délicat et harmonieux. À servir dès cet automne.
🗝 Dom. Jean-Luc Bourbon, Le Marquison,
69620 Theizé, tél. et fax 04.74.71.14.13,
e-mail domaine-bourbon@wanadoo.fr ☑ Y r.-v.

DOM. BOURISSET 2006 ★

■ 4,7 ha 13 600 ▮ **8 à 11 €**

Fondée en 1821, la maison Collin-Bourisset produit et commercialise des vins du Beaujolais et du Mâconnais. Le domaine appartient à la famille depuis 1922. Il a donné naissance à un vin pourpre profond, au nez de fruits rouges. Sa chair souple et charnue révèle des tanins déjà fondus et d'une belle fraîcheur. Elle tapisse longuement le palais de ses arômes aux nuances de kirsch. Équilibré, encore sur sa réserve, ce 2006 gagnera à attendre quelques mois et sera apprécié de longues années (au moins cinq ans). Autre fleuron de la société (cru vendu en exclusivité depuis 1926), le **moulin-à-Vent des Hospices civils 2005 (11 à 15 €)** de Romanèche-Thorins reçoit également une étoile.
🗝 SCEA du Dom. du Moulin, 23, rue Victor-Hugo,
69002 Lyon, tél. 04.78.37.88.64, fax 04.72.41.14.49,
e-mail bienvenue@collinbourisset.com ☑ Y ✯ r.-v.

DOM. DES BURDELINES 2006

■ n.c. n.c. **5 à 8 €**

Le Domaine des Burdelines est commercialisé par la maison Paul Beaudet à Pontanevaux. Ce moulin-à-vent

rouge sombre mêle au nez les fruits rouges et le pain grillé, avec une touche animale. Des tanins fondus lui font une bouche assez souple, puissante sans excès. Soyeux et long, ce vin est fait pour maintenant.
🔑 Nicolas Barbet, Ch. de Fleurie, Le Bourg, 69820 Fleurie, tél. 03.85.36.72.76, fax 03.85.36.72.02

DOM. DES CAVES Cuvée Étalon 2005

■ 2 ha 8 000 8 à 11 €

Cette cuvée n'est pas inconnue des fidèles lecteurs du Guide. L'Étalon a même une fois remporté la course (millésime 2001). Laurent Gauthier élève ce moulin-à-vent douze mois en pièce de bois dans les petites caves de 1620 qui ont donné son nom au domaine. De couleur cerise noire, le 2005 livre des parfums assez intenses de violette, d'épices et de grillé. Sa chair puissante et ronde est soutenue par un boisé qui domine actuellement la dégustation. Seuls les sectateurs du chêne goûteront ce vin dès l'automne. Les autres attendront cette bouteille quelques années.
🔑 Laurent Gauthier, Les Caves, 69840 Chénas, tél. 04.74.69.86.59, fax 04.74.69.83.15, e-mail domaine.des.caves@wanadoo.fr
t.l.j. 8h-20h

CHANSON PÈRE ET FILS 2005 *

■ n.c. 3 988 11 à 15 €

Cette maison beaunoise a sélectionné un moulin-à-vent rubis sombre au fruité puissant rappelant la prune. En bouche, ce vin se montre aromatique, complexe et long. Sa structure tannique dense et fine permettra de le servir pendant trois ans avec une belle viande rouge, une côte de bœuf par exemple. Minéral et fruité, prêt à paraître à table, le **brouilly 2005** a été cité.
🔑 Maison Chanson Père et Fils, 10, rue Paul-Chanson, 21200 Beaune, tél. 03.80.25.97.97, fax 03.80.24.17.42, e-mail chanson@domaine-chanson.com r.-v.

CAVE DU CH. DE CHÉNAS
Sélection de la Hante 2006 *

■ 5,76 ha 40 000 8 à 11 €

Cette coopérative créée en 1934 vinifie aujourd'hui 240 ha de vignes. Elle s'est installée dans une propriété qui appartenait au XIXe s. à la famille de la Hante. La Sélection de la Hante est un de ses fleurons. Ce moulin-à-vent pourpre livre de discrètes notes de prune et de fruits noirs associées à des touches boisées et grillées. Franc et dense au palais, il est marqué par de jeunes tanins aux nuances de merrain et termine par un retour de la prune. L'ensemble gagnera à attendre, avant de donner la réplique à un lapin aux pruneaux.
🔑 Cave du Ch. de Chénas, Les Michauds, 69840 Chénas, tél. 04.74.04.48.19, fax 04.74.04.47.48, e-mail cave.chenas@wanadoo.fr
t.l.j. sf dim. 8h-12h 14h-18h

DOM. CITADELLE DE PIERRE 2006 *

■ 3 ha 20 000 5 à 8 €

Citadelle de pierre est la marque d'une jeune affaire de négoce, Bourgogne Select, créée en 2007 par trois vignerons qui proposent une gamme de vins du Beaujolais, du Mâconnais et de la Bourgogne. Rouge foncé, cette sélection offre un nez expressif et plaisant, où la pivoine s'associe à une légère touche boisée. Sa matière souple et bien structurée tapisse avec élégance le palais d'une chair ronde, soyeuse et fine. Cette bouteille agréable accompagnera pendant trois ans une viande blanche. Souple et prêt à boire, le **chénas 2006** de la même marque reçoit lui aussi une étoile.
🔑 Bourgogne Select, La Motte, 71260 Azé, tél. 03.85.33.41.77
🔑 Perrachon

DOM. MICHEL CROZET 2005 *

■ 8 ha 3 500 8 à 11 €

Depuis 1976 à la tête du domaine créé par son grand-père en 1922, Michel Crozet a poursuivi l'agrandissement de la propriété et construit de nouveaux chais. Son moulin-à-vent exprime des parfums nets de cerise et de pivoine. Franc, simple et direct en bouche, il associe des arômes fruités avec un boisé bien fondu. Aromatique, élégant et persistant, il s'accordera aussi bien avec de la volaille qu'avec des viandes rouges. Une garde de deux ou trois ans est envisageable.
🔑 Michel Crozet, Les Fargets, 71570 Romanèche-Thorins, tél. 03.85.35.53.61, fax 03.85.35.20.16, e-mail michel.crozet@wanadoo.fr
t.l.j. 9h-12h 14h-19h

JEAN-PAUL DUBOST En Brenay 2005 **

■ 3,5 ha n.c. 11 à 15 €

Jean-Paul Dubost signe un moulin-à-vent vinifié sans soufre, sans chaptalisation, avec des levures indigènes et sans filtration. Le résultat ? Une robe rouge sombre très nette, un nez expressif et complexe où les fruits rouges, le cassis et la prune se mêlent aux notes vanillées et grillées de l'élevage ; une attaque franche et une bouche ronde, fruitée et finement structurée. Le boisé bien dosé vient relayer le fruit dans une finale longue et harmonieuse. L'ensemble, apte à une garde d'au moins trois ans, appréciera le gibier à plume, pigeonneau grillé ou faisan au chou par exemple.
🔑 Dom. Jean-Paul Dubost, Tracot, 69430 Lantignié, tél. 04.74.04.87.51, fax 04.74.69.27.33, e-mail j.p-dubost@wanadoo.fr r.-v. 3

DOM. DE FORÉTAL 2006

■ 2 ha 8 000 5 à 8 €

Le millésime précédent fut coup de cœur – signé Jean-Yves Perraud, installé depuis 1998 à la tête des 8 ha du domaine familial. Vous pourrez excursionner en groupe dans les parages, car l'exploitation vient de s'équiper d'un gîte d'étape (trois chambres de quatre lits). Le moulin-à-vent 2006 n'a pas l'envergure de son prédécesseur. Grenat dans le verre, il laisse percer de discrets parfums de cassis et de fruits rouges bien mûrs qui évoquent une vinification moderne. Franc, rond et équilibré mais de structure plutôt légère, c'est un vin pour maintenant, à servir avec un saucisson brioché ou des poivrons farcis. Quant au **beaujolais-villages rouge 2006 (3 à 5 €)** du Forétal, il est également cité.
🔑 Jean-Yves Perraud, Forétal, 69820 Vauxrenard, tél. 04.74.69.97.48, fax 04.74.69.90.45, e-mail jyperraud@wanadoo.fr
r.-v. 2 B

DOM. GAY-COPERET
Cuvée Réserve Vieilles Vignes 2005 **

■ 4 ha 8 000 5 à 8 €

Maurice et Catherine Gay exploitent 12 ha de vignes en « vigneronnage ». Entendez « métayage ». Leur

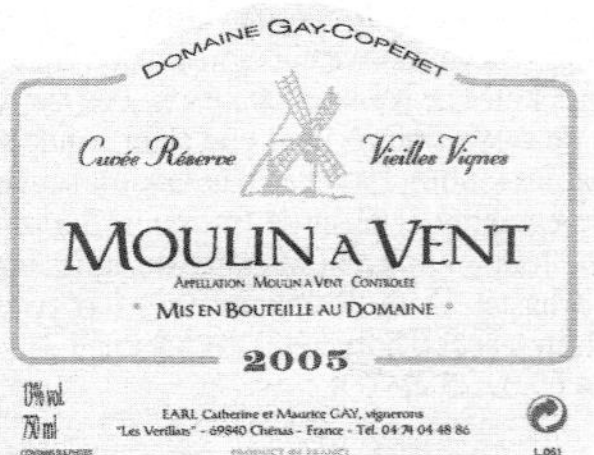

domaine appartient à la famille de Sparre. Ce mode de faire-valoir, disparu de la plupart des régions françaises, subsiste en Beaujolais. Il fait ses preuves, à en juger par ce moulin-à-vent rubis intense déclaré coup de cœur par le grand jury. Ses élégants parfums de raisin, de cassis et de myrtille sont accompagnés d'une pointe de silex. Ses arômes de fruits mûrs très francs imprègnent une bouche équilibrée, racée, puissante, soutenue par une belle structure. À la fois solide et harmonieux, typique de son appellation, ce vin appelle un perdreau juste rosé ou un pigeonneau.
🔑 Catherine et Maurice Gay, Les Vérillats,
69840 Chénas, tél. 04.74.04.48.86, fax 04.74.04.42.74,
e-mail gay.m-c@wanadoo.fr ☑ 🍷 r.-v.

DOM. DU HAUT-PONCIÉ 2005

■ 3,2 ha 7 000 ⓘ 5 à 8 €

Patrick Tranchand exploite 16 ha répartis entre trois appellations, dont deux crus. Des vignes de soixante-cinq ans implantées sur des sols granitiques riches en manganèse sont à l'origine de ce moulin-à-vent rubis soutenu, au nez intense associant les fruits rouges confits, des touches florales et des nuances liées à l'élevage, comme la vanille, le tabac et le cacao. Après une attaque ronde, on découvre une chair imprégnée d'arômes de fruits et de pivoine, puis des tanins boisés donnent une touche de sévérité à la finale. Sa structure moyenne incite à servir cette bouteille dès maintenant.
🔑 SCEA Patrick Tranchand, Dom. du Haut-Poncié,
69820 Fleurie, tél. 04.74.04.16.06, fax 04.74.69.89.97,
e-mail p.tranchand@chello.fr
☑ 🍷 🚶 t.l.j. 8h-19h; dim. sur r.-v.

CH. DES JACQUES Clos des Thorins 2005 ★★

■ 5 ha n.c. ⓘ 15 à 23 €

Ce moulin-à-vent provient d'un domaine de la maison Louis Jadot, bien représentée en Bourgogne. Grenat profond, il réalise au nez un mariage complexe et harmonieux entre les nuances grillées-vanillées du fût et les fruits rouges du vin. Sa chair ronde et soyeuse est soutenue par d'élégants tanins pleins de fraîcheur. Expression d'un élevage sous bois bien mené, cette bouteille est déjà prête tout en pouvant vieillir trois ou quatre ans. Le **Château des Jacques 2005 (11 à 15 €)** possède les mêmes qualités de fondu et de finesse et un potentiel de garde équivalent : il obtient lui aussi deux étoiles.
🔑 Ch. des Jacques, Les Jacques,
71570 Romanèche-Thorins, tél. 03.85.35.51.64,
fax 03.85.35.59.15,
e-mail chateau-des-jacques@wanadoo.fr ☑ 🍷 🚶 r.-v.

PAUL JANIN ET FILS Séduction 2005 ★

■ 1 ha 4 000 ⓘ 8 à 11 €

Cette exploitation familiale s'étend sur 9,5 ha. Des vignes de soixante ans cultivées sur des sols de granite sont à l'origine de cette cuvée rubis profond aux parfums francs et complexes de fleurs et de fruits rouges, assortis de touches grillées. Souple et gouleyant, doté d'une structure soyeuse, ce vin tapisse le palais d'élégants arômes de vanille et de fruits rouges. Mariage harmonieux et tout en finesse de fruité et de boisé, l'ensemble pourra accompagner dès maintenant charcuterie et volaille.
🔑 Paul Janin et Fils, La Chanillière,
71570 Romanèche-Thorins, tél. 03.85.35.52.80,
fax 03.85.35.21.77, e-mail pauljanin.fils@club-internet.fr
☑ 🍷 🚶 t.l.j. sf dim. 9h30-12h 14h-18h

HUBERT LAPIERRE 2006

■ 3,3 ha 15 000 ▮ 5 à 8 €

Installé depuis 1970 sur les 7,5 ha de son domaine, Hubert Lapierre est de longue date un habitué du Guide. D'un rouge soutenu, son moulin-à-vent délivre des parfums subtils et complexes de fruits rouges, qui se prolongent au palais au sein d'une chair élégante aux tanins soyeux. L'ensemble, souple et plaisant, est à apprécier dans l'année avec de la volaille. Le **chénas 2006** obtient la même note.
🔑 Hubert Lapierre, Les Gandelins, Cedex 324,
71570 La Chapelle-de-Guinchay, tél. 03.85.36.74.89,
fax 03.85.36.79.69, e-mail hubert.lapierre@wanadoo.fr
☑ 🍷 🚶 t.l.j. 9h-12h 13h30-18h30

LORON ET FILS Au Beau Moulin 2006 ★

■ n.c. 26 600 5 à 8 €

Vinifié par une maison de négoce beaujolaise, ce moulin-à-vent rouge profond s'ouvre sur de plaisantes nuances de fruits rouges avec une pointe de cassis. Ronde, volumineuse, fruitée et fraîche, sa chair tapisse le palais d'une élégante structure de tanins à la fois puissants et souples. Harmonieux et complet, bien représentatif de l'appellation, ce vin est déjà prêt, mais il peut attendre trois à quatre ans. Le **juliénas Domaine de La Vieille Église 2006**, souple et fin, est cité.
🔑 Ets Loron et Fils, 1846 RN, BP 1 Pontanevaux,
71570 La Chapelle-de-Guinchay, tél. 03.85.36.81.20,
fax 03.85.33.83.19, e-mail vinloron@loron.fr

LOUIS MAX 2005 ★

■ 0,87 ha 2 400 ▮ 15 à 23 €

Fondée en 1859, cette maison nuitonne de négoce-éleveur est bien connue en Bourgogne où elle possède un vaste vignoble. Elle sélectionne également des vins du Beaujolais. Pourpre à reflets violines, son moulin-à-vent libère des notes intenses et complexes de fruits noirs bien mûrs. Dans le même registre aromatique (mûre et cassis), la bouche, franche à l'attaque, ample, équilibrée et finement structurée, développe des impressions charnues. Cette bouteille accompagnera pendant un an ou deux un bœuf bourguignon, une entrecôte ou du bleu d'Auvergne. Souple et aromatique, le **brouilly 2005** est cité.
🔑 Louis Max, 6, rue de Chaux, BP 4,
21700 Nuits-Saint-Georges, tél. 03.80.62.43.01,
fax 03.80.62.68.02,
e-mail al.chartronmalassagne@louis-max.fr 🍷 🚶 r.-v.

MONTERNOT
Les Caves Grande Exception 2006 ★★

■ 1,23 ha 9 849 8 à 11 €

Fondée en 1865 à Mâcon, la maison Mommessin a acquis un vaste patrimoine en Bourgogne et en Beaujolais. Elle constitue aujourd'hui une des marques les plus

importantes du groupe Boisset. D'un rouge profond, cette cuvée de moulin-à-vent livre des parfums complexes où l'on reconnaît les fruits rouges, le kirsch, le cassis et les fleurs, le tout agrémenté d'une touche boisée. Fruitée et construite sur une charpente de tanins fondus, la bouche ronde, fraîche et longue, révèle une belle expression du boisage. Le **morgon Domaine de Lathevalle 2006** ainsi que le **saint-amour Monternot Grande Exception Trois Terroirs 2006 (5 à 8 €)** sont cités.
🔑 Mommessin, Le Pont des Samsons,
69430 Quincié-en-Beaujolais, tél. 04.74.69.09.30,
fax 04.74.69.09.75,
e-mail information@mommessin.com
🔑 FGVS Boisset

CH. DU MOULIN-À-VENT
Cuvée exceptionnelle 2005 *

■ 30,6 ha 15 000 **8 à 11 €**

Ce château du Moulin-à-Vent a la particularité d'être transmis de mère en fille. Son 2005 pourpre intense offre de plaisants parfums de fruits rouges et de myrtille légèrement vanillés et épicés. Volumineux, structuré, intense, aromatique et chaleureux, le palais révèle un mariage équilibré entre le vin et le bois, même si la finale demande à s'assouplir. Ce vin pourra être servi au cours des trois prochaines années.
🔑 Ch. du Moulin-à-Vent, Le Moulin-à-Vent,
71570 Romanèche-Thorins, tél. 03.85.35.50.68,
fax 03.85.35.20.06,
e-mail chateaudumoulinavent@wanadoo.fr
t.l.j. sf dim. 8h-12h 14h-17h30; f. 20 juil.-16 août

DOM. DES PERELLES
Vieilli en fût de chêne 2005 *

■ 2 ha 10 000 **5 à 8 €**

Dans la famille Perrachon, on est viticulteur de père en fils depuis 1877, et les caves voûtées datent de 1707. Elles recèlent un moulin-à-vent rubis soutenu, mêlant au nez d'intenses parfums de framboise à la vanille et au poivre. Charnue et vive, avec des tanins assez souples, la bouche associe le cassis très mûr, les fleurs et des notes boisées. L'ensemble, déjà convaincant, bénéficiera d'un séjour d'un an en cave.
🔑 Jacques et Cécile Perrachon, La Bottière,
69840 Juliénas, tél. 03.85.36.75.42, fax 03.85.33.86.36
r.-v.

DOM. DE LA ROCHELLE
L'Étoile du Moulin 2005 *

■ 8 ha 10 000 **8 à 11 €**

Les Sparre ont acquis en 1874 ce domaine qui s'étend sur 23 ha. La cuvée L'Étoile du Moulin a connu le bois. Elle s'habille d'une robe rubis dense et livre des parfums francs et délicats de fruits noirs bien mûrs, de fleurs et de vanille, avec des touches minérales et végétales. On retrouve les arômes fruités et floraux dans un palais ample et tendre, encore plein de fraîcheur. Une bouteille élégante, à marier dans quelques mois à des volailles ou à des viandes blanches.
🔑 GFA des Domaines Sparre, La Tour du Bief,
69840 Chénas, tél. 04.74.66.62.01, fax 04.74.69.61.38,
e-mail ajoubert@cemir.com r.-v.

DOM. ROMANESCA 2006

■ 6,4 ha 43 000 **8 à 11 €**

Romanesca, comme Romanèche-Thorins. Le nom du village dérive de celui d'une *villa* romaine dont il a pris la suite. Le domaine, fondé par Guy Chastel en 1979, s'étend sur 7 ha environ. Rubis soutenu, ce 2006 exprime de fraîches notes de cerise et de kirsch. Les fruits rouges, nuancés de cassis, imprègnent une chair ronde soutenue par des tanins fondus. La belle finale laisse le souvenir d'un ensemble équilibré et plein de fraîcheur, qui sera prêt à l'automne tout en pouvant attendre quelques années.
🔑 Guy Chastel, Dom. Romanesca, Les Thorins,
71570 Romanèche-Thorins, tél. 03.85.35.57.31,
fax 04.74.69.09.75 r.-v.

DOM. DE LA SIONNIÈRE Un Air d'à vent 2005

■ 0,42 ha 3 000 **5 à 8 €**

Créé au XIXe s., ce domaine est commandé par un pavillon construit par un compagnon du Devoir, Pierre-François Guillon, dont on peut voir la collection au musée du Compagnonnage de Romanèche-Thorins. De vieilles vignes sont à l'origine de ce 2005 rubis soutenu d'où émanent de discrets effluves de bourgeon de cassis associés à des notes boisées. Une attaque suave, moelleuse, introduit une bouche aux tanins fondus et aux arômes de fruits noirs et de merrain. Plaisant, franc et long, ce vin peut être servi dès maintenant avec un pot-au-feu, ou attendu un à deux ans.
🔑 Estelle et Thomas Patenôtre, Le Bourg, Cidex 902,
71570 Romanèche-Thorins, tél. et fax 03.85.35.58.79,
e-mail thomasestelle-patenotre@wanadoo.fr
r.-v.

THORIN Terres de silice 2006 *

■ 12 ha 60 000 **8 à 11 €**

Fondée en 1843 par une vieille famille du Beaujolais, cette maison est maintenant dans l'orbite du groupe Boisset. De couleur rubis, son moulin-à-vent Terres de silice mêle au nez le kirsch, la poire et des nuances florales. Souple et charnue, la bouche construite sur des tanins fondus révèle des arômes de petits fruits rouges et fait preuve d'une belle persistance. Son potentiel permettra à ce vin d'attendre quelques années, mais il peut paraître à table dès maintenant. Thorin a également proposé un **juliénas Terres de galène 2006 (5 à 8 €)** et un **morgon Terres de schiste noir (5 à 8 €)**, qui obtiennent tous deux une citation.
🔑 Maison Thorin, Le Pont des Samsons,
69430 Quincié-en-Beaujolais, tél. 04.74.69.09.10,
fax 04.74.69.09.75, e-mail marketing@boisset.fr

DOM. BENOÎT TRICHARD Mortperay 2005 *

■ 6 ha 16 000 **8 à 11 €**

Cette exploitation familiale porte le nom de son fondateur, qui a rassemblé au début des années 1950 des vignes autour du mont Brouilly. Depuis, elle n'a cessé de croître pour atteindre aujourd'hui 15 ha répartis dans quatre appellations. Michel et Pierre Trichard en ont pris les rênes en 1990. Ils ont élaboré un vin pourpre brillant aux parfums intenses et distingués, fruités et boisés avec une touche florale. Riche et concentrée, mariée à un merrain bien fondu, la chair montre beaucoup d'élégance et de finesse, malgré une finale un peu sévère. À servir dans les deux ans avec un rôti de bœuf ou de chevreuil.
🔑 Dom. Benoît Trichard, Le Vieux-Bourg,
69460 Odenas, tél. 04.74.03.40.87, fax 04.74.03.52.02,
e-mail dbtricha@club-internet.fr r.-v.
🔑 EARL Trichard

LE VIEUX DOMAINE 2005 *

■ 9 ha 6 000 8 à 11 €

Le Vieux Domaine ? L'ancien presbytère de Chénas, du XVIIIe s. Son vignoble ? Fondé dès 1890 par le trisaïeul de l'actuel propriétaire. 10 ha aujourd'hui. Trois coups de cœur en moulin-à-vent (millésimes 1992, 1997 et 2002) ! D'un rubis sombre et brillant, ce 2005 exprime un léger boisé qui apporte une touche de complexité aux parfums de fruits rouges très mûrs. Le chêne se marie avec une chair franche, concentrée et structurée par des tanins denses et fins, un peu évoluée en finale. Une bouteille à déguster dès maintenant avec du bœuf à la ficelle ou un poulet grillé.

EARL M.-C. et D. Joseph, Le Vieux-Bourg, 69840 Chénas, tél. 04.74.04.48.08, fax 04.74.04.47.36, e-mail le.vieux.domaine@wanadoo.fr r.-v.

Régnié

Officiellement reconnu en 1988, le plus jeune des crus s'insère entre le morgon au nord et le brouilly au sud, confortant ainsi la continuité des limites entre les dix appellations locales beaujolaises. À l'exception de 5,93 ha sur la commune voisine de Lantignié, les 746 ha délimités de l'appellation sont totalement inclus dans le territoire de la commune de Régnié-Durette. Par analogie avec son aîné le morgon, seul le nom de l'une des communes fusionnées a été retenu pour le désigner. 393 ha ont été déclarés en AOC régnié en 2006 pour une production de 20 016 hl.

Le territoire de la commune est orienté nord-ouest-sud-est et s'ouvre largement au soleil levant et à son zénith, ce qui a permis au vignoble de s'implanter entre 300 et 500 m d'altitude. Dans la majorité des cas, les racines de l'unique cépage de l'appellation, le gamay noir, explorent un sous-sol sablonneux et caillouteux ; on est ici dans le massif granitique dit de Fleurie. Mais il y a aussi quelques secteurs à tendance légèrement argileuse.

La conduite des vignes et le mode de vinification sont identiques à ceux des autres appellations locales. Toutefois, une exception d'ordre réglementaire ne permet pas la revendication en AOC bourgogne.

Au Caveau des Deux Clochers, près de l'église dont l'architecture originale symbolise le vin, les amateurs peuvent apprécier quelques échantillons de l'appellation. Les vins aux arômes développés de groseille, de framboise et de fleurs, charnus, souples, équilibrés, élégants sont qualifiés par certains de rieurs et de féminins.

DOM. DE BEL-AIR 2005 **

■ 0,43 ha 2 500 5 à 8 €

À la tête de cette propriété depuis 1988, Jean-Marc Lafont a également développé une activité de négoce. Ses productions reçoivent régulièrement un bon accueil dans le Guide. Celle-ci, d'un rouge soutenu à reflets mauves, présente un nez complexe où le cassis et la mûre côtoient la prune, la rose et le silex. Ronde, bien équilibrée avec des tanins très fins, sa chair emplit le palais de frais arômes de framboise et de groseille. Puissant, harmonieux et profond, agréablement fruité, ce vin pourra accompagner pendant deux à trois ans une entrecôte au vin du beaujolais.

EARL Annick et Jean-Marc Lafont, Dom. de Bel-Air, 69430 Lantignié, tél. 04.74.04.82.08, fax 04.74.04.89.33, e-mail dombelair@yahoo.fr r.-v.

DOM. DES BRAVES 2006 *

■ 5 ha 20 000 5 à 8 €

Une nouvelle fois, Franck Cinquin est au rendez-vous du Guide dans cette appellation, avec ce 2006 rouge soutenu aux parfums frais et friands de raisin et de cassis. En bouche, un fruité explosif, des tanins souples et une agréable fraîcheur composent un vin gourmand, joyeux et facile à boire, que l'on appréciera au cours d'un pique-nique... chic ou d'un barbecue. Sur ses 8 ha de vignes, Franck Cinquin en consacre 3 à la production du **beaujolais-villages Domaine des Celliers 2006 (3 à 5 €)** qui obtient une citation.

SCEA Franck Cinquin, Les Braves, 69430 Régnié-Durette, tél. 04.74.69.05.32, fax 04.74.69.97.31, e-mail franck.cinquin@wanadoo.fr r.-v.

DOM. BURNOT-LATOUR 2005

■ 8 ha 10 000 3 à 5 €

À la tête de son domaine depuis une vingtaine d'années, Christian Chambon conduit 8 ha de vignes. Il signe un régnié de couleur carmin qui s'ouvre sur de discrètes nuances florales et fruitées. La bouche « réveillée », aux accents acidulés de bonbon anglais et de fruits rouges, donne à ce vin un caractère sympathique : tout ce qu'il faut pour accompagner une assiette de charcuterie ou un saucisson chaud sauce beaujolaise. À déboucher dans l'année.

Christian Chambon, Lachat, 69430 Régnié-Durette, tél. 04.74.69.26.56, fax 04.74.69.20.99 r.-v.

DOM. DE COLETTE 2006 **

■ 4 ha 25 000 5 à 8 €

Ce domaine, implanté sur des coteaux exposés au sud-est, s'étend sur 16 ha. Il est conduit depuis 1980 par Jacky Gauthier et sa production fait régulièrement bonne figure dans le Guide. Notamment le régnié. Rubis soutenu, celui-ci exprime avec intensité le cassis, la framboise et la fraise. Souple en attaque, généreux et fin à la fois, assez long, c'est un vin harmonieux et bien représentatif de son appellation, à servir sans trop tarder avec un tournedos au poivre ou un magret de canard au miel. Quant au **beaujolais-villages Coteaux de Colette 2006**, il est cité.

Jacky Gauthier, Dom. de Colette, 69430 Lantignié, tél. 04.74.69.25.73, fax 04.74.69.25.14, e-mail domainedecolette@wanadoo.fr r.-v.

DOM. DU COLOMBIER
Cuvée Vieilles Vignes 2006 ★★

■ 0,75 ha 5 000 3 à 5 €

Des vignes de soixante ans sont à l'origine de cette cuvée rouge violet au nez discret mais complexe : on y décèle non seulement des fruits rouges et de la mûre, mais aussi de l'abricot, de la rose et une touche de silex. La bouche, structurée par des tanins enrobés et imprégnée d'arômes de prune et de fraise, est un modèle d'harmonie : l'acidité et le gras s'équilibrent à merveille, et l'ensemble laisse une impression de puissance et de finesse. Élégant et typique de l'appellation, ce régnié est à boire au cours des trois prochaines années.

Paul Desplace, Le Colombier,
69430 Régnié-Durette, tél. et fax 04.74.69.06.96
r.-v.

RÉGINE ET DIDIER COSTE-LAPALUS 2006

■ 1,7 ha 3 000 5 à 8 €

Issus de vignes de cinquante ans, les raisins ont été pressés dans un pressoir en bois pour donner ce régnié rouge violacé aux parfums assez vifs et charmeurs de groseille et de raisin frais. L'attaque pleine de fraîcheur introduit une bouche élégante, fruitée et longue. Ce vin révèle un caractère technologique qui ne fait pas l'unanimité, mais les dégustateurs s'accordent pour reconnaître qu'il est plaisant. On suggère de le servir avec un filet de bar au beaujolais.

Régine et Didier Coste-Lapalus,
280, chem. des Bruyères, 69430 Régnié-Durette,
tél. et fax 04.74.04.38.04, e-mail lapalus.rd@wanadoo.fr
r.-v.
Coste

DOM. DU COTEAU DE VALLIÈRES 2006 ★

■ 5 ha 9 310 5 à 8 €

À la suite de trois générations, Lucien et Lydie Grandjean exploitent le domaine familial qu'ils agrandissent au fil du temps. Ils ont ainsi acheté en 2005 une parcelle à l'origine d'un **morgon 2006**, à attendre un à deux ans, qui obtient une étoile. De même niveau, ce régnié rubis à reflets grenat livre des parfums très agréables de fraise des bois, de cassis et de framboise qui se confirment en bouche. Un peu sévère en finale, il reste friand dans l'ensemble. Une soirée autour de charcuteries ? C'est la bouteille qu'il vous faut.

Lucien et Lydie Grandjean, Vallières,
69430 Régnié-Durette, tél. 04.74.69.24.92,
fax 04.74.69.23.36, e-mail grandjean.lucien@orange.fr
r.-v.

RÉMY CROZIER Cuvée fût de chêne 2005 ★

■ 1 ha 1 000 5 à 8 €

Ancien métayer du château Saint-Vincent, Rémy Crozier a acheté 7,50 ha de vignes. Il peut maintenant afficher sur ses étiquettes de beaujolais-villages : Rémy Crozier, propriétaire de vignes. Cette année, le jury a préféré une cuvée de régnié. Pourpre foncé, celle-ci libère des senteurs assez intenses de fruits rouges bien mûrs. En bouche, elle apparaît riche, généreuse et ronde, grâce à des tanins fondus. Puissante et chaleureuse, elle pourra accompagner dès l'automne un poisson en sauce au vin rouge, une andouillette ou des grillades. La majeure partie de la production de Rémy Crozier est retenue, car le **beaujolais-villages Château Saint-Vincent 2006 (3 à 5 €)**, récolté sur plus de 5 ha, est cité. Le millésime précédent avait obtenu un coup de cœur.

Rémy Crozier, Les Maisons neuves,
69430 Régnié-Durette, tél. et fax 04.74.04.39.59
r.-v.

STÉPHANE GARDETTE 2006 ★

■ 5 ha 4 000 5 à 8 €

Stéphane Gardette a obtenu une maîtrise en sciences économiques à Lyon avant de reprendre, à la fin des années 1990, l'exploitation achetée par ses parents. Rouge clair limpide, son régnié livre de complexes parfums de fruits rouges compotés et de fruits noirs. Après une attaque riche et ample, la dégustation se poursuit sur des tanins très doux qui assurent une finale structurée. Ce vin harmonieux et gouleyant pourra accompagner dès maintenant une côte de bœuf à la moelle. Une part importante de la production du domaine est retenue puisque le **beaujolais-villages 2006 (3 à 5 €)**, qui avait obtenu un coup de cœur dans le millésime 2003, reçoit lui aussi une étoile.

Stéphane Gardette, La Haute-Ronze,
69430 Régnié-Durette, tél. et fax 04.74.69.50.05,
e-mail stephane.gardette@orange.fr r.-v.

ANNE-MARIE JUILLARD 2006 ★

■ 0,75 ha 4 000 5 à 8 €

Anne-Marie Juillard conduit depuis 1974 la propriété familiale dont les origines remontent à 1880. Elle a vinifié un régnié grenat intense aux superbes parfums de fruits rouges francs et friands. L'attaque fraîche met tout d'abord en valeur d'élégants tanins, puis la dégustation révèle des impressions à la limite de l'astringence. Ce vin n'en est pas moins facile à boire et très parfumé. On le consommera dès l'automne sur des viandes blanches et de la charcuterie. Du même domaine, le **brouilly 2006** a été cité.

Anne-Marie Juillard,
71, traverse de Bergeron, rte de Beaujeu,
69220 Saint-Lager, tél. 04.74.66.82.28,
fax 04.74.66.53.68, e-mail jacques.juillard.1@cegetel.net
r.-v.

DOM. LAGNEAU 2006

■ 3,12 ha 12 000 **5 à 8 €**

Vignerons de père en fils depuis six générations, les Lagneau produisent surtout du beaujolais-villages et du régnié. Ce dernier provient de vieilles vignes. Le 2004 avait été salué d'un coup de cœur. Ce 2006 est fait pour le plaisir immédiat. Rouge grenat très foncé, il est tout « cassis » au nez. En bouche, il n'est pas des plus complexes ; il sait cependant se faire aimer grâce à sa chair ronde et ample. Un peu technologique mais fort bien fait et gourmand. On l'appréciera, jeune et sur son fruit, rafraîchi.

Gérard Lagneau, Huire,
69430 Quincié-en-Beaujolais, tél. 04.74.69.20.70,
fax 04.74.04.89.44, e-mail jealagneau@wanadoo.fr
r.-v. 4

DOM. PARDON Tim 2005 ★★

■ 0,8 ha 5 600 3 à 5 €

Fondée en 1820, la maison de négoce Pardon et Fils distribue les vins de ses deux domaines à Fleurie et à Régnié-Durette. Son régnié fait grande impression. D'un pourpre presque noir, il apparaît encore fermé au nez, mais il s'affirme en bouche. Très riche, soutenue par des tanins mûrs et élégants, sa chair révèle beaucoup d'ex-

traction et un travail d'élevage bien mené. Cette bouteille n'a pas encore livré tous ses secrets : elle les dévoilera à partir de cet automne et pendant les deux ou trois prochaines années. Quant au **fleurie Domaine Pardon 2006 (5 à 8 €)**, il obtient une étoile. Ample, long et fruité, il est à déguster dans les deux ans.
⊶ Pardon et Fils, 39, rue du Gal-Leclerc, 69430 Beaujeu, tél. 04.74.04.86.97, fax 04.74.69.24.08, e-mail pardon-fils.vins@wanadoo.fr
☑ Y t.l.j. sf sam. dim. 8h-12h 14h-18h; f. août

DOM DE LA PLAIGNE 2006 *

■ 9 ha 40 000 ▮ 5 à 8 €

Représentant la troisième génération, Gilles et Cécile Roux, qui sont à la tête de ce domaine de 12 ha depuis 1984, poursuivent son agrandissement. Ils viennent ainsi d'acquérir une parcelle de moulin-à-vent. C'est un régnié que les jurés ont dégusté et recommandé. Rubis à reflets grenat, ce vin exprime de riches et complexes parfums de framboise, de groseille et de cassis. La bouche révèle une bonne mâche, une trame de tanins serrés et renoue en finale avec la framboise. L'ensemble, persistant et fin, accompagnera dès l'automne une assiette de charcuterie.
⊶ Gilles et Cécile Roux, La Plaigne, 69430 Régnié-Durette, tél. 04.74.04.80.86, fax 04.74.04.83.72, e-mail gilles.cecile.roux@orange.fr
☑ Y ⁂ t.l.j. sf dim. 9h-12h 14h-19h

JEAN-PAUL RAMPON Les Larmes du granit 2005

■ 2,3 ha 8 000 ▮ 5 à 8 €

Jean-Paul Rampon cultive plus de 9 ha de vignes dont il tire quatre appellations. Son régnié affiche une couleur rouge foncé allant sur le violet et présente un nez discret mais frais où la framboise s'associe aux fleurs, à l'abricot et au pruneau. Sa chair bien structurée s'épanouit longuement au palais ; la palette aromatique semble une corbeille de fruits rouges (on retrouve la framboise), puis des touches légèrement plus vives, épicées, marquent la finale. Élégant et plaisant, l'ensemble pourra accompagner un saucisson chaud.
⊶ EARL Jean-Paul Rampon, Les Rampeaux, chem. de la Place, 69430 Régnié-Durette, tél. 04.74.04.36.32, fax 04.74.69.00.04, e-mail jp2@rampon.fr ☑ Y ⁂ r.-v.

MICHEL RAMPON ET FILS 2005 **

■ 6 ha 7 000 ▮ 5 à 8 €

Depuis 1969 à la tête de l'exploitation familiale, Michel Rampon perpétue la tradition viticole de six générations. Du granite rose, il a tiré un vin de terroir plein de séduction qui a convaincu le grand jury : coup de cœur ! Grenat intense, ce 2005 offre des parfums de fruits rouges, de myrtille et de cassis d'une belle complexité. Une attaque agréable et vive prélude à une bouche ample, charnue et bien charpentée, soutenue par des tanins arrondis. Très équilibré et long, ce régnié offre une belle expression de son terroir granitique. Il donnera la réplique dès maintenant à un poulet de Bresse à la crème.
⊶ EARL Michel Rampon et Fils, La Tour Bourdon, 69430 Régnié-Durette, tél. 04.74.04.32.15, fax 04.74.69.00.81, e-mail gaec.rampon@wanadoo.fr
☑ Y ⁂ t.l.j. 8h-19h

CH. DES REYSSIERS 2005

■ 2,2 ha 8 000 ▮ 5 à 8 €

Repris en 2001 par Pierre Malachard, le domaine est dans la même famille depuis 1706. Les ancêtres de l'actuel propriétaire étaient producteurs et négociants dès le XVIII[e]s. Le vignoble s'étend sur 16 ha. Une parcelle de régnié a donné naissance à ce vin rubis éclatant, au nez fait de cassis et de groseille, avec une pointe végétale. Des arômes bien mûrs marquent une chair dense, encore dans sa prime jeunesse. Corsé et fruité, ce 2005 gagnera à être carafé. On pourra l'apprécier dès l'automne avec des mets roboratifs tels que le fromage de tête.
⊶ SC Les Reyssiers, Les Reyssiers, 69430 Régnié-Durette, tél. et fax 04.74.04.31.58, e-mail chateaudesreyssiers@wanadoo.fr ☑ Y ⁂ r.-v.

THIERRY ET CÉCILE ROBIN
Cuvée Tradition 2005

■ 2 ha 15 000 ▮ 5 à 8 €

La maison de pierre commandant le domaine date de 1836. Elle possède une cave voûtée de la même époque, longue de 55 m. On y a élevé ce vin d'un rouge tendre limpide, aux nuances de framboise et de cerise agréables et fraîches. La belle attaque souligne une matière souple et équilibrée qui emplit bien le palais. Fruité, friand et gouleyant, l'ensemble accompagnera volontiers une volaille de Bresse rôtie. Le **beaujolais-villages rouge 2006 (3 à 5 €)**, du domaine, est également cité.
⊶ Thierry et Cécile Robin, 75, allée des Chênes, 69430 Régnié-Durette, tél. et fax 04.74.04.37.71, e-mail vindomainerobin@yahoo.fr ☑ Y ⁂ r.-v.

DOM. DE LA ROCHE THULON 2006 *

■ 8 ha 10 000 ▮ 5 à 8 €

Sur l'étiquette, une tour ronde, vestige de l'ancien château de Thulon. Étiquette que les lecteurs ont découverte l'an dernier : le domaine avait obtenu un coup de cœur en morgon. Le **morgon 2006**, à attendre, est cité. Quant à ce régnié rouge foncé, il associe des parfums de fruits rouges un peu confiturés à d'agréables notes de framboise et de cerise. Dès l'attaque, son harmonieuse constitution se dévoile. Franche, fraîche et gouleyante, la bouche offre ce que l'on attend du cépage et de l'appellation. Ce vin plaisir pourra accompagner pendant deux ou trois ans un magret de canard aux épices ou des viandes blanches.
⊶ Pascal Nigay, Thulon, 69430 Lantignié, tél. 04.74.69.23.14, fax 04.74.69.26.85, e-mail nigay.pascal.chantal@wanadoo.fr ☑ Y ⁂ r.-v.

DOM. DE VALLIÈRES 2006 *

■ n.c. 8 000 ▮ 5 à 8 €

Cette année, Bernard Trichard et ses fils obtiennent une étoile pour ce régnié à la brillante robe rouge soutenu et aux fraîches senteurs fruitées : framboise, cerise, mûre et groseille. Ces arômes imprègnent une chair ronde et bien équilibrée, structurée par de fins tanins. Vif et long, l'ensemble séduit par l'harmonie qui règne entre ses parfums et sa belle matière. Déjà prêt, il accompagnera volontiers une assiette de charcuterie.

GAEC Bernard, Laurent, Didier Trichard, Haute Plaigne, 69430 Régnié-Durette, tél. 04.74.04.39.52, fax 04.74.69.05.39
t.l.j. 8h-20h

Saint-amour

Totalement inclus dans le département de Saône-et-Loire, les 323 ha de l'appellation ont produit en 2006 17 043 hl sur des sols argilo-siliceux décalcifiés, de grès et de cailloutis granitiques, faisant la transition entre les terrains purement primaires au sud et les terrains calcaires voisins au nord, qui portent les appellations saint-véran et mâcon. Deux « tendances œnologiques » émergent pour épanouir les qualités du gamay noir : l'une favorise une cuvaison longue dans le respect des traditions beaujolaises, donnant aux vins nés sur les roches granitiques le corps et la couleur nécessaires pour faire des bouteilles de garde ; l'autre préconise un traitement de type primeur, donnant des vins consommables plus tôt pour assouvir la curiosité des amateurs. Le saint-amour accompagnera des escargots, de la friture, des grenouilles, des champignons ou une poularde à la crème.

L'appellation a conquis de nombreux consommateurs étrangers, et une très grande part des volumes produits alimente le marché extérieur. Le visiteur pourra découvrir le saint-amour dans le caveau créé en 1965, au lieu-dit le Plâtre-Durand, avant de continuer sa route vers l'église et la mairie qui, au sommet d'un mamelon de 309 m d'altitude, dominent la région. À l'angle de l'église, une statuette rappelle la conversion du soldat romain qui donna son nom à la commune ; elle fait oublier les peintures, aujourd'hui disparues, d'une maison du hameau des Thévenins, qui auraient témoigné de la joyeuse vie menée pendant la Révolution dans cet « hôtel des Vierges » et qui expliqueraient, elles aussi, le nom de ce village...

DOM. DE L'ANCIEN RELAIS
Vieille Vigne 2005 ★★★

■ 2,5 ha 18 000 ▮ 5 à 8 €

Deux raisons de vous rendre à Saint-Amour dans cette propriété : la cave voûtée de 1399 attachée à cet ancien relais de poste ; son contenu, en particulier cette

cuvée Vieille Vigne souvent retenue et qui s'est vu décerner cette année le premier coup de cœur du grand jury de l'appellation. Sa robe rouge sombre aux reflets violets et sa palette aromatique complexe dominée par les fruits bien mûrs constituent une excellente entrée en matière. Ample et rond, le palais dévoile une puissante structure et les tanins sont bien fondus. Harmonieux et typique du cru, ce saint-amour, prêt à accompagner un repas romantique, durera plus qu'un jour. Marie-Hélène et Jean-Yves Midey cultivent aussi des vignes blanches sur leurs 7 ha ; elles sont à l'origine d'un **beaujolais blanc 2005** facile à boire et qui obtient une étoile.

EARL André Poitevin, Les Chamonards, 71570 Saint-Amour-Bellevue, tél. 03.85.37.16.05, fax 03.85.37.40.87, e-mail earlandrepoitevin@wanadoo.fr r.-v.
Jean-Yves Midey

RÉMI ET PAOLA BENON 2006 ★

■ 1,13 ha 8 000 ▮ 5 à 8 €

Depuis 1982, Rémi Benon est à la tête de l'exploitation familiale qui couvre 7 ha. Son saint-amour montre une réelle régularité au fil des éditions du Guide. À partir de vignes de quarante-cinq ans, il a vinifié un vin grenat foncé aux puissants parfums de fruits rouges. Très friands, ces arômes escortent une chair croquante qui révèle une belle harmonie entre les tanins et le fruit. Rond et soyeux, il sera apprécié avec un gigot d'agneau accompagné de flageolets.

Rémi et Paola Benon, Les Avenets, 71570 La Chapelle-de-Guinchay, tél. 03.85.33.84.22, fax 03.85.33.89.54, e-mail paola.benon@wanadoo.fr
r.-v.

DOM. BERGERON 2006 ★★

■ 0,7 ha 4 800 ▮ 5 à 8 €

Deux frères, Jean-François et Pierre Bergeron, ont regroupé leurs deux exploitations en 1996 pour constituer

cet imposant domaine : plus de 30 ha produisant cinq appellations. Ils ont acheté deux parcelles de saint-amour en 2005. Leur premier millésime a fait sensation : premier coup de cœur ex æquo. Une robe brillante grenat foncé, un nez profond de fruits rouges et de mûre : il sait se présenter. Charnu et concentré, soutenu par des tanins soyeux, il s'épanouit harmonieusement en bouche où il offre des arômes de raisin. S'il peut accompagner dès maintenant une viande en sauce, sa structure prometteuse lui permet d'attendre un an. On pourra aussi goûter le **juliénas 2006** de la propriété, qui est cité.
GAEC Jean-François et Pierre Bergeron,
Les Rougerons, 69840 Émeringes, tél. 04.74.04.41.19,
fax 04.74.04.40.72,
e-mail domaine-bergeron@wanadoo.fr
t.l.j. 8h-12h30 13h30-19h

DOM. DES CHAMPS-GRILLÉS 2006 *

■ 1,5 ha 10 000 5 à 8 €

Une petite exploitation familiale (6 ha) au service du saint-amour depuis plusieurs générations. De couleur rubis clair, ce millésime livre de délicates nuances de cassis et de groseille, accompagnées de touches de violette. Après une attaque ronde et tout en finesse, la dégustation se poursuit sur d'élégantes impressions de tanins soyeux. Plus corsée, prometteuse, la finale laisse une bouche agréable. Une bouteille distinguée qui peut encore attendre.
Évelyne et Jean-Guy Revillon, Aux Poulets,
71570 Saint-Amour-Bellevue, tél. 03.85.37.14.76,
fax 03.85.37.14.34 r.-v.

DOM. DU CLOS DES CARRIÈRES 2006

■ 7,4 ha n.c. 5 à 8 €

À la tête de cette propriété de 10 ha depuis 1985, Christophe Terrier a élaboré un vin rouge léger. Discret au premier nez, ce 2006 livre des notes de fruits rouges un rien fumées et des touches de sous-bois qui évoluent après aération sur de plaisantes et riches nuances de torréfaction. Une belle attaque, une élégante structure de tanins de qualité, des arômes de framboise composent une bouteille harmonieuse et friande qui pourra accompagner dès maintenant une viande rôtie avec une sauce au vin rouge.
Christophe Terrier, Le Clos des Carrières,
71570 Saint-Amour-Bellevue, tél. 03.85.37.19.70,
fax 03.85.37.11.45,
e-mail christophe.terrier71@wanadoo.fr r.-v.

DOM. DU CLOS DU CHAPITRE 2006

■ 6 ha 30 000 5 à 8 €

Ce négociant établi de longue date en Beaujolais a sélectionné un saint-amour rouge sombre violacé qui s'ouvre à l'aération sur des notes fruitées associées à des nuances végétales. Le fruité se prolonge dans une bouche à la structure tannique et prometteuse. Doté d'un bon potentiel et représentatif du cru, ce vin doit s'affiner au moins un an. Il pourra accompagner du gibier. Présenté par la même maison, le **beaujolais-villages rouge Domaine de La Chapelle 2006** obtient également une citation.
Joannes Chanut, La Bâtie RN 6,
71570 La Chapelle-de-Guinchay, tél. 03.85.23.83.50,
fax 03.85.23.83.71, e-mail aujoux@aujoux.fr r.-v.

DOM. DES DUC 2005 **

■ 9 ha 50 000 5 à 8 €

Ce domaine, déjà présent en 1985 dans la première édition du Guide, a été de nombreuses fois distingué depuis. Deux coups de cœur en 2003. Et ce millésime remarquable qui n'a rien de confidentiel. Rouge soutenu, ce 2005 livre de complexes parfums de fruits rouges à la fois intenses et délicats. Après une attaque plaisante sur le fruité, on découvre une bouche dense, équilibrée et longue aux tanins ronds. Flatteur et élégant, ce saint-amour est prêt à passer à table.
GAEC des Duc, 71570 Saint-Amour-Bellevue,
tél. 03.85.37.10.08, fax 03.85.36.55.75,
e-mail domainedesduc@free.fr
t.l.j. sf dim. 8h-12h 14h-19h

J. ET P. FORTUNE 2005

■ 2,5 ha 3 000 5 à 8 €

Cette exploitation familiale conduite depuis 1954 par Patrice Fortune s'étend sur 10,50 ha, à cheval sur le Mâconnais et le Beaujolais. À partir de vignes de soixante ans, le vigneron a élaboré un saint-amour rouge intense aux parfums puissants et agréables de pivoine et de fruits confits relevés d'une pointe d'épices. Après l'attaque ronde et fruitée, la bouche révèle assez vite des tanins encore jeunes, laissant une finale acidulée. Ce vin, doté d'une matière un peu fine, peut encore gagner à attendre. Le **beaujolais-villages rouge 2005 (3 à 5 €)** est également cité.
Patrice Fortune,
1059, rte de Dracé, Le Petit Dracé,
71680 Crèches-sur-Saône, tél. et fax 03.85.37.47.27,
e-mail pat.fortune@infonie.fr r.-v.

DOM. DE GRY-SABLON 2006

■ 1,1 ha 7 000 5 à 8 €

Depuis son installation en 1990, Dominique Morel a bien développé la propriété familiale. Il est aujourd'hui à la tête de 16 ha, répartis sur cinq appellations et écoule 65 % de sa production à l'étranger. Dans les bâtiments de l'exploitation, qui autrefois abritaient la distillerie du village, a été vinifié ce vin, d'un rubis limpide et brillant. Le nez mêle des odeurs d'iris et d'épices assez intenses qui accompagnent en bouche une chair tendre et souple. Bien équilibré, élégant et long, l'ensemble peut être apprécié dès maintenant. Le **morgon 2006** du domaine est cité.
Dominique Morel, Les Chavannes,
69840 Émeringes, tél. 04.74.04.45.35,
fax 04.74.04.42.66, e-mail gry-sablon@wanadoo.fr
t.l.j. sf dim. 8h-19h

FRANCK JUILLARD 2006 **

■ 0,9 ha 6 000 8 à 11 €

Une notable progression pour Franck Juillard, installé en 1992 comme métayer sur l'exploitation de son père. En quinze ans, il a construit un cuvage, une cave, une maison d'habitation et acheté ou loué des parcelles. Si bien qu'il est aujourd'hui à la tête de 9 ha. Son saint-amour fut coup de cœur dans l'édition précédente. Ce millésime est de la même veine. Grenat intense, ce 2006 décline des parfums complexes de fruits rouges et de fleurs, assortis d'une pointe de cannelle. Après une attaque riche et souple aux arômes de fraise des bois, la bouche révèle des tanins sévères mais de qualité. Ce vin bien structuré et long est apte à la garde. On l'attendra un à deux ans avant de le servir sur des viandes rouges, du petit gibier ou des rognons de veau au madère. Du même producteur, le **juliénas Vieilles Vignes 2006** est cité.
Franck Juillard, Les Capitans, 69840 Juliénas,
tél. et fax 04.74.04.42.56, e-mail fjuillard@wanadoo.fr
r.-v.

JEAN-JACQUES ET SYLVAINE MARTIN 2006

■ 0,5 ha 3 000 ▮ 5 à 8 €

Installé avec son épouse en 1973, Jean-Jacques Martin exploite 6,50 ha en pleine propriété et en fermage à la limite du Beaujolais et du Mâconnais. Dès les premières années, il a décidé de vendre directement les vins en bouteilles. Sa production est bien connue des fidèles lecteurs du Guide (le 2003 fut coup de cœur). De couleur pourpre, ce 2006 libère sans se faire prier et avec générosité des parfums de groseille et de fruits noirs. La bouche s'exprime dans un registre floral et fruité et révèle une belle structure ronde. Ce vin long et très beaujolais est à servir dès maintenant avec de la volaille.

🔑 Jean-Jacques Martin, Les Verchères, 71570 Chânes, tél. 03.85.37.42.27, fax 03.85.37.47.43 ☑ Y ✦ r.-v.

CÉLINE ET CYRILLE MIDEY
Vieilles Vignes 2006

■ 0,37 ha 2 500 ▮ 5 à 8 €

La constitution d'une exploitation est affaire de patience. 2001 : acquisition de 1,12 ha ; 2002 : 2,86 ha en métayage ; 2003 : 3 ha de moulin-à-vent en fermage ; 2005 : achats de 1,15 ha en juliénas et de 27 a en beaujolais. Et toujours en 2005, établissement de la société. Dès l'origine, des mentions dans le Guide. Le domaine représente plus de 5 ha répartis sur quatre appellations. Des vignes de soixante ans sont à l'origine de ce vin pourpre foncé, au nez de fruits rouges, prometteur mais encore sur la réserve. Ferme et riche, l'attaque donne un côté austère à cette bouteille bien faite et au fort potentiel, que l'on attendra deux ans avant de la servir avec un coq au vin.

🔑 Céline et Cyrille Midey, Les Capitans, Cidex 1119, 71570 Saint-Amour-Bellevue, tél. et fax 04.74.04.41.17 ☑ Y ✦ t.l.j. sf dim. 8h-20h; f. 6-19 août

DOM. DES PIERRES 2006 ★★

■ 5 ha n.c. ▮ 5 à 8 €

Vigneron depuis plus de quarante ans, Georges Trichard a acheté cette propriété en 1979. Il a élaboré un saint-amour rouge profond au nez séduisant et complexe mêlant des parfums de fruits rouges bien mûrs et des nuances minérales. Ample, rond, concentré, puissamment structuré par des tanins riches et dénués d'agressivité, c'est un vin typique et prometteur, que l'on attendra un an pour lui permettre d'atteindre sa plénitude.

🔑 Georges Trichard, 2775 rte de Juliénas, 71570 La Chapelle-de-Guinchay, tél. 03.85.36.70.70, fax 03.85.33.82.31 ☑ Y ✦ r.-v.

DOM. DES PRÉAUX 2006 ★★

■ 4,65 ha 31 000 ▮ 8 à 11 €

Cette petite propriété située sur les coteaux sud et sud-est de Saint-Amour est constituée d'une forte proportion de vignes de plus de quarante ans. Celles-ci sont à l'origine de ce vin de caractère. Dans la lignée du millésime précédent, jugé remarquable, ce 2006 pourpre libère des parfums intenses et élégants de cassis et de cerise. Sa puissante matière, structurée par des tanins assez prononcés, tapisse le palais d'arômes de fruits rouges, d'amande et d'épices avec une touche de kirsch. Conjuguant la force et l'harmonie, c'est un vin digne du cru. Il lui reste à acquérir de la souplesse : on l'attendra donc un à deux ans.

🔑 Hervé Buys, Dom. des Préaux, Les Préaux, 71570 Saint-Amour-Bellevue, tél. 04.74.69.09.18, fax 04.74.69.09.75

RÉSERVE DE LA CLOSERIE 2006

■ 9 ha 27 000 ▮ 5 à 8 €

Ce négociant spécialisé dans les vins du Beaujolais et de la Bourgogne a sélectionné un saint-amour pourpre aux intenses parfums floraux et épicés. Ces arômes se retrouvent en bouche, associés à une matière tendre et équilibrée. De fins tanins composent un ensemble élégant mais un peu léger pour ce cru ; servir dès maintenant. Deux autres sélections de Collin-Bourisset ont été citées : le **juliénas 2006 Les Vieilles Roches** et le **brouilly 2006 Les Terres bleues**.

🔑 Collin-Bourisset, rue de la Gare, 71680 Crèches-sur-Saône, tél. 03.85.36.57.25, fax 03.85.37.15.38, e-mail bienvenue@collinbourisset.com ☑ Y ✦ r.-v.

DOM. DES TROIS PLAISIRS 2006 ★

■ 6,7 ha 2 000 ▮ 5 à 8 €

Installé en 2000, Fabien Adoir a créé cette marque en 2004. Les Trois Plaisirs ? Ce sont les trois sens de la dégustation : l'œil : une couleur rouge sombre presque violacée ; le nez : d'exubérants parfums de bourgeon de cassis, expression d'une vinification technologique moderne ; la bouche : une chair ample et équilibrée aux tanins assouplis et aux arômes de cassis. L'ensemble, atypique pour ce cru mais bien fait et plaisant, pourra être servi dès l'automne.

🔑 Fabien Adoir, Le Plâtre Durand, 71570 Saint-Amour-Bellevue, tél. 06.32.37.97.59, fax 03.85.36.51.34 ☑ Y

Le Lyonnais

L'aire de production des vins de l'appellation coteaux-du-lyonnais, située sur la bordure orientale du Massif central, est limitée à l'est par le Rhône et la Saône, à l'ouest par les monts du Lyonnais, au nord et au sud par les vignobles du Beaujolais et de la vallée du Rhône. Vignoble historique de Lyon depuis l'époque romaine, il connut une période faste à la fin du XVI^e^s., religieux et riches bourgeois favorisant et protégeant la culture de la vigne. En 1836, le cadastre mentionnait 13 500 ha. La crise phylloxérique et l'expansion de l'agglomération lyonnaise ont réduit la zone de production. Aujourd'hui, la superficie en production s'élève à 375 ha, répartis sur quarante-neuf communes ceinturant la grande ville par l'ouest, depuis le mont d'Or, au nord, jusqu'à la vallée du Gier, au sud.

Cette zone de 40 km de long sur 30 km de large est structurée par un relief sud-ouest-nord-est qui détermine une succession de vallées à 250 m d'altitude et de collines atteignant 500 m. La nature des terrains est variée ; on y rencontre des granites, des roches métamorphiques, sédimentaires, des limons, des alluvions et du lœss. La structure perméable et légère, la faible épaisseur de certains de ces sols sont le facteur commun qui caractérise la zone viticole où prédominent les roches anciennes.

Coteaux-du-lyonnais

Les trois principales tendances climatiques du Beaujolais sont présentes ici, avec toutefois une influence méditerranéenne plus prononcée. Cependant, le relief, plus ouvert aux aléas climatiques de type océanique et continental, limite l'implantation de la vigne à moins de 500 m d'altitude et l'exclut des expositions nord. Les meilleures situations se trouvent au niveau du plateau. L'encépagement de cette zone est essentiellement à base de gamay noir, cépage qui, vinifié selon la méthode beaujolaise, donne les produits les plus intéressants et les plus recherchés de la clientèle lyonnaise. Les autres cépages admis dans l'appellation sont, en blanc, le chardonnay et l'aligoté. La densité requise est au minimum de 6 000 pieds/ha, les tailles autorisées étant le gobelet ou le cordon et la taille guyot. Le rendement de base est de 60 hl/ha, les degrés d'alcool minimum et maximum étant de 9,5 et 12,5 % vol. pour les vins rouges et les vins blancs. La production est de 15 997 hl en rouge et rosé, et 1 660 hl en blanc pour l'année 2006. Vinifiant les trois quarts de la récolte, la cave coopérative de Sain-Bel est un élément moteur dans cette région de polyculture, où l'arboriculture fruitière est fortement implantée.

Consacrés AOC en 1984, les vins des coteaux-du-lyonnais sont fruités, gouleyants, riches en parfums, et accompagnent agréablement et simplement toutes les cochonnailles lyonnaises, saucisson, cervelas, queue de cochon, petit salé, pieds de porc, jambonneau, ainsi que les fromages de chèvre.

DOM. DE BAPTISTE Terroir 2006 ★

■ 3,5 ha 3 500 ▮ 3 à 5 €

Située non loin du musée de Pierre Folle, « pôle œnologique » du Beaujolais consacré aux sols et à la géologie, cette exploitation qui assure également la production de plants de vignes, a proposé un vin d'un rouge léger aux nuances violacées typiques du gamay. Ses parfums très expressifs de framboise et de bourgeon de cassis rappellent un primeur. Cette production légère, croquante et friande, dite de comptoir, est à boire dès à présent à l'apéritif ou avec un casse-croûte.

Bouteille Frères, 1480, rte des Pierres-Dorées, 69380 Saint-Jean-des-Vignes, tél. 04.78.43.73.27, fax 04.78.43.08.94, e-mail bouteillefreres@aol.com ☑ Y ⼤ r.-v.

LE BOUC ET LA TREILLE 2005

□ 1,5 ha 9 000 ▮ 3 à 5 €

C'est dans les murs de ce qui fut le château de Poleymieux (bâti au XIII^e^s. mais saccagé pendant la Révolution) qu'a été vinifié et élevé ce vin jaune limpide, aux parfums bien développés de fruits blancs et d'agrumes. Une pointe d'amande amère se révèle dans un palais nerveux mais qui reste équilibré. Un ensemble harmonieux, à boire dans l'année. Pour trouver le fromage de chèvre qui pourrait l'accompagner, adressez-vous ailleurs : l'exploitation a renoncé à l'élevage caprin (« le bouc ») pour se dévouer entièrement à la treille.

Le Bouc et la Treille, 82, chem. de la Tour-Risler, 69250 Poleymieux-au-Mont-d'Or, tél. 06.60.21.59.22, fax 04.72.26.07.53, e-mail leboucetlatreille@tele2.fr ☑ Y ⼤ r.-v.

DOM. DE CHAMP GUICHARD 2006 ★

■ 6 ha 28 500 3 à 5 €

Vinifié par la cave coopérative de Sain-Bel, implantée à l'ouest de Lyon, ce vin tire son nom d'un lieu-dit déjà mentionné au XIII^e^s. Vêtu d'une robe rouge profond, ce 2006 se montre peu exubérant au nez mais il laisse deviner une complexité naissante, sur des notes de fruits mûrs. Sa chair aux arômes de raisin et de fruits noirs, révèle des tanins assez présents qui devraient être suffisamment arrondis à la sortie du Guide.

Vignerons de Sain-Bel, RN 389, 69210 Sain-Bel, tél. 04.74.01.11.33 ☑ Y t.l.j. sf dim. 9h-12h 14h-18h

DOM. DU CLOS SAINT-MARC Les Doyennes 2006 ★★

■ 5 ha 18 000 3 à 5 €

L'un des plus grands domaines de l'appellation avec 24,5 ha de vignes. Souvent présente dans le Guide, sa cuvée Les Doyennes naît des plus vieilles vignes de la propriété, d'où son nom. Le 2006, de couleur cerise noire, libère des parfums complexes et concentrés de fruits rouges. Après une mise en bouche très souple, on découvre une grande matière, ronde, équilibrée et longue. Cette bouteille fort plaisante est à savourer au cours des deux prochaines années. Fruitée et plus légère, la **cuvée principale 2006 du domaine** est à boire dans l'année. Elle est citée.

Dom. du Clos Saint-Marc, 60, rte des Fontaines, 69440 Taluyers, tél. 04.78.48.26.78, fax 04.78.48.77.91, e-mail contact@clos-st-marc.com ☑ Y ⼤ r.-v.

DOM. CONDAMIN 2006

■ 1,5 ha 10 000 ▮ 3 à 5 €

Cette exploitation familiale s'est agrandie en 2002 après l'installation de Nicolas Condamin. Elle s'étend aujourd'hui sur 10 ha. Son « coteau » rouge affiche une couleur profonde et exprime des parfums de fruits noirs et de coing. Ses arômes de fruits à noyau persistent assez longuement mais des tanins austères en finale incitent à l'attendre un à deux ans.

Dom. Condamin, 85, rte du Batard, 69440 Taluyers, tél. et fax 04.78.48.24.41 t.l.j. 9h-19h

MICHEL DESCOTES 2006 *

1 ha 2 000 ▮ 3 à 5 €

Les Descotes sont nombreux à Millery : il faut retenir les prénoms ! Ce rosé de couleur saumonée est signé par Michel Descotes. Ses parfums expressifs de bonbon anglais se prolongent dans une bouche croquante, fraîche, équilibrée et persistante. Comme pour presque tous les rosés, ces qualités sont à apprécier sans attendre.

Michel Descotes, 12, rue de la Tourtière, 69390 Millery, tél. 04.78.46.31.03, fax 04.72.30.16.65 r.-v.

RÉGIS DESCOTES Prestige 2005

0,77 ha 4 500 5 à 8 €

Au XVI[e]s., la superficie viticole de Millery était estimée à 450 ha. Aujourd'hui, Régis Descotes, héritier d'une lignée de vignerons remontant au XVII[e]s. et installé dans une maison de la même époque située au cœur du village, conduit une propriété de 8,5 ha. Née de pur chardonnay, sa cuvée Prestige a été élevée en pièces pendant douze mois. Jaune soutenu avec des reflets verts, elle exprime surtout la vanille. Son ample matière charnue est imprégnée d'un boisé jeune et tendre qui milite en faveur d'une garde d'un à deux ans. Le 2004 avait obtenu un coup de cœur.

Régis Descotes, 16, av. du Sentier, 69390 Millery, tél. 04.78.46.18.77, fax 04.78.46.16.22, e-mail vinsdescotes@wanadoo.fr r.-v.

ÉTIENNE DESCOTES ET FILS 2005

2 ha 8 000 ▮ 5 à 8 €

Cette exploitation familiale est implantée au sud-ouest de Lyon. Vendangés à la main, l'aligoté et le chardonnay (90 %) sont à l'origine de ce vin jaune pâle aux parfums intenses de fruits blancs et de miel, accompagnés de notes de rhubarbe et de réglisse. La bouche plus modeste, de structure assez légère, invite à déboucher cette bouteille dans l'année.

GAEC Étienne Descotes et Fils, 12, rue des Grès, 69390 Millery, tél. 04.78.46.18.38, fax 04.72.30.70.68, e-mail pierre.descotes@chello.fr r.-v.

PIERRE ET JEAN-MICHEL JOMARD 2006 *

0,97 ha 6 000 ▮ 3 à 5 €

Les Jomard font remonter leurs racines vigneronnes à l'époque de François Ier. Fidèles à la sélection du Guide, le père et le fils sont cités pour un **rosé 2006** et obtiennent une étoile pour ce pur chardonnay à la robe or pâle et au nez d'agrumes (citron) et de mangue. Après les premières impressions acidulées, sa chair franche, équilibrée, typée primeur garnit amplement le palais. À savourer dans l'année.

Pierre et Jean-Michel Jomard, Le Morillon, 69210 Fleurieux-sur-l'Arbresle, tél. 04.74.01.02.27, fax 04.74.01.24.04, e-mail jmichel.jomard@orange.fr r.-v.

DOM. DE LA PETITE GALLÉE
Les Balmes de Chapèze 2006 *

■ 1,3 ha 3 600 ▮ 8 à 11 €

C'est sans surprise que l'on retrouve ce nom : Patrice Thollet, qui cultive 11 ha à 15 km au sud de Lyon, est un autre habitué du Guide. Seul suspense : le rouge ou le blanc ? Les deux couleurs ont été retenues, comme dans la dernière édition. Mais cette année, le rouge est en tête. Ses arômes concentrés de fruits noirs bien mûrs assortis d'une pointe vanillée persistent dans une bouche aux tanins encore jeunes. Ce vin puissant et prometteur est à attendre un à deux ans pour lui permettre de gagner en élégance. Le **blanc Fût de chêne 2005 (5 à 8 €)** est cité.

Patrice Thollet, Dom. de La Petite Gallée, 69390 Millery, tél. 04.78.46.24.30, e-mail contact@domainethollet.com r.-v.

DOM. DE PETIT FROMENTIN
Vieilles Vignes de Châteauvieux 2006

■ 3 ha 20 000 ▮ 3 à 5 €

La famille Decrenisse cultive plus de 15 ha autour de Chasselay, au pied du Mont d'Or. Des vignes d'âge vénérable, dont certaines ont été plantées en 1903, ont engendré ce vin rouge intense aux parfums concentrés de fruits rouges. Sa chair généreuse est soutenue par des tanins très présents mais qui commencent à s'arrondir. Cette structure laisse augurer un potentiel intéressant. À déboucher dans un à deux ans.

Famille Decrenisse, 911, Le Petit-Fromentin, 69380 Chasselay, tél. et fax 04.78.47.35.11 t.l.j. sf dim. 17h-19h30

DOM. DE PRAPIN 2006 *

1,5 ha 6 000 3 à 5 €

La cinquième génération de Jullian perpétue la tradition vigneronne au sud de Lyon. Dans le millésime 2006, c'est cette cuvée or pâle aux reflets verts, née de chardonnay cueilli à la main, qui s'est distinguée. Expressive au nez, elle décline l'acacia, la pêche et l'iris. Elle garnit le palais d'amples sensations charnues et n'est pas avare d'arômes d'ananas et de noisette. Cette bouteille équilibrée trouvera sa place à l'apéritif, avec des viandes blanches, de l'andouillette ou du poisson grillé.

EARL Jullian, Dom. de Prapin, 69440 Taluyers, tél. et fax 04.78.48.24.84, e-mail domainedeprapin@wanadoo.fr r.-v.

LE BORDELAIS

LE BORDELAIS

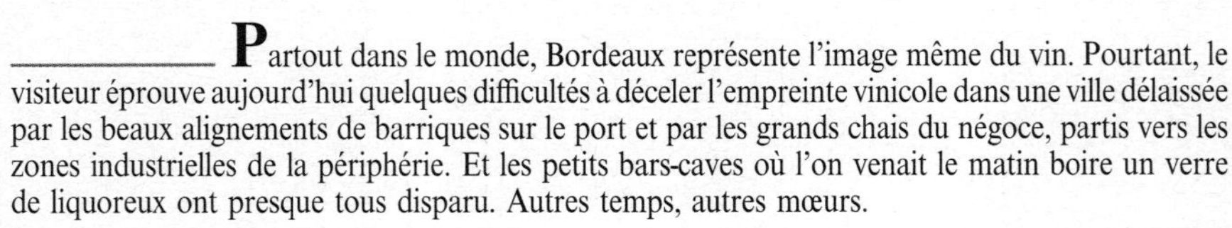

Partout dans le monde, Bordeaux représente l'image même du vin. Pourtant, le visiteur éprouve aujourd'hui quelques difficultés à déceler l'empreinte vinicole dans une ville délaissée par les beaux alignements de barriques sur le port et par les grands chais du négoce, partis vers les zones industrielles de la périphérie. Et les petits bars-caves où l'on venait le matin boire un verre de liquoreux ont presque tous disparu. Autres temps, autres mœurs.

Il est vrai que la longue histoire vinicole de Bordeaux n'en est pas à son premier paradoxe. Songeons qu'ici le vin fut connu avant... la vigne, quand, dans la première moitié du Iers. av. J.-C. (avant même l'arrivée des légions romaines en Aquitaine), des négociants campaniens commençaient à vendre du vin aux Bordelais. Si bien que, d'une certaine façon, c'est par le vin que les Aquitains ont fait l'apprentissage de la romanité... Par la suite, au Iers. de notre ère, la vigne est apparue. Mais il semble que ce soit surtout à partir du XIIes. qu'elle ait connu une certaine extension : le mariage d'Aliénor d'Aquitaine avec Henri Plantagenêt, futur roi d'Angleterre, favorisa l'exportation des « clarets » sur le marché britannique. Les expéditions de vin de l'année se faisaient par mer, avant Noël. On ne savait pas conserver les vins ; après une année, ils étaient moins prisés parce que partiellement altérés.

À la fin du XVIIes., les « clarets » ont été concurrencés par l'introduction de nouvelles boissons (thé, café, chocolat) et par les vins plus riches de la péninsule Ibérique. D'autre part, les guerres de Louis XIV entraînèrent des mesures de rétorsion économique contre les vins français. Cependant, la haute société anglaise restait attachée au goût des « clarets ». Aussi quelques négociants londoniens cherchèrent-ils, au début du XVIIIes., à créer un nouveau style de vins plus raffinés, les *new French clarets* qu'ils achetaient jeunes pour les élever. Afin d'accroître leurs bénéfices, ils imaginèrent de les vendre en bouteilles. Bouchées et scellées, celles-ci garantissaient l'origine du vin. Insensiblement, la relation terroir-château-grand vin s'effectua, marquant l'avènement de la qualité. À partir de ce moment, les vins commencèrent à être jugés, appréciés et payés en fonction de leur qualité. Cette situation encouragea les viticulteurs à faire des efforts pour la sélection des terroirs, la limitation des rendements et l'élevage en fût ; parallèlement, ils introduisirent la protection des vins par l'anhydride sulfureux qui permit le vieillissement, ainsi que la clarification par collage et soutirage. À la fin du XVIIIes., la hiérarchie des crus bordelais était établie. Malgré la Révolution et les guerres de l'Empire, qui fermèrent provisoirement les marchés anglais, le prestige des grands vins de Bordeaux ne cessa de croître au XIXes., pour aboutir, en 1855, à la célèbre classification des crus du Médoc, qui est toujours en vigueur malgré les critiques que l'on peut émettre à son égard.

Après cette période faste, le vignoble fut profondément affecté par les maladies de la vigne, phylloxéra et mildiou ; et par les crises économiques et les guerres mondiales. De 1960 à la fin des années 1980, le vin de Bordeaux a connu un regain de prospérité, lié à une remarquable amélioration de la qualité et à l'intérêt que l'on porte, dans le monde entier, aux grands vins. La notion de hiérarchie des terroirs et des crus retrouve sa valeur originelle ; mais les vins rouges ont mieux bénéficié de cette évolution que les vins blancs. Au début des années 2000, le marché connaît des difficultés qui ne seront pas sans incidence sur la structure du vignoble.

Le vignoble bordelais est organisé autour de trois axes fluviaux : la Garonne, la Dordogne et leur estuaire commun, la Gironde. Ils créent des conditions de milieux (coteaux bien exposés et régulation de la température) favorables à la culture de la vigne. En outre, ils ont joué un rôle économique important en permettant le transport du vin vers les lieux de consommation. Le climat de la région bordelaise est relativement tempéré (moyennes annuelles 7,5 °C minimum, 17 °C maximum), et le vignoble protégé de l'Océan par la forêt de pins. Les gelées d'hiver sont exceptionnelles (1956, 1958, 1985), mais une température inférieure à -2 °C sur les jeunes bourgeons (avril-mai) peut entraîner leur destruction. Un temps froid et humide au moment de la floraison (juin) provoque un risque de coulure, qui correspond à un avortement des grains. Ces deux accidents entraînent des pertes de récolte et expliquent la variation de leur importance. En revanche, la qualité de la récolte suppose un temps chaud et sec de juillet à octobre, tout particulièrement pendant les quatre dernières semaines précédant les vendanges (globalement, 2 008 heures de soleil par an). Le climat bordelais est assez humide (900 mm de précipitations annuelles) ; particulièrement au printemps, où le temps n'est pas toujours très bon. Mais les automnes sont réputés, et de nombreux millésimes ont été sauvés *in extremis* par une arrière-saison exceptionnelle ; les grands vins de Bordeaux n'auraient jamais pu exister sans cette circonstance heureuse.

La vigne est cultivée en Gironde sur des sols de natures très diverses et le niveau de qualité n'est pas lié à un type de sol particulier. La plupart des grands crus de vin rouge sont établis sur des alluvions gravelo-sableuses siliceuses ; mais on trouve aussi des vignobles réputés sur les calcaires à astéries, sur les molasses et même sur des sédiments argileux. Les vins blancs secs sont produits indifféremment sur des nappes alluviales gravelo-sableuses, sur calcaire à astéries et sur limons ou molasses. Les deux premiers types se retrouvent dans les régions productrices de vins liquoreux, avec les argiles. Dans tous les cas, les mécanismes naturels ou artificiels (drainage) de régulation de l'alimentation en eau constituent une caractéristique essentielle de la production de vins de qualité. Il s'avère donc qu'il peut exister des crus ayant la même réputation de haut niveau sur des roches-mères différentes. Cependant, les caractères aromatiques et gustatifs des vins sont influencés par la nature des sols ; les vignobles du Médoc et de Saint-Émilion en fournissent de bons exemples. Par ailleurs, sur un même type de sol, on produit indifféremment des vins rouges, des vins blancs secs et des vins blancs liquoreux.

Le vignoble bordelais a déclaré 121 500 ha en 2006 pour une production de 5,9 M hl environ. Après avoir connu une forte régression dans la première partie du XX^{e}s., il a connu une considérable expansion entre 1983 et 2003, gagnant 20 000 ha. On assiste à une concentration des propriétés, avec une diminution du nombre des producteurs.

Les vins de Bordeaux ont toujours été produits à partir de plusieurs cépages qui ont des caractéristiques complémentaires. En rouge, les cabernets et le merlot sont les principales variétés. Les premiers donnent aux vins leur structure tannique, mais il faut plusieurs années pour qu'ils atteignent leur qualité optimale ; en outre, le cabernet-sauvignon est un cépage tardif, qui résiste bien à la pourriture, mais avec parfois des difficultés de maturation. Le merlot donne un vin plus souple, d'évolution plus rapide ; il est plus précoce et mûrit bien, mais il est sensible à la coulure, à la gelée et à la pourriture. Sur une longue période, l'association des deux cépages, dont les proportions varient en fonction des sols et des types de vin, donne les meilleurs résultats. Pour les vins blancs, le cépage essentiel est le sémillon (52 %), complété dans certaines zones par le colombard (11 %) et surtout par le sauvignon – qui tend à se développer – et la muscadelle (15 %), qui possèdent des arômes spécifiques très fins. L'ugni blanc est en retrait.

La vigne est conduite en rangs palissés, avec une densité de ceps à l'hectare très variable. Elle atteint 10 000 pieds dans les grands crus du Médoc et des Graves ; elle se situe à 4 000 pieds dans les plantations classiques de l'Entre-deux-Mers, pour tomber à moins de 2 500 pieds dans les vignes dites hautes et larges. Les densités élevées permettent une diminution de la récolte par pied, ce qui est favorable à la maturité ; par contre, elles entraînent des frais de plantation et de culture plus élevés et luttent moins bien contre la pourriture. La vigne est l'objet, tout au long de l'année, de soins attentifs. C'est à la faculté des sciences de Bordeaux qu'a été découverte en 1885

Le Bordelais

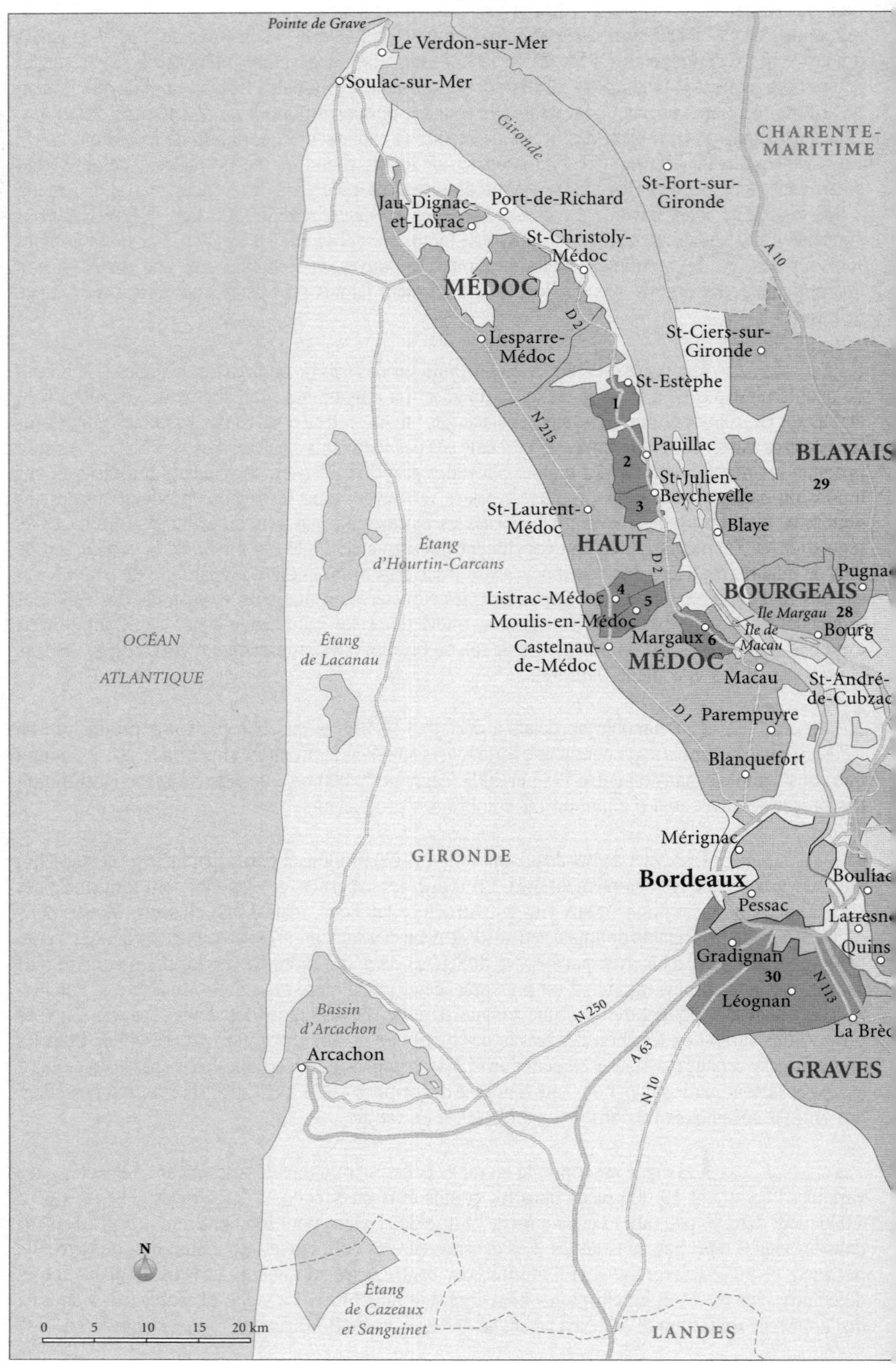

Pointe de Grave
Le Verdon-sur-Mer
Soulac-sur-Mer
Gironde
CHARENTE-MARITIME
St-Fort-sur-Gironde
Jau-Dignac-et-Loirac
Port-de-Richard
St-Christoly-Médoc
A 10
MÉDOC
D 2
Lesparre-Médoc
St-Ciers-sur-Gironde
St-Estèphe
1
N 215
Pauillac
2
BLAYAIS
St-Julien-Beychevelle
29
3
St-Laurent-Médoc
Blaye
HAUT
Étang d'Hourtin-Carcans
D 2
Pugna
BOURGEAIS
4
Listrac-Médoc
5
Île Margau
28
Moulis-en-Médoc
Île de Macau
Bourg
Margaux
6
OCÉAN ATLANTIQUE
Étang de Lacanau
Castelnau-de-Médoc
MÉDOC
Macau
St-André-de-Cubzac
D 1
Parempuyre
Blanquefort
Mérignac
GIRONDE
Bordeaux
Bouliac
Pessac
Latresn
Gradignan
Quins
30
N 113
Léognan
Bassin d'Arcachon
N 250
La Brè
A 63
Arcachon
GRAVES
N 10
N
Étang de Cazeaux et Sanguinet
0
5
10
15
20 km
LANDES

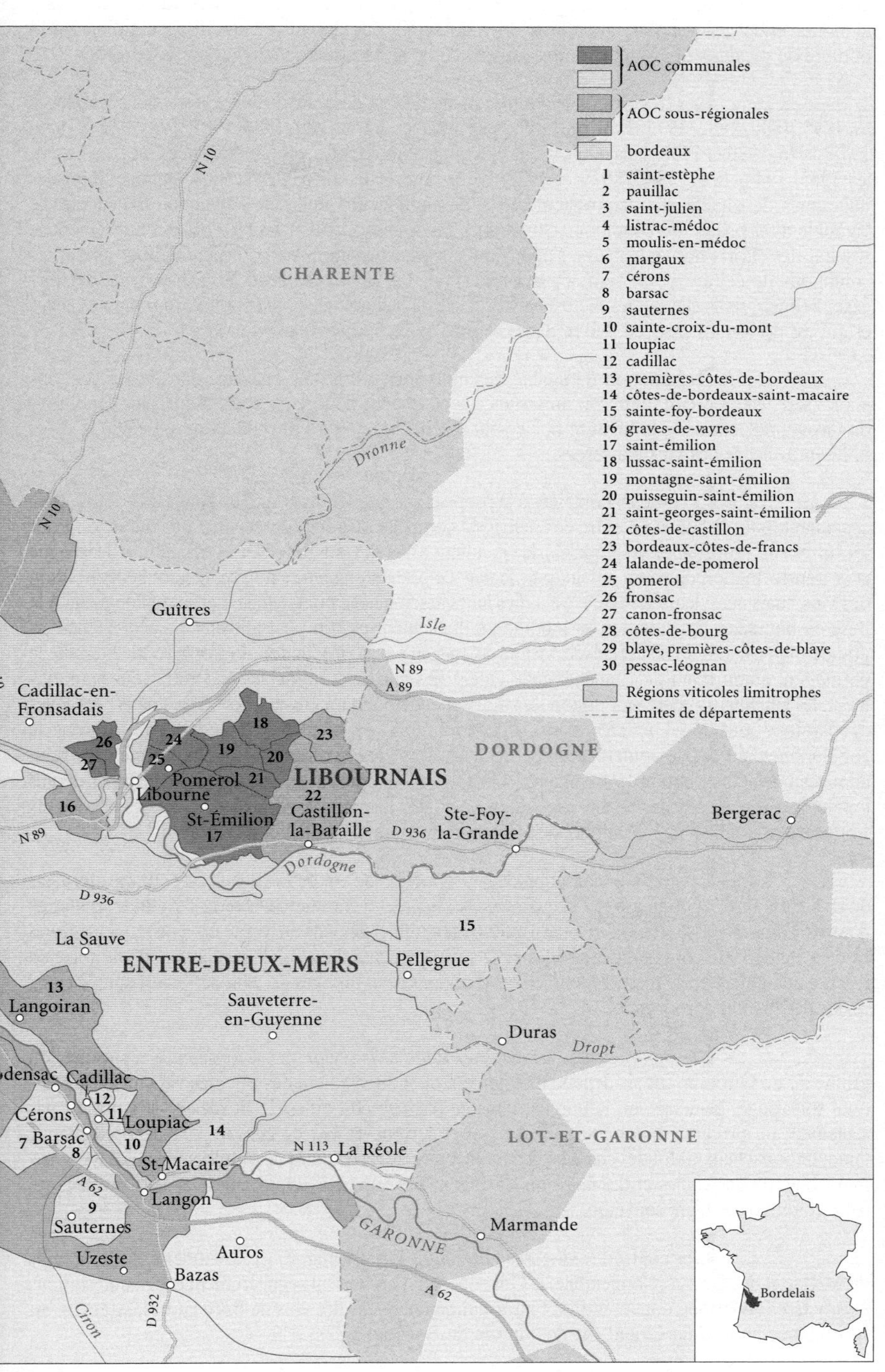
AOC communales
AOC sous-régionales
bordeaux
1 saint-estèphe
2 pauillac
3 saint-julien
4 listrac-médoc
5 moulis-en-médoc
6 margaux
7 cérons
8 barsac
9 sauternes
10 sainte-croix-du-mont
11 loupiac
12 cadillac
13 premières-côtes-de-bordeaux
14 côtes-de-bordeaux-saint-macaire
15 sainte-foy-bordeaux
16 graves-de-vayres
17 saint-émilion
18 lussac-saint-émilion
19 montagne-saint-émilion
20 puisseguin-saint-émilion
21 saint-georges-saint-émilion
22 côtes-de-castillon
23 bordeaux-côtes-de-francs
24 lalande-de-pomerol
25 pomerol
26 fronsac
27 canon-fronsac
28 côtes-de-bourg
29 blaye, premières-côtes-de-blaye
30 pessac-léognan
Régions viticoles limitrophes
Limites de départements
CHARENTE
DORDOGNE
LIBOURNAIS
ENTRE-DEUX-MERS
LOT-ET-GARONNE
N 10
Dronne
Isle
Dordogne
GARONNE
Dropt
Ciron
N 89
A 89
D 936
N 113
A 62
D 932
Guîtres
Cadillac-en-Fronsadais
Pomerol
Libourne
St-Émilion
Castillon-la-Bataille
Ste-Foy-la-Grande
Bergerac
La Sauve
Pellegrue
Langoiran
Sauveterre-en-Guyenne
Duras
Cadillac
Cérons
Loupiac
Barsac
St-Macaire
La Réole
Langon
Sauternes
Auros
Marmande
Uzeste
Bazas
Bordelais

la « bouillie bordelaise » (sulfate de cuivre et chaux), pour la lutte contre le mildiou. Connue dans le monde entier, elle est toujours utilisée, bien qu'aujourd'hui les viticulteurs disposent d'un grand nombre de produits de traitement, mis au service de la nature et jamais dirigés contre elle.

Les très grands millésimes ne manquent pas à Bordeaux. Citons pour les rouges les 1995, 1990, 1982, 1975, 1961 ou 1959, mais aussi les 2000, 1989, 1988, 1985, 1983, 1981, 1979, 1978, 1976, 1970 et 1966, sans oublier, dans les années antérieures, les fameux millésimes que furent les 1955, 1949, 1947, 1945, 1929 et 1928. On a noté, dans un passé récent, l'augmentation des millésimes de qualité et, réciproquement, la diminution des millésimes médiocres. Peut-être le vignoble a-t-il profité de conditions climatiques favorables ; mais il faut y voir essentiellement le résultat des efforts des viticulteurs, s'appuyant sur les acquisitions de la recherche pour affiner les conditions de culture de la vigne et la vinification. La viticulture bordelaise dispose de terroirs exceptionnels, mais elle sait les mettre en valeur par la technologie la plus raffinée qui puisse exister et qui est désormais mise en œuvre dans bien des pays du Nouveau Monde.

Si la notion de qualité des millésimes est moins marquée dans le cas des vins blancs secs, elle reprend toute son importance avec les vins liquoreux, pour lesquels les conditions du développement de la pourriture noble sont essentielles. (Voir l'introduction : « Le Vin », et les différentes fiches des vins concernés.)

La mise en bouteilles à la propriété se fait depuis longtemps dans les grands crus ; cependant, pour beaucoup d'entre eux, elle n'est complète que depuis une vingtaine d'années. Pour les autres vins (appellations régionales), le viticulteur assurait traditionnellement la culture de la vigne et la transformation du raisin en vin, puis le négoce prenait en charge non seulement la distribution des vins, mais aussi leur élevage, c'est-à-dire leurs assemblages pour régulariser la qualité jusqu'à la mise en bouteilles. La situation se modifie graduellement et l'on peut affirmer qu'actuellement la grande majorité des AOC est élevée, vieillie et stockée par la production. Les progrès de l'œnologie permettent aujourd'hui de vinifier régulièrement des vins consommables en l'état ; tout naturellement, les viticulteurs cherchent donc à les valoriser en les mettant eux-mêmes en bouteilles ; les caves coopératives ont joué un rôle dans cette évolution, en créant des unions qui assurent le conditionnement et la commercialisation des vins. Le négoce conserve toujours un rôle important au niveau de la distribution, en particulier à l'exportation, grâce à ses réseaux bien implantés depuis longtemps. Il n'est pas impossible cependant que, dans l'avenir, les vins de marque des négociants trouvent un regain d'intérêt auprès de la grande distribution de détail.

La commercialisation de la production de vin de Bordeaux est soumise aux aléas de la conjoncture économique et à la qualité de la récolte. La commercialisation s'évalue en milliards d'euros. Dans un passé récent, le Conseil interprofessionnel des vins de Bordeaux a pu jouer un grand rôle en matière de commercialisation, par la mise en place d'un stock régulateur, d'une mise en réserve qualitative et de mesures financières d'organisation du marché. Son action est soumise aux règles de l'Union européenne.

L'importance de la viticulture dans la vie régionale est considérable, puisque l'on estime qu'un Girondin sur six dépend directement ou indirectement des activités viti-vinicoles. Mais qu'il soit rouge, blanc sec ou liquoreux, dans ce pays gascon qu'est le Bordelais, le vin n'est pas seulement un produit économique. C'est aussi et surtout un fait de culture. Car derrière chaque étiquette se cachent tantôt des châteaux à l'architecture de rêve, tantôt de simples maisons paysannes, mais toujours des vignes et des chais où travaillent des hommes, apportant, avec leur savoir-faire, leurs traditions et leurs souvenirs.

Les confréries vineuses (Jurade de Saint-Émilion, Commanderie du Bontemps du Médoc et des Graves, Connétablie de Guyenne, etc.) organisent régulièrement des manifestations à caractère folklorique dont le but est l'information en faveur des vins de Bordeaux ; leur action est coordonnée au sein du Grand Conseil du vin de Bordeaux.

Les appellations régionales bordeaux

Si le public situe assez facilement les appellations communales, il lui est souvent plus difficile de se faire une idée exacte de ce que représente l'appellation bordeaux. Pourtant, la définir est apparemment simple : ont droit à cette appellation après agrément tous les vins produits dans la zone délimitée du département de la Gironde, à l'exclusion de ceux qui viendraient de la zone sablonneuse située à l'ouest et au sud (la lande, consacrée depuis le XIXes. à la forêt de pins). Autrement dit, ce sont tous les terroirs à vocation viticole de la Gironde qui ont droit à cette appellation. Et tous les vins qui y sont produits peuvent l'utiliser, à condition qu'ils soient conformes aux règles fixées pour son attribution (sélection des cépages, rendements à ne pas dépasser...). Mais derrière cette simplicité se cache une grande variété. Variété, tout d'abord, des types de vins. En effet, plus que d'une appellation bordeaux, il convient de parler des appellations bordeaux, celles-ci comportant des vins rouges, mais aussi des rosés et des clairets, des vins blancs (secs et liquoreux) et des mousseux (blancs ou rosés). Variété des origines ensuite, les bordeaux pouvant être de plusieurs types : pour les uns, il s'agit de vins produits dans des secteurs de la Gironde n'ayant droit qu'à la seule appellation bordeaux, comme les régions de palus (certains sols alluviaux) proches des fleuves, ou quelques zones du Libournais (communes de Saint-André-de-Cubzac, Guîtres, Coutras...). Pour les autres, il s'agit de vins provenant de régions ayant droit à une appellation spécifique (médoc, saint-émilion, pomerol, etc.). Dans certains cas, l'utilisation de l'appellation régionale s'explique alors par le fait que l'appellation locale est commercialement peu connue (comme pour les bordeaux côtes-de-francs, les bordeaux haut-benauge, les bordeaux sainte-foy ou les bordeaux saint-macaire) ; l'appellation spécifique est un complément de l'appellation régionale. Il arrive également que l'on trouve des bordeaux provenant d'une propriété située dans l'aire de production d'une appellation communale prestigieuse, ce qui ne manque pas d'intriguer certains amateurs curieux. Mais là aussi l'explication est aisée à trouver : traditionnellement, beaucoup de propriétés en Gironde produisent plusieurs types de vins (notamment des rouges et des blancs) ; or dans de nombreux cas (médoc, saint-émilion, entre-deux-mers ou sauternes), l'appellation spécifique ne s'applique qu'à un seul type. Les autres productions sont donc commercialisées comme bordeaux ou bordeaux supérieurs.

S'ils sont moins célèbres que les grands crus, tous ces bordeaux n'en constituent pas moins quantitativement la première appellation de la Gironde, avec, en 2005, en rouge et rosé, 2 929 220 hl, 392 631 hl pour les blancs et 10 235 hl pour les crémants-de-bordeaux.

L'importance de cette production et l'impressionnante surface du vignoble ont pour conséquence une certaine diversité de caractères. Pourtant, il existe aussi des points communs, donnant leur unité aux différentes appellations régionales et tout d'abord par l'utilisation de mêmes cépages (cabernet-sauvignon, cabernet franc, merlot). Ainsi les bordeaux rouges sont des vins qui doivent être fruités, mais pas trop corsés, pour pouvoir être consommés jeunes. Les bordeaux supérieurs rouges se veulent des vins plus complets. Les bordeaux clairets et rosés, eux, sont obtenus par faible macération de raisins de cépages rouges ; les clairets ont une couleur un peu plus soutenue. Ils sont frais et fruités, mais leur production reste très limitée.

Les bordeaux blancs sont des vins secs, nerveux et fruités. Leur qualité a été améliorée par les progrès réalisés dans les techniques de conduite de la vinification. Les bordeaux supérieurs blancs sont moelleux et onctueux ; leur production est limitée.

Il existe enfin une appellation crémant-de-bordeaux. Les vins de base doivent être produits dans l'aire d'appellation bordeaux. La deuxième fermentation (prise de mousse) doit être effectuée en bouteilles dans la région de Bordeaux.

Bordeaux

AD VITAM ÆTERNAM 2005 ★★

■ 1,5 ha 5 100 ▮◖◗ 11 à 15 €

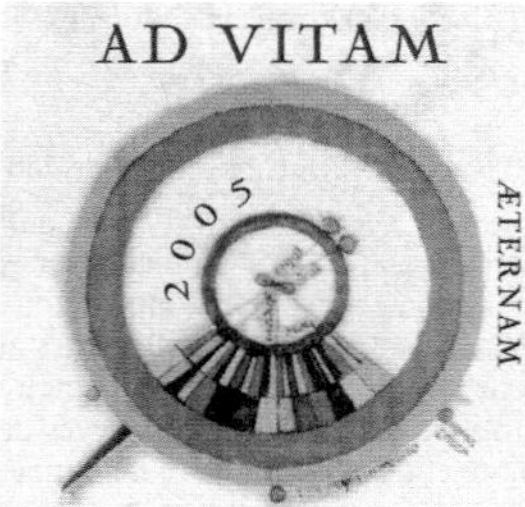

En 2005, Xavier Péneau et Xavier Buffo se sont associés pour créer cette propriété de 1,50 ha sur les coteaux argilo-calcaires dominant la Dordogne. Vin de garage ? En effet, le raisin – majoritairement de merlot – est vinifié avec les dernières techniques dans le garage de la maison. Vous devrez faire vite pour vous procurer quelques bouteilles de ce 2005 si sombre et intense qu'il en paraît presque noir. Au nez exubérant de fruits noirs mûrs, de grillé, de toasté et de réglisse correspond un corps riche et puissant, qu'un boisé finement fondu souligne. Le fruit persiste durablement en finale. « Superbe ! Un vin à avoir en cave », conclut un membre du jury ; peut-être pas *ad vitam æternam*, mais entre trois et six ans.

SARL Vinaria, 36, rue des Gauthiers,
33500 Les Billaux, tél. et fax 05.57.74.66.36
r.-v.
Buffo et Péneau

CH. LES ANCRES 2005 *

21,73 ha	147 860	3 à 5 €

Lors d'une promenade en bateau sur le canal latéral de la Garonne, arrêtez-vous au village de Saint-Martin-de-Sescas pour visiter le château des Ancres et, peut-être même, y faire halte quelques jours. Vous y dégusterez ce 2005 frangé de violine, à forte teneur en cabernets, qui dispense des senteurs de fruits noirs, de grillé et de réglisse. Souple en attaque, il emplit le palais de sa chair ample et friande, fruitée. Les tanins font patte de velours et la finale persiste sur le fruit. Une vinification respectueuse du raisin. Le **Château de Jayle 2005 (5 à 8 €)**, fruité, rond et équilibré, est cité.

EARL des Vignobles Denis Pellé, 1-2, Jayle,
33490 Saint-Martin-de-Sescas, tél. 05.56.63.60.90,
fax 05.56.62.71.60, e-mail contact@vignobles-pelle.com
r.-v.

LES ANCRES DE BELLEVUE 2005 *

3,3 ha	7 000	5 à 8 €

« Pédagogique », ainsi se définit ce domaine de 5,5 ha, implanté sur une croupe argilo-calcaire, exposée sud sud-ouest dans la région des premières Côtes de Bordeaux. Car les propriétaires ont confié le suivi des vignes et de la vinification aux étudiants de l'Enita de Bordeaux et à leurs professeurs. Cépages traditionnels, vieillissement en fût : la méthode classique en somme pour obtenir un bordeaux rubis qui s'ouvre sur des arômes d'épices, de cèdre et de fumée. D'abord souple et rond, le vin évolue vers une structure tannique encore marquée par le bois en finale. À conserver deux ans en cave.

Jean-François Boras et Nathalie Delattre,
Dom. de Bellevue, 33550 Langoiran,
tél. 05.56.67.39.29, e-mail bellevuebordeaux@aol.com
r.-v.

CH. LES ARROMANS Cuvée Prestige 2005 **

4 ha	20 000	5 à 8 €

Du merlot à 100 %, mûr à point, pour cette cuvée Prestige qui laisse une remarquable impression de volume et semble ne jamais devoir se départir de ses arômes. La voici vêtue de couleur sombre, presque noire, qui embaume les fruits cuits, en confiture, relevés de notes de grillé, de toasté et de vanille. Elle se fait ample, ronde et riche grâce à une trame de tanins assagis et élégants, laissant en finale le souvenir des notes d'épices. À savourer d'ici 2010.

Joël Duffau, 2, Les Arromans, 33420 Moulon,
tél. 05.57.74.93.98, fax 05.57.84.66.10,
e-mail joel.duffau@tiscali.fr
t.l.j. sf dim. 8h-12h 14h-19h

CH. AUX GRAVES DE LA LAURENCE 2005

0,17 ha	1 100	5 à 8 €

La Laurence, petit affluent de la Dordogne, a façonné cette croupe de graves argileuses où est implanté l'hectare de vigne de Bernard et Marie-Odile Hébrard. Merlot (75 %) et cabernet franc (25 %) composent cet élégant bordeaux rubis, riche d'arômes de fruits rouges et de sous-bois sur fond légèrement grillé. Le palais allie fraîcheur, souplesse et rondeur, même si les tanins encore jeunes se manifestent en finale.

Bernard Hébrard,
Ch. Aux Graves de la Laurence, 42, rte de Libourne,
33450 Saint-Loubès, tél. et fax 05.57.84.61.03
r.-v.

BARON D'ESPIET 2004

n.c.	26 666	3 à 5 €

Baron d'Espiet, dans l'Entre-deux-Mers, figure au nombre des caves coopératives créées dans les années 1930. Elle compte aujourd'hui quelque soixante-dix adhérents. La présence de merlot à 80 % se traduit dans ce bordeaux par une teinte grenat, ainsi que par des arômes de fruits rouges et d'épices sur fond de cuir. Si la trame tannique est perceptible, le corps n'en est pas moins souple et ample, avec une juste fraîcheur. Trois ans permettront aux composants de se fondre harmonieusement.

Union de producteurs Baron d'Espiet,
Lieu-dit Fourcade, 33420 Espiet, tél. 05.57.24.24.08,
fax 05.57.24.18.91 r.-v.

BARON PICHAUX 2005 *

n.c.	900 000	- de 3 €

Un vin séduisant dans sa robe grenat brillant. Le voici qui dispense un panier de fruits mêlant la myrtille, la mûre et la cerise noire, avant de proposer sa matière souple, ronde, fruitée et bien équilibrée. La finale encore ferme annonce un bon potentiel de garde. **La Clède cuvée Prestige 2005**, plaisante et bien typée, reçoit une étoile également.

Les Caves de la Brèche, ZAE de L'Arbalestrier,
33220 Pineuilh, tél. 05.57.41.91.50, fax 05.57.46.42.76,
e-mail contact@grm-vins.fr r.-v.

CH. BELLEVUE 2005 *

52,93 ha	321 133	3 à 5 €

Ce cru vaste de 84 ha possède un encépagement équilibré : merlot, cabernet-sauvignon, cabernet franc et malbec. Il propose un 2005 riche et harmonieux, vêtu de rubis. Aux arômes de fruits rouges mûrs, de fleurs séchées, nuancés de notes épicées et mentholées, succède l'expression d'un corps charpenté par des tanins certes puissants mais enrobés. Une longue finale sur le fruit conclut la dégustation. Trois ans de garde permettront à ce vin de s'épanouir.

SCEA Famille d'Amécourt,
Saint-Romain-de-Vignague,
33540 Sauveterre-de-Guyenne, tél. 05.56.71.54.56,
fax 05.56.71.83.95, e-mail vignesdamecourt@aol.com
r.-v.

CH. BELLEVUE LA MONGIE 2004 *

9 ha	50 000	3 à 5 €

Sous une robe carmin aux légers reflets orangés se révèle un bouquet expressif de fruits secs, de fruits à noyau, agrémentés d'une touche animale. À l'attaque fraîche succède une bouche chaleureuse et riche, étayée par une élégante trame de tanins fins et discrets. Le merlot (90 %) apporte à ce vin un indéniable charme et lui permet de passer à table dès maintenant.

Michel Boyer, Ch. Bellevue La Mongie,
33420 Génissac, tél. 05.57.24.48.43, fax 05.57.24.48.63
t.l.j. 8h-12h 14h-19h; sam. dim. sur r.-v.;
f. 15-31 août

CH. BEL-ORME MARTIAL
Cuvée spéciale 2005 ★★★

■	22,5 ha	152 000		5 à 8 €

Dans la région des Côtes de Bordeaux Saint-Macaire, cette propriété, créée en 1995, couvre 25 ha sur sol argilo-calcaire. Laurent Mazeau a vinifié un bordeaux d'une harmonie parfaite. De la robe profonde, éclairée de reflets violets, naissent des arômes de fruits noirs (mûre, cassis) associés aux notes épicées. La matière ample, ronde et grasse, bénéficie d'une charpente de qualité qui respecte l'expression du fruit. Un grand bordeaux à prix raisonnable. Fruitée et charnue, la **cuvée Tradition 2005 Élevé en fut de chêne** obtient une étoile.

Laurent Mazeau, Ch. de Costis, 1, chem. de Costis,
33760 Targon, tél. 05.57.34.55.10, fax 05.57.34.55.15,
e-mail ducmaze@wanadoo.fr r.-v.

CH. BONNET Divinus 2004 ★★

■	6 ha	28 000		**15 à 23 €**

Le 2003 avait reçu une étoile l'an passé. La cuvée Divinus progresse encore dans ce millésime 2004. Robe rouge intense et profond, bouquet aussi complexe que puissant, riche de notes de fruits rouges et noirs, de pain d'épice, de grillé sur fond animal. L'élevage de six mois en barrique a respecté le raisin, comme en témoigne la chair ronde et ample, portée par des tanins soyeux qui évoluent élégamment en finale. Un bordeaux de haute tenue, à apprécier dans deux ans. Une étoile revient au **Château Bonnet Réserve 2004 (8 à 11 €)** pour l'harmonie de son corps.

André Lurton, Ch. Bonnet, 33420 Grézillac,
tél. 05.57.25.58.58, fax 05.57.74.98.59,
e-mail andrelurton@andrelurton.com r.-v.

CELLIER DE BORDES
Cuvée Prestige Vieilli en fût de chêne 2005 ★★

■	n.c.	60 000		3 à 5 €

Six mois d'élevage en barrique pour un vin parfaitement équilibré. Si dense qu'il en paraît noir, ce 2005 livre des arômes grillés et toastés sans excès, nuancés de mentholé et de notes de boîte à cigares. Ronde et chaleureuse, la bouche gagne en puissance sans rien perdre de la ligne aromatique. Des tanins élégants assurent sa charpente et sa persistance. Un bordeaux voluptueux. Le **Château Hostin 2005**, qui n'a pas connu le bois, obtient une étoile pour son caractère charnu et ample.

Pierre Dumontet, La Mouline,
33560 Carbon-Blanc, tél. 05.57.77.88.88,
fax 05.57.77.88.99 r.-v.

PRESTIGE DE BORDES 2005 ★

■	n.c.	60 000		**5 à 8 €**

Robe rouge intense, nez expressif et élégant, mariant la mûre, la myrtille et la groseille... Ce vin s'exprime avec délicatesse jusqu'au palais. Il se révèle ample, rond et gras, doté d'une structure solide mais bien fondue. L'agréable finale sur le fruit est un autre de ses atouts. De la classe. Le **Château de Bordes 2005 (3 à 5 €)**, élevé en cuve, est cité pour son équilibre.

Cheval Quancard,
4, rue du Carbouney, La Mouline, BP 36,
33565 Carbon-Blanc Cedex, tél. 05.57.77.88.88,
fax 05.57.77.88.99,
e-mail chevalquancard@chevalquancard.com r.-v.

CH. LA BORNE 2005 ★

■	60 ha	430 000		- de 3 €

Les frères Cardarelli conduisent cette propriété familiale de 60 ha achetée en 1952 par leurs grands-parents. Un mot résume bien l'esprit de leur 2005 : équilibre. Équilibre entre merlot et cabernets. Équilibre des arômes de fruits noirs avec quelques notes grillées. Équilibre, toujours, entre la chair ample, ronde, la structure de tanins fermes et la finale persistante sur le fruit. Pour une dégustation immédiate ou pour une garde de vingt-quatre mois.

SCEA Cardarelli, La Borne, 33790 Massugas,
tél. 05.56.61.48.13, fax 05.56.61.32.38
t.l.j. 8h-12h 14h-19h

CH. DE BOUILLEROT Fruit d'Automne 2005 ★★

■	3 ha	15 000		3 à 5 €

Thierry Bos a hérité de son grand-père cet ancien domaine viticole remontant aux années 1870. Récolté sur un sol limono-argileux, ce Fruit d'Automne est déjà si remarquable qu'un jury conseille de s'en régaler dès maintenant, après l'avoir laissé reposer une heure en carafe. Grenat profond à reflets violines, il libérera alors de délicats parfums de mûre, de framboise et de cassis, nuancés d'une touche de grillé. Sa complexité se révèle pleinement au palais, où s'expriment des flaveurs de rose et de pivoine, ainsi que des arômes de mûre, de cassis et d'épices sur un fond de tanins veloutés. Et la longue finale de donner la faveur aux fruits. Quelques années de garde ? Deux ou trois.

Thierry Bos, 8, Lacombe,
33190 Gironde-sur-Dropt, tél. et fax 05.56.71.46.04,
e-mail info@bouillerot.com
t.l.j. 9h-12h 14h-18h; dim. sur r.-v.

CH. BRÉJOU Élevé en fût de chêne 2004

■	10 ha	3 500		**5 à 8 €**

Après une promenade au marché de Sainte-Foy-la-Grande le samedi matin, rendez-vous dans cette propriété familiale, implantée sur les coteaux sud qui dominent la Dordogne. Vous y trouverez un bordeaux pour compléter

votre panier. Noir aux éclats violets, ce 2004 offre un séduisant boisé, bien marié aux arômes de pruneau. La chair est chaleureuse, ronde, malgré une finale encore marquée par le fût. Trois années de garde devraient contribuer à un meilleur fondu.
🔑 Francis Sottana, 9, Le Petit-Montet,
33220 Saint-André-et-Appelles,
tél. et fax 05.57.46.58.81 ☒ Y r.-v.

CH. LA CADERIE Expression 2005 *

■ 8,5 ha 56 000 ▮ 3 à 5 €

Une cade (du grec *kados*, tonneau) est une unité de mesure de capacité équivalente à 1 000 l. Elle était utilisée à l'époque de la Révolution française. Non loin de Pomerol et de Saint-Émilion, ce domaine de 20 ha sur sol argilo-calcaire propose un bordeaux tout naturellement dominé par le merlot et complété de 20 % de cabernet franc. De la robe rubis profond émanent des arômes de cerise et de fraise. Le corps équilibré s'enveloppe d'une chair ronde et grasse tout en étant soutenu par des tanins mûrs, bien fondus. La finale se prolonge élégamment.
🔑 François Landais, Ch. La Caderie,
33910 Saint-Martin-du-Bois, tél. 05.57.49.41.32,
fax 05.57.49.43.02,
e-mail chateau-la-caderie@wanadoo.fr ☒ Y 🚶 r.-v.

CH. CAJUS Cuvée des Anges 2005 *

■ 3 ha 14 000 ⏸ 8 à 11 €

Les pèlerins de Saint-Jacques-de-Compostelle faisaient halte dans cette bastide du XVIIIe s. qui commande aujourd'hui un vignoble de 9 ha en agriculture biologique. Issue principalement de merlot et vieillie douze mois en barrique, cette cuvée offre de fins arômes de fruits rouges confiturés et de mûre. La chair est ample, ronde, encore marquée par les flaveurs de l'élevage en fût : grillé, vanille et torréfaction persistent en finale, en accompagnement de tanins encore un peu austères. Cinq ans de garde seront nécessaires pour un meilleur fondu.
🔑 SCEA Ch. Cajus, lieu-dit Cajus,
33750 Saint-Germain-du-Puch, tél. 05.57.24.01.15,
fax 05.57.24.05.46, e-mail chateau-cajus@voila.fr
☒ Y 🚶 r.-v.

CH. DE CAPPES 2005 **

■ 5 ha 22 000 ▮⏸ 3 à 5 €

Une composition traditionnelle de merlot, de cabernet franc et de cabernet-sauvignon pour un vin rouge sombre qui offre des parfums intenses de framboise, de mûre, de pruneau mêlés de notes d'épices et d'une nuance légèrement fumée. La bouche est élégante, d'une aimable rondeur car si les tanins sont présents, ils n'ont aucune agressivité. Un bordeaux persistant à apprécier dans deux ans.
🔑 EARL Patrick Boulin, Bidalet,
33490 Saint-André-du-Bois, tél. 05.56.76.46.15,
fax 05.56.76.47.47 ☒ Y 🚶 r.-v.

CH. CAZEAU 2005 *

■ 305 ha 1 500 000 ▮ 3 à 5 €

Un vaste vignoble, une chartreuse du XVIIIe s., au pied du moulin du Haut-Benauge qui abrite un écomusée de la Vigne et du Vin... et un bordeaux bien fait : ainsi se présente le château Cazeau. Le 2005, riche de senteurs de fruits rouges mûrs, se montre souple en attaque, puis évolue en rondeur en s'appuyant sur une trame tannique aimable. La finale persistante sur les épices ajoute à son charme.
🔑 SCI Domaines de Cazeau et Perey, BP 17,
33540 Sauveterre-de-Guyenne, tél. 05.56.71.50.76,
fax 05.56.71.87.70, e-mail lilymartin@laguyennoise.com
🔑 Anne-Marie et Michel Martin

CH. CHEVALIER DE LARQUEY 2005 *

■ 3,5 ha 20 500 ⏸ 5 à 8 €

Le chevalier de Larquey était vassal du Prince Noir. Il donna son nom à ce domaine qui pratiquait déjà la viticulture au XIVe s. Le chai monumental conserve d'ailleurs des ornements gothiques. Issue à 70 % de merlot avec un appoint de cabernets, cette cuvée à la personnalité bien marquée s'ouvre sur les fruits rouges, nuancés de grillé et d'épices. La bouche souple et fruitée évolue sur un boisé fin, bien fondu. À déguster dès maintenant.
🔑 SCEA Vignobles Sauterel, Dom. de Larquey,
33750 Saint-Germain-du-Puch,
tél. et fax 05.57.24.07.99,
e-mail vinosauterel@club-internet.fr

DOM. DU CLAOUSET
Réserve Élevé en fût de chêne 2005 *

■ 2 ha 10 000 ⏸ 5 à 8 €

Un équilibre parfait entre le merlot et le cabernet-sauvignon. Un équilibre très réussi entre les arômes de fruits rouges, de cassis, de grillé et de toasté. Au palais, la structure est certes solide, mais elle s'enrobe d'une matière souple, ronde et fraîche jusqu'à une longue finale. Un bordeaux à attendre deux ans. **Quercus 2005**, bien élevé sous bois, obtient une étoile également.
🔑 EARL Vignobles Siozard, Laubarède,
33420 Lugaignac, tél. 05.57.84.54.23,
fax 05.57.84.67.10,
e-mail vignobles-siozard@wanadoo.fr ☒ Y 🚶 r.-v.

CLOS DE PÉLIGON 2005 *

■ 10 ha 36 000 ▮⏸ 3 à 5 €

Le merlot né sur sol de sables, de graves et d'argile est à l'origine de ce vin pourpre à reflets légèrement violets. Des notes complexes apparaissent au nez : fleurs, cacao, poivre rehaussés d'une pointe animale (gibier). Une impression de rondeur, de gras et de soyeux persiste agréablement au palais, soutenue par des tanins de qualité. Un bordeaux à servir dès aujourd'hui.
🔑 EARL Vignobles Reynaud, 13, rte de Libourne,
33450 Saint-Loubès, tél. 05.56.20.47.52,
fax 05.56.68.65.21, e-mail contact@clos-de-peligon.fr
☒ Y 🚶 r.-v.

LE GRAND VIN DE CLOSSMANN 2005 *

■ 13,5 ha 80 000 ⏸ 8 à 11 €

Pourpre à reflets violets, ce bordeaux est marqué par un boisé de qualité, aux nuances de vanille, de café, de torréfaction. Quelques senteurs animales et des notes de sous-bois apparaissent également dans sa palette aromatique. Les tanins du bois étayent la matière ample, riche de flaveurs de fruits rouges. Un 2005 qui devrait bien vieillir au cours des trois ans à venir.

Clossmann, rte du Petit-Conseiller,
33750 Beychac-et-Caillau, tél. 05.57.97.39.73,
fax 05.57.97.39.74, e-mail vins.clossmann@wanadoo.fr

CH. COMBES DU LYS

Cuvée Prestige Élevé en fût de chêne 2004 ★

■ 3,48 ha 2 200 5 à 8 €

Né de la totalité du vignoble de ce domaine, planté de merlot à 90 % et de cabernet franc, ce bordeaux d'un rouge soutenu à reflets légèrement orangés offre un élégant boisé. À une sensation de rondeur suave succède une certaine fermeté due aux tanins, mais ceux-ci devraient bientôt s'affiner. Dans un an, il n'y paraîtra plus.

Jean-Pierre Vohnout, Aux Combes,
33660 Puynormand, tél. et fax 05.57.49.76.30
t.l.j. sf dim. 8h30-12h30 13h30-19h

CH. LA COMMANDERIE DE QUEYRET 2005 ★

■ 30 ha 180 000 5 à 8 €

Cette ancienne propriété des Templiers, remontant au XIIIᵉs., bénéficie d'un terroir argilo-calcaire où le merlot partage la vedette avec le cabernet-sauvignon. Ce dernier compte pour 35 % dans l'assemblage de ce bordeaux grenat profond ; il lui apporte puissance et structure. Des arômes de fleurs et de fruits noirs confits s'épanouissent au nez, tandis que la bouche souple mêle le fruité à des notes toastées et torréfiées. La trame tannique encore ferme demande simplement à s'assouplir au cours d'une garde de deux ou trois ans.

Claude Comin, Ch. La Commanderie,
33790 Saint-Antoine-du-Queyret, tél. 05.56.61.31.98,
fax 05.56.61.34.22, e-mail vignoble.comin@wanadoo.fr
r.-v.

CH. DE CORNEMPS 2005 ★★

■ 25 ha 150 000 3 à 5 €

À la croisée du quarante-cinquième parallèle et du méridien de Greenwich est établi le vignoble du château de Cornemps. Le merlot compose à 80 % ce bordeaux remarquable par la qualité de ses arômes et l'équilibre de sa matière. Framboise, cassis, relevés de nuances grillées et vanillées héritées de douze mois d'élevage, composent la palette. Ronde et charnue, la bouche offre des flaveurs fruitées et bénéficie du soutien de tanins fondus. Élégante finale sur la vanille. Deux ans de garde sont à la portée de ce vin.

Vignobles Fagard, Cornemps, 33570 Petit-Palais,
tél. 05.57.69.73.19, fax 05.57.69.73.75,
e-mail vignobles.fagard@wanadoo.fr r.-v.

CH. CÔTES DE MARTET 2005 ★

■ 9,97 ha 66 000 3 à 5 €

La cave coopérative des Lèves a vinifié et élevé ce vin issu de merlot et de cabernets à parts égales. La robe est sombre à reflets violacés. À l'aération s'épanouissent des arômes de fruits rouges mûrs, de cassis, de cuir et d'épices, ainsi qu'une légère note viandée. Après une attaque franche et puissante, la bouche évolue avec rondeur, même si la trame de tanins semble encore ferme. Un vin persistant à laisser vieillir deux ans. **L'Héritage du marquis de Greyssac 2005**, bien structuré, obtient également une étoile, tandis que le **Château Mayne Durège 2005** est cité pour l'élégance de son bouquet.

Domainie de Sansac, Les Lèves,
33220 Sainte-Foy-la-Grande, tél. 05.57.56.02.02,
fax 05.57.56.02.22, e-mail jm.portier@univitis.fr
r.-v.
Gérard Dufour

CH. DE LA COUR D'ARGENT 2005 ★★

■ 19 ha 112 000 5 à 8 €

Diplôme d'œnologie en poche, Denis Barraud n'avait que vingt et un ans lorsqu'il reprit, en 1971, les commandes de cette propriété familiale du Saint-Émilionnais, forte aujourd'hui de 35 ha sur un terroir argilo-calcaire. Sa longue expérience n'est sans doute pas étrangère à la qualité de ce 2005, issu presque uniquement de merlot. Il se distingue par la complexité de son bouquet de fruits rouges mûrs et de fruits secs, nuancé des notes de vanille, d'épices et de réglisse typiques d'un élevage bien maîtrisé. En bouche, tout est puissance et équilibre : matière charnue et fruitée, tanins du raisin bien mêlés à l'empreinte d'un boisé fin (vanille et torréfaction), finale persistante. À conserver deux ou trois ans.

SCEA des Vignobles Denis Barraud,
Ch. Les Gravières, 355, port de Branne,
33330 Saint-Sulpice-de-Faleyrens, tél. 05.57.84.54.73,
fax 05.57.84.52.07, e-mail denis.barraud@wanadoo.fr
r.-v.

CH. CRABITAN-BELLEVUE 2005 ★

■ 6 ha 30 000 3 à 5 €

Un bordeaux à forte proportion de merlot qui se présente dans une robe rouge intense. Il livre un nez riche de fleurs et de fruits rouges, puis une bouche souple et franche, ronde et fruitée. Les tanins discrets restent aimables et s'effacent derrière le fruit en finale.

GFA Bernard Solane et Fils, Crabitan,
33410 Sainte-Croix-du-Mont, tél. 05.56.62.01.53,
fax 05.56.76.72.09,
e-mail crabitan.bellevue@wanadoo.fr
t.l.j. sf dim. 8h-12h 14h-18h

LA CROIX SAINT-VINCENT 2005 ★

■ n.c. 100 000 3 à 5 €

Un assemblage traditionnel des trois cépages bordelais a donné naissance à ce vin dominé par les fruits rouges mûrs, avec une pointe épicée. L'équilibre se réalise entre puissance et rondeur de la matière, fermeté contenue des tanins et fruité de la finale. À boire ou à attendre entre trois et quatre ans. **Étalon 2005** obtient également une étoile pour son gras et son fondu, tandis que **Pierre**

Chanau 2005, vendu exclusivement dans le réseau de distribution Auchan (dont Chanau est l'anagramme), est cité pour son équilibre.
⊶ Producta, 21, cours Xavier-Arnozan, 33300 Bordeaux, tél. 05.57.81.18.18, fax 05.56.81.22.12, e-mail producta@producta.com

D:VIN 2005 ★

■ 1,75 ha 9 000 🍷 **11 à 15 €**

Le château Lauduc réserve deux de ses parcelles à la production de ce vin dont le nom vient de « divertir » et de « divination ». Pour vous amuser, tentez donc de deviner sous la robe soutenue les arômes du 2005 : fruits rouges bien mûrs mêlés harmonieusement aux notes vanillées et fumées héritées de seize mois d'élevage. Après une attaque franche, la bouche puissante et charnue déroule ses flaveurs de fruits rouges sans que le bois ne les domine. La longue finale finit de convaincre. Le **Château Lauduc Classic 2005 (3 à 5 €)** est cité : il marie élégamment la matière, le fruit et les tanins.
⊶ SCEA Vignobles Grandeau, 5, chem. de Lauduc, 33370 Tresses, tél. 05.57.34.43.56, fax 05.57.34.43.58, e-mail m.grandeau@lauduc.fr ☑ Ⲧ ⛹ r.-v.

DÉDICACE Fabien Pelous 2005 ★

■ n.c. 1 200 000 ▮ 3 à 5 €

Fabien Pelous, capitaine de l'équipe de France de rugby à XV, a apposé sa signature sur l'étiquette de ce bordeaux de la maison de négoce Guiraud-Raymond-Marbot. De couleur sombre, presque noir, le 2005 laisse paraître un bouquet naissant de fruits rouges et de fruits noirs. Le corps séveux et charnu s'appuie sur une solide trame tannique sans rien perdre de son harmonie. Le potentiel est là pour une garde de cinq ans.
⊶ Guiraud-Raymond-Marbot, ZAE de L'Arbalestrier, 33220 Pineuilh, tél. 05.57.41.91.50, fax 05.57.46.42.76, e-mail contact@grm-vins.fr

DELOR Réserve Élevé en fût de chêne 2005 ★

■ n.c. 300 000 🍷 3 à 5 €

Issu d'un assemblage classique de merlot et de cabernets, et d'un élevage de huit mois en barrique, ce bordeaux aussi intense que brillant mêle des arômes de fruits rouges à des notes florales comme la violette. Il se montre rond et équilibré, riche de flaveurs de fruits, puis de fumée en finale. Une bouteille à conserver deux ans en cave.
⊶ Maison Delor, 35, rue de Bordeaux, 33290 Parempuyre, tél. 05.56.35.53.00, fax 05.56.35.53.29, e-mail contact@cvbg.com Ⲧ ⛹ r.-v.

CH. DESON 2005 ★★

■ 60 ha 293 000 ▮ 3 à 5 €

Les deux cabernets dominent largement la composition de ce vin, complétés de 26 % de merlot. Il en résulte une robe grenat profond à reflets violets, ainsi que des arômes de fraise, de mûre et de cerise qui se prolongent dans la chair ronde, charnue et croquante. Les tanins affichent leur présence sans agressivité et contribuent à une agréable persistance. Du fruit et de la rondeur, c'est bien ce que l'on attend d'un bordeaux à déboucher dès maintenant. Le **Château Pouroutou 2005**, équilibré et fruité, est cité.

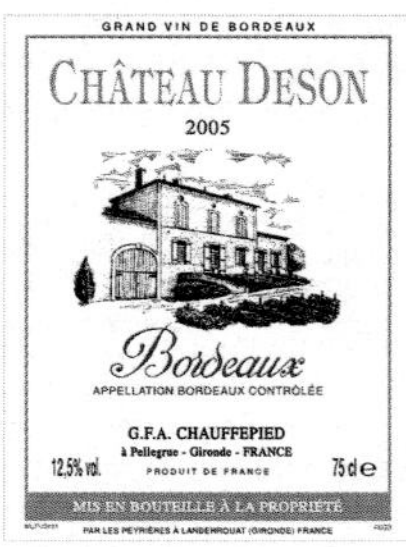

⊶ Prodiffu, 17-19, rte des Vignerons, 33790 Landerrouat, tél. 05.56.61.33.73, fax 05.56.61.40.57, e-mail prodiffu@prodiffu.com
⊶ GFA Chauffepied

DOURTHE N° 1 2005

■ n.c. 850 000 🍷 **5 à 8 €**

Depuis quinze ans, la maison Dourthe développe une démarche de qualité avec ses partenaires viticulteurs. Les vins sont élevés en barrique neuve. Ainsi de ce bordeaux rubis frangé de carmin qui allie avec discrétion les fruits rouges au boisé, nuancé de noix de cajou. Après une attaque franche, légèrement grillée, la bouche apparaît ronde et charnue malgré des tanins encore un peu fermes en finale.
⊶ Vins et vignobles Dourthe, 35, rue de Bordeaux, 33290 Parempuyre, tél. 05.56.35.53.00, fax 05.56.35.53.29, e-mail contact@cvbg.com ☑ r.-v.

CH. ÉLIXIR DE GRAVAILLAC 2005

■ 1,4 ha 10 000 ▮ **3 à 5 €**

Deux frères ont créé en 2001 ce domaine à partir d'un ancien vignoble planté sur une croupe graveleuse. Leur bordeaux, de couleur pourpre, décline l'agréable fruité de la cerise et du cassis. Sa structure équilibrée et fondante s'accompagne de la même ligne aromatique jusqu'en finale. À déguster dès maintenant.
⊶ EARL Guironnet Frères, Aux Graves, 33350 Civrac-sur-Dordogne, tél. et fax 05.57.40.34.84 ☑ Ⲧ ⛹ r.-v.

CH. LES FAURES 2005 ★

■ 15 ha 100 000 ▮ 3 à 5 €

Le cabernet-sauvignon domine cet assemblage classique, récolté sur un terroir de boulbènes et d'argilo-calcaire. Il apporte au vin cette couleur rubis, de la puissance et de la structure. Au nez discret succède une bouche fruitée, fraîche et souple, même si les tanins encore jeunes marquent toujours la finale. À conserver en cave deux ans.
⊶ Jacky Certain, 9, Les Faures-Est, 33190 Camiran, tél. 05.56.71.41.86, fax 05.56.71.32.76, e-mail les.faures@wanadoo.fr ☑ Ⲧ ⛹ r.-v.

CH. FAYAU 2005

■ 21 ha 133 000 ▮ **3 à 5 €**

Dans la même famille depuis 1826, cette chartreuse compte un parc d'arbres centenaires et un vignoble de 70 ha. Merlot et cabernets se partagent équitablement la composition de ce bordeaux dominé par les fruits rouges mûrs. Les tanins présents mais de qualité structurent la chair souple et ronde ; ils resserrent actuellement la finale, mais promettent de se fondre dans les deux ans à venir.

🔑 Jean Médeville et Fils, Ch. Fayau, 33410 Cadillac, tél. 05.57.98.08.08, fax 05.56.62.18.22, e-mail medeville-jeanetfils@wanadoo.fr ☑ Y ♿ r.-v.

CH. FONGRAVE Élevé en fût de chêne 2005 ★

■ 2,2 ha 15 000 ▮⦀ 5 à 8 €

Entouré de ses vignes d'un seul tenant, le château Fongrave domine la rive droite de la Garonne et bénéficie d'un des terroirs les plus réputés des coteaux de Saint-Macaire. Cette cuvée, issue presque exclusivement de merlot, séduit par sa teinte grenat frangé de violine comme par ses arômes complexes de pivoine, de fruits rouges et de noix de coco. Elle emplit le palais de sa matière ronde, dense et fruitée, tout en révélant un boisé encore marqué en finale, qui devrait se fondre dans les trois ans.

🔑 François Brouard, Ch. Fongrave, 33490 Saint-André-du-Bois, tél. 06.61.42.83.79, fax 05.56.92.10.00, e-mail fbrouard@free.fr ☑ Y ♿ r.-v.

CH. DE FONTENILLE 2005 ★★

■ 14 ha 100 000 ▮ 5 à 8 €

Ce domaine de l'Entre-deux-Mers remonte à l'Antiquité : quelques vestiges épars témoignent de la présence d'une *villa* romaine au IVe s., baptisée Fontenilles. Aujourd'hui, Stéphane Defraine conduit une propriété de 40 ha. Le merlot (60 %) et les cabernets, récoltés sur sol argilo-sableux, apportent à ce 2005 ampleur et densité. Habillé de rouge carmin soutenu, le vin libère des arômes de fruits des bois légèrement épicés, puis offre une attaque franche. La chair ronde et grasse comme les tanins soyeux témoignent de la bonne maturité du raisin.

🔑 Ch. de Fontenille, 33670 La Sauve-Majeure, tél. 05.56.23.03.26, fax 05.56.23.30.03, e-mail contact@chateau-fontenille.com ☑ Y ♿ r.-v.

🔑 Defraine

CH. FONT-VIDAL
Saphyre Élevé en fût de chêne 2005 ★

■ 10 ha 2 400 ⦀ 8 à 11 €

Ce château du XIVe s. domine la Dordogne avec ses 10 ha complantés des quatre cépages bordelais. D'un rouge intense, le 2005 évoque les fruits secs et la confiture mêlés de délicates touches grillées, épicées et animales. Au palais, il fait preuve de beaucoup de rondeur et de concentration malgré une structure tannique imposante, un peu austère en finale. À attendre trois ans. Pour son volume et sa puissance, le **Château Font-Vidal 2005 (3 à 5 €)** mérite une citation. Il n'a pas connu le bois.

🔑 Pascale Poncet, Ch. Font-Vidal, 33890 Juillac, tél. 05.57.40.55.58, fax 05.57.40.58.39, e-mail poncet@font-vidal.com ☑ Y ♿ r.-v.

CH. GABELOT Élevé en fût de chêne 2005 ★★

■ 5 ha 26 000 ⦀ 3 à 5 €

Avant la Révolution, le terme de gabelou désignait l'employé de la gabelle, impôt sur le sel, ou bien le grenier servant à entreposer cette denrée précieuse. Gabelot est aujourd'hui une propriété de 23 ha sur sol argilo-limoneux. Son 2005, marqué par le merlot, offre une structure ronde et une chair généreuse, sans aspérité. D'un beau rouge frangé de violet, il exprime des arômes de fruits rouges rehaussés de notes discrètes de vanille jusqu'en finale. Un vin plaisant dont vous profiterez dès 2008. Le **Château des Cèdres 2005**, élevé en cuve, est cité pour la fraîcheur de son fruit.

🔑 SC Gabelot, Ch. Fayau, 33410 Cadillac, tél. 05.57.98.08.08, fax 05.56.62.18.22, e-mail medeville-jeanetfils@wanadoo.fr ☑ Y ♿ t.l.j. sf sam. dim. 8h30-12h 14h-18h

🔑 Sylvie Duhot

CH. GARRIGUES 2005 ★

■ 2,35 ha 16 000 ▮ 3 à 5 €

Les plateaux argilo-calcaires sur lesquels est implanté le vignoble de Thierry Bréda dominent la plaine du Dropt, connue pour ses moulins fortifiés, ses bastides et ses tuileries qui fournissent les établissements ostréicoles du bassin d'Arcachon. Classique dans sa composition, ce bordeaux grenat légèrement violine fait preuve de souplesse, de rondeur et d'équilibre ; ses tanins sont certes bien affirmés, mais fondants et ils soutiennent une finale de qualité. Bien vinifié, il est prêt à passer à table. La **cuvée Corentin 2005 Élevé en fût de chêne (5 à 8 €)** est citée pour son fruité et sa rondeur.

🔑 Thierry Bréda, 1, Fillote, 33190 Gironde-sur-Dropt, tél. et fax 05.56.71.13.36, e-mail thierry.breda@wanadoo.fr ☑ Y ♿ r.-v.

GINESTET 2005

■ n.c. n.c. ▮ 3 à 5 €

Robe rouge intense à reflets violets, nez de fruits rouges mûrs, bouche équilibrée : un bordeaux bien typé en somme, dont la souplesse en attaque, la rondeur de la chair et la trame tannique assez sage sont autant d'atouts pour une dégustation immédiate. Diffusé par Ginestet, le **Château Briot 2005** des Vignobles Ducourt, fondu et fruité, est cité également.

🔑 Ginestet, 19, av. de Fontenille, 33360 Carignan-de-Bordeaux, tél. 05.56.68.81.82, fax 05.56.68.81.81, e-mail contact@ginestet.fr ☑ Y ♿ r.-v.

CH. GRAND BIREAU 2005 ★

■ 20 ha 150 000 ▮⦀ 5 à 8 €

Un vin qui a du potentiel et qui mérite de vieillir deux ans dans votre cave. Le jury a apprécié sa robe rouge profond frangée de violine, ses arômes fruités, nuancés d'épices et de réglisse, sa matière chaleureuse et ronde qu'une élégante structure de tanins fondus soutient.

🔑 SCEA Michel Barthe, 18, Girolatte, 33420 Naujan-et-Postiac, tél. 05.57.84.55.23, fax 05.57.84.57.37, e-mail scea.barthemichel@wanadoo.fr ☑ Y ♿ r.-v.

CH. DU GRAND FERRAND 2005

■ 7,5 ha 50 000 ▮ 3 à 5 €

À 2 km de la bastide de Sauveterre-de-Guyenne, ce domaine de plus de 82 ha propose un vin issu à 90 % de merlot et complété de cabernet-sauvignon. Une robe rouge profond éclairée de reflets violacés invite à découvrir les arômes intenses de fruits noirs mûrs sur fond légèrement épicé. Au palais, le gras et la rondeur l'emportent tant les tanins se montrent soyeux et respectueux du fruit en finale. À déguster dans l'instant.

🔑 Ch. Grand Ferrand, lieu-dit Grand-Ferrand, 33540 Sauveterre-de-Guyenne, tél. 05.56.71.60.42, fax 05.56.71.69.08, e-mail grand.ferrand@wanadoo.fr

GRAND THÉÂTRE 2005 ★

■ 10 ha 66 000 ▮ 3 à 5 €

Le Grand Théâtre est celui de Bordeaux, bien sûr, qui illustre l'étiquette de ce vin. Les cabernets (45 % de

BORDELAIS

l'assemblage) ne sont sans doute pas étrangers à la qualité et à la variété des arômes : fruits rouges, cassis, réglisse, menthol, épices et notes viandées. Les tanins bien présents mais sages respectent la chair ample et ronde, agrémentée de flaveurs de cerise et de grillé. Vous pourrez profiter de ce bordeaux jusqu'en 2010. Le **Château Le Clairiot 2005** est cité pour ses parfums de fruits et de fleurs.
⊶ Closerie d'Estiac, Les Lèves,
33220 Sainte-Foy-la-Grande, tél. 05.57.56.02.33,
fax 05.57.56.02.22, e-mail jm.portier@univitis.fr
▣ Ⲧ ⁂ t.l.j. sf dim. lun. 9h30-12h30 15h-18h

DOM. DE LA GRAVE Cuvée Tradition 2004 *

■ 14 ha 70 000 ⅢⅠ 5 à 8 €

Depuis 1876, cette chartreuse du XVIIIe s., reconnaissable à ses deux tours du XIXe s., appartient à la famille Roche. Encépagement traditionnel dominé par le merlot (70 %), pratiques vitivinicoles traditionnelles et bordeaux tout aussi traditionnel. Habillé d'une robe carmin légèrement évoluée, le 2004 offre un bouquet complexe de fleurs d'été, de fruits cuits et de cuir. La trame délicate de tanins mûrs structure une chair souple et ronde, parfumée de fruits rouges jusqu'à l'élégante finale. À savourer dans les trois ans. Une belle présence en bouche permet au **Domaine de La Grave cuvée Prestige 2004 (8 à 11 €)** d'être cité.
⊶ SCEA Roche,
Dom. de La Grave, 11, rte de Perriche,
33750 Beychac-et-Caillau, tél. 05.56.72.41.28,
fax 05.56.72.08.33, e-mail vignobleroche@wanadoo.fr
▣ Ⲧ ⁂ t.l.j. 9h-19h; sam. dim. 10h-13h 15h-18h; groupes sur r.-v.

CH. GRENET Cuvée nº 1 2005 *

■ 1 ha 2 000 ▮ⅢⅠ 5 à 8 €

En 2004, Christophe Rebillou a repris le domaine familial, vieux de cent cinquante ans. À partir de 80 % de merlot et de cabernet-sauvignon, il a produit un bordeaux rouge sombre, au nez de fruits noirs (mûre, cassis) nuancé de grillé, de toasté et d'épices. La bouche est souple en attaque, puis dense et friande, empreinte de flaveurs fruitées, même si le boisé ne tarde pas à reprendre ses droits jusque dans la finale persistante. Deux ans de garde suffiront à assagir l'empreinte des neuf mois passés en fût.
⊶ Christophe Rebillou, Le Bourg,
33540 Saint-Félix-de-Foncaude,
tél. et fax 05.56.71.47.55 ▣ Ⲧ ⁂ r.-v.

CH. GROSSOMBRE Élevé en fût de chêne 2004 *

■ 7 ha 40 000 ⅢⅠ 5 à 8 €

Ce bordeaux assemble autant de merlot que de cabernet-sauvignon. D'un noir profond, il propose un nez discret de fruits noirs, puis une chair ronde et séveuse, rehaussée de flaveurs tout aussi fruitées. Les tanins du raisin apparaissent bien mûrs et ronds. À servir sans plus attendre.
⊶ Béatrice Lurton, Ch. Bonnet, 33420 Grézillac,
tél. 05.57.25.58.58, fax 05.57.74.98.59,
e-mail andrelurton@andrelurton.com

CH. LA GUILLAUMETTE
Cuvée Prestige Élevé en fût de chêne 2004 *

■ 35 ha 100 000 ⅢⅠ 5 à 8 €

Le millésime 2004 est tout aussi réussi que le 2003 qui avait reçu une étoile l'an passé. D'un rouge profond, il décline une palette d'arômes complexes et chaleureux de fruits mûrs, de grillé et de torréfaction. La bouche souple, ample et grasse repose sur une trame de tanins fondants aux accents grillés et torréfiés, mais la finale encore ferme invite à une garde de deux ans. Un beau travail.
⊶ Bordeaux Vins Sélection, 42, av. René-Antoune,
33320 Eysines, tél. 05.57.35.12.35, fax 05.57.35.12.36,
e-mail bvs.grands.crus@wanadoo.fr
⊶ B. Pujol

CH. HAUT-BARDIN 2004

■ 20 ha 120 000 ▮ 3 à 5 €

Christian Dumas et ses fils ont acquis cette propriété il y a sept ans, séduits par la vieille maison comme par les vignes sur sol argilo-calcaire. Leur 2004 arbore une robe intense aux éclats violacés. Au nez de fruits rouges mûrs nuancés d'un léger grillé répond un corps charnu, fruité et rond, porté par des tanins certes jeunes mais en passe de se fondre. Laissez ce vin évoluer au moins trois ans.
⊶ EARL Christian Dumas et Fils, Le Bourg,
33490 Saint-Martial, tél. 05.56.76.41.28,
fax 05.56.76.43.99, e-mail xavier.dumas2@wanadoo.fr
▣ Ⲧ ⁂ r.-v.

CH. HAUT GIRARD 2005 *

■ 21 ha 7 500 ▮ 3 à 5 €

Après la visite du village fleuri de Saint-Vivien-de-Monségur et de la bastide du XIe s., rendez-vous au château Haut Girard pour découvrir ce 2005 composé de merlot et de cabernet-sauvignon à parts égales. Aux fruits noirs très mûrs se mêlent les fleurs. Souple et fruitée en attaque, la bouche est bientôt dominée par les tanins encore jeunes qui demandent à se fondre à la faveur de trois ans de garde.
⊶ EARL Vignobles Ossard, 8, Girard,
33580 Saint-Vivien-de-Monségur,
tél. et fax 05.56.61.88.55 ▣ Ⲧ ⁂ t.l.j. 9h-18h30

CH. HAUT-MARCHAND
Cuvée Prestige Élevé en fût de chêne 2005 **

■ 3 ha 18 000 ⅢⅠ 5 à 8 €

Les cuvées Prestige sont à l'honneur chez les Dufourg. Voyez ce 2005 d'un rouge profond à reflets noirs, qui livre un bouquet complexe de pruneau, de fruits à noyau, de grillé et de toasté. À la fois charnu et corsé, il garde cette ligne aromatique au palais, qui accompagne une trame de tanins jeunes mais de qualité. Du potentiel, de la typicité. Le **Château Vermont cuvée Prestige 2005 Élevé en fût de chêne**, puissant et riche, obtient une étoile.
⊶ EARL Vignobles Dufourg, 11, rte de Sauveterre,
33760 Targon, tél. et fax 05.56.23.90.16,
e-mail vignoblesdufourg@wanadoo.fr ▣ Ⲧ ⁂ r.-v.

CH. HAUT-MONDAIN 2005 *

■ 10 ha 60 000 ▮ⅢⅠ 3 à 5 €

Pendant la Première Guerre mondiale, cette chartreuse servit d'hôpital militaire. En 1962, Charles Yung, rapatrié d'Algérie où il était déjà vigneron, en fit l'acquisition et mit en valeur son vignoble de 47 ha sur sol argilo-calcaire. Il propose un 2005 d'assemblage classique, dont l'équilibre n'est jamais rompu. Au bouquet puissant de fruits rouges, de vanille, de grillé et de toasté succède une bouche ronde et charnue, étayée par des tanins soyeux. Des notes finement boisées rehaussent ce vin à savourer dans les deux ans.

SCEA Charles Yung et Fils, 8, chem. de Palette, 33410 Béguey, tél. 05.56.62.94.85, fax 05.56.62.18.11, e-mail h.d.p@wanadoo.fr
t.l.j. sf sam. dim. 9h-12h 14h-18h; f. 20 juil.-16 août

CH. HAUT-POUGNAN 2005 ★★

■ 15 ha 90 000 3 à 5 €

Cette propriété de 40 ha appartient à la famille Guéridon depuis 1852. Merlot et cabernets à parts égales composent ce 2005 rouge sombre, aux arômes chaleureux de fruits cuits, de kirsch et d'épices (poivre). L'attaque est souple, la bouche ample et fruitée, nuancée de figue sèche. Les tanins du bois et du raisin respectent cette chair et la soutiennent jusqu'à une longue et élégante finale. À conserver deux ans.

SCEA Ch. Haut-Pougnan, 6, chem. de Pougnan, 33670 Saint-Genès-de-Lombaud, tél. 05.56.23.06.00, fax 05.57.95.99.84, e-mail haut-pougnan@wanadoo.fr
t.l.j. 8h-12h 14h-18h

CH. HERMITAGE DES BRUGES 2005 ★

■ 15 ha 92 400 3 à 5 €

Bonne présentation pour ce bordeaux rouge profond à reflets violets. Le nez exprime volontiers les fruits noirs confits mêlés de sous-bois et d'épices, puis une matière dense emplit le palais, fruitée, ronde, portée par une trame tannique discrète. En finale, le fruit s'impose.

Dulong Frères et Fils, 29, rue Jules-Guesde, 33270 Floirac, tél. 05.56.86.51.15, fax 05.56.40.66.41, e-mail dulong@dulong.com

CH. L'INSOUMISE Exception Place Vendôme Élevé en fût de chêne 2005 ★

■ n.c. 20 000 **11 à 15 €**

Le chai à barriques, sis au bord de la Dordogne, date de 1615. Une antériorité dans le domaine de la vinification que Jean-Léon Daspet sait défendre. Ce bordeaux d'un noir profond ourlé de violine enchante par ses arômes de fruits, de grillé et de boisé comme par sa chair souple et ronde. La trame tannique bien présente laisse encore une impression de fermeté en finale, mais d'ici trois ans, elle se sera fondue. La cuvée **Vendanges des Poètes Élevé en fût de chêne 2005 (3 à 5 €)**, ronde et fruitée, obtient une citation.

Daspet, SCEA Ch. L'Insoumise, 360, chem. Peyrot, 33240 Saint-André-de-Cubzac, tél. 05.57.43.17.82, fax 05.57.43.22.74, e-mail chateau.linsoumise@wanadoo.fr r.-v.

CH. JOININ 2005 ★

■ 25,8 ha 90 000 3 à 5 €

Régulièrement présente dans le Guide grâce à ses bordeaux, Brigitte Mestreguilhem propose un 2005 de teinte très soutenue. Les arômes de fruits rouges mûrs, de fruits noirs et de fruits secs se prolongent jusqu'au palais, en accompagnement d'une chair souple et ronde. Une bouteille à présenter à table dès maintenant.

Brigitte Mestreguilhem, 33420 Rauzan, tél. 05.57.24.72.95, fax 05.57.24.71.25, e-mail chateau.pipeau@wanadoo.fr
t.l.j. sf sam. dim. 8h-12h 14h-18h

CH. DE LAGORCE 2005 ★

■ 25 ha 180 000 3 à 5 €

Le chai de vinification et d'élevage est installé dans une église du XVe s. du nom de Saint-Genès. N'y cherchez pas la cloche : celle-ci a été transférée dans le bel édifice de Targon. En revanche, vous y trouverez ce bordeaux riche d'arômes et concentré sous une robe grenat à reflets violacés. Groseille, framboise, cassis s'associent à un léger caractère épicé. La chair riche et ronde s'appuie sur des tanins présents mais bien fondus, puis évolue vers une finale marquée par le cassis. Ne vous hâtez pas, vous avez jusqu'à 2010 pour savourer cette bouteille. Du même producteur, le **Château Roustaing Réserve Vieilles Vignes 2005** est cité.

Benjamin Mazeau, Lagorce, 33760 Targon, tél. 05.56.23.60.73, fax 05.56.23.65.02, e-mail cht.de.lagorce@wanadoo.fr r.-v.

CH. LALANDE-LABATUT Cuvée Prestige Élevé en fût de chêne 2005 ★★

■ 15 ha 90 000 5 à 8 €

Le charme de ce vin réside tout autant dans sa robe rouge sombre, presque noire, que dans son bouquet complexe de cerise, puis de grillé, de toasté et de résine. D'attaque souple, la bouche révèle une matière ronde et dense, fruitée et florale, ainsi que des tanins mûrs qui portent loin la finale.

SCEA Vignobles Falxa, 38, chem. de Labatut, 33370 Sallebœuf, tél. 05.56.21.23.18, fax 05.56.21.20.98, e-mail chateau.lalande-labatut@wanadoo.fr r.-v.

CH. LAMOTHE-VINCENT 2005 ★★

■ 27 ha 180 000 3 à 5 €

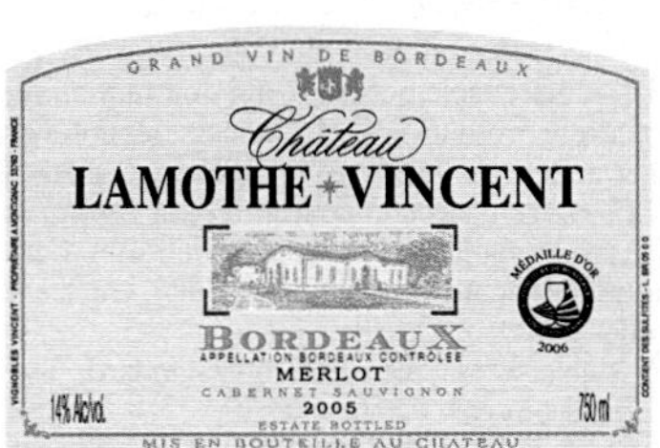

Déjà coup de cœur pour leur bordeaux supérieur Héritage 2005, Christophe et Fabien Vincent décrochent une autre distinction grâce à ce bordeaux d'une remarquable facture et d'un équilibre parfait entre matière et bois. Sous une robe grenat soutenu, frangé de violine, apparaissent des arômes toastés en harmonie avec ceux des fruits noirs. L'attaque est franche, la bouche ronde, élégamment structurée et nuancée d'épices. Le boisé se fond parfaitement au profit de l'expression persistante du fruit (cerise noire). Une garde de cinq ans portera ce vin à son apogée.

Vignobles Vincent, 3, chem. Laurenceau, 33760 Montignac, tél. 05.56.23.96.55, fax 05.56.23.97.72, e-mail info@lamothe-vincent.com
r.-v.

CH. LARTIGUE-CÈDRES 2005

■ 28 ha 80 000 **3 à 5 €**

Trois ans de garde suffiront à apporter la petite touche de charme supplémentaire à ce vin d'un rouge soutenu, aujourd'hui frangé de violet. Le voici qui s'impose déjà par ses arômes de fruits rouges. L'attaque est souple, la matière riche, mais la trame tannique est encore trop serrée. En finale, une pointe réglissée se manifeste.

🔑 Jacquin, Ch. Lartigue-Cèdres, 17, rte Brune, 33750 Croignon, tél. 05.56.30.10.28, fax 05.56.30.15.13, e-mail chateaulartigue@wanadoo.fr ☑ 🍷 ✈ r.-v.

DOM. DE LAUBERTRIE 2005

■ 8 ha 15 000 ▮ 3 à 5 €

Laubertrie appartient à la même famille depuis le XVIes. Bernard Pontallier a élaboré un 2005 grenat soutenu, au nez discret de fruits rouges mûrs, de cassis et de grillé. La bouche ronde et légère, avec une pointe de fraîcheur, fait la part belle au fruit. Ne tardez pas à ouvrir cette bouteille.

🔑 SCEA Pontallier, Laubertrie, 33240 Salignac, tél. 05.57.43.24.73, fax 05.57.43.17.24 ☑ 🍷 ✈ r.-v.

CH. DE LISENNES 2005 *

■ 20 ha 150 000 ▮ 3 à 5 €

Cette propriété de 50 ha d'un seul tenant, non loin du centre de Bordeaux, trouve ses origines au XVIIIes. Jean-Pierre Soubie y a produit un 2005 tout en fruits. D'un rouge violine, celui-ci développe d'intenses senteurs de fleurs, de cerise, de griotte et de pruneau. Une structure assouplie soutient la matière ronde et fraîche à la fois, dans laquelle réapparaissent durablement les arômes perçus au nez. Faites-vous plaisir dès maintenant.

🔑 Soubie, Ch. de Lisennes, 33370 Tresses, tél. 05.57.34.13.03, fax 05.57.34.05.36, e-mail contact@lisennes.fr
☑ 🍷 ✈ t.l.j. sf dim. 8h-12h 13h30-17h30; sam. 9h-12h

MÄHLER-BESSE Le Vieux Moulin Arte 2005 **

■ 4 ha 30 000 ⦀ 8 à 11 €

Un remarquable bordeaux qui doit tout au merlot. D'un pourpre profond, il allie avec finesse les notes grillées et vanillées, héritées de douze mois d'élevage sous bois, au fruité. La matière riche et concentrée est courtoisement épaulée par les tanins aimables, issus du raisin. Certes, le boisé domine encore, mais il est de qualité. Laissez vieillir ce vin deux ans.

🔑 SA Mähler-Besse, 49, rue Camille-Godard, 33000 Bordeaux, tél. 05.56.56.04.30, fax 05.56.56.04.59, e-mail france@mahler-besse.com
☑ 🍷 ✈ r.-v.

CH. MAISON NOBLE
Cuvée Prestige Élevé en fût de chêne 2005

■ 2 ha 12 000 ⦀ 3 à 5 €

L'un des plus anciens vignobles du Bordelais, déjà mentionné sur les cartes de Belleyme au XVIIIes. Ce 2005, vêtu de rouge profond souligné de violet, s'ouvre sur les fruits rouges mûrs et s'épanouit au palais en développant sa matière riche et fruitée, portée par d'aimables tanins jusqu'à une finale chaleureuse. Pour tout de suite.

🔑 Bernard Sartron, Maison Noble, 33230 Maransin, tél. 05.57.69.19.36, fax 05.57.69.17.78 ☑ 🍷 ✈ r.-v.

CH. MAJOUREAU 2005 *

■ 7 ha 5 000 ▮ 3 à 5 €

60 % de merlot et le reste de cabernet-sauvignon composent ce bordeaux riche et complexe dans ses évocations de cassis, de groseille, de pruneau, rehaussées de délicates senteurs de sous-bois, de tabac et de menthol. Après une attaque souple et ronde, des tanins virils se manifestent, en soutien de la chair ample. Il faudra attendre trois ans au moins pour qu'ils se fondent parfaitement.

🔑 Bernard Delong, 1, Majoureau, 33490 Caudrot, tél. 05.56.62.81.94, fax 05.56.62.75.87, e-mail familledelong@hotmail.com ☑ 🍷 ✈ r.-v.

CH. MALBEC 2005 *

■ 27 ha 171 000 ⦀ 5 à 8 €

Éric Verardo, maître de chai, préside à l'élaboration des vins du château Malbec et compose des cuvées à son image : sérieuses, concentrées et élégantes. L'illustration vous sera apportée par ce 2005 grenat intense qui exhale des senteurs de fruits noirs mûrs complétées de notes grillées, vanillées et épicées. Le charme opère au palais : rondeur, équilibre entre le bois et le fruité qui persiste en finale. Un bordeaux harmonieux, destiné à deux ou trois ans de garde.

🔑 SC du Lort, Ch. Malbec, 2, rte de Montussan, 33370 Yvrac, tél. 05.56.95.54.00, fax 05.56.95.54.20, e-mail infos@groupe-castel.com

CH. MARJOSSE 2005 *

■ 30 ha 230 000 8 à 11 €

Habitué du Guide, ce château de l'Entre-deux-Mers, conduit par Pierre Lurton, jouit d'une réputation bien établie en AOC bordeaux. Le 2005 est né d'une vendange bien mûre des quatre cépages bordelais, dont le malbec, relativement rare aujourd'hui. Pourpre intense, il offre un nez discret, puis un corps souple, enrobé d'une chair ronde et dense. Les tanins ne tardent pas à se manifester, laissant une légère fermeté en finale. Il faudra simplement attendre deux ans que jeunesse se passe.

🔑 EARL Pierre Lurton, Ch. Marjosse, 33420 Tizac-de-Curton, tél. 05.57.55.57.80, fax 05.57.55.57.84, e-mail pierre.lurton@wanadoo.fr
☑ 🍷 ✈ r.-v.

MARQUIS DE BERN 2005 **

■ 30 ha 100 000 ▮ 3 à 5 €

Des vendanges de merlot et de cabernet-sauvignon en quantités équilibrées, apportées par les trente-cinq viticulteurs associés à la Maison Gonfrier, sont à l'origine de ce bordeaux grenat profond. Au nez de fruits rouges épicés répondent une attaque souple puis une bouche ronde et grasse, étayée par des tanins fondus. La longue finale évoque les fruits mûrs. Une remarquable harmonie.

🔑 SARL Les Chais de Rions, Ch. de Marsan, 33550 Lestiac-sur-Garonne, tél. 05.56.72.14.38, fax 05.56.72.10.38, e-mail gonfrier@wanadoo.fr
☑ 🍷 ✈ r.-v.
🔑 Gonfrier

CH. MAYNE-CABANOT 2005 *

■ 53,9 ha 347 800 ▮ 3 à 5 €

Après une visite des abbayes et bastides de l'Entre-deux-Mers, arrêtez-vous dans cette cave coopérative qui propose ce joli bordeaux parfumé de fruits rouges, appartenant au GFA Corbière. L'équilibre est réussi au palais entre les flaveurs de fruits noirs (cassis), la chair ample et grasse, et les tanins bien présents mais sans une once d'agressivité. Un agréable fruité se prolonge en finale. De l'élégance. Nez riche et complexe, bouche harmonieuse : le **Château Haut-Mazières 2005 (5 à 8 €)** de Christian Vazelle, élevé en fût, est cité.

🔑 Union des Producteurs de Rauzan, L'Aiguilley, 33420 Rauzan, tél. 05.57.84.13.22, fax 05.57.84.12.67, e-mail accueil@cavesderauzan.com ☑ 🍷 ✈ r.-v.

CH. MONDAIN 2005

■ 20 ha 150 000 ▮ 3 à 5 €

Un domaine de 25 ha d'un seul tenant sur un plateau calcaire. Merlot (70 %) et cabernets ont donné naissance à un 2005 de teinte presque noire, qui affiche des arômes complexes de fruits mûrs (fraise notamment) et de grillé. Des flaveurs confites de raisins secs s'expriment au palais, soulignant la matière ronde mais encore marquée par les tanins en finale. À servir avec des grillades d'ici 2010.

Pierre Ciroli, 1, Guilhem-de-Mestre,
33350 Sainte-Radegonde, tél. 05.57.40.52.22

CH. MONTGAILLARD 2005

■ 6 ha 40 000 ▮ 3 à 5 €

Vous passerez une excellente journée à visiter les châteaux de Malagar et de Malromé, le calvaire de Verdelais, le village de Saint-Macaire, puis cette propriété viticole de 37 ha. Là, vous dégusterez ce 2005 composé de merlot et de cabernet-sauvignon. Un vin grenat, dont le bouquet est dominé par les fruits rouges. Souplesse et rondeur en attaque, tanins fins en soutien d'une matière tendre et fraîche à la fois : il est inutile d'attendre plus longtemps pour le servir avec une côte de bœuf.

SCEA Vignobles Chollet, 227, CD 10,
33490 Saint-Maixant, tél. 05.56.63.17.02,
fax 05.56.63.32.69, e-mail francois.chollet@wanadoo.fr
r.-v.

CH. MOULIN DE BERNAT

Cuvée de la Viticultrice Élevé en fût de chêne 2005 ★

■ 1,5 ha 5 000 5 à 8 €

La viticultrice se nomme Frédérike Bouzon. Elle s'est installée en 2001 sur cette propriété de 14 ha, au terroir argilo-calcaire. Du merlot à 80 % et du cabernet-sauvignon composent un bordeaux grenat soutenu, frangé de violet. Le bouquet de grillé, de toasté et de torréfaction trouve écho au palais. Après une attaque franche et souple se développe une matière ample, ronde, que les tanins bien présents ne perturbent pas. « Pour amateurs de vins boisés », conclut un dégustateur.

Frédérike Bouzon, Grand-Juan,
33790 Saint-Antoine-du-Queyret, tél. 05.57.40.58.57,
fax 05.56.61.39.84, e-mail frederikepepito@free.fr

CH. MOULIN DE PILLARDOT 2005 ★★

■ 3 ha 20 000 ▮ 3 à 5 €

Un osso buco aux légumes confits, délicieux accord gourmand pour ce bordeaux de caractère. La robe d'un rouge profond accroche le regard par ses reflets violines, tandis que le nez est séduit par les arômes de fruits noirs mûrs que rehausse une pointe épicée. De la suavité et de la souplesse en attaque, une chair ronde et fraîche à la fois, empreinte de fruits rouges, des tanins fondus qui assurent une bonne longueur : tout est en place pour garantir une bonne évolution au cours des deux ans à venir. Le **Château Bourdicotte 2005**, parfumé de fruits rouges, riche et dense, mérite une étoile.

Ch. Bourdicotte, Le Bourg, 33790 Cazaugitat,
tél. 05.56.61.32.55, fax 05.56.61.38.26,
e-mail bourdicotte@orange.fr

CH. PABUS

Cuvée Matisse Élevé en fût de chêne 2005 ★

■ 3,18 ha 3 000 15 à 23 €

L'architecte de cette chartreuse de la fin du XVIIIe s. n'est autre que Victor Louis, auteur du Grand Théâtre de Bordeaux. De l'architecture, ce vin n'en manque pas : sa structure carrée lui assurera une bonne évolution dans le temps. Elle étaye fermement à ce jour la matière ronde et grasse jusqu'en finale, tandis que les arômes du bois, grillés et vanillés, s'imposent dans le bouquet.

SAS Ch. Pabus, chem. du Meumusey,
33670 Sadirac, tél. et fax 05.56.23.70.40
r.-v.
Kris Couvent

CH. PETIT-FREYLON 2005 ★

■ 15 ha 20 000 ▮ 3 à 5 €

Une propriété familiale de 30 ha régulière en qualité, à en juger par son bordeaux déjà étoilé dans le millésime 2004. Le 2005, composé de merlot et de cabernet-sauvignon à parts égales, attire le regard par sa robe grenat à reflets violines comme par son nez élégant de mûre et de cassis, qui se révèle après agitation. La structure tannique est bien présente mais enveloppée d'une chair souple et ronde. À boire ou à garder deux petites années si vous en avez la patience.

EARL Vignobles Lagrange, Ch. Petit-Freylon,
33760 Saint-Genis-du-Bois, tél. et fax 05.56.71.54.79
r.-v.

CH. LA PEYRE Cuvée spéciale 2005

■ 17 ha 13 000 ▮ 3 à 5 €

Merlot et cabernets se partagent équitablement la composition de ce vin dominé par les arômes de fruits rouges et de fleurs. De couleur sombre à liseré violine, celui-ci offre une chair souple et ronde, délicatement parfumée de flaveurs de fruits cuits. Les tanins discrets autorisent un service immédiat.

SCEA Lapeyre et Fils, Loyasson,
33540 Saint-Hilaire-du-Bois, tél. et fax 05.56.71.60.76
t.l.j. 8h-20h

CH. PEYROULEY Élevé en fût de chêne 2004 ★

■ 15 ha 40 000 3 à 5 €

Issu d'un vignoble où les cabernets sont majoritaires (75 %), ce vin séduit par sa robe intense aux reflets tuilés comme par son nez fin de fruits rouges, de grillé et de boisé. Ces arômes se prolongent dans la chair ronde, aux tanins bien mûrs. À déguster dès maintenant ou à conserver deux ans.

EARL de Pourquey-Gazeau, 1, Pourquey,
33540 Castelvieil, tél. 05.56.61.95.55,
fax 05.56.61.99.48 t.l.j. 8h-12h 14h-19h
Fouilhac

CH. DU PIN-FRANC 2005 ★

■ 7,5 ha 50 000 3 à 5 €

Fort d'un encépagement classique de merlot et de cabernets sur un terroir argilo-calcaire, ce cru propose une cuvée équilibrée. Sous la robe rubis se décline un agréable fruité à la faveur de l'aération, accompagné de discrètes notes de vanille et de grillé. L'attaque est souple, la bouche ronde et charnue, soutenue par des tanins aimables. Un bordeaux tout disposé à passer à table.

SCV Jean Queyrens et Fils, Le Grand Village,
33410 Donzac, tél. 05.56.62.97.42, fax 05.56.62.10.15,
e-mail scvjqueyrens@orange.fr r.-v.

CH. PIOCHET 2005 ★

■ 4 ha 24 000 ▮ 3 à 5 €

Bernadette Faugère dirige cette propriété familiale de 4,76 ha sur les coteaux argilo-limoneux qui dominent

Langon. Proposé par la maison de négoce Sichel, son bordeaux se présente dans une robe sombre à reflets violets, annonce de la concentration de la matière. On perçoit en effet du volume et du charnu au palais, ainsi qu'une trame de tanins de qualité. En accompagnement se prolongent de frais arômes de fleurs et de fruits. Un vin de classe qui saura plaire dès 2008. De la Maison Sichel, **M 40 2005 (5 à 8 €)** reçoit également une étoile pour son harmonie, tandis que **Sirius 2004 (5 à 8 €)**, élevé en fût, est cité.
Maison Sichel, 8, rue de la Poste, 33210 Langon, tél. 05.56.63.50.52, fax 05.56.63.42.28, e-mail maison-sichel@sichel.fr
t.l.j. sf dim. 9h-18h30 au magasin «Chai Coste»

PLAISIRS Plaisirs gourmands 2005

n.c. 10 000 3 à 5 €

Ils sont quatre amis vignerons à avoir imaginé ce bordeaux en regroupant le fruit de leurs vignobles : 40 % de merlot, autant de cabernet-sauvignon et 20 % de cabernet franc. Il en résulte un vin de teinte griotte, aux arômes de fruits rouges mêlés de grillé. Rond et chaleureux, il s'appuie sur une trame tannique encore jeune qui devra s'assagir au cours de deux ans de garde.
GIE Bordeaux Plaisirs, 1, Majoureau, 33490 Caudrot, tél. 05.56.62.81.94, fax 05.56.62.75.87, e-mail bordeaux.plaisirs@orange.fr

CH. LE PORGE 2005 **

8 ha 50 000 5 à 8 €

Pierre Sirac vient d'être rejoint par son fils sur ce domaine familial de 23 ha. La suite est donc bien assurée et le 2005 est un encouragement pour cette nouvelle génération. De l'assemblage de 90 % de merlot au cabernet-sauvignon, ce vin a tiré un beau parti : robe intense et profonde, bouquet expressif de fruits rouges, de fruits secs et de vanille, chair ample, ronde et persistante, aux gentils tanins. L'harmonie, en somme.
Pierre Sirac, 1, Sallebertrand, 33420 Moulon, tél. 05.57.84.63.04, fax 05.57.74.99.31 r.-v.

CH. LE PRIEUR Cuvée Passion 2005 *

6 ha 40 000 5 à 8 €

En cent ans, cette propriété de l'Entre-deux-Mers – ancien relais pour les pèlerins de Saint-Jacques-de-Compostelle – est passée de 10 ha à 80 ha. La famille Garzaro n'a cessé de travailler à son développement. Le choix d'un assemblage équilibré a permis à Pierre Garzaro d'obtenir un 2005 plaisant. Sous une robe grenat tirant sur le noir, apparaissent des arômes intenses de fruits noirs, de poivre et de torréfaction. Le boisé bien intégré et des tanins aimables accompagnent la chair ample et ronde. D'ici deux ans, ce bordeaux aura atteint son apogée.
EARL Vignobles Garzaro, Ch. Le Prieur, 33750 Baron, tél. 05.56.30.16.16, fax 05.56.30.12.63, e-mail contact@vignoblesgarzaro.com
r.-v.

PRIMO PALATUM Classica Réserve 2005 *

n.c. 14 800 3 à 5 €

Primo Palatum signifie en latin « le goût avant tout ». Belle devise de Xavier Copel qui a créé cette gamme en 1996 en s'associant à des vignerons de différentes régions. En Bordelais, il propose un vin issu du merlot et des cabernets à parts égales : teinte rubis profond, bouquet intense de fruits rouges, de grillé et d'épices, chair ronde et souple en attaque, puis dominée par des tanins encore fermes mais qui portent loin la finale. À revoir dans un an ou deux. Une étoile également pour la cuvée **Mythologia Grande Réserve 2004 (11 à 15 €)**, fruitée et soyeuse.
Xavier Copel - Primo Palatum, 1, Roy, 33190 Pondaurat, tél. 05.56.71.39.39, fax 05.56.71.39.40, e-mail xavier-copel@primo-palatum.com r.-v.

CH. LE RÂLE 2005 *

5 ha 33 000 3 à 5 €

Le merlot né sur un terroir d'argile et de boulbènes s'exprime bien dans ce vin pourpre qui libère des arômes de fruits rouges et de cassis. La bouche est souple en attaque, puis ronde et fruitée, portée par des tanins soyeux jusqu'à une longue finale veloutée. Du charme.
Domainie de Sansac, Les Lèves, 33220 Sainte-Foy-la-Grande, tél. 05.57.56.02.02, fax 05.57.56.02.22, e-mail jm.portier@univitis.fr
r.-v.
Roland Dalmas

CH. RAMBAUD Sélection Vieilles Vignes 2005 *

8 ha 50 000 5 à 8 €

Issue du seul merlot, cette cuvée encore frangée de violet sur fond pourpre séduit par son bouquet de fruits rouges mûrs mêlés d'épices, de menthol, de café et de moka. Autant de notes dues à un élevage bien maîtrisé de douze mois en barrique. La bouche ample et chaleureuse, charnue, révèle un agréable fruité ; les tanins tendres et élégants lui apportent des accents de grillé, de café et de torréfaction en complément. Un bordeaux concentré qui demande quelques années de garde.
SCEA Vignobles Daniel Mouty, Ch. du Barry, 33350 Sainte-Terre, tél. 05.57.84.55.88, fax 05.57.74.92.99, e-mail contact@vignobles-mouty.com
t.l.j. 8h-18h

CH. RAUZAN DESPAGNE 2005 **

1,2 ha 6 500 15 à 23 €

En 1990, Jean-Louis Despagne a acheté cette propriété proche de Bordeaux, laissée à l'abandon. Après avoir été distribué pendant quinze ans sur les lignes de British Airways, son bordeaux s'offre une nouvelle étiquette en 2005. C'est sous cet habillage que vous découvrirez ce vin si sombre qu'il en paraît presque noir. Le bouquet harmonieux marie les fruits rouges confits aux notes grillées et chocolatées ; il se prolonge au palais, soulignant la matière ample et grasse dans laquelle se fondent les tanins. La finale persistante est un enchantement. Dans deux ans, le plaisir sera complet. Une étoile est attribuée au **Château Bel Air Perponcher 2005** pour son élégance et l'expression d'un boisé bien maîtrisé.
SCEA des Vignobles Despagne, 33420 Naujan-et-Postiac, tél. 05.57.84.55.08, fax 05.57.84.57.31, e-mail contact@despagne.fr
r.-v.

CH. LA ROCHE BEAULIEU Rex Bibendi Rare Private Reserve 2004 **

3 ha 14 651 15 à 23 €

Coup de cœur l'an passé et noté deux étoiles dans les trois dernières éditions du Guide, ce bordeaux est d'une régularité sans failles. Le 2004, dont la teinte rouge profond s'est à peine nuancée de reflets tuilés, dispense des arômes de fruits rouges, d'épices, de cuir et de sous-bois avant d'emplir le palais de sa chair corsée, ronde et ample. La structure a beau être puissante, elle ne masque pas le fruité et permet à la finale de se prolonger élégamment. À apprécier dans deux ans. Le **Château La Roche Beaulieu Amavinum 2004 Élevé en fût de chêne (11 à 15 €)** est cité pour son équilibre.

SCEA Tchekhov et Associés,
Ch. La Roche Beaulieu, 1, Peyrelebade,
33350 Les Salles-de-Castillon, tél. 05.57.40.64.37,
fax 05.57.40.65.05, e-mail larochebeaulieu@wanadoo.fr
r.-v.

CH. LA ROCHE SAINT JEAN 2005 *

25,5 ha 45 000 3 à 5 €

Dominé par le cabernet-sauvignon, récolté sur sol argilo-sablo-limoneux, ce bordeaux offre de discrets parfums de fruits rouges à l'aération et propose, après une attaque souple, une matière ronde et ample, bien structurée par des tanins respectueux. La finale encore ferme mais persistante est de bon augure.

EARL Vignobles Pauquet, 23, Le Bourg,
33190 Camiran, tél. 05.56.71.44.95, fax 05.56.71.49.02,
e-mail jerome.pauquet@wanadoo.fr r.-v.

CH. LES ROCS DE PLAISANCE 2005 *

1 ha 6 666 3 à 5 €

Un domaine de 21 ha sis à 80 m d'altitude au-dessus de la vallée de la Gironde. Sandrine Tramier y a rejoint son père en 2002. Tous deux proposent un pur merlot dont les caractères vous procureront un plaisir immédiat. Sous la robe rubis profond se distingue un bouquet de fruits rouges, annonciateur d'une bouche souple, ample et gourmande. Les tanins soyeux respectent l'agréable retour fruité en finale.

EARL Bernard Tramier et Fille,
Les Rocs de Plaisance, 2, Les Places, 33220 Pineuilh,
tél. 06.70.93.27.09, fax 05.57.46.55.37,
e-mail lesrocsdeplaisance@voila.fr r.-v.

CH. DE LA ROQUE 2005 *

10,57 ha 74 000 3 à 5 €

Ce château édifié en 1670 fut reconstruit deux siècles plus tard ; les jardins ont été dessinés par les élèves de Victor Louis, architecte du Grand Théâtre de Bordeaux. Présenté par la coopérative de Lugon, ce 2005 cède tout au merlot. Il en résulte une couleur intense, des arômes de fruits cuits, de cassis, de sous-bois et d'épices. La trame tannique s'équilibre déjà avec la chair souple et ronde, mais le vin promet de s'affiner encore au cours des trois prochaines années.

Union de producteurs de Lugon,
6, rue Louis-Pasteur, 33240 Lugon, tél. 05.57.55.00.88,
fax 05.57.84.83.16 r.-v.
H. Dumas

CH. ROQUEFORT 2005 **

40 ha 200 000 5 à 8 €

Frédéric Bellanger, aux commandes du château Roquefort depuis 1995, organise chaque année des événements culturels et gastronomiques. Une bonne raison de faire un petit détour sur la piste cyclable de l'Entre-deux-Mers pour découvrir le château du XVIII^{e}s., le colombier du XVII^{e}s. et l'allée couverte. Ce 2005, composé de merlot à 90 % et de cabernet-sauvignon, offre sous

une robe pourpre foncé des senteurs intenses de fruits rouges mûrs, de sous-bois, de grillé et de torréfaction. Les raisins mûrs lui ont légué une matière ample, ronde et complexe, empreinte d'arômes délicats de fruits rouges. Des tanins aimables forment une trame élégante, tandis que le boisé se fond agréablement. Un remarquable potentiel (quatre ou cinq ans).

Ch. Roquefort, 33760 Lugasson, tél. 05.56.23.97.48,
fax 05.56.23.50.60 r.-v.
F. Bellanger

CH. ROQUES MAURIAC Damnation 2005 *

2,25 ha 12 000 11 à 15 €

Le cabernet franc est trop souvent délaissé en Bordelais. Damnation lui rend ses lettres de noblesse. Et l'on se damnerait bien pour goûter à ce vin issu à 80 % de ce cépage avec un appoint de merlot. Grenat profond, d'une délicate expression aromatique, il décline des notes de fleurs, de fruits rouges, de moka, de toasté et d'épices. La matière souple en attaque évolue avec rondeur, même si la trame tannique revêt encore une certaine fermeté. N'y voyez aucune agressivité, mais le gage d'une bonne tenue au cours de deux ou trois ans de garde. La longue finale veloutée, aux accents grillés, en témoigne.

GFA Les Trois Châteaux, 1, Lagnet,
33350 Doulezon, tél. 05.57.40.51.84,
fax 05.57.40.55.48, e-mail contact@les3chateaux.com
t.l.j. sf sam. dim. 9h-12h15 14h-18h

CH. LA ROSE DU PIN 2005 *

31 ha n.c. 3 à 5 €

Un fromage à pâte dure siéra à ce vin grenat brillant, encore ourlé de violet. Le fruit s'exprime sous des accents de framboise et de cassis tout au long de la dégustation. Le palais ample, riche et velouté, s'appuie sur une structure souple qui contribue à l'élégance de l'ensemble.

Cordier-Mestrezat, 109, rue Achard, BP 154,
33042 Bordeaux Cedex, tél. 05.56.11.29.00,
fax 05.56.11.29.01, e-mail ducourt@ducourt.com r.-v.
Vignobles Ducourt

CH. LA ROSE MONTAURAN 2005 *

27 ha 184 000 3 à 5 €

Le merlot dominant avec un apport de 10 % de cabernets apporte à ce vin une teinte intense et une élégante palette de framboise, de groseille et de pruneau. La bouche puissante et ronde bénéficie du soutien de tanins bien présents mais en passe de se fondre, et d'un retour du fruit dans une longue finale. À conserver deux ans.

SCEA Vignobles Francis Lasnier, 1, Les Bergey,
33420 Jugazan, tél. 05.57.84.17.46

CH. SAINTE BARBE Élevé en fût de chêne 2005 ★★

■ 8,5 ha 34 000 8 à 11 €

Inscrit à l'inventaire des Monuments historiques, le château Sainte Barbe et son vignoble ont été créés au XVIII[e]s. par J.-B. Lynch, maire de Bordeaux. D'une année l'autre, le vin garde ses deux étoiles dans le Guide, signe de régularité exemplaire. Complété de 20 % de cabernets, le merlot récolté sur argile domine cette cuvée d'un rouge soutenu qui livre des arômes d'épices et de résine associées aux fruits rouges mûrs. Du volume, de la rondeur, du fruité : le palais n'est pas en reste, structuré par des tanins solides mais enrobés. La finale persistante laisse une douce impression. Ce bordeaux saura attendre deux ou trois ans. Le **Château Sainte Barbe 2005 (5 à 8 €)**, issu exclusivement de merlot et élevé en cuve, obtient une étoile : souple, il est prêt à boire.

SCEA Ch. Sainte Barbe, 33810 Ambès,
tél. 05.56.77.19.02, fax 05.56.77.17.03,
e-mail chateausaintebarbe@wanadoo.fr r.-v.

CH. TERTRE-DE-SAINT-MARTIN Élevé en fût de chêne 2005 ★

■ 1 ha 2 900 5 à 8 €

Une éolienne signale le chai de ce domaine, repris voilà deux ans par S. Fayte. Exclusivement composé de merlot, ce 2005 s'habille d'une élégante robe pourpre profond et livre un bouquet intense de fruits rouges nuancés de grillé et de vanille. De la rondeur, du gras, une charpente de qualité, un boisé fin et une douce finale : toute l'harmonie désirée pour un service immédiat comme pour une garde de deux ans.

Fayte, Ch. Tertre-de-Saint-Martin, Le Bourg,
33760 Lugasson, tél. 06.19.27.45.09, fax 08.77.14.66.22,
e-mail s.fayte@hotmail.fr r.-v.

CH. THÉBOT Élevé en fût de chêne 2005

■ 10 ha 57 000 5 à 8 €

Les 20 ha de vignoble sur sol graveleux et argilo-calcaire se regroupent d'un seul tenant autour du chai dans lequel a été vinifié ce 2005. Après une attaque souple se révèle un corps structuré, enveloppé d'un boisé bien maîtrisé, ainsi que de la chair ronde et fruitée typique du merlot. Une petite pointe d'austérité en finale rappelle que le vin est encore jeune.

SCEA Brisson, Baby,
33220 Saint-André-et-Appelles, tél. 05.57.46.03.48,
fax 05.57.46.42.88, e-mail brisson@aquinet.tm.fr
r.-v.

CH. TIRE PÉ 2005 ★

■ 4 ha 20 000 5 à 8 €

Le merlot marque ce vin sombre frangé de violet ; des arômes de fruits noirs mûrs et d'épices annoncent la puissance et le volume de la bouche. En effet, après une attaque ample et soyeuse, s'impose une chair riche, corsée, structurée et persistante. Pour apprécier ce vin à son apogée, il faudra attendre trois ans. Le **Château Tire Pé La Côte 2005 (11 à 15 €)**, alliance réussie du fruit et du bois, est cité.

David Barrault, Ch. Tire Pé,
33190 Gironde-sur-Dropt, tél. et fax 05.56.71.10.09,
e-mail tirepe@wanadoo.fr r.-v.

CH. TOUR DE BIGORRE 2005 ★

■ 70 ha 519 600 3 à 5 €

Cette propriété s'est notablement agrandie depuis sa création en 1929 par le grand-père de J.-C. Pardine : de 7 ha, elle est passée à 70 ha. Le 2005 est un bordeaux sombre, presque noir, dont le nez complexe exprime les fruits rouges, les épices, la vanille et le chocolat. La matière riche et ronde enveloppe une bonne structure et intègre l'empreinte boisée bien maîtrisée (vanille, moka) qui lui lègue une certaine douceur. Un vin gourmand.

SCEA de Bigorre, 33540 Mauriac,
tél. et fax 05.56.71.52.44 r.-v.
J.-C. Pardine

CH. TOUR DE BIOT Cuvée Vieilles Vignes 2005 ★

■ 2 ha 13 000 5 à 8 €

Il vous sera difficile de détacher votre regard de la robe sombre, à reflets violets, de ce vin. Difficile également de résister aux arômes de fruits noirs, de fruits à noyau nuancés de notes minérales de graphite et d'un fin boisé. Rond en attaque, le palais fait preuve d'ampleur, de rondeur et de chaleur. La puissante structure indique en outre le réel potentiel d'évolution de ce bordeaux. Le **Château Tour de Biot 2005 (3 à 5 €)**, élevé en cuve, est cité.

Gilles Gremen, EARL La Tour Rouge,
33220 La Roquille, tél. 05.57.41.26.49,
fax 05.57.41.29.84, e-mail gilles.gremen@wanadoo.fr
r.-v.

CH. TOUR DE MIRAMBEAU 2005

■ 8,87 ha 47 000 15 à 23 €

Du haut du plateau calcaire, l'antique tour de Mirambeau veille sur la vallée de la Dordogne. La cité médiévale de Saint-Émilion n'est pas loin. La propriété appartient à la famille Despagne depuis plus de deux cents ans, mais ce n'est qu'en 1970 que Jean-Louis Despagne décida de la consacrer à la vigne. Issu principalement de merlot, ce 2005 offre des parfums de fruits rouges mûrs et un léger grillé sous une teinte sombre. Un fruité exubérant s'inscrit dans la chair ronde et croquante, dotée de tanins discrets. Un plaisir immédiat.

SCEA de la Rive Droite, 33420 Naujan-et-Postiac,
tél. 05.57.84.55.08, fax 05.57.84.57.31,
e-mail contact@despagne.fr r.-v.

CH. TOUR DU FOUSSAT 2005 ★

■ 1 ha 5 350 3 à 5 €

Cette propriété, située à une demi-lieue de l'église classée du XI[e]s. de Castelviel, propose un 2005 principalement composé de merlot. De la robe grenat intense s'élèvent des arômes complexes de grillé, d'épices, de réglisse et de fruits rouges mûrs. Après une attaque souple et franche, la bouche gagne en puissance et en équilibre. Elle laisse une impression de gras et de volume, avec des tanins fermes mais fins et une longue finale sur le fruit. Cette bouteille a déjà tout pour plaire mais gagnera encore à attendre deux ou trois ans.

Jean-Marie Gaverina, Le Foussat, 33540 Castelviel,
tél. 05.56.61.97.77, fax 05.56.61.99.96
t.l.j. 9h-12h 14h-20h; f. fin août

CH. TOUR LA VÉRITÉ 2005 ★★

■ 15 ha 100 000 - de 3 €

Davantage de merlot que de cabernet-sauvignon donne à ce vin une teinte carmin intense, ainsi que de subtils arômes de fraise et de cerise à l'eau-de-vie. Le corps puissant et gras s'épanouit autour d'une trame de tanins soyeux qui soutient remarquablement la finale. Un bordeaux apte à deux ans de garde.

🔑 EARL Tabouy, 1, Favereau, 33790 Pellegrue, tél. 05.56.61.35.41, fax 05.56.61.44.93

CH. LE TRÉBUCHET 2004 ★

■ 2 ha 14 000 ⅢI 5 à 8 €

À 4 km de la ville millénaire de La Réole, ce domaine porte le nom d'une machine lance-pierre utilisée pendant la guerre de Cent Ans. Bernard Berger propose un vin rubis dominé par le merlot, auquel un élevage de dix mois en barrique a apporté de fines notes boisées. La bouche est fraîche et ronde à la fois, malgré quelques tanins de merrain encore fermes. Trois ans de garde devraient suffire à assouplir cette structure.

🔑 Bernard Berger, Ch. Le Trébuchet, 33190 Les Esseintes, tél. 05.56.71.42.28, fax 05.56.71.30.16, e-mail chateautrebuchet@wanadoo.fr

☑ Y ☦ t.l.j. sf dim. 8h-12h 14h-18h

CH. VALLON DES BRUMES 2005 ★

■ 10 ha 65 000 ▮ 3 à 5 €

Depuis 2004, Pascal Boissonneau se charge de la vinification dans ce domaine familial de 75 ha. Il obtient un joli succès avec ce 2005 d'un rouge sombre, dont la palette discrète décline des notes de fruits mûrs, de cuir, de tabac et de fumée. La bouche est souple et ronde en attaque, mais bientôt les tanins prennent le dessus et laissent en finale une légère impression d'austérité. Il faudra attendre trois ans pour une parfaite harmonie.

🔑 Vignobles Boissonneau, Le Cathelicq, 33190 Saint-Michel-de-Lapujade, tél. 05.56.61.72.14, fax 05.56.61.71.01, e-mail vignobles@boissonneau.fr

☑ Y ☦ r.-v.

DOM. DE VALMENGAUX 2005 ★

■ 3,4 ha 15 000 ⅢI 15 à 23 €

On le sait : les vins de Valmengaux aiment la garde. Le 2005, d'un rouge-noir profond, ne fera pas exception, même s'il contient une forte proportion de merlot. Les dix-huit mois passés en barrique lui ont légué un bouquet expressif dominé par le grillé et la vanille. Un boisé fin et bien dosé souligne la bouche ronde, dense et structurée jusqu'à une finale persistant sur les épices. À attendre deux ans.

🔑 Vincent Rapin, Dom. de Valmengaux, 8, Petit-Gontey, 33330 Saint-Émilion, tél. et fax 05.57.74.48.92, e-mail vincent.rapin@libertysurf.fr ☑ Y ☦ r.-v. 🏠 E

CH. DE VAURE 2005 ★★

■ 24,25 ha n.c. ▮ 3 à 5 €

Le merlot domine à 80 % l'assemblage de ce vin grenat à reflets violets, dont le nez discret évoque les raisins de Corinthe et les fruits à noyau. Le corps souple et rond, chaleureux bénéficie d'une structure bien présente qui respecte l'expression des flaveurs de fruits rouges confiturés. La finale est un peu sévère ? Trois ans de garde suffiront à y remédier.

🔑 Chais de Vaure, lieu-dit Vaure, 33350 Ruch, tél. 05.57.40.54.09, fax 05.57.40.70.22, e-mail chais-de-vaure@wanadoo.fr

☑ Y ☦ t.l.j. 9h-12h 14h-18h

CH. LA YOTTE 2005 ★★

■ 4 ha 15 000 ⅢI 5 à 8 €

Produit dans la région des grands liquoreux du Bordelais, ce bordeaux est le fruit du merlot bien mûr, complété de cabernet-sauvignon. On reconnaît bien le cépage dans la teinte grenat profond comme dans les arômes de fruits rouges confiturés que des nuances de grillé, de toasté et de vanille soulignent. La puissance, la concentration et la structure de la matière sont d'autres indices du merlot. L'équilibre se réalise entre le fruité qui persiste en finale et le boisé épicé. À découvrir en 2009-2010.

🔑 Philippe Bouffard, 2, rte de Lambrot, 33410 Loupiac, tél. 05.56.62.92.22, fax 05.56.62.67.79, e-mail chateaulayotte@wanadoo.fr

☑ Y ☦ t.l.j. sf mer. dim. 10h30-12h 14h-16h

🔑 SCEA Bouffard-Audibert

YVECOURT 2005 ★

■ 600 ha 4 000 000 ▮ 3 à 5 €

Un grenat intense habille ce vin qui exprime volontiers, après aération, des parfums de cerise, de mûre, de pruneau rehaussés de notes épicées et animales. La chair ronde s'appuie sur des tanins fermes, de qualité, qui ne nuisent pas à l'expression du fruit. Laissez ce bordeaux vieillir deux ans en cave. Le **Château Ducla 2005 (5 à 8 €)** est cité pour son fruité et sa souplesse.

🔑 Yvon Mau, rue Sainte-Pétronille, 33190 Gironde-sur-Dropt, tél. 05.56.61.54.54, fax 05.56.61.54.61, e-mail info@ymau.com

Bordeaux clairet

CH. BALLAN-LARQUETTE 2006 ★

■ 2,08 ha 14 500 ▮ 3 à 5 €

Cette exploitation familiale bénéficie d'un chai équipé des dernières techniques modernes. Régis Chaigne a ainsi pu élaborer ce clairet de couleur éclatante qui livre sans ambages des arômes de fruits des îles (mangue, grenade et ananas), de fraise et de framboise. Du fruit, encore et toujours, dans une matière souple et ronde, mais non dénuée de fraîcheur. Un vin harmonieux qui trouvera maints accords : des coquillages, des crustacés, une salade landaise, une côte de bœuf ou un poisson grillé.

🔑 Vignobles Chaigne et Fils, Ch. Ballan-Larquette, 33540 Saint-Laurent-du-Bois, tél. 05.56.76.46.02, fax 05.56.76.40.90, e-mail rchaigne@vins-bordeaux.fr

☑ Y ☦ r.-v.

CH. BOIS-MALOT 2006

■ 1 ha 7 000 **3 à 5 €**

Issu de ceps trentenaires de merlot, de cabernet franc et de cabernet-sauvignon récoltés sur sol argilo-limoneux et graveleux, ce vin offre au regard une teinte grenat à reflets chatoyants, puis des parfums intenses de fruits rouges (groseille) et noirs (cassis), nuancés de notes florales pimpantes. Le corps rond et gras laisse une même sensation fruitée. Un clairet à marier à des tournedos de merlu ou à des chipirones à la plancha.

🔑 SCA Meynard, 133, rte des Valentons, 33450 Saint-Loubès, tél. 05.56.38.94.18, fax 05.56.38.92.47

☑ Y ☦ t.l.j. sf dim 8h-12h 14h-19h; sam. 8h-12h

CH. FAYAU 2006 ★

■ 5 ha 25 000 ▮ 3 à 5 €

À visiter, le château des ducs d'Épernon à Cadillac, bâti par Jean-Louis de Nogaret de La Valette, premier duc d'Épernon, au XVII[e]s. Non loin se trouve cette propriété de la famille Médeville, dont le clairet se distingue cette année par son nez de cassis et de bonbon anglais, finement agrémenté de rose. Il se montre avenant au palais, souple et suffisamment ample ; de gentils tanins le soutiennent jusqu'à la finale de cassis. Un 2006 coquet qui dévoilera tous ses atouts aux côtés d'un pavé de turbot au four.

🔑 Jean Médeville et Fils, Ch. Fayau, 33410 Cadillac, tél. 05.57.98.08.08, fax 05.56.62.18.22, e-mail medeville-jeanetfils@wanadoo.fr ☑ Y 🚶 r.-v.

CH. FRACHET Cuvée Prestige 2006 ★★

■ 2,8 ha 20 000 3 à 5 €

Un ancien vignoble créé en 1772, reposant sur un sol de graves et de limon, et tourné vers la Garonne. Le merlot (70 %) et les cabernets composent ce clairet rubis brillant qui livre un bouquet de fleurs et de fruits rouges. D'attaque vive et souple, il gagne en ampleur et en charnu en milieu de bouche, soutenu par des tanins soyeux. Le caractère fruité ne cesse de s'exprimer jusqu'à la longue finale. Un vin harmonieux qui s'adaptera à de nombreuses occasions : entrecôtes grillées aux sarments de vigne, poulet grillé au romarin, escargots à la bordelaise, par exemple.

🔑 SCEA Frachet et Fils, 11, av. de Bordeaux, 33360 Cénac, tél. et fax 05.56.20.16.94

CH. LARTIGUE-CÈDRES 2006

■ n.c. 27 000 ▮ **3 à 5 €**

Une allée de cèdres bleus mène jusqu'à ce château bâti à la fin du XIX[e]s. à partir de la pierre de taille extraite du sous-sol calcaire. Les aventuriers pourront atteindre le fond du puits, à 25 m sous terre, en empruntant les galeries souterraines. Moins aventureuse, mais délicieuse, la dégustation de ce vin. Le bouquet, certes discret mais non secret, libère à l'aération des arômes d'agrumes, de baies sauvages (sorbe, nèfle, arbouse), de groseille, de fraise des bois. Douceur et velouté en approche, fraîcheur équilibrée en bouche : un clairet plein d'allant qui rejoindra une pizza garnie de tomates, de courgettes, d'oignons, de mozarella et de menthe.

🔑 Jacquin, Ch. Lartigue-Cèdres, 17, rte Brune, 33750 Croignon, tél. 05.56.30.10.28, fax 05.56.30.15.13, e-mail chateaulartigue@wanadoo.fr ☑ Y 🚶 r.-v.

CH. LAUDUC Classic 2006

■ 6 ha 40 000 ▮ **3 à 5 €**

À 10 km de Bordeaux, sous des expositions diverses, ce vignoble s'étale sur des pentes aux sols tout aussi variés : argiles, calcaires et silices. Le domaine possède un cuvier performant et s'est équipé d'un chai de conservation en cuves et en barriques. Habillé d'une robe framboise à nuances rubis, son clairet offre des senteurs de fruits noirs, de violette et de réglisse avant d'emplir le palais d'une matière souple et coulante, au fruité savoureux. Pour une cuisine de soleil : bouillabaisse, zarzuela, calmars farcis, par exemple.

🔑 SCEA Vignobles Grandeau, 5, chem. de Lauduc, 33370 Tresses, tél. 05.57.34.43.56, fax 05.57.34.43.58, e-mail m.grandeau@lauduc.fr ☑ Y 🚶 r.-v.

CH. DE LISENNES 2006 ★

■ 15 ha 98 000 ▮ 3 à 5 €

98 000 bouteilles : ce domaine a misé gros sur son clairet 2006. Raison lui est donnée à la dégustation : fruité mûr et intense, notes chaleureuses d'épices (poivre blanc), texture souple et ronde, bien équilibrée par une pointe de fraîcheur. L'accompagnement de tout un repas.

🔑 Soubie, Ch. de Lisennes, 33370 Tresses, tél. 05.57.34.13.03, fax 05.57.34.05.36, e-mail contact@lisennes.fr
☑ Y 🚶 t.l.j. sf dim. 8h-12h 13h30-17h30; sam. 9h-12h

CH. DE MARSAN 2006 ★

■ 6 ha 35 000 ▮ 3 à 5 €

Propriété de la famille Gonfrier depuis 1962, ce domaine a fait le choix de l'œnotourisme : visite des chais, promenades au départ de Lestiac et bien sûr, dégustations. Il a produit un clairet enjôleur qui s'ouvre sur des parfums de fruits noirs, dominés par le cassis. Le palais laisse une impression de rondeur chaleureuse, mais bénéficie d'un léger perlant qui lui apporte une certaine fraîcheur et souligne ses flaveurs fruitées de bonne longueur. Cette bouteille sera bienvenue aux côtés d'un hachis parmentier au confit de canard.

🔑 SCEA Gonfrier Frères, Ch. de Marsan, BP 5, 33550 Lestiac-sur-Garonne, tél. 05.56.72.14.38, fax 05.56.72.10.38, e-mail gonfrier@wanadoo.fr
☑ Y 🚶 r.-v.

LES ORMES DE LAGRANGE 2006 ★

■ 2,68 ha 12 000 ▮ 3 à 5 €

Une cuvée plus influencée par le cabernet-sauvignon que par le merlot qui entre cependant pour 25 % dans sa composition. Au fruité séduisant de fraise, de cerise, de litchi et de grenade répondent la fraîcheur du pamplemousse et la douceur de la banane, puis la chair ronde, d'une certaine sucrosité, prolonge les sensations fruitées acidulées. La rencontre sera heureuse avec un jambon braisé aux abricots, accompagné d'un tian de légumes. Une étoile brille également pour le **Château Lagrange Les Tours L'Idée claire 2006**, plus floral et chaleureux.

🔑 SCEA des Vignobles Choquet, 30, rue de Bernescut, 33240 Cubzac-les-Ponts, tél. et fax 05.57.43.04.96, e-mail vignobles.choquet@wanadoo.fr ☑ Y 🚶 r.-v.

CH. DE PARENCHÈRE 2006

■ 11,11 ha 80 000 ▮ **5 à 8 €**

Non loin de Sainte-Foy-la-Grande, ce château du XVIII[e]s. repose sur des fondations du XVI[e]s. édifiées par Pierre de Parenchères. Sur des sols argilo-calcaires, merlot et cabernets à parts égales ont donné naissance à ce 2006 tout en fruits rouges, à la fois frais et de bon volume. À découvrir avec une cuisine méridionale ou asiatique.

🔑 Ch. de Parenchère, Domaine de Parenchère, BP 57, 33220 Ligueux, tél. 05.57.46.04.17, fax 05.57.46.42.80, e-mail info@parenchere.com ☑ Y 🚶 r.-v.

CH. DE PIOTE 2006 ★

1 ha	5 000	■	5 à 8 €

Dans cette propriété qui pratique le labour traditionnel dans le respect des sols, toute la famille et les amis se rassemblent autour de Virginie Aubrion à l'heure des vendanges et de la vinification. Ainsi est né ce vin très frais, enveloppé de flaveurs fruitées gourmandes. Les tanins sont présents sans excès et un bon équilibre se manifeste en finale. Une pavé de thon à la catalane lui ira bien.

Virginie Aubrion, Ch. de Piote, 26, rue de Piote, 33240 Aubie-Espessas, tél. et fax 05.57.43.96.10, e-mail chateau.piote-aubrion@wanadoo.fr
t.l.j. 9h-19h

CAVE DE QUINSAC 2006

n.c.	480 000	■	3 à 5 €

Le bordeaux clairet a fait la notoriété de la cave de Quinsac. Le 2006, constitué à 65 % de merlot, complété par les cabernets, se distingue par un bouquet fruité expressif et frais : fraise, grenade, mangue. Des raisins bien mûrs ont contribué à son corps vineux, bâti sur des tanins encore très présents. Pour des huîtres chaudes à l'échalote et à la crème fraîche épaisse.

Cave Coop. de Quinsac, 89, Pranzac, 33360 Quinsac, tél. 05.56.20.86.09, fax 05.56.20.86.82, e-mail cave.de.quinsac@wanadoo.fr r.-v.

PRINCE DE LA RIVIÈRE 2006 ★

1,5 ha	7 000		5 à 8 €

Le château, bâti au XVIes. à l'emplacement d'un donjon, bénéficie d'un beau panorama. Les vins sont élevés dans des caves monolithes creusées dans le calcaire. Ce 2006 y a séjourné six mois en fût avant de paraître devant le jury. Grenat profond, il associe le fruité à une nuance de beurre et à une touche de poivre, puis il laisse au palais une impression de fraîcheur, tout aussi aromatique. Un style moderne, témoin d'une bonne maîtrise technique. Accord gourmand : filet de merlan grillé avec caviar d'aubergine, grillades ou salades composées.

SCA Ch. de La Rivière, 33126 La Rivière, tél. 05.57.55.56.56, fax 05.57.24.94.39, e-mail info@vignobles-gregoire.com
t.l.j. sf sam. dim. 10h-12h30 14h30-18h; f. 15 déc.-15 jan.

LES VIGNERONS DE SAINT-MARTIN 2006

3 ha	22 000	■	3 à 5 €

D'un rose bonbon tonique, ce clairet abonde en senteurs fruitées (fraise des bois notamment) et épicées. Au palais, s'harmonisent des sensations fraîches et rondes, agrémentées de flaveurs de pêche de vigne. En finale, les tanins font légèrement pression et une pointe chaleureuse se dessine, mais ils participeront d'un accord réussi avec une grillade de magret de canard aux cerises aigrelettes, souligné d'un trait de vinaigre balsamique.

Les Vignerons de Génissac, 54, le Bourg, 33420 Génissac, tél. 05.57.55.55.65, fax 05.57.55.11.61, e-mail cave.genissac@wanadoo.fr
t.l.j. sf dim. 9h-12h 14h-18h

CH. LA SALARGUE 2006

8 ha	55 000	■	3 à 5 €

Des reflets orangés brillent dans la robe rose tendre de ce vin qui cède tout aux arômes de fruits comme la groseille et la banane, avec en contrepoint des notes de bonbon anglais et de rose subtiles. La bouche est souple, ronde et fraîche à la fois, dotée de tanins soyeux bien enveloppés par le fruit. Partenariat assuré avec une alose grillée sur sarments ou un saumon poêlé au beurre blanc.

SCEA Vignoble Bruno Le Roy, La Salargue, 33420 Moulon, tél. 05.57.24.48.44, fax 05.57.24.49.93, e-mail vignoble-bruno-le-roy@wanadoo.fr r.-v.

CH. TIMBERLAY 2006

1,49 ha	10 000	■	5 à 8 €

Du sommet du coteau de Montalon, vous jouirez d'une vue panoramique sur le fleuve et le vignoble, et noterez sur la table d'orientation que le 45e parallèle passe juste à cet endroit. Vous rejoindrez alors le château Timberlay, dont l'origine remonte au XIVes., pour y découvrir ce 2006 d'une teinte étonnamment vermillon. Un joli fruité hérité d'une vendange bien mûre se traduit en notes de cassis et d'abricot au nez, tandis que la matière apparaît tendre, friande, empreinte de flaveurs de fraise et de framboise. Pour l'apéritif.

EARL Vignobles Robert Giraud, Dom. de Loiseau, 33240 Saint-André-de-Cubzac, tél. 05.57.43.01.44, fax 05.57.43.08.75, e-mail direction@robertgiraud.com

Bordeaux sec

CH. BALLAN-LARQUETTE 2006 ★

7 ha	45 000	■	3 à 5 €

Régis Chaigne a hérité de ses grands-parents maternels le château Ballan-Larquette, ferme girondine traditionnelle de l'Entre-deux-Mers. À partir de sauvignon et de sémillon, il a élaboré un bordeaux sec de belle facture, tout disposé à accompagner une délicieuse blanquette de veau. Sous une teinte jaune pâle à reflets gris-vert se libèrent des arômes expressifs, typiques du sauvignon : agrumes et buis. La chair ample, les flaveurs persistantes de buis rejointes par celles de fruits, un léger perlant : tout contribue à une sensation d'équilibre et de douceur. Le classicisme a du bon.

Vignobles Chaigne et Fils, Ch. Ballan-Larquette, 33540 Saint-Laurent-du-Bois, tél. 05.56.76.46.02, fax 05.56.76.40.90, e-mail rchaigne@vins-bordeaux.fr
r.-v.

CH. BEL AIR PERPONCHER 2005

2 ha	11 000	■	11 à 15 €

Ce château, reconnaissable à sa tour du XVIIIes., a été racheté par la famille Despagne en 1990 et est maintenant conduit par Basaline Granger-Despagne. Celle-ci propose un 2005 jaune pâle brillant, aux parfums de fleurs blanches et de menthol. Une même fraîcheur se manifeste au palais, équilibrée par de la rondeur et un volume suffisant. Quelques notes grillées se distinguent, suivies d'une légère amertume finale rafraîchissante.

SCEA des Vignobles Despagne, 33420 Naujan-et-Postiac, tél. 05.57.84.55.08, fax 05.57.84.57.31, e-mail contact@despagne.fr
r.-v.

CH. BELLE-GARDE 2006 ★★

3 ha	20 000	■	3 à 5 €

Un bordeaux sec né principalement de sauvignon, qui livre des arômes de fleur de pêcher, d'agrumes et de litchi sous une teinte jaune pâle à reflets verts. Le fruit accompagne la chair ronde et séduisante, témoignant d'un travail de vinification de qualité. À déguster dès maintenant.

Éric Duffau, Monplaisir, 33420 Génissac, tél. 05.57.24.49.12, fax 05.57.24.41.28, e-mail duffau.eric@wanadoo.fr r.-v.

CH. DE BONHOSTE Cuvée Prestige 2006

1 ha 3 000 **5 à 8 €**

Vinifié et élevé par Colette et Bernard Fournier, aidés de leurs enfants Sylvaine et Yannick, ce bordeaux jaune pâle à reflets dorés mêle des arômes de fleurs blanches à des notes grillées et torréfiées. Le palais ne manque pas d'harmonie : attaque souple et franche, fruité et boisé mentholé bien mariés.

Bernard Fournier, Ch. de Bonhoste, 33420 Saint-Jean-de-Blaignac, tél. 05.57.84.12.18, fax 05.57.84.15.36, e-mail contact@chateaudebonhoste.com r.-v.

CHAI DE BORDES 2006 *

n.c. 40 000 **3 à 5 €**

Jaune pâle à reflets dorés, ce vin possède un nez discret de fleurs blanches, de pamplemousse et de fruits secs (abricot). La chair ronde et douce, suffisamment persistante, bénéficie de la fraîcheur apportée par un léger perlant. De l'équilibre, un caractère aromatique : un bon bordeaux en somme, à servir dès maintenant.

Cheval Quancard, 4, rue du Carbouney, La Mouline, BP 36, 33565 Carbon-Blanc Cedex, tél. 05.57.77.88.88, fax 05.57.77.88.99, e-mail chevalquancard@chevalquancard.com r.-v.

CH. CAJUS 2006

1 ha 3 000 **8 à 11 €**

Le château Cajus est une demeure du XVII[e]s. où les pèlerins de Saint-Jacques-de-Compostelle avaient coutume de s'arrêter. Elle commande aujourd'hui un vignoble implanté sur sols argilo-calcaires et conduit en agriculture biologique. Cette cuvée confidentielle est née d'un assemblage équilibré entre sémillon et sauvignon, vinifié et élevé de manière classique. Dans son habit vieil or, elle décline des arômes de fleurs blanches, de pamplemousse et de buis, puis enveloppe le palais d'une agréable fraîcheur en attaque. S'ensuit une matière souple, rehaussée de notes citronnées qui apportent de la vivacité en finale. Les fruits de mer apprécieront une telle compagnie.

SCEA Ch. Cajus, lieu-dit Cajus, 33750 Saint-Germain-du-Puch, tél. 05.57.24.01.15, fax 05.57.24.05.46, e-mail chateau-cajus@voila.fr r.-v.

CHANTET BLANET Cuvée Prestige 2006

n.c. 153 000 **3 à 5 €**

La chaîne d'hypermarchés Leclerc distribue ce bordeaux issu à 100 % de sauvignon. Sous une robe jaune pâle à reflets argentés et nacrés, celui-ci livre un nez de fleurs blanches et d'agrumes. Après une attaque souple, il fait preuve de volume et de rondeur, puis laisse une sensation fruitée en finale.

Maison Delor, 35, rue de Bordeaux, 33290 Parempuyre, tél. 05.56.35.53.00, fax 05.56.35.53.29, e-mail contact@cvbg.com r.-v.

CHAPELLE D'ALIÉNOR 2006 *

1,15 ha 10 000 **5 à 8 €**

Une chapelle domine les deux coteaux plantés de vignes de ce domaine proche de Castillon. Assemblage classique des trois cépages blancs bordelais, ce 2006 exhale des notes de pain grillé, de noisette, de pamplemousse et de fruits exotiques avant d'emplir le palais d'une chair ronde qui marie le boisé à un fruité frais. Un léger perlant souligne agréablement la finale comme un appel à un accord gourmand avec des poissons grillés. Une bouteille à déboucher dans un an.

Aliénor de Malet Roquefort, Saint-Pey-d'Armens, BP 12, 33330 Saint-Émilion, tél. 05.57.56.05.06, fax 05.57.56.40.89, e-mail sales@malet-roquefort.com

CHARTRON LA FLEUR 2006

n.c. 150 000 **3 à 5 €**

La marque Chartron La Fleur a fêté ses trente-cinq ans. Le 2006 surprend par sa couleur or blanc comme par la délicatesse de ses arômes de pêche blanche et d'aubépine. La mise en bouche est avenante, la chair ronde et aromatique, en cohérence avec le nez. Intéressant retour de notes minérales en finale.

Maison Schröder et Schÿler, 55, quai des Chartrons, BP 113, 33027 Bordeaux, tél. 05.57.87.64.55, fax 05.57.87.57.20, e-mail office@schroder-schyler.com

CLOS DE L'ANGE 2006 *

1,47 ha 9 600 **3 à 5 €**

Rive droite de la Garonne, ce domaine de plus de 50 ha étale ses vignes en coteaux. Le sauvignon est seul responsable de ce 2006 qui exprime d'intenses arômes de fleurs et de fruits, dont le sillage se prolonge au palais, dans une chair ronde et souple. La finale laisse le souvenir d'une note de fleurs blanches élégante. Un bordeaux destiné aux poissons et aux crustacés.

Dulac Séraphon, 2, Pantoc, 33490 Verdelais, tél. 05.56.62.02.08, fax 05.56.76.71.49, e-mail maite.seraphon@wanadoo.fr r.-v.

CLOSSMANN Réserve 2006

n.c. 40 000 **3 à 5 €**

Simplicité fait loi... Ce 2006 séduit par sa couleur jaune pâle à reflets verts comme par son nez printanier, aux nuances de fleurs blanches, de tilleul et de miel. Une vivacité rafraîchissante met en valeur les flaveurs d'abricot et de pêche blanche d'une chair souple et ronde.

Clossmann, rte du Petit-Conseiller, 33750 Beychac-et-Caillau, tél. 05.57.97.39.73, fax 05.57.97.39.74, e-mail vins.clossmann@wanadoo.fr

LA COMMANDERIE DE QUEYRET 2006 *

6 ha 30 000 **3 à 5 €**

Ancienne propriété des Templiers, ce domaine de l'Entre-deux-Mers propose un vin de pur sauvignon. Le voici, vêtu de jaune pâle à reflets verts, qui livre des arômes de fleurs blanches, d'agrumes, de litchi et de rose faisant ricochet au palais. L'équilibre entre rondeur, volume et vivacité est des plus réussis.

Claude Comin, Ch. La Commanderie, 33790 Saint-Antoine-du-Queyret, tél. 05.56.61.31.98, fax 05.56.61.34.22, e-mail vignoble.comin@wanadoo.fr r.-v.

CH. COULONGE 2006 *

2,4 ha 16 000 **3 à 5 €**

Implantées sur les sols argilo-calcaires de l'Entre-deux-Mers, les vignes entourent les chais et la demeure du

XVIIe s. C'est en 1804 que le domaine devint propriété de la famille Roux, grâce à une rétrocession des terres de la comtesse de Benauge à ses métayers. Le sauvignon a donné naissance à ce vin jaune pâle à reflets dorés, dont le nez discret révèle d'élégantes notes de fleurs blanches et d'agrumes. La chair ronde et équilibrée s'agrémente d'un fruité rafraîchissant. Un bordeaux typique, à découvrir dès maintenant.
Vignoble Daniel et Nicolas Roux, Ch. Coulonge, 33410 Mourens, tél. 05.56.61.98.73, fax 05.56.61.98.80, e-mail vignobles-roux@wanadoo.fr r.-v.

CH. LA CROIX DE QUEYNAC 2006 ★★

0,8 ha 3 000 3 à 5 €

Depuis 1999, Stéphane Gabard conduit ce domaine familial du Fronsadais, fort de 40 ha et commandé par une demeure du XVIIIe s. Il faudra faire vite pour acquérir une bouteille de cette cuvée confidentielle, car elle séduira plus d'un amateur de bordeaux. Le jury a apprécié les parfums délicats de fleurs blanches, de pamplemousse et de litchi rehaussés de genêt qui se libèrent de sa robe jaune pâle aux éclats verts. La matière ronde, empreinte de flaveurs d'agrumes, ne manque pas de charme. Une bouteille équilibrée, à apprécier dès maintenant.
EARL Gabard, Vignobles Gabard, Le Carrefour, 33133 Galgon, tél. 05.57.74.30.77, fax 05.57.84.35.73, e-mail vignobles.gabard@laposte.net
t.l.j. sf dim. 9h-13h 14h-19h

CH. LA CROIX DE ROCHE 2005 ★

0,5 ha 2 400 5 à 8 €

« Un vin parfait pour cet hiver », déclare un jury. Le soleil brille dans cette robe jaune à reflets dorés, et un air printanier se dégage des notes de fleurs blanches, de bourgeon de cassis et de sous-bois. La matière souple, fraîche et très aromatique, est marquée par les agrumes et un soupçon de boisé. Une délicate vivacité soutient durablement la finale. Un bordeaux à déguster à l'apéritif avec quelques coquillages.
GFA La Croix de Roche, BP 16, 33133 Galgon, tél. 05.57.84.38.52, fax 05.57.84.31.39, e-mail chateau-la-croix-de-roche@wanadoo.fr
t.l.j. 9h-12h30 14h-19h

CH. DU CROS 2006

12 ha 60 000 5 à 8 €

Remontant au XVIIIe s., le château du Cros domine la vallée de la Garonne, ainsi que les vignobles des Graves et du Sauternais. Le 2006, jaune pâle à reflets or et argent, décline de discrets arômes de fleurs et d'agrumes avant d'emplir le palais de sa matière souple, bien équilibrée. Un bordeaux déjà avenant.
Vignobles Boyer, Ch. du Cros, 33410 Loupiac, tél. 05.56.62.99.31, fax 05.56.62.12.59, e-mail contact@chateauducros.com
t.l.j. sf sam. dim. 8h30-12h30 13h30-18h
Boyer Dhalluin

CH. DOISY-DAËNE 2005 ★

7 ha 25 000 11 à 15 €

Après un séjour de dix mois en barrique, ce bordeaux sec, 100 % sauvignon, né sur des argilo-calcaires de Barsac, à la teinte jaune soutenu, livre des arômes de pêche blanche et de buis relevés de notes grillées et beurrées. Une fraîcheur citronnée avive une matière grasse et savoureuse et conduit vers une longue et chaleureuse finale aux flaveurs de litchi et de fruit de la Passion. En apéritif, ou sur des poissons en sauce et des viandes blanches.
EARL Pierre et Denis Dubourdieu, Ch. Doisy-Daëne, 33720 Barsac, tél. 05.56.27.15.84, fax 05.56.27.18.99, e-mail denisdubourdieu@wanadoo.fr r.-v.

CH. FAYAU 2006 ★

4 ha 25 000 3 à 5 €

La famille Médeville a acquis ce château en 1826. Jean Médeville dirige aujourd'hui les 75 ha sur terroir limono-argileux. Il propose un bordeaux sec marqué par le sauvignon. Il n'est pour s'en convaincre que de mirer sa teinte or vert brillant, puis de humer ses éclatants arômes de buis, de laurier, de fruits exotiques et de pêche. Un léger perlant souligne la vivacité de l'attaque, mais bientôt une impression de rondeur friande s'impose, rejointe par l'expression du fruit en finale.
Jean Médeville et Fils, Ch. Fayau, 33410 Cadillac, tél. 05.57.98.08.08, fax 05.56.62.18.22, e-mail medeville-jeanetfils@wanadoo.fr r.-v.

CH. FOMBRAUGE 2006 ★

2 ha 8 000 23 à 30 €

Château du Saint-Émilionnais acquis par Bernard Magrez en 1993, et coup de cœur l'an dernier dans cette appellation. Le sauvignon blanc et le sauvignon gris se partagent 70 % de l'assemblage, complétés par le sémillon. Un boisé léger se marie agréablement aux agrumes, au buis et à la fleur d'acacia. La douceur de l'attaque ouvre sur une structure grasse et enrobée soutenue par un rafraîchissant perlant. La finale un peu ferme invite à attendre un an pour apprécier ce vin en apéritif entre amis.
SA Ch. Fombrauge, 33330 Saint-Christophe-des-Bardes, tél. 05.57.24.77.12, fax 05.57.24.66.95, e-mail chateau.fombrauge@wanadoo.fr r.-v.
Bernard Magrez

FONT DESTIAC 2006 ★

5 ha 33 000 3 à 5 €

Une conception originale du sauvignon et de la muscadelle se traduit dans cette cuvée de la cave coopérative de Lèves. Celle-ci s'habille d'une robe jaune doré à reflets verts et laisse s'épanouir un joli fruité. La bouche est bien structurée, tout en rondeur et d'une persistance suffisante. Une étoile revient également au **Château Vergnes-Beaulieu 2006 Vinifié et élevé en fût de chêne (5 à 8 €)**, fruité, vanillé et mentholé, qui mérite une garde d'un an.
Closerie d'Estiac, Les Lèves, 33220 Sainte-Foy-la-Grande, tél. 05.57.56.02.33, fax 05.57.56.02.22, e-mail jm.portier@univitis.fr
t.l.j. sf dim. lun. 9h30-12h30 15h-19h

CH. DE FONTENILLE Cuvée surréaliste 2005

n.c. 6 000 8 à 11 €

À 1 km de la célèbre abbaye de La Sauve-Majeure est établi ce cru sur un terroir argilo-siliceux et graveleux. Marquée par le sémillon (80 %), cette cuvée affiche sous une teinte jaune pailleté d'or un fruité bien présent, nuancé de notes de pain grillé et de vanille. La chair est souple, fraîche, agrémentée d'un boisé bien fondu. Un bordeaux sec bien typé.

🔑 Ch. de Fontenille, 33670 La Sauve-Majeure,
tél. 05.56.23.03.26, fax 05.56.23.30.03,
e-mail contact@chateau-fontenille.com ☑ 𝐈 🚶 r.-v.

CH. LA FREYNELLE 2006

12 ha 90 000 ▮ 5 à 8 €

Un bordeaux de la région de l'Entre-deux-Mers, dominé par le sauvignon (50 %) que soutiennent le sémillon et la muscadelle. De délicates senteurs d'acacia et d'agrumes (pamplemousse, citron vert) se libèrent de la robe jaune pâle à reflets verts, tandis qu'au palais se développe une chair de bonne consistance et persistance. Un vin agréable à servir dès à présent.

🔑 Véronique Barthe, Peyrefus, 33420 Daignac,
tél. 05.57.84.55.90, fax 05.57.74.96.57,
e-mail veronique@vbarthe.com ☑ 🚶 r.-v.

CH. GANTONNET 2006

8,76 ha 65 000 ▮ 5 à 8 €

Les amateurs d'art roman s'arrêteront à Juillac et à Sainte-Radegonde ; ils n'auront que quelques pas à faire pour découvrir ce domaine, situé rive gauche de la Dordogne, et pour partager un moment de convivialité autour de ce vin jaune-vert, pailleté d'or. Au bouquet de pamplemousse, de fleurs blanches et de pêche mûre répond une matière fruitée, ronde et vive à la fois, sans une once d'agressivité.

🔑 SC Ch. Gantonnet, Moulin de Labordes,
33350 Sainte-Radegonde, tél. 05.57.40.53.83,
fax 05.57.40.58.95, e-mail chateau-gantonnet@orange.fr
☑ 𝐈 🚶 r.-v.

CH. DU GRAND FERRAND 2006 *

7 ha 54 400 ▮ 3 à 5 €

Proche de la bastide de Sauveterre, ce vin développe sous une robe jaune pâle à reflets dorés un nez fin et plaisant. Un léger perlant apporte de la fraîcheur à la chair ronde, toute parfumée d'acacia et de pamplemousse jusqu'à une savoureuse finale. Un bordeaux qui trouvera sa place à l'apéritif ou en accompagnement d'un fromage de chèvre affiné.

🔑 Ch. Grand Ferrand, lieu-dit Grand-Ferrand,
33540 Sauveterre-de-Guyenne, tél. 05.56.71.60.42,
fax 05.56.71.69.08, e-mail grand.ferrand@wanadoo.fr

CH. DU GRAND PLANTIER 2006 **

4,5 ha 30 000 ▮ 5 à 8 €

Grand Plantier appartient à la même famille depuis le milieu du XIXe s. Un domaine de 61 ha, implanté sur un terroir argilo-calcaire et graveleux. 70 % de sauvignon, 20 % de sémillon et 10 % de muscadelle composent ce vin jaune pâle brillant qui livre sans ambages des arômes puissants et complexes d'acacia, d'agrumes et de fruits exotiques, avec une légère touche de muscat. Au palais, il laisse une impression de fraîcheur sans rien perdre de son volume ni de sa souplesse jusqu'à une finale évocatrice de litchi. Un plaisir dont vous profiterez dès à présent.

🔑 GAEC des Vignobles Albucher,
Ch. du Grand Plantier, 33410 Monprimblanc,
tél. 05.56.62.99.03, fax 05.56.76.91.35,
e-mail chdugrandplantier@hotmail.com
☑ 𝐈 🚶 r.-v. 🏠 Ⓔ

DOM. DE LA GRAVE Cuvée Prestige 2005 *

1 ha 5 000 ▮ 5 à 8 €

Ce domaine mérite une visite d'une part pour son musée du Vin et de la Tonnellerie, d'autre part pour sa cuvée dominée par le sémillon. Des notes fruitées légèrement mentholées, des arômes de fleurs blanches s'épanouissent dans la chair ronde, également ponctuée de nuances de pain grillé et de toasté que l'élevage de douze mois en fût a léguées.

🔑 SCEA Roche,
Dom. de La Grave, 11, rte de Perriche,
33750 Beychac-et-Caillau, tél. 05.56.72.41.28,
fax 05.56.72.08.33, e-mail vignobleroche@wanadoo.fr
☑ 𝐈 🚶 t.l.j. 9h-19h; sam. dim. 10h-13h 15h-18h;
groupes sur r.-v.

CH. HAUT GUILLEBOT 2006 *

2,5 ha 15 000 ▮ 5 à 8 €

Arrière-grand-mère, grand-mère, fille et petite-fille se sont succédé à la tête de cette propriété de 55 ha dans le Libournais. Le 2006 confirme que le savoir-faire s'est bien transmis. Habillé de jaune pâle aux très légers reflets verts, il offre un étonnant bouquet de fruits blancs, de vanille, de fruits exotiques, nuancé de minéral. Ronde et élégante, la bouche développe un fruité fin et persistant, rappelant la mangue et le pamplemousse.

🔑 SCEA Ch. Haut-Guillebot, 33420 Lugaignac,
tél. 05.57.84.53.92, fax 05.57.84.62.73,
e-mail chateauhautguillebot@wanadoo.fr ☑ 𝐈 🚶 r.-v.
🔑 Mme Labouille

CH. HAUT-MONDAIN 2006

8 ha 50 000 ▮ - de 3 €

Le charme de ce vin né des trois cépages blancs classiques réside dans sa teinte jaune brillant, à reflets dorés, comme dans ses arômes d'acacia, d'agrumes et de genêt. Le palais n'est pas en reste, fruité et rond, animé d'un discret perlant.

🔑 SCEA Charles Yung et Fils, 8, chem. de Palette,
33410 Béguey, tél. 05.56.62.94.85, fax 05.56.62.18.11,
e-mail h.d.p@wanadoo.fr
☑ 𝐈 🚶 t.l.j. sf sam. dim. 9h-12h 14h-18h;
f. 20 juil.-16 août

CH. HAUT RIAN
Excellence Élevé en fût de chêne 2005 *

1 ha 6 000 ▮ 5 à 8 €

Quand un œnologue d'origine alsacienne se prend de passion pour le bordeaux. Telle est l'histoire de Michel Dietrich qui s'est établi à Rions en 1988 pour exploiter cette propriété de 80 ha. Son 2005, issu de pur sémillon, a tout du bordeaux sec modèle : jaune d'or, parfumé de fleurs blanches, de fruits secs et d'une pointe épicée. Il possède une réelle présence au palais grâce à une chair ronde et volumineuse, agrémentée de notes de fleurs, de fruits confits, de viennoiserie et de toasté avant une finale

fraîche et persistante. Un vin plaisir à découvrir dans l'année. La cuvée principale **Château Haut Rian 2006 (3 à 5 €)** qui n'a pas connu le bois est citée pour ses arômes de fleurs et de fruits.
EARL Michel Dietrich, 10, La Bastide, 33410 Rions, tél. 05.56.76.95.01, fax 05.56.76.93.51, e-mail chateauhautrian@wanadoo.fr
t.l.j. sf sam. dim. 9h-12h 14h-17h30; f. 12-30 août

CH. JAMIN 2006

n.c. n.c. 3 à 5 €

Ce vin, né de sols argilo-siliceux, est issu des trois cépages blancs traditionnels, la muscadelle comptant pour 40 % de l'assemblage. Un fruité expressif - pamplemousse et fruits confits - se marie élégamment aux arômes de fleurs blanches, cependant que la bouche franche, ronde et équilibrée, se prolonge sur une note légèrement citronnée. Une citation est également accordée au **Château de l'Aubrade 2006** pour son harmonie.
GAEC Jean-Pierre et Paulette Lobre, 33580 Rimons, tél. 05.56.71.55.10, fax 05.56.71.61.94, e-mail vinslobre@free.fr r.-v.

CH. DU JUGE 2006 ★

n.c. n.c. 5 à 8 €

Au XIX^e^s., Camille Mathellot, fondateur de l'école de viticulture de Cadillac, fit édifier le château du Juge, modela son vignoble et fit construire le chai. Aujourd'hui, Pierre Dupleich propose un vin jaune pâle qui développe des arômes fruités et minéraux rappelant les vieilles pierres chauffées par le soleil. De la souplesse, de la rondeur, de la fraîcheur aussi au palais, avec une pointe d'amertume qui soutient bien la finale. Dans un an, ce bordeaux sera à son apogée.
Pierre Dupleich, Ch. du Juge, rte de Branne, 33410 Cadillac, tél. 05.56.62.17.77, fax 05.56.62.17.59
r.-v.
David - Dupleich

CH. LALAURIE 2006

0,35 ha 4 000 3 à 5 €

Un domaine de l'Entre-deux-Mers qui propose un bordeaux classique, destiné à un accord avec des crustacés. Or vert, le 2006 offre un bouquet de fleurs blanches printanières et une bouche friande, souple, fraîche et ronde qui laisse une bonne impression en finale.
Christian Siutat, Ch. Lalaurie, 3, Guibon, 33420 Daignac, tél. 06.09.79.71.66, fax 05.57.84.66.84, e-mail christian.siutat@tiscali.fr r.-v.

CH. LAMOTHE DE HAUX 2006

26 ha 200 000 5 à 8 €

Dans cette propriété familiale de 80 ha, les chais ont été aménagés dans d'anciennes carrières des XVIIe et XVIII^e^s., à 40 m sous terre. Ce 2006 composé des trois cépages classiques y a trouvé abri trois mois durant. Jaune paille à reflets verts, il propose un bouquet puissant de fleurs et de menthol qui trouvent écho au palais, dans une matière riche et ronde.
Neel Chombart, Ch. Lamothe, 33550 Haux, tél. 05.57.34.53.00, fax 05.56.23.24.49, e-mail info@chateau-lamothe.com r.-v.

CH. LAMOTHE-VINCENT 2006 ★★

12 ha 100 000 3 à 5 €

Christophe et Fabien Vincent ont sélectionné des vignes de sauvignon blanc et de sauvignon gris (10 %) sur sols argilo-siliceux pour élaborer cette cuvée à laquelle l'élevage en barrique a donné une teinte jaune à reflets nacrés. Le bouquet mêle les fleurs blanches, les agrumes, le litchi, les fruits confits et le buis. Après une attaque vive, la bouche gagne en rondeur, toujours rehaussée de flaveurs d'agrumes et de buis. Un bordeaux sérieux, à boire ou à attendre. Le **Château Lamothe-Vincent Héritage 2005 (5 à 8 €)**, élevé en fût, mérite une étoile pour son fruité franc.
Vignobles Vincent, 3, chem. Laurenceau, 33760 Montignac, tél. 05.56.23.96.55, fax 05.56.23.97.72, e-mail info@lamothe-vincent.com
r.-v.

CH. LAROCHE 2006 ★

1 ha 5 250 3 à 5 €

Situé aux portes de Tauriac, non loin de la grotte préhistorique de Pair-Non-Pair, le château Laroche forme un hameau. Le sauvignon récolté sur un terroir limono-sableux a légué à cette cuvée confidentielle des notes de fleurs blanches, d'agrumes et de minéral mariées aux légères nuances grillées du bois. Un bouquet complexe. Les mêmes arômes soulignent la bouche franche, souple et équilibrée jusqu'en finale. Un bordeaux prometteur, à attendre deux ans.
Baron Roland de Onffroy, Ch. Laroche, 33710 Tauriac, tél. et fax 05.57.68.20.72, e-mail rolanddeonffroy@wanadoo.fr
t.l.j. sf sam. dim. 9h-12h 14h-17h

CH. LARROQUE 2006

20 ha n.c. 3 à 5 €

Issu des cépages sauvignon et sémillon à parts égales, ce vin jaune-vert est prêt à passer à table aux côtés de fruits de mer. Les fleurs blanches, le bourgeon de cassis, des notes minérales s'expriment dans un bouquet bien présent, tandis que la bouche fraîche et élégante se prolonge sur une légère pointe d'amertume.
Boyer de La Giroday, 18, rte de Montignac, 33760 Ladaux, tél. 05.57.34.54.00, fax 05.56.23.48.78, e-mail ducourt@ducourt.com r.-v.

CH. DE LAVILLE 2006

2,5 ha 16 000 3 à 5 €

Jaune d'or pâle étincelant, ce vin est issu majoritairement de sauvignon établi sur graves argileuses. Il développe un nez élégant de fleurs blanches et de genêt, puis une bouche ample et généreuse, précédée d'une attaque fraîche. Une pointe d'amertume en finale est le signe de sa typicité.
EARL Laurent Gapenne, Laville, 33550 Capian, tél. 05.56.72.36.18, fax 05.56.72.38.18, e-mail laurent.gapenne@wanadoo.fr r.-v.

CH. LESTRILLE CAPMARTIN
Vinifié et élevé en fût de chêne 2006 ★★

0,8 ha 6 400 5 à 8 €

Depuis 2001, une femme est entrée dans la lignée des vignerons Roumage : Estelle, qui a rejoint son père Jean-Louis et son équipe. Vinifié en barrique pendant six mois, leur bordeaux sec a enchanté le jury dès le premier regard porté sur sa robe limpide, jaune pâle à reflets verts. La complexité du nez d'agrumes et de fleurs, souligné d'un grillé discret, n'a d'égale que celle de la bouche ronde, aux nuances vanillées. Après un an de garde, ce vin accompagnera une viande blanche ou un poisson accommodé avec raffinement.

Jean-Louis Roumage,
Ch. Lestrille, 15, rte de Créon,
33750 Saint-Germain-du-Puch, tél. 05.57.24.51.02,
fax 05.57.24.04.58, e-mail jlroumage@lestrille.com
t.l.j. 8h30-12h30 14h-18h; sam. dim. sur r.-v.

CH. LION BEAULIEU 2006 ★★

3 ha 24 000 5 à 8 €

Un terroir riche en argile, en calcaire, en silice et en limons. Un assemblage des trois cépages blancs traditionnels, une vinification respectueuse du raisin. Telles sont les clés de la réussite de ce bordeaux qui, sous une teinte jaune pâle à reflets verts, affiche des arômes de fleurs blanches, d'agrumes et des notes minérales de silex notables. La rondeur s'équilibre avec la fraîcheur au palais, ce qui confère de l'élégance à l'ensemble. Une bouteille modèle, à savourer dès maintenant.

SCEA de la Rive Droite, 33420 Naujan-et-Postiac,
tél. 05.57.84.55.08, fax 05.57.84.57.31,
e-mail contact@despagne.fr r.-v.

CH. LOISEAU 2006 ★

1,64 ha 4 900 3 à 5 €

Un domaine de 27 ha d'un seul tenant dans le Fronsadais, que commande un château du XVIII[e]s. Pierre Goujon propose un vin très sauvignonné par ses arômes de fleurs blanches, d'agrumes et de genêt. La teinte jaune pâle à reflets blancs n'est pas moins caractéristique du cépage, non plus que la bouche fraîche et fruitée (pêche, mangue) qui s'achève sur une pointe d'amertume.

GFA Pierre Goujon,
Ch. Loiseau, 680, chem. du Ch. Loiseau,
33240 Lalande-de-Fronsac, tél. 05.57.58.14.02,
fax 05.57.58.15.46
t.l.j. 9h-12h 14h-18h; sam. dim. sur r.-v.
Mme Queraux

CH. DE LUGAGNAC 2006 ★

4 ha 12 000 5 à 8 €

La visite du château de Lugagnac s'impose pour l'architecture des bâtiment qui datent des XIe et XIII[e]s. comme pour la qualité de ce bordeaux issu des trois cépages traditionnels, auxquels s'ajoutent 30 % de sauvignon gris. Brillant, jaune à reflets dorés, le vin déroule ses arômes d'agrumes jusqu'au palais, rond et séveux, animé d'un gentil perlant. Sympathique à l'apéritif et conseillé avec des crustacés et des poissons grillés.

Famille Bon,
SCEA du Ch. de Lugagnac, 33790 Pellegrue,
tél. 05.56.61.30.60, fax 05.56.61.38.48,
e-mail clugagnac@aol.com t.l.j. 9h-12h 14h-18h

MICHEL LYNCH 2006

n.c. 100 000 5 à 8 €

Jean-Michel Cazes a créé cette marque en hommage à Michel Lynch, né en 1754 et pionnier des grands vins de Bordeaux. Ce 2006, jaune pâle à reflets verts, libère des arômes de fleurs blanches, de citronnelle et de minéral qui se prolongent au palais. La chair ronde persiste sur un agréable fruité. Un bordeaux à boire dans l'année.

J.-M. Cazes Sélection, rte de Bordeaux,
33460 Macau, tél. 05.57.88.60.04, fax 05.57.88.03.84

MAYNE D'OLIVET 2005 ★

2 ha 9 000 11 à 15 €

La vinification en blanc sec n'est pas courante en Saint-Émilionnais. Pourtant, sur les plateaux calcaires de Montagne, réputés pour leurs vins rouges, Jean-Noël Boidron a planté 2 ha des quatre cépages blancs : le sauvignon gris (45 %), le sauvignon blanc (20 %), le sémillon (20 %) et la muscadelle. Le nez de ce 2005 offre des notes de fruits mûrs (abricot, agrumes) nuancés de grillé et de toasté. La bouche est ronde et grasse, d'une belle persistance sur les fruits. Le boisé est certes présent, mais particulièrement bien intégré.

Jean-Noël Boidron, Ch. Calon, 33570 Montagne,
tél. 05.57.51.64.88, fax 05.57.51.56.30,
e-mail vignoblesjnboidron@wanadoo.fr r.-v.

CH. MÉMOIRES

Fleur d'opale Élevé en fût de chêne 2005 ★

1,5 ha 8 000 8 à 11 €

Le nom de ce château sied bien à son environnement : il se situe, en effet, à proximité des châteaux de Malagar et de Malromé qui gardent respectivement la mémoire de François Mauriac et de Toulouse-Lautrec. 80 % de sauvignon et le reste de sémillon composent ce 2005 élevé douze mois en barrique, qui revêt une teinte jaune pâle. Les arômes de fruits et de grillé, nuancés de touche de beurre, sont le leitmotiv de la dégustation. Ils accompagnent une chair puissante et ample. À déguster avec un poisson ou une viande blanche en sauce.

SCEA Vignobles Ménard, Ch. Mémoires,
33490 Saint-Maixant, tél. 05.56.62.06.43,
fax 05.56.62.04.32, e-mail memoires1@aol.com
r.-v.
J.-F. Ménard

CH. MEZAIN 2006 ★★

6 ha 40 000 3 à 5 €

Jaune pâle aux éclats verts, ce bordeaux affirme des arômes d'agrumes, de litchi et de genêt. Des notes de litchi que l'on retrouve au palais, agrémentant une chair fine, ronde et vive à la fois. L'équilibre est remarquable. Un vin plaisir que vous servirez avec des crustacés.

Dulong Frères et Fils, 29, rue Jules-Guesde,
33270 Floirac, tél. 05.56.86.51.15, fax 05.56.40.66.41,
e-mail dulong@dulong.com

CH. MOUSSEYRON 2006

4 ha 12 000 3 à 5 €

Non loin du domaine de Malagar et du château de Malromé, ce domaine de 30 ha sur argilo-calcaire est à l'origine d'un bordeaux avenant, issu des trois cépages blancs traditionnels, avec une dominante de sauvignon. Jaune pâle, à peine nuancé de vert, le vin apparaît marqué par les fleurs blanches et les agrumes, agrémenté de

nuances de buis et de beurre. Une bonne vivacité soutient la chair jusqu'en finale, sans nuire à l'équilibre. À boire dès maintenant.
Jacques Larriaut, 31, rte de Gaillard, 33490 Saint-Pierre-d'Aurillac, tél. 05.56.76.44.53, fax 05.56.76.44.04, e-mail larriautjacques@wanadoo.fr r.-v.

CH. DE L'ORANGERIE 2006 *

16 ha 118 000 3 à 5 €

La même famille possède ce château depuis 1790, date de sa création. Le domaine couvre à présent 80 ha sur un terroir argilo-calcaire, avec une parcelle de sauvignon qui a permis d'élaborer ce vin aimable, qui cède tout aux arômes de fleurs blanches et d'agrumes. Des notes florales soulignent sa chair vive qui laisse une impression rafraîchissante. La teinte jaune pâle n'était-elle pas un indice de cette fraîcheur ?
Jean-Christophe Icard, Ch. de l'Orangerie, 33540 Saint-Félix-de-Foncaude, tél. 05.56.71.53.67, fax 05.56.71.59.11, e-mail orangerie@chateau-orangerie.com r.-v.

PAVILLON BLANC DU CH. MARGAUX 2005 **

n.c. n.c. + de 76 €

Margaux bat Pavillon Blanc depuis 1920 et produit du vin blanc de sauvignon depuis le XIXe s. Ce vin naît aujourd'hui d'un îlot de graves situé à Soussans, et de rendements assez faibles (21 hl/ha pour le 2005). Une fois encore, il se montre à la hauteur de sa renommée : jaune pâle cristallin, il développe un bouquet variétal puis libère des senteurs complexes de pamplemousse, de chèvrefeuille et d'ananas. Chaleureux à l'attaque, le palais se fait ensuite rond et très aromatique, équilibré par une vivacité maîtrisée, avant une finale aux notes de citron confit.
SCA du Ch. Margaux, BP 31, 33460 Margaux, tél. 05.57.88.83.83, fax 05.57.88.31.32, e-mail chateau-margaux@chateau-margaux.com r.-v.

CH. PIERRAIL 2006 **

7,8 ha 60 000 5 à 8 €

Depuis son acquisition en 1971 par la famille Demonchaux, ce château du XVIIe s. a été entièrement restauré, de même que ses jardins à la française, son vignoble et ses chais. Le sauvignon blanc et le sauvignon gris sont à l'origine de ce bordeaux apprécié pour ses arômes intenses de fleurs, de fruits exotiques et de buis. Après une attaque franche, on perçoit l'apport de raisins mûrs dans la chair ample, aux flaveurs de pêche blanche et à la longue finale chaleureuse. Le compagnon des coquillages, des poissons et des fromages de chèvre.
EARL Ch. Pierrail, 33220 Margueron, tél. 05.57.41.21.75, fax 05.57.41.23.77, e-mail alice.pierrail@wanadoo.fr r.-v.
Famille Demonchaux

CH. PILET Sélection 2006 *

5 ha 40 000 3 à 5 €

Le sauvignon majoritaire est perceptible dans l'élégance des arômes de fleurs, de fruits et d'aubépine qui se marient à ceux de poire et de pêche. Il n'est pas moins étranger à la finesse de cette chair ronde et mûre, empreinte de flaveurs florales printanières (acacia, muguet). Une pointe de vivacité rafraîchit agréablement la finale. À servir à l'apéritif, puis à finir en entrée avec une terrine de poisson ou des crustacés.
SCV Jean Queyrens et Fils, Le Grand Village, 33410 Donzac, tél. 05.56.62.97.42, fax 05.56.62.10.15, e-mail scvjqueyrens@orange.fr r.-v.

CH. DE PLASSAN 2006 *

6 ha 10 000 3 à 5 €

Le mariage du sauvignon blanc et du sauvignon gris (20 %) a donné naissance à ce bordeaux jaune-vert éclatant, dont la palette décline des notes de fleurs blanches, d'agrumes et de buis. Ces arômes font ricochet au palais et soulignent la chair ample et ronde, non dénuée de fraîcheur. La finale longue et savoureuse confirme la personnalité de ce vin. « Conseillé aux amateurs de sauvignon », conclut un dégustateur.
Ch. de Plassan, Plassan, 33550 Tabanac, tél. 05.56.67.53.16, fax 05.56.67.26.28, e-mail contact@chateauplassan.fr r.-v.
Brianceau

CH. RAUZAN DESPAGNE Réserve 2006

24 ha 192 000 5 à 8 €

La réputation de ce vin est grande car, quinze ans durant, il fut proposé aux voyageurs de British Airways. Le sauvignon majoritaire dans l'assemblage s'impose par ses arômes d'agrumes et de citron. La bouche est ronde, bien soutenue par la vivacité et dotée d'un fruité persistant.
SCEA des Vignobles Despagne, 33420 Naujan-et-Postiac, tél. 05.57.84.55.08, fax 05.57.84.57.31, e-mail contact@despagne.fr r.-v.

LE BLANC DU RONDAILH 2006 **

8 ha 2 600 3 à 5 €

Une teinte or blanc habille ce bordeaux issu à 100 % de sauvignon. Les arômes de fleur de pêcher et d'acacia sont révélateurs du cépage, de même que les notes de citron et de pamplemousse qui contribuent à la fraîcheur du palais. Ample et bien bâti, ce vin est un remarquable modèle de l'appellation. À déguster dans l'année.
EARL Pallaruelo et Fils, 3, Georget, Le Rondailh, 33490 Sainte-Foy-la-Longue, tél. et fax 05.56.76.40.54, e-mail chateaurondailh@wanadoo.fr r.-v.

CH. LA ROSE SAINT-GERMAIN 2006 *

20 ha n.c. 3 à 5 €

La famille Ducourt est propriétaire de cet ancien domaine de la commune de Romagne depuis 1939. Proposé par le négoce, son 2006 est marqué par le sauvignon. En témoignent les arômes de citron vert, de fleurs blanches, de cassis, de pamplemousse et de minéral qui se prolongent en bouche comme pour mieux rehausser la rondeur de la matière persistante. Pour l'apéritif et le plateau de fruits de mer.
Les Vins de Crus, 60, bd Pierre-Ier, 33000 Bordeaux, tél. 05.56.52.53.06, fax 05.56.44.81.01, e-mail ducourt@ducourt.com r.-v.
Vignobles Ducourt

CH. SAINT-FLORIN 2006 *

17 ha 135 000 3 à 5 €

Jean-Marc Jolivet travaille depuis 2004 avec ses trois filles. Opération séduction ! Issu de l'assemblage classique des trois cépages blancs, avec une majorité de sauvignon, ce bordeaux sec jaune doré présente des arômes de fleurs et d'agrumes, rejoints par le buis et le genêt au palais. La

matière ronde bénéficie d'un léger perlant pour laisser une sensation rafraîchissante et tonifiante, d'une bonne persistance. N'attendez pas : ce vin est fait pour être cueilli dans l'instant.
SC Vignobles Jolivet, Ch. Saint-Florin, 33790 Soussac, tél. 05.56.61.31.61, fax 05.56.61.34.87, e-mail jeanmarcjolivet@wanadoo.fr r.-v.

CH. DE SEGUIN Cuvée Prestige 2006 *

2 ha 10 000 5 à 8 €

Du mariage du sauvignon blanc, du sauvignon gris et de la muscadelle est né ce vin aux parfums intenses de pêche blanche, d'abricot, de raisins secs, d'agrumes et de miel, nuancés d'un tendre boisé. La rondeur et le gras dominent au palais, soulignés des flaveurs d'amande grillée, de fleurs de genêt et d'acacia.
SC du Ch. de Seguin, 33360 Lignan-de-Bordeaux, tél. 05.57.97.19.71, fax 05.57.97.19.72 r.-v.
Michael Carl

CH. LES SEPT CHÊNES 2006

3 ha 20 000 - de 3 €

80 ha constitués au fil d'achats successifs sur cinq communes de l'Entre-deux-Mers. D'un assemblage classique des trois cépages blancs, avec une dominante de sauvignon, le propriétaire de ce domaine a élaboré un vin jaune pâle, riche de senteurs d'agrumes et de fruits exotiques. Souple, rond et bien équilibré, ce 2006 laisse une impression durable et plaisante. Appréciez-le sans attendre.
SCEA Vignobles Landié, 4, Grand-Champ, 33540 Saint-Martin-du-Puy, tél. 05.56.61.39.66, fax 05.56.71.61.22, e-mail vignobleslandie@free.fr r.-v.

DOM. DU SEUIL 2006

2,89 ha 13 733 5 à 8 €

Tournées vers la Garonne, plus de 24 ha de vignes entourent la demeure du XIX[e]s., dans la région des Graves. Sémillon et sauvignon à parts égales composent ce vin or pâle, au nez complexe de noisette et de fruits mûrs, soulignés d'un grillé discret. Un léger perlant émoustille le palais élégant et fruité qui accorde aux notes toastées et torréfiées une place de choix en finale. À marier avec des fruits de mer.
SCEA Ch. du Seuil, 33720 Cérons, tél. 05.56.27.11.56, fax 05.56.27.28.79, e-mail nicola@chateauduseuil.com r.-v.

CH. THIEULEY 2006 *

30 ha 240 000 5 à 8 €

Produit d'un assemblage équilibré de sauvignon et de sémillon de la région de l'Entre-deux-Mers, et d'une vinification à basse température, ce 2006 jaune clair accroche le regard par ses reflets verts. Si le sauvignon séduit le nez par ses parfums de fleurs blanches, d'agrumes et de litchi, le sémillon apporte rondeur et gras, ainsi qu'un fruité rafraîchissant en finale. Un bordeaux équilibré et structuré, au charme indéniable.
Vignobles Francis Courselle, Ch. Thieuley, 33670 La Sauve-Majeure, tél. 05.56.23.00.01, fax 05.56.23.34.37, e-mail chateau.thieuley@wanadoo.fr t.l.j. 8h-12h 13h30-17h30; sam. dim. sur r.-v. 5

CH. TOUR D'AURON 2006 **

2 ha 14 000 3 à 5 €

Le sauvignon, seul maître de cette cuvée, impose sa personnalité dans le bouquet expressif de fleurs blanches, d'agrumes et de buis. Un mariage harmonieux est conclu entre une vivacité fruitée rafraîchissante et la rondeur jusqu'à une longue finale. Un bordeaux destiné à accompagner viandes blanches et poissons en sauce. Le **Château Recougne 2006**, également un pur sauvignon, est cité pour son élégant fruité.
SCEA Ch. Lyonnat, 33570 Lussac, tél. 05.57.55.48.90, fax 05.57.84.31.27, e-mail milhade@wanadoo.fr r.-v.

CH. LES TUILERIES 2006

2,32 ha 15 000 3 à 5 €

Le sémillon (15 %) accompagne le sauvignon dans cette cuvée toute jaune, au bouquet attrayant de fleurs blanches, de fruits jaunes et d'agrumes. Le palais associe volume et rondeur à un fruité rafraîchissant et persistant (fruits exotiques). Un vin bien fait, sans prétention, mais si sympathique.
SCEA des Vignobles Menguin, 194, Gouas, 33760 Arbis, tél. 05.56.23.61.70, fax 05.56.23.49.79, e-mail vignoblesmenguin@9business.fr r.-v.

CH. TURCAUD
Vinifié et élevé en fût de chêne 2006 *

2,25 ha 18 000 8 à 11 €

D'un terroir de boulbènes graveleuses, planté de sauvignon et de sémillon, est né ce bordeaux séduisant, vêtu de jaune doré. Il se distingue par un élégant mariage de fleurs blanches et d'agrumes à un boisé discret, vanillé et grillé, signe d'une bonne maîtrise de l'élevage de sept mois en barrique. Cette complémentarité entre fruit et bois est tout aussi patente au palais, équilibré.
EARL Vignobles Robert, Ch. Turcaud, 33670 La Sauve-Majeure, tél. 05.56.23.04.41, fax 05.56.23.35.85, e-mail chateau-turcaud@wanadoo.fr r.-v.
Maurice Robert

CH. DE LA VIEILLE TOUR Héritage 2005

2 ha 10 000 5 à 8 €

Le sauvignon et le sémillon se révèlent dans ce vin à l'habit jaune-vert brillant : agrumes, citron, fleurs blanches traduisent leur influence. Le sémillon apporte souplesse et rondeur à la matière, ainsi qu'une élégante expression florale et fruitée, rehaussée d'un boisé épicé.
Vignobles Boissonneau, Le Cathelicq, 33190 Saint-Michel-de-Lapujade, tél. 05.56.61.72.14, fax 05.56.61.71.01, e-mail vignobles@boissonneau.fr r.-v.

Bordeaux rosé

CH. LES ARROMANS 2006 *

2 ha 12 000 3 à 5 €

Joël Duffau a beaucoup investi dans l'aménagement de son chai. Il ne peut que s'en féliciter puisque plusieurs de ses vins sont retenus dans le Guide, dont ce rosé issu de pur cabernet franc et d'un pressurage direct. Au nez se mêlent les notes de fruits mûrs et de fleurs printanières, ponctuées de touches de miel qui annoncent une chair

séveuse et délicate, non dénuée de fraîcheur. Un vin persistant qui s'accordera à des goujonnettes de veau aux châtaignes, accompagnées d'oranges navels, d'échalotes, d'un ciselé de ciboulette et d'un râpé de gingembre frais.
Joël Duffau, 2, Les Arromans, 33420 Moulon, tél. 05.57.74.93.98, fax 05.57.84.66.10, e-mail joel.duffau@tiscali.fr
t.l.j. sf dim. 8h-12h 14h-19h

CH. BALLAN-LARQUETTE 2006

0,89 ha 6 400 3 à 5 €

Bâtie au XVIII[e]s., une ferme girondine de l'Entre-deux-Mers commande cette propriété familiale que Régis Chaine a héritée de ses grands-parents maternels. Du cabernet-sauvignon à 60 %, complété de merlot et d'une touche de cabernet franc compose ce vin au nez de griotte et de bruyère, qui glisse en bouche et laisse une agréable sensation de fraîcheur fruitée. Pour un gigotin d'agneau et une purée de pommes de terre à l'ail, avec un trait d'huile de noix.
Vignobles Chaigne et Fils, Ch. Ballan-Larquette, 33540 Saint-Laurent-du-Bois, tél. 05.56.76.46.02, fax 05.56.76.40.90, e-mail rchaigne@vins-bordeaux.fr
r.-v.

CH. BEL AIR PERPONCHER Réserve 2006

4,6 ha 32 000 8 à 11 €

Une vigne de quinze ans d'âge cultivée dans l'une des vallées paisibles des bords de la Dordogne, sur un plateau argilo-siliceux bien drainé. Le cabernet-sauvignon pur a donné à ce rosé une teinte franche et brillante, tirant sur le saumon. Son empreinte est également sensible dans les arômes de cassis que complètent des notes de grenadine et d'agrumes. Au palais, un grain ferme est perceptible, ainsi qu'une certaine fraîcheur en finale. Une bouteille destinée à une daurade rose cuite sur le gril, agrémentée de poivrons rouges et de tomates aux aromates.
SCEA des Vignobles Despagne, 33420 Naujan-et-Postiac, tél. 05.57.84.55.08, fax 05.57.84.57.31, e-mail contact@despagne.fr
r.-v.

CH. BELLE-GARDE 2006 *

n.c. 18 000 3 à 5 €

Récolte de raisins parfaitement sains, réception au chai sur table de tri, pressoirs pneumatiques doux, conduite de la fermentation à basse température : c'est ainsi que l'on obtient un joli rosé aux notes fruitées mûres et finement florales. La bouche ample et ronde déroule des flaveurs d'agrumes et revêt une bonne fraîcheur de fond jusqu'en finale. Une petite gourmandise dont vous profiterez avec un gros merlu au vin rouge sur lit de poireaux et de pleurotes.
Éric Duffau, Monplaisir, 33420 Génissac, tél. 05.57.24.49.12, fax 05.57.24.41.28, e-mail duffau.eric@wanadoo.fr r.-v.

CH. BELLEVUE LA MONGIE 2006

0,5 ha 3 500 3 à 5 €

Un plein panier de fruits rouges (framboise et fraise) et de fruits exotiques dans lequel on aurait ajouté quelques fleurs printanières. C'est ainsi que se présente ce vin rose vif, fondu et velouté, d'une bonne persistance sur le fruit mûr. L'élevage sur lies fines lui a légué du gras, si bien qu'il ne dédaignera pas un mariage avec une poêlée de coquilles Saint-Jacques et de palourdes au beurre d'orange.
Michel Boyer, Ch. Bellevue La Mongie, 33420 Génissac, tél. 05.57.24.48.43, fax 05.57.24.48.63
t.l.j. 8h-12h 14h-19h; sam. dim. sur r.-v.; f. 15-31 août

CH. BELLEVUE LA RANDÉE 2006

2,77 ha 20 000 3 à 5 €

Situé aux abords de chemins de randonnée du Saint-Émilionnais et du Pomerolais, ce domaine familial propose un pur cabernet-sauvignon riche d'arômes de fleurs et d'agrumes : c'est l'été dans le verre... Rose à reflets ambrés, le vin attaque avec souplesse, puis évolue en douceur tout en bénéficiant d'un léger perlant qui lui donne un caractère friand. Accordez-le avec une roulade de lotte sauce à la vanille.
GAEC Bourseau et Fils, 9, Boutin-Arnaud, 33133 Galgon, tél. et fax 05.57.84.32.46

CH. BONNET 2006 **

15 ha 90 000 5 à 8 €

Les vins d'André Lurton caracolent parmi les meilleurs dans les appellations du Bordelais. Le bordeaux rosé en témoigne, lui aussi. Vêtu d'une ravissante robe rose brillant nuancé de violine, le 2006 présente une matière ronde et suave, équilibrée jusqu'à la longue finale. Les arômes de fruits rouges s'égrènent tout au long de la dégustation. Un homard grillé au beurre de mangue et au gingembre ne sera pas trop distingué pour cette bouteille.
André Lurton, Ch. Bonnet, 33420 Grézillac, tél. 05.57.25.58.58, fax 05.57.74.98.59, e-mail andrelurton@andrelurton.com r.-v.

CH. BORIE DE NOAILLAN 2006

3,7 ha 25 000 3 à 5 €

Non loin de Créon, bastide anglaise fondée en 1316, ce domaine a élaboré un rosé aux reflets carminés, dont la teinte s'apparente à celle d'un clairet tant elle est sombre. Au bouquet de cerise et de beurre répond un corps charnu, bien soutenu par les tanins et toujours agréablement fruité. Autant de caractères qui seront valorisés par un boudin antillais et des saucisses de Toulouse à la braise, accompagnés de pommes grany et d'échalotes confites.
SCEA Bernard et Dominique Doublet, Ch. Vignol, 33750 Saint-Quentin-de-Baron, tél. 05.57.24.12.93, fax 05.57.24.12.83, e-mail chateauvignol@cegetel.net
r.-v.

CH. CANEVELLE 2006

1,15 ha 8 000 3 à 5 €

Une curiosité sur la propriété : douze espèces d'orchidées sauvages fleurissent de mars à juillet, au bord du vignoble, sur les affleurements calcaires. Autre découverte : ce rosé corail qui livre des senteurs de fruits compotés en toute cohérence avec la chair riche et grasse, nuancée de notes de banane en finale.

SCEV Morel, Chagnon, 33190 Loubens, tél. 05.56.71.49.49, fax 05.56.71.41.49 r.-v.

CH. CARBONNEAU 2006

1 ha 7 000 **3 à 5 €**

Une cuvée presque confidentielle, constituée à 50 % de merlot et à 50 % de cabernet franc. Pleine de jeunesse dans sa robe rose vif à reflets violets, elle exprime avec discrétion des arômes de fruits rouges à l'aération. Avec sa structure légère, sa chair veloutée, presque crémeuse, sa finale fraîche sur le cassis, elle se présentera en toute simplicité sur votre table, aux côtés d'un poulet grillé ou d'une viande rouge cuite au barbecue.

W. et J. Franc de Ferrière, Ch. de Carbonneau, 33890 Pessac-sur-Dordogne, tél. 05.57.47.46.46, fax 05.57.47.42.26, e-mail carbonneau@wanadoo.fr r.-v.

CLOS DE PELIGON 2006 *

2 ha 5 000 3 à 5 €

Un vin que l'on classerait bien dans la famille des clairets plutôt que dans celle des rosés tant sa couleur est intense, nuancée de reflets orangés. Au nez vineux de raisins rôtis par le soleil répond une chair ronde et dense, non dénuée de relief. Le merlot pur en est à l'origine, indéniablement. Ses attentes ? Un civet de canard avec des pommes de terre Charlotte parsemées de coriandre.

EARL Vignobles Reynaud, 13, rte de Libourne, 33450 Saint-Loubès, tél. 05.56.20.47.52, fax 05.56.68.65.21, e-mail contact@clos-de-peligon.fr r.-v.

CH. LES COMBES 2006 *

1 ha 6 000 3 à 5 €

C'est à un moment de partage que nous convie ce vin d'un rose intense, rappelant un clairet. Un éventail d'arômes de baies noires (mûre sauvage), de framboise et d'épices s'ouvre généreusement et se prolonge dans la chair souple en attaque, puis montante et fondue en finale. Un léger perlant, issu de l'élevage sur lie fine, apporte un peu de fraîcheur. À marier avec des rognons de veau flambés au cognac, cuits dans une sauce aux champignons, à l'échalote et au vin blanc.

EARL Vignobles Borderie, 117, rue de la République, 33230 Saint-Médard-de-Guizières, tél. 05.57.69.83.01, fax 05.57.69.72.84, e-mail jpborderie@wanadoo.fr t.l.j. sf dim. 8h-12h 14h-19h

CH. LA COMMANDERIE DE QUEYRET 2006 *

2 ha 12 000 3 à 5 €

Ce domaine familial était au XIIIe s. la propriété des Templiers, d'où le nom de Commanderie qui lui reste attaché. Claude Comin propose un vin de teinte soutenue aux reflets safran. Les arômes de framboise surmûrie témoignent de la bonne maturité du raisin, de même que la chair étoffée, pleine et ronde, au fruité gourmand (fraise et framboise) et persistant. Ce rosé saura donner des couleurs à des rougets vendangeurs aux poivrons et aux aubergines grillées.

Claude Comin, Ch. La Commanderie, 33790 Saint-Antoine-du-Queyret, tél. 05.56.61.31.98, fax 05.56.61.34.22, e-mail vignoble.comin@wanadoo.fr r.-v.

LE ROSÉ DE COURTEILLAC 2006 *

2,1 ha 14 000 **5 à 8 €**

Vêtu de rose à reflets fuchsia, ce vin suscite la gourmandise par ses arômes de fruits rouges et de bonbon anglais. Il fait preuve de structure, mais aussi de charnu, et se prolonge sur des flaveurs de fraise écrasée. Vous l'accorderez à un lapin sauté au cidre fermier et aux pommes reinette.

SCA Dom. de Courteillac, 2, Courteillac, 33350 Ruch, tél. 05.57.40.79.48, fax 05.57.40.57.05, e-mail info-dma@wanadoo.fr r.-v.

DOM. DE DAMAZAC 2006 *

5 ha 4 000 3 à 5 €

Une belle demeure destinée à ses origines à la villégiature commande aujourd'hui le vignoble de 43 ha, dont les vignes ont atteint l'âge respectable de la cinquantaine. Merlot (60 %) et cabernets composent ce rosé couleur cerise, à l'élégant bouquet de jasmin, de chèvrefeuille et de framboise. La bonne maturité des raisins est perceptible dans la chair vineuse et ample, agrémentée de flaveurs persistantes de sirop de grenadine. Pour une bouillabaisse ou une choucroute de la mer.

Feyzeau, 1, La Capelle, 33500 Arveyres, tél. 05.57.51.09.35, fax 05.57.51.86.27 r.-v.

ÉLOGE... 2006

n.c. 100 000 **- de 3 €**

De la fraîcheur dès l'attaque, de la légèreté et de la rondeur dans son évolution : c'est un rosé aimable, à la fois floral et fruité, qui se présente sous une teinte rose pâle, légèrement cuivrée. Il saura tenir compagnie à un lapin sauté en persillade ou à une canette rôtie au chutney d'ananas et de banane.

SAS Sovex-Woltner, 20, rue André-Marie-Ampère, 33565 Carbon-Blanc Cedex, tél. 05.56.77.81.00, fax 05.56.38.07.66

LE ROSÉ DE FLORIDÈNE 2006 *

4,87 ha 35 040 **5 à 8 €**

Scintillant d'un rose légèrement saumoné, ce vin évoque le cassis dans le registre du bourgeon comme du fruit, puis il tapisse le palais de sa chair ronde et ample, bien équilibrée entre la fraîcheur et une douce chaleur en finale. Réservez-le à un bar en croûte de sel, avec une crème de mangue très mûre et parfumée.

Denis et Florence Dubourdieu, Ch. Reynon, 21, rte de Cardan, 33410 Béguey, tél. 05.56.62.96.51, fax 05.56.62.14.89, e-mail reynon@wanadoo.fr r.-v.

CH. FRANC-PÉRAT 2006

5 ha 35 000 **8 à 11 €**

L'imposant château qui a conservé quelques vestiges du XVIe s. domine la propriété de 100 ha, du haut d'une colline. La famille Despagne s'est attachée à rénover le domaine et cherche à y produire des vins de l'instant, à l'image de ce rosé de teinte ensoleillée, au nez tendrement fruité. La rondeur est omniprésente au palais, de sorte que l'on imagine aisément un accord avec des langoustines et des gambas grillées au beurre d'agrumes.

🔑 SCEA de Mont-Pérat, Le Peyrat, 33550 Capian, tél. 05.57.84.55.08, fax 05.57.84.57.31, e-mail contact@despagne.fr ☑ 🍷 🚶 r.-v.

CH. DE FRÉGENT 2006

■ 1 ha 5 400 ■ 5 à 8 €

Merlot et cabernets vendangés à la main ont été vinifiés à basse température et sur lies fines. Il en résulte un vin aux fragrances florales et à la chair veloutée, rafraîchie par une juste vivacité en finale. L'accord est tout trouvé avec des anchois frais, farinés et frits, agrémentés de pommes reinette et d'aubergines confites.

🔑 SC Y. Frégent et A. Cailley, 12, rue de la Ruade, BP28, 33450 Saint-Sulpice-et-Cameyrac, tél. 05.56.30.85.47, fax 05.56.30.87.29, e-mail alaincailley@wanadoo.fr ☑ 🍷 🚶 t.l.j. 9h-12h 14h-18h; dim. sur r.-v.

🔑 GFA Frégent

CH. GANTONNET 2006

■ 3,85 ha 29 640 ■ 5 à 8 €

Un terroir argilo-calcaire sur les coteaux qui dominent la rive gauche de la Dordogne. Merlot (40 %), cabernets (35 %) et malbec (25 %) constituent ce vin d'un rose léger qui livre un bouquet de fraise et d'agrumes. Perlant, celui-ci offre au palais des sensations fruitées et rafraîchissantes d'une agréable persistance. Accompagnez-le de brochettes d'aiguillettes de canard à la mangue et aux agrumes.

🔑 SC Ch. Gantonnet, Moulin de Labordes, 33350 Sainte-Radegonde, tél. 05.57.40.53.83, fax 05.57.40.58.95, e-mail chateau-gantonnet@orange.fr ☑ 🍷 🚶 r.-v.

DOM. DE LA GRAVE Cuvée Tradition 2006 ★

■ 1,5 ha 9 000 ■ 3 à 5 €

Le domaine a installé un musée du Vin et de la Tonnellerie, une façon de partager avec les visiteurs le travail du chai que cette famille vigneronne pratique de longue date. Une bonne introduction aussi à la dégustation de ce vin rose vif qui charme d'emblée par son bouquet de framboise, de cassis et de sirop de grenadine. Ses formes amples et rondes, ses tanins structurants et son fruité ne seront pas les moindres de ses atouts au moment du service : saumon braisé à l'aneth, jarret de veau à l'orange et au gingembre.

🔑 SCEA Roche, Dom. de La Grave, 11, rte de Perriche, 33750 Beychac-et-Caillau, tél. 05.56.72.41.28, fax 05.56.72.08.33, e-mail vignobleroche@wanadoo.fr ☑ 🍷 🚶 t.l.j. 9h-19h; sam. dim. 10h-13h 15h-18h; groupes sur r.-v.

CH. GRAVELINES 2006 ★

■ 4,63 ha 33 000 ■ 3 à 5 €

Située sur un tertre, la propriété ménage une belle vue sur les côtes de Bordeaux. Elle est connue depuis le XVIIe s., mais le four à chaux du IIIe s., découvert sous l'édifice, témoigne d'une activité bien plus ancienne. Merlot, cabernet-sauvignon et malbec ont donné naissance à ce rosé évocateur de fleur d'aubépine, de baies rouges et noires. À la fois tendre et frais, il se prolonge de manière équilibrée sur le fruit. Une bouteille typique de l'appellation qui trouvera un faire-valoir dans la cuisine basque : tapas, jambon à la piperade, poulet à la basquaise, piquillos de poivrons rouges, par exemple.

🔑 SARL Ch. Gravelines, 1, Gravelines, 33490 Semens, tél. 05.56.62.02.01, fax 05.56.62.02.55, e-mail chateaugravelines@wanadoo.fr ☑ 🍷 🚶 t.l.j. sf sam. dim. 8h-12h 14h-18h

🔑 Thérasse

CH. LA HARGUE 2006 ★

■ n.c. n.c. ■ 3 à 5 €

Quelle jeunesse dans ce vin de cabernet franc et de cabernet-sauvignon qui fleure bon les fruits rouges et les fleurs. D'une grande souplesse, rond et ample, il garde une juste fraîcheur qui souligne durablement ses flaveurs de fruits. La tentation est grande de le servir à la première occasion avec un pavé de cabillaud sauté aux palourdes aillées et persillées.

🔑 SCEA Vignobles Ducourt, 18, rte de Montignac, 33760 Ladaux, tél. 05.57.34.54.00, fax 05.56.23.48.78, e-mail ducourt@ducourt.com ☑ 🚶 r.-v.

CH. HAUT-GARRIGA 2006

■ 13 ha 30 000 ■ 3 à 5 €

Un couscous, un vrai..., sera le meilleur allié de ce vin vêtu de mousseline rose qui laisse poindre des arômes fruités et floraux avant de dévoiler sa trame soyeuse et sa rondeur. D'un bon équilibre, il se prolonge sur des flaveurs citronnées propres à aiguiser l'appétit.

🔑 EARL Vignobles C. Barreau et Fils, Garriga, 33420 Grézillac, tél. 05.57.74.90.06, fax 05.57.74.96.63, e-mail chateau-haut-garriga@wanadoo.fr ☑ 🍷 🚶 r.-v.

CH. HAUT GUILLEBOT 2006

■ 1 ha 6 000 ■ 3 à 5 €

Arrière-grand-mère, grand-mère, fille et petite-fille ont conduit cette propriété forte aujourd'hui de 55 ha. Assemblage de merlot (60 %) et de cabernet-sauvignon, ce vin met l'accent sur les fruits rouges et les agrumes. Une fraîcheur que l'on perçoit également au palais, soulignant des formes aériennes et atténuant le côté chaleureux de la finale. Au menu : mignon de porc aux poivrons rouges épicés, pommes de terre ratte rôties au gros sel et saupoudrées de persil haché.

🔑 SCEA Ch. Haut-Guillebot, 33420 Lugaignac, tél. 05.57.84.53.92, fax 05.57.84.62.73, e-mail chateauhautguillebot@wanadoo.fr ☑ 🍷 🚶 r.-v.

🔑 Mme Labouille

CH. JANON 2006 ★★

■ 4,6 ha 30 000 ■ - de 3 €

Pas moins de 80 ha composent le domaine viticole de ce producteur qui a acquis parcelles après parcelles sur cinq communes. Une même constance lui permet sans doute d'obtenir des vins de qualité, comme ce rosé puissamment aromatique (banane, pêche, fruits rouges) qui s'épanouit au palais grâce à une chair riche et ample, chaleureuse et longue. À réserver à des coquilles Saint-Jacques poêlées et présentées sur des lamelles de petits cèpes tête noire que vous soulignerez d'un trait d'huile de noix.

🔑 SCEA Vignobles Landié, 4, Grand-Champ, 33540 Saint-Martin-du-Puy, tél. 05.56.61.39.66, fax 05.56.71.61.22, e-mail vignobleslandie@free.fr ☑ 🍷 r.-v.

CH. JEAN L'ARC 2006 ★

■ 3 ha n.c. ■ 🛢 5 à 8 €

Le jury a été séduit par la complexité du bouquet de fleurs blanches relevé d'arômes gourmands de bonbons à la fraise et à la framboise : « Des senteurs de verger en été », note un dégustateur. Ample et rond, le vin se prolonge sur des notes de vanille au palais. Une bouteille plaisante qui mérite un accord tout aussi fin : noisettes d'agneau à l'ail confit, gratin de purée d'artichaut et de topinambour. Une citation est attribuée au **Domaine du Clauset 2006 (3 à 5 €)**, plus vif, élaboré par le même producteur.

EARL Vignobles Siozard, Laubarède, 33420 Lugaignac, tél. 05.57.84.54.23, fax 05.57.84.67.10, e-mail vignobles-siozard@wanadoo.fr r.-v.

CH. DU JUGE 2006

n.c.	n.c.	5 à 8 €

N'hésitez pas à inviter ce vin à votre table : vous l'accompagnerez de pilons de poulet fermier aux palourdes aillées et persillées. Un petit régal avec un gratin d'aubergines et de courgettes. Car ce rosé vif, plein de jeunesse, saura s'affranchir de sa timidité première pour vous révéler ses notes florales après aération, la fraîcheur et le fruité de sa matière.

Pierre Dupleich, Ch. du Juge, rte de Branne, 33410 Cadillac, tél. 05.56.62.17.77, fax 05.56.62.17.59 r.-v.

David - Dupleich

CH. LALAURIE 2006 ★

2,83 ha	10 000	3 à 5 €

Il faudra faire tourner un peu le vin dans le verre pour que se libèrent les senteurs de fruits rouges et de fleurs. Mais ensuite une chair veloutée, animée d'un léger perlant – juste ce qu'il faut pour apporter de la fraîcheur – se manifeste. Un rosé dense et structuré comme un clairet, sans en avoir pour autant la couleur. Pour un jambon de pays.

Christian Siutat, Ch. Lalaurie, 3, Guibon, 33420 Daignac, tél. 06.09.79.71.66, fax 05.57.84.66.84, e-mail christian.siutat@tiscali.fr r.-v.

CH. LAMOTHE-VINCENT 2006 ★

6 ha	40 000	3 à 5 €

Quelques heures de macération à froid, fermentation à 20 °C, élevage sur lies avec bâtonnage pour obtenir charnu et complexité. Mission accomplie : le vin, profondément coloré, dispense ses arômes de baies sauvages, de fruits rouges et de genêt méridional. Il ne manque ni de mâche ni de rondeur et encore moins de vinosité, mais le fruité (fraise) lui apporte la fraîcheur attendue. Pour des huîtres farcies au beurre d'escargot ou bien un filet de bœuf aux patates douces et au beurre épicé.

Vignobles Vincent, 3, chem. Laurenceau, 33760 Montignac, tél. 05.56.23.96.55, fax 05.56.23.97.72, e-mail info@lamothe-vincent.com r.-v.

CH. LARROQUE 2006 ★

56 ha	n.c.	3 à 5 €

Ce château, construit en 1348 sur autorisation d'Edouard III Plantagenêt, roi d'Angleterre, commande un vignoble depuis plusieurs siècles : dans la seconde moitié du XIX^e^s., on comptait déjà 400 ha. Les deux cabernets sont réunis dans ce rosé violacé, tout en fleurs et en fruits. La matière soyeuse caresse le palais et laisse le souvenir des fruits des bois. Délicieux accord avec un magret de canard aux asperges vertes, à la crème de roquefort.

Boyer de La Giroday, 18, rte de Montignac, 33760 Ladaux, tél. 05.57.34.54.00, fax 05.56.23.48.78, e-mail ducourt@ducourt.com r.-v.

CH. MINVIELLE 2006 ★★

6,5 ha	20 000	3 à 5 €

Le domaine et la bâtisse du XVII^e^s., propriété de Monsieur Minvielle, furent saisis à la Révolution et revendus comme bien national à la famille Gadras, dont les héritiers sont encore aux commandes aujourd'hui. Le cabernet franc (70 %) et le merlot composent ce vin rose grisé qui marie harmonieusement des senteurs de raisin mûr et de fleurs. D'attaque souple et tendre, il possède une chair séveuse et fraîche, aromatique. Pour un canard en sauce.

SCEA Vignobles Gadras, Dom. de Minvielle, 33420 Naujan-et-Postiac, tél. 05.57.84.55.01, fax 05.57.84.65.70, e-mail vignobles.gadras@wanadoo.fr t.l.j. sf dim. 9h-12h30 14h-18h

H. Gadras

MOLINARI Terzo 2006

1 ha	5 000	5 à 8 €

Terzo signifie troisième en italien. Car ce vin est en effet la troisième cuvée de la propriété. Un rosé de prime abord secret, mais qui délivre à l'aération des parfums de fruits sauvages typiques du cabernet franc qui le compose. La bouche est un peu ferme encore, suffisamment fruitée cependant pour être plaisante. À découvrir avec un rôti de lotte au lard fumé accompagné de légumes de saison.

SCEA Molinari et Fils, Ludeman, 33210 Langon, tél. 05.56.63.09.52, fax 05.56.63.13.47 r.-v.

CH. MYLORD 2006 ★

1 ha	6 000	3 à 5 €

Longtemps habitée par des Anglais, cette chartreuse est aujourd'hui la propriété de Michel et Alain Large qui vinifient eux-mêmes leurs vins, « de A à Z ». Bel exemple de leur production, ce rosé pâle, nuancé d'orange, développe un bouquet de fleurs blanches, de fruits à noyau et d'agrumes. Il se fait coulant en attaque, puis charnu, dense et bien structuré. Une gigolette de lapin à la basquaise comme des pétoncles aux cèpes, à l'échalote grise et au persil sauront le mettre en valeur.

SCEA Ch. Mylord, 33420 Grézillac, tél. 05.57.84.52.19, fax 05.57.74.93.95, e-mail large.chateau-mylord@wanadoo.fr r.-v.

Alain et Michel Large

CH. RAUZAN DESPAGNE Réserve 2006

4,6 ha	32 000	8 à 11 €

Un fruité de petite banane très mûre et de fraise associé à une note de bonbon anglais acidulé sert d'introduction à la dégustation de ce vin pulpeux et rond. Un rosé couleur abricot à découvrir à l'apéritif avec des gambas *a la plancha*, une *tortilla* au chorizo, du jambon de pays ou des *chipirones* à l'ail.

SCEA des Vignobles Despagne, 33420 Naujan-et-Postiac, tél. 05.57.84.55.08, fax 05.57.84.57.31, e-mail contact@despagne.fr r.-v.

DOM. DU ROUYET 2006 ★

4 ha	10 000	3 à 5 €

Avant une visite de la propriété, arrêtez-vous à Lalande-de-Fronsac, ne serait-ce que pour admirer son église

romane du XIIᵉs., fortifiée au XVᵉs., célèbre pour son tympan qui figure la vision de saint Jean dans l'Apocalypse. Plus douce sera la vision de ce vin rose intense à liseré vermillon, dont le bouquet fruité mêle la cerise noire à la fraise. Du soyeux, un volume suffisant, du fruit et de la longueur : une belle réussite, en somme. Pour un magret de canard sur le gril, une charlotte d'aubergines et de tomates confites aromatisées aux échalotes grises et au basilic.
🔑 SCEA Dom. du Rouyet,
526, rte de la Commanderie,
33240 Lalande-de-Fronsac, tél. et fax 05.57.58.17.59,
e-mail domaine-rouyet@orange.fr ☑ 🍷 🚶 r.-v.
🔑 Étourneaud

CH. SAINT-FLORIN 2006 ★

■ n.c. 55 000 ▮ 3 à 5 €

Les trois filles de Jean-Marc Jolivet travaillent désormais au domaine. Leur sensibilité n'est pas étrangère aux caractères des vins produits. Voyez ce rosé couleur framboise qui évoque tout autant les fruits à noyau que les fleurs printanières (aubépine). De la rondeur, de la finesse en attaque, de la fraîcheur portée par un léger perlant en milieu de bouche. Ne croyez pas que ce vin soit léger. Bien au contraire, il repose sur de bons tanins qui lui donnent toute la structure nécessaire pour accompagner un repas.
🔑 SC Vignobles Jolivet, Ch. Saint-Florin,
33790 Soussac, tél. 05.56.61.31.61, fax 05.56.61.34.87,
e-mail jeanmarcjolivet@wanadoo.fr ☑ 🍷 🚶 r.-v.

CH. DU SEUIL 2006

■ 1,8 ha 12 544 ▮ 5 à 8 €

L'aération est nécessaire pour libérer le bouquet et percevoir les arômes fruités. La fraîcheur caractérise la bouche pleine d'allant qui mise plus sur la finesse que sur la structure. Un rosé destiné à une entrecôte de thon rouge grillée *a la plancha*, avec un gratin de courgettes et de tomates à l'ail doux en chemise.
🔑 SCEA Ch. du Seuil, 33720 Cérons,
tél. 05.56.27.11.56, fax 05.56.27.28.79,
e-mail nicolas@chateauduseuil.com ☑ 🍷 🚶 r.-v.

CH. TANESSE 2006

■ 4 ha 24 000 ▮ 3 à 5 €

La bâtisse du XIXᵉs., dans un parc arboré, domine la vallée de la Garonne et la cité de Langoiran. Les coteaux argilo-graveleux sont favorables à la maturation des merlot et cabernets qui composent ce rosé svelte et plein de fraîcheur, au bouquet de fruits rouges nuancé de notes florales de pivoine. Idée d'accord gourmand : des coquilles Saint-Jacques poêlées au beurre d'ananas (Victoria, s'il vous plaît...) avec quelques cèpes bien dorés, des échalotes et du persil.
🔑 SAS Ch. Tanesse, 3, rte de Capian,
33550 Langoiran, tél. 05.56.72.14.38,
fax 05.56.72.10.38, e-mail gonfrier@wanadoo.fr
☑ 🍷 🚶 r.-v.
🔑 SCEA Gonfrier

CH. TOUR DE MIRAMBEAU Réserve 2006

■ 43 ha 352 500 ▮ 8 à 11 €

Un pur cabernet-sauvignon... Un rosé richement fruité d'un bout à l'autre de la dégustation et qui laisse au palais une impression soyeuse et persistante, bien soulignée d'une pointe de fraîcheur. Il appréciera la rencontre avec une morue frite agrémentée de tomates et de poivrons à l'aïoli. *Tapas* et sushi seront aussi les bienvenus. Le **Ch. Lion Beaulieu 2006** est également cité.
🔑 SCEA de la Rive Droite, 33420 Naujan-et-Postiac,
tél. 05.57.84.55.08, fax 05.57.84.57.31,
e-mail contact@despagne.fr ☑ 🍷 🚶 r.-v.

CH. LE TRÉBUCHET 2006 ★

■ 5 ha 36 000 ▮ 3 à 5 €

De teinte plus rouge que rose, ce vin révèle toute sa fraîcheur dans ses arômes de fruits d'été, parmi lesquels la groseille. Il garde cette même ligne au palais jusqu'à une finale de bonne persistance. Pour des brochettes de poulet et de foie d'agneau que vous servirez avec des légumes en cocotte : artichauts, fenouil, pois gourmands, oignons nouveaux mélangés à une cuillerée de miel de romarin.
🔑 Bernard Berger, Ch. Le Trébuchet,
33190 Les Esseintes, tél. 05.56.71.42.28,
fax 05.56.71.30.16,
e-mail chateautrebuchet@wanadoo.fr
☑ 🍷 🚶 t.l.j. sf dim. 8h-12h 14h-18h

CH. TURCAUD 2006 ★★

■ 4 ha 28 000 ▮ 5 à 8 €

Un rosé tout destiné à des filets de morue à la basquaise ou à un carré de porc aux mirabelles. Les cabernets le composent à 90 %, assouplis par une touche de merlot. Cela se sent dans le fruité intense de baies rouges comme dans la structure bien enveloppée d'une chair fruitée et ronde, persistante.
🔑 EARL Vignobles Robert, Ch. Turcaud,
33670 La Sauve-Majeure, tél. 05.56.23.04.41,
fax 05.56.23.35.85, e-mail chateau-turcaud@wanadoo.fr
☑ 🍷 🚶 r.-v.
🔑 Maurice Robert

CH. DE LA VIEILLE TOUR 2006 ★★

■ 3 ha 20 000 ▮ 3 à 5 €

Remarquable représentant des bordeaux rosés, ce 2006 est un séducteur, assurément. Du gras, un fruité intense souligné de notes d'amande grillée : il est né d'une vendange parfaitement mûre de merlot et de cabernet-sauvignon à parts égales. Il se développe en puissance, laissant une impression chaleureuse, digne des vins de soleil. Sa place est toute trouvée aux côtés de côtes d'agneau de lait aux épices et aux herbes du potager, avec une poêlée d'artichauts violets, de fèves, d'asperges et de lardons. Du même producteur, le **Château Moulin de Ferrand 2006**, frais et souple, obtient une étoile.
🔑 Vignobles Boissonneau, Le Cathelicq,
33190 Saint-Michel-de-Lapujade, tél. 05.56.61.72.14,
fax 05.56.61.71.01, e-mail vignobles@boissonneau.fr
☑ 🍷 🚶 r.-v.

Bordeaux supérieur

CH. AUX GRAVES DE LA LAURENCE
Élevé en fût de chêne 2004

■ 0,58 ha 3 200 ▮ ⬮ 5 à 8 €

Ce château doit son nom à son terroir, une croupe de graves argileuses bordée par la Laurence, un petit affluent de la Dordogne. Il appartient à Bernard Hébrard, qui a dirigé le Centre œnologique de Grézillac et le service Vin de la Chambre d'agriculture de Gironde. Trois quarts merlot et un quart cabernet franc, ce 2004 livre un nez aux notes grillées intenses, héritage de l'année passée en fût. La bouche, ample, retrouve ces notes boisées. Un vin prêt à boire.

Bernard Hébrard,
Ch. Aux Graves de la Laurence, 42, rte de Libourne,
33450 Saint-Loubès, tél. et fax 05.57.84.61.03
r.-v.

CH. BAILLOUX-RIVAL 2005 *

■ 4 ha 26 000 ▮ 3 à 5 €

Première vinification et première étoile dans le Guide pour Alain Bessette qui a acheté cette propriété de 40 ha en 2005. Joliment vêtu de grenat éclatant, le vin semble encore timide, mais ne demande qu'à s'épanouir sur des arômes de fruits noirs nuancés d'un boisé bien maîtrisé. Il faudra attendre deux ou trois ans que jeunesse se passe : les tanins s'assagiront pour laisser toute sa place à la chair ample et généreuse.

EARL André Bessette, 8, La Verrière,
33790 Landerrouat, tél. 05.56.61.39.56,
fax 05.56.61.44.25 r.-v.
Alain Bessette

DOM. DU BALLAT
Esprit du Ballat Élevé en fût de chêne 2005 **

■ 1,5 ha 2 600 ⬮ 5 à 8 €

Créé en 1850, le domaine de 37 ha est resté dans la même famille jusqu'à aujourd'hui. Sur des sols argilo-calcaires, merlot (65 %) et cabernet-sauvignon ont donné naissance à un vin de longue garde. Le nez concentré de fruits confits est souligné de notes vanillées fraîches apportées par quinze mois d'élevage en fût. La chair se fait ample dès l'attaque, volumineuse même, avec le soutien efficace de tanins élégants issus du raisin et du bois. La longue finale laisse une impression agréable de fraîcheur.

EARL Vignobles Tréjaut, Dom. du Ballat,
33490 Saint-André-du-Bois, tél. 05.56.76.42.83,
fax 05.56.76.45.14, e-mail trejaut.karine@wanadoo.fr
r.-v.

BARON DE LUBERNAC
Élevé en fût de chêne 2005

■ n.c. 400 000 ⬮ 3 à 5 €

Beaucoup de jeunesse dans ce 2005 rubis à reflets bleutés. Le bouquet intense et complexe allie les fruits noirs (mûre) au sous-bois (humus) et aux notes florales de lilas. Si la trame de tanins est encore serrée, la bouche n'en est pas moins équilibrée et fraîche. Dans deux ou trois ans, cette bouteille accompagnera tout un repas : charcuterie, daube et fromage à pâte dure.

Gutraud-Raymond-Marbot, ZAE de l'Arbalestrier,
33220 Pineuilh, tél. 05.57.41.91.50, fax 05.57.46.42.76,
e-mail contact@grm-vins.fr

BARON D'ESPIET 2004

■ 4,26 ha 30 666 ▮ 3 à 5 €

C'est dans l'une des plus anciennes caves coopératives de la région, créée en 1932, qu'est né ce vin à majorité de merlot (60 %) récolté sur sol argilo-calcaire. Harmonie, fraîcheur, souplesse le caractérisent d'emblée. Le fruit est là, subtil et finement épicé ; la structure ne s'impose pas, de sorte qu'une impression de rondeur persiste jusqu'à l'agréable finale. Pour un plaisir immédiat.

Union de producteurs Baron d'Espiet,
Lieu-dit Fourcade, 33420 Espiet, tél. 05.57.24.24.08,
fax 05.57.24.18.91 r.-v.

CH. BARREYRE 2005 **

■ 12 ha 60 000 ⬮ 8 à 11 €

Sous un habit sombre classique, à reflets brillants, ce vin joue l'élégance. Complexité des arômes de fruits accompagnés d'une empreinte boisée mesurée. Puissance d'un corps rond et gras dès l'attaque, structuré par des tanins serrés mais souples qui garantiront une bonne tenue dans le temps. Les plus impatients aéreront ce 2005 pour une meilleure expression de ses arômes, tandis que les plus sages attendront cinq ans pour le présenter à table.

SC Ch. Barreyre, Beau-Rivage, 33460 Macau,
tél. 05.57.88.07.64, fax 05.57.88.07.00,
e-mail vitigestion@wanadoo.fr r.-v.
Michel Giron

BELLE-GARDE L'Excellence 2005 *

■ 2,5 ha 12 800 ⬮ 8 à 11 €

Éric Duffau a repris en 1979 cette propriété que son grand-père avait achetée huit ans plus tôt à un membre de la famille royale de Belgique. En 2005, il aura su patienter jusqu'au 20 septembre pour récolter des raisins à pleine maturité, gage d'un vin fruité. On perçoit en effet des arômes de cerise nuancés de notes d'épices douces apportées par les douze mois d'élevage en fût. En bouche, concentration, volume et structure se conjuguent harmonieusement au profit d'une sensation d'élégance. Un bordeaux supérieur de garde.

Éric Duffau, Monplaisir, 33420 Génissac,
tél. 05.57.24.49.12, fax 05.57.24.41.28,
e-mail duffau.eric@wanadoo.fr r.-v.

CH. BELLEVUE PEYCHARNEAU
Vieilli en fût de chêne 2005 *

■ 13,76 ha 50 000 ⬮ 5 à 8 €

Ce château exporte 35 % de sa production, le Japon et la Chine faisant partie de ses marchés. Il faudra attendre quatre ou cinq ans pour découvrir ce bordeaux supérieur au meilleur de son potentiel. À ce jour, grenat soutenu éclairé de reflets bleutés et violines, il est encore marqué par le boisé. La matière est solide, cependant, et le fruit ne se laisse pas intimider, reprenant progressivement sa place avec fraîcheur. La finale séduisante est une autre promesse d'avenir.

SCEA Bellevue Peycharneau,
19, rte de Bergerac, BP 4, 33220 Pineuilh,
tél. 06.82.28.44.50, fax 05.57.41.37.46 r.-v.

CH. DE BLASSAN Cuvée fût de chêne 2005 *

■ 12 ha 65 000 5 à 8 €

La couleur intense est un premier signe de la bonne maturité du raisin. La confirmation est apportée par les notes de cerise et autres fruits rouges élégamment soulignés d'un boisé toasté. Puis, la structure de tanins denses enrobée d'une chair opulente témoigne d'une extraction bien maîtrisée. En finale, la cerise fait son retour, avec finesse et fraîcheur.

Guy Cenni, 3, Blassan, 33240 Lugon,
tél. 06.80.65.43.44, fax 05.57.84.82.93,
e-mail chateaudeblassan@wanadoo.fr r.-v.

CH. BOIS NOIR Élevé en fût de chêne 2004 *

■ 5 ha 53 000 5 à 8 €

Le fruit s'impose dans la palette intense et complexe, prête à s'épanouir, de ce vin noir brillant. Après une attaque suave, la bouche révèle une bonne matière structurée par des tanins puissants, mais en passe de s'arrondir. Dans deux ans, l'élégance et le charme seront au rendez-vous.

SARL Ch. Bois Noir, Le Bois-Noir,
33230 Maransin, tél. 05.57.49.41.09,
fax 05.57.49.49.43,
e-mail chateauduboisnoir@wanadoo.fr r.-v.
C. Grégoire

CH. BOLAIRE 2005 *

■ 5,25 ha 30 000 8 à 11 €

Sur des terres de palus, le petit-verdot prospère depuis 1466. Il constitue 35 % de l'assemblage de ce 2005, aux côtés du merlot et du cabernet-sauvignon. Le vin ne manque pas de caractère : profondément coloré, il affiche un nez concentré et complexe, nuancé d'un boisé élégant. Au palais, la matière charnue enveloppe la structure puissante et la finale persiste durablement. Toutes les garanties d'un bon vieillissement.

SC de La Gironville, 69, rte de Louens,
33460 Macau, tél. 05.57.88.19.79, fax 05.57.88.41.79,
e-mail sc.gironville@wanadoo.fr
t.l.j. sf sam. dim. 9h-12h 13h-17h
V. Mulliez

CH. DE BONHOSTE
Cuvée Prestige Élevé en fût de chêne 2004 *

■ 3 ha 20 000 5 à 8 €

Une cave naturelle creusée dans la roche abrite les vins vinifiés par la famille Fournier. La propriété de 66 ha se trouve à une dizaine de kilomètres de Saint-Émilion, sur un terroir argilo-calcaire propice au merlot. Ce cépage s'allie à 20 % de cabernet-sauvignon et à 10 % de cabernet franc pour donner naissance à un 2004 habillé de noir à reflets brillants. Les arômes complexes de fruits confits et d'épices douces sont en harmonie avec la bouche fraîche et fruitée, dotée de tanins bien présents, mais harmonieux. Un vin plein de dynamisme pour dégustateurs gourmands dès 2008.

Bernard Fournier, Ch. de Bonhoste,
33420 Saint-Jean-de-Blaignac, tél. 05.57.84.12.18,
fax 05.57.84.15.36,
e-mail contact@chateaudebonhoste.com
r.-v.

DOM. DE BOUILLEROT
Essentia Élevé en fût de chêne 2004 **

■ 2 ha 8 000 5 à 8 €

À moins de 10 km de La Réole, Thierry Bos possède une propriété viticole de 14 ha dont la création remonte aux années 1870. Récolté sur des sols limono-argileux, le cabernet franc (65 %) domine le merlot dans cette cuvée. Un élevage de douze mois en fût a légué des notes caramélisées à la palette d'un cabernet bien mûr, naturellement épicé (poivre, noix muscade). Une même puissance aromatique est perceptible en bouche, soulignant la chair ronde et ample dès l'attaque. Les tanins demandent à se fondre : il leur faudra un peu moins de trois ans pour s'affiner et gagner en élégance.

Thierry Bos, 8, Lacombe, 33190 Gironde-sur-Dropt,
tél. et fax 05.56.71.46.04, e-mail info@bouillerot.com
t.l.j. 9h-12h 14h-18h; dim. sur r.-v.

DOM. DU BOUSCAT Cuvée La Gargone 2005

■ 2,5 ha 6 000 11 à 15 €

Ne vous étonnez pas de voir figurer un caducée sur le blason de ce domaine : à la fin du XIX[e]s., les vins produits ici étaient vendus en pharmacie. C'est à la table qu'il faudra réserver ce 2005 dans deux ou trois ans. Revêtu de pourpre nuancé de violet et de rubis, celui-ci est encore dominé par l'empreinte de l'élevage en barrique : notes de moka, finement grillées et vanillées. Le fruit, discret pour l'heure, devrait réapparaître avec le temps. Une attaque franche, de la fraîcheur en bouche et des tanins souples sont de bons atouts pour l'avenir.

François Dubernard,
Dom. du Bouscat, 310, chem. du Bouscat,
33240 Saint-Romain-la-Virvée, tél. 05.57.58.20.82,
fax 05.57.58.23.59,
e-mail francois.dubernard@wanadoo.fr r.-v.

CH. DE BRAGUE Plantier de la reine 2005 *

■ 1,5 ha 9 000 5 à 8 €

Le merlot règne en maître – 90 % – sur un terroir argilo-calcaire. Il apporte à ce vin une teinte pourpre aux éclats rubis, ainsi qu'une énorme générosité perceptible dans ses arômes de fruits mûrs finement toastés par un élevage de douze mois bien maîtrisé. D'autres de ses qualités sont sa franchise au palais, sa structure bien appuyée grâce à des tanins extraits sans démesure. Deux ou trois ans de garde lui permettront de s'épanouir tout en finesse.

SCEA Ch. de Brague, 8, Brague, 33240 Vérac,
tél. 05.57.84.41.01, fax 05.57.84.83.03,
e-mail chateaudebrague@club-internet.fr r.-v.
Galland

CH. BRANDE-BERGÈRE Cuvée O'Byrne 2005 *

■ 7,88 ha 32 000 5 à 8 €

À la fin du XVIII[e]s., un noble d'origine irlandaise du nom d'O'Byrne fit construire la chartreuse qui commande aujourd'hui encore cette propriété sise en hauteur, au-dessus de la vallée de la Dronne. Le vignoble, lui, fut créé dans la seconde moitié du XIX[e]s. par un négociant de Libourne. Cabernet franc et merlot à parts presque égales,

complétés de 15 % de cabernet-sauvignon, ont profité de l'ensoleillement de l'année 2005. Il en résulte un vin grenat intense et brillant, dont les arômes de cassis affirmés se mêlent aux notes grillées d'un boisé discret. De la franchise, des tanins solides : l'avenir est prometteur pour ce bordeaux supérieur qui saura garder toute sa fraîcheur. À attendre deux ans au moins.
🔑 EARL Ch. Brande-Bergère, 33230 Les Églisottes, tél. 06.81.83.44.82, fax 05.57.49.51.52 ☑ ⌶ 🚶 r.-v.

LES CAVES DE LA BRÈCHE
L'Âme du terroir 2005 ★

■ n.c. 500 000 ▮ - de 3 €

Présent dans les réseaux de distribution Cora, ce bordeaux supérieur se révèle dans toute sa jeunesse : pourpre à reflets violines, il offre un nez expressif, un peu dominé par le bois, mais suffisamment riche en fruit (cerise). Les tanins sont certes encore austères, mais la chair concentrée devrait les envelopper aisément à la faveur de deux à quatre ans de garde. Pour des viandes rouges grillées.
🔑 Les Caves de la Brèche, ZAE de L'Arbalestrier, 33220 Pineuilh, tél. 05.57.41.91.50, fax 05.57.46.42.76, e-mail contact@grm-vins.fr ⌶ r.-v.

BRION DE LAGASSE 2005 ★

■ 4 ha 15 000 ⬮ 5 à 8 €

Un domaine familial, implanté sur argilo-calcaire et cultivé en biodynamie. Le merlot à 90 % et une touche de pressac (autrement appelé cot) composent ce 2005 qui rappelle la cerise tant par sa couleur vive que par son nez, complété des notes épicées apportées par le bois. Un même fruité frais se manifeste dans la chair volumineuse et structurée. L'équilibre général garantit une évolution harmonieuse au cours des trois prochaines années. Le **Château Lagasse 2005**, encore très jeune et marqué par ses quinze mois de fût, est cité.
🔑 Philippe Roux, Brion, 33750 Baron, tél. et fax 05.56.95.06.37 ☑ ⌶ 🚶 r.-v.

CH. BUTTE DE CAZEVERT 2004

■ 3 ha 6 600 ▮ 3 à 5 €

Une promenade à pied sur ce sentier viticole de l'Entre-deux-Mers vous conduira sur la butte de Cazevert, d'où vous jouirez d'un point de vue remarquable. D'un terroir argilo-calcaire est né ce vin équilibré, fruité et frais, qui bénéficie d'une structure de qualité. Les tanins paraissent mûrs et soyeux déjà, d'une agréable finesse, tant et si bien qu'un service immédiat est conseillé.
🔑 Dufaget, Lafond, 33420 Naujan-et-Postiac, tél. 05.57.84.57.03, fax 05.57.74.97.14, e-mail ch.buttedecazevert@cario.fr ☑ ⌶ 🚶 r.-v.

CH. LE CALVAIRE 2005 ★★

■ n.c. n.c. ⬮ 3 à 5 €

Ce 2005, pourpre à reflets violacés, demande à être aéré pour libérer ses délicats arômes de fruits rouges. D'attaque souple et gouleyante, la bouche gagne bientôt en puissance sans rien perdre de son équilibre jusqu'en finale. De la même maison de négoce, le **Château La Cave du Roc 2005** obtient une étoile pour ses flaveurs de pruneau et de mûre comme pour sa structure de qualité. Deux bordeaux supérieurs déjà fort agréables.
🔑 Pierre Dumontet, La Mouline, 33560 Carbon-Blanc, tél. 05.57.77.88.88, fax 05.57.77.88.99 ⌶ 🚶 r.-v.

CRU CANTEMERLE
Cuvée Prestige Élevé en fût de chêne 2004

■ 5,93 ha 30 000 ⬮ 5 à 8 €

Les propriétaires champenois de ce domaine ont su s'entourer de bons conseillers pour produire un bordeaux supérieur bien typé. Ce 2004 se distingue par son intense palette, où le boisé ne domine jamais le fruité. Si les tanins méritent de se fondre, on perçoit cependant du charnu et de la rondeur dans cette matière issue de raisins mûrs récoltés sur argilo-calcaire.
🔑 Vignobles Mignon, 7, rue Irène-Joliot-Curie, 51200 Épernay, tél. 03.26.58.33.33, fax 03.26.51.54.10, e-mail bmignon@champagne-mignon.fr ☑ ⌶ 🚶 r.-v.

CH. LA CAPELLE 2004 ★

■ 1,5 ha 4 000 ⬮ 8 à 11 €

Sur ces sentiers de randonnée proches de Libourne, vous découvrirez une « folie », jolie demeure du XIX[e]s., qui commande le vignoble de la famille Feyzeau. Vous vous y arrêterez pour déguster ce 2004 original, intense dès le premier nez : arômes exotiques, notes de cassis, puis touches de noix de coco et de vanille. La bouche soyeuse et souple garde son élégance jusqu'à la finale extrêmement aromatique. À savourer dans les deux ans.
🔑 Feyzeau, 1, La Capelle, 33500 Arveyres, tél. 05.57.51.09.35, fax 05.57.51.86.27 ☑ ⌶ 🚶 r.-v.

CH. CAZAT-BEAUCHÊNE
Élevé en fût de chêne 2005 ★

■ 52 ha 250 000 ⬮ 3 à 5 €

Certes, ce vin est encore très jeune, mais il est déjà appréciable pour sa fraîcheur. Au nez mêlant les notes de fruits rouges à celles d'épices et de toasté répond une bouche équilibrée, structurée par des tanins fins et bien mûrs. Un séducteur prêt à faire plaisir jusqu'en 2010.
🔑 SCEA des domaines Cazat-Beauchêne, Ch. Cazat-Beauchêne, 33570 Petit-Palais, tél. 05.57.69.86.92, fax 05.57.69.87.00, e-mail cazalio@wanadoo.fr
☑ ⌶ 🚶 t.l.j. sf dim. 8h-12h 13h30-18h30
🔑 J.-M. Carrère

CH. CHAPELLE MARACAN
Élevé en fût de chêne 2005 ★★

■ 6,4 ha 38 000 ⬮ 5 à 8 €

Un domaine d'un peu moins de 20 ha répartis sur deux coteaux. Les dégustateurs ont eu du mal à départager les deux bordeaux supérieurs. Ce Chapelle Maracan présente l'originalité d'une composition de 40 % de merlot seulement pour 60 % de cabernets, fait rare dans cette région. Au nez, la réglisse et le café s'allient aux notes de fruits mûrs. Les tanins bien présents s'enrobent dans la chair ronde qui monte en puissance jusqu'en finale. **La Chapelle d'Aliénor 2005** obtient aussi deux étoiles. À base de 90 % de merlot, ce vin fait la part belle à la griotte et laisse une impression de fraîcheur. Il faudra attendre que le bois se fonde, mais l'équilibre est là.
🔑 Aliénor de Malet Roquefort, Saint-Pey-d'Armens, BP 12, 33330 Saint-Émilion, tél. 05.57.56.05.06, fax 05.57.56.40.89, e-mail sales@malet-roquefort.com

CH. DE CHAVERCY 2005

■ 1 ha 4 000 ▮ 5 à 8 €

Dans cette région du Verdelais chère à Mauriac et à Toulouse-Lautrec, le domaine repris par Sophie et Didier

Tordeur il y a sept ans s'étend sur 25 ha. Le merlot trouve une situation favorable à sa maturation sur un coteau argilo-calcaire. Il est l'unique cépage de ce vin simple et frais, dont la teinte vermillon annonce les arômes de fruits mûrs tout disposés à se libérer à la première aération. L'attaque est souple, la suite harmonieuse et la finale friande.

Sophie et Didier Tordeur, Ch. Les Guyonnets, 33490 Verdelais, tél. et fax 05.56.62.09.89, e-mail didiertordeur@aol.com r.-v.

CH. CILORN 2005

■ 2,8 ha 14 400 5 à 8 €

Si le nom de ce château rappelle les dragons d'Avalon et du cycle arthurien, celui de La Claymore renvoie à la guerre de Cent Ans et désigne un ancien lieu de garnisons des Écossais. Classique, ce 2005 vermillon aux éclats attrayants se montre discret au nez, mais une légère aération suffit à révéler sa complexité. Les arômes s'expriment au palais, au sein d'une chair ronde soutenue par une structure équilibrée. La présence unique du merlot explique l'amabilité de ce vin déjà prêt à boire avec toutes sortes de plats.

SCEA Claymore, La Claymore, Maison Neuve, 33570 Lussac, tél. 05.57.74.67.48, fax 05.57.74.52.05, e-mail laclaymore@anavim.com
t.l.j. sf sam. dim. 8h30-12h 14h-17h
Linard

CLOS DES MOINES Élevé en fût de chêne 2005 *

■ 2,35 ha 15 000 5 à 8 €

Accompagné d'une côte de bœuf ou d'un fromage corsé, ce 2005 s'exprimera au mieux. Il est issu exclusivement de merlot récolté sur un terroir argilo-calcaire. Les notes grillées, héritées de douze mois d'élevage sous bois, se marient aux arômes fruités, puis aux notes de noix muscade. Ample, le vin possède un corps solide, mais équilibré, qui ne pourra qu'évoluer favorablement au cours des trois ou quatre prochaines années.

Union de producteurs de Lugon, 6, rue Louis-Pasteur, 33240 Lugon, tél. 05.57.55.00.88, fax 05.57.84.83.16 r.-v.

LA CÔTE DU GOMBEAU 2004 *

■ 0,31 ha 1 500 8 à 11 €

Une petite parcelle composée des cépages merlot, cabernet franc et malbec, dans le haut Entre-deux-Mers, constitue ce domaine qui est sorti en 2002 du système coopératif. Le 2004, d'un rouge intense, laisse exploser ses arômes fruités, nuancés d'épices et de grillé. Il se montre harmonieux au palais, de bonne longueur ; les tanins un peu fermes, mais de qualité, présagent son aptitude à une garde de deux ou trois ans.

Richard Vanrenterghem, Peyror, 33710 Gauriac, tél. 05.57.64.83.59, fax 05.57.64.93.51, e-mail la.cote.du.gombeau@wanadoo.fr r.-v.

CH. COURTEY Cuvée Margo 2005 *

■ 1,75 ha 10 000 5 à 8 €

Un hommage d'un papa vigneron à sa fille Margo, née en 1994. Habillée d'une robe bordeaux – comme il se doit –, cette cuvée se pare d'arômes épicés et réglissés, puis emplit le palais de sa chair souple et fruitée, laissant une impression de volupté jusqu'en finale. À servir aujourd'hui comme demain avec des viandes blanches.

SCEA Courtey, 33490 Saint-Martial, tél. 06.70.62.11.32, fax 05.56.76.42.56, e-mail chateaucourtey@wanadoo.fr r.-v.

CH. LA COURTIADE 2005 *

■ 15 ha 100 000 3 à 5 €

Un rouge intense à reflets violets pour accroche, un nez floral et fruité, plein de fraîcheur par ses notes mentholées : la séduction opère. La bouche n'est pas en reste, ample et généreuse, tapissée de tanins certes présents, mais veloutés. L'équilibre perdure jusqu'en finale. Également vinifié par la cave, le **Ch. Vergnes-Beaulieu 2005 (5 à 8 €)** obtient une étoile.

Closerie d'Estiac, Les Lèves, 33220 Sainte-Foy-la-Grande, tél. 05.57.56.02.33, fax 05.57.56.02.22, e-mail jm.portier@univitis.fr
t.l.j. sf dim. lun. 9h30-12h30 15h-18h

CH. CROIX-MOUTON 2005 **

■ n.c. 85 000 8 à 11 €

Un vignoble bien situé sur l'île du Carney, car, du haut de son coteau (un mouton ou une motte, en vieux français), jamais il n'aura les pieds dans l'eau. Il n'en profite pas moins des sols argilo-limoneux où le merlot se plaît. L'harmonie est remarquable dans ce vin qui marie les fruits mûrs aux notes de torréfaction et de vanille issues du bois. Soyeux, il tire profit d'une structure souple, enveloppée de flaveurs confites et épicées. Le déguster dès maintenant pour profiter de sa jeunesse ou bien l'attendre entre trois et cinq ans pour lui laisser le temps de se fondre plus encore et le redécouvrir dans toute son élégance.

Jean-Philippe Janoueix, SCEA Ch. Croix-Mouton, 83, cours des Girondins, 33500 Libourne, tél. 05.57.25.91.19, fax 05.57.48.00.04, e-mail topwinesonly@free.fr r.-v.

CH. LES DAMES DE LA RENARDIÈRE 2005 *

■ 6 ha 35 000 5 à 8 €

Ce domaine se situe à moins de 3 km de l'abbaye de La Sauve-Majeure. Lorsqu'elle en a fait l'acquisition, voilà bientôt vingt ans, Nicole Dupuy s'est investie dans la rénovation du château et de l'outil de vinification, même si elle demeure une partie de l'année aux Bahamas. Le 2005, encore discret, demande à être aéré pour révéler la complexité de ses arômes de fruits rouges finement vanillés, réglissés et cacaotés. Les tanins soyeux s'enrobent dans la chair volumineuse pour laisser en finale une sensation d'harmonie.

Nicole Dupuy, SCEA La Renardière, Audigeay, 33670 La Sauve-Majeure, tél. et fax 05.56.23.37.08, e-mail scea.renardiere@wanadoo.fr
t.l.j. 8h-12h 13h30-17h30

CH. DESCLAU
Cuvée Marguerite Élevé en fût de chêne 2004

■ 4 ha 26 000 3 à 5 €

Un équilibre merlot-cabernets classique pour ce vin finement torréfié et de structure solide. Le fruit et le bois trouvent un bon compromis, puis la chair monte en puissance jusqu'à une finale un peu austère. Une bouteille à servir d'ici 2009 avec des viandes rouges grillées.

Grands Vins de Gironde, Dom. du Ribet, BP 59, 33450 Saint-Loubès, tél. 05.57.97.07.20, fax 05.57.97.07.27, e-mail gvg@gvg.fr
SC Ch. Sénailhac

BORDELAIS

CH. L'ESCART Prestige l'Éden 2005 *

■ 21 ha 120 000 5 à 8 €

Les pèlerins en route pour Saint-Jacques-de-Compostelle avaient coutume de faire halte dans cette chartreuse entourée de chênes. Vous vous y arrêterez à votre tour pour y découvrir cette cuvée toute fruitée (pruneau cuit, cerise à l'eau-de-vie) qui emplit le palais de sa chair ample. Les tanins serrés sont encore un peu tendus, mais le vin possède suffisamment d'étoffe pour bien évoluer au cours des deux ou trois prochaines années.

Gérard Laurent, 70, chem. de Couvertaire, 33450 Saint-Loubès, tél. 05.56.77.53.19, fax 05.56.77.68.59, e-mail contact@chateaulescart.com r.-v.

CH. LA FLEUR HAUT MOULIN 2004 **

■ 0,25 ha 2 666 5 à 8 €

Laurent Français a tout prévu pour faire de la visite de son château une priorité des œnotouristes : un musée vitivinicole, un moulin-à-vent aménagé et même un spectacle pyrotechnique. Le vin est cependant la première raison d'une halte au domaine. Voyez ce 2004 dont la couleur dense annonce la concentration de la matière. Le nez élégant mêle harmonieusement le fruité de la mûre et de la framboise à un caractère vanillé, puis la bouche apparaît vineuse, riche et grasse, justement soulignée d'une ligne fraîche, garante d'une bonne évolution dans le temps.

Laurent Français, 1, Les Grandes-Terres, 33240 Périssac, tél. 06.85.52.26.88, fax 05.57.84.37.25, e-mail laurent.francais@tele2.fr r.-v.

CH. LA FRANCE 2005 **

■ 75 ha 250 000 5 à 8 €

Une propriété de 90 ha d'un seul tenant, commandée par un château de style Restauration, édifié au XIXᵉs. Il faudra attendre au moins cinq ans pour apprécier à sa juste valeur ce vin densément coloré, à reflets pourpres. Le nez complexe et puissant exprime la griotte, le café et la vanille, arômes qui réapparaissent au palais, dans une chair solide et ronde. Les tanins généreux, bien extraits, sont encore dominés par le fût, mais l'ensemble est prometteur.

Ch. La France, SCEA de Foncaude, 33750 Beychac-et-Caillau, tél. 05.57.55.24.10, fax 05.57.55.24.19, e-mail contact@chateaulafrance.com t.l.j. sf sam. dim. 10h-12h 14h-17h30; f. déc.-jan.

CH. DE FUSSIGNAC 2004 *

■ 14 ha 48 000 5 à 8 €

Une famille de vignerons qui respecte le terroir et le raisin tout en sachant prendre les risques nécessaires pour obtenir des vins aussi élégants qu'originaux. Celui-ci fait preuve d'équilibre tout au long de la dégustation : arômes boisés subtilement mariés aux notes de fruits confits, rondeur de la matière alliée à des tanins soyeux, finale ample. Dégustez-le dans sa jeunesse.

Jean-François Carrille, pl. du Marcadieu, 33330 Saint-Émilion, tél. 05.57.24.74.46, fax 05.57.24.64.40, e-mail jeanfrancois.carrille@wanadoo.fr r.-v.

CH. GAMAGE Élevé en barrique 2005

■ n.c. 20 000 5 à 8 €

Un vin en tout point équilibré, qui se distingue par sa souplesse dès l'attaque, puis par la fraîcheur de sa finale, à laquelle participent les notes épicées et fruitées déjà perceptibles et plaisantes à l'olfaction. Ne le laissez pas trop vieillir : il perdrait de son authenticité. Une citation également pour le **Château Dartigues Élevé en barrique 2005**, au profil semblable.

Ch. Gamage, 31, av. de la Mairie, 33350 Saint-Pey-de-Castets, tél. 05.57.40.52.02, fax 05.57.40.53.77, e-mail gamage@wanadoo.fr r.-v.

CH. GANDOY-PERRINAT 2005 *

■ 109 ha 480 000 3 à 5 €

Un vaste domaine de 128 ha dans l'Entre-deux-Mers. Son 2005, représentatif de l'appellation, s'affiche dans une robe rubis et libère des arômes intenses de fruits rouges (framboise et fraise des bois). L'attaque est franche, le corps élégant et rond, étayé par des tanins serrés qui laissent en finale une légère impression d'austérité. Nulle inquiétude : deux ans de garde suffiront à y remédier.

Anne-Marie et Michel Martin, SC Gandoy-Perrinat, BP 17, 33540 Sauveterre-de-Guyenne, tél. 05.56.71.50.76, fax 05.56.71.87.70, e-mail ilymartin@laguyennoise.com

CH. GAURY BALETTE
Comte Auguste Vieilli en fût de chêne 2005 **

■ 1,7 ha 11 200 8 à 11 €

Vous pourrez déguster ce vin tout au long d'un repas, car il se mariera aussi bien avec un gibier ou une grillade, qu'avec un fromage et même un dessert au chocolat. Le merlot apporte son lot d'arômes de fruits rouges, les cabernets leur fraîcheur épicée, le fût ses notes finement vanillées, l'ensemble créant une palette complexe. Gras, soyeux, structuré par des tanins serrés, le palais décline le même registre. Un travail bien fait, en somme.

Bernard Yon, Ch. Gaury Balette, 33540 Mauriac, tél. 05.57.40.52.82, fax 05.57.40.51.71, e-mail bernard-yon@wanadoo.fr lun. mar. jeu. 14h-18h

DOM. DES GRANDES CÔTES
Élevé en fût de chêne 2005 *

■ 3 ha 14 000 5 à 8 €

Le nom de Grandes Côtes désigne la plus grande parcelle de vignes de cette propriété de plus de 18 ha, implantée sur un terroir graveleux et argilo-calcaire. Merlot (70 %) et cabernet ont donné naissance à un bordeaux supérieur ouvert sur des arômes de fruits confits et un boisé vanillé. C'est un vin de plaisir par sa finesse et sa structure souple, faite de tanins mûrs et déjà patinés. À déguster avec des plats raffinés pour lui laisser toute la place qu'il mérite à table.

Bernard Manein, 33750 Beychac-et-Caillau,
tél. et fax 05.56.72.81.10,
e-mail domaine.desgrandescotes@wanadoo.fr
r.-v.

CH. GRAND JUAN Élevé en fût de chêne 2005 ★★

2 ha 8 000 5 à 8 €

Un terroir argilo-calcaire bien exposé, des vendanges réalisées dans les derniers jours de septembre, une majorité de merlot pour un quart de cabernet-sauvignon. Il n'en fallait pas moins pour obtenir ce vin de teinte noir brillant qui livre volontiers ses arômes de fruits confits. Il se montre riche, charnu, tout en suavité. Rien ne domine, tout se fond en lui. Pourquoi attendre pour le déguster, si ce n'est pour en profiter tout au long des deux à trois prochaines années ? Il saura vieillir en gardant ses qualités.

SCEA Jean-Dominique Petit, Rieuflaget,
33790 Saint-Antoine-du-Queyret, tél. 05.56.61.33.78,
fax 05.56.61.39.84, e-mail haut-rieuflaget@wanadoo.fr
r.-v.

GRAND MOULIN Prélude n° 5 2005 ★

n.c. 7 800 15 à 23 €

Une composition libre que ce bordeaux supérieur issu du seul merlot récolté bien mûr sur des sols sablonneux ? Une partition bien travaillée surtout, car, si le bois est encore très présent à ce jour, il devrait laisser place dans le temps aux arômes de fruits noirs et de cerise à l'eau-de-vie. Les tanins apparaissent souples, la chair ronde et soyeuse, l'équilibre harmonieux.

GAEC du Grand Moulin, La Champagne,
33820 Saint-Aubin-de-Blaye, tél. 05.57.32.62.06,
fax 05.57.32.73.73, e-mail jfreaud@wanadoo.fr
t.l.j. sf dim. 8h-12h 14h-18h 3

CH. LE GRAND VERDUS 2005 ★

81 ha 550 000 5 à 8 €

Depuis plus de deux siècles, la famille Le Grix de La Salle est propriétaire de cette gentilhommière fortifiée, édifiée au XVIes. dans le style Renaissance et qui commande aujourd'hui 95 ha de vignes sur un terroir argilo-calcaire et graveleux. Rubis étincelant, le 2005 affirme des notes confites élégamment boisées. Au palais, une juste fraîcheur assure une persistance agréable ; les tanins sont encore serrés, mais en passe de s'assouplir. À attendre deux ou trois ans.

Ph. et A. Le Grix de La Salle,
Ch. Le Grand Verdus, 33670 Sadirac,
tél. 05.56.30.50.90, fax 05.56.30.50.98,
e-mail le.grand.verdus@wanadoo.fr r.-v.

DOM. DE LA GRAVE R 2005 ★

5 ha 25 000 8 à 11 €

De passage au domaine de La Grave, vous visiterez le musée du Vin et de la Tonnellerie avant ou après la dégustation de ce 2005. Le malbec domine l'assemblage : 70 %, pour 30 % de merlot, assez rare dans la région. Couleur intense, le vin arbore un bouquet de pain grillé, de torréfaction et de fruits à l'eau-de-vie, avant de développer une chair puissante et équilibrée, élégante. La **Cuvée Vieilles Vignes de 1923 2005 rouge (15 à 23 €)** obtient une citation : issue de merlot, elle revêt le caractère charnu et souple attendu et peut être servie dès à présent. Citée également, la **Cuvée Vieilles Vignes de 1923 2005 blanc (15 à 23 €)**, un moelleux issu du seul sémillon.

SCEA Roche,
Dom. de La Grave, 11, rte de Perriche,
33750 Beychac-et-Caillau, tél. 05.56.72.41.28,
fax 05.56.72.08.33, e-mail vignobleroche@wanadoo.fr
t.l.j. 9h-19h; sam. dim. 10h-13h 15h-18h;
groupes sur r.-v.

CH. LA GRAVETTE DES LUCQUES 2005 ★

4,35 ha 29 000 5 à 8 €

Il vous faudra patienter entre deux et quatre ans avant d'aborder ce 2005 et investir dans une carafe pour favoriser l'épanouissement de ses arômes. Pour l'heure finement réglissé (Zan), grillé, épicé et torréfié (café, chocolat), il possède une texture solidement structurée, puissante, gage d'une bonne évolution dans le temps. Les tanins devraient s'arrondir pour vous récompenser de votre patience.

EARL Patrice Haverlan, 11, rue de l'Hospital,
33640 Portets, tél. et fax 05.56.67.11.32,
e-mail patrice.haverlan@worldonline.fr r.-v.

CH. GUILLAUME BLANC
Cuvée du Consul Élevé en fût de chêne 2005 ★

6,5 ha 20 000 5 à 8 €

Proche de Sainte-Foy-la-Grande, cette propriété de plus de 76 ha implantée en coteau porte le nom de celui qui fut consul de la bastide, au XVIes. La cuvée du Consul, bien typée, porte un habit grenat profond aux reflets brillants et offre un bouquet complexe de fruits macérés, légèrement confits. Des arômes qui se prolongent dans la chair ample et grasse, bien structurée. L'empreinte de l'élevage en barrique est encore perceptible, mais elle se fondra au profit de l'élégance. Une étoile revient également au **Château Guillaume Blanc 2005 Élevé en fût de chêne** : floral, fruité et épicé, il se montre si suave qu'il mérite d'être dégusté sans attendre. Plus discret, le **Château Les Grands Briands 2005 (3 à 5 €)**, qui n'a pas connu le bois, est cité.

Guillaume Blanc, SCEA Ch. Guillaume, BP 43,
33220 Saint-Philippe-du-Seignal, tél. 05.57.41.91.50,
fax 05.57.46.48.16 r.-v.

CH. HAUT DAMBERT Agape 2005 ★

0,5 ha 2 500 11 à 15 €

En 1998, Jean-Luc Buffeteau, œnologue, faisait son retour sur la propriété familiale de 22 ha. D'une croupe argilo-calcaire exposée est-ouest est né ce vin de pur merlot, qui se présente dans une robe rouge sombre. Aux arômes de fruits à l'eau-de-vie, de pruneau et d'épices répond une bouche souple et ronde, encore marquée par la signature vanillée du bois. Un 2005 prometteur. Issu d'une sélection parcellaire de cabernet-sauvignon, le **Château Haut Dambert 2005 (5 à 8 €)** obtient la même note.

SCEA Vignobles Buffeteau, lieu-dit Dambert,
33540 Gornac, tél. 05.56.61.97.59, fax 05.56.61.97.65,
e-mail jean.buffeteau@gmail.com r.-v.

CH. HAUT D'ARZAC Vieilli en fût de chêne 2005

3 ha 21 000 3 à 5 €

Ce vin porte encore la marque de ses dix-huit mois d'élevage en fût. Les notes vanillées et grillées dominent en effet l'expression des arômes de fruits rouges tant au nez qu'au palais. Toutefois, la chair ronde, d'une persistance satisfaisante, s'appuie sur des tanins soyeux qui rendent la dégustation agréable dès aujourd'hui à ceux qui n'auront pas la patience d'attendre deux ans.

🔑 Gérard Boissonneau, 18, rte de Bordeaux, 33420 Naujan-et-Postiac, tél. 05.57.74.91.12, fax 05.57.74.99.60 ☒ Y 🚶 t.l.j. 8h-12h 14h-19h

CH. HAUT-GAUSSENS 2005 *

■ 3,9 ha 26 000 🍾 3 à 5 €

Les dégustateurs sont unanimes sur l'équilibre de ce vin, sur sa souplesse et son élégance. Le nez, encore discret, ne demande qu'à s'ouvrir à la faveur de l'aération : fruits très mûrs et note complexe de truffe. Un bordeaux supérieur à découvrir d'ici 2010, en accompagnement de viandes rouges ou blanches et de fromages à pâte dure.

🔑 Lhuillier, SCEA Ch. Les Gaussens, 4, Les Gaussens, 33240 Vérac, tél. 06.17.57.48.45, fax 05.57.84.42.55, e-mail chateauhautgaussens@orange.fr ☒ Y 🚶 r.-v.

CH. HAUT LA PEREYRE 2005 *

■ 7 ha 42 000 🍾 5 à 8 €

Un vin typé, marqué par l'assemblage à parts égales du merlot et des cabernets. Dans deux ou trois ans, il révélera toute l'harmonie que les dégustateurs pressentent aujourd'hui devant ses notes discrètes de fruits et d'épices, sa chair ronde en attaque, puis soutenue par des tanins de qualité. Si vous ne pouvez y résister plus longtemps, décantez-le pour favoriser son expression.

🔑 EARL Vignobles Cailleux, La Péreyre, 33760 Escoussans, tél. 05.56.23.63.23, fax 05.56.23.64.21, e-mail olivier.cailleux@wanadoo.fr ☒ Y 🚶 r.-v.

CH. HAUT NIVELLE

Prestige Élevé en fût de chêne 2005 **

■ 5 ha 35 000 🛢 5 à 8 €

Les gelées de printemps, tel est l'ennemi numéro un dans ce vignoble laissé à l'abandon dans les années 1960, après de trop nombreuses récoltes perdues. Reconstitué dans les années 1980, le voici aujourd'hui, fort de 31 ha, méticuleusement protégé par une installation antigel. Merlot (50 %), cabernet-sauvignon (40 %) et cabernet franc ont produit un 2005 d'une élégance notable tant par ses arômes de fruits relevés d'épices douces que par sa bouche généreuse et friande. Les tanins soyeux, suaves et discrets, participent à l'équilibre de ce vin brillant comme un rubis, qui laisse une impression de plénitude. À déguster dès aujourd'hui ou à attendre deux ou trois ans.

🔑 SCEA les Ducs d'Aquitaine, Favereau, 33660 Saint-Sauveur-de-Puynormand, tél. 05.57.69.69.69, fax 05.57.69.62.84, e-mail vignobles@lepottier.com ☒ Y 🚶 r.-v.

🔑 Le Pottier

CH. HAUT-POUGNAN 2005

■ 6 ha 40 000 🛢 5 à 8 €

Une robe noire des plus classiques, brillante, habille ce vin au nez de fruits noirs, souligné de truffe. Ce classicisme s'impose au palais à travers des tanins solides, encore un peu rustiques. L'attaque est souple, cependant, et la matière suffisante pour envelopper cette structure dans les deux ou trois ans.

🔑 SCEA Ch. Haut-Pougnan, 6, chem. de Pougnan, 33670 Saint-Genès-de-Lombaud, tél. 05.56.23.06.00, fax 05.57.95.99.84, e-mail haut-pougnan@wanadoo.fr ☒ Y 🚶 t.l.j. 8h-12h 14h-18h

CH. HAUT TERRASSON 2005 *

■ 20 ha 120 000 🍾🛢 3 à 5 €

Les Gonfrier n'ont pas ménagé leur peine depuis qu'ils ont racheté ce domaine en 1998 : ils ont restructuré le vignoble, rénové le cuvier pour tirer le meilleur parti de ce coteau argilo-graveleux qui domine la Garonne. Résultat : un 2005 floral et fruité (cerise), ponctué de notes boisées bien fondues, qui fait déjà preuve de complexité. L'élégance caractérise la bouche ronde en attaque, dotée de tanins souples, le fruit laissant une impression gourmande de fraîcheur jusqu'en finale.

🔑 SCEA Gonfrier Frères, Ch. de Marsan, BP 5, 33550 Lestiac-sur-Garonne, tél. 05.56.72.14.38, fax 05.56.72.10.38, e-mail gonfrier@wanadoo.fr ☒ Y 🚶 r.-v.

🔑 GFA Gonfrier

L'HÉRITIER DE NORMANDIN 2005 *

■ 4 ha 12 000 🛢 5 à 8 €

Jean-Marc Alicandri est l'héritier de ce domaine familial de 45 ha. De retour d'Australie en 2000, il a décidé de vendre lui-même la totalité de sa production. Aujourd'hui, il se lance dans la plantation de petit-verdot sur ce terroir argilo-calcaire. Son 2005, composé à 95 % de merlot et d'une touche de cabernet-sauvignon, fait preuve d'équilibre tant par sa palette fruitée nuancée de boisé que par ses tanins souples et avenants, enveloppés d'une matière ample, ronde. Aucun doute, l'extraction a été bien maîtrisée. Une certaine fraîcheur est également perceptible, indice d'une bonne capacité de vieillissement..

🔑 EARL R. Alicandri et Fils, 12, Le Bourg, 33750 Saint-Quentin-de-Baron, tél. et fax 05.57.24.26.03, e-mail closnormandin@wanadoo.fr ☒ Y 🚶 r.-v.

DOM. DE L'ÎLE MARGAUX

Cuvée Mer de Garonne 2004 *

■ 13,75 ha 6 000 🛢 15 à 23 €

Implanté sur l'une des plus anciennes îles de l'estuaire de la Gironde (dont Henri IV fut propriétaire), ce domaine bénéficie de son microclimat : ici aucun risque de gelée, mais un stress hydrique favorable à la vigne, lié aux phénomènes des marées. Cette cuvée, vinifiée intégralement en fût de 400 l, se présente dans une robe pourpre profond et livre un nez fruité complété de fines notes boisées. La structure de tanins mûrs étaye une chair ronde et persistante. Les dégustateurs ont reconnu un même travail de qualité dans la cuvée principale **Domaine de l'Île Margaux 2004 (11 à 15 €)**, plus légère mais équilibrée. Celle-ci obtient une citation.

Dom. de L'Île Margaux, 33460 Margaux,
tél. 06.81.21.33.23, fax 05.57.88.35.87,
e-mail domaine@ilemargaux.com r.-v.
Favarel

CH. DE JABASTAS

Cuvée Prestige Élevé en fût de chêne 2005 ★★

■ 3,5 ha 20 000 5 à 8 €

Ce vignoble se situe en bordure de la Dordogne, tout près de la commune de Saint-Pardon, lieu préféré des surfeurs qui viennent profiter de la vague du mascaret. Chaque année, les propriétaires convient leurs amis et clients de Belgique à venir faire les vendanges. Tous peuvent être fiers de ce 2005 à la robe vive qui livre un nez intense de fruits cuits (pruneau) et de fruits rouges mûrs. Franc et solidement charpenté, il possède aussi du gras et une pointe de fraîcheur propre à lui assurer une bonne évolution. La persistance est un autre des ses atouts. Une étoile brille pour la cuvée principale **Château de Jabastas 2005** qui pourra être dégustée plus jeune afin de profiter de son fruité.

SCEA Ch. de Jabastas, 35, av. des Prades,
33450 Izon, tél. 05.57.84.97.13, fax 05.57.84.97.14,
e-mail chateaudejabastas@skynet.be r.-v.

CH. JULIAN 2005 ★★

■ 5 ha 30 000 8 à 11 €

Exploitation familiale transmise depuis neuf générations, les vignobles Dulon n'ont cessé de se développer pour atteindre 120 ha sur la rive droite de la Garonne. Ce 2005, au nez de cerise bien marié à un boisé élégant, est de bonne facture. Structuré, puissant, concentré, mais souple, il bénéficie de tanins soyeux et promet d'évoluer avec élégance en trois ou quatre ans. Noté une étoile, le **Château Grand Jean 2005** a la même carrure ; il ne lui reste plus qu'à marier l'empreinte du bois au fruit.

SC Dulon, 133, Grand-Jean, 33760 Soulignac,
tél. 05.56.23.69.16, fax 05.57.34.41.29,
e-mail dulon.vignobles@wanadoo.fr r.-v.

CH. LAFITE MONTEIL

Élevé en fût de chêne 2005 ★

■ 48 ha 314 000 3 à 5 €

C'est au XIX^e^s. que le vignoble du château Lafite Monteil a été créé par son célèbre propriétaire, Gustave Eiffel. Il compte aujourd'hui pas moins de 106 ha. Élevé dans la tradition bordelaise, ce 2005 s'exprime harmonieusement, avec discrétion : le boisé souligne les notes de fruits rouges confits, la bouche ronde persiste sur le fruité en laissant une impression tendre et fraîche à la fois. Citée, **La Réserve de Lafite Monteil 2005** joue sur les fruits rouges avec, en finale, une pointe acidulée.

SCEA Ch. Grand Monteil, BP 8, 33370 Sallebœuf,
tél. 05.56.21.29.70, fax 05.56.78.39.91,
e-mail maisongrandmonteil@wanadoo.fr
t.l.j. sf sam. dim. 9h-17h
Jean Technet

CH. LAGNET 2005

■ 22 ha 150 000 3 à 5 €

La famille Leclerc possède depuis presque vingt ans ce château du XVI^e^s. Issu d'une vinification bien menée, ce vin arbore une robe rubis intense. Le nez, un peu timide, peut surprendre par ses notes animales, mais celles-ci, agréables, laissent bientôt place au fruit. L'attaque est souple, les tanins bien inscrits dans une chair ronde, si bien que l'équilibre se réalise.

GFA Les Trois Châteaux, 1, Lagnet,
33350 Doulezon, tél. 05.57.40.51.84,
fax 05.57.40.55.48, e-mail contact@les3chateaux.com
t.l.j. sf sam. dim. 9h-12h15 14h-18h

CH. DE LAGORCE

Réserve Élevé en barrique de chêne 2004

■ 2 ha 14 000 5 à 8 €

Une petite production issue d'un terroir argilo-calcaire où le cabernet-sauvignon est aussi présent que le merlot. Ici, le chai est installé dans une ancienne église du XV^e^s. Brillant de reflets violets, ce vin est avenant grâce à ses arômes de cacao, de vanille et de cassis. Il possède de la sève et une trame soyeuse qui le rendent déjà aimable.

Benjamin Mazeau, Lagorce, 33760 Targon,
tél. 05.56.23.60.73, fax 05.56.23.65.02,
e-mail cht.de.lagorce@wanadoo.fr r.-v.

CH. LAGRANGE LES TOURS

Les Cent Rangs 2005 ★

■ 4,5 ha 28 000 8 à 11 €

En 2001, les frères Choquet ont créé la cuvée Les Cent Rangs, en s'appuyant sur les conseils de Jean-Marc Dournel. Leur devise : pas plus de bois qu'il n'en faut. La franchise de ce 2005 s'impose au premier coup d'œil : il possède la couleur bordeaux d'un merlot bien mûr. Viennent ensuite les arômes de pruneau et un boisé discret. À l'attaque, le vin joue sur la fraîcheur avant de révéler sa matière souple et gourmande. Une petite note rustique due aux tanins encore jeunes est perceptible en finale, mais elle n'est que passagère et promet un bon vieillissement pendant au moins cinq ans. Citée, la cuvée principale **Château Lagrange Les Tours 2005 (5 à 8 €)** offre un bouquet naissant de cuir et de tabac. Ses tanins déjà affinés autorisent un service immédiat lors d'un repas décontracté.

SCEA des Vignobles Choquet,
30, rue de Bernescut, 33240 Cubzac-les-Ponts,
tél. et fax 05.57.43.04.96,
e-mail vignobles.choquet@wanadoo.fr r.-v.

CH. LAMARCHE Lutet Vieilles Vignes 2005 ★

■ 5 ha 33 000 8 à 11 €

Au nez, tout se mêle si intimement qu'il semble bien difficile de citer les arômes un à un : fruité, griotte, réglisse, notes minérales. Une richesse aromatique qui trouve écho en bouche, en accord avec la chair équilibrée, structurée et persistante. S'il peut déjà faire son entrée à table, ce vin saura aussi tirer profit d'une garde d'un an ou deux : les tanins encore un peu jeunes se fondront pour lui donner toute l'élégance souhaitée.

Ch. Lamarche-Canon, Ch. Lamarche,
33126 Fronsac, tél. et fax 05.57.51.28.13,
e-mail chateau.lamarche.canon@wanadoo.fr
t.l.j. 10h-19h
Julien

CH. LAMOTHE-VINCENT Héritage 2005 ★★

■ 6,5 ha 40 000 5 à 8 €

À mi-chemin entre le château de Rauzan et l'abbaye de Blasimon, ce domaine de 80 ha jouit d'une bonne réputation. Christophe et Fabien Vincent, à sa tête depuis 2001, ont su mettre en valeur cet héritage familial. En témoigne cette cuvée vêtue de rouge sombre et profond, presque noir. Les arômes riches évoquent non seulement

le grillé, le toasté et le vanillé apportés par douze mois d'élevage sous bois, mais aussi les fruits noirs confits nuancés de notes mentholées. La bouche ample, charnue et chaleureuse, parvient à un remarquable équilibre entre le boisé et le fruité. Elle est soutenue par une structure de tanins au grain fin jusqu'à la longue finale. Un vin de charme, plein d'avenir.

Vignobles Vincent, 3, chem. Laurenceau, 33760 Montignac, tél. 05.56.23.96.55, fax 05.56.23.97.72, e-mail info@lamothe-vincent.com
r.-v.

CH. LARONDE DESORMES 2005 ★★

7,6 ha 41 000 8 à 11 €

Les amateurs de vins boisés dégusteront ce 2005 dans sa jeunesse. Le fruit (groseille, mûre) n'en est pas moins présent, l'attaque souple et fraîche, la chair pleine en milieu de bouche, avec une finale chaleureuse. Aux amateurs de vins plus patinés, nous conseillons une garde de deux ou trois ans qui suffira à arrondir les tanins. Une bouteille à suivre de près.

SC Ch. Laronde Desormes, 33460 Macau, tél. 05.57.88.07.64, fax 05.57.88.07.00, e-mail vitigestion@wanadoo.fr r.-v.

CH. LARROQUE-VERSAINES 2004 ★

3,55 ha 11 000 5 à 8 €

« Pas plus sage qu'il ne faut », telle est l'une des maximes que Montaigne affectionnait. Serait-il trop sage ce vin, discret dans ses notes fraîches de fruits rouges, finement toastées ? Pourtant, la souplesse de l'attaque, l'ampleur de la bouche et la qualité des tanins, au-delà de leur austérité présente, sont des signes prometteurs pour l'avenir. À terme, le merlot dominant, récolté à bonne maturité, ne saurait donner d'autre caractère que la rondeur et la finesse.

Alain Laubie, 163, rue Larroque, 33910 Saint-Ciers-d'Abzac, tél. 05.57.69.02.78, fax 05.57.49.42.47 r.-v.

CH. LASCAUX Élevé en fût de chêne 2005

5,43 ha 38 000 5 à 8 €

Une équipe soudée met en valeur ce terroir argilo-calcaire qui domine la commune de Saint-Martin-du-Bois. Elle propose un 2005 aux notes d'épices et de fruits mûrs. Si l'attaque est ronde, le vin évolue vers une finale plus austère sous l'influence de tanins serrés. À surveiller pendant deux petites années afin de le servir au meilleur moment avec des tournedos ou des magrets grillés.

Fabrice Lascaux, La Caillebosse, 33910 Saint-Martin-du-Bois, tél. 05.57.84.72.16, fax 05.57.84.72.17, e-mail chateau.lascaux@cegetel.net
r.-v.

CH. LESCALLE 2005 ★

30 ha 120 000 5 à 8 €

Déjà remarqué avec une étoile dans le millésime 2004, ce bordeaux supérieur retrouve le même rang en 2005, signe de régularité dans les soins apportés à la vinification. Une robe intense à reflets violacés, des arômes de fruits pleins de soleil que le bois souligne de notes épicées. Cette maturité se retrouve en bouche, la chair ronde enveloppant une structure de qualité. La finale est longue, encore un peu austère, mais c'est là un signe de bonne aptitude au vieillissement.

EURL Ch. Lescalle, BP 11, 33460 Macau, tél. 05.57.88.07.64, fax 05.57.88.07.00, e-mail vitigestion@wanadoo.fr
t.l.j. sf sam. dim. 9h-12h 14h-17h

CH. LESTRILLE 2005 ★★

10 ha 60 000 3 à 5 €

Jean-Louis Roumage est à la tête de cette propriété familiale de plus de 42 ha qui fait la part belle au merlot sur des sols argilo-limoneux. Aujourd'hui, il prend un peu de distance et en confie les rênes à sa fille Estelle. Ce 2005 a séduit le jury par son élégante robe noire et son bouquet puissant de fruits à noyau et de pruneau. La chair est enveloppante, ronde, grasse, en accord avec le nez par ses flaveurs. Les tanins denses tapissent le palais sans agressivité aucune et laissent s'exprimer une savoureuse finale. À attendre entre deux et cinq ans. Une étoile brille pour le **Château Lestrille Capmartin 2004 cuvée Tradition Élevé en fût de chêne (5 à 8 €)**, aux arômes de fruits noirs et de boisé. Vin étoffé, aux tanins serrés, il mérite lui aussi de patienter en cave avant d'être servi à des connaisseurs.

Jean-Louis Roumage, Ch. Lestrille, 15, rte de Créon, 33750 Saint-Germain-du-Puch, tél. 05.57.24.51.02, fax 05.57.24.04.58, e-mail jlroumage@lestrille.com
t.l.j. 8h30-12h30 14h-18h; sam. dim. sur r.-v.

CH. LIEUMENANT Vieilli en fût de chêne 2005 ★

n.c. 34 266 3 à 5 €

En 1999, la famille Cardarelli, déjà propriétaire du château La Borne, a racheté à l'un de ses oncles cette propriété. Sur des sols de boulbènes et d'argile, merlot (60 %) et cabernet-sauvignon ont donné naissance à ce vin expressif, empreint de fruits mûrs finement épicés et réglissés. Rubis à reflets violets, celui-ci charme par la finesse de sa chair souple, ronde et persistante, aux tanins parfaitement domptés. Nul besoin d'attendre plus de quelques mois pour profiter de ce 2005 déjà épanoui.

SCEA Cardarelli, La Borne, 33790 Massugas, tél. 05.56.61.48.13, fax 05.56.61.32.38
t.l.j. 8h-12h 14h-19h

CH. DE LUGAGNAC Éos 2004

7,5 ha 30 000 11 à 15 €

Édifié entre les XIe et XIIIes., puis remanié au XVIIes., ce château élégant est reconnu par les professionnels du tourisme en Gironde. Les amateurs d'architecture et de vin y découvriront ce 2004 finement ourlé de reflets d'évolution. Au nez de fruits noirs, de toasté et de torréfaction répond une bouche ample et souple. Les tanins commencent à se fondre, mais il faudra encore deux ans pour que le bois s'efface élégamment au profit d'un fruit complexe.

Famille Bon, SCEA du Ch. de Lugagnac, 33790 Pellegrue, tél. 05.56.61.30.60, fax 05.56.61.38.48, e-mail clugagnac@aol.com t.l.j. 9h-12h 14h-18h

CH. MAJOUREAU Hyppos 2005 ★

3 ha 13 000 5 à 8 €

Bernard et Monique Delong ont les deux mêmes passions : le cheval et la mer, ce qui explique qu'un hippocampe symbolise leur domaine de 38 ha et qu'une cuvée ait été créée au nom de Hyppos. Celle-ci, issue du mariage du merlot et du cabernet franc à parts égales, sur sol argilo-calcaire, se présente dans une robe d'un noir profond et brillant. Le nez rappelle les fruits confits, la confiserie même, tandis que la bouche douce et tendre repose sur des tanins délicats. Une pointe de vivacité en finale souligne le tout avec harmonie. À déguster ou à garder encore entre deux et trois ans.

Bernard Delong, 1, Majoureau, 33490 Caudrot, tél. 05.56.62.81.94, fax 05.56.62.75.87, e-mail familledelong@hotmail.com r.-v.

CH. MAJUREAU-SERCILLAN Élevé en fût de chêne 2005 ★

10,5 ha 71 000 5 à 8 €

Une demeure du XVIIIe s., une église du XIIIe s. toute proche... et de jolis vins, fierté qu'Alain Vironneau a pu tirer de son travail depuis vingt ans. Son 2005, aux notes de prune et de fruits rouges discrètement boisées, offre une couleur intense, promesse d'une matière pleine et ronde. Les tanins sont en passe de se fondre, malgré la pointe d'austérité qui se manifeste encore en finale. Trois à cinq ans de garde finiront leur patine. Le **Château Tarreyrots 2005** obtient une étoile également : le soyeux des tanins autorise une dégustation plus précoce.

Alain Vironneau, 12, Majureau, 33240 Salignac, tél. 05.57.43.00.25, fax 05.57.43.91.34, e-mail alain.vironneau@wanadoo.fr r.-v.

CH. MALFARD Élevé en fût de chêne 2004

3 ha 12 000 5 à 8 €

Depuis 2001, les nouveaux propriétaires de ce château ont tout mis en œuvre pour rénover la demeure des XVIIIe et XIXe s., et tirer le meilleur parti du terroir argilo-calcaire. Leur 2004 exprime un boisé subtil avant de développer sa matière élégante et fraîche, aux arômes de fruits bien présents. Les tanins fins signent une extraction menée avec doigté. Il ne faudra pas attendre trop longtemps pour savourer cette bouteille avec une viande blanche ou un gibier à plume.

SCA de Malfard, Ch. Malfard, 33910 Saint-Martin-de-Laye, tél. et fax 05.57.84.74.88, e-mail malfard@orange.fr r.-v.

Rivière

MARQUIS DE GÉNISSAC Vieilli en fût de chêne 2005 ★

1,4 ha 7 300 5 à 8 €

Le Marquis de Génissac correspond à une toute petite surperficie de vieilles vignes de merlot. D'un rouge franc, le 2005 déploie une large palette d'arômes de fruits rouges (griotte, framboise mûre) nuancés de douces notes épicées héritées de l'élevage en fût. La bouche est dense, ronde, mais les tanins encore un peu sévères doivent s'assagir et gagner en soyeux.

Les Vignerons de Génissac, 54, le Bourg, 33420 Génissac, tél. 05.57.55.55.65, fax 05.57.55.11.61, e-mail cave.genissac@wanadoo.fr t.l.j. sf dim. 9h-12h 14h-18h

CH. MARTOURET Élevé en fût de chêne 2005 ★

10 ha 40 000 5 à 8 €

Une entrée en matière nette et sans détour : robe cerise brillant. Le nez complexe et franc décline la framboise et la mûre avec de très légères touches boisées. En bouche, une impression de densité s'impose, la chair souple enveloppant une structure de tanins solides qui se fondront encore davantage à la faveur du temps. Un vin bien fait et bien pensé.

SARL Les Vins Dominique Lurton, Martouret, 33750 Nérigean, tél. 05.57.24.50.02, fax 05.57.24.03.30, e-mail dlurton@maison2lurton.com r.-v.

CH. LE MAYNE Cuvée Prestige 2005

44 ha 206 000 8 à 11 €

L'agrément de ce vin réside dans sa discrétion et son équilibre. Les tanins fondus issus d'une extraction douce présentent un grain moyen, mais plaisant, bien intégré à la chair vineuse. À l'aération se révèlent des notes de cerise et de mûre accompagnées d'épices douces, telles que la vanille, et de nuances de café. À déguster sans attendre.

Ch. Le Mayne, 33220 Saint-Quentin-de-Caplong, tél. 05.57.41.00.05, fax 05.57.41.01.39, e-mail chateaulemayne@wanadoo.fr t.l.j. sf sam. dim. 8h-12h 14h-17h30

CH. MIRAMBEAU PAPIN 2004 ★

12 ha 50 000 8 à 11 €

Une composition à parts égales de merlot et de cabernet-sauvignon qui assure un mariage harmonieux des caractères des deux cépages. Rouge aux nombreux reflets violines, le vin affiche un nez intense d'épices, de cassis et de mûre. La bouche est fine, épanouie et équilibrée, d'une jeunesse gourmande. Laissez à ce 2004 un peu de temps pour que les tanins gagnent en velouté.

Vignobles Landeau, 40, av. Saint-Couperie, Mondion, 33440 Saint-Vincent-de-Paul, tél. 05.56.77.03.64, fax 05.56.77.11.17, e-mail landeau.xavier@orange.fr r.-v.

DOM. DE MONTALON 2005

1,25 ha 8 000 8 à 11 €

En 2004, la famille Affatato a repris la dernière parcelle de vignes existante de ce domaine vieux de quatre cents ans. Implantés sur le coteau de Montalon, au-dessus de la Dordogne, les ceps bénéficient d'un terroir calcaire et d'un bon ensoleillement. Le merlot accompagné de 20 % de cabernet-sauvignon a donné naissance à ce vin d'un rouge éclatant qui offre des arômes de fruits et de bois (café, torréfaction). Presque floral en bouche, il possède un corps ample et équilibré, malgré une petite austérité perceptible dans la longue finale. Tout sera rentré dans l'ordre d'ici 2009.

SCEA M. et H. Affatato, Ch. La Gatte, 995, rte de Bourg, 33240 Saint-André-de-Cubzac, tél. 05.57.43.16.21, e-mail affatato@chateaulagatte.com t.l.j. 9h-18h; sam. dim. sur r.-v.

CH. LA MOTHE DU BARRY Le Barry 2005 ★★

■ 2 ha 6 000 🛢 8 à 11 €

Coup de cœur dans le millésime 2004, la cuvée Le Barry ne déçoit pas cette année. D'un rouge sang ourlé de pourpre, elle libère des arômes puissants de fruits mûrs, nuancés d'épices. Une solide structure tannique l'étaye, issue d'une extraction bien menée, sans démesure. Une impression de charnu et de générosité l'emporte ainsi, et le vin deviendra velours en moins de cinq ans.

Joël Duffau, 2, Les Arromans, 33420 Moulon, tél. 05.57.74.93.98, fax 05.57.84.66.10, e-mail joel.duffau@tiscali.fr

t.l.j. sf dim. 8h-12h 14h-19h

CH. MOULIN DE PILLARDOT 2005 ★

■ 11 ha 70 000 3 à 5 €

La butte de Launay, au sol argilo-calcaire, est le point culminant de la Gironde. Là, prospèrent les vignes de merlot dont le fruit compose à 90 % ce vin aussi élégant qu'expressif. Le fruit se décline tout au long de la dégustation, accompagnant la chair ronde en attaque, puis soutenue par une structure équilibrée. À noter : la persistance aromatique notable. Le **Château Bourdicotte 2005**, souple et rond, généreusement fruité, obtient une étoile. Deux vins à apprécier dès aujourd'hui avec une côte de bœuf.

Ch. Bourdicotte, Le Bourg, 33790 Cazaugitat, tél. 05.56.61.32.55, fax 05.56.61.38.26, e-mail bourdicotte@orange.fr

CH. MOUSSEYRON Cuvée Joris 2005

■ 2 ha 8 000 🛢 5 à 8 €

Proche des châteaux de Malagar et de Malromé, où vécurent respectivement François Mauriac et Henri de Toulouse-Lautrec, cette propriété de 29 ha sur sols argilo-graveleux propose un vin encore jeune, mais prometteur. Certes, le nez semble discret, mais il possède déjà l'élégance d'un boisé bien travaillé en contrepoint d'un fruité mûr. Les tanins, austères à ce jour, ne pourront que se fondre dans la matière ronde en attaque et longuement aromatique. Aucun doute : le raisin était de qualité.

Jacques Larriaut, 31, rte de Gaillard, 33490 Saint-Pierre-d'Aurillac, tél. 05.56.76.44.53, fax 05.56.76.44.04, e-mail larriautjacques@wanadoo.fr

r.-v.

CH. MOUTTE BLANC Moisin 2005 ★★★

■ 0,5 ha 3 000 🛢 11 à 15 €

Moisin est une parcelle de petit-verdot, cépage qui compose à lui seul cette cuvée, fait peu courant aujourd'hui dans le Bordelais. Aucune étoile n'a disparu depuis le millésime 2004 qui fut coup de cœur. Le 2005 est tout aussi exceptionnel dans sa robe d'une profondeur rare. Le jury est unanime, les uns évoquant sa puissance et son charnu, les autres l'excellent travail d'élevage perceptible dans les tanins respectueux du fruit et de la souplesse de la matière. À garder en cave entre cinq et dix ans. Le **Château Moutte Blanc 2005 (8 à 11 €)**, composé de merlot, de cabernet-sauvignon et de petit-verdot, est cité. Sa structure de tanins serrés et l'empreinte du bois en font un vin encore austère aujourd'hui, mais il étonne déjà les dégustateurs par sa teinte noir d'encre : du jamais vu, selon certains.

Patrice de Bortoli, Ch. Moutte Blanc, 6, imp. de la Libération, 33460 Macau, tél. et fax 05.57.88.40.39, e-mail moutteblanc@wanadoo.fr r.-v.

CH. PANCHILLE Cuvée Alix 2005 ★

■ 4 ha 17 000 🛢 5 à 8 €

Grenat à reflets plus vifs, la cuvée Alix propose un nez discret, mais complexe, à la fois floral et fruité, vanillé aussi. Beaucoup de fruit au palais après une attaque fraîche, puis une structure tannique qui s'impose comme un signe de jeunesse. Après deux à quatre ans de garde, vous présenterez cette bouteille en accompagnement d'un plat typiquement bordelais. Le **Château Panchille 2005** est cité pour son fruité mûr et ses tanins bien extraits. Laissez-lui également un peu de temps pour se fondre.

Pascal Sirat, Penchille, 33500 Arveyres, tél. et fax 05.57.51.57.39, e-mail siratpascal@aol.com

r.-v.

CH. PASCAUD Réserve Élevé en fût de chêne 2004 ★

■ 1,5 ha 7 800 🛢 5 à 8 €

Les plus vieilles vignes de merlot de cette petite propriété de 6 ha, sur sols argilo-siliceux, sont à l'origine de ce vin rouge vif à reflets bordeaux. L'élevage en fût neuf pendant douze mois ne l'a pas marqué outre mesure et les arômes de fruits noirs mûrs se doublent d'harmonieuses notes de vanille et de bois torréfié. Au palais, tout est équilibre et souplesse, avec une montée en puissance et une persistance du meilleur effet. À boire ou à garder jusqu'en 2010.

SCEA Vignobles Avril, BP 12, 33133 Galgon, tél. 05.57.84.32.11, fax 05.57.74.38.62, e-mail ch.pascaud@aol.com r.-v.

CH. PELSERT LABARTHE 2005

■ 0,57 ha 2 600 5 à 8 €

Sainte-Terre est un petit village de pêcheurs de lamproie, poisson tout indiqué pour accompagner un bordeaux supérieur. Celui-ci, animé de reflets violets, exprime avec délicatesse des arômes de fruits et de sous-bois. Il laisse au palais une impression de fraîcheur sans déséquilibre. Pour un service immédiat.

SCEA Vignobles Escaiche, 60, chem. de Guillemin, 33350 Sainte-Terre, tél. 06.15.35.01.85, fax 05.57.47.10.54, e-mail bescaiche@bricodeal.com

r.-v.

CH. PENIN Grande Sélection 2005 ★

■ 10 ha 66 000 🛢 8 à 11 €

Patrick Carteyron a commencé sa grande sélection sur le terrain, en choisissant les vignes de merlot implantées sur le terroir de graves profondes et en ne récoltant leur fruit qu'à maturité optimale. Il en résulte ce 2005 au bouquet de fruits rouges finement grillé, qui laisse au palais une sensation de grande rondeur. Le support tannique est bien intégré, de sorte que le vin semble déjà flatteur. Le **Château Penin Les Cailloux 2005 (11 à 15 €)** obtient la même note : un vin à « croquer » dans sa jeunesse, pour sa finesse et son fruité, mais également prometteur par sa structure. Pour son élaboration, le merlot a été récolté sur un terroir de cailloux sur argile qui retient la chaleur et modère l'alimentation en eau.

SCEA Patrick Carteyron, Ch. Penin, 33420 Génissac, tél. 05.57.24.46.98, fax 05.57.24.41.99, e-mail vignoblescarteyron@wanadoo.fr r.-v.

CH. PERAYNE Élevé en fût de chêne 2004 ★

■ 1,2 ha 6 000 🛢 5 à 8 €

Dans la région de Saint-Macaire, le château domine le vignoble de 20 ha d'un seul tenant. Le merlot et le cabernet-sauvignon, récoltés sur argilo-calcaire, ont donné naissance à ce 2004 riche de senteurs de réglisse, de grillé et de fruits noirs. La bouche est tendre en attaque, puis les tanins encore croquants montent en puissance comme pour mieux étayer la belle finale. Une attente de deux ou trois ans semble raisonnable pour redécouvrir ce vin dans toute sa séduction.

Henri Luddecke, Ch. Perayne,
33490 Saint-André-du-Bois, tél. 05.57.98.16.20,
fax 05.56.76.45.71,
e-mail chateau.perayne@wanadoo.fr
t.l.j. 9h-12h 14h-18h; dim. sur r.-v.

CH. PEY LA TOUR Réserve du château 2005 ★

■ n.c. 334 000 8 à 11 €

Dans le vignoble vallonné de l'Entre-deux-Mers, le château Pey La Tour propose aux amateurs des séjours touristiques dans son Country Club, doté d'une trentaine de chambres d'hôtes. Une occasion de découvrir les vins, notamment ce 2005 issu de merlot (95 %) et d'une pointe de cabernet-sauvignon et de petit-verdot bien mûrs. Rondeur et fondu le caractérisent dès l'attaque. Il se développe sans heurt sur les notes torréfiées d'un boisé élégant, bien marié au fruité. Un bordeaux supérieur qui ne peut qu'évoluer favorablement dans les quatre années à venir.

Vignobles Dourthe,
Ch. Pey La Tour, 32, av. de la Tour, 33370 Salleboeuf,
tél. 05.56.35.53.00, fax 05.56.35.53.29,
e-mail contact@cvbg.com r.-v.

CH. LA PEYRÈRE DU TERTRE
Cuvée Jean Élevé en fût de chêne neuf 2005 ★★

■ 2,3 ha 8 400 8 à 11 €

Un terroir argilo-graveleux, une « peyrere » en occitan, caractérise cette ancienne propriété viticole que commande un château du XVIIIe s. construit par l'armateur Raymond de Lassus. Une composition équilibrée de cabernet-sauvignon et de merlot est à l'origine d'un 2005 bien typé, d'un rouge profond brillant. Aux arômes fruités se mêlent de légères notes torréfiées et des accents de café. Au palais, tout n'est qu'équilibre dès l'attaque, puis volume, gras et rondeur. Les tanins puissants, mais fondus soutiennent l'ensemble avec finesse pour laisser en finale une impression de plénitude. Le fruit persiste, intact, grâce à un élevage bien maîtrisé.

SCEA La Peyrère Lucas, Ch. La Peyrère,
33124 Savignac, tél. 05.56.65.41.86, fax 05.56.65.41.82,
e-mail lapeyreredutertre@wanadoo.fr r.-v.
J.-J. Lucas

CH. PICON Cuvée du Moulin
Élevé et vieilli en fût de chêne 2005 ★

■ 40 ha 300 000 3 à 5 €

La cuvée du Moulin est la production majeure de cette propriété des côtes de Sainte-Foy-la-Grande, qui porte le nom de son premier propriétaire au XIIIe s. Reconstruit au XVIIe s., le château commande aujourd'hui 68 ha de vignes. Les amateurs de vins jeunes et puissants ne résisteront pas à ce 2005 tout disposé à livrer ses arômes de fruits mûrs et vanillés. Après une attaque ronde, la bouche se montre charnue, soutenue par des tanins solides et vigoureux qu'un élevage bien maîtrisé de six mois a permis d'extraire. Il n'est pas interdit de garder trois ans cette bouteille.

SCEA Ch. Picon, Picon, 33220 Eynesse,
tél. 06.19.48.67.62, fax 05.57.41.01.02 r.-v.

CH. LE PIN BEAUSOLEIL 2005

■ 5,8 ha 15 000 15 à 23 €

Depuis 2004, Michael et Ingrid Hallek, conseillés par S. Derenoncourt, font le beau temps sur cette propriété qui ménage une jolie vue sur la vallée de la Gamage. Leurs atouts ? Un château des XIVe et XVe s. et un terroir argilo-calcaire. Merlot, cabernets et malbec composent ce 2005 rayonnant dans sa robe pourpre qui allie, non sans complexité, des notes épicées à des arômes de fraise et de mûre. Le voici qui se développe au palais avec fraîcheur, dans la même gamme aromatique. Cependant, il faudra attendre deux ou trois ans que les tanins s'assagissent et que le vin se libère de l'emprise du bois. Une harmonie naissante.

Michael Hallek, Ch. Le Pin Beausoleil, 1, le Pin,
33420 Saint-Vincent-de-Pertignas,
tél. et fax 05.57.84.02.56,
e-mail lepin.beausoleil@wanadoo.fr r.-v.

CH. DE PIOTE
Cuvée Prestige Vieilli en fût de chêne 2004

■ 2 ha 13 000 5 à 8 €

Quand elle n'est pas dans ses vignes (14 ha), Virginie Aubrion restaure patiemment sa maison charentaise, achetée en ruine en 1998. Du raisin de ceps cinquantenaires – merlot, cabernets et malbec –, elle a produit un vin grenat intense, à la fois floral et fruité. Certes, la structure tannique est encore ferme, puissante, mais, avec une juste fraîcheur, elle augure un bon potentiel de vieillissement.

Virginie Aubrion, Ch. de Piote, 26, rue de Piote,
33240 Aubie-Espessas, tél. et fax 05.57.43.96.10,
e-mail chateau.piote-aubrion@wanadoo.fr
t.l.j. 9h-19h

CH. PLAISANCE 2005 ★★

■ 9,51 ha 65 000 8 à 11 €

Couleur cerise brillant, ce vin offre un nez typé de fruits des bois légèrement vanillés. La bouche est souple, relevée d'une petite touche de vivacité et étayée par une structure présente, mais sans excès. Il ressort de cette dégustation une sensation de finesse.

SCEA Ch. Plaisance, 33460 Macau,
tél. 05.57.88.07.64, fax 05.57.88.07.00,
e-mail vitigestion@wanadoo.fr r.-v.
J.-L. et I. Chollet

CH. PRIEURÉ LA FAYOTTE 2005 ★

■ 3 ha 10 000 5 à 8 €

Sur un plateau argilo-calcaire peu profond, le merlot (85 %) et le cabernet-sauvignon atteignent une bonne maturité. Ce vin en témoigne à maints égards : robe intense, nez gourmand de myrtille et de cassis, souligné d'un grillé discret, puis une bouche tout aussi aromatique (fruits rouges), équilibrée et persistante. Les tanins savoureux sont une autre promesse pour l'avenir.

GAEC Ludovic Roussillon, Le Coin,
33420 Jugazan, tél. 05.57.84.00.32, fax 05.57.84.00.33,
e-mail timwine@cegetel.net r.-v.

CH. PRIEURÉ MARQUET 2005 ★

■ 4,34 ha 12 733 5 à 8 €

En 2002, Frédéric Despujol et Alexandre de Malet se sont associés pour reprendre cette bâtisse remaniée au XVIIIe s., ancien prieuré du diocèse de Guîtres. Il faudra attendre trois ans pour apprécier pleinement ce vin. À ce

jour de teinte intense et fraîche, il arbore d'élégantes notes de cassis et de fruits rouges finement toastées. L'attaque est franche et souple ; seuls les tanins ont encore besoin de se fondre. L'harmonie se fera à coup sûr, car l'extraction a été bien menée.
F. Despujol - A. de Malet Roquefort, Ch. Prieuré Marquet, 33910 Saint-Martin-du-Bois, tél. 06.17.19.41.45, fax 05.57.49.41.70

QUEYNAC Élevé en fût de chêne 2005 **

■ 2 ha 8 000 5 à 8 €

Sise dans le canton de Fronsac, cette propriété familiale qui remonte au XVIII^{e}s. compte une quarantaine d'hectares. Stéphane Gabard, à sa tête depuis 1999, lui a donné un nouvel élan. Parmi les plus remarqués des bordeaux supérieurs, son 2005 pourpre intense livre un nez puissant, dominé par les notes grillées et boisées. Il emplit le palais de flaveurs de fruits rouges et bénéficie d'une structure tannique déjà bien mariée avec la chair volumineuse. Une bouteille pleine de charme qui saura bien vieillir. Le **Château La Croix de Queynac Tradition 2005 Élevé en fût de chêne** reçoit une étoile pour son expressivité.
EARL Gabard, Vignobles Gabard, Le Carrefour, 33133 Galgon, tél. 05.57.74.30.77, fax 05.57.84.35.73, e-mail vignobles.gabard@laposte.net
t.l.j. sf dim. 9h-13h 14h-19h
Stéphane Gabard

CH. RECOUGNE 2005 *

■ 60 ha 300 000 5 à 8 €

Dans les années 1950, la famille Milhade a repris le vignoble du château Recougne, planté un siècle plus tôt. Elle propose aujourd'hui un 2005 encore timide, mais qui ne tarde pas à se révéler à la faveur de l'aération : fruits mûrs presque cuits et légèrement épicés. Des tanins soyeux soutiennent la matière bien concentrée, ample et persistante. L'harmonie se fait jour déjà, mais une garde de deux à cinq ans ne peut être que profitable.
Jean Milhade, EARL Recougne, Ch. Recougne, 33133 Galgon, tél. 05.57.55.48.90, fax 05.57.84.31.27, e-mail milhade@milhade.fr r.-v.

CH. DE REIGNAC 2005 **

■ 20 ha 170 000 5 à 8 €

Rien n'a été laissé au hasard dans cette propriété qui a connu, depuis sa reprise en 1990, une restructuration complète. Une majorité de merlot pour 30 % de cabernet-sauvignon dans ce vin de teinte noir brillant, dont les arômes complexes et riches marient les fruits à noyau à un boisé épicé fondu. Du charme toujours dans la chair souple et suave qui bénéficie du soutien de tanins denses, mais déjà assouplis. Les attraits de ce 2005 seront plus nombreux encore après trois à cinq ans de garde
SARL Ch. de Reignac, Le Truch, 33450 Saint-Loubès, tél. 05.56.20.41.05, fax 05.56.68.63.31, e-mail chateau.reignac@wanadoo.fr
r.-v.
Vatelot

CH. REYNIER 2005

■ 10 ha 60 000 5 à 8 €

Titulaire de nombreux coups de cœur dans le Guide, ce domaine propose cette année un vin élevé en fût, qui aurait mérité d'être plus rond, mais présente une structure déjà complexe. Le bouquet marie le fruit et le bois, tandis que des tanins fins et serrés lui confèrent de l'élégance en finale. À apprécier sans attendre.
SCEA Vignobles Marc Lurton, Ch. Reynier, 33420 Grézillac, tél. 05.57.84.52.02, fax 05.57.84.56.93, e-mail marc.lurton@wanadoo.fr r.-v.

CH. DE RIBEBON Prestige 2005 *

■ 6 ha 30 000 8 à 11 €

Il y a plus de dix ans, Alain Aubert, également copropriétaire du château La Couspaude, en saint-émilion grand cru, reprenait ce vignoble sur terroir argilo-calcaire et se lançait dans sa restauration. Ce sont aujourd'hui 72 ha, dont 30 ha de vignes que complète un château du XVII^{e}s., lui aussi entièrement rénové. Le 2005 traduit la bonne maturité du raisin de merlot et de cabernets : robe intense et brillante, nez élégant, épicé et frais, bouche ronde, aux tanins soyeux. Le charme et l'équilibre.
Alain Aubert, 57 bis, av. de l'Europe, 33350 Saint-Magne-de-Castillon, tél. 05.57.40.04.30, fax 05.57.56.07.10, e-mail domaines.a.aubert@wanadoo.fr

CH. SAINCRIT Licorne cuivre 2005 *

■ 3 ha 18 000 5 à 8 €

L'histoire de ce bordeaux supérieur commence à peine, puisque le rachat de la propriété date de 2003. Pourquoi une cuvée baptisée Licorne ? Parce qu'ici on a la passion de la vigne et des chevaux. Le boisé vanillé se marie bien aux fruits mûrs dans ce 2005 tout au long de la dégustation. Après une attaque pleine de finesse, le vin laisse une impression de suavité enveloppante, puis se prolonge durablement en finale. Déjà prêt à rejoindre la table.
SCEA Ch. Saincrit, 555, chem. du Peuy, 33240 Saint-André-de-Cubzac, tél. 06.07.16.47.53, fax 05.57.43.28.45, e-mail chateausaincrit@wanadoo.fr
r.-v.
Mme Prud'Homme

CH. SAINTE-MARIE Élevé en fût de chêne 2005

■ 50 ha 199 500 3 à 5 €

À moins de 5 km de l'abbaye de La Sauve-Majeure, à laquelle il appartenait autrefois, ce domaine de 75 ha propose deux vins de bonne facture. Ce 2005 semble discret encore, mais laisse deviner des arômes de fruits mûrs de bon augure. Il se fait tendre en attaque, puis plus austère sous l'influence des jeunes tanins, avec en finale d'élégantes notes épicées et réglissées. Une citation revient également à la cuvée **Vieilles Vignes 2005 (5 à 8 €)**, dont la pointe de vivacité se fondra dans le temps.
Gilles et Stéphane Dupuch, Ch. Sainte-Marie, 51, rte de Bordeaux, 33760 Targon, tél. 05.56.23.64.30, fax 05.56.23.66.80, e-mail ch.ste.marie@wanadoo.fr r.-v.

CH. SAINT-GERMAIN 2005 ★

■ 85 ha 500 000 ▮ 3 à 5 €

Dans le giron de la maison Calvet depuis une quarantaine d'années, ce château bénéficie d'un terroir argilo-calcaire en coteau favorable à la maturation des merlots et cabernets. 3 % de petit-verdot apportent une pointe d'originalité à l'assemblage de ce vin grenat profond à reflets violacés, très fruité et épicé. Une ligne vive souligne la matière et la structure de tanins encore un peu stricts, tandis que le bois reste discret, sous des tonalités de tabac, et se marie au fruit. Attendez deux ou trois ans pour que l'harmonie se réalise pleinement.

Calvet, 75, cours du Médoc, BP 11, 33028 Bordeaux Cedex, tél. 05.56.43.59.00, fax 05.56.43.17.78, e-mail calvet@calvet.com t.l.j. sf dim. lun. 10h-17h; f. nov.-mai

CH. TECHENEY 2005 ★★

■ 42 ha 100 000 5 à 8 €

Acquise et entièrement remodelée par la famille Castel en 1980, cette propriété, aux portes de Bordeaux, ménage un point de vue remarquable sur la région. Une bâtisse en pierre de taille au milieu d'un vaste parc peuplé de daims commande le vignoble. Sous la houlette d'Antoine De Olivera, nouveau venu à Techeney, est né un 2005 charnu, ample et persistant. Les nuances d'épices fines et les légères notes boisées laissent toute sa place au fruit, tandis que les tanins serrés font patte de velours. Un bordeaux supérieur équilibré, à savourer dès maintenant ou à attendre deux ans.

SC Ch. Mirefleurs, chem. du Loup, 33370 Yvrac, tél. 05.56.95.54.00, fax 05.56.95.54.18, e-mail infos@groupe-castel.com

CH. THIEULEY Réserve Francis Courselle 2005

■ 4,7 ha 33 000 11 à 15 €

Francis Courselle et ses filles savent bien à quelle date il faut vendanger le merlot et les cabernets sur ce terroir argilo-graveleux pour profiter d'une maturité optimale du raisin. Ainsi ont-ils pu élaborer ce 2005 riche et complexe par ses arômes fruités, épicés et floraux. D'une rondeur avenante, le vin fait preuve de finesse et d'équilibre, mais il faudra le décanter avant le service pour favoriser son expression.

Vignobles Francis Courselle, Ch. Thieuley, 33670 La Sauve-Majeure, tél. 05.56.23.00.01, fax 05.56.23.34.37, e-mail chateau.thieuley@wanadoo.fr t.l.j. 8h-12h 13h30-17h30; sam. dim. sur r.-v. 5

CH. THURON Tradition 2004 ★

■ 4 ha 14 000 5 à 8 €

En occitan, « thuron » signifie propriété. Celle-ci, ancienne maison de maître girondine, remonte à la fin du XVIIe s. Sous une robe grenat soutenu, apparaît un vin ouvert sur des senteurs de baies noires (mûre) et de cerise, d'épices aussi (girofle, poivre et cannelle). Il trouve un juste équilibre au palais, sans rien perdre de sa complexité aromatique ni de sa gourmandise. Les tanins, extraits sans excès, soutiennent une longue finale. À boire ou à attendre selon votre bon plaisir.

Jean-Pierre Lallement, SCEA du Ch. Thuron, 33190 Pondaurat, tél. 05.56.71.23.92, fax 05.56.71.01.89, e-mail contact@chateauthuron.com r.-v.

CH. TIMBERLAY

Prestige Cuvée Marie-Paule 2005 ★

■ 6 ha 30 000 8 à 11 €

Non loin de la table d'orientation du quarante-cinquième parallèle, sise sur la colline de Montalon, le château Timberlay est une vaste propriété de plus de 122 ha. Robert Giraud propose un 2005 de teinte grenat brillant, dont le nez évoque la mûre, le pruneau, ainsi que le toasté hérité de l'élevage de douze mois sous bois. Charmante palette qui trouve un long écho au palais, en accompagnement de tanins ronds, enveloppés dans une belle étoffe. En finale persiste une impression de fraîcheur et d'élégance.

EARL Vignobles Robert Giraud, Dom. de Loiseau, 33240 Saint-André-de-Cubzac, tél. 05.57.43.01.44, fax 05.57.43.08.75, e-mail direction@robertgiraud.com

CH. TOUR DE GRAVEYRES 2005

■ 7 ha 21 000 ▮ 5 à 8 €

Sur la route des vins de l'Entre-deux-Mers, les belles et anciennes demeures ne manquent pas, dont celle-ci, remontant au milieu du XIXe s., classée à Soulignac et entourée d'un vignoble de 17 ha. L'élégance est aussi l'atout de ce 2005 profondément coloré, dont le nez complexe est dominé par la mûre. Souple et rond, il joue sur la fraîcheur pour laisser une agréable impression en finale.

SARL Benito NV, Ch. Le Videau, Lieu-dit Le Vic, 33410 Cardan, tél. 05.56.76.72.37, fax 05.56.76.95.24, e-mail benitonv@free.fr r.-v.

CH. TOUR DE MIRAMBEAU 2005 ★★

□ 0,15 ha 600 15 à 23 €

L'antique tour de Mirambeau, entourée de vignes, domine du haut d'un plateau calcaire la vallée de la Dordogne. Une production très confidentielle mais de remarquable qualité pour ce vin de pur sémillon Élégant dans sa robe jaune d'or, il livre un nez complexe et expressif, mêlant les fruits exotiques, les fruits confits, l'abricot, la figue et le grillé. La bouche est savoureuse par sa matière riche et grasse, relevée d'une fine note botrytisée miellée, avant une longue finale sur le coing soulignée par une petite amertume agréable qui apporte de la fraîcheur.

SCEA de la Rive Droite, 33420 Naujan-et-Postiac, tél. 05.57.84.55.08, fax 05.57.84.57.31, e-mail contact@despagne.fr r.-v.

CH. TOUR DE NAUJAN

Élevé en fût de chêne 2005 ★

■ 13 ha 80 000 5 à 8 €

Ce vin se cacherait-il derrière l'élégance de sa robe rubis éclatant ? Aérez-le légèrement et ses parfums de violette formeront un bouquet, nuancé des notes de baies noires. La rondeur du merlot bien mûr se manifeste après une attaque souple, généreuse. En contrepoint, les cabernets apportent une juste fraîcheur et un caractère épicé typique en finale. En 2009, vous pourrez apprécier pleinement cette bouteille avec une viande rouge ou un civet.

Les Grands Châteaux de Naujan, Dom. de Naujan, 33420 Saint-Vincent-de-Pertignas, tél. 05.57.55.02.86, fax 05.57.84.73.67, e-mail info@direct-chateaux.com r.-v. 7

CH. DE TOURENNE Élevé en fût de chêne 2005 ★★

■ 17 ha 46 000 ⬛ 3 à 5 €

Le château de Tourenne se trouve dans la commune de Saint-Martin-du-Bois, sur un plateau argilo-calcaire. La Guyennoise a élaboré à partir du fruit de ses vignes de merlot (70 %) et de cabernets ce 2005 rubis à reflets violets qui trouve un bon compromis entre le fruité, le floral et le boisé. Son charme opère dès l'attaque ronde et se prolonge durablement grâce à une bonne structure. Une étoile revient au **Château Pudris 2005 Élevé en fût de chêne**, fruité, souple et frais, à boire d'ici 2008.

La Guyennoise, BP 17,
33540 Sauveterre-de-Guyenne, tél. 05.56.71.50.76,
fax 05.56.71.87.70, e-mail lilymartin@laguyennoise.com

SCA de Malfard

CH. TOUZET
Les Coteaux de l'Isle Élevé en barrique 2005 ★

■ 1,5 ha 7 000 ⬛ 3 à 5 €

Depuis les coteaux de l'Isle, tout près de Guîtres et de son abbatiale, la vue se prolonge jusqu'à Saint-Émilion. Le merlot (80 %), le cabernet-sauvignon et la carmenère composent ce vin élégant tant par sa robe aux reflets violets que par son nez expressif de fruits noirs. Les tanins soyeux s'inscrivent dans une matière souple et avenante. Un bordeaux supérieur promis à un avenir de quatre ou cinq ans.

Duporge et Fils, Touzet, 33230 Bayas,
tél. 06.07.55.73.58, e-mail hduporge@hotmail.com
r.-v.

CH. TROCARD 2005

■ n.c. 180 000 5 à 8 €

Jean-Louis Trocard a marqué la viticulture bordelaise et a œuvré pour la qualité de sa production. Son 2005 rouge intense demande une légère aération pour révéler ses arômes de fruits et de vanille. Harmonieux, bâti autour de tanins solides, mais sans agressivité, il invite à passer à table.

Jean-Louis Trocard, Ch. Trocard, BP 3,
33570 Les Artigues-de-Lussac, tél. 05.57.55.57.90,
fax 05.57.55.57.98, e-mail trocard@wanadoo.fr
t.l.j. 8h-12h 14h-17h; sam. dim. sur r.-v.

CH. TURCAUD Cuvée Majeure 2004 ★

■ 3 ha 21 000 ⬛ 8 à 11 €

Un vignoble d'un seul tenant, de 47,50 ha, dirigé par Simone et Maurice Robert depuis 1973. En 2000, tous deux ont créé la cuvée Majeure dont le millésime 2005 a séduit le jury par sa finesse et sa fraîcheur. Le fruit se manifeste, l'équilibre se réalise entre une matière souple et des tanins de qualité, l'empreinte du bois est fondue. Un vin à servir dès à présent ou à attendre deux ou trois ans pour le laisser évoluer encore.

EARL Vignobles Robert, Ch. Turcaud,
33670 La Sauve-Majeure, tél. 05.56.23.04.41,
fax 05.56.23.35.85, e-mail chateau-turcaud@wanadoo.fr
r.-v.

Maurice Robert

CH. LA VERRIÈRE 2005 ★★

■ 23 ha 150 000 5 à 8 €

Sur des coteaux argilo-siliceux, merlot et cabernets ont trouvé terroir à leur convenance pour produire ce vin riche d'arômes complexes : fleurs, fruits noirs, épices telle la vanille. Après une attaque puissante, il se fait plus caressant et emplit le palais durablement de sa matière ronde et aromatique. Un bordeaux supérieur élégant dont vous profiterez dès maintenant.

EARL André Bessette, 8, la Verrière,
33790 Landerrouat, tél. 05.56.61.39.56,
fax 05.56.61.44.25 r.-v.

Alain Bessette

CH. VIEUX BÔMALE 2005 ★

■ 6 ha 20 000 3 à 5 €

Frais et puissant à la fois, tel est ce vin d'un noir intense et brillant qui décline de discrètes notes de fruits mûrs, presque cuits, finement soulignées d'une ligne boisée. Discrétion ou élégance ? La bouche équilibrée et ronde s'appuie sur des tanins soyeux, bien extraits, qui laissent sa juste place au fruité. Difficile de résister plus longtemps à la tentation de déboucher cette bouteille.

SCEA Jean-Pierre Chaudet, Caneveau,
33240 Lugon, tél. 05.57.84.49.10, fax 05.57.84.42.07,
e-mail scea-chaudet-j.p@wanadoo.fr
t.l.j. sf sam. dim. 8h-12h 13h30-18h

CH. VIRECOURT Pillebourse 2005 ★★

■ 6 ha 26 000 8 à 11 €

Petit vignoble implanté dans les communes de La Rivière et de Saint-Germain-la-Rivière, dans le Fronsadais, le château Virecourt a produit un 2005 marqué par le merlot (90 % contre 10 % de cabernet franc). Les senteurs de fruits à noyau et de fruits rouges ne trompent pas, nuancées des notes épicées du cabernet. La bouche opulente monte en puissance jusqu'à la longue finale, sans jamais perdre son équilibre et sa suavité. À déguster dans les deux ans.

Xavier Chassagnoux, Renard, 33126 La Rivière,
tél. 05.57.24.96.37, fax 05.57.24.90.18,
e-mail chateau.renard.mondesir@wanadoo.fr
r.-v.

Crémant-de-bordeaux

AOC depuis 1990, le crémant-de-bordeaux est élaboré selon des règles très strictes communes à toutes les appellations de crémant, à partir de cépages traditionnels du Bordelais. Les crémants sont généralement blancs (8 915 hl en 2005) mais ils peuvent aussi être rosés (1 320 hl).

JEAN-LOUIS BALLARIN Cuvée royale ★

n.c. n.c. 8 à 11 €

Des raisins de sémillon et de muscadelle triés soigneusement et une fermentation alcoolique à basse température de façon à préserver les arômes : telles sont les origines de cette cuvée qui libère d'abondantes bulles fines et persistantes. Le bouquet est d'une même finesse, partagé entre des arômes de brioche et de fleurs blanches. Un caractère rond élégant se manifeste durablement au palais grâce à un dosage bien maîtrisé. Un crémant à marier à des palourdes au thym frais ou à des brochettes de langoustines accompagnées d'un sauté de courgettes, d'aubergines et de poivrons des trois couleurs, sans oublier quelques feuilles de basilic. Une étoile brille aussi pour le **Milady rosé**, issu du seul cabernet-sauvignon, tout en fruits rouges et charnus.

🔑 Jean-Louis Ballarin, Haux, 33550 Langoiran, tél. 05.56.67.11.30, fax 05.56.67.54.60, e-mail jlballarin@wanadoo.fr ☑ Y ⛹ r.-v.

JAILLANCE

n.c. 86 600 **5 à 8 €**

Après avoir apprécié le panorama sur l'estuaire de la Gironde, rendez-vous à la cave Jaillance, à 1 km de là, pour une visite de ses nombreuses galeries souterraines où sont élevés les crémants. À découvrir, ce vin doré, parsemé de bulles moyennes qui remontent lentement à la surface. Au nez, se distinguent pêle-mêle des notes de brioche, de fleurs et de citron. Sagesse, souplesse, équilibre et bonne longueur aromatique sur le pain chaud sont les atouts majeurs de cette bouteille. On imagine bien ce crémant à l'apéritif, puis avec des escargots mijotés dans une sauce tomate piquante ou un cocktail de fruits de mer.

🔑 SAS Brouette, Caves du Pain de Sucre, 33710 Bourg-sur-Gironde, tél. 05.57.68.42.09, fax 05.57.68.26.48
☑ Y ⛹ t.l.j. sf sam. dim 8h-12h 14h-17h30; ouv. sam. dim. en été

LATEYRON ★★

n.c. 5 000 **8 à 11 €**

C'est dans la fraîcheur de longues galeries calcaires souterraines que sommeillent les crémants de Lateyron. Griffé cabernet-sauvignon, celui-ci offre au regard une remarquable ascension de bulles nombreuses et régulières. Une mousse fine et scintillante couronne la robe vieux rose, invitant à déceler les arômes d'abricot. La chair est ronde, équilibrée par une juste fraîcheur. Pour une rencontre avec des médaillons de lotte aux pleurotes ou une tarte aux quetsches soulignée d'une crème d'amandes. Une citation revient à la **cuvée Prestige blanc**, à base de sémillon, ainsi qu'au **Lateyron blanc** (assemblage de sémillon et de cabernet), tous deux marqués par la douceur.

🔑 Lateyron, Ch. Tour Calon, 33570 Montagne, tél. 05.57.74.62.05, fax 05.57.74.58.58, e-mail lateyron.r@orange.fr ☑ Y ⛹ r.-v.

LISENNES

3 ha 20 000 ▮ **5 à 8 €**

Connu pour ses bordeaux supérieurs et ses clairets, le château de Lisennes s'illustre aussi en crémant-de-bordeaux. Un gâteau aux clémentines confites sera en accord avec ce vin jaune pâle à reflets légèrement ambrés, qui brille de bulles nombreuses. Des arômes floraux soulignent la douceur du palais, heureusement rehaussée d'une pointe de fraîcheur.

🔑 Vins de Lisennes, Ch. de Lisennes, 33370 Tresses, tél. 05.57.34.13.03, fax 05.57.34.05.36, e-mail contact@lisennes.fr ☑ Y ⛹ r.-v.

LUCCIOS

2 ha 15 000 ▮ **5 à 8 €**

Une coopérative qui a joué un rôle de précurseur dans la production de crémant-de-bordeaux. Le sémillon compose à 95 % ce vin de teinte paille soutenu, animé de bulles fines. Le nez tend vers les agrumes et la brioche, tandis que la bouche apparaît à la fois ronde et fraîche, sans lourdeur, homogène en finale. Une bouteille qui pourra aussi bien accompagner des pétoncles et endives poêlées au jus de clémentine qu'une tarte frangipane aux fraises et aux abricots.

🔑 Union de prod. de Saint-Pey-de-Castets, 36, av. de la Mairie, 33350 Saint-Pey-de-Castets, tél. 05.57.40.52.07, fax 05.57.40.57.17, e-mail udpstpuy@wanadoo.fr ☑ Y r.-v.

RÉMY BRÈQUE Marquis de Cablanc

n.c. n.c. **5 à 8 €**

Un assemblage entre 70 % de sémillon et 30 % de muscadelle est à l'origine de ce crémant jaune pâle ourlé de reflets vert clair et paré de bulles aussi fines que persistantes. Au nez évocateur de fruits frais et de genêt répond une bouche flatteuse, au fruité de pomme Granny. Un vin très tendre, pimpant qui satisfera vos convives en fin de repas, avec des profiteroles au chocolat. Cités également : la **cuvée Prestige**, de sémillon, et le **Remy-Brèque rosé**.

🔑 SARL Rémy Brèque, 8, rue du Cdt-Cousteau, 33240 Saint-Gervais, tél. 05.57.43.10.42, fax 05.57.43.91.61, e-mail remy.breque@wanadoo.fr
☑ Y ⛹ r.-v.
🔑 Bonnepis

LE TRÉBUCHET ★

0,5 ha 5 000 **5 à 8 €**

À moins de 5 km de La Réole, cette propriété de 44 ha laisse une juste place au crémant parmi sa production. Une association de 60 % de sémillon et de 40 % de sauvignon, et voici un crémant jaune clair à reflets nacrés, à la mousse d'un bel éclat. À la fois fruité et floral, il fait preuve de souplesse et de fraîcheur. Un vin fringant qui trouvera ses alliés dans des filets de limande grillés au pistou, avec une mijotée de légumes, ou bien dans une charlotte aux fraises ou aux framboises.

🔑 Bernard Berger, Ch. Le Trébuchet, 33190 Les Esseintes, tél. 05.56.71.42.28, fax 05.56.71.30.16, e-mail chateautrebuchet@wanadoo.fr
☑ Y ⛹ t.l.j. sf dim. 8h-12h 14h-18h

PRESTIGE DE TUTIAC

4 ha 13 000 **8 à 11 €**

Issu du seul sauvignon, ce crémant flatte le regard par sa couleur jaune citron brillant comme par l'abondance des bulles qui forment le cordon. Il privilégie le grillé au nez, puis affirme son volume et sa puissance au palais, signe de la maturité du raisin, avec des flaveurs prononcées de moka. Pour un petit salé de canard aux lentilles ou un plateau de fromages affinés.

🔑 Cave des Hauts de Gironde, La Cafourche, 33860 Marcillac, tél. 05.57.32.48.33, fax 05.57.32.49.63, e-mail contact@tutiac.com ☑ Y ⛹ r.-v.

Le Blayais et le Bourgeais

Blayais et Bourgeais, deux pays (plus de 9 000 ha) aux confins charentais de la Gironde que l'on découvre toujours avec plaisir. Peut-être en raison de leurs sites historiques, de la grotte de Pair-Non-Pair (avec ses fresques préhistoriques, presque dignes de Lascaux), de la citadelle de Blaye ou de celle de Bourg, ou des châteaux et autres anciens pavillons de chasse.

Mais plus encore parce que de cette région très vallonnée se dégage une atmosphère intimiste, apportée par de nombreuses vallées et qui contraste avec l'horizon presque marin des bords de l'estuaire. Pays de l'esturgeon et du caviar, c'est aussi celui d'un vignoble qui, depuis les temps gallo-romains, contribue à son charme particulier. Pendant longtemps, la production de vins blancs a été importante ; jusqu'au début du XXe s., ils étaient utilisés pour la distillation du cognac. Mais aujourd'hui, ils sont réservés à une production d'AOC bordelaises.

On distingue deux grands groupes : celui de Blaye, aux sols assez diversifiés (calcaires, sables, argilo-calcaires), et celui de Bourg, géologiquement plus homogène (argilo-calcaires et graves).

Blaye, côtes-de-blaye et premières-côtes-de-blaye

Sous la protection, désormais toute morale, de la citadelle de Blaye due à Vauban, le vignoble blayais s'étend sur environ 5 000 ha plantés de vignes rouges et blanches. L'AOC blaye a revendiqué 6 109 hl en 2005. Les premières-côtes-de-blaye rouges (313 158 hl en 2005) sont des vins puissants et fruités. Les blancs (13 087 hl en premières-côtes-de-blaye et 1 507 hl en côtes-de-blaye) sont aromatiques. Ils sont en général secs, d'une couleur légère, et on les sert en début de repas, alors que les premières-côtes-de-blaye rouges vont plutôt sur des viandes ou des fromages.

La nouvelle charte qualitative de l'AOC blaye exige une mise en bouteilles après dix-huit mois d'élevage.

Blaye

CH. BEL-AIR LA ROYÈRE 2004 ★★

■ 5 ha 16 000 ◗ **15 à 23 €**

Corinne et Xavier Loriaud, originaires de Charente, ont fait du malbec leur cheval de bataille depuis 1995. Cette cuvée en comprend 30 % en alliance avec le merlot. Après dix-huit mois d'élevage en barrique, elle séduit par des élégants arômes de fruits rouges confits, de grillé, de vanille, de moka et de réglisse. Elle se montre structurée, concentrée, d'une réelle complexité aromatique (toasté, grillé, réglisse). L'équilibre se réalise entre le vin et le bois dans la longue finale. Un blaye de grande classe, à découvrir dans trois ans.

🔑 Corinne et Xavier Loriaud,
EARL Chevrier-Loriaud, 1, Les Ricards, 33390 Cars,
tél. 05.57.42.91.34, fax 05.57.42.32.87,
e-mail chateau.belair.la.royere@wanadoo.fr ☒ Y ✶ r.-v.

CH. DUBRAUD 2005 ★

■ 5 ha 13 000 ◗ **15 à 23 €**

Non loin de l'église romane (XIIe s.) de Saint-Christoly, cette propriété de 26 ha, commandée par une chartreuse, cultive la vigne depuis le milieu du XIXe s. Son blaye, dominé par le merlot, développe un bouquet complexe de cassis, de groseille et de myrtille, nuancé de grillé et de vanille. La chair dense et puissante repose sur des tanins encore très présents, mais les flaveurs de mûre, de griotte, de toasté et d'épices flattent déjà le palais. Une bouteille prometteuse à attendre trois ans.

🔑 Alain et Céline Vidal, Ch. Dubraud,
33920 Saint-Christoly-de-Blaye, tél. 05.57.42.45.30,
fax 05.57.42.50.92, e-mail avidal@terre-net.fr
☒ Y ✶ r.-v.

CH. L'EMBRUN 2004 ★

■ 7,7 ha 35 000 ◗ **11 à 15 €**

Merlot, cabernet-sauvignon et malbec composent ce vin dont la teinte noire à reflets violets annonce la concentration de la matière. Les fruits noirs, le grillé et la vanille marquent le nez et trouvent écho au palais, enveloppant la structure de tanins fermes, perceptibles en finale. Trois ans de vieillissement apporteront plus de fondu à ce 2004 puissant. Une étoile brille aussi pour le **Château Moulin de Chasserat 2004** qui présente un bon équilibre entre le vin et le bois.

🔑 EARL Franck Fourcade,
21, rue Moulin-de-Chasserat, 33390 Cartelègue,
tél. 06.07.06.56.57, fax 05.57.64.50.14,
e-mail chateauchasserat@wanadoo.fr ☒ Y ✶ r.-v.

CH. GRILLET-BEAUSÉJOUR 2004 ★★

■ 3 ha 5 000 ◗ **8 à 11 €**

De la profondeur dans la robe, un caractère flatteur dans les arômes de fruits typiques du merlot (85 %) et les notes héritées du bois : myrtille, cassis, fruits confits se mêlent au toasté et à la vanille. La matière ronde et dense enveloppe des tanins souples qui sauront soutenir le vin pendant la garde (deux ou trois ans). Une bouteille pour gourmets.

🔑 EARL Jullion, Beauséjour, 33390 Berson,
tél. 05.57.64.39.98, fax 05.57.64.23.00,
e-mail franck.jullion@wanadoo.fr ☒ Y ✶ r.-v.

CH. HAUT-COLOMBIER 2004 ★

■ 4 ha 14 000 ◗ **8 à 11 €**

Vêtu de pourpre intense, ce blaye ne manque pas de personnalité. Au nez fruité et vanillé répond une bouche tout aussi aromatique (fruits rouges, épices, toasté, amande grillée), ample et ronde, soutenue par des tanins fins qui savent rester discrets. Une bouteille apte à une garde de trois ans.

🔑 Olivier et Emmanuel Chéty, La Maisonnette,
33390 Cars, tél. 05.57.42.10.28, fax 05.57.42.17.65,
e-mail chateau.hautcolombier@wanadoo.fr
☒ Y ✶ t.l.j. 8h-12h 14h-18h; sam. dim. sur r.-v.

CH. MONCONSEIL GAZIN 2004 ★

■ 4 ha 23 000 ◗ **11 à 15 €**

Le château est reconnaissable à son porche crénelé. Une fois que vous l'aurez franchi, il vous restera à découvrir ce 2004 pourpre profond à reflets violets, dont les arômes boisés, bien dosés, aux accents de vanille, se mêlent aux fruits rouges et à une pointe de cuir. L'équilibre est de même nature au palais, entre une chair ample, veloutée et une trame tannique dense, mais fondue, qui laisse le beau rôle aux flaveurs persistantes de fruits noirs nuancées de réglisse en finale. Un joli vin à savourer dans trois ans.

🔑 Vignobles Michel Baudet, Ch. Monconseil Gazin, 33390 Plassac, tél. 05.57.42.16.63, fax 05.57.42.31.22, e-mail mbaudet@terre-net.fr ☑ Y 🚶 r.-v.
🔑 Jean-Michel Baudet

CH. MONTFOLLET Le Valentin 2005 ★★★

■ 9 ha 52 000 ⅡⅠ 11 à 15 €

Une propriété de 67 ha, située sur les coteaux d'argiles rouges et argilo-calcaires qui dominent l'estuaire de la Gironde, juste en face des vignobles de Margaux. Le merlot (70 %) et le malbec ont donné naissance à ce vin d'un rouge très foncé à reflets violines, dont les arômes intenses rappellent les fruits rouges confits, la myrtille, le cassis, les épices, la torréfaction et le moka. La chair ronde et puissante témoigne d'un bon équilibre entre le vin et le bois. La structure est solide, mais soyeuse et la finale persiste durablement sur les épices, la violette et les fruits. À attendre pour un plaisir complet.

Le Blayais et le Bourgeais

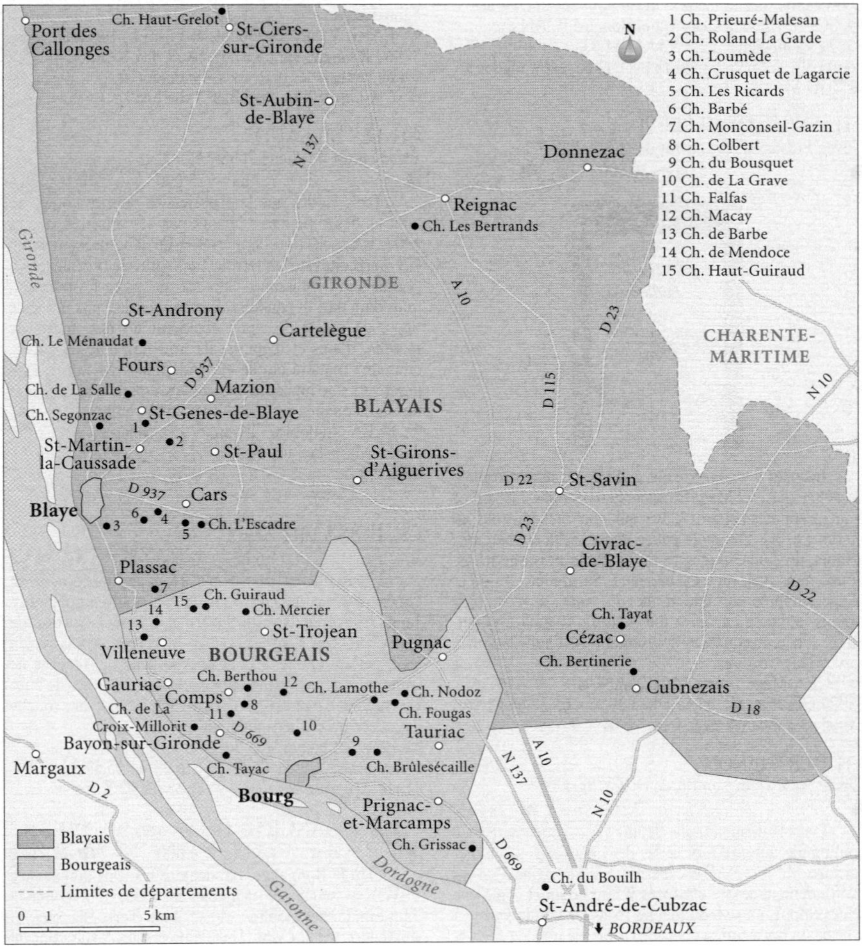

1 Ch. Prieuré-Malesan
2 Ch. Roland La Garde
3 Ch. Loumède
4 Ch. Crusquet de Lagarcie
5 Ch. Les Ricards
6 Ch. Barbé
7 Ch. Monconseil-Gazin
8 Ch. Colbert
9 Ch. du Bousquet
10 Ch. de La Grave
11 Ch. Falfas
12 Ch. Macay
13 Ch. de Barbe
14 Ch. de Mendoce
15 Ch. Haut-Guiraud

Blayais
Bourgeais
---- Limites de départements
0 1 5 km

🔑 Cave du Blayais, 9, Le Piquet, 33390 Cars, tél. 05.57.42.13.15, fax 05.57.42.84.92, e-mail d.raimond@lacavedeschateaux.com ☑ 🍷 🚶 r.-v.
🔑 Raimond

Premières-côtes-de-blaye

CH. L'ABBAYE Vieilli en fût de chêne 2004 ★★

■ 2 ha 13 300 🛢 5 à 8 €

Propriété familiale depuis 1936, ce vignoble de 21 ha abrite les vestiges de l'abbaye de Pleine-Selve, construite au XIIe s. et qui servait d'étape sur le chemin de Saint-Jacques-de-Compostelle. Merlot (80 %) et cabernet-sauvignon récoltés sur un sol argilo-graveleux ont donné naissance à ce vin rouge sombre à reflets violets qui exprime des senteurs de fruits rouges bien mariées aux notes grillées et toastées. La chair ronde est soutenue par des tanins élégamment fondus jusqu'à une finale vanillée. Beaucoup de classe dans ce 2004. Le **Château L'Abbaye 2006 blanc**, harmonieux et fruité, obtient une étoile.

🔑 SCEA Vignobles Rossignol-Boinard, L'Abbaye, 33820 Pleine-Selve, tél. 05.57.32.64.63, fax 05.57.32.74.35, e-mail chateau-abbaye@wanadoo.fr ☑ 🍷 🚶 r.-v.

CH. ANGLADE-BELLEVUE Cuvée Prestige Élevé en fût de chêne 2005 ★★

■ 5 ha 26 600 🛢 5 à 8 €

Installés il y a quinze ans à la tête de cette propriété de 49 ha, les frères Mège excellent dans ce millésime, grâce à un premières-côtes-de-blaye qui doit presque tout au merlot (90 %). De teinte rouge dense, celui-ci libère des arômes de fruits rouges et un agréable boisé hérité de douze mois d'élevage en barrique. Sa matière ronde et pleine s'appuie sur une trame de tanins soyeux, bien fondus, et laisse en finale une sensation vanillée persistante. Un remarquable représentant de l'appellation, à servir dans trois ans.

🔑 SCEA Mège Frères, Aux Lamberts, 33920 Générac, tél. 05.57.64.73.28, fax 05.57.64.53.90, e-mail scea-mege@mege-freres.fr ☑ 🍷 🚶 r.-v.

CH. BERTHENON Cuvée Henri Élevé en fût de chêne 2005 ★★★

■ 1,5 ha 7 500 🛢 5 à 8 €

Dans la même famille depuis 1810, cette chartreuse commande aujourd'hui 32 ha de vignes sur sol argilo-calcaire. Merlot (75 %) et cabernet sont à l'origine d'un vin profondément coloré et expressif : un bouquet complexe se développe, au sein duquel les fruits laissent la parole à un élégant boisé aux accents de cacao, de noix de coco et d'épices. La bouche allie avec succès gras, volume, trame tannique soyeuse et laisse une impression séduisante de concentration jusqu'à la longue finale.

🔑 GFA Henri Ponz, Ch. Berthenon, 3, Le Barrail, 33390 Saint-Paul, tél. et fax 05.57.42.52.24, e-mail info@chateau-berthenon.com ☑ 🍷 🚶 t.l.j. 8h-12h30 14h-19h30; sam. dim. sur r.-v.; f. 2e quinzaine d'août

CH. LES BERTRANDS Cuvée Prestige 2006 ★★

□ 3 ha 15 000 🛢 5 à 8 €

Cet important vignoble de 100 ha s'étend sur les plateaux et les pentes sud-sud-ouest de Reignac. En 2007, tout est en place pour accueillir les visiteurs et pour conserver davantage de vins : six cents barriques dans le chai enterré et 500 000 bouteilles stockées. Vous y trouverez sans mal ce vin issu du seul sauvignon et qui en présente bien les caractères : arômes d'agrumes, de litchi, de fruits exotiques. La bouche souple et tendre garde la même ligne fruitée, puis s'achève agréablement sur une note de fraîcheur persistante. Pour une poêlée de coquilles Saint-Jacques.

🔑 EARL Vignobles Dubois et Fils, Les Bertrands, 33860 Reignac, tél. 05.57.32.40.27, fax 05.57.32.41.36, e-mail chateau.les.bertrands@wanadoo.fr ☑ 🍷 🚶 t.l.j. sf dim. 9h-12h30 14h-18h30

CH. LES BILLAUDS Élevé en fût de chêne 2005 ★★★

■ 2 ha 12 000 🛢 5 à 8 €

Trois étoiles que le propriétaire pourra ajouter au tableau des diplômes obtenus par ses ancêtres depuis 1907. Une sélection de merlot et de cabernet-sauvignon (20 %) récoltés sur un terroir argilo-graveleux et siliceux a permis à J.-C. Plisson d'élaborer un vin certes puissant, mais d'un parfait équilibre. Les arômes de fruits mûrs, de figue, de pêche de vigne explosent au nez, mêlés de menthe, d'anis et d'épices. Ils trouvent écho au palais, dans une matière ample et ronde, bien structurée, évoluant vers une finale fraîche qui laisse percevoir quelques tanins de qualité, prometteurs pour l'avenir (quatre ans).

🔑 SCEA Vignobles Plisson, 5, Les Billauds, 33860 Marcillac, tél. 05.57.32.77.57, fax 05.57.32.95.27 ☑ 🍷 🚶 r.-v.
🔑 J.-C. Plisson

CH. BOIS-VERT 2006 ★

□ 1,6 ha 9 000 ▮ 5 à 8 €

Un premières-côtes-de-blaye tout destiné à composer l'apéritif, avec quelques fruits de mer pour compagnons. Jaune pâle à reflets verts, il offre un bouquet expressif de fleurs blanches, d'agrumes et de bourgeon de cassis. Un léger perlant anime la bouche croquante qui regorge de fruits (raisin mûr, pamplemousse) mêlés de notes de buis. Le sauvignon blanc (65 %), le sauvignon gris et une touche de muscadelle jouent joliment leur rôle.

🔑 Patrick Penaud, 12, Bois-Vert, 33820 Saint-Caprais-de-Blaye, tél. et fax 05.57.32.98.10, e-mail p.penaud.boisvert@wanadoo.fr ☑ 🍷 🚶 r.-v.

CH. BONNANGE Les Fruits rouges 2005 ★★

■ 1,5 ha 4 000 🛢 **11 à 15 €**

Claude Bonnange, publicitaire français de l'agence TBWA, a acquis ce vignoble en 1999. Il a confié à Paul-Emmanuel Boulmé, du château Terre-Blanque, la vinification de ses vins. Des fruits rouges ? Tels sont en

effet les arômes qui s'échappent du verre à la dégustation de ce vin rubis, complétés de notes florales, grillées et vanillées. Ample et rond, le palais révèle des tanins bien présents, sans agressivité, et un boisé encore dominant, mais il promet de s'épanouir à la faveur de trois ans de garde. La **Cuvée Julia 2004 rouge (23 à 30 €)**, élégamment fruitée et structurée, brille d'une étoile.
SCEA Vignobles Bonnange, 10, chem. des Roberts, 33390 Saint-Martin-Lacaussade, tél. 06.85.52.48.08, fax 05.57.42.19.48, e-mail claude.bonnange@wanadoo.fr r.-v.

CH. LA BOTTE Cuvée Prestige Élevé en fût de chêne 2006

1,6 ha 1 200 5 à 8 €

René Blanchard, après douze ans d'ingénierie dans l'aéronautique et le spatial, a pris en 1998 la direction de cette propriété familiale créée au début du XIXes. Il propose un 2006 exclusivement issu de sauvignon, qui porte au nez la marque de son élevage sous bois. Au palais, le fruité est mis en valeur par une pointe acidulée rafraîchissante et s'équilibre en finale avec le boisé. Les fruits de mer apprécieront.
SCEA Vignobles Blanchard, 21, la Botte, Ch. La Botte, 33390 Campugnan, tél. et fax 05.57.64.71.45, e-mail blanchard@chateau-labotte.com
t.l.j. sf sam. dim. 9h-12h 14h-18h; f. août

CH. CAILLETEAU BERGERON Élevé en fût de chêne 2005 ★★

12 ha 70 000 5 à 8 €

Un domaine familial créé en 1933 par les grands-parents de Marie-Pierre et Pierre-Charles Dartier. Le frère et la sœur l'ont agrandi et modernisé depuis plus de quinze ans et proposent aujourd'hui un assemblage de trois cépages (merlot, cabernet franc et malbec), vieilli treize mois en barrique. La teinte pourpre intense de ce vin est de bon augure, de même que les arômes de fruits mûrs, presque confits, mêlés de notes toastées, vanillées et fumées. La bouche structurée par des tanins de qualité, aux fins accents boisés, exprime un caractère fruité persistant. De bel avenir, certes, mais déjà agréable à boire. Le **blanc 2006** (sauvignons blanc et gris), élevé en fût de chêne, affiche un fort caractère : une étoile.
Marie-Pierre et Pierre-Charles Dartier, Ch. Cailleteau Bergeron, 24, Le Bergeron, 33390 Mazion, tél. 05.57.42.11.10, fax 05.57.42.37.72, e-mail chateau.cailleteau.bergeron@wanadoo.fr
r.-v.

DOM. DU CAMPLAT 2004 ★

5 ha 8 000 3 à 5 €

Rejoint par son fils en 1997, puis par sa fille en 2007, Jean-Louis Reculet aime le travail en famille. Sur ses 18 ha de vignes sur sol argilo-calcaire, il a sélectionné merlot (65 %) et cabernet pour élaborer un 2004 d'un rouge profond à reflets violets, porté sur des arômes de fruits noirs et d'épices. La matière dense, étayée par des tanins soyeux, laisse en finale un long souvenir de vanille et de grillé. Dans trois ou quatre ans, cette bouteille sera à son meilleur niveau.
Jean-Louis Réculet, 2, Le Camplat, 33620 Saint-Mariens, tél. et fax 05.57.68.51.90, e-mail domaineducamplat@orange.fr r.-v.

CH. CANTINOT 2005

11,7 ha 55 000 15 à 23 €

À partir d'un encépagement traditionnel, ce cru a produit un vin de teinte carmin, dont le nez se partage entre les fruits noirs et des notes grillées-vanillées. La bouche ample et ronde affiche une structure tannique encore très présente qui devra se fondre au cours de deux ans de garde. Pour une entrecôte bordelaise.
EARL Ch. Cantinot, 1, lieu-dit Cantinot, 33390 Cars, tél. 05.57.64.31.70, fax 05.57.64.29.13, e-mail chateau.cantinot@wanadoo.fr
t.l.j. 9h-12h30 14h-19h
Bouscasse

CH. CHANTE ALOUETTE Élevé en fût de chêne 2005 ★★

21 ha 15 000 8 à 11 €

Ce château doit son nom à la présence d'une colonie d'alouettes huppées qui survolent le vignoble, implanté sur le point culminant de la commune de Plassac. Si la présentation de ce vin qui comporte 18 % de malbec est déjà séduisante, pourpre intense, le bouquet n'est pas encore totalement ouvert : seules de légères notes fruitées se manifestent. En revanche, la matière ample apparaît riche, bâtie sur des tanins de qualité et agrémentée de flaveurs de fruits mûrs, puis d'un élégant boisé. Le raisin mûr a donné à ce 2005 un potentiel réel.
SCEA Lorteaud et Filles, Ch. Chante Alouette, 33390 Plassac, tél. 05.57.42.16.38, fax 05.57.42.85.66, e-mail mpdeboisseson@chante-alouette.fr
r.-v.
de Boisseson

CH. CHARRON Vieilles Vignes Acacia 2005 ★★

n.c. n.c. 11 à 15 €

70 % de sémillon et 30 % de sauvignon récoltés sur des sols argilo-calcaires bien drainés : telle est l'origine de ce vin or franc qui se distingue par un bouquet harmonieux, heureux mariage du fruit et du bois. Le voici rond et gras, bien structuré, qui s'enrichit de flaveurs de fruits exotiques (litchi) et d'une finale aussi fraîche que persistante. Une garde de trois ans est conseillée pour profiter pleinement de cette bouteille.
SCEA Ch. Charron, Ch. Peyredoulle, 33390 Berson, tél. 05.57.42.66.65, fax 05.57.42.66.13, e-mail v.germain@vgas.com r.-v.

CH. CHASSERAT Cuvée André Bouyé Élevé en fût de chêne 2004

6 ha 40 000 5 à 8 €

Parée d'un rouge intense, cette cuvée de pur merlot a vieilli douze mois en barrique. Elle s'ouvre sur un nez discret de fleurs et de fruits mûrs, puis affiche une bonne structure enrobée d'une chair veloutée, avec une légère sucrosité en finale. À apprécier dans trois ans.
EARL Boyer-Fourcade, 21, rue Moulin-de-Chasserat, 33390 Cartelègue, tél. 06.07.06.56.57, fax 05.57.64.50.14, e-mail chateauchasserat@wanadoo.fr r.-v.
Fourcade

CH. LE CHAY Vieilli en fût de chêne 2004 ★

15 ha 10 000 5 à 8 €

Provenant principalement de merlot, complété de 20 % de malbec, ce vin rouge foncé présente un caractère boisé expressif, aux accents grillés et épicés. L'équilibre se réalise entre la chair ronde et la trame de tanins souples, mais bien présents. Deux ans de garde lui seront favorables.

Didier et Sylvie Raboutet, Ch. Le Chay, 33390 Berson, tél. 05.57.64.39.50, fax 05.57.64.25.08, e-mail lechay@wanadoo.fr
t.l.j. sf dim. 8h-12h 14h-19h

CH. LE CÔNE Vieilles Vignes 2004 *

15 ha 58 000 5 à 8 €

Cette cuvée provient de vignes trentenaires des trois cépages rouges traditionnels, dont 75 % de merlot. Rouge foncé, elle libère de fines notes de fruits (mûre, prune), d'épices et de vanille. Le boisé équilibré, témoin de quatorze mois d'élevage en barrique, se fond dans la chair et respecte le vin.

GFA Ch. Le Cône, 23, Le Bouil, 33390 Anglade, tél. 05.57.64.40.87, e-mail mace.lapage@wanadoo.fr
r.-v.
Macé

CH. CRUSQUET DE LAGARCIE 2005 *

20 ha 60 000 8 à 11 €

Un élevage de douze mois en fût a légué à ce vin un sillage grillé et toasté mesuré, en équilibre avec les arômes de fruits rouges et de cassis. La matière harmonieuse, bien fruitée, laisse une impression d'élégance. Une bouteille prête à rejoindre la table.

SAS Vignobles Ph. de Lagarcie, Le Crusquet, 33390 Cars, tél. 05.57.42.15.21, fax 05.57.42.90.87, e-mail vignobles.delagarcie@free.fr
t.l.j. sf sam. dim. 9h-12h 14h-18h

CH. LES DONATS 2005 *

3,6 ha 20 000 5 à 8 €

Autour d'une maison de type longère, un petit vignoble se dessine sur sol argilo-graveleux, complanté de merlot et de cabernet-sauvignon. D'un pourpre profond, le 2005 exhale des arômes de fruits rouges et noirs associés à la vanille et au cacao, puis il évolue avec souplesse et rondeur au palais, malgré quelques tanins encore fermes en finale. Un an de garde devrait y remédier.

SCEV Marsaux Donze, Ch. Martinat, 33710 Lansac, tél. 05.57.68.34.98, fax 05.57.68.35.39, e-mail chateaumartinat@aol.com r.-v.
Donze

CH. DUBRAUD 2005 *

18 ha 50 000 8 à 11 €

Alain et Céline Vidal ont acheté il y a presque dix ans ce château du XIX[e]s. et son vignoble de 26 ha. Ils proposent un vin d'un rouge profond à reflets violines qui offre un nez discret où percent le fruité et une touche épicée. D'un bon volume, la chair s'appuie sur des tanins fondus et laisse agréablement persister les flaveurs de fruits rouges. Pour aujourd'hui comme pour demain.

Alain et Céline Vidal, Ch. Dubraud, 33920 Saint-Christoly-de-Blaye, tél. 05.57.42.45.30, fax 05.57.42.50.92, e-mail avidal@terre-net.fr
r.-v.

CH. GARDUT HAUT CLUZEAU Cuvée Prestige 2005 **

6 ha 35 000 5 à 8 €

Deux étoiles pour le millésime 2004, deux étoiles pour le 2005. Le nez chaleureux révèle une agréable note de grillé, tandis que la bouche riche trouve l'appui de tanins puissants, encore un peu austères en finale. Quatre ans de garde permettront à cette bouteille de s'affiner. Du même producteur, le **Château Graulet 2005 Cuvée Prestige rouge**, concentré, mérite une étoile.

Vignobles Denis Lafon, Bracaille 1, 33390 Cars, tél. 05.57.42.33.04, fax 05.57.42.08.92, e-mail denis-lafon@wanadoo.fr r.-v.

CH. CAMILLE GAUCHERAUD Élevé en fût de chêne 2004 *

1,5 ha 9 340 5 à 8 €

Sorti du système coopératif en 1999, ce domaine de 31 ha se distingue par un 2004 aussi riche qu'équilibré, issu de merlot récolté sur graves. Sous une robe profonde apparaissent des arômes de fruits rouges, de toasté et de vanille qui invitent à découvrir la bouche souple en attaque, puis ronde et grasse. Les tanins sont présents, mais conciliants, fondus dans la matière qui laisse en finale d'élégantes notes grillées. À attendre deux ans. Une citation revient au **blanc 2005**, qui joue la vivacité.

GFA des Barrières, 1, les Barrières, 33620 Laruscade, tél. 05.57.68.64.54, fax 05.57.68.64.53, e-mail camille.gaucheraud@free.fr
t.l.j. sf dim. 9h-12h 14h-17h
Latouche

CH. GIGAULT Cuvée Viva 2005 **

13,25 ha 47 000 11 à 15 €

Cet ancien relais de poste se situe sur le point culminant de la commune de Mazion. Le merlot (95 %) et une touche de cabernet-sauvignon composent cette cuvée pourpre intense, au nez complexe de fruits noirs (mûre surmûrie, cassis) relevés de nuances grillées, toastées. La bouche ample et structurée bénéficie de tanins aimables et d'un boisé courtois. Rendez-vous dans trois ans avec, au menu, une lamproie à la bordelaise.

SCEA Ch. Gigault, Gigault, 33390 Mazion, tél. 05.56.77.80.60, fax 05.56.77.80.61, e-mail christophe@the-wine-merchant.com r.-v.

CH. LE GRAND MOULIN Cuvée Collection 2005 **

19,49 ha 150 000 5 à 8 €

La recherche d'un équilibre entre le bois et le vin atteint son but dans cette cuvée issue de 80 % de merlot et des cabernets. Un élégant mariage est conclu entre les arômes de fruits rouges et ceux de grillé, entre une matière souple et ronde et des tanins présents, mais veloutés. La finale sur les fruits mûrs (cassis, griotte) achève de convaincre. Dans deux ans, ce premières-côtes-de-blaye sera à son meilleur niveau.

GAEC du Grand Moulin, La Champagne, 33820 Saint-Aubin-de-Blaye, tél. 05.57.32.62.06, fax 05.57.32.73.73, e-mail jfreaud@wanadoo.fr
t.l.j. sf dim. 8h-12h 14h-18h 3
Réaud

CH. LES GRANDS MARÉCHAUX 2005 *

18,55 ha 86 000 8 à 11 €

Depuis 1997, de gros investissements ont été réalisés dans l'outil de production de cette exploitation. Il en résulte ce vin issu des trois cépages rouges classiques et vieilli dix-huit mois en barrique. Il offre au regard une teinte pourpre, puis au nez des arômes chaleureux de pêche de vigne et d'épices. La bouche est ronde, charnue, agrémentée de flaveurs de fruits mûrs en finale. Classique, dans le bon sens du terme.

SCEA Ch. Les Maréchaux, Geniquet, 33920 Saint-Girons-d'Aiguevives, tél. 05.56.77.80.60, fax 05.56.77.80.61, e-mail eb@barre-touton.com
r.-v.

CH. LES GRAVES 2005 ★★

■	5 ha	20 000		5 à 8 €

Ce cru établi sur un terroir argilo-graveleux présente un assemblage classique de merlot et de cabernet-sauvignon, élevé douze mois en barrique. Un vin remarquable à plusieurs titres : par sa robe pourpre intense, par son nez de fruits rouges mûrs, de grillé et de poivre, et par sa chair ample, bâtie sur des tanins aimables. Une légère pointe de vivacité apporte de la fraîcheur en finale.

SCEA Pauvif, 15, rue Favereau, 33920 Saint-Vivien-de-Blaye, tél. 05.57.42.47.37, fax 05.57.42.55.89, e-mail info@chat-les-graves.com
r.-v.

DOM. DES GRAVES D'ARDONNEAU

Cuvée Prestige Élevé en fût de chêne 2005 ★★★

■	6 ha	35 000		5 à 8 €

Depuis le XVIIIe s., ce domaine est resté dans la même famille. La salle de dégustation se situe dans la tour de la demeure typiquement girondine. Vous y dégusterez cette cuvée née de merlot (85 %) et de cabernet-sauvignon sur graves argileuses. L'élevage en barrique bien maîtrisé pendant douze mois lui a légué des notes grillées et toastées, ainsi que des tanins souples. Les arômes de fruits rouges trouvent toute leur place au nez, tandis que la chair ronde et concentrée s'étire longuement sur la vanille. Deux étoiles sont attribuées à la **cuvée Prestige blanc 2006 Élevé en fût de chêne**, intensément aromatique et élégante.

Simon Rey et Fils, Ardonneau, 33620 Saint-Mariens, tél. 05.57.68.66.98, fax 05.57.68.19.30, e-mail gravesdardonneau@wanadoo.fr
t.l.j. sf dim. 8h-12h30 14h30-19h
Christian Rey

CH. LES GRAVETTES Tradition 2005 ★

■	17 ha	73 800		5 à 8 €

Depuis 2000, Alain Pointet a replanté un quart du vignoble de cette propriété de 22 ha. Il a élaboré un 2005 pourpre profond, dominé par les notes grillées, torréfiées et vanillées, dont la matière enveloppe des tanins de qualité. Le boisé est encore très présent en finale, mais il devrait se fondre au cours de deux ans de garde.

SCEA Vignobles Pointet, 24, rue Thomas-Laurent, 33820 Étauliers, tél. et fax 05.57.64.58.08, e-mail alain.pointet@wanadoo.fr r.-v.
Alain Pointet

CH. HAUT CANTELOUP 2006 ★

□	5 ha	30 000		3 à 5 €

La citadelle de Blaye n'est qu'à 5 km de cette propriété de 43 ha qui se distingue grâce à un 2006 de sauvignon et de muscadelle. Le premier cépage marque puissamment le nez : fleurs blanches, pêche blanche, fruits exotiques, citron, buis. Un léger perlant accompagne la bouche ronde et fraîche à la fois, qui s'achève sur des flaveurs persistantes de buis et de fruits.

EARL Bordenave et Fils, 1, La Palanque, 33390 Fours, tél. 05.57.42.87.12, fax 05.57.42.36.69, e-mail chateau-hautcanteloup@wanadoo.fr
t.l.j. sf dim. 8h-12h 14h-19h

CH. HAUT-COLOMBIER 2005 ★

■	20 ha	100 000		5 à 8 €

Pendant la Seconde Guerre mondiale, des pigeons voyageurs prenaient leur envol du colombier de ce domaine du XVIIe s. Aujourd'hui, ce sont les vins de Jean Chéty qui voyagent dans le monde : 70 % de la production est exportée vers les États-Unis, le Royaume-Uni, l'Allemagne, la Belgique et le Japon. Gageons que ce 2005 sera bien reçu, lui qui sous une teinte rubis libère des arômes élégants de fruits noirs rehaussés d'une touche épicée. De la fraîcheur en attaque, une matière ample, des tanins fermes, une finale sur la vanille et le cuir : « Un vin de terroir », conclut un dégustateur.

Olivier et Emmanuel Chéty, La Maisonnette, 33390 Cars, tél. 05.57.42.10.28, fax 05.57.42.17.65, e-mail chateau.hautcolombier@wanadoo.fr
t.l.j. 8h-12h 14h-18h; sam. dim. sur r.-v.

CH. HAUT GRELOT Coteau de Méthez 2005 ★

■	5 ha	35 000		5 à 8 €

Le merlot, roi sur ce coteau formé par les dépôts de graves d'un ancien delta fluvial, est à l'origine de ce vin vêtu de noir légèrement tuilé. Les arômes concentrés et complexes évoquent le cassis, la fraise mûre, la rose, la violette et la vanille, tandis que la bouche souple en attaque s'ouvre sur une matière puissante et dense. La trame tannique ne présente aucune agressivité et le boisé se fond au profit d'un retour des flaveurs de cassis en finale. La générosité.

EARL Joël Bonneau, Les Grelots, 33820 Saint-Ciers-sur-Gironde, tél. 05.57.32.65.98, fax 05.57.32.71.81, e-mail jbonneau@wanadoo.fr
t.l.j. 9h-13h 14h-19h

CH. DU HAUT GUÉRIN

Élevé en fût de chêne 2005 ★

■	6 ha	24 178		5 à 8 €

Une visite du château s'impose, d'une part pour admirer les peintures murales dues à Jean Dupas, d'autre part pour apprécier cette cuvée parée d'une robe rouge foncé, qui s'épanouit sur des arômes de pruneau, de grillé, de fumé et de graphite. Le boisé souligne une chair dense, riche et bien structurée par des tanins persistants.

Coureau, Ch. du Haut Guérin, 33920 Saint-Savin-de-Blaye, tél. 05.57.58.40.47, fax 05.57.58.93.09, e-mail j.coureau@cgmvins.com
r.-v.

CH. LES HAUTS DE FONTARABIE 2005 ★

■	15 ha	80 000		5 à 8 €

Les deux filles de A. Faure ont acquis ce domaine blayais en 1995, complétant ainsi leur gamme de vins d'appellations bordelaises. Le 2005, pourpre nuancé de violine, présente un bouquet complexe de fruits noirs, d'épices et de grillé, ainsi qu'une chair ronde et fraîche à la fois, longuement fruitée. À savourer dans deux ou trois ans.

Vignobles A. Faure, 33710 Saint-Ciers-de-Canesse, tél. 05.57.42.68.80, fax 05.57.42.68.81, e-mail belair-coubet@wanadoo.fr r.-v.

CH. HAUT TERRIER
Élevé en barrique neuve 2006 *

5 ha 30 000 5 à 8 €

Bernard Denéchaud est à la tête de cette propriété d'une cinquantaine d'hectares depuis 1974. Les soins apportés aux vendanges se traduisent par la qualité de ce vin jaune paille à reflets dorés, fruité, légèrement miellé et nuancé de notes discrètes de toasté. L'attaque est souple, la matière riche et ronde, rehaussée de flaveurs de vanille. Une belle expression.

Denéchaud, Ch. Haut Terrier, 46, Le Bourg, 33620 Saint-Mariens, tél. 05.57.68.53.54, fax 05.57.68.16.87, e-mail chateau-haut-terrier@wanadoo.fr r.-v.

CH. HAUT-VIGNEAU 2004 *

2,3 ha 15 300 8 à 11 €

Une propriété de 24 ha d'un seul tenant autour d'une maison de maître bâtie entre les XVIIe et XIXe s. Vincent et Nathalie Lemaitre en ont pris la direction en 1999. Ils proposent ici un 2004 aussi complexe qu'élégant, doté d'arômes de fruits rouges et de notes harmonieuses de grillé, de torréfaction et de réglisse. Une matière dense et ronde enveloppe le palais, étayée par des tanins fondus, aux accents grillés. La finale persistante laisse une impression suave. À boire ou à conserver jusqu'en 2010.

Vincent Lemaitre, Ch. Rousselle, SARL Anthocyane, 33710 Saint-Ciers-de-Canesse, tél. 05.57.42.16.62, fax 05.57.42.19.51, e-mail chateau@chateaurousselle.com
t.l.j. 9h-12h 14h30-18h; sam. dim. sur r.-v 6

CH. LACAUSSADE SAINT-MARTIN
Trois Moulins 2005

20 ha 100 000 8 à 11 €

Une petite église templière du XIIe s. sur le chemin de Saint-Jacques-de-Compostelle jouxte cette propriété de 38 ha, au sol argilo-calcaire. Le 2005 doit au merlot d'élégants arômes de fruits rouges et à un élevage de douze mois en barrique des accents de pain grillé et de vanille. Bien structuré, il est encore dominé par le bois et mérite de vieillir deux ans en cave.

SCEA Ch. Labrousse, 8, rte de Labrousse, 33390 Saint-Martin-Lacaussade, tél. 05.57.42.91.55, fax 05.57.42.27.93, e-mail jacques.chardat@wanadoo.fr
r.-v.
Jacques Chardat

CH. MAISON NEUVE 2005 **

15 ha 100 000 3 à 5 €

Cette propriété de 36 ha s'est transmise de mère en fille depuis quatre générations. Après un élevage de douze mois en barrique neuve, ce vin présente une teinte pourpre intense, puis un nez complexe de fruits noirs, de grillé et de réglisse, preuve qu'un subtil mariage s'est réalisé entre le vin et le bois. La chair dense et concentrée s'appuie sur des tanins mûrs qui lui confèrent puissance et persistance. Un 2005 équilibré.

SCEA Vignobles J.-P. et C. Eymas, Ch. Maison Neuve, 33820 Saint-Palais, tél. et fax 05.57.32.96.15, e-mail chateaumaisonneuve@hotmail.com
t.l.j. sf dim. 9h-12h 14h-18h

CH. MANON LA LAGUNE 2005 *

10 ha 70 000 5 à 8 €

Un domaine de 12 ha, récemment acquis et en cours de rénovation : en particulier, la vigne est progressivement palissée en lyre. Issu d'un assemblage classique de merlot (55 %) et de cabernets, ce vin pourpre ourlé de violet développe un bouquet plaisant : les notes de toasté et de bois de santal dominent sans exclure le fruit. Souplesse et rondeur caractérisent le palais, fin, soutenu par des tanins de qualité qui assurent une bonne persistance. À apprécier dès maintenant.

GFA Bantegnies et Fils, Vignoble Bertinerie, 33620 Cubnezais, tél. 05.57.68.70.74, fax 05.57.68.01.03, e-mail contact@chateaubertinerie.com r.-v.

CH. DES MATARDS
Cuvée Nathan Élevé en fût de chêne 2005 *

4 ha 30 000 5 à 8 €

Une cuvée typée merlot (90 %), habillée d'une robe grenat profond, ourlée de violet. Au nez de fruits rouges mûrs mêlés de grillé et de toasté répond une bouche souple et ronde dans laquelle se fondent les tanins bien présents, mais dociles. Un 2005 plaisant, à découvrir dès maintenant et jusqu'en 2010.

GAEC Terrigeol et Fils, Le Pas d'Ozelle, 33820 Saint-Ciers-sur-Gironde, tél. 05.57.32.61.96, fax 05.57.32.79.21, e-mail christophe.terrigeol@wanadoo.fr
t.l.j. 8h-12h 14h-18h; sam. dim. sur r.-v

CH. MOULIN NEUF Élevé en fût de chêne 2005 *

1,5 ha 8 500 5 à 8 €

Laurent Glemet a repris une partie de l'exploitation familiale pour créer ce domaine de 12 ha. Le merlot (95 %), accompagné de cabernet-sauvignon, a produit ce vin intense, exprimant un boisé vanillé et réglissé. La bouche chaleureuse et riche est encore dominée par les tanins qui devraient s'affiner au cours des trois prochaines années. Un 2005 bien construit.

Laurent Glemet, Le Moulin Neuf, 33920 Saint-Christoly-de-Blaye, tél. 05.57.42.48.81, e-mail chateau.moulin-neuf@orange.fr r.-v.

CH. LES PÂQUES
Cuvée Prestige Élevé en fût de chêne 2004 **

1,5 ha 11 000 5 à 8 €

Lorsqu'en 1991 Bruno Martin s'est installé sur le domaine à la suite de son père, il s'est attaché à étendre le vignoble qui compte aujourd'hui 23 ha sur sol argilo-calcaire. Le seul merlot est à l'origine de ce 2004 dont la teinte noire annonce la puissance et la concentration. Des arômes de fruits noirs, de confiture, de grillé et de fumée dominent le bouquet, tandis que la bouche apparaît souple et ronde, ample et volumineuse. Un vin qui a tout pour bien évoluer au cours des trois prochaines années. Une étoile revient au **Château Les Pâques 2006 blanc (3 à 5 €)**, élégant et aromatique.

Bruno Martin, 19, Les Pâques, 33820 Braud-et-Saint-Louis, tél. et fax 05.57.32.76.10, e-mail bruno.martin121@wanadoo.fr
t.l.j. 8h-12h 14h-20h

LA CROIX DE PÉRENNE 2004 **

2,5 ha 4 000 38 à 46 €

En 1997, Bernard Magrez a acheté à des Danois cette propriété commandée par un château néoclassique

du XIX^e^s. Il s'est attaché à moderniser le cuvier et a porté la capacité des chais à un millier de barriques. Vingt mois d'élevage en fût ont apporté la touche finale à ce vin d'un rouge soutenu, dont le nez complexe mêle les fruits (mûre, prune), le pain grillé, les épices et le café. Les tanins puissants mais non dénués d'élégance se fondent dans la chair grasse et ronde, empreinte d'un boisé vanillé et de flaveurs de pruneau confit. Trois ans de garde permettront à cette bouteille d'atteindre sa meilleure expression.

Bernard Magrez,
Terroirs et Vignobles, Ch. Pérenne,
33390 Saint-Gènes-de-Blaye, tél. 05.57.42.18.25,
fax 05.57.42.15.86 r.-v.

CH. PEYBONHOMME LES TOURS 2005 *

■ 15,51 ha 100 000 5 à 8 €

Autour de la tour crénelée bien reconnaissable du château s'étend le domaine de près de 60 ha, à 1 km de la citadelle de Blaye. Catherine et Jean-Luc Hubert, pour qui l'agriculture biologique est de règle, proposent un 2005 d'un pourpre intense qui associe avec complexité des arômes de fruits mûrs (groseille, mûre), de sous-bois, d'épices et de grillé. La bouche est ample, ronde et concentrée, soutenue jusqu'en finale par des tanins fins.

SCEA Vignobles Bossuet-Hubert,
Ch. Peybonhomme-les-Tours, 33390 Cars,
tél. 05.57.42.11.95, fax 05.57.42.38.15,
e-mail peybonhomme@terre-net.fr
t.l.j. sf dim. 9h-12h 13h-17h

CH. PEYREYRE
Élevé en barrique de chêne neuf 2004

■ 18 500 5 à 8 €

Depuis le milieu du XIX^e^s., la famille Trinqué préside à la destinée de cette propriété de 30 ha. Un assemblage classique de merlot et de cabernet-sauvignon, complété de 5 % de malbec, se traduit par un vin riche d'arômes de fruits rouges, de réglisse, de cuir et de gibier. La matière souple et ronde bénéficie de tanins fins et laisse percevoir en finale des notes de cuir. À apprécier dans les deux ans.

SARL Vignobles Trinque,
Ch. Peyreyre, 14, voie Romaine,
33390 Saint-Martin-Lacaussade, tél. 05.57.42.18.57,
fax 05.57.42.94.17, e-mail peyreyre@orange.fr
t.l.j. 9h-12h 14h-18h; sam. dim. sur r.-v.

CH. PINET LA ROQUETTE Le Bouquet 2005 *

■ 1,91 ha 10 000 5 à 8 €

Le nom de Pinet La Roquette vient d'un petit roc calcaire qui domine ce domaine de 10 ha d'un seul tenant et qui aurait servi d'abri aux hommes préhistoriques. En 2001, Stéphane et Valérie Nativel, ingénieurs militaires, ont été séduits par cette ancienne propriété remontant au début du XIX^e^s. À partir du merlot (90 %) et du cabernet-sauvignon, ils ont élaboré un 2005 pourpre intense, dont le bouquet évoque les fruits rouges et noirs, ainsi que les épices. La bonne maturité du raisin est perceptible dans la matière ronde et grasse qui enveloppe une trame de tanins certes présents, mais mûrs. Bon retour des fruits en finale.

EARL Nativel, Pinet La Roquette, 33390 Berson,
tél. et fax 05.57.42.64.05, e-mail sv.nativel@wanadoo.fr
t.l.j. 9h-19h; dim. sur r.-v.; f. 1er-15 août
GFA La Roquette

LE CHÊNE DE PUYNARD 2004 *

■ 4,2 ha 20 000 5 à 8 €

L'élégant château (XIII^e^s. remanié au XVIII^e^s.) a appartenu au duc Louis de Saint-Simon, gouverneur de Blaye. Le chêne, vieux de deux cent cinquante ans et emblème de la propriété, domine les parcelles de vignes de merlot qui ont donné naissance à ce 2004. Un vin rouge foncé qui développe un bouquet de fruits mûrs, de grillé et de toasté. Les tanins du raisin s'associent à ceux du bois pour soutenir la chair ample et ronde, et assurer un bon vieillissement.

SC du Ch. Puynard, 6, av. de la Libération,
33390 Berson, tél. 05.57.64.33.21, fax 05.57.64.23.14,
e-mail chateau.puynard@wanadoo.fr r.-v.
Grégoire

CH. LA RAZ CAMAN 2005

■ 15 ha 68 000 8 à 11 €

Jacques de Mélignan, seigneur de Caman, possédait cette maison noble au XVII^e^s., mais c'est au chevalier de La Raz de Caman, qui en fut propriétaire au XVIII^e^s., que ce domaine doit son nom. Sur un terroir argilo-calcaire très pierreux, le merlot, les cabernets et le malbec ont donné naissance à un 2005 de teinte noire à reflets violacés qui exhale des arômes de fruits noirs, de grillé, de vanille et de graphite avant d'emplir le palais d'une chair légère, gentiment boisée. À ouvrir dès 2008.

Jean-François Pommeraud, Ch. La Raz Caman,
33390 Anglade, tél. 05.57.64.41.82, fax 05.57.64.41.77,
e-mail jean-francois.pommeraud@wanadoo.fr
r.-v.

CH. LES RICARDS 2004 *

■ 12 ha 22 000 8 à 11 €

Un terroir composé d'argile, de calcaire, de sable et de graves, ainsi qu'une présence importante de malbec (20 %) expliquent en partie le caractère de ce vin. Un boisé vanillé se glisse dans la palette de fruits noirs mûrs (cassis, mûre). La robe rouge intense annonce la qualité de la matière, riche et ronde, qui enveloppe des tanins bien présents et s'achève sur une agréable finale de fruits confits. Un premières-côtes-de-blaye de bonne garde.

Corinne et Xavier Loriaud,
EARL Chevrier-Loriaud, 1, Les Ricards, 33390 Cars,
tél. 05.57.42.91.34, fax 05.57.42.32.87,
e-mail chateau.belair.la.royere@wanadoo.fr r.-v.

CH. RICAUD Élevé en fût de chêne 2005 *

■ 9 ha 60 000 8 à 11 €

Ce vin élevé neuf mois en barrique associe avec élégance les arômes de fruits rouges à ceux hérités du bois : grillé, vanille, menthol. La bouche souple et ronde fait

BORDELAIS

preuve d'équilibre et laisse dans son léger sillage épicé une petite pointe d'amertume en finale. Une bouteille à découvrir dans deux ans.

Vignobles Michel Baudet, Ch. Ricaud, 33390 Plassac, tél. 05.57.42.16.63, fax 05.57.42.31.22, e-mail mbaudet@terre-net.fr r.-v.

Jean-Michel Baudet

CH. LA ROSE BELLEVUE
Prestige Fût de chêne 2006 *

	3 ha	12 000		5 à 8 €

Deux séjours en Australie, en 1996 et en 2006, ont permis à Jérôme Eymas de découvrir d'autres philosophies de vinification sans rien perdre de la tradition bordelaise. En témoigne ce 2006 issu d'un assemblage équilibré de sauvignon gris, de sauvignon blanc et de muscadelle, élevé cinq mois en barrique. La rose et l'aubépine, la noisette fraîche, les fruits blancs et un soupçon de grillé se manifestent, suivis d'une bouche ronde qui se prolonge sur une fraîche note fruitée. Une bouteille prête à déguster.

EARL Vignobles Eymas et Fils, Ch. La Rose Bellevue, 5, Les Mouriers, 33820 Saint-Palais, tél. 05.57.32.66.54, fax 05.57.32.78.78 t.l.j. 9h30-12h30 14h-18h30

Jérôme Eymas

CH. SAINTE-LUCE BELLEVUE 2005 **

	6 ha	30 000		11 à 15 €

Ce 2005, issu du merlot à 99 %, résulte d'un remarquable travail d'élevage. En témoignent sa robe rouge sombre ornée de reflets violets, ses arômes ouverts de fruits noirs surmûris, de grillé et de vanille. La chair pleine et généreuse laisse une impression savoureuse de rondeur, étoffée par des tanins assez présents, mais veloutés. La finale vanillée est longue et chaleureuse. À boire ou à attendre.

Bruno Martin, 8, La Garde, 33390 Saint-Seurin-de-Cursac, tél. 05.57.42.32.29, fax 05.57.42.01.86, e-mail contact@chateau-roland-la-garde.com
t.l.j. 8h-12h 14h-19h; sam. dim. sur r.-v.

CH. DE LA SALLE 2004 *

	11 ha	60 000		8 à 11 €

1563, telle est la date de construction de ce château qui commande aujourd'hui un vignoble de 10 ha. Classique, l'assemblage de merlot, de cabernet-sauvignon (30 %) et de malbec (10 %) issus d'un terroir argilo-calcaire a produit une cuvée d'un rouge profond qui délivre des arômes de fruits noirs (mûre, pruneau) et d'épices (poivre). Des tanins souples et élégants structurent la matière ronde et il ressort de la dégustation une impression de richesse et d'équilibre. À apprécier dès maintenant.

SCEA Ch. de La Salle, 33390 Saint-Genès-de-Blaye, tél. 05.57.42.12.15, fax 05.57.42.87.11, e-mail marc.bonnin19@voila.fr r.-v. ④

Bonnin

CH. SEGONZAC Vieilles Vignes 2005 ***

	13 ha	75 000		8 à 11 €

Cette propriété a été créée en 1887 par Jean Dupuy, ministre de l'Agriculture et fondateur du *Petit Parisien*. Pour fêter les cent vingt ans du domaine, cette cuvée de vieilles vignes de quarante-cinq ans a été élaborée. Couleur rouge profond, nez intense de fruits rouges, agrémenté d'accents de café et de cacao. La bonne maturité du raisin s'exprime au palais à travers une chair ample, ronde et persistante.

SCEA Ch. Segonzac, 39, Segonzac, 33390 Saint-Genès-de-Blaye, tél. 05.57.42.18.16, fax 05.57.42.24.80, e-mail segonzac@chateau-segonzac.com
t.l.j. 8h30-12h 14h-18h; sam. dim. sur r.-v. Ⓒ

Charlotte Herter

CH. SIFFLE MERLE 2006 *

	1,6 ha	5 000		3 à 5 €

Un domaine de 25 ha répartis sur trois communes, dont le nom vient du lieu-dit Le Merle. Une sélection de sauvignon et de sémillon (10 %) sur graves est à l'origine de ce 2006 jaune pâle à reflets dorés qui exhale des parfums de fleurs blanches, de fruits exotiques et de pêche, avant de développer une matière ronde à laquelle un léger perlant apporte de la fraîcheur et de la persistance. L'équilibre entre vivacité et douceur est réussi.

EARL Vignobles Macage, Le Merle, 33860 Marcillac, tél. 05.57.32.41.34, fax 05.57.32.48.14, e-mail contact@chateau-siffle-merle.com
r.-v. Ⓓ

Franck Cot

CH. TERRE-BLANQUE Les Cailloux 2004 **

	1,3 ha	4 000		23 à 30 €

Un terroir calcaire caillouteux, chaud, a permis au cabernet-sauvignon (80 %) et au merlot d'atteindre une belle maturité et de donner naissance à une cuvée très concentrée. Il n'est que de voir l'intensité de la robe et de humer le bouquet de fruits rouges, de prune et de vanille, aussi puissant qu'élégant, pour s'en convaincre. La chair ample et grasse bénéficie du soutien de tanins présents, sans agressivité, et offre une délicieuse finale sur les fruits noirs confits. Le potentiel est indéniable : trois ans de garde sont à la portée de ce vin. La **cuvée Noémie 2005 (11 à 15 €)**, à majorité de merlot (60 %), est citée.

Paul-Emmanuel Boulmé, Ch. Terre-Blanque, 1, Sesque, 33390 Saint-Genès-de-Blaye, tél. 06.85.52.48.08, fax 05.57.42.19.48, e-mail pe.boulme@terreblanque.com r.-v.

CH. DE TERRE TAILLYSE 2006

	1,16 ha	4 800	3 à 5 €

Récolté sur une petite parcelle argilo-limoneuse, le sauvignon s'est allié à 5 % de muscadelle pour produire ce vin expressif, dans lequel on reconnaît aisément les arômes de fleurs blanches et d'agrumes (citron notamment). La chair est souple, ronde, parfumée de flaveurs de fruits blancs et de fruits exotiques qu'une certaine vivacité souligne en finale. Pour des fruits de mer.

EARL Ragot et Fils, 81, Millepied, 33920 Saint-Vivien-de-Blaye, tél. et fax 05.57.42.53.37
r.-v.

CH. TOURS DE PEYRAT Vieilles Vignes 2005 *

	5 ha	30 000		5 à 8 €

La cave coopérative du Blayais propose ce vin de composition classique qui, sous un habit pourpre presque noir, livre des arômes complexes de fruits noirs, de grillé et d'épices. La chair fait preuve de volume et de rondeur grâce au soutien de tanins de qualité, respectueux de l'expression fruitée (pruneau). À attendre deux ans. Le

Château Montfollet Vieilles Vignes 2005 rouge obtient aussi une étoile pour son élégant fruité et son potentiel de garde.
Cave coop. du Blayais, 9, Le Piquet, 33390 Cars, tél. 05.57.42.13.15, fax 05.57.42.84.92, e-mail d.raimond@lacavedeschateaux.com
t.l.j. sf dim. 9h-12h 14h-18h

CH. DES TOURTES Cuvée Prestige 2005 ★★

5 ha 26 000 5 à 8 €

Une cuvée de pur sauvignon... ou presque : 1 % seulement de sémillon. Dix mois d'élevage en barrique lui ont donné le temps de développer une palette aromatique complexe : noisette, beurre, sous-bois, alliés à un fin boisé. Or gris étincelant, elle dévoile au palais une chair ronde et harmonieuse, toute empreinte de flaveurs de noisette, de grillé et d'épices. À boire ou à attendre une petite année. La **cuvée Prestige 2005 rouge** obtient la même note : un vin riche d'arômes de fruits rouges soutenus par un élégant boisé, bien structuré et persistant, qui saura évoluer favorablement au cours de trois ou quatre ans de garde.
EARL Raguenot-Lallez-Miller, Ch. des Tourtes, Le Bourg, 33820 Saint-Caprais-de-Blaye, tél. 05.57.32.65.15, fax 05.57.32.99.38, e-mail chateau-des-tourtes@wanadoo.fr
t.l.j. 9h-12h 14h-19h; dim. sur r.-v.

DUCHESSE DE TUTIAC 2006 ★

10 ha 50 000 3 à 5 €

Régulièrement mentionnée dans le Guide, cette cave coopérative propose un vin de pur sauvignon, dont la palette décline des arômes de fruits exotiques, de buis, de genêt et de pierre à fusil. Jaune pâle à reflets verts, ce blanc associe au palais une chair tendre et un fruité rafraîchissant, évocateur d'agrumes. L'**Excellence de Tutiac 2004 rouge élevé en fût de chêne (5 à 8 €)**, mariage réussi du bois et du vin, obtient une étoile également.
Cave des Hauts de Gironde, La Cafourche, 33860 Marcillac, tél. 05.57.32.48.33, fax 05.57.32.49.63, e-mail contact@tutiac.com r.-v.

CH. VIEUX PLANTY Élevé en fût de chêne 2005 ★

2 ha 10 000 5 à 8 €

Un chêne de six cents ans, le plus vieux de Gironde, domine ce terroir argilo-graveleux sur lequel ont été récoltés le merlot et le cabernet-sauvignon qui composent ce vin rubis intense. Le nez privilégie le grillé et le toasté légèrement mentholé, tandis que la bouche trouve un équilibre entre une chair ronde, fruitée (fruits rouges et cassis), des tanins de qualité et un boisé discret qui persiste en finale. Une bouteille à boire ou à garder.
EARL Ovide et Fils, 10, Le Bourg, 33820 Saint-Aubin-de-Blaye, tél. et fax 05.57.32.67.35, e-mail chateauvieuxplanty@cario.fr r.-v.

Côtes-de-bourg

L'AOC couvre environ 4 006 ha. Avec le merlot comme cépage dominant, les rouges (193 095 hl en 2005) se distinguent souvent par leur couleur et leurs arômes typés de fruits rouges. Plutôt tanniques, ils permettent dans bien des cas d'envisager favorablement un certain vieillissement (de trois à huit ans). Peu nombreux, les blancs (883 hl) sont en général secs, avec un bouquet caractéristique.

CH. DE BARBE 2005 ★

42 ha 210 000 5 à 8 €

Une cuvée produite en volume important, issue d'un vignoble dont la superficie totale atteint 80 ha, étagé au bord de la Gironde. Vin classique et équilibré, de teinte pourpre dense, il évoque une vendange bien mûre par ses arômes de fruits rouges et noirs rehaussés d'un discret boisé. Le palais rond joue dans le même registre, en s'appuyant sur des tanins vanillés qui se fondront mieux encore à la faveur d'un ou deux ans de garde. Le **Château Tour Bidou 2005 rouge**, encore dominé par les tanins, mérite de vieillir deux ou trois ans. Il est cité.
SC Villeneuvoise, Ch. de Barbe, 33710 Villeneuve, tél. 05.57.42.64.00, fax 05.57.64.94.10, e-mail chateaudebarbe@wanadoo.fr r.-v.

CH. BÉGOT 2005 ★

2 ha 10 000 3 à 5 €

Fort de 17 ha sur un terroir argilo-calcaire bien exposé, le domaine propose un côtes-de-bourg haut en couleur et très fruité, typique du merlot bien mûr. Tendre, rond et velouté, ce 2005 satisfera les amateurs de vins non boisés, prêts assez vite. Également noté une étoile, le **rouge 2005 Élevé en fût de chêne (5 à 8 €)** ajoute au fruité un boisé de qualité ; ses tanins encore un peu austères à ce jour, mais respectueux du terroir, assureront une bonne tenue dans le temps.
Alain Gracia, 5, Bégot, 33710 Lansac, tél. 05.57.68.42.14, fax 05.57.68.29.90, e-mail chateau.begot@wanadoo.fr
t.l.j. 9h-12h 14h-18h; sam. dim. sur r.-v.

CH. BOIS DES GRAVES 2005 ★

10 ha 67 000 3 à 5 €

Un vin encore jeune, mais déjà agréable. Sous une teinte vive, apparaissent des arômes de cuir et de gibier, puis une chair ronde, soutenue par des tanins denses. Un style « nature » que l'on appréciera au cours des cinq prochaines années.
Œnoalliance, rte du Petit-Conseiller, 33750 Beychac-et-Caillau, tél. 05.57.97.39.73, fax 05.57.97.39.74, e-mail info@oenoalliance.com
J. B. Raymond

CAVE DE BOURG-TAURIAC Évidence Cuvée Sélection 2004 ★

5 ha 20 000 11 à 15 €

De la modernité et un caractère traditionnel dans ce côtes-de-bourg pourpre intense qui exprime, comme une évidence, des arômes de baies noires, d'épices et de torréfaction. Sa chair ample, ronde et structurée par des tanins réglissés est déjà aimable, mais elle saura aussi bien évoluer dans le temps. Idée d'accords gourmands : un magret de canard. **Évidence n° 2 rouge 2004 (5 à 8 €)**, plus classique et davantage marquée par la barrique, est citée (étiquette bleue).
Cave de Bourg-Tauriac, 3, av. des Côtes-de-Bourg, 33710 Tauriac, tél. 05.57.94.07.07, fax 05.57.94.07.00, e-mail info@cave-bourg-tauriac.com r.-v.

CH. BRULESÉCAILLE 2004 ★

■ 13 ha 50 000 5 à 8 €

Domaine de 25 ha, Brulesécaille se réfère par son nom au lieu où l'on fait brûler les sarments et les bois qui ont été coupés lors de la taille d'hiver. Il est à l'origine d'un vin rubis, évocateur de fruits rouges (groseille) et de boisé, dont la chair souple et ronde est soulignée de cette même empreinte de l'élevage de douze mois en barrique. À servir prochainement avec un baron d'agneau ou un rôti de marcassin aux airelles. Le **Château La Gravière 2005 rouge**, qui doit son nom aux graves rouges du terroir, obtient une étoile. C'est un vin de garde, corsé, parfumé de notes de fruits cuits et de torréfaction.

Jacques Rodet, Brulesécaille, 33710 Tauriac,
tél. 05.57.68.40.31, fax 05.57.68.21.27,
e-mail cht.brulesecaille@wanadoo.fr
t.l.j. sf dim. 9h-12h 14h30-20h
GFA Rodet-Récapet

CH. DE LA BRUNETTE

Chêne de la Brunette Élevé en fût 2004 ★

■ 1 ha 4 500 5 à 8 €

Un vigneron qui travaille en agriculture biologique un peu plus de 4 ha. Son Chêne de la Brunette porte bien son nom, puisqu'il a été élevé treize mois en barrique. Rouge foncé, il décline des arômes floraux et fruités avant de développer une chair dense étayée par de bons tanins. Vous pouvez déjà le servir avec des viandes et des gibiers en sauce. La **Cuvée traditionnelle 2005 rouge**, qui n'a pas connu le bois, est citée : souple et fraîche, elle accompagnera des viandes blanches.

SCEA Lagarde Père et Fils, Dom. de La Brunette,
33710 Prignac-et-Marcamps, tél. et fax 05.57.43.58.23,
e-mail chateau.de.labrunette@wanadoo.fr
r.-v.

CH. BUJAN 2005 ★

■ 9 ha n.c. 5 à 8 €

Un domaine de 16 ha sur sols argilo-calcaires. Ce vin brillant de reflets rubis et grenat offre un intéressant bouquet finement boisé, accompagné de baies mûres, de fleurs, de minéral et d'épices. La bouche est encore fraîche et fruitée, évocatrice de pruneau, mais les tanins laissent une petite impression d'austérité en finale, invitant à une garde d'un ou deux ans. Un côtes-de-bourg représentatif du millésime.

Pascal Méli, Ch. Bujan, 33710 Gauriac,
tél. 05.57.64.86.56, fax 05.57.64.93.96,
e-mail pmeli@alienor.fr r.-v.

CH. CAMPONAC 2005

■ 0,45 ha 3 000 3 à 5 €

Dans le millésime 2005, cette propriété familiale de près de 13 ha sur sols argilo-calcaires propose un vin intensément coloré, aux notes terroitées. Souple, frais et fruité au palais, il ne demande qu'à rejoindre au plus tôt des grillades. Le **rouge 2004 Élevé en fût de chêne (5 à 8 €)** est cité : plus évolué, marqué par des arômes fruités et cacaotés, il se montre suffisamment rond pour une dégustation immédiate avec un magret de canard aux cèpes.

EARL Vignobles Leconte-Rios, 1, Camponac,
33710 Bourg-sur-Gironde, tél. et fax 05.57.68.40.26,
e-mail vignobles.leconte-rios@wanadoo.fr
t.l.j. 8h-12h 14h-19h
Rios

DOM. DE CANTEMERLE

Élevé en fût de chêne 2004 ★

■ 3,26 ha 21 000 8 à 11 €

Important domaine de 47 ha remontant au XIXes. Le cabernet-sauvignon domine le merlot et le malbec dans cette cuvée originale, vêtue d'une robe pourpre intense. Aux arômes d'humus, de fruits des bois, d'amande grillée et de café répond une bouche équilibrée, tout aussi aromatique. Les tanins fins et patinés autorisent une dégustation prochaine, par exemple avec un cuissot de chevreuil.

Vignobles Mabille, 9, Cantemerle,
33240 Saint-Gervais, tél. 05.57.43.11.39,
fax 05.57.43.42.28, e-mail cantemerle@wanadoo.fr
r.-v.

CH. CASTEL LA ROSE

Cuvée Rosissime Vieilli en fût de chêne 2005 ★★

■ 10 ha 20 000 8 à 11 €

À une cinquantaine de mètres de l'église du XIes. qui possède l'une des plus vieilles cloches de France, se trouve ce domaine dont les vignes profitent de sols argilo-calcaires. Rosissime ? Plutôt pourprissime, ce vin aux arômes de raisins mûrs, nuancés d'une ligne boisée. Il apparaît équilibré et goûteux, soutenu par des tanins de qualité. Le type de côtes-de-bourg qui pourra être apprécié jeune ou vieux. La **cuvée Sélection 2005 rouge Vieilli en fût de chêne (5 à 8 €)**, plus évoluée, devra être bue assez rapidement. Elle obtient une étoile.

GAEC Rémy Castel, 3, Laforêt, 33710 Villeneuve,
tél. 05.57.64.86.61, fax 05.57.64.90.07,
e-mail castel.la.rose@wanadoo.fr r.-v.

CH. COLBERT 2005 ★

■ 12 ha 70 000 3 à 5 €

Après quatorze ans de présence, le navire militaire *Colbert* a quitté le port de Bordeaux au printemps 2007. Mais se souvient-on qu'en 1880, un bateau du même nom s'était échoué près de ce coquet manoir entouré de vignes ? Il avait fallu utiliser les barriques vides du domaine pour le désensabler. Le vin est à présent la principale curiosité de ce terroir argilo-calcaire et notamment ce 2005 vermillon, au bouquet naissant de fleurs et de fruits. La bouche friande aux notes de cassis bénéficie de tanins souples qui ne seront pas pour déplaire aux amateurs de cuvées non boisées. Une étoile revient aussi à la **cuvée Prestige 2005 rouge Élevé en fût de chêne (5 à 8 €)**, à l'harmonieuse patine boisée.

Duwer, SCA Ch. Colbert, 33710 Comps,
tél. 05.57.64.95.04, fax 05.57.64.88.41,
e-mail chateau-colbert@wanadoo.fr
t.l.j. 9h-12h 14h-19h

CH. DE CÔTS Cuvée Prestige 2005 ★

■ 2 ha 6 000 8 à 11 €

D'où vient le nom de ce domaine de 15 ha ? Taille en côt, cépage côt (ou malbec), coteaux ? Qu'importe, dans le verre, on a bel et bien affaire à un vin de caractère, pourpre et encore marqué par l'empreinte de la barrique (plutôt chêne blanc) : noix de coco, vanille. Le palais puissant, également très boisé, bénéficie cependant d'un fond fruité bien concentré. L'ensemble devrait s'être affiné d'ici un ou deux ans et poursuivra son évolution à la garde.

Gilles Bergon, 3, Côts, 33710 Bayon-sur-Gironde, tél. 05.57.64.82.79, fax 05.57.64.95.82, e-mail gilles-bergon@wanadoo.fr r.-v.

LA COULÉE DE BAYON 2005 *

0,65 ha 2 300 8 à 11 €

Des vignes de quarante ans, cultivées sur des sols argilo-sablo-calcaires que le vigneron s'attache à labourer comme autrefois, ont donné naissance à un vin pourpre brillant de reflets grenat. Le bouquet déjà ouvert sur la vanille, les baies noires compotées et le tabac blond trouve un bel écho au palais, dans la chair dense et souple à la fois, charpentée par des tanins prometteurs. Dans deux ou trois ans, vous commencerez à servir ce côtes-de-bourg avec une viande rouge.

Jean-Marc Delhaye, 2, Le Bourg, 33710 Bayon-sur-Gironde, tél. 05.57.64.81.74, e-mail j.m.delhaye@wanadoo.fr r.-v.

CH. FOUGAS Maldoror 2005 *

8 ha n.c. 15 à 23 €

Référence dans l'aire d'appellation, déjà plusieurs fois coup de cœur dans des éditions antérieures du Guide, ce cru tient son rang dans le millésime 2005. La variété de son sous-sol – argiles bleues et rouges, calcaires, graves et sables – n'est peut-être pas étrangère à cette régularité. Voyez ce vin rubis, au bouquet épanoui : le boisé élégant domine encore, mais laisse s'exprimer le fruit (griotte). La bouche est ample, puissante, structurée par les tanins du bois qui assureront une bonne garde. La **Cuvée Prestige 2005 rouge (8 à 11 €)**, timide et ferme, est citée. Laissez-lui deux ou trois ans pour s'affiner.

Jean-Yves Béchet, Ch. Fougas, 33710 Lansac, tél. 05.57.68.42.15, fax 05.57.68.28.59, e-mail jean-yves.bechet@wanadoo.fr r.-v.

CH. GARREAU 2005 *

2,67 ha 16 000 8 à 11 €

Principalement producteur de côtes-de-blaye, ce vigneron possède aussi des vignes sur les sols argilo-calcaires de Pugnac. Il y a élaboré un vin tout en finesse, paré de velours pourpre. Au nez délicat de boisé, de fruits rouges et de violette répond une bouche puissante, dotée de tanins caressants qui rendent la dégustation agréable tout en assurant une bonne évolution dans le temps. Le jury propose un accord avec un lapin aux pruneaux.

SCEA Ch. Garreau, Lafosse, 33710 Pugnac, tél. 05.57.68.90.75, fax 05.57.68.81.90
t.l.j. sf ven. sam. dim. 9h-12h 14h-16h30
Guez

CH. GENIBON-BLANCHEREAU
Améthyste de Genibon Élevé en fût de chêne 2005 *

1 ha 6 000 8 à 11 €

Une cuvée constituée aux deux tiers de merlot complété par du cabernet-sauvignon. Vêtue de rubis à reflets noirs, elle laisse poindre des arômes de bois toasté et de vanille, puis révèle des notes de fruits noirs mûrs. La chair ronde repose sur une trame de tanins suffisamment solides pour assurer une bonne tenue pendant une décennie. Pour un cuissot de chevreuil.

EARL Eynard-Sudre, Ch. Genibon-Blanchereau, 33710 Bourg-sur-Gironde, tél. 05.57.68.25.34, fax 05.57.68.27.58, e-mail eynard.sudre@wanadoo.fr
r.-v.

CH. GRAND LAUNAY 2006 *

1,2 ha 8 000 5 à 8 €

En 2005, Pierre-Henri Cosyns, ingénieur œnologue, a rejoint son père, Michel Cosyns, sur ce domaine créé en 1969. C'est une curiosité qu'il propose au jury : un pur sauvignon gris, jaune pâle, révélant les notes typées du buis. La bouche est puissante, relevée d'une vivacité bien présente qui invite à des accords avec des fruits de mer.

Pierre-Henri Cosyns, Ch. Grand Launay, 33710 Teuillac, tél. 05.57.64.39.03, fax 05.57.64.22.32, e-mail grand-launay@wanadoo.fr
t.l.j. 9h-12h 14h-18h 5

CH. GRAND-MAISON 2005 *

n.c. 10 600 11 à 15 €

L'an dernier, pour leur premier millésime, Jean Mallet et Hervé Romat avaient décroché une étoile. Ils montrent leur régularité avec cette cuvée issue de vieilles vignes, dont la concentration apparaît dès le premier regard porté sur la robe pourpre, puis dans les arômes intenses de fruits rouges et de bois frais. La texture est dense, soutenue par de jeunes tanins. On a affaire à un vin de garde, assurément, qui sera appréciable dans trois ans et pendant dix ans encore, pourvu qu'on l'accompagne de plats traditionnels ou de plats exotiques épicés.

Ch. Grand-Maison, Valades, 33710 Bourg-sur-Gironde, tél. et fax 05.57.64.24.04, e-mail cht.grandmaison-bourg@wanadoo.fr r.-v.
Hervé Romat et Jean Mallet

CH. LES GRANDS THIBAUDS
Cuvée Couleau Élevé en fût de chêne 2005 *

0,3 ha 1 800 11 à 15 €

Une microcuvée issue de vignes de quarante ans cultivées sur des graves argileuses. Jeune dans sa robe rubis vif, elle exprime surtout le bois caramélisé, mais la chair est suave et souple, de sorte qu'elle pourra être bue assez vite, sur son fruit et sa fraîcheur. La cuvée principale **rouge 2005 (5 à 8 €)**, qui n'a pas connu le bois, est citée : c'est un vin fruité et léger, destiné aux charcuteries et aux grillades.

Patrice Plantey, Ch. Les Grands Thibauds, 33240 Saint-Laurent-d'Arce, tél. et fax 05.57.43.08.37
t.l.j. 9h-18h30; dim. 10h-18h

CH. DE LA GRAVE Caractère 2005 *

25 ha 140 000 8 à 11 €

L'un des plus vastes et des plus anciens domaines du Bourgeais : 45 ha entourent le château du XVIes. remanié au XVIIIes. Du caractère, ce 2005 n'en manque pas, qui, sous une teinte pourpre, offre des arômes fruités et un boisé prometteur. Il se montre chaleureux et puissant, doté de tanins denses et de flaveurs délicieuses de pruneau. Appréciable jeune, meilleur encore après la garde, il accompagnera toutes sortes de mets.

SC Bassereau, Ch. de La Grave, 33710 Bourg-sur-Gironde, tél. 05.57.68.41.49, fax 05.57.68.49.26, e-mail chateaudelagrave@chateaudelagrave.com
t.l.j. 10h30-12h 14h30-17h; sam. dim. sur r.-v. 6

CH. LES GRAVES DE VIAUD
Cuvée Prestige Élevé en fût de chêne 2005

11,7 ha 75 000 5 à 8 €

Des graves argileuses composent le terroir de ce domaine de 15,5 ha qui a produit un vin charmeur, grenat à reflets rubis. Le bouquet ouvert exprime les fruits mûrs, le cuir et le chêne blanc toasté, tandis que la bouche souple et ronde laisse le souvenir de flaveurs de noyau de cerise et de tanins soyeux. À boire sans trop tarder avec une viande blanche en sauce.

P. et G. Derouineau, Dom. de Viaud, Viaud N° 1, 33710 Pugnac, tél. 05.57.68.94.37, fax 05.57.68.94.49, e-mail pierre.concorde@wanadoo.fr r.-v.

CH. GRAVETTES-SAMONAC
Cuvée Prestige Élevé en fût de chêne 2005 ★★

■ 4 ha 25 000 8 à 11 €

Remarquable millésime 2005 pour ce domaine de 28 ha régulier en qualité. De teinte bordeaux intense, ce vin mêle un bon raisin à un bon bois : fruits, fleurs et notes chocolatées. De la puissance, il n'en manque pas et ses élégants tanins, s'ils sont denses, autorisent une dégustation prochaine comme une longue garde. Citée, la cuvée **L'Élégance 2005 rouge (5 à 8 €)** affiche un caractère plus animal et une structure plus ferme qui demande à s'affiner.

Gérard Giresse, Ch. Gravettes-Samonac, 33710 Samonac, tél. 05.57.68.21.16, fax 05.57.68.36.43, e-mail gravette.samonac@orange.fr
t.l.j. 9h-12h 14h-19h; f. août

CH. DE GRISSAC 2005

■ 22 ha 120 000 3 à 5 €

Beau vignoble entourant un château construit en 1652. Pierre Montalier de Grissac, conseiller à la cour de Guyenne et ami de Montesquieu, en fut le propriétaire et lui donna son nom. Le jury n'a pas dégusté une microcuvée, mais le fruit de la totalité des vignes. Un vin rubis traversé de reflets grenat, dont le bouquet naissant fait la part belle au fruit, avec une touche de camphre. La chair équilibrée, tout aussi fruitée, séduira les plus impatients.

Bernadette Cottavoz, Ch. de Grissac, 33710 Prignac-et-Marcamps, tél. et fax 05.57.68.31.65, e-mail bcottavoz@aol.com r.-v.

CH. GROLEAU Vieilli en fût de chêne 2004 ★★

■ n.c. 8 000 5 à 8 €

Ce domaine familial se situe pour l'essentiel dans les côtes-de-blaye, mais il possède une extension en côtes-de-bourg, sur graves argileuses. Sous une teinte bordeaux foncé naît un bouquet d'abord marqué par un boisé toasté, puis ouvert sur les fruits mûrs et les épices à l'aération. Rond et charnu, ce 2004 repose sur les tanins de la barrique ; toutefois, les arômes de baies noires ne cèdent pas. L'ensemble s'harmonisera à la faveur d'un ou deux ans de garde. Pour un rôti de bœuf sauce Périgueux.

Didier et Sylvie Raboutet, Ch. Le Chay, 33390 Berson, tél. 05.57.64.39.50, fax 05.57.64.25.08, e-mail lechay@wanadoo.fr
t.l.j. sf dim. 8h-12h 14h-19h

CH. LA GROLET 2005 ★★

■ 12,37 ha 80 000 5 à 8 €

Vignoble de plus de 26 ha autour d'un manoir du XVIIe s., conduit en agriculture biologique et en biodynamie. Cette cuvée principale laisse une impression d'harmonie. Il suffit de regarder sa teinte bordeaux presque noire, de sentir ses arômes épanouis de violette, de fruits confiturés et de boisé torréfié bien fondu pour s'en convaincre. La chair dense et ronde enveloppe des tanins qui commencent à s'arrondir.

SCEA Vignobles Bossuet-Hubert, Ch. La Grolet, 33710 Saint-Ciers-de-Canesse, tél. 05.57.42.11.95, fax 05.57.42.38.15, e-mail contact@la-grolet.com
t.l.j. sf dim. 9h-12h 13h-17h

CH. GUERRY 2005 ★

■ 18,95 ha 73 000 15 à 23 €

Bernard Magrez, forte personnalité du négoce, a acheté en 2004 à la famille de Rivoyre ce vignoble de 22 ha entourant une gentilhommière. Il présente un vin en devenir, vêtu de bordeaux profond. Le bouquet est intense ; le bois s'y exprime dans le respect des arômes fruités du merlot et du malbec. La bouche chaleureuse, ronde et très fruitée s'achève sur des tanins encore jeunes, mais soyeux. Un côtes-de-bourg qui sera des plus plaisants dans deux ans et pour une dizaine d'années encore.

Bernard Magrez, Ch. Guerry, 26, rte du Guerrit, 33710 Tauriac, tél. 05.57.68.20.78, fax 05.57.68.41.31, e-mail guerry.chateau@wanadoo.fr

CH. GUIONNE Cuvée Renaissance 2004 ★★

■ 2 ha 7 000 11 à 15 €

En 2000, Isabelle et Alain Fabre, couple de Méditerranéens, se sont installés en côtes-de-bourg, sur ce domaine argilo-calcaire en coteaux. Leur cuvée Renaissance a tout pour plaire : robe grenat, bouquet intense évoquant une vendange bien mûre et ponctué de notes minérales peut-être liées au malbec, boisé discret, puissance et rondeur au palais, avec des tanins de qualité. Ce côtes-de-bourg pourra accompagner très prochainement toutes sortes de mets raffinés. La cuvée **Cœur boisé 2004 rouge (5 à 8 €)**, notée une étoile, revêt un caractère animal. Vous la servirez en carafe avec une viande rouge ou du gibier.

Alain Fabre, Ch. Guionne, 33710 Lansac, tél. 05.57.68.42.17, fax 05.57.68.29.61, e-mail info@chateauguionne.com r.-v.

CH. HAUT-BAJAC Élevé en fût de chêne 2004 ★

■ n.c. 6 500 5 à 8 €

Jacques Pautrizel, alors jeune œnologue, a débuté son activité en 1996 sur cette propriété de 12,5 ha qui domine la Dordogne. Il a élaboré un vin grenat qui demande une légère aération pour libérer ses arômes de fruits rouges, de cacao et de sous-bois. Agréable par sa rondeur, malgré des tanins boisés apparents, il pourra être dégusté dès maintenant après passage en carafe, ou bien être attendu.

Jacques Pautrizel, Ch. Haut-Bajac, 33710 Bourg-sur-Gironde, tél. 05.57.68.35.99, fax 05.57.68.32.15 t.l.j. sf dim. 9h-12h 14h-18h

CH. HAUT-GUIRAUD Péché du Roy 2005 ★

■ 6 ha 25 000 11 à 15 €

La légende raconte que le roi Louis XIV, enfant, avait apprécié des pêches du Guiraud lors de son séjour dans le Bourgeais. Le péché du Roy sera-t-il le vôtre après la dégustation de ce vin rubis intense, dont le bouquet déjà complexe décline les fleurs, les fruits, le bois et le cuir ? La bouche souple et ronde bénéficie du soutien de tanins solides, venus de la barrique, qui devraient évoluer heureusement au cours d'une dizaine d'années de garde. Le **Château Castaing 2005 rouge Élevé en fût de chêne (5 à 8 €)**, plus austère, est cité. Il mérite de fondre ses tanins et l'empreinte du bois.

Bonnet et Fils, Ch. Haut-Guiraud,
33710 Saint-Ciers-de-Canesse, tél. 05.57.64.91.39,
fax 05.57.64.88.05,
e-mail bonnetchristophe@wanadoo.fr r.-v.

CH. HAUT-MACÔ Cuvée Jean Bernard 2004 *

6 ha 19 800 5 à 8 €

En 2004, Anne et Hugues Mallet ont pris la suite de Jean et de Bernard Mallet. Ils leur rendent hommage avec cette cuvée aussi moderne que classique. Agréable jeune, celle-ci le sera tout autant après une garde. Sous une teinte rubis commencent à se manifester des arômes de fruits rouges et noirs, nuancés d'un boisé épicé discret. La bouche est généreuse, ronde et structurée par des tanins garants d'un avenir favorable. Cité, le **Château Haut-Macô 2004 rouge** est un peu fermé : il demande à vieillir un ou deux ans.

Anne et Hugues Mallet,
Ch. Haut-Macô, 61, rue des Gombauds,
33710 Tauriac, tél. 05.57.68.81.26, fax 05.57.68.91.97,
e-mail hautmaco@wanadoo.fr
t.l.j. sf dim. 8h-12h 14h-18h; sam. sur r.-v.

CH. HAUT MOUSSEAU Cuvée Prestige 2005 **

10 ha 50 000 8 à 11 €

Un vignoble de 33 ha qui s'étale sur des sols de sables et de graves blanches. Ce vin très coloré exprime avec finesse des arômes fruités et boisés qui trouvent écho au palais, en accompagnement d'une chair goûteuse, forte de tanins denses. Dix à quinze ans de vieillissement sont à la portée de ce côtes-de-bourg également appréciable jeune. Mariez-le avec une pintade. Issu de graves rouges, le **Château Terrefort-Bellegrave Cuvée Prestige 2005 rouge** brille d'une étoile pour sa palette de fleurs et de fruits, nuancée de boisé, comme pour son caractère friand, souple et frais. Prêt à savourer.

Dominique Briolais, 1, château Haut Mousseau,
33710 Teuillac, tél. 05.57.64.34.38, fax 05.57.64.31.73
r.-v.

HILH DO DIABLE 2005 **

0,55 ha 1 500 5 à 8 €

Ce jeune œnologue, en partenariat avec un viticulteur de l'appellation, vinifie des cépages purs. Le merlot a donné naissance à cette cuvée dont le nom est une expression locale de surprise (fils du diable !). *Hilh do diable* se sont peut-être exclamés les dégustateurs surpris par la teinte presque noire, par l'explosion des arômes de violette, de fruits noirs, de merrain, de tabac et de gibier, par la rondeur de la chair. Un vin appréciable jeune ou vieux. Une étoile revient à la cuvée **Pied rouge 2004 (8 à 11 €)**, dont le nom est l'un des synonymes de malbec. Un côtes-de-bourg fruité et épicé qui pourra être débouché dans un an.

Benjamin Tueux, 57, rte de Créon,
33750 Camarsac, tél. 05.56.12.25.32 r.-v.

CH. L'HOSPITAL Élevé en fût de chêne 2005 **

4 ha 20 000 8 à 11 €

Les Hospitaliers de Jérusalem possédaient ici une léproserie ; les premières traces du domaine remontent à 1611. Christine et Bruno Duhamel cultivent 8,5 ha sur ce terroir argilo-graveleux qui a donné un vin de teinte bigarreau. Aux arômes de sureau, de pruneau, d'épices et de torréfaction répond une bouche puissante, réunissant toutes les qualités du raisin, du terroir et du millésime. Un côtes-de-bourg complet, à boire jeune ou vieux.

Christine et Bruno Duhamel, Ch. L'Hospital,
33710 Saint-Trojan, tél. et fax 05.57.64.33.60,
e-mail alvitis@wanadoo.fr r.-v.

CH. HOURTOU 2005 **

27 ha 43 300 5 à 8 €

La maison Castel possède deux importants domaines viticoles en côtes-de-bourg. Le château Hourtou (44 ha), sis sur les sols argilo-calcaires de Tauriac, a donné naissance à ce 2005 presque noir, qui s'ouvre sur une large palette élégante de fleurs et de fruits frais (cerise, myrtille). La structure est certes imposante, mais l'impression de charnu s'impose. Un vin de garde qui se mariera à un magret de canard ou à un fromage affiné. Originaire des coteaux de Bourg-sur-Gironde, le **Château du Bousquet 2005 rouge** brille d'une étoile. Rond, fruité et épicé, il pourra être servi plus rapidement avec des plats en sauce.

Ch. Hourtou, 31, rue du Stade, 33710 Tauriac,
tél. 05.56.95.54.00, fax 05.56.95.54.20,
e-mail infos@groupe-castel.com

CH. LABADIE Élevé en fût de chêne 2005 *

20 ha 117 000 5 à 8 €

Pas moins de 65 ha composent ce domaine familial qui s'est agrandi au fil des générations. Ce 2005, intensément coloré porte encore la marque de l'élevage sous bois (notes grillées) ; il révèle au palais des arômes de raisin confit dans une chair chaleureuse et puissante, étayée par les tanins issus de la barrique. Un vin de garde. Le **Château Laroche Joubert 2005 rouge** obtient lui aussi une étoile : un peu plus de merlot, un peu moins de boisé, et pourtant un vin de caractère qui demande à s'assagir grâce à deux ou trois ans de vieillissement.

SCEA Vignobles Joël Dupuy, 1, Cagna,
33710 Mombrier, tél. 05.57.64.23.84,
fax 05.57.64.23.85, e-mail vignoblesjdupuy@aol.com
r.-v.

CH. LACOUTURE 2005 *

1,5 ha 10 446 5 à 8 €

Le château fut bâti à la fin du XVI[e]s. pour le chanoine de Lacouture, mais ne devint un domaine viticole qu'au XVIII[e]s. C'est dans les années 1930 que la famille Sou prit sa destinée en main. Récolté sur un terroir argilo-calcaire et argilo-limoneux, le malbec se glisse à hauteur de 15 % dans l'assemblage d'un vin rouge vif qui exprime les fruits mûrs, soulignés d'une légère ligne minérale. La bouche est tout aussi fruitée, équilibrée, bien que les tanins encore jeunes laissent une pointe d'austérité en finale. Vous ouvrirez cette bouteille dans un an pour accompagner une viande rouge ou un gibier.

Romain Sou, Ch. Lacouture, 33710 Gauriac,
tél. et fax 05.57.64.82.31,
e-mail chateaulacouture@orange.fr r.-v.

CH. LAMOTHE Grande Réserve 2005 *

5 ha 6 900 5 à 8 €

Un domaine de 23 ha situé au pied du moulin du Grand Puy (littéralement « coteau élevé »). Assemblage de 60 % de merlot et de 40 % de cabernet, ce vin pourpre sombre flatte le nez par ses arômes torréfiés et épicés, puis offre un caractère classique au palais, marqué par le boisé. Attendez que l'ensemble se fonde harmonieusement.

Anne Pousse et Michel Pessonnier,
SCEA Vignobles Ch. Lamothe, 1, Ch. Lamothe,
33710 Lansac, tél. 05.57.68.41.07, fax 05.57.68.46.62,
e-mail chateaulamothe@yahoo.fr t.l.j. 9h-19h

CH. LANGUIREAU Élevé en fût 2005 ★★

0,75 ha 4 900 5 à 8 €

Une petite production de pur merlot récolté sur les sols argilo-calcaires de Prignac et de Marcamps. Sous une teinte bordeaux intense se révèle un bouquet harmonieux de baies noires mûres ou cuites accompagnées de discrètes notes de chêne. Bien que la structure soit celle d'un vin de garde, la chair est déjà plaisante, puissante mais élégante. Encore un an ou deux de patience et ce côtes-de-bourg aura atteint un niveau excellent qu'il conservera dix ans durant.
Fabien Vitu et Hervé Cwiklinski,
375, av. du Gal-de-Gaulle, 33450 Izon,
tél. 05.57.74.86.52 r.-v.

CH. LARRAT 2005 ★

1,04 ha 6 800 3 à 5 €

Bernard Larrat propose une petite cuvée de pur merlot récolté sur un terroir de sables, de limons et d'argiles, autour d'une demeure bourgeoise du XVIII[e]s. couverte d'ardoise. Dans le verre, un rubis brillant invite à découvrir les arômes typiques d'un raisin mûr à point : mûre et cassis. La bouche est fraîche et charnue, avenante car charpentée par des tanins soyeux. Un dégustateur suggère un accord avec une poitrine de veau farcie.
EARL Dom. de Grillet, 5, Grillet, 33710 Pugnac,
tél. 06.16.60.91.17, fax 05.57.68.82.65,
e-mail dom.grillet@wanadoo.fr
t.l.j. sf dim. 9h-13h 14h-20h

CH. MACAY 2005 ★

16,5 ha 110 000 **8 à 11 €**

Ce domaine viticole est établi depuis le XVIII[e]s. sur les argiles graveleuses et calcaires du nord de l'actuelle aire d'appellation. Ce vin qui inclut un peu de merlot – autrefois très présent ici – se dévoile sous une robe rubis vif. Nez alerte de petits fruits rouges, bouche fraîche et ample à la fois, laissant le souvenir de flaveurs de pruneau, et dotée de tanins boisés respectueux du terroir. Un pâté de lièvre fera alliance avec ce côtes-de-bourg dans quelques mois. Cité, le **Château Macay Original 2005 (11 à 15 €)** est une cuvée beaucoup plus boisée, structurée par des tanins encore austères qui demandent quelques années pour s'affiner.
Éric et Bernard Latouche, Ch. Macay,
33710 Samonac, tél. 05.57.68.41.50, fax 05.57.68.35.23,
e-mail info@chateau-macay.com
t.l.j. 9h-12h 14h-18h; sam. dim. sur r.-v.;
f. 1er-15 août

CH. DU MARQUISAT
Élevé en fût de chêne 2005 ★

3 ha 3 900 5 à 8 €

Sur ses 12 ha de vignoble, Olivier Gracia a choisi de vieilles vignes cinquantenaires pour élaborer cette cuvée encore jeune, mais déjà charmeuse. Rubis intense, celle-ci offre des arômes fruités, soulignés d'un boisé délicat, puis elle se fait souple et tendre, élégamment soutenue par les tanins. À boire ou à attendre.
Olivier Gracia,
EARL Vignobles Gracia, Ch. du Marquisat,
33710 Mombrier, tél. 05.57.64.24.22,
e-mail chateau.du.marquisat@wanadoo.fr r.-v.

CH. MARTINAT 2005 ★★

10 ha n.c. 8 à 11 €

Le vignoble familial de 10 ha entourant une longère se situe près d'un moulin à vent qui produit encore de la farine. Le domaine n'en est pas à sa première apparition dans le Guide, mais il est distingué cette année d'un coup de cœur grâce à ce 2005 à la robe bordeaux éclatant. Tandis qu'un boisé fin respecte l'expression aromatique d'une vendange mûre, une chair gourmande, encore fraîche et fruitée, emplit le palais, durablement soutenue par des tanins disciplinés. Le type de vin qui pourra être servi jeune ou vieux avec de nombreux mets, y compris des poissons de rivière et des gibiers.
SCEV Marsaux Donze, Ch. Martinat,
33710 Lansac, tél. 05.57.68.34.98, fax 05.57.68.35.39,
e-mail chateaumartinat@aol.com r.-v.
Donze

CH. MAYNE DE BERNARD 2005 ★

25 ha 150 000 3 à 5 €

Dans la même famille depuis le XVII[e]s., ce domaine jouit d'un terroir argilo-calcaire sur lequel ont été récoltés le merlot, le cabernet-sauvignon et le malbec qui composent ce 2005 de teinte profonde, à la fois frais et chaleureux par ses arômes de menthe et de fruits mûrs confiturés. Après une attaque souple et friande, les tanins se manifestent, mais ils sont assez disciplinés pour permettre une dégustation prochaine avec une entrecôte à la bordelaise.
GAEC Vignobles Bourdillas, 7, Le Mayne-Bernard,
33710 Tauriac, tél. 05.57.68.22.46, fax 05.57.68.43.22,
e-mail f.bourdillas@wanadoo.fr r.-v.

CH. MERCIER Cuvée Prestige 2005 ★

7 ha 25 000 **8 à 11 €**

Sur Saint-Trojan et Teuillac, la famille Chéty conduit plusieurs vignobles, ce qui lui a permis de présenter pas moins de trois jolis côtes-de-bourg. Cette cuvée Prestige, très colorée, affiche des arômes fins et complexes, minéraux et boisés, puis offre une matière dense et charpentée pour la garde. Une étoile revient également au **Château Les Graves de Cottière 2005 rouge Élevé en fût de chêne (3 à 5 €)**, issu de graves rouges, fruité, légèrement épicé, corsé. Le **Château Mercier 2006 blanc (3 à 5 €)**, rond, aux arômes légèrement muscatés et boisés, est cité.

SCEA Famille Chéty, Ch. Mercier,
33710 Saint-Trojan, tél. 05.57.42.66.99,
fax 05.57.42.66.96, e-mail info@chateau-mercier.fr
t.l.j. 8h-12h30 14h-18h;
sam. dim. sur r.-v.

CH. MONTAIGUT 2006 ★

1,5 ha 8 900 3 à 5 €

François de Pardieu possède plus de 34 ha de vignes sur les sols argilo-calcaires et les graves dominant l'estuaire de la Gironde. Son côtes-de-bourg or pâle s'ouvre doucement sur des arômes de fleurs blanches et d'agrumes, puis révèle une bouche souple et fraîche. Une bonne expression du sauvignon et de la muscadelle, à servir avec des fruits de mer de l'estuaire. Le **rouge 2004 Vieilli et élevé en fût de chêne (5 à 8 €)**, à dominante de merlot, est cité. Aimable, fruité et discrètement boisé, il rejoindra des grillades ou une lamproie à la bordelaise.

SCEA Vignobles de Pardieu, 2, Nodeau,
33710 Saint-Ciers-de-Canesse, tél. 05.57.64.92.49,
fax 05.57.64.94.20,
e-mail francois.de.pardieu@wanadoo.fr
t.l.j. 9h-12h 14h-18h; sam. dim. sur r.-v.

CH. DE MONTEBERIOT
La Part des Fées Élevé en fût de chêne 2004 ★

1,25 ha 5 560 8 à 11 €

Les nouveaux propriétaires de ce domaine familial d'une dizaine d'hectares ont tout investi dans cette aventure en 2002. Leur premier millésime avait été remarqué ; le 2004 apparaît puissant, encore marqué par son élevage en barrique (douze mois), mais prometteur. Rubis foncé, il libère des arômes de fruits rouges confits qui résistent au bois, puis il offre une chair ample, structurée par des tanins de qualité. Dans un an ou deux, l'ensemble se sera affiné et le vin pourra être servi jusqu'en 2015. La **cuvée principale 2004 rouge (5 à 8 €)** est citée. Boisée elle aussi, elle est toutefois plus légère et accompagnera bientôt charcuteries, viandes blanches et fromages de brebis.

Gilles Marsaudon et Marie-Hélène Léonard,
Ch. de Monteberiot, 33710 Mombrier,
tél. 05.57.64.20.96, fax 05.57.64.20.97,
e-mail contact@monteberiot.fr r.-v.

CH. MOULIN DE GUIET
Élevé en fût de chêne 2005 ★

12,95 ha 80 000 3 à 5 €

Le vignoble de 13 ha est conduit par Philippe Blanchard, mais la vinification et la commercialisation des vins de ce château sont assurées par la coopérative. Très coloré, parfumé de fruits rouges, de bois grillé et d'une touche florale, le 2005 se montre frais, structuré par des tanins serrés qui devraient s'affiner d'ici un an ou deux. L'Union de producteurs est aussi à l'origine du **Château Pradier 2005 rouge Élevé en fût de chêne**, issu de la propriété de Bruno Baronnet : un vin cité pour son caractère rond et fruité, déjà avenant.

Union de producteurs de Pugnac, Bellevue,
33710 Pugnac, tél. 05.57.68.81.01, fax 05.57.68.83.17,
e-mail udep.pugnac@wanadoo.fr r.-v.

CH. DU MOULIN VIEUX Cuvée Tradition 2005

24 ha 120 000 5 à 8 €

La totalité de la vendange du domaine a donné naissance à ce vin rubis intense, évocateur de fruits rouges et d'épices douces. La bouche équilibrée présente des tanins un peu austères, mais dans un ou deux ans il ne devrait plus y paraître.

Jean-Pierre Gorphe, 20, chem. du Moulin-Vieux,
33710 Tauriac, tél. 05.57.68.26.21, fax 05.57.68.29.75,
e-mail chateau.du.moulin.vieux@wanadoo.fr
r.-v.

CH. NODOZ Élevé en barrique de chêne 2005

6 ha 25 000 8 à 11 €

Un assemblage composé de trois quarts de merlot et d'un quart de cabernet-sauvignon a permis d'obtenir ce vin pourpre intense, dominé par le boisé vanillé et le cuir au premier nez, tandis qu'à l'aération se manifestent des arômes de fruits noirs. La chair puissante est structurée par des tanins encore austères mais garants d'une bonne tenue dans le temps. Pour des gibiers, des daubes et des fromages de caractère. Du même producteur, le **Château Galau 2005 rouge Élevé en barrique de chêne (5 à 8 €)** est cité. Il faudra attendre deux ou trois ans avant de le servir.

Jean-Louis Magdeleine et Filles, Ch. Nodoz,
33710 Tauriac, tél. 05.57.68.41.03, fax 05.57.68.37.34,
e-mail chateau.nodoz@wanadoo.fr r.-v.

CH. LE PARADIS Adonis 2005 ★★

5 ha 30 000 5 à 8 €

Ancienne étape sur le chemin de Compostelle, ce domaine a été bâti à l'emplacement d'un monastère lazariste. Ce 2005 est remarquable de fraîcheur. De couleur bigarreau presque noire, il révèle de fins arômes de fruits et d'épices, puis une chair dense, étayée par d'abondants tanins qui sauront se fondre à la faveur du temps. À marier à des volailles et autres viandes blanches. Le **Château La Croix-Davids 2005 rouge** obtient une étoile pour son caractère fruité, soyeux et friand. D'ici deux ans, il sera fin prêt.

Vignobles Birot-Meneuvrier,
57, rue Valentin-Bernard, 33710 Bourg-sur-Gironde,
tél. 05.57.94.03.94, fax 05.57.94.03.90,
e-mail chateau.la-croix-davids@wanadoo.fr r.-v.
Meneuvrier

CH. PEYROT RIGAUD Élevé en fût de chêne 2005

5 ha 25 000 5 à 8 €

James Espiot qui présidait cette importante cave coopérative du nord de la Gironde vient de passer le relais à Stéphane Héraud. Ce 2005, élevé sept mois en barrique, apparaît jeune dans sa robe rubis. Le bouquet naissant exprime surtout les fruits noirs, tandis que la bouche corsée et séveuse s'appuie sur des tanins subtils. Un côtes-de-bourg flatteur, à servir prochainement.

Cave des Hauts de Gironde, La Cafourche,
33860 Marcillac, tél. 05.57.32.48.33, fax 05.57.32.49.63,
e-mail contact@tutiac.com r.-v.

CH. PLAISANCE Élevé en fût de chêne 2005 ★★

15 ha 100 000 5 à 8 €

En 2004, Delphine Faure-Maison a acquis ce domaine situé sur sols argilo-calcaires, quatrième vignoble

BORDELAIS

qui s'ajoute au patrimoine familial qu'elle dirige avec sa sœur. Presque noir, très concentré, ce 2005 encore jeune mêle les arômes du raisin mûr à ceux de l'élevage en barrique (réglisse). Une pointe de menthol rafraîchit la bouche ronde et dense, bâtie sur des tanins de qualité, faits pour affronter le temps. Le **Château Belair-Coubet Cuvée Tradition 2005 rouge**, lui aussi destiné à la garde, mérite une étoile. Le **Château du Bois de Tau 2005 rouge** est cité.

SC Plaisance, Ch. Plaisance, 33710 Villeneuve, tél. 05.57.42.68.84 r.-v.

CH. PRIEURÉ LALANDE 2005

■ 15,11 ha 98 000 3 à 5 €

La maison de négoce Bertrand de Tavernay possède un vignoble en propre en côtes-de-bourg, sur les sols argilo-calcaires de Saint-Trojan. Elle propose un vin aimable, d'un rouge éclatant, dont le bouquet repose sur des senteurs boisées. La chair souple et fraîche a su préserver le fruité et envelopper les tanins. Un 2005 prêt à boire.

SA Bertrand de Tavernay, 24, rte de Bourg-Saint-Gervais, BP 15, 33240 Saint-André-de-Cubzac, tél. 05.57.94.00.20, fax 05.57.43.45.72, e-mail info@bertranddetavernay.com

Philippe Dumas

CH. PUYBARBE Cuvée Prestige 2005 ★★

■ 1,6 ha 10 000 8 à 11 €

Du vaste vignoble de 32 ha qu'ils conduisent sur les sols argilo-calcaires de Mombrier, les frères Orlandi ont choisi d'assembler le merlot et le cabernet-sauvignon en une cuvée de prestige attrayante. À la séduction de la teinte bigarreau noire s'ajoute celle des arômes de baies noires confiturées et de bois vanillé. Après une attaque ronde, la chair emplit le palais de ses flaveurs de fruits à noyau (cerise). La trame de tanins serrés et persistants assurera une bonne tenue dans le temps tout en autorisant une dégustation dès 2009, avec un gigot, par exemple.

SCEA Orlandi Frères, Ch. Puybarbe, 33710 Mombrier, tél. et fax 05.57.64.37.41, e-mail yvesyorlandi@aol.com r.-v.

CH. PUY D'AMOUR
Cuvée Grain de Folie Élevé en fût de chêne 2005 ★

■ 1 ha 4 000 8 à 11 €

Conduit en agrobiologie sur des sols argilo-calcaires, ce domaine familial de 12 ha se distingue par une petite cuvée rubis dont le bouquet harmonieux évoque le raisin mûr, le bois vanillé et les fleurs. Chaleureuse, ronde et empreinte de flaveurs confiturées, cette bouteille peut compter sur des tanins de qualité pour la rendre savoureuse aujourd'hui comme demain. La **cuvée principale 2005 rouge (5 à 8 €)**, non boisée, obtient elle aussi une étoile pour son fruité et sa structure qui lui permettra d'être servie dès 2009-2010 avec des grillades.

Johann et Murielle Demel, 5, Marchais, 33710 Saint-Seurin-de-Bourg, tél. et fax 05.57.68.38.01, e-mail contact@puydamour.com r.-v.

CH. DE REYNAUD La Volière 2005 ★★

■ 0,6 ha 4 400 5 à 8 €

Arrivés en 1999 sur ce domaine de plus de 5,5 ha, Sandrine et Bernard Capdevielle décrochent leur premier coup de cœur avec cette cuvée haut de gamme portant le

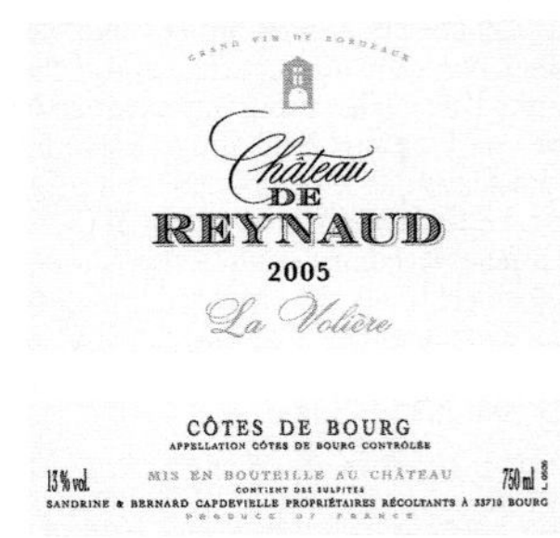

nom du pigeonnier qui accueille le visiteur à l'entrée du château. Bordeaux à nuances grenat, le vin laisse s'épanouir des arômes de fruits confits et de bois vanillé avec finesse, prologue d'une bouche charmeuse qui consacre le mariage harmonieux du raisin et de la barrique. Un côtes-de-bourg déjà agréable, adapté à une large palette culinaire, jusqu'au sucré-salé. La **cuvée principale 2005 rouge**, plus classique, mérite une étoile pour ses arômes de mûre et de griotte à peine épicés comme pour sa chair dense, ronde, structurée.

Bernard Capdevielle, Ch. de Reynaud, 33710 Bourg-sur-Gironde, tél. et fax 05.57.68.44.13, e-mail chateau.reynaud@wanadoo.fr r.-v.

CH. DE RIVEREAU Grande Cuvée 2005 ★

■ 6 ha 35 000 5 à 8 €

Sabine Drode, à la tête de ce domaine de 10 ha depuis 2000, propose une cuvée pleine de fraîcheur, tant par sa teinte rubis éclatant que par ses notes de menthol et ses flaveurs fruitées qui soulignent sa matière. Les tanins devraient s'assouplir assez rapidement. La **cuvée principale 2005**, plus évoluée, est citée.

Sabine Drode, Ch. de Rivereau, 33710 Pugnac, tél. et fax 05.57.68.92.02, e-mail sabine.drode@wanadoo.fr t.l.j. 9h-12h 13h-19h

CH. ROC PLANTIER
Cuvée Prestige Élevé en fût de chêne 2005 ★★

■ 1,1 ha 7 000 5 à 8 €

Le nom de ce domaine est lié à la vigne : roc rappelle la roche calcaire proche de la surface, tandis que plantier désigne une plantation récente. Sur les 6,5 ha qu'il cultive, Éric Eymas a sélectionné des vignes de merlot pour élaborer ce vin d'un bordeaux sombre au bouquet naissant mais concentré de pruneau, de vanille, de cuir et de boisé. Le fruit s'exprime davantage au palais, en notes de figue et de coing, accompagnant une chair puissante, soutenue par des tanins boisés de qualité. À attendre encore un an ou deux pour percevoir son élégance.

Éric Eymas, 104, av. des Côtes-de-Bourg, 33710 Prignac-et-Marcamps, tél. 06.12.63.68.90, fax 05.57.43.82.85, e-mail talarisplantier@aol.com r.-v.

CH. DE ROUSSELET Élevé en fût de chêne 2004 ★

■ 2,7 ha 20 000 5 à 8 €

Si le terroir de graves argileuses est assez classique dans l'appellation, l'assemblage de cabernet-sauvignon (50 %), de malbec (39 %) et de merlot (11 % seulement) l'est moins. Il en résulte un vin original qui tend vers le grenat et livre un nez intense de violette, de fruits rouges,

de vanille, nuancés de notes de gibier. La bouche est ronde, animale dans ses accents, structurée par des tanins boisés qui devraient se fondre assez vite. Un style chasseur, pour du gibier évidemment.
Emmanuel Sou,
EARL du Ch. de Rousselet, 5 Rousselet,
33710 Saint-Trojan, tél. 05.57.64.32.18,
fax 05.57.64.26.10,
e-mail chateau.de.rousselet@wanadoo.fr r.-v.

CH. ROUSSET 2005 ★★

5,2 ha 35 000 5 à 8 €

Les frères et sœurs Teisseire conduisent ce vignoble commandé par une ancienne demeure dont certaines parties remontent au XVII[e]s. Du terroir argilo-calcaire et graveleux est née cette cuvée composée de merlot (58 %), de cabernet-sauvignon (35 %) et de malbec. Un vin de garde équilibré, vêtu de pourpre et dont le bouquet rappelle les baies noires (cassis) et les épices douces (vanille, réglisse). La chair ronde, soutenue par des tanins puissants et persistants, promet de bien évoluer d'ici 2010.
Jean Teisseire, SARL Ch. Rousset, 33710 Samonac,
tél. 05.57.68.46.34, fax 05.57.68.36.18,
e-mail gteisseire@aol.com r.-v.

CH. SAUMAN Cuvée Tradition 2005 ★

18 ha 50 000 5 à 8 €

Ce domaine aujourd'hui fort de 24 ha est demeuré dans la même famille depuis le milieu du XIX[e]s. Son 2005 Tradition fait la part belle au merlot, à peine complété de 10 % de cabernet-sauvignon. De teinte foncée, il exprime les arômes de ce cépage bien mûr et fait preuve de structure grâce aux tanins serrés issus du raisin. La **Cuvée Émotion 2005 rouge**, élevée en cuve elle aussi mais à base de malbec (70 %) et de merlot, est citée.
Vignobles Braud, Le Sauman, 33710 Villeneuve,
tél. 05.57.42.16.64, fax 05.57.42.93.00,
e-mail chateau.sauman@wanadoo.fr
t.l.j. 9h-12h 15h-19h; sam. dim. sur r.-v.
Dominique Braud

CH. DE TASTE Réserve 2005

2,5 ha 15 000 5 à 8 €

15 ha de vignes étalées sur les coteaux argilo-calcaires : ainsi se présente ce domaine, où, au XIX[e]s., pendant la Commune, les royalistes girondins se donnaient secrètement rendez-vous. Rien de secret dans ce 2005 issu en majorité de cabernet-sauvignon, dont le bouquet fin conduit à une bouche souple et tout aussi délicate. Alose, lamproie, pibales et autres crevettes de l'estuaire s'accorderont avec ce côtes-de-bourg sans plus attendre.
SCEA des Vignobles de Taste et Barrié,
La Sablière, 33710 Lansac, tél. et fax 05.57.68.40.34
r.-v.
Jean-Paul Martin

CH. LE TERTRE DE LEYLE 2005 ★★

1,2 ha 7 500 5 à 8 €

Coup de cœur dans le millésime 2003, cette cuvée revient en haut de l'affiche. Un 2005 pourpre, tirant sur le noir, qui exprime les arômes d'une vendange mûre sur fond boisé, torréfié (vanille, cacao). La chair dense aux flaveurs de confiture, bénéficie de tanins fins, de sorte que l'on pourra apprécier ce vin dès 2009 avec un magret de canard ou un gigot d'agneau. La **cuvée principale 2005**, qui n'a pas connu le bois, mérite une étoile pour son fruité ; elle doit vieillir elle aussi pour fondre les tanins du raisin.
Vignobles Grandillon, Le Bourg, 33710 Teuillac,
tél. 05.57.64.23.81, fax 05.57.64.24.18
t.l.j. 8h-12h30 14h-19h

CH. TOUR DE GUIET Élevé en fût de chêne 2005

3 ha 20 000 8 à 11 €

Rouge pourpre de bel effet, ce vin mêle avec intensité des arômes de fruits mûrs à un boisé vanillé. Au palais, la même ligne aromatique se déroule, sous des accents de réglisse, soutenue par des tanins presque amadoués qui permettront aussi bien une dégustation prochaine avec un magret de canard qu'une garde de trois à cinq ans.
Stéphane Heurlier, Ch. La Bretonnière, RN 137,
33390 Mazion, tél. 05.57.64.59.23, fax 05.57.64.67.41,
e-mail sheurlier@cegetel.net r.-v.

CH. LES TOURS SEGUY Cuvée Mirandole 2005 ★

1 ha 5 500 5 à 8 €

Sur la quinzaine d'hectares de vignes qui entourent un charmant château, Jean-François Breton a sélectionné des vignes de merlot et de cabernets pour élaborer une cuvée d'un rouge intense. Au nez puissant, réglissé, succède une bouche chaleureuse et ronde, charpentée par des tanins cacaotés. Il faudra attendre deux ou trois ans que le boisé se fonde pour apprécier pleinement ce côtes-de-bourg. Rappelons que le millésime 2004 fut coup de cœur.
Jean-François Breton, Le Seguy,
33710 Saint-Ciers-de-Canesse, tél. et fax 05.57.64.99.57,
e-mail chateau-les-tours-seguy@wanadoo.fr
t.l.j. sf dim. 9h-12h30 14h-19h30 4

CH. LA TUILIÈRE 2005 ★★

10,5 ha 60 000 5 à 8 €

Pour les leçons de pilotage dispensées au domaine, ce sera avant de déguster ce vin, bien sûr. Pas de sensations fortes, mais un monde de rondeur et de concentration sous une teinte bigarreau. Expressif, ce 2005 décline des arômes de baies mûres, de boisé, de vanille, de cacao et de fruits secs (amande, noisette), puis s'épanouit au palais, soutenu par des tanins élégants. Un style moderne et de grande classe, que vous apprécierez dès 2009-2010.
Les Vignobles Philippe Estournet, Ch. La Tuilière,
33710 Saint-Ciers-de-Canesse, tél. 05.57.64.80.90,
fax 05.57.64.89.97, e-mail info@chateaulatuiliere.com
r.-v. 3 D

CH. VIEUX LANSAC Élevé en fût de chêne 2004 ★

n.c. n.c. 5 à 8 €

Petite exploitation familiale de 6 ha située sur les coteaux argilo-calcaires exposés au sud-sud-ouest, à proximité des ruines d'une tour du XIII[e]s. du château de Lansac. Son 2004, sombre en couleur comme il se doit, rappelle les fruits rouges confiturés, puis se montre frais et friand au palais, toujours fruité. Les tanins mûrs permettront de l'apprécier prochainement, mais aussi de le garder.
SARL Vignobles Durand, 3, rue des Tuileries,
33710 Lansac, tél. 06.07.72.55.58, fax 05.56.78.79.41
r.-v.

Le Libournais

Même s'il n'existe aucune appellation « Libourne », le Libournais est bien une réalité. Avec la ville-filleule de Bordeaux comme centre et la Dordogne comme axe, il s'individualise fortement par rapport au reste de la Gironde en dépendant moins directement de la métropole régionale. Il n'est pas rare, d'ailleurs, que l'on oppose le Libournais au Bordelais proprement dit, en invoquant par exemple l'architecture moins ostentatoire des châteaux du vin ou la place des Corréziens dans le négoce de Libourne. Mais ce qui individualise le plus le Libournais, c'est sans doute la concentration du vignoble qui apparaît dès la sortie de la ville et recouvre presque intégralement plusieurs communes aux appellations renommées comme Fronsac, Pomerol ou Saint-Émilion, avec un morcellement en une multitude de petites ou moyennes propriétés. Les grands domaines, du type médocain, ou les grands espaces caractéristiques de l'Aquitaine étant presque d'un autre monde.

Le vignoble s'individualise également par son encépagement dans lequel domine le merlot, qui donne finesse et fruité aux vins et qui leur permet de bien vieillir, même s'ils sont de moins longue garde que ceux d'appellations à dominante de cabernet-sauvignon. En revanche, ils peuvent être bus un peu plus tôt, et s'accommodent de beaucoup de mets (viandes rouges ou blanches, fromages, mais aussi certains poissons, comme la lamproie).

Canon-fronsac et fronsac

Bordé par la Dordogne et l'Isle, le Fronsadais offre de beaux paysages, très tourmentés, avec deux sommets, ou tertres, atteignant 60 et 75 m, d'où la vue est magnifique. Point stratégique, cette région joua un rôle important, notamment au Moyen Âge et lors de la Fronde de Bordeaux, une puissante forteresse y ayant été édifiée à l'époque de Charlemagne. Aujourd'hui, celle-ci n'existe plus, mais le Fronsadais possède de belles églises et de nombreux châteaux. Très ancien, le vignoble produit sur six communes des vins de caractère, complets et corsés, tout en étant fins et distingués. Toutes les communes peuvent revendiquer l'appellation fronsac (37 700 hl sur 829 ha en 2005), mais Fronsac et Saint-Michel-de-Fronsac sont les seules à avoir droit, pour les vins produits sur leurs coteaux (sols argilo-calcaires sur banc de calcaire à astéries), à l'appellation canon-fronsac (12 308 hl sur 289 ha).

Canon-fronsac

CH. BARRABAQUE Prestige 2004 *

■ 4 ha 10 000 ⅠⅠ 15 à 23 €

90 91 92 94 |(95)| |(96)| **98**| **99**| **00** |01| 03 04

Habitué aux honneurs du Guide depuis de longues années, ce château ne démérite pas dans le millésime 2004. La robe profonde brille de mille feux ; les arômes sont puissants, poivrés, vanillés et fruités, et les tanins veloutés dessinent une bouche fine et délicate. L'harmonie sera parfaite dans deux à trois ans. Le **B de Barrabaque 2004 (5 à 8 €)** obtient lui aussi une étoile : il se distingue par des arômes de fruits frais et par son équilibre général ; il peut être apprécié sans attendre sur une grillade.

SCEV Noël, Ch. Barrabaque, 33126 Fronsac,
tél. 05.57.55.09.09, fax 05.57.55.09.00,
e-mail chateaubarrabaque@yahoo.fr r.-v.

CH. CANON 2004

■ 1,5 ha 8 500 15 à 15 €

Issu à 100 % de merlot, ce vin présente une robe grenat aux reflets tuilés. Jouant sur les fruits confits tout au long de la dégustation, ce millésime repose sur des tanins présents mais souples. À servir dès aujourd'hui.

SCEA vignobles Jean Galand et Enfants,
La Malatie, 33126 Fronsac, tél. 06.27.05.05.38,
fax 05.57.58.20.81 r.-v.

CH. CANON DE BREM 2004 *

■ 8 ha 18 000 11 à 15 €

Repris en 2001 par Jean Halley, industriel de la grande distribution conseillé par Denis Dubourdieu, ce cru présente un 2004 à la robe sombre et profonde. Les parfums de fruits rouges et noirs bien mûrs se combinent à des nuances boisées élégantes. En bouche, les tanins s'enveloppent d'une chair fruitée. Un vin racé à ouvrir dans deux à cinq ans. Du même propriétaire, le **Château La Croix Canon 2004 (8 à 11 €)** est cité : fruité et équilibré, il peut être bu dès aujourd'hui.

SCEA Domaines Jean Halley, Ch. La Dauphine,
33126 Fronsac, tél. 05.57.74.06.61, fax 05.57.51.80.57,
e-mail contact@chateau-dauphine.com r.-v.

CH. CANON GUILHEM 2004 *

■ 2 ha 9 000 11 à 15 €

Ce 2004, composé exclusivement de merlot, est le premier millésime vinifié par les nouveaux propriétaires. Sous une robe cerise à reflets rubis, le nez fin réalise l'harmonie entre fruité et boisé. Les tanins sont mûrs et équilibrés. La fin de bouche, encore austère, appelle une garde de deux à cinq ans.

Enixon, Ch. Puy Guilhem, 33141 Saillans,
tél. 05.57.84.32.08, fax 05.57.74.36.45,
e-mail puy.guilhem@infonie.fr r.-v.

CH. CANON SAINT-MICHEL 2004 *

■ 6 ha 30 000 8 à 11 €

Ce vignoble, repris en 1998 par le petit-fils du fondateur, après vingt ans de fermage, est actuellement en conversion en agriculture biologique. Son 2004, encore produit de manière traditionnelle, inclut dans son assemblage classique de merlot (majoritaire) et de cabernets une pointe de malbec. Sa robe pourpre et profonde s'ouvre sur un bouquet complexe évoquant les fruits noirs, le grillé et

le sous-bois. La bouche dominée par le bois se révèle puissante, grasse et élégante. Une bouteille en devenir, à boire dans deux à cinq ans.
Jean-Yves Millaire, Lamarche, 33126 Fronsac, tél. 06.08.33.81.11, fax 05.57.24.94.99, e-mail vignoblemillaire@aol.com
t.l.j. 8h-13h 14h-20h

CH. CASSAGNE HAUT-CANON
La Truffière 2004 ★

13 ha 5 000 11 à 15 €

Une vraie petite truffière se trouve au cœur du vignoble, d'où le nom de cette cuvée. Passée la robe grenat, ce ne sont pas des notes de truffe que vous délivrera le nez, mais un fruité intense et mûr sur un léger boisé. Les tanins, aromatiques (réglisse) et frais, évoluent avec une certaine austérité, et il faudra attendre deux à cinq ans pour qu'ils atteignent une complète harmonie.
Jean-Jacques Dubois, Ch. Cassagne Haut-Canon, 33126 Saint-Michel-de-Fronsac, tél. 05.57.51.63.98, fax 05.57.51.62.20, e-mail chateau.cassagne@wanadoo.fr r.-v.

CH. COUSTOLLE 2004

20 ha 60 000 8 à 11 €

Ce cru présente un 2004 à la robe pourpre intense, aux arômes de fruits confits vanillés. Les tanins sont charnus et mûrs, un peu simples dans leur évolution ; l'équilibre sera plus intéressant dans deux ou trois ans.
SCEV Vignobles Alain Roux et Fils, Ch. Coustolle, 33126 Fronsac, tél. 05.57.51.31.25, fax 05.57.74.00.32, e-mail coustolle.fronsac@wanadoo.fr
t.l.j. 8h30-12h 13h30-19h

CH. LA FLEUR CAILLEAU 2004

3,6 ha 15 000 15 à 23 €

88 93 **95** **96** **98** 99 01 02 **03** 04

Coup de cœur l'an dernier, ce cru converti aux règles de la biodynamie présente un 2004 plus modeste mais néanmoins bien vinifié. Le bouquet élégant de menthol et de vanille reste assez discret et annonce une bouche dans la même ligne, qui ne joue pas sur la puissance mais se montre souple et équilibrée. Un vin déjà prêt.
Paul et Pascale Barre, La Grave, BP 30, 33126 Fronsac, tél. 05.57.51.31.11, fax 05.57.25.08.61, e-mail p.p.barre@wanadoo.fr r.-v.

CH. DU GABY 2004 ★

7,5 ha 25 000 15 à 23 €

Propriétaire depuis décembre 2006 seulement, David Curl a donc hérité de ce 2004. La robe pourpre intense et les arômes de fruits noirs, sur un boisé élégant, sont déjà un gage de sérieux. Cette bonne impression se confirme en bouche, où les tanins, structurés et gras, conduisent à une finale ronde et soyeuse. Un vin à boire dès maintenant ou à garder quelques années.
SCEA Vignoble famille Curl, Ch. du Gaby, 33126 Fronsac, tél. 05.57.51.24.97, fax 05.57.25.18.99, e-mail chateau.du.gaby@wanadoo.fr r.-v.

CH. DU GAZIN La Tentation 2004

1,5 ha 5 300 5 à 8 €

Depuis 1933, la famille Robert, d'origine bourguignonne, est propriétaire de ce cru. Habillée d'une robe rubis aux reflets pourpres, cette Tentation révèle un bouquet naissant et original de cuir, de cigare et de fleurs. Les tanins sont puissants, encore un peu rustiques dans leur évolution ; il est donc nécessaire d'attendre un à trois ans avant d'ouvrir cette bouteille.
Henri Robert, Ch. du Gazin, 33126 Saint-Michel-de-Fronsac, tél. 05.57.24.95.45, fax 05.57.24.92.09, e-mail chateaudugazin@hotmail.com r.-v.

CH. HAUT-BALLET 2004 ★★

4 ha 16 000 11 à 15 €

Cette propriété, avec ses bâtiments du XVIes., est située sur un plateau calcaire dominant la Dordogne. Les vignes de merlot à l'origine de ce 2004 sont conduites en agriculture raisonnée. La robe profonde, presque noire, est attrayante et les parfums fruités (cassis, mûre, griotte) sont délicatement boisés. La bouche révèle des tanins bien extraits, d'une grande maturité, de la vinosité et une longue persistance aromatique. Un vin puissant, à laisser s'épanouir trois à huit ans dans une bonne cave.
SCEA Olivier Decelle, Lieu-dit Balet, 33126 Saint-Michel-de-Fronsac, tél. 05.57.51.34.86, fax 05.57.51.94.59
t.l.j. sf sam. dim. 9h-12h 13h30-17h

CH. HAUT-MAZERIS 2004 ★

5,8 ha 30 000 11 à 15 €

Cette propriété, dans la famille depuis quatre générations, est située sur le coteau le plus élevé de l'appellation et bénéficie d'un excellent ensoleillement. Née d'une majorité de merlot, complété par les deux cabernets, ce 2004 livre sous une robe pourpre et dense des parfums complexes de fruits mûrs, de cacao et de toasté. La structure tannique se fond dans une chair riche et harmonieuse. Une bouteille à ouvrir maintenant ou à conserver quelques années.
SCEA du Ch. Haut-Mazeris, 33126 Saint-Michel-de-Fronsac, tél. 01.53.77.28.38, fax 01.53.77.28.30, e-mail hautmazeris@hotmail.com
r.-v.

CH. DE LARIVEAU Cuvée Jade 2004 ★★

1,5 ha 6 000 8 à 11 €

Prénommée Jade, comme la fille du propriétaire, cette cuvée est vinifiée exclusivement à partir du merlot. Sous la robe presque noire, le bouquet élégant de fruits noirs bien mûrs demande à s'épanouir. Le palais est voluptueux, charnu, fruité et long. Un canon-fronsac à ouvrir aujourd'hui ou à garder... suivant les goûts. Deux étoiles également pour le **Château Saint-Bernard 2004. Élevé en fût de chêne (11 à 15 €)**. Un cru très régulier en qualité (coup de cœur dans le millésime 2002), dont le 2004 se distingue par sa race et sa puissance, par ses

arômes de fruits noirs et de cerise, rehaussés d'un délicat boisé grillé et vanillé, par ses tanins veloutés. À garder trois à sept ans.
Sébastien Gaucher, 1, Nardon, 33126 Saint-Michel-de-Fronsac, tél. et fax 05.57.24.90.24, e-mail s.gaucher@free.fr r.-v.

CH. MAZERIS 2004

17 ha 40 000 8 à 11 €

Dans la même famille depuis 1769, cette propriété présente deux cuvées. La cuvée classique se distingue par un caractère fruité agréable, une structure tannique dense et assez puissante. Un vin de bonne constitution qu'on attendra deux à trois ans. La cuvée spéciale **La Part des Anges 2004 (11 à 15 €)** est également citée : ses arômes d'épices et de boisé sont la marque de son élevage à 100 % en barrique. Plus puissante, elle est un peu ferme aujourd'hui et devra patienter au moins trois ans en cave.
EARL de Cournuaud, 5, Ch. Mazeris, 33126 Saint-Michel-de-Fronsac, tél. 05.57.24.96.93, fax 05.57.24.98.25, e-mail mazeris@free.fr r.-v.

CH. MAZERIS-BELLEVUE 2004

9,25 ha 49 000 8 à 11 €

Diane Bussier a repris en 1998 les rênes de l'exploitation familiale. Ce 2004 a fait débat parmi les dégustateurs, certains trouvant son boisé un peu trop marqué, d'autres appréciant sa puissance, alliée à un fruité élégant. Attendez trois ans avant d'ouvrir cette bouteille pour trancher la question.
Diane Bussier, Ch. Mazeris-Bellevue, 33126 Saint-Michel-de-Fronsac, tél. 05.57.24.98.19, fax 05.57.24.90.32, e-mail chateaumazerisbellevue@wanadoo.fr r.-v.

CH. MOULIN PEY-LABRIE 2004 ★★

6,5 ha 25 000 15 à 23 €

88 |**89**| 90 **91** |**95**| |**96**| 97 |99| 00 02 **03** **04**

Sur ce domaine, un grand soin est apporté à la vigne comme au chai où les vinifications sont faites par parcelle. Année après année, la qualité est au rendez-vous comme le prouve ce 2004 issu de merlot complété d'une pointe de malbec. Sous une robe intense aux reflets violets, le nez joue l'équilibre entre les fruits mûrs, les épices et un boisé vanillé. Les tanins mûrs, veloutés et soyeux évoluent avec élégance. Un grand plaisir en perspective (dans deux à six ans). Produit au pied des coteaux, le **Château Moulin 2004 (5 à 8 €)**, rond et fruité, à apprécier rapidement, obtient une citation, tout comme le **Château des Combes Canons 2004 (11 à 15 €)**.
B. et G. Hubau, Ch. Moulin Pey-Labrie, 33126 Fronsac, tél. 05.57.51.14.37, fax 05.57.51.53.45, e-mail moulinpeylabrie@wanadoo.fr r.-v.

CH. ROULLET 2004 ★

2,8 ha 7 500 8 à 11 €

Propriété des vignobles Dorneau, qui possèdent plusieurs châteaux en fronsac, ce cru propose un 2004 à la robe attrayante, brillante, d'un grenat intense. Si les notes très torréfiées du bouquet masquent un peu le fruit, en bouche le vin se montre suave, puissant, certes encore dominé par son élevage, mais d'une longueur prometteuse. Deux à cinq ans ne seront pas de trop pour que cette bouteille atteigne une pleine harmonie.
SCEA Dorneau et Fils, Ch. La Croix, 33126 Fronsac, tél. 05.57.51.31.28, fax 05.57.74.08.88, e-mail scea-dorneau@wanadoo.fr r.-v.

Fronsac

CH. ARNAUTON Grand Sol 2004 ★

1,8 ha 11 120 11 à 15 €

Propriété d'une famille belge depuis 1937, le cru propose un assemblage de merlot (60 %) et de cabernet franc (40 %). Élégante dans sa robe pourpre dense, cette cuvée dévoile un bouquet complexe mariant le toasté, les épices, le cassis et le tabac. En bouche, elle révèle des tanins charnus et épicés, encore fermes, qui invitent à une garde de trois à cinq ans. La **cuvée classique 2004 (8 à 11 €)** est citée. Une bouteille de plaisir immédiat qui séduira l'amateur de vins fruités et souples.
SC du Ch. Arnauton, rte de Saillans, 33126 Fronsac, tél. 05.57.55.06.00, fax 05.57.55.06.01, e-mail arnauton.chateau@free.fr r.-v.
Herail

CH. BARRABAQUE 2004 ★

3,4 ha 18 000 8 à 11 €

Cette ancienne propriété exploitée par la famille Noël depuis 1936 couvre 9 ha d'un seul tenant exposés au sud. Six coups de cœur, en canon-fronsac ou fronsac, témoignent de son savoir-faire. Si vous vous déplacez en camping-car, vous serez les bienvenus ici, où une aire spéciale a été aménagée pour le stationnement. Faites-donc une halte pour déguster ce 2004 au bouquet complexe d'épices et de fruits mûrs, aux tanins riches et harmonieux, évoluant avec beaucoup de présence et de longueur. Une bouteille à ouvrir dans deux à cinq ans.
SCEV Noël, Ch. Barrabaque, 33126 Fronsac, tél. 05.57.55.09.09, fax 05.57.55.09.00, e-mail chateaubarrabaque@yahoo.fr r.-v.

CH. BELLEVUE 2004

8 ha 50 940 8 à 11 €

Des bâtiments viticoles du XVIes. et un vignoble de trente-cinq ans d'âge. 100 % de merlot pour ce vin qui se distingue par l'éclat rubis de sa robe et son caractère fruité intense, aux nuances de cerise noire, de mûre et de cassis. En bouche, les tanins boisés demandent une garde de deux à trois ans pour s'exprimer avec harmonie.
SCEA Olivier Decelle, Lieu-dit Balet, 33126 Saint-Michel-de-Fronsac, tél. 05.57.51.34.86, fax 05.57.51.94.59 t.l.j. sf sam. dim. 9h-12h 13h30-17h

CH. LA BRANDE 2004

5 ha 25 000 8 à 11 €

Ici, le vin est une histoire de famille : la propriété est gérée par deux frères, représentant la douzième génération installée sur le domaine. Un 2004 à la robe profonde déjà un peu évoluée et au bouquet élégant de fumé et de fleurs (pivoine) ; la structure tannique est simple mais agréable, la finale légèrement boisée. Un vin prêt à boire.
Vignoble Béraud, Ch. La Brande, 33141 Saillans, tél. 05.57.74.36.38, fax 05.57.74.38.46, e-mail labrande.saillans@wanadoo.fr t.l.j. 8h30-12h 13h30-19h; sam. dim. sur r.-v.

CH. CHADENNE 2004 *

■ 1,5 ha 4 500 15 à 23 €

Max Linder aurait vécu sur la propriété. Pourtant, ici, le vin ne fait pas du cinéma. Les deux cuvées sélectionnées sont issues de pur merlot. Ce 2004 apparaît sous une robe profonde, presque noire, et livre un nez marqué par le boisé, où percent aussi des nuances d'épices ; la structure tannique est puissante, vive, encore marquée par l'élevage, mais tout cela devrait se fondre après trois à six ans de garde. Le second vin, **Château La Fleur Chadenne 2004 (11 à 15 €)**, obtient également une étoile ; plus fruité et plus souple en bouche, il s'appréciera jeune, d'ici un an ou deux.

SCEA Ph. et V. Jean, Ch. Chadenne, 33126 Saint-Aignan, tél. 05.57.24.93.10, fax 05.57.24.95.98, e-mail chateau.chadenne@wanadoo.fr r.-v.

CLOS DU ROY 2004

■ 5 ha 30 000 8 à 11 €

Beaucoup d'investissements ont été réalisés ici depuis vingt ans et les vins sont toujours de qualité. Le 2004 offre un bouquet encore discret de cuir et de vanille. Ses tanins souples et équilibrés permettent de l'apprécier dès maintenant, mais il pourra vieillir quelques années. La **cuvée Arthur 2004 (11 à 15 €)** est également citée ; plus boisée et structurée, elle mérite davantage de garde.

Philippe Hermouet, Clos du Roy, 33141 Saillans, tél. 05.57.55.07.41, fax 05.57.55.07.45, e-mail contact@vignobleshermouet.com r.-v.

CH. LA CROIX 2004 *

■ 10 ha 7 500 8 à 11 €

Le merlot règne en maître dans cette cuvée (90 %), complété à parts égales par les deux cabernets. La robe profonde brille de jolis reflets, prélude à un bouquet complexe de pain grillé et d'épices. La bouche livre des tanins riches et puissants qui demandent pour s'assagir deux à quatre ans de garde.

SCEA Dorneau, Ch. La Croix, 33126 Fronsac, tél. 05.57.51.31.28, fax 05.57.74.08.88, e-mail scea-dorneau@wanadoo.fr r.-v.

CH. DALEM 2004

■ 13 ha 50 000 15 à 23 €

88 89 90 **93** |95| |96| |98| **|99|** |00| |01| **02** 03 04

Ce 2004 s'affiche dans une robe sombre et limpide, sous laquelle on découvre un nez dominé par un boisé torréfié intense. Les tanins sont amples et mûrs, très marqués par l'élevage jusqu'en finale. Les amateurs de boisé attendront impérativement deux à trois ans pour découvrir ce vin.

SARL Vignobles Brigitte Rullier, Ch. Dalem, 33141 Saillans, tél. 05.57.84.34.18, fax 05.57.74.39.85, e-mail chateau-dalem@wanadoo.fr r.-v.

CH. DE LA DAUPHINE 2004 *

■ 11 ha 40 000 11 à 15 €

Commandée par une élégante chartreuse, cette ancienne propriété de Jean-Pierre Moueix a été rachetée en 2001 et depuis lors modernisée. Son cuvier très novateur est impressionnant à visiter. La robe rubis de ce 2004 est brillante et les parfums de fruits mûrs et de boisé grillé composent un bouquet flatteur. Les tanins veloutés et gras évoluent avec finesse et beaucoup de persistance, sur un boisé qui demande à se fondre (deux à cinq ans de vieillissement en cave).

SCEA Domaines Jean Halley, Ch. La Dauphine, 33126 Fronsac, tél. 05.57.74.06.61, fax 05.57.51.80.57, e-mail contact@chateau-dauphine.com r.-v.

CH. L'ESCARDERIE Élevé en fût de chêne 2004

■ 3,5 ha 13 000 11 à 15 €

Ce 2004 sait se présenter : il affiche une robe rubis brillant et des arômes de fruits rouges (cerise) agrémentés d'une note florale et minérale. Soyeux et charnu, il pourra se boire jeune et pendant trois ou quatre ans.

Le nord-ouest du Libournais

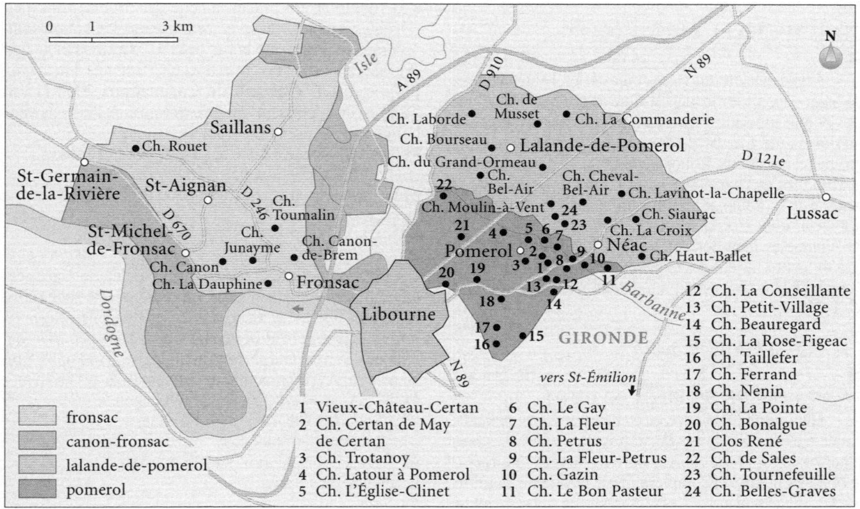

⊶ Patrice de Taffin, Ch. L'Escarderie,
33240 Saint-Germain-la-Rivière,
tél. et fax 05.57.84.35.25,
e-mail lescarderiedt@wanadoo.fr ☑ Y ⛹ r.-v.

CH. FONTAINE-SAINT-CRIC 2004

■ 1,11 ha 8 000 **11 à 15 €**

Ce cru présente cette année son troisième millésime. Sous une robe soutenue aux reflets pourpres, le 2004 offre un bouquet de fruits mûrs délicatement toasté et vanillé. La bouche affiche une bonne structure, avec des tanins veloutés qui ne jouent pas les prolongations. À boire ou à garder quelques années.

⊶ SA Ch. Fontaine-Saint-Cric, 13, Saint-Cric,
33126 Saint-Aignan, tél. 06.75.01.29.74,
fax 05.57.94.07.00 ☑ Y ⛹ r.-v.

CH. FONTENIL 2004

■ 9,39 ha 41 800 **15 à 23 €**

|**88**| |**89**| |**90**| 93 94 |**95**| |96| 97 |98| **99** |00| (01) 02 **03** 04

Cette propriété achetée il y a vingt ans par Dany et Michel Rolland est remarquablement située sur les hauteurs de Saillans. Le 2004 affiche une robe profonde, presque noire ; il exprime des arômes de fruits noirs (cassis) et de boisé grillé. La bouche, pleine et fruitée, est un peu austère dans son évolution. Aussi faudra-t-il attendre deux ou trois ans ce vin de caractère.

⊶ Michel et Dany Rolland, Catusseau,
33500 Pomerol, tél. 05.57.51.23.05, fax 05.57.51.66.08,
e-mail rolland.vignobles@wanadoo.fr

CH. LA GRAVE 2004

■ 3,7 ha 20 000 **11 à 15 €**

Conduit suivant les règles de la biodynamie, ce vignoble a produit un 2004 à la robe limpide et aux parfums élégants de groseille et de sous-bois. Les tanins souples et acidulés dessinent un ensemble simple mais harmonieux. Une bouteille à apprécier dans sa jeunesse.

⊶ Paul et Pascale Barre, La Grave, BP 30,
33126 Fronsac, tél. 05.57.51.31.11, fax 05.57.25.08.61,
e-mail p.p.barre@wanadoo.fr ☑ Y ⛹ r.-v.

CH. HAUCHAT LA ROSE 2004 ★★

■ 4,5 ha 16 000 **11 à 15 €**

Argilo-calcaire sur calcaire à astéries, le haut plateau de Saint-Aignan sur lequel est situé ce cru bénéficie d'une très bonne exposition. Ce 2004, à base exclusivement de merlot, a su en tirer parti comme le prouve la maturité des arômes et des tanins. Le boisé élégant et bien dosé apporte la structure et l'harmonie indispensables. Son équilibre général et sa finale annoncent un grand vin de garde, à apprécier dans trois à six ans.

⊶ Vignobles Jean-Bernard Saby et Fils, Ch. Rozier,
33330 Saint-Laurent-des-Combes, tél. 05.57.24.73.03,
fax 05.57.24.67.77, e-mail info@vignobles-saby.com
☑ Y ⛹ r.-v.

CH. HAUT-CARLES 2004 ★★

■ 8 ha 25 000 **23 à 30 €**

94 **95** 96 **97** |**98**| |**99**| **00 01 02 03 04**

Habitué à l'excellence, ce château ne déçoit pas cette année encore avec cette sélection issue de parcelles bien répertoriées. La robe rubis se pare de nuances pourpres ; le bouquet intense et complexe marie la violette, la mûre, le cacao et le pain grillé. Les tanins soyeux soutiennent un équilibre parfait entre le boisé et le fruité. Une note mentholée bienvenue agrémente la finale. Un grand vin à apprécier dans trois à huit ans.

⊶ SCEV Ch. de Carles, Ch. de Carles, rte de Galgon,
33141 Saillans, tél. 05.57.84.32.03, fax 05.57.84.31.91,
e-mail infos@haut-carles.com ☑ Y ⛹ r.-v.

CH. HAUT LARIVEAU 2004 ★

■ 4,5 ha 20 000 **11 à 15 €**

Cette propriété tient son nom de l'hôpital de La Riveau, fondé à cet endroit par les Hospitaliers de Saint-Jean de Jérusalem au XII[e]s. Né de pur merlot, son 2004 brille de reflets violines. Le bouquet flatteur de cerise, de fumée et de café joue la subtilité. Les tanins frais en attaque évoluent avec ampleur ; un boisé marqué apparaît en finale. Attendre deux à cinq ans.

⊶ Ch. Haut Lariveau, Lariveau,
33126 Saint-Michel-de-Fronsac, tél. 05.57.51.14.37,
fax 05.57.51.53.45, e-mail moulinpeylabrie@wanadoo.fr
☑ Y ⛹ r.-v. 🏠 D

⊶ Bénédicte et Grégoire Hubau

CH. JEANDEMAN La Chêneraie 2004 ★★

■ 5 ha 3 500 **8 à 11 €**

Des chênes centenaires bordant le vignoble dominé par le merlot (90 %) ont donné son nom à cette cuvée. On découvre un vin au bouquet complexe d'épices et de fruits, que viennent agrémenter des nuances de fumé et de torréfaction. Les tanins mûrs, harmonieux et puissants invitent à ouvrir cette bouteille dans trois à six ans. La **cuvée classique 2004 (5 à 8 €)** obtient une étoile pour ses arômes exubérants de fruits rouges, de cassis et de pruneau à l'eau-de-vie ; elle sera prête d'ici un ou deux ans.

⊶ SCEV Roy-Trocard, Ch. Jeandeman,
33126 Fronsac, tél. 05.57.74.30.52, fax 05.57.74.39.96,
e-mail roy.trocard@terre-net.fr ☑ Y ⛹ r.-v.

⊶ Jean Trocard

CH. LAGÜE 2004 ★

■ 5 ha 48 000 **5 à 8 €**

Ancien domaine du duc de Richelieu, ce château campe sur un tertre dominant toute la région. Son 2004 à la robe pourpre brillant affiche des arômes francs et élégants. Amples, mûrs et bien élevés, les tanins sont accompagnés par un boisé discret. Une bouteille qui exprimera tout son potentiel d'ici un à trois ans. Du même propriétaire, le **Château de Carlmagnus 2004 (15 à 23 €)** est cité ; puissant, il est destiné aux amateurs de vins boisés.

⊶ Maison Roux-Oulié, Ch. Lagüe, 33126 Fronsac,
tél. 05.57.51.24.68, fax 05.57.25.98.67,
e-mail arnaud.roux-oulie@wanadoo.fr ☑ Y ⛹ r.-v.

CH. MAYNE-VIEIL Cuvée Aliénor 2004 ★

■ 3 ha 15 000 **8 à 11 €**

Issu d'une sélection de parcelles de merlot âgées de quarante ans en moyenne, ce vin présente une robe rubis brillant et libère des arômes intenses de fruits rouges et noirs, d'épices et de boisé. La bouche un peu vive en attaque se fait ensuite plus gourmande, avant une finale très équilibrée. À garder au moins deux ou trois ans en cave.

⊶ SCEA du Mayne-Vieil, 33133 Galgon,
tél. 05.57.74.30.06, fax 05.57.84.39.33,
e-mail maynevieil@aol.com
☑ Y ⛹ t.l.j. sf sam. dim. 9h-12h 14h-18h;
f. semaine du 15 août

⊶ Sèze

CH. MOULIN HAUT-LAROQUE 2004 ★★

■ 15,86 ha 50 000 ▮⏸ 15 à 23 €

86 88 |89| 90 |95| 96 97 |98| |99| |00| |01| 02 03 |04|

Si ce château figure parmi les plus anciennes propriétés de l'appellation, c'est surtout par la qualité de sa production qu'il impose le respect. Des chais ultramodernes et une rigueur de tous les instants sont à l'origine de cet excellent 2004 à la robe pourpre profond et au bouquet complexe de fraise des bois, de menthe, de cassis, d'épices et de boisé vanillé. En bouche, les tanins jouent la puissance sans oublier la rondeur dans un équilibre harmonieux et persistant. Un vin à boire jeune ou à garder longtemps (dix ans au moins).

Jean-Noël Hervé, Le Moulin, 33141 Saillans,
tél. 05.57.84.32.07, fax 05.57.84.31.84,
e-mail hervejnoel@wanadoo.fr r.-v.

CH. PLAIN-POINT 2004

■ 9 ha 50 000 ⏸ 11 à 15 €

Un château du XVI[e]s. dominant la vallée. Michel Aroldi s'est imposé un cahier des charges assez novateur pour que ses vinifications respectent le terroir et le millésime. Il en résulte un 2004 au bouquet ouvert sur les fruits, à la structure assez puissante et savoureuse, d'une longueur respectable. Un vin intéressant à découvrir d'ici trois à cinq ans.

Michel Aroldi, SA Ch. Plain-Point,
33126 Saint-Aignan, tél. 05.57.24.96.55,
fax 05.57.24.91.64,
e-mail chateau.plain-point@orange.fr r.-v.

CH. PUY GUILHEM 2004

■ 8 ha 35 000 ⏸ 11 à 15 €

2004 marque la reprise du domaine par Jean-Marc Enixon, dont les parents, Annie et Jean-François, avaient acquis en 1995 cette bastide du XIX[e]s. Le vin s'annonce par une robe grenat et un bouquet naissant de fruits mûrs et de cuir. La structure est souple, élégante, un peu simple en finale. Une bouteille à servir dès à présent.

Enixon, Ch. Puy Guilhem, 33141 Saillans,
tél. 05.57.84.32.08, fax 05.57.74.36.45,
e-mail puy.guilhem@infonie.fr r.-v.

CH. RENARD MONDÉSIR 2004 ★

■ 7 ha 14 000 ▮⏸ 11 à 15 €

|93| |95| |96| |98| |99| 00 01 |02| 03 04

Cette propriété fut l'une des premières, il y a vingt ans, à pratiquer l'éclaircissage. Le même soin est toujours apporté à la vigne aujourd'hui. Il en résulte un 2004 rubis à reflets carminés et aux parfums concentrés et complexes de truffe, de cacao et de fruits rouges. Les tanins bien extraits, francs et très ronds évoluent avec élégance jusqu'à une longue finale aromatique, gage d'un potentiel de cinq à six ans au moins.

Xavier Chassagnoux, Renard, 33126 La Rivière,
tél. 05.57.24.96.37, fax 05.57.24.90.18,
e-mail chateau.renard.mondesir@wanadoo.fr
r.-v.

CH. REYNAUD 2004 ★

■ 1,86 ha 10 600 ▮ 8 à 11 €

Même si l'on a aménagé des chambres d'hôtes dans le château du XVII[e]s., ce domaine n'en oublie pas pour autant son vignoble. Son 2004 rouge profond offre un bouquet expressif de fumé et de fruit mûr. En bouche, les tanins sont très présents, francs, un peu sévères aujourd'hui. Un vin de garde à l'ancienne, à laisser s'épanouir trois à six ans dans une bonne cave.

Marie-Christine Aguerre, 1, Lariveau,
33126 Saint-Michel-de-Fronsac, tél. 05.57.24.95.81,
fax 05.57.24.95.30 t.l.j. 9h-12h 14h-19h

LA RIVIÈRE 2004 ★

■ 56 ha 134 000 ⏸ 11 à 15 €

Racheté en 2003, ce magnifique château domine toute la vallée de la Dordogne du haut de ses remparts et de ses tours. Pour le millésime 2004, l'étiquette change et devient très épurée ; en revanche, la qualité du vin demeure. Sous la robe profonde, le bouquet complexe rappelle la mûre, le sous-bois et le pain grillé. La bouche offre des tanins suaves et généreux, puis une longue finale aromatique et équilibrée. Ce fronsac s'épanouira avec une garde de deux à cinq ans.

SCA Ch. de La Rivière, 33126 La Rivière,
tél. 05.57.55.56.56, fax 05.57.24.94.39,
e-mail info@vignobles-gregoire.com
t.l.j. sf sam. dim. 10h-12h30 14h30-18h;
f. 15 déc.-15 jan.

J. Grégoire

CH. LES ROCHES DE FERRAND

Élevé en fût de chêne 2004

■ 2,35 ha 12 500 ▮⏸ 8 à 11 €

Cette propriété, dans la famille depuis des générations, propose un 2004 à la robe rubis brillant et aux arômes délicats de fruits rouges. En bouche, la souplesse des tanins et leur maturité procurent un plaisir immédiat, mais l'ensemble gagnera en complexité avec deux ou trois ans de garde.

Rémy Rousselot, Ch. Les Roches de Ferrand,
33126 Saint-Aignan, tél. 05.57.24.95.16,
fax 05.57.24.91.44,
e-mail vignobles.remy.rousselot@wanadoo.fr
r.-v.

CH. LA ROUSSELLE 2004 ★

■ 4,6 ha 18 000 ⏸ 15 à 23 €

Située sur un plateau argilo-calcaire, cette propriété jouit d'un excellent ensoleillement grâce à son exposition plein sud. Rigoureuse, Viviane Davau pratique une vinification moderne dont a bénéficié ce 2004 rubis à reflets violacés ; le nez concentré et agréable exprime des notes d'épices et de torréfaction. Les tanins, riches et denses, extraits en douceur, révèlent un bon respect du raisin. Un vin à servir dans deux à cinq ans.

Viviane Davau, Ch. La Rousselle,
33126 La Rivière, tél. 05.57.24.96.73,
fax 05.57.24.91.05 r.-v.

CH. STEVAL 2004 ★

■ 4 ha 15 000 ⏸ 5 à 8 €

Assemblage judicieux : les 10 % de cabernet-sauvignon en complément du merlot apportent à ce 2004 une touche de fraîcheur et de complexité. La robe intense, presque noire, annonce des arômes de mûre et d'épices en harmonie avec des notes boisées élégantes. La bouche possède du gras, du volume et la puissance tannique nécessaire pour une garde de trois à six ans.

Sébastien Gaucher, 1, Nardon,
33126 Saint-Michel-de-Fronsac,
tél. et fax 05.57.24.90.24, e-mail s.gaucher@free.fr
r.-v.

CH. LES TROIS CROIX 2004 ★★

10,3 ha 52 000 15 à 23 €

Grappe d'argent du Guide 2001, ce cru appartient à la famille de Patrick Léon, œnologue et ancien directeur de Mouton-Rothschild ; il monte pour la troisième fois sur la plus haute marche du podium. La robe pourpre intense, presque noire, s'ouvre sur un bouquet profond évoquant les fruits noirs, les épices, le pain grillé et le fumé ; les tanins puissants, mûrs, soyeux sont parfaitement enrobés par un boisé bien dosé. La finale d'une rare persistance laisse présager une garde importante d'au moins cinq à dix ans. Le second vin, le **Château Lamolière 2004 (8 à 11 €)**, décroche une étoile ; de la même trame que son aîné, mais plus simple, il est à boire plus jeune.
Famille Patrick Léon,
EARL Les Trois Croix, Les Trois Croix,
33126 Fronsac, tél. 05.57.84.32.09, fax 05.57.84.34.03,
e-mail lestroiscroix@aol.com r.-v.

CH. LA VIEILLE CROIX DM 2004

6 ha 20 000 11 à 15 €

La vieille croix ? La croix de la mission de Saint-Jacques-de-Compostelle qui se trouve sur le domaine. Le vin ? Une cuvée au bouquet naissant d'épices douces et de pain grillé, aux tanins souples, assez présents, mais encore un peu austères en fin de bouche. L'harmonie sera plus intéressante dans deux ou trois ans.
SCEA de La Vieille Croix, La Croix,
33141 Saillans, tél. 05.57.74.30.50, fax 05.57.84.30.77
t.l.j. 8h-19h
I. et S. Dupuy

CH. LA VIEILLE CURE 2004 ★★

18 ha 75 000 15 à 23 €

88 89 90 93 **94** |**95**| 96 **97 98** 99 |00| **01** |**02**| 03 **04**

Copropriété depuis vingt ans d'amis américains, ce cru bénéficie d'une situation parfaite, au sud, sur des collines argilo-calcaires bien drainées. Le 2004 confirme le haut niveau de sa production. La robe rubis brille de reflets noirs ; au nez, les épices, les fruits rouges (groseille, cerise) et noirs (cassis) se rehaussent de nuances de cacao et de sous-bois. Les tanins voluptueux, puissants, bien mûrs accompagnent une dégustation élégante jusque dans la longue finale. À boire dans trois à huit ans. Le second vin, **La Sacristie de la Vieille Cure 2004 (8 à 11 €)**, obtient une étoile ; très proche de son aîné, il est cependant plus simple et s'appréciera plus jeune.
SNC Ch. La Vieille Cure, Coutreau, 33141 Saillans,
tél. 05.57.84.32.05, fax 05.57.74.39.83,
e-mail vieillecure@wanadoo.fr

CH. VIEUX MOULEYRE 2004 ★

0,5 ha 2 300 11 à 15 €

Originaire de Levallois, les propriétaires actuels ont été séduits par ce cru d'à peine plus de 2 ha. Le 2004 est le dernier millésime à porter ce nom : une surprise est réservée pour le 2005... Sous la robe rubis brillant, le fruit rouge, la vanille et le grillé dominent le bouquet. Les tanins élégants, souples et aromatiques en finale composent une bouteille à boire maintenant ou à garder deux à quatre ans. Le second vin, le **Petit Âne 2004 (8 à 11 €)**, cité pour ses notes d'épices et de truffe comme pour la fraîcheur de sa bouche, est déjà agréable.
SCEA Anna et Jacques Favier,
Ch. Vieux Mouleyre, 33126 Fronsac,
tél. 06.80.58.42.10, fax 01.47.58.08.92,
e-mail jacques-favier@vieux-mouleyre.com r.-v.

CH. VILLARS 2004 ★

20 ha 100 000 11 à 15 €

93 **94** |**95**| 96 |98| |99| **00** |01| **02** 03 04

Œnologue, Thierry Gaudrie est le vinificateur de talent de cette propriété. Son père est à l'origine, avec quelques autres, du renouveau de l'appellation. La robe de ce 2004 brille de reflets violines ; les arômes de cuir et de sous-bois sont en harmonie avec d'agréables nuances fruitées (framboise, mûre...). Les tanins ronds, veloutés, mûrs et enrobés par un boisé intense mais de qualité demandent à mûrir. Le second vin, le **Château Moulin Haut Villars 2004 (8 à 11 €)**, obtient lui aussi une étoile ; il se boira plus jeune grâce à son fruité et à sa fraîcheur.
SCEV Gaudrie et Fils, Ch. Villars, 33141 Saillans,
tél. 05.57.84.32.17, fax 05.57.84.31.25,
e-mail chateau.villars@wanadoo.fr r.-v.

Pomerol

Avec environ 830 ha, pomerol est l'une des plus petites appellations girondines et l'une des plus discrètes sur le plan architectural.

Au XIX^e^s., la mode des châteaux du vin, d'architecture éclectique, ne semble pas avoir séduit les Pomerolais, qui sont restés fidèles à leurs habitations rurales ou bourgeoises. Néanmoins, l'aire d'appellation possède quelques demeures élégantes dont l'une est sans doute l'ancêtre de toutes les chartreuses girondines, le château de Sales (XVII^e^s.), et l'une des plus charmantes constructions du XVIII^e^s., le château Beauregard, qui a été reproduit par les Guggenheim, dans leur propriété new-yorkaise de Long Island.

Cette modestie du bâti sied à une AOC dont l'une des originalités est de constituer une sorte de petite république villageoise où chaque habitant cherche à conserver l'harmonie et la cohésion de la communauté ; souci qui explique pourquoi les producteurs sont toujours restés plus que réservés quant au bien-fondé d'un classement des crus.

La qualité et la spécificité des terroirs auraient justifié une reconnaissance officielle du mérite des vins de l'appellation. Comme tous les grands terroirs, celui de Pomerol est né du travail d'une rivière, l'Isle, qui a commencé par démanteler la table calcaire pour y déposer en désordre des nappes de cailloux, que s'est chargée de travailler l'érosion. Le résultat est un enchevêtrement complexe de graves ou cailloux roulés, originaires du Massif central. La complexité des terrains semble inextricable : toutefois il est possible de distinguer quatre grands ensembles : au sud, vers Libourne, une zone sablonneuse ; près de Saint-Émilion, des graves sur sables ou argiles (terroir proche de celui du plateau de Figeac) ; au centre de l'AOC, des graves sur ou parfois sous des argiles (Petrus) ; enfin, au nord-est et au nord-ouest, des graves plus fines et plus sablonneuses.

Cette diversité n'empêche pas les pomerol de présenter une analogie de structure. Très bouquetés, ils allient la rondeur et la souplesse à une réelle puissance, ce qui leur permet d'être de longue garde tout en pouvant être bus assez jeunes. Ce caractère leur ouvre une large palette d'accords gourmands, aussi bien avec des mets sophistiqués qu'avec des plats très simples. En 2005, l'appellation a produit 31 790 hl.

CH. BEAUREGARD 2004 ★

■ 12 ha 57 000 ⊕ 23 à 30 €

75 78 81 ⑧② **83** 84 **85** 86 88 89 90 92 **93 94** |**95**| |**96**| **97 98** |99| ⓪⓪ **01** |02| **03** 04

Ce domaine de 17,50 ha commandé par une chartreuse du XVIIIᵉs. étend ses vignes de merlot (75 %) et de cabernet franc sur un sol de graves argileuses au sud-est du plateau de Catusseau. Depuis son rachat en 1991 par le groupe Crédit Foncier, il produit des vins de grande qualité, distingués à plusieurs reprises par des coups de cœur. Les deux cuvées sont sélectionnées cette année. Le grand vin, paré d'une robe sombre, livre un nez boisé et toasté, qui libère à l'aération des notes de baies noires. Souple à l'attaque, le palais affiche ensuite des tanins puissants. Une garde de trois à cinq ans permettra à l'ensemble de se fondre pour révéler son élégance. Seconde étiquette, **Le Benjamin de Beauregard 2004 (15 à 23 €)** penche plus vers le fruit et la fraîcheur et pourra être apprécié plus tôt. Il est cité.

🔑 SCEA Ch. Beauregard, 33500 Pomerol,
tél. 05.57.51.13.36, fax 05.57.25.09.55,
e-mail pomerol@chateau-beauregard.com ☑ Y ⚲ r.-v.

CH. BELLEGRAVE 2004

■ 7,4 ha 40 000 ⊕ 15 à 23 €

94 |95| |96| **97** |**98**| |99| |00| |01| |**02**| 03 04

Jean-Marie Bouldy vous convie avec ses deux crus à un petit cours d'histoire-géographie. L'histoire, avec le **Château des Jacobins 2004**, qui tire son nom des rencontres qui se déroulaient entre Jacobins sous le gros chêne de la propriété pendant la Révolution ; son vin, souple et rond, aux notes de fruits à noyau et de torréfaction, est cité. La géographie, avec ce cru, dont le nom indique la nature du terroir. Riche et intense au nez (fruits noirs, boisé épicé), son 2004 se montre charnu et puissant en bouche. On attendra deux ou trois ans que ses tanins se fondent complètement.

🔑 Jean-Marie Bouldy, lieu-dit René, 33500 Pomerol,
tél. 05.57.51.20.47, fax 05.57.51.23.14,
e-mail chateaubellegrave@wanadoo.fr ☑ Y ⚲ r.-v.

CH. LE BON PASTEUR 2004 ★

■ 7 ha 34 650 ⊕ 38 à 46 €

78 79 81 ⑧② **83** |**85**| |**86**| |**88**| |89| |**90**| **92 93 94** |⑨⑤| 96 97 ⑨⑧ **99 00 01** 02 03 04

Vers 1920, les grands-parents de Jean-Daniel et Michel Rolland acquirent une modeste propriété dans le secteur de Maillet, à la pointe est de l'appellation. Agrandie par achats successifs de parcelles, celle-ci est aujourd'hui à cheval sur trois appellations (pomerol, lalande, saint-émilion grand cru). D'une couleur rubis brillant, ce 2004 affiche un style contemporain et exprime des arômes de baies noires très mûres, soutenus par un bois bien fondu et relevés d'une touche de violette. La bouche, chaleureuse et fruitée (cerise à l'eau-de-vie), repose sur une structure tannique fine et élégante. Un pomerol charmeur.

🔑 SCEA des domaines Rolland, Maillet,
33500 Pomerol, tél. 05.57.51.52.43, fax 05.57.51.52.93,
e-mail contact@rollandcollection.com ☑ Y ⚲ r.-v.

CH. CERTAN DE MAY DE CERTAN 2004

■ 5 ha 24 000 ⊕ 46 à 76 €

85 86 88 |89| |⑨⓪| 94 |95| |96| 97 98 |99| |00| 01 **02** 03 04

Ce cru régulièrement sélectionné propose un 2004 tout en fraîcheur. La robe pourpre profond est ornée de reflets grenat vif. Le nez exprime des arômes de fruits frais (cerise) rehaussés d'une pointe de vanille. La bouche pleine de vivacité est soutenue par des tanins encore fermes, qui s'affineront d'ici deux ou trois ans.

🔑 Mme Barreau-Badar, Ch. Certan, 33500 Pomerol,
tél. 05.57.51.41.53, fax 05.57.51.88.51,
e-mail chateau.certan-de-may@wanadoo.fr ☑ r.-v.

CH. CHANTALOUETTE 2004

■ 47,5 ha n.c. ▮⊕ 15 à 23 €

Ce cru est rattaché au château de Sales, vaste domaine viticole situé aux portes de Libourne. Le terroir de sables et de graves fines est complanté pour trois quarts de merlot et pour un quart de cabernets. La parure pourpre de ce 2004 est encore jeune. Le bouquet, un peu fermé, s'ouvre à l'aération sur des baies noires, des notes vanillées, des senteurs de sous-bois et une touche minérale. La bouche gourmande, chaleureuse, livre des tanins francs et élégants. Un vin que l'on pourra commencer à servir dans deux ou trois ans, après carafage.

🔑 Bruno de Lambert, Ch. de Sales, 33500 Libourne,
tél. 05.57.51.04.92, fax 05.57.25.23.91,
e-mail chdesales@chateaudesales.fr ☑ Y ⚲ r.-v.

LA CLÉMENCE 2004 ★

■ 2,86 ha 6 000 ⊕ 38 à 46 €

Pas de titre de château pour ce petit cru constitué de cinq parcelles réparties sur plusieurs terroirs. Depuis la

construction du nouveau chai en 2001, son vin est toujours sélectionné. Ce 2004 exhale des arômes de fruits noirs mûrs et de merrain vanillé. Charnue et corsée, très aromatique, soutenue par des tanins nobles, une bouteille à découvrir dans deux ou trois ans.
SC Dauriac, Ch. Destieux, 33330 Saint-Émilion, tél. 06.13.42.95.35, fax 05.57.40.37.42, e-mail dauriac@labm.fr r.-v.

CH. CLINET 2004 ★★

7,12 ha 30 000 38 à 46 €

Jean-Louis Laborde joue la discrétion : seules ses initiales figurent sur l'étiquette. Pourtant, dans le milieu du vin, il est connu jusqu'en Hongrie où il exploite deux domaines en Tokay. Il présente un superbe pomerol de garde à la robe sombre et brillante, au nez puissant et profond mariant un boisé discret et fin à des arômes de fruits frais. Le palais suave et ample est structuré par des tanins de qualité, qui confèrent à cette bouteille un incontestable potentiel de vieillissement. Une grande réussite dans le millésime.
Ch. Clinet, 16, chem. de Feytit, 33500 Pomerol, tél. 05.57.25.50.00, fax 05.57.25.70.00, e-mail contact@chateauclinet.com r.-v.
Laborde

CLOS DE LA VIEILLE ÉGLISE 2004 ★★

1,5 ha 6 000 38 à 46 €

92 93 94 |95| |96| |99| **00** |01| |02| **03 04**

Après un coup de cœur l'an dernier pour le 2003, Jean-Louis Trocard est à nouveau distingué cette année. Son cru de pomerol est de taille modeste mais décidément de grande qualité. Merlot (70 %) et cabernet franc nés sur argilo-calcaire s'assemblent pour donner un vin complet et complexe, à la robe pourpre vif. Son bouquet explosif libère des senteurs de rose, de réglisse, de cèdre et de vanille, dans un environnement de baies surmûries et de merrain toasté. La chair ample et mûre repose sur des tanins épicés donnant beaucoup de relief. À attendre cinq ans au moins, puis à servir sur des plats cuisinés avec de la truffe.
Jean-Louis Trocard, 2, les Jays-Ouest, 33570 Les Artigues-de-Lussac, tél. 05.57.55.57.90, fax 05.57.55.57.98, e-mail trocard@wanadoo.fr t.l.j. 9h-12h 14h-17h; sam. dim. sur r.-v.

CLOS DU CLOCHER 2004 ★

4,3 ha 22 000 30 à 38 €

82 83 (84) **85** |**88**| |**89**| |90| |95| 97 **98** |99| **00** 01 02 03 04

Pierre Bourotte possède trois crus en pomerol qui sont sélectionnés cette année. Tout d'abord, ce Clos du Clocher établi sur un terroir d'argiles graveleuses, où le cabernet franc est présent à hauteur de 25 % à côté du merlot. C'est un vin élégant, expressif, mêlant au nez fruits confits et pruneau à un boisé fin, vanillé et toasté. Harmonieux au palais, ample et structuré par des tanins de qualité, ce 2004 est un bon représentant de l'appellation et du millésime. Les deux autres crus, cités, portent davantage l'empreinte du merlot et naissent d'un terroir plus sablonneux. Le **Château Monregard La Croix 2004 (15 à 23 €)** est un bon vin de garde, un peu plus austère. Le **Château Bonalgue 2004**, encore frais et marqué par la barrique, gagnera à vieillir encore deux ou trois ans.
SC Clos du Clocher, 35, quai du Priourat, 33500 Libourne, tél. 05.57.51.62.17, fax 05.57.51.28.28, e-mail contact@jbaudy.fr r.-v.

CLOS L'ÉGLISE 2004 ★

6 ha 18 000 46 à 76 €

Les Cathiard frère et sœur ont beaucoup investi dans les vignobles du Bordelais : à Pessac-Léognan d'abord, mais aussi à Saint-Émilion et à Pomerol, où, depuis dix ans, Sylviane Gardin-Cathiard préside aux destinées de ce clos. Assemblant 60 % de merlot et 40 % de cabernet franc plantés sur des sols argilo-graveleux, voici un pomerol très contemporain, d'un bordeaux presque noir, marqué par des notes d'élevage (coco, moka, cacao, vanille) et par des arômes de fruits confiturés (mûre, cassis, framboise). Chaleureux, puissant, concentré, le palais est structuré par des tanins boisés. Un vin encore juvénile et massif, qui pourra accompagner des mets de caractère dans quelques années.
Sylviane Garcin, SC Clos L'Église, 33500 Pomerol, tél. 05.56.64.05.22, fax 05.56.64.06.98, e-mail haut.bergey@wanadoo.fr r.-v.

CLOS RENÉ 2004 ★

12 ha 65 000 15 à 23 €

86 88 89 |90| |95| 96 **97** |98| |99| 00 |01| |02| 04

Le Clos René, déjà mentionné en 1764 par Pierre de Belleyme, géographe du roi, sous le nom de « Reney » appartient à la famille Garde depuis plusieurs générations. D'une couleur bordeaux intense, ce 2004 offre un bouquet complexe mariant harmonieusement les fruits confiturés, le boisé vanillé, l'amande grillée, des notes florales et une touche de cuir. La bouche est ronde, soutenue par des tanins frais qui évolueront bien lors des dix prochaines années. Le **Château Moulinet Lasserre 2004**, issu d'un cru voisin, est aujourd'hui un peu austère : il gagnera à attendre trois à cinq ans en cave et à être carafé avant service.
SCEA Garde-Lasserre, Clos René, 33500 Pomerol, tél. 05.57.51.10.41, fax 05.57.51.16.28 r.-v.

CH. LA CONSEILLANTE 2004 ★★

12 ha 62 000 46 à 76 €

82 85 88 |**89**| |**90**| **93** |95| |96| |98| |99| |**00**| **01** 02 **03 04**

Propriétaire du cru au XVIIe s., Catherine Conseillan lui a donné son nom. Le domaine a été acquis en 1871 par Louis Nicolas, dont les descendants ont pris la suite. Le millésime a remarquablement réussi au merlot (80 %) et au cabernet franc plantés sur le terroir d'argiles et de graves du plateau de Pomerol, car ce 2004 se montre à la hauteur de la réputation de la propriété. La robe bordeaux est somptueuse. Le bouquet encore jeune, très riche, livre des arômes de fruits mûrs accompagnés de notes boisées

et grillées héritées de l'élevage. Chaleureuse, savoureuse et charnue, la bouche est étoffée par des tanins puissants et frais, mais d'une réelle élégance. Beaucoup d'ampleur et de charme : « Tout ce que l'on attend d'un grand pomerol », conclut un dégustateur.
SC Héritiers Nicolas, Ch. La Conseillante,
33500 Pomerol, tél. 05.57.51.15.32, fax 05.57.51.42.39,
e-mail contact@la-conseillante.com r.-v.

CH. LA CROIX DE GAY 2004 *

■ 10 ha 28 482 23 à 30 €

(85) 86 88 89 91 92 93 95 |99| **00** |01| |02| 03 04

Une propriété familiale comme il n'en existe plus, transmise par filiation directe depuis le XVes. Le merlot domine l'encépagement (95 %) de ce terroir argilo-graveleux et sablo-graveleux. Il a donné naissance à un vin à la robe pourpre intense, au bouquet à la fois complexe et classique, où le fruit rouge trouve sa place dans un écrin boisé. La bouche est friande, à la fois fraîche et ronde. Les tanins bien présents gagneront à s'affiner encore deux ou trois ans.
SCEV Ch. La Croix de Gay, 33500 Pomerol,
tél. 05.57.51.19.05, fax 05.57.51.81.81,
e-mail contact@chateau-lacroixdegay.com r.-v.
Chantal Lebreton et Alain Raynaud

CH. CROIX DES ROUZES 2004

■ 3 ha 12 000 11 à 15 €

Cette famille au nom bien libournais est établie en saint-émilion, mais possède aussi un petit vignoble en pomerol qui, après successions et partages, a pris le nom de Croix des Rouzes. Le 2004 se présente dans une robe vive et attrayante. Le bouquet expressif mêle les fruits frais et le boisé torréfié (café, cacao). On retrouve ces arômes au palais, accompagnés de tanins fins et frais. À servir prochainement sur des viandes en sauce ou à garder encore quelques années.
Marie-Danièle Carles, 1, Coudert,
33330 Saint-Christophe-des-Bardes, tél. 05.57.24.78.92,
fax 05.57.24.79.19, e-mail contact@carles-diffusion.fr
r.-v.

CH. LA CROIX-TOULIFAUT 2004 *

■ 1,79 ha 11 500 23 à 30 €

85 86 88 89 90 93 94 95 (96) **97** |99| 00 |01| 02 04

L'origine du nom est intéressante. La croix en pierre est une halte sur le chemin de Compostelle et Toulifaut vient du roman *tôt li falt* signifiant « tous y succombent ». Résisterez-vous à ce 2004 qui, quoiqu'un peu jeune, paraît très prometteur ? Son bouquet mêle la violette, la mûre et le pain grillé. Sa bouche, chaleureuse et dense en attaque, est ensuite dominée par le boisé et les tanins. L'ensemble devrait se fondre dans les deux ou trois prochaines années. On pourra ainsi apprécier ce vin avec sur une entrecôte à la bordelaise.
Jean-François Janoueix,
37, rue Pline-Parmentier, BP 192, 33506 Libourne
Cedex, tél. 05.57.51.41.86, fax 05.57.51.53.16,
e-mail info@j.janoueix-bordeaux.com r.-v.

CH. DU DOMAINE DE L'ÉGLISE 2004

■ n.c. 36 000 30 à 38 €

95 97 |98| |**99**| |00| |01| |02| 03 04

Ce cru très ancien fait partie des domaines distribués par la maison Borie-Manoux. Son vin est essentiellement issu de merlot sur terroir de graves. Sa robe pourpre est dense, traversée de reflets rubis. Son bouquet, déjà agréable, trouve un bon équilibre entre les fruits rouges et le boisé torréfié. Après une attaque chaleureuse, les tanins prennent le dessus, conférant aujourd'hui au palais un côté un peu austère. Deux ou trois ans de vieillissement seront nécessaires pour que l'ensemble s'exprime pleinement.
Indivision Castéja-Preben-Hansen, Ch. Bergat,
33330 Saint-Émilion, tél. 05.56.00.00.70,
fax 05.57.87.48.61, e-mail domaines@borie-manoux.fr
r.-v.

CH. ENCLOS HAUT-MAZEYRES 2004 *

■ 8,12 ha 40 000 15 à 23 €

Détaché de Mazeyres lors de la construction du chemin de fer Paris-Bordeaux en 1851, ce vignoble a été acquis par un aïeul des actuels propriétaires en 1850. Le vin était servi sur le paquebot *France* lors des traversées transatlantiques. Aujourd'hui, on découvre un 2004 dont la robe pourpre présente quelques reflets d'évolution. Le nez, bien ouvert, exprime les baies noires mûres, les épices douces et un boisé de qualité. La mise en bouche est chaleureuse et suave, la chair ronde et les tanins soyeux. Un pomerol bien vinifié et bien élevé, qui accompagnera prochainement un salmis de palombes ou un agneau confit.
SARL Haut-Mazeyres de Pedro,
51, chem. de Béquille, 33500 Libourne,
tél. et fax 05.57.51.16.69,
e-mail hautmazeyres@wanadoo.fr
t.l.j. sf dim. lun. 10h-12h 15h-18h;
f. Noël-Pasques

CH. L'ÉVANGILE 2004 **

■ 10 ha 40 000 + de 76 €

93 |(95)| |**96**| (00) **01 02 04**

Ce domaine très ancien, puisqu'il est fait mention de la vigne ici dès 1620, a appartenu pendant près d'un siècle et demi à la même famille libournaise avant de rejoindre en 1989 d'autres crus prestigieux tels que Lafite-Rothschild ou Rieussec, au sein des Domaines barons de Rothschild. Impressionnant dans sa robe sombre, presque noire, ce 2004 possède un nez expressif, marqué par des notes empyreumatiques et des parfums gourmands de confiture de mûres et de griottes. Belle expression du merlot mûr, le palais se montre riche et puissant ; ses tanins veloutés, ses saveurs épicées et sa touche mentholée lui confèrent un caractère très plaisant, qui inciterait à le boire jeune. On l'attendra plus sagement quelques années pour une parfaite harmonie. Le second vin, le **Blason de L'Évangile 2004 (15 à 23 €)**, marqué par l'élevage, est à garder deux ou trois ans. Une étoile.

Ch. L'Évangile, 33500 Pomerol, tél. 05.57.55.45.55, fax 05.57.55.45.56, e-mail jpvazart@lafite.com
r.-v.
DBR (Lafite)

CH. FEYTIT-CLINET 2004 *

6,34 ha	17 000	30 à 38 €

La propriété, autrefois en métayage, a été reprise en 2000 par la famille Chasseuil. Elle bénéficie d'un bon terroir de graves planté à 95 % de merlot. Cette cuvée représente la totalité de la production du cru. Le fruit mûr est soutenu au nez par un boisé élégant. La bouche est savoureuse : après une attaque suave, les arômes prennent leur envol, libérant un raisin bien mûr, un boisé réglissé, avant de laisser la place à des tanins veloutés, frais et racés. Une bouteille pour les cinq à dix prochaines années.

Jérémy Chasseuil, Ch. Feytit-Clinet, 33500 Pomerol, tél. 05.57.25.51.27, fax 05.57.25.93.97 r.-v.

CH. LA FLEUR DE PLINCE 2004

0,28 ha	1 830	23 à 30 €

Une cuvée confidentielle, qui représente pourtant la totalité de la production de ce cru planté de merlot sur terroir sableux au sous-sol de crasse de fer. Le 2004, pourpre intense, exprime des arômes floraux, fruités, épicés et boisés, au nez comme au palais. La bouche est harmonieuse et élégante ; d'abord souple et suave, elle évolue avec une vivacité caractéristique du millésime sur des tanins bien enrobés par l'élevage. Un ensemble prometteur à découvrir dans cinq ans.

Pierre Choukroun, chem. de Plince, 33500 Pomerol, tél. 05.57.74.15.26, fax 05.57.74.15.27, e-mail contact@pomerol.com r.-v.

CH. LA FLEUR DES ORMES 2004

3,75 ha	25 000	11 à 15 €

Ce cru, situé entre l'église de Pomerol et la route nationale, faisait autrefois partie du tènement de Bourgneuf. Son 2004, issu à 95 % de merlot, affiche un nez encore un peu marqué par l'élevage, mais libère un joli fruit à l'aération. La bouche est harmonieuse et équilibrée. On pourra apprécier cette bouteille dans deux ou trois ans.

SCEA Gros et Fils, 33, chem. des Ormeaux, 33500 Pomerol, tél. 05.57.51.23.03, fax 05.57.25.36.14, e-mail chateau.grange.neuve@wanadoo.fr r.-v.

CH. LA FLEUR-PETRUS 2004

12,2 ha	63 000	46 à 76 €

82 83 85 86 |**88**| |(89)| **90** |95| |**96**| |**98**| |99| 01 02 03 04

Séparé de Petrus par une petite route, ce cru est mené par la même équipe que son illustre voisin. Son terroir diffère : ici, la vigne est plantée sur des graves profondes reposant sur un sous-sol argileux. Le 2004 est issu exclusivement de merlot. Sa robe rubis soutenu est bordée d'une légère frange tuilée. Son nez chaleureux offre des notes grillées et toastées qui respectent le fruit. La bouche évolue en finesse sur des tanins boisés qui confèrent à la finale une pointe d'austérité et qui demandent quelques années de garde.

SC Ch. La Fleur-Petrus, 33500 Pomerol, tél. 05.57.51.78.96, fax 05.57.51.79.79, e-mail info@jpmoueix.com

CH. FRANC-MAILLET 2004 **

5,6 ha	30 000	15 à 23 €

|98| |**99**| |00| **01** 02 03 **04**

De retour de la Première Guerre mondiale, Jean-Baptiste Arpin achète son premier hectare à Pomerol. Trois générations après, la famille possède 31 ha de vignes dans le Libournais. Si l'année 2004 était déjà pour la famille celle de la naissance de Graham, elle restera aussi comme celle du millésime coup de cœur ! Ce pomerol a tout pour séduire l'amateur le plus exigeant : une robe profonde aux reflets violines, pleine de jeunesse ; un nez puissant et expressif, toujours élégant, mariant la myrtille, le pruneau et une fraîche touche d'anis ; beaucoup d'ampleur au palais, structuré par des tanins boisés d'une grande finesse. Agréable dans sa jeunesse, il n'en est pas moins de longue garde : la caractéristique d'un grand pomerol.

EARL Vignobles G. Arpin, Chantecaille, 33330 Saint-Émilion, tél. 06.22.08.70.56, fax 05.57.51.96.75, e-mail vignobles.g.arpin@wanadoo.fr r.-v.

CH. LE GAY 2004 **

6 ha	12 000	46 à 76 €

La famille Péré-Vergé exploite plusieurs crus sur Pomerol. Elle a racheté celui-ci en 2002. Dès son premier millésime, elle obtenait un coup de cœur. Elle renouvelle l'exploit cette année, preuve que ce terroir argilo-graveleux, planté de deux tiers de merlot et d'un tiers de cabernet franc, lui réussit. Drapé dans une robe presque noire, le 2004 offre un nez impressionnant, fait de baies noires (cassis, myrtille) et de boisé torréfié, nuancé de vanille et de cuir. La bouche est à la hauteur du bouquet : ample, chaleureuse, fruitée, goûteuse, elle est soutenue par des tanins vigoureux mais élégants. À attendre cinq ans pour encore plus de complexité et d'harmonie.

SCEA Vignobles Péré-Vergé, Ch. Le Gay, 33500 Pomerol, tél. 32.69.88.01.18, fax 32.69.77.73.73, e-mail pvp.montviel@skynet.be r.-v.

CH. GAZIN 2004 ★★

■ 24,24 ha 93 000 38 à 46 €

70 75 76 78 79 80 81 82 **83** 84 **85 86 87 88** |89| |(90)| **91** 92 **93** 94 (95)(96) 97 |**98**| |99| |**00**| 01 |**02**| (03) **04**

Un des plus prestigieux crus de Pomerol, lauréat de la Grappe d'or du Guide l'an dernier. C'est aussi l'un des plus vastes, avec un vignoble de plus d'une vingtaine d'hectares d'un seul tenant, commandé par un château construit sur les fondations d'une ancienne ferme des Hospitaliers de Saint-Jean de Jérusalem. Le 2004 se montre à la hauteur de la réputation du domaine. La robe pourpre intense brille dans le verre. Le bouquet naissant laisse déjà percevoir des notes de fruits rouges agrémentées d'une touche mentholée. La bouche est ample, puissante, structurée par des tanins ronds et persistants qui assureront à cette bouteille une longue garde.

N. de Bailliencourt, SCEA Ch. Gazin, Le Gazin, 33500 Pomerol, tél. 05.57.51.07.05, fax 05.57.51.69.96, e-mail contact@gazin.com r.-v.

CH. GOMBAUDE GUILLOT 2004 ★

■ 6,78 ha 18 450 30 à 38 €

Ce vignoble apporté en dot en 1860 par l'arrière-grand-mère de l'actuelle exploitante est conduit en agriculture biologique. Paré d'un rubis éclatant, le 2004 livre un bouquet fruité, soutenu par un boisé fondu et des nuances de cuir et d'épices. Le palais chaleureux et dense repose sur des tanins athlétiques qui permettront d'envisager une garde d'au moins cinq ans. Autre cru de la famille Laval, le **Clos Plince 2004 (15 à 23 €)**, une étoile également, est un vin rond et gras, très aromatique, que l'on pourra apprécier plus tôt.

SCEA Famille Laval, 4, chem. des Grand'Vignes, 33500 Pomerol, tél. 05.57.51.17.40, fax 05.57.51.16.89, e-mail gombaudeguillot@free.fr r.-v.

L'EXCELLENCE DU CH. GOUPRIE 2004 ★

■ 1 ha 5 333 15 à 23 €

Issue de pur merlot planté sur graves sablonneuses, l'Excellence est une petite cuvée particulièrement travaillée, entièrement vinifiée et élevée en fût de chêne de 400 l. C'est un vin intéressant et expressif, dont la robe pourpre se pare de reflets grenat. Le bouquet, intense et puissant, associe les fruits et le boisé. La bouche est équilibrée entre fraîcheur et souplesse, entre saveur fruitée et tanins boisés. On pourra commencer à apprécier cette bouteille dans trois ans.

SCEA Moze-Berthon, Bertin, 33570 Montagne, tél. 05.57.74.66.84, fax 05.57.74.58.70, e-mail chateau.rocher-gardat@wanadoo.fr r.-v.

CH. GRAND BEAUSÉJOUR 2004 ★

■ 1,15 ha 4 500 38 à 46 €

Daniel Mouty exploite une quarantaine d'hectares de vignes dans le Libournais, dont cette parcelle de merlot qui jouxte l'aire du saint-émilion. La vinification et l'élevage se font dans la chartreuse du XVIII[e]s. située à Beauséjour, à l'entrée de Libourne. Le 2004 se présente en robe rubis foncé et vif. Au nez, il est à la fois floral, fruité (cassis), marqué par le boisé toasté. En bouche, les fruits se font plus confiturés (figue, pruneau), dans un ensemble structuré par des tanins boisés encore dominants qui gagneront en harmonie avec une garde de cinq ans.

SCEA Vignobles Daniel Mouty, Ch. du Barry, 33350 Sainte-Terre, tél. 05.57.84.55.88, fax 05.57.74.92.99, e-mail contact@vignobles-mouty.com t.l.j. 8h-18h

CH. GRAND MOULINET 2004

■ 3 ha 20 000 15 à 23 €

94 96 97 98 99 |00| |01| |02| 03 04

Établie dans la région depuis cinq générations, la famille Fourreau a créé ce cru il y a une vingtaine d'années. Assemblage de merlot (90 %) et de cabernet franc, le 2004 présente quelques reflets d'évolution. Le bouquet expressif mêle les fleurs, les fruits noirs (mûre) et des notes animales. La bouche est souple, grasse, savoureuse, étoffée par des tanins déjà affinés qui permettront d'ouvrir prochaiment cette bouteille sur un cuissot de chevreuil.

GFA Ch. Haut-Surget, Chevrol, 33500 Néac, tél. 05.57.51.28.68, fax 05.57.51.91.79, e-mail chateauhautsurget@wanadoo.fr r.-v.

Fourreau

CH. LA GRAVE À POMEROL

Trigant de Boisset 2004

■ 8,92 ha 43 000 15 à 23 €

82 83 85 **86** |**88**| |**89**| (90) **92 94** |**95**| |98| |99| **00 01** |02| 03 04

Ce cru, qui tient son nom de la nature de son terroir et du patronyme d'un de ses anciens propriétaires, fait partie de l'ensemble des propriétés gérées par Christian Moueix. Issu presque exclusivement de merlot, complété d'une pointe de cabernet franc (2 %), ce 2004 s'affiche comme une bonne réussite du millésime. Le nez délicat marie les fruits mûrs et des notes florales. Le palais rond et charnu est équilibré par la fraîcheur des tanins légèrement boisés. À apprécier dans trois à cinq ans.

Éts Jean-Pierre Moueix, 54, quai du Priourat, 33500 Libourne, tél. 05.57.51.78.96, fax 05.57.51.79.79, e-mail info@jpmoueix.com

CH. GUILLOT 2004 ★

■ 4,7 ha 27 000 15 à 23 €

82 83 88 **89** 93 94 |95| 96 97 |98| 99 **00** |02| 03 04

Les Luquot sont installés aux portes de Libourne, sur la route de Saint-Émilion. Ils exploitent ce cru dont les vignes sont implantées sur le plateau de Catusseau. Assemblage d'un quart de cabernet franc et de trois quarts de merlot, ce 2004 rubis profond, encore un peu fermé, commence à exprimer de délicats arômes de cerise et de bois réglissé. La bouche est également fruitée, équilibrée par des tanins fondus qui permettront de servir ce vin prochainement sur des fromages de brebis des Pyrénées.

SCEA Vignobles Luquot, 152, av. de l'Épinette, 33500 Libourne, tél. 05.57.51.18.95, fax 05.57.25.10.59, e-mail vignoblesluquot@terre-net.fr r.-v.

CH. GUILLOT CLAUZEL 2004 ★

■ 1,05 ha 4 500 23 à 30 €

La famille Clauzel possède 2 ha de vignes à Pomerol. Elle sélectionne merlot (80 %) et cabernet franc sur la moitié de son terroir de sables pour produire cette cuvée qui affiche en 2004 une robe profonde, traversée de reflets noirs. Le nez s'ouvre à l'aération sur des notes épicées, vanillées et grillées, accompagnées d'arômes de fruits rouges. Le caractère à la fois chaleureux et frais du palais contribue à son équiibre et à sa complexité. Les tanins sont là pour assurer la garde (cinq à six ans).

Famille Clauzel, 33500 Pomerol, tél. 05.57.25.91.89 r.-v.

CH. HAUT FERRAND 2004

■ 4 ha 6 600 15 à 23 €

Haut Ferrand n'est pas une sélection du château Ferrand, mais une cuvée issue de parcelles bien définies situées sur le plateau de Pomerol, près de l'église, sur un terroir de graves plantées à 80 % de merlot. Dans le verre, la couleur carmin commence à évoluer légèrement. Des nuances épicées pointent derrière le boisé et les fruits frais du bouquet. L'attaque aimable et souple cède la place à des tanins raffinés, respectueux du fruit. Un vin à découvrir dans deux ou trois ans.

SCE du Ch. Ferrand, chem. de la Commanderie, 33500 Libourne, tél. 05.57.51.21.67, fax 05.57.25.01.41 r.-v.

CH. HAUT-MAILLET 2004

■ 5 ha 27 000 15 à 23 €

Installé sur les sables et les graves du secteur de Maillet à la limite de l'appellation saint-émilion, ce cru a donné naissance à un 2004 paré d'une robe brillante à reflets grenat. Le bouquet, discret mais fin, exprime un fruit de qualité, légèrement boisé. La bouche, souple et d'une certaine ampleur, évolue sur des tanins frais. Un vin à boire prochainement avec une viande blanche.

Vignobles Jean-Pierre Estager, 35, rue de Montaudon, 33500 Libourne, tél. 05.57.51.04.09, fax 05.57.25.13.38, e-mail estager@estager.com r.-v.

CH. LAGRANGE 2004

■ 4,78 ha 17 000 15 à 23 €

Propriété située au nord du plateau de Pomerol, dans le giron des établissements Moueix depuis 1953. Le merlot pousse ici sur des sols d'argile graveleuse à sous-sol de mâchefer. Le 2004 est un vin ouvert sur le fruit mûr ; souple à l'attaque, il évolue avec équilibre vers une finale encore marquée par la fermeté des tanins, mais d'une bonne longueur. À laisser s'harmoniser en cave pendant quatre ou cinq ans.

Éts Jean-Pierre Moueix, 54, quai du Priourat, 33500 Libourne, tél. 05.57.51.78.96, fax 05.57.51.79.79, e-mail info@jpmoueix.com

CH. MAZEYRES 2004 ★★

■ 21,15 ha 74 000 15 à 23 €

92 93 **94 95** 96 97 |00| |01| |02| **03 04**

Ce cru est implanté sur les vestiges d'une *villa* gallo-romaine ; des fouilles ont permis de mettre au jour de belles pièces de faïence qui constituent la collection du château. Paré d'une robe attrayante, pourpre intense, ce 2004 puissant et charmeur exprime les fruits frais (griotte), les épices douces, le boisé vanillé et le cacao. La bouche est sensuelle ; on y retrouve tous les plaisirs du nez associés à une chair tendre et à des tanins élégants. D'ici cinq ans, l'harmonie sera parfaite et cette bouteille pourra alors accompagner un lièvre à la royale.

SC Ch. Mazeyres, 56, av. Georges-Pompidou, 33500 Libourne, tél. 05.57.51.00.48, fax 05.57.25.22.56, e-mail mazeyres@wanadoo.fr r.-v.

CH. MONTVIEL 2004 ★★

■ 3,5 ha 44 000 23 à 30 €

Acquis par la famille Péré-Vergé il y a un peu plus de vingt ans, ce petit cru est à la hauteur de son grand frère le Château Le Gay. Ses vignes de merlot (80 %) et de cabernet franc implantées sur terroir graveleux ont donné naissance à ce vin élégant et charmeur à la robe profonde, presque noire ; le bouquet mêle les fruits très mûrs à des nuances boisées et toastées, agrémentées d'une note de truffe. Le palais s'annonce en douceur, puis évolue lentement sur une chair suave aux accents de fruits rouges qu'accompagnent des tanins mûrs et racés. La touche de fraîcheur en finale vient équilibrer harmonieusement l'ensemble. À découvrir dans trois ou quatre ans.

SCEA Vignobles Péré-Vergé, Grand-Moulinet, 33500 Pomerol, tél. 32.69.88.01.18, fax 32.69.77.73.73, e-mail pvp.montviel@skynet.be r.-v.

CH. LE MOULIN 2004 ★

■ 2,5 ha 10 000 38 à 46 €

Connu à Saint-Émilion, Michel Querre exploite aussi un petit vignoble à Pomerol sur sols sablo-graveleux. Il propose un 2004 pourpre frangé de quelques reflets d'évolution ; la palette aromatique mêle les baies noires, les épices, le boisé et le cacao. Gras et ample, le palais s'appuie sur des tanins enrobés et persistants qui demandent deux à trois ans de garde.

Michel Querre, SCEA Le Moulin de Pomerol, Moulin de Lauvaud, 33500 Pomerol, tél. 05.57.55.51.60, fax 05.57.55.51.61 r.-v.

CH. MOULINET 2004 ★

■ 9 ha 53 070 23 à 30 €

Cet important domaine de 18 ha, coiffé d'une chartreuse, appartient aux héritières d'Armand Moueix, acteur du milieu sportif libournais : le stade de Libourne-Saint-Seurin porte son nom. Issu d'un terroir de graves, son 2004 s'annonce par une robe rubis dense et par un bouquet d'abord dominé par un fin boisé qui s'ouvre à l'aération sur de plaisantes notes fruitées. La bouche est équilibrée, souple, ronde et ample, et enfin corsée par des tanins élégants. Un bon vin de garde pour les six à huit prochaines années.

Marie-José et Nathalie Moueix, Ch. Moulinet, 33500 Pomerol, tél. 05.57.51.23.68, fax 05.57.51.27.78

CH. NÉNIN 2004 ★

■ 25 ha 70 317 23 à 30 €

Propriétaires de Léoville-las-Cases à Saint-Julien, Jean-Hubert Delon et sa sœur Geneviève d'Alton ont acquis en 1997 Nénin, qu'ils ont aussitôt entrepris de restructurer et de rénover pour que ce cru retrouve son rang passé. Ces efforts portent leurs fruits, comme l'a prouvé l'étoile obtenue l'an dernier par le 2003, et comme le confirme le 2004 cette année. Habillé de rubis foncé, il s'ouvre à l'aération sur un joli fruit rouge associé à un boisé élégant. La bouche chaleureuse, veloutée et soyeuse se développe sur des tanins réglissés. Un pomerol raffiné que l'on pourra commencer à boire dans trois à cinq ans.

SC Ch. Nénin, 33500 Libourne, tél. 05.56.73.25.26, fax 05.56.59.18.33, e-mail leoville-las-cases@wanadoo.fr r.-v.

Delon

CH. PETIT VILLAGE 2004

■ 11 ha 42 000 46 à 76 €

85 86 88 **89** |**90**| **92 93** |**95**| 96 97 |**98**| |99| **02** 03 |04|

Un vignoble situé au cœur de l'appellation, sur une légère hauteur du plateau de graves argileuses. L'encépagement se compose de trois quarts de merlot et d'un quart de cabernets. Rubis sombre, ce 2004 exprime les fruits surmûris et un boisé grillé. La bouche souple, tendre et chaleureuse évolue sur des tanins soyeux et mûrs, qui permettent de boire cette bouteille dès maintenant avec une viande blanche.

Ch. Petit-Village, 33500 Pomerol,
tél. 05.57.51.21.08, fax 05.57.51.87.31,
e-mail contact@petit-village.com r.-v.
Axa Millésimes

PETRUS 2004 **

■ 10,53 ha 47 000 + de 76 €

61 **67 71** 74 **75 76** 78 **79** 81 (82) **83** |**85**| |**86**| 87 |(88)|
|**89**| **90 92** |**93**| **94** (95) (96) |**97**| (98) **99** (00) **01 02 03 04**

L'un des vins les plus célèbres au monde. La référence. Combien d'investisseurs tout juste arrivés à Bordeaux demandent à leur œnologue de leur « faire du Petrus » ? Mais n'est pas Petrus qui veut. Encore faut-il pouvoir réunir en un même lieu un terroir d'argile pure, une situation exceptionnelle sur le point culminant d'un plateau viticole et un encépagement où le merlot règne en maître. Le tableau ne serait pas complet si l'on n'y ajoutait le talent des hommes, qui travaillent ici sous la houlette de Christian Moueix et de Jean-Claude Berrouet. Le 2004 s'avance dans une robe rubis intense. Le bouquet d'une grande finesse réussit parfaitement le mariage des fruits mûrs et des fleurs avec un boisé discret. Rond, ample et gras, le palais reste élégant, soutenu par des tanins épicés et généreux, qui assureront une longue garde. L'image même du pomerol.

SC du Ch. Petrus, 33500 Pomerol

CH. PIERHEM 2004

■ 1,2 ha 8 400 23 à 30 €

Lorsqu'il a repris Grands Sillons Gabachot en 2000, Pierre-Emmanuel Janoueix a gardé ce nom pour le second vin et a baptisé le premier par la contraction de ses deux prénoms. Il propose un 2004 rubis sombre, au bouquet agréablement fruité sur fond de boisé discret. Le palais joue surtout dans le registre de la finesse. À servir prochainement sur une volaille rôtie.

Vignobles Pierre-Emmanuel Janoueix, La Bastienne, 33570 Montagne, tél. 05.57.74.53.18,
e-mail pejx@pejanoueix.com r.-v.

CH. PLINCE 2004 *

■ 8,66 ha 40 000 15 à 23 €

Ce domaine familial situé à la sortie est de Libourne, sur un terroir de sables et de crasse de fer, est planté de trois quarts de merlot et d'un quart de cabernet franc. Le 2004 s'affiche comme un pomerol de garde et de caractère. La couleur est profonde. Le nez, encore un peu sur la réserve, exprime à l'aération des notes fruitées. Le palais repose sur une structure puissante et des tanins solides qui permettront à ce vin de bien vieillir (trois à cinq ans de garde).

SCEV Moreau, Ch. Plince, 33500 Libourne,
tél. 05.57.51.68.77, fax 05.57.51.43.39,
e-mail plince@tiscali.fr r.-v.

CH. LA POINTE 2004 *

■ 22 ha 120 000 15 à 23 €

82 83 85 86 88 89 **93 95 96** (98) |00| **01** |**02**| 03 04

Un domaine viticole vaste pour l'appellation, situé aux portes de Libourne, à la jonction des routes de Pomerol et de Catusseau. D'une couleur intense, ce vin au boisé encore très présent libère à l'agitation un fruit bien mûr. De la chair et du relief au palais, une flaveur de noyau de cerise, ainsi que des tanins boisés et toastés engagent à ne découvrir cette bouteille qu'après 2010.

SCE Ch. La Pointe-Pomerol, 33500 Pomerol,
tél. 05.57.51.02.11, fax 05.57.51.42.33,
e-mail chateau.lapointe@wanadoo.fr r.-v.
d'Arfeuille

BORDELAIS

CH. POMEAUX 2004 **

■ 3,78 ha 14 050 38 à 46 €

98 99 |**00**| |**01**| 03 **04**

Vieux Château Taillefer, ce cru de pur merlot sur sables et graves, a été acheté en 1998 par A.-T. Powers et un petit groupe d'investisseurs qui l'ont rebaptisé. Son 2004 a séduit les dégustateurs par son attrayante couleur cerise noire, par ses arômes puissants de mûre, de cassis, de vanille et de poivre, par l'harmonie de son palais mariant les fruits frais à un boisé élégant et par ses tanins structurants et persistants. Un pomerol déjà séduisant et prêt à affronter la prochaine décennie.

Ch. Pomeaux, 6, lieu-dit Toulifaut, 33500 Pomerol,
tél. 05.57.51.98.88, fax 05.57.51.88.99,
e-mail info@pomeaux.com r.-v.

CH. PONT-CLOQUET 2004 **

■ 0,53 ha 3 000 30 à 38 €

Régulièrement sélectionnée, une petite parcelle de merlot de soixante ans planté sur graves, acquise il y a dix ans par Stéphanie Rousseau. Dans le verre, le bouquet est déjà expressif : on y trouve du pruneau, des baies noires, une note minérale et du merrain grillé. Tendre et ronde, concentrée, la bouche évolue sur des tanins élégants et persistants. Encore trois ou quatre ans de patience et cette bouteille aura atteint une harmonie parfaite.

Stéphanie Rousseau, 1, Petit-Sorillon, 33230 Abzac,
tél. 05.57.49.06.10, fax 05.57.49.38.96,
e-mail chateau@vignoblesrousseau.com r.-v.

CH. PRIEURS DE LA COMMANDERIE 2004

■ 3,25 ha 10 000 11 à 15 €

86 88 **89** 90 91 **93** 94 96 **97** 98 |99| 00 **02** 04

Un des trois crus que Clément Fayat, entrepreneur libournais, possède à Pomerol. Ici, le terroir de graves et de sables est essentiellement planté de merlot (80 %). Il a donné naissance à un vin grenat sombre, aux arômes de baies noires confiturées dans un environnement boisé, vanillé et brioché. La bouche charnue reste assez ferme, encadrée par des tanins jeunes et frais, mais prometteurs. À attendre deux ou trois ans.

Vignobles Clément Fayat, Ch. Clément-Pichon, 33290 Parempuyre, tél. 05.56.35.23.79,
fax 05.56.35.85.23,
e-mail c.dupart@vignobles.fayat.com r.-v.

CH. ROUGET 2004 *

■ 17 ha 55 000 30 à 38 €

94 95 96 97 98 |**99**| |00| |01| **02 03** 04

Valeur sûre de l'appellation, ce cru propose la quasi-totalité de sa production et non une microcuvée. Le

2004 se présente dans une robe rubis intense parcourue de reflets ambrés. Le premier nez, très boisé, cacaoté, grillé, laisse doucement la place à un fruit plaisant. L'attaque est grasse, volumineuse – belle expression du merlot – puis les tanins boisés apportent leur structure et des notes persistantes de réglisse. À attendre quatre ou cinq ans et à ouvrir sur du gibier.

Ch. Rouget, 6, rte de Saint-Jacques-de-Compostelle, 33500 Pomerol, tél. 05.57.51.05.85, fax 05.57.55.22.55, e-mail chateau.rouget@wanadoo.fr r.-v.

Labruyère

CH. TOUR MAILLET 2004

2,2 ha 12 000 15 à 23 €

99 **00** ⓪①| 02 03 04

Pur merlot issu du secteur de Maillet, ce 2004 se présente dans une robe rubis foncé aux reflets carminés. Le bouquet, marqué par les senteurs boisées, libère à l'aération des notes de fruits noirs et d'épices. Le vin, plus expressif en bouche, révèle une saveur fruitée, un corps bien équilibré, charpenté par des tanins jeunes mais souples, qui permettront un service prochain avec des mets légèrement épicés, voire des desserts chocolatés.

SCEV Lagardère, Négrit, 33570 Montagne, tél. 05.57.74.61.63, fax 05.57.74.59.62, e-mail vignobleslagardere@wanadoo.fr r.-v.

CH. TOUR ROBERT 2004

1,5 ha 7 000 15 à 23 €

Dominique Leymarie élabore deux cuvées sur son terroir de sables et de graves planté essentiellement de merlot (plus de 88 %). Ce 2004, encore très jeune, est un vin de caractère, presque noir, au bouquet de pruneau, de cuir, d'épices et de boisé discret. En bouche, la palette aromatique s'enrichit de notes de truffe dans un ensemble structuré par des tanins massifs. À attendre deux ou trois ans. Cité, le **Château Robert 2004**, élevé pour moitié en cuve, joue dans un registre plus féminin : fruits rouges, tabac blond, noix muscade. Ses tanins demandent aussi à s'arrondir.

Dominique Leymarie, 11, chem. de Grangeneuve, 33500 Libourne, tél. 06.09.73.12.78, fax 05.57.51.99.94, e-mail leymarie@ch-leymarie.com r.-v.

Miquel

CH. TROTANOY 2004 ★★

7,16 ha 34 800 46 à 76 €

75 79 80 ⑧② **85 86** 87 **88 89** ⑨⓪ **92 94** ⑨⑤ ⑨⑥ 97 **98 99 00** ⓪① **02** 03 **04**

Trotanoy est, avec Petrus, un des fleurons des établissements Jean-Pierre Moueix. Le merlot se plaît sur ce terroir de graves reposant sur des couches d'argiles profondes, dont Jean-Claude Berrouet et son équipe savent tirer le meilleur parti. Grenat à reflets rubis, ce 2004 est fait pour l'amateur patient qui saura attendre que le bouquet subtil et élégant libère ses arômes de fruits rouges et de vanille. Le palais riche et structuré évolue en finesse sur une chair veloutée qui retrouve des notes de cerise cuite, avant de s'épanouir dans une longue finale. Une superbe expression de pomerol.

SC du Ch. Trotanoy, 33500 Pomerol, tél. 05.57.51.78.96, fax 05.57.51.79.79, e-mail info@jpmoueix.com

CH. DE VALOIS 2004

7,5 ha 30 000 15 à 23 €

Établie dans le Libournais viticole depuis 1862, la famille Leydet a créé ce domaine en 1886 et exploite aujourd'hui 16,5 ha à Pomerol et à Saint-Émilion. Ici, le terroir se compose de sables éoliens sur graves fines plantés à 80 % de merlot et à 20 % de cabernet. Le vin exprime à l'aération des senteurs d'épices (girofle), de fruits noirs et un boisé délicat. La bouche est fruitée et fraîche, d'abord souple, puis vite dominée par les tanins du bois torréfié. À attendre un an ou deux.

EARL Vignobles Leydet, Ch. de Valois, Rouilledimat, 33500 Libourne, tél. 05.57.51.19.77, fax 05.57.51.00.62, e-mail frederic.leydet@wanadoo.fr r.-v.

VIEUX CHÂTEAU CERTAN 2004 ★

14 ha 55 000 46 à 76 €

81 82 83 85 86 ⑧⑧ **89 90** 92 **93 94 95 96 97** ⑨⑧ 99 **00 01** 02 03 04

Vieux Château Certan est un domaine emblématique, avec sa ravissante chartreuse entourée d'un parc aux arbres centenaires et d'un vaste vignoble. Georges Thienpont, négociant belge, ne s'était pas trompé lorsqu'il acheta ce cru en 1924. Ce 2004 confirme la grande qualité des vins de la propriété, même dans les années jugées difficiles. Dans le verre, le rubis est intense. Le bouquet, déjà très agréable, mêle les fleurs d'été, les raisins bien mûrs, le boisé vanillé et une touche de cuir. L'attaque est tendre et ronde. La bouche, en harmonie avec le nez, s'enrichit d'une note de cerise ; elle est soutenue par des tanins soyeux, veloutés mais solides. Le style même du pomerol qui pourra être bu aussi bien jeune qu'après une bonne garde.

SC du Vieux Château Certan, 33500 Pomerol, tél. 05.57.51.17.33, fax 05.57.25.35.08, e-mail indo@vieuxchateaucertan.com r.-v.

Thienpont

VIEUX CHÂTEAU FERRON 2004 ★

1,5 ha 13 933 30 à 38 €

Nous avons retenu les trois cuvées élaborées par la famille Garzaro sur son vignoble de 4 ha, établi sur un terroir sablonneux à la sortie de Libourne vers Catusseau. Le merlot y règne à 90 %. Le Vieux Château Ferron est celui qui s'exprime le mieux. La robe pourpre est dense, les fruits mûrs et les senteurs boisées se marient bien, la bouche se montre séveuse et élégante, les tanins apparaissent encore frais. À attendre un an ou deux. Le **Château Élisée 2004 (15 à 23 €)**, un peu plus souple, décroche lui aussi une étoile. Le **Clos des Amandiers 2004 (15 à 23 €)**, cité, est à boire dès maintenant.

EARL Vignobles Garzaro, Ch. Le Prieur, 33750 Baron, tél. 05.56.30.16.16, fax 05.56.30.12.63, e-mail contact@vignoblesgarzaro.com r.-v.

CH. VIEUX MAILLET 2004

4,6 ha 20 000 23 à 30 €

95 96 97 98 **99** 00 01 02 03 04

Premier millésime présenté par la nouvelle équipe qui a pris en main la destinée de ce cru en 2004. On reste bien dans le style du secteur de Maillet. La robe présente quelques reflets grenat. Le nez est encore un peu marqué par un boisé toasté, mais à l'aération il libère des arômes agréables d'épices douces, de baies noires, d'humus et de cuir. Après une mise en bouche veloutée, le boisé et des tanins encore un peu austères prennent le dessus. À laisser en cave quatre ou cinq ans.

🔑 Ch. Vieux Maillet, 16, chem. de Maillet, 33500 Pomerol, tél. 05.57.74.56.80, fax 05.57.74.56.59, e-mail info@chateauvieuxmaillet.com r.-v.

CH. VRAY CROIX DE GAY 2004 *

■ 3,3 ha 16 600 38 à 46 €

85 86 88 |89| |90| 93 94 95 97 |98| |99| |00| 01 02 03 04

Ce cru est une des propriétés libournaises de la famille Guichard. Le grand vin et le second vin sont tous les deux retenus. Ce 2004 joue dans le registre de la finesse. Son bouquet s'ouvre à l'aération sur les fruits confits. Le palais monte en puissance : d'abord chaleureux, il prend de l'ampleur, soutenu par des tanins boisés qui invitent à la garde (cinq ou six ans). **L'Enchanteur 2004 (15 à 23 €)** est moins boisé et moins tannique que son aîné. On pourra le servir plus tôt. Il est cité.

🔑 SCE Baronne Guichard, Ch. Siaurac, 33500 Néac, tél. 05.57.51.64.58, fax 05.57.51.41.56, e-mail info@baronneguichard.com r.-v.

Lalande-de-pomerol

Créé, comme celui de pomerol dont il est voisin, par les Hospitaliers de Saint-Jean (à qui l'on doit aussi, l'église de Lalande qui date du XIIe s.), ce vignoble de 1 174 ha, produit, à partir des cépages classiques du Bordelais, des vins rouges colorés, puissants et bouquetés, qui jouissent d'une bonne réputation, les meilleurs pouvant rivaliser avec les pomerol et les saint-émilion. 50 559 hl ont été revendiqués en 2005.

CH. BELLES-GRAVES 2004

■ 15,32 ha 90 000 11 à 15 €

Commandé par une chartreuse du XVIII[e]s., ce cru étend ses vignes sur un coteau en pente douce, exposé au sud, en face du village de Pomerol. Son 2004 rubis foncé offre un bouquet évoquant successivement les fleurs et les fruits, marqué d'un fin boisé. Sa souplesse en bouche permettra de l'apprécier assez vite sur un gigot d'agneau.

🔑 Xavier Piton, SC du Ch. Belles-Graves, 33500 Néac, tél. 05.57.51.09.61, fax 05.57.51.01.41, e-mail x.piton@belles.graves.com t.l.j. 9h-18h; sam. dim. sur r.-v.

CH. BERTINEAU SAINT-VINCENT 2004 **

■ 5,4 ha 24 600 11 à 15 €

Ce domaine est l'un des vignobles libournais exploités par la famille Rolland. Le style de la maison se retrouve bien dans le verre. La densité apparaît dans la robe profonde, parcourue de reflets sombres. Le nez puissant exprime les baies noires bien mûres, les fruits à noyau, la truffe et le sous-bois (fougère, humus). Le palais offre un caractère chaleureux, épanoui, et une structure tannique présente et harmonieuse. Une bouteille à garder deux ou trois ans en cave.

🔑 SCEA des domaines Rolland, Maillet, 33500 Pomerol, tél. 05.57.51.52.43, fax 05.57.51.52.93, e-mail contact@rollandcollection.com r.-v.

CH. BOUQUET DE VIOLETTES 2004

■ 1,5 ha 9 012 15 à 23 €

Bien que résidant dans la Manche, les Chollet possèdent un petit vignoble sur les graves argileuses de Néac. En 2004, ils y ont élaboré deux cuvées : ce Bouquet de violettes tout d'abord, déjà plaisant et bientôt prêt, qui porte bien son nom printanier par sa fraîcheur et par ses arômes floraux et fruités, sur un fond boisé ; le **Vieux Clos Chambrun 2004 (30 à 38 €)**, minicuvée davantage marquée par la barrique, plus chaleureuse, qui pourra elle aussi être servie prochainement.

🔑 Jean-Jacques Chollet, 15, La Chapelle, 50210 Camprond, tél. 02.33.45.19.61, fax 02.33.45.35.54, e-mail cholletvin@hotmail.com r.-v.

CH. LES CHAGNIASSES 2004

■ 1,38 ha 8 200 8 à 11 €

Ce cru fait partie d'une propriété de 13,5 ha, dans la même famille depuis plus de deux siècles. Il est établi sur des graves plantées à 80 % de merlot. Dans le verre, la teinte est bigarreau sombre. Le nez évoque les baies noires, accompagnées d'une touche mentholée et boisée. Le palais fait preuve d'une bonne concentration qui ne rompt pas l'harmonie. La saveur reste très fruitée. Les tanins sont présents mais bien intégrés. On pourra commencer à ouvrir cette bouteille d'ici un an ou deux.

🔑 EARL Vignobles Carrère, 9, rte de Lyon, RN 89, Lamarche, 33910 Saint-Denis-de-Pile, tél. 05.57.24.31.75, fax 05.57.24.30.17, e-mail vignoblecarrere@wanadoo.fr r.-v.

🔑 Isabelle Fort

CH. CHATAIN PINEAU 2004

■ 5,51 ha 12 000 8 à 11 €

Une ancienne famille saint-émilionnaise cultive ici un vignoble établi sur un dôme argileux au-dessus du hameau de Chatain, le long du ruisseau de la Barbanne. Le vin s'habille d'une robe grenat sombre à reflets violets. Son nez agréable évoque les raisins mûrs, le bois toasté et le noyau de cerise. La bouche est également fruitée, encadrée par une charpente tannique encore un peu austère qui demandera un an ou deux pour s'assagir.

🔑 René Micheau Maillou, la Vieille Église, 33330 Saint-Hippolyte, tél. 05.57.24.61.99, fax 05.57.74.45.37 r.-v.

CLOS DES TEMPLIERS 2004

■ 1,5 ha 9 000 11 à 15 €

Producteur de saint-émilion, Hugues Delacour vient de poser un pied en lalande, en 2004, grâce à une vigne implantée sur graves argileuses. Il y a produit un vin délicat, pourpre frangé de reflets tuilés, au bouquet fruité et frais. La bouche veloutée est soutenue par des tanins fondus et torréfiés. Un ensemble harmonieux à boire dès cet hiver.

🔑 EARL du Chatel Delacour, Ch. de La Cour, 33330 Vignonet, tél. 05.57.84.64.95, fax 05.57.84.65.00, e-mail chateau.de.la.cour@wanadoo.fr r.-v.

CLOS DES TUILERIES

Bouquet des Tuileries Élevé en fût de chêne 2004 *

■ 3 ha 6 000 5 à 8 €

Francis Merlet exploite une quinzaine d'hectares de vignes dans le nord du Libournais, dont ce cru établi sur un terroir de graves. Le merlot (80 %) et le cabernet franc s'assemblent pour donner ce 2004 plein de promesses. D'intenses arômes de fruits rouges s'échappent du verre, accompagnés par un boisé vanillé discret. En bouche, la structure harmonieuse ne masque pas le fruit confit et la saveur de pain d'épice. Un vin de plaisir qui se gardera bien au cours de la décennie à venir.

🔑 SCEA Vignobles Francis Merlet, 46, rte de l'Europe, Goizet, 33910 Saint-Denis-de-Pile, tél. et fax 05.57.84.25.19 ☑ 🍷 🚶 r.-v.

CH. LA CROIX 2004

■ 8,98 ha 40 000 🛢 11 à 15 €

La société Roc de Boissac possède une cinquantaine d'hectares dans le Libournais, dont ce vignoble sur graves sablonneuses complanté à parité de merlot et de cabernet franc. Le 2004 possède un caractère marqué. Sa couleur est intense, son bouquet dominé par des notes boisées, épicées et animales. La bouche apparaît fraîche et vive, soutenue par une structure tannique solide. Un vin qui gagnera à être un peu attendu, puis carafé avant d'être servi.

🔑 SARL Roc de Boissac, 33570 Puisseguin, tél. 05.57.74.61.22, fax 05.57.74.59.54 ☑ 🍷 🚶 r.-v.

CH. LA CROIX BELLEVUE 2004

■ n.c. 40 000 🛢 15 à 23 €

Sur ce cru appartenant à Jean-Louis Trocard, qui présida les instances de la viticulture bordelaise, les cabernets (franc et sauvignon) font jeu égal avec le merlot. Élevé seize mois en fût, ce 2004 exprime des nuances boisées et grillées, puis des parfums de fruits mûrs et confiturés. La bouche souple et fraîche est marquée par des notes d'élevage. Les tanins sont présents mais bien fondus en finale. Un vin équilibré à attendre trois à cinq ans.

🔑 Jean-Louis Trocard, Les Jays, 33570 Les Artigues-de-Lussac, tél. 05.57.55.57.90, e-mail trocard@wanadoo.fr ☑ 🍷 🚶 t.l.j. 9h-12h 14h-17h; sam. dim. sur r.-v.

CH. LA CROIX SAINT-ANDRÉ 2004 ★

■ 16,22 ha 60 000 🍾🛢 15 à 23 €

Régulièrement sélectionné dans le Guide, ce cru s'est bien tiré de l'exercice difficile qu'a nécessité le millésime 2004. Il se présente dans une attrayante robe bordeaux, puis livre un nez délicat et épanoui mêlant le merrain et le petit fruit noir. La bouche, également fruitée, bien équilibrée, est accompagnée par des tanins boisés et soyeux qui devraient achever de s'affiner d'ici un an ou deux.

🔑 Ch. La Croix Saint-André, 1, av. de la Mairie, 33500 Néac, tél. 05.57.84.36.67, fax 05.57.74.32.58, e-mail fcarayon@wanadoo.fr ☑ 🍷 🚶 r.-v.

🔑 F. Carayon

CH. LA CROIX SAINT-JEAN 2004 ★

■ 1,4 ha 8 000 🍾🛢 15 à 23 €

Le nom de ce cru fait référence aux chevaliers de l'ordre hospitalier de Saint-Jean, autrefois très présents à Pomerol. Le bouquet de ce lalande est subtil, associant les notes florales aux arômes de pruneau. En bouche, on retrouve les flaveurs des fruits cuits, accompagnées de tanins boisés, mûrs et bien extraits. La finale, encore un peu austère, invite à attendre trois à cinq ans cette bouteille ; vous pourrez alors la servir sur une noix de ris de veau entière aux écailles de truffes.

🔑 Raymond Tapon, Ch. des Moines, 33570 Montagne, tél. 05.57.74.61.20, fax 05.57.74.61.19, e-mail information@tapon.net ☑ 🍷 🚶 r.-v.

CH. L'ÉTOILE DE SALLES Prestige 2004 ★

■ 4 ha 30 000 🍾🛢 8 à 11 €

Pour son premier millésime à la tête de l'exploitation familiale (une dizaine d'hectares de graves sablonneuses), David Dubois propose deux cuvées. Tout d'abord, cette cuvée Prestige bordeaux sombre, dont le bouquet marie les notes boisées, cacaotées, vanillées et réglissées, relevées d'une touche de moka. Sa bouche concentrée reste toujours fraîche. Un vin au bon potentiel de garde, que l'on pourra commencer à servir dans deux ou trois ans sur une entrecôte, du gibier ou même un dessert chocolaté. Citée, la **cuvée principale 2004 (15 à 23 €)** est un vin gourmand, fruité, au boisé plus discret. Elle accompagnera assez prochainement une grillade.

🔑 David Dubois, Pont de Guitres, 33500 Lalande-de-Pomerol, tél. 05.57.51.13.53, fax 05.57.25.91.81, e-mail e4etoile-de-salles@wanadoo.fr ☑ 🍷 🚶 r.-v.

LA FLEUR DE BOÜARD 2004

■ 15 ha 69 400 🛢 23 à 30 €

Depuis 1998, Hubert de Boüard s'est beaucoup investi sur cet important domaine viticole implanté sur les graves argileuses et siliceuses de Néac. Sans rivaliser avec les millésimes antérieurs, dont plusieurs coups de cœur, ce 2004 se montre réussi. Sa robe rubis commence à présenter quelques reflets d'évolution. Le nez, encore très marqué par l'élevage, demande un peu d'aération pour libérer son fruit. La bouche, à la fois concentrée et structurée, trouve un bon équilibre sur des tanins boisés qui devraient se fondre harmonieusement d'ici deux ou trois ans.

🔑 Hubert de Boüard de Laforest, SC Ch. La Fleur Saint-Georges, Lieu-dit Bertineau, BP 7, 33500 Pomerol, tél. 05.57.25.25.13, fax 05.57.51.65.14, e-mail contact@lafleurdebouard.com ☑ 🍷 🚶 r.-v.

CH. FOUGEAILLES 2004

■ 2,77 ha 19 000 🍾🛢 11 à 15 €

Ce petit vignoble établi sur un terroir argilo-sableux est complanté à 75 % de merlot et à 25 % de cabernet franc. Il a produit un 2004 encore frais, dont la robe grenat s'orne de reflets violines. Le nez un peu fermé demande de l'aération pour libérer ses notes de sous-bois et de truffe. La bouche, d'abord fruitée et gouleyante, est vite dominée par des tanins un peu rustiques qui nécessiteront deux ou trois ans pour s'arrondir.

🔑 Charles Estager, Ch. Fougeailles, 33500 Néac, tél. 05.57.51.35.09, fax 05.57.25.95.20, e-mail contact@estager-vin.com ☑ 🍷 🚶 r.-v.

DOM. DE GACHET 2004

■ 1 ha 6 500 🛢 11 à 15 €

Propriétaire de plusieurs crus libournais, la famille Estager possède aussi ce petit vignoble à Néac. La vigne quinquagénaire est constituée de merlot et de cabernet franc à parts égales, plantés sur graves argileuses. D'une jolie couleur burlat, ce 2004 offre des arômes de raisins mûrs et un boisé vanillé. La bouche est bien équilibrée, souple et ronde, étoffée par des tanins veloutés qui permettront de déboucher cette bouteille sans trop attendre.

Vignobles Jean-Pierre Estager, 35, rue de Montaudon, 33500 Libourne, tél. 05.57.51.04.09, fax 05.57.25.13.38, e-mail estager@estager.com r.-v.

CH. GARRAUD 2004 ★★

■ 20 ha 82 470 11 à 15 €

Acquis en 1939, ce vignoble familial de 37 ha est aujourd'hui géré par Simone Nony. Le millésime 2004 lui a souri, comme le prouvent ces deux cuvées jugées remarquables. Le Château Garraud est un vin sombre et brillant à reflets carminés, qui offre un nez boisé vanillé d'où le fruit frais n'est pas absent. Il se dévoile pleinement en bouche, avec ampleur et longueur, sur des notes de torréfaction et d'épices douces mêlées à des arômes naissants de fruits noirs. Les tanins présents mais soyeux renforcent l'impression de plénitude. À laisser s'affiner en cave pendant trois à cinq ans. Le **Château L'Ancien 2004 (15 à 23 €)** est une cuvée de pur merlot, élégante et déjà prête à boire sur un civet de chevreuil.

Vignobles Léon Nony, Ch. Garraud, 33500 Néac, tél. 05.57.55.58.58, fax 05.57.25.13.43, e-mail info@VLN.fr t.l.j. sf sam. dim. 9h-12h 14h-17h

CH. GRAND ORMEAU Cuvée Madeleine 2004 ★★

■ 3,5 ha 5 000 30 à 38 €

PRODUCE OF FRANCE
CUVÉE MADELEINE
CHATEAU
GRAND ORMEAU
LALANDE-DE-POMEROL
2004
13,5% vol. 75cl
MIS EN BOUTEILLE AU CHATEAU
GRAND VIN DE BORDEAUX

Acquis en 1987 par Jean-Claude Beton, fondateur du groupe Orangina, ce domaine d'une quinzaine d'hectares est une valeur sûre de l'appellation. Produite sur quelques hectares de graves complantées de merlot (85 %) et de cabernet, cette cuvée Madeleine est son fleuron. Elle se présente dans une somptueuse robe bordeaux sombre et exprime un bouquet intense et complexe mariant les fruits rouges et les fleurs sur fond de boisé vanillé et toasté. La bouche chaleureuse, ample et charmeuse est soutenue par des tanins élégants. Un vin qui gagnera à s'affiner encore deux ou trois ans en cave, et que l'on carafera avant de servir.

Jean-Claude Beton, Ch. Grand Ormeau, 2, Grandes-Nauves, 33500 Lalande-de-Pomerol, tél. 05.57.25.30.20, fax 05.57.25.22.80, e-mail grand.ormeau@wanadoo.fr r.-v.

DOM. DU GRAND ORMEAU 2004 ★

■ 18 ha 120 000 8 à 11 €

Jean-Paul Garde exploite plusieurs crus dans le Libournais, dont ce domaine de 22 ha situé au cœur de l'appellation, sur un terroir argilo-graveleux planté de merlot (80 %) et de cabernets. Le 2004 est un vin classique et généreux, doté d'un certain potentiel de vieillissement. Le nez de bonne intensité mêle les fruits noirs, les épices et les notes grillées de la barrique. De l'attaque souple à la finale soyeuse et fraîche, la bouche se développe avec élégance, structurée par des tanins présents et mûrs. À découvrir dans deux ou trois ans.

Jean-Paul Garde, Dom. du Grand Ormeau, RN 89, 33500 Néac, tél. 05.57.51.40.43, fax 05.57.51.33.93, e-mail garde@domaine-grand-ormeau.com r.-v.

CH. LA GRAVIÈRE 2004 ★★

■ 2,4 ha 3 500 15 à 23 €

Voici un lalande très « pomerolais » ! La vigne exclusivement plantée de merlot sur grave est exposée au sud au bord de la Barbanne, ruisseau qui sépare Lalande de Pomerol, comme il sépare Saint-Émilion de ses satellites, ou la langue d'oc de la langue d'oïl. Le rubis de ce 2004 est intense et brillant. Le bouquet très riche exprime les fruits confits, le boisé vanillé et le café torréfié. Dense mais élégante, la bouche évoque les baies noires confiturées (myrtille, mûre). Les tanins sont serrés mais prometteurs, et deux ans de garde contribueront à les arrondir.

SCEA Vignobles Péré-Vergé, Grand-Moulinet, 33500 Pomerol, tél. 32.69.88.01.18, fax 32.69.77.73.73, e-mail pvp.montviel@skynet.be r.-v.

CH. LES HAUTS-CONSEILLANTS 2004 ★

■ 10 ha 42 000 15 à 23 €

Ce négociant, établi sur le célèbre quai du Priourat, où l'on trouve les plus prestigieuses maisons de vin libournaises, exploite aussi plusieurs vignobles dont celui-ci, complanté de merlot (85 %) et de cabernets sur terroir sablo-argileux. La robe rubis de ce 2004 est animée de reflets grenat. Le nez, d'abord empreint de notes d'élevage (boisé vanillé, pain grillé), exprime ensuite les fruits noirs (cassis, mûre) relevés d'une pointe de poivre. La bouche structurée et équilibrée est riche en saveurs et en tanins persistants. Un vin à attendre deux ou trois ans.

SAS Pierre Bourotte, 35, quai du Priourat, 33500 Libourne, tél. 05.57.51.62.17, fax 05.57.51.28.28, e-mail vignobles@jbaudy.fr r.-v.

CH. JEAN DE GUÉ Cuvée Prestige 2004

■ 9,8 ha 40 000 15 à 23 €

Bien présents à Saint-Émilion et à Castillon, les Aubert cultivent aussi ce cru sur Lalande. Ils y ont produit un vin assez corsé, à la robe pourpre intense, au bouquet naissant, qui demande un peu d'aération pour libérer des senteurs de fleurs, d'épices et de tabac. La bouche débute sur des arômes de fruits cuits, relayés par des tanins légèrement boisés et encore un peu fermes. L'ensemble est équilibré et devrait gagner en harmonie d'ici un an ou deux.

Vignobles Aubert, Ch. La Couspaude, 33330 Saint-Émilion, tél. 05.57.40.15.76, fax 05.57.40.10.14, e-mail vignobles.aubert@wanadoo.fr r.-v.

CH. LABORDERIE-MONDÉSIR 2004 ★

■ 1,7 ha 12 000 11 à 15 €

La famille Rousseau exploite 37 ha de vignes au nord de Libourne, dont ce cru de taille modeste qui privilégie le merlot (90 %) planté sur terroir de graves et de mâchefer. L'œil est flatté par le rubis profond de ce 2004. Au nez, le boisé élégant est relayé par le fruit mûr et des senteurs florales. La bouche ample et ronde, aux arômes de fruits frais évolue sur des tanins boisés d'une grande finesse. Un

bel ensemble que l'on peut apprécier dès aujourd'hui, mais qui devrait encore s'affiner d'ici un an ou deux.
SCE Vignobles Rousseau, 1, Petit-Sorillon, 33230 Abzac, tél. 05.57.49.06.10, fax 05.57.49.38.96, e-mail chateau@vignoblesrousseau.com r.-v.

CH. MOULIN À VENT 2004

■ 11,95 ha 86 000 11 à 15 €

Le Champenois François-Marie Marret est très présent dans le Bordelais. À Néac, il exploite une douzaine d'hectares de vigne sur graves où le merlot règne en maître. Le vin se présente dans un habit rubis traversé d'éclats tuilés. Le nez, encore fort boisé, libère après aération des notes de baies noires. Le palais est aussi marqué par l'élevage, mais le fruit parvient à s'exprimer ; l'ensemble devrait trouver l'harmonie dans un an ou deux. On pourra alors associer cette bouteille à un chapon ou à une épaule d'agneau.
SARL Moulin à Vent, 17, av. Julien-Ducourt, 33610 Cestas, tél. 05.57.26.26.66, fax 05.57.26.26.67, e-mail fmm@divin-sa.fr

CH. PAVILLON BEL-AIR Le Chapelain 2004 *

■ 1,8 ha 9 000 15 à 23 €

Cette cuvée est sélectionnée parmi les 8 ha de vignes que le Crédit Foncier, propriétaire du château Beauregard à Pomerol, a acquis en 2003 en lalande. Le terroir de graves argileuses est complanté pour deux tiers de merlot et pour un tiers de cabernet franc. Le 2004 se présente dans une robe rubis brillant. Le bouquet intense et agréable évoque les baies noires, la vanille, le boisé torréfié, tandis que la bouche est à la fois suave et puissante. Le fruit bien mûr et les tanins élégants et persistants en font un beau vin de garde.
SCEA Ch. Beauregard, 33500 Pomerol, tél. 05.57.51.13.36, fax 05.57.25.09.55, e-mail pomerol@chateau-beauregard.com r.-v.

CH. PERRON 2004 **

■ 10 ha 60 000 15 à 23 €

Grand maître du Grand conseil du vin de Bordeaux qui fédère les confréries viticoles et les commanderies de bordeaux dans le monde entier, Michel-Pierre Massonie possède ce vignoble en lalande, dont la gérance est assurée par son fils Bertrand. Le terroir sablo-graveleux s'est magnifiquement exprimé en 2004, puisque les deux cuvées produites sont retenues avec deux étoiles. La cuvée principale s'affiche comme un vin de garde harmonieux, avec son nez intense de fruits mûrs et de boisé toasté et sa bouche fraîche à l'attaque, charnue, qui trouve l'appui de tanins structurants et enrobés, d'une grande élégance. La cuvée **La Fleur 2004 (23 à 30 €)**, plus marquée aujourd'hui par l'élevage, concentrée, puissante et charpentée, est à laisser reposer au moins cinq ans en cave.
SCEA Vignobles Michel-Pierre Massonie, Ch. Perron, Lalande-de-Pomerol, BP 88, 33503 Libourne Cedex, tél. 05.57.51.40.29, fax 05.57.51.13.37, e-mail vignoblesmpmassonie@wanadoo.fr r.-v.

DOM. PONT DE GUESTRES Élevé en fût de chêne 2004 **

■ 1,91 ha 10 000 11 à 15 €

Présent dans le Fronsadais, Rémy Rousselot exploite également plusieurs crus en lalande. Ce 2004, issu de merlot uniquement, a frôlé le coup de cœur. Rubis éclatant, il offre un nez subtil aux notes de fruits frais et de pain chaud. Les fruits se font plus mûrs en bouche, rejoints par un fin boisé, dans un ensemble suave et long, parfaitement équilibré par la fraîcheur. Le vin se montre déjà plaisant, mais on l'attendra encore deux ans pour un supplément d'harmonie. Le **Château Au Pont de Guitres 2004 Élevé en fût de chêne (8 à 11 €)**, plus simple mais expressif et gourmand, permettra de patienter car il est déjà prêt. Il obtient une étoile.
Rémy Rousselot, Ch. Les Roches de Ferrand, 33126 Saint-Aignan, tél. 05.57.24.95.16, fax 05.57.24.91.44, e-mail vignobles.remy.rousselot@wanadoo.fr r.-v. 4

CH. RÉAL CAILLOU 2004

■ 8,5 ha 19 300 11 à 15 €

Créé en 1969 par la volonté des professionnels du vin libournais de former les jeunes aux métiers de la vigne et du vin, le lycée agro-viticole de Montagne exploite un vignoble d'une quarantaine d'hectares. Son lalande est issu de graves limoneuses complantées à 70 % de merlot et à 30 % de cabernet franc. Le 2004 présente une robe cerise noire et des arômes de baies rouges mariés à un fin boisé. La bouche, ample et équilibrée, repose sur une structure tannique assez puissante qui s'arrondira après un an ou deux de garde.
Lycée viticole de Libourne-Montagne, Goujon, 33570 Montagne, tél. 05.57.55.21.22, fax 05.57.55.13.53, e-mail expl.legta.libourne@educagri.fr r.-v.
Ministère de l'Agriculture

CH. SERGANT 2004

■ 18 ha 100 000 8 à 11 €

Cet important vignoble a été entièrement reconstitué dans les années 1960 par Jean Milhade. Paré d'une robe pourpre dense, ce 2004 présente un nez déjà ouvert mêlant les baies rouges, l'amande douce et un boisé grillé. La mise en bouche chaleureuse évoque le pruneau à l'armagnac. Les tanins solides sont empreints d'une fraîcheur qui s'estompera avec un séjour en cave de deux ou trois ans.
SA Milhade, SCEA Ch. Sergant, 6, Daupin, 33133 Galgon, tél. 05.57.55.48.90, fax 05.57.84.31.27, e-mail milhade@milhade.fr

CH. LA SERGUE 2004 **

■ 5 ha 10 000 15 à 23 €

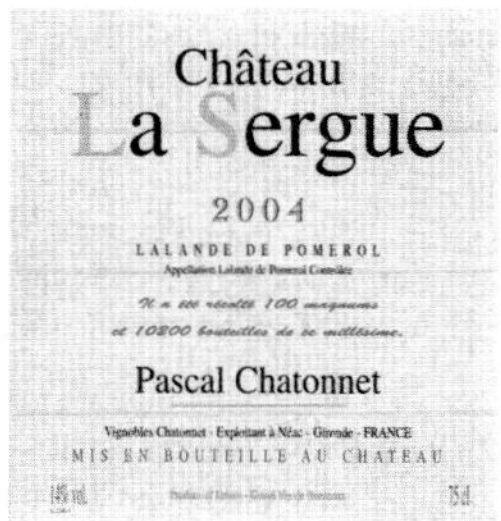

Une ancienne famille saint-émilionnaise dont la vocation viticole remonte au XVIII[e]s. Elle possède plusieurs crus, dont celui-ci. Le fils, Pascal Chatonnet, œnologue, a élaboré ce vin à partir de vieilles vignes de

merlot (90 %) et de cabernet-sauvignon plantées sur des sols argilo-sableux et argilo-graveleux. Un 2004 qui a tout pour séduire : une superbe robe bordeaux à reflets noirs, un bouquet expressif mêlant les notes florales, fruitées et boisées, un palais ample et élégant, structuré par des tanins présents mais fondus. La grande longueur en bouche laisse entrevoir un potentiel de garde d'au moins cinq ans pour cette bouteille. Le **Château Haut-Chaigneau 2004 cuvée Prestige** signé par André Chatonnet, le père, obtient une étoile pour sa puissance et sa concentration.
SCEV Vignobles Chatonnet, Ch. Haut-Chaigneau, 33500 Néac, tél. 05.57.51.31.31, fax 05.57.25.08.93, e-mail contact@vignobleschatonnet.com r.-v.

CH. SIAURAC 2004

39 ha 118 000 11 à 15 €

Cet important domaine viticole a été acheté en 1832 par un aïeul de la baronne Guichard, mère du Compagnon de la Libération et ministre du général de Gaulle. Aujourd'hui, c'est la fille d'Olivier Guichard, Aline, et son époux, Paul Goldschmidt, qui en assurent la direction. Ce millésime séduit par sa robe brillante de teinte burlat et par son bouquet naissant aux notes de fruits à l'eau-de-vie, d'épices et de cacao. Sa bouche, fraîche et fruitée, s'appuie sur des tanins discrètement boisés. Un vin à apprécier dans deux ans.
SCE Baronne Guichard, Ch. Siaurac, 33500 Néac, tél. 05.57.51.64.58, fax 05.57.51.41.56, e-mail info@baronneguichard.com r.-v.

CH. TOURNEFEUILLE 2004 ★

14 ha 65 000 15 à 23 €

Depuis 1998, la famille Petit exploite en lalande un important vignoble de 18 ha, dont toute la production a été retenue. Le Château Tournefeuille est implanté dans un lieu-dit déjà mentionné en 1785 par Belleyme, cartographe du roi. Son 2004 développe un bouquet expressif mariant les baies noires, les épices et un boisé grillé. Le palais équilibré, onctueux, savoureux en attaque est soutenu par des tanins boisés. Un vin de garde que l'on pourra commencer à apprécier dans cinq ans, sur une terrine de gibier. Le **Château Rosalcy 2004 (8 à 11 €)** est plus marqué par le cabernet franc, qui représente 45 % de l'assemblage. Il obtient une étoile pour son nez de cerise et d'amande comme pour sa bouche ample et équilibrée. On pourra l'ouvrir prochainement sur des côtes d'agneau grillées.
Émeric Petit, SCEA Ch. Tournefeuille, 24, rue de l'Église, 33500 Néac, tél. 05.57.51.18.61, fax 05.57.51.00.04, e-mail chateautournefeuille@wanadoo.fr t.l.j. sf sam. dim. 8h-12h 14h-18h

CH. DE VIAUD 2004 ★

10 ha 61 000 11 à 15 €

Depuis 2002, ce cru appartient à Philippe Raoux, négociant bordelais, qui vient d'ouvrir dans le Médoc un espace touristique dédié au vin, la *Winery*. Ce lalande 2004 a été apprécié pour son harmonie et son équilibre. La robe bordeaux est ornée de reflets grenat. Le bouquet exprime des notes de fruits rouges (griotte). La bouche souple et charnue est soutenue par des tanins fondus et généreux. Un vin déjà plaisant mais que l'on attendra avec profit deux ou trois ans.
SAS du Ch. de Viaud, 3, Viaud-Sud, 33500 Lalande-de-Pomerol, tél. 05.57.51.17.86, fax 05.57.51.79.77, e-mail sophie.lafargue@free.fr
Philippe Raoux

CH. VIEUX CARDINAL LAFAURIE

Élevé en fût de chêne 2004 ★

4,23 ha 38 420 8 à 11 €

Produite à Bertineau sur la commune de Néac, cette cuvée est distribuée par la maison Cheval-Quancard. Les dégustateurs l'ont appréciée pour son côté tendre, souple et féminin. La robe est légère et le bouquet fin marie le petit fruit aux notes de fumée. La mise en bouche est douce, la suite fraîche et mentholée, avec des tanins veloutés en finale. Un vin à déguster prochainement.
Cheval Quancard, 4, rue du Carbouney, La Mouline, BP 36, 33565 Carbon-Blanc Cedex, tél. 05.57.77.88.88, fax 05.57.77.88.99, e-mail chevalquancard@chevalquancard.com r.-v.

CH. VIEUX CHAIGNEAU 2004

6,17 ha 37 600 5 à 8 €

Ce cru possède un encépagement et des terroirs diversifiés (merlot et cabernets sur sols argileux et sablo-limoneux) qui confèrent à son vin un bon équilibre. Le 2004 livre des arômes expressifs et agréables, à la fois fruités, boisés et grillés. La bouche friande se montre souple et fraîche. Les tanins civilisés permettront d'ouvrir la bouteille d'ici un an ou deux.
Bernard Berlureau, 7, Chatain, 33500 Néac, tél. et fax 05.57.51.57.70 r.-v.

VIEUX CHÂTEAU GACHET 2004 ★

4,5 ha 28 000 8 à 11 €

Depuis plus d'un demi-siècle, les Arpin exploitent ce cru régulièrement sélectionné, qui obtint deux coups de cœur consécutifs pour les millésimes 2000 et 2001. Dans le verre, la robe est attrayante, mêlant des reflets bordeaux et grenat. Le bouquet, un peu secret, s'épanouit à l'agitation sur des arômes de mûre, de réglisse et de poivre. La bouche est particulièrement charmeuse : d'abord chaleureuse, puis très fruitée, elle se développe sur des tanins légèrement boisés et persistants. Un vin de garde que l'on pourra commencer à découvrir dans trois ou quatre ans.
EARL Vignobles G. Arpin, Chantecaille, 33330 Saint-Émilion, tél. 06.22.08.70.56, fax 05.57.51.96.75, e-mail vignobles.g.arpin@wanadoo.fr r.-v.

CH. VIEUX-RIVIÈRE 2004 ★

4,8 ha 32 000 8 à 11 €

Acquis au début des années 1980 par Marie-Claude et Claude Rivière, ce cru est en cours de conversion à l'agriculture biologique. Le 2004 se présente dans une robe rubis soutenu et livre un nez intense et complexe, où les fruits rouges frais sont accompagnés de notes boisées, torréfiées et vanillées. La bouche, souple en attaque, évolue sur des tanins savoureux, bien enrobés et persistants. Un lalande à découvrir dans deux ans.
SARL La Croix Taillefer, BP 4, 33500 Pomerol, tél. et fax 05.57.25.08.65, e-mail info@la-croix-taillefer.com r.-v.
Rivière

Saint-émilion et saint-émilion grand cru

Étalé sur les pentes d'une colline dominant la vallée de la Dordogne, Saint-Émilion (3 300 habitants) est une petite ville viticole charmante et paisible. C'est aussi une cité chargée d'histoire. Étape sur le chemin de Saint-Jacques-de-Compostelle, ville forte pendant la guerre de Cent Ans et refuge des députés girondins proscrits sous la Convention, elle possède de nombreux vestiges évoquant son passé. La légende fait remonter le vignoble à l'époque romaine et attribue sa plantation à des légionnaires. Mais il semble que sa véritable origine, du moins sur une certaine surface, se situe au XIIIes. Quoi qu'il en soit, Saint-Émilion est aujourd'hui le centre de l'un des plus célèbres vignobles du monde qui, depuis 1999, fait partie du patrimoine mondial de l'Unesco. L'aire d'appellation, répartie sur neuf communes, comporte une riche gamme de sols. Tout autour de la ville, le plateau calcaire et la côte argilo-calcaire (d'où proviennent de nombreux crus classés) donnent des vins d'une belle couleur, corsés et charpentés. Aux confins de Pomerol, les graves produisent des vins qui se remarquent par leur très grande finesse (cette région possédant aussi de nombreux grands crus). Mais l'essentiel de l'appellation saint-émilion est représenté par les terrains d'alluvions sableuses, descendant vers la Dordogne, qui produisent de bons vins. Pour les cépages, on note une nette domination du merlot, que complètent le cabernet franc, appelé bouchet dans cette région, et, dans une moindre mesure, le cabernet-sauvignon.

L'une des originalités de la région de Saint-Émilion est son classement. Assez récent (il ne date que de 1955), il est régulièrement et systématiquement revu. La première révision a eu lieu en 1958, la dernière en 2006 mais ce nouveau classement a été contesté par certains producteurs et suspendu en mars 2007 par le tribunal administratif de Bordeaux. L'appellation saint-émilion peut être revendiquée par tous les vins produits sur la commune et sur huit autres communes l'entourant. La seconde appellation, saint-émilion grand cru, ne correspond donc pas à un terroir défini, mais à une sélection de vins, devant satisfaire à des critères qualitatifs plus exigeants, attestés par la dégustation. Les vins doivent subir une seconde dégustation avant la mise en bouteilles. C'est parmi les saint-émilion grand cru que sont choisis les châteaux qui font l'objet d'un classement. En 1986, 74 ont été classés, dont 11 premiers grands crus. Dans le classement de 1996, dont tient compte notre édition 2008, 68 ont été classés dont 13 en premiers crus. Ceux-ci se répartissent en deux groupes : A pour deux d'entre eux (Ausone et Cheval Blanc) et B pour les onze autres. En 2005, l'AOC saint-émilion (1 753 ha) a produit 84 600 hl. En saint-émilion grand cru 156 380 hl ont obtenu l'agrément au 1er juillet 2005 pour une superficie de 3 851 ha.

La dégustation Hachette n'a pas été globale au sein de l'appellation saint-émilion grand cru. Une commission a sélectionné les saint-émilion grand cru classés (sans distinction des premiers) ; une autre commission a dégusté les saint-émilion grand cru. Les étoiles correspondent donc à ces deux critères.

Saint-émilion

CLOS AEMILIAN 2004 ★

■ 0,43 ha n.c. 11 à 15 €

Établi à l'est de Saint-Émilion, au bord de la Grangère, et non loin des mystérieuses « grottes » de Ferrand au plan symbolique (XVIIes.), ce microcru (moins d'un demi-hectare) s'ouvre au tourisme ; il organise des vendanges musicales le dernier samedi de septembre. Son vin ? Du pur merlot. D'un pourpre intense, il exprime la fraise, la framboise, les fruits cuits, le sous-bois, associés au cacao et à la réglisse. Une chair suave, ronde, riche et une trame tannique tendre et soyeuse composent une bouche équilibrée et harmonieuse, qui finit sur d'agréables évocations de fruits rouges. À déboucher dans deux ans.

Marc Triffault, Saint-Jean-Béard, 33330 Saint-Laurent-des-Combes, tél. 06.20.62.50.25, e-mail closaemilian@wanadoo.fr r.-v.

CLOS CASTELOT 2004 ★

■ 1 ha 6 700 8 à 11 €

Assemblage classique à Saint-Émilion de quatre cépages (62 % de merlot, 25 % de cabernet franc, 10 % de cabernet-sauvignon et 3 % de malbec) plantés sur argilo-calcaires, ce vin est aussi très représentatif de l'appellation par sa robe rouge grenat brillant, son nez discret mais complexe de fruits rouges et de noisette, sa bouche équilibrée, élégante et persistante aux tanins mûrs et fondus. On peut l'attendre deux ans.

Vignobles Fompérier, La Gaffelière, 33330 Saint-Émilion, tél. 05.57.74.46.92, fax 05.57.74.49.16, e-mail lecellierdesgourmets@wanadoo.fr r.-v.

CLOS DUBREUIL Anna 2004 ★★

■ 0,4 ha 2 400 15 à 23 €

Avec ce 2004, Benoît Trocard confirme son savoir-faire : trois ans de présence en Saint-Émilionnais, deux coups de cœur (en grand cru) et deux étoiles pour cette cuvée. Composé presque exclusivement de merlot planté sur calcaire, ce vin affiche une robe profonde très légèrement évoluée. Au nez, les fruits rouges s'épanouissent sur un fin boisé. Cet équilibre harmonieux se retrouve en bouche : une attaque souple, une chair ronde et élégante, des tanins soyeux et une finale sur le fruit dessinent une fort jolie bouteille à déguster dans deux ans.

Benoît Trocard, 11, Jean-Guillot,
33330 Saint-Christophe-des-Bardes, tél. 06.12.80.04.39,
e-mail bt@trocard.com r.-v.

CH. DE LA COUR 2004

■ 3,5 ha 22 000 8 à 11 €

Situé au sud de l'appellation, non loin de la Dordogne, ce cru de 9 ha, complanté majoritairement de merlot (90 % avec un appoint de cabernet franc), est établi sur un sol de sable et d'argile riche en crasse de fer. Racheté en 1995 à un coopérateur, il s'est doté d'un chai de vinification et sa production est souvent mentionnée dans le Guide. Le 2004 attire l'attention par sa robe moirée de noir aux éclats violines. Discret au nez, il mêle les fruits rouges et l'humus, tandis qu'en bouche il apparaît puissant et bien structuré, avec des tanins fondus. Un vin intéressant que l'on peut déjà consommer ou attendre deux ans.

EARL du Chatel Delacour, Ch. de La Cour,
33330 Vignonet, tél. 05.57.84.64.95, fax 05.57.84.65.00,
e-mail chateau.de.la.cour@wanadoo.fr
r.-v.

CH. LA CROIX BONNELLE 2004 ★★

■ 2 ha 11 000 5 à 8 €

Provenant du sud-est de l'appellation, ce 2004, assemblage de merlot (60 %) et de cabernet franc plantés sur sols argilo-siliceux, affiche d'emblée une belle présence : une robe rouge profond un rien évoluée et un bouquet magnifique, chaleureux et complexe, fait de sous-bois, d'humus, de notes animales, épicées et vanillées. Il se montre à la fois puissant et élégant, bâti sur des tanins enrobés et grillés. Une personnalité remarquable pour cette bouteille à déguster sans hâte au cours des quatre prochaines années.

Vignobles Sulzer, La Bonnelle,
33330 Saint-Pey-d'Armens, tél. 05.57.47.15.12,
fax 05.57.47.16.83, e-mail vignobles.sulzer@wanadoo.fr
r.-v.

CH. LA CROIX MONTLABERT 2004

■ 9,52 ha 39 000 8 à 11 €

Second vin du château Montlabert, ce 2004 assemble 80 % de merlot et 20 % de cabernet franc issus de sols sablo-limoneux. Bien construit, il est fait pour maintenant, avec sa robe légère, un rien évoluée, ses arômes de fruits rouges et de fleurs (églantine) et sa bouche sans aspérités, tout en rondeur, aux tanins fondus.

SC Ch. Montlabert, 3, Montlabert,
33330 Saint-Émilion, tél. 05.57.29.71.72,
fax 05.57.24.64.82,
e-mail chateau.montlabert@wanadoo.fr r.-v.

CH. LA CROIX PARENT
Élevé en fût de chêne 2004 ★

■ 0,73 ha n.c. 8 à 11 €

Ce tout petit cru (moins de 1 ha) au terroir fait d'argile riche en crasse de fer, complanté de 80 % de merlot avec un appoint de cabernet-sauvignon, propose un vin bien structuré et équilibré, habillé d'un rouge profond aux reflets violines. Le nez prometteur associe les fruits rouges, le cassis, des impressions minérales et des notes toastées. Puissant et élégant, charpenté par des tanins mûrs, le palais s'ouvre en finale sur un fruit gourmand. À boire dans trois ans.

Dany Vignaud, 14, allée des Graves,
33850 Léognan, tél. 05.56.64.13.74,
e-mail danyvignaud@wanadoo.fr
t.l.j. 8h-12h 14h-18h; f. août au ch. de Puylazat
à Saint-Magne-de-Castillon

DOURTHE La Grande Cuvée 2004

■ n.c. 50 000 8 à 11 €

La Grande Cuvée du négociant Dourthe est issue de propriétés jugées intéressantes par leur terroir et leur potentiel qualitatif. De fait, elle est souvent mentionnée dans le Guide. D'un rouge sombre et limpide, le 2004 se montre élégant et expressif au nez : les fruits macérés, le cuir se mêlent à des notes torréfiées et cacaotées qui révèlent un élevage de douze mois en barrique neuve. Une attaque souple introduit une bouche ronde, bénéficiant d'une trame de tanins soyeux. Les arômes de fruits rouges s'assortissent d'une pointe épicée persistante. À déguster dans deux ans.

Vins et vignobles Dourthe, 35, rue de Bordeaux,
33290 Parempuyre, tél. 05.56.35.53.00,
fax 05.56.35.53.29, e-mail contact@cvbg.com r.-v.

CH. LA FLEUR MORANGE Mathilde 2004 ★★

■ 1,3 ha 5 000 11 à 15 €

Ce petit cru ne produit pas moins de trois vins sur ses 3,80 ha. La cuvée Mathilde, qui est son troisième vin, témoigne de l'art de Véronique et de Jean-François Julien, dont le savoir-faire traditionnel se conjugue avec la maîtrise des techniques modernes. Issu de pur merlot planté sur un terroir sablo-argileux avec du calcaire en sous-sol, ce 2004 pourpre exhale des senteurs de fruits rouges et de confiture nuancées de notes de sous-bois, de

La région de Saint-Émilion

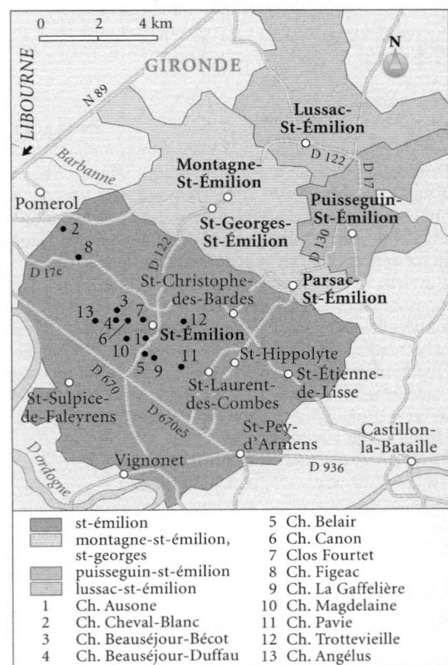

truffe et de grillé. On retrouve les fruits rouges, associés à la vanille, dans une bouche ronde et harmonieuse, étayée par des tanins de qualité. Un ensemble bien fait et prometteur, qui gagnera à vieillir au moins deux ans.
Véronique et Jean-François Julien, lieu-dit Ferrachat, 33330 Saint-Pey-d'Armens, tél. 05.57.47.17.41, fax 05.57.47.16.72, e-mail julienJF33@aol.com r.-v.

GOMBAUD 2004

■ 10 ha 9 800 5 à 8 €

Ce cru à dominante de merlot (70 %) avec un appoint de cabernets (franc surtout) est installé sur un terroir argilo-sableux sur alios. Rouge grenat aux reflets violacés, son saint-émilion s'annonce par un nez complexe mêlant le fruit et la truffe à des notes animales. Rond et frais en attaque, le corps développe une belle matière qui enrobe les tanins. Élégant et persistant, le boisé s'harmonise avec les flaveurs de groseille et de griotte. Une bouteille à déguster dès 2008.
SCEA Landrodie Père et Fille, Juguet, 33330 Saint-Pey-d'Armens, tél. 05.57.24.74.10, fax 05.57.24.66.33, e-mail chateau.juguet@wanadoo.fr t.l.j. 8h-12h 14h-19h

CH. GRAVES DU BERT 2004 *

■ 5 ha 30 000 5 à 8 €

Sophie et Laurent Lavigne-Poitevin exploitent 11 ha en saint-émilion et en côtes-de-castillon. Assemblant 85 % de merlot à 15 % de cabernet franc, leur saint-émilion provient d'un terroir de sables sur graves. D'un rouge grenat soutenu, il exprime un bouquet de fruits rouges et noirs très mûrs. Puissante et gourmande, la bouche est soutenue par une trame tannique bien présente et de qualité. Une garde de trois ans est conseillée.
SCEA Lavigne, Tuillac, 33350 Saint-Philippe-d'Aiguilhe, tél. 05.57.40.60.09, fax 05.57.40.66.67, e-mail scea.lavigne@wanadoo.fr t.l.j. 9h-19h; f. 15-31 août

HAUT-RENAISSANCE 2004 *

■ 1 ha 6 700 8 à 11 €

Un élégant manoir du XVIIes. campé au bord de la Dordogne, à 4 km au sud-ouest de Saint-Émilion, 35 ha de vignes : la propriété de Denis Barraud. Les vins qui y mûrissent captivent souvent le jury : le cru collectionne les coups de cœur (une demi-douzaine pour Haut-Renaissance). Un pur merlot issu d'un terroir de sable graveleux, élevé un an en barrique, et dont la réussite repose sur une belle alliance du fruit et du bois. Des notes toastées et des nuances de fruits rouges introduisent une riche matière soutenue par une bonne assise tannique. Une harmonieuse finale conclut la dégustation de cette bouteille que l'on laissera trois ans en cave avant de la servir avec une entrecôte grillée sur sarment, un magret de canard ou du gibier à plume.
SCEA des Vignobles Denis Barraud, Ch. Les Gravières, 355, port de Branne, 33330 Saint-Sulpice-de-Faleyrens, tél. 05.57.84.54.73, fax 05.57.84.52.07, e-mail denis.barraud@wanadoo.fr r.-v.

CH. LONGA 2004 *

■ 7 ha 45 000 5 à 8 €

Établi au sud-ouest de Saint-Émilion, ce cru propose un 2004 fort bien venu, issu à 90 % de merlot planté sur un terroir sablo-graveleux. Une robe rouge tendre légèrement évoluée, un bouquet agréable et complexe – fleurs et fruits mêlés de sous-bois et d'épices –, une bonne attaque sur les fruits rouges, un palais souple et rond, des tanins présents mais apaisés, une finale veloutée, tout concourt à apprécier sans attendre les charmes de cette bouteille.
SCEV Gonzalès Frères, Canton de Bert, 33330 Saint-Sulpice-de-Faleyrens, tél. 05.57.74.44.04, fax 05.57.24.68.32, e-mail chateaugessan@wanadoo.fr r.-v.

CH. NARDON 2004 **

■ 3,5 ha 15 000 8 à 11 €

Le cabernet franc vient en renfort du merlot (85 %) pour composer cette bouteille dont la robe intense et brillante, d'un grenat soutenu, attire d'emblée. Le bouquet riche et complexe mêle les fruits rouges à des notes grillées et torréfiées léguées par un an d'élevage en barrique. Une attaque franche et souple introduit un palais plein et gras, aux arômes de griotte et aux tanins soyeux. De très belle facture, ce 2004 gagnera à attendre au moins un an.
EARL Vignobles D. et C. Devaud, Ch. de Faise, 33570 Les Artigues-de-Lussac, tél. 05.57.24.31.39, fax 05.57.24.34.17 r.-v.

PAVILLON CARDINAL 2004

■ 2 ha 12 000 5 à 8 €

Un terroir argilo-calcaire, du merlot très majoritaire (85 %) complété par du cabernet-sauvignon sont à l'origine de ce 2004 rouge soutenu aux reflets d'évolution et aux senteurs de fraise mûre et de réglisse accompagnées d'une touche minérale. L'attaque savoureuse ouvre sur une chair ronde et séveuse, aux tanins souples et bien lissés. Un vin plein de personnalité que l'on peut déguster maintenant.
SA Robert Giraud, 33330 Saint-Christophe-des-Bardes, tél. 05.57.43.01.44, fax 05.57.43.08.75, e-mail direction@robertgiraud.com

CH. PEREY-GROULEY 2004 *

■ 4,4 ha 25 000 8 à 11 €

Établis à 2 km au sud de Saint-Émilion, Florence et Alain Xans exploitent 15 ha de vignes. Le cru, au terroir sablo-graveleux complanté à 80 % de merlot, est dans la famille depuis 1880. La réussite de ce millésime s'exprime à travers le rubis brillant de la robe, l'élégance et la complexité du nez où de subtiles senteurs de fruits rouges, de bergamote et de girofle côtoient le bois de santal et un chêne discret nuancé de cuir. Ample et harmonieux, très bien équilibré, ce vin porté par une trame tannique soyeuse s'achève en une finale fruitée et toastée. Né sous une bonne et belle étoile, il pourra vieillir deux ou trois ans.
Vignobles Florence et Alain Xans, Ch. La Fleur-Perey, 33330 Saint-Sulpice-de-Faleyrens, tél. 06.80.72.84.87, fax 05.57.24.63.61, e-mail alainxans@wanadoo.fr r.-v.

CH. LA POINTE CHANTECAILLE Élevé en fût de chêne 2004 *

■ 1,2 ha 6 000 11 à 15 €

Dans la famille Estager depuis 1848, ce petit vignoble (1,20 ha) est mitoyen de l'appellation pomerol. Plantés sur graves siliceuses et crasse de fer, merlot (80 %) et cabernet franc se partagent l'encépagement. Ils ont donné

CLASSEMENT 1996 DES GRANDS CRUS DE SAINT-ÉMILION

SAINT-ÉMILION PREMIERS GRANDS CRUS CLASSÉS

A Château Ausone
Château Cheval Blanc

B Château Angelus
Château Beau-Séjour (Bécot)
Château Beauséjour (Duffau-Lagarrosse)
Château Belair
Château Canon
Clos Fourtet
Château Figeac
Château La Gaffelière
Château Magdelaine
Château Pavie
Château Trotte Vieille

SAINT-ÉMILION GRANDS CRUS CLASSÉS

Château Balestard La Tonnelle
Château Bellevue
Château Bergat
Château Berliquet
Château Cadet-Bon
Château Cadet-Piola
Château Canon-La Gaffelière
Château Cap de Mourlin
Château Chauvin
Clos des Jacobins
Clos de L'Oratoire
Clos Saint-Martin
Château Corbin
Château Corbin-Michotte
Couvent des Jacobins
Château Curé Bon La Madeleine
Château Dassault
Château Faurie de Souchard
Château Fonplégade
Château Fonroque
Château Franc-Mayne
Château Grand Mayne
Château Grand Pontet
Château Guadet Saint-Julien
Château Haut-Corbin
Château Haut-Sarpe
Château La Clotte
Château La Clusière
Château La Couspaude
Château La Dominique
Château La Marzelle
Château Laniote
Château Larcis Ducasse
Château Larmande
Château Laroque
Château Laroze
Château L'Arrosée
Château La Serre
Château La Tour du Pin-Figeac (Giraud-Belivier)
Château La Tour du Pin-Figeac (Moueix)
Château La Tour-Figeac
Château Le Prieuré
Château Les Grandes Murailles
Château Matras
Château Moulin du Cadet
Château Pavie-Decesse
Château Pavie-Macquin
Château Petit-Faurie-de-Soutard
Château Ripeau
Château Saint-Georges Côte Pavie
Château Soutard
Château Tertre Daugay
Château Troplong-Mondot
Château Villemaurine
Château Yon-Figeac

naissance à ce 2004 paré d'une robe rouge vif, au bouquet complexe ; fraise, cerise, mine de crayon se succèdent au nez, assorties d'un bon boisé toasté. Franc en attaque, le palais séduit par son ampleur, sa puissance et sa bonne structure. Les tanins apparaissent déjà fondus et le boisé est élégant. Une belle présence.
Propriété Paulette Estager,
55, rue des Quatre-Frères-Robert, 33500 Libourne,
tél. 05.57.51.06.97, fax 05.57.25.90.01,
e-mail vignoblejmestager@wanadoo.fr r.-v.

CH. PRINCE-FERRANDAT 2004 *

0,6 ha 2 500 11 à 15 €

Un couple de courtiers a acquis en 2000 un petit clos à Saint-Laurent-des-Combes, village qui jouxte à l'est la cité médiévale. Ils signent une cuvée confidentielle, assemblage de 90 % de merlot et de 10 % de cabernet franc plantés sur des sables profonds. Élevé quaztorze mois en barrique, ce vin offre un bouquet intense, où les notes toastées, réglissées, chocolatées laissent finalement percer les fruits noirs. On retrouve ce fruité, associé à la vanille, dans une bouche ronde et charnue, soutenue par une trame tannique aimable et fondue. Un ensemble élégant et prometteur.
SCA Vignobles Prince,
Ch. Clos des Prince, Ferrandat-sud,
33330 Saint-Laurent-des-Combes, tél. 05.57.84.51.46,
fax 05.57.84.64.54,
e-mail vignobles-prince@wanadoo.fr r.-v.

CH. QUEYRON LARTIGUE 2004 *

2,05 ha n.c. 15 à 23 €

Ce cru de 6 ha a été racheté en 2001 par l'actuel propriétaire qui a fait rénover les bâtiments de vinification et d'élevage. Plantés sur terroirs sablo-argileux, merlot (80 %) et cabernet franc ont engendré un vin franc et équilibré. La robe rouge sombre s'entoure d'arômes de fruits rouges finement mariés à des notes toastées et torréfiées. Pain grillé et fruits cuits s'allient dans une bouche souple à l'attaque, soutenue par des tanins dénués d'agressivité. Une bouteille apte à une garde de deux ans.
Éts secondaires du Ch. Grand Lartigue,
33330 Saint-Émilion, tél. 05.56.67.47.78,
fax 05.56.67.40.09 r.-v.
M. Bontoux

CH. DU RIVOYRE 2004

1 ha 4 000 5 à 8 €

Issu exclusivement de merlot implanté sur des sables graveleux, ce vin rouge tendre légèrement évolué développe un nez équilibré entre le toasté et les fruits rouges. La bouche souple et aimable est soutenue par des tanins boisés encore un peu dominants, qui demandent trois ans pour s'affiner.
SCEA Vignobles Guimberteau, 9, Arriailh,
33570 Montagne, tél. 05.57.74.62.38,
fax 05.57.74.50.78,
e-mail lesvignoblesguimberteau@wanadoo.fr
r.-v.

CH. DE SARPE 2004 *

2,43 ha 15 800 11 à 15 €

Forte de six crus à Saint-Émilion et de trois à Pomerol, la famille Janoueix occupe une place enviable dans le Libournais. Bien assis sur un superbe plateau calcaire entre deux crus classés (dont Haut Sarpe, propriété de la famille), ce vignoble domine à l'est la cité médiévale de Saint-Émilion, à peine distante de 600 m. Assemblage de 60 % de merlot et de 40 % de cabernet franc, son 2004 s'habille d'une robe grenat légèrement évoluée. Des senteurs discrètes de cerise et de fruits confits accompagnent une bouche ample et ronde, étayée par des tanins tendres et fondus. Porté par une pointe acidulée, le sous-bois s'exprime en finale. Un ensemble agréable et équilibré, à boire dès maintenant.
Jean-François Janoueix,
37, rue Pline-Parmentier, BP 192, 33506 Libourne Cedex, tél. 05.57.51.41.86, fax 05.57.51.53.16,
e-mail info@j.janoueix-bordeaux.com r.-v.

DOM. DU SÈME 2004 *

1,5 ha 10 000 8 à 11 €

Issu d'un petit cru argilo-sablonneux, ce vin tout merlot, élevé huit mois en barrique, porte une robe brillante d'un rouge léger, un rien évoluée. Au nez, il exprime un boisé caramélisé agrémenté de fruits rouges. La barrique, qui domine une chair ronde et gourmande, incite à attendre ce 2004 quelques années pour un meilleur fondu.
Gilles et Brigitte Mérias,
SCEA du Moulin Blanc, Le Moulin Blanc,
33570 Lussac, tél. 05.57.74.50.27, fax 05.57.74.58.88,
e-mail lemoulinblanc@wanadoo.fr r.-v.

CH. TOINET-FOMBRAUGE 2004

5,47 ha n.c. 8 à 11 €

Établie à Saint-Christophe-des-Bardes, village qui jouxte Saint-Émilion au nord-est, Danielle Sierra a repris le domaine familial en 2004. Équilibré et bien structuré, son premier millésime est très représentatif de l'appellation et de l'année. Paré d'une robe avenante, d'un grenat foncé limpide aux éclats violines, il s'ouvre sur les fruits rouges mûrs. Une attaque souple, une chair ronde imprégnée d'arômes de fraise, des tanins soyeux, une finale longue et agréable composent un ensemble harmonieux à apprécier dans les deux à trois ans.
Danielle Sierra, Toinet-Fombrauge,
33330 Saint-Christophe-des-Bardes, tél. 05.57.24.77.70,
fax 05.57.24.76.49 t.l.j. 10h-12h 15h-19h

CH. VIEUX CASTEL ROBIN
Cuvée du Dahu 2004

1,35 ha 3 800 5 à 8 €

Le nom de la cuvée vient rappeler le souvenir lointain d'une réunion familiale qui se termina par une chasse au dahu dans les vignes. Issu d'une parcelle sélectionnée sur argilo-calcaires et limons argileux, le second vin du château Lavallade assemble 75 % de merlot et 25 % des deux cabernets. Vêtu de pourpre, il offre un bouquet intense et complexe mêlant fruits cuits, mûre et réglisse. Souple et rond en attaque, le palais révèle une chair volumineuse et des tanins puissants, de qualité ; il s'achève sur une finale longue et savoureuse. Un 2004 équilibré à boire sans hâte.
SCEA Gaury et Fils, Ch. Lavallade,
33330 Saint-Christophe-des-Bardes, tél. 05.57.24.77.49,
fax 05.57.24.64.83,
e-mail chateau.lavallade@wanadoo.fr r.-v.

CH. VIEUX-GARROUILH 2004

6,37 ha 43 466 8 à 11 €

Élaborée par la coopérative, une bouteille plaisante, au nez complexe dominé par les fleurs et la cerise. Une chair gourmande et ronde, une trame tannique suave et

veloutée dessinent une bouche équilibrée qui s'achève par une finale élégante et longue, marquée par les fruits cuits.
🔑 Union de producteurs de Saint-Émilion, Haut-Gravet, BP 27, 33330 Saint-Émilion, tél. 05.57.24.70.71, fax 05.57.24.65.18, e-mail contact@udpse.com
Ɪ 🚶 t.l.j. sf dim. 8h-12h 14h-18h

CH. LES VIEUX MAURINS

Cuvée Prestige Élevé en fût de chêne 2004 *

■ 2 ha 8 000 ▮ ⬮ 11 à 15 €

Cette cuvée n'est pas inconnue des fidèles lecteurs du Guide. Issu de sols sablonneux sur graves, le 2004 assemble 80 % de merlot et 20 % de cabernet-sauvignon. D'un pourpre sombre, il s'annonce par un nez harmonieux où se marient le toasté de l'élevage, des notes florales (rose, jasmin) et des fruits rouges et noirs. Ces arômes se fondent dans une matière charnue et élégante qui persiste en finale. Cette bouteille gagnera à attendre au moins trois ans.
🔑 Jocelyne et Michel Goudal, 187, Les Maurins, 33330 Saint-Sulpice-de-Faleyrens, tél. 05.57.24.62.96, fax 05.57.24.65.03, e-mail les-vieux-maurins@wanadoo.fr ☑ Ɪ 🚶 r.-v.

Saint-émilion grand cru

CH. ABELYCE 2004 *

■ 2,3 ha 13 000 ⬮ 8 à 11 €

Voici le premier millésime de ce cru depuis sa reprise par les Vignobles Aubert de Castillon. Établi sur les sables et graves de Vignonet, au sud de l'appellation, le vignoble est entièrement planté en merlot. La couleur est intense. Le nez puissant, très aromatique, mêle les baies noires, la cerise et le bois cacaoté. La bouche est ample et suave, avec une belle texture, des tanins bien extraits, persistants sans être incisifs. Un vin de garde harmonieux, à attendre encore un peu, un an ou deux.
🔑 Amélie Vignes, 57, av. de l'Europe, 33350 Saint-Magne-de-Castillon, tél. 06.85.21.59.60, fax 05.57.56.07.10, e-mail domaines.a.aubert@wandoo.fr

CH. L'APOLLINE 2004

■ 2,8 ha 17 000 ⬮ 11 à 15 €

Perrine et Philippe Genevey consacrent les trois quarts de leur petite propriété de 4 ha à la production de ce grand cru baptisé du prénom de leur troisième fille. La vigne est complantée pour deux tiers de merlot et pour un tiers de cabernet-sauvignon sur terroir de graves. Le vin se présente dans une robe grenat vif. Le nez, encore fermé, demande de l'aération pour libérer ses arômes de fruits confits, accompagnés de notes toastées. La bouche est souple et fruitée, très « griotte », soutenue par un boisé fin et discret qui ne masque pas le terroir. Un vin qui pourra se boire jeune à condition de le carafer.
🔑 EARL Ch. L'Apolline, Le Brégnet, 33330 Saint-Sulpice-de-Faleyrens, tél. et fax 05.57.51.26.80, e-mail l-apolline@wanadoo.fr
☑ Ɪ 🚶 r.-v.
🔑 Genevey

CH. ARMENS 2004

■ 5,2 ha 26 700 ⬮ 15 à 23 €

Cet important vignoble est situé à mi-chemin exactement de Saint-Émilion et de Castillon-la-Bataille. Ses deux cuvées sont retenues. Le premier vin est un saint-émilion de garde, à l'ancienne, un peu austère mais respectueux du terroir. Le bouquet naissant reste frais. Les tanins boisés sont présents mais discrets. Un vin sérieux. Le second vin, **La Fleur du Château Armens (11 à 15 €)**, se montre plus ouvert, plus floral, plus souple, plus facile d'accès. Sa couleur commence à prendre des reflets d'évolution. Il est cité.
🔑 Alexandre de Malet Roquefort, Saint-Pey-d'Armens, BP 12, 33330 Saint-Émilion, tél. 05.57.56.05.06, fax 05.57.56.40.89, e-mail chateau-armens@chateau-armens.com ☑ r.-v.

CH. ARNAUD DE JACQUEMEAU 2004 **

■ 3,71 ha 18 000 ▮ ⬮ 11 à 15 €

Issu d'une lignée de cinq générations de vignerons, Dominique Dupuy présente un 2004 absolument remarquable, à la robe dense, couleur bigarreau foncé. Le bouquet est à la fois fin et puissant. On y trouve des fruits noirs, de la noisette, de la vanille et du merrain toasté. La bouche ne déçoit pas : charnue mais élégante, charpentée mais savoureuse, elle offre des notes de pain d'épice et de réglisse. Un vin qui gagnera encore à vieillir un peu pour accompagner une large palette de mets.
🔑 Dominique Dupuy, Jacquemeau, 33330 Saint-Émilion, tél. 05.57.24.73.09, fax 05.57.24.79.50, e-mail arnaud.de.jacquemeau@orange.fr
☑ Ɪ 🚶 t.l.j. 9h-12h 14h-19h

CH. L'ARROSÉE 2004 **

■ Gd cru clas. 9,33 ha 34 600 ⬮ 38 à 46 €

En 2002, Roger et Jean-Philippe Caille ont acquis ce vignoble idéalement placé sur un coteau à moins d'un kilomètre de la cité médiévale. Le 2004 y brille par son élégance. Sa robe chatoie de reflets rubis et grenat. Le bouquet est encore un peu fermé mais plein de ressources, comme l'indiquent les prémices de notes compotées, épicées et boisées. La bouche se montre charnue et corsée ; sa saveur repose sur le grain croquant et sur le merrain toasté ; ses tanins apparaissent encore un peu fermes mais sont prometteurs. Dans deux ou trois ans, on pourra commencer à ouvrir cette bouteille sur des mets raffinés. L'autre cru de la famille, le **Château L'Armont 2004 (8 à 11 €)**, est agréable, souple et soyeux, à boire plus tôt. Il décroche une étoile. Les deux vins gagneront à être carafés avant service.
🔑 EARL Famille Caille, Ch. L'Arrosée, 33330 Saint-Émilion, tél. 05.57.24.98.84, fax 05.57.24.66.46, e-mail contact@chateaularrosee.com

AURELIUS 2004 *

■ 15 ha 39 200 ▮ ⬮ 23 à 30 €

Un 2004 signé par l'importante coopérative bien visible entre la route de Libourne à Bergerac et Saint-Émilion. En plus des vins de châteaux, la cave élabore des marques qui lui sont propres comme les deux suivantes, qui évoquent l'époque gallo-romaine. Aurelius, tout d'abord : un vin bien représentatif de l'appellation et du millésime. Il marie les fruits noirs et le merrain vanillé au nez, avant d'offrir une bouche souple et charnue aux tanins présents mais fins. À attendre entre deux et cinq ans. Citée, la cuvée **Galius 2004 (15 à 23 €)** est plus marquée par les cabernets, avec ses arômes frais de fruits à noyau, sa texture serrée et ses tanins denses, encore boisés. À attendre également.

Union de producteurs de Saint-Émilion, Haut-Gravet, BP 27, 33330 Saint-Émilion, tél. 05.57.24.70.71, fax 05.57.24.65.18, e-mail contact@udpse.com
t.l.j. sf dim. 8h-12h 14h-18h

CH. BALESTARD LA TONNELLE 2004

Gd cru clas. 10,6 ha 55 000 23 à 30 €

Depuis plus de trente ans, Jacques Capdemourlin préside aux destinées de ce grand cru classé, l'un des plus anciens domaines de la commune, mentionné par François Villon dans un poème dont l'étiquette reproduit un extrait. Le 2004 présente un nez de fruits mûrs entourés de discrètes notes boisées. La bouche bien équilibrée entre rondeur et fraîcheur joue la finesse plus que la puissance. Les tanins déjà fondus invitent à boire ce vin dès aujourd'hui ou après une petite garde.

Jacques Capdemourlin, Ch. Roudier, 33570 Montagne, tél. 05.57.74.62.06, fax 05.57.74.59.34, e-mail info@vignoblescapdemourlin.com r.-v.

CH. BARDE-HAUT 2004

15 ha 72 800 23 à 30 €

Entre autres propriétés bordelaises, Sylviane Garcin possède ce vignoble en amphithéâtre, exposé au sud et dominant le vallon de Saint-Laurent-des-Combes et la vallée de la Dordogne. Pourpre intense, le 2004 miroite dans le verre. Le nez est fin et subtil : après une première impression boisée apparaissent la mûre et le pruneau. La bouche se montre ronde, bien structurée par des tanins fondus qui permettront d'apprécier cette bouteille assez rapidement, par exemple sur un lièvre à la royale.

SCA Ch. Barde-Haut, 33330 Saint-Christophe-des-Bardes, tél. 05.56.64.05.22, fax 05.56.64.06.98, e-mail haut.bergey@wanadoo.fr
r.-v.

Sylviane Garcin

CH. DU BARRY 2004 *

8 ha 40 000 15 à 23 €

89 90 93 **95** |⑨⑧| |99| **00** |01| |03| 04

Le grand-père, Donat Mouty, venu d'Auvergne, a acheté ce vignoble en 1925. Le cru a été beaucoup agrandi depuis, pour atteindre aujourd'hui une quarantaine d'hectares. La cuvée principale, issue à 85 % de merlot planté sur graves profondes, livre un nez de fruits confits et d'épices. La bouche souple et ronde, très fruitée, invite à découvrir dès maintenant cette bouteille. Le **Château Tour-Renaissance 2004 (11 à 15 €)** révèle un boisé élégant qui ne masque pas le terroir. Complet en bouche, à la fois charnu et structuré par de bons tanins, il obtient également une étoile. Une personnalité qui devrait bien s'exprimer sur un gigot.

SCEA Vignobles Daniel Mouty, Ch. du Barry, 33350 Sainte-Terre, tél. 05.57.84.55 88, fax 05.57.74.92.99, e-mail contact@vignobles-mouty.com
t.l.j. 8h-18h

CH. DU BASQUE 2004

11,47 ha 13 333 11 à 15 €

Vignoble quadragénaire installé sur les sols siliceux de Saint-Pey-d'Armens, au sud-est de l'appellation. La vinification et la commercialisation sont assurées par la cave coopérative. En dégustation, on découvre un vin délicat de teinte grenat, dont les arômes rappellent les petits fruits. La bouche est souple et soyeuse. La structure, plutôt fine, permettra de boire ce 2004 assez vite.

Union de producteurs de Saint-Émilion, Haut-Gravet, BP 27, 33330 Saint-Émilion, tél. 05.57.24.70.71, fax 05.57.24.65.18, e-mail contact@udpse.com
t.l.j. sf dim. 8h-12h 14h-18h

Lafaye et Julien

CH. BÉARD 2004

6 ha 33 000 15 à 23 €

Ancienne propriété de la famille Goudichaud, de vieille souche saint-émilionnaise, acquise en 2004 par les Cordonnier, courtiers en vins en Belgique. Leur premier millésime, issu à 95 % de merlot, est retenu. Sa teinte joue dans le registre du rubis et du grenat. Son bouquet naissant demande un peu d'aération pour libérer des arômes de cerise, de fruits frais. Friand, corsé par de bons tanins, un saint-émilion classique, sans fard, à carafer avant service.

SAS Ch. Béard, Saint-Jean de Béard, 33330 Saint-Laurent-des-Combes, tél. 05.57.24.39.77, fax 05.57.24.68.02, e-mail beard@cordovin.be r.-v.

Cordonnier

CH. BEAU-SÉJOUR BÉCOT 2004 **

1er gd cru clas. B 16,6 ha 68 000 38 à 46 €

82 83 85 ⑧⑥ **87 88 89** |90| 93 **94** |**95**| |**96**| |97| |98| **99** 00 **01** 02 **03 04**

Que ce soit dans les années très chaudes comme 2003, ou dans des millésimes plus difficiles tel ce 2004, les frères Bécot savent tirer le meilleur profit de leur terroir au sol argilo-calcaire à astéries. Ils décrochent un deuxième coup de cœur consécutif. Les Romains ne s'étaient pas trompés, qui plantèrent ici des vignes. Dès la présentation, on est séduit : la robe à la fois sombre et lumineuse montre une intensité que l'on retrouve dans le bouquet complexe et expressif, qui mêle harmonieusement les fruits noirs à un boisé vanillé, cacaoté. Puissant, concentré, séveux, le palais poursuit le voyage aromatique du nez, y ajoutant des notes grillées. Les tanins se montrent présents mais enrobés. Un vin racé, qui a un grand avenir devant lui.

Gérard et Dominique Bécot, Ch. Beau-Séjour Bécot, 33330 Saint-Émilion, tél. 05.57.74.46.87, fax 05.57.24.66.88, e-mail becotjuliette@hotmail.com r.-v.

CH. BELLEFONT-BELCIER 2004 *

12 ha 39 332 23 à 30 €

95 96 97 |98| |99| |00| |01| |02| 04

BHL, ici Berrebi, Hébrard et Laguillaumie, les initiales des trois propriétaires associés depuis 1993 sur ce cru et qui n'ont pas ménagé leurs efforts. Ils ont restructuré le vignoble, qui comprend les différents terroirs de l'AOC : plateau calcaire, coteau et pied de coteau. Ils ont rénové la cave. Ces investissements leur permettent d'élaborer un vin à la fois classique et moderne. Rubis intense, ce 2004 est gorgé d'arômes fruités, boisés, toastés, épicés, vanillés et briochés, aussi bien au nez qu'au palais. La bouche chaleureuse et corsée est soutenue par des tanins persistants qui lui permettront de bien vieillir. Un autre cru des mêmes propriétaires, le **Château Trianon 2004 (15 à 23 €)**, issu d'un terroir totalement différent, est intéressant par son caractère épicé, truffé. Il obtient une étoile.

Ch. Bellefont-Belcier,
33330 Saint-Laurent-des-Combes, tél. 05.57.24.72.16,
fax 05.57.74.45.06,
e-mail chateau.bellefont-belcier@wanadoo.fr
r.-v.
BHL et Partenaires

CH. BELLEVUE 2004 ★

Gd cru clas. 6,2 ha 25 000 23 à 30 €

Ce vignoble, implanté sur un plateau argilo-calcaire dominant la vallée de la Dordogne, tient son nom de cette situation géographique privilégiée. Son 2004 ? Des reflets rubis dans le verre. Le bouquet s'ouvre sur des notes chaleureuses : baies surmûries, bois mentholé, grillé et réglissé. L'attaque est franche, puis la bouche prend de l'ampleur avant de laisser la place à des tanins solides mais élégants. Tout le profil d'un bon vin de garde, à attendre encore trois à cinq ans.

Ch. Bellevue, rte du Milieu, 33330 Saint-Émilion,
tél. 05.57.24.74.23, fax 05.57.24.63.78,
e-mail bellevue-grandcru@nicolas-thienpont.com
Consorts Pradel et de Coninck

CH. BERGAT 2004

Gd cru clas. n.c. 12 000 15 à 23 €

88 89 93 94 95 97 |**98**| 99 |00| |01| |02| 04

Cousin de Trotte Vieille, ce cru s'étendant sur 4 ha est de taille plus modeste. Les cabernets (45 % de l'encépagement) font presque jeu égal avec le merlot. Ils apportent au bouquet une note de cassis qui se marie aux fruits rouges du merlot et au toasté de l'élevage. La bouche évolue avec rondeur sur des tanins souples, dont la présence se fait plus marquée en finale, sur une touche de fraîcheur. À garder deux à cinq ans.

Indivision Castéja-Preben-Hansen, Ch. Bergat,
33330 Saint-Émilion, tél. 05.56.00.00.70,
fax 05.57.87.48.61, e-mail domaines@borie-manoux.fr
r.-v.

CH. BERNATEAU 2004 ★

12 ha 43 000 11 à 15 €

Domaine viticole familial typique de l'appellation, implanté sur la côte et sur le plateau argilo-calcaire à l'est de Saint-Émilion. Pierrick Lavau, jeune œnologue diplômé de la faculté de Bordeaux, représente la huitième génération ; il a rejoint ses parents en 2002. Leur 2004 s'annonce par une couleur bigarreau intense. Les arômes évoquent les fruits rouges frais, les épices douces ; le bois reste discret et fin. La bouche apparaît friande, à la fois chaleureuse et fraîche, savoureuse et équilibrée, structurée par des tanins réglissés. Déjà agréable, cette bouteille pourra être servie pendant une décennie sur des viandes rouges, du gibier ou du fromage.

SCEA Régis Lavau et Fils, Bernateau,
33330 Saint-Étienne-de-Lisse, tél. 05.57.40.18.19,
fax 05.57.40.27.31,
e-mail contact@chateaubernateau.com r.-v.

CH. LES CABANNES 2004 ★

1,2 ha 7 500 11 à 15 €

Le domaine de 7 ha a été acheté et replanté en 1997. Il est exploité par deux jeunes œnologues formés à l'université de Bordeaux, Brigitte et Peter Kjellberg. Pour cette cuvée, ils ont sélectionné du merlot planté sur sables graveleux. Cela donne un vin de garde, homogène et harmonieux : sous le grenat sombre de la robe, un joli nez de baies noires (mûre, myrtille) sur fond boisé ; une bouche souple, ronde et fraîche, soutenue par des tanins serrés et épicés qui permettront à cette bouteille de bien vieillir (trois à quatre ans) et d'accompagner des mets de caractère.

EARL Vignobles Kjellberg-Cuzange, Les Cabannes,
33330 Saint-Sulpice-de-Faleyrens, tél. 05.57.24.62.86,
fax 05.57.24.66.08,
e-mail kjellberg.cuzange@wanadoo.fr r.-v.

CH. DU CALVAIRE 2004 ★

10 ha 62 000 8 à 11 €

Ce vignoble doit son nom au calvaire qui domine la commune de Saint-Étienne-de-Lisse, à l'est de l'appellation. Le merlot compose l'essentiel de son encépagement et de l'assemblage de cette bouteille à la robe rubis attrayante. Le bouquet naissant exprime une large palette aromatique : fleurs, fruits confits, bois vanillé. La bouche est souple mais charnue, bien structurée par des tanins fins et cacaotés. Un vin de garde que l'on pourra commencer à servir prochainement, après décantation, sur une viande rouge et même sur un dessert au chocolat.

SCEA Domaines Roland Dumas, BP 12,
33240 Saint-Gervais, tél. 05.57.43.89.75,
fax 05.57.43.01.89,
e-mail thomascapdeville@wanadoo.fr r.-v.

CH. DE CANDALE 2004 ★

3,83 ha 11 150 38 à 46 €

Ce petit domaine situé sur les sols argilo-graveleux du tertre de Rotebœuf a été repris en 2002 par le groupe Wine and Vineyards, également propriétaire de Fonplégade, qui met en œuvre d'importants moyens. Le 2004 affiche une grande concentration tout au long de la dégustation. Sa couleur est foncée. Son bouquet s'ouvre sur les baies noires (cassis, myrtille), les épices douces et le bois torréfié. La bouche consistante et chaleureuse repose sur les fruits mûrs et surtout sur le bois réglissé. On pourra apprécier ce vin assez vite, mais il gagnera à vieillir quelques années avant de rejoindre des viandes en sauce ou du gibier.

Ch. de Candale, 33330 Saint-Laurent-des-Combes,
tél. 05.57.55.08.88, fax 05.57.55.19.99,
e-mail candale@wine-and-vineyards.com r.-v.

CH. CANON 2004 ★

1er gd cru clas. B n.c. n.c. 46 à 76 €

|89| |90| |96| 97 |**98**| |99| |**00**| 01 02 **03** 04

Sous les vignes de merlot (75 %) et de cabernet franc du plateau calcaire de Saint-Martin se trouvent d'immenses carrières que l'on peut visiter. Les pierres ont servi à bâtir les plus belles demeures de Bordeaux et de Libourne. Aujourd'hui, les barriques et les bouteilles occupent ces

BORDELAIS

galeries souterraines. On peut y trouver ce 2004 aux reflets bigarreau, dont le bouquet marie harmonieusement les baies noires et le chêne. La bouche, racée et élégante, évolue avec équilibre sur un lit de tanins enrobés et fruités. Un saint-émilion traditionnel qu'il faudra attendre un peu. Le second vin, le **Clos Canon 2004 (23 à 30 €)**, cité, porte bien son nom car tout le vignoble est entouré de murs. C'est aussi un vin de garde, mais plus porté sur le fruit, d'une structure fine et soyeuse. Il s'ouvrira plus vite.
Ch. Canon, BP N22, 33330 Saint-Émilion, tél. 05.57.55.23.45, fax 05.57.24.68.00, e-mail contact@chateau-canon.com r.-v.
Wertheimer

CH. CAP DE MOURLIN 2004

Gd cru clas. 14 ha 65 000 23 à 30 €

|82| 83 85 **86** 88 |89| |90| 93 94 96 98 |99| 00 01 02 04

Premier jurat depuis 1996, Jacques Capdemourlin appartient à une famille dont l'histoire se confond depuis plus de quatre siècles avec celle de Saint-Émilion. Son 2004, assemblage de deux tiers de merlot et d'un tiers de cabernets, se présente dans une robe limpide à reflets violines. Le nez discret associe la mûre et un boisé vanillé. On retrouve la marque de l'élevage dans une bouche structurée et fraîche en finale. À laisser reposer deux ans en cave pour un meilleur fondu.
Jacques Capdemourlin, Ch. Roudier, 33570 Montagne, tél. 05.57.74.62.06, fax 05.57.74.59.34, e-mail info@vignoblescapdemourlin.com r.-v.

CH. CAPET-GUILLIER 2004 *

4 ha 20 000 11 à 15 €

Les familles Bouzerand et Galinou possèdent depuis près de deux cent cinquante ans cet important vignoble de 20 ha. Elles proposent une sélection de merlot né sur argilo-calcaires. Un 2004 à la teinte rubis encore jeune et vive, au bouquet s'ouvrant à l'aération sur des parfums de fruits frais, un boisé subtil et des touches minérales et truffées. La bouche s'équilibre bien entre le fruité de la griotte et le bois toasté. Les tanins dénués d'agressivité permettront de boire ce vin d'ici deux ans.
Ch. Capet-Guillier, 33330 Saint-Hippolyte, tél. 05.57.24.70.21, fax 05.57.24.68.96, e-mail chateau.capet-guillier@wanadoo.fr r.-v.
Familles Bouzerand et Galinou

CH. CARTEAU Côtes Daugay 2004 *

13 ha 55 000 11 à 15 €

86 88 **89** 90 92 93 94 95 96 97 |98| |99| |01| |02| 04

Cette propriété, dans la même famille depuis cinq générations, est gérée aujourd'hui par Jacques Bertrand et ses trois enfants. La diversité de ses terroirs (argilo-calcaires, sables et graves) et de son encépagement (merlot, cabernet franc et cabernet-sauvignon) lui ont permis de très bien réussir son 2004, millésime réputé difficile. Sous une robe pourpre intense, le nez puissant marie le fruité à des arômes boisés, vanillés, toastés. La bouche présente une complexité intéressante ; à la fois corsée et subtile, elle est structurée par des tanins élégants. On pourra apprécier cette bouteille dans trois ans sur un rôti de bœuf.
SCEA Vignobles Jacques Bertrand, Ch. Carteau, 33330 Saint-Émilion, tél. 05.57.24.73.94, fax 05.57.24.69.07, e-mail vignobles.jbertrand@wanadoo.fr r.-v.

CH. LE CHÂTELET Réserve du château 2004 *

3,3 ha 20 000 23 à 30 €

La famille Berjal possède cette vigne à Saint-Émilion, sur le plateau argilo-calcaire entre Clos Fourtet et Beauséjour-Bécot. Celle-ci a produit un vin pourpre éclatant au bouquet prometteur, dans lequel on décèle du fruit à noyau (cerise, prune) et un boisé délicatement réglissé. L'entame de bouche est charnue et opulente, la suite charpentée par des tanins encore un peu fermes qui gagneront à s'arrondir deux ou trois ans.
SCEA Berjal, Ch. Le Châtelet, 33330 Saint-Émilion, tél. 05.57.74.60.06, fax 05.57.74.58.71, e-mail berjaljulien@aol.com
t.l.j. 10h-20h; f. déc.-avr.

CH. CHAUVIN 2004

Gd cru clas. 13,5 ha 60 000 23 à 30 €

85 86 **88 89** 90 93 94 96 |98| 99 |00| |**01**| |02| 03 04

Comptant 8 ha en 1891, date de son acquisition par Victor Ondet, ancêtre des actuelles propriétaires, le domaine s'est agrandi au fil des années et s'étend aujourd'hui sur un peu plus de 15 ha. Le 2004 s'affiche dans une robe ornée de reflets grenat et carmin. Ses arômes évoquent la cerise à l'eau-de-vie et l'amande grillée. La mise en bouche est chaleureuse, suivie par l'arrivée de tanins soyeux. Déjà agréable, ce vin gagnera à vieillir quelques années. On l'ouvrira alors sur des viandes grillées ou des fromages doux.
SCEA Ch. Chauvin, 1, les Cabanes-Nord, 33330 Saint-Émilion, tél. 05.57.24.76.25, fax 05.57.74.41.34, e-mail chateauchauvingcc@wanadoo.fr r.-v.
Ondet, Février

CH. CHEVAL BLANC 2004 **

1er gd cru clas. A n.c. n.c. + de 76 €

61 64 66 69 **70 71 75 76 78 79** 80 **81** |**82**| |**83**| **85** |**86**| **88** |**89**| (90) **92** |**93**| **94** |**95**| |(96)| |**97**| **98 99 00 01 02 03 04**

De ce cru de 37 ha d'un seul tenant naît l'un des vins qui contribuent le plus largement au prestige international des vins de Saint-Émilion. Le terroir argileux et graveleux très diversifié sur lequel il est établi était déjà planté de vignes au XVIIIes. ; ce n'est pourtant qu'un siècle plus tard que le domaine acquit sa configuration définitive, après les opérations de drainage et l'implantation du cabernet franc. C'est en effet ce cépage, et non le traditionnel merlot, qui est majoritaire dans le vignoble. Le 2004, comme ses prédécesseurs, est un vin de grande classe. Sa robe bordeaux est somptueuse. Son nez explose d'arômes de baies noires, de fruits à noyau, de vanille et d'épices. Le corps est souple et soyeux, marqué d'une petite fraîcheur finale caractéristique du millésime. Les tanins jeunes et boisés apparaissent élégants et persistants. Une belle promesse.
SC du Cheval Blanc, 33330 Saint-Émilion, tél. 05.57.55.55.55, fax 05.57.55.55.50
B. Arnault et A. Frère

CLOS BADON THUNEVIN 2004 **

6,5 ha 15 000 30 à 38 €

Si J.-L. Thunevin a déjà décroché des coups de cœur pour son Valandraud, c'est cette année le Clos Badon qui est distingué. La vigne complantée à 70 % de merlot et à 30 % de cabernet franc est établie sur sables graveleux. En

dégustation, tout y est : la robe pourpre éclatant ; le bouquet fin et intense mariant les fruits frais et le merrain toasté et vanillé ; la bouche suave en attaque qui se développe sur une chair tendre, ample et délicatement parfumée, dans un sillage de tanins élégants. À découvrir d'ici deux ou trois ans. La cuvée **Virginie de Valandraud 2004** est une bouteille pleine de charme, parfaite pour se faire plaisir au cours de la prochaine décennie. Elle décroche une étoile.

Éts Thunevin, 6, rue Guadet, BP 88,
33330 Saint-Émilion, tél. 05.57.55.09.13,
fax 05.57.55.09.12, e-mail thunevin@thunevin.com

CLOS DE LA CURE 2004

■ 6,87 ha 20 000 11 à 15 €

Une partie du vignoble appartenait à la cure de Saint-Christophe-des-Bardes, d'où le nom du domaine. Ce 2004 est un vin élégant qui se bonifiera avec une petite garde. Il offre aujourd'hui un nez fruité enrobé de délicates notes de bois de santal et une bouche souple, à la finale marquée par les tanins de l'élevage.

SCEA des domaines Pierre Bouyer, Ch. Milon,
33330 Saint-Christophe-des-Bardes, tél. 05.57.24.77.18,
fax 05.57.24.64.20, e-mail milon-cure@wanadoo.fr
r.-v.

CH. CLOS DE SARPE 2004

■ 3,68 ha 17 400 38 à 46 €

La famille Beyney est établie dans le secteur de Sarpe depuis 1923. Pour son grand vin, elle sélectionne de vieilles vignes vendangées tardivement (4 octobre). Cela donne un 2004 à la robe pourpre bordée d'un liseré brun et au bouquet épanoui de fruits confiturés et de notes exotiques suggérant la vanille, le gingembre et la noix de coco. L'attaque est chaleureuse. Les tanins au grain fin apparaissent déjà arrondis et permettront d'ouvrir cette bouteille assez vite sur une lamproie, un magret ou un confit de canard.

SCA Beyney, Ch. Clos de Sarpe,
33330 Saint-Christophe-des-Bardes, tél. 05.57.24.72.39,
fax 05.57.74.47.54, e-mail chateau@clos-de-sarpe.com
r.-v.

CH. CLOS DES JACOBINS 2004 *

■ Gd cru clas. 8,5 ha 30 000 30 à 38 €

|00| |(01)| |02| 03 04

Thibaut Decoster a pris la direction de ce cru en 2004. Il présente son premier millésime, très réussi, bien qu'encore un peu sur la réserve. La robe à reflets violines respire la jeunesse. Le bouquet naissant apparaît dominé par le bois toasté ; une bonne aération permet de libérer les parfums de fruits compotés. Après une attaque souple, la bouche est, elle aussi, dominée par les tanins d'élevage qui demanderont deux ou trois ans pour s'assagir. Le **Château La Commanderie 2004 (15 à 23 €)**, cité, est d'un style plus classique. Ses arômes évoquent la griotte. La bouche souple et fruitée permettra de le boire plus tôt.

Thibaut Decoster,
Ch. Clos des Jacobins, 4, Gomerie,
33330 Saint-Émilion, tél. 05.57.24.70.14,
fax 05.57.24.68.08,
e-mail chateau-clos-des-jacobins@hotmail.fr

CH. CLOS DES PRINCE 2004 *

■ 1,6 ha 8 000 15 à 23 €

La passion pour le métier de vigneron : voilà ce qui a poussé Gilles Prince, courtier en vins, et son épouse Marie-Christine à investir en 2000 dans ce vignoble composé de quatre petites parcelles dispersées sur des terroirs complémentaires. C'est une réussite, puisque leur vin est depuis le début retenu par les dégustateurs. Le 2004 intéresse par sa finesse et son élégance. Son bouquet est encore un peu dominé par le bois, mais prometteur. La bouche se montre dense, harmonieuse et persistante. Dans les deux à huit prochaines années, on appréciera cette bouteille sur une lamproie à la bordelaise, une daube ou un aloyau de bœuf.

SCA Vignobles Prince,
Ch. Clos des Prince, Ferrandat-sud,
33330 Saint-Laurent-des-Combes, tél. 05.57.84.51.46,
fax 05.57.84.64.54,
e-mail vignobles-prince@wanadoo.fr r.-v.

CLOS DUBREUIL 2004 *

■ 1,4 ha 5 200 46 à 76 €

Benoît Trocard avait placé la barre très haut : ses deux premiers millésimes avaient obtenu chacun un coup de cœur, ce qui constitue un exploit. Le 2004 est un peu en retrait, mais on connaît la difficulté de ce millésime. Sa robe bordeaux s'ourle d'un liseré ambré. Le bouquet marie les fruits rouges et un boisé vanillé. La mise en bouche est chaleureuse, la palette aromatique en harmonie avec le nez. Des tanins délicats structurent le palais. Un vin déjà attrayant et qui devrait encore s'affiner d'ici trois à cinq ans.

Benoît Trocard, 11, Jean-Guillot,
33330 Saint-Christophe-des-Bardes, tél. 06.12.80.04.39,
e-mail bt@trocard.com r.-v.

CLOS FOURTET 2004 *

■ 1er gd cru clas. B 15 ha 45 000 38 à 46 €

85 86 87 88 |89| **90 91** 92 93 **94** |(95)| |**96**| **97** |**98**| |99| **00** 01 **02 03** 04

Situé en plein bourg de Saint-Émilion, face à la collégiale, un des crus emblématiques de l'appellation. Ses vignes poussent sur un terroir argilo-calcaire, au sous-sol creusé de galeries sur trois niveaux. Cela n'empêche nullement leurs interminables racines de trouver à y puiser tous les éléments et l'énergie nécessaires à la production d'un très grand vin qui a reçu de multiples coups de cœur. Le 2004 est une bouteille de garde typique, encore un peu fermée mais pleine de promesses. Le bouquet naissant évoque les baies noires confiturées, avec des notes de chêne vanillé et une touche minérale caractéristique du cru. Après une attaque ronde et tendre, la mâche et la concentration apparaissent, soutenues par des tanins goûteux porteurs d'avenir. La seconde étiquette, **La**

Closerie de Fourtet 2004 (15 à 23 €), citée, est un vin plus facile, souple et toasté, aux tanins enrobés et réglissés. Elle gagnera toutefois à être décantée avant service.
SC Clos Fourtet, 33330 Saint-Émilion,
tél. 05.57.24.70.90, fax 05.57.74.46.52,
e-mail closfourtet@closfourtet.com r.-v.
Cuvelier

CLOS JACQUEMEAU 2004 *

■ 1 ha 6 400 11 à 15 €

Depuis 1999, Jérôme et Gilles Carles possèdent ce petit clos situé sur les sables de la commune de Saint-Émilion. Ils y ont produit un 2004 d'une teinte bigarreau encore fraîche. Le bouquet déjà puissant s'ouvre sur des notes de baies noires très mûres enrobées par un boisé épicé et légèrement musqué. L'attaque souple et fraîche conduit à une matière à la trame dense et veloutée, structurée par de fins tanins. Un ensemble séduisant qui pourra s'apprécier dans deux ou trois ans sur un magret grillé.
Jérôme et Gilles Carles, Coudert, 1,
33330 Saint-Christophe-des-Bardes, tél. 05.57.24.78.92,
fax 05.57.24.79.19, e-mail contact@carles-diffusion.fr
t.l.j. sf ven. sam. dim. 8h30-12h 13h30-17h

CH. CLOS SAINT-ÉMILION PHILIPPE 2004

■ 3,3 ha 20 000 11 à 15 €

Une exploitation familiale fondée en 1927 par l'arrière-grand-père, M. Galhaud, pépiniériste à Saint-Émilion. Aujourd'hui, J.-C. Philippe, à la tête de 7,6 ha de vignes, propose un vin jeune et fruité, aux reflets rubis et violines, aux arômes de fruits rouges et de bois frais. La bouche, nerveuse, est vite dominée par des tanins qui demandent à s'assagir un peu. On laissera reposer ce vin en cave pendant deux ou trois ans.
J.-C. Philippe, 2, lieu-dit Beychet,
33330 Saint-Émilion, tél. 05.57.51.05.93,
fax 05.57.25.96.39,
e-mail vignobles.philippe@wanadoo.fr r.-v.

CLOS SAINT-MARTIN 2004

■ Gd cru clas. 1,33 ha 6 000 38 à 46 €

88 89 90 93 95 96 97 98 |99| 00 |01| **02 03** 04

Avec 1,50 ha de vignes sur le plateau argilo-calcaire de Saint-Émilion, voici le plus petit (par la taille) des grands crus classés, ancien clos du presbytère de la paroisse Saint-Martin. Issu à 85 % de merlot, ce 2004 livre un nez au boisé complexe (toasté, vanillé), derrière lequel on commence à percevoir des notes de fruits rouges à l'eau-de-vie. La marque de l'élevage se retrouve dans une bouche souple aux tanins veloutés. Une garde de deux à trois ans sera nécessaire pour arrondir l'ensemble.
SA Les Grandes Murailles, Ch. Côte de Baleau,
33330 Saint-Émilion, tél. 05.57.24.71.09,
fax 05.57.24.69.72 r.-v.
Famille Reiffers

CH. LA CLOTTE 2004 *

■ Gd cru clas. 3,64 ha 15 000 30 à 38 €

Gérée par Mme Moulierac, cette exploitation familiale possède une cave sous roche, attenante à une « clotte », habitat troglodytique, d'où le nom de ce cru. Dans le verre, son vin brille de reflets rubis et grenat. Au nez, de la présence, des baies mûres et du bois épicé. En bouche, son élégance réside dans un bon équilibre entre l'ampleur de la matière et la fraîcheur des tanins. Cette bouteille devrait s'ouvrir d'ici deux ou trois ans.
SCEA du Ch. La Clotte, 33330 Saint-Émilion,
tél. 05.57.24.66.85, fax 05.57.24.79.67,
e-mail chateau-la-clotte@orange.fr r.-v.
Héritiers Chailleau

CH. CORBIN MICHOTTE 2004

■ Gd cru clas. 6,8 ha 30 000 30 à 38 €

Ce château faisait autrefois partie d'un grand domaine féodal appartenant au Prince Noir. Tombé en ruine, il a été acquis par Jean-Noël Boidron, professeur d'œnologie à l'Université de Bordeaux qui a remis en état la demeure et le vignoble. Il propose un 2004 de style traditionnel, à la robe grenat et au bouquet naissant de jasmin, de vanille et de cuir. La bouche déjà harmonieuse repose sur des tanins enrobés. On pourra commencer à ouvrir la bouteille dans deux ou trois ans sur des plats épicés ou sur une lamproie à la bordelaise.
Jean-Noël Boidron, Ch. Corbin Michotte,
33330 Saint-Émilion, tél. 05.57.51.64.88,
fax 05.57.51.56.30,
e-mail vignoblesjnboidron@wanadoo.fr r.-v.

CH. LA COUSPAUDE 2004

■ Gd cru clas. 7,01 ha 40 000 38 à 46 €

85 **86** 88 |89| 90 91 92 |**93**| 94 |**95**| 96 97 |**98**| 01 02 03 04

Fleuron des vignobles Aubert, La Couspaude est idéalement placée sur le plateau argilo-calcaire à quelques centaines de mètres de la cité de Saint-Émilion. Dans le verre, on découvre un vin très jeune, encore dominé par le chêne de la barrique. La couleur est sombre, le nez empyreumatique ; les tanins encore fermes. On laissera ce millésime s'affiner en cave quelques années. Le **Château Saint-Hubert 2004 (23 à 30 €)**, cité, est lui aussi boisé, mais d'un abord plus facile. À l'aération, le fruit apparaît. On pourra déboucher la bouteille plus tôt.
Vignobles Aubert, Ch. La Couspaude,
33330 Saint-Émilion, tél. 05.57.40.15.76,
fax 05.57.40.10.14,
e-mail vignobles.aubert@wanadoo.fr r.-v.

CH. CROIX DE LABRIE 2004 **

■ 2 ha 3 000 + de 76 €

91 **92 93** 95 |**96**| 97 |01| |02| |03| **04**

Voici un vin rare, donc cher, et remarquablement réussi dans le millésime 2004. La vigne de pur merlot est implantée sur des graves anciennes. Le point de vente, lui, est situé près de l'église monolithe, au bas de la cité médiévale. Ce vin respire les baies noires et rouges (mûre, myrtille, groseille) et le bois réglissé. La bouche est puissante et onctueuse. Les tanins encore jeunes en font un remarquable candidat à la garde, à attendre quatre ou cinq ans. Le second vin, **Petit Labrie 2004 (23 à 30 €)**, est plus abordable financièrement et gustativement. Il décroche également deux étoiles. Plutôt épicé (réglisse, cannelle, muscade) et toasté au nez, il offre une bouche gourmande, soutenue par des tanins soyeux. Pour un canard aux olives.
Puzio-Lesage, SCEA Ch. Croix de Labrie,
5, rue de la Grande-Fontaine, BP 41,
33330 Saint-Émilion, tél. et fax 05.57.24.64.60
r.-v.

CH. CROQUE MICHOTTE 2004

■ 13,67 ha 31 000 15 à 23 €

Pierre Carle vinifie dans le même chai où, enfant, il se prit de passion pour le vin et décida de devenir

vigneron. C'est là, sur ce domaine conduit en agriculture biologique, situé à mi-chemin de Cheval Blanc et de Petrus, qu'il a élaboré ce 2004 qui joue sur la finesse et l'harmonie plus que sur la puissance. Le bouquet fruité est soutenu par un discret boisé épicé. La bouche souple et fondue permettra de servir ce millésime prochainement, sur un gigot de sept heures par exemple.
GFA Geoffrion, Ch. Croque Michotte,
33330 Saint-Émilion, tél. 05.57.51.13.64,
fax 05.57.51.07.81, e-mail gfageoffrion@free.fr
r.-v.

CH. DARIUS 2004 ★

■ 6,6 ha 40 000 15 à 23 €

La famille Pommier a acquis en 1990 ce cru de Saint-Laurent-des-Combes, où le merlot et le cabernet franc sont à parité, plantés sur sol sablonneux et crasse de fer. Le 2004 se présente dans une robe rubis intense pleine de jeunesse. Le bouquet franc, légèrement boisé, n'a pas dit son dernier mot. L'attaque souple et fruitée exprime les raisins mûrs, suivie par des tanins subtilement boisés qui profiteront d'un séjour en cave de trois ans pour s'arrondir et achever de se fondre.
GFA des Pommiers,
33330 Saint-Laurent-des-Combes, tél. 05.56.61.31.56,
fax 05.56.61.33.52, e-mail vignoblespommier@aol.com
r.-v.

CH. DASSAULT 2004 ★

■ Gd cru clas. 17,19 ha 88 000 30 à 38 €

83 86 88 89 **90 95** 96 |98| |99| 00 |01| 02 03 04

Cet important cru classé établi sur les sables anciens au nord-est de Saint-Émilion appartient à la famille du célèbre avionneur, qui lui a donné son nom il y a plus de cinquante ans. Le chai a été entièrement rénové en 2002 pour y installer de petites cuves permettant des vinifications parcellaires. Dans le verre, le rubis est franc. Le bouquet naissant, encore dominé par la barrique, libère à l'aération des arômes floraux et fruités. La bouche élégante, elle aussi très boisée, évoque le café, le cacao et la réglisse. L'ensemble est bien structuré par des tanins puissants. À découvrir dans quatre ou cinq ans.
Ch. Dassault, 33330 Saint-Émilion,
tél. 05.57.55.10.00, fax 05.57.55.10.01,
e-mail lbv@chateaudassault.com r.-v.

CH. DESTIEUX 2004 ★

■ 8,12 ha 35 000 23 à 30 €

Coup de cœur l'an dernier, ce domaine est idéalement placé sur le plateau calcaire dominant « des yeux » (d'où le nom) la vallée de la Dordogne. Le vignoble, d'âge respectable, se compose pour les deux tiers de merlot pour un tiers de cabernets. Le travail se fait à l'ancienne, aussi bien au vignoble qu'au chai. Il en résulte un 2004 d'un grand classicisme, complet du premier regard à la dernière gorgée. Puissant et fin à la fois, mariant harmonieusement les fruits rouges et le merrain, un bon vin de garde, à attendre encore deux ou trois ans puis à boire sans hâte sur des viandes rouges.
SC Dauriac, Ch. Destieux, 33330 Saint-Émilion,
tél. 06.13.42.95.35, fax 05.57.40.37.42,
e-mail dauriac@labm.fr r.-v.

CH. DIMACY 2004

■ 1,2 ha 6 600 15 à 23 €

La famille Pestoury est bien connue dans le nord des premières-côtes-de-bordeaux. En 2004, elle a élargi sa gamme en achetant 2,56 ha sur les sables de Saint-Émilion. Premier millésime dans cette appellation, première sélection. Le vin se pare d'un attrayant rubis. Le bouquet s'ouvre à l'aération sur les fruits rouges et une pointe mentholée. Après une mise en bouche souple, la saveur fruitée apparaît (mûre, cassis), accompagnée de tanins jeunes et frais. D'ici un an ou deux, on pourra commencer à servir ce grand cru, typique du millésime, sur un rôti de veau aux morilles.
EARL Pestoury, 10, chem. des Greyzeaux,
33370 Yvrac, tél. 05.56.74.72.16, fax 05.56.06.15.31,
e-mail bpestoury@free.fr r.-v.

LE DÔME 2004 ★

■ 2,85 ha 12 000 + de 76 €

Le château Teyssier est un important domaine d'une vingtaine d'hectares dont le cœur se trouve sur les sables de Vignonet, au sud de l'appellation, mais qui possède aussi des parcelles dispersées donnant des cuvées particulières. Le Dôme est issu de vieux cabernets francs plantés près d'Angelus. Coloré, boisé, concentré, c'est un vin puissant et racé, très équilibré, qu'on laissera au moins cinq ans en cave avant de le servir sur un sauté de sanglier. Le **Château Teyssier 2004 (15 à 23 €)**, cité, est la cuvée principale. Sa robe attrayante, son bouquet de baies noires, sa saveur fraîche et gourmande permettront de le boire plus vite sur une cuisine plus décontractée.
SCE du Ch. Teyssier, Vignonet,
33330 Saint-Émilion, tél. 05.57.84.64.22,
fax 05.57.84.63.54, e-mail info@teyssier.fr r.-v.

CH. L'ÉGLISE D'ARMENS 2004

■ 4,37 ha n.c. 8 à 11 €

Le domaine, situé en face de l'église de Saint-Pey d'Armens, a été créé en 1988 à partir de parcelles de vignes situées au pied des coteaux du sud-est de l'appellation. Il présente un 2004 rubis vif, aux arômes évoquant les baies noires (sureau, myrtille, cassis), avec des nuances épicées et vanillées. La bouche est soyeuse, elle aussi vanillée, soutenue par de surprenants tanins mentholés. Un vin que l'on pourra boire assez vite sur une cuisine de tous les jours.
Bertrand et Jocelyne Martigne, Le Bourg,
33330 Saint-Pey-d'Armens, tél. 05.57.47.16.45,
fax 05.57.47.16.54, e-mail bmartigne@hotmail.com
t.l.j. 10h-12h 14h-19h

CH. FAUGÈRES 2004

■ 17,5 ha 54 000 15 à 23 €

93 94 |**95**| |**96**| 97 |**98**| |99| **00** |01| **02 03** 04

Silvio Denz, homme d'affaires suisse spécialisé dans les parfums et les produits de luxe, a racheté en 2005 ce vaste vignoble à cheval sur les appellations côtes-de-castillon et saint-émilion. Après l'avoir agrandi d'une vingtaine d'hectares, il a décidé de construire un nouveau chai dont il a confié la conception au célèbre architecte Mario Botta, créateur du musée d'Art moderne de San Francisco. Le premier coup de pioche a été donné en avril 2007. En attendant, on découvre ce 2004, dernier millésime élaboré par Corinne Guisez. C'est un vin de caractère, à la robe pourpre foncé et au nez encore un peu fermé mais élégant. L'attaque souple et chaleureuse conduit à des tanins de forte extraction qu'il faudra laisser s'harmoniser en cave pendant cinq ans.
Silvio Denz, Ch. Faugères,
33330 Saint-Étienne-de-Lisse, tél. 05.57.40.34.99,
fax 05.57.40.36.14,
e-mail faugeres@chateau-faugeres.com r.-v.

BORDELAIS

CH. DE FERRAND 2004 ★

■ 29,71 ha n.c. 15 à 23 €

82 83 85 86 **88** 90 94 |95| |98| **|01| |02|** 03 04

Il y a beaucoup à dire sur ce beau domaine situé sur le coteau argilo-calcaire, dans la partie est de l'appellation. Il appartient aux héritiers du baron Bich, l'inventeur du stylo à bille. Commandé par un château XVII[e]s. construit pour le marquis de Mons, il surplombe les grottes où s'étaient réfugiés les derniers députés girondins traqués lors de la Terreur. La vigne a toujours été présente ici. En 2004, elle a donné naissance à un vin parfaitement équilibré, rubis éclatant, au bouquet élégant, où la cerise se marie bien au bois. D'abord fruité et friand, le palais évolue sur des tanins amples et réglissés. Un ensemble flatteur qui conviendra à tous les styles de repas.

Héritiers du Baron Bich,
Ch. de Ferrand, 33330 Saint-Hippolyte,
tél. 05.57.74.47.11, fax 05.57.24.69.08,
e-mail info@chateaudeferrand.com

CH. FIGEAC 2004 ★

■ 1er gd cru clas. B 35 ha 140 000 46 à 76 €

62 **64 66** ⑦⓪ **71** 74 **75 76** 77 **78** 79 80 **81 |82|** 83 **85 |86|** 87 **|88| |89|** |90| **|93|** |94| ⑨⑤|96| 97 **98** |99| 00 01 02 04

Figeac est l'un des plus importants et des plus connus des crus classés de Saint-Émilion. Au II[e]s., une *villa* gallo-romaine occupait ici un vaste territoire à la croisée des actuels Saint-Émilion, Libourne et Pomerol. Cet immense domaine subit quelques vicissitudes, notamment lorsque Henri de Navarre incendia les bâtiments. Il se morcela peu à peu, et une scission du cru, en 1832, donna Cheval Blanc. Comme ce dernier, il affiche un caractère « médocain » lié au terroir de graves et à une forte présence de cabernets. La robe jeune du 2004 est d'une teinte bordeaux irréprochable. À côté du fruit et du bois, le nez exprime des notes minérales et des nuances de gibier. D'abord discrète, la bouche monte en puissance, soutenue par des tanins solides. Dans trois ou quatre ans, on pourra décanter cette bouteille et la servir sur une pièce de venaison.

Thierry Manoncourt,
Ch. Figeac, 33330 Saint-Émilion,
tél. 05.57.24.72.26, fax 05.57.74.45.74,
e-mail chateau-figeac@chateau-figeac.com r.-v.

CH. LA FLEUR 2004 ★★

■ 6,3 ha 25 000 23 à 30 €

Depuis 2002, Romain Depons exploite en métayage ce domaine qui appartient à la famille Dassault. Toujours sélectionné, son vin progresse à chaque millésime : une étoile pour le 2002, deux pour le 2003 et à nouveau cette année. Il s'agit d'un merlot né sur un terroir à dominante argileuse. La robe est bordeaux sombre. Le bouquet raffiné mêle harmonieusement les fruits rouges à un boisé épicé. La mise en bouche est à la fois ample et serrée ; les arômes s'accordent à ceux du bouquet. Les tanins sont denses et persistants. Un grand vin de garde qui a toutes les qualités pour tenir tête à des mets de caractère : lamproie, magrets, grillades, fromages typés. Mais pas avant trois ou quatre ans.

Ch. La Fleur, lieu-dit Mérissac,
33330 Saint-Émilion, tél. 05.57.55.10.00,
fax 05.57.55.10.01, e-mail lbv@chateaudassault.com
r.-v.

CH. FLEUR CARDINALE 2004 ★

■ 18,5 ha 63 000 23 à 30 €

Depuis leur arrivée en 2001 à la tête du domaine, les Decoster n'ont pas ménagé leurs efforts ; ils ont notamment rénové le chai en 2002. Le merlot (70 %) et les cabernets, plantés sur un terroir argilo-calcaire sur fonds rocheux du nord-est de l'appellation, ont donné ici un vin pourpre sombre particulièrement concentré et au bouquet intense : d'abord boisé, ce 2004 s'ouvre à l'aération sur les baies noires (mûre, cassis). La bouche est ample et harmonieuse, soutenue par des tanins de qualité qui permettront à cette bouteille de bien vieillir et d'accompagner un canard rôti dans quatre ou cinq ans.

Dominique Decoster,
SCEA Ch. Fleur Cardinale, Le Thibaud,
33330 Saint-Étienne-de-Lisse, tél. 05.57.40.14.05,
fax 05.57.40.28.62, e-mail fleurcardinale@wanadoo.fr
r.-v.

LA FLEUR D'ARTHUS 2004

■ 6,2 ha 13 000 15 à 23 €

Jean-Denis Salvert présente une cuvée issue de vieux ceps de merlot sur alluvions sablo-graveleuses. Un 2004 un peu évolué, à la robe légèrement ambrée et au bouquet ouvert évoquant les fruits macérés dans l'alcool, sur fond boisé. En bouche, les tanins serrés donnent un côté épicé à l'ensemble. Ils devraient se fondre rapidement et permettre de boire cette bouteille sans trop attendre.

Jean-Denis Salvert, La Grave, 33330 Vignonet,
tél. 06.08.49.18.11, fax 05.57.84.61.76,
e-mail chateau-caillou-darthus@wanadoo.fr
t.l.j. sf dim. 9h-12h 13h30-17h

CH. FLEUR DE LISSE Élevé en fût de chêne 2004

■ 0,96 ha 5 940 11 à 15 €

Xavier Minvielle cultive 9 ha de vignes sur argilo-calcaire dans la partie est de l'appellation. Il propose ici une cuvée née de vieilles vignes. Dans le verre, le rubis commence à présenter des reflets ambrés. Le nez fin et vif développe des arômes de petits fruits, un boisé réglissé et une note animale. La bouche est souple, agréablement fruitée et boisée. De structure assez fine, ce vin devrait être prêt dans les deux à cinq prochaines années. Il accompagnera une entrecôte à la bordelaise ou un fromage doux.

Xavier Minvielle,
lieu-dit Giraud, Ch. Fleur de Lisse,
33330 Saint-Étienne-de-Lisse, tél. 05.57.40.18.46,
fax 05.57.40.35.74 t.l.j. sf dim. 9h-12h 14h-18h

CH. LA FLEUR MORANGE 2004 ★

■ 1,8 ha 4 000 + de 76 €

La Fleur Morange ? Un petit vignoble de 3,80 ha géré par un couple de jeunes viticulteurs. La robe grenat de leur 2004 se frange de carmin. Le bouquet s'ouvre sur des notes de boisé vanillé, suivies de nuances de fruits à noyau (cerise, prune). La mise en bouche est à la fois souple et fraîche, puis les tanins d'élevage prennent le dessus. Un vin qu'il faudra attendre deux ou trois ans. Le second vin, **Avalone La Fleur Morange 2004 (15 à 23 €)**, cité, joue sur la fraîcheur et le fruit au nez, sur la minéralité en bouche. Là encore, les tanins un peu fermes incitent à patienter un an ou deux.

Véronique et Jean-François Julien,
lieu-dit Ferrachat, 33330 Saint-Pey-d'Armens,
tél. 05.57.47.17.41, fax 05.57.47.16.72,
e-mail julienJF33@aol.com r.-v.

CH. LA FLEUR POURRET 2004

■ 4,5 ha 24 000 23 à 30 €

Ce cru, situé à quelques centaines de mètres de Saint-Émilion, a été acheté en 2002 à la compagnie d'assurances AXA par la famille Manoncourt, propriétaire de Figeac. Deux maisons girondines, un cuvier et un chai sont entourés par un vignoble de taille modeste (5 ha). Le terroir argilo-calcaire et l'encépagement parfaitement équilibré entre merlot et cabernet franc donnent un vin déjà plaisant aux notes d'épices, de cannelle et de tabac. La bouche est souple et fruitée, soutenue par des tanins discrets. À boire dès aujourd'hui.

Ch. La Fleur Pourret, 33330 Saint-Émilion, tél. 05.57.24.72.26, e-mail chateau-figeac@chateau-figeac.com r.-v.

Manoncourt

CH. FOMBRAUGE 2004 ★

■ 48,2 ha 208 000 23 à 30 €

88 90 91 92 93 |(95)| |(96)| 97 |98| |99| |00| 01 **02 03** 04

Fombrauge est l'un des plus vastes domaines de Saint-Émilion, acquis en 1999 par Bernard Magrez. Un site archéologique a été mis au jour au cœur du vignoble, révélant de nombreux vestiges de l'âge de fer. Autre heureuse découverte, ce 2004 très bien construit, au bouquet complexe mêlant les fruits noirs, un boisé toasté et des notes minérales. L'attaque est souple, presque discrète, puis le palais prend de l'ampleur, soutenu par des tanins mûrs et réglissés qui s'épanouissent sur le fruit en finale. Un vin que l'on pourra commencer à boire dans deux ou trois ans. La cuvée **Magrez Fombrauge 2004 (plus de 76 €)** obtient également une étoile. C'est un vin aromatique (baies noires, fruits confits, vanille bourbon, merrain torréfié), gourmand et élégant, structuré par des tanins denses et savoureux.

SA Ch. Fombrauge, 33330 Saint-Christophe-des-Bardes, tél. 05.57.24.77.12, fax 05.57.24.66.95, e-mail chateau.fombrauge@wanadoo.fr r.-v.

Bernard Magrez

CH. FONPLÉGADE 2004 ★

■ Gd cru clas. 18 ha 26 557 46 à 76 €

Il s'agit du premier millésime de la nouvelle équipe qui a pris en main ce cru classé à la suite d'Armand Moueix. Le vignoble est commandé par un château du XIXes. doté d'une orangerie, accroché à la pente sud du coteau de Saint-Émilion ; le château doit son nom à une fontaine toujours pleine. Ce 2004 affiche lui aussi une grande plénitude. Sous une robe grenat sombre, il livre un bouquet concentré de fruits à noyau confits, de merrain torréfié et de cuir. La mise en bouche est ample et généreuse. La suite ne déçoit pas : une structure harmonieuse aux tanins puissants qui annonce une bonne garde (cinq ans au moins).

SAS Ch. Fonplégade, 33330 Saint-Émilion, tél. 05.57.55.00.88, fax 05.57.74.44.67, e-mail fonplegade@wine-and-vineyards.com t.l.j. 10h-12h30 14h-18h; f. sam. dim. nov.-mai

CH. FONROQUE 2004

■ Gd cru clas. 16 ha 76 700 15 à 23 €

81 82 83 85 86 88 89 |**90**| |**95**| 97 |98| |00| 01 02 03 04

2004 est le premier millésime certifié en agriculture biologique de ce domaine, qui a entamé cette démarche de conversion en 2001 sous l'impulsion d'Alain Moueix. Rubis à reflets grenat, le vin exprime des notes florales et épicées discrètes mais agréables. Les tanins, aujourd'hui très présents, gagneront en harmonie avec une garde de quatre ou cinq ans.

SAS Alain Moueix, Ch. Fonroque, 33330 Saint-Émilion, tél. 05.57.24.60.02, fax 05.57.24.74.59, e-mail info@chateaufonroque.com r.-v.

CH. FRANC LA ROSE 2004 ★

■ 6 ha 35 000 15 à 23 €

Les Trocard sont dans la viticulture depuis 1620. Cette branche exploite aujourd'hui 90 ha de vignes dans le Libournais. Jean-Louis Trocard a acquis en 1995 ce cru situé sur les argilo-calcaires du secteur de La Rose. Son 2004 respire l'élégance. La teinte cerise aux reflets violines reflète sa jeunesse. Le bouquet est exubérant, succession de baies noires, de fruits cuits, d'épices douces et de boisé toasté. La bouche apparaît puissante, concentrée, mais bien équilibrée par la fraîcheur. Les tanins fins permettront d'apprécier ce vin prochainement ou de le laisser vieillir quelques années.

Jean-Louis Trocard, Ch. Franc La Rose, BP 3, 33570 Les Artigues-de-Lussac, tél. 05.57.55.57.90, fax 05.57.55.57.98, e-mail trocard@wanadoo.fr r.-v.

CH. FRANC-MAYNE 2004 ★

■ Gd cru clas. 7 ha 27 000 38 à 46 €

85 86 88 89 90 95 96 **97** |98| |99| |00| |01| 02 03 04

Ce cru classé repris en 2005 par les époux Laviale ne manque ni d'atouts ni d'attraits. Outre le vignoble et les 2 km de galeries souterraines aménagées en caves, Franc-Mayne, ancien relais de poste, propose cinq chambres de grand standing au milieu des vignes, à un quart d'heure à pied de la cité médiévale. L'occasion de découvrir ce site inscrit au patrimoine mondial de l'Unesco et de goûter à ce 2004, dernier millésime de Georgy Fourcroy. Le bouquet naissant mais déjà complexe évoque les fleurs printanières, les fruits frais, avec un boisé grillé. La bouche est encore vive et jeune, mais les tanins enrobés promettent une bonne évolution. Dans trois ou quatre ans, ce vin pourra commencer à accompagner viandes rouges, gibiers et fromages de caractère.

SCEA Ch. Franc-Mayne, 14, la Gomerie, D 243, 33330 Saint-Émilion, tél. 05.57.24.62.61, fax 05.57.24.68.25, e-mail info@chateaufrancmayne.com r.-v. 7

CH. LA GAFFELIÈRE 2004 ★

■ 1er gd cru clas. B n.c. 65 000 30 à 38 €

(82) **83 85 86 88 89** |**90**| 91 92 93 **94 95** 97 99 **02 03** 04

Cet important cru (une vingtaine d'hectares) est situé à quelques centaines de mètres de la porte sud de Saint-Émilion. Il appartient à la même famille depuis plus de quatre siècles. Issu à 80 % de merlot, complété par les deux cabernets à parts égales, son 2004 est un vin puissant et de bonne garde. Cela se devine dès la robe bordeaux sombre et brillant. Le bouquet intense et complexe confirme cette impression, livrant des arômes de fruits rouges et noirs et des notes de cuir et de boisé toasté. La bouche séveuse et riche est structurée par des tanins denses et élégants, qui profiteront d'un séjour en cave de quatre ou cinq ans pour

BORDELAIS

se fondre complètement. Le second vin, le **Clos La Gaffelière 2004 (15 à 23 €)**, est cité.
⊶ de Malet Roquefort, Ch. La Gaffelière, BP 65, 33330 Saint-Émilion, tél. 05.57.24.72.15, fax 05.57.24.69.06, e-mail chateau-la-gaffeliere@chateau-la-gaffeliere.com
☒ Ⲧ ✱ r.-v.

CH. GESSAN 2004

■ 7 ha 40 000 ▮ ◖◗ 11 à 15 €

Les frères Gonzalès, également producteurs de champagne, proposent trois vins cités par le jury, issus des terroirs sablo-graveleux du sud-ouest de l'appellation. Ce 2004 tout d'abord, né à 85 % de merlot, exprime des notes de fruits noirs et d'épices, et offre une bouche ronde et plaisante. Seule la finale, encore austère, invite à l'attendre deux ou trois ans. Le **Château Gessan Élégance 2004 (15 à 23 €)** est une sélection de vieux merlot. Un vin concentré et charpenté, à carafer avant service. Enfin, le **Château La Fleur Peilhan 2004**, aux tanins fondus, pourra être bu sans trop attendre.
⊶ SCEV Gonzalès Frères, Canton de Bert, 33330 Saint-Sulpice-de-Faleyrens, tél. 05.57.74.44.04, fax 05.57.24.68.32, e-mail chateaugessan@wanadoo.fr
☒ Ⲧ ✱ r.-v.

CH. LES GIRAUDELS DE MILON 2004

■ 6,7 ha 40 000 ▮ ◖◗ 11 à 15 €

Le domaine, de 13 ha, est dans la famille Bouyer-Arteau depuis sept générations, mais cette marque issue de la moitié du vignoble a été créée en 1999. Le nez du 2004 s'ouvre sur les fruits rouges (groseille, framboise). La bouche retrouve ces arômes sur des tanins fins et discrètement boisés. D'ici deux à trois ans, on pourra commencer à servir cette bouteille sur un filet d'agneau en croûte de sel.
⊶ SCEA Milon Les Giraudels, 1, Lapeleterie-est, 33330 Saint-Christophe-des-Bardes, tél. 05.57.24.39.80, fax 05.57.24.37.10 ☒ Ⲧ ✱ r.-v.
⊶ Bouyer

CH. GODEAU 2004

■ 3,6 ha 20 000 ◖◗ 11 à 15 €

Ce cru familial et sa demeure girondine du XVIIIe s. dominent la vallée de la Dordogne et les combes de Saint-Laurent. Le merlot règne en maître sur le coteau argilo-calcaire. Il a donné naissance à un 2004 intéressant par sa finesse. Sous la robe rubis, le bouquet délicat, discrètement fruité et boisé, est rafraîchi par une touche minérale. L'attaque est souple et chaleureuse, puis les tanins soyeux tapissent harmonieusement la bouche. À attendre un an ou deux avant de commencer à servir ce vin sur un carré d'agneau.
⊶ Grégoire Bonte, Ch. Godeau, 33330 Saint-Laurent-des-Combes, tél. 06.85.53.23.40, fax 05.57.24.72.64, e-mail chateau.godeau@free.fr
☒ Ⲧ ✱ r.-v. 🏠 7 🏠 D

CH. LA GOMERIE 2004 **

■ 2,52 ha 12 000 ◖◗ 46 à 76 €

95 |96| 97 |98| |99| 00 **01** 02 **03** **04**

Racheté en 1995 par les frères Bécot, propriétaires de Beau-Séjour, ce cru de taille modeste montre cette année, à travers ce millésime, ses grandes qualités. Le 2001 fut coup de cœur ; le 2004 atteint presque ce niveau. Issu à 100 % de merlot, il se présente dans une robe grenat sombre d'une belle intensité. Le premier nez est discret, légèrement boisé, puis l'aération révèle des fruits noirs et des notes cacaotées. Souple en attaque, le vin dévoile toute sa générosité en bouche, offrant des tanins veloutés et suaves qui trouvent des accents de fruits rouges en finale. À découvrir dans cinq ans pour une parfaite harmonie.
⊶ Gérard et Dominique Bécot, Ch. Beau-Séjour Bécot, 33330 Saint-Émilion, tél. 05.57.74.46.87, fax 05.57.24.66.88, e-mail becotjuliette@hotmail.com ☒ Ⲧ ✱ r.-v.

CH. GONTEY 2004 *

■ 2,4 ha 12 000 ◖◗ 23 à 30 €

Un petit vignoble toujours sélectionné depuis sa reprise en 1997 par Laurence et Marc Pasquet. On y sent le travail bien fait et adapté aux différents millésimes. Voyez celui-ci : la robe pourpre est sombre et brillante. Au nez, le boisé ne masque pas l'élégance du fruit. La bouche est équilibrée, à la fois ronde et corsée. Les tanins se montrent présents, mais extraits raisonnablement. Un vin racé, harmonieux, où la richesse de la matière met en valeur la noble origine.
⊶ Laurence et Marc Pasquet, Grand Gontey, 33330 Saint-Émilion, tél. 05.57.42.29.80, fax 05.57.42.84.86, e-mail mondesirgazin@aol.com
☒ Ⲧ ✱ r.-v.

CH. LA GRÂCE DIEU 2004

■ 7 ha 42 000 ▮ ◖◗ 11 à 15 €

Situé entre Saint-Émilion et Libourne, ce domaine se reconnaît à sa demeure en pierre, flanquée de deux clochetons recouverts d'ardoise. Sur les 13 ha de vignes, la famille Pauty en a sélectionné 7 pour élaborer ce 2004 déjà ouvert, à la robe pourpre légèrement évoluée. Le nez truffé est marqué par une note végétale de cabernet-sauvignon. La bouche souple, fraîche et soyeuse permettra d'ouvrir prochainement cette bouteille.
⊶ SCEA Pauty, Ch. La Grâce Dieu, 33330 Saint-Émilion, tél. 05.57.24.71.10, fax 05.57.24.67.24, e-mail chateau.lagracedieu@wanadoo.fr ☒ r.-v.

CH. LA GRÂCE DIEU DES PRIEURS Fortin 2004

■ 2,8 ha 15 000 ◖◗ 15 à 23 €

Pour la cuvée Fortin, Alain Laubie sélectionne de vieilles vignes parmi les 7 ha qu'il exploite entre Saint-Émilion et Pomerol. Le terroir de graves et de sables est planté à 90 % de merlot. Cela donne un grand cru assez classique, rubis franc, au bouquet agréable, fruité, épicé et grillé. La bouche est encore fraîche, mais les tanins soyeux permettront de déguster ce vin assez prochainement.
⊶ SCEA Laubie-Prach, Ch. La Grâce Dieu des Prieurs, Fortin, 33330 Saint-Émilion, tél. 05.57.74.42.97, fax 05.57.24.69.59, e-mail gracedieuprieurs@wanadoo.fr ☒ Ⲧ ✱ r.-v. 🏠 E
⊶ Alain Laubie

CH. LA GRÂCE DIEU LES MENUTS 2004

■ 13,35 ha 85 000 ▮ ◖◗ 15 à 23 €

Cet important vignoble, dans la même famille depuis cinq générations, est situé à 2 km de Saint-Émilion, sur la route de Libourne. Le terroir y mêle l'argile, le sable et le calcaire. L'encépagement associe 70 % de merlot à 25 % de cabernet franc et à 5 % de cabernet-sauvignon. Il en résulte un vin bien équilibré, pourpre éclatant, au bouquet

encore jeune, évoquant la framboise sur un fond boisé discret. La bouche est friande, à la fois souple et fraîche. Les tanins, encore un peu fermes, en font un bon vin de garde à découvrir dans cinq ans.
Vignobles Pilotte-Audier, Ch. La Grâce Dieu Les Menuts, 33330 Saint-Émilion, tél. 05.57.24.73.10, fax 05.57.74.40.44, e-mail chateau@lagracedieulesmenuts.com r.-v.

CH. GRAND BERT 2004

■ 6 ha 38 000 8 à 11 €

Ici, Lavigne n'est pas un nom générique mais bien le patronyme de cette famille de vignerons établie depuis six générations à Castillon et à Saint-Émilion. Le cru dégusté est issu des sables graveleux de Saint-Sulpice-de-Faleyrens. C'est un vin sérieux et classique, pourpre intense, dont le bouquet délicat associe les fruits compotés à un agréable bois toasté. En bouche, on trouve un bon équilibre entre le fruit et le merrain, entre la vinosité et la fraîcheur. À laisser reposer en cave pendant trois à cinq ans.
SCEA Lavigne, Tuillac, 33350 Saint-Philippe-d'Aiguilhe, tél. 05.57.40.60.09, fax 05.57.40.66.67, e-mail scea.lavigne@wanadoo.fr t.l.j. 9h-19h; f. 15-31 août

CH. GRAND CORBIN-DESPAGNE 2004 ★★

■ 20 ha 72 000 15 à 23 €

La famille Despagne est présente dans le Saint-Émilionnais depuis le XVII[e]s. En 1812, Louis Despagne, alors métayer à Cheval Blanc, achète une première parcelle au lieu-dit Grand Corbin. Sept générations plus tard, François gère une belle propriété de 27 ha, dont 20 ha consacrés au premier vin. La robe de ce 2004 est éclatante, son nez puissant et complexe marie les fruits rouges et noirs à maturité, les épices et le toasté de l'élevage. La bouche riche, à la fois vigoureuse et subtile, offre une saveur fruitée soutenue par des tanins encore frais, qui lui permettront de bien vieillir. À signaler dans la même famille, le **Château Reine Blanche 2004 (11 à 15 €)**, un vin plus discret mais équilibré, qui intéressera les amateurs de cabernet franc (assez présent dans l'assemblage). Une citation.
Famille Despagne, Ch. Grand Corbin-Despagne, 33330 Saint-Émilion, tél. 05.57.51.08.38, fax 05.57.51.29.18 r.-v.

CH. LES GRANDES MURAILLES 2004 ★

■ Gd cru clas. 1,96 ha 9 000 38 à 46 €

Les grandes murailles (vestiges d'un couvent jacobin du XII[e]s.) constituent l'une des images les plus fortes que les visiteurs gardent de leur passage dans la cité médiévale. Situées à l'extérieur des fossés, face au départ du petit train, elles montent la garde du vignoble qui produit ce cru classé. Le 2004 s'affiche comme un beau vin de garde de style classique. Le rubis est dense ; le nez, encore un peu sur la barrique, prometteur. La bouche est charpentée par des tanins élégants, garants d'une évolution harmonieuse.
SA Les Grandes Murailles, Ch. Côte de Baleau, 33330 Saint-Émilion, tél. 05.57.24.71.09, fax 05.57.24.69.72 r.-v.
Famille Reiffers

CH. GRAND MAYNE 2004

■ Gd cru clas. 16,5 ha 50 000 23 à 30 €

85 86 88 89 **|90| 91** 94 95 **|96|** 97 **|99|** 00 |01| |02| 03 04

Ce cru classé est un vaste domaine situé sur les argilo-calcaires à l'ouest de l'appellation, vers Libourne. Dans le verre, le rubis est encore jeune. Au bouquet, les fruits rouges se mêlent à un boisé réglissé. En bouche, le fût est très présent, mais le fruit résiste bien. La texture apparaît ronde, soutenue par des tanins qui assureront une bonne garde (cinq ans). Le second vin, **Les Plantes du Mayne 2004 (11 à 15 €)**, est intéressant par son nez frais et fruité, par sa bouche agréable et prometteuse. Il est également cité.
SCEV Jean-Pierre Nony, Ch. Grand Mayne, BP 64, 33330 Saint-Émilion, tél. 05.57.74.42.50, fax 05.57.74.41.89, e-mail grand-mayne@grand-mayne.com r.-v.

CH. GRAND PONTET 2004

■ Gd cru clas. 14 ha 46 000 23 à 30 €

89 |**90**| 93 94 |95| |96| 97 |98| |00| |01| |**02**| 03 04

Dans la famille Bécot, on connaît bien les frères, propriétaires notamment de Beau-Séjour, mais il ne faudrait pas oublier leur sœur, Sylvie Pourquet-Bécot, qui gère cet important cru classé, valeur sûre de l'appellation. Sous la robe pourpre intense à reflets grenat, le bouquet s'ouvre à l'aération sur des senteurs subtiles de sous-bois et de baies noires, relevées d'une pointe animale. La bouche est friande, souple et fraîche, soutenue par des tanins encore un peu fermes. Il faudra attendre deux ou trois ans avant de commencer à servir ce vin sur des viandes rouges rôties ou mijotées.
Ch. Grand Pontet, 33330 Saint-Émilion, tél. 05.57.74.46.88, fax 05.57.74.45.31, e-mail chateau.grand-pontet@wanadoo.fr r.-v.
Pourquet-Bécot

CH. GRANGEY 2004

■ 6,2 ha 15 100 11 à 15 €

Ce cru est situé sur les sols argilo-siliceux de Saint-Christophe-des-Bardes. La vigne est complantée de 80 % de merlot et de 20 % de cabernet franc. La vinification et la commercialisation sont assurées par la coopérative. Le 2004 est un vin classique, équilibré. Ses arômes expriment les fruits mûrs confiturés. L'attaque est souple, puis les tanins se dévoilent, assurant la tenue de l'ensemble. À boire ou à garder quelques années.
Union de producteurs de Saint-Émilion, Haut-Gravet, BP 27, 33330 Saint-Émilion, tél. 05.57.24.70.71, fax 05.57.24.65.18, e-mail contact@udpse.com t.l.j. sf dim. 8h-12h 14h-18h
F. Araoz

CH. LES GRAVIÈRES 2004 ★★

■ 4,02 ha 17 500 11 à 15 €

Denis Barraud renoue avec le coup de cœur, lui qui en avait obtenu cinq d'affilée dans les années 1990. Distinguée cette année, une sélection de vieux merlot implanté sur graves, parmi les 35 ha de vignes qu'il

exploite dans le sud de l'appellation. Le vin est riche à tous les stades de la dégustation. Sous une robe bordeaux à reflets noirs, le nez décline une palette aromatique complexe allant des fruits noirs (myrtille) à la vanille, sur un fond d'épices. La bouche charnue et gourmande est structurée par des tanins denses et enrobés. « Un vin vivant et élégant », conclut un membre du jury. En plus, ce bijou a un écrin constitué par de beaux bâtiments du XVII[e]s. en bord de Dordogne.
SCEA des Vignobles Denis Barraud,
Ch. Les Gravières, 355, port de Branne,
33330 Saint-Sulpice-de-Faleyrens, tél. 05.57.84.54.73,
fax 05.57.84.52.07, e-mail denis.barraud@wanadoo.fr
r.-v.

CH. GUILLEMIN LA GAFFELIÈRE 2004 ★

12 ha 74 000 11 à 15 €

Ce vigneron-éleveur, comme il se définit lui-même sur l'étiquette, est établi à l'entrée sud de Saint-Émilion, au pied du coteau, dans le hameau de La Gaffelière. Sa cuvée principale affiche une robe bordeaux très sombre et un nez déjà puissant, dominé par les fruits confits et un boisé réglissé. Le palais est ample et racé, soutenu par des tanins élégants mais encore un peu fermes. Un vin qui gagnera à être attendu deux ou trois ans.
Vignobles Fompérier, La Gaffelière,
33330 Saint-Émilion, tél. 05.57.74.46.92,
fax 05.57.74.49.16,
e-mail lecellierdesgourmets@wanadoo.fr r.-v.

CH. HAUT-BRISSON La Grave 2004

8 ha 49 000 11 à 15 €

Patrick Moulinet exploite 13 ha de vignes. Il propose une sélection née de graves sablonneuses complantées de merlot (80 %) et de cabernets. Un vin délicat, rubis intense, au nez encore marqué par la barrique, qui associe les fruits mûrs et le moka. La bouche est souple et charnue, en accord avec le bouquet. On pourra ouvrir ce grand cru dans les toutes prochaines années.
SCEA Ch. Haut-Brisson, 33330 Vignonet,
tél. 05.57.84.69.54, fax 05.57.74.93.11,
e-mail haut.brisson@wanadoo.fr r.-v.

CH. HAUTE-NAUVE 2004 ★

n.c. 30 200 11 à 15 €

Cette propriété familiale est implantée sur les sols siliceux de Saint-Laurent-des-Combes. Les cabernets sont présents à plus de 40 % dans l'assemblage de ce cru vinifié et commercialisé par la cave coopérative. Le 2004 se présente dans une robe rubis intense. Son bouquet déjà très expressif mêle les baies noires (mûre, cassis), le bois épicé et le café torréfié. Au palais, la structure est puissante mais harmonieuse. Les tanins solides assureront une bonne garde à ce vin que l'on ouvrira dans trois ou quatre ans sur une entrecôte grillée.
Union de producteurs de Saint-Émilion,
Haut-Gravet, BP 27, 33330 Saint-Émilion,
tél. 05.57.24.70.71, fax 05.57.24.65.18,
e-mail contact@udpse.com
t.l.j. sf dim. 8h-12h 14h-18h

CH. HAUT-GRAVET 2004 ★

9,01 ha 45 000 23 à 30 €

98 99 00 01 02 03 04

La famille Aubert est très présente dans les vignobles de Saint-Émilion, de Castillon et de l'Entre-deux-Mers. Alain Aubert présente l'ensemble de la production de ce cru implanté sur les graves de Saint-Sulpice-de-Faleyrens. Paré d'un rubis éclatant, ce millésime livre des arômes rappelant les fruits frais, la menthe et les épices. Une jolie texture de bouche, de la présence et des tanins soyeux permettront d'ouvrir cette bouteille prochainement au cours d'un repas décontracté entre amis.
Alain Aubert, 57 bis, av. de l'Europe,
33350 Saint-Magne-de-Castillon, tél. 05.57.40.04.30,
fax 05.57.56.07.10,
e-mail domaines.a.aubert@wanadoo.fr

CH. HAUT-PLANTEY 2004

5 ha 30 000 11 à 15 €

Ancien castel des abbés Marquaux, ce cru de 7 ha aux sols argilo-calcaires est complanté à 70 % de merlot et à 30 % de cabernets. Son 2004 est un vin de plaisir. D'une teinte rubis traversée de reflets grenat, il offre un bouquet fin, discrètement fruité et toasté. La bouche est souple, gouleyante, également fruitée, soutenue par des tanins délicats. Cette bouteille pourra se boire assez rapidement sur toutes les viandes blanches ou rouges.
Denis Boutet, Ch. Haut-Plantey,
33330 Saint-Laurent-des-Combes, tél. 05.57.24.70.86,
fax 05.57.24.68.30, e-mail vignoblesboutet@wanadoo.fr
r.-v.

CH. HAUT-ROCHER 2004

7 ha 40 000 11 à 15 €

La famille de Jean de Monteil est présente dans le Saint-Émilionnais et le Castillonnais depuis le XVII[e]s. Les 7 ha de grand cru sont situés sur les pentes exposées au sud-est des coteaux argilo-calcaires à l'est de l'appellation. Le 2004 s'habille d'une robe pourpre éclatant. Son bouquet s'ouvre sur un boisé harmonieux, torréfié et vanillé, qui laisse s'exprimer le fruit noir mûr. La bouche, souple et fraîche en attaque, évolue sur des tanins qui demanderont à s'arrondir. À attendre un peu.
SCEA Jean de Monteil, Haut-Rocher,
33330 Saint-Étienne-de-Lisse, tél. 05.57.40.18.09,
fax 05.57.40.08.23, e-mail jean.de-monteil@wanadoo.fr
r.-v.

CH. HAUT-VILLET 2004

8 ha 45 000 15 à 23 €

Éric Lenormand exploite un vignoble de 13 ha commandé par une petite chartreuse et implanté sur un terroir aux sols argilo-calcaires situé dans le secteur est de l'appellation. Sa cuvée principale se pare d'un habit rubis sous lequel le bouquet naissant, assez fin, mêle les fruits rouges et des senteurs animales (cuir). La mise en bouche est souple et fruitée. Les tanins très présents sont encore un peu austères, mais devraient s'arrondir avec une garde d'un an ou deux.
Éric Lenormand, Ch. Haut-Villet,
33330 Saint-Étienne-de-Lisse, tél. 05.57.47.97.60,
fax 05.57.47.92.94, e-mail haut.villet@wanadoo.fr
t.l.j. sf dim. 10h-12h 14h-18h

CH. JEAN-FAURE 2004

15,6 ha 75 000 11 à 15 €

Il ne s'agit pas ici d'une microcuvée, mais de la quasi-totalité de la production de cet important domaine implanté sur les graves argileuses proches de Pomerol. Avec le 2004, on découvre un vin de plaisir, vivant et frais, paré de reflets rubis. Le nez, encore dominé par un

boisé distingué, montre déjà des notes florales. Après une attaque souple, la bouche affiche une bonne structure. Un vin que l'on pourra boire assez vite.
SCEA Olivier Decelle, Ch. Jean-Faure,
33330 Saint-Émilion, tél. 05.57.51.34.86,
fax 05.57.51.94.59, e-mail chateaujeanfaure@lvod.fr
r.-v.

CH. JEAN VOISIN Cuvée Amédée 2004 **

3 ha 13 500 11 à 15 €

(95) 96 **98** 99 00 01 02 03 **04**

Cette cuvée Amédée, qui rend hommage à l'acquéreur du domaine, est le premier vin du château. Issue à 100 % de merlot, elle dévoile sous sa robe rubis aux reflets violacés un bouquet de fruits mûrs et confits, assortis de notes d'amande grillée. D'abord rond et chaleureux, le palais s'étoffe de tanins soyeux et persistants. Encore un an ou deux de patience avant de commencer à apprécier ce grand cru sur une lamproie à la bordelaise.
Xavier Chassagnoux, SCEA Ch. Jean Voisin,
33330 Saint-Émilion, tél. 05.57.24.70.40,
fax 05.57.24.79.57,
e-mail chateau.renard.mondesir@wanadoo.fr
r.-v.

CH. JUCALIS Élevé en fût de chêne 2004

0,55 ha 3 200 **11 à 15 €**

Sur la dizaine d'hectares de l'exploitation familiale, installée sur des graves et des sables bruns dans la partie sud-ouest de l'appellation, Isabelle Visage sélectionne quelques ares de vieux merlot pour élaborer ce grand cru qu'elle produit depuis le millésime 1999. La robe assez intense de ce 2004 est traversée de reflets grenat. Le nez est délicat et harmonieux, avec des nuances de fruits rouges et de chêne toasté. La bouche se montre fine et élégante. Un ensemble de style plutôt féminin, qui pourra s'apprécier prochainement sur un pigeonneau en salmis.
SCEA des Vignobles Isabelle Visage, Jupille,
33330 Saint-Sulpice-de-Faleyrens, tél. 05.57.24.62.92,
fax 05.57.24.69.40 r.-v.

CH. LAMARTRE 2004 *

11,58 ha 27 200 **11 à 15 €**

Les héritiers Vialard-Patureau possèdent ce vignoble familial établi sur des sols argilo-calcaires et argilo-siliceux de Saint-Étienne-de-Lisse. Le 2004 se présente dans une robe grenat de bonne intensité. Le bouquet mêle les fruits rouges à de fines nuances héritées de l'élevage, relevées d'une touche épicée. D'abord souple et charnue, la bouche est soutenue par des tanins boisés élégants et solides qui assureront une bonne évolution dans les cinq à sept prochaines années. On pense à une belle côte de bœuf pour accompagner cette bouteille.
Union de producteurs de Saint-Émilion,
Haut-Gravet, BP 27, 33330 Saint-Émilion,
tél. 05.57.24.70.71, fax 05.57.24.65.18,
e-mail contact@udpse.com
t.l.j. sf dim. 8h-12h 14h-18h
Héritiers Vialard-Patureau

CH. LAPELLETRIE 2004

12,44 ha 56 100 **11 à 15 €**

Créé en 1980, ce domaine est aujourd'hui géré par une fille et un petit-fils du fondateur. La commercialisation est assurée par la maison Mau. Le 2004 retient l'attention par sa robe rubis intense bordée de reflets tuilés, ses arômes de fruits confits, d'épices et de vanille, et par sa bouche déjà harmonieuse. Un vin de plaisir qui pourra être servi très prochainement sur des viandes blanches ou même des poissons cuisinés.
GFA Lapelletrie, Ch. Lapelletrie,
33330 Saint-Christophe-des-Bardes, tél. 05.56.61.54.54,
fax 05.56.71.10.45

CH. LARCIS JAUMAT Vieilli en fût de chêne 2004

10 ha 62 000 5 à 8 €

Françoise Dumas exploite 17 ha de vignes sur le plateau argilo-calcaire de la commune de Saint-Christophe-des-Bardes ; le merlot règne en maître (90 %) sur l'encépagement. Son premier vin, le **Château Les Religieuses (8 à 11 €)**, cité, est aujourd'hui un peu fermé et dominé par le bois, mais la structure et la concentration sont là pour lui permettre de patienter quelques années en cave, afin de s'ouvrir et de s'arrondir. Ce 2004 est le second vin, plus ouvert sur des notes toastées, vanillées et animales (cuir). Souple et savoureux dans un style plutôt moderne, il pourra être bu sans attendre après un passage en carafe.
Françoise Dumas,
SCEA Les Religieuses, lieu-dit Jaumat,
33330 Saint-Christophe-des-Bardes, tél. 05.57.43.89.75,
fax 05.57.43.01.89,
e-mail thomascapdeville@wanadoo.fr r.-v.

CH. LARMANDE 2004

Gd cru clas. 21,93 ha 74 600 **23 à 30 €**

85 86 (88) 89 **90** **93 94** **96** 98 99 **00** 01 02 03 04

Cet important cru classé, propriété du groupe d'assurances La Mondiale, est situé au nord de la cité en direction de Montagne. Le terroir y est surtout siliceux. L'encépagement associe deux tiers de merlot à un tiers de cabernets. Le 2004, frais et élégant, présente dans sa robe quelques reflets bruns d'évolution. Après un peu d'aération, le bouquet libère des arômes de fruits à l'eau-de-vie et de chêne toasté. La bouche est souple, équilibrée. Les tanins discrets permettront de servir ce vin assez vite sur un rôti de veau aux morilles.
Ch. Larmande, Larmande, 33330 Saint-Émilion,
tél. 05.57.24.71.41, fax 05.57.74.42.80,
e-mail chateau-larmande@wanadoo.fr r.-v.
Groupe La Mondiale

CH. LAROQUE 2004 *

Gd cru clas. 27 ha 115 000 **23 à 30 €**

Nous sommes ici sur un des plus vastes et des plus beaux domaines viticoles de Saint-Émilion. Une soixantaine d'hectares en plateau et en coteau entourent un imposant château du XVIIes. D'importants et de patients efforts lui ont permis d'être admis en cru classé en 1996. D'un rubis profond bordé de carmin, le 2004 affiche un bouquet naissant mais déjà intense et complexe, mariant les fruits confits et le merrain épicé. La bouche est ample, chaleureuse, charnue, soutenue par de solides tanins boisés. L'ensemble reste très élégant et donnera un grand vin dans les prochaines années.
SCA Famille Beaumartin, Ch. Laroque,
33330 Saint-Christophe-des-Bardes, tél. 05.57.24.77.28,
fax 05.57.24.63.65 r.-v.

LASSÈGUE 2004 *

18 ha 60 000 **30 à 38 €**

Depuis octobre 2003, le partenariat franco-américain entre Jess Jackson, Barbara Banke, Monique et

BORDELAIS

Pierre Seillan a permis de redonner vie à cette propriété jusqu'alors « endormie », commandée par une vaste chartreuse flanquée d'une chapelle et ornée de deux cadrans solaires qui servent de motif à l'étiquette. En dégustation, le 2004, paré d'une robe rubis, se montre dense, riche et harmonieux. Son bouquet est déjà profond, floral et boisé. Sa structure tannique en fait un bon vin de garde à découvrir d'ici cinq ans. À noter : la production est exportée à 100 % vers les États-Unis.
SAS Cricket, Ch. Lassègue, 33330 Saint-Hippolyte, tél. 05.57.24.19.49, fax 05.57.24.00.38, e-mail chateaulassegue@wanadoo.fr r.-v.

CH. MAGDELAINE 2004 *

1er gd cru clas. B 11,28 ha 26 000 38 à 46 €

82 ⑧③ 85 86 87 |88| |89| |90| 92 93 94 |95| |96| 97 |98| |99| 00 **01** 02 04

La maison Jean-Pierre Moueix est une locomotive pour les vins du Libournais. Elle s'intéresse aux techniques modernes mais elle sait aussi préserver la tradition, ou encore adopter des méthodes culturales respectueuses de l'environnement. Ainsi, à Magdelaine, 1er grand cru classé, elle utilise encore un cheval pour labourer le plateau. Ce style se retrouve bien dans le verre. Un dégustateur note : « saint-émilion grand cru à l'ancienne », un autre, « style classique ». Autant de compliments pour ce 2004 rubis brillant, dont le bouquet concentré évoque les baies noires, les fruits à noyau, les épices douces, avec un boisé vanillé. La bouche, également très fruitée, se montre tendre, parfaitement équilibrée. Les tanins sont bien intégrés. Dans deux ou trois ans, on pourra commencer à servir ce vin sur des escalopes de veau aux pommes forestières.
Éts Jean-Pierre Moueix, 54, quai du Priourat, 33500 Libourne, tél. 05.57.51.78.96, fax 05.57.51.79.79, e-mail info@jpmoueix.com

CH. MAGNAN LA GAFFELIÈRE 2004

10,04 ha 60 000 11 à 15 €

Issu d'un terroir de glacis sableux planté de merlot (65 %) et de cabernets, ce 2004, minéral et aérien, apparaît encore un peu fermé aujourd'hui mais il devrait s'ouvrir assez vite. On profitera alors pleinement de son bouquet fruité et épicé, et de sa bouche équilibrée aux tanins soyeux. Du même producteur, le **Clos La Madeleine 2004 (30 à 38 €)**, plus rond et gourmand, marqué par l'élevage, est cité. À garder trois à cinq ans en cave.
SA du Clos La Madeleine, La Gaffelière-Ouest, 33330 Saint-Émilion, tél. 05.57.55.38.03, fax 05.57.55.38.01 r.-v.

CH. MANGOT 2004 *

34 ha 150 000 11 à 15 €

Il s'agit ici de la cuvée principale de cet important domaine installé dans une combe aux sols argilo-calcaires à astéries, dans la partie est de l'aire d'appellation. Ce 2004 rubis profond est traversé de reflets bruns. Le nez fin et plaisant évoque les baies noires et les épices douces. La mise en bouche est suave, puis on découvre une matière ample, soutenue par des tanins élégants. Un vrai vin de plaisir d'ici un an ou deux.
Vignobles Jean Petit, Ch. Mangot, 33330 Saint-Étienne-de-Lisse, tél. 05.57.40.18.23, fax 05.57.56.43.97, e-mail contact@chateaumangot.fr t.l.j. sf sam. dim. 8h30-12h 14h-18h

CH. LA MARZELLE 2004

Gd cru clas. 13,08 ha 54 000 23 à 30 €

Ce cru situé au bord de la route menant à Libourne, près de l'hôtel de luxe du Grand Barrail, appartient à des industriels belges. Dans le verre, le 2004 s'habille d'un pourpoint carmin ; son bouquet est original, à la fois floral, minéral et balsamique, sur fond boisé. La bouche apparaît également surprenante, tendre, féminine, étoffée par des tanins soyeux. À déguster prochainement sur des cailles au foie gras.
SCEA Ch. La Marzelle, 33330 Saint-Émilion, tél. 05.57.55.10.55, fax 05.57.55.10.56, e-mail chateau@lamarzelle.com r.-v.
J.-J. Sioen

CH. MILENS 2004 **

3,88 ha 12 000 30 à 38 €

M. Bogé a acheté en 1998 ce cru établi sur les sols argilo-siliceux du sud-est de l'appellation. Son 2004 fait une entrée remarquée dans le Guide. C'est un vin superbe, paré d'une robe bordeaux très profonde. Son bouquet, à la fois fin et expressif, mêle les fruits rouges, le chêne toasté, le cèdre et l'encens. La bouche concentrée reste toujours élégante, ronde et fraîche à la fois. Sa texture veloutée est soutenue par des tanins boisés qui assureront une bonne garde. Dans trois ou quatre ans, on pourra commencer à apprécier pleinement cette bouteille, servie sur un gigot d'agneau ou une entrecôte à la bordelaise.
SARL Ch. Milens, Le Sème, 33330 Saint-Hippolyte, tél. 05.57.55.24.47, fax 05.57.55.24.44, e-mail chateau.milens@wanadoo.fr r.-v.

CH. MONBOUSQUET 2004 *

33 ha 88 000 38 à 46 €

95 96 97 |98| |99| 00 |**01**| 02 |03| 04

Propriétaire de Pavie, Gérard Perse possède d'autres crus à Saint-Émilion, tel ce domaine acheté en 1993 et présent depuis dans le Guide sans discontinuer. Sombre, intense, profond, ce 2004 montre dès la robe toute sa concentration. Le nez complexe la confirme, et livre des notes de pruneau et de fruits noirs confits (mûre, cassis) mêlées au toasté et au grillé de l'élevage. Souple et grasse dès l'attaque, la bouche s'inscrit dans le droit fil de la présentation, évoluant avec rondeur et puissance, grâce à la struture de tanins enrobés. À apprécier dans quatre ou cinq ans. Autre cru, le **Bellevue Mondotte 2004 (plus de 76 €)**, issu à 90 % de merlot, apparaît marqué par l'élevage. Il obtient lui aussi une étoile.
SA Ch. Monbousquet, 42, rte de Saint-Émilion, 33330 Saint-Sulpice-de-Faleyrens, tél. 05.57.55.43.43, fax 05.57.24.63.99, e-mail contact@vignoblesperse.com
Gérard Perse

CH. MOULIN DU CADET 2004

Gd cru clas. 4,6 ha 19 200 30 à 38 €

Ce cru classé est un domaine familial situé sur la colline du Cadet, où se trouvent les vestiges d'un moulin, à 400 m de la cité médiévale et de son église monolithe. Son 2004 est un vin tout en finesse, d'une couleur rubis à reflets bruns. Le bouquet naissant exprime surtout des senteurs grillées. Déjà harmonieux et élégant en bouche, ce millésime devrait s'ouvrir assez vite pour accompagner volailles et fromages tendres.

SAS Blois Moueix, 92, cours Tourny,
33500 Libourne, tél. 05.57.55.00.50, fax 05.57.51.63.44,
e-mail moulinducadet@wanadoo.fr r.-v.

CH. PAILHAS 2004 ★

■ 11,2 ha 13 200 11 à 15 €

Jolie propriété de 18 ha, sur laquelle la famille Robin-Lafugie sélectionne 11 ha sur argiles et sables pour élaborer ce grand cru. Rubis intense, le 2004 assemble un tiers de cabernet franc au merlot. Son bouquet exprime les fruits, soutenus par un boisé discret, épicé et cacaoté. La bouche, à la fois charnue et racée, est encadrée par des tanins présents mais bien fondus. Un saint-émilion grand cru classique qu'il faudra attendre deux ou trois ans avant de le servir sur lamproies, grillades, fromages doux et même gâteaux au chocolat.

SCEA Robin-Lafugie, Ch. Pailhas,
33330 Saint-Hippolyte, tél. et fax 05.57.74.46.02,
e-mail ch.pailhas@wanadoo.fr r.-v.

CH. PALATIN 2004 ★

■ 1 ha n.c. 23 à 30 €

Apparu en 2002, ce « petit » grand cru décroche régulièrement une étoile dans le Guide. C'est une cuvée de pur merlot née sur argilo-calcaire. Dans le verre, la pourpre est intense. Les arômes se montrent frais, avec une touche de prunelle accompagnée de notes torréfiées. La bouche très merlot, ronde, croquante, mêle harmonieusement les fruits mûrs et le boisé fin. Un vin équilibré, structuré par des tanins encore un peu fermes, qui bénéficieront d'une garde de deux ou trois ans.

Palatin, Dom. de la Vieille-Église,
33330 Saint-Hippolyte, tél. 05.57.74.47.11,
fax 05.57.24.69.08

CH. DU PARC 2004

■ 1,2 ha 6 600 11 à 15 €

Première présentation pour cette cuvée sélectionnée par Fabienne Lagoubie, qui exploite 3,3 ha de vignes sur les graves de Saint-Sulpice-de-Faleyrens, dans la partie sud-ouest de l'appellation. Ce 2004 a séduit le jury par sa robe rubis aux reflets bruns, par son bouquet mêlant arômes boisés et nuances de gibier. Sa bouche friande, à la fois souple et fraîche, et ses tanins épicés en font une bouteille que l'on pourra ouvrir assez vite.

Fabienne Lagoubie, 4, av. du Gal-de-Gaulle,
33330 Saint-Sulpice-de-Faleyrens,
tél. 05.57.24.27.44, e-mail courrier@chateau-du-parc.fr
r.-v.

CH. PAS DE L'ÂNE 2004 ★

■ 2,25 ha 9 896 23 à 30 €

Cette propriété, établie sur les argilo-calcaires de Saint-Christophe-des-Bardes, dans le secteur nord-est de l'aire d'appellation, a produit deux crus sélectionnés ici : ce 2004 à la robe pourpre attrayante, aux arômes fruités et grillés, à la bouche charnue soutenue par des tanins fondus et sincères ; et le **Château Haut Saint-Brice 2004 (11 à 15 €)**, cité pour son nez de fruits noirs et ses tanins encore un peu fermes, une bouteille à attendre un an ou deux.

SARL Pas de l'Âne, Jean Guillot,
33330 Saint-Christophe-des-Bardes, tél. 05.57.74.62.55,
fax 05.57.74.57.33, e-mail arnaud.delaire@wanadoo.fr
r.-v.

CH. PAVIE 2004 ★★

■ 1er gd cru clas. B 37 ha 90 000 + de 76 €

85 86 87 **88** **89** (90) **91 92** 93 94 **95** **96** 98 99 **00 01** 02 **04**

Depuis 1998, Gérard Perse exploite plusieurs grands crus à Saint-Émilion. Celui-ci, son fleuron, décroche un coup de cœur. Situé sur la côte de Pavie, exposé plein sud, c'est l'un des premiers domaines de la région à avoir été planté de vignes, au IVe s. ; c'est aussi l'un des plus vastes crus d'un seul tenant de la commune. Habillé d'une robe impressionnante, pourpre intense à reflets noirs, ce 2004 offre un nez puissant et concentré, aux notes de cuir et de café qui viennent nuancer des fragrances de petits fruits noirs confiturés (myrtille, mûre). Une attaque souple précède un palais corsé et charpenté par des tanins de qualité, qu'il faudra laisser s'arrondir en cave au moins cinq à huit ans.

SCA Ch. Pavie, 33330 Saint-Émilion,
tél. 05.57.55.43.43, fax 05.57.24.63.99,
e-mail contact@vignoblesperse.com
Gérard Perse

CH. PAVIE DECESSE 2004 ★

■ Gd cru clas. n.c. 8 000 + de 76 €

85 86 88 (89) **90** 92 **93** 94 96 **97** 98 99 02 04

Ce cru appartient depuis 1997 à Gérard Perse. Situé en haut de la côte de Pavie, sur le plateau argilo-calcaire, il est complanté de merlot (90 %) et de cabernet franc. Habillé d'une robe pourpre violacé, son vin montre un nez élégant où de délicates notes torréfiées et vanillées ne masquent pas le fruit noir confit. Ample et rond, le palais harmonieux livre des tanins boisés qui profiteront d'une garde d'au moins cinq ans pour se fondre complètement.

SCA Ch. Pavie, 33330 Saint-Émilion,
tél. 05.57.55.43.43, fax 05.57.24.63.99,
e-mail contact@vignoblesperse.com
Gérard Perse

LE PETIT CHEVAL 2004

■ n.c. n.c. 46 à 76 €

Le Petit Cheval est le second vin du château Cheval Blanc, généralement issu des plus jeunes vignes. Son 2004 se présente dans une robe rouge profond aux reflets légèrement tuilés. Le nez complexe mêle les fruits rouges, des notes florales et le boisé de l'élevage. La bouche structurée ne manque pas d'élégance. On attendra ce vin un an ou deux avant de le servir sur un rôti de veau.

SC du Cheval Blanc, 33330 Saint-Émilion,
tél. 05.57.55.55.55, fax 05.57.55.55.50

CH. PETIT-FAURIE-DE-SOUTARD 2004 *

■ Gd cru clas. 8 ha 42 600 15 à 23 €

85 86 88 89 90 91 92 93 94 |96| 97 |00| |01| |02| 03 04

Les époux Capdemourlin exploitent plusieurs crus classés sur l'appellation. Situé sur les hauteurs de Saint-Émilion, près du lieu-dit Faurie qui fut le théâtre d'une célèbre bataille de la guerre de Cent Ans, cette propriété a été détachée du domaine de Soutard en 1850. Son 2004 est un vin de garde typique, encore fermé mais prometteur. L'aération libère des notes minérales et beurrées. L'attaque est souple, les tanins se montrent fermes mais élégants ; la finale est assez longue : tout est en place pour offrir un grand plaisir dans cinq ans.

Françoise Capdemourlin,
Ch. Petit-Faurie-de-Soutard, 33330 Saint-Émilion,
tél. 05.57.74.62.06, fax 05.57.74.59.34,
e-mail info@vignoblescapdemourlin.com r.-v.

CH. PETIT GRAVET AÎNÉ 2004 *

■ 2,5 ha 8 000 23 à 30 €

Catherine Papon-Nouvel gère les grands crus saint-émilionnais de sa famille. Celui-ci est original par son encépagement : 80 % de cabernet franc implanté sur sables profonds. Il en résulte un vin charmeur, rubis vif, aux arômes foisonnants de fruits surmûris, de thym et de boisé vanillé. En bouche, le fruit est aussi très présent, agrémenté d'une touche d'amande grillée. La structure repose sur des tanins veloutés qui permettront d'apprécier ce vin à partir de 2010 sur des marinades, de la viande rouge ou du gibier. Une étoile également pour le **Clos Saint-Julien 2004 (30 à 38 €)**, issu d'un hectare sur rocher calcaire complanté à parité de merlot et de cabernet franc. Concentré, un peu plus marqué par la barrique, ce grand cru accompagnera un magret de canard après un séjour d'un an ou deux en cave.

SCEA Vignobles J.-J. Nouvel,
Ch. Petit Gravet Aîné, BP 84, 33330 Saint-Émilion,
tél. 05.57.24.72.44, fax 05.57.24.74.84,
e-mail chateau.gaillard@wanadoo.fr r.-v.

CH. PIGANEAU 2004

■ 5 ha 14 130 11 à 15 €

La famille Brunot, d'origine corrézienne, s'est établie ici en 1922, entre le menhir de Pierrefitte et la Dordogne. Le terroir de sables et de graves est planté à 90 % de merlot. Le 2004 miroite de reflets rubis. Le nez est encore dominé par un boisé jeune, toasté, épicé, vanillé et mentholé. L'attaque souple et friande est vite relayée par des tanins boisés qui devraient s'affiner d'ici trois à cinq ans.

SCEA J.-B. Brunot et Fils, 1, Jean-Melin,
33330 Saint-Émilion, tél. 05.57.55.09.99,
fax 05.57.55.09.95,
e-mail vignobles.brunot@wanadoo.fr
t.l.j. sf sam. dim. 9h-12h 14h-18h

CH. PIPEAU 2004 *

■ 35 ha 170 000 15 à 23 €

86 88 89 95 |98| |99| |00| |01| **02** 03 04

Appartenant à une très ancienne famille saint-émilionnaise, les Mestreguilhem exploitent un vaste vignoble sur l'appellation. Le cru principal a donné naissance à un vin plein de personnalité et typique du millésime. Le bouquet s'ouvre sur un élégant boisé, accompagné de plaisantes notes de fruits rouges. La bouche est charnue et racée, soutenue par des tanins boisés qui lui donnent une bonne longueur. À découvrir dans trois à cinq ans. Le **Château Fleur de Barbeyron 2004** privilégie largement le merlot planté sur graves siliceuses. Concentré, chaleureux, structuré, il doit encore s'assagir en cave quelques années. Il est cité.

Richard Mestreguilhem,
Ch. Pipeau, 33330 Saint-Laurent-des-Combes,
tél. 05.57.24.72.95, fax 05.57.24.71.25,
e-mail chateau.pipeau@wanadoo.fr
t.l.j. sf sam. dim. 9h-12h 14h-18h

LA PLAGNOTTE 2004

■ 1 ha 2 500 23 à 30 €

Sur leur cru de 6 ha, les Labarre sélectionnent 1 ha de vignes cultivées à faible rendement pour élaborer cette cuvée destinée principalement à l'export. Ce 2004 rubis intense est encore dominé par l'élevage, qui lui apporte ses notes toastées et grillées. La bouche puissante reste équilibrée, offrant du gras à l'attaque et des tanins boisés marqués. On attendra quelques années que l'ensemble se fonde et s'harmonise complètement.

SCEA Vignobles Fourcaud-Laussac,
La Plagnotte-Bellevue,
33330 Saint-Christophe-des-Bardes,
tél. 05.57.24.78.67, fax 05.57.24.63.62,
e-mail laplagnottebellevue@wanadoo.fr r.-v.
de Labarre

CH. PONTET PLAISANCE 2004

■ n.c. 1 200 11 à 15 €

Les Arnaud sont présents sur plusieurs propriétés viticoles situées dans la partie sud de l'appellation. Cette petite cuvée est issue à 90 % de vieux merlot planté sur les graves de Saint-Sulpice-de-Faleyrens. Le 2004 ? Un vin charmeur, d'une teinte rubis foncé mais vive, aux arômes de fruits confits. La bouche souple et élégante, à la saveur compotée, est soutenue par des tanins fins, déjà veloutés. À boire dès aujourd'hui.

SCEA Vignoble Jean-Claude Arnaud, 8, Brisson,
33330 Vignonet, tél. 05.57.84.67.67 r.-v.

CH. DE PRESSAC 2004 *

■ 15 ha 48 000 15 à 23 €

L'un des plus beaux domaines de l'appellation. Le château, qui a reçu en 2007 un « Best of d'or » du concours « Best of wine tourism » organisé par la chambre de commerce de Bordeaux, domine les vignes en terrasses. C'est ici qu'en 1453 a été signé le traité mettant fin à la guerre de Cent Ans. C'est également ici, entre 1737 et 1747, que le cépage auxerrois a été introduit en Bordelais sous le nom de « noir de Pressac ». Depuis 1997, le cru appartient à la famille Quenin. Le 2004 est un vin fin au bouquet profond mariant les fruits noirs, le moka et la vanille, au palais souple et charnu encadré par des tanins élégants. À apprécier dans deux ou trois ans. Le second vin, **Chateau Tour de Pressac 2004**, soyeux, cacaoté, vanillé, toasté, est déjà très plaisant. Une étoile également.

GFA Ch. de Pressac, 33330 Saint-Étienne-de-Lisse,
tél. 05.57.40.18.02, fax 05.57.40.10.07,
e-mail jfetdquenin@libertysurf.fr r.-v.
J.-F. et D. Quenin

CH. LE PRIEURÉ 2004 ★

■ Gd cru clas. 4,67 ha 18 300 23 à 30 €

Depuis 1897, ce cru classé appartient à la famille Guichard. Le 2004 joue dans le registre de la finesse et de l'élégance. Habillé d'une robe grenat intense et brillante, il livre un bouquet tout en nuances, évoquant les fleurs d'été, les fruits confiturés et la vanille. La bouche est souple, bien équilibrée par une petite fraîcheur typique du millésime. Les tanins commencent à se fondre et devraient permettre d'ouvrir cette bouteille assez vite sur des volailles rôties ou des viandes blanches. Le second vin, le **Délice du Prieuré 2004 (11 à 15 €)**, offre un profil semblable à celui de son aîné et obtient comme lui une étoile.

SCE Baronne Guichard, Ch. Siaurac, 33500 Néac, tél. 05.57.51.64.58, fax 05.57.51.41.56, e-mail info@baronneguichard.com r.-v.

CH. PUY-RAZAC 2004

■ 3 ha 10 000 11 à 15 €

La famille Thoilliez consacre la moitié de ses 6 ha de vignes à la production de ce grand cru. Le cabernet franc y fait pratiquement jeu égal avec le merlot, plantés sur terroir de sables sur alios. Le 2004 est un vin de caractère. Sous sa teinte bigarreau, le nez intense exprime des notes animales (gibier), des nuances de sous-bois et de fruits rouges. La bouche est vive, fraîche, racée. Les tanins encore jeunes évoluent avec finesse et persistance. À laisser en cave trois ou quatre ans.

SC Thoilliez, Ch. Puy-Razac, 33330 Saint-Émilion, tél. 06.14.56.51.07, fax 05.57.24.75.99, e-mail puy-razac@wanadoo.fr r.-v.

CH. QUERCY 2004 ★

■ 3,5 ha 13 000 15 à 23 €

88 89 **90 93** 94 **95** 96 |**98**| |99| |00| 01 02 04

La famille Apelbaum possède ici deux vignobles qui ont donné des 2004 très réussis. Le château Quercy, établi sur un terroir de graves, a produit un vin à la robe pourpre intense. Son bouquet naissant demande un peu d'aération pour libérer des fragrances fruitées et vanillées. La bouche est savoureuse et harmonieuse, soutenue par des tanins mûrs et toastés qui se prolongent dans une finale rafraîchie d'une pointe minérale. Le **Clos L'Abba 2004**, une étoile également, est issu à 49 % de merlot né sur argiles sableuses et calcaires. Le boisé est encore très présent au nez. La bouche est florale en attaque, presque aérienne, puis le merlot et le boisé réglissé reprennent le dessus. Les tanins soyeux permettront de boire ce vin dans cinq à six ans.

GFA du Ch. Quercy, 3, Grave, 33330 Vignonet, tél. 05.57.84.56.07, fax 05.57.84.54.82, e-mail vignoblesapelbaum@chateauquercy.com r.-v.

CH. QUINAULT L'Enclos 2004

■ 16 ha 70 000 15 à 23 €

Cet important vignoble est enclos dans la ville de Libourne et pourtant, tout ici incline à la douceur : la proximité de la rivière Dordogne et le terroir de graves qui capte les rayons du soleil. Né dans cet écrin, ce 2004 ne manque pas de charme. Le rubis de la robe s'orne de reflets grenat. Le nez libère des arômes de baies sauvages, suivis de notes empyreumatiques. La bouche apparaît chaleureuse mais souple, les tanins sont présents mais fondus. Un vin que l'on pourra apprécier sans tarder ou garder quelques années.

Françoise Raynaud, 30, bd de Quinault, 33500 Libourne, tél. 05.57.74.19.52, fax 05.57.25.91.20, e-mail raynaud@chateau-quinault.com r.-v.

CH. RIPEAU 2004 ★★

■ Gd cru clas. 15,28 ha 43 000 15 à 23 €

90 91 92 93 94 95 |99| |01| |02| 03 **04**

Ce cru classé implanté sur un terroir argilo-sableux proche de Pomerol appartient à la famille Wilde depuis 1917. Françoise de Wilde préside à sa destinée depuis 1976, aujourd'hui rejointe par sa fille Barbara Janoueix-Contel qui en assure la direction. Pourpre sombre, ce 2004 livre un bouquet à la fois expressif et élégant, mariant harmonieusement les fruits mûrs, des notes grillées et une touche animale. La bouche est souple et fraîche, typique du millésime et du terroir. Son fruité repose sur des tanins denses et fondus. Un vin de grande classe qu'on laissera reposer en cave cinq à huit ans.

de Wilde, SCEA Ch. Ripeau, 33330 Saint-Émilion, tél. 05.57.74.41.41, fax 05.57.74.41.57, e-mail chateauripeau@wanadoo.fr r.-v.

CH. ROCHEBELLE 2004 ★

■ n.c. 15 000 15 à 23 €

88 89 |**96**| |**98**| 99 |00| |01| 02 **03** 04

Ce cru est idéalement situé sur le rocher calcaire à 50 m de l'église de Saint-Laurent-des-Combes. La relève est assurée par la fille des propriétaires, Émilie, jeune œnologue qui, tout en s'accupant d'un domaine pomerolais, participe à la vie de Rochebelle. Le 2004 présente une robe jeune aux reflets violines. Le bouquet, encore discret, s'ouvre à l'aération sur les fleurs, les fruits rouges et un joli boisé. La bouche est fraîche, un peu dominée par le bois. Après un an ou deux de garde, on pourra servir ce vin sur des viandes rouges ou du gibier.

SCEA Faniest, 33330 Saint-Laurent-des-Combes, tél. 05.57.51.30.71, fax 05.57.51.01.99, e-mail faniest@wanadoo.fr r.-v.

CH. ROCHER BELLEVUE FIGEAC 2004

■ 10,3 ha 45 000 11 à 15 €

Pierre Dutruilh a été directeur général de la maison Cordier de 1952 à 1986. Son 2004 se présente dans une robe pourpre intense. Le nez très floral (violette) est agrémenté de notes de cuir et de vanille. Après une attaque souple, les tanins encore un peu fermes prennent le dessus. Il faudra attendre deux ou trois ans qu'ils s'arrondissent pour apprécier pleinement ce vin.

Pierre Dutruilh, 14, rue d'Aviau, 33000 Bordeaux, tél. et fax 05.56.81.19.69 r.-v.

CH. ROLLAND-MAILLET 2004 ★

■ 3,35 ha 17 800 15 à 23 €

(82) 85 **86** |**89**| |**90**| 93 94 |95| 97 **98** 00 |01| 02 **03** 04

S'il parcourt le monde pour prodiguer ses conseils, Michel Rolland ne néglige ni son laboratoire de Pomerol ni ses vignobles libournais, qu'il gère avec son épouse Dany. Ce cru est situé dans le secteur de Corbin. Dans le verre, on retrouve bien le style de l'œnologue : robe rubis profond, nez puissant offrant une large palette allant des fleurs aux fruits (myrtille, cassis) en passant par un boisé vanillé et une touche de cuir. La bouche chaleureuse, ample et ronde est en harmonie avec le bouquet. Les tanins riches, encore un peu envahissants, gagneront à se polir deux ou trois ans. Ils assureront une bonne garde pour la suite.

🔑 SCEA des domaines Rolland, Maillet,
33500 Pomerol, tél. 05.57.51.52.43, fax 05.57.51.52.93,
e-mail contact@rollandcollection.com ☑ 🍷 🚶 r.-v.

CH. LA ROSE BRISSON 2004 ★

■ 3,86 ha 20 000 🛢 11 à 15 €

La famille Galhaud est connue depuis longtemps à Saint-Émilion, notamment grâce à un aïeul pépiniériste, qui aménagea le manoir et les caves que l'on peut visiter dans la cité médiévale. Martine Galhaud exploite aujourd'hui deux crus sur les graves et les sables de Vignonet, au sud de l'appellation. Deux vignobles qui lui valent chacun une étoile. Ce 2004 a séduit les dégustateurs par sa robe bordeaux et son bouquet puissant et élégant de fruits mûrs et confits, enrobés d'un délicat boisé vanillé. La bouche développe une matière pleine et veloutée qui permettra d'apprécier ce vin dans sa jeunesse, sur un dessert au chocolat, ou de l'attendre un peu pour le servir sur une viande rouge. Le **Château Moulin Galhaud 2004 (15 à 23 €)** est un vin de garde encore un peu fermé, qui devra patienter cinq ans en cave.

🔑 Martine Galhaud, Le Manoir, 33330 Saint-Émilion,
tél. 06.63.77.39.75, fax 05.57.74.48.93,
e-mail mgalhaud@galhaud.com ☑ 🍷 🚶 r.-v.

CH. LA ROSE-POURRET 2004

■ 8 ha 35 000 🛢 11 à 15 €

Ce cru est une propriété familiale implantée sur les argiles sablonneuses bordant la route de Libourne, à l'ouest de Saint-Émilion. Son 2004 représente l'ensemble de la production. Dans le verre, le rubis sombre est traversé de reflets tuilés. Le nez un peu fermé s'ouvre à l'aération sur les fruits confits discrètement boisés. L'attaque est souple et la structure bien équilibrée repose sur des tanins épicés et mûrs qui permettront de déboucher sans attendre cette bouteille.

🔑 Warion, Ch. La Rose-Pourret, 33330 Saint-Émilion,
tél. 05.57.24.71.13, fax 05.57.74.43.93,
e-mail contact@la-rose-pourret.com ☑ 🍷 🚶 r.-v.

CH. ROYLLAND 2004 ★

■ 9,15 ha 37 696 🛢 15 à 23 €

Chantal Oddo a repris en 1998 la direction de l'exploitation familiale à la suite de son père. Les terroirs de ce cru sont particulièrement équilibrés : 50 % de sols argilo-sableux dans l'anse de Mazerat et 50 % d'argilo-calcaires sur Saint-Christophe-des-Bardes. La robe pourpre de ce 2004 est pleine de jeunesse. Le bouquet naissant, encore un peu marqué par le fût, s'ouvre à l'aération sur des notes florales (jasmin) et fruitées (baies noires). La mise en bouche est suave et veloutée, puis les tanins boisés et réglissés prennent le dessus. Il faudra attendre deux ou trois ans qu'ils se fondent complètement.

🔑 SCEA Roylland, Ch. Roylland,
33330 Saint-Émilion, tél. 05.57.24.68.27,
fax 05.57.24.65.25,
e-mail contact@chateau-roylland.com ☑ 🍷 🚶 r.-v.
🔑 Chantal, Christine et Pascal Oddo

SANCTUS 2004 ★★

■ 3 ha 16 000 🛢 23 à 30 €

Les saints se sont penchés sur son berceau... En effet, cette cuvée issue d'une sélection de parcelles argilo-calcaires de la commune de Saint-Christophe-des-Bardes est un vin superbe à la robe bigarreau noir, au bouquet explosif exprimant les baies noires confiturées, la truffe et

un boisé élégant. Le palais est à la fois puissant et fin, charpenté par des tanins veloutés et persistants. À laisser reposer de cinq à dix ans en cave. Le **Château La Bienfaisance 2004 (11 à 15 €)**, cuvée principale du domaine, obtient une étoile. Elle gagnera à patienter encore deux ans, pour que ses tanins épicés s'assagissent.

🔑 SA Ch. La Bienfaisance, 39, Le Bourg,
33330 Saint-Christophe-des-Bardes, tél. 05.57.24.65.83,
fax 05.57.24.78.26, e-mail info@labienfaisance.com
☑ 🍷 🚶 r.-v.

CH. SANSONNET 2004 ★

■ 6,46 ha 30 000 🛢 23 à 30 €

98 99 |00| |01| 03 04

Lorsqu'il a acheté ce cru en 1999, Patrick d'Aulan (ancien propriétaire du champagne Piper-Heidsieck) ne s'est pas trompé. Ce domaine, qui a appartenu au duc Decazes (Premier ministre de Louis XVIII), est régulièrement sélectionné par nos jurys. Le 2004 ne fait pas exception. Son bouquet associe la griotte à l'eau-de-vie à un merrain finement cacaoté. Après une attaque tout en douceur, la chair emplit le palais, soutenue par des tanins encore jeunes qui assureront une bonne évolution dans les cinq ans à venir.

🔑 Patrick d'Aulan, Ch. Sansonnet,
33330 Saint-Émilion, tél. 05.57.55.60.60,
fax 05.57.24.34.93, e-mail info@edoniawines.com
☑ 🚶 r.-v.

CH. TAUZINAT L'HERMITAGE 2004

■ 8,08 ha 40 000 🛢 11 à 15 €

95 96 97 |**00**| 01 02 03 04

Ce domaine, un des plus anciens de la région, appartient à la famille de Bernard Moueix depuis plus d'un demi-siècle. On y trouvait autrefois des chênes tauzins, réputés pour les truffes qui poussent à leur pied, d'où le nom du cru. Une poularde truffée s'accorderait d'ailleurs parfaitement à ce 2004 souple, fin et élégant, dont la palette aromatique décline des notes animales et boisées. On pourra également choisir, plus simplement, de l'accompagner d'un carré d'agneau, mais pas avant deux ou trois ans.

🔑 SC Bernard Moueix, Ch. Taillefer, BP 9,
33501 Libourne Cedex, tél. et fax 05.57.25.50.45
🍷 🚶 r.-v.
🔑 Héritiers Moueix B.

CH. TERTRE DAUGAY 2004 ★★

■ Gd cru clas. 15,41 ha 59 000 🛢 23 à 30 €

82 **83 86 88** 89 90 |96| |98| |99| 00 02 03 **04**

Les Malet Roquefort sont présents à Saint-Émilion depuis plusieurs siècles. Ils exploitent plusieurs crus prestigieux, dont celui-ci. Situé au sommet d'un coteau domi-

nant la vallée de la Dordogne et qui servit longtemps de poste de guet (d'où le nom de Daugay), il est complanté de merlot (70 %) et de cabernet franc. Sous une robe bordeaux intense, le bouquet joue à l'aération sur les fruits confits, les épices douces et un boisé réglissé. La bouche ample et généreuse reste toujours harmonieuse, structurée par des tanins puissants mais jamais agressifs et d'une grande persistance. Un vin qu'il faudra attendre au moins cinq ans.
🔑 Léo de Malet Roquefort,
Ch. Tertre-Daugay, BP 12, 33330 Saint-Émilion,
tél. 05.57.56.42.90, fax 05.57.56.40.89,
e-mail chateau-tertre-daugay@chateau-tertre-daugay.com ▼ Y ✶ r.-v.

CH. TOINET FOMBRAUGE 2004

■ 1,94 ha 12 000 ▮ ◖◗ 11 à 15 €

Si le vignoble est dans sa famille depuis 1894, 2004 est le premier millésime assumé par Danielle Sierra. Sur les 7,41 ha de l'exploitation, cette dernière a sélectionné des vieilles vignes sur argilo-calcaire pour élaborer ce vin. Un ensemble agréable, au nez franc associant les fruits rouges à un boisé discret. La bouche, douce et fruitée, est soutenue par des tanins ronds et fondus. À apprécier dès aujourd'hui sur une côte de bœuf.
🔑 Danielle Sierra, Toinet-Fombrauge,
33330 Saint-Christophe-des-Bardes, tél. 05.57.24.77.70,
fax 05.57.24.76.49 ▼ Y ✶ t.l.j. 10h-12h 15h-19h 🏠 E

CH. TOUR BALADOZ 2004 ★

■ 6 ha 30 000 ◖◗ 15 à 23 €

Les Schepper exploitent plusieurs crus sur les coteaux argilo-calcaires en terrasses de l'est de l'aire d'appellation. Le jury a tout d'abord retenu ce 2004 qui s'affirme comme un bon vin de garde. Son bouquet mêle les fruits rouges et noirs à un boisé vanillé. La bouche est ample et équilibrée, accompagnée par des tanins de merrain qui devraient bien s'intégrer d'ici deux à trois ans. Le **Château La Croizille 2004 (46 à 76 €)** est une cuvée assez confidentielle, encore un peu fermée, mais intéressante par sa bouche déjà gourmande. Une étoile également.
🔑 SCEA Ch. Tour Baladoz,
33330 Saint-Laurent-des-Combes, tél. 05.57.88.94.17,
fax 05.57.88.39.14, e-mail contact@de-mour.com
▼ Y ✶ r.-v.
🔑 de Schepper

CH. LA TOUR FIGEAC 2004

■ Gd cru clas. 14 ha 45 000 ◖◗ 23 à 30 €

82 83 85 86 89 **90** 93 94 95 |**96**| 97 |98| |01| 02 03 04

Ce cru familial, relativement important, a été détaché du château Figeac en 1879. En dégustation, son vin possède bien les caractéristiques de ce secteur de Figeac, mêlant notes fraîches et animales (gibier). La robe rubis s'orne de reflets violines. Le bouquet exprime les fruits frais, le bois torréfié et la venaison. La mise en bouche friande cède la place à des tanins épicés et persistants. L'ensemble déjà élégant devrait aller en s'affinant avec deux ou trois ans de garde. On pourra alors ouvrir cette bouteille sur un sauté de sanglier.
🔑 Famille Rettenmaïer, La Tour Figeac, BP 007,
33330 Saint-Émilion, tél. 05.57.51.77.62,
fax 05.57.25.36.92, e-mail latourfigeac@wanadoo.fr
▼ Y ✶ r.-v. 🏠 7

CH. TRAPAUD 2004

■ 14,98 ha 36 000 ▮ ◖◗ 11 à 15 €

Ce domaine viticole, dans la même famille depuis 1924, a grandi au fil des ans : de 4 ha à l'achat, il s'est étoffé pour en compter aujourd'hui une quinzaine. Le terroir argilo-limoneux, complanté à 70 % de merlot, 20 % de cabernet franc et 10 % de cabernet-sauvignon, est établi au pied d'un coteau dont le calvaire domine la vallée de la Dordogne. Dans le verre, le rubis est franc et les arômes rappellent les fruits à noyau (cerise) sur un fond vanillé. La bouche apparaît souple et harmonieuse, soutenue par des tanins veloutés. On pourra servir ce vin assez vite sur une volaille rôtie.
🔑 SCEA Larribière, Trapaud,
33330 Saint-Étienne-de-Lisse, tél. 05.57.40.18.08,
fax 05.57.40.07.17, e-mail chateau-trapaud@wanadoo.fr
▼ Y ✶ r.-v.

CH. TRIMOULET 2004

■ 7 ha 55 200 ◖◗ 15 à 23 €

Les propriétaires de Trimoulet ont réalisé en 2005 une étude du terroir avec la collaboration de l'Énita et de la faculté d'œnologie de Bordeaux. Sur les 17 ha du vignoble, 7 sont consacrés à cette cuvée. Le nez se montre encore fermé et demande une bonne aération pour libérer ses notes fruitées et boisées. La bouche est douce et équilibrée, la trame tannique bien fondue. D'ici un an ou deux, on pourra commencer à servir ce vin, après l'avoir décanté. Cette bouteille accompagnera des viandes rouges ou des fromages à pâte dure.
🔑 Michel Jean, Ch. Trimoulet, BP 60,
33330 Saint-Émilion, tél. 05.57.24.70.56,
fax 05.57.74.41.69, e-mail trimoulet.jean@wanadoo.fr
▼ Y ✶ r.-v.

CH. TROTTE VIEILLE 2004 ★

■ 1er gd cru clas. B n.c. 30 000 ◖◗ 30 à 38 €

82 **85 86 88 90** 95 96 97 |98| |99| **00 01** |02| **03** 04

Commandé par une chartreuse du XVIII[e]s., ce cru possède un magnifique terroir établi en haut d'une des collines entourant la cité médiévale, d'où l'on peut admirer la vallée de la Dordogne. Le merlot (50 %), le cabernet franc (45 %) et le cabernet-sauvignon bénéficient d'un ensoleillement privilégié qui contribue à leur maturité et à la qualité régulière des vins du domaine. Celui-ci s'habille d'une robe rubis intense et brillante. Le bouquet libère des notes de fruits rouges et de cerise à l'eau-de-vie, enrobées par un boisé torréfié élégant. La bouche est souple mais corsée ; on y croque le fruit frais et l'amande grillée sur fond de tanins veloutés et épicés. Un grand cru racé, que l'on commencera à déboucher dans trois ou quatre ans. Seconde étiquette du cru, **La Vieille Dame de Trotte Vieille 2004 (15 à 23 €)** est un vin plein de charme qui pourra être apprécié plus tôt ; il décroche une étoile.

🔑 SCEA du Ch. Trottevieille, Ch. Trottevieille, 33330 Saint-Émilion, tél. 05.56.00.00.70, fax 05.57.87.48.61, e-mail domaines@borie-manoux.fr ☑ Ỳ 🚶 r.-v.

CH. LES URSULINES 2004

■ 0,42 ha 2 600 ▮◖◗ 15 à 23 €

La famille Verhaeghe cultive la vigne depuis plusieurs générations dans l'Entre-deux-Mers. En 2002, elle a acquis une petite parcelle de merlot à Saint-Émilion. Elle propose un 2004 retenu pour sa finesse et sa délicatesse. Son nez très fruité montre un boisé bien intégré. La bouche est souple, soutenue par des tanins frais et élégants. On pourra commencer à ouvrir cette bouteille d'ici deux ou trois ans sur un filet de chevreuil.

🔑 Verhaeghe, Dom. de Vigouroux, 33790 Massugas, tél. 05.56.61.34.97 ☑ Ỳ 🚶 r.-v.

CH. DU VAL D'OR 2004 *

■ 12 ha 30 000 ▮◖◗ 15 à 23 €

Philippe Bardet exploite plusieurs crus dans l'appellation. Établi sur les graves de Vignonet, celui-ci tire son nom du village d'Orval, en Dordogne, où naquit son grand-père. Souple et harmonieux, son 2004 trouve un bon équilibre entre le fruit et le bois, au nez comme en bouche. On pourra commencer à le servir d'ici un an ou deux. Le **Château La Mouleyre 2004** provient d'un vignoble de Saint-Étienne-de-Lisse exposé au sud et implanté sur argilo-calcaires. De style massif, avec une robe sombre, un bouquet vanillé et des tanins robustes, il gagnera à être attendu deux ou trois ans.

🔑 SCEA des Vignobles Bardet, 17, La Cale, 33330 Vignonet, tél. 05.57.84.53.16, fax 05.57.74.93.47, e-mail vignobles@vignobles-bardet.fr ☑ Ỳ 🚶 r.-v.

CH. VIEILLE TOUR LA ROSE 2004

■ 4,44 ha 24 400 ▮◖◗ 8 à 11 €

Depuis 1955, quatre générations se sont succédé sur ce domaine établi au nord de Saint-Émilion sur un terroir au sous-sol ferrugineux. Si le nom du lieu-dit, La Rose, suggère des senteurs florales, ce sont plutôt des arômes de baies noires, d'épices et des notes boisées qui dominent le nez et la bouche. La texture est à la fois dense et soyeuse au palais. Une réussite dans le millésime, à découvrir dans deux ou trois ans.

🔑 SCEA Vignobles Daniel Ybert, lieu-dit La Rose, 33330 Saint-Émilion, tél. 05.57.24.73.41, fax 05.57.74.44.83, e-mail contact@vignoblesybert.fr ☑ Ỳ 🚶 r.-v.

CH. VIEUX LARMANDE 2004

■ 4,25 ha 25 800 ▮◖◗ 11 à 15 €

Catherine Bruny-Magnaudeix et Jean-Pierre Magnaudeix représentent la cinquième génération de vignerons à exploiter ce cru. Sous une robe pourpre élégante, le bouquet du 2004 demande un peu d'aération pour exprimer ses notes fruitées et épicées. La bouche souple est accompagnée d'arômes de jeunesse et de tanins frais. À servir assez prochainement sur un rôti de bœuf. Domaine précurseur par son utilisation de la capsule à vis.

🔑 SCEA Vignobles Magnaudeix, Ch. Vieux Larmande, 33330 Saint-Émilion, tél. 05.57.24.60.49, fax 05.57.24.61.91, e-mail vignobles-magnaudeix@wanadoo.fr ☑ Ỳ 🚶 t.l.j. sf dim. 9h-12h 14h-18h

CH. VIEUX LARTIGUE 2004

■ 6,14 ha 36 800 ◖◗ 11 à 15 €

La vigne, installée au sud de Saint-Émilion, se compose de 80 % de merlot et de 20 % de cabernet franc, implantés sur graves sablonneuses. Elle a donné naissance à un vin discret mais élégant, dont le nez, un peu fermé, demande à être aéré pour libérer son fruit. La bouche est fraîche, fruitée, soutenue par des tanins réglissés. À servir dans trois à cinq ans, après décantation, sur un gigot d'agneau.

🔑 SC du Ch. Vieux Lartigue, BP 80, 33330 Saint-Émilion, tél. 05.57.55.38.03, fax 05.57.55.38.01 ☑ Ỳ 🚶 r.-v.

CH. VILLHARDY 2004 *

■ 0,75 ha 3 500 ◖◗ 30 à 38 €

Bien que son vignoble atteigne aujourd'hui 5,5 ha, Stéphane Bedenc ne sélectionne toujours que 0,75 ha de graves argileuses pour cette cuvée où merlot et cabernet franc sont assemblés à parité. Il en résulte un vin intéressant, doté d'une robe bigarreau noir et d'un bouquet expressif où la prune et le coing se marient au boisé torréfié. Très présent en bouche, à la fois puissant, ample et rond, il va crescendo sur des tanins boisés et persistants. À ne pas ouvrir avant trois à cinq ans.

🔑 Stéphane Bedenc, 225, Destieu, 33330 Saint-Sulpice-de-Faleyrens, tél. 05.57.25.26.67, fax 05.57.25.50.85, e-mail vignobles.bedenc@wanadoo.fr ☑ Ỳ 🚶 r.-v.

CH. VIRAMIÈRE 2004

■ 13,84 ha 44 170 ▮◖◗ 11 à 15 €

Cet important vignoble familial est implanté sur la commune de Saint-Étienne-de-Lisse, dans le secteur oriental de l'appellation. Il est complanté de 84 % de merlot, de 13 % de cabernet franc et de 3 % de cabernet-sauvignon. La vinification et la commercialisation sont assurées par la cave de Saint-Émilion. Dans le verre, la couleur mêle le rubis et le grenat. Le bouquet s'ouvre sur des arômes de fruits à noyau (cerise) et des notes toastées. En bouche, après une attaque souple, on retrouve bien le fruit, accompagné de tanins déjà fondus qui permettront de boire cette bouteille assez vite.

🔑 Union de producteurs de Saint-Émilion, Haut-Gravet, BP 27, 33330 Saint-Émilion, tél. 05.57.24.70.71, fax 05.57.24.65.18, e-mail contact@udpse.com Ỳ 🚶 t.l.j. sf dim. 8h-12h 14h-18h

🔑 Dumon

Les autres appellations de la région de Saint-Émilion

Plusieurs communes, limitrophes de Saint-Émilion et placées jadis sous l'autorité de sa jurade, sont autorisées à faire suivre leur nom de celui de leur célèbre voisine. Ce sont les appellations de lussac-saint-émilion, montagne saint-émilion, puisseguin saint-émilion, saint-georges saint-émilion, les deux dernières correspondant d'ailleurs à des communes aujourd'hui fusionnées avec Montagne. Toutes sont situées au nord-est de la petite ville, dans une région au relief tourmenté qui en fait le charme, avec des collines dominées par nombre de prestigieuses demeures historiques et par des églises romanes du plus haut intérêt. Les sols sont très variés et l'encépagement est le même qu'à Saint-Émilion ; aussi la qualité des vins est-elle proche de celle des saint-émilion.

Lussac-saint-émilion

Lussac-saint-émilion est l'une des aires du Libournais les plus riches en vestiges gallo-romains. Au centre et au nord de l'AOC, le plateau est composé de sables du Périgord alors qu'au sud le coteau argilo-calcaire forme un arc de cercle bien exposé. 69 313 hl ont été produits en 2005 sur les 1 486 ha revendiqués.

CH. DE BELLEVUE 2004 *

■ 12 ha 66 000 ▮ ◐ 11 à 15 €

Conduit en agriculture biologique, ce domaine propose un vin presque exclusivement issu du cépage merlot. Ce 2004 se présente sous une robe pourpre éclatante et livre un nez aux arômes élégants de prunelle, de vanille, de cerise noire et d'épices. La structure tannique ample, puissante conduit à une finale sur la fraîcheur, avec une petite pointe d'acidité qui devrait s'estomper après deux à trois ans de garde.

🔑 SCEA Ch. Chatenoud et Fils, Ch. de Bellevue, 33570 Lussac, tél. 05.57.74.60.25, fax 05.57.74.53.69, e-mail andrechatenoud@wanadoo.fr ☑ Y ✝ r.-v.

CH. BONNIN 2004 **

■ 1 ha 3 000 ◐ 8 à 11 €

Depuis dix ans à la tête du domaine, Philippe Bonnin n'a pas ménagé ses efforts, comme le prouvent ses nombreuses sélections et ce 2004 remarquable. Habillé d'une robe grenat soutenue et presque noire, ce millésime développe un nez intense (exubérant, note même un dégustateur) où les parfums d'épices et de vanille se mêlent aux senteurs de cassis, de myrtille et de truffe. Les tanins veloutés en attaque évoluent avec de la fraîcheur et de la rondeur vers une finale aromatique. Un vin qui révélera tout son potentiel dans deux à six ans.

🔑 Philippe Bonnin, Pichon, 33570 Lussac, tél. 05.57.74.53.12 ☑ Y ✝ r.-v.

CH. DU COURLAT Cuvée Jean-Baptiste 2004 *

■ 4 ha 20 000 ◐ 11 à 15 €

Propriétaire et négociant bien connu de la rive droite, Pierre Bourotte rend hommage à son grand-père avec cette cuvée de pur merlot régulièrement sélectionnée dans le Guide. D'une couleur rubis aux reflets violines, ce 2004 s'ouvre sur un bouquet intense évoquant les fruits rouges et les épices. Les tanins sont charnus, ronds et bien fondus, l'élevage boisé apparaît bien maîtrisé. Une bouteille à ouvrir dans deux à cinq ans.

🔑 SAS Pierre Bourotte, 35, quai du Priourat, 33500 Libourne, tél. 05.57.51.62.17, fax 05.57.51.28.28, e-mail vignobles@jbaudy.fr ☑ Y ✝ r.-v.

CH. LES COUZINS Cuvée Prestige 2004

■ 2 ha 12 000 ◐ 8 à 11 €

10 % de cabernet-sauvignon viennent compléter le merlot pour former l'assemblage de cette cuvée Prestige. Ce 2004 se présente dans une robe grenat limpide et développe un bouquet mariant les fruits, les épices douces et un boisé léger. La bouche souple, aux tanins soyeux, dessine l'image d'un vin plaisir, à boire ou à garder quelques années.

🔑 EARL Robert Seize, Ch. Les Couzins, 33570 Lussac, tél. 05.57.74.60.67, fax 05.57.74.55.60, e-mail les.couzins@wanadoo.fr

☑ Y ✝ t.l.j. 10h-12h 14h-19h; f. jan.

CH. CROIX DE L'ESPÉRANCE 2004 *

■ 6,01 ha 41 700 ◐ 30 à 38 €

Depuis 2002, Bernard Magrez est aux commandes de ce domaine, qui fait appel aux services de Michel Rolland, œnologue réputé. Issu exclusivement de merlot planté sur un plateau argilo-calcaire, ce 2004 révèle des arômes de fruits mûrs, marqués par un boisé aux notes de torréfaction. Les tanins sont amples et puissants, bien enrobés par leur élevage. Il faudra néanmoins attendre deux à cinq ans pour une complète harmonie.

🔑 SA Ch. Fombrauge, 33330 Saint-Christophe-des-Bardes, tél. 05.57.24.77.12, fax 05.57.24.66.95, e-mail chateau.fombrauge@wanadoo.fr ☑ Y ✝ r.-v.

🔑 Bernard Magrez

CH. DE LA GRENIÈRE
Cuvée de la Chartreuse 2004

■ 10 ha 30 000 ▮ ◐ 8 à 11 €

Cette cuvée a été élevée pour partie seulement (20 %) en fût, le reste en cuve. Cela donne un vin au nez encore discret, où percent des notes d'épices et d'orange amère. Le boisé léger apparaît en bouche sans jamais dominer le fruit. La structure reste souple et plaisante. Un vin que vous pourrez déguster sans attendre.

🔑 EARL Vignobles Dubreuil, Ch. de La Grenière, 33570 Lussac, tél. 05.57.74.64.96, fax 05.57.74.56.28, e-mail earl.dubreuil@wanadoo.fr ☑ Y ✝ r.-v.

CH. LA HAUTE CLAYMORE 2004

■ 2 ha 10 000 ◐ 8 à 11 €

Des vignes trentenaires (90 % de merlot) plantées sur un terroir argilo-calcaire ont produit ce 2004 à la robe rubis brillant, dont le bouquet délicat de fruits s'orne d'un boisé discret. La bouche, assez vive et fraîche en attaque, évolue sur des tanins présents mais enveloppés, avant une finale moyennement longue. Un vin à boire dès aujourd'hui.

🔑 EARL Vignobles D. et C. Devaud, Ch. de Faise, 33570 Les Artigues-de-Lussac, tél. 05.57.24.31.39, fax 05.57.24.34.17 ☑ Y ✝ r.-v.

CH. HAUT-GAZEAU 2004

■ 8,5 ha 35 000 ◐ 8 à 11 €

Une maison girondine typique du XIX[e]s. commande ce domaine dont le vignoble a été replanté dans les années 1960, à la suite de gelées. Ce 2004, d'une couleur rubis profond, développe un bouquet agréable de fruits rouges et noirs agrémentés de notes de vanille et de toasté. Rond et équilibré en bouche après une attaque franche, il termine sur une note fruitée agréable. À ouvrir dès maintenant.

SCEA Laubie-Prach,
Ch. La Grâce Dieu des Prieurs, Fortin,
33330 Saint-Émilion, tél. 05.57.74.42.97,
fax 05.57.24.69.59,
e-mail gracedieuprieurs@wanadoo.fr r.-v.
Alain Laubie

CH. DES LANDES Cuvée Prestige 2004 *

2 ha 11 000 8 à 11 €

Trois générations travaillent en même temps sur cette propriété de 27 ha. Issu de merlot (80 %) complété des deux cabernets, ce 2004 brillant développe un bouquet expressif de fruits noirs mariés à des notes d'épices et de cèdre. Ferme en attaque, il évolue avec équilibre vers une matière charnue aux tanins solides, encore un peu austères. Il faudra l'attendre deux à quatre ans.

Daniel Lassagne,
EARL des Vignobles du Château des Landes,
Lagrenière, 33570 Lussac, tél. et fax 05.57.74.68.05,
e-mail chateaudeslandes@yahoo.fr
t.l.j. 8h-12h 14h-19h

CH. LUCAS Cuvée Prestige Grand de Lucas Élevé en fût de chêne 2004 *

5 ha 32 000 8 à 11 €

La petite histoire raconte que le roi Henri IV aurait séjourné dans ce château ayant appartenu aux moines de l'abbaye de Faize et donné par ces derniers à un ancêtre des propriétaires actuels. Aujourd'hui, vous y dégusterez ce vin au bouquet élégant de fruits mûrs (cassis, mûre), légèrement boisé. La structure en bouche, ample et généreuse, évolue avec fraîcheur vers une longue finale fruitée aux accents vanillés. Un vin gourmand, à boire d'ici deux ou trois ans.

Frédéric Vauthier, Ch. Lucas, 33570 Lussac,
tél. 05.57.74.60.21, fax 05.57.74.62.46 t.l.j. 8h-18h

CH. DE LUSSAC 2004 *

25,08 ha 64 000 11 à 15 €

Ce charmant château bénéficie depuis 2000 d'un programme d'investissements de qualité qui commence à porter réellement ses fruits à en juger par ce 2004 à la robe grenat soutenu, dont les arômes de fruits rouges bien mûrs se mêlent à des senteurs boisées et fumées. D'attaque franche, la bouche évolue avec souplesse, sur des tanins solides mais fondus, avant un retour du fruit en finale. Une bouteille typée à conserver trois à six ans en cave.

SCEA du Ch. de Lussac, 15, rue de Lincent,
33570 Lussac, tél. 05.57.74.56.58, fax 05.57.74.56.59,
e-mail info@chateaudelussac.com r.-v.

CH. LYONNAT Réserve de la famille 2004 **

n.c. 6 000 11 à 15 €

Cette cuvée est issue d'une sélection des meilleures cuves de la propriété. La robe est presque noire et le bouquet intense évoque les fruits mûrs (cassis), le moka, la torréfaction, avec des notes d'épices douces exotiques. Très suave à l'attaque, ce vin se révèle ensuite étoffé, puissant et vineux, et montre beaucoup de relief en finale. Une bouteille au potentiel certain, à ouvrir dans trois à six ans. Étiquette « rétro » reprenant le dessin original, hommage à l'aïeul des propriétaires actuels.

SCEA Ch. Lyonnat, 33570 Lussac,
tél. 05.57.55.48.90, fax 05.57.84.31.27,
e-mail milhade@wanadoo.fr r.-v.
Milhade

CH. MAYNE BLANC Cuvée Saint-Vincent 2004

3 ha 18 000 8 à 11 €

Présent sans discontinuité depuis plus de dix ans dans le Guide, ce domaine est synonyme de régularité dans la qualité. Cette cuvée 2004 se révèle un vin charmeur, tant par son nez de fruits mûrs et de grillé que par sa bouche souple et ronde. Les tanins sont toutefois encore marqués par le bois. Il faudra donc patienter un à trois ans avant d'en profiter.

EARL Jean Boncheau, Ch. Mayne-Blanc,
33570 Lussac, tél. 05.57.74.60.56, fax 05.57.74.51.77,
e-mail mayne.blanc@wanadoo.fr
t.l.j. sf dim. 9h-12h 14h-18h

CH. DU MOULIN NOIR 2004 *

6,5 ha 40 000 8 à 11 €

Ce vin, qui assemble 75 % de merlot et 25 % de cabernet franc, constitue la totalité de la production du château. Sa robe grenat est brillante et son bouquet fruité révèle des notes de cassis et de cerise mêlées à un boisé discret. Les tanins soyeux, mûrs, évoluent avec finesse et une persistance aromatique harmonieuse. Une bouteille à boire dans deux à cinq ans.

SC Ch. du Moulin Noir, Lescalle, 33460 Macau,
tél. 05.57.88.07.64, fax 05.57.88.07.00 r.-v.

CH. DES ROCHERS 2004

2,78 ha 18 000 8 à 11 €

Coup de cœur pour le millésime 2000, ce cru propose cette année un 2004 plus modeste mais prometteur. Rubis dans le verre, ce pur merlot laisse échapper des touches boisées à l'aération. D'attaque franche, la bouche, de structure moyenne, trouve un bon équilibre entre le gras et la fraîcheur. Prêt à boire, ce vin pourra aussi se bonifier pendant un an en cave.

SCE Vignobles Rousseau, 1, Petit-Sorillon,
33230 Abzac, tél. 05.57.49.06.10, fax 05.57.49.38.96,
e-mail chateau@vignoblesrousseau.com r.-v.

CH. LA ROSE PERRIÈRE Élevé en fût de chêne 2004 *

2,85 ha 9 000 11 à 15 €

Cette cuvée spéciale est issue des plus vieilles parcelles du château La Perrière (90 % merlot, 10 % cabernet franc). Un vin couleur rubis, dont les parfums de fruits rouges et de boisé sont en harmonie. La structure est équilibrée, avec du gras, du fruit et une bonne persistance aromatique. Une bouteille à ouvrir d'ici un à trois ans sur un veau marengo.

Vignobles J.-L. Sylvain, Ch. La Perrière,
33570 Lussac, tél. 05.57.74.51.33, fax 05.57.74.52.14
t.l.j. sf sam. dim. 9h-12h 13h30-17h

CH. TAUREAU 2004 *

n.c. 30 000 5 à 8 €

La cave coopérative propose trois millésimes 2004 intéressants : ce Château Taureau tout d'abord, à la robe grenat limpide et au bouquet expressif de petits fruits rouges, aux tanins élégants et équilibrés, souples en finale, à boire d'ici un à deux ans. Le **Château La Fleur Terrien 2004** des Vignobles Chaignaud, qui décroche également une étoile pour ses tanins souples et fruités ; enfin, citée, la **cuvée Prémya 2004 (15 à 23 €)**, vinifiée de façon plus moderne et marquée par le bois, qui devra attendre deux à cinq ans pour plus d'harmonie.

SCEA Ch. Taureau, 33570 Lussac,
tél. 05.57.55.50.40, fax 05.57.74.57.43 r.-v.

CH. TOUR DE SÉGUR 2004 ★

■ 16 ha 70 000 8 à 11 €

Propriété d'André Lurton depuis l'an 2000, ce cru propose un 2004 à la teinte cerise soutenu, au nez complexe et intense fait d'épices et de fruits mûrs frais (myrtille, prunelle). La bouche charnue et fruitée montre de l'ampleur et de la puissance mais sans austérité. Ce vin sera parfait dans deux à cinq ans.

André Lurton, Ch. Bonnet, 33420 Grézillac, tél. 05.57.25.58.58, fax 05.57.74.98.59, e-mail andrelurton@andrelurton.com r.-v.

VIEUX CHÂTEAU CHAMBEAU 2004 ★

■ 12,62 ha 89 000 5 à 8 €

Le merlot (70 %) et le cabernet franc (30 %) forment l'assemblage de ce 2004 à la robe grenat étincelant, et aux arômes de fruits rouges acidulés (cerise) rehaussés d'une agréable touche boisée. Le palais a du caractère, de la complexité et une bonne persistance (retour des fruits en finale). À déboucher dans un à deux ans. Du même propriétaire, le **Château Tour des Agasseaux 2004** se voit attribuer également une étoile : très épanoui au nez comme en bouche, il révèlera tout son potentiel d'ici deux ou trois ans.

SC Ch. du Branda, Roques, 33570 Puisseguin, tél. 05.57.74.62.55, fax 05.57.74.57.33, e-mail chateau.branda@wanadoo.fr r.-v.

Montagne-saint-émilion

Montagne a la chance de disposer d'un riche patrimoine architectural et d'une église romane (Saint-Martin) qui reste malgré sa réfection au XIXe s. l'un des joyaux de la région. Le visiteur pourra apprécier la vocation viticole du village dans l'écomusée du Libournais. S'étendant sur 1 570 ha, les terroirs de Montagne sont variés, argilo-calcaires ou graves. Ils ont donné 74 130 hl de vin rouge en 2005.

CH. ACAPPELLA 2004

■ 1 ha 3 000 30 à 38 €

Cette cuvée assemble à parts égales le merlot et le cabernet franc, issus de vieilles vignes. Rubis intense, le 2004 révèle un bouquet marqué par un boisé grillé agréable. La bouche est charnue, structurée par des tanins très présents qui demandent à s'arrondir. L'harmonie sera meilleure dans un an ou deux.

Choisy, Bertineau, 33570 Montagne, tél. 05.57.51.29.35, fax 05.57.51.23.90, e-mail beatrice.choisy@wanadoo.fr r.-v.

CH. LA BERGÈRE 2004 ★

■ 7 ha 30 000 8 à 11 €

André et Camille Benoist, agriculteurs, ont fait l'acquisition de ce domaine en 1998, qu'ils ont agrandi en 2004 de 2 ha de cabernet-sauvignon. Ce cépage entre pour 20 % dans l'assemblage de ce 2004, en complément du merlot. Le vin, rouge vif et limpide, livre un bouquet harmonieux évoquant la noix de coco, les fruits noirs et la vanille. La bouche offre une matière ronde, étayée par des tanins présents mais dénués d'agressivité, qui gagneront cependant encore en harmonie après deux à cinq ans de garde. Pur merlot, le **Clos de la Bergère 2004 (5 à 8 €)** est cité.

SCEV André et Camille Benoist, Ch. La Bergère, 33570 Montagne, tél. 05.57.74.61.61, fax 05.57.74.64.86, e-mail labergere33@wanadoo.fr r.-v.

BORDELAIS

BERNARD TAILLAN Filière Vin 2004

■ 39 ha 240 000 3 à 5 €

Cette importante cuvée, assemblage de merlot (80 %) et des deux cabernets, est vinifiée par la maison de négoce Ginestet pour l'enseigne Carrefour. C'est un vin rubis foncé dont le bouquet naissant rappelle le pruneau, le noyau de cerise et la réglisse. Rond à l'attaque, il évolue simplement sur une matière souple et équilibrée. Il est prêt.

Ginestet, 19, av. de Fontenille, 33360 Carignan-de-Bordeaux, tél. 05.56.68.81.82, fax 05.56.68.81.81, e-mail contact@ginestet.fr r.-v.

PIERRE CHANAU 2004

■ n.c. 300 000 3 à 5 €

Pierre Chanau est la marque du distributeur Auchan, qui propose sous cette étiquette un 2004 à la robe sombre intense. Le nez est marqué par des arômes de fruits rouges confiturés, agrémentés d'une note florale. La structure ronde et équilibrée en fait un vin simple qui pourra s'apprécier sans attendre.

Les Caves de la Brèche, ZAE de L'Arbalestrier, 33220 Pineuilh, tél. 05.57.41.91.50, fax 05.57.46.42.76, e-mail contact@grm-vins.fr r.-v.

Guiraud

CLOS CROIX DE MIRANDE 2004 ★

■ 1,36 ha 5 900 8 à 11 €

Le millésime 2003 avait particulièrement réussi à Yvette et Michel Bosc qui ont décroché l'an dernier un coup de cœur trois étoiles. Leur 2004, moins ambitieux, s'affirme néanmoins comme un montagne classique et bien vinifié. La robe pourpre est soutenue, l'expression aromatique mêle les petits fruits rouges, l'amande et un boisé torréfié. Les tanins mûrs, souples et tout en finesse attestent un élevage maîtrisé et conduisent à une finale relevée d'une pointe d'épices. Un vin à apprécier dès aujourd'hui.

Bosc, Clos Croix de Mirande, 33570 Montagne, tél. 05.57.74.59.78, fax 05.57.74.50.61 t.l.j. 10h-12h30 14h-19h30; f. 15 déc.-15 jan.

CLOS LA CROIX D'ARRIAILH 2004 ★★

■ 2 ha 6 100 8 à 11 €

Ce vin, sélection de vieilles vignes de merlot de la propriété, a été élevé en cuve puis pour moitié en barriques neuves et pour l'autre en barriques d'un vin. Coup de cœur dans le millésime précédent, il confirme ses qualités avec ce 2004 rouge profond, parcouru de reflets sombres. Le nez marie la cerise à un boisé grillé agréable. Les tanins, puissants en attaque, révèlent de la maturité, de l'harmonie et beaucoup d'équilibre. Un vin typé, de caractère, à découvrir sur une poularde dans trois à cinq ans. Le **Château Croix-Beauséjour 2004 Élevé en fût de chêne (5 à 8 €)**, cru principal du domaine, obtient une étoile.

Olivier Laporte, Ch. Croix-Beauséjour, Arriailh, 33570 Montagne, tél. 05.57.74.69.62, fax 05.57.74.59.21, e-mail olaporte@laposte.net
r.-v.

CH. CÔTES DE CHAMBEAU 2004 *

11 ha 54 400 5 à 8 €

Depuis trois générations dans la même famille, ce cru présente un 2004 à la robe pourpre vif, dont le bouquet marie harmonieusement les fruits noirs et les épices. Les tanins soutiennent solidement la chair pleine et persistante, autorisant une garde de trois à six ans.

Alain et Christophe Baudet, Cornuaud, 33570 Montagne, tél. 05.57.74.51.10, fax 05.57.74.50.01

CH. LA COUROLLE Élevé en fût de chêne 2004

13,5 ha 30 000 5 à 8 €

La quatrième génération est aujourd'hui aux commandes de ce domaine complanté à 80 % de merlot et à 20 % de cabernet franc. Ce 2004 est un vin agréable, au bouquet bien fruité et légèrement vanillé. La bouche joue la rondeur plus que la puissance, livrant une matière souple aux tanins fondus. Une bouteille à ouvrir dès à présent.

SCEA Vignobles Guimberteau, 9, Arriailh, 33570 Montagne, tél. 05.57.74.62.38, fax 05.57.74.50.78, e-mail lesvignoblesguimberteau@wanadoo.fr
r.-v.

CH. LA COURONNE 2004 *

11 ha 41 000 8 à 11 €

Élevé un an sur lies fines, ce 2004, un pur merlot, est surprenant. Sous une robe rouge très foncé, presque noire, le bouquet expressif mêle la griotte et le cacao. D'attaque souple et onctueuse, la bouche affiche du volume, du gras et des tanins très présents jusqu'en finale. Un vin au réel potentiel à découvrir dans trois à quatre ans.

Thomas Thiou, Ch. La Couronne, BP 10, 33570 Montagne, tél. 05.57.74.66.62, fax 05.57.74.51.65, e-mail lacouronne@aol.com
r.-v.

L'ENVIE 2004 **

2 ha 8 000 11 à 15 €

Assemblage de merlot (90 %) et de cabernet-sauvignon (10 %), cette cuvée affiche une robe pourpre soutenu et brillant. Le bouquet intense joue sur la vanille, le grillé et les fruits noirs. Le palais très mûr, velouté et gras en attaque, évolue avec finesse, fraîcheur et beaucoup de longueur. Ce vin racé, « belle extraction de raisin mûr », comme le note un dégustateur, mérite un vieillissement de trois à six ans. La cuvée classique, le **Château Vieux Bonneau 2004 (5 à 8 €)**, obtient une étoile ; caractérisée par une expression aromatique discrète de fruits mûrs et par une structure souple et équilibrée, elle se boira plus jeune, d'ici deux ou trois ans.

SCEV Despagne et Fils, 3, Bonneau, 33570 Montagne, tél. 05.57.74.60.72, fax 05.57.74.58.22, e-mail despagne@tiscali.fr
t.l.j. sf dim. 8h30-12h30 14h-19h

CH. FAIZEAU Sélection Vieilles Vignes 2004

12 ha 24 000 11 à 15 €

Ancien prieuré de l'abbaye de Faize jusqu'à la Révolution, cette propriété familiale est une valeur sûre de l'appellation, qui a plus d'un coup de cœur à son actif. Elle propose un 2004 rouge sombre, au bouquet fruité marqué par le boisé. Attaquant en souplesse, la bouche évolue ensuite sur des tanins puissants encore un peu rustiques. L'harmonie devrait être meilleure dans deux à trois ans.

Chantal Lebreton, SCE Ch. Faizeau, 33570 Montagne, tél. 05.57.24.68.94, fax 05.57.24.60.37, e-mail contact@chateau-faizeau.com
r.-v.

CH. GACHON 2004

15 ha 90 000 5 à 8 €

À l'origine tailleurs de pierre, les Arvouet achètent leurs premières vignes à la fin du XIXe s., au lieu-dit Gachon. Le mariage de Sylvie Arvouet et de Guy Arpin en 1950 fait entrer ces vignes dans la famille de ce dernier. Ce 2004 livre un bouquet intense de cuir, de poivre et de toasté. Souple, assez charnu, sans grande complexité mais bien équilibré, il est prêt à passer à table.

EARL Vignobles G. Arpin, Chantecaille, 33330 Saint-Émilion, tél. 06.22.08.70.56, fax 05.57.51.96.75, e-mail vignobles.g.arpin@wanadoo.fr
r.-v.

CH. GRAND BARAIL 2004 *

7 ha 50 000 8 à 11 €

15 % de cabernet-sauvignon viennent compléter le merlot dans l'assemblage de ce 2004 rubis soutenu. Le bouquet expressif est marqué par les fruits rouges, avec une petite note de cerise noire. Les tanins sont charnus, assez corsés et très vineux en fin de bouche. Une bouteille à ouvrir dans deux ou trois ans. La cuvée **Révélation 2004** du château est citée.

EARL Vignobles D. et C. Devaud, Ch. de Faise, 33570 Les Artigues-de-Lussac, tél. 05.57.24.31.39, fax 05.57.24.34.17
r.-v.

CH. GRAND BARIL Élevé en fût de chêne 2004 *

28 ha 19 000 8 à 11 €

Établissement public d'enseignement agricole, le lycée de Montagne a été créé en 1969 dans le but de former les jeunes de la région aux métiers de la vigne et du vin. Faisant partie des domaines du lycée, Grand Baril propose un 2004 à la robe profonde brillant de reflets pourpres et aux arômes de grillé et de toasté rehaussés de notes de cerise à l'eau-de-vie. La structure tannique fraîche, charnue et boisée évolue avec une bonne persistance. Une bouteille à ouvrir dans deux à trois ans.

Lycée viticole de Libourne-Montagne, Goujon, 33570 Montagne, tél. 05.57.55.21.22, fax 05.57.55.13.53, e-mail expl.legta.libourne@educagri.fr
r.-v.

Ministère de l'Agriculture

CH. GUILLOU 2004

3,5 ha 10 000 8 à 11 €

Repris en 2002 par la famille Saby, ce domaine, complanté de merlot et de cabernet franc et exposé plein sud, devrait exprimer son potentiel dans le futur. Son 2004 se distingue déjà par sa finesse et son équilibre ; les arômes fruités du nez se retrouvent dans une matière mûre et concentrée, assez flatteuse. Une bouteille qui peut être bue dès aujourd'hui.

Vignobles Jean-Bernard Saby et Fils, Ch. Rozier, 33330 Saint-Laurent-des-Combes, tél. 05.57.24.73.03, fax 05.57.24.67.77, e-mail info@vignobles-saby.com
r.-v.

CH. HAUT BONNEAU
L'Éloïna-David Élevé en fût de chêne 2004

■ 1 ha 6 000 11 à 15 €

Cette cuvée, qui rend hommage à la petite-fille du premier propriétaire du domaine, est une curiosité car elle est issue du seul cabernet franc. Élevée dix-huit mois en barrique de chêne neuf, elle dévoile un bouquet intense évoquant le pain grillé et les fruits noirs. La structure, ample et équilibrée, montre encore une pointe d'austérité en finale. Une garde de deux à trois ans permettra à l'ensemble de se fondre.

Héritiers Marchand, 4, Bonneau, 33570 Montagne, tél. et fax 05.57.74.69.23 r.-v.

CH. HAUT-GOUJON 2004 *

■ 8 ha 12 000 8 à 11 €

Cette propriété familiale présente un vin issu de merlot (75 %) et de cabernet-sauvignon (25 %) plantés sur un terroir argilo-graveleux. La robe pourpre profond s'orne de reflets rubis. Le nez, d'abord marqué par l'élevage en fût (notes de pain grillé), libère à l'aération des arômes de fruits noirs. Suave, rond et aimable, le palais évolue avec chaleur vers une finale aux tanins fondus. À garder en cave deux ou trois ans puis à décanter avant de servir.

SCEA Garde et Fils, Goujon, 33570 Montagne, tél. 05.57.51.50.05, fax 05.57.25.33.93, e-mail contact@chateauhautgoujon.com r.-v.

CH. DE MAISON NEUVE 2004

■ 62 ha 480 000 5 à 8 €

Cette vaste propriété de 78 ha est conduite par Michel Coudroy depuis près de quarante ans. Son 2004 à la robe rubis est élevé pour un tiers dans le bois. Le bouquet naissant de griotte s'agrémente d'une petite note boisée. Les tanins sont frais et élégants, légèrement vanillés. Encore fermes en finale, ils profiteront d'un séjour en cave de deux à trois ans pour s'arrondir.

Michel Coudroy, Maison-Neuve, 33570 Montagne, tél. 05.57.74.62.23, fax 05.57.74.64.18, e-mail michel-coudroy@wanadoo.fr t.l.j. 8h-12h 14h-17h

CH. DES MOINES 2004 *

■ 16 ha 48 000 11 à 15 €

Né sur un terroir d'argiles rouges à sous-sol calcaire, ce vin assemble le merlot (majoritaire) aux deux cabernets et au cot. Sous une robe rubis intense, le bouquet fin et net est aujourd'hui dominé par un boisé torréfié et toasté. Les tanins charnus, gras et bien équilibrés sont encore marqués par l'élevage en barrique. Trois à cinq ans de garde permettront à cette bouteille de gagner en harmonie.

Raymond Tapon, Ch. des Moines, 33570 Montagne, tél. 05.57.74.61.20, fax 05.57.74.61.19, e-mail information@tapon.net r.-v.

CH. NÉGRIT 2004 *

■ 15,5 ha 90 000 5 à 8 €

Le merlot (95 %) domine dans l'assemblage de ce 2004 qui respire la jeunesse : la robe revêt une teinte vive et violacée, et le bouquet se montre frais et minéral, avec des nuances boisées. En bouche, les tanins mûrs et bien extraits révèlent un potentiel de garde important, d'au moins cinq à sept ans. La cuvée spéciale 100 % merlot du château, l'**Héritage de Négrit 2004 (5 à 8 €)**, est citée. Elle se distingue par un boisé fondu, des tanins mûrs et structurés. À attendre deux à quatre ans.

SCEV Lagardère, Négrit, 33570 Montagne, tél. 05.57.74.61.63, fax 05.57.74.59.62, e-mail vignobleslagardere@wanadoo.fr r.-v.

CH. LA PAPETERIE 2004

■ 3,01 ha 20 000 8 à 11 €

Situé en pied de côte à l'emplacement d'un ancien moulin de pâte à papier, ce château présente un 2004 à la robe pourpre soutenu et aux arômes élégants de fruits noirs et de fumé. Les tanins puissants se montrent encore un peu serrés en fin de bouche et invitent à attendre ce vin un à trois ans.

Charles Estager, Ch. Fougeailles, 33500 Néac, tél. 05.57.51.35.09, fax 05.57.25.95.20, e-mail contact@estager-vin.com r.-v.

CH. PEY LAMOTHE La Référence 2004

■ 2,5 ha 15 000 8 à 11 €

Vinifiant en cave particulière depuis 2000, Didier Peytour propose cette cuvée à la robe brillante légèrement tuilée et au bouquet délicat fait de fruits rouges et d'abricot. Les tanins, frais et équilibrés en attaque, se révèlent plus fermes en finale. Un vin représentatif de son millésime, à boire dès maintenant ou d'ici quelques années.

Didier Peytour, 8, Bourseau, 33570 Lussac, tél. et fax 05.57.74.57.79, e-mail didier.peytour@terre-net.fr t.l.j. sf dim. 9h-12h 14h-19h; f. 25 août-15 sept.

CH. PLAISANCE 2004

■ 17,44 ha n.c. 5 à 8 €

Établi sur un peu plus de 17 ha plantés principalement en merlot (90 %), ce cru est conduit suivant les principes de l'agriculture raisonnée. Son 2004 se distingue surtout par son harmonie aromatique (fruits rouges, vanille), par sa souplesse et par son équilibre qui autorisent à le boire dès aujourd'hui. On pourra aussi le garder deux ou trois ans.

Les Celliers de Bordeaux Benauge, 18, rte de Montignac, 33760 Ladaux, tél. 05.57.34.54.00, fax 05.56.23.48.78, e-mail ducourt@ducourt.com r.-v.

CH. PONT DE PEYRAT Cuvée Clos Robin 2004

■ 0,5 ha 1 800 8 à 11 €

Clos Robin est le nom de la parcelle de merlot qui a produit cette microcuvée à la robe noire intense. Son bouquet expressif mêle les fruits mûrs à un boisé grillé. La bouche est ronde, puissante, sans grande longueur mais bien équilibrée. À boire maintenant ou à garder quelques années.

Christophe Baudet, 6, Cornuau, 33570 Montagne, tél. et fax 05.57.74.50.01 r.-v.

CH. PUYNORMOND Les Vieilles Vignes 2004 *

■ 1,5 ha 7 000 8 à 11 €

Sur la propriété subsiste une parcelle de très vieilles vignes de merlot, plantées en 1923 avant l'achat du domaine par l'arrière-grand-père de l'actuel propriétaire. Elles ont produit un vin à la robe éclatante et au bouquet de fruits rouges mêlés de cuir et de vanille. Les tanins ronds et gras sont encore un peu dominés par un boisé intense mais l'équilibre final permet d'entrevoir un avenir plus harmonieux, d'ici deux à cinq ans.

⊶ Philippe Lamarque, BP 4, 33570 Puisseguin,
tél. 05.57.74.66.69, fax 05.57.74.52.62,
e-mail lamarque.philippe@wanadoo.fr
t.l.j. sf dim. 8h30-12h30 14h-19h

CH. ROC DE CALON Cuvée Prestige 2004

■ 6 ha 15 000 11 à 15 €

Régulièrement sélectionnée dans le Guide, cette Cuvée Prestige fut même coup de cœur dans le millésime 2001. Le 2004 affiche une robe pourpre aux reflets rubis et livre un bouquet ouvert sur le fruit mûr et la vanille. La bouche est puissante, un peu austère mais de bonne persistance. À boire ou à garder quelques années.

⊶ Bernard Laydis, Barreau, 33570 Montagne,
tél. 05.57.74.63.99, fax 05.57.74.51.47,
e-mail rocdecalon@wanadoo.fr r.-v.

CH. ROCHER CORBIN 2004 *

■ 9,2 ha 54 000 11 à 15 €

Coup de cœur pour son 2001, ce château s'affirme année après année comme une valeur sûre de l'appellation. Sous sa robe cerise brillant, son 2004 développe un bouquet intense et élégant mariant le boisé torréfié et les fruits mûrs. Les tanins veloutés, riches et déjà fondus se prolongent dans une finale savoureuse. À boire dès maintenant ou à attendre quelques années pour un plus grand plaisir.

⊶ Philippe Durand,
SCE Ch. Rocher Corbin, Le Roquet, 33570 Montagne,
tél. 05.57.74.55.92, fax 05.57.74.53.15 r.-v.

DOM. DU ROUDIER 2004

■ n.c. 13 000 11 à 15 €

Entièrement rénové en 2000, ce cru bénéficie de tout le savoir-faire du propriétaire d'un cru classé de Saint-Émilion, le château La Couspaude. Le bouquet vineux de ce 2004 est rehaussé de notes boisées vanillées et toastées. Souple à l'attaque, la bouche évolue avec équilibre sur des tanins encore un peu marqués par l'élevage. À laisser en cave pendant deux ou trois ans.

⊶ Vignobles Aubert, Ch. La Couspaude,
33330 Saint-Émilion, tél. 05.57.40.15.76,
fax 05.57.40.10.14,
e-mail vignobles.aubert@wanadoo.fr r.-v.

CH. SAINT-JACQUES CALON
Cuvée des Moulins Élevé en fût de chêne 2004

■ 2 ha 9 000 8 à 11 €

Située sur la butte de Calon (114 m), un des points culminants de la Gironde, cette propriété se trouve sur le chemin de Compostelle, ce qui explique son nom. Elle propose une cuvée au bouquet de fruits rouges sur fond boisé. Ronde à l'attaque, la bouche livre une matière aux tanins encore marqués par leur élevage sous bois. Une bouteille à ouvrir dans deux ou trois ans.

⊶ Frédéric Maule,
Ch. Saint-Jacques Calon, BP 9 - La Maçonne,
33570 Montagne, tél. 05.57.74.62.43,
fax 05.57.74.53.13, e-mail stjacquescalon@free.fr
r.-v.

CH. TOUR BAYARD Élevé en fût de chêne 2004 *

■ 3 ha 6 000 5 à 8 €

Ce vignoble, implanté sur des coteaux orientés plein sud, est complanté de merlot et de malbec. Son 2004 s'habille d'une robe pourpre soutenu et associe harmonieusement un boisé élégant à des notes fruitées. Mûrs, soyeux et onctueux dans leur évolution, les tanins laissent augurer un grand plaisir dans deux à cinq ans.

⊶ Fanny Richard, Bayard, 33570 Montagne,
tél. 05.57.74.51.05, fax 05.57.74.53.10 r.-v.

CH. TOUR MUSSET 2004 *

■ 30 ha 44 750 8 à 11 €

Un tiers de cabernet complète harmonieusement le merlot dans ce 2004 à la robe rubis soutenu. Le bouquet intense marie le fruit rouge à un boisé très fin. Les tanins souples, déjà soyeux en finale, dessinent une bouteille à boire dans sa jeunesse, d'ici un à trois ans.

⊶ SAS Tour Saint-Christophe, Morin, 33550 Capian,
tél. 05.57.97.75.75, fax 05.56.72.13.23 r.-v.

⊶ MAAF Assurances

CH. LA TUILERIE DES COMBES
Cuvée Rubens 2004 **

■ n.c. n.c. 15 à 23 €

Cette microcuvée assemble 70 % de merlot et 30 % de cabernet franc plantés sur un terroir argilo-calcaire. Il en résulte un 2004 complexe et plaisant, au bouquet fin et frais déclinant le fruit noir, le menthol, le boisé torréfié et vanillé. Grasse et veloutée en attaque, la bouche évolue sur une matière riche aux tanins présents mais enrobés. Un vin de grande classe à garder cinq ans en cave.

⊶ Ch. La Tuilerie des Combes, 33570 Lussac,
tél. 05.57.74.67.98, fax 05.57.74.00.06,
e-mail latuilerie@skynet.be

VIEUX CHÂTEAU PALON 2004 **

■ 5,13 ha 30 000 11 à 15 €

« Amour, Rigueur, Travail symbolisent par leurs initiales l'ART du propriétaire à élaborer de grands vins », telle est la devise de ce cru, que ce remarquable 2004 ne fera pas mentir. La robe brillante est presque noire et les arômes gourmands de fruits rouges et de pruneau sont rehaussés de notes boisées (vanille et pain grillé). L'attaque suave et généreuse ouvre la voie à des tanins puissants et équilibrés avant une finale marquée par le retour des arômes du bouquet. Une grande bouteille à déguster sur une côte de bœuf dans trois à six ans.

⊶ Vignobles Naulet, Mondou,
33330 Saint-Sulpice-de-Faleyrens, tél. 06.89.10.90.01,
fax 05.57.51.23.79, e-mail vignobles.naulet@wanadoo.fr
r.-v.

⊶ Grégory Naulet

Puisseguin-saint-émilion

La plus orientale des voisines de saint-émilion, d'une superficie de 753 ha ; le millésime 2005 a représenté 34 648 hl.

CH. DE L'ANGLAIS 2004 *

■ 3 ha 18 000 8 à 11 €

L'histoire raconte qu'au lendemain de la bataille de Castillon qui mit fin à la guerre de Cent Ans, un soldat anglais du général Talbot s'installa sur les coteaux dominant la vallée de la Dordogne. Pierre Troisgros, célèbre restaurateur, a racheté avec des associés ce cru régulier dans la qualité, comme le montre ce 2004 pourpre soutenu. Le nez frais est marqué par d'agréables notes

vanillées et grillées. Le palais présente des tanins souples et structurés dans un ensemble bien équilibré. Un vin à boire d'ici un à trois ans.
SARL du Ch. de L'Anglais, Langlais,
33570 Puisseguin, tél. et fax 05.57.74.58.94,
e-mail francois.brissot@numericable.fr r.-v.

CH. BAYENS 2004 ★★

n.c. 15 000 5 à 8 €

Élaboré par la cave coopérative de Puisseguin, ce vin est issu d'une sélection de parcelles de merlot (80 %), de cabernet franc (15 %) et de cabernet-sauvignon (5 %). Ce 2004 brille d'une couleur pourpre aux reflets violines et mêle la griotte, le cassis et la myrtille à un boisé délicat. La bouche présente du gras, du volume et de l'onctuosité, et est soutenue par des tanins savoureux et structurants. Plaisir intense d'ici deux à trois ans.
Les Producteurs réunis de Puisseguin et
Lussac-Saint-Émilion, Durand, 33570 Puisseguin,
tél. 05.57.55.50.40, fax 05.57.74.57.43 r.-v.
Xavier Lacroix

CH. LE BERNAT 2004 ★

5,92 ha 34 800 11 à 15 €

Auteur d'un recueil de poèmes en l'honneur du saint-émilion, le propriétaire ne manque pas non plus de talent de vigneron, comme le prouve ce 2004. Sous sa robe pourpre soutenu, les parfums de cerise confite, d'épices et de boisé dessinent un bouquet complexe. La bouche charnue et soyeuse évolue avec puissance et persistance aromatique. À déboucher d'ici deux à trois ans.
SARL Ch. Le Bernat, 1, Champs-des-Boys,
33570 Puisseguin, tél. 05.57.74.58.54,
fax 05.57.74.59.02 t.l.j. 10h-12h 14h-18h

CH. BRANDA 2004

9,63 ha 68 800 11 à 15 €

99 **00** **01** 04

Cette cuvée, assemblage de merlot (80 %) et de cabernet franc, représente l'intégralité de la production du domaine. Son bouquet marie agréablement les fruits noirs et les épices. La bouche joue la souplesse plus que la puissance, offrant une matière ronde et équilibrée aux jolies notes de fruits. Un 2004 prêt à boire.
SC Ch. du Branda, Roques, 33570 Puisseguin,
tél. 05.57.74.62.55, fax 05.57.74.57.33,
e-mail chateau.branda@wanadoo.fr r.-v.

CH. FONGABAN 2004 ★★

8 ha 30 000 8 à 11 €

Cette superbe maison girondine datant du tout début du XIX^e^s. fait face au château féodal de Monbadon. Elle est située au cœur d'un excellent terroir argilo-calcaire, comme en témoigne ce millésime, dans la même veine que les 2003 et 2001 également couronnés. Ce 2004 affiche une robe rubis foncé brillant et des arômes de fruits rouges, de vanille et de menthol d'une réelle élégance. Les tanins puissants et harmonieux dévoilent une bouteille racée et de caractère. La finale typée et longue laisse espérer une garde d'au moins trois à huit ans.
Ch. Fongaban, Monbadon,
33570 Puisseguin,
tél. 05.57.74.54.07, fax 05.57.74.50.97,
e-mail fongaban@vignobles-taix.com
t.l.j. sf sam. dim. 9h-12h 13h30-18h
G. Taix

CH. GRAND BOISSAC 2004 ★

n.c. 12 000 5 à 8 €

Vinifié par la cave coopérative, ce vin assemble le merlot (80 %) aux cabernets. La robe est pourpre profond et le bouquet développe des nuances de petits fruits rouges, d'épices et de boisé délicat. Dense, rond et puissant à la fois, le palais évolue avec finesse et harmonie. Cette bouteille se dégustera sur une grillade dans un à trois ans. Également élaborée par la cave, la cuvée **Prémya 2004 (15 à 23 €)**, marquée par un boisé de qualité qu'il faut laisser se fondre au moins deux à quatre ans, obtient également une étoile.
Les Producteurs réunis de Puisseguin
et Lussac-Saint-Émilion, Durand,
33570 Puisseguin, tél. 05.57.55.50.40,
fax 05.57.74.57.43 r.-v.
Dominique Goujou

CH. GUIBOT La Fourvieille 2004 ★★

10 ha 36 000 15 à 23 €

98 99 **00** **01** **02** **03** **04**

Le père d'Henri Bourlon, arrivé du Mexique où sa famille s'était installée, a acheté Guibeau, puis épousé la fille des propriétaires voisins de la Fourvieille. Les deux propriétés ont fusionné, d'où le nom actuel de ce cru. Le domaine obtient un coup de cœur pour la troisième année consécutive avec ce 2004 à la robe sombre aux reflets noirs. Le bouquet explosif mêle le grillé boisé et les petits fruits noirs et rouges. Les tanins sont veloutés, puissants et parfaitement équilibrés. Ce très grand vin s'appréciera dans cinq à huit ans. Du même propriétaire, le **Vieux Château Guibeau 2004 (5 à 8 €)** obtient une étoile : c'est un vin plaisir, à boire dès aujourd'hui.
Henri Bourlon, Ch. Guibeau, 33570 Puisseguin,
tél. 05.57.55.22.75, fax 05.57.74.58.52,
e-mail vignobles.henri.bourlon@wanadoo.fr
r.-v.

CH. HAUT-FAYAN

Cuvée Excellence Élevé en fût de chêne 2004 ★

■ 6,92 ha 10 000 8 à 11 €

Cette cuvée est issue à 95 % du cépage merlot. Elle brille d'une robe pourpre soutenu, sous laquelle on découvre un bouquet intense et agréable de musc, d'épices et de torréfaction. En bouche, l'attaque est souple, fraîche, puis la puissance se révèle avec la montée des tanins encore un peu austères en finale. Attendre impérativement deux à quatre ans pour ouvrir cette bouteille qui ne manque pas d'élégance.

SCEA Vignobles Poitou-Operie, Ch. Haut-Fayan, 33570 Puisseguin, tél. 05.57.74.59.97, fax 05.57.74.54.82 r.-v.

CH. LACABANNE-DUVIGNEAU

Sélection Vieilles Vignes Élevé en fût de chêne 2004 ★★

■ 0,8 ha 4 000 11 à 15 €

Cette propriété dominant toute la région se transmet depuis 1870 de génération en génération. Le savoir-faire est évident lorsque l'on déguste ce 2004, 100 % merlot, dont la robe presque noire s'allume de mille feux. Le nez marie harmonieusement les fruits rouges confits et les épices. Les tanins sont mûrs, veloutés et longs en bouche. Un vin de grande garde, à laisser vieillir trois à six ans minimum. La **cuvée classique 2004 (8 à 11 €)** obtient une étoile : de même style mais moins dense, elle s'appréciera plus jeune, d'ici un à trois ans.

Vignobles Célerier, Moulin Courrech, 33570 Puisseguin, tél. 05.57.74.61.75, fax 05.57.74.52.79, e-mail vignoblescelerier@wanadoo.fr r.-v.

CH. LAFAURIE 2004

■ 5 ha 30 000 8 à 11 €

Le merlot (60 %) et les deux cabernets à parts égales constituent l'assemblage de ce vin, fidèle des sélections du Guide. Ce 2004 s'habille d'une robe rouge cerise éclatant, sous laquelle perce un bouquet naissant de petits fruits rouges. Sa structure en bouche est ronde, friande et fraîche. Un ensemble simple, déjà épanoui et prêt à boire.

Vignobles Paul Bordes, Faize, 33570 Les Artigues-de-Lussac, tél. 05.57.24.33.66, fax 05.57.24.30.42 r.-v.

CH. LANBERSAC

Cuvée Louisa Lecoester Élevé en fût de chêne 2004 ★

■ 2 ha 5 000 11 à 15 €

Françoise et Philippe Lannoye ont repris ce domaine en 2001. Ils produisent cette cuvée en hommage à la grand-mère de la propriétaire, flamande au caractère affirmé. Ce 2004 a certes du caractère avec ses arômes intenses de fleurs, de vanille et de fruits confits. La bouche n'est pas en reste, exhibant des tanins gras et volumineux, charnus en finale. Le bon équilibre laisse présager un avenir raisonnable à ce vin – au moins trois à six ans.

Lannoye, Le Chais, 33570 Puisseguin, tél. 05.57.55.23.28, fax 05.57.55.23.29, e-mail lannoye@vignoble-bx.fr r.-v.

LES LAURETS

Baron Edmond de Rothschild 2004 ★★

■ 4 ha 23 896 23 à 30 €

Cette cuvée est une sélection de vieilles vignes (90 % merlot, 10 % cabernet franc), vinifiée et élevée comme un

grand cru. Sous la robe rubis intense, le nez complexe et puissant mêle des arômes toastés, des parfums de fruits mûrs et de moka. Les tanins veloutés, riches et structurés sont en harmonie avec un boisé marqué mais de qualité. Un vin à attendre trois à huit ans. La **cuvée classique 2004 (15 à 23 €)** obtient elle aussi deux étoiles ; puissante et élégante, déjà harmonieuse, elle peut être bue dès à présent et permettra d'attendre la cuvée spéciale.

Cuber, Ch. Clarke, 33480 Listrac-Médoc, tél. 05.56.58.38.00, fax 05.56.58.26.46, e-mail contact@cver.fr r.-v.

CH. MOUCHET

Cuvée Fernand Ginestet Élevé en fût de chêne 2004 ★

■ 6 ha 15 600 5 à 8 €

Élaboré par la maison de négoce Ginestet et rendant hommage à son fondateur, ce très beau 2004 se distingue par une robe rubis aux reflets carminés. Son nez discret laisse percer des arômes délicats de prune à l'eau-de-vie. Sa structure tannique est ronde et équilibrée, de facture très classique. Un vin à oublier un à trois ans dans une bonne cave.

Ginestet, 19, av. de Fontenille, 33360 Carignan-de-Bordeaux, tél. 05.56.68.81.82, fax 05.56.68.81.81, e-mail contact@ginestet.fr r.-v.

CH. DE PUISSEGUIN CURAT

Élevé en fût de chêne 2004

■ 1 ha 3 000 8 à 11 €

Ce château faisait partie des terres royales de Guyenne, au temps d'Henri IV. Cette cuvée spéciale, assemblage de 80 % de merlot et de 20 % de cabernet franc, dévoile sous une robe vive et brillante des parfums de fruits mûrs et de vanille harmonieux. La structure est ronde, équilibrée et assez persistante, encore marquée par les tanins en finale. Une bouteille à laisser vieillir deux ou trois ans.

EARL du Ch. de Puisseguin Curat, Curat, 33570 Puisseguin, tél. 05.57.74.51.06, fax 05.57.74.54.29, e-mail chateau-de-puisseguin-curat@wanadoo.fr t.l.j. sf dim. 9h-19h; f. 15-31 août

CH. ROC DE BOISSAC 2004 ★

■ 4 ha 22 000 8 à 11 €

30 % de cabernet-sauvignon en complément du merlot apportent une touche originale à ce 2004 qui s'annonce par une robe pourpre aux nuances rubis. Le bouquet exprime des arômes élégants de fruits frais et d'épices. Les tanins, fermes et intenses en attaque, évoluent avec beaucoup de velours et de puissance vers une finale assez longue. Une bouteille à ouvrir d'ici deux ans.

SARL Roc de Boissac, 33570 Puisseguin, tél. 05.57.74.61.22, fax 05.57.74.59.54 r.-v.

SCI de Boissac

CH. SEIGLA-LAPLAGNE 2004 *

■ 4 ha 21 000 8 à 11 €

Comptant depuis quelques années parmi les valeurs sûres de l'appellation, ce domaine confirme son savoir-faire avec deux vins retenus dans notre sélection. Ce 2004, tout d'abord, élevé pour moitié en cuve et pour l'autre moitié en fût, à la robe pourpre soutenu et brillant et au bouquet naissant de réglisse, de framboise, de boisé et d'épices. Les tanins veloutés, bien mûrs et équilibrés s'épanouiront après deux à trois ans de garde. Le **Château Haut-Laplagne 2004 (15 à 23 €)** est cité : aujourd'hui dominé par un boisé intense, qui masque un peu trop le vin, il n'en garde pas moins une fraîcheur finale prometteuse pour la garde (à attendre trois ans encore).

SCEA Anne Godet, La Plaigne, 33570 Puisseguin, tél. 05.46.41.10.66, fax 05.46.50.59.90 r.-v.

Saint-georges-saint-émilion

Séparé du plateau de Saint- Émilion par la Barbanne, le terroir de saint-georges présente une grande homogénéité avec des sols presque exclusivement argilo-calcaires. En 2005, 9 333 hl ont été déclarés pour une superficie de 192 ha.

CH. BELAIR SAINT-GEORGES
Réserve du château 2004 *

■ 9,7 ha 15 000 8 à 11 €

Exposé plein sud, ce château bénéficie d'un superbe point de vue sur Saint-Émilion. Issue de vignes de quarante ans, sa Réserve livre un bouquet naissant et subtil, fait de griotte et de cannelle. La structure suave, ample évolue avec finesse et une bonne persistance aromatique. Une bouteille à boire ou à garder quelques années.

Nadine Pocci-Le Menn, Ch. Belair Saint-Georges, 33570 Montagne, tél. 05.57.74.65.40, fax 05.57.74.51.64 r.-v.

CLOS DU PAVILLON SAINT-GEORGES 2004 *

■ 0,6 ha 3 000 30 à 38 €

2004 est le premier millésime de cette microcuvée issue de pur merlot cultivé en agriculture biologique. Sous la robe grenat aux reflets rubis, le bouquet encore discret est marqué par du boisé et des notes de sous-bois. En bouche, les tanins sont étoffés, francs et de longueur moyenne. Une bouteille à ouvrir d'ici un à deux ans.

Nicole Tapon et Jean-Christophe Renaut, Clos du Pavillon Saint-Georges, 33570 Montagne, tél. 05.57.74.61.20, fax 05.57.74.61.19 r.-v.

CH. LA CROIX DE SAINT-GEORGES 2004 **

■ 6,58 ha n.c. 8 à 11 €

96 97 |98| 99 |00| |01| 02 03 **04**

Ce cru faisait autrefois partie du château Saint-Georges, fleuron de l'appellation. Il présente un 2004 issu à 50 % de merlot complété par du cabernet franc et du cabernet-sauvignon. La robe pourpre intense est profonde et le bouquet complexe marie harmonieuement les fruits rouges, la mûre et la cannelle. Les tanins, très francs et vifs en attaque, évoluent avec de la maturité et beaucoup d'équilibre. Tout est réuni pour faire de cette bouteille un vrai moment de plaisir dans deux à cinq ans.

Jean de Coninck, Ch. du Pintey, 75, av. de la Roudet, 33500 Libourne, tél. 05.57.51.03.04, fax 05.57.51.03.99 r.-v.

CH. DIVON 2004 *

■ 4,75 ha 18 000 8 à 11 €

Dans la même famille depuis 1850, cette maison girondine commande un beau vignoble situé sur un terroir argilo-calcaire classique de la région. Elle propose un 2004 aux parfums de fruits légèrement relevés de notes boisées et toastées. La structure est souple, assez étoffée et déjà très harmonieuse. Une bouteille à ouvrir dès maintenant et pendant trois à cinq ans.

Christian Andrieu, SCEA Ch. Divon, Divon n° 3, 33570 Montagne, tél. 05.57.74.66.07, fax 05.57.74.53.79 t.l.j. 9h-12h 14h-19h

CH. MOULIN LA BERGÈRE 2004 *

■ 5 ha 25 000 8 à 11 €

Acheté en 1998, ce cru commence à tirer profit de la politique qualitative de ses propriétaires passionnés. Issu à 80 % de merlot et à 20 % de cabernets, son 2004 mérite le détour : la couleur rouge cerise est éclatante et le bouquet marqué par le fruit et les épices. Les tanins sont mûrs, très présents, et apportent de la fraîcheur en finale. Ce vin déjà harmonieux gagnera à vieillir deux à cinq ans.

SCEV André et Camille Benoist, Ch. La Bergère, 33570 Montagne, tél. 05.57.74.61.61, fax 05.57.74.64.86, e-mail labergere33@wanadoo.fr r.-v.

CH. SAINT-ANDRÉ CORBIN 2004 ***

■ 19,5 ha 50 000 11 à 15 €

Repris en 2002 par la famille Saby, déjà propriétaire à Saint-Émilion et à Fronsac, ce domaine idéalement situé sur un plateau argilo-calcaire et planté de vignes d'une cinquantaine d'années présente un 2004 exceptionnel, coup de cœur unanime du grand jury. La robe grenat brille de reflets violets magnifiques ; le bouquet intense et subtil à la fois marie le cassis et la mûre à un boisé élégant. Les tanins puissants, mûrs, légèrement croquants, évoluent avec beaucoup de volume, de race et le palais affiche une réelle persistance aromatique. Un très grand vin à apprécier entre amateurs dans deux à huit ans.

Vignobles Jean-Bernard Saby et Fils, Ch. Rozier, 33330 Saint-Laurent-des-Combes, tél. 05.57.24.73.03, fax 05.57.24.67.77, e-mail info@vignobles-saby.com r.-v.

CH. SAINT-GEORGES 2004 *

■ 44 ha 300 000 🍷 15 à 23 €

93 94 **95** 96 **97** ⑱ |99| |00| **01 02** 03 04

Dans la même famille depuis le XIXe s., ce splendide château du XVIIIe s. est l'un des fleurons de la région, tant pour son achitecture, remodelée par Victor Louis, que pour la qualité de sa production – qui lui a valu cinq coups de cœur. 2004 ne fait pas exception, avec ce vin rubis légèrement tuilé, dont les arômes élégants évoquent les fruits frais et les fleurs. En bouche, c'est un vin séduisant, d'une structure tannique souple et harmonieuse, qui gagnera à vieillir encore deux à cinq ans.

Desbois, Ch. Saint-Georges, 33570 Montagne, tél. 05.57.74.62.11, fax 05.57.74.58.62, e-mail g.desbois@chateau-saint-georges.com r.-v.

CH. TROQUART Cuvée Auguste 2004 *

■ 0,75 ha 3 480 🍷 11 à 15 €

Rachetée en 1999, cette propriété a créé cette cuvée sur moins de 1 ha de merlot. En 2004, la cave a été rénovée et ce vin a sûrement bénéficié de ces investissements. Les parfums de boisé sont puissants et harmonieux et, en bouche, les tanins soyeux en attaque évoluent avec vivacité et équilibre, incitant à une garde de deux à cinq ans. La **cuvée classique 2004 (8 à 11 €)** est citée : son caractère fruité la rend agréable à boire dès aujourd'hui.

Ch. Troquart, Troquart, 33570 Montagne, tél. 05.57.74.62.45, fax 05.57.74.56.20, e-mail chateautroquart@aliceadsl.fr t.l.j. 9h-12h30 14h-18h; dim. sur r.-v.

Grégoire

Côtes-de-castillon

Née en 1989, l'appellation côtes-de-castillon reprend sur 3 040 ha la zone qui était dévolue à l'appellation bordeaux-côtes-de-castillon, c'est-à-dire les neuf communes de Belvès-de-Castillon, Castillon-la-Bataille, Saint-Magne-de-Castillon, Gardegan-et-Tourtirac, Sainte-Colombe, Saint-Genès-de-Castillon, Saint-Philippe-d'Aiguilhe, Les Salles-de-Castillon et Monbadon. Néanmoins, pour quitter le groupe « bordeaux », les viticulteurs doivent respecter des normes de production plus sévères, notamment en ce qui concerne les densités de plantation, qui sont fixées à 5 000 pieds par hectare. Un délai est laissé jusqu'en 2010, pour tenir compte des vignes existantes. En 2005, la production de côtes-de-castillon a atteint 138 384 hl.

CH. AMPÉLIA 2004 *

■ 2,09 ha 13 000 🍷 11 à 15 €

François Despagne, bien connu à Saint-Émilion (Grand-Corbin Despagne), a eu le coup de foudre il y a dix ans pour le plateau de Saint-Philippe d'Aiguilhe, où il a acquis cette propriété. Son 2004 à la robe pourpre dense livre des arômes de griotte confite, de pruneau et de réglisse en harmonie avec un boisé élégant. Les tanins sont soyeux, volumineux, enrobés par un élevage soigné. À apprécier dans deux à cinq ans. Issue de jeunes vignes, **La Dame d'Ampélia 2004 (5 à 8 €)** est citée. Elle peut se boire dès maintenant sur son fruit intense.

Murielle et François Despagne, 21, allée Robert-Boulin, 33500 Libourne, tél. 06.09.08.77.08, fax 05.57.74.18.78 r.-v.

CH. D'ARCE 2004

■ 5 ha 32 000 🍷 11 à 15 €

Éric Lenormand a acquis en 2002 ce vignoble commandé par une petite chartreuse. La robe grenat de son 2004 est sombre, les arômes élégants de fruits rouges, de fleurs et de réglisse invitent à découvrir la bouche souple et simple aux tanins ronds. Un vin agréable et friand pour un plaisir immédiat.

Éric Lenormand, Ch. Haut-Villet, 33330 Saint-Étienne-de-Lisse, tél. 05.57.47.97.60, fax 05.57.47.92.94, e-mail haut.villet@wanadoo.fr t.l.j. sf dim. 10h-12h 14h-18h

ARTHUS 2004 *

■ 2 ha 9 000 🍷 8 à 11 €

De vignes de quarante ans plantées sur argilo-calcaire, une vinification et un élevage soignés sont à l'origine de ce 2004 qui présente sous une robe grenat à reflets bleutés des arômes discrets de fruits mûrs, de cacao et de café. Les tanins souples et expressifs évoluent avec un joli fruité et l'ensemble fait preuve d'une bonne persistance. Un vin à boire ou à garder deux à cinq ans.

Richard et Danielle Dubois, Ch. Orisse du Casse, 33330 Saint-Sulpice-de-Faleyrens, tél. 05.57.24.72.75, fax 05.40.54.08.01, e-mail dubricru@terroirsenliberte.com r.-v.

CH. BEAUSÉJOUR 2004

■ n.c. 15 000 3 à 5 €

Une base de merlot (70 %) complétée par des cabernets à parts égales composent l'assemblage de ce 2004 à la robe grenat. Son bouquet discret de fruits rouges, sa structure tannique souple et harmonieuse, un peu simple en finale mais équilibrée en font un vin agréable et prêt à boire.

GAEC Verger, 4, chem. de Beauséjour, 33350 Saint-Magne-de-Castillon, tél. 05.57.40.13.14, fax 05.57.40.34.06 r.-v.

LE PIN DE BELCIER 2004

■ 3 ha 4 000 🍷 23 à 30 €

Cette cuvée haut de gamme du château de Belcier est issue à 80 % de merlot, complété par 10 % de cabernet franc et 10 % de malbec. La robe noire s'orne de reflets violacés, tandis que les arômes intenses de fruits rouges se marient à des notes d'épices. Les tanins francs et élégants se montrent un peu austères. L'harmonie devrait se révéler d'ici un à trois ans.

SCA Ch. de Belcier, 33350 Les Salles-de-Castillon, tél. et fax 05.57.40.67.58 r.-v.

CH. BEYNAT Cuvée Léonard 2004

■ 2 ha 10 000 🍷 8 à 11 €

Un encépagement équilibré entre merlot et cabernet-sauvignon, un élevage d'un an en fût (dont 20 % en fût neuf). Il en résulte un vin de couleur rouge soutenu, marqué par un boisé toasté et dont les tanins puissants demandent encore à se fondre. Une garde de deux à cinq ans est recommandée.

🔑 Xavier Borliachon, 27, rue de Beynat, 33350 Saint-Magne-de-Castillon, tél. 05.57.40.01.14, fax 05.57.40.18.51 ☑ 🍷 🚶 t.l.j. sf dim. 9h-19h

CH. LA BOURRÉE 2005 ★★

■ 10 ha 60 000 ▮◖◗ 5 à 8 €

À dominante de merlot (70 %), ce cru, coup de cœur dans le millésime 1997, termine cette année au pied du podium du grand jury. C'est dire la qualité de ce 2005, à la robe noire aux reflets rubis et aux parfums puissants de fruits noirs en harmonie avec des notes boisées. Les tanins mûrs et extraits en douceur évoluent avec ampleur et beaucoup d'harmonie. Il faudra attendre trois à sept ans cette bouteille. Du même propriétaire, le **Château Roque Le Mayne Élevé en fût de chêne 2005 (8 à 11 €)** est cité : c'est un vin puissant, un peu austère, qui demande également à vieillir (deux à trois ans).

🔑 SCEA Vignobles Meynard, 10, av. de La Bourrée, 33350 Saint-Magne-de-Castillon, tél. 05.57.40.17.32, fax 05.57.40.38.93, e-mail vignobles-meynard@wanadoo.fr ☑ 🍷 🚶 r.-v.

CH. BRISSON

Élevé et vieilli en barrique de chêne 2004

■ 19 ha 75 000 ◖◗ 8 à 11 €

Le cabernet (15 %) vient compléter le merlot pour donner ce 2004 rubis à reflets pourpres, au nez délicat de fruits des bois et de vanille. Sa structure en bouche est souple et équilibrée, avec une pointe d'amertume finale, signe qu'il faudra attendre encore un an ou deux pour un meilleur fondu.

🔑 EARL P. L. Valade, 1, Le Plantey, 33350 Belvès-de-Castillon, tél. 05.57.47.93.92, fax 05.57.47.93.37, e-mail paul.valade@wanadoo.fr ☑ 🍷 🚶 r.-v. 🏠 3

CH. CADET 2005 ★

■ 13 ha 60 000 8 à 11 €

Cette propriété a été créée en 1750 par les Cadets de Gascogne, dont la pièce d'Edmond Rostand *Cyrano de Bergerac* célèbre les exploits. On se souvient de la fameuse tirade de présentation de la compagnie : « Œil d'aigle, jambe de cigogne, moustache de chat, dents de loups ! ». Pour ce 2005, ce serait plutôt œil pourpre, bouche puissante, tanins fondus ! Un vin de caractère, comme ces illustres aînés, à découvrir d'ici un an ou deux.

🔑 SCEA Ch. Cadet, 3, Cadet, 33350 Saint-Genès-de-Castillon, tél. 05.57.47.95.15, fax 05.57.47.95.20, e-mail vias.philippe@wanadoo.fr ☑ 🍷 🚶 t.l.j. 8h-12h 13h-17h; f. août

🔑 Ph. Vias

CH. CAP DE FAUGÈRES 2004

■ 26 ha 95 000 ◖◗ 8 à 11 €

Acquis en avril 2005 par Silvio Denz, homme d'affaires suisse ayant réussi dans l'industrie des parfums, ce domaine présente son 2004 encore élaboré par Corinne Guisez. La robe pourpre montre des reflets violacés ; les arômes de fruits mûrs et de sous-bois sont délicatement agrémentés d'une touche boisée. Les tanins fruités évoluent avec un peu d'austérité et il faudra attendre un an ou deux pour boire ce vin.

🔑 Silvio Denz, Ch. Cap de Faugères, 33350 Sainte-Colombe, tél. 05.57.40.34.99, fax 05.57.40.36.14, e-mail faugeres@chateau-faugeres.com ☑ 🍷 🚶 r.-v.

CH. CASTEGENS

Sélection première Élevé en fût de chêne 2004

■ 28 ha 25 000 ◖◗ 5 à 8 €

Site de la reconstitution historique de la bataille de Castillon chaque été, ce château a également une vocation viticole bien ancrée et appartient à la même famille depuis le XVe s. Le bouquet fumé de son 2004 évoque aussi la vanille et le menthol. La bouche fraîche et élégante livre des tanins assez corsés et légèrement boisés. Ce vin prêt à boire a un potentiel de garde de l'ordre de deux à cinq ans.

🔑 SCEA J.-L. de Fontenay, Ch. Castegens, 33350 Belvès-de-Castillon, tél. et fax 05.57.47.96.71, e-mail jldefontenay@wanadoo.fr ☑ 🍷 🚶 r.-v.

DOM. DU CAUFFOUR

Cuvée Laurière Élevé en fût de chêne 2004 ★

■ 0,5 ha 2 700 ▮◖◗ 5 à 8 €

Cette cuvée est élaborée à partir de deux parcelles sélectionnées de vieilles vignes de quatre-vingts ans complantées de merlot (80 %), de malbec (15 %) et de cabernet-sauvignon. Sous une robe pourpre intense, elle livre un bouquet naissant fait de notes animales, florales et minérales. Les tanins sont charnus, équilibrés et d'une bonne rondeur en fin de bouche. Un vin prêt à boire.

🔑 René Allard, 15, Le Cauffour, 33350 Saint-Genès-de-Castillon, tél. 05.57.47.92.65 ☑ 🍷 🚶 t.l.j. 8h-20h

CLOS LOUIE Vieilles Vignes 2004 ★★

■ 1 ha 4 500 ◖◗ 23 à 30 €

Le producteur a hérité en 2003 de ce vignoble. C'est donc un de ses tout premiers millésimes qui reçoit le coup de cœur – une performance. Les vignes, très anciennes (environ cent ans), sont plantées sur un sol d'argiles ferrugineuses. Elles ont produit dans le millésime 2004 un vin à la robe pourpre intense et vif, puissant et élégant à la fois, mêlant les fruits rouges, le pruneau, les épices douces et le boisé. L'attaque franche évolue tout en finesse, avec harmonie et maturité. Les tanins présents mais bien intégrés témoignent d'un élevage maîtrisé et laissent présager un grand moment de plaisir dans trois à huit ans.

🔑 Pascal Lucin, 3, Grand-Faurie, 33330 Saint-Émilion, tél. 05.57.74.46.63, e-mail sophie.pascal.co@wanadoo.fr ☑ 🍷 r.-v.

CH. DE CLOTTE 2004 ★

■ 7 ha 30 000 ▮◖◗ 5 à 8 €

Un encépagement classique réparti entre merlot (50 %), cabernet franc (40 %) et malbec (10 %) pour ce 2004 dont la robe intense et vive tire sur le rubis. Le

bouquet complexe marie les fruits rouges, la prune et les épices. En bouche, on découvre un vin souple et rond qui évolue avec puissance avant un retour aromatique fruité. À boire ou à garder deux à quatre ans.
SCEA Bayard de Clotte, Champ Bayard, 33570 Montagne, tél. et fax 05.57.40.60.15 r.-v.
Laporte

CH. LA CROIX DE BARREYRE 2005 *

n.c. 15 000 3 à 5 €

Cette propriété appartenant à la même famille depuis des générations propose un vin grenat aux reflets violacés à base de merlot (80 %) et de cabernets. Les parfums de noyau de cerise, de réglisse et de menthol composent un bouquet frais et agréable. Les tanins fruités et amples évoluent avec douceur, portés jusqu'en finale par un joli fruit. À boire maintenant ou à attendre un an ou deux.
Sandrine Ferrer, Mattetournier, 33350 Gardegan-et-Tourtirac, tél. 05.57.40.47.54, fax 05.57.40.14.04, e-mail sandrine@vignoblesferrer.com r.-v.

CH. LA CROIX LARTIGUE 2004

7,18 ha 40 000 5 à 8 €

Appartenant depuis 1999 aux anciens copropriétaires du château Cheval Blanc à Saint-Émilion, ce cru propose un 2004 alliant merlot (70 %) et cabernet franc (30 %). Sous la robe grenat limpide, le bouquet naissant exprime des notes fruitées. La bouche, souple et harmonieuse, évolue avec équilibre et compose une bouteille à boire ou à garder deux ou trois ans.
SCEA Vignobles Fourcaud-Laussac, La Plagnotte-Bellevue, 33330 Saint-Christophe-des-Bardes, tél. 05.57.24.78.67, fax 05.57.24.63.62, e-mail laplagnottebellevue@wanadoo.fr r.-v.
De Labarre

CH. DES DEMOISELLES 2005

24,8 ha 150 000 5 à 8 €

Les Demoiselles étaient les religieuses établies au Moyen Âge sur le domaine. Celui-ci aurait également servi de base au général Talbot pendant la bataille de Castillon. Voilà pour l'histoire. Aujourd'hui, on peut y déguster ce 2005 au bouquet encore fermé mais délicat penchant vers les fruits noirs. La structure en bouche est souple, harmonieuse et déjà fondue. À boire ou à garder quelques années.
SCEA Les Demoiselles, 18, rte de Montignac, 33760 Ladaux, tél. 05.57.34.54.00, fax 05.56.23.48.78, e-mail ducourt@ducourt.com r.-v.

CH. DUBOIS-GRIMON 2004 *

2 ha 3 900 11 à 15 €

Conseillé par Michel Rolland, ce cru propose un 2004 issu à 80 % de merlot complété par du cabernet franc. Dans une robe grenat vif, ce millésime offre un bouquet complexe et intense alliant les fruits noirs et les épices. La bouche est dense, épicée et assez persistante ; la pointe d'austérité encore présente en finale devrait disparaître après deux à trois ans de vieillissement en cave.
Gilbert Dubois, Ch. Grimon, 33350 Saint-Philippe-d'Aiguilhe, tél. 05.57.40.67.58, fax 05.57.40.24.37, e-mail chateaugrimon@orange.fr r.-v.

CH. DE L'ESTANG 2004 *

26 ha 127 000 5 à 8 €

Tirant son nom d'une succession d'étangs en cascade collectant les eaux pluviales, ce domaine important par sa taille propose cette cuvée représentant la quasi-totalité de sa production. Grenat foncé, celle-ci livre un bouquet expressif de fruits frais, de sous-bois et de torréfaction. Vive en attaque, la bouche évolue avec rondeur vers une finale aérienne, à la fois florale et fruitée. Dernière qualité de cette bouteille : elle est déjà prête.
SCEA du Ch. de L'Estang, 33350 Saint-Genès-de-Castillon, tél. 05.57.47.91.81, fax 05.57.47.92.13, e-mail chateau-de-lestang@orange.fr r.-v.

CH. FONGABAN 2004

32 ha 80 000 5 à 8 €

Coup de cœur l'an dernier pour son 2003, cette propriété propose un 2004 aux ambitions plus modestes, mais néanmoins plaisant. Sous la robe grenat aux reflets rubis, les parfums de fruits rouges s'ouvrent à l'aération. Les tanins souples en attaque se révèlent plus vifs ensuite, sans perdre en harmonie. Attendre deux ans pour un ensemble plus fondu.
Ch. Fongaban, Monbadon, 33570 Puisseguin, tél. 05.57.74.54.07, fax 05.57.74.50.97, e-mail fongaban@vignobles-taix.com t.l.j. sf sam. dim. 9h-12h 13h30-18h
Georges Taïx

L'ÂME DE FONTBAUDE 2004 *

2 ha 2 500 11 à 15 €

Des vignes de merlot (90 %) et de cabernet franc (10 %) âgées d'une quarantaine d'années sont à l'origine de cette cuvée confidentielle. Revêtu d'une robe sombre aux reflets rubis, ce 2004 s'ouvre sur un bouquet où le boisé vanillé se marie à des nuances fruitées. Les tanins sont veloutés, très présents mais équilibrés, signe d'un élevage en barrique maîtrisé. Attendre deux à trois ans pour ouvrir cette bouteille. Le **Château Fontbaude 2004 Élevé en fût de chêne (8 à 11 €)** est cité.
GAEC Sabaté, 34, rue de l'Église, 33350 Saint-Magne-de-Castillon, tél. 05.57.40.06.58, fax 05.57.40.26.54, e-mail chateau.fontbaude@wanadoo.fr r.-v.

CH. LA FONT DU JEU 2004

2 ha 5 000 8 à 11 €

Cette petite propriété présente un 2004 à la robe rubis intense, assemblage de merlot (70 %) et des deux cabernets (15 % chacun). Le bouquet agréable exprime les épices, les fruits à l'eau-de-vie et un boisé discret. En bouche, c'est un vin souple, fruité, élégant et d'évolution assez rapide ; il est déjà prêt à boire.
Lapeyronie, 9, Zelate, 33350 Gardegan-et-Tourtirac, tél. 05.57.40.19.27, e-mail chateaulapeyronie@hotmail.com r.-v.

CH. FRANC LA FLEUR
Élevé en fût de chêne 2004

1,5 ha 3 600 8 à 11 €

Planté en 2001, ce cru présente son premier millésime issu de ses très jeunes vignes de merlot (65 %) et de cabernet-sauvignon (35 %). Grenat intense, au nez de fruits frais et de sous-bois, ce vin exprime en bouche toute la fougue de sa jeunesse : attaque « explosive » sur les

fruits rouges, ampleur et finale agréable à défaut d'être longue. À boire maintenant, bien sûr, et à suivre pour les prochains millésimes.
Christian Jacquement, 17, rte du Stade, 33350 Saint-Magne-de-Castillon, tél. 05.57.40.42.14, e-mail franclafleur@aol.com r.-v.
B. Garandeau

CH. GRAND TUILLAC Élégance 2004 ★

15 ha 100 000 5 à 8 €

Situé sur le point culminant (118 m) de l'appellation, un plateau argilo-calcaire, ce château se décline en deux versions dans le millésime 2004. La cuvée Élégance se distingue par une robe profonde aux reflets violets et par des arômes agréables de confiture de groseilles, de mûre et de noix de coco. Ses tanins suaves et généreux évoluent avec de la fraîcheur et un joli fruité. Une bouteille à ouvrir dans deux ans. La **cuvée principale 2004 (3 à 5 €)** est citée : présentant un bouquet plus profond et une structure plus légère, elle peut être bue dès aujourd'hui.
SCEA Lavigne, Tuillac, 33350 Saint-Philippe-d'Aiguilhe, tél. 05.57.40.60.09, fax 05.57.40.66.67, e-mail scea.lavigne@wanadoo.fr t.l.j. 9h-19h; f. 15-31 août

CH. HAUTE TERRASSE 2005 ★

3,09 ha 11 500 5 à 8 €

Achetée en 1999 par des producteurs de Saint-Émilion, cette propriété située sur un terroir argilo-calcaire est complantée à parts égales de merlot et des deux cabernets. La robe grenat de son 2005 présente des reflets rubis et le bouquet agréable évoque les fruits cuits et le cuir. Ample et ronde, bien équilibrée, la bouche se prolonge dans une finale fruitée.
SCEA Bourrigaud et Fils, Ch. Champion, 33330 Saint-Émilion, tél. 05.57.74.43.98, fax 05.57.74.41.07, e-mail info@chateau-champion.com r.-v.
P. Bourrigaud

CH. JOANIN BÉCOT 2004 ★

8,2 ha 40 000 11 à 15 €

Déjà propriétaire avec sa famille des châteaux Beau-Séjour Bécot et La Gomerie à Saint-Émilion, Juliette Bécot a acheté en 2001 ce domaine en côtes-de-castillon. Les arômes toastés et vanillés dominent pour l'instant le nez de son 2004. En bouche, les tanins amples, assez vifs et fruités évoluent avec de la complexité. Il faudra attendre au moins deux ou trois ans que le boisé se fonde pour profiter pleinement des qualités de ce vin.
Juliette Bécot, Ch. Joanin Bécot, 1, Joanin, 33350 Saint-Philippe-d'Aiguilhe, tél. 05.57.74.46.87, fax 05.57.24.66.88, e-mail becotjuliette@hotmail.com

CH. LABESSE 2004 ★★

n.c. 120 000 5 à 8 €

La famille Aubert, propriétaire du château La Couspaude, grand cru classé de Saint-Émilion, présente deux excellents 2004. Ce Château Labesse tout d'abord, grenat intense, au bouquet naissant de fruits rouges rehaussé de notes boisées et réglissées. Les tanins veloutés et charnus sont mûrs, finement boisés et très fruités en fin de bouche. Un vin à boire ou à garder entre trois et cinq ans. Le **Château Lagrave-Aubert 2004 (8 à 11 €)** obtient pour sa part une étoile : il pourra être servi dès maintenant.
Vignobles Aubert, Ch. La Couspaude, 33330 Saint-Émilion, tél. 05.57.40.15.76, fax 05.57.40.10.14, e-mail vignobles.aubert@wanadoo.fr r.-v.

CH. DE LAUSSAC 2004

18 ha 60 000 8 à 11 €

Un petit vignoble acheté à la fin des années 1950, des plantations dans les deux décennies qui suivent pour arriver à 28 ha, une rénovation de la cave en 2004. Telle est l'histoire rapidement racontée de cette propriété qui propose un vin agréable à la robe grenat intense et aux arômes marqués par des notes fumées et boisées (pain grillé surtout). L'attaque sur la fraîcheur laisse ensuite la place à une matière structurée, assez ample, dont le boisé doit encore se fondre. À attendre un an ou deux.
SARL La Comtesse de Laussac, Ch. de Laussac, 4, chem. de Laussac, 33350 Saint-Magne-de-Castillon, tél. 05.57.40.13.76, fax 05.57.40.43.54, e-mail chateaudelaussac@wanadoo.fr r.-v.
Y. Vatelot, J. Guyon, A. Roché

CH. PERVENCHE PUY ARNAUD 2004 ★

4 ha 11 000 11 à 15 €

Cultivées en biodynamie, les vignes de merlot (90 %) et de cabernet franc (10 %) ont donné naissance à ce 2004, aux arômes friands de bonbon anglais, de fruits mûrs et de vanille. Sa structure tannique est harmonieuse, puissante, subtilement équilibrée entre le fruit et le boisé. La finale persistante autorise un vieillissement de deux à trois ans. Du même propriétaire, le **Clos Puy Arnaud 2004 (23 à 30 €)** obtient également une étoile : c'est un vin plus puissant et plus boisé qui a besoin d'une garde plus longue (trois à huit ans).
EARL Thierry Valette, 7, Puy-Arnaud, 33350 Belvès-de-Castillon, tél. 05.57.47.90.33, fax 05.57.47.90.53, e-mail clospuyarnaud@wanadoo.fr r.-v.

CH. PEYROU 2004 ★

5 ha 25 000 8 à 11 €

Né sur un sol d'argiles en pied de coteau et issu de vignes de merlot (90 %) d'une soixantaine d'années, ce 2004 racé présente une robe grenat au liseré rubis et un bouquet d'épices et de réglisse légèrement boisé. Sa structure en bouche est puissante, ses tanins apparaissent mûrs, suaves et équilibrés. Ce vin a besoin de deux à cinq ans de vieillissement pour révéler tout son potentiel.
Catherine Papon, Peyrou, 33350 Saint-Magne-de-Castillon, tél. 05.57.24.72.44, fax 05.57.24.74.84 r.-v.

CH. LA PIERRIÈRE Cuvée Prestige 2004 ★

2 ha 7 000 5 à 8 €

Dans la famille de Marcillac depuis 1607, ce superbe château des XIIIe et XVI[e]s. propose une cuvée assemblant le merlot (70 %) aux cabernets (15 % chacun). La robe est intense, presque noire, le bouquet complexe s'ouvre sur les petits fruits rouges, la vanille et le toasté. La bouche, souple et ample, montre des tanins bien enrobés par un élevage soigné. Prêt à boire, ce vin pourra néanmoins être conservé quelques années.

BORDELAIS

🔑 R. et D. de Marcillac, Ch. La Pierrière, 33350 Gardegan-et-Tourtirac, tél. 05.57.47.99.77, fax 05.57.47.92.58, e-mail chateaulapierriere@wanadoo.fr ☑ 🍷 🚶 r.-v.

CH. PILLEBOIS

Vieilles Vignes Vieilli en fût de chêne 2005

■ 2 ha 14 000 ⏏ 5 à 8 €

Ce 2005, issu de merlot (80 %) et de cabernet franc plantés sur un terroir sablo-graveleux, n'a rien oublié de son élevage d'un an en fût. Il en sort avec un nez intense et riche où les fruits noirs et la cerise à l'eau-de-vie se marient avec des notes grillées. La bouche est ample, tannique dès l'attaque et jusqu'à la finale épicée. Deux à trois ans de garde seront nécessaires à ce vin pour gagner en harmonie.

🔑 Vignobles Marcel Petit, Ch. Pillebois, 33350 Saint-Magne-de-Castillon, tél. 05.57.40.33.03, fax 05.57.40.06.05, e-mail contact@vignobles-petit.com ☑ 🍷 🚶 r.-v.

🔑 J.-P. Toxé

CH. DE PITRAY 2004 ★

■ 34 ha 66 000 🍾 ⏏ 5 à 8 €

Appartenant depuis le XIVe s. à la famille de Ségur et à ses descendants, ce domaine commandé par un château d'architecture néo-Renaissance, propose deux cuvées dans le millésime 2004. Le premier vin, pourpre soutenu, livre un bouquet puissant alliant le cuir, les fruits cuits et le sous-bois. La bouche, nerveuse en attaque, évolue avec élégance, fruité et persistance. Une bouteille racée, à boire dans un à trois ans. Le second vin, **Château de Pitray 2004**, est cité : si son nez fruité et mentholé est plus intense, sa structure est plus légère et il est prêt à boire.

🔑 SC de la Frérie, Ch. de Pitray, 33350 Gardegan-et-Tourtirac, tél. 05.57.40.63.35, fax 05.57.40.66.84, e-mail contact@chateau-pitray.com ☑ 🍷 🚶 t.l.j. 8h30-12h30 14h-18h 🏠 ❼

🔑 de Boigne

LE PRESBYTÈRE 2004 ★

■ 1 ha 3 588 ⏏ 15 à 23 €

Restauré et transformé en chai, le presbytère datant du XIIe s. est le plus vieux monument du village de Sainte-Colombe ; on y trouve encore quelques ares de vignes âgées de plus d'un siècle, participant à l'élaboration de cette cuvée. La robe grenat présente des reflets mordorés ; les fruits mûrs (griotte), les épices et le cuir se partagent le bouquet. Les tanins sont gras, harmonieux et longs. Déjà fondus, ils permettent d'ouvrir cette bouteille sans attendre. Du même producteur, le **Château La Clarière Laithwaite 2004** est cité.

🔑 SARL Direct Wines, Les Confrères de la Clarière, 33350 Sainte-Colombe, tél. 05.57.47.95.14, fax 05.57.47.94.47, e-mail directwines.france@wanadoo.fr ☑ 🍷 🚶 r.-v.

CH. PUYLAZAT

La Cuvée des Ancêtres Élevé en fût de chêne 2004 ★

■ 1 ha 6 000 ⏏ 5 à 8 €

Cette Cuvée des Ancêtres rend hommage aux grands-parents des actuels propriétaires, qui se sont installés ici en 1955. Leur portrait orne l'étiquette de ce 2004 à la robe couleur cerise et au délicat bouquet de noisette, de fruits rouges et de boisé grillé. En bouche, c'est un vin riche, à la fois puissant et rond, évoluant avec de la finesse et de l'équilibre, qui s'appréciera encore mieux d'ici un an ou deux.

🔑 Patrick Pesquier, Puylazat, 6, rte de Sainte-Colombe, 33350 Saint-Magne-de-Castillon, tél. 05.57.40.30.44, fax 05.57.40.08.73, e-mail patrick.pesquier@cegetel.net ☑ 🍷 t.l.j. 8h-12h 14h-18h30

🔑 SCEA Ch. Puylazat

CH. REYNAUD DUNESME

Cuvée Robert Élevé en fût de chêne 2004

■ n.c. 50 000 ⏏ 5 à 8 €

Une cuvée de pur merlot issue de vignes d'une quinzaine d'années. Sous la robe grenat brillante le nez exprime de plaisants parfums fruités (cerise). Les tanins mûrs et suaves ne sont pas très complexes dans leur évolution, mais savent rester harmonieux. Un vin de plaisir à boire sans attendre.

🔑 Dunesme, EARL Ch. Reynaud-Dunesme, 2, Reynaud, 33350 Les Salles-de-Castillon, tél. 05.57.40.65.85, fax 05.57.40.60.92 ☑ 🍷 r.-v.

CH. ROBIN 2004 ★

■ 12 ha 54 000 ⏏ 11 à 15 €

Ce château a changé de mains en 2004, mais ce millésime semble prouver que la qualité reste au rendez-vous après les quatre coups de cœur obtenus en dix ans par ce domaine. Paré d'une robe pourpre brillant, le 2004 livre un bouquet intense de cassis, de mûre et de framboise complété d'une note réglissée. Les tanins soyeux et veloutés en attaque révèlent un potentiel important. L'acidité bien présente apporte une touche de fraîcheur. La fin de bouche, tout en longueur et en finesse, laisse augurer une garde de trois à sept ans environ.

🔑 SCEA Ch. Robin, 33350 Belvès-de-Castillon, tél. 05.57.47.92.47, fax 05.57.47.94.45, e-mail chateau.robin@wanadoo.fr ☑ 🍷 🚶 t.l.j. 9h-12h 14h-18h

🔑 Sté Lurkroft

CH. ROC DE JOANIN 2004

■ 1,6 ha 9 600 🍾 ⏏ 5 à 8 €

Ce 2004 se distingue par sa robe grenat au liseré rubis et par son bouquet harmonieux de sous-bois, de fumé, de cuir. Sa bouche vive et équilibrée évolue avec douceur et un peu de chaleur en finale. Il sera nécessaire d'attendre encore un an ou deux avant de servir cette bouteille. Le producteur suggère un accord avec des cuissots de canard aux légumes des quatre saisons. On aimerait avoir la recette.

🔑 SCEA Vignobles Yves Mirande, lieu-dit Faurie, 33330 Saint-Émilion, tél. 05.57.24.71.28, fax 05.57.74.40.42, e-mail contact@larosecotesrol.com ☑ 🍷 🚶 r.-v.

CH. LA ROCHE-PRESSAC 2005 ★

■ 3 ha 15 000 ⏏ 11 à 15 €

Achetée en 2002 par une jeune femme, cette propriété présente un 2005 au bouquet complexe et fin de fruits noirs, de vanille et de toasté. Amples et généreux en attaque, les tanins évoluent avec équilibre mais se montrent encore fermes. Il faudra patienter entre trois et cinq ans pour déguster ce vin.

Chrystelle et Jean-Marc Lirand,
3, rte de Sainte-Colombe,
33350 Saint-Magne-de-Castillon,
tél. et fax 05.57.40.48.24,
e-mail contact@laroche-pressac.com
t.l.j. 9h-12h30 13h30-20h

CH. ROQUEVIEILLE Vieilli en fût de chêne 2004

11,5 ha 60 000 5 à 8 €

Le merlot (70 %) complété par les cabernets, douze mois d'élevage en fût pour ce vin grenat assez soutenu, au bouquet fruité rehaussé de nuances épicées. La bouche souple et ronde affiche des tanins qui commencent à se fondre. La finale plutôt courte invite à déguster ce vin sans attendre.

Palatin, Ch. Roquevieille,
33350 Saint-Philippe-d'Aiguilhe, tél. 05.57.74.47.11,
fax 05.57.24.69.08

CH. TERRASSON Cuvée Prévenche 2004 *

3 ha 10 000 5 à 8 €

Cette cuvée Prévenche est une sélection de vieilles vignes de merlot (80 %) et de cabernet-sauvignon issues d'un terroir argilo-calcaire sur rocher. La robe rouge cerise est limpide ; les parfums de cacao grillé et de vanille dominent aujourd'hui les notes fruitées discrètes du nez. Les tanins mûrs, puissants et ronds à la fois, sont eux aussi encore marqués par un boisé très présent. Il faut attendre un à trois ans pour ouvrir cette bouteille. Le **Château Damas de Montdespic 2004**, du même producteur, est cité. Plus souple, porté sur le fruit et la violette, il se boira plus jeune.

EARL Christophe et Marie-Jo Lavau,
Ch. Terrasson, BP 9, 33570 Puisseguin,
tél. 05.57.56.06.65, fax 05.57.56.06.76,
e-mail contact@chateau-terrasson.com
r.-v.

CH. TERTRE DE BELVÈS 2004

0,4 ha 2 400 11 à 15 €

2004 est le premier millésime de ce cru tout neuf, le vignoble de merlot ayant été planté en terrasses il y a six ans. Les ceps côtoient sur le domaine amandiers et abricotiers. La réussite est au rendez-vous, comme le montrent la robe rubis brillant et le bouquet marqué par un boisé toasté et vanillé. La structure tannique est ample et équilibrée, témoin d'un élevage sous bois de qualité. Attendre deux à trois ans pour ouvrir cette bouteille, sur une grillade par exemple.

Olivier Sulzer, Brousse, 33350 Belvès-de-Castillon,
tél. 05.57.47.93.27, fax 05.57.47.16.83,
e-mail vignobles.sulzer@wanadoo.fr
r.-v.

CH. VEYRY 2004 **

4 ha 16 000 15 à 23 €

Christian Veyry, œnologue-conseil officiant auprès de grand crus de la rive droite, possède un petit vignoble exposé au sud, sur un coteau argilo-calcaire dominant la Dordogne. Cette cuvée représente l'ensemble de la production et décroche un coup de cœur. Sa robe pourpre presque noire est brillante ; son bouquet intense et complexe rappelle le cuir et la griotte confite avec un fin boisé toasté. Les tanins mûrs, onctueux, gras et puissants conduisent à une fin de bouche particulièrement fraîche, harmonieuse et longue. Un beau vin à attendre au moins cinq ans.

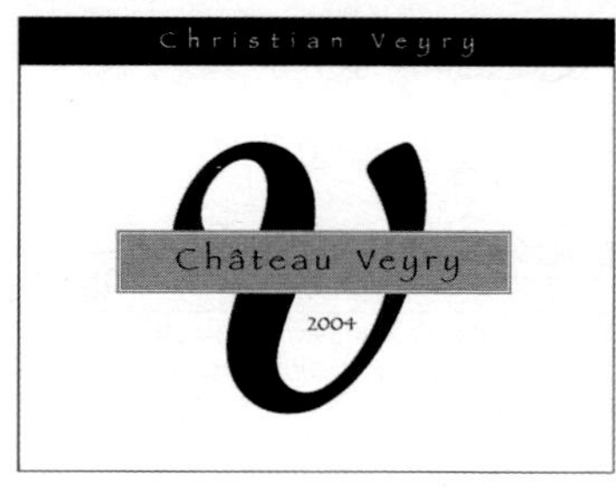

Christian Veyry, Paupin,
33330 Saint-Laurent-des-Combes, tél. 06.07.28.53.80,
fax 05.57.74.09.56, e-mail veyry@bordeauxbliss.com
r.-v.

Bordeaux-côtes-de-francs

S'étendant à 12 km à l'est de Saint-Émilion, sur les communes de Francs, Saint-Cibard et Tayac, le vignoble de bordeaux-côtes-de-francs (528 ha en production en 2005 pour un volume de 24 496 hl en rouge et 216 hl en blanc) bénéficie d'une situation privilégiée sur des coteaux argilo-calcaires et marneux parmi les plus élevés de la Gironde. Presque intégralement consacré aux vins rouges (à l'exception d'une vingtaine d'hectares), il est exploité par quelques viticulteurs dynamiques et par une cave coopérative, qui produisent de très jolis vins, riches et bouquetés.

CH. LES CHARMES-GODARD 2005 **

1,5 ha 11 100 15 à 23 €

Propriété phare de l'appellation, ce cru est réputé pour ses vins blancs secs, qui ont reçu plusieurs fois un coup de cœur. Si ce 2005 ne le décroche pas, il n'en est pas moins remarquable. À base de sémillon (65 %), de sauvignon gris (20 %) et de muscadelle (15 %), il se pare d'une robe jaune-vert et livre un bouquet d'agrumes rehaussé de notes de noix sur fond boisé délicat. En bouche, l'attaque fraîche et équilibrée évolue vers du gras, de l'ampleur et une complexité finale intéressante. Un vin qui sera mis en valeur par une poêlée de saint-jacques.

GFA Les Charmes-Godard, Lauriol,
33570 Saint-Cibard, tél. 05.57.56.07.47,
fax 05.57.56.07.48,
e-mail contact@charmes-godard.com r.-v.

CLOS FONTAINE 2004

3,6 ha 25 000 5 à 8 €

Négociant et vinificateur, Dominique Thienpont a racheté récemment ce cru : d'abord la vendange en 2003, puis le vignoble en 2004. Ce vin de pur merlot est donc son premier millésime. La robe rubis est brillante, le bouquet de fruits frais (mûre) est agréable et les tanins sont ronds, soyeux et équilibrés. Une cuvée qui joue la carte du plaisir plus que la complexité. À boire dès maintenant.

⊶ Thienpont de Berlaere, Le Bourg,
33570 Saint-Cibard, tél. 05.57.56.05.45,
fax 05.57.40.67.45,
e-mail dominique@vin-thienpont.com
☑ 🍷 🚶 r.-v. 🏠 ⓔ

CH. CRU GODARD Élevé en fût de chêne 2004

■ 2,5 ha 15 000 🛢 5 à 8 €

Un assemblage équitable entre merlot et cabernet pour ce 2004 né d'un terroir argilo-limoneux et au bouquet intense de fruits rouges bien mûrs. Les tanins vineux, amples et puissants devraient gagner en harmonie avec deux ou trois ans de garde.

⊶ Richard, Godard, 33570 Francs, tél. 05.57.40.65.94,
fax 05.57.40.67.34, e-mail cru.godard@orange.fr
☑ 🍷 🚶 r.-v.

CH. DE FRANCS
Les Cerisiers Élevé en fût de chêne 2004 *

■ 12 ha 65 070 🛢 8 à 11 €

Comptant parmi les valeurs sûres de l'appellation, ce château montre cette année encore la régularité de sa production avec cette cuvée qui obtint plusieurs coups de cœur. Assemblage de 90 % de merlot complété par du cabernet franc, le vin se pare d'une robe pourpre profond. Le bouquet naissant rappelle le pruneau, la réglisse, le tabac et le cuir. Les tanins sont mûrs, fruités et puissants. Une légère amertume finale invite à garder cette bouteille en cave pendant deux à cinq ans pour que l'ensemble se fonde.

⊶ SCEA Ch. de Francs, 33570 Francs,
tél. 05.57.40.65.91, fax 05.57.40.63.04 ☑ 🍷 🚶 r.-v.

CH. GALLAND 2004 *

■ 0,8 ha 2 500 🛢 5 à 8 €

Un minuscule vignoble repris en 2003, et déjà un très bon vin vinifié par le fils du propriétaire, passionné par le métier de vigneron. Ce 2004 à la robe rouge intense offre un bouquet complexe, évoquant les fruits mûrs, le gibier, la cerise à l'eau-de-vie et le menthol. Les tanins sont souples et très présents en attaque ; l'évolution se fait avec ampleur et équilibre, sur une bonne fraîcheur aromatique. Une bouteille à boire ou à garder quelques années.

⊶ J.-C. Bidon, Ch. Galland Saint-Cibard,
33570 Lussac, tél. 06.10.01.94.64,
e-mail jcbidon@wanadoo.fr ☑ 🍷 🚶

CH. HAUT-ROZIER Cuvée Saint-Vincent 2004 *

■ 3 ha 16 000 ▮ 3 à 5 €

Exposé au musée d'Aquitaine à Bordeaux, le trésor dit de Tayac a été découvert ici en bordure du vignoble. Vous y trouverez pour votre part cette cuvée aux arômes de fruits rouges bien mûrs et de vanille, dont la structure tannique apparaît charnue, souple et fondue. Une bouteille élégante, à boire ou à garder deux ou trois ans.

⊶ Annick Pujol, 1, Rozier, 33570 Tayac,
tél. et fax 05.57.40.63.05,
e-mail haut-rozier.pujol@wanadoo.fr ☑ r.-v.

CH. MARAGOU 2005

■ 13,25 ha 37 000 ▮ 5 à 8 €

Bruno Citerne exploite plusieurs domaines en côtes-de-francs, dont celui-ci qui propose un 2005 au bouquet expressif de fruits mûrs, à la bouche structurée par des tanins présents mais assez ronds et friands. À découvrir dans deux ans. Autre domaine, le **Château Haut Laulan 2004**, élevé un an en fût et marqué par un boisé agréable et une structure tannique équilibrée, est également cité.

⊶ Bruno Citerne, Seignade, 33570 Francs,
tél. 05.57.40.63.37, fax 05.57.40.68.05,
e-mail chateau-laulan@wanadoo.fr ☑ 🍷 🚶 r.-v.

CH. MARSAU 2004 *

■ 12 ha 56 640 🛢 11 à 15 €

Les vignes de ce cru (merlot exclusivement), sont plantées sur un coteau d'argiles profondes exposé au sud ; elles ont produit des raisins à parfaite maturité, un atout dans le millésime 2004. Au nez, les notes boisées et toastées sont de qualité mais masquent encore le fruit. Les tanins puissants, bien extraits et assez équilibrés, demandent deux à cinq ans de garde pour se fondre.

⊶ Ch. Marsau, Bernaderie, 33570 Francs,
tél. et fax 05.56.44.30.49,
e-mail chadronnier@cvbg.com 🍷 🚶 r.-v.
⊶ S. et J.-M. Chadronnier

CH. MOULIN DE LA ROQUILLE
Cuvée spéciale L'Espérance
Élevé en fût de chêne 2005 **

■ 2,6 ha 10 000 🛢 5 à 8 €

Créé dans les années 1960, ce domaine a vu se succéder les générations ; la troisième, incarnée par deux frères et une sœur, est aujourd'hui aux commandes et décroche ce coup de cœur unanime du grand jury. C'est un 2005 à la robe presque noire, qui brille de reflets violacés. Les parfums de cassis, de violette et de framboise se mêlent à des notes boisées élégantes. Les tanins mûrs et veloutés, très fruités, évoluent avec beaucoup d'équilibre et de typicité. Un vin de garde, à boire dans trois à huit ans. La **cuvée principale 2005 (3 à 5 €)** obtient une étoile : d'un caractère plus fruité et plus souple, elle se boira plus rapidement.

⊶ GAEC Audouin,
Ch. Les Maines, Lapourcaud de Tayac, 33570 Tayac,
tél. et fax 05.57.69.89.79,
e-mail ambonnot45@wanadoo.fr ☑ 🍷 🚶 r.-v.

CH. NARDOU 2004

■ 10 ha 78 000 🛢 5 à 8 €

Issu à 90 % de merlot, complété à parts égales des deux cabernets, ce 2004 s'habille d'une robe rouge vif et exprime des arômes de fruits rouges compotés, de vanille et de cacao. La structure tannique est ample et fondue. La bouche n'est pas très longue mais bien soutenue par une pointe d'acidité. Un vin prêt à boire.

🔑 EARL Vignobles Dubard, Nardou, 33570 Tayac,
tél. 05.57.40.69.60, fax 05.57.40.69.20,
e-mail fdubard@aol.fr ✉ 🍷 ✝ r.-v. 🏠 2 🏠 B

PELAN 2004

■ n.c. 1 200 ⬛ 15 à 23 €

Cette microcuvée est composée de 80 % de cabernet-sauvignon et de 20 % de merlot, assemblage plutôt inhabituel pour la région. La robe carminée est soutenue et le bouquet de sous-bois livre des notes de noix de coco originales. Les tanins sont présents, fermes et assez longs en bouche ; ils demandent pour s'arrondir une garde de deux ou trois ans.

🔑 GFA Moro, Le Pin, 33350 Les Salles-de-Castillon,
tél. 05.57.40.63.49, fax 05.57.40.61.41 ✉ 🍷 ✝ r.-v.

CH. LA PRADE 2004 *

■ 4 ha 13 500 ⬛ 8 à 11 €

Acheté en 2000 par Nicolas Thienpont, conseillé par Stéphane Derenoncourt, ce château se hisse petit à petit parmi les références de l'appellation. Après son 2003, coup de cœur l'an dernier, il propose un 2004 à la robe mauve profond, aux arômes de cassis et de groseille harmonieusement mariés à des notes boisées, toastées et torréfiées. En bouche, c'est un vin puissant qui a besoin de se fondre mais qui possède déjà de nombreuses qualités : tanins, acidité et longue finale sur le fruit. Vous le laisserez trois à cinq ans en cave.

🔑 Ch. La Prade, 33570 Saint-Cibard,
tél. 05.57.56.07.47, fax 05.57.56.07.48,
e-mail contact@chateau-laprade.com ✉ 🍷 r.-v.
🔑 Nicolas Thienpont

CH. PUYANCHÉ Élevé en fût de chêne 2005

□ 0,7 ha 4 450 ⬛ 5 à 8 €

Ce château est cité pour ses deux vins blancs. Le sec, élevé sept mois en fût, exprime au nez des notes florales et boisées. Sa structure en bouche agréable et ronde en fait une bouteille à boire sans attendre. Le **moelleux Élevé en fût de chêne 2004 (8 à 11 €)**, vinifié à partir de 95 % de sémillon, offre des parfums discrets de fruits confits. C'est un vin fin et équilibré, à apprécier dès maintenant.

🔑 EARL Arbo, Godard, 33570 Francs,
tél. et fax 05.57.40.65.77, e-mail earl.arbo@wanadoo.fr
✉ 🍷 ✝ r.-v.

CH. PUY-GALLAND Élevé en fût de chêne 2005 *

■ 10 ha 25 000 ⬛ 5 à 8 €

Une proportion importante de cabernet-sauvignon (60 %) entre dans l'assemblage de cette cuvée qui est en réalité le deuxième vin du domaine. Sous la robe soutenue aux reflets violines, le bouquet expressif de fruits noirs s'agrémente de notes boisées. Les tanins puissants, volumineux et serrés conduisent à une finale longue et racée qui autorise une bonne garde (au moins trois à six ans).

🔑 Bernard Labatut, 12, Le Bourg, 33570 Saint-Cibard,
tél. et fax 05.57.40.63.50, e-mail puygalland@orange.fr
✉ 🍷 ✝ r.-v.

CH. PUYGUERAUD 2004 **

■ 23 ha 120 000 ⬛ 8 à 11 €

Un magnifique manoir du XIVe s. commande ce vignoble entièrement replanté à la fin des années 1970. Ses vins sont élaborés aujourd'hui par Nicolas Thienpont. Ce 2004, finaliste du coup de cœur, se pare d'une robe intense aux reflets tuilés. Le bouquet épanoui de menthol, de lierre, de cuir, de tabac et bien sûr de fruits mûrs est très complexe. Les tanins veloutés, amples et riches en attaque, évoluent avec beaucoup de fraîcheur et de longueur. Un grand vin de garde, typé, à apprécier d'ici trois à quatre ans.

🔑 Ch. Puygueraud, Lauriol, 33570 Saint-Cibard,
tél. 05.57.56.07.47, fax 05.57.56.07.48,
e-mail contact@puygueraud.com ✉ 🍷 ✝ r.-v.
🔑 Famille Thienpont

BORDELAIS

Entre Garonne et Dordogne

La région géographique de l'Entre-deux-Mers forme un vaste triangle délimité par la Garonne, la Dordogne et la frontière sud-est du département de la Gironde ; c'est sûrement l'une des plus riantes et des plus agréables de tout le Bordelais, avec ses vignes qui couvrent 23 000 ha, soit le quart de tout le vignoble. Très accidentée, elle permet de découvrir de vastes horizons comme de petits coins tranquilles qu'agrémentent de splendides monuments, souvent très caractéristiques (maisons fortes, petits châteaux nichés dans la verdure et, surtout, moulins fortifiés). C'est aussi un haut lieu de la Gironde de l'imaginaire, avec ses croyances et traditions venues de la nuit des temps.

Entre-deux-mers

L'appellation entre-deux-mers ne correspond pas exactement à l'Entre-deux-Mers géographique, puisque, regroupant les communes situées entre les deux fleuves, elle en exclut celles qui disposent d'une appellation spécifique. Il s'agit d'une appellation de vins blancs secs dont la réglementation n'est guère plus contraignante que pour l'appellation bordeaux. Mais dans la pratique les viticulteurs cherchent à réserver pour cette appellation leurs meilleurs vins blancs. Aussi la production est-elle volontairement limitée (1 389 ha en production, 80 239 hl en 2005). Le cépage le plus important est le sauvignon qui communique aux entre-deux-mers un arôme particulier très apprécié, surtout lorsque le vin est jeune.

CH. ALLEGRET 2006

□ 2,34 ha 16 000 ▮ 3 à 5 €

Béatrice et Xavier Jaubert ont acquis ce château en 2002, portant à quelque 80 ha la superficie de leur propriété. Leur 2006 issu de sauvignon (70 %) et de sémillon s'affiche dans une robe jaune pâle à reflets verts. Le nez d'agrumes, de litchi, de fruits à chair blanche invite à poursuivre la dégustation et à apprécier la bouche fraîche et ronde à la fois, équilibrée, qui s'agrémente de fines notes de pamplemousse et de citron. Accord assuré avec les fruits de mer, les poissons et les charcuteries.

🔑 EARL Vignobles R. Jaubert, 21, rte de Montignac, 33760 Ladaux, tél. 05.56.23.64.22, fax 05.56.23.64.19, e-mail vignobles-jaubert@club-internet.fr ☑ 🍷 🚶 r.-v.

CH. BONNET 2006 ★

120 ha 1 000 000 ▮ 5 à 8 €

Un château du XVIII[e]s., navire amiral d'André Lurton. Un assemblage de sauvignon et de sémillon a donné naissance à ce délicieux vin jaune pâle, brillant d'éclats verts. La palette mêle de séduisantes notes de fleurs blanches, de fruits exotiques et d'agrumes, tandis que la bouche ronde et charnue, équilibrée, se prolonge sur le fruit en finale.

🔑 André Lurton, Ch. Bonnet, 33420 Grézillac, tél. 05.57.25.58.58, fax 05.57.74.98.59, e-mail andrelurton@andrelurton.com ☑ r.-v.

CH. CASTENET GREFFIER 2006

4 ha 30 000 ▮ 3 à 5 €

Un vin bâti sur le sauvignon (70 %) assemblé au sémillon et à la muscadelle à parts égales. Les fleurs blanches nuancées d'agrumes et de poire agrémentent une chair souple et friande qui persiste agréablement. Une citation revient également au **Château Valade 2006**, davantage marqué par les notes citronnées.

🔑 EARL François Greffier, Ch. Castenet, 33790 Auriolles, tél. 05.56.61.40.67, fax 05.56.61.38.82, e-mail ch.castenet@wanadoo.fr ☑ 🍷 🚶 r.-v.

CH. FONDARZAC 2006 ★★

10 ha 80 000 ▮ 5 à 8 €

Les premières terres à l'origine du domaine furent acquises par la famille Barthe à l'époque de Napoléon Ier. L'exploitation compte aujourd'hui 60 ha et se répartit entre les châteaux Fondarzac et Darzac. Ce 2006, issu des quatre cépages de l'appellation, dont 10 % de sauvignon gris, se présente sous une teinte jaune paille, invitation à découvrir les parfums intenses et complexes de fruits exotiques très mûrs qui évoluent au fil de l'aération. Le raisin mûr se manifeste au palais, à travers une matière fraîche et ronde à la fois, fine et soyeuse. La finale laisse un long souvenir de fruits. Un entre-deux-mers élégant à marier avec une viande blanche ou un poisson savamment cuisinés. Le **Château Darzac 2006**, fruité et équilibré, obtient une étoile.

🔑 SCA Vignobles Claude Barthe, 22, rte de Bordeaux, 33420 Naujan-et-Postiac, tél. 05.57.84.55.04, fax 05.57.84.60.23, e-mail steph@vignoblesclaudebarthe.com ☑ 🍷 🚶 r.-v.

CH. DE FONTENILLE 2006 ★

10 ha 75 000 ▮ 5 à 8 €

Le mariage des quatre cépages blancs bordelais – dont 10 % de sauvignon gris –, la maîtrise technique de la vinification et de l'élevage ont permis d'obtenir ce vin marqué par la personnalité du sauvignon : arômes intenses de pamplemousse et de citron agréablement muscatés, corps vif en attaque, puis rond et structuré, qui laisse une juste place aux flaveurs de fleurs blanches et de fruits, avec une note de zeste d'orange en finale.

🔑 Ch. de Fontenille, 33670 La Sauve-Majeure, tél. 05.56.23.03.26, fax 05.56.23.30.03, e-mail contact@chateau-fontenille.com ☑ 🍷 🚶 r.-v.

CH. LA GRANDE MÉTAIRIE 2006

5,3 ha 25 000 ▮ 3 à 5 €

Une propriété de 22 ha qui s'est agrandie progressivement depuis 1960. Le sauvignon signe clairement ce vin aux parfums intenses de pamplemousse et de fleurs blanches, tandis que le sémillon et la muscadelle, élevés sur lies fines, offrent une chair ronde et soyeuse, empreinte de notes florales. En finale, une flaveur de zeste d'orange se manifeste durablement.

🔑 SCEA Vignobles Buffeteau, lieu-dit Dambert, 33540 Gornac, tél. 05.56.61.97.59, fax 05.56.61.97.65, e-mail jean.buffeteau@gmail.com ☑ 🍷 🚶 r.-v.

CH. GRAND JEAN 2006 ★

30 ha 60 000 ▮ 5 à 8 €

Un moulin signale ce vignoble implanté sur un terroir argilo-calcaire. Le sauvignon a ici la part belle : il constitue à 80 % cet entre-deux-mers, accompagné par le sémillon et une touche de muscadelle. Des parfums d'acacia, d'agrumes, de fruits exotiques et d'épices explosent au nez et trouvent écho au palais, souple, suave. Le perlant apporte une petite touche acidulée qui rafraîchit. Pour un plaisir immédiat.

🔑 SC Dulon, 133, Grand-Jean, 33760 Soulignac, tél. 05.56.23.69.16, fax 05.57.34.41.29, e-mail dulon.vignobles@wanadoo.fr ☑ 🍷 🚶 r.-v.

CH. HAUT NADEAU 2006 ★

2,5 ha 17 000 ▮ 3 à 5 €

Ce domaine de plus de 19 ha est conduit par Patrick Audouit, œnologue dans la région du Blayais. Il a su donner à cette cuvée finesse et élégance grâce à un assemblage équilibré de sauvignon, de sémillon et de muscadelle. Un léger perlant anime la robe jaune-vert, puis de délicats arômes de fleurs blanches et de litchi se développent tout au long de la dégustation. La chair ronde et grasse se prolonge harmonieusement en finale.

🔑 SCEA Ch. Haut Nadeau, 3, chem. d'Estévenadeau, 33760 Targon, tél. et fax 05.56.20.44.07, e-mail hautnadeau@hotmail.fr ☑ 🍷 🚶 r.-v.

CH. HAUT POUGNAN 2006 ★

12 ha 80 000 ▮ 3 à 5 €

Régulier c'est ainsi que l'on pourrait qualifier le Château Haut Pougnan qui, d'un millésime à l'autre, garde un même niveau de qualité. Une étoile l'an passé, une étoile aujourd'hui. Une sélection de sauvignon (70 %) complété de sémillon et de muscadelle est à l'origine de ce vin jaune pâle brillant qui livre des arômes floraux et fruités. Après une attaque souple et franche, la bouche apparaît ronde, charnue et équilibrée, avec en finale d'agréables notes d'agrumes. À déguster dès maintenant en accompagnement d'un plateau de fruits de mer ou d'un poisson.

SCEA Ch. Haut-Pougnan, 6, chem. de Pougnan, 33670 Saint-Genès-de-Lombaud, tél. 05.56.23.06.00, fax 05.57.95.99.84, e-mail haut-pougnan@wanadoo.fr
t.l.j. 8h-12h 14h-18h

CH. HAUT RIAN 2006 ★★★

13,5 ha 104 000 3 à 5 €

Un Alsacien et une Champenoise : un couple original qui mène de main de maître ce domaine de 80 ha depuis 1988. En témoigne ce 2006 qui associe le sémillon (60 %) au sauvignon blanc. Aux notes de pamplemousse, de citron et de fruits exotiques répond une chair ronde et équilibrée qui laisse en finale le doux souvenir des arômes floraux d'acacia et de rose. Les fruits de mer et les poissons apprécieront la compagnie d'un tel vin.

EARL Michel Dietrich, 10, La Bastide, 33410 Rions, tél. 05.56.76.95.01, fax 05.56.76.93.51, e-mail chateauhautrian@wanadoo.fr
t.l.j. sf sam. dim. 9h-12h 14h-17h30; f. 12-30 août

CH. DE L'HOSTE-BLANC Vieilles Vignes 2006 ★

2 ha 6 000 5 à 8 €

Les ceps de sémillon, de sauvignon et de muscadelle ont ici quelque soixante-dix ans. Michel Baylet, propriétaire de ce domaine de 72 ha depuis 1981, a en effet souhaité conserver ces vignes blanches implantées sur sols argilo-siliceux pour produire de l'entre-deux-mers. Raison lui est donnée par la réussite de ce 2006 jaune pâle aux discrets reflets nacrés qui offre des parfums d'agrumes et de toasté. Une certaine vivacité, sans aucune agressivité, rehausse une chair ronde, très aromatique (acacia, fruits exotiques), et lui apporte de l'élégance en finale.

SC Vignobles Baylet, Ch. Landereau, 33670 Sadirac, tél. 05.56.30.64.28, fax 05.56.30.63.90, e-mail vignoblesbaylet@free.fr
t.l.j. sf sam. dim. 8h-12h 13h30-17h30
Michel Baylet

CH. JACQUET Cuvée Prestige 2006 ★★

3,1 ha 25 000 5 à 8 €

Issue d'une lignée de vignerons remontant à 1789, Véronique Barthe a repris le flambeau depuis le début des années 1990. Au chai, c'est Philippe Gardère, œnologue, qui œuvre à l'élaboration de vins comme ce 2006 délicatement marqué par le sauvignon. Des arômes d'acacia, de rose, de fruits jaunes et d'agrumes se manifestent tout au long de la dégustation. Si la muscadelle apporte de la fraîcheur en attaque, une chair ronde ne tarde pas à emplir le palais, nuancée de flaveurs variétales des deux cépages. Une étoile brille pour le **Château La Freynelle 2006**, fruité et charnu, équilibré.

Véronique Barthe, Peyrefus, 33420 Daignac, tél. 05.57.84.55.90, fax 05.57.74.96.57, e-mail veronique@vbarthe.com r.-v.

CH. LA JALGUE 2006 ★★

7,46 ha 59 700 3 à 5 €

La création de ce vignoble par la confrérie des Marianistes remonte aux années 1850. L'accueil des orphelins fut la vocation première de ces importants

Entre Garonne et Dordogne

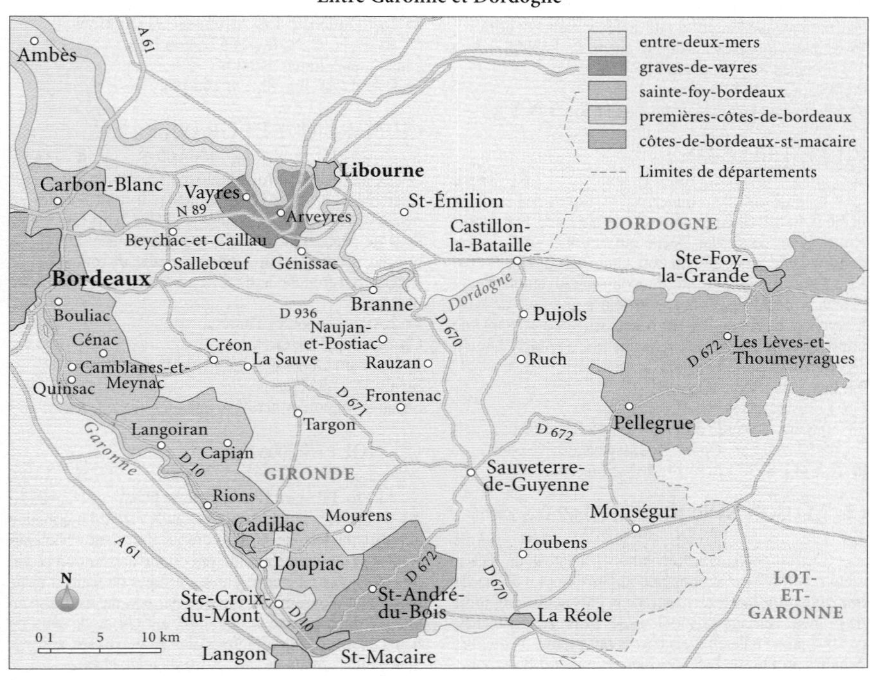

bâtiments désormais consacrés à la production de vin. Issu de parcelles sélectionnées de sauvignon (80 %) et de sémillon, ce 2006 évoque l'acacia et le pamplemousse au nez, puis il enveloppe le palais de sa chair souple, ample et ronde, rehaussée de flaveurs sauvignonnées persistantes.

EARL La Jalgue, Ch. La Jalgue, 33890 Coubeyrac, tél. 05.57.47.45.86, fax 05.57.47.43.50 r.-v.

GFA Géromin

CH. LALANDE-LABATUT 2006 ★★

2,35 ha 17 000 5 à 8 €

Beaux débuts pour les enfants des Falxa qui ont repris en 2006 les rênes de cette propriété familiale, située non loin du château de Vacquey où résida Gustave Eiffel. Un 2006 parfaitement représentatif de l'appellation tant par sa teinte jaune pâle à reflets verts que par son bouquet complexe d'acacia, d'amande, de pêche et d'ananas. L'harmonie se réalise au palais : de la fraîcheur en attaque, du gras, une finale séduisante sur les fruits mûrs. Un charme indéniable dont il faut profiter sans attendre.

SCEA Vignobles Falxa, 38, chem. de Labatut, 33370 Sallebœuf, tél. 05.56.21.23.18, fax 05.56.21.20.98, e-mail chateau.lalande-labatut@wanadoo.fr r.-v.

CH. LESTRILLE 2006

2,5 ha 16 000 3 à 5 €

La mise en valeur du terroir, le respect de l'environnement, le travail en équipe sont le credo de Jean-Louis Roumage et de sa fille Estelle qui ont élaboré un entre-deux-mers de belle présentation, jaune pâle à reflets verts. La palette aromatique doit beaucoup au sauvignon : fleurs blanches, pêche et abricot se mêlent à une note de buis. L'équilibre entre rondeur et vivacité se réalise, laissant une impression de souplesse avant une finale fruitée. Un vin recommandé pour les fruits de mer.

Jean-Louis Roumage, Ch. Lestrille, 15, rte de Créon, 33750 Saint-Germain-du-Puch, tél. 05.57.24.51.02, fax 05.57.24.04.58, e-mail jlroumage@lestrille.com t.l.j. 8h30-12h30 14h-18h; sam. dim. sur r.-v.

CH. MAISON NOBLE SAINT-MARTIN 2006

13,86 ha 70 000 3 à 5 €

Détruit pendant la Révolution, le château du XIVe s. a été reconstruit et commande aujourd'hui les 55 ha du domaine, situé sur le territoire de la plus petite commune de France. Mariage harmonieux des trois cépages blancs, ce 2006 jaune pâle à reflets nacrés fait preuve d'équilibre dans ses arômes de buis, de miel, de minéral et de boisé. Un léger perlant apporte de la vivacité au palais, souligne la rondeur de la chair et contribue à la fraîcheur de la finale marquée par les notes de sauvignon.

Ch. Maison Noble Saint-Martin, Maison Noble, 33540 Saint-Martin-du-Puy, tél. 05.56.71.86.53, fax 05.56.71.86.12, e-mail maison.noble@wanadoo.fr t.l.j. sf sam. dim. 9h-12h30 14h-18h; f. août

CH. MARJOSSE 2006 ★

13,91 ha 106 000 5 à 8 €

Le château personnel du directeur des prestigieux Cheval Blanc et Yquem. Le sauvignon domine à 55 % dans ce vin que composent également le sémillon et une note de muscadelle. En toute logique, ce sont ses arômes que l'on perçoit au nez, ceux de fleurs blanches et de minéral. À la vivacité de l'attaque répondent une chair ronde et aromatique, puis une finale rafraîchissante. Un entre-deux-mers élégant.

EARL Pierre Lurton, Ch. Marjosse, 33420 Tizac-de-Curton, tél. 05.57.55.57.80, fax 05.57.55.57.84, e-mail pierre.lurton@wanadoo.fr r.-v.

CH. LA MOTHE DU BARRY

Cuvée French Kiss 2006 ★

3 ha 24 000 3 à 5 €

Un entre-deux-mers au nom accrocheur, destiné à un apéritif entre amis. Il suscitera, en effet, la bonne humeur à la vue de sa teinte jaune pâle aux éclats dorés et séduira par la persistance de ses arômes de fleurs blanches et d'agrumes. Des nuances reprises au palais, rond et gras. Un léger perlant apporte une fraîcheur durable en finale. Le **Château Les Arromans 2006**, équilibré et expressif, obtient une citation.

Joël Duffau, 2, Les Arromans, 33420 Moulon, tél. 05.57.74.93.98, fax 05.57.84.66.10, e-mail joel.duffau@tiscali.fr t.l.j. sf dim. 8h-12h 14h-19h

CH. NARDIQUE LA GRAVIÈRE 2006

20 ha 130 000 3 à 5 €

Une palette aromatique complexe distingue cet assemblage des trois cépages blancs. Il suffit d'agiter un peu le verre pour que s'épanouissent les fleurs (aubépine, fleur de pêcher) et les fruits (pamplemousse, litchi). La bouche, souple dès l'attaque, fait preuve de rondeur et de fraîcheur, agrémentée de flaveurs de citron et de pêche blanche.

EARL Vignobles Thérèse, Ch. Nardique La Gravière, 33670 Saint-Genès-de-Lombaud, tél. 05.56.23.01.37, fax 05.56.23.25.89, e-mail lesvignoblestherese@wanadoo.fr r.-v.

CH. NOULET 2006 ★

11 ha 60 000 3 à 5 €

Le roi Édouard II d'Angleterre fit bâtir ce château au XVe s., mais le vignoble remonte au XVIIIe s. Le domaine aujourd'hui fort de 46 ha compte des vignes blanches vieilles de cinquante ans qui ont donné naissance à ce vin très classique. Classique par ses arômes de fruits à chair blanche et d'agrumes. Classique par son palais, franc en attaque, bien charnu et équilibré, enrichi de flaveurs de fleurs blanches persistantes. Classique par ses accords gourmands : fruits de mer et fromage de chèvre.

⊶ Michel Fougère, SCA de Crain, 33750 Baron, tél. 05.57.24.50.66, fax 05.57.24.14.07, e-mail fougere@chateau-de-crain.com ☑ ⵖ ⺮ r.-v.

CH. L'OMBRIÈRE DE BLANCHET
Fût de chêne 2005 *

2 ha 6 000 ⅢⅠ 5 à 8 €

Nous sommes ici à un kilomètre seulement du point culminant de la Gironde (144 m). Depuis sept ans, Marc Broquin s'est attaché à restaurer ce vignoble et son chai afin de produire des vins de qualité à l'image du 2005 qui embaume les fruits exotiques, le miel et la brioche. Jaune pâle à reflets nacrés, ce vin résulte de l'assemblage des trois cépages traditionnels et d'un élevage de six mois en barrique. Il se montre franc en attaque, équilibré, tout en fruit et en rondeur. Réservez-le à des mets raffinés.

⊶ SCEA Vignoble Broquin, Ch. Blanchet, 33790 Massugas, tél. 05.56.61.40.19, fax 05.56.61.31.40, e-mail chateau.blanchet@wanadoo.fr ☑ ⵖ ⺮ r.-v.

CH. RAUZAN DESPAGNE Réserve 2006

3,6 ha 28 600 ▮ 5 à 8 €

Un assemblage original des trois cépages bordelais à parts égales : sauvignon, sémillon et muscadelle. Un bouquet intense se révèle, marqué par le buis et le genêt que complètent des notes de fleurs blanches et d'agrumes. Il accompagne jusqu'en finale la matière délicate qui laisse une agréable sensation de légèreté et de fraîcheur.

⊶ SCEA des Vignobles Despagne, 33420 Naujan-et-Postiac, tél. 05.57.84.55.08, fax 05.57.84.57.31, e-mail contact@despagne.fr ☑ ⵖ ⺮ r.-v.

CH. REYNIER 2006

5 ha 30 000 ▮ 3 à 5 €

Le sauvignon, accompagné de sémillon (35 %) et de muscadelle (5 %), s'affirme dans cette cuvée jaune pâle : les arômes complexes évoquent en effet les agrumes, les fruits exotiques et les fleurs blanches. La chair ronde bénéficie du soutien d'une vivacité équilibrée, avec en finale une pointe d'amertume rafraîchissante.

⊶ SCEA Vignobles Marc Lurton, Ch. Reynier, 33420 Grézillac, tél. 05.57.84.52.02, fax 05.57.84.56.93, e-mail marc.lurton@wanadoo.fr ☑ ⵖ ⺮ r.-v.

DOM. DE RICAUD 2006

0,85 ha 6 500 5 à 8 €

Une cuvée confidentielle de belle présentation dans sa robe jaune-vert. Au bouquet de fleurs blanches, de pêche et d'agrumes répondent une attaque souple, puis une matière équilibrée entre rondeur et vivacité citronnée. En finale, les notes d'agrumes font leur retour, agrémentées d'une touche minérale.

⊶ Vignobles Chaigne et Fils, Ch. Ballan-Larquette, 33540 Saint-Laurent-du-Bois, tél. 05.56.76.46.02, fax 05.56.76.40.90, e-mail rchaigne@vins-bordeaux.fr ☑ ⵖ ⺮ r.-v.

CH. SAINTE-MARIE Vieilles Vignes 2006 *

n.c. 120 000 ▮ 5 à 8 €

Ce château dépendait autrefois de l'abbaye de La Sauve-Majeure et figurait parmi les étapes des pèlerins de Saint-Jacques-de-Compostelle. On y trouve aujourd'hui ce 2006 jaune doré à reflets nacrés qui s'ouvre sur des arômes de fleurs blanches, puis évolue vers des senteurs d'agrumes, de fruits exotiques et de buis. Tout en douceur en attaque, le vin offre une chair ample, grasse et fruitée, soutenue par une juste vivacité. Une touche minérale anime la finale.

⊶ Gilles et Stéphane Dupuch, Ch. Sainte-Marie, 51, rte de Bordeaux, 33760 Targon, tél. 05.56.23.64.30, fax 05.56.23.66.80, e-mail ch.ste.marie@wanadoo.fr ☑ ⵖ ⺮ r.-v.

CH. LES SEPT CHÊNES 2006

15 ha 100 000 ▮ - de 3 €

Lors de votre visite, le propriétaire vous montrera peut-être le puits en pierre de taille de cette ancienne ferme, qui serait le plus profond de la Gironde. Il vous présentera surtout ce 2006 jaune paille à l'attrayante palette aromatique : fleurs blanches, agrumes, fruits exotiques et sureau signent la présence de sauvignon (80 %). La bouche est équilibrée, fruitée, fraîche et ronde à la fois, avec en finale un léger perlant.

⊶ SCEA Vignobles Landié, 4, Grand-Champ, 33540 Saint-Martin-du-Puy, tél. 05.56.61.39.66, fax 05.56.71.61.22, e-mail vignobleslandie@free.fr ☑ ⵖ r.-v.

CH. TOUR DE MIRAMBEAU 2006 *

12,1 ha 96 800 ▮ 5 à 8 €

Le château Tour de Mirambeau est la pierre angulaire des vignobles Despagne depuis 1970. Sa tour et ses vignes se distinguent sur le plateau calcaire qui domine la vallée de la Dordogne. Sauvignon, sémillon et muscadelle à parts strictement égales composent ce 2006 resplendissant dans sa robe jaune pâle aux éclats verts. Les senteurs d'agrumes (citron notamment) et les notes minérales se prolongent jusqu'au palais qui garde un équilibre plaisant même si la vivacité domine en finale.

⊶ SCEA de la Rive Droite, 33420 Naujan-et-Postiac, tél. 05.57.84.55.08, fax 05.57.84.57.31, e-mail contact@despagne.fr ☑ ⵖ ⺮ r.-v.

CH. LES TUILERIES 2006 *

8 ha 40 000 ▮ 3 à 5 €

Une chartreuse du XVIIIe s commande cette propriété de 50 ha sur sol argilo-graveleux. Composé des trois cépages blancs, le 2006 offre sous une teinte jaune pâle à reflets verts des arômes de fleurs et de fruits, nuancés de notes de poivre. Une juste vivacité citronnée souligne la chair délicatement florale. Une certaine idée de l'élégance.

⊶ SCEA des Vignobles Menguin, 194, Gouas, 33760 Arbis, tél. 05.56.23.61.70, fax 05.56.23.49.79, e-mail vignoblesmenguin@9business.fr ☑ ⵖ ⺮ r.-v.

Entre-deux-mers haut-benauge

Neuf communes situées autour de Targon, sur la même aire que le bordeaux-haut-benauge, peuvent ajouter le nom de haut-benauge.

CH. HAUT MALLET 2005

1,2 ha 6 000 ⅢⅠ 5 à 8 €

Sur ce domaine fort aujourd'hui de 28 ha, on n'a pas attendu que l'écologie devienne une préoccupation majeure pour privilégier l'agriculture biologique : les vignes sont ainsi conduites depuis 1963... Ce 2005 présente une certaine originalité puisqu'il comporte 85 % de sémillon, complété de muscadelle et de sauvignon, et qu'il a été élevé huit mois en barrique. Aux arômes complexes de toasté, de fleurs blanches et d'agrumes succède un corps souple, rond et bien structuré, avec une légère pointe d'amertume rafraîchissante en finale. Une bouteille à apprécier dès maintenant.

🔑 SCA Vignoble Boudon, Le Bourdieu,
33760 Soulignac, tél. 05.56.23.65.60,
fax 05.56.23.45.58, e-mail contact@vignoble-boudon.fr
☑ 🍷 🚶 t.l.j. sf sam. dim. 9h-12h 14h-18h; f. 7-25 août

Graves-de-vayres

Malgré l'analogie du nom, cette région viticole, située sur la rive gauche de la Dordogne, non loin de Libourne, est sans rapport avec la zone viticole des Graves. Les graves-de-vayres correspondent à une enclave relativement restreinte de terrains graveleux, différents de ceux de l'Entre-deux-Mers. Cette appellation a été utilisée depuis le XIXes., avant d'être officialisée en 1931. Initialement, elle correspondait à des vins blancs secs ou moelleux, mais la conjoncture actuelle tend à augmenter la production des vins rouges qui peuvent bénéficier de la même appellation.

La superficie totale du vignoble de cette région représente environ 493 ha de vignes rouges et 99 ha de vignes à raisins blancs ; une part importante des vins rouges est commercialisée sous l'appellation régionale bordeaux. En AOC graves-de-vayres, la production a atteint en 23 565 hl en rouge et 5 245 en blanc en 2005.

CH. LES ARTIGAUX 2005

■ 2 ha n.c. 🍾 3 à 5 €

Partie d'un peu plus d'1 ha en 1915, cette propriété familiale en compte aujourd'hui 25. Issue à majorité de merlot (70 %), cette cuvée se présente dans une robe grenat sombre sous laquelle percent des arômes intenses de fruits (cerise, framboise, cassis). En bouche, les tanins sont doux, plaisants, également très fruités, mais un peu fugaces. Un vin de plaisir, friand, à déguster sans attendre.

🔑 Bruno Baudet,
Ch. Les Artigaux, 12, rue du Sudare, 33870 Vayres,
tél. 05.57.74.82.39, fax 05.57.84.97.28,
e-mail baudet.bruno@wanadoo.fr ☑ 🍷 🚶 r.-v.

CH. BARRE GENTILLOT Cuvée Jean Julien 2004

■ 1,66 ha 6 200 🛢 5 à 8 €

Cette cuvée Jean Julien est issue exclusivement du cépage merlot. Elle se distingue par une robe pourpre, des arômes de cuir frais, de noyau de cerise et de vanille, et une structure tannique élégante, prometteuse et bien fondue. Un vin prêt à boire ou à laisser vieillir deux à trois ans.

🔑 SCEA Yvette Cazenave-Mahé, Ch. de Barre,
33500 Arveyres, tél. 05.57.24.80.26, fax 05.57.24.84.54,
e-mail chateau.de.barre@online.fr
☑ 🍷 🚶 t.l.j. sf dim. 8h-12h30 14h-18h

CH. BEAUMARD Élevé en fût de chêne 2004

■ 3 ha 12 000 🍾🛢 5 à 8 €

Cet ancien prieuré du XVIIes. propose ce vin alliant merlot (75 %) et cabernet franc (25 %). Rouge vif à reflets violets, il livre un bouquet fin et harmonieux de fruits rouges. En bouche, les tanins, bien présents, mûrs et équilibrés, demandent encore quelques années pour se fondre complètement.

🔑 Pierre Escarpe, Ch. Beaumard, 33500 Arveyres,
tél. et fax 05.57.24.84.18,
e-mail pierre.escarpe@wanadoo.fr ☑ 🍷 🚶 r.-v.

CH. CANTELAUDETTE 2006 ★

□ 10 ha 80 000 3 à 5 €

Créé par l'arrière-grand-père de l'actuel propriétaire, ce domaine élaborait alors, outre du vin, des tuiles en terre cuite. Aujourd'hui, on peut y déguster cette cuvée issue essentiellement du sémillon (95 %), complété par un peu de muscadelle (5 %). Sous la robe jaune clair aux reflets dorés, le bouquet complexe et fin évoque l'ananas, la pêche et les agrumes. En bouche, le vin équilibré, frais et ample termine sur une pointe acidulée agréable. Toujours en blanc, la **cuvée Prestige 2006** est citée.

🔑 Jean-Michel Chatelier, Cantelaudette,
33500 Arveyres, tél. 05.57.24.84.71, fax 05.57.24.83.41,
e-mail jm.chatelier@wanadoo.fr ☑ 🍷 🚶 r.-v.

CH. CANTELOUP 2004 ★

■ 6 ha 40 000 5 à 8 €

Ce 2004 se présente dans une robe rubis intense aux reflets violets. Son expression aromatique est dominée par les petits fruits rouges et des notes boisées, vanillées. Les tanins gras et mûrs évoluent avec ampleur et une certaine puissance. La finale d'une bonne longueur retrouve la palette aromatique du nez. Une bouteille bien vinifiée et racée, qui peut être bue mais gagnera en complexité d'ici deux à trois ans.

🔑 EARL Landreau, L'Hermette,
33750 Beychac-et-Caillau, tél. 05.56.72.97.72,
fax 05.56.72.49.48 ☑ 🍷 r.-v.

CH. LA CHAPELLE BELLEVUE Prestige Élevé en barrique 2004 ★

■ 1,5 ha 7 000 🛢 8 à 11 €

Après deux coups de cœur pour le millésime 2003 en rouge et en blanc, ce château propose un 2004 très réussi. L'intensité de la robe rouge foncé aux reflets bleutés n'a d'égale que celle du nez, puissant, aux notes boisées et kirschées. En bouche, les tanins sont mûrs, ronds, bien extraits et enrobés par le bois. À apprécier dès aujourd'hui et pendant deux à quatre ans.

🔑 Lisette Labeille, chem. du Pin, 33870 Vayres,
tél. 05.57.84.90.39, fax 05.57.74.82.40,
e-mail lachapellebellevue@wanadoo.fr
☑ 🍷 🚶 r.-v. 🏠 ⑤

CH. JEAN DUGAY 2005 ★

■ 24 ha 50 000 🍾 3 à 5 €

Exploité par un frère et une sœur, ce château familial reçoit une étoile pour son vin rouge et pour son vin blanc. Grenat profond, le premier livre des parfums de petits fruits rouges rehaussés de délicates notes de lilas. Les tanins souples, mûrs et équilibrés, retrouvent en finale des accents fruités (framboise, fraise des bois). Un vin à boire ou à garder deux à cinq ans. Le **blanc 2006**, issu exclusivement de sauvignon, se distingue par sa complexité aromatique évoquant la pêche, l'ananas et les fleurs blanches. Il obtient une étoile. Des mêmes producteurs, le **Ch. La Caussade rouge 2005 Élevé en fût de chêne (5 à 8 €)** est cité : c'est un vin souple, fruité et friand, déjà prêt à boire.

GFA Vignoble Ballet, Ch. La Caussade,
33870 Vayres, tél. 05.57.74.83.17, fax 05.57.84.94.53,
e-mail vignoble.ballet@laposte.net r.-v.

CH. GOUDICHAUD 2006 *

8 ha 52 000 3 à 5 €

Construit au XVIII[e]s., ce château fut longtemps la résidence d'été des archevêques de Bordeaux. Il commande aujourd'hui un vignoble de 50 ha. En blanc, le 2006, assemblage de sauvignon (84 %) et de muscadelle, offre des arômes fins d'agrumes et de buis. La bouche est ronde, équilibrée et acidulée en finale. Ce vin bien typé est déjà prêt à boire. Le **rouge 2005 (5 à 8 €)** est cité pour son bouquet fruité et floral. En bouche, la présence tannique demande encore à s'assagir (deux ou trois ans de garde). Le **Château La Fleur des Graves rouge 2004 (11 à 15 €)** est également cité : marqué par le fruit et des tanins présents et ronds, il est à boire ou à laisser vieillir quelques années.

M. Glotin, EARL Ch. Goudichaud,
33750 Saint-Germain-du-Puch, tél. 05.57.24.57.34,
fax 05.57.24.59.90,
e-mail chateau-goudichaud@wanadoo.fr r.-v.

CH. L'HOSANNE Élevé en fût de chêne 2005 *

4 ha 15 000 5 à 8 €

L'Hosanne était au Moyen Âge un hommage rendu par le clergé au seigneur du château de Vayres voisin. Ce 2005, à la robe rouge vif aux reflets violets, est issu à 90 % de merlot, complété par le cabernet-sauvignon. Son bouquet puissant exprime les fruits rouges, l'amande et un boisé vanillé. En bouche, les tanins sont présents, mûrs, équilibrés et longs. À laisser vieillir deux à cinq ans. Le **Château La Croix de l'Hosanne rouge 2005 (3 à 5 €)** est cité : élevé en cuve, on retiendra ses qualités aromatiques (fruits rouges et violette) et sa capacité à être bu jeune.

SCEA Chastel-Labat, 124, av. de Libourne,
33870 Vayres, tél. 05.57.74.70.55, fax 05.57.74.70.36,
e-mail chateaulhosanne@wanadoo.fr r.-v.

CH. LESPARRE Vinifié en fût de chêne 2006

5 ha 30 000 5 à 8 €

Le château Lesparre, l'une des plus vastes propriétés du Bordelais, appartient à un Champenois. Issu des trois cépages sauvignon (60 %), sémillon et muscadelle (20 % chacun), élevé six mois en barriques neuves, ce vin jaune pâle allie les arômes d'ananas à des notes boisées. La bouche, bien équilibrée entre le gras et l'acidité, est encore marquée par le bois neuf. L'harmonie sera meilleure d'ici un à deux ans.

SCEV Michel Gonet et Fils, Ch. Lesparre,
33750 Beychac-et-Caillau, tél. 05.57.24.51.23,
fax 05.57.24.03.99, e-mail info@chateaulesparre.com
t.l.j. sf sam. dim. 9h-12h 14h-17h30

CH. PICHON-BELLEVUE 2006 *

5 ha 40 000 3 à 5 €

Cette propriété familiale, fondée en 1880 sur 2 ha, s'est agrandie au fil du temps pour arriver aujourd'hui à une superficie de 49 ha. Associant sauvignon (70 %) et sémillon (30 %), ce blanc livre un nez typé de bourgeon de cassis, ouvert et frais. En bouche, la souplesse et l'équilibre sont au rendez-vous avant une finale aromatique sur les agrumes. Les deux rouges de la propriété sont cités pour le 2005 : la **cuvée Élisée (5 à 8 €)** pour son caractère boisé et épicé et la **cuvée classique (5 à 8 €)**, élevée en cuve, pour son harmonie de fruits et de tanins, déjà prête à boire.

EARL Ch. Pichon-Bellevue, 33870 Vayres,
tél. 05.57.74.84.08, fax 05.57.84.95.08,
e-mail chateaupichonbellevue@orange.fr r.-v.
M. Reclus

CH. TOUR DE GUEYRON 2005 **

0,84 ha 5 000 5 à 8 €

Moins d'un hectare de vignes partagées entre merlot (50 %) et cabernet franc (50 %) a donné ce 2005, coup de cœur unanime du grand jury. La robe éclatante et profonde présente des reflets pourpres élégants. Le nez raffiné livre des arômes complexes évoquant la cerise, le pruneau et le poivre. Les tanins sont veloutés, souples, mûrs et rehaussés de notes épicées et d'un boisé élégant. La fin de bouche, tout en équilibre, finesse et longueur, présage d'un avenir important, au moins trois à cinq ans.

Pascal Sirat, Penchille, 33500 Arveyres,
tél. et fax 05.57.51.57.39, e-mail siratpascal@aol.com
r.-v.

CH. LES TUILERIES DU DÉROC 2004 *

3 ha 17 000 3 à 5 €

Établi sur le site d'une ancienne tuilerie, ce château possède un petit port sur la Dordogne, d'où l'on peut admirer régulièrement le fameux mascaret. Vous y dégusterez ce 2004 rouge soutenu aux reflets tuilés, qui libère des arômes d'épices, de vanille et de fruits rouges. En bouche, la structure est plaisante, équilibrée et aromatique sur la finale (notes florales). Une bouteille à boire ou à garder quelques années.

Vignobles Colombier, LD Montifaut, 33870 Vayres,
tél. 05.57.74.71.59, fax 05.57.74.88.31,
e-mail vignobles-colombier@wanadoo.fr r.-v.

Sainte-foy-bordeaux

Cité médiévale à l'intérêt touristique évident, mais aussi cité du vin entre Lot-et-Garonne et Dordogne, Sainte-Foy a produit 2 653 hl de vin blanc et 11 685 hl de vin rouge en 2005 sur les 345 ha déclarés du vignoble.

CH. DU CHAMP DES TREILLES 2004

■ 3,8 ha 10 000 11 à 15 €

Cultivé suivant les règles de la biodynamie, ce domaine appartient à Corinne et Jean-Michel Comme, directeur du château Pontet-Canet à Pauillac. Il propose un 2004 à la robe dense, presque noire, et aux élégants arômes de cassis, de framboise et de boisé. L'attaque ronde s'ouvre sur une matière fruitée dont les tanins boisés, encore un peu vifs, demandent un à deux ans de garde pour s'arrondir.

Corinne Comme, Pibran, 33250 Pauillac, tél. et fax 05.56.59.15.88, e-mail champdestreilles@wanadoo.fr r.-v.

CH. DES CHAPELAINS Prélude sec 2006 **

5,5 ha 40 000 5 à 8 €

Lauréat de plusieurs coups de cœur, Pierre Charlot figure en bonne place cette année dans le Guide avec trois cuvées sélectionnées. Cette cuvée Prélude est née sur des coteaux argilo-calcaires plantés de vignes de sauvignon blanc et gris (70 %), sémillon (20 %) et muscadelle (10 %). Elle brille de reflets verts et livre un bouquet intense évoquant le bourgeon de cassis et le buis. En bouche, c'est la vivacité et la fraîcheur qui dominent après une attaque souple et avant une finale fruitée et acidulée. Un vin vif et dense à servir dès maintenant. La cuvée **La Découverte blanc sec 2005 (8 à 11 €)**, plaisante et légère, est citée. Enfin, la cuvée **Prélude rouge 2005** charnue, à majorité de merlot, décroche une étoile.

Pierre Charlot, Les Chapelains, 33220 Saint-André-et-Appelles, tél. 05.57.41.21.74, fax 05.57.41.27.42, e-mail chateaudeschapelains@wanadoo.fr t.l.j. 8h-12h 14h-18h; sam. dim. sur r.-v.

CH. DE CLARIBÈS 2005

■ 4 ha 2 600 5 à 8 €

2005 est le premier millésime des nouveaux propriétaires de ce domaine conduit en biodynamie, et perché sur les hauteurs de Sainte-Foy. La robe grenat est limpide et le nez expressif marie harmonieusement les arômes de fruits rouges et d'épices. Les tanins ronds et équilibrés en attaque évoluent avec un peu de vivacité. L'harmonie sera plus intéressante dans deux ans.

SCEA Ch. de Claribès, 33890 Gensac, tél. 05.57.47.16.62, e-mail info@claribes.com r.-v.

N. Kinder et H. Kelly

CH. COURONNEAU 2005 *

■ 1,8 ha 7 400 5 à 8 €

Ce petit château dont les fondations remontent au XV[e]s. est flanqué de huit tours et entouré de douves sèches. Il commande un vignoble de 70 ha cultivé en agriculture biologique, à l'origine de ce 2005. Sous la robe grenat très foncé, le bouquet subtil évoque le menthol et les fruits rouges confits. Les tanins sont puissants, bien mûrs, amples et longs. Tout est réuni pour offrir un vrai plaisir dans deux ans.

Piat, Ch. Couronneau, 33220 Ligueux, tél. 05.57.41.26.55, fax 05.57.41.27.58, e-mail chateau-couronneau@wanadoo.fr r.-v.

CH. L'ENCLOS Triple A 2004 *

■ 18 ha 9 000 8 à 11 €

Coup de cœur l'an dernier, ce vin correspond à la tête de cuvée du domaine et son nom signifie Assemblage Authentique Ad'hoc. L'assemblage justement ? 50 % de merlot, 30 % de cabernet-sauvignon et 20 % de cabernet franc qui donnent un 2004 à la robe soutenue et au bouquet complexe de fruits noirs, de poivre et de pain grillé. Soyeux et amples, les tanins évoluent vers une longue finale aromatique. À découvrir d'ici deux ans.

E. Bonneville, SCEA Ch. L'Enclos, 3, rte de Bergerac, 33220 Pineuilh, tél. et fax 05.57.46.55.97, e-mail chateauleenclos@yahoo.fr r.-v.

CH. GRAND MONTET

Élevé en fût de chêne 2005 *

■ 3 ha 6 000 5 à 8 €

Ce château, récemment sorti de la cave coopérative (2001) propose avec ce 2005 un assemblage de cabernet-sauvignon (60 %) et de merlot (40 %). La robe intense brille de beaux reflets violets et le bouquet allie les fruits mûrs à des notes de caramel. La bouche développe des tanins ronds possédant de la sucrosité et de la puissance, puis la finale s'affirme, demandant deux à trois ans de garde.

Marie-France et Didier Roussel, EARL Les Deux Domaines, Le Montet, 33220 Saint-André-et-Appelles, tél. et fax 05.57.46.10.23 t.l.j. sf sam. dim. 8h-12h 14h-18h

CH. HOSTENS-PICANT 2005 *

■ 24 ha 92 000 15 à 23 €

Cette belle demeure girondine entourée d'un parc et de dépendances commande un vignoble d'une quarantaine d'hectares. Trois cuvées sont sélectionnées cette année. La cuvée principale brillant de reflets violines évoque avec élégance les fruits rouges. D'attaque vive, la bouche évolue vers une matière ample et souple conduisant à une finale marquée d'une petite amertume qui devrait s'estomper avec le temps. La **cuvée d'exception Lucullus rouge 2005 (23 à 30 €)** obtient aussi une étoile ; elle est plus puissante et plus boisée mais toujours bien équilibrée. Enfin, la **cuvée des Demoiselles blanc sec 2005**, harmonieuse et racée, décroche une étoile.

Ch. Hostens-Picant, Grangeneuve Nord, 33220 Les Lèves-et-Thoumeyragues, tél. 05.57.46.38.11, fax 05.57.46.26.23, e-mail chateauhp@aol.com r.-v.

CH. MARTET Réserve de famille 2004 *

■ 21 ha 38 000 15 à 23 €

Cette cuvée provient exclusivement du cépage merlot et bénéficie des techniques les plus modernes de vinification et d'élevage. C'est un vin riche et puissant, aux notes de fruits noirs, de pruneau et de torréfaction. Les tanins suaves et bien extraits sont encore jeunes. On aura donc soin de laisser en cave cette bouteille.

SCEA Ch. Martet, Martet, 33220 Eynesse, tél. 05.57.41.00.49, fax 05.57.41.09.36, e-mail pdc@deconinckwine.com t.l.j. sf sam. dim. 9h30-11h 14h-16h30

Patrick de Coninck

CH. PICHAUD SOLIGNAC

Cuvée des Danaïdes 2005 *

■ 1 ha 2 400 5 à 8 €

Ancienne ferme traditionnelle, cette propriété propose une cuvée issue à 70 % de cabernet-sauvignon

complété de merlot. La robe grenat brille de reflets tuilés. Le bouquet mentholé et fruité est harmonieux. Les tanins souples et riches en même temps montrent une certaine vivacité qui contribue à la fraîcheur et suggère un potentiel de vieillissement de l'ordre de quatre à six ans.
EARL Pichaud Solignac, La Niocaise,
33790 Pellegrue, tél. et fax 05.56.61.43.55,
e-mail contact@chateaupichaudsolignac.com
t.l.j. 9h-19h

CH. LE PRÉ DE LA LANDE
Élevé en fût de chêne 2004

5,04 ha 29 000 8 à 11 €

Premier millésime des nouveaux propriétaires, le 2003 fut coup de cœur il y a deux ans. On découvre cette année le 2004, assemblage de 30 % de cabernet franc et de 70 % de merlot, plus modeste mais néanmoins réussi. Sous la robe grenat aux reflets tuilés, les parfums de pruneau à l'eau-de-vie et de torréfaction composent un bouquet expressif agréable. La structure tannique souple et fondue indique que ce vin est prêt à boire.
EARL Vignobles de la Rayre, 2, La Rayre,
33220 Pineuilh, tél. et fax 05.57.41.36.20,
e-mail chtpredelalande@free.fr r.-v.
Michel Baucé

CH. DE VACQUES Cuvée Prestige 2005 ★★

3 ha 15 000 5 à 8 €

Une maison de maître du XIX[e]s. dominant la vallée de la Dordogne commande ce vignoble complanté à 80 % de merlot et 20 % de cabernet-sauvignon. Ce 2005 s'affiche dans une robe rubis intense et brillant. Son bouquet subtil évoque les fruits rouges. Les tanins sont veloutés, frais et très équilibrés ; on retrouve en finale les arômes gourmands du nez. Un vin typé et racé, à laisser s'épanouir deux ou trois ans en cave.
Christian Birac, 8, rue de La Commanderie,
33220 Pineuilh, tél. et fax 05.57.46.15.01,
e-mail chateau_de_vacques@hotmail.com
t.l.j. 11h-12h 14h-19h; f. 15-31 août

Premières-côtes-de-bordeaux

La région des premières côtes de bordeaux s'étend, sur une soixantaine de kilomètres, le long de la rive droite de la Garonne, depuis les portes de Bordeaux jusqu'à Verdelais. Les vignobles sont implantés sur des coteaux qui dominent le fleuve et offrent de magnifiques points de vue. Les sols y sont très variés : en bordure de la Garonne, ils sont constitués d'alluvions récentes, et certains donnent d'excellents vins rouges ; sur les coteaux, on trouve des sols graveleux ou calcaires ; l'argile devient de plus en plus abondante au fur et à mesure que l'on s'éloigne du fleuve. L'encépagement, les conditions de culture et de vinification sont classiques. Le vignoble ayant revendiqué cette appellation en 2005 représente 3 533 ha en rouge et 301 ha en blanc doux ; une part importante des vins, surtout blancs, est commercialisée sous des appellations régionales bordeaux. Les vins rouges 164 800 hl ont acquis depuis longtemps une réelle notoriété. Ils sont colorés, corsés, puissants ; les vins produits sur les coteaux ont en outre une certaine finesse. Les vins blancs 12 257 hl sont des moelleux qui tendent de plus en plus à se rapprocher des liquoreux.

BORDELAIS

CH. CARIGNAN Prima 2004 ★★

12 ha 33 500 15 à 23 €

Place forte au XV[e]s., ce chateau a fière allure. Une qualité que partage son vin : d'une couleur profonde, il développe un bouquet encore dominé par un boisé aux notes de café et de toasté mais laissant déjà apparaître sa future complexité. Rond, concentré et bien construit, le palais promet une jolie bouteille d'ici trois ans. La **cuvée principale 2004 (8 à 11 €)** est citée.
GFA Philippe Pieraerts, Ch. Carignan,
33360 Carignan-de-Bordeaux, tél. 05.56.21.21.30,
fax 05.56.78.36.65, e-mail tt@chateau-carignan.com
r.-v.

CARMINA 2005 ★

1,5 ha 7 000 11 à 15 €

Cette cuvée prestige du château La Chèze, assemblant merlot et cabernet franc, a été élevée seize mois en fût. Elle en sort parée d'une robe profonde, presque noire, qui invite à découvrir le bouquet d'une grande richesse, marqué par les fruits noirs (myrtille, mûre, cassis) et une pointe d'épices. La bouche dévoile un vin jeune, ample et soutenu par des tanins présents mais prometteurs. À attendre un ou deux ans. Plus simple mais agréable, le **Château La Chèze rouge 2005 Élevé en fût de chêne (5 à 8 €)** est cité.
J.-F. Rontein, SCEA Ch. La Chèze, D 13,
33550 Capian, tél. 05.56.72.11.77, fax 05.56.23.01.51,
e-mail jfrontein@wanadoo.fr r.-v.

CH. CHAMPCENETZ Cuvée spéciale 2005 ★

1,5 ha 10 000 5 à 8 €

Cette propriété dont la vocation viticole remonte à la fin du XVIII[e]s., appartient depuis 1999 à un Danois. Associant à parité le merlot et le cabernet-sauvignon, son vin séduit par son harmonie. Celle-ci se lit dans les notes de fruits rouges mûrs du bouquet et dans l'équilibre du palais, à la fois fin et gras. Un vin gourmand et doté d'un certain potentiel, qui méritera d'être attendu deux ans.
Ch. Champcenetz, 33880 Baurech,
tél. 05.56.67.05.58, fax 05.56.67.57.73,
e-mail chateau-champcenetz@wanadoo.fr
r.-v.
Jorgen Schmidt

CH. CHANTELOISEAU
Élevé en fût de chêne 2005 ★

3 ha 9 000 5 à 8 €

Né sur un coteau dominant la vallée de la Garonne, ce vin se présente dans une robe d'un rouge profond. Puissant et intense, le bouquet s'ouvre sur les fruits rouges et la vanille, avant de laisser apparaître des notes de pruneau et de confiture. Gras et charnu, le palais développe une matière tannique solide qui profitera d'une petite garde pour s'arrondir.

Dulac Séraphon, 2, Pantoc, 33490 Verdelais, tél. 05.56.62.02.08, fax 05.56.76.71.49, e-mail maite.seraphon@wanadoo.fr r.-v.

DOM. DU CHEVAL BLANC
Cuvée Prestige Élevé en fût de chêne 2004 *

2 ha 7 000 5 à 8 €

Un quatuor de cépages (cabernets, merlot, malbec) pour cette cuvée empreinte d'un boisé de bonne qualité qui sait laisser sa place au fruit. Charpentée et tannique, sa structure lui permettra d'être attendue trois ou quatre ans.

EARL Chaussié de Cheval Blanc, Cheval Blanc, 33490 Saint-Germain-de-Graves, tél. et fax 05.56.23.94.76, e-mail earl.chaussie@terre-net.fr r.-v.

CLOS BOURBON Vieilli en fût de chêne 2005

4 ha 22 000 8 à 11 €

Un vrai clos ceint d'un mur d'un kilomètre de long, à l'intérieur duquel une maison du XVIII^{e}s. règne sur les vignes de merlot et de cabernet-sauvignon qui ont produit ce 2005 souple et équilibré. Complexe, il déploie une large palette, alliant des notes fumées et grillées aux fruits mûrs. Deux ou trois ans d'attente lui garantiront une parfaite maturité.

Th. et C. d'Halluin, SCEA Clos Bourbon, 33550 Paillet, tél. 05.56.62.92.80, fax 05.56.62.12.59, e-mail closbourbon@club-internet.fr r.-v.

CH. CLOS CHAUMONT 2004

10,14 ha 24 000 11 à 15 €

Hollandais, Pieter Verbeek abandonne le commerce du bois pour s'installer en 1990 près de Bordeaux. À la tête d'une dizaine d'hectares aujourd'hui, il propose un 2005 souple et rond, suffisamment ample pour tirer profit d'un séjour en cave d'un ou deux ans, mais qui peut aussi séduire dès aujourd'hui par son bouquet floral et grillé.

Ch. Clos Chaumont, 8, lieu-dit Chomon, 33550 Haux, tél. 05.56.23.37.23, fax 05.56.23.30.54, e-mail chateau-clos-chaumont@wanadoo.fr r.-v.

Pieter Verbeek

CLOS SAINTE-ANNE 2004

5,5 ha 30 000 8 à 11 €

Propriétaire du château Thieuley, la famille Courselle exploite également ce clos en première-côtes. Elle propose un 2004 bien représentatif du millésime, encore un peu sur la réserve, mais qui évoluera positivement d'ici un ou deux ans. On découvrira alors son bouquet de cassis et de grillé aujourd'hui naissant, et sa matière ample et structurée.

Vignobles Francis Courselle, Ch. Thieuley, 33670 La Sauve-Majeure, tél. 05.56.23.00.01, fax 05.56.23.34.37, e-mail chateau.thieuley@wanadoo.fr t.l.j. 8h-12h 13h30-17h30; sam. dim. sur r.-v.

CH. COLIN DE PEY Élevé en fût de chêne 2005

5 ha 30 000 8 à 11 €

Original par son assemblage où le malbec vient compléter le merlot à hauteur de 20 %, ce vin livre un bouquet fruité, soutenu par un boisé épicé bien dosé. Souple et ronde, la structure est plaisante mais saura aussi garantir une garde de trois ou quatre ans.

SARL Les Vins Dominique Lurton, Martouret, 33750 Nérigean, tél. 05.57.24.50.02, fax 05.57.24.03.30, e-mail dlurton@maison2lurton.com r.-v.

CH. LES CONSEILLANS
Élevé en fût de chêne 2005 *

5,2 ha 15 000 5 à 8 €

Belle demeure Directoire, ce château a appartenu autrefois au célèbre œnologue Jean Ribéreau-Gayon. Repris en 2002 par Sylvie et Serge Ruiz, le domaine propose un 2005 au bouquet riche et complexe (cacao, réglisse, fruits rouges, cuir et gibier). Le palais ample, étoffé par une élégante structure tannique, invite à trois ou quatre ans de patience.

SCEA Dom. des Conseillans, 33880 Saint-Caprais-de-Bordeaux, tél. et fax 05.56.23.73.80, e-mail chateau.les.conseillans@wanadoo.fr r.-v.

Sylvie et Serge Ruiz

LE DÉLICE D'EXCEPTION
Cuvée Cédric Élevé en fût de chêne 2004 *

1 ha 4 000 11 à 15 €

Petite cuvée à dominante de merlot (85 %), ce vin se montre charmeur par la richesse de son bouquet fait de fruits rouges cuits escortés par de fines notes épicées et animales. Les tanins soyeux et la finale réglissée participent à l'harmonie de l'ensemble. À découvrir dans un an. Une étoile également pour la **cuvée Prestige du Château des Cèdres 2005 Élevé en fût de chêne (5 à 8 €)**.

SCEA Vignobles Larroque, 15, allée de Gageot, 33550 Paillet, tél. 05.56.72.16.02, fax 05.56.72.34.44, e-mail vignobles.larroque@wanadoo.fr r.-v.

CH. LE DOYENNÉ 2004

8 ha 36 000 8 à 11 €

À cheval sur les communes de Camblanes et de Saint-Caprais, ce cru présente un encépagement traditionnel à dominante de merlot, complété par le cabernet-sauvignon et une petite part de cabernet franc. Le 2004 est un vin souple et équilibré, encore marqué par l'élevage en finale, qu'il faudra laisser en cave un ou deux ans.

SCEA du Doyenné, 27, chem. de Loupes, 33880 Saint-Caprais-de-Bordeaux, tél. 05.56.78.75.75, fax 05.56.21.30.09, e-mail dwatrin@chateauledoyenne.fr r.-v.

CH. DE L'ESPINGLET Cuvée privée 2005 *

n.c. n.c. 3 à 5 €

Issue d'un vignoble situé sur les coteaux de Rions, cette cuvée est aussi expressive par sa couleur, d'un rubis soutenu à reflets vifs, que par son bouquet, où les doux parfums de fruits et de vanille sont rehaussés par des notes plus sauvages. Franc, équilibré, ample et élégant, le palais est à la hauteur de la présentation. Un vin que l'on peut commencer à apprécier dès aujourd'hui.

Ch. de L'Espinglet, 33410 Rions, tél. et fax 05.56.76.90.70, e-mail chateau.espinglet@yahoo.fr

DOM. DU GRAND PARC Vieilles Vignes 2004 *

5 ha 25 000 5 à 8 €

Acquis par l'INRA en 1958 pour mener des recherches sur les techniques viticoles compatibles – déjà – avec l'agriculture durable, ce cru se singularise par la diversité de son encépagement qui inclut le petit verdot. Le résultat est un vin complexe où la vanille et la cannelle côtoient les fruits rouges et les notes de fumée. Sa solide structure tannique suggère de l'attendre encore un ou deux ans.

INRA, Dom. du Grand Parc, 33360 Latresne, tél. 05.56.30.77.61, fax 05.56.20.02.04, e-mail forget@bordeaux.inra.fr r.-v.

CH. GRIMONT

Cuvée Prestige Élevé en fût de chêne 2005 **

■ 8 ha 55 000 5 à 8 €

La famille Yung exploite différents crus dans les premières-côtes, qui lui ont déjà valu plusieurs coups de cœur. Distinguée il y a deux ans, cette cuvée Prestige brille à nouveau de deux étoiles. D'un rouge profond et brillant, elle marie avec bonheur les fruits rouges mûrs et la vanille. Souple à l'attaque, le palais révèle ensuite une structure au boisé bien fondu. Trois ou quatre ans d'attente permettront d'apprécier cette bouteille à son optimum. Appartenant à Jean Yung, le **Château Sissan Grande Réserve rouge élevé en fût de chêne 2005** décroche une étoile. Souple, rond et riche, il possède un bon potentiel de garde.

SCEA Pierre Yung et Fils, Ch. Grimont, 33360 Quinsac, tél. 05.56.20.86.18, fax 05.56.20.82.50, e-mail contact@gsma-yung.com r.-v.

Paul Yung

CH. LES GUYONNETS

Cuvée Prestige Élevé en fût de chêne 2005 *

■ 15 ha 35 000 5 à 8 €

Commandé par une ancienne maison de maître typiquement girondine, ce cru propose un vin qui tient les promesses de sa robe d'un rouge soutenu et brillant. Très expressif, le bouquet sur le fruit est en harmonie avec le palais fin, élégant et bien structuré. À apprécier dans deux ou trois ans.

Sophie et Didier Tordeur, Ch. Les Guyonnets, 33490 Verdelais, tél. et fax 05.56.62.09.89, e-mail didiertordeur@aol.com r.-v.

CH. HAUT-LA PEREYRE

Cuvée Meste-Jean Élevé en fût de chêne 2005 **

■ 5 ha 21 000 8 à 11 €

GRAND VIN DE BORDEAUX
ÉLEVÉ EN FÛT DE CHÊNE
Cuvée Meste-Jean
PREMIÈRES CÔTES DE BORDEAUX
2005
Mis en Bouteille au Château
CHATEAU HAUT-LA PEREYRE
EARL Vignobles Cailleux

Une forte proportion de cabernet-sauvignon (80 %) arrivé parfaitement à maturité permet à cette cuvée de se distinguer par sa richesse. Celle-ci apparaît dès le bouquet, où les fruits rouges composent un accord parfait avec la réglisse, la vanille et la violette. Soyeux mais encore jeunes, les tanins structurent un palais complexe au boisé bien fondu. Il faudra deux ou trois ans de patience avant de commencer à apprécier cette bouteille, que l'on pourra ensuite garder plusieurs années.

EARL Vignobles Cailleux, La Pereyre, 33760 Escoussans, tél. 05.56.23.63.23, fax 05.56.23.64.21, e-mail olivier.cailleux@wanadoo.fr r.-v.

CH. LES HAUTS DE PALETTE

Élevé en fût de chêne 2004

■ 5 ha 30 000 5 à 8 €

Une chartreuse du XVIIIe s., restaurée en 1994, et sa chapelle attenante, règnent sur ce cru. S'annonçant par une robe d'une couleur soutenue, ce vin retient l'attention par ses arômes de café, d'épices, de grillé et de vanille. Structuré par des tanins boisés, équilibré, il sera prêt d'ici deux ou trois ans. Le **Château Arnaud Jouan Élevé en fût de chêne rouge 2005**, du même producteur, est cité.

SCEA Charles Yung et Fils, 8, chem. de Palette, 33410 Béguey, tél. 05.56.62.94.85, fax 05.56.62.18.11, e-mail h.d.p@wanadoo.fr
t.l.j. sf sam. dim. 9h-12h 14h-18h; f. 20 juil.-16 août

CH. DE HAUX 2004 *

■ 45 ha 270 000 5 à 8 €

Quand Peter Jorgensen achète la propriété en 1985, celle-ci ne compte que 18 ha de vignes. Une vingtaine d'années après, elle s'étend sur 125 ha. Cette expansion de ne s'est pas faite au détriment de la qualité, comme en témoigne ce 2004. Grenat soutenu, il est encore marqué par les arômes d'élevage : fumée, grillé, moka. Le palais s'inscrit dans le droit fil, évoluant avec équilibre sur des tanins ronds, avant une finale sur une note toastée. À attendre un ou deux ans pour un meilleur fondu.

SARL Ch. de Haux, 33550 Haux, tél. 05.57.34.51.10, fax 05.57.34.51.15, e-mail haux@haux.com r.-v.

Peter Jorgensen

CH. JORDY D'ORIENT

Vieilli en fût de chêne 2004 *

■ 2,5 ha 16 000 5 à 8 €

Le merlot (95 %) domine l'assemblage de ce vin, lui conférant un bouquet plaisant de fruits noirs, de réglisse et de vanille. Rond, porté par des tanins fondus, le palais offre une longue finale sur le fruit. Un vin que l'on pourra commencer à apprécier sans tarder.

Laurent Descorps, Ch. Haut-Liloie, 33760 Escoussans, tél. 05.56.23.94.23, fax 05.57.34.40.09, e-mail laurent.descorps@wanadoo.fr r.-v.

CH. LAFITTE Élevé en fût de chêne 2005

■ n.c. 10 000 8 à 11 €

S'il reste marqué par son élevage, ce vin n'en possède pas moins un bon équilibre général. Il est à réserver aux amateurs de vins boisés, qui apprécieront ses notes toastées et grillées et sa structure ample et tannique. Ils devront néanmoins patienter deux ou trois ans avant d'ouvrir cette bouteille.

Philippe Mengin, Ch. Lafitte, 6, rte de la Lande, 33360 Camblanes, tél. 05.56.20.77.19, fax 05.56.20.00.18, e-mail scchateaulafitte@aol.com r.-v.

CH. LAGAROSSE Les Comtes 2005 **

■ 3,5 ha 15 000 15 à 23 €

Habitué aux coups de cœur avec cette cuvée (millésimes 2001 et 2002), ce cru ne pouvait pas laisser passer un millésime comme le 2005. Profonde, soutenue et animée par des reflets vifs, sa robe est riche de promesses. Seront-elle tenues ? Il suffit de humer le bouquet, riche et intense, pour connaître la réponse, que l'attaque ample et franche se charge de confirmer. À la fois rond et char-

penté, le palais est déjà plaisant, tout en réservant de beaux moments de dégustation à ceux qui auront la sagesse de l'attendre deux ou trois ans, voire davantage. La **cuvée principale 2004 (8 à 11 €)**, également élevée en fût, obtient une étoile.

🔑 Ch. Lagarosse, 33550 Tabanac, tél. 05.57.74.43.11, fax 05.57.74.44.67, e-mail fonplegade@wanadoo.fr ☑ Y ✝ r.-v.

🔑 M. Adams

CH. LAMOTHE DE HAUX Cuvée Valentine 2005

■ 1,16 ha 7 700 ⦀ 8 à 11 €

Creusées sous le domaine, d'anciennes carrières servent de chais de vieillissement pour les barriques. C'est là qu'a été élevé ce vin simple mais agréable. Rond et souple, fruité (cassis), il pourra être servi jeune sur une viande rouge grillée. De même pour la **Première Cuvée Vieilli en fût de chêne rouge 2005** également citée.

🔑 Néel-Chombart, Ch. Lamothe, 33550 Haux, tél. 05.57.34.53.00, fax 05.56.23.24.49, e-mail info@chateau-lamothe.com ☑ Y ✝ r.-v.

CH. LANGOIRAN Cuvée la Gravière 2005 *

■ 2 ha 4 600 ⦀ 8 à 11 €

Située à 100 m des vestiges de la puissante forteresse médiévale éponyme, ce cru jouit d'un terroir en pente favorable au drainage naturel. Si le boisé est encore très présent, ce vin issu à 100 % de merlot, n'en joue pas moins la carte de l'élégance. Ample et charnu, il développe une trame de tanins solides qui profiteront d'un séjour d'un ou deux ans en cave pour s'arrondir.

🔑 SC Ch. Langoiran, Le Pied du Château, 33550 Langoiran, tél. 05.56.67.08.55, fax 05.56.67.32.87, e-mail infos@chateaulangoiran.com ☑ Y ✝ r.-v.

🔑 Nicolas Filou

CH. LARONDE
Cuvée Prestige Élevé en fût de chêne 2005 *

■ 2,5 ha 12 000 ▮⦀ 5 à 8 €

Comme il sied à une cuvée Prestige, ce vin sait se présenter : d'un rouge intense et brillant, il exprime des parfums de fruits rouges enrobés par un fin boisé. Attaquant sur une note toastée, le palais gagne ensuite en harmonie, pour finir sur des saveurs fruitées plaisantes. À ouvrir dans un an.

🔑 Moncho-Yung, Ch. Lapeyrere, 4, chem. de Palette, 33410 Béguey, tél. 05.56.62.69.25, fax 05.56.62.67.97, e-mail pmoncho@hotmail.com ☑ Y ✝ r.-v.

CH. DE LAVILLE Élevé en fût de chêne 2005 *

■ 15 ha 80 000 ▮⦀ 5 à 8 €

Laurent Gapenne, président du syndicat d'appellation, lutte avec ferveur contre l'urbanisation galopante de la région. L'harmonie de son 2005 est encore un des meilleurs arguments que l'on puisse apporter pour la défense des terroirs viticoles. Fin et équilibré, porté par des tanins fondus, il sait déjà se montrer fort plaisant tout en possédant un bon potentiel d'évolution.

🔑 EARL Laurent Gapenne, Laville, 33550 Capian, tél. 05.56.72.36.18, fax 05.56.72.38.18, e-mail laurent.gapenne@wanadoo.fr ☑ Y ✝ r.-v.

CH. DE LESTIAC
Cuvée Prestige Élevé en fût de chêne 2005

■ 21 ha 60 000 ⦀ 5 à 8 €

Régulièrement sélectionnée, cette cuvée apparaît toujours marquée par l'élevage dans sa jeunesse. On attendra donc un ou deux ans qu'elle gagne en harmonie. Elle a tous les atouts pour patienter, de son bouquet concentré et complexe mariant les fruits noirs et la vanille à sa structure équilibrée et persistante. Très proche par le style, le **Château de Marsan rouge 2005** obtient une citation.

🔑 SCEA Gonfrier Frères, Ch. de Marsan, BP 5, 33550 Lestiac-sur-Garonne, tél. 05.56.72.14.38, fax 05.56.72.10.38, e-mail gonfrier@wanadoo.fr ☑ Y ✝ r.-v.

CH. MONS LA GRAVEYRE 2005 *

■ 2 ha 10 000 ⦀ 8 à 11 €

Premier millésime pour Catherine et Jean-Marc Dumons, qui ont repris cette propriété de 2 ha complantée principalement de merlot (90 %). Comme l'annonce sa robe d'une couleur intense et soutenue, ce 2005 développe un puissant bouquet de fruits rouges mûrs et un palais charpenté. Il s'exprimera pleinement dans deux ou trois ans sur des viandes rouges, des civets ou du gibier.

🔑 Catherine et Jean-Marc Dumons, Ch. Mons La Graveyre, chem. Bremontier, 33880 Cambes, tel. et fax 05.56.44.09.47, e-mail jean-marc.dumons@wanadoo.fr ☑ Y ✝ r.-v.

CH. MONTJOUAN Grande Réserve 2005 *

■ 4,6 ha 30 000 ⦀ 5 à 8 €

Anne-Marie Lebarazer a confié depuis quelques années l'exploitation de son domaine aux Yung, producteurs de nombreux autres crus dans l'appellation. Cette cuvée qui associe un peu de cabernet franc et de malbec au classique duo merlot/cabernet-sauvignon livre un bouquet expressif et complexe (fruits rouges mûrs et fines notes boisées) ; sa structure est riche, grasse et puissante : tout est en place pour donner une belle bouteille dans trois ans.

🔑 SCEA Pierre Yung et Fils, Ch. Grimont, 33360 Quinsac, tél. 05.56.20.86.18, fax 05.56.20.82.50, e-mail contact@gsma-yung.com ☑ Y ✝ r.-v.

🔑 Lebarazer

CH. NÉNINE Cuvée des Augustins 2005 *

■ 4,5 ha 24 000 ⦀ 8 à 11 €

Née sur un terroir de graves orienté vers le sud et le sud-ouest, cette cuvée s'affiche dans une robe grenat vif et intense. Son bouquet gourmand exprime les fruits noirs et la vanille. Souple, expressive, tannique et longue, sa structure ne laisse planer aucun doute sur son potentiel de garde. Un séjour en cave de trois à quatre ans est à envisager. Un peu moins aromatique mais également apte à la garde, la **cuvée principale rouge 2005 (5 à 8 €)** est citée.

SCEA des Coteaux de Nénine, Ch. Nénine, 33880 Baurech, tél. 05.56.78.70.78, fax 05.56.39.88.63, e-mail s.fouquet@libertysurf.fr r.-v.

LA PERLE DU PAYRE
Cuvée Prestige Élevé en fût de chêne neuf 2005 *

1,22 ha 8 000 8 à 11 €

Créée en 2003, cette cuvée est depuis ce millésime toujours sélectionnée. Son 2005 se distingue par l'élégance de son bouquet qui marie les fruits rouges et le grillé, et par sa structure souple, ample et généreuse, qui invite à deux ou trois ans de patience.

SCEA Vignobles Arnaud et Marcuzzi, 13, Le Vic, 33410 Cardan, tél. 05.56.62.60.91, fax 05.56.62.67.05, e-mail arnaud.marcuzzi@wanadoo.fr
t.l.j. 9h-12h 15h-16h; sam. dim. sur r.-v.; f. semaine 15 août
Labrousse

CH. LA PEYRUCHE Élevé en fût de chêne 2004 *

3 ha 10 400 5 à 8 €

Commandé par une demeure du début du XVII[e]s., ce cru est sorti la tête haute de l'épreuve qu'a représentée le millésime 2004. Soutenu par un boisé qui sait marquer sa présence sans être dominant, ce vin révèle une solide charpente et une belle expression aromatique (fruits rouges mûrs, toasté). Horizon 2010 pour cette bouteille.

Rémi Caillard, Ch. La Peyruche, 33550 Langoiran, tél. 05.56.67.36.01, fax 05.56.67.20.61
r.-v.

CH. PILET
Cuvée Prestige Élevé en fût de chêne 2005

1,2 ha 7 300 8 à 11 €

Petite cuvée élaborée dans les millésimes fastes, ce vin affiche clairement ses ambitions par l'intensité et la profondeur de sa robe. Cette richesse se retrouve dans le bouquet, où le boisé sait respecter le vin pour composer un ensemble frais et fruité. Le palais est un peu plus austère aujourd'hui, toutefois, il possède le volume, la matière et la longueur nécessaires pour bien évoluer dans les deux ou trois prochaines années.

SCV Jean Queyrens et Fils, Le Grand Village, 33410 Donzac, tél. 05.56.62.97.42, fax 05.56.62.10.15, e-mail scvjqueyrens@orange.fr r.-v.

CH. DU PIRAS 2005

21,1 ha 184 000 8 à 11 €

Si l'on en croit la légende, ce domaine, qui aurait appartenu aux Templiers, recélerait un trésor. Le rechercher risquerait néanmoins d'apporter quelques désillusions. Mieux vaut s'intéresser à ce 2005. Encore ferme en finale, il séduit par sa complexité aromatique mêlant des arômes gourmands à souhait : fruits, cacao, vanille et épices. À découvrir dans un ou deux ans.

SCA Les Trois Collines, 242, rte de Créon, 33550 Capian, tél. 05.57.97.04.40, fax 05.57.97.04.60, e-mail cavif@wanadoo.fr r.-v.
Bömers

CH. DE PLASSAN 2004 *

15 ha 65 000 5 à 8 €

Influence de l'architecture ? Ce cru commandé par une villa palladienne du début du XIX[e]s. propose un vin qui joue la carte de la finesse. Agréablement bouqueté, avec des notes de fruits rouges et de cassis enrobées d'une pointe de chocolat, il développe un palais souple mais bien construit. À apprécier d'ici deux à trois ans. Plus simple dans son expression aromatique, la cuvée **Rouge 2005 (3 à 5 €)**, dont l'étiquette décline le nom de la couleur en une dizaine de langues, est citée.

Ch. de Plassan, Plassan, 33550 Tabanac, tél. 05.56.67.53.16, fax 05.56.67.26.28, e-mail contact@chateauplassan.fr r.-v.
Brianceau

BORDELAIS

CH. LA PRIOULETTE Moelleux 2005

2,68 ha 10 100 8 à 11 €

S'il aurait mérité un peu plus de vivacité, ce vin sait retenir l'attention par la richesse de son bouquet d'amande, de noisette et d'ananas frais agrémentés de quelques notes confites. Ample et assez bien équilibré, il fera un bon vin d'apéritif et de conversation.

SC du Ch. La Prioulette, 3, La Prioulette, 33490 Saint-Maixant, tél. 05.56.62.01.97, fax 05.56.62.02.20, e-mail laprioulette@free.fr
r.-v.
Famille F. Bord

CH. PUY BARDENS
Cuvée Prestige Élevé en barrique de chêne 2004

9 ha 50 000 5 à 8 €

Un magret de canard aux cèpes pourra accompagner cette bouteille, mais d'ici une petite année. Le temps que sa finale, aujourd'hui un peu sévère, s'arrondisse. On découvrira alors un vin charmeur et élégant, au bouquet expressif mêlant les fruits rouges et la vanille.

SC Vignobles Lamiable, Ch. Puy Bardens, 33880 Cambes, tél. 05.56.21.31.14, fax 05.56.21.86.40, e-mail chateau-puybardens@wanadoo.fr r.-v.

CH. REYNON 2005

19 ha 90 000 11 à 15 €

Professeur à la faculté d'œnologie, Denis Dubourdieu gère ses domaines en famille, avec sa femme Florence et ses deux fils Fabrice et Jean-Jacques. Grand habitué du Guide, ce cru propose un 2005 qui retient l'attention par ses fins arômes de grillé et de fruits mûrs (pruneau) qui s'harmonisent avec la souplesse et la rondeur du palais.

Denis et Florence Dubourdieu, Ch. Reynon, 21, rte de Cardan, 33410 Béguey, tél. 05.56.62.96.51, fax 05.56.62.14.89, e-mail reynon@wanadoo.fr r.-v.

CH. SAINTE-MARIE Le Moulin 2005 **

5 ha 30 000 8 à 11 €

Comme beaucoup de producteurs de l'Entre-deux-Mers, les Dupuch ont franchi la « frontière » des permières-côtes. Avec raison, si l'on en juge par ce vin dont le jury a pu apprécier le caractère puissant et équilibré. Son intensité apparaît dès le bouquet, avec des parfums de fruits rouges mûrs et confiturés. Au palais, sa force tannique annonce un solide potentiel de garde : trois ou quatre ans, voire davantage. En attendant, il sera possible d'ouvrir une bouteille d'**Alios de Sainte-Marie rouge 2005**, citée.

Gilles et Stéphane Dupuch, Ch. Sainte-Marie, 51, rte de Bordeaux, 33760 Targon, tél. 05.56.23.64.30, fax 05.56.23.66.80, e-mail ch.ste.marie@wanadoo.fr r.-v.

CH. SAINT-NICOLAS 2005 ★

■ n.c. 9 000 🛢 5 à 8 €

Assemblage de merlot, de cabernet-sauvignon (40 % chacun) et de cabernet franc, ce 2005 fait preuve d'une réelle puissance. Moins par sa robe, d'une timide quoique plaisante couleur rubis, que par son bouquet, où les fruits rouges mûrs disputent la vedette aux épices, et plus encore par sa structure ample, riche et tannique. À apprécier dans un ou deux ans.

SARL Benito NV, Ch. Le Videau, Lieu-dit Le Vic, 33410 Cardan, tél. 05.56.76.72.37, fax 05.56.76.95.24, e-mail benitonv@free.fr r.-v.

CH. SALINS 2004

■ 1,5 ha 9 500 🛢 5 à 8 €

La jeunesse des vignes (sept ans) de ce microcru ne l'empêche pas de faire son entrée dans le Guide avec ce 2004 qui évolue avec finesse et équilibre sur une matière fruitée, d'une longueur correcte.

Bernard Gay, Ch. Salins, 33410 Rions, tél. 05.56.62.92.09, fax 05.56.76.90.75, e-mail chateausalins@wanadoo.fr r.-v. 3 E

CH. SUAU
Cuvée Prestige Élevé en fût de chêne 2005 ★★

■ 11,23 ha 73 000 🛢 8 à 11 €

Vaste unité commandée par une charmante maison de campagne se cachant derrière des chênes centenaires, ce cru propose un vin remarquable d'harmonie. Dès la présentation, il séduit par sa robe rubis sombre et brillante. Son élégance se retrouve dans le bouquet, fin, intense et complexe, équilibré entre le fruit et le merrain. Sa matière ronde et souple et sa finale réglissée achèvent de convaincre de la qualité et du potentiel de cette bouteille.

Monique Bonnet, Ch. Suau, 33550 Capian, tél. 05.56.72.19.06, fax 05.56.72.12.43, e-mail bonnet.suau@wanadoo.fr t.l.j. sf sam. dim. 8h30-12h 14h-17h30

DOM. DU TASTA
Cuvée Henri Élevé en fût de chêne 2005

■ 0,5 ha 1 200 🛢 8 à 11 €

Issue d'une petite propriété (1,5 ha), cette cuvée sait se rendre plaisante par sa souplesse et ses arômes fruités et vanillés. Deux ou trois ans de garde lui permettront de s'exprimer pleinement. La **cuvée principale Élevé en fût de chêne rouge 2005 (5 à 8 €)** est également citée.

Stroobandt, 37, rte de la Lande, 33360 Camblanes-et-Meynac, tél. 05.56.20.62.97 r.-v.

CH. DU VALLIER Élevé en fût de chêne 2005 ★★

■ 20 ha 30 000 🛢 8 à 11 €

Deuxième millésime élaboré par Michel Dulon. Après une étoile l'an dernier pour le 2004, ce vin fait faire un bond en avant à ce cru. Habillé d'une robe rubis à reflets vifs, il livre un nez délicat de fruits rouges et de vanille. L'attaque souple conduit à une matière charnue aux tanins présents mais enrobés. Un plaisir pour 2010.

SC Dulon, 133, Grand-Jean, 33760 Soulignac, tél. 05.56.23.69.16, fax 05.57.34.41.29, e-mail dulon.vignobles@wanadoo.fr r.-v.

Côtes-de-bordeaux-saint-macaire

L'appellation côtes de bordeaux saint-macaire prolonge, vers le sud-est, celle des premières-côtes-de-bordeaux. Elle produit des vins blancs secs et liquoreux qui ont représenté 2 064 hl en 2005 pour 61 ha revendiqués en AOC.

CH. DE BOUILLEROT
Le Palais d'or Moelleux 2005 ★★

□ 1 ha 4 000 🛢 8 à 11 €

Château de Bouillerot
Le Palais d'Or
2005
Côtes de Bordeaux Saint-Macaire
Appellation Côtes de Bordeaux Saint-Macaire Contrôlée
Mis en Bouteille au Château
Thierry BOS

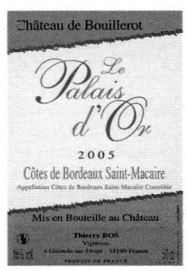

Jamais deux sans trois... un troisième coup de cœur consécutif pour cette cuvée issue de vieilles vignes de sémillon, plantées sur des coteaux argilo-calcaires. Ce n'est plus une performance, c'est un exploit ! Sous la robe jaune paille brillant de reflets dorés, les arômes élégants et complexes évoquent les fruits jaunes et le boisé vanillé. En bouche, ce vin séduisant et puissant évolue avec beaucoup de finesse et d'équilibre, entre la rondeur du boisé et la fraîcheur des fruits croquants, comme le note un dégustateur. D'une remarquable longueur, ce Palais d'or porte bien son nom. L'attendre trois à quatre ans.

Thierry Bos, 8, Lacombe, 33190 Gironde-sur-Dropt, tél. et fax 05.56.71.46.04, e-mail info@bouillerot.com t.l.j. 9h-12h 14h-18h; dim. sur r.-v.

CH. DE CAP D'ORAT Sec 2005 ★★

□ 2,4 ha 9 000 🛢 5 à 8 €

Un encépagement équilibré entre sauvignon et sémillon, une fermentation suivie d'un élevage en barrique d'un an : le tout donne un vin bien construit. Serait-ce parce que le propriétaire est également architecte ? Sous la robe brillante, les arômes de bourgeon de cassis s'affirment au nez. Au palais, ce 2005 marie avec élégance rondeur, fraîcheur et puissance dans un ensemble aux notes briochées. Un excellent vin à boire tout seul en apéritif, ou bien en accompagnement d'un poisson mariné.

François Gauthier, SCEA Louloumet, 1, rte de Garonne, 33210 Langon-Toulenne, tél. 05.56.62.23.02, fax 05.56.62.20.57, e-mail archifrancoisgauthier@compurserve.com r.-v.

CH. DE CAPPES Moelleux 2005 ★

□ n.c. n.c. 🛢 3 à 5 €

Dans la même famille depuis quatre générations, cette propriété présente ce moelleux issu de vignes de

sémillon quinquagénaires. La robe jaune d'or s'orne de reflets argentés ; le bouquet floral et fruité demande encore à s'épanouir pour livrer complètement ses arômes de fruits exotiques naissants. En bouche, c'est un vin de caractère, riche et complexe, possédant une bonne persistance aromatique. Une bouteille à boire ou à garder deux à cinq ans.
EARL Patrick Boulin, Bidalet,
33490 Saint-André-du-Bois, tél. 05.56.76.46.15,
fax 05.56.76.47.47 r.-v.

CH. FAYARD Sec 2005 ★

	3,77 ha	20 000	11 à 15 €

Superbe architecture des XVIIe et XVIII[e]s., Fayard mérite le détour. Son vin aussi, tel ce 2005 dont l'assemblage de sémillon (deux tiers) et de sauvignon (un tiers) est complété d'une touche de muscadelle. La robe jaune-vert clair est brillante. Le bouquet très fruité est agrémenté d'une pointe vanillée (un an d'élevage en fût). La bouche attaque en souplesse, puis offre une matière bien équilibrée entre le gras et la vivacité. À boire sans attendre sur des poissons en sauce.
Jacques-Charles de Musset, Ch. Fayard,
33490 Le Pian-sur-Garonne, tél. 05.56.63.33.81,
fax 05.56.63.60.20, e-mail chateau.fayard@wanadoo.fr
r.-v.
SA Saint-Michel

FLEUR D'AURORE
Moelleux Élevé en fût de chêne 2005

	0,4 ha	2 400	8 à 11 €

Aurore, petite-fille de Michel Bergey, avait onze ans quand fut créée cette cuvée. Aujourd'hui en formation viti-œno, elle se prépare à assurer la relève. Ce 2005 se présente habillé d'une robe paille brillant de reflets verts et livre un nez où les parfums de miel se mêlent à des notes de fruits confits. La bouche riche et ample manque peut-être d'une pointe de fraîcheur mais reste néanmoins plaisante. À boire ou à attendre un ou deux ans. Du même producteur, le **Château de Damis Moelleux 2005 (5 à 8 €)** est également cité.
SCEA Vignobles Michel Bergey,
33490 Sainte-Foy-la-Longue, tél. 05.56.76.41.42,
fax 05.56.76.46.42,
e-mail contact@vignoblesbergey.com
t.l.j. 8h30-12h30 14h-18h;
ven. 8h30-12h 13h45-17h; sam. dim. sur r.-v.
Queyrens

CH. DE LAGARDE Sec Cuvée Prestige Vinifié et élevé en fût de chêne 2006

	2,5 ha	15 000	5 à 8 €

Conduite en agrobiologie depuis le millésime 2000, cette propriété présente un 2006 mi-sauvignon, mi-sémillon, élevé neuf mois en barrique. Jaune citron pâle et limpide, il livre des notes d'agrumes (pamplemousse) et de fruit mûr. D'attaque franche, il conserve en bouche cette vivacité jusqu'à la finale, fruitée. Il est prêt à boire.
SCEA Raymond, Ch. de Lagarde,
33540 Saint-Laurent-du-Bois, tél. 05.56.76.43.63,
fax 05.56.76.46.26, e-mail scea-raymond@wanadoo.fr
r.-v.

LA PETITE DORÉE Moelleux 2005 ★★

	0,5 ha	2 250	5 à 8 €

Arrivée deuxième du grand jury, cette microcuvée de vieux sémillons de soixante ans ne manque pas d'atouts. Le jaune d'or brillant de sa robe attire l'œil, puis son bouquet séduit par ses arômes fruités et délicatement boisés. En bouche, l'attaque se fait sur la souplesse et l'équilibre, puis la puissance et le potentiel se révèlent. Un vin offrant une matière grasse, rafraîchie par des notes acidulées jusque dans une longue finale. À apprécier pour lui-même, dans un à trois ans. Produit par Bernard Delong, le **Château Majoureau Moelleux 2005 (3 à 5 €)** obtient également deux étoiles, tandis que le **Château Majoureau Sec 2006 (3 à 5 €)** obtient une étoile.
Mathieu Delong, 1, rue Burdeau, 33490 Caudrot,
tél. 06.63.51.17.19, fax 05.56.62.75.87,
e-mail familledelong@hotmail.com r.-v.

La région des Graves

Vignoble bordelais par excellence, les graves n'ont plus à prouver leur antériorité : dès l'époque romaine, leurs rangs de vignes ont commencé à encercler la capitale de l'Aquitaine et à produire, selon l'agronome Columelle, « un vin se gardant longtemps et se bonifiant au bout de quelques années ». C'est au Moyen Âge qu'apparaît le nom de Graves. Il désigne alors tous les pays situés en amont de Bordeaux, entre la rive gauche de la Garonne et le plateau landais. Par la suite, le Sauternais s'individualise pour constituer une enclave, vouée aux liquoreux, dans la région des Graves.

Graves et graves supérieures

S'allongeant sur une cinquantaine de kilomètres, la région des Graves doit son nom à la nature de son terroir : celui-ci est constitué principalement par des terrasses construites par la Garonne et ses ancêtres qui ont déposé une grande variété de débris caillouteux (galets et graviers originaires des Pyrénées et du Massif central).

Depuis 1987, les vins qui y sont produits ne sont pas tous commercialisés comme graves, le secteur de Pessac-Léognan bénéficiant d'une appellation spécifique, tout en conservant la possibilité de préciser sur les étiquettes les mentions « vin de graves », « grand vin de graves » ou « cru classé de graves ». Concrètement, ce sont les crus du sud de la région qui revendiquent l'appellation graves.

L'une des particularités de l'AOC graves réside dans l'équilibre qui s'est établi entre les superficies consacrées aux vignobles rouges (2 809 ha) et blancs secs (1 088 ha). Les graves rouges (127 080 hl en 2005) possèdent une structure corsée et élégante qui permet un bon vieillissement. Leur bouquet, finement fumé, est particulièrement typé. Les blancs secs (48 985 hl), élégants et charnus, sont parmi les meilleurs de la Gironde. Les plus grands, maintenant fréquemment élevés en barrique, gagnent en richesse et en complexité après quelques années de garde. On trouve aussi des vins moelleux qui ont toujours leurs amateurs et qui sont vendus sous l'appellation graves supérieures.

Graves

CH. D'ARCHAMBEAU 2005

■ 25 ha 120 000 5 à 8 €

Du merlot et du cabernet à parts égales : l'équilibre de l'assemblage se retrouve dans ce vin simple et franc. Très nature dans son expression aromatique faite de fruits frais, de menthol et de réglisse, ce 2005 se développe agréablement au palais, soutenu par d'aimables tanins. On pourra le déboucher bientôt, ou le laisser s'épanouir pendant deux ou trois ans.

SARL Vignobles Dubourdieu, Archambeau, 33720 Illats, tél. 05.56.62.51.46, fax 05.56.62.47.98, e-mail chateau-archambeau@wanadoo.fr t.l.j. sf dim. 9h-12h 14h-17h

CH. D'ARDENNES 2005 *

■ 20 ha 80 000 11 à 15 €

88 (89) **90** 93 **94 96** 97 98 **99** |00| |01| 02 |03| **04** 05

Descendants d'une lignée de vignerons établis à Illats depuis le XVII[e]s., les Dubrey ont acquis ce cru à la fin des années 1960 (les 1994 et 1996 rouges furent coups de cœur). Le 2005 présente une robe engageante, rouge soutenu à reflets violets. Si le bois reste présent dans le bouquet, il laisse s'exprimer les fruits pour former une palette complexe. Frais et velouté à l'attaque, le palais montre encore quelque fermeté en finale. Trois ou quatre ans en cave permettront à ce millésime de se fondre complètement. Le **blanc As de cœur d'Ardennes 2005 (8 à 11 €)** est cité. Frais et bien équilibré, il pourra être apprécié jeune.

SCEA Ch. d'Ardennes, Ardennes, 33720 Illats, tél. 05.56.62.53.66, fax 05.56.62.43.67, e-mail cyril.dubrey@wanadoo.fr r.-v.

Cyril Dubrey

CH. D'ARGUIN 2004

■ 11,91 ha 6 878 8 à 11 €

Propriété du groupe Pouey, spécialisé dans le conseil juridique aux entreprises, ce cru privilégie l'élevage en fût. Rien d'étonnant à ce que le chêne soit encore très présent dans ce 2004. Mais sa belle matière, structurée et concentrée, permettra à cette bouteille d'attendre les deux ou trois ans nécesaires pour que ses tanins s'arrondissent.

SA Pouey International, chem. de Gaillardas, Jeansotte, 33650 Saint-Selve, tél. 05.56.78.49.10, fax 05.56.78.49.11, e-mail b.lacampagne@pouey-international.fr r.-v.

CH. D'ARRICAUD 2005 *

n.c. n.c. 8 à 11 €

À Landiras, vous trouverez le « pin et le vin » – la commune, au sud de l'appellation, est à la porte des Landes girondines. Ce cru sait préserver la variété de l'encépagement – un peu de muscadelle vient compléter le sémillon et le sauvignon dans l'assemblage de ce graves blanc. Il en résulte un vin bien équilibré, frais et rond, au bouquet intense et élégant associant les agrumes à d'autres fruits acidulés.

Bouyx, Ch. d'Arricaud, 33720 Landiras, tél. 05.56.62.51.29, fax 05.56.62.41.47, e-mail chateaudarricaud@wanadoo.fr r.-v.

CH. D'AS 2005

■ 3,17 ha 20 000 5 à 8 €

Les vignes de cette importante propriété (93 ha) en cours de reconstitution sont encore assez jeunes (dix ans environ). Le vin n'en est pas moins encourageant. Souple, soyeux et expressif, il mêle au bouquet les fruits rouges et un boisé très marqué aux nuances de noix de coco. À déboucher dès la fin de l'année 2007.

SCEA Charles Yung et Fils, 8, chem. de Palette, 33410 Béguey, tél. 05.56.62.94.85, fax 05.56.62.18.11, e-mail h.d.p@wanadoo.fr t.l.j. sf sam. dim. 9h-12h 14h-18h; f. 20 juil.-16 août

Michel Darriet

CH. BEAUREGARD DUCASSE

Albert Duran Élevé en fût de chêne 2004 **

■ 10 ha 30 000 8 à 11 €

|00| 01 02 03 |**04**|

Ce domaine campe dans la partie sud-est des graves, sur une croupe haute de 112 m, sans doute le point culminant de l'appellation. Régulier en qualité, il se montre une fois encore à la hauteur de sa réputation avec cette cuvée, dont l'assemblage fait entrer 10 % de petit verdot aux côtés du merlot et du cabernet-sauvignon. D'une couleur cerise intense et dense, ce 2004 est bien typé par son bouquet aux notes de fumée et de fruits noirs. Ample et structuré, bien équilibré, il pourra aussi bien être apprécié jeune que laissé en cave cinq ou six ans.

EARL Vignobles Jacques Perromat, Ducasse, 33210 Mazères, tél. 05.56.76.18.97, fax 05.56.76.17.73, e-mail vignobles.perromat@wanadoo.fr r.-v.

GFA de Gaillote

CH. DE BEAU-SITE La Part des anges 2004

■ 1 ha 2 000 15 à 23 €

Proposée par une petite exploitation (6 ha) à direction féminine, cette cuvée à forte majorité de merlot (80 %) se montre souple et friande. Elle sait mettre en valeur d'aimables arômes de réglisse et de fraise des bois et se développe harmonieusement jusqu'en finale. Original par sa vivacité, le **Château de Beau-Site blanc 2005 (11 à 15 €)** est également cité.

Corine Saint-Mleux, Ch. de Beau-Site, 35, rte de Mathas, 33640 Portets, tél. 05.56.67.18.15, fax 05.56.67.38.12 r.-v. 6

Mme Dumergue

CH. BICHON CASSIGNOLS 2005 *

3,4 ha 8 000 5 à 8 €

Jean-François Lespinasse exploite le vignoble fondé par son grand-père au lendemain de la Première Guerre mondiale. Peut-être sensibilisé aux questions écologiques par la proximité de l'agglomération bordelaise, il conduit ses 12 ha en agriculture raisonnée. Jaune pâle à reflets dorés, son graves blanc se montre aussi agréable par son bouquet d'agrumes que par sa matière souple, plus vive en finale. Sa structure lui permettra de tenir deux à trois ans.

Jean-François Lespinasse,
50, av. Capdeville, 33650 La Brède,
tél. 05.56.20.28.20, fax 05.56.20.20.08,
e-mail bichon.cassignols@wanadoo.fr
t.l.j. 9h-12h 14h-19h; dim. sur r.-v.

CH. LA BLANCHERIE 2005 *

10 ha 35 000 5 à 8 €

Produit à partir de pur sauvignon, ce vin porte la marque du cépage dans son bouquet aux notes de buis. Frais, fruité, généreux et persistant, il pourra surprendre les amateurs de graves classiques, mais il procurera un réel plaisir.

Pierre Braud, EARL La Blancherie,
1, av. du Moulin, 33650 La Brède,
tél. 05.56.20.20.39, fax 05.56.20.35.01,
e-mail contact@chateau-la-blancherie.com
r.-v.

CH. LE BONNAT 2004 *

■ 25 ha 120 000 8 à 11 €

Issu d'une importante unité (69 ha), ce vin, assemblage de deux tiers de merlot et d'un tiers de cabernet-sauvignon, n'a rien de confidentiel. Sa personnalité s'exprime par sa couleur pourpre dense et chatoyante, prémice d'une bouteille de qualité. Le bouquet boisé, élégant et net, et le palais, qui s'appuie sur une solide structure, confirment cette impression. Il faudra laisser environ cinq ans à cette bouteille pour qu'elle puisse s'assouplir.

SCA Ch. Branda et Cadillac, Branda,
33240 Cadillac-en-Fronsadais, tél. 05.57.94.09.20,
fax 05.57.94.09.30, e-mail contact@leda-sa.com
r.-v.

CH. LE BOURDILLOT 2005 **

■ 6 ha 40 000 15 à 23 €

Ce cru est établi à Portets (« port »), bourg qui a gardé une Tour du roy qui contrôlait le trafic des gabarres sur la Garonne. Il a une fois encore rendez-vous avec le succès. Né de 60 % de cabernet-sauvignon et de 40 % de merlot, ce millésime lui vaut son cinquième coup de cœur – toujours en rouge. Très sage dans sa présentation, avec une robe rouge grenat, ce 2005 s'affirme dans son

La région des Graves

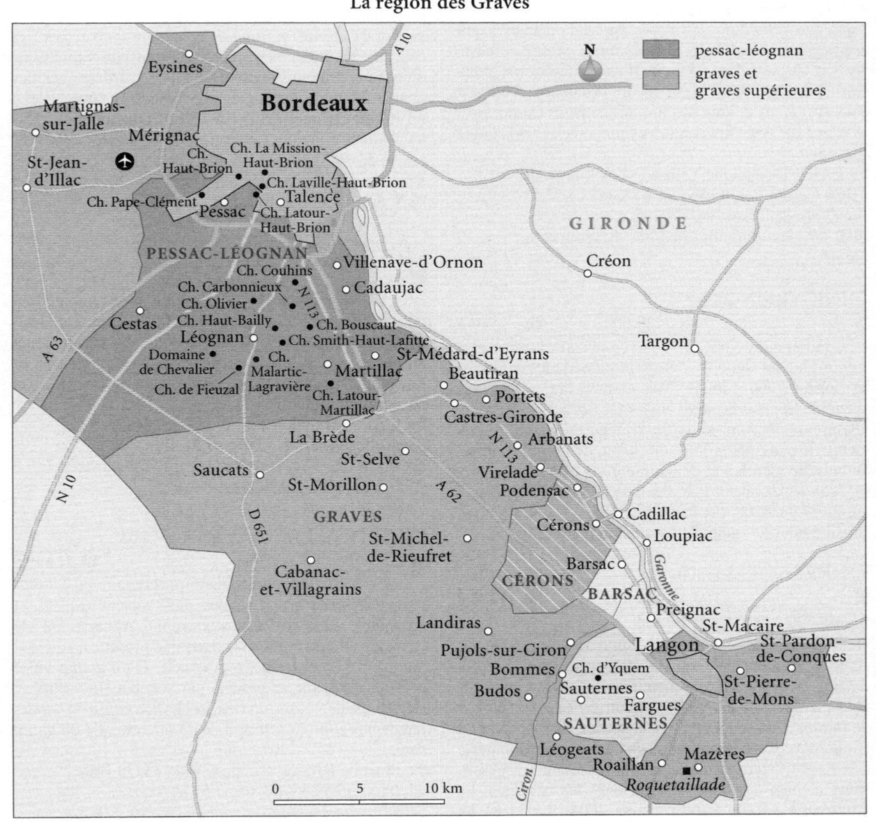

bouquet, qui marie des notes de torréfaction et de cigare à des accents de pruneau, de mûre et de cerise, de pâtisserie. Suave et sans aspérité, le palais savoureux allie un superbe boisé et des arômes de bigarreau. Un vin de caractère, à servir dans trois, cinq ou dix ans sur un carré d'agneau aux herbes. Dominée par le merlot, fraîche et tannique, la cuvée **Tentation rouge 2005 (8 à 11 €)** obtient une étoile ; on l'attendra trois ans.
EARL Patrice Haverlan, 11, rue de l'Hospital, 33640 Portets, tél. et fax 05.56.67.11.32, e-mail patrice.haverlan@worldonline.fr r.-v.

CAPRICE DE BOURGELAT 2005 *

0,6 ha 4 000 8 à 11 €

Un Caprice très régulier... Il provient de Cérons, commune possédant sa propre appellation mais ayant droit également à l'AOC graves, et naît presque exclusivement du sémillon. Un vin d'une intéressante complexité, en dépit d'un boisé encore dominant. Avec son palais généreux et long aux arômes de fruits exotiques, il se plaira sur des saint-jacques et sur tous les coquillages cuisinés.
EARL Dominique Lafosse, Clos Bourgelat, 33720 Cérons, tél. 05.56.27.01.73, fax 05.56.27.13.72, e-mail domilafosse@wanadoo.fr
t.l.j. sf dim. 9h-12h 14h-19h; groupes sur r.-v.; f. août

CH. BOYREIN 2006 *

5 ha 30 000 3 à 5 €

Jadis rendez-vous de chasse, ce « bois de la reine » est aujourd'hui un vignoble, dans la famille Médeville depuis les années 1960. Simple, frais et bien fait, son graves assemble les trois cépages blancs du Bordelais. Il évolue savoureusement au cours de la dégustation qu'il agrémente de plaisants arômes de citron, de pamplemousse, de buis, de menthol et de bourgeon de cassis.
Jean Médeville et Fils, Ch. Fayau, 33410 Cadillac, tél. 05.57.98.08.08, fax 05.56.62.18.22, e-mail medeville-jeanetfils@wanadoo.fr r.-v.

CH. BRONDELLE 2004

15 ha 20 000 11 à 15 €

96 |**98**| |**99**| |00| |01| **02** 03 |04|

Ce vignoble s'est développé sur d'anciennes terres du château Roquetaillade, au sud de l'appellation. Sa production est régulièrement mentionnée dans le Guide. Ce 2004 privilégie le cabernet-sauvignon (60 %), complété par du merlot et un soupçon de petit verdot. Sans chercher à rivaliser avec certains millésimes antérieurs, cette bouteille à la fine structure tannique est un séduisant vin plaisir, fruité et bien équilibré, à boire dans les cinq ans. Le **Château La Rose Sarron rouge 2004 (8 à 11 €)**, lui aussi de moyenne garde, obtient la même note, tout comme le **Château Brondelle blanc 2005**, très boisé, qui fut coup de cœur dans le millésime 2002.
Vignobles Belloc Rochet, Ch. Brondelle, 33210 Langon, tél. 05.56.62.38.14, fax 05.56.62.23.14, e-mail chateau.brondelle@wanadoo.fr
t.l.j. 9h-12h30 14h-17h30; sam. dim. sur r.-v.

CH. CABANNIEUX 2005 *

6 ha 20 000 5 à 8 €

Nettement majoritaire dans l'assemblage (80 %), le sémillon marque le caractère de ce vin au nez discret, sur les fleurs et les fruits exotiques. Frais, bien équilibré et assez long, le palais sait mettre en valeur l'expression aromatique, qui associe avec bonheur le citron à la noisette.
Hugo Dudignac, 44, rte du Courneau, 33640 Portets, tél. 05.56.67.22.01, fax 05.56.67.32.54, e-mail chateaucabannieux@wanadoo.fr
t.l.j. 9h-12h 14h-17h

CH. CAILLIVET Élevé en fût de chêne 2005

0,5 ha 25 000 5 à 8 €

Planté en 1999, le vignoble, situé dans la partie sud-est des graves, est encore jeune. Cela n'empêche pas ce vin (60 % de merlot) de se montrer intéressant. Sa robe bordeaux sombre attire, tout comme son bouquet, expressif, floral (violette) et fruité, et sa matière souple, ronde et charnue. Ses tanins bien présents mais soyeux permettront d'ouvrir cette bouteille dès 2008 ; elle se gardera quelques années. Même note pour la cuvée **Sélection rouge Élevé en fût de chêne 2005 (11 à 15 €)**, étiquette noire.
Antoine Carrillo, Caillivet, 33210 Mazères, tél. 05.56.76.23.19, fax 05.56.62.20.69, e-mail carrillo_sylvie@hotmail.com
t.l.j. 10h-12h 14h-19h

CH. CALENS 2004

6 ha 6 000 5 à 8 €

Sur ce vignoble, la tradition familiale remonte loin dans le passé. Le temps de ce vin (60 % de merlot, 40 % de cabernet-sauvignon) sera plus court. Son fin bouquet aux notes de fruits un peu surmûris et sa souplesse en font une bouteille pour le plaisir immédiat, à découvrir dès la parution du Guide.
GAEC Artaud et Fils, 6, rue des Mages, 33640 Beautiran, tél. 05.56.67.05.48, fax 05.56.67.04.72, e-mail clospeyreyre@wanadoo.fr
t.l.j. 10h-12h 14h-19h

CH. DE CALLAC Cuvée Prestige 2004

3 ha n.c. 11 à 15 €

En 1988, Philippe Rivière, propriétaire en Libournais, achète ce cru, l'un des plus anciens d'Illats, et agrandit le vignoble : 36 ha aujourd'hui. Appartenant à la cuvée de tête du cru, ce vin assemble presque à parité le merlot (55 %) et les deux cabernets. D'un grenat vif et brillant, il affirme sa typicité par son bouquet subtil et élégant, fruité, toasté, un rien fumé. Bien construit sur des tanins fins et assez serrés, il devra être attendu un an ou deux.
Philippe Rivière, Ch. de Callac, 33720 Illats, tél. 05.57.55.59.55, fax 05.57.55.59.51, e-mail priviere@riviere-stemilion.com r.-v.

CH. CARBON D'ARTIGUES
Élevé en fût de chêne 2005

■ 17 ha 100 000 ⏺ 8 à 11 €

Intéressant par son volume, ce vin largement dominé par le merlot représente une proportion importante de la propriété, qui s'étend sur 21 ha. Sa jeunesse apparaît dès la présentation, dans sa robe à reflets violets. Riche et tannique, encore un peu austère, il demande à être attendu deux ou trois ans.

Ch. Carbon d'Artigues, Lieu-dit Artigues, 33720 Landiras, tél. 05.56.62.53.24, fax 05.56.62.44.32, e-mail carbon-dartigues@libertysurf.fr r.-v.

CH. DE CAROLLE Élevé en fût de chêne 2004 *

■ 15 ha 100 000 5 à 8 €

Producteurs en Sauternais, les Guignard sont aussi présents dans les Graves. Ils proposent un vin dont la robe grenat tirant sur le noir annonce les ambitions. Sa structure, consolidée par l'apport des cabernets (60 % dont 50 % de cabernet-sauvignon) se manifeste par des tanins soyeux et élégants. Le boisé dominant invite à garder cette bouteille cinq ou six ans. Très vif, séduisant par son expression aromatique (poire et agrumes), le **blanc 2006** est cité.

GAEC Guignard, 33210 Mazères, tél. 05.56.76.14.23, fax 05.56.62.30.62, e-mail contact@vignobles-guignard.com t.l.j. 9h-12h 14h-17h30; sam. dim. sur r.-v.

CH. DE CASTRES 2004 ***

■ 15 ha 80 000 ⏺ 11 à 15 €

Une chartreuse dans un vaste parc aux arbres tricentenaires, un arboretum et un ouvrage hydraulique du XVIIᵉs., ce domaine de 30 ha d'un seul tenant a tout pour intéresser. À commencer par ce 2004, assemblage à parité du merlot et des deux cabernets, passé tout près du coup de cœur. Son bouquet complexe associe les fruits rouges et noirs, les épices (vanille, cannelle) et des nuances empyreumatiques. Puissant, gras et doté d'un réel potentiel, le palais séduit par ses tanins soyeux et par sa finale aux accents de tabac blond et de réglisse. Séjour en cave d'au moins cinq ans vivement recommandé. Deux autres vins donnent une légère majorité au merlot. Moins puissant, quoique riche et bien équilibré, le **Château Tour de Castres rouge 2004 (8 à 11 €)** obtient une étoile. On pourra l'attendre quatre ou cinq ans et l'ouvrir un peu après le **Château Lalande-Poitevin rouge 2004 (8 à 11 €)**, qui est cité.

EARL Vignobles Rodrigues-Lalande, Ch. de Castres, 33640 Castres-sur-Gironde, tél. 05.56.67.51.51, fax 05.56.67.52.22, e-mail chateaudecastres@chateaudecastres.fr t.l.j. 8h-20h

José Rodrigues-Lalande

CH. DE CHANTEGRIVE Caroline 2005 **

□ 15 ha 25 000 ⏺ 11 à 15 €

Voici quarante ans que la famille Lévêque s'est employée à constituer ce cru à partir de remembrement de nombreuses parcelles : 90 ha, et des vins qui collectionnent les étoiles. La renommée de la cuvée Caroline n'est plus à faire. Mi-sauvignon mi-sémillon, ce 2005, qui vaut au domaine son quatrième coup de cœur, ne pourra que la consolider. De la vanille au buis en passant par le genêt et le toast, le bouquet est une explosion d'arômes. Son élégance se retrouve dans un palais équilibré, gras, mûr et

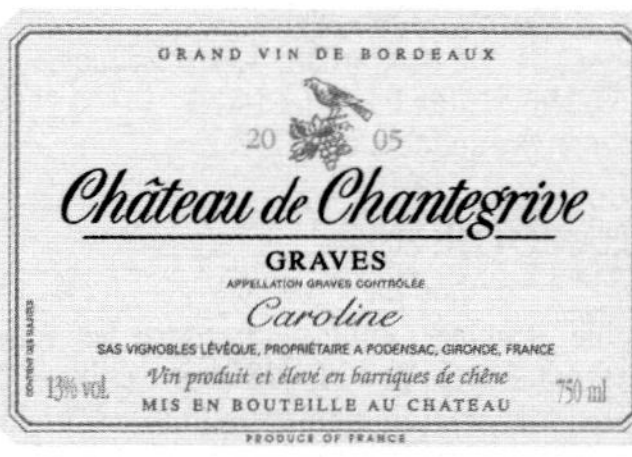

long. Cette bouteille mérite trois ou quatre ans de garde. Elle trouvera sa place à de nombreux moments du repas, de l'apéritif aux poissons en sauce. Souple, soyeux, rond et gourmand, le **Château de Chantegrive rouge 2004 (8 à 11 €)** obtient une étoile. On l'attendra trois ou quatre ans. Le 2001 avait obtenu un coup de cœur.

SAS Vignobles Lévêque, Ch. de Chantegrive, 33720 Podensac, tél. 05.56.27.17.38, fax 05.56.27.29.42, e-mail courrier@chateau-chantegrive.com t.l.j. sf dim. 9h-12h30 13h30-17h

CH. LE CHEC 2005

□ 3 ha 12 000 ⏺ 5 à 8 €

Les trois cépages blancs se marient dans cette bouteille encore un peu dominée par le bois, mais au bouquet déjà plein de charme, avec ses délicats parfums fruités et floraux (acacia). Assez puissant, gras et vif, le palais autorise une petite garde.

Christian Auney, chem. de la Girotte, 33650 La Brède, tél. et fax 05.56.20.31.94 r.-v.

CH. LES CLAUZOTS Cuvée Maxime 2005 **

□ 4 ha 6 000 ⏺ 8 à 11 €

Depuis près d'un siècle dans la famille Tach, ce vignoble s'étend sur 20 ha. Plantés sur des graves profondes, le sémillon et le sauvignon font jeu égal dans ce millésime. Ce sens de l'équilibre se retrouve dans le vin, où les parfums de fruits exotiques se marient aux fleurs et à la vanille. Généreux et complexe, ce 2005 finit sur une longue finale fraîche. Il pourra être apprécié jeune ou attendre deux ou trois ans. Souple et agréable, la cuvée principale **rouge 2005 (5 à 8 €)** est citée.

SCEA Vignobles F. Tach, Ch. Les Clauzots, 33210 Saint-Pierre-de-Mons, tél. 05.56.63.34.32, fax 05.56.63.18.25, e-mail chateaulesclauzots@wanadoo.fr r.-v.

CLOS FLORIDÈNE 2005 *

■ 17 ha 62 000 ⏺ 11 à 15 €

85 86 88 89 (90) 92 93 94 95 96 **|98| |99| 00** 01 02 **04** 05

Si certains crus girondins ont choisi d'être « tendance » en élaborant des vins très concentrés, parfois un peu difficiles à boire, ce reproche ne saurait être adressé à Denis Dubourdieu, qui a fait du Clos Floridène une valeur sûre. Le 2004 fut coup de cœur en rouge. Assemblage à parts presque égales de cabernet-sauvignon (55 %) et de merlot, ce 2005 joue dans le registre du charme, de la finesse et de l'élégance, tant dans son bouquet de cassis et de cerise nuancé de notes de moka qu'au palais et en finale. Souple, suave et bien équilibré, c'est un vin plaisir, qui sera prêt dans deux à trois ans. Le même esprit se retrouve dans le **blanc 2005** ; frais, fin et souple, ce millésime sera à boire jeune. Il est cité.

Denis et Florence Dubourdieu, Ch. Reynon, 21, rte de Cardan, 33410 Béguey, tél. 05.56.62.96.51, fax 05.56.62.14.89, e-mail reynon@wanadoo.fr r.-v.

CLOS LAMOTHE 2005

0,86 ha 5 900 5 à 8 €

Sophie Rouanet vient de prendre les rênes du domaine familial (près de 13 ha). Son graves blanc donne une place dominante au sémillon (90 %). C'est un vin plaisir, sur le fruit. Son gras, ses arômes et sa vivacité finale s'exprimeront heureusement sur des poissons nobles.

Sophie Rouanet, 7, rte de Mathas, 33640 Portets, tél. 05.56.67.23.12, fax 05.56.67.62.66, e-mail sceacloslamothe@wanadoo.fr r.-v.

CLOS MOLÉON Cuvée Prestige 2005

1 ha 3 000 15 à 23 €

Élevé un an en fut de chêne, ce vin privilégie le merlot (70 %). Il est encore un peu dominé par le bois, mais derrière, on sent poindre des notes de fruits mûrs qui s'épanouiront à la garde. Une bonne structure tannique, franche et assez puissante, permettra à cette bouteille d'être attendue deux ou trois ans.

EARL Vignobles Laurent Réglat, Ch. de Teste, 33410 Monprimblanc, tél. 05.56.62.92.76, fax 05.56.62.98.80, e-mail vignobles.l.reglat@wanadoo.fr t.l.j. sf sam. dim. 9h-12h 14h-17h30

CH. COULOUMEY Cuvée Eugenia 2004

2,95 ha 13 350 11 à 15 €

Depuis 1996, Pierre Bon a entrepris de redonner vie à ce château et à son vignoble. Les bâtiments de style néoclassique ont été construits au XVIII^{e}s. pour de riches négociants hollandais ; les bassins servaient à la fabrication des toiles indiennes de Beautiran, fort réputées à l'époque. Aujourd'hui, des chambres d'hôtes et 12 ha de vignes. Deux tiers de merlot et un tiers de cabernet-sauvignon se marient dans ce 2004 richement coloré et aux arômes complexes de fruits rouges, d'épices et de fumée. Un vin plaisir à servir dans les trois ans avec une volaille rôtie.

Pierre Bon, SCEA Vignobles La Toscane, Ch. Couloumey, 12, rte des Landes, 33640 Beautiran, tél. 05.56.67.66.65, fax 05.56.67.66.66, e-mail vin@chateau-couloumey.com r.-v.

DOM. DE COUQUEREAU 2005 ★★

1,8 ha 7 000 5 à 8 €

Pour être issu d'une minuscule exploitation (2 ha) subsistant grâce à la pluriactivité, ce vin dominé par le merlot n'en est pas moins de belle facture. Sa robe sombre à reflets violacés ne laisse planer aucun doute sur son potentiel. Celui-ci est confirmé par sa structure, fine et puissante, comme par sa finale, riche et pleine. Même si l'on aime s'attarder aujourd'hui sur les notes florales, mentholées et épicées du bouquet, il conviendra d'oublier cette bouteille en cave pendant six ou sept ans.

A. Gipoulou, 22, av. Adolphe-Demons, 33650 La Brède, tél. 05.56.20.32.27, fax 05.56.78.56.83 t.l.j. sf dim. 9h-12h 14h-19h; f. août

CH. CRABITEY 2005

12 ha 70 000 11 à 15 €

Un ancien prieuré, puis un orphelinat où l'on a remplacé au XIX^{e}s. les châtaigniers par un vignoble installé sur des graves profondes. Depuis une vingtaine d'années, la famille de Burter (Jean-Ralph, puis Arnaud) restaure le cru et l'agrandit. Assemblage classique de merlot (60 %) et de cabernet-sauvignon, ce vin est aussi intense dans sa présentation que dans son bouquet. Ses notes de fruits des bois et de pruneau s'accordent bien avec la chair et la rondeur de sa structure. Le bois est encore très présent, mais il devrait se fondre d'ici deux à trois ans. Les 2000 et 2001 furent coups de cœur.

Les Vignobles de Seillon, 63, rte du Courneau, 33640 Portets, tél. 05.56.67.18.64, fax 05.56.67.14.73, e-mail contact@vignobles-seillon.com r.-v.

CH. LA CROIX 2005 ★

3,15 ha 3 600 3 à 5 €

Situé dans le sud de l'appellation sur un ancien chemin de Saint-Jacques, ce domaine fut exploité en polyculture jusqu'aux années 1960. Aujourd'hui, il compte près de 13 ha repris en 2003 par la quatrième génération. Le sémillon (60 %) s'allie au sauvignon dans ce graves blanc équilibré et assez enrobé, qui séduit par son expression aromatique mêlant la noisette et les épices à des notes fraîches de poire william, de menthol et de citron.

Vignobles Espagnet, Ch. La Croix, rte d'Auros, 33210 Langon, tél. 05.56.63.29.36, fax 05.56.63.19.18, e-mail vignobles.espagnet@free.fr t.l.j. 9h-12h 14h-18h

CH. DOMS 2005 ★

5 ha 26 000 5 à 8 €

Équilibré, nerveux en finale, ce vin élevé sur lies fines se plaira sur des huîtres. Mais sa rondeur et sa riche palette aromatique aux subtiles nuances de fruits blancs les feront choisir de bonne origine : Normandie, Arguin...

Hélène Durand, SCE Vignobles Parage, Ch. Doms, 33640 Portets, tél. 05.56.67.20.12, fax 05.56.67.31.89, e-mail chateau.doms@wanadoo.fr r.-v.

DOURTHE La Grande Cuvée 2004

n.c. 60 000 8 à 11 €

Valeur sûre déclinée en plusieurs appellations, cette marque de la célèbre maison de négoce médocaine acquise par Alain Thiénot est fidèle à sa réputation avec ce vin solide et bien fait, assemblage de cabernet-sauvignon (60 %) et de merlot. Également cité par le jury, le **blanc 2005** marie sémillon (70 %) et sauvignon. Frais à l'attaque, puis souple et rond, il s'entendra avec le poisson grillé.

Vins et vignobles Dourthe, 35, rue de Bordeaux, 33290 Parempuyre, tél. 05.56.35.53.00, fax 05.56.35.53.29, e-mail contact@cvbg.com r.-v.

CH. FERRANDE 2005

77,5 ha 368 000 8 à 11 €

Issu d'une belle unité appartenant depuis 1992 à la famille Castel, ce vin assemblant 60 % de cabernet-sauvignon et 40 % de merlot ne fait pas dans la demi-mesure. C'est vrai de son volume de production, mais aussi de sa structure aux tanins encore un peu sévères, notamment en finale. On l'attendra donc environ trois ans. Plus suave et délicat, mais à garder lui aussi deux ou

trois ans, le **Château Guillon rouge 2005 (11 à 15 €)** est cité, tout comme le **Château Ferrande blanc 2006 (5 à 8 €)**, frais et fruité.
SCE Ch. Ferrande, 33640 Castres, tél. 05.56.67.05.86, fax 05.56.67.04.99, e-mail cdc.bor@castel-freres.com
Castel

CH. DES FOUGÈRES Montesquieu 2004

■ 10 ha 10 000 11 à 15 €

Le baron de la Brède, plus connu sous le nom de Montesquieu, ne négligeait pas son vignoble des Graves et s'intéressait à l'économie du vin, allant jusqu'à écrire un *Mémoire contre l'arrêt du conseil du 27 février 1725 interdisant les plantations de vigne en Guyenne.* Aujourd'hui le baron de Montesquieu signe toujours des vins. Cette cuvée est dominée par le merlot (80 %). Sans rivaliser avec le 2003, coup de cœur l'an dernier, ce millésime a retenu l'attention par sa délicatesse. Celle-ci est perceptible dans sa structure comme dans son bouquet floral et fruité. On pourra attendre cette bouteille deux ou trois ans.
SCEA des Vignobles Montesquieu, Ch. des Fougères, BP 53, 33650 La Brède, tél. 05.56.78.45.45, fax 05.56.20.25.07, e-mail montesquieu@montesquieu-bordeaux.com
r.-v.
GFA Montesquieu

CH. DE GIRON 2004

■ 1,52 ha 11 200 5 à 8 €

Une propriété récente (1986) mais commandée par une ancienne ferme fortifiée du XVII^e^s. Simple et sans fard, son vin, qui privilégie le merlot (75 %), fait preuve d'une réelle élégance dans son bouquet aux notes bien typées de fumée. Fin, long et chaleureux, prêt à boire, il supportera une petite garde. Laurence Lataste signe aussi le **Château La Fleur Jonquet blanc 2005 (11 à 15 €)**, un vin assez vif, également cité.
Laurence Lataste, 5, rue Amélie, 33200 Bordeaux, tél. 05.56.17.08.18, fax 05.57.22.12.54, e-mail l.lataste@wanadoo.fr r.-v.

CH. GRAND ABORD
Cuvée Passion Élevé en fût de chêne 2004 ★

■ 8 ha 40 000 8 à 11 €

Macération pré-fermentaire, élevage en barriques renouvelées par tiers tous les ans... Philippe Dugoua a apporté un soin particulier à cette cuvée (85 % de merlot). Avec succès, comme le montrent sa couleur, d'un rubis intense, et son bouquet où les fruits rouges et le bois trouvent un bon équilibre. Celui-ci se poursuit dans un palais ample, assez étoffé pour soutenir une garde de trois à quatre ans qui permettra aux tanins de s'arrondir. Le **blanc 2006 (5 à 8 €)**, frais et fruité, est cité.
Vignobles Dugoua, Ch. Grand Abord, 56, rte des Graves, 33640 Portets, tél. 05.56.67.50.75, fax 05.56.67.22.23, e-mail dugoua.ph@wanadoo.fr r.-v.

CH. DU GRAND BOS 2004

■ 8,37 ha 34 700 11 à 15 €

Ce cru est remarquable par son château représentatif de l'architecture viticole bordelaise – une chartreuse à pavillon central et cour fermée des XVIIe et XVIII^e^s. Ses vins ne manquent pas d'intérêt : ce graves rouge a reçu un coup de cœur dans les millésimes 2001 et 1998. L'assemblage marie cabernet-sauvignon et merlot à parts presque égales et fait entrer le petit verdot. Complexe (fruits noirs, épices, tabac, nuances animales), typé, assez puissant et équilibré, ce 2004 pourra être servi jeune si on le carafe.
SCEA du Ch. du Grand Bos, chem. de l'Hermitage, 33640 Castres-Gironde, tél. 05.56.67.39.20, e-mail chateau.du.grand.bos@free.fr
r.-v.
Famille Vincent

SENSATION DE CH. GRAND BOURDIEU
Élevé en fût de chêne 2004 ★

■ 13,5 ha 30 000 8 à 11 €

Du Moyen Âge au XVII^e^s., le bourdieu désignait le plus souvent un domaine viticole appartenant à un bourgeois bordelais. Le cru s'étend aujourd'hui sur 22 ha. D'une couleur sombre à reflets rubis, ce vin composé aux deux tiers de merlot développe un bouquet puissant et complexe, fruité et vanillé, avant de révéler une structure souple et onctueuse. Élégant par son côté fruité, il pourra être apprécié jeune. La cuvée **Sensation blanc 2005 (5 à 8 €)**, assez nerveuse, est citée.
Dominique Haverlan, 35, rue du 8-Mai-1945, 33640 Portets, tél. 05.56.67.18.63, fax 05.56.67.52.76, e-mail dominique.haverlan@libertysurf.fr r.-v.

GRAND ENCLOS DU CHÂTEAU DE CÉRONS 2004 ★★

■ 13 ha 15 000 11 à 15 €

Producteur de chianti classico en Toscane, Giorgio Cavanna a acheté en 2000 ce cru autrefois rattaché au château de Cérons. Né dans un vaste chai récemment rénové, mi-cabernet mi-merlot, son vin joue la carte de l'élégance et de l'harmonie. Cela se lit dans la robe rubis intense, dans le bouquet, riche en nuances de fruits et de vanille, puis se confirme au palais soutenu par des tanins soyeux. Dans deux ou trois ans, on appréciera cette bouteille sur une large palette de mets : viande rouge, fromage, gibier. Rond, vif et aromatique (acacia, pêche de vigne et fruits mûrs), le **blanc 2005 (8 à 11 €)** obtient une étoile. Le 2001 avait été coup de cœur.
SCEA du Grand Enclos de Cérons, pl. du Gal-de-Gaulle, 33720 Cérons, tél. 05.56.27.01.53, fax 05.56.27.08.86, e-mail grand.enclos.cerons@wanadoo.fr r.-v.
Cavanna

CH. GRAND MOUTA 2005 ★★

■ 2,5 ha 12 000 5 à 8 €

Issue d'une importante unité (48 ha), cette cuvée assemble 80 % des deux cabernets et 20 % de merlot. Elle retient l'attention tant par sa teinte grenat très sombre que par son bouquet naissant, où le pruneau, reflet d'une vendange très mûre, s'allie à des notes de toast et de pain d'épice. Dense, charnu et ample, le palais n'est pas en reste et livre de multiples saveurs (fruits et bois) en accord avec le nez. Ses tanins à la fois fins et puissants et sa concentration assureront à ce millésime une bonne garde.
SCEA Domaines Latrille-Bonnin, Ch. Petit-Mouta, 33210 Mazères, tél. 05.56.63.41.70, fax 05.56.76.83.25, e-mail latrille-bonnin@wanadoo.fr
t.l.j. 9h30-12h 14h-19h; dim. sur r.-v.
GFA du Brion

CH. GRAVEYRON Cuvée Tradition 2004 *

■ 15 ha 6 000 5 à 8 €

Ce vignoble remonte au XVIII[e]s. Comme beaucoup de crus de Portets, il comporte une part importante de merlot (70 %). L'influence du cépage se sent ici dans la souplesse et l'amabilité de la structure. Poli et bien élevé, ce vin savouré jeune sera réellement plaisant.

EARL Vignobles Pierre Cante, 67, rte des Graves, 33640 Portets, tél. 05.56.67.23.69, fax 05.56.67.58.19 t.l.j. sf dim. 9h-19h

CH. DES GRAVIÈRES

Collection prestige Élevé en fût 2004

■ 10 ha 60 000 8 à 11 €

Née sur un terroir riche en sable et construite sur le merlot (80 %), cette cuvée ne s'en montre pas moins solidement structurée. Ses tanins sont très présents et puissants, tout en faisant preuve d'une certaine élégance. Même si elle est un peu courte en finale, cette bouteille mérite d'être attendue trois ans.

Vignobles Labuzan, le Mirail, Ch. des Gravières, 33640 Portets, tél. 05.56.67.15.70, fax 05.56.67.07.50 r.-v.

CH. HAURA 2005

■ 10,5 ha 38 000 11 à 15 €

Élaboré par Denis Dubourdieu comme le Clos Floridène, ce vin mi-cabernet mi-merlot apparaît souple et porté par des tanins très fins : il est destiné au plaisir immédiat. Bien équilibré, il séduit par son côté fruité et par la complexité de son bouquet. À déboucher dans les trois ans à venir.

EARL Pierre et Denis Dubourdieu, Ch. Doisy-Daëne, 33720 Barsac, tél. 05.56.27.15.84, fax 05.56.27.18.99, e-mail denisdubourdieu@wanadoo.fr r.-v.

CH. HAUT-CALENS

Cuvée spéciale Élevé en fût de chêne 2005 *

■ 4 ha 6 000 5 à 8 €

Comme beaucoup de crus de la région, celui-ci est sans doute d'origine monastique. Sa production n'a cependant rien d'un vin de messe. La robe sombre et frangée de carmin en dit long sur la jeunesse de ce 2005. Au bouquet, le boisé domine encore mais sans étouffer les arômes de raisin mûr. Ronde, chaleureuse et souple, l'attaque introduit une structure tannique veloutée. Déjà très plaisant, l'ensemble pourra être laissé en cave une dizaine, voire une douzaine d'années.

EARL Vignobles Albert Yung, Ch. Haut-Calens, 33640 Beautiran, tél. 05.56.67.05.25, fax 05.56.67.24.91 t.l.j. sf sam. dim. 9h-11h30 15h-17h30; f. août

CH. HAUT-GRAMONS

Élevé en fût de chêne 2005 *

3 ha 20 000 8 à 11 €

Cette importante unité (80 ha) propose un graves élevé en fût de chêne, assemblage des trois cépages blancs bordelais (60 % de sauvignon). Cette bouteille porte encore la marque du merrain, mais ce boisé fin et élégant ne nuit pas à l'expression du bouquet aux fraîches notes de fleurs et de fruits exotiques. Rond, vif et charnu, le palais se plaira sur des fruits de mer comme sur un brie de Melun. Le **rouge 2004** est cité.

F. Boudat Cigana, Ch. de Viaut, 33410 Mourens, tél. 05.56.61.31.31, fax 05.56.61.99.46, e-mail fboudat@orange.fr r.-v.

CH. DU HAUT-MARAY

Élevé en fût de chêne 2004

■ 1,8 ha 6 000 8 à 11 €

Cette petite propriété familiale acquise il y a dix ans permet à Julien Lucas de mettre en pratique le savoir qu'il a acquis en tant qu'œnologue. Encore très près du fruit par son bouquet (cassis et baies rouges cuits), son vin fait preuve d'une réelle puissance, avec des tanins qui appellent une garde de quelques années.

Raymond Lucas, 1, lieu-dit Cadillac, 33210 Mazères, tel. et fax 05.56.76.83.33, e-mail chateauduhautmaray@cegetel.net r.-v.

CH. HAUT-POMMARÈDE 2005

1,45 ha 4 000 5 à 8 €

Dans la famille depuis plus d'un siècle, cette propriété est très ancienne, comme l'atteste un escalier du XV[e]s. Bien équilibré dans une petite structure, son 2005 met à contribution les trois cépages blancs du Bordelais (50 % de sauvignon). Il séduit par sa fraîcheur et par son expression aromatique : agrumes (citron) et fleurs blanches au bouquet, litchi en finale.

SCEA Ch. Haut-Pommarède, 24, rte de Pommarède, 33640 Castres-Gironde, tél. et fax 05.56.67.01.34, e-mail hautpommarede@wanadoo.fr t.l.j. 8h-17h; sam. dim. sur r.-v.

CH. HAUT REYS Réserve 2006

1,8 ha 8 000 3 à 5 €

La famille Gabin a acquis ce cru en 1997 et l'a agrandi : 20 ha aujourd'hui. Simple et sans chichi, cette Réserve assemble 60 % de sauvignon au sémillon. Elle développe une structure souple, fraîche et vive en finale qui met en valeur ses arômes de citron et de fruits exotiques. Elle conviendra à tous les coquillages.

EARL Grégoire et Isabelle Gabin, 18, allée Perrucade, 33650 La Brède, tél. et fax 05.56.20.38.29 t.l.j. 10h-19h; dim. sur r.-v.; f. 1er-7 jan.

CH. DE L'HOSPITAL 2005 *

2,5 ha n.c. 11 à 15 €

Précédé d'une belle allée de tilleuls, le château de style néoclassique, œuvre de Victor Louis, l'architecte du Grand Théâtre de Bordeaux, a fière allure. Le cru, acquis par la famille Lafragette en 1996, s'étend sur 22 ha. Trois coups de cœur dans la décennie précédente, en rouge. S'il se montre assez discret, le bouquet de ce 2005 est franc et d'une belle complexité : des fleurs, du tilleul, un fin boisé toasté. Rond, vif et bien équilibré, le palais se montre plaisant lui aussi.

Vignobles Lafragette, Ch. de l'Hospital, 33640 Portets, tél. 05.57.00.02.17, fax 05.57.12.43.56, e-mail loudenne@lafragette.com r.-v.

CH. DES JAUBERTES 2005

■ 10 ha 25 000 5 à 8 €

Ce château d'origine Renaissance appartient depuis 1594 à la famille de Fontac, l'une des plus anciennes et des plus prestigieuses de la viticulture bordelaise, fondatrice de l'illustre Haut-Brion. Son vin marie 55 % de cabernet-

sauvignon au merlot. Il fait preuve d'une réelle authenticité, tant dans sa robe, d'un bordeaux intense, que dans sa structure aux puissants tanins qui se portent garants d'une longue garde (dix ans).
⊶ Emmanuel de Pontac, Les Jaubertes,
33210 Saint-Pardon-de-Conques, tél. 05.56.02.61.50,
fax 05.56.62.26.60, e-mail jaubertes@hotmail.fr
☑ ፤ ✶ r.-v. ⌂ ❸

CH. DE LANDIRAS 2004

■ 15 ha 60 000 ▮◖◗ 8 à 11 €

Un peu à l'écart des grands axes, ce château se découvre de la route ; il est implanté au milieu d'une clairière typique des Graves. Le merlot, marjoritaire (55 %) dans l'assemblage, se retrouve dans le bouquet de ce millésime aux nuances animales de cuir et de musc. Au palais, le cabernet manifeste davantage sa présence tout en conservant sa souplesse à cette bouteille. À ouvrir à partir de 2008.
⊶ SCA Dom. La Grave, Ch. de Landiras,
33720 Landiras, tél. 05.56.62.40.75, fax 05.56.62.43.78
☑ ፤ ✶ r.-v.

CH. LANGLET 2004

■ 5,6 ha 28 000 ◖◗ 8 à 11 €

Le dernier vignoble de Cabanac (près de La Brède), replanté dans les années 1980. La forte proportion de merlot (75 %) se retrouve dans le caractère de ce 2004, qui livre un fruité intense et plaisant, accompagné de touches épicées. Fin et net, souple et charnu, l'ensemble est bien équilibré et assez typé graves. À servir maintenant ou à attendre deux à trois ans.
⊶ SCEA Vignobles Jean Kressmann,
Ch. Latour-Martillac, chem. de la Tour,
33650 Martillac, tél. 05.57.97.71.11, fax 05.57.97.71.17,
e-mail langlet@domaines-kressmann.com

CH. LASSALLE 2005

□ 1 ha 1 600 ◖◗ 5 à 8 €

Issu à parts égales de sauvignon et de sémillon, ce graves blanc s'annonce par une robe limpide et brillante et développe un bouquet sympathique fait de fruits blancs, de noisette et de notes grillées, accompagnés d'une légère pointe minérale. Un vin friand pour maintenant.
⊶ SCEA Labbé Lalanne, 2, allée Lassalle,
33650 La Brède, tél. 05.56.78.49.65, fax 05.56.78.42.75
☑ ፤ ✶ t.l.j. sf dim. 10h-12h 14h-18h

CH. LÉHOUL Plénitude 2005 ★★

■ 2,6 ha 12 000 ◖◗ 15 à 23 €

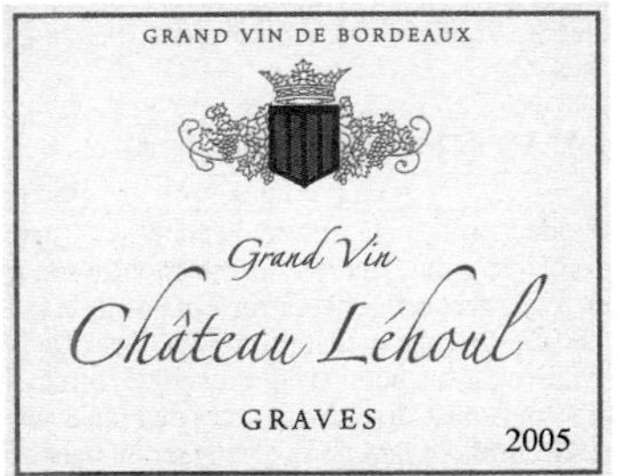

GRAND VIN DE BORDEAUX
Grand Vin
Château Léhoul
GRAVES
2005

D'année en année, ce cru fait preuve d'une belle régularité. Les étoiles, il les décroche souvent par paires. Avec ce 2005, il se surpasse. La cuvée Plénitude s'affirme vraiment comme le Grand Vin du domaine. Presque noire aux reflets violacés, la robe est aussi envoûtante que le bouquet. La palette ? Un fruité varié (griotte, confiture de mûres et de cassis), un boisé complexe (épices, moka) et une pointe de minéralité. Suave et ample, le palais révèle une solide structure tannique qui garantit la garde. Un séjour en cave de cinq à huit ans s'impose pour cette bouteille qui possède, selon l'un des dégustateurs, « tout ce qu'on attend d'un grand vin ». Le 2000 avait été lui aussi couronné.
⊶ EARL Fonta et Fils, rte d'Auros, 33210 Langon,
tél. 05.56.63.17.74, fax 05.56.63.06.06 ☑ ፤ ✶ r.-v.

CH. LÉONIE 2004 ★

■ 6,2 ha n.c. ▮◖◗ 8 à 11 €

En dépit de sa jeunesse, ce cru possède des vignes d'un âge respectable (vingt-sept ans). L'encépagement privilégie le merlot. D'une couleur pourpre engageante, son vin libère à l'agitation des parfums de vanille, de fruits mûrs et d'épices, complétés par des notes empyreumatiques de tabac et de fumée. Souple mais de bonne constitution, il pourra être attendu trois ou quatre ans.
⊶ Thierry Prissette, Ch. Léonie, 6, Robinet,
33210 Léogeats, tél. 05.57.31.02.87,
e-mail prissette.thierry@wanadoo.fr

CH. LUDEMAN LA CÔTE 2005

■ 9 ha 45 000 ▮◖◗ 5 à 8 €

Issu d'une propriété à direction féminine depuis 1930, ce vin privilégie le cabernet-sauvignon (70 %). Il se montre assez charmeur par son bouquet mêlant le fruit noir, le pruneau et la fumée. Souple à l'attaque, charnu, plus tannique en finale, il attendra au moins deux ans. Frais et aromatique, le **blanc 2006** a également été cité.
⊶ Vignobles Chaloupin-Lambrot, Ludeman La Côte,
33210 Langon, tél. 05.56.63.07.15, fax 05.56.63.48.17,
e-mail mbelloc-ludeman@wanadoo.fr ☑ ፤ ✶ r.-v.

CH. LUSSEAU 2004

■ 6,5 ha 24 000 ◖◗ 8 à 11 €

Commandé par une demeure construite par un officier de Napoléon, le cru est entré dans la famille en 1870. Bérengère Quellien le dirige depuis 2001. La présence du malbec (5 %) et de cabernet-sauvignon (45 %) dans l'assemblage confère à son graves rouge un certain potentiel. Le merlot ne se fait pas oublier pour autant et transparaît dans le côté fruité du bouquet et dans la souplesse du palais. À laisser en cave au moins deux ans.
⊶ Bérengère Quellien, Ch. Lusseau, 6, rte de Lusseau,
33640 Ayguemorte-les-Graves, tél. 05.56.67.01.67,
fax 05.56.67.30.48,
e-mail berengere.quellien@wanadoo.fr
☑ ፤ ✶ t.l.j. 9h-18h; sam. dim. sur r.-v.
⊶ Quellien de Granvilliers

CH. MAGENCE Élevé en fût de chêne 2004 ★★

■ 25 ha 16 000 ▮◖◗ 11 à 15 €

La carte de Belleyme, dressée au XVIII^e^s., signale déjà ce cru commandé par une chartreuse sobre et typique, de la même époque. Le vignoble, qui bénéficie d'un beau terroir de graves dominant la Garonne, est dans la famille depuis deux siècles. Le travail au chai étant à la hauteur du cadre, la qualité est régulière. Le 2004 sait se présenter, tant par sa robe d'un rouge brillant que par son bouquet intense et harmonieux, où les fruits (cassis, cerise

et framboise) se mêlent au boisé (vanille). Cette alliance élégante se retrouve dans un palais ample, charnu et puissant. À garder trois ou quatre ans.
SCEA Ch. Magence, 33210 Saint-Pierre-de-Mons, tél. 05.56.63.07.05, fax 05.56.63.41.42, e-mail magence@magence.com
t.l.j. 9h-11h 14h-16h; sam. dim. sur r-.v.
Guillot de Suduiraut-d'Antras

CH. MAGNEAU Julien 2005 *

	5 ha	9 000		8 à 11 €

Les ancêtres des Ardurats cultivaient déjà la vigne à l'époque où Sully répétait « Labourage et pâturage... » Mi-sauvignon mi-sémillon, ce graves blanc, coup de cœur l'an dernier, accompagnera-t-il la poule au pot ? Pourquoi pas ? S'annonçant par un bouquet très ouvert et complexe, aux notes de buis, de fleurs blanches, de raisin muscaté et de fruits exotiques, il se montre à la fois gras et frais au palais, et finit sur une note grillée. Un vin plaisir. Mi-merlot mi-cabernet, le **Château Coustaut rouge 2004 (5 à 8 €)** du même producteur est assez complexe, riche et dense. Une citation.
Henri Ardurats et Fils, EARL Les Cabanasses, 12, chem. Maxime-Ardurats, 33650 La Brède, tél. 05.56.20.20.57, fax 05.56.20.39.95, e-mail ardurats@chateau-magneau.com
t.l.j. 8h30-12h 14h-18h; sam. dim. sur r.-v.

M DE MALLE 2005 **

	3 ha	7 000		11 à 15 €

S'il est un vin de noble origine, c'est bien celui-ci. Construit au début du XVIIes. par Jacques de Malle, président au parlement de Bordeaux, le château de style Renaissance s'entoure de jardins à l'italienne. Le cru est resté dans la même famille. Second cru classé de Sauternes, le vignoble brille cette année en blanc sec, avec un graves mariant 70 % de sauvignon au sémillon. Drapé dans une robe à reflets verts, ce 2005 développe un bouquet fin et intense, où les agrumes (pamplemousse) côtoient harmonieusement le bourgeon de cassis et le fruit de la Passion. Vif à l'attaque, le palais enrichit cette généreuse palette d'écorce d'orange et d'une touche minérale, tandis que s'instaure un parfait équilibre entre le gras et le fruit. Superbe.
GFA des Comtes de Bournazel, Ch. de Malle, 33210 Preignac, tél. 05.56.62.36.86, fax 05.56.76.82.40, e-mail chateaudemalle@wanadoo.fr r.-v.

CH. MAMIN Fleur 2005 *

	9 ha	58 000		11 à 15 €

L'originalité de l'encépagement, à forte proportion de merlot (90 %), se retrouve dans le vin dont le bouquet fait la part belle à des notes de fruits très cuits. La palette aromatique n'oublie pas les apports du bois, qui se traduisent par des touches épicées et grillées. Ample et riche, le palais laisse présager un certain potentiel de garde qui permettra à la finale de se fondre.
Vignobles Vincent Lataste, Ch. de Lardiley, 33410 Cadillac, tél. 05.57.98.19.81, fax 05.57.98.19.89, e-mail vlataste@lataste.fr r.-v.

CH. DU MAYNE 2004

	9,25 ha	20 000		8 à 11 €

Les vignes plongent leurs racines dans des graves recouvrant un sous-sol de calcaire à astéries. Ici, en 2004, on a su attendre que le cabernet-sauvignon (60 % de l'assemblage) ait bien mûri pour le vendanger. Le résultat ? Un vin suave et déjà souple, dont on profitera sans attendre pour bénéficier pleinement de son bouquet fruité et confituré (prune, framboise et fraise).
Jean-Xavier Perromat, Ch. de Cérons, 33720 Cérons, tél. 05.56.27.01.13, fax 05.56.27.22.17, e-mail perromat@chateaudecerons.com
t.l.j. sf sam. dim. 9h-12h30 14h-17h30; f. août
Jean Perromat

CH. MAYNE DU CROS Élevage en fût de chêne 2004

	4 ha	22 000		8 à 11 €

Principalement producteurs sur la rive droite de la Garonne, les Boyer proposent ici un vin très mode, issu d'une majorité de cabernets (80 %, dont la moitié en cabernet-sauvignon). Une bouteille qui s'exprime tout en douceur, tant par son bouquet, discret mais net, qu'au palais, où le bois est présent mais jamais dominateur. Elle sera bientôt prête.
Vignobles Boyer, Ch. du Cros, 33410 Loupiac, tél. 05.56.62.99.31, fax 05.56.62.12.59, e-mail contact@chateauducros.com
t.l.j. sf sam. dim. 8h30-12h30 13h30-18h

CH. MÉJEAN 2004

	4,62 ha	22 360		15 à 23 €

À la suite du grand gel de 1956, la viticulture avait été abandonnée sur ce domaine. La vigne a été replantée à partir de 2001. L'encépagement, merlot à 83 %, est bien adapté à la matrice sableuse du terroir. La jeunesse des plants n'empêche pas ce vin d'être expressif par son bouquet (fruits, boisé vanillé) et intéressant par le potentiel de ses tanins d'une plaisante rondeur.
Bruno Géraud, SCEA Ch. Méjean, Le Petit Breton, 33640 Ayguemorte-les-Graves, tél. 05.56.67.62.80, fax 05.56.67.69.16
r.-v.

CH. DU MONT Cuvée Gabriel 2005 *

	3 ha	6 000		11 à 15 €

Producteur réputé (et multi-coups de cœur) en sainte-croix-du-mont, Hervé Chouvac montre son savoir-faire en rouge avec cette cuvée à forte majorité de cabernet franc (80 %). La robe grenat profond retient déjà l'attention. Mais c'est au bouquet que ce 2005 commence à révéler sa puissance, livrant des notes de fumée nuancées de clou de girofle, avant de se distinguer au palais par sa suavité, son ampleur, son gras et sa générosité. On le laissera en cave au moins trois ans pour lui permettre de s'arrondir.

Hervé Chouvac, Ch. du Mont, 33410 Sainte-Croix-du-Mont, tél. 06.89.96.54.73, fax 05.56.62.07.58, e-mail chateau-du-mont@wanadoo.fr r.-v.

CH. MOUTIN 2005 *

n.c. n.c. **8 à 11 €**

Appartenant au bel ensemble de crus constitués par la famille Darriet de part et d'autre de la Garonne, ce vignoble offre un 2005 au bouquet fin et élégant, où les agrumes s'associent harmonieusement au fruit de la Passion. Souple et gras à l'attaque, le palais équilibré et bien structuré connaît ensuite une évolution soyeuse, sans lourdeur, avant de déboucher sur une finale agréable qui fait la part belle aux notes florales.

SC J. Darriet, Ch. Dauphiné-Rondillon, 33410 Loupiac, tél. 05.56.62.61.75, fax 05.56.62.63.73, e-mail contact@vignoblesdarriet.fr r.-v.

CH. PÉRIN DE NAUDINE 2005 *

1 ha 5 000 **8 à 11 €**

Mi-sémillon et mi-sauvignon, ce vin s'annonce par une belle couleur or pâle à reflets verts. Le bouquet naissant mais bien net associe plaisamment de fraîches notes d'agrumes (citron vert), de fruit de la Passion et de mangue. Cette fraîcheur se prolonge au palais qui révèle une belle matière. À déboucher dans les trois ans à venir.

Ch. Périn de Naudine, 8, imp. des Domaines, 33640 Castres-Gironde, tél. et fax 05.56.67.65.88, e-mail chateauperin@wanadoo.fr r.-v.

Olivier Colas

CH. PESSAN 2005 **

7 ha 6 000 **11 à 15 €**

Avec sa tour de guet, le cadre ne manque pas d'intérêt. Le vin, lui aussi, sait retenir l'attention. Mi-cabernet-sauvignon mi-merlot, ce 2005 pourpre profond développe un bouquet d'une grande intensité, où le bois se fond dans les notes de fruits, de cuir et d'épices. Gras, ample, élégant et long, il bénéficiera d'une garde de trois à quatre ans.

Comtes de Bournazel, SCI Ch. Pessan, 33640 Portets, tél. 05.56.62.36.86, fax 05.56.76.82.40, e-mail chateaudemalle@wanadoo.fr

CH. PONT DE BRION 2005 *

7 ha 40 000 **8 à 11 €**

Issue des plus belles parcelles de l'exploitation, cette cuvée mêle au cabernet-sauvignon (60 %) et au merlot 10 % de petit verdot. Sa robe profonde et limpide est de bon augure. Délicat, le bouquet joue sur le pruneau, la prune à l'eau-de-vie et la framboise. Dans le même registre fruité, puissant et élégant, le palais laisse une bonne impression grâce à la finale longue et ronde. À savourer maintenant ou dans deux à trois ans. Frais et aromatique (pêche, poire et fruits exotiques), le **Château Ludeman les Cèdres blanc 2006 (5 à 8 €)** reçoit également une étoile.

SCEA Molinari et Fils, Ludeman, 33210 Langon, tél. 05.56.63.09.52, fax 05.56.63.13.47 r.-v.

CH. PRIEURÉ LES TOURS Cuvée Clara 2006 *

1,8 ha 12 400 **5 à 8 €**

Ce cru appartint au XIX^e^s. au comte Ravez, garde des sceaux de Louis-Philippe. Cuvée prestige, ce vin assemble deux tiers de sauvignon et un tiers de sémillon. Sa robe jaune pâle à reflets verts met en confiance. Citron, fleurs, pomme verte, cédrat et même une note minérale : le bouquet séduit par sa complexité et sa fraîcheur. Celle-ci se retrouve dans l'attaque, qui s'ouvre sur une bouche savoureuse. La finale est plaisante et assez longue. Des mêmes producteurs, le **Château Millet rouge 2005** pourra être apprécié dès la fin de l'année. Il est cité.

Dom. de la Mette, 17, rte de Mathas, 33640 Portets, tél. 05.56.67.18.18, fax 05.56.67.53.66, e-mail domainesdelamette@wanadoo.fr r.-v.

PRIMO PALATUM
Mythologia Grande Réserve 2004 *

2 ha 3 000 **15 à 23 €**

Petite leçon de latin : « le goût avant tout », telle est la devise de Xavier Copel formulée dans cette marque. Les vins sont le fruit d'un partenariat avec les viticulteurs. Ce graves, qui a beaucoup de caractère, applique à la lettre le programme du négociant-œnologue. Sa matière, qui appelle quatre ou cinq ans de garde, tient les promesses de sa robe grenat sombre. Puissant et complexe, fruité, confituré, toasté, fumé et torréfié, le bouquet est lui aussi fort intéressant.

Xavier Copel - Primo Palatum, 1, Roy, 33190 Pondaurat, tél. 05.56.71.39.39, fax 05.56.71.39.40, e-mail xavier-copel@primo-palatum.com r.-v.

CH. QUINCARNON 2005 *

5,21 ha 34 000 **5 à 8 €**

Créé à l'époque classique par le marquis de Quincarnon, du présidial de Bazas, ce domaine situé dans le Sauternais a gardé le nom de son fondateur. Son graves rouge 2005 privilégie le cabernet-sauvignon (60 %). Il affiche une robe dense, intense et profonde, qui annonce sa jeunesse. Le bouquet naissant, déjà complexe, marie les fleurs (violette) et les fruits mûrs sur un fond boisé bien intégré. Souple, ample et chaleureux, le palais révèle une belle continuité avec le nez, tandis que les tanins serrés montrent que cette bouteille est armée pour la garde.

SCEA Asseretto, Ch. Quincarnon, 33210 Fargues, tél. 05.56.62.32.90, fax 05.56.62.39.64, e-mail ccmag@wanadoo.fr t.l.j. sf dim. 9h-12h 14h-18h

CH. DE RESPIDE Élevé en fût de chêne 2005 *

25 ha 80 000 **8 à 11 €**

Très ancienne propriété, ce cru appartint à La Reynie, premier lieutenant de police de Louis XIV. Si le château, du XIX^e^s., est aujourd'hui séparé du domaine, il reste l'important vignoble : 72 ha. Et une production de qualité, régulièrement distinguée dans le Guide. Assemblage favorisant le merlot (60 %), ce 2005 au riche bouquet (fleurs, fruits confits et bois) est construit sur des tanins denses mais veloutés. Il pourra être attendu plusieurs années et conviendra à une large palette culinaire. Également de garde, la cuvée **Callypige rouge 2004 (11 à 15 €)** obtient la même note. Une autre étoile brille sur le **Château de Respide blanc 2006 (5 à 8 €)**, élevé en cuve, franc et typique, et sur la cuvée **Callypige blanc 2006 (11 à 15 €)**, au bouquet élégant et complexe (vanille, amande, fruits exotiques, noix de coco et pain grillé).

Vignobles Pierre Bonnet, Le Pavillon de Boyrein, 33210 Roaillan, tél. 05.56.63.24.24, fax 05.56.62.31.59, e-mail vignobles-bonnet@wanadoo.fr r.-v.

CH. RESPIDE-MÉDEVILLE 2004 ★

■ 7,7 ha 22 000 15 à 23 €

Ce cru du Sauternais produit aussi des graves régulièrement retenus. Le rouge 2000 décrocha même un coup de cœur. L'assemblage donne ici l'avantage au cabernet-sauvignon (60 %). Irréprochable dans sa présentation, le 2004 affiche une robe sombre et un bouquet expressif, avec ce qu'il faut de fruits et de bois. Souple à l'attaque, soyeux et concentré ensuite, harmonieux en finale, le palais invite à deux ou trois ans de patience. Second vin, la **Dame de Respide rouge 2004 (8 à 11 €)** peut être servie plus jeune : une citation.

SCEA Julie Gonet-Médeville, Ch. Gilette,
33210 Preignac, tél. 05.56.76.28.44, fax 05.56.76.28.43,
e-mail gonet.medeville@wanadoo.fr r.-v.

CH. ROQUETAILLADE LA GRANGE 2006 ★★

12 ha 80 000 5 à 8 €

Ce vignoble entoure le château-fort de Roquetaillade, dont il a été détaché en 1962. Installé sur des graves argileuses, il domine la vallée du Brion. Sémillon (50 %), sauvignon et muscadelle collaborent à ce 2006 jaune à reflets verts. Le nez s'épanouit à l'aération pour jouer subtilement sur des notes de fleurs blanches, de fruits et de buis. Vif à l'attaque, puis plus souple, aromatique, le palais finit sur des notes fraîches d'acacia, de pêche blanche et de citron. Encore très jeune, ce vin est prêt mais il peut attendre deux ou trois ans. Complexe, boisé, bien structuré, long et harmonieux, le **Château Roquetaillade la Grange rouge 2005 (8 à 11 €)** obtient une étoile.

GAEC Guignard, 33210 Mazères,
tél. 05.56.76.14.23, fax 05.56.62.30.62,
e-mail contact@vignobles-guignard.com
t.l.j. 9h-12h 14h-17h30; sam. dim. sur r.-v.

CH. ROUGEMONT 2005 ★

6 ha 2 000 3 à 5 €

Classique dans son assemblage (70 % de sémillon, le reste en sauvignon), ce vin est bien fait. On appréciera son bouquet de fruits mûrs, son équilibre, son gras et sa bonne présence au palais. Il est prêt.

EARL Turtaut, 50, rue de Jean-Cabos,
33210 Toulenne, tél. 05.56.63.19.06, fax 05.56.76.22.74,
e-mail chateaurougemont@yahoo.fr r.-v.

CH. SAINT-ROBERT Poncet-Deville 2005 ★★

2 ha 16 000 11 à 15 €

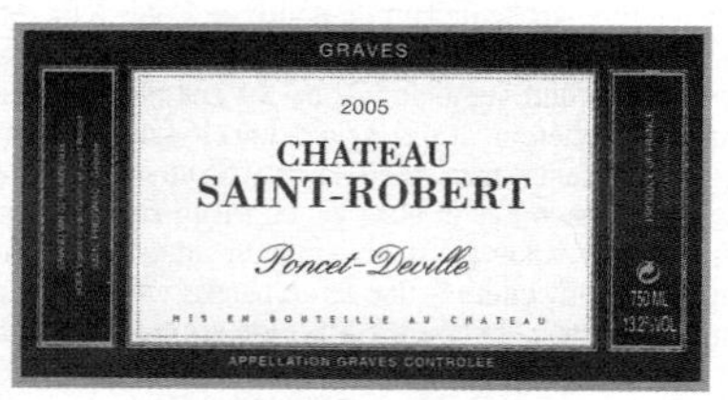

Ici le Sauternais n'est presque qu'à un jet de pierre, c'est dire que le terroir est propice aux blancs. Le savoir-faire de l'équipe de Foncier Vignobles permet aussi d'y produire d'excellents rouges. Le cru obtient son septième coup de cœur avec ce 2005 dominé par le sauvignon (80 %). Le caractère de ce vin se lit dans l'intensité de sa robe, comme dans la complexité de son bouquet qui va de la vanille aux fruits exotiques (litchi, goyave) et aux fleurs, sans oublier le muscat. Mais c'est au palais que son tempérament éclate : fine, élégante et équilibrée, cette bouteille se fait charmeuse par son côté exotique, tandis que sa vivacité lui garantit un potentiel de garde de quatre ou cinq ans. Ses arômes fruités et floraux la feront apprécier à l'apéritif. Aromatique, complexe et bien équilibrée, la cuvée principale du **Château Saint-Robert blanc 2005 (5 à 8 €)** obtient une étoile ; de même que l'harmonieuse et puissante cuvée **Poncet Deville rouge 2005 (15 à 23 €)**, coup de cœur l'an dernier pour le 2004, qui sera bientôt prête. Un peu plus austère, le **Château Saint-Robert rouge 2005** est cité.

SCEA Vignobles Bastor Saint-Robert,
Dom. de Lamontagne, 33210 Preignac,
tél. 05.56.63.27.66, fax 05.56.76.87.03,
e-mail bastor@bastor-lamontagne.com r.-v.
Foncier Vignobles

CH. DE SAUVAGE 2005

■ 1 ha 5 500 5 à 8 €

Né en 2004, ce cru a été créé par regroupement de parcelles situées au hameau de Manine, où Vincent Dubourg reste le seul vigneron. Il fait son entrée dans le Guide avec un vin au bouquet mariant des notes très mûres (fruits, raisin et pruneau) à de frais parfums de violette. Rond et charnu, le palais s'accordera dès maintenant avec de nombreux mets.

Dubourg, Manine, 33720 Landiras,
tél. 06.23.32.59.52, fax 05.53.94.80.03,
e-mail vin.dubourg@tele2.fr r.-v.

CH. DU SEUIL 2004 ★

■ 9,37 ha 69 600 11 à 15 €

Dans ce vignoble implanté sur un plateau incliné vers la Garonne, le cabernet-sauvignon est nettement majoritaire. Son influence est incontestable dans le bouquet de fruits rouges et noirs caractéristique du cépage. D'une belle complexité, le nez fait aussi place aux fleurs (rose) et au laurier. À la fois ronde et fraîche, fort plaisante, cette bouteille pourra être appréciée jeune. Le **Château du Seuil blanc 2005** est cité, tout comme le **Château L'Avocat rouge 2004** et **blanc 2005**.

SCEA Ch. du Seuil, 33720 Cérons,
tél. 05.56.27.11.56, fax 05.56.27.28.79,
e-mail nicolas@chateauduseuil.com r.-v.

CH. TOUMILON 2005

■ 4 ha 20 000 8 à 11 €

Acheté à un négociant hollandais en 1783, ce cru est resté dans la même famille depuis plus de deux siècles. Le vignoble apparaît déjà sur la carte de Belleyme au XVIII[e]s. Assemblage de cabernet-sauvignon (55 %), de cabernet franc (10 %) et de merlot, ce 2005 bordeaux fait preuve d'élégance, aussi bien dans son bouquet naissant de noyau et de baies rouges, qu'au palais. Encore un peu jeunes, les tanins incitent à attendre cette bouteille un à deux ans au moins. Très marqué par le sémillon, le **blanc 2005 (5 à 8 €)** est également cité.

Vignoble Sevenet, Ch. Toumilon,
33210 Saint-Pierre-de-Mons, tél. 05.56.63.07.24,
fax 05.56.63.59.24,
e-mail contact@chateau-toumilon.com r.-v.
Marie-France Sevenet-Lateyron

CH. TOUR BICHEAU 2004

■ n.c. n.c. 5 à 8 €

Âgé de vingt-trois ans, Patrick Daubas vient de reprendre le vignoble familial (24 ha). Issu d'un assemblage à forte majorité de merlot, ce vin développe un bouquet sympathique, harmonieuse alliance de parfums de fruits rouges et de notes grillées. Bien équilibré et charmeur, le palais s'appuie sur une matière de bonne qualité. L'ensemble est prêt à passer à table.

Patrick Daubas,
Ch. Tour Bicheau, 8, rte du Cabernet, 33640 Portets,
tél. et fax 05.56.67.37.75,
e-mail chateau-tour-bicheau@wanadoo.fr
t.l.j. 9h30-11h30 13h30-19h; dim. sur r.-v.

CH. TOUR DE CALENS Élevé en fût de chêne 2004 ★

■ 6,82 ha 8 000 8 à 11 €

Les cabernets (70 % dont 62 % de cabernet-sauvignon) dominent l'assemblage de ce graves rouge qui porte la marque de son élevage dans ses arômes empyreumatiques présents au bouquet comme au palais. La générosité de sa structure aux tanins ronds permettra d'attendre cette bouteille trois ou quatre ans, même si elle peut procurer un réel plaisir dès à présent.

Bernard et Dominique Doublet,
Ch. Tour de Calens, 33640 Beautiran,
tél. 05.57.24.12.93, fax 05.57.24.12.83,
e-mail d.doublet@free.fr r.-v.

CH. TOURTEAU CHOLLET 2004

■ 28 ha 165 500 8 à 11 €

Un vin né dans une vaste propriété de 63 ha, rachetée par Maxime Bontoux en 2001. Cabernet-sauvignon (55 %) et merlot font jeu presque égal dans l'assemblage de ce vin assez timide dans son expression aromatique. Le bouquet laisse toutefois paraître de fraîches notes de fruits rouges et de fumée qui s'harmonisent avec la souplesse du palais et une fine trame tannique. Encore un ou deux ans et ce 2004 s'exprimera pleinement.

Maxime Bontoux, 3, chem. de Chollet,
33640 Arbanats, tél. 05.56.67.47.78, fax 05.56.67.40.09,
e-mail tourteauchollet@wanadoo.fr r.-v.

CH. LE TUQUET 2005

11 ha 30 000 5 à 8 €

Célèbre pour sa chartreuse dont la façade est de Victor Louis, l'architecte du Grand Théâtre de Bordeaux, ce cru figure sur la carte de Belleyme et s'étend sur 120 ha (55 ha de vigne). Ses vins méritent eux aussi attention. Celui-ci assemble sémillon (60 %) et sauvignon. Frais et complexe, son bouquet joue harmonieusement sur les fleurs, les agrumes et les fruits exotiques, tandis qu'au palais un bon équilibre s'établit entre la rondeur et le gras.

SARL Paul Ragon, Ch. Le Tuquet,
33640 Beautiran, tél. 05.56.20.21.23, fax 05.56.20.21.83
r.-v.

CH. VENUS 2005 ★

■ 3,7 ha 8 000 8 à 11 €

Vénus est aussi la déesse des labours et jardins. Mieux qu'un nom, un programme pour ce cru qui fait son entrée dans le Guide : fournir des vins élégants. La propriété de 5 ha, complantée d'une majorité de merlot, a été acquise par Emmanuelle et Bertand Amart en 2005. Leur premier millésime affiche une personnalité originale qui se lit dans son bouquet de pruneau cuit, de confiture et de fruits secs. Corsé, séveux et fin, le palais confirme ces impressions. Encore austère, il demandera quatre ou cinq ans pour polir ses tanins.

Bertrand Amart, Medudon, 33210 Preignac,
tél. et fax 05.56.62.76.09,
e-mail bertrandamart@hotmail.com r.-v.

CH. LA VIEILLE FRANCE Cuvée Marie 2005 ★

2 ha 3 000 8 à 11 €

En 1610, un ancêtre de Michel Dugoua était déjà laboureur à Portets. La propriété, qui s'étend sur 27 ha, reste fidèle à ses étiquettes fleurdelysées. Issue à parts égales du sémillon et du sauvignon, cette cuvée jaune pâle à reflets argentés retient l'attention par la complexité de son bouquet aux notes de fruits exotiques (ananas, kiwi), de fleurs, de vanille et de cannelle. Sa rondeur, son gras et sa chair s'accompagnent d'une perception délicate du bois. Rond et délicatement bouqueté, à servir dans les prochaines années, le **Château La Vieille France rouge 2004** est cité.

Michel Dugoua,
EARL Ch. La Vieille France, 1, chem. du Malbec,
BP 8, 33640 Portets, tél. 05.56.67.19.11,
fax 05.56.67.17.54, e-mail lavieillefrance@wanadoo.fr
r.-v.

VIEUX CHÂTEAU GAUBERT 2004 ★

■ 25 ha 60 000 11 à 15 €

Commandé par une remarquable chartreuse du XVIIIe s., ce cru, fort de plusieurs coups de cœur, est fidèle à sa tradition qualitative avec ce vin mi-merlot mi-cabernet d'où se dégage une impression d'harmonie. D'un grenat sombre engageant, ce 2004 développe un bouquet intense et élégant de violette et de toast, et se montre puissant et racé. Ses savoureux tanins permettront aussi bien de le consommer jeune que de l'attendre quelques années. Plus marqué par le merlot, le **Gravéum rouge 2004 (23 à 30 €)** présente lui aussi une bonne aptitude à la garde. Une étoile également. Le **Benjamin de Vieux Château Gaubert rouge 2005 (8 à 11 €)** est cité. Avec un côté citronné et un très bon équilibre entre l'acidité et l'alcool, le **Vieux Château Gaubert blanc 2005** obtient une étoile, tout comme le **Benjamin blanc 2006 (5 à 8 €)**.

Dominique Haverlan, Vieux Château Gaubert,
33640 Portets, tél. 05.56.67.18.63, fax 05.56.67.52.76,
e-mail dominique.haverlan@libertysurf.fr r.-v.

CH. VILLA BEL-AIR 2006 ★★

12 ha 80 000 11 à 15 €

Depuis le milieu des années 1990, ce cru, commandé par une superbe chartreuse du XVIIIe s., est devenu l'une des valeurs sûres de l'appellation ; et il entend bien le demeurer, ce graves blanc le dit clairement. Mi-sauvignon mi-sémillon, le 2006 présente un bouquet intense qui associe de riches sensations de toast, de pêche, de poire et de fruits confits. Gras et onctueux sans jamais tomber dans la lourdeur, fort harmonieux, il pourra être apprécié sans attendre, comme dans deux ou trois ans. Tout aussi équilibré et expressif, avec des nuances de fruits noirs, d'épices et de cannelle, le **rouge 2005** obtient une étoile. Ample et soutenu par des tanins soyeux, il mérite un séjour en cave de trois ou quatre ans.

Jean-Michel Cazes,
Ch. Villa Bel-Air, lieu-dit Bel-Air, 33650 Saint-Morillon,
tél. 05.56.20.29.35, fax 05.56.78.44.80

Graves supérieures

CH. MOURAS 2005 ★

2 ha 8 000 5 à 8 €

Né sur un vignoble où les vignes les plus jeunes ont quarante ans, ce vin se montre plaisant par son équilibre, par son gras et par sa complexité aromatique. Sa palette évolue des notes balsamiques aux fruits confits.

Ch. Laville, 33210 Preignac, tél. 05.56.63.59.45, fax 05.56.63.16.28, e-mail chateaulaville@hotmail.com r.-v.

JC Barbe

CH. SAINT-ROBERT 2005

2 ha 6 000 8 à 11 €

Ancienne maison noble, Saint-Robert n'a vraiment affirmé sa vocation viticole qu'à partir du XIXe s., sous l'impulsion de M. Poncet Deville. Aujourd'hui, le domaine comprend une quarantaine d'hectares. Née de sémillon, cette cuvée séduit par ses notes de fleur d'acacia et sa finesse en bouche. À servir sur une cuisine exotique.

SCEA Vignobles Bastor Saint-Robert, Dom. de Lamontagne, 33210 Preignac, tél. 05.56.63.27.66, fax 05.56.76.87.03, e-mail bastor@bastor-lamontagne.com r.-v.

Foncier-Vignobles

CH. DE SAUVAGE 2005

0,8 ha 3 500 8 à 11 €

Ce vignoble est entouré de bois, d'où le nom du cru. Confidentiel par son volume de production, ce vin aurait mérité un rôti plus prononcé. Il n'en demeure pas moins très intéressant : friand et délicatement bouqueté, il possède une bonne structure moelleuse.

Dubourg, Manine, 33720 Landiras, tél. 06.23.32.59.52, fax 05.53.94.80.03, e-mail vin.dubourg@tele2.fr r.-v.

Pessac-léognan

Correspondant à la partie nord des Graves (appelée autrefois Hautes-Graves), la région de Pessac et de Léognan est aujourd'hui une appellation communale, inspirée de celles du Médoc. Sa création, qui aurait pu se justifier par son rôle historique (c'est l'ancien vignoble périurbain qui produisait les clarets médiévaux), s'explique par l'originalité de son sol. Les terrasses que l'on trouve plus au sud cèdent la place à une topographie plus accidentée. Le secteur compris entre Martillac et Mérignac est constitué d'un archipel de croupes graveleuses qui présentent d'excellentes aptitudes vitivinicoles par leurs sols, composés de galets très mélangés, et par leurs fortes pentes. Celles-ci garantissent un excellent drainage. Les pessac-léognan présentent une grande originalité ; les spécialistes l'ont d'ailleurs remarquée depuis fort longtemps, sans attendre la création de l'appellation. Ainsi, lors du classement impérial de 1855, Haut-Brion fut le seul château non médocain à être classé (premier cru). Puis, lorsque, en 1959, seize crus de graves furent classés, tous se trouvaient dans l'aire de l'actuelle appellation communale.

Les vins rouges (53 585 hl en 2005) possèdent les caractéristiques générales des graves, tout en se distinguant par leur bouquet, leur velouté et leur charpente. Quant aux blancs secs (11 588 hl), ils se prêtent tout particulièrement à l'élevage en fût et au vieillissement qui leur permet d'acquérir une très grande richesse aromatique, avec de fines notes de genêt et de tilleul.

CH. BAHANS HAUT-BRION 2004 ★

n.c. n.c. 30 à 38 €

Le nom du second vin de Haut-Brion intrigue parfois. Il est simplement un hommage rendu à une ancienne famille pessacaise qui possédait ici des vignes. Le 2004 marie puissance et élégance avec ses délicats parfums (vanille, cuir et tabac) et ses tanins bien enrobés encore pleins de fraîcheur. Ils profiteront d'un séjour en cave de quatre ou cinq ans pour s'arrondir et se fondre complètement.

Dom. Clarence Dillon SA, Ch. Haut-Brion, 135, av. Jean-Jaurès, 33608 Pessac, tél. 05.56.00.29.30, fax 05.56.98.75.14, e-mail info@haut-brion.com r.-v.

CH. BARDINS 2005 ★

0,4 ha 1 500 8 à 11 €

Un vieux moulin sur l'Eau-Blanche, une demeure XIXe s. entourée d'un vignoble et d'un parc, tel est le berceau romantique de ce vin, dont la belle robe dorée n'est pas trompeuse. Sa fine expression aromatique sait trouver un bon équilibre entre les notes de fruits mûrs, de grillé et de fumé, que prolonge au palais, souple et fin, une touche miellée.

EARL du Ch. Bardins, 124, av. de Toulouse, 33140 Cadaujac, tél. 05.56.30.78.01, fax 05.56.30.04.99, e-mail chateau.bardins@free.fr r.-v.

de Sigoyer

CH. BARET 2004

19 ha 120 000 11 à 15 €

Aux portes de Bordeaux, ce cru résiste à l'urbanisation galopante. Bien qu'un peu fugace en finale, son vin charme par sa finesse, qui s'exprime dans sa matière comme au bouquet, fait de gourmands arômes de café et de cacao. À apprécier dans un ou deux ans.

Héritiers André Ballande, Ch. Baret, 33140 Villenave-d'Ornon, tél. et fax 05.56.87.87.71 r.-v.

CH. BOUSCAUT 2005 ★

Cru clas. 3,8 ha 20 000 23 à 30 €

82 83 85 86 88 89 90 95 96 98 **|99|** |00| **01** 03 04 05

Cadaujac est une commune qui s'est fortement urbanisée ces dernières années, et elle ne compte plus que deux propriétés, Bardins et Bouscaut. Tout aussi expressif que le Bouscaut rouge, le blanc développe un bouquet mêlant la fleur d'acacia et les agrumes aux notes d'élevage (vanille). Gras et riche, le palais évolue plaisamment sur des notes de pamplemousse et un boisé fondu. Ce vin sera parfaitement à sa place sur de nobles crustacés.

Ch. Bouscaut, 1477, av. de Toulouse, 33140 Cadaujac, tél. 05.57.83.12.20, fax 05.57.83.12.21, e-mail cb@chateau-bouscaut.com r.-v.

S. & L. Cogombles

CH. BOUSCAUT 2004 *

Cru clas. | 20 ha | 100 000 | 15 à 23 €

Ce cru, situé à la limite de Martillac et de Léognan, jouit d'un terroir de qualité (des croupes de graves sur argilo-calcaire), bien drainé. Sa volonté de rénovation se lit autant dans son étiquette, à l'aspect rajeuni, que dans ce vin qui impressionne par son bouquet aux puissantes notes fruitées (baies rouges), épicées et torréfiées. Soyeux, ample et élégant, le palais acceptera avec bonheur quatre ou cinq ans de repos en cave.

Ch. Bouscaut, 1477, av. de Toulouse, 33140 Cadaujac, tél. 05.57.83.12.20, fax 05.57.83.12.21, e-mail cb@chateau-bouscaut.com r.-v.

CH. BRANON 2004 **

2 ha | 1 000 | 46 à 76 €

Un château incendié et un domaine presque entièrement cerné par les lotissements ; on se demande presque comment ce petit vignoble a pu survivre. Pourtant au XVIIIes., le cru était déjà réputé. Une production confidentielle mais de qualité, témoin ce 2004 pourpre sombre qui développe une expression aromatique où le fruité (cerise, prune), le cuir et le chêne se marient harmonieusement. Charnu, soyeux, distingué et long, le palais sait être déjà agréable et révèle un certain potentiel de vieillissement (trois à cinq ans).

SC Ch. Haut-Bergey, 69, cours Gambetta, BP 49, 33850 Léognan, tél. 05.56.64.05.22, fax 05.56.64.06.98, e-mail haut.bergey@wanadoo.fr r.-v.

S. Garcin

CH. BROWN 2005 **

4,5 ha | 21 611 | 15 à 23 €

Première vinification après le rachat de la propriété par la famille Mau, ce 2005 est un coup de maître : d'une

superbe complexité olfactive, il séduit par ses subtils parfums d'agrumes, de grillé et de résineux, avant de développer un palais bien structuré. Ample, vif et frais, il célèbre le mariage réussi entre les cépages (65 % de sauvignon complété de sémillon) et le merrain en composant un superbe tableau impressionniste, fait de touches successives d'arômes. Nuancée et persistante, sa finale confirme son beau potentiel. Un séjour en cave de trois à quatre ans s'impose pour tirer pleinement profit de ses charmes. Moins impressionnant mais solidement constitué et bien typé cabernet-sauvignon (55 %), le **rouge 2004** obtient une étoile. Déjà séduisant par son côté soyeux, il mérite lui aussi d'être attendu quelques années.

SCEA Ch. Brown, allée John-Lewis-Brown, 33850 Léognan, tél. 05.56.87.08.10, fax 05.56.87.87.34, e-mail chateau.brown@wanadoo.fr r.-v.

Mau

CH. CANTELYS 2004

n.c. | 20 000 | 11 à 15 €

Ce cru, à l'encépagement dominé par le cabernet-sauvignon (60 %), établi sur un terroir de graves, appartient depuis 1995 aux propriétaires de Smith Haut Lafitte. Les notes de myrtille et de vanille du bouquet, comme le côté fin et soyeux du palais, font de ce 2004 un vin gourmand et facile d'approche. Gras, souple, expressif et bien équilibré, le **blanc 2005** est également cité.

Daniel et Florence Cathiard, Ch. Smith Haut Lafitte, 33650 Martillac, tél. 05.57.83.11.22, fax 05.57.83.11.21, e-mail f.cathiard@smith-haut-lafitte.com r.-v.

LES CRUS CLASSÉS DES GRAVES

NOM DU CRU CLASSÉ	VIN CLASSÉ	NOM DU CRU CLASSÉ	VIN CLASSÉ
Château Bouscaut	en rouge et en blanc	Château Latour-Martillac	en rouge et en blanc
Château Carbonnieux	en rouge et en blanc	Château Laville-Haut-Brion	en blanc
Domaine de Chevalier	en rouge et en blanc	Château Malartic-Lagravière	en rouge et en blanc
Château Couhins	en blanc	Château La Mission Haut-Brion	en rouge
Château Couhins-Lurton	en blanc	Château Olivier	en rouge et en blanc
Château Fieuzal	en rouge	Château Pape Clément	en rouge
Château Haut-Bailly	en rouge	Château Smith Haut Lafitte	en rouge
Château Haut-Brion	en rouge	Château La Tour-Haut-Brion	en rouge

CH. CARBONNIEUX 2004 *

■ Cru clas. 50 ha 220 000 15 à 23 €

75 81 82 **83 85** (86) 87 **88** 89 **90** 91 92 93 **94** |95| |96| 97 |98| |99| **00 01** 02 **03** 04

Cette propriété, dont l'histoire viticole remonte au XIIᵉs., a appartenu au XVIIIᵉs. aux bénédictins de l'abbaye de Sainte-Croix. Elle bénéficie d'un excellent terroir graveleux en pente douce. Le 2004, rouge cerise à reflets rubis, offre un bouquet complexe (fruits rouges, épices, grillé). Souple, gras, ample et élégant, il s'appuie sur de bons tanins qui permettent de l'apprécier dès aujourd'hui ou dans trois ou quatre ans.

SC des Grandes Graves, Ch. Carbonnieux, 33850 Léognan, tél. 05.57.96.56.20, fax 05.57.96.59.19, e-mail info@chateau-carbonnieux.fr r.-v.

A. Perrin

CH. CARBONNIEUX 2005 *

Cru clas. 42 ha 155 000 23 à 30 €

81 82 83 85 86 87 **88 89** 90 **91** 92 93 **94** 95 **96** **97** 98 99 |(00)| |01| |**02**| **03** 04 05

Comptant parmi les plus anciennes propriétés bordelaises, ce domaine est commandé par une vieille bastide d'architecture périgourdine. S'annonçant par une robe à reflets verts, ce 2005, assemblage de sauvignon (65 %) et de sémillon, se montre bien typé par son bouquet. Les notes de fumée et de grillé se fondent dans les fruits (pêche et abricot). Dense à l'attaque, le palais évolue plaisamment avant de s'ouvrir sur une finale d'une remarquable longueur. Un vin que l'on pourra apprécier dans deux ou trois ans.

SC des Grandes Graves, Ch. Carbonnieux, 33850 Léognan, tél. 05.57.96.56.20, fax 05.57.96.59.19, e-mail info@chateau-carbonnieux.fr r.-v.

CH. LES CARMES HAUT-BRION 2004

■ 4,66 ha 30 200 38 à 46 €

Aujourd'hui inséré dans la ville de Pessac, ce cru est l'un des héritiers directs du vignoble urbain médiéval. Souple et léger, son 2004 est original par le côté charmeur de son bouquet aux parfums de cacao et de réglisse. Pour en profiter pleinement, on le servira jeune.

Ch. Les Carmes Haut-Brion, 197, av. Jean-Cordier, 33600 Pessac, tél. 05.56.93.23.40, fax 05.56.93.10.71, e-mail chateau@les-carmes-haut-brion.com r.-v.

Famille Chantecaille Furt

DOM. DE CHEVALIER 2004 **

■ Cru clas. 20 ha 90 000 23 à 30 €

64 66 70 73 75 78 79 83 84 85 86 87 **88** (89) **90** **91 92 93 94** |**96**| |**97**| |**98**| |99| **00** 01 **02 03 04**

Une fois encore, l'esprit qui préside au travail à Chevalier – marier les techniques modernes aux méthodes traditionnelles – prouve son efficacité. Tout dans ce 2004 porte la marque de la qualité : la robe rubis d'une brillance parfaite ; le bouquet puissant et complexe, mêlant des notes de grillé, de boisé et d'épices ; l'attaque ronde, ouvrant sur une matière dense et charnue qui se prolonge dans une finale d'une finesse caractéristique d'un pessac-léognan. Quelques années de cave lui permettront d'atteindre sa plénitude. Plus simple tout en possédant une matière riche et tendre, **L'Esprit de Chevalier rouge 2004 (15 à 23 €)** est cité.

Olivier Bernard, 102, chem. de Mignoy, 33850 Léognan, tél. 05.56.64.16.16, fax 05.56.64.18.18, e-mail olivierbernard@domainedechevalier.com r.-v.

CLOS MARSALETTE 2004

■ 5,77 ha 21 000 23 à 30 €

Issu d'un petit vignoble de graves planté de merlot (50 %) et de cabernets, ce vin tendre et facile se montre fin et élégant, par sa couleur pourpre à reflets violines, comme par ses tanins soyeux ou par son bouquet, qui a su trouver un bon équilibre entre les fruits et de délicates notes grillées.

Clos Marsalette, 61, rte de Tout-Vent, 33650 Martillac, tél. et fax 05.57.51.99.27

CH. COUCHEROY 2005

18 ha 100 000 5 à 8 €

Cépage unique, le sauvignon marque bien évidemment le bouquet de ce vin qui mêle avec bonheur des notes de buis, de genêt et de citron. Frais et vif, ce 2005 pourra être servi jeune. On profitera pleinement ainsi de son expression aromatique.

André Lurton, Ch. Bonnet, 33420 Grézillac, tél. 05.57.25.58.58, fax 05.57.74.98.59, e-mail andrelurton@andrelurton.com r.-v.

CH. COUHINS 2004

■ 10 ha 40 000 15 à 23 €

Ce domaine appartenant à l'Inra est un lieu d'expérimentation ; c'est ici notamment que fut mise au point la méthode de la confusion sexuelle pour lutter contre les vers de la grappe. Sa visite sera l'occasion d'une balade le long du ruisseau l'Eau-Blanche à l'issue de laquelle vous pourrez découvrir ce vin au délicat bouquet de cerise noire et de fruits mûrs. Frais et fin, il sera à boire dans les cinq ans sur un jarret de veau.

INRA - Ch. Couhins, chem. de la Gravette, BP 81, 33883 Villenave-d'Ornon Cedex, tél. 05.56.30.77.61, fax 05.56.30.70.49, e-mail couhins@bordeaux.inra.fr r.-v.

CH. COUHINS-LURTON 2005 **

Cru clas. 6 ha 15 000 23 à 30 €

82 83 85 **86** 87 **88 89 90** 91 **92** 93 94 **95** (96) **97** 98 |**99**| |00| |**01**| |**02**| |03| 04 **05**

Le charme et l'authenticité du château XVIIᵉs., restauré par André Lurton, se retrouvent dans ce vin qui retient l'attention par l'intensité et la complexité de son bouquet. Issu à 100 % de sauvignon, il associe le grillé et les agrumes aux fruits à chair blanche, annonçant la palette aromatique du palais, où la puissance des arômes de fruits rejoint l'élégance des nuances de fleurs pour composer un superbe tableau. Souple et rond, ce 2005 séduit par son équilibre et sa fraîcheur qui lui permettront d'être bu jeune ou attendu cinq ans, voire davantage. Il sera aussi à l'aise sur des crustacés, des fromages secs que sur des viandes blanches.

André Lurton, Ch. Bonnet, 33420 Grézillac, tél. 05.57.25.58.58, fax 05.57.74.98.59, e-mail andrelurton@andrelurton.com r.-v.

CH. COUHINS-LURTON 2004 **

■ 17 ha 18 000 15 à 23 €

Même si le cru n'est classé qu'en blanc, André Lurton et son équipe mettent un point d'honneur à élaborer un rouge d'une réelle noblesse. Celle-ci se lit dans le pourpre intense de la robe, comme dans l'élégance du bouquet : fruits noirs, cerise, tabac et épices côtoient des notes empyreumatiques. Ample, puissant et long, ce 2004 laisse deviner un bon potentiel.

André Lurton, Ch. Bonnet, 33420 Grézillac, tél. 05.57.25.58.58, fax 05.57.74.98.59, e-mail andrelurton@andrelurton.com r.-v.

CH. DE CRUZEAU 2005

17 ha 50 000 11 à 15 €

Du même producteur que le Château Couhins-Lurton, mais provenant d'un cru situé à Saint-Médard-d'Eyrans, ce vin également issu de pur sauvignon fait preuve de générosité et d'élégance, avec de plaisants arômes de fleurs blanches, de pêche et de toast. Souple et équilibré, il est prêt à boire.

André Lurton, Ch. Bonnet, 33420 Grézillac, tél. 05.57.25.58.58, fax 05.57.74.98.59, e-mail andrelurton@andrelurton.com r.-v.

CH. D'EYRAN 2004

11 ha 50 000 11 à 15 €

Même si le château est le lointain successeur d'une maison forte de la guerre de Cent Ans, ici c'est par ses propriétaires qu'il entre dans l'Histoire, puisque c'est un de Sèze qui fut l'avocat de Louis XVI lors de son procès. Bien équilibré et délicat dans son expression aromatique, aux notes de cuir, d'épices et de cacao, ce vin pourra être apprécié jeune comme dans trois ou quatre ans.

SCEA Ch. d'Eyran, 33124 Auros, tél. 05.56.65.51.59, fax 05.56.65.43.78, e-mail stephane@savigneux.com r.-v.

de Sèze

CH. FERRAN 2005

4 ha 22 000 8 à 11 €

Sauvignon et sémillon se partagent l'assemblage de ce 2005 qui se présente dans une robe jaune pâle à reflets verts. Il offre un bouquet naissant, où les fruits se mêlent aux notes de vanille. Le palais s'appuie sur une solide texture qui s'exprimera parfaitement dans un ou deux ans sur un poisson gras.

Ch. Ferran, 15, rte Lartigue, 33650 Martillac, tél. 06.07.41.86.00, fax 05.56.72.62.73, e-mail chateau-ferran@wanadoo.fr r.-v.

CH. DE FIEUZAL 2004 *

Cru clas. 42 ha 180 000 23 à 30 €

70 75 76 77 78 79 80 81 82 83 84 85 86 88 89 |90| 91 92 93 94 |95| 96 97 98 |99| |00| |01| 02 03 04

Créé en 1830 par la famille de Fieuzal, ce cru appartient depuis 2001 à un Irlandais, Lochlann Quinn. Fidèle à sa tradition, il propose un vin de qualité. D'une couleur soutenue, ce 2004 n'est pas avare en parfums : libérant au premier nez des notes boisées, il évoque ensuite les fruits noirs, les épices et la confiture de cerises. Soyeux et velouté à l'attaque, il révèle un volume et un équilibre qui le rendront tout aussi intéressant dans trois ou quatre ans qu'aujourd'hui.

SC Ch. de Fieuzal, 124, av. de Mont-de-Marsan, 33850 Léognan, tél. 05.56.64.77.86, fax 05.56.64.18.88, e-mail fieuzal@terre-net.fr r.-v.

Lochlann Quinn

CH. DE FIEUZAL 2005 *

8 ha 36 000 30 à 38 €

83 84 85 86 87 88 89 90 91 92 93 94 95 96 97 |98| |99| |00| |01| |02| |03| 04 05

Même s'il n'est pas classé, le blanc de Fieuzal bénéficie d'une grande renommée. Elle est parfaitement justifiée, comme le montre ce millésime. Frais, fin et complexe dans son expression aromatique, il se révèle suffisamment riche pour justifier un séjour en cave de deux ou trois ans.

SC Ch. de Fieuzal, 124, av. de Mont-de-Marsan, 33850 Léognan, tél. 05.56.64.77.86, fax 05.56.64.18.88, e-mail fieuzal@terre-net.fr r.-v.

CH. DE FRANCE 2005 **

2 ha 10 000 15 à 23 €

La présence de nombreux fossiles, les « coquillats », atteste l'originalité et de la qualité du terroir. Mis en valeur par un travail de vinification soigné, ce cru offre un grand 2005 classique. S'annonçant par une élégante couleur jaune paille et de fraîches senteurs de fruits, de buis et de boisé, ce millésime réserve de belles surprises au palais. Renforcée par des notes d'amande grillée et d'agrumes (citron), l'expression aromatique est gourmande à souhait, avec un jeu subtil entre les fleurs et les fruits. Chaleureux, séveux et gourmand, le palais invite à une garde de cinq ans. Assez complexe et puissant, le **rouge 2004** est cité.

SAS Bernard Thomassin, Ch. de France, 98, av. de Mont-de-Marsan, 33850 Léognan, tél. 05.56.64.75.39, fax 05.56.64.72.13, e-mail chateau-de-france@chateau-de-france.com r.-v.

CH. LA GARDE 2004 **

56 ha 129 333 15 à 23 €

90 91 93 94 |95| 96 97 |98| |99| 00 01 02 03 04

Établi sur des croupes graveleuses dominant la commune de Martillac, ce cru associe histoire et modernité, avec sa chartreuse du XVIII[e]s. abritant des chais refaits à neuf en 2001. La maison Dourthe y a vinifié ce 2004 bien typé, tant par sa robe grenat sombre que par son bouquet finement boisé. Charnu et bien équilibré, le palais s'appuie sur des tanins racés qui permettent d'envisager une garde de cinq ou six ans, voire plus. Passé tout près du coup de cœur, ce vin méritera des mets de caractère.

Vignobles Dourthe - Ch. La Garde, 1, chem. de la Tour, 33650 Martillac, tél. 05.56.35.53.00, fax 05.56.35.53.29, e-mail contact@cvbg.com r.-v.

DOM. DE GRANDMAISON 2004 *

13 ha 75 000 8 à 11 €

Ce domaine a été créé en 1780, période pendant laquelle naissaient un peu partout à Bordeaux des « bourdieux », parcelles de vignes délimitées et commandées par une demeure. Son terroir, majoritairement argilo-calcaire, a dicté le choix d'une forte proportion de merlot (60 %). Grenat vif, ce 2004 est encore fortement marqué par le bois, mais on devine un bon développement aromatique à venir (fruits noirs, épices, notes animales). Son palais structuré, soyeux et long, laisse le choix d'ouvrir cette bouteille sans attendre ou dans quelques années. Agréablement bouqueté, souple et frais, le **blanc 2005** est cité.

Bouquier,
Dom. de Grandmaison, 182, av. de la Duragne,
33850 Léognan, tél. 05.56.64.75.37, fax 05.56.64.55.24,
e-mail courrier@domaine-de-grandmaison.fr
t.l.j. sf dim. 8h30-12h 14h-18h30

CH. HAUT-BAILLY 2004 ★★

Cru clas. 27 ha 80 000 46 à 76 €

82 **83 85 86 87 88 89** |**90**| **92 93 94** |(95)| |**96**| |**97**| |**98**| |**99**| 00 **01 02 03 04**

Créé en 1630 par un financier parisien, Firmin de Bailly, ce cru appartient aujourd'hui à un banquier américain, Robert G. Wilmers, qui l'a profondément rénové. Très belle unité dominant la vallée de l'Eau-Blanche, il bénéficie d'un terroir dont on devine la qualité rien qu'en regardant ses graves blanches. C'est donc sans surprise que l'on y voit naître des vins comme ce 2004. Drapé dans une toge d'un pourpre soutenu, il donne une véritable leçon de dégustation par la puissance, la finesse et la complexité de son bouquet (cerise, fumée, vanille...). Imposante, la structure tannique, soutenue par un boisé maîtrisé, s'accorde avec la finale de grande harmonie pour laisser envisager un potentiel de garde de cinq à six ans au moins. Encore un peu tannique et demandant à être attendu, le second vin **La Parde de Haut-Bailly 2004 (15 à 23 €)** est cité.

SAS Ch. Haut-Bailly, 103, rte de Cadaujac,
33850 Léognan, tél. 05.56.64.75.11, fax 05.56.64.53.60,
e-mail mail@chateau-haut-bailly.com r.-v.
Robert G. Wilmers

CH. HAUT-BERGEY 2005 ★★

2 ha 11 000 23 à 30 €

Du même producteur que le Château Branon, ce vin issu à 80 % de sauvignon est une superbe réussite. Il est difficile de rester insensible à la puissance du bouquet, qui joue sur des notes d'agrumes et de fruits exotiques. Tout aussi élégant et intense, le palais s'équilibre entre rondeur et fraîcheur acidulée, sur un boisé bien fondu. Le **rouge 2004** est cité.

SC Ch. Haut-Bergey, 69, cours Gambetta, BP 49,
33850 Léognan, tél. 05.56.64.05.22, fax 05.56.64.06.98,
e-mail haut.bergey@wanadoo.fr r.-v.
Sylviane Garcin

CH. HAUT-BRION 2004 ★★★

1er cru clas. 48,02 ha n.c. + de 76 €

73 74 |**75**| **76 77 78** |**79**| **81** |(82)| |**83**| **84** |**85**| |**86**| **87** |**88**| |**89**| |(90)| **91 92** |**93**| |**94**| (95) (96) |**97**| (98) **99** (00) **01** (02) **03** (04)

Coupure verte dans le tissu urbain à deux pas du centre de Pessac, ce domaine fut le premier château du vin bordelais. Fondé en 1525 par Jean de Pontac, il prospéra grâce à ses descendants, ce qui lui permit dès 1660 d'identifier et de personnaliser sa production. La notion de cru était née. On peut encore noter qu'il appartint pendant trois ans à Talleyrand et qu'il fut le seul cru non médocain à figurer dans le célèbre classement de 1855. Haut-Brion est toujours resté digne de son rang, comme le prouve à nouveau ce 2004 rubis foncé à reflets noirs d'une grande élégance. Le bouquet, complexe, marie les fruits noirs, la fumée et la réglisse. Le palais se développe tout en douceur, mais sa finesse, qu'illustre l'habile mariage des raisins très mûrs et des épices, n'exclut pas une belle puissance et une plénitude. On attendra cinq ou dix ans avant de profiter de la majesté de ce vin d'exception.

Dom. Clarence Dillon SA,
Ch. Haut-Brion, 135, av. Jean-Jaurès, 33608 Pessac,
tél. 05.56.00.29.30, fax 05.56.98.75.14,
e-mail info@haut-brion.com r.-v.

CH. HAUT-BRION 2005 ★★

2,87 ha n.c. + de 76 €

(82) **83 85 87 88** |**89**| |**90**| **94 95 96 97** |**98**| (99) |(00)| |**01**| |**02**| |**03**| |(04)| |**05**|

S'il n'est pas classé, le vin blanc de Haut-Brion n'en reste pas moins un des meilleurs de l'appellation, grâce à la qualité de son terroir et du travail de vinification et d'élevage de l'équipe de Jean-Philippe Masclef. La robe de ce 2005, d'un jaune pâle ciselé d'argent, est d'une beauté engageante. Le bouquet s'empresse de confirmer cette première impression : fleurs, buis, citron, pamplemousse s'allient pour composer un ensemble raffiné et complexe, que le palais enrichit de notes de fleurs d'oranger et d'acacia. Dotée d'un parfait équilibre entre la fraîcheur et la puissance, cette bouteille est déjà fort plaisante et le sera encore plus dans trois ou cinq ans.

Dom. Clarence Dillon SA,
Ch. Haut-Brion, 135, av. Jean-Jaurès, 33608 Pessac,
tél. 05.56.00.29.30, fax 05.56.98.75.14,
e-mail info@haut-brion.com r.-v.

CH. HAUT LAGRANGE 2005

2 ha 8 000 11 à 15 €

Sauvignon et sémillon font jeu égal dans l'assemblage de ce 2005 certes simple mais plaisant et intéressant par son bouquet aux puissantes notes de litchi et de mangue, associées à un boisé toasté et vanillé. Gras et bien équilibré, le palais est lui aussi très expressif. À apprécier dans un ou deux ans.

SA Ch. Haut Lagrange, 31, rte de Loustalade,
33850 Léognan, tél. 05.56.64.09.93, fax 05.56.64.10.08,
e-mail contact@hautlagrange.com r.-v.

CH. HAUT-PLANTADE 2005 ★

1,4 ha 4 200 15 à 23 €

D'une dimension presque confidentielle, ce vignoble se partage de façon équitable entre le sémillon et le sauvignon. Ce 2005 affirme sa personnalité dès le bouquet ; expressif, il mêle des arômes de fruits très mûrs (ananas) à des notes de miel et de caramel. Après une attaque souple, la bouche se fait plus grasse mais reste friande et bien équilibrée, grâce à une fraîcheur qui l'accompagne jusqu'en finale.

GAEC Plantade Père et Fils, Ch. Haut-Plantade,
33850 Léognan, tél. 05.56.64.07.09, fax 05.56.64.02.24,
e-mail hautplantade@wanadoo.fr r.-v.

CH. HAUT-VIGNEAU 2004

23 ha 100 000 8 à 11 €

La coquille Saint-Jacques figurant sur l'étiquette rappelle que ce cru fait partie des vignobles gérés par l'équipe de Carbonnieux. La forte prédominance du cabernet-sauvignon (60 %) se traduit au bouquet par des notes végétales et fruitées, associées aux nuances de moka de l'élevage. Au palais, le vinificateur a recherché la finesse et l'élégance pour obtenir un produit harmonieux, qui sera au mieux dans deux ans.

GFA du Ch. Haut-Vigneau, 20, rue Jules-Guesde, 33850 Léognan, tél. 05.57.96.56.20, fax 05.57.96.59.19, e-mail chateau.haut-vigneau@wanadoo.fr r.-v.
Éric Perrin

CH. LAFARGUE Cuvée Alexandre 2005 *

2,31 ha 10 500 11 à 15 €

Pratiquant jadis la polyculture (cultures florales et maraîchères), cette propriété s'est au fil des ans convertie à la viticulture. Associant sauvignon blanc (73 %) et sauvignon gris, cette cuvée montre beaucoup de fraîcheur dans son expression aromatique aux notes d'agrumes. Gras dès l'attaque, bien équilibré ensuite, l'ensemble pourra être apprécié dès la sortie du Guide comme dans deux ou trois ans.

Jean-Pierre Leymarie, 5, imp. de Domy, 33650 Martillac, tél. 05.56.72.72.30, fax 05.56.72.64.61, e-mail contact@chateau.lafargue.com t.l.j. sf sam. dim. 8h-12h 14h-17h

CH. LAFONT MENAUT 2005 **

n.c. 20 000 8 à 11 €

Depuis une quinzaine d'années, Philibert Perrin (Carbonnieux) a entrepris de replanter ce terroir, qui a appartenu autrefois à Montesquieu. Nul doute que le philosophe, fin connaisseur en matière de blancs, aurait apprécié ce vin qui séduit par ses puissants arômes de sauvignon (100 %) comme par son palais souple, rond, gras et intense. Équilibré et raffiné, ce 2005 pourra patienter deux ou trois ans en cave. Plus simple mais aimable, le **rouge 2004** est cité.

SCEA Philibert Perrin, Ch. Lafont Menaut, 33850 Léognan, tél. 05.57.96.56.20, fax 05.57.96.59.19, e-mail info@chateau-carbonnieux.fr r.-v.

CH. LARRIVET-HAUT-BRION 2004 *

48 ha 140 000 **15 à 23 €**

Les prairies et les bois qui encadrent le parc et les vignes participent au charme de cette propriété. Celui du vin tient d'abord à sa présentation : sous une robe pourpre à reflets violacés, on découvre un bouquet où les fruits rouges confiturés côtoient la torréfaction et le moka. Au palais, les arômes grillés parfument une structure de tanins assez serrée. Un ensemble puissant et charnu, qui va s'épanouir avec les années (trois à cinq ans de garde).

Ch. Larrivet-Haut-Brion, 84, av. de Cadaujac, 33850 Léognan, tél. 05.56.64.75.51, fax 05.56.64.53.47, e-mail larrivethautbrion@wanadoo.fr r.-v.
Philippe Gervoson

CH. LATOUR-MARTILLAC 2005 ***

Cru clas. 9 ha 31 800 23 à 30 €

81 82 83 84 **85 86 87** (88) **89 90 91 92** 93 **94 95 96** 97 |**98**| |**99**| |(00)| |01| **02 03 04** (05)

Propriété de la famille Kressmann depuis 1929, ce cru a apppartenu autrefois aux ancêtres de Montesquieu. Une tour du XIIes. s'élève toujours à l'entrée du domaine. Loïc et Tristan Kressmann font honneur à la viticulture par leur sens de l'accueil mais aussi par la qualité de leur production. L'attention et la rigueur qu'ils apportent à leur travail se lisent dans ce superbe 2005. Sa personnalité se révèle dès le premier contact, quand il apparaît dans le verre vêtu d'une robe jaune pâle évoquant l'or gris. Suit un bouquet aux puissantes senteurs de pêche blanche et de noisette, agrémenté d'un petit côté floral (aubépine). Sa fraîcheur se retrouve à l'attaque, douce et friande. Élé-

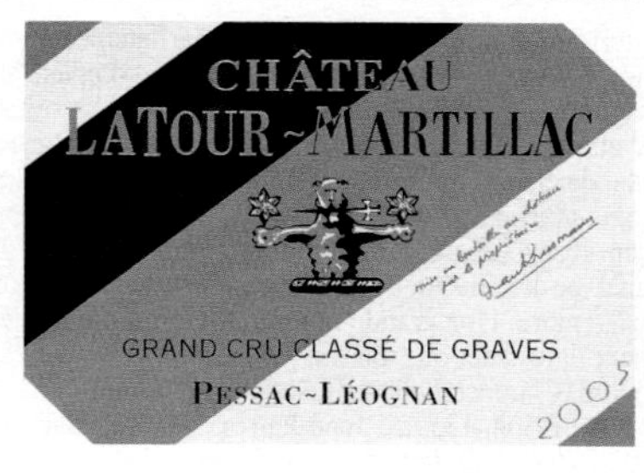

gant, bien équilibré et intense, le palais manifeste son ampleur par une matière séveuse et corsée qui s'épanouit dans une finale d'une longueur infinie. Dotée d'un fort potentiel, cette grande bouteille sera à servir dans un an et tiendra cinq ou six. On la dégustera seule ou sur des crustacés ou des viandes blanches. Suprême élégance, le grand vin n'a pas tout pris : la seconde étiquette, le **Lagrave-Martillac 2005 (15 à 23 €)** décroche également deux étoiles.

SCEA Vignobles Jean Kressmann, Ch. Latour-Martillac, chem. de la Tour, 33650 Martillac, tél. 05.57.97.71.11, fax 05.57.97.71.17, e-mail latour-martillac@latour-martillac.com r.-v.

CH. LATOUR-MARTILLAC 2004 *

Cru clas. 36 ha 192 000 15 à 23 €

(82) **83** 84 **85 86** 87 **88** 89 **90** 91 92 **93 94** |**95**| |**96**| **97 98** |99| **00** 01 **02** 03 04

S'il est réputé pour son blanc, comme le prouve le coup de cœur obtenu cette année, ce cru sait aussi exprimer en rouge la quintessence de son terroir de graves. D'une teinte soutenue, ce 2004 livre un bouquet tout en nuances, marqué par des notes de bois, d'épices et de moka. Les tanins souples, non dépourvus de puissance, structurent un palais élégant et équilibré. Une bouteille d'un grand potentiel à laquelle il faudra laisser un peu de temps pour s'épanouir (trois à cinq ans). Le second vin, **Lagrave-Martillac rouge 2004**, est cité.

SCEA Vignobles Jean Kressmann, Ch. Latour-Martillac, chem. de la Tour, 33650 Martillac, tél. 05.57.97.71.11, fax 05.57.97.71.17, e-mail latour-martillac@latour-martillac.com r.-v.

CH. LAVILLE HAUT-BRION 2005 ***

Cru clas. 3,57 ha n.c. + de 76 €

81 82 83 85 87 88 (89) **90 93 94** |**95**| |**96**| **97** |(98)| |**99**| |**00**| |(01)| |**02**| |**03**| **04** (05)

Si la superficie du cru est modeste, son ancienneté est grande : on trouve trace d'une dame de Laville dès 1611.

Le terroir argilo-calcaire convient parfaitement aux blancs. Ce 2005 issu à 78 % de sémillon, complété de sauvignon, le prouve. C'est un vin cristallin à reflets verts et éclats d'or. Jouant sur les notes de vanille, de chèvrefeuille, de citrons (jaune et vert) et de fruits exotiques, le bouquet affiche une belle complexité. Après une attaque fraîche et savoureuse, celle-ci se confirme et s'amplifie au palais avec des sensations d'agrumes, de peau d'orange et de gingembre. Une grande bouteille qui s'affirmera pleinement dans deux ou trois ans.

Dom. Clarence Dillon SA, Ch. Haut-Brion, 135, av. Jean-Jaurès, 33608 Pessac, tél. 05.56.00.29.30, fax 05.56.98.75.14, e-mail info@haut-brion.com r.-v.

CH. LA LOUVIÈRE 2004 *

48 ha 140 000 15 à 23 €

75 80 81 82 **83 85 86 88** 89 (90) 92 **93 94** 95 96 97 |98| |99| (00) **01 02** |03| 04

Appartenant à André Lurton depuis plus de quarante ans, ce cru situé à Léognan compte une soixantaine d'hectares, dont cinquante consacrés à la vigne. Il est commandé par un château classé Monument historique. Jouant résolument la carte de la souplesse et de la finesse sur un fond de fruits rouges gourmands, son 2004 possède un caractère facile qui permettra de profiter de ses qualités sans avoir à attendre longtemps. Le **L de La Louvière rouge 2004 (11 à 15 €)**, également plaisant, reçoit une citation.

André Lurton, Ch. La Louvière, 149, av. Cadaujac, 33850 Léognan, tél. 05.57.25.58.58, fax 05.57.74.98.59, e-mail andrelurton@andrelurton.com r.-v.

CH. LA LOUVIÈRE 2005 **

14 ha 50 000 15 à 23 €

86 88 89 (90) **91 92 93 94** 95 96 |**98**| |**99**| |00| 01 |**02**| |**03**| |04| **05**

Récolte manuelle avec tris, pressurage des raisins entiers, fermentation et élevage en barrique sur lies avec bâtonnage, rien n'est négligé à La Louvière pour produire un grand vin blanc. C'est le cas de ce 2004 qui se présente dans une robe or gris. La part du sauvignon dans l'assemblage (85 %) se retrouve dans le bouquet. Intense et complexe, le nez marie subtilement des notes de buis et de pêche blanche au grillé et à la torréfaction. Savoureux, frais, corsé et persistant, le palais confirme la race et la classe de ce 2005 qui appelle une garde de trois à quatre ans.

André Lurton, Ch. La Louvière, 149, av. Cadaujac, 33850 Léognan, tél. 05.57.25.58.58, fax 05.57.74.98.59, e-mail andrelurton@andrelurton.com r.-v.

CH. LUCHEY-HALDE 2004 **

18 ha 46 297 15 à 23 €

Reconstitué à partir de 1999 par l'Enita sur le site d'un ancien champ de manœuvres ce vignoble est encore très jeune. Mais la passion aidant, il est déjà en mesure d'offrir un vin qui fait honneur à la réputation qu'avait ce cru aux XVIIIe et XIX[e]s. La qualité des raisins se retrouve dans le verre avec un bouquet mêlant harmonieusement les parfums du fruit (groseille et pruneau) à l'apport de l'élevage (grillé). Chaleureux et charpenté, il sait aussi faire preuve de finesse, notamment en finale. Une bouteille déjà agréable et dotée d'un certain potentiel. Frais, fin, complexe et bien équilibré, le **blanc 2005 (23 à 30 €)** obtient une étoile.

ENITA-Bordeaux, Ch. Luchey-Halde, 17, av. du Mal-Joffre, 33700 Mérignac, tél. 05.56.45.97.19, fax 05.56.45.33.79, e-mail info@luchey-halde.com r.-v.

CH. MALARTIC-LAGRAVIÈRE 2004 **

Cru clas. 28 ha 80 000 30 à 38 €

82 **83 85 86** |**88**| |**89**| 90 |**91**| **92 93** |**95**| |96| 97 |98| |99| 00 01 (02) **03 04**

Créé au début du XIX[e]s. par le comte de Malartic, gouverneur de l'île Maurice, ce domaine appartient depuis dix ans à un homme d'affaires belge, Alfred-Alexandre Bonnie. Grappe d'or pour le millésime 2002, exemplaire par sa régularité qualitative, ce cru se montre une fois encore fidèle à sa réputation avec ce 2004. Irréprochable dans sa présentation, il livre un bouquet aussi puissant que fin qui réalise l'accord parfait entre les fruits (cassis et mûre) et le bois. Le palais poursuit dans le même esprit, avec une structure pleine, ronde et harmonieuse. Long et superbement équilibré, ce vin méritera d'être réservé pour un grand moment gastronomique, après quelques années de garde.

SC Ch. Malartic-Lagravière, 43, av. de Mont-de-Marsan, 33850 Léognan, tél. 05.56.64.75.08, fax 05.56.64.99.66, e-mail malartic-lagraviere@malartic-lagraviere.com r.-v.

A.-A. Bonnie

CH. MALARTIC-LAGRAVIÈRE 2005 *

Cru clas. 4,5 ha 15 000 30 à 38 €

Moins étendu que le rouge, le vignoble blanc de Malartic associe 20 % de sémillon au sauvignon. Fin, gras et chaleureux, ce 2005 séduit par son expression aromatique qui privilégie les notes d'agrumes (orange et citron) et de buis, complétées au palais par les épices et le genêt. Le second vin, **Le Sillage de Malartic blanc 2005 (15 à 23 €)**, est cité.

SC Ch. Malartic-Lagravière, 43, av. de Mont-de-Marsan, 33850 Léognan, tél. 05.56.64.75.08, fax 05.56.64.99.66, e-mail malartic-lagraviere@malartic-lagraviere.com r.-v.

CH. MANCÈDRE 2004 *

10 ha 24 700 15 à 23 €

Ce vignoble de création récente (1994) a produit en 2004 un vin souple et élégant, qui se distingue par son caractère fruité plutôt marqué (framboise et prune à l'eau-de-vie) accompagné d'une note de réglisse. Il est suffisamment bien constitué pour patienter en cave deux ou trois ans.

Jean Trocard, Ch. Mancèdre, 33850 Léognan, tél. 05.57.74.30.52, fax 05.57.74.39.96, e-mail roy.trocard@terre-net.fr r.-v.

CH. LA MISSION HAUT-BRION 2004 **

Cru clas. 20,69 ha n.c. + de 76 €

78 80 **81** |**82**| |**83**| **84** |**85**| |**86**| **87** |**88**| |**89**| |(90)| 92 93 **94** |**95**| |(96)| |**97**| |**98**| |**99**| (00) **01 02 03 04**

La rénovation des chais est aujourd'hui achevée. Désormais, les barriques de première année séjournent dans une salle à laquelle des piliers en pierre et des coupoles donnent un caractère monastique. Ce 2004 n'a pourtant rien d'austère dans sa robe grenat sombre. Son élégance se retrouve dans le bouquet qui distille de fines notes de fruits mûrs (cerise et framboise), de cuir et de tabac. Une grande harmonie règne au palais que tapissent de beaux tanins. Le tout se termine sur un retour aromatique où se mêlent des notes d'épices douces, de chocolat et de café. À apprécier après une longue garde de sept à dix ans. Délicat et plein de douceur, le second vin, **La Chapelle de La Mission Haut-Brion 2004 (23 à 30 €)**, est cité.

Dom. Clarence Dillon SA,
Ch. Haut-Brion, 135, av. Jean-Jaurès, 33608 Pessac,
tél. 05.56.00.29.30, fax 05.56.98.75.14,
e-mail info@haut-brion.com r.-v.

CH. OLIVIER 2005 ★

Cru clas. 10 ha 30 000 15 à 23 €

Dans son écrin de verdure (chênes centenaires et pins), ce château médiéval est l'une des plus belles demeures de la région. Assemblant le sauvignon et le sémillon à parts égales, son vin blanc élevé sur lies avec bâtonnage hebdomadaire se présente dans une robe pâle à reflets verts. Souple, rond et délicat, il séduit tout particulièrement par sa complexité aromatique : fruits exotiques et agrumes, notes grillées et fumées.

Ch. Olivier, 175, av. de Bordeaux, 33850 Léognan,
tél. 05.56.64.73.31, fax 05.56.64.54.23,
e-mail mail@chateau-olivier.com r.-v.
J.-J. de Bethmann

CH. OLIVIER 2004

Cru clas. 45 ha 100 000 23 à 30 €

D'une teinte qui rappelle le rouge garance des chênes-rouvres à l'automne, ce 2004 annonce une personnalité originale par ses parfums de marc de raisin et de fruits à noyau. Caressant à l'approche, le palais livre des tanins ronds et charnus, déjà fondus. Un vin prêt à boire.

Ch. Olivier, 175, av. de Bordeaux, 33850 Léognan,
tél. 05.56.64.73.31, fax 05.56.64.54.23,
e-mail mail@chateau-olivier.com r.-v.

CH. LE PAPE L'Excellence 2004 ★

5 ha 33 000 15 à 23 €

Une chartreuse bordelaise commande cette propriété de 8 ha située à Léognan, dans un bel environnement viticole et forestier. Agréable à l'œil dans sa robe rubis foncé, son 2004 attire par son bouquet aux puissantes notes de fruits rouges et de fumée, qu'accompagnent de délicates touches florales. Soyeux, assez gras et bien équilibré, le palais s'appuie sur de fins tanins qui lui confèrent un potentiel de garde de cinq à sept ans.

Patrick Monjanel, 34, chem. le Pape,
33850 Léognan, tél. 05.56.64.10.90, fax 05.56.64.17.78,
e-mail pmonjanel@chateaulepape.com r.-v.

CH. PAPE CLÉMENT 2004 ★★

Cru clas. 30 ha 90 000 + de 76 €

82 83 **85 86** 87 **88 89** |**90**| **91 92 93 94** |**95**| |**96**| **97** |**98**| |**99**| 00 **01 02 03 04**

Ce château néogothique à l'architecture éclectique est l'héritier d'une longue histoire dont les racines plongent jusqu'au Moyen Âge. Il est aujourd'hui l'un des fleurons de Bernard Magrez. Suivant une robe d'une superbe intensité, le bouquet charmeur du 2004 marie harmonieusement le fruit et les notes d'élevage, même si le boisé est encore très marqué. Tout aussi plaisant, le palais révèle une bonne présence tannique qui appelle la garde. Bien constituée et très expressive, la cuvée spéciale **La Sérénité rouge 2004 (46 à 76 €)** obtient une étoile. Moins puissant, le second vin, **Clémentin du Château du Pape Clément rouge 2004 (23 à 30 €)**, cité, permettra d'attendre les deux premiers.

SA Ch. Pape Clément,
216, av. Dr-Nancel-Penard, BP 164, 33600 Pessac,
tél. 05.57.26.38.38, fax 05.57.26.38.39,
e-mail chateau@pape-clement.com r.-v.
Bernard Magrez

CH. PAPE CLÉMENT 2005 ★★

2,5 ha 7 000 + de 76 €

92 ⑨③ **94** 96 **97 98** 99 |00| |**01**| **03 05**

Moins célèbre que le rouge et assez confidentiel, le blanc de Pape Clément est beaucoup plus qu'une simple curiosité. Élégant dans sa robe blanche ourlée de jaune pâle, il emporte le dégustateur dans une envolée aussi fougueuse que délicate par son mariage réussi des fruits et du bois. Riche et rond, puissant et fin, le palais est tout aussi harmonieux. À découvrir dans un ou deux ans. Encore plus confidentiel par sa production (3 000 bouteilles), mais très proche de son grand-frère par son élégance, sa complexité et son équilibre, le second vin **Clémentin du Château Pape Clément blanc 2005 (23 à 30 €)** obtient également deux étoiles.

SA Ch. Pape Clément,
216, av. Dr-Nancel-Penard, BP 164, 33600 Pessac,
tél. 05.57.26.38.38, fax 05.57.26.38.39,
e-mail chateau@pape-clement.com r.-v.

CH. PICQUE CAILLOU 2004

19 ha 70 000 11 à 15 €

81 86 88 89 **90 93** 94 95 96 |98| 99 **00** 02 03 04

Ce cru mérignacais, adossé au bois du Burck, jouit d'un terroir de qualité, qui lui a permis de donner naissance à quelques-uns des vins préférés de Napoléon 1er. En découvrant ce 2004, on se plaît à penser que l'empereur devait avoir bon goût. Bien qu'il ne soit pas encore complètement épanoui, ce pessac-léognan en robe rubis exhale d'agréables parfums de fruits que complètent de délicates notes de vanille. Souple et élégant, il pourra être apprécié jeune ou attendu quatre ou cinq ans.

GFA Ch. Picque Caillou,
av. Pierre-Mendès-France, 33700 Mérignac,
tél. 05.56.47.37.98, fax 05.56.97.99.37,
e-mail chateaupicquecaillou@wanadoo.fr r.-v.
Paulin Calvet

CH. PONTAC MONPLAISIR 2005 ★

2,5 ha 18 000 11 à 15 €

Coup de cœur l'an dernier en rouge, ce cru propose ici un blanc très réussi, assemblage de 60 % de sauvignon et de 40 % de sémillon. Un peu secret au début, ce vin révèle peu à peu sa personnalité, d'abord par de fraîches notes florales puis par des arômes de fruits et un côté toasté. Bien structuré et équilibré, il sera à servir d'ici un ou deux ans sur des brochettes de noix de Saint-Jacques. Encore un peu austère en finale, mais agréable par son équilibre et sa chair veloutée, le **rouge 2004** est cité. Autre cru des mêmes propriétaires, le **Château Limbourg blanc 2005**, ample et vif, aux parfums de tilleul et d'agrumes et aux notes beurrées, décroche une étoile.

Jean et Alain Maufras, Ch. Pontac Monplaisir, 33140 Villenave-d'Ornon, tél. 05.56.87.08.21, fax 05.56.87.35.10, e-mail contact@pontac-monplaisir.fr r.-v.

CH. PONT SAINT-MARTIN 2004 ★★

3,2 ha 16 100 11 à 15 €

De taille modeste (moins de 5 ha), ce cru propose un 2004 issu à 80 % de merlot, complété par le cabernet. Le résultat est un vin rouge sombre, presque noir, dont le bouquet livre des senteurs de fruits très mûrs, d'épices et de fumée. Le palais n'est pas en reste, qui exprime sa personnalité par une rondeur, du gras et une matière reposant sur des tanins solides et bien extraits. Excellente réussite pour le millésime, cette bouteille passera avec profit trois ans en cave.

Bernard Fontaine, 14-16 av. de Mont-de-Marsan, 33850 Léognan, tél. 05.56.64.17.15, fax 05.56.64.58.90, e-mail contact@chateaupontsaintmartin.com r.-v.

CH. POUMEY 2004

8 ha 6 600 23 à 30 €

Le maire de Gradignan peut être envié par nombre de ses collègues : c'est en effet l'un des seuls à compter dans le patrimoine de sa commune un cru, géré par le château Pape Clément depuis 1995. Si la structure de ce 2004 est assez délicate, son attaque soyeuse et ses arômes de petits fruits noirs savent le rendre plaisant et intéressant. Une bouteille à ouvrir dans un ou deux ans.

SA Ch. Pape Clément, 216, av. Dr-Nancel-Penard, BP 164, 33600 Pessac, tél. 05.57.26.38.38, fax 05.57.26.38.39, e-mail chateau@pape-clement.com r.-v.

Mairie de Gradignan

CH. DE ROCHEMORIN 2005 ★

13 ha 100 000 8 à 11 €

Ancienne ferme fortifiée des domaines de Montesquieu, ce cru est aujourd'hui entre les mains d'André Lurton. Ce 2005 excite les sens par ses notes de verveine et d'agrumes. Après une attaque équilibrée entre gras et fraîcheur, on se laisse prendre par le charme du palais qui propose une belle expression du sauvignon associée aux notes toastées de l'élevage. À apprécier dans un ou deux ans sur un poisson en sauce. Souple et plaisant, le **rouge 2004 (11 à 15 €)** obtient lui aussi une étoile.

André Lurton, Ch. Bonnet, 33420 Grézillac, tél. 05.57.25.58.58, fax 05.57.74.98.59, e-mail andrelurton@andrelurton.com r.-v.

CH. LE SARTRE 2005 ★★

5,2 ha 38 000 8 à 11 €

93 94 95 96 97 98 99 00 01 03 04 05

Tirant son nom d'un petit ruisseau coulant en fond de vallon, ce vin se présente sous une étiquette originale Art déco et une robe jaune clair brillant. Intense et complexe, le bouquet développe des arômes de fruits exotiques mûrs accompagnés de notes minérales. Élégant et bien équilibré, le palais se montre racé et persistant. Un 2005 à attendre un ou deux ans. Autre cru des mêmes propriétaires, le **Château Bois-Martin blanc 2005**, tendre et harmonieux, obtient une étoile.

SCEA du Ch. Le Sartre, 78, chem. du Sartre, 33850 Léognan, tél. 05.56.64.08.78, fax 05.56.64.52.57, e-mail chateaulesartre@wanadoo.fr r.-v.

Mme Leriche

CH. SEGUIN 2004 ★

26 ha 90 000 11 à 15 €

Deux gros îlots enclavés dans l'habitat suburbain composent le vignoble de cette propriété. Son 2004 se présente dans une robe pourpre à reflets violacés. Son bouquet complexe mêle des notes florales, fruitées et épicées. Souple, agréable et homogène, le palais fait lui aussi preuve d'élégance, avec une note de café qui marque la longue finale fondue.

SC Dom. de Seguin, chem. de la House, 33610 Canéjan, tél. 05.56.75.02.43, fax 05.56.89.35.41, e-mail chateau-seguin@wanadoo.fr t.l.j. sf sam. dim. 9h-12h30 13h30-16h30

CH. SMITH HAUT LAFITTE 2004 ★

Cru clas. 44 ha 120 000 30 à 38 €

82 83 85 86 87 88 89 90 91 92 93 94 95 96 97 98 99 00 01 02 03 04

Propriétaires depuis 1990, Daniel et Florence Cathiard ont profondément transformé ce cru ; en rénovant les bâtiments historiques, en modernisant les chais, mais également en construisant au cœur du vignoble un complexe comprenant un hôtel de luxe et un spa de vinothérapie. Dans cet environnement haut de gamme, ce vin ne dépare pas avec son impressionnante robe du soir noire, ourlée de rouge et animée de reflets lamés. Il développe un bouquet fin et complexe qui réussit l'alliance des fruits mûrs et de la torréfaction. Souple, puissant et charnu, le palais s'appuie sur des tanins serrés qui destinent ce 2004 à rester encore en cave pendant au moins cinq ans.

Daniel et Florence Cathiard, Ch. Smith Haut Lafitte, 33650 Martillac, tél. 05.57.83.11.22, fax 05.57.83.11.21, e-mail f.cathiard@smith-haut-lafitte.com r.-v.

CH. SMITH HAUT LAFITTE 2005 ★

11 ha 36 000 30 à 38 €

88 89 90 91 92 93 94 95 96 97 (98) 99 00 01 02 03 04 05

Smith Haut Lafitte est réputé pour son vignoble blanc. Ce millésime montre que cette renommée n'est pas usurpée : sous une robe bien travaillée, il affirme son caractère dès le bouquet aux intenses notes d'agrumes (citron, mandarine) mariées à la vanille. Au palais, sa puissance et sa vinosité, enrobées de saveurs de merrain, se fondent dans une longue finale délicate qui témoigne d'une vinification maîtrisée. Un vin qui pourra être apprécié jeune ou attendu deux ou trois ans. Plaisant et léger, avec des notes de fruits exotiques et d'agrumes, le second vin, **Les Hauts de Smith 2005 (11 à 15 €)**, est cité.

Daniel et Florence Cathiard, Ch. Smith Haut Lafitte, 33650 Martillac, tél. 05.57.83.11.22, fax 05.57.83.11.21, e-mail f.cathiard@smith-haut-lafitte.com r.-v.

CH. LA TOUR HAUT-BRION 2004 ★

Cru clas. 5,05 ha n.c. 38 à 46 €

78 79 80 81 (82) 83 84 85 86 87 88 89 90 92 93 94 95 96 97 98 99 00 01 02 03 04

Issu d'une propriété voisine de la Mission Haut-Brion, ce vin possède une personnalité propre. Mariant les épices et les fruits rouges mûrs, un peu confiturés, son bouquet affiche une réelle élégance. Le palais est lui aussi fort aimable, tout en révélant une bonne trame tannique, garante de l'aptitude à la garde de cette bouteille ; à laisser s'épanouir cinq à huit ans en cave.

Dom. Clarence Dillon SA, Ch. Haut-Brion, 135, av. Jean-Jaurès, 33608 Pessac, tél. 05.56.00.29.30, fax 05.56.98.75.14, e-mail info@haut-brion.com r.-v.

CH. TOUR LÉOGNAN 2005 ★★

4 ha 23 000 8 à 11 €

Ce cru appartient aux Perrin, propriétaires de Carbonnieux. On sent leur patte dans ce blanc habillé d'une robe jaune à reflets verts. Son bouquet se montre épanoui. La finesse des arômes (fleurs blanches et pain grillé) annonce l'élégance du palais. Gras et complexe, l'ensemble est racé et persistant. Un vin qui s'exprimera pleinement sur une viande blanche, un poisson en sauce ou un fromage de chèvre. Le **rouge 2004** ne manque pas non plus de personnalité ; il obtient une étoile et mérite un séjour en cave de cinq ans.

SC des Grandes Graves, Ch. Carbonnieux, 33850 Léognan, tél. 05.57.96.56.20, fax 05.57.96.59.19, e-mail info@chateau-carbonnieux.fr r.-v.

Antony Perrin

CH. TRIGANT 2004 ★

2 ha 12 000 8 à 11 €

Commandé par une chartreuse du XVIII[e]s., ce cru possède un encépagement équilibré entre merlot et cabernet-sauvignon. Cela donne un vin coloré aux arômes de cassis et de poivre. Puissant sur ses tanins, il emplit agréablement le palais. Assez friand aujourd'hui, il se révélera encore mieux après deux ou trois ans de garde. Plus simple mais assez tannique, le second vin, **La Chartreuse de Trigant rouge 2004 (5 à 8 €)**, est cité.

GFA du Ch. Trigant, 149, av. des Pyrénées, 33140 Villenave-d'Ornon, tél. 05.56.48.25.52, fax 05.56.75.82.49, e-mail dbecquart@numericable.fr r.-v.

Le Médoc

Dans l'ensemble girondin, le Médoc occupe une place à part. À la fois enclavés dans leur presqu'île et largement ouverts sur le monde par un profond estuaire, le Médoc et les Médocains apparaissent comme une parfaite illustration du tempérament aquitain, oscillant entre le repli sur soi et la tendance à l'universel. Et il n'est pas étonnant d'y trouver aussi bien de petites exploitations familiales presque inconnues que de grands domaines prestigieux appartenant à de puissantes sociétés françaises ou étrangères.

S'en étonner serait oublier que le vignoble médocain (qui ne représente qu'une partie du Médoc historique et géographique) s'étend sur plus de 80 km de long et 10 km de large. Le visiteur peut donc admirer non seulement les grands châteaux du vin du siècle dernier, avec leurs splendides chais-monuments, mais aussi partir à la découverte approfondie du pays. Très varié, celui-ci offre aussi bien des horizons plats et uniformes (près de Margaux) que des croupes (vers Pauillac), ou l'univers tout à fait original du Médoc dans sa partie nord, à la fois terrestre et maritime. La superficie des AOC du Médoc représente environ 16 400 ha.

Pour qui sait quitter les sentiers battus, le Médoc réserve plus d'une heureuse surprise. Mais sa grande richesse, ce sont ses sols graveleux, descendant en pentes douces vers l'estuaire de la Gironde. Pauvre en éléments fertilisants, ce terroir est particulièrement favorable à la production de vins de qualité, la topographie permettant un drainage parfait des eaux.

On a pris l'habitude de distinguer le Haut-Médoc, de Blanquefort à Saint-Seurin-de-Cadourne, et le nord Médoc, de Saint-Germain-d'Esteuil à Saint-Vivien. Au sein de la première zone, six appellations communales produisent les vins les plus réputés. Les soixante crus classés sont essentiellement implantés sur ces appellations communales ; cependant, cinq d'entre eux portent exclusivement l'appellation haut-médoc. Les crus classés représentent approximativement 25 % de la surface totale des vignes du Médoc, 20 % de la production de vins et plus de 40 % du chiffre d'affaires. Plusieurs caves coopératives existent dans les appellations médoc et haut-médoc, mais aussi dans trois appellations communales.

Le vignoble du Médoc s'étend du nord au sud, réparti entre huit appellations d'origine contrôlées. Il existe deux appellations sous-régionales, médoc et haut-médoc (60 % du vignoble médocain), et six appellations communales : saint-estèphe, pauillac, saint-julien, listrac-médoc, moulis-en-médoc et margaux (40 % du vignoble médocain) – l'appellation régionale étant bordeaux comme dans le reste du vignoble du Bordelais.

Cépage traditionnel en Médoc, le cabernet-sauvignon est probablement moins important qu'autrefois, mais il couvre 52 % de la totalité du vignoble. Avec 34 %, le merlot vient en deuxième position ; son vin, souple, est aussi d'excellente qualité et, d'évolution plus rapide, il peut être consommé plus jeune. Le cabernet franc, qui apporte de la finesse, représente 10 %. Enfin, le petit verdot et le malbec ne jouent pas un bien grand rôle.

Les vins du Médoc jouissent d'une réputation exceptionnelle ; ils sont parmi les plus prestigieux vins rouges de France et du monde.

Ils se remarquent à leur couleur grenat, évoluant vers une teinte tuilée, ainsi qu'à leur bouquet fruité dans lequel les notes épicées de cabernet se mêlent souvent à celles, vanillées, qu'apporte le chêne neuf. Leur structure tannique, dense en même temps qu'élégante, et leur parfait équilibre contribuent à une bonne tenue dans le temps : ils s'assouplissent sans maigrir et gagnent en richesse olfactive et gustative.

Le classement de 2003 des crus bourgeois ayant été définitivement annulé par les tribunaux, nous n'indiquons pas cette mention dans cette édition.

Médoc

L'ensemble du vignoble médocain a droit à l'appellation médoc, mais en pratique celle-ci n'est utilisée que dans le nord de la presqu'île, à proximité de Lesparre, les communes situées entre Blanquefort et Saint-Seurin-de-Cadourne pouvant revendiquer celle de haut-médoc ou des communales, dans le cadre de leurs zones délimitées spécifiques. Malgré cela, l'appellation médoc est la plus importante avec 5 743 ha et une production de 276 195 hl en 2005.

Les médoc se distinguent par une couleur très soutenue. Avec un pourcentage de merlot plus important que dans les vins du haut-médoc et des appellations communales, ils possèdent souvent un bouquet fruité et beaucoup de rondeur en bouche. Certains, provenant de croupes graveleuses isolées, présentent aussi une grande finesse et une richesse tannique.

CH. BEAUVILLAGE Cuvée réservée 2004

■ 9 ha 60 000 ▮◖◗ 5 à 8 €

Née sur un sol argilo-calcaire, cette cuvée alliant à parts égales merlot et cabernet-sauvignon est d'une jolie teinte rouge grenat. Sa structure solide soutient une chair dense, aux notes de fruits confiturés. On l'attendra deux à trois ans avant de la servir sur une grillade. Du même producteur mais diffusé par la maison Mau, le **Château La Croix du Breuil 2004** a également été cité.

SCF des Ch. La Croix du Breuil et Beauvillage, 6, rue du Hagnac, 33340 Couquèques, tél. 05.56.41.59.24, fax 05.56.41.39.76 r.-v.

CH. BEJAC ROMELYS Cuvée Prestige 2004 ★

■ 1,8 ha 6 000 ◖◗ 11 à 15 €

Un encépagement singulier pour cette cuvée Prestige, avec 60 % de petit verdot. Est-ce là la source de l'originalité du bouquet qui exprime, outre des arômes de fruits rouges, quelques notes de violette ? En bouche, le vin se distingue par un bel équilibre entre le fruit rouge et le bois et par une longue finale. Une jolie bouteille, à attendre quatre ou cinq ans.

Xavier et Sylvie Berrouet, 4, rue de Rigon, 33340 Saint-Yzans-de-Médoc, tél. et fax 05.56.09.08.21, e-mail romelys@wanadoo.fr r.-v.

CH. BELLEGRAVE Vieilli en fût de chêne 2004 ★

■ 20 ha 120 000 ▮◖◗ 5 à 8 €

Deux vignobles composent ce cru. L'un autour des chais à Valeyrac, l'autre sur des graves garonnaises à Jau-Dignac-et-Loirac. D'un très bel aspect, ce 2004 livre de fins arômes de rose et de fruits (fraise, cerise, cassis), avant de développer une chair dense, dont les tanins demandent encore un à deux ans pour s'assouplir. Une bouteille pleine de charme.

EARL Vignobles Caussèque, 1, rue de Janton, 33340 Valeyrac, tél. 05.56.41.53.82, fax 05.56.41.50.10 t.l.j. sf dim. 9h-12h 14h-19h; f. oct.-avr.

CH. BELLEVUE Élevé en fût de chêne 2004 ★

■ 15 ha 110 000 ◖◗ 5 à 8 €

Régulier en qualité, ce cru s'inscrit dans l'esprit de l'appellation avec ce vin structuré et de bonne garde. Son caractère s'affirme dès la robe, d'une teinte soutenue, puis dans le bouquet, développé et net, aux douces notes de cacao et de fruits rouges. Rond et souple à l'attaque, le palais laisse ensuite apparaître des tanins encore un peu austères mais pleins de promesses. À ouvrir dans un ou deux ans.

Régis Lassalle, 10, rue du 8-Mai-1945, 33340 Valeyrac, tél. 05.56.41.52.17, fax 05.56.41.36.64, e-mail earl.lassalle@wanadoo.fr t.l.j. 9h-12h30 14h-18h

CH. DE BENSSE Élevé en fut de chêne 2004 ★★

■ 10,08 ha 61 000 ▮◖◗ 5 à 8 €

Ce cru fait honneur au secteur coopératif. Grenat foncé, le 2004 se distingue par la complexité de son bouquet associant les fruits rouges et la vanille à des notes de cèdre. Élégant et bien constitué, le palais se montre à la hauteur des promesses du nez et invite à attendre cette bouteille jusqu'en 2010.

Cave Les Vieux Colombiers, 23, rue des Colombiers, 33340 Prignac-en-Médoc, tél. 05.56.09.01.02, fax 05.56.09.03.67 t.l.j. sf dim 9h-12h30 14h-17h30; sam. 9h-12h

Marc Bahougne

CH. LE BOURDIEU 2004

■ 30 ha 200 000 ◖◗ 8 à 11 €

Comptable, Guy Bailly a repris le domaine familial à la fin des années 1970. Avec succès, comme le prouve la présence régulière de ce cru dans le Guide. Plaisant par son bouquet de bois, de sous-bois et de petits fruits rouges, ce 2004 l'est aussi par sa matière qui offre un zeste de vivacité en milieu de dégustation.

Guy Bailly, Ch. Le Bourdieu, 1, rte de Troussas, 33340 Valeyrac, tél. 05.56.41.58.52, fax 05.56.41.36.09, e-mail guybailly@lebourdieu.fr t.l.j. sf sam. dim. 9h-12h 14h-18h

CH. BOURNAC 2004 ★★

■ 8 ha 30 000 ▮◖◗ 11 à 15 €

Pour le cultivateur, un terroir ingrat, plus riche en pierres qu'en terre arable ; mais la vigne se plaît dans ce genre de situation, témoin, ce 2004 grenat intense à reflets rubis, qui développe un bouquet d'une réelle harmonie, dans lequel les épices douces (muscade et girofle) épousent les fruits rouges. Souple, séveux, charnu et bien équilibré, il montre une légère austérité de jeunesse en finale, signe d'un bon potentiel de garde. Moins ample mais d'un bon développement au palais, la cuvée **Little B 2004 (8 à 11 €)** est citée. Elle fera une agréable bouteille relais, à ouvrir d'ici deux ans.

Bruno Secret, 11, rte des Petites-Granges, 33340 Civrac-en-Médoc, tél. 08.77.65.47.68, e-mail bruno.secret@wanadoo.fr r.-v.

CH. LA BRANNE Élevé en fût de chêne 2004 ★

■	3,2 ha	13 700	8 à 11 €

Respectueux de l'environnement, Philippe Videau a adhéré à la culture raisonnée, et l'exploitation est désor-

Le Médoc et le Haut-Médoc

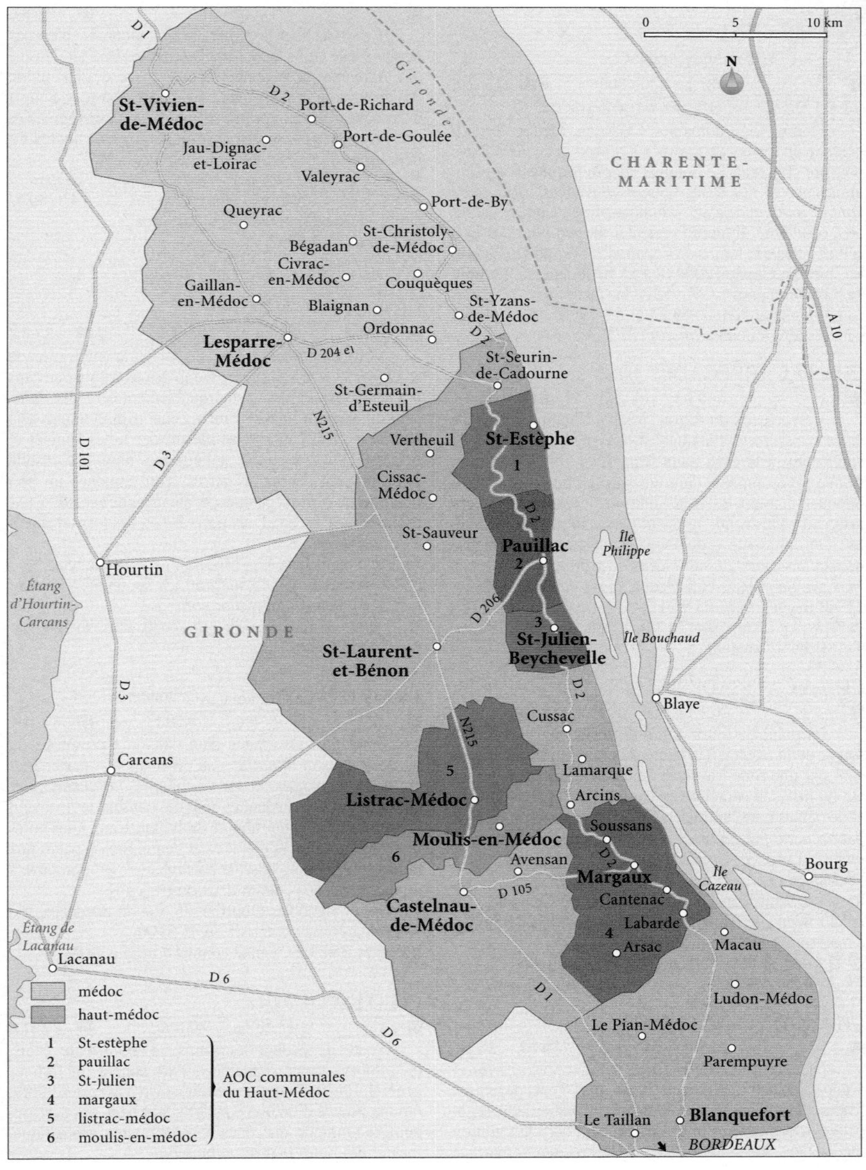

mais certifiée. Le résultat d'un long travail s'exprime dans ce vin à l'attirante robe rubis profond. Encore marqué par l'élevage sous bois, le bouquet est déjà complexe avec d'élégants arômes vanillés, toastés et fruités. Le palais est tout aussi équilibré. Souple à l'attaque, rond, long et bien fondu en finale, ce 2004 s'épanouira d'ici trois à quatre ans.

GAEC de Peyressac, 1, rte de la Hargue, 33340 Bégadan, tél. et fax 05.56.41.55.24, e-mail labranne@wanadoo.fr
t.l.j. 9h-12h 14h-18h
Philippe Videau

CH. LA CARDONNE 2004 *

87 ha 300 000 11 à 15 €

94 95 96 97 98 |99| |00| |01| |02| |03| 04

Fleuron des domaines CGR en Médoc, ce cru possède un terroir de graves qui a produit ce 2004 entre pourpre et grenat. Le bouquet encore fermé laisse néanmoins percer des notes boisées et fruitées. Après une attaque ronde et délicate, la bouche présente une structure bien équilibrée. Il faudra patienter un peu pour laisser à cette bouteille le temps de s'épanouir. Second vin du cru, le **Château Cardus 2004 (8 à 11 €)** obtient une citation.

Les Domaines CGR, rte de la Cardonne, 33340 Blaignan, tél. 05.56.73.31.51, fax 05.56.73.31.52, e-mail cgr@domaines-cgr.com r.-v.

CH. LES CARREGADES 2004 *

8,6 ha 61 200 5 à 8 €

Respectueux du terroir, Michel Chaumont a choisi de se consacrer entièrement à la vigne et de confier la vinification à la cave Saint-Jean. Leur travail commun trouve sa récompense dans des vins tels que ce 2004. Du bouquet mariant les fruits mûrs et les notes torréfiées jusqu'au palais rond, ample et persistant, tout est équilibré. Déjà plaisante, cette bouteille puissante et charmeuse pourra aussi être attendue deux ou trois ans.

Cave Saint-Jean Uni-Médoc, 2, rte de Canissac, 33340 Bégadan, tél. 05.56.41.50.13, fax 05.56.41.50.78
t.l.j. sf dim. 9h-12h 14h-17h30; sam. 9h-12h
Michel Chaumont

CH. LA CAUSSADE 2004 *

10,1 ha 77 600 5 à 8 €

Ici point de tours ou de tourelles, mais un travail soigné et un résultat à la hauteur des ambitions. S'annonçant par une robe traversée de reflets rubis et grenat, ce vin montre son caractère en combinant des fruits rouges et de petites notes animales. Ces arômes se retrouvent au palais, porté par un boisé encore un peu sévère mais de qualité. Deux ou trois années de garde permettront à l'ensemble de s'arrondir.

Cave Saint-Jean Uni-Médoc, 2, rte de Canissac, 33340 Bégadan, tél. 05.56.41.50.13, fax 05.56.41.50.78, e-mail saintjean@uni-medoc.com
t.l.j. sf dim. 9h-12h 14h-17h30; sam. 9h-12h
Jean-Jacques Billa

CH. CHANTEMERLE 2004 *

10,5 ha 65 000 5 à 8 €

Né à la lisière de la forêt, sur des sols (graves et argilo-calcaires) aussi bien typés que l'encépagement (cabernet-sauvignon pour 60 %, merlot, cabernet franc et petit verdot), ce vin s'inscrit résolument dans la tradition médocaine. Sous la robe grenat, le bouquet se partage entre le cuir et la torréfaction ; le palais, aux tanins généreux, suggère de patienter un peu pour apprécier pleinement ce médoc.

SCEA Vignobles Cruchon et Fils, 2, rte de Vendays, 33340 Gaillan-en-Médoc, tél. et fax 05.56.41.69.71, e-mail frederic.cru@wanadoo.fr
t.l.j. 9h-12h30 14h-20h; dim. sur r.-v.

CLOS DE GRANGE-VIEILLE 2004 *

1,5 ha 5 300 5 à 8 €

Ce cru a choisi la démarche biologique. Ce n'est pas la plus facile en Médoc, mais la réussite apparaît dans ce vin. Agréable par sa teinte franche et vive, ce 2004 marie des arômes de fruits rouges et des notes toastées. Souple à l'attaque, il développe une structure aux tanins agréables que prolonge un beau retour aromatique. Une bouteille à déboucher dans les quatre ou cinq ans.

EARL Clos de Grange-Vieille, 3, rue de l'Église, 33340 Saint-Christoly-Médoc, tél. et fax 05.56.41.38.26, e-mail closdegrangevieille@orange.fr
r.-v.
Monfoulet

CH. COURBIAN 2004 **

13,6 ha 96 000 5 à 8 €

Claude Gréteau a choisi de confier la vinification de son cru à la cave Saint-Jean. Coup de cœur il y a deux ans pour le 2002, il réussit remarquablement cet autre millésime difficile. Ce 2004 livre un nez encore discret mais déjà complexe et élégant, où se mêlent des notes fruitées et boisées. D'abord souple à l'attaque, il se fait ensuite puissant avec des tanins serrés. Tout annonce un bon potentiel de garde et promet des alliances de caractère, par exemple avec un bœuf aux poivrons ou des joues de bœuf à l'estouffade.

Cave Saint-Jean Uni-Médoc, 2, rte de Canissac, 33340 Bégadan, tél. 05.56.41.50.13, fax 05.56.41.50.78, e-mail saintjean@uni-medoc.com
t.l.j. sf dim. 9h-12h 14h-17h30; sam. 9h-12h
Claude Gréteau

DOURTHE La Grande Cuvée 2004 *

n.c. 30 000 8 à 11 €

Implantée de longue date dans la « presqu'île du vin », la maison Dourthe a su créer un vrai partenariat entre ses œnologues et les viticulteurs médocains pour élaborer ce 2004. Alliance réussie, comme le prouvent l'intensité de la robe rubis et du bouquet aux fines notes de fruits sauvages et d'épices, et l'équilibre du palais aux tanins soyeux. Bien dosé, le bois rehausse cet ensemble à attendre encore pendant deux ou trois ans.

Vins et vignobles Dourthe, 35, rue de Bordeaux, 33290 Parempuyre, tél. 05.56.35.53.00, fax 05.56.35.53.29, e-mail contact@cvbg.com r.-v.

CH. D'ESCOT 2004

13,56 ha 80 000 8 à 11 €

Avant de récolter des raisins, on ramassait les écots, les impôts, sur ce domaine appartenant à un fermier général. En 2004, on y a produit ce vin à la robe sombre, qui fait preuve d'un bon équilibre, tant dans son développement tannique que dans son expression aromatique, mêlant des notes fruitées et boisées.

SCEA du Ch. d'Escot, rte de Tréman, BP 18, 33340 Lesparre-Médoc, tél. 05.56.41.06.92, fax 05.56.41.82.42, e-mail chateau-d-escot@wanadoo.fr
t.l.j. sf sam. dim. 8h30-12h30 13h30-17h30
Rouy

CH. D'ESCURAC 2004

■ 17 ha 80 000 11 à 15 €

Ici, le terroir a guidé l'encépagement, avec un bon équilibre entre le merlot (40 %) planté sur des argiles et le cabernet-sauvignon (60 %) sur des graves. Cet équilibre se retrouve dans le bouquet aux notes de fruits mûrs et d'épices, comme au palais, où la souplesse et la rondeur du merlot s'associent à la matière dense du cabernet. Le second vin, **La Chapelle d'Escurac 2004 (5 à 8 €)** est également cité, ainsi qu'un autre cru du même producteur, le **Château Haut-Myles 2004 (5 à 8 €)**.
Jean-Marc Landureau, Ch. d'Escurac, 33340 Civrac-en-Médoc, tél. 05.56.41.50.81, fax 05.56.41.36.48, e-mail chateau.d.escurac@wanadoo.fr
t.l.j. sf sam. dim. 9h-12h 13h30-17h30

ESPRIT D'ESTUAIRE 2004

■ 7 ha 40 000 11 à 15 €

Comme l'annonce son nom, ce vin s'inscrit dans l'esprit du Médoc, par son encépagement, où le cabernet-sauvignon domine, comme par sa robe d'un grenat impressionnant. Il livre un bouquet épanoui d'épices et de fruits très mûrs, une bouche ample, pleine et bien constituée. Ses notes très marquées de grillé et de fumé le réserveront aux amateurs de vin boisé, qui l'apprécieront dans deux à trois ans.
Les Vignerons d'Uni-Médoc, 14, rte de Soulac, 33340 Gaillan-en-Médoc, tél. 05.56.41.03.12, fax 05.56.41.00.66, e-mail cave@uni-medoc.com
t.l.j. sf dim. 9h-12h 14h-17h

CH. GARANCE HAUT GRENAT 2004 *

■ 3 ha 14 000 11 à 15 €

Coup de cœur l'an dernier pour le 2003, ce cru aux vignes ancestrales montre avec ce millésime difficile qu'il sait toujours séduire : une présentation grenat à reflets vifs, un bouquet délicat de fruits rouges légèrement vanillés, un palais ample et gras construit sur des tanins fermes mais porteurs d'avenir.
Laurent Rebes, Ch. Garance Haut Grenat, 14, rte de la Reille, 33340 Bégadan, tél. et fax 05.56.41.37.61, e-mail l.rebes@free.fr r.-v.

CH. GAUTHIER 2004

■ 5 ha 22 000 5 à 8 €

S'il ne cherche pas à impressionner par son volume, ce vin sait se montrer fort séduisant par la délicatesse de sa robe, d'un rouge carminé, et celle de son bouquet, où les notes de café, de toast et de fruits rouges se fondent dans un ensemble équilibré.
Yvon Mau, rue Sainte-Pétronille, 33190 Gironde-sur-Dropt, tél. 05.56.61.54.54, fax 05.56.61.54.61, e-mail info@ymau.com
Christine Courrian

CH. LA GORCE 2004

■ 30 ha 200 000 8 à 11 €

Depuis près de trente ans, la famille Fabre est aux commandes de cette propriété, une chartreuse fièrement campée sur un plateau argilo-calcaire. Ce 2004 dévoile sous une robe rubis à reflets vermillon un bouquet aux délicates notes de vanille, de grillé et de cuir, et une bouche tout en nuances. Très amical, ce vin atteindra sa plénitude assez rapidement.
Denis Fabre, Ch. La Gorce, 33340 Blaignan, tél. 05.56.09.01.22, fax 05.56.09.03.27, e-mail info@chateaulagorce.com r.-v.

GOULÉE 2004 *

■ n.c. 19 000 15 à 23 €

Les domaines Reybier, propriétaires de Cos d'Estournel, produisent ce vin à partir de vignes d'une vingtaine d'années, situées sur une des plus belles buttes de Jau-Dignac-et-Loirac, à Goulée. Le 2004 se dévoile sous une élégante robe pourpre, qui fait une aussi forte impression que les notes grillées et fruitées du bouquet. Rond, plein et long, il demandera trois ou quatre ans de patience pour permettre au bois de se fondre.
Domaines Reybier, Ch. Cos d'Estournel, 33180 Saint-Estèphe, tél. 05.56.73.15.50, fax 05.56.59.72.59, e-mail g.marquay@estournel.com
r.-v.

LE GRAND ART 2004 **

■ 7,3 ha 53 300 5 à 8 €

Coup de cœur l'an dernier pour sa cuvée Clément, la cave Saint-Jean offre une fois encore une bouteille remarquable avec ce 2004. Assemblage classique pour un médoc, ce vin n'attend pas pour révéler ses qualités. La couleur rouge foncé et les reflets de sa robe sont éloquents, ainsi que le caractère expressif de son bouquet où se mêlent les fruits rouges et le boisé. Tout annonce le côté friand qui se retrouve au palais, rond, ample et équilibré. Une valeur sûre à oublier dans la cave pendant cinq ou six ans. La cuvée **La Croix de Bensse 2004** est citée.
Cave Saint-Jean Uni-Médoc, 2, rte de Canissac, 33340 Bégadan, tél. 05.56.41.50.13, fax 05.56.41.50.78, e-mail saintjean@uni-medoc.com
t.l.j. sf dim. 9h-12h 14h-17h30; sam. 9h-12h

CH. GRAND BERTIN DE SAINT-CLAIR 2004 *

■ 4,33 ha 30 000 8 à 11 €

Créé en 1998 par deux beaux-frères passionnés, ce cru trouve régulièrement le chemin de la sélection du Guide. Le 2004 retient l'attention par les reflets violacés de sa robe rubis. L'élégance et la finesse du bouquet, aux légères notes boisées, se retrouvent au palais et dans la finale fraîche et savoureuse. Déjà plaisante, cette bouteille gagnera à être attendue quelques années.
SCEA Ch. Grand Bertin de Saint-Clair, 10, rte de Lesparre, 33340 Bégadan, tél. 05.56.41.57.75, fax 05.56.41.53.22, e-mail contact@compagnetvins.com
t.l.j. 9h-12h30 13h30-19h
O. Compagnet et P. Coyault

GRAND SAINT-BRICE 2004 *

■ n.c. 25 200 5 à 8 €

Moitié cabernet-sauvignon, moité merlot, cette cuvée possède de nombreuses qualités : une robe d'un rouge très brillant ; de fins arômes de fruits rouges que soutient un boisé élégant ; un palais rond, souple et bien construit. D'une bonne longueur, elle pourra être attendue deux ou trois ans.

🔑 SCV Cave Saint-Brice, 10, rue de la Colonne, 33340 Saint-Yzans-de-Médoc, tél. 05.56.09.05.05, fax 05.56.09.01.92, e-mail saintbrice@wanadoo.fr
t.l.j. sf dim. 8h-12h 14h-18h; groupes sur r.-v.

CH. LES GRANDS CHÊNES 2004 **

12 ha n.c. 11 à 15 €

95 96 98 |99| |01| 02 03 04

Coup de cœur l'an dernier, ce cru propose une fois encore un vin remarquable dans un millésime pourtant délicat. Le jury a été impressionné par la jeunesse de la robe bordeaux sombre à reflets noirs. Avec des notes de fruits mûrs sur un fond empyreumatique, le bouquet n'est pas en retrait. Sa puissance et son harmonie se retrouvent au palais. Ample et généreux, ce 2004 séduit déjà par ses arômes de fruits noirs, de réglisse et de café (en finale), tandis que ses tanins bien enrobés lui donnent un solide potentiel de garde.

🔑 Bernard Magrez, Ch. Grands Chênes, 13, rte de Lesparre, 33340 Saint-Christoly-Médoc, tél. 05.57.26.70.80, fax 05.57.26.68.08, e-mail bernardmagrez@bernard-magrez.com

CH. LA GRAVE 2004

15,2 ha 104 400 5 à 8 €

Régulier en qualité, ce cru propose avec son 2004 un vin qui joue plus la carte de l'harmonie que celle de la puissance, tant dans sa structure tannique que dans son expression aromatique (notes de rose et d'épices). On pourra profiter de son élégance sans avoir à attendre trop longtemps.

🔑 Cave Saint-Jean Uni-Médoc, 2, rte de Canissac, 33340 Bégadan, tél. 05.56.41.50.13, fax 05.56.41.50.78, e-mail saintjean@uni-medoc.com
t.l.j. sf dim. 9h-12h 14h-17h30; sam. 9h-12h
🔑 Jean-Marc Aberne

CH. LA GRAVETTE LACOMBE
Élevé en fût de chêne 2004

10,45 ha 64 400 5 à 8 €

Le terroir de graves argileuses de ce cru appartenant à la même famille depuis plusieurs générations convient bien au cabernet-sauvignon très majoritaire dans l'encépagement (70 %). S'il est encore un peu dominé par le bois, ce 2004 laisse percer quelques notes fruitées. Rond à l'attaque, il développe ensuite une bonne matière. À découvrir ces toutes prochaines années.

🔑 SCF Rémi Lacombe, Bessan, 33340 Civrac-en-Médoc, tél. 05.56.41.56.91, fax 05.56.41.59.06, e-mail contact@vignobles-lacombe.com r.-v.

CH. GREYSAC 2004 *

60 ha 380 000 11 à 15 €

Une belle unité de production dont la majorité des vignes poussent sur la butte de graves de By, à Bégadan, avec une densité assez élevée et un encépagement diversifié et équilibré. La vinification étant à la hauteur du travail de la vigne, le vin est une fois encore très réussi : une robe profonde et brillante ; un bouquet puissant aux notes de vanille ; un corps d'athlète, musclé par de solides tanins bien extraits. On servira ce 2004 dans deux ou trois ans sur un gibier ou une viande rouge. Plus simple mais typé, le **Château du Monthyl 2004 (8 à 11 €)** est cité.

🔑 SAS Greysac, 18, rte de By, 33340 Bégadan, tél. 05.56.73.26.56, fax 05.56.73.26.58, e-mail info@greysac.com r.-v.

CH. GRIVIÈRE 2004 *

18 ha 80 000 11 à 15 €

Appartenant au groupe CGR, ce cru possède sa propre identité, avec ses sols argilo-calcaires et son encépagement adapté faisant la part belle au merlot. D'un rouge foncé à reflets brillants, le vin évoque la fraise des bois et la vanille par son bouquet. Sa structure permettra de l'apprécier dans trois à quatre ans avec une côte de bœuf grillée sur des sarments. Le **Château Malaire 2004 (5 à 8 €)** est cité.

🔑 Les Domaines CGR, rte de la Cardonne, 33340 Blaignan, tél. 05.56.73.31.51, fax 05.56.73.31.52, e-mail cgr@domaines-cgr.com r.-v.

CH. HAUT-BALIRAC
Cuvée Prestige Élevé en fût de chêne 2004 **

2 ha 7 000 5 à 8 €

Balirac, qui signifie balise, est une forme gasconne du nom du village de Valeyrac. Si elle est limitée par son volume de production, cette cuvée se montre fort séduisante par l'intensité et la profondeur de sa robe. Le bouquet réussit à mettre en harmonie le fruit (cassis et mûre) avec le grillé de la barrique. Souple et élégant, le palais tout en chair est déjà flatteur et se montre également prometteur par sa finale longue.

🔑 Cédric Chamaison, SCEA Haut-Balirac, 1, rte de Lousteauneuf, 33340 Valeyrac, tél. 06.86.82.01.99, fax 05.56.41.82.48, e-mail cedric.chamaison@wanadoo.fr r.-v.

CH. HAUT BARRAIL 2004 *

6 ha 20 000 8 à 11 €

De la construction médiévale, seul subsiste le moulin ; le grand corps de bâtiment a été rénové et a aujourd'hui fière allure entouré de ses vignes. Ce 2004 annonce sa jeunesse par sa teinte pourpre à reflets violacés. Suivant un bouquet où les petits fruits rouges s'entourent de notes épicées, le palais se montre tout aussi jeune : souple, avec une touche délicatement réglissée, il évolue vers des tanins plus fougueux en finale. Une bouteille à attendre un peu. Du même producteur, le **Vieux Château Landon 2004**, qui privilégie le cabernet-sauvignon dans son assemblage, obtient également une étoile.

🔑 Cyril Gillet, 6, rte du Château-Landon, 33340 Bégadan, tél. 05.56.41.50.42, fax 05.56.41.57.10, e-mail chateau.landon@wanadoo.fr
t.l.j. 8h-12h30 13h30-17h30; sam. dim. sur r.-v.

CH. HAUT-BLAIGNAN 2004 *

n.c. 35 000 5 à 8 €

Planté sur un terroir argilo-calcaire, ce vignoble se partage de façon égale entre le merlot et le cabernet-sauvignon. Ce sens de la juste mesure se retrouve dans le vin qui joue plus l'équilibre que la puissance, aussi bien dans son bouquet aux élégantes notes de fruits que dans sa structure aux tanins arrondis. La cuvée **Élevage barrique 2004**, en vente au château (sur la commune de Blaignan), obtient une citation.

🔑 La Guyennoise, BP 17, 33540 Sauveterre-de-Guyenne, tél. 05.56.71.50.76, fax 05.56.71.87.70, e-mail lilymartin@laguyennoise.com
🔑 EARL Brochard-Cahier

CH. HAUT-GARIN 2004 ★

■ n.c. 6 000 5 à 8 €

Ici, on maintient les traditions dans l'encépagement, avec du cabernet franc et du petit verdot aux côtés du merlot et du cabernet-sauvignon. L'élevage en cuve, puis en fût, a donné un vin au style traditionnel, de la robe sombre à la bouche d'une grande richesse tannique qui appelle une bonne garde (deux à trois ans).

Gilles Hue, 6, rue Garin, 33340 Prignac-en-Médoc, tél. 05.56.09.00.02
t.l.j. sf dim. 9h-12h 14h-19h; f. pendant les vendanges

CH. HAUT-MAURAC 2004

■ 15 ha 75 000 8 à 11 €

Si Olivier Decelle, Girondin d'adoption, a posé son sac à Saint-Émilion, il ne néglige pas pour autant son vignoble médocain. Les soins qui sont prodigués à la vigne se lisent dans ce vin. L'élégance de la robe se retrouve dans le bouquet aux délicates notes de moka. Le palais, riche et dense, est encore marqué par un boisé qui devra s'affiner.

SCEA Olivier Decelle, Ch. Haut-Maurac, 3, rue de Mazails, 33340 Saint-Yzans-de-Médoc, tél. 05.56.09.05.37, fax 05.56.09.00.90, e-mail chateauhautmaurac@lvod.fr
t.l.j. sf sam. dim. 9h-13h 13h30-17h

CH. L'INCLASSABLE 2004 ★

■ 10 ha 36 000 11 à 15 €

À l'heure où tant de crus sont devenus des filiales de grands groupes, ce domaine reste familial. Son vin affiche un solide caractère qu'annonce sa robe sombre à reflets brillants. Au palais, sa personnalité se révèle par des tanins mûrs et serrés, légèrement mentholés. Le bouquet est tout aussi expressif, avec ses notes de chocolat noir, de toast et de fruits rouges à l'accent de griotte. Encore un peu marqué par le bois, ce 2004 trouvera sa place dans quatre ou cinq ans sur des magrets cuits au gril. Autre cuvée du cru, **L'Inclassable de Rémy Fauchey 2004 (38 à 46 €)**, obtient une citation. Enfin, le **Château Fontaine de l'Aubier 2004 Élevé en fût de chêne (8 à 11 €)** décroche une étoile.

SCEA Vignobles Rémy Fauchey, 4, chem. des Vignes, 33340 Prignac-en-Médoc, tél. 05.56.09.02.17, fax 05.56.09.04.96, e-mail remy-fauchey@wanadoo.fr
t.l.j. 9h-18h

KRESSMANN Grande Réserve 2004

■ n.c. 50 000 5 à 8 €

Kressmann est l'une des maisons historiques du négoce bordelais. Pour ce vin, elle a choisi un assemblage représentatif de l'AOC médoc (une majorité de cabernet-sauvignon avec du merlot et une pointe de petit verdot). Un ensemble plaisant, tant par sa teinte d'un rubis profond que par son bouquet fruité (cerise et pruneau) ou par son équilibre qui lui donne un côté médocain très classique.

Kressmann, 35, rue de Bordeaux, 33290 Parempuyre, tél. 05.56.35.53.00, fax 05.56.35.53.29, e-mail contact@kressmann.com
r.-v.

CH. LABADIE 2004 ★★

■ 20 ha 80 000 8 à 11 €

90 97 |98| 99 |00| |01| |02| **03 04**

Un cru d'une régularité notable dans la qualité. Le millésime 2004, qui a exigé une grande rigueur de la part des viticulteurs, témoigne du sérieux du travail sur ce domaine. Tenant les promesses de la robe élégante, entre pourpre et grenat, le bouquet, aussi puissant que complexe, et le palais, riche, charnu, ample et porté par des tanins soyeux, ne laissent planer aucun doute sur son aptitude à la garde. On l'attendra quatre ou cinq ans en toute sérénité.

GFA Bibey, 1, rte de Chassereau, 33340 Bégadan, tél. 05.56.41.55.58, fax 05.56.41.39.47, e-mail gfabibey@free.fr
t.l.j. sf dim. 9h-12h 14h-18h

CH. LACOMBE NOAILLAC 2004 ★

■ 20 ha 140 000 8 à 11 €

Une demeure du XIX[e]s., des chais rénovés et des vignes qui ont fêté leurs vingt ans : voici un domaine en ordre de marche, et en bonne marche comme le montre ce 2004 pourpre soutenu. La complexité et la finesse du bouquet, que soutient un boisé judicieusement dosé, la souplesse de l'attaque et la structure tannique bien enrobée par la chair donnent un ensemble élégant qui promet de s'ouvrir d'ici quelques mois.

Ch. Lacombe Noaillac, Le Broustéra, 33590 Jau-Dignac-et-Loirac, tél. 05.56.41.50.18, fax 05.56.41.54.65, e-mail info@domaines-lapalu.com
Jean-Michel Lapalu

CH. LALANDE D'AUVION 2004 ★

■ 19,82 ha 24 000 5 à 8 €

L'équilibre des terroirs et de l'encépagement de ce domaine familial se retrouve dans le vin lui-même, qui s'affiche dans une robe rubis, ni trop sombre ni trop claire. Associant les fruits rouges à une note de fève de cacao, le bouquet se révèle harmonieux. Une même harmonie règne en bouche qui fait preuve de souplesse tout en se montrant pleine de promesses pour les deux ou trois ans à venir.

Christian Benillan, 3, rue de Verdun, 33340 Blaignan, tél. 05.56.09.05.52, fax 05.56.09.08.54, e-mail benillan.christian@wanadoo.fr
t.l.j. sf sam. dim. 9h-12h 13h30-18h

CH. LASSUS 2004

■ 26 ha 173 000 5 à 8 €

Ce domaine aux vignes bien tenues et d'un âge respectable possède une parcelle plantée en 1916. Couleur vermillon, son 2004 s'offre un bouquet montant qui évolue vers des arômes de cacao et de thé. L'élégance se retrouve dans les tanins ronds et souples du palais.

SCEA des Vignobles Chaumont, 7, rte du Port-de-By, 33340 Bégadan, tél. et fax 05.56.41.51.36, e-mail vignobles.chaumont@wanadoo.fr
t.l.j. sf sam. dim. 9h-12h 14h-18h

CH. LAULAN-DUCOS Insula Jovis Prestige Élevé en fût de chêne 2004 ★

■ 20 ha 140 000 8 à 11 €

Une pointe de cabernet franc vient compléter l'assemblage classique de cette cuvée (deux tiers de cabernet-

BORDELAIS

sauvignon, un tiers de merlot). Cela donne un vin qui retient l'attention par la complexité de son expression aromatique : fruits rouges, poivre et toast. Rond et charnu, le palais s'appuie sur des tanins fins mais encore un peu vifs, qui appellent trois ou quatre ans de patience avant de servir cette bouteille avec un carré de porc à l'ancienne. Diffusée par le négoce, la cuvée principale **Château Laulan-Ducos Élevé en fût de chêne 2004 (5 à 8 €)** est citée.

SCEA Ch. Laulan Ducos, 4, rte de Vertamont, 33590 Jau-Dignac-et-Loirac, tél. 05.56.09.42.37, fax 05.56.09.48.40, e-mail chateau@laulanducos.com t.l.j. sf sam. dim. 9h-12h 14h-18h

CH. DE LAVERDASSE Élevé en fût de chêne 2004

n.c. 30 000 5 à 8 €

Né sur un vignoble à cheval sur Valeyrac et Jau, ce vin est de bonne tenue tant par sa couleur soutenue que par son timide bouquet où pointe le fruit rouge. Sa structure simple mais équilibrée est encore marquée par les tanins. À attendre un ou deux ans.

Joël Bergey, 3, rte de Laverdasse, 33340 Valeyrac, tél. et fax 05.56.09.57.19, e-mail j.bergey@cario.fr t.l.j. sf sam. dim. 8h30-19h30; f. 15-30 août

CH. LEBOSCQ 2004

19 ha 133 000 8 à 11 €

Du même producteur que le Château Patache d'Aux, mais issu d'un cru séparé, ce vin se développe avec délicatesse tout au long de la dégustation. Partant sur des arômes de fruits rouges, il monte progressivement en puissance, avant de finir sur une note poivrée. Plus boisée et plus tannique, la cuvée **Vieilles Vignes 2004 (11 à 15 €)** est également citée.

Ch. Patache d'Aux, 1, rue du 19-Mars, 33340 Bégadan, tél. 05.56.41.50.18, fax 05.56.41.54.65, e-mail info@domaines-lapalu.com r.-v.

Jean-Michel Lapalu

CH. LOIRAC Élevé en fût de chêne 2004

11 ha 40 000 5 à 8 €

Fidèle à son habitude, ce cru propose un 2004 à l'expression aromatique intéressante, agrémentant les notes classiques de fruits rouges et d'épices d'une touche florale. D'attaque souple, la bouche joue l'élégance dans la rondeur sans s'attarder trop longtemps.

Ch. Loirac, 1, rte de Queyrac, 33590 Jau-Dignac-et-Loirac, tél. 08.75.94.43.55, fax 05.56.73.98.22, e-mail chateau-loirac@wanadoo.fr r.-v.

CH. LOUDENNE 2004

42 ha 220 775 11 à 15 €

89 90 (96) **97 98** 99 |00| **01 02** |03| 04

Ancienneté de la propriété, datant de 1640, élégance de la chartreuse rose (le « *pink* Château »), vue sur l'estuaire, chambres d'hôtes : ce cru est un haut-lieu de l'œnotourisme. Son 2004 est assez charmeur par sa robe d'un rouge brillant, son bouquet délicat et son palais soyeux qui permettra de l'apprécier jeune.

SCS Ch. Loudenne, 33340 Saint-Yzans-de-Médoc, tél. 05.56.73.17.80, fax 05.56.09.02.87, e-mail loudenne@lafragette.com r.-v. 7

Lafragette

CH. MAISON BLANCHE
Élevé en fût de chêne 2004

20 ha 103 338 5 à 8 €

Patrick Bouey, qui a fait en 1998 un retour aux sources familiales en Médoc en reprenant ce cru, propose un 2004 à la robe intense. Le bouquet est plus timide, mais ses fines notes fruitées et toastées se conjuguent bien avec la souplesse du palais pour composer un ensemble agréable.

Patrick Bouey, SARL Ch. Maison Blanche, 2, rte de Lamena, 33340 Saint-Yzans-de-Médoc, tél. 05.56.09.05.01, fax 05.56.09.06.31, e-mail ch.maisonblanche@wanadoo.fr r.-v.

CH. LES MARCEAUX
Cuvée Sélection Élevé en fût de chêne 2004 ★

2 ha 11 400 8 à 11 €

C'est seulement le quatrième millésime vinifié en cave particulière pour ce domaine, mais déjà la troisième mention dans le Guide. L'apprentissage de la qualité est rapide, comme en témoigne ce vin issu d'une sélection où le merlot vient ajouter un peu de rondeur au cabernet-sauvignon. D'un rouge soutenu et franc, il développe un bouquet où dominent des notes de grillé et de moka mariées aux arômes de fruits rouges (griotte) et noirs. En bouche, il séduit par sa rondeur, son équilibre et sa longueur. À ouvrir d'ici deux à quatre ans.

Jean-Paul Aloird, 38, chem. des Carrières, 33340 Lesparre-Médoc, tél. et fax 05.56.41.27.90, e-mail contact@chateau-les-marceaux.com t.l.j. sf dim. 10h30-12h 14h-19h; hors saison sur r.-v.

CH. MAREIL Cuvée Prestige
Élevé en fût de chêne 2004 ★

17,75 ha 18 600 5 à 8 €

Marie-Françoise Brun, dont la famille vit à Mareil depuis plus de quatre siècles, tient à signer sa cuvée Prestige. À la signer, mais aussi à la soigner. Impossible d'en douter en découvrant ce 2004 au bouquet de cacao, de pain grillé, de prune et de cassis. Le corps et les tanins, qui ont besoin de s'assagir, dessinent l'image d'un vin de caractère que l'on aura plaisir à ouvrir dans un ou deux ans.

EARL du Ch. Mareil, 4, chem. de Mareil, 33340 Ordonnac, tél. 05.56.09.00.32, fax 05.56.09.07.33, e-mail chateau.mareil@terre-net.fr t.l.j. 10h30-13h 14h-19h

M. et Mme Brun

CH. MÉRIC 2004

15,85 ha 87 000 5 à 8 €

Ce vin se caractérise par une forte proportion de petit verdot (12 %) dans l'assemblage. La couleur sombre de ce 2004 lui donne fière allure. Son bouquet séduisant et complexe fait la part belle aux parfums de fruits noirs confits un peu chocolatés. Au palais se développe une riche matière aux tanins très ronds. Plus austère, la finale vient rappeler que cette bouteille pourra être attendue deux ou trois ans.

SCEA Ch. Méric, 19, rte de Vensac, 33590 Jau-Dignac-et-Loirac, tél. 05.57.75.01.55, fax 05.57.75.01.57, e-mail marius.chala@chateau-meric.com r.-v.

MERRAIN ROUGE Élevé en fût de chêne 2004 ★

■ 29,5 ha 200 000 5 à 8 €

Le merrain est un billon de bois de chêne fendu en planches, utilisées pour fabriquer les tonneaux. La marque du bois est encore très présente dans ce vin, mais sans étouffer les fraîches notes de fruits rouges acidulés (framboise, groseille). Le palais se développe en douceur sur de fins tanins et des arômes rôtis et épicés. Une finale d'une surprenante fraîcheur complète le tableau. La cuvée **Bois Galant 2004** tient les promesses de son nom et obtient une citation.

Les Vignerons d'Uni-Médoc, 14, rte de Soulac, 33340 Gaillan-en-Médoc, tél. 05.56.41.03.12, fax 05.56.41.00.66, e-mail cave@uni-medoc.com t.l.j. sf dim. 9h-12h 14h-17h

CH. LES MOINES Prestige 2004 ★

■ 16 ha 105 000 5 à 8 €

Ce cru est situé sur le plateau calcaire de Couquèques, terroir convenant bien à la vigne. On le vérifie une nouvelle fois avec ce 2004 dont la robe rouge foncé met en confiance. Le bouquet développe des arômes de fruits rouges et de cuir. Le palais révèle une structure équilibrée qui invite à deux ou trois ans de patience.

SCEA Vignobles Pourreau, 9, rue Charles-Plumeau, 33340 Couquèques, tél. 05.56.41.38.06, fax 05.56.41.37.81 r.-v.

CH. MOULIN DE CASSY 2004 ★

■ 8,68 ha 60 000 5 à 8 €

En 2001, Pierre et Olivier Compagnet se sont associés pour acheter cette propriété située sur des sols argilo-calcaires. La remise en ordre des vignes et des chais commence à porter ses fruits, comme le montre ce 2004 bien typé, tant par sa robe rubis à reflets sombres que par son palais. Solidement bâti, celui-ci s'accorde avec l'expression aromatique aux fines notes d'épices douces et de fruits (cerise, framboise, cassis). On peut envisager d'ici trois ou quatre ans un mariage avec une épaule d'agneau aux fruits secs.

SCEA Pierre et Olivier Compagnet, 9, rte de Lesparre, 33340 Bégadan, tél. 05.56.41.57.75, fax 05.56.41.53.22 t.l.j. sf dim. 9h-12h 14h-19h

CH. DU MOULIN-NEUF
Élevé en fût de chêne 2004

■ 2,5 ha 7 200 5 à 8 €

Partageant son temps entre l'ostréiculture et la culture de la vigne, Christiane Mastellotto présente ici un vin assez confidentiel par son volume de production. Celui-ci joue le registre de la simplicité, avec une jolie expression aromatique (fruits rouges un peu confiturés). Un vin plaisant dont on pourra profiter sans attendre.

Marcelle Mastellotto, 16, chem. de Charmail, 33590 Jau-Dignac-et-Loirac, tél. 05.56.09.42.86, fax 05.56.60.67.76 r.-v.

CH. DES MOULINS 2004

■ 2 ha 10 000 5 à 8 €

Si vous passez en Médoc en plein été, une halte dans ce cru vous apportera un peu de fraîcheur (ruisseau à truites et vieux moulin à vent rénové). Elle vous permettra en outre de découvrir ce 2004 à la robe sombre. Ses subtils parfums à dominante fruitée et son évolution engagent à une garde de deux ou trois ans.

Jean-Charles Prévosteau, Le Gouat, 33180 Vertheuil, tél. 05.56.41.95.20, fax 05.56.41.97.25, e-mail chateaudesmoulins@wanadoo.fr t.l.j. sf lun. 10h-12h30 15h-19h

CH. NOAILLAC 2004

■ 31 ha 150 000 8 à 11 €

86 96 97 98 99 |00| |**01**| |**03**| 04

Ce vin a eu le privilège de naître dans un cuvier dont la charpente évoque une carène de bateau retournée. Dès la présentation, il exprime sa personnalité par une attirante livrée rubis vif et par un bouquet intense et complexe (fruits rouges et grillé). Souple, fruitée et bien équilibrée, sa structure ne demande pas une longue garde.

Xavier Pagès, Ch. Noaillac, 33590 Jau-Dignac-et-Loirac, tél. 05.56.09.52.20, fax 05.56.09.58.75, e-mail noaillac@noaillac.com t.l.j. sf sam. dim. 8h-12h 13h30-17h

CH. LES ORMES SORBET 2004 ★

■ 20 ha 80 000 15 à 23 €

85 86 88 89 (90) |**95**| |**96**| **97** |**98**| |**99**| |**00**| **01** |02| 03 04

Ce cru est situé sur un terroir très particulier, le calcaire de Couquèques, riche en fossiles marins de l'ère tertiaire. Vêtu d'une robe rouge à reflets vifs et profonds, ce vin développe un nez alléchant et d'une bonne intensité, mêlant des arômes de café et un soupçon de cassis. S'appuyant sur des tanins fermes tout en conservant un côté rond, le palais a trouvé son équilibre et s'exprimera pleinement aux côtés d'un confit de canard dans un ou deux ans.

Hélène Boivert, Ch. Les Ormes-Sorbet, 20, rue du 3-Juillet-1895, 33340 Couquèques, tél. 05.56.73.30.30, fax 05.56.73.30.31, e-mail ormes.sorbet@wanadoo.fr t.l.j. 9h-12h 14h-18h; sam. dim. sur r.-v.

CH. PATACHE D'AUX 2004 ★★

■ 37 ha 260 000 15 à 23 €

85 89 90 95 96 97 |98| |01| |02| 03 **04**

D'origine très ancienne, cette propriété doit son nom aux chevaliers d'Aux, descendants des comtes d'Armagnac ; Patache désignant la diligence publique qui desservait le Médoc. Une fois encore, Jean-Michel Lapalu propose un vin bien typé, notamment par sa robe grenat brillant et limpide. Agréable par son bouquet aux notes toastées, fruitées et florales, ce 2004 développe un palais complexe et équilibré. Ses tanins soyeux révèlent un excellent dosage du bois et de subtils arômes de raisin invitent à le marier à des mets raffinés. Second vin, **Le Relais de Patache d'Aux 2004 (8 à 11 €)** obtient une étoile ; il est prêt.

Ch. Patache d'Aux, 1, rue du 19-Mars, 33340 Bégadan, tél. 05.56.41.50.18, fax 05.56.41.54.65, e-mail info@domaines-lapalu.com r.-v.

Jean-Michel Lapalu

CH. DU PÉRIER 2004 ★★

■ n.c. 27 800 8 à 11 €

90 93 95 96 97 |**98**| 99 |00| |01| 02 03 **04**

Authentique vigneron médocain, Bruno Saintout est aussi discret que perfectionniste. Avec son équipe, il se voit distingué grâce à ce millésime : aussi limpide que profond. Ce vin révèle un bouquet complexe de fruits mûrs, de boisé et de fumée, qui ne laisse aucun doute sur la qualité de la matière première et de l'élevage. Le palais

BORDELAIS

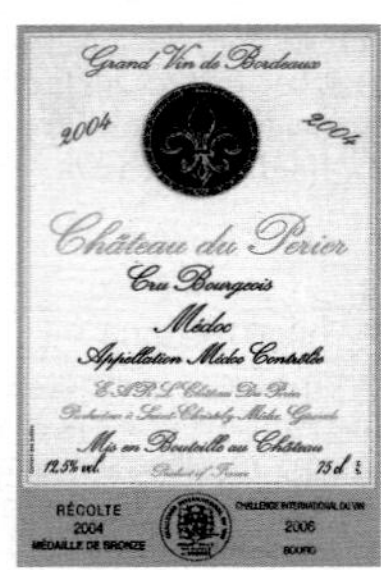

est à la hauteur de la présentation, avec beaucoup de puissance et des tanins mûrs. Un grand classique de l'appellation qui mérite de goûter à la tranquillité de la cave pendant trois ou quatre ans.

Bruno Saintout, EARL Ch. du Périer, 33340 Saint-Christoly-Médoc, tél. 05.56.59.91.70, fax 05.56.59.46.13, e-mail bruno.saintout@wanadoo.fr r.-v.

LE PETIT LOUSTEAU 2004

■ 6 ha 35 000 8 à 11 €

En créant cette cuvée, en 2001, Bruno Segond a cherché à produire un vin facile d'approche pouvant être apprécié jeune. Objectif atteint, comme l'attestent le charme de ce 2004 grenat brillant, la finesse de son bouquet et l'équilibre de son palais que soutient une structure aimable.

Bruno Segond, EARL Ch. Lousteauneuf, 2, rte de Lousteauneuf, 33340 Valeyrac, tél. 05.56.41.52.11, fax 05.56.41.38.52, e-mail chateau.lousteauneuf@wanadoo.fr r.-v.

PETIT MANOU 2004 ★★

■ 1,2 ha 7 200 8 à 11 €

« Je ne suis que Petit Manou », peut-on lire sur l'étiquette de ce second vin du Clos Manou. Si l'on se fie à la régularité de cette cuvée au fil des millésimes, c'est déjà beaucoup ! On découvre ici un vin bien concentré tant au nez qu'au palais. S'appuyant sur un bois de qualité aux arômes de café grillé et toasté, celui-ci fait la part belle aux fruits noirs mûrs. Ample, puissant, il sait rester soyeux, avec du gras. Une remarquable réussite pour le millésime.

Sogeviti Stéphane et Françoise Dief, 7, rue du 19-mars-1962, 33340 Saint-Christoly-Médoc, tél. 05.56.41.54.20, fax 05.56.41.37.63, e-mail sogeviti.sf@wanadoo.fr r.-v.

CH. LE PEY 2004 ★★

■ 35,3 ha 250 000 8 à 11 €

Toujours régulier en qualité, ce cru a su une fois encore tirer parti de la variété de ses terroirs dans ce millésime difficile. Associant les fruits mûrs au cacao, le bouquet est tout à la fois complexe et délicat. Rond et chaleureux, presque méditerranéen, le palais est aussi dépaysant que savoureux.

SCEA Compagnet, Ch. Le Pey, 10, rte de Lesparre, 33340 Bégadan, tél. 05.56.41.57.75, fax 05.56.41.53.22, e-mail contact@compagnetvins.com t.l.j. sf dim. 9h-12h 14h-19h

CH. PIERRE DE MONTIGNAC

Élevé en fût de chêne 2004 ★

■ n.c. 7 500 8 à 11 €

Avec une succession de buttes de terre noire constellées de pierres calcaires blanches, le paysage de Civrac ne manque pas d'attrait. Voici un vin plaisir. L'harmonie de son bouquet aux notes grillées, fruitées et épicées se conjugue avec la rondeur et l'équilibre de la matière pour composer un ensemble tout en nuances.

José Sallette, EARL de Montignac, 1, rte de Montignac, 33340 Civrac-en-Médoc, tél. et fax 05.56.73.59.08, e-mail pierredemontignac@free.fr t.l.j. 9h-13h 14h-19h 3

CH. LA PIROUETTE 2004 ★

■ 8 ha 40 000 5 à 8 €

Le nom (désignant une figure de dressage) et l'étiquette de ce cru s'expliquent par la passion de Michèle et Claude Roux pour le monde équestre. Une flamme qui ne les empêche pas de faire preuve d'ardeur dans leur métier de vigneronnes. Témoin, ce vin qui attire l'œil par sa robe amarante. Fruits noirs et fines notes boisées, le bouquet est lui aussi plein de charme, de même que le palais soutenu par des tanins serrés. Tout indique des vendanges faites à maturité et un bon potentiel de garde.

SCEA Roux, 37, chem. de Semensan, 33590 Jau-Dignac-et-Loirac, tél. et fax 05.56.09.42.02, e-mail lapirouette@wanadoo.fr r.-v.

CH. POITEVIN 2004

■ 25 ha 150 000 8 à 11 €

Guillaume Poitevin a donné de l'élan à cette propriété ; les plantations ont été importantes et, si les vignes sont encore jeunes, cela n'empêche pas ce 2004 d'être de bonne facture. Sous une robe rubis limpide, il exprime un bouquet fin et complexe. Structuré et équilibré, le palais appelle une garde de deux à trois ans. Le **Lamothe Pontac 2004 Élevé en fût de chêne (5 à 8 €)**, du même producteur, est également cité.

EARL Poitevin, 14, rue du 19-Mars-1962, 33590 Jau-Dignac-et-Loirac, tél. 05.56.09.45.32, fax 05.56.09.03.75, e-mail chateaupoitevin@wanadoo.fr t.l.j. sf dim. 9h-12h 13h30-18h

CH. PONTEY 2004 ★

■ 11,59 ha 40 266 8 à 11 €

Ce vignoble, situé à Blaignan, jouit d'un terroir argilo-graveleux de bonne qualité. Rond et suave, son vin développe une puissante expression aromatique, marquée par des notes de pain grillé. L'ensemble sera des plus harmonieux dès que l'influence du bois aura diminué – d'ici deux ou trois ans.

Bruno de Bayle, Dom. d'Auberive, 33360 Latresne, tél. 05.56.20.71.03, fax 05.56.20.11.30 r.-v.

CH. POTENSAC 2004 ★★

■ n.c. 250 000 11 à 15 €

Est-il nécessaire de présenter Potensac, cru appartenant aux mêmes propriétaires que le prestigieux château Léoville Las Cases ? Ce 2004 ne pourra que renforcer sa notoriété déjà grande. La robe rouge sombre met en confiance pour aborder le bouquet. Net et intense, celui-ci réussit la synthèse des arômes du raisin (fruits noirs) et du bois (vanille et torréfaction). Sa complexité se retrouve au palais ; la richesse et la puissance de la structure promet-

tent une bonne garde. Un séjour en cave de trois à six ans est à envisager avant de réussir un accord gourmand avec des viandes rouges ou du gibier. Pour patienter, ouvrez donc le second vin, **Chapelle de Potensac 2004 (8 à 11 €)**, cité par le jury.
Ch. Potensac, 33340 Ordonnac, tél. 05.56.73.25.26, fax 05.56.59.18.33, e-mail leoville-las-cases@wanadoo.fr
r.-v.
Delon

CH. PREUILLAC 2004

■ 30 ha 132 613 11 à 15 €

Propriété personnelle de la famille Mau, ce cru associe un peu de cabernet franc au classique duo merlot/cabernet-sauvignon. Il propose un vin souple et représentatif du millésime, au bouquet de fruits rouges, à la bouche soutenue par une trame de tanins serrés.
Yvon Mau, SCF Ch. Preuillac, rte d'Ordonnac, 33340 Lesparre-Médoc, tél. 05.56.09.00.29, fax 05.56.09.00.34, e-mail chateau.preuillac@wanadoo.fr r.-v.

CH. RAMAFORT 2004

■ 20 ha 125 000 11 à 15 €

Aujourd'hui intégrée dans le vaste ensemble des domaines CGR, cette propriété existe depuis le XIIIe s. ; elle est plantée de vignes depuis le XVIIe s. Bien soutenu par un bois qui laisse les fruits rouges s'exprimer, son 2004 demande à être attendu deux ou trois ans pour permettre aux tanins de se fondre.
Les Domaines CGR, rte de la Cardonne, 33340 Blaignan, tél. 05.56.73.31.51, fax 05.56.73.31.52, e-mail cgr@domaines-cgr.com r.-v.

CH. RICAUDET 2004 ★

■ 5,6 ha 46 000 5 à 8 €

Issu de terroirs silico-graveleux et sablo-argileux regardant l'estuaire de la Gironde, ce vin a l'art de se présenter dans une robe de jeunesse d'un rouge profond. Suit un bouquet complexe mariant les fruits à noyau aux épices douces (cannelle, vanille). Rond à l'attaque, le palais monte en puissance sur des tanins mûrs. Sa solide matière, très typée cabernet-sauvignon, mérite deux ou trois ans de patience.
Cave Saint-Jean Uni-Médoc, 2, rte de Canissac, 33340 Bégadan, tél. 05.56.41.50.13, fax 05.56.41.50.78, e-mail saintjean@uni-medoc.com
t.l.j. sf dim. 9h-12h 14h-17h30; sam. 9h-12h
Robert Couthures

CH. ROLLAN DE BY 2004 ★★

■ 40 ha 291 000 15 à 23 €

(96) 97 |98| 00 01 |02| |03| 04

En l'espace de dix-sept ans, ce cru a su se forger une solide réputation. Il est vrai que Jean Guyon n'a économisé ni la passion, ni le travail ni les investissements. Le résultat est une fois encore au rendez-vous avec ce vin à la teinte foncée et au bouquet de caractère, qui exprime la grande maturité du fruit. L'attaque, très douce, est suivie par une sensation de forte concentration. En un mot, un vin riche, à attendre quatre ou cinq bonnes années. Du même producteur, le **Château La Clare 2004 (8 à 11 €)** obtient une étoile. Rond, structuré et long, il séduit par son expression aromatique mariant les épices et les fruits cuits.
Jean Guyon, 3, rte du Haut-Condissas, 33340 Bégadan, tél. 05.56.41.58.59, fax 05.56.41.37.82, e-mail rollan-de-by@wanadoo.fr
t.l.j. sf sam. dim. 8h-12h 13h30-17h30

CH. ROSE DU PONT 2004

■ 1,19 ha 8 000 5 à 8 €

Ici, point de vin de garage, dont la mode semble s'estomper, mais un microcru que cultive Pierre Lambert, l'un des responsables de La Baronnie (maison de négoce créée par Philippe de Rothschild). Agréable à l'œil, son 2004 déploie un bouquet fin mêlant des notes de cassis à un léger boisé. Attaquant dans la rondeur, le palais évolue ensuite vers des tanins fermes qui demandent à s'assouplir au cours d'un séjour en cave.
Pierre Lambert, 40, rte de Courbian, 33340 Bégadan, tél. 05.56.41.36.04 t.l.j. 9h-19h

CH. SAINT-CHRISTOPHE 2004

■ 20 ha 140 000 8 à 11 €

Le nom de ce cru, comme celui de sa commune, rappelle que le culte de saint Christophe était assez répandu en Gironde. Grenat sombre, ce 2004 s'affiche comme un médoc d'un grand classicisme, avec ses arômes de fruits mûrs mêlés aux notes boisées et sa bouche assez charnue à la finale agréable.
Patrick Gillet, SARL Saint-Christophe, 5, rte du Boscq, 33340 Saint-Christoly-Médoc, tél. 05.56.41.57.22, fax 05.56.41.59.95, e-mail pg.stch@wanadoo.fr
t.l.j. 9h-12h 14h-17h

CH. SAINT-HILAIRE 2004

■ 20 ha 120 000 8 à 11 €

En visite à Queyrac, vous pourrez désormais séjourner dans le gîte rural du domaine ouvert au cours de l'été 2006. L'occasion de découvrir ce vin qui livre un bouquet aux sympathiques notes de poivron mûr et de fruits noirs, puis une chair aux tanins fins.
EARL A. et F. Uijttewaal, 13, rte de la Rivière, 33340 Queyrac, tél. 05.56.59.80.88, fax 05.56.59.87.68, e-mail ch.st.hilaire@wanadoo.fr
t.l.j. sf sam. dim. 9h-12h 14h-18h

CH. SEGUE LONGUE MONNIER

Élevé en fût de chêne 2004 ★

■ 29,53 ha 170 000 8 à 11 €

Si la propriété a été créée à la fin des années 1970, son encépagement, très diversifié, est traditionnel du Médoc. Cette variété se retrouve ici dans la complexité du bouquet, où les fruits se marient aux épices et aux notes grillées. Parce que les tanins sont encore très présents, il faudra attendre quatre ou cinq ans avant de présenter ce vin à un gibier ou un magret.
SCV du Ch. Segue Longue, 13, chem. de Lamale, 33590 Jau-Dignac-et-Loirac, tél. 06.11.77.30.25, fax 05.56.09.57.28, e-mail scv.chateau-segue-longue@wanadoo.fr
r.-v.
J.-P. et P.-C. Monnier

CH. LE TEMPLE 2004 ★★

■ 15 ha 80 000 8 à 11 €

Ancienne étape sur le chemin de Compostelle, le temple de Tourteron (de son vrai nom) est un grand corps de bâtiment à l'architecture assez sévère. Le vin ne partage pas cette austérité. Ni dans sa robe d'un rouge grenat, ni au bouquet, avec ses notes de fruits noirs et de réglisse. Très élégante par ses tanins mûrs et suaves, la matière se prolonge agréablement tout en révélant un caractère solide. Dans trois ou quatre ans, cette bouteille aura de quoi ragaillardir le pèlerin.

Denis Bergey,
Ch. Le Temple, 30, rte du Port-de-Goulée,
33340 Valeyrac, tél. 05.56.41.53.62, fax 05.56.41.57.35,
e-mail letemple@terre-net.fr
t.l.j. sf dim. 8h30-12h30 13h30-19h

CH. TOUR CASTILLON 2004 ★

■ 18 ha n.c. 8 à 11 €

Aujourd'hui simple tour sur une motte, ce château fut au Moyen Âge l'une des plus puissantes forteresses protégeant Bordeaux. Cette ancienneté n'empêche pas le cru de proposer un vin moderne. La force de sa structure tannique contraste avec la finesse de ses arômes de toast, de café et de vanille. On peut attendre cette bouteille comme l'ouvrir tout de suite.

Pierre Peyruse, 3, rte du Fort-Castillon,
33340 Saint-Christoly-Médoc, tél. 05.56.41.54.98,
fax 05.56.41.39.19,
e-mail vignoblespeyruse@wanadoo.fr
t.l.j. sf dim. 9h-12h 14h-18h; f. 15-31 août

CH. LA TOUR DE BY 2004

■ 67 ha 250 000 15 à 23 €

82 83 85 86 90 **91** 93 |95| |**96**| 97 |98| **99 00** 02 **03** 04

Superficie, patrimoine bâti, panorama sur l'estuaire, ce domaine possède beaucoup d'atouts. Son vin en est un autre, même si le 2004 ne prétend pas rivaliser avec certains millésimes antérieurs. Il n'en retient pas moins l'attention avec sa robe pourpre, ses arômes toastés et fruités (fruits noirs) et sa bouche souple, équilibrée. Plus simple mais assez proche, le **Château La Roque de By 2004 (8 à 11 €)** est également cité.

SC des Vignobles Marc Pagès,
Ch. La Tour de By, 5, rte de la Tour-de-By,
33340 Bégadan, tél. 05.56.41.50.03, fax 05.56.41.36.10,
e-mail info@la-tour-de-by.com
t.l.j. sf sam. dim. 8h-12h 13h30-16h30;
plus sam. dim. 11h-17h en juil.-août

CH. TOUR HAUT-CAUSSAN 2004 ★

■ 16 ha 85 500 11 à 15 €

82 83 85 86 |**89**| (**90**) **91 92 93** 94 |**95**| |(**96**)| **97** |**98**| |**99**| **00** |01| 02 |03| 04

Vendanges manuelles, cuvaison adaptée en fonction de la maturité des raisins, élevage en barriques (dont un tiers neuves) : sur ce cru, on reste très attaché au respect du terroir et à un travail sérieux. La robe grenat de ce vin en témoigne, tout comme ses tanins soyeux, délicatement extraits. Le bouquet est encore un peu fermé, mais déjà on sent poindre une personnalité attachante. Son potentiel permettra de faire patienter cette bouteille quatre à cinq ans si besoin.

Philippe Courrian, 27 bis, rue de Verdun,
33340 Blaignan, tél. 05.56.09.00.77, fax 05.56.09.06.24,
e-mail courrian@tourhautcaussan.com r.-v.

CH. TOUR SERAN 2004 ★★

■ 13 ha 40 400 15 à 23 €

Depuis l'association avec l'acteur Christophe Lambert et le sommelier Éric Beaumard, Jean Guyon a confié

la vinification à Ricardo Cotarella, œnologue italien. Il a eu la main heureuse comme le prouve ce vin dont la robe d'un noir profond met en confiance ; le bouquet intense et complexe décline les fruits mûrs un peu confiturés. Cette complexité se retrouve au palais avec des arômes de fruits et de vanille. Rond, puissant et élégant, ce 2004 mérite d'être attendu au moins jusqu'à la fin de la décennie.

Jean Guyon, 3, rte du Haut-Condissas,
33340 Bégadan, tél. 05.56.41.58.59, fax 05.56.41.37.82,
e-mail rollan-de-by@wanadoo.fr
t.l.j. sf sam. dim. 8h-12h 13h30-17h30

CH. LES TUILERIES 2004 ★

■ 18 ha 118 000 8 à 11 €

Avec un nom comme celui-ci, on devine que le terroir est riche en argiles. Aussi le merlot est-il bien représenté, faisant jeu égal avec le cabernet-sauvignon. Sous une élégante robe grenat sombre, le bouquet complexe associe les arômes du raisin à un boisé de qualité, rappelant que les Dartiguenave sont une vieille famille de tonneliers. Douillet à l'attaque, le palais développe ensuite des rondeurs séduisantes, une bonne chair et des tanins fondants. Une bouteille que l'on pourra apprécier sans avoir à faire preuve de trop de patience.

Jean-Luc Dartiguenave,
Ch. Les Tuileries, 6, rue de Lamena,
33340 Saint-Yzans-de-Médoc, tél. 05.56.09.05.31,
fax 05.56.09.02.43,
e-mail contact@chateaulestuileries.com r.-v.

CH. VALEYRAC 2004 ★

■ n.c. 12 000 5 à 8 €

Commercialisé par Œnoalliance, ce vin se présente dans une livrée grenat aux reflets de cerise noire. Le bouquet s'ouvre sur de gourmands parfums de fruits rouges un peu cuits et de réglisse. Après une attaque franche, la bouche révèle des tanins encore austères, mais une plaisante expression fruitée se prolonge en finale. Un séjour en cave de trois à cinq ans est conseillé.

Œnoalliance, rte du Petit-Conseiller,
33750 Beychac-et-Caillau, tél. 05.57.97.39.73,
fax 05.57.97.39.74, e-mail info@oenoalliance.com
SCEA Bellerive-Perrin

CH. VERNOUS Élevé en fût de chêne 2004 ★

■ 19,8 ha 66 700 8 à 11 €

Situé sur une croupe de graves non loin de l'église de Saint-Trélody, ce domaine a changé plusieurs fois de mains au cours des dernières décennies avant de retrouver son lustre d'antan lors du changement de millénaire. Avec une robe grenat nuancée de vermillon, un plaisant bou-

quet fruité et boisé et un palais possédant à la fois de la rondeur et du relief, son 2004 a de la tenue et pourra être attendu trois ans.
SCA Ch. Vernous, Saint-Trélody,
33340 Lesparre-Médoc, tél. 05.56.41.13.57,
fax 05.56.41.21.12 r.-v.

CH. VIEUX ROBIN Bois de Lunier 2004 ★★

■ 12 ha 90 000 11 à 15 €

93 |99| |00| |02| |03| **04**

Élégante et gaie, l'étiquette de cette cuvée élevée à 40 % en fût neuf est en parfaite harmonie avec le vin. Celui-ci séduit tant par sa teinte grenat foncé que par son expression fruitée pleine de fraîcheur qui évoque les baies sauvages. Souple, chaleureux et bien enrobé, le palais joue la carte de la complexité. On pourra profiter de tous ces charmes dans deux ou trois ans.
Roba, Ch. Vieux Robin, 3, rte des Anguilleys,
33340 Bégadan, tél. 05.56.41.50.64, fax 05.56.41.37.85,
e-mail contact@chateau-vieux-robin.com
t.l.j. sf sam. dim. 9h-12h 13h30-17h30;
t.l.j. en juil.-août

Haut-médoc

Le territoire spécifique de l'appellation haut-médoc serpente autour des appellations communales. Cette AOC est la seconde en importance avec 4 680 ha et une production en 2005 de 215 150 hl. Ses vins jouissent d'une grande réputation, due en partie à la présence de cinq crus classés sur son territoire, les autres se trouvant dans les six appellations communales enclavées dans l'aire d'appellation.

En haut-médoc, le classement des vins a été réalisé en 1855, soit près d'un siècle avant celui des graves. Cela s'explique par l'avance prise par la viticulture médocaine à partir du XVIII[e]s. ; car c'est là que s'est en grande partie produit « l'avènement de la qualité », avec la découverte des notions de terroir et de cru, c'est-à-dire la prise de conscience de l'existence d'une relation entre le milieu naturel et la qualité du vin. Les haut-médoc se caractérisent par leur générosité, mais sans excès de puissance. D'une réelle finesse au nez, ils présentent généralement une bonne aptitude au vieillissement. Ils devront être bus chambrés et iront très bien avec les viandes blanches, les volailles ou le gibier à plume. Bus plus jeunes et servis frais, ils pourront aussi accompagner certains poissons.

CH. D'AGASSAC 2004 ★★

■ 26,8 ha 164 266 15 à 23 €

95 96 97 |**98**| |99| |**00**| 01 **02** 03 **04**

Outre sa maison forte du Moyen Âge remaniée dans le style Renaissance au XVI[e]s., cette propriété jouit de nombreux atouts : un sol de graves garonnaises profondes, de vieilles vignes et des installations techniques de qualité. Sa réussite dans ce millésime réputé diffcile n'a donc rien d'étonnant. Rubis à reflets grenat, ce 2004 déploie un bouquet équilibré où le fruit rouge mûr et la vanille ont su trouver un point d'accord. Son palais délicat aux tanins présents mais bien enrobés conduit à une longue finale retrouvant la palette aromatique du nez. À garder en cave entre deux et cinq ans avant de le servir sur des viandes blanches. Plus léger mais agréable, le **Château Pomiès d'Agassac 2004 (8 à 11 €)**, second vin du domaine, est cité.
SCA du Ch. d'Agassac,
15, rue du Château-d'Agassac, 33290 Ludon-Médoc,
tél. 05.57.88.15.47, fax 05.57.88.17.61,
e-mail contact@agassac.com r.-v.
Groupama

CH. D'ARCHE 2004

■ 9 ha 56 000 15 à 23 €

94 95 **96 97** 98 |**99**| **00 01** 02 03 04

Fidèle aux traditions, ce château a su conserver la pluralité de son encépagement, avec du petit verdot et de la carmenère aux côtés des cabernets et du merlot. Il en résulte un vin d'une bonne complexité alliant les notes de cassis, de myrtille et de boisé. Encore un peu strict et austère, mais ne manquant ni de volume ni d'harmonie, le palais invite à attendre cette bouteille quelques années.
SA Mähler-Besse, 49, rue Camille-Godard,
33000 Bordeaux, tél. 05.56.56.04.30,
fax 05.56.56.04.59, e-mail france@mahler-besse.com
r.-v.

CH. D'AURILHAC 2004 ★

■ 13 ha 66 000 8 à 11 €

96 97 |**98**| |99| **00** |01| 02 **03** 04

Issu de la partie argilo-calcaire de Saint-Seurin-de-Cadourne, ce vin signé par Erik Nieuwaal s'affiche dans une robe d'un pourpre sombre presque noir. Il livre des parfums fruités (cassis) soutenus par des notes de vanille, de grillé, de santal et de cèdre. Assez puissante, l'attaque ouvre sur une bouche équilibrée, aux tanins solides et à la finale encore marquée par le bois. Il faudra patienter deux à trois ans pour que l'ensemble se fonde. Du même producteur, le **Château La Fagotte 2004**, dense et boisé, à attendre quatre à cinq ans, obtient également une étoile.
SCEA Ch. d'Aurilhac et La Fagotte, Sénilhac,
33180 Saint-Seurin-de-Cadourne,
tél. et fax 05.56.59.35.32 r.-v.

CH. BEAUMONT 2004

■ 115 ha 545 000 8 à 11 €

Déjà vingt ans que ce cru a changé de mains mais aussi de surface : de 20 ha de vignes, il est passé à 115 ha et constitue désormais l'un des vignobles les plus vastes du Médoc. Équilibré, son vin séduit par son bouquet fin et typique (fruits rouges et toasté) comme par son attaque souple et ronde, ouvrant sur une structure élégante et bien fondue. Une bouteille aimable dont on pourra profiter d'ici deux à trois ans.
SCE Ch. Beaumont, 33460 Cussac-Fort-Médoc,
tél. 05.56.58.92.29, fax 05.56.58.90.94,
e-mail beaumont@chateau-beaumont.com
r.-v. 4
Grands Millésimes de France

CH. BEL AIR 2004 ★

■ 37 ha 160 000 🍷 8 à 11 €

Dans ce cru cussacais, le terroir sablo-graveleux est réputé pour la présence d'argile en sous-sol qui agit comme régulateur de l'alimentation en eau de la vigne. D'une teinte rubis intense, ce 2004 laisse percer des notes fumées et réglissées avant de s'ouvrir à l'aération sur la cerise noire. Dense et bien équilibré en bouche, presque pulpeux, il termine sur une touche poivrée. À attendre quelques années.

Domaines Martin, Ch. Gloria, 33250 Saint-Julien-Beychevelle, tél. 05.56.59.08.18, fax 05.56.59.16.18, e-mail domainemartin@wanadoo.fr r.-v.

CH. BELGRAVE 2004 ★

■ 5e cru clas. 60 ha 205 000 🍷 15 à 23 €

83 85 86 89 (90) **94** 95 **96 97** |**98**| |**99**| **00** 01 **02** 03 04

2004 a été l'année où le nouveau chai est devenu opérationnel. Équipé de petites cuves, il permet de vinifier la vendange parcelle par parcelle et d'optimiser l'expression du terroir. Ce vin se montre à la hauteur de l'événement par sa teinte rouge profond et son bouquet complexe mêlant les fruits rouges mûrs à des notes toastées et réglissées. Harmonieux et chaleureux, il débute sur la rondeur, puis développe une réelle puissance tannique qui appelle trois ou quatre années de garde.

Vignobles Dourthe, Ch. Belgrave, 35, rue de Bordeaux, 33290 Parempuyre, tél. 05.56.35.53.00, fax 05.56.35.53.29, e-mail contact@cvbg.com r.-v.

CH. BELLEGRAVE DU POUJEAU 2004 ★

■ 4 ha 20 000 🍷 8 à 11 €

Disparu à cause des gelées de 1956, ce vignoble a revu le jour en 1976, grâce aux efforts du directeur de la Chambre d'agriculture de l'époque qui le replanta. Trente ans plus tard, on découvre un vin au bouquet riche et concentré de fruits mûrs sur fond de vanille. Puissant et élégant jusqu'en finale, ce 2004 méritera de vieillir pendant au moins quatre ou cinq ans.

Vignoble Cantelaube, 433, chem. Duthil-Le-Poujeau, 33290 Le Pian-Médoc, tél. 06.07.14.09.47, fax 05.56.39.22.98 r.-v.

CH. BELLE-VUE 2004

■ 9,73 ha 55 000 🍷 15 à 23 €

Vincent Mulliez a acquis en 2004 cette propriété à l'encépagement très médocain incluant une forte proportion de petit verdot (plus de 20 %) et un peu de carmenère. Son premier millésime dans ce vignoble laisse bien augurer l'avenir par la finesse de ses arômes de fruits noirs mis en valeur par une légère touche boisée, comme par la rondeur du palais, aromatique, agréable et friand. Un vin déjà prêt mais que l'on pourra attendre deux ou trois ans.

SC de La Gironville, 69, rte de Louens, 33460 Macau, tél. 05.57.88.19.79, fax 05.57.88.41.79, e-mail sc.gironville@wanadoo.fr t.l.j. sf sam. dim. 9h-12h 13h-17h

V. Mulliez

CH. BERNADOTTE 2004

■ 35 ha 160 000 🍷 11 à 15 €

Dans le giron du château Pichon-Longueville-Comtesse de Lalande, ce cru est devenu début 2007, en même temps que sa maison-mère, une propriété du groupe champenois Roederer. Délicatement bouqueté avec des notes de mûre, de confiture de fraises et de beurre frais, son 2004 s'appuie sur une structure tannique intéressante mais encore austère qui demandera un peu de temps pour se polir.

SC Ch. Le Fournas, Le Fournas-Nord, 33250 Saint-Sauveur, tél. 05.56.59.57.04, fax 05.56.59.54.84, e-mail bernadotte@chateau-bernadotte.com r.-v.

CH. LES BRULIÈRES DE BEYCHEVELLE 2004

■ 13 ha 84 000 🍷 11 à 15 €

Si le vignoble est situé aux confins de la forêt et non au bord de l'estuaire, ce vin n'en garde pas moins un certain air de famille avec son illustre parent, le « Versailles médocain », par sa palette aromatique où le boisé toasté se marie délicatement au fruit, comme par l'ampleur et l'élégance de sa structure qui invite à trois ou quatre ans de garde.

SC Ch. Beychevelle, 33250 Saint-Julien-Beychevelle, tél. 05.56.73.20.70, fax 05.56.73.20.71, e-mail beychevelle@beychevelle.com r.-v.

CH. DE BRAUDE 2004 ★

■ 7,3 ha 35 000 🍷 11 à 15 €

Sa taille modeste n'empêche pas ce cru de Macau d'offrir un vin de fière allure, même dans des millésimes difficiles comme celui-ci. Arborant un nez riche et complexe (violette, cassis et pain grillé), ce 2004 révèle une chair ronde aux arômes de fruits mûrs et au boisé bien dosé, des tanins présents mais qui restent toujours agréables. On pourra pleinement l'apprécier dans deux ou trois ans. Du même producteur, le **Château Braude Felloneau 2004 (15 à 23 €)**, d'une approche aisée, est cité.

Régis Bernaleau, SCEA Mongravey, 8, av. Jean-Luc-Vonderheyden, 33460 Arsac, tél. 05.56.58.84.51, fax 05.56.58.83.39, e-mail chateau.mongravey@wanadoo.fr r.-v.

CH. CAMBON LA PELOUSE 2004 ★

■ 35 ha 220 000 🍷 11 à 15 €

Un terroir de qualité, constitué de graves profondes et des efforts de rénovation, aussi bien dans les vignes qu'au chai : une fois encore, la recette est efficace. Sous la robe pourpre intense, le bouquet à la fois fin et puissant livre des notes de fruits noirs et d'épices. Riche et racé, le palais se montre à la hauteur de la présentation et suggère d'ouvrir cette bouteille d'ici quatre à cinq ans, quand l'ensemble sera fondu.

Jean-Pierre Marie, SCEA Cambon La Pelouse, 5, chem. de Canteloup, 33460 Macau, tél. 05.57.88.40.32, fax 05.57.88.19.12, e-mail contact@cambon-la-pelouse.com r.-v.

CH. CAMENSAC 2004 ★★

■ 5e cru clas. 75 ha 300 000 🍷 15 à 23 €

(95) (96) **97** |**98**| |**99**| **00** 01 **02** 03 **04**

Pour le visiteur, une chartreuse du XVIIIes. restaurée et un vignoble sur une croupe de graves. Pour l'œnophile, une splendide réussite en 2004 pour ce cru classé. La couleur d'un pourpre profond attire l'œil. Le bouquet complexe marie des notes fruitées et boisées relevées d'une pointe d'épices. Le palais dévoile une matière ample et ronde, aux tanins structurants et bien enrobés. Une

LE CLASSEMENT DE 1855 REVU EN 1973

PREMIERS CRUS
Château Lafite-Rothschild (Pauillac)
Château Latour (Pauillac)
Château Margaux (Margaux)
Château Mouton-Rothschild (Pauillac)
Château Haut-Brion (Pessac-Léognan)

SECONDS CRUS
Château Brane-Cantenac (Margaux)
Château Cos-d'Estournel (Saint-Estèphe)
Château Ducru-Beaucaillou (Saint-Julien)
Château Durfort-Vivens (Margaux)
Château Gruaud-Larose (Saint-Julien)
Château Lascombes (Margaux)
Château Léoville-Barton (Saint-Julien)
Château Léoville-Las-Cases (Saint-Julien)
Château Léoville-Poyferré (Saint-Julien)
Château Montrose (Saint-Estèphe)
Château Pichon-Longueville-Baron (Pauillac)
Château Pichon-Longueville Comtesse-de-Lalande (Pauillac)
Château Rauzan-Ségla (Margaux)
Château Rauzan-Gassies (Margaux)

TROISIÈMES CRUS
Château Boyd-Cantenac (Margaux)
Château Cantenac-Brown (Margaux)
Château Calon-Ségur (Saint-Estèphe)
Château Desmirail (Margaux)
Château Ferrière (Margaux)
Château Giscours (Margaux)
Château d'Issan (Margaux)
Château Kirwan (Margaux)
Château Lagrange (Saint-Julien)
Château La Lagune (Haut-Médoc)
Château Langoa (Saint-Julien)
Château Malescot-Saint-Exupéry (Margaux)
Château Marquis d'Alesme-Becker (Margaux)
Château Palmer (Margaux)

QUATRIÈMES CRUS
Château Beychevelle (Saint-Julien)
Château Branaire-Ducru (Saint-Julien)
Château Duhart-Milon-Rothschild (Pauillac)
Château Lafon-Rochet (Saint-Estèphe)
Château Marquis de Terme (Margaux)
Château Pouget (Margaux)
Château Prieuré-Lichine (Margaux)
Château Saint-Pierre (Saint-Julien)
Château Talbot (Saint-Julien)
Château La Tour-Carnet (Haut-Médoc)

CINQUIÈMES CRUS
Château d'Armailhac (Pauillac)
Château Batailley (Pauillac)
Château Belgrave (Haut-Médoc)
Château Camensac (Haut-Médoc)
Château Cantemerle (Haut-Médoc)
Château Clerc-Milon (Pauillac)
Château Cos-Labory (Saint-Estèphe)
Château Croizet-Bages (Pauillac)
Château Dauzac (Margaux)
Château Grand-Puy-Ducasse (Pauillac)
Château Grand-Puy-Lacoste (Pauillac)
Château Haut-Bages-Libéral (Pauillac)
Château Haut-Batailley (Pauillac)
Château Lynch-Bages (Pauillac)
Château Lynch-Moussas (Pauillac)
Château Pédesclaux (Pauillac)
Château Pontet-Canet (Pauillac)
Château du Tertre (Margaux)

LES CRUS CLASSÉS DU SAUTERNAIS EN 1855

PREMIER CRU SUPÉRIEUR
Château d'Yquem

PREMIERS CRUS
Château Climens
Château Coutet
Château Guiraud
Château Lafaurie-Peyraguey
Château La Tour-Blanche
Clos Haut-Peyraguey
Château Rabaud-Promis
Château Rayne-Vigneau
Château Rieussec
Château Sigalas-Rabaud
Château Suduiraut

SECONDS CRUS
Château d'Arche
Château Broustet
Château Caillou
Château Doisy-Daëne
Château Doisy-Dubroca
Château Doisy-Védrines
Château Filhot
Château Lamothe (Despujols)
Château Lamothe (Guignard)
Château de Malle
Château Myrat
Château Nairac
Château Romer
Château Romer du Hayot
Château Suau

grande bouteille qui méritera les honneurs de la cave pendant cinq ou six ans.

🔑 Ch. Camensac, rte de Saint-Julien, BP 9, 33112 Saint-Laurent-Médoc, tél. 05.56.59.41.69, fax 05.56.59.41.73, e-mail chateaucamensac@wanadoo.fr Y ⛹ r.-v.

🔑 Jean Merlaut

CH. CANTEMERLE 2004 *

■ 5e cru clas. 87 ha 400 000 ⊪ 23 à 30 €

81 82 83 ⑧⑤ **86** 87 **88** |⑧⑨| |**90**| **91 92 93 94** 95 **96 97** |**98**| |**99**| |00| 01 04

Cyprès chauves, magnolias à grandes fleurs, ifs, platanes majestueux, le parc de 28 ha réalisé au XIXᵉs. par Louis Fischer justifie à lui seul une longue halte. Mais vous vous arrêterez plus sûrement pour déguster les vins de ce cru classé, tel ce 2004 dont l'élégance se lit dès la robe rubis à reflets flammés. Le bouquet, qui marie avec gourmandise les petits fruits rouges au café torréfié et à la mie de pain chaude, poursuit dans le même esprit, comme le palais dense, équilibré et frais. Ce vin n'est pas encore prêt : il faut lui laisser trois ou quatre ans avant de l'apprécier pleinement. En attendant, on pourra ouvrir une bouteille du second vin, **Les Allées de Cantemerle 2004 (11 à 15 €)**, cité.

🔑 SC Ch. Cantemerle, 33460 Macau, tél. 05.57.97.02.82, fax 05.57.97.02.84, e-mail cantemerle@cantemerle.com ☑ Y ⛹ r.-v.

🔑 SMABTP

DOM. DE CARTUJAC La Gloire du paysan 2004

■ 7 ha 13 000 ⊪ 5 à 8 €

Ce cru est situé près de la chapelle templière de Benon, paroisse renommée en Médoc pour sa foire d'été. Son 2004 est un vin plaisant que vous dégusterez sans attendre pour ses arômes de fruits mûrs et de torréfaction, ainsi que pour sa bouche souple et équilibrée. Une entrecôte grillée lui tiendra volontiers compagnie.

🔑 SCEA Vignobles Bruno Saintout, 20A, Cartujac, 33112 Saint-Laurent-du-Médoc, tél. 05.56.59.91.70, fax 05.56.59.46.13, e-mail bruno.saintout@wanadoo.fr ☑ Y ⛹ t.l.j. sf sam. dim. 9h-12h 14h-18h; ven. 9h-12h

CH. CHARMAIL 2004 *

■ 22 ha 120 000 ▮⊪ 15 à 23 €

95 ⑨⑥ **97** |**98**| |**99**| 00 01 |02| 03 04

De millésime en millésime, ce cru confirme sa régularité. Ce 2004 en apporte une nouvelle fois la preuve tant par sa robe noire aux reflets pourpres que par son bouquet où les notes de torréfaction de la barrique se marient aux petits fruits rouges et noirs (framboise, cerise, cassis). L'attaque est franche et le palais chaleureux. Le bois est toujours présent mais les tanins révèlent une bonne aptitude à la garde. Cette bouteille mérite d'être attendue de trois à cinq ans.

🔑 Olivier Sèze, SCA Ch. Charmail, 33180 Saint-Seurin-de-Cadourne, tél. 05.56.59.70.63, fax 05.56.59.39.20, e-mail charmail@chateau-charmail.fr ☑ Y ⛹ r.-v.

L'HÉRITAGE DE CHASSE-SPLEEN 2004

■ 18,5 ha 139 000 ⊪ 8 à 11 €

Dénommé Ermitage dans un premier temps, ce vin a été rebaptisé L'Héritage, s'inscrivant ainsi pleinement dans les pas de son noble parent. Assemblage de 80 % de cabernet-sauvignon et de 20 % de merlot, il offre un bouquet délicat qui marie la cerise à des notes toastées. Tout en souplesse, le palais retrouve les arômes du nez, avant une finale sur la fraîcheur. Une bouteille à attendre quatre ou cinq ans.

🔑 Ch. Chasse-Spleen, 2558, Grand-Poujeaux Sud, 33480 Moulis-en-Médoc, tél. 05.56.58.02.37, fax 05.57.88.84.40, e-mail info@chasse-spleen.com Y ⛹ r.-v.

🔑 Céline Villars-Foubet

CH. CISSAC 2004

■ 50 ha 240 000 ⊪ 11 à 15 €

Établie sur le site d'une *villa* romaine et commandée par une chartreuse du XVIIIᵉs., cette propriété est née de la réunion des châteaux Abiet et Martiny à la fin du XIXᵉs. Elle propose un 2004 dont la structure, sans être très puissante, se révèle plaisante et s'accorde bien avec la finesse du bouquet aux notes de fruits rouges et de cuir.

🔑 SCF du Ch. Cissac, 33250 Cissac-Médoc, tél. 05.56.59.58.13, fax 05.56.59.55.67, e-mail marie.vialard@chateau-cissac.com ☑ Y ⛹ t.l.j. sf sam. dim. 9h-12h 14h-17h

🔑 Vialard

CH. CITRAN 2004 *

■ 57 ha 450 000 ⊪ 15 à 23 €

Valeur sûre de l'appellation, ce cru collectionne les sélections et les coups de cœur. Son 2004 vient prouver une nouvelle fois que sa réputation est justifiée. D'un rouge sombre intense, il est généreusement servi par des arômes de fruits noirs et rouges agrémentés d'un fin boisé. Son attaque suave introduit une bouche qui allie charme et puissance, dans un équilibre qui se prolonge jusqu'à la finale fruitée. À ouvrir dans cinq ans.

🔑 Ch. Citran, chem. de Citran, 33480 Avensan, tél. 05.56.58.21.01, fax 05.57.88.84.60, e-mail info@citran.com ☑ Y ⛹ r.-v.

CH. COMTESSE DU PARC 2004 *

■ 8,75 ha 50 000 ⊪ 8 à 11 €

Appartenant à la famille Anney depuis le XVIIIᵉs., ce terroir longtemps délaissé n'a été replanté qu'en 1986 – de merlot et de cabernet-sauvignon à égalité. S'annonçant par une robe sombre, ce 2004 déploie un bouquet profond aux notes de cannelle et de cacao. Au palais, il attaque en douceur avant de révéler sa puissance, sans perdre en harmonie. La finale encore un peu sévère invite à l'attendre deux à trois ans.

🔑 SCEA Vignobles Jean Anney, Saint-Corbian, 33180 Saint-Estèphe, tél. 05.56.59.32.89, fax 05.56.59.73.74, e-mail contact@chateautourdestermes.com ☑ Y ⛹ t.l.j. sf sam. dim. 8h30-12h30 14h-17h30

CH. DE COUDOT 2004 *

■ 5 ha 35 000 ▮⊪ 8 à 11 €

Ce cru cussacais reste fidèle à la tradition médocaine par son encépagement diversifié (cabernets, merlot et petit verdot). Cette diversité contribue à l'agrément du bouquet de ce 2004 qui marie les fruits rouges à l'apport du bois (grillé). Ces arômes se retrouvent dans la chair bien équilibrée, qui offre du volume et une finale longue et soyeuse.

🔑 SC du Ch. de Coudot, 9, imp. de Coudot, 33460 Cussac-Fort-Médoc, tél. 05.56.58.90.71, fax 05.57.88.50.47, e-mail ch.coudot@wanadoo.fr ☑ Y ⛹ r.-v.

🔑 Blanchard

CH. COUFRAN 2004 *

■ 76 ha 400 000 🛢 15 à 23 €

95 96 98 99 |00| 01 |02| |03| 04

Issu d'un vignoble un peu atypique par son encépagement (85 % de merlot) et bien médocain par sa situation au bord de l'estuaire, ce vin réalise la synthèse de ces deux caractères, tant par l'élégance de son bouquet où les arômes de fruits rouges sont mis en valeur par un boisé délicat, que par son palais aimable, rond et long. Une garde de trois à quatre ans lui sera bénéfique.

SCA Ch. Coufran, 33180 Saint-Seurin-de-Cadourne, tél. 05.56.44.90.84, fax 05.56.81.32.35, e-mail contact@chateau-coufran.com r.-v.

CH. CROIX DU TRALE
Élevé en fût de chêne 2004 *

■ 2 ha 12 000 🛢 5 à 8 €

Planté par le grand-père de l'actuel propriétaire à la fin de années 1940, ce vignoble familial compte aujourd'hui 10 ha. D'une couleur soutenue, cette cuvée développe un bouquet généreux de fruits rouges, d'épices et de chocolat. Équilibrée et harmonieuse jusque dans la finale, elle peut être dégustée dès maintenant ou patienter encore deux à trois ans en cave.

SCEA Michel Négrier, 4, rte du Trale, 33180 Saint-Seurin-de-Cadourne, tél. 05.56.59.33.39, fax 05.56.59.75.70 t.l.j. 9h-13h 14h-20h

CH. LA CROIX MARGAUTOT 2004

■ 2 ha 12 000 5 à 8 €

Dominant le village de Cissac, ce cru propose un vin au bouquet discret mais élégant de fruits frais. D'attaque souple, la bouche monte en intensité jusqu'à une finale marquée par les tanins, qui demanderont un peu de temps pour s'arrondir.

Pierre Dumontet, La Mouline, 33560 Carbon-Blanc, tél. 05.57.77.88.88, fax 05.57.77.88.99 r.-v.

CH. DEVISE D'ARDILLEY 2004 *

■ 9,4 ha 47 000 🛢 8 à 11 €

Pour être assez récent (création en 1991), ce cru n'en cherche pas moins à s'inscrire dans la tradition médocaine, témoin ce 2004, premier millésime à intégrer du petit verdot dans son assemblage. Grenat soutenu, il livre un bouquet de fruits rouges, d'épices et de cuir. D'attaque douce, sa matière ronde et charnue bénéficie de tanins soyeux. Deux à trois ans de patience seront nécessaires.

SAS Vignoble Vimes-Philippe, Ch. Devise d'Ardilley, 33112 Saint-Laurent-Médoc, tél. et fax 05.57.75.14.26, e-mail devise.dardilley@terre-net.fr t.l.j. 9h-19h

CH. DILLON 2004

■ 35 ha 200 000 🛢 11 à 15 €

(86) 88 89 |**90**| 95 96 97 98 99 |00| 01 |02| 03 04

Ce cru sert de cadre à la formation des élèves du lycée viticole de Blanquefort. Encore un peu discret dans son expression aromatique, son 2004 laisse déjà percevoir quelques notes de cerise. La bouche, d'attaque franche, offre une matière agréable et un bon retour des arômes. Un à deux ans d'attente seront bénéfiques à cette bouteille.

Lycée viticole de Bordeaux-Blanquefort, 84, av. du Gal-de-Gaulle, 33290 Blanquefort, tél. 05.56.95.39.94, fax 05.56.95.36.75, e-mail chateau-dillon@chateau-dillon.com r.-v.

CH. DUTHIL 2004

■ 7 ha 49 000 🛢 8 à 11 €

Bien que Le Pian-Médoc soit devenu une banlieue de Bordeaux, il subsiste encore quelques vignobles sur des terroirs de graves, dont ce domaine contigu de Giscours. Son 2004, très fruité au nez, offre une bouche moyennement dense mais souple et équilibrée. Frais et plaisant, c'est un vin qui pourra être apprécié jeune ou attendu quelques années.

SAS Ch. Giscours, 10, rte de Giscours, 33460 Labarde, tél. 05.57.97.09.09, fax 05.57.97.09.00, e-mail giscours@chateau-giscours.fr r.-v. 7

CH. FONPIQUEYRE 2004 *

■ 11 ha 80 000 🛢 8 à 11 €

Bien que rattaché depuis fort longtemps à Liversan, où se déroule la vinification, ce vignoble conserve son identité propre. Son vin en témoigne par sa qualité, qui se lit dès la présentation, avec une robe rubis à reflets mordorés et un bouquet près du fruit. Classique de l'appellation, il a l'élégance et le potentiel de garde qu'on est en droit d'attendre d'un vrai haut-médoc. Une finale fraîche et fruitée clôt la dégustation de cette bouteille à ouvrir dans trois ou quatre ans. Également à attendre, la cuvée **Vieilles Vignes 2004 (11 à 15 €)** est citée.

SCEA Ch. Liversan, 1, rte de Fonpiqueyre, 33250 Saint-Sauveur, tél. 05.56.41.50.18, fax 05.56.41.54.65, e-mail info@domaines-lapalu.com r.-v.

Jean-Michel Lapalu

CH. FONTESTEAU 2004

■ 27 ha 163 000 🛢 8 à 11 €

Solide bâtisse flanquée de trois tours et entourée d'un superbe parc, ce château d'origine médiévale vaut le détour. En visite, choisissez ce 2004 grenat à reflets rubis, au bouquet expressif de fruits rouges, de cuir et de notes vanillées. Jouant le registre de la souplesse avec sa matière ronde et ses tanins fondus, un vin prêt à boire.

SARL Ch. Fontesteau, 33250 Saint-Sauveur, tél. 05.56.59.52.76, fax 05.56.59.57.89, e-mail chateau.fontesteau@wanadoo.fr r.-v. 7 E

J.-C. Barron et D. Fouin

CH. GRANDIS 2004 *

■ 9,14 ha 58 390 🛢 8 à 11 €

Relais de chasse au XVI[e]s., transformé en chartreuse au XIX[e]s., ce domaine est aux mains de la même famille depuis 1857. Son vin dont la robe s'orne de reflets violines ne manque pas d'allure. Fruité, souple et friand, il s'appuie sur des tanins ronds et mûrs qui invitent à le déguster sans attendre.

Brice Vergez, Ch. Grandis, 33180 Saint-Seurin-de-Cadourne, tél. 05.56.59.31.16, fax 05.56.59.39.85, e-mail b.vergez@wanadoo.fr r.-v. 1 C

DOM. GRAND-LAFONT 2004

■ 3,2 ha 10 000 🛢 8 à 11 €

Issu d'une petite propriété familiale fidèle aux traditions, ce vin simple et aimable se pare d'une robe rouge brillant. Après avoir offert un bouquet friand aux notes de cerise, il attaque sur la fraîcheur, puis poursuit en souplesse grâce à des tanins fondus, avant une finale fruitée. Un vin de plaisir qui s'accordera bien avec des brochettes de viande.

Héritiers Lavanceau, 3, rue Lafont, 33290 Ludon-Médoc, tél. 06.84.36.10.86, fax 05.57.88.44.31, e-mail grandlafont@lavanceau.com r.-v.

LE GRAND PAROISSIEN

Élevé en fût de chêne 2004 ★★

7 ha 38 000 8 à 11 €

Regroupant 40 propriétaires pour 80 ha de vignes, la cave de Saint-Seurin commercialise sous cette marque la production de 7 ha choisis avant les vendanges pour leur qualité. Nul doute que le choix a été bon. La profondeur de la robe aux multiples facettes de ce 2004 le prouve, tout comme son bouquet mariant avec élégance des notes de fruits et d'épices (cannelle). Franc, concentré et ample, le palais révèle une structure soyeuse. La finale, riche et longue, confirme le solide potentiel de cette bouteille à ouvrir dans quatre ou cinq ans.

SCV Saint-Seurin-de-Cadourne, 2, rue Clément-Lemaignan, 33180 Saint-Seurin-de-Cadourne, tél. 05.56.59.31.28, fax 05.56.59.39.01, e-mail cavecooperativevinification@wanadoo.fr t.l.j. sf sam. dim. 8h30-12h30 14h-18h (ven. 17h)

CH. HANTEILLAN 2004 ★★

68 ha 298 000 8 à 11 €

CHÂTEAU
HANTEILLAN
• CRU BOURGEOIS •
2004
HAUT-MÉDOC
APPELLATION HAUT-MÉDOC CONTRÔLÉE

Une des plus belles unités du Haut-Médoc et l'une des plus anciennes : au Moyen Âge, les moines de l'abbaye de Vertheuil y cultivaient déjà la vigne. Ce cru se montre à la hauteur de son histoire par la qualité de sa production. Drapé de grenat, ce 2004 développe un bouquet élégant et intense mariant le fruit noir à des notes de grillé, héritage de son élevage d'un an en fût. Le palais corsé, charpenté, séveux se porte garant de l'avenir de cette bouteille par de bons tanins de raisin et de chêne. On attendra donc de sept à dix ans avant de la servir sur une large palette de plats : pintade, magret, pièce de bœuf, tout lui réussira.

Ch. Hanteillan, 12, rte d'Hanteillan, 33250 Cissac-Médoc, tél. 05.56.59.35.31, fax 05.56.73.49.08, e-mail chateau.hanteillan@wanadoo.fr t.l.j. sf ven. sam. dim. 9h-12h 14h-17h30

Catherine Blasco

CH. HAUT BEYZAC 2004 ★★

7 ha 40 000 11 à 15 €

Continuant sa progression qualitative, depuis que le vignoble a été entièrement replanté en 1999, ce cru récent prouve son savoir-faire dans ce millésime difficile. La couleur d'un bordeaux intense s'accorde avec le bouquet (pâte de coings, toasté) pour révéler un caractère bien marqué. Élégant et soutenu par une solide trame tannique, le palais promet une bonne garde (de sept à huit ans) qui permettra à l'empreinte du bois, issue d'une chauffe intense, de se fondre complètement. Également corsée et bien structurée, la **cuvée O'peyrat 2004 (8 à 11 €)** obtient une étoile. Elle méritera d'être attendue un peu.

EARL Raguenot-Lallez-Miller, Le Parc, 33180 Vertheuil, tél. 05.57.32.65.15, fax 05.57.32.99.38 r.-v.

CH. HAUT-LOGAT 2004 ★

15 ha 91 414 8 à 11 €

La maison Quancard propose un haut-médoc bien typé, mariant le fruit et le bois. Ce vin développe des tanins mûrs et un élégant bouquet qu'égayent de fines notes exotiques. À boire maintenant en le décantant ou à attendre un peu. Né tout à côté, le **Château Tour Saint-Joseph 2004 (5 à 8 €)** est cité.

Cheval Quancard, 4, rue du Carbouney, La Mouline, BP 36, 33565 Carbon-Blanc Cedex, tél. 05.57.77.88.88, fax 05.57.77.88.99, e-mail chevalquancard@chevalquancard.com r.-v.

CH. HOURTIN-DUCASSE 2004 ★

n.c. 80 000 11 à 15 €

Deux anciens propriétaires du domaine ont donné leur nom à ce cru qui propose un vin assez moderne, aux tanins sans aucune aspérité. S'annonçant par une robe sombre, ce 2004 fait preuve d'originalité par son bouquet aux notes florales et minérales. D'une bonne longueur, il pourra être attendu deux ou trois ans.

SC des Vignobles Marengo, BP 89, 33250 Pauillac, tél. 05.56.59.56.92, fax 05.56.59.52.77, e-mail contact@hourtin-ducasse.com r.-v.

Michel Marengo

CH. JULIEN 2004 ★

15 ha 40 000 11 à 15 €

Ce cru cussacais offre la possibilité de se restaurer dans son bar à vin et d'assister une fois par mois à un dîner-spectacle au château. Autant d'occasions de découvrir ce 2004 dont le bouquet puissant laisse espérer une structure séduisante. Porté par des tanins soyeux et agrémenté d'arômes de fruits surmûris, ce vin ne déçoit pas au palais et possède un bon potentiel de garde, même s'il est déjà plaisant.

Vignobles Alain Meyre, Ch. Cap Léon Veyrin, Donissan, 33480 Listrac-Médoc, tél. 05.56.58.07.28, fax 05.56.58.07.50, e-mail capleonveyrin@aol.com t.l.j. sf sam. dim. 9h-12h 14h-18h 2

CH. LABARDE 2004 ★

4,82 ha 25 000 8 à 11 €

Vendanges en clayettes descendant au chai par gravité, ce cru bénéficie des mêmes soins que son grand frère le château Dauzac (margaux). Des soins payants si l'on en juge d'après ce 2004 d'un pourpre prometteur.

Racé et complexe, le bouquet joue sur les fruits rouges et noirs sur un fond de vanille et de moka. Cette élégance se retrouve au palais, souple et rond, aux tanins fondus. D'ici deux à quatre ans, ce vin sera prêt pour une entrecôte à la moelle.
SAS du Ch. Dauzac, 1, av. Georges-Johnston, 33460 Labarde, tél. 05.57.88.32.10, fax 05.57.88.96.00, e-mail chateaudauzac@chateaudauzac.com
t.l.j. sf sam. dim. 9h-12h 14h-17h; f. oct.-mai
MAIF

CH. LACOUR JACQUET 2004

10 ha 30 000 8 à 11 €

Comme le rappelle son nom, ce cru est situé à proximité d'un ancien chemin de Saint-Jacques-de-Compostelle. Habillé d'une robe pourpre, ce vin livre un bouquet intense de petits fruits rouges mûrs, relevé d'une pointe vanillée. D'attaque souple, la bouche évolue sur des tanins encore austères qui demandent deux à trois ans de garde pour mieux se fondre.
GAEC Lartigue,
Ch. Lacour Jacquet, 70, av. du Haut-Médoc, 33460 Cussac-Fort-Médoc, tél. 05.56.58.91.55, fax 05.56.58.94.82, e-mail lartigue.e@wanadoo.fr
t.l.j. 10h-19h (18h en hiver)

CH. LA LAGUNE 2004 ★★

3e cru clas. 75 ha 150 000 30 à 38 €

81 82 83 85 86 88 (89) **90 91 93 94** |95| |96| 97 **98 99** (00) |**01**| 02 **04**

Le Groupe Frey, propriétaire depuis 2000 de ce cru classé n'a pas lésiné sur les moyens pour le doter d'équipements dignes de son terroir. Le résultat ? Ce 2004 alliant puissance et finesse. Ses agréables parfums de fruits rouges frais, nuancés de notes torréfiées, séduisent autant que son palais qui révèle une extraction parfaitement menée : les tanins présentent un grain soyeux avant de s'imposer en finale, comme pour suggérer un séjour en cave de quatre ou cinq ans au moins.
Ch. La Lagune, 81, av. de l'Europe, 33290 Ludon-Médoc, tél. 05.57.88.82.77, fax 05.57.88.82.70, e-mail c.fred@chateau-lalagune.com
r.-v. 7
Groupe Frey

CH. LAMOTHE-CISSAC 2004

35,92 ha n.c. 11 à 15 €

Commandé par un château de style néo-Renaissance, ce cru propose un vin pourpre à reflets violets qui plaît par sa structure aux tanins arrondis. Également élégant, le bouquet de fruits rouges, légèrement toasté fait preuve d'une certaine originalité en s'ornant de délicates notes florales (rose). Un vin à boire ces prochaines années.
SC Ch. Lamothe, Lamothe, 33250 Cissac-Médoc, tél. 05.56.59.58.16, fax 05.56.59.57.97, e-mail domaines.fabre@enfrance.com r.-v.

CH. LANESSAN 2004 ★

50 ha 180 000 11 à 15 €

86 88 **90** 92 94 **95 96 97** 98 |**99**| 00 |01| **02** 03 04

L'ancienneté de la tradition familiale (1793) a permis d'acquérir un réel savoir-faire sur le terroir de graves garonnaises. Pour preuve ce 2004 de teinte grenat, au bouquet s'épanouissant délicatement sur des arômes de fruits cuits et des notes d'épices. Souple et rond, le palais est typé haut-médoc par ses tanins bien extraits et mûrs. Tout contribue à créer un ensemble harmonieux, dont on profitera pleinement dans trois ou quatre ans. Du même producteur, le **Château de Sainte-Gemme 2004** est cité : plus simple, il pourra être ouvert sans trop attendre.
SCEA Delbos-Bouteiller, 33460 Cussac-Fort-Médoc, tél. 05.56.58.94.80, fax 05.57.88.89.92, e-mail infos@bouteiller.com r.-v.

CH. LAROSE PERGANSON 2004 ★★

33 ha 99 013 8 à 11 €

96 97 98 99 **00 01 02** 03 **04**

Ne cherchez pas les bâtiments du château, un incendie les a détruits entre les deux guerres. En revanche, le vignoble a été sauvé et a conservé sa personnalité, même s'il est maintenant associé à Larose-Trintaudon. L'assemblage de cabernet-sauvignon (60 %) et de merlot (40 %) nés sur graves argileuses a donné ce vin au bouquet élégant mêlant le fruit, des notes de grillé et d'épices. Rond, souple et ample, le palais poursuit harmonieusement le développement aromatique, en l'enrichissant en finale d'une note de pruneau. Déjà agréable par son fondu, ce 2004 gagnera à patienter en cave trois à quatre ans.
SA Ch. Larose-Trintaudon, rte de Pauillac, 33112 Saint-Laurent-Médoc, tél. 05.56.59.41.72, fax 05.56.59.93.22, e-mail info@trintaudon.com
r.-v.
AGF

CH. LAROSE-TRINTAUDON 2004 ★

142 ha 1 026 000 8 à 11 €

81 82 83 85 **86** 87 **88 89** |**90**| 91 92 93 94 |95| 96 **97** |98| |99| |00| |01| 02 03 04

Pour être la plus vaste propriété plantée en vignes du Médoc, ce cru ne sacrifie en rien la qualité à la quantité, aidé en cela par les investissements réalisés par son propriétaire, l'assureur AGF. Ce vin en témoigne, tant par sa teinte pourpre intense à reflets violacés que par son bouquet mariant avec harmonie les fruits rouges et la torréfaction. Souple et gras, le palais développe une matière fruitée aux tanins ronds. Point d'orgue de la dégustation, une puissante finale appelle une union gourmande avec du gibier, après un séjour en cave de quatre ou cinq ans.
SA Ch. Larose-Trintaudon, rte de Pauillac, 33112 Saint-Laurent-Médoc, tél. 05.56.59.41.72, fax 05.56.59.93.22, e-mail info@trintaudon.com
r.-v.
AGF

CH. LARRIVAUX Vicomtesse de Carheil 2004

26 ha 153 000 8 à 11 €

Le blason sur l'étiquette rappelle que cette propriété est aux mains de la même famille depuis plus de quatre cents ans. Un peu discret dans sa première expression aromatique, le bouquet de ce 2004 livre ensuite des parfums de cassis et de café. Puissant et équilibré, encore un peu austère en finale, le vin se bonifiera avec le temps (cinq ans).
SARL des Domaines Carlsberg, 23-25 rte de Larrivaux, 33250 Cissac-Médoc, tél. 05.56.59.58.15, fax 05.56.02.73.31, e-mail chateau.larrivaux@gmail.com r.-v.

CH. DE LAUGA 2004

■ 4,7 ha 19 000 ▮◖◗ 5 à 8 €

Ce cru maintient la tradition médocaine par son encépagement diversifié, incluant même la rare carmenère. Encore un peu austère, son 2004 au nez de petits fruits et de sous-bois possède suffisamment d'équilibre et de charpente pour être attendu deux ans.

Christian Brun, 4, rue des Capérans, 33460 Cussac-Fort-Médoc, tél. 05.56.58.92.83, fax 05.56.58.97.88, e-mail chateau@lauga.com
t.l.j. 9h-12h 14h-19h; dim. sur r.-v.

CH. LIVERSAN 2004

■ 39 ha 270 000 ▮◖◗ 11 à 15 €

Exploitée par la famille Lapalu depuis 1995, cette propriété a appartenu aux princes de Polignac. Sous une robe rubis typique, le 2004 dévoile un bouquet concentré et complexe, alliant le fruit et le grillé. Accompagné par un boisé bien présent, le palais se montre élégant et invite à une garde de quelques années. Faisant également parti des Domaines Lapalu, le **Château Lieujean 2004** est cité.

SCEA Ch. Liversan, 1, rte de Fonpiqueyre, 33250 Saint-Sauveur, tél. 05.56.41.50.18, fax 05.56.41.54.65, e-mail info@domaines-lapalu.com
r.-v.
Jean-Michel Lapalu

LA LONGUA 2004 *

■ 1,1 ha 1 000 ◖◗ 15 à 23 €

Christine Nadalié produit cette microcuvée à partir de quelques parcelles de vignes sur des graves sableuses exploitées en fermage. Délicat dans son expression aromatique fruitée et boisée, aux notes de clou de girofle et de menthe, son 2004 concilie élégance et volume. La matière aux tanins ronds, le bois présent mais discret et la finale aux flaveurs de moka prouvent que la vinification et l'élevage ont été soignés.

EARL Christine Nadalié, 7, chem. du Bord-de-l'Eau, 33460 Macau, tél. 05.57.10.03.70, fax 05.57.10.02.00, e-mail cnadalie@aol.com r.-v.

CH. MALESCASSE 2004

■ 39 ha 190 000 ◖◗ 15 à 23 €

82 83 88 89 90 93 95 96 97 98 |99| (00) |01| 02 04

Dominant l'estuaire, ce cru bénéficie d'une situation géographique privilégiée. Bien typé par sa robe rubis limpide, son vin joue la finesse au nez, avec des notes de petits fruits rouges et de beurre frais. Souple, équilibré et friand, il se prêtera volontiers à la dégustation d'ici deux à trois ans.

Ch. Malescasse, 6, rte du Moulin-Rose, 33460 Lamarque, tél. 05.56.58.90.09, fax 05.56.58.97.89, e-mail malescasse@free.fr
r.-v.
Alcatel

CH. MAURAC Les Vignes de Cabaleyran 2004

■ 6 ha 92 523 ◖◗ 11 à 15 €

Issu de parcelles de graves soigneusement sélectionnées, ce vin grenat soutenu livre un bouquet de fruits rouges mûrs et de grillé. Fins et ronds, ses tanins annoncent une bouteille intéressante d'ici trois à quatre ans. Simple et agréable, la cuvée principale du **Château Maurac 2004 (8 à 11 €)** est également citée.

SCEA Ch. Maurac, Le Trale, 33180 Saint-Seurin-de-Cadourne, tél. 05.57.88.07.64, fax 05.57.88.07.00, e-mail vitigestion@wanadoo.fr
r.-v.

CH. MICALET Élevé en fût de chêne 2004

■ 6 ha 29 000 ▮◖◗ 5 à 8 €

Ce domaine familial est conduit en totalité en agriculture biologique depuis 2006. Encore un peu timide dans son expression aromatique, le 2004 se révèle au palais avec des notes de fruits rouges et des tanins mûrs, bien fondus. Il est déjà agréable.

EARL Fédieu Père et Fils, 10, rue Jeanne-d'Arc, 33460 Cussac-Fort-Médoc, tél. 05.56.58.95.48, e-mail earl.fedieu@wanadoo.fr
t.l.j. 10h-12h 15h-19h; sam. dim. sur r.-v.

CH. MILLE ROSES 2004 *

■ 6,5 ha 32 000 ◖◗ 11 à 15 €

Le nom de ce cru fait référence à une roseraie qui existait dans le parc du château. Il va comme un gant à ce vin. Comme la fleur, celui-ci évoque la délicatesse : à la fraîcheur du bouquet, qui unit les raisins mûrs au bois, répondent la finesse et l'équilibre du palais. Comme la rose, il devra être apprécié sans trop attendre. Souple, avec des petits tanins, le second vin, **L'Enfant de Mille Roses 2004 (8 à 11 €)**, est cité.

David Faure, Ch. Mille Roses, 16, chem. de Canteloup, 33460 Macau, tél. 06.10.01.31.41, fax 05.57.88.42.16, e-mail chateaumilleroses@wanadoo.fr r.-v.

CH. DU MOULIN 2004 *

■ 1 ha 5 400 ◖◗ 11 à 15 €

Situé au bord du chemin qui mène d'Arcins à Lamarque, le moulin pourra décevoir, car il ne possède plus ni toiture ni ailes, contrairement à l'image de l'étiquette. En revanche la découverte du vin réserve de bonnes surprises : une robe sombre annonçant une solide présence tannique ; un bouquet élégant (fruits confits, épices, boisé...) et une structure témoignant d'un bon potentiel d'évolution (trois à cinq ans).

José Sanfins, 16, chem. du Vieux-Chêne, 33460 Lamarque, tél. 06.10.46.34.35, e-mail sanfinsjose@aol.com r.-v.

CH. MOULIN DE BLANCHON 2004

■ 16,02 ha 60 000 ◖◗ 5 à 8 €

Issu d'un vignoble né dans les années 1970, ce vin ne manque pas de charme dans sa robe bordeaux. Jeune et frais, le bouquet s'accorde au caractère friand du palais dont les tanins attestent une extraction bien maîtrisée. Une bouteille à ouvrir dans deux à trois ans.

EARL Vignobles H. Négrier et Fils, 3, rue des Casaillons, 33180 Saint-Seurin-de-Cadourne, tél. 05.56.59.38.66, fax 05.56.59.32.31, e-mail earlvignoblesnegrier@terre-net.fr
t.l.j. 8h-19h

CH. DU MOULIN ROUGE 2004

■ 15 ha 90 000 ▮◖◗ 8 à 11 €

Quatorze générations, un parchemin de 1749, un encépagement résolument médocain, ici la tradition n'est pas simplement un mot. Rien d'étonnant d'y trouver un haut-médoc encore un peu fermé mais bien typé (petits fruits rouges légèrement boisés). Souple et assez structuré, ce vin demande à être attendu deux ou trois ans.

Pelon-Ribeiro, 18, rue Costes,
33460 Cussac-Fort-Médoc, tél. 05.56.58.91.13,
fax 05.56.58.93.68,
e-mail chateaudumoulinrouge@orange.fr
t.l.j. 9h-12h 13h30-18h
Mmes Pelon

CH. MURET 2004 ★★

■ 20 ha 110 000 8 à 11 €

Situé à l'est de Saint-Seurin-de-Cadourne, ce vignoble d'un seul tenant voisine avec un haut lieu culturel du Médoc : le site archéologique de Brion. Mais son vrai privilège est son terroir argilo-calcaire, dont la qualité se devine à travers celle de son vin. Habillé d'une robe somptueuse aux brillants reflets violines, ce 2004 livre un bouquet complexe et puissant dans lequel la cannelle s'allie à des notes florales et minérales. La bouche d'attaque franche apparaît charnue grâce à des tanins fondus et discrets. Tout conduit vers une finale savoureuse aux accents de fruits mûrs qui confirme le potentiel de garde de ce vin (cinq à dix ans et plus).
SCA de Muret, 2, rte de Muret,
33180 Saint-Seurin-de-Cadourne, tél. 05.56.59.38.11,
fax 05.56.59.37.03, e-mail chateau.muret@wanadoo.fr
r.-v.
Boufflerd

CH. PEYRABON 2004 ★

■ 47,5 ha 195 654 11 à 15 €

Reprise en 1998 par Patrick Bernard pour la maison de négoce Millésima, cette propriété est composée d'une cinquantaine d'hectares de vignes sur des graves et des argilo-calcaires. Avec ce 2004, elle propose un vin de garde et de plaisir. Le bouquet élégant et complexe mêle d'agréables notes de réglisse à la vanille du fût. Au palais, on retrouve la même finesse, avec une structure souple et du gras car les tanins commencent à se fondre (deux à cinq ans de garde).
SARL Ch. Peyrabon, vignes de Peyrabon,
33250 Saint-Sauveur, tél. 05.56.59.57.10,
fax 05.56.59.59.45,
e-mail contact@chateau-peyrabon.com
t.l.j. sf sam. dim. 9h-12h 14h-17h

CH. PEYRAT-FOURTHON 2004 ★

■ 8 ha 41 330 8 à 11 €

Après un coup de cœur l'an dernier, ce cru confirme son savoir-faire avec ce 2004 plein de charme. La robe, entre rubis et grenat, et le bouquet aux notes de fruits rouges et de cuir, sont tout en nuances. Souple et gras, le palais révèle une matière riche et équilibrée, aux tanins fondus. À attendre deux à trois ans. Le second vin, **La Demoiselle d'Haut-Peyrat 2004 Élevé en fût de chêne (3 à 5 €)**, obtient également une étoile.
Pierre Narboni, 1, allée Fourthon,
33112 Saint-Laurent-Médoc, tél. 06.07.32.57.34,
fax 05.56.59.92.65, e-mail pn@gefimag.com
r.-v. 7

CH. PONTOISE CABARRUS 2004 ★

■ 20 ha 70 000 11 à 15 €

S'étendant sur des croupes de graves regardant l'estuaire, ce cru de Saint-Seurin-de-Cadourne bénéficie d'un terroir de choix. Nul n'en doutera en dégustant son vin où fruits et épices composent un bouquet plein de caractère. S'appuyant sur une matière aux tanins d'une bonne puissance, le palais se distingue par son volume et sa longueur. Tout invite à attendre quatre ou cinq ans avant de servir cette bouteille sur une entrecôte aux cèpes.
SAS du Ch. Pontoise Cabarrus,
27, rue Georges-Mandel,
33180 Saint-Seurin-de-Cadourne, tél. 05.56.59.34.92,
fax 05.56.59.72.42,
e-mail pontoisecabarrus@wanadoo.fr
t.l.j. sf sam. dim. 9h-12h30 14h-18h;
f. 15-31 août

CH. PRIEURÉ DE BEYZAC Quintessence 2004 ★

■ 2 ha 12 000 8 à 11 €

Le domaine créé en 1998 propose depuis le millésime 2001 cette cuvée issue d'une sélection rigoureuse et qui porte bien son nom : une robe somptueuse, un bouquet complexe aux notes de gibier, un palais plein, explosif et harmonieux, une finale expressive. Ce vin offrira dans quatre à cinq ans un accord de choix avec un sauté de sanglier.
EARL Charlassier, Beyzac, 33180 Vertheuil,
tél. 05.56.41.36.22, fax 05.56.59.37.03,
e-mail vignoble.charlassier@wanadoo.fr r.-v.

CH. PUY CASTÉRA 2004 ★

■ 27,66 ha 80 000 8 à 11 €

Créé en 1973 par Henri Marès, le domaine est géré aujourd'hui par ses descendants. La cave a été rénovée en 2002 ; les investissements portent leurs fruits si l'on en juge par ce 2004 de couleur bordeaux, qui sait retenir l'attention par son bouquet naissant où la cerise se mêle aux notes torréfiées et épicées. Corsé, rond et équilibré, soutenu par des tanins assez souples, le palais confirme cette impression et suggère une bonne garde.
SCE Ch. Puy Castéra, 8, rte du Castéra,
33250 Cissac-Médoc, tél. 05.56.59.58.80,
fax 05.56.59.54.87, e-mail puycastera@terre-net.fr
t.l.j. sf dim. 8h-12h 14h-18h

CH. RAMAGE LA BATISSE 2004 ★

■ 44,15 ha 323 800 11 à 15 €

89 **90** **91** 95 96 **97** 98 |**99**| 00 02 03 04

Vaste domaine, ce cru s'inscrit dans la tradition par la pluralité de ses terroirs (calcaires et graves). Rien d'étonnant d'y voir naître un vin bien typé, dont l'aptitude à la garde (supérieure à cinq ans) se devine dans la robe pourpre foncé avant d'être confirmée par le bouquet élégant et complexe, mêlant les fruits rouges au boisé, puis par une matière tannique de bonne qualité.
Ch. Ramage La Batisse, Tourteran,
33250 Saint-Sauveur, tél. 05.56.59.57.24,
fax 05.56.59.54.14, e-mail ramagelabatisse@wanadoo.fr
r.-v.
MACIF

CH. DU RAUX 2004

■ 19,02 ha 60 000 ▮◖◗ 5 à 8 €

À l'écart des grandes routes, entre le village et la Gironde, se dresse une bâtisse du XVIII[e]s. entourée par un vignoble d'une vingtaine d'hectares planté sur un terroir de graves. C'est là qu'est né ce vin pourpre ourlé de violet. Délicatement bouqueté avec ses arômes fruités légèrement boisés, il se montre tout aussi agréable au palais, même si sa trame serrée aura besoin d'un peu de temps pour s'assouplir.

🔑 SCI du Raux, Le Raux, 33460 Cussac-Fort-Médoc, tél. et fax 05.56.58.91.07, e-mail chateau.du.raux@wanadoo.fr ☑ 🍸 🚶 r.-v.

CH. REYSSON 2004

■ 40 ha 140 000 ◖◗ 11 à 15 €

Propriété d'un groupe nippon de vins et spiritueux, ce cru est géré par Dourthe depuis 2001. Avec efficacité, comme le montre ce 2004 à la robe pleine de jeunesse et au bouquet fin de fruits rouges, d'épices douces et de violette. Rond et riche, le palais monte en puissance pour finir sur une forte impression tannique. On attendra donc au moins quatre ans avant de servir ce vin.

🔑 Ch. Reysson, 33180 Vertheuil, tél. 05.56.35.53.00, fax 05.56.35.53.29, e-mail contact@cvbg.com 🍸 🚶 r.-v.

🔑 Mercian Corporation

CH. SAINT-PAUL 2004 ★

■ 20 ha 137 700 ▮◖◗ 11 à 15 €

Situé sur la dorsale de graves de Saint-Seurin-de-Cadourne qui regarde l'estuaire, Saint-Paul jouit d'un terroir de choix. D'une couleur intense à frange vive, son 2004 développe un bouquet fin et complexe aux arômes de fruits mûrs, vanillés et un peu poivrés. Rond, généreux et équilibré, le palais finit sur une pointe d'austérité qui invite à patienter encore quatre ou cinq ans avant de déboucher ce vin de caractère.

🔑 SC du Ch. Saint-Paul, 33180 Saint-Seurin-de-Cadourne, tél. 05.56.59.34.72, fax 05.56.59.38.35 ☑ 🍸 🚶 r.-v.

CH. SÉNÉJAC 2004 ★

■ 36 ha 150 000 ◖◗ 8 à 11 €

Ici, le vignoble s'étend sur des sols de graves sableuses où des travaux récents de drainage ont montré l'importance du socle argileux. Presque noir, ce vin offre un bouquet élégant et complexe où les fruits noirs et rouges se nuancent d'une petite note animale. Le palais, qui ne manque pas de caractère, laisse une impression savoureuse. À garder cinq ans en cave.

🔑 M. et Mme Thierry Rustmann, Ch. Sénéjac, 33290 Le Pian-Médoc, tél. 05.56.70.20.11, fax 05.56.70.23.91, e-mail chateau.senejac@wanadoo.fr 🍸 🚶 r.-v.

BEL AIR DE SIRAN 2004 ★

■ 1,8 ha 11 000 ◖◗ 8 à 11 €

Près de 2 ha de vignes plantées sur un sol de graves constituent la partie haut-médoc du château de Siran (AOC margaux). Bien que légèrement dominé par le merlot (55 %), le vin porte la marque du cabernet-sauvignon dans son bouquet proche du fruit. Fin et élégant en attaque, il bénéficie de tanins fondus et mêle déjà harmonieusement en finale les raisins frais aux épices (vanille). Il faudra pourtant encore attendre deux ans avant d'ouvrir cette bouteille.

🔑 SC du Ch. Siran, 13, av. Comte-J.-B-de-Lynch, 33460 Labarde, tél. 05.57.88.34.04, fax 05.57.88.70.05, e-mail chateau.siran@wanadoo.fr ☑ 🍸 🚶 r.-v.

CH. SOCIANDO-MALLET 2004 ★★

■ 55 ha 410 000 ◖◗ 30 à 38 €

(82) **85 86 88 89 |90| 91 93** (95) (96) **97** |(98)| **|99|** (00) **01 02 03 04**

Terroir, encépagement, propriétaire, Sociando est depuis longtemps une référence pour toute l'appellation. Jean Gautreau le maintient à ce haut niveau de qualité depuis des années et obtient avec ce 2004 son dixième coup de cœur. Ce vin s'annonce par une somptueuse robe grenat. Ses élégantes notes de fruits mûrs, de vanille et de cuir composent un bouquet dont la complexité se prolonge au palais, en s'enrichissant d'une touche de torréfaction. Ample et grasse, la chair donne un côté charmeur à ce 2004 par ailleurs puissant. Une bouteille à attendre de trois à cinq ans pour un plaisir complet.

🔑 SCEA Jean Gautreau, Ch. Sociando-Mallet, 33180 Saint-Seurin-de-Cadourne, tél. 05.56.73.38.80, fax 05.56.73.38.88, e-mail scea-jean-gautreau@wanadoo.fr ☑ 🍸 🚶 r.-v.

CH. SOUDARS 2004 ★

■ 22,25 ha 130 000 ◖◗ 15 à 23 €

89 **90 93** 94 95 **96** 97 98 **|99| |00|** |01| |02| 03 04

Avec Lovely, c'est une nouvelle génération de Miailhe qui vient de reprendre la direction du cru. Toutefois, c'est encore sous la houlette de son père, Éric, qu'a été élaboré ce 2004, fruit d'un assemblage bien mené. On éprouve un réel plaisir à évoquer son bouquet d'une grande complexité (fruits rouges, boisé grillé, poivre) et sa robe d'une teinte profonde et brillante. Son palais est aussi généreux qu'élégant. Certes, ce vin ne se livre pas encore complètement, mais une garde de cinq ans et plus lui permettra de s'ouvrir.

🔑 SAS Vignobles E. F. Miailhe, Ch. Soudars, 33180 Saint-Seurin-de-Cadourne, tél. 05.56.59.36.09, fax 05.56.59.72.39, e-mail contact@chateausoudars.com ☑ 🚶 r.-v.

CH. DU TAILLAN 2004 ★

■ 26 ha 90 000 ▮◖◗ 11 à 15 €

Dans la famille depuis un peu plus d'un siècle, ce château est un haut lieu médocain avec son chai classé Monument historique, et, dans le parc, un retable de marbre rose dit « des enfants trouvés » qui veille sur la vigne. La noblesse et l'élégance des lieux se retrouvent dans le vin. Qu'il s'agisse de la robe grenat sombre aux reflets pourpres, du bouquet aux notes de cannelle, de poivre et de gingembre, ou encore du palais, porté par des tanins harmonieux. La pointe d'amertume en finale

indique qu'il faudra patienter deux à trois ans avant d'ouvrir cette bouteille.
SCEA Ch. du Taillan, 56, av. de la Croix, 33320 Le Taillan-Médoc, tél. 05.56.57.47.00, fax 05.56.57.47.01, e-mail chateaudutaillan@wanadoo.fr t.l.j. sf dim. 9h-12h30 13h30-18h
Famille Cruse

CH. LA TOUR CARNET 2004 ★★

4e cru clas. 65 ha 210 000 23 à 30 €

79 81 82 83 85 86 (88) 89 90 93 94 (96) 97 |98| |99| |00| |01| 02 03 04

Le mariage des styles médiéval et Renaissance donne un cachet particulier à cette ancienne résidence seigneuriale dont la sœur de Michel de Montaigne fut propriétaire. Ce cru classé appartient aujourd'hui à Bernard Magrez, qui l'a racheté en 2000 et qui a beaucoup investi depuis. Son 2004 a beaucoup d'allure : d'une couleur pourpre soutenu, il montre un caractère racé et puissant aussi bien dans son bouquet qu'au palais. Sa riche matière et ses arômes de fruits rouges surmûris dessinent un ensemble concentré et intense qui ne laisse planer aucun doute sur le potentiel de garde : dans six ou sept ans au moins, ce vin trouvera sa place aux côtés d'une belle pièce de viande rouge. On patientera avec la **cuvée Les Douves 2004 (15 à 23 €)** ou la **cuvée du Sire 2004 (15 à 23 €)** qui sont citées ; elles pourront être appréciées dans les deux ou trois ans à venir.
Ch. La Tour Carnet, rte de Beychevelle, 33112 Saint-Laurent-Médoc, tél. 05.56.73.30.90, fax 05.56.59.48.54, e-mail latour@latour-carnet.com
Bernard Magrez

CH. TOUR DU HAUT-MOULIN 2004 ★

28 ha 180 000 11 à 15 €

89 |90| 91 92 93 95 |96| 97 |98| |99| 00 01 |02| 03 04

Héritiers d'une tradition vigneronne remontant à six générations, Béatrice et Lionel Poitou savent tirer le meilleur de leur terroir de graves garonnaises. Une fois encore, ils proposent un vin très réussi, qui se présente dans une robe sombre et qui livre un puissant bouquet de vanille et de pruneau. Franc à l'attaque, le palais gras et ample s'appuie sur des tanins bien présents. L'ensemble trouvera sa pleine expression dans trois ou quatre ans.
Lionel Poitou, 24, av. du Fort-Médoc, 33460 Cussac-Fort-Médoc, tél. 05.56.58.91.10, fax 05.57.88.83.13, e-mail contact@chateau-tour-du-haut-moulin.com
t.l.j. sf sam. dim. 9h-12h 14h-17h30; groupes sur r.-v.

DOM. DU VATICAN 2004 ★

1 ha 6 000 8 à 11 €

En 1999, la famille Verdier a confié ce microvignoble à René Rabiller. Le merlot, qui trouve là un terroir argileux lui convenant, domine l'encépagement (75 %). Il marque sa présence par d'intenses odeurs de fruits rouges dans le bouquet. Le palais, plein d'une matière riche et généreuse, conduit à une finale encore marquée par les tanins, garants du potentiel de garde (trois à quatre ans minimum) de cette bouteille très réussie et typique. Les vignobles Rabiller produisent également le **Château La Peyre 2004** qui obtient une citation.
René et Dany Rabiller, rte de Saint-Affrique, 33180 Saint-Estèphe, tél. 05.56.59.32.51, fax 05.56.59.70.09, e-mail vignoblesrabiller@wanadoo.fr r.-v.
Verdier

CH. VIALLET NOUHANT

Vieilli en fût de chêne 2004

11,4 ha 28 000 5 à 8 €

Descendant d'un grand-père qui fut le dernier vigneron d'un village berrichon, Alain Nouhant possède de solides racines viticoles. La robe rubis, intense et brillante de son 2004 incite à aller plus loin dans la dégustation, pour découvrir un bouquet discret mais complexe (fruits et toast), puis un palais ample, élégant et bien équilibré.
Alain Nouhant, 5, rue Jeanne-d'Arc, 33460 Cussac-Fort-Médoc, tél. et fax 05.57.88.51.43, e-mail alain.nouhant@libertysurf.fr r.-v.

CH. DE VILLEGEORGE 2004

18,79 ha 48 000 11 à 15 €

90 93 94 95 96 97 |98| 99 |00| 02 03 04

Déjà renommé au XVIIIe s., ce cru, situé entre Cantenac et Avensan, bénéficie d'un bon terroir de graves profondes. Marie-Laure Lurton en a tiré un vin bien typé par sa robe rubis et son nez fruité. Solidement bâti dans la tradition médocaine, ce 2004 mérite d'être attendu pendant quatre ou cinq ans.
Vignobles Marie-Laure Lurton, 2036, Chalet, 33480 Moulis-en-Médoc, tél. 05.56.58.22.01, fax 05.56.58.15.10, e-mail contact@vignobles-marielaurelurton.com r.-v.

Listrac-médoc

Correspondant exclusivement à la commune homonyme, l'appellation est la communale la plus éloignée de l'estuaire. C'est l'un des seuls vignobles que traverse le touriste se rendant à Soulac ou venant de la Pointe-de-Grave. Très original, son terroir correspond au dôme évidé d'un anticlinal, où l'érosion a créé une inversion de relief. A l'ouest, à la lisière de la forêt, se développent trois croupes de graves pyrénéennes, dont les pentes et le sous-sol souvent calcaire favorisent le drainage naturel des sols. Le centre de l'AOC, le dôme évidé, est occupé par la plaine de Peyrelebade, aux sols argilo-calcaires. Enfin, à l'est, s'étendent des croupes de graves garonnaises.

Le listrac est un vin vigoureux et robuste. Cependant, contrairement au style d'autrefois, sa robustesse n'implique plus aujourd'hui une certaine rudesse. Si certains vins restent un peu durs dans leur jeunesse, la plupart contrebalancent leur force tannique par leur rondeur. Tous offrent un bon potentiel de garde, entre sept et dix-huit ans selon les millésimes. En 2005, les 668 ha ont produit 32 224 hl.

CH. BIBIAN 2004 ★★

■ 10 ha 30 000 ▮▮ 11 à 15 €

Les médias parlent beaucoup moins de ce cru qu'à l'époque où il appartenait à Jean Tigana, footballeur du club des Girondins de Bordeaux. Pourtant, sa production n'a jamais atteint un aussi haut niveau qu'aujourd'hui. Ce 2004 en témoigne par sa puissante robe, d'un rouge sombre à reflets grenat, comme par son bouquet naissant, légèrement épicé, qui fait la part belle aux notes de cuir et de fruits noirs. Harmonieux à l'attaque, il révèle de la chair et des tanins serrés, encore jeunes. Un séjour en cave de quatre ou cinq ans lui permettra de trouver sa pleine expression. Également de bonne garde, le **Château Cap Léon Veyrin 2004**, produit par Alain Meyre, reçoit une étoile.

Nathalie et Julien Meyre,
SARL Ch. Bibian, Ch. Cap Léon Veyrin,
33480 Listrac-Médoc, tél. 05.56.58.07.28,
fax 05.56.58.07.50, e-mail capleonveyrin@aol.com
r.-v. ❷

CH. CAPDET 2004 ★

■ 12 ha 36 000 ▮▮ 8 à 11 €

Né sur un terroir constitué en majorité de graves, ce vin se montre digne de son origine par sa robe sombre à la frange vive et son bouquet flatteur. La complexité de ses notes de fruits confits (cerise), de menthol et de café se retrouve au palais, encore austère mais suffisamment solide pour avoir le temps de s'arrondir. On attendra de trois à cinq ans avant d'ouvrir cette bouteille.

Cave de vinification de Listrac-Médoc,
21, av. de Soulac, 33480 Listrac-Médoc,
tél. 05.56.58.03.19, fax 05.56.58.07.22,
e-mail grandlistrac@wanadoo.fr
t.l.j. 8h-12h 14h-18h; dim. sur r.-v.
Jean-Marie Raymond

CH. CLARKE 2004 ★★

■ 54 ha 243 000 ▮▮ 15 à 23 €

(86) **88** 89 **90 95 96** 97 |**98**| |**99**| |**00**| **01 02 03 04**

Ancienne grange de l'abbaye de Vertheuil, planté de vignes dès le XIIe s., ce château fut acheté en 1771 par une famille irlandaise qui lui a légué son nom. Laissé à l'abandon et racheté par le baron Edmond de Rothschild en 1973, ce cru a connu en trois décennies une véritable révolution. Une révolution heureuse si l'on en juge d'après ce 2004 au bouquet assez puissant et nuancé, fait de notes fruitées, épicées et toastées. Le vin s'épanouit au palais et réussit la synthèse entre des tanins bien structurés et une chair ample, le tout soutenu par un boisé élégant. Il n'est pas besoin d'être devin pour lui prédire une bonne garde. Le millésime précédent reçut un coup de cœur.

EV Edmond de Rothschild, 33480 Listrac-Médoc,
tél. 05.56.58.38.00, fax 05.56.58.26.46,
e-mail contact@cver.fr r.-v.

CLOS DES DEMOISELLES 2004 ★★

■ 2,5 ha 15 000 ▮▮ 11 à 15 €

Située entre Fonréaud et Lestage, cette petite propriété, achetée par les Chanfreau en 2002, constitue le trait d'union entre ces deux crus. Son vin a pris le meilleur de ses deux voisins. S'annonçant par une robe d'un rouge sombre et dense, il déploie un bouquet profond, avant de révéler toute sa puissance et tout son charme au palais. Déjà plaisant, il saura également attendre une dizaine d'années.

Jean Chanfreau, 33480 Listrac-Médoc,
tél. 05.56.58.02.43, fax 05.56.58.04.33,
e-mail vignobles.chanfreau@wanadoo.fr
t.l.j. sf sam. dim. 9h-12h 14h-17h

CH. DONISSAN 2004 ★★

■ 10,05 ha 35 000 ▮▮ 8 à 11 €

Trois siècles de tradition familiale sur un cru, le fait est assez rare pour être signalé. La connaissance du terroir permet d'élaborer des vins comme celui-ci. À l'image de sa robe sombre à reflets violets, ce millésime se montre prometteur, tant par le volume et la générosité du palais que par l'harmonie du bouquet floral et fruité (raisin sec, pruneau, myrtille). Tout contribue à faire de ce 2004 une bouteille de caractère, à attendre de cinq à dix ans.

Marie-Véronique Laporte, Ch. Donissan,
33480 Listrac-Médoc, tél. 05.56.58.04.77,
fax 05.56.58.04 45,
e-mail chateau.donissan@wanadoo.fr r.-v.

CH. FONRÉAUD 2004 ★★

■ 36 ha 140 000 ▮▮ 11 à 15 €

82 85 86 88 89 |95| 96 97 |98| |99| |01| **02** 03 **04**

La légende veut qu'au Moyen Âge un roi d'Angleterre se soit arrêté là pour se désaltérer. D'où le nom du château : littéralement, « fontaine royale ». Rassurez-vous, son 2004 n'en est pas pour autant un vin de soif. Très bien équilibré, il se montre d'une grande générosité dans son expression aromatique aux notes d'épices (vanille, cannelle) et de fruits. À la fois fermes et soyeux, les tanins en font un listrac-médoc agréable dès la parution du Guide, tout en lui assurant un potentiel de garde de quatre à cinq ans.

Ch. Fonréaud, 33480 Listrac-Médoc,
tél. 05.56.58.02.43, fax 05.56.58.04.33,
e-mail vignobles.chanfreau@wanadoo.fr
t.l.j. sf sam. dim. 9h-12h 14h-17h
Chanfreau

CH. FOURCAS-DUMONT 2004

■ 15 ha 45 000 ▮▮ 11 à 15 €

S'il reste simple, ce vin n'en est pas moins fort intéressant par robe grenat comme par l'élégance de son expression aromatique aux fines notes de mûre, de cassis et de pain grillé. Souple, ronde et soyeuse la structure est en harmonie avec le bouquet. Tout promet une agréable dégustation d'ici trois à quatre ans.

SCA Ch. Fourcas-Dumont, 12, rue Odilon-Redon,
33480 Listrac-Médoc, tél. 05.56.58.03.84,
fax 05.56.58.01.20,
e-mail info@chateau-fourcas-dumont.com
t.l.j. sf sam. dim. 9h-12h 14h-17h
Lescoutra et Miquau

CH. FOURCAS DUPRÉ 2004 ★

■ 40 ha 265 180 ▮▮ 11 à 15 €

À 44 m d'altitude, ce domaine occupe le point culminant du Médoc. Encore marqué par l'élevage, son

2004 nécessite un peu de repos en cave (trois ou quatre ans). Une garde que cette bouteille est à même d'affronter, sa solide structure et sa franche expression aromatique étant garantes d'un bon potentiel d'évolution. La cuvée **Hautes Terres 2004 (8 à 11 €)** est citée.
Ch. Fourcas Dupré, Le Fourcas,
33480 Listrac-Médoc, tél. 05.56.58.01.07,
fax 05.56.58.02.27,
e-mail chateau-fourcas-dupre@wanadoo.fr
t.l.j. sf sam. dim. 8h-12h 14h-17h

CH. FOURCAS HOSTEN 2004 *

■ 37 ha 255 166 11 à 15 €

81 (82) **83 85 86** 88 |89| |90| 91 92 93 94 |**95**| |**96**| **97** |98| |99| |00| 02 03 04

Propriété des frères Mommeja, héritiers de la famille Hermès, ce cru est régulier en qualité, comme le montre ce 2004. Aussi élégant dans son bouquet qu'en finale, ce vin révèle une trame tannique très listracaise qui assurera un bon vieillissement en cave pendant plusieurs années.
SC du Ch. Fourcas Hosten, 2, rue de l'Église,
33480 Listrac-Médoc, tél. 05.56.58.01.15,
fax 05.56.58.06.73, e-mail fourcas@club-internet.fr
t.l.j. 9h-11h30 14h-16h30; sam. dim. sur r.-v.
Renaud et Laurent Mommeja

CH. LALANDE 2004 *

■ 10 ha 60 000 5 à 8 €

Avec 10 ha et autant de générations successives depuis presque deux siècles, ce cru est représentatif des domaines familiaux qui ont contribué à forger l'image du vignoble médocain. Son vin lui aussi est bien typé ; tant par sa robe, d'un rouge rubis à reflets grenat, que par sa structure construite sur des tanins soyeux. Un bouquet fin et discret complète le portrait de cette bouteille harmonieuse qui sera à maturité d'ici deux à trois ans.
EARL Darriet-Lescoutra, Ch. Lalande,
33480 Listrac-Médoc, tél. 05.56.58.19.45,
fax 05.56.58.15.62, e-mail chlalande.listrac@cario.fr
t.l.j. 9h-12h 14h-19h; sam. dim. sur r.-v.

CH. LESTAGE 2004 **

■ 41 ha 150 000 11 à 15 €

Aujourd'hui propriété de la famille Chanfreau, comme Fonréaud, ce château a été dessiné au XIX^{e}s. par le même architecte. Les vins aussi sont proches, tant par la richesse et la complexité du bouquet que par l'équilibre du palais. Les tanins sont bien extraits mais ils demandent à se fondre : on laissera ce millésime six ou sept ans en cave.
Ch. Lestage, 33480 Listrac-Médoc,
tél. 05.56.58.02.43, fax 05.56.58.04.33,
e-mail vignobles.chanfreau@wanadoo.fr
t.l.j. sf sam. dim. 9h-12h 14h-17h
Chanfreau

CH. MAYNE LALANDE 2004 *

■ 10 ha 60 000 11 à 15 €

89 90 95 96 **97** |**98**| |99| **00** |**01**| **02** 03 04

Le chêne marque le bouquet de ce vin. Issu majoritairement du cabernet-sauvignon, celui-ci affirme son caractère médocain par une solide présence tannique qui invite à le laisser un peu en cave avant de le servir avec une pièce de bœuf.
Bernard Lartigue, Le Mayne de Lalande,
33480 Listrac-Médoc, tél. 05.56.58.27.63,
fax 05.56.58.22.41, e-mail blartigue@terre-net.fr
t.l.j. 9h-12h30 14h-17h30

CH. REVERDI 2004 *

■ 18 ha 13 000 11 à 15 €

S'il n'entend pas rivaliser avec le 2003, coup de cœur l'an dernier, ce vin n'en a pas moins du répondant, avec une puissante structure faite de tanins solides et élégants. Encore un peu austère, il possède un potentiel de garde de trois ans. Autre cru des vignobles Thomas, le **Château L'Ermitage 2004** est cité. Bien charpenté, il demande à vieillir pour se fondre.
SCEA des Vignobles Thomas, Donissan,
33480 Listrac-Médoc, tél. 05.56.58.02.25,
fax 05.56.58.06.56, e-mail contact@chateaureverdi.fr
t.l.j. sf dim. 9h-12h 14h-19h

CH. SÉMEILLAN MAZEAU 2004

■ 12 ha 70 000 8 à 11 €

Le contraste est grand entre la modernité des chais et l'architecture du château du XIX^{e}s. L'élégance de la robe de ce vin, entre rubis et grenat, est égale à celle du bouquet et de la structure, plaisante et bien équilibrée.
SCE Vignobles Jander, 41, av. de Soulac,
33480 Listrac-Médoc, tél. 05.56.58.01.12,
fax 05.56.58.01.57,
e-mail vignobles.jander@wanadoo.fr
t.l.j. sf sam. dim. 9h-12h 14h-18h

CH. VIEUX MOULIN 2004

■ 7 ha 40 000 8 à 11 €

Régulier en qualité, ce cru offre un vin qui aurait mérité un peu plus de gras, mais qui n'en demeure pas moins intéressant par sa complexité aromatique et par sa bonne structure tannique.
Cave de vinification de Listrac-Médoc,
21, av. de Soulac, 33480 Listrac-Médoc,
tél. 05.56.58.03.19, fax 05.56.58.07.22,
e-mail grandlistrac@wanadoo.fr
t.l.j. 8h-12h 14h-18h; dim. sur r.-v.
Fort-Dufau

Moulis et Listrac

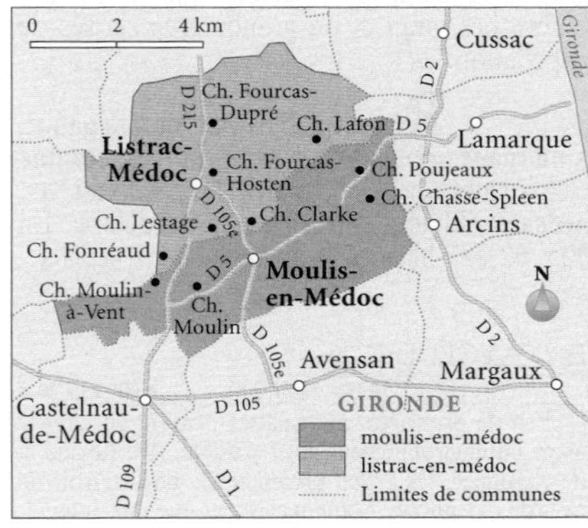

Margaux

Si Margaux est le seul nom d'appellation à être aussi un prénom féminin, ce n'est sans doute pas par un pur hasard. Il suffit de goûter un vin bien typé provenant du terroir margalais pour saisir les liens subtils qui unissent les deux.

Les margaux présentent une excellente aptitude à la garde, mais ils se distinguent aussi par leur souplesse et leur délicatesse que soutiennent des arômes fruités d'une grande élégance. Ils constituent l'exemple même des bouteilles tanniques généreuses et suaves, à enregistrer sur le livre de cave dans la classe des vins de grande garde.

L'originalité des margaux tient à de nombreux facteurs. Les aspects humains ne sont pas à négliger. À l'écart des autres grandes appellations communales médocaines, les viticulteurs margalais ont moins privilégié le cabernet-sauvignon. Ici, tout en restant minoritaire, le merlot prend une importance accrue. D'autre part, l'appellation s'étend sur le territoire de cinq communes : Margaux et Cantenac, Soussans, Labarde et Arsac. Dans chacune d'elles tous les terrains ne font pas partie de l'AOC ; seuls les sols présentant les meilleures aptitudes viti-vinicoles ont été retenus. Le résultat est un terroir homogène qui se compose d'une série de croupes de graves.

Celles-ci s'articulent en deux ensembles : à la périphérie se développe un système faisant penser à une sorte d'archipel continental, dont les « îles » sont séparées par des vallons, ruisseaux ou marais tourbeux ; au cœur de l'appellation, dans les communes de Margaux et de Cantenac, s'étend un plateau de graves blanches, d'environ 6 km sur 2, que l'érosion a découpé en croupes. C'est dans ce secteur que sont situés nombre des vingt et un grands crus classés de l'appellation.

Remarquables par leur élégance, les margaux appellent des mets raffinés, comme le chateaubriand, le canard, le perdreau ou, bordeaux oblige, l'entrecôte à la bordelaise. En 2005, 62 725 hl ont été produits sur 1 423 ha.

CH. D'ANGLUDET 2004 *

■ 34 ha 100 000 🍷 23 à 30 €

Peu de propriétés margalaises peuvent se targuer d'avoir un environnement aussi paisible. Adeptes de la lutte raisonnée, les Sichel préservent le beau terroir de graves de ce vignoble. S'annonçant par une robe intense, leur 2004 dévoile une matière structurée par des tanins soyeux dont l'ampleur témoigne d'une juste extraction. Le tout imprégné d'agréables arômes allant des agrumes aux fruits rouges (fraise et framboise). Élégant et fin, ce vin donnera le meilleur de lui-même dans trois ou quatre ans.

Sichel, Ch. d'Angludet, 33460 Cantenac,
tél. 05.57.88.71.41, fax 05.57.88.72.52,
e-mail contact@chateau-angludet.fr ☑ Y ⛹ r.-v.

CH. D'ARSAC 2004 *

■ 40,84 ha 265 000 🍷 11 à 15 €

Amateur d'art moderne, homme d'affaires, Philippe Raoux vient d'ouvrir à Arsac la *Winery*, une maison du vin comprenant une boutique et un restaurant ; elle propose également expositions, concerts et cours de dégustation. Son 2004 est assez surprenant par sa matière pleine et riche. Si ses tanins sont fortement extraits, c'est finalement le bouquet qui fait son charme, avec de fines notes de toast et de cassis rehaussées d'un soupçon d'épices. Il conviendra d'attendre quelques années que l'ensemble se fonde complètement.

Philippe Raoux, Ch. d'Arsac, 33460 Arsac,
tél. 05.56.58.83.90, fax 05.56.58.83.08,
e-mail chateau.arsac@wanadoo.fr ☑ Y ⛹ r.-v.

CH. BOYD-CANTENAC 2004 *

■ 3e cru clas. 17 ha 45 500 🍷 30 à 38 €

75 ⑧② **83 85** 86 **88** 89 |**90**| |**95**| 96 97 |**98**| |**99**| **00** 02 03 04

Lucien Guillemet est de ces vinificateurs qui ont l'art de faire parler le terroir à travers le vin. Témoin, ce 2004 qui séduit d'emblée par sa teinte pourpre sombre, presque noire. Le bouquet fin et savoureux exprime des arômes de cassis, de mûre et de sous-bois. L'attaque souple et ronde annonce une extraction maîtrisée qui se révèle au palais ; les tanins mûrs sont accompagnés par un boisé racé. Plaisant et bien typé, l'ensemble pourra être apprécié dans deux ou trois ans.

SCE Ch. Boyd-Cantenac et Pouget,
11, rte de Jean-Faure, 33460 Cantenac,
tél. 05.57.88.90.82, fax 05.57.88.33.27,
e-mail guillemet.lucien@wanadoo.fr ☑ Y ⛹ r.-v.
Famille Guillemet

CH. BRANE-CANTENAC 2004 *

■ 2e cru clas. 85 ha 150 000 🍷 38 à 46 €

78 79 81 82 **83** 84 **85** ⑧⑥ 87 |**88**| |**89**| |**90**| 93 **94 95** ⑨⑥ |**97**| |**98**| **99 00 01 02** 03 04

En 2004, il fallait savoir attendre la fin septembre et le début octobre pour vendanger et profiter d'une année faite pour le cabernet-sauvignon (cépage qui représente deux tiers de l'assemblage de ce cru classé). La patience a été récompensée comme le montre ce vin qui s'affiche comme un vrai classique du Médoc. D'abord par sa robe, d'un rouge rubis aussi plaisante que le bouquet délicat où le fruit rouge mûr se mêle aux notes torréfiées de l'élevage ; ensuite par le volume de son palais que soutiennent des tanins présents et veloutés. De fines notes grillées viennent parfumer la finale et contribuer à l'attrait de cette bouteille qui sera à ouvrir dans cinq ans pour accompagner un carré d'agneau rôti. Brane a également fort bien réussi son second vin dans le même millésime ; le **Baron de Brane 2004 (15 à 23 €)**, aux notes de fruits rouges écrasés et aux tanins ronds, obtient une étoile.

Henri Lurton, Sté viticole Henri Lurton, Cantenac, 33460 Margaux, tél. 05.57.88.83.33, fax 05.57.88.72.51, e-mail contact@brane-cantenac.com r.-v.

CH. CANTENAC BROWN 2004 ★★

3e cru clas. 42 ha 132 000 30 à 38 €

82 83 85 86 88 89 90 91 92 93 94 95 96 97 **98** 99 00 **02 03 04**

Ce château a changé de mains en 2005, alors que l'important travail de rénovation entrepris depuis une vingtaine d'années portait déjà pleinement ses fruits, comme en témoigne ce 2004. Sous une robe brillante et profonde, le bouquet élégant joue sur des notes de vanille, de réglisse et de baies noires. Souple et onctueux à l'attaque, le palais se développe sur des tanins présents mais enrobés, avant une finale gourmande où l'on croque le fruit. Tout est à l'unisson dans cette bouteille qui mérite un séjour en cave d'au moins cinq ans. Avec ses notes de rose, de violette et d'épices douces, le **Brio de Cantenac-Brown 2004 (15 à 23 €)** obtient une étoile. Il sera parfait sur des ris de veau aux cèpes.

Ch. Cantenac Brown, 33460 Cantenac, tél. 05.57.88.81.81, fax 05.57.88.81.90, e-mail contact@cantenacbrown.com r.-v.

Famille S. Halabi

CH. CHARMANT 2004

4,69 ha 33 000 11 à 15 €

Peu de vins sont autant en adéquation avec leur nom que celui-ci. De la robe au palais, il révèle beaucoup de finesse et de charme. Le bouquet offre des arômes de fruits rouges légèrement vanillés et la bouche ronde avance sur un lit de tanins légers. À servir dans deux ans sur des fromages.

SCEA René Renon, Ch. Charmant, 33460 Margaux, tél. 05.57.88.35.27, fax 05.57.88.70.59, e-mail scea.rene.renon@wanadoo.fr r.-v.

CH. LE COTEAU 2004 ★

6 ha 30 000 11 à 15 €

Les propriétés familiales ne sont plus légion dans l'appellation margaux. Sur ce domaine, pourtant, Éric Léglise continue à assurer lui-même l'ensemble des travaux de la vigne au chai, avec beaucoup de savoir-faire, à en juger par ce 2004. Une robe pleine de jeunesse, un bouquet complexe, fruité et boisé, et un palais tannique le destinent à reposer en cave au moins trois ou quatre ans avant d'être servi sur un civet de lièvre. Un peu moins puissant mais aimable et bien construit, le second vin, le **Château Laroque 2004** reçoit également une étoile.

Éric Léglise, Ch. Le Coteau, 39, av. Jean-Luc-Vonderheyden, 33460 Arsac, tél. et fax 05.56.58.82.30, e-mail e.leglise@wanadoo.fr r.-v.

CH. DAUZAC 2004 ★★

5e cru clas. 25 ha 125 000 30 à 38 €

82 83 85 86 88 89 90 92 93 **95 96 97 98 99 00** 01 **02** 03 **04**

En 2005, André Lurton a confié à sa fille, Christine Lurton de Caix, la gestion de ce domaine. Dernier millésime

Margaux

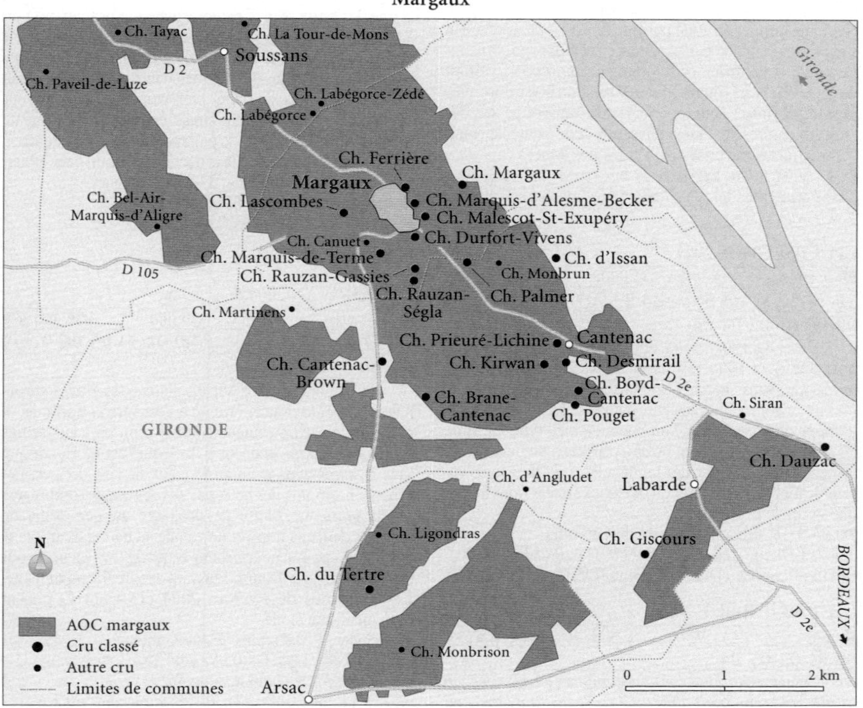

sous la responsabilité de celui-ci, le 2004 est remarquable. Drapé dans une robe classique d'un bordeaux soutenu, il développe un bouquet aussi fin que complexe. L'alliance harmonieuse du bois et du fruit rouge marque la dégustation jusqu'au retour aromatique final. La maturité des tanins donne beaucoup d'élégance au palais. Un vin parfaitement équilibré, à laisser reposer cinq ou six ans en cave.

SAS du Ch. Dauzac, 1, av. Georges-Johnston, 33460 Labarde, tél. 05.57.88.32.10, fax 05.57.88.96.00, e-mail chateaudauzac@chateaudauzac.com t.l.j. sf sam. dim. 9h-12h 14h-17h; f. oct.-mai

MAIF

L'ENCLOS GALLEN 2004

■ 1,7 ha n.c. 23 à 30 €

Issu d'un vignoble de Soussans mais élaboré au château Meyre à Avensan, ce vin est l'un des rares à pouvoir se targuer d'être né dans un hôtel trois étoiles. Le bouquet de fruits mûrs est assez distingué et le palais, soutenu par des tanins présents mais enrobés, profitera d'une garde de quelques années pour s'arrondir pleinement.

Ch. Meyre, 16, rte de Castelnau, 33480 Avensan, tél. 05.56.58.10.77, fax 05.56.58.13.20, e-mail chateau.meyre@wanadoo.fr r.-v.

Corinne Bonne

CH. FERRIÈRE 2004 *

■ 3e cru clas. 8 ha 60 000 15 à 23 €

70 75 78 81 83 84 (85) **86** 87 88 89 92 **93 94** |95| |96| |97| |98| |99| **00 01** 02 **03** 04

Si jadis Ferrière vivait, un peu oublié, dans l'ombre de Lascombes, ce temps est bien révolu et le vin a retrouvé tout son faste. Sans avoir la puissance du 2003, coup de cœur l'an dernier, le 2004 possède une classe naturelle qui s'exprime d'emblée par sa superbe robe pourpre brillant. Le bouquet confirme cette première impression, offrant des notes de baies rouges soutenues par un boisé dosé avec sagesse. Rond et souple, le palais se développe sur des tanins bien présents. Déjà plaisante, cette bouteille réservera de réelles surprises dans quelques années.

C. Villars, Ch. Ferrière, 33 bis, rue de la Trémoille, 33460 Margaux, tél. 05.57.88.76.65, fax 05.57.88.98.33 r.-v.

CH. GISCOURS 2004 *

■ 3e cru clas. 80 ha 320 000 30 à 38 €

75 78 81 **82 83 85** (86) **88 89** 90 91 **93** 94 97 |98| **99 00 01** 02 03 04

S'étendant sur 300 ha, dont 80 de vignoble, Giscours bénéficie d'un beau terroir de graves et d'installations modernes. Sans chercher à rivaliser avec certains millésimes antérieurs, dont plusieurs coups de cœur, ce 2004 ne manque pas de qualités. Son bouquet, bien typé, exprime les fruits rouges finement boisés, prélude à un palais rond et riche, structuré par des tanins pleins de finesse. L'ensemble mérite d'être attendu quelques années pour atteindre sa totale expression.

SAS Ch. Giscours, 10, rte de Giscours, 33460 Labarde, tél. 05.57.97.09.09, fax 05.57.97.09.00, e-mail giscours@chateau-giscours.fr r.-v. 7

CH. LA GURGUE 2004

■ 10 ha 70 000 11 à 15 €

00 01 02 |03| 04

Du même producteur que le château Ferrière, ce vin est plus sévère aujourd'hui mais il possède une matière qui lui permettra de bien évoluer à la garde, en s'arrondissant et en développant pleinement ses arômes de fruits rouges et de vanille.

Ch. La Gurgue, 33, bis rue de la Trémoille, 33460 Margaux, tél. 05.57.88.76.65, fax 05.57.88.98.33 r.-v.

C. Villars

CH. HAUT BRETON LARIGAUDIÈRE 2004 *

■ 9 ha 30 000 15 à 23 €

Né à Soussans sur des graves sableuses, ce vin est bien constitué. Le nez, d'une bonne intensité, montre un boisé judicieusement dosé qui vient enrober les arômes de cassis et de petits fruits rouges. Attaquant en souplesse, le palais équilibré développe des tanins puissants qui marquent encore la finale et demanderont cinq ou six ans pour s'arrondir et se fondre complètement. Le second vin, le **Château du Courneau 2004** pourra être bu plus jeune. Il est cité, comme la troisième étiquette, le **Château Castelbruck 2004**, qui nécessitera un peu de patience.

SCEA Ch. Haut Breton Larigaudière, 3, rue des Anciens-Combattants, 33460 Soussans, tél. 05.57.88.94.17, fax 05.57.88.39.14, e-mail contact@de-mour.com r.-v.

de Schepper

CH. D'ISSAN 2004 *

■ 3e cru clas. 30 ha 109 000 23 à 30 €

82 **83 85 86** |**88**| |89| |90| 93 94 95 |96| |98| |99| **00** 01 02 03 04

Ce cru, qui s'incline du plateau de Cantenac jusqu'à la rive de l'estuaire, a fière allure avec son beau manoir du XVIIe s. Cet environnement harmonieux semble avoir inspiré le vin, dont la dégustation a enchanté le jury : une robe grenat intense, des arômes délicatement poivrés et vanillés, un palais souple et bien constitué, évoluant sur des tanins fins jusqu'à une finale épicée. Il faudra néanmoins s'armer d'un peu de patience et l'attendre quatre à cinq ans au moins avant de le découvrir sur un petit gibier.

Ch. d'Issan, Cantenac, 33460 Cantenac, tél. 05.57.88.35.91, fax 05.57.88.74.24, e-mail issan@chateau-issan.com r.-v.

SFV Cantenac

CH. KIRWAN 2004 *

■ 3e cru clas. n.c. 50 000 38 à 46 €

75 79 81 82 83 **85** (86) 88 **89 93** 94 **95** |**96**| 97 |98| |**99**| **00** 01 **02 03** 04

Un vignoble établi sur un plateau de graves garonnaises en pente douce, orienté à l'est vers la Gironde, et commandé par un château entouré d'un parc aux arbres centenaires ; voilà le décor dans lequel est né ce vin qui, sans rivaliser avec le coup de cœur de l'an dernier, fait écho à l'harmonie des lieux par sa robe rouge sombre aux reflets noirs. Le plaisir se prolonge au nez, riche de senteurs de fruits noirs et de vanille, et au palais ample et élégant. La pointe de fraîcheur en finale invite à un séjour en cave de cinq à dix ans. Puissant et agréablement fruité, **Les Charmes de Kirwan 2004 (15 à 23 €)** obtient également une étoile.

Schÿler, Ch. Kirwan, 33460 Cantenac, tél. 05.57.88.71.00, fax 05.57.88.77.62, e-mail mail@chateau-kirwan.com t.l.j. 9h30-12h 13h30-17h; sam. dim. sur r.-v.

CH. LABÉGORCE 2004

■ 36 ha 160 000 🍷 15 à 23 €

Un des plus anciens vignobles du Médoc, qui appartenait au XIVᵉs. à la maison de Labégorce. Il est commandé par un château construit à la fin du XVIIIᵉs. et entièrement restauré il y a une dizaine d'années. Côté vin, on découvre un 2004 rubis qui déploie un bouquet élégant, mariant avec grâce le fruit au poivre noir et aux notes de torréfaction léguées par l'élevage sous bois. Le palais révèle une bonne présence tannique qui respecte l'harmonie de l'ensemble et garantit un potentiel de garde de deux ou trois ans.

SC Ch. Labégorce, 33460 Margaux,
tél. 05.57.88.71.32, fax 05.57.88.35.01,
e-mail labegorce@chateau-labegorce.fr
t.l.j. 9h-12h 14h-17h
Famille Perrodo

CH. LABÉGORCE-ZÉDÉ 2004 *

■ 27 ha 120 000 23 à 30 €

La dernière récolte signée par Luc Thienpont puisqu'en 2005 cette propriété a été achetée par la famille Perrodo, venue en voisine de Labégorce. Avec ce vin drapé dans une robe rouge de belle étoffe, le départ se fait en beauté, d'autant plus que le bouquet séduit par sa finesse et son élégance. Le palais se révèle plaisant par la souplesse et la rondeur de l'attaque et par sa trame tannique bien fondue aux notes grillées. Un vin harmonieux que l'on attendra avec profit trois ou quatre ans.

SCA Ch. Labégorce-Zédé, 33460 Margaux,
tél. 05.57.88.71.32, fax 05.57.88.35.01,
e-mail labegorce@chateau-labegorce.fr
t.l.j. 9h-12h 14h-17h
Famille Perrodo

CH. LARRUAU 2004 *

■ 12 ha n.c. 8 à 11 €

Bernard Château élabore des vins d'une grande régularité, comme en témoigne des mentions fréquentes dans le Guide. C'est donc sans surprise mais avec un plaisir renouvelé que l'on découvre les qualités de ce 2004 habillé d'une robe rubis. Un bouquet aux notes de fruits rouges, une structure plaisante et un boisé bien dosé composent un ensemble harmonieux et charmeur, qui sera à maturité d'ici trois ou quatre ans.

Bernard Château, 4, rue de la Trémoille,
33460 Margaux, tél. 05.57.88.35.50, fax 05.57.88.76.69
r.-v.

CH. LASCOMBES 2004 **

■ 2e cru clas. 67 ha 296 000 46 à 76 €

76 81 82 83 85 (86) |88| |89| |90| |95| |96| 97 |98| |00| 02 |03| 04

Un premier propriétaire, le chevalier de Lascombes, né en 1625, une chartreuse du XVIIᵉs, un château du XIXᵉs., ici l'Histoire prend une majuscule. Le vin également avec ce superbe 2004 qui a pleinement profité de la diversité des terroirs, parfaitement adaptés à l'encépagement : des argilo-calcaires pour le merlot (44 %), des graves pour le cabernet-sauvignon (53 %) et le petit verdot. Sombre, presque noire à reflets violets, la robe fait rêver par sa brillance et sa profondeur. Complexe et expressif, le bouquet offre un savant dosage de fruits noirs (mûre, myrtille et cerise noire) et d'épices. Quant au palais, il appelle les superlatifs. Puissante, concentrée et racée, la

trame tannique est enrobée de sensations délicates et onctueuses, tandis que se déploie une riche palette aromatique aux notes de fruits un peu confits. Un régal pour tous les sens. Ce millésime méritera les honneurs de la cave pendant au moins cinq à huit ans avant de s'allier aux mets les plus raffinés. Plus modeste mais très plaisant par sa rondeur et ses arômes de pruneau, le **Chevalier de Lascombes 2004 (15 à 23 €)** est cité.

Ch. Lascombes, BP 4, 33460 Margaux,
tél. 05.57.88.70.66, fax 05.57.88.72.17,
e-mail chateaulascombe@chateau-lascombes.fr
r.-v.
Colony Capital

CH. MALESCOT SAINT-EXUPÉRY 2004 *

■ 3e cru clas. 23,5 ha 115 500 30 à 38 €

81 82 83 85 86 |88| 89 90 94 |95| |96| 98 99 00 02 03 04

Grâce à un excellent terroir de graves pyrénéennes, ce cru sait, même dans les millésimes difficiles, produire des vins de grande qualité. C'est le cas de ce 2004 d'un rouge soutenu qui développe un bouquet élégant, mariage harmonieux de raisins mûrs, de nuances de torréfaction et de toast. Rond et gras, le palais bien structuré livre des tanins fins et veloutés. Beaucoup de mâche et une longue finale achèvent de convaincre du bon potentiel de garde de cette bouteille (trois à cinq ans au moins). Bien constitué, le second vin, **La Dame de Malescot 2004 (15 à 23 €)** obtient une citation.

SCEA Ch. Malescot Saint-Exupéry,
33460 Margaux, tél. 05.57.88.97.20, fax 05.57.88.97.21,
e-mail malescotstexupery@malescot.com r.-v.
Roger Zuger

CH. MARGAUX 2004 ***

■ 1er cru clas. 82 ha n.c. + de 76 €

|61| 70 71 75 78 |79| 80 81 |(82)| 83 84 |85| |86| 87 |88| |89| |90| 91 92 |93| |94| (95) (96) |97| (98) (99) (00) 01 02 03 (04)

Si le château néoclassique est un des chefs-d'œuvre de l'architecture médocaine, le terroir est tout aussi digne d'éloges. Ses qualités sont reconnues de longue date : un document écrit par le régisseur de Margaux à la fin du XVIIᵉs. et conservé au château montre que les parcelles qui entraient à l'époque dans le grand vin sont, à d'infimes variations près, les mêmes qu'aujourd'hui. Aussi dans les années difficiles, ce cru a-t-il tous les atouts pour produire un vin d'excellence. C'est le cas de ce 2004 qui impressionne d'entrée par sa robe bigarreau foncé à reflets noirs. Au repos, le vin s'exprime sur des notes empyreumatiques (moka) et boisées ; à l'agitation, les fruits rouges appa-

raissent (fraise, mûre), apportant de la fraîcheur au bouquet. Ample dès l'attaque, la matière souple et fine livre des tanins de belle texture. « Finesse aujourd'hui, élégance pour bientôt », note un dégustateur. Exactement l'image que l'on a d'un margaux.
SCA du Ch. Margaux, BP 31, 33460 Margaux, tél. 05.57.88.83.83, fax 05.57.88.31.32, e-mail chateau-margaux@chateau-margaux.com r.-v.
Corinne Mentzelopoulos

CH. MARQUIS D'ALESME-BECKER 2004

3e cru clas. 15 ha 80 000 23 à 30 €

81 **82** 83 85 **88** 89 96 97 |99| |00| |01| |03| 04

En 2006, ce cru commandé par un château de style Louis XIII a rejoint le bel ensemble margalais constitué par la famille Perrodo. On peut s'attendre à d'importants investissements. Le 2004 est intéressant et plaisant, tant par ses parfums de petits fruits rouges finement boisés que par son attaque souple et sa matière bien fondue et élégante. Il méritera d'être attendu deux ou trois ans.
SC Ch. Labégorce, 33460 Margaux, tél. 05.57.88.71.32, fax 05.57.88.35.01, e-mail labegorce@chateau-labegorce.fr
t.l.j. 9h-12h 14h-17h
Famille Perrodo

CH. MARQUIS DE TERME 2004 ★

4e cru clas. 38 ha 180 000 23 à 30 €

75 81 82 (83) **85 86** |**89**| |90| 93 **94** |**95**| |96| 97 |**98**| |99| (00) |01| 02 03 04

Il était une fois une jeune fille de bonne famille, Élisabeth Ledoulx d'Emplet, qui épousa, en décembre 1762, un gentilhomme gascon, le marquis de Terme, en lui apportant en dot plusieurs parcelles de vignes. Ainsi naquit ce cru établi sur des croupes graveleuses, qui propose un 2004 assemblant le cabernet-sauvignon (60 %), le merlot (30 %) et le petit verdot. C'est un vin au bouquet puissant marqué par l'élevage (notes de moka et de grillé), souple et rond en bouche, construit sur des tanins soyeux. Il ne sera pas nécessaire d'attendre longtemps avant de le servir en accompagnement d'une côte de bœuf grillée sur des sarments.
Ch. Marquis de Terme, 3, rte de Rauzan, BP 11, 33460 Margaux, tél. 05.57.88.30.01, fax 05.57.88.32.51, e-mail mdt@chateau-marquis-de-terme.com
t.l.j. sf sam. dim. 9h-11h 14h-17h; ven. 9h-11h
Sénéclauze

CH. PALMER 2004 ★

3e cru clas. 51 ha n.c. + de 76 €

78 79 80 **81 82 83** 84 **85** (86) **88 89 90 91 92 93 94** |**95**| **96 97 98** |**99**| **00 01 02 03** 04

Nul doute que le major Palmer eut du flair quand il créa ce cru au début du XIXe s. Près de deux cents ans après, le vignoble donne un vin subtil, tout en délicatesse, qui constitue une belle expression du terroir de Margaux. Cette finesse se retrouve dans la robe rubis soutenu comme dans le bouquet. Si ce millésime n'a pas encore dévoilé toute sa personnalité, il apparaît déjà complexe, avec des notes de vanille, d'épices et de grillé qui viennent enrober les fragrances de fruits noirs et mûrs. Souple, d'une bonne longueur, le palais avance sur des tanins fondus qui se prolongent dans une finale élégante. À découvrir dans trois ou quatre ans.
SC Ch. Palmer, Cantenac, 33460 Margaux, tél. 05.57.88.72.72, fax 05.57.88.37.16, e-mail chateau-palmer@chateau-palmer.com r.-v.

CH. PAVEIL DE LUZE 2004

32 ha 180 000 11 à 15 €

Un vignoble de 32 ha d'un seul tenant implanté sur les graves garonnaises du plateau de Soussans et commandé par un château du XVIIe s. possédant une roseraie. Toast, cassis, mûre et truffe composent un bouquet d'une bonne complexité, qui s'harmonise avec la rondeur et le moelleux du palais, dont les tanins solides seront pleinement fondus d'ici deux ou trois ans.
SCEA Ch. Paveil de Luze, 3, chem. du Paveil, 33460 Soussans, tél. 05.57.88.30.03, fax 05.57.88.72.05, e-mail ch.paveil@wanadoo.fr

PAVILLON ROUGE 2004 ★

n.c. n.c. 46 à 76 €

78 81 **82 83 84 85 86 88 89** |**90**| **93** |**95**| **96 97** |**98**| |**99**| **00** |01| 02 **03** 04

Si les seconds vins se contentent parfois d'être de pâles reflets de leurs aînés, le Pavillon Rouge possède une personnalité bien affirmée. Cette individualité s'exprime par des arômes gourmands de fruits rouges, de brioche et d'épices, et par une structure souple, ronde et soutenue par des tanins qui savent être discrets tout en tapissant harmonieusement le palais. Délicat, fin, charmeur, très margaux, un bel excercice de style.
SCA du Ch. Margaux, BP 31, 33460 Margaux, tél. 05.57.88.83.83, fax 05.57.88.31.32, e-mail chateau-margaux@chateau-margaux.com r.-v.
Corinne Mentzelopoulos

CH. POUGET 2004

4e cru clas. 10 ha 30 000 23 à 30 €

75 85 86 88 89 |**90**| 92 94 95 |96| 97 |98| |99| 00 **01** 02 03 04

De sa création au XVIIIe s. jusqu'en 1906, ce cru appartint à la famille Pouget, excepté pendant un court intermède à l'époque de la Révolution où il fut décrété bien national. Depuis un siècle, la famille Guillemet, également propriétaire du château Boyd-Cantenac, préside à sa destinée. Ce 2004 charme par son bouquet aux fines notes grillées et toastées et par son palais à l'attaque souple. Avant de l'apprécier à sa juste valeur, il faudra patienter un an ou deux, le temps que les tanins se fondent complètement. Le 2001 obtint un coup de cœur.
SCE Ch. Boyd-Cantenac et Pouget, 11, rte de Jean-Faure, 33460 Cantenac, tél. 05.57.88.90.82, fax 05.57.88.33.27, e-mail guillemet.lucien@wanadoo.fr r.-v.
Guillemet

CH. PRIEURÉ-LICHINE 2004 ★

■ 4e cru clas. 40 ha 200 000 ⅡI 23 à 30 €

82 83 86 88 89 |90| 92 93 |96| 97 |(98)| |99| 00 01 02 **03** 04

Ce vignoble, créé par des Bénédictins, fut classé en 1855, sous le vocable de Prieuré Cantenac. Il a pris son nom actuel en 1951, quand Alexis Lichine en fit l'acquisition. Habillé d'une robe grenat soutenu, son 2004 est bien typé margaux par l'élégance de son bouquet aux délicats arômes de vanille et de fruits cuits et par son palais ample et rond. Tout est en place pour offrir, après un séjour en cave de quatre ou cinq ans, des accords plaisants avec des mets raffinés.

Ch. Prieuré-Lichine, 34, av. de la Ve-République, 33460 Cantenac, tél. 05.57.88.36.28, fax 05.57.88.78.93, e-mail contact@prieure-lichine.fr ☑ Y ⚲ r.-v.

GPE Ballande

CH. RAUZAN-SÉGLA 2004 ★★

■ 2e cru clas. n.c. 100 000 ⅡI 46 à 76 €

81 82 83 85 |(86)| |88| |89| |90| 91 92 93 94 |95| |(96)| 97 |(98)| |99| (00) **01 02 03 04**

Folie Belle Époque, ce manoir date des années 1900, en dépit de son style XVIIes. Le terroir est lui bien authentique, composé de graves günziennes profondes sur lesquelles s'épanouissent merlot (42 %) et cabernet (53 %). Ce 2004 affirme haut et fort sa personnalité margalaise, par l'élégance de sa robe grenat puis par celle de son bouquet où l'amande grillée côtoie les baies rouges et noires, la vanille et la cannelle ; enfin, par la distinction de ses tanins, à la fois fins et puissants. Une bouteille qui ne demandera qu'une seule chose : que l'on ne se presse pas trop pour découvrir tous ses charmes. Le 2001 reçut un coup de cœur.

SA Ch. Rauzan-Ségla, rue Alexis-Millardet, BP 56, 33460 Margaux, tél. 05.57.88.82.10, fax 05.57.88.34.54, e-mail contact@rauzan-segla.com Y ⚲ r.-v.

Chanel

CH. DU TERTRE 2004 ★

■ 5e cru clas. 50 ha 230 000 ⅡI 23 à 30 €

90 91 92 93 95 96 |98| 99 |00| **01** 02 03 04

Régulier en qualité, ce cru sort avec les honneurs de l'épreuve que fut souvent à Margaux le millésime 2004. Comme d'habitude, ce vin sait se présenter : habillé d'une robe rubis intense, il arbore un bouquet franc et net d'une bonne complexité où s'expriment des notes boisées et toastées. Le palais puissant livre des tanins fermes mais bien extraits. Une garde de deux ou trois ans sera suffisante pour permettre à l'ensemble de s'arrondir.

SEV Ch. du Tertre, av. du Ligondras, 33460 Arsac, tél. 05.57.88.52.52, fax 05.57.88.52.51, e-mail tertre@chateaudutertre.fr ☑ Y ⚲ r.-v.

Éric Albada-Jelgersma

CH. LA TOUR DE BESSAN 2004

■ 15,06 ha 55 639 ▮ⅡI 15 à 23 €

Les vestiges d'une tour de guet du XIIIes. viennent rappeler que l'histoire de Soussans fut parfois mouvementée. Signé par Marie-Laure Lurton et Émilie Roullé, ce millésime mise sur la finesse. De la robe légère au nez délicatement fruité, marqué d'un discret boisé, tout invite à la douceur. Le palais joue la rondeur et la souplesse de l'attaque jusqu'à la finale. Un vin équilibré et harmonieux, déjà prêt mais apte à la garde.

Vignobles Marie-Laure Lurton, 2036, Chalet, 33480 Moulis-en-Médoc, tél. 05.56.58.22.01, fax 05.56.58.15.10, e-mail contact@vignobles-marielaurelurton.com ☑ Y ⚲ r.-v.

CH. LA TOUR DE MONS 2004 ★

■ 46 ha 121 000 ▮ⅡI 15 à 23 €

Établi au cœur de l'ancienne et importante seigneurie de Soussans, qui échut au XVIIIes. aux descendants de Montesquieu, ce cru se montre à la hauteur de son passé et de sa réputation avec ce 2004. D'emblée, la robe, d'un rouge sombre violacé, met en confiance. Intense, le bouquet révèle à l'aération des parfums de fruits mûrs un rien confits et des notes de grillé. Riche et équilibré, le palais possède la force tannique nécessaire pour affronter une garde de quatre ou cinq ans au moins.

SAS Ch. La Tour de Mons, 20, rue de Marsac, 33460 Soussans, tél. 05.57.88.33.03, fax 05.57.88.32.46, e-mail chateau-latourdemons@wanadoo.fr

Moulis-en-médoc

Étroit ruban de 12 km de long sur 300 à 400 m de large, moulis est la moins étendue des appellations communales du Médoc. Elle offre pourtant une large palette de terroirs.

Comme à Listrac, ceux-ci forment trois grands ensembles. À l'ouest, près de la route de Bordeaux à Soulac, le secteur de Bouqueyran présente une topographie variée, avec une crête calcaire et un versant de graves anciennes (pyrénéennes). Au centre, on trouve une plaine argilo-calcaire qui est le prolongement de celle de Peyrelebade (voir listrac-médoc). Enfin, à l'est et au nord-est, près de la voie ferrée, se développent de belles croupes de graves du Günz (graves garonnaises) qui constituent un terroir de choix. C'est dans ce dernier secteur que se trouvent les buttes réputées de Grand-Poujeaux, Maucaillou et Médrac.

Moelleux et charnus, les moulis se caractérisent par leur caractère suave et délicat. Tout en étant de bonne garde (de sept à huit ans), ils peuvent s'épanouir un peu plus rapidement que les vins des autres appellations communales. Le millésime 2005 a produit 29 873 hl sur 634 ha.

CH. BISTON-BRILLETTE 2004 ★

■ 23 ha 115 300 ▮ⅡI 11 à 15 €

88 89 (90) 93 94 95 96 97 98 |99| |00| |01| 02 **03** |04|

Ce domaine, créé au début du XIXes. par M. Biston à partir de vignes situées au lieu-dit Brillette, est dans la même famille depuis 1930. Fidèle à sa tradition, ce cru propose un vin conciliant la finesse et une bonne ampleur. Sa complexité aromatique (fruits noirs et toasté) et sa souplesse lui donnent un côté très plaisant. À boire dès maintenant, sur une alose grillée par exemple.

EARL Ch. Biston-Brillette, Petit-Poujeaux, 33480 Moulis-en-Médoc, tél. 05.56.58.22.86, fax 05.56.58.13.16, e-mail contact@chateaubistonbrillette.com
t.l.j. sf dim. 10h-12h 14h-18h; sam. 10h-12h
Famille Barbarin

CH. BRANAS GRAND POUJEAUX 2004 ★★

9,5 ha 36 000 23 à 30 €

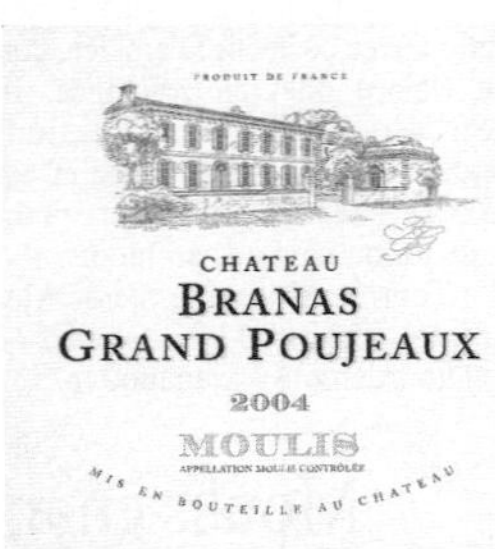

D'origine limbourgeoise et passionné du vin, Justin Onclin, qui vient de racheter le château Villemaurine à Saint-Émilion, a beaucoup investi dans Branas depuis son acquisition en 2002. Ce travail sérieux lui a permis de hisser le cru au niveau des meilleurs ; son ascension a été rapide, comme le montre ce 2004 qui s'affiche dans une robe noire intense. La suite ne déçoit pas : puissant, le bouquet joue habilement sur les notes fruitées et boisées, tandis qu'au palais apparaît une matière grasse et ample, bien équilibrée, que soutiennent des tanins fondus. Déjà élégante, cette bouteille méritera d'être attendue deux ou trois ans.

Justin Onclin, Ch. Branas Grand Poujeaux, Grand Poujeaux, 33480 Moulis-en-Médoc, tél. 05.56.58.93.30, fax 05.56.58.08.62, e-mail c.onclin@branasgrandpoujeaux.com r.-v.

CH. BRILLETTE 2004

n.c. 110 000 15 à 23 €

94 95 96 98 99 |**00**| |01| 02 03 04

Un terroir de graves fines qui luisent d'un éclat particulier au soleil a donné son nom au domaine. Le merlot et le cabernet-sauvignon, mais aussi le cabernet franc et le petit verdot, y ont mûri et donné ce 2004 à la robe sombre et profonde. Souple, délicatement bouqueté sur des notes de baies rouges, d'épices (cannelle) et de pain grillé, ce vin se montre plaisant tout en ayant suffisamment de concentration et de volume pour être attendu deux à trois ans. Il gagnera à être décanté.

Flageul, Ch. Brillette, 3059 Brillette ouest, 33480 Moulis-en-Médoc, tél. 05.56.58.22.09, fax 05.56.58.12.26, e-mail secretariat@chateau-brillette.fr r.-v.

CH. CAROLINE 2004 ★

8,7 ha 30 000 8 à 11 €

Du même producteur que les châteaux Fonréaud et Lestage, à Listrac, ce vin fait preuve d'une réelle élégance. Grenat sombre, il développe des arômes expressifs (vanille, épices et cerise noire) et une trame serrée qui autorise une garde de trois ou quatre ans, voire davantage. Plus simple mais souple, flatteur et assez harmonieux, le **Château Chemin Royal 2004** est cité.

Ch. Lestage, 33480 Listrac-Médoc, tél. 05.56.58.02.43, fax 05.56.58.04.33, e-mail vignobles.chanfreau@wanadoo.fr
t.l.j. sf sam. dim. 9h-12h 14h-17h
Chanfreau

CH. CHASSE-SPLEEN 2004 ★★

62 ha 475 000 15 à 23 €

75 76 **78 79** 80 **81 82** |(83)| **85 86** |**88**| 89 |**90**| 91 92 **93 94** |**95**| |**96**| **97** |**98**| |**99**| **00 01 02 03 04**

Même s'il ne décroche pas le coup de cœur, comme l'an dernier, ce cru a su tirer, une fois encore, le meilleur de son grand terroir de graves garonnaises. Dense et brillante, la robe de son 2004 séduit par les multiples nuances de ses plis : pourpre, rubis, grenat. Le bouquet épanoui est d'une grande complexité : fruits rouges et noirs se marient à des notes toastées délicates. Ronde, charnue et riche, sa structure révèle des tanins fins et fondus. À servir dans trois à cinq ans sur une entrecôte à la bordelaise.

Ch. Chasse-Spleen, 2558, Grand-Poujeaux Sud, 33480 Moulis-en-Médoc, tél. 05.56.58.02.37, fax 05.57.88.84.40, e-mail info@chasse-spleen.com
r.-v.

CH. DUPLESSIS 2004

16,65 ha 96 902 11 à 15 €

Dans ce cru, situé sur la partie argilo-siliceuse de Moulis, la logique du terroir a conduit à opter pour une proportion importante de merlot et de cabernet franc. Leur influence se lit dans le côté fruité du bouquet. Au palais, la souplesse et la finesse de la structure invitent à ouvrir cette bouteille sans trop attendre, pour profiter pleinement de sa jeunesse.

Vignobles Marie-Laure Lurton, 2036, Chalet, 33480 Moulis-en-Médoc, tél. 05.56.58.22.01, fax 05.56.58.15.10, e-mail contact@vignobles-marielaurelurton.com r.-v.

CH. DUTRUCH GRAND POUJEAUX 2004

25,22 ha 123 200 11 à 15 €

81 82 (83) **85 86** 88 89 90 95 |96| 97 98 |99| |00| |**01**| 03 |04|

Appartenant depuis quarante ans à la famille Cordonnier, ce cru propose un 2004 qui, sans rivaliser avec certains millésimes antérieurs, se montre cependant agréable et équilibré. Un léger fruit rouge parfume le nez et des tanins souples structurent la bouche. À servir aujourd'hui ou dans un an.

EARL François Cordonnier, Ch. Dutruch Grand Poujeaux, 33480 Moulis-en-Médoc, tél. 05.56.58.02.55, fax 05.56.58.06.22, e-mail chateau.dutruch@aquinet.net
t.l.j. 9h-12h 14h-16h30; mer. sam. dim. sur r.-v.
F. et J.-B. Cordonnier

CH. LA GARRICQ 2004 ★

3 ha 17 000 15 à 23 €

95 96 **98** 99 |01| 02 **03** |04|

Sur un terroir de graves garonnaises, le cabernet-sauvignon (50 %), le merlot (30 %) et le petit verdot (20 %) ont produit ce 2004 rubis sombre, qui séduit par la délicatesse de son nez. Attaquant en souplesse, la bouche

se développe avec ampleur et équilibre sur des tanins mûrs. Un vin que l'on peut commencer à boire dès aujourd'hui.
SA Ch. Paloumey, 50, rue Pouge-de-Beau,
33290 Ludon-Médoc, tél. 05.57.88.00.66,
fax 05.57.88.00.67, e-mail info@chateaupaloumey.com
t.l.j. sf sam. dim. 9h-18h

CH. GRANINS GRAND POUJEAUX 2004 *

12,03 ha 40 000 11 à 15 €

95 96 97 |99| |01| 02 04

Peyrodon, Granins, Tour Granins, ce vignoble, situé entre Maucaillou et Poujeaux, a souvent changé de nom, comme vous l'exliqueront les Bodin. S'ils sont réputés pour l'amabilité de leur accueil, ils s'y entendent aussi en matière de vinification, comme le prouve ce 2004 fort bien réussi. Sa teinte grenat met en confiance, de même que son bouquet fruité, nuancé par des touches fumées et vanillées. Gras, rond, d'un bon volume et soutenu par des tanins bien présents, le palais révèle un solide potentiel de garde et invite à des accords avec du gibier et autres mets de caractère.
SCEA Batailley, Ch. Granins Grand Poujeaux,
18, chem. de l'Ancienne-École,
33480 Moulis-en-Médoc, tél. 05.56.58.05.82,
fax 05.56.58.05.26, e-mail sceabataillev@wanadoo.fr
t.l.j. sf 9h-12h 14h-19h; sam. dim. sur r.-v.

CH. GUITIGNAN 2004 *

8 ha 39 000 8 à 11 €

Vinifié par la cave coopérative de Listrac, ce cru figure régulièrement dans le Guide. Grenat soutenu à reflets pourpres, son 2004 se montre discret mais délicat dans son expression aromatique aux notes de baies sauvages (merise, prunelle, mirabelle). Bien constitué, le palais s'appuie sur des tanins qui ont suffisamment de punch pour assurer une bonne évolution dans le temps. À attendre trois à cinq ans. Marque de la cave, la **Croix de Lagorce 2004 (5 à 8 €)** présente des tanins soyeux ; elle est citée.
Cave de vinification de Listrac-Médoc,
21, av. de Soulac, 33480 Listrac-Médoc,
tél. 05.56.58.03.19, fax 05.56.58.07.22,
e-mail grandlistrac@wanadoo.fr
t.l.j. 8h-12h 14h-18h; dim. sur r.-v.

RUBIS DE LALAUDEY 2004 **

2 ha 12 000 8 à 11 €

Depuis sa reprise en 2002 par le propriétaire du *Relais de Margaux*, ce cru s'est doté d'une salle de dégustation avec vue panoramique sur le cuvier et le chai. Vous pourrez y goûter ce 2004, dont la robe très sombre tire sur le noir. Vanille, baies noires, coing : le bouquet est aussi complexe qu'harmonieux. Ample et souple, la structure élégante fait preuve d'une certaine puissance qui permet d'envisager quelques années de garde. On attendra donc au moins trois à quatre ans avant de déboucher cette bouteille sur une entrecôte à la moelle. Premier vin du cru, le **Château Lalaudey 2004 (11 à 15 €)**, sur la réserve et encore très marqué par le bois, demande à être attendu. Il décroche une étoile.
SCEA Ch. Lalaudey, rte de Pomeys,
33480 Moulis-en-Médoc, tél. 05.57.88.38.30,
fax 05.56.88.06.00, e-mail lalaudey@chateau-lalaudey.fr
r.-v.
J. Delcroix

CH. LESTAGE-DARQUIER 2004

8,75 ha 20 000 5 à 8 €

Issu d'une authentique propriété familiale plongeant ses racines dans le XIX^e^s., ce vin reste encore un peu discret dans son expression aromatique, même si les fruits rouges et noirs commencent à percer. Élégant, frais et bien équilibré, il est à boire dès maintenant sur une viande grillée, après un passage en carafe.
EARL Bernard,
Grand-Poujeaux, 42, chem. de Giron,
33480 Moulis-en-Médoc, tél. 05.56.58.18.16,
fax 05.56.58.38.42, e-mail lestage-darquier@wanadoo.fr
r.-v.

CH. MALMAISON 2004 **

24 ha 79 000 15 à 23 €

88 89 90 **91** 95 96 97 98 99 |00| 01 02 03 **04**

Ce vin, issu d'un prolongement du château Clarke sur Moulis, peut prétendre à une bonne garde, à l'égal de son cousin listracais. Il affiche d'ailleurs ses ambitions en la matière en arborant une robe d'un grenat foncé qui retient l'attention. Puissant et racé, son bouquet exprime des notes de fruits très mûrs, de coco et de vanille. Après une attaque franche, le vin révèle au palais une belle matière, avec du gras. Son expression aromatique évoque la cerise et le grillé. Pour apporter une touche d'originalité, pourquoi ne pas le découvrir sur un lapin à la tomate et aux escargots ?
EV Edmond de Rothschild, 33480 Listrac-Médoc,
tél. 05.56.58.38.00, fax 05.56.58.26.46,
e-mail contact@cver.fr r.-v.
B. de Rothschild

CH. POUJEAUX 2004 *

60 ha 280 000 15 à 23 €

81 82 83 85 (86) **87 88 89 90 93 94** |**95**| |**96**| **97 98**
|**99**| **00** 01 **02** 03 04

Ce cru au terroir de graves exceptionnel signe un 2004 solide, dans l'assemblage duquel le cabernet franc et le petit verdot viennent compléter le cabernet-sauvignon (50 %) et le merlot (40 %). Les habitués seront peut-être étonnés par la présence marquée du bois, mais ils se rassureront vite en songeant au 2001, qui fut en son temps très boisé, ce qui ne l'empêcha pas de bien évoluer. Il faudra donc attendre deux ou trois ans que les arômes (fruits noirs mûrs) et les tanins se fondent. Le 2002 avait obtenu un coup de cœur.
SA Jean Theil, Ch. Poujeaux,
33480 Moulis-en-Médoc, tél. 05.56.58.02.96,
fax 05.56.58.01.25,
e-mail chateau-poujeaux@wanadoo.fr r.-v.

CH. RUAT PETIT POUJEAUX 2004 *

8 ha 55 000 11 à 15 €

Pierre Goffre-Viaud a œuvré pendant de longues années à la reconstruction de ce vignoble familial. Incontestablement, ses efforts ont porté leurs fruits, témoin ce 2004 au bouquet expressif offrant des notes de fruits confiturés et d'épices douces et au palais rond et satiné. Une bonne mâche, de la richesse et des tanins fondants et séveux dessinent un ensemble gourmand et de bonne garde (trois à cinq ans au moins).
SCE des Vignobles Goffre-Viaud,
57, rte de Tiquetorte, 33480 Moulis-en-Médoc,
tél. 05.56.58.25.15, fax 05.56.58.15.90,
e-mail ruat.petit.poujeaux@wanadoo.fr r.-v.

Pauillac

A peine plus peuplé qu'un gros bourg rural, Pauillac est une vraie petite ville, agrémentée, qui plus est, d'un port de plaisance sur la route du canal du Midi. C'est un endroit où il fait bon déguster, à la terrasse des cafés sur les quais, les crevettes fraîchement pêchées dans l'estuaire. Mais c'est aussi, et surtout, la capitale du Médoc viticole, tant par sa situation géographique, au centre du vignoble, que par la présence de trois premiers crus classés (Lafite, Latour et Mouton) que complète une liste assez impressionnante de quinze autres crus classés. La coopérative assure une production importante. L'appellation a produit 53 615 hl sur 1 204 ha en 2005.

L'aire d'appellation est coupée en deux en son centre par le chenal du Gahet, petit ruisseau séparant les deux plateaux qui portent le vignoble. Celui du nord, qui doit son nom au hameau de Pouyalet, se distingue par une altitude légèrement plus élevée (une trentaine de mètres) et par des pentes plus marquées. Détenant le privilège de posséder deux premiers crus classés (Lafite et Mouton), il se caractérise par une parfaite adéquation entre sol et sous-sol, que l'on retrouve aussi dans le plateau de Saint-Lambert. S'étendant au sud du Gahet, ce dernier s'individualise par la proximité du vallon du Juillac, petit ruisseau marquant la limite méridionale de la commune, qui assure un bon drainage, et par ses graves de grosse taille qui sont particulièrement remarquables sur le terroir du premier cru de ce secteur, Château Latour.

Provenant de croupes graveleuses très pures, les pauillac sont des vins puissants et charpentés, mais aussi fins et élégants, avec un bouquet délicat. Comme ils évoluent très heureusement au vieillissement, il convient de les attendre. Mais ensuite, il ne faut pas avoir peur de les servir sur des plats assez forts comme des préparations de champignons, des viandes rouges, du gibier ou du foie gras.

CH. D'ARMAILHAC 2004 *

■ 5e cru clas. 51 ha 262 400 **30 à 38 €**

72 73 74 75 78 **79 80 81 82 83 84 85** (86) **87 88** **89** **90** 92 93 94 **95** 96 97 **98** 99 00 01 **02** 03 04

L'étiquette de ce vin est illustrée d'un Bacchus émaillé, reproduction d'une statuette du musée de Mouton. S'il fait effectivement partie depuis 1933 de l'ensemble de vignobles constitué par Philippe de Rothschild, ce cru n'en possède pas moins son identité propre. Au premier regard, la robe profonde de ce 2004 annonce son élégance. Puis le bouquet exprime de délicates notes de violette et de raisin mûr. Frais et soyeux, le palais révèle déjà un côté harmonieux. On patientera encore cinq à dix ans avant de sortir de la cave cette bouteille prometteuse.

SA Baron Philippe de Rothschild, BP 117, 33250 Pauillac, tél. 05.56.73.20.20, fax 05.56.73.20.91, e-mail webmaster@bpdr.com r.-v.

CH. BATAILLEY 2004 *

■ 5e cru clas. n.c. 220 000 **15 à 23 €**

70 75 76 78 79 80 81 82 **83 85 86 88** 89 90 **92 93 95** (96) **97 98** 99 00 **01** 02 03 04

Belle unité de 55 ha appartenant à l'une des plus anciennes familles du négoce bordelais (Borie-Manoux) et de la viticulture médocaine (Castéja), ce cru est une fois encore dans l'esprit de l'appellation avec ce millésime. Sa couleur, intense à reflets brillants, annonce une forte personnalité. Celle-ci s'exprime par sa large palette aromatique mêlant les fruits noirs, la noix, la figue et le boisé. La douceur de son palais confère à ce vin une réelle harmonie et sa présence tannique solide lui garantit un bon potentiel de garde.

Héritiers Castéja, Ch. Batailley, 33250 Pauillac, tél. 05.56.00.00.70, fax 05.57.87.48.61, e-mail domaines@borie-manoux.fr r.-v.

CH. BELLEGRAVE 2004 *

■ 8,3 ha 22 000 **15 à 23 €**

97 98 **99 00** 01 02 03 04

Commandée par une bâtisse entourée d'un parc à l'anglaise, ce château donne plus l'impression d'une résidence d'agrément que d'une exploitation viticole. Son vin se charge de démontrer le contraire par sa robe sombre et son bouquet aux élégantes notes d'épices et de cuir. Très pauillac, sa structure tannique suggère un petit séjour en cave qui permettra à cette bouteille de s'affirmer complètement.

Ch. Bellegrave, 22, rte des Châteaux, 33250 Pauillac, tél. 05.56.59.05.53, fax 05.56.59.06.51, e-mail contact@chateau-bellegrave.com r.-v.

Meffre

CH. CHANTECLER Élevé en fût 2004

■ 0,3 ha 2 133 **15 à 23 €**

Premier millésime pour ce cru constitué d'une parcelle de vignes conservée par la famille Mirande lors de la vente de Fleur Milon aux domaines Baron Philippe de Rothschild. Simple mais expressif par son bouquet (cuir et épices), bien constitué, ce vin laisse entrevoir de belles promesses pour son propre avenir comme pour celui du domaine dont il est issu.

Yannick Mirande, 3, rte de Bordeaux, Le Pouyalet, 33250 Pauillac, tél. 06.62.04.97.95, fax 05.56.59.12.47 r.-v.

CH. CLERC MILON 2004 *

■ 5e cru clas. 43 ha 208 600 **38 à 46 €**

75 76 78 79 82 83 85 86 87 88 89 90 92 93 94 (95) **96 97** 98 **99 00** 01 **02** 03 04

Signé par l'équipe de Mouton Rothschild et produit sur un terroir de choix, ce vin se montre digne de ses origines. Son encépagement très diversifié comprend, à côté des traditionnels cabernets et du merlot, une touche de petit verdot et un soupçon de la trop oubliée carmenère. L'ensemble donne un vin rubis à reflets grenat, au bouquet fin et harmonieux jouant sur des notes de fruits noirs, d'épices douces et de cèdre. Quant au palais, tannique, séduisant et riche, il laisse entrevoir un agréable moment

de dégustation à moyen terme : cette bouteille se plaira dans trois ou quatre ans sur une entrecôte aux cèpes.
SA Baron Philippe de Rothschild, BP 117,
33250 Pauillac, tél. 05.56.73.20.20, fax 05.56.73.20.91,
e-mail webmaster@bpdr.com r.-v.

CH. COLOMBIER-MONPELOU 2004

■ 15 ha 100 000 11 à 15 €

Né sur un vignoble fidèle aux traditions médocaines par son encépagement, ce vin, aux tanins bien marqués mais sans agressivité, se montre intéressant par son bouquet élégant aux notes de vanille et de cassis et par son aptitude à la garde. Un séjour de quatre ou cinq ans en cave lui permettra d'achever de se fondre.
SC des Vignobles Jugla,
Ch. Colombier-Monpelou, Lieu-dit Cagnon,
33250 Pauillac, tél. 05.56.59.01.48, fax 05.56.59.12.01
r.-v.

RÉSERVE DE LA COMTESSE 2004

■ n.c. n.c. 23 à 30 €

Seconde étiquette de Pichon Comtesse, ce vin montre le savoir-faire de ses auteurs par son expression de fruits rouges enrobés de notes de noix de coco et de vanille, et par son palais qui a su trouver l'équilibre entre puissance et finesse, texture et fraîcheur. Une bouteille à boire dans sa jeunesse ou à attendre quelques années.
SCI Ch. Pichon-Longueville Comtesse de Lalande,
33250 Pauillac, tél. 05.56.59.19.40, fax 05.56.59.26.56,
e-mail pichon@pichon-lalande.com r.-v.

CH. CORDEILLAN-BAGES 2004

■ 2 ha 8 000 23 à 30 €

Alliant petit vignoble et grande table (l'hôtel-restaurant fait partie des Relais et Châteaux), ce cru propose un 2004 tout à fait digne de figurer sur la carte des vins du restaurant. L'élégance du bouquet, aux notes gourmandes de café, de toasté et de confiture de mûres trouve un écho dans la souplesse du palais aux tanins fins. À attendre deux ou trois ans.
Jean-Michel Cazes, Ch. Cordeillan-Bages,
33250 Pauillac, tél. 05.56.73.24.00, fax 05.56.59.26.42,
e-mail info@cordeillanbages.com

CH. CROIZET-BAGES 2004

■ 5e cru clas. 28 ha 125 000 15 à 23 €

Le vignoble de ce cru situé sur le plateau de Bages bénéficie d'un terroir de graves profondes. L'encépagement marie 65 % de cabernet-sauvignon à 30 % de merlot et à 5 % de cabernet franc. Dans ce millésime délicat, on découvre un vin souple aux tanins fins, dont la palette aromatique associe des notes fruitées à une touche de cuir. Un ensemble élégant et bientôt prêt.
Jean-Michel Quié, 9, rue du Port-de-la-Verrerie,
33250 Pauillac, tél. 05.56.59.66.69, fax 05.56.59.29.80,
e-mail croizetbages@domaines-quie.com
t.l.j. sf sam. dim. 10h-12h 13h30-17h30

CH. DUHART-MILON 2004 ★

■ 4e cru clas. 71 ha 300 000 30 à 38 €

61 70 75 76 79 80 **81** |**82**| **83 85** |**86**| **87** |**88**| |**89**| |**90**| **91 92** |**93**| 94 |**95**| |**96**| |**97**| |**98**| **99** |**00**| **01 02 03** 04

Né sur une butte de graves légères, entre Mouton et Lafite (son « cousin »), ce vin ne peut manquer d'afficher du caractère. Il montre une robe couleur bigarreau foncé et un bouquet de fruits rouges et d'épices douces (vanille), relevé d'une note de clou de girofle. Séveux, pénétrant et généreux, le palais est déjà agréable, tout en montrant un bon potentiel de garde. On laissera cette bouteille en cave de cinq à sept ans.
Ch. Duhart-Milon, 33250 Pauillac,
tél. 01.53.89.78.00, fax 01.53.89.78.01,
e-mail visites@lafite.com r.-v.
Dom. Barons de Rothschild (Lafite)

CH. LA FLEUR PEYRABON 2004 ★★

■ 4,18 ha 28 422 15 à 23 €

Quelques parcelles rigoureusement délimitées de la commune de Saint-Sauveur bénéficient de l'appellation pauillac. Bien mises en valeur par Millésima, maison de négoce réputée du groupe Bernard, celles qui constituent ce cru justifient pleinement de ce privilège par la qualité de vins comme ce 2004. Si sa robe aux éclats sombres attire le regard, c'est le bouquet qui retient l'attention par l'élégance et la complexité de ses parfums, évoluant des baies rouges et noires aux épices douces. Plein, ample et soutenu, le palais est construit sur des tanins souples et de grande classe. Une bouteille à ouvrir en confiance dans quatre à cinq ans.
SARL Ch. Peyrabon, vignes de Peyrabon,
33250 Saint-Sauveur, tél. 05.56.59.57.10,
fax 05.56.59.59.45,
e-mail contact@chateau-peyrabon.com
t.l.j. sf sam. dim. 9h-12h 14h-17h

Pauillac

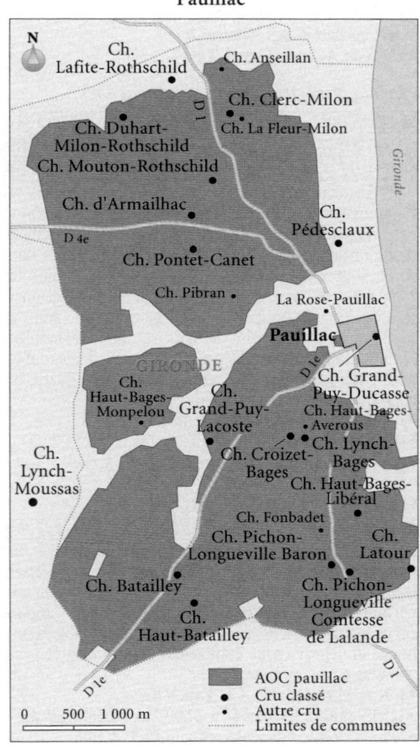

CH. FONBADET 2004

■ 20 ha 30 000 15 à 23 €

Ce cru présente un profil assez particulier du fait du morcellement de son vignoble, constitué de trois entités distinctes. Une garantie d'équilibre comme le montre ce 2004 finement bouqueté, qui marie le fruité et le menthol et évolue en bouche sur des tanins souples et frais. Autre étiquette, **L'Harmonie de Fonbadet 2004 (8 à 11 €)**, qui porte bien son nom, a été citée.

SCEA Domaines Peyronie, Ch. Fonbadet, 33250 Pauillac, tél. 05.56.59.02.11, fax 05.56.59.22.61, e-mail pascale@chateaufonbadet.com r.-v.

CH. GRAND-PUY DUCASSE 2004 ★★

■ 5e cru clas. 40 ha 120 028 23 à 30 €

82 **83** 84 **85** 86 **88** 89 90 91 92 93 94 |95| **96** 97 |98| |99| **00** 01 01 02 **04**

Cette propriété s'est considérablement agrandie depuis un quart de siècle. Cette expansion s'est accompagnée d'améliorations technologiques au cuvier comme au chai, qui lui permettent de proposer de remarquables vins comme ce 2004. Fin, riche et complexe, son bouquet révèle un élevage maîtrisé qui a su respecter et mettre en valeur le fruit. Dans le même esprit, le palais évolue sur des tanins frais et enrobés, sur fond de baies de cassis mûres discrètement boisées. Une bouteille qui mérite d'être gardée trois ou quatre ans avant d'être servie sur un gibier à plume.

SC du Ch. Grand-Puy Ducasse, 4, quai Antoine-Ferchaud, 33250 Pauillac, tél. 05.56.59.98.21, fax 05.56.59.36.47, e-mail contact@cagrandscrus.fr

Crédit Agricole Grands Crus

CH. GRAND-PUY-LACOSTE 2004 ★★

■ 5e cru clas. 55 ha 180 000 30 à 38 €

61 66 70 71 **75** 76 **78** 81 **82 83 85** |(86)| 87 |**88**| |**89**| |**90**| 91 92 93 94 |**95**| |**96**| 97 |**98**| |99| **00** |01| 02 03 **04**

Ancienne propriété d'une famille de conseillers au Parlement de Bordeaux, les Lacoste, ce cru est commandé par un château construit en 1850 dans le prolongement d'une ancienne bâtisse du siècle précédent. Si les bâtiments sont remarquables, ce 2004 ne l'est pas moins. Sa robe presque noire invite à découvrir le bouquet aussi franc qu'élégant qui privilégie les baies noires (mûre et myrtille) dans lesquelles le bois se fond harmonieusement. Charnu et ample, le palais offre une finale tout en finesse qui invite à ouvrir cette bouteille dans quatre ou cinq ans.

Domaines François-Xavier Borie, BP 82, 33250 Pauillac, tél. 05.56.59.06.66, fax 05.56.59.22.27, e-mail dfxb@domainesfxborie.com r.-v.

CH. HAUT-BAGES AVEROUS 2004

■ 90 ha 172 000 23 à 30 €

Benjamin de Lynch-Bages, ce vin assemblant un quart de merlot aux cabernets développe un bouquet où le grillé et quelques notes un peu animales se marient aux parfums de fruits rouges. Souple et fin, le palais s'appuie sur une structure suffisamment étoffée. L'ensemble, d'une bonne fraîcheur, peut commencer à être apprécié ou attendre quelques années.

Jean-Michel Cazes, Ch. Lynch-Bages, 33250 Pauillac, tél. 05.56.73.24.00, fax 05.56.59.26.42, e-mail infochato@lynchbages.com r.-v.

CH. HAUT-BAGES LIBÉRAL 2004 ★

■ 5e cru clas. 28 ha 120 000 15 à 23 €

75 76 78 79 80 81 (82) **83** 84 **85 86** 87 |88| |89| |**90**| 91 92 93 94 |**95**| |**96**| 97 (98) |**99**| (00) |01| **02** 03 04

Claire Villars administre ce cru situé au sud de la commune de Pauillac. Son 2004 assemble deux tiers de cabernet-sauvignon à un tiers de merlot. C'est un vin de caractère, comme l'annoncent sa robe grenat soutenu et son bouquet, expressif sans être explosif, qui joue habilement avec des notes de fruits cuits et de pain chaud. Le palais ample et gras est étoffé de tanins présents mais raffinés. Une bouteille à attendre trois ou quatre ans.

Claire Villars, Ch. Haut-Bages Libéral, 33250 Pauillac, tél. 05.57.88.76.65, fax 05.57.88.98.33 r.-v.

CH. HAUT-BAGES MONPELOU 2004

■ n.c. 40 000 11 à 15 €

Autrefois partie intégrante de Duhart-Milon, ce cru en fut détaché lors de son acquisition en 1948 par Marcel Borie. Assemblant à parts égales les deux cabernets et le merlot, son 2004 est un vin sérieux qui demande à être attendu quatre ou cinq ans pour que le bois se fonde. Son volume et sa structure permettent d'envisager sereinement ce séjour en cave ; il en sortira plus harmonieux, prêt à accorder sa chair fruitée à une viande rouge en sauce.

Héritiers Castéja, 33250 Pauillac, tél. 05.56.00.00.70, fax 05.57.87.48.61, e-mail domaines@borie-manoux.fr

CH. HAUT-BATAILLEY 2004 ★★

■ 5e cru clas. 22 ha 110 000 15 à 23 €

66 71 75 78 81 82 83 84 85 **86 87** 88 |89| |**90**| 91 92 93 **94** |(95)| |**96**| 97 98 |99| **00** |01| 02 03 **04**

En 2006, le cuvier et le chai ont bénéficié d'importants travaux de modernisation. Ce 2004 n'en a pas profité, ce qui ne l'empêche nullement de se montrer parfaitement à l'aise dans son appellation et son millésime. Sa robe soutenue, couleur cerise, met en confiance comme son bouquet d'une grande complexité conjuguant le fruit et le merrain. Son boisé judicieusemennt dosé et ses tanins fins et ronds lui confèrent un solide potentiel de garde. Il faudra l'attendre, et pour patienter il sera possible d'ouvrir une bouteille du second vin, le **Château La Tour L'Aspic 2004 (11 à 15 €)**, qui a été cité.

Domaines François-Xavier Borie, BP 82, 33250 Pauillac, tél. 05.56.59.06.66, fax 05.56.59.22.27, e-mail dfxb@domainesfxborie.com

CH. HAUT DE LA BÉCADE

Élevé en fût de chêne 2004 ★

■ 8,29 ha 6 600 11 à 15 €

Élaboré à la cave coopérative de Pauillac, ce vin s'annonce par une robe sombre et brillante. Au nez, le boisé sait se montrer suffisamment discret pour laisser la place aux petits fruits noirs. Rond, souple et élégant, le palais révèle une structure qui invite à attendre cette bouteille trois ou quatre ans, avant de l'ouvrir sur une viande blanche.

SC La Rose Pauillac, 44, rue du Mal-Joffre, BP 14, 33250 Pauillac, tél. 05.56.59.26.00, fax 05.56.59.63.58 e-mail larosepauillac@wanadoo.fr r.-v.

Rainaud

CH. HAUT MILON Élevé en fût de chêne 2004

■ 10,49 ha 6 600 11 à 15 €

Si le terroir de grosses graves de ce cru est typique de Pauillac, son assemblage privilégiant le merlot (60 %) est plus original. Il en résulte un vin puissant, aux notes de cacao et de grillé, encore assez austère en bouche. Un pauillac à l'ancienne, à attendre trois ou quatre ans puis à servir sur du gibier.

SC La Rose Pauillac,
44, rue du Mal-Joffre, BP 14, 33250 Pauillac,
tél. 05.56.59.26.00, fax 05.56.59.63.58,
e-mail larosepauillac@wanadoo.fr r.-v.
Jany Behr

DOM. IRIS DU GAYON 2004 *

■ n.c. n.c. 23 à 30 €

Pauillac comprend de vastes domaines comme des micropropriétés, tel ce cru installé sur de belles graves dominant la Gironde. Ce 2004 est un vin typé cabernet-sauvignon par ses notes de cassis enrobées d'un fin boisé et par sa structure tannique solide. Une touche chocolatée vient clore la dégustation de cette bouteille qui méritera un petit séjour en cave.

Françoise Siri,
12, rue Plantier-Cornu, 33250 Pauillac,
tél. 05.56.59.03.82, fax 05.56.59.67.00

CH. LAFITE ROTHSCHILD 2004 ***

■ 1er cru clas. 103 ha 250 000 + de 76 €

59 (61) **64** 66 69 70 73 **75 76** 77 **78** 79 80 |**81**| |**82**| |**83**| 84 **85** |**86**| **87** |**88**| |**89**| |**90**| **92 93 94** |(95)| |(96)| |**97**| |(98)| |**99**| |(00)| **01** (02) (03) (04)

La renommée de Lafite n'est plus à faire. Surnommé le « Vin du Roi » sous Louis XV, qui y fut initié par le maréchal de Richelieu, gouverneur de Guyenne, il séduisit également Thomas Jefferson, futur président des États-Unis, lors de son passage en France. Il appartient à la famille d'Éric de Rothschild depuis 1868. Le 2004 se présente dans une robe cerise noire prometteuse. Très concentré, le bouquet exprime de délicats parfums de fleurs (rose, pivoine) avant de déployer une large palette d'arômes allant de la vanille aux fruits (prune) en passant par la liqueur de café. Parfaitement constitué, le palais monte en puissance sur une matière mûre, et révèle des tanins serrés mais bien enrobés. Sa mâche, son élégance et sa finale tout en nuances laissent le souvenir d'un vin d'une grande profondeur, qu'il ne faudra pas hésiter à laisser en cave pendant au moins huit ou dix ans.

Ch. Lafite Rothschild, 33250 Pauillac,
tél. 01.53.89.78.00, fax 01.53.89.78.01 r.-v.
Dom. Barons de Rothschild (Lafite)

CARRUADES DE LAFITE 2004 *

■ 103 ha 300 000 46 à 76 €

85 86 |**88**| |**89**| |90| 92 93 94 |**95**| |**96**| 97 |98| |**99**| 00 01 02 03 04

Seconde étiquette de Lafite, ce vin bénéficie du même terroir exceptionnel mais diffère de son grand frère par son esprit : tout au long de la dégustation, il se signale par son amabilité (25 % de merlot). D'une jolie couleur cerise, il développe au bouquet d'intenses arômes de fruits rouges, de cuir et d'épices douces. Souple et gourmande, l'attaque prépare l'arrivée des tanins soyeux. Une bouteille qui fera agréablement patienter avant de découvrir le grand vin.

Ch. Lafite Rothschild, 33250 Pauillac,
tél. 01.53.89.78.00, fax 01.53.89.78.01 r.-v.

CH. LATOUR 2004 **

■ 1er cru clas. n.c. 170 000 + de 76 €

|(61)| **67 71** 73 74 75 **76** 77 **78** 79 **80** 81 |**82**| |**83**| 84 |**85**| |**86**| **87** |**88**| |**89**| |**90**| |**91**| **92** |**93**| **94** |(95)| |**96**| |**97**| (98) **99** (00) **01** (02) (03) **04**

Depuis 1993, François Pinault a pris en main les destinées de ce cru. Les investissements et les améliorations ont été nombreux et aujourd'hui l'architecture intérieure des bâtiments d'exploitation, véritable « fort carré », procurent une impression de rigueur qui se dégage aussi de ce millésime. D'un rouge profond à reflets noirs, sa robe annonce un ensemble solide et sans failles. Généreux et structuré, construit sur des tanins puissants sans être agressifs, ce vin justifiera pleinement un séjour en cave de huit à douze ans. Alors, sa palette aromatique, faite de fruits rouges et de vanille, s'épanouira pleinement et révélera tout son agrément.

SCV du Ch. Latour, Saint-Lambert, 33250 Pauillac,
tél. 05.56.73.19.80, fax 05.56.73.19.81,
e-mail info@chateau-latour.com
F. Pinault

LES FORTS DE LATOUR 2004 *

■ n.c. n.c. 46 à 76 €

80 **81 82 83 85 86 87** |**88**| |**89**| |**90**| **92 94** |**95**| |**96**| 97 |**98**| **99 00** |01| |02| 03 04

Comprenant un peu moins de cabernet-sauvignon que son grand frère (74 % contre 85 %), le second vin de Latour sera à boire plus jeune, dans quatre à six ans. Pas avant, car il faut laisser aux tanins le temps de se fondre et permettre au bouquet de développer complètement ses fines notes de tabac, de grillé, de compote de fruits et de cuir.

SCV du Ch. Latour, Saint-Lambert, 33250 Pauillac,
tél. 05.56.73.19.80, fax 05.56.73.19.81,
e-mail info@chateau-latour.com

CH. LYNCH-BAGES 2004 **

■ 5e cru clas. 90 ha 400 000 46 à 76 €

75 79 80 **81** |(82)| **83** 84 |**85**| |**86**| **87 88 89** |**90**| 91 92 93 94 |95| |**96**| |97| |(98)| |**99**| (00) **01 02 03 04**

Ce cru est non seulement l'une des plus vastes unités de l'appellation, mais aussi l'un des domaines les plus représentatifs de Pauillac, notamment par son vin. D'une grande richesse, ce millésime sait concilier la puissance et l'élégance, tant dans son expression aromatique, qui associe des notes d'épices, de toast et de cuir et des nuances de fruits cuits, que dans sa structure franche, corsée et charnue. Ses tanins ronds et fondus mènent en souplesse vers une finale soyeuse, qui permettra de

déboucher cette bouteille dans quatre ou cinq ans pour la servir sur un filet de bœuf.
🔑 Jean-Michel Cazes, Ch. Lynch-Bages, 33250 Pauillac, tél. 05.56.73.24.00, fax 05.56.59.26.42, e-mail infochato@lynchbages.com ☑ 🍷 ✶ r.-v.

CH. LYNCH-MOUSSAS 2004 *

■ 5e cru clas. n.c. 150 000 ⅡⅠ 15 à 23 €

81 82 **83** 85 86 88 89 |**90**| 93 |95| |96| 97 |98| **00** |01| 02 03 04

Dans les années 1920, on pouvait croiser le roi Alphonse XIII d'Espagne qui chassait dans le parc du château. Appartenant à la famille Castéja, propriétaire de Batailley, ce cru étend son vignoble sur une croupe de graves près du hameau d'Artigues. Le 2004 se présente dans une superbe tunique grenat. S'il reste un peu sur la réserve au bouquet, il révèle son caractère au palais, dévoilant de séduisantes notes fruitées. Puissant et typé, il appelle une garde de quatre à cinq ans au moins avant d'être présenté sur des gibiers à poil ou sur des fromages.
🔑 Émile Castéja, 33250 Pauillac, tél. 05.56.00.00.70, fax 05.57.87.48.61, e-mail domaines@borie-manoux.fr ☑ 🍷 ✶ r.-v.

CH. MOUTON ROTHSCHILD 2004 **

■ 1er cru clas. 84 ha 245 350 ⅡⅠ + de 76 €

73 74 **75 76** 77 **78 79** 80 81 |**82**| |**83**| **84** |**85**| **(86) 87** |**88**| |**89**| |**90**| |**91**| |**92**| |**93**| |**94**| **(95)** |**96**| |**97**| **(98) 99 (00) 01 02 03 04**

L'année 2004 marque le centenaire de l'Entente cordiale. Pour célébrer cet événement, l'étiquette de Mouton Rothschild, ornée chaque année d'une illustration originale, reproduit une aquarelle du prince de Galles représentant des pins sur le cap d'Antibes. Quant au vin, il ne manque pas de classe. Élégant et complexe, le bouquet marie avec subtilité des arômes de crème de cassis à des notes de torréfaction, d'épices et de cèdre. Le palais enrichit la gamme de fraîches notes de violette. Puissants et racés, les tanins joliment enrobés contribuent à l'équilibre et à l'harmonie d'un ensemble d'une rare longueur.
🔑 SA Baron Philippe de Rothschild, BP 117, 33250 Pauillac, tél. 05.56.73.20.20, fax 05.56.73.20.91, e-mail webmaster@bpdr.com 🍷 ✶ r.-v.

CH. PIBRAN 2004 **

■ 17 ha 60 000 ⅡⅠ 23 à 30 €

00 01 **02** 03 **04**

S'étendant sur 10 ha à l'origine, le domaine s'est agrandi en 2001 par le rachat de la propriété voisine, le château Tour Pibran. Appartenant à Axa Millésimes depuis vingt ans, ce cru jouit d'un terroir de qualité (graves garonnaises) dont il a su tirer profit en 2004 pour proposer un vin doté d'une remarquable structure. Son caractère est clairement annoncé par sa robe sombre. Ses parfums concentrés de pruneau, de toast et de grillé s'accordent avec le palais, riche, gras et charnu, pour composer un ensemble qui affirme haut et fort son aptitude à la garde. Une bouteille à laisser cinq ans en cave et qui pourra vieillir une décennie, voire davantage.
🔑 Ch. Pibran, 33250 Pauillac, tél. 05.56.73.17.17, fax 05.56.73.17.28
🔑 Axa Millésimes

CH. PICHON-LONGUEVILLE BARON 2004 **

■ 2e cru clas. 73 ha 210 000 ⅡⅠ 46 à 76 €

78 81 |**82**| **83** 84 **85 86 87** |**88**| |**89**| |**(90)**| **91 92 93 94** |**95**| **(96)** |**97**| **98 99 00 01 02 03 04**

Baptisé tour à tour La Bâtisse, La Bastide puis La Baderne, ce cru a pris une partie de son nom actuel lorsqu'au XVIIe s., il échut par mariage à Jacques de Pichon, baron de Longueville. Appartenant depuis 1987 au groupe Axa, il a bénéficié d'investissements importants : dernier en date, la construction d'un second chai de vieillissement souterrain prévu pour septembre 2007. Voisin immédiat de Latour, ce cru jouit d'un terroir d'exception, fait de belles graves garonnaises. Le travail des hommes étant à la hauteur des qualités du sol, on découvre un 2004 remarquable, d'un rubis sombre, au bouquet harmonieux mêlant le grillé, les fruits mûrs et la réglisse. Velouté à l'attaque, le palais monte en puissance, structuré par des tanins nobles. Il ne perd jamais en élégance grâce à son fruité et à son équilibre parfait qui promet à cette bouteille une longue garde.
🔑 Ch. Pichon-Longueville, BP 112, 33250 Pauillac, tél. 05.56.73.17.17, fax 05.56.73.17.28, e-mail contact@pichonlongueville.com 🍷 ✶ r.-v.
🔑 Axa Millésimes

CH. PICHON-LONGUEVILLE COMTESSE DE LALANDE 2004 **

■ 2e cru clas. n.c. n.c. ⅡⅠ 46 à 76 €

66 70 71 75 76 78 79 80 **81 82 83** 84 **85** |**(86)**| 87 **(88)** |**89**| |90| |**91**| 92 **93 94** |**95**| |96| |**97**| |**98**| |**99**| **00** |**01**| **02 03 04**

Ce second cru classé vient d'être acheté début 2007 par le groupe champenois Roederer, déjà présent à Saint-Estèphe où il détient le château de Pez. Ce 2004 montre à quel niveau qualitatif le domaine avait été hissé en un peu plus de deux décennies par son ancienne propriétaire, May-Éliane de Lencquesaing. Le caractère du vin s'affirme dès la présentation par une teinte foncée et des arômes de pruneau. Souple et charnu, étoffé de solides tanins, le palais poursuit dans le même style et

promet un grand pauillac qui n'atteindra pas son apogée avant cinq à dix ans, voire davantage.
SCI Ch. Pichon-Longueville Comtesse de Lalande, 33250 Pauillac, tél. 05.56.59.19.40, fax 05.56.59.26.56, e-mail pichon@pichon-lalande.com r.-v.
Roederer

CH. PONTET-CANET 2004 *

■ 5e cru clas. 60 ha 280 000 38 à 46 €

82 **83** 84 **85** 86 87 88 **89** |90| 91 92 **93** 94 |**95**| |**96**| **97** |98| |**99**| |**00**| **01 02 03** 04

Le domaine mérite une halte pour l'intérêt de son patrimoine bâti : un château du XVIIIes. et un cuvier typique de l'architecture viticole médocaine. Son vin sait lui aussi retenir l'attention par sa robe rubis foncé et par son bouquet qui révèle une réelle richesse à l'aération, livrant des notes de cerise à l'eau-de-vie, de noyau et de caramel. Enrobés et soyeux, ses tanins permettent de profiter sans attendre de cette bouteille que l'on pourra aussi attendre quatre à cinq ans.
SAS Ch. Pontet-Canet, 33250 Pauillac, tél. 05.56.59.04.04, fax 05.56.59.26.63 r.-v.

LA ROSE PAUILLAC

Cuvée Bois de Rose Élevé en fût de chêne 2004

■ 53 ha 130 000 11 à 15 €

Marque de la cave coopérative, ce vin n'a rien de confidentiel, ce qui ne donne que plus d'intérêt à ses qualités : une couleur rouge grenat, une expression aromatique mariant harmonieusement les apports du fruit et de l'élevage, des tanins fins et d'une bonne puissance. À boire ces prochaines années.
SC La Rose Pauillac, 44, rue du Mal-Joffre, BP 14, 33250 Pauillac, tél. 05.56.59.26.00, fax 05.56.59.63.58, e-mail larosepauillac@wanadoo.fr r.-v.

LES TOURELLES DE LONGUEVILLE 2004 **

■ 73 ha 150 000 23 à 30 €

Fait rare qui confirme la remarquable qualité du 2004 de Pichon Baron, coup de cœur cette année, le second vin décroche lui aussi deux étoiles. Aussi intense dans sa couleur qu'au bouquet, aux parfums mêlés d'épices, de fruits noirs et de réglisse, il s'affiche comme un superbe vin de garde. Ses élégants tanins, bien soutenus par le bois, invitent à attendre trois ou quatre ans, voire davantage, avant d'ouvrir cette bouteille sur une pièce de viande rouge.
Ch. Pichon-Longueville, BP 112, 33250 Pauillac, tél. 05.56.73.17.17, fax 05.56.73.17.28, e-mail contact@pichonlongueville.com r.-v.
Axa Millésimes

CH. TOUR SIEUJEAN Cuvée Sélection 2004 *

■ 6 ha n.c. 15 à 23 €

Ce vignoble familial peut tirer une certaine fierté de sa vieille tour médiévale restaurée et convertie en maison d'habitation. Il peut également être satisfait de sa production, et notamment de ce 2004 simple mais bien constitué. Son bouquet aux discrètes notes de fruits mûrs rélevées d'une touche animale comme sa structure aux tanins fins procurent une impression de douceur, qui permettra d'apprécier cette bouteille sans attendre à moins que l'on ne préfère la garder deux à quatre ans.
André Lopez, 9-11 rte de Pauillac, Ch. Tour Sieujean, 33112 Saint-Laurent-Médoc, tél. 05.56.59.46.03, fax 05.56.59.41.40, e-mail steph_chaumont@hotmail.com
t.l.j. sf dim. 10h-18h

Saint-estèphe

À quelques encablures de Pauillac et de son port, Saint-Estèphe affirme un caractère terrien avec ses rustiques hameaux pleins de charme. Correspondant (à l'exception de quelques hectares compris dans l'appellation pauillac) à la commune elle-même, l'appellation (60 996 hl pour 1 233 ha déclarés en 2005) est la plus septentrionale des six appellations communales médocaines. Ce qui lui donne une typicité assez accusée, avec une altitude moyenne d'une quarantaine de mètres et des sols formés de graves légèrement plus argileuses que dans les appellations plus méridionales. L'appellation compte cinq crus classés, et les vins qui y sont produits portent la marque du terroir. Celui-ci renforce nettement leur caractère, avec, en général, une acidité des raisins plus élevée, une couleur plus intense et une richesse en tanins plus grande que pour les autres médocs. Très puissants, ce sont d'excellents vins de garde.

CH. ANDRON BLANQUET 2004 *

■ 16 ha n.c. 11 à 15 €

85 86 88 89 **90** 93 95 96 97 |98| 99 00 01 02 03 04

Du même producteur que le Cos Labory, ce cru emprunte son nom à celui d'un lieu-dit (Blanquet) et d'un ancien propriétaire (M. Andron). Privilégiant le cabernet-sauvignon (70 %) assemblé au merlot, ce 2004 d'un rouge assez profond livre un bouquet mariant des notes de fruits confits et de fumée. Il se montre intéressant par sa constitution équilibrée, à la fois puissante et raffinée. Les tanins encore fermes invitent à l'attendre environ cinq ans.
SCE Domaines Audoy, Ch. Andron Blanquet, 33180 Saint-Estèphe, tél. 05.56.59.30.22, fax 05.56.59.73.52, e-mail cos-labory@wanadoo.fr

CH. L'ARGILUS DU ROI Élevé en barrique 2004 *

■ 4 ha 22 000 11 à 15 €

Ce petit cru a connu une forte croissance depuis sa naissance en 1996, passant de 1 à 4 ha. José Bueno, qui fut vinificateur pour les domaines Baron Philippe de Rothschild pendant vingt-trois ans, y apporte tout son savoir-faire. La robe de son 2004 est rubis intense, son bouquet aussi expressif que complexe : il marie avec bonheur la violette aux fruits rouges et à un boisé délicat. Le palais affirme également sa forte personnalité par son gras et ses tanins soyeux. La finale persistante confirme les qualités de cette bouteille qu'il faudra attendre au moins deux à trois ans.
José Bueno, 6, rue du Luc, 33250 Cissac-Médoc, tél. 05.56.73.49.78, fax 05.56.59.53.74 r.-v.

CH. BEL AIR 2004 *

■ n.c. 26 000 11 à 15 €

Courtier en vins, Jean-François Braquessac trouve également le temps de cultiver ce petit vignoble de près de 5 ha. Rubis foncé, la robe de son 2004 annonce le charme

du bouquet, qui décline en finesse des notes de violette. Souple, gras et tout en rondeur, le palais possède une réelle présence tannique qui appelle trois à quatre ans de garde.
🔑 Jean-François Braquessac, 4, chem. de Fontauge, 33118 Saint-Estèphe, tél. 05.56.58.21.03, fax 05.56.58.17.20, e-mail jeanfrancoisbraquessac@wanadoo.fr ☑ Y ⛹ r.-v.

CH. LE BOSCQ 2004 ★★

■ 15,3 ha 70 000 ⊪ 15 à 23 €

82 83 85 ⑧⑥ **88** 89 90 95 96 97 **|98| |99| 00** 01 02 **03 04**

Campé sur une croupe de graves dominant la Gironde et commandé par un château du XVIIIe s., ce domaine exploité par les vignobles Dourthe offre un cadre enchanteur. S'annonçant par une tunique d'un rubis brillant, ce 2004 développe un bouquet ouvert qui impressionne par sa complexité. Les arômes de fruits s'associent à de délicates nuances de café, de grillé et de menthol. Au palais, ce vin s'affirme par des saveurs gourmandes qui s'appuient sur une bonne assise tannique. D'une puissance maîtrisée, il mérite un séjour en cave de cinq ou six ans au moins.
🔑 Ch. Le Boscq-Vignobles Dourthe, 33180 Saint-Estèphe, tél. 05.56.35.53.00, fax 05.56.35.53.29, e-mail contact@cvbg.com Y ⛹ r.-v.

CH. CALON SÉGUR 2004

■ 3e cru clas. 53 ha 250 000 ⊪ **46 à 76 €**

Coup de cœur l'an dernier, ce cru affiche plus de modestie dans ce millésime difficile que fut 2004. Sur le terroir graveleux du domaine, le cabernet-sauvignon (60 %), complété de merlot (30 %) et de cabernet franc a donné un vin au nez assez expressif, fruité et épicé, qui possède une bonne matière, signe d'une extraction réussie. Souple et plaisante, la bouche, déjà agréable, annonce une bouteille bientôt prête, qui pourra passer à table dans un ou deux ans.
🔑 SCEA Calon Ségur, 33180 Saint-Estèphe, tél. 05.56.59.30.08, fax 05.56.59.30.27, e-mail calon-segur@calon-segur.fr Y ⛹ r.-v.

CH. CHAMBERT-MARBUZET 2004 ★★

■ 5 ha 30 000 ⊪ 15 à 23 €

Loin d'être une simple dépendance de Haut-Marbuzet, Chambert est un cru authentique par son histoire et son terroir. On le devine dans le caractère de ce 2004. Sa teinte, profonde et soutenue, est celle d'un grand vin. Le bouquet est empreint d'une note toastée d'élevage, marque de fabrique d'Henri Duboscq. Les arômes de fruits (cerise, cassis, prune) ne sont pas oubliés pour autant. D'une plaisante rondeur, le palais révèle une matière noble et racée. Une entrecôte sur les sarments conviendra parfaitement à cette bouteille ; mais pas avant cinq ans.
🔑 Henri Duboscq et Fils, Ch. Chambert-Marbuzet, 33180 Saint-Estèphe, tél. 05.56.59.30.54, fax 05.56.59.70.87, e-mail infos@haut-marbuzet.net ☑ Y ⛹ r.-v.

CH. CLAUZET 2004

■ 23 ha 120 000 ⊪ **15 à 23 €**

Homme d'affaires spécialisé dans le transport, Maurice Velge a acquis ce vignoble en 1997 pour réaliser un vieux rêve. S'il n'est pas encore complètement ouvert, le bouquet de ce 2004 est déjà intéressant par ses notes bien fondues de fruits rouges mûrs et de bois. Charmeuse, l'attaque ouvre sur un palais dont les fermes tanins s'affichent avec une certaine ostentation et dont la matière promet de se révéler après deux ou trois ans de garde.
🔑 Baron Velge, Ch. Clauzet, Leyssac, 33180 Saint-Estèphe, tél. 05.56.59.34.16, fax 05.56.59.37.11 ☑ Y ⛹ r.-v.

CH. LA COMMANDERIE 2004 ★

■ 16 ha 76 000 ▮⊪ 11 à 15 €

Exclusivité de la maison Kressmann, ce vin est assez typique des saint-estèphe. Paré d'une robe sombre, il révèle un bouquet d'une bonne intensité mêlant les épices et le bois de cèdre à de fines notes fruitées. Gras et construit sur une puissante assise tannique, le palais est bien marqué par le cabernet-sauvignon qui compose près de la moitié de l'assemblage. Plein et long, un vin qui mérite une bonne garde et qui conviendra au gibier.
🔑 Maison Kressmann, Ch. La Commanderie, Leyssac, 33180 Saint-Estèphe, tél. 05.56.35.53.00, fax 05.56.35.53.29, e-mail contact@kressmann.com ☑ Y ⛹ r.-v.
🔑 Claude Meffre

CH. COS LABORY 2004 ★★

■ 5e cru clas. 18 ha 93 000 ⊪ 15 à 23 €

82 **83 85 86** 88 89 ⑨⓪ 91 **92** 93 94 95 **|96| 97 98 |99|** 00 **01** 02 03 **04**

Une colline de graves günziennes sur un socle marno-calcaire (caux) a donné son nom à ce cru bénéficiant depuis quelque temps de chais neufs. C'est dire si ce saint-estèphe est bien né, mais aussi bien élevé (seize mois en fût), comme le prouve son nez élégant et fin aux notes boisées, toastées et vanillées assez fondues. En bouche, c'est un vin solide, structuré par des tanins nobles, présents mais soyeux. La longue finale confirme le potentiel de ce 2004, que l'on attendra encore cinq ans au moins.
🔑 SCE Domaines Audoy, Ch. Cos Labory, 33180 Saint-Estèphe, tél. 05.56.59.30.22, fax 05.56.59.73.52, e-mail cos-labory@wanadoo.fr ☑ Y ⛹ r.-v.

CH. COSSIEU-COUTELIN 2004 ★

■ 1,5 ha 17 700 ⊪ 8 à 11 €

Une superficie confidentielle pour ce vin présenté par Cheval Quancard. Sous sa robe d'un grenat vif et soutenu, le bouquet puissant exprime des notes d'épices, de vanille et de confiture de baies rouges. La bouche souple et charnue est structurée par des tanins assez fondus, avant une longue finale suave. À découvrir dans trois ans. Autre cru proposé par la même maison, le **Château Bel-Air Ortet 2004** est cité.
🔑 Cheval Quancard, 4, rue du Carbouney, La Mouline, BP 36, 33565 Carbon-Blanc Cedex, tél. 05.57.77.88.88, fax 05.57.77.88.99, e-mail chevalquancard@chevalquancard.com Y ⛹ r.-v.

CH. COUTELIN-MERVILLE 2004 ★

■ 20 ha 101 000 ⊪ **15 à 23 €**

Situé dans la partie ouest de l'appellation, ce cru au terroir argilo-calcaire joue résolument la carte de la tradition dans son encépagement incluant une touche de petit verdot comme dans ses méthodes de vinification. Il en résulte un vin prometteur, tant par sa robe profonde et brillante que par son bouquet encore jeune ou son palais ample et puissant, marqué d'arômes de fruits cuits et d'épices. À attendre quatre à cinq ans.

G. Estager et Fils, Blanquet, 33180 Saint-Estèphe, tél. et fax 05.56.59.32.10 r.-v.

CH. LE CROCK 2004

32,17 ha 155 000 15 à 23 €

90 95 96 97 |98| **99** 00 |01| 02 03 04

Avec son étang et ses magnifiques frondaisons, le parc de ce château possède un charme fou. Son vin sait aussi retenir l'attention : simple mais bien fait, il développe de fraîches notes de fruits rouges et d'épices et montre une structure tannique fondue dans un ensemble assez rond et charnu. À garder quatre ou cinq ans en cave.

S. F. Cuvelier, Ch. Le Crock, Marbuzet, 33180 Saint-Estèphe, tél. 05.56.59.08.30, fax 05.56.59.60.09, e-mail lp@leoville-poyferre.fr r.-v.

CH. HAUT-BEAUSÉJOUR 2004 *

20 ha 150 000 15 à 23 €

La diversité des terroirs (graves et argilo-calcaires) et de l'encépagement constitue la richesse de ce cru racheté il y a quinze ans par les Champagnes Roederer. Derrière un élevage encore très présent par ses notes de grillé et de toasté, on devine un bouquet agréable, de la matière et une solide structure. Cette dernière permettra d'attendre trois ou quatre ans pour laisser au merrain le temps de se fondre.

SC La Salle Saint-Estèphe, Ch. de Pez, 33180 Saint-Estèphe, tél. 05.56.59.30.26, fax 05.56.59.39.25 r.-v.

Rouzaud

CH. HAUT LABORDE 2004

n.c. n.c. 11 à 15 €

Issu de plusieurs parcelles, ce 2004 rubis éclatant n'est pas avare de son fruité. On retrouve ces arômes en bouche, dans un ensemble équilibré soutenu par des tanins assez serrés, qu'une petite garde permettra d'arrondir.

Ch. Haut-Laborde, rte de Lescarjean, 33250 Saint-Sauveur, tél. 05.56.73.94.41, fax 05.56.59.48.79 r.-v.

CH. HAUT-MARBUZET 2004 **

61 ha 330 000 23 à 30 €

75 76 77 **78** 79 **80 81** (82) **83 85 86 88** |89| |90| **92** **93 94 95** |96| 97 (98) **99 00 01 02 03 04**

Il faut entendre Henri Duboscq parler du vin et de sa propriété pour comprendre que celle-ci est entre de bonnes mains. Parti d'un lot de 7 ha acheté en rente viagère en 1952, le domaine s'est agrandi pour atteindre en 1996 sa taille actuelle de 61 ha. Les cabernets (60 %) et le merlot, qui s'épanouissent sur la croupe de graves günziennes au sous-sol argilo-calcaire, ont donné naissance à ce 2004 au bouquet racé et complexe : croûte de pain, torréfaction, fumée, vanille des îles. Rond, charpenté, gras et d'une grande distinction, le palais n'est pas en reste, bien équilibré en finale par une pointe de vivacité. Tout témoigne d'un bon potentiel de garde pour le millésime : quatre ou cinq ans, voire davantage.

Henri Duboscq et Fils, Ch. Chambert-Marbuzet, 33180 Saint-Estèphe, tél. 05.56.59.30.54, fax 05.56.59.70.87, e-mail infos@haut-marbuzet.net r.-v.

CH. LA HAYE 2004

11 ha 45 000 11 à 15 €

89 90 91 92 93 94 95 96 97 |99| |00| |01| 02 03 04

Une porte de 1577 rappelle l'ancienneté de cette propriété située dans le bourg de Leyssac. Franc et gras, construits sur des tanins bien fondus, son vin a su trouver un bon équilibre entre le bois et le fruit, au palais comme au bouquet.

Famille Lamiable, SC Ch. La Haye, Leyssac, 33180 Saint-Estèphe, tél. 05.56.59.32.18, fax 05.56.59.33.22, e-mail info@chateaulahaye.com mai-sept. t.l.j. sf dim. 11h-18h; hors saison sur r.-v.

CH. LAFFITTE-CARCASSET 2004

30 ha n.c. 8 à 11 €

Ce vin, distribué par le négoce, surprendra sans doute un peu les amateurs de saint-estèphe par son côté aimable qui le destine à être bu jeune. Mais ceux-ci sauront apprécier la finesse de sa structure, ronde et souple, et la fraîcheur de son expression aromatique aux notes de menthol, de vanille et de réglisse.

Grands Vins de Gironde, Dom. du Ribet, BP 59, 33450 Saint-Loubès, tél. 05.57.97.07.20, fax 05.57.97.07.27, e-mail gvg@gvg.fr

CH. LAFON-ROCHET 2004

4e cru clas. 42 ha 140 000 23 à 30 €

(64) **75 78 79** 81 82 **83** 85 **86** 88 89 90 **91 92** 93 94 |(95)| |96| |97| **98 99 00 01 02** 03 **04**

Originale, cette superbe « folie XVIIIe s. » date en fait des années 1960. La couleur jaune ocre de ses bâtiments trouve un accord harmonieux avec le vert des vignes. Harmonieux est un qualificatif qui sied particulièrement bien à ce 2004 à la livrée d'un rouge brillant et au bouquet

Saint-Estèphe

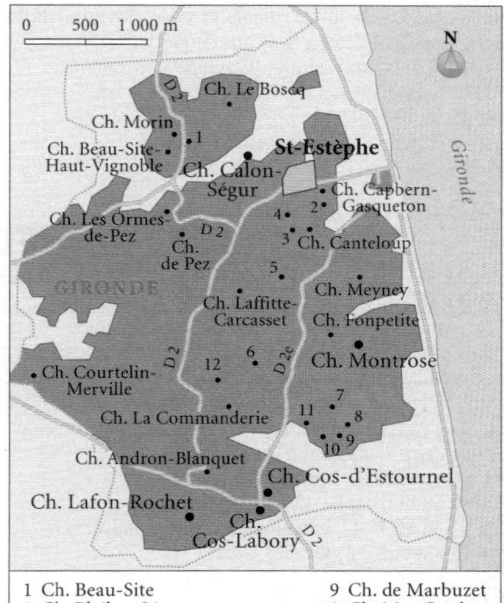

subtil et complexe. L'union parfaite d'un boisé épicé et des fruits mûrs incite à poursuivre plus avant la dégustation, à la découverte d'une agréable attaque, de puissants tanins et d'une longue finale qui promettent une bonne garde (cinq ans). En attendant, on pourra ouvrir un flacon, plus rond et souple, des **Pèlerins de Lafon-Rochet (11 à 15 €)**, le second vin qui est cité.

SCF Ch. Lafon-Rochet, Lieu-dit Blanquet,
33180 Saint-Estèphe, tél. 05.56.59.32.06,
fax 05.56.59.72.43, e-mail lafon@lafon-rochet.com
r.-v.
Tesseron

CH. LÉO DE PRADES 2004

15,1 ha 35 000 11 à 15 €

Acquise récemment par la cave coopérative, cette propriété propose un vin d'une couleur attirante, tout aussi agréable dans son expression aromatique, poivrée, épicée et vanillée, que par son palais. Rond et charmeur, celui-ci déploie des tanins assez fermes qui laissent entrevoir une bouteille fort plaisante vers 2009-2010.

Marquis de Saint-Estèphe, 2, rte du Médoc,
33180 Saint-Estèphe, tél. 05.56.73.35.30,
fax 05.56.59.70.89,
e-mail marquis-st-estephe@wanadoo.fr
t.l.j. sf sam. dim. 9h-12h 14h-17h

CH. LILIAN LADOUYS 2004

36 ha 269 000 11 à 15 €

89 (90) **91** |**95**| **96** 97 98 |99| |00| |01| 02 03 04

Composée à la fin des années 1980 à partir d'une incroyable mosaïque de petites parcelles, cette propriété décline tous les terroirs stéphanois. Il n'est pas étonnant que ce 2004 exprime vigoureusement son origine dans son bouquet qui mêle des notes boisées et grillées à des nuances de fruits rouges confiturés. Au palais, le merrain bien dosé sait respecter la personnalité du vin, dont les tanins fondus, la longue finale et le retour aromatique épicé appellent deux à trois ans de garde.

SA Ch. Lilian Ladouys, Blanquet,
33180 Saint-Estèphe, tél. 05.56.59.71.96,
fax 05.56.59.35.97,
e-mail chateau-lilian-ladouys@wanadoo.fr
r.-v.

CH. MEYNEY 2004

51 ha 170 668 15 à 23 €

81 82 83 85 (86) **88 89** 90 92 93 94 |**95**| **96** 97 |99|
00 **01** 02 04

Ancien couvent des Feuillants, ce domaine appartient depuis 2004 au groupe Crédit Agricole. Encore sous la dépendance de son élevage, marqué par des notes de torréfaction, de grillé et de fumé, ce vin puissant possède assez de volume et de structure pour pouvoir bien évoluer. À découvrir dans quatre ou cinq ans.

SC Prieuré de Meyney, Ch. de Meyney,
33180 Saint-Estèphe, tél. 05.56.59.00.40,
fax 05.56.59.36.47, e-mail contact@cagrandscrus.fr
Crédit Agricole Grands Crus

CH. MONTROSE 2004 ★★

2e cru clas. 67,22 ha 321 000 + de 76 €

64 66 **70 75** 76 78 **79** (82) **83 85 86** 87 |**88**| |**89**| |**90**|
91 **92** |**93**| **94** |**95**| |**96**| **97** |**98**| **99 00 01 02 03 04**

Belle unité d'un seul tenant, ce cru implanté sur une croupe graveleuse bien exposée, face à la Gironde, a été acquis en 2006 par Martin et Olivier Bouygues. Gérée par Jean-Bernard Delmas, ancien directeur de Haut-Brion, cette propriété est conseillée par le Pr. Pascal Ribéreau-Gayon. Ce 2004 est donc l'un des derniers millésimes signés par Jean-Louis Charmolüe. Le bouquet complexe et élégant réussit à la perfection le mariage du fruit et du bois. Le palais, ample, rond et concentré conduit naturellement vers une longue finale qui laisse sur une heureuse impression de cerise et sur une promesse de bonne garde. En l'attendant, on pourra savourer **La Dame de Montrose 2004 (23 à 30 €)**, le second vin, qui reçoit une citation.

SCEA du Ch. Montrose, 33180 Saint-Estèphe,
tél. 05.56.59.30.12, fax 05.56.59.38.48,
e-mail chateau-montrose@orange.fr r.-v.
Bouygues

CH. LES ORMES DE PEZ 2004 ★★

35 ha 23 000 23 à 30 €

81 82 83 85 86 88 89 90 91 92 93 94 |95| |96| 97
|98| |99| **00 01 02** 03 **04**

Bâti au XVIIIe s. et rénové en 1993, ce château commande un vignoble divisé en deux parcelles principales. Il appartient à Jean-Michel Cazes, propriétaire de Lynch Bages à Pauillac. La vinification se montre à la hauteur du terroir de graves garonnaises, comme en témoigne la présence régulière du cru dans le Guide. Les tanins bien extraits de ce 2004 s'harmonisent parfaitement avec le caractère souple et aromatique (confiture de cerises) du palais. Les notes vanillées et la longue finale reflètent un élevage maîtrisé. On n'hésitera pas à garder ce vin en cave pendant au moins dix ans.

Jean-Michel Cazes, Ch. Les Ormes de Pez,
33180 Saint-Estèphe, tél. 05.56.73.24.00,
fax 05.56.59.26.42, e-mail infochato@ormesdepez.com

CH. PETIT BOCQ 2004 ★★

13,7 ha 90 000 11 à 15 €

94 95 |96| **97** |98| |99| **00** |01| 02 03 **04**

Si le cuvier et les chais de ce cru sont regroupés au cœur du hameau de Pez, son parcellaire est éclaté en soixante-dix pièces de vignes, situation fréquente à Saint-Estèphe. Le domaine, repris en 1993 par un médecin belge, Gaëtan Lagneaux, ne produit qu'un seul vin. L'heureux mariage entre le fruit et le bois permet à ce 2004 de faire preuve d'une agréable complexité aromatique, qui s'accorde à la rondeur et à la puissance du palais pour donner un joli développement, se prolongeant en finale sur la fraîcheur. Armé pour une garde de sept ou huit ans, ce millésime a manqué de peu le coup de cœur.

SCEA Lagneaux-Blaton,
Ch. Petit Bocq, 3, rue de la Croix-de-Pez,
33180 Saint-Estèphe, tél. 05.56.59.35.69,
fax 05.56.59.32.11, e-mail petitbocq@hotmail.com
r.-v.

CH. LA PEYRE 2004 ★

6 ha 35 000 11 à 15 €

Ancien chef de fabrication dans l'industrie, heureusement reconverti dans le vin, M. Rabiller propose comme à son habitude un vrai vin d'auteur à la solide structure tannique. Riche dans son expression aromatique, avec des parfums complexes (cassis, fruits mûrs, notes animales et boisées), ce 2004 révèle des qualités (puissance, longueur et élégance) qui lui permettront de s'allier avec des mets de caractère, comme du petit gibier.

EARL Vignobles Rabiller, Le Cendrayre,
33180 Saint-Estèphe, tél. 05.56.59.32.51,
fax 05.56.59.70.09,
e-mail vignoblesrabiller@wanadoo.fr
t.l.j. sf dim. 10h-12h 14h-18h

CH. DE PEZ 2004

■ 26 ha 150 000 23 à 30 €

Cette propriété se remarque dans le paysage par sa grande bâtisse dominant les vignes. Son vin dévoile un bouquet original qui marie les fruits rouges à un boisé aux notes de chocolat. La rondeur de l'attaque marque la présence du merlot (45 % de l'assemblage), puis la matière aux tanins croquants révèle celle des cabernets (48 %). Un ensemble d'une bonne longueur à découvrir prochainement.

SC La Salle Saint-Estèphe, Ch. de Pez,
33180 Saint-Estèphe, tél. 05.56.59.30.26,
fax 05.56.59.39.25 r.-v.
Rouzaud

CH. PHÉLAN SÉGUR 2004 ★★★

■ 85 ha 350 000 23 à 30 €

82 88 89 **|90| 91 93 94 |95| |96|** 97 **|98| 99 |00| 01 02 03** (04)

Commandé par un superbe château de style néoclassique dominant l'estuaire, Phélan Ségur est l'une des valeurs les plus sûres de l'appellation. Le charme de l'architecture se retrouve dans l'élégance de ce 2004 à la robe d'un rouge profond à reflets grenat. Son bouquet montre déjà une certaine complexité aromatique, mêlant des notes de torréfaction et de réglisse aux fruits mûrs. Le palais n'a rien à envier à la présentation : il affiche de l'ampleur, et son corps bien modelé révèle la qualité de la vendange. Doté d'une solide trame de tanins patinés, il a enthousiasmé le jury, qui prédit à ce millésime un bel avenir d'ici huit à dix ans. Bonne illustration d'un second vin, le **Frank Phélan 2004 (15 à 23 €)** obtient une étoile. Plaisant par son bouquet de fruits rouges et de fruits des bois, il sera agréable à boire jeune et permettra d'attendre son aîné.

Ch. Phélan-Ségur, 33180 Saint-Estèphe,
tél. 05.56.59.74.00, fax 05.56.59.74.10,
e-mail phelan@phelansegur.com r.-v.
Xavier Gardinier

CH. POMYS 2004 ★

■ 13 ha 37 000 11 à 15 €

Vaste domaine ayant appartenu jadis à Gaspard d'Estournel, ce cru est aujourd'hui d'une taille plus modeste (24 ha). Mais depuis 1991, c'est l'un des seuls à abriter un hôtel-restaurant, élément moteur pour le développement de l'œnotourisme dans la région. Agréable à l'œil, finement bouqueté et bien équilibré, son vin se développe avec gras et souplesse, avant une finale aujourd'hui marquée par les tanins, qui s'arrondira avec cinq à six ans de garde. Du même propriétaire, le **Château Saint-Estèphe 2004**, aux arômes expressifs de cassis, d'épices et de réglisse, obtient également une étoile.

SA Arnaud, Ch. Saint-Estèphe,
33180 Saint-Estèphe, tél. 05.56.59.32.26,
fax 05.56.59.35.24, e-mail pomys@orange.fr
r.-v.

BORDELAIS

CH. SÉGUR DE CABANAC 2004 ★★

■ 7,1 ha 45 000 15 à 23 €

86 |89| |90| **93** 94 |95| |96| **97 98** |99| **00 01 02 03 04**

Des chais en bordure du port de Saint-Estèphe et un vignoble d'une douzaine de parcelles plantées de cabernet-sauvignon (65 %) et de merlot (35 %) sur graves garonnaises. Bien dans la note du millésime, ce 2004 concilie une bonne constitution et une réelle élégance. Le bouquet tout en nuances évolue du cuir au chocolat, puis des épices douces au raisin très mûr et à la torréfaction. Plein, frais et charnu, le palais est tout aussi subtil, promettant par ses tanins de qualité une bonne garde. Quatre ou cinq ans de patience seront nécessaires avant de découvrir ce vin.

SCEA Guy Delon et Fils, Ch. Ségur de Cabanac,
33180 Saint-Estèphe, tél. 05.56.59.70.10,
fax 05.56.59.73.94, e-mail sceadelon@wanadoo.fr
r.-v.

CH. SÉRILHAN 2004

■ 15 ha 90 000 15 à 23 €

Situés dans le hameau d'Aillas, le cuvier et le chai ont bénéficié d'importantes transformations depuis 2003. Assez classique du saint-estèphe par ses arômes (fruits rouges, épices, boisé) et sa constitution, ce vin fait preuve d'un bon équilibre. Seuls ses tanins ont besoin d'un peu de temps (deux à trois ans) pour prendre davantage de rondeur.

SCEA M. Marcelis,
Ch. Sérilhan, 5, rue Edouard-Herriot,
33180 Saint-Estèphe, tél. 05.56.59.38.83,
fax 05.56.59.35.14, e-mail chateau.serilhan@wanadoo.fr
r.-v.

CH. TOUR DE PEZ 2004 ★

■ 13 ha 80 000 15 à 23 €

89 90 91 93 94 (95) **96** 97 **|98| |99| 00** |01| **02** 03 04

Si la tour a été démolie en 1936, l'ensemble architectural de la propriété demeure. Ce cru privilégie le merlot (57 %) dans son assemblage qui comporte également, outre le cabernet-sauvignon, une touche de cabernet franc et de petit verdot. Cela donne un 2004 d'un rouge très profond, au bouquet intense, riche et complexe exprimant des notes de bois précieux. Le palais rond et ample, soutenu par une structure tannique de qualité, invite à un vieillissement de quatre ou cinq ans. Plus simple mais plus facile d'accès, le second vin, **T de Tour de Pez 2004 (11 à 15 €)** est cité, tandis que le **Château Les Hauts de Pez 2004 (11 à 15 €)**, du même propriétaire, décroche une étoile.

Ch. Tour de Pez, L'Hereteyre, 33180 Saint-Estèphe,
tél. 05.56.59.31.60, fax 05.56.59.71.12,
e-mail chtrpez@terre-net.fr r.-v.
P.-H. Bouchara

CH. TOUR HAUT-VIGNOBLE
Élevé en fût de chêne 2004

■ n.c. 24 000 8 à 11 €

Commercialisé par Œnoalliance, ce vin produit par J.-L. Braquessac s'annonce par une robe grenat profond. Le bouquet fin et harmonieux joue sur les fruits rouges et les épices. La trame tannique un peu serrée profitera d'un séjour en cave de deux ou trois ans pour s'arrondir.

Œnoalliance, rte du Petit-Conseiller, 33750 Beychac-et-Caillau, tél. 05.57.97.39.73, fax 05.57.97.39.74, e-mail info@oenoalliance.com

CH. TOUR SAINT-FORT 2004 *

■ 7,25 ha 40 800 11 à 15 €

Régulier en qualité, ce cru offre cette année encore un vin intéressant. D'une couleur rubis soutenu, ce 2004 développe un bouquet tout en finesse, qui mêle les parfums de vanille et de fruits rouges à quelques notes animales. Frais, rond, souple et bien équilibré, le palais fait preuve lui aussi d'une complexité notable. Sa concentration et sa puissance appellent quatre ou cinq ans de garde avant de l'apprécier pleinement.

Ch. Tour Saint-Fort, 1, rte de la Villotte, Lieu-dit Laujac, 33180 Saint-Estèphe, tél. 05.56.34.16.16, fax 05.56.13.05.54, e-mail contact@chateautoursaintfort.com
t.l.j. 10h-12h 14h-16h; sam. dim. sur r.-v.

CH. TRONQUOY-LALANDE 2004

■ 18,5 ha 90 000 15 à 23 €

(82) 83 **85 86** 88 89 90 **93 94** 95 96 |98| 99 |00| 01 **02** 03 04

Issu d'un cru sauvé in extremis par son propriétaire des pelles des gravières, ce vin ne manque pas de charme : rond, charnu et délicatement bouqueté, il offre au palais des tanins boisés et assez souples qui profiteront de quelques années en cave pour se fondre complètement.

Ch. Tronquoy-Lalande, 33180 Saint-Estèphe, tél. 05.56.35.53.00, fax 05.56.35.53.29, e-mail contact@cvbg.com r.-v.
Mme Castéja-Texier

Saint-julien

Pour l'une saint-julien, pour l'autre Saint-Julien-Beychevelle, saint-julien est la seule appellation communale du Haut-Médoc à ne pas respecter scrupuleusement l'homonymie entre les dénominations viticole et municipale. La seconde, il est vrai, a le défaut d'être un peu longue, mais elle correspond parfaitement à l'identité humaine et au terroir de la commune et de l'aire d'appellation, à cheval sur deux plateaux aux sols caillouteux et graveleux.

Situé exactement au centre du Haut-Médoc, le vignoble de saint-julien constitue, sur une superficie assez réduite (899 ha et 42 362 hl en 2005), une harmonieuse synthèse entre margaux et pauillac. Il n'est donc pas étonnant d'y trouver onze crus classés, dont cinq seconds. À l'image de leur terroir, les vins offrent un bon équilibre entre les qualités des margaux (notamment la finesse) et celles des pauillac (le corps). D'une manière générale, ils possèdent une belle couleur, un bouquet fin et typé, du corps, une grande richesse et de la sève. Mais, bien entendu, les quelque 6,6 millions de bouteilles produites en moyenne chaque année en saint-julien sont loin de se ressembler toutes, et les dégustateurs les plus avertis noteront les différences qui existent entre les crus situés au sud – plus proches des margaux – et ceux du nord – plus près des pauillac –, ainsi qu'entre ceux qui sont à proximité de l'estuaire et ceux qui se trouvent plus à l'intérieur des terres, vers Saint-Laurent.

CH. BEYCHEVELLE 2004 **

■ 4e cru clas. 74 ha 276 000 30 à 38 €

70 76 79 81 82 **83 85 86 88** (89) 90 91 92 93 **94** |**95**| |96| **97** |**98**| |99| **00** 01 02 03 **04**

Ce cru bordant l'estuaire était autrefois le fief du duc d'Épernon, grand-amiral de France. Les navires qui passaient devant le château devaient, en guise de salut, baisser leur voile. « Baisse-voile » est devenu Beychevelle et le souvenir du duc est honoré par le second vin, l'**Amiral de Beychevelle 2004 (15 à 23 €)** qui obtient une étoile. Quant au grand vin, il se distingue par sa robe d'un rouge brillant et par son bouquet aux fines notes de groseille et de cassis. Souple et plein de charme, étoffé par de fins tanins, le palais participe à l'harmonie de ce 2004 qui se livrera pleinement dans deux ou trois ans.

SC Ch. Beychevelle, 33250 Saint-Julien-Beychevelle, tél. 05.56.73.20.70, fax 05.56.73.20.71, e-mail beychevelle@beychevelle.com r.-v.

CH. BRANAIRE-DUCRU 2004 *

■ 4e cru clas. 50 ha n.c. 23 à 30 €

81 82 **83 85 86 88 89** 90 93 **94 95** |96| 97 |**98**| |**99**| **00** 01 02 03 04

Un château de style néoclassique et son orangeraie, construits dans la première moitié du XIXe s., règnent sur ce vaste vignoble établi sur un terroir de graves du quaternaire. Délicatement bouqueté, le 2004 fait preuve de complexité (fruits noirs, vanille, réglisse) avant de développer au palais une chair ample, légèrement boisée et persistante. Parce que l'élevage a su respecter la fraîcheur du fruit, vous pourrez profiter de cette bouteille d'ici deux ans. Frais et bien constitué, le second vin **Duluc de Branaire-Ducru 2004 (15 à 23 €)** reçoit une citation.

Ch. Branaire-Ducru, 33250 Saint-Julien-Beychevelle, tél. 05.56.59.25.86, fax 05.56.59.16.26, e-mail branaire@branaire.com r.-v.

CH. LA BRIDANE 2004

■ 6 ha 34 000 11 à 15 €

Établi sur un coteau de graves à la sortie du bourg de Saint-Julien, ce cru appartient à la famille Saintout depuis presque trois siècles. Son 2004 est un vin souple et équilibré, aux tanins fins et aux arômes délicats de fruit, de merrain et d'épices légères. À apprécier dans un ou deux ans.

SCEA Vignobles Bruno Saintout,
20A, Cartujac, 33112 Saint-Laurent-du-Médoc,
tél. 05.56.59.91.70, fax 05.56.59.46.13,
e-mail bruno.saintout@wanadoo.fr
t.l.j. sf sam. dim. 9h-12h 14h-18h; ven. 9h-12h

CLOS DU MARQUIS 2004 ★

n.c. 340 000 **23 à 30 €**

Cette marque a été créée à la fin du XIXes. par Théophile Skawinski, trisaïeul de Jean-Hubert Delon. Issu à majorité d'un clos distinct de celui de Léoville Las Cases, c'est une seconde étiquette plus qu'un second vin. D'un rouge profond à reflets violacés, ce 2004 associe un agréable bouquet fruité à de fins tanins bien extraits, composant un ensemble délicat dont on pourra profiter prochainement.

SC. Ch. Léoville Las Cases, BP 4,
33250 Saint-Julien-Beychevelle, tél. 05.56.73.25.26,
fax 05.56.59.18.33, e-mail leoville-las-cases@wanadoo.fr
r.-v.
J.-H. Delon, G. d'Alton

CH. DU GLANA 2004

43 ha 106 000 **11 à 15 €**

94 95 96 97 |00| 01 02 **03** 04

Implanté sur un terroir de graves garonnaises, ce cru est passé en une quarantaine d'années de 5 à 43 ha. Associant cabernet-sauvignon (54 %) et merlot, son 2004 souple et tendre est porté par de doux tanins qui s'accordent avec le bouquet floral, vanillé et épicé. Un saint-julien que l'on pourra apprécier assez jeune.

Ch. du Glana, 5, Le Glana,
33250 Saint-Julien-Beychevelle, tél. 05.56.59.06.47,
fax 05.56.59.06.51,
e-mail contact@chateau-du-glana.com r.-v.
Meffre

CH. GLORIA 2004 ★

44 ha 250 000 **23 à 30 €**

82 **83** 84 85 86 87 **88 89** 90 **91** 93 94 **95** |96| 97 |98| |99| 00 **01 02** 03 04

Dans la plus pure tradition médocaine, ce cru possède un encépagement diversifié, dominé par le cabernet-sauvignon (65 %) et incluant un soupçon de petit verdot (5 %). Drapé dans une robe rouge foncé, agréable dans son expression aromatique (tabac, sous-bois), le 2004 est charpenté par de solides tanins qui lui assureront une bonne évolution. À garder encore trois à cinq ans. Charnu et séveux, le second vin, le **Château Peymartin 2004 (11 à 15 €)**, obtient également une étoile.

Domaines Martin, Ch. Gloria,
33250 Saint-Julien-Beychevelle, tél. 05.56.59.08.18,
fax 05.56.59.16.18, e-mail domainemartin@wanadoo.fr
r.-v.

CH. GRUAUD LAROSE 2004 ★★

2e cru clas. 82 ha 289 000 **46 à 76 €**

75 76 77 **78 79** 80 **81 82 83** 84 |**85**| (86) 87 |**88**| |89| |**90**| 91 92 |**93**| |**94**| (95) |**96**| |97| |98| |99| (00) **01** 02 **03 04**

« Le roi des vins, le vin des rois » : la devise imaginée par le baron Sarget, propriétaire de ce vaste domaine au XIXes., pourrait paraître prétentieuse si elle n'était pleinement justifiée par des vins comme ce superbe 2004. Né sur des croupes argilo-calcaires, celui-ci est issu d'un assemblage très diversifié comprenant, à côté des cabernets (deux tiers) et du merlot, une touche de petit verdot et de malbec. Fin et complexe, son bouquet développe

d'intenses parfums fruités et floraux (violette), complétés de notes de vanille, de cannelle et d'un soupçon de fumé. Pleine, ronde, la chair bénéficie de tanins élégants et puissants qui garantissent une bonne évolution dans le temps. En l'attendant, on pourra ouvrir le second vin, le **Sarget de Gruaud-Larose 2004 (23 à 30 €)**, qui est cité.

Ch. Gruaud Larose, 33250 Saint-Julien-Beychevelle,
tél. 05.56.73.15.20, fax 05.56.59.64.72,
e-mail gl@gruaud-larose.com r.-v.
Famille Merlaut

CH. HAUT-BEYCHEVELLE GLORIA 2004 ★

5 ha 20 000 **11 à 15 €**

Ce petit vignoble de 5 ha est historiquement le premier créé par la famille Martin à la fin du XIXes. Issu d'un tiers de merlot et deux tiers de cabernet-sauvignon nés sur graves argileuses et sableuses, ce 2004 rubis offre un bouquet complexe mariant les notes de pain grillé et de menthol. Rond et soutenu par de bons tanins, il est déjà harmonieux, mais gagnera à attendre quatre ou cinq ans.

Domaines Martin, Ch. Gloria,
33250 Saint-Julien-Beychevelle, tél. 05.56.59.08.18,
fax 05.56.59.16.18, e-mail domainemartin@wanadoo.fr
r.-v.

CH. LAGRANGE 2004 ★★

3e cru clas. 115 ha 300 000 **23 à 30 €**

82 **83 85 86 88 89** |(90)| **91 92 93 94** |**95**| |**96**| **97** |**98**| |**99**| **00 01** 02 **03 04**

Avec son château du XVIIIes. et son vignoble de près de 160 ha d'un seul tenant, Lagrange est l'un des fleurons

Saint-Julien

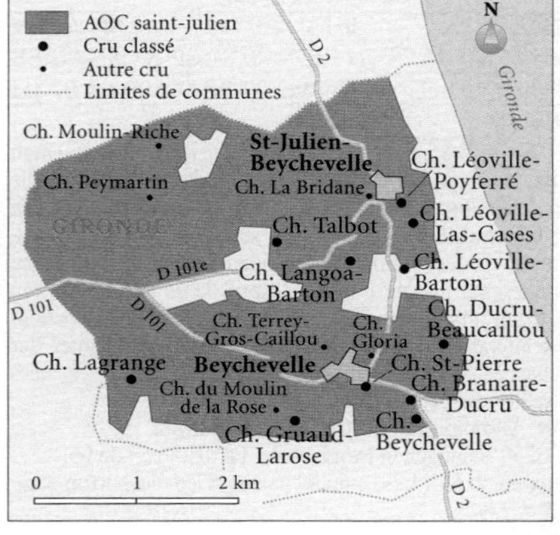

de l'appellation. Ce 2004 se montre à la hauteur de sa réputation. Sa forte personnalité s'exprime dans son bouquet de baies rouges, de vanille, de cannelle et de toast, puis par l'ampleur de son palais charnu, gras et élégant. Ses tanins soyeux et sa longue finale suggèrent un bon potentiel de garde. Il faudra aussi attendre trois ou quatre ans avant d'apprécier le second vin, **Les Fiefs de Lagrange 2004 (11 à 15 €)**, qui décroche une étoile.

SAS Ch. Lagrange, 33250 Saint-Julien-Beychevelle,
tél. 05.56.73.38.38, fax 05.56.59.26.09,
e-mail chateau-lagrange@chateau-lagrange.com
r.-v.
Suntory

CH. LALANDE 2004

■ 32 ha 20 000 **5 à 8 €**

Un vignoble d'un seul tenant implanté sur un plateau sablo-graveleux. Simple mais bien constitué, le 2004 sait tenir les promesses de sa robe rouge brillant à liseré pâle, ornée de reflets violacés. Son bouquet, partagé entre le fruit et un fin boisé, comme ses tanins fondus et enveloppés, lui permettront d'être à son optimum d'ici deux à trois ans.

La Guyennoise, BP 17,
33540 Sauveterre-de-Guyenne, tél. 05.56.71.50.76,
fax 05.56.71.87.70, e-mail lilymartin@laguyennoise.com
Ch. Lalande

CH. LANGOA BARTON 2004 ★

■ 3e cru clas. 19 ha 68 600 **38 à 46 €**

70 75 76 78 80 **81** |**82**| **83** |**85**| |**86**| 88 |(89)| |**90**| 93
94 |95| |96| 97 |98| **99 00 01** 02 03 04

Depuis vingt-cinq ans, Anthony Barton préside aux destinées de ce cru, acheté par Hugh Barton en 1821, séduit par l'élégant château du XVIIIe s. La robe de ce 2004, d'un bordeaux juvénile, annonce un vin charmeur. Cette première impression est confortée par le bouquet qui mêle harmonieusement les fruits noirs à des notes animales (gibier, cuir) et à un parfum de boîte à cigare. Au palais se développe une chair puissante, d'une bonne persistance, qui appelle quelques années de garde.

Anthony Barton, Ch. Langoa Barton,
33250 Saint-Julien-Beychevelle, tél. 05.56.59.06.05,
fax 05.56.59.14.29, e-mail chateau@leoville-barton.com
r.-v.

CH. LÉOVILLE-BARTON 2004 ★★

■ 2e cru clas. 46 ha 220 000 **46 à 76 €**

64 67 **70 71 75 76** 78 **79** 80 81 |**82**| **83** |**85**| |**86**| |**88**|
|**89**| |(90)| **91** |93| |**94**| |**95**| |**96**| **97 98** |**99**| **00** 01 **02 03**
04

En 1826, cinq ans après avoir acheté Langoa, Hugh Barton acquiert un quart de l'ancien domaine de Léoville à l'occasion du premier partage de celui-ci. La reprise ne concerne que les vignes ; le cru sera donc vinifié à Langoa, mais gardera toujours son identité propre. Avec ce millésime, il reste fidèle à l'esprit de sa production, en offrant un vin puissant et de garde. Il faudra être patient et attendre au moins six ou sept ans pour profiter des charmes que promet son bouquet de fleurs, de baies rouges, de pruneau et de vanille.

Anthony Barton, Ch. Léoville-Barton,
33250 Saint-Julien-Beychevelle, tél. 05.56.59.06.05,
fax 05.56.59.14.29, e-mail chateau@leoville-barton.com
r.-v.

CH. LÉOVILLE LAS CASES 2004 ★★

■ 2e cru clas. n.c. 164 000 **+ de 76 €**

(61) **62 64** 67 69 **70 71 75** 76 **78 79** |(82)| (83) |**85**| |(86)|
|**88**| |**89**| |**90**| **91** 92 **93** (00) **01 02** (03) **04**

L'enclos de Léoville Las Cases, orné d'un portail emblématique dont l'image figure sur l'étiquette, renferme un superbe terroir qui constituait le cœur de l'ancien vignoble de Léoville. Ce 2004, qui séduit d'emblée par sa robe grenat soutenu, devrait contribuer à maintenir la réputation du cru. À la puissance du bouquet (fruits noirs, fraise des bois, merrain) répondent l'ampleur et l'élégance du palais, dont les douces saveurs et les tanins aussi fins que serrés indiquent une remarquable réussite et une sérieuse qualité de garde.

SC. Ch. Léoville Las Cases, BP 4,
33250 Saint-Julien-Beychevelle, tél. 05.56.73.25.26,
fax 05.56.59.18.33, e-mail leoville-las-cases@wanadoo.fr
r.-v.
J.-H. Delon et G. d'Alton

CH. LÉOVILLE POYFERRÉ 2004 ★★

■ 2e cru clas. 60 ha 240 000 **46 à 76 €**

76 78 79 80 **81 82** (83) **85 86 88 89** |90| **91** 93 **94**
|95| |**96**| **97** |**98**| **99 00** 01 (02) **03 04**

Négociant en vins originaire du nord de la France, la famille Cuvelier achète en 1920 ce cru issu du partage de Léoville de 1840. Depuis près de trente ans, Didier Cuvelier le dirige. Son 2004 s'affirme comme un classique de l'appellation. Tout est ici en parfaite harmonie : la robe rubis à reflets violets, le bouquet de fruits rouges mêlés de vanille, l'attaque pleine et charnue et la matière concentrée mais tendre, étoffée par des tanins bien extraits. Un grand vin de garde.

Sté fermière du Ch. Léoville Poyferré, BP 8,
33250 Saint-Julien-Beychevelle, tél. 05.56.59.08.30,
fax 05.56.59.60.09, e-mail lp@leoville-poyferre.fr
r.-v.

CH. MOULIN DE LA ROSE 2004 ★

■ 7,1 ha 45 000 **15 à 23 €**

93 94 |95| |**96**| 97 |98| |99| |**00**| 01 02 03 04

Ce petit cru qui s'est agrandi au fil des ans est composé de plusieurs parcelles de graves dispersées dans l'appellation. Structuré par des tanins solides, ce vin aux fines notes de cuir et de cacao se montre digne de ses origines, même s'il est encore un peu austère en finale et demande à être attendu.

SCEA Guy Delon et Fils, Ch. Moulin de la Rose,
33250 Saint-Julien-Beychevelle, tél. 05.56.59.08.45,
fax 05.56.59.73.94, e-mail sceadelon@wanadoo.fr
r.-v.

CH. MOULIN RICHE 2004

■ 20 ha 118 000 **15 à 23 €**

Second vin de Léoville Poyferré, ce 2004 est un assemblage de cabernet-sauvignon (60 %) et de merlot nés sur graves garonnaises. Sa dégustation est plaisante du début à la fin, du bouquet aux notes de vanille jusqu'à la bouche souple et équilibrée, aux tanins délicats. Un vin qui sera pleinement épanoui dans deux ou trois ans.

Sté fermière du Ch. Léoville Poyferré,
BP 8, 33250 Saint-Julien-Beychevelle,
tél. 05.56.59.08.30, fax 05.56.59.60.09,
e-mail lp@leoville-poyferre.fr r.-v.

PORT CAILLAVET 2004

■ 4 ha 10 000 ⊕ 11 à 15 €

Marque du négociant Henri Duboscq, baptisée Caillavet du nom de jeune fille de sa mère. Le 2004 se montre d'une bonne complexité aromatique (noisette, pain d'épice, cacao) et intéressant par ses tanins serrés et élégants qui lui permettront d'être gardé pendant quelques années.

⊶ Brusina-Brandler,
3, quai de Bacalan, 33300 Bordeaux,
tél. 05.56.39.26.77, fax 05.56.69.16.84,
e-mail infos@brusina-brandler.com
☑ Y ⚘ t.l.j. sf sam. dim. 9h-12h 14h-17h

CH. SAINT-PIERRE 2004 ★★

■ 4e cru clas. 17 ha 60 000 ⊕ 38 à 46 €

82 **83 85** ⑧⑥ **88** |**89**| |90| **93** 94 ⑨⑤|⑨⑥| 97 |**98**| |99| **01**
02 03 04

GRAND CRU CLASSÉ EN 1855
CHATEAU SAINT-PIERRE
2004
MIS EN BOUTEILLES AU CHATEAU
SAINT-JULIEN
NEC PLURIBUS IMPAR
APPELLATION SAINT-JULIEN CONTRÔLÉE
13 % ALC.VOL.
DOMAINES HENRI MARTIN
750 ml

Connu autrefois sous le nom de Saint-Pierre-Sevaistre, ce cru, qui fut divisé en deux au XIX^e^s., doit beaucoup à Henri Martin, père de l'actuelle propriétaire. En rachetant l'essentiel du vignoble ainsi que le château au début des années 1980, celui-ci redonna au domaine son unité et sa grandeur passées. Ce huitième coup de cœur vient attester la qualité du travail accompli. Sa robe profonde à reflets noirs donne le ton et annonce la jeunesse de ce 2004. Le bouquet, élégant et complexe (fruits noirs, notes grillées et toastées), ainsi que le palais ample et souple confirment la présentation. Fins et veloutés, les tanins apportent un grand potentiel de garde à cette bouteille, tout en la rendant déjà agréable.

⊶ Domaines Martin, Ch. Saint-Pierre,
33250 Saint-Julien-Beychevelle,
tél. 05.56.59.08.18, fax 05.56.59.16.18,
e-mail domainemartin@wanadoo.fr
☑ Y ⚘ r.-v.

CH. TALBOT 2004 ★

■ 4e cru clas. 102 ha 350 000 ⊕ 23 à 30 €

78 79 80 **81 82 83** |⑧⑤| |**86**| |**88**| |89| |90| |**93**| 94 |**95**|
|96| 97 |98| |99| **00 01** 02 **03** 04

Superbe unité caractéristique de l'appellation, Talbot est situé sur un terroir de graves garonnaises de grande qualité. Rien d'étonnant d'y voir naître d'authentiques saint-julien, tel ce 2004 qui laisse deviner un bouquet naissant plein de charme, aux fines notes fruitées et boisées. Son harmonie se prolonge au palais, à la fois corsé, frais et élégant. Les tanins présents sans être exagérément puissants, et la finale séveuse sont les indices d'un bon potentiel de garde. Dans quelques années, ce vin accompagnera un petit gibier à plume.

⊶ Ch. Talbot, 33250 Saint-Julien-Beychevelle,
tél. 05.56.73.21.50, fax 05.56.73.21.51,
e-mail chateau-talbot@chateau-talbot.com Y ⚘ r.-v.
⊶ Mmes Rustmann et Bignon-Cordier

CH. TEYNAC 2004

■ 11,5 ha 50 000 ⊕ 15 à 23 €

93 94 95 |96| 97 |98| |99| |00| 01 02 03 04

Situé dans le bourg de Beychevelle, ce cru se reconnaît à sa galerie qui lui donne un petit air méditerranéen. Régulier en qualité, il propose ici un vin souple et bien constitué, fruité et boisé, encore marqué par une pointe de fraîcheur en finale. À garder deux ou trois ans.

⊶ Ch. Teynac, Grand-Rue, Beychevelle,
33250 Saint-Julien-Beychevelle, tél. 05.56.59.12.91,
fax 05.56.59.46.12, e-mail philetfab3@wanadoo.fr
☑ Y ⚘ r.-v.
⊶ F. et Ph. Pairault

Les vins blancs liquoreux

Quand on regarde une carte vinicole de la Gironde, on remarque aussitôt que toutes les appellations de liquoreux se trouvent dans une petite région située de part et d'autre de la Garonne, autour de son confluent avec le Ciron. Simple hasard ? Assurément non, car c'est l'apport des eaux froides de la petite rivière landaise, au cours entièrement couvert d'une voûte de feuillages, qui donne naissance à un climat très particulier. Celui-ci favorise l'action du *Botrytis cinerea*, champignon de la pourriture noble. En effet, le type de temps que connaît la région en automne (humidité le matin, soleil chaud l'après-midi) permet au champignon de se développer sur un raisin parfaitement mûr sans le faire éclater : le grain se comporte comme une véritable éponge, et le jus se concentre par évaporation d'eau. On obtient ainsi des moûts très riches en sucre.

Mais, pour obtenir ce résultat, il faut accepter de nombreuses contraintes. Le développement de la pourriture noble étant irrégulier sur les différentes baies, il faut vendanger en plusieurs fois, par tries successives, en ne ramassant à chaque fois que les raisins dans l'état optimal. En outre, les rendements à l'hectare sont faibles (avec un maximum autorisé de 25 hl à Sauternes et à Barsac). Enfin, l'évolution de la surmaturation, très aléatoire, dépend des conditions climatiques et fait courir des risques aux viticulteurs.

Cadillac

Cette bastide qu'ennoblit son splendide château du XVII^e^s., surnommé le « Fontainebleau girondin », est souvent considérée comme la capitale des premières côtes. Elle est aussi, depuis 1980, une appellation de vins liquoreux qui a produit 6 806 hl sur 229 ha en 2005.

CH. BENEYT 2004 ★

1 ha 1 200 5 à 8 €

Associant 20 % de sauvignon au sémillon, ce vin sait ce montrer expressif (coing, abricot confit, agrumes, miel), friand, liquoreux et bien équilibré. À boire dès maintenant sur une tarte aux fruits. (Bouteilles de 50 cl.)

Joël Vrignaud, 2, Graves Ouest, 33410 Rions, tél. 05.56.62.14.98, fax 05.56.62.10.01 r.-v.

CH. LA BERTRANDE 2005 ★

9,18 ha 40 000 8 à 11 €

Commandé par une chartreuse du XIX[e]s., ce cru propose une cuvée de pur sémillon, née sur argilo-calcaires et graves. Encore un peu discrète dans son expression aromatique, elle offre une matière équilibrée, légèrement miellée, qui s'épanouit dans une finale chaleureuse. À attendre deux ou trois ans.

EARL Vignobles Anne-Marie Gillet, Ch. La Bertrande, 33410 Omet, tél. 05.56.62.19.64, fax 05.56.76.90.55, e-mail chateau.la.bertrande@wanadoo.fr r.-v.

CLOS DU MONASTÈRE DU BROUSSEY 2005

1,5 ha 6 000 5 à 8 €

Les religieux du Carmel du Broussey étant des moines contemplatifs, ils ont confié l'exploitation de leurs vignes aux Vignobles Arnaud et Marcuzzi. Le 2005 est intéressant par ses notes de fruits confits et de fruits secs et livre une matière riche mais bien équilibrée évoluant vers des flaveurs exotiques.

SCEA Vignobles Arnaud et Marcuzzi, 13, Le Vic, 33410 Cardan, tél. 05.56.62.60.91, fax 05.56.62.67.05, e-mail arnaud.marcuzzi@wanadoo.fr
t.l.j. 9h-12h 15h-16h; sam. dim. sur r.-v.; f. semaine 15 août

LE DÉLICE D'EXCEPTION
Cuvée Julien Élevé en fût de chêne 2004 ★★

2 ha 3 000 15 à 23 €

Cette gamme de vins, créée dans les années 1970, se décline dans différentes appellations du Bordelais. En cadillac, c'est une cuvée de sémillon aromatique, structurée et harmonieuse, qui affiche un certain potentiel de garde. La séduction opère dans le bouquet mêlant les fruits confits, l'écorce d'orange et le tilleul, et se poursuit dans un palais, puissant, frais et d'une grande persistance.

SCEA Vignobles Larroque, 15, allée de Gageot, 33550 Paillet, tél. 05.56.72.16.02, fax 05.56.72.34.44, e-mail vignobles.larroque@wanadoo.fr r.-v.

CH. FAYAU Réserve Grains nobles 2005 ★★★

6 ha 4 500 11 à 15 €

Négociants établis au cœur de l'appellation, les Médeville sont très attachés à leur propriété de Cadillac, une quarantaine d'hectares de vignes commandée par une ravissante chartreuse. Ils le prouvent une fois encore avec ce 2005 exceptionnel, issu de pur sémillon et qui ne se contente pas d'une belle présentation : outre la finesse de son expression aromatique aux accents d'abricot et de fruits confits, la douceur de son attaque, la générosité et la complexité de son palais ont conquis les dégustateurs.

La longue finale sur une note botrytisée confirme tout le potentiel de cette bouteille, à attendre quatre à cinq ans avant de la servir sur du foie gras. Assemblant 5 % de sauvignon et 5 % de muscadelle au sémillon, la **cuvée principale 2005 (5 à 8 €)** reçoit une citation.

Jean Médeville et Fils, Ch. Fayau, 33410 Cadillac, tél. 05.57.98.08.08, fax 05.56.62.18.22, e-mail medeville-jeanetfils@wanadoo.fr r.-v.

CH. HAUT MOULEYRE Magie 2005 ★

1,45 ha 3 000 15 à 23 €

Bernard Magrez dans ses œuvres liquoreuses. Ayant racheté cette propriété en 2004, il se lance dans un premier millésime ; très heureusement surpris du résultat, il décide de poursuivre l'aventure. Ce 2005 montre qu'il a fait le bon choix. D'une bonne complexité aromatique (fleurs, abricot confit, toasté), il se montre ample et structuré, avant une finale légèrement épicée. Quatre ou cinq ans de garde le porteront à son optimum.

SCEA Ch. Haut Mouleyre, 27, Le Bos, 33760 Escoussans, tél. 05.56.23.69.96, fax 05.56.23.46.44, e-mail chateauhautmouleyre@wanadoo.fr
Bernard Magrez

CH. LESCURE Cuvée spéciale 2004 ★

1 ha 1 800 11 à 15 €

Cette propriété appartient depuis quinze ans au Centre d'aide par le travail de Verdelais. Sa cuvée spéciale associe une touche de sauvignon (2 %) au sémillon. Quelques années en cave permettront au boisé de se fondre complètement. Riche, expressif et structuré, ce vin a toutes les qualités pour aborder sereinement son séjour en cave.

Ch. Lescure, Narce, 33490 Verdelais, tél. 05.57.98.04.68, fax 05.57.98.04.64, e-mail chateau.lescure@free.fr r.-v.
S.P.E.G.

CH. MARGOTON 2005 ★★

3 ha 4 500 11 à 15 €

Les Vignobles Courrèges ont acquis ce cru en 1995, dont ils ont récemment rénové la cave de vinification. Fidèle à la tradition du domaine, l'assemblage de ce 2005 fait une large place à la muscadelle (40 %) aux côtés du sémillon. Le résultat est un vin complexe dans son expression aromatique (fleurs, pomme cuite, fruits exotiques) et équilibré dans sa structure, ample et souple. Un cadillac d'un grand classicisme, à découvrir dans quatre à cinq ans.

Vignobles Courrèges, 31, chem. des Vignes, 33880 Saint-Caprais-de-Bordeaux, tél. 05.56.21.32.87, fax 05.56.21.37.18, e-mail vignoblescourreges@orange.fr r.-v.

CH. MÉMOIRES
Grains d'or Élevé en fût de chêne 2005 ★★

1 ha 5 000 11 à 15 €

Les Grains d'or, ce sont ceux du sémillon (85 %), de la muscadelle (10 %) et du sauvignon, nés sur un terroir d'argiles et de graves, vendangés après la mi-octobre, vinifiés et élevés patiemment en cuve puis en fût. Il en résulte un vin agréable par son bouquet aux notes florales et confites comme par son palais ample et gras, équilibré par le retour de la fraîcheur en finale. La **cuvée principale 2005 (8 à 11 €)** est citée. (Bouteilles de 50 cl.)

SCEA Vignobles Ménard, Ch. Mémoires, 33490 Saint-Maixant, tél. 05.56.62.06.43, fax 05.56.62.04.32, e-mail memoires1@aol.com
r.-v.

Loupiac

Le vignoble de Loupiac (12 927 hl déclarés en 2005 sur 364 ha) est d'une origine ancienne, son existence étant attestée depuis le XIII[e]s. Par l'orientation, les terroirs et l'encépagement, cette aire d'appellation est très proche de celle de sainte-croix-du-mont. Toutefois, comme sur la rive gauche, on sent, en allant vers le nord, une subtile évolution des liquoreux proprement dits vers des vins plus moelleux.

CH. DU CROS 2005 ★★

27 ha 40 000 11 à 15 €

Château du Cros
MISE EN BOUTEILLE AU CHÂTEAU
Loupiac
APPELLATION LOUPIAC CONTROLÉE
2005

Construit en haut d'un à-pic rocheux dominant la vallée de la Garonne, ce château du XIII[e]s. a joué un rôle militaire important dans l'histoire de la Guyenne. Aujourd'hui, il commande un important vignoble produisant des vins de qualité, régulièrement sélectionnés et plusieurs fois coup de cœur. C'est le cas de ce 2005 au bouquet fin et complexe, exprimant les fleurs d'acacia, la pâte de fruits et la poire. Le palais riche et intense se distingue par son équilibre entre le sucre et l'acidité et par sa longue finale sur des notes de mangue fraîche. Il faudra encore un peu de temps à ce vin pour s'exprimer pleinement : il a tous les atouts pour séjourner en cave trois à cinq ans.

Vignobles Boyer, Ch. du Cros, 33410 Loupiac, tél. 05.56.62.99.31, fax 05.56.62.12.59, e-mail contact@chateauducros.com
t.l.j. sf sam. dim. 8h30-12h30 13h30-18h

CH. FORTIN 2005 ★

5 ha n.c. 8 à 11 €

Né sur une petite propriété, ce vin séduit par sa robe dorée aux reflets brillants comme par son expression aromatique évoluant de la pêche jaune aux fruits exotiques, en passant par le raisin confit. Harmonieux, il pourra être savouré jeune ou attendu.

SCEA Tourré-Delmas, 26, rte de Saint-Macaire, 33410 Loupiac, tél. 05.56.62.99.45, fax 05.56.62.19.44
r.-v.

CH. GRAND PEYRUCHET 2004 ★

10 ha 20 000 8 à 11 €

Depuis une vingtaine d'années, Bernard Queyrens exploite ce cru d'une trentaine d'hectares établi sur un terroir argilo-sableux. Le sauvignon (20 %) s'associe au sémillon pour donner ce 2005 gorgé de soleil, non seulement dans le verre avec sa robe jaune doré brillant, mais aussi dans le bouquet mêlant la pêche blanche et le miel. Des notes de fleurs blanches viennent apporter de la fraîcheur à l'ensemble. À découvrir dans deux ou trois ans.

Bernard Queyrens, 1, Les Plainiers, 33410 Loupiac, tél. 05.56.62.62.71, fax 05.56.76.92.09, e-mail chateaupeyruchet@wanadoo.fr r.-v.

CH. DU GRAND PLANTIER 2005 ★

16 ha 70 000 5 à 8 €

À cheval sur plusieurs appellations, cette unité de 61 ha propose une large palette de vins, dont ce loupiac issu de sémillon (85 %) et de muscadelle. Bien constitué et équilibré, mariant le pain d'épice à l'abricot confit et au

Les vins blancs liquoreux

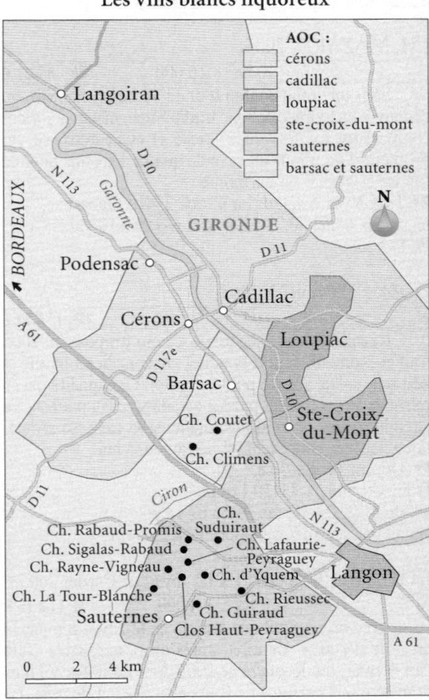

toasté, il pourra être attendu quelques années avant d'accompagner un foie gras ou un fromage persillé.
GAEC des Vignobles Albucher, Ch. du Grand Plantier, 33410 Monprimblanc, tél. 05.56.62.99.03, fax 05.56.76.91.35, e-mail chdugrandplantier@hotmail.com
r.-v.

CH. DE LOUPIAC 2005 **

2 ha 9 000 15 à 23 €

Une chartreuse du XVIIIe s. règne sur le vignoble de près de 30 ha. Elle figure sur l'étiquette de ce vin, qui lui emprunte son élégance, comme en témoigne sa robe doré éclatant aux reflets miel. Très expressif, le bouquet annonce par ses notes confites le caractère liquoreux du palais, riche et long, qui autorise une garde pouvant aller jusqu'à une douzaine d'années. Élevé en cuve, le **Château Loupiac-Gaudiet 2005 (8 à 11 €)** obtient une étoile.
SCEA Marc Ducau, Ch. Loupiac-Gaudiet, 33410 Loupiac, tél. 05.56.62.99.88, fax 05.56.62.60.13, e-mail ml@loupiacgaudiet.com r.-v.

CH. MAZARIN 2005

10 ha 15 000 8 à 11 €

Sous une robe bouton d'or à l'allure printanière, on découvre un loupiac de style traditionnel, mêlant l'abricot confit et un toasté vanillé ; riche et chaleureux, ce vin profitera d'un séjour en cave de quatre à six ans pour se fondre et gagner en harmonie.
Jean-Yves Arnaud, La Croix, 33410 Gabarnac, tél. et fax 05.56.20.23.52, e-mail jy-arnaud@yahoo.fr
r.-v.

DOM. DU NOBLE 2005 *

n.c. 35 000 15 à 23 €

Régulièrement sélectionné, ce cru propose un 2005 frais et expressif, dont le bouquet sait concilier intensité et finesse (vanille, acacia, pomme verte). Une qualité qui se retrouve au palais. Vif, puissant et long, ce vin pourra être attendu quatre ou cinq ans, même si sa richesse aromatique peut le rendre tentant dès aujourd'hui.
Dejean Père et Fils, Dom. du Noble, 33410 Loupiac, tél. 06.81.23.28.36, fax 05.56.62.15.90, e-mail pat.dejean@wanadoo.fr r.-v.

DOM. DE PEYTOUPIN Le Joyau de Cartier 2005 *

1,2 ha 4 000 11 à 15 €

Avec un nom tel que le sien, cette cuvée n'a pas le droit de décevoir. En effet, après un remarquable 2004 l'an dernier, on découvre ce 2005 dont les notes confites se mêlent aux parfums de fruits exotiques et de miel. Le palais, moelleux et chaleureux à l'attaque, offre structure et longueur. Un joyau à laisser dans son écrin encore trois ou quatre ans.
Alain Cartier, Dom. de Peytoupin, 10, Peytoupin, 33410 Loupiac, tél. et fax 05.56.62.99.50, e-mail alaincartier@hotmail.com r.-v.

CH. LA YOTTE 2005

4 ha 7 200 8 à 11 €

Régulier en qualité, ce cru reste fidèle à sa tradition avec un vin bien équilibré, friand (frais et moelleux) et souple. Encore un peu jeune, celui-ci promet de se révéler après une petite garde.
Philippe Bouffard, 2, rte de Lambrot, 33410 Loupiac, tél. 05.56.62.92.22, fax 05.56.62.67.79, e-mail chateaulayotte@wanadoo.fr
t.l.j. sf mer. dim. 10h30-12h 14h-16h

Sainte-croix-du-mont

Un site de coteaux abrupts dominant la Garonne, trop peu connu en dépit de son charme, et un vin ayant trop longtemps souffert (à l'égal des autres appellations de liquoreux de la rive droite) d'une réputation de vin de noces ou de banquets.

Pourtant, cette aire d'appellation (15 004 hl en 2005 sur 400 ha déclarés), située en face de Sauternes, mérite mieux : à de bons terroirs, en général calcaires, avec des zones graveleuses, elle ajoute un microclimat favorable au développement du botrytis. Quant aux cépages et aux méthodes de vinification, ils sont très proches de ceux du Sauternais. Les vins, autant moelleux que véritablement liquoreux, offrent une plaisante impression de fruité. On les servira comme leurs homologues de la rive gauche, mais leur prix, plus abordable, pourra inciter à les utiliser pour composer de somptueux cocktails.

CH. DES ARROUCATS 2005 **

21,9 ha 30 000 5 à 8 €

La muscadelle (5 %) et le sauvignon (10 %) complètent le sémillon, offrant un vin d'une belle complexité aromatique allant du beurre aux épices fines en passant par les fruits exotiques, l'abricot et la pêche blanche. Cette

richesse se retrouve au palais, plein d'une liqueur puissante, équilibrée par une vivacité présente de l'attaque à la finale. Un sainte-croix harmonieux et racé, que l'on pourra apprécier immédiatement comme dans cinq ou dix ans.
Barbe-Lapouge, Ch. des Arroucats,
33410 Sainte-Croix-du-Mont, tél. 05.56.62.07.37,
fax 05.56.76.71.80,
e-mail chateau_arroucats@hotmail.com r.-v.
Annie Lapouge

CH. BEL AIR Vieilles Vignes 2004 ★★

26 ha 10 000 8 à 11 €

S'ils proposent une large palette de vins dans plusieurs appellations, Jean-Guy et Michel Méric prennent toujours grand soin de leurs sainte-croix. Personne n'en doutera en savourant ce 2004 : faisant fi de la réputation du millésime, il se permet d'afficher autant de concentration que de complexité. Ample et riche, il se développe avec élégance sur des notes de fruits confits et de figue sèche. Tout annonce une grande bouteille à ouvrir dans cinq ou dix ans sur du foie gras ou du fromage persillé. La cuvée **Prestige 2005 (15 à 23 €)**, élevée en fût, obtient une étoile.
Jean-Guy Méric, Ch. Bel Air,
33410 Sainte-Croix-du-Mont, tél. 05.56.62.01.19,
fax 05.56.62.09.33, e-mail jeanguy.meric@wanadoo.fr
r.-v.

CH. DE CRABITAN 2005 ★

5,07 ha 25 000 8 à 11 €

Exploitation familiale, ce cru offre un vin issu à 100 % de sémillon, paré d'une robe d'un jaune doré brillant et soutenu. Le bouquet bien typé par ses notes confites préfigure le palais marqué par le botrytis. L'ensemble sera toujours des plus harmonieux dans cinq à dix ans, voire davantage.
Vincent Labouille, Ch. de Crabitan,
33410 Sainte-Croix-du-Mont, tél. 05.56.62.01.78,
fax 05.56.76.71.17, e-mail ml@labouille.net
t.l.j. sf sam. dim. 8h30-12h30 14h-17h; f. en août

CRU DE GRAVÈRE Cuvée Prestige 2005

1,5 ha 2 000 15 à 23 €

Laurent Réglat se plaît à façonner des cuvées confidentielles à partir de ses vieux ceps de sémillon. Sa Quintessence fut ainsi coup de cœur l'an dernier. Si ce 2005 affiche moins d'ambitions, il n'en reste pas moins plaisant par la finesse et la fraîcheur de son bouquet. Le palais s'inscrit dans le droit fil, offrant des notes de fruits exotiques qui feront bel effet à l'apéritif.
EARL Vignobles Laurent Réglat, Ch. de Teste,
33410 Monprimblanc, tél. 05.56.62.92.76,
fax 05.56.62.98.80,
e-mail vignobles.l.reglat@wanadoo.fr
t.l.j. sf sam. dim. 9h-12h 14h-17h30

CH. DES GRAVES DU TICH 2005

3,6 ha 18 000 5 à 8 €

Simple et classique, ce vin ne décevra pas les amateurs de sainte-croix-du-mont. Si son bouquet reste discret, il n'en montre pas moins de bonnes dispositions avec des parfums d'abricot, de fruits secs et de pâte de coings. Le palais évolue sur d'agréables flaveurs de fruits confits. À apprécier dès maintenant.
SCV Jean Queyrens et Fils, Le Grand Village,
33410 Donzac, tél. 05.56.62.97.42, fax 05.56.62.10.15,
e-mail scvjqueyrens@orange.fr r.-v.

CH. LA RAME Réserve du château 2005 ★★

5 ha 20 000 15 à 23 €

96 97 |98| |99| **00 01 02** 03 **04 05**

Comme l'indique son nom (« le roc » en vieux français), ce cru ancien bénéficie d'un bon terroir. Le sémillon (80 %) et le sauvignon s'associent pour donner un 2005 remarquablement équilibré entre fraîcheur et liqueur. Long et bien constitué, marqué par d'agréables notes d'agrumes confits (orange et mandarine), ce vin déjà plaisant saura aussi affronter le temps. Du même producteur, le **Château La Caussade 2005 (8 à 11 €)** obtient une étoile.
Yves Armand, Ch. La Rame,
33410 Sainte-Croix-du-Mont, tél. 05.56.62.01.50,
fax 05.56.62.01.94, e-mail dgm@wanadoo.fr
t.l.j. 9h-12h 14h-17h30; sam. dim. sur r.-v.

CH. VALENTIN 2005

15 ha 20 000 5 à 8 €

Hervé Chouvac exploite deux crus en sainte-croix-du-mont. Celui-ci, tout d'abord, issu exclusivement de sémillon, plaisant par ses notes de fruits mûrs et de miel, dont la richesse et l'équilibre garantissent le potentiel de garde. Le **Château du Mont cuvée Pierre 2005 (11 à 15 €)**, harmonieux et puissant, est également cité ; il fera un beau vin liquoreux de fin de repas.
Hervé Chouvac, Ch. du Mont,
33410 Sainte-Croix-du-Mont, tél. 06.89.96.54.73,
fax 05.56.62.07.58,
e-mail chateau-du-mont@wanadoo.fr r.-v.

Cérons

Enclavés dans les graves (appellation à laquelle ils peuvent aussi prétendre, à la différence des sauternes et des barsac), les cérons (1 863 hl sur 51 ha déclarés pour le millésime 2005) assurent une liaison entre les barsac et les graves supérieures, moelleux. Mais là ne s'arrête pas leur originalité, qui réside aussi dans une sève particulière et une grande finesse.

CH. DE CHANTEGRIVE Sélection Françoise 2005 ★★

4 ha 5 200 15 à 23 €

Henri et Françoise Lévêque ont créé ce domaine il y a quarante ans. Remembrement de nombreuses parcelles, construction des bâtiments : ils n'ont pas ménagé leurs efforts, mais le résultat est là avec un 2005 gras, concentré et aromatique, qui révèle par son fruité (gelée de coing) et son joli botrytis l'excellente maturité de la vendange. Équilibré par la fraîcheur d'une pointe citronnée, ce cérons est déjà plaisant mais pourra être attendu de cinq à dix ans.
SAS Vignobles Lévêque, Ch. de Chantegrive,
33720 Podensac, tél. 05.56.27.17.38, fax 05.56.27.29.42,
e-mail courrier@chateau-chantegrive.com
t.l.j. sf dim. 9h-12h30 13h30-17h

CH. DES DEUX MOULINS 2005

2 ha 4 500 8 à 11 €

Par son nom, ce vin rappelle que la région de Cérons était jadis couverte de moulins. Ce 2005 assemble un peu de sauvignon (3 %) et de muscadelle (2 %) au sémillon.

Équilibré et bien construit, il sait se rendre intéressant par ses arômes de pêche et de raisin mûr. À apprécier dès maintenant.
SCEA M. R. Pastol, Condrine, 33720 Illats, tél. 05.56.27.02.43, fax 05.56.27.34.46 r.-v.

CH. HAURA 2005 **

1,48 ha 11 000 11 à 15 €

Barsacais et professeur d'œnologie à la faculté de Bordeaux, Denis Dubourdieu s'y entend en matière de liquoreux. Coup de cœur deux années de suite, son cru conserve ses deux étoiles dans le millésime 2005. Fin et intense, ce vin illustre tout le savoir-faire de l'élaborateur par sa puissance et sa riche palette aromatique (pêche blanche, boisé) caractéristique de l'appellation. Appréciable prochainement, mais sûrement promis à un bel avenir.
EARL Pierre et Denis Dubourdieu, Ch. Doisy-Daëne, 33720 Barsac, tél. 05.56.27.15.84, fax 05.56.27.18.99, e-mail denisdubourdieu@wanadoo.fr r.-v.

CH. HURADIN 2005 *

3,95 ha 10 900 8 à 11 €

Intégralement issu du sémillon, ce vin ne manque pas d'allure dans sa robe jaune d'or. Du bouquet fin et complexe (fruits confits, coing, mangue) à la liqueur riche et équilibrée, tout est en place pour assurer à cette bouteille un potentiel de garde de quatre ou cinq ans.
SCEA Vignobles Ricaud-Lafosse, Ch. Huradin, 33720 Cérons, tél. et fax 05.56.27.09.97
t.l.j. 9h-12h 14h-18h; sam. dim. et groupes sur r.-v.
Catherine Lafosse

CH. DU SEUIL 2005 *

0,5 ha 4 000 11 à 15 €

Situé sur un plateau incliné vers la Garonne, ce cru propose un vin issu de sémillon (90 %) et de sauvignon. S'il n'a pas encore trouvé son expression aromatique définitive, ce 2005 s'affirme déjà fin et racé. Riche, gras et équilibré, le palais confirme les bonnes dispositions de cette bouteille, à attendre un ou deux ans.
SCEA Ch. du Seuil, 33720 Cérons, tél. 05.56.27.11.56, fax 05.56.27.28.79, e-mail nicolas@chateauduseuil.com r.-v.

Barsac

Tous les vins de l'appellation barsac peuvent bénéficier de l'appellation sauternes. Barsac (405 ha, 9 799 hl déclarés en 2005) s'individualise cependant, en comparaison avec les communes du Sauternais proprement dit, par un moindre vallonnement et par les murs de pierre entourant souvent les exploitations. Ses vins se distinguent des sauternes : ils ont un caractère plus légèrement liquoreux. Mais, comme les sauternes, ils peuvent être servis de façon classique avec un dessert ou, comme cela se fait de plus en plus, en entrée, sur du foie gras, ou bien en accompagnement de fromages bleus du type roquefort.

CYPRÈS DE CLIMENS 2004 **

30 ha 13 500 15 à 23 €

Établi au sommet de l'appellation barsac, Climens bénéficie d'un superbe terroir de sables argileux, planté uniquement de sémillon. Ce 2004 apparaît dans une élégante robe d'un jaune franc. Riche et complexe, le bouquet révèle une collection de parfums allant du genêt à l'abricot confit en passant par l'ananas et quelques notes de miel. Bien équilibré et soyeux, le palais développe des flaveurs en harmonie avec le bouquet. Un barsac déjà agréable, qui devrait encore gagner en harmonie d'ici cinq ou dix ans.
Bérénice Lurton, Ch. Climens, 33720 Barsac, tél. 05.56.27.15.33, fax 05.56.27.21.04, e-mail contact@chateau-climens.fr r.-v.

CH. COUTET 2004 *

1er cru clas. 38,5 ha 36 000 30 à 38 €

73 75 76 78 **81 83** 85 **86 89 90** 95 96 97 99 01 02 03 04

Vignoble d'un seul tenant implanté sur un terroir argilo-calcaire, Coutet est l'un des plus anciens domaines de Barsac. Bon représentant de l'appellation, même dans ce millésime délicat, son vin se distingue par sa richesse et sa complexité aromatique : aux parfums floraux (tilleul) s'ajoutent des notes plus minérales et des touches de miel et de fruits cuits (compote de pommes). Il séduit aussi par son palais, qui attaque avec souplesse avant de trouver un bon équilibre sur des notes d'abricot confit et de vanille. Il mérite trois ou quatre ans de patience.
SC Ch. Coutet, 33720 Barsac, tél. 05.56.27.15.46, fax 05.56.27.02.20, e-mail info@chateaucoutet.com r.-v.

CH. NAIRAC 2003 *

2e cru clas. 14,89 ha 12 500 46 à 76 €

(83) **86 88 89 90** 91 **92** 93 94 (95) **96** 01 **02** 03

À l'entrée de Barsac en venant de Bordeaux, on aperçoit le château et son parc, un des plus beaux lieux de l'appellation. Mais plus encore qu'à son architecture, c'est à sa production que le cru doit sa renommée. En témoignent la richesse et la complexité de ce vin aux notes de confiture d'abricots et de gelée de coing. Le palais ample et généreux révèle la puissante liqueur typique du millésime. À apprécier dans deux ou trois ans.
Ch. Nairac, 33720 Barsac, tél. 05.56.27.16.16, fax 05.56.27.26.50, e-mail contact@chateau-nairac.com r.-v.
Nicole Tari

CH. PIADA 2005

9,55 ha 13 000 15 à 23 €

83 86 88 89 (90) **91** 95 96 97 98 **99 01 02 03** 04 05

Situé sur le haut plateau de Barsac, ce domaine très ancien est mentionné dans un texte de 1274. Son 2005 est un barsac d'une grande richesse, à réserver aux amateurs qui découvriront une robe jaune à reflets cuivrés, une palette aromatique passant de la cire aux fruits confits et aux agrumes. Gras et long, un vin à attendre encore quelques années.
EARL Lalande et Fils, Ch. Piada, 33720 Barsac, tél. 05.56.27.16.13, fax 05.56.27.26.30, e-mail chateau.piada@wanadoo.fr
t.l.j. 8h-12h 13h30-19h; sam. dim. sur r.-v.

Sauternes

Si vous visitez un château à Sauternes, vous saurez tout sur ce propriétaire qui eut un jour l'idée géniale d'arriver en retard pour les vendanges et de décider, sans doute par entêtement, de faire ramasser les raisins malgré leur état surmûri. Mais si vous en visitez cinq, vous n'y comprendrez plus rien, chacun ayant sa propre version, qui se passe évidemment chez lui. En fait, nul ne sait qui « inventa » le sauternes, ni quand ni où.

Si en Sauternais, l'histoire se cache toujours derrière la légende, la géographie, elle, n'a plus de secret. Chaque caillou des cinq communes constituant l'appellation (dont Barsac, qui possède sa propre appellation) est recensé et connu dans toutes ses composantes. Il est vrai que c'est la diversité des sols (graveleux, argilo-calcaires ou calcaires) et des sous-sols qui donne un caractère à chaque cru, les plus renommés étant implantés sur des croupes graveleuses. Obtenus avec trois cépages – le sémillon (de 70 à 80 %), le sauvignon (de 20 à 30 %) et la muscadelle –, les sauternes sont dorés, onctueux, mais aussi fins et délicats. Leur bouquet « rôti » se développe très bien au vieillissement, devenant riche et complexe, avec des notes de miel, de noisette et d'orange confite. Il est à noter que les sauternes sont les seuls vins blancs à avoir été classés en 1855. L'AOC couvrait une superficie de 1 809 ha en 2005 pour une production de 43 026 hl.

CH. L'AGNET LA CARRIÈRE Tradition 2005 *

5 ha 13 000 23 à 30 €

Ce cru propose un 2005 jaune d'or brillant. Le bouquet, d'abord discret, s'ouvre sur des notes de miel et de fruits confits. Le palais s'emplit d'une riche liqueur, rafraîchie en finale par une pointe minérale. Un vin encore un peu fermé aujourd'hui, que l'on attendra trois ans.

Laurent Mallard, Ch. Naudonnet Plaisance, 33760 Escoussans, tél. 05.56.23.93.04, fax 05.56.23.97.94, e-mail contact@laurent-mallard.com r.-v.

CH. ANDOYSE DU HAYOT 2005

20 ha 19 500 8 à 11 €

90 91 93 94 95 **96** 97 98 99 00 03 05

Issu d'un vignoble situé à Barsac, ce 2005 réalise un heureux mariage entre des notes grillées et fruitées (poire, prune, pomme cuite). Une fraîche touche de réglisse complète et équilibre l'ensemble. Le palais affiche dès l'attaque la puissance de la matière qui révèle un caractère confit et épicé. À attendre quelques années.

Vignobles du Hayot, Andoyse, 33720 Barsac, tél. 05.56.27.15.37, fax 05.56.27.04.24, e-mail vignoblesduhayot@wanadoo.fr r.-v.

CH. D'ANNA Cuvée Louis d'Or 2005 *

0,25 ha 600 15 à 23 €

Créé en 2002 à la suite d'un héritage, ce cru a fait son entrée dans le Guide il y a deux ans. Issue du seul sémillon, cette cuvée très confidentielle séduit d'emblée par sa couleur or pâle. Son bouquet exprime les fruits confits, le miel, ainsi que des notes florales et vanillées. Le palais souple et gras offre un boisé grillé bien intégré, avant une longue finale sur la fraîcheur.

Sandrine Dauba, 16, rue Barreau, 33720 Barsac, tél. 05.56.27.20.12, e-mail chateaudanna@free.fr r.-v.

CH. D'ARCHE 2003 *

2e cru clas. 27 ha 40 000 23 à 30 €

Établi sur une croupe de graves dominant le bourg de Sauternes, ce cru privilégie le sémillon (90 %) dans son encépagement. Son 2003 développe un bouquet associant un boisé élégant à des parfums d'agrumes (orange et mandarine), de miel et de fleurs blanches. Bien qu'encore marqué par l'élevage, le palais, puissant et équilibré, fait preuve d'une bonne intensité aromatique (fruits confits, melon) jusqu'à la finale longue et racée. Potentiel de garde de cinq à sept ans.

Ch. d'Arche, 33210 Sauternes, tél. 05.56.76.66.55, fax 05.56.76.64.38, e-mail chateaudarche@wanadoo.fr t.l.j. 8h-12h 14h-18h; sam. dim. sur r.-v.

CH. D'ARCHE-LAFAURIE 2003 **

n.c. 5 000 38 à 46 €

Cette cuvée spéciale du château d'Arche est issue d'une sélection des plus vieilles vignes de sémillon (80 %) et de sauvignon du cru. La robe jaune jonquille brillant invite à découvrir le bouquet qui mêle des notes florales (tilleul, acacia) à des arômes d'agrumes confits et à une touche de miel de bruyère. Puissante, chaleureuse et complexe, cette bouteille mérite les honneurs de la cave pendant plusieurs années.

Ch. d'Arche, 33210 Sauternes, tél. 05.56.76.66.55, fax 05.56.76.64.38, e-mail chateaudarche@wanadoo.fr t.l.j. 8h-12h 14h-18h; sam. dim. sur r.-v.

CH. D'ARMAJAN DES ORMES 2004 **

10 ha 8 000 15 à 23 €

95 **96** 97 98 99 00 **01** (02) **03** **04**

Un ensemble architectural du XVIIIe s. comprenant trois cours (cour d'honneur, cour viticole, cour agricole) commande ce vignoble de 10 ha enchâssé dans un parc clos presque deux fois plus vaste. Sélectionné sans discontinuer depuis dix ans, avec un coup de cœur pour le millésime 2002, le cru propose un 2004 remarquable. Drapé dans une robe or pâle, celui-ci offre un bouquet mêlant les fruits (pêche blanche), les fleurs (acacia, tilleul), le miel et les épices (clou de girofle). Cette complexité se retrouve au palais qui séduit par son équilibre et sa typicité. Déjà agréable aujourd'hui, ce vin pourra vieillir encore de nombreuses années.

EARL Jacques et Guillaume Perromat, Ch. d'Armajan, 33210 Preignac, tél. 05.56.63.58.21, fax 05.56.63.21.55, e-mail guillaume.perromat@wanadoo.fr r.-v.

CH. BARBIER 2005 *

6,12 ha 20 000 11 à 15 €

Situé sur la commune de Fargues dans une clairière dominant le ruisseau de Pontaulie, ce cru présente un

sauternes traditionnel et expressif. Sous une teinte or se révèle un bouquet aux subtils parfums de fleurs blanches, de pamplemousse, de citron et d'aubépine. Complexe, suave, gras et élégant, le palais est bien rafraîchi en finale par des notes d'agrumes.
Jean Médeville et Fils, Ch. Fayau, 33410 Cadillac, tél. 05.57.98.08.08, fax 05.56.62.18.22, e-mail medeville-jeanetfils@wanadoo.fr r.-v.

CRU BARRÉJATS 2003 *

5 ha 7 500 46 à 76 €

90 **91** 92 **94** 95 **96** **97** 98 00 01 **02** 03

Les propriétaires préfèrent au terme de château le mot cru qui met en exergue le terroir. Ici, des sols argilo-calcaires à astéries sur lesquels prospèrent le sémillon (90 %) et le sauvignon (10 %). Sans rivaliser avec le 2002, coup de cœur l'an dernier, ce 2003 volontiers flatteur séduit par son bouquet d'une réelle complexité (figue sèche et abricot confit). Le palais ample et gras, assez puissant, se prolonge sur une note exotique d'ananas.
SCEA Barréjats, Clos de Gensac Mareuil, 33210 Pujols-sur-Ciron, tél. 05.56.76.69.06, e-mail contact@cru-barrejats.com r.-v.
Andurand, Daret

CH. DE BASTARD 2005 *

2 ha 5 000 11 à 15 €

Passionnés par les liquoreux, Catherine et Christophe Gachet décident en 1999 d'abandonner leurs activités professionnelles pour se consacrer à la vigne et au vin. Pas moins de trois vins sont retenus cette année. Ce 2005 aux aimables parfums de pêche, de poire, de miel et de vanille, sans oublier le fruit confit, se montre souple et soyeux au palais avant de terminer sur la fraîcheur. On pourra l'attendre trois ou quatre ans, comme le **Château La Tour des Remparts 2005**, aux notes de fleurs, qui obtient également une étoile. Enfin, le **Clos Dady Sélection Vieilles Vignes 2005 (15 à 23 €)** reçoit une citation.
Catherine et Christophe Gachet, Ch. Les Remparts, 33210 Preignac, tél. 05.56.62.20.01, fax 05.56.62.33.11, e-mail clos-dady@wanadoo.fr
t.l.j. 9h-13h 14h-19h30 4

CH. BASTOR-LAMONTAGNE 2004 *

40 ha 24 000 15 à 23 €

82 **83** 84 **85** **86** **88** **89** (90) 94 95 **96** **97** 98 99 **00** 01 02 **03** 04

L'élégance de ce domaine, une des plus belles unités de l'appellation avec 52 ha de vignes d'un seul tenant, se retrouve dans ses vins. Ce 2004 le démontre, aussi bien par son bouquet de fleurs blanches et d'agrumes (citron) que par la fraîcheur et la finesse de son palais. Un sauternes délicat que l'on pourra commencer à déguster prochainement.
SCEA Vignobles Bastor Saint-Robert, Dom. de Lamontagne, 33210 Preignac, tél. 05.56.63.27.66, fax 05.56.76.87.03, e-mail bastor@bastor-lamontagne.com r.-v.
Foncier-Vignobles

CH. CANTEGRIL 2005 *

17 ha 39 000 15 à 23 €

Appartenant aux mêmes propriétaires que le cru classé Doisy-Daëne, ce vin séduit par ses arômes de fleurs blanches, de pêche blanche, d'ananas et de grillé. Fin et bien équilibré, il se développe avec ampleur, rafraîchi en finale d'une touche de minéralité.
EARL Pierre et Denis Dubourdieu, Ch. Doisy-Daëne, 33720 Barsac, tél. 05.56.27.15.84, fax 05.56.27.18.99, e-mail denisdubourdieu@wanadoo.fr r.-v.

CH. CAPLANE 2005

3 ha 6 000 11 à 15 €

Né dans le haut Bommes, ce vin de teinte paille doré se montre agréable par ses parfums de pêche blanche et d'abricot bien mûrs. Le palais riche et gras bénéficie de notes de citron et de fruit de la Passion rafraîchissantes.
Guy David, 6, Moulin de Laubes, 33410 Laroque, tél. 05.56.62.93.76 r.-v.
Garbay

DOM. DE CARBONNIEU Sélection Prestige 2005 **

15,75 ha 6 000 15 à 23 €

Ce domaine est une ancienne propriété familiale, transmise de père en fils depuis 1800. Il affiche sa devise sur l'étiquette : « Le soleil est mon reflet. » Le soleil brille en effet dans le verre de ce 2005, agréable par son bouquet aux délicates notes de miel, de fleurs blanches et de poire qui annonce un beau développement au palais. La chair, grasse et vive à la fois, évolue jusqu'en finale avec élégance sur de plaisantes flaveurs d'orange et d'abricot confit. Riche et d'une grande longueur, un sauternes qui a tout l'avenir devant lui.
SCEA Charrier et Fils, 6, Les Chons, 33210 Bommes, tél. 05.56.76.64.48, fax 05.56.76.69.95, e-mail vignobles.charrier@wanadoo.fr r.-v.

CLOS DU ROY 2005 *

9,55 ha 5 300 11 à 15 €

Seconde étiquette de Piada (appellation barsac), ce vin issu quasi exclusivement de sémillon, complété d'un soupçon de sauvignon et de muscadelle (1 % chacun), a retenu l'attention des dégustateurs par sa teinte dorée et par son côté floral accompagné de notes de grillé, de fruits confits et d'aubépine. Le palais bien typé se développe jusqu'à une finale équilibrée entre le gras et la fraîcheur.
EARL Lalande et Fils, Ch. Piada, 33720 Barsac, tél. 05.56.27.16.13, fax 05.56.27.26.30, e-mail chateau.piada@wanadoo.fr
t.l.j. 8h-12h 13h30-19h; sam. dim. sur r.-v.

CH. CLOS HAUT-PEYRAGUEY 2004

1er cru clas. 12 ha 11 100 38 à 46 €

82 **83** 85 **86** **88** **89** **90** 91 94 **95** **96** **97** 99 01 02 03 04

Situé sur la partie la plus haute du plateau de Bommes, ce cru est issu de la division de l'ancien château Peyraguey appartenant à la famille Pauly depuis 1914 ; il est dirigé aujourd'hui par Mme Langlais-Pauly qui représente la cinquième génération. Ce 2004 se montre agréable par son bouquet aux notes florales (genêt) et au délicat rôti. Son ampleur, sa longueur et sa richesse le prédisposent à la garde.
SCEA J. et J. Pauly, Ch. Clos Haut-Peyraguey, 33210 Bommes, tél. 05.56.76.61.53, fax 05.56.76.69.65, e-mail clos.haut.peyraguey@orange.fr
t.l.j. 9h-12h 14h-19h

CH. CLOSIOT 2004 ★

4,5 ha 6 500 23 à 30 €

Ce cru barsacais possède des chambres d'hôtes qui vous permettront de séjourner dans le Sauternais et de découvrir ses vins, tel ce 2004 or pâle qui s'ouvre à l'aération sur la vanille, les fruits secs et les fruits confits. Le palais se révèle bien construit, équilibré entre moelleux et vivacité. Autre vin du même producteur, le **Château Camperos 2004 (15 à 23 €)** est cité.

Françoise Sirot-Soizeau, Bonneau, Ch. Closiot, 33720 Barsac, tél. 05.56.27.05.92, fax 05.56.27.11.06, e-mail closiot@vins-sauternes.com

t.l.j. 9h-12h 14h-18h, sam. dim. sur r.-v.; f. jan.

CH. CRU PEYRAGUEY 2003 ★

8,2 ha 6 000 15 à 23 €

Appartenant à la même famille depuis 1713, cette propriété possède l'un des plus anciens cuviers traditionnels. Son 2003 jaune paille développe de délicats arômes d'agrumes confits et de fleur d'acacia, ponctués d'une note de fruits secs (figue et noix). Plaisant et velouté, le palais enchaîne les flaveurs (pain d'épice, miel, agrumes) pour aboutir à une finale des plus cordiales.

Vignobles Mussotte, 10, lieu-dit Miselle, 33210 Preignac, tél. et fax 05.56.44.43.48 r.-v.

CH. DELMOND 2005 ★★

14 ha 20 000 8 à 11 €

Le second vin du château Laville fait honneur à son aîné, en décrochant deux étoiles dans le millésime 2005, alors que le grand vin reçoit un coup de cœur pour le 2004. Il se présente dans une robe jaune paille à reflets dorés, avant de révéler un bouquet complexe, fait de notes de fruits très mûrs, de miel et d'acacia. Tout à fait charmeur, le palais allie finesse et richesse. Une finale vive complète ce sauternes de bonne garde (cinq à dix ans ou plus).

Ch. Laville, 33210 Preignac, tél. 05.56.63.59.45, fax 05.56.63.16.28, e-mail chateaulaville@hotmail.com

r.-v.

Famille Barbe

CH. DOISY-DAËNE 2005 ★

2e cru clas. 15 ha 56 000 30 à 38 €

50 71 75 76 78 79 80 **|81| 82** ⑧③ 84 85 **|86|** |88| |89| **|90| |91| 94 |95| |96| |97|** |98| 00 **|01|** |02| |⓪③| 04 05

Ce cru de Barsac a fait sa réputation grâce à une excellente adéquation entre le terroir et le travail de l'homme. Il est aujourd'hui dirigé par Denis Dubourdieu, également professeur de la faculté d'œnologie de Bordeaux. Le 2005 est un vin harmonieux tant par son bouquet, aux riches parfums de fleurs blanches, de fruits confits, de cire et de miel, que par son palais. Après une attaque élégante, il parvient à un bel équilibre entre la liqueur et la vivacité. Un sauternes dont on pourra profiter aussi bien aujourd'hui que dans cinq ou dix ans.

EARL Pierre et Denis Dubourdieu, Ch. Doisy-Daëne, 33720 Barsac, tél. 05.56.27.15.84, fax 05.56.27.18.99, e-mail denisdubourdieu@wanadoo.fr r.-v.

CH. DOISY-VÉDRINES 2004 ★

2e cru clas. 27 ha 30 000 23 à 30 €

75 81 |⑧③| **86 |88| 90 |95|** |97| |98| |00| **|02|** 03 04

Lors du classement de 1855, il n'existait qu'un seul Doisy. Après les partages qui ont suivi, le nom de Védrines a été accolé à ce vin en souvenir d'une famille de chevaliers, anciens propriétaires du domaine. Le 2004 plaira aux amateurs de sauternes modernes qui se laisseront séduire par sa robe, entre jaune paille et jaune doré, et par son bouquet aux notes de fleurs blanches et d'agrumes. Souple, plaisant, bien rafraîchi par des arômes d'agrumes (citron) au palais, ce vin sera parfait à l'apéritif et avec des entrées.

SC Doisy-Védrines, Ch. Doisy-Védrines, 33720 Barsac, tél. 05.56.27.15.13, fax 05.56.27.26.76, e-mail doisy-vedrines@orange.fr r.-v.

CH. DUDON 2004

11,8 ha 10 620 15 à 23 €

La chartreuse qui commande ce vignoble d'une douzaine d'hectares a été rénovée en 2003 et une partie transformée en gîte rural. L'occasion d'un séjour et d'une dégustation de ce 2004 lumineux aux fines notes de fruits confits, de fleurs blanches et d'épices. Ample, gras et équilibré, un vin que l'on pourra commencer à boire dès maintenant.

SCEA Ch. Dudon, 33720 Barsac, tél. et fax 05.56.27.29.38, e-mail chateau.dudon.barsac@wanadoo.fr

r.-v.

Allien

CH. L'ERMITAGE 2005 ★

8,5 ha 25 000 11 à 15 €

Un petit château du XVIII[e]s., flanqué d'une tour carrée, commande ce vignoble composé de deux îlots. Issu exclusivement de sémillon, ce 2005 offre un bouquet où les fruits mûrs (abricot, coing) se mêlent à des notes boisées et grillées. Le palais s'emplit d'une liqueur puissante qu'une bonne fraîcheur vient équilibrer, soulignée d'épices en finale. À attendre trois ou quatre ans encore.

SCEA Ch. L'Ermitage, 9, VC Michou-Lacoste, 33210 Preignac, tél. 05.56.76.24.13, fax 05.56.76.12.75, e-mail contact@chateau-lermitage.com r.-v.

Fontan

CH. DE FARGUES 2003 ★★

14 ha 20 000 46 à 76 €

47 49 53 59 62 ⑥⑦ 71 **75 76 83 84 85 86 87 |88| |89| |90| |91| |94| |95| |96| 97 |98| 01 02 03**

De la forteresse de Fargues, détruite par un incendie en 1687, ne subsistent plus que quelques murailles. La vocation viticole demeure, solidement ancrée, entretenue par la famille de Lur Saluces depuis plus de cinq siècles. Fidèle à son habitude, le cru propose un grand sauternes de garde qui sait concilier distinction et opulence. Alliées à une rondeur qui n'exclut pas la finesse, ses flaveurs persistantes de vanille, de miel, de genêt, de pain d'épice et d'abricot sec lui donnent un éclat tout particulier.

de Lur-Saluces, Ch. de Fargues, 33210 Fargues, tél. 05.57.98.04.20, fax 05.57.98.04.21, e-mail fargues@chateau-de-fargues.com r.-v.

CH. FARLURET 2004 ★★

13,38 ha 14 200 15 à 23 €

Cette propriété est dans le giron des vignobles Lamothe depuis 1970, mais son existence remonte au XVIII[e]s. Son vin affirme haut et fort sa personnalité. Aussi fin que riche, son bouquet marie les fleurs et les fruits confits. Rond, ample, complexe et élégant, le palais n'a rien à lui envier, ajoutant même quelques notes de rôti à la palette aromatique. Un sauternes déjà plaisant tout en possédant un solide potentiel de garde.

🔑 Lamothe, SCEA Ch. Haut-Bergeron, 3, Piquey, 33210 Preignac, tél. 05.56.63.24.76, fax 05.56.63.23.31, e-mail haut-bergeron@wanadoo.fr ☑ Y ⛹ r.-v.

CH. FILHOT 2004 ★★

2e cru clas. 62 ha 70 000 ▮ ◖◗ 15 à 23 €

81 82 83 85 **86 88** 89 91 92 |95| |**96**| |**97**| |98| |99| |00| 01 03 **04**

Un château néo- classique du XIXe s., entouré d'un vaste parc à l'anglaise de 17 ha, avec un pigeonnier du XVIe s. face aux chais : tout ici affiche une certaine noblesse, à commencer par ce 2004 à la robe dorée et brillante. Jeune et puissant, le bouquet exprime la poire, la pêche blanche, les fruits exotiques mûrs et les fruits secs. La matière soyeuse est équilibrée par une juste vivacité qui lui permet de persister remarquablement.

🔑 SCEA du Ch. Filhot, 33210 Sauternes, tél. 05.56.76.61.09, fax 05.56.76.67.91, e-mail filhot@filhot.com ☑ Y ⛹ r.-v.

🔑 H. de Vaucelles

CH. DU GRAND CARRETEY Cuvée Angélique 2005 ★★

0,9 ha 3 000 ▮ ◖◗ 15 à 23 €

Une cuvée confidentielle, créée en l'honneur de la naissance de la petite-fille du propriétaire. Les arômes de miel, de fruits très mûrs et d'agrumes se nuancent d'une touche de vanille, tandis que le palais rond et riche se rehausse de fraîches flaveurs d'agrumes, avant de dévoiler un boisé grillé bien fondu. À découvrir dans quatre ou cinq ans.

🔑 Vincent Labouille, Ch. de Crabitan, 33410 Sainte-Croix-du-Mont, tél. 05.56.62.01.78, fax 05.56.76.71.17, e-mail ml@labouille.net ☑ Y ⛹ t.l.j. sf sam. dim. 8h30-12h30 14h-17h; f. en août

CH. GRAVAS 2005 ★

8 ha 30 000 ▮ ◖◗ 15 à 23 €

Réputé depuis longtemps pour son accueil, ce cru barsacais n'en néglige pas pour autant ses vins, témoin, ce 2005 aux délicats parfums de fruits, de cannelle et de vanille. Gras dès l'attaque, le palais accompagne d'un boisé bien dosé une succession de flaveurs allant des fleurs blanches à la gelée de coing. Élégant et long, ce vin est déjà plaisant, mais gagnera à attendre trois ou quatre ans. Frais et d'une bonne complexité aromatique, le **Château Simon Carretey 2005 (11 à 15 €)** est cité.

🔑 Michel Bernard, Ch. Gravas, 8, Gravas, 33720 Barsac, tél. 05.56.27.06.91, fax 05.56.27.29.83, e-mail chateau.gravas@wanadoo.fr ☑ Y ⛹ r.-v.

CH. GRILLON 2005

12 ha 22 000 ◖◗ 15 à 23 €

Grillon est une propriété de taille moyenne comme beaucoup de crus barsacais. Située sur la partie élevée de Barsac, en bordure du Ciron, elle appartient à la famille Cameleyre depuis 1925. D'un jaune soutenu, son vin développe un bouquet complexe qui laisse pointer de délicats arômes allant du fruit confit au miel. Rond et gras, il garde une certaine élégance au palais.

🔑 Odile Roumazeilles-Cameleyre, Ch. Grillon, 33720 Barsac, tél. 05.56.27.16.45, fax 05.56.27.03.77 ☑ Y ⛹ t.l.j. 8h30-12h30 14h-18h

CH. HAUT-BERGERON 2005 ★★

17,03 ha 48 700 ◖◗ 23 à 30 €

83 86 88 |**89**| |**90**| **91** 95 |**96**| 97 |98| |99| 00 **01** |**02**| 03 |04| **05**

Possédant des vignes dans le Haut-Bommes et sur Preignac, dont certaines contiguës à Yquem, ce cru bénéficie d'un terroir de premier choix. On ne peut en douter en découvrant ce 2005 de couleur paille qui révèle un bouquet intense de miel, de fruits exotiques et d'abricot. Le palais souple et rond confirme ces bonnes dispositions par l'harmonie de sa liqueur, son équilibre et sa richesse aromatique. De superbes notes de fruits confits en finale viennent parfaire le tableau. Assez riche et agréablement bouqueté, le **Château Fontebride 2004 (11 à 15 €)** est cité.

🔑 Lamothe, SCE Ch. Haut-Bergeron, 3, Piquey, 33210 Preignac, tél. 05.56.63.24.76, fax 05.56.63.23.31, e-mail haut-bergeron@wanadoo.fr ☑ Y ⛹ r.-v.

CH. HAUT-MAYNE 2005 ★

7,72 ha 16 000 ◖◗ 15 à 23 €

Les amateurs de sauternes de style classique seront ravis par le côté liquoreux bien marqué de ce vin. Celui-ci apparaît aussi bien dans le bouquet de fruits jaunes confits qu'au palais, riche et gras, à la longue finale sur des notes d'agrumes et de grillé.

🔑 EARL Roumazeilles, Ch. Haut-Mayne, 33210 Preignac, tél. 05.56.27.12.18, fax 05.56.27.03.77, e-mail julien.roumazeilles@wanadoo.fr ☑ Y ⛹ r.-v.

CH. LES JUSTICES 2004 ★

8,5 ha 25 000 ◖◗ 23 à 30 €

Situé à Preignac au cœur du Sauternais, ce cru est établi sur un terroir argilo-graveleux au sous-sol rocheux. Son encépagement traditionnel inclut le sémillon (85 %), le sauvignon (10 %) et la muscadelle. Y voir naître un sauternes classique n'a donc rien de surprenant. Son classicisme s'exprime dans sa couleur jaune vif à reflets dorés et dans son bouquet intense de fruits confits, d'agrumes, de figue sèche et de cannelle. Le palais, riche et aromatique, gagne en relief grâce à une pointe de fraîcheur. À apprécier dans deux à trois ans.

🔑 SCEA Julie Gonet-Médeville, Ch. Gilette, 33210 Preignac, tél. 05.56.76.28.44, fax 05.56.76.28.43, e-mail gonet.medeville@wanadoo.fr ☑ Y ⛹ r.-v.

KRESSMANN Grande Réserve 2004

n.c. 20 000 ▮ 11 à 15 €

Cette gamme de vins créée par la maison Kressmann à destination de la restauration se décline dans les principales appellations du Bordelais. En sauternes, on découvre un vin intéressant par sa robe jaune clair à reflets

brillants et son fin bouquet d'agrumes confits. Souple et rond, le palais se montre lui aussi fort plaisant.
Kressmann, 35, rue de Bordeaux, 33290 Parempuyre, tél. 05.56.35.53.00, fax 05.56.35.53.29, e-mail contact@kressmann.com r.-v.

CH. LAFAURIE-PEYRAGUEY 2004 *

1er cru clas. 40,56 ha 65 000 23 à 30 €

75 76 79 80 81 82 83 84 85 86 **87** (88) **89 90** 91 92 93 **94 95 96 97** 98 **99 01** 02 **03** 04

Une forteresse médiévale à l'allure hispano-byzantine : l'originalité architecturale de ce château a sans doute contribué à la renommée du cru. Mais c'est surtout à la qualité de son vin qu'il la doit, comme le montre ce 2004 dont la robe d'or scintille de mille feux. Le bouquet se distingue par son caractère confit et ses notes de figue sèche, rehaussées d'un boisé fondu. Ample à l'attaque, le palais développe une riche liqueur marquée par le miel et le grillé, avant une longue finale. Un sauternes à laisser vieillir quelques années.
SAS Ch. Lafaurie-Peyraguey, 33210 Bommes, tél. 05.56.76.60.54, fax 05.56.76.61.89, e-mail lafaurie.peyraguey@wanadoo.fr r.-v.
SPFF

CH. LAMOTHE GUIGNARD 2004

2e cru clas. 18 ha 20 000 15 à 23 €

81 (83) **85** 86 87 **88** 89 **90 94 95 96** 97 98 99 00 **02** 03 04

Situé sur une croupe argilo-graveleuse dominant le Ciron, ce cru bénéficie pleinement du microclimat si particulier du Sauternais. À l'éclat de la robe dorée, vive et élégante, s'ajoute la générosité du bouquet aux notes de fruits confits, d'acacia et de botrytis. Ample et séveux, le palais dévoile une petite amertume qui s'estompera à la faveur de quatre ou cinq ans de garde. Un sauternes classique.
GAEC Philippe et Jacques Guignard, Ch. Lamothe Guignard, 33210 Sauternes, tél. 05.56.76.60.28, fax 05.56.76.69.05 t.l.j. sf sam. dim. 8h-12h 14h-18h

CH. LARIBOTTE 2003

6,5 ha 19 000 15 à 23 €

Ce vin a le charme de la simplicité. D'abord un peu secret, son bouquet se révèle ensuite, livrant d'agréables arômes d'agrumes (citron), de miel et d'épices (poivre). Le palais débute en rondeur, marqué par des flaveurs miellées, puis la liqueur prend le dessus et s'épanouit en finale sur des notes de pâte de fruits. Frais et simple lui aussi, le **Château Guimbalet 2005 (11 à 15 €)** est cité.
Jean-Pierre Lahiteau, Ch. Laribotte, 33210 Preignac, tél. 05.56.63.27.88, fax 05.56.62.24.80, e-mail scealahiteau@aol.com r.-v.

CH. LAVILLE 2004 **

14 ha 12 000 15 à 23 €

Après un coup de cœur l'an dernier pour le 2003, ce cru renouvelle l'exploit cette année, sachant tirer une fois encore le meilleur profit de son terroir sablo-graveleux à proximité du confluent du Ciron. Dès le premier regard, ce vin à la robe jaune doré retient l'attention. L'intensité du bouquet de fleur d'acacia et de miel envoûte, invitant à poursuivre la dégustation. Attaquant franchement, le palais séduit par son moelleux, sa vivacité et son élégance, ajoutant à la gamme déjà riche des arômes, une note de gelée de coing. La finale montre beaucoup de race et invite à se montrer patient. Une garde d'une dizaine d'années au moins est conseillée avant d'ouvrir cette bouteille.

Ch. Laville, 33210 Preignac, tél. 05.56.63.59.45, fax 05.56.63.16.28, e-mail chateaulaville@hotmail.com r.-v.
Famille Barbe

CH. DE MALLE 2005 *

2e cru clas. 27 ha 60 000 30 à 38 €

71 (75) **76** 81 **83 85 86** 87 **88 89 90 91 94 95 96 97 98** 99 00 02 03 **04** 05

Comment ne pas être admiratif devant l'élégance du château du XVIIe s., classé Monument historique, et des jardins à l'italienne ? On est séduit également par ce 2005 qui, s'il n'a pas encore trouvé sa personnalité définitive, exprime déjà des arômes de fruits exotiques et offre au palais ce qu'il faut de liqueur, de fraîcheur et de longueur, sur fond boisé bien dosé. Agréable, équilibré et structuré, ce vin promet une belle bouteille d'ici quelques années. Aussi élégant que le château lui-même, le **Sainte-Hélène 2005 (15 à 23 €)**, seconde étiquette de Malle, obtient une étoile.
GFA des Comtes de Bournazel, Ch. de Malle, 33210 Preignac, tél. 05.56.62.36.86, fax 05.56.76.82.40, e-mail chateaudemalle@wanadoo.fr r.-v.

CH. MAURAS 2005

14,76 ha 47 000 15 à 23 €

Maison de maître du XIXe s., vaste terrasse, parc ombragé, ce domaine a tout d'une villégiature. C'est pourtant bien un cru comprenant une vingtaine d'hectares de vignes qui produit des vins tel ce 2005 dont le côté séduisant apparaît dès le bouquet d'ananas mûr et de pamplemousse. Équilibré, le palais offre une liqueur intense, relevée d'une touche de vivacité aux accents d'agrumes.
Sté Viticole de France, Ch. du Grava, 33550 Haux, tél. 05.56.67.23.89, fax 05.56.67.08.38, e-mail p.duale@wanadoo.fr r.-v.

CH. DU MONT Cuvée Jeanne 2005

1,5 ha 1 800 11 à 15 €

Du même producteur que le château Valentin en sainte-croix-du-mont, cette cuvée Jeanne est digne d'intérêt, même si son volume est confidentiel. Issue à 100 % de sémillon, elle développe un bouquet intense, dont les nuances florales et confites se fondent harmonieusement. Charnu et bien construit, avec ce qu'il faut de vivacité pour avoir du relief, le palais confirme cette bonne impression. Pour une garde de quelques années.

🔑 Hervé Chouvac, Ch. du Mont, 33410 Sainte-Croix-du-Mont, tél. 06.89.96.54.73, fax 05.56.62.07.58, e-mail chateau-du-mont@wanadoo.fr ☑ 🍷 🚶 r.-v.

DOM. DE MONTEILS Sélection 2003 ★★

8 ha 6 000 15 à 23 €

Loin d'être une cuvée confidentielle, cette sélection représente la majorité de la production des 11 ha du domaine. De teinte paille doré, elle dévoile un bouquet délicat de fruits exotiques, d'agrumes, de fleurs blanches et de viennoiserie, puis offre une chair riche, aussi gourmande qu'équilibrée. Ses arômes de pâte de fruits et de raisin de Corinthe s'unissent dans la longue finale. Après quelques mois d'attente, vous servirez cette bouteille avec un poulet rôti à la broche. Vous pourrez aussi la garder en cave pendant plusieurs années.

🔑 SCEA Dom. de Monteils, 3, rte de Fargues, 33210 Preignac, tél. 05.56.62.24.05, fax 05.56.62.22.30, e-mail vins.sauternes@wanadoo.fr ☑ 🍷 🚶 r.-v.

ESQUISSE DE NAIRAC 2004 ★

14,89 ha 10 000 15 à 23 €

Hommage aux sanguines du XVIIIe s. par son nom et son étiquette, ce vin évoque le siècle des Lumières, l'âge d'or des vins de Bordeaux. S'il ne rivalise pas avec le 2003, coup de cœur l'an dernier, le 2004 ne manque ni d'atouts ni d'élégance avec ses arômes printaniers de miel et de fleur d'acacia qui se mêlent à des notes de coco et de vanille. Riche et long, il tire profit de la vivacité d'une touche d'agrumes.

🔑 Ch. Nairac, 33720 Barsac, tél. 05.56.27.16.16, fax 05.56.27.26.50, e-mail contact@chateau-nairac.com ☑ 🍷 🚶 r.-v.

🔑 Nicole Tari

CH. RIEUSSEC 2004 ★★

1er cru clas. 90 ha 50 000 38 à 46 €

62 67 70 71 75 76 78 79 80 81 82 **83 84 85 86** 87 **88 89** |(90)| **92** |**94**| |**95**| |(96)| |(97)| |**98**| |**99**| |**00**| **01 02 03 04**

Avec 90 ha de vignes, Rieussec est l'une des plus belles unités de l'appellation. L'année 2004 a été marquée par un orage de grêle d'une rare violence le 21 juillet, qui a perturbé le cycle de la vigne et entraîné une petite récolte. Grâce au travail et au talent des hommes de Rieussec, la qualité n'en a pas été affectée, comme le prouve ce 2004 jaune d'or. Raisin confit, genêt, acacia, fleur de vigne... le bouquet est d'une rare complexité. Cette palette d'arômes s'enrichit en bouche de notes de miel, d'angélique, de figue et de citron confit. La structure est parfaite, comme la finale longue et fraîche. Ce vin ne laisse planer qu'une seule interrogation : faut-il profiter tout de suite de son fruit ou attendre quinze ou vingt ans qu'il gagne encore en complexité ?

🔑 SAS Ch. Rieussec, 34, rte de Villandraut, 33210 Fargues, tél. 05.57.98.14.14, fax 05.57.98.14.10, e-mail rieussec@lafite.com ☑ 🍷 🚶 r.-v.

CARMES DE RIEUSSEC 2004 ★

90 ha 93 000 15 à 23 €

Ce second vin a été baptisé ainsi en hommage aux moines de Langon qui étaient propriétaires de Rieussec au XVIIIe s. Sous une robe jaune pâle, il développe de fins arômes de confit, de pêche, d'abricot et de genêt. Ample, souple et gras, d'une bonne persistance, il se montre à la hauteur de son rang.

🔑 SAS Ch. Rieussec, 34, rte de Villandraut, 33210 Fargues, tél. 05.57.98.14.14, fax 05.57.98.14.10, e-mail rieussec@lafite.com ☑ 🍷 🚶 r.-v.

CH. ROUMIEU 2003 ★

17 ha 4 000 15 à 23 €

Présidente des Aliénor, association de douze femmes du vin défendant les couleurs du bordeaux, Catherine Craveia-Goyaud est aussi une excellente vinificatrice du haut Barsac. Aussi élégant dans son étoffe jaune safran qu'expressif avec ses notes de pamplemousse, d'écorce d'orange confite, de miel et de tilleul, son vin séduit par sa souplesse et son gras. La finale persistante se nuance d'abricot confit. À découvrir dans deux ou trois ans.

🔑 Catherine Craveia-Goyaud, Ch. Roumieu, 33720 Barsac, tél. 05.56.27.21.01, fax 05.56.27.01.55, e-mail c.craveia.goyaud@chateau-roumieu.fr ☑ 🍷 🚶 r.-v.

CH. ROÛMIEU-LACOSTE Cuvée Léon 2005 ★

3 ha 6 600 15 à 23 €

Ce domaine appartient à la famille Dubourdieu depuis plus d'un siècle. Hervé Dubourdieu a élaboré avec son équipe, à partir de vieilles vignes de sémillon, cette cuvée qui mêle harmonieusement les fruits blancs confits, le grillé et la vanille. Onctueux, équilibré et complexe, le palais développe une belle liqueur qui se prolonge sur une touche épicée. À attendre deux ou trois ans.

🔑 Hervé Dubourdieu, Ch. Roûmieu-Lacoste, 33720 Barsac, tél. 05.56.27.16.29, fax 05.56.27.02.65, e-mail herve.dubourdieu@aol.com ☑ 🍷 🚶 r.-v.

CH. SAINT-AMAND 2005

n.c. 11 000 15 à 23 €

Plaisant domaine commandé par une chartreuse girondine où l'on se rendait autrefois pour boire l'eau miraculeuse de sa fontaine. On peut y déguster aujourd'hui ce 2005 qui ne manque pas de vertus, telles la couleur dorée de sa robe, la fraîcheur de son bouquet délicat mêlant l'acacia et le miel, la douceur de son palais et la longueur de sa finale bien fondue.

🔑 Anne-Mary Facchetti-Ricard, Ch. Saint-Amand, 33210 Preignac, tél. 05.56.76.84.89, fax 05.56.76.24.87, e-mail saintamand@orange.fr ☑ 🍷 r.-v.

CH. SIGALAS RABAUD 2004 ★

1er cru clas. 14,27 ha 20 000 + de 76 €

66 75 76 81 82 83 85 **86** 87 **88 89** 90 91 92 94 |(95)| |96| |**97**| |**98**| |**99**| 00 **01** 02 03 04

Des sols argilo-graveleux, une exposition au sud, un encépagement dans la tradition sauternaise : Sigalas Rabaud ne manque pas d'atouts et sait les exploiter. Comment en douter en humant le bouquet élégant de ce vin aux notes d'abricot, de miel d'acacia et de fleurs blanches ? Frais, équilibré et persistant, le palais bien typé dévoile un boisé judicieusement dosé. Tout est en place pour donner une bouteille harmonieuse d'ici deux à trois ans.

🔑 SAS Ch. Sigalas Rabaud, 33210 Bommes, tél. 05.56.21.31.43, fax 05.56.78.71.55 🍷 🚶 r.-v.

🔑 Famille de Lambert des Granges

CH. SIMON Cuvée exceptionnelle 2003 ★

10 ha 26 000 15 à 23 €

Né presque au centre de la commune de Barsac, ce sauternes, aussi bien structuré qu'équilibré séduit par son

gras, sa rondeur et ses arômes d'épices, de mandarine et de melon. Des touches d'acacia, de tilleul et d'agrumes confits viennent compléter la palette d'un vin épanoui, que l'on pourra commencer à apprécier prochainement.
Dufour, Ch. Simon, 33720 Barsac,
tél. 05.56.27.31.43, fax 05.56.27.24.79,
e-mail chateau.simon@worldonline.fr r.-v.

CH. SUDUIRAUT 2004 ★★

1er cru clas. 92 ha 29 000 46 à 76 €

(67) **75 82 83** 85 86 |88| |89| |(90)| |96| (97) **99** 01 02 **04**

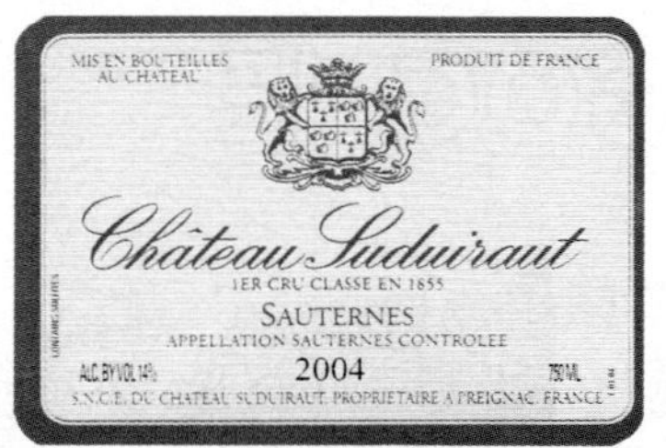

Ici, la beauté du château est presque éclipsée par celle du parc, dessiné par Le Nôtre. Dans ce magnifique écrin est né ce 2004 d'un jaune doré éclatant. Le bouquet distingué et riche livre des parfums de fruits exotiques, d'agrumes et d'acacia en fleur. Onctueux et frais, le palais évolue avec équilibre sur des notes grillées et boisées, avant de s'épanouir dans une longue finale. On attendra entre cinq et dix ans pour profiter pleinement des qualités de ce vin. Riche et harmonieux, le second vin **Castelnau de Suduiraut 2004 (15 à 23 €)** obtient une étoile.
Ch. Suduiraut, 33210 Preignac, tél. 05.56.63.61.90,
fax 05.56.63.61.93, e-mail contact@suduiraut.com
r.-v.
Axa Millésimes

CH. LA TOUR BLANCHE 2004 ★

1er cru clas. 37,92 ha 18 770 38 à 46 €

(61) **62** 75 **79** 80 **81 82 83 85 86 88** |89| |**90**| |91| 94 |**95**| |**96**| |**97**| |**99**| |01| **02** 03 04

À la fois cru classé et école de viticulture et d'œnologie née d'un legs, La Tour Blanche a une obligation d'exemplarité. Elle s'en acquitte plus que dignement avec des vins comme ce 2004 qui s'annonce par une robe jaune doré brillant et par un bouquet d'écorce d'orange, de miel et de botrytis. Attaquant sur la liqueur, le palais garde son équilibre jusqu'à la longue finale. À apprécier après un séjour en cave de deux ou trois ans.
Ch. La Tour Blanche, 33210 Bommes,
tél. 05.57.98.02.73, fax 05.57.98.02.78,
e-mail tour-blanche@tour-blanche.com
t.l.j. sf sam. dim. 9h-11h30 14h-17h
Ministère de l'Agriculture

CH. VALGUY 2004 ★

4,16 ha 6 000 23 à 30 €

S'il est de création récente (2000), ce cru n'en produit pas moins un sauternes traditionnel et de bonne garde. Drapé dans une robe dorée, ce 2004 se montre très prometteur par son nez de fruits confits et de miel. Après une attaque en douceur, il fait preuve d'une belle concentration, ajoutant une note d'amande grillée aux arômes du bouquet. À apprécier dans deux à cinq ans.
Grands vignobles Loubrie, 4, chem. de Couitte,
33210 Preignac, tél. et fax 05.56.63.58.25,
e-mail grandsvignoblesloubrie@orange.fr r.-v.

CH. DE VEYRES 2004 ★

11,25 ha 6 000 15 à 23 €

Parmi les différents crus qu'exploitent Philippe et Lucile Mercadier en sauternes, celui-ci est le plus récent, acquis en 2001. Régulièrement sélectionné depuis, il présente un 2004 jaune paille soutenu, au bouquet intense et complexe de fruits confits (orange et abricot), d'amande et de miel. Ample et onctueux, ce vin a tout pour bien évoluer. Autre cru, le **Château Haut Coustet 2004** a obtenu lui aussi une étoile. Sa vivacité et son élégant soyeux contrastent avec le caractère corsé du **Château Tuyttens 2004 (11 à 15 €)** qui reçoit la même note. Tous deux sont à attendre quelques années.
Vignobles Philippe Mercadier, Ch. Tuyttens,
33210 Fargues, tél. et fax 05.56.76.85.69,
e-mail vignoblesmercadier@wanadoo.fr r.-v.

CH. D'YQUEM 2003 ★★★

1er cru clas. sup. 100 ha n.c. + de 76 €

21 29 37 |**45**| **55 59** (67) **70 71** |**75**| **76 83 86** |**88**| |**89**| |**90**| (95) |(96)| |(97)| |**98**| |(99)| (01) **02** (03)

Emblématique château remontant au XVIIe s., Yquem est entré dans le patrimoine de la famille de Lur-Saluces en 1785. Dès lors, la renommée de son vin ne fit que croître et dépassa les frontières, portée par l'appréciation du futur président des États-Unis, Thomas Jefferson. Bernard Arnaud préside maintenant aux destinées de ce cru. 2003 est à tous points de vue une année exceptionnelle pour Yquem. Par les conditions climatiques, bien sûr, caniculaires, qui ont entraîné des vendanges d'une précocité record, arrêtées le 26 septembre après seulement neuf jours de travail, pour cause d'envolée des degrés sur les raisins restants. Exceptionnelle par le résultat : un vin d'une complexité et d'une fraîcheur magnifiques. La robe est d'un or limpide à reflets jaune brillant. Déjà très confit, avec des notes de miel et de cire d'abeille, le bouquet développe à l'agitation des arômes de fruits exotiques (papaye), de vanille et de fleurs. La découverte ne s'arrête pas là, l'aération favorisant l'expression de senteurs de fruits confits, de gelée de coing et de pain d'épice. Ample et ronde, l'attaque cède la place à une somptueuse liqueur aux flaveurs d'agrumes (mandarine, orange) et de raisin de Corinthe. Modèle d'équilibre et d'élégance, cette bouteille a tout pour affronter des décennies.
SA Ch. d'Yquem, 33210 Sauternes,
tél. 05.57.98.07.07, fax 05.57.98.07.08,
e-mail info@yquem.fr r.-v.
LVMH

LA BOURGOGNE

LA BOURGOGNE

BOURGOGNE

« Aimable et vineuse Bourgogne », écrivait Michelet. Quel amateur de vin ne reprendrait à son compte une telle assertion ? Avec le Bordelais et la Champagne, la Bourgogne porte en effet à travers le monde entier la prestigieuse renommée des vins de France les plus illustres, les associant sur ses terroirs avec une gastronomie des plus riches, et trouvant dans leur diversité de quoi satisfaire tous les goûts et réussir tous les accords gourmands.

Plus encore que dans toute autre région viticole, on ne peut dissocier en Bourgogne l'univers du vin de la vie quotidienne, dans une civilisation forgée au rythme des travaux de la vigne : depuis les confins auxerrois jusqu'aux monts du Beaujolais, tout au long d'une province qui relie les deux métropoles que sont Paris et Lyon, la vigne et le vin ont, dès la plus haute Antiquité, fait vivre les hommes, et les ont fait vivre bien. Si l'on en croit Gaston Roupnel, écrivain bourguignon mais aussi vigneron à Gevrey-Chambertin, auteur d'une *Histoire de la campagne française*, la vigne aurait été introduite en Gaule au VIes. av. J.-C. « par la Suisse et les défilés du Jura », pour être bientôt cultivée sur les pentes des vallées de la Saône et du Rhône. Même si, pour d'autres, ce sont les Grecs qui sont à l'origine de la culture de la vigne, venue du Midi, nul ne conteste l'importance qu'elle a prise très tôt sur le sol bourguignon. Certains reliefs du Musée archéologique de Dijon en témoignent. Et lorsque le rhéteur Eumène s'adresse à l'empereur Constantin, à Autun, c'est pour évoquer les vignes cultivées dans la région de Beaune et qualifiées déjà d'« admirables et anciennes ».

Modelée par les avatars glorieux ou tragiques de son histoire, soumise aux aléas des données climatiques autant qu'aux transformations des pratiques agricoles – où les moines, dans les mouvances de Cluny ou de Cîteaux, jouèrent un rôle capital –, la Bourgogne a dessiné peu à peu la palette de ses *climats* et de ses crus, évoluant constamment vers la qualité et la typicité de vins incomparables. C'est sous le règne des quatre ducs de Bourgogne (1342-1477) que furent édictées les règles destinées à garantir un niveau qualitatif élevé.

Il faut cependant préciser que la Bourgogne des vins ne recouvre pas exactement la Bourgogne administrative : la Nièvre (qui se rattache administrativement à la Bourgogne, avec la Côte-d'Or, l'Yonne et la Saône-et-Loire) fait partie du vignoble du Centre et du vaste ensemble de la vallée de la Loire (vignoble de Pouilly-sur-Loire). Tandis que le Rhône (appartenant pour les autorités judiciaires et administratives à la Bourgogne lui aussi), pays du beaujolais, a acquis par l'habitude une autonomie que justifie – outre la pratique commerciale – l'usage d'un cépage spécifique. C'est ce choix qui est retenu dans le présent guide (voir le chapitre « Le Beaujolais »), où l'on comprend donc en Bourgogne les vignobles de l'Yonne (basse Bourgogne), de la Côte-d'Or et de la Saône-et-Loire, bien que certains vins produits en Beaujolais puissent être vendus en appellation régionale bourgogne.

L'unité ampélographique de la Bourgogne – à l'exclusion, donc, du Beaujolais, planté de gamay noir – ne fait pas de doute : le chardonnay pour les vins blancs et le pinot noir pour les vins rouges y règnent en maîtres. On rencontre cependant quelques variétés annexes, vestiges de pratiques culturales anciennes ou adaptations spécifiques à des terroirs particuliers : l'aligoté, cépage blanc produisant le célèbre bourgogne-aligoté, fréquemment employé dans la confection du « kir » (blanc-cassis) ; il atteint son sommet qualitatif dans le petit pays de Bouzeron, tout près de Chagny (Saône-et-Loire) qui bénéficie d'une AOC communale. Le césar, lui, plant « rouge », est surtout cultivé dans les Côtes d'Auxerre et peut être assemblé au pinot noir pour cette appellation.

Le césar apporte beaucoup de tanins. Le sacy donne du bourgogne-grand-ordinaire dans l'Yonne, mais il est de plus en plus remplacé par le chardonnay ; le gamay, lui, fournit du bourgogne-grand-ordinaire et, associé au pinot, du bourgogne-passetoutgrain. Enfin, le sauvignon, fameux cépage aromatique des vignobles de Sancerre et de Pouilly-sur-Loire, est cultivé dans la région de Saint-Bris-le-Vineux, dans l'Yonne, où il donne le saint-bris qui a accédé au statut d'AOC en 2002.

Sous une relative unité climatique, globalement semi-continentale avec l'influence océanique atteignant ici les limites du Bassin parisien, ce sont les sols qui vont spécifier les caractères propres des très nombreux vins produits en Bourgogne. Car si l'extrême morcellement des parcelles est la règle partout, il se fonde en grande partie sur une juxtaposition d'affleurements géologiques variés, origine de la riche palette de parfums et de saveurs des crus de Bourgogne. Et plus que des données strictement météorologiques, ce sont des variations pédologiques qui rendent compte de la notion de terroir (ou *climat*) précisant les caractères des vins au sein d'une même appellation, et compliquant comme à plaisir le classement et la présentation des grands vins de Bourgogne... Ces *climats*, aux noms particulièrement évocateurs (la Renarde, les Cailles, Genevrières, Clos de la Maréchale, Clos des Ormes, Montrecul...), sont les termes consacrés depuis au moins le XVIII[e]s. pour désigner des surfaces de quelques hectares, parfois même quelques « ouvrées » (une ouvrée est égale à 4 ares, 28 centiares), correspondant à « une entité naturelle s'extériorisant par l'unité du caractère du vin qu'elle produit... » (A. Vedel). Et l'on peut constater en effet qu'il y a parfois moins de différences entre deux vignes séparées de plusieurs centaines de mètres mais à l'intérieur du même *climat* qu'entre deux autres voisines mais dans deux *climats* différents.

On dénombre en outre quatre niveaux d'appellations dans la hiérarchie des vins : appellation régionale bourgogne (56 % de la production), *villages* (ou appellation communale), premier cru (12 % de la production) et grand cru (3 % de la production qui recouvre trente-trois grands crus répertoriés en Côte-d'Or et à Chablis). Et le nombre de terroirs légalement délimités est très grand : on compte, par exemple, vingt-sept dénominations différentes pour les premiers crus récoltés sur la commune de Nuits-Saint-Georges, et cela pour une centaine d'hectares seulement !

Dans une étude portant sur cinquante-neuf profils de sols établis dans la Côte de Nuits, Meriaux (*et alii* 1980) montrent que ce sont des critères morphologiques et physico-chimiques tels que la pente, la pierrosité, les taux d'argile et de calcaire qui permettent le mieux de distinguer l'échelle des appellations.

Plus simplement, dans une approche géographique beaucoup plus générale, il est d'usage de distinguer, du nord au sud, quatre grandes zones au sein de la Bourgogne viticole : les vignobles de l'Yonne (ou de basse Bourgogne), de la Côte-d'Or (Côte de Nuits et Côte de Beaune), la Côte chalonnaise, le Mâconnais.

Dispersé, le vignoble de Chablis couvre aujourd'hui plus de 4 500 ha de collines aux pentes d'exposition variées avec, en dehors de la petite ville de Chablis elle-même, une constellation de villages et de hameaux. L'exploitation du vignoble est partagée entre de nombreux petits propriétaires et quelques grands domaines de 100 ha et plus qui en font les plus importants de Bourgogne. À noter également la présence d'une coopérative, « La Chablisienne », qui regroupe plus de trois cents viticulteurs et qui vinifie environ 25 % du vignoble. Du point de vue pédoclimatique, on distingue trois étages géologiques appartenant au jurassique supérieur : l'oxfordien, le kimméridgien et le portlandien, qui sont pris en compte dans la délimitation des quatre appellations d'origine contrôlée : petit-chablis, chablis, chablis-premier-cru, chablis-grand-cru. Le caractère gélif du vignoble chablisien est légendaire et son extension à partir des années 1960 a été possible en partie grâce à la mise en place de systèmes de protection comme l'aspersion d'eau. Le vin de Chablis est décrit comme « un vin sec, finement parfumé, léger, vif, qui surprend l'œil par son étonnante limpidité à peine teintée d'or vert » (P. Poupon). De grande réputation mondiale, le nom de ce vin, rançon du succès sans doute, est utilisé abusivement pour de nombreux vins blancs secs produits dans les divers pays viticoles.

La Bourgogne

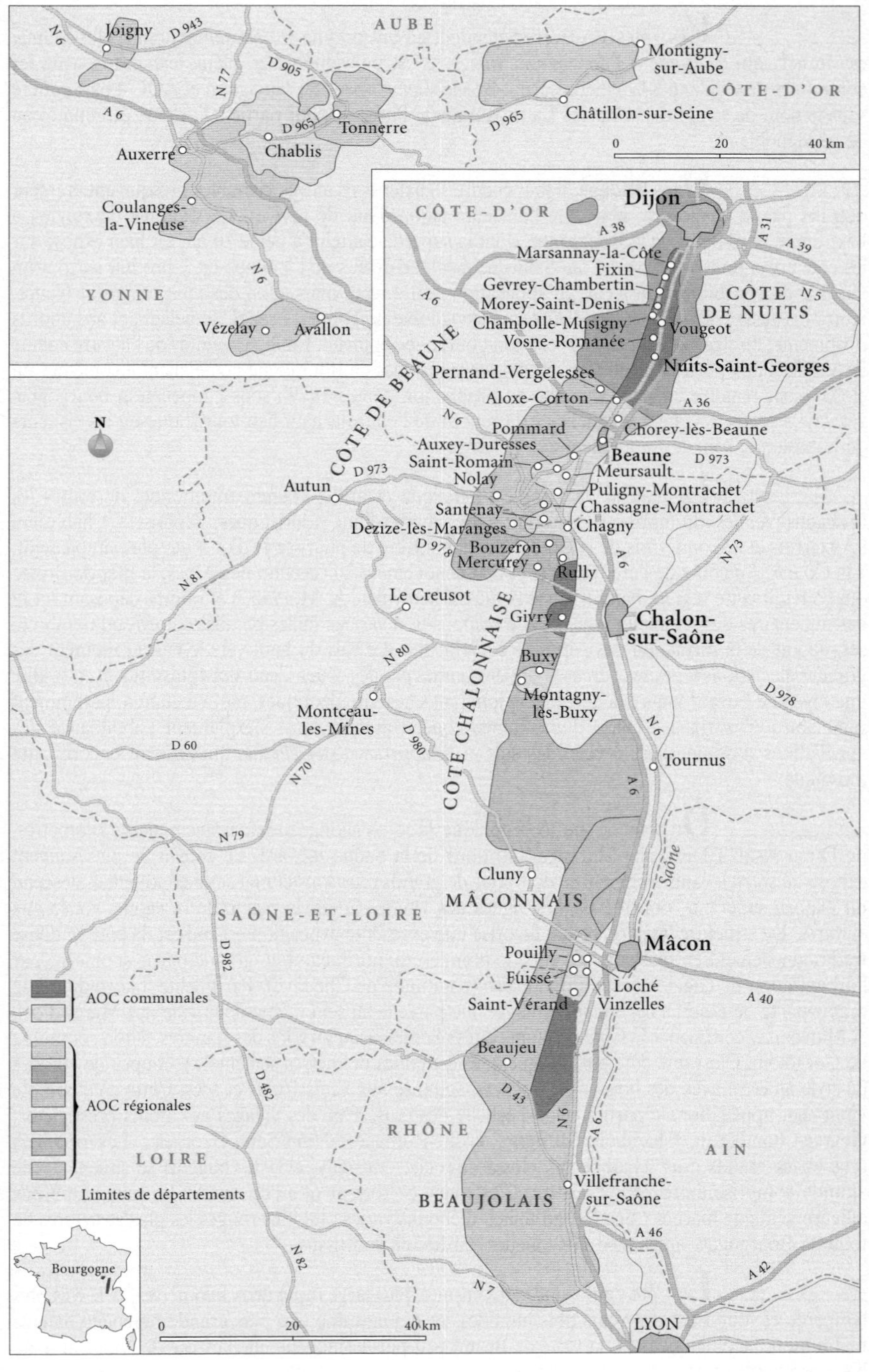

Les Côtes d'Auxerre s'étendent sur une dizaine de communes dont la plus connue est Irancy, qui a accédé à l'appellation *village*. C'est un vignoble en pleine expansion avec les communes de Coulanges-la-Vineuse, Saint-Bris-le-Vineux (pays du sauvignon et AOC à part entière sous le nom de saint-bris), Chitry... La proximité de Paris est pour partie à l'origine du renouveau de ce vignoble.

Dans l'Yonne, il faut encore signaler trois autres vignobles presque entièrement détruits par le phylloxéra, mais que l'on tente aujourd'hui de raviver. Le vignoble de Joigny, à l'extrémité nord-ouest de la Bourgogne, dont la superficie atteint à peine 10 ha, est bien exposé sur les coteaux entourant la ville (Côte Saint-Jacques), au-dessus de l'Yonne ; on y produit surtout un vin gris de consommation locale, d'appellation bourgogne, mais aussi des vins rouges et blancs. Autrefois aussi célèbre que celui d'Auxerre, le vignoble de Tonnerre renaît actuellement aux abords d'Épineuil ; l'usage y admet une appellation bourgogne-épineuil. Enfin, les pentes de l'illustre colline de Vézelay, aux portes du Morvan, et où les grands-ducs de Bourgogne possédaient eux-mêmes un clos, voient renaître un petit vignoble en production depuis 1979 ; sous l'appellation bourgogne-vézelay, les vins devraient y bénéficier du renom de l'endroit, haut lieu touristique où les visiteurs de la basilique romane se joignent aux pèlerins.

Le plateau de Langres, karstique et aride, chemin traditionnel de toutes les invasions venues du nord-est, historiques ou, aujourd'hui, touristiques, sépare le Chablisien, l'Auxerrois et le Tonnerrois de la Côte-d'Or, dite « Côte de pourpre et d'or » ou, plus simplement, « la Côte ». Au cours de l'ère tertiaire, et consécutivement à l'érection des Alpes, la mer de Bresse qui couvrait cette région, battant le vieux massif hercynien du Morvan, s'effondra, déposant au fil des millénaires des sédiments calcaires de composition variée : failles parallèles nord-sud nombreuses, datant de la formation des Alpes ; « coulement » des sols du haut vers le bas au moment des grandes glaciations tertiaires ; creusement de combes par des cours d'eau alors puissants. Il en résulte une diversité extraordinaire de terrains se jouxtant sans être identiques, tout en étant apparemment semblables en surface à cause d'une mince couche arable. Ainsi s'expliquent l'abondance des appellations d'origine liées à celle des sols et l'importance des *climats* qui affinent encore cette mosaïque.

Du point de vue géographique, la côte s'allonge sur environ cinquante kilomètres, de Dijon jusqu'à Dezize-lès-Maranges, au nord de la Saône-et-Loire. Le coteau, le plus souvent exposé au soleil levant, comme il se doit pour de grands crus sous climat semi-continental, descend du plateau supérieur, ponctué par les vignes des Hautes-Côtes, la plaine de la Saône, vouée aux cultures. De structure linéaire, ce qui favorise une excellente exposition est-sud-est, la côte se divise traditionnellement en plusieurs secteurs, le premier, au nord, étant en grande partie submergé par l'urbanisation de l'agglomération dijonnaise (commune de Chenôve). Par fidélité à la tradition, la municipalité de Dijon a cependant replanté une parcelle au sein même de la ville (les Marcs d'or). À Marsannay commence la Côte de Nuits, qui s'allonge jusqu'au Clos des Langres, sur la commune de Corgoloin. C'est une côte étroite (quelques centaines de mètres seulement), coupée de combes de style alpestre avec des bois et des rochers, soumise aux vents froids et secs. Cette côte compte vingt-neuf appellations réparties selon l'échelle des crus, avec des villages aux noms prestigieux : Gevrey-Chambertin, Chambolle-Musigny, Vosne-Romanée, Nuits-Saint-Georges... Les premiers crus et les grands crus (chambertin, clos-de-la-roche, musigny, clos-de-vougeot) se situent à une altitude comprise entre 240 et 320 m. C'est dans ce secteur que l'on trouve les plus nombreux affleurements de marnes calcaires, au milieu d'éboulis variés ; les vins rouges les plus structurés de toute la Bourgogne, aptes aux plus longues gardes, en sont issus.

La Côte de Beaune vient ensuite, plus large (un à deux kilomètres), à la fois plus tempérée et soumise à des vents plus humides, ce qui entraîne une plus grande précocité dans la maturation. Géologiquement, la Côte de Beaune est plus homogène que la Côte de Nuits, avec au bas un plateau presque horizontal, formé par les couches du bathonien supérieur recouvertes de terres fortement colorées. C'est de ces sols assez profonds que proviennent les grands vins rouges (beaune Grèves, pommard Épenots...). Au sud de la Côte de Beaune, les bancs de calcaires oolithiques avec, sous les marnes du bathonien moyen recouvertes d'éboulis, des calcaires sus-jacents, donnent des sols à vigne caillouteux, graveleux, sur lesquels sont récoltés les vins blancs parmi les plus prestigieux : premiers et grands crus des communes de Meursault, Puligny-Montrachet, Chassagne-Montrachet. Si l'on parle de « côte des rouges » et de « côte des blancs », il faut citer entre les deux le vignoble de Volnay, implanté sur des terrains pierreux argilo-calcaires et donnant des vins rouges d'une grande finesse.

La culture de la vigne se poursuit jusqu'à une altitude plus élevée dans la Côte de Beaune que dans la Côte de Nuits : 400 m et parfois plus. Le coteau est coupé de larges combes, dont celle de Pernand-Vergelesses, semblant séparer la fameuse Montagne de Corton du reste de la côte.

BOURGOGNE

On replante peu à peu les secteurs des hautes-côtes, où sont produites les appellations régionales bourgogne-hautes-côtes-de-nuits et bourgogne-hautes-côtes-de-beaune. L'aligoté y trouve son terrain de prédilection, qui met bien en valeur sa fraîcheur. Quelques terroirs y donnent d'excellents vins rouges issus de pinot noir, présentant souvent des odeurs de petits fruits rouges (framboise, cassis), spécialités de la Bourgogne, cultivées là aussi.

Le paysage s'épanouit quelque peu dans la Côte chalonnaise (4 500 ha) ; la structure linéaire du relief s'y élargit en collines de faible altitude s'étendant plus à l'ouest de la vallée de la Saône. La structure géologique est beaucoup moins homogène que celle du vignoble de la Côte-d'Or ; les sols reposent sur les calcaires du jurassique, mais aussi sur des marnes de même origine ou d'origine plus ancienne, lias ou trias. Des vins rouges d'AOC *village* et premier cru sont produits à partir du pinot noir à Mercurey, Givry et Rully, mais ces mêmes communes proposent aussi des blancs de chardonnay, cépage qui devient unique pour l'appellation montagny située un peu plus au sud ; c'est aussi là que se trouve Bouzeron, à l'aligoté réputé. Il faut enfin signaler un bon vignoble aux abords de Couches, que domine le château médiéval. D'églises romanes en demeures anciennes, chaque itinéraire touristique peut d'ailleurs se confondre ici avec une route des Vins.

Jeu de collines découvrant souvent de vastes horizons, où les bœufs charolais ponctuent de blanc le vert des prairies, le Mâconnais (5 700 ha en production), cher à Lamartine – Milly, son village, est vinicole, et lui-même possédait des vignes – est géologiquement plus simple que le Chalonnais. Les terrains sédimentaires du triasique au jurassique y sont coupés de failles ouest-est. 20 % des appellations sont communales, 80 % régionales (mâcon blanc et mâcon rouge). Sur des sols bruns calcaires, les blancs les plus réputés, issus de chardonnay, naissent sur les versants particulièrement bien exposés et très ensoleillés de Pouilly, Solutré et Vergisson avec les AOC pouilly-fuissé, pouilly-vinzelles, pouilly-loché, saint-véran. Ils sont remarquables par leur aspect et leur aptitude à une longue garde. Les rouges et rosés proviennent du pinot noir pour les vins d'appellation bourgogne et de gamay noir à jus blanc pour les mâcons issus de terrains à plus basse altitude et moins bien exposés, aux sols souvent limoneux où des rognons siliceux facilitent le drainage.

Pour essentielles que soient les données pédologiques et climatiques, on ne peut présenter la Bourgogne vinicole sans aborder les aspects humains du travail de la vigne et des vins : les hommes attachés à leur terroir le sont souvent ici depuis des siècles. Ainsi, les noms de nombreuses familles ont traversé cinq siècles. De même, la fondation de certaines maisons de négoce remonte parfois au XVIII[e]s.

Morcelé, notamment en Côte-d'Or, le vignoble est constitué d'exploitations familiales de faible superficie. C'est ainsi qu'un domaine de 4 à 5 ha suffit, en appellation communale (nuits-saint-georges, par exemple), à faire vivre un ménage occupant un ouvrier. Rares sont les producteurs qui possèdent et cultivent plus de 10 ha : l'illustre Clos de Vougeot, par exemple, qui couvre 50 ha, est partagé entre plus de soixante-dix propriétaires ! Ce morcellement des *climats* du point de vue de la propriété augmente encore la diversité des vins produits et crée une saine émulation chez les vignerons ; une dégustation consistera souvent, en Bourgogne, à comparer deux vins de même cépage et de même appellation mais provenant chacun d'un *climat* différent ; ou encore, à juger deux vins de même cépage et de même *climat* mais d'années différentes. Ainsi, en Bourgogne, deux notions reviennent en permanence en matière de dégustation : le cru, ou *climat*, et le millésime, auxquels s'ajoute bien sûr la « touche » personnelle du vinificateur qui les présente. Du point de vue technique, le vigneron bourguignon est très attaché au maintien des usages et traditions, ce qui ne signifie pas un refus absolu de la modernisation. C'est ainsi que la mécanisation de la viticulture se développe et que de nombreux vinificateurs ont su tirer profit de nouveaux matériels ou de nouvelles techniques. Il est toutefois des traditions qui ne sauraient être remises en cause aussi bien par les viticulteurs que par les négociants : l'un des meilleurs exemples en est l'élevage des vins en fût de chêne.

On recense environ 3 500 domaines vivant uniquement de la vigne. Ils exploitent les deux tiers des 24 000 ha de vignes plantées en appellation d'origine. Dix-neuf coopératives sont répertoriées ; le mouvement est très actif en Chablisien, en Côte chalonnaise et surtout dans le Mâconnais (13 caves). Elles produisent environ 25 % des volumes de vin. Les négociants-éleveurs jouent un grand rôle depuis le XVIII[e]s. Ils commercialisent plus de 60 % de la production et détiennent plus de 35 % de la surface totale des grands crus de la Côte de Beaune. Avec ses domaines, le négoce produit 8 % de la récolte totale bourguignonne. Celle-ci représente en moyenne 180 millions de bouteilles (105 en blanc, 75 en rouge) qui génèrent 760 millions d'euros de chiffre d'affaires. Le volume global des appellations représente environ 300 000 hl.

L'importance de l'élevage (conduite d'un vin depuis sa prime jeunesse jusqu'à son optimal qualitatif avant la mise en bouteilles) met en évidence le rôle du négociant-éleveur : outre sa responsabilité commerciale, il assume une responsabilité technique. On comprend donc qu'une relation professionnelle harmonieuse se soit créée entre la viticulture et le négoce.

Le Bureau interprofessionnel des vins de Bourgogne (BIVB) possède trois « antennes » : Mâcon, Beaune et Chablis. Le BIVB met en œuvre des actions dans les domaines technique, économique et promotionnel. L'université de Bourgogne a été le premier établissement en France, du moins au niveau universitaire, à dispenser des enseignements d'œnologie et à créer un diplôme de technicien, en 1934, en même temps qu'était fondée la prestigieuse confrérie des Chevaliers du Tastevin, qui fait tant pour le rayonnement et le prestige universel des vins de Bourgogne. Siégeant au château du Clos Vougeot, elle contribue avec d'autres confréries locales à maintenir vivaces les traditions. L'une des plus brillantes est sans conteste la vente des hospices de Beaune, créée en 1851, rendez-vous de l'élite internationale du vin et « Bourse » des cours de référence des grands crus ; avec le chapitre de la confrérie et la « Paulée » de Meursault, la vente est l'une des « Trois Glorieuses ». Mais c'est à travers toute la Bourgogne que l'on sait fêter joyeusement le vin, devant quelque « pièce » (228 litres) ou bouteille. Il n'en faut d'ailleurs pas tant pour aimer la Bourgogne et ses vins : n'est-elle pas tout simplement « un pays que l'on peut emporter dans son verre » ?

Les appellations régionales bourgogne

Les appellations régionales bourgogne, bourgogne-grand-ordinaire et leurs satellites ou homologues couvrent l'aire de production la plus vaste de la Bourgogne viticole. Elles peuvent être produites dans les communes traditionnellement viticoles des départements de l'Yonne, de la Côte-d'Or, de la Saône-et-Loire, et dans le canton de Villefranche-sur-Saône, dans le Rhône. Elles représentent un volume de 409 870 hl en 2006.

Compte tenu de la dispersion géographique de l'appellation régionale bourgogne, celle-ci est souvent associée au nom de la zone de production : côtes d'auxerre, hautes-côtes-de-nuits et de beaune, côte-chalonnaise.

La codification des usages, et plus particulièrement la définition des terroirs par la délimitation parcellaire, a conduit à une hiérarchie au sein des appellations régionales. L'appellation bourgogne-grand-ordinaire est la plus générale, la plus extensive par l'aire délimitée. Avec un encépagement plus spécifique, on récolte dans les mêmes lieux le bourgogne-aligoté, le bourgogne-passetoutgrain et le crémant-de-bourgogne.

Bourgogne

L'aire de production de cette appellation est assez vaste, si l'on considère les adjonctions possibles de différents noms de sous-régions (Hautes-Côtes, Côte chalonnaise...) ou de villages (Chitry, Épineuil...) qui constituent chacun une entité à part, et sont présentés ici comme telle. Il n'est pas étonnant qu'en raison de l'étendue de cette appellation les producteurs aient cherché à personnaliser leurs vins et à convaincre le législateur d'en préciser l'origine. Dans le Châtillonnais, en Côte-d'Or, le nom de Massingy a été utilisé, mais ce vignoble a quasiment disparu. Plus récemment, et de manière continue, les viticulteurs utilisent le nom de village et l'ont ajouté à l'appellation bourgogne sur les coteaux de l'Yonne. C'est le cas de Chitry, d'Épineuil ou de Tonnerre, sur la rive droite, et de Coulanges-la-Vineuse, sur la rive gauche.

Les bourgognes blancs sont produits à partir du cépage chardonnay, encore appelé beaunois dans l'Yonne. Le pinot blanc, bien que cité dans le texte de définition et autrefois un peu plus cultivé dans les hautes côtes de la Bourgogne, a pratiquement disparu. Il est d'ailleurs très souvent confondu, du moins par le nom, avec le chardonnay.

En rouge et rosé, le pinot noir est roi. Le pinot beurot a malheureusement presque disparu en raison de sa carence en matières colorantes ; il apportait aux vins rouges une finesse remarquable. Certaines années, les volumes déclarés peuvent être augmentés de volumes issus du « repli » des appellations communales du Beaujolais : brouilly, côte-de-brouilly, chénas, chiroubles, fleurie, juliénas, morgon, moulin-à-vent et saint-amour. Ces vins sont alors issus du cépage gamay noir seul, et ont ainsi un caractère différent. Les vins rosés, dont les volumes augmentent un peu les années de maturité difficile ou de fort développement de la pourriture grise, peuvent être déclarés sous l'appellation bourgogne rosé ou bourgogne clairet.

Pour ajouter à la difficulté, on trouvera des étiquettes portant, en plus de l'appellation bourgogne, le nom du lieu-dit sur lequel a été produit le vin. Quelques vignobles anciens et réputés justifient aujourd'hui cette pratique ; c'est le cas du Chapitre à Chenôve, des Montreculs, vestiges du vignoble dijonnais envahi par l'urbanisation, ainsi que de la Chapelle-Notre-Dame à Serrigny. Pour les autres, ils créent souvent une confusion avec les premiers crus et ne se justifient pas toujours.

DOM. DE L'ABBAYE DU PETIT QUINCY

Épineuil Côte de Grisey 2005 ★

■ 2 ha 10 000 ⫼ 5 à 8 €

Tonnerre est une dénomination qui tend à s'imposer à la force du poignet. Épineuil s'est placé plus vite. Cela étant, le Tonnerrois n'est guère distant d'une partie du Chablisien... La famille Gruhier produit d'ailleurs les deux. Son **Épineuil rosé 2006** décroche une étoile, tandis que son **Tonnerre blanc 2006** est cité. Quant à ce Côte de Grisey, il porte un nez fin et fruité au boisé élégant, et livre une bouche riche aux tanins serrés. Un vin complet mais encore jeune, à attendre deux ou trois ans.

Dominique Gruhier, rue du Clos-de-Quincy, 89700 Épineuil, tél. et fax 03.86.55.32.51, e-mail vin@bourgognevin.com

t.l.j. 10h-12h 14h30-18h; dim. sur r.-v.

CHRISTOPHE AUGUSTE

Coulanges-la-Vineuse 2006

■ 12 ha 60 000 ▮ 5 à 8 €

Le pinot noir a succédé ici aux cerisiers (l'Auxerrois était jadis célèbre pour sa variété marmotte). Celui-ci est encore jeune mais sera bientôt prêt néanmoins (un à deux ans de garde). Beaucoup de robe, un peu de cassis ou de mûre, le corps du même ton et d'expression légère. On en fera volontiers son ordinaire.

SCEA Christophe Auguste, 55, rue André-Vildieu, 89580 Coulanges-la-Vineuse, tél. 03.86.42.35.04, fax 03.86.42.51.81 r.-v.

JEAN BARONNAT 2005 ★

■ n.c. n.c. 5 à 8 €

Affaire familiale créée au début du XXes., dirigée actuellement par le petit-fils du fondateur, dont la devise est « Le respect du vin ». Un vrai programme. Couleur, reflets, complexité odorante (cerise noire, boisé), concentration et finition, longue aptitude à la garde, ce vin est excellent et il fera le bonheur d'une viande en sauce, mais pas avant deux ans.

Jean Baronnat, 491, rte de Lacenas, 69400 Gleizé, tél. 04.74.68.59.20, fax 04.74.62.19.21, e-mail info@baronnat.com r.-v.

DOM. BERNAERT Les Potiers d'Accolay 2004 ★

6,1 ha 5 000 5 à 8 €

On connaissait bien les potiers d'Accolay quand on allait de Paris à Lyon par la nationale. Au bord de la route, ils donnaient un avant-goût de Vallauris et de Saint-Paul-de-Vence. Nous sommes ici dans l'Avallonnais, dans un vignoble recréé en 1988, en présence d'un chardonnay qui, sans prétendre à des dimensions extraordinaires, laisse une impression plaisante. Touches florales et minérales, légère amertume qui lui convient bien. Facile à ouvrir sur le vol-au-vent.

Dom. Bernaert, 6, RN 6, 89460 Accolay, tél. 03.86.81.56.95 r.-v.

PIERRE BERNOLLIN 2005 ★

■ n.c. n.c. 8 à 11 €

Pierre Bernollin reçut ce domaine de son père en héritage (1957). Prenant une retraite bien méritée à soixante-quatorze ans, il céda ses vignes aux actionnaires danois de la maison Albert Sounit à Rully (2005). Rouge sombre et mat, suggérant le fruit mûr et le brûlé (quatorze mois en fût), ne craignant pas d'afficher un rien de complexité, voici un vin sérieux et de caractère moderne (extraction, élevage).

Dom. Pierre Bernollin, Les Hesses, 71390 Jully-les-Buxy, tél. 03.85.92.12.19, fax 03.85.92.17.57 r.-v.

BERSAN ET FILS

Côtes d'Auxerre Cuvée Louis Bersan 2005 ★

■ 2 ha 9 000 8 à 11 €

Inutile d'aller chez le roi Minos ou dans les catacombes pour découvrir un vrai dédale de caves infinies, creusées dès le XIes. Sonnez à la porte et prenez votre boussole ! Rubis clair, passé par un an de fût et gardant le merrain à l'esprit, ce 2005 ne possède pas une grande concentration, mais l'ensemble est franc, structuré et d'un bon niveau. Sa palette aromatique ne manque pas non plus de complexité (fruits rouges, fleurs, épices). À boire ou à attendre un peu.

Dom. Bersan et Fils, 20, rue du Dr-Tardieux, 89530 Saint-Bris-le-Vineux, tél. 03.86.53.33.73, fax 03.86.53.38.45, e-mail bourgognes-bersan@wanadoo.fr t.l.j. 8h-12h 14h-18h; dim. sur r.-v.

DOM. DU BICHERON 2005 ★

■ 1 ha 3 000 5 à 8 €

Existe-t-il, comme l'affirme Albert Thibaudet, « une civilisation du pinot et une civilisation du gamay » dont la frontière serait à l'ombre de Saint-Philibert de Tournus ? Péronne fait sûrement partie de ces villages où les deux cépages peuvent se donner la main. Ici côté pinot, sur un rouge violacé de coucher de soleil. Le boisé garde ses distances avec le fruit rouge en compote. Encore un peu dur en bouche, ce qui est normal, un vin bien équilibré. Objectif 2008-2009.

GAEC Rousset, Dom. du Bicheron, Saint-Pierre-de-Lanques, 71260 Péronne, tél. 03.85.36.94.53, fax 03.85.36.99.80, e-mail domainedubicheron@wanadoo.fr r.-v.

DOM. DE LA BOFFELINE

Élevé en fût de chêne 2005 ★

■ 0,6 ha 1 600 5 à 8 €

Petite exploitation en production depuis 1992, aujourd'hui sur 2,5 ha. De très jeunes vignes ont produit ce pinot... rouge pinot... mêlant harmonieusement au nez les fruits noirs et le boisé. Une bonne prestance en bouche, sur le fruit du début à la fin. Fût bien intégré, et c'est normal car une partie de l'élevage se fait en cuve. À boire au moment du fromage.

Frédéric Lenormand, En Fourgeau, 71260 Azé, tél. et fax 03.85.33.33.82, e-mail frederic.lenormand@cegetel.net t.l.j. 9h-12h 14h-19h

BOISSEAUX-ESTIVANT

Réserve de la Chèvre noire Monopole 2005 ★★

■ 4 ha 16 000 11 à 15 €

Boisseaux-Estivant a vu les premières armes d'un débutant entré plus tard dans l'histoire du vin de Bourgogne : André Boisseaux (Patriarche, Kriter, Château de Meursault, etc.). La maison est aujourd'hui dans le giron de Pierre Ponnelle. Cette Chèvre noire très extraite affiche son intensité dès la robe, violet sombre. Le nez, d'abord discret, s'ouvre à l'aération sur la cerise. La bouche offre une matière souple et dense, finement boisée. Une appellation régionale digne d'un *village*, au potentiel substantiel, qu'il faudra carafer avant de servir.

Boisseaux-Estivant, Clos Saint-Nicolas, 38, fg Saint-Nicolas, BP 107, 21200 Beaune, tél. 03.80.22.26.84, fax 03.80.24.19.73

JEAN-PIERRE BONY 2005 ★

■ 1,76 ha 9 600 5 à 8 €

Domaine fondé par Jean-Pierre Bony en 1963, repris en 2000 par filiation et agrandi. Ici, le rouge est mis. Très foncé et classique de nos jours. Le pruneau s'installe en plein nez, entouré de notes torréfiées (un an en fût). La bouche suit cette ligne. La colonne vertébrale est solide. Le chemin du cœur sera trouvé d'ici un à deux ans.

EARL Dom. Jean-Pierre Bony, 5, rue de Vosne, 21700 Nuits-Saint-Georges, tél. et fax 03.80.61.16.02, e-mail fabiennebony@wanadoo.fr t.l.j. sf sam. dim. 8h-12h 14h-19h

DOM. BORGNAT Coulanges-la-Vineuse 2005 ★

■ 2 ha 13 000 5 à 8 €

Établi à Escolives-Sainte-Camille, ce domaine est proche d'un important site gallo-romain dont les vestiges évoquent déjà la vigne et le vin. Il ne s'agit pourtant pas ici de césar, ce vieux cépage icaunais, mais de pinot noir tout simplement. Rubis foncé, porté intensément sur le fruit, un vin tannique et chaleureux qui ne manque pas d'une certaine rondeur. Le gigot d'agneau en croûte est à sa portée, si vous savez le cuisiner.

🔑 Dom. Benjamin et Églantine Borgnat,
1, rue de l'Église, 89290 Escolives-Sainte-Camille,
tél. 03.86.53.35.28, fax 03.86.53.65.00,
e-mail benjamin@domaineborgnat.com
t.l.j. 9h-12h 14h-19h; dim. 9h-12h;
f. 1er-15 jan.

PASCAL BOUCHARD Côtes d'Auxerre 2005 ★★

	n.c.	50 000		5 à 8 €

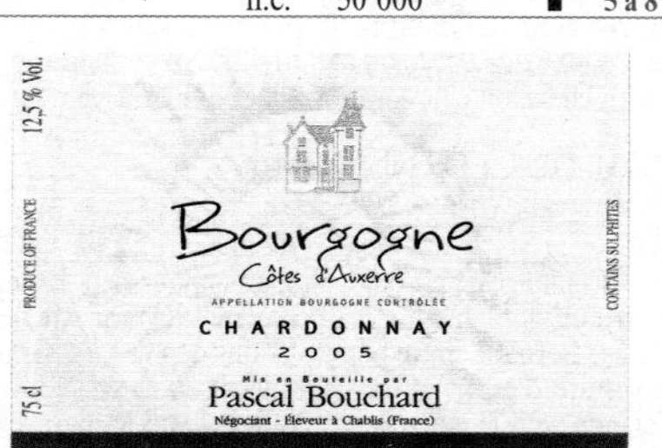

André Tremblay, puis sa fille Joëlle avec son mari Pascal Bouchard. Leur fils Romain les a rejoints en 2000. La continuité familiale a du bon, comme le prouve ce coup de cœur. Or léger, très floral, ce 2005 associe à sa vivacité de l'écorce d'orange, du pamplemousse rose. Puissant en bouche et d'une bonne longueur finale sur le fruit, un Côtes d'Auxerre tout à fait conforme à l'idée qu'on s'en fait. Trouver un accompagnement sympathique, du type terrine de lapereau à l'estragon.

🔑 Pascal Bouchard,
Parc des Lys, 5 bis, rue Porte-Noël, 89800 Chablis,
tél. 03.86.42.18.64, fax 03.86.42.48.11,
e-mail info@pascalbouchard.com r.-v.

PASCAL BRULÉ Liard - Le Clos du Duc 2005 ★★

	0,35 ha	900		8 à 11 €

Petit domaine en cours de création, qui se consacre aux meilleurs terroirs du Vézélien. Originaire de la Champagne, Pascal Brulé développe en parallèle une activité touristique (gîte rural à Sacy). Le coup de cœur vient couronner ses efforts. Son bourgogne rouge possède en effet quelques distances d'avance sur le gros du peloton. Ample, mûr, bien extrait, il ne se montre jamais lourd grâce à une fraîcheur et des tanins qui jouent parfaitement leur partition dans l'ensemble. Avec tout cela, il peut patienter un an ou deux. Le **Vézelay Le Clos blanc 2005** décroche une étoile.

🔑 Pascal Brulé, 2, rue de Vézeau, 89270 Sacy,
tél. 03.86.81.66.13, e-mail brulepascal@wanadoo.fr
r.-v.

CH. DE LA BRUYÈRE
Élevé en fût de chêne 2005 ★

	0,45 ha	3 000		5 à 8 €

Ce château du XIes. fut la propriété des moines de l'abbaye de Cluny. Il propose un chardonnay jaune d'or, au nez expressif et mûr de fruits, de miel et de tabac blond (la moitié du vin est élevée dix mois en fût). Souple, la bouche retrouve ces accents de maturité, donnant l'image d'un vin flatteur et bien travaillé. À consommer sans attendre.

🔑 Paul-Henry Borie, Ch. La Bruyère, 71960 Igé,
tél. 03.85.33.30.72, fax 03.85.33.40.65,
e-mail mph.borie@wanadoo.fr
t.l.j. 8h-12h 13h-19h

DOM. CAMU FRÈRES Vézelay 2005 ★

	2,08 ha	10 000		5 à 8 €

Acquis en 1999, le domaine est né de la passion des frères Camu et de leurs amis. Un vignoble de reconquête sur la « Colline éternelle » et en ses abords. Rendons un salut reconnaissant à l'abbé Bernard Lacroix et à Paul Flandin qui, durant les années 1960-1970, ont cru à la renaissance viticole de Vézelay et planté à Asquins... On aime ce 2005 pour sa tension minérale, sinon iodée, façon chablis, qui rappelle ces mots de Paul Claudel : « Vézelay est une barque jetée sur l'horizon ». Finesse et netteté caractérisent l'ensemble. Le laisser deux ans en cave. Le **bourgogne blanc 2005**, frais et harmonieux, obtient également une étoile.

🔑 Dom. Camu Frères, Le Clos, 89450 Vézelay,
tél. 03.86.32.35.66, fax 03.86.32.35.91,
e-mail domaine.camu.freres@laposte.net
t.l.j. 10h-18h

FRANCK CHALMEAU
Chitry Les Trameures 2005 ★★

	1,15 ha	8 400		5 à 8 €

Chitry est une cuvette auréolée de vignes. Les Trameures ? Un lieu-dit en forme de cirque naturel. L'arrivée de Sébastien sur le domaine, en renfort, a permis de créer cette cuvée. On en a discuté lors du coup de cœur et elle se trouve donc au sommet. Franchise, intensité, équilibre, le cadre est respecté. Cuve et fût, l'équation est parfaite. La vivacité ne surprend pas et le fruit noir est le bienvenu. Ouverture à prévoir en 2010.

🔑 Franck Chalmeau, 2, pl. de l'Église, 89530 Chitry,
tél. 03.86.41.42.09, fax 03.86.41.46.84 r.-v.

PATRICK ET CHRISTINE CHALMEAU
Chitry 2005 ★★

	2,5 ha	14 000		5 à 8 €

Patrick Chalmeau a repris une partie des vignes de son grand-père Marcel. Plantations et rachat ont suivi, pour arriver à 13 ha aujourd'hui. Il faut savoir que Chitry fut longtemps un « pays blanc », tenant la dragée haute aux rouges. La preuve avec ce chardonnay jaune pâle au nez de noisette et à la bouche fraîche, équilibrée et délicatement citronnée. Tout proche du coup de cœur. Les rouges ne sont pas oubliés pour autant : le **Chitry rouge 2005** obtient une étoile.

🔑 Patrick et Christine Chalmeau, 76, rue du Ruisseau,
89530 Chitry, tél. 03.86.41.43.71, fax 03.86.41.47.51,
e-mail chalmeau.patrick@wanadoo.fr
r.-v.

BOURGOGNE

LES CHAMPS DE L'ABBAYE

Côtes du Couchois Les Rompeys 2005 ★★

■ 1 ha 2 500 11 à 15 €

En ce village d'Aluze se déroule l'action du roman de la Néo-Zélandaise Elizabeth Knox, *La Veine du vigneron*, en cours d'adaptation cinématographique. Installation il y a dix ans, un penchant pour la biodynamie, de beaux efforts qui aboutissent à ce coup de cœur. Le meilleur de la dégustation en Couchois, ce joli pays niché entre la Côte chalonnaise et les Hautes-Côtes de Beaune. Robe couleur de nuit, nez délicieusement fruité, bouche intense et gourmande aux tanins fins, un vrai bonheur.

Alain et Isabelle Hasard,
9, rue des Roches-Pendantes, 71510 Aluze,
tél. et fax 03.85.45.59.32,
e-mail alainhasard@wanadoo.fr r.-v.

CHARDONNIER 2006 ★★

16,5 ha 66 000 5 à 8 €

Jaune vif superbe dans l'éclat de sa jeunesse. Délicatement fleuri. Dès le départ en bouche, on ressent une impression de fondu. Une matière structurée, longue et plus complexe que ne l'exige l'appellation régionale, mais on ne s'en plaindra pas ! Ses petites notes de fruits confits rendent ce vin particulièrement gourmand. À boire dès maintenant et dans les deux années à venir.

Chardonnier, 44, RN 74, 21700 Vosne-Romanée,
tél. 03.80.61.26.76, fax 03.80.62.11.52,
e-mail chardonnier@wanadoo.fr r.-v.

DOM. PHILIPPE CHARLOPIN

Cuvée Prestige 2004 ★

■ 2 ha n.c. 11 à 15 €

Cette cuvée fut coup de cœur l'an dernier. Mais on ne s'étendra pas ici sur les décorations de Philippe Charlopin, la place manquerait ! Grenat à reflets noirs, dense, ce 2004 sait se présenter. Nez finement boisé, grillé. Du gras en bouche, des tanins nobles mais encore un peu austères. On l'attendra donc, il est fait pour cela.

Philippe Charlopin, 18, rte de Dijon,
21220 Gevrey-Chambertin, tél. et fax 03.80.58.50.46,
e-mail charlopin-philippe@wanadoo.fr

JEAN CHARTRON Clos de la Combe 2005 ★

0,45 ha 4 000 8 à 11 €

Chartron reprend beaucoup d'allant depuis la fin de l'épisode Trébuchet. On ne sait trop où se situe ce Clos de la Combe, mais il donne un joli vin qui tourne autour de Puligny. Son expression aromatique est satisfaisante (fleurs blanches, miel et boisé), puis il s'ouvre par paliers successifs comme s'il montait un escalier. À boire ou à attendre deux ans.

Dom. Chartron-Dupard, 13, Grande-Rue,
21190 Puligny-Montrachet, tél. 03.80.21.99.19,
fax 03.80.21.99.23, e-mail jmchartron@wanadoo.fr
t.l.j. 10h-12h 14h-18h; f. de mi-nov. à mi-avril

DOM. CHEVILLON-CHEZEAUX 2005 ★

■ 1,62 ha 10 000 5 à 8 €

Depuis 2000, la cinquième génération est aux commandes. Rouge net et plutôt clair, ce bourgogne nuiton établit une nuance attrayante entre le fruit frais et le fruit confit. Type cerise. L'attaque est souple, le milieu de bouche assez gras, la conclusion franche. Sa vivacité lui permet d'attendre 2009 de pied ferme.

Dom. Chevillon-Chezeaux,
41, rue Henri-de-Bahèzre, 21700 Nuits-Saint-Georges,
tél. 03.80.61.23.95, fax 03.80.61.13.57,
e-mail chevillon.chezeaux@wanadoo.fr r.-v.

DOM. DU CLOS DU ROI

Coulanges-la-Vineuse 2005 ★★

■ 9 ha 70 000 5 à 8 €

Coulanges n'est pas « Vineuse » pour rien. Exemple type d'un domaine familial, créé en 1969 par Michel et Denise Bernard, entre bonnes mains depuis lors. Grande ouverture d'esprit et un stage de six mois en Nouvelle-Zélande pour la nouvelle génération. Dans les parages du coup de cœur, un pinot noir rouge griotte brillant, fraise puis cassis intense, tannique en bouche mais ne manquant ni de corps ni de panache ! Le **Coulanges blanc 2005** décroche la même note. Un superbe doublé.

Dom. du Clos du Roi, 17, rue André-Vildieu,
89580 Coulanges-la-Vineuse, tél. 03.86.42.25.72,
fax 03.86.42.38.20, e-mail magali@closduroi.com
t.l.j. 8h-12h30 13h30-19h, dim. sur r.-v.
Magali, Michel et Denise Bernard

DOM. COFFINET-DUVERNAY 2005 ★★

■ 0,3 ha 1 000 5 à 8 €

Solide, racé, un 2005 qu'on peut laisser vieillir un peu. Rouge profond, il a le nez velouté (fraise, framboise). En bouche, l'attaque est souple. Les tanins sont présents et puissants en finale, tout en montrant de la finesse. Sensation de violette à la manière des grands pinots noirs de la Côte-d'Or.

Dom. Coffinet-Duvernay, 7, pl. Saint-Martin,
21190 Chassagne-Montrachet, tél. 03.80.21.32.12,
fax 03.80.21.91.69,
e-mail coffinet.duvernay@cegetel.net r.-v.

DOM. COSTE-CAUMARTIN 2005 ★★

0,55 ha 3 295 8 à 11 €

Coste-Caumartin ? Deux siècles de fabrication de cuisinières à Lacanche et à Gray : Dieu sait si ce nom a vu passer de grands moments de la gastronomie ! De nos jours, un domaine viticole de 12,20 ha dont le siège (sinon le puits, haut lieu de la maison) est à Pommard. Le nez d'intensité moyenne (fruits secs, fleurs blanches) de ce 2005 va bien avec son œil. On est heureusement surpris en bouche par la finesse distinguée, le gras et le volume. Tout cela vient à point nommé.

SCE Dom. Coste-Caumartin,
2, rue du Parc, BP 19, 21630 Pommard,
tél. 03.80.22.45.04, fax 03.80.22.65.22,
e-mail coste.caumartin@wanadoo.fr
t.l.j. 9h30-12h 14h-19h; dim. sur r.-v.
Jérôme Sorcet

MARIA CUNY Vézelay 2005

1 ha 8 000 5 à 8 €

« Vézelay, Vézelay, Vézelay, Vézelay », célèbre alexandrin d'Aragon, dont le vers suivant est : « Et ces

manches semblaient lourdes du poids des chaînes. » Pas d'effets de manche ici, ni de lourdeur, mais un vin riche et souple, qui doit se libérer de ses chaînes et se mettre en place pour trouver son équilibre. Une année de garde sera nécessaire.
Maria Cuny, 16, rte de Saint-Père-Nanchèvres, 89450 Saint-Père, tél. et fax 03.86.33.27.95, e-mail maria@domaine-mariacuny.com
t.l.j. 9h-12h30 14h-19h30

DOM. DAMPT Tonnerre 2005 ★★

1,43 ha 10 000 5 à 8 €

Un Tonnerre rouge, certes, mais qui ne joue pas la toute-puissance pour autant. Il serait plutôt fin au nez, s'ouvrant sur la fraise légèrement boisée (à ne pas confondre avec la fraise des bois). La bouche s'affirme un peu plus, structurée, tannique, intense et longue. « Le bourgogne dont on rêve », note un dégustateur. Le rêve deviendra réalité après deux ans en cave. Le **Tonnerre blanc 2005** obtient une étoile.
EARL Éric Dampt, 16, rue de l'Ancien-Presbytère, 89700 Collan, tél. 03.86.55.36.28, fax 03.86.55.36.12, e-mail ericdampt@aol.com r.-v.

EMMANUEL DAMPT
Tonnerre Chevalier d'Éon 2005 ★

4,5 ha 30 000 5 à 8 €

Apôtre de la mixité, le chevalier d'Éon est le grand homme de Tonnerre (si l'on peut dire, car il passa pour femme la plus grande partie de sa vie publique). Ce vin lui rend hommage. La robe évidemment retient l'attention. Il eût pu la porter ainsi à la cour d'Angleterre. Le nez est double (fleurs blanches et fruits jaunes) sans être équivoque. Bouche épicée et mûre, pleine de fraîcheur.
Emmanuel Dampt, 3, rte de Tonnerre, 89700 Collan, tél. 03.86.54.49.52, fax 03.86.54.49.89, e-mail emmanuel@dampt.com r.-v.

HENRI DARNAT 2005 ★

0,88 ha 6 000 11 à 15 €

Ce chardonnay se présente bien et possède un bouquet expressif sur la noisette. Celle-ci fait son retour en bouche. Un peu nerveux en attaque et d'une approche très plaisante, le palais ne manque pas de structure. À attendre un peu, juste le temps d'apprendre à faire la terrine de pintade aux raisins.
Dom. Darnat, 20, rue des Forges, 21190 Meursault, tél. 03.80.21.23.30, fax 03.80.21.64.62, e-mail domaine.darnat@wanadoo.fr r.-v.

PHILIPPE DEFRANCE Côtes d'Auxerre 2004

3 ha 4 500 5 à 8 €

Saucier aux Tuileries sous Louis-Philippe, puis fondateur de l'hôtel de l'Étoile à Chablis, Charles Bergerand conçut de nombreuses recettes aimables aux vins de son pays. Son jambon en sauce devrait faire alliance avec ce chardonnay fleurissant, sauvignonnant un peu au nez (mais ce n'est pas un péché à Saint-Bris), vif au palais sinon mordant, mais prêt à boire.
Philippe Defrance, 5, rue du Four, 89530 Saint-Bris-le-Vineux, tél. 03.86.53.39.04, fax 03.86.53.66.46 r.-v.

DOM. ALBERT DE SOUSA Les Magny 2005

0,48 ha 4 000 5 à 8 €

Meursault, pommard, volnay, ce chardonnay est le régional de l'étape. D'une brillance convenable, le nez classique sur le fruit mûr, il donne en première bouche une impression de légèreté et de fraîcheur. Jeune et vif, sans défaut comme le chevalier Bayard, il est de tradition et gagnera son étoile sur la table (entrée à base de poisson).
Albert De Sousa, 25, RN 74, 21190 Meursault, tél. 03.80.21.22.79, fax 03.80.21.66.76
r.-v.

MAISON DESVIGNES Prestige 2006 ★

n.c. 2 000 5 à 8 €

Quand on s'appelle Desvignes, beau nom ne saurait mentir ! On est ici à La Chapelle-de-Guinchay, encore en Saône-et-Loire et en Bourgogne, quand bien même le beaujolais serait omniprésent. Ce 2006 affiche toute sa jeunesse dans sa robe aux reflets franchement verts et dans son nez frais et fruité. La bouche souple et équilibrée en fait un vin de plaisir, à boire sur le fruit ou à attendre un peu pour plus de complexité.
Desvignes Aîné et Fils, rue Guillemet-Desvignes, Pontanevaux, 71570 La Chapelle-de-Guinchay, tél. 03.85.36.72.32, fax 03.85.36.74.02 r.-v.

DOM. GUY DUFOULEUR
Clos de l'Hermitage 2005 ★

0,4 ha 2 700 11 à 15 €

« Vignerons depuis 1610 », indique l'étiquette. Cette famille nuitonne ne manque pas d'expérience ! On retrouve cette année son Clos de l'Hermitage, encore jeune et fermé au nez, même si des notes de cassis et de boisé (un an en fût) commencent à percer. Friand à l'attaque, gras en milieu de bouche, il termine sur la finesse et sur le fruit. On l'attendra encore deux ans.
Dom. Guy Dufouleur, 19, pl. Monge, 21700 Nuits-Saint-Georges, tél. et fax 03.80.62.31.00, e-mail gaelle.dufouleur@wanadoo.fr
r.-v.
Guy et Xavier Dufouleur

DOM. RAYMOND DUPONT-FAHN
Chaumes des Perrières 2005 ★

2 ha 15 000 8 à 11 €

Les Chaumes des Perrières existent bel et bien à Meursault, entre les Narvaux et les Perrières s'il vous plaît ! Difficile de trouver un bourgogne mieux niché. Coup de cœur l'an dernier. Tirant sur le doré, un vin dont le fût (douze mois) s'efface assez vite pour laisser place à la fleur blanche. Texture fondue, vinosité, une bouteille simple et bien réussie.
Raymond Dupont-Fahn, rue des Eaux, 21190 Tailly, tél. 06.14.38.53.21, fax 03.80.21.21.22, e-mail domaine.dupont-fahn@wanadoo.fr r.-v.

DOM. FÉLIX Côtes d'Auxerre 2005 ★

1,25 ha 9 000 5 à 8 €

Trois Côtes d'Auxerre retenus et dans les trois couleurs. Celui-ci d'abord, vaillant à l'œil, portant l'amande et le pain grillé au nez, puis le fruit à chair blanche, rond et fin, d'une grande longueur. Le **rosé 2005** est cité, tandis qu'une étoile brille pour la **cuvée Saint-André rouge 2005 (8 à 11 €)** qui rend hommage au saint patron des Bourguignons.
Dom. Félix, 17, rue de Paris, 89530 Saint-Bris-le-Vineux, tél. 03.86.53.33.87, fax 03.86.53.61.64, e-mail domaine.felix@wanadoo.fr
t.l.j. sf dim. 9h-11h30 14h-18h30

DOM. DE LA FEUILLARDE 2005 ★

■ 1 ha 4 000 ▮◖ 5 à 8 €

Domaine créé par Jean-Marie Thomas en 1934, en un temps où le vin se vendait mal mais où l'on espérait cependant : la Confrérie des Chevaliers du Tastevin et les appellations françaises étaient sur le point de voir le jour. Grenat intense et profond, fruit noir en évidence, concentré et structuré (tanins fondus), un bourgogne venu du Mâconnais (Prissé est un village de l'AOC saint-véran) qu'on laissera mûrir encore deux ans en cave.

⊶ Lucien Thomas, Dom. de La Feuillarde,
71960 Prissé, tél. 03.85.34.54.45, fax 03.85.34.31.50,
e-mail contact@domaine-feuillarde.com
▣ Y t.l.j. 8h-12h30 13h30-19h

DOM. OLIVIER FICHET Les Verchères 2005 ★★

□ 1 ha 3 200 ◖ 11 à 15 €

« Il revient toujours comme le pain bénit de Burgy », disait-on jadis d'un importun, tant la paroisse était petite. Tel n'est pas le cas ici. Première récolte et... coup de cœur ! Olivier Fichet a acquis avec succès le domaine Charnay en mai 2005 : crémant surtout, auquel succède maintenant le vin tranquille. Scintillant, le nez frais et fruité (poire, un peu d'exotique), un chardonnay riche et gourmand, issu de vendanges très mûres. « Quel plaisir ! », conclut un dégustateur.

⊶ Dom. Olivier Fichet, Vignoble de Burgy, 71960 Igé,
tél. 06.81.60.11.13, fax 03.85.33.44.45,
e-mail olivier.fichet@wanadoo.fr
▣ Y ✝ t.l.j. 8h-12h 13h-18h30; dim. sur r.-v.

DOM. FILLON ET FILS Côte d'Auxerre 2005 ★

□ 3,5 ha 8 500 ▮ 5 à 8 €

Propriété familiale reprise en cogérance par le frère et la sœur depuis 1995. Sur 32 ha, pas si mal ! Ce chardonnay s'annonce en fanfare : le jaune or est quasiment héraldique. La fleur blanche gouverne son bouquet. En bouche, le même appel de sève qu'on a connu dans les vignes en mars 2007. La première bouche est lyrique, la suite un peu moins dense. On le juge ici sur cet élan qui emplit le palais d'un pas seigneurial.

⊶ Dom. Fillon, 53, rue Bienvenu-Martin,
89530 Saint-Bris-le-Vineux, tél. 03.86.53.30.26,
fax 03.86.53.63.88 ▣ Y ✝ t.l.j. 9h-12h30 14h-19h

GUY FONTAINE ET JACKY VION 2005 ★

□ 2 ha 2 000 ▮◖ 5 à 8 €

Remigny, en Saône-et-Loire, est si proche de Santenay qu'une partie de son territoire bénéficie de cette appellation. Jaune paille à reflets verts, un chardonnay brioché, vanillé sans excès, faisant preuve d'un bel équilibre entre l'acidité et l'alcool. La conclusion assez nerveuse a le charme d'un retour de noces. À boire sur une viande blanche.

⊶ GAEC des Vignerons, rue du Bourg,
71150 Remigny, tél. et fax 03.85.87.03.35 ▣ Y ✝ r.-v.
⊶ Guy Fontaine et Jacky Vion

DOM. FOREY PÈRE ET FILS 2005 ★

■ 1,23 ha 9 000 ◖ 5 à 8 €

Six parcelles sur Nuits-Saint-Georges et Vosne-Romanée composent ce bourgogne rouge qui ne laisse pas indifférent. Ses voisins de cave s'appellent Saint-Georges, Clos de Vougeot et même ces Gaudichots qui jouxtent La Tâche. Grenat vif et soutenu, encore assez fermé mais montrant déjà quelques fruits noirs et des tanins élégants, ce 2005 est prometteur et montera volontiers la garde dans votre cave (trois ans).

⊶ Dom. Forey Père et Fils, 2, rue Derrière-le-Four,
21700 Vosne-Romanée, tél. 03.80.61.09.68,
fax 03.80.61.12.63, e-mail dneforey@aol.com
▣ Y ✝ r.-v.

DOM. JEAN FOURNIER
Le Chapitre Vieilles Vignes 2005 ★★

■ 0,25 ha 1 300 ◖ 8 à 11 €

On épingle la croix d'honneur sur la poitrine de Laurent Fournier qui a succédé à son père Jean en 2003. Ce domaine de 15 ha fait actuellement des essais d'agriculture bio. Le Chapitre se situe sur les hauteurs de Chenôve, à la sortie de Dijon, et résiste encore au béton grimpant. Ce 2005 pourpre et fruité (framboise), légèrement boisé, montre en bouche une élégance folle et un corps somptueux. Ses tanins présents mais soyeux permettent de le boire dès maintenant ou d'attendre deux ans.

⊶ Dom. Jean Fournier, 34, rue du Château,
21160 Marsannay-la-Côte, tél. 03.80.52.24.38,
fax 03.80.52.77.40,
e-mail domaine.jean.fournier@wanadoo.fr ▣ Y ✝ r.-v.

MARIE-ODILE FRÉROT ET DANIEL DYON 2005

■ 0,56 ha 3 800 ▮ 5 à 8 €

Pourpre et cernée de violine, la trame de couleur n'est pas très serrée. Floral plus que fruité, ce pinot semble tout miser sur le nez. Discret mais nullement évasif. En bouche, il fait le tour de la question avec du nerf et de la mâche, non sans saveur pourtant. Il est originaire d'un village du Tournugeois.

⊶ Marie-Odile Frérot et Daniel Dyon, Veneuze,
71240 Étrigny, tél. et fax 03.85.92.24.31 ▣ Y ✝ r.-v.

DENIS GABRIELLE La Chaume blanche 2005 ★★

■ 2,8 ha 3 000 ▮ 5 à 8 €

Ce pinot noir auxerrois (reprise d'un domaine en 2001, ensuite replantations) ne donne vraiment pas envie de « zapper »... Le fruit et l'épice y sont approfondis, sous un rubis soutenu. On reste suspendu à sa bouche fraise

écrasée : finesse, tanins souples et fondus, persistance délicate. Ce cépage peut décidément être charmant dans le vignoble de l'Yonne.
⊶ Denis Gabrielle, 10, rue de Bleigny, 89290 Venoy, tél. 03.86.40.33.88, fax 03.86.40.38.65
▣ Y ☥ t.l.j. 8h-20h

DOM. GADANT ET FRANÇOIS
Côtes-du-Couchois 2005 *

■ 0,7 ha 5 200 ◍ 5 à 8 €

Il n'a pas été simple d'obtenir la dénomination Côtes-du-Couchois : il a fallu des décennies de combats. Cette bouteille se montre digne de cette promotion. Grenat violine à reflets roses sur le disque, elle affiche sa personnalité et son caractère. Nette et franche au premier nez, sur les fruits rouges, avant de se refermer. Les saveurs sont plaisantes et l'histoire bien mise en scène. Lever de rideau prévu en 2010.
⊶ Dom. Gadant et François,
EARL Le Clos Voyen,
71490 Saint-Maurice-lès-Couches, tél. 03.85.49.66.54,
fax 03.85.49.60.62, e-mail leclosvoyen@wanadoo.fr
▣ Y ☥ t.l.j. 8h-12h 14h-18h

DOM. DE LA GALOPIÈRE 2005 *

□ 1 ha 4 500 ▮◍ 5 à 8 €

Cheek to cheek comme dans un film d'Hollywood des années 1950. Joue contre joue, cette bouteille en robe de bal, osant le miel dans son parfum (bonne manière de retenir son cavalier), offre un sentiment d'élégance suave et de plaisir, hélas, minuté par le script (*happy end* en 2008). Un chardonnay moderne, flatteur et désirable.
⊶ Gabriel Fournier,
Dom. de La Galopière, 6, rue de l'Église,
21200 Bligny-lès-Beaune, tél. 03.80.21.46.50,
fax 03.80.21.49.93, e-mail cgfournier@wanadoo.fr
▣ Y ☥ r.-v.

GIRAUDON Chitry 2005 *

■ 5 ha 35 000 ▮ 3 à 5 €

On ne dit plus guère Chitry-le-Fort. C'est pourtant son nom. La raison en est l'église pourvue de tours et qui ressemble à un donjon. Longtemps village blanc (où l'aligoté comptait des lettres de noblesse), Chitry s'est mis au rouge. Nuance claire, noyau de cerise, en rondeur et en longueur, un pinot facile à boire et qui ne posera pas de questions métaphysiques. Le **Chitry blanc 2005** obtient également une étoile.
⊶ EARL Marcel Giraudon, 26, rue du Ruisseau,
89530 Chitry, tél. 03.86.41.41.28, fax 03.86.41.46.83,
e-mail giraudon.chitry@wanadoo.fr ▣ Y ☥ r.-v.

ANDRÉ GOICHOT Cly Met 2005

■ n.c. 30 000 5 à 8 €

Cly Met, drôle de surnom pour un bourgogne... D'autant qu'on ne l'explique pas, et c'est dommage. Les vins sont aussi faits pour raconter des histoires. Dans l'ensemble assez chaleureux du premier regard à la fin de bouche, le nez sur la réserve, ce 2005 est consistant et néanmoins souple, long et encore un peu austère en dernière analyse. Un à deux ans d'attente sont nécessaires.
⊶ SA André Goichot et Fils, av. Charles-de-Gaulle,
21200 Beaune, tél. 03.80.25.91.30, fax 03.80.25.91.34,
e-mail infos@goichotsa.com

DOM. ANNE ET ARNAUD GOISOT
Côtes d'Auxerre 2005 *

■ 4 ha 20 000 ◍ 5 à 8 €

« Côtes d'Auxerre pour homme lors d'un hiver rigoureux », écrit sur sa fiche et en conclusion un dégustateur. L'explication de texte n'est pas loin, heureusement : « Bouche pleine, charnue, tannique, chaude et complète ». Va-t-on se plaindre ? Sûr, il est jeune et doit se faire. Mais l'avenir (deux ans) n'est pas pour lui un rideau fermé et à l'heure du confit de canard, il saura faire valoir ses arguments.
⊶ Dom. Anne et Arnaud Goisot,
4 bis, rte de Champs, 89530 Saint-Bris-le-Vineux,
tél. 03.86.53.32.15, fax 03.86.53.64.22,
e-mail aa.goisot@wanadoo.fr
▣ Y t.l.j. sf dim. 8h30-12h 13h30-19h

GHISLAINE ET JEAN-HUGUES GOISOT
Côtes d'Auxerre Corps de garde 2005 **

□ 6 ha 20 000 ◍ 5 à 8 €

Le Corps de garde de la famille Goisot est devenu avec le temps et grâce à une qualité généralement constante une sorte d'image de marque appréciée par les amateurs. Label AB (bio) et certification Ecocert. Voici un remarquable Côtes d'Auxerre, dans la mouvance du coup de cœur. On pense à Voltaire commentant l'œuvre majeure de Racine et ponctuant chaque vers d'un seul mot : « Admirable ! ». Ses quinze mois en fût expliquent le confort brioché, peut-être le marron glacé. Le reste est parfait (plénitude, affabilité). Il fera bon le boire dès 2008.
⊶ Ghislaine et Jean-Hugues Goisot,
30, rue Bienvenu-Martin, 89530 Saint-Bris-le-Vineux,
tél. 03.86.53.35.15, fax 03.86.53.62.03,
e-mail jhetg.goisot@cerb.cernet.fr ▣ Y ☥ r.-v.

DOM. GRAND ROCHE Côtes d'Auxerre 2005 **

■ 3 ha 15 000 ▮◍ 5 à 8 €

Erick Lavallée a créé ce domaine en 1987 avec quatre cépages dont le sauvignon, objet de culte à Saint-Bris. On voit qu'il tire également le meilleur parti du pinot noir. Le coup de cœur était à la portée de celui-ci et on en a débattu sérieusement. Évidemment, la compétition est rude entre 450 et 500 échantillons présentés ici... Se trouver parmi les dix ou quinze premiers est de toute façon flatteur. Merveilleux en couleur, parfumé et complexe (fruits noirs, boisé), ce 2005 résulte d'un bon arbitrage : un an en cuve, six mois en fût. Il en retire rondeur, puissance et équilibre.
⊶ Erick Lavallée, 6, rte de Chitry,
89530 Saint-Bris-le-Vineux, tél. 03.86.53.84.07,
fax 03.86.53.88.36 ▣ Y ☥ r.-v.

GRIFFE Chitry 2005 *

□ 0,81 ha 1 800 ▮ 5 à 8 €

Joli vin, d'un or argenté assez clair, passant avec brio de la gamme citron-pamplemousse à l'abricot sec. Le gras est un peu négligé, mais peu importe car la fraîcheur s'en donne à cœur joie. Sec et typé, accord nez et bouche : on le trouve sympathique et digne de cette tourte qui fit la réputation d'Henri Colin au Pré-aux-Clercs, le grand restaurant dijonnais.
⊶ EARL Griffe, 15, rue du Beugnon, 89530 Chitry,
tél. 03.86.41.41.06, fax 03.86.41.47.36,
e-mail domaine.griffedavid@wanadoo.fr ▣ Y ☥ r.-v.

DOM. HEIMBOURGER 2005 *

■ 1,5 ha 10 000 5 à 8 €

Pierre Heimbourger a créé le domaine en 1970. En 1994, Olivier l'a repris et agrandi sur Irancy. Saint-Cyr-les-Colons est un village authentiquement chablisien, même s'il joue ici le pinot noir sur l'aire de l'AOC bourgogne. Ce vin n'a pas besoin de bâton de vieillesse car il est prêt à passer à table. Rubis clair, le bouquet fruité et léger, il est plaisant et même exemplaire au palais. Tendre et rond, les tanins gentiment présents : on trouve la vie belle à travers lui. Pintade à la purée de marrons en perspective.

Dom. Heimbourger, 5, rue de la Porte-de-Cravant, 89800 Saint-Cyr-les-Colons, tél. 03.86.41.40.88, fax 03.86.41.48.83, e-mail heimbourger@wanadoo.fr
t.l.j. 10h-12h 14h-18h30; dim. sur r.-v.

CUVÉE HENRY DE VÉZELAY Vézelay 2005 **

2 ha 13 000 5 à 8 €

La Chablisienne donne un coup de main à l'équipe des Vignerons de Vézelay lancée naguère dans la renaissance du vignoble local. Celui-ci ne trahit pas la confiance placé en lui avec ce chardonnay blanc-vert brillant, minéral et mentholé, très profond, où le ménage à trois (vivacité, gras et alcool) fonctionne sans accrochage. À ouvrir dans un an.

La Chablisienne, 8, bd Pasteur, BP 14, 89800 Chablis, tél. 03.86.42.89.98, fax 03.86.42.89.90, e-mail chab@chablisienne.fr t.l.j. 9h-12h 14h-18h

JEAN-LUC HOUBLIN Coulanges-la-Vineuse 2005 *

2,8 ha 2 200 5 à 8 €

Outre le fameux Monument historique de Moulin-à-Vent (situé sur le territoire bourguignon), il existe ici d'autres moulins que l'on restaure : à Santenay, à Migé sur l'aire du Coulanges-la-Vineuse. Ce chardonnay apporte un vent de fraîcheur avec ses arômes d'agrumes et de fleurs, nuancés d'une pointe d'exotisme (litchi). Au palais, la palette des parfums est plus discrète mais elle devrait s'ouvrir d'ici un an, portée par une bonne acidité. La **cuvée Prestige rouge 2005**, encore marquée par le bois, est citée et à apprécier dans deux ou trois ans.

Jean-Luc Houblin, 1, passage des Vignes, 89580 Migé, tél. 03.86.41.69.87, fax 03.86.41.71.95, e-mail houblin.fr@wanadoo.fr
t.l.j. 8h-19h; dim. 9h-12h

DOM. JOMAIN 2005 *

2,02 ha 11 600 5 à 8 €

Un bourgogne blanc signé par un domaine de Puligny-Montrachet. On est bien sûr au garde-à-vous. On se doute que ces 2,02 ha ne doivent pas être très loin de *climats* encensés. Cette bouteille n'abuse pas de ce prestige. Brillante, fleurs blanches et agrumes au nez, elle embaume sans entêter. Bouche en forme de cœur, fraîche et fondée sur des certitudes à venir. À attendre un peu.

Dom. Jomain, 11, pl. du Monument, 21190 Puligny-Montrachet, tél. 03.80.21.93.46, fax 03.80.21.94.45, e-mail info@domaine-jomain.com
r.-v.

HERVÉ KERLANN H 2004 *

1,6 ha 2 400 5 à 8 €

Laborde est l'un des nombreux châteaux de la plaine nuitonne et (ici) beaunoise, acquis en 1988 auprès des Hospices de Beaune. Quant à Hervé Kerlann, son propriétaire (affaire de négoce-éleveur), il se présente comme la cinquième génération d'amoureux du vin (famille Peyrat-Chèze). Clair à reflets or, son chardonnay 2004 verse de belles larmes. Sa première mi-temps (ampleur, gras soyeux) est meilleure que la seconde, mais il totalise assez de points pour s'inscrire au menu avec la pauchouse, une matelote de poisson de la Saône et du Doubs.

Maison Kerlann, SARL DDD, Ch. de Laborde, hameau de Laborde, 21200 Meursanges, tél. 03.80.26.59.68, fax 03.80.26.59.61, e-mail kerlann.herve@wanadoo.fr
r.-v.

DOM. PIERRE LABET Vieilles Vignes 2005 *

1 ha 5 000 11 à 15 €

Dix-huit mois de fût pour ce 2005, ce n'est pas rien et on ne s'étonnera pas qu'il en ressorte avec au nez des arômes de noisette et de vanille, agrémentés de notes d'écorce d'agrumes. Ample, la bouche ne manque pas de fond mais doit encore digérer son merrain. Bouteille à ouvrir à l'horizon 2010, donc.

Dom. Pierre Labet, Clos de Vougeot, 21640 Vougeot, tél. 03.80.62.86.13, fax 03.80.62.82.72, e-mail contact@francoislabet.com
t.l.j. sf mar. 10h-18h; groupes sur r.-v.; f. fin nov-Pâques

CH. LABOURÉ-ROI 2005 **

1,81 ha 16 000 8 à 11 €

Labouré-Roi est une maison nuitonne acquise par les frères Cottin quand ils se sont établis dans le vignoble bourguignon. Sous une superbe étiquette reproduisant un dessin du XIXes., elle signe ce bourgogne blanc jaune pâle légèrement doré, au nez d'aubépine et de vanille ; le fût (onze mois) demeure assez présent. C'est un style, que les dégustateurs ont apprécié. Une longue persistance achève de dessiner l'image d'un vin à la personnalité bien travaillée.

Ch. Labouré-Roi, 3, rue du Pied-de-la-Forêt, 21190 Meursault, tél. 03.80.21.26.08, e-mail contact@laboure-roi.com
Cottin Frères

DOM. DES LÉGÈRES 2005 *

2 ha 12 000 5 à 8 €

Pierre et Véronique Janny sont à la barre depuis 1982. Nous sommes ici en Mâconnais, à Péronne. Ce chardonnay en habit d'or laisse deviner au premier nez de bonnes intentions qui ne tardent pas à se manifester de façon habile : il se fait tout miel. Souple et flatteur, il sait s'y prendre quand on aborde le corps du sujet. Discret, sans doute, mais bien élaboré et fin négociateur. Il s'offre à vous dès maintenant.

Pierre et Véronique Janny, La Condemine, 71260 Péronne, tél. 03.85.23.96.20, fax 03.85.36.96.58 r.-v.

SERGE LEPAGE Côte Saint-Jacques 2005

0,28 ha 2 200 3 à 5 €

Un chardonnay jovinien, c'est-à-dire de Joigny. Il se présente bien, dans une robe or jaune clair. Nez agréable dans la diversité : miel, fruits secs, tabac blond. Palais vif comme un jeune poulain. D'ailleurs, on est en train de le débourrer en lui faisant accepter le mors, la selle et le cavalier. C'est maintenant l'affaire de quelques mois seulement.

Serge Lepage, 9, rue Principale-Grand-Longueron, 89300 Champlay, tél. 03.86.62.05.58, fax 03.86.62.20.08 r.-v.

LOU DUMONT 2004

n.c. 1 500 8 à 11 €

L'honorable Koji Nakada s'appelle Lou Dumont à Gevrey-Chambertin où il s'est établi rue de Paris en 2003. Sait-il qu'une des plus belles collections d'estampes de Kuniyoshi se trouve à 300 m de là ? Un 2004 qui n'est nullement « l'image d'un monde flottant », définition de l'estampe classique. Gras, harmonieux, toasté (dix-huit mois en fût) : il ne lui manque qu'une petite pointe de fraîcheur pour décoller complètement.

Lou Dumont, 1, rue de Paris, 21220 Gevrey-Chambertin, tél. 03.80.51.82.82, fax 03.80.51.82.84, e-mail sales@loudumont.com r.-v.

DOM. DE LA MADONE Les Pasquiers 2005 *

1,3 ha 9 200 5 à 8 €

Une Madone à l'Enfant, qui trône au centre de l'étiquette. De teinte très sombre, ce 2005 au nez complexe et un peu vanillé (dix mois en fût) paraît bien planté sur ses jambes. La relation acidité-tanins est harmonieuse. Robuste, ce vin devrait s'attendrir avec l'âge (disons une paire d'années) afin de mieux dégager sa douceur et son fruit.

SARL Dom. de La Madone, 7, rte de Monthélie, 21190 Meursault, tél. 03.80.21.22.45, fax 03.80.21.28.50

MARÉCHAL-CAILLOT 2005 *

0,6 ha 4 400 8 à 11 €

Grenat profond, jambes violettes, la robe est bien en place. Dans le défilé des arômes, la fraise est encadrée par le fût (un an d'élevage). Le bourgeon de cassis s'est même glissé dans le cortège que ferment les tanins en confrérie. Du volume, de la souplesse pour ce vin prêt à être savouré ou à attendre quelques années pour un supplément d'harmonie.

Bernard Maréchal, 10, rte de Chalon, 21200 Bligny-lès-Beaune, tél. 03.80.21.44.55, fax 03.80.26.88.21, e-mail gb@marechal-caillot.com r.-v.

MARINOT-VERDUN 2005

n.c. n.c. 3 à 5 €

Nous sommes ici en Côte chalonnaise, chez un négociant-éleveur qui connaît son métier. Agréable dans un style confituré, très mûr, presque confit, ce pinot sort d'un an de cuve sans avoir la grosse tête. Sa charpente ne souffre pas d'un excès de tanins. Garde : un à deux ans sans souci.

Marinot-Verdun, Mazenay, 71510 Saint-Sernin-du-Plain, tél. 03.85.49.67.19, fax 03.85.45.57.21 t.l.j. sf dim. 8h-12h 14h-18h

DOM. ALAIN MATHIAS Épineuil 2005 *

6,8 ha 20 000 5 à 8 €

Léger, pas trop tannique, friand quand on l'a en bouche, ce 2005 sait se rendre utile. Démarrage sur le végétal, puis cassis et mûre. Nous sommes donc bien en pays de connaissance. Rubis violacé comme il convient. Ce vin est l'œuvre d'un ancien salarié du Chablisien qui s'est installé ici lors de la reconquête du vignoble. L'espace rural doit beaucoup de sa vie au vin, ne l'oublions pas.

Alain Mathias, rte de Troyes, 89700 Épineuil, tél. 03.86.54.43.90, fax 03.86.54.47.75, e-mail mail@domainealainmathias.com t.l.j. sf dim. 8h-12h 13h30-19h

DOM. DE MAUPERTHUIS Les Truffières 2005 *

1,6 ha 10 000 5 à 8 €

Le blason familial figure sur l'étiquette de ce domaine récent (1992), au-dessus de la devise : « Vers le mieux ». C'est en effet la direction que prend ce chardonnay or pâle, au premier nez fermé, qui s'ouvre ensuite sur des notes de foin sec et de miel. La bouche intense et minérale à l'attaque évolue sur des notes de miel et d'épices. La matière structurée et mûre s'épanouit dans une finale d'une bonne longueur. À apprécier dans deux ans.

Laurent et Marie-Noëlle Ternynck, EARL de Mauperthuis, 15, rue de la Métairie, Civry, 89440 Massangis, tél. et fax 03.86.33.86.24, e-mail ternynck@hotmail.com t.l.j. sf dim. 10h-11h30 13h30-18h

DOM. DU MERLE Clos des Condemines 2005 *

1,5 ha 4 000 5 à 8 €

Ce Merle n'a pas le bec jaune de ses frères en chardonnay, mais le plumage du volatile est légèrement éclairé de flammes rouges. Beaucoup de complexité au stade olfactif : au floral s'ajoute la cerise laissée sur l'arbre et qu'on goûte sur le tard. Un rien de verdeur, mais le bon état d'esprit se confirme. Ce vin « féminin » finit par poser sa tête sur votre épaule. Feu de paille ? Pas du tout, l'idylle durera, à tout le moins en cave.

Dom. du Merle, Sens, 71240 Sennecey-le-Grand, tél. 03.85.44.75.38, fax 03.85.44.73.63, e-mail domainedumerle@tele2.fr t.l.j. 8h-19h

Michel Morin

ANDRÉ MEURIOT 2005 *

0,32 ha 900 5 à 8 €

Ce n'est pas le « pinot vermeil » des grands ducs de Bourgogne. On s'est habitué depuis quelque deux cents ans à une robe plus mûre dont voici le bon exemple. Petit sous-bois, pruneau, l'invitation est aimable. Au palais, l'astringence tannique ne prend pas le dessus. Douceur et fruité. À laisser reposer jusqu'en 2009 et puis, comme on ne peut pas servir tous les dimanches du pommard à sa table, celui-ci viendra en voisin.

André Meuriot, 2, rue Mareau, 21630 Pommard, tél. et fax 03.80.24.12.47 r.-v.

JEAN-CLAUDE MICHAUT Épineuil 2005 **

10 ha 60 000 5 à 8 €

Marie-Lise après Jean-Claude, les Michaut font partie des pionniers de la renaissance du vignoble d'Épineuil – dès 1977. Et même si Alfred Grévin, qui offrit son nom au musée, est le plus illustre enfant du pays, cette bouteille n'est pas une figure de cire. Bien vivant et finaliste du coup de cœur, à classer parmi les meilleurs. Un pinot noir cassis, typé, sans astringence ni amertume, s'achevant à genoux devant la cerise à l'eau-de-vie. Au-delà des normes habituelles. Grand, sûrement, et encore plus d'ici un ou deux ans.

⊶ SCEA Jean-Claude Michaut, Les Plantottes, 89700 Épineuil, tél. 03.86.55.24.99, fax 03.86.55.32.74 ☒ Ỵ ⚲ t.l.j. sf dim. 9h-12h 14h30-17h30

DOM. DES MOIROTS 2005 *

■ 2,5 ha 4 800 ▮◍ 5 à 8 €

Domaine des Moirots depuis l'arrivée de Christophe Denizot, mais on cultive ici la vigne depuis trois générations. Bissey-sous-Cruchaud est un village du canton de Buxy en Côte chalonnaise. Le pinot y vit en paix avec sa conscience. Celui-ci par exemple, rubis clair, élevé en cuve et en fût comme beaucoup de ses semblables. Tannique, encore un peu austère, équilibré néanmoins, un bon bourgogne pour accompagner le bœuf bourguignon.

⊶ Christophe Denizot, Dom. des Moirots, 14, rue des Moirots, 71390 Bissey-sous-Cruchaud, tél. 03.85.92.16.93, fax 03.85.92.09.42, e-mail lucien.denizot@wanadoo.fr ☒ Ỵ ⚲ r.-v.

DOM. DE MONTPIERREUX 2005 *

■ 0,65 ha 3 500 ▮ 5 à 8 €

Vous connaissez sûrement Venoy... L'aire de restauration près d'Auxerre sur l'A6. Attraction du lieu : les truffières. Le village bénéficie de l'appellation bourgogne depuis 1988, permettant à ce domaine de produire ce vin aux arômes élégants de fruits rouges, ample et assez long en bouche, à la finale épicée. Parfait dans un an. Pour patienter, ouvrez donc une bouteille du **blanc 2005**, vif et frais, qui est cité.

⊶ Françoise Choné, Dom. de Montpierreux, rte de Chablis, 89290 Venoy, tél. 03.86.40.20.91, fax 03.86.40.28.00 ☒ Ỵ ⚲ r.-v.

JEAN-MICHEL MOREAU Épineuil 2005

■ 0,4 ha 2 000 ◍ 5 à 8 €

Gouleyant, un vin de soif, comme on dit. Sans aucune agressivité tannique, léger en bouche et riche au nez : bouquet de violette, pruneau, cassis. Un 2005 sans complexe, œuvre d'un tout petit domaine (2 ha) créé en 1991, participant à la renaissance du vignoble du Tonnerrois.

⊶ Jean-Michel Moreau, La Grange-Aubert, 89700 Tonnerre, tél. et fax 03.86.55.23.37 ☒ Ỵ t.l.j. 18h-20h; sam. 14h-20h

OLIVIER MORIN Chitry Vau du Puits 2005 *

■ 1 ha 6 000 ◍ 5 à 8 €

Sur nos tablettes, le **Chitry rouge 2005**, agréable dans son style (animal, gibier) est cité. Ce Vau du Puits a la préférence. Rubis bien prononcé, il se place résolument sur la cerise (la montmorency, la cerise à confiture) et joue longtemps cette carte gagnante. Bien vinifié (rondeur, longueur) et bien élevé (boisé élégant), il possède d'honnêtes capacités de garde, au moins dans les deux ans à venir.

⊶ Olivier Morin, 2, chem. du Vaudu, 89530 Chitry, tél. et fax 03.86.41.47.20, e-mail morin.chitry@wanadoo.fr ☒ Ỵ ⚲ r.-v.

MORIN PÈRE ET FILS Duc de Bourgogne 2005 *

■ 0,7 ha 5 000 ▮ 5 à 8 €

Reprise par Jean-Claude Boisset et laissée sur l'autre quai de Nuits dans ses propres caves et avec son identité, cette maison propose un Duc de Bourgogne bon à l'œil, sans peur au nez, hardi au palais mais jamais téméraire. Typé pinot noir d'AOC bourgogne, souple et le dos rond, insensible aux avances des tanins. Prêt à la consommation courant 2008.

⊶ Morin Père et Fils, 9, quai Fleury, 21700 Nuits-Saint-Georges, tél. 03.80.61.19.51, fax 03.80.61.05.10, e-mail cave@morinpere-fils.com ☒ Ỵ ⚲ r.-v.

DOM. THIERRY MORTET 2005 *

■ 1 ha 7 500 ◍ 8 à 11 €

Cette bouteille réconcilie les classiques et les modernes. Modernes, la densité de la robe, les seize mois en fût. Classiques, le fruit (le bourgeon de cassis tant apprécié par les alchimistes des essences de parfum), la bouche très proche du nez selon les lois de la nature, soyeuse et particulièrement câline. Un vin de plaisir à boire sans attendre. La même note pour le **blanc 2005 (5 à 8 €)**, rond et joliment boisé, vanillé (dix mois en fût).

⊶ Dom. Thierry Mortet, 16, pl. des Marronniers, 21220 Gevrey-Chambertin, tél. 03.80.51.85.07, fax 03.80.34.16.80 ☒ Ỵ ⚲ r.-v.

DOM. DES NANTELLES Côtes d'Auxerre 2004

□ 4,35 ha 2 000 ▮ 5 à 8 €

Jusqu'aux années 1960, on s'occupait ici des pommiers, des pruniers et bien sûr des cerisiers qui donnaient à l'Auxerrois sa jolie couleur de printemps, comme sur une toile peinte par Hosotte. La viticulture, plus rentable, a pris le relais. Ce chardonnay n'offre aucune raison de s'en plaindre. Petite couleur, bouche bien construite, nez de chèvrefeuille... Cette plante grimpante odorante était jadis l'objet d'une tradition bourguignonne : en la raccompagnant à la porte, le maître de maison en coupait un rameau et en faisait hommage à l'invitée.

⊶ SCEA des Nantelles, 10, rue des Vergers, 89290 Vaux, tél. 03.86.53.80.80, fax 03.86.53.83.46, e-mail nantelles@free.fr ☒ Ỵ ⚲ r.-v.

DOM. ALAIN NORMAND 2005

■ 1,3 ha 2 000 ▮ 5 à 8 €

Pinot noir mâconnais. Noir c'est noir, en effet. Arômes de mûre très... mûre. Concentré au maximum, ce 2005 résulte d'une extraction poussée. Fin de bouche tannique et robuste. Ses capacités de garde semblent assurées pour quelques années. À servir de préférence avec un « plat canaille » : bœuf bourguignon, andouille aux haricots, veau aux carottes.

⊶ Alain Normand, chem. de la Grange-du-Dîme, 71960 La Roche-Vineuse, tél. 03.85.36.61.69, fax 03.85.51.60.97, e-mail domaine.alain.normand@wanadoo.fr ☒ Ỵ ⚲ r.-v.

DOM. PIGNERET FILS 2005 *

□ 2,5 ha 22 000 ▮ 5 à 8 €

Éric et Joseph Pigneret ont pris la suite de leur père en 2001. Le domaine a grandi et s'est rénové. Ce

chardonnay de cuve est encore jeune et friand. Fraîcheur de l'agrume citronné au nez, et en bouche un vin vineux, plein de sève et de montant. Dans la bonne moyenne et assez tonique pour vivre deux ans. Blanc à servir sur la première assiette et le choix est varié. Ne se déplaira pas sur le poisson, frit plutôt qu'en sauce.
EARL Dom. Pigneret et Fils,
Vingelles, Cidex 1204, 71390 Moroges,
tél. 03.85.47.15.10, fax 03.85.47.15.12,
e-mail domaine.pigneret@wanadoo.fr
lun.-sam. 9h-20h; dim. 9h-12h

JEAN-MICHEL ET LAURENT PILLOT 2005 *

n.c. n.c. 5 à 8 €

Le portail dessiné sur l'étiquette donne envie d'entrer. Car ce pinot noir produit en Saône-et-Loire est diablement accueillant. Aussi charpenté que le toit de l'église de Mellecey (poutres du XVes.) ! Intense et brillant, cassis si l'on doit choisir le fruit, il offre des tanins de velours qui participent à sa finesse, à sa distinction. À remonter de la cave dans deux ans.
Dom. Jean-Michel et Laurent Pillot,
rue des Vendangeurs, 71640 Mellecey,
tél. et fax 03.85.45.20.48,
e-mail domaine.pillot@club-internet.fr r.-v.

DOM. THIERRY PINQUIER 2005 *

0,95 ha 6 500 5 à 8 €

Heureux soit celui à qui la nature a donné le palais bourguignon ! Cela dit, on peut l'acquérir... Cette bouteille constitue une excellente lettre d'introduction. Élevage en cuve (six mois) et en fût (huit mois) pour ce vin rouge sombre, dont le nez est en train d'évoluer, de la vanille au fruit. En bouche, un vin encore jeune mais de bonne constitution et de bonne garde. Il faut lui laisser le temps d'épanouir ses arômes au palais. Ce sera chose faite en 2008.
Thierry Pinquier,
imp. des Belges, rue Pierre-Mouchoux,
21190 Meursault, tél. 03.80.21.24.87,
fax 03.80.21.61.09
t.l.j. 9h-12h 13h30-19h; dim. 9h-12h

NICOLAS POTEL Cuvée Gérard Potel 2005 *

12 ha 80 000 11 à 15 €

Cuvée dédiée à Gérard Potel (La Pousse d'Or à Volnay) par son fils Nicolas. Hommage légitime car il fut une véritable figure du vin de Bourgogne. Grenat brillant, bouqueté sur l'épice, possédant de la matière et du fond, ce 2005 tient en fin de bouche une discussion assez serrée avec ses tanins. D'où l'évidence : à déboucher à partir de la fin 2008. Cette même cuvée en **blanc 2005** obtient également une étoile. Comme pour prolonger l'hommage.
SAS Nicolas Potel, 44, rue des Blés,
21700 Nuits-Saint-Georges, tél. 03.80.62.15.45,
fax 03.80.62.15.46, e-mail nicolas.potel@wanadoo.fr
r.-v.

JEAN-CLAUDE RATEAU 2005

1 ha 5 000 8 à 11 €

Un des pères fondateurs du phénomène bio en Bourgogne, ancien collaborateur de l'Interprofession ayant décidé de voler de ses propres ailes. Son bourgogne a les joues rouges et le nez encore fermé. Souple en bouche, minéral et légèrement boisé (neuf mois sous chêne), c'est un vin qu'il faudra attendre encore deux ans.
Dom. Jean-Claude Rateau, 26, rte de Bouze,
21200 Beaune, tél. 03.80.22.98.91, fax 03.80.22.46.16,
e-mail jean-claude.rateau@wanadoo.fr r.-v.

REINE PÉDAUQUE Réserve 2005 *

12 ha 80 000 8 à 11 €

Maison créée par Pierre Andrieu en 1923, reprise avec les activités de négoce-éleveur de celui-ci par le groupe Ballande il y a quelques années. Un pinot cerise mûre dans le verre, fruits noirs réglissés au nez. Des tanins fins et fruités dans une bouche équilibrée entre acidité et alcool, fraîcheur et chaleur. Deux ou trois ans d'attente apporteront à ce 2005 un meilleur fondu.
Reine Pédauque, Le Village, 21420 Aloxe-Corton,
tél. 03.80.25.00.00, fax 03.80.26.42.00,
e-mail info@corton-andre.com r.-v.

DOM. DES REMPARTS Côtes d'Auxerre 2005 *

4,5 ha 7 000 5 à 8 €

Patrick et Jean-Marc Sorin se déclarent la dix-septième génération de vignerons et, comme la plupart de leurs confrères, ils portent blason sur l'étiquette. Celui-ci est d'ailleurs gentil comme tout, avec ses neuf oisillons. La dernière grande étape fut le chai moderne en 1999. Le domaine s'étend sur 33 ha environ. Ce chardonnay jaune pâle, au nez floral et citronné, marche droit et promet de belles choses. Rond sans excès, empreint d'une certaine vivacité, il ne dira pas non à un fromage de chèvre.
Dom. des Remparts, 6, rte de Champs,
89530 Saint-Bris-le-Vineux, tél. 03.86.53.33.59,
fax 03.86.53.62.12 r.-v.

DOM. RIGOUTAT Coulanges-la-Vineuse 2005 *

3 ha 8 000 5 à 8 €

Les copains d'abord ! La devise de ce Coulanges, si l'on en croit les dégustateurs qui imaginent la scène autour du barbecue. Une chance, le soleil sera sûrement de la partie car il est dans le verre. D'une teinte assez claire, s'ouvrant sur le fruit, ce 2005 est tannique, moyennement long et gouleyant. Coulanges et ses voisins (dont Jussy) sont rive gauche. Une étoile également pour le **Coulanges blanc 2005**.
Dom. Rigoutat, 2, rue du Midi, 89290 Jussy,
tél. 03.86.53.33.79, fax 03.86.53.66.89,
e-mail domainerigoutat@wanadoo.fr r.-v.

DOM. DES ROCHES 2005 *

1 ha 9 500 3 à 5 €

Propriété acquise en 1941 par Ovide Carpi, industriel à Metz, afin de mettre sa famille à la campagne pendant la guerre. Chaque 1er mai, un banquet réunit au domaine les « Amis de Bourgogne », amateurs de vin messins. Igé est un beau village du Mâconnais. Cuve et fût pour ce chardonnay or vert, dont les arômes de fruits observent un petit temps d'attente. Rond et gras, à pointe minérale (la Roche de Solutré n'est guère éloignée), il sera à l'ordre du jour en 2008.
James Carpi, Dom. des Roches, Le Martoret,
71960 Igé, tél. 03.85.33.32.47, fax 03.85.33.43.60,
e-mail carpigobet@wanadoo.fr r.-v.

DOM. DE RUÈRE 2005 **

0,7 ha 3 000 3 à 5 €

« Faites-moi encuver dix-huit cents ou deux mille pièces de vin, écrivait Lamartine. Je ne suis pas un poète, je suis un grand vigneron. » En effet, comment ne pas

penser à lui quand on est à Pierreclos... Rouge profond, ce 2005 s'oriente vers le sous-bois et la mûre. Ample, mûr et chaleureux en bouche, affichant un boisé (onze mois de fût) bien intégré, il est prêt à boire mais saura durer plusieurs années.
🔑 Didier Éloy, Ruère, 71960 Pierreclos,
tél. et fax 03.85.35.76.65 ☑ 🍷 🚶 r.-v.

LES TEMPS PERDUS 2005 *

	2 ha	15 000		5 à 8 €

Ce chardonnay provient du village chablisien de Préhy. Les pieds de vigne sont ici âgés d'une douzaine d'années. La robe sait briller en société. Le nez penche évidemment pour le minéral, lui associant le fenouil, une senteur anisée discrète. Le minéral garde ensuite la maîtrise des opérations sur une sorte de salinité. Tendu comme l'arbalète de Guillaume Tell, tendre et frais, un vin caractéristique du terroir de l'Yonne. Avec les huîtres, une sérieuse concurrence pour le petit-chablis. Disons même le chablis.
🔑 Clotilde Davenne, 3, rue de Chantemerle,
89800 Préhy, tél. 03.86.41.46.05, fax 03.86.41.42.85,
e-mail clotildedavenne@free.fr ☑ 🍷 🚶 r.-v.

JEAN-BAPTISTE THIBAUT Côtes d'Auxerre 2004

	3 ha	1 500		5 à 8 €

Jean-Baptiste Thibaut s'est installé aux côtés de son père en 1996, puis a repris seul la barre en 2000. Rubis framboisé, ce 2004 a le nez de son millésime, discret, un peu fumé. Nature, il attaque souple avec le caractère un peu réglissé d'un irancy. Pas de mal à cela, on est entre cousins. Tout est juste, assez gourmand et prêt à boire.
🔑 Jean-Baptiste Thibaut, 9, rue de la Croix,
89290 Quenne, tél. 03.86.40.34.09, fax 03.86.40.27.70,
e-mail domaine.thibaut@wanadoo.fr ☑ 🍷 r.-v.

DOM. CHARLES THOMAS 2005 *

	1,29 ha	6 400		5 à 8 €

Disparu à l'âge de quatre-vingt-dix-huit ans, Charles Thomas créa à titre personnel un joli domaine familial, parallèlement à la gestion de Moillard dont il était l'un des héritiers. Ce vin en est le fruit. Robe couleur rubis, qui ne cherche pas l'extraction à tout prix. La fraise des bois lui offre un arôme spécifique. Boisé bien dosé (six mois), alcool et tanins en association réussie, typicité certaine. Friand, si l'on résume.
🔑 Dom. Charles Thomas,
2, rue François-Mignotte, BP 36,
21701 Nuits-Saint-Georges Cedex, tél. 03.80.62.42.10,
fax 03.80.61.28.13,
e-mail domainecharlesthomas@wanadoo.fr
☑ 🍷 🚶 t.l.j. 10h-18h; f. jan.

DOM. TORTOCHOT Cuvée Fine Sélection 2005 *

	0,37 ha	2 000		5 à 8 €

Couleur d'atout, comme on dit au bridge. Intense et profonde. Un bourgogne rouge sorti d'une cave de Gevrey-Chambertin ne joue pas au bel indifférent ! Arômes complexes (café, cuir, fruits noirs) demeurant discrets. De la chair et du muscle. Il est équilibré, complet, mais on l'attendra un peu (deux ou trois ans) avec profit.
🔑 Dom. Tortochot, 12, rue de l'Église,
21220 Gevrey-Chambertin, tél. 03.80.34.30.68,
fax 03.80.34.18.80, e-mail contact@tortochot.com
☑ 🍷 🚶 r.-v.

DOM. DE LA TOUR BAJOLE
Cuvée Marie-Anne 2005 *

	0,5 ha	n.c.		5 à 8 €

La famille Dessendre a quitté les coteaux de Dracy pour s'installer à Saint-Maurice, en Couchois, vers 1850 ; ce n'était guère éloigné mais là, il n'y avait pas de... châtelain. Elle put plus aisément prospérer. Ce rosé ne brille peut-être pas beaucoup à l'œil, mais il porte un fruit excellent. Vif, plein, avec une belle trame acide et un agréable toucher tout en finesse. Pizza, brochettes, bien sûr.
🔑 Marie-Anne et Jean-Claude Dessendre,
Dom. de La Tour Bajole, 11, rue de la Chapelle,
71490 Saint-Maurice-lès-Couches,
tél. et fax 03.85.45.52.90, e-mail domaine-de-la-tour-bajole@wanadoo.fr ☑ 🍷 🚶 r.-v.

TRAPET PÈRE ET FILS 2005 **

	1,2 ha	4 500		11 à 15 €

Adepte passionné et compétent de la biodynamie, Jean-Louis Trapet a reçu naguère la distinction suprême du Guide, la Grappe d'or. Son bourgogne rouge provient d'une parcelle en Grand Champs en-dessous de la Croix des Champs, replantée en 1965 par Louis et Jean Trapet. Cerise noire, la robe présente de jolies jambes. « Place au fruit ! » semble s'écrier le nez. Les seize mois en fût sont parfaitement maîtrisés. Droiture et netteté. Il n'y a guère de différence entre ce bourgogne et un gevrey *village*. C'est dire.
🔑 Dom. Trapet Père et Fils, 53, rte de Beaune,
21220 Gevrey-Chambertin, tél. 03.80.34.30.40,
fax 03.80.51.86.34, e-mail domaine-trapet@wanadoo.fr
☑ 🍷 🚶 r.-v.

DOM. CATHERINE ET DIDIER TRIPOZ
Vieilles Vignes 2005 *

	1,75 ha	5 600		5 à 8 €

Rubis grenat, le nez élancé sur le fruit mûr (noir, de préférence), ce pinot mâconnais est un peu chaud mais beaucoup plus long que de Charnay à Mâcon. Il franchirait même la Saône au pont Saint-Laurent ! Là, c'est clair. Il faut s'y prendre la veille. Joue de bœuf en bourgogne rouge. Dans les six à huit heures à feu doux. Une bouteille gérée en cuisine et l'autre sur la table. C'est exactement ce qu'il lui faut. Nouvel habillage de qualité et contre-étiquette explicative. Le **bourgogne blanc 2005 (8 à 11 €)** obtient également une étoile.
🔑 Catherine et Didier Tripoz,
450, chem. des Tournons, 71850 Charnay-lès-Mâcon,
tél. 03.85.34.14.52, fax 03.85.20.24.99,
e-mail didier.tripoz@wanadoo.fr ☑ 🍷 🚶 r.-v.

CH. DU VAL DE MERCY Chitry 2005 **

	3,5 ha	5 000		5 à 8 €

Producteur d'appellations du Chablisien, ce château ne néglige pas ses bourgognes régionaux, comme le prouve ce Chitry. Paille limpide, il livre un nez complexe : cannelle, pain d'épice, poivre, miel... La bouche suit le nez et tout cela évolue vers la fraîcheur de la source. Tout est maîtrisé du début à la fin. Prêt à sauter sur la table et à pousser sa chanson.
🔑 Ch. du Val de Mercy, 8, promenade du Tertre,
89530 Chitry, tél. 03.86.41.48.00, fax 03.86.41.45.80,
e-mail chateauduval@aol.com
☑ 🍷 t.l.j. sf sam. dim. 8h-12h 14h-18h

STÉPHANE VAUDOISEY En la Taupe 2004 *

■ 0,5 ha 2 000 5 à 8 €

Forcément un peu évolué en raison de son millésime, ce vin n'en séduit pas moins. Cerise burlat, le nez confituré (fruits rouges), il accroche bien, au bon sens du verbe. L'aménité de ses tanins et sa vivacité le rendent vraiment typé. Bref, il pinote de tout son cœur. À déguster dans les temps qui viennent.

Stéphane Vaudoisey, 1, rue du Mont-du-Chat, 21200 Sainte-Marie-la-Blanche, tél. 06.22.63.72.93 r.-v.

DOM. VERRET Côtes d'Auxerre 2005 **

3,7 ha 11 000 5 à 8 €

Domaine actif depuis les années 1950, qui a su grandir et commercialiser directement bien avant beaucoup d'autres. Un chardonnay d'approche discrète, plus expansif au nez (de la primevère au bonbon anglais). Le bois (six mois) est bien fondu et lui apporte une petite touche gourmande. Du nerf et de la tendreté pour ce vin à servir dans les temps à venir sur une terrine de lapereau à l'estragon.

Dom. Verret, 7, rte de Champs, BP 4, 89530 Saint-Bris-le-Vineux, tél. 03.86.53.31.81, fax 03.86.53.89.61, e-mail dverret@domaineverret.com t.l.j. sf dim. 8h-12h 14h-18h

ALAIN VIGNOT Côte Saint-Jacques 2005 *

5 ha 35 000 5 à 8 €

Rosé ? Non, gris, pinot gris. Le bourgogne le plus septentrional, celui de la Côte Saint-Jacques à Joigny. Le grand-père a acquis ici sa première parcelle en 1934. Aujourd'hui, 5 ha et l'une des figures du coin. Rose gris pâle, un vin au bouquet d'agrumes et d'abricot sec, fin et très plaisant en bouche. Une curiosité que vous ferez déguster à l'aveugle avec quelques escargots.

Alain Vignot, 16, rue des Prés, 89300 Paroy-sur-Tholon, tél. 03.86.91.03.06, fax 03.86.91.09.37 t.l.j. 9h-12h 14h-18h

DOM. ÉLISE VILLIERS Vézelay Le Clos 2005

1,2 ha 6 000 5 à 8 €

Cette cuvée est issue de la première vigne plantée sous les remparts sud de Vézelay en 1976. Saint Bernard, qui prêcha une croisade sur la colline devant des milliers de personnes, n'aurait pas de mots assez doux, assez fermes pour offrir à ce vin sa bénédiction. Silex et citron vert, il a le poli du marbre. Mais en bouche, il se montre vineux et riche, chaleureux et épicé. À boire sur un poisson en sauce un peu relevée.

Élise Villiers, Précy-le-Moult, 89450 Pierre-Perthuis, tél. et fax 03.86.33.27.62, e-mail elisevilliers@yahoo.fr r.-v.

J.-J. VINCENT JJ 2005

n.c. 30 000 8 à 11 €

« JJ », c'est ainsi que Jean-Jacques Vincent, propriétaire du château de Fuissé, est connu aux États-Unis. 90 % de la production part ici à l'export. Ce chardonnay ? Une histoire de famille : les raisins proviennent des vignes appartenant aux deux sœurs de J.-J. Vincent. Or pâle brillant, il montre un nez discret de fruits blancs. Souple et équilibré en bouche, légèrement minéral, il est prêt à boire.

Jean-Jacques Vincent et Fils, 71960 Fuissé, tél. 03.85.35.61.44, fax 03.85.35.67.34, e-mail domaine@chateau-fuisse.fr lun. ven. 8h-12h 13h30-17h30; sam. dim. sur r.-v.

A.-MARIE ET J.-MARC VINCENT 2005 *

0,3 ha n.c. 5 à 8 €

Petit domaine (4,70 ha en tout) à découvrir si ce n'est déjà fait, car il obtint le coup de cœur l'an dernier pour le 2004. Le 2005 vous offre un pas de valse sous sa robe de bal. Parfum (riche, sur fond floral) comme il convient à la jeunesse. Un rien de minéral pour tenir fermement la bouche, qui s'annonce généreuse. Beau parti et parti pour longtemps.

Anne-Marie et Jean-Marc Vincent, 3, rue Sainte-Agathe, 21590 Santenay, tél. et fax 03.80.20.67.37, e-mail vincent.j-m@wanadoo.fr r.-v.

Bourgogne-grand-ordinaire

En réalité, les appellations bourgogne-ordinaire et bourgogne-grand-ordinaire sont très peu usitées. Lorsqu'on les utilise, on néglige le plus souvent celle de bourgogne-grand-ordinaire. Certains terroirs un peu en marge du grand vignoble peuvent toutefois y produire d'excellents vins à des prix très abordables. Pratiquement tous les cépages de la Bourgogne peuvent contribuer à la production de ce vin, qui existe en blanc, en rouge et en rosé ou clairet.

En blanc, les cépages seront principalement le chardonnay et l'aligoté ; le sacy (uniquement dans le département de l'Yonne) était essentiellement cultivé dans tout le Chablisien et dans la vallée de l'Yonne, pour produire des vins destinés à la prise de mousse et exportés ; depuis l'avènement du crémant-de-bourgogne, il est autorisé pour cette appellation. Le melon, dont il n'existe plus que quelques vestiges en Bourgogne, est le cépage du muscadet.

En rouge et rosé, les cépages bourguignons traditionnels, gamay noir et pinot noir, sont les principaux. Dans l'Yonne encore, on peut utiliser le césar, qui est réservé au bourgogne, surtout à Irancy, et le tressot, qui ne figure que dans les textes mais plus jamais sur le terrain... C'est dans l'Yonne, et plus particulièrement à Coulanges-la-Vineuse, que l'on rencontre les meilleurs vins de gamay, sous cette appellation.

LA CAVE DU CONNAISSEUR 2005

■ n.c. 60 000 3 à 5 €

La production de bourgogne-grand-ordinaire est devenue infime. On parle même de supprimer l'appellation. « Grand ordinaire » signifiait « vin à déboucher le dimanche ». La poule au pot est apparemment plus exigeante de nos jours. Cela dit, le gamay pur jus de l'Yonne est une curiosité et se laisse boire sans façon. Agréable et fruité, il fera à table un heureux convive.

🔑 La Cave du Connaisseur, rue des Moulins, BP 78, 89800 Chablis, tél. 03.86.42.87.15, fax 03.86.42.49.84, e-mail connaisseur@chablis.net ☑ 🍷 🚶 t.l.j. 10h-18h

DOM. SAINT-PANCRACE 2006 ★

▒ 0,2 ha 1 200 ▮ 3 à 5 €

Vingt communes de l'Yonne ont droit à cette appellation. En blanc, le chardonnay (comme ici) est moins original que le melon ou le sacy, mais le résultat est probant. Très pâle et limpide, suffisamment fruité, ce vin est vineux et plein, tendre et souple, bien représentatif des 2006. Saint-Pancrace rappelle le nom d'une des tours de fortification d'Auxerre. Petit domaine récent (2,30 ha et premières plantations il y a dix ans).

🔑 Xavier Julien,
Dom. Saint-Pancrace, 17, rue Ranthaume,
89000 Auxerre, tél. et fax 03.86.51.69.71,
e-mail domaine.saintpancrace@wanadoo.fr ☑ 🍷 r.-v.

Bourgogne-aligoté

Le cépage aligoté donne des vins plus vifs et plus précoces que le chardonnay, mais le terroir influe sur lui autant que sur les autres cépages. Il y a ainsi autant de profils d'aligotés que de zones où on les élabore. Les aligotés de Pernand étaient connus pour leur souplesse et leur nez fruité (avant de céder la place au chardonnay) ; les aligotés des Hautes-Côtes sont recherchés pour leur fraîcheur et leur vivacité ; ceux de Saint-Bris dans l'Yonne semblent emprunter au sauvignon quelques traces de fleur de sureau, sur des saveurs légères et coulantes.

Le bourgogne-aligoté constitue un excellent vin d'apéritif, associé ou non à de la liqueur de cassis, devenant alors le célèbre « kir ». L'appellation a trouvé ses lettres de noblesse dans le petit village de Bouzeron près de Chagny (Saône-et-Loire), où elle est devenue en 2001 une appellation *village*. L'AOC a produit 113 099 hl en 2006.

L'ÂME DU TERROIR 2006 ★

▒ 15,25 ha 130 000 ▮ 3 à 5 €

Les 2006 n'attaquent pas le mors aux dents, mais ils ont des qualités. Celui-ci a l'œil bien intense ; le nez chèvrefeuille et camomille, tirant sur les agrumes ainsi qu'il convient. Élégant et facile en bouche, assez persévérant. L'Âme du Terroir est une marque du distributeur Cora.

🔑 Claude Chonion, rue Lavoisier,
21700 Nuits-Saint-Georges, tél. 03.80.62.64.00,
fax 03.80.62.64.10, e-mail jnchriste@vfb.fr

CHRISTOPHE AUGUSTE 2006 ★★

▒ 2,7 ha 24 000 ▮ 3 à 5 €

L'Yonne tire cette année son épingle du jeu en aligoté. Un 2006 qui bénéficie d'un parrain généreux, le millésime. Très jeune évidemment, mais déjà constitué. Œil, nez, bouche, du soleil dans le verre. Sa rondeur, sa pêche (au sens propre comme au sens figuré), sa complexité et sa finale aromatique font plus penser à un excellent bourgogne blanc qu'à un aligoté droit dans ses bottes. À ce prix-là, on peut investir.

🔑 SCEA Christophe Auguste, 55, rue André-Vildieu,
89580 Coulanges-la-Vineuse, tél. 03.86.42.35.04,
fax 03.86.42.51.81 ☑ 🍷 🚶 r.-v.

JEAN-BAPTISTE BÉJOT 2005

▒ n.c. 45 000 5 à 8 €

Vieille maison rachetée il y a quelques années par Vincent Sauvestre. Nez typé de cuve, s'ouvrant discrètement sur le floral et le végétal. Concentration remplissant ses devoirs, notes de noisette et d'abricot sec, saveur friande. La fraîcheur soutenue sait au bon moment s'entourer de rondeurs confortables.

🔑 SA Jean-Baptiste Béjot, RN 74, 21190 Meursault,
tél. 03.80.21.22.45, fax 03.80.21.28.05

CAVE DE BISSEY 2005 ★

▒ n.c. 18 000 ▮ 3 à 5 €

Sur les 100 ha de cette coopérative de Saône-et-Loire, un quart en aligoté. À l'évidence, un sol argilo-sableux ne lui déplaît pas. Or paille, silex et foin frais, ce 2005 garde la ligne droite entre la fraîcheur et le gras tout en chardonnant un peu (cire, miel). Un style proche de nombreux aligotés de la Côte de Beaune, moins vifs que d'autres mais délicieux.

🔑 Cave de Vignerons de Bissey, Les Millerands,
71390 Bissey-sous-Cruchaud, tél. 03.85.92.12.16,
fax 03.85.92.08.71, e-mail cave.bissey@wanadoo.fr
☑ 🍷 🚶 r.-v.

DOM. BOHRMANN 2005 ★

▒ 1,2 ha 3 500 ⊪ 5 à 8 €

En date du 25 juin 1930, le tribunal civil de Dijon a reconnu à l'aligoté le droit de s'appeler corton à Aloxe-Corton. Souvenir certes, mais qui montre que ce cépage n'était pas dédaigné. Paille pâle, un peu musqué, ce vin pratique le 100 m haies plutôt que le 10 000 m, avec du nerf et du ressort. Typicité correcte. Domaine sous pavillon belge depuis 2002.

🔑 Dom. Bohrmann, 9, rue de la Barre,
21190 Meursault, tél. 06.12.43.37.77,
fax 03.80.21.66.27,
e-mail domainebohrmann@wanadoo.fr ☑ 🍷 🚶 r.-v.

JEAN-MARC BROCARD 2005 ★

▒ n.c. 100 000 ▮ 3 à 5 €

En l'espace de trois décennies, Jean-Marc Brocard a construit à partir de rien une belle affaire. Son aligoté est un fruit de cuve honnête et très convenable. Riche et puissant, légèrement onctueux, il est certainement franc et marchand. Des écrevisses à la nage lui conviendront.

🔑 SARL Jean-Marc Brocard, 3, rte de Chablis,
89800 Préhy, tél. 03.86.41.49.00, fax 03.86.41.49.09,
e-mail france@brocard.fr
☑ 🍷 t.l.j. sf dim. 9h-12h30 14h-18h30;
f. une semaine août, déc.

PIERRE CHANAU 2005 ★

▒ 12,5 ha 100 000 ▮ 5 à 8 €

Assez doré pour un aligoté. Ce n'est pas un péché... Fragrances miellées, mais utile retour sur le minéral. L'expression est fraîche et on a l'impression de mordre la grappe. Pierre Chanau est une marque du distributeur Auchan.

SICA Les Vignerons réunis à Buxy, rte de Chalon, 71390 Buxy, tél. 03.85.92.03.03, fax 03.85.92.08.06, e-mail labuxynoise@cave-buxy.fr
t.l.j. sf dim. 9h-12h 14h-18h30

DOM. DAVANTURE 2005

0,18 ha 1 700 3 à 5 €

Éric, Damien et Xavier, trois frères, exploitent ensemble ce domaine de la Côte chalonnaise. Le clos Saint-Pierre d'où proviennent ces raisins est bien considéré depuis longtemps. Ce 2005 n'attend guère que le signal de l'arbitre pour tirer le premier. Couleur convenable, bouquet modéré, finale assez vive. Un ensemble réussi et bien typé.

Dom. Daniel Davanture et Fils, rue de la Messe, Cidex 1516, 71390 Saint-Désert, tél. 03.85.47.90.42, fax 03.85.47.95.57, e-mail domaine.davanture@orange.fr r.-v.
GAEC des Murgers

PHILIPPE DEFRANCE 2005 ★★

5,94 ha 5 000 5 à 8 €

Un vin qui en a sous le pied ! Net, vif et sec, aigu comme du silex et frais comme la brise du printemps, il est terriblement charmeur et un rien impertinent. Or brillant, minéral et floral, citronné, il obtient 10/10 en typicité et un coup de cœur. Ne pas s'étonner de la qualité de son architecture : les caves sont situées sous la maison de Germain Soufflot, enfant du pays, auteur de Sainte-Geneviève devenue à Paris le Panthéon.

Philippe Defrance, 5, rue du Four, 89530 Saint-Bris-le-Vineux, tél. 03.86.53.39.04, fax 03.86.53.66.46 r.-v.

GUY DUBUET-MONTHÉLIE ET FILS 2005

0,5 ha 3 000 3 à 5 €

Sous la robe argentée, on assiste au mariage des agrumes et des fleurs blanches. Quelques fruits sont invités à la noce. Le palais assez gras trouve son équilibre avec la fraîcheur. Soupçon d'amertume en finale, qui destine cet aligoté à accompagner un repas plus qu'un apéritif.

Guy Dubuet-Monthélie et Fils, rue Bonne-Femme, 21190 Monthélie, tél. 03.80.21.26.22, fax 03.80.21.29.79 r.-v.

DOM. FÉLIX 2005 ★

3,44 ha 28 000 5 à 8 €

Cet ancien fonctionnaire de l'Équipement a choisi la vigne pour feuille de route il y a vingt ans. Félix ! On pense bien sûr à l'apéritif popularisé par le chanoine Félix... Kir. Mais ce vin peut aussi bien côtoyer la terrine de lapin ou l'andouille de Vire. Il donne envie... C'est tout dire ! Frais et mûr, il accomplit apparemment sans effort cet exercice d'équilibriste. Assez proche de la terre, entre le végétal et le minéral.

Dom. Félix, 17, rue de Paris, 89530 Saint-Bris-le-Vineux, tél. 03.86.53.33.87, fax 03.86.53.61.64, e-mail domaine.felix@wanadoo.fr
t.l.j. sf dim. 9h-11h30 14h-18h30

DOM. FONTAINE DE LA VIERGE 2005 ★★

4,84 ha 20 000 3 à 5 €

Robe pâle et classique, nez frais levé au vent, plus fruité que floral, une broderie, de la dentelle. Il sauvignonne et chardonne un peu. Il n'est pas interdit pour un aligoté d'avoir le don des langues... Son ampleur, sa structure et sa finale persistante sont autant d'atouts qui l'ont mené jusqu'en finale du coup de cœur. C'est dire.

Biot, Dom. Fontaine de la Vierge, 5, chem. des Fossés, 89530 Chitry, tél. 03.86.41.42.79, fax 03.86.41.46.72, e-mail earlbiot@club-internet.fr
t.l.j. sf dim. 8h30-19h

MARCEL GIRAUDON 2005 ★

5,15 ha 35 000 3 à 5 €

L'église de Chitry (Auxerrois) retient l'attention car elle est fortifiée et évoque moins la paix de Dieu que les moyens de la faire respecter. Des caves courent sous tout le village. On peut y croiser notamment cet aligoté floral des pieds à la tête, faisant la part des choses entre chaleur et vivacité, bien réussi et à l'aise dans l'appellation. Pour des moules à la crème.

EARL Marcel Giraudon, 26, rue du Ruisseau, 89530 Chitry, tél. 03.86.41.41.28, fax 03.86.41.46.83, e-mail giraudon.chitry@wanadoo.fr r.-v.

GHISLAINE ET JEAN-HUGUES GOISOT 2005 ★

6 ha 30 000 5 à 8 €

Domaine en bio certifié Ecocert, grandes caves du XI[e]s. : le moins que l'on puisse dire, c'est que cet aligoté n'a pas vu le jour n'importe où. Il sait se montrer digne de son origine, avec son nez expressif légèrement mentholé et sa bouche bien marquée par une tonicité maîtrisée. Finale savoureuse sur une note de poivre blanc. Les escargots n'ont qu'à bien se tenir.

Ghislaine et Jean-Hugues Goisot, 30, rue Bienvenu-Martin, 89530 Saint-Bris-le-Vineux, tél. 03.86.53.35.15, fax 03.86.53.62.03, e-mail jhetg.goisot@cerb.cernet.fr r.-v.

PASCAL HENRY 2005 ★

2,49 ha 12 515 3 à 5 €

La deuxième étoile n'est pas loin. Mettre du cassis serait un sacrilège. La pêche blanche et la fraîcheur minérale sont ses meilleurs arguments. Intensité, minéralité, fraîcheur, légère rondeur et persistance : « un vrai aligoté ! », s'exclame un juré. La terrine de brochet semble un heureux parti.

EARL Pascal Henry, 30, chem. des Fossés, 89800 Saint-Cyr-les-Colons, tél. 03.86.41.44.87, fax 03.86.41.41.48, e-mail henry.pascalearl@orange.fr
r.-v.

PIERRE LAVENANT 2004

0,6 ha 900 5 à 8 €

Les arômes de ce 2004 privilégient le toasté et l'empyreumatique, de façon chaleureuse. Après quinze mois d'élevage en fût, on ne saurait en être surpris. En

cherchant bien, on trouvera également une note de chèvrefeuille. Gras et long, dense, à boire sans attendre 2009, un vin original et bien fait.
Pierre Lavenant, 5, rue Couturie, 21420 Savigny-lès-Beaune, tél. 03.80.26.10.81, fax 03.80.26.12.84, e-mail pierre.lavenant@wanadoo.fr
r.-v.

DOM. NICOLAS MAILLET 2005 ★

0,6 ha 4 000 5 à 8 €

Cet ancien coopérateur, qui s'est mis à son compte en 1999, évite les herbicides, pratique les labours, fait de son mieux. Son aligoté sera le partenaire d'un bouton de culotte, ce célèbre petit fromage de chèvre qui fait honneur au Mâconnais. En effet, tout ici est simple, évidemment acidulé, fruité, floral, goûteux en un mot.
Dom. Nicolas Maillet, La Cure, 71960 Verzé, tél. et fax 03.85.33.46.76, e-mail a.ries@free.fr
r.-v.

PASCAL MELLENOTTE Les Paquiers 2005 ★

1 ha 2 000 3 à 5 €

Cet aligoté natif de la Côte chalonnaise mérite mieux que la tendre complicité de la crème de cassis. Pour une première assiette de persillades, il peut être admis à table. Floral, mâtiné d'agrumes, il attaque vif, et c'est ce qu'on lui demande. Après ce léger coup de griffe, il se montre plus rond pour finir sur un parfait équilibre. Tout cela est excellent, et naît en un cadre très ancien où le pressoir côtoie le four à pain.
Pascal Mellenotte, rue du Martray, 71640 Mellecey, tél. et fax 03.85.45.15.64, e-mail pascal.mellenotte@wanadoo.fr
t.l.j. sf dim. a.-m. 10h-12h 14h-18h

DOM. MONT-ROME 2005

0,4 ha 3 000 5 à 8 €

Paris-l'Hôpital ? Entre Santenay et la Côte chalonnaise, à l'endroit d'un ancien oppidum où les pieds de vigne ont remplacé les légions romaines. Caroline Ruelle a repris l'exploitation de l'ancien domaine de Saint-Sernin. Des schistes calcaires pour un aligoté clair, aux senteurs d'amande douce, assez décidé à se faire sa place en bouche. À table, sa place sera à côté d'un fromage de chèvre.
Caroline Ruelle, pl. des Platanes, 71150 Paris-l'Hôpital, tél. 03.85.91.10.76, e-mail caroline.ruelle@club-internet.fr
r.-v.

OLIVIER MORIN 2005 ★

2 ha 15 000 3 à 5 €

Frais, fin, les coudes à l'aise dans son appellation, un vin sans relief excessif mais respectant les canons et les règles. Floral et légèrement fruité au nez, il est plaisant à boire mais pourra aussi se garder un peu.
Olivier Morin, 2, chem. du Vaudu, 89530 Chitry, tél. et fax 03.86.41.47.20, e-mail morin.chitry@wanadoo.fr r.-v.

MORIN PÈRE ET FILS 2005 ★

6 ha 45 000 5 à 8 €

Un aligoté signé par une maison reprise en 1987 par Jean-Claude Boisset (les quais Dumorey et Fleury se font face à Nuits de part et d'autre du Meuzin). Minéral et floral, bien habillé d'un jaune brillant, ce 2005 offre de bout en bout une nervosité de bon aloi. Sur des champignons poêlés, il ne cèdera sa place à personne.
Morin Père et Fils, 9, quai Fleury, 21700 Nuits-Saint-Georges, tél. 03.80.61.19.51, fax 03.80.61.05.10, e-mail cave@morinpere-fils.com
r.-v.

CH. DE NOBLES 2005 ★★

0,22 ha 2 000 5 à 8 €

À la hauteur de son nom. Si elle est un peu plus chère que la moyenne, cette bouteille mérite son prix car elle trône en tête de la dégustation... ou peu s'en faut. Jonquille, mandarine confite, moelleux, vivacité citronnée, on ne sait plus très bien ce qu'on fait ici, mais on y prend beaucoup de plaisir et il n'y a en vérité pas de mal à cela. Famille connue aussi en Côte de Beaune (Montlivault à Blagny), ayant réveillé en 1982 cette Belle aux vignes dormantes depuis 1910.
Bertrand de Cherisey, Ch. de Nobles, 71700 La Chapelle-sous-Brancion, tél. 03.85.51.00.55, e-mail cheriseyb@free.fr r.-v. 6

DOM. DE ROCHEBIN 2005

5 ha 13 000 3 à 5 €

Les moines de l'abbaye de Cluny ont ici pour successeurs Jean-Pierre Marillier, son fils Mickaël et Patrick Pawlovski, œnologue. Quant au site de Rochebin, à Azé, c'est celui d'une grotte préhistorique (300 000 ans) connue pour ses squelettes d'ours. À côté, ce 2005 fait figure de nouveau-né. Or blanc à reflets gris argenté, il est très pierre à feu. Souvenir préhistorique ? Tendre et gourmand, net et pur, il peut devenir un kir.
SCEV Dom. de Rochebin, En Normont, 71260 Azé, tél. 03.85.33.33.37, fax 03.85.33.34.00, e-mail domaine-de-rochebin@club-internet.fr
r.-v.

DOM. ROYET 2005 ★★

1,5 ha 5 000 3 à 5 €

Créée en 1964, cette exploitation a été reprise par le fils des propriétaires en 2004. La bonne éducation commandait jadis de ne pas montrer ses émotions. Mais pourrait-on rester insensible face à ce vin ? Jaune à la limite du blanc, le nez fin et sur les agrumes (citron, pamplemousse), ce 2005 se montre très flatteur, ample et gras, d'une longueur plus qu'honorable et d'une élégance incontestable.
SCEV Dom. Royet, Combereau, 71490 Couches, tél. 03.85.49.64.01, fax 03.85.49.61.77, e-mail scev.domaine.royet@wanadoo.fr r.-v.

DOM. DE LA SARAZINIÈRE Clos des Bruyères 2005 ★

0,71 ha 4 500 5 à 8 €

Bussières est en Mâconnais un haut lieu lamartinien : le village de l'abbé Dumont, qui inspira *Jocelyn*. L'aligoté y démontre qu'on peut parler la même langue en choisissant tel ou tel des accents bourguignons. Robe chatoyante, agrumes et bonbon anglais, un vin qui tire droit. Festif, heureux de vivre, il semble tout indiqué pour ouvrir l'appétit.
Philippe Trébignaud, Dom. de La Sarazinière, 71960 Bussières, tél. 06.11.96.85.27, fax 03.85.37.76.23, e-mail philippe.trebignaud@wanadoo.fr r.-v.

GUY SIMON ET FILS 2005 ★

4 ha 3 000 3 à 5 €

Si Guy Simon connaît l'aligoté ? Lui aussi est tombé tout petit dans une cuve de cette potion magique. Les Hautes-Côtes de Nuits conviennent d'ailleurs parfaitement à ce cépage. Or vert, citron vert, cette verdeur vive et fraîche fait penser à un vin de soif. Pas seulement : le tartare de saumon sera plus qu'heureux de trouver un pareil compagnon.

Guy Simon et Fils, Grande-Rue, 21700 Marey-lès-Fussey, tél. 03.80.62.91.85, fax 03.80.62.71.82 r.-v.

CAVE DE LA TOURELLE 2005 ★

5,7 ha 4 000 5 à 8 €

Une famille ayant énormément donné à l'Auxerrois et à la Bourgogne. Que d'initiatives depuis la Confrérie des Trois Ceps jusqu'aux Caves de Bailly ! Cela dit, un aligoté plein d'allant, de sève et de montant, d'un bon équilibre, doré sans insister. De quoi rivaliser avec le chablis au moment des fruits de mer. Faites-en l'expérience.

Julien Esclavy, Cave de La Tourelle, 27, rue de Gouaix, 89530 Saint-Bris-le-Vineux, tél. 03.86.53.32.56, fax 03.86.53.39.43, cave-de-la-tourelle.com t.l.j. sf dim. 9h30-19h30; f. 15-30 août

Bourgogne-passetoutgrain

Appellation réservée aux vins rouges et rosés à l'intérieur de l'aire de production du bourgogne-grand-ordinaire, ou d'une appellation plus restrictive à condition que les vins proviennent de l'assemblage de raisins issus de pinot noir et gamay noir ; le pinot noir doit représenter au minimum le tiers de l'ensemble. Il est courant de constater que les meilleurs vins contiennent des quantités identiques de raisin de chacun des deux cépages, voire davantage de pinot noir.

Les vins rosés sont obligatoirement obtenus par saignée : ce sont donc des rosés macérés, par opposition aux « gris » obtenus par pressurage direct de raisins noirs et vinifiés comme des vins blancs. La production de passetoutgrain rosé est très faible ; c'est surtout en rouge que cette appellation est connue. Elle est produite essentiellement en Saône-et-Loire (environ les deux tiers), le reste en Côte-d'Or et dans la vallée de l'Yonne. Les vins sont légers et friands, et doivent être consommés jeunes. La production a atteint 37 913 hl en 2006.

DOM. FRANÇOIS BUFFET 2004 ★★

0,2 ha 1 500 5 à 8 €

Gamay pour les deux tiers, ce 2004 s'est frayé un chemin jusqu'à la finale du coup de cœur. Rien d'étonnant à cela : ses notes réglissées, son côté pain d'épice, sa structure et son équilibre lui confèrent une indéniable personnalité. Un vin solide, à apprécier dès maintenant.

Dom. François Buffet, 7, pl. de l'Église, 21190 Volnay, tél. 03.80.21.62.74, fax 03.80.21.65.82, e-mail dfbuffet@aol.com r.-v.

DOM. CASTAGNIER 2005 ★★

0,32 ha 1 950 3 à 5 €

Maintenant qu'il vinifie au Paradis, Gilbert Vadey peut être fier de sa descendance. Exactement ce qu'on attend du passetoutgrain : ce léger violacé qu'on voit en cuve sur le moût. Le bouquet ? Cerise, comme on en cueillait autrefois entre deux rangs de vigne. Vivacité, tanins, structure, épices, pinot à 60 %, il ne lui manque pas un bouton de guêtres. Très représentatif de l'appellation et au-dessus du lot.

EARL Dom. Castagnier, 20, rue des Jardins, 21220 Morey-Saint-Denis, tél. 03.80.34.31.62, fax 03.80.58.50.04 r.-v.

JABOULET-VERCHERRE 2005 ★★

0,21 ha 1 672 15 à 23 €

Reprise par Laurent Max en 2002, cette maison propose un 2005 plus pinot que gamay, rouge foncé, qui se montre framboisé puis se consacre à l'essentiel : l'unité de vue entre fraîcheur et tanins. Un vin flatteur que vous n'aurez même pas à attendre.

Jaboulet-Vercherre, 6, rue de Chaux, BP 4, 21700 Nuits-Saint-Georges, tél. 03.80.62.43.27, fax 03.80.62.68.02 r.-v.

ANDRÉ MONTESSUY 2005

n.c. 11 120 3 à 5 €

Gamay pour les deux tiers, au nez de fruits rouges légèrement végétal, sans excès de longueur mais d'un abord aimable. Il n'accroche pas la *garguillot* (l'arrière-bouche) et se boit bien. Compagnon de casse-croûte, et l'on sait qu'en Bourgogne, ce n'est pas le moindre repas... Marque Antonin Rodet.

André Montessuy, Grande-Rue, 71640 Mercurey, tél. 03.85.98.12.18, fax 01.57.67.15.99

DOM. THIERRY MORTET 2005 ★

0,3 ha 2 700 5 à 8 €

Gamay à 60 %, ce vin provient-il en partie des vignes de Daix, sur les hauteurs de Dijon, parfaites en bourgogne ? Fruits rouges, épices, souplesse et équilibre, petite note d'amertume en conclusion, le sujet est bien cadré. N'allez pas chercher midi où il n'est pas : une bonne cuillerée de moutarde de Dijon accompagnera les tripes servies avec ce vin.

Dom. Thierry Mortet, 16, pl. des Marronniers, 21220 Gevrey-Chambertin, tél. 03.80.51.85.07, fax 03.80.34.16.80 r.-v.

DOM. SYLVAIN PATAILLE 2005 ★

0,45 ha 2 500 5 à 8 €

Le gamay l'emporte à 66 % dans ce passetoutgrain qui tient sa place dans le lot. Œnologue-conseil, Sylvain Pataille a décidé au début des années 2000 de voler de ses propres ailes. Il connaît son métier et ce 2005 est là pour le prouver. C'est un vin plein de vie du début à la fin. Framboise sur fond végétal, il réussit à laisser tout à la fois une impression de facilité et un sentiment de complexité.

🔑 Sylvain Pataille, 14, rue Neuve,
21160 Marsannay-la-Côte, tél. 03.80.51.17.35,
fax 03.80.52.49.49,
e-mail domaine-sylvain.pataille@wanadoo.fr
M Y ⛹ r.-v.

DOM. ROBERT SIRUGUE ET SES ENFANTS 2005

■ 2,8 ha 7 500 ⫿ 5 à 8 €

Pinot aux deux tiers, un vin carré qui ne manque pas de complexité, tout en restant accessible et d'une bonne typicité. Un 2005 agréable, qui méritera mieux qu'une simple tranche de saucisson.

🔑 Dom. Robert Sirugue, 3, rue du Monument,
21700 Vosne-Romanée, tél. 03.80.61.00.64,
fax 03.80.61.27.57, e-mail sirugue@ifrance.com
M Y ⛹ r.-v.

Bourgogne-hautes-côtes-de-nuits

Dans le langage courant et sur les étiquettes, on utilise le plus fréquemment « bourgogne-hautes-côtes-de-nuits » pour les vins rouges, rosés et blancs produits sur seize communes de l'arrière-pays, ainsi que sur les parties de communes situées au-dessus des appellations communales et des crus de la Côte de Nuits. Cette production a augmenté de manière importante depuis 1970, date avant laquelle ce secteur proposait surtout des vins plus régionaux, bourgogne-aligoté essentiellement. Le vignoble s'est reconverti à ce moment-là et des terrains, plantés avant le phylloxéra, ont été reconquis. Ces vignobles ont donné 21 194 hl de vin rouge et 5 792 hl de vin blanc en 2006.

Les coteaux les mieux exposés donnent certaines années des vins qui peuvent rivaliser avec des parcelles de la Côte, notamment en blanc avec le chardonnay qui, d'un millésime à l'autre, donne des vins d'une meilleure régularité que le pinot noir. À l'effort de reconstitution du vignoble a été associé un effort touristique qu'il faut souligner, avec en particulier la construction d'une maison des Hautes-Côtes où sont exposées les productions locales – dont les liqueurs de cassis et de framboise – que l'on peut déguster avec la cuisine régionale.

JEAN-CLAUDE BOISSET 2005 ★

□ 0,4 ha 3 000 ⫿ 8 à 11 €

Élaboré avec le concours de Grégory Patriat, maître de chai, un hautes-côtes élégant et complexe ; au nez, du fruit blanc, de l'anis et de la mandarine ; au palais, la touche toastée du fût, du fruit avec vivacité et suavité (quatorze mois sous bois). L'ensemble est un rien sophistiqué mais éblouissant au palais. On flirte avec les deux étoiles.

🔑 Jean-Claude Boisset,
Les Ursulines, 5, quai Dumorey,
21700 Nuits-Saint-Georges, tél. 03.80.62.61.61,
fax 03.80.62.61.72, e-mail jcb@jcboisset.com

JACQUES CACHEUX ET FILS Bec à Vent 2005

■ 1,09 ha 4 000 ⫿ 5 à 8 €

Sous sa robe violacée, ce 2005 ne manque pas de fût (dix-huit mois). Un tempérament assez rond qui n'exclut pas une certaine sévérité. À laisser en cave deux ou trois ans pour permettre au boisé de se fondre.

🔑 Dom. Jacques Cacheux et Fils, 58, RN,
21700 Vosne-Romanée, tél. 03.80.61.01.84,
e-mail cacheuxjetfils@free.fr M Y ⛹ r.-v.

DOM. CORNU 2004

■ 7 ha 5 000 ⫿ 8 à 11 €

N'attendez ni le corps d'un chambertin ni la générosité d'un corton. Les Hautes-Côtes réussissent des vins légers qui glissent bien en bouche. Celui-ci par exemple. Très rouge, le nez un peu végétal (encore assez fermé, ce qui laisse de la marge), il exprime une fraîcheur agréable pour un 2004. Un millésime encore alerte.

🔑 Dom. Cornu, rue du Meix-Grenot,
21700 Magny-lès-Villers, tél. 03.80.62.92.05,
fax 03.80.62.72.22, e-mail domaine.cornu@wanadoo.fr
M Y ⛹ r.-v.

DOM. R. DUBOIS ET FILS 2005

■ 1,2 ha 7 000 ▮⫿ 5 à 8 €

Les raisons de l'espérance, les raisins de l'espoir, a-t-on écrit naguère des vins des Hautes-Côtes. Roupnel s'en moquait un peu : « Je n'aime pas être si près que ça du ciel, on ne s'y sent pas chez soi », fait-il dire à son Vieux Garain, ce facteur qui mit dans sa sacoche quelques voix au Goncourt 1912. Cette région est pourtant la beauté même, réveillée à la vigne depuis les années 1960. Pourpre, orienté vers la finesse acidulée de la groseille, un 2005 serré, un tantinet tannique, s'achevant sur la feuille de cassis. Pas mal du tout.

🔑 Dom. R. Dubois et Fils, rte de Nuits-Saint-Georges,
21700 Premeaux-Prissey, tél. 03.80.62.30.61,
fax 03.80.61.24.07, e-mail rdubois@wanadoo.fr
M Y ⛹ t.l.j. 8h-11h30 13h30-17h30; sam. dim. sur r.-v.

DOM. YVAN DUFOULEUR Les Dames Huguette 2005

□ 0,8 ha 5 700 ⫿ 11 à 15 €

Les Dames Huguette sur les hauteurs de Nuits reçoivent très bien la télévision. Au pied du pylône. Cela dit, c'est le cru le plus célèbre des Hautes-Côtes de Nuits. Il donne ici un blanc or clair, aux arômes flatteurs de pêche jaune, un peu miellés, au palais rond et très mûr. L'ensemble est fait pour le plaisir immédiat. Le bleu de Bresse, le saumon fumé accompagneront cette sensualité profonde. Commercial ? Sans doute. Faut-il s'en plaindre ?

🔑 Dom. Yvan Dufouleur, Quincey,
21700 Nuits-Saint-Georges, tél. et fax 03.80.62.31.00,
e-mail gaelle-dufouleur@wanadoo.fr M Y ⛹ r.-v.

GLANTENET PÈRE ET FILS 2005 ★

■ 9,44 ha 8 100 ⫿ 5 à 8 €

La famille Glantenet cultive la vigne depuis le XVIII^{e}s. et commercialise ses vins depuis 1999. Plus de 25 ha autour de Magny-lès-Villers, commune à cheval sur les Hautes-Côtes de Beaune et sur celles de Nuits. Ce

2005 ? Une robe pourpre violine, un nez qui monte en puissance pour atteindre un joli fruit rouge. Net, fruité et charnu à l'attaque, un peu austère en finale, il tire le meilleur parti du rapprochement toujours délicat de l'acidité et des tanins.
Dom. Glantenet Père et Fils, rue de l'Aye, 21700 Magny-lès-Villers, tél. 03.80.62.91.61, fax 03.80.62.74.79, e-mail domaine.glantenet@wanadoo.fr t.l.j. sf dim. 9h-12h 13h30-17h30

GRAND PERTHUIS 2005

■ n.c. 11 700 8 à 11 €

Avez-vous deux regrets ? Celui de ne pas posséder de vignes en Bourgogne. Celui de ne pas s'appeler Bouchard. Car ce nom emblématique est utilisé d'une façon ou d'une autre par d'innombrables producteurs. Grand Perthuis ? Pourpre profond, rubis foncé, le nez encore assez verrouillé. La clé semble la groseille. Attaque franche, fraîche, sur le fruit rouge, puis de la fermeté et une certaine sévérité tannique. À servir avec une viande blanche dans deux à trois ans.
Maison Jean Bouchard, BP 47, 21200 Beaune, tél. 03.80.24.37.27, fax 03.80.24.37.38

DOM. A.-F. GROS 2005 **

■ 3,22 ha 18 000 11 à 15 €

Père d'Anne-Françoise, Jean Gros a planté cette vigne en 1973, au hameau de Chevrey, près d'Arcenant, en vigne haute et large (4 000 pieds/ha) dont il fut alors l'un des pionniers. Et il y avait des *laves* (pierres plates calcaires) dans le sol ! Plus de trente ans après, le bilan est remarquable. Voyez ce millésime. Pourpre franc, entre le fruit et l'épice, il attaque en douceur, puis il progresse en maturité fruitée et tannique. Pour ceux qui ont des souvenirs de l'ancien *Prés aux Clercs* à Dijon, la tourte chaude Henri-Colin paraît de circonstance en entrée. Potentiel de garde de trois à cinq ans.
Dom. A.-F. Gros, 5, Grande-Rue, 21630 Pommard, tél. 03.80.22.61.85, fax 03.80.24.03.16, e-mail af-gros@wanadoo.fr r.-v.

DOM. HENRI GROS 2005

■ 2,5 ha 5 000 8 à 11 €

Chambœuf se trouve au-dessus de Gevrey, tout en haut de la combe de Lavaux, là où s'évase le paysage. Petit domaine sur 4,5 ha, dont un peu plus de la moitié pour ce vin grenat intense, au bouquet assez discret de cerise noire, de craie et de cuir. Plus de fond que d'allant, mais le bœuf bourguignon ne lui en tiendra pas rigueur. À déboucher dès l'automne.
Henri Gros, 4, rue de la Grande-Fontaine, 21220 Chambœuf, tél. 03.80.51.81.20, fax 03.80.49.71.75 r.-v.

DOM. MICHEL GROS 2005 **

■ 12 ha 55 000 8 à 11 €

Michel Gros a reçu trois fois le coup de cœur dans cette appellation : pour les 2003, 1996 et 1990. Un spécialiste du sujet. On se rappelle Jean Gros reconquérant pour la vigne le hameau de Chevrey, il y a quelques décennies. Ce 2005 ? Il en fut question lors des ultimes débats pour élire les coups de cœur. Pourpre foncé à décor violine, il explose au nez : framboise écrasée, fruits rouges que l'on retrouve dans une attaque franche et charnue. Boisé bien fondu, du corps et de la concentration, des tanins soyeux à plaisir. L'ensemble peut déjà paraître à table mais gagnera à attendre deux ou trois ans.
Dom. Michel Gros, 7, rue des Communes, 21700 Vosne-Romanée, tél. 03.80.61.04.69, fax 03.80.61.22.29 r.-v.

DOM. DOMINIQUE GUYON
Les Dames de Vergy 2005

■ 21,8 ha 25 000 8 à 11 €

Dominique Guyon (la partie personnelle du domaine Guyon dans les deux Côtes) a accompli un effort incroyable pour recoudre les innombrables parcelles de son vignoble de Meuilley. Myon, pour être plus précis. Cuvée Dames de Vergy en souvenir de ces châtelaines qui inspirèrent Dante, Boccace, Christine de Pisan, jusqu'à Stendhal – dans *Le Rouge et le Noir*... Rubis de joaillerie dans une nuance foncée, du cassis ou de la mûre en prologue ; une attaque souple, puis une bonne structure et de l'équilibre. La conclusion est un peu brève mais elle laisse un bon souvenir. À servir dès maintenant avec une côte de bœuf.
Dom. Dominique Guyon, 21420 Savigny-lès-Beaune, tél. 03.80.67.13.24, fax 03.80.66.85.87, e-mail domaine@guyon-bourgogne.com r.-v.

LES CAVES DES HAUTES-CÔTES
Tête de cuvée Élevage en fût de chêne 2005 *

■ 45 ha 100 000 5 à 8 €

À partir du modeste caveau d'Orches, créé pour un rosé en 1957 par Bernard Rocault, les Caves des Hautes-Côtes (1964) sont devenues un agent coopératif et économique majeur, qui s'est offert le luxe d'absorber les caves de Gevrey et de Pommard, et qui a pignon sur vigne à Beaune. Élevée en pièces, cette Tête de cuvée d'un rouge intense libère à l'aération des touches de framboise sur un fond de bourgeon de cassis. Elle montre en bouche un certain côté animal et fait preuve de finesse et de persistance. À boire ou à attendre trois ans.
Les Caves des Hautes-Côtes, 93, rte de Pommard, 21200 Beaune, tél. 03.80.25.01.00, fax 03.80.22.87.05, e-mail contact@cavesdeshautescotes.fr r.-v.

ULYSSE JABOULET 2005

■ 5,2 ha 37 300 5 à 8 €

Laurent Max a repris la maison Jaboulet-Vercherre. Ulysse Jaboulet est une marque acquise dans le lot. Elle offre un hautes-côtes né de dix mois en cuve et de dix mois en fût. Un vin rubis, légèrement animal au nez, un rien boisé en bouche, pas très long mais équilibré et friand. À boire.
Ulysse Jaboulet, 6, rue de Chaux, 21700 Nuits-Saint-Georges, tél. 03.80.62.43.27, fax 03.80.62.68.02 r.-v.

JEAN-PHILIPPE MARCHAND 2005 *

□ n.c. 2 400 5 à 8 €

Nous ne sommes pas « oublieux », comme on dit par ici : un hautes-côtes-de-nuits rouge 1995 obtint un coup de cœur. Négoce en achat de raisins, vieille famille de Gevrey. Cette année, un chardonnay. De l'éclat ou de la limpidité dans l'or pâle de la robe. De la fraîcheur et des agrumes : il ne détourne pas le nez. Ce qu'il faut d'acidité, rétro-olfaction de fleur blanche, une certaine longueur : un plaisir assuré dans cette bouteille qui pourra patienter un peu (deux à trois ans).

Jean-Philippe Marchand,
4, rue Souvert, BP 41, ZI Les Duchesses,
21220 Gevrey-Chambertin, tél. 03.80.34.33.60,
fax 03.80.34.12.77, e-mail contact@marchand-jph.fr
r.-v.

HERVÉ MURAT Premières Vendanges 2005 *

1,35 ha 8 500 **8 à 11 €**

Issu d'une lignée vigneronne, Hervé Murat s'est installé en 2005. Pour commencer sur un domaine en forme de mouchoir de poche (1,52 ha en propriété). À en juger par cette bouteille, il devrait avancer à grands pas. D'un carmin presque noir, ce pinot aux arômes confits, sur le cassis et les fruits noirs, est fortement extrait. Ce caractère lui offre une cuirasse de vin de garde. À servir dans deux ans.

Hervé Murat, 14 b, Grande-Rue,
21700 Nuits-Saint-Georges, tél. 03.80.62.10.93,
e-mail domainehervemurat@free.fr r.-v.

DOM. CHRISTIAN PERRIN Clos des Fourches Monopole 2005

0,5 ha 3 000 **5 à 8 €**

Ce domaine de 10 ha est construit sur un cimetière mérovingien. Il expose quelques-unes de ses trouvailles. Son Clos des Fourches est rouge vif, frais, franc et léger. Sur le plateau de fromages, choisir le brillat-savarin ou le cîteaux.

Dom. Christian Perrin, 14, av. de Corton,
21550 Ladoix-Serrigny, tél. 03.80.26.40.93,
fax 03.80.26.48.40,
e-mail domaineperrinchristian@club-internet.fr
r.-v.

PAUL REITZ 2004

n.c. 12 600 **5 à 8 €**

Petit-fils d'un foudrier venu s'installer en Bourgogne à la Révolution, Paul Reitz a fondé sa maison de négoce-éleveur en 1882. La famille est bien implantée sur son « paisseau » (le piquet d'acacia qui soutient la vigne ascendante). D'un rouge appuyé, un 2004 encore fermé – un peu de fruit rouge frais au nez comme en bouche. Pour l'heure vif et austère, il semble capable de durer. À revoir dans deux ans.

SA Paul Reitz, 120-122, Grande-Rue,
21700 Corgoloin, tél. 03.80.62.98.24,
fax 03.80.62.96.83, e-mail contact@paulreitz.com
r.-v.

DOM. SAINT-SATURNIN DE VERGY 2005 **

9 ha 36 000 **5 à 8 €**

Le meilleur blanc de la procession, dédié à saint Saturnin, le patron de la si belle église de Vergy. Il provient d'une partie de l'ancien domaine Geisweiler, créé par Maurice Eisenchteter autour de Bévy, racheté par Vincent Sauvestre (maison Béjot, notamment). Or clair, un vin élégant de l'approche à la finale. Au nez, des fruits et des fleurs, du fenouil et du menthol. Pas de surmaturité, une vendange au bon moment pour cet ensemble clair et net, vif et droit, complexe, d'un charme fou. À déboucher maintenant. On rêve des écrevisses du Meuzin. Elles sont, hélas ! devenues mythiques. Très réussi, le **rouge 2005**, lui aussi, repose sur une excellente assise. Il mérite d'attendre deux à trois ans.

SCEA Dom. Saint-Saturnin de Vergy,
7, rte de Monthélie, 21190 Meursault,
tél. 03.80.21.22.45, fax 03.80.21.28.05

EMMANUEL SENELET 2005 *

0,57 ha 2 400 **5 à 8 €**

Si Bévy a gardé son vignoble, c'est notamment à Marie Boiveaux, maire du pays et pasionaria des Hautes-Côtes, qu'il le doit. Emmanuel Senelet a racheté une parcelle à l'origine d'un vin pourpre limpide, au nez de fruits rouges baignant sur un grillé épicé. Particulièrement consistant, il n'est pas encore fondu mais affiche un bon potentiel de garde (deux à trois ans).

Emmanuel Senelet, 7, rue de la Vigne-au-Roi,
21220 Bévy, tél. 03.80.61.49.70 r.-v.

DOM. THÉVENOT-LE BRUN ET FILS Clos du Vignon 2005 *

1,15 ha 4 000 **8 à 11 €**

Maurice Thévenot-Le Brun fut l'un des pères fondateurs des hautes-côtes modernes, à Marey-lès-Fussey. Ce père, on l'a même vu jouer au festival d'Avignon dans une pièce de Shakespeare. Eh oui ! le vin c'est cela. Une fois de plus, ce blanc Clos du Vignon est décrit dans le Guide. Des fleurs blanches et des agrumes au nez comme en bouche, avec délicatesse, de la fraîcheur à l'attaque, puis du gras, ce qu'il faut d'acidité. Un ensemble très plaisant, à laisser vieillir (deux à trois ans de garde). Cité, le **blanc 2004** sans nom de cuvée est une curiosité : il comprend 80 % de pinot blanc, cépage oublié ici. Nez minéral, bouche souple et fine.

Dom. Thévenot-Le Brun et Fils,
21700 Marey-lès-Fussey, tél. 03.80.62.91.64,
fax 03.80.62.99.81, e-mail thevenot-le-brun@wanadoo.fr
t.l.j. sf sam. dim. 9h-12h 14h-18h

DOM. THOMAS-MOILLARD 2005

6,32 ha 12 000 **8 à 11 €**

Thomas-Moillard a consacré beaucoup d'efforts ces dernières années pour passer en bio, mode de culture qui concerne la majorité de ses vignes. Il a planté dans les Hautes-Côtes d'où est issu ce vin jaune vif, libérant à l'aération des senteurs de poire et de pomme. Acidité mesurée, un peu de gras et une bonne persistance pour cette bouteille à déboucher dans un an ou deux.

Dom. Thomas-Moillard, chem. rural nº 59, BP 36,
21700 Nuits-Saint-Georges, tél. 03.80.62.42.22,
fax 03.80.61.28.13, e-mail nuicave@wanadoo.fr
t.l.j. 10h-18h; f. janv.

JEAN-CLAUDE TRAPET 2005 **

1,34 ha 7 000 **8 à 11 €**

Établie dans ce coin des Hautes-Côtes depuis 1675, la famille Trapet est beaucoup plus ancienne que les plus vieux pieds de vigne du pays. Elle a restructuré son domaine à partir de 1963 en vigne haute et large (aligoté, pinot blanc et pinot noir). Son 2005 décroche un « émouvant », pour reprendre le mot de Gaston Roupnel. La robe, très sombre, presque noire, a la classe d'une tenue de soirée. La vanille (quinze mois de fût) s'incline au profit du cépage et du terroir. L'élégance règne. Un brillant succès pour le hameau de Chevrey (Arcenant).

J.-C. Trapet, hameau de Chevrey, 21700 Arcenant, tél. et fax 03.80.61.25.05 r.-v.

AURÉLIEN VERDET Le Prieuré 2005 ★★

■ 1,9 ha 7 500 11 à 15 €

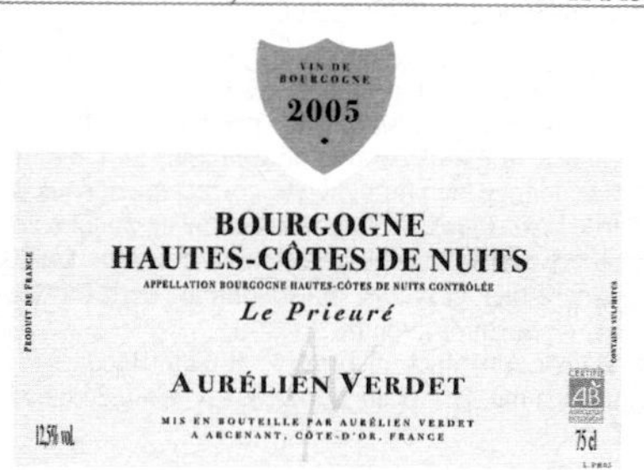

Le Prieuré est à Arcenant un lieu-dit célèbre. Si nous avons bonne mémoire, un certain Renevey y dénicha un plant miraculeux de gamay qui fit longtemps la fortune du village. C'était... il y a bien longtemps. Le gamay a sagement fait place au pinot, cépage à l'origine de ce 2005 couronné, à la suite des remarquables 2004 et 2003. Pourpre profond presque noir, ce vin solidement vêtu est certes très extrait et pour l'heure marqué par le boisé (quinze mois en fût), mais le chêne laisse percer un fruité légèrement confit qui s'affirme en bouche. Bien construit, il est déjà excellent tout en pouvant attendre trois à cinq ans. À signaler : un domaine exploité en bio.

SARL Aurélien Verdet,
rue Valentin-Guillemot, 21700 Arcenant,
tél. et fax 03.80.61.08.10,
e-mail alain.verdet@wanadoo.fr r.-v.

CH. DE VILLARS-FONTAINE Le Rouard 2004

7 ha n.c. 11 à 15 €

Bernard Hudelot a pris part à la renaissance du vignoble des Hautes-Côtes comme à de nombreuses initiatives en faveur de la viticulture bourguignonne, Vitagora par exemple. Il observe le réchauffement climatique et estime que les Hautes-Côtes vont dépasser la Côte. Le Rouard est un de ses grands classiques, et plus encore depuis qu'il a acquis le château de Villars-Fontaine et la cuverie des anciens chanoines de Vergy. Un chardonnay or paille, beurré et citronné, irréprochable en bouche. Un 2004 issu d'un long élevage en fût (dix-huit mois) selon le style de la maison.

Ch. de Villars-Fontaine, chem. des Beveys,
21700 Villars-Fontaine, tél. 03.80.62.31.94,
fax 03.80.61.02.31,
e-mail info@chateaudevillarsfontaine.fr
t.l.j. sf dim. 9h-12h 14h-18h;
sam. sur r.-v.
Bernard Hudelot

Bourgogne-hautes-côtes-de-beaune

Située sur une aire géographique plus étendue (une vingtaine de communes, et débordant sur le nord de la Saône-et-Loire), la production des vins d'appellation bourgogne-hautes-côtes-de-beaune représente un volume de 29 887 hl en rouge et 5 928 hl en blanc en 2006. Les situations sont plus hétérogènes et des surfaces importantes sont encore occupées par les cépages aligoté et gamay.

La coopérative des Hautes-Côtes, qui a fait ses débuts à Orches, hameau de Baubigny, est maintenant installée au « Guidon » de Pommard, à l'intersection des D 973 et N 74, au sud de Beaune. Elle vinifie un volume important de bourgogne-hautes-côtes-de-beaune. Comme celui des hautes-côtes-de-nuits, ce vignoble s'est essentiellement développé depuis les années 1970-1975.

Le paysage est très pittoresque et de nombreux sites méritent une visite, comme Orches, La Rochepot et son château, Nolay et ses halles. Il faut enfin ajouter que les Hautes-Côtes, qui autrefois étaient le siège d'exploitations de polyculture, sont restées une région productrice de petits fruits destinés à alimenter les liquoristes de Nuits-Saint-Georges et de Dijon. Cassis et framboise servent à élaborer des liqueurs et des eaux-de-vie de ces fruits, d'excellente qualité. L'eau-de-vie de poire des Monts-de-Côte-d'Or, bénéficiant d'une appellation simple, trouve également ici son origine.

DOM. BOISSON Élevé en fût de chêne 2005 ★

■ 6 ha 8 000 5 à 8 €

Cormot-le-Grand et ses falaises, l'aiguille de la Dame-de-Paris, une école de varappe où le célèbre alpiniste Jean-Marc Boivin (saut en parapente depuis le sommet de l'Éverest) a fait ses premières armes. Bref, ce vignoble a du répondant et ce vin lisse et sans aspérités comme une paroi d'escalade fera votre plaisir. Nuances cerise noire à l'œil et au nez. Vineux, épicé, encore un peu dur, mais vous lui laisserez un peu de temps pour s'arrondir. Le **blanc Élevé en fût de chêne 2005** décroche également une étoile.

EARL Dom. Boisson, 14, rte du Bout-du-Monde,
21340 Cormot-le-Grand, tél. et fax 03.80.21.71.92,
e-mail domaine.boisson@wanadoo.fr
t.l.j. 8h-12h30 14h-20h

DOM. DENIS CARRÉ La Perrière 2005 ★

■ n.c. n.c. 8 à 11 €

Rubis évoluant légèrement, agréable par sa fraîcheur de fruits rouges, un peu animal aussi, léger dans sa texture et ne montrant aucun tanin combatif, un vin dense, concentré, vif en acidité et bien équilibré. Domaine coup de cœur il y a pas mal de temps (1991), régulièrement sélectionné depuis.

Dom. Denis Carré, rue du Puits-Bouret, 21190 Meloisey, tél. 03.80.26.02.21, fax 03.80.26.04.64, e-mail domainedeniscarre@wanadoo.fr r.-v.

DOM. CHARACHE-BERGERET
Les Bignons 2005

■ 4,5 ha 10 000 5 à 8 €

Remise à l'honneur par ce grand musicien de stature nationale que fut Maurice Emmanuel, on connaît la chanson. Les gens de Bouze « sont de bons enfants, mes enfants ! » Un vin à boire maintenant si on aime l'opulence, à attendre un peu si l'on préfère la finesse. Un peu ferme, un peu boisé (douze mois), il n'est pas vraiment pressé. De bonne tenue, c'est sûr. Bouquet de cerise et de fraise des bois, légèrement vanillé. Robe si profonde qu'elle en est presque noire.

Dom. Charache-Bergeret, chem. de Bière, 21200 Bouze-lès-Beaune, tél. et fax 03.80.26.00.86 r.-v.

DOM. FRANÇOIS CHARLES ET FILS
Vieilles Vignes 2005 ★

■ 1,5 ha 10 000 5 à 8 €

Nantoux comptait au début du XIXe s. 170 ha de gamay. Il est heureusement passé au pinot. Ce 2005 ? Le nez et la bouche sur un même registre autour du cassis. Difficile de trouver un petit fruit noir mieux apparenté aux Hautes-Côtes ! Un vin aux tanins encore un peu rugueux, franc du collier et solide sur pied, complet, rustique. À apprécier d'ici un à trois ans.

EARL François Charles et Fils, rue de Pichot, 21190 Nantoux, tél. 03.80.26.02.87, fax 03.80.26.04.84, e-mail charles.francois@terre-net.fr r.-v.

JEAN CHARTRON En Bois Guillemain 2005 ★

0,75 ha 4 800 11 à 15 €

En Bois Guillemain se trouve sur Nantoux. Il s'agit d'un fermage. Robe sans problème. Le premier nez s'annonce sur la fleur, le second plus boisé (douze mois de fût). Le grain est beau, l'attaque nette, la chaleur présente. Une à deux années de garde devrait permettre à ce vin de gagner en harmonie.

Dom. Jean Chartron, Grande-Rue, 21190 Puligny-Montrachet, tél. 03.80.21.99.19, fax 03.80.21.99.23, e-mail info@jeanchartron.com t.l.j. 10h-12h 14h-18h; f. mi-nov.-mi-avril

DOM. CHEVROT 2005 ★

■ 2,96 ha 13 250 5 à 8 €

Robe rubis foncé, tendant vers le grenat et faisant des étincelles. Cuve et fût se partagent l'élevage (deux tiers, un tiers). La proportion vanille-cassis est correcte. Les tanins inévitablement frappent à la porte. Les pinots des Hautes-Côtes de Beaune sont ainsi et on ne les changera pas. Mais la matière est jolie, la structure intéressante et la voie bien choisie. On nous suggère des pilons de poulet à la thaïlandaise. Vous préférerez peut-être la daube de bœuf.

Dom. Chevrot et Fils, 19, rte de Couches, 71150 Cheilly-lès-Maranges, tél. 03.85.91.10.55, fax 03.85.91.13.24, e-mail contact@chevrot.fr r.-v.

FRANÇOISE ET DENIS CLAIR 2005 ★★

■ 1,5 ha 8 000 5 à 8 €

Vignes mixtes sur Saint-Aubin et Paris-l'Hôpital, en gros et dans un juste milieu entre la Côte de Beaune et la frange des Maranges. L'assemblage de ce 2005 est de qualité. L'œil étincelle d'un rubis grenat sombre. Nez discret de myrtille, pas trop ouvert encore. Charpenté, animal, un pinot bien travaillé et évidemment fait pour le poulet rôti. Mais de Bresse et tricolore, bec, plumes et pattes. Coup de cœur l'an dernier.

Françoise et Denis Clair, 14, rue de la Chapelle, 21590 Santenay, tél. 03.80.20.61.96, fax 03.80.20.65.19 r.-v.

YVONNICK DEBRAY 2005 ★

0,28 ha 2 074 15 à 23 €

Ancienne maison Hébert restée sans suite, remise d'aplomb par un Breton quelque peu parisien. Travail en bio pour le domaine comme pour la maison. Un hautes-côtes vendangé bien mûr et élevé correctement sous bois. Il garde la marque du fût au nez comme en bouche. Mais la matière est là, bien équilibrée par la fraîcheur. Ce 2005 se gardera bien cinq ans, mais, comme l'écrit un dégustateur, « pourquoi attendre ? »

Maison Yvonnick Debray, 1, pl. Saint-Jacques, 21200 Beaune, tél. 03.80.22.62.58, fax 03.80.24.65.72 r.-v.

DOM. DEMANGEOT
Cuvée Delphine Saint-Ève 2005 ★★

1,02 ha 5 415 8 à 11 €

Cuvée Delphine Saint-Ève, la grand-mère maternelle. La famille a des racines et elle en est fière. Elle ne s'est déplacée que de 4 km en quatre siècles, c'est dire ! Maryline et Jean-Luc se partagent le travail en blanc et en rouge. Ce chardonnay sort du lot : il est passé près du coup de cœur. Or pur, ouvert sur le fruit mûr et le pain grillé, il ne lui manque rien. Élégant, équilibré, citronné mais pas vif, impressionnant ! La **cuvée Amandine Poinsot rouge 2005** obtient une étoile.

Dom. Demangeot, rue de Santenay, 21340 Change, tél. 03.85.91.11.10, fax 03.85.91.16.83, e-mail contact@demangeot.fr r.-v.

DEVEVEY Les Champs Perdrix 2005 ★

2,5 ha 15 000 8 à 11 €

Viticulteur et négociant installé à Demigny, dans la plaine beaunoise. Claire et brillante, s'ouvrant à l'air libre (coing, léger miel), cette cuvée est moelleuse, ample et bien équilibrée par une fraîcheur qui monte jusqu'en finale. Le **rouge 2005**, bien typé et à garder un peu en cave, est cité.

Jean-Yves Devevey, rue de Breuil, 71150 Demigny, tél. 03.85.49.91.11, fax 03.85.49.91.59, e-mail jydevevey@wanadoo.fr r.-v.

DOM. LOÏC DURAND 2005 ★

n.c. 1 500 5 à 8 €

Après un BTS viti-œno, Loïc Durand a repris le domaine familial. D'une couleur dorée lumineuse, un chardonnay un peu boisé (huit mois de fût), explorant le citron et l'acacia, souple et soyeux, onctueux sur le beurre frais en bouche. Réellement plaisant, pour une entrée chaude à la viande ou peut-être... du roquefort.

Dom. Loïc Durand, rue de l'Église, 21200 Bouze-lès-Beaune, tél. et fax 03.80.26.02.57 r.-v.

GILBERT ET PHILIPPE GERMAIN 2005 ★

1 ha 8 000 5 à 8 €

Alexandre Dumas a écrit une fort belle page sur les Hautes-Côtes de Beaune. Dans ses *Impressions de voyage en Suisse* ! Nantoux l'aurait inspiré. Mignon village qui change l'eau en vin... Or brillant, le fruit jaune assez grillé (huit mois), ce 2005 tient la bouche comme s'il s'y était toujours trouvé. Du moelleux et de la vivacité, avant une finale agréable et assez longue sur les fruits secs et la vanille. Touche d'amertume, mais, comme le disait Oscar Wilde, « le rappel du plaisir n'est jamais sans douleur. »

Gilbert et Philippe Germain, rue du Vignoble, 21190 Nantoux, tél. 03.80.26.05.63, fax 03.80.26.05.12, e-mail germain.vins@wanadoo.fr r.-v. B

DOM. HUBER-VERDEREAU 2005 ★★

1,41 ha 4 000 8 à 11 €

Ce remarquable hautes-côtes-de-beaune vient de Bouze-lès-Beaune, village réputé pour sa bique (chèvre) qui cornait les passants, mais qui est – en réalité – infiniment plus convivial. Grenat bigarreau, ce 2005 s'ouvre sur la violette et la mûre. Volume et puissance, des tanins à assagir mais porteurs d'avenir. Il a participé à la finale du coup de cœur et n'en est donc pas loin.

Dom. Huber-Verdereau, 3, rue de la Cave, 21190 Volnay, tél. 03.80.22.51.50, fax 03.80.22.48.32, e-mail contact@huber-verdereau.com r.-v.

DOM. LUCIEN JACOB 2005 ★★

4 ha 17 000 8 à 11 €

Si quelqu'un a « grand fait » pour les Hautes-Côtes, c'est bien Lucien Jacob, qui a notamment contribué aux recherches sur les clones du pinot noir. Aujourd'hui, au domaine, Jean-Michel, Chantal et Christine. Un vin magnifique, rouge profond à reflets griotte, le fruit noir prenant vite le dessus, et une ossature complète dans l'harmonie et l'équilibre. Le **blanc Les Larrets 2005** est cité.

Dom. Lucien Jacob, 21420 Échevronne, tél. 03.80.21.52.15, fax 03.80.21.55.65, e-mail lucien-jacob@wanadoo.fr r.-v. C

HUBERT JACOB-MAUCLAIR 2005 ★★

0,77 ha 3 025 5 à 8 €

Changey est un hameau d'Échevronne dont le château abrita la plus haute représentation diplomatique française à Washington. Pas vraiment banal. Dans le dernier carré des coups de cœur, ce vin plaisir, clair et lumineux, silex et citron. Sa bouche gourmande et fruitée vibre d'une bonne vivacité, puis se prolonge sur le citron confit. Invention du Bourguignon Pierre Troisgros, le saumon à l'oseille saura se montrer à la hauteur de cette bouteille.

Hubert Jacob-Mauclair, 56, Grande-Rue, Changey, 21420 Échevronne, tél. et fax 03.80.21.57.07 t.l.j. 8h-12h 14h-18h; sam. dim. sur r.-v.

JAFFELIN Les Chapitres de Jaffelin 2005 ★★

0,37 ha 2 888 8 à 11 €

Jaffelin est l'une des doyennes parmi les maisons bourguignonnes. L'affaire a été acquise par Jean-Claude Boisset en 1992. Elle garde cependant ses aises dans les belles caves du chapitre des chanoines de Beaune. Doré vert, partagé entre le parfum de l'aubépine et celui de l'amande grillée (onze mois en fût), ce 2005 livre une bouche, gourmande, pleine et grasse mais bien équilibrée. On en a parlé pour le coup de cœur.

Maison Jaffelin, 2, rue Paradis, 21200 Beaune, tél. 03.80.22.12.49, fax 03.80.24.91.87, e-mail jaffelin@maisonjaffelin.com

Boisset FGVS

LUCAS-POTHIER 2004

0,79 ha 6 300 5 à 8 €

L'étiquette porte une vieille expression bourguignonne : « Tu n'es pas encore à la croix de Pommard ! ». Cela voulait dire : tu n'es pas encore arrivé, tu n'es pas au bout de tes peines ! Cette bouteille, en revanche, est presque parvenue à la maturité. Un 2004 un peu empyreumatique, épicé sous un rouge sombre et soutenu. Concentré et complexe, il présente un début d'évolution qui invite à le boire maintenant.

Dom. Lucas-Pothier, 43, route de Beaune, 21200 Bligny-lès-Beaune, tél. et fax 03.80.26.82.11 r.-v.

BOURGOGNE

DOM. SÉBASTIEN MAGNIEN

Clos de la Perrière 2005 ★★

0,3 ha 2 400 8 à 11 €

VIN DE BOURGOGNE
BOURGOGNE
HAUTES-CÔTES DE BEAUNE
APPELLATION BOURGOGNE HAUTES-CÔTES DE BEAUNE CONTRÔLÉE
CLOS DE LA PERRIÈRE
2005
Domaine
SÉBASTIEN MAGNIEN
VITICULTEUR A MEURSAULT
MIS EN BOUTEILLE A LA PROPRIÉTÉ
Sébastien Magnien
SM

Le premier des rouges. Couvert de diplômes, Sébastien Magnien a fait ses stages en Bourgogne et en Californie (Hartford Court, Santa Rosa, Sonoma). Contrat d'agriculture durable avec l'État. Il reprend le domaine familial avec sa mère en 2004, et déjà coup de cœur ! Ce Clos de la Perrière se trouve à Meloisey. Rubis foncé, il livre un nez profond et complexe mariant le cassis, le cuir et des notes boisées. L'attaque souple conduit à une matière dense aux tanins présents mais ronds, qui se prolongent dans une finale fruitée. Une petite merveille à un prix très raisonnable.

Dom. Sébastien Magnien, 6, rue Pierre-Joigneaux, 21190 Meursault, tél. 03.80.21.28.57, fax 03.80.21.62.80, e-mail seb.magnien@yahoo.fr r.-v.

DOM. MAZILLY PÈRE ET FILS

La Perrière 2005 ★

0,4 ha 3 000 8 à 11 €

Cette Perrière bouton d'or, coing frais et citron confit, nous joue le grand jeu. Onctueuse, suave, elle reste bien campée sur son fruit. Un style encadré par le bois, s'en libérant un peu. Généreux et harmonieux. Pour un lieu poché à l'aneth.

Dom. Mazilly Père et Fils, rte de Pommard, 21190 Meloisey, tél. 03.80.26.02.00, fax 03.80.26.03.67, e-mail bourgogne-domaine-mazilly@wanadoo.fr r.-v.

CHRISTIAN MENAUT La Jolivode 2005 ★★

1,8 ha 11 500 5 à 8 €

Presque coup de cœur et dans le peloton de tête, dans la bonne échappée. Un viticulteur de Nantoux. Le millé-

sime 1997 de ce vin fut coup de cœur (édition 2000). La robe de ce 2005 est impeccable. Le bouquet laisse un tracé de griotte sur un toasté-épicé dosé avec soin. Gras, richesse, volume, la bouche s'enflamme. Exactement le profil recherché. Encore un peu fermé, et cela va exploser. Attendre deux à trois ans avant de préparer le gibier.
🔑 Christian Menaut,
rue Chaude, 21190 Nantoux,
tél. 03.80.26.07.72, fax 03.80.26.01.53 ☑ Y ⛹ r.-v.

CH. DE MERCEY Vignes en lyre 2005

▒ 7 ha 57 658 ▮◖◗ 8 à 11 €

Variante de la vigne haute et large, la vigne en lyre est autorisée depuis 1982 dans les Hautes-Côtes. On a ici l'occasion d'en vérifier les bienfaits. Jaune pâle, ce vin plutôt minéral et floral est un enfant de cuve et, dans une moindre mesure, de fût (20 %). Sous des abords teintés d'agrumes, surtout citron, il n'a pas encore tourné le dos à la verdeur de sa jeunesse. Cette nervosité s'estompera d'ici un an ou deux.
🔑 Ch. de Mercey, 71150 Cheilly-lès-Maranges,
tél. 03.85.98.12.12, fax 03.85.45.25.49,
e-mail rodet@rodet.com
🔑 Antonin Rodet

DOM. HENRI NAUDIN-FERRAND Élevé en fût de chêne 2005 ★

■ n.c. 17 167 ▮◖◗ 8 à 11 €

Carré d'agneau au thym : on croit volontiers Anne Naudin, revenue au domaine en 2006 après une expérience dans l'enseignement et une autre dans le commercial. Sa jeune sœur Claire est aussi de la partie, et une solide équipe à leurs côtés. On sait que Magny-lès-Villers est à la frontière des deux Hautes-Côtes. Rouge brillant, un peu boisé (fût et cuve) mais permettant à la groseille de trouver sa place au coin du feu, un pinot souple et fin, gouleyant pour tout dire, sans excès tannique mais maintenant la petite pointe de verdeur normale ici.
🔑 Dom. Henri Naudin-Ferrand,
rue du Meix-Grenot, 21700 Magny-lès-Villers,
tél. 03.80.62.91.50, fax 03.80.62.91.77,
e-mail dom.hnf@wanadoo.fr ☑ Y ⛹ r.-v.

NICOLAS PÈRE ET FILS 2005 ★

▒ 1 ha 3 000 ▮ 5 à 8 €

Ce chardonnay est né dans la nouvelle cuverie créée en 2005. On peut dire que le matériel est opérationnel ! Encore un peu jeune pour être apprécié à sa juste valeur, ce vin joue à fond sur les deux tableaux : le miel et le minéral. La bouche, grasse et bien équilibrée, offre une bonne matière et une longueur correcte. On pourra déboucher cette bouteille dès la sortie du Guide.
🔑 Dom. Nicolas Père et Fils,
38, rte de Cirey-les-Nolay, 21340 Nolay,
tél. 03.80.21.82.92, fax 03.80.21.85.47,
e-mail nicolas-alain2@wanadoo.fr
☑ Y ⛹ t.l.j. 9h-12h 13h30-19h; f. 1 sem. en fév. et en août
🔑 Alain Nicolas

DOM. PARIGOT PÈRE ET FILS Clos de la Perrière 2005 ★

■ n.c. n.c. ◖◗ 8 à 11 €

Ce domaine est déjà monté plus d'une fois sur la première marche du podium (voir les éditions 2006, 1996, 1992...) sous la houlette de son œnologue gréco-bourguignon Kynigopoulos, qui fait partie des « grands ». Grenat intense à reflets violacés, ce 2005 passe aux aveux sans discuter : le cassis domine le nez. On sent néanmoins que les épices et la vanille auront sous peu leur mot à dire. Belle structure, tanins fondus, vivacité, il montre un rien de complexité qui ajoute des points de suspension au verdict final. Laissez-lui faire ses preuves, il ira plus loin.
🔑 Dom. Parigot Père et Fils, rte de Pommard,
21190 Meloisey, tél. 03.80.26.01.70, fax 03.80.26.04.32
☑ Y ⛹ r.-v.

DOM. SAINT-ANTOINE DES ECHARDS 2005 ★★

■ n.c. 8 000 ▮ 5 à 8 €

Marie-Christine et Franck Guérin ont fait équipe en 1995 pour fonder ce domaine, sur 28 ha de nos jours. Candidat sérieux au coup de cœur, ce 2005 pivoine subit avec brio toutes les épreuves de la compétition. Cela commence bien, avec le bouquet de fruits noirs épicés. Le palais offre la même richesse. Sans doute ses tanins n'ont-ils pas tout à fait cédé le terrain, mais ils sont mûrs et on ne doute pas de leur bonne volonté.
🔑 Franck Guérin,
Dom. Saint-Antoine des Echards, rue de Santenay,
21340 Change, tél. 03.85.91.10.40, fax 03.85.91.17.29,
e-mail domaine@st-antoine.fr ☑ Y ⛹ r.-v.

DOM. SAINT-MARC 2005

■ 1,29 ha 4 000 ▮◖◗ 8 à 11 €

Les Hautes-Côtes de Beaune font une avancée dans la pointe nord de la Saône-et-Loire. On est ici à Paris-l'Hôpital, dont les habitants s'appellent les L'Hôpitaux. Bon à savoir si vous passez par cette cave et dégustez ce vin dédié à saint Marc et à son lion ailé. Rubis moyen, bouqueté entre la cerise et le boisé, un millésime très frais aux tanins soyeux, qui accompagnera dans un an un tartare de bœuf.
🔑 Dom. Saint-Marc, rte de Nolay,
71150 Paris-l'Hôpital, tél. 03.85.91.13.14,
fax 03.85.91.17.42, e-mail dne.saintmarc@wanadoo.fr
☑ Y ⛹ r.-v.

CH. DE SANTENAY Clos de la Chaise Dieu Monopole 2005 ★

▒ 12 ha 42 500 ◖◗ 8 à 11 €

Vaste vignoble sur Gamay, hameau de Saint-Aubin, remembré patiemment, appartenant en partie à cette commune et traversé par un chemin de La Chaise-Dieu. Jaune citron (pour les reflets), pomme ou poire très mûre en accompagnement vanillé (quatorze mois de fût), ce 2005 entreprend sa course de façon veloutée, légère, pas trop insistante. À boire dès maintenant car il est prêt.
🔑 Ch. de Santenay, 1, rue du Château,
21590 Santenay, tél. 03.80.20.61.87, fax 03.80.20.63.66,
e-mail contact@chateau-de-santenay.com
☑ Y ⛹ t.l.j. 9h-12h 14h-17h; sam. dim. sur r.-v.

CH. DE SASSANGY 2005

■ 1,09 ha 7 400 ◖◗ 5 à 8 €

Les Musso pratiquent l'agriculture biologique depuis 1981 dans leurs vignes. Ce 2005 élevé un an en fût se présente dans une robe grenat profond. Le premier nez, très engageant, s'ouvre sur les fruits noirs (mûre, cassis). L'attaque apparaît souple, la matière présente, les tanins sont enveloppés. Une bouteille classique à découvrir maintenant ou dans un an.

⊶ Ch. de Sassangy, Le Château, 71390 Sassangy, tél. 03.85.96.18.61, fax 03.85.96.18.62, e-mail musso.jean@wanadoo.fr ☑ Ⲧ ⻏ r.-v. ⌂ C

MICHEL SERVEAU 2005

■ 5,5 ha 5 000 5 à 8 €

À La Rochepot, le château, haut lieu des Hautes-Côtes de Beaune (reconstruit en grande partie au début du XXᵉs. par la famille Carnot), arbore un toit de tuiles vernissées qui font la joie des photographes. Ici, la couverture est rouge foncé à reflets violacés. Arômes beurrés et fumés, laissant percevoir un soupçon de fruit. La bouche agréable aux tanins fins ne manque pas de fraîcheur.

⊶ Michel Serveau, rte de Beaune, 21340 La Rochepot, tél. 03.80.21.70.24, fax 03.80.21.71.87 ☑ Ⲧ ⻏ t.l.j. 8h-18h ⌂ 3 ⌂ B

Crémant-de-bourgogne

Comme toutes les régions viticoles françaises ou presque, la Bourgogne avait son appellation pour les vins mousseux produits et élaborés sur l'ensemble de son aire géographique. Sans vouloir critiquer cette production, il faut bien reconnaître que la qualité n'était pas très homogène et ne correspondait pas, la plupart du temps, à la réputation de la région, sans doute parce que les mousseux se faisaient à partir de vins trop lourds. Un groupe de travail constitué en 1974 jeta les bases du crémant en lui imposant des conditions de production aussi strictes que celles de la région champenoise et calquées sur celles-ci. Un décret de 1975 consacra officiellement ce projet, auquel se sont ralliés finalement tous les élaborateurs (bon gré mal gré), puisque l'appellation bourgogne mousseux a été supprimée en 1984. Après un départ difficile, cette appellation connaît actuellement un bon développement et a produit 107 710 hl en 2006. Un crémant-de-bourgogne peut être un blanc de blancs élaboré généralement par un assemblage de chardonnay et d'aligoté, mais le crémant peut être aussi constitué de l'assemblage des cépages blancs avec le pinot noir et/ou le gamay rouge à jus blanc vinifiés en blanc.

BAILLY-LAPIERRE Réserve 2005 ★★

○ n.c. 360 000 5 à 8 €

Retenu pour la finale du coup de cœur, ce crémant est né dans les caves incroyables de Bailly (Saint-Bris-le-Vineux, en Auxerrois). Quelque 3 ha d'anciennes carrières ayant beaucoup servi à la construction de Paris. Pinot (60 %), gamay (10 %) et chardonnay (30 %) composent un brut à l'œil distingué, légèrement perdrix. Le nez expressif marie la cerise et la fraise. La bouche ronde et longue, sans aucune lourdeur, intensément fruitée, fait honneur au pinot noir. Le **blanc de blancs 2005**, assez vineux mais toujours frais, décroche une étoile.

⊶ Bailly-Lapierre, quai de l'Yonne, Bailly, 89530 Saint-Bris-le-Vineux, tél. 03.86.53.77.77, fax 03.86.53.80.94 ☑ Ⲧ ⻏ t.l.j. 8h-12h 14h-18h30

CAVE DU BEAU VALLON Sec ★

○ 3 ha 15 000 5 à 8 €

Chardonnay à 99 %, ce crémant rhodanien n'attend que vous pour passer à table. Le cordon se forme aisément en bulles généreuses et actives. Bouquet de pain frais, un peu évolué. D'attaque franche, la bouche se fait ensuite plus ronde et vineuse, son dosage juste lui conférant une certaine élégance.

⊶ Cave du Beau Vallon, 69620 Theizé, tél. 04.74.71.48.00, fax 04.74.71.84.46, e-mail cave-du-beauvallon@wanadoo.fr ☑ Ⲧ ⻏ r.-v.

DOM. DU BICHERON Blanc de blancs ★

○ 2 ha n.c. 5 à 8 €

3 ha du temps de l'arrière-grand-père, 40 ha de nos jours. Domaine situé à Péronne, en Mâconnais. En chardonnay 100 %. L'effervescence est au rendez-vous, à travers une robe jaune pâle à reflets brillants. Le cépage joue le bouquet à plein nez (fruits exotiques notamment). La bouche est ronde sans perdre de sa vivacité, et l'on n'en finit plus de compter les caudalies. Ce crémant osera le chocolat.

⊶ GAEC Rousset, Dom. du Bicheron, Saint-Pierre-de-Lanques, 71260 Péronne, tél. 03.85.36.94.53, fax 03.85.36.99.80, e-mail domainedubicheron@wanadoo.fr ☑ Ⲧ ⻏ r.-v.

LÉONCE BOCQUET 2005

○ n.c. 367 000 5 à 8 €

Léonce Bocquet (1839-1913) est ce personnage fabuleux qui sauva de la ruine le château du Clos de Vougeot. Une figure de roman ! La marque appartient à la famille Boisseaux (Patriarche, etc.). Coup de cœur dans l'édition 2006 pour le rosé. La bulle de ce blanc est une perle, jaune pâle et sensible. La bouteille recherche moins la concentration que le plaisir immédiat sur fond de fruits blancs. Et l'étiquette rappelle le monogramme sculpté dans les boiseries des salons du Clos de Vougeot.

⊶ Léonce Bocquet, 21200 Beaune, tél. 03.80.24.53.01, fax 03.80.24.53.02, e-mail lexcellent@kriter.com ☑ Ⲧ ⻏ t.l.j. 9h30-11h30 14h-17h30

⊶ Boisseaux

DOM. DE LA BOFFELINE 2005 ★★

○ 1,1 ha 10 300 5 à 8 €

On est ici en chardonnay mâconnais et le coup de cœur n'est pas tombé très loin. Petit domaine assez récent qui avait déjà décroché cette distinction dans le Guide 2004. Élaboration Loron à Fleurie. Léger cordon à travers l'habit doré clair. L'abricot et la brioche se respirent au nez, et en arrière-plan, des notes florales. On cherche à le qualifier et on ne trouve qu'un mot : appétissant. Vif et ouvert, rond et équilibré, il mérite mieux que le kir royal... Le déguster seul ou sur un sandre à la fondue d'échalotes.

⊶ Frédéric Lenormand, En Fourgeau, 71260 Azé, tél. et fax 03.85.33.33.82, e-mail frederic.lenormand@cegetel.net ☑ Ⲧ ⻏ t.l.j. 9h-12h 14h-19h

DOM. ALBERT BOILLOT 2005 ★

○ 0,43 ha 2 800 5 à 8 €

Ce domaine familial aux caves voûtées datant du XVIIᵉs. propose une jolie image effervescente d'un pinot

noir de la Côte de Beaune. Bonne mousse régulière et persistante, cordon satisfaisant. Nuance doré profond, on ne s'en lasse pas. Arômes frais et agréables de pomme : de ces pommiers aux petits fruits qu'on trouvait jadis dans les vignes. La bouche équilibrée et bien typée pinot affiche plénitude et longueur.
SCE du Dom. Albert Boillot, 2, ruelle Saint-Étienne, 21190 Volnay, tél. et fax 03.80.21.61.21, e-mail dom.albert.boillot@wanadoo.fr
t.l.j. sf dim. 10h15-13h 15h-18h

DOM. BOUCHEZ-CRÉTAL

n.c. n.c. **5 à 8 €**

Or-vert et bulles fines, un bon départ. Les arômes s'expriment avec le temps, sur un contour plutôt végétal. En bouche, une certaine structure et du fruité. Dosage généreux mais cette douceur peut plaire.
Dom. Bouchez-Crétal, rue du Chagnot, 21190 Monthélie, tél. et fax 03.80.21.66.75
r.-v.

CH. CHASSELAS 2005 *

0,6 ha 3 200 **5 à 8 €**

Ce vieux domaine est « redynamisé » depuis 1999 par ses nouveaux propriétaires, qui organisent notamment des manifestations « Art et vins ». Crémant version chardonnay, vif et tranchant, minéral, superbe de fraîcheur. Blanc très légèrement doré et parfum biscuité, entre miel et vanille. Idéal pour l'apéritif.
Ch. Chasselas, 71570 Chasselas, tél. 03.85.35.12.01, fax 03.85.35.14.38, e-mail chateauchasselas@aol.com
t.l.j. 10h-12h 14h-18h
Veyron La Croix, Martinon

CHEVALIER **

n.c. 23 000 **5 à 8 €**

Chevalier est une marque reprise par Jean-Claude Boisset aux côtés de Louis Bouillot. Elle a quelque peu voyagé au fil du temps, et s'est fixée à Nuits pour le meilleur. Elle frôle le coup de cœur avec ce crémant, subtile alchimie du pinot (55 %), du chardonnay (35 %) et, de façon plus symbolique, de l'aligoté et du gamay. Bulles fines, cordon léger, nez généreux et frais sur des nuances framboisées et abricotées. En bouche, ce vin attaque en fanfare et offre une matière remarquable et d'une bonne complexité. À boire pour lui-même, à l'apéritif.
FGVS Chevalier, 5, quai Dumorey, 21700 Nuits-Saint-Georges, tél. 03.80.62.61.61, fax 03.80.62.61.95, e-mail marketing@boisset.fr
t.l.j. 10h-13h 14h-19h; f. lun de nov. à mars

FERNAND CHEVROT Rose de Vigne **

0,42 ha 2 250 **5 à 8 €**

Pour un coup d'essai, c'est un coup de maître ! Première production de ce domaine en rosé, avec le concours de Vitteaut-Alberti à Rully. Pinot noir des Maranges, et l'on s'émerveille tant sa teinte est vive et son cordon dynamique. Nez simple et framboisé. Au palais, une douceur mêlée à un rien d'amertume qui suscite beaucoup d'émotion. La liqueur est efficace sur la longueur, avec pas mal de gras. Domaine tout juste converti à l'agriculture biologique.
Dom. Chevrot et Fils, 19, rte de Couches, 71150 Cheilly-lès-Maranges, tél. 03.85.91.10.55, fax 03.85.91.13.24, e-mail contact@chevrot.fr
r.-v.

PAUL CHOLLET 2005 *

n.c. 10 000 **5 à 8 €**

Paul Chollet a pris sa retraite et passé le flambeau à Gilles Rémy en 2002. Ce dernier a élaboré un rosé à la robe intense et limpide. Un peu discret, le nez penche pour le fruit rouge. La bouche se montre plus expressive, offrant gras et vivacité avant une longue finale. Le **blanc 2005** est cité : pinot noir à 70 %, il s'affirme comme un crémant de repas.
SARL Paul Chollet, 18, rue du Gal-Leclerc, 21420 Savigny-lès-Beaune, tél. 03.80.21.53.89, fax 03.80.21.58.16, e-mail chollet.paul@wanadoo.fr
t.l.j. sf sam. dim. 8h-12h 14h-18h

CLAUDE DENIS 2004 **

10 ha 45 000 **5 à 8 €**

La cave coopérative de Liergues, en Beaujolais, décroche le coup de cœur pour ce chardonnay à la robe or vert brillant. Bouquet mie de pain et brioche. Ce style pâtisserie s'épanouit en bouche avec beaucoup de finesse, d'élégance et de classe. Un régal. Denis est le nom du maître de chai qui dégorgea ici ses premières bouteilles. Un crémant mis en bouteilles à la propriété dans le Rhône, le plus méridional de la Bourgogne !
Cave des Vignerons de Liergues, 168, rue du Beaujolais, 69400 Liergues, tél. 04.74.65.86.00, fax 04.74.62.81.20, e-mail contact@cave-liergues.com
t.l.j. sf dim. 8h-12h 14h-18h30

VINS FLUCHOT *

n.c. n.c. **8 à 11 €**

François Fluchot s'est passionné pour le vin en regardant son père vigneron travailler sur la propriété familiale. Aujourd'hui à la tête de son propre domaine, il propose ce crémant or vert à la bulle fine et au nez jouant sur les notes de fruits frais et de pain de mie (100 % chardonnay). Attaque franche, matière présente, bon dosage et longueur correcte : la bouche est au rendez-vous de la dégustation... et à l'heure !
Vins François Fluchot, 5, Grande-Rue, 21220 Morey-Saint-Denis, tél. 03.80.58.53.87, fax 03.80.34.17.63, e-mail vinsfluchot@free.fr
t.l.j. sf lun. mer. 11h-18h

DOM. JÉRÔME FORNEROT 2005 *

1 ha 1 000 **5 à 8 €**

Domaine fondé en 2004. Fines bulles, effervescence moyenne. Pêche blanche, aubépine, le nez montre une

certaine finesse. Belle tension en bouche où l'on sent le fruit à portée de main, cueilli sur l'arbre. On doit l'attendre un peu, mais c'est un crémant prometteur et qui peut aller au-delà de l'amuse-bouche.
Jérôme Fornerot, 8, rue des Lavières, 21190 Saint-Aubin, tél. 06.81.32.64.32, fax 03.80.21.63.40, e-mail jeromefornerot@aol.com
r.-v.

DOM. FOURNILLON ET FILS 2004

0,25 ha 2 650 **5 à 8 €**

Domaine familial possédant sur ses terres une vigne de chardonnay plantée vers 1835, résistante au phylloxéra, la « vigne de l'Empereur ». C'est pourtant de pinot noir qu'est né ce crémant de l'Yonne. Bonne mousse et joli cordon, cela s'annonce bien. Nez un peu fermé. Dommage. Bouche assez riche et puissante, sur les fruits mûrs, et d'un bon équilibre. Tout est dit, il n'y a plus qu'à attendre l'apéritif pour le déboucher.
Dom. Fournillon et Fils, 34, Grande-Rue, 89360 Bernouil, tél. et fax 03.86.55.50.96, e-mail gaec-fournillon-et-fils@wanadoo.fr
t.l.j. 8h-20h 2

CLAUDE GHEERAERT 2004

2,5 ha 16 000 **5 à 8 €**

Crémant du Châtillonnais, chardonnay et pinot noir respectivement à 70 et 30 %. Et quand on sait que le vase de Vix, le plus beau et le plus grand cratère à vin de toute l'Antiquité gréco-latine, a été retrouvé là, on se dit que les ancêtres ne faisaient pas si mal leur travail... Un bouquet un peu évolué, un cordon bien formé et une mousse raisonnable, voici un crémant vineux, à la liqueur justement dosée et prêt à boire.
Claude Gheeraert, 1, rue Haute, 21400 Mosson, tél. et fax 03.80.93.71.67, e-mail claude.gheeraert@wanadoo.fr
t.l.j. sf dim. 9h-19h

GILLON FRÈRES 2004

0,5 ha 2 600 **5 à 8 €**

Une bouteille originaire du Châtillonnais, entre Tonnerrois et Bourgogne. Ce secteur s'est consacré à la vigne et notamment au crémant pour diversifier son activité agricole. Robe rose pâle et mousse « active ». Ce pinot noir attaque agréablement et monte en puissance ; on garde bien le fruit en bouche (coing, fraise). Un peu d'aération lui est bénéfique. Préparez la pêche Melba pour le dessert.
Dom. Gillon Frères, 13, rue du Pont, 21400 Gommeville, tél. et fax 03.80.81.94.68, e-mail gillon-freres@club-internet.fr t.l.j. 7h-22h

DOM. MICHEL ISAÏE Blanc de blancs 2001 *

1,1 ha 9 168 **5 à 8 €**

Un cas spécial et fort estimable, ce 2001 mi-chardonnay mi-aligoté. Ces quelques cols nous étreignent par le corps. Un vin ambitieux. S'il ne déborde pas de vinosité, si sa bulle ne nous conte pas *La Légende des siècles*, le nez coing et miel a de l'allure. Riche aux papilles, exprimant des notes de pain grillé et de brioche, c'est un crémant de repas qu'il faudra marier avec une viande blanche.
Michel Isaïe, chem. de l'Ouche, 71640 Saint-Jean-de-Vaux, tél. 03.85.45.23.32, fax 03.85.45.29.38, e-mail michel.isaie@wanadoo.fr
t.l.j. 9h-19h; groupes sur r.-v.

DOM. MICHEL JUILLOT Blanc de blancs

1 ha 7 000 **5 à 8 €**

Juillot est un nom en Côte chalonnaise. Un parchemin atteste même qu'au début du XVe s. déjà, la famille Juillot exploitait des vignes à Mercurey. Limpide et brillant, ce blanc de blancs sent le fruit blanc et la fleur d'acacia. Ample et assez aromatique en bouche, il a un petit côté sauvage sympathique qui le désigne pour accompagner un repas.
Dom. Michel Juillot, 59, Grande-Rue, 71640 Mercurey, tél. 03.85.98.99.89, fax 03.85.98.99.88, e-mail infos@domaine-michel-juillot.fr
t.l.j. 9h-18h; groupes sur r.-v.

BOURGOGNE

MARIE-HÉLÈNE LAUGEROTTE 2005

0,59 ha 4 000 **5 à 8 €**

Marie-Hélène Laugerotte peut être fière de son duo pinot noir (70 %) et chardonnay, qui s'avère à l'évidence efficace. Léger cordon, bulles fines, robe jaune doré et bouquet de prune et de fleurs blanches : il se présente bien. Bouche équilibrée peut-être un peu lourde en finale, mais l'ensemble reste harmonieux et élégant. Élaboration Vitteaut-Alberti (Rully).
Marie-Hélène Laugerotte, Le Bourg, Cidex 512, 71640 Saint-Denis-de-Vaux, tél. 03.85.44.36.35, fax 03.85.44.42.70 r.-v.

LOUIS LORON ET FILS *

n.c. 12 000 **5 à 8 €**

Pinot noir (80 %) et gamay, un produit du Beaujolais. Un rosé gentil comme Baptiste. Robe simple, bouquet garni de groseille, acidité présente en deuxième temps après un épisode assez doux. Vineux, ce crémant aura accès à la table et pas seulement à l'apéritif. Salade créole ou tarte aux framboises, au choix.
SAS Louis Loron et Fils, Le Vivier, 69820 Fleurie, tél. 04.74.04.10.22, fax 04.74.69.84.19, e-mail fernand.loron@wanadoo.fr
t.l.j. sf dim. 8h-12h 13h30-18h; sam. 8h30-12h; f. sem. du 15 août

CAVE DE LUGNY C. de l'Aurore

40 ha 400 000 **5 à 8 €**

La cave n° 1 en production après les apports de Saint-Gingoux-de-Scissé et de Chardonnay. Plus de 1 400 ha de vignes, dont 40 ha ici en chardonnay et en pinot noir. Le cordon se forme comme s'il avait suivi la leçon. La bulle adopte le bon diamètre. Le nez complexe joue des notes de fruits et de pain frais. Doux, équilibré, avec un dosage généreux qui peut plaire.
SCV Cave de Lugny, rue des Charmes, BP 6, 71260 Lugny, tél. 03.85.33.22.85, fax 03.85.33.26.46, e-mail commercial@cave-lugny.com r.-v.

LOUIS PICAMELOT **

n.c. 12 000 **5 à 8 €**

Pinot noir à 80 %, gamay noir à jus blanc pour le reste, le meilleur crémant rosé de la dégustation. Joseph et Louis Picamelot ont fondé cette maison en 1925, reprise par un petit-fils, Philippe Chautard, en 1987. Œil dynamique à fin cordon, d'un rose tendre intense. Nez discret mais bien net. Bouche très aromatique sur la fraise des bois, d'une rondeur gourmande. « Ce que l'on recherche dans un crémant rosé », conclut un dégustateur. La **cuvée**

Jeanne Thomas blanc 2004 (8 à 11 €), issue de chardonnay et d'aligoté, obtient une citation.
🔑 Maison Louis Picamelot,
12, pl. de la Croix-Blanche, BP 2, 71150 Rully,
tél. 03.85.87.13.60, fax 03.85.87.63.81,
e-mail louispicamelot@wanadoo.fr
☑ 🍷 🚶 t.l.j. sf dim. 8h-18h; sam. sur r.-v.

CAVE DE PRISSÉ-SOLOGNY-VERZÉ
Blanc de blancs ★

○ n.c. 60 000 **5 à 8 €**

« Tandis qu'à ses côtés sous le vase d'albâtre, où dort dans ses glaçons... ». En ses *Secrètes pensées de Raphaël*, Alfred de Musset a propulsé haut ce vin effervescent et bourguignon, déjà bien connu à Paris en 1830. Chardonnay sur toute la ligne, or très pâle, miel et pain grillé, celui-ci, tout en souplesse, est frais et élégant.
🔑 Vignerons des Terres Secrètes,
Chai de Prissé, Les Grandes-Vignes, 71960 Prissé,
tél. 03.85.37.88.06, fax 03.85.37.61.76,
e-mail cave.prisse@cavedeprisse.com ☑ 🍷 🚶 r.-v.

DOM. PASCAL ET MIREILLE RENAUD ★

○ 0,27 ha 2 800 ▮ **5 à 8 €**

Un crémant du Mâconnais, né à deux pas de la Roche de Solutré. La bulle y va de bon cœur, sous un jaune d'or assez clair. Bouquet floral entre acacia et aubépine. Fraîcheur de pain... chaud brioché, et trois atouts : le sentiment du vin, la rondeur et la persistance.
🔑 Dom. Pascal et Mireille Renaud, Pouilly,
71960 Solutré-Pouilly, tél. 03.85.35.84.62,
fax 03.85.35.87.42,
e-mail domainerenaudpascal@wanadoo.fr ☑ 🍷 🚶 r.-v.

SIMONNET-FEBVRE

○ n.c. 10 000 **8 à 11 €**

Une vénérable maison chablisienne spécialisée en partie dans l'effervescent, reprise par le Beaunois Latour. Un crémant issu du pinot noir, à la robe jaune doré. Vanille et pomme se partagent le nez et font bon ménage. La bouche préfère la fraîcheur à la puissance et c'est son droit. Simple et bon, et on ne dit pas cela de tout le monde.
🔑 Simonnet-Febvre, 30, rte de Saint-Bris,
89530 Chitry, tél. 03.86.98.99.00, fax 03.86.98.99.01,
e-mail simonnet@chablis.net
☑ 🍷 t.l.j. sf dim. lun. 9h30-12h 14h-18h30

SORINE ET FILS Blanc de noirs ★★

○ 0,2 ha 1 970 **5 à 8 €**

Né d'une association avec Vitteaut-Alberti (Rully), ce crémant blanc de noirs fait partie des meilleurs de la dégustation. Le cordon est impeccable et la mousse impulsive. Tout en finesse florale au nez, ce vin évolue au palais vers le fruit sec. Peu dosé, équilibré et durable, l'ensemble sera parfait avec la galette des rois... et pas seulement !
🔑 Sorine et Fils, 4, rue Petit, Le Haut-Village,
21590 Santenay, tél. 06.86.98.04.77, fax 03.80.20.61.65,
e-mail christiansorine@club-internet.fr ☑ 🍷 🚶 r.-v.

ALBERT SOUNIT Cuvée Prestige 2004

○ n.c. 32 000 **5 à 8 €**

Coup de cœur dans le Guide 2002 pour cette cuvée et dans le Guide 1998 pour un crémant de chardonnay, cette maison bourguignonne bat pavillon danois. Sa cuvée Prestige marie deux tiers de pinot noir à un tiers de chardonnay. Le résultat ? Un crémant or soutenu, aux bulles fines, qui joue au nez un petit air muscaté. Pâtisserie ? La bouche, structurée et bien dosée, confirme. Les gougères n'attendent plus que lui.
🔑 Albert Sounit, 5, pl. du Champ-de-Foire,
71150 Rully, tél. 03.85.87.20.71, fax 03.85.87.09.71,
e-mail info@albert-sounit.fr ☑ 🍷 🚶 r.-v.

DOM. DE LA TOUR BAJOLE Blanc de blancs ★

○ 0,2 ha 2 000 ▮ **5 à 8 €**

Chardonnay du Couchois. Une terre où les Celtes ont la tête dure (comme les menhirs d'Époigny, à proximité du domaine) depuis quelque quatre mille ans. La bulle est assez ample, le nez frais et fruité, la bouche droite et plaisante sur le décor classique de la pâtisserie fine.
🔑 Marie-Anne et Jean-Claude Dessendre,
Dom. de La Tour Bajole, 11, rue de la Chapelle,
71490 Saint-Maurice-lès-Couches,
tél. et fax 03.85.45.52.90, e-mail domaine-de-la-tour-bajole@wanadoo.fr ☑ 🍷 🚶 r.-v.

L. VITTEAUT-ALBERTI 2004 ★★

○ 8 ha 35 000 ▮ **8 à 11 €**

Un maître. Coup de cœur dans les éditions 2006 et 2003 (pour ne citer que les plus récents), souvent élaborateur des meilleurs crémants sous d'autres signatures, se promenant cette année encore dans les allées du grand jury. Cogérance par Agnès Vitteaut, fille de Gérard Vitteaut, juriste, diplômée en œnologie et sciences de la vigne. Tout cela pour vous dire qu'on se trouve en présence d'un chardonnay/pinot noir/aligoté fort bien travaillé. L'effervescence est mesurée, le tempérament fleuri, la ligne de vie jeune et droite sur une palette aromatique consistante (fleurs et fruits blancs). Longueur remarquable. Viande blanche peut-être ? Prévenir ses hôtes qu'on tente une expérience.
🔑 Vitteaut-Alberti, 16, rue de la Buisserolle,
71150 Rully, tél. 03.85.87.23.97, fax 03.85.87.16.24,
e-mail vitteaut-alberti@wanadoo.fr
☑ 🍷 🚶 t.l.j. sf dim. 8h-12h 14h-18h30

Le Chablisien

Malgré une célébrité séculaire qui lui a valu d'être imité de la façon la plus fantaisiste dans le monde entier, le vignoble de Chablis a bien failli disparaître. Deux gelées tardives, catastrophiques, en 1957 et en 1961, ajoutées aux difficultés du travail de la vigne sur des sols rocailleux et terriblement pentus, avaient conduit à l'abandon progressif de la culture de la vigne ; le prix des terrains en grands crus atteignait un niveau dérisoire, et bien avisés furent les acheteurs du moment. L'apparition de nouveaux systèmes de protection contre le gel et le développement de la mécanisation ont rendu ce vignoble à la vie.

L'aire d'appellation couvre les territoires de la commune de Chablis et de dix-neuf communes voisines dans les quatre appellations chablis. Les vignes dévalent les fortes pentes des coteaux qui longent les deux rives du Serein, modeste affluent de l'Yonne. Une exposition sud-sud-est favorise à cette latitude une bonne maturation du raisin, mais on trouvera plantés en vigne des « envers » aussi bien que des « adroits » dans certains secteurs privilégiés. Le sol est constitué de marnes jurassiques (kimméridgien, portlandien). Il convient admirablement à la culture du chardonnay, comme s'en étaient déjà rendu compte au XII^e^s. les moines cisterciens de la toute proche abbaye de Pontigny, qui y implantèrent sans doute ce cépage, appelé localement beaunois. Celui-ci exprime ici plus qu'ailleurs ses qualités de finesse et d'élégance, qui font merveille sur les fruits de mer, les escargots, la charcuterie. Premiers et grands crus méritent d'être associés aux mets de choix : poissons, charcuterie fine, volailles ou viandes blanches, qui pourront d'ailleurs être accommodés avec le vin lui-même.

Petit-chablis

Cette appellation constitue la base de la hiérarchie bourguignonne dans le Chablisien. Elle a produit 42 892 hl en 2006 sur 729 ha. Moins complexe que le chablis du point de vue aromatique, le petit-chablis possède une acidité un peu plus élevée qui lui confère une certaine verdeur. Autrefois consommé en carafe, dans l'année, il est maintenant mis en bouteilles. Victime de son nom, il a eu de la peine à se développer, mais il semble qu'aujourd'hui le consommateur ne lui tienne plus rigueur de son adjectif dévalorisant.

CHRISTOPHE ET FILS 2005 ★★

2 ha 4 000 ▮ 5 à 8 €

En survolant les vignes en deltaplane, la famille Christophe s'était plu à évoquer la qualité « coup de cœur » des petit-chablis 2005... Heureuse prédiction ! Nos dégustateurs, eux, ont fait plus que survoler ce petit-chablis. Quelques minuscules reflets verts, le nez guilleret, cela commence gentiment. Mais la suite révèle

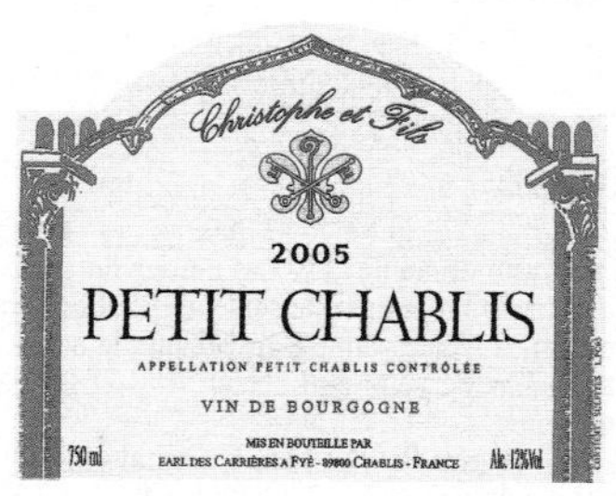

une bouche franche et fraîche, fine et légère, marquée par la minéralité et des notes de fleurs et de fruits blancs. Un vin bien typé et plein de personnalité.

⊶ Dom. Christophe et Fils, Ferme des Carrières à Fyé, 89800 Chablis, tél. et fax 03.86.55.23.10, e-mail domaine.christophe@wanadoo.fr ☑ Y ⚲ r.-v.

DOM. DU COLOMBIER 2005 ★

1,7 ha 13 000 ▮ 5 à 8 €

Les fameux trois frères (Jean-Louis, Thierry, Vincent) sur un domaine de 45 ha – ce qui dégage l'horizon et permet à chacun de s'exprimer. La couleur de ce petit-chablis est tout à fait classique, le bouquet principalement floral avec une touche de miel. La bouche sphérique, comme l'écrivait Colette, enfant de la Puisaye voisine. Fontenay se situe sur le « demi-cercle d'or », rive droite.

⊶ Guy Mothe et ses Fils, Dom. du Colombier, 42, Grand-Rue, 89800 Fontenay-près-Chablis, tél. 03.86.42.15.04, fax 03.86.42.49.67, e-mail domaine@chabliscolombier.com ☑ Y ⚲ r.-v.

LA CAVE DU CONNAISSEUR 2005 ★

n.c. 20 000 ▮ 5 à 8 €

Affaire de négoce-éleveur fondée en 1989 pour la clientèle particulière et la restauration, caveau au centre de Chablis. Minéral, ce 2005 ne laisse pas de marbre. Iodé, il connaît sa leçon. Stylé, efficace, il respecte les fondamentaux et peut vivre sa vie jusqu'à la fin 2008. En feuilleté, cassolette ou coquille, l'escargot est conseillé. Ne pas oublier que le village de Bassou dans l'Yonne, à deux pas d'ici, se prétend la patrie du gastéropode !

⊶ La Cave du Connaisseur, rue des Moulins, BP 78, 89800 Chablis, tél. 03.86.42.87.15, fax 03.86.42.49.84, e-mail connaisseur@chablis.net ☑ Y ⚲ t.l.j. 10h-18h

AGNÈS ET DIDIER DAUVISSAT 2005 ★

3 ha 4 000 ▮ 5 à 8 €

Il y a des noms qu'on trouve sous des prénoms divers à tous les coins de cave. Dauvissat, par exemple. Leur 2005 se présente bien et se goûte encore mieux. « Leur », parce qu'Agnès et Didier signent ensemble et c'est très bien. Habituel en Côte-d'Or, le nom double (quand l'épouse met des pieds de vigne dans la corbeille de noces) se pratique moins dans l'Yonne. Pour en revenir à ce petit-chablis, un mot : élégance. Or pâle, nez de fleurs blanches, et en bouche le fruité qui vient arrondir la pierre à fusil. Pour une entrée à base de crevettes et de menthe fraîche.

Agnès et Didier Dauvissat, chem. de Beauroy, 89800 Beine, tél. 03.86.42.46.40, fax 03.86.42.80.82 r.-v.

DURUP 2005

23 ha	157 000	8 à 11 €

Très vaste domaine (180 ha) autour du château de Maligny, sur 23 ha pour cette seule appellation. Harmonieux et bien travaillé, jaune clair brillant, le nez acidulé, un petit-chablis nerveux en bouche, frais et légèrement citronné.

SA Jean Durup Père et Fils, 4, Grande-Rue, 89800 Maligny, tél. 03.86.47.44.49, fax 03.86.47.55.49, e-mail cdurup@club-internet.fr t.l.j. sf sam. dim. 8h-12h 13h45-17h30

DOM. FOURREY 2005 **

1 ha	6 500	5 à 8 €

« Là mon cœur en tout lieu se retrouve lui-même... » Le Milly chablisien n'est pas celui de Lamartine, mais l'un et l'autre ont le même charme au milieu des vignes (Côte de Léchet notamment). Quelle bouteille ! Sa rondeur intéressante, sa vivacité suffisante, ses arômes typés et présents du nez à la bouche s'ajoutent à un volume dépassant les normes habituelles de l'appellation. Les escargots n'ont qu'à bien se tenir.

Dom. Fourrey et Fils, 6, rue du Château, Milly, 89800 Chablis, tél. 03.86.42.14.80, fax 03.86.42.84.78, e-mail domaine.fourrey@wanadoo.fr r.-v.

ALAIN GEOFFROY 2005 *

n.c.	10 000	5 à 8 €

Si la discussion languit pendant le repas, et si l'on est en Chablisien, demandez si l'on doit écrire Beines ou Beine... Et servez ce vin bien typé, qui fait regretter que l'eau de source n'ait pas cet or blanc-vert, ce beurré minéral et cette jolie longueur... Sa qualité lui permettra d'atteindre sans difficulté la fin 2008.

Dom. Alain Geoffroy, 4, rue de l'Équerre, 89800 Beine, tél. 03.86.42.43.76, fax 03.86.42.13.30, e-mail info@chablis-geoffroy.com t.l.j. 9h-12h 14h-17h30; sam. dim. sur r.-v.

DOM. DE GRILLOT 2005 *

0,95 ha	5 000	5 à 8 €

Domaine créé il y a une dizaine d'années à Collan. Ce nom ne vous dit peut-être rien. Fondateur de l'abbaye de Cîteaux, de celle de Molesme auparavant, saint Robert entra ici dans la vie religieuse. Vif, minéral et frais, ce 2005 est l'image même du petit-chablis. Le nez et la bouche en harmonie, la finale d'une bonne longueur. N'allons pas chercher midi à quatorze heures ! Proche de la deuxième étoile, il appartient au club des meilleurs.

James Haigre, Dom. de Grillot, 16, rue de l'Ancien-Presbytère, 89700 Collan, tél. 06.07.62.64.08, fax 03.86.55.47.32 r.-v.

DOM. GUITTON-MICHEL 2005 *

0,4 ha	3 000	5 à 8 €

Reprise du domaine Maurice Michel à Chablis. Michel Guitton a planté pour sa part 5 ha de chablis dans les années 1980, ainsi qu'un peu de petit-chablis dont c'est la première récolte. Particulier, riche au nez et très mûr en bouche, c'est un 2005 de grande ampleur et sur écran géant. Nos dégustateurs sont partagés entre l'enthousiasme et une sympathie mêlée de surprise. Un style.

Guitton-Michel, 2, rue de Poinchy, Poinchy, 89800 Chablis, tél. 03.86.42.43.14, fax 03.86.42.17.64 t.l.j. 8h-20h; f. août

DOM. HAMELIN 2005 *

9,41 ha	65 000	5 à 8 €

Domaine important (36,70 ha). Six coquilles Saint-Jacques sur le blason qui orne l'étiquette ! Si vous êtes pèlerin de Compostelle, emportez donc cette bouteille avec vous. Le dîner au prochain gîte d'étape en sera illuminé de grâces. Floral, assez puissant, un peu minéral, ce 2005 est franc et d'une bonne typicité.

Dom. Hamelin, 1, rue des Carillons, 89800 Lignorelles, tél. 03.86.47.54.60, fax 03.86.47.53.34, e-mail domaine.hamelin@wanadoo.fr t.l.j. sf dim. 9h-12h 14h-18h; f. mer. sam a.-m. et août

ROLAND LAVANTUREUX 2005 **

4,5 ha	20 000	5 à 8 €

Aux confins nord-est du pays chablisien, Lignorelles a vu croître sa production de petit-chablis. Jaune pâle, celui-ci est très aromatique (agrumes, pêche) et il garde la bouche fraîche et équilibrée du début à la fin. C'est d'ailleurs exactement ce qu'on lui demande. Né pour le plateau de fruits de mer.

Roland Lavantureux, 4, rue Saint-Martin, 89800 Lignorelles, tél. 03.86.47.53.75, fax 03.86.47.56.43 t.l.j. 8h-20h; dim. sur r.-v.; f. 15-22 août

MOREAU-NAUDET 2005 **

3 ha	10 000	8 à 11 €

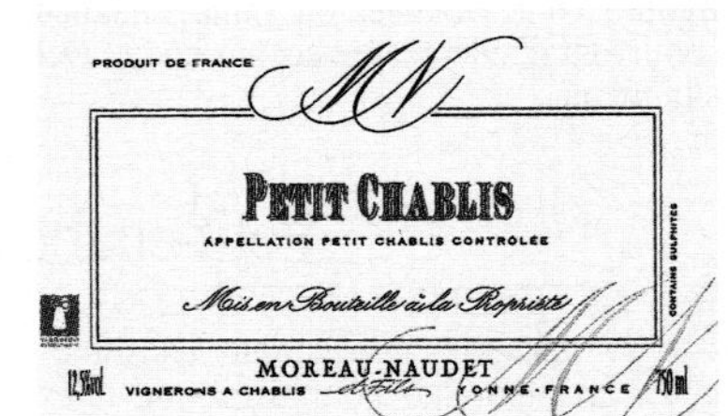

Couleur soutenue. Bouquet intense et moderne à nuances exotiques. Bouche parfaite réservant de belles surprises (note vanillée pour un vin élevé en cuve... cela arrive et ce n'est pas désagréable). Cette bouteille n'est pas à réserver à l'apéritif. Pour autant que tout cela soit chablisien, elle ne risquera rien face à l'andouillette ou au jambon. Un petit-chablis étonnant, plus facile d'accès que typé mais en tout point remarquable.

Moreau-Naudet, 5, rue des Fosses, 89800 Chablis, tél. 03.86.42.14.83, fax 03.86.42.85.04, e-mail moreau-naudet@wanadoo.fr r.-v.

SYLVAIN MOSNIER 2005

1,7 ha	13 000	5 à 8 €

Coup de cœur du Guide 2006 et déjà l'année précédente, ce domaine est situé à Beine, la première commune du Chablisien lorsque l'on quitte l'autoroute à Auxerre Sud. Il s'étend sur 17,5 ha et produit assez peu de petit-chablis. Son 2005 s'ouvre plutôt bien (fruits frais, notes minérales). Sans être particulièrement costaud, il présente une bonne acidité et un bagage suffisant pour passer à table dans l'année.

🔑 EARL Sylvain Mosnier, 36, RN, 89800 Beine, tél. 03.86.42.43.96, fax 03.86.42.42.88, e-mail sylvain.mosnier@libertysurf.fr ☑ 𝕐 r.-v.

DOM. DE NOËLLE 2005 *

1,23 ha 2 500 ■ 5 à 8 €

Exploitation conduite par un tandem père-fille sur 7,5 ha. Son petit-chablis attaque au quart de tour, puis passe en vitesse de croisière. L'équilibre global est assuré et quelques notes d'agrumes enveloppent sa rondeur. Arômes très prenants, un peu confits. Robe sans difficulté. Un candidat sérieux pour l'apéritif.

🔑 EARL Dom. de Noëlle, 25, rue de Vaucharmes, 89800 Préhy, tél. 03.86.41.45.26, fax 03.86.41.48.40, e-mail domaine.de.noelle@orange.fr ☑ 𝕐 ⚲ r.-v.

🔑 Segard

ISABELLE ET DENIS POMMIER 2005 *

4 ha 31 000 ■ 5 à 8 €

Poinchy fait partie des villages rattachés à Chablis (compte tenu du nom ainsi obtenu, la fusion de communes n'a guère posé de problèmes ici !). Jaune pâle à reflets dorés, ce petit-chablis ne cache pas son nez puissant, intensément floral et fruité. L'attaque, vive, se fait sur une note d'agrumes, ouvrant la voie à une matière ample et équilibrée.

🔑 Isabelle et Denis Pommier, 31, rue de Poinchy, Poinchy, 89800 Chablis, tél. 03.86.42.83.04, fax 03.86.42.17.80, e-mail isabelle@denis-pommier.com ☑ 𝕐 ⚲ r.-v.

DENIS RACE 2005

0,96 ha 8 800 ■ 5 à 8 €

Vignerons de père en... fille. Claire arrive sur le domaine. Inconnu il y a un demi-siècle ou en tout cas très rare, ce phénomène mériterait une thèse. Comment, en Bourgogne, la vigne et le vin ont-ils enfin fait confiance aux femmes ? Une révolution plus complexe qu'il n'y paraît. Et ce 2005 ? À dominante terroir (les fossiles), il est plus vif que rond. Poivre, menthol, il ne manque pas d'originalité.

🔑 Denis Race, rue de Chichée, 89800 Chablis, tél. 03.86.42.45.87, fax 03.86.42.81.23, e-mail domaine@chablisrace.com ☑ 𝕐 ⚲ r.-v.

DOM. SÉGUINOT-BORDET 2005 *

1 ha 7 200 ■ 5 à 8 €

Ce domaine se déclare le plus ancien de Chablis. Né au XVI[e]s., treizième génération aujourd'hui. Son petit-chablis honore cette lignée. Il frôle les deux étoiles. Jaune pâle à reflets argentés, il offre sur un large fond fruité une petite note fumée. Palais représentatif des 2005, d'acidité moyenne et de persistance complaisante.

🔑 Dom. Séguinot-Bordet, 8, chem. des Hâtes, 89800 Maligny, tél. 03.86.47.44.42, fax 03.86.47.54.94, e-mail j.f.bordet@wanadoo.fr
☑ 𝕐 ⚲ t.l.j. sf dim. 8h-12h 13h30-18h; sam. sur r.-v.; f. 15 août-2 sept.

🔑 J.-F. Bordet

LES TEMPS PERDUS 2006 **

2,5 ha 20 000 ■ 5 à 8 €

Un vin qui, visiblement, n'a pas été produit par Clotilde Davenne (longtemps maître de chai chez J.-M. Brocard) à ses moments perdus. Une robe moirée or vert comme on en voit sur les magazines people. Un bouquet légèrement agrumes, vif et entreprenant. La bouche a du cœur à revendre. Bien structurée, elle est portée par une acidité adroitement dosée. Ce vin se suffit à lui-même, mais une viande blanche en sauce aux champignons sera à son goût.

🔑 Clotilde Davenne, 3, rue de Chantemerle, 89800 Préhy, tél. 03.86.41.46.05, fax 03.86.41.42.85, e-mail clotildedavenne@free.fr ☑ 𝕐 ⚲ r.-v.

DOM. YVON VOCORET 2005 **

3 ha 13 866 ■ 5 à 8 €

Exploitation familiale depuis quatre générations, volontiers accueillante. Enchanteur et complexe, franc dès l'attaque et plaisant à la fin, un vin possédant tous les paramètres. Original, mais en quoi ? Une certaine chaleur sur des notes de fruits confits explorées du nez à la bouche. Plus typique de son millésime que de son terroir, mais chacun a le droit de s'exprimer !

🔑 Dom. Yvon Vocoret, 9, chem. de Beaune, 89800 Maligny, tél. 03.86.47.51.60, fax 03.86.47.57.47, e-mail domaine.yvon.vocoret@wanadoo.fr ☑ 𝕐 ⚲ r.-v.

DOM. VRIGNAUD 2005 *

0,4 ha 3 000 ■ 5 à 8 €

Passage de la « lutte raisonnée » à la « lutte intégrée », le domaine s'interroge et il a bien raison de le faire. Depuis le millésime 1999, on vinifie ici toute la récolte, et on commercialise aujourd'hui la moitié de la production en bouteilles. Première vinification de petit-chablis. Fin, frais, vif et typé, plus rafraîchissant que consistant, il ne quitte pas du regard l'objectif de son appellation. Silex et citron en utile renfort.

🔑 EARL Dom. Vrignaud, 10, rue de Beauvoir, 89800 Fontenay-près-Chablis, tél. 03.86.42.15.69, fax 03.86.42.40.06, e-mail guillaume.vrignaud@wanadoo.fr ☑ 𝕐 ⚲ r.-v.

Chablis

Le chablis, qui a produit 187 152 hl sur 3 156 ha dans le millésime 2006, doit à son sol ses qualités inimitables de fraîcheur et de légèreté. Les années froides ou pluvieuses lui conviennent mal, son acidité devenant alors excessive. En revanche, il conserve lors des années chaudes une vertu désaltérante et une minéralité que n'ont pas les vins de la Côte-d'Or, également issus du chardonnay. On le boit jeune (un à trois ans), mais il peut vieillir jusqu'à dix ans et plus, gagnant ainsi en complexité et en richesse de bouquet.

DOM. BILLAUD-SIMON Tête d'or 2005 **

3 ha 31 000 ■ 8 à 11 €

Famille du cru depuis 1815, dont la première mise en bouteilles à la propriété date de 1954 pour une vente aux États-Unis. Tête d'or est peut-être un nom de fantaisie, mais fort bien trouvé. Et après tout, Paul Claudel a souvent chanté le vin dans son œuvre... Encore un peu fermé mais déjà coup de cœur. Qu'est-ce que ce sera quand il s'éveillera des deux yeux ! Or blanc, floral et citronné, il offre en bouche une touche de poivre blanc sur une minéralité tendue. De la matière, de l'équilibre et une longue finale.

Dom. Billaud-Simon, 1, quai de Reugny, BP 46, 89800 Chablis, tél. 03.86.42.10.33, fax 03.86.42.48.77, e-mail bernard.billaud@online.fr
t.l.j. sf dim. 9h-12h 14h-17h; sam. sur r.-v.; f. 1er août-1er sept.

DOM. DE LA BOISSONNEUSE 2005

11 ha n.c. 8 à 11 €

On connaît l'inépuisable énergie de Jean-Marc Brocard. Elle s'est transmise à Julien et à toute l'équipe. La Boissonneuse s'étend sur 11 ha d'un seul tenant, conduits en biodynamie. Bon pour le service, ce 2005 attaque en souplesse, puis il trouve son nid dans la chaleur de l'alcool, avant de terminer sur la vivacité. Il offre au nez et en bouche des arômes de fruits blancs et de miel.

Dom. de La Boissonneuse, 3, rte de Chablis, 89800 Préhy, tél. 03.86.41.49.00, fax 03.86.41.49.09, e-mail france@brocard.fr
t.l.j. sf dim. 9h-12h30 14h-18h30

PASCAL BOUCHARD
Grande Réserve du domaine Vieilles Vignes 2005 ★

6,5 ha 40 000 8 à 11 €

Joëlle et Pascal Bouchard ont pris en 1979 la suite d'André Tremblay, père de Joëlle, et étendu leur activité au négoce. Romain prend le relais. Coup de cœur dans l'édition 2002 pour le millésime 1998. Or profond, plus floral que minéral (après aération), un 2005 flatteur, complexe et persistant. Gras et généreux, il va en bouche « à sauts et à gambades », comme disait Montaigne. On se fait assez bien à ce rythme car le relief est nécessaire à un beau vin. La **cuvée principale 2005** obtient une citation.

Pascal Bouchard,
Parc des Lys, 5 bis, rue Porte-Noël, 89800 Chablis, tél. 03.86.42.18.64, fax 03.86.42.48.11, e-mail info@pascalbouchard.com r.-v.

DOM. MICHEL CALLEMENT 2005 ★★

3,8 ha 2 700 5 à 8 €

Dira-t-on jamais assez combien la vigne a permis de sauver des exploitations et de maintenir la vie rurale ? Ici, à l'origine, polyculture, élevage et maintenant le vin à 100 %. Et un chablis parmi les meilleurs. Clair, limpide et brillant, il joue son va-tout dès le premier coup de nez. Fleur et silex, bonne pioche ! Les promesses du nez se confirment : du coffre pour la garde et ce mélange d'acidité et de gras qui vous met en forme. Le filet de sandre peut attendre un à deux ans.

EARL Dom. Michel Callement, 2, rue Menot, 89230 Bleigny-le-Carreau, tél. 03.86.41.81.52, fax 03.86.41.87.90, e-mail domaine.michelcallement@wanadoo.fr
r.-v.

LA CHABLISIENNE Cuvée L. C. 2005 ★

30 ha 250 000 8 à 11 €

Coup de cœur notamment pour son 2003 (Guide 2006) et plusieurs autres fois, la coopérative dans ses œuvres. Pourquoi ne pas dédier une cuvée de prestige à l'abbé Balitran, fondateur de La Chablisienne en 1923 ? Cuvée L. C. ici, à l'honneur de la maison, donc : une robe haute couture, un bouquet fin de silex et de pamplemousse. Un ensemble sincère, élégant, typé. Le **Blason de Bourgogne 2005** obtient également une étoile.

La Chablisienne,
8, bd Pasteur, BP 14, 89800 Chablis, tél. 03.86.42.89.98, fax 03.86.42.89.90, e-mail chab@chablisienne.fr t.l.j. 9h-12h 14h-18h

DOM. DE CHAUDE ÉCUELLE
Vieilles Vignes 2005 ★

3 ha 7 000 8 à 11 €

Chemilly-sur-Serein est une borne frontière entre Bourgogne et Champagne. Village lié à la famille du célèbre Guillaume Budé, l'humaniste distingué. L'œil de ce chablis ne surprend pas, tant le récit est habituel. Les arômes font la ronde entre les agrumes et le minéral, à mains jointes. Douceur et fraîcheur comblent la bouche, qui devient plus vive sur la fin. Blanquette de veau, on n'y échappe pas.

Dom. de Chaude Écuelle, 35, Grande-Rue, 89800 Chemilly-sur-Serein, tél. 03.86.42.40.44, fax 03.86.42.85.13, e-mail chaudeecuelle@wanadoo.fr
r.-v.
Gabriel et Gérald Vilain

DOM. JEAN COLLET ET FILS
Vieilles Vignes 2005 ★★

1 ha 8 000 8 à 11 €

Cave voûtée, cuverie moderne, la famille vit avec son temps, tout en se rappelant qu'en 1792 elle piochait déjà le kimméridgien. Doit-on savourer ce chablis à l'apéritif avec un feuilleté d'andouillette (de Chablis, bien sûr) ? Il y a pire expérience dans la vie. Typicité idéale du 2005. Le nez assez réveillé livre des notes de fruits blancs et une minéralité légèrement anisée. La bouche retrouve cette minéralité intense, équilibrée par une bonne rondeur.

Dom. Jean Collet et Fils,
15, av. de la Liberté, 89800 Chablis, tél. 03.86.42.11.93, fax 03.86.42.47.43, e-mail collet.chablis@wanadoo.fr r.-v.

DOM. DU COLOMBIER 2005 ★★

38 ha 150 000 5 à 8 €

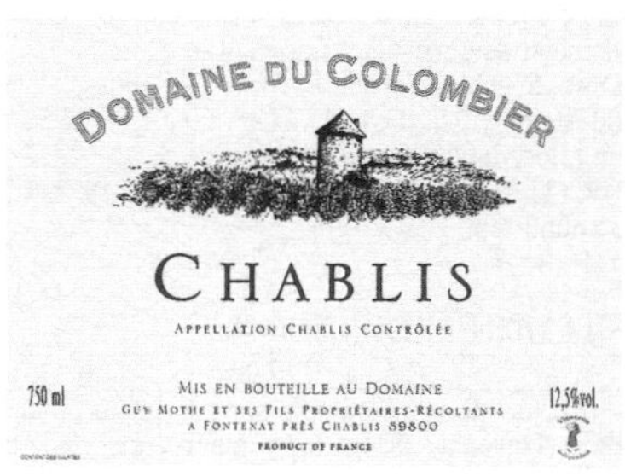

Exploitation familiale de père en fils depuis 1887, 45 ha de nos jours. Entre le jaune clair et l'or blanc, la distance est subtile. Au nez, la fleur blanche reçoit l'appui d'un fruit efficace et discret. La bouche est éclatante, de l'attaque franche à la longue finale, en passant par la rondeur de la matière. La langouste ne se sentira pas de trop lors du service.

🔑 Guy Mothe et ses Fils,
Dom. du Colombier, 42, Grand-Rue,
89800 Fontenay-près-Chablis, tél. 03.86.42.15.04,
fax 03.86.42.49.67,
e-mail domaine@chabliscolombier.com ☑ Y ✻ r.-v.

DOM. DE LA CONCIERGERIE 2005 *

	12 ha	65 000	▮	5 à 8 €

Courgis apparaît souvent dans *La vie de mon père*, le livre de Rétif de La Bretonne. L'écrivain y passa près de trois ans. Quant à ce chablis, il est infiniment plus moral. Sans verser dans l'ennui, qu'on se rassure ! Sous des traits jaune pâle, son style est vif et fruité, tant au nez qu'au palais. On y gagne en fraîcheur. Sa vigueur conduit à le servir sur les entrées.

🔑 SCEV Christian Adine, 2, rue de la Conciergerie,
89800 Courgis, tél. 03.86.41.40.28, fax 03.86.41.45.75,
e-mail nicole.adine@free.fr ☑ Y r.-v.

DOM. DAMPT Réserve du domaine 2005 *

	n.c.	22 000	▮	5 à 8 €

À l'œil, ce chablis *claire* (le verbe est bourguignon). Il présente un nez encore discret où pointe néanmoins un peu de fruit et une touche mentholée. On aime ce côté vif et mordant sans être agressif ni acerbe. Sec et net comme doit l'être tout chablis qui se respecte. Vignoble conduit en lutte intégrée.

🔑 SCEVA Dampt Frères, 1, rue de Fleys,
89700 Collan, tél. 03.86.55.29.55, fax 03.86.55.47.32,
e-mail damptfreres@cegetel.net ☑ Y ✻ r.-v.

VIGNOBLE DAMPT Vieilles Vignes 2005

	2,75 ha	25 200	▮	5 à 8 €

Une étiquette avec blason et devise. Un coq se tient dressé sur une patte sous la devise : *Vigil et Audax*. Nul besoin de traduction. Clarté, brillance, l'affaire s'annonce bien. Le nez promet beaucoup et semble capable de tenir. Franc à l'attaque, puis assez rond, ce vin finit sur la vivacité. On attendra un peu qu'il s'arrondisse.

🔑 EARL Éric Dampt, 16, rue de l'Ancien-Presbytère,
89700 Collan, tél. 03.86.55.36.28, fax 03.86.55.36.12,
e-mail ericdampt@aol.com ☑ Y ✻ r.-v.

Le Chablisien

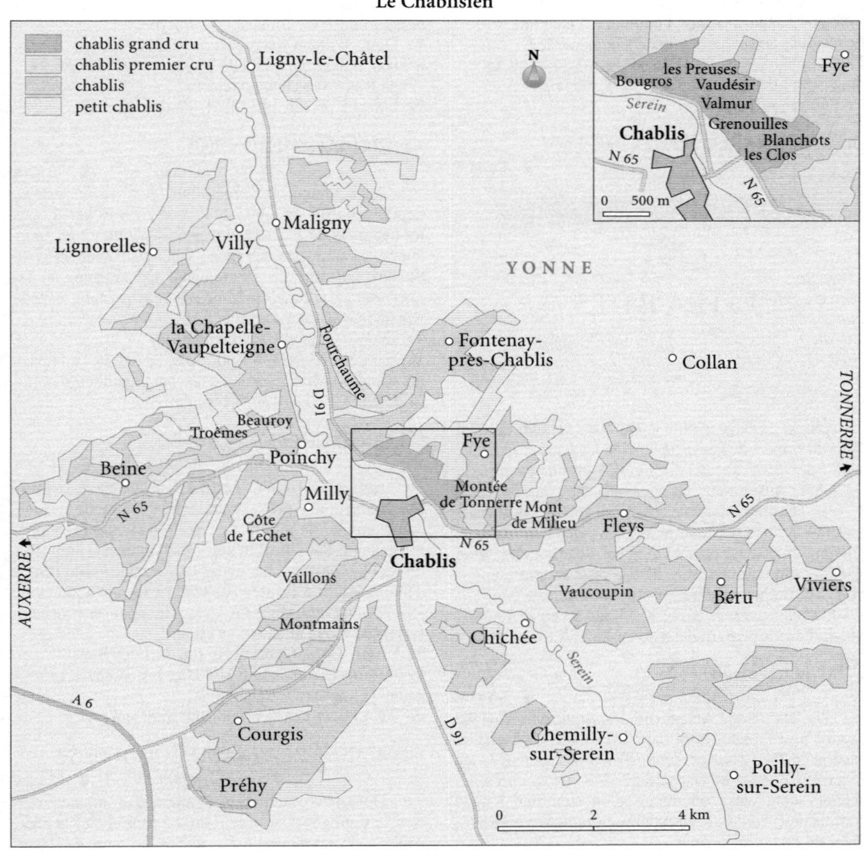

DANIEL DAMPT ET FILS 2005 ★★

13 ha 90 000 8 à 11 €

Propriété issue de la reprise et de l'agrandissement du domaine Jean Defaix par Vincent et Sébastien, de retour au pays après leurs stages en Australie et en Nouvelle-Zélande. On a parlé de ce vin lors des délibérations du grand jury. C'est dire qu'il se situe parmi les très bons. Le jambon au chablis conviendra bien à ce 2005 vif et net à l'attaque, minéral en finale. L'œil est pâle et limpide, de bon goût. Le nez riche en fruit. Celui-ci persiste et signe en bouche.

Dom. Daniel Dampt et Fils,
1, rue des Violettes, Milly, 89800 Chablis,
tél. 03.86.42.47.23, fax 03.86.42.46.41,
e-mail domaine.dampt.defaix@wanadoo.fr r.-v.

CLOTILDE DAVENNE 2005

n.c. 10 000 8 à 11 €

Une étiquette sobre qui rappelle celle que la Confrérie des Chevaliers du Tastevin réservait naguère pour son usage personnel. Il faut dire que Clotilde Davenne n'est pas n'importe qui. Maître de chai chez Brocard pendant dix-sept ans, sœur de métier de Nadine Gublin et de Laurence Jobard de la Côte, elle a du métier et vole de ses propres ailes sur un vignoble-mosaïque de l'Yonne. Un vin or-argent, net et franc, parfumé d'agrumes, un tantinet iodé par la suite. Plaisant, l'opinion est unanime.

Clotilde Davenne, 3, rue de Chantemerle,
89800 Préhy, tél. 03.86.41.46.05, fax 03.86.41.42.85,
e-mail clotildedavenne@free.fr r.-v.
Les Temps Perdus

DOM. BERNARD DEFAIX 2005 ★★

n.c. 100 000 8 à 11 €

DOMAINE BERNARD DEFAIX
CHABLIS
APPELLATION CHABLIS CONTRÔLÉE
2005
12,5% alc./vol. 750 ml

Ici, on pratique la lutte intégrée et le labour dans un souci du respect de l'environnement. Ce n'est pas la seule qualité de ce domaine, si l'on en croit le grand jury qui a élu ce chablis coup de cœur. De couleur claire, paille de seigle, il émerveille par ses trois grâces dignes de Botticelli : fraîcheur, franchise et complexité. La palette aromatique, classique mais bien établie, joue sur des notes de fleurs blanches et d'agrumes frais. Et cela reste en bouche...

Dom. Bernard Defaix, 17, rue du Château, Milly,
89800 Chablis, tél. 03.86.42.40.75, fax 03.86.42.40.28,
e-mail didier@bernard-defaix.com r.-v.

DOM. D'ÉLISE 2005 ★★

6,15 ha 40 000 8 à 11 €

Un fervent de l'A6 car ce Parisien, fidèle à sa vigne comme à sa famille restée dans la capitale, s'est pris de passion en 1983 pour ces 13 ha d'un seul tenant. Cépage et terroir, l'union est ici parfaite. Les reflets dorés, les nuances minérales ; on atteint d'un trait une longue dominante citronnée après la plus élégante des attaques. Finaliste du coup de cœur.

Frédéric Prain, chem. de La Garenne, Poinchy,
89800 Chablis, tél. 03.86.42.40.82, fax 03.86.42.44.76
r.-v.

JEAN-PIERRE ELLEVIN 2005 ★

8 ha 10 000 5 à 8 €

Domaine familial de 12 ha, dont 8 ha pour cette appellation. Équilibre et harmonie sont les mots qui reviennent le plus souvent sur les fiches de dégustation. Doré fin, avec juste ce qu'il faut de vert, sensations de craie et de citron ; un vin à la bouche équilibrée entre rondeur et minéralité, sur fond d'agrumes (pamplemousse).

GAEC Ellevin, 7, rue du Pont, 89800 Chichée,
tél. et fax 03.86.42.44.24,
e-mail jean-pierre.ellevin@wanadoo.fr r.-v.

DOM. WILLIAM FÈVRE 2005 ★★

20 ha n.c. 11 à 15 €

Ce 2005 n'est pas monté sur le podium, mais il a fait partie de l'échappée gagnante. Figure du Chablisien héroïque, William Fèvre a passé la main à Joseph Henriot (Bouchard Père et Fils, Lejay-Lagoute, le champagne homonyme), mais son nom demeure honoré. Un vin simple, droit, assez généreux sous sa robe pâle et de bon ton. Sa fraîcheur légèrement vive ne l'empêche pas de rester en parfait équilibre. Arômes élégants de fruits frais et note minérale. Un chablis bien typé.

Dom. William Fèvre, 21, av. d'Oberwesel,
89800 Chablis, tél. 03.86.98.98.98, fax 03.86.98.98.99,
e-mail france@williamfevre.com
t.l.j. 9h-12h 14h-18h; f. 1er déc.-1er mars

ALAIN GAUTHERON 2005

18 ha 60 000 5 à 8 €

Alain (cinquième génération) et Cyril (la sixième depuis dix ans), sur 24 ha. Si l'on en croit Robert Fèvre, les habitants de Fleys étaient jadis surnommés les Gougueys, les escargots. Eh bien ! voilà justement un chardonnay qui sort de sa coquille ! Or argenté, le nez intéressant, il attaque vif. Milieu de bouche fruité, soutenu par une vivacité raisonnable.

GAEC Alain et Cyril Gautheron,
18, rue des Prégirots, 89800 Fleys, tél. 03.86.42.44.34,
fax 03.86.42.44.50, e-mail vins@chablisgautheron.com
t.l.j. 9h-12h 13h30-18h; dim. sur r.-v.

GEORGE Vieilles Vignes 2005 ★★

1,3 ha 6 790 5 à 8 €

Ancien adhérent de La Chablisienne passé à sa propre production. Après ses études à la « viti » de Beaune, Jonathan George entreprend d'écrire un nouveau chapitre du domaine. Sous un or très clair mais intense et lumineux, un chablis convivial. Les agrumes, l'exotique dominent le début de la partie. Fruité en bouche, riche en attaque, ce vin joue l'acidité vers la fin, sans agressivité et tout en fraîcheur. Les ris de veau l'attendent, c'est dire.

EARL Dom. George, 10, rue du Four-Banal,
89800 Courgis, tél. 03.86.41.40.06, fax 03.86.41.45.76,
e-mail george.earl@wanadoo.fr
t.l.j. 9h-12h30 13h30-19h; dim. sur r.-v.

DOM. ANNE ET ARNAUD GOISOT 2005 ★

2,5 ha 15 000 5 à 8 €

De stricte observance, dirait-on d'un moine cistercien, et Pontigny n'est guère loin. La robe obéit à la règle, paille seigle par modestie. La suite est un chant de chœur,

lent, long, dans l'équilibre de la phrase et du son. De discrètes mais élégantes notes de fleurs l'accompagnent pendant tout son parcours. Encore un peu jeune mais déjà expressif et pouvant attendre un an ou deux.
Dom. Anne et Arnaud Goisot,
4 bis, rte de Champs, 89530 Saint-Bris-le-Vineux,
tél. 03.86.53.32.15, fax 03.86.53.64.22,
e-mail aa.goisot@wanadoo.fr
t.l.j. sf dim. 8h30-12h 13h30-19h

DOM. DE GRILLOT Cuvée Sélection 2005 ★

1,3 ha 6 000 **8 à 11 €**

Doré sur tranche, ce vin affiche un nez intense et chaleureux : il s'agit d'un 2005, né de raisin bien mûr. S'inscrivant dans la lignée du nez, la bouche se montre ronde, rafraîchie toutefois par une minéralité bienvenue. Un vin harmonieux et agréable, déjà prêt à boire.
James Haigre, Dom. de Grillot,
16, rue de l'Ancien-Presbytère, 89700 Collan,
tél. 06.07.62.64.08, fax 03.86.55.47.32 r.-v.

DOM. LAROCHE Saint-Martin 2005 ★

63 ha 500 320 **11 à 15 €**

Saint Martin méritait bien une cuvée (coup de cœur l'an dernier) car ses reliques ont longtemps été conservées à Chablis. Michel Laroche, haute figure du pays, présent sur beaucoup d'autres vignobles, propose ce 2005 d'une clarté discrète. Épices et fruits blancs, finesse et minéralité, une certaine vivacité : d'heureuse naissance, c'est un chablis classique, à boire dès aujourd'hui.
Laroche, L'Obédiencerie, 22, rue Louis-Bro,
89800 Chablis, tél. 03.86.42.89.00, fax 03.86.42.89.29,
e-mail info@larochewines.com r.-v.
Michel Laroche

ROLAND LAVANTUREUX 2005 ★★

14,5 ha 30 000 **5 à 8 €**

Lignorelles fait bonne figure en Chablisien, avec un repositionnement du petit-chablis au chablis. Or vert bien sûr, ce 2005 montre avec finesse un nez d'aubépine. La minéralité se découvre ensuite dans un ensemble charpenté, presque corsé, qui appelle le poisson de la Méditerranée plus que la charcuterie ou la viande blanche. Pour tout de suite, ou bien dans un an.
Roland Lavantureux, 4, rue Saint-Martin,
89800 Lignorelles, tél. 03.86.47.53.75,
fax 03.86.47.56.43
t.l.j. 8h-20h; dim. sur r.-v.; f. 15-22 août

DOM. DES MARRONNIERS Vieilles Vignes 2005 ★

n.c. 8 000 **5 à 8 €**

Le domaine a été créé en 1976 de toutes pièces par Marie-Claude et Bernard Légland. Première vigne plantée au lieu-dit Les Malantes, 20 ha aujourd'hui. Or brillant à reflets verts, ce 2005 pointe un nez discret mais fin, aux notes d'agrumes. L'attaque agréable laisse place à une matière assez ronde et fruitée avant une finale sur la minéralité. Intéressant et bien typé.
Bernard Légland, 1 et 3, Grande-Rue-de-Chablis,
89800 Préhy, tél. 03.86.41.42.70, fax 03.86.41.45.82,
e-mail bernard.legland@wanadoo.fr
t.l.j. 9h-13h 14h-20h; dim. sur r.-v.; f. 15-30 août

DOM. CHRISTIAN MOREAU PÈRE ET FILS 2005 ★

1,5 ha 10 000 **8 à 11 €**

Riche et brioché, ce chablis doré pâle est un bon cousin du chardonnay en Côte de Beaune. Il ne perd cependant pas de vue le petit côté minéral qui entre dans l'identité du chablis. Jolie bouche, large et pleine, toujours beurrée. Prêt à la consommation et susceptible d'inviter une volaille à partager ses vieux jours (2008).
Dom. Christian Moreau Père et Fils,
26, av. d'Oberwesel, 89800 Chablis, tél. 03.86.42.86.34,
fax 03.86.42.84.62,
e-mail contact@domainechristianmoreau.com
r.-v.
Fabien Moreau

DOM. DES ORMES Cuvée Vieilles Vignes 2005 ★

1 ha 6 800 **8 à 11 €**

Domaine exploité par deux frères passés de l'agriculture à la viticulture il y a maintenant un bout de temps, et qui a su trouver sa place et ses marques. Une touche de couleur, d'aquarelle. Un nez de pierre à fusil. La cohérence entre le nez et la bouche n'est pas si facile à obtenir. Ce chablis y réussit. Vivacité de bon aloi, mâtinée de gras et de fruit. Dégustation sur une seule ligne et qui atteint la cible.
Dom. des Ormes, 22, Grande-Rue, 89800 Beine,
tél. 03.86.42.40.91, fax 03.86.42.48.58,
e-mail patrice.ormes.chablis89@orange.fr
t.l.j. 8h-19h
Patrice

DOM. ALAIN PAUTRÉ Cuvée Ronsien 2005 ★

2,5 ha 20 000 **8 à 11 €**

Délicat, ce 2005 est à prendre avec précaution mais sans excès de retenue. D'un or aimable et discret, il laisse au nez un souvenir d'agrumes et de fleurs. Bouche longiligne et soyeuse, sur le fruit à chair blanche, prompte à se délivrer. Saint-Jacques au menu. Rassurez-vous, vous avez encore une petite année pour apprendre à les cuisiner.
SCEA de Ronsien, 3, rte de Chablis, 89800 Préhy,
tél. 03.86.41.49.00, fax 03.86.41.49.09
t.l.j. sf dim. 9h-12h30 14h-18h30

DOM. DE PERDRYCOURT Cuvée Prestige 2005 ★

1,2 ha 6 500 **8 à 11 €**

Au bonheur des dames, Arlette et Virginie Courty. Mère et fille. Rémy, le fils, depuis 2001. Un chablis à mettre un peu de côté, se présentant bien, pêche et beurre, amande peut-être si l'on s'en tient au nez, tenant longtemps en bouche. Attendre jusqu'à la fin 2008.
Arlette et Virginie Courty,
Dom. de Perdrycourt, 9, voie Romaine,
89230 Montigny-la-Resle, tél. 03.86.41.82.07,
fax 03.86.41.87.89, e-mail domainecourty@wanadoo.fr
t.l.j. 9h-18h; dim. 9h-14h

ISABELLE ET DENIS POMMIER Croix aux moines 2005 ★

0,8 ha 8 000 **8 à 11 €**

Poinchy est un petit village rattaché à la commune de Chablis. Les premiers crus Beauroy et Vaulorent pesaient lourd sur la balance ! Croix aux moines n'est pas un *climat*, mais une cuvée de choix après sélection de parcelles et de raisins. Bon résultat car l'approche et le suivi donnent

BOURGOGNE

toute satisfaction. Le fruit est là et cette jeunesse devrait évoluer avec bonheur. Un ensemble franc, net et long, un peu chaud en finale, mais les 2005 n'y échappent guère.
Isabelle et Denis Pommier,
31, rue de Poinchy, Poinchy, 89800 Chablis,
tél. 03.86.42.83.04, fax 03.86.42.17.80,
e-mail isabelle@denis-pommier.com r.-v.

BENJAMIN PORTIER
Élevé en fût de chêne 2005 *

	3,96 ha	1 200		5 à 8 €

Benjamin Portier s'est installé en 2002 en reprenant les vignes de ses parents, augmentées de deux parcelles achetées. Un pied en chablis, l'autre en épineuil. Nous sommes ici en présence d'un « enfant de fût ». Certes, le bois a besoin de se fondre, mais le vin respecte son terroir. Nez un peu sur la réserve, sur des accents d'agrumes (citron, pamplemousse). Assez vif en bouche, rafraîchissant, un vin à ne pas déboucher avant un an ou deux.
Benjamin Portier, 18 bis, rue Georges-Pompidou,
89700 Tonnerre, tél. 03.86.55.33.70,
e-mail portier.benjamin@wanadoo.fr r.-v.

MICHÈLE ET CLAUDE POULLET 2005 *

	1,2 ha	9 000		5 à 8 €

Jaune chablis (jolie façon de dire !), jouant au nez sur des nuances abricotées, un 2005 droit et puissant. Forte maturité, peu d'acidité, mais une honnête tenue en bouche. Chaleureux : cela lui donne du tonus, c'est bon et bien dans le millésime, même si le dessin s'écarte de l'image classique de l'appellation. Une vie de pacha, en somme. Goûtez-le sans attendre sur une viande blanche en sauce un peu crémeuse.
Claude Poullet, 6, rue du Temple, 89800 Maligny,
tél. et fax 03.86.47.51.37 r.-v.

DANIEL ROBLOT 2004

	5,68 ha	9 000		5 à 8 €

Comme souvent, le passage de l'élevage-polyculture à la vigne et au vin a sauvé cette exploitation. L'or aux joues, la noisette et le citron vert au nez, ce chablis montre une bonne tenue en bouche. L'amertume ponctue une finale chaleureuse. Minéralité et fraîcheur avant cela. Il faut prendre ce que la nature donne.
Daniel Roblot, 29, rue de la Porte-d'Auxerre,
89800 Beine, tél. 03.86.42.43.00, fax 03.86.42.84.19
r.-v.

ANTONIN RODET 2005 **

	n.c.	7 567		11 à 15 €

Au four et au fourneau chez Antonin Rodet, Nadine Gublin a reçu si souvent des coups de cœur qu'elle ne peut plus les afficher dans son salon. Grande dame du vin de Bourgogne, elle sait aussi acheter. Si jaune qu'il en devient doré, ce 2005 n'oublie rien de ses devoirs de minéralité. Il les entoure de quelques mystères, et d'épices. Équilibré au palais entre rondeur et fraîcheur, il affiche une petite note poivrée. Ce tempérament incite à le marier à un plat légèrement relevé.
Antonin Rodet, Grande-Rue, 71640 Mercurey,
tél. 03.85.98.12.12, fax 03.85.45.25.49,
e-mail rodet@rodet.com r.-v.

DOM. VINCENT SAUVESTRE 2005 *

	10 ha	60 000		8 à 11 €

Quant Meursault vient à Chablis. Attrayant à l'œil et au nez (notes florales et petit côté abricoté, signe de maturité), un vin qui, comme Cadet Roussel, citoyen d'Auxerre, sait compter jusqu'à trois : la franchise en attaque, la rondeur du milieu de bouche et le vif pour la fin. Une petite garde devrait lui être bénéfique.
SCEA Dom. Vincent Sauvestre,
7, rte de Monthélie, 21190 Meursault,
tél. 03.80.21.22.45, fax 03.80.21.28.05

FRANCINE ET OLIVIER SAVARY 2005 *

	12 ha	60 000		5 à 8 €

Le miracle de Chablis. Un seul hectare de vigne en 1984 et 17 ha aujourd'hui, donnant du travail et de l'espoir. Beau vin dans son ensemble, typé 2005 (la pointe chaleureuse), agrumes, sans négliger une fraîcheur légère en attaque, plus affirmée ensuite. Petite amertume en finale sur une note de pamplemousse. La terrine de poisson fera bon effet.
EARL Dom. Francine et Olivier Savary,
4, chem. des Hâtes, 89800 Maligny, tél. 03.86.47.42.09,
fax 03.86.47.55.80, e-mail f.o.savary@wanadoo.fr
r.-v.

DOM. DANIEL SÉGUINOT 2005 *

	11 ha	20 000		5 à 8 €

Émilie en 2002, puis Laurence en 2006 ont pris la suite de leur père avec le souci de marier les techniques modernes à un respect accru de l'environnement. Doré clair, partagé entre le minéral et le floral, leur chablis trouve en bouche des notes de rhubarbe. C'est un 2005 typé dans son année, encore un peu fermé mais ayant du ressort. Harmonieux et prometteur (un à deux ans de garde).
GAEC Daniel Séguinot, rte de Tonnerre,
89800 Maligny, tél. 03.86.47.51.40, fax 03.86.47.43.37,
e-mail domaine.danielseguinot@wanadoo.fr
r.-v.

SIMONNET-FEBVRE 2005 *

	n.c.	220 000		8 à 11 €

À Chablis, le chardonnay portait jadis le nom de « beaunois ». Rien d'étonnant à ce que la capitale du vin de Bourgogne s'y sente à son aise. Ainsi Louis Latour a-t-il acquis en 2003 la vénérable maison Simonnet-Febvre, connue tout à la fois pour ses vins tranquilles et effervescents. Souple et frais, or pâle et minéral, un peu miellé, ce 2005 sait que le corps et le gras font également partie de sa « feuille de route ». En devenir mais déjà agréable.
Maison Simonnet-Febvre, 30, rte de Saint-Bris,
89530 Chitry, tél. 03.86.98.99.00, fax 03.86.98.99.01,
e-mail simonnet@chablis.net
t.l.j. sf dim. lun. 9h30-12h 14h-18h30

DOM. M. TIXIER 2005 *

	2 ha	6 200		8 à 11 €

Comment passe-t-on de 20 a de vignes à un peu plus de 7 ha en l'espace de vingt ans ? Demandez à Martine Tixier, elle saura vous répondre. Son 2005 s'affiche dans une robe or pâle à légers reflets verts. Fleurs blanches, citronnelle, le nez connaît sa leçon. La bouche n'est pas moins bonne élève, même si la rondeur l'emporte un peu sur la fraîcheur, millésime oblige. On patientera deux ans avant de marier ce vin à un poisson noble en sauce.

🔑 Martine Tixier, 7, chem. des Sanguinots,
89800 Courgis, tél. 03.86.41.42.72, fax 03.86.41.42.55,
e-mail domaine-tixier@wanadoo.fr ☑ Y r.-v.

CH. DU VAL DE MERCY 2005

7 ha 17 000 ▮ 8 à 11 €

Un château dont la vocation viticole remonte (à tout le moins) à 1680. Se consacrant au Chablisien et à l'Auxerrois, il signe ce vin à l'œil brillant, légèrement aromatique, nécessitant un peu de garde pour acquérir son volume. Fruits secs, développement discret et finale agréable. À apprécier dans un an.

🔑 Ch. du Val de Mercy, 8, promenade du Tertre,
89530 Chitry, tél. 03.86.41.48.00, fax 03.86.41.45.80,
e-mail chateauduval@aol.com
☑ Y t.l.j. sf sam. dim. 8h-12h 14h-18h

DOM. DE VAUDON 2004 ★★

6,3 ha n.c. ▮ 11 à 15 €

La plupart des maisons beaunoises les plus importantes ont pris pied en terre chablisienne. Tel est le cas de Joseph Drouhin. Son chablis porte une robe plus nuancée qu'intense. Le nez offre à chacun son plaisir, du laurier aux agrumes en passant par l'incontournable minéralité. Suffisamment d'acidité mais pas trop, une certaine rondeur et une bonne longueur aux accents de terroir. Un vin expressif et racé mais ne se laissant aller à aucun excès.

🔑 Maison Joseph Drouhin, 7, rue d'Enfer,
21200 Beaune, tél. 03.80.24.68.88, fax 03.80.22.43.14,
e-mail maisondrouhin@drouhin.com Y ⚲ r.-v.

DOM. LE VERGER 2005 ★

24 ha 190 000 ▮ 8 à 11 €

« Lorsque l'on a l'esprit morose, il faut s'enfuir loin de Paris, et pour voir la vie en rose s'en aller tout droit à Chablis », chantait Aristide Bruand. En rose, peut-être pas, mais bien dorée assurément. Les senteurs sont ici plutôt fruitées. Parcours en bouche conforme à ce qu'on attend d'un 2005 : matière, puissance et netteté. On peut lui faire prendre un peu d'âge et ne l'ouvrir qu'en 2009.

🔑 Dom. Alain Geoffroy, 4, rue de l'Équerre,
89800 Beine, tél. 03.86.42.43.76, fax 03.86.42.13.30,
e-mail info@chablis-geoffroy.com
☑ Y ⚲ t.l.j. 9h-12h 14h-17h30; sam. dim. sur r.-v.

DOM. VERRET 2005

2,4 ha 12 000 ⦀ 8 à 11 €

L'un des premiers domaines engagés dans la commercialisation directe, dès les années 1950. Ce qu'on appelle « faire de la bouteille ». Or paille léger, le nez à bonne maturité (pêche, mangue), ce 2005 n'est pas très ample mais se montre précis. L'équilibre entre la fraîcheur et la minéralité est en particulier bien assuré. Et toujours ce fruit très mûr, orienté au palais et en finale vers la pomme.

🔑 Dom. Verret, 7, rte de Champs, BP 4,
89530 Saint-Bris-le-Vineux, tél. 03.86.53.31.81,
fax 03.86.53.89.61, e-mail dverret@domaineverret.com
☑ Y t.l.j. sf dim. 8h-12h 14h-18h

DOM. YVON VOCORET 2005 ★

n.c. 12 666 ▮ 5 à 8 €

Ce 2005 ne vous laissera pas indifférent. Il joue à fond la carte du millésime. Robe jaune soutenue. Nez intense et complexe sur les fruits secs, les fruits exotiques et les notes beurrées. Bouche ample et grasse, bien équilibrée par une vivacité légèrement citronnée. À boire ou à attendre un an ou deux.

🔑 Dom. Yvon Vocoret, 9, chem. de Beaune,
89800 Maligny, tél. 03.86.47.51.60, fax 03.86.47.57.47,
e-mail domaine.yvon.vocoret@wanadoo.fr ☑ Y ⚲ r.-v.

Chablis premier cru

Produit sur 767 ha, il provient d'une trentaine de lieux-dits sélectionnés pour leur situation et la qualité de leurs produits (43 903 hl en 2006). Il diffère du précédent moins par une maturité supérieure du raisin que par un bouquet plus complexe et plus persistant, où se mêlent des arômes de miel d'acacia, un soupçon d'iode et des nuances végétales. Le rendement est limité à 50 hl à l'hectare. Tous les vignerons s'accordent à situer son apogée vers la cinquième année, lorsqu'il « noisette ». Les *climats* les plus complets sont Montée de Tonnerre, Fourchaume, Mont de Milieu, Forêt, ou Butteaux, et Côte de Léchet.

DOM. BARAT Les Fourneaux 2005 ★

2 ha 10 000 ▮ 11 à 15 €

Bien exposé en altitude vers le sud-est, situé sur Fleys (comme Mont de Milieu), ce *climat* a absorbé Morein, Côte des Prés Girots, etc. Entre fruits mûrs et fraîcheur des agrumes, le nez balance. La bouche tranche, ce sera le fruit frais, la vivacité, dans un ensemble qui n'a pas vocation à être infini mais qui ne faiblit jamais. Pointe minérale en finale. Une étoile également pour le **Côte de Léchet 2005**, plus ouvert et plus riche.

🔑 Dom. Barat, 6, rue de Léchet, Milly, 89800 Chablis,
tél. 03.86.42.40.07, fax 03.86.42.47.88,
e-mail domaine.barat@wanadoo.fr ☑ Y ⚲ r.-v.

DOM. BESSON Montmains 2005

5,06 ha 8 000 ▮ 8 à 11 €

Montmains s'écrit de dix façons au moins. Mais il n'y en a qu'un, sur Chablis, toujours sur la liste des 1ers crus favoris de la rive gauche. Ce *climat* a quelque peu absorbé Les Forêts (à ne pas confondre avec La Forêt), Les Butteaux et certains autres. Si la robe de celui-ci est classique et de bon ton, le nez montre une certaine complexité : la fleur blanche, le fruit sec, la minéralité. En bouche, on rencontre des saveurs de miel et de fruits confits. Riche, c'est sûr. À attendre ? Encore plus sûr.

🔑 EARL Besson, rue de Valvan, BP 48,
89800 Chablis, tél. 03.86.42.40.88, fax 03.86.42.49.46,
e-mail domaine-besson@wanadoo.fr
☑ Y t.l.j. 9h-12h30 13h30-19h

DOM. BILLAUD-SIMON Mont de Milieu 2005 ★

3,33 ha 24 000 ▮ 15 à 23 €

Domaine très ancien (début du XIXe s.), fidèle à son étiquette reconnaissable entre mille, ainsi qu'à un mélange de tradition et de modernité. Mont de Milieu ? Une situation géographique comparable à celle du grand cru, sans aucun doute dans le tiercé gagnant des 1ers crus, en association avec le *climat* Vallée de Chigot bien oublié... D'une pâleur de jeune marquis à Versailles, ce 2005 se fait discret au début, puis vient le feu d'artifice, l'explosion des arômes. Fraîche, agréable, sur le fruit et sur le minéral, la bouche répond cinq sur cinq. Un vrai 1er cru.

🔑 Dom. Billaud-Simon, 1, quai de Reugny, BP 46, 89800 Chablis, tél. 03.86.42.10.33, fax 03.86.42.48.77, e-mail bernard.billaud@online.fr
☑ Y ⛹ t.l.j. sf dim. 9h-12h 14h-17h; sam. sur r.-v.; f. 1er août-1er sept.

PASCAL BOUCHARD Fourchaume 2005 *

▒ 0,52 ha 3 800 ▮ ⏸ 11 à 15 €

Beau tir groupé : Pascal et Joëlle Bouchard placent trois 1ers crus dans la cible (à qualité identique) : **Mont de Milieu 2005** et **Beauroy 2005**, ainsi que ce Fourchaume. Jaune doré à reflets or, ce dernier allie l'intensité et l'harmonie. Fruits blancs, beurre frais, passant de la première bouche à la seconde avec le même succès, un 2005 au mieux de sa forme, qui termine sur une note légère et agréable.

🔑 Pascal Bouchard, Parc des Lys, 5 bis, rue Porte-Noël, 89800 Chablis, tél. 03.86.42.18.64, fax 03.86.42.48.11, e-mail info@pascalbouchard.com ☑ Y r.-v.

JEAN-MARC BROCARD Beauregard 2005

▒ n.c. 10 000 ▮ 8 à 11 €

Beauregard vit sur ce nom porteur. Cela dit, ce sont officiellement les Beauregards, prolongeant la Côte de Cuissey vers le sud-ouest, excentrés mais fort bien exposés. On se demande d'ailleurs pourquoi le *climat* associé Haut des Chambres du Roi n'est pas plus revendiqué ! Bref, un 2005 brioche chaude respirée au soupirail du boulanger, fleur d'oranger ou mirabelle. Très mur et donc difficile à classer. Typé 2005.

🔑 SARL Jean-Marc Brocard, 3, rte de Chablis, 89800 Préhy, tél. 03.86.41.49.00, fax 03.86.41.49.09, e-mail france@brocard.fr
☑ Y t.l.j. sf dim. 9h-12h30 14h-18h30; f. une semaine août, déc.

CAVE DES VIGNERONS DE CHABLIS Beauroy 2005 **

▒ 7,5 ha 58 000 ▮ ⏸ 11 à 15 €

On l'a retrouvé en finale du coup de cœur, ce Beauroy appelé au sacre sous une étiquette variante de La Chablisienne, sa sœur. Un vin gras et gourmand sous sa robe paille, affichant un nez mentholé, pas facile à saisir, c'est-à-dire complexe (fleurs blanches, agrumes en embuscade). La bouche élégante et « éloquente », au boisé subtil et bien intégré, se prolonge dans une finale qui semble ne jamais devoir s'arrêter. Ô temps, suspends ton vol... un ou deux ans au moins.

🔑 Cave des Vignerons de Chablis, 8, bd Pasteur, BP 14, 89800 Chablis, tél. 03.86.42.89.89, fax 03.86.42.89.90, e-mail chab@chablisienne.fr ☑ Y ⛹ r.-v.

DOM. DE CHANTEMERLE L'Homme Mort 2005

▒ 0,22 ha 1 800 ▮ 11 à 15 €

Les journalistes appellent « un marronnier » ce qui revient chaque année et de devoir obligé. Comme L'Homme Mort d'Adhémar Boudin : un vin culte. Même l'étiquette parcheminée semble participer au mythe. En 2005, il se montre... plein d'avenir. Il ne s'exprime pas encore très bien, ce qui peut se comprendre. Le citron joue en bouche les prolongations. Robe normale et nez complexe, flatteur et presque envoûtant.

🔑 SCEA de Chantemerle, 3, pl. des Cotats, 89800 La Chapelle-Vaupelteigne, tél. 03.86.42.18.95, fax 03.86.42.81.60, e-mail domchantemerle@wanadoo.fr ☑ Y ⛹ r.-v.

DOM. DU CHARDONNAY Vaillons 2005 **

▒ 0,75 ha 4 500 ▮ 11 à 15 €

S'appeler le domaine du Chardonnay, il fallait y penser ! Ce trio (Christian Simon, William Nahan et Étienne Boileau) a eu cette riche idée en 1987. Fort heureusement, ils ne se sont pas arrêtés à cette idée mais ont poursuivi le travail, comme le prouvent les trois bouteilles sélectionnées. Le **Montmains 2005** et le **Vaugiraut 2005** décrochent chacun une étoile. Et une de plus pour ces Vaillons au nez de fruits exotiques et de pamplemousse, à la bouche légère, vive et de grande longueur. Un vin équilibré et festif, à boire dès maintenant et pendant plusieurs années encore.

🔑 Dom. du Chardonnay, Moulin du Patis, 89800 Chablis, tél. 03.86.42.48.03, fax 03.86.42.16.49, e-mail info@domaine-du-chardonnay.fr
☑ Y ⛹ t.l.j. 10h-12h 13h30-18h; f. sam. dim. jan.-mars
🔑 É. Boileau, W. Nahan, C. Simon

DOM. CHEVALLIER Montmains 2005

▒ 0,31 ha 2 200 ⏸ 11 à 15 €

Un 2005 vif qui exprime bien son terroir. La robe or pâle s'orne de reflets verts. Le nez assez discret s'ouvre à l'aération sur les agrumes. Franche en attaque, la bouche structurée s'équilibre bien, offrant une finale assez longue sur des notes citronnées et minérales. À boire maintenant après un carafage, ou dans dix-huit mois.

🔑 Dom. Chevallier, 6, rue de l'École, 89290 Montallery-Venoy, tél. 03.86.40.27.04, fax 03.86.40.27.05, e-mail domaine.chevallier-chablis@wanadoo.fr
☑ Y ⛹ r.-v.

DOM. JEAN COLLET ET FILS Montée de Tonnerre 2005 *

▒ 2,16 ha 16 000 ⏸ 11 à 15 €

Un fusil à deux coups. Le bouquet met en valeur le fruit à chair blanche un peu surmûri. La bouche est vive et nette jouant l'iode et la minéralité (coquille d'huître). Le plateau de fruits de mer est donc tout indiqué : cette Montée de Tonnerre nous conduit à la mer. La robe ? Or jaune assez soutenu à légers reflets émeraude.

🔑 Dom. Jean Collet et Fils, 15, av. de la Liberté, 89800 Chablis, tél. 03.86.42.11.93, fax 03.86.42.47.43, e-mail collet.chablis@wanadoo.fr ☑ Y ⛹ r.-v.

DOM. DU COLOMBIER Vaucoupin 2005 **

▒ 1,14 ha 8 000 ▮ 8 à 11 €

Dans les dix premiers sur plus de deux cents vingt vins dégustés. Le premier nez est minéral, puis l'aération libère des notes de fruits mûrs. La bouche va en sens inverse, offrant une matière assez riche, qui s'étale bien, équilibrée et rafraîchie en finale par une bonne acidité. La boucle est bouclée et on bouclera en cave ce vin pour ne l'en ressortir que d'ici deux ans. Le **Fourchaume 2005**, encore fermé mais prometteur, sera attendu le même temps pour arborer son étoile.

Guy Mothe et ses Fils, Dom. du Colombier, 42, Grand-Rue, 89800 Fontenay-près-Chablis, tél. 03.86.42.15.04, fax 03.86.42.49.67, e-mail domaine@chabliscolombier.com r.-v.

DOM. DE LA CORNASSE Beauroy 2005 ★★

0,5 ha 3 000 8 à 11 €

On ne sait pas s'il est passé par Reims, mais en tout cas il porte la couronne : premier du grand jury. On n'en attend pas moins d'un Beauroy. Robe du sacre façon chablisienne, superbe palette aromatique minérale et fleurie, bouche magnifique et corps glorieux, conciliant tout sur son lit de justice pour offrir à ses sujets l'idée de génie d'Henri IV : la poule au pot chaque dimanche. Vin coup de cœur une première fois dans l'édition 2003 pour le millésime 2000.

Dom. de La Cornasse, 4, rue de l'Équerre, 89800 Beine, tél. 03.86.42.43.76, fax 03.86.42.13.30, e-mail info@chablis-geoffroy.com
t.l.j. 9h-12h 14h-17h30; sam. dim. sur r.-v.

DANIEL DAMPT ET FILS Côte de Léchet 2005 ★

4,3 ha 26 000 11 à 15 €

Grand expert en sciences amoureuses, André Maurois conseillait de « toujours garder le charme d'une certaine timidité ». Cette recommandation ne tombe pas ici dans l'oreille d'un sourd. Un Côte de Léchet jaune pâle à reflets or blanc, plus aromatique (mousseron, silex) que parfumé, raccordant la bouche à la fleur blanche. Pour un turbot au beurre blanc.

Dom. Daniel Dampt et Fils, 1, rue des Violettes, Milly, 89800 Chablis, tél. 03.86.42.47.23, fax 03.86.42.46.41, e-mail domaine.dampt.defaix@wanadoo.fr r.-v.

AGNÈS ET DIDIER DAUVISSAT Beauroy 2005 ★★

1,93 ha 9 000 8 à 11 €

Il existe 79 lieux-dits reconnus comme 1ers crus. On a eu la sagesse de les fédérer sous 17 dénominations. Beauroy, c'est ainsi Côte de Troesmes, Sous Boroy, Benfer, Adroit de Vau Renard, etc. On est d'ailleurs confus de le signaler, Beauroy s'appelle Boroy et ne doit rien à la Couronne... Dauvissat est à Chablis un nom multiple et respecté. Premier arrêt chez Agnès et Didier. La robe est irréprochable, le nez complexe (minéral, végétal, fruité, agrumes) et persistant, la bouche affriolante, riche dans la sobriété. Légère impression mentholée. Grande bouteille retenue pour la finale.

Agnès et Didier Dauvissat, chem. de Beauroy, 89800 Beine, tél. 03.86.42.46.40, fax 03.86.42.80.82
r.-v.

JEAN ET SÉBASTIEN DAUVISSAT Séchet 2004 ★

0,44 ha 2 000 11 à 15 €

Jean et Sébastien Dauvissat continuent de soutenir ce 1er cru peu revendiqué, qui s'appelle aussi Sécher et qui côtoie Les Lys. Forcément une curiosité destinée aux amateurs. La chair et le corps ne sont pas homériques, mais ce millésime difficile a vieilli d'une manière honorable. Souple, minéral et persistant, il ravira les connaisseurs et fera peut-être naître des vocations chez les autres... Une étoile également pour les **Vaillons Vieilles Vignes 2004 (15 à 23 €)**.

Caves Jean et Sébastien Dauvissat, 3, rue de Chichée, 89800 Chablis, tél. 03.86.42.14.62, fax 03.86.42.45.54, e-mail jean.dauvissat@wanadoo.fr
r.-v.

VINCENT DAUVISSAT Séchet 2005

0,8 ha 6 000 11 à 15 €

Séchet, Forest, on n'échappe pas aux « classiques » de Vincent Dauvissat. Le Séchet, tout d'abord, s'ouvre sur un bouquet intense et complexe de fleurs et de miel. On retrouve ces arômes, agrémentés d'une pointe de rhubarbe, dans la bouche simple et bien construite, à la finale encore légèrement marquée par l'amertume. Pour patienter, on ouvrira **La Forest 2005**, plus riche et plus évoluée, déjà prête (même note).

Vincent Dauvissat, 8, rue Émile-Zola, 89800 Chablis, tél. 03.86.42.11.58, fax 03.86.42.85.32

DOM. BERNARD DEFAIX Les Lys 2005 ★★

n.c. 4 000 11 à 15 €

Les Lys : *climat* intégré parfois en Vaillons mais qui peut à bon droit revendiquer son nom. Au sud de Milly et tout près de Chablis, un 1er cru historique. Or pâle verdâtre, pierre à fusil et sous-bois, mousse, il sait se présenter. Cuve et fût, mais le bois est à peine détectable. Parfaitement fondu et structuré, il attendra 2010 bien sûr. Une bouteille comme celle-ci se respecte.

Dom. Bernard Defaix, 17, rue du Château, Milly, 89800 Chablis, tél. 03.86.42.40.75, fax 03.86.42.40.28, e-mail didier@bernard-defaix.com r.-v.

JEAN-PAUL ET BENOÎT DROIN Montée de Tonnerre 2005 ★

1,76 ha 13 600 11 à 15 €

Vignerons de père en fils depuis plus de quatorze générations, multirécidivistes du coup de cœur : les Droin ont quelques titres à faire valoir ! Cette Montée est puissante et complexe au nez, où le boisé assez fin sait garder la mesure et céder la place à la minéralité. La bouche n'est pas moins riche ; si le bois doit encore se fondre, le fond est là et la touche de silex aussi. À servir d'ici un à deux ans.

SCEV Jean-Paul et Benoît Droin, 14 bis, rue Jean-Jaurès, BP 19, 89800 Chablis, tél. 03.86.42.16.78, fax 03.86.42.42.09, e-mail benoit@jeanpaul-droin.fr
t.l.j. sf sam. dim. 8h30-12h 13h30-17h; f. août

DURUP Vau de Vey 2005 ★

23 ha 116 000 15 à 23 €

Figure majeure du vignoble chablisien, Jean Durup est parti de 2 ha en 1968. Aujourd'hui, 180 ha. On pourrait presque dire, comme pour l'empire de Charles Quint, que sur ses vignes le soleil ne se couche jamais... En Vau de Vey, 23 ha donnent ce vin structuré, équilibré, à bon

potentiel. Bel or, arômes de fruits secs, attaque enlevée. Sa minéralité apparaît surtout en bouche. Citons en outre le **Fourchaume 2005**, encore un peu réservé mais qui doit normalement s'ouvrir.
SA Jean Durup Père et Fils, 4, Grande-Rue, 89800 Maligny, tél. 03.86.47.44.49, fax 03.86.47.55.49, e-mail cdurup@club-internet.fr
t.l.j. sf sam. dim. 8h-12h 13h45-17h30

DOM. NATHALIE ET GILLES FÈVRE
Fourchaume 2005 *

1 ha 3 500 11 à 15 €

Famille de vignerons depuis plus de dix générations, d'abord coopérateurs, puis indépendants depuis 2004. Leur Fourchaume présente un nez ouvert et mûr, et poursuit sur la même richesse au palais, souple et gras mais judicieusement équilibré par l'acidité. À boire et à attendre. Le **Fourchaume-Vaulorent 2005 (15 à 23 €)**, cité, devra patienter deux ou trois ans.
Dom. Nathalie et Gilles Fèvre, rte de Chablis, 89800 Fontenay-près-Chablis, tél. 03.86.18.96.92, fax 03.86.18.94.47, e-mail fevregilles@wanadoo.fr
r.-v.

WILLIAM FÈVRE Mont de Milieu 2005 **

n.c. n.c. 15 à 23 €

William Fèvre a maintenant passé la main à Bouchard Père et Fils. Son Mont de Milieu (coup de cœur l'an dernier) porte son nom avec honneur. Les étapes du nez sont variées et complexes, sur une ligne coing et beurré. Bouche moins mûre, plus fraîche. À goûter maintenant et encore dans quelques années. Les **Montmains 2005** sont à déguster plus vite, tout comme le **Beauroy 2005**. Ils décrochent chacun une étoile.
Dom. William Fèvre, 21, av. d'Oberwesel, 89800 Chablis, tél. 03.86.98.98.98, fax 03.86.98.98.99, e-mail france@williamfevre.com
t.l.j. 9h-12h 14h-18h; f. 1er déc.-1er mars

DOM. FOURREY Côte de Léchet 2005 **

3 ha 3 100 11 à 15 €

Domaine familial sur 19 ha. « Mon vin a du montant », écrivait le chanoine Gaudin à Mme d'Épinay (1765). « Il enchante le gosier et y laisse une odeur suave de mousseron ». Deux siècles et demi plus tard, le chablis produit toujours le même effet. Quand il s'agit, du moins, de ce Côte de Léchet ! Une typicité parfaite : au nez, le mousseron est bien là, allié à la minéralité ; en bouche, son gras et son volume ne le gênent pas dans ses mouvements. Arrivé en troisième position, il tient le haut du pavé.
Dom. Fourrey et Fils, 6, rue du Château, Milly, 89800 Chablis, tél. 03.86.42.14.80, fax 03.86.42.84.78, e-mail domaine.fourrey@wanadoo.fr r.-v.

RAOUL GAUTHERIN ET FILS Vaillons 2005 **

2 ha 12 600 11 à 15 €

Or clair, reflets verts : la jeunesse dans le verre. Il est vrai que ces Vaillons ont tout leur temps ; on leur promet un séjour de quelques années en cave. Aurez-vous la patience d'attendre pour découvrir ce vin intense, qui mêle fruité et minéralité ? La bouche réalise toutes les promesses du bouquet : puissante, riche, équilibrée, elle avance entre générosité et vivacité. Un grand 1er cru, très gracieux, auquel il ne faudra pas présenter autre chose que des mets délicats.
Dom. Raoul Gautherin et Fils, 6, bd Lamarque, 89800 Chablis, tél. 03.86.42.11.86, fax 03.86.42.42.87, e-mail domainegautherin@wanadoo.fr
t.l.j. 8h30-19h

GEORGE Beauregards 2005 **

0,58 ha 1 450 8 à 11 €

Un domaine sorti de La Chablisienne et qui vogue vers les sommets. Jonathan, le fils aîné, a rejoint l'équipe après le lycée viticole de Beaune. Iodé, crayeux, ce 2005 joue à fond la typicité du 1er cru, alliant fleurs, fruits confits et agrumes, maturité et fraîcheur, pureté et élégance. Juste et droit, né de cuve, il peut côtoyer le grand cru sans baisser le... regard.
EARL Dom. George, 10, rue du Four-Banal, 89800 Courgis, tél. 03.86.41.40.06, fax 03.86.41.45.76, e-mail george.earl@wanadoo.fr
t.l.j. 9h-12h30 13h30-19h; dim. sur r.-v.

CORINNE ET JEAN-PIERRE GROSSOT
Vaucoupin 2005 *

1,6 ha 11 500 11 à 15 €

Corinne et Jean-Pierre Grossot embouteillent eux-mêmes depuis 1980. Ils s'en portent bien. Les reflets verts de leur 2005 sont légers et ouvrent l'appétit. Minéral, sur l'abricot sec, le nez ne s'éloigne pas des paramètres. Peu de complexité (style linéaire), mais un charme certain. Sec comme un chablis doit l'être et sans le moindre heurt. Les producteurs suggèrent comme accord un riz au lait de crabe. Vous pouvez essayer, si vous trouvez la recette...
Corinne et Jean-Pierre Grossot, 4, rte de Mont-de-Milieu, 89800 Fleys, tél. 03.86.42.44.64, fax 03.86.42.13.31 r.-v.

DOM. HAMELIN Beauroy 2005 *

3,89 ha 25 000 11 à 15 €

Ce vin paille limpide a sa propre nature et il faut s'y faire. Aimer ou ne pas aimer. Intéressant pour l'amateur. La maturité du raisin en 2005 a produit quelquefois de tels vins denses et gras, légèrement muscatés et riches en arômes d'agrumes. À servir en expliquant l'année et le cru. Il n'est pas si désagréable d'être admis au sérail, goûtant à un plaisir de sultan.
Dom. Hamelin, 1, rue des Carillons, 89800 Lignorelles, tél. 03.86.47.54.60, fax 03.86.47.53.34, e-mail domaine.hamelin@wanadoo.fr
t.l.j. sf dim. 9h-12h 14h-18h; f. mer. sam a.-m. et août

DOM. DES HÉRITIÈRES Montmains 2005 *

1,5 ha 8 000 11 à 15 €

Ce 2005 s'ouvre sur les agrumes, relayés ensuite par les fruits mûrs et des notes beurrées qui dessinent un nez assez intense et complexe. La bouche, ronde et puissante, s'équilibre bien sur la fraîcheur de la minéralité. D'une autre propriété gérée par Olivier Tricon, le **Domaine des Vauroux 2005 Montée de Tonnerre** est cité.
Olivier Tricon, 15, rue de Chichée, 89800 Chablis, tél. 03.86.42.10.37, fax 03.86.42.49.13, e-mail maison.tricon@wanadoo.fr r.-v.

DOM. DES ÎLES Côte de Léchet 2005 *

3 ha 20 000 8 à 11 €

Le vin constitue un puissant ciment familial. Ainsi, Marylise et Vincent ont rejoint leurs parents Hélène et

Gérard Tremblay sur l'exploitation (34 ha, une PME, surtout quand toute la production est vendue en bouteilles, comme cela se produit ici). Belle Côte rive gauche entre Poinchy et Milly. Arôme de mousseron ! Longtemps une figure imposée en Chablisien. Du nez à la bouche, la fleur blanche accompagne avec élégance la visite. Longueur appréciée et harmonie correcte.

🔑 Gérard Tremblay, 12, rue de Poinchy,
89800 Chablis, tél. 03.86.42.40.98, fax 03.86.42.40.41,
e-mail gerard.tremblay@wanadoo.fr
☑ Y 🚶 t.l.j. sf dim. 10h-12h 14h-18h; f. août

DOM. LAROCHE Les Vaudevey 2005 ★★

	10 ha	77 163	15 à 23 €

Vignoble conquérant, n'hésitant pas à planter la vigne sous d'autres cieux (Midi de la France, Amérique latine). Vaudevey ou Vau de Vey, *climat* sur Beines (ou Beine). Si l'orthographe fait débat, la dégustation de ce 2005 mettra tout le monde d'accord. Robe or, brillante, c'est entendu. Nez de fruits blancs mûrs et de fleurs, c'est acquis. Et la bouche ? Minéralité en attaque, joli grain souple et rond, et longue finale sur les agrumes. Affaire conclue. Les **Fourchaumes Vieilles Vignes 2005 (23 à 30 €)** décrochent une étoile.

🔑 Laroche, L'Obédiencerie, 22, rue Louis-Bro,
89800 Chablis, tél. 03.86.42.89.00, fax 03.86.42.89.29,
e-mail info@larochewines.com ☑ Y 🚶 r.-v.
🔑 Michel Laroche

OLIVIER LEFLAIVE Fourchaume 2005 ★

	1 ha	2 800	15 à 23 €

Exact prolongement vers le nord de la côte du grand cru, Fourchaume bénéficie d'une réputation mondiale qui lui a permis de rassembler sous son aile nombre de productions voisines (Bois-Seguin, Dîne-Chien, Côte de Fontenay, etc., mais L'Homme Mort par exemple se défend très bien tout seul). Bouquet minéral légèrement citronné, bel or blanc, fraîcheur et rondeur résument le sujet. Olivier Leflaive (Puligny) achète en raisins et vinifie lui-même.

🔑 Olivier Leflaive Frères, pl. du Monument,
21190 Puligny-Montrachet, tél. 03.80.21.37.65,
fax 03.80.21.33.94, e-mail contact@olivier-leflaive.com
☑ Y 🚶 r.-v.

DOM. DES MALANDES Vau de Vey 2005 ★

	n.c.	n.c.	11 à 15 €

Un coup de cœur en 2001 pour un Fourchaume 1998. Vau de Vey comme Vau Ligneau sont les petits derniers de la famille des 1ers crus. Ils ont su tailler leur « pré carré ». Le nez ? On y perçoit l'églantine et la noix de coco. Élevage en cuve et en fût : ceci explique sans doute cela. La bouche ne dément pas ces premières impressions : fruitée et boisée, elle est chaleureuse et un peu serrée, mais le temps adoucit tout. Deux ans semblent ici raisonnables.

🔑 Dom. des Malandes, 63, rue Auxerroise,
89800 Chablis, tél. 03.86.42.41.37, fax 03.86.42.41.97,
e-mail contact@domainedesmalandes.com
☑ Y 🚶 r.-v.

DOM. DE LA MANDELIÈRE Mont de Milieu 2005 ★

	1,8 ha	14 000	8 à 11 €

Tout le monde n'a pas la chance d'avoir un grand-père amoureux de son métier de vigneron et baptisé Ulysse. Ce Mont de Milieu nous emmène en effet dans un agréable voyage, sous une voile or pâle. Les senteurs sont fruitées et minérales. Le palais offre une croisière tranquille, simple mais longue. Arrivée prévue en 2010. Une citation pour **Les Fourneaux 2005**. Gras et rond, beurré et miellé, c'est un vin déjà prêt à boire.

🔑 Nicolle-Laroche,
Dom. de La Mandelière, 55, rue des Monts-de-Milieu,
89800 Fleys, tél. 03.86.42.19.30, fax 03.86.42.80.07
☑ Y 🚶 r.-v.

DOM. DE LA MEULIÈRE Vaucoupin 2005 ★

	0,55 ha	4 200	11 à 15 €

Coup de cœur dans l'édition 2004 pour un Monts de Milieu 2001, ce domaine présente un Vaucoupin qui, bien que situé sur la rive droite, dépend du territoire de Chichée, village qui côtoie la rive gauche du Serein... Un vin expressif, instinctif, rapide et pourtant bien construit, comportant assez de gras, parfumé et aimable. À déguster dans le temps présent.

🔑 GAEC Dom. de La Meulière,
18, rte des Monts-de-Milieu, 89800 Fleys,
tél. 03.86.42.13.56, fax 03.86.42.19.32,
e-mail chablis.meuliere@wanadoo.fr
☑ Y 🚶 t.l.j. sf dim. 9h-12h 13h30-18h

J. MOREAU ET FILS Vaillons 2005 ★

	3,4 ha	n.c.	11 à 15 €

Maison fondée en 1814 par un Dijonnais, Jean-Joseph Moreau, et redevenue côte-d'orienne quand Jean-Claude Boisset en fit l'acquisition. Or vert, minéral et floral, ce 2005 ne s'écarte pas des « fondamentaux », pour parler comme au rugby. Pas trop de longueur ni d'ampleur, mais une finesse capable de passer par le chas d'une aiguille. Le laisser s'ouvrir, il le vaut bien. Le **Montmains 2005** décroche également une étoile.

🔑 J. Moreau et Fils,
La Croix-Saint-Joseph, rte d'Auxerre, 89800 Chablis,
tél. 03.86.42.88.00, fax 03.86.42.88.08,
e-mail moreau@jmoreau-fils.com ☑ Y r.-v.

MOREAU-NAUDET ET FILS Vaillons 2004 ★

	1,98 ha	3 500	15 à 23 €

Vaillons trône au centre de la grande côte au sud-ouest de Chablis. Il faut ici tenir compte du millésime, représenté avec succès. Épicé et minéral, ce 2004 a été élevé en cuve et en fût. Il en retire des notes boisées et d'agrumes, et un rien de nervosité. Il sort un peu du standard mais saura séduire d'ici un an ou deux.

🔑 Moreau-Naudet, 5, rue des Fosses, 89800 Chablis,
tél. 03.86.42.14.83, fax 03.86.42.85.04,
e-mail moreau-naudet@wanadoo.fr ☑ Y 🚶 r.-v.

DOM. CHRISTIAN MOREAU PÈRE ET FILS Vaillon 2005 ★★

	4,7 ha	17 000	11 à 15 €

Christian et Fabien Moreau, père et fils, dans leurs œuvres. Chef-d'œuvre ? En tout cas remarquable et deuxième du lot (parmi plus de deux cents). Élevé pour un tiers en fût, pour le reste en cuve, un Vaillon encore discret et minéral au nez, qui s'affirme en bouche sur un boisé fondu. Ampleur, fraîcheur d'agrumes (pamplemousse), finale persistante : « un bel exemple de 1er cru, que l'on aimerait avoir en cave », pour citer deux dégustateurs. En cave ? Trois à cinq ans au moins.

DOMAINE CHRISTIAN MOREAU
PÈRE & FILS

CHABLIS 1ER CRU
VAILLON
APPELLATION CHABLIS 1ER CRU VAILLON CONTRÔLÉE
MIS EN BOUTEILLE AU DOMAINE PAR
CHRISTIAN MOREAU PÈRE & FILS - CHABLIS - FRANCE
PRODUCT OF FRANCE

Dom. Christian Moreau Père et Fils,
26, av. d'Oberwesel, 89800 Chablis, tél. 03.86.42.86.34,
fax 03.86.42.84.62,
e-mail contact@domainechristianmoreau.com
r.-v.
Fabien Moreau

DOM. DE LA MOTTE Beauroy 2005 ★

	4,5 ha	25 000	11 à 15 €

Sur Poinchy, Beauroy connut un succès exceptionnel au début du XXᵉs. Sans raison, cette ferveur est un peu retombée. Bien à tort, si l'on en juge par ce vin. Cuve et fût, il garde de cet élevage un zeste de boisé, mais seulement en intention première. Paille claire, aromatique sur le fruit, il passe toutes les épreuves et, en bon 2005, finit sur la vivacité. À garder deux ou trois ans.
Michaut-Robin,
SCEA Dom. de La Motte, 35, Grande-Rue,
89800 Beine, tél. 03.86.42.43.71, fax 03.86.42.43.43,
e-mail domainedelamotte@wanadoo.fr
t.l.j. 10h-17h (été 9h-19h); mer. dim. sur r.-v.

DOM. PINSON FRÈRES Vaillons 2005 ★

	0,2 ha	1 400	11 à 15 €

Pinson... Le Louis était un sage. Une sorte d'Henri Jayer du Chablisien. On s'y perd un peu dans les familles, mais ce qui est sûr, c'est qu'un Pinson chantait ici sur un pied de vigne il y a trois cent cinquante ans. Laurent et Christophe sont aujourd'hui à la barre. Quatre mois en cuve, sept en fût, et à l'arrivée un boisé dominant au nez comme en bouche. Cela étant, le fruit pointe le bout de son nez et la structure minérale est présente. À attendre pour un meilleur fondu du boisé et à réserver aux fondus de boisé.
Dom. Pinson, 5, quai Voltaire, 89800 Chablis,
tél. 03.86.42.10.26, fax 03.86.42.49.94,
e-mail contact@domaine-pinson.com r.-v.

DENIS RACE Montmains 2005 ★★

	5 ha	21 950	8 à 11 €

Quatrième au sortir du grand jury. Ce Montmains ne monte pas sur le podium, mais le résultat est tout de même à son honneur. D'autant que le domaine eut des coups de cœur dans les éditions 2006 et 2000 ! La finesse et la saveur de ce 2005 ne sont sans doute pas passagères, mais il faut prendre la balle au bond. La relation entre la vivacité et le fruit blanc relève des beaux-arts. Élégance et longue finale sur la fraîcheur. Prêt à rejoindre votre table.
Denis Race, rue de Chichée, 89800 Chablis,
tél. 03.86.42.45.87, fax 03.86.42.81.23,
e-mail domaine@chablisrace.com r.-v.

DANIEL ROBLOT Beauroy 2004 ★

	0,72 ha	5 500	8 à 11 €

Une fresque géante sur le mur du chai, visible de la route, vous ne pouvez pas vous tromper. Étiquette parchemin à bords roulés, autre signe aujourd'hui distinctif. La mer a quitté les lieux il y a des dizaines de millions d'années (le réchauffement climatique, on connaissait : la Bourgogne était recouverte d'une mer tropicale), mais ce Beauroy 2004 exigera pour son sacre un plateau de marée. Limpide, brillant, d'une vivacité correcte en équilibre avec du gras, il débute sur le floral et conclut sur le fruit.
Daniel Roblot, 29, rue de la Porte-d'Auxerre,
89800 Beine, tél. 03.86.42.43.00, fax 03.86.42.84.19
r.-v.

FRANCINE ET OLIVIER SAVARY Fourchaume 2005 ★

	0,75 ha	5 000	11 à 15 €

Savez-vous que la grande mode à Dijon durant les années 1930 était le « chablis-cassis », servi par Racouchot, le célèbre chef des *Trois Faisans* ? Fréquemment invité, le chanoine Kir en but souvent et probablement s'en inspira... On ne vous conseille cependant pas de joindre la liqueur de cassis à ce Fourchaume, même si sa fraîcheur et sa minéralité, ses arômes de fleurs blanches, son expression sur un ton sec ne seraient pas hors de propos. Choisissez plutôt des saint-jacques.
EARL Dom. Francine et Olivier Savary,
4, chem. des Hâtes, 89800 Maligny, tél. 03.86.47.42.09,
fax 03.86.47.55.80, e-mail f.o.savary@wanadoo.fr
r.-v.

DOM. SERVIN Montée de Tonnerre 2005

	2,75 ha	n.c.	11 à 15 €

Situé sur Fyé, ce *climat* est un grand classique parmi les 1ᵉʳˢ crus. Il a d'ailleurs fédéré sous sa bannière quelques voisins comme Capelots ou Pied d'Aloue. Ce 2005 ? On n'attendra pas la fin de la montée pour le boire. Il est en effet bien ouvert dans un style miellé et costaud, ensoleillé et au maximum de la maturité.
SCEA Dom. François Servin,
20, av. d'Oberwesel, BP 8, 89800 Chablis,
tél. 03.86.18.90.00, fax 03.86.18.90.01,
e-mail contact@servin.fr r.-v.

DOM. DE LA TOUR Côte de Cuissy 2005 ★

	0,18 ha	650	11 à 15 €

Situé au sud-ouest de Courgis et dans l'ensemble regroupé en Beauregards, ce 1ᵉʳ cru n'est pas très ancien mais il a su se faire un nom grâce à sa qualité. Très limpide, brioché, dense et puissant, ce 2005 emplit réellement le verre. Sans doute l'aimerait-on un peu plus vif, plus tendu. Cependant, on ne peut pas tout avoir, et sa richesse soyeuse se mariera bien avec les quenelles de brochet au... chablis. Les **Monts-Mains 2005**, élégants et généreux, sont cités.
SCEA Dom. de La Tour, 3, rte de Montfort,
89800 Lignorelles, tél. 03.86.47.55.68,
fax 03.86.47.55.86,
e-mail ledomainedelatour@wanadoo.fr r.-v.
Fabrici

DOM. DU VIEUX CHÂTEAU Les Lys 2001 ★

	3,6 ha	25 000	15 à 23 €

Il existait jadis une Saint-Vincent chablisienne laïque et républicaine promenant le buste de Marianne. On y aurait pourtant servi ces Lys sans problème, vu leur qualité. Ce domaine est réputé riche en surprises et il ne fait rien comme les autres. Trente-six mois de cuve, un 2001 ! Finesse, complexité, souplesse : on aimerait passer les années aussi bien que lui. Les dégustateurs ont été séduits par sa relative jeunesse. Profitez-en sans attendre, évidemment.

🔑 Daniel-Étienne Defaix,
Dom. du Vieux-Château, 14, rue Auxerroise,
89800 Chablis, tél. 03.86.42.42.05, fax 03.86.42.48.56,
e-mail chateau@chablisdefaix.com
t.l.j. 10h-18h; f. jan.

CH. DE VIVIERS Vaucopins 2005 ★★

1,66 ha 8 000 15 à 23 €

Vaucopins ? Vaucoupins ? On n'a pas fini d'en débattre. Sur Chichée de toute façon. Ici, un nez qui s'élève de la fougère au menthol. Bouche assez miellée, précautionneuse jusqu'à la finale très convaincante. Harmonie et finesse plus que puissance, et pour maintenant. Une étoile pour les **Vaillons 2005**, frais et fruités.

🔑 SCEV Ch. de Viviers, 89700 Viviers,
tél. 03.80.61.25.05, fax 03.80.24.37.38,
e-mail bourgogne@lupe-cholet.com
🔑 Lupé-Cholet

DOM. YVON VOCORET Homme Mort 2005 ★

0,5 ha 3 510 11 à 15 €

Voici très longtemps que le lieu-dit s'appelle L'Homme Mort. On y aurait trouvé les restes d'un soudard anglais durant la guerre de Cent Ans... Loin d'effrayer, ce 1er cru attire beaucoup. Il y a bien à Morey-Saint-Denis un Noyer du Pendu ! Un 2005 encore réservé mais prometteur en raison de sa constitution bien équilibrée. Jolie présentation visuelle.

🔑 Dom. Yvon Vocoret, 9, chem. de Beaune,
89800 Maligny, tél. 03.86.47.51.60, fax 03.86.47.57.47,
e-mail domaine.yvon.vocoret@wanadoo.fr r.-v.

DOM. VOCORET ET FILS
Montée de Tonnerre 2005 ★

1,3 ha 10 000 11 à 15 €

Signe des temps... L'ancienne laiterie de Chablis, construite en 1935, est devenue la cuverie Vocoret et Fils. Pour une excellente Montée de Tonnerre. Robe de bon ton, nez très odorant (pomme, poire et même un souffle d'exotisme) ; quant à la bouche, elle inspire un sentiment de fraîcheur porté par une belle acidité. L'évolution n'en est pas moins assez ample. Un vin facile, gourmand. Inutile de le ranger sous la pile, il faut profiter dès à présent de ses bonnes dispositions. Les **Montmains 2005**, frais, fruités et à croquer, décrochent également une étoile, tout comme le **Vaillon 2005**, bien typé sur le minéral.

🔑 Dom. Vocoret et Fils,
40, rte d'Auxerre, 89800 Chablis,
tél. 03.86.42.12.53, fax 03.86.42.10.39,
e-mail domaine.vocoret@wanadoo.fr
t.l.j. sf dim. 8h-12h 13h30-17h30

DOM. VRIGNAUD Mont de Milieu 2005 ★

0,27 ha 2 000 11 à 15 €

Propriété familiale sur Fontenay (18 ha) qui enherbe régulièrement ses vignes avec des céréales d'hiver pour limiter l'érosion et régénérer la microbiologie du sol. Son Mont de Milieu jaune doré a le premier nez expressif sinon exubérant (le confit et l'exotique) avant de s'affairer sur le cumin, la marjolaine ou le romarin. Bouche dans la même ligne, un rien vineuse. On pense à certains 2003. Surmaturation classique en 2005, restant décente. À boire aujourd'hui pour son fruit, ou à attendre deux ans « pour voir », comme on dit au poker.

🔑 EARL Dom. Vrignaud, 10, rue de Beauvoir,
89800 Fontenay-près-Chablis, tél. 03.86.42.15.69,
fax 03.86.42.40.06,
e-mail guillaume.vrignaud@wanadoo.fr r.-v.

Chablis grand cru

BOURGOGNE

Issu des coteaux les mieux exposés de la rive droite, divisés en sept lieux-dits : Blanchot (594 hl), Bougros (854 hl), Les Clos (1 342 hl), Grenouille (467 hl), Les Preuses (503 hl), Valmur (533 hl), Vaudésir (740 hl), le chablis grand cru possède à un degré plus élevé toutes les qualités des précédents, la vigne se nourrissant d'un sol enrichi par des colluvions argilo-pierreuses. Quand la vinification est réussie, un chablis grand cru est un vin complet, à forte persistance aromatique, auquel le terroir confère un tranchant qui le distingue de ses rivaux du sud. Sa capacité de vieillissement stupéfie, car il exige huit à quinze ans pour s'apaiser, s'harmoniser et acquérir un inoubliable bouquet de pierre à fusil, voire, pour Les Clos, de poudre à canon !

DOM. BESSON Vaudésir 2005 ★

1,4 ha 2 500 11 à 15 €

De bout de vigne en bout de vigne, le domaine a grandi et pris de belles proportions. Près de 20 ha aujourd'hui. D'un jaune peu profond, ce 2005 a le nez pimpant sur le mode habituel. Chaleureux et d'une évolution poivrée, il apporte à la finale une touche délicate et fruitée.

🔑 EARL Besson, rue de Valvan, BP 48,
89800 Chablis, tél. 03.86.42.40.88, fax 03.86.42.49.46,
e-mail domaine-besson@wanadoo.fr
t.l.j. 9h-12h30 13h30-19h

DOM. BILLAUD-SIMON
Les Blanchots Vieilles Vignes 2004 ★

0,18 ha 1 000 38 à 46 €

Blanchot ou Blanchots. L'orthographe bourguignonne est incapable de se soumettre à la dictée de Pivot. Les vieilles vignes y font en tout cas merveille sur ce rempart sud-est de la côte majeure. Coup de cœur pour les millésimes 2001 et 2003. Or argenté, un 2004 au nez de fleur de sureau si vous en gardez le souvenir... La bouche fraîche et vive est encore un peu fermée mais déjà fruitée, et prometteuse. Horizon, les années 2010. **Les Clos 2004** obtiennent une citation.

🔑 Dom. Billaud-Simon, 1, quai de Reugny, BP 46,
89800 Chablis, tél. 03.86.42.10.33, fax 03.86.42.48.77,
e-mail bernard.billaud@online.fr
t.l.j. sf dim. 9h-12h 14h-17h; sam. sur r.-v.;
f. 1er août-1er sep

DOM. PASCAL BOUCHARD Blanchot 2004 ★★

0,23 ha 1 200 23 à 30 €

Romain Bouchard assure avec brio la succession de Joëlle et de Pascal (l'ancien domaine André Tremblay, père de Joëlle, développé par eux et auquel s'ajoute une affaire de négoce-éleveur). Son Blanchot 2004 a été en lice pour le coup de cœur. Malgré cet âge déjà respectable, le nez nous fait encore attendre un peu sur le palier. On y perçoit néanmoins déjà le fruit blanc mûr et une touche de grillé. Or léger et limpide, un ensemble élégant sur le fruit, aimablement complexe et assurément riche. De larges perspectives à venir.

Pascal Bouchard,
Parc des Lys, 5 bis, rue Porte-Noël, 89800 Chablis,
tél. 03.86.42.18.64, fax 03.86.42.48.11,
e-mail info@pascalbouchard.com r.-v.

JEAN-MARC BROCARD Les Preuses 2005 ★★★

0,2 ha 2 000 23 à 30 €

Parti d'un hectare de vignes planté en 1974, Jean-Marc Brocard est devenu en quelques décennies un Chablisien incontournable. Ses trois enfants travaillent aujourd'hui à ses côtés. Plusieurs fois coup de cœur en premier cru, le voici distingué cette année pour de sublimes Preuses, qui donneraient presque envie d'inventer une quatrième étoile... Si la robe jaune d'or à reflets verts est classique, le nez étonne et séduit avec sa minéralité confite et gourmande. De l'attaque franche et fine à la finale longue et élégante sur les agrumes, la bouche achève de convaincre. Et un mot revient sur les fiches des dégustateurs : noblesse.

SARL Jean-Marc Brocard, 3, rte de Chablis,
89800 Préhy, tél. 03.86.41.49.00, fax 03.86.41.49.09,
e-mail france@brocard.fr
t.l.j. sf dim. 9h-12h30 14h-18h30;
f. une semaine août, déc.

LA CHABLISIENNE Grenouille 2004 ★

5 ha 30 000 30 à 38 €

La Chablisienne vit une révolution. Oh ! rassurez-vous, elle est graphique, esthétique et d'approche marketing. Fondée sur les « émotions minérales », cette nouvelle image concernera l'étiquette et l'habillage. Les vins restent les mêmes. Grenouille est depuis longtemps l'un des « chevaux de bataille » de la coopérative. Mariage réussi de la cuve et du fût. Quelques accents évoquent la poire. Le gras s'épanouit, mais pas au détriment de la fraîcheur ni d'une certaine vivacité. Un 2004 : on peut penser que, selon un cas de figure assez courant, il va se refermer un peu, puis prendre davantage d'éclat d'ici deux ans.

La Chablisienne, 8, bd Pasteur, BP 14,
89800 Chablis, tél. 03.86.42.89.98, fax 03.86.42.89.90,
e-mail chab@chablisienne.fr t.l.j. 9h-12h 14h-18h

DOM. JEAN COLLET ET FILS Valmur 2005 ★

0,51 ha 3 300 23 à 30 €

Paille dorée assez prononcé, ce 2005 livre des parfums qui donnent l'impression d'une après-midi heureuse au sérail. Le miel et des sensations presque muscatées, très prenantes. Un vin de soleil complexe et long, riche et chaleureux, dont la finale reprend les arguments du nez, non sans y ajouter un peu de vivacité. On le préfèrera sur un poisson ou une volaille à la crème, plutôt que sur les fruits de mer.

Dom. Jean Collet et Fils, 15, av. de la Liberté,
89800 Chablis, tél. 03.86.42.11.93, fax 03.86.42.47.43,
e-mail collet.chablis@wanadoo.fr r.-v.

DOM. DU COLOMBIER Bougros 2005 ★

1,2 ha 7 000 15 à 23 €

Paille à reflets argentés, ce 2005 reste discret au nez mais rassure déjà : les fleurs blanches et la minéralité y sont. Les fruits, blancs également, apparaissent au palais, dans un ensemble ample et fin, équilibré par la fraîcheur. Poisson grillé ? Sans doute, mais pas avant quatre à cinq ans.

Guy Mothe et ses Fils,
Dom. du Colombier, 42, Grand-Rue,
89800 Fontenay-près-Chablis, tél. 03.86.42.15.04,
fax 03.86.42.49.67,
e-mail domaine@chabliscolombier.com r.-v.

VIGNOBLE DAMPT-DUPAS Les Preuses 2005 ★★

0,51 ha 3 600 15 à 23 €

Comme Bougros, Preuses a été reçu parmi les « grands » en 1938. Ce *climat* prolonge d'ailleurs Bougros vers le haut de la côte. On le dit « facile ». Facile d'accès, s'entend, car il affiche volontiers du gras et de la rondeur. Déjà mûr et digne d'un grand cru, celui-ci porte une robe de Pilier chablisien. Son bouquet mêle les agrumes et les fruits confits. Sa bouche brille par l'intensité de son attaque et la longueur de sa finale. Un vin plein de perspectives, à garder au moins quatre ans.

EARL Dampt-Dupas, 3, rte de Tonnerre,
89700 Collan, tél. 03.86.54.49.52, fax 03.86.54.49.89
r.-v.

VINCENT DAUVISSAT Les Clos 2005 ★★

1,7 ha 12 000 23 à 30 €

Rester vigneron, promouvoir ses terroirs et mettre toute sa récolte en bouteilles. Plus qu'une volonté, c'est une véritable profession de foi. Une exigence qui porte ses fruits si l'on en croit ces Clos, qui offrent un beau compromis entre la rondeur nécessaire et l'indispensable minéralité. Boisé léger (douze mois en fût) et persistance résolue. Paille d'intensité moyenne. Nez communicatif sur des notes florales. Gardez ce 2005 quelques années, il a toutes les qualités pour s'améliorer encore.

Vincent Dauvissat, 8, rue Émile-Zola,
89800 Chablis, tél. 03.86.42.11.58, fax 03.86.42.85.32

BERNARD DEFAIX Bougros 2005 ★★

n.c. 4 000 23 à 30 €

Bougros a déjà porté chance à la famille Defaix (coup de cœur pour son millésime 2000). Autre exemple d'un domaine créant parallèlement une activité de négocevinificateur. Ce 2005 ? Bouquet révélant une fine complexité : notes d'élevage (douze mois en fût), mais également d'épices et de fruits. Minéralité évidemment. Travail sérieux pour un Bougros classique. On sait que ce grand cru est robuste, mais pas jusqu'à la dureté et c'est tout son secret. Sensation de fraîcheur réglissée et mentholée en bouche. « À avoir dans sa cave », conclut un dégustateur enthousiaste.

🔑 Dom. Bernard Defaix, 17, rue du Château, Milly, 89800 Chablis, tél. 03.86.42.40.75, fax 03.86.42.40.28, e-mail didier@bernard-defaix.com ☑ 🍷 🚶 r.-v.

JEAN-PAUL ET BENOÎT DROIN

Grenouille 2005 ★★★

	0,48 ha	3 450		15 à 23 €

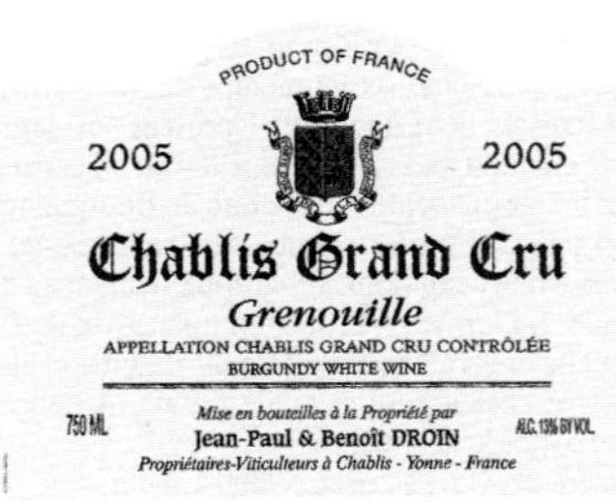

Jean-Paul, rejoint par Benoît Droin depuis 2002. Un coup de cœur. On ne les compte plus ! Au milieu de la côte du grand cru, Grenouille est souvent l'arbitre des élégances. Ce 2005 brille avec cœur et franchise. Brioche et silex : chablisien jusqu'au cou, il est régulier dans sa structure, profond comme un puits et possède ce côté friand du millésime. Beaucoup de hauteur de vue. Parfait grand cru. Comme si cela ne suffisait pas, le **Blanchot 2005** décroche également deux étoiles pour sa finesse et son élégance, et **Les Clos 2005** brillent d'une étoile.

🔑 SCEV Jean-Paul et Benoît Droin, 14 bis, rue Jean-Jaurès, BP 19, 89800 Chablis, tél. 03.86.42.16.78, fax 03.86.42.42.09, e-mail benoit@jeanpaul-droin.fr

☑ 🍷 t.l.j. sf sam. dim. 8h30-12h 13h30-17h; f. août

JOSEPH DROUHIN Les Clos 2005 ★

	1,3 ha	n.c.		30 à 38 €

La maison beaunoise Joseph Drouhin possède depuis longtemps de vastes vignes en Chablisien. Les Clos parmi celles-ci. Jérôme Faure-Brac succède à Laurence Jobard en qualité d'œnologue. Jaune d'or soutenu, vanillé et intense sur le fruit mûr, ce 2005 met en avant sa finesse plutôt que sa force et retrouve en finale les arômes (fruits blancs). Le mieux serait d'attendre que tout soit fondu. Dans combien de temps pour le turbotin au beurre blanc sauce chablis ? Quatre à cinq ans, mais vous ne serez pas déçu.

🔑 Maison Joseph Drouhin, 7, rue d'Enfer, 21200 Beaune, tél. 03.80.24.68.88, fax 03.80.22.43.14, e-mail maisondrouhin@drouhin.com 🍷 🚶 r.-v.

WILLIAM FÈVRE Grenouilles 2005 ★★

	n.c.	n.c.		30 à 38 €

Avec William Fèvre dans l'orbite d'Henriot, famille champenoise, devenue bourguignonne depuis l'acquisition de Bouchard Père et Fils et Lajay-Lagoute, il faut

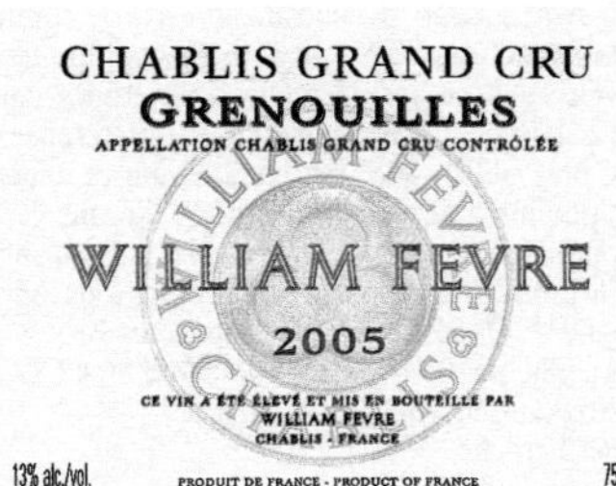

toujours préparer plusieurs verres. Un superbe Grenouilles qui a du ressort, médaille de bronze s'il visait le triple saut aux Jeux olympiques. La couleur est mignonne, le nez vanillé et brioché, la bouche minérale avec beaucoup de velours sur une forte structure. Boisé très fin et remarquablement marié au vin. La découverte se poursuit avec **Les Clos 2005 (38 à 46 €)**, bien équilibrés entre richesse et fraîcheur, et **Bougros 2005 (23 à 30 €)**, tendu sur une matière boisée et mentholée. Une étoile pour chacun !

🔑 Dom. William Fèvre, 21, av. d'Oberwesel, 89800 Chablis, tél. 03.86.98.98.98, fax 03.86.98.98.99, e-mail france@williamfevre.com

☑ 🍷 🚶 t.l.j. 9h-12h 14h-18h; f. 1er déc.-1er mars

ALAIN GEOFFROY Les Clos 2005 ★

	n.c.	2 000		23 à 30 €

On lui promet des saint-jacques, mais pour quand ? Deux ou trois ans semblent préférables. La robe jaune pâle à reflets verts est parfaitement dans son rôle. Le nez connaît son texte (fleurs blanches, minéral, touches beurrées) mais il le récitera mieux d'ici quelque temps. La bouche élégante, balançant entre rondeur et fraîcheur, est toute à son affaire. L'ensemble, agréable, demande à s'épanouir un peu.

🔑 Dom. Alain Geoffroy, 4, rue de l'Équerre, 89800 Beine, tél. 03.86.42.43.76, fax 03.86.42.13.30, e-mail info@chablis-geoffroy.com

☑ 🍷 🚶 t.l.j. 9h-12h 14h-17h30; sam. dim. sur r.-v.

LAMBLIN ET FILS Les Clos 2005 ★

	n.c.	2 000		23 à 30 €

Longtemps la seule affaire de négoce-éleveur implantée hors Chablis, sur Maligny. Importante, et affichant sa date de naissance : 1690. Douze générations ; comme on dit en Bourgogne : « Cela fait déjà ! » Et aux Clos, probablement le berceau de la vigne chablisienne... Rien à dire de la robe, de bonne compagnie. Sobre mais probablement complexe, le nez a besoin d'un peu d'air pour s'exprimer. Bouche plus fraîche, pleine et tendre, d'une simplicité de bon ton. Avenir assuré à deux ans.

🔑 Lamblin et Fils, 89800 Maligny, tél. 03.86.98.22.00, fax 03.86.47.50.12

☑ 🍷 🚶 t.l.j. sf dim. 8h-12h30 14h-17h; sam. 8h-12h30

DOM. LAROCHE Les Clos 2005 ★★

	1,11 ha	7 900		46 à 76 €

Il se passe tous les jours quelque chose au domaine Laroche, pourrait-on dire en paraphrasant un célèbre slogan. Après le *wine bar* et la boutique (2005), voici, et toujours à Chablis, l'hôtel du *Vieux Moulin* (2007). Il se

passe aussi beaucoup de choses côté cave, comme le prouve le **Blanchots 2005 (38 à 46 €)**, coup de cœur en 2000 et en 1998 et qui décroche deux étoiles dans ce nouveau millésime. On a cependant une préférence pour ces Clos, présents en sélection finale et qui terminent au pied du podium. Nez de fruits mûrs, élégant et frais, bouche puissante et complexe mariant les fruits blancs, les épices et le minéral. Ensemble excellent sous tous rapports.
Laroche, L'Obédiencerie, 22, rue Louis-Bro, 89800 Chablis, tél. 03.86.42.89.00, fax 03.86.42.89.29, e-mail info@larochewines.com r.-v.
Michel Laroche

DOM. DES MALANDES Les Clos 2004 **

0,5 ha 3 500 15 à 23 €

Être présent dans les Clos, souvent considérés comme l'âme même du grand cru, en tout cas sa plus fidèle mémoire, vaut à Chablis brevet de noblesse. Ici, un demi-hectare, et cela permet déjà de faire quelque chose... On a croisé cette bouteille lors de la finale du coup de cœur. Tout ce qui brille n'est pas or ? Eh bien, si ! Légèrement anisé, le nez penche un peu vers le fût (douze mois) dans une certaine discrétion. L'entrée de bouche est fine, mais le ruisseau devient bientôt une rivière, un fleuve, aimant à se remémorer la fraîcheur de sa source. Bouteille à laisser en cave, bien sûr.
Dom. des Malandes, 63, rue Auxerroise, 89800 Chablis, tél. 03.86.42.41.37, fax 03.86.42.41.97, e-mail contact@domainedesmalandes.com r.-v.

DOM. CHRISTIAN MOREAU PÈRE ET FILS Valmur 2005 *

1 ha 5 300 15 à 23 €

Christian Moreau le père, donc, et depuis 2001, Fabien le fils, après l'« œno » à Dijon, la gestion à Bordeaux et un peu de pratique en... Nouvelle-Zélande. Il paraît que Valmur est en vogue chez les Anglo-Saxons. Jusqu'aux antipodes ? Celui-ci, élevé pour moitié en fût, en a gardé un certain boisé qui plaira aux amateurs. Légèrement torréfié au nez, il apporte une bonne rondeur en bouche, en équilibre avec la minéralité. Attendre encore un peu pour le boire.
Dom. Christian Moreau Père et Fils, 26, av. d'Oberwesel, 89800 Chablis, tél. 03.86.42.86.34, fax 03.86.42.84.62, e-mail contact@domainechristianmoreau.com r.-v.
Fabien Moreau

DOM. DE OLIVEIRA LECESTRE Les Clos 2005 *

0,28 ha 2 000 15 à 23 €

Domaine créé en 1955 par la famille De Oliveira, devenue De Oliveira Lecestre, et qui s'étend aujourd'hui sur 44 ha et les quatre appellations du chablis. Ses Clos brillent ce qu'il faut. Petit bout de nez frais et beurré. Un vin très flatteur en bouche grâce à une surmaturité qui contribue à sa plénitude, à son gras. À boire maintenant avec le foie gras, voire certains desserts. Séduire, c'est parfois surprendre.
GAEC De Oliveira Lecestre, 11, rue des Chenevières, 89800 Fontenay-près-Chablis, tél. 03.86.42.40.78, fax 03.86.42.83.72 t.l.j. 9h-12h 14h-18h; f. 15-30 août
Josyane De Oliveira

DOM. PINSON FRÈRES Les Clos 2005 *

2,57 ha 10 500 23 à 30 €

Laurent et Christophe Pinson succèdent à une longue lignée de Pinson en terre chablisienne. Ce 2005 élevé en cuve (quatre mois) et en fût (douze mois) porte une robe paille claire. Ses arômes s'inspirent encore de l'élevage tout en évoluant vers la poire. L'attaque est impulsive, mais cette acidité est plutôt bon signe pour l'avenir et permettra à l'ensemble de trouver son équilibre définitif. Coup de cœur dans l'édition 2006 pour Les Clos 2003.
Dom. Pinson, 5, quai Voltaire, 89800 Chablis, tél. 03.86.42.10.26, fax 03.86.42.49.94, e-mail contact@domaine-pinson.com r.-v.

RÉGNARD Valmur 2005 *

0,5 ha 4 000 30 à 38 €

Fondée en 1860 par Zéphir Régnard, cette maison absorba Pic en 1957 et fut longtemps dirigée par Michel Rémon. Patrick de Ladoucette (présent en sancerre, vouvray et champagne) l'acquit en 1984 en lui conservant sagement image et vocation. Si le duc de Bourgogne était le premier pair de France, Valmur, sans revendiquer cette distinction, trône néanmoins géographiquement au centre de ses pairs. Ici, un vin à tiroirs, en nuances successives. Robe franche or vert, nez typé (coquille d'huître et citron), bouche assez chaleureuse et finale florale. À déboucher une heure avant le service.
Régnard, 28, bd Tacussel, 89800 Chablis, tél. 03.86.42.10.45, fax 03.86.42.48.67 t.l.j. 9h-12h 14h-18h
de Ladoucette

SIMONNET-FEBVRE Preuses 2005 *

n.c. 665 30 à 38 €

Maison honorablement réputée pour ses effervescents ; Simonnet-Febvre et Fils est devenu Simonnet-Febvre tout court depuis son rachat en 2003 par Louis Latour de Beaune. On y pratique aussi le vin tranquille depuis longtemps, les Preuses de la maison ayant toujours été la perle fine. Les voici. En robe du soir, lamée or, iodé et épicé, un vin très chic, jouant tour à tour du silex et de la pêche, constamment franc et honnête. On peut lui fixer un rendez-vous d'ici deux à trois ans. Ou tout aussi bien s'en satisfaire maintenant, avec des filets de sole.
Maison Simonnet-Febvre, 30, rte de Saint-Bris, 89530 Chitry, tél. 03.86.98.99.00, fax 03.86.98.99.01, e-mail simonnet@chablis.net t.l.j. sf dim. lun. 9h30-12h 14h-18h30

PHILIPPE TESTUT Grenouille 2005 **

0,5 ha 2 000 23 à 30 €

Une saga ! Château Grenouille et ses vignes étaient la propriété de la famille Testut, bien connue pour la précision de ses balances. Cession à la fin des années 1970 à un groupement foncier soutenu par le Crédit agricole, ainsi qu'à La Chablisienne. Philippe Testut, qui avait fait ses premières armes chez Long-Depaquit et administré Château Grenouille, n'a pas voulu baisser pavillon. Il était de retour dès 1982. On comprend la valeur affective de ce demi-hectare en Grenouille, confié à Cyril. Présent en finale du coup de cœur, un vin au nez friand (citron, vanille, pierre à fusil) et d'une structure longue et droite, aiguisée.
Cyril Testut, 38, rue des Moulins, 89800 Chablis, tél. 03.86.42.17.50, fax 03.86.42.14.75, e-mail domainetestut@wanadoo.fr r.-v.

CH. DE VIVIERS Les Blanchots 2005 *

0,5 ha 1 600 30 à 38 €

Viviers est la plus orientale des communes du Chablisien. Grande bâtisse du XVII[e]s., son château est devenu la place forte en ce vignoble d'Albert Bichot (ou de Lupé-Cholet, ce qui revient au même). Ces Blanchots ? Un vin bien fait, qui demandera un peu de temps pour s'exprimer pleinement. Fruit mûr, minéralité, fraîcheur et longueur, tout est en place pour qu'il devienne plus grand. À laisser reposer sur ses rêves, qui deviendront réalité d'ici deux ou trois ans.

SCEV Ch. de Viviers, 89700 Viviers,
tél. 03.80.61.25.05, fax 03.80.24.37.38,
e-mail bourgogne@lupe-cholet.com
Lupé-Cholet

DOM. VOCORET ET FILS Blanchot 2005 *

1,7 ha 12 000 11 à 15 €

Coup de cœur pour ce Blanchot il y a dix ans, et l'an dernier pour Les Clos. Une étoile cette année, mais bien accrochée. Senteurs de lys : ce 2005 est donc de belle ascendance. La minéralité s'exprime ensuite, au nez comme au palais. La matière est souple, fraîche et agréable. Un grand cru dont on pourra profiter sans attendre, à l'heure du fromage, pourquoi pas ? Choisir celui-ci bien sec, de préférence.

Dom. Vocoret et Fils, 40, rte d'Auxerre,
89800 Chablis, tél. 03.86.42.12.53, fax 03.86.42.10.39,
e-mail domaine.vocoret@wanadoo.fr
t.l.j. sf dim. 8h-12h 13h30-17h30

Irancy

Ce petit vignoble situé à une quinzaine de kilomètres au sud d'Auxerre a vu sa notoriété confirmée, devenant AOC communale.

Les vins d'Irancy ont acquis une réputation en rouge, grâce au césar ou romain, cépage local datant peut-être du temps des Gaules. Ce dernier, assez capricieux, est capable du pire et du meilleur ; lorsqu'il a une production faible à normale, il imprime un caractère particulier au vin et, surtout, lui apporte un tanin permettant une très longue conservation. Au contraire, lorsqu'il produit trop, le césar donne difficilement des vins de qualité ; c'est la raison pour laquelle il n'a pas fait l'objet d'une obligation dans les cuvées.

Le cépage pinot noir, qui est le principal cépage de l'appellation, donne sur les coteaux d'Irancy un vin de qualité, très fruité, coloré. Les caractéristiques du terroir sont surtout liées à la situation topographique du vignoble, qui occupe essentiellement les pentes formant une cuvette au creux de laquelle se trouve le village. Le terroir débordait d'ailleurs sur les deux communes voisines de Vincelotte et de Cravant, où les vins de la Côte de Palotte sont particulièrement réputés. La production a été de 7 916 hl en 2006.

BENOÎT CANTIN Élevé en fût de chêne 2005 ***

0,63 ha 4 500 8 à 11 €

Trois étoiles en son ciel rouge à reflets violacés et un coup de cœur unanime après une place de second l'an dernier. Oui, le cœur y est. L'épicé et le grillé ne portent pas ombrage à la cerise oubliée sur la branche et qui n'en finit pas de mûrir. Le fruit insiste en bouche mais il passe au noir (cassis, mûre). Pur jus ! La finale est poivrée et elle charme le fond du palais. Déjà délicieux – mais l'attente est une vertu. Vous allez voir dans les deux ans les tanins faire la ronde et le simple sentiment gourmand devenir apothéose.

Benoît Cantin, 35, chem. des Fossés, 89290 Irancy,
tél. 03.86.42.21.96, fax 03.86.42.35.92 r.-v.

ANITA, JEAN-PIERRE ET STÉPHANIE COLINOT Les Mazelots 2005 *

1,94 ha 13 000 11 à 15 €

Les Mazelots, un *climat* d'Irancy qui a su se faire un nom. Après Palotte, sans doute, mais également en première ligne. 5 % de césar dans l'océan du pinot noir. Stéphanie Colinot porte les espoirs du domaine qui fait remonter ses racines à l'illustre Soufflot, architecte du Panthéon à Paris. Cette bouteille bien rouge, dense, aux arômes de kirsch et de vanille, déborde de fût et de tanins. Un vin complet et bien fait, mais tout cela doit passer des fiançailles au mariage. Publication des bans dans quatre ans.

Anita, Jean-Pierre et Stéphanie Colinot,
1, rue des Chariats, 89290 Irancy,
tél. et fax 03.86.42.33.25, e-mail earlcolinot@aol.com
r.-v.

VINCENT DAUVISSAT 2005 *

0,6 ha 2 500 8 à 11 €

Un mot revient tout au long de la dégustation de ce vin : intensité. Intensité de la robe pourpre profond aux reflets noirs. Richesse du nez aux notes de cacao, héritage de l'élevage en fût. Puissance de la bouche, grasse et longue, aux tanins soyeux, qui retrouve les parfums chocolatés du bouquet. Déjà plaisant, ce 2005 peut attendre deux ou trois ans un supplément d'harmonie.

Vincent Dauvissat, 8, rue Émile-Zola,
89800 Chablis, tél. 03.86.42.11.58, fax 03.86.42.85.32

FRANCK ET FRANÇOIS GIVAUDIN
Palotte 2005

0,3 ha 2 000 11 à 15 €

Palotte est à Irancy le vin par excellence, celui qui fit connaître et remarquer la production du village. D'autres *climats* sont apparus, mais il reste le « cru Palotte », seul à porter ce nom en Auxerrois. Rubis limpide, voilà pour la robe. L'animal et le végétal se disputent le nez. Bouche

BOURGOGNE

assez pure, tannique et légèrement végétale. Pointe d'alcool qui chauffe la finale. Encore sur la réserve donc, et à conserver un peu.

Franck Givaudin, sentier de la Bergère, 89290 Irancy, tél. 03.86.42.20.67, fax 03.86.42.54.33, e-mail franck.givaudin@wanadoo.fr r.-v.

DOM. HEIMBOURGER 2005 *

■ 4,1 ha 17 000 5 à 8 €

Rive droite ; de l'Yonne, bien sûr. Les 5 % de césar sont là pour confirmer que l'on est à Irancy. Couleur cerise, bouquet de fruits noirs, encore un peu fermé mais qui s'ouvrira. Puissant, chaleureux, c'est un vin complexe, alliant maturité et minéralité. À carafer quand vous l'ouvrirez d'ici deux ans.

Dom. Heimbourger, 5, rue de la Porte-de-Cravant, 89800 Saint-Cyr-les-Colons, tél. 03.86.41.40.88, fax 03.86.41.48.83, e-mail heimbourger@wanadoo.fr t.l.j. 10h-12h 14h-18h30; dim. sur r.-v.

DAVID RENAUD 2005 *

■ n.c. 25 000 8 à 11 €

5 % de césar, cela fait plaisir à voir ! Coloration soutenue, griotte épicée, un irancy convivial et aimable, expressif et de bonne longueur. Premier millésime très réussi pour David Renaud qui a pris la tête du domaine familial.

EARL David Renaud, 11, chem. des Fossés, 89290 Irancy, tél. et fax 03.86.42.27.39 r.-v.

THIERRY RICHOUX Veaupessiot 2005 **

■ 2,12 ha 14 000 11 à 15 €

Très vieille famille vigneronne d'Irancy du côté du grand-père maternel. Un peu à l'extérieur du village, la demeure fut baptisée Notre-Dame de Lorette et il n'y a pas de mal à ça. Coup de cœur l'an dernier, la **cuvée principale 2005 (8 à 11 €)** décroche une étoile cette année : fraîche, ronde, sur le fruit, elle est déjà prête. Elle permettra de patienter avant de découvrir ce vin généreux et complexe, qui marie la myrtille et la mûre sauvage aux épices et à la réglisse. Équilibre, structure, longueur. Tout y est.

Thierry Richoux, 73, rue Soufflot, 89290 Irancy, tél. 03.86.42.21.60, fax 03.86.42.34.95 t.l.j. sf dim. 8h-12h 14h-18h30

DOM. SAINT GERMAIN 2005 **

■ 7 ha 30 000 8 à 11 €

Les coups de cœur, Christophe Ferrari connaît, depuis vingt ans qu'il conduit ce domaine. Ce n'est pas pour cette année, mais il reste les étoiles. Profonde, intense, violacée, la robe de ce 2005 met en condition favorable pour découvrir la suite. Le bouquet va droit au fait et met l'accent sur le cassis à bonne maturité. L'attaque est vive et l'acidité de bon secours entraîne à sa suite un fruit délicat. Les tanins soyeux se font discrets. Les dix mois en fût ont laissé une empreinte vanillée. Bon équilibre au goûter d'ici deux à trois ans.

Christophe Ferrari, 7, chem. des Fossés, 89290 Irancy, tél. 03.86.42.33.43, fax 03.86.42.39.30, e-mail christophe.ferrari3@wanadoo.fr r.-v.

DOM. VERRET L'Âme du Domaine 2005 *

■ 1 ha 6 500 11 à 15 €

Ici, on est vigneron de père en fils, sans doute pour être sûr de conserver intacte cette âme du domaine que l'étiquette affiche en grand. Dans la bouteille, c'est un bel irancy rubis sur le fruit rouge et l'épice qui vous ravigote les papilles en s'abstenant de tout excès tannique. Texture irréprochable. Le pot-au-feu lui ouvre les bras.

Dom. Verret, 7, rte de Champs, BP 4, 89530 Saint-Bris-le-Vineux, tél. 03.86.53.31.81, fax 03.86.53.89.61, e-mail dverret@domaineverret.com t.l.j. sf dim. 8h-12h 14h-18h

Saint-bris

Seul VDQS bourguignon depuis 1974, saint-bris est devenu AOC depuis 2001 pour le cépage sauvignon. Celui-ci provient d'une aire géographique de 895 ha, principalement sur la commune de Saint-Bris. Sa production est la plupart du temps limitée aux zones de plateaux calcaires où il atteint toute sa puissance aromatique. Contrairement aux vins du même cépage de la vallée de la Loire ou du Sancerrois, le sauvignon fait ici, généralement, sa fermentation malolactique, ce qui ne l'empêche pas d'être très parfumé et lui confère une certaine souplesse. Le millésime 2006 a produit 6 524 hl sur 115 ha.

DOM. JEAN-MICHEL DAULNE 2006 **

□ 1,74 ha 6 000 5 à 8 €

Le 2006 de Jean-Michel et Marylin Daulne se présente et nullement sur la pointe des pieds : coup de cœur ! La robe or pâle pourrait être portée par l'autre Marylin. Le nez sauvignonne à la rencontre de l'air, sur une groseille blanche acidulée et mûre. Un peu de vivacité en bouche, une note minérale, mais l'ensemble est long et passionnant pour l'amateur. Du caractère et de l'avenir. Vignoble planté en 1989, première récolte en 1992 et des études d'œnologie poursuivies à Beaune.

Jean-Michel et Marilyn Daulne, RN 6, Le Bouchet, 89460 Bazarnes, tél. et fax 03.86.42.20.97, e-mail jean-michel89@laposte.net t.l.j. sf mer. dim. 10h-12h 14h-19h; f. 15-31 août

PHILIPPE DEFRANCE 2005 *

□ 3,45 ha 6 800 5 à 8 €

Reflets dorés sur un œil très net. Arômes exotiques suggérant tout de suite l'accompagnement : canard à l'ananas. Intensité moyenne, bonne structure, faible aci-

dité, un peu de gras. Ce saint-bris est typé et sans défaut. À boire maintenant et pendant quelques années. Caves médiévales tout à fait étonnantes à visiter.
Philippe Defrance, 5, rue du Four, 89530 Saint-Bris-le-Vineux, tél. 03.86.53.39.04, fax 03.86.53.66.46 r.-v.

DOM. FÉLIX 2005 ★★

0,93 ha 6 200 5 à 8 €

Un vin plus typé saint-bris que sauvignon, et on ne peut que s'en réjouir. Il faut savoir d'où l'on vient. Peu de robe, et c'est bon signe. Le fruit (abricot) apparaît à l'air libre. La bouche arbitre avec bonheur l'éternel conflit entre fraîcheur et richesse, acidité et puissance. Si vous n'avez jamais tenté de servir un vin sur la soupe à l'oignon, faites-en l'expérience avec cette bouteille.
Dom. Félix, 17, rue de Paris, 89530 Saint-Bris-le-Vineux, tél. 03.86.53.33.87, fax 03.86.53.61.64, e-mail domaine.felix@wanadoo.fr t.l.j. sf dim. 9h-11h30 14h-18h30

GHISLAINE ET JEAN-HUGUES GOISOT
Corps de Garde 2005 ★★

6 ha 15 000 5 à 8 €

Belles caves médiévales et une particularité affichée : le fié gris ou sauvignon gris. Label AB et contrôle Ecocert. Sélectionné pour la finale du coup de cœur, distinction remportée dans le Guide 2004. Limpide à nuances dorées, feuille de cassis sans excès : « on s'en lèche les babines », pour parler comme l'un des dégustateurs. Du caractère, de la franchise et beaucoup de dynamisme, d'ardeur à l'ouvrage. Avec un tel sauvignon, le corps de garde risque de négliger quelque peu ses devoirs.
Ghislaine et Jean-Hugues Goisot, 30, rue Bienvenu-Martin, 89530 Saint-Bris-le-Vineux, tél. 03.86.53.35.15, fax 03.86.53.62.03, e-mail jhetg.goisot@cerb.cernet.fr r.-v.

GRIFFE 2005 ★

0,74 ha 2 000 3 à 5 €

En Bourgogne, c'est sûr, le sauvignon dépayse. L'Yonne lui est restée fidèle alors que d'autres essais de cépages de Loire (grolleau, chenin), au début du XXes., n'ont pas été concluants. En robe d'aquarelle, ce 2005 ne manque pas l'hommage obligé au cassis en bourgeon. Sa vivacité est maîtrisée dans une atmosphère chaleureuse. Notes mentholées et végétales. Pour un plaisir immédiat ou différé (deux à trois ans).
EARL Griffe, 15, rue du Beugnon, 89530 Chitry, tél. 03.86.41.41.06, fax 03.86.41.47.36, e-mail domaine.griffedavid@wanadoo.fr r.-v.

J. MOREAU ET FILS 2005

7,5 ha n.c. 3 à 5 €

De l'inédit : filiale de Jean-Claude Boisset, la Maison J. Moreau et Fils (l'une des doyennes à Chablis) vient d'engager pour la première fois en Bourgogne, à titre de conseil, l'une des grandes figures de Bordeaux : le Pr. Denis Dubourdieu (depuis les vendanges 2006). Pour l'heure, ce sauvignon pâle et limpide, citron et litchi, cadre bien son affaire. Typicité correcte sur fond vif et sec. Menthe en retour d'arômes.
J. Moreau et Fils, La Croix-Saint-Joseph, rte d'Auxerre, 89800 Chablis, tél. 03.86.42.88.00, fax 03.86.42.88.08, e-mail moreau@jmoreau-fils.com r.-v.

DOM. SAINT-PRIX 2006 ★

5,5 ha 40 000 5 à 8 €

Vaste domaine (38 ha en tout), où vous pourrez visiter le réseau de caves anciennes où sont élevés les vins. D'une teinte fraîche, respirant essentiellement les agrumes, ce 2006 est agréable, jouant davantage la finesse que la carrure. Pour un chèvre : bel attelage en perspective. Vous choisirez bien sûr un la-pierre-qui-vire, un vézelay ou un p'tit vire.
Dom. Bersan et Fils, 20, rue du Dr-Tardieux, 89530 Saint-Bris-le-Vineux, tél. 03.86.53.33.73, fax 03.86.53.38.45, e-mail bourgognes-bersan@wanadoo.fr
t.l.j. 8h-12h 14h-18h; dim. sur r.-v.

PHILIPPE SORIN 2005 ★

5 ha 20 000 5 à 8 €

Dommage qu'on n'ait pas conservé de livre d'or dans cet ancien relais de poste. Philippe Sorin mentionne comme hôtes illustres Casanova, Napoléon et Alexandre Dumas. De passage aujourd'hui, ils dégusteraient ce 2005 léger et fruité, d'une bonne longueur en bouche, où l'on retrouve ces notes typiques de buis. À boire maintenant sur des crustacés, où à attendre un peu.
Philippe et Romain Sorin, 12, rue de Paris, 89530 Saint-Bris-le-Vineux, tél. 03.86.53.60.76, fax 03.86.53.62.60, e-mail philippe.sorin@libertysurf.fr t.l.j. 8h-20h

La Côte de Nuits

Marsannay

Les géographes discutent encore sur les limites nord de la Côte de Nuits car, au siècle dernier, un vignoble florissant couvrant les communes situées de part et d'autre de Dijon, constituait la Côte dijonnaise. Aujourd'hui, à l'exception de quelques vignes vestiges comme les Marcs d'Or et les Montreculs, l'urbanisation a chassé le vignoble de Dijon, mais aussi de la commune voisine de Chenôve.

Marsannay, puis Couchey ont, encore, il y a une cinquantaine d'années, approvisionné la ville de grands ordinaires et manqué en 1935 le coche des AOC communales. Petit à petit, les viticulteurs ont replanté ces terroirs en pinot et la tradition du rosé s'est développée sous l'appellation locale « bourgogne rosé de Marsannay ». Puis, on a retrouvé les vins rouges et les vins blancs d'avant le phylloxéra et, après plus de vingt-cinq ans d'efforts et d'enquêtes, l'AOC marsannay a été reconnue en 1987 pour les trois couleurs. Une particularité cependant, encore une en Bourgogne : le « marsannay rosé », dont les deux mots sont indissociables, peut être produit sur une aire plus extensive, dans le piémont sur les graves, que le marsannay (vins

BOURGOGNE

rouges et vins blancs) délimité uniquement dans le coteau des trois communes de Chenôve, Marsannay-la-Côte et Couchey.

Les vins rouges sont charnus, un peu sévères dans leur jeunesse et il faut les attendre quelques années. Pas courants dans la Côte de Nuits, les vins blancs sont ici particulièrement recherchés pour leur finesse et leur solidité. Il est vrai que le chardonnay, mais aussi le pinot blanc trouvent dans des niveaux marneux propices leur terroir d'élection. Sur les 215 ha déclarés en 2006, les rouges et les rosés ont représenté 7 919 hl et les blancs 1 563 hl.

DOM. CHARLES AUDOIN
La Charme aux prêtres 2004 ★

■ 0,13 ha 600 ⅢⅠ 11 à 15 €

Pivoine intense à l'œil, fruits noirs au nez avec de l'animal au palais, ce 2004 est un athlète. Ses tanins encore serrés sont en ordre de bataille. Il faut lui trouver civet à sa mesure, sans se hâter : il ne manque pas de réserves. Le **rouge Les Longeroies 2004** semble plus austère : une citation.

Dom. Charles Audoin, 7, rue de la Boulotte, 21160 Marsannay-la-Côte, tél. 03.80.52.34.24, fax 03.80.58.74.34, e-mail domaine-audoin@wanadoo.fr ☑ Y ⚲ r.-v.

DOM. BALLORIN ET F En Échézots 2005

■ 1 ha 4 000 ⅢⅠ 11 à 15 €

Premier millésime pour ce domaine qui s'oriente vers la biodynamie. Échézots ou Échézeaux ? Ce lieu-dit est commun à plusieurs villages de la Côte. L'atlas choisit la dernière orthographe, mais les amateurs verront bien, à la lecture de l'étiquette, que ce *climat* est distinct de l'appellation échézeaux située plus au sud. Il s'agit ici d'un marsannay pourpre lumineux, au bouquet plein de fraîcheur et d'entrain sur la groseille. Une acidité très présente, du boisé, une bonne structure, des tanins mesurés : à goûter dans les deux ans.

Dom. Ballorin et F, 5, rue d'Ahuy, 21121 Hauteville, tél. et fax 03.80.45.48.05, e-mail domaineballorinetf@free.fr ☑ Y ⚲ r.-v.

DOM. BART Les Longeroies 2005

■ 0,6 ha 3 000 ⅢⅠ 8 à 11 €

Climat étendu, côté Chenôve. Rouge profond assez mat, le vin présente un nez fin et frais, évoquant l'églantine. Ses seize mois en fût ne pèsent pas trop sur lui. Nerveux en attaque, il rappelle que Marsannay accueillit l'un des plus célèbres tournois du Moyen Âge, le Pas de l'Arbre Charlemagne. Le corps tient bon en selle et résiste à l'assaut. Il restera en lice deux ou trois ans puis paraîtra à table dans tout son éclat. Autres vins cités : le **rouge Les Grands Vignes 2005** pour sa bonne mâche et son caractère, et le **blanc Les Favières 2005** pour son fruité exotique et son équilibre.

Dom. Bart, 23, rue Moreau, 21160 Marsannay-la-Côte, tél. 03.80.51.49.76, fax 03.80.51.23.43, e-mail domaine.bart@wanadoo.fr ☑ Y ⚲ r.-v.

RÉGIS BOUVIER
Clos du Roy Tête de cuvée 2005 ★

■ 1,38 ha 5 000 ⅢⅠ 11 à 15 €

2 ha en 1981, près de 16 maintenant : le fils de René Bouvier a le tempérament entreprenant. Son Clos du Roy est l'un des *climats* les plus célèbres de la Côte dijonnaise, sur Chenôve. « Le plus distingué », écrit le Dr Denis Morelot en 1831. Dédié à la violette que l'on trouve à l'œil et au nez, finement boisé (quinze mois de fût), un vin de constitution moyenne mais très net et assez long. Le 2003 fut coup de cœur ; le 2001 également, dans un autre *climat*.

Régis Bouvier, 52, rue de Mazy, 21160 Marsannay-la-Côte, tél. 03.80.51.33.93, fax 03.80.58.75.07, e-mail dom-reg-bouvier@wanadoo.fr ☑ Y ⚲ r.-v.

MARC BROCOT Les Échézots 2005

■ 0,2 ha 1 090 ⅢⅠ 8 à 11 €

Deux vins cités et assez proches. Du *climat* Les Échézots, ce vin profond aux reflets violets ; du fruit noir et du boisé chocolaté au nez : de la présence et de la douceur. En bouche, l'accès est un peu rude mais l'ensemble est franc et structuré. Le fruit devra se libérer de l'emprise des tanins. Cité également, le **marsannay rouge Vieilles Vignes 2005** offre lui aussi une bonne charpente et du cassis fondu à la vanille du fût. Deux vins qui célèbrent les vertus de la patience. Deux ans de cave au moins.

Marc Brocot, 34, rue du Carré, 21160 Marsannay-la-Côte, tél. 03.80.52.19.99, fax 03.80.59.84.39, e-mail brocot.viticulteur@wanadoo.fr ☑ Y ⚲ r.-v.

HERVÉ CHARLOPIN En Ronsoy 2005 ★

□ 0,35 ha 2 500 ⅢⅠ 8 à 11 €

En Ronsoy se trouve à Couchey, du côté de Marsannay. Charlopin, un nom devenu célèbre dans les deux Côtes ; une famille originaire de Marsannay justement. Ce 2005 évolue un peu sous sa robe doré foncé, avec ce bouquet brioche et miel aux nuances de pain d'épice. Du beau bois, mais au palais le fût (douze mois tout ronds) prend un peu le dessus. Le poulet aux morilles n'y verra rien à redire. Sans précipiter les choses, car il faudra attendre que le chardonnay perce davantage sous le chêne : deux ans de cave.

Hervé Charlopin, 5, rue des Avoines, 21160 Marsannay-la-Côte, tél. 03.80.59.86.75, fax 03.80.51.44.49, e-mail charlopin.herve@free.fr ☑ Y ⚲ r.-v.

BERNARD COILLOT PÈRE ET FILS
Les Boivins 2005 ★

■ n.c. 5 400 ⅢⅠ 11 à 15 €

On les appelle les Bombis à Chenôve, les Pataras à Marsannay : les vignerons du cru, les familles de vieille souche. Comme les Coillot. Rouge violacé très soutenu, un pinot au nez subtil : l'iris fait la cour à la rose. L'élevage (douze mois en fût) demeure assez présent en bouche, mais ne dissimule pas la charpente du vin proprement dit. Bien constitué, ce 2005 pourra attendre au moins deux ans. Mêmes perspectives pour le **marsannay rouge La Charme aux prêtres 2005**, un petit cran au-dessous (une citation).

Dom. Bernard Coillot Père et Fils, 31, rue du Château, 21160 Marsannay-la-Côte, tél. 03.80.52.17.59, fax 03.80.52.12.75, e-mail domaine.coillot@wanadoo.fr ☑ Y ⚲ r.-v.

DOM. COLLOTTE Le Clos de Jeu 2005 ★

■ 1 ha 4 000 8 à 11 €

Ce domaine a pris part à la saga des vins de Marsannay. Son Clos de Jeu provient d'un *climat* situé du côté de Couchey en bas du Saint-Jacques. Rustique au bon sens du terme, à attendre un peu, c'est un vin haut en couleur sur des arômes de baies noires, voire de thé noir. Encore très jeune et ferme, d'une bonne harmonie générale, il mérite d'attendre au moins deux ou trois ans.

Dom. Collotte, 44, rue de Mazy, 21160 Marsannay-la-Côte, tél. 03.80.52.24.34, fax 03.80.58.74.40, e-mail domaine.collotte@terre-net.fr r.-v.

ALAIN GUYARD Charme aux Prêtres 2005

■ 1 ha 4 000 8 à 11 €

Les lieux-dits sur l'appellation frisent la centaine... Alors on nous pardonnera de ne pas dénicher ce Charme aux Prêtres... Le vin ? Robe vive et légère, rubis limpide. Peu de bouquet, du moins pour l'instant. Ensemble austère et solide, fondé sur des tanins un rien épicés qui permettent d'envisager une évolution favorable dans l'année à venir.

Alain Guyard, 10, rue du Puits-de-Têt, 21160 Marsannay-la-Côte, tél. 03.80.52.14.46, fax 03.80.52.67.36 t.l.j. 8h-11h30 14h-18h

OLIVIER GUYOT La Montagne 2005 ★

0,5 ha 3 000 15 à 23 €

Climat haut perché du côté de Chenôve, au-dessus des Longeroies. On dit plutôt : En la Montagne. En blanc, cela donne un vin aux parfums exotiques et au palais puissant, gras et long, qui ne manque pas de réserve (deux ans au moins). Même note pour le **Montagne rouge 2005** qui passe agréablement d'un petit nez lilas à un grand nez cassis-mûre. Un vin fruité, bien construit sur des tanins soyeux ; à attendre un an ou deux.

Olivier Guyot, 39, rue de Mazy, 21160 Marsannay-la-Côte, tél. 03.80.52.39.71, fax 03.80.51.17.58, e-mail domaine.guyot@wanadoo.fr r.-v.

HUGUENOT PÈRE ET FILS 2005 ★★

2,5 ha 12 000 11 à 15 €

Ce domaine n'en est pas à son premier coup de cœur. Avec ce 2005, il se voit couronné pour la quatrième fois. « Bonne réputation vaut mieux que ceinture dorée », disait-on jadis. Ici, on a les deux d'un coup ! Arômes sincères de pierre à fusil et de citron. Bouche d'un équilibre parfait entre l'acidité et le gras, la finesse et la consistance. Aucune amertume en finale : on reste sur un petit nuage. Ce blanc est une perle rare. Bien également, le **rouge Champs Perdrix 2005 (15 à 23 €)**, cerise et fougère au nez, peu persistant mais aux tanins gentiment enveloppés : une citation.

Huguenot Père et Fils, 7, ruelle du Carron, 21160 Marsannay-la-Côte, tél. 03.80.52.11.56, fax 03.80.52.60.47, e-mail domaine.huguenot@wanadoo.fr r.-v.

GHISLAIN KOHUT 2005 ★★

0,15 ha 1 000 5 à 8 €

Le rosé de Marsannay (pour dire comme autrefois) mérite mieux que l'image de « gentille frivolité » que lui accole l'écrivain britannique H.W. Yoxall. Il a rivalisé naguère avec le tavel. Rose très pâle, ce 2005 chante délicieusement le fruit rouge et il ne descend pas tout

BOURGOGNE

La Côte de Nuits Nord

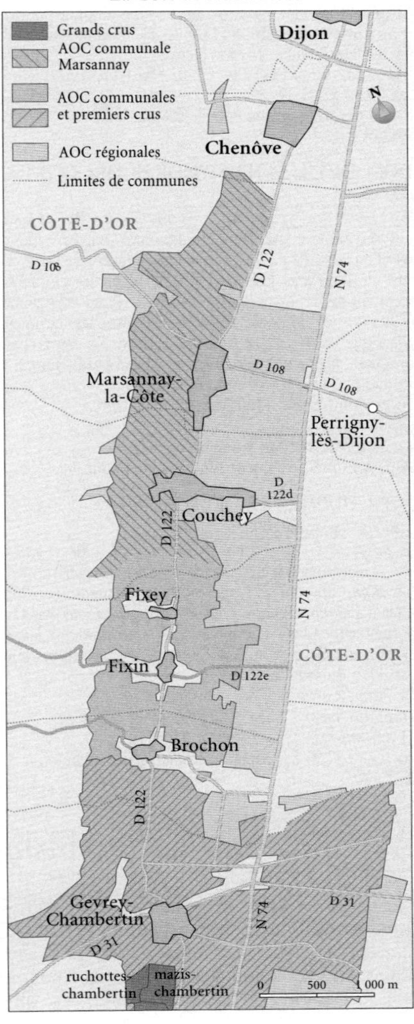

debout en bouche. Charnu et friand, gouleyant, il a pourtant du caractère et du sang. Signé par une famille d'origine polonaise établie à Couchey depuis déjà longtemps.
Ghislain Kohut, 10, rue Raymond-Poincaré, 21160 Couchey, tél. 03.80.52.99.92, fax 03.80.52.44.50, e-mail g.kohut@wanadoo.fr r.-v.

SYLVAIN PATAILLE L'Ancestrale 2004 ★★

1,1 ha 1 200 30 à 38 €

Sylvain Pataille s'est installé à plein temps en 2001 sur 4 ha après une expérience d'œnologue-conseil. L'Ancestrale ? Les puristes fronceront les sourcils devant ce nom de fantaisie. N'y a-t-il pas suffisamment de lieux-dits en Bourgogne ? Cela étant, les vignes à l'origine de ce vin ont soixante-huit ans. Entre rubis et grenat, un 2004 légèrement aromatique (kirsch, sous-bois). Bouche gourmande et ronde, équilibrée et fruitée. Que demande le peuple ? Ce pinot. Tout de suite ! Une citation pour le **marsannay blanc 2005 (11 à 15 €)**, rond et gras.
Sylvain Pataille, 14, rue Neuve, 21160 Marsannay-la-Côte, tél. 03.80.51.17.35, fax 03.80.52.49.49, e-mail domaine-sylvain.pataille@wanadoo.fr r.-v.

DOM. DE L'UNIVERSITÉ DE BOURGOGNE 2005 ★

0,87 ha 3 400 5 à 8 €

La seule étiquette bourguignonne rédigée entièrement en latin. Et pas de cuisine ! Le vignoble de l'université, né d'un legs Lucotte en 1954 et où les étudiants viennent apprendre sur le terrain. Un vin en robe jaune clair ; un nez de doctorant, complexe, sur les agrumes. Classique et riche, ce sujet soutiendra sa thèse l'an prochain. La mention « très honorable » paraît sûre.
Dom. de l'Université de Bourgogne, 16, rue du Carré, 21160 Marsannay-la-Côte, tél. 03.80.52.12.96, e-mail sylvain.debord@u-bourgogne.fr Lun. 9h-12h, jeu. 14h-18h; f. en août

DOM. DU VIEUX COLLÈGE Les Vignes-Marie 2005

1,2 ha 6 000 11 à 15 €

Un domaine dont on ne compte plus les générations. Un *climat* du côté de Couchey. Jaune soutenu, ce 2005 n'en a pas encore fini avec son fût (douze mois). On perçoit cependant une richesse souterraine qui laisse espérer une belle évolution. Le pari n'est pas trop risqué car il y a du gras en réserve.
Annie Guyard, Dom. du Vieux Collège, 4, rue du Vieux-Collège, 21160 Marsannay-la-Côte, tél. 03.80.52.12.43, fax 03.80.52.95.85, e-mail jp-eric.guyard@wanadoo.fr r.-v.

Fixin

Après avoir admiré les pressoirs des ducs de Bourgogne à Chenôve, dégusté le marsannay, vous rencontrez Fixin, première d'une série de communes donnant leur nom à une AOC, où l'on produit surtout des vins rouges. Ils sont solides, charpentés, souvent tanniques et de bonne garde. Ils peuvent également revendiquer, au choix, à la récolte, l'appellation côte-de-nuits-villages. L'AOC couvre 78 ha auxquels il faut rajouter les 16 ha des premiers crus. Elle a produit 153 hl de vins blancs et 3 860 hl de vins rouges en 2006.

Les *climats* Hervelets, Arvelets, Clos du Chapitre et Clos Napoléon, tous classés en premiers crus, sont parmi les plus réputés, mais c'est le Clos de la Perrière qui en est le chef de file puisqu'il a même été qualifié de « cuvée hors classe » par d'éminents écrivains bourguignons et comparé au chambertin ; ce clos déborde un tout petit peu sur la commune de Brochon. Autre lieu-dit : Le Meix-Bas.

DOM. BART Hervelets 2004 ★★

1er cru 1,4 ha 7 000 15 à 23 €

Le domaine Bart fait ici partie des institutions. Rien d'étonnant, un membre de la famille a longtemps occupé la chaire d'histoire des institutions à la faculté de droit de Dijon. Ce 2004 a beau être rouge, il porte le maillot jaune de la dégustation. Couleur pivoine sombre. Son nez reste frais mais il est traversé par l'animal et le sous-bois. Ce côté « société de chasse » se poursuit au palais avec la note végétale assez typique du millésime. Gibier mariné ? Eh ! oui, ce serait le mieux.
Dom. Bart, 23, rue Moreau, 21160 Marsannay-la-Côte, tél. 03.80.51.49.76, fax 03.80.51.23.43, e-mail domaine.bart@wanadoo.fr r.-v.

VINCENT ET DENIS BERTHAUT Les Arvelets 2005 ★

1er cru 1 ha 5 150 15 à 23 €

François, Firmin, Bernard, Guy, les frères Vincent et Denis..., Berthaut est depuis longtemps un nom qui compte à Fixin. De la couleur à profusion (rubis sombre), un bouquet intense de fruits mûrs, tirant sur le kirsch. Les tanins bien présents, légèrement vanillés, structurent une bouche pleine et séveuse. Un vin solide, encore un peu bourru. On peut lui donner rendez-vous en 2010. Le **village 2005 (11 à 15 €)**, plus léger, décroche également une étoile.
Vincent et Denis Berthaut, 9, rue Noisot, 21220 Fixin, tél. 03.80.52.45.48, fax 03.80.51.31.05, e-mail denis.berthaut@wanadoo.fr t.l.j. 10h-12h 14h-18h; f. jan.

HERVÉ CHARLOPIN 2005 ★★

1,07 ha 6 800 11 à 15 €

Coup de cœur pour le millésime 2003, le fixin d'Hervé Charlopin continue sa collection d'étoiles avec cette bouteille grenat qui présente un grand mérite : le fût y est parfaitement fondu, et les tanins suivent ce bon exemple. Pas de puissance extrême, mais une excellente finesse qui vaut mieux que tout. Un vin très plaisant, « à partager », suggère un dégustateur. La belle idée !
Hervé Charlopin, 5, rue des Avoines, 21160 Marsannay-la-Côte, tél. 03.80.59.86.75, fax 03.80.51.44.49, e-mail charlopin.herve@free.fr r.-v.

DOM. CLÉMANCEY Les Hervelets 2004

■ 1er cru 1,67 ha 4 200 11 à 15 €

Famille alliée aux Joliet, aux Bazin de la Côte. Autant dire qu'on la retrouve dans le « fondron » de chaque bouteille... Quant au fixin, de Lavalle (1855) à Rodier (1920) en passant par Danguy et Aubertin, tous les auteurs classiques se sont recopiés, écrivant les mêmes mots. Sont-ils hors de propos ? Pas du tout. Rubis translucide, ce 2004 au nez minéral et pierreux s'ouvrant sur la griotte, porte une acidité... douce et dévoile un corps délicat. À boire dès maintenant.

Dom. Clémancey, 33, rue Jean-Jaurès, 21160 Couchey, tél. et fax 03.80.59.87.41, e-mail domaine.clemancey@wanadoo.fr r.-v.

CLOS SAINT-LOUIS Hervelets 2005 *

■ 1er cru 0,8 ha 4 000 15 à 23 €

Après son tour de France, le compagnon Bernard la Vivacité fonde en 1817 à Dijon une fabrique de moutarde et de vinaigre, l'affaire Bernard, reprise en 1964 par Raymond Sachet et la Générale alimentaire. Mais on parle ici de vin et on en parle bien avec ces Hervelets rouge brillant, fraise écrasée, réglissé, un peu sévère, sur la réserve et à redécouvrir dans trois ans.

Dom. du Clos Saint-Louis, 4, rue des Rosiers, 21220 Fixin, tél. 03.80.52.45.51, fax 03.80.58.88.76, e-mail clos.st.louis@wanadoo.fr

t.l.j. sf dim. 9h-19h; f. 15-31 août

Philippe Bernard

DEREY FRÈRES Vieilles Vignes 2005 *

■ 2,4 ha 12 000 11 à 15 €

La famille Derey possède un titre envié depuis les grands ducs de Bourgogne : métayer de la ville de Dijon, aux Marcs d'Or depuis 1981, plus récemment aux Valandons. Son fixin rubis intense et mat ne s'ouvre pas trop, comme s'il se réservait pour de meilleures occasions. Voyons plutôt en bouche : soyeux et peu tannique, avec une touche de cassis, il révèle une finale austère. Il faut l'attendre trois ans ? Il en a tout le potentiel. Des mêmes auteurs, le **1er cru Hervelets 2005 (15 à 23 €)** est cité.

Derey Frères, 1, rue Jules-Ferry, 21160 Couchey, tél. 03.80.51.19.41, fax 03.80.58.76.70, e-mail derey-freres@wanadoo.fr r.-v.

DOM. GUY DUFOULEUR
Clos du Chapitre Monopole 2004

■ 1er cru 4,78 ha 26 000 38 à 46 €

Climat situé en dessous du Clos de la Perrière sur le coteau. Dufouleur Père et Fils a pris sa part au souvenir napoléonien si présent à Fixin en lançant jadis une Cuvée Napoléon Ier. Le Clos du Chapitre est réputé dur dans sa jeunesse. Un 2004 n'est pas encore un grognard, mais déjà plus un conscrit. Robe moyennement intense ; atmosphère de sous-bois, de mousse, de pruneau ; des tanins quelque peu sévères en finale. Un fixin très classique aux accents de gibier.

Dom. Guy Dufouleur, 19, pl. Monge, 21700 Nuits-Saint-Georges, tél. et fax 03.80.62.31.00, e-mail gaelle.dufouleur@wanadoo.fr

r.-v. 5

Guy et Xavier Dufouleur

DANIEL FOURNIER 2004 *

■ 1 ha 3 000 8 à 11 €

Domaine familial créé durant les années 1970 par Daniel et Michelle Fournier, repris en 2004 par leur fils Denis. N'oublions pas Céline, son épouse depuis septembre 2006. Dans le verre, on a affaire à un rouge clair, sinon pâle. Vin de cuve s'affichant tel, ce qui permet aux notes confites de se dégager. Vif bien sûr, mais avec de la souplesse pour équilibrer.

EARL Daniel Fournier, 1, rue Raymond-Poincaré, 21160 Couchey, tél. et fax 03.80.52.18.38

t.l.j. 8h-12h 14h-20h

JÉRÔME GALEYRAND Les Hervelets 2005

■ 1er cru 0,2 ha 900 15 à 23 €

Elle bouscule un peu tout, cette jeune génération. Étiquette design, gaufrée, grand style. Vin à sa mesure. Jérôme Galeyrand n'a pas ménagé sa peine pour en arriver là depuis 2002. Son Hervelets est un beau vin en devenir. L'œil et le nez ne posent pas de questions. Les dix-huit mois en fût ? Des tanins très présents mais sans aridité. Un peu strict peut-être, l'ensemble gagnera en aménité avec l'âge.

Jérôme Galeyrand, 16, rue de Gevrey, 21220 Saint-Philibert, tél. 06.61.83.39.69, fax 03.80.34.39.69, e-mail jerome.galeyrand@wanadoo.fr r.-v.

DOM. PIERRE GELIN Clos Napoléon 2004 **

■ 1er cru 1,8 ha 9 000 15 à 23 €

L'étiquette à elle seule relève des Monuments historiques. Elle reproduit la statue de François Rude pour Fixin. Clos Napoléon, c'est ici un monopole. Après vingt mois en fût, la vanille se détache du pruneau. Les tanins tamisés soutiennent la matière ronde et souple. Un vin friand et nerveux avec un rien d'animal. Une victoire sans appel.

Dom. Pierre Gelin, 2, rue du Chapitre, 21220 Fixin, tél. 03.80.52.45.24, fax 03.80.51.47.80, e-mail gelin.pierre@wanadoo.fr

t.l.j. sf dim. 9h-12h 14h-17h

ALAIN GUYARD Les Chenevières 2005 *

■ 1,8 ha 6 000 8 à 11 €

Les Chenevières sont au levant, sur Fixin et Fixey. Une chenevière était jadis un champ de chanvre car il fallait aussi penser aux chemises et aux draps. Le pinot noir lui succède. Le fruit mûr est ici plaisant, les tanins ronds comme des boules de billard. Après vingt mois de fût, le boisé accroche encore un peu, mais la matière et la longueur rassurent tout de suite sur l'avenir de ce vin.

Alain Guyard, 10, rue du Puits-de-Têt, 21160 Marsannay-la-Côte, tél. 03.80.52.14.46, fax 03.80.52.67.36

t.l.j. 8h-11h30 14h-18h

JAFFELIN Les Hervelets 2005 **

■ 1er cru 0,37 ha 2 180 15 à 23 €

Jaffelin est une vieille maison beaunoise reprise en 1992 par Jean-Claude Boisset qui lui a laissé les coudées assez franches. Rouge difficile à décrire tant la robe est intense, un 1er cru cerise noire à l'eau-de-vie, sur un peu de brûlé (quatorze mois de fût), d'une sucrosité étonnante et flatteuse. *Dixit* un dégustateur : « un modèle du genre ». Qu'attendre de plus ?

Maison Jaffelin, 2, rue Paradis, 21200 Beaune, tél. 03.80.22.12.49, fax 03.80.24.91.87, e-mail jaffelin@maisonjaffelin.com

JOLIET PÈRE ET FILS
Clos de la Perrière Monopole 2005 ★★

■ 1er cru 4,5 ha 15 000 46 à 76 €

L'un des deux meilleurs vins de la dégustation. On sait qu'historiquement, le Clos de la Perrière aurait pu être inscrit sur la liste des grands crus. Lorsque la famille Joliet, propriétaire et exploitante depuis 1853, écrit que le domaine a été fondé par Cîteaux en 1142, le manoir et la cave en font foi. Changement de politique en 2004 : Philippe Charlopin est appelé comme consultant. Les prix se sont envolés, la qualité aussi. Robe noire, kirsch et eucalyptus, concentration, longueur et harmonie. Leur 2005 est déjà prêt à boire. Que demander de plus ? Le **Perrière 2004 blanc (+ de 76 €)** – le clos est bicolore – obtient une citation pour ses notes citronnées et briochées et pour son boisé fondu.

EARL Joliet Père et Fils, manoir de la Perrière, 21220 Fixin, tél. 03.80.52.47.85, fax 03.80.51.99.90, e-mail benigne@wanadoo.fr
t.l.j. 8h-12h 14h-18h
Bénigne Joliet

PHILIPPE ROSSIGNOL En Tabellion 2004 ★

■ 0,37 ha 2 000 11 à 15 €

Fils d'agriculteur, Philippe Rossignol s'est « jeté à l'eau » en 1976 sur 2 ha. Il en vinifie aujourd'hui le triple, et il est passé de trois à neuf appellations. Sans doute faut-il avoir de bons yeux pour le trouver sur l'atlas (côté Couchey), mais il existe bel et bien un *climat* En Tabellion. Rouge sombre à liseré violacé, juste un peu éveillé sur la framboise, gras et riche, surtout très persistant, ce 2004 nous fera vraiment ses confidences en 2009. Cependant, il est bon à boire dès à présent.

Philippe Rossignol, 61, av. de la Gare, 21220 Gevrey-Chambertin, tél. et fax 03.80.51.81.17 r.-v.

Gevrey-chambertin

Au nord de Gevrey, trois appellations communales sont produites sur la commune de Brochon : fixin sur une petite partie du Clos de la Perrière, côte-de-nuits-villages sur la partie nord (lieux-dits Préau et Queue-de-Hareng) et gevrey-chambertin sur la partie sud.

En même temps qu'elle constitue l'appellation communale la plus importante en volume (17 435 hl en 2006), la commune de Gevrey-Chambertin abrite des premiers crus tous plus grands les uns que les autres ayant donné 3 248 hl. La combe de Lavaux sépare la commune en deux parties. Au nord, nous trouvons, entre autres *climats*, les Évocelles (sur Brochon), les Champeaux, la Combe aux Moines (où allaient en promenade les moines de l'abbaye de Cluny qui furent au XIIIes. les plus importants propriétaires de Gevrey), les Cazetiers, le Clos Saint-Jacques, les Varoilles, etc. Au sud, les crus sont moins nombreux, presque tout le coteau étant en grand cru ; on peut citer les *climats* de Fonteny, Petite-Chapelle, Clos-Prieur, entre autres.

Les vins de cette appellation sont solides et puissants dans le coteau, élégants et subtils dans le piémont. À ce propos, il convient de répondre à une rumeur erronée selon laquelle l'appellation gevrey-chambertin s'étend jusqu'à la ligne de chemin de fer Dijon-Beaune, dans des terrains qui ne le mériteraient pas. Cette information, qui fait fi de la sagesse des vignerons de Gevrey, nous donne l'occasion d'apporter une explication : la côte a été le siège de nombreux phénomènes géologiques, et certains de ses sols sont constitués d'apports de couverture, dont une partie a pour origine les phénomènes glaciaires du quaternaire. La combe de Lavaux a servi de « canal », et à son pied s'est constitué un immense cône de déjection dont les matériaux sont identiques ou semblables à ceux du coteau. Dans certaines situations, ils sont simplement plus épais, donc plus éloignés du substratum. Essentiellement constitués de graviers calcaires plus ou moins décarbonatés, ils donnent ces vins élégants et subtils dont nous parlions précédemment.

DOM. BARBIER ET FILS Les Murots 2005 ★★

■ 0,49 ha 2 430 15 à 23 €

Climat situé tout à fait à l'est de Gevrey. Le nom fait référence à un tas de cailloux retirés de la vigne au fil du temps. Cette bouteille figure parmi les finalistes du coup de cœur. Robe rubis pivoine, intensément fruitée (cassis), puis évoluant vers le beurré, elle offre un délicieux goût de noyau de cerise, de kirsch. La bouche révèle une matière riche et fondue, bien équilibrée par la fraîcheur. Bouteille très agréable et susceptible de se conserver une paire d'années.

Dom. Barbier et Fils, 17, rue Thurot, 21700 Nuits-Saint-Georges, tél. 03.80.61.21.21, fax 03.80.61.10.65, e-mail domaine.barbier@wanadoo.fr
t.l.j. 9h-19h

VINCENT ET DENIS BERTHAUT
Clos des Chezeaux 2005 ★

■ 0,5 ha 2 000 15 à 23 €

Un petit clos, dans le voisinage des Cazetières (coup de cœur ici-même, il y a dix ans). Un *village* grenat intense, le nez sur la mûre, légèrement vanillé. L'attaque est puissante, la bouche structurée sur des tanins fruités qui gardent encore un rien d'âpreté pour mieux assurer leurs vieux jours. Patientez trois à cinq ans.

Vincent et Denis Berthaut, 9, rue Noisot, 21220 Fixin, tél. 03.80.52.45.48, fax 03.80.51.31.05, e-mail denis.berthaut@wanadoo.fr
t.l.j. 10h-12h 14h-18h; f. jan.

JEAN-FRANÇOIS CHAPELLE 2004 ★

■ n.c. 1 800 15 à 23 €

Achat de raisins depuis la récolte 2002 et vinification par Jean-François Chapelle. Cela donne un gevrey 2004 rouge profond au nez de fruits noirs compotés assortis d'une légère touche végétale également. La bouche suit un

juste parcours, sur une matière charnue mais sans excès ; bien fruitée, elle termine sur une pointe de chaleur. Ce vin fait plaisir dès maintenant, mais ceux qui sauront l'attendre encore deux ans seront récompensés.
Jean-François Chapelle, Le Haut-Village,
21590 Santenay, tél. 03.80.20.60.09, fax 03.80.20.61.01,
e-mail contact@domainechapelle.com
t.l.j. sf dim. 9h-12h 14h-17h

DOM. PHILIPPE CHARLOPIN
Cuvée Vieilles Vignes 2004 *

■ n.c. n.c. **38 à 46 €**

On connaît la façon de travailler de ce vigneron plusieurs fois coup de cœur. Il sollicitait les conseils d'Henri Jayer bien avant la célébrité de ce dernier. D'un rouge grenat profond à reflets fuchsia, son gevrey ne se cache pas derrière le bout de son nez, très ouvert sur la cerise noire, la fraise écrasée, avec une pointe de torréfaction. Encore jeune, présentant une trame intéressante, il a tout à la fois du charme et du caractère. À ouvrir d'ici deux ou trois ans.
Philippe Charlopin, 18, rte de Dijon,
21220 Gevrey-Chambertin, tél. et fax 03.80.58.50.46,
e-mail charlopin-philippe@wanadoo.fr

DOM. DE CHARMY Les Cazetiers 2005 *

■ 1er cru 0,39 ha 2 489 **46 à 76 €**

La maison P. Misserey (1904, prenant la suite de la maison Ferdinand Buffet) a appartenu à la famille Lanvin (1985), puis à Laurent Max (Louis Max, Jaboulet-Vercherre) à Nuits (2003). Cerise limpide, cassis et bourgeon de cassis : un vin très classique dans la tradition du gevrey d'autrefois, respectant l'appellation et son terroir. À l'œil, au nez, en bouche (rondeur, tanins fruités), on y trouve tous les « fondamentaux ».
P. Misserey, 6, rue de Chaux, BP 4,
21700 Nuits-Saint-Georges, tél. 03.80.62.43.47,
fax 03.80.62.68.02 r.-v.

BERNARD COILLOT PÈRE ET FILS 2005

■ 1,55 ha 9 900 **15 à 23 €**

Rouge profond, ce 2005 possède un nez intense et assez gourmand, très marqué par le bois. La bouche témoigne également de cet élevage (douze mois en fût), puis livre une matière ronde et fruitée, nécessairement structurée. À attendre cinq ans et à réserver aux amateurs de boisé.
Dom. Bernard Coillot Père et Fils,
31, rue du Château, 21160 Marsannay-la-Côte,
tél. 03.80.52.17.59, fax 03.80.52.12.75,
e-mail domaine.coillot@wanadoo.fr r.-v.

ÉTIENNE COSSON Les Grandes Rayes 2004

■ 0,18 ha 1 000 **15 à 23 €**

Les amateurs d'étiquettes savent qu'il s'agit ici d'un modèle rare et dessiné par Hansi, illustre artiste alsacien auteur également de la fameuse étiquette du Tastevin. Né des héritiers Cosson (la grande dame du Clos des Lambrays), un 2004 grenat clair au nez élégant, fruité et végétal, porté par des tanins frais et délicats. À servir dans le temps présent.
Étienne Cosson, 28, rue Basse,
21220 Morey-Saint-Denis, tél. 03.80.34.32.42
r.-v.

La Côte de Nuits Sud

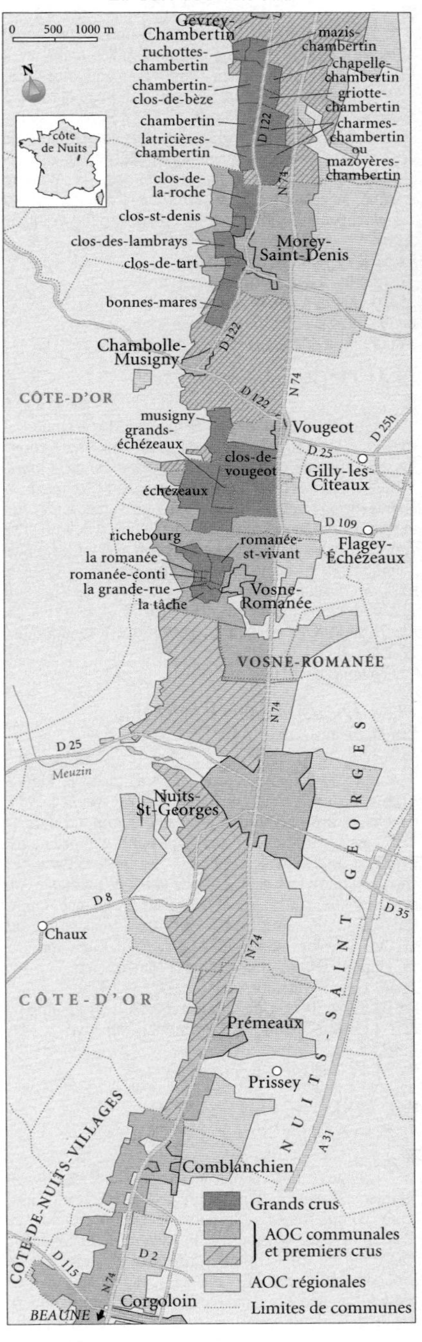

DOM. PIERRE DAMOY Clos Tamisot 2004 ★

■ 1,45 ha 5 100 30 à 38 €

L'histoire de Jean-Baptiste Damoy, c'est celle d'un petit épicier qui crée d'innombrables magasins à Paris sous l'enseigne Julien Damoy, puis qui lâche tout pour son démon de midi : le vin. En Beaujolais et à Gevrey, avec un bon tiers du Clos de Bèze. Toujours cette famille et le Clos Tamisot sous les fenêtres de cette maison à l'escalier magnifique... Rubis clair à reflets bleutés, le nez offert à la groseille sans la moindre retenue, le palais souple et arrondi, vif sur la fin : un *village* capable de jouer au 1er cru, à carafer avant de servir.

SCEV Dom. Pierre Damoy, 11, rue du Mal-de-Lattre-de-Tassigny, 21220 Gevrey-Chambertin, tél. 03.80.34.30.47, fax 03.80.58.54.79, e-mail info@domaine-pierre-damoy.com r.-v.

DOM. DROUHIN-LAROZE 2005

■ 4,07 ha 18 000 15 à 23 €

Drouhin-Laroze depuis le mariage de Suzanne Laroze et d'Alexandre Drouhin en 1919. Cinq générations se sont succédé, Christine et Philippe de nos jours. Visuellement très beau (cerise noire), ce 2005 pinote bien au nez sur un refrain de griotte avec une vanille légère qui ne masque pas le fruit (dix-huit mois en fût). Il doit prendre encore de la bouteille pour parfaire son harmonie (quatre à cinq ans).

Dom. Drouhin-Laroze, 20, rue du Gaizot, 21220 Gevrey-Chambertin, tél. 03.80.34.31.49, fax 03.80.51.83.66, e-mail drouhin-laroze@wanadoo.fr r.-v.

Philippe Drouhin

DOM. DUPONT-TISSERANDOT Lavaux Saint-Jacques 2005 ★★

■ 1er cru 0,98 ha 1 500 30 à 38 €

Bernard Dupont, épicier, originaire de la Haute-Marne, épouse Gisèle Tisserandot (de Gevrey) en 1954. Cinquante ans plus tard, le domaine comprend plus de deux cents parcelles sur une quinzaine d'appellations. Coup de cœur dans le Guide 2005, il place cette année encore la barre très haut. La robe et le nez pinotent, l'un sur le violine, l'autre sur le fruit frais. Puissance, tanins frais, équilibre, « tout est là », écrit un dégustateur. Sauf le coup de cœur, mais la finale fut serrée. C'est ainsi.

Dupont-Tisserandot, 2, pl. des Marronniers, 21220 Gevrey-Chambertin, tél. 03.80.34.10.50, fax 03.80.58.50.71, e-mail didier.chevillon@wanadoo.fr t.l.j. 9h-12h 14h-17h30; sam. dim. sur r.-v.; f. 5-25 août

M.-F. Guillard et P. Chevillon

DOM. JÉRÔME GALEYRAND Vieilles Vignes En Croisette 2005 ★★

■ 0,2 ha 900 23 à 30 €

Installé en 2002, et présent dans le Guide depuis son premier millésime. « Un homme à suivre », « sur qui il faudra compter », écrivions-nous. Jérôme Galeyrand avec ce coup de cœur se montre à la hauteur de la confiance placée en lui. En Croisette, un *climat* tout en haut de Brochon, accroché à la roche. Ce jeune viticulteur n'en possède pas même cinq ouvrées, et il est de Saint-Philibert. Relire *Nono* de Roupnel... Tout impressionne dans cette bouteille mûre-cassis très foncée, admirable en bouche sur

un triptyque tanins, alcool, acidité parfaitement maîtrisé. Arômes (fruits mûrs, épices, réglisse), volume, longueur, tout est en place. Aurez-vous le courage de patienter deux ou trois ans ? Une étoile pour le **Billard 2005 (15 à 23 €)**.

Jérôme Galeyrand, 16, rue de Gevrey, 21220 Saint-Philibert, tél. 06.61.83.39.69, fax 03.80.34.39.69, e-mail jerome.galeyrand@wanadoo.fr r.-v.

S.C. GUILLARD Les Corbeaux 2004 ★

■ 1er cru 0,48 ha 3 000 15 à 23 €

Michel Guillard peut veiller avec soin sur ses Corbeaux. Il habite juste à côté. La parcelle s'est agrandie en 1993 par l'achat d'une vigne voisine appartenant à Mlle Thomas-Collignon, sœur des mazis-chambertin des Hospices de Beaune. La robe est assortie au bouquet et à la bouche, sur une dominante de fruits rouges. L'acidité est bien dosée, la chair ronde et plaisante. Un vin élégant et gourmand, pas très loin de la deuxième étoile.

SCEA Guillard, 3, rue des Halles, 21220 Gevrey-Chambertin, tél. 03.80.34.32.44 r.-v.

JEAN-MICHEL GUILLON La Petite Chapelle 2005

■ 1er cru 0,27 ha 1 500 23 à 30 €

Climat dans l'axe du Clos de Bèze et juste en dessous de La Chapelle-Chambertin. Pourpre foncé, violine, ce 2005 a l'œil vif. Son nez s'oriente peu à peu vers un boisé fruité (cassis, mûre). L'attaque est pleine, puissante, épaulée par des tanins encore jeunes. Vin à examiner de plus près dans cinq à dix ans. Les **Vieilles Vignes 2005 (15 à 23 €)** sont également citées.

Jean-Michel Guillon, 33, rte de Beaune, 21220 Gevrey-Chambertin, tél. 03.80.51.83.98, fax 03.80.51.85.59, e-mail eurlguillon@aol.com r.-v.

ANTONIN GUYON La Justice 2004 ★

■ 1,95 ha 9 000 23 à 30 €

L'un des domaines familiaux les plus remarquables de la Côte (48 ha et beaucoup d'appellations prestigieuses) basé à Savigny et à Dijon. Cette Justice n'a rien de carré, d'insensible, d'arrogant. Non, elle réconcilierait, s'il en était besoin, avec la magistrature. Elle prête l'oreille à votre goût et s'emploie à le satisfaire : groseille, framboise, vanille, la cause est gagnée d'avance. De la structure, car il faut aller droit, et de la longueur, pour ne pas être jugée de façon trop... expéditive. Mais allons, et selon un mot célèbre : « Renvoyons l'affaire à huitaine. Nous aurons double plaisir à en déguster les pièces. »

Dom. Antonin Guyon, 21420 Savigny-lès-Beaune, tél. 03.80.67.13.24, fax 03.80.66.85.87, e-mail domaine@guyon-bourgogne.com r.-v.

OLIVIER GUYOT Les Champs 2005 ★

■ 0,5 ha 2 500 23 à 30 €

Un vin prometteur, nuance griotte profonde, cassis et mûre au nez dans un esprit d'équité, sachant en bouche

rameuter les amis : de la chaleur, de l'acidité, de la rondeur et un retour du fruit. On lui trouve même une pointe de réglisse. L'oublier trois à quatre ans en cave.
Olivier Guyot, 39, rue de Mazy,
21160 Marsannay-la-Côte, tél. 03.80.52.39.71,
fax 03.80.51.17.58, e-mail domaine.guyot@wanadoo.fr
r.-v.

DOM. HARMAND-GEOFFROY
Vieilles Vignes 2004 ★★

■ 0,67 ha 3 800 15 à 23 €

À Gevrey, vous ne pouvez pas vous tromper : place des Lois – nom qui exprime un cri d'amour du pays pour la Révolution. Grenat foncé fulgurant, le nez griotté sur un soupçon de fougère, ce 2004 a la dent dure mais un gevrey encore jeune reçoit l'absolution sans s'attarder en confession. Du volume, de la fraîcheur, des tanins de qualité : un vin racé, bel exemple de réussite en un millésime pas si commode.
EARL Dom. Harmand-Geoffroy, 1, pl. des Lois,
21220 Gevrey-Chambertin, tél. 03.80.34.10.65,
fax 03.80.34.13.72,
e-mail harmand-geoffroy@wanadoo.fr r.-v.

DOM. HUGUENOT PÈRE ET FILS
Les Fontenys 2005 ★★

■ 1er cru 0,5 ha 2 000 **30 à 38 €**

À ce vin on ne demandera pas, comme Verlaine : « Dis, toi que voilà, qu'as-tu fait de ta jeunesse ? » Une jeunesse appliquée à préparer son avenir et bien remplie ! Fontenys est face aux Ruchottes, de l'autre côté du chemin de Curley. D'un rubis profond, le nez élégant et discret (bourgeon de cassis), ce 2005 possède bien sûr de la mâche, mais déjà framboisée, appelée à se fondre. Très joli vin à la hauteur de son rang de 1er cru, que l'on saura attendre car il le mérite (dans les trois ou quatre ans et sans doute bien davantage). Sélectionné pour la finale du coup de cœur.
Huguenot Père et Fils, 7, ruelle du Carron,
21160 Marsannay-la-Côte, tél. 03.80.52.11.56,
fax 03.80.52.60.47,
e-mail domaine.huguenot@wanadoo.fr r.-v.

DOM. HUMBERT FRÈRES Poissenot 2005 ★★

■ 1er cru n.c. 1 800 **30 à 38 €**

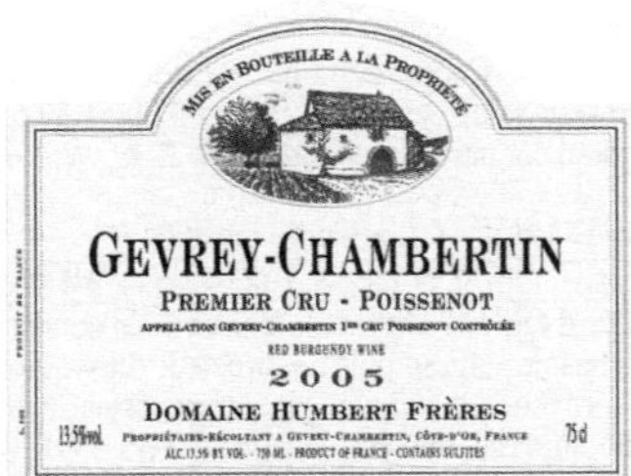

Déjà coup de cœur dans l'édition 2006 pour ses Estournelles Saint-Jacques 2003, ce domaine réalise la plus belle série du jour avec un coup de cœur et deux autres vins accédant à la finale ! La palme est accordée à ce Poissenot dans sa robe d'empereur romain. Un bouquet étonnant de complexité (cuir, fruits mûrs, chocolat, épices). Riche et velouté, un palais magnifiquement concentré. Beau potentiel jusqu'aux années 2010. Le **1er cru Estournelles Saint-Jacques 2005** et le **village 2005 (15 à 23 €)** obtiennent également deux étoiles.
Dom. Humbert Frères, rue de Planteligone,
21220 Gevrey-Chambertin, tél. et fax 03.80.51.80.14
r.-v.

RÉMI JEANNIARD 2005 ★

■ 0,23 ha 1 400 11 à 15 €

Rémi Jeanniard s'est installé en 2004 sur la moitié du domaine familial. Cela lui fait 6,10 ha à exploiter sur les communes de Gevrey, Chambolle et Morey-Saint-Denis. On découvre son *village* 2005, profond, presque noir, au nez assez puissant de framboise et de cassis. La bouche termine sur une certaine austérité. Mais avant, on sera passé par une attaque franche, une matière fruitée et des tanins ronds. De quoi donner envie de patienter jusqu'en 2010 que la jeunesse se soit assagie.
Rémi Jeanniard, 20, pl. du Monument,
21220 Morey-Saint-Denis, tél. et fax 03.80.58.52.42
r.-v.

LEYMARIE-CECI La Justice 2004 ★

■ 0,68 ha 2 000 15 à 23 €

Parcelle acquise en 1970 par la famille en un lieu-dit situé en bas de la RN 74 devenue RD 974. Jean-Charles gère en même temps le domaine bourguignon (dont celui du Clos de Vougeot) et la maison de négoce belge Leymarie à Eglesée. Dans une robe concentrée, sombre, une Justice au nez complexe (framboise, violette) assorti d'une expression de terroir. Puissante, généreuse en fruits et d'une bonne ampleur. Très rare exemple d'une famille présente en Bourgogne et en Bordelais (Libournais, Pomerol).
Dom. Leymarie-CECI,
Clos du Village, 24, rue du Vieux-Château,
21640 Vougeot, tél. 03.80.62.86.06, fax 03.80.62.88.53,
e-mail leymarie@skynet.be r.-v.

DOM. LIGNIER-MICHELOT Cuvée Bertin 2005 ★

■ 0,6 ha 3 800 15 à 23 €

Comme le disait Virgile : *non omnia possumus omnes*. À chacun selon son talent ! Ce 2005 tout en rondeur, tout de douceur est un vin nature, spontané. Ses arômes de myrtille et de réglisse composent un nez très abordable. L'ensemble se laisse apprécier avec plaisir. Absence de tout maquillage boisé, c'est bien. Bertin, né en 2004, pourra être fier de sa cuvée.
Dom. Lignier-Michelot, 11, rue Haute,
21220 Morey-Saint-Denis, tél. 03.80.34.31.13,
fax 03.80.58.52.16, e-mail virgile.lignier@wanadoo.fr
r.-v.

LOU DUMONT Lavaux Saint-Jacques 2004 ★★

■ 1er cru n.c. 600 **30 à 38 €**

Cette minuscule cuvée, née sous triple pavillon japonais, coréen et français, convole avec les sommets. Un vin élégant et présent, d'une couleur infinie et que l'on trouve rarement, au nez de figue sèche et de tabac blond (sans oublier la cerise mûre). Stable au palais dès l'attaque, marqué par une pointe d'alcool, par un rien de vanille, il trouve le bon équilibre et fait régner l'harmonie jusqu'au bout de sa longue finale.
Lou Dumont, 1, rue de Paris,
21220 Gevrey-Chambertin, tél. 03.80.51.82.82,
fax 03.80.51.82.84, e-mail sales@loudumont.com
r.-v.

DOM. MICHEL MAGNIEN ET FILS
Seuvrées Vieilles Vignes 2005 ★★

■ 1,3 ha 8 000 23 à 30 €

Les Seuvrées sont un *climat* en bas de la 74, devenue 974 car départementale. Côté Morey. Pourpre intense, ce 2005 offre un bouquet intense de cassis marqué d'une discrète note boisée. Ample, charnue, puissante, équilibrée, longue : les qualificatifs ne manquent pas pour parler de la bouche. N'oublions pas le fruit, qui revient en finale faire son tour de piste. Un *village* impressionnant, à attendre encore trois à quatre ans. Le **1er cru Les Cazetiers 2005 (46 à 76 €)**, élégant et plein de fraîcheur, qui fut coup de cœur pour le millésime 1999, décroche une étoile.

Dom. Michel Magnien et Fils, 4, rue Ribordot, 21220 Morey-Saint-Denis, tél. 03.80.51.82.98, fax 03.80.58.51.76 r.-v.

DOM. MARCHAND FRÈRES
Vieilles Vignes 2005 ★

■ 0,52 ha 3 350 15 à 23 €

Au domaine, rare et beau pressoir des temps anciens. Dans le chai moderne, on a vinifié et élevé ce vin jeune et malgré tout solide, oubliant presque ses seize mois en fût, modérant ses tanins et misant sur le fruit rouge. Ample, généreux, il n'est peut-être pas d'une complexité à la saint Thomas d'Aquin, mais il ne perd pas de vue son sujet. Vous pourrez le vérifier d'ici deux ans.

Dom. Marchand Frères, 1, pl. du Monument, 21220 Gevrey-Chambertin, tél. 03.80.62.12.97, fax 03.80.62.11.01, e-mail dmarc2000@aol.com

r.-v. 3

DOM. MAREY La Justice 2004

■ 1,15 ha 7 300 15 à 23 €

La justice que l'on rendait ici était parfois expéditive. Quant à ce lieu-dit, il fait le bonheur des archéologues quand l'occasion leur est donnée d'en gratter le sous-sol. Ce domaine en exploite 1,15 ha, mais il s'agit d'un très vaste *climat* mieux baptisé que son voisin Craite-Paille. En Hautes-Côtes de Nuits, Meuilley était naguère célèbre pour sa fraise. Spécialisée à l'origine dans l'arboriculture, la famille produit encore cerises et pêches de vigne. Ce 2004 en a un peu la couleur, rubis violine. Notes de cerise à l'eau-de-vie sur boisé bien fondu. Si la finale est assez brève, la souplesse et le gras ont de quoi rétablir l'équilibre.

EARL Dom. Marey, rue Bachot, 21700 Meuilley, tél. 03.80.61.12.44, fax 03.80.61.11.31, e-mail dommarey@aol.com r.-v.

MAISON FRANÇOIS MARTENOT
Les Évocelles 2005 ★

■ n.c. 3 000 15 à 23 €

Cette maison est la fille du groupe suisse Schenk et la sœur d'Henri de Villamont. Les Évocelles se situent sur le territoire communal de Brochon. Elles produisent ici un vin rouge foncé limpide, dont le bouquet relativement discret à l'entame s'exprime mieux à l'agitation (notes délicates de fleurs et de fruits rouges). La structure est suffisante, les tanins se montrent doux, la vivacité apparaît bien proportionnée et les arômes rappellent la griotte.

Maison François Martenot, ZI Beaune Vignoles, 21200 Beaune, tél. 03.80.24.70.07, fax 03.80.22.54.31, e-mail luc.bernardy@fmartenot.fr

MORIN PÈRE ET FILS 2005 ★

■ 5 ha 30 000 23 à 30 €

Maison accueillante et, de surcroît, l'une des plus anciennes de la cité. Reprise par Jean-Claude Boisset en 1987, mais – et c'est bien de la part de l'acquéreur qui a cette philosophie – demeurée un peu elle-même. « Vin vert, riche bourgogne », le vieux proverbe du cru s'applique à ce 2005. Acidité et tanins, voilà un fameux drôle ! Il se fera avec l'âge car il a tout sur l'épaule pour avancer à grands pas. Bien fait et convaincant, riche en robe comme en bouquet.

Morin Père et Fils, 9, quai Fleury, 21700 Nuits-Saint-Georges, tél. 03.80.61.19.51, fax 03.80.61.05.10, e-mail cave@morinpere-fils.com

r.-v.

DOM. PHILIPPE NADDEF Les Champeaux 2004

■ 1er cru 0,42 ha 1 400 23 à 30 €

Installé depuis quelques années dans la Grosse Maison à Fixin, Philippe Naddef a reçu ses premières vignes de son grand-père maternel, le Dr Bizot : une figure de la Côte. Rubis sombre, ces Champeaux expriment un parfum végétal de feuille de cassis assez caractéristique de certains 2004. Ample, chaleureux et équilibré en bouche, le vin reste sur une nuance de cassis. Le fruit, cette fois.

Dom. Philippe Naddef, 30, rte des Grands-Crus, 21220 Fixin, tél. 03.80.51.45.99, fax 03.80.58.83.62, e-mail domaine.phil.naddef@wanadoo.fr

r.-v. 6

DOM. ODOUL-COQUARD Aux Combottes 2004

■ 1er cru 0,42 ha 1 800 23 à 30 €

Sous sa robe grenat, ce 2004 pointe un nez peu complexe mais délicat, qui s'ouvre à l'aération sur la cerise confite. En bouche, la trame joue serré, sans fausse note, mais l'équilibre est encore à attendre. La matière est intéressante, la finale d'une longueur prometteuse, on patientera donc sereinement trois à quatre ans que le temps ait fait son travail.

Dom. Odoul-Coquard, 64 bis, rte des Grands-Crus, 21220 Morey-Saint-Denis, tél. et fax 03.80.51.80.62, e-mail odoul.coquard@wanadoo.fr r.-v.

GÉRARD QUIVY Les Corbeaux 2004 ★

■ 1er cru 0,17 ha 1 000 30 à 38 €

Gérard Quivy ? Un fonctionnaire de la concurrence et de la consommation, puis un directeur du syndicat des côtes-de-provence, et enfin un viticulteur installé à Gevrey dans une superbe maison construite vers 1710 par le maître des comptes Chiffot. Qui a dit qu'on n'avait qu'une seule vie ? L'attaque de ce gevrey est ronde, fruitée, et la poursuite assez forte. Fruits rouges à l'œil, macérés au nez, un 2004 tout en clarté et devenir. Pour 2008 ou 2009. Domaine coup de cœur l'an dernier pour ses Journeaux.

Gérard Quivy, 7, rue Gaston-Roupnel, 21220 Gevrey-Chambertin, tél. et fax 03.80.34.31.02, e-mail gerard.quivy@wanadoo.fr

t.l.j. sf ven. 9h-12h30 14h-18h

DOM. HENRI REBOURSEAU 2004

■ n.c. n.c. 15 à 23 €

À Gevrey comme dans la Côte, on respecte les parcs et les jardins, mais on n'oublie jamais les pieds de vigne. Ainsi le clos de la propriété Rebourseau forme une parcelle de 5,78 ha d'un seul tenant ! Vermillon brillant, de caractère assez végétal (mousse, sous-bois), honnêtement complexe, ce 2004 a gardé une certaine sévérité et doit achever son évolution. Ne pas le déboucher avant deux ans.

NSE Dom. Henri Rebourseau, 10, pl. du Monument, 21220 Gevrey-Chambertin, tél. 03.80.51.88.94, fax 03.80.34.12.82, e-mail domaine@rebourseau.com r.-v.

DOM. ROSSIGNOL-TRAPET 2004 *

■ 6,25 ha 35 000 15 à 23 €

Domaine issu du partage entre Jean Trapet et sa sœur Mado, épouse de Jacques Rossignol. Fortement coloré, le nez assez prononcé (cassis, fougère), un vin gras et rond, bien fondu et plutôt léger. Une vraie réussite dans un millésime considéré comme difficile. À servir dès maintenant et pendant plusieurs années.

Dom. Rossignol-Trapet, 4, rue de la Petite-Issue, 21220 Gevrey-Chambertin, tél. 03.80.51.87.26, fax 03.80.34.31.63, e-mail info@rossignol-trapet.com r.-v.

GÉRARD SEGUIN Craipillot 2005 *

■ 1er cru 0,67 ha 3 400 15 à 23 €

Coup de cœur dans notre édition 2005 pour le millésime 2002 en Vieilles Vignes. Quant au *climat* Craipillot, il est situé tout près de l'église et de l'endroit où vit Gérard Seguin. Parmi les nouveautés, l'arrivée de Jérôme sur l'exploitation et l'achat d'un demi-hectare en AOC fixin. Sans parler d'une nouvelle cave-cuverie. Un beau rubis pour ce 2005. Le nez a besoin de prendre l'air – à décanter si possible. Bouche ample et réglissée dans un décor capitonné. Ensemble plutôt atypique (une certaine amertume) mais intéressant. Une étoile également pour le **village La Justice 2005**, puissant, équilibré et prometteur, et pour les **Vieilles Vignes 2005**.

Dom. Gérard Seguin, 11-15, rue de l'Aumônerie, 21220 Gevrey-Chambertin, tél. 03.80.34.38.72, fax 03.80.34.17.41, e-mail domaine.gerard.seguin@wanadoo.fr r.-v.

RÉMI SEGUIN Les Seuvrées 2004

■ 1,1 ha n.c. 11 à 15 €

D'un côté de la grand-route ce sont les Charmes ou Mazoyères, de l'autre les Seuvrées. Rouge grenat sombre, ce 2004 n'a pas le nez très bavard, mais des notes végétales apparaissent à l'horizon. Et de framboise aussi. Le paysage se remplit peu à peu. Une bonne attaque fruitée, du gras et des tanins effacés, une gentille présence boisée (dix-huit mois en fût), on reconnaît un gevrey : de ceux qui viennent tranquillement en bouche sans tout bousculer sur leur passage.

Rémi Seguin, 19, rue de Cîteaux, 21640 Gilly-lès-Cîteaux, tél. 03.80.62.89.61, fax 03.80.62.80.92 r.-v.

DOM. TAUPENOT-MERME 2004 *

■ 1,64 ha 8 099 15 à 23 €

Millésime 2004. Vingtième anniversaire de l'année où Élisabeth de la Trinité a été proclamée bienheureuse par Jean-Paul II. Pourquoi ce rappel ? Les pierres du Carmel de Dijon où vécut cette religieuse ont servi à construire les caves du domaine. Riche en nuances fruitées subtiles et intenses, un 2004 plus long que puissant, attentif à tenir les tanins dans leur stricte fonction. Un vin bien travaillé, au boisé parfaitement dosé, flatteur et jamais véhément.

Dom. Taupenot-Merme, 33, rte des Grands-Crus, 21220 Morey-Saint-Denis, tél. 03.80.34.35.24, fax 03.80.51.83.41, e-mail domaine.taupenot-merme@wanadoo.fr r.-v.

DOM. DES TILLEULS Clos Village 2005

■ 1,3 ha 5 000 11 à 15 €

Cette famille occupe l'ancienne propriété des comtes de Thénissey, entre l'église et le château. Le *climat* Village ou Clos Village se trouve là. Un vin qui demande encore un peu de temps, mais dont on apprécie la robe moirée, le parfum de fruits rouges à noyau et de Zan. Extraction poussée, durcissant légèrement la bouche sur un bois plutôt bien fondu et une sensation épicée (poivre noir). À attendre deux à trois ans en cave.

Philippe Livera, 7, rue du Château, 21220 Gevrey-Chambertin, tél. et fax 03.80.34.30.43 r.-v.

DOM. TRAPET PÈRE ET FILS 2005 *

■ 2,2 ha 9 000 23 à 30 €

Le père Trapet, c'était quelqu'un. Il vous racontait la Bourgogne comme *l'Iliade et l'Odyssée*. Et Jeannot. Et Jean-Louis, le petit-fils, biodynamique dans l'âme, connaissant son Steiner (théoricien de la biodynamie) sur le bout du sécateur. Une de nos précédentes éditions l'a porté justement aux nues pour un chambertin 2000. Son *village* rouge 2005, pruneau, épices et réglisse, tannique et boisé, mais d'une prudence extrême, ne manque jamais d'équilibre. Il demande juste un peu de temps (trois à quatre ans) pour arrondir sa situation.

Dom. Trapet Père et Fils, 53, rte de Beaune, 21220 Gevrey-Chambertin, tél. 03.80.34.30.40, fax 03.80.51.86.34, e-mail domaine-trapet@wanadoo.fr r.-v.

DOM. DES VAROILLES La Romanée Monopole 2004 **

■ 1er cru 1 ha 4 000 30 à 38 €

La Romanée... de Gevrey. Quand on monte sur la courbe de Lavaux, côté droit. Au-dessus d'une « maison de quatre heures » où l'on allait griller des marrons. Ce temps est terminé, le propriétaire suisse vient de vendre la bâtisse et son mini-clos. Une Romanée soutenue et profonde, au nez de vanille, de cannelle et de fruits en compote. Bouche soyeuse, tanins fondus, fraîcheur et longue finale pour couronner le tout. Un vin gourmand, remarquable pour son millésime. Le **1er cru Champonnets 2004 (23 à 30 €)** obtient une étoile.

Gilbert Hammel, Dom. des Varoilles, 11, rue de l'Ancien-Hôpital, BP 7, 21220 Gevrey-Chambertin, tél. 03.80.34.30.30, fax 03.80.51.88.99, e-mail contact@domaine-varoilles.com t.l.j. 8h-18h; groupes sur r.-v.

ALAIN VOEGELI Veuve Étienne Grey 2004

■ 2,5 ha 4 000 15 à 23 €

Une famille de marchands de bois et de moutardiers. La haute figure de Suzanne Servoz, discrète et si grande

dame ! Un gevrey agréable sur le fruit, plutôt féminin, rouge profond et limpide, le nez un peu en retrait, se réveillant en bouche sur l'airelle. Une année de repos en cave lui permettra de mieux s'harmoniser.
Alain Voegeli, 5, rte de Dijon, 21220 Gevrey-Chambertin, tél. et fax 03.80.34.37.13 r.-v.

Chambertin

Bertin, vigneron à Gevrey, possédant une parcelle voisine du Clos de Bèze et fort de l'expérience qualitative des moines, planta les mêmes plants et obtint un vin similaire : c'était le « champ de Bertin », d'où Chambertin. L'AOC a produit 448 hl en 2006.

DOM. CAMUS PÈRE ET FILS 2004

Gd cru 1,69 ha 4 500 30 à 38 €

On ne peut s'y tromper. L'étiquette Camus Père et Fils (on pourrait écrire et Fille), or sur fond noir avec ses médailles récoltées un peu partout (mais on interdit de nos jours d'indiquer Bruxelles 1875 ou Paris 1892) est reconnaissable entre mille. Joseph, Léon... 1 ha 69 a 38 ca en Chambertin sur plusieurs parcelles. Ce 2004 ? Rubis bien sûr, et pruneau assez développé. Plus dense que long, il offre une matière agréable aux tanins fins, pleine de fraîcheur. À apprécier dès maintenant sur des plats en sauce.
SCEA Dom. Camus Père et Fils, 21, rue du Mal-de-Lattre-de-Tassigny, 21220 Gevrey-Chambertin, tél. 03.80.34.30.64, fax 03.80.51.87.93 r.-v.

DOM. PIERRE DAMOY 2004 *

Gd cru 0,47 ha 4 200 + de 76 €

Sur le chambertin, il ne faut pas se précipiter. Il ne doit pas seulement faire ses Pâques, mais les multiplier. L'ex-épicier d'Yvetot devenu l'empereur du commerce parisien se lassa un jour de cette vie et prit pied à Gevrey : 47 a 59 ca en chambertin contigu de son vaste clos-de-bèze. Rubis grenat, le nez méditatif sur la baie mûre et sauvage, ce 2004 étonne par sa fraîcheur et sa mâche, ses tanins assez puissants qui créent une belle tension intérieure. Le fruit est là, décliné en rouge et noir, relevé d'une pointe de vanille. À laisser s'harmoniser encore cinq ans en cave.
SCEV Dom. Pierre Damoy, 11, rue du Mal-de-Lattre-de-Tassigny, 21220 Gevrey-Chambertin, tél. 03.80.34.30.47, fax 03.80.58.54.79, e-mail info@domaine-pierre-damoy.com r.-v.

LOUIS LATOUR Cuvée Héritiers Latour 2005 *

Gd cru 2 ha 5 000 + de 76 €

La famille Latour possédait déjà ce chambertin au début du XXe s. et cette cuvée dite « Héritiers Latour » est une tradition ancienne. Pourpre à reflets noirs, un vin au bouquet incisif sur des notes suggérant la groseille, la cerise aigre ou mieux encore la cornouille. La bouche est charnue, marquée par un peu de torréfaction (dix-huit mois en fût), une certaine chaleur et des tanins qui se cherchent encore. On peut donc faire confiance à cette bouteille et l'attendre jusqu'en 2010.
Maison Louis Latour, 18, rue des Tonneliers, 21204 Beaune, tél. 03.80.24.81.00, fax 03.80.22.36.21, e-mail louislatour@louislatour.com

CH. DE MARSANNAY 2004 *

Gd cru 0,1 ha 500 46 à 76 €

Ces 10 a, en réalité 9 a 86 ca, semblent être une propriété Remy, acquise en 1979 par la famille Jouanny, de Marsannay. Le rubis est ici profond. À l'œil, rien ne languit. Sous-bois et fruits noirs, le bouquet s'éclaire soudain. Au palais, l'ensemble marqué par une certaine nervosité demande du temps pour se fondre et se mettre en place, mais la chair ferme, les tanins très dispos et l'épice assez vive, rendent ce vin prometteur. Ce 2004 devrait être captivant dans les cinq à sept ans. L'étiquette représentant deux chevaliers face à face rappelle le tournoi de Marsannay.
Ch. de Marsannay, rte des Grands-Crus, BP 78, 21160 Marsannay-la-Côte, tél. 03.80.51.71.11, fax 03.80.51.71.12, e-mail chateau-marsannay@kriter.com t.l.j. 10h-12h 14h-18h30; f. dim. de nov. à mars

DOM. HENRI REBOURSEAU 2004

Gd cru 0,79 ha 3 039 + de 76 €

92 94 |96| |98| |99| 00 02 03 |04|

Grande famille. Polytechnicien et patron de De Dietrich en Alsace, Pierre Rebourseau reprit le domaine à sa retraite, présidant tout à la fois le syndicat du clos-de-vougeot et celui du chambertin. Son petit-fils Jean de Surrel tient la barre. Ce n'était pas simple. Il en honore le nom. Une légère impression d'évolution se fait jour dans la robe aux reflets bruns de ce 2004, au bouquet orienté sur des notes végétales et à la bouche très plaisante, plus intense que concentrée mais restant dans le caractère.
NSE Dom. Henri Rebourseau, 10, pl. du Monument, 21220 Gevrey-Chambertin, tél. 03.80.51.88.94, fax 03.80.34.12.82, e-mail domaine@rebourseau.com r.-v.

DOM. LOUIS REMY 2004

Gd cru n.c. 1 600 46 à 76 €

Ce domaine appartenant à la famille depuis six générations (1820) possède des caves voûtées datant du XVIIe s. Habillé de rouge, affichant des reflets vermillon, ce 2004 livre un nez discret de petits fruits mûrs et de laurier. Franc et tendu en bouche, porté par l'alcool, il sait se délivrer de la situation avec élégance. Bien fait sans excès. Quant au coq au chambertin, encore faut-il en « réserver le sang ».. Chose délicate en cuisine !
Dom. Louis Remy, 1, pl. du Monument, 21220 Morey-Saint-Denis, tél. 03.80.34.32.59, fax 03.80.34.32.23, e-mail domaine.louis.remy@wanadoo.fr r.-v.

DOM. ROSSIGNOL-TRAPET 2004 *

Gd cru 1,6 ha 5 000 46 à 76 €

Vignes Trapet et coup de chapeau au grand-père qui parlait du vignoble comme si chaque pied était né de son sang ! Après les partages entre Jeannot et Mado, ici 1 ha 54 a 78 ca dans le grand cru. Ce qui permet de garder les épaules assez larges ! Nez de kirsch et d'épices. Bouche harmonieuse et suave, un peu moka (pourtant peu de fût, huit mois). Le fond cherche à percer. Le fruit et le terroir l'emportent sur l'élevage et la chaleur et c'est tant mieux. Très bien pour le millésime.

⊶ Dom. Rossignol-Trapet, 4, rue de la Petite-Issue, 21220 Gevrey-Chambertin, tél. 03.80.51.87.26, fax 03.80.34.31.63, e-mail info@rossignol-trapet.com
☑ Y ⚘ r.-v.

DOM. TORTOCHOT 2004 *

■ Gd cru 0,39 ha 1 000 ⏸ 38 à 46 €

Chambertin, *Campus Bertini*. Soit. Bon nombre de spécialistes pensent aujourd'hui que ce Bertin était fils ou petit-fils de Berht, nom burgonde signifiant brillant, célèbre. Pas mal choisi ! 39 a 83 ca. Paul Tortochot décédé en 1898, un tout petit vigneron de la place des Marronniers dans le caractère de Nono, le personnage du roman de Roupnel. Félix entreprenant. Gaby plein d'idées en tête. Chantal aujourd'hui. Rouge sombre comme il se doit, « pas mal réussi » dans son ensemble (parfait exemple de la litote bourguignonne – en fait très bon), ce 2004 est évidemment à attendre. Trois ans de patience avant de découvrir ses notes de tabac blond, sa bouche équilibrée, fruitée et épicée aux tanins présents mais fondus.

⊶ Dom. Tortochot, 12, rue de l'Église, 21220 Gevrey-Chambertin, tél. 03.80.34.30.68, fax 03.80.34.18.80, e-mail contact@tortochot.com
☑ Y ⚘ r.-v.
⊶ Chantal et Michel Tortochot

DOM. TRAPET PÈRE ET FILS 2005 **

■ Gd cru 2 ha n.c. ⏸ + de 76 €

|96| **98** |99| 00 01 **02 03 05**

Coup de cœur pour le millésime 2000, le domaine de Jean et Jean-Louis Trapet dispose de 1 ha 85 a 24 ca en chambertin, certains pieds de vignes affichant 1919 comme année de naissance sur leur carte d'identité. Biodynamie absolue, par conviction profonde. Robe d'apparat, parfums de sous-bois et de mûre légèrement réglissés. Bouche puissante et fine, bien équilibrée, qui finit longuement sur le fruit et des notes de moka. Un vin racé et distingué. « Digne des plus beaux crus des meilleures années » conclut un juré. Attendre quatre à cinq ans pour commencer à le découvrir.

⊶ Dom. Trapet Père et Fils, 53, rte de Beaune, 21220 Gevrey-Chambertin, tél. 03.80.34.30.40, fax 03.80.51.86.34, e-mail domaine-trapet@wanadoo.fr
☑ Y ⚘ r.-v.

Chambertin-clos-de-bèze

Les religieux de l'abbaye de Bèze plantèrent en 630 une vigne dans une parcelle de terre qui donna un vin particulièrement réputé : ce fut l'origine de l'appellation, qui couvre une quinzaine d'hectares ; les vins peuvent également s'appeler chambertin. La production a atteint 459 hl en 2006.

DOM. BRUNO CLAIR 2004 *

■ Gd cru 0,98 ha 2 850 ⏸ + de 76 €

Deux parcelles contiguës totalisant 98 a 2 ca : l'une achetée en 1950 (ancienne propriété Joliet) et l'autre en 1962 (ancienne propriété Liégeard). D'un pourpre franc, ce 2004 a le nez ouvert et chaleureux, délicat et profond (airelle et cassis associés). Structure intéressante et bien construite. Un vin expressif, offrant le gras nécessaire et employant ses tanins à la fermeté de l'ensemble. Le clos-de-bèze est vraiment en Bourgogne l'un des piliers de la sagesse.

⊶ SCEA Dom. Bruno Clair, 5, rue du Vieux-Collège, 21160 Marsannay-la-Côte, tél. 03.80.52.28.95, fax 03.80.52.18.14, e-mail brunoclair@wanadoo.fr
☑ Y ⚘ r.-v.
⊶ Famille Clair

DOM. PIERRE DAMOY 2004 *

■ Gd cru n.c. 3 700 ⏸ 46 à 76 €

À vous couper le souffle... 5 ha 35 a 95 ca en clos-de-bèze, acquis par cette grande famille de « succursalistes » parisiens auprès de la comtesse de Montbrain (succession Serre à Meursault) vers 1920. Le domaine a repris beaucoup d'éclat. Son 2004 pourpre satiné exprime le cassis sur un décor boisé (dix-sept mois en fût). Au départ en bouche, le fruit est gourmand (rondeur, trame et volume). Amertume au milieu, tanins conviviaux. L'amertume persiste, sans être agressive. L'ensemble est encore un peu fermé et l'on ne s'en étonne pas car il demande à vieillir encore au moins trois à cinq ans. Coup de cœur l'an dernier.

⊶ SCEV Dom. Pierre Damoy, 11, rue du Mal-de-Lattre-de-Tassigny, 21220 Gevrey-Chambertin, tél. 03.80.34.30.47, fax 03.80.58.54.79, e-mail info@domaine-pierre-damoy.com ☑ r.-v.

DOM. PIERRE GELIN 2004

■ Gd cru 0,6 ha 1 500 ⏸ 46 à 76 €

60 a 25 ca provenant en 1962 du domaine Marion et replantés en 1965. En plein milieu du grand cru. On ne connaît pas les vignes et le vin si on en ignore l'origine. Rubis moyen, vif cependant, respirant le musc et le cuir, ce 2004 attaque avec légèreté en jouant la chaleur et le fruit. Il n'est pas sans limite, mais il s'abandonne en fin de règne sur une impression agréable.

⊶ Dom. Pierre Gelin, 2, rue du Chapitre, 21220 Fixin, tél. 03.80.52.45.24, fax 03.80.51.47.80, e-mail gelin.pierre@wanadoo.fr
☑ Y ⚘ t.l.j. sf dim. 9h-12h 14h-17h

LOUIS JADOT 2005 *

■ Gd cru n.c. n.c. ⏸ 46 à 76 €

Pourpre grenat avec une goutte violacée sur le bord du verre, ce clos-de-bèze livre un nez puissant mariant la griotte et le boisé (dix-huit mois d'élevage). Riche de constitution, avec sa matière dense et ses tanins ronds, le palais n'est pas moins riche en arômes, retrouvant la palette du nez. Longue finale racée. À apprécier après un séjour de cinq ans en cave.

⊶ Louis Jadot, 21, rue Eugène-Spuller, BP 117, 21203 Beaune Cedex, tél. 03.80.22.10.57, fax 03.80.22.56.03, e-mail contact@louisjadot.com
Y ⚘ r.-v.

FRÉDÉRIC MAGNIEN 2005 **

■ Gd cru 0,48 ha 2 100 ⏸ + de 76 €

Finaliste l'an dernier, Frédéric Magnien décroche cette année le coup de cœur pour son clos-de-bèze. Grenat profond à liseré violet, ce millésime livre un nez chaleureux sur le cassis et la mûre. Généreux en bouche, toujours fruité, il offre une matière ample bien charpentée par des tanins solides mais fins. Un vin puissant et racé, auquel il faut laisser le temps de s'accomplir. Il éblouira sur

l'Oreiller de la Belle Aurore de Brillat-Savarin, remis en usage par Dumaine : faisan, bécasse, foie gras... au terme de huit jours de préparation.

🔑 Frédéric Magnien, 26, rte Nationale,
21220 Morey-Saint-Denis, tél. 03.80.58.54.20,
fax 03.80.51.84.34, e-mail frederic@fred-magnien.com
☑ 🍷 🚶 r.-v.

Autres grands crus de Gevrey-Chambertin

Autour des deux précédents, il y a six autres crus qui, sans les égaler, restent de la même famille. Les conditions de production sont un peu moins exigeantes, mais les vins y ont des caractères de solidité, de puissance et de plénitude semblables, où domine la réglisse, qui permet généralement de différencier les vins de Gevrey de ceux des appellations voisines : les latricières (environ 7 ha) ; les charmes (31 ha 61 a 30 ca) ; les mazoyères, qui peuvent également s'appeler charmes (l'inverse n'est pas possible) ; les mazis, comprenant les Mazis-Haut (environ 8 ha) et les Mazis-Bas (4 ha 59 a 25 ca) ; les ruchottes (venant de roichot, lieu où il y a des roches), toutes petites par la surface, comprenant les Ruchottes-du-Dessus (1 ha 91 a 95 ca) et les Ruchottes-du-Bas (1 ha 27 a 15 ca) ; les griottes, où auraient poussé des cerisiers sauvages (5 ha 48 a 5 ca) ; et enfin, les chapelles (5 ha 38 a 70 ca), nom donné par une chapelle bâtie en 1155 par les religieux de l'abbaye de Bèze, rasée lors de la Révolution.

Latricières-chambertin

FRÉDÉRIC MAGNIEN 2005 ★

■ Gd cru 0,39 ha 1 780 **+ de 76 €**

Les latricières penchent nettement du côté de Morey. Elles prolongent le chambertin, et les points communs sont nombreux. D'ailleurs, au XIX^e^s., Latricières et Chambertin ne font quasiment qu'un sur les étiquettes. Ce 2005 présente des arômes un peu sauvages au début, puis s'oriente vers le cassis après aération. La présence du fût (quatorze mois) ne gêne pas. Attaque soyeuse et harmonieuse, d'un goût exquis. Texture de dentelle, fond très fouillé, finale longue sur la fraîcheur. Un vin plein d'élégance, à découvrir dans quatre à cinq ans.

🔑 Frédéric Magnien, 26, rte Nationale,
21220 Morey-Saint-Denis, tél. 03.80.58.54.20,
fax 03.80.51.84.34, e-mail frederic@fred-magnien.com
☑ 🍷 🚶 r.-v.

DOM. ROSSIGNOL-TRAPET 2004 ★

■ Gd cru 0,73 ha 3 000 **38 à 46 €**

Issu de la division du domaine Louis Trapet le 1er janvier 1990. Il s'agit de Mado, sœur de Jean, veuve de Jacques Rossignol, et de leurs enfants. Soit 73 a 40 ca en latricières. Une acquisition sur la famille Savot durant l'entre-deux-guerres. Ce 2004 rubis sombre s'orne de reflets tuilés. Bouquet de cuir, de cassis, de sous-bois. Une attaque franche, puis une matière charnue aux tanins soyeux. Un vin en rondeur et en longueur, plein de finesse, que l'on peut commencer à apprécier. Henry Miller garda longtemps à Big Sur sur son bureau une bouteille de latricières-chambertin dont il parle avec amour dans *Souvenirs, souvenirs*.

🔑 Dom. Rossignol-Trapet, 4, rue de la Petite-Issue,
21220 Gevrey-Chambertin, tél. 03.80.51.87.26,
fax 03.80.34.31.63, e-mail info@rossignol-trapet.com
☑ 🍷 🚶 r.-v.

DOM. TRAPET PÈRE ET FILS 2005 ★

■ Gd cru n.c. n.c. **46 à 76 €**

|98| |99| **00 01** |02| 03 **04** 05

Biodynamiste convaincu et rigoureux, Jean-Louis Trapet maintient la lignée familiale sur un mode différent, mais force est de reconnaître qu'il y réussit et le Guide lui a ouvert naguère sa première porte (Grappe d'or). Il a aussi un pied alsacien, ce qui ne se sait pas toujours. Un 2005 rubis foncé, au nez encore fermé laissant néanmoins échapper quelques notes florales et boisées. Attaque soyeuse, texture fine, une bouche qui joue la carte de l'élégance. Le bois y a encore son empreinte, on attendra donc quelques années que l'ensemble se fonde.

🔑 Dom. Trapet Père et Fils, 53, rte de Beaune,
21220 Gevrey-Chambertin, tél. 03.80.34.30.40,
fax 03.80.51.86.34, e-mail domaine-trapet@wanadoo.fr
☑ 🍷 🚶 r.-v.

Chapelle-chambertin

DOM. PIERRE DAMOY 2004 ★

■ Gd cru 2,21 ha 2 900 **46 à 76 €**

|98| |99| |00| |01| |02| 03 04

Chapelle Notre-Dame de Bèze construite en 1155, rebâtie en 1547, disparue vers 1830. Le nom de ce grand cru est donc historique. Vaste vigne de 2 ha 21 a 82 ca acquise lors des ventes de l'ancien domaine Serre, de Meursault, au lendemain de la Première Guerre mondiale. Grenat ourlé de pourpre, ce 2004 balance au nez entre le poivre et des notes végétales. La matière est dense, un rien austère, cistercienne pour tout dire, parfumée néanmoins de petits fruits mûrs. Grain, tanins, longueur, tout se présente bien. L'harmonie entre les éléments va se parfaire. À revoir dans trois ans.

🔑 SCEV Dom. Pierre Damoy,
11, rue du Mal-de-Lattre-de-Tassigny,
21220 Gevrey-Chambertin, tél. 03.80.34.30.47,
fax 03.80.58.54.79,
e-mail info@domaine-pierre-damoy.com ☑ r.-v.

DOM. DROUHIN-LAROZE 2005 ★★

■ Gd cru 0,51 ha 2 100 🍷 38 à 46 €

L'avenir devrait être radieux pour ce 2005 à la robe d'un velours impérial. Le boisé épouse la fleur et le fruit. La couronne tiendra bon sur les têtes. Concentrée mais sans outrance, la matière est belle, d'un fruit stable, d'un élan encore retenu par des tanins garants d'une grande longévité. Parcelles (51 a 48 ca) provenant de vignes Boinet, Millon et Poillot, sur achats déjà anciens. Représentant la septième génération, Christine et Philippe Drouhin dirigent aujourd'hui le domaine.

Dom. Drouhin-Laroze, 20, rue du Gaizot,
21220 Gevrey-Chambertin, tél. 03.80.34.31.49,
fax 03.80.51.83.66, e-mail drouhin-laroze@wanadoo.fr
r.-v.
Philippe Drouhin

CAMILLE GIROUD 2004

■ Gd cru n.c. 500 + de 76 €

La vieille maison beaunoise Camille Giroud est passée en 2002 sous pavillon américain. La robe pourpre sombre de ce 2004 est cernée de rubis. Son bouquet élégant joue les impressionnistes (boisé, fruits rouges, pointe mentholée). La bouche ? D'une complexité extrême. Matière opulente encore bien encadrée par des tanins embusqués et respectueux du fruit. Une nuance d'amertume pour conclure, signe de jeunesse. Prometteur et en attente (deux à trois ans).

Camille Giroud, 3, rue Pierre-Joigneaux,
21200 Beaune, tél. 03.80.22.12.65, fax 03.80.22.42.84,
e-mail contact@camillegiroud.com r.-v.

LOUIS JADOT 2005 ★

■ Gd cru n.c. n.c. 🍷 46 à 76 €

Une parcelle de 38 a 74 ca, vigne des Gémeaux intégrée logiquement en chapelle dans le vieux temps. Elle appartenait à la veuve d'un personnage qui fit beaucoup parler de lui, le fameux colonel Trinquier, qui avait pas mal roulé sa bosse dans les colonies. Grenat à reflets pourpres, boisé (dix-huit mois en fût) et légèrement floral, ce 2005 se montre très concentré, mais avec cette touche de distinction qui fait que rien ne pèse, rien ne plie. Ses tanins délicats lui assureront une vie sans accroc. Horizon de trois à cinq ans.

Louis Jadot, 21, rue Eugène-Spuller, BP 117,
21203 Beaune Cedex, tél. 03.80.22.10.57,
fax 03.80.22.56.03, e-mail contact@louisjadot.com
r.-v.

DOM. ROSSIGNOL-TRAPET 2004 ★

■ Gd cru 0,53 ha 2 000 🍷 38 à 46 €

(93) |97| |98| 00 02 04

Rouge brillant comme le soleil du soir sur la combe de Lavaux. En plein été ! Animal et groseille, le bouquet est marqué par un boisé fin qui sait ne pas tout dominer. D'un cœur généreux, ce 2004 s'offre en bouche. Il témoigne néanmoins encore d'une certaine fermeté. Un vin taillé pour l'avenir, à ouvrir dans cinq à dix ans, quand il aura su s'assagir et libérer tout son fruit.

Dom. Rossignol-Trapet, 4, rue de la Petite-Issue,
21220 Gevrey-Chambertin, tél. 03.80.51.87.26,
fax 03.80.34.31.63, e-mail info@rossignol-trapet.com
r.-v.

DOM. DES TILLEULS 2005

■ Gd cru 0,3 ha 1 500 🍷 30 à 38 €

L'ancienne demeure des comtes de Thénissey à Gevrey, entre église et château. En chapelle-chambertin, une propriété Livera déjà ancienne. Sombre aux nuances violines, un 2005 au nez boisé, marqué par une pointe de chaleur. Très fournie, la matière manque encore un peu d'équilibre, mais les tanins prometteurs devraient remédier à l'affaire. Longue finale sur des notes épicées. À ouvrir en 2010.

Philippe Livera, 7, rue du Château,
21220 Gevrey-Chambertin, tél. et fax 03.80.34.30.43
r.-v.

DOM. TRAPET PÈRE ET FILS 2005 ★★

■ Gd cru n.c. n.c. 🍷 46 à 76 €

94 |95| |96| **98** |99| 00 01 02 03 **05**

Acquisition des années 1920-1930 sur une figure de Gevrey, le père Boinet dit « le Zouave » (l'un des inventeurs du vin blanc-cassis), et sur le père Truchetet (inventeur, lui, du pal injecteur à l'époque du phylloxéra). 54 a 74 ca, ce qui n'est pas rien et donne un vin légèrement bleuté, encore timide au nez, même si l'on perçoit déjà des notes florales et boisées. La bouche impressionne par sa puissance, sa charpente et ses arômes gourmands de fruits rouges. Les tanins sont en harmonie avec la fraîcheur, la finale joue les prolongations. Un vin racé qui devrait encore se bonifier avec quatre ou cinq années de garde.

Dom. Trapet Père et Fils,
53, rte de Beaune, 21220 Gevrey-Chambertin,
tél. 03.80.34.30.40, fax 03.80.51.86.34,
e-mail domaine-trapet@wanadoo.fr r.-v.

Charmes-chambertin

DOM. ARLAUD 2005 ★

■ Gd cru 1,14 ha 5 000 🍷 38 à 46 €

00 01 03 04 05

Le soldat ardéchois Joseph Arlaud débarque en pleine guerre à Morey. Il aurait pu tomber plus mal, car Renée Amiot lui fait les yeux doux. Ils s'épousent en 1942 et vogue la galère avec les vignes d'Édouard et de Léon. Ici 1 ha 13 a 14 ca pour produire ce 2005 encore jeune mais sérieux. Rubis extrêmement soutenu, ouvert sur la cerise et au fond sur son noyau, vanillé (seize mois en fût), puissant et sur la retenue, un vin gourmand à revoir dans les dix ans.

Dom. Arlaud, 41, rue d'Épernay,
21220 Morey-Saint-Denis, tél. 03.80.34.32.65,
fax 03.80.34.10.11, e-mail contact@domainearlaud.com
r.-v.

DOM. DES BEAUMONT 2005 ★

■ Gd cru 0,52 ha 1 500 🍷 38 à 46 €

Chaleureux, ce 2005 tempère un peu ses sentiments, ses charmes olfactifs. Le nez piétine mais la livraison est pour bientôt. On l'imagine dans la douceur du cassis. Fruitée, la bouche marque des points sur une finale épicée qui en dit long. À découvrir dans cinq ans, quand son potentiel se sera réalisé.

EARL Dom. des Beaumont, 9, rue Ribordot,
21220 Morey-Saint-Denis, tél. 03.80.51.87.89,
fax 08.25.18.63.99,
e-mail domaine-des-beaumont@wanadoo.fr
r.-v. 2
Thierry Beaumont

DOM. PHILIPPE CHARLOPIN 2004 **

■ Gd cru 0,3 ha n.c. + de 76 €

2004
CHARMES CHAMBERTIN
GRAND CRU
DOMAINE PHILIPPE CHARLOPIN

Philippe Charlopin collectionne les coups de cœur avec une apparente facilité – comme s'ils dormaient sous sa porte. Gevrey, chambolle, marsannay... et ce charmes, déjà coup de cœur pour le millésime 2003... et 1985 ! Un vin surprenant, œuvre de fond, spectaculaire de l'attaque à la finale, fruité comme un cerisier, aérien et pourtant construit. Un vin généreux et puissant que l'on mariera avec un cuissot de chevreuil. « Bravo au vinificateur qui a réussi un tel vin dans ce millésime », conclut un dégustateur.

Philippe Charlopin, 18, rte de Dijon, 21220 Gevrey-Chambertin, tél. et fax 03.80.58.50.46, e-mail charlopin-philippe@wanadoo.fr

DUPONT-TISSERANDOT 2005

■ Gd cru 0,8 ha 2 100 38 à 46 €

Les vitraux de Saint-Jean à Dijon n'avaient pas de plus beau rouge que celui de cette robe brillante. Le nez se partage entre la griotte et le boisé (dix-sept mois d'élevage). La bouche attaque en souplesse, puis se fait plus charpentée, structurée par des tanins encore un peu sévères mais fruités. Finale sur les épices. Un vin aujourd'hui un peu austère, qu'on laissera s'arrondir et s'harmoniser en cave pendant trois ans.

Dupont-Tisserandot, 2, pl. des Marronniers, 21220 Gevrey-Chambertin, tél. 03.80.34.10.50, fax 03.80.58.50.71, e-mail didier.chevillon@wanadoo.fr t.l.j. 9h-12h 14h-17h30; sam. dim. sur r.-v.; f. 5-25 août

M.-F. Guillard et P. Chevillon

DOM. DOMINIQUE GALLOIS 2004 *

■ Gd cru 0,29 ha 1 500 38 à 46 €

Aucun vin de Gevrey n'est plus littéraire, les Gallois ayant reçu toutes les archives Roupnel et les ayant confiées à un universitaire américain, Philip Whalen, qui les a admirablement mises en lumière. La culture la plus profonde se marie ici au grand cru. Rubis clair, fin et soyeux, cerise et vanille au nez, ce 2004 attaque en souplesse puis enrobe le palais de sa chair fruitée. La règle de trois (acidité, tanins, alcool) tombe juste. Finale encore un peu serrée. À attendre quelques années pour que chaque élément trouve harmonieusement sa place dans l'ensemble. 28 a 86 ca côté Morey.

Dominique Gallois, 9, rue du Mal-de-Lattre-de-Tassigny, 21220 Gevrey-Chambertin, tél. 03.80.34.11.99, fax 03.80.34.38.62 r.-v.

FRÉDÉRIC MAGNIEN 2005 *

■ Gd cru 0,6 ha 2 750 + de 76 €

Une vraie question : le savourer en vin jeune ou le laisser prendre son temps, gagner quelques années et aller plus loin encore ? Le mieux serait d'obtenir deux des 2 750 bouteilles promises et de tenter les deux options. Dans l'immédiat, l'œil brille d'un rouge intense et le nez offre un velours cerise, un pruneau gentiment cuit. Tanins démonstratifs, ayant la courtoisie de s'arrondir au dernier moment pour ne pas devenir lassants. Un vin complet, élégant, presque féminin.

Frédéric Magnien, 26, rte Nationale, 21220 Morey-Saint-Denis, tél. 03.80.58.54.20, fax 03.80.51.84.34, e-mail frederic@fred-magnien.com r.-v.

DOM. MICHEL MAGNIEN ET FILS 2005 *

■ Gd cru 0,28 ha 1 400 + de 76 €

01 02 03 05

Fera un grand vin si Dieu lui prête vie. Représentatif de son millésime et de son appellation, ce qui n'est pas rien. Robe cerise noire à reflets violets, cela commence bien. Cerise noire à nouveau, au nez, sur un fond légèrement poivré. Plus vif que tannique, d'une fraîcheur généreuse, il laisse le fût (quatorze mois) prendre un peu le dessus. On connaît la solution : deux ou trois ans de garde.

Dom. Michel Magnien et Fils, 4, rue Ribordot, 21220 Morey-Saint-Denis, tél. 03.80.51.82.98, fax 03.80.58.51.76 r.-v.

JEAN-PHILIPPE MARCHAND 2005

■ Gd cru n.c. 1 200 46 à 76 €

Ce 2005 aurait-il la bouche cadenassée ? On le pense, on l'écrit, on ne s'en plaint pas. Robe pivoine légère, le nez sur la violette et c'est un arôme chambertinois. Il commence à s'ouvrir mais sans trop se livrer encore. Une attaque franche, des tanins équilibrés, une matière que l'on devine présente et qui se manifeste par une touche poivrée en finale. Il faut laisser du temps au temps. On devrait y voir plus clair dans cinq ans.

Jean-Philippe Marchand, 4, rue Souvert, BP 41, ZI Les Duchesses, 21220 Gevrey-Chambertin, tél. 03.80.34.33.60, fax 03.80.34.12.77, e-mail contact@marchand-jph.fr r.-v. 2 B

DOM. MARCHAND FRÈRES 2005 **

■ Gd cru 0,13 ha 750 38 à 46 €

Regroupement en 1999 de deux domaines familiaux. Ce 2005 ? La noce à trois, acidité, tanins et alcool. Complet et complexe, un grand vin traitant à égalité le fruit frais et le fruit mûr. Rubis violacé, limpide et brillant, assez boisé (dix-huit mois en fût). À quand la maturité ? Pour demain ? Ne rêvons pas. Après-demain ? Pas davantage. Dans les sept à dix ans, nous y voilà. Investissement mieux assuré qu'au CAC 40.

Dom. Marchand Frères, 1, pl. du Monument, 21220 Gevrey-Chambertin, tél. 03.80.62.12.97, fax 03.80.62.11.01, e-mail dmarc2000@aol.com r.-v. 3

MARCHÉ AUX VINS 2005 **

■ Gd cru n.c. 900 38 à 46 €

L'une des nombreuses signatures de la famille Boisseaux (Patriarche, Kriter, Château de Meursault, etc.). Logis bien situé face à l'hôtel-Dieu de Beaune. Rouge vif, ce 2005 livre un bouquet intense : cassis et fraise confite. En bouche, l'attaque est franche, la matière bien équilibrée entre la fraîcheur des tanins et la rondeur du fruit. Le boisé,

bien intégré, vient témoigner en finale d'un élevage (quinze mois) maîtrisé. À servir dans deux ans sur un gigot.
Marché aux vins, rue Nicolas-Rolin, 21200 Beaune, tél. 03.80.25.08.20, fax 03.80.25.08.21, e-mail marcheauxvins@kriter.com
t.l.j. 9h30-11h45 14h-17h45
Boisseaux

PIERRE NAIGEON Vieilles Vignes 2005

Gd cru 0,1 ha 600 + de 76 €

« Qu'en un lieu, qu'en vingt siècles, un seul vin accompli tienne jusqu'à la fin le théâtre rempli... » Pierre Naigeon pourrait paraphraser Boileau. Bien dessiné, ce charmes n'est pas chambertin pour rien. Cerise à l'eau-de-vie, élan, charpente rigoureuse. Les tanins donnent le *la*. Sévère pour le moment, mais à considérer dans le temps (trois ans).
Pierre Naigeon, 4, rue du Chambertin, Vieil hôtel Jobert-de-Chambertin, 21220 Gevrey-Chambertin, tél. 03.80.34.14.87, fax 03.80.58.51.18, e-mail pierre.naigeon@wanadoo.fr
r.-v.

GÉRARD RAPHET 2005

Gd cru 1 ha 2 000 46 à 76 €

Domaine familial à la maison typiquement vigneronne d'autrefois, qui figure d'ailleurs sur l'étiquette. Habillé d'une robe pourpre clair, ce 2005 livre un nez flatteur qui s'ouvre sur la groseille. Au palais, une acidité légère, des tanins présents et une persistance moyenne. On lui laissera deux ans pour trouver toute son expression.
Gérard Raphet, 25, rte des Grands-Crus, 21220 Morey-Saint-Denis, tél. 03.80.51.89.52, fax 03.80.51.84.25, e-mail gerard.raphet@wanadoo.fr
t.l.j. 9h-12h 14h-18h30; f. sem. du 15 août

DOM. HENRI REBOURSEAU 2004 *

Gd cru 1,31 ha 4 819 38 à 46 €

1,31 ha 87 ca, dont la moitié achetée à Marcel Jantot en 1969. Rubis brillant, un 2004 au nez de fraise portant l'empreinte de ses dix-sept mois en fût. D'une puissance dévorante, serrant sa mâche, réglisse et poivre, il vous raconte le jour le plus long. Encore très fermé, s'éveillera-t-il ? On pense aux 1976. Si tel est le cas, prévoir le grand gibier et l'occasion superbe. Un grand cru de Gevrey se complaisant dans l'attente, sûr de son potentiel.
NSE Dom. Henri Rebourseau, 10, pl. du Monument, 21220 Gevrey-Chambertin, tél. 03.80.51.88.94, fax 03.80.34.12.82, e-mail domaine@rebourseau.com r.-v.

DOM. TAUPENOT-MERME 2004 *

Gd cru 0,57 ha 2 890 46 à 76 €

Armand Merme, le premier à installer un caveau de vente sur la RN 74. Aujourd'hui, Romain et Virginie, septième génération, convertis à l'agriculture biologique. Bien campé sur son terroir, un beau charmes épicé et animal, réglisse et mûre. Une attaque franche, normale pour le millésime, puis la matière se déploie, dense, longue, aux tanins de qualité. Finale sur la cannelle et le poivre. Un vin sérieux et puissant, à garder cinq ans en cave.
Dom. Taupenot-Merme, 33, rte des Grands-Crus, 21220 Morey-Saint-Denis, tél. 03.80.34.35.24, fax 03.80.51.83.41, e-mail domaine.taupenot-merme@wanadoo.fr
r.-v.

DOM. DES VAROILLES 2004 **

Gd cru 0,8 ha n.c. 46 à 76 €

Battant pavillon helvétique, ce 2004 n'est pas pour autant neutre. Il montre toute sa puissance et sait en faire bon usage. Le premier nez pinote sur la griotte, puis le fût place son mot et sa vanille. Trame et texture, fruits et épices, persistance, la bouche sort le grand jeu sans jamais perdre en finesse. Cinq à dix ans en cave ne feront pas peur à ce vin typique d'un grand cru de Gevrey et remarquable pour son millésime. Le coup de cœur n'est pas passé très loin.
Gilbert Hammel, Dom. des Varoilles, 11, rue de l'Ancien-Hôpital, 21220 Gevrey-Chambertin, tél. 03.80.34.30.30, fax 03.80.51.88.99, e-mail contact@domaine-varoilles.com
t.l.j. sf sam. dim. 8h-18h; groupes sur r.-v.

BOURGOGNE

Griotte-chambertin

JOSEPH DROUHIN 2005 **

Gd cru 0,53 ha n.c. + de 76 €

53 a, près de 20 % de la superficie du grand cru, acquis en 1981 auprès de la commune de Gevrey-Chambertin. Laurence Jobard vient de quitter ses fonctions si importantes au sein de cette maison, mais le 2005 porte encore sa marque. Pourpre violacé, il suggère davantage la groseille que l'habituelle cerise et n'oublie pas son élevage en fût (notes grillées). Il attaque d'ailleurs en souplesse sur le boisé, puis développe rondeur et puissance ; la matière fruitée (fruits rouges et pruneau) est bien structurée et équilibrée par des tanins pleins de fraîcheur. Un parfait ambassadeur de son millésime, à attendre encore deux à trois ans.
Maison Joseph Drouhin, 7, rue d'Enfer, 21200 Beaune, tél. 03.80.24.68.88, fax 03.80.22.43.14, e-mail maisondrouhin@drouhin.com r.-v.

DOM. MARCHAND FRÈRES 2005

Gd cru 0,12 ha 750 38 à 46 €

98 99 00 |01| 03 04 05

12 a 60 ca exactement. Une vigne plantée au début des années 1970. « Allons à Montmorency cueillir des cerises », dit le poème. Ne doit-on pas plutôt choisir un griotte-chambertin ? Le fruit mûr est ici velouté et flatteur sous un rouge sombre plus profond que brillant. Riche, bien en chair, le palais aux tanins fondus termine sur une pointe de fraîcheur. Deux ou trois ans de garde lui feront gagner en harmonie.
Dom. Marchand Frères, 1, pl. du Monument, 21220 Gevrey-Chambertin, tél. 03.80.62.12.97, fax 03.80.62.11.01, e-mail dmarc2000@aol.com
r.-v. 3
D. Marchand

Mazis-chambertin

CAMUS PÈRE ET FILS 2004

Gd cru 0,37 ha 1 000 23 à 30 €

Étiquette or sur fond noir, « à l'ancienne » pourrait-on dire, et d'ailleurs pour trouver de vieux millésimes, l'adresse est bonne. Jusqu'aux années 1940, on en déniche. Et ce 2004 ? Nez de Zan, ce qui en rouleau rappelle

quelques plaisirs d'enfance. Bourgeon de cassis légèrement framboisé. L'attaque en bouche est franche, sur un fond épicé. La suite se déroule en souplesse, avec élégance, pour s'achever sur une pointe de chaleur. On conseille d'attendre encore deux ans pour une meilleure harmonie.
🔑 SCEA Dom. Camus Père et Fils,
21, rue du Mal-de-Lattre-de-Tassigny,
21220 Gevrey-Chambertin, tél. 03.80.34.30.64,
fax 03.80.51.87.93 ☑ 🍷 🚶 r.-v.

DOM. DUPONT-TISSERANDOT 2005 *

■ Gd cru 0,35 ha 1 500 🛢 38 à 46 €

Un geste d'adieu envers Bernard Dupont, disparu il y a peu, et qui fit naître ce domaine d'un mariage Tisserandot et d'un courage formidable. Vignes Tisserandot et Langlais, 20 a 74 ca et 14 a 80 ca, pour un total d'environ 35 a, le compte est bon. Une robe infinie, un nez cassis et rhubarbe légèrement vanillé (dix-sept mois d'élevage). Le palais, dense, livre une matière ample et ronde, « noble » écrit même un dégustateur. La finale longue et fraîche suggère de laisser ce vin s'épanouir encore un an ou deux en cave.
🔑 Dupont-Tisserandot, 2, pl. des Marronniers,
21220 Gevrey-Chambertin, tél. 03.80.34.10.50,
fax 03.80.58.50.71, e-mail didier.chevillon@wanadoo.fr
☑ 🍷 t.l.j. 9h-12h 14h-17h30; sam. dim. sur r.-v.;
f. 5-25 août
🔑 M.-Françoise Guillard, Patricia Chevillon

JEAN-MICHEL GUILLON 2005 *

■ Gd cru 0,15 ha 840 🛢 38 à 46 €

Jean-Michel Guillon vient de transmettre le livre de cave et les livres de comptes à son fils Alexis, désormais maître du lieu. Encore que le père revienne parfois « voir à voir », comme on dit ici... La couleur de ce 2005 est extraite et la robe intense. Bouquet très étonnant : pêche, abricot, myrtille. Léger boisé à l'aération. Souple et dense, c'est un vin charmeur et élégant, sur la rondeur plus que sur la fraîcheur, qui sera servi dès maintenant.
🔑 Jean-Michel Guillon, 33, rte de Beaune,
21220 Gevrey-Chambertin, tél. 03.80.51.83.98,
fax 03.80.51.85.59, e-mail eurlguillon@aol.com
☑ 🍷 🚶 r.-v.

DOM. HARMAND-GEOFFROY 2004 *

■ Gd cru 0,75 ha 3 500 🛢 38 à 46 €

Les mazis-chambertin Harmand-Geoffroy ont un peu grandi. Le vin reste, pour sa part, de la même qualité. Et elle est grande. Sous une robe profonde aux reflets tuilés, ce 2004 libère à l'aération de discrètes notes framboisées et épicées. La bouche ronde et souple offre une matière dense aux tanins nobles. Longue finale sur la fraîcheur. On conseillera de carafer ce vin avant de le servir, ou d'attendre encore deux ou trois ans.
🔑 EARL Dom. Harmand-Geoffroy, 1, pl. des Lois,
21220 Gevrey-Chambertin, tél. 03.80.34.10.65,
fax 03.80.34.13.72,
e-mail harmand-geoffroy@wanadoo.fr ☑ 🍷 🚶 r.-v.

PIERRE NAIGEON Vieilles Vignes 2005 **

■ Gd cru 0,04 ha 300 🛢 + de 76 €

Une ouvrée ! Cela fait une pièce et trois cents bouteilles. C'est peu mais c'est ici remarquable, et les dégustations à l'aveugle jugent le vin pour sa qualité et son potentiel. On est séduit par ce 2005 dès la présentation : robe rouge sombre, presque noire, et brillante. Le nez de fruits frais (griotte) se nuance d'une légère note toastée. Souple et ronde, pleine de charme, puissante sans excès, la bouche revient sur les fruits et le boisé qu'elle exprime dans une longue finale. Pour bientôt et pour un gibier à plume.
🔑 Pierre Naigeon,
4, rue du Chambertin, Vieil hôtel Jobert-de-Chambertin,
21220 Gevrey-Chambertin, tél. 03.80.34.14.87,
fax 03.80.58.51.18, e-mail pierre.naigeon@wanadoo.fr
☑ 🍷 🚶 r.-v.

NICOLAS POTEL 2004

■ Gd cru 0,16 ha 780 🛢 + de 76 €

Dixième anniversaire pour cette maison fondée à la suite de la vente du domaine de la Pousse d'Or à Volnay. Cerise noire pour la robe profonde et brillante. Quant au nez, discret, on y devine plutôt des notes florales et vanillées (treize mois en fût). La bouche est souple et élégante, plus fine que complexe, se terminant sur une pointe d'acidité. Un an ou deux d'attente permettront une meilleure harmonie. À la vente des Hospices de Beaune, ce vin atteint toujours des records fabuleux.
🔑 SAS Nicolas Potel, 44, rue des Blés,
21700 Nuits-Saint-Georges, tél. 03.80.62.15.45,
fax 03.80.62.15.46, e-mail nicolas.potel@wanadoo.fr
☑ 🍷 🚶 r.-v.

DOM. HENRI REBOURSEAU 2004

■ Gd cru 0,96 ha 3 939 🛢 38 à 46 €

Le général Rebourseau n'a pas seulement soutenu le moral de ses troupes en 1914-1918. Revenu à Gevrey, il a guerroyé pour les appellations et en grand bonhomme ! Mazis ou Mazy, comme indique l'étiquette ? Peu importe, la vérité est dans la bouteille. Cerise brillante, le nez un peu végétal et réglissé des 2004, un vin élevé dix-sept mois en fût, long et bien équilibré, dont les tanins présents doivent encore se fondre. Un vrai 2004 qu'il faudra oublier deux ou trois ans en cave.
🔑 NSE Dom. Henri Rebourseau,
10, pl. du Monument, 21220 Gevrey-Chambertin,
tél. 03.80.51.88.94, fax 03.80.34.12.82,
e-mail domaine@rebourseau.com ☑ 🍷 🚶 r.-v.

DOM. TORTOCHOT 2004 *

■ Gd cru 0,41 ha 2 000 🛢 38 à 46 €

Viticulteurs à Gevrey depuis quatre générations. Chantal Tortochot de nos jours. Son vin rouge sombre s'orne de reflets tuilés. Zan, pain d'épice, sous-bois, il laisse le nez en liberté. Structure ample, tanins sur de belles avenues, finale d'une bonne longueur empreinte de fraîcheur et de boisé. À déguster dans les deux ans avec un coq au chambertin en employant en cuisine (conseil de Pierre Troisgros) un vin de la vallée du Rhône. Mais ce mazis au service, bien sûr.
🔑 Dom. Tortochot, 12, rue de l'Église,
21220 Gevrey-Chambertin, tél. 03.80.34.30.68,
fax 03.80.34.18.80, e-mail contact@tortochot.com
☑ 🍷 🚶 r.-v.
🔑 Chantal et Michel Tortochot

Mazoyères-chambertin

DOM. TAUPENOT-MERME 2004 *

■ Gd cru 0,85 ha 4 250 🛢🛢 46 à 76 €

Le destin des mazoyères se confond souvent avec celui des charmes. Comme ils en ont le droit, beaucoup de producteurs vendent en général sous le nom le plus « porteur ». Mazoyères est donc un mot à préserver. Richesse de constitution, complexité des arômes (animal, fruits noirs) : cette bouteille ne manque pas d'atouts dans son jeu. Elle reste dans les proportions du millésime, avec des tanins un peu serrés sur la fin. Un vin parfait avec la *gruotte* (lire un dictionnaire bourguignon-français ou les romans d'Henri Vincenot). Pour vous mettre sur la piste, le sanglier est à l'affût. Partie de chasse prévue en 2009.

Dom. Taupenot-Merme, 33, rte des Grands-Crus, 21220 Morey-Saint-Denis, tél. 03.80.34.35.24, fax 03.80.51.83.41, e-mail domaine.taupenot-merme@wanadoo.fr
r.-v.

Ruchottes-chambertin

CH. DE MARSANNAY 2004

■ Gd cru 0,1 ha 498 46 à 76 €

Les parcelles (9 a, 31 ca et 45 ca) les plus méridionales de l'appellation, à quelques pieds de vignes des mazis et du clos-de-bèze. Propriété Bourtourault acquise en 1984 par Charles Quillardet et transmise quelques années plus tard à André Boisseaux quand il a créé le Château de Marsannay (gestion jumelée avec celle du Château de Meursault sous la houlette de J.-Cl. Mitanchey). La robe ? De qualité. Le nez ? Fruits des bois, sous-bois, épices (dix-huit mois en fût). L'élégance est là, mais le palais reste à meubler un peu. Ce sera chose faite en 2009. Coup de cœur l'an dernier.

Ch. de Marsannay, rte des Grands-Crus, BP 78, 21160 Marsannay-la-Côte, tél. 03.80.51.71.11, fax 03.80.51.71.12, e-mail chateau-marsannay@kriter.com
t.l.j. 10h-12h 14h-18h30; f. dim. de nov. à mars

Morey-saint-denis

Morey-Saint-Denis constitue, avec un peu plus de 100 ha, une des plus petites appellations communales de la Côte de Nuits (2 022 hl en rouge, 159 hl en blanc). On y trouve d'excellents premiers crus rouges (1 581 hl) et blancs (29 hl) et cinq grands crus ayant une appellation d'origine contrôlée particulière : clos-de-tart, clos-saint-denis, bonnes-mares (en partie), clos-de-la-roche et clos-des-lambrays.

L'appellation est coincée entre Gevrey et Chambolle, et l'on pourrait dire que ses vins produits sur 54,79 ha en communale et 38,94 ha en premier cru déclarés en 2006 sont, avec leurs caractères propres, intermédiaires entre la puissance des premiers et la finesse des seconds. Les vignerons présentent au public les morey-saint-denis, et uniquement ceux-ci, le vendredi précédant la vente des Hospices de Nuits (3e semaine de mars) en un Carrefour de Dionysos, à la salle des fêtes communale.

DOM. DES BEAUMONT Les Millandes 2005 ★★

■ 1er cru 0,27 ha 1 500 30 à 38 €

Bouteille finaliste du coup de cœur proposé par ce domaine familial qui se restructure méthodiquement depuis le début des années 1990. Rouge tirant sur le noir, ce 2005 présente un nez en chêne massif. Sa bouche est magnifique : texture soyeuse, complexité des arômes secondaires, tanins délicats. De garde : au moins deux à trois ans. Commercialisé par la structure de négoce du domaine, le **1er cru les Sorbés 2005** (sait-on à Morey que Gaspard Monge en fut propriétaire ?) obtient une étoile.

EARL Dom. des Beaumont, 9, rue Ribordot, 21220 Morey-Saint-Denis, tél. 03.80.51.87.89, fax 08.25.18.63.99, e-mail domaine-des-beaumont@wanadoo.fr
r.-v. 2
Thierry Beaumont

RÉGIS BOUVIER En la Rue de Vergy 2005

■ 0,5 ha 3 000 15 à 23 €

Domaine passé de 2 à près de 16 ha en un quart de siècle, de Dijon à Morey. En la Rue de Vergy, c'est juste au-dessus du clos-de-tart et des bonnes-mares. Il y a pire situation ! Dense et lumineux, un 2005 encore plein fût (quinze mois). Beau gras et volume intéressant, corps réservé sur la fin, un tantinet d'amertume ; toute la question est là : en 2008 ou 2009 ? Une viande saignante s'en portera bien, de toute façon.

Régis Bouvier, 52, rue de Mazy, 21160 Marsannay-la-Côte, tél. 03.80.51.33.93, fax 03.80.58.75.07, e-mail dom-reg-bouvier@wanadoo.fr r.-v.

DOM. CLERGET 2005

0,24 ha 860 15 à 23 €

Première récolte pour cette parcelle plantée en 2003 et première production de chardonnay au domaine. Le résultat ? Un 2005 beurré et mûr, gras mais minéral, avec du silex. Évidemment un peu particulier en Côte de Nuits (autre exemple fabuleux en musigny). À faire partager à des gens qui connaissent le sujet et s'y intéressent.

Dom. Christian Clerget, 10, Ancienne-Route-Nationale, 21640 Vougeot, tél. 03.80.62.87.37, fax 03.80.62.84.37, e-mail domainechristianclerget@wanadoo.fr r.-v.

ÉTIENNE COSSON Clos Sorbès 2004 ★

■ 1er cru 0,5 ha 2 500 15 à 23 €

La famille Cosson a cédé son clos-des-lambrays, mais elle demeure à Morey. Avec un privilège qu'elle a conservé : l'étiquette dessinée par Hansi, le célèbre artiste alsacien qui signa à la même époque l'emblème de la Confrérie des Chevaliers du Tastevin. Si l'étiquette est historique, le vin mérite lui aussi un hommage. Rubis violacé sans excès, bourgeon de cassis sur fond toasté, un beau fruit qui monte en bouche avec un petit retard d'acidité mais une plénitude sereine. Une citation pour le **1er cru Clos Baulet 2004**, plus souple.

Étienne Cosson, 28, rue Basse, 21220 Morey-Saint-Denis, tél. 03.80.34.32.42
r.-v.

DOM. HERESZTYN Les Millandes 2005 ★

■ 1er cru 0,37 ha 1 800 38 à 46 €

Toujours en bonne place ici, ces Millandes ont reçu le coup de cœur dans l'édition 1996. L'histoire de ce domaine est un roman, depuis Jean, arrivé de Kalisz en Pologne, en 1932, qu'on appelait à Gevrey « Petit-Jean », quand il était vigneron chez Louis Trapet. Stanislas, Bernard et leurs épouses ont aujourd'hui l'œil sur 11 ha. Quel travail et quelle belle greffe ! Ce 2005 ? Cerise sur fond épicé (dix-huit mois en fût), texture fine et ampleur considérable. L'impression ultime est amoureuse.

Dom. Heresztyn, 27, rue Richebourg,
21220 Gevrey-Chambertin, tél. et fax 03.80.34.13.99,
e-mail domaine.heresztyn@wanadoo.fr r.-v.

RÉMI JEANNIARD Les Blanchards 2005 ★

■ 1er cru 0,16 ha 950 15 à 23 €

Ce *climat* se situe au beau milieu du pays. Dans le chœur bourguignon, le morey tient le pupitre du ténor. Ici, rubis d'intensité moyenne, nez vineux et fruité. Dès que la voix s'élève, l'alcool, l'acidité et les tanins vous transportent dans la cour de l'hôtel-Dieu, au désormais célèbre festival de musique baroque. Le fruit n'intervient qu'en seconde partie, soutenu par un boisé en train de se fondre.

Rémi Jeanniard, 20, pl. du Monument,
21220 Morey-Saint-Denis, tél. et fax 03.80.58.52.42
r.-v.

OLIVIER JOUAN La Riotte 2005 ★★

■ 1er cru 0,18 ha 1 200 15 à 23 €

La Riotte est un *climat* estimé. Pensez donc ! La vigne municipale de Morey s'y trouve bien. Ce viticulteur d'Arcenant dans les Hautes-Côtes porte un nom bien connu dans la Côte et il s'inscrit au palmarès. Rouge sombre tirant sur le noir et à reflets bleutés, son 2005 sera parfait si le fût daigne modérer ses ardeurs (quinze mois). Le palais sait accommoder le volume et le fruit. Persistance notable. Le **village Clos Solon 2005**, équilibré sur le fruit, décroche une étoile.

Olivier Jouan, 6, rue de l'Église, 21700 Arcenant,
tél. 06.21.24.33.69, fax 03.80.62.39.20 r.-v.

DOM. LEYMARIE-CECI 2004

■ 0,39 ha 2 300 15 à 23 €

Parcelles acquises en 1974 par René Leymarie, fils d'un négociant en vins établi à Eghezée en Belgique – lui-même implanté en Côte de Nuits depuis un « coup de tête » en 1933. Sous une robe très soutenue, les arômes de ce 2004 jouent une partition originale : cassis, gentiane, réglisse. Ce dernier caractère se confirme en bouche dans un corps dense qui prend peu à peu sa liberté au regard de son fût (dix-huit mois). Le voir s'arrondir est de l'ordre du possible. Réponse dans un an.

Dom. Leymarie-CECI,
Clos du Village, 24, rue du Vieux-Château,
21640 Vougeot, tél. 03.80.62.86.06, fax 03.80.62.88.53,
e-mail leymarie@skynet.be r.-v.

VIRGILE LIGNIER Les Chenevery 2005 ★★

■ 1er cru 0,41 ha 1 200 30 à 38 €

Coup de cœur deux années de suite, et aujourd'hui deux vins en finale du grand jury ! Virgile Lignier, qui a créé en 2000 sa petite affaire de négociant-éleveur (achat de raisins rouges exclusivement), connaît son morey comme sa poche. Ce 2005 réunit toutes les vertus de l'appellation : couleur profonde et pas trop violette, formation de jambes, nez d'épices (cannelle) et de fruits noirs, équilibre exemplaire de la grâce et du maintien. Deux étoiles également pour le **1er cru Aux Charmes 2005**, soyeux, équilibré et d'une belle longueur. Enfin, plus simple, mais néanmoins à la hauteur de la situation, le **village Vieilles Vignes 2005 (15 à 23 €)** décroche une étoile.

récolte 2005
Morey-Saint-Denis
Premier Cru - Les Chenevery
Appellation Morey-Saint-Denis Premier Cru Contrôlée
RED BURGUNDY WINE
LIGNIER Virgile sarl
ALC. 13% BY VOL. PRODUCT OF FRANCE 750 ML

Virgile Lignier, 39, rue des Jardins,
21220 Morey-Saint-Denis, tél. 03.80.34.31.13,
fax 03.80.58.52.16, e-mail virgile.lignier@wanadoo.fr
r.-v.

DOM. LIGNIER-MICHELOT Les Faconnières 2005 ★

■ 1er cru 0,43 ha 2 300 30 à 38 €

Les Faconnières sont longilignes et se glissent comme une couleuvre (*une serpent*, dit-on ici) entre Millandes et Chanières. Le clos-de-la-roche fait partie des intimes quand on consulte le cadastre. D'un rubis reflétant une extraction mesurée, ce 2005 livre un nez très « morey » : champignon, truffe. En bouche, fruité et boisé s'allient sur des tanins présents mais affectueux.

Dom. Lignier-Michelot, 11, rue Haute,
21220 Morey-Saint-Denis, tél. 03.80.34.31.13,
fax 03.80.58.52.16, e-mail virgile.lignier@wanadoo.fr
r.-v.

FRÉDÉRIC MAGNIEN Ruchots 2005 ★

■ 1er cru 0,45 ha 2 350 38 à 46 €

Les Ruchots ont une épaule contre Chambolle, l'autre à demi sur le clos-de-tart et les bonnes-mares. Morey classique, intense et très attaché au terroir. Déjà un petit feu d'artifice (bonne structure, tanins puissants), mais le spectacle aux mille fusées se prépare. Avenir souriant à n'en pas douter.

Frédéric Magnien, 26, rte Nationale,
21220 Morey-Saint-Denis, tél. 03.80.58.54.20,
fax 03.80.51.84.34, e-mail frederic@fred-magnien.com
r.-v.

DOM. ODOUL-COQUARD Clos la Riotte 2004

■ 1er cru 0,38 ha 1 200 23 à 30 €

Comme le montre leur blason communal, les habitants de Morey ne sont pas peu fiers de s'appeler les « loups ». N'auraient-ils pas dévoré jadis une vache égarée sur leur territoire ? En réalité, ils sont doux comme des agneaux et malins comme des singes : ils n'ont pas été les derniers à secouer la branche lors de la récolte des grands crus ! Ce domaine familial, progressant pas à pas, a exporté pour la première fois en 2006. Son Clos la Riotte, rubis prononcé, exprime des senteurs de café et de fruits à l'eau-de-vie. D'une attaque tout en générosité, il respecte l'esprit d'un 2004.

Dom. Odoul-Coquard, 64 bis, rte des Grands-Crus,
21220 Morey-Saint-Denis, tél. et fax 03.80.51.80.62,
e-mail odoul.coquard@wanadoo.fr r.-v.

GÉRARD RAPHET 2004 ★

■ 0,52 ha 2 000 15 à 23 €

Belle étiquette reproduisant un tableau de Jef van Grieken. La main d'artiste est aussi dans la bouteille. Rouge sombre intense, ce 2004 joue au nez sur la gamme du toasté (dix-huit mois en fût) et du réglissé. Plein de chaleur, il vous tend les bras. Côté tanins, il ne se donne pas tout de suite. Comme on dit ici : « il faut voir à voir » ; réfléchir en cave, discuter en cuisine, le remonter au bon moment et pourquoi pas le servir sur un poisson du genre « bec de Saône », brochet à la chair ferme.

Gérard Raphet, 25, rte des Grands-Crus, 21220 Morey-Saint-Denis, tél. 03.80.51.89.52, fax 03.80.51.84.25, e-mail gerard.raphet@wanadoo.fr t.l.j. 9h-12h 14h-18h30; f. sem. du 15 août

FRANCIS SABRAND Vieilles Vignes 2005 ★

■ 0,05 ha 300 15 à 23 €

Création récente d'une petite structure de négoce-éleveur, par des « amateurs » et Denis Marchand, vigneron à Gevrey-Chambertin. Rouge grenat foncé, ce vin n'est pas économe en couleur. Mûre, sous-bois, il tourne autour de ces arômes. Les dix-huit mois en fût ne se font pas oublier. Du caractère ? Assurément. Du volume et de l'intensité aromatique avant une finale agréable. Production très confidentielle, tout comme celle du **1er cru 2005 (23 à 30 €)**, cité.

Francis Sabrand, 18, Grande-Rue, 21700 Meuilley, tél. et fax 03.80.62.11.01, e-mail fsabrand@aol.com

RÉMI SEGUIN 2004 ★

■ 1er cru 0,54 ha n.c. 15 à 23 €

Tout le monde ne peut pas en dire autant : Rémi Seguin est né il y a près d'un demi-siècle au... Clos de Tart. Son père en était alors le régisseur. Le bouquet de ce 2004 évoque la fraise et la cerise. La robe est assez brillante et le caractère puissant, charpenté et corsé. Persistance moyenne, mais tanins fins et équilibre réussi.

Rémi Seguin, 19, rue de Cîteaux, 21640 Gilly-lès-Cîteaux, tél. 03.80.62.89.61, fax 03.80.62.80.92 r.-v.

DOM. ANNE ET HERVÉ SIGAUT Les Millandes 2005 ★

■ 1er cru 0,33 ha 2 100 23 à 30 €

Que de Millandes cette année ! On ne s'en plaint pas, surtout dans ce millésime. « Ah ! Morey n'est pas un croquant de pays... », écrit Gaston Roupnel dans *Le Vieux Garain*. Des gens causants, vivants, liants. Le vin est à leur image. Ici, cerise et mûre, ce serait plutôt Stendhal, *Le Rouge et le Noir...* Élégant et puissant, d'une finale soyeuse, c'est un vin aromatique, disposé à passer à table sur le pigeon plus que sur le coq au vin.

Dom. Anne et Hervé Sigaut, 12, rue des Champs, 21220 Chambolle-Musigny, tél. 03.80.62.80.28, fax 03.80.62.84.40, e-mail herve.sigaut@wanadoo.fr r.-v.

DOM. J. ET M. SIMON 2005 ★

■ 0,62 ha 1 000 15 à 23 €

En 2005, la Bourgogne jouait sur le velours. Produit par un domaine s'étendant sur 6,80 ha, ce *village* pourpre à reflets cerise noire ne dispose pas encore de son bouquet de pleine maturité. On hésite entre les épices, les fruits rouges à noyau. La bouche est franche et fraîche en attaque, avec une forte consistance et un joli salut final. Attente indispensable (deux ans au minimum). Les chasseurs de Morey ne se précipiteront pas sur leurs fusils.

EARL Dom. J. et M. Simon, 11, rue Saint-Roch, 21220 Morey-Saint-Denis, tél. 03.80.34.15.19, fax 03.80.34.19.27, e-mail domainesimon@wanadoo.fr r.-v.

DOM. TAUPENOT-MERME La Riotte 2004

■ 1er cru 0,57 ha 3 349 30 à 38 €

Ce domaine familial, géré par la septième génération, est engagé dans l'agriculture biologique depuis 2001. Élevage en cuve (trois mois) mais surtout en fût (douze mois). Cerise noire, ce 2004 a du cachet. Au nez, il « truffe », comme de nombreuses bouteilles de Morey. Tannique, il suit une règle assez rigide. Il faudra donc patienter deux à trois ans pour que l'ensemble se fonde.

Dom. Taupenot-Merme, 33, rte des Grands-Crus, 21220 Morey-Saint-Denis, tél. 03.80.34.35.24, fax 03.80.51.83.41, e-mail domaine.taupenot-merme@wanadoo.fr r.-v.

Clos-de-la-roche, clos-de-tart, clos-saint-denis, clos-des-lambrays

Le clos-de-la-roche – qui n'est pas un clos – est le plus important en surface (16,67 ha environ), et comprend plusieurs lieux-dits ; il a produit 605 hl en 2006 ; le clos-saint-denis, d'environ 6,5 ha, n'est pas non plus un clos, et regroupe aussi plusieurs lieux-dits (225 hl). Ces deux crus, assez morcelés, sont exploités par de nombreux propriétaires. Le clos-de-tart est, lui, entièrement ceint de murs et exploité en monopole. Il fait un peu plus de 7 ha. Le clos-des-lambrays est également d'un seul tenant ; mais il regroupe plusieurs parcelles et lieux-dits : les Bouchots, les Larrêts ou clos des Lambrays, le Meix-Rentier. Il représente un peu moins de 9 ha, dont 8,5 sont exploités par le même propriétaire. Il a produit 250 hl en 2006.

Clos-de-la-roche

DOM. ARLAUD 2005

■ Gd cru 0,43 ha 2 000 38 à 46 €

Ces 43 a proviennent de la famille Amiot-Guigue. Ils donnent un 2005 rubis, dont le bouquet illustre l'esprit de finesse. Un peu de sévérité, puis le boisé se fait vanillé et accompagne l'essor du fruit rouge. Les tanins sont déjà fondus. En bouche, ce vin pratique la sagesse des Anciens : toute vertu est fondée sur la mesure. Sa souplesse en fait une bouteille plaisante que l'on se gardera néanmoins d'ouvrir tout de suite. Attendre trois ans.

Dom. Arlaud, 41, rue d'Épernay, 21220 Morey-Saint-Denis, tél. 03.80.34.32.65, fax 03.80.34.10.11, e-mail contact@domainearlaud.com r.-v.

BOUCHARD AÎNÉ ET FILS
Cuvée Signature 2005

■ Gd cru n.c. 1 200 46 à 76 €

Une des filiales de Jean-Claude Boisset, bien dans ses murs à Beaune. Terrain nettement calcaire et sévère à l'occasion. À peine 30 cm de terre à certains endroits. On n'est plus dans le cailloutis mais dans le rocher. Parcellaire infini. Un vin riche et chaleureux, cerise noire soutenu, aux notes aromatiques de buis et de framboise sur des tanins généreux. Beaucoup d'élan et une finale encore un peu sévère qui rappelle qu'il faut l'attendre quatre à cinq ans.

Bouchard Aîné et Fils, 4, bd Mal-Foch, 21200 Beaune, tél. 03.80.24.24.00, fax 03.80.24.64.12 t.l.j. 9h30-19h

OLIVIER GUYOT 2005

■ Gd cru 0,25 ha 1 000 + de 76 €

Ce vigneron exploite ici 25 a et l'étiquette le montre avec son cheval en pleins labours. Robe soutenue cerise noire à reflets grenat. Cette bouteille reste attachée à cette couleur quand on passe au nez : mûre, myrtille. Puis viennent des notes d'épices douces. Bouche avenante et puissante, d'un sous-bois délicat. Un rien d'austérité tannique ne nuit pas à son harmonie. À déguster d'ici deux ans.

Olivier Guyot, 39, rue de Mazy, 21160 Marsannay-la-Côte, tél. 03.80.52.39.71, fax 03.80.51.17.58, e-mail domaine.guyot@wanadoo.fr r.-v.

RÉMI JEANNIARD 2005

■ Gd cru 0,09 ha 450 23 à 30 €

Installation en 2004 sur la moitié du domaine familial et construction en 2006 d'une cave-cuverie moderne. Grenat très foncé, bourgeon de cassis jusqu'à la pointe du nez (base de parfum très estimé à Grasse, d'où l'on tire un certain nº 5 de Chanel), un clos-de-la-roche long, gras, d'extraction réussie et très poussée. Un peu de sévérité, forcément. Il faut pouvoir durer (cinq à dix ans).

Rémi Jeanniard, 20, pl. du Monument, 21220 Morey-Saint-Denis, tél. et fax 03.80.58.52.42 r.-v.

DOM. LIGNIER-MICHELOT 2005 ★★

■ Gd cru 0,43 ha 2 500 46 à 76 €

Robe profonde cerise noire. Au nez, le fruit noir est mûr et le sous-bois agréable comme sur les hauteurs de la combe. Rond et puissant, musclé, ce 2005 est un solide gaillard. Le clos-de-la-roche vaut le clos-de-tart, écrivait au début du XIXᵉs. le Dr Denis Morelot. En tout cas, c'est « l'homme de base » de la commune, le plus charpenté. On se définit sur lui. Vif, et on ne le lui reprochera pas, jumelant la fraise et la myrtille, il exprimera tout son potentiel après un séjour de cinq ans minimum en cave.

Dom. Lignier-Michelot, 11, rue Haute, 21220 Morey-Saint-Denis, tél. 03.80.34.31.13, fax 03.80.58.52.16, e-mail virgile.lignier@wanadoo.fr r.-v.

DOM. MICHEL MAGNIEN ET FILS 2005 ★★

■ Gd cru 0,33 ha 1 500 + de 76 €

Reflets rubis sur les bords et grenat dans le centre, larmes, tout y est. Mousse, myrtille, moka, le bouquet, ouvert et intense, n'est pas en reste. Muscade ? Sans doute aussi. Au palais, une force intérieure et un souffle stupéfiants. Tanins présents mais bien intégrés, retour des fruits et finale longue et riche. Les grandes orgues. Durée de vie : au-delà des dix ans. Coup de cœur dans l'édition 2003 pour le millésime 2000.

Dom. Michel Magnien et Fils, 4, rue Ribordot, 21220 Morey-Saint-Denis, tél. 03.80.51.82.98, fax 03.80.58.51.76 r.-v.

DOM. MARCHAND FRÈRES 2005

■ Gd cru 0,06 ha 300 38 à 46 €

Issue du regroupement de deux domaines familiaux, cette propriété compte 7 ha de vignes, dont cette ouvrée en clos-de-la-roche. Elle a produit un 2005 rubis limpide, dont le bouquet peu expansif est marqué par l'élevage (notes épicées). La bouche d'attaque franche, un peu courte, montre des tanins présents que le temps devra polir.

Dom. Marchand Frères, 1, pl. du Monument, 21220 Gevrey-Chambertin, tél. 03.80.62.12.97, fax 03.80.62.11.01, e-mail dmarc2000@aol.com r.-v. 3

DOM. LOUIS REMY 2004

■ Gd cru n.c. 3 000 46 à 76 €

Les Remy, une très ancienne famille du pays. Aujourd'hui, Chantal, fille de Marie-Louise, qui devenue veuve refusa de céder aux sirènes de la Côte d'Azur pour rester en Côte-d'Or. Le 2004, rubis pâle, affiche un nez d'épices et de sous-bois. Souple en attaque, évoluant sur des tanins fondus, le palais joue la simplicité. On peut boire ce vin dès maintenant.

Dom. Louis Remy, 1, pl. du Monument, 21220 Morey-Saint-Denis, tél. 03.80.34.32.59, fax 03.80.34.32.23, e-mail domaine.louis.remy@wanadoo.fr r.-v.

Clos-saint-denis

DOM. PIERRE AMIOT ET FILS 2005 ★★

■ Gd cru 0,17 ha n.c. 38 à 46 €

Didier et Jean-Louis Amiot sont associés depuis 1990. Et dire Amiot, c'est dire Morey ! En tout 16 a 96 ca sur la partie historique du grand cru. Un coup de cœur pour ce clos-saint-denis grenat intense à reflets violets, au nez mentholé s'ouvrant sur des notes d'épices et de cassis. Soyeux, racé, gras, structuré par des tanins fins, ce grand cru surprend moins par son ampleur que par ses nuances. Il vise haut et juste.

Dom. Pierre Amiot et Fils, 27, Grande-Rue, 21220 Morey-Saint-Denis, tél. 03.80.34.34.28, fax 03.80.58.51.17, e-mail domaine.amiot-pierre@wanadoo.fr r.-v.

DOM. ARLAUD 2005 ★★

■ Gd cru 0,12 ha 800 46 à 76 €

12 a 64 ca achetés à la famille Moine de Morey en 1957. Partie historique du clos. Robe cerise violacé ; les dix-huit mois en fût ont laissé à ce 2005 de bons souvenirs : un nez de fruits noirs et de sous-bois frais agrémenté de notes épicées et grillées. Un gras chaleureux, entre mâche et tanins, sans excès de flamme ni de puissance. Besoin de temps, de mise à l'air libre mais ce millésime ne passera pas de sitôt. Coup de cœur dans l'édition 2005 pour le 2002.

Dom. Arlaud, 41, rue d'Épernay,
21220 Morey-Saint-Denis, tél. 03.80.34.32.65,
fax 03.80.34.10.11, e-mail contact@domainearlaud.com
r.-v.

DOM. CASTAGNIER 2005

■ Gd cru 0,35 ha 1 800 30 à 38 €

Vadey-Rameau, Castagnier, toute une généalogie sur ces 35 a 14 ca de la partie historique d'un grand cru qui a pris ses aises au fil du temps : de 2 ha à plus de 6 ha depuis le XIX[e]s. Griotte violine, un pinot noir parfumé à la violette et gentiment épicé. Chaleureux et assez gras, d'une bonne longueur, son palais s'entoure de tanins fins. Un vin élégant.

EARL Dom. Castagnier, 20, rue des Jardins,
21220 Morey-Saint-Denis, tél. 03.80.34.31.62,
fax 03.80.58.50.04 r.-v.

DOM. DUJAC 2005 ★

■ Gd cru 1,5 ha 4 330 46 à 76 €

1 ha 49 a d'une vente Alfred Jacquot en 1977. Fils d'un président du Club des Cent, sans lien particulier avec la Bourgogne, Jacques Seysses a acquis avec toute sa famille cette « nationalité ». Rubis de joaillerie pour bague de fiançailles, un clos-saint-denis si mûr qu'il en deviendrait presque confit, aux notes de boisé cacaoté et grillé. Si sa mâche est impérieuse, les tanins soyeux viennent adoucir l'ensemble. Un vin puissant et racé, encore très jeune et à considérer sur le long terme.

Dom. Dujac, 7, rue de la Bussière,
21220 Morey-Saint-Denis, tél. 03.80.34.01.00,
fax 03.80.34.01.09, e-mail dujac@dujac.com
Seysses

JEAN-PAUL MAGNIEN 2005 ★

■ Gd cru 0,32 ha 1 500 38 à 46 €

Pourquoi saint Denis, mort décapité et resté célèbre pour avoir marché de Montmartre à Saint-Denis en tenant sa tête entre ses mains, est-il célébré à Morey ? En raison d'un collège de chanoines établi en 1023 sur le mont de Vergy. Ce 2005 ? Teinte superbe, nez de café (dix-huit mois en fût) en bonne intelligence avec la cerise. Attaque franche et nette retrouvant la complexité aromatique du bouquet, tanins soyeux, amples, accommodants, finale longue et structurée. L'avenir ? À coup sûr.

Jean-Paul Magnien, 5, ruelle de l'Église,
21220 Morey-Saint-Denis, tél. 03.80.51.83.10,
fax 03.80.58.53.27, e-mail mail@domainemagnien.com
t.l.j. sf dim. 10h-12h 15h-19h

DOM. MICHEL MAGNIEN ET FILS 2005 ★★

■ Gd cru 0,12 ha 600 + de 76 €

Michel Magnien fut l'un des derniers apporteurs de raisin à la coopérative des vins fins de Morey-Saint-Denis. Et le vin fut coup de cœur trois ans de suite pour les millésimes 2001, 2002 et 2003. Deux étoiles encore cette année. Difficile de faire mieux. Un 2005 grenat profond à reflets violacés intenses, au premier nez légèrement grillé s'ouvrant sur des notes de fruits mûrs (griotte). La bouche n'est pas moins belle : attaque franche, structure tannique ample mais empreinte de finesse, marquée par un boisé qui demande à se fondre complètement. Longue finale sur une note de café. De la jeunesse et de l'avenir.

Dom. Michel Magnien et Fils, 4, rue Ribordot,
21220 Morey-Saint-Denis, tél. 03.80.51.82.98,
fax 03.80.58.51.76 r.-v.

Clos-des-lambrays

DOM. DES LAMBRAYS 2004 ★★

■ Gd cru 8,66 ha 23 000 46 à 76 €

79 81 **82** 83 **85** 88 **89** |**90**| 92 93 94 |**95**| 96 97 |**98**| **99** |00| **01 02 03 04**

Propriété de la famille Freund, de Coblence, le domaine des Lambrays demeure confié à Thierry Brouin, son régisseur depuis longtemps. En quasi-monopole (quelques mètres carrés appartiennent à un voisin), ce grand cru est vaste et produit donc suffisamment pour contenter tous les amateurs de ce vin. Robe pourpre limpide de bonne intensité. Premier nez de framboise qui s'ouvre ensuite à l'aération sur des notes de moka (dix-huit mois d'élevage en fût). L'attaque franche (la fameuse « main de fer ») ouvre sur une bouche équilibrée et gracieuse aux arômes friands de fruits rouges. Un vrai « gant de velours ». Longue finale sur la fraîcheur. Un clos-des-lambrays digne de son rang.

Dom. des Lambrays, 31, rue Basse,
21220 Morey-Saint-Denis, tél. 03.80.51.84.33,
fax 03.80.51.81.97, e-mail clos.lambrays@wanadoo.fr
t.l.j. 9h-12h 13h-17h
Freund

Chambolle-musigny

Le nom de musigny à lui seul suffit à situer le pupitre dans la composition de l'orchestre. Commune de grande renommée malgré sa petite étendue, elle doit sa réputation à la qualité de ses vins et à la notoriété de ses premiers crus, dont le plus connu est le *climat* des Amoureuses. Tout un programme ! Mais chambolle a aussi ses Charmes, Chabiots, Cras, Fousselottes, Groseilles et autres Lavrottes... Le petit village aux rues étroites et aux arbres séculaires abrite des caves magnifiques (domaine des Musigny). La production a atteint 3 880 hl en communale et 2 120 hl en premiers crus en 2006.

Les chambolle sont élégants et subtils. Ils allient la force des bonnes-mares à la finesse des musigny ; c'est un pays de transition dans la Côte de Nuits.

DOM. AMIOT-SERVELLE Les Charmes 2004

■ 1er cru 1,3 ha 5 500 30 à 38 €

Les Charmes, quel nom d'appel ! Les Creux Baissants, les Mal Carrées et la Taupe sont d'autres lieux-dits moins favorisés par le destin... Pourpre d'intensité moyenne, ce 2004 a passé dix-huit mois en fût. Il en subsiste des notes torréfiées assorties de parfums avenants de fruits rouges. L'ensemble est encore fermé mais la structure est là. Patientez deux ou trois ans, ce vin s'ouvrira. Bien dans son millésime.

Dom. Amiot-Servelle, 34, rue Basse, 21220 Chambolle-Musigny, tél. 03.80.62.80.39, fax 03.80.62.84.16, e-mail domaine@amiot-servelle.com r.-v.

THIERRY BEAUMONT Les Chabiots 2005

■ 1er cru 0,6 ha 2 100 30 à 38 €

Coup de cœur l'an dernier pour son *village* 2004, Thierry Beaumont travaille sur le domaine familial restructuré en 1991, doté en 1996 d'une cave et d'une cuverie, complété en 2001 d'une activité de négoce-éleveur d'où est issu ce vin. Proches parents des Amoureuses, cru voisin, les Chabiots (à ne pas confondre avec ceux de Morey) s'expriment ici sous une robe rouge très sombre. Le bouquet balance entre le fruit noir et l'épice, sans vraiment se prononcer définitivement. Ample et gras, n'ayant pas tout à fait quitté son fût, ce 2005 possède assez de force intérieure (alcool, tanins) pour dépasser le cap de 2010. Le **village 2005 (15 à 23 €)** obtient une citation.

EARL Dom. des Beaumont, 9, rue Ribordot, 21220 Morey-Saint-Denis, tél. 03.80.51.87.89, fax 08.25.18.63.99, e-mail domaine-des-beaumont@wanadoo.fr r.-v. 2

BOISSEAUX-ESTIVANT 2005 ★

■ 0,3 ha 1 600 30 à 38 €

Si vous souhaitez retrouver le « volnay de la Côte de Nuits », comme disait André Jullien du chambolle, cette féminité fulgurante d'un défilé de grand couturier, choisissez ce vin brillant au regard, cerise fraîche et cannelle au nez, opulent en attaque, d'une constante pureté aromatique. Les tanins servent de garde-corps. Ouverture prévue en 2010.

Boisseaux-Estivant, Clos Saint-Nicolas, 38, fg Saint-Nicolas, BP 107, 21200 Beaune, tél. 03.80.22.26.84, fax 03.80.24.19.73

DOM. RÉMY BOURSOT Les Chatelots 2005

■ 0,1 ha 600 30 à 38 €

La famille Boursot est presque aussi ancienne à Chambolle que le tilleul datant de Sully. Rémy incarne la cinquième génération ; Romane et Romuald, la sixième. D'une couleur intense, entre grenat et violet foncé, voici un 2005 au nez complexe de terroir et de fruits rouges. Structuré, charpenté, ce vin aura une bonne tenue dans un futur raisonnable. S'arrondir ? On l'en croit capable.

Rémy Boursot, 8, rue de la Fontaine, 21220 Chambolle-Musigny, tél. 03.80.62.80.82, fax 03.80.62.84.92, e-mail remy@remyboursot.com r.-v.

SYLVAIN CATHIARD Les Clos de l'Orme 2005 ★

■ 0,42 ha 2 400 23 à 30 €

Grenat intense, à nuances rouges et frange violine, le portrait ne manque pas de couleur. Nez fruité d'intensité moyenne, un tantinet confituré. En bouche ? L'approche est fruitée, également, avec cette petite acidité perceptible qui lui conserve de la fraîcheur. Un chambolle complexe et bien typé, digne de son terroir, qui accompagnera harmonieusement un coq au vin.

Sylvain Cathiard, 20, rue de la Goillotte, 21700 Vosne-Romanée, tél. 03.80.62.36.01, fax 03.80.61.18.21 r.-v.

DOM. CHRISTIAN CLERGET Les Charmes 2004

■ 1er cru 1 ha 3 800 30 à 38 €

Robe puissante dans ces teintes rubis portées de nos jours par le pinot noir. Les arômes célèbrent le cassis. La bouche est relativement ronde, sur fond tannique, témoignage du long élevage en fût (dix-huit mois). Belle longueur mais finale encore un peu sévère. À ouvrir d'ici un an.

Dom. Christian Clerget, 10, Ancienne-Route-Nationale, 21640 Vougeot, tél. 03.80.62.87.37, fax 03.80.62.84.37, e-mail domainechristianclerget@wanadoo.fr r.-v.

DOM. COLLOTTE Cuvée Vieilles Vignes 2005 ★

■ 0,8 ha 3 000 15 à 23 €

S'il se montre sur la réserve en fin de bouche, ce vin n'en passe pas moins toutes les autres épreuves en obtenant haut la main la moyenne : superbe rouge conquérant et altier, arômes où la violette et la fraise se disputent le pouvoir, impression simple et souple, friande. Une bouteille à déboucher dans l'année en saisissant au vol ce bonheur comme il passe.

Dom. Collotte, 44, rue de Mazy, 21160 Marsannay-la-Côte, tél. 03.80.52.24.34, fax 03.80.58.74.40, e-mail domaine.collotte@terre-net.fr r.-v.

DOM. DIGIOIA-ROYER Les Fremières Vieilles Vignes 2005 ★★

■ 0,7 ha 3 000 15 à 23 €

Les Fremières sont nichées dans l'axe des bonnes-mares, un peu plus bas sur le coteau. Elles ont produit ce 2005 à la robe violine très appuyée, au nez frais et joyeux (cerise confite) et à l'attaque gourmande. Un vin à la texture très lisse, chambollois jusqu'au bout des ongles. De plaisir et... de garde. Candidat au coup de cœur. Le **village 2005** obtient pour sa part une citation.

Dom. Digioia-Royer, rue du Carré, 21220 Chambolle-Musigny, tél. et fax 03.80.61.49.58, e-mail micheldigioia@wanadoo.fr r.-v.
Michel Digioia

DOUDET-NAUDIN Les Condemennes 2005 ★

■ 0,55 ha 1 800 23 à 30 €

« Lui, il est comme le Bon Dieu de Chambolle ! » disait-on jadis de quelqu'un à qui la nature avait fait des misères. Allusion au Christ de pitié situé près de l'église, grêle et souffrant... Ce n'est pas, loin s'en faut, le cas de ce vin ! Sa couleur limpide, la complexité de ses arômes (un fruit noir amené avec infiniment de finesse), sa vivacité bien comme il faut, le poli de ses tanins, tout contribue à voir en lui un chambolle harmonieux et durable.

Doudet-Naudin, 3, rue Henri-Cyrot, 21420 Savigny-lès-Beaune, tél. 03.80.21.51.74, fax 03.80.21.50.69, e-mail doudet-naudin@wanadoo.fr r.-v.
Isabelle Doudet

RAPHAËL DUBOIS 2004 ★

■ 0,2 ha 1 200 15 à 23 €

Alexis Lichine trouvait au chambolle-musigny « un charme à la fois fragile et résolu, précisément ce qu'on appelle le charme féminin ». La robe rubis soutenu de ce 2004 et son nez fruité (fraise, framboise) idéalement boisé annoncent en effet un caractère féminin, mais doublé d'un caractère tout court : ampleur, texture, tanins poivrés, dessinent une bouteille d'une réelle personnalité. L'ensemble conserve une acidité assez présente, qui lui permettra d'attendre 2010 sans une ride.

🔑 Raphaël Dubois, rue de la Courtavaux, 21700 Premeaux-Prissey, tél. 03.80.62.30.61, fax 03.80.61.24.07, e-mail rdubois@wanadoo.fr
☑ 🍷 🚶 t.l.j. 8h-11h30 13h30-17h30; sam. dim. sur r.-v.

DOM. ANNE-MARIE GILLE 2004 ★

■ 1er cru 0,31 ha 1 800 🛢 **23 à 30 €**

Reconversion réussie, ou comment passer à la vigne et au vin en étant pilote de ligne (on connaît, au moins, deux autres exemples en Côte-d'Or d'atterissages impeccables) et pharmacienne-œnologue ! Un 2004 sur la finesse, qui croque dans le fruit en attaque, ne fait pas trop état de ses tanins et cède à un rien d'acidité qui lui apporte une touche de fraîcheur. Un vin plaisant, prêt à la consommation.

🔑 Dom. Anne-Marie Gille, 34, RN 74, 21700 Comblanchien, tél. 03.80.62.94.13, fax 03.80.62.99.88, e-mail domaine.gille@9business.fr
☑ 🍷 🚶 r.-v.

DOM. A.-F. GROS 2005 ★

■ 0,4 ha 2 200 🛢 **30 à 38 €**

Ce *village* harmonieux provient de parcelles en Pas de Chat, Fremières, les Athets et Derrière le Four, trop petites pour être vinifiées séparément. Elles se complètent à merveille au sein d'une même cuve. Étiquette esthétique (visage de jeune femme signé Deville). Au reste, le domaine aime les artistes (la Nuitonne Joyce Delimata au salon de dégustation à Pommard). Ici, une jolie robe, un nez végétal puis floral (la violette du pinot noir), une richesse expressive au palais : un pouvoir de séduction exercé avec une certaine autorité, auquel on ne saurait résister.

🔑 Dom. A.-F. Gros, 5, Grande-Rue, 21630 Pommard, tél. 03.80.22.61.85, fax 03.80.24.03.16, e-mail af-gros@wanadoo.fr ☑ 🍷 🚶 r.-v.

DOM. HUDELOT-BAILLET 2005

■ 2,13 ha 6 000 🛢 **15 à 23 €**

D'un rouge foncé et pourtant lumineux, ce 2005 prend son temps. Son nez pointe sur une note végétale, puis s'affirme, plus élégant (fraise) et légèrement épicé (dix-huit mois en fût). L'attaque est suave, l'équilibre respecté entre l'acidité et les tanins. Si ce vin ne fait pas preuve d'une grande profondeur, il n'en reste pas moins qu'un à deux ans de plus le feront monter en grade.

🔑 Dom. Hudelot-Baillet, 21, rue Basse, 21220 Chambolle-Musigny, tél. 03.80.62.85.88, fax 03.80.62.49.88, e-mail hudelot-baillet@club-internet.fr ☑ 🍷 🚶 r.-v.
🔑 Le Guen

OLIVIER JOUAN Les Bussières 2005 ★

■ n.c. 3 000 🛢 **15 à 23 €**

La Bussière est un premier cru sur Morey. Les Bussières, un *village* sur Chambolle. Or, les deux *climats* se touchent de part et d'autre de la limite communale... Les AOC sont quelquefois riches en mystères. Pourpre bien marqué, encore torréfié à la suite de son élevage (quinze mois de fût) avec des notes de raisin de Corinthe et d'épices douces, ce vin doit patienter en bouteille jusqu'en 2009. Il repose en effet sur une belle matière. Seul l'âge apportera le fondu des tanins et du fût.

🔑 Olivier Jouan, 6, rue de l'Église, 21700 Arcenant, tél. 06.21.24.33.69, fax 03.80.62.39.20 ☑ 🍷 🚶 r.-v.

VIRGILE LIGNIER 2004 ★

■ 0,5 ha 1 500 🛢 **15 à 23 €**

Lignier est un nom synonyme de Morey à bien des égards. Virgile a créé en 2000 sa petite maison de négoce-éleveur. Achat en raisins rouges exclusivement. Très réussi pour un millésime délicat en vinification, un vin typé, construit avec soin (souplesse à l'attaque, acidité présente mais mesurée, tanins élégants, notes épicées). La robe est sympathique, le nez encore un peu fermé sur le café (quatorze mois en fût) et sur la cerise, le noyau.

🔑 Virgile Lignier, 39, rue des Jardins, 21220 Morey-Saint-Denis, tél. 03.80.34.31.13, fax 03.80.58.52.16, e-mail virgile.lignier@wanadoo.fr
☑ 🍷 r.-v.

LOU DUMONT 2004

■ n.c. 900 🛢 **15 à 23 €**

La passion peut donner naissance à de singulières aventures. Ainsi cette maison fondée en 2000 à Gevrey, qui a pour président l'honorable Koji Nakada et réunit des amis japonais, coréens et français. Ce chambolle est typé 2004, tendu à l'attaque comme un arc de samouraï dans l'histoire des quarante-sept Rônins, prometteur sur fond de cuir et de chocolat. Grenat sombre, vanillé sans excès, il accompagnera de l'agneau mais pas avant une paire d'années.

🔑 Lou Dumont, 1, rue de Paris, 21220 Gevrey-Chambertin, tél. 03.80.51.82.82, fax 03.80.51.82.84, e-mail sales@loudumont.com
☑ 🍷 🚶 r.-v.

FRÉDÉRIC MAGNIEN Charmes Vieille Vigne 2005 ★★

■ 1er cru 0,37 ha 1 900 🛢 **46 à 76 €**

Depuis l'édition 2002, on n'avait pas vu deux coups de cœur dans cette appellation. Celui-ci présente un nez concentré, épicé, réglissé : le bouquet a tiré un parti remarquable de ses seize mois de fût. Robe habituelle. La bouche concentre les louanges : harmonie parfaite, gras soyeux, vivacité bien tempérée. À servir maintenant ou plus tard (dans les trois à cinq ans). Le **village Vieille Vigne 2005 (23 à 30 €)** obtient une citation.

🔑 Frédéric Magnien, 26, rte Nationale, 21220 Morey-Saint-Denis, tél. 03.80.58.54.20, fax 03.80.51.84.34, e-mail frederic@fred-magnien.com
☑ 🍷 🚶 r.-v.

DOM. MICHEL MAGNIEN ET FILS
Les Sentiers 2005 ★★

■ 0,15 ha 800 46 à 76 €

Le coup de cœur à portée de main. Sans doute faut-il choisir, mais ces Sentiers ne sont pas détournés. Seule la route des Grands Crus en sépare un bout des bonnes-mares, à la limite de Chambolle et de Morey. D'une teinte violet foncé, ce 2005 peut attendre cinq ans son civet de lièvre. Ses arômes spiritueux gardent de nez en nez une finesse subtile. L'approche est agréable. Douceur et plénitude, un peu de chaleur en finale, l'exemple même de la bouteille à attendre avec confiance.

Dom. Michel Magnien et Fils, 4, rue Ribordot, 21220 Morey-Saint-Denis, tél. 03.80.51.82.98, fax 03.80.58.51.76 r.-v.

DOM. PAUL MISSET Les Condemennes 2005 ★

■ 0,25 ha 1 500 15 à 23 €

Nerveux en attaque, vineux, simple et équilibré, ce vin produit aux abords de Vougeot possède du fond et un certain caractère. Domaine de la famille Chéron, que l'on a rencontrée souvent de Dijon à Nuits (les pressoirs historiques de Chenôve, la maison Pascal Frères, l'association avec Pierre Naigeon à Gevrey, etc.), reparti sur des bases nouvelles avec Yves en 2001.

Dom. Paul Misset, 8, rue Félix-Tisserand, 21700 Nuits-Saint-Georges, tél. 03.80.34.37.82 r.-v.

Denis Chéron

DOM. MICHEL NOËLLAT ET FILS 2005 ★

■ 1,3 ha 4 500 23 à 30 €

Une cave construite avec les pierres de l'ancienne prison de Beaune. Il faut de tout pour faire un monde. Brillance et éclat, nez mariant le boisé à un fruit noir éloquent : on est prêt à accorder à ce vin un brevet de bonne conduite. Le volume se dessine bien, offrant un écrin de choix aux arômes. L'affaire se jugera dans la durée (de deux à quatre ans). Du suspense ? Alfred Hitchcock était fou de chambolle et il en emplissait sa cave de Bel Air à Hollywood, mais seuls le pommard et le montrachet figurent dans ses films.

SCEA Dom. Michel Noëllat et Fils, 5, rue de la Fontaine, 21700 Vosne-Romanée, tél. 03.80.61.36.87, fax 03.80.61.18.10 r.-v.

HERVÉ ROUMIER 2004

■ 0,52 ha 2 000 15 à 23 €

Fils d'Alain Roumier, Hervé a travaillé lui aussi au domaine de Vogüé. Bonne formation ! Fougère, sous-bois, le bouquet de ce 2004 est forestier. Assez bonne approche en bouche, tanins doux, équilibre sur la fraîcheur, confirmation des arômes végétaux. Une bonne réussite dans le millésime. À boire dès maintenant.

Hervé Roumier, 8, rue de Vergy, 21220 Chambolle-Musigny, tél. 03.80.62.80.38, fax 03.80.62.86.71 r.-v.

GÉRARD SEGUIN Derrière le Four 2005

■ 0,3 ha 1 400 15 à 23 €

Quand on descend de Chambolle pour aller directement à Vougeot, Derrière le Four est à main droite. Dans un village vigneron, il faut en effet aller au four et au pressoir. Ce vin séduit par un rubis violacé. Son parfum demeure concentré, peu expansif pour le moment – une note de groseille en cherchant un peu. Ferme et tannique, dans la bonne moyenne : on n'aura pas à attendre pour en profiter. Cave et cuverie ont été modernisées en 2006, date à laquelle est arrivé Jérôme, le fils, sur l'exploitation.

Dom. Gérard Seguin, 11-15, rue de l'Aumônerie, 21220 Gevrey-Chambertin, tél. 03.80.34.38.72, fax 03.80.34.17.41, e-mail domaine.gerard.seguin@wanadoo.fr r.-v.

RÉMI SEGUIN Les Sentiers 2004 ★

■ 1er cru 0,25 ha n.c. 15 à 23 €

Fils et petit-fils de vignerons, né au Clos de Tart : le moins que l'on puisse dire, c'est que Rémi Seguin a des racines ! Il propose ici un 2004 parfaitement maîtrisé. La robe est intense, sur le rubis foncé. Le nez ne l'est pas moins, mariant les fruits noirs au moka. La bouche, enfin, offre une belle matière sur un fruité très mûr. « À boire pour sa jeunesse ou à attendre pour le plaisir », écrit un dégustateur. Il y a des choix plus difficiles...

Rémi Seguin, 19, rue de Cîteaux, 21640 Gilly-lès-Cîteaux, tél. 03.80.62.89.61, fax 03.80.62.80.92 r.-v.

DOM. ANNE ET HERVÉ SIGAUT
Les Chatelots 2005 ★★

■ 1er cru 0,52 ha 2 800 23 à 30 €

Hervé Sigaut a succédé à Maurice qui faisait ses dernières vendanges en 1990. Il exploite un demi-hectare en Chatelots, *climat* situé au bas du village, près des dernières maisons. Coup de cœur, on comprend vite pourquoi : sa nuance violette sur robe grenat très foncé à l'éclat éblouissant, son bouquet de fraise d'une expression fraîche et directe, la douceur de ses tanins enveloppés d'un rien de sucrosité, sa discrétion de bon aloi. Harmonie, élégance et finesse : tout est dit. Une étoile pour le **1er cru Les Noirots 2005**, particulièrement soyeux, ainsi que pour le **1er cru Les Sentiers Vieilles Vignes 2005**, un vin gourmand dont on peut commencer à profiter et qui tiendra.

Dom. Anne et Hervé Sigaut, 12, rue des Champs, 21220 Chambolle-Musigny, tél. 03.80.62.80.28, fax 03.80.62.84.40, e-mail herve.sigaut@wanadoo.fr r.-v.

DOM. J. ET M. SIMON 2005 ★

■ 0,97 ha 2 000 15 à 23 €

Un vin dont la robe est « dans l'esprit » des 2003, grenat « très extrait ». Il est vrai que ce phénomène devient général. Élégant, le boisé (douze mois d'élevage) est encore très présent, mais cela n'enlève rien aux qualités intrinsèques du pinot noir. La conclusion est double : confiance, ce 2005 a du fond ; le fût s'atténuera avec le temps.

EARL Dom. J. et M. Simon, 11, rue Saint-Roch, 21220 Morey-Saint-Denis, tél. 03.80.34.15.19, fax 03.80.34.19.27, e-mail domainesimon@wanadoo.fr r.-v.

DOM. ROBERT SIRUGUE ET SES ENFANTS Les Mombies 2005

■ 0,28 ha 1 600 15 à 23 €

Mombies ? Drôle de patronyme ! Entre les Mal Carrées (revendiquées par personne) et les Maladières, en piémont de la RN 74 devenue (rectifiez vos connaissances) la D 974 depuis le transfert récent des routes nationales au département. Fruit d'une extraction (couleur, tanins) à poing serré, ce 2005 sait préserver une part de rouge dans le grenat. Vanille et fruit se fraient un chemin dans une bouche aux tanins boisés dominants. Un vin à attendre impérativement (quatre à cinq ans).

Dom. Robert Sirugue, 3, rue du Monument, 21700 Vosne-Romanée, tél. 03.80.61.00.64, fax 03.80.61.27.57, e-mail sirugue@ifrance.com r.-v.

DOM. JEAN TARDY ET FILS Les Athets 2004 *

■ 0,32 ha 1 800 23 à 30 €

Une histoire bourguignonne. Victor, le grand-père, était métayer chez Méo-Camuzet à Vosne. Son fils Jean lui succède en 1966, puis Guillaume à la génération suivante (pleines responsabilités depuis 2001 pour les vins, depuis 2003 pour le domaine). Né d'un *climat* de piémont, ce 2004 bien habillé livre un nez où le moka cède peu à peu du terrain à la truffe et au pruneau. Acidité et tanins convolent aimablement. Un vin de garde car, comme le disait saint Bernard, il faut donner du temps au temps.

Dom. Jean Tardy et Fils, 46, rte Nationale, 21700 Vosne-Romanée, tél. 03.80.61.11.86, fax 03.80.61.07.32, e-mail domainejeantardy@9business.fr r.-v.

HENRI DE VILLAMONT Les Châtelots 2005 **

■ 1er cru 0,54 ha 1 976 30 à 38 €

Henri de Villamont est une filiale du groupe suisse Schenk. Négociant-éleveur, mais il s'agit ici d'un vin du domaine, qui joue la carte de l'intensité tout au long de la dégustation. Robe grenat foncé aux nuances violettes. Nez expressif où les fruits rouges et noirs se mêlent à un boisé grillé agréable. Bouche charpentée offrant équilibre, complexité et richesse aromatique. Finesse et ampleur, un très beau chambolle 1er cru. À découvrir également, le **village 2004 (15 à 23 €)** qui décroche une étoile.

SAS Henri de Villamont, 2, rue du Dr-Guyot, 21420 Savigny-lès-Beaune, tél. 03.80.21.50.59, fax 03.80.21.36.36, e-mail contact@hdv.fr t.l.j. sf lun. 10h-18h

Musigny

Dominant le Clos de Vougeot, Musigny repose sur un sol calcaire mêlé d'argile rouge. Ce grand cru s'étend sur 10 ha 85 a 55 ca et a produit 325 hl en 2006.

DOM. CHRISTIAN CONFURON ET FILS 2005

■ Gd cru 0,08 ha 300 46 à 76 €

Il y eut une famille de Musigny qui donna aux ducs de Bourgogne plusieurs chambellans et même en 1356 un gouverneur du duché. Éteinte aujourd'hui – il n'en subsiste qu'un vin. Mais quel vin ! Rubis violacé, ce 2005 livre un bouquet évoquant le fruit noir et l'eau-de-vie qui conserve la baie. Fin, plus long que profond, les tanins marqués d'une pointe de vivacité, il ne laissera pas indifférent.

SCEA Dom. Christian Confuron et Fils, rue du Vieux-Château, 21640 Vougeot, tél. et fax 03.80.62.86.80 t.l.j. 9h30-11h30 14h30-17h30; sam. dim. sur r.-v.

DOM. JACQUES PRIEUR 2004

■ Gd cru 0,77 ha 2 100 + de 76 €

L'INAO a sagement réglé ce cas complexe et épineux : sur une partie de la propriété Prieur, les extrémités des rangs de vigne étaient classées en grand cru et le milieu des rangs en premier cru... Domaine plusieurs fois coup de cœur en musigny. Ce 2004 a gardé une robe très jeune, rubis à reflets violacés. Il s'ouvre de façon naturelle sur des notes d'épices et de sous-bois. Modérément tannique, montrant chaleur et rondeur, le palais exprime des arômes de fruits rouges avant une pointe d'amertume finale. Un vin agréable, typique de son millésime, à découvrir dans deux ans.

Dom. Jacques Prieur, 6, rue des Santenots, 21190 Meursault, tél. 03.80.21.23.85, fax 03.80.21.29.19, e-mail domaine.jprieur@prieur.com r.-v.

BOURGOGNE

Bonnes-mares

Cette appellation, qui s'étend sur 13 ha 54 a 17 ca a produit 507 hl en 2006. Elle déborde sur la commune de Morey, le long du mur du clos-de-tart, mais la plus grande partie est située sur Chambolle. C'est le grand cru par excellence. Les vins de bonnes-mares, pleins, vineux, riches, ont une bonne aptitude à la garde et accompagnent allègrement le civet ou la bécasse après quelques années de vieillissement.

JEAN-LUC ET PAUL AEGERTER 2004 *

■ Gd cru 0,4 ha 1 800 + de 76 €

On peut considérer Jean-Luc et Paul Aegerter comme des spécialistes du sujet. Deux fois coup de cœur en bonnes-mares, dont l'an dernier pour le 2003. Arrive le 2004... Rouge carmin, une robe somptueuse. Des arômes assez classiques : cuir, fourrure, sous-bois, appelant le gibier mariné, le civet ou le fromage de caractère. La violette, également classique, pointe en rétro-olfaction. Tout en finesse, en élégance, avec un boisé bien fondu (quinze mois d'élevage), ce vin s'annonce comme une belle réussite pour ce millésime difficile.

Jean-Luc Aegerter, 49, rue Henri-Challand, 21700 Nuits-Saint-Georges, tél. 03.80.61.02.88, fax 03.80.62.37.99, e-mail jean-luc.aegerter@wanadoo.fr r.-v.

DOM. ARLAUD 2005

■ Gd cru 0,2 ha 850 46 à 76 €

Pour être plus précis, 20 a 81 ca achetés à la famille Valhy, de Morey, au début des années 1940. Un coup de

cœur dans l'édition 1997 pour le millésime 1993 et il n'y en a pas eu légion dans ce grand cru depuis la naissance du Guide. Rubis grenat, limpide et intense, ce 2005 trouve son équilibre aromatique sur le cassis et la mûre. Un peu de vivacité, un peu de fût, il est – au fond – d'un caractère simple mais élégant. L'option préférable : attendre deux ou trois ans. Praticienne du labour à cheval, Bertille Arlaud s'occupe des grands crus du domaine depuis 2004.
Dom. Arlaud, 41, rue d'Épernay,
21220 Morey-Saint-Denis, tél. 03.80.34.32.65,
fax 03.80.34.10.11, e-mail contact@domainearlaud.com
r.-v.

DOM. BART 2005 *

■ Gd cru 1 ha 1 200 38 à 46 €

1 ha 3 a précisément, d'une succession Clair-Daü, pour partie. Et dans la famille, si vous êtes chevalier du Tastevin, l'un des premiers piliers des Cadets de Bourgogne, âme même de Marsannay. Un bonnes-mares d'excellence, le nez ouvert sur un léger moka (dix-huit mois en fût), flatteur et distingué au palais. L'acidité et le gras sont en harmonie, sur un lit de tanins veloutés et bien boisés. Un millésime assez racé pour s'épanouir dans une durée qui dépasse largement les cinq ans. Chapon ? De Bresse, restons entre Bourguignons.
Dom. Bart, 23, rue Moreau,
21160 Marsannay-la-Côte, tél. 03.80.51.49.76,
fax 03.80.51.23.43, e-mail domaine.bart@wanadoo.fr
r.-v.

DOM. CASTAGNIER 2005

■ Gd cru 0,33 ha 1 600 30 à 38 €

Ces 33 a 25 ca ont toute une histoire que nul ne vous racontera ailleurs qu'ici. Propriété américano-autrichienne de « Bob » Newman, ami de Lichine, confiée à un défunt Dakowski, aux Perret de Gevrey puis à Castagnier-Vadey. Depuis une bonne quarantaine d'années. La vigne, il faut la connaître ! Ce 2005 affiche une robe cerise intense. Le nez se promène entre le cassis et le grillé, discret et sans fatigue. Attaque assez dynamique avec une pointe de vivacité. Le gras est bien fondu, comme le boisé (dix-huit mois en fût). L'alcool et l'acidité n'en finissent pas de discuter en fin de bouche, mais qui n'a pas connu cela en Bourgogne ? Le délai d'attente est évident, pas moins de cinq ans. Normal en grand cru.
EARL Dom. Castagnier, 20, rue des Jardins,
21220 Morey-Saint-Denis, tél. 03.80.34.31.62,
fax 03.80.58.50.04 r.-v.
GFA Dom. Newman

JÉRÔME GALEYRAND 2005 **

■ Gd cru 0,15 ha 300 + de 76 €

Le haut de gamme, l'étage noble. Pour ce jeune vigneron et négociant, une réussite incontestable. La brillance est parfaite. Les dix-huit mois en fût délivrent une incroyable diversité aromatique : eucalyptus, et une certaine maturité sauvage. Pour le fruit, on choisit la fraise. On trouve aussi de l'œillet. Le corps, n'en parlons pas. Caractère, puissance contenue, charme fou et comme au cinéma au moment du baiser final : « Je me donnerai, mais dans longtemps et si tu sais m'attendre, m'être fidèle ! ».
Jérôme Galeyrand, 16, rue de Gevrey,
21220 Saint-Philibert, tél. 06.61.83.39.69,
fax 03.80.34.39.69,
e-mail jerome.galeyrand@wanadoo.fr r.-v.

PIERRE NAIGEON Cuvée Réserve 2005 **

■ Gd cru 0,5 ha 1 200 + de 76 €

Fils de Véra et de Jean-Pierre Naigeon, logé dans l'hôtel historique des Fyot et de La Marche et des Jobert de Chambertin, Pierre Naigeon signe un vin fabuleux. Un peu austère en finale, c'est dit. Ces choses-là arrivent et s'arrangent avec le temps. Pour le reste, on ne saurait tarir d'éloges. Nez subtil et complexe s'ouvrant sur les fleurs, les fruits noirs et les épices douces (cannelle). Bouche d'attaque soyeuse, évoluant sur une matière charnue enrobée d'un boisé bien intégré. Un grand cru racé et charmeur.
Pierre Naigeon,
4, rue du Chambertin, Vieil hôtel Jobert-de-Chambertin,
21220 Gevrey-Chambertin, tél. 03.80.34.14.87,
fax 03.80.58.51.18, e-mail pierre.naigeon@wanadoo.fr
r.-v.

DOM. DE LA VOUGERAIE 2005 *

■ Gd cru 0,7 ha 2 532 + de 76 €

Établi sous ce nom en 1999, le domaine de La Vougeraie (la demeure de la famille Boisset à Vougeot) réunit plusieurs propriétés acquises depuis 1964. Deux bons tiers d'hectare en bonnes-mares ! Sous l'éclat d'une couleur franche et vive, le bouquet tisse sa toile avec le soin d'une araignée méticuleuse. Dieu sait s'il y en a dans les caves ! Moka grillé, fruit confituré et même la fameuse violette du cru, à l'aération. Un vin très soyeux en bouche. Ne pas hésiter : cinq ans de garde. Cela laissera le fût s'assagir un peu et rentrer dans le rang.
Dom. de La Vougeraie, rue de l'Église,
21700 Nuits-Saint-Georges, tél. 03.80.62.48.25,
fax 03.80.61.25.44,
e-mail vougeraie@domainedelavougeraie.com
r.-v.
Boisset

Vougeot

C'est la plus petite commune de la côte viticole. Si l'on ôte de ses 80 ha les 50 ha 59 a 10 ca du clos, les maisons et les routes, il ne reste que quelques hectares de vignes en vougeot, dont plusieurs premiers crus, les plus connus étant le Clos blanc (vins blancs) et le Clos de la Perrière. Le volume de production s'élève en 2006 à 341 hl en 1er cru rouge et 125 hl en 1er cru blanc ; les *villages* représentent 105 hl en rouge et 30 hl en blanc.

DOM. BERTAGNA Les Cras 2004 *

1er cru 0,55 ha 3 300 46 à 76 €

Propriétaire de 200 ha de vignes à Bône en Algérie, Claude Bertagna acquit au début des années 1960 le domaine George et Lucien Berthon. Vingt ans plus tard, il cède le domaine à un groupe d'investisseurs allemands dirigé par Günther Reh (l'un des leaders du vin effervescent outre-Rhin). Sa fille Éva et son gendre ont pris ensuite le relais. L'habitude ancienne de produire des rouges et des blancs provient sans doute des moines de Cîteaux. Fin et limpide, le nez sur les agrumes (citron, pamplemousse) et d'excellent caractère, un vin fait pour un poisson noble. Coup de cœur en 2006 et 2004, en Perrière.

🔑 Dom. Bertagna, 16, rue du Vieux-Château, 21640 Vougeot, tél. 03.80.62.86.04, fax 03.80.62.82.58, e-mail bertagna@wanadoo.fr
☑ 𝐈 t.l.j. sf dim. 10h-12h30 13h30-17h30; f. janv.
🔑 Mme Reh Siddle

ALAIN HUDELOT-NOËLLAT
Les Petits Vougeot 2004

■ 1er cru 0,53 ha 3 140 🛢 30 à 38 €

Au temps des moines (avant la Révolution), on disait le Petit Clos noir car planté en noirien, en pinot. Vignes Hudelot et Noëllat (Charles) au sein de ce domaine qui compte aujourd'hui 10 ha de Nuits à Chambolle. Pourpre à reflets légèrement tuilés, ce 2004 offre un bouquet typé : fougère, sous-bois... Ferme et long, il est flatteur à l'attaque et n'en démord pas sur un ton riche en alcool et chaleureux. Entre le Musigny et le Clos de Vougeot, pour ceux qui connaissent les lieux, un *climat* bien entouré.
🔑 Alain Hudelot-Noëllat, 5, ancienne RN 74, 21640 Vougeot, tél. 03.80.62.85.17, fax 03.80.62.83.13, e-mail dom.hudelot-noellat@wanadoo.fr ☑ r.-v.

DOM. DE LA VOUGERAIE
Clos du Prieuré Monopole 2005 *

■ 1 ha 4 008 🛢 30 à 38 €

Le domaine de La Vougeraie (1999) réunit les vignes de Jean-Claude Boisset et des siens, sur 34 ha. Vougeot s'y trouve à l'honneur puisque la demeure familiale est ici. Coup de cœur dans les Guides 2006 et 2004, ce monopole s'affirme cette fois encore comme un très bon vin. Entre rouge griotte et brique, bouqueté sur le fruit noir frais, il sait mettre à profit ses qualités (souplesse et tendreté). À boire d'ici deux à trois ans. Autre monopole, le **Clos blanc de Vougeot 1er cru 2004 (46 à 76 €)** : le beau portail face à celui du Clos de Vougeot. À déguster maintenant, il est cité.
🔑 Dom. de La Vougeraie, rue de l'Église, 21700 Nuits-Saint-Georges, tél. 03.80.62.48.25, fax 03.80.61.25.44, e-mail vougeraie@domainedelavougeraie.com
☑ 𝐈 🚶 r.-v.
🔑 Boisset

Clos-de-vougeot

Tout a été dit sur le Clos ! Comment ignorer que plus de soixante-dix propriétaires se partagent ses 50 ha 59 a 10 ca et les 1 640 hl déclarés en 2006 ? Un tel attrait n'est pas dû au hasard ; c'est bien parce qu'il est bon et que tout le monde en veut ! Il faut bien sûr faire la différence entre les vins « du dessus », ceux « du milieu » et ceux « du bas », mais les moines de Cîteaux, lorsqu'ils ont élevé le mur d'enceinte, avaient tout de même bien choisi leur lieu...

Fondé au début du XIIes., le Clos atteignit très rapidement sa dimension actuelle ; l'enceinte d'aujourd'hui est antérieure au XVes. Plus que le Clos lui-même, dont l'attrait essentiel se mesure dans les bouteilles quelques années après leur production, le château, construit aux XIIe et XVIes., mérite qu'on s'y attarde un peu. La partie la plus ancienne comprend le cellier, de nos jours utilisé pour les chapitres de la Confrérie des Chevaliers du Tastevin, actuel propriétaire des lieux, et la cuverie, qui abrite à chaque angle quatre magnifiques pressoirs d'époque.

JEAN-LUC ET PAUL AEGERTER 2004

■ Gd cru 0,35 ha 1 200 🛢 46 à 76 €

« Vous serez sur la bonne voie si vous rencontrez un vin plein, charnu et de longue garde », indique Michael Broadbent. Le cas présent. Robe carmin sur le disque, d'une teinte presque noire en ses profondeurs. Réglisse, châtaigne, le nez s'éveille. Si elle a besoin de s'assouplir, la matière est riche et dense ; sur la réserve et avec raison. À revoir dans deux ou trois ans.
🔑 Jean-Luc Aegerter, 49, rue Henri-Challand, 21700 Nuits-Saint-Georges, tél. 03.80.61.02.88, fax 03.80.62.37.99, e-mail jean-luc.aegerter@wanadoo.fr ☑ 𝐈 🚶 r.-v.

BOUCHARD AÎNÉ ET FILS 2005 *

■ Gd cru n.c. 2 000 🛢 46 à 76 €

Robe d'un rubis intense et profond : on s'y noie le regard avec délectation. Soutien boisé (dix-sept mois), mais le petit fruit rouge pointe le bout de son nez. Accédant à la maturité, il se retrouve au palais, tandis que s'expriment les valeurs du grand cru : plein d'élégance et de finesse, il est moins hautain peut-être qu'à une certaine époque, et certainement plus accessible. En garde ! Oui, car il tiendra longtemps l'assaut. Maison reprise par Jean-Claude Boisset.
🔑 Bouchard Aîné et Fils, 4, bd Mal-Foch, 21200 Beaune, tél. 03.80.24.24.00, fax 03.80.24.64.12
☑ 𝐈 🚶 t.l.j. 9h30-19h

DOM. CASTAGNIER 2005 ***

■ Gd cru 0,5 ha 2 550 🛢 30 à 38 €

Il doit s'agir des 49 a 75 ca achetés le 30 mars 1936 par Albert Rameau au vicomte Eugène Liger-Belair. Parcelle restée dans la famille. Tout en haut, au voisinage des grands-échézeaux. « La couleur est particulièrement difficile à nommer car elle met le langage en échec », écrit David Le Breton. Certes, ici très soutenue, opaque et nocturne. Genièvre, poivre, fruits noirs, le bouquet n'est pas très ouvert pour l'instant mais apparaît déjà complexe et fin. Solidité et puissance, vinosité tendant vers le kirsch, ampleur et longueur, typicité magnifique et perspectives de garde illimitées. Une qualité et un prix à citer en exemple.

🔑 EARL Dom. Castagnier, 20, rue des Jardins, 21220 Morey-Saint-Denis, tél. 03.80.34.31.62, fax 03.80.58.50.04 ☑ 🍷 🚶 r.-v.

DOM. PHILIPPE CHARLOPIN 2004 ★★

■ Gd cru n.c. n.c. ⫾ + de 76 €

« Un vin qui subsiste longtemps après qu'on l'a bu », disait Alexis Lichine du clos-de-vougeot. Phénomène souvent observé, en effet. Celui-ci le confirme. On lit sur les fiches de dégustation : très bon travail, à la hauteur de l'appellation, remarquable pour le millésime, un petit côté féminin... Encore qu'au nez, l'animal frôle le fruit rouge. Superbe robe, une mâche bien encadrée, de la rondeur et de la fraîcheur, un boisé fondu, un excellent potentiel. Deux à trois ans d'attente au minimum.

🔑 Philippe Charlopin, 18, rte de Dijon, 21220 Gevrey-Chambertin, tél. et fax 03.80.58.50.46, e-mail charlopin-philippe@wanadoo.fr

DOM. CHRISTIAN CONFURON ET FILS 2005

■ Gd cru 0,26 ha 1 210 ⫾ 38 à 46 €

Rubis franc, d'intensité olfactive moyenne (épices, cacao, un peu de fraise), un 2005 structuré, encore ferme, cherchant sa destinée après un long élevage en fût. Le dénouement devrait être heureux car la matière est là et l'équilibre à portée de main. Un vin présent, à l'ancienne, à laisser trois à cinq ans en cave.

🔑 SCEA Dom. Christian Confuron et Fils, rue du Vieux-Château, 21640 Vougeot, tél. et fax 03.80.62.86.80
☑ 🍷 🚶 t.l.j. 9h30-11h30 14h30-17h30; sam. dim. sur r.-v.

DOM. FRANÇOIS GERBET 2005 ★

■ Gd cru 0,33 ha 1 485 ⫾ 38 à 46 €

Parcelle de 31 a 33 ca acquise en 1985 auprès de la SAFER de Bourgogne, qui l'avait quelque peu « arrachée » à l'International Distillers & Vintners France, acquéreur de la maison Piat en Beaujolais. Grenat sombre, cassis et fraise des bois, un clos-de-vougeot gras et chaleureux au palais, tannique en finale. Encore jeune mais plein de potentiel, il sera parfait dans huit à dix ans.

🔑 Marie-Andrée et Chantal Gerbet, pl. de l'Église, 21700 Vosne-Romanée, tél. 03.80.61.07.85, fax 03.80.61.01.65, e-mail vins.gerbet@wanadoo.fr
☑ 🍷 🚶 r.-v.

DOM. MICHEL GROS 2005

■ Gd cru 0,2 ha 1 000 ⫾ 46 à 76 €

Partie haute du clos sur 20 a 85 ca achetés en 1970 à Mme Machard de Gramont née Dufouleur, et provenant d'un morcellement datant de 1903. Vous savez tout. Un vin bien fait, mais à revoir plus tard. Ses arômes suggèrent le pruneau, le poivre vert. Vinosité, chaleur, il n'est pas encore fondu. Il faudra le mériter.

🔑 Dom. Michel Gros, 7, rue des Communes, 21700 Vosne-Romanée, tél. 03.80.61.04.69, fax 03.80.61.22.29 ☑ 🍷 🚶 r.-v.

DOM. GROS FRÈRE ET SŒUR Musigni 2005 ★★

■ Gd cru 0,75 ha 3 300 ▮⫾ 46 à 76 €

Le millésime 2000 a reçu le coup de cœur et celui-ci n'en est pas loin. Intéressant à un autre titre pour l'amateur : Musigni est un *climat* authentique au sein du clos (à l'entrée du château, sur la droite) et bien rares sont ceux qui revendiquent ce particularisme, sous la bénédiction naguère de Charles Quittanson, pape des appellations. Moka, pain grillé, thym et cassis, le bouquet est un vrai voyage organisé en Côtes de Nuits. En bouche, la rondeur, la longueur et la fermeté des grands 2005. Une erreur à éviter : le déboucher maintenant. « Elle sera pardonnée tant il donne du plaisir aujourd'hui », écrit un dégustateur. Faites le pari de l'avenir, vous ne le regretterez pas.

🔑 Dom. Gros Frère et Sœur, 6, rue des Grands-Crus, 21700 Vosne-Romanée, tél. 03.80.61.12.43, fax 03.80.61.34.05, e-mail bernard.gros2@wanadoo.fr
☑ 🍷 🚶 r.-v.
🔑 Bernard Gros

JEAN-MICHEL GUILLON 2005 ★★

■ Gd cru 0,14 ha 820 ⫾ 38 à 46 €

Parcelle située près de Vosne, à côté de celle de... l'État. Oui, entre la D 974 et le clos, l'État (non récoltant) possède un petit bout du grand cru. Attaque sur le gras, palais bien ample et puissant, les tanins en équilibre, le merrain d'aplomb : ce 2005 ne fait pas pitié. Prunelle, myrtille, il chante au nez. Carmin très sombre, c'est un beau ténébreux. Attendez-le huit à dix ans, puis servez-le sur une pièce de gibier.

🔑 Jean-Michel Guillon, 33, rte de Beaune, 21220 Gevrey-Chambertin, tél. 03.80.51.83.98, fax 03.80.51.85.59, e-mail eurlguillon@aol.com
☑ 🍷 🚶 r.-v.

DOM. LEYMARIE-CECI 2004

■ Gd cru 0,53 ha 1 500 ⫾ 38 à 46 €

Parcelle de 52 a 60 ca dans la partie haute (près des grands-échézeaux) achetée « sur un coup de tête » par Charles Leymarie en 1933. Un Corrézien devenu négociant en vins en Belgique. La vigne appartenait auparavant aux Liger-Belair. Ce 2004 se présente bien dans le verre. Le nez demande à s'ouvrir. La griotte et le boisé sont déjà en embuscade. Très concentré, puissant, ce vin devra attendre deux à trois ans.

🔑 Dom. Leymarie-CECI, Clos du Village, 24, rue du Vieux-Château, 21640 Vougeot, tél. 03.80.62.86.06, fax 03.80.62.88.53, e-mail leymarie@skynet.be ☑ 🍷 🚶 r.-v.

LUPÉ-CHOLET 2005 ★

■ Gd cru 1 ha 4 000 ⫾ 46 à 76 €

Maison créée en 1903 par l'association du comte de Mayol de Lupé et du vicomte de Cholet. Rouge burlat soutenu, vif et limpide, le bouquet frais et jeune (baies noires, épices), un clos-de-vougeot poivré et vineux, tannique sans excès, plutôt corsé. Pour l'accompagner, choisir un fromage à croûte lavée (soumaintrain, époisses, ami du chambertin), mais il y a tout le temps.

🔑 Lupé-Cholet, 17, av. du Gal-de-Gaulle, 21700 Nuits-Saint-Georges, tél. 03.80.61.25.02, fax 03.80.24.37.38, e-mail bourgogne@lupe-cholet.com

CH. DE MARSANNAY 2004

■ Gd cru 0,21 ha 777 ⫾ 46 à 76 €

Austère, c'est un vin à venir. « Un vin introverti qui ne vous accueille pas les bras ouverts : il faut le découvrir », et le Néerlandais Hubert Duyker l'avait très bien formulé dans son livre déjà ancien sur le vin de Bourgogne. Si la robe est celle du sacre de Napoléon, le nez balsamique et le fruité jouent entre parenthèses et la bouche ferme, mais élégante, est placée en attente. Haletante, il est vrai. Dénouement dans deux ans.

⊶ Ch. de Marsannay, rte des Grands-Crus, BP 78, 21160 Marsannay-la-Côte, tél. 03.80.51.71.11, fax 03.80.51.71.12, e-mail chateau-marsannay@kriter.com
☑ ⫪ ⚘ t.l.j. 10h-12h 14h-18h30; f. dim. de nov. à mars

LOUIS MAX 2005

■ Gd cru 0,42 ha 2 065 ⦀ + de 76 €

Laurent Max descend d'une vieille famille russe arrivée ici au XIX[e]s. Un clos-de-vougeot d'une couleur comme si elle tombait d'un cerisier. Un nez de fruits noirs et de sureau. Les tanins sont déjà bien fondus, fruités, avec un rien de sévérité en fin de bouche. Un élevage de dix-huit mois en fût pour un vin de garde, fortement structuré, sans doute long à s'ouvrir. Cinq ans ne seront pas de trop.

⊶ Louis Max, 6, rue de Chaux, BP 4, 21700 Nuits-Saint-Georges, tél. 03.80.62.43.01, fax 03.80.62.68.02, e-mail al.chartronmalassagne@louis-max.fr ⫪ ⚘ r.-v.

PATRIARCHE PÈRE ET FILS 2005

■ Gd cru n.c. 1 490 ⦀ 30 à 38 €

Patriarche, on le sait, est la « maison mère » de la famille Boisseaux. André, le doigt toujours levé à la vente des Hospices, se dévoua corps et âme à ce qu'il considérait comme la joie de sa vie. Discret, car il répétait : « Mais non, je n'ai rien fait. Je n'ai rien à vous dire. » Affichant un nez de fruits rouges et d'épices, ce clos-de-vougeot 2005 a de la chair et du fond. Si le boisé est encore dominant, l'équilibre au palais permet d'attendre sereinement trois à cinq ans que l'ensemble soit fondu.

⊶ Patriarche Père et Fils, 5, rue du Collège, 21200 Beaune, tél. 03.80.24.53.01, fax 03.80.24.53.03, e-mail lexcellent@kriter.com
☑ ⫪ ⚘ t.l.j. 9h30-11h30 14h-17h30
⊶ Boisseaux

GÉRARD RAPHET Vieilles Vignes 2005 ★★

■ Gd cru 0,2 ha 900 ⦀ + de 76 €

Le pigeon rôti sera-t-il à sa convenance ? L'œil est modérément intense, mais le sujet n'est pas vraiment là. Les dix-huit mois en fût ne sont pas seulement un souvenir. Ils ont marqué le nez de notes de moka et de vanille élégantes, jamais outrées, fines comme la pointe de noisette que l'on découvre à l'aération. L'attaque se fait en douceur, sur fond de velours. Puis la matière ronde et charnue s'exprime. Maîtrise remarquable de l'alcool, pas trop de chaleur. La première classe pour une croisière qui durera entre trois et cinq ans pour atteindre l'apogée.

⊶ Gérard Raphet, 25, rte des Grands-Crus, 21220 Morey-Saint-Denis, tél. 03.80.51.89.52, fax 03.80.51.84.25, e-mail gerard.raphet@wanadoo.fr
☑ ⫪ ⚘ t.l.j. 9h-12h 14h-18h30; f. sem. du 15 août

DOM. ARMELLE ET BERNARD RION Vieilles Vignes 2005 ★

■ Gd cru 0,9 ha 200 ⦀ 46 à 76 €

Un vin de grande extraction. Puissant, dense mais encore muselé, il ne fait pas dans la dentelle mais vous rappelle qu'un clos-de-vougeot ne vit pas d'herbe tendre et de bons sentiments. « Cette force généreuse dont frémissaient déjà les origines », si l'on en croit Roupnel. Bouteille de grande garde à négliger maintenant, mais à apprécier dans cinq ans, quand l'alcool, le fruit et les tanins auront chacun trouvé leur place.

⊶ Dom. Armelle et Bernard Rion, 8, RN, 21700 Vosne-Romanée, tél. 03.80.61.05.31, fax 03.80.61.34.60, e-mail armelle@domainerion.fr
☑ ⫪ ⚘ r.-v.

LAURENT ROUMIER 2004

■ Gd cru 0,6 ha 2 040 ⦀ 38 à 46 €

Savoir s'il s'agit des 53 a 31 ca achetés en 1926 par Georges Roumier, parcelle dont on trouve l'origine en 1889 chez Jules Millon... La généalogie des crus est la plus difficile. Une certitude : ce 2004 présente une bonne robe ; un nez de feuille morte et d'humus. L'attaque est franche, la suite fruitée et grillée sur des tanins souples, la finale assez longue. Un vin bien équilibré, à boire ou à attendre.

⊶ EARL Dom. Laurent Roumier, rue de Vergy, 21220 Chambolle-Musigny, tél. 03.80.62.83.60, fax 03.80.62.84.10, e-mail lroumier@terre-net.fr
☑ ⫪ ⚘ r.-v.

CH. DE LA TOUR 2005 ★

■ Gd cru 6 ha 18 000 ⦀ + de 76 €

85 86 **88 89** 90 |95| |96| **97** (98) |99| 01 02 03 04 05

La propriété la plus étendue du clos, sur 5 ha 48 a 4 ca, acquise par achat d'une vigne Beaudet en 1889. La construction date de ces années-là et elle a été remaniée ensuite. Un 2005 d'une couleur conquérante. Les arômes tournent autour du clou de girofle. Puis arrivent la réglisse, la menthe et la cannelle. En bouche, beaucoup de matière, des tanins charnus mais pas encore fondus et une touche d'alcool confèrent à ce vin de la puissance. Tous les acteurs ne sont pas en place, mais ils connaissent leur rôle. Lever de rideau en 2015.

⊶ Ch. de la Tour, Clos de Vougeot, 21640 Vougeot, tél. 03.80.62.86.13, fax 03.80.62.82.72, e-mail contact@chateaudelatour.com
☑ ⫪ ⚘ t.l.j. sf mar. 10h-18h; groupes sur r.-v.; f. déc. à mars
⊶ François Labet

Échézeaux et grands-échézeaux

Au sud du Clos de Vougeot, la commune de Flagey-Échézeaux, dont le bourg est dans la plaine, tout comme celui de Gilly (les Cîteaux) en face du Clos de Vougeot, longe le mur de celui-ci pour faire, jusqu'à la montagne, une incursion dans le vignoble. La partie du piémont bénéficie de l'appellation vosne-romanée. Dans le coteau se succèdent deux grands crus : le grands-échézeaux et l'échézeaux. Le premier fait environ 9 ha de surface, sur plusieurs lieux-dits et a produit 285 hl en 2006, alors que le second couvre plus de 36 ha et a produit 1 235 hl.

Les vins de ces deux crus, dont les plus prestigieux sont les grands-échézeaux, sont très « bourguignons » : solides, charpentés, pleins de sève mais aussi très chers. Ils sont essentiellement exploités par les vignerons de Vosne et de Flagey.

Échézeaux

CAPITAIN-GAGNEROT 2005 *

■ Gd cru 0,32 ha 1 500 ⦀ 46 à 76 €

La recherche constante de qualité qui anime ce domaine depuis plus de deux siècles se ressent dans cet échézeaux 2005 brillant dans sa robe couleur de cerise fraîche. C'est ce même fruit, mais bien mûr, que l'on retrouve au nez, friand et élégant. L'attaque souple ouvre la voie à un palais d'une certaine rondeur, encore marqué par une vivacité tournée vers l'avenir. À garder encore quelques années, pour lui laisser le temps de s'assagir.

Capitain-Gagnerot, 38, rte de Dijon, 21550 Ladoix-Serrigny, tél. 03.80.26.41.36, fax 03.80.26.46.29, e-mail contact@capitain-gagnerot.com r.-v.

DOM. DU CLOS FRANTIN 2005

■ Gd cru 0,99 ha 3 600 ⦀ + de 76 €

Il s'agit de 99,80 a aux Champs Traversins, l'un des meilleurs *climats* des échézeaux. Ancienne propriété Grivelet, le domaine du Clos Frantin a été acquis par Albert Bichot à la récolte 1965. Rubis tirant sur le pourpre, un vin riche de nuances aromatiques (framboise, épices, minéral), un peu vif en bouche mais néanmoins flatteur et ne manquant pas d'élégance. On en ferait volontiers son ordinaire... Coup de cœur dans l'édition 2005 pour le 2002.

Dom. du Clos Frantin, 6 bis, bd Jacques-Copeau, 21200 Beaune, tél. 03.80.24.37.37, fax 03.80.24.37.38, e-mail bourgogne@albert-bichot.com

A. Bichot

DOM. A.-F. GROS 2005 *

■ Gd cru 0,26 ha 1 300 ⦀ 46 à 76 €

26,80 a en cinq parcelles aux Champs Traversins. Anne-Françoise Gros a reçu dans le Guide 2004 le coup de cœur pour ce même vin dans le millésime 2001. Robe lumineuse, intense, aux reflets violacés. Aromatiquement complexe et bien ouvert, ce 2005 débute sur la cerise, la groseille avant de suggérer réglisse et violette. Attaque suave aux accents de raisins mûrs, tanins assez stricts mais sans austérité, fût sensible (vingt mois) à cet âge de la vie, bonne persistance des arômes, légère fraîcheur en finale. Un beau vin de garde, donc, qu'on aura soin de laisser s'épanouir quelques années en cave.

Dom. A.-F. Gros, 5, Grande-Rue, 21630 Pommard, tél. 03.80.22.61.85, fax 03.80.24.03.16, e-mail af-gros@wanadoo.fr r.-v.

FRÉDÉRIC MAGNIEN 2005 *

■ Gd cru 1,1 ha 5 100 ⦀ + de 76 €

Très fin et bien représentatif de son appellation, ce 2005 porte une robe classique pourpre violacé. Encore peu ouvert, le nez esquisse une démarche vers le cassis et la mûre, dans une ambiance poivrée. L'acidité et les tanins sont en cohérence et l'équilibre entre rondeur et structure est harmonieux. Décantation conseillée. Mais, faut-il le dire ? Pas avant cinq à dix ans.

Frédéric Magnien, 26, rte Nationale, 21220 Morey-Saint-Denis, tél. 03.80.58.54.20, fax 03.80.51.84.34, e-mail frederic@fred-magnien.com r.-v.

DOMINIQUE MUGNERET 2005 *

■ Gd cru 0,4 ha 1 800 ⦀ 38 à 46 €

Un échézeaux gourmand et très réussi. Un grand cru dont Henri Jayer disait : « Pendant deux à trois ans, il est très bien. Puis plus rien pendant cinq à dix ans. Et ensuite, le retour en force ! » Il est ici, en effet, plutôt sur la rondeur, assez moelleux en attaque, équilibré et fin (fruits rouges, épices). Sa longueur et la bonne relation entre l'acidité et les tanins invitent à suivre le conseil énoncé ci-dessus et à l'attendre cinq à dix ans.

Dominique Mugneret, 9, rue de la Fontaine, 21700 Vosne-Romanée, tél. 06.63.32.79.72, fax 03.80.61.24.54 r.-v.

DOM. DES PERDRIX 2004 *

■ Gd cru 1,14 ha 3 000 ⦀ + de 76 €

Devenu le domaine des Perdrix depuis qu'il a été repris par la famille Devillard en 1995 (anciennement Mugneret-Gouachon) : 55,18 a dans les Échézeaux-du-Dessus et 68,26 a aux Quartiers-de-Nuits. Caves à Gevrey, construites en 1755 par Claude Jobert de Chambertin. Ce vin avait été coup de cœur l'an dernier dans le millésime 2003, et avait valu la Grappe d'argent à la famille Devillard, remise lors de la soirée de lancement du Guide. Ce 2004 est quant à lui une vraie réussite pour un millésime difficile. D'une teinte presque aussi foncée que le cassis, il développe des arômes réglissés et poivrés très plaisants. Texture fine, tanins fondus, fraîcheur, longueur... Vous garderez cette bouteille encore pendant cinq ans en toute tranquillité.

Famille Devillard, Dom. des Perdrix, rue des Écoles, 21700 Premeaux-Prissey, tél. 03.80.61.26.53, fax 03.85.98.06.62, e-mail contact@domainedesperdrix.com r.-v.

DOM. JACQUES PRIEUR 2004 *

■ Gd cru 0,36 ha 880 ⦀ + de 76 €

Violine intense, ce 2004 a le nez plutôt floral, élégant et discret. Réglisse et poivre se joignent plus tard à la fête. L'attaque est soyeuse, la bouche dense mais bien fondue et digne d'un grand cru. Un vrai travail de vinification car il n'était pas si facile d'extraire une telle matière lors de ces vendanges... À déguster dans les trois ou quatre ans. On demanda un jour à Jacques Puisais l'accord parfait avec un échézeaux : le gigot d'agneau braisé aux oignons, répondit-il. Vous savez ce qu'il vous reste à faire...

Dom. Jacques Prieur, 6, rue des Santenots, 21190 Meursault, tél. 03.80.21.23.85, fax 03.80.21.29.19, e-mail domaine.jprieur@prieur.com r.-v.

PAUL REITZ 2001

■ Gd cru n.c. 1 500 ⦀ 46 à 76 €

Un 2001, à considérer comme tel. Sa couleur commence à évoluer, prenant des teintes orangées. Le bouquet se tient très bien, du côté de l'animal et des fruits rouges, d'une bonne intensité. Le palais apparaît soyeux, élégant, plein de finesse. Comme nous avons affaire à un monument déjà historique et hors normes, signalons que ce vin a été tasteviné en 2004.

🗝 SA Paul Reitz, 120-122, Grande-Rue,
21700 Corgoloin, tél. 03.80.62.98.24,
fax 03.80.62.96.83, e-mail contact@paulreitz.com
☑ r.-v.

DOM. JEAN TARDY ET FILS

Les Treux Vieilles Vignes 2004

■ Gd cru n.c. 900 🛢 46 à 76 €

Il est rare d'indiquer sur l'étiquette le *climat* particulier d'un échézeaux. On le fait ici, et c'est bien. Les Treux ne sont peut-être pas un nom très gracieux, mais il faut se rappeler qu'il s'agit des treuils (pressoirs). Rouge cerise à reflets violets, le nez un peu confit et ouvert au bout d'un moment sur les fruits rouges et le boisé, un 2004 de consistance moyenne, encore sur une note d'amertume en finale. On le voit toutefois s'assouplir en cave à l'horizon de quatre-cinq ans.

🗝 Dom. Jean Tardy et Fils, 46, rte Nationale,
21700 Vosne-Romanée, tél. 03.80.61.11.86,
fax 03.80.61.07.32,
e-mail domainejeantardy@9business.fr ☑ 🍷 🚶 r.-v.

Grands-échézeaux

JOSEPH DROUHIN 2005 *

■ Gd cru 0,47 ha n.c. + de 76 €

Cette maison de négoce créée en 1880 est dirigée aujourd'hui par le petit-fils du fondateur, également propriétaire de vignobles en Côte-d'Or et à Chablis. Vigne acquise sur 47 a 40 ca en 1970. Elle appartenait auparavant à la famille Lanternier, qui l'avait elle-même obtenue d'une propriété Girard depuis 1919. Trois domaines en un siècle. Nous sommes bien en Bourgogne ! Robe rubis profond à reflets violines. Nez agréable mais encore retenu. Attaque souple ouvrant sur une matière assez ronde aux notes de fruits rouges, rafraîchie par une pointe de minéralité. Équilibre et longueur pour ce vin à ne pas déboucher avant 2010.

🗝 Maison Joseph Drouhin, 7, rue d'Enfer,
21200 Beaune, tél. 03.80.24.68.88, fax 03.80.22.43.14,
e-mail maisondrouhin@drouhin.com 🍷 🚶 r.-v.

DOM. GROS FRÈRE ET SŒUR 2005 **

■ Gd cru 0,37 ha 1 450 ▮🛢 + de 76 €

36 a 62 ca situés le long du mur du clos-de-vougeot voisin de ce grand cru. Au temps des moines de Cîteaux, celui-ci était d'ailleurs vinifié au château. Coup de cœur dans l'édition 2004 pour le millésime 2001 et cette fois-ci encore étincelant. On ne fait guère mieux. La robe est haute couture. Le nez sur la cerise, le kirsch, d'une maturité accomplie. On y décèle aussi des notes florales qui ajoutent à la complexité. L'élevage maîtrisé à merveille (douze mois, il n'en fallait pas plus). Du fond, de la race, un velours et une rétro superbe (myrtille). Un grand grands-échézeaux à ouvrir dans cinq ans... ou bien plus.

🗝 Dom. Gros Frère et Sœur, 6, rue des Grands-Crus,
21700 Vosne-Romanée, tél. 03.80.61.12.43,
fax 03.80.61.34.05, e-mail bernard.gros2@wanadoo.fr
☑ 🍷 🚶 r.-v.
🗝 Bernard Gros

FRÉDÉRIC MAGNIEN 2005

■ Gd cru 0,25 ha 1 100 🛢 + de 76 €

La robe claire s'orne de reflets violines. Elle se caresse du regard. Le nez est timide, mais il a bon cœur (fruits noirs, épices). En bouche, on est partagé entre la fraîcheur, les tanins (mais un grands-échézeaux n'est pas un enfant de chœur) et l'espérance que fait naître un vin si bien fait, mais pas né pour arriver tout de suite sur la grouse rôtie et faisandée recommandée par Serena Sutcliffe, auteur britannique d'excellents ouvrages sur les vins de Bourgogne... « Un vin à chercher », disait le regretté Philippe Engel.

🗝 Frédéric Magnien, 26, rte Nationale,
21220 Morey-Saint-Denis, tél. 03.80.58.54.20,
fax 03.80.51.84.34, e-mail frederic@fred-magnien.com
☑ 🍷 🚶 r.-v.

DOM. DE LA ROMANÉE-CONTI 2005 **

■ Gd cru n.c. 11 809 🛢 + de 76 €

99 ⓪⓪ ⓪① 02 04 05

L'écrivain bourguignon Henri Vincenot préférait ce grand cru à tous les autres. Il lui trouvait un naturel essentiel, comme si le pinot noir avait jeté l'ancre ici. L'année 2005 a été marquée par un peu de grêle le 4 mai, sans autre conséquence qu'une légère perte de récolte. Vendangé les 18 et 19 septembre, le raisin bénéficie d'une maturité remarquable. Alors qu'en échézeaux 2005 la puissance est exceptionnelle, on se situe ici sur un mode plus discret, plus élégant. Une sensation de petits fruits noirs emplit le nez et le palais. Signalons qu'une partie de la vigne est cultivée en biodynamie rigoureuse.

🗝 SC du Dom. de La Romanée-Conti,
1, rue Derrière-le-Four, 21700 Vosne-Romanée,
tél. 03.80.62.48.80, fax 03.80.61.05.72

Vosne-romanée

Là aussi, la coutume bourguignonne est respectée : le nom de romanée est plus connu que celui de Vosne. Quel beau tandem ! Comme Gevrey-Chambertin, cette commune est le siège d'une multitude de grands crus ; mais il existe à côté des *climats* réputés, tels les Suchots, les Beaux-Monts, les Malconsorts et bien d'autres. L'appellation vosne-romanée couvre 218 ha et a produit 3 975 hl en *village* et 2 185 hl en 1er cru en 2006.

JEAN-CLAUDE BOISSET 2005 *

■ 0,35 ha 1 200 🛢 23 à 30 €

Jean-Claude Boisset est l'une des grandes figures du vin de Bourgogne. Parti de rien ou presque, il a bâti un empire semblable à celui d'André Boisseaux naguère. Présent sur toutes les gammes, il ne laisse nulle part indifférent, comme ici en vosne-romanée. Limpide et soutenu sans être très intense, un 2005 adepte d'une seule religion : le fruit noir. À chacun son choix entre myrtille et mûre. En bouche, il joue le registre de la finesse, toujours fruité, sur des tanins feutrés. Ouverture prévue en 2010.

🗝 Jean-Claude Boisset,
Les Ursulines, 5, quai Dumorey,
21700 Nuits-Saint-Georges, tél. 03.80.62.61.61,
fax 03.80.62.61.72, e-mail jcb@jcboisset.com
🗝 FGVS

BOURGOGNE

SYLVAIN CATHIARD En Orveaux 2005 ★★

■ 1er cru 0,29 ha 1 500 🕪 38 à 46 €

Grand Vin de Bourgogne
VOSNE-ROMANÉE 1er CRU
APPELLATION VOSNE-ROMANÉE 1er CRU CONTRÔLÉE
EN ORVEAUX
RED BURGUNDY WINE
2005
MIS EN BOUTEILLE A LA PROPRIÉTÉ
SCEV Domaine Sylvain Cathiard & Fils
VITICULTEURS A VOSNE-ROMANÉE, COTE-D'OR, FRANCE
PRODUCE OF FRANCE
13,5% vol
750 ml

Primus inter pares, comme le duc de Bourgogne premier pair de France. Coup de cœur, et on se rappellera qu'En Orveaux tournicote autour du musigny et des échézeaux. On est vraiment dans le tabernacle. Issu d'une famille authentiquement vigneronne, Sylvain Cathiard nous fait partager un grand moment d'émotion. Grenat opaque à peine cerné de violet, ce vin, encore un peu fermé (fruits noirs à l'horizon), frappe d'emblée les trois coups : richesse de constitution, équilibre général, longueur suave. Un 2005 loin d'être achevé. Le tire-bouchon est rigoureusement interdit avant les années 2010, et encore...

🔑 Sylvain Cathiard, 20, rue de la Goillotte, 21700 Vosne-Romanée, tél. 03.80.62.36.01, fax 03.80.61.18.21 ☑ Y ✗ r.-v.

CHARDONNIER 2005 ★

■ n.c. 3 000 15 à 23 €

Dans sa robe pivoine dense et profonde, un 2005 solide. Le bouquet déjà expressif (cassis, pruneau à l'eau-de-vie) est riche et prometteur. Le corps montre davantage de simplicité. Ses tanins sont encore tendus. Notes torréfiées et clou de girofle en fin de dégustation. L'ensemble mérite quelques années d'attente pour s'ouvrir et gagner en complexité.

🔑 Chardonnier, 44, RN 74, 21700 Vosne-Romanée, tél. 03.80.61.26.76, fax 03.80.62.11.52, e-mail chardonnier@wanadoo.fr ☑ Y ✗ r.-v.

🔑 Daniel Wilmotte

YVES CHEVALLIER 2005

■ 0,98 ha 2 400 🕪 15 à 23 €

Grenat sombre à reflets violines, ce 2005 ne manque pas de brillance et laisse ses jolies jambes sur le verre. Myrtille, mûre, il est parfumé avec une discrétion de bon ton. Long élevage cependant pas très perceptible (petite touche de vanille). Souple et charnu, ce vin effectue en bouche un parcours simple et fondu, sans anicroche. Finale douce et assez plaisante.

🔑 Yves Chevallier, 10, rue de la Croix-Rameau, 21700 Vosne-Romanée, tél. 03.80.61.32.35, fax 03.80.62.10.46 ☑ Y r.-v.

DOM. DU CLOS FRANTIN Les Malconsorts 2005 ★

■ 1er cru 1,76 ha 8 600 🕪 46 à 76 €

Le Clos Frantin (Albert Bichot) appartient à l'histoire vosnoise. Un maréchal (de camp) de Napoléon et les Frantin, célèbres imprimeurs dijonnais. Complet et bien dans sa peau de premier cru, des Malconsorts aux reflets bleutés... Le fruit rouge entre en campagne, assisté en arrière-plan par la vanille et le cuir. Au palais, on ressent une sorte de sérénité bourgeoise, tranquille, classique et de bon goût. Prévoir de deux à cinq ans de garde.

🔑 Dom. du Clos Frantin, 6 bis, bd Jacques-Copeau, 21200 Beaune, tél. 03.80.24.37.37, fax 03.80.24.37.38, e-mail bourgogne@albert-bichot.com

🔑 A. Bichot

FRANÇOIS CONFURON-GINDRE Les Brûlées 2005 ★

■ 1er cru 0,11 ha 600 🕪 23 à 30 €

Climat voisin du richebourg. Évidemment, cela change tout. Parure soyeuse, souriante et vive. Un peu de cassis, une touche d'épices et dix-huit mois en fût. L'attaque est franche mais sans témérité, accueillante. Ni trop ni trop peu. Sentiment d'équilibre, plus tannique que fruité mais la patience (trois à cinq ans) n'est-elle pas l'art d'espérer ? Le **1er cru Les Beaumonts 2005**, complet et vigoureux, est cité.

🔑 François Confuron, 2, rue de la Tâche, 21700 Vosne-Romanée, tél. 03.80.61.20.84, fax 03.80.62.31.29, e-mail confuron.gindre@wanadoo.fr ☑ Y ✗ r.-v.

CAVES RÉUNIES DU COUVENT DES CORDELIERS Malconsorts 2005 ★★

■ 1er cru n.c. 475 🕪 30 à 38 €

Vosne-Romanée 1er Cru
Malconsorts
APPELLATION CONTRÔLÉE
CAVES RÉUNIES DU COUVENT DES CORDELIERS
XIIIe Siècle
750 ml e
13%VOL
Mis en bouteilles par les caves des Cordeliers
NÉGOCIANT AU COUVENT DES CORDELIERS
A BEAUNE (CÔTE-D'OR)
FRANCE

Le Couvent des Cordeliers, signature de la maison Boisseaux, est voisin à Beaune de l'hôtel-Dieu. Il propose des Malconsorts élégants et racés qui décrochent le coup de cœur. Le nez, d'abord discret, s'ouvre sur un mariage de fruits noirs et de pain d'épice, relevé d'une pointe de noisette tendre. La bouche offre un parcours sans embûches, où structure, rondeur et gras s'entendent à merveille pour jouer l'équilibre. Déjà très agréable et construit pour durer (quatre à cinq ans).

🔑 Caves du Couvent des Cordeliers, rue de l'Hôtel-Dieu, 21200 Beaune, tél. et fax 03.80.25.08.85 ☑ Y ✗ t.l.j. 9h30-12h 14h-18h

🔑 Boisseaux

DOM. FOREY PÈRE ET FILS 2005 ★

■ 1,5 ha 7 600 🕪 15 à 23 €

Quatorze parcelles composent ce *village* qui peut dès lors apparaître comme une bonne synthèse de l'appellation. Et pour faire une descente de cave, c'est bien simple : la porte à côté de celle du domaine de la Romanée-Conti. Haut en couleur, vanille (seize mois en fût) et cerise noire, ce 2005 livre une matière aux tanins charnus qui semblent encore sur la réserve. Joli potentiel pour trois à quatre ans de garde, délai raisonnable.

Dom. Forey Père et Fils, 2, rue Derrière-le-Four, 21700 Vosne-Romanée, tél. 03.80.61.09.68, fax 03.80.61.12.63, e-mail dneforey@aol.com
r.-v.

DOM. FRANÇOIS GERBET Aux Réas 2005 ★★

	1,88 ha	8 600		15 à 23 €

Comment l'armée de De Lattre remontant en septembre 1944 peut faire naître un amour et un domaine le temps de traverser Vosne... Un Réas encore vif, mais appliqué et concentré, ferme et non pas dur, grenat violacé et le bouquet faisant la part des choses (fût et fruits mûrs). Il faut évidemment l'attendre (dans les trois ans). Sur le calepin, notez aussi le **1er cru Les Petits Monts 2005 (23 à 30 €)**, ample et élégant, qui décroche une étoile.

Marie-Andrée et Chantal Gerbet, pl. de l'Église, 21700 Vosne-Romanée, tél. 03.80.61.07.85, fax 03.80.61.01.65, e-mail vins.gerbet@wanadoo.fr
r.-v.

DOM. A.-F. GROS Aux Réas 2005

	1,56 ha	7 000		30 à 38 €

La famille Gros a toujours montré une tendresse particulière envers ses Réas. Côté Nuits-Saint-Georges, ce *climat* donne un vosne brillant et limpide, qui commence à s'exprimer sur la fleur et le fruit. Au palais se confirme la première impression, celle d'un vin souple, léger peut-être, mais cherchant à plaire par sa finesse. Ses tanins sont d'une agréable discrétion.

Dom. A.-F. Gros, 5, Grande-Rue, 21630 Pommard, tél. 03.80.22.61.85, fax 03.80.24.03.16, e-mail af-gros@wanadoo.fr r.-v.

DOM. MICHEL GROS Clos des Réas Monopole 2005 ★★

	1er cru	2,12 ha	11 900	38 à 46 €

Ce monopole est le fer de lance de la famille Gros depuis le XIXes. Un premier cru admirablement logé, presque le berceau de ces grandes lignées de vignerons. Pourpre violacé, celui-ci ne manque pas de couleur. Long élevage en fût, pourtant le bois n'exclut pas le balsamique, la mousse ni le fruit en compote. Au palais, une évolution distinguée, suave et solide, ferme et même tenace. Un vin racé qui devra patienter cinq années en cave. Une étoile pour le **village 2005 (15 à 23 €)**, dense et puissant, qui devra également attendre.

Dom. Michel Gros, 7, rue des Communes, 21700 Vosne-Romanée, tél. 03.80.61.04.69, fax 03.80.61.22.29 r.-v.

DOM. GROS FRÈRE ET SŒUR 2005 ★

	3 ha	17 400		23 à 30 €

C'est Bernard Gros, le neveu, qui a repris Gros Frère et Sœur. Alliant fruits noirs et notes de café au nez, un vin très masculin, concentré, qui regroupe ses troupes (les tanins), mais sait composer sur des notes florales. La vivacité n'excède pas les limites admises. Pavé de biche aux airelles ? Il est permis de rêver. Le **vosne-romanée 1er cru 2005 (30 à 38 €)** est cité.

Dom. Gros Frère et Sœur, 6, rue des Grands-Crus, 21700 Vosne-Romanée, tél. 03.80.61.12.43, fax 03.80.61.34.05, e-mail bernard.gros2@wanadoo.fr
r.-v.
Bernard Gros

DOM. GUYON Charmes de Mazières 2005

	1,1 ha	3 000		30 à 38 €

Ne vous y trompez pas : ces Mazières ne sont pas un *climat*, mais une cuvée du domaine. Ses charmes ? Les notes de fruits compotés du nez. La souplesse de la bouche aux tanins soyeux. La finale n'est peut-être pas infinie, mais le vin est plaisant et déjà prêt à boire.

EARL Dom. Guyon, 11-16, RN 74, 21700 Vosne-Romanée, tél. 03.80.61.02.46, fax 03.80.62.36.56, e-mail domaine.guyon@wanadoo.fr
r.-v.

DOM. DU COMTE LIGER-BELAIR Aux Reignots 2004 ★

	1er cru	0,73 ha	1 500	+ de 76 €

Sur le versant et dans le même élan, Romanée-Conti, Romanée et Reignots. Et pour ces deux derniers *climats*, la famille Liger-Belair depuis l'aube du XIXes. Le chanoine, le général et la nouvelle génération. Net et harmonieux, ce 2004 séduit par sa bouche pleine de charme et d'étoffe. La robe hésite entre l'archevêque et le cardinal. Le nez très mûr (cassis frotté) garde l'empreinte du fût. Apogée dans cinq ans.

Dom. du Comte Liger-Belair, Ch. de Vosne-Romanée, 21700 Vosne-Romanée, tél. et fax 03.80.62.13.70, e-mail ligerbelair@free.fr

BERTRAND MACHARD DE GRAMONT 2004 ★★

	0,56 ha	2 700		15 à 23 €

Produit aux abords de la romanée-saint-vivant, ce vin suit le même chemin. La cuverie et les caves se trouvent en effet à Curtil-Vergy, près de l'ancien monastère de Saint-Vivant. Ce *village* est une réussite dans le millésime. Maturité et concentration : voilà les maîtres mots. Le nez profond exprime le fruit rouge, la truffe et le boisé. Bel élevage (dix-huit mois en fût) : d'où une matière soyeuse et une longueur impressionnante. Certes l'ensemble est encore un peu massif. Laissons-lui le temps de s'exprimer (deux à trois ans minimum).

Bertrand Machard de Gramont, 13, rue de Vergy, 21700 Nuits-Saint-Georges, tél. et fax 03.80.61.16.96, e-mail bertrandmacharddegramont@tiscali.fr
r.-v.

DOM. PAUL MISSET Les Barreaux 2005 ★

	0,3 ha	2 100		15 à 23 €

Ce domaine s'est fixé il y a près de vingt ans à Nuits-Saint-Georges, Yves Chéron confiant l'élaboration de ses vins à Bruno Mathieu de Fossey en 2005. Ce dernier est donc pour quelque chose dans la réussite de ce millésime. *Climat* moins connu que son voisin, le fameux Cros Parantoux, vedette des ventes aux enchères. Mais comme on se sent bien derrière ces Barreaux ! Robe cerise noire et carmin, puis des arômes de sous-bois moussu cachant du gibier à poil. Sans oublier les fruits noirs. Corps charnu, tonique, aux accents épicés. Du caractère, mais il faut attendre encore deux ans que cela se fonde.

Dom. Paul Misset, 8, rue Félix-Tisserand, 21700 Nuits-Saint-Georges, tél. 03.80.34.37.82
r.-v.
Denis Chéron

DOMINIQUE MUGNERET 2005 ★

	1,4 ha	7 500		15 à 23 €

« Il n'y a point à Vosne de vins communs », notait l'abbé Courtépée, grand explorateur de la Bourgogne au

BOURGOGNE

XVIIIe s. Il n'était pas du pays et on ne peut le taxer d'aucune préférence. Rubis soutenu, vanille (quinze mois en fût) et fraise des bois, un vin sans doute encore un peu ferme et sur la réserve, mais riche en matière et plein d'avenir. L'équilibre et l'élégance sont au rendez-vous. De vrais atouts pour demain... ou après-demain (trois à quatre ans).
Dominique Mugneret, 9, rue de la Fontaine, 21700 Vosne-Romanée, tél. 06.63.32.79.72, fax 03.80.61.24.54 r.-v.

DOM. MICHEL NOËLLAT ET FILS
Les Suchots 2005

■ 1er cru 1,5 ha 4 500 30 à 38 €

Habitué des coups de cœur, notamment pour ses Suchots, ce domaine propose cette année un 2005 plus modeste, qui joue la carte du plaisir. Après aération, le nez, d'une générosité certaine, livre des notes de fruits mêlées aux épices. La bouche fait, elle, dans la simplicité : matière sans excès, tanins discrets. Ouvrez cette bouteille maintenant ou attendez quelques années pour un supplément d'harmonie.
SCEA Dom. Michel Noëllat et Fils, 5, rue de la Fontaine, 21700 Vosne-Romanée, tél. 03.80.61.36.87, fax 03.80.61.18.10 r.-v.

DOM. DES PERDRIX 2004 ★★

■ 1,05 ha 2 500 30 à 38 €

La famille Devillard (et son maître de chai, le talentueux Robert Vernizeau) s'était particulièrement distinguée l'an dernier, avec pas moins de trois coups de cœur et une Grappe d'argent remise lors de la soirée de lancement du Guide. Ce vosne-romanée lui-même a été coup de cœur trois ans de suite (millésimes 2001, 2002 et 2003). Le 2004 ? Finaliste du grand jury cette année encore : c'est un superbe *village* au bouquet de vanille et de zeste d'orange sur un décor de fruits rouges. En bouche, le gras est toujours élégant et la concentration ne néglige pas la touche de fraîcheur nécessaire. Le comble du plaisir dans trois ans.
Famille Devillard, Dom. des Perdrix, rue des Écoles, 21700 Premeaux-Prissey, tél. 03.80.61.26.53, fax 03.85.98.06.62, e-mail contact@domainedesperdrix.com r.-v.

DOM. ROBERT SIRUGUE ET SES ENFANTS
Les Petits Monts 2005 ★

■ 1er cru 0,6 ha 3 000 23 à 30 €

Climat juste au-dessus du richebourg sur le coteau. Grenat traversé de flammes pourpres, un vin passé par dix-huit mois de fût et qui s'en souvient comme de bien entendu. Il en garde d'aimables notes de torréfaction. Un fort capital intérieur : la bouche est puissante, mais les tanins d'élevage verrouillent aujourd'hui le vin. Celui-ci a du potentiel et on patientera pour l'apprécier à sa juste valeur.
Dom. Robert Sirugue, 3, rue du Monument, 21700 Vosne-Romanée, tél. 03.80.61.00.64, fax 03.80.61.27.57, e-mail sirugue@ifrance.com r.-v.

DOM. VIGOT La Colombière 2005

■ 0,86 ha 1 800 23 à 30 €

Cerise noire d'une belle intensité pour la robe, groseille et framboise discrètes pour le nez. Frappez à la porte, ce vin demande à s'ouvrir. Vosne est la « perle du milieu », celle du collier bourguignon. Une Colombière élégante dans le verre, soyeuse, aux tanins bien fondus. Un peu de gras lui manque ? On appellera cela de la finesse car l'harmonie est là. À déboucher dans les deux ans.
Dom. Fabrice Vigot, 20, rue de la Fontaine, 21700 Vosne-Romanée, tél. et fax 03.80.61.13.01, e-mail fabrice.vigot@wanadoo.fr r.-v.

Richebourg, romanée, romanée-conti, romanée-saint-vivant, grande-rue, tâche

Tous sont des crus plus prestigieux les uns que les autres, et il serait bien difficile d'indiquer le plus grand... Certes, la romanée-conti jouit de la plus importante renommée, et l'on trouve dans l'histoire de nombreux témoignages de « l'exquise qualité » de ce vin. La célèbre pièce de vigne de la Romanée fut convoitée par les grands de l'Ancien Régime : ainsi madame de Pompadour ne réussit pas à l'emporter contre le prince de Conti, qui put l'acquérir en 1760. Jusqu'à la dernière guerre, la vigne de la romanée-conti et celle de la tâche restèrent non greffées, traitées au sulfure de carbone contre le phylloxéra. Mais il fallut alors les arracher, et la première récolte des nouveaux plants eut lieu en 1952. Ce romanée-conti, exploité en monopole sur 1,80 ha, reste l'un des vins les plus illustres et les plus chers du monde.

La romanée est plantée sur une superficie de 0,83 ha (32 hl), richebourg sur 8 ha (268 hl), romanée-saint-vivant sur 9,5 ha (307 hl), et la tâche sur un peu plus de 6 ha (178 hl), la grande-rue 1,65 ha (46 hl). Comme dans tous les grands crus, les volumes produits sont de l'ordre de 20 à 30 hl par hectare selon les années. La grande-rue, dernière née des grands crus, a été reconnue par le décret du 2 juillet 1992.

Richebourg

DOM. A.-F. GROS 2005

■ Gd cru 0,6 ha 3 000 + de 76 €

89 90 **91** 92 93 94 |96| 97 **98 99** 00 |01| **02 03** 04 05

Le coup de cœur à plusieurs reprises. Anne-Françoise est une fille de Jeanine et Jean Gros ayant opté pour A.-F. car il y a aussi un domaine Anne et François Gros... Rouge foncé, ce richebourg souple à l'attaque se montre ensuite un peu plus ferme, avec des tanins bien présents. Affichant déjà beaucoup de maturité, il devra à l'évidence respirer au moins quatre à cinq ans en cave.

Dom. A.-F. Gros, 5, Grande-Rue, 21630 Pommard, tél. 03.80.22.61.85, fax 03.80.24.03.16, e-mail af-gros@wanadoo.fr r.-v.

DOM. GROS FRÈRE ET SŒUR 2005 **

■ Gd cru 0,69 ha 2 900 + de 76 €

89 90 **91** 92 93 94 |(96)| 97 |**98**| **99** |00| 01 **02** 03 **04** **05**

Colette et Gustave, Gros Frère et Sœur. Il serait mieux de dire Oncle et Tante car c'est leur neveu Bernard, ex-étudiant en électronique qui gère aujourd'hui le domaine. Il signe ce coup de cœur d'un rubis éclatant. Le nez déploie avec beaucoup de grâce sa complexité aromatique. Un peu de fût (douze mois), mais la griotte est en éveil, associée au poivre blanc. Riche, soyeuse, bien équilibrée par la minéralité, la bouche élève la question, et un excellent dégustateur écrit : « Trente ans ! » Mais on peut aussi penser à soi et pas qu'à ses petits-enfants...

Dom. Gros Frère et Sœur, 6, rue des Grands-Crus, 21700 Vosne-Romanée, tél. 03.80.61.12.43, fax 03.80.61.34.05, e-mail bernard.gros2@wanadoo.fr r.-v.

Bernard Gros

ALAIN HUDELOT-NOËLLAT 2004

■ Gd cru 0,28 ha 1 507 + de 76 €

Fondé en 1962 par Alain Hudelot, le domaine s'agrandit dans les années 1970 grâce à l'apport des vignes d'Odile Noëllat, son épouse, et compte 10 ha aujourd'hui. Rubis brillant, un vin mêlant au nez le boisé et la réglisse (dix-huit mois en fût). La bouche, assez ample, est encore marquée par la vivacité. On connaît la date de naissance (2004) de ce vin et on ne s'en étonne pas. On lui laissera donc deux à trois ans pour qu'il s'harmonise.

Alain Hudelot-Noëllat, 5, ancienne RN 74, 21640 Vougeot, tél. 03.80.62.85.17, fax 03.80.62.83.13, e-mail dom.hudelot-noellat@wanadoo.fr r.-v.

DOM. DE LA ROMANÉE-CONTI 2005 **

■ Gd cru n.c. 13 882 + de 76 €

Le domaine possède près de la moitié du grand cru et, ce qu'on ne sait pas toujours, il s'agit d'une vigne de Cîteaux qui était vinifiée jadis au château du Clos de Vougeot. Vendange les 17 et 18 septembre, dans une année climatique favorable à l'état sanitaire ainsi qu'à la maturité. Sous une robe très soutenue on découvre un vin puissant et, bien sûr, harmonieux. Avec un nom pareil, le richebourg emplit le verre, mais encore lui faut-il tenir ses promesses. C'est le cas ici, sachant qu'une telle bouteille doit prendre tout son temps. Elle sera superbe. Sous l'enveloppe encore un peu austère de ses tanins perce déjà une adorable sensibilité. Le bouquet s'annonce noir cassis. Ce mousquetaire aime la vie, l'intensité de la fête et l'ardeur du combat. Il réclame le lièvre à la royale, rêvant avec nostalgie d'un dîner préparé par Dumaine.

SC du Dom. de La Romanée-Conti, 1, rue Derrière-le-Four, 21700 Vosne-Romanée, tél. 03.80.62.48.80, fax 03.80.61.05.72

La romanée-conti

DOM. DE LA ROMANÉE-CONTI 2005 ***

■ Gd cru n.c. 5 489 + de 76 €

84 |**88**| **89 90** |**91**| **94 95** (96) (97) **98 01 03** (05)

La vigne a été plantée en 1947. Une dizaine d'ares ont été replantés en 1997 (haute densité, 14 000 pieds à l'hectare, un rendement parcimonieux). Une quinzaine d'ares arrachés en 2003 seront replantés en 2008. Cinq ans de repos pour le sol, aucun raisin inclus dans le grand cru avant une quinzaine d'années. Vingt ans sont donc nécessaires à ces replantations lentes et prudentes. C'est aussi comme cela que se construit un mythe. Moins puissant que ses voisins en 2005, ce cru n'en possède pas moins une grâce particulière. Très persistant en bouche, il apparaît brillant dans sa robe sombre. À l'évidence, ce vin vendangé les 15 et 16 septembre se trouve encore dans le clair-obscur des peintres, en devenir, prenant tout son temps sans brusquer les choses. Sur le total des 5 489 bouteilles, il faut compter l'équivalent de 300 magnums, 10 jéroboams et 8 mathusalems. On vous souhaite le bonheur de cette rencontre.

SC du Dom. de La Romanée-Conti, 1, rue Derrière-le-Four, 21700 Vosne-Romanée, tél. 03.80.62.48.80, fax 03.80.61.05.72

Romanée-saint-vivant

DOM. FOLLIN-ARBELET 2005

■ Gd cru n.c. 1 800 + de 76 €

Descendance Latour. Robe rubis à reflets violacés de bonne intensité. Pivoine au premier nez, puis fraise plus ou moins épicée, on en discute. Flatteur en introduction, structuré, plus anguleux en finale, ce 2005 a besoin de maturité pour acquérir cette texture fondue qui lui manque aujourd'hui. Il devrait y parvenir mais pas avant cinq ans, car, comme le note un dégustateur, c'est un vin « parti pour la garde ».

Dom. Follin-Arbelet, Les Vercots, 21420 Aloxe-Corton, tél. 03.80.26.46.73, fax 03.80.26.43.32, e-mail franck.follin-arbelet@wanadoo.fr r.-v.

ALAIN HUDELOT-NOËLLAT 2004 *

■ Gd cru 0,47 ha 2 226 + de 76 €

47 a 77 ca provenant de la succession Charles Noëllat quand Odile s'est retirée de la société en 1978. La robe est profonde à nuance violine. Le premier nez racé est floral et fruité, le second plus complexe et d'une minéralité alerte. Attaque souple, consistance généreuse et texture aimable, alliées à une bonne vinosité. Les tanins fondus s'expriment sur des notes fruitées et grillées (dix-huit mois en fût). Un 2004 bien dans la ligne de son millésime, d'une ampleur moyenne mais fidèle à son terroir.

Alain Hudelot-Noëllat, 5, ancienne RN 74, 21640 Vougeot, tél. 03.80.62.85.17, fax 03.80.62.83.13, e-mail dom.hudelot-noellat@wanadoo.fr ☑ r.-v.

LOUIS LATOUR Les Quatre Journaux 2005 *

■ Gd cru 2 ha 6 000 + de 76 €

Parcelle acquise le 29 décembre 1898 sur des héritiers Marey et Marey-Monge. Les Quatre Journaux, vigne historique de la romanée-saint-vivant. D'un rouge profond, ce 2005 est bien ouvert sur la truffe fraîche et les fruits noirs. Riche, complète, la bouche est équilibrée par des tanins porteurs d'une noble acidité. Longue finale sur une touche de boisé vanillé. Un vin pur, d'une grande harmonie.

Maison Louis Latour, 18, rue des Tonneliers, 21204 Beaune, tél. 03.80.24.81.00, fax 03.80.22.36.21, e-mail louislatour@louislatour.com

CHRISTINE ET DOMINIQUE MUGNERET 2005

■ Gd cru 0,5 ha 600 + de 76 €

Il s'agit des 52 a 5 ca confiés il y a déjà très longtemps en métayage par la famille Xavier Liger-Belair à Nuits. Des ceps, dit-on, « gros comme des cuisses ». Quelques-uns datent de Félix Liger-Belair quand la IIIe République était encore jeunette... D'une couleur soutenue, ce vin présente un bouquet ouvert sur le fruit noir et un boisé vanillé. L'attaque est souple et vivante, relayée par des tanins un peu fermes qui viennent apporter une touche d'amertume en finale. La matière est présente et on attendra donc que ce vin s'ouvre pleinement. Horizon 2012.

Dominique Mugneret, 9, rue de la Fontaine, 21700 Vosne-Romanée, tél. 06.63.32.79.72, fax 03.80.61.24.54 ☑ r.-v.

DOM. DE LA ROMANÉE-CONTI 2005 ***

■ Gd cru n.c. 17 392 + de 76 €

67 72 **73 75 76 78** |(79)| **80 81** |**82**| **87** |**89**| **91 92** |**95**| |**97**| |**98**| **99 00 01** (03) (04) (05)

Avec la tâche, c'est sans doute la bouteille de proue du millésime au sein du domaine. Une des plus belles maturités depuis longtemps ; vendange du 21 au 23 septembre, la plus tardive du domaine en Côte de Nuits. Des peaux épaisses avec une coloration noire intense, peu de jus, beaucoup de grumes millerandées (des grains tout petits et très concentrés) et des grappes en bon état sanitaire. Le résultat est un vin « à part », exceptionnel, tannique sous une robe extrêmement sombre, nocturne. Ses arômes évoquent la groseille, le bourgeon de cassis. Tout de pureté, avec un élan formidable, un souffle étonnant. S'il faut comparer le 2004 à un récital de piano, le 2005 a l'ampleur d'une symphonie de Beethoven, sinon de Wagner. En principe, le domaine doit s'installer en 2008 dans l'ancien vendangeoir des moines de Saint-Vivant, à deux pas de son site actuel. Rue du Temps-Perdu, cela ne s'invente pas ! Quant à la restauration de l'ancien monastère de Saint-Vivant, elle se poursuit grâce au domaine : ce chef-d'œuvre n'est plus en péril.

SC du Dom. de La Romanée-Conti, 1, rue Derrière-le-Four, 21700 Vosne-Romanée, tél. 03.80.62.48.80, fax 03.80.61.05.72

La tâche

DOM. DE LA ROMANÉE-CONTI 2005 ***

■ Gd cru n.c. 21 906 + de 76 €

72 **73 75 78** (79) |**80**| |**81**| |**82**| |**87**| |**89**| |**91**| |**92**| |(97)| (98) (99) **00** (02) (04) (05)

Le millésime 2005 place actuellement, au domaine de La Romanée-Conti, la tâche en tête d'affiche avec la romanée-saint-vivant. La règle de trois : texture, longueur et complexité. Aucun des autres vins de la propriété ne possède tout cela à la fois. Le bal des sécateurs a commencé ici le 15 septembre, pour se clôturer le 17. « On a comparé 2005 à 1976, lit-on sur le précieux rapport de vendange du domaine. Également une année de grande sécheresse, mais en fait il n'y a rien de commun, car 2005 a été très sec mais moins chaud et surtout mieux pourvu en petites pluies rares et utiles. » Une partie des vignes est cultivée en biodynamie.

SC du Dom. de La Romanée-Conti, 1, rue Derrière-le-Four, 21700 Vosne-Romanée, tél. 03.80.62.48.80, fax 03.80.61.05.72

Nuits-saint-georges

Petite bourgade de 5 500 habitants, Nuits-Saint-Georges n'engendre pas de grands crus comme ses voisines du nord ; l'appellation (6 725 hl en *village* rouge et 133 hl en blanc) déborde sur la commune de Premeaux, qui la jouxte au sud. Ici aussi, les très nombreux premiers crus (5 526 hl en rouge et 84 hl en blanc) sont à juste titre réputés, et avec l'appellation communale la plus méridionale de la Côte de Nuits, nous trouvons un type de vins différent aux caractères de *climats* très accusés, où s'affirme généralement une richesse en tanins plus élevée, assurant une grande conservation.

Les Saint-Georges, dont on dit qu'ils portaient déjà des vignes en l'an mil, les Vaucrains aux vins robustes, les Cailles, les Champs-Perdrix, les Porets, de « poirets », au caractère de poire sauvage accusé, sur la commune de Nuits, et les clos de la Maréchale, des Argillières, des Forêts-Saint-Georges, des Corvées, de l'Arlot, sur Premeaux, sont les plus connus de ces premiers crus.

Petite capitale du vin de Bourgogne, Nuits-Saint-Georges a également son vignoble des Hospices, avec vente aux enchères annuelle de la production, le dimanche précédant les Rameaux. Elle est le siège de nombreux négoces de vin et de maints liquoristes qui produisent le cassis de Bourgogne, ainsi que d'élaborateurs de vins à mousse qui furent à l'origine du crémant-de-bourgogne. C'est enfin ici que se trouve le siège administratif de la confrérie des Chevaliers du Tastevin.

PIERRE ANDRÉ 2005 *

■ 0,3 ha 1 700 38 à 46 €

Pierre André (1895-1972) créa la maison qui porte son nom et la Reine Pédauque. L'affaire a été acquise il y a quelques années par le groupe Ballande, également présent à Bordeaux. Ce 2005 annonce tout de suite la couleur. Difficile de faire plus rouge ! Ses arômes tournent autour du sous-bois et des fruits rouges sur fond torréfié. D'attaque souple, le palais plein de promesses est encore dominé par le boisé. On attendra donc cette bouteille encore trois à quatre ans.

Pierre André, Ch. de Corton-André, 21420 Aloxe-Corton, tél. 03.80.26.44.25, fax 03.80.26.43.57, e-mail france@corton-andre.com
t.l.j. 10h-12h 14h30-18h

DOM. DE L'ARLOT Clos de l'Arlot Monopole 2004 **

1er cru 1 ha 4 000 38 à 46 €

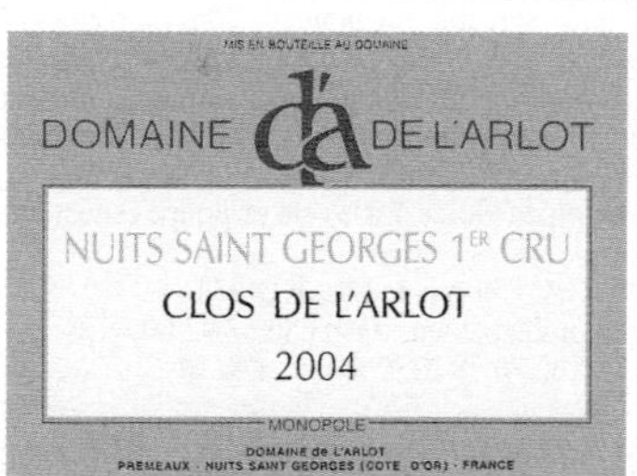

L'ancienne propriété de la famille Viénot, puis de Jules Belin est devenue aux vendanges 1986 le fleuron bourguignon d'Axa Millésimes. Expert-comptable diplômé de l'Essec, Jean-Pierre de Smet a eu le coup de foudre pour la vigne et a construit l'excellence de ce domaine, lauréat du coup de cœur pour un blanc produit sur Premeaux. La touche de pinot beurot dans l'encépagement est-elle à l'origine de cette réussite ? Or brillant, beurré et tirant sur le fruit mûr (abricot, coing), gras en bouche mais rafraîchi d'une pointe de minéralité, un vin à la forte personnalité, d'un équilibre parfait. Précieuse île blanche sur la mer rouge !

Dom. de L'Arlot, Premeaux, 21700 Nuits-Saint-Georges, tél. 03.80.61.01.92, fax 03.80.61.04.22 r.-v.
Axa Millésimes

DOM. BARBIER ET FILS Belle Croix 2005

■ 0,21 ha 1 200 15 à 23 €

Le domaine Barbier et Fils (10,50 ha) a été acquis fin 2006 par Antonin Rodet (Séquence Capital), avec la maison Dufouleur Père et Fils, donnant naissance au groupe Rodet-Dufouleur. *Climat* situé à la sortie de Nuits (vers Beaune), sous les Pruliers. Pourpre à reflets violacés, ce 2005 semble s'orienter vers une tonalité végétale, fougère peut-être. Rond et corpulent, il produit en bouche une bonne impression. Nuances de pruneau et de cerise noire en finale. Fin prêt pour passer à table dans l'année qui vient.

Dom. Barbier et Fils, 17, rue Thurot, 21700 Nuits-Saint-Georges, tél. 03.80.61.21.21, fax 03.80.61.10.65, e-mail domaine.barbier@wanadoo.fr
t.l.j. 9h-19h

DOM. BERTAGNA Les Murgers 2004 *

■ 1er cru 0,85 ha 3 400 46 à 76 €

Quittant l'Algérie et les 200 ha de vignes qu'il possédait à Bône, Claude Bertagna achète au début des années 1960 les biens de la famille Berthon (la Grande Cave à Vougeot). Il cède en 1982 ce domaine à Günther Reh, leader du vin effervescent en Rhénanie-Palatinat. Sa fille Éva et son gendre veillent sur l'exploitation dont Roland Masse (régisseur du domaine des Hospices de Beaune) fut longtemps l'homme de confiance. Un Murgers rouge translucide et brillant, au nez délicat d'épices et de framboise. D'attaque franche, la bouche évolue vers une structure marquée par des tanins de qualité qui se bonifieront avec l'âge. Finale sur des notes réglissées et grillées. Un vin à l'extraction soignée, à attendre deux ou trois ans.

Dom. Bertagna, 16, rue du Vieux-Château, 21640 Vougeot, tél. 03.80.62.86.04, fax 03.80.62.82.58, e-mail bertagna@wanadoo.fr
t.l.j. sf dim. 10h-12h30 13h30-17h30; f. janv.
Mme Reh Siddle

JEAN-PIERRE BONY 2004

■ 2 ha 6 700 15 à 23 €

Domaine créé par Jean-Pierre Bony en 1963. Arrivée de la génération suivante en 2000. L'exploitation s'agrandit alors, tout en demeurant d'une superficie modeste (5,7 ha en tout). Une robe jeune et vive à liseré violet pour ce 2004. Le bouquet choisit une dominante florale (lilas). Équilibrée, la matière n'est pas d'une densité extrême, mais son fruit est plaisant. Les tanins sont présents, sans envahir le palais. À attendre deux ou trois ans pour plus d'harmonie. On peut également se laisser tenter par **Les Damodes 2005 rouge**, citées.

EARL Dom. Jean-Pierre Bony, 5, rue de Vosne, 21700 Nuits-Saint-Georges, tél. et fax 03.80.61.16.02, e-mail fabiennebony@wanadoo.fr
t.l.j. sf sam. dim. 8h-12h 14h-19h

SYLVAIN CATHIARD Aux Murgers 2005 *

■ 1er cru 0,47 ha 2 700 38 à 46 €

Coup de cœur pour le même 1er cru dans le millésime 2002, Sylvain Cathiard présente cette fois un 2005 plus friand, plus gourmand que ne l'est habituellement un Murgers. Certes, on y trouve une splendide couleur de crépuscule, une bonne physionomie tannique, de l'élan. Une finesse soyeuse lui donne un palais attirant et d'accès aisé. Palette aromatique moka-cerise. À déguster avec un cîteaux, le fromage de l'abbaye toute proche.

Sylvain Cathiard, 20, rue de la Goillotte, 21700 Vosne-Romanée, tél. 03.80.62.36.01, fax 03.80.61.18.21 r.-v.

C. CHARTON FILS Les Damodes 2004 *

■ 1er cru 0,3 ha 1 800 30 à 38 €

Ce 1er cru, une vigne pentue côté Vosne, trouve ses points d'appui dans le cadre de son millésime. Sous une robe profonde, le cassis assez épicé emplit le bouquet. Toujours les épices en bouche, mais le fruit devient rouge sur un socle tannique bien lisse. Finale d'une bonne longueur pour un potentiel de garde de deux à trois ans. À attendre également un peu, le **village Réserve des Crets 2005 rouge**, une étoile. C. Charton Fils est une marque de la maison beaunoise Albert Ponnelle.

C. Charton Fils, 38, fg Saint-Nicolas, BP 107, 21200 Beaune, tél. 03.80.22.53.33, fax 03.80.24.19.73

DOM. DU CHÂTEAU-GRIS Les Terrasses du Château 2004

0,67 ha 2 700 38 à 46 €

L'étiquette arbore de vraies couronnes de comte et de vicomte (Lupé et Cholet). Ce chardonnay nuiton offre un nez légèrement boisé, rafraîchi par une minéralité bienvenue. Classique et bien élaboré, il se montre d'abord assez tendre en bouche, puis plus vif en finale. À déguster dans les deux ou trois ans.

Dom. du Château-Gris, 17, av. du Gal-de-Gaulle, 21700 Nuits-Saint-Georges, tél. 03.80.61.25.02, fax 03.80.24.37.38, e-mail bourgogne@lupe-cholet.com

Lupé-Cholet

DOM. JEAN CHAUVENET 2005 *

■ 3,5 ha 20 000 15 à 23 €

Coup de cœur dans les éditions 2006 et 2004, ce domaine (près de 10 ha) a été repris en 1994 par le gendre de Jean Chauvenet, Christophe Drag, rejoint par son épouse Christine en 1996. Couleur cerise noire, parfum de kirsch, le vin semble filer le parfait amour avec ce fruit. Tannique et néanmoins charnu, il attaque en dentelle puis évolue vers le fruit conservé dans l'eau-de-vie. Un peu d'austérité sur la fin. On prendra soin de laisser en cave ce millésime riche jusqu'à 2010 au moins.

Dom. Jean Chauvenet, 3, rue de Gilly, 21700 Nuits-Saint-Georges, tél. 03.80.61.00.72, fax 03.80.61.12.87 r.-v.

Christophe Drag

YVES CHEVALLIER Aux Boudots 2005 *

■ 1er cru 0,24 ha 300 23 à 30 €

Grenat intense à reflets violacés, ce 2005 joue le fruit rouge bien mûr au premier nez, agrémenté d'une petite pointe toastée. Marc de raisin ? Son bouquet en tout cas anime la réflexion... L'attaque est franche avec rappel du fruit, puis le corps se montre plutôt fondu. Finale assez ferme, avec une pointe de fraîcheur, signe de jeunesse. Un vin tout d'une pièce, ne visant pas une garde phénoménale mais capable de tenir sur ses jambes pendant quatre à cinq ans.

Yves Chevallier, 10, rue de la Croix-Rameau, 21700 Vosne-Romanée, tél. 03.80.61.32.35, fax 03.80.62.10.46 r.-v.

DOM. CHEVILLON-CHEZEAUX Les Saint-Georges 2004 *

■ 1er cru 0,45 ha 2 500 23 à 30 €

Exposition au levant, sol brun profond très caillouteux, rougeâtre et comportant suffisamment d'argile, grandeur de l'histoire, le clos des Saint-Georges portait déjà la vigne il y a mille ans. Autant dire que l'on aborde ce vin avec respect ! De teint assez clair, celui-ci apparaît fermé au premier nez avant de s'ouvrir sur des senteurs de fruits mûrs. Une puissance mesurée, mais de la finesse, un joli fruit de pinot, une douceur vanillée qui sait rester discrète. À boire dans les deux ou trois ans sur une volaille.

Dom. Chevillon-Chezeaux, 41, rue Henri-de-Bahèzre, 21700 Nuits-Saint-Georges, tél. 03.80.61.23.95, fax 03.80.61.13.57, e-mail chevillon.chezeaux@wanadoo.fr r.-v.

JÉRÔME CHEZEAUX 2005

■ 3,9 ha 5 000 15 à 23 €

Jérôme Chezeaux a repris l'exploitation au décès de Bernard en 1994, sur un peu plus de 11 ha. La robe de ce 2005 ? On pense à du satin. Un rouge noir que caresse le regard. Large, assez développé, son nez évoque l'austérité cistercienne par son boisé encore marqué. En cherchant bien, l'un de nos dégustateurs signale l'arôme « cuir de Russie » que l'on connaissait bien, jadis, chez les coiffeurs. Les tanins sont encore vifs. Le temps assouplira ce millésime.

Jérôme Chezeaux, 6, rte de Nuits-Saint-Georges, 21700 Premeaux-Prissey, tél. 03.80.61.29.79, fax 03.80.62.37.72 r.-v.

A. CHOPIN ET FILS Les Bas de Combe 2005 *

■ 0,6 ha 3 000 15 à 23 €

Coup de cœur dans l'édition 1998 pour des Murgers 1995 d'illustre mémoire. Ici, on se situe en bordure de Vosne-Romanée, contre les Chaumes et sous les Boudots. Le pinot noir s'annonce dans ce 2005 plus floral ou végétal que fruité, agréable en bouche, convenablement charpenté et en fin de compte « bien complet », comme on dit d'un ouvrage de bibliophilie. Fruits rouges et pruneau en finale. On s'intéressera en outre au **1er cru Les Murgers 2005 rouge (23 à 30 €)**. Encore un peu acidulé lors de la dégustation du Guide, il a le vent en poupe et décroche une étoile.

Dom. A. Chopin et Fils, RD 974, 21700 Comblanchien, tél. 03.80.62.92.60, fax 03.80.62.70.78 r.-v. 4

DOM. CONFURON-COTETIDOT 2004 *

■ n.c. n.c. 15 à 23 €

Les Confuron sont presque aussi anciens que les premiers pieds de vigne en Côte de Nuits. Jules-Symphorien, Joseph et Jack, neveux du célèbre Henri Jayer. Dans une robe framboise sombre, pointant un nez racé, un 2004 riche et rond, puissant et équilibré. Ses tanins sont vigilants sans être sévères. Encore un peu fermé, mais prometteur (trois ans de garde).

J. Confuron-Cotetidot, 10, rue de la Fontaine, 21700 Vosne-Romanée, tél. 03.80.61.03.39, fax 03.80.61.17.85 r.-v.

DOM. CHRISTIAN CONFURON ET FILS 2004 *

■ 1,79 ha 2 800 15 à 23 €

Christian est l'un des deux fils de Jean Confuron (1904-1965). Au décès de sa mère en 1980, il s'est établi à Vougeot en fondant son propre domaine. Son fils a pris le relais. D'une teinte pourpre tirant sur le grenat, ce 2004 mêle dans un bouquet intense les fleurs et les fruits. Riche et équilibré, bien soutenu par ses tanins, il est savoureux dès à présent et porteur de promesses pour les quatre à cinq ans qui viennent.

SCEA Dom. Christian Confuron et Fils, rue du Vieux-Château, 21640 Vougeot, tél. et fax 03.80.62.86.80
t.l.j. 9h30-11h30 14h30-17h30; sam. dim. sur r.-v.

DOM. DUPASQUIER ET FILS
Les Vaucrains 2004

■ 1er cru 0,32 ha 2 000 15 à 23 €

À 270 m d'altitude, ce *climat* surplombe les Saint-Georges. Plus calciques que calcaires, ses sols recèlent des « têtes de mouton » (blocs calcaires enrobés par l'érosion). Rouge sombre à nuances violines, ce 2004 présente un nez où le fruit domine assez vite les premières impressions végétales. Frais en attaque, il montre une certaine rondeur, du fruit et un léger vanillé avant de finir sur des tanins encore un peu sévères. Impatients s'abstenir, l'ouverture n'est pas prévue avant 2010.

Dom. Dupasquier et Fils, 47 bis, rue Henri-Challand, 21700 Nuits-Saint-Georges, tél. 03.80.61.13.78, fax 03.80.61.05.08, e-mail dupasquier.domaine@wanadoo.fr r.-v.

DOM. FAIVELEY Les Argillats 2004

■ n.c. 2 577 15 à 23 €

Quel rapport entre les caténaires des lignes TGV et le vin de Bourgogne ? La famille Faiveley justement, fondatrice de la Confrérie des Chevaliers du Tastevin, célèbre dans l'industrie ferroviaire et réputée pour la qualité de ses vins. La jeune génération (Erwan Faiveley) est à la barre et la flamme n'est pas près de s'éteindre. Témoin cet Argillats (versant Vosne) plaisant pour son millésime. Sa robe est sans défaut. Son nez vineux terroite légèrement. Sa bouche équilibrée en fait un vin agréable, à déboucher dès maintenant.

Dom. Faiveley, 8, rue du Tribourg, 21701 Nuits-Saint-Georges Cedex, tél. 03.80.61.04.55, fax 03.80.62.33.37, e-mail bourgognes@bourgognes-faiveley.com r.-v.

PHILIPPE GAVIGNET Les Bousselots 2005 ★★

■ 1er cru 0,63 ha 3 940 23 à 30 €

Philippe Gavignet ? Fils de Michel et neveu de Christian, pour vous y reconnaître au sein de la famille. Un sol très riche en calcaire actif, un site plein de bosses (d'où peut-être l'origine de ce nom), voici les Bousselots, *climat* côté Vosne mais proche de l'axe médian (la combe de la Serrée). Ce 2005 est un vin qui se tient bien droit, élégant du début jusqu'à la fin. Distillant la fraise des bois au nez, il se montre harmonieux et fondu, dense mais toujours plein de finesse. Il est promis à un bon avenir (fin de cette décennie). Retenu pour la finale du coup de cœur, il termine au pied du podium. Deux étoiles également pour **Les Argillats 2005 rouge (15 à 23 €)**, le meilleur *village* de la dégustation.

Dom. Philippe Gavignet, 36, rue du Dr-Louis-Legrand, 21700 Nuits-Saint-Georges, tél. 03.80.61.09.41, fax 03.80.61.03.56, e-mail contact@domaine-gavignet.fr
t.l.j. 8h-12h 14h-18h; sam. dim. sur r.-v.

DOM. MICHEL GROS Les Chaliots 2005 ★

■ 0,83 ha 5 300 15 à 23 €

Si vous êtes allé à la Saint-Vincent tournante de Nuits en 2007, vous connaissez tous les *climats* par cœur. Alors, ces Chaliots ? En *village*, les lieux-dits sont évidemment moins familiers qu'en 1er cru. On vient à votre aide : sur Nuits côté Premeaux, à la hauteur des Poirets. Rubis grenat presque bleuté, ce 2005 au nez complexe et charmeur (l'animal et le fruit mûr délicatement poivrés), affiche longueur et puissance, solidité et richesse. Michel est le fils de Jeanine et Jean Gros.

Dom. Michel Gros, 7, rue des Communes, 21700 Vosne-Romanée, tél. 03.80.61.04.69, fax 03.80.61.22.29 r.-v.

JEAN-MICHEL GUILLON Les Chaillots 2005 ★

■ 0,16 ha 1 100 15 à 23 €

La plus belle page dédiée au vin de Nuits est signée par le grand écrivain Curzio Malaparte dans *Kaputt*. Il décrit un nuits dégusté avec un sanglier de Carélie chez le ministre de Suède en Finlande : « Nocturne jusqu'à son nom, profond et semé d'éclairs comme une nuit d'été en Bourgogne. » Ce souvenir littéraire se confond avec cette bouteille de Chaillots (on écrit aussi Chaliots). Quatre ouvrées seulement. Vineux, riche, plein de chair et d'esprit, un 2005 ensoleillé par les notes de cacao et de bois brûlé, d'une longueur superbe.

Jean-Michel Guillon, 33, rte de Beaune, 21220 Gevrey-Chambertin, tél. 03.80.51.83.98, fax 03.80.51.85.59, e-mail eurlguillon@aol.com
r.-v.

DOM. MACHARD DE GRAMONT 2005

■ 0,59 ha 3 600 15 à 23 €

Rubis violacé aux lueurs vives, ce *village* tire un bon parti de ses quatorze mois en fût. Son nez n'est pas très expressif, mais le fruit rouge (la cerise montmorency, la cerise à confiture) garde toutes ses chances. Plus rond que carré, le corps n'a pas la densité du marbre de Comblanchien. En revanche, il s'habillle d'un foulard de soie. Sa vivacité lui procure des perspectives de deux à trois ans de garde.

SCE Dom. Machard de Gramont, Le Clos, BP 105, rue Pique, Premeaux-Prissey, 21703 Nuits-Saint-Georges Cedex, tél. 03.80.61.15.25, fax 03.80.61.06.39, e-mail scemacharddegramont@orange.fr r.-v.

BERTRAND MACHARD DE GRAMONT
Aux Allots 2004

■ 0,92 ha 4 500 15 à 23 €

Cave et cuverie dans les Hautes-Côtes au pied de l'ancien monastère de Saint-Vivant. Coup de cœur dans l'édition 2004 pour les Allots 2000. Ce *climat* se situe en *village* à la hauteur des Vignerondes et des Chaignots en 1er cru, côté Vosne. Bague de fiancailles rubis, on s'y attend. Sous-bois et fruits rouges, la promenade est habituelle mais toujours plaisante. Impression de légèreté, une certaine fraîcheur, il faut saisir la grâce quand elle passe. À savoir, pour ce 2004, dans un an ou deux.

Bertrand Machard de Gramont, 13, rue de Vergy, 21700 Nuits-Saint-Georges, tél. et fax 03.80.61.16.96, e-mail bertrandmacharddegramont@tiscali.fr
r.-v.

DOM. ALAIN MICHELOT Les Cailles 2004

■ 1er cru 0,87 ha 2 600 23 à 30 €

Barbe blonde, regard clair, Alain Michelot (président du comité d'organisation de la Saint-Vincent tournante à Nuits en 2007) pourrait avoir du sang burgonde dans les veines. Une vie consacrée au bon vin ainsi qu'aux responsabilités publiques. Ah ! Les Cailles... Ce nom ne

doit pourtant rien à ces petits oiseaux dodus. Il vient de *crai*, cailloux. Rouge cerise brillant, un 2004 odorant (épices douces, fruits rouges, réglisse) qui attaque en douceur et évolue de façon structurée sur des notes animales. L'attendre deux à trois ans paraît conseillé.
🔑 Dom. Alain Michelot, 6, rue Camille-Rodier, 21700 Nuits-Saint-Georges, tél. 03.80.61.14.46, fax 03.80.61.35.08, e-mail domalainmichelot@aol.com
☑ Y r.-v.

DOM. PAUL MISSET Aux Murgers 2005 *

■ 1er cru 0,1 ha 600 ⦀ 23 à 30 €

Il faut être généalogiste patenté pour établir toutes les filiations Misset, Chéron, Naigeon, Varoillles... Disons qu'Yves Chéron a repris en 2001 la gérance du domaine familial et que Bruno Mathieu de Fossey se consacre à ces 5 ha. L'installation à Nuits (cave et cuverie) date de 1990. Côté Vosne de l'appellation, ce *climat* doit son nom aux tas de pierres tirées des vignes au fil des siècles (les *meurgers*). Ce 2005 s'exprime ici avec l'éclat d'un rouge foncé très intense. Aux notes grillées s'associent le cassis et bientôt l'animal. Franc, souple et rond, ce vin joue la réglisse au bon moment. Attendre le parfait fondu du fût (trois à cinq ans au moins).
🔑 Dom. Paul Misset, 8, rue Félix-Tisserand, 21700 Nuits-Saint-Georges, tél. 03.80.34.37.82
☑ Y 🚶 r.-v.
🔑 Denis Chéron

MONGEARD-MUGNERET Les Plateaux 2004 *

■ 0,84 ha 4 400 ⦀ 15 à 23 €

Il y eut autrefois un pinot mongeard, variété très fine et peu productive de ce cépage, baptisé en l'honneur d'un aïeul de la famille. Pourpre léger d'aspect aimable, ce 2004 honore son millésime. Il est parvenu à son apogée et on le rangera parmi les vins à boire dans l'année. Parfum de framboise assez flatteur. Un soupçon d'amertume en bouche, qui ne déplaît pas.
🔑 Dom. Mongeard-Mugneret, 14, rue de la Fontaine, 21700 Vosne-Romanée, tél. 03.80.61.11.95, fax 03.80.62.35.75, e-mail domaine@mongeard.com
☑ Y r.-v.

DOMINIQUE MUGNERET Les Boudots 2005 **

■ 1er cru 0,6 ha 3 600 ⦀ 23 à 30 €

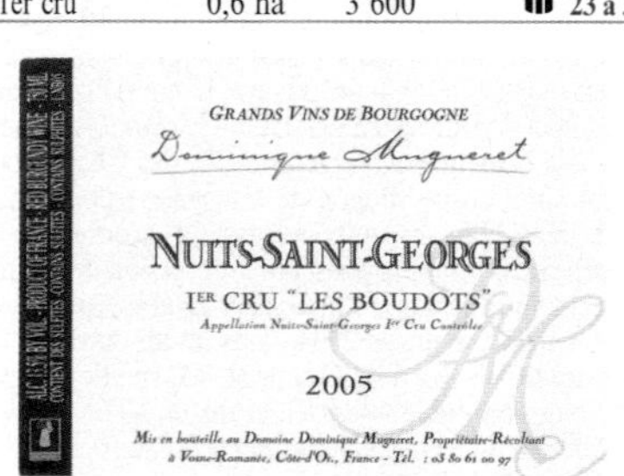

GRANDS VINS DE BOURGOGNE
Dominique Mugneret
NUITS-SAINT-GEORGES
1ER CRU "LES BOUDOTS"
2005

Pentu et caillouteux, un *climat* voisin de Vosne-Romanée. Cette bouteille gagne son coup de cœur à l'unanimité du jury. Il est vrai que Dominique Mugneret a de qui tenir : Denis son père, Marcel son grand-père, une belle lignée vigneronne. Coup de cœur déjà dans l'édition 1997 pour ses Saint-Georges 1994. Rouge grenat intense et profond, ce 2005 offre un nez d'abord monolithique (l'élevage) qui s'ouvre ensuite sur un délicieux cassis relevé d'une pointe poivrée. Puissant, structuré, un peu austère dans sa jeunesse comme le sont souvent les nuits, il livre une matière charnue aux notes d'épices douces. Potentiel de garde élevé (cinq à dix ans).
🔑 Dominique Mugneret, 9, rue de la Fontaine, 21700 Vosne-Romanée, tél. 06.63.32.79.72, fax 03.80.61.24.54 ☑ Y 🚶 r.-v.

DOM. MICHEL NOËLLAT ET FILS Les Boudots 2005 *

■ 1er cru 0,45 ha 2 500 ⦀ 30 à 38 €

Si Mozart (qui donna un concert à Dijon) avait pris le temps de s'intéresser au vin, nul doute qu'il aurait composé une *Petite musique des Nuits*. Elle serait pleine de charme comme ces Boudots 2005 : gaieté de l'attaque, entrain de la phrase, chaleur de la robe, adorable complexité aromatique qui vous poursuit au palais (griotte vanillée). Il y a des vins de réflexion et des vins d'émotion. Celui-ci appartient à la deuxième catégorie. Mais chut ! Laissez cette émotion s'épanouir quelques années en cave. La pintade (à l'estragon) qui lui fera escorte n'est pas encore née.
🔑 SCEA Dom. Michel Noëllat et Fils, 5, rue de la Fontaine, 21700 Vosne-Romanée, tél. 03.80.61.36.87, fax 03.80.61.18.10 ☑ Y 🚶 r.-v.

DOM. NUDANT 2005 *

■ 0,6 ha 1 500 ⦀ 23 à 30 €

Première récolte pour ce vin signé par un domaine bien connu de Ladoix. On lui déroule le tapis rouge. Pourpre intense, il n'a pas encore le nez très loquace (petits fruits noirs et notes grillées en embuscade). En revanche, il emplit le palais, avec cette rondeur expressive qui estompe l'excès de tanins. Manque-t-il de corps ? Mais non, il offre de l'appellation une image souriante, accueillante.
🔑 Dom. Nudant, 11, rte de Dijon, 21550 Ladoix-Serrigny, tél. 03.80.26.40.48, fax 03.80.26.47.13, e-mail domaine.nudant@wanadoo.fr
☑ Y t.l.j. sf dim. 9h-12h 14h-18h; sam. sur r.-v.; f. août

DOM. DES PERDRIX Aux Perdrix 2004 *

■ 1er cru 3,49 ha 12 000 ⦀ 38 à 46 €

Quasi monopole. Lu pour la première fois sur l'étiquette. Le domaine des Perdrix détient en effet – parmi nombre d'autres belles vignes – 3,49 ha du *climat* les Perdrix (sur Premeaux, haut de coteau) sur un total de 3 ha 49 a 73 ca. Le millésime 2003 a reçu l'an dernier le coup de cœur (un des quatre décrochés l'an dernier par la famille Devillard, qui reçut la Grappe d'argent lors de la soirée de lancement du Guide). Ce 2004 rouge sombre se partage entre des notes réglissées et torréfiées. Structuré, velouté au palais, servi par un excellent élevage, il sortira vraiment de sa coquille dans quatre à cinq ans. Généreux, le **village 2004 (30 à 38 €)** est déjà séduisant et porteur d'un certain avenir (deux ans) ; il obtient lui aussi une étoile.
🔑 Famille Devillard, Dom. des Perdrix, rue des Écoles, 21700 Premeaux-Prissey, tél. 03.80.61.26.53, fax 03.85.98.06.62, e-mail contact@domainedesperdrix.com ☑ Y 🚶 r.-v.

NICOLAS POTEL Les Pruliers 2004 *

■ 1er cru 0,17 ha 900 ⦀ 46 à 76 €

Climat situé sur Nuits en direction de Beaune. Nicolas Potel a fondé sa maison il y a dix ans, au

lendemain de la vente du domaine familial de la Pousse d'Or à Volnay. Ce vin pourrait être accueilli dans l'honorable compagnie des Veilleurs de Nuits. Il possède en effet toutes les qualités requises : une brillance avenante, un fût bien maîtrisé, un parfum de confiture de fraises et de moka, une finesse doublée de fraîcheur.
SAS Nicolas Potel, 44, rue des Blés,
21700 Nuits-Saint-Georges, tél. 03.80.62.15.45,
fax 03.80.62.15.46, e-mail nicolas.potel@wanadoo.fr
r.-v.

DOM. DE LA POULETTE Les Vaucrains 2004 ★

■ 1er cru 1,31 ha 8 400 23 à 30 €

Si on vous racontait l'histoire de ce domaine, il faudrait plusieurs pages. Un personnage majeur, Lucien Audidier, qui faisait la pluie, le beau temps et les appellations au ministère de l'Agriculture. La famille poursuit son œuvre. Tous les dégustateurs saluent la fermeté et l'extraction de ces Vaucrains. En couleur, sûrement. En arômes, vanille, fruits mûrs et épices douces. Bouche serrée aux tanins fermes sur des notes de fruits cuits. On l'aura compris, un vin de garde à laisser reposer en cave pendant au moins cinq ans. Une citation pour le **1er cru Les Poulettes 2004**, puissant et racé, également à attendre.
Dom. de La Poulette, 103, Grande-Rue,
21700 Corgoloin, tél. 03.80.62.98.02,
fax 01.45.25.43.23, e-mail info@poulette.fr
r.-v.

HENRI ET GILLES REMORIQUET 2005

■ 2,5 ha 14 000 15 à 23 €

Responsable syndical au sein de la viticulture, Gilles Remoriquet est bien connu des journalistes. Ils l'ont souvent entendu lors de la conférence de presse de la vente des Hospices de Beaune. Son nuits 2005 est un vin assez puissant : concentration, tanins et un peu de sévérité. Normal à cet âge et pour l'appellation. D'un rouge prononcé, il offre un nez encore discret (petite prune et léger boisé). À découvrir dans un an ou deux.
Dom. Remoriquet, 25, rue de Charmois,
21700 Nuits-Saint-Georges, tél. 03.80.61.08.17,
fax 03.80.61.36.63,
e-mail domaine.remoriquet@wanadoo.fr
t.l.j. 8h-12h 14h-18h

DANIEL RION ET FILS Les Vignes Rondes 2004 ★

■ 1er cru 0,48 ha 3 000 23 à 30 €

Vignes Rondes, on se trouve donc côté Vosne. Ce nom provient sans doute de la forme des parcelles. Sous une robe soutenue, on découvre le fruit presque exubérant reconnu à ce *climat* (cerise noire et mûre, fruits cuits). Le boisé, vanillé, vient apporter sa touche à l'ensemble. On vérifie également la finesse des tanins dans un palais plein de chair. Bref, on n'est pas loin du portrait-robot. Le fruit subsiste en arrière-bouche. Heureuse illustration de l'équilibre entre le goût présent et la garde future. Naguère, un Japonais a vanté la « lisibilité » des vins du domaine. Il n'avait pas tort. Notez aussi **Les Lavières 2004 (15 à 23 €)**, cité.
Dom. Daniel Rion et Fils, 17, D 974,
21700 Premeaux-Prissey, tél. 03.80.62.31.28,
fax 03.80.61.13.41,
e-mail contact@domaine-daniel-rion.com
t.l.j. 8h-12h30 13h30-17h30

SEGUIN-MANUEL Les Vaucrains 2004 ★

■ 1er cru 0,12 ha 600 30 à 38 €

Maison fondée en 1824, reprise en 2004 par Thibaut Marion. Une famille beaunoise attachée depuis longtemps à la vigne et au vin de Bourgogne. Ce millésime rouge grenat porte un nez frais et fruité, encore un peu réservé. Souple et tendre, sa structure est aimable. Les tanins soyeux y trouvent leur place en finale. Une bouteille équilibrée et élégante à ouvrir dans trois ans.
Dom. Seguin-Manuel, 2, rue de l'Arquebuse,
21200 Beaune, tél. 03.80.21.50.42, fax 03.80.21.59.38,
e-mail contact@seguin-manuel.com r.-v.

DOM. JEAN TARDY ET FILS
Au Bas de Combe Vieilles Vignes 2004 ★

■ 0,45 ha 2 700 23 à 30 €

Agréable à contempler, agréable à respirer, agréable à boire. Que demander de plus ? Grenat à reflets empourprés, ce 2004 développe des arômes fins et distingués, diversifiés : fruits rouges, mousse de sous-bois... Mâche et charpente : on pense à Alexis Lichine estimant que le vin de Nuits se distingue par sa fermeté, la plénitude de sa texture (tanins) et « un corps dans lequel on a envie, pour ainsi dire, de mordre ». Le **1er cru Les Boudots Vieilles Vignes 2004 (38 à 46 €)** est cité.
Dom. Jean Tardy et Fils, 46, rte Nationale,
21700 Vosne-Romanée, tél. 03.80.61.11.86,
fax 03.80.61.07.32,
e-mail domainejeantardy@9business.fr r.-v.

DOM. THOMAS-MOILLARD 2005

■ 1,88 ha 3 600 15 à 23 €

Le nez est prometteur, le reste demande de la patience. Bonne attaque souple et fraîche, un rien de sévérité due aux tanins de raisin encore jeunes. Mais cette jeunesse incite à l'optimisme. Les nuits ont généralement besoin, en effet, d'un peu de bouteille pour s'épanouir (ici, trois à quatre ans). Robe d'un rubis lumineux.
Dom. Thomas-Moillard, chem. rural nº 59, BP 36,
21700 Nuits-Saint-Georges, tél. 03.80.62.42.22,
fax 03.80.61.28.13, e-mail nuicave@wanadoo.fr
t.l.j. 10h-18h; f. janv.

DOM. FABRICE VIGOT Vieilles Vignes 2005 ★

■ 0,55 ha 2 700 30 à 38 €

À l'œil, le soleil couchant un soir d'été sur la combe de la Serrée. Au nez, quelques notes épicées dans un ensemble vanillé. En bouche, beaucoup de matière, un accent de fruits noirs (mûre), de la rondeur et une stature assez forte. Malgré son potentiel de garde, on conseille de servir cette bouteille maintenant. À défaut de lièvre, un lapin chasseur ne lui fera pas peur.
Dom. Fabrice Vigot, 20, rue de la Fontaine,
21700 Vosne-Romanée, tél. et fax 03.80.61.13.01,
e-mail fabrice.vigot@wanadoo.fr r.-v.

HENRI DE VILLAMONT 2005 ★

■ 0,64 ha 3 600 15 à 23 €

Filiale bourguignonne du groupe suisse Schenk fondée durant les années 1960, Henri de Villamont (ce nom fut alors inventé) occupe les belles installations de Léonce Becquet à Savigny. Ouvert sur le fruit rouge confit, d'une robe fortement colorée, un nuits au tempérament tannique. De la mâche ! Sans doute doit-il vieillir un peu (deux à trois ans), mais déjà sa longueur est appréciée, de même que son honnêteté.

SAS Henri de Villamont, 2, rue du Dr-Guyot, 21420 Savigny-lès-Beaune, tél. 03.80.21.50.59, fax 03.80.21.36.36, e-mail contact@hdv.fr
t.l.j. sf lun. 10h-18h

Côte-de-nuits-villages

Après Premeaux, le vignoble s'amenuise pour se réduire à une longueur de vignes d'environ 200 m à Corgoloin. C'est l'endroit où la Côte est la plus étroite. La « montagne » diminue d'altitude, et la limite administrative de l'appellation côte-de-nuits-villages, anciennement appelée « vins fins de la Côte de Nuits », s'arrête au niveau du clos des Langres, sur Corgoloin. Entre les deux, deux communes : Prissey, associée à Premeaux, et Comblanchien, réputée pour la pierre calcaire (appelée improprement marbre) que l'on tire des carrières du coteau. Toutes deux possèdent quelques terroirs aptes à porter une appellation communale. Mais les superficies de ces trois communes étant trop petites pour avoir une appellation individuelle, Brochon et Fixin y ont été associées pour constituer cette unique appellation côte-de-nuits-villages, qui a produit, en 2006, 6 201 hl en vin rouge et 322 hl en vin blanc. On y trouve d'excellents vins, à des prix abordables.

RENÉ BOUVIER 2004

n.c. 3 000 11 à 15 €

Un domaine très actif sur ses 17 ha, sous la responsabilité de Bernard Bouvier. Sombre et intense, ce 2004 s'annonce par un nez friand sur le cassis. Charnu, corsé, capiteux, charpenté, il affrontera viande rouge et gibier, dans les deux ans à venir.

EARL René Bouvier, 29 B, rte de Dijon, 21220 Gevrey-Chambertin, tél. 03.80.52.21.37, fax 03.80.59.95.96, e-mail rene-bouvier@wanadoo.fr
r.-v.

DOM. MARGUERITE CARILLON 2005 *

2 ha 12 900 11 à 15 €

Une étiquette en forme de parchemin à bords roulés. L'image de la Bourgogne dans l'esprit de nombreux amateurs. Le vin ? Clair à reflets vifs. Nez fruité d'un pinot de tradition. Corps frais, acidulé, gouleyant... Moins profond que Padirac, on l'admet. Mais quel charme ! Une élégance évoquant les gravures de mode des journaux d'autrefois. La garde ? Deux à trois ans.

Dom. Marguerite Carillon, 7, rte de Monthélie, 21190 Meursault, tél. 03.80.21.22.45, fax 03.80.21.28.05

CHAUVENET-CHOPIN 2005 *

5 ha 5 000 8 à 11 €

« En bouche close n'entre mouche » : la devise de Jacques Cœur reprise d'un proverbe italien. Certes, ce 2005 est fermé sous une robe profonde, cerise noire à reflets violines. Un vin frais, pas trop tannique, soyeux même, exprimant un léger fruit à noyau. Il a des avantages. Mais il garde pour lui beaucoup de révélations. Quand dévoilera-t-il ses secrets ? Disons dans deux ans. On ne sera pas déçu.

Chauvenet-Chopin, 97, rue Félix-Tisserand, 21700 Nuits-Saint-Georges, tél. 03.80.61.28.11, fax 03.80.61.20.02 r.-v.

A. CHOPIN ET FILS Les Essards 2005

3 ha 10 000 8 à 11 €

Domaine sur Comblanchien et tout près des carrières du si beau marbre bourguignon. La robe ? Intense, profonde, grenat foncé. Le nez ? Un rien de boisé et un discret fruit rouge : il respire son millésime, son lieu et son cépage. Souplesse et structure vont de pair, pour ce vin élégant et sérieux, de bon avenir : cinq ans sont à sa portée. On l'attendra au moins un an.

Dom. A. Chopin et Fils, RD 974, 21700 Comblanchien, tél. 03.80.62.92.60, fax 03.80.62.70.78 r.-v. 4

DOM. CLÉMANCEY 2005

0,24 ha 1 300 8 à 11 €

Bouteille signée par une vieille famille de Couchey (Albert Clémancey publia d'ailleurs une histoire du village) et restée attachée à la polyculture bien après la plupart des domaines viticoles de la Côte. Le vin de la poule au pot dominicale. Une robe cerise noire à reflets violines, des jambes sur les parois du verre : l'œil se déclare satisfait. Un bouquet discret, un rien boisé, reflet d'un élevage en cuve et en fût. Une légère évolution, certes, mais une attaque franche. Un fruité de cerise et une charpente de tanins fins lui attirent de la sympathie. À servir dans les deux ans.

Dom. Clémancey, 33, rue Jean-Jaurès, 21160 Couchey, tél. et fax 03.80.59.87.41, e-mail domaine.clemancey@wanadoo.fr r.-v.

CLOS DES LANGRES Monopole 2004 *

3 ha 16 000 15 à 23 €

Le Clos des Langres est cette très belle maison entourée de vignes qui tient lieu de « poste-frontière » entre Côte de Nuits et Côte de Beaune. Après la cession de la Reine Pédauque et de Corton-André, la famille Liogier d'Ardhuy en a fait le siège de son vignoble : 40 ha, dont ce clos qui aurait été planté au XIes. par les moines de Cluny. Cerise noire à l'œil, fruits confits au nez, ce 2004 s'impose en bouche : très consistant, gras et robuste, il est puissant pour l'appellation. On l'attendra un an ou deux.

Dom. d'Ardhuy, Clos des Langres, 21700 Corgoloin, tél. 03.80.62.98.73, fax 03.80.62.95.15, e-mail domaine@ardhuy.com
r.-v.

DOM. DÉSERTAUX-FERRAND 2005

1,2 ha 8 600 8 à 11 €

On fait volontiers un bout de chemin avec ce chardonnay produit dans la Côte des Pierres, entre Nuits et Ladoix. Or clair à reflets argentés, il diffuse de fines nuances odorantes florales et fruitées. En bouche, les arômes gardent ce style délicat, mariés à la vanille léguée par dix mois d'élevage en fût. La bouche est un peu fugitive, mais l'équilibre est là, et cette bouteille se tiendra bien à table. Le **rouge Les Perrières 2004** obtient la même note.

Dom. Désertaux-Ferrand, 135, Grande-Rue,
21700 Corgoloin, tél. 03.80.62.98.40,
fax 03.80.62.70.32,
e-mail contact@desertaux-ferrand.com
r.-v.

DOM. R. DUBOIS ET FILS 2004

3,3 ha 15 000 8 à 11 €

Ici peu de terre, des sols caillouteux avec des laves (pierres plates dont on recouvrait les toits) qui se délitent. Du calcaire très dur – celui des marches du Sacré-Cœur ou de l'Opéra de Paris. Doux au contraire est le rouge de ce 2004 rubis clair, et ténues ses senteurs de pivoine et de fruits à noyau. Puis le vin attaque avec vivacité, tout en restant léger. Simple et conforme à son appellation, il donne envie d'œufs en meurette.

Dom. R. Dubois et Fils, rte de Nuits-Saint-Georges,
21700 Premeaux-Prissey, tél. 03.80.62.30.61,
fax 03.80.61.24.07, e-mail rdubois@wanadoo.fr
t.l.j. 8h-11h30 13h30-17h30; sam. dim. sur r.-v.

DOM. JEAN FERY ET FILS
Le Clos de Magny 2004

1,34 ha 6 800 8 à 11 €

Climat tout au-dessus de Cor-au-Loin, le vieux nom, dit-on, de Corgoloin : le sud de la Côte de Nuits. Pascal Marchand, haute figure canadienne du vin, assure les vinifications, après quelques années passées chez Boisset et à la Vougeraie. La robe ? « Normale », le rubis attendu. Complexe, le nez suscite plus d'épithètes. Un dégustateur évoque la « taillure du crayon », puis la palette retrouve un fruité confituré, avec des nuances végétales. Un vin franc, équilibré, sur le fruit mûr en finale. À servir dans les deux ans.

Dom. Jean Fery et Fils, 1, rte de Marey,
21420 Échevronne, tél. 03.80.21.59.60,
fax 03.80.21.59.59, e-mail fery.vin@wanadoo.fr
r.-v.

DOM. FOUGERAY DE BEAUCLAIR 2005

1,38 ha 6 000 15 à 23 €

Il faut bien que noblesse se fasse. Jean-Louis Fougeray, son épouse Évelyne Beauvais et Bernard Clair, cela donne Fougeray de Beauclair. Patrice le gendre a pris la gérance. La saga s'est poursuivie en Languedoc. Si le grand-père Louis Collote avait vu ça ! Ce vin ? Violine, épicé, franc à l'attaque, il n'abuse pas de ses tanins et mise sur le fruit, plus précisément la cerise qui opère un joli retour en finale. On l'appréciera dans les deux ou trois ans qui viennent.

Dom. Fougeray de Beauclair, 44, rue de Mazy,
21160 Marsannay-la-Côte, tél. 03.80.52.21.12,
fax 03.80.58.73.83,
e-mail fougeraydebeauclair@wanadoo.fr
t.l.j. 9h-12h 14h-18h; sam. dim. sur r.-v.

DOM. GACHOT-MONOT Les Chaillots 2004

2 ha 7 748 8 à 11 €

Domaine situé à Corgoloin, à l'extrêmité sud de la Côte de Nuits. Savez-vous que ce village eut naguère pour curé un ancien missionnaire fondateur de la ville d'Igloo-kik en pays inuit ? Cette propriété, qui écoule 60 % de sa production à l'export, expédie ses bouteilles jusqu'en Australie et en Nouvelle-Zélande, autres terres de mission. Pourpre brillant, discrètement vanillée (seize mois en fût), cette bouteille est vive et tannique, car assez solidement structurée. Peu de longueur sans doute, une pointe d'amertume assez habituelle en finale, mais l'ensemble offre ce que l'on attend de l'appellation.

Dom. Gachot-Monot, 3, rue de La Bretonnière,
21700 Corgoloin, tél. 03.80.62.93.03,
fax 03.80.62.77.47, e-mail gachot-monot@wanadoo.fr
r.-v.

JÉRÔME GALEYRAND Vieilles Vignes 2005 ★★

0,5 ha 2 000 11 à 15 €

Jérôme Galeyrand habite Saint-Philibert, village de la plaine de Gevrey d'où venait Nono, le personnage du roman de Roupnel, archétype du vigneron des années 1900. Installé en 2002 sur quelques bouts de vignes, il pourrait paraphraser le héros de Balzac : « À nous deux la Côte ! » Ses succès ont été rapides. Ce vin reflète sa maîtrise. Profondeur et brillance, texture et persistance : on atteint le haut de gamme. Un séjour de dix-huit mois en fût a légué à ce 2005 un boisé toasté très marqué, mais le nez reste élégant et le fruit mûr perce sous le chêne. À laisser en cave au moins trois ans.

Jérôme Galeyrand, 16, rue de Gevrey,
21220 Saint-Philibert, tél. 06.61.83.39.69,
fax 03.80.34.39.69,
e-mail jerome.galeyrand@wanadoo.fr r.-v.

DOM. PHILIPPE GIRARD La Montagne 2005 ★

0,17 ha 800 8 à 11 €

La Montagne est un *climat* de Corgoloin, proche de Ladoix et montant sur Magny. Dans la Côte des Pierres, selon le nom que lui donna le géologue Raymond Ciry, doyen de la faculté des sciences de Dijon. Rouge violet à l'œil, cerise noire au nez, cassis en renfort efficace ; une note d'amertume qui marque sa personnalité, de la charpente, une longueur suffisante... Que demander de plus ? L'envie d'y goûter doit être maîtrisée une bonne année.

Philippe Girard, 37, rue du Gal-Leclerc,
21420 Savigny-lès-Beaune, tél. 03.80.21.57.97,
fax 03.80.26.14.84,
e-mail domaine-girard.philippe@wanadoo.fr
t.l.j. sf dim. 8h-12h 14h-19h

DOM. ALAIN JEANNIARD Vieilles Vignes 2005

0,2 ha 1 600 15 à 23 €

Propriétaire vigneron et salarié des Hospices de Beaune, Alain Jeanniard a créé aussi une affaire de négoce. Couleur intense et profonde. Pureté des arômes de fruits rouges, pinotant bien. Fraîcheur du nez. Une certaine fermeté en bouche liée à une bonne charpente ; des épices pour l'agrément. Une bonne bouteille que l'on dégustera sans se hâter : on pourra l'ouvrir dès maintenant, ou l'attendre trois à cinq ans.

Alain Jeanniard, 4, rue aux Loups,
21220 Morey-Saint-Denis, tél. et fax 03.80.58.53.49,
e-mail domaine.ajeanniard@wanadoo.fr r.-v.

GILLES JOURDAN 2005

1 ha 6 200 11 à 15 €

Un vin né sur le versant sud de l'appellation : il provient des *climats* de la Montagne et du Creux de Soron, voisins de Ladoix. Le rouge est mis, avec éclat. Le bois domine (douze mois et probablement du fût neuf), mais la framboise est à l'affût. Des tanins actifs mais assez bien fondus. Une structure solide : une bouteille à laisser vieillir un peu (un an ou deux).

🔑 Dom. Gilles Jourdan, 114, Grande-Rue, 21700 Corgoloin, tél. et fax 03.80.62.97.48, e-mail domaine.jourdan@wanadoo.fr ☑ Y ✝ r.-v.

GÉRARD JULIEN 2003

■ 5,74 ha 10 000 ▮ 11 à 15 €

Cas de figure original : un 2003. D'un rouge cardinal profond (il reste du violet dans la robe), ce pinot noir tire naturellement vers le pruneau et le fruit en compote. Peu d'acidité et c'est normal. Un dessin atypique, dans la lignée du millésime, mais aux lignes plaisantes. À déboucher dès maintenant.

🔑 Gérard Julien, 2, RN 74, 21700 Comblanchien, tél. 03.80.62.94.22, fax 03.80.62.70.48, e-mail ghislaine.julien@wanadoo.fr ☑ Y r.-v.

DOM. SYLVAIN LOICHET Aux Montagnes 2005

■ 1,48 ha 3 000 ⦀ 11 à 15 €

Ne pas confondre La Montagne - sur Corgoloin - et Aux Montagnes (celui-ci) - sur Comblanchien. On ne peut d'ailleurs pas être plus proche des carrières du « carrare français ». Sylvain Loichet est arrivé en 2005 sur ce domaine, situé sur la D 973 (D 973 ? Elle succède à la N 74 : la route des Grands Crus). Quant au vin, il luit d'un bel éclat. Cassis et poivre forment un duo classique dans l'appellation. En bouche, une belle attaque et une structure prometteuse. De la sévérité et un rien d'amertume, péchés de jeunesse : attendre deux ou trois ans.

🔑 Dom. Sylvain Loichet, 12, RN 74, 21700 Comblanchien, tél. 06.80.75.50.67, fax 03.80.61.24.69, e-mail slvn21@hotmail.fr ☑ Y ✝ r.-v.

DOM. PROTOT 2004

■ 2,3 ha 5 600 ⦀ 5 à 8 €

Rubis moyen, il est issu d'un petit domaine (3,86 ha, dont 2,3 ha dans cette appellation). Le nez est bien typé : des fruits rouges sous un boisé léger (dix-huit mois de fût). L'attaque ne manque ni de nerf ni d'élégance. Vivacité marquée et tanins quelque peu wagnériens. Mais on aime ce panache. À signaler, les cuves de bois, ce qui devient rare.

🔑 Dom. Protot, 16, rue de l'Église, 21700 Premeaux-Prissey, tél. 03.80.62.35.13 ☑ Y ✝ r.-v.

La Côte de Beaune

Ladoix

Trois hameaux, Serrigny, près de la ligne de chemin de fer, Ladoix, sur la RN 74, et Buisson, au bout de la Côte de Nuits, composent la commune de Ladoix-Serrigny. L'appellation communale est ladoix. Le hameau de Buisson est situé exactement à la frontière géographique des Côtes de Nuits et de Beaune. La limite administrative s'est arrêtée à la commune de Corgoloin, mais la colline, elle, continue un peu plus loin : les vignes et les vins aussi. Au-delà de la combe de Magny, qui concrétise la séparation, commence la montagne de Corton, aux grandes pentes à intercalations marneuses, constituant avec toutes ses expositions, est, sud et ouest, l'une des plus belles unités viticoles de la Côte.

Ces différentes situations confèrent à l'appellation ladoix une variété de types auxquels s'ajoute une production de vins blancs mieux adaptés aux sols marneux de l'argovien ; c'est le cas des Gréchons, par exemple, situés sur les mêmes niveaux géologiques que les corton-charlemagne, plus au sud, mais jouissant d'une exposition moins favorable. Les vins de ce lieu-dit sont très typés. S'étendant sur plus de 60 ha, l'appellation ladoix est peu connue ; c'est dommage ! En 2006, elle a produit 2 370 hl en *village* rouge et 770 hl en premiers crus rouges, 453 hl en *village* blanc et 446 hl en premiers crus blancs.

Autre particularité : bien que jouissant d'une classification favorable donnée par le Comité de viticulture de Beaune en 1860, Ladoix ne possédait pas de premiers crus, omission qui a été régularisée par l'INAO en 1978 : La Micaude, La Corvée et Le Clou d'Orge, aux vins de même caractère que ceux de la Côte de Nuits, Les Mourottes (basses et hautes), aux allures sauvages, Le Bois-Roussot, Sur la Lave, sont les principaux de ces premiers crus.

PHILIPPE BOUCHARD 2005 *

■ 0,3 ha 1 500 ⦀ 11 à 15 €

Bouchard ? Il y en a plus d'un en Bourgogne. Ici, une marque de Reine Pédauque et Corton-André. Un bon ladoix à la robe intense, au nez de cassis et qui entre en bouche comme un nouvel élu au quai Conti. Avec discours de réception mûr, concentré, un peu vif selon le goût de la personne... Ne pas se précipiter. Il y a encore loin de la chose au geste. Cinq ans devraient faire l'affaire.

🔑 Philippe Bouchard, 21420 Aloxe-Corton, tél. 03.80.25.00.00, fax 03.80.26.42.00, e-mail france@corton-andre.com ✝ t.l.j. sf sam. dim. 9h-12h 14h-17h

DOM. CACHAT-OCQUIDANT 2005 *

■ 1,8 ha 5 000 ⦀ 8 à 11 €

La famille Lobreau dont est issue la famille Cachat-Ocquidant possédait un vaste domaine morcelé à la suite de partages. Le fameux clos des Vergennes, acquis naguère par l'aïeul parti à une vente aux enchères pour acheter une maison. « Qu'est-ce que nous rapporte une vigne ! », s'écria indignée son épouse... Rouge framboise, un ladoix très parfumé (fruits, toasté), encore ferme en fin de course, mais qu'on aime bien dans sa structure un peu serrée. Nullement spectaculaire, mais efficace et prêt à patienter deux ans en cave.

🔑 Dom. Cachat-Ocquidant, 3, pl. du Souvenir, Cidex 1, 21550 Ladoix-Serrigny, tél. 03.80.26.45.30, fax 03.80.26.48.16 ☑ Y ✝ r.-v.

CAPITAIN-GAGNEROT
La Micaude Monopole 2005 ★

■ 1er cru	1,63 ha	8 000	🛢 15 à 23 €

La Micaude. Un monopole. Au-delà du hameau de Buisson et tout à fait en zone nord. « Loyauté fait ma force », proclame l'étiquette traditionnelle. Et cela fait plus de deux siècles que cela dure. Quant à ce 2005, il s'affiche dans une robe rubis superbe. Son nez est un peu discret, mais on y décèle déjà le fruit mûr et le sous-bois. En bouche, les fondations sont là (structure, équilibre, longueur), même si le vin est encore fermé à double tour. Ouverture prévue en 2010.

Capitain-Gagnerot, 38, rte de Dijon,
21550 Ladoix-Serrigny, tél. 03.80.26.41.36,
fax 03.80.26.46.29,
e-mail contact@capitain-gagnerot.com r.-v.

CLAUDE CHEVALIER Les Gréchons 2005 ★

1er cru	0,47 ha	2 500	🛢 15 à 23 €

Une figure du vignoble, de présidence en présidence. Clair et limpide à l'œil, mirabelle et agrumes, une touche de miel au nez, et en bouche le bon mariage de l'amertume et de l'acidité. Citons, à peu près au même endroit, sur le haut, le **Bois de Gréchons village blanc 2005 (11 à 15 €)** d'excellente composition.

SARL Claude Chevalier, Buisson,
21550 Ladoix-Serrigny, tél. 03.80.26.46.30,
fax 03.80.26.41.47, e-mail ladoixch@club-internet.fr
r.-v.

DOM. CORNU Le Bois Roussot 2004

■ 1er cru	0,7 ha	4 500	🛢 15 à 23 €

Le Bois-Roussot jouxte Les Joyeuses et Les Moutottes, pas très loin du grand cru corton. La robe de ce 2004 joue la fidélité au pinot et au millésime, dans sa teinte comme dans son intensité. Plutôt léger, donc, mais c'est normal. Le nez s'ouvre sur le végétal et un fin boisé. La bouche est simple, entre souplesse et fruité. Agréable et prêt.

Dom. Cornu, rue du Meix-Grenot,
21700 Magny-lès-Villers, tél. 03.80.62.92.05,
fax 03.80.62.72.22, e-mail domaine.cornu@wanadoo.fr
r.-v.

EDMOND CORNU ET FILS Vieille Vigne 2004 ★

■	2,7 ha	10 000	🛢 11 à 15 €

Vieille Vigne ? Cinquante-cinq ans en moyenne selon le producteur. C'est un âge honorable en effet. Rénovation de la cave en 2005 ; ce vin n'en a pas profité mais il garde son mot à dire. Rubis, gras, le nez sur le noyau de cerise sans trop insister : c'est un 2004 complexe, équilibré entre des tanins ronds et une vivacité porteuse. Longue finale sur la cerise.

GAEC Edmond Cornu et Fils,
Le Meix-Gobillon, rue du Bief, 21550 Ladoix-Serrigny,
tél. 03.80.26.40.79, fax 03.80.26.48.34
r.-v.

CHRISTIAN GROS Les Gréchons 2005 ★

1er cru	1,4 ha	n.c.	🛢 11 à 15 €

La *douâ*, la source vauclusienne, c'est l'origine du nom du village de Ladoix qui doit tout à l'eau. Mais le vin a pris le dessus ! Christian Gros en sait quelque chose, lui dont la famille cultive la vigne depuis plus de quatre siècles dans les parages. Des Gréchons bien aimables en chardonnay sur l'habituelle note d'amertume. Miel et fleurs au nez. Du corps, de l'équilibre et de la longueur. Pour maintenant ou dans un an.

Christian Gros, 5, rue de la Chaume,
21700 Premeaux-Prissey, tél. 03.80.61.29.74,
fax 03.80.61.39.77, e-mail christian.gros10@wanadoo.fr
t.l.j. 9h-12h 14h-19h

DOM. ROBERT ET RAYMOND JACOB 2005 ★

	1 ha	6 000	🛢 11 à 15 €

Un blanc agrumes et citron, doré à l'or fin, boisé certes mais sans excès car il a su digérer son élevage (un an en fût). Frais et bientôt vif, accordant au gras la considération nécessaire sans trop mettre l'accent, il se montre au palais plus persistant que généreux. Il aura dès maintenant sa place à table sur quelque mets raffiné.

Dom. Robert et Raymond Jacob,
hameau de Buisson, 21550 Ladoix-Serrigny,
tél. 03.80.26.40.42, fax 03.80.26.49.34,
e-mail domainejacob@orange.fr r.-v.

DOM. SYLVAIN LOICHET
Bois de Gréchons 2005 ★

	0,97 ha	1 200	🛢 15 à 23 €

Installation en 2005. Premier millésime donc, et on lui trouve déjà des qualités. Une entrée en bouche désirable, de la rondeur affectueuse et une matière entière. Un certain support acide contribue au concert amoureux. Citron et silex dans l'accompagnement aromatique, or limpide et marqué pour l'apparat. Bâtiments et caves voûtées du XVIIIes.

Dom. Sylvain Loichet, 12, RN 74,
21700 Comblanchien, tél. 06.80.75.50.67,
fax 03.80.61.24.69, e-mail slvn21@hotmail.fr
r.-v.

DOM. MICHEL MALLARD ET FILS
Les Gréchons 2004 ★

1er cru	0,77 ha	5 500	🛢 15 à 23 €

Dans la famille, un aïeul se fit carrier tant la vigne désespérait. Et puis, on a bien remonté la pente et l'on exploite un Gréchons en haut du pays. Une couleur assez soutenue, peu d'acidité, un bouquet de miel et de litchi, une concentration très forte et un rien d'évolution. Il donne l'envie de le servir et c'est déjà beaucoup. Poisson en sauce, à titre de conseil.

Dom. Michel Mallard et Fils, 43, rte de Dijon,
21550 Ladoix-Serrigny, tél. 03.80.26.40.64,
fax 03.80.26.47.49, e-mail domainemallard@hotmail.fr
r.-v.

DOM. MARATRAY-DUBREUIL
Les Nagets Monopole 2005

1er cru	0,53 ha	3 500	🛢 11 à 15 €

Le domaine fut fondé en 1935 lorsque le père de Maurice Maratray préféra réinvestir ses gains dans l'achat de vignes plutôt que dans le renouvellement du matériel de son entreprise de travaux publics. Sage décision, et la fille de Pierre Dubreuil y ajouta du corton-charlemagne. Monopole de ce 1er cru haut placé sur le coteau. Robe or clair, nez de pêche blanche et de miel, un 2005 charnu et assez concentré, qui ne s'éternise pas en bouche mais qui se montre fort plaisant. Il est prêt.

BOURGOGNE

Dom. Maratray-Dubreuil, 5, pl. du Souvenir, 21550 Ladoix-Serrigny, tél. 03.80.26.41.09, fax 03.80.24.49.07, e-mail maratray-dubreuil@orange.fr r.-v.

MESTRE PÈRE ET FILS Clou d'Orge 2004 *

1er cru 0,44 ha 3 000 11 à 15 €

Le Clou d'Orge se trouve au bord de la route vers Magny-lès-Villers. Le Clou, c'est le clos. Récoltait-on de l'orge à Ladoix ? La question reste posée. Clair et limpide, le fruit jaune équilibrant un boisé correct, un vin charmant, d'une vivacité à prendre pour modèle. Et cela dure un temps fou dans l'arrière-bouche. Truite ou saumon, à votre guise. À Saint-Romain ou à Santenay : une famille voyageuse mais toujours là au bon moment.

Mestre Père et Fils, 12, pl. du Jet-d'Eau, 21590 Santenay, tél. 03.80.20.60.11, fax 03.80.20.60.97, e-mail gilbert.mestre@wanadoo.fr
t.l.j. 10h-13h 14h-18h

DOM. NUDANT 2005 *

1,51 ha 10 000 11 à 15 €

Quand on approche de cette bouteille, la serrant par le bout des doigts, elle dit : « chut ! ». Encore austère en finale sur le fruit noir, elle n'est pas prête à s'offrir. L'histoire commençait pourtant bien : couleur cerise noire, elle avait séduit par son nez fin et fruité (cerise, cassis). Ce n'est que partie remise et dans deux ou trois ans, on découvrira sa bouche ronde et fine, équilibrée et persistante. Coup de cœur dans le millésime 2003 et en Gréchons blanc dans le millésime 2000.

Dom. Nudant, 11, rte de Dijon, 21550 Ladoix-Serrigny, tél. 03.80.26.40.48, fax 03.80.26.47.13, e-mail domaine.nudant@wanadoo.fr
t.l.j. sf dim. 9h-12h 14h-18h; sam. sur r.-v.; f. août

DOM. CHRISTIAN PERRIN Les Joyeuses 2005

1er cru 0,17 ha 900 11 à 15 €

Les Joyeuses, Les Coquines... les filles de Ladoix ont du tempérament. Domaine en conversion bio. Robe très soutenue. Nez de bourgeon de cassis, bois bien intégré et cette touche d'encre qui a toujours passionné les dégustateurs anglo-saxons. On retrouve les mêmes caractéristiques en bouche. Charpenté, très marqué par des notes minérales, un ladoix à attendre deux à trois ans.

Dom. Christian Perrin, 14, av. de Corton, 21550 Ladoix-Serrigny, tél. 03.80.26.40.93, fax 03.80.26.48.40, e-mail domaineperrinchristian@club-internet.fr
r.-v.

DOM. PETITOT 2004 *

0,65 ha 3 900 8 à 11 €

Vignoble développé à la fin des années 1970 par Jean Petitot, puis par Hervé en duo avec son épouse Nathalie, œnologue. Bonne équipe ! Cerise violine, ce 2004 reste mesuré au nez, mais la bouche est sincère, ronde, longue et fondue. Cela roule et roule bien. Très agréable dans les deux prochaines années.

Dom. Jean Petitot et Fils, 26, pl. de la Mairie, 21700 Corgoloin, tél. 03.80.62.98.21, fax 03.80.62.71.64, e-mail domaine.petitot@wanadoo.fr
t.l.j. sf dim. 8h-12h 14h-18h30

DOM. PRIN Les Joyeuses 2004

1er cru 0,22 ha 1 309 11 à 15 €

Le **village rouge 2004 (8 à 11 €)**, cité, est tout à fait dans le bon profil. Et ces Joyeuses ? Rondeur et texture, framboise et fraise, un 2004 d'un volume moyen, conforme à son millésime mais qui ne déçoit pas. Un vin bien inspiré et agréable dès aujourd'hui. Coup de cœur dans l'édition 2002 pour le 1998 rouge.

Dom. Prin, 12, rue de Serrigny, Cidex 10, 21550 Ladoix-Serrigny, tél. 03.80.26.45.83, fax 03.80.26.46.16, e-mail domaineprin@yahoo.fr
r.-v.
Jean-Luc Boudrot

Aloxe-corton

Si l'on tient compte de la superficie classée en corton et corton-charlemagne, l'appellation aloxe-corton en occupe une faible part, sur la plus petite commune de la Côte de Beaune, et a produit en 2006, en rouge 3 378 hl en *village* et 1 524 en premier cru, et en blanc 69 hl en *village*. Les premiers crus y sont réputés : Les Maréchaudes, Les Valozières, Les Lolières (grandes et petites) sont les plus connus.

La commune est le siège d'un négoce actif et plusieurs châteaux aux magnifiques tuiles vernissées méritent le coup d'œil. La famille Latour y possède un superbe domaine dont il faut visiter la cuverie du siècle dernier, qui reste encore un modèle du genre pour les vinifications bourguignonnes.

PIERRE ANDRÉ Les Paulands 2005

1er cru 0,3 ha 1 300 46 à 76 €

Dominique Derozier, ancien sommelier chez Lucas-Carton, est devenu récemment le directeur des ventes de Corton-André pour la France. Sous une robe fortement appuyée et concentrée, ces Paulands offrent une composition aromatique assez variée : vanille, fruits rouges et notes empyreumatiques. Charnu, charpenté, c'est un vin qui gagnera à être carafé avant d'être servi.

Pierre André, Ch. de Corton-André, 21420 Aloxe-Corton, tél. 03.80.26.44.25, fax 03.80.26.43.57, e-mail france@corton-andre.com
t.l.j. 10h-12h 14h30-18h

ARNOUX PÈRE ET FILS 2005

0,8 ha 3 000 15 à 23 €

On peut faire confiance à Claude Chapuis quand il affirme que les vins de l'appellation ont « la mâche pleine », du moins dans leur jeunesse. Celui-ci répond bien à ce portrait-robot : ample, charnu, il est encore ferme et à garder plusieurs années en cave si l'on veut vraiment profiter du meilleur de ses qualités. Acidité correcte qui devrait assurer son avenir.

Arnoux Père et Fils, rue des Brenôts, 21200 Chorey-lès-Beaune, tél. 03.80.22.57.98, fax 03.80.22.16.85 r.-v.

MICHEL BOUCHARD 2005 *

■ n.c. n.c. 🛢 15 à 23 €

Michel Bouchard est l'une des signatures de Bouchard Père et Fils. Sans extraction excessive, un 2005 paré de la vraie robe du pinot noir. La vanille est bien fondue dans un bouquet fruité (cerise et kirsch en tonalité principale). En bouche, ce vin fait preuve de beaucoup d'élégance, montrant également une bonne structure décorée de notes fruitées et d'un léger boisé. Tanins prometteurs. À déboucher dans les deux ou trois ans.

🔑 Maison Michel Bouchard, 15, rue du Château, 21200 Beaune, tél. 03.80.24.80.50, fax 03.80.22.55.88

DOM. CACHAT-OCQUIDANT 2005 *

■ 1er cru 0,15 ha 900 🛢 15 à 23 €

Deux excellentes bouteilles. Ce 1er cru a droit à des compliments qui dépassent l'estime ordinaire. Il est en effet partagé entre la chair mûre d'un Rubens et les tanins rigides d'un Bernard Buffet. Pas très loin d'une deuxième étoile, mais que lui manque-t-il ? De toute évidence, ce qu'il garde dans son baluchon pour arriver à l'étape frais et dispos. Comprendre la Bourgogne, c'est comprendre cela. Le **village rouge 2005 (11 à 15 €)** décroche également une étoile. Il se prépare à une étreinte plus prompte.

🔑 Dom. Cachat-Ocquidant, 3, pl. du Souvenir, Cidex 1, 21550 Ladoix-Serrigny, tél. 03.80.26.45.30, fax 03.80.26.48.16 ☑ Y 🚶 r.-v.

CAPITAIN-GAGNEROT Les Moutottes 2005 **

■ 1er cru 1,48 ha 6 000 🛢 23 à 30 €

Il y a des Mourottes et des Moutottes. Avant de déguster, prendre ses lunettes. Les Moutottes sont classées en partie en grand cru, en partie en 1er cru. Le nez est ici riche et puissant : fruits rouges, évidemment, et notes de sous-bois. La bouche n'est pas en reste : chair ferme, structure ample et dosage du bois réussi. Toutes les conditions de la garde et de l'épanouissement sont réunies. Chaque chose est à sa place et bien définie. Coup de cœur dans l'édition 2005 pour le millésime 2002.

🔑 Capitain-Gagnerot, 38, rte de Dijon, 21550 Ladoix-Serrigny, tél. 03.80.26.41.36, fax 03.80.26.46.29, e-mail contact@capitain-gagnerot.com ☑ Y 🚶 r.-v.

DOM. DU CHÂTEAU-GRIS Les Fournières 2004 *

■ 1er cru 0,38 ha 5 400 🛢 23 à 30 €

Les Fournières sont nichées tout au cœur d'Aloxe. Grenat violacé et un boisé très léger servant de balancier au fruit rouge. L'attaque est sans concession, mais la situation devient plus ordonnée, plus fondue en milieu de bouche. Finale à la Beethoven, faisant revenir le thème central en l'enveloppant d'un quelque chose en plus. Patientez donc quelques années.

🔑 Dom. du Château-Gris, 17, av. du Gal-de-Gaulle, 21700 Nuits-Saint-Georges, tél. 03.80.61.25.02, fax 03.80.24.37.38, e-mail bourgogne@lupe-cholet.com

🔑 Lupé-Cholet

DOM. CHEVALIER PÈRE ET FILS 2004

■ 1,5 ha 8 000 🛢 15 à 23 €

Émile Dubois constitue le domaine en 1885, alors que le phylloxéra bat son plein. Georges Chevalier le reprend, puis son fils Claude, haute figure de la profession vitivinicole en Côte-d'Or, perpétue la tradition. Son 2004 présente un léger signe d'évolution à l'œil. Joli nez fruité, typé pinot (griotte), tirant vers l'animal. Attaque harmonieuse, légère amertume, un peu de tonicité, mais de la mâche et des tanins conviviaux. Fin de bouche chaleureuse. Rôti de veau braisé, mais dans trois ans seulement.

🔑 SCE Chevalier Père et Fils, Buisson, 21550 Ladoix-Serrigny, tél. 03.80.26.46.30, fax 03.80.26.41.47, e-mail ladoixch@club-internet.fr ☑ Y 🚶 r.-v.

🔑 Claude Chevalier

EDMOND CORNU ET FILS Vieilles Vignes 2004 *

■ 2 ha 11 000 🛢 15 à 23 €

Cinquante-cinq ans en moyenne, c'est un âge raisonnable pour des vignes. Les conduire en viticulture raisonnée, cela ne peut que leur faire du bien. Le résultat ? Ce 2004 grenat clair à reflets violacés, au nez encore discret. Pour les fruits rouges, adressez-vous donc à la bouche. Elle vous les servira avec souplesse sur un lit de tanins, relevés d'une pointe de fraîcheur. Un vin plein de finesse, qui saura faire la conversation à une daube.

BOURGOGNE

La Côte de Beaune Nord

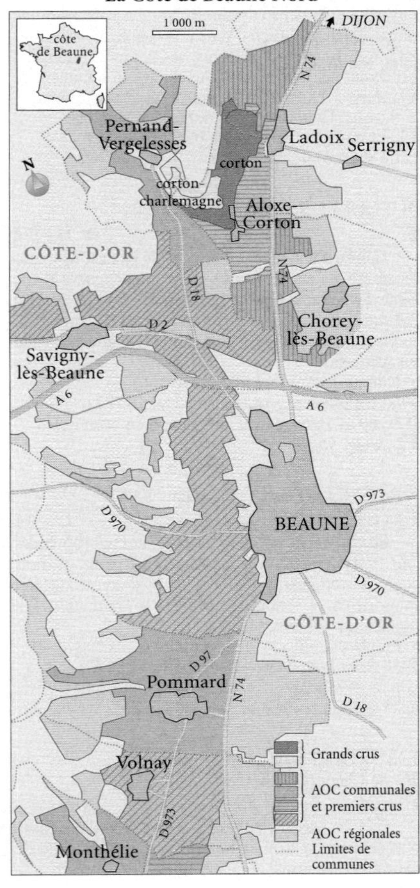

GAEC Edmond Cornu et Fils, Le Meix-Gobillon, rue du Bief, 21550 Ladoix-Serrigny, tél. 03.80.26.40.79, fax 03.80.26.48.34 r.-v.

BOURGOGNES YVES DARVIOT 2004

■ 0,2 ha 1 200 15 à 23 €

Affaire de négoce à côté de l'activité du domaine. Un aloxe-corton à la robe rubis foncé bien typée dans son millésime. Derrière le boisé s'ouvrent des nuances de mousse et de sous-bois, où rôde l'animal. Pointe réglissée. Franc et robuste, épicé en bouche, il devra être servi au bon moment dans son évolution, probablement dans deux ans.

Dom. Yves Darviot, 2, pl. Morimont, 21200 Beaune, tél. 03.80.24.74.87, fax 03.80.22.02.89, e-mail contact@yvesdarviot.com r.-v.

BERNARD DUBOIS ET FILS
Les Brunettes 2004 *

■ 1,5 ha 3 000 15 à 23 €

Des vignerons de père en fils depuis 1850. Les Brunettes portent chance à ce domaine, coup de cœur dans l'édition 2000 pour le millésime 1996. Voici à nouveau un vin riche et plein. Robe rubis soutenu d'une bonne limpidité. Discret vanillé (dix-huit mois en fût) marié à la framboise. Présents, ses tanins ne montrent aucune dureté. Une mâche consistante, un sentiment de solidité avec des nuances de prunelle et de pêche blanche.

Bernard Dubois et Fils, 14, rue des Moutots, 21200 Chorey-lès-Beaune, tél. 06.29.74.46.75, fax 03.80.24.61.43 r.-v.

DUFOULEUR PÈRE ET FILS 2005

■ n.c. 5 360 15 à 23 €

Habillé d'une robe sombre, ce 2005 joue le fruit mûr (cerise, cassis) au nez mais sans lourdeur, relevé d'une pointe d'épices. La bouche retrouve ces arômes, avec du gras, une bonne rondeur et des tanins un peu fermes qu'il faudra avoir la patience d'attendre. Harmonie atteinte dans deux ans.

Dufouleur Père et Fils, 17, rue Thurot, 21700 Nuits-Saint-Georges, tél. 03.80.61.21.21, fax 03.80.61.10.65, e-mail dufouleur@dufouleur.com t.l.j. 9h-19h

DOM. ESCOFFIER Les Chaillots 2004 *

■ 1er cru 0,97 ha n.c. 23 à 30 €

Le *Climat* Les Chaillots est situé sur Ladoix près des Lolières. Tout est clair ? Robe violacée, un panier de fruits rouges très croquants, une matière bien construite. Les tanins riches et fondus concourent à l'harmonie. Un ensemble de bonne tenue.

Franck Escoffier, 16, rue du Parc, 71350 Saint-Loup-Géanges, tél. 06.11.55.80.67, fax 03.85.49.98.22, e-mail domaine.escoffier@wanadoo.fr r.-v.

DOM. FOLLIN-ARBELET
Clos du Chapitre 2004 **

■ 1er cru 1 ha 4 000 15 à 23 €

Ce Clos du Chapitre est dans les Meix. Il n'a pas le coup de cœur, mais il arrive bon premier. Un coup de chapeau n'est pas mal non plus. Intense et concentrée, sa couleur est impériale. Passez muscade ! Cette épice, la vanille et la groseille composent un nez attrayant. En bouche, un gras si profond qu'on s'y perdrait volontiers, une complexité à la Bachelard (grand amateur de vin de Bourgogne, qu'il se faisait livrer en fûts dans sa petite maison de Dijon et qu'il mettait lui-même en bouteilles). Les tanins ? Bien élevés, ils sauront attendre.

Dom. Follin-Arbelet, Les Vercots, 21420 Aloxe-Corton, tél. 03.80.26.46.73, fax 03.80.26.43.32, e-mail franck.follin-arbelet@wanadoo.fr r.-v.

DOM. ROBERT ET RAYMOND JACOB 2005

■ 1er cru 1 ha 6 000 15 à 23 €

Coup de cœur dans l'édition 2006 pour cette même cuvée dans le millésime 2003, ce domaine sait faire de grandes choses. Quels arguments en faveur de ce 2005 ? De l'intensité aromatique avec une dominante cerise, une bouche équilibrée et fine, une certaine persistance. Sa petite pointe d'acidité, son potentiel réel le conduiront vers un bœuf bourguignon. Pas avant deux à trois ans : vous avez tout le temps de préparer la cocotte et de la mettre à feu doux...

Dom. Robert et Raymond Jacob, hameau de Buisson, 21550 Ladoix-Serrigny, tél. 03.80.26.40.42, fax 03.80.26.49.34, e-mail domainejacob@orange.fr r.-v.

DANIEL LARGEOT 2005 *

■ 0,6 ha 3 600 11 à 15 €

Domaine coup de cœur il y a trois ans. Ce 2005 entreprend sagement son éducation olfactive en récitant sa leçon de fruits rouges. Gras et distingué, il pratique en bouche les bonnes manières. L'élevage en fût (quinze mois) contribue à sa longueur sans pour autant en faire trop. Équilibre et consistance, voilà qui est dit.

Dom. Daniel Largeot, 5, rue des Brenôts, 21200 Chorey-lès-Beaune, tél. 03.80.22.15.10, fax 03.80.22.60.62 r.-v.

DOM. MARATRAY-DUBREUIL 2005 *

■ 1,2 ha 7 000 11 à 15 €

La robe a l'éclat du rubis place Vendôme. Mais pourquoi s'arrêter à la robe ? La cerise bien mûre est odorante ici jusqu'en son noyau. Solides surtout en finale, les tanins tiennent dans la partition le rôle des cuivres. Charpenté, long, ce 2005 plein d'avenir s'épanouira vers 2010. Toujours se rappeler que ce vin doit faire son apprentissage.

Dom. Maratray-Dubreuil, 5, pl. du Souvenir, 21550 Ladoix-Serrigny, tél. 03.80.26.41.09, fax 03.80.24.49.07, e-mail maratray-dubreuil@orange.fr r.-v.

DOM. DIDIER MEUNEVEAUX 2004 *

■ 1er cru 0,84 ha 2 800 15 à 23 €

Didier Meuneveaux est le neveu de René Quénot qui fut longtemps le président du Syndicat des vignerons d'Aloxe. Famille liée naguère aux maisons Latour et Arbelet. Les arômes évoquant le tabac seront-ils prohibés dans les lieux publics ? S'il en était ainsi, on aurait du mal à servir cette bouteille au restaurant... Mais son bouquet ne se limite pas à ce parfum, il exprime aussi le raisin de Corinthe et le gibier. Légère puissance des tanins qui marquent un relief à aplanir. Style un peu corsé, mais le potentiel est là.

🔑 Didier Meuneveaux, 9, pl. des Brunettes,
21420 Aloxe-Corton, tél. 03.80.26.42.33,
fax 03.80.26.48..60,
e-mail tmeuneveaux@club-internet.fr ☑ Ƴ ⻏ r.-v.

DOM. NUDANT
Clos de la Boulotte Monopole 2004 *

■ 1,12 ha 6 000 ⓘ 15 à 23 €

Monopole, ce clos de la Boulotte est situé sur Aloxe, aux abords des maisons du village. Robe grenat, profonde, intense, limpide à nuance de mûre. Petits fruits rouges et noirs au nez. Un peu de bois perceptible avec une légère amertume, mais un vin riche, complexe, intéressant et qui évoluera bien. À servir d'ici deux à trois ans sur une belle côte de bœuf.

🔑 Dom. Nudant, 11, rte de Dijon,
21550 Ladoix-Serrigny, tél. 03.80.26.40.48,
fax 03.80.26.47.13, e-mail domaine.nudant@wanadoo.fr
☑ Ƴ t.l.j. sf dim. 9h-12h 14h-18h; sam. sur r.-v.; f. août

DOM. POULLEAU PÈRE ET FILS 2005 *

■ 0,26 ha 1 500 ⓘ 15 à 23 €

Thierry et Florence Poulleau ont repris l'exploitation (8,16 ha) il y a quelque dix ans. Ils proposent un aloxe-corton d'une teinte très soutenue. Senteurs fruitées élégantes, sur fond boisé. En bouche, un vin onctueux, velouté, flatteur mais qui ne vit pas aux dépens de celui qui le boit. Choisissez pour le marier une *pouleillotte*, comme on disait en Bourgogne pour parler d'une poulette. Vous avez deux ans pour la trouver.

🔑 Dom. Michel Poulleau Père et Fils,
rue du Pied-de-la-Vallée, 21190 Volnay,
tél. 03.80.21.26.52, fax 03.80.21.64.03,
e-mail domaine.poulleau@wanadoo.fr ☑ Ƴ ⻏ r.-v.

DOM. GEORGES ROY ET FILS 2004

■ 0,5 ha 2 900 ⓘ 11 à 15 €

Velours pourpre, un joli rideau de scène. Il s'ouvre sur les trois coups... de nez. Flatteur, un tantinet évolué, le parfum s'annonce brioché et vineux, agréable au second plan. Attaque en douceur, structure riche, assez complexe, aux tanins consensuels. Un vin dont vous pourrez profiter sans attendre et qui ne boudera pas la compagnie d'un canard.

🔑 Dom. Georges Roy et Fils, 20, rue des Moutots,
21200 Chorey-lès-Beaune, tél. 03.80.22.16.28,
fax 03.80.24.76.38, e-mail domaine.roy-fils@wanadoo.fr
☑ Ƴ ⻏ r.-v.

Pernand-vergelesses

Situé à la réunion de deux vallées, exposé plein sud, le village de Pernand est sans doute le plus « vigneron » de la Côte. Rues étroites, caves profondes, vignes de coteaux, hommes de grand cœur et vins subtils lui ont fait une solide réputation, à laquelle de vieilles familles bourguignonnes ont largement contribué. En 2006, on a produit 3 278 hl de vins rouges dont le premier cru le plus réputé, à juste titre, est l'Île des Vergelesses, tout en finesse ; et aussi d'excellents vins blancs (2 498 hl).

MAISON CHAMPY 2005 *

▒ 1,64 ha 10 800 ⓘ 15 à 23 €

La famille Meurgey connaît sa Bourgogne sur le bout des doigts. Elle le prouve encore une fois en réalisant un doublé dans cette appellation, grâce à la compétence de toute son équipe – dont l'œnologue Dimitri Bazas. Au fond, c'est ce *village* blanc qui nous plaît le plus. Son nez puissant et ouvert mêle les agrumes à des notes torréfiées (douze mois en fût). Sa bouche grasse, agréable et longue s'enrichit également de notes d'élevage toastées, grillées. À boire pour le plaisir ou à attendre deux ans. Le **village Clos de Bully rouge 2005 (11 à 15 €)** est encore un peu sauvage et vif, mais il faut laisser faire la nature. Il obtient une étoile également.

🔑 Champy, 5, rue du Grenier-à-Sel, BP 53,
21200 Beaune, tél. 03.80.25.09.99, fax 03.80.25.09.95,
e-mail pmeurgey@champy.com ☑ Ƴ ⻏ r.-v.
🔑 Pierre Meurgey

CHANDON DE BRIAILLES
Île des Vergelesses 2004 *

▒ 1er cru 1 ha 5 000 ⓘ 30 à 38 €

Ne manquez pas la visite de ce domaine : pour les caves sans doute, mais également pour cette merveilleuse « folie » XVIIIe, dont le jardin est l'un des plus beaux de toute la Bourgogne. Excellente occasion de comparer l'**Île des Vergelesses rouge 2004** au même 1er cru en blanc dans le même millésime. Encore qu'il soit bien difficile de mettre en parallèle pinot noir et chardonnay, ce dernier l'emporte toutefois, le rouge étant cité. L'or brille sur le blason. Fruits secs, amande, noisette, son bouquet introduit un corps vif et frais. Belle complexité aromatique finale dans un arrondi brioché.

🔑 Chandon de Briailles, 1, rue Sœur-Goby,
21420 Savigny-lès-Beaune, tél. 03.80.21.52.31,
fax 03.80.21.59.15,
e-mail contact@chandondebriailles.com ☑ Ƴ ⻏ r.-v.
🔑 de Nicolay

CHANSON PÈRE ET FILS Les Caradeux 2004

▒ 1er cru 1,9 ha 11 594 ⓘ 15 à 23 €

Chanson Père et Fils tient ses réunions de famille avec le champagne Bollinger. Le jaune-vert de ce 2004 est franc. Comme les notes de beurre frais de son nez, assorties de nuances florales et gentiment vanillées (treize mois en fût). On a le sentiment d'un vin les pieds sur terre, léger sans doute mais conduisant son affaire avec tact et rigueur.

🔑 Dom. Chanson Père et Fils, 10, rue Paul-Chanson,
21200 Beaune, tél. 03.80.25.97.97, fax 03.80.24.17.42,
e-mail chanson@domaine-chanson.com ☑ Ƴ ⻏ r.-v.

DOM. CHARACHE BERGERET
Les Belles Filles 2005 *

■ 0,91 ha 2 000 ⓘ 11 à 15 €

L'étiquette a des choses à dire, alors parlons-en. Comment d'ailleurs résister à une telle déclaration d'amour : « Bienfaisante l'alchimie qui permet à nos racines de puiser la matière du monde pour en donner son goût au vin » ? Pourpre intense aux limites du violacé, un millésime au nez fruité qui fait un « sans faute » au palais. Ses tanins ont encore un peu de tempérament, mais tout va bien à bord. Vol long courrier sans escale immédiate (deux à trois ans de garde). Une citation pour **Les Combottes blanc 2005**, bien typé.

🔑 Dom. Characheh-Bergeret, chem. de Bière,
21200 Bouze-lès-Beaune, tél. et fax 03.80.26.00.86
☑ Ƴ ⻏ r.-v.

BOURGOGNE

DOM. DU CHÂTEAU DE CHOREY
Les Combottes 2005 ★

	2,76 ha	15 000	11 à 15 €

Où ces Combottes se situent-elles ? On a beau regarder l'atlas dans tous les sens... Ah ! mais oui. Il s'agit du *climat* Les Plantes des Champs et Combottes, son vrai nom qui – on l'admet – est un peu long à porter. Peu importe. Un vin doré comme le bon pain, le nez plutôt ouvert avec l'alcool derrière, teinté de miel d'acacia. La bouche est bien remplie, vive tout d'abord, puis tout en gras et en moelleux. À boire dès aujourd'hui.

Germain,
Dom. du Château de Chorey, rue des Moutots,
21200 Chorey-lès-Beaune, tél. 03.80.24.06.39,
fax 03.80.24.77.72, e-mail domaine-chateau-de-chorey@wanadoo.fr r.-v.

DOM. DENIS PÈRE ET FILS
Sous Frétille 2005 ★★

1er cru	0,6 ha	2 200	15 à 23 €

Un peu de pinot blanc (10 %) au sein du chardonnay. Intéressant. Cela ressemble beaucoup, avec succès, aux grands vins d'autrefois qui mariaient volontiers les cépages et ne s'en portaient pas plus mal. Jaune clair éclatant, minéral et vanillé, ce 2005 doit sans doute absorber son fût mais il soutient du regard celui qui lui fait face : le corton-charlemagne. Une élégance travaillée dans la vigne, à la cuverie, dans la cave. Finaliste du grand jury, c'est dire. Une étoile pour le **1er cru Les Vergelesses rouge 2005 (11 à 15 €)**, très chaleureux mais de garde (deux à quatre ans).

Dom. Denis Père et Fils,
chem. des Vignes-Blanches, 21420 Pernand-Vergelesses,
tél. 03.80.21.50.91, fax 03.80.26.10.32,
e-mail denis.pere-et-fils@wanadoo.fr r.-v.

DOM. DOUDET Les Fichots Vieilles Vignes 2005 ★

1er cru	1,1 ha	6 300	15 à 23 €

Les Fichots côtoient les Vergelesses. On ne se plaint pas d'un pareil voisin de palier. Rubis sombre à reflets mauves, ce vin laisse son nez faire la grasse matinée. Prometteur ? On le croit. Pour l'instant, des touches d'anis, de fenouil. L'attaque en finesse n'atténue pas une volonté de carrure, de charpente. Des tanins encore carrés attendent le rabot dont un duc de Bourgogne fit son emblème. Alors... Les fruits à l'alcool, la confiture de vieux garçon sont gardés sagement pour la fin.

Dom. Doudet, 50, rue de Bourgogne,
21420 Savigny-lès-Beaune, tél. 03.80.21.51.74,
fax 03.80.21.50.69, e-mail doudet-naudin@wanadoo.fr
r.-v.

DOM. P. DUBREUIL-FONTAINE PÈRE ET FILS Clos Berthet Monopole 2004 ★

1er cru	1 ha	7 000	15 à 23 €

On ne prie jamais en vain Notre-Dame de Bonne Espérance qui bénit le village du haut de la colline. Ainsi le Clos Berthet touché par la grâce est-il devenu 1er cru dans un passé récent. Ne le mérite-t-il pas amplement ? On en est convaincu par le témoignage de cette bouteille doré clair. La pêche blanche, la fleur d'acacia figurent au générique du bouquet. Ses arômes secondaires sont peu intenses, mais l'équilibre et l'harmonie sont incontestables. Le **village blanc 2005 (11 à 15 €)** est cité.

Dom. P. Dubreuil-Fontaine,
rue Rameau-Lamarosse, 21420 Pernand-Vergelesses,
tél. 03.80.21.55.43, fax 03.80.21.51.69,
e-mail dubreuil.fontaine@wanadoo.fr r.-v.

DOM. JEAN FÉRY ET FILS Les Combottes 2004

	0,41 ha	2 800	11 à 15 €

Ce domaine fait partie de la grande saga de Louis Jacob, son fondateur, à Échevronne. Sans se dire bio, on traite ici à la poudre de roche et aux extraits de plantes, sans produits phytosanitaires. L'élaborateur Pascal Marchand est aussi connu que reconnu. Combottes d'un or recherché. Un peu de bois, mais la balance a été respectée : huit mois en fût et quatre en cuve. Menthol, minéral, on s'y promène. La suite est infiniment plus simple et consensuelle : un palais franc, fin et équilibré sur une note de brioche. À apprécier dans deux ans.

Dom. Jean Féry et Fils, 1, rte de Marey,
21420 Échevronne, tél. 03.80.21.59.60,
fax 03.80.21.59.59, e-mail fery.vin@wanadoo.fr
r.-v.
Jean-Louis Féry

DOM. FOLLIN-ARBELET En Caradeux 2004 ★

1er cru	0,4 ha	1 500	11 à 15 €

Côté Savigny, Caradeux domine la situation. Un 2004 aujourd'hui austère et cistercien, ne cherchant ni l'adhésion ni le succès. Pourquoi le sortir de son cloître, l'appeler à d'autres vœux en le convoquant ici ? Parce qu'il a peut-être une vocation plus temporelle dont on perçoit les prémices. Fruits rouges et fumé discret au nez. Vif, tannique, le palais demeure fermé. Mais sa structure et son équilibre sont le signe de grandes dispositions. Pas pour la vie éternelle, pour le début des années 2010.

Dom. Follin-Arbelet, Les Vercots,
21420 Aloxe-Corton, tél. 03.80.26.46.73,
fax 03.80.26.43.32,
e-mail franck.follin-arbelet@wanadoo.fr r.-v.

BAPTISTE GAY Les Vergelesses 2005 ★

1er cru	0,23 ha	2 000	11 à 15 €

Installé en 2003 sur un petit hectare de vigne à Pernand, sans aucun équipement mais avec de la volonté. Les choses ont quelque peu évolué, et Baptiste Gay vit progressivement son rêve. Sélectionné pour un blanc l'an dernier, le voici en rouge. Un 1er cru au nez discret mais fin, mêlant les cerises en bocal et les notes de sous-bois. En bouche, les tanins jouent encore des coudes, mais l'harmonie est à portée de cave (deux ou trois ans).

Baptiste Gay, rue du Paulant,
21420 Pernand-Vergelesses, tél. 06.22.36.45.65,
fax 03.80.21.57.62 t.l.j. 8h-20h

DOM. JEAN-JACQUES GIRARD
Les Belles Filles 2005 ★

	1,03 ha	8 600	11 à 15 €

Belles Filles ! Difficile de trouver un nom plus porteur. Il est réel, mais le *climat* s'appelle Sous le Bois de Noël et Belles Filles. Pauvre Bois de Noël disparu de toutes les étiquettes... Cela étant, dans leur robe doré vert, ces Belles Filles nous entraînent sur des arômes de prune, de laurier et de citron vert. L'air libre leur fait du bien, on y aurait pensé. Le palais est souple, assez gras, bien équilibré, la rétro minérale. Pas farouches, ces Belles Filles ont du maintien. Elles convoleront dans seize à vingt-quatre mois.

Dom. Jean-Jacques Girard, 16, rue de Cîteaux, BP 17, 21420 Savigny-lès-Beaune, tél. 03.80.21.56.15, fax 03.80.26.10.08, e-mail jjacquesgirard@aol.com
t.l.j. sf dim. 8h-12h 14h-19h

ANTONIN GUYON Sous Frétille 2005 ★

1er cru	1,13 ha	6 000	15 à 23 €

Dans la Côte, on dit qu'« il faut voir à voir ». Le premier nez n'est pas forcément le dernier. L'entrée en bouche doit se confirmer. Exercice pratique. À l'œil, rien de particulier, c'est l'éclair qui luit. Au nez, une fougère mentholée, un quartier de poire fraîche. Première bouche en finesse, en rondeur, avec un peu de vivacité. Puis le fond d'un 2005 puissant, ample, volumineux. Un vin qui procure aujourd'hui beaucoup de plaisir et en donnera sans doute encore plus d'ici deux ans.

Dom. Antonin Guyon, 21420 Savigny-lès-Beaune, tél. 03.80.67.13.24, fax 03.80.66.85.87, e-mail domaine@guyon-bourgogne.com r.-v.

JACOB-FRÈREBEAU 2005 ★

■	0,64 ha	3 000	5 à 8 €

Quand le rubis est intense et profond... Emplissez le verre, vous en verrez la confirmation. Sur les fruits confits, le bouquet est également torréfié. Très plaisant en bouche, ce 2005 ne perd pas de vue ses tanins mais il sait au bon moment leur joindre des notes fruitées. Ce pernand goûteux nous rappelle qu'ici, jadis, autour de Jacques Copeau (fondateur du Vieux-Colombier à Paris et de la NRF), le théâtre français vécut sa renaissance. Et le vin, ce vin, inspira de grandes carrières de comédiens (Marie-Hélène et Jean Dasté, notamment). Vin et culture, c'est Pernand.

Jacob-Frèrebeau, 50, Grande-Rue, 21420 Changey-Échevronne, tél. et fax 03.80.62.75.36
r.-v.

Frédéric Jacob

JAFFELIN Creux de la Net 2005 ★

■ 1er cru	0,33 ha	1 450	15 à 23 €

Jaffelin élève ses vins dans des caves authentiques du XIII^e^s., celles des chanoines de Beaune. Reprise par Jean-Claude Boisset en 1992, cette vénérable maison a su conserver une personnalité fondée notamment sur des appellations moins connues mais tout aussi attachantes. Ainsi ce Creux de la Net, coup de cœur dans le millésime 2000, rubis profond à légers reflets violacés. Le nez de cassis est marqué par un fin boisé. La bouche bien structurée offre des tanins ronds et fruités. À laisser quelques années en cave pour que le bois finisse de se fondre dans le vin. Le **blanc 2005 Les Villages de Jaffelin (11 à 15 €)** est cité.

Maison Jaffelin, 2, rue Paradis, 21200 Beaune, tél. 03.80.22.12.49, fax 03.80.24.91.87, e-mail jaffelin@maisonjaffelin.com

Boisset FGVS

DOM. FRANÇOISE JEANNIARD 2005

	0,3 ha	1 900	11 à 15 €

« Buvez du pernand, vous vivrez longtemps ! » : le slogan du grand-père qui, passé quatre-vingts ans, ne laisse à personne le soin de superviser les labours. Tout petit domaine accueillant et vraiment vigneron (2,45 ha), avec une jolie cave voûtée. Bien fait, représentatif, un vin parfaitement vêtu, déjà ouvert (acacia, silex, vanille restant à leur place). Il est vif, mais le gras prend bientôt le dessus et ne faiblit pas. À découvrir, de même que le **Vieilles Vignes rouge 2005**, également cité.

Dom. Françoise Jeanniard, rue de Pralot, 21420 Pernand-Vergelesses, tél. 06.84.22.79.12, fax 03.80.26.54.92, e-mail francoise.arpaillanges@wanadoo.fr
t.l.j. 9h-12h30 14h-19h; dim. sur r.-v.

F. Arpaillanges

DOM. LALEURE-PIOT Île des Vergelesses 2005 ★★

■ 1er cru	0,49 ha	2 600	23 à 30 €

Une île en Bourgogne ? Seul le vin pouvait la rêver. Quelle mémoire ! La mer initiale nous fait tout de même remonter de cent cinquante millions d'années en arrière. Comme on aimerait aborder sur celle-ci et y vivre en Robinson dans cet univers rouge cerise aux senteurs de cacao et de fruits à l'alcool, de fleurs fanées et de cerise confite ! Le paysage se dessine, concentré et charpenté, nullement tourmenté. Une longueur impressionnante. On doit rappeler le coup de cœur pour un *village* 1996. Le **1er cru blanc 2005 (15 à 23 €)**, élégant, minéral et fruité, décroche une étoile, tandis que le **village blanc 2005 (15 à 23 €)** est cité.

Dom. Laleure-Piot, rue de Pralot, 21420 Pernand-Vergelesses, tél. 03.80.21.52.37, fax 03.80.21.59.48, e-mail infos@laleure-piot.com
t.l.j. 8h-12h 14h-18h; sam. dim. sur r.-v.

DOM. MARATRAY-DUBREUIL Les Vignes blanches 2005 ★★

	0,57 ha	3 900	8 à 11 €

PERNAND-VERGELESSES
APPELLATION PERNAND-VERGELESSES CONTRÔLÉE
LES VIGNES BLANCHES
DOMAINE MARATRAY-DUBREUIL
VITICULTEUR

Qui voit Pernand n'est pas dedans, dit le proverbe. Oui, il faut y monter, mais l'étape est heureuse. Les Vignes blanches ? Prendre la route d'Échevronne et regarder sur la droite ce coteau aimable comme tout. Voici le meilleur chardonnay de la dégustation. Cristallin, il possède cet arôme rare et probablement le plus beau de la gamme : la fleur de vigne... ou serait-ce le jasmin ou encore le chèvrefeuille ? Léger et souple en ouverture, maîtrisant tout (notamment le vif), il termine en majesté. Excellent rapport qualité-prix. À boire par gourmandise dès à présent ou de façon plus raisonnée dans deux à trois ans.

Dom. Maratray-Dubreuil, 5, pl. du Souvenir, 21550 Ladoix-Serrigny, tél. 03.80.26.41.09, fax 03.80.24.49.07, e-mail maratray-dubreuil@orange.fr
r.-v.

PIERRE MAREY ET FILS Sous Frétille 2004 ★

1er cru	1,2 ha	7 500	15 à 23 €

Premier cru récent, mais ce classement est logique sous quelque rapport qu'on se place. Pernand a mené ainsi un long combat gagnant. Ce Sous Frétille compose une heureuse synthèse de la fraîcheur et du moelleux. Au nez, la brioche le cède difficilement aux agrumes. On peut attendre 2009, rien ne presse. Le millésime est bien servi. Coup de cœur l'an dernier pour ses Belles Filles rouge.

🔑 EARL Pierre Marey et Fils, rue Jacques-Copeau, 21420 Pernand-Vergelesses, tél. 03.80.21.51.71, fax 03.80.26.10.48 ☒ Y ✱ r.-v.

DOM. PAVELOT Sous Frétille 2005 ★★

1er cru 0,69 ha 2 000 ⏸ 15 à 23 €

Sous Frétille est un 1er cru relativement récent. Il se montre ici à la hauteur de cette promotion. Vendange apportée à la cuverie en paniers traditionnels d'osier. Cela devient rare. Mais quand on met cette image sur l'étiquette, il faut aller jusqu'au bout. Il y a tout dans ce vin : finesse, fruité et minéralité. Sans oublier la longueur, naturellement. Sa brillance et son bouquet participent à ces compliments en forme de feu d'artifice. Le **1er cru Les Fichots rouge 2005 (11 à 15 €)** décroche une étoile.

🔑 EARL Dom. Luc et Régis Pavelot, rue du Paulant, 21420 Pernand-Vergelesses, tél. 03.80 26.13.65, fax 03.80.26.10.36, e-mail earl.pavelot@cerb.cernet.fr ☒ Y r.-v.

DOM. JEAN-MARC ET HUGUES PAVELOT
Les Vergelesses 2004

■ 1er cru n.c. 5 000 11 à 15 €

Rouge grenat à reflets montrant une légère évolution, un 2004 au bouquet et au corps impérieux. Le fruit cuit très mûr, la fraise écrasée côté nez. En bouche, des tanins assez fins au service de la cerise à l'eau-de-vie, toujours dans un esprit de plénitude comblée par la maturité. Quitte à choisir, mieux vaut le déboucher dans l'année.

🔑 Dom. Jean-Marc et Hugues Pavelot, 1, chem. des Guettottes, 21420 Savigny-lès-Beaune, tél. 03.80.21.55.21, fax 03.80.21.59.73, e-mail hugues.pavelot@wanadoo.fr ☒ Y ✱ r.-v.

RAPET PÈRE ET FILS Île des Vergelesses 2005 ★

■ 1er cru 0,65 ha 3 000 ⏸ 23 à 30 €

Robert, Roland, Vincent, Sylvette assurent la continuité d'un domaine si ancien qu'il fait partie du paysage comme l'oratoire de Frétille ou la maison Copeau. Les rouges proviennent de sols ferrugineux en pente assez douce. Rubis légèrement violacé, celui-ci se présente bien. Son nez droit, ferme, racé en un mot, tend vers la cerise. Arômes plus complexes au palais. Là, pourtant, la ligne ne dévie pas, riche en saveur. Tanins réels et maîtrisés. À ouvrir dans un an. Le **1er cru Les Vergelesses rouge 2005 (15 à 23 €)**, classique et franc, décroche également une étoile.

🔑 Rapet Père et Fils, pl. de la Mairie, 21420 Pernand-Vergelesses, tél. 03.80.21.59.94, fax 03.80.21.54.01 ☒ Y r.-v.

DOM. ROLLIN PÈRE ET FILS
Sous Frétille 2005 ★

1er cru 0,4 ha 2 500 ⏸ 15 à 23 €

Joli triplé pour ce domaine naguère coup de cœur dans cette appellation. Jaune pâle de bonne intensité, ce chardonnay s'ouvre sur les fleurs blanches, la mirabelle et le miel. Souplesse en attaque, ampleur en finale, le palais frais et minéral est bien encadré. Un vin fin et élégant que l'on pourra bientôt déguster (un an). Le **village blanc 2005 (11 à 15 €)**, au boisé vanillé bien maîtrisé, décroche une étoile, de même que le **1er cru Île des Vergelesses rouge 2004**, dont la structure tannique doit encore se fondre.

🔑 Rollin Père et Fils, rte des Vergelesses, 21420 Pernand-Vergelesses, tél. 03.80.21.57.31, fax 03.80.26.10.38, e-mail contact@domaine-rollin.com ☒ Y ✱ r.-v.

Corton

La « montagne de Corton » est constituée, du point de vue géologique et donc du point de vue des sols et des types de vins, de différents niveaux. Couronnées par le bois qui pousse sur les calcaires durs du rauracien (oxfordien supérieur), les marnes argoviennes laissent apparaître des terres blanches propices aux vins blancs (sur plusieurs dizaines de mètres). Elles recouvrent la « dalle nacrée » calcaire en plaquettes, avec de nombreuses coquilles d'huîtres de grande dimension, sur laquelle ont évolué des sols bruns propices à la production de vins rouges.

Le nom du lieu-dit est associé à l'appellation corton, qui peut être utilisée en blanc, mais est surtout connue en rouge. Les Bressandes sont produits sur des terres rouges et allient à la puissance la finesse que leur confère le sol. En revanche, dans la partie haute des Renardes, des Languettes et du Clos du Roy, les terres blanches donnent en rouge des vins charpentés qui, en vieillissant, prennent des notes animales, sauvages, que l'on retrouve dans Les Mourottes de Ladoix. Le corton est le grand cru le plus important en volume : sur une centaine d'hectares, il a produit 3 482 hl en rouge et 200 hl en blanc en 2005.

JEAN-LUC ET PAUL AEGERTER
Vergennes 2005 ★★

■ Gd cru 0,4 ha 1 800 ⏸ 38 à 46 €

Corton d'Aloxe. Encore qu'on en discute. Vergennes n'a semble-t-il aucun rapport direct avec ce Dijonnais

qui fut ministre des Relations extérieures de Louis XVI et contribua à l'indépendance des États-Unis. Rubis dense, un vin d'une folle maturité, maîtrisée cependant. Le bouquet intense livre des notes de fruits confiturés, de cacao et de tabac blond, avec du cuir et du bois brûlé en fond. Suave, le palais montre des tanins présents mais fondus et finit sur les épices. Un ensemble jeune et prometteur.

🔑 Jean-Luc Aegerter, 49, rue Henri-Challand, 21700 Nuits-Saint-Georges, tél. 03.80.61.02.88, fax 03.80.62.37.99, e-mail jean-luc.aegerter@wanadoo.fr ☑ Ɪ 🚶 r.-v.

DOM. D'ARDHUY Hautes Mourottes 2004 ★★

■ Gd cru 0,87 ha 3 000 **38 à 46 €**

« Le plus difficile, disait Édouard Bourdet, c'est de raconter ce qu'on a vu ». Et de raconter ce qu'on a bu... Ce corton 2004 survole le sujet comme un fort en thème. Rubis limpide, il se montre flatteur et complexe au nez : fruits rouges et noirs, réglisse et note de fumé. Bon équilibre franc entre les saveurs, avec une pointe de vivacité. Domaine demeuré familial au sein des anciens propriétaires de la Reine Pédauque et de Corton André, les Liogier d'Ardhuy, qui tiennent une grande place dans l'histoire du vin de Bourgogne au XX^{e}s.

🔑 Dom. d'Ardhuy, Clos des Langres, 21700 Corgoloin, tél. 03.80.62.98.73, fax 03.80.62.95.15, e-mail domaine@ardhuy.com ☑ Ɪ 🚶 r.-v.

DOM. BOUCHARD PÈRE ET FILS
Le Corton 2004

■ Gd cru 3,67 ha n.c. **🛢 46 à 76 €**

« Duroy avait trouvé le corton à son goût et il laissait chaque fois emplir son verre », écrit Guy de Maupassant dans *Bel-Ami*, chantant « cette gaieté délicieuse qui lui montait du ventre à la tête ». Un vin corsé comme celui-ci, la bouche ample et développée avec un rien d'amertume. Notes végétales (fougère) et de fruits mûrs à l'alcool. Grenat d'une jolie brillance... Tant de banquets ont dû au corton leur fameuse chaleur communicative...

🔑 Bouchard Père et Fils, Ch. de Beaune, 21200 Beaune, tél. 03.80.24.80.24, fax 03.80.22.55.88, e-mail france@bouchard-pereetfils.com Ɪ 🚶 r.-v.

🔑 Famille Henriot

DOM. CACHAT-OCQUIDANT
Clos des Vergennes Monopole 2005 ★

■ Gd cru 1,42 ha 3 500 **🛢 23 à 30 €**

Un jour, M. Ocquidant se rendit à une vente aux enchères pour acheter une maison. C'était en 1937. L'achat dépassant son prix, il se rabattit sur le Clos des Vergennes (1 ha 42 ca). L'affaire lui valut les foudres de son épouse et la gratitude de la famille ! « Ce n'est pas du vin, disait-il, c'est de la Quintonine ! » Celui-ci ? Pourpre violine, un peu boisé, de persistance moyenne mais suave et fin pendant tout le temps de la dégustation. L'attendre trois à cinq ans semble raisonnable.

🔑 Dom. Cachat-Ocquidant, 3, pl. du Souvenir, Cidex 1, 21550 Ladoix-Serrigny, tél. 03.80.26.45.30, fax 03.80.26.48.16 ☑ Ɪ 🚶 r.-v.

CAPITAIN-GAGNEROT Renardes 2005 ★

■ Gd cru 0,36 ha 2 000 **🛢 30 à 38 €**

Maison faisant partie de la légende bourguignonne. Elle déclassa en *village* ses corton-charlemagne 1972, 1974, 1975 et 1977, estimant que le niveau grand cru n'était pas atteint pour ces vins. Beau geste qu'il faut saluer. Un Renardes 2005 bien fondu (dix-huit mois en fût), concentré, encore un peu tannique et austère sur la fin. Type framboise écrasée sous une robe pourpre brillante.

🔑 Capitain-Gagnerot, 38, rte de Dijon, 21550 Ladoix-Serrigny, tél. 03.80.26.41.36, fax 03.80.26.46.29, e-mail contact@capitain-gagnerot.com ☑ Ɪ 🚶 r.-v.

DOM. CHANSON PÈRE ET FILS
Vergennes 2004 ★

□ Gd cru 0,6 ha 358 **🛢 + de 76 €**

Un corton Vergennes blanc, ce n'est pas si fréquent, bien que le domaine Chanson nous ait habitués à sa présence dans le Guide. La présentation commence avec une robe or pur éclatante, limpide et brillante, ornée de reflets verts ; elle se poursuit sur un nez frais mêlant les agrumes, les fleurs blanches et une pointe minérale. Cette minéralité se retrouve en bouche, encore fermée mais déjà bien structurée et d'une bonne longueur. Un corton typique de son terroir et de son millésime, à apprécier dans deux à cinq ans.

🔑 Dom. Chanson Père et Fils, 10, rue Paul-Chanson, 21200 Beaune, tél. 03.80.25.97.97, fax 03.80.24.17.42, e-mail chanson@domaine-chanson.com ☑ Ɪ 🚶 r.-v.

JEAN-FRANÇOIS CHAPELLE 2003

■ Gd cru 0,25 ha 1 200 **🛢 30 à 38 €**

Corton tout simplement. Notez le millésime : forcément marqué par son soleil. Rubis grenat, il esquisse la vanille et le cassis, puis évolue sur l'alcool en fin de nez. Matière et profondeur : on s'enfonce dans la mâche nuancée par l'élevage (douze mois en fût). Un vin solide, à découvrir dans deux ou trois ans. Domaine dans la famille depuis 1893.

🔑 Jean-François Chapelle, Le Haut-Village, 21590 Santenay, tél. 03.80.20.60.09, fax 03.80.20.61.01, e-mail contact@domainechapelle.com ☑ Ɪ 🚶 t.l.j. sf dim. 9h-12h 14h-17h

CH. DE CÎTEAUX Bressandes 2004 ★

■ Gd cru n.c. n.c. **🛢 30 à 38 €**

Domaine familial établi au château de Cîteaux depuis 1995. Spécialisé en blanc, il a voulu naguère s'installer en corton pour compléter en rouge la carte de ses vins. Pourquoi dit-on Bressandes ? Des femmes venues de la Bresse faire les vendanges ? Habillé d'une robe d'intensité correcte, pointant un nez agréable et floral, rehaussé d'une pointe de vanille (douze mois en fût), ce vin montre qu'un 2004 peut avoir de la chair et des os. Encore un peu jeune : on patientera avant de le déboucher sur un filet de bœuf.

Ch. de Cîteaux, 20, rue de Cîteaux, BP 25, 21190 Meursault, tél. 03.80.21.20.32, fax 03.80.21.64.34, e-mail info@domaine-bouzereau.fr r.-v.

CH. CORTON GRANCEY 2003 *

■ Gd cru 15 ha 50 000 46 à 76 €

Assurément un *must* et l'un des très rares exemples bourguignons où, par continuité historique, un nom de famille est accolé au nom d'un cru. Acquisition de la famille Latour en 1891. Un temple élevé au vin de Bourgogne et un vignoble fabuleux tant en corton (17 ha) qu'en corton-charlemagne (10 ha). C'est ici qu'a été présentée récemment la chaire « Vin et Culture » créée par l'Unesco et l'Université de Bourgogne. Apprécions les égards, c'est un 2003. Sa robe évolue un peu. Un bouquet d'anthologie, pruneau au vin, animal, légèrement vanillé. Parfait équilibre du gras et de l'acidité, et en fin de compte pas trop chaud pour l'année.

Maison Louis Latour, 18, rue des Tonneliers, 21204 Beaune, tél. 03.80.24.81.00, fax 03.80.22.36.21, e-mail louislatour@louislatour.com

DOM. DOUDET Maréchaudes Vieille Vigne 2005 *

■ Gd cru 0,58 ha n.c. 30 à 38 €

Ce vin nous fait gentiment entrer dans le secret des dieux. À tout le moins ceux qui habitent cet Olympe bourguignon, la montagne de Corton. Sous une robe pivoine à reflets rosés perce un bouquet épicé (seize mois en fût) et un peu animal. Texture et structure riment parfaitement. Un grand cru plein, complet, que l'on pourra conjuguer au futur.

Dom. Doudet, 50, rue de Bourgogne, 21420 Savigny-lès-Beaune, tél. 03.80.21.51.74, fax 03.80.21.50.69, e-mail doudet-naudin@wanadoo.fr r.-v.

Yves Doudet

DOM. FOLLIN-ARBELET Bressandes 2005 **

■ Gd cru 0,4 ha 2 100 30 à 38 €

Rubis assez sombre, ce Bressandes offre dès le premier nez des sensations plaisantes. Le fût (dix-huit mois) n'en est pas absent, mais il sait faire de la place au fruit et à la fleur. Impressionnant en bouche en raison de sa charpente et de sa concentration, ce 2005 n'en fait pas trop non plus et demeure élégant. On peut l'attendre, mais il est déjà très mûr et à coup sûr séduisant.

Dom. Follin-Arbelet, Les Vercots, 21420 Aloxe-Corton, tél. 03.80.26.46.73, fax 03.80.26.43.32, e-mail franck.follin-arbelet@wanadoo.fr r.-v.

DOM. MICHEL GAY ET FILS Renardes Vieilles Vignes 2005 *

■ Gd cru 0,21 ha 1 000 30 à 38 €

Corton d'Aloxe, un Renardes est en principe net et carré. Gibecière de retour de la chasse. Ici, il s'agit davantage du lièvre que du sanglier, mais sa structure simple s'allie à une forte concentration. À noter, la persistance étonnante en fond de palais. Comme si l'on y pensait huit jours après ! Parcelle acquise en 1984 et partagée depuis par moitié (21 a).

EARL Dom. Michel Gay et Fils, 1, rue des Brenots, 21200 Chorey-lès-Beaune, tél. 03.80.22.22.73, fax 03.80.22.95.78 r.-v.

CAMILLE GIROUD Perrières 2004

■ Gd cru n.c. 800 38 à 46 €

Reprise par des Américains, l'antique et respectable maison beaunoise signe un Perrières encore assez sauvage, suffisamment concentré, marqué par les fruits rouges et un boisé léger. Intensité colorante moyenne, aux reflets brique. Un corton agréable qui se mariera au faisan d'ici un an ou deux.

Camille Giroud, 3, rue Pierre-Joigneaux, 21200 Beaune, tél. 03.80.22.12.65, fax 03.80.22.42.84, e-mail contact@camillegiroud.com r.-v.

DOM. ANTONIN GUYON Bressandes 2004

■ Gd cru 0,86 ha 3 500 30 à 38 €

À la fin des années 1960, la famille Guyon acquit la majeure partie du domaine Hippolyte Thevenot-Bussière à Aloxe-Corton. Ces vignes venaient notamment de la maison Gauthey. Épisode peu connu, Charlie Chaplin pensa acheter Les Fournières pour s'y faire construire une maison ! Ce Bressandes est un travail à apprécier dans le temps. Sa robe est aimable. Le fruit rouge (griotte) se marie aux épices. Tanins et acidité en bonne situation, dans un contexte chaleureux. Un vrai 2004.

Dom. Antonin Guyon, 21420 Savigny-lès-Beaune, tél. 03.80.67.13.24, fax 03.80.66.85.87, e-mail domaine@guyon-bourgogne.com r.-v.

DOM. ROBERT ET RAYMOND JACOB Les Carrières 2005 *

■ Gd cru 0,3 ha 1 200 23 à 30 €

Domaine créé petit à petit au lendemain de la crise phylloxérique, au début du XXes. Passé de la polyculture à la vigne reine. Ce *climat* se trouve sur Ladoix, en-dessous des Mourottes. Le Rognet est tout à côté. Un petit bout de Carrières en grand cru, car contigu. Rouge violet, ce 2005 place le fruit sous le fût et à juste raison. Épicé, concentré, bien fait sans prétendre à la vie éternelle, il représente son nom et son millésime. Un peu sévère en finale, mais c'est probablement passager. À apprécier dans trois ans.

Dom. Robert et Raymond Jacob, hameau de Buisson, 21550 Ladoix-Serrigny, tél. 03.80.26.40.42, fax 03.80.26.49.34, e-mail domainejacob@orange.fr r.-v.

LOUIS JADOT Pougets 2005

■ Gd cru n.c. n.c. 46 à 76 €

Louis-Baptiste Jadot acquit cette parcelle de Pougets (1 ha 43 a) en 1913. Comme Les Languettes, c'est un *climat* souvent considéré comme une terre à blancs (sur Aloxe). On a affaire ici à un pinot noir rubis violacé au nez sensuel de vanille et de marron glacé. Belle structure et longueur moyenne, avec un joli rappel olfactif. En devenir et à laisser reposer au moins deux ans.

Louis Jadot, 21, rue Eugène-Spuller, BP 117, 21203 Beaune Cedex, tél. 03.80.22.10.57, fax 03.80.22.56.03, e-mail contact@louisjadot.com r.-v.

DOM. LALEURE-PIOT Rognet 2005 *

■ Gd cru 0,33 ha 1 550 38 à 46 €

Très ancienne famille du pays et des rebondissements dont on ferait un roman. Restons-en à la définition du corton par Camille Rodier : « le roi des bons vivants ». Que trouver à redire ? Rouge sombre framboisé, le nez fermé mais prêt à se délivrer à l'air libre, un vin solide,

tannique, exigeant, qui évolue sur les fruits rouges et termine sur une note de Zan. Puissant mais encore jeune, il devra attendre cinq à six ans.
Dom. Laleure-Piot, rue de Pralot, 21420 Pernand-Vergelesses, tél. 03.80.21.52.37, fax 03.80.21.59.48, e-mail infos@laleure-piot.com
t.l.j. 8h-12h 14h-18h; sam. dim. sur r.-v.

DOM. MAILLARD PÈRE ET FILS 2005 *

Gd cru | 0,34 ha | n.c. | 30 à 38 €

Lors de sa première récolte en 1952, Daniel Maillard n'avait que quelques vignes. Bel exemple pour la famille aujourd'hui à la tête de 19 ha sur sept communes. Le corton est évidemment un des fleurons du domaine. Or pâle, celui-ci partage ses arômes entre l'églantine et l'amande grillée (dix-huit mois en fût). Le palais persiste et signe, sans trop de vivacité et en y ajoutant une touche de miel assez délicat. Le **Renardes rouge 2005**, au nez chaleureux (pruneau) mais simple et doux au palais, décroche une citation.
Dom. Maillard Père et Fils, 2, rue Joseph-Bard, 21200 Chorey-lès-Beaune, tél. 03.80.22.10.67, fax 03.80.24.00.42, e-mail contact@domainemaillard.com r.-v.

DOM. MICHEL MALLARD ET FILS
Les Renardes 2005 *

Gd cru | 0,65 ha | 3 000 | 38 à 46 €

Les Renardes ont cette année le vent en poupe. Produit ici sur 65 a, un 2005 réglissé et long sous des accents aromatiques de cuir et de cerise noire. La robe est soutenue. D'un tempérament encore assez sévère, c'est un vin à attendre, mais l'équilibre tiendra car le corps a beaucoup de répondant. Dans un style nettement différent, le **Rognet 2005**, beaucoup plus rond, suave et gourmand, à carafer avec profit, décroche également une étoile.
Dom. Michel Mallard et Fils, 43, rte de Dijon, 21550 Ladoix-Serrigny, tél. 03.80.26.40.64, fax 03.80.26.47.49, e-mail domainemallard@hotmail.fr
r.-v.

DOM. DIDIER MEUNEVEAUX Chaumes 2005 *

Gd cru | 0,31 ha | 800 | 23 à 30 €

Le grand-père de René Quenot, l'oncle de Didier Meuneveaux, travaillait à la maison Arbelet. Vignes en tâche pour la maison Latour. Lors de la chute de la maison Gauthey, comme le raconte l'historien-vigneron Claude Chapuis, Max, père de René, acheta une vigne aux Perrières puis un clos aux Chaumes. Nous y voilà. Concentré, fruité et persistant, ce Chaumes est un vin à garder deux ans et plus. Souple, plus léger et plus frais, le **Perrières 2005** est disponible pour un plaisir immédiat. Il est cité. Deux styles différents à un prix égal et raisonnable.
Didier Meuneveaux, 9, pl. des Brunettes, 21420 Aloxe-Corton, tél. 03.80.26.42.33, fax 03.80.26.48..60, e-mail tmeuneveaux@club-internet.fr r.-v.

DOM. NUDANT Bressandes 2005 **

Gd cru | 0,61 ha | 3 000 | 30 à 38 €

Finaliste du coup de cœur, ce Bressandes (corton d'Aloxe) confirme ici sa réputation de vin souple et facile à goûter, qui « coule en bouche », sans aspérité. Sous le rubis sombre de l'œil, le nez ouvert et riche exprime le fruit mûr et les épices. D'attaque franche et ciselée, le palais possède, comme l'écrit joliment un dégustateur, « du corps mais aussi de l'âme ». Charnu, équilibré, c'est un vin tout en puissance retenue. « Il peut attendre, poursuit le juré, mais on se fait déjà plaisir aujourd'hui. »
Dom. Nudant, 11, rte de Dijon, 21550 Ladoix-Serrigny, tél. 03.80.26.40.48, fax 03.80.26.47.13, e-mail domaine.nudant@wanadoo.fr
t.l.j. sf dim. 9h-12h 14h-18h; sam. sur r.-v.; f. août

PATRIARCHE PÈRE ET FILS Renardes 2005

Gd cru | n.c. | 980 | 38 à 46 €

On trouve de tout à l'Athenaeum face à l'hôtel-Dieu de Beaune. Beaucoup de livres sur la vigne et le vin, mais aussi cette bouteille car ce magasin est une création d'André Boisseaux (Patriarche) mariant avec réussite l'utile et l'agréable. Un Renardes rouge foncé tirant sur le grenat, à l'arôme de pruneau, aux tanins encore serrés mais d'une bonne longueur. Son acidité le rend prometteur. Typé pour l'année et pour le *climat* au sein du grand cru.
Patriarche Père et Fils, 5, rue du Collège, 21200 Beaune, tél. 03.80.24.53.01, fax 03.80.24.53.03, e-mail lexcellent@kriter.com
t.l.j. 9h30-11h30 14h-17h30
Boisseaux

LA POUSSE D'OR Bressandes 2005 *

Gd cru | 1,44 ha | 2 500 | 38 à 46 €

Robe grenat vif, nez de fruits rouges à noyau : la présentation suit un schéma assez classique. Riche et dense en attaque, le palais évolue vers plus de finesse et d'élégance. Tanins encore légèrement austères mais pleins de potentiel. Un vin robuste, plus efficace que tendre, dans ses rêves d'adolescence. Quatre à cinq ans de garde lui permettront de se dévoiler.
Dom. de La Pousse d'Or, rue de la Chapelle, 21190 Volnay, tél. 03.80.21.61.33, fax 03.80.21.29.97, e-mail patrick@lapoussedor.fr r.-v.

DOM. RAPET PÈRE ET FILS 2005 **

Gd cru | 0,75 ha | 3 300 | 30 à 38 €

Robert, Roland, Vincent, Sylvette vont sans doute chercher le tâtevin Rapet millésimé 1792 afin de redéguster leur corton 2005 qui porte le coup de cœur à sa boutonnière et nous déroule le tapis rouge. Les épices (seize mois en fût), la griotte (en réalité la montmorency, la vraie cerise à confiture) s'en donnent à cœur joie. Du boisé certes, mais l'attaque, la rondeur, la concentration, tout explose comme le feu de Dieu. Corton au faîte de son âme. Assemblage Perrières et Chaumes.
Rapet Père et Fils, pl. de la Mairie, 21420 Pernand-Vergelesses, tél. 03.80.21.59.94, fax 03.80.21.54.01 r.-v.

DOM. VINCENT SAUVESTRE
Maréchaudes 2005 ★

■ Gd cru 1 ha 4 500 **30 à 38 €**

Vincent Sauvestre appartient à la génération des bâtisseurs. Béjot, Marguerite Carillon, Moingeon, etc. Il est présent à toutes les lettres de l'alphabet. On sait que Les Maréchaudes font le lien entre Aloxe et Ladoix, du côté des Paulands. Grenat intense, ce corton produit un bouquet discret et assez doux, sur des notes de tabac blond, qui s'ouvre ensuite sur le fruit à l'eau-de-vie. Gras et suave, n'abusant pas du fût, il se livre avec gourmandise et prolonge le plaisir. À revoir d'ici 2010.

SCEA Dom. Vincent Sauvestre, 7, rte de Monthélie, 21190 Meursault, tél. 03.80.21.22.45, fax 03.80.21.28.05

DOM. COMTE SENARD 2005 ★

Gd cru n.c. 3 000 **38 à 46 €**

Grande famille du Tastevin, comptant un Grand Maître. On retrouve ce domaine cette année encore dans les deux couleurs. D'un éclat fulgurant, ce 2005 marie la fleur blanche et le fruit mûr sur un fond d'élevage. Vif, structuré, il ne pousse pas trop loin ses avances pour rester dans son millésime. Bon potentiel, à laisser fleurir de trois à cinq ans. Les **Bressandes rouge 2005 (30 à 38 €)** décrochent également une étoile.

Dom. Senard, 7, rempart Saint-Jean, 21200 Beaune, tél. 03.80.24.21.65, fax 03.80.24.21.44, e-mail office@domainesenard.com r.-v.

Corton-charlemagne

L'appellation charlemagne, dans laquelle jusqu'en 1948 pouvait entrer l'aligoté, n'est pas utilisée. Le grand cru corton-charlemagne s'étend sur 63 ha et a produit 2 329 hl en 2006, dont la plus grande partie vient des communes de Pernand-Vergelesses et d'Aloxe-Corton. Les vins de cette appellation – dont le nom est dû à l'empereur Charles le Grand qui aurait fait planter des blancs pour ne pas tacher sa barbe – sont d'un bel or vert et atteignent leur plénitude après cinq à dix ans.

PIERRE ANDRÉ 2005 ★

Gd cru 1 ha 4 000 **+ de 76 €**

Pierre André se lança en 1927 dans l'aventure du vin. Un coup de foudre. Aloxe-Corton et le château jaune. Propriété, négoce, Reine Pédauque et Corton-André, un illustre restaurant à Paris et un sens inné de la publicité. Les vignes demeurent familiales (Liogier d'Ardhuy), le négoce étant cédé au groupe Ballande sous une gestion bourguignonne. Clair et limpide, un vin au nez riche, au palais élégamment boisé et bien réveillé par une pointe de silex, avec une touche de fruits secs. Impressionnant de tranquillité, un vin plaisir, à garder deux ou trois ans. Corton-André organise chaque été un superbe concert à Notre-Dame du Chemin ou dans son parc, selon la météo.

Pierre André, Ch. de Corton-André, 21420 Aloxe-Corton, tél. 03.80.26.44.25, fax 03.80.26.43.57, e-mail france@corton-andre.com t.l.j. 10h-12h 14h30-18h

DOM. D'ARDHUY 2004 ★★

Gd cru 2,37 ha 6 000 **46 à 76 €**

Près de 2,5 ha en cette appellation ! Or paille aux reflets verts, un vin aux nuances d'agrumes et de fleurs sur fond boisé. L'attaque est franche, ouvrant sur une matière équilibrée qui se prolonge en finale sur les fruits exotiques. Un corton-charlemagne élégant, à attendre trois ans. Il a participé à la finale des coups de cœur. C'est dire sa qualité.

Dom. d'Ardhuy, Clos des Langres, 21700 Corgoloin, tél. 03.80.62.98.73, fax 03.80.62.95.15, e-mail domaine@ardhuy.com r.-v.

DOM. BOUCHARD PÈRE ET FILS 2004

Gd cru 3,25 ha n.c. **46 à 76 €**

En 1909, la maison Bouchard Père et Fils eut la bonne fortune d'acquérir 6,85 ha d'un seul tenant en corton et corton-charlemagne. Quelques chemins de desserte les séparent. Un siècle plus tard, ces 3,25 ha sont toujours les mêmes ! Robe discrète et brillante, présence des fruits blancs et des agrumes (citron surtout) : un vin plus porté sur la dentelle que sur le cachemire. Harmonie à parfaire, mais c'est à sa portée.

Bouchard Père et Fils, Ch. de Beaune, 21200 Beaune, tél. 03.80.24.80.24, fax 03.80.22.55.88, e-mail france@bouchard-pereetfils.com r.-v.

Famille Henriot

MAISON CHAMPY 2005 ★

Gd cru 0,56 ha 3 300 **46 à 76 €**

La famille Meurgey, qui a repris Champy en 1990, consacre de grands efforts à la mise en valeur du patrimoine beaunois, qu'il soit architectural ou vitivinicole. Jaune d'or, son corton-charlemagne s'ouvre à l'aération sur la fougère, la pierre à feu et le miel. Ce côté miellé assez typique se retrouve en bouche, imprégnant une matière très mûre, structurée et équilibrée. Un vin représentatif du millésime, à découvrir en 2009.

Champy, 5, rue du Grenier-à-Sel, BP 53, 21200 Beaune, tél. 03.80.25.09.99, fax 03.80.25.09.95, e-mail pmeurgey@champy.com r.-v.

Pierre Meurgey

DOM. BRUNO CLAIR 2005 ★★

Gd cru 0,34 ha 1 700 **46 à 76 €**

Or à reflets verts, il maîtrise son sujet. Le nez fin, encore assez fermé, semble dominé par une bonne minéralité. La bouche s'inscrit dans le droit fil, très fraîche, d'une bonne matière et d'une grande longueur. Copie très propre. Charlemagne n'a-t-il pas inventé l'école ? Le consigner néanmoins deux à trois ans avant de le laisser sortir. Deux parcelles contiguës sur Aloxe-Corton pour un total de 33,61 a.

🔑 SCEA Dom. Bruno Clair, 5, rue du Vieux-Collège, 21160 Marsannay-la-Côte, tél. 03.80.52.28.95, fax 03.80.52.18.14, e-mail brunoclair@wanadoo.fr
🍷 r.-v.
🔑 Famille Duparet

DOM. DOUDET 2005 *

Gd cru	0,65 ha	1 900	46 à 76 €

Curieusement, le personnage de Charlemagne ne figure jamais sur une étiquette ! Henri IV, Lamartine sont partout. L'empereur franc, nulle part. Habillé d'une robe vive et légère, citronné et vanillé (quinze mois en fût), ce 2005 oriente son palais puissant et riche vers la minéralité, une fraîcheur iodée qui contribue à son originalité. On conseille de le garder quelques années, pour des raisons relevant davantage de la sagesse que de la prudence.

🔑 Dom. Doudet, 50, rue de Bourgogne, 21420 Savigny-lès-Beaune, tél. 03.80.21.51.74, fax 03.80.21.50.69, e-mail doudet-naudin@wanadoo.fr
🍷 r.-v.

DOM. FOLLIN-ARBELET 2004 *

Gd cru	0,3 ha	1 500	46 à 76 €

Les héritiers de Pierre Poisot. Cela nous rappelle le destin de Maurice Poisot, petit-neveu de l'un des Louis Latour, longtemps en Afrique pour s'occuper du coton, devenant ensuite viticulteur et, à Beaune, moniteur d'auto-école. Vigne en corton-charlemagne d'origine Latour. Or blanc tirant sur le vert, ce 2004 développe actuellement des arômes floraux et végétaux. Un peu d'amertume sur la fin, mais avant, une bouche ronde bien équilibrée par l'acidité. Horizon 2010.

🔑 Dom. Follin-Arbelet, Les Vercots, 21420 Aloxe-Corton, tél. 03.80.26.46.73, fax 03.80.26.43.32, e-mail franck.follin-arbelet@wanadoo.fr 🍷 r.-v.

DOM. ANTONIN GUYON 2005 **

Gd cru	0,55 ha	3 300	46 à 76 €

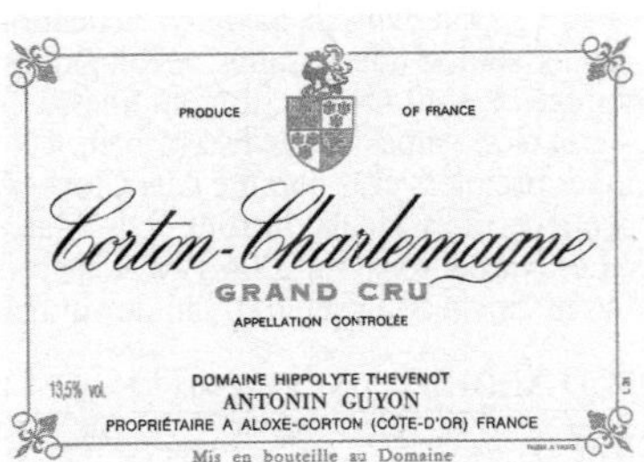

Le meilleur de la dégustation. Paille doré à reflets verts, ce 2005 brille comme un diamant jaune. Minéral tout compte fait, mais on s'interroge sur le beurré, le fruit sec et cette chaleur boisée (quinze mois en fût) qui entoure le nez. Moelleux et minéral, le palais développe beaucoup de volume et de gras, parfumé de notes vanillées. Longue finale fraîche sur des notes citronnées. Très typé dans son appellation, un vin riche et bien travaillé, à apprécier dans cinq ans.

🔑 Dom. Antonin Guyon, 21420 Savigny-lès-Beaune, tél. 03.80.67.13.24, fax 03.80.66.85.87, e-mail domaine@guyon-bourgogne.com 🍷 r.-v.

DOM. ROBERT ET RAYMOND JACOB 2005 *

Gd cru	1,07 ha	6 000	30 à 38 €

Sous sa robe jaune doré, brillante et limpide, ce 2005 offre un premier nez sur la minéralité, qui s'ouvre ensuite sur des notes boisées vanillées (un an d'élevage en fût). L'attaque franche laisse la place à une matière puissante et riche, d'une grande longueur. Un vin typé, à attendre encore quelques années.

🔑 Dom. Robert et Raymond Jacob, hameau de Buisson, 21550 Ladoix-Serrigny, tél. 03.80.26.40.42, fax 03.80.26.49.34, e-mail domainejacob@orange.fr 🍷 r.-v.

DOM. MICHEL JUILLOT 2003 *

Gd cru	0,65 ha	2 000	46 à 76 €

Mercurey en corton-charlemagne ! Et pourquoi pas ? 65 a, ce n'est pas rien. Un 2003 doré sur tranche et déjà légèrement évolué. Épices et fruits en compote, boisé fondu, le bouquet n'est pas avare de ses dons. Au palais, chaleur typique du millésime, gras somptueux et longueur. Ne pas se précipiter dessus, même si le foie gras languit dans la poêle.

🔑 Dom. Michel Juillot, 59, Grande-Rue, 71640 Mercurey, tél. 03.85.98.99.89, fax 03.85.98.99.88, e-mail infos@domaine-michel-juillot.fr
🍷 t.l.j. 9h-18h; groupes sur r.-v.

LOUIS LATOUR 2005 *

Gd cru	10 ha	50 000	46 à 76 €

Latour et Corton, cela ne date pas d'hier. Plus d'un siècle que la famille Latour a acquis Corton-Grancey, haut lieu du pays. Agrumes et tilleul, quelle netteté dans la respiration ! C'est d'un ordre impeccable et d'un bois bien fondu (dix-huit mois). Plus gras que volumineux, équilibré et charpenté, ce 2005 est d'une constitution qui lui permettra d'évoluer tranquillement pendant les prochaines années.

🔑 Maison Louis Latour, 18, rue des Tonneliers, 21204 Beaune, tél. 03.80.24.81.00, fax 03.80.22.36.21, e-mail louislatour@louislatour.com

LOUIS LEQUIN 2004

Gd cru	0,9 ha	540	30 à 38 €

Lorsque le phylloxéra ruina le vignoble, les Lequin exploitèrent des mines de dolomie sur la montagne de Santenay. Cette roche sert à fabriquer du verre. Ainsi la famille réussit-elle à reprendre un peu plus tard le chemin des vignes. Paille à reflets citron, ce 2004 livre un bouquet floral. Après une attaque légère, l'acidité et la minéralité viennent animer la bouche, assez charpentée, avant une finale sur les agrumes.

🔑 Louis Lequin, 1, rue du Pasquier-du-Pont, 21590 Santenay, tél. 03.80.20.63.82, fax 03.80.20.67.14, e-mail louis.lequin@wanadoo.fr 🍷 r.-v.

DOM. MARATRAY-DUBREUIL 2005

Gd cru	0,4 ha	2 100	38 à 46 €

Coup de cœur l'an dernier, ce domaine revient cette année avec une nouvelle étiquette, que l'on ne pourra pas reproduire et c'est dommage, elle s'était joliment modernisée. À l'intérieur de la bouteille, c'est toujours le même sérieux : un

BOURGOGNE

vin or pâle au nez de fruits cuits, marqué par le boisé (quinze mois en fût). Du velours au palais, un peu de gras et une finale sur la pêche. À attendre encore un an ou deux.

Dom. Maratray-Dubreuil, 5, pl. du Souvenir, 21550 Ladoix-Serrigny, tél. 03.80.26.41.09, fax 03.80.24.49.07, e-mail maratray-dubreuil@orange.fr r.-v.

LUCIEN MUZARD ET FILS 2005 ★★

Gd cru n.c. n.c. 46 à 76 €

Achat de raisins et négoce-éleveur, en complément de l'activité du domaine. Cela devient assez fréquent dans la Côte. Phénomène nouveau de la part de la propriété. Doré comme un calice, ce corton-charlemagne aligne tous ses arômes au grand complet : acacia, citron, tilleul, menthe... sans jamais donner le tournis. Marquée par le fût (seize mois), grasse et ample, la bouche harmonieuse et puissante joue les prolongations sur des notes de beurre et de noisette. Un vin racé, sans artifice, à apprécier dans trois à quatre ans.

SARL Lucien Muzard et Fils, 1, rue de la Chapelle, 21590 Santenay, tél. 03.80.20.61.85, fax 03.80.20.66.02, e-mail lucien-muzard-et-fils@wanadoo.fr r.-v.

DOM. PAVELOT 2005 ★★

Gd cru 0,46 ha 2 000 38 à 46 €

Vendanges en paniers d'osier, ce n'est plus fréquent mais c'est apparemment encore payant, tant ce 2005 s'affirme comme un grand vin. L'amande et l'aubépine filent le parfait amour sous une robe claire et luisante. Le volume est équilibré, l'acidité présente sans être insistante, la longueur tout à fait estimable. Une bouteille faite pour durer.

EARL Dom. Luc et Régis Pavelot, rue du Paulant, 21420 Pernand-Vergelesses, tél. 03.80.26.13.65, fax 03.80.26.10.36, e-mail earl.pavelot@cerb.cernet.fr r.-v.

DOM. DU PAVILLON 2005 ★

Gd cru 1,09 ha 3 000 + de 76 €

Une curiosité pour l'amateur. La famille Bichot acquit auprès de la famille Poisot 1,09 ha en corton Languettes. Pinot noir. Or, cette parcelle avait droit à l'appellation corton-charlemagne et fut donc replantée en chardonnay (première récolte en 1987). Jaune cristallin à reflets argentés, encore un peu vanillé (quinze mois en fût), ce 2005 est ample et onctueux tout en ayant une bonne colonne vertébrale. À déboucher dans les trois ans.

A. Bichot, Dom. du Pavillon, 6 bis, bd Jacques-Copeau, 21200 Beaune, tél. 03.80.24.37.37, fax 03.80.24.37.38, e-mail bourgogne@albert-bichot.com

RAPET PÈRE ET FILS 2005 ★

Gd cru 2,5 ha 6 000 38 à 46 €

Vieille famille vigneronne de Pernand, les Rapet s'établirent à leur compte après la crise du phylloxéra et achetèrent une vigne de corton-charlemagne plantée alors en aligoté (cas fréquent à cette époque – lire Camille Rodier à ce sujet). Ce 2005 ? Quatorze mois de fût. De l'éclat, un nez sur le beurre et l'aubépine, une attaque assez tannique qui ne masque pas la fraîcheur du millésime. Typé terroir, un vin élégant, à boire d'ici quatre à cinq ans.

Rapet Père et Fils, pl. de la Mairie, 21420 Pernand-Vergelesses, tél. 03.80.21.59.94, fax 03.80.21.54.01 r.-v.

DOM. ROLLIN PÈRE ET FILS 2005 ★

Gd cru 0,4 ha 2 200 38 à 46 €

Longtemps modestes vignerons au service des domaines, les Rollin se sont mis peu à peu à leur compte. En ce temps-là, on partait aux vignes à quatorze ans, après le certif'. Chance : l'achat en 1947 d'une parcelle en corton-charlemagne pour deux fois le prix de la même superficie en pernand ! Passons sur la suite de l'histoire, les partages, les locations. Doré clair, ce vin possède un petit côté boisé (douze mois en fût) mais qui s'intègre bien au nez de fleurs blanches. Droit et net, suave et fin, il passera sans problème à la prochaine décennie.

Rollin Père et Fils, rte des Vergelesses, 21420 Pernand-Vergelesses, tél. 03.80.21.57.31, fax 03.80.26.10.38, e-mail contact@domaine-rollin.com r.-v.

ROUX PÈRE ET FILS 2005 ★★

Gd cru n.c. 2 000 46 à 76 €

Famille en ascension depuis ses bases à Saint-Aubin, possédant propriété et négoce en bonne intelligence. Que ne fait-elle pas ? 2005 chic et choc. L'œil intense, le nez disert (boisé grillé, fruits secs, fleurs blanches) et, en bouche, une fraîcheur minérale qui calme le gras. De la pureté, du fond, de la race, du terroir, un vin quasi exemplaire pour l'appellation. À ne remonter de la cave que dans cinq à sept ans.

Dom. Roux Père et Fils, 21190 Saint-Aubin, tél. 03.80.21.32.92, fax 03.80.21.35.00, e-mail roux.pere.et.fils@wanadoo.fr r.-v.

Savigny-lès-beaune

Savigny est aussi un village vigneron par excellence. L'esprit du terroir y est entretenu, et la confrérie de la Cousinerie de Bourgogne est le symbole de l'hospitalité bourguignonne. Les Cousins jurent d'accueillir leurs convives « bouteilles sur table et cœur sur la main ».

Les vins de Savigny, en dehors du fait qu'ils sont « nourrissants, théologiques et morbifuges », sont souples, tout en finesse, fruités, agréables, jeunes et vieillissent bien. Citons quelques premiers crus comme Aux Clous, Aux Serpentières, Les Hauts Jarrons, Les Marconnets, Les Narbantons. En 2006, l'AOC a produit 12 546 hl de vin rouge et 1 807 hl de vin blanc.

DOM. D'ARDHUY Aux Clous 2005 ★★

1er cru 6,55 ha 40 000 15 à 23 €

Domaine de la famille Liogier d'Ardhuy, après la cession de la Reine Pédauque et de Corton-André. Aux Clous (c'est-à-dire Clos) est un *climat* plein sud. Le succès est au rendez-vous car ce 2005 est arrivé jusqu'en finale du coup de cœur. D'une couleur très profonde, assez boisé (douze mois en fût) – mais le temps en fera son affaire –, ce vin ne craint pas le paradoxe et Dieu sait si c'est bourguignon ! Puissant et assez soyeux, cassis sans état d'âme, gras et souple, il est particulièrement généreux, même si le nez est à venir. Une bouteille à ouvrir dans trois ans.

⊶ Dom. d'Ardhuy, Clos des Langres, 21700 Corgoloin, tél. 03.80.62.98.73, fax 03.80.62.95.15, e-mail domaine@ardhuy.com ☑ 🍸 ⛹ r.-v.

JEAN-CLAUDE BOISSET La Dominode 2005 ★

■ 1er cru 0,3 ha 1 000 ⅲ 15 à 23 €

La partie ouest des Peuillets était connue dès le XIX^e^s. sous le nom de Dominaudes et classée en première cuvée. On écrit aujourd'hui La Dominode et il s'agit toujours d'un très bon vin. Celui-ci ? Une robe rubis intense et limpide. Des arômes gourmands de fruits rouges à l'eau-de-vie et de pain beurré. L'attaque est nette, les tanins sont encore fermes, mais une bonne mâche tient le fruit. Un vin bien structuré qu'on attendra trois ans en toute confiance.

⊶ Jean-Claude Boisset, Les Ursulines, 5, quai Dumorey, 21700 Nuits-Saint-Georges, tél. 03.80.62.61.61, fax 03.80.62.61.72, e-mail jcb@jcboisset.com

⊶ FGVS

DOM. MARGUERITE CARILLON 2005

■ 1,3 ha 7 800 ⅲ 11 à 15 €

Domaine familial depuis quatre générations. Rubis léger, exprimant un bouquet discret (petits fruits, nuances de violette), ce savigny est-il, comme l'exige la légende, « nourrissant, théologique et morbifuge » ? Loin de là... Net et souple d'entrée de jeu, il ne se laisse pas marcher sur les pieds par des tanins un peu envahissants et reste sur son fruit. Une légère vivacité en finale devrait s'estomper. Bien pour un *village* qui doit s'ouvrir et évoluer d'ici un an.

⊶ Dom. Marguerite Carillon, 7, rte de Monthélie, 21190 Meursault, tél. 03.80.21.22.45, fax 03.80.21.28.05

MAISON CHAMPY Aux Fourches 2004 ★

■ 1,4 ha 8 400 ⅲ 15 à 23 €

Ces Fourches n'ont vraiment rien de patibulaire. Ce *climat* est situé au levant, du côté du meilleur de Chorey. L'équipe Pierre Meurgey et Dimitri Bazas signe un 2004 rubis moyen qui demande un peu de bouteille. Sur les fruits noirs réglissés, son bouquet encore austère semble sortir d'une retraite à Cîteaux. De la matière en bouche portant un joli fruit frais, des tanins présents mais mûrs, une finale longue légèrement vanillée : toutes les pièces du puzzle vous attendent pour un face à face dans trois ans.

⊶ Champy, 5, rue du Grenier-à-Sel, BP 53, 21200 Beaune, tél. 03.80.25.09.99, fax 03.80.25.09.95, e-mail pmeurgey@champy.com ☑ 🍸 ⛹ r.-v.

⊶ Pierre Meurgey

DOM. CHARACHE-BERGERET Les Godeaux 2005

■ 0,87 ha 3 000 ⅲ 11 à 15 €

Enfant de Bouze-lès-Beaune, pittoresque village des Hautes-Côtes, René Charache est resté fidèle à ses racines tout en développant son domaine avec sa femme Jacqueline. Son savigny (près d'1 ha en Godeaux, le balcon le plus élevé côté Pernand et Combe d'Orange) brille d'un rouge séduisant mais reste fermé au nez. Il attaque en douceur, puis les tanins se manifestent, apportant une certaine structure. Le lapin chasseur attendra 2010.

⊶ Dom. Charache-Bergeret, chem. de Bière, 21200 Bouze-lès-Beaune, tél. et fax 03.80.26.00.86 ☑ 🍸 ⛹ r.-v.

DOM. DE CHARMY 2005

■ 1,6 ha 9 880 ⅲ 30 à 38 €

Misserey, c'est-à-dire Jaboulet-Vercherre et surtout Louis Max, maison nuitonne déjà ancienne et pratiquant volontiers le rachat de signatures. Domaine sur 21 ha dans la Côte et les Hautes-Côtes. Son savigny est à apprivoiser en prenant son temps. Sous une robe rubis classique, le fruit écrasé et le grillé (quinze mois en fût) dialoguent de nez en nez. Souple et net en attaque, le palais se referme un peu sur la fin. On attendra deux ans sa pleine ouverture.

⊶ P. Misserey, 6, rue de Chaux, BP 4, 21700 Nuits-Saint-Georges, tél. 03.80.62.43.47, fax 03.80.62.68.02 🍸 ⛹ r.-v.

CH. DE LA CHARRIÈRE Les Vermots Dessus 2004

□ 0,65 ha 3 200 ⅲ 11 à 15 €

Sans être rares, les blancs sont ici beaucoup moins représentés que les rouges. Question d'habitude ou décision réfléchie face à un sol favorable, un besoin commercial ou toute autre raison... Or argenté et lumineux, boisé avec quelques notes de sous-bois, ce 2004 est vif et frais, plus élégant que profond, et s'entoure de verveine et de citron. À servir dès aujourd'hui.

⊶ Dom. Yves Girardin, Ch. de La Charrière, 21590 Santenay, tél. 03.80.20.64.36, fax 03.80.20.66.32 ☑ 🍸 ⛹ r.-v.

DOM. CORNU Les Saucours 2004 ★

■ 0,25 ha 1 500 ⅲ 11 à 15 €

Domaine familial transmis de père en fils depuis quatre générations. Rouge cerise, brillant et limpide, ce 2004 livre un nez d'intensité moyenne, marqué par le boisé (dix-huit mois en fût, on ne s'en étonnera pas). Le fruit arrive en bouche, après une attaque souple, parfumant une matière ronde et charnue aux tanins fins et fondus. Finale intéressante sur une pointe de cerise. À garder en cave pendant deux ans pour une pleine harmonie.

⊶ Dom. Cornu, rue du Meix-Grenot, 21700 Magny-lès-Villers, tél. 03.80.62.92.05, fax 03.80.62.72.22, e-mail domaine.cornu@wanadoo.fr ☑ 🍸 ⛹ r.-v.

RODOLPHE DEMOUGEOT Les Bourgeots 2005 ★★

■ n.c. n.c. ⅲ 11 à 15 €

GRAND VIN DE BOURGOGNE
2005
SAVIGNY-LES-BEAUNE
APPELLATION SAVIGNY-LES-BEAUNE CONTRÔLÉE
LES BOURGEOTS
Rodolphe Demougeot
VITICULTEUR
MIS EN BOUTEILLE AU DOMAINE A MEURSAULT
F.21190, FRANCE - PRODUIT DE FRANCE

Ces Bourgeots ont déjà eu un coup de cœur il y a... pas mal de temps (millésime 1995). Mais ils arboraient déjà l'an dernier deux étoiles à leur revers. *Bis repetita placent... Climat* en descendant sur Beaune. Une robe rubis soutenu et qui le restera longtemps, un boisé fin au nez, tirant sur le grillé (quatorze mois en fût). Le fruit apparaît en bouche (et au pluriel : cerise, cassis, framboise), soutenu d'une pointe vanillée, dans un ensemble rond et ample, aux tanins de bonne compagnie. Un grand vin de garde.

Dom. Rodolphe Demougeot,
2, rue du Clos-de-Mazeray, 21190 Meursault,
tél. 03.80.21.28.99, fax 03.80.21.29.18,
e-mail rodomougeot@aol.com r.-v.

DOM. DENIS PÈRE ET FILS 2004 *

■ 2,2 ha 3 000 8 à 11 €

S'il n'a pas le nez de Cyrano (encore un peu fermé, il paraît... court mais néanmoins fruité), ce vin porte la cape de mousquetaire, d'un beau pourpre à reflets violacés. Il attaque avec cœur, et sa bouche est une longue tirade bien enlevée, soutenue par la charpente et le gras. En finale, la griotte vient prêter main-forte à l'amande grillée. Un savigny typé, à déboucher dans un an.

Dom. Denis Père et Fils,
chem. des Vignes-Blanches, 21420 Pernand-Vergelesses,
tél. 03.80.21.50.91, fax 03.80.26.10.32,
e-mail denis.pere-et-fils@wanadoo.fr r.-v.

DOM. DOUSSOT-ROLLET 2004

■ 0,55 ha 2 000 8 à 11 €

Pourpre limpide à reflets violacés, ce 2004 évoque la fougère sur une toile de fond vanillée (douze mois en fût après six en cuve). Il révèle une légère mâche dans un corps riche, assez fondu et d'un fruit discret. À boire dans les deux ans sur un bœuf bourguignon.

EARL Doussot-Rollet, 7, rte de Serrigny,
21200 Chorey-lès-Beaune, tél. et fax 03.80.22.41.98
r.-v.

PHILIPPE DUBREUIL-CORDIER 2005 *

0,73 ha 5 000 11 à 15 €

Vignoble créé dans les années 1950 par le mariage... des vignes du père et de la mère de l'actuel propriétaire. Or blanc à reflets gris, un savigny très recommandable. Son nez a deux penchants, l'un pain de mie et noisette (élevage de douze mois en fût), l'autre tilleul et acacia pour la fraîcheur. Assez onctueux et miellé, son corps montre une pointe minérale. Les silex taillés font, il est vrai, partie de l'archéologie du village. Long retour aromatique légèrement épicé.

Philippe Dubreuil, 4, rue Péjot,
21420 Savigny-lès-Beaune, tél. 03.80.21.53.73,
fax 03.80.26.11.46 r.-v.

DOM. LIONEL DUFOUR Les Pointes 2005 **

■ 1,2 ha 6 500 46 à 76 €

Notre coup de cœur du Guide 2006 revient avec ces Pointes, *climat* formant en effet un triangle parfait au bas des Serpentières. Un 2005 aux proportions mesurées mais charmeuses. Sous sa robe rouge cerise léger, son nez très ouvert offre d'agréables notes de fruits rouges sur un fond boisé sans excès. En bouche, les tanins ne sont pas omniprésents et le fruit ne se contente pas de faire de la figuration. Un vin soyeux, à découvrir d'ici deux ans.

Lionel Dufour, 6, allée des Amandiers,
21190 Meursault, tél. 08.26.55.55.20,
fax 03.87.69.71.13
Fievet

DOM. MICHEL GAY ET FILS Serpentières 2004 *

■ 1er cru 0,46 ha 2 700 11 à 15 €

L'évêque d'Autun possédait dès le XIIIes. une vigne en Serpentières. De nos jours, on peut y trouver ce 2004, parfumé avec discrétion de cerise confite. C'est en bouche qu'il se dévoile vraiment. Chaleureux, soyeux, fruité, il ne manque ni de puissance ni de charpente et se révèle prometteur (deux ans d'attente). Une belle réussite pour ce millésime qui n'était pas toujours commode !

Dom. Michel Gay et Fils, 1, rue des Brenôts,
21200 Chorey-lès-Beaune, tél. 03.80.22.22.73,
fax 03.80.22.95.78 r.-v.

JEAN-MICHEL GIBOULOT Les Peuillets 2005

■ 1er cru 0,4 ha 2 100 15 à 23 €

Sélectionné pour son *village* blanc l'an dernier, Jean-Michel Giboulot figure cette année pour deux 1ers crus rouges. Ces Peuillets tout d'abord, au nez encore assez fermé, qui laisse cependant déjà deviner des nuances de fruits rouges et un boisé léger. La bouche est harmonieuse, avec des tanins soyeux soutenant un bon fruit. On pourra attendre deux ou trois ans que ce vin s'ouvre pleinement. Citation également pour le **1er cru Aux Gravains rouge 2005**, que vous remonterez de la cave au même moment.

Jean-Michel Giboulot, 27, rue du Gal-Leclerc,
21420 Savigny-lès-Beaune, tél. 03.80.21.52.30,
fax 03.80.26.10.06,
e-mail jean-michel.giboulot@wanadoo.fr r.-v.

DOM. JEAN-JACQUES GIRARD Les Peuillets 2004 *

■ 1er cru 0,7 ha 4 000 15 à 23 €

Vieille famille de Savigny, vigneronne depuis 1529... au moins. Plusieurs rameaux nés de ce tronc. Pourpre violacé, ce 2004 élevé quinze mois en fût (cacao, beurre) ne néglige pas le fruit rouge dont il est l'obligé. D'attaque souple, la bouche se montre ensuite riche et structurée, redéclinant les notes fruitées pour finir dans une bonne longueur sur le toasté. Un vin complet. Sandre au vin rouge... C'est tentant.

Dom. Jean-Jacques Girard,
16, rue de Cîteaux, BP 17, 21420 Savigny-lès-Beaune,
tél. 03.80.21.56.15, fax 03.80.26.10.08,
e-mail jjacquesgirard@aol.com
t.l.j. sf dim. 8h-12h 14h-19h

DOM. PHILIPPE GIRARD Vieilles Vignes 2005 *

■ 4 ha 20 000 8 à 11 €

Ce domaine, dans la famille depuis cinq siècles, propose avec cette cuvée de vieilles vignes (quarante-cinq ans en moyenne) une expression du pinot noir très agréable. Nez de fraise et de framboise confiturées. Bouche ronde et suave, avec de la matière fruitée et une certaine fraîcheur qui lui évite toute lourdeur. Cité, le **1er cru Les Narbantons Vieilles Vignes rouge 2005 (11 à 15 €)**, *climat* du bas du coteau côté Beaune.

Philippe Girard, 37, rue du Gal-Leclerc,
21420 Savigny-lès-Beaune, tél. 03.80.21.57.97,
fax 03.80.26.14.84,
e-mail domaine-girard.philippe@wanadoo.fr
t.l.j. sf dim. 8h-12h 14h-19h

DOM. VINCENT GIRARDIN Les Vermots Dessus 2005

1,2 ha 8 000 11 à 15 €

Climat situé tout en haut du pays, sur la route de Bouilland à main droite. Il ne s'appelle d'ailleurs pas Les

Vermots Dessus mais Dessus-les-Vermots, à environ 300 m d'altitude. Ce qui n'est guère important. Un blanc, et ils ne sont pas si fréquents en savigny. Jadis, il n'y avait ici que du pinot noir en plant fin. Or vert, floral et vanillé, un chardonnay aux formes assez rondes, présent surtout au début de l'intrigue. La suite est moins soutenue, un tantinet sévère, mais on s'y plaît. À déguster en 2008.
Vincent Girardin, ZA Les Champs-Lins, 21190 Meursault, tél. 03.80.20.81.00, fax 03.80.20.81.10, e-mail vincent.girardin@vincentgirardin.com

DOM. LES GUETTOTTES Aux Serpentières 2005

■ 1er cru 0,25 ha 1 200 15 à 23 €

Cette propriété, dans la famille depuis trois générations, exploite 10 ha de nos jours, dont six ouvrées environ aux Serpentières. Rouge cerise brillant, un 2005 discrètement bouqueté (fruits rouges) et riche en tanins. Sa bonne longueur montre du potentiel. Il s'ouvrira vraiment d'ici trois à quatre ans. Le *village* **Dessus des Gollardes blanc 2005 (11 à 15 €)**, encore un peu timide, est également cité.
Pierre et Jean-Baptiste Lebreuil, 17, rue Chanson-Maldant, 21420 Savigny-lès-Beaune, tél. 03.80.21.52.95, fax 03.80.26.10.82, e-mail domaine-lebreuil@wanadoo.fr r.-v.

DOM. PIERRE GUILLEMOT Serpentières 2005

■ 1er cru 1,7 ha 9 000 15 à 23 €

Fréquemment coup de cœur, ces Serpentières se montrent dans ce millésime encore austères (quinze mois en fût) et ne se découvrent qu'à demi. Comme saint Martin, ce 2005 est charitable mais il ne donne que la moitié de son manteau... Rouge cerise brillant, il garde encore un nez un peu fermé, se montrant plus généreux en bouche. Bonne matière qui demande trois ans pour s'arrondir et donner toute sa mesure. Également cité, le **1er cru Les Jarrons rouge 2005 (11 à 15 €)**.
SCE du Dom. Pierre Guillemot, 11, pl. Fournier, BP 18, 21420 Savigny-lès-Beaune, tél. 03.80.21.50.40, fax 03.80.21.59.98 r.-v.

DOM. JEAN GUITON 2004 ★

■ 2,48 ha 4 000 8 à 11 €

Pourpre foncé à reflets mauves, ce savigny fruité sur fond boisé (dix-huit mois en fût) n'est pas sans ressources. D'attaque franche, il offre en bouche une matière riche et grasse, assez puissante, qui retrouve pour votre plaisir les arômes du nez (griotte confite). Légèrement chaleureux, d'une bonne longueur, c'est un vin complet, à carafer avant dégustation quand vous l'ouvrirez... dans deux ans.
Dom. Jean Guiton, 4, rte de Pommard, 21200 Bligny-lès-Beaune, tél. 03.80.26.82.88, fax 03.80.26.85.05, e-mail domaine.guiton@wanadoo.fr r.-v.

DOM. GUYON Les Peuillets 2005 ★

■ 1er cru n.c. n.c. 15 à 23 €

D'un rouge appuyé, en instance d'arômes sur une petite note framboisée, ce vin invite à la dégustation sans patienter jusqu'à la fin des temps. En effet, sa fraîcheur, sa rondeur généreuse, son gras sur le fruit sont à saisir dès maintenant. « On lèche trois fois ses lèvres et on en dit du bien », pour paraphraser Bernard de La Monnoye, de l'Académie française, à propos justement du vin de Savigny.
EARL Dom. Guyon, 11-16, RN 74, 21700 Vosne-Romanée, tél. 03.80.61.02.46, fax 03.80.62.36.56, e-mail domaine.guyon@wanadoo.fr r.-v.

DOM. LUCIEN JACOB Vergelesses 2005 ★

■ 1er cru 0,73 ha 4 500 15 à 23 €

Ancien député de la Côte-d'Or, Lucien Jacob s'est dépensé sans compter pour la Côte et les Hautes-Côtes. Ses enfants, Jean-Michel et Chantal, avec sa belle-fille Christine, ont pris le relais. Rubis foncé, un très bon Vergelesses, vin que le Dr Lavalle (1855) considérait comme le meilleur à Savigny. Fin boisé torréfié (seize mois en fût), petite ouverture fruitée : il est plein de promesses. Matière ample sur un socle tannique parfaitement poli. Ouverture prévue dans trois ans. Le **village rouge 2005 (8 à 11 €)**, tendre et rond, décroche également une étoile.
Dom. Lucien Jacob, 21420 Échevronne, tél. 03.80.21.52.15, fax 03.80.21.55.65, e-mail lucien-jacob@wanadoo.fr r.-v.

DOM. GUY-PIERRE JEAN ET FILS Les Grands Liards 2005 ★

■ 0,26 ha 1 200 11 à 15 €

Reprise du domaine familial par Fabrice et Thierry en 1991. Les Grands Liards sont sous Les Lavières en allant au village, sur la droite. Rouge soutenu à reflets violacés, ce savigny affiche un nez puissant et riche, où le boisé (quatorze mois en fût) accompagne sans les masquer les arômes fruités. En bouche, il fait assez volontiers étalage de sa richesse, retrouvant la palette aromatique du nez, agrémentée de notes réglissées et grillées. Harmonieux et typé dans un style dense et durable. Garde minimale de deux ans.
Dom. Guy-Pierre Jean et Fils, rue des Caillettes, 21420 Aloxe-Corton, tél. 03.80.26.44.72, fax 03.80.26.45.36 r.-v.

DOM. PIERRE LABET Vergelesses 2005 ★★

□ 1er cru 0,4 ha 1 850 23 à 30 €

Le château de La Tour au Clos de Vougeot et le domaine Pierre Labet en Beaunois. Les Vergelesses sont l'un des rares *climats* à avoir diminué (légèrement) de superficie depuis le XIXe s., même si la distinction entre Hautes et Basses n'a plus cours. Plusieurs coups de cœur dans le passé pour ce vin. Un 2005 de grande classe, qu'il faut attendre pour l'épanouissement (deux ans), mais de l'or paille de la robe à l'harmonie de la bouche (finesse, rondeur, longueur), tout reflète un chardonnay superbe. Seul le nez n'a pas encore atteint sa plénitude, se contentant de quelques notes florales et boisées discrètes aujourd'hui.
Dom. Pierre Labet, Clos de Vougeot, 21640 Vougeot, tél. 03.80.62.86.13, fax 03.80.62.82.72, e-mail contact@francoislabet.com
t.l.j. sf mar. 10h-18h; groupes sur r.-v.; f. fin nov-Pâques
François Labet

DOM. MARÉCHAL-CAILLOT 2005

■ 2,22 ha 11 000 15 à 23 €

Camille Rodier nous dit que le sol de Savigny « ne manque pas de profondeur ». En effet, qu'il s'agisse du cône alluvial du Rhoin (la rivière du pays) ou du « système du Corton » (pour parler comme les géologues), la terre est de qualité. D'une teinte très foncée, ce 2005 évoque la

cerise ou encore – registre différent – le lierre. Maturité satisfaisante, matière présente et bouche longue. Un vin encore fermé mais bien travaillé, qu'il faudra laisser venir à soi. Quand il sera prêt, c'est-à-dire pas avant trois ans.
Bernard Maréchal, 10, rte de Chalon, 21200 Bligny-lès-Beaune, tél. 03.80.21.44.55, fax 03.80.26.88.21, e-mail gb@marechal-caillot.com
r.-v.

CAVES DES MOINES 2005 **

■ n.c. 3 000 11 à 15 €

Naudin-Varrault (maison beaunoise déjà ancienne) a été repris en 1985 par Prosper Maufoux, lui-même... Il serait trop long de remonter toutes ces généalogies. Il s'agit donc d'une signature. Un vin brillant, aux arômes de framboise nuancés par une simple gousse de vanille bien fondue (quinze mois en fût). Friand et cependant ferme, il s'équilibre entre puissance et fraîcheur sur des tanins souples. Il connaît sur le tard un retour de fruit. L'attente est préconisée (deux à trois ans).
Naudin-Varrault, Maison des Grands Crus, 1, pl. du Jet-d'Eau, 21590 Santenay, tél. 03.80.20.60.40, fax 03.80.20.63.26, e-mail maisondesgrandscrus@wanadoo.fr

PIERRE OLIVIER Aux Clous 2005 *

■ 1er cru n.c. 6 600 15 à 23 €

Maison fondée dans les années 1930, aujourd'hui signature Moillard. La robe qu'on aurait portée jadis au bal de la Préfecture. Pour être la plus belle et faire pâlir de jalousie toutes les autres... Il va sans dire, son parfum a de quoi affoler les titulaires du carnet de bal. Cerise à noyau, poivre blanc. La première valse est ronde, franche. Puis l'on danse avec les tanins, qui ne vous marchent pas sur les pieds, sur un air de fruits rouges et de boisé. Avec cette longueur en bouche, on est parti jusqu'à l'aube...
Pierre Olivier, 2, rue François-Mignotte, BP 6, 21700 Nuits-Saint-Georges, tél. 03.80.62.42.08, fax 03.80.61.28.13, e-mail nuicave@wanadoo.fr
t.l.j. 10h-18h; f. jan.

DOM. OLIVIER PÈRE ET FILS Les Peuillets 2005 *

■ 1er cru 0,5 ha n.c. 15 à 23 €

Le domaine a créé en 2005 une activité de négoce (achats en raisins et vinification, ainsi qu'élevage) pour compléter sa production. Ce 2005 cerise à l'œil comme au nez (noyau) vient quant à lui de la propriété. Attaque brillante. Son entrée se remarque. La suite élégante et bien équilibrée se déroule sur des tanins fins, tout en restant près du fruit rouge. Agréable dès à présent, mais l'attente est conseillée (trois ans) pour un supplément d'harmonie, et donc de plaisir.
Dom. Olivier, 5, rue Gaudin, 21590 Santenay, tél. 03.80.20.61.35, fax 03.80.20.64.82, e-mail domaineolivier@orange.fr r.-v.

DOM. JEAN-MARC ET HUGUES PAVELOT 2005 *

n.c. 5 600 11 à 15 €

Le chardonnay entend jouer des coudes à Savigny, où il entra longtemps pour une petite part dans la production (en volume). Non sans raison. Ainsi, ce 2005 or clair très brillant, dont les arômes sont encore assez fermés mais en plein épanouissement (petits fruits, vanille). Construction fine, bien équilibrée, misant sur la tendreté plus que sur la longueur. Plusieurs coups de cœur dont celui de l'an dernier pour ce même vin en millésime 2004.
Dom. Jean-Marc et Hugues Pavelot, 1, chem. des Guettottes, 21420 Savigny-lès-Beaune, tél. 03.80.21.55.21, fax 03.80.21.59.73, e-mail hugues.pavelot@wanadoo.fr r.-v.

DOM. PRIN 2004 *

■ 0,84 ha 2 810 11 à 15 €

Ce 2004 illustre bien la finesse du savigny rouge. Le bouquet suggère la cerise, l'animal, l'épice. L'attaque est élégante et la bouche assez souple arbore des tanins fondus et toastés (fût : dix-huit mois). Persistance soulignée par une note de pruneau. Dernier atout : il est prêt à boire dès aujourd'hui.
Dom. Prin, 12, rue de Serrigny, Cidex 10, 21550 Ladoix-Serrigny, tél. 03.80.26.45.83, fax 03.80.26.46.16, e-mail domaineprin@yahoo.fr
r.-v.
Jean-Luc Boudrot

RAPET PÈRE ET FILS 2005

■ 1,2 ha 6 000 11 à 15 €

Domaine coup de cœur il y a deux ans. Typé, structuré, ce 2005 possède un bon potentiel de départ, même s'il est encore fermé à l'heure actuelle. Patientez deux ou trois ans et vous pourrez alors découvrir pleinement son nez de cerise et profiter de ses tanins boisés, dorénavant fondus, soutenant une matière riche et assez longue.
Rapet Père et Fils, pl. de la Mairie, 21420 Pernand-Vergelesses, tél. 03.80.21.59.94, fax 03.80.21.54.01 r.-v.

JOËL RÉMY Les Fourneaux 2005

■ 1 ha 3 000 11 à 15 €

Sainte-Marie-la-Blanche est un village de la plaine beaunoise porteur d'une réelle tradition viticole et, comme à Bligny, il n'est pas rare qu'un viticulteur ait des vignes à Savigny. Ce *climat* est voisin de la limite communale de Pernand. Si l'on se met à ces Fourneaux, on découvre une robe cerise profonde. Nez encore réservé et constitution rustique, ce qui n'est pas un défaut mais nécessite de la patience. Oubliez donc cette bouteille au moins trois ans en cave.
SARL Dom. Joël Rémy, 4, rue du Paradis, 21200 Sainte-Marie-la-Blanche, tél. 03.80.26.60.80, fax 03.80.26.53.03, e-mail domaine.remy@wanadoo.fr
r.-v.

DOM. GEORGES ROY ET FILS Les Picotins 2004 *

■ 1,85 ha 2 100 8 à 11 €

Domaine de Chorey, cela se comprend. Les Picotins touchent en effet le territoire communal et d'appellation de ce village. La couleur de ce 2004 n'est pas exagérée. Les senteurs sont assez développées, orientées vers la cerise et la vanille. Ce vin réussit sans faute son parcours en bouche, grâce à un juste équilibre entre la chair et la charpente. L'acidité et les tanins sont à leur place. À boire maintenant sur l'andouillette dijonnaise. À la moutarde, bien sûr !

Dom. Georges Roy et Fils, 20, rue des Moutots, 21200 Chorey-lès-Beaune, tél. 03.80.22.16.28, fax 03.80.24.76.38, e-mail domaine.roy-fils@wanadoo.fr r.-v.

DOM. SEGUIN-MANUEL Godeaux 2005

	1,6 ha	7 000	11 à 15 €

Thibaut Marion a repris en 2004 cette vénérable maison. Le domaine s'est élargi en 2005 et 2006 avec des parcelles sur Beaune. Rubis grenat, un Godeaux (*climat* situé côté Pernand en haut de coteau, mais Les Vergelesses atteignent la même altitude) plus fruité (cassis, mûre) que boisé ; la bouche mi-souple mi-serrée demeure toujours plaisante. À déboucher dans l'année qui vient, sur le rôti. Autre *village*, **Goudelettes blanc 2005 (15 à 23 €)** est également cité.

Dom. Seguin-Manuel, 2, rue de l'Arquebuse, 21200 Beaune, tél. 03.80.21.50.42, fax 03.80.21.59.38, e-mail contact@seguin-manuel.com r.-v.

Thibaut Marion

DOM. FRANCINE ET MARIE-LAURE SERRIGNY La Dominode 2005 ★

1er cru	0,52 ha	3 000	11 à 15 €

Comme les sœurs Gerbet à Vosne-Romanée, Francine et Marie-Laure font tout ici, de la vigne à la cuverie et du grenier à la cave. Pourpre violine, ce 2005 affiche une jolie robe. Nul besoin de coudre dans la jupe des sachets de senteurs, comme on le faisait jadis. Le fruit à noyau légèrement épicé suffit pour le bouquet. Texture et charpente irréprochables. Fin de bouche coquette sur une note de kirsch. Faites un détour par le **village blanc 2005 (8 à 11 €)** : léger et plaisant, il obtient également une étoile.

Dom. Francine et Marie-Laure Serrigny, 4, rue du Bouteiller, 21420 Savigny-lès-Beaune, tél. 03.80.26.11.75, fax 03.80.26.14.15 r.-v.

HENRI DE VILLAMONT Clos des Guettes 2004 ★★

1er cru	1,91 ha	8 200	15 à 23 €

De nos jours, filiale du groupe helvétique Schenk, la maison Henri de Villamont s'est développée à Savigny dans l'ancienne propriété de Léonce Bocquet, celui-là même qui sauva le château du Clos de Vougeot et est enterré là. Ce 2004 s'affirme comme un digne représentant de son appellation et de son millésime. Son nez intense et complexe joue sur les notes de fruits rouges et noirs, et le boisé vanillé. Passée l'attaque franche, on découvre une matière ronde et élégante, aux tanins fins et fondus. Longue finale sur la fraîcheur. À garder encore deux ou trois ans en cave. À découvrir également, **Le village rouge 2005 (11 à 15 €)**, cité.

SAS Henri de Villamont, 2, rue du Dr-Guyot, 21420 Savigny-lès-Beaune, tél. 03.80.21.50.59, fax 03.80.21.36.36, e-mail contact@hdv.fr t.l.j. sf lun. 10h-18h

Chorey-lès-beaune

Situé dans la plaine, en face du cône de déjection de la combe de Bouilland, le village possède quelques lieux-dits voisins de Savigny. En 2006, on y a produit, 5 175 hl d'appellation communale rouge et 296 hl de blanc.

DOM. CHARLES ALLEXANT ET FILS Les Beaumonts 2004

	1,03 ha	5 800	11 à 15 €

Voisins des territoires de Savigny-lès-Beaune et d'Aloxe-Corton, Les Beaumonts se situent à l'ouest de l'ex-RN 74 devenue RD 974. Un *climat* qui joue souvent le rôle de chef de file dans l'appellation. Le grand caveau a été rénové pour mieux vous accueillir. Rubis grenat légèrement brique, ce 2004 élégant et fruité, soyeux et léger, en appelle au cœur plus qu'à l'esprit.

Dom. Charles Allexant et Fils, 3, rue du Château, Cissey, 21190 Merceuil, tél. 03.80.26.83.27, fax 03.80.26.84.04, e-mail domaine-allexant@wanadoo.fr r.-v.

BOURGOGNE

CH. DE CHOREY 2004 ★

	5 ha	20 000	11 à 15 €

La robe pinote sur des notes profondes et sombres. Le nez (léger réduit au début, vite effacé) balance entre un grillé élégant (quinze mois en fût) et le fruit mûr. Porté par ses tanins, ce 2004 cède à un rien d'amertume mais n'est dépourvu ni de corps ni de chair. On aura soin de le garder jusqu'à la fin de la présente décennie. Il doit s'assouplir et il en est capable.

Germain, Dom. du Château de Chorey, rue des Moutots, 21200 Chorey-lès-Beaune, tél. 03.80.24.06.39, fax 03.80.24.77.72, e-mail domaine-chateau-de-chorey@wanadoo.fr r.-v. 7

MICHEL GAY ET FILS 2004

	3,6 ha	12 000	8 à 11 €

Si la robe de ce 2004 est d'un rouge profond, son nez reste fin, jouant sur les arômes de fruits rouges frais, relevés de notes de sous-bois et de réglisse. Il n'a pas séjourné quinze mois en fût pour rien. En bouche, de la souplesse et de la structure, avec une pointe de fraîcheur en finale. Sans grande complexité mais sans complexes. À ouvrir d'ici deux ans.

Dom. Michel Gay et Fils, 1, rue des Brenôts, 21200 Chorey-lès-Beaune, tél. 03.80.22.22.73, fax 03.80.22.95.78 r.-v.

DOM. GUYON Les Bons Ores 2005 ★

	1,87 ha	12 000	11 à 15 €

Souvent distingué, le domaine Guyon (de Vosne-Romanée) figure ici pratiquement chaque année pour ses Bons Ores, dont il possède près de 2 ha. Longtemps la famille a produit du vin et, à Quincey, de l'orge de brasserie. Depuis 1993, elle s'est recentrée sur son activité de cœur. Tant pis pour la bière ! Griotte à reflets roses, doucement floral, ce 2005 sait ménager ses effets et enchaîne sur un fruit élégant. Les tanins savent s'effacer. C'est tout à leur honneur. Ouverture prévue dans deux ans.

EARL Dom. Guyon, 11-16, RN 74, 21700 Vosne-Romanée, tél. 03.80.61.02.46, fax 03.80.62.36.56, e-mail domaine.guyon@wanadoo.fr r.-v.

DANIEL LARGEOT Les Beaumonts 2005

	2 ha	1 200	8 à 11 €

« Le vigneron de Chorey a cela de commun avec l'Italien, c'est qu'il fait la sieste et n'aime que le grand air », écrit Joseph Bard en 1849. C'est sans doute plus vrai de nos jours pour le grand air que pour la sieste ! Grenat souligné d'un trait mauve au bord du cercle, d'une étoffe chaude, ce Beaumonts libère assez peu ses arômes mais il s'agit d'une question de temps. L'attaque est franche, mais le fruit reste sous la garde vigilante des tanins. Patience rime avec confiance. Malgré une certaine austérité en finale, le potentiel paraît évident.

Dom. Daniel Largeot, 5, rue des Brenôts, 21200 Chorey-lès-Beaune, tél. 03.80.22.15.10, fax 03.80.22.60.62 r.-v.

DOM. MAILLARD PÈRE ET FILS 2005 *

■ 5,8 ha n.c. 11 à 15 €

Chorey (prononcer Chauré) a eu du mal à se faire un nom, tant l'emprise beaunoise était serrée, mais il y est parvenu. Témoin ce vin pourpre rehaussé de violet, satiné. Gentille framboise, sinon son nez n'est guère porté à l'éloquence, du moins pour l'instant. Incisive et nette, l'attaque laisse bientôt l'initiative aux fruits noirs (cassis) avant qu'un effet tannique ne le dérobe un peu à notre plaisir... Ce 2005 veut être en paix pour s'accomplir. Disons deux ans.

Dom. Maillard Père et Fils, 2, rue Joseph-Bard, 21200 Chorey-lès-Beaune, tél. 03.80.22.10.67, fax 03.80.24.00.42, e-mail contact@domainemaillard.com r.-v.

DOM. MICHEL MARTIN 2005

■ 2,09 ha 6 000 8 à 11 €

Depuis qu'il a repris l'exploitation familiale en 2003, Michel Martin n'a pas chômé : création d'un gîte rural (six places) en 2005, mise en ligne d'un site Internet fin 2006... et il a aussi fait du vin ! Comme ce 2005 grenat limpide, au nez encore sur la retenue, qui joue la finesse et la fraîcheur en bouche. Un vin agréable, à boire dès aujourd'hui.

Michel Martin, 4, rue d'Aloxe-Corton, 21200 Chorey-lès-Beaune, tél. 03.80.24.26.57, fax 03.80.24.99.12, e-mail michel.martindomaine@laposte.net r.-v.

DOM. MARTIN-DUFOUR Les Beaumonts 2005

■ 5,97 ha 7 000 8 à 11 €

Domaine familial depuis au moins cinq générations. La sixième est en route... Sur ses 11 ha se pratique une viticulture traditionnelle mais réfléchie ; au chai, c'est cuve et fût. Velours pourpre ourlé de violet, ce Beaumonts aux notes florales très discrètes se porte assez vite sur l'animal et le musc. D'une silhouette élancée, d'une matière accorte, le corps tend au plaisir. Ce qui n'exclut pas une vivacité de jeunesse. Profitez-en dès maintenant.

Dom. Martin-Dufour, 4a, rue des Moutots, 21200 Chorey-lès-Beaune, tél. et fax 03.80.22.18.39, e-mail domainemartindufour@club-internet.fr r.-v.

J.-P. Martin

DOM. PANSIOT 2004

■ 2,3 ha 3 000 8 à 11 €

Créé en 1981 sur 4 ha par Éric Pansiot, le domaine s'est agrandi au fil des années pour compter aujourd'hui 19 ha. Entre-temps, femme et fille sont venues grossir les rangs, ainsi qu'un associé gallois. Rouge tendre, ce vin pointe un nez élégant (fruits confits, sous-bois). Souple, sans agressivité, la bouche laisse apparaître une petite pointe végétale. Un 2004 bien dans son millésime, à boire sans attendre.

Dom. Pansiot, 21, imp. du Château-de-la-Chaume, 21700 Corgoloin, tél. 03.80.62.94.32, fax 03.80.62.73.14, e-mail domaine-pansiot@wanadoo.fr r.-v.

DOM. POULLEAU PÈRE ET FILS 2005 **

■ 0,45 ha 2 500 8 à 11 €

Reprise en 1996 par Thierry et Florence Poulleau, cette exploitation familiale (8,16 ha) signe un joli coup de cœur. D'une coloration cerise noire, sans excès mais bien homogène, ouvert sur la mûre, voici un pinot solidement constitué. Il nous rappelle que le chorey bénéficiait jadis de la réputation de « vin médecin » : il soutenait l'ardeur de crus parfois célèbres et peu robustes... Le fût (quinze mois), les tanins, la pointe de fraîcheur en finale : c'est vinifié avec compétence. Pour lui tenir tête, la côte de bœuf s'impose.

Dom. Michel Poulleau Père et Fils, rue du Pied-de-la-Vallée, 21190 Volnay, tél. 03.80.21.26.52, fax 03.80.21.64.03, e-mail domaine.poulleau@wanadoo.fr r.-v.

DOM. MICHEL PRUNIER ET FILLE Les Beaumonts 2004

■ 0,54 ha 2 800 8 à 11 €

Le domaine, c'est quelque 12 ha (dont 54 a ici) et l'alliance de l'ancien (caves du XVIe s.) et du moderne (construction récente d'une nouvelle cave d'élevage). D'un beau rouge grenat, ce 2004 fait déjà son âge dans le verre. Fruits mûrs, sous-bois, un peu réglissé, le nez se montre classique et de bonne composition. Acidité conforme au millésime, tanins souples, structure moyenne, longueur correcte, il faut penser à le boire sur une pâte cuite pas trop forte ou une assiette de charcuteries.

Dom. Michel Prunier et Fille, rte de Beaune, 21190 Auxey-Duresses, tél. 03.80.21.21.05, fax 03.80.21.64.73, e-mail domainemichelprunier-fille@wanadoo.fr r.-v.

DOM. JOËL RÉMY Le Grand Saussy 2005

0,5 ha 3 000 11 à 15 €

Côté Ladoix, le *climat* le plus à l'est avec Confrelin à l'autre bout. Or discret, ce 2005 semble hésiter entre le fruit jaune cuit et l'acacia, tandis que s'annonce une pointe de miel. En bouche, il affiche une fraîcheur toute minérale. Rien d'étonnant à cela : les carrières de Comblanchien sont à deux pas... Un vin plaisant à cueillir dans sa jeunesse.

SARL Dom. Joël Rémy, 4, rue du Paradis, 21200 Sainte-Marie-la-Blanche, tél. 03.80.26.60.80, fax 03.80.26.53.03, e-mail domaine.remy@wanadoo.fr r.-v.

DOM. GEORGES ROY ET FILS 2005 ★

	0,32 ha	2 000		8 à 11 €

Chardonnay de bon niveau, limpide et d'un œil caressant. Légèrement boisé (quatorze mois), il accompagne ce grillé de quelques fruits blancs. Au palais, le gras se taille la part du lion, mais une note de fraîcheur se dessine en finale. L'élan vers le moelleux est heureusement retenu par un soupçon d'acidité. À découvrir à l'apéritif ou sur un poisson, pourvu que vous n'y mettiez pas trop de crème...

Dom. Georges Roy et Fils, 20, rue des Moutots, 21200 Chorey-lès-Beaune, tél. 03.80.22.16.28, fax 03.80.24.76.38, e-mail domaine.roy-fils@wanadoo.fr r.-v.

Beaune

En termes de superficie, l'appellation beaune est l'une des plus importantes de la Côte. Mais Beaune, ville d'environ 23 000 habitants, est aussi et surtout la capitale vitivinicole de la Bourgogne. Siège d'un important négoce, centre d'un nœud autoroutier très important, c'est l'une des cités les plus touristiques de France. La vente des vins des Hospices est devenue un événement mondial et représente certainement l'une des ventes de charité les plus illustres.

Les vins, essentiellement rouges, sont pleins de force et de distinction. La situation géographique a permis le classement en premiers crus d'une grande partie du vignoble, et, parmi les plus prestigieux, nous pouvons retenir Les Bressandes, Le Clos du Roy, Les Grèves, Les Teurons et Les Champimonts. En 2006, les blancs ont atteint 2 319 hl et les rouges 13 281 hl.

LYCÉE VITICOLE DE BEAUNE
Les Bressandes 2005 ★

■ 1er cru	0,76 ha	4 460		15 à 23 €

Respiciamus atque prospiciamus, jolie devise du lycée viticole de Beaune. « Nous regardons derrière nous et devant nous ». Nul doute que ce Bressandes regarde devant lui, car il a encore de belles années à vivre. L'œil ne laisse pas d'étincelles, mais son nez « griotte » d'abondance, tout en élégance. Le boisé délicat (quatorze mois) confère des notes de cacao et de pain d'épice. Une charpente et un élan dignes du bac avec mention. Le **1er cru rouge La Montée Rouge 2005**, une étoile également, pourra aussi patienter un peu.

Dom. du Lycée viticole de Beaune, 16, av. Charles-Jaffelin, BP 215, 21200 Beaune, tél. 03.80.26.35.85, fax 03.80.26.37.68, e-mail expl.beaune@educagri.fr
t.l.j. sf dim. 8h-12h 14h-17h30; sam. 9h-12h ; groupes sur r.-v.

DOM. GABRIEL BILLARD Les Épenotes 2004 ★

■ 1er cru	0,2 ha	1 000		15 à 23 €

Les filles poursuivent l'œuvre de leurs parents sur cette petite propriété familiale : Mireille, ancien professeur d'allemand, et Laurence, œnologue de grand renom. Aimables Épenotes, d'un rubis très sûr. « Le nez assez assaisonné d'esprit », pour parler comme Saint-Simon. D'esprit et de fruits rouges. Bouche fruitée et harmonieuse, bel objet de désir.

Dom. Gabriel Billard, 15, Grande-Rue, 21630 Pommard, tél. 03.80.22.27.82, fax 03.85.49.49.02, e-mail domaine.gabrielbillard@wanadoo.fr r.-v.
Jobard-Desmonet

DOM. BOUCHARD PÈRE ET FILS
Beaune du Château 2005 ★★

1er cru	9,73 ha	n.c.		15 à 23 €

La dénomination « Beaune du Château » est un usage. Certes, le château de Beaune fait corps avec Bouchard Père et Fils. Mais ces vignes appartenaient-elles historiquement au château ? De passage à Beaune, Stendhal, dans ses *Mémoires d'un touriste*, note qu'à table les gens parlent ici plus volontiers de ces questions biscornues que de lassante politique... Superbe coup de cœur tant il est net, fin et racé. Fleur, pomme verte et minéral, voilà pour le nez. Vivacité, puissance, élégance, c'est pour la bouche. On attendra trois ans. Le **Beaune du Château 1er cru rouge 2005** doit s'arrondir mais il est déjà grand et reçoit une étoile.

Bouchard Père et Fils, Ch. de Beaune, 21200 Beaune, tél. 03.80.24.80.24, fax 03.80.22.55.88, e-mail france@bouchard-pereetfils.com r.-v.
Famille Henriot

DOM. LE BOUT DU MONDE
Clos de la Fontaine Lulune 2005

	0,52 ha	3 800		38 à 46 €

Clos de la Fontaine Lulune ? Disons En Lulune, *climat* perché sur la hauteur en bordure de Pommard. Un blanc doré comme un louis, pâte de coings au nez (comme en faisaient jadis nos grands-mères, les mettant à sécher sur le bord supérieur de l'armoire). Souple en bouche, presque miellé, il affiche toute la rondeur et la maturité du millésime. À boire sans attendre, donc.

Dom. Le Bout du Monde, rte de Bourguignon, 21200 Combertault, tél. et fax 03.80.26.67.05, e-mail directioncom@lionel-dufour.fr r.-v.

CHRISTOPHE BUISSON
Clos Saint-Désiré 2005 ★★

	n.c.	n.c.		15 à 23 €

Du haut du carillon de l'hôtel-Dieu, le trézeleur pourrait jouer *Joyeux Enfants de la Bourgogne* en l'honneur de ce blanc, le meilleur de la dégustation. Issu d'une

BOURGOGNE

loge du deuxième balcon (côté Pommard), il brille dès le premier regard. Boisé bien intégré (quinze mois en fût) mais le nez n'est pas encore définitivement fixé sur ses intentions. S'il reste en bouche dans sa catégorie *village*, il y réussit à merveille (rondeur, volume). Un vin gourmand à laisser reposer une année en cave. Signé par un courtier en vins devenu vigneron à 100 % depuis dix ans. (Domaine de 7 ha).

Récolte 2005
Beaune
« Clos-Saint-Désiré »
Appellation Beaune Contrôlée
Mis en Bouteille par
Christophe Buisson
Propriétaire-Récoltant à Saint-Romain, Côte-d'Or, France
Alc.13 % by vol.
Grand Vin de Bourgogne - Product of France
750 ml

Christophe Buisson, rue de la Tartebouille,
21190 Saint-Romain, tél. 03.80.21.63.92,
fax 03.80.21.67.03,
e-mail domainechristophebuisson@wanadoo.fr
r.-v.

DOM. CHANSON PÈRE ET FILS
Clos des Mouches 2004

1er cru 4,5 ha 4 699 46 à 76 €

Le fût est ici entreprenant et ne cherche pas à se cacher sous la table (treize mois d'élevage). Mais la présentation est d'un or brillant. Nez militant (pomme, miel). Acidité marquée et touche d'amertume en fin de course. À boire dès maintenant ou à attendre un an pour voir l'évolution. Domaine quatre fois coup de cœur dans cette appellation : le dernier pour ses Bressandes 2002.

Dom. Chanson Père et Fils, 10, rue Paul-Chanson,
21200 Beaune, tél. 03.80.25.97.97, fax 03.80.24.17.42,
e-mail chanson@domaine-chanson.com r.-v.

DOM. DU CHÂTEAU DE CHOREY 2004 **

1er cru 6 ha 10 000 15 à 23 €

Viticulture et négoce. Pas loin du coup de cœur, ayant disputé la finale mais terminant au pied du podium. Chorey n'est pas mécontent de s'imposer ainsi chez son puissant voisin. Rubis tirant sur le noir, un vin irréprochable qu'il est recommandé de ne pas bousculer trop tôt. Long élevage (dix-huit mois sous chêne), démontrant l'excellence des 2004 bien vinifiés et dorlotés en cave. Fruit mûr, matière intéressante et surtout cette complexité qui élève soudain un vin de plusieurs crans. Un plat de gibier sera à son affaire dans quelques années.

Germain,
Dom. du Château de Chorey, rue des Moutots,
21200 Chorey-lès-Beaune, tél. 03.80.24.06.39,
fax 03.80.24.77.72, e-mail domaine-chateau-de-chorey@wanadoo.fr r.-v. 7

DOM. DU CHÂTEAU DE MEURSAULT
Cent-Vignes 2004 **

1er cru 1,96 ha 6 900 23 à 30 €

L'équipe Guillemaud-Mitanchey peut être fière de ce Cent-Vignes délectable. La famille Boisseaux aussi, qui a mis son pavillon sur ce château et ses crus. Rubis pourpre, ce 2004 invite par son bouquet à une balade dans les sous-bois. Délicat vanillé et sursaut de griotte. Chaleureux et tannique, ce vin est assurément très riche. On est cependant sensible à sa souplesse. Il faut du corps pour tenir le pied en équilibre sur un fil, mais aussi des ailes d'ange.

Dom. du Château de Meursault, 21190 Meursault,
tél. 03.80.26.22.75, fax 03.80.26.22.76,
e-mail chateau-meursault@kriter.com
t.l.j. 9h30-12h 14h30-18h; f. 22 déc.-8 jan.

DOM. DU CHÂTEAU-GRIS
Les Bressandes 2004 *

1er cru 0,4 ha 2 000 23 à 30 €

Construit à la fin du XVIIIe s., le château Gris est une « folie » typique de l'époque. Pourquoi « gris » ? En raison de la couleur des toits d'ardoise. Rouge en tout cas ce 2004, et même rouge soutenu, limpide et brillant. Son nez de fruits mûrs, expressif, et sa bouche fraîche et légère montrent une certaine persistance. À boire ou à attendre un peu.

Dom. du Château-Gris, 17, av. du Gal-de-Gaulle,
21700 Nuits-Saint-Georges, tél. 03.80.61.25.02,
fax 03.80.24.37.38, e-mail bourgogne@lupe-cholet.com
Lupé-Cholet

MAISON CLAVELIER Les Pertuisots 2005

1er cru 0,6 ha 2 300 15 à 23 €

Sizies, Aigrots, Pertuisots, on est sur le versant sud de l'appellation. Reprise par des membres de la famille Thomas, la maison Clavelier reste depuis un demi-siècle fidèle à son étiquette parcheminée. Les amateurs l'identifient entre mille. Jaune paille, brillant, ce chardonnay a le nez franc, net, sur le minéral et le pamplemousse. Le miel viendra plus tard. Une texture aux mailles fines, soutenue par une structure apaisée et sereine. À apprécier dans un an ou deux.

Maison Clavelier et Fils, 49, rte de Beaune,
21700 Comblanchien, tél. 03.80.62.94.11,
fax 03.80.62.95.20, e-mail vins.clavelier@wanadoo.fr
r.-v.

YVES DARVIOT Clos des Mouches 2005 *

1er cru 0,3 ha 2 000 30 à 38 €

Des histoires d'amour sont nées d'un Clos des Mouches. Allez donc savoir pourquoi ! On ne compte plus ici les générations familiales attelées à la tâche. Paille or, le bouquet mentholé et sur la fougère, ce 2005 porte peu d'acidité et déjà de la maturité. Gracieux, ciselé sans dureté, il ne s'éternise pas en bouche, malgré quelques notes miellées. Un vin élégant représentatif du millésime, à découvrir sans attendre. Le **Clos des Mouches 1er cru rouge 2005 (15 à 23 €)** est cité.

Dom. Yves Darviot, 2, pl. Morimont,
21200 Beaune, tél. 03.80.24.74.87, fax 03.80.22.02.89,
e-mail contact@yvesdarviot.com r.-v. E

RODOLPHE DEMOUGEOT
Les Beaux Fougets 2005 *

n.c. n.c. 15 à 23 €

Calés entre Épenote et Boucherotte (au singulier ou au pluriel – voir la dictée de Pivot à la sauce bourguignonne...), des Beaux Fougets à tu et à toi. Rouge violet, normal. Bourgeon de cassis ou fruits à l'alcool, ce 2005 met l'accent sur le bouquet. Élégant, complet, d'une matière noble, légèrement végétal sur la fin, il ira tout droit

en cave. Ces jeunes-là, il faut les laisser s'épanouir un peu. Épenotes 2003 coup de cœur dans l'édition 2006.
Dom. Rodolphe Demougeot, 2, rue du Clos-de-Mazeray, 21190 Meursault, tél. 03.80.21.28.99, fax 03.80.21.29.18, e-mail rodomougeot@aol.com r.-v.

DOM. JOSEPH DROUHIN
Clos des Mouches 2004 ★★

1er cru 7 ha n.c. 38 à 46 €

Un Clos des Mouches de chez Drouhin, chardonnay fulgurant, ne laisse jamais insensible. Une robe étincelante, un nez sur le fruit à chair blanche. Mûr ? Un peu, mais le véritable amour vient avec l'âge. L'acidité et le moelleux entament en bouche d'invraisemblables connivences. Un rien d'amande grillée et de réglisse comme un point final. Le **Clos des Mouches 1er cru rouge 2005** décroche une étoile. Soyeux, rond, élégant, concentré. « On a envie de le regoûter », comme le dit un dégustateur.
Maison Joseph Drouhin, 7, rue d'Enfer, 21200 Beaune, tél. 03.80.24.68.88, fax 03.80.22.43.14, e-mail maisondrouhin@drouhin.com r.-v.

DOM. DUBOIS D'ORGEVAL Les Theurons 2004

1er cru 0,49 ha 1 500 15 à 23 €

Les Theurons ressemblent au porteur de *benaton* sculpté par Henri Bouchard au Clos de Vougeot. Du solide, du costaud. Car il faut saisir à terre la corbeille pleine de raisins et la poser sur l'épaule. Rubis moyen, faisant appel à la vanille (seize mois en fût) ainsi qu'aux petits fruits, un vin assez carré et promis à des plats solides.
Dom. Dubois d'Orgeval, 3, rue Joseph-Bard, 21200 Chorey-lès-Beaune, tél. 03.80.24.70.89, fax 03.80.22.45.02, e-mail duboisdorgeval@aol.com r.-v.

DOM. FAIVELEY 2004 ★

1er cru 2,37 ha 13 400 23 à 30 €

Un premier cru sans nom. Cela est permis. Soit né d'assemblage de premiers crus, soit d'un nom difficile à porter. S'il en existe quelques-uns ailleurs, aucun vraiment à Beaune. Mais Faiveley est à lui tout seul une identité... Beau rubis naturellement, cerise gorgée de parfum quand elle est restée sur l'arbre, corps souple d'un volume nullement négligeable ; tanins présents mais ronds. Prêt à passer à table.
Dom. Faiveley, 8, rue du Tribourg, 21701 Nuits-Saint-Georges Cedex, tél. 03.80.61.04.55, fax 03.80.62.33.37, e-mail bourgognes@bourgognes-faiveley.com r.-v.

JAFFELIN Les Cent Vignes 2005 ★

1er cru 0,51 ha 2 900 15 à 23 €

Cerclée par près de deux siècles de tradition, merveilleusement nichée au cœur du vieux Beaune, la maison Jaffelin appartient depuis 1992 à Jean-Claude Boisset. Une maison, et c'est son esprit, soucieuse de garder le plus souvent les gens où ils sont et pour ce qu'ils savent faire. Pas si fréquent ! Un Cent Vignes empourpré et sombre, le nez posé sur le fût avec des nuances de fruits noirs, ample et bien construit, plaisant dès à présent et à laisser s'accomplir en cave. La selle d'agneau attendra.
Maison Jaffelin, 2, rue Paradis, 21200 Beaune, tél. 03.80.22.12.49, fax 03.80.24.91.87, e-mail jaffelin@maisonjaffelin.com
Boisset FGVS

DOM. PIERRE LABET
Clos du Dessus des Marconnets 2005 ★

1 ha 6 000 15 à 23 €

Pétrarque attribue au vin de Beaune le peu d'empressement des cardinaux à quitter Avignon pour rentrer à Rome. On le comprend... Jaune d'intensité moyenne, ce vin, produit à deux pas de Savigny, opte pour un boisé délicat (dix-huit mois en fût, tout de même) tout en y associant la truffe et le coing. Ample et persistant, il ne vous abandonne pas en chemin.
Dom. Pierre Labet, Clos de Vougeot, 21640 Vougeot, tél. 03.80.62.86.13, fax 03.80.62.82.72, e-mail contact@francoislabet.com
t.l.j. sf mar. 10h-18h; groupes sur r.-v.; f. fin nov-Pâques
François Labet

DOM. MAILLARD PÈRE ET FILS 2005 ★

n.c. n.c. 11 à 15 €

Coup de cœur dans l'édition 1999 (millésime 1995), ce *village* confirme année après année toute sa qualité. L'œil est ici soutenu, brillant, bien comme il faut, le nez frais sur la groseille ou la framboise. La bouche fine et sans états d'âme offre un fruit intense et des tanins fins. Aucun excès et beaucoup de mesure. Ce 2005 va du bon pied. Un vin agréable à boire dès maintenant.
Dom. Maillard Père et Fils, 2, rue Joseph-Bard, 21200 Chorey-lès-Beaune, tél. 03.80.22.10.67, fax 03.80.24.00.42, e-mail contact@domainemaillard.com r.-v.

DOM. MICHEL MARTIN Les Teurons 2004 ★

1er cru 0,25 ha 1 200 15 à 23 €

Installation en 2003 sur une petite exploitation (4,36 ha), création d'un gîte pour six personnes, d'un site Internet. Quant à ces Teurons, ils ont tout pour bien vieillir, structure et longueur particulièrement. D'une couleur extrêmement profonde, parfumé de kirsch et de fruits rouges confits, ce vin se donne le temps de séduire avec une jolie force de persuasion.
Michel Martin, 4, rue d'Aloxe-Corton, 21200 Chorey-lès-Beaune, tél. 03.80.24.26.57, fax 03.80.24.99.12, e-mail michel.martindomaine@laposte.net
r.-v.

CHRISTIAN MENAUT 2005 ★

0,86 ha 4 500 11 à 15 €

Par petits bouts (plantations, locations), le domaine s'est agrandi. Il se situe dans les Hautes-Côtes de Beaune, mais avec un pied dans la Côte. Sous sa robe attirante, sous un nez engageant complexe (fruits rouges et figue sèche), un 2005 sachant vous séduire du début à la fin. Fruit et charpente, une matière tangible et goûteuse. Bien dans son appellation et placé pour plusieurs années sous la protection du « Petit Roi de grâce » (l'Enfant-Jésus miraculeux de Beaune).
Christian Menaut, rue Chaude, 21190 Nantoux, tél. 03.80.26.07.72, fax 03.80.26.01.53 r.-v.

MONGEARD-MUGNERET Les Avaux 2004 ★★

1er cru 0,45 ha 2 300 23 à 30 €

Les Avaux semblent dire : *in medio stat virtus*. Bien installés dans l'axe des terroirs, plutôt côté Pommard mais tout près de Savigny... Beaune pour tout dire. Robe rubis profond. Vanillé-grillé, le fût ne décroche pas. Ce 2004

BOURGOGNE

dispose toutefois de sérieux arguments et il est seulement en devenir. Sa vivacité inspire confiance, tout comme son gras, ses tanins présents mais enrobés et sa longueur.
Dom. Mongeard-Mugneret, 14, rue de la Fontaine, 21700 Vosne-Romanée, tél. 03.80.61.11.95, fax 03.80.62.35.75, e-mail domaine@mongeard.com
r.-v.

DIDIER MONTCHOVET Aux Coucherias 2005 *

■ 1er cru | 0,35 ha | 1 464 | 15 à 23 €

Biodynamie, label Demeter, contrôle Ecocert, l'un des apôtres et pionniers les plus enthousiastes du bio pur et dur en Côte-d'Or. Pour les historiens, ce serait ici la plus ancienne parcelle du plus ancien domaine en méthode Steiner. Force est de constater que le résultat est probant. Quelques signes tuilés, mais ce n'est pas ce qu'on goûte. Confiture de fraises et vanille en contribution aromatique. Simple et souple, équilibré, ce 2005 pourra se boire dès maintenant ou attendre deux ou trois ans.
Didier Montchovet, rue de la Gare, 21190 Nantoux, tél. 03.80.26.03.13, fax 03.80.26.05.19, e-mail domaine@montchovet.com r.-v.

ANDRÉ MONTESSUY Les Chouacheux 2004 *

■ 1er cru | n.c. | 4 712 | 15 à 23 €

Montessuy est une signature Antonin Rodet. Dans son livre de référence, Hélène Landrieux-Lussigny estime que Chouacheux est une déformation de Sausseux, endroit où poussaient des saules. Les pieds de vigne y fructifient mieux. Marqué par ses dix-sept mois de fût, ce 2004 généreux et rustique, fruits rouges et vanille, devra attendre 2010 pour se présenter dans le monde.
André Montessuy, Grande-Rue, 71640 Mercurey, tél. 03.85.98.12.18, fax 01.57.67.15.99

ALBERT MOROT Aigrots 2004 *

■ 1er cru | 0,75 ha | 3 200 | 15 à 23 €

Vieux sang, belle famille. Albert Morot, paix à ses cendres, revit sous la forme de cet Aigrots rouge grenat à reflets brique. Boisé sans excès (seize mois de fût), légèrement concentré sur le fruit mûr, ce 2004 se comporte agréablement au palais. Un vin proustien. Se rappeler en effet la superbe page de Proust après sa visite de Beaune en 1903. « Cette trace persistante du passé à quoi rien du présent ne ressemble. »
Dom. Albert Morot, Ch. de La Creusotte, 20, av. Charles-Jaffelin, 21200 Beaune, tél. 03.80.22.35.39, fax 03.80.22.47.50, e-mail albertmorot@aol.com r.-v.

DOM. PARENT Les Épenottes 2004 **

■ 1er cru | 1,74 ha | 10 000 | 15 à 23 €

Un viticulteur de Pommard logiquement présent en Épenottes. De part et d'autre de la ligne de partage des vins, cela s'appelle ici Épenottes et là Petits Épenots. Union consanguine. Et tout près du coup de cœur. Charnu et soutenu sur tous les registres, ce vin reste aussi longtemps au palais qu'il restera en cave. De la race des grands premiers crus de Beaune. 2004, voyez-vous ! Ses dix-huit mois en fût le rendent, à tout prendre, assez philosophal.
Dom. Parent, 19, pl. de l'Église, BP 8, 21630 Pommard, tél. 03.80.22.15.08, fax 03.80.24.19.33, e-mail parent-pommard@reseauconcept.net r.-v.

DOM. PARIGOT PÈRE ET FILS Grèves 2005 *

■ 1er cru | 0,44 ha | n.c. | 15 à 23 €

Si Grèves il y a, c'est celle du zèle, tant ce 2005 s'affirme par ses arômes et sa présence. Rouge cerise foncé, un pinot noir au bouquet très expressif (cassis, mûre). Un certain gras et une remarquable stabilité en bouche, tandis que le retour d'arômes s'appuie sur le kirsch. À laisser vieillir un peu.
Dom. Parigot Père et Fils, rte de Pommard, 21190 Meloisey, tél. 03.80.26.01.70, fax 03.80.26.04.32
r.-v.

DOM. THIERRY PINQUIER Les Chaumes Gauffriots 2004 *

■ | 0,3 ha | 1 200 | 8 à 11 €

Coup de cœur dans notre dernière édition pour le millésime précédent du même vin. Une famille qui ignore les trente-cinq heures ! Ouvriers vignerons, les parents ont créé ce domaine de 5,5 ha à la force de leurs bras. Le résultat est là, bien valorisé par Thierry Pinquier. Grenat profond, partagé entre le végétal et l'épice, maîtrisant ses tanins (en train de se fondre), ce 2004 provient des hauteurs de Beaune, au-dessus de Montée Rouge, face à la Montagne.
Thierry Pinquier, imp. des Belges, rue Pierre-Mouchoux, 21190 Meursault, tél. 03.80.21.24.87, fax 03.80.21.61.09
t.l.j. 9h-12h 13h30-19h; dim. 9h-12h

DOM. PRIEUR-BRUNET Clos du Roy 2004 *

■ 1er cru | 0,4 ha | n.c. | 15 à 23 €

Royal ? Peut-être pas. Seigneurial ? À coup sûr. Le grain est beau, la complexité passionnante, l'attaque bien enlevée. Inutile de s'attarder à la robe. Nez un peu fruité et redevable aux dix-huit mois en fût (vanille, café). Fondue, ronde et suave, la bouche plaît et mérite d'être présente à la Cour. Famille santenoise, bourguignonne dans l'âme.
Dom. Prieur-Brunet, rue de Narosse, 21590 Santenay, tél. 03.80.20.60.56, fax 03.80.20.64.31, e-mail uny-prieur@prieur-santenay.com r.-v.
Dominique Prieur

DOM. RAPET PÈRE ET FILS Grèves 2005 *

■ 1er cru | 0,35 ha | 1 800 | 23 à 30 €

Un vieux four à pain sert de décor au caveau de dégustation du domaine. Qu'on se rassure, la cuverie a été récemment rénovée, et on y a produit ce 2005 à découvrir dans les deux ans à venir. Sous la robe rubis clair, le fruit frais sait s'imposer et ne pas se laisser dominer par le bois. En bouche, des tanins sévères mais enrobés par la matière et bientôt déliés, sur un fond boisé élégant.
Rapet Père et Fils, pl. de la Mairie, 21420 Pernand-Vergelesses, tél. 03.80.21.59.94, fax 03.80.21.54.01 r.-v.

DOM. REBOURGEON-MURE Les Vignes Franches 2005 **

■ 1er cru | 0,62 ha | 1 500 | 11 à 15 €

Le fils, David, est à la barre, ainsi que son oncle chargé du tourisme en Côte-d'Or, conseiller général et importante figure beaunoise. *Climat* voisin du Clos des Mouches sur le coteau proche de Pommard, Les Vignes Franches ont donné naissance à ce vin fort gracieux, rubis

limpide. Fleur et fruit à votre bon cœur, puissance et finesse, souplesse aérienne, tout est réuni pour plaire.
Dom. Rebourgeon-Mure, 6 a, Grande-Rue, 21630 Pommard, tél. 03.80.22.75.39, fax 03.80.22.71.00 r.-v.

JOËL RÉMY Les Cent Vignes 2005 ★

1er cru	0,5 ha	2 500	11 à 15 €

Sainte-Marie-la-Blanche... et un rouge. Vignoble situé dans la plaine de Beaune. On est ici en Cent Vignes, en 1er cru. Robe rubis appuyé, nez complexe (fruit rouges et noirs assez frais, fleurs, épices). Au palais, un boisé de style classique, des tanins discrets et un ensemble agréable, dont on profitera sans trop attendre.
SARL Dom. Joël Rémy, 4, rue du Paradis, 21200 Sainte-Marie-la-Blanche, tél. 03.80.26.60.80, fax 03.80.26.53.03, e-mail domaine.remy@wanadoo.fr r.-v.

DOM. ROSSIGNOL-FÉVRIER PÈRE ET FILS Les Chardonnereux 2005 ★

	0,45 ha	2 600	8 à 11 €

Les Chardonnereux s'étendent à la limite des maisons beaunoises, penchant plutôt sur Pommard. Joli vin de style moderne, très sombre, le boisé rehaussé par le fruit frais. Réservé en arômes secondaires, il est dense, tannique et empli de ce qu'on appelle le potentiel. Perspective raisonnable d'évolution : à garder deux à trois ans, pour l'apprécier à sa juste mesure.
Rossignol-Février, rue du Mont, 21190 Volnay, tél. 03.80.21.64.23, fax 03.80.21.67.74, e-mail rossignol-fevrier@wanadoo.fr t.l.j. sf dim. 9h-12h 14h-18h
Valérie et Frédéric Rossignol

DOM. ROSSIGNOL-TRAPET Les Mariages 2004 ★

	0,35 ha	1 800	15 à 23 €

L'un des *climats* les plus proches de la ville, pas très loin du parc de la Bouzaize. On aurait plutôt imaginé un Mariages en blanc, mais non, il est en rouge. Présenté par un vigneron de Gevrey, un 2004 rubis limpide et sombre, à l'attaque nette et souple. Bonne structure et légère puissance. Son bouquet esquisse des notes confites et des nuances de pain d'épice, puis de pain grillé. Tout indiqué pour une noce ! Les bans sont déjà publiés.
Dom. Rossignol-Trapet, 4, rue de la Petite-Issue, 21220 Gevrey-Chambertin, tél. 03.80.51.87.26, fax 03.80.34.31.63, e-mail info@rossignol-trapet.com r.-v.

SEGUIN-MANUEL Cent Vignes 2005 ★

1er cru	0,17 ha	700	23 à 30 €

Vieille maison reprise par Thibaut Marion qui n'entend pas s'endormir sur son nom, illustre à Beaune et justement respecté. Rubis limpide, la robe invite à poursuivre les investigations. Le bouquet ne fait pas mystère de son penchant pour le cassis. Il l'affiche même avec ostentation. Tanins et acidité trouvent au palais un bon terrain d'entente. Le **1er cru Les Bressandes rouge 2005** est cité.
Dom. Seguin-Manuel, 2, rue de l'Arquebuse, 21200 Beaune, tél. 03.80.21.50.42, fax 03.80.21.59.38, e-mail contact@seguin-manuel.com r.-v.

CH. DE LA VELLE Marconnets 2005 ★★

1er cru	n.c.	n.c.	23 à 30 €

Les Marconnets penchent l'épaule sur Savigny et l'A 6. Pour voir passer du monde, ils en voient passer ! Le coup de cœur est tout proche de ce chardonnay : avec son caractère, sa classe, il domine la plupart de ses rivaux. L'œil paye en or, le nez en miel et la bouche en nature. Bon à déguster, mais aussi à mettre en cave quelques années. Le **Clos des Monsnières village blanc 2005 (15 à 23 €)** vinifié dans le respect du terroir, est cité.
Bertrand Darviot, 17, rue de la Velle, 21190 Meursault, tél. 03.80.21.22.83, fax 03.80.21.65.60, e-mail chateaudelavelle@darviot.com r.-v.

Côte-de-beaune

À ne pas confondre avec le côte-de-beaune-villages, l'appellation côte-de-beaune ne peut être produite que sur quelques lieux-dits de la montagne de Beaune. Elle a déclaré 909 hl de vin rouge et 310 hl de vin blanc en 2006.

JOSEPH DROUIN 2005 ★

	2 ha	n.c.	11 à 15 €

Habillé d'une robe or jaune séduisante, d'intensité moyenne, ce vin a le nez bien développé sur les fruits secs, le miel et un boisé grillé. Large d'épaule, il prend toute sa place en bouche sans abuser de la situation. Son gras lui donne de la rondeur, du moelleux. Un vin bien dans son appellation, à attendre encore un an.
Maison Joseph Drouhin, 7, rue d'Enfer, 21200 Beaune, tél. 03.80.24.68.88, fax 03.80.22.43.14, e-mail maisondrouhin@drouhin.com r.-v.

DOM. NEWMAN La Grande Châtelaine 2005 ★★

	0,49 ha	n.c.	11 à 15 €

Un coup de cœur en AOC côte-de-beaune ressemble au passage de la comète de 1811. Cela ne se produit pas souvent ! D'où l'intérêt suscité par cette Grande Châtelaine. Elle se situe le long de la route qui mène à Bouze-lès-Beaune, après avoir contourné La Montagne et Les Mondes Rondes. Cerise noire à l'œil, kirsch et vanille au nez, bouche fraîche, plus ample que longue, ce 2005 est apparu à nos dégustateurs comme une bouteille de référence, un modèle à suivre. Christopher Newman a poursuivi l'implantation vitivinicole bourguignonne entreprise par son

père Robert, « Bob » Newman, citoyen américain d'origine autrichienne, ami d'Alexis Lichine.
Dom. Newman, 29, bd Clemenceau, 21200 Beaune, tél. 03.80.22.80.96, fax 03.80.24.29.14

Pommard

C'est l'appellation bourguignonne la plus connue à l'étranger, sans doute en raison de sa facilité de prononciation... Le vignoble de 317 ha a produit 7 927 hl en *village* et 4 331 hl en premier cru en 2006. L'argovien marneux est ici remplacé par des calcaires tendres, et les vins produits sont solides, tanniques ; ils ont une bonne aptitude à la garde. Les meilleurs climats sont classés en premiers crus, dont les plus connus sont Les Rugiens et Les Épenots.

DOM. GABRIEL BILLARD Les Charmots 2004

■ 1er cru 0,38 ha 1 800 23 à 30 €

Laurence Jobard vient de prendre sa retraite. Œnologue et vinificatrice de la maison Drouhin à Beaune, elle a été en 1973 la première femme à assumer en Bourgogne de telles responsabilités. Elle est ici associée à sa sœur Mireille sur le domaine familial. D'une couleur nette et soutenue, ce pinot noir a un nez assez personnel, un peu floral (pivoine), discrètement moka. De garde moyenne (deux à trois ans), il dispose d'une bonne structure de puissance modérée et d'une finale persistante tout en finesse. Notez aussi le **village 2004 (15 à 23 €)**, cité, aux notes épicées et confites, assez concentré.
Dom. Gabriel Billard, 15, Grande-Rue, 21630 Pommard, tél. 03.80.22.27.82, fax 03.85.49.49.02, e-mail domaine.gabrielbillard@wanadoo.fr r.-v.
L. Jobard et M. Desmonet

DOM. BILLARD-GONNET Clos de Verger 2004 ★★

■ 1er cru 1,5 ha 3 000 15 à 23 €

Joli tiercé pour les 2004 qui sont ici comme sur un nuage. En tête, ce Clos de Verger expressif et concentré, au fruit noir réglissé et poivré, mariant finesse, rondeur, gras et fraîcheur dans une superbe harmonie. Juste derrière, ex-æquo avec une étoile chacun, on trouve le **1er cru Chaponnières 2004** et le **1er cru Rugiens Bas 2004 (23 à 30 €)**.
Dom. Billard-Gonnet, rte d'Ivry, 21630 Pommard, tél. 03.80.22.17.33, fax 03.80.22.68.92, e-mail billard.gonnet@wanadoo.fr r.-v.

DOM. BOHRMANN Vieilles Vignes 2005 ★

■ 0,51 ha 1 300 15 à 23 €

Nombreux sont les domaines qui font état de cinq, de huit, voire de dix générations attachées à la vigne. Plus rares sont ceux qui se déclarent tout neufs et de fraîche naissance. C'est le cas de celui de Sofie Bohrmann, une jeune Belge installée en 2002 sur près de 8 ha. Son 2005 d'un brillant parfait s'éloigne de la vanille pour épouser le fruit. Une mâche dépourvue d'aspérités, un caractère charmeur, une longue finale sur les arômes : c'est un tendre et il se boit déjà fort bien tout en pouvant attendre avec sérénité encore trois à cinq ans.
Dom. Bohrmann, 9, rue de la Barre, 21190 Meursault, tél. 06.12.43.37.77, fax 03.80.21.66.27, e-mail domainebohrmann@wanadoo.fr r.-v.

ÉRIC BOIGELOT 2004

■ 0,4 ha 2 300 15 à 23 €

La robe de ce vin est printanière, assez claire et brillante. Cerise burlat, framboise, le nez tourne autour de la question sans s'y plonger tout à fait. À ce stade, les tanins ont en fin de bouche un petit côté sec. Cela peut s'arranger car ce 2004, charmeur et vineux, ne laisse pas indifférent, notamment par son retour de cerise.
Éric Boigelot, 21, rue des Forges, 21190 Meursault, tél. 03.80.21.65.85, fax 03.80.21.66.01, e-mail vins.eric.boigelot@wanadoo.fr r.-v.

DOM. ALBERT BOILLOT En Largillière 2005

■ 1er cru 0,27 ha 1 600 15 à 23 €

Un cru qui n'a pas trop de soucis à se faire. Bien calé à mi-coteau. Vieille famille de Volnay, un pied sur Pommard. Elle a donné naissance à l'un des fondateurs français du vignoble californien, Paul Masson. Ici, une bouteille dans la tradition, épicée et un rien chaleureuse au nez, puis en bouche d'une nature plus reposante, ronde et vanillée. Le potentiel se situe à quatre ou cinq ans. Le genre de vin qui sort de sa coquille.
SCE du Dom. Albert Boillot, 2, ruelle Saint-Étienne, 21190 Volnay, tél. et fax 03.80.21.61.21, e-mail dom.albert.boillot@wanadoo.fr t.l.j. sf dim. 10h15-13h 15h-18h

MICHEL BOUZEREAU ET FILS Les Cras 2004 ★

■ 0,33 ha n.c. 15 à 23 €

Gustave Flaubert cite de façon courtoise le vin de Pommard dans *Madame Bovary*. Rubis à reflets carmin, ce 2004 peut également « exciter les facultés », comme il est dit dans le roman. Sous-bois, épices, cuir, gelée de cassis, son nez est une force de la nature. Excellentes proportions en bouche : une heureuse consistance. Tout viendra à point à qui saura l'attendre, au moins jusqu'en 2009.
Michel Bouzereau et Fils, 3, rue de la Planche-Meunière, 21190 Meursault, tél. 03.80.21.20.74, fax 03.80.21.66.41, e-mail michel-bouzereau-et-fils@wanadoo.fr r.-v.

DOM. DENIS CARRÉ Les Charmots 2005 ★★

■ 1er cru n.c. n.c. 23 à 30 €

Ces Charmots sont souvent à l'honneur : coup de cœur dans les éditions 2006 et 2005 (millésimes 2003 et 2002) et déjà auparavant. Tout à fait la force tranquille sous un rouge foncé très satisfaisant. Une mûre, bien mûre... Le nez se répète un peu, mais on ne s'en plaindra pas. Un fruit qui décidément redouble d'ardeur car on le retrouve niché dans le palais charnu et équilibré. Une longueur qui nous rappelle l'expression ancienne : « Tu n'es pas à la croix de Pommard ! », c'est-à-dire : « Tu n'es pas au bout du chemin ». En effet, ce 2005 ne quitte pas volontiers le fond de bouche... Une étoile pour le **village Les Noizons 2005 (15 à 23 €)**.

🔑 Dom. Denis Carré, rue du Puits-Bouret, 21190 Meloisey, tél. 03.80.26.02.21, fax 03.80.26.04.64, e-mail domainedeniscarre@wanadoo.fr ☑ 🍷 🚶 r.-v.

DOM. DE COURCEL Les Vaumuriens 2004 ★★

■ n.c. n.c. 🛢 23 à 30 €

On peut être passé par Sciences-Po et par la Harvard Business School et continuer à s'occuper des vignes familiales. C'est le cas d'Alain Bommelaer. Il signe ici un fameux chèque sur l'avenir car cette bouteille haut de gamme dépassera sans peine le cap de 2010. Le cassis et la cannelle sont invités à tenir la robe de la mariée, d'un rubis merveilleux. Les tanins bien présents (vingt mois de fût) mais jamais agressifs structurent une bouche vineuse et longue, aux notes épicées. Un grand vin de garde, assurément.

🔑 SCEA de Courcel, pl. de l'Église, 21630 Pommard, tél. 03.80.22.10.64, fax 03.80.24.98.73, e-mail courcel@domaine-de-courcel.com ☑ 🍷 🚶 r.-v.

DOM. CYROT-BUTHIAU 2005

■ 1,76 ha 4 200 🛢 15 à 23 €

De bonnes bases devraient maintenir ce vin en selle pendant cinq ans et peut-être davantage. Un corps souple et ferme. Tenue rouge évidemment. Le cheval étant jeune, il lui faut trouver son pas, solliciter des arômes encore un peu sur la réserve (fruits rouges, vanille). Le galop d'essai est prometteur. La plupart des vainqueurs à Auteuil naissent et sont élevés en Bourgogne. Un vin doit lui aussi maîtriser les haies...

🔑 Dom. Cyrot-Buthiau, 15, rte d'Autun, 21630 Pommard, tél. 03.80.22.06.56, fax 03.80.24.00.86, e-mail cyrot.buthiau@wanadoo.fr ☑ 🍷 🚶 r.-v.

RODOLPHE DEMOUGEOT Charmots Le Cœur des dames 2005 ★

■ 1er cru n.c. n.c. 🛢 30 à 38 €

Si Le Cœur des dames est un nom « fantaisie », Les Charmots sont un vrai 1er cru qui a donné ici un vin représentatif de son terroir et de son millésime. Puissant et concentré (pas vraiment une bouteille à servir le premier soir en tête-à-tête...), il maîtrise bien son fût, y trouvant également des notes de boisé grillé à marier au fruit mûr. Le **village 2005 (15 à 23 €)** est cité.

🔑 Dom. Rodolphe Demougeot, 2, rue du Clos-de-Mazeray, 21190 Meursault, tél. 03.80.21.28.99, fax 03.80.21.29.18, e-mail rodomougeot@aol.com ☑ 🍷 🚶 r.-v.

DOM. LOÏC DURAND Vieilles Vignes 2005

■ n.c. 1 000 🛢 15 à 23 €

Patience et longueur de temps... Oui, il en est souvent ainsi du pommard. Après un BTS viti-œno, Loïc Durand a repris le domaine familial en 2005. C'est aussi l'année de naissance de ce pommard grenat limpide, au nez fruité et légèrement boisé (huit mois de fût seulement), aux tanins assez fermes qui profiteront d'un séjour de trois ans en cave pour s'arrondir.

🔑 Dom. Loïc Durand, rue de l'Église, 21200 Bouze-lès-Beaune, tél. et fax 03.80.26.02.57 ☑ 🍷 🚶 r.-v.

DOM. GLANTENAY 2004 ★

■ 0,37 ha 3 400 🛢 15 à 23 €

Volnay, siège de ce domaine, n'est pas si loin de Pommard... N'en croyez rien, c'est plus loin que la Terre de la Lune. Ce producteur n'en signe pas moins un pommard très réussi, bien représentatif de son appellation. Rayonnant de couleur, le nez aérien entre réglisse et framboise, ce 2004 attaque en souplesse, puis livre des tanins structurants mais encore un peu austères. Un caractère de jeunesse qui s'arrondira d'ici deux à trois ans.

🔑 Dom. Georges Glantenay et Fils, rue de la Barre, 21190 Volnay, tél. 03.80.21.61.82, fax 03.80.21.68.66, e-mail cecileglantenay@free.fr ☑ 🍷 🚶 t.l.j. 10h-19h 🏠 Ⓓ

ALBERT GRIVAULT Clos Blanc 2004

■ 1er cru 0,89 ha 5 000 🛢 23 à 30 €

Ce Clos Blanc est un rouge... Nous sommes bien en Bourgogne ! Planté en blanc du temps des Carmélites de Beaune ? Pas impossible, mais difficile à dire. En revanche, il se confond avec le Clos de Cîteaux au milieu du XIXes. La bouteille ? Un petit parfum de myrtille, des notes de tabac blond et l'équilibre entre l'acidité, le tanin, le corps et la bravoure. À savourer jeune pour un plaisir immédiat.

🔑 Dom. Albert Grivault, 7, pl. du Murger, 21190 Meursault, tél. 03.80.21.23.12, fax 03.80.21.24.70 ☑ 🍷 🚶 r.-v.

🔑 Héritiers Bardet

DOM. A.-F. GROS Les Pézerolles 2005 ★★

■ 1er cru 0,35 ha 2 100 🛢 30 à 38 €

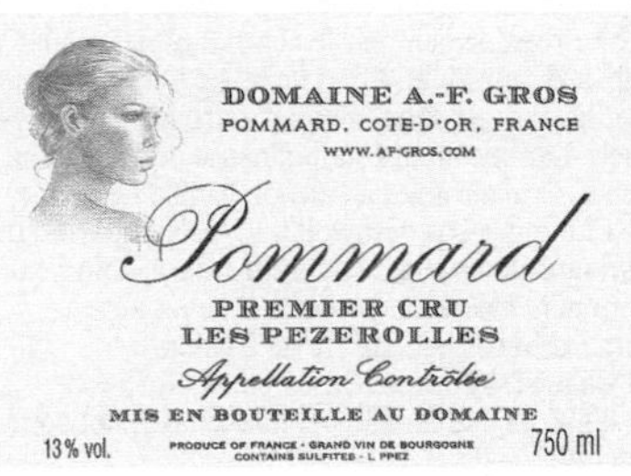

Fille de Jean Gros (Vosne-Romanée), Anne-Françoise Gros a choisi François Parent comme époux et maître... de chai. Un nouveau coup de cœur après le 2002. La robe de ces Pézerolles s'accordera à la table de dégustation du domaine, récemment commandée à l'artiste Joyce Délimata et inspirée justement par les nuances du vin rouge dans la cuve. Son nez de myrtille et d'épices tire le meilleur profit des dix-huit mois passés dans le chêne. Des tanins enrobés et une chair éblouissante réalisent le parfait équilibre entre fruité, boisé et acidité. Un vin à mettre vraiment entre toutes les mains.

🔑 Dom. A.-F. Gros, 5, Grande-Rue, 21630 Pommard, tél. 03.80.22.61.85, fax 03.80.24.03.16, e-mail af-gros@wanadoo.fr ☑ 🍷 🚶 r.-v.

JEAN-LUC JOILLOT Les Rugiens 2004

■ 0,5 ha 3 000 🛢 23 à 30 €

Un Rugiens ne se refuse pas. La crème des vins de Beaune (c'est-à-dire du Beaunois), « La fleur », écrivait Guillaume Paradin au Moyen Âge. Pour un peu, pommard se serait appelé pommard-rugiens comme gevrey-chambertin... Trois coups de cœur en pommard pour ce domaine (millésimes 1990, 1999, 2000). Ce 2004 a des reflets burlat, pour qui s'y connaît en cerise. Noyau, pruneau, cerise confite, le bouquet bat la mesure. Rond, entouré par son fût, ce vin sera bon pour un perdreau qui passerait par là dans l'année.

Dom. Jean-Luc Joillot, 6, rue Marey-Monge, BP 11, 21630 Pommard, tél. 03.80.24.20.26, fax 03.80.24.07.54, e-mail joillot@vin-pommard.com r.-v.

DOM. LEJEUNE Les Poutures 2004

■ 1er cru 1,05 ha 5 000 **15 à 23 €**

Si vous voulez voir la plus ancienne cuve en bois cerclée de bouleau fendu, c'est la bonne adresse ; rencontrer François Jullien de Pommerol, un professeur qui a formé à la « Viti » des générations de viticulteurs : même adresse. Ce *climat* penche sur Volnay et on trouve déjà dans le Lavalle (1855) le nom de Lejeune en Poutures ! Pas d'hier, en effet ! Rubis sur l'ongle, un vin très longuement élevé en fût (dans les vingt-deux, vingt-trois mois). Il s'en porte bien. Franc, frais, agréable à goûter, inévitablement vanillé, il approche de l'heure d'ouverture (courant 2008).

Dom. Lejeune, 1, pl. de l'Église, 21630 Pommard, tél. et fax 03.80.22.90.88, e-mail domaine-lejeune@wanadoo.fr r.-v.

Famille Jullien de Pommerol

DOM. MARÉCHAL-CAILLOT Vieilles Vignes 2005

■ 0,52 ha 3 500 **23 à 30 €**

Les avis divergent. Cela se produit. Comment l'expliquer ? Probablement par le côté Janus de ce 2005 : du charme et du mordant. C'est un style. On peut ressentir l'enthousiasme ou bien ne pas retrouver ses repères habituels. La robe intense et lumineuse ne fait en tout cas pas débat. Fruits rouges à l'alcool, vanille tempérée, son nez ne se montre pas désinvolte. Le palais charnu, fruité et boisé, aux tanins encore à fondre, saura, comme on l'a dit, faire parler de cette bouteille d'ici un an.

Bernard Maréchal, 10, rte de Chalon, 21200 Bligny-lès-Beaune, tél. 03.80.21.44.55, fax 03.80.26.88.21, e-mail gb@marechal-caillot.com r.-v.

CHRISTIAN MENAUT 2005 *

■ 1,06 ha 5 500 **15 à 23 €**

Victor Hugo voyait dans le pommard « le combat du jour et de la nuit ». Ce n'était pas mal vu... La robe crépusculaire de ce 2005 évoque en effet le rouge violacé du couchant sur les hauteurs de Nantoux et de Saint-Romain un soir d'été, pénétré par le noir bleuté de la nuit. Arômes légers, attaque franche et aimable qui ouvre sur une matière mûre aux tanins fondus. Longue finale sur une touche animale. La patience est donc de mise (deux à trois ans).

Christian Menaut, rue Chaude, 21190 Nantoux, tél. 03.80.26.07.72, fax 03.80.26.01.53 r.-v.

JEAN-LOUIS MOISSENET-BONNARD Les Petits Noizons 2005

■ 0,31 ha 1 800 **15 à 23 €**

Côté Beaune, ce vignoble domine le paysage à quelque 300 m d'altitude. Emmanuelle-Sophie Moissenet-Bonnard se prépare à succéder à son père. Déjà coup de cœur pour le Pézerolles 2000 et pour Les Épenots 2001, présent cette fois en Petits Noizons. Pas si petits que ça, d'ailleurs. Cerise noire, toasté et réglissé, ce 2005 est plus velouté que tannique, tendre comme la rosée. Seule la fin de bouche semble un peu austère, mais on patientera avec confiance trois à cinq ans.

Jean-Louis Moissenet-Bonnard, rue des Jardins, 21630 Pommard, tél. 03.80.24.62.34, fax 03.80.22.30.04, e-mail jean-louis.domaine-moissenet-bonnard@wanadoo.fr r.-v.

DOM. JEAN MONNIER ET FILS Épenots Clos de Cîteaux Monopole 2004

■ 1er cru 2,92 ha 3 900 **23 à 30 €**

Le Clos de Vougeot aurait pu s'appeler Clos de Cîteaux. Il est vrai que l'abbaye posséda d'innombrables pieds de vigne. Ceux de ce Clos sont restés dans son giron de 1207 à 1597. Le domaine Jean Monnier et Fils le détient en monopole depuis 1950. Il s'agit des Épenots. L'attaque est soyeuse, la suite plus virile sous un rubis sombre de bel éclat. Nez de sous-bois et de venaison appelant la *gruotte* (cette préparation du sanglier qu'affectionnent les Bourguignons). Une suggestion à monsieur le maire de Meursault pour animer la prochaine Paulée !

Dom. Jean Monnier et Fils, 20, rue du 11-Novembre, 21190 Meursault, tél. 03.80.21.22.56, fax 03.80.21.29.65, e-mail contact@domaine-jeanmonnier.com t.l.j. 10h-19h au caveau pl. de l'Hôtel-de-Ville; f. janv.-fév.

LUCIEN MUZARD ET FILS Les Cras 2005 **

■ n.c. n.c. **15 à 23 €**

Rouge griotte profond, ce 2005 porte le grand uniforme. Au nez, un boisé élégant fait escorte à un fruit rouge très pur. Une touche de pâte d'abricots ? Nos dégustateurs ont le nez fin et curieux. D'attaque franche et souple, le palais se montre généreux, d'une texture impeccable, se prolongeant dans une finale aux tanins boisés et fondus. Un vin déjà prêt, gourmand et – ce n'est pas un défaut – marchand, qui s'est hissé jusqu'en finale du coup de cœur. Achat de raisins vinifiés par le domaine.

SARL Lucien Muzard et Fils, 1, rue de la Chapelle, 21590 Santenay, tél. 03.80.20.61.85, fax 03.80.20.66.02, e-mail lucien-muzard-et-fils@wanadoo.fr r.-v.

DOM. NEWMAN Vieilles Vignes 2005 *

■ n.c. 600 **15 à 23 €**

Savez-vous qu'Alfred Hitchcock dissimule des secrets atomiques dans une bouteille de pommard brisée par Cary Grant sous les yeux d'Ingrid Bergman dans *Les Enchaînés* ? Lui-même, grand amateur de bourgogne (*I am a Burgundy man !*, disait-il) n'aurait pas cassé ainsi cette bouteille née du domaine d'une famille américaine investie depuis un demi-siècle dans la région. Robe rubis foncé limpide, nez fin légèrement vanillé. Le fruit et le terroir profitent à 100 % du millésime. Suspense habilement conduit entre puissance et rondeur jusqu'au long baiser final. Alexis Lichine doit se dire qu'il a eu bien raison d'amener son ami Bob en Bourgogne.

Dom. Newman, 29, bd Clemenceau, 21200 Beaune, tél. 03.80.22.80.96, fax 03.80.24.29.14

A. ET R. OLIVIER 2005

■ n.c. 3 000 **15 à 23 €**

Réponse de la propriété au négoce, la patente de négociant devient assez fréquente à la propriété... Le plus souvent en achat de raisins, vinification et commercialisation. C'est le cas ici pour ce *village* restant dans les normes attendues. L'œil donne toute satisfaction. La bouche ne demande qu'à s'exprimer, à mi-chemin entre le chêne et le cassis. La structure et l'équilibre sont au rendez-vous, laissant espérer un avenir sérieux à cette bouteille.

Dom. Olivier, 5, rue Gaudin, 21590 Santenay, tél. 03.80.20.61.35, fax 03.80.20.64.82, e-mail domaineolivier@orange.fr r.-v.

DOM. PARENT La Croix blanche 2004 ★★

■ 0,33 ha 1 800 15 à 23 €

Anne et Catherine Parent fêtent en 2008 le dixième anniversaire de leur reprise du domaine familial. Elles pourront le célébrer plus que dignement avec ce coup de cœur ! Ce *climat* est séparé des Grands Épenots par la route d'Autun. Il est particulièrement mis en valeur par ce 2004 rouge grenat, légèrement boisé (seize mois en fût) mais variant habilement les plaisirs (sous-bois, pruneau, cassis). Son corps bien dégagé, son tempérament vineux, sa persistance sur le fruit achèvent de dessiner l'image d'un vin très équilibré que l'on pourra commencer à déguster dès maintenant. Pour compléter le tableau, une étoile pour le **1er cru Les Épenots (30 à 38 €)** et pour le **1er cru Les Rugiens 2004 (30 à 38 €)**.

Dom. Parent, 19, pl. de l'Église, BP 8, 21630 Pommard, tél. 03.80.22.15.08, fax 03.80.24.19.33, e-mail parent-pommard@reseauconcept.net r.-v.

DOM. PARIGOT PÈRE ET FILS Les Riottes 2005 ★★

■ 0,66 ha n.c. 15 à 23 €

Climat voisin du Clos du Château de Pommard. Robe rubis, profonde et limpide, pour ce 2005. Fruité, réglissé, c'est un *village* qui peut en remontrer à beaucoup de 1ers crus. Toute la distribution (fruits, tanins, structure, persistance) est en place et connaît son rôle. Il reste à jouer la pièce ; elle durera à l'affiche. On ne parvient pas en finale du coup de cœur sans raison.

Dom. Parigot Père et Fils, rte de Pommard, 21190 Meloisey, tél. 03.80.26.01.70, fax 03.80.26.04.32 r.-v.

DOM. DU PAVILLON Clos des Ursulines Monopole 2005 ★

■ 3,76 ha 22 000 30 à 38 €

Fort pauvres à l'origine, les Ursulines beaunoises possédaient en 1789 près de six cents ouvrées de vignes, dont quatre-vingt-dix-neuf sur Pommard. Ce clos de 3,76 ha (le compte est bon pour l'essentiel) en assure la descendance. Il s'agit toutefois d'une dénomination d'usage ne figurant pas sur la liste officielle des *climats*. Cela dit, une très belle propriété Bichot (anciennement Vergnette de Lamotte). Grenat foncé, ce 2005 s'affirme comme un vin bien ouvert, un peu boisé, torréfié. Il marque beaucoup de présence en bouche sans perdre de sa rondeur. Les Ursulines avaient l'éternité pour elles. Ici, comptez trois à quatre ans.

A. Bichot, Dom. du Pavillon, 6 bis, bd Jacques-Copeau, 21200 Beaune, tél. 03.80.24.37.37, fax 03.80.24.37.38, e-mail bourgogne@albert-bichot.com

MICHEL PICARD Le Clos Micot 2005 ★

■ 1er cru n.c. 2 100 30 à 38 €

La Fontaine aurait pu s'inspirer de cette famille pour composer une fable intitulée « Le Vigneron, son fils et le cheval de labours ». Car Michel Picard (Francine dirige depuis 2005) est devenu tambour battant le détenteur de 132 ha de vignes et – ambition multiséculaire de tout Chagnotin – châtelain de Chassagne-Montrachet. La morale de cette fable ? Grenat-violet, un vin encore marqué par le bois au nez mais équilibré en bouche, où l'on trouve une matière riche et ronde. On lui laissera faire ses humanités en cave pendant au moins cinq ans.

Maison Michel Picard, Ch. de Chassagne-Montrachet, 5, rue du Château, 21190 Chassagne-Montrachet, tél. 03.80.21.98.57, fax 03.80.21.98.56, e-mail contact@michelpicard.com t.l.j. sf dim. 10h-17h; sam. de déc. à mars sur r.-v. 7

DOM. PATRICIA PINQUIER En Mareau 2004 ★★

■ n.c. 900 15 à 23 €

Au domaine Pinquier, Patricia signe sous son nom ce Mareau dont le nez de fruits rouges écrasés s'anime de notes poivrées et épicées. L'attaque franche, pleine de fraîcheur, laisse ensuite la place à une matière grasse et ample, à la palette aromatique complexe (groseille, cacao, retour des épices) qui conduit à une longue finale agréable. Encore jeune, ce 2004 patientera trois ans en cave avant d'accompagner à table un civet de lièvre. Proposés par Thierry Pinquier, époux de Patricia, **Les Chanlins 2004** décrochent une étoile.

Patricia Pinquier, 5, rue Pierre-Mouchoux, imp. des Belges, 21190 Meursault, tél. 03.80.21.24.87, fax 03.80.21.61.09 t.l.j. 9h-12h 13h30-18h30; dim. 9h-12h 3

CH. DE POMMARD 2005 ★

■ n.c. n.c. 46 à 76 €

Philippe Charlopin vinifie ce domaine appartenant au promoteur immobilier Maurice Giraud. Vanillé et moderne, son pommard est un vin extrait et plein de caractère mais qui n'en respecte pas moins le terroir. Rondeur, matière, structure, tous les ingrédients sont réunis pour permettre à ce 2005 de s'épanouir en cave pendant trois à cinq ans.

Ch. de Pommard, 15, rue Marey-Monge, 21630 Pommard, tél. 03.80.22.12.59 r.-v.

M. Giraud

LA POUSSE D'OR Les Jarollières 2005 ★★

■ 1er cru 1,44 ha 4 900 30 à 38 €

Ce domaine a accueilli sur sa magnifique terrasse la soirée dédiée à l'élégance des vins de Volnay. Les Jarol-

lières occupent une excellente situation entre Les Rugiens et le territoire de Volnay. Un coup de cœur honore ce 2005 remarquable en tout point. L'émotion naît dès le regard, par la vision de la robe pourpre à reflets violets. Le bouquet illustre la complexité d'un grand bourgogne. Outre la vanille (seize mois en fût), le cassis, la cerise à l'eau-de-vie et le Zan forment un beau quatuor à cordes. Au palais, beaucoup de fond et de fondu. Riche et délicat, ce pommard peut encore gravir un barreau de l'échelle (d'ici trois à cinq ans).

➡ Dom. de La Pousse d'Or, rue de la Chapelle, 21190 Volnay, tél. 03.80.21.61.33, fax 03.80.21.29.97, e-mail patrick@lapoussedor.fr ☑ Y ☆ r.-v.

➡ Landanger

G. PRIEUR 2004 *

■ 1er cru n.c. n.c. ⓫ 23 à 30 €

L'attaque ? Puissante. La bouche ? Massive. Des régiments de tanins serrés épaule contre épaule à l'assaut du plateau d'Austerlitz, Pratzen plutôt. Quelle armée, quelle matière ! Un pommard 1er cru parti pour faire toutes les guerres de l'Empire et se réveiller frais et dispos au lendemain de Waterloo (comme on dit ici). Grenat-mauve, la prune et l'animal remplissant la musette, un brave. À l'ancienne, et on y prend plaisir quand les rognons sont à point.

➡ Maison G. Prieur, 21590 Santenay-le-Haut, tél. 03.80.20.60.56, fax 03.80.20.64.31 ☑ Y ☆ r.-v.

PASCAL PRUNIER-BONHEUR
Trois Follots 2005 *

■ 0,18 ha 1 200 ⓫ 15 à 23 €

Pommard indique souvent des *villages* sans nom de *climat*. Allez donc inscrire Rue au Porc, En Bœuf ou La Vache sur une étiquette ! Trois Follots touchent justement à La Vache. Rouge violine, ce 2005 pratique au nez le devoir de réserve imposé à la condition militaire de l'appellation. Un peu bourru, charpenté sur le cuir et le pruneau, c'est pourtant une belle culotte de peau. On n'a pas fini d'en reparler et il pourrait monter en grade avant l'avancement par l'âge (cinq à sept ans).

➡ Dom. Pascal Prunier-Bonheur, 23, rue des Plantes, 21190 Meursault, tél. 03.80.21.66.56, fax 03.80.21.67.33, e-mail pascal.prunier-bonheur@wanadoo.fr ☑ Y ☆ r.-v.

DOM. MICHEL PRUNIER ET FILLE
Les Vignots 2004 *

■ 0,22 ha 900 ⓫ 15 à 23 €

Belle aventure familiale, Estelle Prunier assurant la continuité comme souvent les filles maintenant. Au départ, 2 ha, mi-propriété mi-location. Aujourd'hui, 12 ha. Nouvelle cave d'élevage d'une capacité de deux cents fûts. Rouge cerise à reflets rose-violet, ce pommard mise sur le cassis et l'épice (dix-huit mois sous son enveloppe de chêne). Il attaque assez vivement mais s'adoucit vite et ronronne dans des tanins enrobés. Dénouement de conte de fées. Consommation prochaine.

➡ Dom. Michel Prunier et Fille, rte de Beaune, 21190 Auxey-Duresses, tél. 03.80.21.21.05, fax 03.80.21.64.73, e-mail domainemichelprunier-fille@wanadoo.fr ☑ Y ☆ r.-v.

DOM. REBOURGEON-MURE
Clos des Charmots 2005 **

■ 1er cru 0,45 ha 2 600 ⓫ 15 à 23 €

Ne tournons pas autour du pot, de la bouteille ou du verre. La noblesse de la Côte de Beaune s'exprime ici. Foncé, racé, fruité, ce 2005 attaque en beauté et sait tout contenir – le terroir et le cépage, l'impulsion et la maîtrise de soi. Même la légère pointe de nervosité ne gêne pas. Elle animerait plutôt la bouche ronde et longue, aux tanins fondus. Ouverture à prévoir dans deux ou trois ans. Le **1er cru Clos des Arvelets 2005** décroche une étoile.

➡ Dom. Rebourgeon-Mure, 6 a, Grande-Rue, 21630 Pommard, tél. 03.80.22.75.39, fax 03.80.22.71.00 ☑ Y ☆ r.-v.

DOM. VINCENT SAUVESTRE
Clos de la Platière 2005 *

■ n.c. n.c. ⓫ 23 à 30 €

Vincent Sauvestre a d'autres horizons bourguignons parfois tranquilles (Béjot) et parfois effervescents (affaire importée de Nuits). Clos de la Platière ? Un *climat* longitudinal en montant côté Beaune et Nantoux. Rubis sombre, champignon au premier rang, groseille et pain d'épice par la suite, un vin plaisant et d'une certaine ampleur. L'acidité n'est pas son fort, il se complaît plutôt en bouche dans une rondeur cacaotée. On peut déjà en profiter.

➡ SCEA Dom. Vincent Sauvestre, 7, rte de Monthélie, 21190 Meursault, tél. 03.80.21.22.45, fax 03.80.21.28.05

VEUVE HENRI MORONI Les Noizons 2004 *

■ 0,6 ha 1 702 ⓫ 15 à 23 €

Henri Moroni commença « la bouteille » durant les années 1930. En 1940, fil fonda une maison reprise par sa veuve en 1946. Bien fait, identitaire, voici un pommard déjà agréable à boire si l'on aime le bourgogne jeune (2004 tout de même). Il ne chicane pas sur la robe. Mariant épices et fruits rouges confiturés, le nez ne lâche pas prise. Bouche bien enrobée, tout à fait pommard.

➡ Veuve Henri Moroni, 1, rue de l'Abreuvoir, 21190 Puligny-Montrachet, tél. 03.80.21.30.48, fax 03.80.21.33.08, e-mail info@vins-moroni.com ☑ Y ☆ r.-v.

DOM. VIRELY-ROUGEOT
Clos des Arvelets 2005 *

■ 1er cru 1,56 ha 5 500 ⓫ 15 à 23 €

Drôle d'histoire familiale, belle comme un roman, sur une ancienne propriété du château de Pommard soumise à la friche par le phylloxéra et bien remise sur pied par les Virely. Robe d'une teinte uniforme et flatteuse pour ce Clos des Arvelets. L'air lui fait du bien car la corbeille de fruits s'épanouit dans le verre. Nuance cannelle. Bouche classique et plutôt ronde, d'un fruit moins exubérant, ménageant chèvre et chou, acidité et tanins. En

devenir et de garde. Le 1er cru **Les Chanlins Bas 2005** décroche une étoile, tandis que le **village 2005** est cité.
⊶ Dom. Virely-Rougeot, 9, pl. de l'Europe, 21630 Pommard, tél. 03.80.24.96.70, fax 03.80.22.38.07 ▣ Y ✝ r.-v.
⊶ GFA Virely

Volnay

Blotti au creux du coteau, le village de Volnay évoque une jolie carte postale bourguignonne. Moins connue que sa voisine, l'appellation n'a rien à lui envier, et les vins sont tout en finesse ; ils vont de la légèreté des Santenots, situés sur la commune voisine de Meursault, à la solidité et à la vigueur du Clos des Chênes ou des Champans. Nous ne les citerons pas tous ici, de peur d'en oublier... Le Clos des Soixante Ouvrées y est également très connu et donne l'occasion de définir l'ouvrée : quatre ares et vingt-huit centiares, unité de base des terres viticoles, correspondant à la surface travaillée à la pioche par un ouvrier dans sa journée au Moyen Âge.

De nombreux auteurs du siècle dernier ont cité le vin de Volnay. Nous rappellerons le vicomte de Vergnette qui, en 1845, au congrès des Vignerons français, terminait ainsi son savant rapport : « Les vins de Volnay seront encore longtemps comme ils étaient au XIVes., sous nos ducs, qui y possédaient les vignobles de Caille-du-Roy (Cailleray, devenu Caillerets) : les premiers vins du monde. » Signalons que 3 739 hl en *village* et 5 211 hl en premier cru de volnay ont été produits en 2006 pour une superficie déclarée de 222 ha.

CHRISTIAN BELLANG ET FILS
Clos des Chênes 2004

■ 1er cru 0,6 ha 1 200 ▮ ⅠⅠ 15 à 23 €

Christian, Christophe, ainsi va la vie au domaine, sur 11 ha. Le Clos des Chênes joue sa propre partition aux abords des Santenots. Au moka de l'élevage (quinze mois) s'ajoute un fruit noir légèrement réglissé. Pointe de vivacité et finale un peu chaude, mais le milieu de bouche séduit (fruits noirs) et le grillé ne nuit pas au plaisir d'un vin consensuel qui parvient à ses fins.
⊶ Christian Bellang et Fils, 2, rue de Mazeray, 21190 Meursault, tél. 03.80.21.22.61, fax 03.80.21.68.50, e-mail christophe.bellang@wanadoo.fr ▣ Y r.-v.

LOUIS BOILLOT
Clos de la Chapelle Monopole 2005 *

■ 1er cru 0,55 ha 3 000 ⅠⅠ 15 à 23 €

L'étiquette montre la belle chapelle de Volnay, qui inspire souvent les artistes. Boillot, c'est dire Volnay depuis des siècles. Un autre pied sur Pommard, c'est humain... Rubis clair, un 2005 chantant gentiment la framboise mûre et la violette. L'attaque est modérée, le corps se révélant plus tard sur une finale distinguée. La typicité claire et sans hausser le ton. À apprécier dans deux ou trois ans.
⊶ Louis Boillot, 2, rue Saint-Étienne, 21190 Volnay, tél. et fax 03.80.21.61.21, e-mail louis.boillot@libertysurf.fr ▣ Y ✝ r.-v.

DOM. JEAN-MARC BOULEY
Vieilles Vignes 2004 **

■ 0,62 ha 3 000 ⅠⅠ 15 à 23 €

Une Grappe d'or de notre Guide ne s'oublie pas, fût-elle décernée en 1994... Coup de cœur pour son 2000. On est ici viticulteurs à Volnay de grand-père en arrière-petit-fils. Pourpre clair, ce 2004 marque un délicat équilibre entre la framboise et le cassis, restant bien fruité en bouche, sur un mode plus mûr. Le palais joue tout en nuances sur des notes vanillées, des tanins soyeux et une finale complexe. Un vin encore jeune et c'est un compliment, tant il est prometteur. Plus proche du pastel que de la peinture à l'huile. Le **1er cru Carelles 2004** mérite une étoile.
⊶ Dom. Jean-Marc Bouley, chem. de la Cave, 21190 Volnay, tél. 03.80.21.62.33, fax 03.80.21.64.78, e-mail jeanmarc.bouley@wanadoo.fr ▣ Y ✝ r.-v.

DOM. RÉYANE ET PASCAL BOULEY
Champans 2005 *

■ 1er cru 0,26 ha 1 500 ⅠⅠ 15 à 23 €

Deux bouteilles valent mieux qu'une, d'autant que celles-ci obtiennent la même note. Un **Robardelle 1er cru 2005** d'une agréable vivacité, simple et net, complétera la caisse où entrera à coup sûr ce Champans. Un peu « l'homme de base » à Volnay, celui sur lequel on s'aligne... à tout le moins dans les rangs. De couleur très foncée, aromatiquement complexe (épices, cassis frais, végétal), ce 2005 est encore strict, tendu, mais comme il est à conserver plusieurs années, nul doute que l'âge le rendra beaucoup plus tendre et sociable. Le type même du vin de garde (trois à quatre ans minimum).
⊶ Réyane et Pascal Bouley, pl. de l'Église, 21190 Volnay, tél. 03.80.21.61.69, fax 03.80.21.66.44, e-mail bouleypascal@wanadoo.fr ▣ Y ✝ r.-v.

DOM. DU CERBERON Clos des Chênes 2004

■ 1er cru 0,22 ha n.c. ⅠⅠ 23 à 30 €

Domaine de poche (2,84 ha) sur Meursault et Volnay, géré entre cousins. Le millésime 2003 de ce même Clos des Chênes a reçu le coup de cœur. Passons au 2004. Sa robe rubis à reflets violacés est bien soutenue. Avec un nom pareil et dix-huit mois en fût, on ne s'étonnera pas d'une pointe boisée. Raisonnable et discrète. Quelques nuances végétales. Au palais, la structure ne déçoit pas, sans être non plus un roman-fleuve. Plutôt un conte, et le genre a lui aussi ses mérites.
⊶ Dom. du Cerberon, 18, rue de Lattre-de-Tassigny, 21190 Meursault, tél. et fax 03.80.21.65.00, e-mail domaine.cerberon@wanadoo.fr ▣ Y ✝ r.-v.

DOM. Y. CLERGET Clos du Verseuil 2004 *

■ 1er cru 0,68 ha 2 700 ⅠⅠ 15 à 23 €

À Volnay, on adore les Clos. Nés souvent de la pratique vigneronne, ils sont nombreux et donnent à un *climat*, en quelque sorte, des lettres de noblesse. Cerise légère, l'œil présente ici un début d'évolution. Framboise, fougère, ses arômes se complètent à merveille et de façon expressive. Le long séjour en fût (vingt mois) permet un accord agréable entre la vanille et le fruit, créant un équilibre harmonieux en bouche.

BOURGOGNE

Dom. Y. Clerget, 12, rue de la Combe, 21190 Volnay, tél. 03.80.21.61.56, fax 03.80.21.64.57, e-mail yvon@domaine-clerget.com r.-v.

CH. DE LA CRÉE Clos des Angles 2005 *

■ 1er cru 0,15 ha 900 30 à 38 €

Un vin léger ? Disons élancé, svelte et aérien. Taille mince, mais quel bon caractère ! Robe ensoleillée à la couleur du pinot noir, nez boisé dans des limites raisonnables. La bouche est souple et ample, élégante, sur des notes de fruits des bois. Des Angles bien arrondis.

SARL Ch. de La Crée, 11, rue Gaudin, 21590 Santenay, tél. 03.80.20.63.36, fax 03.80.20.65.27, e-mail la.cree@orange.fr r.-v.

M. Ryhiner

DOM. CYROT-BUTHIAU 2005 *

■ 0,45 ha 2 500 15 à 23 €

Un *village* tout en finesse et en élégance, comme il sied à un volnay. Rubis limpide, assez brillante, la robe est sans défauts. Le nez frais de fruits rouges a tiré d'une année en fût une note vanillée plaisante. Souple et soyeuse, la bouche ne s'embarrasse pas d'une grande complexité mais joue jusqu'en finale (et elle est longue) sa partition fine et fruitée.

Dom. Cyrot-Buthiau, 15, rte d'Autun, 21630 Pommard, tél. 03.80.22.06.56, fax 03.80.24.00.86, e-mail cyrot.buthiau@wanadoo.fr r.-v.

DOM. HENRI DELAGRANGE ET FILS Clos des Chênes 2005 *

■ 1er cru 0,65 ha 3 900 23 à 30 €

« Récolté et vinifié par Didier Delagrange », lit-on sur l'étiquette. Mention rare et utile. Carmin profond, un Clos des Chênes porté sur les fruits rouges. Soyeux et élégant en bouche, retrouvant le fruit, il montre une certaine vivacité qui doit encore se fondre. Un passage de trois ans en cave devrait l'y aider. Le **village Domaine des Échards Vieilles Vignes 2005 (15 à 23 €)** est cité.

Dom. Henri Delagrange, cours François-Blondeau, 21190 Volnay, tél. 03.80.21.64.12, fax 03.80.21.65.29 r.-v.

Didier Delagrange

DUFOULEUR PÈRE ET FILS Les Lurets 2004 *

■ 1er cru n.c. 1 750 30 à 38 €

Maison nuitonne reprise (en maintien en coopérative) par Antonin Rodet. Pas très loin des Santenots et de Meursault, Les Lurets passent pour avoir du nerf et de la flamme. Vérifié ici. Couleur cerise burlat, bouquet cerise et framboise, du gras et de la longueur dans un contexte tannique sans effets de manche. Disposé à remplir son office durant l'année qui vient.

Dufouleur Père et Fils, 17, rue Thurot, 21700 Nuits-Saint-Georges, tél. 03.80.61.21.21, fax 03.80.61.10.65, e-mail dufouleur@dufouleur.com t.l.j. 9h-19h

DOM. JEAN GUITON Les Petits Poisots 2004 *

■ 0,35 ha 1 800 11 à 15 €

« Quand ils ne sont pas ni trop nouveaux ni trop vieux, c'est-à-dire bien à leur point »... Le Dr Denis Morelot précise ainsi, en 1831, l'identité des bons vins de ce cru. Soit ! Ce 2004 répond aux conditions. Rubis brillant, vanillé sans mépriser la cerise ni le pruneau, il reste sur sa ligne, droit dans ses bottes. Ses tanins n'ont rien d'offensant. Plus complexe qu'il n'y paraît et prêt à être dégusté d'ici peu (un à deux ans).

Dom. Jean Guiton, 4, rte de Pommard, 21200 Bligny-lès-Beaune, tél. 03.80.26.82.88, fax 03.80.26.85.05, e-mail domaine.guiton@wanadoo.fr r.-v.

DOM. ANTONIN GUYON Clos des Chênes 2004 *

■ 1er cru 0,87 ha 2 100 23 à 30 €

Quand on parcourt la Côte, on croise souvent des pieds de vigne faisant partie du domaine Antonin Guyon : 48 ha en tout, de nombreuses et belles appellations. Ici, un Clos des Chênes, et l'on sait que ce 1er cru occupe une bonne partie du second balcon. Grenat limpide, évoquant les fruits compotés, un vin dont la réserve est sagement mûrie. Il joue le charme plus que le cérébral. L'élégance de sa texture, la finesse de son grain sont à la hauteur du sujet.

Dom. Antonin Guyon, 21420 Savigny-lès-Beaune, tél. 03.80.67.13.24, fax 03.80.66.85.87, e-mail domaine@guyon-bourgogne.com r.-v.

DOM. CHANTAL LESCURE 2005

■ 1 ha 3 400 15 à 23 €

Chantal Lescure était l'une des « filles » de l'inventeur de la célèbre cocotte-minute Seb : elle fonda ce domaine après l'introduction en Bourse du groupe d'électro-ménager. Le vignoble reste familial. Robe griotte noire, intense et brillante pour ce 2005 qui demande un peu d'aération. Plénitude, fond et corps, un rien d'amertume, ce gaillard est solide, à prendre avec des pincettes mais riche d'aménité.

Dom. Chantal Lescure, 34 A, rue Thurot, 21700 Nuits-Saint-Georges, tél. 03.80.61.16.79, fax 03.80.61.36.64, e-mail contact@domaine-lescure.com r.-v.

de Gramont

DOM. SÉBASTIEN MAGNIEN Les Échards 2005 *

■ 0,13 ha 800 11 à 15 €

Les Échards ne sont guère éloignés des Champans. Un joli voisinage ! Rouge puissant à touches violacées, un vin doté d'une forte extraction de couleur. Notes boisées au premier nez (quinze mois en fût), suivies d'arômes de cassis, de mûre. Bien structuré et persistant, ce millésime demande évidemment à se fondre mais il a du potentiel à développer.

Dom. Sébastien Magnien, 6, rue Pierre-Joigneaux, 21190 Meursault, tél. 03.80.21.28.57, fax 03.80.21.62.80, e-mail seb.magnien@yahoo.fr r.-v.

MATROT WITTERSHEIM Santenots 2005

■ 1er cru 0,58 ha 3 600 23 à 30 €

L'œil est violine, le nez pivoine, puis on s'attarde sur les fruits secs, les épices... L'acidité, le gras, les tanins et le fruit jouent aux quatre coins du palais, avant de se retrouver pour une longue finale. Caractère joliment esquissé. Domaine assez récent, créé en 1999.

Dom. Matrot Wittersheim, 2, pl. de l'Europe, 21190 Meursault, tél. 03.80.21.21.13, fax 03.80.21.21.14, e-mail matrot.wittersheim@wanadoo.fr r.-v.

PROSPER MAUFOUX Les Angles 2004 ★

■ 1er cru n.c. 600 🍷 23 à 30 €

Ces Angles ont obtenu le coup de cœur dans le millésime 1983. Sans doute la formule manque-t-elle d'originalité, mais ces Angles ont encore besoin de s'arrondir. Notes d'amande grillée (dix-huit mois de fût) et de fruits mûrs sous le rouge griotte de la robe. Charpenté, un peu rugueux mais sympathique ; le bonheur attendra 2009.

🔑 Prosper Maufoux,
Maison des Grands Crus, 1, pl. du Jet-d'Eau,
21590 Santenay, tél. 03.80.20.60.40, fax 03.80.20.63.26,
e-mail prosper.maufoux@wanadoo.fr
☑ Y ★ t.l.j. 10h-12h 14h30-18h; de nov. à mars sur r.-v.
🔑 Maison des Grands Crus

DOM. MONTHÉLIE-DOUHAIRET PORCHERET En Champans 2004 ★★

■ 1er cru 0,59 ha 4 400 🍷 15 à 23 €

Finaliste du coup de cœur, un Champans tout en finesse : l'empreinte d'un baiser. *Climat* médian sur Volnay. Proche de son apogée (2008 ou 2009), il est rouge violacé. Toasté et pruneau au nez (dix-huit mois en fût), il fait très bonne impression au palais grâce à une matière noble, ronde, au boisé intégré. Un volnay bien dans son appellation.

🔑 Dom. Monthélie-Douhairet Porcheret,
1, rue Cadette, 21190 Monthélie, tél. 03.80.21.63.13,
fax 03.80.21.63.14, e-mail douhairet@wanadoo.fr
☑ Y ★ t.l.j. 8h-12h 14h-18h; dim. sur r.-v.

FRANÇOIS PARENT Frémiets 2005 ★★

■ 1er cru 0,74 ha 3 600 🍷 30 à 38 €

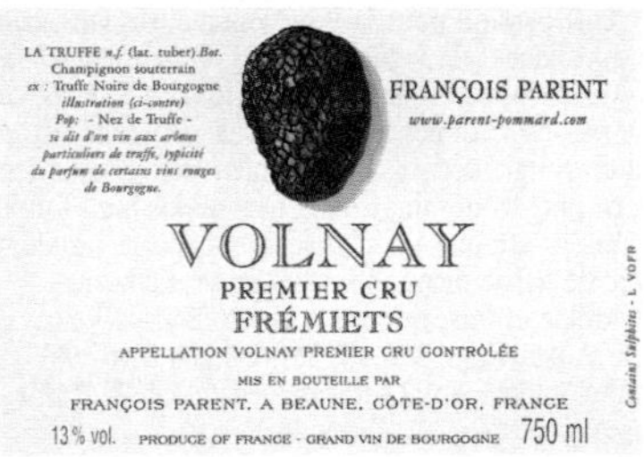

Il s'agit ici de l'affaire beaunoise de négoce créée par ce viticulteur de Pommard souvent distingué dans le Guide. Une truffe est représentée sur l'étiquette, en référence aux arômes de certains vins de Bourgogne. Ce superbe coup de cœur en robe cardinale appuyée affiche plutôt un nez sur le fruit rouge et la violette. En bouche, il offre une matière structurée aux tanins présents mais fins et mûrs, avant une longue finale ponctuée d'une note de cerise. Déjà élégant, il gagnera à attendre au moins deux ou trois ans.

🔑 François Parent, 14 bis, rue Pierre-Joigneaux,
21200 Beaune, tél. 03.80.22.61.85, fax 03.80.24.03.16,
e-mail af-gros@wanadoo.fr ☑ Y ★ r.-v.

DOM. PARIGOT PÈRE ET FILS Les Brouillards 2005 ★

■ n.c. n.c. 🍷 15 à 23 €

On n'est pas du tout dans le brouillard, mais en pleine lumière rubis grenat brillant. Fût épicé, mais un nez de cerise déjà flatteur. Ce *climat* côtoie Pommard et on s'en aperçoit : charpenté, corsé, les tanins riches et fondus, ce 2005 possède ce qu'on appelle une bonne mâche. Un classique dans le millésime, avec un bon potentiel de garde (cinq ans).

🔑 Dom. Parigot Père et Fils, rte de Pommard,
21190 Meloisey, tél. 03.80.26.01.70, fax 03.80.26.04.32
☑ Y ★ r.-v.

DOM. DU PAVILLON Les Santenots 2005 ★

■ 1er cru 0,29 ha 1 800 🍷 30 à 38 €

Coup de cœur pour des Santenots 2002. Le 2005 ? Un vin grenat foncé au nez animal, végétal, fait de musc et de sous-bois. Complexe comme une oraison de Bossuet qui rédigeait, dit-on, en buvant du volnay. En bouche, une mâche tannique et puissante, qui invite à une garde de trois ou quatre ans.

🔑 A. Bichot,
Dom. du Pavillon, 6 bis, bd Jacques-Copeau,
21200 Beaune, tél. 03.80.24.37.37, fax 03.80.24.37.38,
e-mail bourgogne@albert-bichot.com

MAX ET ANNE-MARYE PIGUET-CHOUET 2005 ★

■ 0,28 ha 1 500 🍷 11 à 15 €

Ayant perdu son père à l'âge de douze ans, Max est devenu vigneron par la force des choses. La passion est vite venue, et son épouse ainsi que ses deux fils l'accompagnent aujourd'hui. Un *village* rouge foncé brillant et limpide, dont les arômes plaisants et francs penchent vers le kirsch et la pâte de fruits. L'extraction est moyenne et c'est loin d'être un défaut ! Un rien de chaleur, mais l'ensemble est maîtrisé, de bon ton et même assez gourmand. À découvrir dans les deux à trois ans.

🔑 Max et Anne-Marye Piguet-Chouet, rte de Beaune,
21190 Auxey-Duresses, tél. 03.80.21.25.78,
fax 03.80.21.68.31, e-mail piguet.chouet@wanadoo.fr
☑ Y ★ r.-v.

DOM. POULLEAU PÈRE ET FILS Vieilles Vignes 2005 ★

■ 1,63 ha 3 300 🍷 11 à 15 €

Thierry et Florence ont repris le flambeau en 1996. Vieilles Vignes ? C'est l'une des rares mentions à ne comporter aucune règle, mais avec soixante ans de moyenne, on y souscrit volontiers. Intensément vif, ce 2005 sent la mûre, les épices et l'animal. De l'architecture, de la charpente, de la longueur. Un vin qui vous contemple de haut mais qui redescendra dans trois ans accompagner à votre table un pâté chaud de gibier.

🔑 Dom. Michel Poulleau Père et Fils,
rue du Pied-de-la-Vallée, 21190 Volnay,
tél. 03.80.21.26.52, fax 03.80.21.64.03,
e-mail domaine.poulleau@wanadoo.fr ☑ Y ★ r.-v.

LA POUSSE D'OR Clos des 60 Ouvrées Monopole 2005 ★

■ 1er cru 2,39 ha 8 000 🍷 30 à 38 €

Domaine repris en 1997, conduit en agriculture biologique. Ces soixante ouvrées (une ouvrée équivaut à environ 4 a) s'expriment ici dans un rouge soutenu étincelant. Nez en devenir sur ses seize mois de fût. Bouche aimable entre fruits rouges et pruneau. Gras à maturité, tanins fins et souples. À déboucher maintenant.

BOURGOGNE

Dom. de La Pousse d'Or, rue de la Chapelle, 21190 Volnay, tél. 03.80.21.61.33, fax 03.80.21.29.97, e-mail patrick@lapoussedor.fr r.-v.
Landanger

DOM. REBOURGEON-MURE Caillerets 2004 ★

1er cru 0,32 ha 1 500 15 à 23 €

David, le fils, a rejoint le domaine il y a peu de temps. Coup de cœur pour les millésimes 1999 et 2002, ce Caillerets est un must : pourpre sombre d'intensité satisfaisante, le bouquet tout doucement ouvert sur les fruits rouges frais, un 2004 d'une rondeur sensuelle. L'attaque conduit à une matière équilibrée aux notes d'épices et de griotte. La légère touche de chaleur ajoute au plaisir. Bonne constitution pour le futur (apogée en 2008).

Dom. Rebourgeon-Mure, 6 a, Grande-Rue, 21630 Pommard, tél. 03.80.22.75.39, fax 03.80.22.71.00 r.-v.

DOM. RÉGIS ROSSIGNOL-CHANGARNIER 2004 ★

1er cru 1,8 ha 4 500 11 à 15 €

Ce volnay ne se prend pas pour un pommard. Fidèle à son image traditionnelle, il est frais et dispos, élégant et fin. Grenat brillant, il suggère les fruits rouges confits, la fraise écrasée. Si les tanins apparaissent surtout en fin de bouche, leur contribution est soyeuse. Consistance et concentration très bonnes pour le millésime. À boire ou à attendre.

Régis Rossignol, rue d'Amour, 21190 Volnay, tél. et fax 03.80.21.61.59 r.-v.

DOM. ROSSIGNOL-FÉVRIER PÈRE ET FILS Robardelle 2005 ★

1er cru 0,43 ha 2 500 15 à 23 €

Le vignoble n'ayant pas souffert de ses malheurs, Volnay érigea après la guerre de 1870 une statue de Notre-Dame des Vignes, qui figure sur l'étiquette sous la mention : « Aux pieds de N.-D. des Vignes, j'ai grandi, mûri et vieilli ». On pourra préférer celle de l'étiquette du **Gigottes 2005 (11 à 15 €)**, cité : « On ne saurait être gai sans boire du volnay. » Le Robardelle joue au nez le cassis et les épices. Sa matière consistante aux tanins présents lui assure un potentiel de garde de quatre à cinq ans.

Rossignol-Février, rue du Mont, 21190 Volnay, tél. 03.80.21.64.23, fax 03.80.21.67.74, e-mail rossignol-fevrier@wanadoo.fr
t.l.j. sf dim. 9h-12h 14h-18h

SHAPS ET ROUCHER-SARRAZIN Les Santenots 2005 ★★

1er cru 0,25 ha 1 400 23 à 30 €

Passionné par le vin de Bourgogne, qu'il apprit à connaître en 1787 et dont il resta toute sa vie un excellent client (« Peu importe le prix, la qualité d'abord ! », écrivait-il), Thomas Jefferson pouvait-il imaginer qu'un de ses compatriotes, Michel Shaps, deviendrait deux siècles plus tard *wine consultant* en Virginie et propriétaire en Bourgogne ? Longtemps vinificateur de Chartron et Trébuchet, Michel Roucher-Sarrazin lui offre un excellent partenariat. Légèrement boisé, un pinot sincère et franc, souple et tendre, qui affirme son caractère avec une authentique noblesse.

Shaps et Roucher-Sarrazin, 7, rue des Forges, 21190 Meloisey, tél. et fax 03.80.21.26.31, e-mail info@shaps-rouchersarrazin.fr r.-v.

CHRISTOPHE VAUDOISEY Les Mitans 2005 ★★

1er cru 0,2 ha n.c. 15 à 23 €

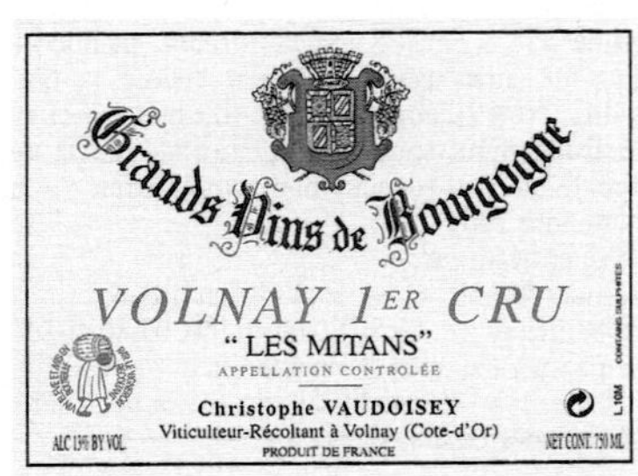

« Il n'y a qu'un Volnay en France », proverbe cité dès le XVIIIe s. par l'abbé Courtépée. Eh oui ! et ce Mitans sort vainqueur après les deux mi-temps (premier jury et grand jury des coups de cœur). Un rubis intense et violacé, un bouquet qui ne s'endort pas sur la vanille (quatorze mois de fût) mais tire le meilleur de la mûre et du cassis. Vivacité olfactive assez étonnante, sur fond de marc. Palais si dense et si bien fait qu'on le laissera patienter trois à quatre ans en cave en toute tranquillité. Le **village 2005 (11 à 15 €)** obtient une étoile pour son équilibre.

Christophe Vaudoisey, pl. du Village, 21190 Volnay, tél. 03.80.21.20.14, fax 03.80.21.27.80, e-mail christophe.vaudoisey@wanadoo.fr r.-v.

CLOTILDE ET PASCAL VECTEN Les Ez Blanches 2005 ★

0,3 ha 2 850 11 à 15 €

Une passion pour la Bourgogne et ses vins, concrétisée par l'achat de vignes en 2002. Quant à ce *climat*, à vous de le trouver ! Par-dessus le Clos des Chênes, ce qui n'est pas rien, direction Monthélie. La robe est engageante, rouge cerise. Le premier nez moyennement ouvert, puis fruité pinot noir. Des tanins bien fondus et élégants. L'attaque un peu sévère s'apaise rapidement. Durée de garde moyenne, mais un vrai charme.

Clotilde et Pascal Vecten, chem. Sous-la-Velle, 21190 Auxey-Duresses, tél. et fax 03.80.21.67.99, e-mail clotildeetpascal.vecten@cegetel.net r.-v.

Monthélie

La combe de Saint-Romain sépare les terroirs à rouge des terroirs à blanc ; Monthélie est exposé sur le versant sud de cette combe. Dans ce petit village moins connu que ses voisins, les vins sont d'excellente qualité. 2006 a produit 4 440 hl de vin rouge et 664 hl de vin blanc.

ÉRIC BOIGELOT 2004 ★

3 ha 15 000 8 à 11 €

On est ici dans l'ancienne tonnellerie Damy. Éric Boigelot est à la barre depuis une bonne quinzaine d'années. Il propose un 2004 exprimant la vraie couleur du rubis. Le nez se promène entre les fruits noirs et le cuir. La structure apparaît rigoureuse. Elle doit son aménité à

La Côte de Beaune Sud

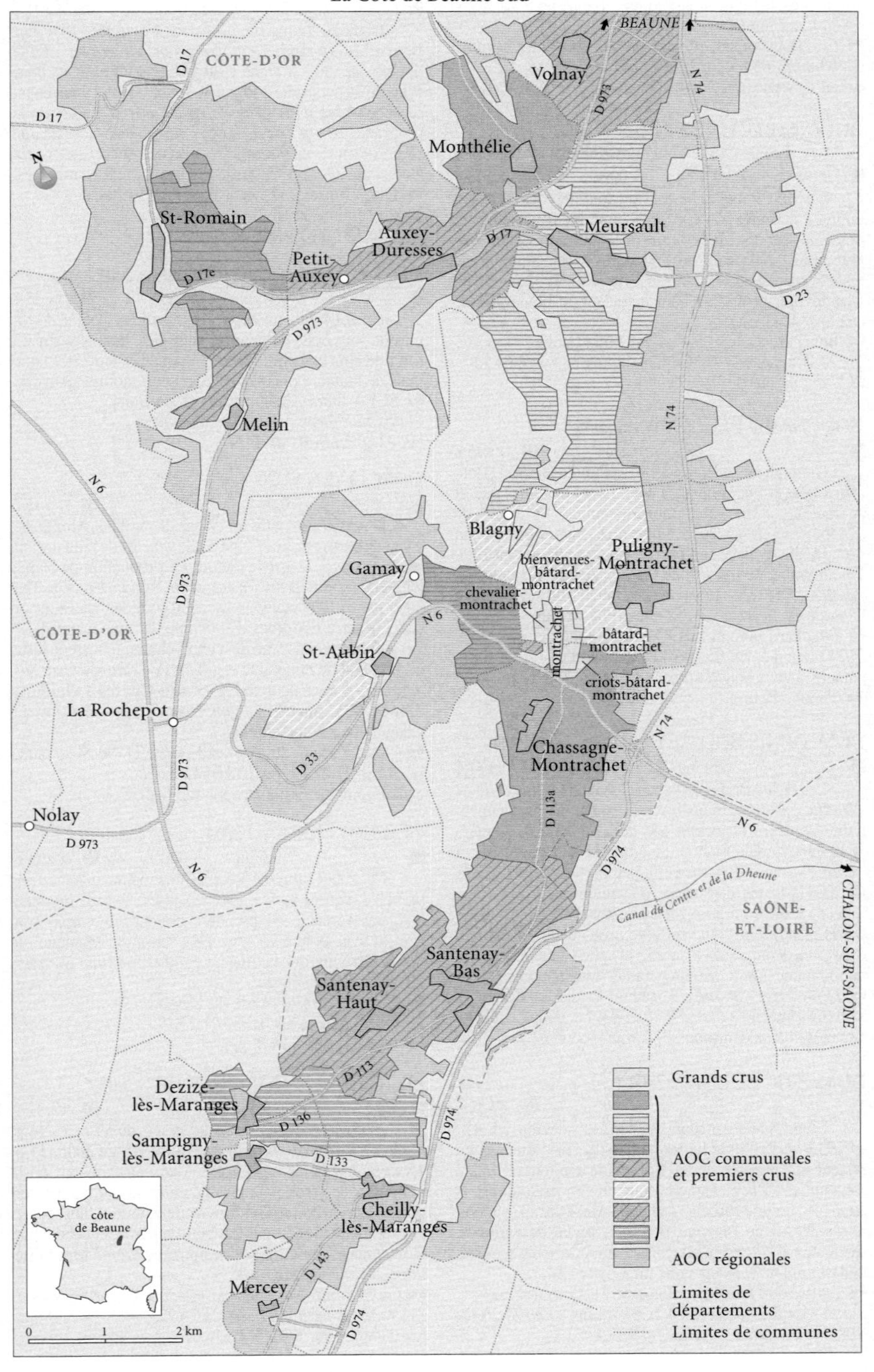

BEAUNE
CÔTE-D'OR
D 17
Volnay
D 973
N 74
Monthélie
St-Romain
Auxey-Duresses
Meursault
Petit-Auxey
D 17e
D 23
Melin
N 6
Blagny
Gamay
Puligny-Montrachet
bienvenues-bâtard-montrachet
chevalier-montrachet
montrachet
bâtard-montrachet
criots-bâtard-montrachet
St-Aubin
La Rochepot
D 33
Chassagne-Montrachet
D 113a
Nolay
D 974
Canal du Centre et de la Dheune
SAÔNE-ET-LOIRE
CHALON-SUR-SAÔNE
Santenay-Bas
Santenay-Haut
D 113
Dezize-lès-Maranges
D 136
Sampigny-lès-Maranges
D 133
Cheilly-lès-Maranges
Mercey
D 143
côte de Beaune
0 1 2 km
Grands crus
AOC communales et premiers crus
AOC régionales
Limites de départements
Limites de communes

un arôme de fraise (le pot de confiture où l'enfant pose un doigt en cachette de sa grand-mère) ainsi qu'à la finesse soyeuse des tanins.

🔑 Éric Boigelot, 21, rue des Forges, 21190 Meursault, tél. 03.80.21.65.85, fax 03.80.21.66.01, e-mail vins.eric.boigelot@wanadoo.fr ☑ Y ⚲ r.-v.

BOUCHARD AÎNÉ ET FILS

Le Meix Bataille Cuvée Signature 2005 *

■ 1er cru 0,4 ha 3 000 ⦀ 15 à 23 €

Ce Meix Bataille (1er cru situé tout près des maisons) pourpre à frange violette opte pour les fruits noirs et possède assez d'acidité comme de tanins pour vieillir avec grâce (au moins cinq ans). Il porte la signature d'une respectable maison beaunoise acquise en 1992 par Jean-Claude Boisset et fort bien logée sur le boulevard de ceinture de la ville.

🔑 Bouchard Aîné et Fils, 4, bd Mal-Foch, 21200 Beaune, tél. 03.80.24.24.00, fax 03.80.24.64.12 ☑ Y ⚲ t.l.j. 9h30-19h

BOUCHARD PÈRE ET FILS 2005 *

■ n.c. n.c. ⦀ 11 à 15 €

Champagne et Bourgogne : la famille Henriot (Bouchard Père et Fils, William Fèvre, Lejay-Lagoute) réussit ce mariage. Une robe pourpre violine, un fruité de framboise pour un 2005 d'une rare onctuosité. Ce vin prend toute sa place et n'est pas au terme de son histoire. Un ensemble de très bonne facture. À visiter, la récente installation (cuverie et caves) de Bouchard Père et Fils à la sortie de Beaune vers Savigny. Pharaonique.

🔑 Bouchard Père et Fils, Ch. de Beaune, 21200 Beaune, tél. 03.80.24.80.24, fax 03.80.22.55.88, e-mail france@bouchard-pereetfils.com Y ⚲ r.-v.

🔑 Famille Henriot

DOM. DENIS BOUSSEY Les Hauts-Brins 2004

■ 0,61 ha 3 500 ⦀ 8 à 11 €

Les Hauts-Brins montent à l'assaut de Volnay : on ne s'étonne pas de les rencontrer en rouge. Ils proviennent d'une demeure historique : le berceau dans les années 1830 de la famille Bichot, qui émigra ensuite avec brio à Meursault puis à Beaune et un peu partout dans la Côte. Ce 2004 laisse paraître un rien d'évolution sur sa robe bien foncée ; il offre un bouquet de kirsch et de pruneau. Le palais plein montre une certaine vivacité, ce qui est loin d'être un défaut. Assez souple jusqu'en finale, il est de bonne tenue. On le débouchera dès maintenant.

🔑 Dom. Denis Boussey, 1, rue du Pied-de-la-Vallée, 21190 Monthélie, tél. 03.80.21.21.23, fax 03.80.21.62.46, e-mail domaine.denisboussey@wanadoo.fr ☑ Y ⚲ r.-v.

DOM. ÉRIC BOUSSEY 2004 *

□ 0,5 ha 3 300 ⦀ 8 à 11 €

Un grand-père médaillé au concours des vins à Paris, en 1932, cela compte dans une famille ! Éric Boussey en ressent une légitime fierté et perpétue son œuvre. Jaune soutenu, son *village* blanc évoque une corbeille de fruits aussi bien qu'une corbeille de fleurs. Amande, un soupçon de vanille, il ne manque rien à la revue des arômes. Abricoté, vif et long en bouche, ce vin représente bien son millésime. Du bonheur pour un à deux ans.

🔑 EARL du Dom. Éric Boussey, 21, Grande-Rue, 21190 Monthélie, tél. 03.80.21.60.70, fax 03.80.21.26.12, e-mail ericboussey@orange.fr ☑ Y ⚲ r.-v.

DOM. BOUZERAND DUJARDIN 2004

■ 2,47 ha 15 000 ⦀ 11 à 15 €

Domaine remis sur pied dans les années 1950 par Bernard Bouzerand et son fils Xavier. Ce dernier vit une double passion : la vigne et le vin, la sculpture sur bois. L'heure de la retraite a sonné pour lui. Ulrich Dujardin lui succède. A-t-il mûri dans les caves moyenâgeuses de la propriété, ce vin rouge foncé ? Sa bouche accueillante révèle des notes un peu sages : on est déjà sur le dessus de la Côte. Les tanins présents ne bousculent ni le rond ni le gras.

🔑 Dom. Bouzerand Dujardin, pl. de l'Église, 21190 Monthélie, tél. 03.80.21.20.08, fax 03.80.21.28.16 ☑ Y ⚲ r.-v.

DOM. CHANGARNIER Pierrefitte 2004

■ 0,46 ha 2 450 ⦀ 11 à 15 €

Un 2004 au teint rubicond très foncé, peuplé d'arômes de sous-bois, de nuances sauvages, animales sur un fond de chocolat. En bouche, il demeure sur cette ligne mais de manière plus nuancée, un peu moins expansive.

🔑 SCEA Dom. Changarnier, pl. du Puits, 21190 Monthélie, tél. 03.80.20.60.09, fax 03.80.20.61.01 ☑ Y r.-v.

DOM. DARNAT 2005 **

□ 0,09 ha 300 ⦀ 11 à 15 €

Si Auxey était jadis un village de moulins, Monthélie vivait de ses pressoirs. « Une poule y meurt de faim durant les moissons », assure le dicton. La production de blanc, longtemps infime, tend à s'accroître. Non sans raison, à en juger par ce 2005 malheureusement confidentiel. Jaune or clair, pénétré d'arômes d'aubépine, de chèvrefeuille, ce vin tapisse le palais d'un délicieux velours. Il possède juste ce qu'il faut de minéralité et affiche une rare longueur sur le gras. Vif et chaleureux, le **1er cru Château Gaillard blanc 2005**, minuscule *climat* proche des maisons du village, obtient une citation.

🔑 Dom. Darnat, 20, rue des Forges, 21190 Meursault, tél. 03.80.21.23.30, fax 03.80.21.64.62, e-mail domaine.darnat@wanadoo.fr ☑ Y ⚲ r.-v.

GÉRARD DOREAU 2004

■ 0,6 ha 3 000 ⦀ 8 à 11 €

Ce 2004 rubis, signé par une petite exploitation (4,7 ha), suggère la compote de fraises, voire le pruneau d'Agen. Agréable en première bouche, il remplit son contrat avec bonne volonté. Une sensation tannique un peu austère marque la finale. Le millésime 1985 fut coup de cœur (édition 1988).

🔑 Gérard Doreau, 6, rue du Dessous, 21190 Monthélie, tél. 03.80.21.27.89, fax 03.80.21.62.19 ☑ Y ⚲ r.-v.

DUBUET-MONTHÉLIE ET FILS 2005 *

■ 2 ha 6 000 ⦀ 8 à 11 €

2005 est la deuxième récolte au sein de cette structure familiale. Le **1er cru Champs-Fulliot rouge 2005 (11 à 15 €)** est cité, et ce *village* offre toute satisfaction. Cerise noire dans le verre, confiture de mûre au nez, ce dernier prend la vie du bon côté et vous incite à l'imiter. Plus souple que tannique, il n'est pas fait pour la garde : à déboucher dans l'année. Une curiosité : le domaine établi à Monthélie s'appelle Dubuet-Monthélie.

🔑 Guy Dubuet-Monthélie et Fils, rue Bonne-Femme, 21190 Monthélie, tél. 03.80.21.26.22, fax 03.80.21.29.79 ☑ Y ⚲ r.-v.

BRUNO FÈVRE Sur la Velle 2005

■ 1er cru 0,46 ha 1 300 **11 à 15 €**

Savez-vous qu'on se trouve ici à deux pas du célèbre Clos des Chênes en Volnay ? L'exposition est légèrement différente, mais les sols se ressemblent beaucoup. Les prix en revanche... Sous des abords grenat, ce 2005 délivre des senteurs de sous-bois, de lichen et de champignon, dans un souffle assez chaud. Le corps est également chaleureux ; fin et léger, il développe des notes de fruits à noyau. À servir sur un rôti de porc ou, après trois ans, sur du gibier.
Bruno Fèvre, 14, rue des Écoles, 21190 Meursault, tél. et fax 03.80.21.63.16 r.-v.

PAUL GARAUDET Les Duresses 2004 *

■ 1er cru 0,72 ha 4 500 **15 à 23 €**

Coup de cœur dans l'édition 2003 pour le millésime 2000 de ce même vin, Paul Garaudet est l'honneur monthélien de ce *climat*, à cheval sur les appellations monthélie et auxey. Rubis violacé, son 2004 respire à plein nez l'animal et le fauve, le cuir et le pruneau. La cuisinière ne se perdra pas en interrogation sur les victuailles à acheter au marché pour l'accompagner. On croit entendre le cor de chasse ! La structure est intéressante, la longueur remarquable. Le **1er cru Clos Gauthey rouge 2004 (11 à 15 €)** ressemble au précédent et obtient la même note.
Paul Garaudet, imp. de l'Église, 21190 Monthélie, tél. 03.80.21.28.78, fax 03.80.21.66.04 r.-v.

JÉRÔME GERBEAULT
Les Champs Fulliots 2005 **

■ 1er cru 0,5 ha 3 300 11 à 15 €

Le maillot jaune de l'épreuve, qui arrive bon premier, est un rouge. Son auteur ? Jérôme Gerbeault, qui représente la quatrième génération dans la vigne. Il a succédé à son père en 2002 sur 7,6 ha, tout en s'ocupant d'une affaire de négoce-éleveur, les Caves du Vieux Pressoir à Meursault. Une robe pivoine à reflets sombres, un nez gourmand de cerise pour un vin charmant. Bien vinifié sur le fruit, avec des tanins discrets, il ne donne que du plaisir et accompagnera dès maintenant une côte de bœuf ; le **village rouge 2005 (8 à 11 €)** est cité.
Jérôme Gerbeault, 11, RN 74, 21190 Meursault, tél. 03.80.21.20.39, fax 03.80.21.66.73
t.l.j. sf dim. 8h30-12h 14h-18h30
Caves du Vieux Pressoir

DOM. DU MOULIN AUX MOINES
Sous le Cellier 2004

■ 0,5 ha 3 000 **8 à 11 €**

Moulin aux Moines ? Monthélie a longtemps vécu sous l'autorité de l'abbaye de Cluny, d'où le nom de la propriété. Ce domaine a une très longue histoire jusqu'aux familles Battault, Bey, Roland Thévenin, Michel Matrot et celle des actuels propriétaires. Il remonterait à l'an mil... Rubis normal, pourrait-on dire de ce 2004 sensiblement torréfié au nez, fruité en bouche. Il s'y plaît visiblement et ne paraît guère disposé à la quitter... La composition ne présente aucun défaut et les tanins s'invitent en finale.
Émile Hanique, Dom. du Moulin aux Moines, 21190 Auxey-Duresses, tél. et fax 03.80.21.60.79, e-mail contact@laterrasse.fr
t.l.j. 9h-12h 14h-19h 6 E

DOM. ANNICK PARENT
Clos Gauthey Monopole 2005 *

□ 1er cru 0,15 ha 768 **15 à 23 €**

Des vignerons et des tonneliers de père en fils depuis le XVIIe s. Puis des vigneronnes de mère en fille. La volaille de ferme ou le chèvre frais s'associera volontiers à la conversation. Chaud et boisé sous une jolie robe, ce 1er cru blanc patientera deux ans en cave pour permettre au chêne très présent de se fondre.
Annick Parent, rue du Château-Gaillard, 21190 Monthélie, tél. et fax 03.80.21.21.98, e-mail annick.parent@wanadoo.fr r.-v.
Jean Parent

FRANÇOIS PARENT Les Champs-Fulliot 2005 *

■ 1er cru 0,28 ha 1 600 **23 à 30 €**

Les Champs-Fulliot sont historiquement considérés comme le meilleur *climat* de l'appellation. De fait, on se trouve en présence d'un vin riche en couleur et en brillance, au bouquet discret de fruits rouges. L'entrée en matière est légère, ronde, puis on découvre une belle texture sur fond de fruit (cerise). Les tanins commencent à courber le dos et annoncent la maturité. L'étiquette rend hommage à la truffe de Bourgogne (produite actuellement sur quelque 165 ha).
François Parent, 14 bis, rue Pierre-Joigneaux, 21200 Beaune, tél. 03.80.22.61.85, fax 03.80.24.03.16, e-mail af-gros@wanadoo.fr r.-v.

DOM. THIERRY PINQUIER 2004 *

■ 1,2 ha 7 000 **8 à 11 €**

Ouvrier-vigneron à ses débuts, le père de Thierry Pinquier s'est constitué un domaine dans les années 1950. On comprend son attachement à ces ceps. À près de quatre-vingts ans, il travaille toujours aux vignes. Un héritage que son fils veille à mettre en valeur : son 2003 n'a-t-il pas obtenu un coup de cœur ? Grenat dans le verre, ce 2004 est chaleureux et puissant, bienveillant et gras, riche de notes de cerise à l'eau-de-vie et de pruneau. Il fera votre bonheur à la fin de cette décennie.
Thierry Pinquier, imp. des Belges, rue Pierre-Mouchoux, 21190 Meursault, tél. 03.80.21.24.87, fax 03.80.21.61.09
t.l.j. 9h-12h 13h30-19h; dim. 9h-12h 2

CH. DE PULIGNY-MONTRACHET 2003 **

■ 2,6 ha 8 000 **11 à 15 €**

Le Crédit Foncier de France a acquis en 1988 le château de Puligny-Montrachet. Il l'a beaucoup développé et confié il y a quelques années à un fils d'Hubert de Montille. On déguste un 2003 grenat intense, aux limites du noir ; il reçoit deux étoiles pour sa bouche ronde, onctueuse, longue, le lit soyeux de ses tanins. Il donne envie d'y revenir.

🔑 Dom. du Ch. de Puligny-Montrachet,
21190 Puligny-Montrachet, tél. 03.80.21.39.14,
fax 03.80.21.39.07,
e-mail chateaudepuligny@wanadoo.fr ☑ r.-v.

Auxey-duresses

Auxey (prononcer « aussey ») possède des vignes sur les deux versants. Les premiers crus rouges des Duresses et du Val sont très réputés. Sur le versant « Meursault », on produit d'excellents vins blancs qui, sans avoir la réputation des grandes appellations, sont également fort intéressants. En 2006, l'appellation a produit 1 839 hl en blanc et 3 768 hl en rouge.

DOM. BERGERET-DELAGRANGE
Les Hautes 2005

n.c. 1 300 15 à 23 €

Propriétaire du restaurant *Le Pommard*... à Pommard, ce vigneron prend soin du vivre, du couvert et du verre. Dans celui-ci, un bouquet où l'un trouve le coing, l'autre le miel, un troisième les agrumes et les fruits exotiques. L'arbitrage est difficile. Disons « complexe » pour... simplifier. En bouche, dans l'équilibre et la persistance, une autre source de débat. Où finit la fraîcheur ? Où commence l'acidité ? Celui qui en énoncera la loi n'est pas encore né...

🔑 Bergeret-Delagrange, 10, rue du 11-Novembre,
21190 Meursault, tél. 03.80.21.22.72,
fax 03.80.21.68.70,
e-mail bernard.delagrange@wanadoo.fr
☑ Y ⚲ t.l.j. 9h-19h

GUY BOCARD 2005 ★★

■ 1er cru 0,19 ha 1 200 15 à 23 €

Le coup de cœur n'est pas passé loin. Très belle bouteille en effet, appliquant à merveille le conseil de La Bruyère : « Ayez, si vous pouvez, un langage simple. » Il n'est pas si facile d'aller à l'essentiel en évitant les fioritures. Grenat très sombre, ce premier cru mariant probablement plusieurs *climats* du pays répartit ses arômes entre la fraise et un léger bourgeon de cassis. À l'attaque souple et vive succède un second temps où le corps s'exprime dans un registre plus mesuré. La juste part des choses entre le sensuel et la retenue. En un mot, une promesse. Trois ans de garde au moins.

🔑 Guy Bocard, 4, rue de Mazeray, 21190 Meursault,
tél. 03.80.21.26.06, fax 03.80.21.64.92,
e-mail nadinebocard@wanadoo.fr ☑ Y ⚲ r.-v.

YVES BOYER-MARTENOT Les Écusseaux 2004

■ 0,52 ha 1 500 8 à 11 €

De vastes caves du XIXe s., une cuverie construite en 2003 : Vincent Boyer (installé en 2001 et qui a maintenant tout en main) incarne la quatrième génération. Les Écusseaux (ou plutôt Aux Écussaux) : tout près du territoire communal de Meursault. D'une couleur bien nette, un 2004 dont il faut retenir la première impression, assez favorable. Sous-bois, animal, petits fruits rouges, mâche, on voit le gaillard. Il devrait être prêt d'ici un an ou deux.

🔑 Dom. Yves Boyer-Martenot, 17, pl. de l'Europe,
21190 Meursault, tél. 03.80.21.26.25,
fax 03.80.21.65.62, e-mail boyer-martenot@wanadoo.fr
☑ Y ⚲ r.-v.

CHRISTOPHE BUISSON 2005 ★★

■ n.c. n.c. 11 à 15 €

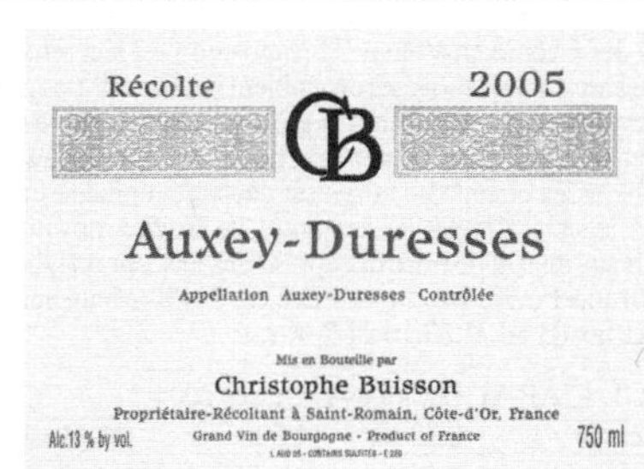

Une double expérience de vigneron et de courtier en vins. À partir de 1996, Christophe Buisson décide de se consacrer pleinement à ses vignes (7 ha) et à son vin. Avec succès : un coup de cœur dans l'édition 2003 pour le millésime 2000, à nouveau cette distinction pour son 2005. On salue surtout l'harmonie de ce pinot noir remarquablement présenté (limpidité, brillance) et mis en valeur par un bouquet de cassis. Sans dureté, déjà fondu, constamment aromatique, il est néanmoins puissant et de belle garde. On l'attendra un an ou deux.

🔑 Christophe Buisson, rue de la Tartebouille,
21190 Saint-Romain, tél. 03.80.21.63.92,
fax 03.80.21.67.03,
e-mail domainechristophebuisson@wanadoo.fr
☑ Y r.-v.

CHRISTIAN CHOLET-PELLETIER 2005 ★

0,25 ha 1 800 8 à 11 €

Quand on nous parle de rôti de veau aux morilles, on frémit. Mais quel vin servir ? Cet auxey se porte candidat. Pourquoi pas ? Léger à l'œil et au nez (fleur-citron), il laisse une bonne impression : franchise, gras, bel équilibre et une persistance de sept secondes. Il devrait bien évoluer. Le prix est raisonnable et s'il vous reste un peu de place en cave...

🔑 Christian Cholet, 21190 Corcelles-les-Arts,
tél. et fax 03.80.21.47.76 ☑ Y ⚲ r.-v.

COCHE-BIZOUARD 2005 ★★

■ 0,3 ha 2 000 11 à 15 €

Il n'est pas déshonorant d'arriver troisième de l'étape dans un peloton de tête assez détaché. Flatteur, plutôt ! Robe nuance framboise à couronne violacée, nez intensément floral et d'un boisé élégant, voilà pour la présentation. Il aborde le palais avec beaucoup de nerf, trouvant un peu plus tard son assurance sur le gras. Des accents de venaison accompagnent les tanins qui s'assoupliront progressivement. À laisser deux ans en cave.

🔑 Alain Coche-Bizouard, 5, rue de Mazeray,
21190 Meursault, tél. 03.80.21.28.41,
fax 03.80.21.22.38, e-mail coche-bizouard@wanadoo.fr
☑ Y ⚲ r.-v.

DOM. ALAIN ET VINCENT CREUSEFOND
Climat du Val 2005

■ 1er cru 1,2 ha 3 000 11 à 15 €

Rouge noir violacé, le rattacherait-on à une école de peinture ? Plus fauviste qu'impressionniste. Son bouquet net et sincère esquisse le fruit rouge. Vivacité et tanins rendent le palais quelque peu agressif. Il faut cependant voir les choses en fonction de l'âge et du temps. Une complexité apparaît, bon signe. Le jury lui donne sa chance. À boire ou à attendre quelques années.

Alain et Vincent Creusefond, rte de Beaune, 21190 Auxey-Duresses, tél. 03.80.21.26.61, fax 03.80.21.66.42, e-mail contact@vins-creusefond.com t.l.j. 8h-19h

JEAN-PIERRE DICONNE 2004 ★

1er cru	1,3 ha	5 000	8 à 11 €

Vous savez ce que disait Henri Vincenot des Bourguignons : « Qu'ils soient deux ou dix, ils ne sont jamais d'accord ! » Pourtant, cette fois, nos dégustateurs portent des jugements homogènes. La couleur est intense, cardinale. Des fruits rouges, des herbes sèches pour le nez : on se situe dans les mêmes impressions. Six mois en cuve et douze en fût, le choix paraît judicieux. De la mâche, sans excès tannique. De la présence. Pour un pot-au-feu. Christophe Diconne a succédé à son père Jean-Pierre en 2005, après dix ans d'apprentissage sur le domaine.

Jean-Pierre Diconne, rue de la Velle, 21190 Auxey-Duresses, tél. 03.80.21.25.60, fax 03.80.21.26.80 r.-v.

DOM. RAYMOND DUPONT-FAHN

Les Vireux 2005 ★

	1 ha	5 000	11 à 15 €

Si cet or de la robe fait consensus (il n'a pas besoin de passer entre les mains d'un bijoutier), le bouquet partage les dégustateurs. Amande des douze mois de fût, certes, agrémentée de fruits blancs, de fleurs blanches miellées ou d'agrumes ? Chaque juré voit l'affaire sous son clocher. Souplesse et structure : la bouche est désirable dès l'attaque et jusqu'au fondu final. Cohérence pour l'esprit, plaisir pour le palais. À servir dès maintenant.

Raymond Dupont-Fahn, rue des Eaux, 21190 Tailly, tél. 06.14.38.53.21, fax 03.80.21.21.22, e-mail domaine.dupont-fahn@wanadoo.fr r.-v.

ALAIN GRAS Vieilles Vignes 2005 ★

	1,35 ha	6 000	11 à 15 €

On comprend pourquoi Bernard Loiseau tomba un jour amoureux du vin d'Alain Gras et lui offrit une jolie notoriété auprès des connaisseurs. Grenat à reflets pourpres, réglisse et cerise noire au nez, cet auxey s'ouvre sur une attaque franche et résolue. L'empreinte des douze mois en fût reste discrète, laissant parler les fruits rouges. Le vif l'emporte encore sur le gras, mais on a affaire à un 2005. Violette et noyau de griotte, la finale est ample, longue, spectaculaire. À laisser deux à trois ans en cave.

Alain Gras, rue Sous-la-Velle, 21190 Saint-Romain, tél. 03.80.21.27.83, fax 03.80.21.65.56 r.-v.

DOM. LABRY 2003

	5,8 ha	13 000	15 à 23 €

C'est Bernard Labry qui assure la continuité de l'exploitation créée après guerre par André. La propriété s'étend sur plus de 15 ha. Elle a présenté un 2003 qui a bien évolué : robe grenat, arômes de fruits mûrs, palais équilibré, long, charnu, chaleureux. Conforme au millésime de la canicule. Le jury s'interroge sur la vie future de cette bouteille. Comme elle est prête, mieux vaut la servir dès maintenant.

Dom. A. et B. Labry, Melin, 21190 Auxey-Duresses, tél. 03.80.21.21.60, fax 03.80.21.64.15, e-mail domaine-labry@wanadoo.fr t.l.j. sf dim. 10h-18h; sam. sur r.-v.

JEAN-LOUIS MOISSENET-BONNARD

Les Grands Champs 2005 ★

1er cru	0,3 ha	1 800	11 à 15 €

Pourpre soutenu et brillant, un 2005 au nez pudique. Tout juste obtient-on de lui quelques confidences inspirées du cassis ou de la mûre. Il se livre en bouche avec moins de réserve sur des notes de fruits rouges épicées. Résurgence finale des tanins qui se faisaient oublier. Un ensemble assez simple et susceptible de se garder quelque temps en cave (trois ans au moins).

Jean-Louis Moissenet-Bonnard, rue des Jardins, 21630 Pommard, tél. 03.80.24.62.34, fax 03.80.22.30.04, e-mail jean-louis.domaine-moissenet-bonnard@wanadoo.fr r.-v.

MAX ET ANNE-MARYE PIGUET-CHOUET

Les Heptures 2005 ★

	0,38 ha	1 300	8 à 11 €

Max et Anne-Marye ont la joie de voir aujourd'hui leurs garçons (vingt-six et vingt-quatre ans) apporter un sang neuf au domaine familial (12 ha). « Noir » au nez et « rouge » en bouche, passant de la mûre à la framboise, ce vin a le fruit pour agréable compagnon de route. Légère note de sévérité due au fût, qui devrait disparaître. Les excellents tanins ont également besoin d'un petit séjour en cave : un an, pour le moins.

Max et Anne-Marye Piguet-Chouet, rte de Beaune, 21190 Auxey-Duresses, tél. 03.80.21.25.78, fax 03.80.21.68.31, e-mail piguet.chouet@wanadoo.fr r.-v.

PIGUET-GIRARDIN 2005

	1,2 ha	2 500	11 à 15 €

Ce domaine s'étend peu à peu aux abords de Meursault et l'on comprend aisément pourquoi. Même si l'auxey ne bénéficie pas de la célébrité murisaltienne, la qualité peut se comparer avantageusement : quand on a défini les limites communales, il y a très longtemps, on n'imaginait pas qu'elles détermineraient un jour celles des AOC... Un or jaune classique pour celui-ci, un nez très naturel sans boisé trop marqué (seize mois de fût cependant). La bouche est en harmonie, fraîche et nette. Le vin progresse en finale et l'âge y apportera un coup de pouce. On nous le conseille sur le sushi, le poisson cru ! Beaune possède il est vrai d'excellents restaurants japonais.

Dom. Piguet-Girardin, rue du Meix, 21190 Auxey-Duresses, tél. et fax 03.80.21.60.26, e-mail piguet.girardin@tiscali.fr r.-v.

DOM. VINCENT PRUNIER

Les Grands Champs 2005 ★★

1er cru	0,35 ha	2 000	11 à 15 €

Vincent Prunier a créé son domaine en 1988 avec 2 ha de vignes familiales, l'a augmenté de 5 ha en 1992 pour atteindre aujourd'hui la bonne moyenne de 12,50 ha. Il a obtenu un coup de cœur dans l'édition 2001 pour ce même Grands Champs millésimé 1998. Il s'agit du *climat* le plus méridional de l'appellation en 1er cru. Dans le verre, un drapé soutenu, uni, grenat classique. Un boisé fin (quinze mois de fût) enveloppe un fruit animal et épicé. Mesuré, ce 2005 pénètre précautionneusement en bouche

BOURGOGNE

comme pour préserver la pureté du fruit. Riche, sans ostentation, cette bouteille peut se goûter dès maintenant tout en laissant espérer une garde de plusieurs années.
⊶ Dom. Vincent Prunier, rte de Beaune, 21190 Auxey-Duresses, tél. 03.80.21.27.77, fax 03.80.21.68.87, e-mail domaine.prunier.vincent@wanadoo.fr ☑ Ɪ r.-v.

PASCAL PRUNIER-BONHEUR Les Duresses 2005 ★★

■ 1er cru 0,48 ha 3 000 ⅠⅠⅠ 15 à 23 €

Pascal Prunier signe un Duresses honorant son rang de 1er cru. Un *climat* établi sur les pentes de la montagne du Bourdon, dans le prolongement de Volnay et de Monthélie, et qui bénéficie d'une assise marno-calcaire avec une exposition est-sud-est très favorable. D'un grenat profond presque noir, ouvert et fruité, voici un vin charnu, fort et même athlétique. Il conviendra tout aussi bien à la biche qu'au sanglier. C'est dire s'il a l'esprit large ! Quand le boire ? Maintenant ou dans cinq ans.
⊶ Dom. Pascal Prunier-Bonheur, 23, rue des Plantes, 21190 Meursault, tél. 03.80.21.66.56, fax 03.80.21.67.33, e-mail pascal.prunier-bonheur@wanadoo.fr ☑ Ɪ ⛹ r.-v.

PRUNIER-DAMY Clos du Val 2005

■ 1er cru 0,16 ha 1 000 ⅠⅠⅠ 11 à 15 €

Domaine de 15 ha, caveau à 30 m de l'église : vous ne pouvez pas vous tromper. Très calcaire, Clos du Val regarde le Midi. Rubis aux nuances mauves, le vin respire la baie rouge sauvage. Quelques notes grillées (quinze mois sous le chêne). Une fraîche acidité en première bouche avant l'intervention des tanins qui savent garder les bonnes manières. Garde de trois ans recommandée.
⊶ Philippe Prunier-Damy, rue du Pont-Boillot, 21190 Auxey-Duresses, tél. 03.80.21.60.38, fax 03.80.21.26.64
☑ Ɪ ⛹ t.l.j. sf dim. 9h-12h 13h30-18h30

DOM. MICHEL PRUNIER ET FILLE 2004

■ 1er cru 0,74 ha 3 000 ⅠⅠⅠ 11 à 15 €

Domaine Michel Prunier et Fille. Mais oui, le vin de Bourgogne n'est plus seulement une affaire d'hommes. Estelle représente ici la cinquième génération à la vigne. Elle a de qui tenir : Michel a commencé sur 1 ha en propriété. Il en exploite 12 aujourd'hui. Nouvelle cave d'élevage pour deux cents pièces. Le restaurant *La Crémaillère* ? Dans la famille et en face du domaine. Ce 2004, à la teinte brique, légèrement évoluée, évoque au nez le sous-bois, la cornouille, puis en bouche les fruits rouges cuits sur des tanins austères. Bonne structure générale pour un vin à servir maintenant.
⊶ Dom. Michel Prunier et Fille, rte de Beaune, 21190 Auxey-Duresses, tél. 03.80.21.21.05, fax 03.80.21.64.73, e-mail domainemichelprunier-fille@wanadoo.fr ☑ Ɪ ⛹ r.-v.

FRANÇOIS RAPET ET FILS 2004

■ 0,6 ha 3 600 ⅠⅠⅠ 8 à 11 €

Rappelez-vous, en Bourgogne on a horreur des « x » gutturaux. On dit « ausserre » pour Auxerre et « aussé » pour Auxey. Sous ses traits d'un carmin violacé, ce 2004 a le nez prudent, éveillé sur une discrète groseille. La bouche, ample au premier abord, n'a pas encore atteint sa pleine expression. Léger, tendre, à tonalité végétale, un vin à déboucher dans les trois ans. Vif et minéral, le **village blanc Les Hautes 2005** est également cité.
⊶ EARL François Rapet et Fils, rue Sous-le-Château, 21190 Saint-Romain, tél. 03.80.21.22.08, fax 03.80.21.60.19 ☑ Ɪ ⛹ r.-v.

VAUDOISEY-CREUSEFOND 2005 ★

▒ 0,38 ha 2 100 ⅠⅠⅠ 11 à 15 €

Disque blanc sur fond jaune paille. Comme un dimanche matin ensoleillé. Brioche beurrée, dorée, on croit respirer le soupirail d'un boulanger. L'attaque est déterminée, l'acidité toutefois mesurée. Cela chardonne bien et, au fond, le seul problème est de savoir si on s'en occupe tout de suite ou si on le garde deux ans. Aucune hésitation au sujet du **village rouge 2005 (8 à 11 €)** cité par le jury : costaud et tannique, il doit s'adoucir, comme nombre d'auxey rouges. Deux ans en cave.
⊶ Vaudoisey-Creusefond, 16, rte d'Autun, 21630 Pommard, tél. 03.80.22.48.63, fax 03.80.24.16.81 ☑ Ɪ ⛹ r.-v.

HENRI DE VILLAMONT Les Hautés 2005

▒ 0,59 ha 3 556 ⅠⅠⅠ 15 à 23 €

Une maison sous pavillon helvétique depuis les années 1960 (groupe Schenk). Les Hautès ou Hautés (voilà une question bourguignonne d'accent qui peut occuper la conversation), mais pas Les Hautes, d'une suprématie plus évidente. On est ici en bordure de Meursault. Intense à l'œil et au nez (pamplemousse et coing, joli mariage en blanc), ce 2005 ne joue pas d'un coup tous ses atouts. Le départ est juste, la finale plus modeste. Il vit sur son petit nuage. À partager dès maintenant.
⊶ SAS Henri de Villamont, 2, rue du Dr-Guyot, 21420 Savigny-lès-Beaune, tél. 03.80.21.50.59, fax 03.80.21.36.36, e-mail contact@hdv.fr
☑ Ɪ ⛹ t.l.j. sf lun. 10h-18h

ANNE-MARIE ET JEAN-MARC VINCENT Les Bretterins 2005

■ 1er cru 0,21 ha n.c. ⅠⅠⅠ 11 à 15 €

Petit domaine (4,70 ha) ayant obtenu un coup de cœur dans le Guide 2004 pour ce même *climat* (millésime 2001). Pourpre foncé ourlé de violet, un Bréterins (orthographe officielle, pour autant que celle-ci puisse l'être parmi les lieux-dits) aux senteurs animales, épicées, portées vers les fruits noirs. Nez dense et profond. Les tanins la jouent militaire : « jugulaire ! jugulaire ! ». Ensemble encore jeune et appelant la contre-visite. Un an de cave, voire bien davantage, avant de le servir sur une viande rouge ou un civet de lièvre.
⊶ Anne-Marie et Jean-Marc Vincent, 3, rue Sainte-Agathe, 21590 Santenay, tél. et fax 03.80.20.67.37, e-mail vincent.j-m@wanadoo.fr ☑ Ɪ ⛹ r.-v.

Saint-romain

Le vignoble de 135 ha est situé dans une position intermédiaire entre la Côte et les Hautes-Côtes. Les vins de Saint-Romain – 1 713 hl en rouge et 2 802 hl en blanc –, sont fruités et gouleyants, toujours prêts à donner plus qu'ils n'ont promis. Le site est magnifique et mérite une petite excursion.

DOM. BILLARD PÈRE ET FILS
La Combe Bazin 2005

▮ 1,35 ha 2 000 ▮ 8 à 11 €

Voici une Combe Bazin fraîche et vive, plutôt sympa, dotée d'une bonne minéralité qui la « tient ». Jaune doré, pamplemousse et brioche. « À servir maintenant sur des sushis », suggère un dégustateur... Pourquoi pas ? Il y a deux restaurants nippons à Beaune et ils ne servent pas que du thé vert. Citée également, la **Perrière rouge 2005**, serrée mais bien faite.

Dom. Billard Père et Fils, 1, rte de Chambéry, 21340 La Rochepot, tél. 03.80.21.87.94, fax 03.80.21.72.17, e-mail billardetfils@wanadoo.fr r.-v.

BOISSEAUX-ESTIVANT 2005

▮ 1 ha 5 000 15 à 23 €

André Boisseaux (Patriarche, Kriter, etc.) fit ses premières armes chez Boisseaux-Estivant, maison fondée par ses grands-parents (de nos jours Pierre Ponnelle). Minéralité, écorce de citron, léger boisé fondu, un 2005 jaune doré, suffisamment vif pour ne pas passer inaperçu. L'exercice est tout en souplesse. Objectif 2008.

Boisseaux-Estivant, Clos Saint-Nicolas, 38, fg Saint-Nicolas, BP 107, 21200 Beaune, tél. 03.80.22.26.84, fax 03.80.24.19.73

DOM. GABRIEL BOUCHARD Perrière 2004 ★

▮ 0,4 ha 2 900 8 à 11 €

Bouchard, mais sur 4 ha seulement, l'un des derniers viticulteurs beaunois. Perrière est à main gauche en montant au village. Un mot revient souvent sur les fiches de dégustation : agrumes. L'écorce surtout, sous un regard jaune d'or brillant. Le bouquet est assez complexe. Les agrumes s'y trouvent naturellement mais on cherche avec succès la poire et le silex. L'équilibre gras-minéral se conclut sur un petit coup de fouet. À boire dans cette année.

Dom. Gabriel Bouchard, 4, rue du Tribunal, 21200 Beaune, tél. 03.80.22.68.63, fax 03.80.24.78.43 r.-v.

Alain Bouchard

CHRISTOPHE BUISSON Sous le Château 2005 ★

▮ n.c. n.c. 11 à 15 €

Christophe Buisson décline avec bonheur ce *climat* depuis quelques années. Ici, la version blanche, énergique, ponctuée par une note d'amertume en finale qui s'accorde bien au caractère du vin. Fruité, presque miellé avec un léger boisé très agréable. Là, sa version **rouge 2005** : robuste et chaleureuse, ouverte sur des arômes de groseille. Elle fut coup de cœur dans le millésime 2000.

Christophe Buisson, rue de la Tartebouille, 21190 Saint-Romain, tél. 03.80.21.63.92, fax 03.80.21.67.03, e-mail domainechristophebuisson@wanadoo.fr r.-v.

DOM. DENIS CARRÉ Le Jarron 2005 ★★

■ n.c. n.c. 11 à 15 €

Le Jarron porte bonheur à Denis Carré, viticulteur à Meloisey, à deux pas. Coup de cœur à deux reprises (millésimes 1994 et 1999), celui-ci maîtrise ce *climat* comme s'il était né d'un de ses pieds de vigne. Le 2005 est un vin très typé, rouge sombre, au bouquet animal agrémenté de notes de mûre, sur un rien de brûlé. Ample et parfumé en bouche, amical en ses tanins. La grande classe à un prix abordable.

Dom. Denis Carré, rue du Puits-Bouret, 21190 Meloisey, tél. 03.80.26.02.21, fax 03.80.26.04.64, e-mail domainedeniscarre@wanadoo.fr r.-v.

FABIEN COCHE-BOUILLOT 2005 ★

▮ 0,2 ha 1 500 11 à 15 €

Tout le problème est de ne pas manquer le coche... 1 500 bouteilles seulement pour ce vin et, malgré un boisé aujourd'hui encore assez pénétrant (en bouche surtout), de solides atouts dans son jeu : l'or de la robe, le citron vert et les fleurs blanches du bouquet (ne pas craindre d'agiter le vin dans son verre), et l'équilibre entre le vif et le dense. À boire d'ici 2009.

Fabien Coche-Bouillot, 5, rue de Mazeray, 21190 Meursault, tél. 06.09.84.23.45, fax 03.80.21.29.91, e-mail coche-bouillot@wanadoo.fr r.-v.

DOUDET-NAUDIN Sous le Château 2005 ★

▮ 0,4 ha 2 700 11 à 15 €

Jaune clair à reflets vert d'eau, un chardonnay aromatique, évoquant les fruits secs et les treize mois en fût. D'attaque fruitée, il dévoile peu à peu sa structure, finissant longuement sur une note de vivacité. À boire au cours de ces deux prochaines années.

Doudet-Naudin, 3, rue Henri-Cyrot, 21420 Savigny-lès-Beaune, tél. 03.80.21.51.74, fax 03.80.21.50.69, e-mail doudet-naudin@wanadoo.fr r.-v.

Isabelle Doudet

DOM. DES FORGES Clos sous le Château 2005 ★

▮ 0,94 ha 3 500 11 à 15 €

Domaine fondé en 1996 par la famille Bohrmann, géré par Sophie, vinifié par Dimitri Blanc. Activité diversifiée, puisque la marque Quinta de Passadoure entre dans la corbeille. Jaune paille, un Clos sous le Château aux arômes citronnés, toastés, avec des notes de fruits secs. D'attaque franche, la bouche offre fruité, finesse et un joli gras, avant une finale réussie. Pour l'accompagner, feuilleté au fromage ou terrine de poisson.

Dom. des Forges, 6, rue des Forges, 21190 Meursault, tél. 03.80.21.20.34, fax 03.80.21.68.96, e-mail domaine.des.forges@wanadoo.fr r.-v.

Famille Bohrmann

ALAIN GRAS 2005 ★

■ 2,76 ha 16 000 11 à 15 €

Saint Vincent a commis un nombre incalculable de miracles. Rome ne les compte plus. C'est par exemple Bernard Loiseau (parmi quelques toques couronnées) qui découvre Alain Gras. Montez jusqu'à Saint-Romain-le-Haut, vous n'aurez guère envie d'en redescendre. Pourpre profond, torréfié mais pas plus que ça, violette et cannelle, ce vin offre une bouche ronde et dense, aux tanins fondus. Intéressant potentiel (deux ou trois ans).

Alain Gras, rue Sous-la-Velle, 21190 Saint-Romain, tél. 03.80.21.27.83, fax 03.80.21.65.56 r.-v.

HENRI LATOUR ET FILS 2004

▮ 1,7 ha 6 700 8 à 11 €

Saint-Romain, adossé à sa falaise, est un trait d'union entre la Côte et les Hautes-Côtes. Pour qui connaît la géologie et le lias, le paysage devient familier. Ne parle-t-on pas des « marnes de Saint-Romain » ? Le chardonnay

BOURGOGNE

y frétille comme truite en torrent. Jaune pâle à reflets gris, celui-ci suggère le fruit jaune et le tilleul, maintenant au palais une ligne droite. Un volume appréciable et des vertus de jeunesse encore sensibles.
Henri Latour et Fils, rte de Beaune, 21190 Auxey-Duresses, tél. 03.80.21.65.49, fax 03.80.21.63.08, e-mail h.latour.fils@wanadoo.fr
r.-v.

NICOLAS LOOSLI 2005

0,4 ha 1 300 8 à 11 €

Nicolas Loosli est un nouveau venu (2005) qui – après une première expérience professionnelle – s'est pris de passion pour la vigne et le vin (2,8 ha à ce jour). Une découverte, donc. Sous une étiquette au design moderne, un chardonnay honorable et à ne pas boire avant la fin 2008. Sa robe est jaune d'or. Son nez ? Caramel, sous-bois. Vanille et noix par la suite, vivacité utile et nécessaire.
Nicolas Loosli, 9, pl. des Marronniers, 21190 Puligny-Montrachet, tél. 06.79.48.71.45, e-mail nicolas-loosli@club-internet.fr r.-v.

DOM. DES MARGOTIÈRES 2005

4 ha 6 000 11 à 15 €

Or doux, un duo fleur blanche et bergamote. La bouche développe une vivacité suffisante et un peu de gras. Tendres agrumes en arrière-plan. Un 2005 qui doit encore s'ouvrir et pas seulement par la libération du bouchon. Affaire de négoce-éleveur pilotée par Monica Buisson, régulièrement signalée dans le Guide.
Dom. des Margotières, imp. du Clou, 21190 Saint-Romain, tél. 03.80.21.24.40, e-mail contact@domaine-margotieres.com

DOM. DE LA PERRIÈRE Les Poillanges 2005 ★★

1,2 ha 7 200 8 à 11 €

Quand on monte à Saint-Romain, c'est sur la gauche, côté Marsain. Poillange s'écrit plutôt au singulier, mais deux *climats* portent ce nom. Alors... Nuancé de beurre, d'amande et d'agrumes, un chardonnay or paille tout en finesse, destiné à un poisson. Vif, mais rassurez-vous : il ne s'échappe pas du verre. Très agréable dans sa fraîcheur et son fruit, à un prix particulièrement raisonnable.
Bernard Martenot, rue de la Perrière, 21190 Saint-Romain, tél. et fax 03.80.21.68.97, e-mail bernard.martenot@wanadoo.fr r.-v.

DOM. JEAN-PIERRE ET LAURENT PRUNIER 2005

0,35 ha 2 400 8 à 11 €

Jaune pâle à reflets or discrets, ou jaune clair à reflets vert pâle ? Les Bourguignons adorent ces conversations à table, et Stendhal de passage à Beaune l'observait déjà. Ce saint-romain développe un nez discret, légèrement boisé. En bouche, il offre de la fraîcheur et un rien de fruit confit. Une nouvelle plus qu'un roman, mais bien agréable.
Dom. Jean-Pierre et Laurent Prunier, rue Traversière, 21190 Auxey-Duresses, tél. et fax 03.80.21.27.51, e-mail domaine.prunier@wanadoo.fr r.-v.

PASCAL PRUNIER-BONHEUR Sous le Château 2005 ★

0,38 ha 2 000 11 à 15 €

Saint-Romain est un haut lieu de l'archéologie côte-d'orienne. Ce serait bien surprenant si on ne découvrait pas de temps en temps une pièce de monnaie ancienne dans ce *climat* Sous le Château. Rubis myrtille, ce pinot noir livre un nez complexe, fruité, animal et poivré. Rien d'étonnant ici. La bouche est bien construite, raisonnablement tannique, n'oubliant pas de revisiter la gamme aromatique du bouquet. Un vin dense qui mérite de patienter deux ou trois ans.
Dom. Pascal Prunier-Bonheur, 23, rue des Plantes, 21190 Meursault, tél. 03.80.21.66.56, fax 03.80.21.67.33, e-mail pascal.prunier-bonheur@wanadoo.fr r.-v.

DOM. DE LA ROCHE AIGUË 2005

0,45 ha 1 700 8 à 11 €

Éric et Florence Guillemard ont créé leur domaine (près de 12 ha) en 1993 dans la Côte et les Hautes-Côtes de Beaune, lorsqu'ils ont quitté l'exploitation familiale pour voler de leurs propres ailes. Voici un saint-romain blanc doré pâle dont les arômes penchent définitivement vers l'exotisme : kiwi, litchi, agrumes. De l'esprit (acidité présente) et du corps avant une finale assez longue. On se fera plaisir à l'apéritif ou sur l'entrée en ouvrant dès maintenant cette bouteille.
Éric et Florence Guillemard, EARL La Roche Aiguë, Melin, 21190 Auxey-Duresses, tél. 03.80.21.28.33, fax 03.80.21.63.55
r.-v.

DOM. ROUGEOT Combe Bazin 2005

0,99 ha 4 000 11 à 15 €

Or pâle, ce 2005 offre un bouquet évoluant du minéral aux fruits confits, sur un léger fond boisé. Aimable rondeur suivie d'une finale sur la vivacité, agrémentée par les agrumes. Un saint-romain bien typé.
Dom. Marc Rougeot, 6, rue André-Ropiteau, 21190 Meursault, tél. 03.80.21.20.59, fax 03.80.21.66.71 r.-v.

DOM. TAUPENOT-MERME 2004 ★

1,3 ha 6 400 11 à 15 €

Il était rare jadis d'exploiter en Côte de Beaune et en Côte de Nuits. Le cheval ne faisait pas des kilomètres et on se mariait le plus souvent au bal du village. Denise Merme (Morey) a épousé Jean Taupenot (Saint-Romain), d'où ce domaine sur les deux Côtes. Ce 2004 rouge cerise noire, le nez entre la framboise et les épices douces, offre une bouche délicate, assez vive, dont les tanins doivent encore se fondre. À ouvrir dans un à deux ans sur un bœuf bourguignon.
Dom. Taupenot-Merme, 33, rte des Grands-Crus, 21220 Morey-Saint-Denis, tél. 03.80.34.35.24, fax 03.80.51.83.41, e-mail domaine.taupenot-merme@wanadoo.fr
r.-v.

Meursault

Avec Meursault commence la véritable production de grands vins blancs (13 791 hl en *village* et 4 946 hl en premier cru en 2006). Certains premiers crus sont mondialement réputés : Les Perrières, Les Charmes, Les Poruzots, Les Genevrières, Les Gouttes d'Or, etc. Tous allient la subtilité à la force, la fougère à l'amande grillée, l'aptitude à être consommés jeunes aux possibilités de longévité. Meursault est bien la « capitale des vins blancs de Bourgogne ». Notons une petite production de vin rouge (475 hl en *village* et 160 hl en premier cru en 2006).

Les « petits châteaux » qui restent à Meursault sont les témoins d'une opulence ancienne, attestant une notoriété certaine des vins produits. La Paulée, qui a pour origine le nom du repas pris en commun à la fin des vendanges, est devenue une manifestation traditionnelle qui se déroule le troisième jour des « Trois Glorieuses ».

DOM. ALEXANDRE Les Millerands 2005 *

0,15 ha 1 000 15 à 23 €

« Millerand » ne doit rien à l'ancien président de la République, c'est un mot de patois vigneron pour désigner des raisins au suc concentré. Jaune paille, ce 2005 évolue vers des arômes de fleurs blanches, légèrement miellés. L'élevage (un an de fût) y ajoute le pain grillé, l'amande toastée. L'alcool et l'acidité trouvent le moyen de s'entendre. La matière est copieuse, l'attente conseillée (au moins un an).

Dom. Alexandre Père et Fils, pl. de la Mairie, 71150 Remigny, tél. 03.85.87.22.61, fax 03.85.87.29.63, e-mail domalexandre@aol.com r.-v.

BALLOT MILLOT Genevrières 2004 **

1er cru 0,43 ha 2 500 30 à 38 €

Organisateur du prix littéraire de la Paulée de Meursault, Philippe Ballot a passé la main à son fils Charles pour les vinifications. Ces Genevrières se savourent – il est vrai – comme un grand roman. Un style brillant, une phrase fine et délicate, on ne sait qu'admirer le plus : la sensibilité avec laquelle le sujet est traité ou sa profondeur, sa complexité. Dès les premières pages, on est emporté par la fraîcheur, le nerf du récit. Gras, puissant, le corps de l'ouvrage est considérable. Le **village Les Criots 2004 (15 à 23 €)** décroche une étoile.

Ballot Millot et Fils, 9, rue de la Goutte-d'Or, 21190 Meursault, tél. 03.80.21.21.39, fax 03.80.21.65.92, e-mail ballotmillotetfils@hotmail.com r.-v.

BITOUZET-PRIEUR Les Charmes 2004 *

1er cru 0,42 ha 3 500 23 à 30 €

Beurre, noisette, fleurs blanches et herbe fraîche, des senteurs appétissantes vous invitent au bal. Un menuet, un envol minéral. Un caractère léger peut-être, mais on succombe facilement au charme et à l'élégance de ce vin. Une étoile également pour le **village Les Corbins 2004 (15 à 23 €).**

Bitouzet-Prieur, rue de la Combe, 21190 Volnay, tél. 03.80.21.62.13, fax 03.80.21.63.39 r.-v.

GUY BOCARD Les Narvaux 2005

0,3 ha 2 000 23 à 30 €

Trois fois coup de cœur (éditions 1995, 1997 et 2006), le domaine propose cette année des Narvaux, *climat* sur les hauteurs en direction de Blagny. Or paille à l'œil, avec des reflets citronnés. Le nez complexe inspire : mirabelle, coing, litchi sur fond grillé. La bouche ample et structurée retrouve des notes exotiques et boisées. À apprécier dès maintenant.

Guy Bocard, 4, rue de Mazeray, 21190 Meursault, tél. 03.80.21.26.06, fax 03.80.21.64.92, e-mail nadinebocard@wanadoo.fr r.-v.

DOM. BOHRMANN Meix Chavaux 2004 **

0,28 ha 2 200 15 à 23 €

La Belgique fut longtemps bourguignonne, à l'une des périodes les plus brillantes de son histoire. Domaine créé en 2002 par Sophie Bohrmann, venue d'outre-Quiévrain. Son Meix Chavaux, *climat* moyennement connu (côté Auxey), vaut le détour. Sous sa robe d'or, il fait partie des rares vins à avoir disputé la finale du coup de cœur. Sur près de deux cents échantillons dégustés ! La fleur blanche et le grillé se mêlent avec finesse pour former un nez élégant. La bouche complexe marie gras et acidité, nuancée de notes d'abricot frais, de beurre et d'un boisé fondu. La finale vive et persistante est porteuse d'avenir (quatre à cinq ans).

Dom. Bohrmann, 9, rue de la Barre, 21190 Meursault, tél. 06.12.43.37.77, fax 03.80.21.66.27, e-mail domainebohrmann@wanadoo.fr r.-v.

DOM. DENIS BOUSSEY Vieilles Vignes 2005 *

0,8 ha 3 000 15 à 23 €

Cinquième génération dans la vigne : un bel exemple de continuité. Laurent s'est lancé en 2003 sur 5 ha en métayage. Clair et or vert comme on s'y attend, ce 2005 joue au nez un duo de miel et de tilleul, où s'invite une vanille discrète. Du gras, de l'acidité et du fruit. Pas trop de corps, mais un mot revient sur les fiches de dégustation : racé. Déjà prêt à accompagner un poisson au beurre blanc.

Dom. Denis Boussey, 1, rue du Pied-de-la-Vallée, 21190 Monthélie, tél. 03.80.21.21.23, fax 03.80.21.62.46, e-mail domaine.denisboussey@wanadoo.fr r.-v.

DOM. JEAN-MARIE BOUZEREAU Poruzot 2005 **

1er cru 0,1 ha 600 30 à 38 €

À l'aquarelle ou à l'huile ? Disons l'aquarelle dans un premier temps, avec de belles couleurs sincères et fraîches. Puis le trait s'épaissit sans jamais devenir grossier : un nez riche et ouvert de fruits jaunes, de la structure, de la maturité et de la puissance. Retour à l'aquarelle avec en finale une légère touche boisée et fraîche. La **Goutte d'Or 1er cru 2004 (23 à 30 €)**, typée, décroche une étoile, tandis que le **village 2004 (15 à 23 €)** est cité.

Jean-Marie Bouzereau, 5, rue de la Planche-Meunière, 21190 Meursault, tél. 03.80.21.62.41, fax 03.80.21.24.39, e-mail jm.bouzereau@club-internet.fr r.-v.

DOM. MICHEL BOUZEREAU ET FILS Les Charmes Dessus 2004 **

1er cru 0,5 ha n.c. 30 à 38 €

Ce 2004 est passé à deux doigts du coup de cœur, que ce domaine a d'ailleurs obtenu trois fois en meursault, la dernière pour des Grands Charrons 1999. Robe nette et pure, nez particulièrement sociable sur la cannelle et le miel, attaque enlevée, bouche structurée et complexe. Chaque étape est un plaisir, jusqu'à la finale riche et acidulée. À boire ou à attendre quelques années.

Michel Bouzereau et Fils,
3, rue de la Planche-Meunière, 21190 Meursault,
tél. 03.80.21.20.74, fax 03.80.21.66.41,
e-mail michel-bouzereau-et-fils@wanadoo.fr r.-v.

HUBERT BOUZEREAU-GRUÈRE ET FILLES Les Tillets 2005 *

0,8 ha 2 500 15 à 23 €

Bouzereau et Gruère, voilà deux noms qui fleurent bon la Côte de Beaune. Marie-Laure et Marie-Anne épaulent leur père Hubert Bouzereau sur les 11,5 ha du domaine. Jaune clair à reflets vert argenté, un 2005 frais et léger (agrumes, minéral), nettement fruité en fin de parcours (abricot), qui met en avant ses qualités de jeunesse. Typique et gourmand. Oubliez-le quelques mois, il reviendra se jeter dans vos bras.

Hubert Bouzereau-Gruère et Filles, 22 A, rue de la Velle, 21190 Meursault, tél. 03.80.21.20.05,
fax 03.80.21.68.16,
e-mail hubert.bouzereau.gruere@libertysurf.fr
r.-v.

YVES BOYER-MARTENOT En l'Ormeau 2005 *

0,64 ha 4 000 15 à 23 €

Vincent Boyer, quatrième génération, a repris en 2001 les vignes et les caves du domaine. Il propose un 2005 à la robe légère et au nez fin de fruits mûrs et de fleurs blanches. Ample et puissante, la bouche agréablement boisée termine sur une note de fraîcheur. Un *village* de très bon niveau. Une étoile également pour le **Perrières 1er cru 2005 (30 à 38 €)**, souple et élégant.

Dom. Yves Boyer-Martenot, 17, pl. de l'Europe, 21190 Meursault, tél. 03.80.21.26.25,
fax 03.80.21.65.62, e-mail boyer-martenot@wanadoo.fr
r.-v.

DOM. CAILLOT Les Tessons 2004

0,13 ha 950 15 à 23 €

Au milieu du XIXe s., ce *climat*, comme beaucoup d'autres à Meursault, donnait de remarquables... passe-toutgrains ! C'est bien un meursault ici qui, après avoir digéré son passage en fût, en garde un nez d'amande grillée et une bouche ronde marquée par le boisé. Bon équilibre gras-acidité. Un vin prêt à boire.

Dom. Michel Caillot, 14, rue du Cromin,
21190 Meursault, tél. et fax 03.80.21.69.58,
e-mail earl.caillot@terre-net.fr r.-v.

DOM. DU CERBERON Clos des Cras 2004

1er cru 0,6 ha n.c. 23 à 30 €

« Parlez un peu plus fort, Eugène », souffla-t-il au maître d'hôtel en train de verser dans les verres un meursault digne de tous les éloges... « On n'entend même pas le nom de l'année ! » Ce passage de *Cavalier 6*, le roman de Pierre Benoit, nous revient à l'esprit. Le millésime ? 2004. À l'œil, peu de jambes mais robe de gala. Au nez, l'abricot mûr. En bouche, de la vivacité et de la charpente. Agréable et à déboucher maintenant.

Dom. du Cerberon, 18, rue de Lattre-de-Tassigny,
21190 Meursault, tél. et fax 03.80.21.65.00,
e-mail domaine.cerberon@wanadoo.fr r.-v.

ALAIN COCHE-BIZOUARD L'Ormeau 2004 **

1er cru 0,5 ha 3 000 15 à 23 €

L'Ormeau est un *climat* en plein centre de Meursault, proche du vignoble du château. Or pâle, celui-ci ajoute à un boisé maîtrisé (dix-huit mois en fût) l'agrume exotique et le minéral bourguignon. Toujours ce style en bouche, une acidité raisonnée, de la pureté dans l'expression et une longueur non négligeable. Il faut résister à la tentation et le garder trois à quatre ans sous la pile de bouteilles. Domaine coup de cœur pour ses Charmes 1999. Le **village rouge 2005 (11 à 15 €)**, frais et fruité, décroche une étoile.

Alain Coche-Bizouard, 5, rue de Mazeray,
21190 Meursault, tél. 03.80.21.28.41,
fax 03.80.21.22.38, e-mail coche-bizouard@wanadoo.fr
r.-v.

DOM. DARNAT Clos Richemont Monopole 2004 *

1er cru 0,78 ha 4 000 38 à 46 €

Plaisant au regard, floral et très fin, ce 2004 fait preuve de beaucoup d'élégance dans son expression. Son fût (dix-huit mois) est bien intégré, au nez comme en bouche, et son acidité nullement retranchée participe à la fraîcheur et à la tenue de l'ensemble. À ouvrir dans trois à quatre ans. Le **village blanc 2004 (23 à 30 €)**, à attendre un an ou deux, est cité.

Dom. Darnat, 20, rue des Forges, 21190 Meursault,
tél. 03.80.21.23.30, fax 03.80.21.64.62,
e-mail domaine.darnat@wanadoo.fr r.-v.

YVONNICK DEBRAY Les Vireuils Dessous 2005 *

n.c. 2 979 46 à 76 €

Même Dessous, Les Vireuils dominent le paysage et ont large vue. Coteau sur Auxey. Robe or clair à reflets verts. Nez mûr et intense sur l'orange confite, la brioche chaude et la vanille. Une matière imposante, mais non dénuée de fraîcheur, à déguster dès maintenant.

Maison Yvonnick Debray, 1, pl. Saint-Jacques,
21200 Beaune, tél. 03.80.22.62.58, fax 03.80.24.65.72
r.-v.

DOUDET-NAUDIN Au Village 2005 *

0,5 ha 2 000 15 à 23 €

Un demi-hectare fort bien travaillé dans les règles de l'art. Ce 2005 a visiblement passé une bonne année en fût, dont il ressort un nez vanillé et boisé. Les fruits jaunes mûrs complètent le bouquet. La bouche, assez bien structurée, offre une matière ample et fruitée, et une finale d'une bonne longueur. À boire dans les deux prochaines années sur un poisson. De mer ou de rivière ? À vous de choisir, mais en sauce, assurément.

Doudet-Naudin, 3, rue Henri-Cyrot,
21420 Savigny-lès-Beaune, tél. 03.80.21.51.74,
fax 03.80.21.50.69, e-mail doudet-naudin@wanadoo.fr
r.-v.

Isabelle Doudet

GUY DUBUET-MONTHÉLIE ET FILS 2005

0,3 ha 1 500 11 à 15 €

Voici le deuxième millésime de David, fils de Guy Dubuet, installé sur le domaine familial depuis 2004. Un *village* floral et boisé (un an d'élevage en fût), d'intensité moyenne. La fraîcheur marque l'attaque, laissant ensuite la place à une matière d'une bonne densité, qui retrouve les arômes du nez agrémentés d'une touche de minéralité. La finale longue et légèrement épicée ouvre à cette bouteille les portes de la cave pour un séjour de deux ans, mais on pourra aussi l'apprécier dès maintenant.

🔑 Guy Dubuet-Monthélie et Fils, rue Bonne-Femme, 21190 Monthélie, tél. 03.80.21.26.22, fax 03.80.21.29.79 ☑ 🍷 🚶 r.-v.

SYLVAIN DUSSORT Vieilles Vignes 2005 *

	n.c.	n.c.	🛢 15 à 23 €

Né de l'assemblage des raisins de plusieurs parcelles, à la vendange, ce 2005 pourrait figurer à la vitrine d'un bijoutier. L'or y est bien travaillé. Son bouquet peut surprendre un peu en raison d'arômes exotiques (fruit de la Passion, orange) qui, sans être typiques, n'en sont pas moins très agréables. Une touche d'amande pour revenir au pays. Le même scénario se reproduit en bouche dans un ensemble tendu à l'attaque, puis plus accommodant, qui finit sur la fraîcheur.

🔑 Sylvain Dussort, 12, rue Charles-Giraud, 21190 Meursault, tél. 03.80.21.27.50, fax 03.80.21.65.91, e-mail dussvins@aol.com ☑ 🍷 r.-v.

DOM. DE LA GALOPIÈRE Les Chevalières 2005 *

	0,25 ha	1 500	🛢 15 à 23 €

Sous l'impulsion de la génération des viticulteurs à la tête du domaine, la propriété s'est agrandie ces dernières années et compte aujourd'hui 13 ha. Sur ces six ouvrées, le chardonnay a donné ce millésime au bouquet puissant mêlant la fleur blanche, les agrumes (citron) et un boisé agréable (quinze mois d'élevage). La même puissance se retrouve en bouche, où la rondeur et le gras sont bien équilibrés par la fraîcheur de la minéralité. Cuisses de grenouilles ou blanquette de veau ? Les deux, pour déguster ce vin tout au long du repas.

🔑 Gabriel Fournier, Dom. de La Galopière, 6, rue de l'Église, 21200 Bligny-lès-Beaune, tél. 03.80.21.46.50, fax 03.80.21.49.93, e-mail cgfournier@wanadoo.fr ☑ 🍷 🚶 r.-v.

HENRI GERMAIN ET FILS Limozin 2004 *

	0,25 ha	1 500	🛢 23 à 30 €

Le Limozin a de farouches partisans. Il fait le lit des Genevrières, juste en dessous, et en partage beaucoup d'atours. Or gris, jambes nombreuses, cela commence bien. Le nez nécessite un second coup de sonnette. Acacia. Le pain grillé invite à la fête (dix-huit mois sous bois). Le palais tout en finesse s'inscrit dans la même ligne. Caractéristique ? Peut-être pas. Très agréable ? Assurément. Une étoile aussi pour le **Chevalières 2004**, charmeur.

🔑 Dom. Henri Germain et Fils, 4, rue des Forges, 21190 Meursault, tél. 03.80.21.22.04, fax 03.80.21.67.82 ☑ 🍷 🚶 r.-v.

ALBERT GRIVAULT
Clos des Perrières Monopole 2005 *

1er cru	0,95 ha	6 500	🛢 46 à 76 €

Coup de cœur pour les millésimes 2001 et 1996 de ce même Clos des Perrières. Albert Grivault (distillateur à Béziers et dégustateur émérite) l'avait acquis en 1879 auprès des héritiers du marquis de La Troche. Il y a une cuvée Albert Grivault (meursault-Charmes) aux Hospices de Beaune. Bouteille de proue de cette appellation (tête de cuvée dans les ouvrages classiques du XIXe s.), ce Perrières est entre de bonnes mains au sein de la famille Bardet : même patrimoine depuis près de cent trente ans ! Arômes de fleurs séchées, puis au palais notes de réglisse et de fruits confits. Encore assez vanillé, ce 2005 va se développer avec l'âge (deux ou trois ans). Le **village 2005 (15 à 23 €)** est cité.

🔑 Dom. Albert Grivault, 7, pl. du Murger, 21190 Meursault, tél. 03.80.21.23.12, fax 03.80.21.24.70 ☑ 🍷 🚶 r.-v.
🔑 Héritiers Bardet

PIERRE JANNY Flamoise 2004

	1 ha	2 000	15 à 23 €

« Flamoise » entre guillemets sur l'étiquette. Un nom de fantaisie donc, plutôt qu'un *climat* ? L'atlas n'en parle pas. Peu importe quand le vin est, comme ici, estimable. Limpide, brillant et soutenu, il nécessite un peu d'aération pour suggérer l'anis, le beurre frais. L'attaque se montre nerveuse puis le palais continue sur la puissance et, si le boisé n'est pas encore pleinement fondu, « il y a du vin derrière », comme le note un dégustateur. Trois à quatre ans de garde permettront à l'ensemble de s'harmoniser.

🔑 Pierre et Véronique Janny, La Condemine, 71260 Péronne, tél. 03.85.23.96.20, fax 03.85.36.96.58 ☑ 🍷 r.-v.

PATRICK JAVILLIER
Cuvée Tête de Murger 2005 **

	0,65 ha	3 600	🛢 30 à 38 €

Deux fois coup de cœur dans les premières années du Guide, Patrick Javillier propose un 2005 remarquable, d'un or exactement pesé. Le bouquet s'ouvre sur des notes minérales et citronnées. Une belle mise en bouche, puis l'équilibre se fait entre l'acidité et le gras, sur des arômes fruités et frais agréables. Finale d'une bonne longueur sur la minéralité. À boire et à attendre, n'est-ce pas l'idéal ?

🔑 Dom. Patrick Javillier, 7, imp. des Acacias, 21190 Meursault, tél. 03.80.21.27.87, fax 03.80.21.29.39 ☑ 🍷 r.-v.

DOM. JOBARD-MOREY Les Tillets 2004 *

	0,38 ha	1 400	🛢 15 à 23 €

On parle beaucoup de *La Grande Vadrouille* dans la filmographie de Meursault, mais on pourrait aussi évoquer *Le Pont de Singe* (Harris et De Sédouy) tourné en partie dans cette cave où s'épanouit l'union de deux familles bourguignonnes pur jus, Jobard et Morey. Entre Narvaux et Clous, Les Tillets tiennent le haut du pavé, ou du moins du coteau versant Puligny. Jaune limpide, un 2004 dans la force de l'âge, légèrement beurré, sachant contrôler tous les paramètres, finissant sur une note de kiwi. Prêt au service. Le **1er cru Poruzot 2004 (23 à 30 €)** du domaine obtient également une étoile pour son harmonie.

🔑 Dom. Jobard-Morey, 1, rue de la Barre, 21190 Meursault, tél. 06.72.34.76.38, fax 03.80.21.60.91 ☑ 🍷 🚶 r.-v.

CH. LABOURÉ-ROI Poruzot 2005 **

1er cru	1,13 ha	4 800	🛢 23 à 30 €

« Château », serait-on à Bordeaux ? Certes, un des frères Cottin dirigea Mouton-Rothschild et Mouton-Cadet... Mais on est bien en Bourgogne. Paille brillant, ce 2005 offre un nez distingué aux notes florales, grillées et fruitées. Frais et suave en attaque, haut en structure, puissant, il honore son statut et accueillera une volaille en sauce blanche en 2009.

🔑 Ch. Labouré-Roi, 3, rue du Pied-de-la-Forêt, 21190 Meursault, tél. 03.80.21.26.08, e-mail contact@laboure-roi.com
🔑 Cottin Frères

BOURGOGNE

DOM. LAHAYE PÈRE ET FILS Charmes 2004 ★

1er cru 0,16 ha 485 **23 à 30 €**

Structure d'exploitation créée en 2004, reprise l'année suivante par Marie-José Lahaye à la suite de la disparition de son mari. Leur fils Benoît s'est installé en 2006. Une robe or limpide, un boisé grillé teinté d'eucalyptus (dix-huit mois en fût) mais qui laisse le vin s'exprimer. Un Charmes généreux et d'un certain charisme. Franc et plutôt en douceur. Un chat de race qui ronronne dans sa corbeille.

EARL Dom. Dominique Lahaye, 2, rue de Francorchamps, 21630 Pommard, tél. 03.80.22.65.86, fax 03.80.22.46.86, e-mail earl-domaine-lahaye@msn.com r.-v.

DOM. SYLVAIN LANGOUREAU

Blagny La Pièce sous le bois 2005 ★★

1er cru 0,45 ha 2 800 **15 à 23 €**

Cep après cep, ce domaine familial a mis un bon siècle pour atteindre les 8,5 ha d'aujourd'hui. Saint-Aubin, bâtiments à Gamay, et ce coup de cœur en Blagny superbement représenté. On ne peut s'empêcher de lever les yeux sur cet or pâle. Aubépine et acacia tentent d'occuper le terrain, mais le citron, la pomme verte sont à l'affût. La rondeur est plaisante, l'acidité prometteuse. Mérite le chapon de Bresse.

Sylvain Langoureau, hameau de Gamay, 20, rue de la Fontenotte, 21190 Saint-Aubin, tél. et fax 03.80.21.39.99, e-mail domaine.sylvain.langoureau@cegetel.net r.-v.

JEAN LATOUR-LABILLE ET FILS

Poruzots 2004 ★★

1er cru 0,88 ha 2 000 **23 à 30 €**

On commence la visite du domaine par le **1er cru Gouttes d'Or 2004 (30 à 38 €)** digne de son nom (une étoile). On poursuivra avec ces Poruzots, *climat* qui tient le milieu entre Genevrières et Gouttes d'Or. Or blanc-vert pour la robe. Et le nez ? Il faut un peu aller le chercher, mais il paraît riche. La bouche en revanche se donne sans compter : suavité, puissance et une longueur « qui n'en finit pas », pour reprendre l'expression d'un dégustateur. Un vin à attendre trois à quatre ans. On terminera par le **1er cru Les Cras rouge 2005 (15 à 23 €)** aux tanins fins et soyeux, qui obtient une étoile.

Dom. Jean Latour-Labille et Fils, 6, rue du 8-Mai, 21190 Meursault, tél. 03.80.21.22.49, fax 03.80.21.67.86, e-mail latourlabillefils@wanadoo.fr r.-v.

Vincent Latour

OLIVIER LEFLAIVE Genevrières 2004 ★

1er cru 0,4 ha 1 600 **46 à 76 €**

Olivier Leflaive était l'an dernier notre coup de cœur pour un Poruzots 2003. Encore discret mais d'une complexité naissante, le nez de ce 2004 joue la carte de l'aubépine. La bouche paraît d'abord un peu légère, puis la matière se développe, livrant un certain gras, avant une finale bien construite et persistante. L'air ambiant lui convient et l'aide à s'épanouir.

Olivier Leflaive Frères, pl. du Monument, 21190 Puligny-Montrachet, tél. 03.80.21.37.65, fax 03.80.21.33.94, e-mail contact@olivier-leflaive.com r.-v.

MAISON SYLVAIN LOICHET 2005 ★

0,25 ha 1 800 **15 à 23 €**

Sylvain est arrivé en 2005 sur le domaine. Reprise des vignes familiales en fermage et petite affaire de négoce. Bouton d'or, ce chardonnay sur le pain grillé et la noisette fraîche a derrière lui quatorze mois de fût. Un boisé assez bien fondu, une présence soutenue en bouche et une longueur appréciée ; tous les éléments sont réunis pour faire de cette bouteille un agréable compagnon de repas d'ici un an.

Maison Sylvain Loichet, 2, rue d'Aloxe-Corton, 21200 Chorey-lès-Beaune, tél. 06.80.75.50.67, fax 03.80.61.24.69, e-mail slvn21@hotmail.fr r.-v.

LOU DUMONT 2004

n.c. 1 200 **15 à 23 €**

Sait-on qu'à Gevrey (à quelques centaines de mètres de Lou Dumont) se trouve l'une des plus belles collections françaises du *Kanadehon Chushingura*, le Trésor des guerriers valeureux ? La maison Lou Dumont est une sorte de Société des Nations (le succès en plus !), où le Japon, la Corée et la France travaillent en bonne intelligence sous l'autorité de Koji Nakada. L'équipe sait se fournir, pour preuve ce 2004 à l'œil doré, au nez beurré et vanillé, aux arômes de croissant chaud, élevé dix-huit mois en fût. Pointe de vivacité, petite persistance, bouche riche.

Lou Dumont, 1, rue de Paris, 21220 Gevrey-Chambertin, tél. 03.80.51.82.82, fax 03.80.51.82.84, e-mail sales@loudumont.com r.-v.

DOM. SÉBASTIEN MAGNIEN

Les Meix Chavaux 2005

0,43 ha 1 200 **15 à 23 €**

Diplômes de technicien viticole et d'œnologue en poche, Sébastien Magnien reprend en 2004 le domaine familial avec sa mère. Stages en Californie et chez Rossignol-Trapet à Gevrey, chez Olivier Leflaive à Puligny. Une biographie déjà bien remplie. Contrat d'agriculture durable avec l'État. Les Meix Chavaux sont sur la route d'Auxey, tout au bout sur la gauche. Paille clair, franc, jouant du miel et de la noisette sans excès, un vin encore vif et chaleureux, à apprécier dans quelques années.

Dom. Sébastien Magnien, 6, rue Pierre-Joigneaux, 21190 Meursault, tél. 03.80.21.28.57, fax 03.80.21.62.80, e-mail seb.magnien@yahoo.fr r.-v.

FRANÇOIS MARTENOT Les Clous 2005 ★★

n.c. 4 500 **15 à 23 €**

Les Clous sont, du moins pour Les Dessus, l'un des *climats* les plus élevés des coteaux de Meursault. François

Martenot, une maison sœur d'Henri de Villamont et filiale du groupe suisse Schenk. Réussite exceptionnelle pour un *village* qui pourrait avec bonheur se présenter en 1er cru. Or à reflets verts, il ne lui manque rien. Pomme, poire, le bouquet n'est pas seulement vanillé. Nos dégustateurs y respirent encore le tilleul. Même diversité au palais, sur des notes mentholées et minérales. Tout se fond en une synthèse délicieuse, en une queue de paon.
Maison François Martenot, ZI Beaune Vignoles, 21200 Beaune, tél. 03.80.24.70.07, fax 03.80.22.54.31, e-mail luc.bernardy@fmartenot.fr

CHRISTOPHE MARY Charmes 2005

1er cru 0,17 ha 300 15 à 23 €

Une robe jaune paille très soutenue ; un nez de fruits exotiques et de fruits blancs confits ; une bouche souple et moelleuse, finement boisée. C'est un vin original que l'on découvre ici, mais agréable et distingué, pas tout à fait sec et qui ne dira pas non à un mariage avec un foie gras. Après tout, avec certains vieux meursault, on peut tenter la tarte Tatin ou un dessert chocolaté.
Christophe Mary, rue de la Garenne, 21190 Corcelles-les-Arts, tél. et fax 03.80.21.48.98
r.-v.

MAISON AYMERIC MAZILLY Le Limozin 2005

0,25 ha n.c. 15 à 23 €

Meursault se consacre à tous les arts. Aux belles lettres lors de la Paulée. À la musique au cours du festival « De Bach à Bacchus ». À la peinture quand toutes les couleurs se mêlent sur la vigne en automne... Sans oublier les arts de la table, l'assiette et... le verre. Il se remplit aisément grâce à ce 2005 vif et élégant, au parfum de fleur d'oranger associé à celui de l'amande fraîche. Densité moyenne, mais une typicité sincère et une réelle persistance sur le floral et les fruits secs.
Maison Aymeric Mazilly, 3, pl. de l'Europe, 21190 Meursault, tél. 03.80.26.02.00, fax 03.80.26.03.67 r.-v.

JEAN-LOUIS MOISSENET-BONNARD 2005

0,36 ha 2 400 15 à 23 €

D'un blond vif, ce chardonnay ne se livre pas vraiment si l'on y pose le nez. Quelques notes minérales se glissent néanmoins par la porte pas complètement close. En bouche, davantage d'expression. Un corps sphérique et assez dense. La vivacité tient bien le vin pourtant soyeux. La pêche blanche en retour d'arômes. Pas de longueur spectaculaire, mais du fruit et de la personnalité.
Jean-Louis Moissenet-Bonnard, rue des Jardins, 21630 Pommard, tél. 03.80.24.62.34, fax 03.80.22.30.04, e-mail jean-louis.domaine-moissenet-bonnard@wanadoo.fr r.-v.

DOM. RENÉ MONNIER Charmes 2005 *

1er cru 1,2 ha 7 000 23 à 30 €

Classés en première cuvée par le Dr Jules Lavalle en 1855 (la première hiérarchie côte-d'orienne détaillée), Les Charmes se situent alors au niveau des Genevrières, un peu en dessous des Perrières. Charmes Dessus, il va sans dire. Un siècle et demi plus tard, les valeurs n'ont guère changé. Ce 2005 est sur son trente et un ; nez complexe, sur la fleur blanche et le pain grillé. La suite est fraîche et ronde, avec du gras en fin de bouche. Du potentiel (deux ou trois ans).
Dom. René Monnier, 6, rue du Docteur-Rolland, 21190 Meursault, tél. 03.80.21.29.32, fax 03.80.21.61.79, e-mail domaine-rene-monnier@wanadoo.fr
t.l.j. 8h30-12h 14h-18h; sam. dim. sur r.-v.
M. et Mme Bouillot

DOM. JEAN MONNIER ET FILS Genevrières 2005

1er cru 0,29 ha 1 900 23 à 30 €

Domaine partagé entre pieds rouges et pieds blancs. Maire de Meursault, Jean Monnier a transmis ici ses pouvoirs à Nicolas, gardant toutefois un œil sur le vin et un pied dans la vigne. N'est-on pas ici vigneron de père en fils depuis 1720 ? Des Genevrières qu'on dégustera sans doute à la prochaine Paulée. Or clair et lumineux, ce vin a besoin d'un peu d'air pour s'exprimer parfaitement sur la pomme, le citron. Quelques notes grillées et une fin de bouche de bonne espérance. Prêt à servir.
Dom. Jean Monnier et Fils, 20, rue du 11-Novembre, 21190 Meursault, tél. 03.80.21.22.56, fax 03.80.21.29.65, e-mail contact@domaine-jeanmonnier.com
t.l.j. 10h-19h au caveau pl. de l'Hôtel-de-Ville; f. janv.-fév.

CH. PERRUCHOT Les Forges Dessus 2004 *

0,78 ha n.c. 15 à 23 €

Maison créée par Georges Prieur, natif de Santenay. Ce vin, une étincelle ! Onctueux, beurré, avec une pointe de fût qui « noisette ». Quel joli verbe à ajouter au vocabulaire de la dégustation bourguignonne ! Du gras à l'attaque, sur des notes de pêche blanche. Honnête et de style murisaltien, ce 2004 est droit jusqu'au bout. Bonne fraîcheur finale.
G. Prieur - Ch. Perruchot, Santenay-le-Haut, 21590 Santenay, tél. 03.80.21.23.92
Uny-Prieur

DOM. JACQUES PRIEUR Clos de Mazeray Monopole 2004 *

2,57 ha 13 800 30 à 38 €

Un casting prestigieux pour ce domaine : Antonin Rodet pour moitié et l'œnologue Martine Gublin qui, avec Laurence Jobard et quelques autres, a littéralement forcé l'entrée des femmes à la cuverie. Or léger, à mi-chemin entre la fleur blanche et l'agrume, un Clos de Mazeray (monopole au cœur de l'appellation) fin et minéral, encore sur la réserve et vif en fin de bouche. Un à deux ans de garde lui permettront de s'arrondir.
Dom. Jacques Prieur, 6, rue des Santenots, 21190 Meursault, tél. 03.80.21.23.85, fax 03.80.21.29.19, e-mail domaine.jprieur@prieur.com
r.-v.

PASCAL PRUNIER-BONHEUR 2005 *

0,25 ha 1 800 15 à 23 €

Modeste maison de négoce-éleveur née en 2002, qui vendange, vinifie et met en bouteilles. Pas si modeste que ça, si l'on en juge par ce 2005 ! Revêtu d'un jaune soutenu qui ferait presque penser au citron, un meursault fin et discret, sur le beurre et la noisette, plus riche que gras, vineux, et que sa pointe d'amertume et sa chaleur incitent à garder en cave quelque temps.

Dom. Pascal Prunier-Bonheur, 23, rue des Plantes, 21190 Meursault, tél. 03.80.21.66.56, fax 03.80.21.67.33, e-mail pascal.prunier-bonheur@wanadoo.fr r.-v.

ROPITEAU 2005 *

n.c. n.c. 15 à 23 €

Reprise par Jean-Claude Boisset en 1992, cette maison rime avec Meursault. À déguster sur sa fraîcheur minérale, une bouteille jaune pâle dont le bouquet ouvert évoque un peu la mangue et surtout le coing. Ne manquant pas de puissance, elle pourra accompagner des plats un peu riches : le poulet de Bresse à la crème n'est peut-être pas original, mais il sera ici le bienvenu.

Ropiteau Frères, Cour des Hospices, 13, rue du 11-Novembre-1918, 21190 Meursault, tél. 03.80.21.69.20, fax 03.80.21.69.29, e-mail ropiteau@ropiteau.fr t.l.j. 9h-18h; f. fin nov. à Pâques

FGVS

ROUX PÈRE ET FILS Clos des Poruzots 2005 *

1er cru 0,22 ha 1 000 30 à 38 €

Quelle aventure ! Marcel commence avec 5 ha sur Saint-Aubin et un petit bout de vigne sur Puligny. On compte de nos jours 36 ha. Sébastien et Matthieu ont rejoint leurs aînés Christian, Régis et Emmanuel. Tout en lumière, tout en jeunesse, un Clos des Poruzots un peu nerveux, optimisant sa vivacité pour exprimer dans un à deux ans tout son gras, tout son moelleux. Car on devine une volupté prête à se libérer. Agrumes et fleurs blanches jouent avec élégance les figures imposées du bouquet.

Dom. Roux Père et Fils, 21190 Saint-Aubin, tél. 03.80.21.32.92, fax 03.80.21.35.00, e-mail roux.pere.et.fils@wanadoo.fr r.-v.

SHAPS ET ROUCHER-SARRAZIN
Les Vireuils 2005

0,34 ha 2 400 15 à 23 €

Vinificateur de la maison Chartron et Trébuchet (aujourd'hui disparue) pendant seize ans, Michel Roucher-Sarrazin fait équipe avec un Américain dont il fut le maître de stage, Michael Shaps, *winemaker*-consultant en Virginie et dans les vignobles de la côte Est. Ce *joint-venture* franco-américain voit naître ces Vireuils (haut de coteau, adossé à Auxey) paille clair dont le nez chardonne gentiment : fleurs blanches, miel, un peu de noisette grillée (douze mois en fût). Typicité satisfaisante, bouche charnue qu'une certaine pointe de vivacité réveille adroitement.

Shaps et Roucher-Sarrazin, 7, rue des Forges, 21190 Meloisey, tél. et fax 03.80.21.26.31, e-mail info@shaps-rouchersarrazin.fr r.-v. E

DOM. ALBERT DE SOUSA Les Millerans 2005 *

0,51 ha 3 800 15 à 23 €

Les Millerands (orthographe officielle) : le *climat* le plus proche du Levant, qui capte le premier les jeunes rayons du soleil. Or blanc brillant, chaleureux et toasté, un 2005 rond, élégant et agréable, encore marqué en bouche par un boisé (un an d'élevage en fût) qui doit se fondre. Un à deux ans devraient y suffire.

Albert De Sousa, 25, RN 74, 21190 Meursault, tél. 03.80.21.22.79, fax 03.80.21.66.76 r.-v. 2

DOM. JACQUES THÉVENOT-MACHAL
Charmes 2004 *

1er cru 0,25 ha 1 700 15 à 23 €

Peut-être vous rappelez-vous la chanson ? Des pommes, des poires... Il y a de tout cela dans le bouquet, mais pas de scoubidous. Dans sa robe légère et de bon goût, ce Charmes 2004 est plus fin que fortement constitué. Sa vivacité joue un rôle positif. Longue finale sur le fruit. Bonne expression du terroir, bien rendue par le vinificateur. À déguster dès maintenant.

Jacques Thévenot-Machal, 13, rue des Forges, 21190 Meursault, tél. 03.80.21.26.27, fax 03.80.21.65.31 r.-v.

Blagny

Situé à cheval sur les communes de Meursault et de Puligny-Montrachet, un vignoble homogène s'est développé autour du hameau de Blagny. On y produit des vins rouges remarquables portant l'appellation blagny (32 hl en *village* et 183 hl en premier cru en 2006), mais la plus grande superficie est plantée en chardonnay pour donner, selon la commune, du meursault 1er cru ou du puligny-montrachet 1er cru.

DOM. DE BLAGNY
La Pièce sous le dos d'âne 2005

1er cru 0,47 ha 2 235 15 à 23 €

Les dos d'âne sont souvent pénibles sur la route, mais agréables en blagny. Tel celui-ci, né du domaine de Montlivault partagé entre les enfants de Richard d'Ivry-Montlivault à la disparition de Louise, sa mère : Anne, Jacques et Jean-Louis. Bientôt deux siècles dans ce patrimoine attaché à l'histoire de la Bourgogne, ainsi qu'à ses devoirs. Rouge grenat, cerise et cuir, un pinot noir maîtrisant l'essentiel (tanins, acidité) sous des traits affectueux. À revoir dans quelque temps.

SCEV Dom. de Blagny, hameau de Blagny, 21190 Meursault, tél. et fax 03.80.21.30.35, e-mail jean-louis.de-montlivault@wanadoo.fr r.-v.

J.-L. de Montlivault

DOM. MARTELET DE CHERISEY
La Genelotte 2005

1er cru 0,35 ha 1 000 15 à 23 €

Blagny est une île. La famille de Montlivault l'a accostée en 1811 (achat à la famille Villard, de Beaune), la chapelle des moines de Maizières étant acquise en 1913 (achat à Léonce Bocquet). Petite-fille de la comtesse de Montlivault, Hélène Martelet de Cherisey a repris en 1998 une partie du domaine familial. Grenat foncé, torréfié (quinze mois en fût) sans excès, groseille à la proue, mûre à la poupe, un 2005 souple et léger, à boire dans l'année.

Dom. Martelet de Cherisey, rte de Pommard, 21190 Meloisey, tél. et fax 03.80.26.07.61, e-mail martelet.cherisey.domaine@wanadoo.fr
r.-v.

Puligny-montrachet

Centre de gravité des vins blancs de Côte-d'Or, serrée entre ses deux voisines Meursault et Chassagne, cette petite commune tranquille ne fait en surface de vignes que la moitié de Meursault, ou les deux tiers de Chassagne, mais se console de cette modestie apparente en possédant les plus grands crus blancs de Bourgogne, dont le montrachet, en partage avec Chassagne.

La position géographique de ces grands crus, selon les géologues de l'université de Dijon, correspond à une émergence de l'horizon bathonien, qui leur confère plus de finesse, plus d'harmonie et plus de subtilité aromatique qu'aux vins récoltés sur les marnes avoisinantes. L'AOC a produit 10 702 hl de vin blanc en 2006 sur 201 ha.

Les autres *climats* et premiers crus de la commune exhalent fréquemment des senteurs végétales à nuances résineuses ou terpéniques, qui leur donnent beaucoup de distinction.

BORGEOT Les Charmes 2005

0,5 ha 4 000 23 à 30 €

Remigny, où est implantée cette maison de négoce-éleveur, se situe à côté de Santenay. Le Dr Jules Lavalle (1855) place les Charmes blancs sur le même rang que le bâtard-montrachet et le 1er cru Les Combettes. Or, c'est aujourd'hui un *village*... Mystères des classements ! Sensations exotiques (ananas, papaye), puis beurre et noisette grillée. Gras, souple, ce 2005 se révèle agréable et suffisamment structuré.

SARL Borgeot, rue de Chassagne, 71150 Remigny, tél. 03.85.87.19.92, fax 03.85.87.19.95 r.-v.

PHILIPPE BOUCHARD 2005

2,5 ha 9 000 23 à 30 €

Cette maison sélectionne ses raisins et ses moûts auprès de propriétaires. Elle constitue une signature du Château de Corton-André. Cousu d'or comme un puligny peut l'être, ce *village* offre un bouquet plus nuancé que discret. Floral (aubépine, chèvrefeuille), il porte un boisé léger et un accent de fruits secs. L'attaque franche, un peu nerveuse, ouvre sur une construction assez minérale qui prend ensuite un caractère chaleureux.

Philippe Bouchard, 21420 Aloxe-Corton, tél. 03.80.25.00.00, fax 03.80.26.42.00, e-mail france@corton-andre.com
t.l.j. sf sam. dim. 9h-12h 14h-17h

BOUCHARD AÎNÉ ET FILS
Champ Gain Cuvée Signature 2005 ★★

1er cru 0,16 ha 1 200 23 à 30 €

Maison beaunoise acquise par Jean-Claude Boisset en 1992. Ce 2005, numéro deux de la dégustation, a été à une marche du coup de cœur. Champ Gain n'est guère éloigné du chevalier-montrachet. Ce *climat* s'appuie avec profit sur un sol très calcaire. Les atouts de ce vin : l'éclat de l'or qui brille dans le verre ; un bouquet expressif et délicat, équilibré entre un boisé grillé et des notes florales et fruitées (citronnelle, pomme verte, verveine) ; l'accord parfait entre la pointe acide et le gras rassurant ; une finale longue sur le fruit frais. L'ensemble est élégant et taillé pour vieillir jusqu'à cinq ans.

Bouchard Aîné et Fils, 4, bd Mal-Foch, 21200 Beaune, tél. 03.80.24.24.00, fax 03.80.24.64.12
t.l.j. 9h30-19h

A. BUISSON-BATTAULT ET FILS 2004

0,12 ha 900 15 à 23 €

Exploitation familiale, qui s'est déplacée et se trouve maintenant installée dans une ancienne fabrique de moutarde. Ce 2004 se pare d'une robe limpide, brillante, couleur jaune pâle. Premier nez assez fermé, sur le silex et le citron. Touche miellée. L'association entre le vif et le moelleux (la vie de couple à Puligny !) est honorable, la structure satisfaisante pour le millésime.

Buisson-Battault et Fils, 5, rue du 11-Novembre, 21190 Meursault, tél. 03.80.21.29.26, fax 03.80.21.63.23, e-mail buisson-battault@club-internet.fr r.-v.

JEAN-LOUIS CHAVY Les Charmes 2004 ★

0,43 ha 3 000 15 à 23 €

Il s'agit d'une deuxième récolte sous ce nom. Domaine Gérard Chavy et Fils jusqu'en 2002, puis Jean-Louis a décidé de voler de ses propres ailes (6 ha actuellement). Des Charmes... très charmeurs (*dixit* un juré), au nez ouvert sur les fruits exotiques et un boisé vanillé. Moelleux et vivacité se partagent la bouche, qui se montre fine plus que puissante. À boire dans les trois prochaines années. Le **1er cru Les Perrières 2004 (23 à 30 €)** est cité.

Jean-Louis Chavy, 27, rue de Bois, 21190 Puligny-Montrachet, tél. 03.80.21.38.85, fax 03.80.21.39.89, e-mail jeanlouis.chavy@wanadoo.fr
r.-v.

CH. DE CÎTEAUX Les Champs Gains 2004

1er cru n.c. n.c. 23 à 30 €

Aux abords du hameau de Blagny, ce 1er cru cousine un peu avec Meursault. Philippe Bouzereau produit et vinifie les vins du domaine sanctifié par la mémoire des moines de Cîteaux (ce fut leur première vigne, avant le Clos de Vougeot). Agréable à goûter, souple et délicat, ce 2004 reste dans les limites du millésime tout en se montrant facile et flatteur. Nez ouvert et légèrement miellé sur un soupçon d'agrumes. Finale pleine d'entrain.

Philippe Bouzereau, Ch. de Cîteaux, 18-20, rue de Cîteaux, BP 25, 21190 Meursault, tél. 03.80.21.20.32, fax 03.80.21.64.34, e-mail info@domaine-bouzereau.fr
r.-v.

DUFOULEUR PÈRE ET FILS
Sous le Puits 2005 ★

1er cru n.c. 900 38 à 46 €

Coup de cœur pour un Champ Gain 1995, cette maison nuitonne vient d'entrer dans le giron d'Antonin Rodet. Sous le Puits (Blagny) est un Bacchus à deux têtes. 1er cru dans les deux cas, rouge en blagny et blanc (comme ici) en puligny-montrachet. Terroir évidemment complexe... Son 2005 affiche un nez expressif, encore marqué aujourd'hui par le boisé. Fruits frais et exotiques s'expriment en bouche, dans une matière riche et ronde soutenue par une acidité bienvenue. La finale franche et fraîche laisse augurer des perspectives heureuses pour 2008 ou 2009.

Dufouleur Père et Fils, 17, rue Thurot, 21700 Nuits-Saint-Georges, tél. 03.80.61.21.21, fax 03.80.61.10.65, e-mail dufouleur@dufouleur.com t.l.j. 9h-19h

JEAN-CHARLES FAGOT 2005 *

1 ha 3 000 15 à 23 €

Or pâle, ce 2005 offre un bouquet de fleurs blanches agrémenté d'un fin boisé (quatorze mois de fût). La bouche complète le tableau aromatique, libérant la pêche blanche et le pamplemousse, dans un ensemble gourmand sans jamais être lourd. Un vin tout en finesse dont vous pourrez profiter sans attendre. Pour l'accord gourmand ? Demandez à Jean-Charles Fagot, également aubergiste de métier à Corpeau et à Beaune.

Jean-Charles Fagot, 5, rue de l'Église, 21190 Corpeau, tél. 03.80.21.30.24, fax 03.80.21.38.81, e-mail jeancharlesfagot@free.fr r.-v.

DOM. MARC GAUFFROY
Corvée des Vignes 2004

0,26 ha 900 15 à 23 €

Nicolas Gauffroy, le fils, est sur le domaine aux côtés de son père Marc qui lui assure ainsi la transmission de son savoir-faire. Corvée des Vignes ? Ce *climat* évoque le travail dû à son seigneur. Sous une robe jaune d'or bien coupée, ce 2004 marie les agrumes, des notes minérales et les fruits secs (quinze mois en fût). Le moelleux est tempéré par l'acidité en bouche, avant une finale un peu austère. Laissez à ce vin deux à trois ans pour s'arrondir.

Marc Gauffroy, 4, rue du Pied-de-la-Forêt, 21190 Meursault, tél. et fax 03.80.21.21.09, e-mail marc.gauffroy@wanadoo.fr r.-v.

DOM. VINCENT GIRARDIN
Vieilles Vignes 2005 **

1,5 ha 10 000 15 à 23 €

Coup de cœur unanime pour Vincent Girardin ; son neuvième, toutes appellations confondues. Son puligny or pâle limpide ne dépare pas son tableau de décorations. Un vin au bouquet intense, beurré, chaleureux et mûr. D'attaque franche, la bouche produit une matière pleine d'ampleur, bien équilibrée par une vivacité maîtrisée, sur un fond boisé. Une bouteille très harmonieuse, à ouvrir aujourd'hui pour le plaisir ou à attendre quatre à cinq ans pour... encore plus de plaisir.

Vincent Girardin, ZA Les Champs-Lins, 21190 Meursault, tél. 03.80.20.81.00, fax 03.80.20.81.10, e-mail vincent.girardin@vincentgirardin.com

LOUIS JADOT Folatières 2005

1er cru n.c. n.c. 46 à 76 €

Connaissez-vous l'Ève du musée d'Autun ? La plus belle image de la femme tentante et tentée... Une Folatières, c'est cela, à fleur de terre. Ce *climat* a absorbé quelques lieux-dits aux noms moins marchands (Peux Bois, Au Chaniot, etc.). Jaune discret, ce vin au nez expressif et puissant (notes boisées) est tout de corps et de vigueur. Harmonieux mais encore vif, il demande du temps (deux à trois ans).

Louis Jadot, 21, rue Eugène-Spuller, BP 117, 21203 Beaune Cedex, tél. 03.80.22.10.57, fax 03.80.22.56.03, e-mail contact@louisjadot.com r.-v.

DOM. JOMAIN Les Combettes 2005 *

1er cru 0,41 ha 1 484 30 à 38 €

Sur la robe jaune pâle aux reflets verts, on ne saurait s'étendre. Elle est comme il se doit et c'est déjà beaucoup. Passons au nez, très prometteur et fin, qui n'oublie ni les fleurs blanches ni la note beurrée et vanillée (onze mois de fût). La bouche fait encore monter d'un cran la dégustation : finesse à nouveau, puis du gras amenant avec lui la complexité. Quant aux arômes ? Du fruit, du fruit, du fruit ! La persistance n'est pas éternelle, certes, mais l'élégance est là et l'on pourra apprécier ce vin dès maintenant.

Dom. Jomain, 11, pl. du Monument, 21190 Puligny-Montrachet, tél. 03.80.21.93.46, fax 03.80.21.94.45, e-mail info@domaine-jomain.com r.-v.

DOM. MAROSLAVAC-LÉGER
Les Corvées des Vignes 2005 *

0,8 ha 4 800 15 à 23 €

Domaine créé à partir de rien (sinon de beaucoup de travail) par Stéphan Maroslavac-Kovacevic, venu de Yougoslavie durant les années 1930. Roland, son petit-fils, assure la continuité. Les Corvées des Vignes sont en bordure de Meursault et dans le voisinage des Charmes sur cette appellation. Un vin joliment paré et qui chardonne au nez sur l'aubépine et le citron. Excellente attaque avec évolution aromatique. Sa fraîcheur balance entre le minéral et la pêche, le brugnon pour être plus précis. Finale vive. Une étoile également pour le **1er cru Les Folatières 2005 (30 à 38 €)** et une citation pour le **1er cru Les Combettes 2005 (30 à 38 €)**.

Dom. Maroslavac-Léger, 43, Grande-Rue, 21190 Puligny-Montrachet, tél. 03.80.21.31.23, fax 03.80.21.91.39, e-mail maroslavac.leger@wanadoo.fr r.-v.

DOM. STÉPHAN MAROSLAVAC-TRÉMEAU
Clos du Vieux Château 2005 *

0,73 ha 1 200 15 à 23 €

Stéphan (fils de Stéphan) est décédé en 2003. Œnologue, Jérôme Meunier a repris le domaine. Clos du Vieux Château est une dénomination d'usage, ancienne et admise. Paille doré, miel et fruits secs, un chardonnay bien mûr en bouche, corpulent, riche et assez complexe. L'équilibre est réussi, le boisé fondu et la finale longue. Une préparation à la crème lui ira bien.

EARL Maroslavac-Trémeau, 5, Grande-rue, 21190 Puligny-Montrachet, tél. 03.80.21.30.19, fax 03.80.21.92.84, e-mail domaine-maroslavac-tremeau@wanadoo.fr r.-v.

PROSPER MAUFOUX 2004 ★

n.c. 900 15 à 23 €

Quinze mois en fût, ce n'est pas rien pour un blanc et cette maison s'est fait une spécialité de ce type de vinification. Sans doute un puligny doit-il honorer le chêne de sa présence, mais il faut alors donner du temps au temps. On attendra donc ce vin au moins une paire d'années. La robe ? Tout l'or du monde. Tant au nez qu'au palais, le fond est vif puis gras, assez minéral et d'une bonne persistance. Les arômes ? Fruits exotiques bien mûrs, notes toastées et pointe minérale. Les amateurs y trouveront plus que leur compte.

Prosper Maufoux, Maison des Grands Crus, 1, pl. du Jet-d'Eau, 21590 Santenay, tél. 03.80.20.60.40, fax 03.80.20.63.26, e-mail prosper.maufoux@wanadoo.fr t.l.j. 10h-12h 14h30-18h; de nov. à mars sur r.-v.

DOM. RENÉ MONNIER Les Folatières 2005

1er cru 0,83 ha 5 500 23 à 30 €

Folatières, ou folle-terre. Les fortes pluies la déménagent volontiers. Le terrain est pentu, léger. Ce vin célèbre le mariage de l'aubépine et des fruits blancs, sur un air de boisé. Ample, sensuelle et chaleureuse, une bouteille qui s'exprime avec typicité. La finale sur l'amertume invite à patienter deux ans.

Dom. René Monnier, 6, rue du Docteur-Rolland, 21190 Meursault, tél. 03.80.21.29.32, fax 03.80.21.61.79, e-mail domaine-rene-monnier@wanadoo.fr t.l.j. 8h30-12h 14h-18h; sam. dim. sur r.-v.

M. et Mme Bouillot

LUCIEN MUZARD ET FILS Les Referts 2005 ★

1er cru n.c. n.c. 30 à 38 €

Achat en raisins pour maîtriser la vinification, puis négoce. Transparent et d'une nuance riche en paillettes dorées, ce 2005 marie le jasmin et le sureau. La fleur est élégante et le fût discret (seize mois). La suite ? C'est simple, frais comme le printemps, avec une note d'amande en bout de ligne. Referts est un *climat* limitrophe de Meursault, synthèse de plusieurs lieux-dits.

SARL Lucien Muzard et Fils, 1, rue de la Chapelle, 21590 Santenay, tél. 03.80.20.61.85, fax 03.80.20.66.02, e-mail lucien-muzard-et-fils@wanadoo.fr r.-v.

LA POUSSE D'OR Le Cailleret 2005 ★

1er cru 0,72 ha 4 000 46 à 76 €

Mitoyen de Montrachet, Le Cailleret ne tremble pas quand il affiche son prix. Or pâle, celui-ci affiche un nez fin et élégant, où agrumes et noisette se mêlent à un boisé léger. Chèvrefeuille ? Sans doute aussi. En bouche, c'est un vin à la texture fine et dense, sachant équilibrer le gras et l'acidité. Tout en longueur, avec une sorte d'austérité. À attendre de toute façon (deux à trois ans). Un vin pour rêver.

Dom. de La Pousse d'Or, rue de la Chapelle, 21190 Volnay, tél. 03.80.21.61.33, fax 03.80.21.29.97, e-mail patrick@lapoussedor.fr r.-v.

Landanger

DOM. JACQUES PRIEUR Les Combettes 2004 ★

1er cru 1,5 ha 10 100 46 à 76 €

Grand... prieur de la confrérie des Chevaliers du Tastevin, Jacques Prieur (1893-1965) a donné son nom au domaine qui reste en partie familial, associé depuis 1988 à plusieurs familles de Saône-et-Loire. Sur des affleurements de rochers mêlés à de profondes fosses de bonne terre, le sol produit un chardonnay d'une finesse et d'une constance admirables. Le prix est à la mesure du potentiel... Ici, des Combettes 2004 assez démonstratives : puissance, chaleur, longueur, présence du fût, fruits bien mûrs, vivacité suffisante.

Dom. Jacques Prieur, 6, rue des Santenots, 21190 Meursault, tél. 03.80.21.23.85, fax 03.80.21.29.19, e-mail domaine.jprieur@prieur.com r.-v.

HENRI PRUDHON ET FILS Les Enseignières 2005

1 ha 6 600 15 à 23 €

Gérard Prudhon et ses fils (Vincent et Philippe) ont construit récemment une nouvelle cuverie. Vieille famille de Saint-Aubin. Le bienvenues-bâtard-montrachet en grand cru, c'est la porte à côté. Il n'y a pas si loin du grand cru au ... *village*. Disons une trentaine de mètres ! Nuancé de beurre, fin, plus porté sur les fleurs que sur les fruits, un 2005 pas très profond mais franc du collier, à la personnalité originale et au boisé bien dosé.

Henri Prudhon et Fils, 32, rue des Perrières, 21190 Saint-Aubin, tél. 03.80.21.36.70, fax 03.80.21.91.55, e-mail henri-prudhon@wanadoo.fr r.-v.

CH. DE PULIGNY-MONTRACHET 2004 ★

1,4 ha 6 000 23 à 30 €

Il y a vingt ans, le Crédit foncier de France faisait l'acquisition du château de Puligny-Montrachet. Bonne affaire selon les prix actuels, mais beaucoup d'investissements depuis. Direction de Montille depuis 2001. Ce 2004 or blanc limpide a produit sur le jury une impression homogène et flatteuse. Le nez fin oscille entre agrumes, notes minérales et un boisé gourmand (vanille ou praline, c'est selon). Des notes miellées ressortent de la bouche équilibrée entre fraîcheur et rondeur. Un vin bien dans son appellation et dans son millésime.

Dom. du Ch. de Puligny-Montrachet, 21190 Puligny-Montrachet, tél. 03.80.21.39.14, fax 03.80.21.39.07, e-mail chateaudepuligny@wanadoo.fr r.-v.

Montrachet, chevalier, bâtard, bienvenues-bâtard, criots-bâtard

La particularité la plus étonnante de ces grands crus est de se faire attendre plus ou moins longtemps avant de manifester dans sa plénitude la qualité exceptionnelle que l'on attend d'eux. Dix ans, c'est le délai accordé au « grand » montrachet pour atteindre sa maturité, cinq ans pour le bâtard et son entourage ; seul le chevalier-montrachet semble manifester plus rapidement une ouverture communicative.

Ces crus d'immense notoriété ne représentent que de très faibles volumes et de toutes petites superficies. Ainsi en est-il du montrachet avec 7,89 ha, du chevalier-montrachet avec 7,62 ha, du bâtard-montrachet avec 11,11 ha, du criots-bâtard-montrachet avec 1,57 ha et du bienvenues-bâtard-montrachet avec 3,73 ha. L'ensemble des grands crus de montrachet a représenté 1 453 hl en 2006.

Montrachet

DOM. JACQUES PRIEUR 2004 *

Gd cru 0,59 ha 2 600 + de 76 €

Des achats successifs intervenus entre 1890 et 1892 ont permis à ce domaine d'acquérir 58 a 63 ca en montrachet. Une partie en Dents-de-Chien intégrés au montrachet par le jugement du tribunal de Beaune en 1921. Jacques Prieur (1893-1965), qui a donné son nom au domaine, fut grand... prieur de la Confrérie des Chevaliers du Tastevin. Ce 2004 est évidemment un pur esprit, un corps glorieux... Or vert, il est ouvert sur la fleur blanche, les fruits secs et les épices (dix-huit mois en fût). Attaquant sur la fraîcheur, il montre vite son opulence. Rondeur, gras et bonne longueur. Équilibré mais pas encore tout à fait prêt, ce millésime attend sagement son heure sans se précipiter.

Dom. Jacques Prieur, 6, rue des Santenots, 21190 Meursault, tél. 03.80.21.23.85, fax 03.80.21.29.19, e-mail domaine.jprieur@prieur.com r.-v.

DOM. DE LA ROMANÉE-CONTI 2005 ***

Gd cru n.c. n.c. + de 76 €

83 86 ⑨⓪ **91 93** |**97**| |**98**| ⑨⑨ **00** |**01**| ⓪② ⓪③ ⓪④ ⓪⑤

Cette vigne fut la dernière du domaine a être vendangée, le 23 septembre 2005, avec un très haut niveau de sucre (autour des 14 % vol. naturels) et une belle acidité. Faible rendement. Longue fermentation malolactique. Le nez s'ouvre sur le miel, accompagné de nuances végétales et florales – moins le sage chèvrefeuille que la fleur des champs, qui n'en fait qu'à sa guise ! Le corps se dessine, encore enveloppé d'une légère touche d'élevage. Riche, solide, ce 2005 témoigne d'une maturité resplendissante comme on les aime en montrachet. Il laisse en bouche ce sentiment d'éternité dont il a le secret. Une chance : tombant fort sur Santenay et Chassagne, la grêle a épargné le montrachet.

SC du Dom. de La Romanée-Conti, 1, rue Derrière-le-Four, 21700 Vosne-Romanée, tél. 03.80.62.48.80, fax 03.80.61.05.72

Chevalier-montrachet

DOM. JEAN CHARTRON

Clos des Chevaliers Monopole 2005 *

Gd cru 0,47 ha 2 000 + de 76 €

Vieille famille liée au passé de Puligny. Ce Clos des Chevaliers a une histoire complexe, réglée comme le reste du grand cru par l'INAO en 1974. Ce chevalier n'est pas revenu les poches vides des Croisades. De l'or, des épices et un miel tiré des abeilles de Saint-Jean-d'Acre. Gras, mûr, imposant dans son armure, encore très chaleureux, mais il revient de Terre Sainte. À déguster dans les cinq ans sur des quenelles de brochet tiré de la Saône.

Dom. Jean Chartron, Grande-Rue, 21190 Puligny-Montrachet, tél. 03.80.21.99.19, fax 03.80.21.99.23, e-mail info@jeanchartron.com t.l.j. 10h-12h 14h-18h; f. mi-nov.-mi-avril

Bâtard-montrachet

JEAN CHARTRON 2005

Gd cru 0,15 ha 650 + de 76 €

Domaine fondé en 1859 par un compagnon tonnelier. Cinq générations depuis. Un 2005 or jaune et dense, le nez en expectative (fermé mais net, fruits secs et boisé en embuscade). La bouche trouve bien sa place, miellée, assez longue, plus suave que puissante. À attendre deux à trois ans.

Dom. Jean Chartron, Grande-Rue, 21190 Puligny-Montrachet, tél. 03.80.21.99.19, fax 03.80.21.99.23, e-mail info@jeanchartron.com t.l.j. 10h-12h 14h-18h; f. mi-nov.-mi-avril

LOUIS LATOUR 2005

Gd cru 2 ha 5 000 + de 76 €

Fondée en 1797 et installée à Beaune depuis 1867, la maison Latour est une affaire familiale de négoce dans la tradition bourguignonne. Or vert lumineux, ce 2005 livre un bouquet multiple et complexe : rose, épices, zeste de citron sur un léger fond boisé. Droit, le palais connaît une première vague assez simple, puis une seconde épicée. À découvrir d'ici deux ans.

Maison Louis Latour, 18, rue des Tonneliers, 21204 Beaune, tél. 03.80.24.81.00, fax 03.80.22.36.21, e-mail louislatour@louislatour.com

RENÉ LEQUIN-COLIN 2005 **

Gd cru 0,12 ha 700 + de 76 €

96 ⑨⑧ |**99**| |00| |01| |02| 03 04 **05**

Parcelle achetée par Jean Lequin en 1938 sur 24 a 33 ca et aujourd'hui partagée en deux par succession. Le Grand Bâtard était autrefois l'un des personnages majeurs de la famille ducale de Bourgogne. En voici un portant le collier de la Toison d'or. Nez complexe et fondu (fruits blancs, boisé et mie de pain), stature fidèle à la devise de l'ordre : « Autre n'aurai ». La bouche est très complaisante, riche et fraîche à la fois, le boisé participatif. Un vin élégant et racé, à apprécier dans deux à trois ans.

René Lequin-Colin, 10, rue de Lavau, 21590 Santenay, tél. 03.80.20.66.71, fax 03.80.20.66.70, e-mail renelequin@aol.com r.-v.

NICOLAS POTEL 2004

Gd cru 0,1 ha 456 + de 76 €

Nicolas Potel a fondé son affaire de négoce-éleveur quand le domaine familial de La Pousse d'Or à Volnay a été cédé (1997). Ce bâtard n'a pas encore trouvé son relief et ses dimensions, mais il est loin d'avoir atteint le bout du chemin. La robe est sans défauts. Du gras en finale et de la matière, une subtilité aromatique (menthol, café, poire) sont les meilleurs atouts de ce millésime qui patientera quelques années en cave.

SAS Nicolas Potel, 44, rue des Blés, 21700 Nuits-Saint-Georges, tél. 03.80.62.15.45, fax 03.80.62.15.46, e-mail nicolas.potel@wanadoo.fr r.-v.

DOM. PRIEUR-BRUNET 2004

Gd cru 0,07 ha n.c. + de 76 €

Si regretté, Guy Prieur tenait ces 7 a 63 ca de son père. Une vigne plantée en 1945, repiquée sans doute depuis. Peu coloré, et c'est un bien, un vin fleurs blanches et fruits secs (amande), sans excès d'arômes. Son élégance discrète et tendre n'est pas très opulente, mais tout est à sa place. En Bourgogne à tout le moins, l'austérité est une vertu. Horizon 2010.

Dom. Prieur-Brunet, rue de Narosse, 21590 Santenay, tél. 03.80.20.60.56, fax 03.80.20.64.31, e-mail uny-prieur@prieur-santenay.com r.-v.

Dominique Prieur

Bienvenues-bâtard-montrachet

JEAN-CLAUDE BACHELET ET FILS 2004 ★

Gd cru 0,09 ha n.c. 46 à 76 €

Parcelle de 9 a 42 ca achetée en 1960 à la famille Dupaquier de Puligny-Montrachet par les parents de Jean-Claude Bachelet. On devrait normalement servir ce vin lors des dîners officiels de la présidente du Chili, née d'un nez bourguignon exporté jadis d'ici. Or blanc, un 2004 aux arômes de fruits blancs, de cannelle et de vanille, souple à l'attaque, rond et gras. Pointe de fraîcheur en finale et c'est normal. Attendre deux à trois ans.

Jean-Claude Bachelet et Fils, 1, rue de la Fontaine, 21190 Saint-Aubin, tél. 03.80.21.31.01, fax 03.80.21.91.71, e-mail mail@domainebachelet.fr r.-v.

DOM. GUILLEMARD-CLERC 2005 ★★

Gd cru 0,18 ha 563 46 à 76 €

Le domaine Henri Clerc et Fils s'est un peu morcelé avec les ans. Ici, 64 a 46 ca, acquis en 1923 par Joseph Patriarche. Histoire complexe, issue de la faillite d'un commissionnaire en vins à Saint-Romain. C'était en 1881... Seul le Guide peut vous dire cela. L'intérêt ? La généalogie passionnante des parcelles et des exploitations. Seuls subsistent ici 18 a, mais admirablement tenus. Grand chardonnay de garde, or brillant, aguichant sur la noisette (douze mois en fût) et d'une richesse magnifique. La bouche allie finesse et rondeur : c'est cela qu'on appelle élégance. Encore une pointe chaleureuse finale, mais l'ouverture n'est pas prévue avant trois à cinq ans.

EARL Dom. Guillemard-Clerc, 19, rue Drouhin, 21190 Puligny-Montrachet, tél. 03.80.21.34.22, fax 03.80.21.94.84, e-mail guillemard-clerc.domaine@wanadoo.fr r.-v. 3

Criots-bâtard-montrachet

ROGER BELLAND 2005

Gd cru 0,61 ha 1 600 + de 76 €

89 94 95 96 |98| |99| |00| 01 02 03 04 05

Ancienne propriété Marcilly devenue Belland sur 61 a. Or blanc à reflets verts, ce 2005 a l'art de bien présenter les choses. Un rien de fût sur des arômes encore discrets mais où semble apparaître l'ortie blanche. Le palais est vif comme de la ficelle à fouet, pour reprendre une image de George Saintsbury dans ses célèbres *Notes on a Cellar-Book* (1920). La vivacité, pour tout dire, n'étonne pas à cet âge. Son absence serait inquiétante. À attendre évidemment, pour qu'il puisse atteindre l'équilibre et se fondre.

EARL Roger Belland, 3, rue de la Chapelle, 21590 Santenay, tél. 03.80.20.60.95, fax 03.80.20.63.93, e-mail belland.roger@wanadoo.fr r.-v.

BOURGOGNE

Chassagne-montrachet

Une nouvelle combe, celle de Saint-Aubin, parcourue par la RN 6, forme à peu près la limite méridionale de la zone des vins blancs, suivie par celle des vins rouges ; Les Ruchottes marquent la fin. Les Clos Saint-Jean et Morgeot, vins solides et vigoureux, sont les plus réputés des chassagne. Les blancs représentent 3 785 hl en *village* et 6 120 hl en premier cru, les rouges 3 656 hl en *village* et 1 531 hl en premier cru en 2006.

FRANÇOIS D'ALLAINES Les Chaumées 2004 ★

1er cru n.c. 600 23 à 30 €

À Chassagne, il y a Les Chaumes et Les Chaumées. Celui-ci. L'extrême-pointe de l'appellation, vers Saint-Aubin. Un premier cru qui se permet de regarder de haut le montrachet, topographiquement à tout le moins. Paille mûre à reflets vert et or, d'abord jeune et floral, il explose en bouche, pour reprendre l'expression d'Émile Peynaud un soir à *Apostrophes*, chez Pivot, où on lui servait un vin de même origine. De la mâche en blanc ! Un bonheur aromatique, fait de citron confit et d'épices douces. Ce vin fera plaisir dans les trois années qui viennent, aussi bien avec du canard à l'orange qu'avec un fin poisson en papillote.

François d'Allaines, La Corvée du Paquier, 71150 Demigny, tél. 03.85.49.90.16, fax 03.85.49.90.19, e-mail francois@dallaines.com r.-v.

DOM. BACHELET Les Benoîtes 2004

■ 2,5 ha 10 000 11 à 15 €

Le millésime 2000 de ce *climat* a reçu un coup de cœur (édition 2004). Grenat intense à reflets bleutés, le 2004 s'ouvre avec prudence sur la myrtille et la fraise des bois, mais il a du répondant. Des tanins fins enrobent l'acidité. Belle constitution pour un *village* : cette bouteille mérite d'attendre deux à trois ans. Encore qu'il y ait plusieurs familles Bachelet, ce vin permet de rappeler que la présidente du Chili, Michelle Bachelet, a ses racines à Chassagne et à Puligny : ses ancêtres ont émigré vers 1860 pour créer, au Chili, la société *Vins Bordeaux et Magellan*.

Dom. B. Bachelet et Fils, rue des Maranges, 71150 Dezize-lès-Maranges, tél. 03.85.91.16.11, fax 03.85.91.16.48, e-mail bacheletbetfils@wanadoo.fr
r.-v.

JEAN-CLAUDE BACHELET ET FILS
Blanchot Dessus 2004 ★

1er cru n.c. n.c. 23 à 30 €

Secret d'initié : les Blanchot Dessus cohabitent avec le... montrachet, rien de moins ! Durant les années 1930, ce *climat* avait été proposé en grand cru par la commission d'experts présidée par Louis Ferré, puis l'idée fut abandonnée. Jaune-vert pâle, chantant le fruit mûr (poire) dans un contexte épicé (dix-huit mois en fût), ce 2004 est plein, ferme, onctueux et sec. Riche et gras, tirant au palais sur le clou de girofle, il fait honneur à son voisinage. Pour l'agneau grillé de Pâques 2008 ou, de préférence, 2009.

Jean-Claude Bachelet et Fils, 1, rue de la Fontaine, 21190 Saint-Aubin, tél. 03.80.21.31.01, fax 03.80.21.91.71, e-mail mail@domainebachelet.fr
r.-v.

DOM. BACHELET-RAMONET PÈRE ET FILS
2005 ★

0,49 ha 2 000 11 à 15 €

Vous vous rappelez nos télégrammes d'autrefois, peut-être plus explicites que nos SMS ? Frais. *Stop*. Vif. *Stop*. Du fruit. *Stop*. Tu portais une très jolie robe. *Stop*. Or jaune comme nos futures alliances. *Stop*. Ton parfum de chèvrefeuille m'a donné le tournis. *Stop*. Ta franchise, ta droiture me donnent envie de te revoir. *Stop*. À bientôt. *Stop*. Parler du reste serait indiscret. *Stop*. Je t'aime. « Répétez ! » disait alors la demoiselle revêche. Bien joli chassagne, pour nous faire songer au *Télégramme* d'Yves Montand... Pour le dîner en tête-à-tête, attendre quelques mois, au moins.

Dom. Bachelet-Ramonet Père et Fils, 11, rue du Parterre, 21190 Chassagne-Montrachet, tél. 03.80.21.32.49, fax 03.80.21.91.41
t.l.j. 8h-11h30 13h30-18h; sam. dim. sur r.-v.; f. 1er-16 août

ROGER BELLAND
Morgeot Clos Pitois Monopole 2005 ★

1er cru 1,71 ha 3 000 15 à 23 €

Les *climats* les mieux considérés jadis étaient le Clos Saint-Jean et le Clos Pitois. Ce dernier est ici en monopole sur 1,71 ha. On n'est pas mécontent de trouver un pinot noir sur notre chemin. Rouge limpide, le nez bien placé (amande, frangipane), il vit dans son corps sans artifice. Droit et un tantinet rigoureux. Ce côté un peu strict est nuancé par une rétro framboisée qui lui donne du champ. Ce même Clos Pitois a obtenu un coup de cœur dans le millésime 1998, mais en blanc.

EARL Roger Belland, 3, rue de la Chapelle, 21590 Santenay, tél. 03.80.20.60.95, fax 03.80.20.63.93, e-mail belland.roger@wanadoo.fr r.-v.

DOM. HUBERT BOUZEREAU-GRUÈRE ET FILLES Les Blanchots Dessous 2005 ★★

0,23 ha 1 200 15 à 23 €

Juste à côté du grand cru criots-bâtard-montrachet, Les Blanchots Dessous ont été durant les années 1930 à deux doigts du classement en grand cru. Mais en définitive, le 31 mai 1939, la commission Ferré céda aux objections de Puligny et ne voulut pas créer un déséquilibre entre les deux villages. À quoi tiennent les crus ! Marie-Laure et Marie-Anne Bouzereau peuvent être fières de leur 2005. Or léger, rose et chèvrefeuille, moins cher que le grand cru, il a du style et beaucoup de nuances, une sève accomplie et une complexité à faire rêver. Il fera plaisir dès maintenant.

Hubert Bouzereau-Gruère et Filles, 22 A, rue de la Velle, 21190 Meursault, tél. 03.80.21.20.05, fax 03.80.21.68.16, e-mail hubert.bouzereau.gruere@libertysurf.fr
r.-v. 4

JEAN CHARTRON Les Benoites 2005

0,27 ha 1 200 15 à 23 €

Climat situé vers Santenay et Remigny, en dessous de Morgeot. Rubis foncé à reflets violines, ce 2005 est gorgé de fruit. Deux caractères l'emportent : des tanins encore zélés qui demandent à se faire et une forte minéralité. Ce vin a de la mâche et une longueur correcte. On l'oubliera en cave deux ou trois ans. Même note pour le **Benoites blanc 2005 (23 à 30 €)**.

Dom. Chartron-Dupard, 13, Grande-Rue, 21190 Puligny-Montrachet, tél. 03.80.21.99.19, fax 03.80.21.99.23, e-mail jmchartron@wanadoo.fr
t.l.j. 10h-12h 14h-18h; f. de mi-nov. à mi-avril

DOM. DE CHASSAGNE-MONTRACHET
Les Chaumées 2004

1er cru 0,5 ha 2 950 30 à 38 €

Louis-Félix, Michel, Francine Picard... Une saga dont il n'y a guère d'exemples au XXes. si l'on excepte André Boisseaux, Jean-Claude Boisset et quelques Chablisiens (Durup, Laroche, Brocard...). Aujourd'hui : 132 ha de vignes, cinq domaines, six cuveries. Ce 2004 provient d'un *climat* placé haut dans le vignoble de Chassagne. Rubis assez profond, porté vers le cuir et l'animal, ce vin fait preuve d'une puissance moyenne. On lui prescrit quelques exercices d'assouplissement, mais tout va bien en rythme et santé. À goûter dans un an.

Maison Michel Picard, Ch. de Chassagne-Montrachet, 5, rue du Château, 21190 Chassagne-Montrachet, tél. 03.80.21.98.57, fax 03.80.21.98.56, e-mail contact@michelpicard.com
t.l.j. sf dim. 10h-17h; sam. de déc. à mars sur r.-v. 7

DOM. DE LA CHOUPETTE Morgeot 2004

1er cru 0,26 ha 800 15 à 23 €

Vignes rouges ou vignes blanches, Morgeot est un lieu accommodant. On rêverait d'en savoir davantage sur les sols. S'agit-il de cailloux (en Vigne Blanche), de sables (Les Grands Clos), de terre blanche (en Tête du Clos), de terrains glaiseux ou argileux ? On nous dit argilo-calcaires. Le vin ? Paille clair à reflets verts, élégant et floral, plein et riche, un peu suave ; il a vécu dix-huit mois en fût. Bonne suite, dépourvue de lourdeur. Toutes les mythologies accordent aux jumeaux un intérêt particulier, Jean-Christophe et Philippe Gutrin, qui gèrent le domaine, le sont.

Dom. de La Choupette, Gutrin Fils, 2, pl. de la Mairie, 21590 Santenay, tél. 06.81.37.14.34, fax 03.80.20.65.70, e-mail domainedelachoupette.gutrinfils@wanadoo.fr
t.l.j. 10h-19h
MM. Gutrin

DOM. COFFINET-DUVERNAY La Maltroie 2005

1er cru 0,2 ha 1 000 23 à 30 €

On a le choix. Optons pour celui-ci, or moyen brillant, un peu boisé (quatorze mois de fût), fleuri, beurré. La rondeur et l'acidité ont conclu un pacte d'associés. Assez complexe, large d'épaules, ce vin sait se faire remarquer. Notez sur votre calepin le **1er cru Les Caillerets blanc 2005**, ainsi que **Les Blanchots Dessous blanc 2005 (15 à 23 €)**, également cités. Le dernier, simple *village*, est voisin du grand cru criots-bâtard-montrachet.

Dom. Coffinet-Duvernay, 7, pl. Saint-Martin, 21190 Chassagne-Montrachet, tél. 03.80.21.32.12, fax 03.80.21.91.69, e-mail coffinet.duvernay@cegetel.net r.-v.

CH. DE LA CRÉE Les Morgeots 2005

1er cru 0,36 ha 1 200 23 à 30 €

Nicolas Ryhiner est un citoyen helvétique (Bâle), metteur en scène de théâtre, passionné par le vin de Bourgogne. Il a créé ce domaine à partir de 2004, des Maranges à Pommard, jouant aussi la carte des séminaires, mariages et rencontres en un lieu prédestiné. Ces Morgeots ? Un chardonnay un peu toasté (quatorze mois de fût). Un tendre, un *ousiau*, pardon – parlons français – un oiseau sur la branche. Aguichant et plutôt à boire maintenant. Un soupçon d'amertume. Rien d'étonnant. Équilibré, frais et avec un fût qui se retire assez tôt (bien).

SARL Ch. de La Crée, 11, rue Gaudin, 21590 Santenay, tél. 03.80.20.63.36, fax 03.80.20.65.27, e-mail la.cree@orange.fr r.-v.

M. Ryhiner

HENRI DARNAT Morgeot 2004 ★

1er cru 0,88 ha 6 000 30 à 38 €

Des éclats de couleur dans le verre. Au nez, des arômes beurrés (dans le ton du *village* en chardonnay), mariés à de la vanille (dix-huit mois en fût) et à des épices douces. L'attaque est d'une douceur suave, puis la bouche se montre plus entreprenante, sans verser dans l'agressivité, suivie par une jolie rétro aux arômes variétaux. À déboucher en 2008.

Dom. Darnat, 20, rue des Forges, 21190 Meursault, tél. 03.80.21.23.30, fax 03.80.21.64.62, e-mail domaine.darnat@wanadoo.fr r.-v.

HENRI GERMAIN ET FILS Morgeot 2004

1er cru 0,57 ha 4 000 30 à 38 €

Morgeot est un *climat* devenu multiple : on aimerait connaître son lieu-dit. Or paille, c'est-à-dire soutenu, ce vin surprend au nez par ses ressources en amande et en miel (dix-huit mois en fût). Franc et vif au palais, consistant, ce 2004 parvient à l'heure de quitter la cave.

Dom. Henri Germain et Fils, 4, rue des Forges, 21190 Meursault, tél. 03.80.21.22.04, fax 03.80.21.67.82 r.-v.

DOM. GABRIEL ET PAUL JOUARD 2004

1 ha 4 500 8 à 11 €

Un autre chassagne rouge fut coup de cœur dans le millésime 1999 (édition 2003). Voici un *village* 2004 rouge à un prix accessible, ce qui n'est pas si fréquent. Grenat ou cerire noire, il laisse des jambes sur les parois du verre. Cuve (six mois) et fût (douze mois). Le boisé, très présent, devrait se fondre. Chaleureux et assez gras, un vin tannique sans astringence. Il accompagnera les viandes rouges et supportera même l'époisse dans deux ou trois ans.

Dom. Gabriel et Paul Jouard, 3, rue du Petit-Puits, 21190 Chassagne-Montrachet, tél. 03.80.21.94.73, fax 03.80.21.91.34, e-mail domgetpauljouard@club-internet.fr r.-v.

LAMY-PILLOT Pot Bois 2005 ★★

0,53 ha 3 000 15 à 23 €

Pot Bois ? Un *climat* méconnu. Bien à tort, comme on va le voir. Situé entre 300 et 350 m d'altitude : on ne peut pas monter plus haut. De là, on voit parfois le Mont-Blanc et la nouvelle fait plus vite le tour du pays que l'élection d'un nouveau président de la République... Jaune doré, la fougère en bouquet, un vin à l'équilibre très établi, éblouissant de personnalité et sachant vous étreindre à l'heure de se quitter sur le quai de la gare : « On se reverra, attends-moi ! ». Le **1er cru Clos Saint-Jean rouge 2005**, une étoile, a moins besoin de présentation. Il est tendu (tanins), délicat toutefois et réunit les quatre fruits rouges.

Dom. Lamy-Pillot, 31, rte de Santenay, 21190 Chassagne-Montrachet, tél. 03.80.21.30.52, fax 03.80.21.30.02, e-mail contact@lamypillot.fr r.-v.

DOM. LARUE La Boudriotte 2004

1er cru 0,2 ha 1 200 15 à 23 €

L'étiquette, plutôt qu'un blason imaginaire, fait découvrir un élément du petit patrimoine rural : l'oratoire Saint-Charles sur les hauteurs de Blagny. La Boudriotte fut naguère très célèbre sous le patronage de Pierre Ramonet. Mi-rouge mi-blanche, une île dans la mer de Morgeot. Elle a engendré ici ce vin rubis tirant sur le grenat, au nez vanillé (quinze mois de fût), nuancé de kirsch. Franche et sphérique, l'attaque chuchote aux tanins structurants : « Laissons-nous aller. Prenons-nous la main... ». Attente de deux à trois ans recommandée.

Dom. Larue, 32, rue de la Chatenière, 21190 Saint-Aubin, tél. 03.80.21.30.74, fax 03.80.21.91.36, e-mail dom.larue@wanadoo.fr r.-v.

RENÉ LEQUIN-COLIN Les Charrières 2005

0,17 ha 1 078 15 à 23 €

Côté Puligny, Les Charrières ont une pointe qui touche presque le bâtard-montrachet. L'or éclate ici et fait frémir le regard. Les épices (quatorze mois en fut) le disputent au floral. La bouche évolue sur des impressions chaleureuses, teintées d'agrumes. Plus ample que long, ce vin d'une belle finesse accompagnera dès la sortie du Guide une volaille ou un poisson à la crème.

René Lequin-Colin, 10, rue de Lavau, 21590 Santenay, tél. 03.80.20.66.71, fax 03.80.20.66.70, e-mail renelequin@aol.com r.-v.

LUPÉ-CHOLET La Maltroie 2005 ★

1er cru n.c. 900 38 à 46 €

Lupé-Cholet aux origines, Albert Bichot aujourd'hui. Mais la maison séculaire est toujours dans ses murs et ses caves à Nuits, car on respecte les usages. Maltroie ? La terre la plus évocatrice des nécropoles primitives : *Marturetum*, Martroi. Il y aurait eu un cimetière chrétien antérieur au IVe s. (Dieu soit loué, car les comtes de Lupé et les vicomtes de Cholet portaient la bannière de l'Église !) Ce 2005 ? Jaune d'or sur la bergamote au premier nez et subtil dans son évolution (agrumes et minéralité), un vin original et complexe, ample et souple, plus large que long, ce qui n'est pas rare chez les 2005.

BOURGOGNE

Lupé-Cholet, 17, av. du Gal-de-Gaulle, 21700 Nuits-Saint-Georges, tél. 03.80.61.25.02, fax 03.80.24.37.38, e-mail bourgogne@lupe-cholet.com

CH. DE LA MALTROYE

Clos du Château de La Maltroye Monopole 2005 *

■ 1er cru 1,37 ha 7 000 23 à 30 €

On connaît trois domaines dans la Côte où un pilote de ligne a atterri dans les vignes (mieux que ce pauvre Level qui, en 1910, au cours de la course Paris-Rome, vint toucher le bois à Gevrey-Chambertin) : Gerbet, Gille et Cournut, ce dernier à la tête du château. Trois coups de cœur : pour le 2002 dans les deux couleurs et pour le 2001 en blanc. Le 2005, rouge sombre presque noir, s'exprime tout en couleur. Cuir et fruits noirs : il garde le cap. Solide aux commandes, aimable avec les passagers. Bon boisé (quatorze mois de fût) qui reste à sa place. Le **1er cru Clos Saint-Jean rouge 2005** joue avec bonheur la finesse ; il est cité.

SCE Ch. de La Maltroye, 16, rue de la Murée, 21190 Chassagne-Montrachet, tél. 03.80.21.32.45, fax 03.80.21.34.54, e-mail chateau.maltroye@wanadoo.fr r.-v.

Cournut

DOM. BERNARD MOREAU ET FILS

La Maltroie 2004 *

1er cru n.c. 4 750 23 à 30 €

Jaune paille brillant : exactement la robe que l'on souhaite. Le bouquet s'annonce floral, puis délivre une pointe de silex. Tonton Marcel (*climat* que nul n'ose revendiquer) n'est-il pas à Chassagne un monument mégalithique... malheureusement disparu ? En bouche, du fût, qui l'habille sans le guinder, de la fraîcheur et un point final sur le citron. Une citation pour le **village blanc 2005 (15 à 23 euros)** très généreux, sur l'amande et le bois de santal.

Dom. Bernard Moreau et Fils, 3, rte de Chagny, 21190 Chassagne-Montrachet, tél. 03.80.21.33.70, fax 03.80.21.30.05 r.-v.

DOM. JEAN-MARC MOREY

Les Champs-Gains 2004

■ 1er cru 0,66 ha 5 100 15 à 23 €

Élu vigneron de l'année par un grand magazine qui publia sa photo en pleine page de couverture, Jean-Marc Morey fut notamment l'élève et le disciple de Max Léglise – l'un des rares enseignants à avoir une vision bio il y a plusieurs décennies. Champ-Gain est un *climat* de Puligny ; c'est aussi un *climat* de Chassagne (où il prend un « s »). Une robe légère, rubis clair. Pivoine, sous-bois : le nez reste confidentiel. Charpenté, encore un peu raide, il intéresse et convainc même certains jurés. Il devra s'assouplir.

Jean-Marc Morey, 3, rue Principale, 21190 Chassagne-Montrachet, tél. 03.80.21.32.62, fax 03.80.21.90.60, e-mail catherine.morey@wanadoo.fr r.-v.

IDVM

DOM. MOREY-COFFINET La Romanée 2004 *

1er cru 0,8 ha 4 000 23 à 30 €

Elle fait toujours son petit effet, la Romanée de Chassagne. Si vous voulez bluffer vos convives, offrez le dîner des trois Romanée : Gevrey, Vosne et celle-ci, servie avec une entrée à sa mesure – vol-au-vent ou poisson à la crème. Ce 2004 s'annonce par un boisé fin (un an de fût) qui met en valeur le fruit (prune, abricot) avant de s'ouvrir sur le minéral. Sa bouche en impose par son gras, sa chaleur, sa richesse. Une citation pour le **1er cru Morgeot rouge 2004 (15 à 23 €)** : fondu en cours, à ne pas déguster trop tôt (deux ou trois ans de cave).

Dom. Michel Morey-Coffinet, 6, pl. du Grand-Four, 21190 Chassagne-Montrachet, tél. 03.80.21.31.71, fax 03.80.21.90.81, e-mail morey.coffinet@wanadoo.fr r.-v.

LUCIEN MUZARD ET FILS Morgeot 2005

1er cru n.c. n.c. 30 à 38 €

Comme c'est souvent devenu le cas en Bourgogne, cette propriété a créé une petite affaire de négoce, vinifiant elle-même après achats en raisins. Morgeot est un *climat* fédérateur (il n'est pas le seul), réunissant une vingtaine de lieux-dits. Or cristallin aux reflets argentés, ce 2005 n'en dit pas trop à l'odorat mais il est obligeant. La bouche tendre et légère s'anime d'une pointe de vivacité. Une bouteille bientôt prête.

SARL Lucien Muzard et Fils, 1, rue de la Chapelle, 21590 Santenay, tél. 03.80.20.61.85, fax 03.80.20.66.02, e-mail lucien-muzard-et-fils@wanadoo.fr r.-v.

PIGUET-GIRARDIN Morgeot 2005

■ 1er cru 0,5 ha 1 500 11 à 15 €

Vigne achetée durant les années 1980, demeurée en exploitation familiale. Du kirsch et de la vanille (seize mois de fût) sous un rouge prononcé : bouquet chassagne. Équilibre sur un bon niveau d'acidité. Comme au billard, le cassis envoie promener les autres boules (cerise notamment). La bouche peine un peu à suivre le nez. Cela s'arrange. Prix raisonnable.

Dom. Piguet-Girardin, rue du Meix, 21190 Auxey-Duresses, tél. et fax 03.80.21.60.26, e-mail piguet.girardin@tiscali.fr r.-v.

PAUL PILLOT Les Caillerets 2005 **

1er cru 0,49 ha 2 500 30 à 38 €

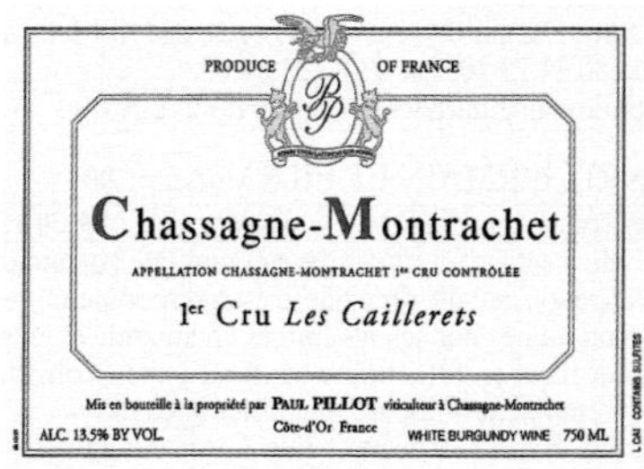

Paul Pillot a succédé à Henri Pillot. Thierry et Christelle représentent avec brio la nouvelle génération. Le vainqueur absolu de la compétition : les deux vins retenus pour le coup de cœur, celui-ci en n° 1 et le **1er cru Clos Saint-Jean blanc 2005** en n° 2 sortent de cette cave. Sans parler du **1er cru La Grande Montagne blanc 2005** à un niveau presque égal. Vineux, chaleureux, boisé avec modération, ce Caillerets est un vin tout en présence, ampleur et longueur, d'un or paille assez marqué. « On se régale ! » écrit un dégustateur. Le Clos Saint-Jean, lui, séduit par sa finesse, sa fraîcheur et par son élégance. La Grande Montagne convainc par sa densité, son gras et sa longueur.

Paul Pillot, 3, rue Clos-Saint-Jean, 21190 Chassagne-Montrachet, tél. 03.80.21.31.91, fax 03.80.21.90.92, e-mail contact@domainepaulpillot.com r.-v.

ALBERT PONNELLE
Cuvée Catherine Bastide 2005 ★

	0,12 ha	500	23 à 30 €

Jaune doré, pur et simple, plaisant. Pour un dégustateur, le bouquet rappelle la « prune à la goutte » – au cas où une traduction serait nécessaire, la prune conservée dans l'eau-de-vie, à ne pas confondre avec l'eau-de-vie de prune... Un 2005 fin et bien fait, plus amande que silex. Longueur : de bonne à très bonne, conclusion chaleureuse. Pourquoi cuvée Catherine Bastide ? Tradition familiale : le nom de jeune fille de la mère de Pierre-Albert Ponnelle. Le chassagne porte toujours son nom.

Albert Ponnelle, 38, fg Saint-Nicolas, BP 107, 21200 Beaune, tél. 03.80.22.00.05, fax 03.80.24.19.73 t.l.j. 8h30-12h 13h30-18h; f. août

POULET PÈRE ET FILS 2005 ★

	0,05 ha	400	46 à 76 €

Vieille maison beaunoise née au milieu du XVIIIes. ; devenue nuitonne. Sur l'étiquette, un poulet fier comme un coq et qui vous réciterait des tirades de *Chantecler* : « Ô soleil ! Toi sans qui les choses ne seraient que ce qu'elles sont. » Du soleil, en effet, il y en a dans la robe. Fleur de tilleul et rose blanche : le bouquet s'émancipe assez vite de son élevage. Du gras, de la puissance. Un peu de surmaturation ? En tout cas, un vin parfaitement au niveau de son appellation.

Poulet Père et Fils, 6, rue de Chaux, BP 4, 21700 Nuits-Saint-Georges, tél. 03.80.62.43.02, fax 03.80.62.68.02 r.-v.

ROUX PÈRE ET FILS Les Macherelles 2005

1er cru	0,45 ha	2 700	30 à 38 €

Climat proche de Puligny, près des maisons du village. Macherelles est, sauf ici, un mot disparu. S'agissait-il d'une terre cultivée ? De certains légumes ? La fratrie Roux nous invite à explorer cette robe d'un beau jaune cristallin. Au nez, le croissant chaud : on respire le soupirail du boulanger bien avant l'heure de l'ouverture. Avec rondeur, élégance, sans grande concentration ni excès de complexité. Ce chassagne vit la vie comme elle se présente. Il se contente de plaire sur une ligne droite et sûre.

Dom. Roux Père et Fils, 21190 Saint-Aubin, tél. 03.80.21.32.92, fax 03.80.21.35.00, e-mail roux.pere.et.fils@wanadoo.fr r.-v.

DOM. SAINT-FRANÇOIS Les Vergers 2005

1er cru	0,45 ha	2 700	23 à 30 €

Jeune vigneron, François Lequin a repris en 1998 une partie des vignes familiales pour constituer son domaine. Les vergers font face à Puligny, un peu plus hauts sur les coteaux. Et savez-vous qu'à deux pas d'ici se trouve la carrière d'où proviennent les revêtements de la Pyramide du Louvre ? Un or plus brillant qu'intense pour ce 2005, mais ce sont là des nuances subtiles... Fruit blanc et abricot en partage équitable. Il attaque vif et se développe de façon courtoise. On attend un peu le gras. Un an encore ?

Dom. Saint-François, 10, rue de Lavau, 21590 Santenay, tél. 03.80.20.66.71, fax 03.80.20.66.70, e-mail domsaintfrancois@aol.com

Saint-aubin

Saint-Aubin est dans une position topographique voisine des Hautes-Côtes ; mais une partie de la commune joint Chassagne au sud et Puligny et Blagny à l'est. Les Murgers des Dents de Chien, premier cru de saint-aubin, se trouvent même à faible distance des chevalier-montrachet et des caillerets. Le vignoble s'est un peu développé en rouge (2 073 hl en 2006), mais c'est en blanc (5 710 hl en 2006) qu'il atteint le meilleur.

BOURGOGNE

JEAN-CLAUDE BACHELET ET FILS
Les Champlots 2004

1er cru	0,39 ha	n.c.	11 à 15 €

L'étiquette reproduit le Dieu de pitié du domaine, statue en bois du XVIes. qui ressemble à celui de Chambolle. Or pâle limpide, ce saint-aubin se fait un peu discret au nez, laissant poindre néanmoins des notes de fleurs blanches. Il s'affirme plus en bouche, plein de vivacité, jouant les agrumes avec rondeur et longueur.

Jean-Claude Bachelet et Fils, 1, rue de la Fontaine, 21190 Saint-Aubin, tél. 03.80.21.31.01, fax 03.80.21.91.71, e-mail mail@domainebachelet.fr r.-v.

DOM. BILLARD PÈRE ET FILS
Les Castets 2005 ★

1er cru	0,32 ha	1 500	11 à 15 €

À deux pas du territoire communal de La Rochepot, ce *climat* produit un vin au caractère passionné. On le sent au premier coup d'œil. Rubis foncé à reflets violines, odorant, il est capiteux et chaleureux. Riche en alcool certes, mais également assez structuré par sa matière et ses tanins, encore un peu ferme. On lui prédit une bonne évolution d'ici deux ans. Le **1er cru Vignes Moingeon blanc 2005**, joliment boisé, est cité.

Dom. Billard Père et Fils, 1, rte de Chambéry, 21340 La Rochepot, tél. 03.80.21.87.94, fax 03.80.21.72.17, e-mail billardetfils@wanadoo.fr r.-v.

JEAN BOUCHARD Les Cortons 2005

1er cru	n.c.	7 200	11 à 15 €

De haut, les Cortons voient passer le trafic sur la RN 6. Car Saint-Aubin possède lui aussi ce *climat*, au pluriel. Rubis violet, fruit rouge vanillé, un vin qui tient en effet la route. Alignant ses atouts : frais, fruité, agréable, manquant néanmoins un peu de puissance. Destiné à une consommation dans l'année. « Si tu veux garder ton honneur, sache le servir », devise de cette maison (Albert Bichot).

Maison Jean Bouchard, BP 47, 21200 Beaune, tél. 03.80.24.37.27, fax 03.80.24.37.38

GILLES BOUTON Les Champlots 2005

1er cru	1,73 ha	12 000	11 à 15 €

Quand on s'appelle Bouton, on peut revendiquer cette devise sur son étiquette : « Le bouton vaut la rose. » Deux bouteilles honnêtes. **En Remilly 1er cru blanc 2005**, plaisant et frais, cité également, et ces Champlots.

Un *climat* proche du hameau de Gamay. Limpide et brillant, le nez frais et boisé (croûte de pain), il demande à s'ouvrir. Le laisser venir ; entre un et deux ans. Encore assez vif, il garde en effet de la ressource.

Gilles Bouton, 24, rue de la Fontenotte, 21190 Saint-Aubin, tél. 03.80.21.32.63, fax 03.80.21.90.74, e-mail domaine.bouton.gilles@wanadoo.fr r.-v.

HUBERT BOUZEREAU-GRUÈRE ET FILLES

Le Charmois 2005 ★

1er cru 0,23 ha 550 11 à 15 €

Exploitation familiale de 11,50 ha sur six communes de la Côte de Beaune. Un Charmois plein de vivacité. Sous la robe jaune pâle aux reflets or brillant, le nez livre des notes florales et minérales. On retrouve cette minéralité en bouche, avec de la rondeur et une pointe d'acidité. Nerveux ? Certes, et vous aurez soin de le laisser s'assagir deux ans en cave.

Hubert Bouzereau-Gruère et Filles, 22 A, rue de la Velle, 21190 Meursault, tél. 03.80.21.20.05, fax 03.80.21.68.16, e-mail hubert.bouzereau.gruere@libertysurf.fr r.-v.

FRANÇOISE ET DENIS CLAIR

Les Murgers des Dents de Chien 2005 ★

1er cru 0,8 ha 5 000 15 à 23 €

La famille Clair signale que l'arrivée du fils Jean-Baptiste en 2000 a contribué à améliorer la qualité, surtout en blanc. Les résultats sont là. Une étoile pour un **1er cru Les Champlots blanc 2005 (11 à 15 €)**, rond et gourmand, et pour celui-ci, très savoureux, attentif à ne pas décevoir vers 2009. Présentation classique, nez discret mais agréablement fruité pour ce qu'on en devine, attaque plus onctueuse que vive, et bonne persistance. Vin de poisson ou de volaille, dans une préparation de préférence crémeuse.

Françoise et Denis Clair, 14, rue de la Chapelle, 21590 Santenay, tél. 03.80.20.61.96, fax 03.80.20.65.19 r.-v.

LIONEL DUFOUR

Les Murgers des Dents de Chien 2004 ★★

1er cru 0,8 ha 4 000 46 à 76 €

Goût' Vinage
Btl N° 004512
Saint-Aubin 1er Cru 2004
Appellation Saint-Aubin 1er Cru Contrôlée
Les Murgers des Dents de Chien
MIS EN BOUTEILLE PAR C.G. À F.21200
Lionel DUFOUR de Louvigny - Négociant - France
PRODUIT DE FRANCE
Alc. 13%vol.
75 cl

L'Échansonnerie ? Une confrérie et un cercle de gourmets voués à l'excellence des vins, *dixit* l'étiquette. Et ce 2004 ? Coup de cœur, *dixit* le grand jury ! Grenat intense à reflets bleutés, bouqueté pinot noir sur fond de boisé réglissé, riche et charpenté, il s'appuie sur des tanins fort bien élevés, sans la moindre astringence. C'est bon et même très bon. Prometteur, il attendra 2010 sans problème.

Échansonnerie de l'Ordre du Goût Vinage, 6, rte de Moince, 57420 Louvigny, tél. 08.26.55.55.20, fax 03.87.69.71.13

DOM. HUBERT LAMY

Clos de la Chatenière 2005 ★

1er cru 1,3 ha 8 000 23 à 30 €

Depuis qu'il a pris la tête du domaine en 1996, Olivier Lamy a récolté pas moins de quatre coups de cœur ! Ce n'est pas le cas ici cette année, mais le vin n'en est pas moins très réussi. La Chatenière est un 1er cru côté Gamay. Jolie brillance, bouquet de fleurs blanches et de pain grillé, attaque franche, corps assez gras : il ne laisse pas indifférent.

Dom. Hubert Lamy, 20, rue des Lavières, 21190 Saint-Aubin, tél. 03.80.21.32.55, fax 03.80.21.38.32, e-mail domainehubertlamy@wanadoo.fr r.-v.

Olivier Lamy

DOM. SYLVAIN LANGOUREAU

En Remilly 2005 ★

1er cru 1,5 ha 9 500 11 à 15 €

Cette vigne n'est guère éloignée des fleurons de Puligny et de Chassagne. Quant à la propriété, accrue peu à peu, elle date des arrière-grands-parents. Tout à côté, la forteresse de Gamay. Jaune, net et lumineux, un chardonnay au bouquet profond (fleurs et fruits blancs assez mûrs). On reste en bouche sur cette impression onctueuse et fruitée (mirabelle). La longueur est bonne. Sans doute faut-il patienter encore un an avant d'en profiter. Une citation pour le **1er cru Bas de Vermarain à l'est blanc 2005**.

Sylvain Langoureau, hameau de Gamay, 20, rue de la Fontenotte, 21190 Saint-Aubin, tél. et fax 03.80.21.39.99, e-mail domaine.sylvain.langoureau@cegetel.net r.-v.

DOM. LARUE Vieilles Vignes 2005 ★

1er cru 1 ha 7 000 11 à 15 €

On présente souvent le saint-aubin comme une appellation réservée aux *happy few*, les véritables connaisseurs sachant dénicher l'oiseau rare. C'est moins vrai de nos jours car le secret se divulgue de plus en plus... Soixante ans, c'est l'âge de ces vieilles vignes. Paille clair, très parfumé (fruits mûrs et fumé dû à l'élevage), ce vin allie la rondeur et, phénomène habituel dans ce millésime, une certaine nervosité. À ne pas déboucher tout de suite. Une étoile également pour le **1er cru Murgers des Dents de Chien 2005 blanc (15 à 23 €)**, assez proche du précédent.

Dom. Larue, 32, rue de la Chatenière, 21190 Saint-Aubin, tél. 03.80.21.30.74, fax 03.80.21.91.36, e-mail dom.larue@wanadoo.fr r.-v.

OLIVIER LEFLAIVE En Remilly 2005 ★★

1er cru 2,5 ha 18 000 15 à 23 €

Après la création d'une table d'hôtes en 1995, Olivier Leflaive poursuit son développement dans l'œnotourisme avec l'ouverture d'une maison d'hôtes de treize chambres. Quant à ce Remilly, il est à la hauteur. Superbe équilibre tout en subtilité, du « bon gras » comme on dit en Bourgogne. Un rien de sec, mais la longueur est là. Mariage en blanc, la fleur et le fruit en arômes primaires et secondaires. Nuance de quetsche ? Pas impossible et assez heureux.

⊶ Olivier Leflaive Frères, pl. du Monument, 21190 Puligny-Montrachet, tél. 03.80.21.37.65, fax 03.80.21.33.94, e-mail contact@olivier-leflaive.com ☑ Y ⽊ r.-v.

DOM. MAROSLAVAC-LÉGER
Les Murgers des Dents de Chien 2005

1er cru | 0,68 ha | 3 600 | 15 à 23 €

« Quand il pleut à la Saint-Aubin (le 1er mars), il n'y aura ni lin ni foin. » Il peut toujours y avoir du vin, comme ce 2005 jaune paille cristallin, qui respire le fruit jaune et son fût (treize mois). Son attaque est assez sympathique. La bouche est ample, le fond satisfaisant. Il semble avoir un certain potentiel (deux à trois ans).

⊶ Dom. Maroslavac-Léger, 43, Grande-Rue, 21190 Puligny-Montrachet, tél. 03.80.21.31.23, fax 03.80.21.91.39, e-mail maroslavac.leger@wanadoo.fr ☑ Y ⽊ r.-v.

PROSPER MAUFOUX 2005 *

1er cru | n.c. | 600 | 15 à 23 €

Robert Fairchild et Thierry Prat ont repris en 1994 cette maison de négoce-éleveur plus que centenaire. Paille clair à reflets verts, flatté par le fût, mettant en valeur une légère pointe minérale, leur 2005 est vif et fin. Il ne manque toutefois pas d'une certaine rondeur qui vient à point pour l'équilibre du palais. À boire, ou à attendre encore un an ou deux.

⊶ Prosper Maufoux, Maison des Grands Crus, 1, pl. du Jet-d'Eau, 21590 Santenay, tél. 03.80.20.60.40, fax 03.80.20.63.26, e-mail prosper.maufoux@wanadoo.fr ☑ Y ⽊ t.l.j. 10h-12h 14h30-18h; de nov. à mars sur r.-v.

MAISON AYMERIC MAZILLY
Les Champlots 2005 *

1er cru | 0,3 ha | 1 200 | 11 à 15 €

Quand sir Jones Salisbury, ancien chef du protocole de la reine d'Angleterre, créa au début des années 1950 le vignoble d'Hambledon dans le Hampshire, il en obtint les plants à Saint-Aubin. Il ne manque à ce village que l'Ordre de la Jarretière. Cette maison de négoce-éleveur débutante (2003) signe un Champlots or riche en carats, mûr et chaleureux, au nez sur un léger boisé, équilibré et d'un potentiel raisonnable. Sérieux dans son millésime et qui s'épanouira en 2009.

⊶ Maison Aymeric Mazilly, 3, pl. de l'Europe, 21190 Meursault, tél. 03.80.26.02.00, fax 03.80.26.03.67 ☑ Y ⽊ r.-v.

MICHEL PICARD Le Charmois 2005 *

1er cru | 2,76 ha | 17 200 | 15 à 23 €

Or vert, légèrement agrumes, noisette et amande grillée, ce 2005 équilibré entre rondeur et acidité est déjà agréable mais suivra sans discuter un stage de perfectionnement en cave. Apogée en 2008 (Noël).

⊶ Maison Michel Picard, Ch. de Chassagne-Montrachet, 5, rue du Château, 21190 Chassagne-Montrachet, tél. 03.80.21.98.57, fax 03.80.21.98.56, e-mail contact@michelpicard.com ☑ Y ⽊ t.l.j. sf dim. 10h-17h; sam. de déc. à mars sur r.-v. ⌂ ❼

DOM. BERNARD PRUDHON Les Castets 2005

1er cru | 0,64 ha | 1 500 | 8 à 11 €

Heureux vigneron qui peut affirmer : « Transmission classique de père en fils ». Pas si fréquent dans la société contemporaine ! Mais c'est aussi la culture d'une tradition et d'un savoir-faire... Gras, charnu, corsé, ce Castets emplit la bouche d'une mâche homérique. On l'apprécie pour ce débordement d'amour, intense et chaud. Probablement à laisser de côté quelque temps (deux ans minimum) car il deviendra plus friand. Également cité, le **1er cru Les Combes blanc 2004 (11 à 15 €)**.

⊶ Bernard Prudhon, 15, rue du Jeu-de-Quilles, 21190 Saint-Aubin, tél. et fax 03.80.21.35.66 ☑ Y ⽊ r.-v.

HENRI PRUDHON ET FILS
En Remilly 2005

1er cru | 0,27 ha | 2 000 | 11 à 15 €

Les Prudhon sont l'une des très anciennes familles de Saint-Aubin. Aujourd'hui, Gérard et ses deux fils, Vincent et Philippe, sur 14 ha. À égalité, le **1er cru Les Murgers des Dents de Chien blanc 2005**, frais, encore assez serré tout en ayant de l'élégance, et ce Remilly or fin de joaillerie qui séduit le regard. Nez citronné aux notes de caramel (dix mois de fût), bouche fraîche et vive. Fruité et dans la configuration du millésime.

⊶ Henri Prudhon et Fils, 32, rue des Perrières, 21190 Saint-Aubin, tél. 03.80.21.36.70, fax 03.80.21.91.55, e-mail henri-prudhon@wanadoo.fr ☑ Y ⽊ r.-v.

DOM. ROUX PÈRE ET FILS
Les Murgers des Dents de Chien 2005 **

1er cru | 0,16 ha | 900 | 15 à 23 €

Coup de cœur dans les éditions 2005 et 2000, la famille Roux (36 ha) est à son aise chez elle à Saint-Aubin. La distinction suprême lui échappe cette année, mais ce Murgers des Dents de Chien, vineux, moelleux et souple, fut sur les rangs. Un or délicat dans le verre ; du pain grillé au nez, fondu dans la fleur blanche ; un vin dont on loue le gras et dont on apprécie la petite amertume en finale, signe d'un avenir prometteur. Un à deux ans, c'est un minimum. Propriété de Régis Roux, le **Domaine de Vallière Les Cortons 1er cru blanc 2005** est cité.

⊶ Dom. Roux Père et Fils, 21190 Saint-Aubin, tél. 03.80.21.32.92, fax 03.80.21.35.00, e-mail roux.pere.et.fils@wanadoo.fr ☑ Y ⽊ r.-v.

DOM. GÉRARD THOMAS ET FILLES
Murgers des Dents de Chien 2005 *

1er cru | 1,82 ha | 11 700 | 11 à 15 €

Anne-Sophie et Isabelle aux côtés de leur père. Pour comprendre le nom de ce 1er cru : un *murger* est un tas de cailloux accumulés au fil des siècles ; les Dents de Chien, des parcelles allongées. Ajoutons que Puligny, le montrachet sont à portée de voix... Nez fin mais assez riche (floral, mentholé, vanillé). Bonne fraîcheur, du fruit. Attendre un peu sa complète ouverture. Le **saint-aubin 1er cru blanc 2005** est cité.

⊶ Gérard Thomas, 6, rue des Perrières, 21190 Saint-Aubin, tél. 03.80.21.32.57, fax 03.80.21.36.51 ☑ Y ⽊ r.-v.

BOURGOGNE

Santenay

Dominé par la montagne des Trois-Croix, le village de Santenay est devenu, grâce à sa « fontaine salée » aux eaux les plus lithinées d'Europe, une ville d'eau réputée... C'est donc un village polyvalent, puisque son terroir produit également d'excellents vins rouges. Les Gravières, la Comme, Beauregard en sont les crus les plus connus. Comme à Chassagne, le vignoble présente la particularité d'être souvent conduit en cordon de Royat, élément qualitatif non négligeable. Enfin, les deux appellations chassagne et santenay débordent légèrement sur la commune de Remigny, en Saône-et-Loire, où l'on trouve aussi les appellations cheilly, sampigny et dezize-lès-maranges, maintenant regroupées sous l'appellation maranges. L'AOC santenay a produit 2 090 hl de vin blanc et 11 512 hl de vin rouge en 2006.

ABBAYE DE SANTENAY Sous la Roche 2005 ★

0,42 ha 1 500 11 à 15 €

Michel Clair et Fille : ce nom eût été inconcevable jadis. Heureuse évolution, d'autant que Anne, à la barre, a visiblement son brevet de capitaine au long cours. Sous la Roche domine la situation, du haut des courbes de niveau, par-dessus Beaurepaire et Maladière. D'où ce chardonnay très clair au nez de coing abricoté à l'aération. Franc en entrée de bouche, vif, miellé, il n'est pas encore à l'heure du gras, mais il prend la bonne direction. Le **1er cru Gravières rouge 2005** est cité.

Michel Clair et Fille, 2, rue de Lavau,
21590 Santenay, tél. 03.80.20.62.55, fax 03.80.20.65.37,
e-mail domaine.michel.clair@wanadoo.fr r.-v.

DOM. BACHELET 2004

2,5 ha 9 000 11 à 15 €

Texture et structure, réglisse, tout glisse... Encore sur sa réserve, ce 2004 en est aux œufs en meurette avant d'aborder le plat de résistance. La robe est intense pour le millésime, le nez délicat et bien intentionné. Un potentiel à confirmer dans deux à trois ans.

Dom. B. Bachelet et Fils, rue des Maranges,
71150 Dezize-lès-Maranges, tél. 03.85.91.16.11,
fax 03.85.91.16.48, e-mail bacheletbetfils@wanadoo.fr
r.-v.

DOM. MARC BOUTHENET Clos Rousseau 2005 ★

1er cru 0,26 ha 1 500 8 à 11 €

« Tout à fait découvert et parfaitement exposé, le vignoble de Santenay est, de plus, un de ceux où la culture est faite avec le plus de soins », notait déjà le Dr Jules Lavalle dans son fameux livre paru en 1855 et constamment réédité. Voici en effet du bon travail pour les amateurs d'arômes très mûrs (petits fruits à l'eau-de-vie). Pourpre grenat assez profond, bien ouvert, souple puis gras et tannique, ce vin pourra participer d'ici deux ans à la course à l'échalote avec une viande rouge.

Dom. Marc Bouthenet,
11, rue Saint-Louis, Mercey,
71150 Cheilly-lès-Maranges, tél. 03.85.91.16.51,
fax 03.85.91.13.52 r.-v.

DOM. DE LA BUISSIÈRE Beaurepaire 2004 ★

1er cru 0,92 ha 2 500 11 à 15 €

David Moreau dirige depuis 2004 (ce millésime justement) l'exploitation fondée par Simone et Jean Moreau en 1958. Le **Clos Rousseau 2004 rouge** obtient une citation car il s'exprime volontiers (réglisse, sous-bois), mais il doit attendre un an. Quant à celui-ci, coup de cœur l'an passé, il vous séduira par son nez intense (pâte de fruits, vanille, réglisse) et sa matière souple, fine et équilibrée. « On se fait plaisir », note un dégustateur. Et le plaisir sera encore plus grand dans trois ans.

Jean Moreau, 4, rue de la Buissière,
21590 Santenay, tél. 03.80.20.61.79, fax 03.80.20.64.76,
e-mail moreau.jean@laposte.net r.-v.

DOM. CAILLOT 2004 ★★

1 ha 7 700 8 à 11 €

Comme on dit en Bourgogne, où l'on a le sens de la litote, ce domaine n'est pas dépourvu. Bâtard-Montrachet, Pucelles et Folatières sur Puligny, on aimerait y trouver jeune fille à épouser. Mais ce n'est pas l'affaire qui nous occupe... Paille brillant, cristallin à reflets verts, voici un chardonnay au bouquet printanier. Ample, légèrement suave avec une pointe de vivacité, finement boisé, ce 2004 blanc joue la carte de l'élégance racée. Profitez-en sans attendre.

Dom. Michel Caillot, 14, rue du Cromin,
21190 Meursault, tél. et fax 03.80.21.69.58,
e-mail earl.caillot@terre-net.fr r.-v.

DOM. CAPUANO-FERRERI ET FILS Comme 2005 ★

1er cru n.c. n.c. 11 à 15 €

La Comme, au terrain caillouteux, s'épanouit côté Chassagne à flanc de coteau. Les amoureux du ballon rond seront heureux de savoir que Jean-Marc Ferreri (Auxerre, Bordeaux, Marseille, plus de trente sélections en équipe de France) figure ici sur la feuille de match. Revêtu d'un maillot rouge grenat, affichant épices (dix-huit mois de stage de perfectionnement en fût) et cassis, ce vin est concentré, corsé, généreux, excellent milieu de terrain, même si on ne lui fait pas jouer les prolongations. Le **1er cru Gravières 2005 rouge** est du même niveau.

Dom. Capuano-Ferreri et Fils,
1, rue de la Croix-Sorine, 21590 Santenay,
tél. 03.80.20.64.12, fax 03.80.20.65.75,
e-mail john.capuano@wanadoo.fr r.-v.

DOM. MARGUERITE CARILLON 2005

1 ha 6 000 11 à 15 €

L'impression première est la meilleure. Robe d'été, rouge léger, un peu transparente. Bouquet garni où l'on sent la fleur (rose, violette, à votre bon goût !) et la groseille. Souple et soyeuse, la bouche évolue sur le fruit mûr et une sensation chaleureuse. Honorable *village*.

Dom. Marguerite Carillon, 7, rte de Monthélie,
21190 Meursault, tél. 03.80.21.22.45, fax 03.80.21.28.05

CH. DE LA CHARRIÈRE La Maladière 2004 ★

1er cru 1,25 ha 5 060 11 à 15 €

De la nymphe des eaux au dieu du vin... Si Santenay bénéficie de sources renommées, le pinot noir et le chardonnay ont pris aujourd'hui l'avantage. De cette vocation, il subsiste toutefois le... casino. Yves Girardin mise ici sur le rouge, et le sort (ajouté à d'autres qualités,

bien sûr) ne lui est pas défavorable. Rubis pur, fruits frais, fin et rond avec une petite sensation grillée, un 2004 d'une nature féminine, à boire ou à attendre un peu, sachant qu'il aimera la crème et les champignons.
Dom. Yves Girardin, Ch. de La Charrière, 21590 Santenay, tél. 03.80.20.64.36, fax 03.80.20.66.32
r.-v.

DOM. CHEVROT 2005

1er cru	0,82 ha	2 680	**11 à 15 €**

Robe grenat pourpre, notes de cassis, tanins de bonne compagnie, retour d'arômes sur le fruit déjà cité ; rustique sans que le mot puisse choquer, ce vin n'a pas mauvais caractère mais besoin de s'assouplir. L'orage du 17 juillet 2005 a laissé ici encore des souvenirs, mais le tri a permis de récupérer les raisins restés sains.
Dom. Chevrot et Fils, 19, rte de Couches, 71150 Cheilly-lès-Maranges, tél. 03.85.91.10.55, fax 03.85.91.13.24, e-mail contact@chevrot.fr
r.-v.

FRANÇOISE ET DENIS CLAIR
Clos Genet 2005 ★★

	1,3 ha	6 000	11 à 15 €

FRANÇOISE & DENIS
CLAIR
SANTENAY
CLOS GENET
APPELLATION SANTENAY CONTRÔLÉE
Mis en bouteille au Domaine
750 ml
13%vol.

Ce Clos Genet rouge reçoit le coup de cœur après l'avoir déjà obtenu pour les millésimes 2000 et 1999. Couleur... bordeaux, très présent dès le premier nez (fruits mûrs, vanillé dû à l'année passée en fût), ce 2005 effectue au palais un « sans faute » : attaque souple, rondeur, équilibre, tout est là. Un plaisir qu'on peut s'offrir dès maintenant. À découvrir également au domaine, le **Clos de La Comme 1er cru rouge 2005 (15 à 23 €)**, qui obtient une citation.
Françoise et Denis Clair, 14, rue de la Chapelle, 21590 Santenay, tél. 03.80.20.61.96, fax 03.80.20.65.19
r.-v.

CH. DE LA CRÉE Beauregard 2005 ★★

1er cru	0,26 ha	600	15 à 23 €

Acquis en 2004 par M. Ryhiner, le château de La Crée a deux vocations : l'accueil (séminaires, mariages) ainsi que le vin, sur 7,20 ha et une large palette d'appellations de Pommard aux Maranges. Ce Beauregard flirte avec le coup de cœur. Si sa robe pâle manque un peu de brillance, son bouquet n'en finit pas de séduire grâce à un beurré citronné agréable et complexe. En bouche, on adore. Un rien de vivacité ne nuit pas au confort. Long retour aromatique. Le **Clos Faubard 1er cru rouge 2004** obtient une citation. On s'inscrirait volontiers à un séminaire ici... s'il se passe dans la cave.
SARL Ch. de La Crée, 11, rue Gaudin, 21590 Santenay, tél. 03.80.20.63.36, fax 03.80.20.65.27, e-mail la.cree@orange.fr r.-v.

DOM. CYROT-BUTHIAU Clos Rousseau 2005 ★★

1er cru	0,42 ha	2 000	11 à 15 €

Le coup de cœur, c'est un peu comme la coupe de France. Quand on parvient en finale (c'est ici le cas), on peut dire : « Mission accomplie ! ». Robe de gala. On pense à Arletty chantant ses *Deux sous de violette*, mais le cassis est là pour supplanter l'accent parisien et le rendre bourguignon. Puissant, gourmand, il plaît et pour pas mal de temps encore. Son atout ? Ce fin travail de dentellière sur la texture.
Dom. Cyrot-Buthiau, 15, rte d'Autun, 21630 Pommard, tél. 03.80.22.06.56, fax 03.80.24.00.86, e-mail cyrot.buthiau@wanadoo.fr
r.-v.

BOURGOGNE

DOM. DEMANGEOT 2005

	0,28 ha	1 355	**11 à 15 €**

Confinée jadis dans le parchemin à bords roulés et la gothique laborieuse, l'étiquette bourguignonne devient très design sans perdre de vue la sobriété. Témoin celle-ci, très raffinée. De Change à Santenay, il n'y a qu'un pas. Profitez du gîte communal, visitez les caves et les sites. Et découvrez ce chardonnay vif comme un lièvre qu'on voit courir dans les vignes. Robe paille clair ; nez franc sur les agrumes ; un peu de longueur mais une aimable présence. Le **santenay rouge 2005** obtient la même note.
Dom. Demangeot, rue de Santenay, 21340 Change, tél. 03.85.91.11.10, fax 03.85.91.16.83, e-mail contact@demangeot.fr r.-v.

DOM. GUY DUFOULEUR Clos Genêts 2005 ★

	1,51 ha	8 700	**15 à 23 €**

Guy et Xavier Dufouleur ont créé ce domaine il y a un peu plus de quarante ans, mais leur famille possède des vignes à Nuits depuis au moins quatre siècles. Intense à l'œil, leur Clos Genêts est un vin « masculin », comme on dit, à carafer, puissant et très dense en bouche. Structure bien composée, offrant des perspectives.
Dom. Guy Dufouleur, 19, pl. Monge, 21700 Nuits-Saint-Georges, tél. et fax 03.80.62.31.00, e-mail gaelle.dufouleur@wanadoo.fr
r.-v. 5

GUY FONTAINE ET JACKY VION
Vieilles Vignes 2004 ★

	0,5 ha	1 500	8 à 11 €

Ce n'est pas le chanoine Kir dont on se souvient ici, mais de Don Camillo, le vrai, qui exerça longtemps son ministère à Montceau-les-Mines et venait rendre visite à la famille. Mais revenons au sujet ! Rouge cerise, riche en arômes presque surmûris (petits fruits), ce 2004 envahit la bouche d'un gras distingué. Patientez encore deux ans, vous n'en aurez que plus de plaisir.
GAEC des Vignerons, rue du Bourg, 71150 Remigny, tél. et fax 03.85.87.03.35 r.-v.
G. Fontaine et J. Vion

DOM. VINCENT GIRARDIN
La Maladière 2005 ★

1er cru	1 ha	6 000	**15 à 23 €**

La Maladière penche vers le sud. Reçoit-elle pour autant davantage de soleil ? Certains vont jusqu'à le penser. Ce vin en tout cas est bien ensoleillé. Grenat tirant sur le noir, sa trame colorante apparaît serrée. Fruits noirs (mûre, cassis) et moka (seize mois d'élevage en fût) font équipe au nez. Une chair expressive vient au service de

l'attaque. Bon volume et solide équilibre, encadrés par des tanins fermes et vigilants. Domaine abonné aux coups de cœur.
Vincent Girardin, ZA Les Champs-Lins, 21190 Meursault, tél. 03.80.20.81.00, fax 03.80.20.81.10, e-mail vincent.girardin@vincentgirardin.com

ANDRÉ GOICHOT La Maladière 2005

■ 1er cru n.c. n.c. **15 à 23 €**

Cette Maladière, plus féminine que virile, tient toute sa place, honorablement, dans l'appellation. Pourpre dense et bien pesé, iris et fût discret, un pinot avec du fruit et, qui plus est, du tempérament. Équilibré, gras et long, ce qu'on appelle un joli vin.
SA André Goichot et Fils, av. Charles-de-Gaulle, 21200 Beaune, tél. 03.80.25.91.30, fax 03.80.25.91.34, e-mail infos@goichotsa.com

DOM. DES HAUTES CORNIÈRES Saint-Jean 2004

0,36 ha 3 500 **11 à 15 €**

Ah ! Saint-Jean... Saint-Jean-de-Narosse, le hameau de Santenay qui voit les choses de haut. Intéressante version d'un cru qui a ses particularités. Ce vin se dessine étroit et fin comme un poisson de rivière. Robe paille doré, nez sur les fleurs et les fruits jaunes. Simple et bien dans son appellation.
Ph. Chapelle et Fils, Dom. des Hautes Cornières, 21590 Santenay, tél. 03.80.20.60.09, fax 03.80.20.61.01, e-mail contact@domainechapelle.com
t.l.j. sf dim. 9h-12h 14h-17h

HERVÉ DE LAVOREILLE Clos du Haut Village 2005

■ 0,8 ha 4 000 **11 à 15 €**

Pour blason, ce qui est original, une souche. Accompagnée sur l'étiquette et à bon droit par la devise de la famille : « La souche est bonne ». On n'écrira pas à l'Association de la Noblesse française pour le contester. C'est vrai ! Limpide, lumineux et framboisé, ce 2005 se montre vineux, élégant, avec encore une légère austérité qui invite à le garder un ou deux ans. Le **1er cru Clos des Gravières blanc 2005 (15 à 23 €)**, cité également, complètera le panier avec bonheur.
Hervé de Lavoreille, 10, rue de la Crée, 21590 Santenay, tél. 03.80.20.61.57, fax 03.80.20.66.03, e-mail delavoreille.herve@wanadoo.fr
r.-v.

RENÉ LEQUIN-COLIN Le Passe-Temps 2005

■ 1er cru 0,6 ha 1 500 **11 à 15 €**

Après avoir travaillé en famille (domaine Lequin-Roussot dont les racines plongent au milieu du XIXes.), René Lequin et son épouse Josette Colin ont pris leur indépendance en 1993. Ce Passe-Temps est fait, en effet, pour passer le temps. Quelques années sûrement. Robe profonde, griotte et réglisse, boisé attendu après seize mois en fût. De la matière, même si les tanins s'emparent du pouvoir. Mais, n'en doutons pas, ils reviendront sagement s'asseoir à la table des négociations. Un 2000 rouge fut coup de cœur.
René Lequin-Colin, 10, rue de Lavau, 21590 Santenay, tél. 03.80.20.66.71, fax 03.80.20.66.70, e-mail renelequin@aol.com r.-v.

CH. DE LA MALTROYE La Comme 2005 ★★

1er cru 0,92 ha 1 290 **23 à 30 €**

Le château de La Maltroye est une belle et vaste demeure bien visible dans le village. Domaine de 14,53 ha, plusieurs fois coup de cœur ces dernières années. Pour mémoire : André Cournut fut l'un des assez nombreux pilotes de ligne choisissant d'atterrir dans la Côte. La Comme est le *climat* de Santenay le plus proche de Chassagne-Montrachet. Il donne un blanc qui tient le haut du pavé. Beaucoup de couleur, de l'harmonie dans les arômes (beurre frais, agrumes, boisé sans excès) : un régal.
SCE Ch. de La Maltroye, 16, rue de la Murée, 21190 Chassagne-Montrachet, tél. 03.80.21.32.45, fax 03.80.21.34.54, e-mail chateau.maltroye@wanadoo.fr r.-v.
Cournut

LE MANOIR MURISALTIEN Beaurepaire 2005

1er cru n.c. 1 500 **15 à 23 €**

Marc Dumont n'est jamais à court d'idées. Outre le château de Messey en Mâconnais, il a racheté naguère le Manoir murisaltien (les habitants de Meursault sont des Murisaltiens !) le long du Clos du Mazeray. Viticulture, négoce (dont ce vin) et tourisme, quatre bras à l'ouvrage. Son Beaurepaire fait discrètement appel à la boîte de couleurs. L'aération révèle des notes de pêche mûre. Plus souple que vif, aromatique, il plaira dès maintenant.
Le Manoir Murisaltien, 4, rue du Clos-de-Mazeray, 21190 Meursault, tél. 03.80.21.21.83, fax 03.80.21.66.48, e-mail vin@demessey.com
r.-v.

MARINOT-VERDUN Beauregard 2005 ★

■ 1er cru n.c. n.c. 8 à 11 €

Patientez six mois seulement ou attendez encore trois ans, c'est selon votre envie. Le plaisir de ce Beauregard sera toujours à la clé. En couleur comme en fruit, ce vin est d'un rouge incroyable. Finale encore sur les tanins, mais la matière et le fruit répondent présents. Un 1er cru plaisant à un prix qui ne dépasse pas l'entendement. Une étoile également pour le **village 2005 rouge (5 à 8 €)**.
Marinot-Verdun, Mazenay, 71510 Saint-Sernin-du-Plain, tél. 03.85.49.67.19, fax 03.85.45.57.21 t.l.j. sf dim. 8h-12h 14h-18h

PROSPER MAUFOUX 2005

■ n.c. 4 500 **11 à 15 €**

Robert Fairchild et Thierry Prat se partagent la direction de Naudin-Varrault, des Caves des Moines et de Prosper Maufoux, affaire de négoce-éleveur fondée en 1860 à Santenay. Pivoine orné de belles larmes de gras sur la paroi du verre, ce *village* livre un nez aromatique de fruits rouges écrasés. Typé mais discret, correct en acidité, ferme en finale, il ressemble à ces enfants que l'on rêve de voir grandir.
Prosper Maufoux, Maison des Grands Crus, 1, pl. du Jet-d'Eau, 21590 Santenay, tél. 03.80.20.60.40, fax 03.80.20.63.26, e-mail prosper.maufoux@wanadoo.fr
t.l.j. 10h-12h 14h30-18h; de nov. à mars sur r.-v.

MESTRE PÈRE ET FILS Beaurepaire 2004 ★

1er cru 2,45 ha 7 000 11 à 15 €

Beaurepaire blanc, et l'on s'y repère aisément. Riche et complet, paille à reflets verts, jouant du miel, de la noisette, du café (six mois seulement en fût) et des notes de sous-bois, un vin étoffé et souple, bien dans sa peau et dans son appellation. Une bouteille à déboucher d'ici un à deux ans.

Mestre Père et Fils, 12, pl. du Jet-d'Eau, 21590 Santenay, tél. 03.80.20.60.11, fax 03.80.20.60.97, e-mail gilbert.mestre@wanadoo.fr t.l.j. 10h-13h 14h-18h

ANDRÉ MONTESSUY Beauregard 2004

■ 1er cru n.c. 4 546 15 à 23 €

Montessuy est une marque d'Antonin Rodet. Grenat intense à reflets doucement bleutés, ce Beauregard évoque-t-il l'ardoise ? Au nez en tout cas, il exprime un fruit rouge mûr des plus traditionnels. Extrait ? À coup sûr, si l'on en juge par cette charpente, ces tanins sûrs d'eux-mêmes et dominateurs. Un vin de garde.

André Montessuy, Grande-Rue, 71640 Mercurey, tél. 03.85.98.12.18, fax 01.57.67.15.99

LUCIEN MUZARD ET FILS

Clos des Mouches 2005 ★★★

■ 1er cru n.c. n.c. 15 à 23 €

Il y a plusieurs Clos des Mouches dans la Côte (on disait *moûches* pour les abeilles ou... les guêpes). Voici celui de Santenay, enfoncé comme un coin entre Beauregard et Passetemps. Très beau 1er cru, coup de cœur, produit par la petite maison de négoce Lucien Muzard (domaine par ailleurs). Achat de raisins, et on peut dire qu'on a eu ici la main heureuse ! Robe de soirée, fruits mûrs sur fines notes de boisé et une matière somptueuse, vineuse et équilibrée. Un vin déjà gourmand et qui a de belles années devant lui. Au domaine, demandez le **Clos Faubard 1er cru rouge 2004**, deux étoiles, ainsi que les **Vieilles Vignes Champs Claude rouge 2005 (11 à 15 €)**, une étoile.

SARL Lucien Muzard et Fils, 1, rue de la Chapelle, 21590 Santenay, tél. 03.80.20.61.85, fax 03.80.20.66.02, e-mail lucien-muzard-et-fils@wanadoo.fr r.-v.

DOM. CLAUDE NOUVEAU

Les Charmes Dessus 2005 ★

■ 0,9 ha 4 900 8 à 11 €

Les Charmes Dessus sont voisins du Petit Clos Rousseau, en direction de Cheilly-lès-Maranges. Ce producteur a reçu plusieurs coups de cœur durant les années 1990. Rouge foncé soutenu mais lumineux, un vrai vitrail caressé par le soleil. Nuances animales (cuir) qui vont évoluer favorablement et qui, dans l'immédiat, se dissipent dans le verre. Ce vin ne manque pas son entrée en bouche, disposant des aptitudes nécessaires à une garde en bouteille (deux à trois ans) après les passages en cuve et en fût.

Dom. Claude Nouveau, Marchezeuil, 21340 Change, tél. 03.85.91.13.34, fax 03.85.91.10.39, e-mail domaine@claudenouveau.com r.-v.

DOM. OLIVIER PÈRE ET FILS

Le Bievaux Perle de grêle 2005 ★

1,5 ha 5 000 11 à 15 €

Le Bievaux, pour le *climat*, et Perle de grêle, pour l'allusion climatique au terrible orage qui a détruit 70 % des raisins le 17 juillet 2005. Rachel et Antoine Olivier n'ont pas baissé les bras. Ce rescapé se porte d'ailleurs fort bien et, malgré une faible production, garde un prix courageux. Or vert, noisette grillée et fleurs blanches, il est frais et minéral, avec une longue finale aromatique. Vifs et d'heureuse constitution, **Les Charmes village rouge 2005** (une étoile également) sont sincères et durables.

Dom. Olivier, 5, rue Gaudin, 21590 Santenay, tél. 03.80.20.61.35, fax 03.80.20.64.82, e-mail domaineolivier@orange.fr r.-v.

DOM. PONSARD-CHEVALIER

Charmes Dessus 2005 ★★

■ 0,9 ha 4 000 8 à 11 €

L'attaque souple et fruitée, la matière puissante, l'œil et le nez de petits fruits rouges très « pinot », voici un *village* éblouissant, de première classe, aux alentours du coup de cœur. Et son prix... À vos marques ! **Les Daumelles village blanc 2004** obtiennent une citation : on se sait trop où se situe ce cru, mais on n'aura pas de mal à dénicher cette bouteille.

Michel Ponsard-Chevalier, 2, lieu-dit Les Tilles, 21590 Santenay, tél. 03.80.20.60.87, fax 03.80.20.61.10, e-mail michelponsard@aol.com r.-v.

DOM. PRIEUR-BRUNET

Maladière La Fleur de Maladière Cuvée Claude 2004 ★

■ 1er cru 5 ha n.c. 15 à 23 €

Une famille qui a beaucoup contribué à la vie de Santenay. Millésime 2004, l'année du bicentenaire de ce domaine ! Il s'agit donc d'un pinot émouvant. Cette Fleur de Maladière cerise rouge à reflets mauves possède de la réserve, du potentiel. Ses dix-huit mois en enveloppe de chêne sont présents mais raisonnables, dans un contexte réglissé et framboisé. Les tanins sont fins, la matière suffisante, la finale encore vive et réactive.

Dom. Prieur-Brunet, rue de Narosse, 21590 Santenay, tél. 03.80.20.60.56, fax 03.80.20.64.31, e-mail uny-prieur@prieur-santenay.com r.-v.

Dominique Prieur

DOM. SAINT-FRANÇOIS Vieilles Vignes 2005

■ 1,3 ha 6 000 11 à 15 €

François Lequin a repris une partie des vignes familiales en 1998 et s'est placé sous le patronage de saint François. Jeune vigneron, jeune domaine mais Vieilles Vignes. Limpide et brillant, ce vin démarre sur la violette puis s'établit sur le cassis. La visite de la bouche est aimable sur un goût de fruits mûrs. Une pointe d'amertume sur la fin suggère un repos de deux ans en cave.

Dom. Saint-François, 10, rue de Lavau, 21590 Santenay, tél. 03.80.20.66.71, fax 03.80.20.66.70, e-mail domsaintfrancois@aol.com

SORINE ET FILS Maladière 2005 ★

1er cru 0,13 ha 800 8 à 11 €

Œil ravissant pour cette Maladière blanche, mais il faut dire que les vignerons sont rarement en défaut sur ce plan. Citron-vanille-fleurs, le nez répond présent. Soyeux d'entrée en bouche, un vin sur le fruit mûr, faiblement acide, dont on peut profiter dès à présent. Le **Beaurepaire 1er cru rouge 2004**, cité, sera pour sa part à attendre au moins deux ans.

Sorine et Fils, 4, rue Petit, Le Haut-Village, 21590 Santenay, tél. 06.86.98.04.77, fax 03.80.20.61.65, e-mail christiansorine@club-internet.fr r.-v.

A.-MARIE ET J.-MARC VINCENT

Le Beaurepaire 2005 ★

1er cru 0,38 ha n.c. 11 à 15 €

Les quatorze mois en fût ne se font pas oublier dans ce vin. Sur un velours presque noir souligné d'un liseré violet, le cassis vient et revient à la charge. On n'est pas en Bourgogne pour rien ! Attaque parfaite sur une trame fruitée et savoureuse, bonne ampleur sans esbroufe : un 2005 un peu sophistiqué mais de belle allure. On ne s'en plaint pas.

Anne-Marie et Jean-Marc Vincent, 3, rue Sainte-Agathe, 21590 Santenay, tél. et fax 03.80.20.67.37, e-mail vincent.j-m@wanadoo.fr r.-v.

Maranges

Le vignoble des maranges, situé en Saône-et-Loire (Chailly, Dezize, Sampigny), bénéficie depuis 1989 d'un regroupement en une AOC unique, comportant six premiers crus. Il s'agit de vins rouges et blancs, les premiers ayant droit également à l'AOC côte-de-beaune-villages et étant naguère vendus ainsi. Fruités, ayant du corps et bien charpentés, ils peuvent vieillir de cinq à dix ans. En 2006, l'AOC maranges a produit 6 909 hl en vin rouge et 282 hl en blanc.

DOM. BACHELET

La Fussière Vieilles Vignes 2004 ★

1er cru 4 ha 12 000 8 à 11 €

Bachelet est un nom rencontré en Côte de Beaune et à la présidence du Chili (même famille). L'année 2004 n'a pas toujours été simple. Elle donne en cette bouteille le meilleur d'elle-même. Brillant, limpide, ce vin jette des éclats rubis. Frais, légèrement boisé, le nez persiste et va son chemin. En développement, dirait-on. Les tanins tiennent la dragée haute à la fraise ou à la framboise. Sans trop insister, mais le dialogue est fécond. Une expression intéressante du millésime, qu'on appréciera dans un à deux ans. Le 1994 avait obtenu un coup de cœur (édition 1998).

Dom. B. Bachelet et Fils, rue des Maranges, 71150 Dezize-lès-Maranges, tél. 03.85.91.16.11, fax 03.85.91.16.48, e-mail bacheletbetfils@wanadoo.fr r.-v.

DOM. JEAN-FRANÇOIS BOUTHENET

Sur le chêne Élevé en fût de chêne 2005 ★

0,37 ha 1 750 8 à 11 €

Issu de l'un des nombreux *climats* de Cheilly-lès-Maranges, un vin or jaune pâle, qui permet d'apprécier cette appellation en chardonnay. Son premier nez est nettement fruité, le second chante la noisette. Frais, le palais n'a pas le corps d'un hercule rencontré dans un cirque de passage, mais on aime ce côté friand. Cette bouteille n'a pas encore exprimé tout son potentiel : on peut l'attendre jusqu'à mi-2008.

Jean-François Bouthenet, 4, rue du Four, Mercey, 71150 Cheilly-lès-Maranges, tél. 03.85.91.14.29, fax 03.85.91.18.24 r.-v.

DOM. MARC BOUTHENET La Fussière 2005 ★★

1er cru 0,75 ha 3 000 8 à 11 €

Propriété dans la famille depuis plusieurs générations et qui pratique l'enherbement naturel maîtrisé. Bon vin, avec du caractère, méritant son rang de premier cru. Robe grenat à reflets bleutés si l'on y regarde bien, typée 2005. Mûr et fruité, le bouquet n'est pas économe de ses moyens. Charnu et plein, le corps assez chaleureux offre une sensation de richesse, d'équilibre et de finesse. Bonne suite en bouche.

Dom. Marc Bouthenet, 11, rue Saint-Louis, Mercey, 71150 Cheilly-lès-Maranges, tél. 03.85.91.16.51, fax 03.85.91.13.52 r.-v.

DOM. MAURICE CHARLEUX ET FILS

Vieilles Vignes 2005 ★★

0,7 ha 3 300 8 à 11 €

Maurice et Vincent Charleux exploitent une douzaine d'hectares, dont deux parcelles plantées en 1933 et 1937 par le grand-père. Un peu repiquées sans doute, elles justifient ici la mention « Vieilles Vignes ». Beau vin dans la lignée de remarquables millésimes précédents. Sous un violacé intense, il pointe le bout de son nez (confiture de fraises). Travaillé sur le fruit, discrètement vanillé en fin de bouche, il est diablement gourmand. On peut le servir dès maintenant ou l'attendre trois à cinq ans. Le jury a encore accordé une étoile au **1er cru La Fussière rouge 2005**, chaleureux et rond, et une citation à un **1er cru Le Clos des Rois rouge 2005** tout en finesse.

Maurice Charleux et Fils, Petite-Rue, 71150 Dezize-lès-Maranges, tél. 03.85.91.15.15, fax 03.85.91.11.81, e-mail domaine.charleux@wanadoo.fr r.-v.

CH. DE LA CHARRIÈRE Clos des Loyères 2004 ★

1er cru 0,74 ha 4 600 8 à 11 €

Sur Sampigny-lès-Maranges, ce 1er cru prolonge les Clos Roussots et le Clos des Rois. Un style très aérien pour ce maranges qui surprendra sans doute les amateurs de vins « mâcheux ». Il réjouira en revanche ceux qui préfèrent la fraîcheur presque minérale du fruit. Vermillon à disque net, correctement boisé, ce 2004 se livre en bouche à quelques confidences végétales. De la dentelle plutôt que du velours : une bouteille pour maintenant.

Dom. Yves Girardin, Ch. de La Charrière, 21590 Santenay, tél. 03.80.20.64.36, fax 03.80.20.66.32 r.-v.

DOM. DU CHÂTEAU DE MELIN

Clos des Rois 2005 ★

1er cru 1,5 ha 6 000 8 à 11 €

A. Derats, ingénieur BTP, a repris en 2003 le domaine familial qui comptait 16 ha après l'acquisition en 2000 du château de Melin à Auxey-Duresses. Aujourd'hui, fort de 20 ha, il propose un Clos des Rois très souple. Louis XVIII plutôt que Charles X. L'œil est franc et net : la robe du sacre ; le nez mi-cassis mi-végétal : en attente de succession. Sans être de droit divin, l'ensemble est assez royal au palais. Gourmand, un peu frivole, aimable, il fait bonne figure dans le cadre Renaissance du château Melin (1550). Il reste à juger son règne tout entier : rendez-vous en 2008. Le **1er cru Clos Roussots rouge 2004**, cité, peut déjà paraître à table.

Dom. Château de Melin, 21190 Auxey-Duresses, tél. 03.80.21.21.19, fax 03.80.21.21.72, e-mail derats@chateaudemelin.com
t.l.j. 10h-19h

DOM. CHEVROT ET FILS Sur le chêne 2005 *

3,3 ha 12 300 8 à 11 €

Paul et Henriette, Catherine et Fernand, Pablo et Kaori, toute la dynastie Chevrot depuis 1930. 17 ha de vignes, cultivées entièrement en bio depuis 2005. À côté, une affaire de négoce. Un habit moiré entre rouge et noir, un nez chaleureux aux accents de kirsch pour ce vin qui vous invite à la valse. Rond, parfait cavalier, des ailes de papillon. Il rompt de façon un peu brusque, peut-être dans la certitude que vous lui donnerez rendez-vous. Vous pouvez le faire patienter deux à trois ans.

Dom. Chevrot et Fils, 19, rte de Couches, 71150 Cheilly-lès-Maranges, tél. 03.85.91.10.55, fax 03.85.91.13.24, e-mail contact@chevrot.fr
r.-v.

DOM. DEMANGEOT 2005 **

0,54 ha 3 275 11 à 15 €

DOMAINE
DEMANGEOT
Maranges
APPELLATION MARANGES CONTRÔLÉE
VIN DE BOURGOGNE

Originaire de Sampigny-lès-Maranges, cette famille vigneronne ne s'est déplacée que de 4 km en quatre siècles... Et le père, Gabriel, a été baptisé par le futur chanoine Kir, alors curé de Nolay en 1926 ! Cela laisse des traces. Quel beau maranges dans son écrin rubis grenat ! Le nez embaume la mûre. La bouche est irréprochable, ample et structurée. Laissez à ce vin le temps de respirer un peu, ce qui permettra aux tanins de se fondre (deux à trois ans). À signaler, un gîte d'étape en face du domaine.

Dom. Demangeot, rue de Santenay, 21340 Change, tél. 03.85.91.11.10, fax 03.85.91.16.83, e-mail contact@demangeot.fr r.-v.

DOM. M.-C. DERATS-DUMAY
Clos des Rois 2004 **

1er cru n.c. 6 000 8 à 11 €

Il est typique du millésime et des maranges, ce Clos des Rois (1er cru sur Sampigny-lès-Maranges) ample et tannique. Le cassis tient la corde devant la groseille et une vanille toujours à l'affût (quatorze mois de fût). En dépit de son âge, ce vin reste très jeune d'esprit. La richesse du fruit persiste dans une bouche ample et tannique. Une bouteille de bonne compagnie.

Maison Paul Dumay, 17, rue Saint-Antoine, 71150 Sampigny-lès-Maranges, tél. 03.85.91.11.95, fax 03.85.91.16.74, e-mail deratz.dumay@cegetel.net
r.-v.

DUVERGEY-TABOUREAU
Les Clos Roussots 2004

1er cru n.c. 7 956 11 à 15 €

Maison fondée en 1868 par les époux Duvergey-Taboureau, léguée à Jacques Prieur en 1920 et reprise par Antonin Rodet en 1988. Nadine Gublin en cuverie et en cave, pour un Clos Roussots rouge sombre dont le bouquet floral commence à peine à s'ouvrir. L'attaque est fraîche et agréable, la suite plus marquée par les tanins mais toujours harmonieuse. À attendre deux ou trois ans.

Duvergey-Taboureau, 6, rue des Santenots, 21190 Meursault, tél. 03.85.98.12.18, fax 01.57.67.15.99, e-mail contact_duvergey@duvergey.com

DOM. EDMOND MONNOT ET FILS
Le Clos des Rois 2004 **

1er cru 0,28 ha 1 170 11 à 15 €

Domaine créé par les frères André et Paul Monnot, repris en partie par Edmond et où le fils Stéphane est arrivé en 2000. Près de 15 ha. Une bouteille à déboucher sur une bonne viande rouge rôtie au retour d'une excursion sur la montagne des Trois-Croix, d'où l'on découvre un vaste point de vue sur la région et au-delà du vignoble, sur les Alpes. D'un rouge ferme à disque pur, s'ouvrant discrètement sur la griotte, un 2004 à garder encore un peu (un an ou deux). Élégance, caractère, relief : tout est présent.

Dom. Edmond Monnot et Fils, rue de Borgy, 71150 Dezize-lès-Maranges, tél. 03.85.91.16.12, fax 03.85.91.15.99, e-mail domaine.monnotetfils@free.fr r.-v.

DOM. MONT-ROME 2005 *

0,7 ha 3 300 8 à 11 €

Caroline Ruelle a repris l'exploitation de l'ancienne abbaye de Saint-Sernin-du-Plain, en Saône-et-Loire. Le mont Rome ? Il culmine à 545 m d'altitude, dominant le paysage, et porte des vignes sur ses pentes. Quant à ce vin, il plane sur son petit nuage. Sa robe est intense, son nez frais de cassis se nuance de gibier. Ses tanins réglissés ont besoin de se fondre, mais on ne trouve aucune agressivité dans cette bouteille. Plutôt une générosité spontanée. Bref, un très bon *village*, à attendre au moins un an, et jusqu'à cinq ans.

Caroline Ruelle, pl. des Platanes, 71150 Paris-l'Hôpital, tél. 03.85.91.10.76, e-mail caroline.ruelle@club-internet.fr r.-v.

DOM. PAGNOTTA La Fussière 2005 **

1er cru 2 ha 8 000 11 à 15 €

Un début d'exploitation en rully dans les années 1970, puis une diversification en mercurey, bouzeron et maranges. On trouve ici tout ce que l'on attend de l'appellation. Robe noire aux nuances violines. Très bon nez, en équilibre entre le fruit frais et le fruit mûr. Plénitude au palais, et pourtant, on le croit encore fermé. Quand il s'éveillera... À coup sûr, le bon choix.

🔑 Dom. Rocco Pagnotta, 1, rue de Chaudenay, 71150 Chagny, tél. 03.85.87.22.08, fax 03.85.87.03.22, e-mail domaine.pagnotta@wanadoo.fr ☑ 🍷 🚶 r.-v.

DOM. PERRAULT ET FILS

Le Clos des Rois 2004 ★★

■ 1er cru 1,25 ha 4 500 ⅢⅠ 8 à 11 €

Domaine créé en 1947 par Joseph, bouilleur de cru, développé par Christian, puis par Nicolas, installé depuis dix ans. Le coup de cœur n'est pas tombé bien loin. Excellent Clos des Rois, même si cette vigne n'a rien de monarchique : Royes (sur Gevrey également) signifie en patois une rangée de paisseaux. Paisseaux ? Les piquets d'acacia qui soutenaient la vigne préphylloxérique. Un 1er cru d'excellent niveau, tannique dès le coup d'œil à sa robe profonde et intense, rustique au bon sens du terme. Il « terroite », dirait-on à la ville. Mûr et structuré, gras, avec un fruit en attente. On le laissera au moins trois ans en cave, et on débouchera maintenant le **1er cru Le Clos des Loyères rouge 2004** bien dans son millésime (une étoile).

🔑 Christian Perrault, rue de l'École, 71150 Dezize-lès-Maranges, tél. 03.85.91.15.83, fax 03.85.91.13.58 ☑ 🍷 🚶 r.-v.

DOM. PONSARD-CHEVALIER

Clos des Rois 2005 ★★

■ 1er cru 0,34 ha 1 500 ⅢⅠ 8 à 11 €

Henri Vincenot aimait beaucoup les Maranges, où vivait sa belle-famille. Ce vignoble apparaît à plusieurs reprises dans ses romans. Et face à ce 1er cru aux parfums de cassis, comment ne pas penser aux personnages de cet écrivain : savoureux, hauts en couleur, vifs et solides ? Une bouteille déjà plaisante et faite pour durer. Moins flatteur, encore fermé, le **1er cru La Fussière rouge 2005** est cité pour son potentiel. Domaine coup de cœur en Clos Roussot 2003 (édition 2006).

🔑 Michel Ponsard-Chevalier, 2, lieu-dit Les Tilles, 21590 Santenay, tél. 03.80.20.60.87, fax 03.80.20.61.10, e-mail michelponsard@aol.com ☑ 🍷 🚶 r.-v.

BERNARD REGNAUDOT

Le Clos des Rois 2005 ★★

■ 1er cru 1 ha 5 000 ⅢⅠ 8 à 11 €

Finaliste du coup de cœur, Bernard Regnaudot a obtenu cette distinction pour ce même Clos des Rois dans les millésimes 2002 et 2000 (éditions 2005 et 2003). Son 2005 est de la même veine. « Ce vin intense et qui donne de l'émotion », lit-on sur une fiche. Le bouquet épicé, aux fragrances poivrées rappelant la pivoine, s'accorde à une bouche volubile, veloutée et longue, riche d'une mâche distinguée et dotée d'un gras copieux. Un autre de nos dégustateurs inspirés compare cette bouteille à « un dialogue d'Audiard dans un film de Louis Malle ». Jolie formule bien évocatrice. Le **1er cru Le Clos des Loyères rouge 2005** reçoit une étoile.

🔑 Bernard Regnaudot, rte de Nolay, 71150 Dezize-lès-Maranges, tél. et fax 03.85.91.14.90 ☑ 🍷 r.-v.

JEAN-CLAUDE REGNAUDOT ET FILS

La Fussière 2005

■ 1er cru 1 ha 3 000 ⅢⅠ 8 à 11 €

Produit par un domaine de 8,5 ha, un 1er cru à la robe impressionnante, d'un noir violacé intense et profond. On ne perd cependant pas le sens de l'orientation grâce à des senteurs confiturées qui guident vers un corps chaud et tannique, aux arômes de bourgeon de cassis. Un ensemble prometteur. Le millésime 1994 de ce même 1er cru avait obtenu un coup de cœur (édition 1997).

🔑 Jean-Claude Regnaudot et Fils, Grande-Rue, 71150 Dezize-lès-Maranges, tél. 03.85.91.15.95, fax 03.85.91.16.45 ☑ 🍷 r.-v.

MICHEL SARRAZIN ET FILS

Côte-de-Beaune 2005 ★★

■ 1,7 ha 9 500 ⅢⅠ 8 à 11 €

À la bonne vôtre ! semble nous dire ce maranges qui n'oublie pas de rappeler qu'il appartient à la Côte de Beaune. Ce qui est vrai. Seules les limites départementales quelque peu arbitraires, décidées à la Révolution, ont séparé les Maranges (en Saône-et-Loire) et Santenay (en Côte-d'Or). Rouge comme il n'est pas permis, un 2005 au nez de chair et de noyau de cerise. Un vin puissant et opulent, qui garde un bel équilibre tout au long de la dégustation et laisse une impression de distinction. La finale encore ferme suggère de laisser trois à cinq ans en cave cette bouteille que l'on a rencontrée en finale du coup de cœur. (Distinction obtenue en 2000 pour son 1997).

🔑 Dom. Michel Sarrazin et Fils, Charnailles, 71640 Jambles, tél. 03.85.44.30.57, fax 03.85.44.31.22, e-mail sarrazin2@wanadoo.fr ☑ 🍷 🚶 t.l.j. 9h-19h; dim. 9h-12h 🏠 B

Côte-de-beaune-villages

À ne pas confondre avec l'appellation côte-de-nuits-villages qui possède une aire de production particulière, l'appellation côte-de-beaune-villages n'est en elle-même pas délimitée. C'est une appellation de substitution pour tous les vins rouges des appellations communales de la Côte de Beaune, à l'exception des beaune, aloxe-corton, pommard et volnay. L'AOC a produit 369 hl de rouge en 2006.

BOUCHARD PÈRE ET FILS 2005

■ n.c. n.c. ⅢⅠ **11 à 15 €**

Ce rouge est si noir qu'il en paraît nocturne. Fermé comme l'horizon d'une nuit sans lune. Du corps, il y en a. Encore ferme sous la langue, il devra longuement s'assouplir dans l'obscurité d'une bonne cave.

🔑 Bouchard Père et Fils, Ch. de Beaune, 21200 Beaune, tél. 03.80.24.80.24, fax 03.80.22.55.88, e-mail france@bouchard-pereetfils.com 🍷 🚶 r.-v.

🔑 Famille Henriot

LABOURÉ-ROI Mythical Cashmere 2005

■ 4,15 ha 25 000 ⅢⅠ **8 à 11 €**

Mythical Cashmere ? Nous voici introduits dans un étrange *climat*... Le vin a de la couleur aux joues et le nez méditatif. Sa bouche est assez complète mais fermée. Ce 2005 n'a qu'un vœu aux lèvres : vieillir... Destiné à un très vieux colonel britannique de l'Armée des Indes dans son club à Londres.

🔑 Labouré-Roi, rue Lavoisier, BP 14, 21700 Nuits-Saint-Georges, tél. 03.80.62.64.00, fax 03.80.62.64.10, e-mail contact@laboure-roi.com

🔑 Cottin Frères

La Côte chalonnaise

Bourgogne-côte-chalonnaise

Située entre Chagny et Saint-Gengoux-le-National (Saône-et-Loire), la Côte chalonnaise possède une identité reconnue à juste titre. Née le 27 février 1990, l'AOC bourgogne-côte-chalonnaise a donné 17 303 hl en rouge et 6 097 hl en blanc en 2006. Selon la méthode appliquée déjà dans les Hautes-Côtes, un agrément résultant d'une seconde dégustation complète la dégustation obligatoire qui a lieu partout.

JEAN-PIERRE BERTHENET 2005

■ 1,25 ha 6 000 5 à 8 €

Si elle est née en 1990, l'appellation bourgogne-côte-chalonnaise a mis du temps pour se faire un nom. « Côtes-chalonnaises » selon le tribunal de Chalon en 1923. Sans suite. On pense à « côte-de-mercurey ». Échec. Enfin un dossier bien ficelé fut accepté. Non sans raison : voyez ce 2005, il a le caractère attendu ici. Une bien belle robe rubis brillant. Un rien d'évolution peut-être, mais dans une atmosphère de kirsch et de noyau de cerise qui vous emporte jusqu'à la finale. À servir dans les trois ans.

Dom. Jean-Pierre Berthenet, Le Bourg, 71390 Montagny-lès-Buxy, tél. 03.85.92.17.06, fax 03.85.92.06.98, e-mail domaine.berthenet@free.fr
r.-v.

CAVE DE BISSEY 2005 ★

□ 6,48 ha 7 000 3 à 5 €

On a souvent pensé que l'avenir de cette appellation la portait vers le rouge. Le chardonnay de la coopérative de Bissey-sous-Cruchaud (du côté de Buxy) montre que le blanc n'est pas mal placé lui non plus. Or pâle, ce 2005 mitonne un bouquet de muguet et de chèvrefeuille qui vous emporte au mois de mai. Minéral et fin, un peu vif sans doute, il est à boire dans la beauté de sa jeunesse. Prix intéressant. Sensiblement moins cher que la douzaine d'huîtres achetées pour lui. Le **rouge Cuvée Fût 2005 (5 à 8 €)** de la cave, honnête mais tannique, est cité. À déboucher dans un an ou deux.

Cave de Vignerons de Bissey, Les Millerands, 71390 Bissey-sous-Cruchaud, tél. 03.85.92.12.16, fax 03.85.92.08.71, e-mail cave.bissey@wanadoo.fr
r.-v.

CLOS DE L'ÉVÊCHÉ 2005 ★★

■ 1 ha 6 000 5 à 8 €

Un rouge bien pur, comme le sang qui nous fait vivre ; au nez, le cassis et la mûre soutenus par l'alcool ; voilà un ensemble homogène qui reflète bien l'appellation en rouge. Un soupçon de structure tannique pour l'harmonie, et celui que l'on n'attendait plus arrive sur la scène au dernier acte : le fruit ! Gourmand et de garde (deux ans). Une citation pour le **Domaine de l'Évêché rouge 2005**, bien structuré, fermé, à attendre lui aussi.

EARL Vincent Joussier, Dom. de L'Évêché, 71640 Saint-Denis-de-Vaux, tél. 03.85.44.30.43, fax 03.85.44.53.61, e-mail domainejoussiervincent@cegetel.net
t.l.j. 8h-20h; dim. sur r.-v.; f. 15-25 août

CAVE DE GENOUILLY 2005

□ 4 ha 20 000 3 à 5 €

La cave coopérative de Genouilly (canton de Mont-Saint-Vincent, 102 ha de vignes) signe ce chardonnay or clair limpide. Son nez chardonne bien et rappelle Shakespeare. Oui ! Quand le poète écrit que l'aubépine est préférable à un riche dais brodé... Arômes de fleurs blanches en effet. Franc, chaleureux, ce vin se tire très honorablement du parcours en bouche. Vous pourrez le vérifier dès l'automne. Une citation encore pour le **rouge 2005**, équilibré et fin.

Cave des vignerons de Genouilly, allée du 19-Mars-1962, 71460 Genouilly, tél. 03.85.49.23.72, fax 03.85.49.23.58, e-mail vigneronsgenouilly@wanadoo.fr
t.l.j. sf dim. 8h-12h 14h-18h

DOM. MICHEL GOUBARD ET FILS Mont-Avril 2005

■ 7 ha 50 000 5 à 8 €

En signalant l'excellence du vin de Mont-Avril à la fin du XVIII[e]s., l'abbé Courtépée pouvait-il imaginer que deux cents ans plus tard, son portrait figurerait sur une étiquette de ce vin ? Grenat foncé, discrètement fruité, ce 2005 demeure réservé en bouche. Enrobé de tanins déjà lisses et polis, il inspire toutefois confiance. Il devrait normalement s'épanouir d'ici un à deux ans. Si vous passez par Saint-Désert, dites bien « Saint-d'Sert ».

Dom. Michel Goubard et Fils, Bassevelle, 71390 Saint-Désert, tél. 03.85.47.91.06, fax 03.85.47.98.12, e-mail earl.goubard@wanadoo.fr
t.l.j. 8h-12h 14h-19h

DOM. GOUFFIER Clos de Petite Combe 2005

■ 3 ha 3 000 5 à 8 €

Depuis cinq générations, la propriété a toujours été transmise par les femmes. D'un rouge franc d'intensité correcte, le nez vineux assorti de petits fruits, ce 2005 possède ce qu'il faut de vivacité sans manifester d'agressivité tannique. Pas mal du tout, typique de la Côte chalonnaise et d'un cassis agréable. À servir maintenant pour profiter de son fruit.

Dom. Gouffier, 11, Grande-Rue, 71150 Fontaines, tél. 03.85.91.49.66, fax 03.85.91.46.98, e-mail jerome.gouffier@cegetel.net r.-v.

DOM. DES JONLAIS 2005 *

■ 0,62 ha 4 300 ▮ 3 à 5 €

Le domaine s'attache depuis peu au mercurey et au givry. Troisième génération féminine à sa tête et voyez-vous cela : les fiches de dégustation parlent d'un vin... féminin. C'est-à-dire élégant, délicat, souple. Jaune clair, doré très léger, nez modéré mais frais. Moins de 5 ha pour l'ensemble de la propriété : c'est dire que l'on y fait du cousu main.

EARL Dom. des Jonlais, rue du 19-Mars-1962, 71640 Mellecey, tél. 06.87.66.51.46, fax 03.85.45.10.33, e-mail domaine.des.jonlais@wanadoo.fr
t.l.j. sf dim. 8h-12h 13h-19h
Rabasté

DOM. LE MEIX DE LA CROIX 2005 *

■ 4,5 ha 8 000 5 à 8 €

Jadis les rouges de la Côte chalonnaise étaient souvent vendus comme vins de la Côte de Beaune, et les blancs comme chablis... On se réjouit de les voir maintenant sous leur propre pavillon. Ce pinot noir grenat violacé présente un bouquet concentré et fruité, un peu fermé. Ses dix-huit mois passés en fût ne passent pas inaperçus en bouche : le pain grillé laisse peu de place au fruit. La matière est là, le potentiel aussi (un à deux ans de cave recommandés). Domaine de 8 ha, dont la moitié pour ce vin.

Fabienne et Pierre Saint-Arroman, Le Bourg, 71640 Saint-Denis-de-Vaux, tél. 03.85.44.34.33, fax 03.85.44.59.86 r.-v.

DOM. NOÉPIERRE Le Dit Fût 2005 *

■ 1 ha 1 100 5 à 8 €

Noémie et Pierrick, les enfants de la maison : voilà expliqué le nom du domaine. Pourpre sombre à l'œil, cerise confite et gelée de cassis au bouquet, ce pinot noir jeune a besoin d'un petit séjour en cave afin de se mettre en valeur et arrondir quelques angles. Mettez-le deux à trois ans à l'ombre.

Dom. Noépierre, rue du 19-Mars-1962, 71640 Mellecey, tél. et fax 03.85.44.41.68 r.-v.

DOM. DES PIERRES BLANCHES 2005

■ 1,62 ha 12 000 8 à 11 €

La coopérative de Buxy mérite la visite. Construite en 1984, sa cave à fûts rend hommage à l'architecture romane et peut contenir mille deux cents pièces et dix-sept foudres. Certaines cuvées sont personnalisées, comme celle-ci. Robe carmin violacé, bouquet en passe d'évolution sur une note de cassis : il y a du vin dans cette bouteille, même s'il faut lui laisser un peu de temps pour se faire. Une bouteille riche et chaleureuse, à oublier un à trois ans en cave.

SICA Les Vignerons réunis à Buxy, rte de Chalon, 71390 Buxy, tél. 03.85.92.03.03, fax 03.85.92.08.06, e-mail labuxynoise@cave-buxy.fr
t.l.j. sf dim. 9h-12h 14h-18h30

ALBERT SOUNIT 2005 **

■ 0,7 ha 5 500 5 à 8 €

Déjà coup de cœur pour le 2003 blanc : deux fois valent mieux qu'une. D'une brillance solaire, un vin à la frangipane et au fruit de la Passion pour s'en tenir à l'énoncé des arômes. L'attaque croque en bouche. Celle-ci s'épanouit bientôt dans l'opulence. Le gras est réveillé par un rien d'impulsif qui s'apaise au bon moment. De toute beauté, pour des quenelles de brochet mais seulement si le « bec » vient de la Saône ! À offrir à la Petite Sirène (la

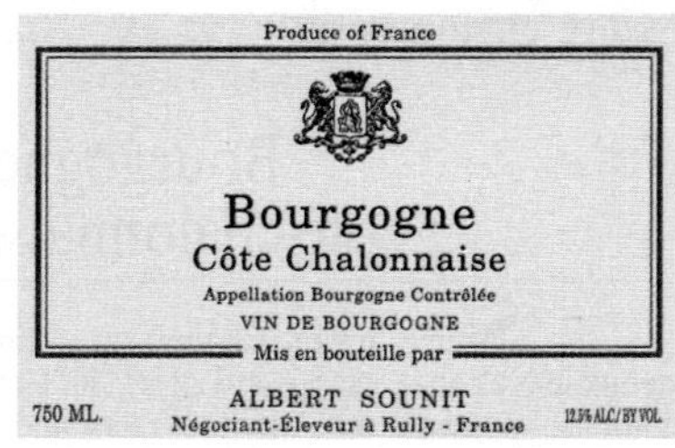

maison est danoise), la femme poisson pourrait bien se dresser pour trinquer.

Albert Sounit, 5, pl. du Champ-de-Foire, 71150 Rully, tél. 03.85.87.20.71, fax 03.85.87.09.71, e-mail info@albert-sounit.fr r.-v.

VENOT Élevé en fût de chêne 2005

■ 7 ha 14 000 5 à 8 €

Deux frères et l'épouse de l'un d'eux réunis en GAEC (groupement d'exploitants) depuis 1983, sur 12,5 ha (7 ha dans cette appellation). Leur vin ? Rouge assez profond, légèrement boisé au nez, il vous conte fleurette. Fraîcheur et jeunesse. Bouche tannique, réglissée. Il doit confirmer ses promesses. À regoûter dans un an ou deux. Cité également, le **rosé 2006 (3 à 5 €)** est fruité et nerveux.

GAEC Venot, La Corvée, 71390 Moroges, tél. 06.08.11.66.39, fax 03.85.47.94.02 r.-v.

Bouzeron

Petit village situé entre Chagny et Rully, Bouzeron est de longue date réputé pour ses vins d'aligoté. Cette variété occupe la plus grande partie du vignoble communal, soit 62 ha environ. Planté sur des coteaux d'orientation est-sud-est, sur des sols à forte proportion calcaire, ce cépage à l'origine de vins blancs vifs s'exprime particulièrement bien, donnant naissance à des vins complexes et d'une « rondeur pointue ». Les vignerons du lieu, après avoir obtenu l'appellation bourgogne aligoté bouzeron en 1979, ont réussi à hisser l'aire de production au rang d'AOC communale. La production a été de 3 190 hl sur 52 ha revendiqués en 2006.

DOM. ANNE ET JEAN-FRANÇOIS DELORME Les Cordères 2005

■ 1,7 ha 950 ▮ 5 à 8 €

Les Delorme sont établis depuis plus d'un siècle à Rully. Et de Rully à Bouzeron, il n'y a pas loin. Jaune pâle, reflets verts, cet aligoté chardonnerait presque... du moins à l'œil. Les agrumes font cavalier seul à chaque coup de nez. Un petit quelque chose de pêche de vigne ? La bouche est nette, fraîche, vivante en un mot.

Dom. Anne et Jean-François Delorme, 12, rue Saint-Laurent, 71150 Rully, tél. 03.85.87.04.88, fax 03.85.87.24.62, e-mail domaineanneetjeanfrancoisdelorme@wanadoo.fr
t.l.j. sf dim. 9h-12h 14h-17h30; f. août

Le Chalonnais et le Mâconnais

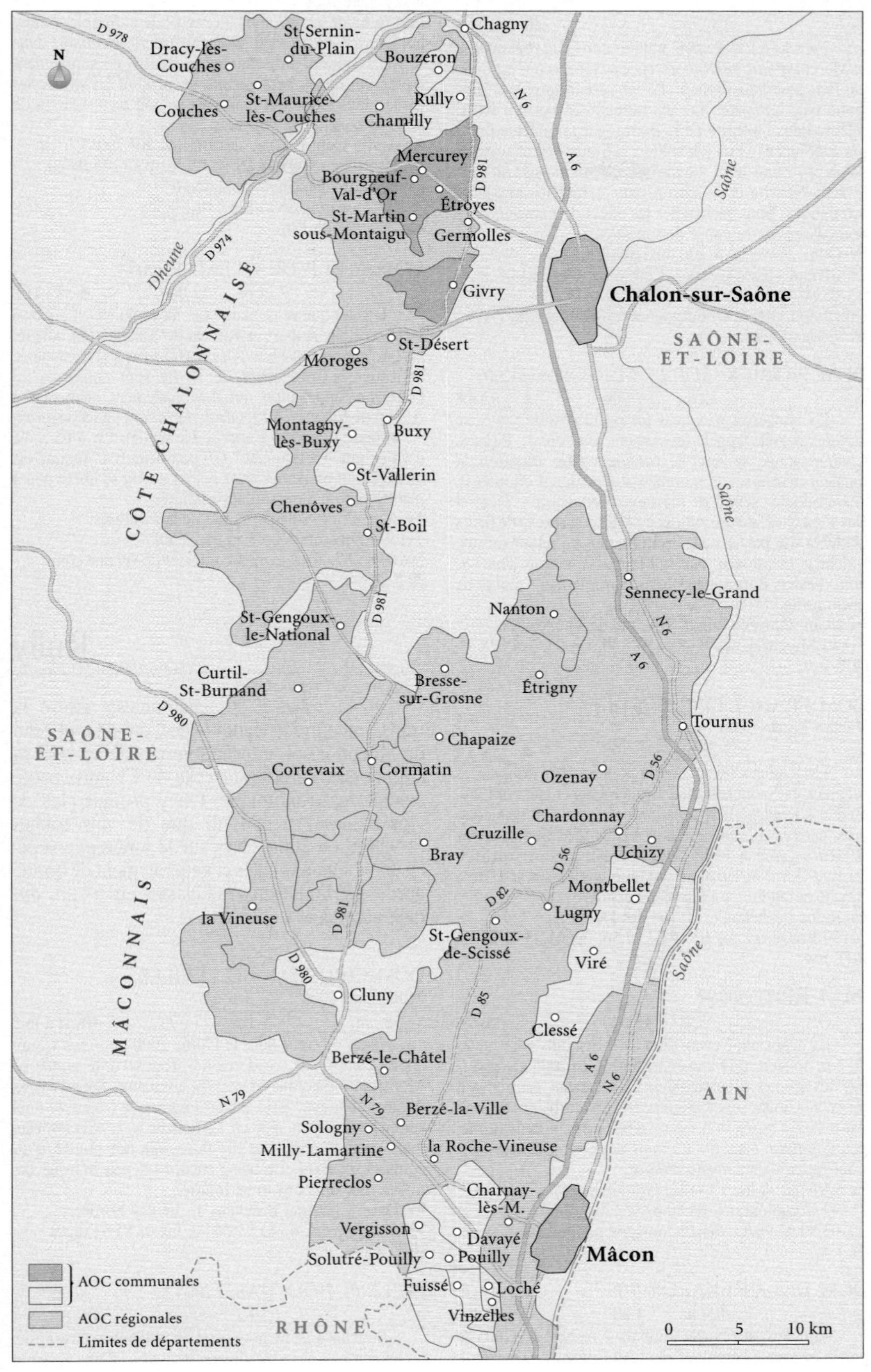

N
D 978
Dracy-lès-Couches
St-Sernin-du-Plain
Chagny
Bouzeron
Couches
St-Maurice-lès-Couches
Chamilly
Rully
N 6
Mercurey
Bourgneuf-Val-d'Or
D 981
Étroyes
St-Martin sous-Montaigu
Germolles
A 6
Saône
Dheune
D 974
Givry
Chalon-sur-Saône
St-Désert
Moroges
SAÔNE-ET-LOIRE
D 981
Montagny-lès-Buxy
Buxy
CÔTE CHALONNAISE
St-Vallerin
Chenôves
St-Boil
Saône
Sennecy-le-Grand
Nanton
D 981
St-Gengoux-le-National
N 6
Curtil-St-Burnand
Bresse-sur-Grosne
Étrigny
A 6
D 980
Tournus
SAÔNE-ET-LOIRE
Chapaize
Cortevaix
Cormatin
Ozenay
D 56
Chardonnay
Cruzille
Uchizy
Bray
D 56
Montbellet
MÂCONNAIS
D 82
Lugny
la Vineuse
D 981
St-Gengoux-de-Scissé
Viré
Saône
D 980
Cluny
D 85
Clessé
Berzé-le-Châtel
A 6
N 6
AIN
N 79
N 79
Berzé-la-Ville
Sologny
Milly-Lamartine
la Roche-Vineuse
Pierreclos
Charnay-lès-M.
Vergisson
Davayé
Solutré-Pouilly
Pouilly
Mâcon
AOC communales
Fuissé
Loché
AOC régionales
Vinzelles
RHÔNE
Limites de départements
0
5
10 km

FAIVELEY 2005

2,32 ha 10 500 8 à 11 €

Faiveley est largement implanté en Côte chalonnaise (à Mercurey surtout). Sa présence à Bouzeron n'est donc pas faite pour vous étonner. La robe est ici limpide et gaie, jaune pâle lumineux. Le nez rappelle la pierre à feu si célèbre dans l'histoire de la Bourgogne : emblème ducal par excellence ! D'un joli volume et modérément acide, le palais porte une petite touche boisée (huit mois de fût). De la fleur blanche et du citron pour compléter la palette aromatique. Sans rechercher les effets de manche, cette bouteille plaide sa cause de son mieux.

Dom. Faiveley, 8, rue du Tribourg,
21701 Nuits-Saint-Georges Cedex, tél. 03.80.61.04.55,
fax 03.80.62.33.37,
e-mail bourgognes@bourgognes-faiveley.com r.-v.
Erwan Faiveley

DOM. PATRICK GUILLOT Les Bouillottes 2005

1,52 ha 2 700 5 à 8 €

Le bouzeron a conclu un pacte d'amitié avec le jambon persillé appelé localement jambon de Pâques. Chaque année se tient le concours (très disputé) du meilleur article sur le marché (généralement dijonnais). Aucun doute : servez ce mets avec cet aligoté présent et élégant au nez, sur des notes de pêche de vigne et de fleurs blanches. Au palais, de la droiture, puis un retour sur une fraîcheur mentholée. Ah, si Maupassant avait situé ses nouvelles en Bourgogne ! Elles exprimeraient moins de pessimisme.

Dom. Patrick Guillot, 9 A, rue de Vaugeailles,
71640 Mercurey, tél. 03.85.45.27.40, fax 03.85.45.28.57
r.-v.

DOM. FRANCE LÉCHENAULT
Vieilles Vignes 2004 *

3,79 ha 3 460 5 à 8 €

Élu le plus jeune maire du pays en 1936, longtemps sénateur de Saône-et-Loire, France Léchenault était viticulteur au village. L'appellation bouzeron doit beaucoup à ses entrées au ministère de l'Agriculture. Son souvenir demeure grâce à cette belle bouteille d'un or délicat. Parfum floral et citronné, attaque ciselée sur une note fraîche et tendue : un vin bien dessiné.

Reine Léchenault, 11, rue des Dames,
71150 Bouzeron, tél. 03.85.87.17.56, fax 03.85.91.27.17
r.-v.

PAUL REITZ 2005 *

n.c. 46 000 5 à 8 €

Ce négociant-éleveur de la Côte-de-Nuits sait trouver du bon bouzeron. D'une teinte légère, ce 2005 ne dégage pas des arômes considérables. En revanche, ceux-ci sont finement choisis : chèvrefeuille, rose, fruits blancs (poire). Au palais, l'expression est resserrée, stricte mais droite, peu complexe sans doute, mais nette et sans lourdeur. Tout est là, dans la juste mesure.

SA Paul Reitz, 120-122, Grande-Rue,
21700 Corgoloin, tél. 03.80.62.98.24,
fax 03.80.62.96.83, e-mail contact@paulreitz.com
r.-v.

DOM. DE LA RENARDE 2005

0,4 ha 4 000 5 à 8 €

Éric Piffaut (Veuve Ambal) a racheté en 2005 la partie négoce et crémant de Jean-François Delorme à Rully. Une robe vive, or moyen, pour ce bouzeron. Le nez ? « Assez taiseux », dit un dégustateur. Simple comme bonjour, ce 2005 reflète une maîtrise irréprochable dans son élaboration. Il y manque peut-être ce supplément d'âme qui fait la personnalité du produit (et suscite les étoiles dans le Guide) mais cela se boit bien. Un vin de mise en bouche, de gougères.

André Delorme, rue des Bordes, BP 20015,
71150 Rully, tél. 03.85.87.10.12, fax 03.85.87.04.60,
e-mail andre-delorme@wanadoo.fr
t.l.j. sf dim. 8h30-12h 14h-17h30;
sam. 9h-12 14h-18h

DOM. A. ET P. DE VILLAINE 2005 *

9,74 ha 52 000 8 à 11 €

On sait que ce domaine (21 ha exploités en « bio ») a été créé par Aubert et Pamela de Villaine, par ailleurs investis des responsabilités les plus élevées au Domaine de la Romanée-Conti. Près de 10 ha sont consacrés au bouzeron, appellation qui doit également beaucoup à Aubert de Villaine. Avec talent et passion, un jeune neveu – Pierre de Benoist – y apprend le métier. Ce 2005 brille d'un or pur. Le bouquet ? Un peu beurré. L'attaque est incisive tout en demeurant civile. Le fruit se libère peu à peu. Équilibré dans son appellation.

A. et P. de Villaine, 2, rue de la Fontaine,
71150 Bouzeron, tél. 03.85.91.20.50,
fax 03.85.87.04.10, e-mail contact@de-villaine.com
r.-v.

Rully

La Côte chalonnaise assure la transition entre le vignoble de Côte-d'Or et celui du Mâconnais. L'appellation rully déborde de sa commune d'origine sur celle de Chagny, petite capitale gastronomique. On y produit plus de vins blancs (10 690 hl) que de vins rouges (4 928 hl en 2006). Nés sur le jurassique supérieur, ils sont aimables et généralement de bonne garde. Certains lieux-dits classés en 1er cru ont déjà accédé à la notoriété.

DOM. CHRISTIAN BELLEVILLE
Montpalais 2005

1er cru 0,29 ha 1 500 11 à 15 €

Coup de cœur dans le Guide 2000 pour son Chauchoux blanc 1997, ce domaine propose cette année ce Montpalais classique et de bon caractère. Sous la robe dorée, le bouquet assez ouvert exprime le fruit et le miel sur un fond de pain d'épice. La bouche n'est pas éternelle, mais, dans le temps qu'elle dure, elle fait preuve d'un équilibre plaisant. Le boisé encore un peu marqué demande une année pour se fondre.

Dom. Christian Belleville, 1, rue des Bordes,
71150 Rully, tél. 03.85.91.06.00, fax 03.85.91.06.01
r.-v.

PHILIPPE BOUCHARD 2005 **

1,5 ha 9 000 11 à 15 €

Bouchard est un nom que l'on rencontre souvent sur les étiquettes à des titres divers. Il s'agit ici d'une variante de la maison Pierre André à Aloxe-Corton (le « château jaune »). En un mot comme en cent, un beau vin. Or soutenu et limpide, évoquant l'abricot cuit et la fleur blanche, il attaque avec vigueur, mais la rondeur succède bientôt au nerf pour finir sur un long sentiment de douceur miellée. Équilibre de haute voltige. À boire ou à attendre deux ans, selon votre patience...

Philippe Bouchard, 21420 Aloxe-Corton,
tél. 03.80.25.00.00, fax 03.80.26.42.00,
e-mail france@corton-andre.com
t.l.j. sf sam. dim. 9h-12h 14h-17h

JEAN-CLAUDE ET ANNA BRELIÈRE
Les Préaux 2005 *

1er cru 2,58 ha 14 000 11 à 15 €

Marissou, Les Pierres, Agneux, Préaux, en dessous du grand coteau on se trouve dans une bonne terre à rouges. Signé par un domaine naguère honoré d'un coup de cœur, un 2005 rubis foncé, au nez assez puissant de fraise écrasée. En bouche, il se montre encore ferme mais sans agressivité, et sa finesse et son équilibre lui permettent de gagner la partie dans les deux ans à venir. Sans doute gardera-t-il cependant un tempérament plus porté sur le civet de sanglier que sur le rôti de porc.

Jean-Claude Brelière, 1, pl. de l'Église, 71150 Rully,
tél. 03.85.91.22.01, fax 03.85.87.20.64,
e-mail domainebreliere@wanadoo.fr r.-v.

DOM. MICHEL BRIDAY 2005 *

1er cru 3,5 ha 18 000 11 à 15 €

Coup double pour ce domaine sélectionné en blanc et en rouge. Honneur au blanc, à la robe légère et limpide. Silex, pierre à fusil, le nez éveille l'étincelle. Vif et plein, le corps se dessine sous des traits aimables avec la pointe d'amertume finale qui fait partie des figures imposées. Longueur correcte et bonne harmonie. Comme en bandes dessinées, on préfère souvent la « ligne pure » à des fouillis de complications... Notez le **1er cru Les Pierres rouge 2005 (15 à 23 €)**, une étoile également.

EARL Stéphane Briday, 31, Grande-Rue, BP 7,
71150 Rully, tél. 03.85.87.07.90, fax 03.85.91.25.68,
e-mail stephane.briday@wanadoo.fr
t.l.j. sf mer. dim. 9h-12h 14h-18h

DOM. CHANZY L'Hermitage 2005

4 ha 21 600 8 à 11 €

À l'âge de vingt et un ans et avec une formation hôtelière, Daniel Chanzy reprend à Bouzeron un domaine à l'abandon. Avec persévérance, il réussit à le porter à 35 ha et s'équipe en conséquence. Doré brillant, son rully a des accents minéraux et floraux, la noisette étant apportée par l'élevage. Vif et ample, il ne s'éternise pas en bouche mais y reste juste le temps de vous être agréable. La cuvée **L'Hermitage rouge 2004**, fruitée et structurée, est citée.

Dom. Chanzy, 1, rue de la Fontaine,
71150 Bouzeron, tél. 03.85.87.23.69,
fax 03.85.87.62.12, e-mail daniel@chanzy.com
t.l.j. 8h-12h 14h-18h30; sam. dim. et groupes sur r.-v.; f. 15 j. en août

DOM. ANNE ET JEAN-FRANÇOIS DELORME
Varot 2005

8 ha 7 000 8 à 11 €

Ancien président de l'interprofession bourguignonne, Jean-François Delorme a cédé sa maison de négoce-éleveur. Avec son épouse, il reste attaché au domaine et particulièrement à son Varot, qu'il décline cette année en blanc dans le Guide. Or limpide, un 2005 au parfum d'églantine légèrement vanillé (20 % d'élevage en fût). Vif, souple, il offre une petite pointe d'amertume au dernier chapitre. À ouvrir dans un an.

Dom. Anne et Jean-François Delorme,
12, rue Saint-Laurent, 71150 Rully, tél. 03.85.87.04.88,
fax 03.85.87.24.62, e-mail domaineanneetjeanfrancoisdelorme@wanadoo.fr
t.l.j. sf dim. 9h-12h 14h-17h30; f. août

DEVEVEY Les Cloux 2005

1er cru n.c. 2 500 15 à 23 €

Installation en 1992 sans vigne, sans équipement ni... argent. D'abord des parcelles en location, puis des achats de raisins (création du négoce en 2002). Un vin or pâle, brillant, bouqueté sans excès (notes d'aubépine, d'agrumes). Si l'attaque est prudente, sur la fraîcheur, le corps s'éveille en cours de route à la générosité. Juste ce qu'il faut de gras pour le confort du palais.

Jean-Yves Devevey, rue de Breuil, 71150 Demigny,
tél. 03.85.49.91.11, fax 03.85.49.91.59,
e-mail jydevevey@wanadoo.fr r.-v.

VINCENT DUREUIL-JANTHIAL
Maizières 2005 *

1,99 ha n.c. 11 à 15 €

Coup de cœur dans les éditions 2006, 2005 et 2001, quel palmarès ! On ne peut cependant pas gagner chaque année le gros lot, mais, avec deux vins sélectionnés, ce domaine confirme la qualité de sa production. Or pâle à reflets verts, ce 2005 au nez encore fermé livre quelques notes minérales sur un arrière-plan discrètement boisé. Vif à l'attaque, il se montre ensuite assez gras, avant une longue finale. Un vin plein de potentiel qu'il faudra attendre deux à trois ans. Le **1er cru Les Margotés blanc 2005** est cité. Exemple de l'orthographe bourguignonne : Margotey s'appelle officiellement Margotée, et s'écrit ici au pluriel...

Vincent Dureuil-Janthial, 10, rue de la Buisserolle,
71150 Rully, tél. 03.85.87.26.32, fax 03.85.87.15.01,
e-mail vincent.dureuil@wanadoo.fr r.-v.

DOM. JACQUES DURY La Chaume 2005 *

3 ha 14 000 5 à 8 €

Henri, le grand-père, au début des plantations en partant de trois fois rien. Jacques ensuite, qui passe à la mise en bouteilles et à la vente directe. Hervé aujourd'hui. Sur 15 ha, ce qui n'est pas trop mal. Cette Chaume ne chôme pas ; ni à l'œil, éclairé, ni au nez, floral et minéral, ni à l'attaque. Du gras miellé arrive en milieu de bouche. Une bonne matière. Filet de sandre à l'oseille ou à la crème ? Question de goût, mais les deux manières sont concevables.

EARL Dom. Jacques Dury,
16, hameau du Château, 71150 Rully,
tél. 03.85.87.14.49, fax 03.85.87.37.54 r.-v.
Hervé Dury

CH. D'ETROYES La Chatalienne 2005 *

3 ha 6 600 8 à 11 €

La famille Protheau exploite 50 ha de vignoble en Côte chalonnaise, et s'est engagée depuis 2002 dans la lutte raisonnée. Sa Chatalienne s'habille d'une robe limpide et dorée. Le nez est discret, mais il dévoile déjà des

BOURGOGNE

notes florales et minérales. Léger boisé ? Pas impossible, vu l'élevage. La bouche s'équilibre entre rondeur gourmande (fruits exotiques) et fraîcheur agréable. À ouvrir dès à présent.

Dom. Maurice Protheau, SCEA Ch. d'Etroyes, 71640 Mercurey, tél. 03.85.45.10.84, fax 03.85.45.26.05, e-mail contact@domaine-protheau-mercurey.fr
t.l.j. sf dim. 8h-12h 14h-19h
Famille Protheau

JEAN-CHARLES FAGOT 2005 *

n.c. 600 8 à 11 €

Jaune clair, ce rully évoque l'églantine et la pierre à fusil. Il se tient bien en bouche, entre plénitude et vivacité, laisse une agréable sensation d'amande verte et offre une finale plaisante. À servir maintenant ou à attendre deux ans. Un producteur qui a plus d'une corde à son arc : viticulteur, négociant et aubergiste, à Corpeau et à Beaune. Il suggère une salade de gésiers confits pour accompagner ce vin. Pourquoi ne pas le croire ?

Jean-Charles Fagot, 5, rue de l'Église, 21190 Corpeau, tél. 03.80.21.30.24, fax 03.80.21.38.81, e-mail jeancharlesfagot@free.fr r.-v.

DOM. DE LA FOLIE
Clos de Bellecroix Cuvée Marey 2005

4 ha 2 600 11 à 15 €

Situé sur la commune de Chagny, Bellecroix rend ici hommage à Étienne-Jules Marey à qui cette cuvée est dédiée. Cet illustre savant d'origine beaunoise (1830-1904), président de l'Académie des Sciences, inventeur de la chronophotographie dont l'étape suivante fut le cinéma, possédait en effet ce domaine et ne manquait aucune vendange. Rubis intense à reflets cassis, parfumé au fruit noir, un vin travaillé, souple et fin. Le temps (un à deux ans) le rendra plus généreux.

Dom. de La Folie, 71150 Chagny, tél. 03.85.87.18.59, fax 03.85.87.03.53, e-mail domaine.de.la.folie@wanadoo.fr
t.l.j. 9h-12h 14h-18h
J. Noël-Bouton

CAVE DE GENOUILLY 2005 *

1,3 ha 8 000 5 à 8 €

La cave coopérative de Genouilly (102 ha en tout, fondation en 1932) signe un excellent *village*. Rapport qualité-prix imbattable. Pureté de la robe, nez d'acacia et de pamplemousse. On retrouve au palais ces arômes, dans un contexte minéral. « Le poli et la fraîcheur du marbre », écrivait Hubert Duyker d'un tel rully. Finale longue et pleine de fraîcheur. À laisser patienter une année. Le **village rouge 2005**, franc et d'heureuse tenue, obtient également une étoile.

Cave des vignerons de Genouilly, allée du 19-Mars-1962, 71460 Genouilly, tél. 03.85.49.23.72, fax 03.85.49.23.58, e-mail vigneronsgenouilly@wanadoo.fr
t.l.j. sf dim. 8h-12h 14h-18h

ULYSSE JABOULET 2005 *

3,8 ha 24 000 5 à 8 €

« Mis en bouteille par U. J. », dit l'étiquette. Il s'agit d'Ulysse Jaboulet, une marque apportée par Jaboulet-Vercherre lors de son rachat par Laurent Max (Louis Max à Nuits). Pourpre dense cerné de violet, ce vin exprime une note de cerise à laquelle un boisé discret ajoute une touche d'élégance. Il attaque avec délicatesse sur une matière généreuse, d'un dessin net et d'une structure solide, sans sévérité. Bien sous tous rapports et bientôt prêt pour un filet de bœuf grillé.

Ulysse Jaboulet, 6, rue de Chaux, 21700 Nuits-Saint-Georges, tél. 03.80.62.43.27, fax 03.80.62.68.02 r.-v.

DOM. JAEGER-DEFAIX
Clos du Chapitre 2005 **

1er cru n.c. n.c. 11 à 15 €

Petite-fille de la célèbre photographe Janine Niepce et fille du premier Français à avoir atteint le sommet de l'Everest, Hélène Jaeger (épouse de Didier Defaix, domaine Bernard Defaix en Chablisien) a repris en 2002 l'exploitation sur Rully (4 ha) de sa grand-tante Henriette Niepce. Son Clos du chapitre rouge est un très grand vin admirablement présenté. Son bouquet réunit les charmes du sous-bois et le fruité de la fraise. La bouche est riche et structurée par des tanins présents mais très fins : puissance et équilibre, élégance et finesse. On attendra cette bouteille encore deux à trois ans en toute tranquillité. Ne passez pas non plus à côté du **1er cru Rabourcé blanc 2005**, une étoile, ni du **1er cru Mont-Palais blanc 2005**, cité.

Dom. Jaeger-Defaix, 17, rue du Château, 89800 Milly, tél. 03.86.42.40.75, fax 03.86.42.40.28, e-mail helene.jaeger@wanadoo.fr r.-v.

OLIVIER LEFLAIVE Rabourcé 2005 *

1er cru 3 ha 24 000 11 à 15 €

Le coup de cœur de l'an passé pour son Vauvry. Un Rabourcé cette fois, d'un or pâle transparent et plein d'éclat. Récital olfactif du citron à la pomme. L'élevage en fût et en cuve présente l'avantage d'offrir un vin pas trop boisé. Attaque en douceur. Le relais est saisi par un fruité d'une grande fraîcheur. Une touche minérale confère à l'ensemble une personnalité attachante. Un vrai 1er cru de rully, à déboucher dans un an.

Olivier Leflaive Frères, pl. du Monument, 21190 Puligny-Montrachet, tél. 03.80.21.37.65, fax 03.80.21.33.94, e-mail contact@olivier-leflaive.com
r.-v.

DOM. NINOT La Barre 2004 **

1,66 ha 7 000 8 à 11 €

Saint Vincent a passé l'année 2006 au domaine. Il s'agit de sa statue qui, dans la plupart des villages vignerons, « tourne » d'année en année, de maison en maison. Cette présence a porté chance à Erell Ninot (la nouvelle génération) qui a placé très haut sa barre, à côté des coups de cœur. Sous une robe discrète, son vin offre un bouquet complexe. Beurre ou caramel au lait ? Pomme verte ou poire ? Chacun a son idée... Bon reflet du millésime, un 2004 minéral et gras, dépourvu de toute dureté, achevant sa course sur le saut de l'ange.

Erell Ninot, Le Meix Guillaume, 2, rue de Chagny, 71150 Rully, tél. 03.85.87.07.79, fax 03.85.91.28.56, e-mail ninot.domaine@wanadoo.fr r.-v.

JEAN-BAPTISTE PONSOT Molesme 2005 *

1er cru 1,17 ha 6 000 8 à 11 €

En 2000, Jean-Baptiste Ponsot a succédé à son père Bernard, lui-même successeur de son père Lucien (le fondateur en 1954). Sur 6,5 ha de nos jours. Ce Molesme n'est pas celui de l'abbaye située aux confins de la

Côte-d'Or et de l'Aube, à l'origine de Cîteaux. Ce vin a cependant quelque chose de cistercien, un caractère un peu strict. Doré pâle, il n'est pas très bavard au premier nez mais s'ouvre ensuite sur une fraîcheur minérale. Sa bouche est bien ciselée, légèrement beurrée, tendre jusqu'à la finale. Le **1er cru Montpalais blanc 2005** obtient également une étoile.

Jean-Baptiste Ponsot, 26, Grande-Rue, 71150 Rully, tél. et fax 03.85.87.17.90, e-mail domaine.ponsot@orange.fr r.-v.

DOM. DE LA RENAISSANCE Les Raclots 2005

1er cru 1,18 ha 5 000 8 à 11 €

Séparé du GFA Duvernay en 2003, ce domaine a été créé l'année suivante. Le défi : est-il encore possible de fonder un domaine en Bourgogne ? Pas plus de 4 ha, mais du cœur à l'ouvrage, une étiquette soignée et un 2005 très rafraîchissant destiné à une entrée, voire à des cuisses de grenouilles. Doré léger, tirant sur l'écorce d'agrumes au nez, il laisse en bouche une bonne impression de vivacité, sans trop s'attarder. Il est prêt.

P. Duvernay, Dom. de La Renaissance, 100, Grande-Rue, 71150 Rully, tél. 06.81.20.47.26, fax 03.85.91.26.17 r.-v.

DOM. DE LA RENARDE 2005

n.c. 8 900 8 à 11 €

Éric Piffaut (Veuve Ambal) a acquis la maison André Delorme à Rully en 2005. Or vert, un chardonnay aux senteurs de pivoine, de fleurs blanches et de bonbon anglais. Rond et gras, il effectue une prestation réussie. Un modèle de calme et de pondération, sauf sur la fin où apparaît un rien de nervosité.

André Delorme, rue des Bordes, BP 20015, 71150 Rully, tél. 03.85.87.10.12, fax 03.85.87.04.60, e-mail andre-delorme@wanadoo.fr
t.l.j. sf dim. 8h30-12h 14h-17h30; sam. 9h-12 14h-18h

CH. DE RULLY Les Molesmes 2005 *

1er cru 2,5 ha 13 579 15 à 23 €

Tous les étés se tient ici une manifestation, « L'Art au château de Rully ». Les vins y figurent-ils ? Certains le mériteraient, comme ces Molesmes à la robe foncée et au nez intense de fruits rouges. Puissance et finesse se retrouvent au palais autour d'une matière fruitée aux tanins encore fermes. À attendre donc, et deux ou trois ans semblent un horizon raisonnable. Le **village rouge 2005 (11 à 15 €)** est cité et gagnera également à patienter un peu.

Ch. de Rully, 71150 Rully, tél. 03.85.98.12.12, fax 03.85.45.25.49, e-mail rodet@rodet.com r.-v.
Antonin Rodet

DOM. DE RULLY SAINT-MICHEL Les Champs Cloux 2005 *

1er cru 2,9 ha 5 000 11 à 15 €

Dans la même famille depuis près de cent cinquante ans et porté par Mme G. de Bodard de la Jacopière, ce domaine possède de belles caves taillées dans la roche. Il en sort après onze mois passés en fût, ce vin à la robe grenat intense et au nez de fruits mûrs (cassis, groseille). Si l'attaque est franche, le gras ne tarde pas à entrer dans la danse, sans excès mais suffisamment pour atteindre l'équilibre. Tanins puissants, prometteurs mais fermes aujourd'hui. À attendre trois ans. Le **Clos de Pellerey rouge 2005** obtient aussi une étoile : c'est un vin de caractère qui doit prendre son temps pour s'assagir.

GFA du Dom. de Rully Saint-Michel, 4, rue du Château, 71150 Rully, tél. 03.85.91.28.63, fax 03.85.87.12.12, e-mail georges.de.bodard@wanadoo.fr r.-v.
G. de Bodard

VIGNOBLE DU DOM. SAINT-JACQUES 2005 *

1,7 ha 4 000 8 à 11 €

Modèle de classicisme, ce vin blanc est bourguignon de l'étiquette, ornée d'un sceau, au bouquet alliant les fleurs blanches à des notes minérales. La bouche attaque sur la vivacité, puis prend de l'ampleur. Finale correcte. Bonne harmonie et potentiel de garde de deux ou trois ans. À servir alors avec une viande blanche nappée d'une sauce légèrement crémeuse.

Christophe-Jean Grandmougin, 11, rue Saint-Jacques, 71150 Rully, tél. 03.85.87.23.79, fax 03.85.87.17.34, e-mail domainestjacques.grandmougin@wanadoo.fr r.-v.

ALBERT SOUNIT Meix Guillaume 2005 **

n.c. n.c. 11 à 15 €

Maison fondée en 1851 par Flavien Jeunet, reprise durant les années 1930 par la famille Sounit qui l'a cédée en 1993 à son importateur danois, Bourguignon de cœur. Le drapeau européen flotte donc sur cette bouteille. Grenat de la tête aux pieds, elle est ornée d'une frange violette. Sous un fin boisé torréfié, on devine le fruit. Belle constitution, tant pour le volume que pour l'équilibre. Le fruit monte en puissance et ne quitte plus la place. Attendez trois ans, cette bouteille saura vous récompenser de votre patience. Coup de cœur dans l'édition 2005 pour son Grésigny 2002.

Albert Sounit, 5, pl. du Champ-de-Foire, 71150 Rully, tél. 03.85.87.20.71, fax 03.85.87.09.71, e-mail info@albert-sounit.fr r.-v.

DOM. ROLAND SOUNIT Meix Cadot Élevé et vieilli en fût de chêne 2005 **

1er cru 0,5 ha 3 000 11 à 15 €

Jaune paille soutenu, le nez floral et largement ouvert sur les agrumes, ce Meix Cadot est issu du coteau dit « du château ». Il reçoit le coup de cœur pour son parcours sans faute. Sa bouche est avenante et structurée, son boisé déjà fondu, son gras raisonnable et bien équilibré par la minéralité, sa finale vive et longue. Un vin corpulent, harmonieux, que l'on dégustera d'ici une bonne année. Notez également le **village La Bergerie blanc 2005 (8 à 11 €)**, cité.

SCEA Dom. Roland Sounit, 7, rte de Monthélie, 21190 Meursault, tél. 03.80.21.22.45, fax 03.80.21.28.05

DOM. A. ET P. DE VILLAINE
Les Saint-Jacques 2005 *

1,58 ha 6 000 11 à 15 €

Sur Chagny à proximité de Rully, les Saint-Jacques portent-ils ce nom ou celui cadastré de La Folie ? Lors de la mise au net de l'AOC, durant les années 1980, les experts ont prié le cadastre de respecter le nom du vin. Il s'agit du domaine « privé » de Pamela et Aubert de Villaine, cogérants du domaine de la Romanée-Conti où le jeune viticulteur de Benoist se prépare dans une heureuse discrétion à assumer les plus hautes responsabilités. Vin bio, séducteur mais en tout bien tout honneur. Robe parfaite, nez sur le fruit blanc et les agrumes. Équilibre réussi en bouche entre la fraîcheur et l'ampleur. À attendre un an ou deux, ou à décanter avant de servir.

A. et P. de Villaine, 2, rue de la Fontaine,
71150 Bouzeron, tél. 03.85.91.20.50,
fax 03.85.87.04.10, e-mail contact@de-villaine.com
r.-v.

Mercurey

Mercurey, situé à 12 km au nord-ouest de Chalon-sur-Saône, en bordure de la route Chagny-Cluny, jouxte au sud le vignoble de Rully. C'est l'appellation communale la plus importante en volume de la Côte chalonnaise : 22 138 hl de vins rouges et 3 746 hl en blanc en 2006. Elle s'étend sur trois communes : Mercurey, Saint-Martin-sous-Montaigu et Bourgneuf-Val-d'Or.

Quelques lieux-dits tels Champ Martin, Clos des Barrault ou encore Clos l'Évêque bénéficient de la dénomination « premier cru ». Les vins sont en général solides, voire un peu rustiques mais d'une bonne aptitude au vieillissement.

BOUCHARD PÈRE ET FILS
Le Clos L'Évêque 2005 *

1er cru n.c. n.c. 11 à 15 €

Joseph Henriot restera sans doute dans l'histoire comme le premier Champenois à avoir pris « l'accent bourguignon » (Bouchard Père et Fils, William Fèvre à Chablis, Lejay-Lagoute pour le meilleur et pour le kir). Avec succès. Ce Clos L'Évêque porte l'anneau et la mitre d'un pas solide, sans avoir besoin d'un coadjuteur. Plus rouge que violet, n'aurait-il pas des ambitions ? Noyau de cerise et pivoine, de quoi séduire le chapitre. De la finesse plus que de la puissance et une pointe de chaleur en finale. Le bonheur est à portée de main, mais il doit se mériter.

Bouchard Père et Fils, Ch. de Beaune,
21200 Beaune, tél. 03.80.24.80.24, fax 03.80.22.55.88,
e-mail france@bouchard-pereetfils.com r.-v.
Famille Henriot

DOM. MICHEL BRIDAY Clos Marcilly 2005 **

1er cru 0,89 ha 1 200 15 à 23 €

Clos Marcilly est l'un des cinq 1ers crus (rouges) reconnus par les réglementations des années 1943 et 1944. On se situe donc ici parmi les meilleurs, historiquement parlant. Intense, dense, la robe permet de faire connaissance avec plaisir. Mûre côté pile, sous-bois côté face. Le bois se marie harmonieusement à un fruit riche. Vin complet et bien bâti, composé avec art, et porteur d'avenir au-delà des deux à trois ans habituels.

EARL Stéphane Briday, 31, Grande-Rue, BP 7,
71150 Rully, tél. 03.85.87.07.90, fax 03.85.91.25.68,
e-mail stephane.briday@wanadoo.fr
t.l.j. sf mer. dim. 9h-12h 14h-18h

DOM. JOHN CAPUANO Clos du Paradis 2005 *

1er cru n.c. n.c. 11 à 15 €

Saint-Martin-sous-Montaigu possède ce petit coin de Paradis qui mérite bien son nom. L'espoir de rencontrer saint Vincent donne envie de sonner à la porte. Rubis foncé, le fruit mûr réservé et légèrement vanillé, ce 2005 mène les choses rondement, de façon souple et soyeuse, avant une finale plus expressive. On n'accède pas aux vignes éternelles sans faire un petit tour par le purgatoire. Rassurez-vous, la pénitence ne sera pas très longue.

Dom. Capuano-John, 14, rue Chauchien,
21590 Santenay, tél. 03.80.20.68.04, fax 03.80.20.65.75,
e-mail john.capuano@wanadoo.fr r.-v.

CH. DE CHAMIREY
La Mission Monopole 2004 **

1er cru 1,92 ha 2 000 15 à 23 €

La famille Devillard dans ses œuvres, dans son berceau plutôt. Car c'est aussi le domaine des Perdrix en Côte de Nuits, celui de La Ferté à Givry. En monopole, cette Mission n'est pas impossible, loin de là. Doré léger, beurre et pierre à fusil au nez, un chardonnay inventif, racé, d'une belle complexité aromatique (nuance d'abricot) et d'un charme durable. Le **1er cru Les Ruelles rouge 2004**, aux tanins bien fondus, décroche une étoile, tout comme le **village rouge 2004**, sur la rondeur et le boisé.

Dom. du Château de Chamirey, 71640 Mercurey,
tél. 03.85.45.21.61, fax 03.85.98.06.62,
e-mail contact@chateaudechamirey.com r.-v.
Famille Devillard

DOM. CHANZY Les Carabys 2005 *

0,46 ha 3 200 11 à 15 €

Signé par une figure de Bouzeron à la tête de 35 ha aujourd'hui. Compère Guilleri ferait volontiers son ordinaire de ce Carabys à la teinte claire, assez boisé sur une pointe d'agrumes, à l'acidité relativement fondue, gras et puissant, d'une gentille harmonie gourmande et briochée. Également étoilé, le **Carabys rouge 2004 (8 à 11 €)**, fin et fruité, est à servir dans un à deux ans.

Dom. Chanzy, 1, rue de la Fontaine,
71150 Bouzeron, tél. 03.85.87.23.69,
fax 03.85.87.62.12, e-mail daniel@chanzy.com
t.l.j. 8h-12h 14h-18h30; sam. dim.
et groupes sur r.-v.; f. 15 j. en août

JEAN-PIERRE CHARTON Clos du Roy 2005 *

1er cru 1 ha 4 000 11 à 15 €

Famille de vignerons originaire de Savigny-lès-Beaune, installée à Mercurey en 1940 par Bouchard Aîné et Fils afin de travailler et d'agrandir le vignoble, aujourd'hui cédé. Elle a pu acquérir au fil des ans quelques parcelles et se trouve à son compte sur 8 ha, dont ce Clos du Roy, l'un des fleurons de l'appellation. Robe sans histoire, bouquet orienté vers le cassis, la mûre ou encore l'animal. Longueur moyenne, mais la composition, l'harmonie des tanins, la mise en valeur du fruit font pencher la balance du bon côté.

⊶ Dom. Jean-Pierre Charton, 29, Grande-Rue,
71640 Mercurey, tél. et fax 03.85.45.22.39,
e-mail jean-pierre-charton@wanadoo.fr ☑ Y ☆ r.-v.

COUVENT DES CORDELIERS

Clos L'Évêque 2005 ★

■ 1er cru n.c. 2 950 ⅠⅠ 15 à 23 €

Signature de la famille Boisseaux (ancien couvent tout proche de l'hôtel-Dieu de Beaune). À Saint-Martin-sous-Montaigu, le Clos L'Évêque est considéré comme l'une des figures de proue de l'appellation. Rouge sombre à nuances mauves, ce 2005 suggère les épices (poivre, cannelle), un peu le cuir. De structure assez serrée en bouche, il possède un joli fond, un boisé raisonnable et se montre agréable. On le voit en bonne forme jusqu'à 2009.

⊶ Caves du Couvent des Cordeliers,
rue de l'Hôtel-Dieu, 21200 Beaune,
tél. et fax 03.80.25.08.85 ☑ Y ☆ t.l.j. 9h30-12h 14h-18h
⊶ Boisseaux

CH. D'ETROYES

Cuvée Vieilles Vignes des Ormeaux 2005

■ 3 ha 6 000 ⅠⅠ 11 à 15 €

Vignes familiales Protheau. Robe classique et de bon goût, bouquet de fleurs blanches suivant cette maxime d'André Maurois, fidèle au vin de Bourgogne : « La sincérité est de verre, la discrétion est de diamant ». Bon rapport avec la fraîcheur, beaucoup de gras et de constance en bouche. Les arômes sont encore trop discrets, mais un 2005 a de quoi voir venir.

⊶ Dom. Maurice Protheau, SCEA Ch. d'Etroyes,
71640 Mercurey, tél. 03.85.45.10.84,
fax 03.85.45.26.05, e-mail contact@domaine-protheau-mercurey.fr
☑ Y ☆ t.l.j. sf dim. 8h-12h 14h-19h
⊶ Famille Protheau

DOM. DE L'EUROPE

Les Chazeaux Vieilles Vignes 2005

■ 0,7 ha 3 500 ⅠⅠ 8 à 11 €

Une artiste-peintre belge, un viticulteur passionné par la montgolfière (champion de France), et c'est l'envol du domaine de L'Europe. Tout petit (2,50 ha) mais donnant de bons fruits. Grenat à reflets violines, ce 2005 évoque la merise, la baie sauvage. Assez simple sur une texture fine aux tanins déjà fondus, il est typé et plutôt gourmand. À boire ou à attendre un peu.

⊶ Guy et Chantal Cinquin,
Dom. de L'Europe, 7, rue du Clos-Rond,
71640 Mercurey, tél. 06.08.04.28.12,
fax 03.85.45.23.82, e-mail cote.cinquin@wanadoo.fr
☑ Y ☆ r.-v. ⌂ ❸

DOM. DE L'ÉVÊCHÉ Les Ormeaux 2005 ★

■ 1 ha 4 000 ⅠⅠ 8 à 11 €

Domaine familial de 12 ha possédant de magnifiques caves voûtées et un escalier monumental du XIXᵉs. Entre **Les Murgers rouge 2005** et ces Ormeaux, le cœur hésite. Qualité identique (une étoile), avec une légère préférence pour ce dernier. Il faut bien choisir. Rubis étincelant, un pinot noir plus floral que fruité, évoquant la feuille de fougère. Extraction poussée, fin boisé : on sent le potentiel de garde, mais on pourra se faire plaisir dès à présent.

⊶ EARL Vincent Joussier, Dom. de L'Évêché,
71640 Saint-Denis-de-Vaux, tél. 03.85.44.30.43,
fax 03.85.44.53.61,
e-mail domainejoussiervincent@cegetel.net
☑ Y ☆ t.l.j. 8h-20h; dim. sur r.-v.; f. 15-25 août

DOM. STÉPHANE GADAN Les Vellées 2005 ★★

■ 1er cru 0,5 ha 2 250 ⅠⅠ 15 à 23 €

Reprise des vignes familiales en 1996, installation en 2001, restructuration ; 5 ha seulement. Et le coup de cœur ! Un *climat* à l'orthographe vagabonde (Vellées, Veleys, Vellets...) installé sur une marne assez profonde ; d'où, comme ici, un pinot noir fortement charpenté, chaleureux tout en gardant sa fraîcheur, digne du 1er cru. Pourpre grenat, il respire le fruit rouge. Déjà aimable, ce vin bénéficie d'une remarquable concentration tannique qui lui assure un long avenir.

⊶ Dom. Stéphane Gadan, 1, rue de Touches,
71640 Mercurey, tél. 03.85.45.09.61,
fax 03.85.98.04.85, e-mail gadan.stephane@wanadoo.fr
☑ Y ☆ r.-v.

DOM. PHILIPPE GARREY La Chassière 2005 ★

■ 1er cru 0,3 ha 1 800 ⅠⅠ 11 à 15 €

Reprise du domaine familial en 2000. Équipements nouveaux et nouvelles méthodes de travail, deux autres 1ers crus à partir de 2007. Rubis à reflets fuchsia, ce 2005 est assez « fûté » (le mot n'existe pas, sauf chez les vignerons). Élégant en tout cas, avec ce fruit rouge macéré, cette attaque fluide, cet équilibre des saveurs. Riche, ferme, il mérite des compliments.

⊶ Dom. Philippe Garrey, Le Bourg,
71640 Saint-Martin-sous-Montaigu, tél. 03.85.45.23.20,
fax 03.59.35.00.88, e-mail phil.garrey@wanadoo.fr
☑ Y ☆ r.-v.

DOM. PATRICK GUILLOT

Cuvée Les 3 Louves 2005 ★★

■ n.c. 800 ⅠⅠ 15 à 23 €

Presque noire à reflets violets, cette cuvée extrait la couleur comme Michel-Ange à la Sixtine. Nez très marqué de moka attiré par la fleur (rose, violette) et par la fougère, peut-être. Bouche merveilleuse, structurée et équilibrée, dévoilant un boisé fondu et délicat qui met en avant le vin. « Au top », conclut un dégustateur. Le **1er cru Les Veley rouge 2005**, structuré et concentré, décroche une étoile, tandis que le **1er cru Clos des Montaigu rouge 2005 (8 à 11 €)** est cité.

DOMAINE PATRICK GUILLOT

CUVÉE LES 3 LOUVES

2005

Dom. Patrick Guillot, 9 A, rue de Vaugeailles, 71640 Mercurey, tél. 03.85.45.27.40, fax 03.85.45.28.57 r.-v.

PIERRE JANNY Poiseaux 2004 ★★

■ 3,5 ha 20 000 8 à 11 €

Un sérieux concurrent ! Ce 2004 a terminé troisième de la dégustation, juste derrière les coups de cœur. Ce négociant en Mâconnais a su dénicher le bon produit. L'œil rouge violacé ne déçoit pas. La note boisée (tabac) est épaulée par la groseille avec une certaine délicatesse. Superbe, structurée et complexe, la bouche s'anime d'un geste tendre, d'une élégance achevée. Le fruit remonte à la surface dans une finale ample et vive comme la vague d'Hokusai. Une bouteille d'un superbe potentiel, à apprécier dans deux ans.

Pierre et Véronique Janny, La Condemine, 71260 Péronne, tél. 03.85.23.96.20, fax 03.85.36.96.58 r.-v.

DOM. ÉMILE JUILLOT Vieilles Vignes 2005 ★

■ 1 ha 5 000 8 à 11 €

Nathalie et Jean-Claude Theulot dirigent depuis 1986 le domaine créé par les grands-parents au début du XXes. La superficie a doublé en une vingtaine d'années, passant à 11,5 ha. Rondeur et gras, une tonalité boisée qui doit s'atténuer pour bien dégager le fruit, un soupçon de framboise et la nostalgie de la rose fanée, tout ce qu'il faut de robe : un ensemble très réussi et né d'un travail appliqué. Une étoile également pour le **1er cru Les Combins rouge 2005 (11 à 15 €)**, charnu mais encore assez fermé, et pour le **1er cru Les Croichots rouge 2005 (11 à 15 €)**, solide et chaleureux.

Nathalie et Jean-Claude Theulot, 4, rue de Mercurey, 71640 Mercurey, tél. 03.85.45.13.87, fax 03.85.45.28.07, e-mail e.juillot.theulot@wanadoo.fr t.l.j. 8h-12h 13h30-18h; sam. dim. sur r.-v.

DOM. DE LA MADONE Les Ormeaux 2005 ★

■ 3 ha 13 100 8 à 11 €

« À boire pour le plaisir, mais peut attendre pour le bonheur », lit-on sur une fiche de dégustation. Comme ces choses-là sont bien dites ! Une Vierge et l'Enfant Jésus figurent, il est vrai, sur l'étiquette, vous incitant à des pensées élevées. La robe est profonde, le nez légèrement empyreumatique, puis assez complexe (confiture de mûres, figue sèche...). La bouche, riche en gras, ample, manifeste un peu de fermeté en finale. D'où ce conseil de patience ; vous n'attendrez pas toutefois l'heure du Jugement dernier.

SARL Dom. de La Madone, 7, rte de Monthélie, 21190 Meursault, tél. 03.80.21.22.45, fax 03.80.21.28.50

DOM. DU MEIX-FOULOT

Clos du Château de Montaigu 2002

■ 1er cru n.c. 6 000 15 à 23 €

Le cas n'est pas banal. Agnès Dewé de Launay (qui a pris la suite de son père Paul de Launay, figure rayonnante de la Côte chalonnaise et l'un des fondateurs de cette appellation) propose un 2002 rouge, mis en vente à partir de l'automne 2007. On ne s'étonnera pas de lui trouver quelques caractères d'évolution – perceptibles à l'œil et au nez mais fort peu en bouche : l'ardeur en attaque n'est pas retombée et les tanins ne font pas la sieste. Avis aux amateurs. Domaine élu coup de cœur l'an dernier.

Agnès Dewé de Launay, Dom. du Meix-Foulot, 71640 Mercurey, tél. 03.85.45.13.92, fax 03.85.45.28.10, e-mail meixfoulo@club.fr r.-v.

DOM. L. MENAND PÈRE ET FILS

Clos des Combins 2005 ★

■ 1er cru 11 à 15 €

Pourpre profond, ce 2005 rappelle la définition du mercurey selon Henri Elwing : main de fer, gant de velours. Au nez, le cassis se glisse par les interstices de la vanille (douze mois en fût). En bouche, le vin marche droit. Tanins intéressants, qui commencent à se fondre, vivacité bien dosée, charme du fruit, et un potentiel de garde de deux à trois ans.

Dom. Menand, Clos des Combins, 71640 Mercurey, tél. 03.85.45.19.19, fax 03.85.45.10.23, e-mail domainemenand@wanadoo.fr r.-v.

P. MISSEREY 2005 ★

2,44 ha 17 866 30 à 38 €

Comment ne pas penser à Marc Misserey, que l'on aimait tant sur la tribune du Clos de Vougeot ? Sa maison a été acquise par Lanvin, puis Laurent Max, conservant son étiquette si caractéristique. Jaune caressant, ce mercurey offre des notes typiques d'agrumes et de miel. Puis le fruit de la Passion prend le dessus. Vigoureux à l'attaque, sans trop de prolongement, le palais laisse croître des arômes secondaires de gingembre et de fruits jaunes. Un style moderne, efficace pour cette bouteille à boire maintenant ou d'ici deux ans.

P. Misserey, 6, rue de Chaux, BP 4, 21700 Nuits-Saint-Georges, tél. 03.80.62.43.47, fax 03.80.62.68.02 r.-v.

PIERRE OLIVIER 2005 ★★

■ n.c. 10 000 8 à 11 €

Pierre Olivier est une signature de la maison Moillard à Nuits-Saint-Georges. D'un rouge violacé profond, l'une des bouteilles les plus intenses de la série. Les arômes chocolatés se prolongent loin en bouche. Le corps est équilibré et on aime le côté acidulé de la finale, façon groseille. Calme et serein, ce vin peut passer à table dès demain sur une entrecôte bien persillée.

Pierre Olivier, 2, rue François-Mignotte, BP 6, 21700 Nuits-Saint-Georges, tél. 03.80.62.42.08, fax 03.80.61.28.13, e-mail nuicave@wanadoo.fr t.l.j. 10h-18h; f. jan.

MICHEL PICARD Clos Paradis 2005 ★

■ 1er cru 3,17 ha 17 600 15 à 23 €

Petit-fils du fondateur du domaine, créé en 1951, Michel Picard n'est pas seulement le maire de Chagny et le châtelain de Chassagne-Montrachet. En quelque vingt ans, il a réuni 132 ha de vignes, cinq domaines et six cuveries de vinification. Rouge profond, mauve en pourtour, ce Clos Paradis se libère à l'agitation (nuances minérales et florales). Serré, tendu, il présente ce qu'il faut de texture. Le fruit s'épanouit au moment opportun, donnant le sentiment d'un 2005 beaucoup plus aimable qu'il ne paraissait d'entrée de jeu. Un vin entre la rondeur et la fermeté, qui ne laisse pas indifférent.

Maison Michel Picard,
Ch. de Chassagne-Montrachet, 5, rue du Château,
21190 Chassagne-Montrachet, tél. 03.80.21.98.57,
fax 03.80.21.98.56, e-mail contact@michelpicard.com
t.l.j. sf dim. 10h-17h; sam. de déc. à mars sur r.-v.

FRANÇOIS RAQUILLET La Brigadière 2005 *

0,4 ha 2 700 11 à 15 €

Lauréat du coup de cœur l'an dernier pour ses Veleys, ce domaine ne démérite pas cette année avec trois vins sélectionnés. Or clair, partagé entre des nuances fumées et iodées, un mercurey qui garde encore son élevage en mémoire. Frais et vif en première bouche, il n'est pas dépourvu de gras et sa finale est minérale, assez longue. Aucune agressivité tout au long de la dégustation. Une étoile également pour la cuvée **Vieilles Vignes rouge 2005**, d'un bon potentiel mais fermée, à garder deux ou trois ans. Même note enfin pour le **1er cru Les Puillets rouge 2005**, rond et flatteur.

François Raquillet, 19, rue de Jamproyes,
71640 Mercurey, tél. 03.85.45.14.61, fax 03.85.45.28.05
r.-v.

OLIVIER RAQUILLET En Sazenay 2005 *

1er cru 0,35 ha 1 400 11 à 15 €

Dans une robe dense à reflets violets, ce Sazenay s'exprime sur des notes fumées et toastées et montre beaucoup de classe et de pureté. Encore jeune et de garde, il donne l'impression de croquer une cerise noire. Ce domaine, familial depuis trois générations, couvre 5,50 ha et propose également une cuvée **Vieilles Vignes rouge 2005 (8 à 11 €)**, qui obtient une citation.

Olivier Raquillet, 125, Grande-Rue,
71640 Mercurey, tél. 03.85.45.18.38, fax 03.85.45.20.35
t.l.j. sf lun. 10h-19h

ANTONIN RODET 2004 *

n.c. 35 965 15 à 23 €

Or vert, la couleur de ce mercurey blanc est classique. Abricot, pêche et truffe blanche, le nez l'est moins. Peu d'acidité pour le millésime, de la rondeur et du moelleux, une certaine sucrosité. Vendange très mûre. Un vin original. Pour le dessert ? Pourquoi pas ?

Antonin Rodet, Grande-Rue, 71640 Mercurey,
tél. 03.85.98.12.12, fax 03.85.45.25.49,
e-mail rodet@rodet.com r.-v.

DOM. SAINT-ABEL La Perrière 2005

2,2 ha 12 500 11 à 15 €

Apparition d'un domaine constitué avec les enfants de Christian Roux (Saint-Aubin), anciennement domaine de Brully. Rubis grenat assez soutenu, épicé sur un fond de fruits noirs, un 2005 au corps animal et encore sévère. À boire avec un bœuf bourguignon ayant passé sur le feu toutes les heures nécessaires.

Dom. Saint-Abel, Ex-dom. de Brully,
21190 Saint-Aubin, tél. 03.80.21.32.92,
fax 03.80.21.35.00, e-mail roux.pere.et.fils@wanadoo.fr
r.-v.
Christian Roux

CH. DE SANTENAY 2005 *

5,5 ha 37 100 8 à 11 €

Le groupe Crédit agricole succède ici aux ducs de Bourgogne. Pas loin de 100 ha et une forte implantation à Mercurey. Prix intéressant pour ce mercurey onctueux au regard. Le bouquet s'ouvre à l'aération sur le pamplemousse, le citron, le poivre blanc. Au palais, pas mal de moelleux sur une structure légère et ponctuée par un petit côté minéral. Une citation pour le **rouge 2005**, élégant mais encore un peu tannique, à attendre deux ans.

Ch. de Santenay, 1, rue du Château,
21590 Santenay, tél. 03.80.20.61.87, fax 03.80.20.63.66,
e-mail contact@chateau-de-santenay.com
t.l.j. 9h-12h 14h-17h; sam. dim. sur r.-v.

BOURGOGNE

ALBERT SOUNIT Les Monthelons 2005 *

0,3 ha 1 190 11 à 15 €

Sous pavillon burgundo-danois (et l'on se rappelle que les Burgondes descendaient sans doute de l'île scandinave de Bernholm), un chardonnay, jaune d'or à disque pâle, vanillé et beurré sur notes d'agrumes. Frais et tendu en bouche, équilibré par un certain moelleux, il dispose d'un potentiel de garde d'un an ou deux. Caves intéressantes, hautes et voûtées.

Albert Sounit, 5, pl. du Champ-de-Foire,
71150 Rully, tél. 03.85.87.20.71, fax 03.85.87.09.71,
e-mail info@albert-sounit.fr r.-v.

TUPINIER-BAUTISTA Vieilles Vignes 2005 *

1 ha 4 000 11 à 15 €

Par un domaine coup de cœur dans le Guide 2006, une cuvée Vieilles Vignes qui – bien évidemment – a besoin de s'assouplir. Sa robe est soutenue, son nez bien ouvert (fruits rouges à l'eau-de-vie, épices). Bonne concentration en bouche, tanins ronds mais bien présents. À suivre, donc. Une étoile aussi pour le **1er cru Les Vellées Vieilles Vignes blanc 2005 (15 à 23 €)**, aux notes briochées et citronnées, d'une grande finesse en bouche. Proposé par la structure du négoce, le **1er cru Clos Marcilly rouge 2005**, riche et puissant, obtient également une étoile.

Tupinier-Bautista, Touches, 21, rue de la Cure,
71640 Mercurey, tél. 03.85.45.26.38, fax 03.85.45.27.99
r.-v.

DOM. DE LA VIEILLE FONTAINE Les Crêts 2005

1er cru 0,53 ha 3 000 11 à 15 €

Sur l'étiquette, un dessin qui met tout de suite en train : une jolie *cabotte*, l'une de ces constructions en pierre sèche recouvertes de *laves* (pierres plates calcaires qui grisonnent avec l'âge), souvent rencontrées dans les vignes. Si l'orage menace, on s'y abritera en compagnie de cette bouteille carmin pourpre, très odorante (sous-bois, fruits cuits, épices), ronde, bien concentrée, aux tanins doux comme des moutons. *Climat* situé à Saint-Martin-sous-Montaigu.

Dom. de La Vieille Fontaine,
3, rue du Clos-L'Évêque, 71640 Mercurey,
tél. 03.85.87.02.29, fax 03.85.45.22.76,
e-mail david.depres@9online.fr r.-v.

Givry

À 6 km au sud de Mercurey, cette petite bourgade typiquement bourguignonne est riche en monuments historiques. Le givry rouge, la production principale (10 643 hl en 2006), aurait été le vin préféré d'Henri IV. Mais le blanc (2 457 hl) intéresse aussi. Les prix sont très abordables. L'appellation s'étend principalement sur la commune de Givry, mais « déborde » légèrement sur Jambles et Dracy-le-Fort.

DOM. BESSON Clos de la Brûlée 2005 ★★

0,4 ha 2 500 8 à 11 €

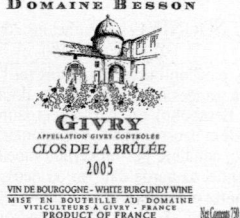

DOMAINE BESSON
GIVRY
APPELLATION GIVRY CONTROLÉE
CLOS DE LA BRÛLÉE
2005
VIN DE BOURGOGNE - WHITE BURGUNDY WINE
MISE EN BOUTEILLE AU DOMAINE
VITICULTEURS À GIVRY - FRANCE
PRODUCT OF FRANCE

Le coup de cœur pour un 2002 en *climat* La Matrosse se rappelle à votre bon souvenir. Le **blanc la Matrosse 2005**, tonique et frais, est cité. Mais c'est ce Clos de la Brûlée qui a fait la plus grande impression. Jaune à reflets dorés, il montre qu'il mitonne quelque chose de bon. L'air ambiant aide les arômes à s'exprimer librement : fleur et miel, peut-être une touche boisée. Vivifiant et perlant, ample et riche, semant en milieu de bouche quelques pétales de fleurs blanches, un chardonnay à petit prix pour son grand mérite. Encore un peu fermé, il se gardera deux à trois ans.

Dom. Guillemette et Xavier Besson,
9, rue des Bois-Chevaux, 71640 Givry,
tél. 03.85.44.42.44, fax 03.85.94.88.21,
e-mail xavierbesson3@wanadoo.fr r.-v. 4

DOM. CHOFFLET-VALDENAIRE Les Galaffres 2005 ★★

1,5 ha 5 000 8 à 11 €

Des ancêtres vignerons à Givry, peut-être pas au temps d'Henri IV mais déjà sous le règne du Roi Soleil ; 13 ha aujourd'hui. Le **1er cru Clos Jus rouge 2005 (11 à 15 €)**, rubis profond, pivoine et rose au nez, dense, boisé avec élégance et de garde (cinq ans), déborde de bonnes intentions : une étoile. Encore plus admiré, de grande classe, ce *village* blanc, l'oiseau rare en givry (une bouteille de chardonnay pour cinq de pinot noir). Or gris cristallin, floral et vanillé, suave et gras, il s'inspire d'Henri IV et déclare : « Suivez mon panache blanc ! » Une merveilleuse découverte en pays rouge.

Dom. Chofflet-Valdenaire, Russilly, 71640 Givry,
tél. 03.85.44.34.78, fax 03.85.44.45.25,
e-mail chofflet.valdenaire@wanadoo.fr r.-v.
Valdenaire

DOM. DU CLOS SALOMON Clos Salomon Monopole 2005

1er cru 7 ha 40 000 11 à 15 €

Les papes d'Avignon auraient goûté aux vins de ce vignoble au XIVes. Le 2001 fut coup de cœur dans l'édition 2004. Costaud et boisé, sur les épices et le tabac blond, le 2005 n'y va pas par quatre chemins. Une texture riche, en devenir, un peu masquée par des tanins boisés qui lui donnent un air d'austérité. Chaleureux en finale, ce vin tirera grand profit d'une garde de deux à trois ans qui permettra de l'apprécier à sa juste valeur.

EARL Clos Salomon, 16, rue du Clos-Salomon,
71640 Givry, tél. 03.85.44.32.24, fax 03.85.44.49.79
t.l.j. sf dim. 9h-12h 14h-19h

DANJEAN-BERTHOUX La Plante 2005

1er cru 1 ha 8 000 5 à 8 €

En Bourgogne on appelle « plante » une plantation récente, une jeune vigne. Parfois, comme ici ou à Chassagne-Montrachet par exemple, le terme a fini par désigner un *climat*. D'un jaune pâle discret, un givry 1er cru blanc, ce qui n'est pas si fréquent. Son bouquet esquisse timidement le floral et le vanillé. En bouche, on trouve du volume, et un retour floral sympathique. Attente recommandée (un an ou deux).

Pascal Danjean-Berthoux,
Le Moulin Neuf, 45, rte de Saint-Désert,
71640 Jambles, tél. 03.85.44.54.74, fax 03.85.44.33.46,
e-mail danjean.berthoux@wanadoo.fr r.-v.

DOM. DANIEL DAVANTURE ET FILS 2004 ★

0,8 ha 4 700 5 à 8 €

C'est un beau roman, celui de ce domaine ; le récit d'une progression tranquille : huit générations dans les vignes ; les 3 ha du grand-père, les 12 ha du père, Daniel, les 20 ha des trois frères Davanture ; c'est une belle histoire... Cette bouteille fredonne la chanson. Robe griotte, pivoine. Nez d'humus, d'animal, de sauvageon au sens original du mot. On s'attend à trouver de la mâche. Elle ne manque pas. Sans doute les tanins font-ils le gros dos, mais le temps (un à deux ans) saura rendre ce vin caressant. *Village* tel que l'on en rêve, pour un prix intéressant.

Dom. Daniel Davanture et Fils,
rue de la Messe, Cidex 1516, 71390 Saint-Désert,
tél. 03.85.47.90.42, fax 03.85.47.95.57,
e-mail domaine.davanture@orange.fr r.-v.
GAEC des Murgers

DUREAULT PÈRE ET FILS En Choué 2005

3 ha 14 000 5 à 8 €

Belle propriété fondée au début des années 1960, des bâtiments du XVes., une cour, un puits ; 16 ha aujourd'hui. L'encépagement a bien évolué, l'agrandissement s'est réalisé vers Montagny et Givry vingt ans plus tard. Ce 2005 En Choué (drôle de nom « pur jus ») est souple et léger. Il faut le carafer pour permettre à ses arômes de fruits noirs de s'exprimer.

GFA Dureault, Dom. de Chamilly, 71390 Moroges,
tél. 03.85.47.93.00, fax 03.85.47.95.90 r.-v.

DOM. DE LA FERTÉ 2004 ★★

1,7 ha 4 000 11 à 15 €

Confié à la famille Devillard, un domaine historique cultivé par les moines du XIIes. à la Révolution. La Ferté fut une des premières filles de Cîteaux. Deux coups de cœur pour les millésimes 2003 (Servoisine) et 1999 (*village*) – on ose à peine citer ces distinctions parmi tant de cartulaires et de bénédictions papales... Deux vins magnifiques, le **1er cru Servoisine rouge 2004 (15 à 23 €)**, ample et gras, plus clunisien que cistercien (une belle étoile) et celui-ci, expressif et complexe, d'une chair et d'une mâche... Remarquable pour le millésime. Austère aujourd'hui, mais on devine qu'il sera délectable. Deux bouteilles à attendre un à deux ans au moins.

Dom. de La Ferté, BP 5, 71640 Mercurey, tél. 03.85.45.21.61, fax 03.85.98.06.62, e-mail contact@domaine-de-la-ferte.com r.-v.

PIERRE JANNY 2004 *

■ 3,5 ha 21 000 8 à 11 €

L'un des rares négociants mâconnais à se passionner pour la Côte de Beaune et la Côte chalonnaise. Achetant à la propriété de quoi remplir 21 000 bouteilles, il a visé juste. Pivoine ou cerise, peu importe : la couleur est là. Arômes un peu confiturés, sur fond de sous-bois, belle mâche. Dense et naturellement assez sévère, ferme et tannique, cette bouteille sera abordable vers 2010. Un vin nature.

Pierre Janny Grands vins de Bourgogne, La Condemine, Cidex 1556, 71260 Péronne, tél. 03.85.23.96.20, fax 03.85.36.96.58, e-mail pierre-janny@wanadoo.fr

DOM. LABORBE-JUILLOT
Clos Marceaux Monopole 2005

■ 1er cru 2,94 ha 20 000 8 à 11 €

Le Clos Marceau (ou Marceaux) fut classé tardivement en 1er cru, en 1988. Notons qu'il s'agit ici d'un vin de domaine commercialisé par la cave coopérative de Buxy. Si la robe est soignée, les arômes demeurent à ce stade sur la réserve. Juste un brin de violette. Forte influence tannique après une attaque souple.

SICA Les Vignerons réunis à Buxy, rte de Chalon, 71390 Buxy, tél. 03.85.92.03.03, fax 03.85.92.08.06, e-mail labuxynoise@cave-buxy.fr
t.l.j. sf dim. 9h-12h 14h-18h30

MARINOT-VERDUN 2005 *

■ n.c. 6 000 5 à 8 €

Technologique ? Si l'on veut, mais diablement envoûtant. Pourpre foncé à frange violine, il vous convie dans le placard aux épices : curry, gingembre, cannelle, poivre blanc viennent nuancer le fruit rouge du pinot. Souple, soyeux, le palais oriente sa boussole sur la fraise écrasée, sans trop de dureté ni jamais céder à un geste d'humeur. Cette bouteille sera bientôt prête (un an ou deux de cave). Elle est signée par un négociant bon connaisseur de la Côte chalonnaise.

Marinot-Verdun, Mazenay, 71510 Saint-Sernin-du-Plain, tél. 03.85.49.67.19, fax 03.85.45.57.21 t.l.j. sf dim. 8h-12h 14h-18h

DOM. MASSE PÈRE ET FILS
Champ Lalot 2005 *

■ 0,5 ha 3 000 11 à 15 €

Champ Lalot ou Champs Labot ? La « dictée de Pivot » n'est décidément pas faite pour la Bourgogne, même si ce dernier – dans son récent *Dictionnaire amoureux du Vin* – tresse des couronnes à la région. Cela étant, quel vin goûteux ! Prêt à passer à table, rustique comme on les aime. Cerise noire et épices, les arômes jouent fin et jouent juste. Ce 2005 a trouvé ses marques, prend son élan mais le pistolet du départ n'a pas encore retenti. En 2008, on le trouvera en pleine forme. Une étoile encore pour le **Clos de la Brûlée blanc 2005 (8 à 11 €)** : des parfums d'aubépine et de kiwi, et une jolie vivacité qui fera sortir de leur coquille une douzaine d'escargots.

Dom. Masse Père et Fils, Theurey, 71640 Barizey, tél. 03.85.44.36.73, e-mail domainemasse@wanadoo.fr
r.-v.

DOM. MOUTON Les Grands Prétans 2005 *

■ 1er cru 0,32 ha 1 500 11 à 15 €

Propriété familiale de 10 ha sur laquelle Laurent Mouton s'est installé en 2002. D'un rouge violacé presque noir, ses Grands Prétans ont le nez odorant : cerise noire, réglisse. Le boisé de l'élevage (douze mois en fût) n'est pas encore tout à fait fondu. Si la structure tannique est serrée, la chair apparaît dans l'ensemble souple et fine. « Suivez son panache rouge ! » aurait pu dire Henri IV qui, au profit du givry, a commis quelques infidélités envers le jurançon. À déboucher maintenant ou (plutôt) dans deux à trois ans.

SCEA Dom. Mouton, 6, rue de l'Orcène, Poncey, 71640 Givry, tél. 03.85.44.37.99, fax 03.85.44.48.19, e-mail domaine-mouton@vin-givry.com
t.l.j. sf dim. 9h-12h 14h-19h

DOM. RAGOT La Grande Berge 2005 **

■ 1er cru 2,14 ha 14 000 11 à 15 €

La « mémoire de l'eau » est généralement taxée de supercherie. Il existe en revanche une mémoire du vin. Tenez, cette Grande Berge rouge de chez Ragot fut coup de cœur dans l'édition 1997 pour le 1993. Elle est de nouveau remarquable. Jean-Paul Ragot a laissé la place à Nicolas depuis quelques années. Une robe intense, un boisé toasté marié au cassis, une présence éclatante en bouche : ce 2005 mène l'affaire rondement. Ample, profond, fruité, il réunit toutes les qualités d'un grand givry. On associe à cet hommage le **village Vieilles Vignes rouge 2005 (8 à 11 €)** encore fermé et tannique mais structuré pour la garde : une étoile. Attente recommandée de trois à cinq ans, comme pour le 1er cru.

Dom. Ragot, 4, rue de l'École, Poncey, 71640 Givry, tél. 03.85.44.35.67, fax 03.85.44.38.84, e-mail vin@domaine-ragot.com
t.l.j. sf dim. 8h-20h C

MICHEL SARRAZIN ET FILS
Les Grands Prétants 2005 **

■ 1er cru 1,3 ha 8 600 8 à 11 €

Un domaine qui collectionne les coups de cœur : six fois couronné, surtout en givry. Les Grands Prétants 2000 et 2003 furent aussi distingués. Pourpre grenat, ce 2005 résulte d'une extraction poussée jusqu'aux derniers retranchements du cru et du cépage. Riche, puissant, épicé, torréfié, une force de la nature. Fortement étoffé, il devra trouver à table comme compagne une viande de caractère. Plutôt dans cinq ans que maintenant. Le **village rouge Champs Lalot 2005**, charpenté et bien fait, reçoit une étoile. À attendre deux ou trois ans.

Dom. Michel Sarrazin et Fils, Charnailles, 71640 Jambles, tél. 03.85.44.30.57, fax 03.85.44.31.22, e-mail sarrazin2@wanadoo.fr
t.l.j. 9h-19h; dim. 9h-12h B

BOURGOGNE

LA SAULERAIE Champ Pourrot 2005 ★

0,5 ha 3 000 5 à 8 €

Champ Pourot (ou Pourrot) fut longtemps planté en rouge, puis revendiqué en blanc. Bergamote, chèvrefeuille, un gentil chardonnay assez chaleureux et avec suffisamment d'étoffe. Pour un tagine de poisson. Le **1er cru Clos Les Grandes Vignes rouge 2005 (11 à 15 €)**, bien représentatif de son appellation et de confiance, obtient la même note. Coup de cœur en 2003 et 2000. Laurent Parize a de qui tenir !

Parize Père et Fils, 18, rue des Faussillons, 71640 Givry, tél. 03.85.44.38.60, fax 03.85.44.43.54, e-mail laurent.parize@wanadoo.fr t.l.j. 9h-19h

DOM. JEAN TATRAUX ET FILS Clos Jus 2005

1er cru 0,25 ha 1 500 8 à 11 €

Le Clos Jus fait tout l'honneur de Dracy-le-Fort. Dès le XVIIIes., l'abbé Courtépée signalait ses vertus. Celui-ci, rubis profond se présente sous des traits harmonieux. Les arômes de fruits rouges s'accordent bien à sa souplesse. Des nuances florales agrémentent le grillé mais on pense davantage au santal qu'au chêne. Un ensemble élégant. Peut-être un tout petit cran au-dessous mais assez proche, le **1er cru Les Grandes Berges rouge 2005** peut devenir une solution d'honnête repli si le Clos Jus venait à manquer.

Dom. Jean Tatraux et Fils, 20, rue de l'Orcène, Poncey, 71640 Givry, tél. 03.85.44.36.89, fax 03.85.44.59.43, e-mail sylvain.tatraux@wanadoo.fr t.l.j. 8h-20h

Montagny

Entièrement voué aux vins blancs, Montagny, village le plus méridional de la région, annonce déjà le Mâconnais. L'appellation peut être produite sur quatre communes : Montagny, Buxy, Saint-Vallerin et Jully-lès-Buxy. Plusieurs premiers crus : les Coères, les Burnins, les Platières... sont délimités sur la commune de Montagny. Les vins produits sont assez subtils, avec des arômes d'agrumes et une touche de minéralité. D'une bonne garde, ces vins mériteraient d'être mieux connus. La production a atteint 17 898 hl en 2006.

STÉPHANE ALADAME Cuvée Sélection 2005 ★

1er cru 1,3 ha 6 000 11 à 15 €

Domaine créé par Stéphane Aladame à l'âge de dix-huit ans en 1992. Approche bio depuis 2006. Un vin que l'on appelait jadis « côte-de-buxy ». Connu et apprécié depuis longtemps, le montagny reste cependant à dénicher. Celui-ci par exemple : or léger et odorant (brioche, poire). Belle prestation en bouche, avec un équilibre réussi entre rondeur et vivacité, sur des notes réglissées, héritage de l'élevage.

Stéphane Aladame, rue du Lavoir, 71390 Montagny-lès-Buxy, tél. 03.85.92.06.01, fax 03.85.92.03.67, e-mail stephane.aladame@wanadoo.fr r.-v.

PIERRE BERNOLLIN Les Coères 2005 ★

1er cru n.c. 3 000 8 à 11 €

Les Coères font figure de chef de file parmi les soixante *climats* classés ou admis en premier cru depuis 1991. Montagny, Jully et Saint-Vallerin se le partagent, ce qui (il faut bien le dire) simplifie les choses. Jaune paille à reflets dorés, un 2005 au nez assez complexe de fruits confits. Citron confit évidemment. Rond et puissant, judicieusement soutenu par une pointe de vivacité, c'est un vin agréable à boire dès maintenant et pour quelques années. Le domaine appartient depuis 2005 à la Maison Albert Sounit à Rully.

Dom. Pierre Bernollin, Les Hesses, 71390 Jully-les-Buxy Jully-les-Buxy, tél. 03.85.92.12.19, fax 03.85.92.17.57 r.-v.

JEAN-PIERRE BERTHENET
Tête de cuvée 2005 ★★

1er cru 3 ha 15 000 5 à 8 €

Depuis qu'il vinifie en cave particulière (2002), Jean-Pierre Berthenet a toujours été sélectionné dans le Guide. Son travail trouve une vraie consécration cette année avec un coup de cœur pour ce vin à la jonction de l'or et du jaune, légèrement fruité et exotique (les arômes d'agrumes sont ici à leur place). Rondeur, finesse, vivacité, il marie tous les constituants avec bonheur. Haut de gamme pour un *village*. Joli tir groupé : une étoile pour le **1er cru Vieilles Vignes 2005 (8 à 11 €)** et une citation pour le **1er cru Les Saint-Morilles 2005.**

Dom. Jean-Pierre Berthenet, Le Bourg, 71390 Montagny-lès-Buxy, tél. 03.85.92.17.06, fax 03.85.92.06.98, e-mail domaine.berthenet@free.fr r.-v.

CAVE DE VIGNERONS DE BISSEY-SOUS-CRUCHAUD Les Pidances 2005

1er cru 1,28 ha 12 500 5 à 8 €

Les Pidances sont, sur Buxy, l'un des *climats* les plus septentrionaux de l'appellation. Les coopérateurs de Bissey-sous-Cruchaud (situé dans le canton de Buxy – on reste entre voisins) en ont tiré un chardonnay flatteur et sur le fruit. « Un montagny blanc et frais est absolument délicieux », écrivait Serena Sutcliffe, remarquable écrivain britannique et auteur d'un livre devenu un classique sur les vins de Bourgogne. L'acidité est ici fondue, même s'il reste en finale une pointe assez vive.

Cave de Vignerons de Bissey, Les Millerands, 71390 Bissey-sous-Cruchaud, tél. 03.85.92.12.16, fax 03.85.92.08.71, e-mail cave.bissey@wanadoo.fr r.-v.

LA BUXYNOISE Cuvée spéciale 2005

1er cru 11 ha 65 000 8 à 11 €

La Buxynoise n'est pas le nom d'un lieu-dit, mais une des signatures de l'importante cave coopérative fondée en

1931 et qui a su se développer en absorbant notamment la cave de Saint-Gengoux-le-National dès 1970. Robe sans défaut. Au nez, des touches de beurre frais pas désagréables. Un bon corps et du répondant (vivacité) : à ne pas boire tout de suite.
SICA Les Vignerons réunis à Buxy, rte de Chalon, 71390 Buxy, tél. 03.85.92.03.03, fax 03.85.92.08.06, e-mail labuxynoise@cave-buxy.fr
t.l.j. sf dim. 9h-12h 14h-18h30

DOM. FEUILLAT-JUILLOT Les Coères 2005

1er cru 2,4 ha 18 600 8 à 11 €

Association de Maurice Bertrand, propriétaire du vignoble, et de Françoise Juillot (1989), puis achat par cette dernière du domaine en 2004. On propose ici le premier cru, qui est un peu le phare de l'AOC. Or gris, accordant une large place aux agrumes, il entre franchement en bouche et s'explique : fraîcheur, minéralité, voilà son programme. Un rien de mordant, c'est dans son caractère. À attendre deux ans.
Dom. Feuillat-Juillot, BP 13, 71390 Montagny-lès-Buxy, tél. 03.85.92.03.71, fax 03.85.92.19.21, e-mail domainefeuillatjuillot@wanadoo.fr
t.l.j. 9h-12h 14h-18h; f. 15-31 août

CAVE DE GENOUILLY
Les Vignes du Soleil 2005 ★

1er cru 0,8 ha 8 000 5 à 8 €

La coopérative de Genouilly (canton de Mont-Saint-Vincent) présente ce 2005 à la robe or pâle attrayante, au nez légèrement porté vers la citronnelle. En bouche, la mirabelle n'est pas seulement là pour la rime. Finesse et rondeur pour un résultat convaincant. Ne dit-on pas qu'haleine fraîche et idées claires accompagnent la dégustation d'un montagny ?
Cave des vignerons de Genouilly, allée du 19-Mars-1962, 71460 Genouilly, tél. 03.85.49.23.72, fax 03.85.49.23.58, e-mail vigneronsgenouilly@wanadoo.fr
t.l.j. sf dim. 8h-12h 14h-18h

DOM. LE GRÉGOIRE
Les Varignys Vinifié et élevé en fût de chêne 2004 ★

0,42 ha 3 000 8 à 11 €

Rachat du GAEC Dionysos en 2001, transformé en domaine Le Grégoire en 2004. Débuts de biodynamie. Thierry Gautier est parisien, Corinne Tournier vient de Chamonix ; ni l'un ni l'autre n'appartenait à un milieu viticole. Sous des abords jaune pâle, ce 2004 offre des arômes beurrés relevés de notes d'agrumes. En bouche, il est plus vif qu'opulent. Le fût lui apporte un peu sans rien lui retrancher. Si vous les aimez, préparez des ris de veau à son intention. Une citation pour le **1er cru Les Vignes du Soleil 2004**.
Dom. Le Grégoire, 71460 Culles-les-Roches, tél. 03.85.44.01.90, fax 03.85.44.08.61, e-mail domainelegregoire@wanadoo.fr r.-v.
C. Tournier, T. Gautier

OLIVIER LEFLAIVE 2005

1er cru 1,5 ha 12 000 11 à 15 €

Sous une robe or clair, ce 2005 livre un nez flatteur et légèrement boisé (70 % de vin élevé en fût). Attaque vive, matière fine qui s'agrémente d'une pointe réglissée et finale plaisante. À boire maintenant si vous aimez les vins pleins de fraîcheur, ou d'ici deux ans pour un meilleur fondu.
Olivier Leflaive Frères, pl. du Monument, 21190 Puligny-Montrachet, tél. 03.80.21.37.65, fax 03.80.21.33.94, e-mail contact@olivier-leflaive.com
r.-v.

CH. DE LA SAULE
Cuvée spéciale Élevé en fût de chêne 2005 ★

1er cru 4 ha 25 000 11 à 15 €

Jaune paille à reflets verts, cette cuvée offre un bouquet partagé entre l'agrume exotique et le floral. Au palais, c'est l'attaque de la brigade légère ! De la matière et du fond, une escorte de sentiment réglissé, un vin tout en finesse à garder une bonne année en cave. N'oublions pas que l'un des grands poètes français du XXe s., André Frénaud, passa une partie de sa jeunesse à Saint-Vallerin et qu'il ne détestait pas trouver l'inspiration auprès d'un verre de montagny... Il aurait eu le choix ici, puisque le **montagny 1er cru 2005 (8 à 11 €)**, élevé en cuve, obtient une citation.
Alain Roy, Ch. de La Saule, 71390 Montagny, tél. 03.85.92.11.83, fax 03.85.92.08.12 r.-v.

BOURGOGNE

Le Mâconnais

Mâcon et mâcon-villages

Les appellations mâcon ou mâcon suivi de la commune d'origine sont utilisées pour les vins rouges, rosés et blancs. Les vins blancs peuvent s'appeler aussi mâcon-villages. L'aire de production est relativement vaste et, de la région de Tournus jusqu'aux environs de Mâcon, la diversité des situations se traduit par une grande variété dans la production. Le secteur de Lugny, Chardonnay et Viré, propice à la production de vins blancs légers et agréables, est le plus connu.

Le Mâconnais a produit en AOC communales 207 962 hl de vin blanc et 29 240 hl de vin rouge en 2006. C'est d'ailleurs dans ce secteur que la production s'est développée.

Mâcon

CAVE D'AZÉ Azé 2005 ★★

n.c. 17 000 3 à 5 €

Les sols argilo-calcaires d'Azé révèlent dans cette bouteille leur affinité avec le gamay. Revêtue d'une robe pourpre profond, celle-ci dévoile des senteurs agréables de cerise, de mûre et de fleurs. La bouche, nette et ronde, est bien construite et équilibrée entre la chair du vin et les tanins. Longue finale sur les arômes du bouquet. « J'aime beaucoup », conclut un juré, et, à ce prix-là, on ne saurait manquer l'affaire. D'autant plus que déjà agréable à boire, ce vin pourra vieillir un à deux ans.
Cave d'Azé, En Tarroux, 71260 Azé, tél. 03.85.33.30.92, fax 03.85.33.37.21, e-mail contact@caveaze.com r.-v.

RICHARD BENAS
Serrières Les Varennes Vieilles Vignes 2005 *

■ 0,94 ha 5 000 5 à 8 €

On retrouve en filigrane sur l'étiquette de ce vin une gravure des célèbres « porteurs de raisins », qui avaient pour mission de sortir les bennes remplies des rangs de vignes pour les acheminer jusqu'au char. Du gamay récolté manuellement à la mi-septembre a donné un 2005 charpenté au nez de fruits confits et de pivoine, aux tanins bien fondus qui lui confèrent une bouche ronde et charnue. À boire sur du gibier.

Dom. Richard Benas, La Tuilerie, 71960 Serrières, tél. 06.12.95.96.51, fax 03.85.35.73.00, e-mail domaine.rbenas@wanadoo.fr r.-v.

DOM. ANDRÉ BONHOMME 2005

■ 0,22 ha 1 760 5 à 8 €

Ce domaine réputé pour la production de vins blancs présente un vin issu de vieux ceps de gamay (soixante-dix ans) plantés sur sol sableux. Élevé un an en fût, ce 2005 couleur d'encre, aux légers reflets cuivrés, se montre expressif au nez, mêlant la cerise à l'eau-de-vie aux fruits rouges et noirs. Puissant et corpulent au palais, il affiche tout de même de la rondeur et un bon équilibre. Assez confidentielle, cette cuvée est prête à boire.

André Bonhomme, rue Jean-Large, Cidex 2108, 71260 Viré, tél. 03.85.27.93.93, fax 03.85.27.93.94, e-mail earl.bonhomme.andre@terre-net.fr
t.l.j. 8h30-12h 13h30-18h
Éric Palthey

CAVE CHARNAY Charnay Cuvée Prestige 2005 *

■ 1,2 ha 13 000 3 à 5 €

Cette cuvée de gamay affiche une robe grenat d'une bonne intensité et présente un nez discret de fruits mûrs presque compotés. La bouche offre beaucoup de rondeur et de mâche, sur un lit de tanins bien présents mais fondus. Un vin que l'on servira dès maintenant sur une viande grillée.

Cave de Charnay, En Condemine, 54, chem. de la Cave, 71850 Charnay-lès-Mâcon, tél. 03.85.34.54.24, fax 03.85.34.86.84 r.-v.

DOM. DES CHENEVIÈRES
Les Sillons longs 2005 *

■ 0,5 ha 3 000 3 à 5 €

Une cuvée élaborée à partir de vieux ceps de gamay (soixante ans) implantés sur argilo-calcaire. La robe aux reflets grenat annonce une structure puissante, enveloppée par des saveurs fruitées. Quelques évocations de myrtille, de violette, de cerise et de rose composent la palette aromatique de ce 2005, qui est prêt à boire.

Dom. des Chenevières, Le Bourg, 71260 Saint-Maurice-de-Satonnay, tél. 03.85.33.31.27, e-mail domaine.chenevieres@orange.fr
t.l.j. 9h-12h 14h-19h; f. 1er-15 août
Lenoir

LA COMMANDERIE DES SARMENTS DU MÂCONNAIS 2006 ***

■ 6 ha 40 000 3 à 5 €

Thorin est un nom bien connu en Beaujolais et en Mâconnais, mais également de nos lecteurs : coup de cœur dans le Guide 2002 pour le mythique 2000. Sélection

rigoureuse de raisins vinifiés puis élevés sous la houlette de Patrick Vivier, cette Commanderie d'un rouge intense à reflets violacés livre des arômes rappelant la cueillette des petits fruits : cassis, framboise et mûre. Cette complexité aromatique se retrouve au palais dans un environnement riche et tannique avant une longue finale équilibrée. Gouleyant et gourmand, un vin fait pour la charcuterie et les fromages doux.

Maison Thorin, Le Pont des Samsons, 69430 Quincié-en-Beaujolais, tél. 04.74.69.09.10, fax 04.74.69.09.75, e-mail marketing@boisset.fr

DOM. DE LA FEUILLARDE Prissé 2005 **

■ 1,8 ha 14 000 5 à 8 €

Si la maison est située au bord de la RN 79 reliant Mâcon à Cluny, le vignoble de 17 ha d'un seul tenant est implanté sur le coteau sud, là où se font les grands vins. Telle cette cuvée au nez de fruits très mûrs, presque en surmaturité, accompagnés de notes de cuir chaleureuses. L'amplitude de la bouche n'a d'égal que le soyeux des tanins, et la finale aromatique laisse un souvenir persistant. Un vin très équilibré et harmonieux, à essayer sur un plat de chasse cet automne.

Lucien Thomas, Dom. de La Feuillarde, 71960 Prissé, tél. 03.85.34.54.45, fax 03.85.34.31.50, e-mail contact@domaine-feuillarde.com
t.l.j. 8h-12h30 13h30-19h

DOM. FICHET 2006 *

■ 1 ha 5 700 3 à 5 €

Le rosé de la sélection. Il n'y en a pas toujours et celui-ci est très réussi. Sa palette aromatique est un heureux mariage entre la groseille, le bonbon acidulé et la pivoine. Vif au premier abord, le palais dévoile bientôt de la rondeur et du volume, avant de finir sur une pointe de pamplemousse rose. Un vin gourmand et frais que l'on servira tout au long d'un repas.

Dom. Fichet, Le Martoret, 71960 Igé, tél. 03.85.33.30.46, fax 03.85.33.44.45, e-mail contact@domaine-fichet.com r.-v.

MARIE-ODILE FRÉROT ET DANIEL DYON 2005 *

■ 0,81 ha 5 300 3 à 5 €

Ce mâcon rouge rubis à reflets violacés a la particularité d'être élaboré à partir d'un assemblage de gamay (60 %) et de pinot noir (40 %), pratique peu courante en Mâconnais. Ses arômes sont restés très frais et même primeurs, rappelant la framboise, le cassis et la fraise. On retrouve au palais cette fraîcheur ainsi qu'une matière dense et gourmande. Un vin de plaisir à boire entre amis.

Marie-Odile Frérot et Daniel Dyon, Veneuze, 71240 Étrigny, tél. et fax 03.85.92.24.31 r.-v.

LUDOVIC GREFFET 2005 ★

	1,07 ha	1 250		5 à 8 €

Ce 2005 jaune d'or s'ouvre sur les fleurs et les fruits secs. D'un bel équilibre, il développe une matière dense et souple ponctuée d'une légère amertume aux nunaces d'agrumes. La fleur d'acacia et l'amande reviennent en finale. À marier à un fromage de chèvre sec, à un poisson ou à apprécier pour lui-même.

Ludovic Greffet, Le Haut, 71960 Solutré-Pouilly, tél. 06.23.75.35.22, e-mail ludo.greffet@wanadoo.fr

LAURENT HUET 2005

	0,6 ha	4 000		3 à 5 €

Laurent Huet conduit un domaine de 15 ha planté principalement en chardonnay. C'est avec ses uniques 60 a de gamay qu'il a élaboré cette cuvée rubis intense, dont les arômes rappellent les petits fruits : cassis, framboise... La bouche équilibrée et souple est nuancée de réglisse et de fraise. À boire dès aujourd'hui sur un saucisson chaud à la beaujolaise.

Laurent Huet, rte de Germolles, 71260 Clessé, tél. 03.85.36.96.99, fax 03.85.36.98.87, e-mail laurent.huet16@wanadoo.fr r.-v.

DOM. MARC JAMBON ET FILS
Pierreclos Cuvée classique 2005

	2 ha	7 200		5 à 8 €

Marc Jambon a laissé en 2005 la gérance du domaine à son fils Pierre-Antoine. Élaboré uniquement avec des levures indigènes, ce 2005 s'habille de rubis à reflets violacés. Discret à l'approche, son nez s'ouvre ensuite sur des notes florales et fruitées. Rondeur et gras dominent l'attaque puis laissent la place à une structure tannique tendre, presque veloutée. Un bel ensemble qu'une petite garde devrait épanouir.

Dom. Marc Jambon et Fils, La Roche, 71960 Pierreclos, tél. 03.85.35.73.15, fax 03.85.35.75.62, e-mail marc.jambon@free.fr r.-v.

DOM. DU MERLE 2005 ★★

	1 ha	4 000		5 à 8 €

Domaine d'une dizaine d'hectares situé au cœur d'un village bourguignon vieux de plus de deux mille ans. Certains vestiges attestent la vocation viticole de celui-ci, même si, aujourd'hui, les vignes ne sont plus guère présentes dans ce secteur du Mâconnais. Michel Morin et Paul Bontemps tiennent bon et ce 2005 leur donne raison. Rubis intense à l'œil, il développe au nez un fruit plaisant rappelant le cassis et la framboise, ainsi que quelques notes épicées. Rond, plaisant et gouleyant, c'est un mâcon typique à boire sur une charcuterie fine.

Dom. du Merle, Sens, 71240 Sennecey-le-Grand, tél. 03.85.44.75.38, fax 03.85.44.73.63, e-mail domainedumerle@tele2.fr t.l.j. 8h-19h

DOM. DE MONTERRAIN
Clos de Monterrain 2006 ★

	2 ha	17 000		5 à 8 €

Plantés sur les coteaux des Monterrains, à dominante de sable et d'argile, ce jeune chardonnay a donné un vin plaisant et facile à boire. Jaune paille à l'œil, il développe de fins arômes floraux et fruités. Sa structure en bouche est ronde avec juste ce qu'il faut d'acidité. Un léger perlant lui confère de la fraîcheur. On conseille de le servir sur un feuilleté aux escargots.

Patrick et Martine Ferret, Dom. de Monterrain, Les Monterrains, 71960 Serrières, tél. 03.85.35.73.47, fax 03.85.35.75.36, e-mail domaine.de.monterrain@wanadoo.fr r.-v.

ALAIN NORMAND La Roche-Vineuse 2005 ★

	2,3 ha	5 000		5 à 8 €

Installé depuis 1993 à la Grange-du-Dîme, un vieux quartier de l'ancien Saint-Sorlin, rebaptisé La Roche-Vineuse après la Révolution, Alain Normand propose ce vin dont la teinte hésite entre le rubis et le carmin. Le nez intense développe une palette aromatique riche mêlant la quetsche, la mûre et le cassis au chocolat et à la réglisse. La bouche, encore un peu austère, demeure équilibrée et fraîche. À garder un an ou deux avant de l'accompagner d'une grillade.

Alain Normand, chem. de la Grange-du-Dîme, 71960 La Roche-Vineuse, tél. 03.85.36.61.69, fax 03.85.51.60.97, e-mail domaine.alain.normand@wanadoo.fr r.-v.

PASCAL PAUGET Terroir de Prety 2005 ★★

	0,75 ha	n.c.		8 à 11 €

Tout proche de Tournus, célèbre par son abbaye romane et sa gastronomie, ce petit vignoble a la particularité d'être le seul situé sur la rive gauche de la Saône. Paré d'une robe rouge vif à reflets violets, ce 2005 mêle au nez la vanille, les fruits confits et quelques notes sauvages agréables. Concentré et rond, le palais marie harmonieusement la matière du vin et les tanins boisés de l'élevage. Une idylle qui devrait durer quelques années. Une citation pour **La Croisette Terroir de Tournus blanc 2005** aux notes fleuries et miellées.

Pascal Pauget, Les Crets, 71700 Ozenay, tél. 03.85.32.53.15, fax 03.85.51.72.67 r.-v.

DOM. DE LA PIERRE DES DAMES
Serrières Le Bois Saint 2005 ★★

	0,5 ha	3 200		5 à 8 €

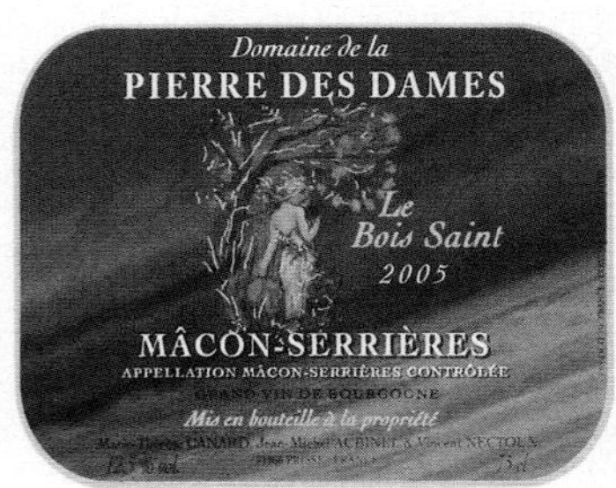

Jean-Michel Aubinel, par ailleurs investi dans le syndicalisme viticole départemental, travaille avec Marie-Thérèse Canard et Vincent Nectoux, ses deux associés, à mettre en valeur les terroirs du Mâconnais. Issu des sables granitiques de Serrières, ce 2005 grenat intense à reflets rubis offre une explosion d'arômes de fruits rouges (framboise, cerise à l'eau-de-vie), accompagnés de notes réglissées et épicées (genièvre). La bouche confirme la maturité du fruit, livrant une matière riche, digne du millésime. La finale « Zan » s'étire longuement dans la fraîcheur. Un grand vin à boire dès aujourd'hui mais qui saura également donner du plaisir dans deux à cinq ans.

BOURGOGNE

🔑 Dom. de La Pierre des Dames, Mouhy, 71960 Prissé, tél. et fax 03.85.20.21.43, e-mail jm.aubinel@wanadoo.fr ☑ 🍷 👤 r.-v.

CAVE DE PRISSÉ-SOLOGNY-VERZÉ
Cuvée Prestige Vieilles Vignes 2006 ★

■ n.c. 3 140 **5 à 8 €**

Percer le secret des terroirs de Bourgogne, telle est l'ambition de ce groupement de producteurs. Première réponse avec ce gamay rouge vif à reflets violacés, offrant des notes de cassis et de mûre intenses. Très puissant dès l'attaque, il se montre rond tout au long de la dégustation et fait preuve d'une bonne persistance. L'ensemble, harmonieux, peut déjà se boire mais supportera une année de garde.

🔑 Vignerons des Terres Secrètes, Chai de Prissé, Les Grandes-Vignes, 71960 Prissé, tél. 03.85.37.88.06, fax 03.85.37.61.76, e-mail cave.prisse@cavedeprisse.com ☑ 🍷 👤 r.-v.

DOM. DES RIOTS
Pierreclos Cuvée Vieilles Vignes 2005 ★

■ 1,5 ha 4 000 ▮ **5 à 8 €**

Exploitation familiale créée en 1936 par les arrière-grands-parents de Thierry Moreau. À l'origine, la vigne était peu présente dans cette ferme traditionnelle, mais au fil du temps la polyculture et l'élevage ont laissé la place au gamay et au chardonnay. Habillé d'une robe carmin, ce 2005 livre un bouquet mêlant la cerise et la rose fanée aux épices. Rond, équilibré mais doté d'une finale encore un peu rustre, il gagnera à être attendu ; sa structure le lui permet.

🔑 Thierry Moreau, Dom. des Riots, Le Pré du Poirier, 71960 Pierreclos, tél. et fax 03.85.35.70.02, e-mail moreau.thierry@club-internet.fr ☑ 🍷 👤 t.l.j. 8h-12h 14h-19h; f. 16-31 août

DOM. DE LA SARAZINIÈRE
Bussières Le Pavillon 2005 ★★

□ 1 ha 6 000 ▮ **5 à 8 €**

Si Philippe Trébignaud est connu pour la qualité de ses mâcon rouges, il maîtrise également parfaitement l'élaboration des blancs. Pour preuve, ce 2005 or vert étincelant. Noix, agrumes, fruits blancs, aubépine et minéralité composent un bouquet profond et riche. Élégante et délicate en approche, la bouche se révèle riche et impressionnante de longueur. Un superbe vin promis à un bel avenir et que l'on réservera à des mets raffinés (poissons nobles, viandes blanches à la crème...)

🔑 Philippe Trébignaud, Dom. de La Sarazinière, 71960 Bussières, tél. 06.11.96.85.27, fax 03.85.37.76.23, e-mail philippe.trebignaud@wanadoo.fr ☑ 🍷 👤 r.-v.

DOM. LA SOURCE DES FÉES
Terre d'antan 2005 ★

■ 1 ha 4 000 ▮ **5 à 8 €**

Créée en 1988 sur la commune de Fuissé, cette exploitation s'étend aujourd'hui sur 10 ha. Si elle est centrée sur la production de blancs, ses vins rouges méritent également l'attention, témoin ce 2005. Rouge puissant à nuances violettes, il offre des arômes de fruits cuits et d'épices. Intense et charnu à l'attaque, plutôt tannique sur la finale, il laisse une impression de maturité. On lui réservera une côte de bœuf... de Charolles bien sûr !

🔑 Philippe Greffet et Thierry Nouvel, Le Bourg, 71960 Fuissé, tél. 03.85.35.67.02, fax 03.85.35.62.22, e-mail t.nouvel@wanadoo.fr ☑ 🍷 t.l.j. 9h-20h 🏠 ⑦

DOM. DES TREMBLAYS Serrières 2005 ★

■ 5,5 ha 12 000 ▮ **5 à 8 €**

Né sur les terres granitiques de Serrières, le gamay a donné un vin rouge cerise brillant qui décline au nez des senteurs de fleurs et de fruits à noyau, sur un fond légèrement épicé. Celui-ci offre au palais une attaque franche suivie de tanins tendres et d'une pointe d'acidité rafraîchissante. D'une mâche agréable, il est prêt à boire sur une viande grillée mais il peut attendre...

🔑 Raymond Besson, Les Tremblays, 71960 Serrières, tél. et fax 03.85.37.73.86 ☑ 🍷 👤 r.-v.

DOM. DES VIGNES DU MAYNES
Cruzille Clos des Vignes du Maynes Manganite 2005 ★★

■ 0,6 ha 3 200 ⦀ **15 à 23 €**

En deux générations, Alain et Julien Guillot ont hissé leurs vins au plus haut niveau. La preuve, ce Cruzille né dans l'illustre Clos des Vignes du Maynes, cadastré en 910 par les moines de Cluny. Rien ne lui manque : s'annonçant par une robe rubis à reflets grenat, il montre sa générosité par la richesse de son bouquet où la myrtille et la groseille répondent à la cerise à l'eau-de-vie dans un environnement boisé. Au palais, il laisse exploser sa matière et sa puissance tannique, mais sans la moindre agressivité. Séveux et racé, un grand vin qui sera à son apogée dans trois à cinq ans.

🔑 Julien Guillot, Clos des Vignes du Maynes, Sagy-le-Haut, 71260 Cruzille, tél. 03.85.33.20.15, fax 03.85.33.01.91, e-mail info@vignes-du-maynes.com ☑ 🍷 👤 r.-v.

Mâcon-villages

CAVE DE L'AURORE Péronne 2006 ★★

□ 96,09 ha 250 000 ▮ **5 à 8 €**

Cette cave coopérative est la première de Bourgogne en production, avec 1 419 ha. Le **mâcon-Lugny 2006** reçoit une étoile pour sa complexité aromatique (fruits confiturés, pamplemousse). Ce Péronne doré intense délivre de fines notes florales et fruitées, typiques du cépage chardonnay. À l'attaque vive répond une bouche riche et grasse mais qui garde un caractère acidulé rappelant le bonbon anglais. « On a envie d'y revenir ! » conclut un dégustateur qui voudrait déjà l'avoir à sa table, accompagné d'une sole grillée.

🔑 SCV Cave de Lugny, rue des Charmes, BP 6, 71260 Lugny, tél. 03.85.33.22.85, fax 03.85.33.26.46, e-mail commercial@cave-lugny.com ☑ 🍷 👤 r.-v.

HÉRITIERS AUVIGUE
Solutré Cuvée naturelle 2006 ★★

□ 0,19 ha 1 600 ⦀ **5 à 8 €**

Ce 2006 termine au pied du podium du grand jury. Il est issu d'une vigne de dix ans replantée pour la première fois depuis la crise phylloxérique et conduite en agriculture biologique. Paré d'une robe or blanc à reflets argentés, il présente un nez complexe mariant les fruits (agrumes, pêche) à la menthe et à la réglisse. Bien concentrée, la bouche est riche d'une matière dense mais souple, parfaitement équilibrée. Un vin confidentiel mais superbe.

Héritiers Auvigue, Le Moulin du Pont, 71850 Charnay-lès-Mâcon, tél. 03.85.29.16.76, fax 03.85.34.75.88, e-mail jpel.auvigue@wanadoo.fr r.-v.

CAVE D'AZÉ Azé Cuvée Jules Richard 2005

30 ha 55 000 5 à 8 €

Fondée en 1927, la cave d'Azé vinifie aujourd'hui 280 ha sous la houlette de Denis Charlot. Dédiée au premier président de la cave, cette cuvée d'un bel or offre un bouquet mariant la minéralité du terroir – qui, sur ce secteur, se fait presque pierre à fusil – aux doux arômes fruités rappelant l'ananas. La bouche, légèrement en retrait par rapport au nez, reste cependant équilibrée et charnue.

Cave d'Azé, En Tarroux, 71260 Azé, tél. 03.85.33.30.92, fax 03.85.33.37.21, e-mail contact@caveaze.com r.-v.

DOM. DU BICHERON
Péronne Cuvée Vieilles Vignes 2005

1,5 ha 10 000 5 à 8 €

D'une robe or blanc à reflets brillants s'échappent de fortes nuances miellées mais également fruitées, que l'on retrouve dans la bouche équilibrée et moyennement longue. Une bouteille festive et joyeuse, qui accompagnera parfaitement des fromages de chèvre frais.

GAEC Rousset, Dom. du Bicheron, Saint-Pierre-de-Lanques, 71260 Péronne, tél. 03.85.36.94.53, fax 03.85.36.99.80, e-mail domainedubicheron@wanadoo.fr r.-v.

DENIS BOUCHACOURT Solutré 2005

1 ha 2 500 5 à 8 €

Ancien président du cru pouilly-fuissé et courtier en vins, Denis Bouchacourt a finalement sauté le pas pour devenir vigneron sur une partie de l'exploitation familiale. Son 2005 se présente sous une teinte jaune d'or à reflets verts. Après une légère aération, on perçoit des senteurs de fruits blancs très mûrs, ainsi que des notes florales. La bouche, encore sur la réserve, offre une structure charnue et équilibrée. À apprécier dans deux à trois ans.

Denis Bouchacourt, Les Gerbeaux, 71960 Solutré-Pouilly, tél. 03.85.35.81.88, fax 03.85.35.82.92, e-mail denbouc@free.fr r.-v.

DOM. BOURDON 2005 ★★

1,8 ha 6 000 5 à 8 €

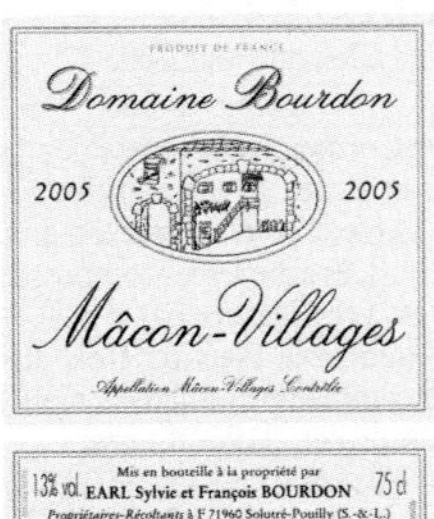

Ce domaine est une nouvelle fois au rendez-vous des coups de cœur. Plébiscités l'an dernier pour leur saint-véran, Sylvie et François Bourdon obtiennent aujourd'hui la distinction suprême pour ce mâcon-villages. Décrit comme le plus bel ambassadeur de l'appellation, il a fière allure dans sa robe drapée d'or. Fruité et floral, il possède une palette aromatique exceptionnelle. La bouche équilibrée, fondante et élégante persiste sur des saveurs de raisin mûr et de citron vert. Un vin déjà prêt à boire.

EARL François et Sylvie Bourdon, Pouilly, 71960 Solutré-Pouilly, tél. 03.85.35.81.44, fax 03.85.35.85.42, e-mail francoisbourdon2@wanadoo.fr r.-v.

GEORGES BURRIER Fuissé 2005 ★

2 ha 10 000 5 à 8 €

La maison Georges Burrier détient une collection exceptionnelle d'appellations et de millésimes anciens, qu'elle propose dans son œnothèque. Un élevage de huit mois (dont 20 % en fût) a produit un 2005 or vert, à la palette aromatique complexe : notes boisées (grillé, toasté), poire et menthol. Aujourd'hui marqué par le bois, ce vin porte néanmoins en lui un grand potentiel grâce à sa matière et à son équilibre. Racée et puissante, cette bouteille mérite trois ou quatre ans de garde.

Georges Burrier, Le Plan, 71960 Fuissé, tél. 03.85.32.90.07, fax 03.85.35.66.04, e-mail georges.burrier@wanadoo.fr r.-v.

Famille Burrier

JOSEPH BURRIER Mémoire du Terroir 2005

3 ha 18 000 5 à 8 €

Présente depuis plus de cinq siècles dans le Mâconnais, la famille Burrier est propriétaire du château de Beauregard, mais sélectionne également des raisins et des vins auprès d'autres producteurs de la région. C'est le cas pour cette cuvée or pâle, qui offre des arômes de fleurs et de fruits confits dans un environnement presque doux. On retrouve en bouche cette impression de suavité, bien équilibrée par l'acidité des agrumes en finale. Une citation pour le **mâcon-Vergisson 2005**, encore marqué par son élevage sous bois et qui requiert une certaine patience.

Joseph Burrier, Ch. de Beauregard, 71960 Fuissé, tél. 03.85.35.60.76, fax 03.85.35.66.04, e-mail contact@joseph-burrier.com r.-v.

Famille Burrier

LA CHARDONNERAIE
Chardonnay Lez Matafins 2006 ★★

0,55 ha 3 500 11 à 15 €

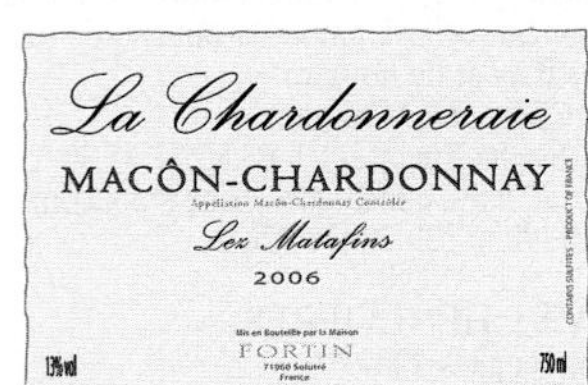

Installé en 2006, Julien Collovray est, sans nul doute, une des révélations du Guide de cette année grâce à ce chardonnay qui a séduit les jurés. De la robe jaune solaire intense s'échappent des senteurs d'agrumes et de fleurs blanches. La bouche, à la fois gourmande et souple, laisse entrevoir les notes minérales du terroir et celles vanillées et grillées de l'élevage en fût. « L'équilibre même, un très beau vin, à la fois typé et typique », conclut un dégustateur enthousiaste. Un domaine à suivre de près.

🔑 SARL Fortin, Hameau de Pouilly, 71960 Solutré, tél. 03.85.35.83.29, fax 03.85.35.86.12, e-mail maison.fortin@club.fr ☑ Y 🚶 r.-v.

CAVE DE CHARNAY Charnay 2005

n.c. 8 000 ▮ 5 à 8 €

Dotée d'un espace d'accueil situé le long de la « voie verte », cette petite cave propose un 2005 or blanc à reflets argentés. Son nez, assez ouvert sur les petites fleurs blanches et les agrumes, introduit une bouche riche et grasse, bien soutenue par une vivacité un rien mordante. On pourra boire cette bouteille dès aujourd'hui sur des fruits de mer, mais aussi l'attendre un à deux ans et lui réserver alors un plat crémé.

🔑 Cave de Charnay, En Condemine, 54, chem. de la Cave, 71850 Charnay-lès-Mâcon, tél. 03.85.34.54.24, fax 03.85.34.86.84 ☑ Y 🚶 r.-v.

DOM. DE CHATENAY Péronne 2005

1 ha 3 600 ▮ 5 à 8 €

C'est le premier millésime produit à leur nom par Marie-Odile et Jean-Claude Janin, qui travaillent tous les deux dans le milieu viticole (Jean-Claude fut pendant longtemps le chef de cave de la coopérative de Viré). Sous sa parure dorée et brillante, ce 2005 développe des arômes intenses de fruits (raisin, pêche et poire). Puissant dès l'attaque, il se montre harmonieux, jouant en finale sur des notes muscatées.

🔑 Jean-Claude et Marie-Odile Janin, Dom. de Chatenay, Les Picards, 71260 Péronne, tél. 03.85.36.94.01, e-mail janinmojc@wanadoo.fr ☑ Y 🚶 r.-v.

DOM. CHÊNE

La Roche Vineuse Cuvée Prestige 2005 ★

5,6 ha 45 000 ▮ 5 à 8 €

Dans sa maison de Milly, Lamartine passa une enfance simple et heureuse. Il dut se résigner à la vendre en 1860, alors qu'elle lui avait inspiré certains de ses plus beaux poèmes. Cette propriété appartient depuis à la famille Sornay et peut se visiter. En cheminant sur les traces du poète, faites une halte au domaine pour goûter les 2005 : le **mâcon-Milly**, cité pour sa finesse, et cette cuvée Prestige jaune d'or, qui a charmé le jury par ses flaveurs de raisin mûr et sa minéralité rappelant la pierre à fusil. Ronde et souple à l'attaque, puis nerveuse dans son développement, celle-ci emplit la bouche de ses arômes d'agrumes frais et de noisette.

🔑 Dom. Chêne, Ch. Chardon, 71960 La Roche-Vineuse, tél. 03.85.37.65.30, fax 03.85.37.75.39, e-mail gaecchene@aol.com ☑ Y 🚶 t.l.j. 9h30-12h 14h30-19h

DOM. DES CHENEVIÈRES

Les Poncemeugnes 2005 ★★

0,7 ha 6 600 ▮ 5 à 8 €

Créé en 1858, ce domaine de 36 ha appartient toujours à la famille Lenoir ; il est situé dans la charmante commune de Saint-Maurice-de-Satonnay, berceau historique des fromages de chèvre d'AOC mâconnais. Exposés au sud-est, ces Poncemeugnes à dominante argilo-calcaire ont donné un 2005 jaune d'or, aux notes de fruits agrémentées d'une touche de miel. Vif à l'attaque, le palais se montre ensuite gras et puissant, et l'on retrouve en finale la fraîcheur du citron, qui équilibre l'ensemble. Un vin noble et racé, qui dans trois ou quatre ans aura atteint son apogée. Servez-le alors avec les fameux mâconnais.

🔑 Dom. des Chenevières, Le Bourg, 71260 Saint-Maurice-de-Satonnay, tél. 03.85.33.31.27, e-mail domaine.chenevieres@orange.fr ☑ Y 🚶 t.l.j. 9h-12h 14h-19h; f. 1er-15 août 🏠 E

🔑 Lenoir

DOM. MICHEL CHEVEAU

Solutré-Pouilly Sur le Mont 2005

3 ha 9 500 ▮ 5 à 8 €

Sur le vignoble familial, Nicolas Cheveau a réintroduit des pratiques anciennes comme les labours et l'enherbement des rangs. Avec ce 2005 jaune pâle et cristallin, il offre un vin élégant, puissant et long, qui devrait bien évoluer. Le nez, encore discret, est caractérisé par des notes de pierre à fusil. Un peu de temps lui sera nécessaire pour s'ouvrir (un à deux ans).

🔑 Dom. Michel Cheveau, Pouilly, 71960 Solutré-Pouilly, tél. 03.85.35.81.50, fax 03.85.35.87.88, e-mail n.cheveau@tiscali.fr ☑ Y 🚶 r.-v.

🔑 Nicolas Cheveau

DOM. DU CLOS DES ROCS 2005 ★

1,12 ha 9 500 ▮ 5 à 8 €

Un vin qui s'avance habillé d'une robe dorée éclatante. Son nez est intense et complexe : fleurs blanches miellées soutenues par des notes citronnées. L'attaque acidulée ouvre sur une matière généreuse d'une bonne persistance. Ce 2005 gagnera à attendre un à deux ans avant d'être servi sur un rôti de veau aux girolles.

🔑 Olivier Giroux, SCEA Vignoble du Clos des Rocs, Les Molards, 71960 Fuissé, tél. 03.85.35.63.64, fax 03.85.32.90.08, e-mail vin@closdesrocs.fr ☑ Y 🚶 r.-v.

DOM. CLOS GAILLARD Solutré-Pouilly 2005

1,15 ha 5 500 ▮ 5 à 8 €

Jaune d'or parsemé de reflets verts, ce 2005 possède un nez complexe de fruits mûrs agrémenté de douces flaveurs truffées. Après une attaque ronde et souple, la bouche se fait nerveuse et fraîche, tout en gardant longuement une note épicée. Tonique et gouleyant, ce vin aura toute sa place à l'apéritif.

🔑 Gérald Favre, Pouilly, 71960 Solutré-Pouilly, tél. 06.16.46.31.08, fax 03.85.35.87.50, e-mail geraldfavre@orange.fr ☑ Y 🚶 r.-v.

CHRISTOPHE CORDIER

Milly Lamartine Clos du Four 2005 ★★

n.c. 6 000 11 à 15 €

La maison Cordier a sélectionné des raisins, qu'elle a ensuite vinifiés et élevés selon sa griffe : en fût de chêne neuf. Ce 2005 garde le souvenir de son année d'élevage : notes grillées, toastées et beurrées composent le nez, tandis que la bouche, encore marquée par le bois, est puissante et chaleureuse. Attendez-le deux ou trois ans pour que le chêne se fonde complètement dans la matière du vin.

🔑 Christophe Cordier, 71960 Fuissé, tél. 03.85.35.62.89, fax 03.85.35.64.01, e-mail domaine.cordier@wanadoo.fr ☑ Y r.-v.

DOMINIQUE CORNIN Chânes Serrendières 2005

1,6 ha 12 000 ▮ 5 à 8 €

Régulier en qualité, Dominique Cornin reste fidèle à ses magnifiques terroirs argilo-calcaires et propose deux

vins réussis : un **mâcon-Chaintré 2005** jaune d'or, aux discrets accents minéraux, qui nécessitera deux à trois années de garde pour s'ouvrir pleinement et ce Chânes qui scintille dans le verre. Son nez, d'abord fermé, s'ouvre ensuite sur des notes minérales et fruitées. Sa bouche grasse et riche enveloppe le palais, tandis que d'intenses saveurs de poire et de pêche agrémentent la finale.
Dominique Cornin, Savy-le-Haut, 71570 Chaintré, tél. 03.85.37.43.58, fax 03.85.32.90.87, e-mail dominique@cornin.net r.-v.

DOM. COTEAUX DES MARGOTS
Vieilles Vignes 2005

0,5 ha 4 000 5 à 8 €

Des chardonnays de cinquante ans ont donné ce vin né en face du magnifique château de Pierreclos. Or vert brillant, ce 2005 offre un nez de pomme et de poire rehaussé de notes florales. Tonique dès l'attaque, sa bouche se développe fraîche et toujours fruitée. Typique de son appellation et de son millésime, cette bouteille accompagnera un fromage de chèvre frais.
SCV Dom. Coteaux des Margots, Les Margots, 71960 Pierreclos, tél. et fax 03.85.35.73.91, e-mail domainecoteauxdesmargots@wanadoo.fr r.-v.

DOM. DES DEUX ROCHES
Plants du Carré 2005 *

1,6 ha 10 000 8 à 11 €

Or pâle ourlé de reflets verts, ce 2005 d'une bonne intensité semble d'abord marqué par les arômes variétaux (fleurs blanches, agrumes), puis la minéralité du terroir s'exprime. Gras et citronné à l'attaque, il offre une matière enveloppante au palais, bien équilibrée par une présence acidulée, un peu austère. Encore sur la réserve, il demande une petite année pour s'exprimer pleinement.
Dom. des Deux Roches, Les Personnets, 71960 Davayé, tél. 03.85.35.86.51, fax 03.85.35.86.12, e-mail info@collovrayterrier.com r.-v.

DOM. FICHET
Igé Terroir de la Cra Cuvée Prestige 2005 *

1,5 ha 8 000 11 à 15 €

Issu d'une vigne plantée en 1969 sur un terroir de « craie », ce 2005, élevé un an en fût de chêne neuf avec bâtonnages réguliers, affiche une robe jaune d'or à reflets bronze. Un nez brioché et vanillé annonce une bouche ample et ronde, marquée par une vivacité encore très présente. Tous les ingrédients sont là, mais une à deux années de garde sont nécessaires pour que ce vin atteigne sa pleine harmonie.
Dom. Fichet, Le Martoret, 71960 Igé, tél. 03.85.33.30.46, fax 03.85.33.44.45, e-mail contact@domaine-fichet.com r.-v.

MARIE-ODILE FRÉROT ET DANIEL DYON
2005

0,67 ha 4 000 3 à 5 €

Au hasard de vos balades sur les traces de l'art roman, dans cette partie septentrionale du Mâconnais, faites une halte à Étrigny, charmant village, encore préservé de cette folle course aux lotissements que connaissent de nombreuses communes viticoles. Découvrez alors ce vin à l'allure simple mais enjouée, où les fleurs répondent aux fruits sur fond citronné.
Marie-Odile Frérot et Daniel Dyon, Veneuze, 71240 Étrigny, tél. et fax 03.85.92.24.31 r.-v.

DOM. DE FUSSIACUS Fuissé 2005 **

3 ha 23 000 5 à 8 €

Ce 2005 séduit par son nez intense de truffe, de sous-bois et de fruits mûrs. En bouche, la rondeur et le gras sont bien équilibrés par l'acidité. Nerveux et plein, c'est un vin certes tendu mais bien construit. Un poisson noble l'escortera sur votre table de Noël. Le **Domaine des Granges Château de Chaintré 2005**, acquis en 2003 par Jean-Paul Paquet, décroche une étoile ; un vin qui marie le minéral aux épices et aux fruits.
Jean-Paul Paquet, 71960 Fuissé, tél. 03.85.27.01.06, fax 03.85.27.01.07, e-mail fussiacus@wanadoo.fr r.-v.

DOM. DES GERBEAUX
Chaintré Les Chambardes 2006 *

n.c. 5 000 5 à 8 €

Cette cuvée est issue de l'achat de raisins d'une parcelle de Chaintré, à quelques kilomètres de Solutré. Un vin or paille, brillant et limpide au nez flatteur qui rappelle les fleurs blanches. Équilibré et typique en bouche, il s'achève dans une corbeille de fleurs et de fruits. Une légère pointe acide lui confère de la fraîcheur. Une bouteille plaisir, à servir sur une nage de saint-jacques.
Dom. des Gerbeaux, 71960 Solutré-Pouilly, tél. 03.85.35.80.17, fax 03.85.35.87.12 r.-v.
J.-M. Drouin

PIERRE ET VÉRONIQUE GIROUX Fuissé 2005

1,6 ha 3 300 5 à 8 €

La palette aromatique complexe de ce 2005, composée de notes de miel, de fruits à chair jaune, de truffe blanche et de pêche de vigne, a séduit le jury. Si la bouche ne montre pas autant de complexité, elle n'en est pas moins ample et gourmande. Un vin qui nécessitera un passage en carafe avant dégustation.
Pierre Giroux, Le Plan, 71960 Fuissé, tél. 03.85.35.66.07, fax 03.85.32.90.54, e-mail girouxpierre@wanadoo.fr r.-v.

LES VIGNERONS DES GRANDES VIGNES
2006

15 ha 110 000 3 à 5 €

Sous ce mystérieux nom se cache la cave coopérative de Prissé, Sologny et Verzé, la plus importante unité de production du Sud Mâconnais. Située au cœur du pays de Lamartine, elle regroupe près de quatre cents coopérateurs pour environ 1 000 ha de vignes. Elle propose un 2006 floral et agréable, à boire dès cet automne en accompagnement d'une viande blanche rôtie.
Les Vignerons des Grandes Vignes, 71960 Prissé, tél. 03.85.37.88.06, fax 03.85.37.61.76, e-mail cave.prisse@cavedeprisse.com

CAVE DES GRANDS CRUS BLANCS
Vinzelles 2006 *

23,39 ha 160 000 5 à 8 €

Issue de chardonnays âgés de quarante ans, plantés sur des sols argilo-calaires, cette cuvée rappelle les fruits jaunes sous sa robe doré brillant ; elle commence à s'ouvrir sur des notes minérales caractéristiques de son origine. Encore sur la réserve aujourd'hui, ce vin révèle les prémices de son épanouissement en découvrant une

BOURGOGNE

matière équilibrée et ronde. Des nuances citronnées en finale laissent présager un avenir certain.

Cave des Grands Crus Blancs, 71680 Vinzelles, tél. 03.85.27.05.70, fax 03.85.27.05.71, e-mail contact@cavevinzellesloche.com
t.l.j. 9h-12h30 13h30-18h30

CH. DE LA GREFFIÈRE

La Roche Vineuse Vieilles Vignes 2005 *

4 ha 13 000 5 à 8 €

À La Greffière, vous serez reçu dans la cave voûtée datant de 1780. Vous y dégusterez ce 2005 or clair aux arômes de fleurs et de citron mêlés aux notes minérales du terroir et aux nuances toastées de l'élevage en fût. La bouche est dynamique, fraîche et savoureuse. On apprécie la touche acidulée qui soutient l'ensemble. Une finale exotique destine cette bouteille à une marmite de poisson au lait de coco.

Isabelle et Vincent Greuzard, Ch. de La Greffière, 71960 La Roche-Vineuse, tél. 03.85.37.79.11, fax 03.85.36.62.88, e-mail chateaudelagreffiere@free.fr
t.l.j. 9h-12h 14h-18h

LAURENT HUET 2005

0,4 ha 3 000 5 à 8 €

Cette cuvée, issue des coteaux argilo-calcaires de Clessé, plaît par sa complexité en bouche. Discret dans son approche olfactive, ce vin à la robe d'or possède un palais riche, équilibré par une pointe citronnée agréable. Soutenues par une bonne structure, des saveurs de fruits mûrs s'expriment longuement en finale. À attendre quelques mois.

Laurent Huet, rte de Germolles, 71260 Clessé, tél. 03.85.36.96.99, fax 03.85.36.98.87, e-mail laurent.huet16@wanadoo.fr r.-v.

LES VIGNERONS D'IGÉ Igé 2006

n.c. 10 000 3 à 5 €

Une réalisation de la coopérative d'Igé, sous la houlette du chef caviste Gilles Charlot. D'une couleur bouton d'or à reflets brillants, cette cuvée décline au nez de délicates notes de fruits mûrs nuancées de fleurs blanches. Elle se révèle légère et élégante en bouche, avant une finale un peu vive sur les agrumes. Un vin à boire dès cet automne sur une andouillette à la mâconnaise.

Cave des vignerons d'Igé, rue du Tacot, 71960 Igé, tél. 03.85.33.33.56, fax 03.85.33.41.85, e-mail lesvigneronsdige@lesvigneronsdige.com
r.-v.

ULYSSE JABOULET 2006

1,78 ha 13 333 3 à 5 €

Ulysse Jaboulet était le grand-père de Pierre Jaboulet-Vercherre, actuel dirigeant de la maison du même nom. La poire, le citron et une touche minérale composent le nez franc de ce 2006. Sa bouche ronde et consistante s'achève dans une finale fraîche. Déjà prêt, ce vin est à savourer à l'apéritif.

Ulysse Jaboulet, 6, rue de Chaux, 21700 Nuits-Saint-Georges, tél. 03.80.62.43.27, fax 03.80.62.68.02 r.-v.

DOM. MARC JAMBON ET FILS

Pierreclos Vendanges de la Saint-Martin 2005 *

1,2 ha 3 200 11 à 15 €

Un des domaines phares du Mâconnais depuis quelques années. Cette cuvée, dont les raisins ont été vendangés le 5 novembre, se présente dans une robe or vert brillant. Son nez élégant et aromatique est dominé par la mandarine confite, agrémentée de discrètes notes de pâte d'amandes et de rancio. Encore sous l'emprise du sucre contenu (70 g/l), la bouche possède néanmoins une vivacité citronnée qui devrait lui permettre de trouver l'équilibre dans un an ou deux. Une citation pour le **mâcon-Pierreclos cuvée fût de chêne 2005 (5 à 8 €)** qui réussit le mariage du bois et du vin.

Dom. Marc Jambon et Fils, La Roche, 71960 Pierreclos, tél. 03.85.35.73.15, fax 03.85.35.75.62, e-mail marc.jambon@free.fr
r.-v.

DOM. FABRICE LAROCHETTE

Chaintré Le Château de Chaintré 2005

n.c. n.c. 5 à 8 €

Installé en 1988, Fabrice Larochette a quitté la cave coopérative de Chaintré en 1995 pour vinifier et élever lui-même ses vins. Le jury a apprécié la jeunesse et la fraîcheur de ce 2005. Le nez sur le verre, vous y trouverez pêle-mêle des arômes de fruits frais et de fleurs blanches. Après une attaque fraîche, le développement est ample et rond, avec des flaveurs citronnées en finale. Un vin bien typé que l'on accordera à un poisson de la Dombes (brochet, carpe...).

Fabrice Larochette, Les Robées, 71570 Chaintré, tél. et fax 03.85.32.90.78, e-mail fabrice.larochette@wanadoo.fr r.-v.

DOM. ROGER LUQUET Les Mulots 2005 **

6,5 ha 45 000 5 à 8 €

Cette parcelle se trouve à Cortevaix, petit village entre Cluny et Cormatin. Il y a cinquante ans, cette commune était entièrement vouée à la vigne, mais les difficultés économiques ont porté atteinte à la viticulture, et ce sont aujourd'hui principalement des céréales qui sont produites sur les coteaux. En 1992, Roger Luquet et ses enfants ont relevé le défi en recréant le paysage viticole d'autrefois. Doré à souhait, ce 2005 livre d'intenses arômes de fruits et de fleurs blanches, tandis que sa bouche, grasse et fraîche, s'épanouit longuement sur des notes vanillées. Vin remarquable par son équilibre et sa puissance, que l'on servira sur une andouillette à la mâconnaise.

Dom. Roger Luquet, Le Bourg, 71960 Fuissé, tél. 03.85.35.60.91, fax 03.85.35.60.12, e-mail domaine@domaine-luquet.com
t.l.j. sf dim. 8h-19h; f. une semaine à Noël

DOM. NICOLAS MAILLET

Verzé Le Chemin Blanc 2005 *

0,7 ha 5 700 8 à 11 €

Né sur un terroir « argilo-très-calcaire », ce vin se caractérise par une minéralité intense, presque crayeuse, relevée par des notes d'amande fraîche. On retrouve au palais cette gamme aromatique, au sein d'une structure riche et tendue. Long et persistant, ce 2005 joue sur la corde du terroir tout au long de la dégustation. Un grand mâcon-villages à réserver aux amateurs éclairés. Une citation pour le **mâcon-villages 2005 (5 à 8 €)**, encore fermé mais prometteur.

Dom. Nicolas Maillet, La Cure, 71960 Verzé, tél. et fax 03.85.33.46.76, e-mail a.ries@free.fr
r.-v.

MANOIR DU CAPUCIN 2005

1,97 ha 3 740 5 à 8 €

Un manoir du XVII[e]s., niché au cœur de Fuissé, a vu naître ce 2005 lumineux dans sa robe d'or, qui développe un nez agréable de pomme, de fruits confits et de miel. Riche, la bouche est équilibrée par une finale acidulée qui lui confère fraîcheur et légèreté. Un vin gourmand prêt à passer à table.

Chloé Bayon, Le Plan, 71960 Fuissé,
tél. et fax 03.85.35.87.74,
e-mail manoirducapucin@yahoo.fr r.-v.
Claude Bayon

LES CRÊTS DU CHÂTEAU DE MESSEY 2005 *

n.c. 7 000 8 à 11 €

Situé entre Tournus et Cluny, au cœur d'une campagne verdoyante, ce domaine s'étend sur 89 ha dont 17 en vignes. Des chambres d'hôte bucoliques invitent à la détente et même à la paresse, alors fermez les yeux et humez ce verre empli d'or : des senteurs florales s'en échappent, suivies de notes vanillées. Harmonieux tout au long de son développement en bouche, un vin puissant mais soyeux qui procure déjà beaucoup de plaisir.

SARL Demessey, Ch. de Messey, 71700 Ozenay,
tél. 03.85.51.33.83, fax 03.85.51.33.82,
e-mail vin@demessey.com r.-v. 7 E
Marc Dumont et Demessey

DOM. MICHEL Cuvée Héritage 2002 ***

2 ha n.c. 23 à 30 €

MILLÉSIME D'EXCEPTION 2002
CUVÉE
HÉRITAGE
Domaine Michel
RENÉ MICHEL & SES FILS
VITICULTEURS-RÉCOLTANTS "CRAY" À CLESSÉ (SAÔNE-ET-LOIRE)

Oubliez vos idées reçues sur le « petit mâcon de comptoir » à boire frais. Avec ses 50 g de sucres résiduels et un degré d'alcool acquis de 15,5 % vol., ce vin est à plus d'un titre exceptionnel. Une vendange « levroutée » (terme local pour désigner une attaque de pourriture noble), une récolte manuelle et trente-deux mois d'élevage ont donné ce nectar à la robe vieil or étincelante. Ce 2002 livre au nez d'intenses arômes de melon confit, d'abricot sec et de foin. Sa bouche ample et opulente se révèle équilibrée, et l'on perçoit en finale le goût du raisin rôti et du citron frais. Un Héritage heureux.

Dom. René Michel et ses Fils, Cray, 71260 Clessé,
tél. 03.85.36.94.27, fax 03.85.36.99.63 r.-v.

JEAN-PIERRE MICHEL Quintaine 2005

1,5 ha 10 000 8 à 11 €

Situé au cœur de Quintaine, lieu-dit emblématique de Clessé, le domaine, dirigé depuis 2004 par Jean-Pierre Michel, commence à faire parler de lui. Ce 2005 confirme la qualité du travail, même si aujourd'hui, il est encore sur la réserve. Peu intense à l'olfaction, il laisse deviner de subtils arômes floraux et minéraux. La bouche, plus épanouie, se révèle riche, bien équilibrée par une acidité qui demande à se fondre. À laisser une année ou deux en cave pour lui permettre de gagner en harmonie.

Jean-Pierre Michel, pl. de Quintaine, 71260 Clessé,
tél. 06.25.01.03.95, fax 03.85.33.23.47,
e-mail vinsjpmichel@aol.com r.-v.

CH. DE NANCELLE La Roche Vineuse 2005 *

3 ha 15 000 3 à 5 €

Nathalie et Patrick Corsin se sont installés en 1985 à proximité du château et de sa chapelle du XII[e]s. Leur fils vient de les rejoindre au domaine. Ce 2005 or foncé, d'abord discret, s'ouvre ensuite sur des notes de poire, d'amande fraîche, de pierre à fusil et de citron. Sa bouche gourmande et onctueuse appelle les petits mâconnais... fromages de chèvre tronconiques, en AOC depuis septembre 2006.

Patrick Corsin, Nancelle, 71960 La Roche-Vineuse,
tél. et fax 03.85.34.80.18 r.-v.

DOM. DES NIALES Vieilles Vignes 2005

1 ha 7 000 5 à 8 €

Ce micro-domaine de seulement 2,5 ha de chardonnay travaille de façon traditionnelle dans le respect de ses terroirs. Plantée sur sols argilo-calcaires, cette vieille vigne de quatre-vingts ans a donné un 2005 élégant aux arômes fins et frais évoquant le menthol et le citron. Son attaque puissante laisse place à une matière généreuse légèrement vanillée.

Rhedon Marin, 71260 Saint-Maurice-de-Satonnay,
tél. 03.85.33.32.00, fax 03.85.33.42.75,
e-mail yomarin@wanadoo.fr r.-v.

PASCAL PAUGET
Chardonnay Terroir de Tournus La Gelaine 2005 **

1,3 ha 5 000 8 à 11 €

Si Pascal Pauget n'est pas certifié en « agriculture biologique », il s'inscrit toutefois dans une démarche respectueuse de l'environnement, à la vigne d'abord, puis dans la construction de son nouveau chai, qui s'est faite avec des matériaux écologiques. De la robe brillante de ce 2005 s'échappe un florilège d'arômes : fruits confits, truffe blanche, acacia et miel. Sa bouche nette, riche et charnue marie puissance et élégance. Un vin de caractère que l'on associera à des saint-jacques aux épices douces.

Pascal Pauget, Les Crets, 71700 Ozenay,
tél. 03.85.32.53.15, fax 03.85.51.72.67 r.-v.

CH. DE PÉRONNE 2006 **

7,23 ha 62 600 5 à 8 €

Le château de Péronne est une élégante demeure d'architecture italienne, bâtie vers 1820 par un ascendant des propriétaires actuels. Les petites fleurs blanches dominent le nez de ce 2006, mais c'est en bouche que son expression est la plus accomplie. L'attaque est ample, la matière généreuse sur des notes de fruits très mûrs, et l'équilibre parfait. Consistant et interminable, un remarquable représentant du millésime.

Benoît Neyrand, Ch. de Péronne, 71260 Péronne,
tél. 03.85.36.96.88, fax 04.74.69.09.75

DOM. ROMANIN Fuissé 2006 **

0,36 ha 3 000 5 à 8 €

Ce domaine, implanté au cœur du village de Fuissé, tient son nom de la source romaine qui jaillit tout à côté.

BOURGOGNE

Deux cuvées ont retenu l'attention des jurés. Le **mâcon-Solutré-Pouilly 2006** est cité pour son nez de noisette, sa bouche riche et mûre qui s'accorderait bien à un pavé de lotte au four. Ce Fuissé se pare d'une robe jaune d'or soutenu et offre un nez délicat d'agrumes, d'amande fraîche et de fruits mûrs, révélant une bonne maturité du chardonnay. Après une attaque ample et généreuse, des notes grillées apparaissent, qui contribuent à l'harmonie de ce vin structuré et persistant. On le gardera deux ans en cave avant de le marier à des ris de veau aux morilles.

⊶ Vervier et Fils, Dom. Romanin, Le Bourg,
71960 Fuissé, tél. 03.85.35.63.89, fax 03.85.32.90.22,
e-mail vervier@free.fr ☑ Y ⛹ r.-v.

DOM. SAINT-DENIS Chardonnay 2005

1,8 ha 9 600 ▮ 8 à 11 €

Issu de vignes de soixante-cinq ans plantées sur sol à dominante calcaire, ce 2005 « chardonne ». Son nez typé s'ouvre sur des notes de fruits mûrs et de miel, puis évolue à l'aération sur les nuances minérales du terroir. Plein, riche et concentré, le palais se montre ample mais légèrement chaud en finale. À attendre un an ou deux.

⊶ Hubert Laferrère,
Dom. Saint-Denis, rte de Péronne, 71260 Lugny,
tél. 03.85.33.24.33, fax 03.85.33.25.02,
e-mail domaine.saintdenis@free.fr ☑ Y ⛹ r.-v.

RAPHAËL SALLET

Uchizy Clos des Ravières 2005 *

0,83 ha 5 000 ◖▮◗ 5 à 8 €

Raphaël Sallet cultive aujourd'hui plus de 24 ha de vignes (principalement le chardonnay), autour d'Uchizy, alors qu'en 1988, année de son installation, son exploitation ne comptait que 0,40 ha de gamay ! Respectueux de l'environnement, il a supprimé l'utilisation des pesticides et travaille les sols. Son 2005 jaune d'or développe d'intenses arômes de pain de mie toasté, de vanille, avec une pointe minérale. Puissant dès l'attaque, il réveille les papilles. La matière, le gras, l'alcool, l'acidité, la minéralité et les fruits mûrs se marient parfaitement en bouche. Son équilibre permet d'envisager une garde de quelques années. Coup de cœur pour le millésime 2000.

⊶ Raphaël Sallet, rte de Chardonnay, 71700 Uchizy,
tél. 03.85.40.50.45, fax 03.85.40.59.86,
e-mail mrsallet@orange.fr ☑ Y ⛹ r.-v. 🏠 ❸

DOM. SANGOUARD-GUYOT

Clos de la Bressande 2005

1,05 ha 2 200 ▮ 5 à 8 €

Cette propriété appartient à la famille Sangouard depuis le XVIII[e]s. Pierre-Emmanuel est à sa tête depuis 1997. Il propose un vin or pâle et limpide, d'abord discret au nez, qui révèle à l'aération des arômes d'orange et de sucre candi. Sa bouche est fraîche et équilibrée, et sa finale citronnée lui permet d'envisager un mariage avec des escargots de Bourgogne.

⊶ Pierre-Emmanuel Sangouard, La Maison Bleue,
71960 Vergisson, tél. 03.85.35.89.45,
fax 03.85.35.89.73, e-mail domaine@sangouard-guyot.fr
☑ Y ⛹ r.-v.

DOM. SAUMAIZE-MICHELIN Les Sertaux 2005

0,7 ha 4 500 ◖▮◗ 8 à 11 €

Ce vin a fait débat au sein du jury, comme souvent lorsqu'on se trouve en présence d'un vin boisé dans l'appellation. Pour certains, il est vraiment marqué par le chêne de son élevage, pour les autres il est à l'image des grands vins de chardonnay, noble et racé. Tous s'accordent néanmoins sur les arômes de fruits mûrs (coing, abricot) et sur la puissance de la bouche vanillée et citronnée. On l'aura compris, c'est un vin à conseiller aux amateurs de boisé.

⊶ Roger et Christine Saumaize,
Dom. Saumaize-Michelin, Le Martelet,
71960 Vergisson, tél. 03.85.35.84.05,
fax 03.85.35.86.77,
e-mail saumaize-michelin@wanadoo.fr ☑ r.-v.

LA SOUFRANDIÈRE

Vinzelles Le Clos de Grand-Père 2005

0,9 ha 6 000 ▮◖▮◗ 8 à 11 €

Les deux frères Bret, Jean-Guillaume et Jean-Philippe, ont repris La Soufrandière début 2000. Ce Clos est une parcelle appartenant à leur grand-père maternel. Des senteurs de poire et de pêche animent le nez en compagnie des notes minérales du terroir. La bouche bien équilibrée demande un peu de temps pour s'ouvrir pleinement. À garder une année en cave, puis à sortir pour une occasion festive.

⊶ SARL Bret Brothers, La Soufrandière,
71680 Vinzelles, tél. et fax 03.85.35.67.72,
e-mail contact@bretbrothers.com ☑ Y ⛹ r.-v.

LA SOUFRANDISE Fuissé Le Ronté 2005 *

1 ha 8 000 ▮ 8 à 11 €

Régulièrement sélectionnée dans le Guide, cette cuvée est issue d'une parcelle de chardonnay d'une vingtaine d'années planté sur sols argilo-siliceux. D'abord fermé, le nez s'ouvre ensuite sur des nuances fruitées (pêche blanche, citron et noisette fraîche) mêlées à une pointe minérale. Après une attaque nerveuse et riche, la bouche s'étire longuement dans un registre soyeux et élégant. Une belle harmonie se dégage déjà au palais, mais ce vin gagnera à attendre un à deux ans pour atteindre sa maturité aromatique. Réservez-le alors à des quenelles de brochet.

⊶ Françoise et Nicolas Melin, Dom. La Soufrandise,
71960 Fuissé, tél. 03.85.35.64.04, fax 03.85.35.65.57,
e-mail la-soufrandise@wanadoo.fr ☑ Y ⛹ r.-v.

GÉRALD ET PHILIBERT TALMARD

Chardonnay Cuvée Joseph Talmard 2005

9 ha 82 000 ▮ 5 à 8 €

Dédiée à l'ancêtre fondateur du domaine, cette cuvée se présente vêtue d'une robe d'or à reflets bronze. Une légère aération favorise une meilleure expression de ses arômes fruités puis floraux. Souple et fraîche, elle offre une finale assez longue sur des saveurs citronnées agréables. Offrez-lui un fromage de chèvre bien affiné de la région.

⊶ EARL Gérald et Philibert Talmard, rue des Fosses,
71700 Uchizy, tél. 03.85.40.53.18, fax 03.85.40.53.52,
e-mail gerald.talmard@wanadoo.fr ☑ Y ⛹ r.-v.

DOM. THIBERT PÈRE ET FILS Fuissé 2005 *

4 ha 23 500 ▮◖▮◗ 8 à 11 €

Un sol composé d'argile, de limon et de silice, des chardonnays d'une vingtaine d'années, et des raisins récoltés à pleine maturité ont donné ce 2005 à la teinte or pâle ciselée de reflets anis. Le nez est marqué par les fruits à chair blanche et les notes florales. Doté d'une riche matière, le palais est équilibré par une finale citronnée qui lui donne du nerf. Une bouteille à savourer sur un poisson noble dans trois ou quatre ans.

🔑 Dom. Thibert Père et Fils, Le Bourg, 71960 Fuissé, tél. 03.85.27.02.66, fax 03.85.35.66.21, e-mail domthibe@wanadoo.fr
☑ Y ⚘ t.l.j. 8h30-12h 13h30-18h; sam. dim. sur r.-v.

DOM. DES TILLES La Garde 2005

	2,08 ha	9 800	▮	5 à 8 €

Au cœur de la Bourgogne romane, à quelques kilomètres de Tournus, vous trouverez ce domaine de 12 ha qui propose un 2005 intéressant. Tout d'abord par sa couleur or clair à reflets verts, puis par son nez fin de raisins mûrs et enfin par sa bouche aromatique et équilibrée, plus souple que puissante. Une bouteille à boire jeune, à l'apéritif.
🔑 Giroud, Dom. des Tilles, Le Quart, 71700 Uchizy, tél. et fax 03.85.40.52.24, e-mail les-tilles@freesurf.fr
☑ Y ⚘ r.-v.

DOM. DE LA TOUR VAYON
Pierreclos Clos de la Condemine 2005 *

	3 ha	n.c.	▮	5 à 8 €

Un demi-cirque de 5 ha sur les hauteurs de Pierreclos mis au repos pendant plus d'un siècle forme ce Clos de la Condemine : des marnes et des éboulis calcaires composent le terroir sur lequel Jean-Marie Pidault a planté du chardonnay à son arrivée sur le domaine. Jaune d'or à reflets verts, ce vin offre un nez complexe de fruits mûrs, de fleurs blanches, de minéralité et même de sous-bois et de truffe. Gras et persistant au palais, il présente une acidité qui sait se mettre au service de l'équilibre et de l'harmonie.
🔑 J.-M. et A.-F. Pidault, Dom. de La Tour Vayon, rte de Pierreclos, 71960 Bussières, tél. 03.85.35.71.78, fax 03.85.35.78.03
☑ Y ⚘ r.-v.

CÉLINE ET LAURENT TRIPOZ Loché 2005

	3 ha	20 000	▮	5 à 8 €

Laurent Tripoz, ébéniste de formation, a choisi la vie au grand air. Il s'installe en 1986 sur un métayage de 1,5 ha et se lance alors, en compagnie de son épouse Céline, dans une campagne de plantation de quinze ans, qui donne aujourd'hui un vignoble de 11 ha, conduit en biodynamie. Ce 2005 doré brillant se montre riche de senteurs florales et fruitées. Des arômes qui persistent durablement dans une bouche corpulente et d'une grande ampleur. Vin typé et original, qui accompagnera un vieux comté.
🔑 Céline et Laurent Tripoz, pl. de la Mairie, 71000 Loché, tél. 03.85.35.66.09, fax 03.85.35.64.23, e-mail cltripoz@free.fr ☑ Y ⚘ r.-v.

CH. D'UXELLES 2005

	5 ha	10 000	▮	5 à 8 €

Depuis 2005, le point de vente des vins du domaine se trouve à Savigny, au monastère Notre-Dame, datant du XVII[e]s., où Valérie et Alfred de La Chapelle ont aménagé gîte et chambres d'hôte. La cuvée **La Vigne au Roi 2005** est citée, mais il lui faudra un peu de temps pour « digérer » son bois d'élevage. La cuvée classique, quant à elle, est jugée typique par sa robe jaune d'or, son nez élégant de fleurs blanches et de fruits secs, sa bouche équilibrée et structurée. Très harmonieuse, elle accompagnera dès aujourd'hui des fromages de chèvre locaux.
🔑 Alfred et Valérie de La Chapelle, Notre-Dame, 71460 Savigny-sur-Grosne, tél. 03.85.92.59.86, fax 03.85.92.51.72, e-mail alfreddelachapelle@wanadoo.fr
☑ Y r.-v. 🏠 ④ 🏠 ©

DOM. DES VALANGES Fuissé 2006 *

	0,63 ha	5 000	▮	5 à 8 €

Située sur le coteau des Bruyères à Fuissé, cette parcelle a donné un 2006 lumineux, au nez complexe de fruits mûrs rappelant l'ananas. La bouche, équilibrée et franche à l'attaque, se poursuit sur une matière fruitée et acidulée d'une bonne longueur. Un vin assez féminin, que l'on servira dès le printemps prochain à l'apéritif, avec des gougères.
🔑 Michel Paquet, Dom. des Valanges, 71960 Davayé, tél. 03.85.35.85.03, fax 03.85.35.86.67, e-mail domaine-des-valanges@wanadoo.fr ☑ Y ⚘ r.-v.

DOM. DE LA VERPAILLE Vieilles Vignes 2005

	0,2 ha	1 400	▮	5 à 8 €

Le jury a été séduit par la cuvée Vieilles Vignes de ce jeune couple de vignerons installé en 2004 sur le domaine familial. Le vignoble est en pleine conversion à l'agriculture biologique. Jaune clair, ce 2005 s'épanouit en fines fragrances florales : acacia, aubépine. Soutenue par des arômes de citron vert, la bouche ronde et grasse trouve son équilibre. Un vin typique, comme on aime en déguster à l'apéritif avec des amis.
🔑 Baptiste et Estelle Philippe, Au Buc, 71260 Viré, tél. et fax 03.85.33.14.47, e-mail domaine.verpaille@tiscali.fr
☑ Y ⚘ t.l.j. sf dim. 13h30-19h

Viré-clessé

Appellation communale récente née le 4 novembre 1998, viré-clessé a de solides ambitions en matière de vins blancs. La délimitation porte sur 552 ha dont les quatre cinquièmes sont actuellement plantés ; ils ont produit 22 000 hl en 2006. Les dénominations mâcon-viré et mâcon-clessé ont disparu avec le millésime 2002.

DOM. DE LA BONGRAN
Cuvée Tradition E. J. Thévenet 2002 **

	10,1 ha	40 000	⏸	15 à 23 €

On ne présente plus Jean Thévenet, figure emblématique du Mâconnais ; pionnier des vins de qualité dans cette région longtemps vouée à produire du « petit vin blanc de comptoir ». Ses combats ne furent pas toujours faciles, mais heureusement le temps lui a donné raison. Témoin, ce 2002 qui a séduit le jury. Habillé d'or, il brille de mille feux dans le verre. Son nez épanoui mêle le beurre, la brioche et les fleurs blanches à la minéralité du terroir. L'équilibre en bouche, d'une remarquable rondeur, et la puissance des arômes (ananas confit, miel et écorce d'orange) font de la dégustation de ce vin un moment d'émerveillement et de plaisir intense.
🔑 EARL Jean Thévenet, Quintaine, Cidex 654, 71260 Clessé, tél. 03.85.36.94.03, fax 03.85.36.99.25, e-mail contact@bongran.com ☑ Y ⚘ r.-v.

DOM. ANDRÉ BONHOMME
Cuvée hors classe 2005 *

	1 ha	4 800	▮	8 à 11 €

Pendant plus de cinquante ans, André Bonhomme a joué un rôle majeur en Mâconnais (précurseur de la mise en bouteilles au domaine, fondateur des Vignerons indé-

pendants de Saône-et-Loire, co-initiateur de la reconnaissance en AOC communale). En 2004, il a passé le flambeau à sa fille et à son gendre, Éric Palthey, qui poursuivent le travail avec la même philosophie et la même foi. Vous ne serez pas insensible à cette cuvée, à l'or de sa robe comme à son nez complexe d'abricot mûr auquel s'ajoutent des notes minérales du terroir. Après une attaque puissante, le palais riche et rond s'étire longuement sur de fraîches notes d'agrumes. À boire ou à attendre quelques années.
André Bonhomme, rue Jean-Large, Cidex 2108, 71260 Viré, tél. 03.85.27.93.93, fax 03.85.27.93.94, e-mail earl.bonhomme.andre@terre-net.fr
t.l.j. 8h30-12h 13h30-18h
Éric Palthey

DOM. PASCAL BONHOMME
Vieilles Vignes 2005 ★

0,75 ha 4 000 5 à 8 €

Installé en 2001 sur 2,5 ha après avoir « fait ses armes » chez son père André, Pascal Bonhomme est aujourd'hui à la tête de 6 ha de vignes en viré-clessé. Ce 2005 à la robe or vert offre un nez d'une bonne intensité rappelant l'herbe fraîchement coupée, le café grillé et les fruits mûrs. Frais et aromatique, il emplit le palais d'une matière dense et longue. Un an ou deux lui seront bénéfiques pour trouver l'harmonie parfaite, même s'il est aujourd'hui déjà très agréable. Réservez-lui une poularde de Bresse à la crème.
Pascal Bonhomme, rue du 19-Mars-1962, Vérizet, 71260 Viré, tél. et fax 03.85.33.10.27, e-mail bonhommepascal@tiscali.fr r.-v.

CHRISTOPHE CORDIER La Verchère 2005 ★★

n.c. 3 600 15 à 23 €

Propriétaire d'un vignoble à Fuissé, Christophe Cordier est également négociant. Ce vin est issu d'achat de raisins de la commune de Viré. Passés entre les mains de cet excellent vinificateur, élevés durant une année en fût, ils ont donné un subtil nectar or soutenu. « Puissance » est le fil conducteur de la dégustation. À l'olfaction, elle se traduit par un bouquet intense et complexe : pomme, laurier, café grillé et fleurs blanches ; en bouche par une matière voluptueuse et dense, avant un retour des notes boisées et torréfiées en finale. Un vin superbe et de bonne garde.
Christophe Cordier, 71960 Fuissé, tél. 03.85.35.62.89, fax 03.85.35.64.01, e-mail domaine.cordier@wanadoo.fr r.-v.

DOM. LES GRANDS CRAYS
Vieilles Vignes 2005 ★★

1,2 ha 5 000 5 à 8 €

Numéro deux au grand jury, ce 2005 se présente dans une robe dorée lumineuse. Son nez fin et élégant associe les fleurs blanches, l'ananas et le pamplemousse rose. Rien ne trouble l'harmonie exemplaire de sa bouche, équilibrée et agréable. Long et généreux, il s'accordera avec un poisson noble d'ici un an ou deux. Un vin tellement plaisant qu'un dégustateur se demande s'il est disponible en magnum ou même en jéroboam !
Dominique Terrier, rue du Champ-Cholet, Cray, 71260 Clessé, tél. 06.12.15.49.12, fax 03.85.36.96.31, e-mail lesgrandscrays@club-internet.fr r.-v.

LAURENT HUET 2005

2,1 ha 16 500 5 à 8 €

Cela fait vingt ans que Laurent Huet est aux commandes de ce domaine qui compte aujourd'hui une quinzaine d'hectares. D'un jaune d'or intense qui flatte l'œil, son 2005 possède un nez agréable marqué par des notes florales et boisées (neuf mois d'élevage en fût, après neuf mois de cuve). Sa bouche harmonieuse s'achève sur de fraîches notes citronnées.
Laurent Huet, rte de Germolles, 71260 Clessé, tél. 03.85.36.96.99, fax 03.85.36.98.87, e-mail laurent.huet16@wanadoo.fr r.-v.

DENIS JEANDEAU 2005 ★

1 ha 4 000 8 à 11 €

Sur les coteaux de Viré, les sols sont situés entre les niveaux calcaires et marno-calcaires du Bajocien supérieur. Denis Jeandeau y travaille des vignes (chardonnay) en biodynamie. Les raisins sont cueillis et triés manuellement avant d'être vinifiés naturellement (sans levures exogènes) et élevés douze mois sur lies fines. Le résultat ? Une couleur jaune d'or soutenu, des senteurs agréables de fruits mûrs et une bouche puissante et équilibrée. Un vin de terroir à associer à un poisson en sauce ou à servir simplement à l'apéritif.
Denis Jeandeau, Le Bourg, 71960 Fuissé, tél. et fax 03.85.40.97.55, e-mail denisjeandeau@freesurf.fr r.-v.

JEAN-PIERRE MICHEL Quintaine 2005 ★

3 ha 20 000 11 à 15 €

Ce chardonnay est le fruit du travail de Jean-Pierre Michel, vigneron respectueux du sol (labours réguliers), de la vigne (vendange manuelle) et du vin (vinification naturelle). Les jurés ont apprécié. Sa robe or paille profonde se présente bien. Une sensation de gras et de suavité domine la dégustation. Une alliance de miel et de fruits compotés forme une palette aromatique séduisante. Y a-t-il une pointe de sucres résiduels ? Ils permettront à cette bouteille de traverser le temps et de se marier à un poisson en sauce.
Jean-Pierre Michel, pl. de Quintaine, 71260 Clessé, tél. 06.25.01.03.95, fax 03.85.33.23.47, e-mail vinsjpmichel@aol.com r.-v.

DOM. MICHEL Quintaine 2004

2 ha 12 000 11 à 15 €

Vingt mois d'élevage en cuve sur lies fines (fait assez rare en Mâconnais pour être signalé) ont donné une couleur jaune citron éclatant à ce 2004. Un premier nez très discret ouvre la dégustation, puis on perçoit à l'aération des notes végétales, presque mentholées. Finesse et légèreté caractérisent la bouche avant une finale fruitée. Un vin racé qui nécessite un passage en carafe avant service.
Dom. René Michel et ses Fils, Cray, 71260 Clessé, tél. 03.85.36.94.27, fax 03.85.36.99.63 r.-v.

DOM. SAINTE BARBE L'Épinet 2005

0,43 ha 2 500 8 à 11 €

Des vignes de cinquante ans cultivées en biodynamie ont donné ce vin jaune vif à reflets dorés. Le nez concentré témoigne de son élevage de dix mois en fût de chêne. La bouche fruitée, dense et persistante finit sur des notes boisées un peu dominantes qui devraient s'affiner d'ici deux à trois ans.

Jean-Marie Chaland, En Chapotin, Cidex 2163, 71260 Viré, tél. 03.85.33.96.72, fax 03.85.33.15.58, e-mail chazellesdom@aol.com r.-v.

Pouilly-fuissé

Le profil des roches de Solutré et de Vergisson s'avance dans le ciel comme la proue de deux navires ; à leur pied, le vignoble le plus prestigieux du Mâconnais, celui de pouilly-fuissé, se développe sur les communes de Fuissé, Solutré-Pouilly, Vergisson, et Chaintré. La production a atteint 44 067 hl en 2006.

Les vins de Pouilly ont acquis une très grande notoriété, notamment à l'exportation, et leurs prix ont toujours été en compétition avec ceux des chablis. Ils sont vifs, pleins de sève et parfumés. Lorsqu'ils sont élevés en fût de chêne, ils acquièrent en vieillissant des arômes caractéristiques d'amande grillée ou de noisette.

DOM. DE LA CHAPELLE Vieilles Vignes 2005 ★★

2,7 ha 14 000 11 à 15 €

Situé au cœur du hameau de Pouilly, ce domaine de 5,4 ha possède des bâtiments datant pour certains du XIVᵉs., notamment la chapelle de Pouilly. Son vin, attrayant par sa couleur jaune clair, présente à l'olfaction des arômes frais de fleurs blanches et de fruits. La bouche épanouie et onctueuse aux accents citronnés s'étire longuement dans une agréable finale. Un vin tonique que l'on servira en accompagnement d'un poisson noble de nos rivières (sandre, brochet). Deux étoiles également pour le prometteur **Clos de la Chapelle 2005 (15 à 23 €)**, aux notes de fruits mûrs, de noisette et d'amande qui demande à évoluer quelques années pour que le bois de l'élevage se fonde.

Pascal Rollet, hameau de Pouilly, 71960 Solutré-Pouilly, tél. 03.85.35.81.51, fax 03.85.35.86.43, e-mail rolletpouilly@wanadoo.fr r.-v.

PHILIPPE CHARMOND La Roche 2005 ★

0,29 ha 1 670 11 à 15 €

Installé en 1997, Philippe Charmond se lance dans la commercialisation en bouteilles d'une partie de sa production en 2001. Pour cela, il s'attache à mettre en valeur ses terroirs par une culture intégrée. De ce 2005 aux intenses reflets dorés s'échappent quelques notes boisées ainsi que des arômes rappelant la noisette. Le palais, franc et précis, possède une matière dense et une finale d'une bonne longueur. Un vin que l'on consommera dès aujourd'hui sur un plat épicé, un curry d'agneau par exemple.

Philippe Charmond, Le Repostère, 71960 Vergisson, tél. et fax 03.85.35.87.98, e-mail philippecharmond@aol.com t.l.j. sf dim. 10h-12h 14h-19h; f. août

DOM. CHATAIGNERAIE-LABORIER Bélemnites 2005 ★★

2,2 ha 5 500 11 à 15 €

Déjà dix ans que Gilles Morat s'investit dans l'exploitation de ce petit domaine de 5 ha. Sa cuvée Bélemnites 2005 a participé au grand jury des coups de cœur tant elle présente d'attraits à la dégustation : robe or blanc scintillant, bouquet complexe et riche associant fruits jaunes et notes empyreumatiques. La matière ronde et équilibrée fait la part belle aux arômes de chardonnay et la finale étoffée laisse un souvenir persistant. Un vin de grande classe, élégant et distingué, que l'on réservera aux langoustines. **La Roche 2005 (15 à 23 €)** obtient une étoile : son nez très frais et épicé précède une bouche généreuse et ample où se mêlent agrumes et bois de chêne.

Gilles Morat, Dom. Chataigneraie-Laborier, Les Bruyères, 71960 Vergisson, tél. 03.85.35.85.51, fax 03.85.35.82.42, e-mail gil.morat@wanadoo.fr

DOM. MICHEL CHEVEAU Aux Bouthières 2005

0,4 ha 2 000 15 à 23 €

Nicolas Cheveau est le troisième du nom à s'occuper de cette propriété de 14 ha, toujours épaulé par son père Michel. En recherche constante de qualité, il remet au goût du jour des pratiques comme le labour et l'enherbement. Il offre un 2005 réussi mais encore fermé, qui possède une matière riche, des notes grillées agréables et une acidité qui lui confère de l'élégance. Le carafer avant de le servir ou lui laisser un peu de temps (un à deux ans).

Dom. Michel Cheveau, Pouilly, 71960 Solutré-Pouilly, tél. 03.85.35.81.50, fax 03.85.35.87.88, e-mail n.cheveau@tiscali.fr r.-v.

Nicolas Cheveau

DOM. DE LA COLLONGE 2005 ★

3 ha 7 200 8 à 11 €

Gilles Noblet vient de réaliser d'importants investissements pour la modernisation de sa cuverie et de son outil de travail. Il est à la tête aujourd'hui de 14 ha de vignes en chardonnay. Il offre ici un pouilly-fuissé au bon potentiel, mais qui demande un peu de temps pour s'harmoniser. Or soutenu aux reflets vert éclatant, ce 2005 livre un nez discret au premier abord, qui s'ouvre gentiment sur des notes de fruits secs, de vanille et d'agrumes. Son palais riche et gras est encore serré par une vivacité marquée mais qui devrait bien évoluer. Une bouteille à oublier en cave deux à trois années.

Gilles Noblet, Dom. de La Collonge, 71960 Fuissé, tél. 03.85.35.63.02, fax 03.85.35.67.70, e-mail gillesnoblet@wanadoo.fr r.-v.

CHRISTOPHE CORDIER Terroir de Fuissé 2005 ★★

n.c. 24 000 11 à 15 €

À la tête du domaine Cordier, Christophe a diversifié sa production en créant une petite structure de négoce. Aguerri au métier de vigneron, il a le flair pour sélectionner des raisins de grande qualité. Et il fait mouche avec cette cuvée issue du terroir de Fuissé, qu'il a jugé opportun

BOURGOGNE

d'élever une année en fût de chêne. Jaune d'or à l'œil, elle flatte le nez par sa complexité aromatique mariant le bois et la vanille aux fruits jaunes mûrs. L'attaque puissante ouvre sur une matière dense et enveloppante, au boisé fondu conduisant à une finale persistante. Un grand pouilly-fuissé que l'on associera dans deux à trois ans à un poulet de Bresse à la crème. Le **Domaine Cordier Vieilles Vignes 2006 (15 à 23 €)** obtient une étoile.

Christophe Cordier, 71960 Fuissé,
tél. 03.85.35.62.89, fax 03.85.35.64.01,
e-mail domaine.cordier@wanadoo.fr r.-v.

DOMINIQUE CORNIN Les Chevrières 2005

0,55 ha 4 000 11 à 15 €

Élevée pour partie (70 %) en fût de chêne, cette cuvée a fière allure dans son habit d'or. Beurre, épices et fruits mûrs se partagent le bouquet, avec quelques notes minérales en rétro-olfaction. Équilibré et frais, ce vin plaisant sera servi dès aujourd'hui sur un tajine de poisson.

Dominique Cornin, Savy-le-Haut, 71570 Chaintré,
tél. 03.85.37.43.58, fax 03.85.32.90.87,
e-mail dominique@cornin.net r.-v.

DOM. CORSIN Aux Chailloux 2005 *

0,46 ha 3 200 15 à 23 €

Ce domaine, réputé pour ses saint-véran, est conduit en agriculture raisonnée. Méticuleux aussi bien à la vigne qu'au chai, les deux frères Corsin proposent cette année un Chailloux 2005 jaune d'or à reflets verts qui décline élégamment de douces notes florales et fruitées. D'attaque riche et puissante, ce vin reste tonique mais bien équilibré avec une longue fin de bouche chaleureuse. Il escortera fièrement une volaille à la crème.

Dom. Corsin, Les Plantes, 71960 Davayé,
tél. 03.85.35.83.69, fax 03.85.35.86.64,
e-mail jjcorsin@domaine-corsin.com r.-v.

DOM. MICHEL DELORME La Maréchaude 2005 **

0,58 ha 1 000 15 à 23 €

C'est sur un magnifique sol composé d'argile et de calcaire que ces vignes septuagénaires expriment toute la quintessence de cette Maréchaude. Les raisins mûrs, ramassés en petites cagettes, sont doucement pressés pour obtenir un jus vinifié avec les levures indigènes du terroir. Élevé quinze mois en barrique, ce 2005 se pare d'une robe dorée intense tandis que d'élégantes notes de fruits exotiques (mangue et fruit de la Passion) s'échappent du verre. Minérale dès l'attaque, sa bouche, encore sur la réserve, possède toutes les composantes (richesse, acidité, structure) pour assurer à ce vin un avenir remarquable. À attendre deux à trois ans. Une étoile pour la cuvée **Sur la Roche 2005 (11 à 15 €)** et une citation pour la cuvée **Vieilles Vignes 2005 (11 à 15 €).**

Dom. Michel Delorme, Le Bourg, 71960 Vergisson,
tél. et fax 03.85.35.84.50,
e-mail micheldelorme@club-internet.fr
t.l.j. 9h30-19h

DOM. DENUZILLER Cuvée Prestige 2005 *

0,8 ha 3 000 8 à 11 €

Par temps clair, il est possible d'apercevoir, de la cour du domaine, le mont Blanc et toute la chaîne des Alpes. Les frères Denuziller proposent ce 2005 d'un bel or vert, qui offre au nez de discrètes notes de tilleul et d'amande. Sa structure en bouche, tout en finesse et en douceur, laisse une agréable sensation de fraîcheur. Un vin dont l'élégance ravit les jurés. Une citation pour **La Frérie 2005 (8 à 11 €)**, au charme minéral et fruité.

Dom. Denuziller, Le Bourg, 71960 Solutré-Pouilly,
tél. 03.85.35.80.77, fax 03.85.35.83.38,
e-mail nadine.denuziller@libertysurf.fr
t.l.j. 8h-12h30 14h-18h

CORINNE ET THIERRY DROUIN Métertière 2005 *

1,6 ha 4 500 11 à 15 €

Des vignes de chardonnay trentenaires plantées sur sol argilo-calcaire ont donné ce vin or jaune intense, aux arômes frais de fleurs et de fruits blancs mêlés aux notes boisées du fût. On découvre au palais une matière riche, équilibrée par une pointe acidulée rafraîchissante. Assez abouti aujourd'hui, ce 2005 peut néanmoins vieillir un à deux ans.

Corinne et Thierry Drouin, Le Grand Pré,
71960 Vergisson, tél. 03.85.35.84.36,
fax 03.85.35.86.84,
e-mail corinneetthierrydrouin@wanadoo.fr r.-v.

DAVID FAGOT Cuvée Les Vignerais 2005

0,25 ha 1 000 8 à 11 €

Le terroir argilo-calcaire ressort lors de la dégustation de cette cuvée, cinquième millésime de David Fagot. D'un or clair à l'œil, elle libère un nez de raisin mûr, d'abricot sec et de miel. L'attaque charnue et grasse introduit une bouche douce et suave, à la limite du sucré. Un vin flatteur, bien fait, un peu atypique. On le mariera à un fromage bleu comme le roquefort.

David Fagot, Le Bourg, 71960 Solutré-Pouilly,
tél. et fax 03.85.35.89.77,
e-mail david.fagot@wanadoo.fr r.-v.

DOM. J.-A. FERRET Le Clos 2005 **

0,69 ha 4 000 15 à 23 €

À la tête du domaine familial depuis 1993, Colette Ferret vient de nous quitter ; elle laissera l'image d'une femme discrète mais tenace, qui a su maintenir la qualité et le prestige de ce domaine. Et comme pour un ultime hommage, ses trois cuvées 2005 ont été sélectionnées. Une citation pour le **Tournant de Pouilly** et une étoile pour **Les Ménétrières** au fort potentiel. Le Clos arrive en tête et frôle même le coup de cœur. Brillant dans sa robe d'or aux nuances de bronze, il offre de délicates touches de fruits mûrs et de fleurs blanches. Fin et équilibré, le palais, tel un écrin soyeux et velouté, porte encore l'empreinte du bois et de la vanille. Un pouilly-fuissé élégant et racé qui tiendra toutes ses promesses dans la décennie.

EARL Ferret-Lorton, Le Plan, 71960 Fuissé,
tél. 03.85.35.61.56, fax 03.85.35.62.74,
e-mail earlferretlorton@terre-net.fr r.-v.

ANNIE-CLAIRE FOREST Les Crays 2005 ★

1,25 ha 4 000 11 à 15 €

Passation de pouvoir au domaine : c'est Annie-Claire, la femme de Michel, qui a repris les rênes du vignoble, mais celui-ci reste très présent pour l'accompagner. Crème fraîche, amande et pain grillé constituent le bouquet expressif de ce 2005 à la robe jaune paille. Sa bouche charnue, citronnée et minérale demande encore un peu de temps pour s'épanouir. Un vin en devenir que l'on servira dans un an sur un mets délicat tel que des saint-jacques. Une citation pour la cuvée **Sur la Roche 2005** aux arômes d'aubépine, de brioche et de pamplemousse.

Annie-Claire Forest, Les Crays, 71960 Vergisson, tél. 03.85.35.84.79, fax 03.85.35.86.14 r.-v.

CH. FUISSÉ Le Clos 2005

2,3 ha 5 000 23 à 30 €

Jean-Jacques Vincent et son fils Antoine, successeurs de l'illustre fondateur de l'appellation pouilly-fuissé, proposent ce vin un peu en retrait, marqué par le millésime, mais qui possède un réel potentiel. Sous une teinte jaune d'or apparaissent des notes florales puis réglissées. Souple à l'attaque, le palais évolue vers un juste équilibre entre fruité et notes boisées, avec une pointe d'amertume en finale. Une bouteille que l'on attendra trois à quatre ans pour que l'ensemble s'harmonise.

Famille Vincent, Ch. de Fuissé, Le Plan, 71960 Fuissé, tél. 03.85.35.61.44, fax 03.85.35.67.34, e-mail domaine@chateau-fuisse.fr
t.l.j. 8h-12h 13h30-17h30; sam. dim. sur r.-v.; f. sem. du 15 août

DOM. DES GERBEAUX Pouilly 2004 ★★

0,3 ha 1 800 15 à 23 €

Année faste pour Béatrice et Jean-Michel Drouin qui voient leurs trois vins sélectionnés. Le coup de cœur couronne cette cuvée issue d'une vigne acquise en 2003, bien située dans le fameux cirque de Pouilly, orientée plein est et à l'abri des vents dominants. De faibles rendements, une vendange manuelle et un élevage de dix-huit mois en fût ont donné ce vin d'un jaune solaire brillant de mille feux. Des notes de fleur d'oranger et d'abricot mûr se mêlent finement aux arômes boisés de l'élevage. Rond et expressif, le palais trouve son équilibre entre la maturité et la vivacité ; sa tonicité finale laisse présager un bel avenir à cette bouteille. On la servira sur des noix de Saint-Jacques. Une étoile est décernée aux **Terroirs de Pouilly et Fuissé Vieilles Vignes 2005 (11 à 15 €)** et **Terroir de Solutré Vieilles Vignes 2005 (8 à 11 €)**.

Jean-Michel Drouin, Dom. des Gerbeaux, 71960 Solutré-Pouilly, tél. 03.85.35.80.17, fax 03.85.35.87.12 r.-v.

PIERRE ET VÉRONIQUE GIROUX 2005

1,79 ha 2 850 8 à 11 €

De la robe brillante, couleur or pâle, s'échappent de doux arômes rappelant les fleurs blanches, le miel et la réglisse. Dans une bouche gentiment équilibrée s'épanouissent des notes de citron et de poire. Un bon vin harmonieux et plaisant, à découvrir d'ici un an.

Pierre Giroux, Le Plan, 71960 Fuissé, tél. 03.85.35.66.07, fax 03.85.32.90.54, e-mail girouxpierre@wanadoo.fr r.-v.

DOM. JEAN GOYON 2005 ★

0,3 ha 1 000 8 à 11 €

Situées au cœur de l'appellation, les vignes de ce domaine de 7 ha s'étendent sur les coteaux argilo-calcaires entourant la célèbre roche de Solutré. Pratiquant la lutte raisonnée, Jean Goyon laboure ses sols pour éviter l'emploi intensif du désherbant chimique. Les fruits mûrs et le miel dominent le nez de ce 2005 à la robe jaune citron ourlée de reflets verts. L'attaque est puissante, la matière dense mais bien relevée par une vivacité minérale. Un vin persistant et corpulent qu'il faudra servir accompagné d'un poisson en sauce.

Jean Goyon, Au Bourg, 71960 Solutré-Pouilly, tél. 03.85.35.81.15, fax 03.85.35.87.03, e-mail goyon.jean@wanadoo.fr r.-v.

NADINE ET MAURICE GUERRIN Cuvée Vieilles Vignes Élevé en fût de chêne 2005

0,6 ha 4 500 11 à 15 €

Ces ceps de chardonnay quadragénaires ont donné un vin bien dans le type de l'AOC et du millésime. Encore empreint de la présence du fût de chêne qu'il a connu durant ses dix mois d'élevage, il présente une couleur dorée intense et lumineuse. La vanille et les fruits secs grillés que l'on perçoit au nez se retrouvent dans la bouche volumineuse et ample. Une pointe d'amertume conclut la dégustation, mais elle devrait disparaître après un an ou deux de garde.

Maurice Guerrin, Les Bruyères, 71960 Vergisson, tél. 03.85.35.80.25, fax 03.85.35.82.75 r.-v.

DOM. EDMOND LANEYRIE 2004 ★

2,1 ha 1 500 8 à 11 €

Jaune citron à l'œil, ce 2004 offre un nez explosif de fruits frais mêlés de notes boisées et grillées. Dès l'attaque, il captive les sens et réveille le palais. Tout en douceur et en onctuosité, il laisse une sensation d'accomplissement. Servi à l'apéritif, avec des boutons de culotte, il comblera vos amis.

Domaines Edmond Laneyrie, Le Bourg, 71960 Solutré-Pouilly, tél. 03.85.35.87.26, fax 03.85.35.80.67, e-mail laneyriep.e@wanadoo.fr
r.-v.
GFA Laneyrie

DOM. LAROCHETTE-MANCIAT Tradition 2005

3,5 ha 27 000 11 à 15 €

À la tête du domaine de 22 ha répartis sur sept communes du Sud Mâconnais, Marie-Pierre et Olivier Larochette proposent deux cuvées qui ont retenu l'attention du jury. Ce Tradition très fruité, aux notes de guimauve et de silex laisse une bonne impression. Il faudra le boire dès cet automne sur un poisson ou une viande blanche. Citée aussi, la cuvée **Excellence 2005 (23 à 30 €)**,

encore sous l'emprise du chêne mais possédant de réels atouts, devra être attendue quelques années.
Dom. Larochette-Manciat, rue du Lavoir, 71570 Chaintré, tél. 03.85.35.61.50, fax 03.85.35.67.06, e-mail o-larochette@club-internet.fr r.-v.
M. P. et O. Larochette

ROGER LASSARAT Terroir de Vergisson 2005 ★

4 ha 21 000 11 à 15 €

Les différents terroirs de Vergisson entrent dans la composition de cette cuvée. Vinifié et élevé durant une année en fût, ce 2005 attire l'œil par sa brillance et sa teinte dorée. Le nez offre des senteurs boisées et beurrées. En bouche, les fruits mûrs et la noisette grillée l'emportent. Gras et puissant, équilibré, ce vin demande encore un peu de temps pour s'épanouir pleinement. On le réservera aux fromages de chèvre affinés. La cuvée **Racines 2005 (15 à 23 €)**, issue de vieux chardonnays de soixante-quinze ans, a séduit le jury par sa complexité et sa richesse. Encore sur la réserve, elle devra s'épanouir d'ici quatre à cinq ans. Elle est citée.
Roger Lassarat, Le Martelet, 71960 Vergisson, tél. 03.85.35.84.28, fax 03.85.35.86.73, e-mail info@roger-lassarat.com r.-v.

CH. DE LAVERNETTE
Cuvée Jean-Jacques de Boissieu
Élevé en fût de chêne 2005

1,6 ha 2 000 11 à 15 €

Des chardonnays nés sur un terroir argilo-calcaire ont produit cette cuvée, hommage au glorieux aïeul de la famille, conseiller du Roi, puis trésorier de France au bureau des Finances. De l'or, cette cuvée en possède dans sa robe limpide et brillante. Son nez s'ouvre sur des notes de fruits secs, agrémentées d'une fine touche minérale. Beaucoup de fraîcheur dès l'attaque, puis la bouche se poursuit avec souplesse, le boisé fondu étant bien dosé.
Bertrand de Boissieu, Ch. de Lavernette, 71570 Leynes, tél. 03.85.35.63.21, fax 03.85.35.67.32, e-mail chateau@lavernette.com
t.l.j. 10h30-12h 14h-18h30

E. LORON ET FILS Les Vieux Murs 2005

n.c. 5 300 11 à 15 €

Une réalisation de la maison de négoce Loron et Fils, spécialiste des vins blancs de Bourgogne. Éclatant dans sa robe dorée à reflets bronze, ce 2005 exhale des arômes intenses de fruits exotiques et de bois brûlé. Sa bouche vanillée est encore marquée par l'élevage en fût, mais quelques années de vieillissement permettront une meilleure harmonie.
Éts Loron et Fils, 1846 RN, BP 1 Pontanevaux, 71570 La Chapelle-de-Guinchay, tél. 03.85.36.81.20, fax 03.85.33.83.19, e-mail vinloron@loron.fr

DOM. DES NEMBRETS
La Roche Vieille Vigne 2005 ★

n.c. 1 400 15 à 23 €

D'une belle teinte or vert, ce vin exprime toute la générosité florale et fruitée du chardonnay, soulignée d'une touche minérale typique des pouilly-fuissé de Vergisson. À l'olfaction, on trouve l'acacia et la brioche, tandis que la bouche, vive, franche et équilibrée, conduit à une finale gourmande sur les fruits blancs. Un vin flatteur que l'on pourra servir dès aujourd'hui ou conserver quelques années.
Denis Barraud, Les Nembrets, 71960 Vergisson, tél. 06.03.65.77.62, fax 03.85.35.85.85, e-mail barraud-denis@wanadoo.fr r.-v.

ALBERT PONNELLE Vieilles Vignes 2005 ★

0,36 ha 2 400 15 à 23 €

Cette maison beaunoise a une tradition de négoce-éleveur depuis plusieurs générations. Les vins sont élevés en fût dans des caves cisterciennes du XIVᵉs. que l'on peut visiter. Demandez à goûter ce 2005 au nez expressif mariant fruits secs et notes boisées que l'on retrouve au palais dans un équilibre rondeur-acidité prometteur. Une finale rafraîchissante, presque mentholée, lui confère de la longueur. Une bouteille qui a encore de belles années devant elle.
Albert Ponnelle, 38, fg Saint-Nicolas, BP 107, 21200 Beaune, tél. 03.80.22.00.05, fax 03.80.24.19.73
t.l.j. 8h30-12h 13h30-18h; f. août

PASCAL RENOUD-GRAPPIN 2005 ★

4 ha 1 500 8 à 11 €

Paille brillant, voici un pouilly-fuissé fruité, facile à boire, aux arômes intenses de fruits mûrs (pêche, abricot) sur fond de fruits secs et d'épices. D'abord frais et vif, il se développe avec rondeur dans un juste équilibre. Une bouteille à prix très raisonnable que l'on pourra déguster dès cet automne sur un fromage de chèvre.
Pascal Renoud-Grappin, Les Plantes, 71960 Davayé, tél. 03.85.35.81.35, fax 03.85.35.87.82, e-mail rg.pascal@orange.fr r.-v.

ROUX PÈRE ET FILS 2005 ★

n.c. 60 000 11 à 15 €

En 1984, les trois frères Roux, alors vignerons en Côte de Beaune, décident de développer une activité de négoce afin de diversifier leur gamme. On y trouve notamment ce 2005 à la robe dorée et limpide. Un petit temps d'hésitation, puis les arômes se livrent : noisette, brioche et agrumes. On les retrouve en bouche sur un fond minéral qui persiste longuement. L'équilibre se fait sur la richesse et la fraîcheur. À servir dans un an ou deux avec une viande blanche.
Dom. Roux Père et Fils, 21190 Saint-Aubin, tél. 03.80.21.32.92, fax 03.80.21.35.00, e-mail roux.pere.et.fils@wanadoo.fr r.-v.

JACQUES ET NATHALIE SAUMAIZE
La Roche 2005

1 ha 6 000 11 à 15 €

Passionnés et respectueux de l'environnement, Jacques et Nathalie Saumaize produisent des vins de grande expression, empreints de leur terroir d'origine. Cette Roche en est un exemple : robe intense et brillante, palette aromatique élégante et fraîche alliant minéralité et fruit. En bouche, on retrouve la finesse du nez dans un équilibre matière-bois assez intéressant. Vin plaisir que l'on servira à l'apéritif dès aujourd'hui, mais qui possède des atouts pour vieillir deux à trois années.
Jacques et Nathalie Saumaize, Les Bruyères, 71960 Vergisson, tél. 03.85.35.82.14, fax 03.85.35.87.00, e-mail nathalie.saumaize@wanadoo.fr r.-v.

DOM. SAUMAIZE-MICHELIN
Les Ronchevats 2005 ★

	1,2 ha	3 000	11 à 15 €

Vergisson est le village le plus haut de l'appellation : les vins issus de ce secteur présentent une belle minéralité et sont généralement fins et aériens. Dans ce 2005 pourtant, c'est tout d'abord le fût que l'on sent : boisé puissant, noix de coco et vanille. Puis la bouche, tonique en attaque, se montre grasse, riche et puissante. Un vin bien élevé dans lequel on retrouve l'argile du terroir et qui devrait bien évoluer. Une citation pour **Les Courtelongs 2005** et les **Vignes blanches 2005**.

Roger et Christine Saumaize, Dom. Saumaize-Michelin, Le Martelet, 71960 Vergisson, tél. 03.85.35.84.05, fax 03.85.35.86.77, e-mail saumaize-michelin@wanadoo.fr r.-v.

DOM. SIMONIN Les Ammonites 2005 ★

	0,15 ha	1 000	15 à 23 €

Originaires d'un terroir à forte dominante de calcaire, ces Ammonites se révèlent typées, alliant finesse et complexité. D'intenses notes minérales enrobées par la vanille du fût caractérisent le nez, tandis que la bouche ample et racée s'étire longuement avec beaucoup de prestance. À marier avec un homard. Une étoile également pour les **Vieilles Vignes 2005 (11 à 15 €)**, de grande fraîcheur. Fleurs blanches et menthol composent un bouquet aromatique, que l'on retrouve dans une bouche citronnée.

Jacques Simonin, Le Bourg, 71960 Vergisson, tél. 03.85.35.84.72, fax 03.85.35.85.34, e-mail domsimonin.ja@wanadoo.fr r.-v.

DOM. DE LA SOUFRANDISE
Clos Marie 2004 ★★

	1 ha	7 000	11 à 15 €

Ce domaine présente l'ensemble de ses cuvées dans le difficile millésime 2004. Pari gagné, car les **Vieilles Vignes** sont citées pour leur équilibre entre rondeur et acidité, la cuvée **Levrouté Velours d'automne (15 à 23 €)**, récoltée en légère surmaturité, obtient une étoile, et ce Clos Marie participe au grand jury des coups de cœur, au milieu des 2005. Jaune citron à l'œil, il offre un nez fin et subtil, floral et beurré. En bouche, la rondeur reflète la maturité du raisin, bien équilibrée en finale par une pointe d'acidité. Un vin gourmand, issu de bons fruits, qui pourra se conserver encore une à deux années.

Françoise et Nicolas Melin, Dom. La Soufrandise, 71960 Fuissé, tél. 03.85.35.64.04, fax 03.85.35.65.57, e-mail la-soufrandise@wanadoo.fr r.-v.

DOM. LA SOURCE DES FÉES
Cep éternel 2005 ★★

	3,5 ha	8 000	11 à 15 €

Dynamiques et accueillants, Philippe Greffet et Thierry Nouvel ont récemment ouvert des chambres d'hôtes dans une maison du XVIe s., magnifiquement rénovée, nichée au cœur d'un parc verdoyant. Un havre de paix pour une halte en Bourgogne du Sud. Les fées du lieu se sont certainement penchées sur le berceau de ce Cep éternel, habillé d'or blanc à reflets verts, dont le nez élégant libère de fins effluves de fruits blancs et d'agrumes. De la noblesse du nez, on passe sans aucune rupture à une bouche souple, douce et délicate. Une finesse et une légèreté qui se prolongent indéfiniment. Un grand vin exemplaire du millésime 2005.

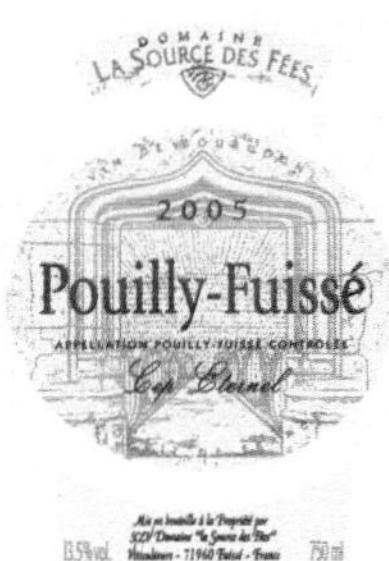

Philippe Greffet et Thierry Nouvel, Le Bourg, 71960 Fuissé, tél. 03.85.35.67.02, fax 03.85.35.62.22, e-mail t.nouvel@wanadoo.fr t.l.j. 9h-20h 7

Mlle Patissier

DOM. THIBERT PÈRE ET FILS
Vignes blanches 2005

	1,1 ha	8 000	15 à 23 €

Jaune clair à reflets dorés, ces Vignes blanches, encore timides aujourd'hui, possèdent néanmoins un bon potentiel. Fleurs blanches, notes empyreumatiques et eucalyptus composent le bouquet. La bouche, marquée par l'élevage, développe une matière assez dense et une finale citronnée agréable. Un vin qu'il est nécessaire de garder quelques années en cave, afin qu'il gagne en finesse et en élégance.

Dom. Thibert Père et Fils, Le Bourg, 71960 Fuissé, tél. 03.85.27.02.66, fax 03.85.35.66.21, e-mail domthibe@wanadoo.fr t.l.j. 8h30-12h 13h30-18h; sam. dim. sur r.-v.

Famille Thibert

DOM. DES VALANGES 2005 ★

	0,7 ha	5 000	11 à 15 €

Ce pouilly-fuissé provenant du terroir de Solutré (lieux-dits Les Crays, La Croix Bonnet et Les Gerbeaux) est vinifié pour 50 % en cuve et pour 50 % en fût pendant neuf mois. Il révèle avec intensité des notes minérales, végétales (herbe fraîchement coupée) et florales (aubépine). Il séduit par sa rondeur, son croquant et son jus. Sa tonicité finale rappelant l'agrume lui confère de la longueur. Une bouteille que l'on servira pour les fêtes de Noël sur des fruits de mer et des crustacés.

Michel Paquet, Dom. des Valanges, 71960 Davayé, tél. 03.85.35.85.03, fax 03.85.35.86.67, e-mail domaine-des-valanges@wanadoo.fr r.-v.

DOM. VESSIGAUD Vers Pouilly 2005 ★★

	0,4 ha	2 300	15 à 23 €

Pierre Vessigaud collectionne les étoiles et les coups de cœur. Il s'en est fallu de peu que sa cuvée Vers Pouilly figure au palmarès, mais elle termine au pied du podium. Élevée un an en fût de chêne, elle se présente vêtue d'une robe jaune d'or soutenu. Son nez, encore assez boisé, offre des senteurs minérales, épicées (clou de girofle) et fruitées (abricot et amande). Beaucoup de rigueur et de pureté se dégagent du palais, et l'on ressent sur la finale l'origine bien affirmée du terroir. Puissant et raffiné, un vin à déguster seul, pour le plaisir.

Dom. Pierre Vessigaud, Pouilly, 71960 Solutré-Pouilly, tél. 03.85.35.81.18, fax 03.85.35.84.29, e-mail contact@domainevessigaud.com t.l.j. sf dim. 9h-12h 14h-18h

BOURGOGNE

DOM. LES VIEUX MURS 2005 ★

4 ha 14 000 11 à 15 €

Dominant le village de Fuissé, ce domaine jouit d'un superbe panorama : au nord, les Roches de Solutré et de Vergisson et à l'est, la vallée de la Saône. Des chardonnays récoltés à maturité puis élevés huit mois en fût ont donné ce vin à la teinte or vert, à la palette aromatique florale et à la bouche complexe et bien équilibrée. Accompagnez-le de saint-jacques poêlées.

Jean-Paul Paquet, 71960 Fuissé, tél. 03.85.27.01.06, fax 03.85.27.01.07, e-mail fussiacus@wanadoo.fr r.-v.

CÉLINE ET LAURENT TRIPOZ Réserve 2005

0,53 ha 3 000 11 à 15 €

Cette cuvée élevée treize mois en fût se présente dans une robe or vert brillant. Elle offre une palette aromatique mêlant les fruits et les fleurs blanches à des notes minérales. En bouche, les fruits mûrs accompagnent une matière ronde et une certaine nervosité. Un vin avec lequel vous prendrez rendez-vous dans un an ou deux pour passer à table avec une poularde de Bresse à la crème.

Céline et Laurent Tripoz, pl. de la Mairie, 71000 Loché, tél. 03.85.35.66.09, fax 03.85.35.64.23, e-mail cltripoz@free.fr r.-v.

Pouilly-loché et pouilly-vinzelles

Beaucoup moins connues que leur voisine, ces petites appellations situées sur les communes de Loché et Vinzelles produisent des vins de même nature que le pouilly-fuissé, avec peut-être un peu moins de corps. En 2006, la production a atteint 1 885 hl en loché et 2 963 hl en vinzelles, uniquement en vins blancs.

Pouilly-loché

CLOS DES ROCS Monopole 2005 ★

2,8 ha 12 000 11 à 15 €

Olivier Giroux, de retour sur ses terres natales, s'est installé en 2001 sur cette magnifique propriété. Ses trois vins sont sélectionnés. Une citation est attribuée à son **pouilly-loché Les Mures 2005 (8 à 11 €)** et à son **pouilly-vinzelles 2005 (8 à 11 €)**, bien dans le type mais qui nécessitent un peu de temps encore pour s'épanouir. Or pâle et limpide à l'œil, celui-ci est encore un peu fermé, mais on y décèle néanmoins des arômes prometteurs (abricot, pomme, silex...). Son attaque franche et fraîche conduit à une bouche grasse et ronde, tout en suavité. Un an ou deux de garde lui permettront de s'ouvrir complètement pour accompagner des gambas grillées.

Olivier Giroux, SCEA Vignoble du Clos des Rocs, Les Molards, 71960 Fuissé, tél. 03.85.35.63.64, fax 03.85.32.90.08, e-mail vin@closdesrocs.fr r.-v.

MARCEL COUTURIER 2005 ★★

0,2 ha 1 200 8 à 11 €

2005 est la première récolte vinifiée et commercialisée par Marcel Couturier après sa décision de quitter partiellement la cave de Vinzelles. Quelle réussite ! Issu de vieux ceps de chardonnay de soixante-dix-huit ans, élevé quatorze mois en fût, ce vin, lumineux et brillant dans sa robe d'or, décline au nez des arômes de fruits mûrs et exotiques, mariés aux notes minérales du terroir. Relevée d'un léger trait de boisé, la bouche ample et délicate possède une structure élégante, de la matière et une fraîcheur exemplaire. Un vin d'une plénitude agréable que l'on pourra escorter d'un sandre au beurre blanc.

Couturier, Les Pelées, 71960 Fuissé, tél. et fax 03.85.35.63.27 r.-v.

Pouilly-vinzelles

JOSEPH BURRIER Les Quarts 2005 ★

0,3 ha 2 000 11 à 15 €

La famille Burrier, fuisséenne depuis de nombreuses générations, possède un grand vignoble. Elle sélectionne et vinifie également une petite gamme de négoce issue d'achats de raisins. C'est le cas de cette cuvée confidentielle qui a séduit le jury par sa robe jaune clair à reflets dorés, son nez d'écorce d'agrumes et de senteurs boisées. On retrouve au palais ce boisé délicat qui lui donne du caractère, harmonieusement associé au gras et à l'acidité. Un vin appétissant que l'on prendra plaisir à boire avec une volaille fermière.

Joseph Burrier, Ch. de Beauregard, 71960 Fuissé, tél. 03.85.35.60.76, fax 03.85.35.66.04, e-mail contact@joseph-burrier.com r.-v.

Famille Burrier

DOM. DE FUSSIACUS 2005

0,35 ha 2 600 8 à 11 €

Élevée six mois en fût, cette cuvée or clair s'ouvre sur des parfums citronnés et minéraux. Elle présente en bouche une rondeur et une puissance favorables à une bonne évolution. Une pointe de citronnelle en finale lui confère de la fraîcheur. Un vin réussi que l'on offrira à un plat aux saveurs exotiques.

Jean-Paul Paquet, 71960 Fuissé, tél. 03.85.27.01.06, fax 03.85.27.01.07, e-mail fussiacus@wanadoo.fr r.-v.

CH. DE VINZELLES 2005

0,65 ha 3 845 8 à 11 €

Vinzelles tire son nom du latin *vincella*, petite vigne. La particularité de ce domaine réside dans la présence de deux châteaux distants de quelques mètres, la maison forte du XIes. et la maison noble des XIIIe et XVIIes. Le premier seigneur connu est Aymon de Vinzelles en 1007, aussi fête-t-on cette année le millénaire de cette forteresse. Un verre de ce vin pourrait accompagner les festivités : d'un or soutenu, il livre d'agréables parfums fruités, presque muscatés, auxquels s'ajoute la minéralité du terroir. Une pointe citronnée accompagne la bouche tout au long de la dégustation et équilibre l'ensemble. À servir bien frais sur une terrine de lapin au poivre vert.

Françoise de Lostende, Ch. de Vinzelles, 71680 Vinzelles, tél. 06.07.11.43.88, fax 03.85.35.60.97, e-mail contact@chateau-de-vinzelles.com r.-v.

Saint-véran

Réservée aux vins blancs produits sur huit communes de la Saône-et-Loire, saint-véran a été reconnue en 1971. La production (41 425 hl en 2006) peut être située dans la hiérarchie entre le pouilly et les mâcon suivis d'un nom de village. Ces vins sont légers, élégants, fruités, et accompagnent bien les débuts de repas.

Produite surtout sur des terroirs calcaires, l'appellation constitue la limite sud du Mâconnais.

JEAN-PIERRE ET MICHEL AUVIGUE
Les Chênes 2006 ★★★

1,2 ha 9 000 5 à 8 €

RÉCOLTE MANUELLE
SAINT-VÉRAN
Appellation Saint-Véran Contrôlée
"LES CHÊNES"
Récolte 2006
13% ALC. BY VOL. NET CONT. 750 ML
Mis en bouteille par
JEAN-PIERRE ET MICHEL AUVIGUE, 71850 CHARNAY-LES-MACON, FRANCE
Product of France - Contains Sulphites

Établie dans un ancien moulin à huile, cette maison familiale de négoce s'est forgé un nom par son savoir-faire unique, la prédisposant à ne commercialiser que des vins haut de gamme. Très rigoureux sur la qualité des achats de raisins, Jean-Pierre et Michel Auvigue ont sélectionné cette cuvée au lieu-dit Les Chênes. D'un or franc à reflets vert pâle, ce vin subjugue par la complexité de sa palette aromatique qui rappelle une corbeille de fruits frais : ananas, pamplemousse, pêche blanche. La bouche ample et souple retrouve les arômes du nez avant une longue finale citronnée et florale. Profitez-en dès aujourd'hui avec des saint-jacques poêlées.

Vins Auvigue,
Le Moulin-du-Pont, 3131, rte de Davayé,
71850 Charnay-lès-Mâcon, tél. 03.85.34.17.36,
fax 03.85.34.75.88, e-mail vins.auvigue@wanadoo.fr
r.-v.

CH. DE BEAUREGARD En Faux 2005 ★

1,5 ha 5 000 11 à 15 €

La famille Burrier, présente depuis plus de cinq siècles dans la région, possède 37 ha de vignoble, dont 20 ha en pouilly-fuissé, 7 ha en saint-véran et 8 ha en fleurie et moulin-à-vent. D'un doré soutenu, ce 2005 flatte le nez par d'intenses parfums de litchi, de mangue et de vanille. Un boisé légèrement grillé souligne la bouche tout en rondeur et en gras. Une douce finale épicée et fumée laisse présager un bel avenir. À servir dans quelques mois sur une volaille de Bresse à la crème.

Joseph Burrier, Ch. de Beauregard, 71960 Fuissé,
tél. 03.85.35.60.76, fax 03.85.35.66.04,
e-mail contact@joseph-burrier.com r.-v.

BLASON DE BOURGOGNE 2006 ★

18 ha 150 000 5 à 8 €

Ce vin signé Blasons de Bourgogne est issu de la cave de Prissé, récemment rebaptisée Les Vignerons des Terres secrètes. Chargé d'or comme un roi mage, il dévoile dans le verre d'intenses arômes d'agrumes, de fleurs blanches et de miel. Sa matière riche, ample et longue est équilibrée par une vivacité qui doit encore se fondre dans l'ensemble. On lui laissera une année pour trouver sa pleine harmonie.

Blasons de Bourgogne, rue du Serein,
89800 Chablis, tél. 03.86.42.88.34, fax 03.86.42.83.75,
e-mail blasons@blasonsdebourgogne.fr

CHANSON PÈRE ET FILS 2005 ★

n.c. 9 120 11 à 15 €

Vinifié en cuve pendant onze mois, ce saint-véran présenté par une maison de négoce de la place de Beaune fait la part belle aux fleurs blanches, aux fruits frais et aux notes minérales de son terroir. Encore légèrement perlant à l'attaque, le palais se développe en rondeur. Les agrumes ferment la danse, laissant une agréable sensation de fraîcheur. Un vin que l'on dégustera sur un plat iodé, des huîtres par exemple.

Dom. Chanson Père et Fils, 10, rue Paul-Chanson,
21200 Beaune, tél. 03.80.25.97.97, fax 03.80.24.17.42,
e-mail chanson@domaine-chanson.com r.-v.

DOM. DE LA CHARMERAIE 2006 ★

1,24 ha 5 200 5 à 8 €

La vigne de chardonnay, plantée sur les éboulis calcaires par le grand-père de l'actuelle propriétaire dans les années 1930, bénéficie d'une exposition plein sud. Il en résulte un 2006 brillant et limpide, à la robe or jaune nuancée de vert, au nez complexe associant le tilleul, la fleur d'acacia et la verveine. Le fruit arrive en bouche (abricot et pêche de vigne) accompagné d'une matière qui ne manque ni de densité ni d'équilibre. À servir dès maintenant ou à garder une à deux années.

Anny et Maurice Dumoux, En Bossu,
71570 Chanes, tél. 03.85.37.48.96, fax 03.85.37.48.93
t.l.j. 10h-20h

PHILIPPE CHARMOND 2005 ★★

0,32 ha 2 736 5 à 8 €

Malgré son jeune âge, cette vigne de chardonnay (plantée en 1997) a donné un 2005 remarquable. De la robe jaune clair à reflets dorés s'échappent de fins arômes citronnés, floraux et minéraux. La bouche harmonieuse est bien structurée : elle possède du gras, de l'ampleur et une minéralité finale qui lui assure une grande fraîcheur. Un vin subtil et élégant que l'on réservera à des mets délicats tels qu'un brochet au beurre blanc.

Philippe Charmond, Le Repostère,
71960 Vergisson, tél. et fax 03.85.35.87.98,
e-mail philippecharmond@aol.com
t.l.j. sf dim. 10h-12h 14h-19h; f. août

LOUIS CHAVY 2005 ★

n.c. 24 000 8 à 11 €

Or brillant dans le verre, ce 2005 présente un premier nez intense d'agrumes et de fleurs blanches. Après aération, il s'ouvre sur des notes briochées et minérales. Au palais, on découvre tout d'abord de la rondeur et du gras, puis intervient une pointe d'acidité et de minéralité qui lui

confère de la fraîcheur et de la longueur. « Joli vin, encore un peu tendu et droit, mais qui devrait exploser dans quelques années », conclut une dégustatrice.
La Compagnie des Vins d'Autrefois,
3, pl. Notre-Dame, 21200 Beaune, tél. 03.80.26.33.00,
fax 03.80.24.14.84, e-mail cva@cva-beaune.fr

DOM. CORDIER PÈRE ET FILS 2005 ★★

n.c. 6 000 11 à 15 €

Christophe Cordier fait partie des jeunes et déjà talentueux vignerons du Mâconnais, toujours à la recherche de l'excellence. Un élevage d'une année en fût de chêne confère à ce saint-véran une robe jaune d'or profond, ainsi qu'un nez intense sur les fruits confits, les fleurs blanches et la vanille. En bouche, la matière dense, bien équilibrée par une pointe d'acidité, s'entoure de saveurs briochées avant une finale mentholée rafraîchissante. À apprécier dans deux ans, mais déjà délicieux aujourd'hui.
Dom. Cordier, 71960 Fuissé, tél. 03.85.35.62.89,
fax 03.85.35.64.01,
e-mail domaine.cordier@wanadoo.fr r.-v.

CH. DES CORREAUX Les Spires 2005

0,5 ha 4 000 11 à 15 €

Ce vignoble de 30 ha se partage entre Beaujolais et Mâconnais, entre gamay et chardonnay. Depuis peu, Jean Bernard s'est adjoint les services d'une jeune femme, Caroline Gon, qui gère de main de maître les vignes et le chai. Voici un 2005 réussi dans sa robe cousue d'or. Derrière d'intenses arômes de boisé (dus à l'élevage d'un an en fût), on découvre des notes de pêche, de citron et même de brioche au beurre. Acidulée à l'attaque, la bouche se révèle équilibrée, encore un peu marquée par le bois cependant. Il est nécessaire de lui accorder du temps pour trouver sa pleine harmonie : deux à trois ans.
Jean Bernard, Les Correaux, 71570 Leynes,
tél. 03.85.35.11.59, fax 03.85.35.13.94,
e-mail bernardleynes@yahoo.fr
t.l.j. 9h-12h 14h-18h

DOM. MICHEL DELORME 2005 ★★

0,29 ha 1 300 8 à 11 €

Ce domaine est surtout réputé pour ses pouilly-fuissé. Une seule de ses parcelles de chardonnay est située dans l'aire d'appellation saint-véran, sur un sol argilo-calcaire. À partir de raisins récoltés fin septembre, Michel Delorme, aujourd'hui secondé par son fils Christian, a élaboré ce 2005 qui frôle le coup de cœur. Un grand vin or vert limpide et lumineux, aux senteurs de fleurs blanches et de fruits jaunes sur un soupçon minéral. Le palais montre de l'ampleur, autour de notes d'agrumes et de pêche, avant une longue finale veloutée. « Grandiose ! » s'exclame un juré enthousiaste. À servir dès cet automne sur des escargots de Bourgogne.
Dom. Michel Delorme, Le Bourg, 71960 Vergisson,
tél. et fax 03.85.35.84.50,
e-mail micheldelorme@club-internet.fr
t.l.j. 9h30-19h

DOM. DE LA DENANTE 2005

5 ha 10 000 5 à 8 €

Un domaine, accueillant et sympathique, situé à Davayé entre les deux roches. Il propose un 2005 dont le potentiel se révèle peu à peu. Or clair à reflets verts, ce vin possède un premier nez vif, puis s'ouvre sur les arômes typiques du saint-véran : la minéralité, les fleurs blanches et les fruits secs. L'équilibre gustatif se fait entre l'acidité et le gras, avec une bonne longueur. L'ensemble se bonifiera avec deux ou trois ans de garde et accompagnera un fromage de chèvre.
Robert Martin, Les Gravières, 71960 Davayé,
tél. 03.85.35.82.88, fax 03.85.35.86.71,
e-mail martin.denante@wanadoo.fr
t.l.j. 9h-20h; sam. dim. sur r.-v.

DOM. DES DEUX ROCHES Les Cras 2005 ★

1,17 ha 6 200 15 à 23 €

Créé en 1985 par Jean-Luc Terrier et Christian Collovray, ce domaine tient son nom de sa situation géographique, entre la fameuse Roche de Solutré et celle, beaucoup moins connue, de Vergisson. En 1991, afin de diversifier leur gamme, ces derniers créent une activité de négoce. Deux vins ont retenu l'attention du jury. Les **Rives de Longsault 2005 (11 à 15 €)**, encore sur la réserve à ce jour, sont citées. Les Cras, vêtus d'une robe or vert brillante, possèdent un nez complexe mariant la minéralité du terroir au boisé de l'élevage. La bouche, encore marquée par le fût, est puissante et longue. On oubliera cette bouteille une année en cave pour lui permettre d'exprimer pleinement son potentiel.
Dom. des Deux Roches, Les Personnets,
71960 Davayé, tél. 03.85.35.86.51, fax 03.85.35.86.12,
e-mail info@collovrayterrier.com r.-v.

DOM. DUCOTÉ 2005 ★★

n.c. n.c. 5 à 8 €

Passionné de vins authentiques, Pierre Janny a souhaité étendre son activité de négoce (La Maison bleue) par l'achat de vins « sur pile », c'est-à-dire vinifiés, élevés et mis en bouteilles à la propriété. Il a sélectionné un saint-véran au domaine Ducoté. D'emblée, ce 2005 séduit par sa robe dorée à reflets clairs. Les arômes subtils d'acacia, de pamplemousse et de beurre frais soulignés d'un trait minéral annoncent une bouche remarquable par sa fraîcheur et son équilibre acidité-gras. Tendu mais sans austérité, l'ensemble offre une perspective de vieillissement de deux à trois années. Un grand vin de terroir à prix très doux.
La Maison bleue, La Condemine, Cidex 1556,
71260 Péronne, tél. 03.85.23.96.20, fax 03.85.36.96.58,
e-mail pierre-janny@wanadoo.fr

DAVID FAGOT Cuvée classique 2005 ★

0,85 ha 1 600 5 à 8 €

Frangé d'or, ce 2005 flatte le nez avec discrétion et élégance par de fins effluves rappelant les fruits mûrs et le coing. La bouche, en harmonie avec le nez, est ample et équilibrée. Elle s'achève sur une note rafraîchissante d'agrumes. Un joli vin pourtant issu d'une très jeune vigne de chardonnay (cinquième feuille). David Fagot est installé depuis 2001 seulement. À suivre.
David Fagot, Le Bourg, 71960 Solutré-Pouilly,
tél. et fax 03.85.35.89.77,
e-mail david.fagot@wanadoo.fr r.-v.

CH. DE FUISSÉ 2005 ★

6 ha 30 000 8 à 11 €

Le château garde trace de son histoire en accueillant les visiteurs sous un porche datant de 1604. Or blanc scintillant, son 2005 dégage au premier nez de puissantes notes épicées et minérales, puis après aération des senteurs de petites fleurs blanches. Rond et souple à l'attaque, le palais évolue dans un environnement minéral et acidulé, avant une longue finale sur la fraîcheur. À ouvrir sur des poissons grillés.

Famille Vincent, Ch. de Fuissé, Le Plan, 71960 Fuissé, tél. 03.85.35.61.44, fax 03.85.35.67.34, e-mail domaine@chateau-fuisse.fr
t.l.j. 8h-12h 13h30-17h30; sam. dim. sur r.-v.; f. sem. du 15 août

DOM. DE FUSSIACUS 2005

1,1 ha 9 500 8 à 11 €

Ce saint-véran né sur sol argilo-calcaire apparaît dans une robe jaune d'or intense à reflets bronze. Il a séjourné en fût de chêne et en garde encore l'empreinte au nez. Citronnée et acidulée, la bouche se révèle ample et généreuse en finale. Un vin souple et riche à garder encore une année en cave avant de l'associer à une fricassée de cuisses de grenouilles.

Jean-Paul Paquet, 71960 Fuissé, tél. 03.85.27.01.06, fax 03.85.27.01.07, e-mail fussiacus@wanadoo.fr
r.-v.

CAVE DES GRANDS CRUS BLANCS 2006 ★

9,37 ha 70 000 5 à 8 €

La cave de Vinzelles reçoit la récolte de 145 ha. Elle a diversifié sa traditionnelle production de pouilly-vinzelles et de pouilly-loché par la vinification d'autres appellations voisines comme le beaujolais, le pouilly-fuissé et le saint-véran. Ce 2006, encore fougueux, possède déjà une belle couleur dorée et limpide. Son nez timide laisse entrevoir des arômes de fruits blancs et de citron. Sa bouche est équilibrée, ronde et généreuse. Un ensemble agréable destiné à l'apéritif.

Cave des Grands Crus Blancs, 71680 Vinzelles, tél. 03.85.27.05.70, fax 03.85.27.05.71, e-mail contact@cavevinzellesloche.com
t.l.j. 9h-12h30 13h30-18h30

SYLVIE ET GILLES GUERRIN
Cuvée Prestige 2005 ★

2 ha 13 000 5 à 8 €

Une vieille vigne de chardonnay a produit cette cuvée Prestige qui s'affiche en doré : des enluminures sur l'étiquette et des reflets dans sa robe. Elle mêle au bouquet la brioche, la pêche blanche et le chèvrefeuille. Velouté, son palais est chaleureux mais bien équilibré par une vivacité très présente tout au long de la dégustation. Quelques notes miellées annoncent sa maturité. À boire dès cet automne sur un poisson goûteux, par exemple des filets de rougets.

Gilles Guerrin, La Truche, 71960 Vergisson, tél. 03.85.35.80.38, fax 03.85.35.87.07, e-mail sylviegillesguerrin@wanadoo.fr r.-v.

DOM. GUEUGNON-REMOND 2005 ★

1 ha 7 900 5 à 8 €

Vous trouverez ce petit domaine familial et accueillant au bord de la « Voie Verte », endroit très couru des Mâconnais ou des touristes en quête de grand air. Jaune soutenu et lumineux, son 2005 livre un nez plaisant où l'on décèle des notes fleuries et des arômes de fruits mûrs. Souple à l'attaque, la bouche se poursuit sur une matière pleine de gras et de rondeur. La finale rappelant l'amande fraîche, le litchi et le miel laisse une impression agréable.

Dom. Gueugnon-Remond, 117, chem. de la Cave, 71850 Charnay-lès-Mâcon, tél. 03.85.29.23.88, e-mail vinsgueugnonremond@free.fr r.-v.
Remond

BERNARD LAPIERRE 2005

0,5 ha 2 000 5 à 8 €

D'une facture classique, cette cuvée dorée et ciselée de reflets verts présente un nez de fleurs blanches. Franc et frais dès l'attaque, le palais se révèle assez concentré et équilibré. Minéralité et fruits confits ferment la marche. Une bouteille à servir lors d'un pique-nique sur une viande blanche froide.

Bernard Lapierre, 71960 Solutré-Pouilly, tél. 03.85.35.81.12, fax 03.85.35.87.47 r.-v.

BOURGOGNE

ROGER LASSARAT Cuvée Prestige 2005 ★★

4 ha 18 000 8 à 11 €

Deux vins de ce domaine ont retenu l'attention du jury. **Les Mûres 2005 (15 à 23 €)** reçoivent une citation ; encore fermées, elles ont tous les atouts pour s'affirmer pleinement dans deux à trois ans. La dégustation de la cuvée Prestige révèle une robe claire à reflets dorés, un nez puissant de pêche blanche et de brioche, bien soutenu par la minéralité du terroir. La bouche ample et ronde réalise un remarquable équilibre gras-acidité et offre une finale faite d'agrumes et de silex. Une bouteille très minérale qu'il faudra attendre un an ou deux avant de la servir sur des crustacés.

Roger Lassarat, Le Martelet, 71960 Vergisson, tél. 03.85.35.84.28, fax 03.85.35.86.73, e-mail info@roger-lassarat.com r.-v.

DOM. LA MAISON
Clos La Maison Vieilles Vignes 2005

1,5 ha 7 000 5 à 8 €

Ce domaine, situé à l'extrémité sud de la Bourgogne, à la frontière du Beaujolais, partage sa production entre saint-véran et beaujolais-villages. Issu de très vieilles vignes (soixante-dix ans), son Clos La Maison au bel éclat d'or libère des parfums frais et délicats de fruits mûrs et d'agrumes. S'il aborde le palais avec discrétion, il conclut par une finale riche et chaleureuse. Un vin qui cherche encore l'harmonie et qui devrait l'atteindre dans un an.

Jean Chagny, Au Bourg, 71570 Leynes, tél. 03.85.35.10.16, fax 03.85.35.12.09, e-mail domaine.la.maison@free.fr r.-v.

DOM. DES PÉRELLES 2006 ★

2 ha 9 000 8 à 11 €

Ce domaine familial situé dans la partie méridionale de l'appellation, à la frontière du Beaujolais et du Mâconnais, exploite aujourd'hui 11 ha de chardonnay et de gamay. Une étoile vient saluer ce 2006, qui s'habille d'or et séduit par un nez de type variétal : agrumes, fleurs blanches et fruits. Après une attaque franche, on découvre une bouche structurée et fraîche, aux arômes minéraux. « Il chardonne bien », conclut un dégustateur. À réserver à un poisson blanc juste poêlé.

EARL Jean-Yves Larochette, Les Pérelles, 71570 Chânes, tél. 03.85.37.41.47, fax 03.85.37.15.25, e-mail jylarochette@tiscali.fr r.-v.

DOM. DES PONCETYS
Cuvée Prestige Clos des Château 2005 ★★

1 ha 7 500 5 à 8 €

Implantés sur une parcelle argilo-calcaire orientée plein sud, de vieux ceps de chardonnay (soixante-dix ans) ont donné naissance à des raisins dorés de haute qualité. Les élèves du lycée viticole, sous la houlette du maître de chai, ont su, durant toute une année, transformer le jus du raisin en nectar grâce notamment à un long élevage sur lies fines avec bâtonnage. Le nez de fleurs blanches se fait discret. La bouche, plus expressive, se montre ronde et harmonieuse avec ses saveurs fruitées et minérales. Un vin équilibré que l'on conservera quelques années en cave avant de le servir sur un poulet à la crème.

Lycée viticole de Mâcon-Davayé,
Dom. des Poncetys, 71960 Davayé, tél. 03.85.33.56.22,
fax 03.85.35.86.34,
e-mail domaineponcetys@macon-davaye.com
t.l.j. 9h-12h 14h-18h; sam. dim. sur r.-v.

CAVE DE PRISSÉ SOLOGNY-VERZÉ
Cuvée Prestige 2005

n.c. 4 650 8 à 11 €

Du chardonnay d'une quarantaine d'années implanté sur des sols argileux et calcaires a donné naissance à ce vin simple, subtilement floral, sous une teinte bouton d'or. Bien équilibré au palais, il donne du plaisir aujourd'hui mais il est chargé de promesses pour demain. Il accompagnera une petite friture de la Saône.

Vignerons des Terres Secrètes,
Chai de Prissé, Les Grandes-Vignes, 71960 Prissé,
tél. 03.85.37.88.06, fax 03.85.37.61.76,
e-mail cave.prisse@cavedeprisse.com r.-v.

DOM. PASCAL ET MIREILLE RENAUD 2006 ★

0,7 ha 5 000 5 à 8 €

Ce jeune saint-véran a fait débat au sein du jury : pour certains, il est déjà à son optimum, avec sa sève typée chardonnay qui donne une trame élégante tout au long de la dégustation. Il est plein, sent bon les fleurs blanches, et sa finale est éclatante de fraîcheur. Pour les autres, sa structure ne s'impose pas encore. Un consensus est tout de même trouvé sur la longévité de ce 2006 : on pourra le garder deux ou trois ans en cave.

Dom. Pascal et Mireille Renaud, Pouilly,
71960 Solutré-Pouilly, tél. 03.85.35.84.62,
fax 03.85.35.87.42,
e-mail domainerenaudpascal@wanadoo.fr r.-v.

JACQUES ET NATHALIE SAUMAIZE
La Vieille Vigne des Crêches 2005 ★

n.c. 4 060 8 à 11 €

Élégant dans sa présentation, avec sa robe or limpide, ce 2005 flatte le nez par ses arômes intenses de pain grillé et de café. Son palais plein et chaleureux possède un remarquable équilibre gras-acidité. Le côté toasté du fût accompagne agréablement le vin même si, à ce jour, il le domine encore. Une année de garde est préconisée pour une meilleure harmonie. Une Vieille Vigne qui ne manque ni de charme, ni de puissance, et que l'on servira sur des plats riches.

Jacques et Nathalie Saumaize, Les Bruyères,
71960 Vergisson, tél. 03.85.35.82.14,
fax 03.85.35.87.00,
e-mail nathalie.saumaize@wanadoo.fr r.-v.

DOM. SAUMAIZE-MICHELIN
Vieilles Vignes 2005 ★

0,6 ha 4 800 11 à 15 €

La robe couleur or aux reflets argentés invite à découvrir ce 2005 qui joue sur la maturité d'un raisin issu de vieilles vignes de chardonnay et des notes d'élevage. Un bouquet odorant de fleur d'acacia, de cire d'abeille et de silex se mêle ainsi aux notes grillées du fût. Très suave, tout en douceur, la bouche se fait mûre et puissante. Une légère saveur boisée marque la finale. Plein de promesses, ce vin élégant mérite d'attendre encore un peu (un an ou deux).

Roger et Christine Saumaize,
Dom. Saumaize-Michelin, Le Martelet,
71960 Vergisson, tél. 03.85.35.84.05,
fax 03.85.35.86.77,
e-mail saumaize-michelin@wanadoo.fr r.-v.

DOM. SIMONIN 2005

0,36 ha 3 000 8 à 11 €

Jouant la simplicité, ce saint-véran se montre fringant et frais, prêt à être servi à l'apéritif avec des gougères. Or clair éclatant, plutôt discret au nez, il s'ouvre après aération sur des notes de fruits mûrs et de pâtisserie. Souple et fruitée, la bouche est agréable et équilibrée. Un vin simple et authentique.

Jacques Simonin, Le Bourg, 71960 Vergisson,
tél. 03.85.35.84.72, fax 03.85.35.85.34,
e-mail domsimonin.ja@wanadoo.fr r.-v.

DOM. DE LA TOUR VAYON
Au Grand Bussière 2005

0,91 ha 7 500 8 à 11 €

Exposé plein sud, sur un léger coteau argilo-calcaire du quaternaire, un chardonnay de situation très précoce a donné un 2005 mûr et typé qui devrait bien évoluer. C'est un vin or pâle, qui s'ouvre à l'agitation sur des notes fruitées : ananas, pamplemousse et pêche blanche. La bouche, d'attaque fraîche et citronnée, évolue sur le gras et la rondeur. Promu à un bel avenir, ce saint-véran accompagnera des quenelles de brochet dans un à deux ans.

J.-M. et A.-F. Pidault, Dom. de La Tour Vayon,
rte de Pierreclos, 71960 Bussières,
tél. 03.85.35.71.78, fax 03.85.35.78.03
r.-v.

HENRI DE VILLAMONT
Les Plantés 2005 ★

0,87 ha 5 200 8 à 11 €

Ce saint-véran sélectionné par un négociant-éleveur de Beaune est originaire de Davayé, un des hauts lieux de l'appellation aux superbes coteaux argilo-calcaires. Habillé d'or, orné de reflets vert tendre, ce 2005, d'abord sur la réserve, dévoile ensuite d'étonnants arômes de fenouil et d'anis. Ample, puissante et bien typée, la bouche révèle de la minéralité sur un fond d'agrumes (orange). La finale est agréable et de bonne longueur. La structure de ce vin lui autorise un vieillissement de deux à trois ans.

SAS Henri de Villamont, 2, rue du Dr-Guyot,
21420 Savigny-lès-Beaune, tél. 03.80.21.50.59,
fax 03.80.21.36.36, e-mail contact@hdv.fr
t.l.j. sf lun. 10h-18h

LA CHAMPAGNE

LA CHAMPAGNE

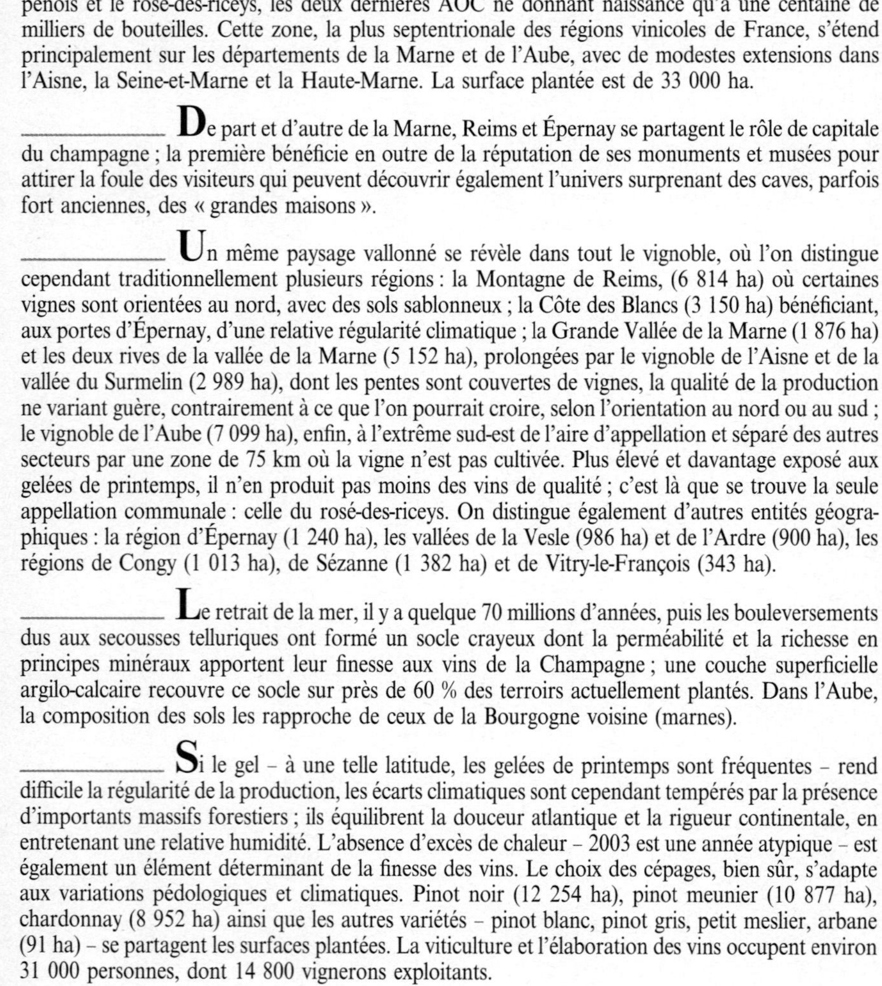

Vin des rois et des princes devenu celui de toutes les fêtes, le champagne s'auréole de la gloire et du prestige de porter dans le monde entier l'élégance et la séduction françaises. Son illustre réputation, il la doit autant à son histoire qu'à ses traits spécifiques qui font que, pour beaucoup, il n'est vin de Champagne que le champagne ; ce n'est pourtant pas si simple...

En effet, la région champenoise, située à moins de 200 km au nord-est de Paris, constitue l'aire délimitée de trois appellations d'origine contrôlée : le champagne, les coteaux-champenois et le rosé-des-riceys, les deux dernières AOC ne donnant naissance qu'à une centaine de milliers de bouteilles. Cette zone, la plus septentrionale des régions vinicoles de France, s'étend principalement sur les départements de la Marne et de l'Aube, avec de modestes extensions dans l'Aisne, la Seine-et-Marne et la Haute-Marne. La surface plantée est de 33 000 ha.

De part et d'autre de la Marne, Reims et Épernay se partagent le rôle de capitale du champagne ; la première bénéficie en outre de la réputation de ses monuments et musées pour attirer la foule des visiteurs qui peuvent découvrir également l'univers surprenant des caves, parfois fort anciennes, des « grandes maisons ».

Un même paysage vallonné se révèle dans tout le vignoble, où l'on distingue cependant traditionnellement plusieurs régions : la Montagne de Reims, (6 814 ha) où certaines vignes sont orientées au nord, avec des sols sablonneux ; la Côte des Blancs (3 150 ha) bénéficiant, aux portes d'Épernay, d'une relative régularité climatique ; la Grande Vallée de la Marne (1 876 ha) et les deux rives de la vallée de la Marne (5 152 ha), prolongées par le vignoble de l'Aisne et de la vallée du Surmelin (2 989 ha), dont les pentes sont couvertes de vignes, la qualité de la production ne variant guère, contrairement à ce que l'on pourrait croire, selon l'orientation au nord ou au sud ; le vignoble de l'Aube (7 099 ha), enfin, à l'extrême sud-est de l'aire d'appellation et séparé des autres secteurs par une zone de 75 km où la vigne n'est pas cultivée. Plus élevé et davantage exposé aux gelées de printemps, il n'en produit pas moins des vins de qualité ; c'est là que se trouve la seule appellation communale : celle du rosé-des-riceys. On distingue également d'autres entités géographiques : la région d'Épernay (1 240 ha), les vallées de la Vesle (986 ha) et de l'Ardre (900 ha), les régions de Congy (1 013 ha), de Sézanne (1 382 ha) et de Vitry-le-François (343 ha).

Le retrait de la mer, il y a quelque 70 millions d'années, puis les bouleversements dus aux secousses telluriques ont formé un socle crayeux dont la perméabilité et la richesse en principes minéraux apportent leur finesse aux vins de la Champagne ; une couche superficielle argilo-calcaire recouvre ce socle sur près de 60 % des terroirs actuellement plantés. Dans l'Aube, la composition des sols les rapproche de ceux de la Bourgogne voisine (marnes).

Si le gel – à une telle latitude, les gelées de printemps sont fréquentes – rend difficile la régularité de la production, les écarts climatiques sont cependant tempérés par la présence d'importants massifs forestiers ; ils équilibrent la douceur atlantique et la rigueur continentale, en entretenant une relative humidité. L'absence d'excès de chaleur – 2003 est une année atypique – est également un élément déterminant de la finesse des vins. Le choix des cépages, bien sûr, s'adapte aux variations pédologiques et climatiques. Pinot noir (12 254 ha), pinot meunier (10 877 ha), chardonnay (8 952 ha) ainsi que les autres variétés – pinot blanc, pinot gris, petit meslier, arbane (91 ha) – se partagent les surfaces plantées. La viticulture et l'élaboration des vins occupent environ 31 000 personnes, dont 14 800 vignerons exploitants.

L'élaboration particulière du champagne sur plusieurs années (en moyenne trois ans et beaucoup plus pour les millésimés) oblige à un stockage supérieur à 1 milliard de bouteilles. Selon UBIFRANCE, l'exportation du champagne (1,867 milliard d'euros, soit + 6,1 % par rapport aux valeurs de 2004) représente une part importante du chiffre d'affaires des exportations françaises de vin.

On fait du vin en Champagne au moins depuis l'invasion romaine. Il fut blanc, puis rouge et enfin gris, c'est-à-dire blanc ou presque, issu de pressurage de raisins noirs. Déjà, il avait la fâcheuse habitude de « bouillonner dans ses vaisseaux », c'est-à-dire de mousser dans les tonneaux. Ce fut sans doute en Angleterre que l'on inventa la mise en bouteilles systématique de ces vins instables qui, jusqu'en 1700 environ, étaient livrés en fût ; cela eut pour effet de permettre au gaz carbonique de se dissoudre dans le vin : le vin effervescent était né. Procureur de l'abbaye de Hautvillers et technicien avant la lettre, dom Pérignon produira dans son abbaye les meilleurs vins ; c'est aussi lui qui les vendra le plus cher...

En 1728, le conseil du roi autorise le transport du vin en bouteilles ; un an plus tard, la première maison de vin de négoce est fondée : Ruinart. D'autres suivront (Moët en 1743), mais c'est au XIXes. que la plupart des grandes maisons se créent ou s'affirment. En 1804, Mme Clicquot lance le premier champagne rosé, et, dès 1830, apparaissent les premières étiquettes collées sur les bouteilles. À partir de 1860, Mme Pommery boit des « bruts », tandis que, vers 1870, sont proposés les premiers champagnes millésimés. Raymond Abelé invente, en 1884, le banc de dégorgement à la glace, avant que le phylloxéra puis les deux guerres ne ravagent les vignobles. Depuis 1945, les fûts de bois ont cédé la place, le plus souvent, aux cuves en acier inoxydable, dégorgement et finition sont automatisés, alors que le remuage lui-même se mécanise.

Une grande partie des vignerons champenois appartient aujourd'hui à la catégorie des producteurs de raisins : ce sont les « vendeurs au kilo ». Ils cèdent tout ou partie de leur production aux grandes marques qui vinifient, élaborent et commercialisent. Cette pratique a conduit l'Interprofession à proposer – les lois de la concurrence interdisent de fixer un prix obligé – un prix recommandé des raisins et à attribuer à chaque commune une cotation en fonction de la qualité de sa production : c'est l'échelle des crus. Les vins issus des communes viticoles sont classés dans une échelle des crus, apparue dès la fin du XIXes. Cotés 100 %, ils ont droit au titre de « grand cru », ceux cotés de 99 à 90 % bénéficient de la mention « premier cru », la cotation des autres s'échelonne de 89 à 80 %. Le prix des raisins varie selon le pourcentage communal. Le rendement maximum à l'hectare est modulé chaque année, alors que 160 kg de raisins ne permettent pas d'obtenir plus d'un hectolitre de moût apte à être vinifié en champagne.

Champagne

La singularité du champagne apparaît dès les vendanges. La machine à vendanger est interdite ; toute la cueillette est manuelle car il est essentiel que les baies (grains) de raisin parviennent en parfait état au lieu de pressurage. Pour cela, on remplace les hottes par de petits paniers, afin que le raisin ne soit pas écrasé. Il a fallu aussi créer des centres de pressurage disséminés au cœur du vignoble afin de raccourcir le temps de transport du raisin. Pourquoi tous ces soins ? Parce que le champagne étant un vin blanc issu en majeure partie d'un raisin noir - les pinots -, il convient que le jus incolore ne soit pas taché au contact de l'extérieur de la peau.

Le pressurage, lui, doit se faire sans délai et permettre de recueillir successivement et séparément le jus issu des zones concentriques du grain ; d'où la forme particulière des pressoirs traditionnels champenois : on y entasse le raisin sur une vaste surface mais à une faible hauteur, pour ne pas abîmer les baies et pour faciliter la circulation du jus ; la vendange n'est jamais éraflée.

Le pressurage est sévèrement réglementé. On compte 1 929 centres de pressurage, et chacun doit recevoir un agrément pour avoir le droit de fonctionner. De 4 000 kg de raisins, on ne peut extraire que 25,5 hl de moût. Cette unité s'appelle un marc. Le pressurage est fractionné entre la cuvée (20,5 hl) et la taille (5 hl).

La Champagne

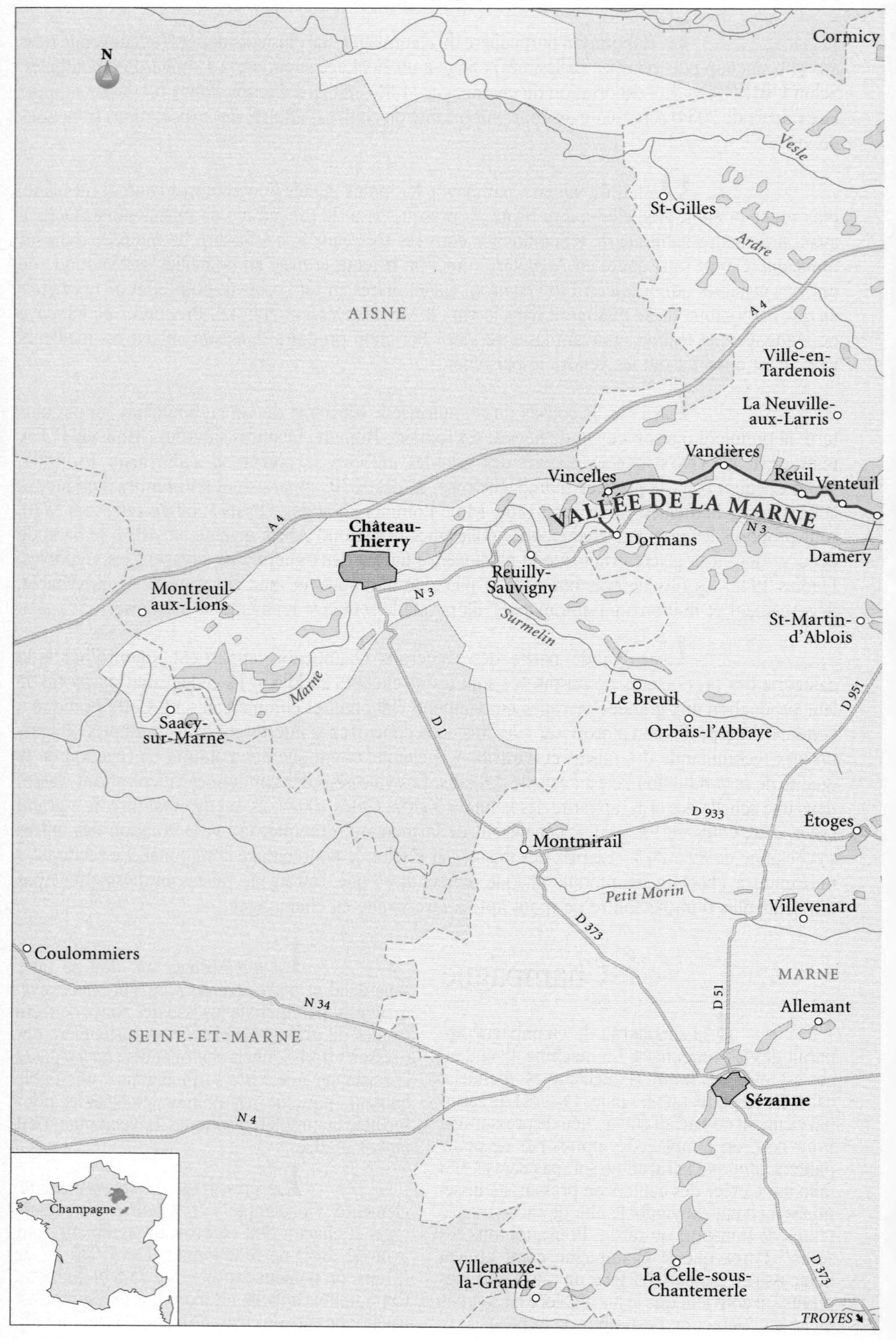

N
Cormicy
Vesle
St-Gilles
Ardre
AISNE
A 4
Ville-en-
Tardenois
La Neuville-
aux-Larris
Vandières
Vincelles
Reuil
Venteuil
VALLÉE DE LA MARNE
N 3
Château-
Thierry
Dormans
Damery
Reuilly-
Sauvigny
Montreuil-
aux-Lions
N 3
Surmelin
St-Martin-
d'Ablois
Marne
Le Breuil
D 951
Saacy-
sur-Marne
D 1
Orbais-l'Abbaye
D 933
Étoges
Montmirail
Petit Morin
Villevenard
D 373
Coulommiers
MARNE
D 51
N 34
Allemant
SEINE-ET-MARNE
Sézanne
N 4
Champagne
Villenauxe-
la-Grande
La Celle-sous-
Chantemerle
D 373
TROYES

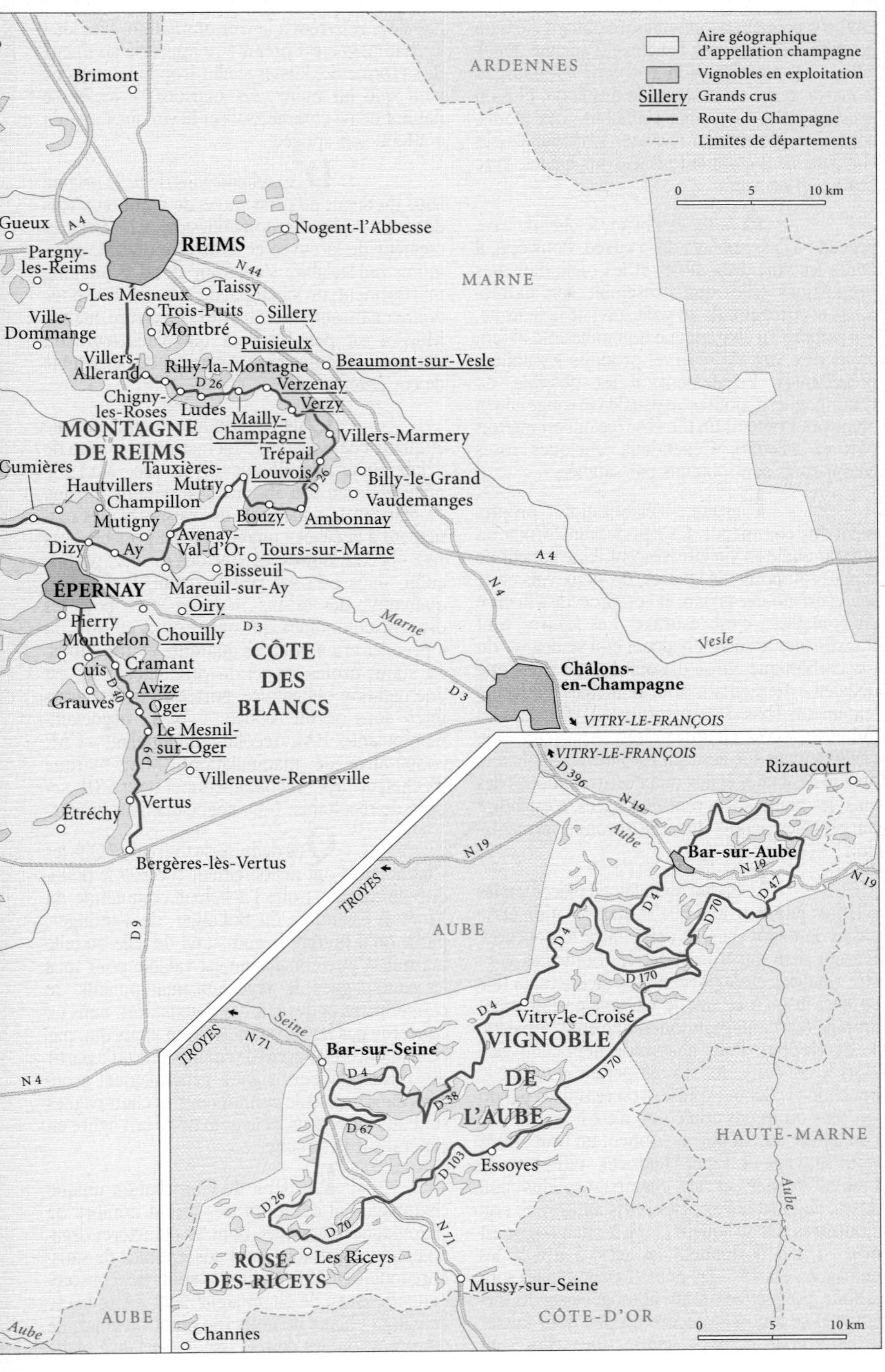
Aire géographique d'appellation champagne
Vignobles en exploitation
Sillery Grands crus
Route du Champagne
Limites de départements
0 5 10 km
ARDENNES
MARNE
Brimont
Gueux
A 4
REIMS
Nogent-l'Abbesse
Pargny-les-Reims
N 44
Les Mesneux
Taissy
Trois-Puits
Sillery
Ville-Dommange
Montbré
Puisieulx
Villers-Allerand
Rilly-la-Montagne
Beaumont-sur-Vesle
D 26
Verzenay
Chigny-les-Roses
Ludes
Verzy
Mailly-Champagne
MONTAGNE DE REIMS
Villers-Marmery
Trépail
Cumières
Tauxières-Mutry
Louvois
Billy-le-Grand
Hautvillers
Vaudemanges
Champillon
Mutigny
Bouzy
Ambonnay
Avenay-Val-d'Or
Dizy
Ay
Tours-sur-Marne
A 4
Bisseuil
ÉPERNAY
Mareuil-sur-Ay
N 4
Oiry
Pierry
D 3
Marne
Moussy
Chouilly
Monthelon
CÔTE DES BLANCS
Vesle
Cuis
Cramant
Avize
Châlons-en-Champagne
Grauves
D 40
Oger
D 3
Le Mesnil-sur-Oger
VITRY-LE-FRANÇOIS
D 9
Villeneuve-Renneville
Vertus
Étréchy
Bergères-lès-Vertus
D 9
N 4
AUBE
Aube
VITRY-LE-FRANÇOIS
Rizaucourt
D 396
N 19
Aube
N 19
Bar-sur-Aube
TROYES
N 19
D 47
N 19
D 4
D 70
AUBE
D 4
D 170
D 4
Vitry-le-Croisé
TROYES
N 71
Seine
Bar-sur-Seine
VIGNOBLE DE L'AUBE
D 4
D 70
D 38
D 67
HAUTE-MARNE
D 103
Essoyes
D 26
Aube
D 70
N 71
ROSÉ-DES-RICEYS
Les Riceys
Mussy-sur-Seine
CÔTE-D'OR
Channes
0 5 10 km

On peut presser encore, mais on obtient alors un jus sans intérêt qui ne bénéficie d'aucune appellation, la « rebêche » (on a « bêché » à nouveau le marc), et qui est destiné à la distillerie. Plus on pressure, plus la qualité s'affaiblit. Les moûts, acheminés par camion au cuvier, sont vinifiés très classiquement comme tous les vins blancs, avec beaucoup de soin.

À la fin de l'hiver, le chef de cave procède à l'assemblage de la cuvée. Pour cela, il goûte les vins disponibles et les mêle dans des proportions telles que l'ensemble soit harmonieux et corresponde au goût suivi de la marque. S'il élabore un champagne non millésimé, il fera appel aux vins de réserve, produits les années précédentes. Légalement, il est possible, en Champagne, d'ajouter un peu de vin rouge au vin blanc pour obtenir un ton rosé (ce qui est interdit partout ailleurs). Cependant, quelques rosés champenois sont obtenus par saignée.

Ensuite, l'élaboration proprement dite commence. Il s'agit de transformer un vin tranquille en vin effervescent. Une liqueur de tirage, composée de levures, de vieux vins et de sucre, est ajoutée au vin, et l'on procède à la mise en bouteilles : c'est le tirage. Les levures vont transformer le sucre en alcool et il se dégage du gaz carbonique qui se dissout dans le vin. Cette deuxième fermentation en bouteilles s'effectue lentement, à basse température (11 °C), dans les fameuses caves champenoises. Après un long vieillissement sur lies, qui est indispensable à la finesse des bulles et aux qualités aromatiques des vins, les bouteilles seront dégorgées, c'est-à-dire purgées des dépôts dus à la seconde fermentation.

Chaque bouteille est placée sur les célèbres pupitres, afin que la manipulation fasse glisser le dépôt dans le col, contre le bouchon. Durant deux ou trois mois, les bouteilles vont être remuées et de plus en plus inclinées, la tête en bas, jusqu'à ce que le vin soit parfaitement limpide (le remuage automatique en gyropalette se développe). Pour chasser le dépôt, on gèle alors le col dans un bain réfrigérant et on ôte le bouchon ; le dépôt expulsé, il est remplacé par un vin plus ou moins édulcoré : c'est le dosage. Si l'on ajoute du vin pur, on obtient un brut 100 % (brut sauvage de Piper-Heidsieck, ultra-brut de Laurent-Perrier, et les champagnes dits non dosés, aujourd'hui appelés bruts nature). Si l'on ajoute très peu de liqueur (1 %), le champagne est brut ; 2 à 5 % donnent les secs, 5 à 8 % les demi-secs, 8 à 15 % les doux. Les bouteilles sont ensuite poignettées pour homogénéiser le mélange et se reposent encore un peu pour laisser disparaître le goût de levure. Puis elles sont habillées et livrées à la consommation. Dès lors, le champagne est prêt à être apprécié au mieux de sa forme. Le laisser vieillir trop longtemps ne peut que lui nuire : les maisons sérieuses se flattent de ne commercialiser le vin que lorsqu'il a atteint son apogée.

D'excellents vins de belle origine issus du début de pressurage, de nombreux vins de réserve (pour les non-millésimés), le talent du créateur de la cuvée et le dosage discret, minimum, indécelable, s'allieront donc à un long mûrissement du champagne sur ses lies pour donner naissance aux vins de la meilleure qualité. Mais il est peu fréquent que l'acheteur soit informé, du moins avec précision, de l'ensemble de ces critères.

Que peut-on lire en effet sur une étiquette champenoise ? La marque et le nom de l'élaborateur ; le dosage (brut, sec, etc.) ; le millésime - ou son absence ; la mention « blanc de blancs » lorsque seuls des raisins blancs participent à la cuvée ; quand cela est possible - cas rare - la commune d'origine des raisins ; parfois enfin, mais cela est peu fréquent, la cotation qualitative des raisins : « grand cru » pour les dix-sept communes qui ont droit à ce titre ou « premier cru » pour les quarante et une autres. Le statut professionnel du producteur, lui, est une mention obligatoire, portée en petits caractères sous forme codée : NM, négociant-manipulant ; RM, récoltant-manipulant ; CM, coopérative de manipulation ; MA, marque d'acheteur ; RC, récoltant-coopérateur ; SR, société de récoltants, ND, négociant-distributeur.

Que déduire de tout cela ? Que les Champenois ont délibérément choisi une politique de marque ; que l'acheteur commande du Moët et Chandon, du Bollinger, du Taittinger, parce qu'il préfère le goût suivi de telle ou telle marque. Cette conclusion est valable pour tous les champagnes de négociants-manipulants, de coopératives et des marques auxiliaires, mais ne concerne pas les récoltants-manipulants qui, par obligation, n'élaborent de champagne qu'à partir des raisins de leurs vignes, généralement groupées dans une seule commune. Ces champagnes sont dits monocrus, et le nom de ce cru figure en général sur l'étiquette.

En dépit de l'appellation unique champagne, il existe un très grand nombre de champagnes différents, dont les caractères organoleptiques variables sont susceptibles de satisfaire tous les usages et tous les goûts des consommateurs. Ainsi, le champagne peut-il être blanc de blancs ; blanc de noirs (de pinot meunier, de pinot noir ou des deux) ; issu du mélange blanc de blancs/blanc de noirs, dans toutes les proportions imaginables ; d'un seul cru ou de plusieurs ; originaire d'un grand cru, d'un premier cru ou de communes de moindre prestige ; millésimé ou non (les non-millésimés peuvent être composés de vins jeunes, ou faire appel à plus ou moins de vins de réserve ; parfois ils sont le produit de l'assemblage d'années millésimées) ; non dosé ou dosé très variablement ; mûri brièvement ou longuement sur ses lies ; dégorgé depuis un temps plus ou moins long ; blanc ou rosé (rosé obtenu par mélange ou par saignée)... La plupart de ces éléments pouvant se combiner entre eux, il existe donc une infinité de champagnes. Quel que soit son type, on s'accorde à penser que le meilleur est celui qui a mûri le plus longtemps sur ses lies (cinq à dix ans), consommé dans les six mois suivant son dégorgement.

En fonction de ce qui précède, on s'explique mieux que le prix des bouteilles puisse varier de un à huit, et qu'il existe des hauts de gamme ou des cuvées spéciales. Il est certain que, dans les grandes marques, les champagnes les moins chers sont les moins intéressants. En revanche, la grande différence de prix qui sépare la gamme intermédiaire (millésimés) de la plus élevée ne traduit pas toujours rigoureusement un saut qualitatif.

Le champagne se boit entre 7 et 9 °C, frais pour les blancs de blancs et les champagnes jeunes, moins rafraîchi pour les millésimés et les champagnes vineux. Outre la bouteille classique de 75 cl, le champagne est proposé en quart, demi, magnum (2 bout.), jéroboam (4 bout.), mathusalem (8 bout.), salmanazar (12 bout.)... La bouteille sera refroidie progressivement par immersion dans un seau à champagne contenant de l'eau et de la glace. Pour la déboucher, enlever ensemble muselet et habillage. Si le bouchon tend à être expulsé par la pression, on le laissera venir avec habillage et muselet. Lorsque le bouchon résiste, on le maintient d'une main alors que l'on fait tourner la bouteille de l'autre. Le bouchon est extrait lentement, sans bruit, sans décompression brutale.

Le champagne ne doit pas être servi dans des coupes, mais dans des verres de cristal, étroits et élancés, secs, non refroidis par des glaçons, exempts de toute trace de détergent qui tuerait les bulles et la mousse. Il se boit aussi bien en apéritif qu'avec les entrées et les poissons maigres. Les vins vineux, à majorité blancs de noirs, et les grands millésimés sont souvent servis avec les viandes en sauce. Au dessert et avec les mets sucrés, on boira un demi-sec plutôt qu'un brut, le sucre renforçant trop la sensibilité du palais à l'acidité.

Les derniers millésimes : 1982, grand millésime complet ; 1983, droit, sans artifices ; 1984 n'est pas un millésime, n'en parlons pas ; 1985, grandes bouteilles ; 1986, qualité moyenne, rarement millésimé ; 1987, un mauvais souvenir ; 1988, 1989, 1990, trois belles années à savourer ; 1991 : faible, généralement non millésimé ; 1992, 1993, 1994 : années moyennes ; quelques grandes maisons ont millésimé 92 ou 93 ; 1995 : la meilleure année depuis 1990 ; 1996 : grande année millésimée ; 1997 : rarement millésimé ; 1998 : bon millésime ; 1999 : parfois millésimé ; 2000 : surtout connu pour ses trois zéros...

HENRI ABELÉ
Le Sourire de Reims Cuvée Prestige 1996 ★

n.c. n.c. **46 à 76 €**

L'une des plus anciennes maisons de champagne, fondée à Reims en 1757. Le Sourire de Reims est une cuvée de prestige logée dans un flacon ventru semblable à celui des origines, décoré d'un ange en étain. Elle naît de pinot noir et de chardonnay et reste sept ans en cave. Son bouquet est aussi vif que fin, alors qu'en bouche rivalisent puissance, vinosité et équilibre. Une citation pour le **rosé (30 à 38 €)**, issu des deux pinots, dont la souplesse et le fruité le destinent à l'apéritif. (NM)

Henri Abelé, 50, rue de Sillery, 51100 Reims, tél. 03.26.87.79.80, fax 03.26.87.79.81 r.-v.

AGRAPART ET FILS
Blanc de blancs L'Avizoise 2002 ★

Gd cru 1 ha 4 000 **30 à 38 €**

Fondée en 1894, cette propriété s'étend sur une dizaine d'hectares au cœur de la Côte des Blancs. Ici, on privilégie la vinification parcellaire, les fermentations avec levures indigènes, les élevages sur lies en fût de chêne. Cette cuvée issue de vieilles vignes de chardonnay âgées d'une soixantaine d'années porte un nom inspiré de sa commune d'origine : Avize. Elle est fine, fraîche et doit son élégance à son faible dosage (5 g/l). (RM)

Agrapart et Fils, 57, av. Jean-Jaurès, 51190 Avize, tél. 03.26.57.51.38, fax 03.26.57.05.06, e-mail champagne.agrapart@wanadoo.fr r.-v.

Y. ALEXANDRE Blanc de blancs 2000 ★★

0,5 ha 3 500 **15 à 23 €**

Sous la Régence, les Alexandre étaient déjà viticulteurs, et ils sont devenus récoltants-manipulants dès le début des années 1930. Dosé à 8 g/l, leur blanc de blancs 2000 est parfaitement équilibré. Léger et fin au nez, il laisse une bonne impression au palais, où des touches minérales et briochées se marient avec les agrumes dans une finale harmonieuse et persistante. Une étoile pour la **Cuvée Louis Marie 1998**, assemblage des trois cépages champenois. Jaune d'or, tout en fruits mûrs et compotés et en rondeur, elle atteint son apogée : il faut la boire. (RM)

Yves Alexandre, 3, rue Saint-Vincent, 51390 Courmas, tél. 03.26.49.20.78, fax 03.26.49.76.09 r.-v.

JEAN-ANTOINE ARISTON Carte jaune ★

2 ha 20 000 **11 à 15 €**

Fort de ses 7 ha dans la vallée de l'Ardre, ce domaine familial a obtenu une étoile pour chacune de ses trois cuvées. Cette Carte jaune est issue des trois cépages champenois à parts égales et des années 2004 à 2002. Assez complexe, vive à l'attaque, charpentée et longue, elle trouvera sa place au repas. La **Carte blanche** provient des mêmes années, mais seulement du chardonnay (60 %) et du pinot noir. Le nez se partage entre fruits secs et notes grillées, le palais est épicé et rond. Quant au **blanc de blancs Vieilles Vignes 2000 (15 à 23 €)**, il est discret mais délicat, équilibré et long. (RM)

Jean-Antoine Ariston, 4, rue Haute,
51170 Brouillet, tél. 03.26.97.47.02, fax 03.26.97.49.75,
e-mail champagne.ariston@wanadoo.fr r.-v.

ARISTON FILS Carte blanche

7 ha 25 000 15 à 23 €

Rémi Ariston exploite un vignoble de 10 ha constitué à l'époque de la Révolution. Sa Carte blanche est un assemblage de 40 % de blancs et de 60 % de noirs (les deux pinots à parts égales). Il est souple avec ampleur et exprime au nez comme en bouche un fruité de coing et de mirabelle qui persiste longuement. Le **blanc de blancs Aspasie** provient d'un vignoble de Paul-Vincent Ariston. Sans année, il est issu de la récolte de 2003. Toasté, discrètement brioché, il est mûr avec fraîcheur. Il est cité. (RM)

EARL Rémi Ariston, 4 et 8, Grande-Rue,
51170 Brouillet, tél. 03.26.97.43.46, fax 03.26.97.49.34,
e-mail contact@champagne-aristonfils.com
t.l.j. sf dim. 9h-12h 14h-17h 3

MICHEL ARNOULD ET FILS Tradition ★★

Gd cru 5 ha 40 000 11 à 15 €

Cette exploitation a connu une belle expansion à partir des années 1960, lorsque Michel Arnould a acheté son premier hectare de vigne. Aujourd'hui, 12 ha à Verzenay, dans la Montagne de Reims. Le pinot noir prospère dans ce secteur du vignoble, et cette cuvée, un blanc de noirs, naît exclusivement de ce cépage (des années 2003 et 2002). Arômes briochés et miellés, vinosité harmonieuse : les dégustateurs sont séduits. Un champagne de repas à servir avec une volaille rôtie, tout simplement. (RM)

Michel Arnould et Fils, 28, rue de Mailly,
51360 Verzenay, tél. 03.26.49.40.06, fax 03.26.49.44.61,
e-mail info@champagne-michel-arnould.com
t.l.j. 9h-12h 14h-16h30; dim. sur r.-v.

CH. DE L'AUCHE Cuvée Tradition ★

n.c. n.c. 11 à 15 €

Aux origines, en 1961, une association de douze viticulteurs des environs de Reims. Aujourd'hui, une coopérative qui vinifie les 133 ha de ses adhérents et commercialise une marque lancée en 1974. Cette cuvée Tradition est un blanc de noirs dominée par le meunier (85 %) et provient des années 2002 à 2003. Des fruits blancs au nez, une bouche ronde et souple. (CM)

Ch. de L'Auche, rue de Germigny, 51390 Janvry,
tél. 03.26.03.63.40, fax 03.26.03.66.93,
e-mail info@champagne-de-lauche.com r.-v.

AUTRÉAU-LASNOT Carte bleue ★★

4 ha 20 000 11 à 15 €

C'est à Venteuil, sur la rive droite de la Marne, que se trouve le siège de cette exploitation familiale, dirigée par Claudie Autréau et ses deux fils, Fabrice et Florent. Ce village a la réputation de produire les meilleurs pinots meuniers, et ce cépage entre à 95 % dans la composition de ce blanc de noirs assemblant les années 2004 à 2002. Un champagne distingué pour sa finesse florale et sa longueur harmonieuse. Une étoile va à la cuvée **Carte d'or** (chardonnay 40 %, pinot noir 40 % complétés par le meunier) issue des années 2003 à 2001, tout en fraîcheur d'agrumes. (RM)

Autréau-Lasnot, 6, rue du Château, 51480 Venteuil,
tél. 03.26.58.49.35, fax 03.26.58.65.44,
e-mail info@champagne-autreau-lasnot.com
t.l.j. 9h-12h 13h30-17h30;
dim. mat. et groupes sur r.-v.
Fabrice Autréau

PERLE D'AYALA 1999 ★★

n.c. n.c. 46 à 76 €

Le mariage, sous le Second Empire, du petit-fils d'un diplomate colombien et d'une héritière d'Aÿ est à l'origine de cette maison, rachetée en 2005 par Bollinger. Cette Perle est une cuvée de prestige très marquée par le chardonnay (80 % pour 20 % de pinot noir). Vive à l'attaque, fraîche en finale, elle est d'une grande harmonie et devrait pouvoir se garder. Deux autres champagnes sont retenus, assemblant 70 % de noirs (dont 45 % de pinot noir) au chardonnay et mariant les années 2003 et 2002. Avec une étoile, le **Brut majeur (23 à 30 €)**, fruité, vineux et persistant, et, sans étoile, le **Brut zéro dosage (30 à 38 €)**, vif, fin et léger. (NM)

Ayala & Co, 2, bd du Nord, 51160 Aÿ,
tél. 03.26.55.15.44, fax 03.26.51.09.04,
e-mail contact@champagne-ayala.fr r.-v.

A. BAGNOST Cuvée Sélection ★★

1,6 ha 13 000 11 à 15 €

Marque de négoce créée en 2000 par Arnaud Bagnost, vigneron à Pierry, au sud d'Épernay. La cuvée Sélection naît de 60 % de pinot noir et de 40 % de chardonnay : elle assemble la récolte de 2002 avec des vins de réserve de 2000. Complexe, elle mêle des notes de noyau, des nuances beurrées et toastées. Un champagne de repas riche et long qui appelle des ris de veau. (NM)

Arnaud Bagnost, 24, rue du Gal-de-Gaulle,
51530 Pierry, tél. 03.26.54.10.59, fax 03.26.55.67.17,
e-mail marie_astrid@club-internet.fr r.-v.

ALAIN BAILLY Cuvée Prestige

3 ha 7 668 11 à 15 €

Franck Bailly exploite une douzaine d'hectares dans la vallée de l'Ardre. Sa cuvée Prestige est presque un blanc de blancs (10 % seulement des deux pinots) et provient des années 2002 à 1999. Discrète au nez, elle est ronde et structurée. La **Grande Réserve** donne au contraire le premier rôle aux noirs (pinot meunier 70 %, pinot noir 15 %), des raisins récoltés en 2003 et en 2002. Un ensemble gourmand, plutôt simple mais droit. Quant au brut **Tradition** des années 2003 à 2001, (90 % de meunier, 5 % de pinot noir), il est souple et discrètement fruité. Trois champagnes d'apéritif. (RM)

Alain Bailly, 3, rue du Tambour,
51170 Serzy-et-Prin, tél. 03.26.97.41.58,
fax 03.26.97.44.53,
e-mail champagne-bailly@wanadoo.fr r.-v.
Franck Bailly

PAUL BARA 2000 ★★

Gd cru 8 ha 18 000 15 à 23 €

Domaine très régulier, fondé en 1833 à Bouzy, sur le flanc sud de la Montagne de Reims. Ses 11 ha sont complantés uniquement de pinot noir et de chardonnay ; le premier, gloire de Bouzy, a la part belle dans ses cuvées, toutes classées en grand cru. Il constitue ainsi 90 % de ce 2000, un vin complexe, ample, rond, bien construit, épicé et de bonne longueur. Quant à la cuvée **Comtesse Marie de France 1998 (30 à 38 €)**, commercialisée en bouteilles numérotées, c'est un blanc de noirs ; elle reçoit une étoile pour son harmonie, faite de notes confites et d'une touche acidulée. Même note encore pour le brut **Réserve**, un assemblage de blancs et de noirs aux arômes complexes de fruits rouges. (RM)

Paul Bara, 4, rue Yvonnet, 51150 Bouzy, tél. 03.26.57.00.50, fax 03.26.57.81.24, e-mail champagne.paul.bara@wanadoo.fr r.-v.

F. BARBIER Blanc de blancs *

Gd cru 2 ha 20 000 11 à 15 €

Après avoir travaillé vingt-cinq ans dans les palaces, Fabien Barbier a repris en 1997 l'exploitation familiale implantée à Avize, grand cru de la Côte des Blancs dont ce champagne est originaire. Un blanc de blancs qui se partage entre les fruits blancs et les fruits secs. Son attaque franche, son équilibre et sa finale agréable lui donnent un certain charme. (RM)

F. Barbier, 554, av. Jean-Jaurès, 51190 Avize, tél. et fax 03.26.57.10.18 r.-v.

BARBIER-LOUVET Cuvée Chardonnay *

1er cru 0,25 ha 2 000 11 à 15 €

Depuis six générations, les Barbier sont vignerons à Tauxières, sur le versant sud de la Montagne de Reims, du côté de Bouzy. Leurs 7 ha se répartissent sur les communes environnantes. Cette cuvée assemble la récolte de 2004 à 30 % de vin de réserve de 2003. Avec son nez floral et citronné, son attaque vive, sa longue finale, c'est un blanc de blancs typique qui tiendra sa place à l'apéritif ou servi avec du poisson grillé. (RM)

EARL Barbier-Louvet, 8, rue de Louvois, 51150 Tauxières-Mutry, tél. 03.26.57.04.79, fax 03.26.52.60.18 r.-v.

BARDOUX PÈRE ET FILS *

1er cru 3,9 ha 1 932 15 à 23 €

Héritier d'une lignée de vignerons, Prudent Bardoux, grand-père de Pascal, s'est lancé dans la vente en bouteilles dès la fin des années 1920. L'exploitation s'étend sur près de 4 ha. Ce rosé assemble deux tiers de noirs (dont 56 % de pinot meunier) au chardonnay et les années 2003 et 2002 à des vins de réserve. Discrètement fruité, frais et équilibré, il pourra être servi à l'apéritif. (RM)

Pascal Bardoux, 5-7, rue Saint-Vincent, 51390 Villedommange, tél. 03.26.49.25.35, fax 03.26.49.23.15, e-mail contact@champagne-bardoux.com r.-v.

DE BARFONTARC Tradition *

n.c. 210 000 11 à 15 €

Marque de la coopérative de Baroville (Aube), qui vinifie la production de 100 ha. La cuvée Tradition assemble 80 % de raisins noirs (dont 75 % de pinot noir) au chardonnay. La récolte de 2004 est complétée par des vins de réserve de 2003. C'est un très bon brut sans année, floral, équilibré et frais. (CM)

SCV de Baroville, rte de Bar-sur-Aube, 10200 Baroville, tél. 03.25.27.07.09, fax 03.25.27.23.00, e-mail g.de.barfontarc@wanadoo.fr t.l.j. sf sam. dim. 9h-12h 13h30-17h30

ROGER BARNIER Sélection **

5 ha 45 874 15 à 23 €

Entre Côte des Blancs et Sézannais, Villevenard s'étend au nord des marais de Saint-Gond et cultive ses vignes sur les coteaux du Petit-Morin. Les Barnier exploitent 7,50 ha de vignes aux alentours. La cuvée Sélection naît de 55 % de noirs (dont 35 % de meunier) et de 45 % de blancs ; elle assemble la récolte de 2004 à des vins de réserve de 2003 et 2002. Passée brièvement par le bois, elle brille par sa finesse, sa fraîcheur et sa complexité ; les agrumes s'y nuancent d'un soupçon de vanille. Un très beau champagne d'apéritif. (RM)

Roger Barnier, 1, rue Marais-Saint-Gond, 51270 Villevenard, tél. 03.26.52.82.77, fax 03.26.52.81.09 r.-v.

CHAMPAGNE

BARON ALBERT Cuvée particulière **

12,5 ha 100 000 11 à 15 €

La « noblesse d'étiquette » peut s'acquérir par le dur labeur. Ainsi, Albert Baron, qui a creusé à la main, avec ses fils, ses caves entre 1946 et 1976, est devenu Baron Albert. Un fief de 38 ha, dans la vallée de la Marne, à seulement 80 km de Paris, un chai moderne. Deux filles pour prendre la relève. Cette Cuvée particulière assemble 80 % de meunier au chardonnay des années 2003 et 2002. Vive et charmeuse au nez, fraîche, ronde et puissante, elle a du caractère et de l'avenir. Les deux autres champagnes retenus sont passés par le bois. La cuvée **AL Blanc de chardonnay (15 à 23 €)** marie les années 2001 à 1999. Elle obtient une étoile pour sa finesse et sa vivacité. Le **rosé**, des années 2003 à 2001, est composé de deux tiers de noirs (56 % de meunier) pour un tiers de blancs. Discret au nez mais ample et fruité en bouche, il est cité. (NM)

Baron Albert, 1, rue des Chaillots, Grand-Porteron, 02310 Charly-sur-Marne, tél. 03.23.82.02.65, fax 03.23.82.02.44, e-mail champagnebaronalbert@wanadoo.fr r.-v.

BARON-FUENTÉ 1995 *

3 ha 5 000 23 à 30 €

Ce domaine a été fondé dans les années 1960 par le Champenois Gabriel Baron et l'Andalouse Dolores Fuentes. Aujourd'hui la maison dispose de 30 ha de vignes et d'une cave modernisée en 2006. Elle a proposé une cuvée d'un vieux et grand millésime, mi-blancs, mi-noirs (les deux pinots). Ce 1995 jaune doré atteint son apogée. Il s'impose au nez par son bouquet épicé et fruité et en bouche par sa palette complexe, minérale et florale, avec du fruit sec. Citée, la cuvée **Esprit** naît de 60 % des deux pinots à parts égales et de 40 % de chardonnay et des années 2000 à 1998. Un champagne de repas à servir rapidement. (NM)

Baron-Fuenté, 21, av. Fernand-Drouet, 02310 Charly-sur-Marne, tél. 03.23.82.01.97, e-mail accueil.baronfuente@wanadoo.fr t.l.j. sf dim. 7h30-18h30

BARTHELEMY Blanc de blancs ***

1er cru 1 ha 800 15 à 23 €

Situé aux portes de Reims, sur la rive gauche de la Vesle, ce domaine de 12 ha a été créé en 1970 par les parents de Pascal Barthelemy qui l'a repris en 1984. Les vignes couvrent des terres blanches. Le vin de base de son blanc de blancs sans année date de 2002. Un champagne qui a séduit les dégustateurs par ses arômes puissants de fruits secs, par sa rondeur, son équilibre et sa longueur. (RM)

Pascal Barthelemy, 5, rue Colbert, 51500 Taissy, tél. 03.26.05.02.43, fax 03.26.05.49.98, e-mail barthelemy-champagne@wanadoo.fr r.-v.

BAUCHET PÈRE ET FILS Sélection ★

1er cru | 6 ha | 70 000 | 11 à 15 €

Importante propriété (37 ha), constituée à partir de 1960 par Félicien Bauchet et ses fils. Les deux frères Gérard et Roland sont toujours à la tête de l'exploitation. Le domaine a son siège sur la rive droite de la Marne, près d'Épernay. Mi-blancs mi-noirs (pinot noir), sa cuvée Sélection est un champagne mûr, floral, de bonne persistance, que l'on réservera aux repas. Assemblage de chardonnay (60 %) et de pinot noir, la **Réserve (15 à 23 €)**, citée, apparaît à la fois vineuse et nerveuse. Elle est plutôt destinée à l'apéritif. (RM)

Sté Bauchet Frères, rue de la Crayère, 51150 Bisseuil, tél. 03.26.58.92.12, fax 03.26.58.94.74, e-mail bauchet.champagne@wanadoo.fr r.-v.

BAUDRY Privilège ★

10 ha | 100 000 | 11 à 15 €

Domaine constitué dans les années 1950 par une famille de viticulteurs installée dans l'Aube depuis au moins deux siècles. La cuvée Privilège assemble 80 % de pinot noir au chardonnay et marie la vendange de 2004 à des vins de réserve de 2003. On la boira à l'apéritif pour apprécier ses discrets parfums briochés et vanillés et sa nervosité fraîche et élégante. (RM)

Baudry, 70, Grande-Rue, 10250 Neuville-sur-Seine, tél. 03.25.38.20.59, fax 03.25.38.23.15, e-mail champagne.baudry@cegetel.net r.-v.

BAUGET-JOUETTE Carte blanche

9 ha | 80 000 | 15 à 23 €

Cette Carte blanche est issue de 60 % de blancs et de 40 % de noirs (30 % de meunier) ; elle assemble la récolte de 2004 avec des vins de réserve de 2003. Nez floral et citronné, bouche légère où souplesse et fraîcheur rivalisent : un champagne de cocktail. Le **blanc de blancs 2002 (23 à 30 €)** est également cité pour son bouquet de brioche beurrée et d'amande et pour sa bouche harmonieuse. (NM)

Bauget-Jouette, 1, rue Champfleury, BP 271, 51200 Épernay, tél. 03.26.54.44.05, fax 03.26.55.37.99, e-mail champagne.bauget@wanadoo.fr r.-v.

BAUSER Fidelia ★

1 ha | 5 000 | 15 à 23 €

Coopérateurs dans les années 1960, les Bauser sont devenus récoltants-manipulants en 1970. Ils disposent d'une cuverie moderne (2004) et de 15 ha de vignes implantées autour des Riceys, commune de l'Aube célèbre par son rosé de pinot noir. C'est ce cépage qui est l'origine de la cuvée Fidelia, née de la vendange de 1997. Un champagne qui séduit par son fruité au nez comme en bouche, par son attaque franche, sa bouche ronde et sa jolie finale. (RM)

Bauser, rte de Tonnerre, 10340 Les Riceys, tél. 03.25.29.37.37, fax 03.25.29.96.29, e-mail champagne-bauser@worldonline.fr t.l.j. 10h-12h 15h-18h; f. dim. de oct. à mars

HERBERT BEAUFORT ★★

Gd cru | 10 ha | 20 000 | 15 à 23 €

Cette famille cultive la vigne à Bouzy depuis plusieurs siècles. Dès 1900, Marcel Beaufort, un précurseur, vendait en bouteilles du « vin nature de Champagne » (sans bulles) avant de se lancer, dès 1929, dans l'élaboration du champagne avec son fils Herbert. Aujourd'hui, leurs descendants exploitent 16 ha de vignes, surtout du pinot noir, réputé à Bouzy. Ils proposent un rosé de noirs des années 2004 et 2003. Habillé d'une robe soutenue, fuchsia, ce champagne remporte tous les suffrages pour son nez de cassis et d'épices, et pour son palais puissant, vif et fin, marqué en finale par les fruits confits, la réglisse et le poivre. Un rosé de repas. Deux étoiles encore pour **La Favorite grand cru 2002 (23 à 30 €)** mi-blancs mi-noirs, un champagne bien équilibré et aux arômes complexes, floraux, vanillés et réglissés. (RM)

Herbert Beaufort, 32, rue de Tours-sur-Marne, BP 7, 51150 Bouzy, tél. 03.26.57.01.34, fax 03.26.57.09.08, e-mail beaufort-herbert@wanadoo.fr r.-v.

Henri Beaufort

JACQUES BEAUFORT Demi-sec 1991 ★★

n.c. | n.c. | 30 à 38 €

Jacques Beaufort exploite deux vignobles, chacun ayant son étiquette : Jacques Beaufort pour celui de Polisy (Aube) et André Beaufort pour celui d'Ambonnay (Montagne de Reims). Ce pionnier de l'agrobiologie a banni les produits de synthèse dès le début des années 1970. Il réussit bien ses demi-secs. Celui-ci est un 1991, millésime qui devient rare, et assemble 80 % de pinot noir au chardonnay. De couleur vieil or, il évoque au nez le miel et les raisins macérés. Compoté, abricoté, épicé, riche et fondu, ce séducteur s'entendra avec foie gras aux raisins, viandes blanches aux champignons et poire au roquefort. Issus d'un assemblage analogue, deux autres millésimes sont cités. Tous deux ont connu le bois. Le **2000 (23 à 30 €)** est charpenté, rond et complexe. Le **1999 André Beaufort grand cru (30 à 38 €)** est concentré, riche, évolué et marqué par le bois. « S'agit-il d'un producteur bio ? » se demande un dégustateur. (RM)

Jacques Beaufort, 1, rue de Vaudemange, 51150 Ambonnay, tél. 03.26.57.01.50, fax 03.26.52.83.50 r.-v.

BEAUMONT DES CRAYÈRES Grande Réserve ★

25 ha | 176 000 | 11 à 15 €

Dans les environs d'Épernay, plus de 250 vignerons cultivent comme des jardins d'innombrables parcelles de vignes : l'ensemble des superficies ne dépasse pas 85 ha. Ils confient leur récolte à cette coopérative fondée en 1955. Cette Grande Réserve est dominée par le pinot meunier (60 %), le solde se partageant entre le pinot noir (15 %) et le chardonnay ; elle assemble les années 2004 à 2002. Les dégustateurs ont été séduits par son fruité frais, un rien exotique, et par son équilibre. Le **Grand Prestige (15 à 23 €)** est aussi dominé par les raisins noirs (pinot noir 40 %, meunier 20 %). Il provient des années 2002 à 2000. Son fruité mûr et son élégance fraîche lui valent une citation. Un champagne de repas. (CM)

⊶ Beaumont des Crayères, BP 1030, 51318 Épernay Cedex, tél. 03.26.55.29.40, fax 03.26.54.26.30, e-mail contact@champagne-beaumont.com ☑ ⊥ ⁂ r.-v.

FRANÇOISE BEDEL Dis, vin secret

	5,94 ha	n.c.	15 à 23 €

Établie dans la vallée de la Marne, Françoise Bedel a converti son vignoble (7 ha environ) à la biodynamie. Cette cuvée, à 4 % de chardonnay près, est presque un blanc de noirs de pinot meunier. Elle naît de l'année 2000. Un peu fugace, c'est un champagne beurré et rond. (RM)

⊶ Françoise Bedel, 71, Grande-Rue, 02310 Crouttes-sur-Marne, tél. 03.23.82.15.80, fax 03.23.82.11.49, e-mail chfbedel@champagne-francoise-bedel.fr ☑ ⊥ r.-v.

GÉRARD BELIN 2000 *

	0,3 ha	2 500	15 à 23 €

Œnologue, Olivier Belin a repris il y a dix ans le vignoble familial, situé aux environs de Château-Thierry. Il affectionne le pinot meunier qui prospère dans la vallée de la Marne. Ce cépage compose 70 % de l'assemblage de ce 2000, complété par 10 % de pinot noir et 20 % de chardonnay. D'un or chaud et brillant, ce champagne intense et complexe mêle en bouche les fruits rouges compotés, le miel et les agrumes. Une pointe d'amertume marque la finale. On suggère de l'essayer avec des plats sucrés-salés. La cuvée **Sélection (11 à 15 €)**, assemblage de trois quarts de pinots (50 % de meunier) et d'un quart de chardonnay des années 2003 et 2002, obtient la même note pour son équilibre. (RM)

⊶ Gérard Belin, 30A, Aulnois, 02400 Essômes-sur-Marne, tél. 03.23.70.88.43, fax 03.23.83.10.97, e-mail champagne-belin@wanadoo.fr ☑ ⊥ ⁂ r.-v.

BEL'VIGNE *

	n.c.	n.c.	11 à 15 €

Héritier d'une lignée de cultivateurs remontant au XVIIIe s., Philippe Fourrier exploite un coquet domaine dans l'Aube (18 ha). Son Bel'Vigne est issu de pinot noir de la vendange de 2004. Des arômes de violette et d'acacia, une bouche fraîche et assez longue composent une bouteille élégante. Provenant de la même année, la **Réserve Philippe Fourrier** citée, assemble 60 % de pinot noir au chardonnay. Au nez, du coing, des fruits rouges, de la pêche de vigne, des fruits compotés et des traces d'évolution. (NM)

⊶ Fourrier, rue de Bar-sur-Aube, 10200 Baroville, tél. 03.25.27.13.44, fax 03.25.27.12.49, e-mail julienfourrier@hotmail.com ☑ ⊥ ⁂ r.-v.

L. BÉNARD-PITOIS Réserve **

1er cru	3,5 ha	30 045	11 à 15 €

Ce domaine de 10 ha sur le versant sud de la Montagne de Reims comprend pas moins de trente-sept parcelles réparties dans deux grands crus et quatre premiers crus. Cette année, il décroche deux coups de cœur ! Selon la règle du Guide, une seule étiquette est reproduite par appellation. Les deux cuvées passent par le bois (sept mois en cuve et sept mois en fût) et privilégient le pinot noir : 60 % pour celle-ci, complétés par le chardonnay, des raisins issus des années 2004 à 2002. Son bouquet complexe et fin mêle les fleurs blanches et la vanille. L'attaque légère, un rien acidulée, introduit une bouche

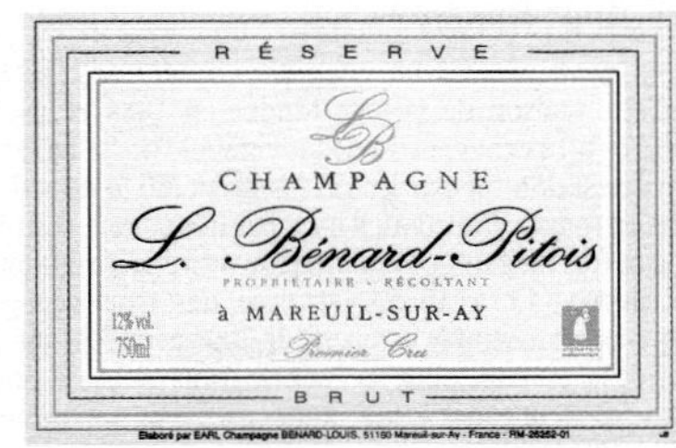

très bien équilibrée, qui laisse une sensation d'ampleur. Deux étoiles encore et autant de compliments pour le **blanc de blancs 1er cru 1996 (23 à 30 €)** qui s'impose par son nez discret et frais, son attaque nerveuse et sa finale longue et jeune. (RM)

⊶ L. Bénard-Pitois, 23, rue Duval, 51160 Mareuil-sur-Aÿ, tél. 03.26.52.60.28, fax 03.26.52.60.12, e-mail benard-pitois@wanadoo.fr ☑ ⊥ ⁂ r.-v.

BERÈCHE ET FILS Reflet d'antan *

	0,8 ha	3 000	23 à 30 €

À la tête de 9 ha de vignes dans la Montagne de Reims, Jean-Pierre Bérèche ne recherche pas la facilité, témoin cette cuvée, née des trois cépages champenois à parts égales. Elle est élevée en barrique selon la méthode de la solera empruntée au xérès (procédé d'élevage assemblant en continu des vins vieux avec des vins plus jeunes), les vins ne font pas leur fermentation malolactique et sont vinifiés sous liège agrafé. Le tout donne un champagne fort apprécié : si le nez est discret, la bouche se montre intense, mûre, élégante et longue, avec un boisé vanillé bien fondu. Cette cuvée avait obtenu un coup de cœur dans l'édition 2005. Assemblant les trois cépages champenois dans des proportions analogues, la **Réserve (11 à 15 €)** ne fait pas non plus sa « malo » ; son nez intense de chèvrefeuille et sa bouche bien présente lui valent une citation. Une curiosité pour les collectionneurs : certaines étiquettes du domaine affichent « appellation d'origine contrôlée champagne », une mention aussi exacte que rare. (RM)

⊶ Berèche et Fils, Le Craon-de-Ludes, BP 18, 51500 Ludes, tél. 03.26.61.13.28, fax 03.26.61.14.14, e-mail info@champagne-bereche-et-fils.com ☑ ⊥ ⁂ r.-v.

F. BERGERONNEAU-MARION Grande Réserve

1er cru	4 ha	20 000	15 à 23 €

Fondée par Florent Bergeronneau en 1982, une exploitation implantée à Villedommange, au nord-ouest de la Montagne de Reims. Son vignoble comprend beaucoup de pinot meunier, cépage dominant dans cette Grande Réserve (60 %, complétés par 30 % de pinot noir et 10 % de chardonnay). Nez doux de pain d'épice, de fruits confits et de fleurs ; bouche épicée, vive et ronde à la fois. La **cuvée Prestige élevée en fût de chêne** est un blanc de noirs issu des deux pinots à parts égales. Elle n'est pas millésimée bien qu'elle soit née d'une seule année, 2004. Son puissant fruité confit et sa rondeur lui valent une citation. Ce champagne avait obtenu un coup de cœur l'an dernier, mais il provenait de la récolte de 2002. (RM)

⊶ Florent Bergeronneau, 22, rue de la Prévôté, 51390 Villedommange, tél. 03.26.49.75.26, fax 03.26.49.20.85 ☑ ⊥ ⁂ r.-v.

PAUL BERTHELOT **

●	1 ha	n.c.	15 à 23 €

Cette maison de négoce fondée en 1884 et sise à Dizy, près d'Épernay, possède un vignoble de 21 ha. Son brut rosé est dominé par les raisins noirs (80 % dont 7 % vinifiés en rouge). Pourtant, il n'est pas très coloré. Ample, souple et fort élégant, ce champagne attire la sympathie. La **Réserve (11 à 15 €)** est issue des trois cépages champenois et assemble la récolte de 2003 avec des vins de réserve. Elle est citée pour son nez de fruits blancs et pour sa vivacité – une nervosité compensée par un dosage sensible. (NM)

Paul Berthelot, 889, av. du Gal-Leclerc, 51530 Dizy, tél. 03.26.55.23.83, fax 03.26.54.36.31, e-mail champagneberthelotpaul@orange.fr t.l.j. sf mer. et dim. 9h-12h 14h-18h

PIERRE BERTRAND **

●	1er cru	2,6 ha	18 000	11 à 15 €

Couronné par les bois de la Montagne de Reims, le coteau de Cumières s'incline vers la Marne, en face d'Épernay. C'est dans ce village que Pierre Bertrand a créé en 1946 son vignoble (plus de 7 ha aujourd'hui). Il avait neuf enfants et beaucoup de garçons, mais c'est sa fille Thérèse qui lui a succédé en 1982. Bertrand, son petit-fils, s'apprête à prendre la relève. Ce brut sans année a fait sensation : « un remarquable travail de vinification et d'assemblage », écrit un dégustateur. Pratiquement mi-noirs mi-blancs (37 % de pinot noir, 16 % de meunier, 47 % de chardonnay), ce champagne marie l'année 2000 à des vins de réserve de 1999 et de 1998. Son bouquet expressif, d'une grande fraîcheur, évolue vers les fruits confits et le caramel. Après une attaque souple, la bouche monte en puissance et séduit par sa complexité : les agrumes s'y mêlent à un fruité confit et chocolaté. Une étoile pour le **2000 (15 à 23 €)** qui privilégie légèrement le chardonnay (60 %, complétés par du pinot noir). Un ensemble franc, aux arômes de fruits confits et d'épices. (RM)

Thérèse Bertrand, 166, rue Louis-Dupont, 51480 Cumières, tél. 03.26.54.08.24, fax 03.26.55.22.08 r.-v.

BERNARD BIJOTAT *

●	7 ha	50 000	11 à 15 €

Domaine de 7 ha proche de Château-Thierry, à 80 km de Paris. Comme dans de nombreux autres secteurs de la vallée de la Marne, le pinot meunier y est très présent. Ce cépage compose 82 % de ce brut sans année, complété par 12 % de pinot noir et par un soupçon de chardonnay. Les vins de base proviennent des années 2004 et 2003. Compoté, brioché et pourtant vif, ce champagne harmonieux trouvera sa place à l'apéritif. (RM)

SCEV Bernard Bijotat, 2, rte Nationale, 02310 Romeny-sur-Marne, tél. 03.23.70.12.51, fax 03.23.70.61.03, e-mail bbs.champagnebijotat@wanadoo.fr r.-v.

BILLECART-SALMON
Cuvée Élisabeth Salmon 1998 **

●	n.c.	n.c.	+ de 76 €

Maison sise à Mareuil-sur-Aÿ, dans la vallée de la Marne, née en 1818 du mariage de Nicolas-François Billecart et d'Élisabeth Salmon ; elle est toujours dirigée par les descendants des fondateurs. Ce rosé haut de gamme assemble pinot noir et chardonnay. Il est habillé d'orange vif ; son bouquet tout en finesse, minéral et fruité annonce une bouche souple, élégante et longue. Les autres cuvées retenues obtiennent une étoile. La **Cuvée Nicolas-François Billecart 1998 (46 à 76 €)**, fidèle aux deux cépages « nobles » de la Champagne, le chardonnay et le pinot noir, séduit par la complexité de son nez de fleurs blanches et de fruits. Quant au **blanc de blancs 1998 (plus de 76 €)**, il est frais, puissant, de belle tenue. (NM)

Billecart-Salmon, 40, rue Carnot, 51160 Mareuil-sur-Aÿ, tél. 03.26.52.60.22, fax 03.26.52.64.88, e-mail billecart@champagne-billecart.fr r.-v.

CH. DE BLIGNY Blanc de blancs *

●	n.c.	11 000	15 à 23 €

L'un des deux champagnes étiquetés « château ». Un château qui n'est pas de complaisance : situé dans les environs de Bar-sur-Aube, il date du XVIIIe s. Il propose un blanc de blancs fort complimenté par les dégustateurs, miellé, toasté, frais et de belle persistance. (RM)

Ch. de Bligny, 10200 Bligny, tél. 03.25.27.40.11, fax 03.25.27.04.52 r.-v.

MAXIME BLIN Grande Cuvée *

●	n.c.	n.c.	15 à 23 €

Le champagne Maxime Blin est élaboré par la maison R. Blin et fils. La Grande Cuvée fait appel aux trois cépages champenois à parts égales et assemble les années 2003 et 2002. Marqué par les fruits jaunes et le pain grillé au nez, ce vin attaque avec fraîcheur, évolue avec puissance sur des notes briochées et persiste longuement. À déboucher à l'apéritif et à finir au repas. (RM)

Maxime Blin, 9, rue du Point-du-Jour, 51140 Trigny, tél. 03.26.02.67.40 r.-v.

H. BLIN & C^O 2002

●	8 ha	50 000	15 à 23 €

Cette coopérative créée en 1947 dans la vallée de la Marne porte le nom de son fondateur, Henri Blin, vigneron à Vincelles. Aujourd'hui, la cave vinifie la production de 110 ha. Son brut 2002 naît des trois cépages champenois à parts égales. Le nez intense et complexe, partagé entre les agrumes et les fruits rouges, retient l'attention, même si la bouche, fugace, est un peu en retrait. Elle reste aromatique, sur des notes beurrées. (CM)

H. Blin & Co, 5, rue de Verdun, 51700 Vincelles, tél. 03.26.58.20.04, fax 03.26.58.29.67, e-mail contact@champagne-blin.com r.-v.

R. BLIN ET FILS *

●	n.c.	n.c.	15 à 23 €

Ce récoltant-manipulant exploite 11 ha de vignes à l'ouest de Reims, dans le massif de Saint-Thierry. Son rosé doit tout au pinot noir et assemble les années 2004 et 2003. Il présente un nez vineux de fruits confits, vinosité que l'on retrouve dans une bouche puissante. Un rosé de table. (RM)

R. Blin et Fils, 11, rue du Point-du-Jour, 51140 Trigny, tél. 03.26.03.10.97, fax 03.26.03.19.63, e-mail contact@champagne-blin-et-fils.fr
t.l.j. sf dim. 8h-12h 14h-19h; f. 15-31 août

BLONDEL ★

	5,5 ha	10 000	15 à 23 €

Cette exploitation d'un seul tenant est située dans la Montagne de Reims. Constituée au début du XX^{e}s. par l'arrière-grand-père, notaire, elle a longtemps apporté son raisin au négoce. C'est Thierry Blondel, installé en 1978, qui s'est lancé dans l'élaboration du champagne. Pur pinot noir, son brut rosé revêt une robe légère qui annonce un nez délicat et frais, floral et fruité. En bouche, il attaque avec fraîcheur et évolue avec ampleur sur des notes de fruits rouges. À essayer sur un dessert aux fruits. La **cuvée Prestige**, mi-blancs mi-noirs (pinot noir) est citée pour son fruité intense et son équilibre. (NM)

Blondel, Dom. des Monts-Fournois, 51500 Ludes, tél. 03.26.03.43.92, fax 03.26.03.44.10, e-mail contact@champagneblondel.com r.-v.

BOIZEL ★

	n.c.	60 000	23 à 30 €

1834 : Auguste fonde la maison. Suivent Édouard, Jules, René et Erica, et enfin, depuis 1973, Évelyne Roques-Boizel. Une direction restée familiale pour cette société qui a rejoint le groupe BCC. Ce brut rosé comprend 50 % de pinot noir (dont 8 % vinifiés en rouge), 30 % de meunier et 20 % de chardonnay et assemble les années 2003 à 2001. Une robe pâle à reflets dorés, un nez d'amande grillée ; c'est en bouche que ce champagne s'impose, par son ampleur, sa complexité et sa longueur. Cuvée haut de gamme produite les grandes années, **Joyau de France 1995 (38 à 46 €)** donne une courte majorité aux noirs (pinot noir 55 %). Cité, ce millésimé avoue son âge mais il l'assume brillamment : les arômes sont évolués, sur le grillé et la figue, mais il reste de la fraîcheur. Pour les amateurs de vieux champagnes. (NM)

Boizel, 46, av. de Champagne, 51200 Épernay, tél. 03.26.55.21.51, fax 03.26.54.31.83, e-mail boizelinfo@boizel.fr

Boizel Chanoine Champagne

BOLLINGER RD Extra-brut 1996 ★★

	n.c.	n.c.	+ de 76 €

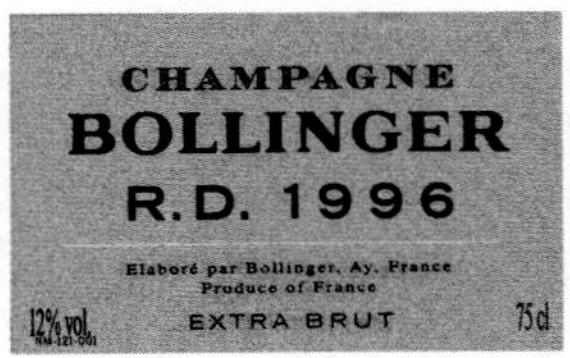

Une maison traditionnelle et exigeante, restée familiale depuis sa fondation en 1829. Elle dispose d'un vignoble de plus de 120 ha. RD signifie « récemment dégorgé », et extra-brut, « très faiblement dosé » (3 à 4 g/l de sucre). Cette cuvée marie 70 % de pinot noir et 30 % de chardonnay d'une grande année ; ici, 1996. La première fermentation a lieu en fût de chêne ; la prise de mousse et le vieillissement en cave (huit ans au moins) s'effectuent sous bouchage liège. Un nez praliné « de grande classe », une bouche vive, complexe et d'une rare longueur, aux arômes de fruits secs et d'abricot confit composent un champagne de caractère. Cuvée de prestige de Bollinger, la **Grande Année 1999** obtient elle aussi deux étoiles. Deux tiers de noirs, un tiers de blancs, un dosage à 8 g/l ; pour ce champagne également, une vinification en fût ancien et un tirage sous liège. Nez et bouche témoignent du bois, mais tout en finesse, puis les fruit confits persistent en finale. (NM)

Bollinger, 16, rue Jules-Lobet, BP 4, 51160 Aÿ, tél. 03.26.53.33.66, fax 03.26.54.85.59, e-mail contact@champagne-bollinger.fr

JEAN-LUC BONDON 1996 ★

	n.c.	2 400	15 à 23 €

Dans leurs caves voûtées sur deux étages, ces vignerons de la vallée de la Marne élaborent leur champagne depuis trois générations. Les raisins noirs (80 %), dont 60 % de pinot meunier dominent largement dans l'assemblage de ce champagne d'un grand millésime. La robe jaune pâle est étonnamment jeune, ce qui est de bon augure. Le nez intense, puis la bouche vive et équilibrée confirment cette impression. Ce brut sera excellent à l'apéritif. (RM)

Jean-Luc Bondon, 24-26, Grande-Rue, 51480 Reuil, tél. 03.26.58.38.87, fax 03.26.51.92.49, e-mail champagnebondonjl@free.fr r.-v.

BONNAIRE Blanc de blancs ★★

Gd cru	9 ha	n.c.	15 à 23 €

Cette exploitation s'est développée à partir d'un petit vignoble à Cramant, commune de la Côte des Blancs classée en grand cru. Dès 1932, elle s'est lancée dans la manipulation. Aujourd'hui, Jean-Louis Bonnaire, qui représente la troisième génération, cultive 22 ha et son domaine comprend même des parcelles dans l'Aisne. Le nez d'aubépine et de mirabelle de ce blanc de blancs annonce une bouche puissante et charnue. Elle aussi marquée par la mirabelle. Une étoile pour le **blanc de blancs Variance 1er cru (23 à 30 €)**, vanillé, brioché et miellé, très légèrement boisé, marque d'un élevage partiel en fût. Un champagne équilibré et harmonieux. (RM)

Bonnaire, 120, rue d'Épernay, 51530 Cramant, tél. 03.26.57.50.85, fax 03.26.57.59.17, e-mail info@champagne-bonnaire.com
t.l.j. 9h-12h 14h-17h, dim. sur r.-v.; f. 2 sem. en août 7

ALEXANDRE BONNET 1999

	n.c.	34 000	15 à 23 €

Cette maison fondée en 1832 et reprise en 1998 par le groupe BCC a son siège aux Riceys, dans l'Aube. Elle dispose d'un important vignoble (plus de 40 ha). Le pinot noir, spécialité de la commune, compose la majorité de ce 1999 (60 %), complété par le meunier (25 %) et le chardonnay. Un champagne équilibré, rond et soyeux. (NM)

SAS Alexandre Bonnet, 138, rue du Gal-de-Gaulle, 10340 Les Riceys, tél. 03.25.29.30.93, fax 03.25.29.38.65, e-mail info@alexandrebonnet.com
r.-v.

BCC

BONNET-PONSON Brut de brut

● 0,9 ha 5 000 ■ 11 à 15 €

Viticulteurs dès les années 1860, les Bonnet élaboraient déjà du champagne au tournant du XXe s., avant de s'allier aux Ponson. Aujourd'hui, le domaine s'étend sur près de 11 ha sur les versants de la Montagne de Reims. Le Brut de brut naît des trois cépages champenois à parts égales et des années 2001 à 1999. Il est épicé, puissant et évolué. Également cité, le **blanc de noirs 1er cru 2000 (15 à 23 €)** a été élevé sous bois avec bâtonnage. Fortement structuré, puissant, c'est par excellence un champagne de repas. (RM)

Bonnet-Ponson, 20, rue du Sourd, 51500 Chamery, tél. 03.26.97.65.40, fax 03.26.97.67.11, e-mail champagne.bonnet.ponson@wanadoo.fr
r.-v.

FRANCK BONVILLE Blanc de blancs 2002

● Gd cru n.c. 20 000 ■ 15 à 23 €

L'exploitation s'étend sur 18 ha dans plusieurs grands crus de la Côte des Blancs. Discret au nez, ce 2002 tend en bouche vers la noisette. Il est encore jeune et gagnera à attendre. Cité également, le **blanc de blancs Les Belles Voyes (30 à 38 €)** assemble les années 2000 et 1999 et a séjourné un an en fût. Il est plus évolué au nez qu'en bouche, laquelle apparaît fraîche, légèrement grillée et boisée. (RM)

Franck Bonville, 9, rue Pasteur, 51190 Avize, tél. 03.26.57.52.30, fax 03.26.57.59.90, e-mail contact@champagne-franck-bonville.com
r.-v.

BOREL-LUCAS

● n.c. 10 000 11 à 15 €

Créé en 1857, ce domaine s'est lancé dans la champagnisation dès 1929. Il dispose aujourd'hui de 14 ha dans la vallée de la Marne, dans la Côte des Blancs et, un peu au sud, autour d'Étoges. Son brut rosé des années 2005 et 2004 donne aux raisins noirs le premier rôle (85 %, dont 60 % de pinot meunier). La robe pâle s'anime d'une effervescence abondante, le nez est puissamment fruité, la bouche dominée par des impressions de souplesse et de douceur. (RM)

Borel-Lucas, 3, rue Richebourg, 51270 Étoges, tél. 03.26.59.30.46, fax 03.26.51.59.84, e-mail champagne-borel-lucas@wanadoo.fr
t.l.j. 9h-12h 14h-19h; dim. 9h-12h

BOUCANT-THIERY Cuvée de réserve *

● 2 ha 29 000 ■ 11 à 15 €

Un vignoble au développement récent, dans les années 1970. Aujourd'hui, 6 ha dans la vallée de la Marne, du côté de Château-Thierry. D'abord coopérateur, Daniel Boucant est devenu récoltant-manipulant en 1993. Sa Cuvée de réserve, des années 2004 et 2003, est largement dominée par les raisins noirs (85 % dont 70 % de pinot meunier – le cépage préféré dans cette partie de la Champagne). Au nez comme au palais, elle est bien fruitée (fruit rouge, noyau, pêche...). La bouche est gourmande et longue. À déboucher à l'apéritif et à finir au repas. (RM)

Daniel Boucant, 9, rte de Moucherelle, 02400 Bonneil, tél. 03.23.82.90.15, fax 03.23.82.31.17
t.l.j. 9h-18h

BOUCHÉ PÈRE ET FILS Cuvée Saphir

● 1,5 ha 10 000 ■ 15 à 23 €

Maison de négoce proche d'Épernay, fondée en 1945, et disposant d'un important vignoble de 30 ha disséminé dans onze villages. La cuvée Saphir, des années 1998 à 1996, assemble 75 % de chardonnay aux deux pinots. Florale et miellée au nez, elle est dominée en bouche par des impressions de puissance et de richesse. Le dosage (11 g/l) est perceptible. La **Grande Réserve 2000** marie les trois cépages champenois (pinot noir 45 %, meunier 15 %, chardonnay 40 %). Elle est également citée pour son nez de coing et de mirabelle et pour sa bouche bien équilibrée. (NM)

Bouché Père et Fils, 10, rue du Gal-de-Gaulle, 51530 Pierry, tél. 03.26.54.12.44, fax 03.26.55.07.02, e-mail info@champagne-bouche.fr
t.l.j. sf dim. 8h-12h 14h-18h; f. août

RAYMOND BOULARD Tradition

● 2 ha 4 000 ■ 23 à 30 €

Les Boulard exploitent plus de 10 ha répartis dans la vallée de la Marne, celle de la Vesle ainsi que dans la Montagne de Reims. Mi-blancs mi-noirs (les deux pinots), la cuvée Tradition naît des années 2003 et 2002. Elle ne fait pas sa fermentation malolactique. Si elle semble un peu fugace, son bouquet élégant, floral et brioché et son attaque vive lui valent une citation. (NM)

Raymond Boulard, 1, rue du Tambour, 51480 La Neuville-aux-Larris, tél. 03.26.58.12.08, fax 03.26.61.54.92, e-mail contact@champagne-boulard.fr r.-v.

BOULARD-BAUQUAIRE Grande Réserve *

● 0,5 ha 5 000 ■ 11 à 15 €

Situé au nord-est de Reims, le village de Cormicy n'est pas le plus illustre du vignoble champenois, mais cette exploitation familiale, fondée en 1981, a sans doute contribué à sa notoriété en décrochant un coup de cœur dans l'édition 2004. Née des trois cépages champenois à parts égales, la Grande Réserve assemble les années 2005 et 2004. Mirabelle au nez comme en bouche, elle est franche à l'attaque et équilibrée en bouche. Couronnée il y a trois ans, la **cuvée Mélanie (15 à 23 €)** doit tout au chardonnay et provient de l'année 2003. Elle séjourne six mois dans le bois, sans pour autant être boisée. Briochée, ronde, fondue et harmonieuse, elle obtient elle aussi une étoile. (RM)

EARL Boulard-Bauquaire, 30, rue du Petit-Guyencourt, 51220 Cormicy, tél. 03.26.61.30.79, fax 03.26.61.34.40, e-mail info@champagne-boulard-bauquaire.fr
r.-v.

JEAN-PAUL BOULONNAIS Blanc de blancs *

● 1er cru n.c. n.c. ■ 11 à 15 €

Cette maison familiale dont les origines remontent à 1870 dispose d'un vignoble de 5 ha aux alentours de Vertus, au sud de la Côte des Blancs. On retrouve son blanc de blancs, mais il assemble maintenant la récolte de 2003 avec des vins de réserve de 2002. Son bouquet beurré et brioché précède une attaque réglissée et fraîche. La finale est pleine de jeunesse. La **Réserve 1er cru (15 à 23 €)**, également un blanc de blancs, est citée pour la complexité et la subtilité de son bouquet mêlant le beurre, la noisette, l'abricot, la bergamote, la menthe... (NM)

Jean-Paul Boulonnais, 14, rue de l'Abbaye, 51130 Vertus, tél. 03.26.52.23.41, fax 03.26.52.27.55
r.-v.

BOURDAIRE-GALLOIS

● 3 ha 2 000 **11 à 15 €**

Installé en 1995, David a été d'abord coopérateur avant d'élaborer ses propres cuvées à partir de 2002. Deux champagnes sont cités cette année, tous deux de pur pinot meunier et des années 2005 et 2004. De couleur tuilée aux nuances orangées, ce rosé associe les fruits frais à l'orange confite ; il se distingue par sa rondeur et sa douceur. Le brut **Tradition** est très jeune, rond, fruité et friand. (RM)

Bourdaire-Gallois, 15, rue Haute, 51220 Pouillon, tél. 03.26.03.02.42, fax 03.26.04.45.98, e-mail bourdaire-gallois@cder.fr r.-v.

EDMOND BOURDELAT Cuvée de réserve ★

4,8 ha 10 000 **11 à 15 €**

Cette exploitation fondée en 1975 par Edmond Bourdelat est implantée à Brugny, l'un des villages des coteaux sud d'Épernay. Depuis 1996, c'est son fils Bruno qui conduit le domaine (5 ha de vignes mais pas moins de vingt-quatre parcelles). Sa Cuvée de réserve privilégie largement les noirs (82 % de pinots, dont 60 % de meunier). Les vins de réserve entrent pour moitié dans l'assemblage. Un champagne équilibré, dominé par des impressions de fraîcheur et des arômes d'agrumes. (RM)

Bruno Bourdelat,
3, rue des Limons, 51530 Brugny,
tél. 03.26.59.95.25, fax 03.26.59.05.16,
e-mail contact@champagne-edmond-bourdelat.fr
r.-v.

BOURGEOIS Cuvée du dernier siècle 2002 ★★

n.c. n.c. **15 à 23 €**

Les Bourgeois sont vignerons depuis la Révolution. Aujourd'hui, Michel Bourgeois cultive un domaine de 10 ha dans la vallée de la Marne. Ses champagnes figurent très souvent en bonne place dans le Guide. Sa Cuvée du dernier siècle (le XXes., espérons-le...) décrocha un coup de cœur dans le millésime 1995. Elle marie 60 % de raisins noirs (40 % de pinot noir) au chardonnay. Le 2002 séduit par son bouquet intense de fruits confits et par l'harmonie de sa bouche briochée et beurrée. Un champagne complexe. Sous la marque **P. Demarcq blanc de blancs Prestige**, Michel Bourgeois propose un champagne aux arômes d'agrumes, puissant et fruité en bouche : une étoile. (NM)

Bourgeois, 43, Grande-Rue,
02310 Crouttes-sur-Marne, tél. 03.23.82.15.71,
fax 03.23.82.55.11,
e-mail contact@champagne-bourgeois.com
t.l.j. sf dim. 9h-12h 13h30-18h; f. août

BOURGEOIS-BOULONNAIS Blanc de blancs ★

1er cru 4,5 ha n.c. **11 à 15 €**

Ce récoltant-manipulant exploite un vignoble de 5,5 ha exclusivement implanté sur le territoire de Vertus, 1er cru du sud de la Côte des Blancs. Aussi ses cuvées privilégient-elles le chardonnay. Le blanc de blancs sans année assemble les années 2004 à 2002. Avec son nez d'agrumes, son attaque franche et nerveuse, sa palette mariant harmonieusement la réglisse et le menthol, il fait une fois encore bonne impression. (RM)

Bourgeois-Boulonnais, 8, rue de l'Abbaye,
51130 Vertus, tél. 03.26.52.26.73, fax 03.26.52.06.55,
e-mail bourgeoi@hexanet.fr r.-v.

CHRISTIAN BOURMAULT

Cuvée Grand Éloge 2002 ★

1 ha 2 000 **23 à 30 €**

Héritier d'une lignée de viticulteurs remontant aux années 1870, Christian Bourmault élabore son premier champagne en 1981 sur 1 ha de vignes. Aujourd'hui, il exploite 6 ha autour d'Avize, dans la Côte des Blancs. Ce Grand Éloge est un blanc de blancs ; il séjourne en fût, d'où un léger boisé épicé, au nez comme en bouche, ce qui convient bien à ce champagne souple et élégant. On pourra le servir sur un poisson cuisiné. Également boisé, le **rosé R de Rosa (15 à 23 €)** assemble les trois cépages champenois et les années 2004 et 2003. De couleur cuivrée, il mêle les fruits confits à des notes épicées (vanille, cannelle) et se montre équilibré et long. (RM)

EARL Bourmault et Fils, 41, Rempart-du-Midi,
51190 Avize, tél. 03.26.59.79.41, fax 03.26.58.67.74,
e-mail christian.bourmault@wanadoo.fr r.-v.

CH. DE BOURSAULT Cuvée Prestige ★

1 ha 1 453 **23 à 30 €**

Ce château néo-Renaissance élevé par Madame Veuve Clicquot de 1843 à 1849 sur la rive gauche de la Marne a été racheté en 1927 par Achod Fringhian, père du propriétaire actuel. Le vignoble du château n'a été créé que dans les années 1960. Il couvre 15 ha. Cette cuvée Prestige est mi-blancs mi-noirs (52 % des deux pinots, du pinot noir presque exclusivement) ; d'assemblage des années 1998 et 1997, elle atteint son apogée. Le nez fait de miel et d'amande précède une bouche encore fraîche et équilibrée. Un champagne de repas. (NM)

Ch. de Boursault, 2, rue Maurice-Gilbert,
51480 Boursault, tél. 03.26.58.42.21,
fax 03.26.58.66.12,
e-mail info@champagnechateau.com r.-v.

BOUTILLEZ-GUER Blanc de blancs ★

1er cru 0,7 ha 3 500 **11 à 15 €**

Voilà cinq siècles que les Boutillez sont établis à Villers-Marmery, dans la Montagne de Reims. La dernière génération y cultive 4,5 ha. Alors que de nombreux villages de la Montagne sont célèbres par leur pinot noir, ce 1er cru est réputé pour son chardonnay. Ce blanc de blancs assemble les années 2003 à 2001. Le nez discret se partage entre le foin séché et les fruits secs ; la bouche apparaît ronde et harmonieuse. Un champagne d'apéritif. (RM)

Boutillez-Guer, 38, rue Pasteur,
51380 Villers-Marmery, tél. 03.26.97.91.38,
fax 03.26.97.94.95, e-mail boutillez.guer@wanadoo.fr
r.-v.

G. BOUTILLEZ-VIGNON Cuvée Prestige ★★

1er cru 2 ha 12 000 **11 à 15 €**

Cette autre famille Boutillez de Villers-Marmery affiche elle aussi une grande antériorité : 1524 ! À la tête de 5 ha, elle élabore son champagne depuis une trentaine d'années. Elle brille dans cette édition, avec trois cuvées jugées remarquables (deux étoiles) ; des 1ers crus. Cette cuvée Prestige, des années 2005 à 2003, est marquée par le chardonnay qui constitue 60 % de l'assemblage, complété par le pinot noir. Sa palette mêle beurre, brioche, citron et pêche blanche. Fin, riche, harmonieux et généreux, ce champagne tiendra aussi bien sa place à l'apéritif que sur un repas de poissons. Le **rosé (15 à 23 €)** résulte d'un assemblage analogue (avec 11 % de rouge de Verzenay) et provient de l'année 2004. Complexe, floral et fruité, il est aussi long qu'élégant. Enfin, le **blanc de blancs (15 à 23 €)** naît de l'année 1999. Intense, complexe (beurre, brioche, miel, pain d'épice...), harmonieux, dosé à souhait, il révèle une belle évolution. (RM)

G. Boutillez-Vignon, 26, rue Pasteur, 51380 Villers-Marmery, tél. 03.26.97.95.87, e-mail champagne.g.boutillez.vignon@wanadoo.fr t.l.j. 10h-12h 14h-18h; sam. dim. sur r.-v.; f. 15 août-2 sep.

OLIVIER ET BERTRAND BOUVRET Cuvée Tradition ★★

2,3 ha 17 000 11 à 15 €

Géré par deux frères, un domaine aubois très récent. Le vignoble a été planté à partir de 1986, et la cave créée en 2001. Cette cuvée Tradition est dominée par le pinot noir (80 %) et provient de la récolte de 2004. Élégante du premier coup de nez à la finale, elle exprime les fleurs, les fruits frais, le citron, la vanille avec finesse et fraîcheur. (RM)

GAEC des Blés d'Or, rte de Landreville, 10110 Merrey-sur-Arce, tél. 03.25.29.90.43, fax 03.25.29.68.52 r.-v.

Bouvret

LAURENT BOUY ★★

2 ha 18 000 11 à 15 €

Un vignoble récent, constitué par Laurent Bouy il y a trente ans : 5,5 ha autour de Verzy, dans la Montagne de Reims. Si les célèbres faux de la forêt de Verzy entortillent leurs troncs et branchages, ce champagne attaque franchement. Ce brut des années 2003 à 2001, qui se partage équitablement entre le pinot noir et le chardonnay, possède un nez charmeur, intense et complexe, sur le fruit blanc et le beurre. Au palais, il se développe longuement sur les agrumes, avec une pointe de fraîcheur. Un excellent champagne d'apéritif. (RM)

Laurent Bouy, 7, rue de l'Ancienne-Eglise, 51380 Verzy, tél. 03.26.97.93.23 r.-v.

BRATEAU-MOREAUX Cuvée de réserve ★

1,5 ha 7 000 11 à 15 €

Dominique Brateau a repris en 1987 l'exploitation familiale : près de 7 ha dans la vallée de la Marne. Dans cette partie du vignoble, le meunier est roi. Il compose 50 % de l'assemblage de ce brut né de la récolte de 2003. Les vins du domaine ne font pas leur fermentation malolactique. Les arômes empyreumatiques, les notes de fruits confits, de cire et de noix révèlent que ce champagne atteint son apogée. L'ensemble reste agréable, moelleux, ample et riche : une belle évolution. (RM)

Dominique Brateau, 12, rue Douchy, 51700 Leuvrigny, tél. 03.26.58.00.99, fax 03.26.52.83.61 r.-v.

BRESSION-SALMON Cuvée Prestige ★

0,4 ha 3 700 11 à 15 €

Étoges prolonge la Côte des Blancs vers le sud-ouest, en direction du Sézannais. Cette exploitation, qui s'est tournée vers la viticulture en 1970, a d'abord confié ses récoltes à la coopérative puis a installé pressoir, cuverie et caves en 1994. Issue des années 2004 et 2003, sa cuvée Prestige est très marquée par le chardonnay (90 % de l'assemblage, complétés par du meunier). Frais, léger, floral et minéral au nez, ce champagne est souple et vif en bouche. Un vin facile. (RM)

Bression-Salmon, 8, rue Saint-Antoine, 51270 Étoges, tél. 03.26.59.34.51, fax 03.26.59.36.30 r.-v.

BRETON FILS Blanc de blancs ★★

2 ha 20 000 11 à 15 €

Ange Breton, le fondateur de l'exploitation en 1952, vinifiait tout en creusant sa cave. Il a porté le vignoble à 17 ha, conduits à présent par son fils Johann. Le domaine a son siège à Congy, entre Côte des Blancs et Sézannais. Il propose un blanc de blancs tout en élégance, au nez fin de fleurs et d'agrumes, frais, complexe et gourmand en bouche. Issu des trois cépages champenois, le **rosé (15 à 23 €)** est cité pour ses délicats arômes de fraise et de framboise. (RM)

SCEV Breton Fils, 12, rue Courte-Pilate, 51270 Congy, tél. 03.26.59.31.03, fax 03.26.59.30.60, e-mail contact@champagne-breton-fils.fr r.-v.

BREUZON B de Breuzon ★

0,5 ha 5 000 15 à 23 €

Fondée en 1950 et gérée par la troisième génération, cette maison de négoce auboise dispose d'un vignoble de 13 ha. Ses vins ne font pas leur fermentation malolactique. Est-ce pour cette raison que cette cuvée B, assemblage de deux tiers de chardonnay et d'un tiers de pinot noir des années 2004 et 2002, fait preuve d'une belle vivacité et montre un grand potentiel d'évolution ? Elle devrait gagner à attendre un an ou deux. Citée, la **Grande Réserve (11 à 15 €)** est issue des années 2005 à 2003 et doit presque tout au pinot noir (10 % seulement de chardonnay). C'est un bon brut sans année, jeune, rond et fin. (NM)

Breuzon, 30, rue Saint-Antoine, 10200 Colombé-le-Sec, tél. 03.25.27.02.06, fax 03.25.27.26.55, e-mail breuzon@wanadoo.fr r.-v.

BRICE Chardonnay ★

1er cru 1 ha 10 000 15 à 23 €

Jean-Paul Brice, qui a fondé sa maison de négoce en 1994, a conçu une gamme de quatre grands crus vendus sous leur nom de village. Ses champagnes de Cramant ont décroché plus d'un coup de cœur dans les éditions précédentes. Il élargit sa gamme en proposant d'autres cuvées, comme ce 1er cru des années 2000 et 1999. Les vins n'ont pas fait leur fermentation malolactique. Il en résulte un blanc de blancs mêlant au nez notes minérales, beurre et pain grillé, vif à l'attaque et souple en finale. Le **2002 (23 à 30 €)** est cité. Il assemble trois quarts de pinot noir et un quart de chardonnay. Fruité et épicé au nez, il est harmonieux et mûr en bouche. (NM)

Brice, 22, rue Gambetta, 51150 Bouzy, tél. 03.26.52.06.60, fax 03.26.57.05.07, e-mail contact@champagne-brice.com r.-v.

MICHEL BROCARD Cuvée de réserve

3 ha 20 000 15 à 23 €

Cette propriété familiale auboise s'étend sur 8 ha. Elle est conduite en biodynamie. Née de la récolte de 2003, sa Cuvée de réserve comprend 75 % de pinot noir et 25 % de raisins blancs. Une originalité : 10 % de pinot blanc dans l'assemblage. Un champagne discret, rond et équilibré. La **Cuvée de réserve extra-brut** ne diffère de la précédente que par le dosage, ici très faible. Elle est fraîche et précise. Deux bouteilles pour l'apéritif et les viandes blanches. (RM)

🔑 Michel Brocard, 14, Grande rue,
10110 Celles-sur-Ource, tél. 03.25.38.51.43,
fax 03.25.38.79.91,
e-mail champagne.michel.brocard@alicepro.fr
☑ Y ✿ r.-v.

BROCHET-HERVIEUX HBH 1996 ★★

● 1er cru n.c. 9 000 ▮ 15 à 23 €

Du mariage en 1944 d'Henri Brochet et d'Yvonne Hervieux est née cette marque, reprise en 1980 par Alain Brochet et Brigitte Prévost. Le vignoble de 15 ha s'étend au nord-ouest de Reims. La cuvée HBH donne une courte majorité aux noirs (55 %, presque uniquement du pinot noir). Complexe et très fin, sur des notes torréfiées, ample, ce 1996 a très bien évolué. Une étoile pour le **Brut extra Brochet-Prévost (11 à 15 €)** et le **Brut extra 1er cru Brochet-Hervieu (11 à 15 €)** issu du même assemblage (14 % de blancs, 86 % de noirs, du pinot noir surtout) et des mêmes années (2003 et 2002). Deux bouteilles très proches, souples et équilibrées, aux arômes de fruits rouges. Fort réussi également, le **1999 1er cru (11 à 15 €)** marie 70 % de noirs (pinot noir surtout) à 30 % de blancs. Empyreumatique (pain grillé), brioché, ample et élégant, il accompagnera des feuilletés et des crustacés. (RM)

🔑 Brochet-Hervieux, 12, rue de Villers-aux-Nœuds,
51500 Écueil, tél. 03.26.49.77.44, fax 03.26.49.77.17,
e-mail albrochet@wanadoo.fr ☑ Y ✿ r.-v.

ANDRÉ BROCHOT Cuvée ★

● 0,5 ha n.c. ▮ 11 à 15 €

Domaine fondé en 1949 dans les coteaux sud d'Épernay, actuellement conduit par Francis Brochot. Sa Cuvée est un blanc de noirs de pinot meunier issu de la récolte de 2004. Un champagne floral, vanillé, beurré, frais et fin. (RM)

🔑 Francis Brochot, 21, rue de Champagne,
51530 Vinay, tél. et fax 03.26.59.91.39,
e-mail champagne.andre.brochot@wanadoo.fr
☑ Y ✿ r.-v.

ÉDOUARD BRUN ET CIE Réserve

● 1er cru n.c. 50 000 ▮ ⦀ 15 à 23 €

Cette maison implantée à Aÿ a été fondée en 1898 par un Édouard Brun, tonnelier, bientôt associé à un vigneron. Elle a toujours un caractère familial et dispose d'un vignoble dans la Montagne de Reims. Cette Réserve naît des années 2002 à 2000 et marie 75 % de pinot noir à 25 % de chardonnay. Fruits blancs et pomme verte se révèlent au nez, ampleur, rondeur et longueur marquent la bouche. Un champagne de table. **L'Élégante grand cru (23 à 30 €)** privilégie largement le chardonnay (80 %, le reste en pinot noir) et assemble les années 2000 à 1998. Florale, équilibrée et persistante, cette cuvée obtient la même note. (NM)

🔑 Édouard Brun et Cie, 14, rue Marcel-Mailly, BP 11,
51160 Aÿ, tél. 03.26.55.20.11, fax 03.26.51.94.29,
e-mail contact@champagne-edouard-brun.fr
☑ Y ✿ r.-v.
🔑 Delescot

ÉRIC BUNEL Tradition ★

● n.c. 30 900 ▮ 11 à 15 €

En 1970, Éric Bunel prend le statut de récoltant-manipulant dans le village de Louvois, au flanc sud-est de la Montagne de Reims. Mi-blancs mi-noirs (pinot noir), sa cuvée Tradition provient des années 2004 à 2002. Au nez, elle libère des parfums frais et fins de pêche blanche qui s'épanouissent dans une bouche franche, ample et équilibrée. Le **rosé (15 à 23 €)**, issu des années 2004 et 2003, et le **1999 (15 à 23 €)** obtiennent également une étoile. Tous deux sont mi-blancs mi-noirs. Le premier est fruité et tout en rondeur, le second floral et aigu – à attendre un à deux ans. (RM)

🔑 Éric Bunel, 32, rue Michel-Letellier, 51150 Louvois,
tél. 03.26.57.03.06, fax 03.26.52.31.66,
e-mail champagne.bunel@wanadoo.fr ☑ Y ✿ r.-v.

CHRISTIAN BUSIN Cuvée d'Uzès ★

● Gd cru 1 ha 2 500 ▮ 15 à 23 €

Luc Busin a succédé à son père en 1997. Le vignoble familial s'étend sur 6 ha dans la région de Verzenay, village de la Montagne de Reims classé en grand cru. La Cuvée d'Uzès marie les années 2000 et 1999. Le pinot noir, dominant dans l'assemblage (70 % pour 30 % de chardonnay), s'exprime dans ce champagne, marqué par les fruits confits au nez comme en bouche, opulent, généreux et rond. (RM)

🔑 Christian Busin, 4, rue d'Uzès et, 33, rue Thiers,
51360 Verzenay, tél. 03.26.49.40.94, fax 03.26.49.44.19,
e-mail champagnebusin@aol.com ☑ Y ✿ r.-v.

JACQUES BUSIN

● Gd cru 0,8 ha 6 000 ▮ 15 à 23 €

En un siècle, les Busin ont constitué un vignoble comprenant quatre grands crus : Verzenay, Verzy, Ambonnay et Sillery. Issu des années 2003 et 2002, ce rosé doit tout au pinot noir. Si sa robe est pâle, rose à reflets orangés, ses arômes de fruits rouges sont aussi puissants au nez qu'en bouche et persistent longuement. (RM)

🔑 Jacques Busin, 17, rue Thiers, 51360 Verzenay,
tél. 03.26.49.40.36, fax 03.26.49.81.11,
e-mail jacques-busin@wanadoo.fr ☑ Y ✿ r.-v.

GUY CADEL Grande Cuvée 2000 ★★★

● 1,75 ha 4 000 ▮ ⦀ 15 à 23 €

Cette famille est établie depuis le XIXe s. près d'Épernay et exploite 10 ha dans la vallée de la Marne et la Côte des Blancs. Sa Grande Cuvée est un blanc de blancs élevé six mois dans le bois. Les dégustateurs ne boudent pas leur plaisir, et louent son nez torréfié et brioché, légèrement boisé, son attaque, sa vivacité, son équilibre, sa longueur. Et de conclure : « Très beau blanc de blancs, vin d'exception ». Le chardonnay (70 %) est majoritaire dans la **Grande Réserve (11 à 15 €)**, complété par du pinot meunier. Issu de la récolte de 2002, c'est un champagne aux arômes complexes, plein, structuré et élégant, qui tiendra sa place aussi bien à l'apéritif qu'avec du poisson : deux étoiles. Née de la vendange de 2004, la **Carte**

blanche (11 à 15 €) privilégie les noirs (70 % de pinot meunier). Ronde et équilibrée, elle obtient une étoile. (RM)

Thiébault, EARL Guy Cadel, 13, rue Jean-Jaurès, 51530 Mardeuil, tél. 03.26.55.24.59, fax 03.26.55.25.83, e-mail philippe-thiebault@wanadoo.fr r.-v.

PIERRE CALLOT Vignes anciennes 1997 ★★

Gd cru 0,5 ha 1 000 23 à 30 €

Louis Callot est né en 1784 à Avize, mais ce n'est qu'en 1955 que Pierre Callot a lancé son champagne et en 1970 qu'il a racheté à Piper-Heidsieck les 6 ha qui constituent sa propriété. Les vins sélectionnés sont tous des blancs de blancs. Ce 1997 présente un nez puissant, complexe et confit. Ces impressions confites se conjuguent en bouche avec une belle fraîcheur. Deux autres champagnes élevés sous bois obtiennent chacun une étoile. Le **grand cru non dosé (11 à 15 €)** assemble l'année 2003 avec des vins de réserve. Minéral et beurré au nez, il est complexe, vif et riche au palais. Le **Clos Jacquin grand cru (38 à 46 €)** marie les années 1998 et 1997. Confit et torréfié, sur les fruits secs, il est puissant et charnu tout en semblant aérien. À essayer sur un canard à l'orange. (RM)

Pierre Callot et Fils, 100, av. Jean-Jaurès, 51190 Avize, tél. 03.26.57.51.57, fax 03.26.57.99.15, e-mail thierry.callot@wanadoo.fr r.-v.

CANARD-DUCHÊNE

Blanc de blancs Grande Cuvée Charles VII ★★

n.c. n.c. 30 à 38 €

Cette maison de négoce bien connue, fondée en 1868 à Ludes, dans la Montagne de Reims, a été reprise en 2003 par Alain Thiénot. Les blancs de blancs de grandes marques sont rares. En voici un, une cuvée spéciale fort appréciée du jury. Beurré, toasté et floral, ce champagne équilibré et élégant peut attendre un à deux ans. (NM)

Canard-Duchêne, 1, rue Edmond-Canard, 51500 Ludes, tél. 03.26.61.10.96, fax 03.26.61.13.90, e-mail info@canard-duchene.fr r.-v.

Thiénot

JEAN-YVES DE CARLINI Extra-brut ★

1er cru n.c. 6 000 11 à 15 €

Lancé en 1955, le champagne Roger de Carlini a changé de prénom quelque temps après l'arrivée de Jean-Yves. L'exploitation s'étend sur 6,5 ha autour de Verzenay, dans la Montagne de Reims. Son extra-brut assemble trois quarts de pinot noir à un quart de chardonnay des années 2004 à 2002. Intense, puissant, onctueux et long, il pourra accompagner un repas. Le **blanc de noirs grand cru cuvée Montgolfière**, pur pinot noir des années 2004 à 2001, fruité et rond, est cité. (RM)

Jean-Yves de Carlini, 13, rue de Mailly, 51360 Verzenay, tél. 03.26.49.43.91, fax 03.26.49.46.46 r.-v.

CARRÉ-GUÉBELS Blanc de blancs Réserve ★★

1er cru 0,8 ha 5 000 11 à 15 €

Depuis dix ans, Vincent Carré conduit le domaine familial : 21 ha disséminés non seulement autour de la propriété, dans la Montagne de Reims, mais jusque dans l'Aube. Issu des années 2003 et 2002, le blanc de blancs Réserve est gras, vineux, puissant et équilibré. Tout aussi remarquable, le **brut 1er cru Vieilles Vignes bouteilles ficelées à l'ancienne (23 à 30 €)** provient des mêmes années, mais il comporte 30 % de raisins noirs. Un champagne très rond et complexe, mêlant la noisette, la brioche et le miel. (RM)

Vincent Carré, Carré-Guébels, 3, rue de l'Égalité, 51380 Trépail, tél. 03.26.57.05.02, fax 03.26.57.61.72, e-mail champagne.carre.guebels@wanadoo.fr r.-v.

CATTIER ★

1er cru n.c. 550 000 23 à 30 €

Forts d'un vignoble constitué à partir de 1763, les Cattier ont fini par lancer leur marque en 1920. Leur maison se trouve dans la Montagne de Reims, et leur propriété s'étend sur 20 ha. Ce brut 1er cru assemble 75 % de noirs (dont 40 % de meunier) au chardonnay. Ce sont pourtant les fleurs blanches et des notes citronnées qui ressortent dans le bouquet. La bouche est ronde et équilibrée. Une étoile encore pour le **blanc de blancs 1er cru**, discret et léger au nez, structuré et charnu au palais. Quant au **Clos du Moulin (46 à 76 €)**, il provient d'un vrai clos de 2,2 ha. Mi-blancs mi-noirs (pinot noir), il est brioché, miellé, équilibré. (NM)

Cattier, 6 et 11, rue Dom-Pérignon, 51500 Chigny-les-Roses, tél. 03.26.03.42.11, fax 03.26.03.43.13, e-mail champagne@cattier.com r.-v.

CLAUDE CAZALS Blanc de blancs 1999 ★

Gd cru 3 ha 20 000 15 à 23 €

En 1897, Ernest Cazals, tonnelier originaire de l'Hérault, s'installe au Mesnil-sur-Oger. Olivier lui succède, puis Claude, autant inventeur que vigneron – on lui doit la gyropalette. Depuis la disparition de ce dernier en 1996, sa fille Delphine conduit l'exploitation. Ce 1999 s'annonce par un nez puissant et vineux qui laisse augurer une bouche intense et longue : un blanc de blancs de repas. Une étoile également pour le **Clos Cazals grand cru 1998 (38 à 46 €)**, provenant de l'un des rares clos champenois (3 ha). Ses notes toastées et confites plairont aux amateurs de champagnes évolués. Issue de la récolte de 2000, la **Cuvée vive grand cru extra-brut** est citée. Persistante, elle mérite bien son nom. (RC)

Claude Cazals, 28, rue du Grand-Mont, 51190 Le Mesnil-sur-Oger, tél. 03.26.57.52.26, fax 03.26.57.78.43, e-mail cazals.delphine@wanadoo.fr r.-v.

CHARLES DE CAZANOVE Tradition Père et Fils

n.c. 150 000 15 à 23 €

Cette maison fondée sous le Ier Empire est longtemps demeurée familiale. Elle est maintenant dans l'orbite des Rapeneau, dynamiques propriétaires de nombreuses marques. Ce brut rosé, gras et fruité, laisse une impression de puissance. Quant au **blanc Tradition Père et Fils Tête de cuvée**, équilibré et frais, il fait preuve d'une nervosité qui traduit sa jeunesse. On peut le mettre un an en cave. (NM)

Charles de Cazanove, 8, pl. de la République, 51100 Reims, tél. 03.26.51.06.33, fax 03.26.54.41.52, e-mail contact@decazanove.com

LOUIS CÉSAR BEAUFORT Cuvée Hannalice ★

1er cru n.c. n.c. 15 à 23 €

Ce champagne est signé par une maison créée récemment par un groupement de vignerons champenois. Il s'agit d'une cuvée mi-blancs mi-noirs (pinot noir). Elle mêle les agrumes, le menthol et les fleurs blanches, avec vivacité et persistance. (NM)

SNC La Commanderie Diffusion, 51150 Bouzy, tél. 03.26.57.01.34, fax 03.26.57.09.08, e-mail deb.beaufort@wanadoo.fr

CHANOINE Tsarine Cuvée Premium ★★

n.c. n.c. **15 à 23 €**

Dès 1730, les frères Chanoine creusent leur cave à Épernay. Leur maison, la plus ancienne après Ruinart, a subi une éclipse après la guerre, avant de renaître lors de son intégration dans le groupe BCC. La gamme Tsarine vient rappeler que la Russie des tsars constituait le premier marché de ce champagne au XIXᵉs. La cuvée Premium est issue des trois cépages champenois à parts égales et des années 2003 à 2000. C'est un vin équilibré, ample, élégant, au fruité miellé, surmûri, que l'on peut servir à table. Le **Tsarine rosé (23 à 30 €)** naît d'un assemblage identique mais des années 2004 à 2001. Racé, tout en finesse, c'est un « modèle de rosé, fruité et complexe », écrit un dégustateur : deux étoiles également. Quant au **Tsarine 1er cru 2000 (30 à 38 €)**, assemblage de pinot noir (64 %) et de chardonnay, il obtient une étoile pour sa finesse et sa longueur. (NM)

Chanoine Frères, allée du Vignoble, 51100 Reims, tél. 03.26.36.61.60, fax 03.26.36.66.62, e-mail chanoine-freres@wanadoo.fr r.-v.

JACQUES CHAPUT ★

9 ha 90 000 **11 à 15 €**

Viticulteurs dans la région de Bar-sur-Aube depuis quatre générations, les Chaput ont constitué leur domaine dans les années 1950. Leur propriété compte aujourd'hui 14 ha de vignes. Le pinot noir, complété par le chardonnay, entre à 70 % dans ce brut issu de la vendange de 2003. Un classique, rond, ample, onctueux, facile. (NM)

EARL Jacques Chaput, La Haie-Vignée, 10200 Arrentières, tél. 03.25.27.00.14, fax 03.25.27.01.75, e-mail champagne.chaput.jacques@wanadoo.fr t.l.j. sf dim. 9h-12h 14h-16h; f. août

ROLAND CHARDIN Brut Blanc de noirs ★

4,5 ha 14 790 **11 à 15 €**

Un vignoble aubois assez récent, constitué dans les années 1970 autour d'Avirey-Lingey, près des Riceys. Ce secteur de la Champagne est bien connu pour son pinot noir et ce brut, issu des années 2002 et 2001, est un blanc de noirs. Un dégustateur écrit de ce vin jaune doré : « Très pinot, riche, puissant et frais, long ; un ensemble de caractère. » (RM)

SCEA Chardin Père et Fils, 25, rue de l'Église, 10340 Avirey-Lingey, tél. 03.25.29.33.90, fax 03.25.29.14.01 r.-v.

GUY CHARLEMAGNE Blanc de blancs Réserve ★

Gd cru 5 ha 40 000 **15 à 23 €**

Les Charlemagne ont constitué leur propriété dès la fin du XIXᵉs. et lancé leur champagne il y a plus d'un demi-siècle. Leur vignoble, dont une grande partie est implantée en Côte des Blancs, est majoritairement composé de chardonnay. Cette Réserve assemble les années 2004 à 2002. Un champagne puissant, au nez de coing et de brioche, et qui révèle beaucoup de matière en bouche. Provenant des mêmes années, le **Brut extra** assemble 60 % de chardonnay et 40 % de pinot noir. Très agréable, équilibré et frais, il obtient lui aussi une étoile. (SR)

Guy Charlemagne, 4, rue de La Brèche-d'Oger, 51190 Le Mesnil-sur-Oger, tél. 03.26.57.52.98, fax 03.26.57.97.81, e-mail info@champagne-guy-charlemagne.com r.-v.

P. Charlemagne

CHARLES LEPRINCE Grande Réserve ★

10 ha 80 000 **11 à 15 €**

Marque de la coopérative de Mardeuil, commune voisine d'Épernay. Fondée en 1955, la cave vinifie 85 ha de vignes appartenant à deux cent quarante-sept adhérents. Cette Grande Réserve marie trois quarts de noirs (dont 60 % de pinot meunier) et un quart de blancs. Elle s'annonce par un agréable nez brioché et séduit par sa finesse et par son équilibre. (CM)

Charles Leprince, 64, rue de la Liberté, 51530 Mardeuil, tél. 03.26.55.29.40, fax 03.26.54.26.30 r.-v.

CHARLIER ET FILS Carte noire

14 ha 50 000 **11 à 15 €**

Les Charlier exploitent 14 ha sur la rive droite de la Marne. Dans leur cave s'alignent des rangées de foudres, car tous leurs vins passent dans le bois. C'est le cas de ce brut sans année, qui assemble 80 % de noirs (dont 60 % de pinot meunier) et 20 % de blancs. Un an de séjour dans le chêne contribue à son équilibre et à son fondu. (RM)

Charlier et Fils, 4, rue des Pervenches, 51700 Montigny-sous-Châtillon, tél. 03.26.58.35.18, fax 03.26.58.02.31, e-mail champagne.charlier@wanadoo.fr r.-v. C

J. CHARPENTIER Réserve ★

4,5 ha 45 000 **11 à 15 €**

Les Charpentier sont vignerons depuis le début du XXᵉs. Aujourd'hui, ils exploitent 12 ha dans la vallée de la Marne et une nouvelle génération vient de s'installer. Cette Réserve, un blanc de noirs dans lequel le pinot meunier joue la partie principale (80 %), offre des arômes compotés et une attaque souple, ce qui ne l'empêche pas de finir avec une certaine vivacité. Un ensemble équilibré. La cuvée **Comte de Chenizot (15 à 23 €)** assemble les trois cépages champenois à parts égales. Confit et brioché, mûr et voluptueux, c'est un champagne de repas. Une étoile également. (RM)

J. Charpentier, 88, rue de Reuil, 51700 Villers-sous-Châtillon, tél. 03.26.58.05.78, fax 03.26.58.36.59, e-mail champagnejcharpentier@wanadoo.fr t.l.j. 9h-12h 14h-17h30; dim. sur r.-v. B

CHARTOGNE-TAILLET Blanc de blancs ★★★

n.c. 6 000 **15 à 23 €**

À Merfy, le vignoble s'est développé dès le IXᵉs., autour de l'abbaye de Saint-Thierry. Et avant que le champagne ne prît mousse, au XVIᵉs., les ancêtres de la famille cultivaient la vigne dans ce village, au nord-ouest de Reims. Des cultivateurs méthodiques qui tenaient dès 1700 un registre météorologique conservé aux archives. Trois siècles plus tard, ce blanc de blancs s'approche de l'harmonie parfaite. Au nez comme en bouche, de la complexité, une nuance d'orange confite, une touche de noisette grillée. Ici, finesse rime avec richesse, rondeur avec longueur. Mi-blancs mi-noirs (40 % de pinot noir), la

CHAMPAGNE

Cuvée Sainte-Anne assemble la récolte de 2003 et 15 % de vins de réserve. Son équilibre et ses arômes d'agrumes et de grillé lui valent une étoile. (RM)
Chartogne-Taillet, 37-39, Grande-Rue, 51220 Merfy, tél. 03.26.03.10.17, e-mail chartogne-taillet@wanadoo.fr r.-v.

CHAUDRON ET FILS Réserve ★

n.c. n.c. 11 à 15 €

Depuis 1820, les Chaudron sont établis à Verzenay, dans la Montagne de Reims. Cette partie du vignoble est bénie pour le pinot noir, cépage qui donne le *la* dans leurs cuvées. Complété par le meunier, il entre ainsi à 76 % dans cette Réserve, qui est presque un blanc de noirs (à 4 % près). Un champagne brioché, beurré, riche et équilibré. Le pinot noir joue aussi le premier rôle (82 %) dans le **1er cru 2000 (15 à 23 €)** : un nez partagé entre l'aubépine, le miel et la cire, une bouche souple, complexe et épicée en finale ; une étoile également. Même note pour le **rosé (15 à 23 €)**, seul à privilégier le chardonnay (70 %). Pour une jolie synthèse entre la framboise, le cassis et la groseille, réalisée avec puissance et longueur. (NM)
Chaudron, 2, rue de Beaumont, 51360 Verzenay, tél. 03.26.50.08.68, fax 03.26.50.08.71, e-mail champagnechaudron@wanadoo.fr
t.l.j. sf sam. dim. 9h-12h 14h-17h; f. août

A. CHAUVET Carte blanche

n.c. n.c. 11 à 15 €

Maison de négoce de Tours-sur-Marne fondée en 1848 et restée dans la même famille. Elle dispose d'un vignoble de 10 ha. Mariage de pinot noir (61 %) et de chardonnay sa Carte blanche assemble les années 2004 à 2000. Un brut sans année classique, frais, mûr et sensiblement dosé. Également cité, le **Cachet rouge 1998 (23 à 30 €)** ne fait pas oublier le 1996, coup de cœur de l'année précédente. Un nez discret, des arômes d'agrumes, de la minéralité, pour ce champagne qui privilégie pourtant le pinot noir (81 %). (NM)
Chauvet, 41, av. de Champagne, 51150 Tours-sur-Marne, tél. 03.26.58.92.37, fax 03.26.58.96.31, e-mail champagnechauvet@yahoo.fr
r.-v.
Famille Paillard-Chauvet

HENRI CHAUVET

1 ha 6 000 11 à 15 €

Au début du XXe s., à la fin de la crise phylloxérique, cette exploitation de la Montagne de Reims était doublée d'une pépinière viticole, spécialisée dans le greffage. Elle est conduite depuis 1987 par Damien Chauvet. Le vignoble s'étend sur 5 ha aux portes de Reims. Son brut rosé privilégie le pinot noir (80 %), complété par le chardonnay. Avec son nez délicat de fleurs et de framboise, sa bouche vive, c'est un champagne jeune, à servir à l'apéritif. (RM)
Damien Chauvet, 6, rue de la Liberté, 51500 Rilly-la-Montagne, tél. 03.26.03.42.69, fax 03.26.03.45.14, e-mail contact@champagne-chauvet.com r.-v.

MARC CHAUVET 2000 ★

1 ha 10 000 15 à 23 €

Une autre famille Chauvet de Rilly-la-Montagne. Ici, on est vigneron depuis 1529... La dernière génération s'est installée en 1996. Son 2000 assemble 70 % de chardonnay aux deux pinots. Beurré et fruité, avec des nuances de noisette, rond, il séduit par son équilibre. (RM)
SCEV Marc Chauvet, 3, rue de la Liberté, 51500 Rilly-la-Montagne, tél. 03.26.03.42.71, fax 03.26.03.42.38, e-mail chauvet@cder.fr
t.l.j. 8h30-12h 13h30-18h ; sam. dim. sur r.-v.

PASCAL CHEMINON Blanc de blancs

1er cru 3,4 ha 36 000 11 à 15 €

Pascal Cheminon exploite 6 ha de vignes à Villers-Marmery, commune de la Montagne de Reims réputée pour son chardonnay. Issu des années 2004 et 2003, son blanc de blancs 1er cru présente un nez discret, légèrement anisé. La bouche équilibrée offre de frais arômes d'agrumes. Un champagne d'apéritif. (RM)
Pascal Cheminon, 5, rue des Sous-la-Ville, 51380 Villers-Marmery, tél. 03.26.97.95.34, fax 03.26.97.97.58

ÉTIENNE CHÉRÉ Marie ★★

n.c. n.c. 15 à 23 €

Les coteaux du petit Morin, entre Côte des Blancs et Sézannais, se couvrent aussi de vignes. C'est là qu'est situé le village de Courjeonnet, où la famille Chéré exploite 5 ha de vignes. La propriété se distingue par une cuvée née des trois cépages champenois ; le chardonnay, dominant (60 %), a fermenté en fût, les deux pinots à parité complétant l'assemblage. Un champagne qui séduit tout au long de la dégustation par sa finesse et son élégance ; le nez est intense et frais ; la bouche aux arômes d'agrumes, dosée avec discrétion, se montre délicate et vive. (RM)
Étienne Chéré, 2, rue des Vignes-Basses, 51270 Courjeonnet, tél. 03.26.59.31.44, fax 03.26.59.36.32 r.-v.

ARNAUD DE CHEURLIN Blanc de blancs ★★

0,8 ha 1 000 11 à 15 €

Constitué au début des années 1980, ce domaine de la Côte des Bar, dans l'Aube, s'étend sur 6,5 ha. Né de la récolte de 1999, son blanc de blancs a tout pour plaire, du nez grillé, vanillé, miellé et brioché au palais souple, complexe et persistant. La **Réserve** assemble 75 % de pinot noir au chardonnay et les années 2004 et 2003. Fraîcheur, vinosité, longueur : une étoile. (RM)
Arnaud de Cheurlin, 58, Grande-Rue, 10110 Celles-sur-Ource, tél. 03.25.38.53.90, fax 03.25.38.58.07 t.l.j. 9h-12h 14h-17h30; f. août
Eisenträger

M. CHEVROLAT Réserve ★★

0,8 ha 7 434 11 à 15 €

Michel Chevrolat a repris en 1984 l'exploitation familiale (6,5 ha dans l'Aube) mais il n'a installé un pressoir qu'en 1999. Voici ses premiers champagnes, nés de la vendange de 2004. Le pinot noir est roi aux Riceys, et cette Réserve doit tout à ce cépage. Ses arômes délicats d'agrumes et de fruits blancs, sa fraîcheur, son harmonie et sa longueur font grande impression. Même empire du pinot noir dans le **rosé**, obtenu par macération (72 h). Sa robe rose pâle attrayante, sa palette aromatique complexe fruitée et mentholée lui valent une étoile. Un rosé destiné à la table. (RM)
EARL Michel Chevrolat, 7 bis, rue du Pont, 10340 Les Riceys, tél. 03.25.29.99.64, fax 03.25.29.75.24, e-mail champagne.mchevrolat@cder.fr r.-v.

GASTON CHIQUET Spécial Club 1998 ★

1er cru 2 ha 15 000 23 à 30 €

Nicolas Chiquet plante les premières vignes en 1746, la maison est fondée avant guerre. Une branche familiale dirige aujourd'hui le Champagne Jacquesson, tandis qu'Antoine et Nicolas, à la suite de Claude et de Gaston, sont aux commandes de la société à leur nom. Leur vignoble s'étend sur 23 ha autour de Dizy, Mareuil-sur-Aÿ et Hautvillers. Ce Spécial Club 1998 assemble 70 % de chardonnay et 30 % de pinot noir. Son nez beurré et vanillé s'aventure jusqu'au caramel au lait et au cacao. Un champagne concentré et harmonieux. (RM)

SA Gaston Chiquet, 912, av. du Gal-Leclerc, 51530 Dizy, tél. 03.26.55.22.02, fax 03.26.51.83.81, e-mail info@gastonchiquet.com r.-v.

CHARLES CLÉMENT 1996 ★★

n.c. 4 000 15 à 23 €

Huit vignerons, dont Charles Clément, se sont associés en 1956 pour fonder cette coopérative de la Côte des Bar qui vinifie aujoud'hui la production de 150 ha. Ce 1996 – grand millésime – est issu des trois cépages champenois à parts égales et présente tous les caractères de son année de naissance : un nez un peu évolué, mais toujours intensément fruité et une bouche généreuse, complexe et nerveuse. Il est construit pour la table. La **Cuvée du Cinquantenaire**, née de la vendange de 2002, propose un assemblage proche (70 % des deux pinots, et 30 % de chardonnay). Puissante, ronde, complexe, empyreumatique, elle obtient une étoile. La cuvée **Gustave Belon**, un blanc de blancs des années 2002 et 2001, reçoit la même note pour sa palette mêlant les fruits exotiques, la brioche, le miel et pour son élégance. Un joli vin d'apéritif. (CM)

Sté coopérative de Colombé-le-Sec et Environs, 33, rue Saint-Antoine, 10200 Colombé-le-Sec, tél. 03.25.92.50.71, fax 03.25.92.50.79, e-mail champagne-charles-clement@wanadoo.fr t.l.j. sf dim. et lun. 8h-12h 13h30-17h30; dim. ouv. juil. août

CLÉRAMBAULT Grande Époque 1998 ★

n.c. 1 400 23 à 30 €

Marque de la coopérative auboise de Neuville-sur-Seine, dans la Côte des Bar. La cave vinifie la récolte d'environ 150 ha de vignes. On retrouve sa cuvée Grande Époque, mais dans le millésime 1998. Un assemblage de 60 % de noirs (pinot noir 40 %) et de 40 % de blancs. La prune se mêle aux fleurs et à des notes beurrées dans ce champagne très équilibré. La **Carte or 1999 (15 à 23 €)** est mi-blancs mi-noirs (pinot noir). Avec ses arômes de pomme reinette et de poire, sa bouche souple, miellée, épicée et son dosage sensible, elle devrait s'accorder avec une tarte Tatin. Issue de la vendange 2004, la **Carte noire (11 à 15 €)** est très marquée par les raisins noirs (78 %, dont 57 % de pinot noir). Fruits confits au nez comme en bouche, c'est un champagne rond destiné à la table. Toutes ces cuvées obtiennent une étoile. (CM)

Clérambault, 122, Grande-Rue, 10250 Neuville-sur-Seine, tél. 03.25.38.38.60, fax 03.25.38.24.36, e-mail champagne-clerambault.fr@oleane.com r.-v.

PAUL CLOUET ★

n.c. n.c. 15 à 23 €

Enfant, Marie-Thérèse Bonnaire – née Clouet – passait du temps dans les caves familiales avec sa mère, jeune veuve affairée sur l'exploitation. Elle a perpétué la tradition viticole en lançant en 1992 le Champagne Paul Clouet en souvenir de son grand-père. Le domaine a son siège à Bouzy, et les vins sont vinifiés à Cramant par Jean-Louis Bonnaire, qui a aussi sa marque. Trois champagnes retenus avec une étoile, qui privilégient le pinot noir : ce rosé, des années 2004 et 2003, confituré, frais et équilibré ; la **Cuvée Prestige grand cru (38 à 46 €)** mariant l'année 1999 à des vins de réserve de 1998, un vin ample et rond au nez puissant de fruits blancs et de miel ; enfin le **brut grand cru** issu des années 2003 et 2002, intense, complexe, miellé et rond. (RM)

Paul Clouet, 10, rue Jeanne-d'Arc, 51150 Bouzy, tél. 03.26.57.07.31, fax 03.26.52.64.65, e-mail contact@champagne-paul-clouet.com t.l.j. sf dim. 9h-12h 14h-17h; f. 1-15 août 7

Marie-Thérèse Bonnaire

COLIN Cuvée Alliance Tradition

n.c. n.c. 11 à 15 €

Héritiers d'une lignée remontant à 1829, ces récoltants-manipulants exploitent leur domaine dans la Côte des Blancs et le Sézannais. Les deux champagnes retenus assemblent tous deux les années 2004 et 2003. Cette cuvée Alliance marie 60 % de chardonnay aux deux pinots (meunier 30 %). Discrètement citronnée, elle est souple en bouche. Également cité, le **blanc de blancs Blanche de Castille (15 à 23 €)** est tout en fraîcheur et vivacité, avec des notes d'agrumes. (RM)

Colin, 101, av. du Gal-de-Gaulle, 51130 Vertus, tél. 03.26.58.86.32, fax 03.26.51.69.79, e-mail info@champagne-colin.com t.l.j. 9h-12h 14h-17h

COLLARD-CHARDELLE ★

7,5 ha 21 682 15 à 23 €

Daniel Collard, à la tête d'un vignoble de 7,5 ha dans la vallée de la Marne, a lancé son champagne au début des années 1970. Son rosé est un rosé de noirs (deux tiers de pinot meunier) des années 2003 et 2002. Complexe, vineux, il est dominé par des arômes de fruits rouges. La **cuvée Prestige 2000** obtient la même note. Miellée, évoluée, elle révèle un bon équilibre. (RM)

Collard-Chardelle, 68, rue de Reuil, 51700 Villers-sous-Châtillon, tél. 03.26.58.00.50, fax 03.26.58.34.76 r.-v.

Daniel Collard

COLLARD-PICARD Cuvée Prestige ★

3 ha 22 000 15 à 23 €

Une autre famille Collard de Villers-sous-Châtillon. Le domaine s'étend sur 11 ha dans la vallée de la Marne et la Côte des Blancs. Provenant des années 2003 à 2001 et des trois cépages champenois, cette cuvée Prestige, mi-blancs mi-noirs, passe un an dans le bois. Elle est très fruitée, corpulente et ronde. Le **rosé** est cité. Né des récoltes de 2003 et de 2002, c'est un rosé de saignée issu des deux pinots à parts égales. Sa robe est soutenue, presque rouge. Sa complexité séduit et son équilibre le destine à la table. (RM)

Collard-Picard, 61, rue du Château, 51700 Villers-sous-Châtillon, tél. 03.26.52.36.93, fax 03.26.59.90.82, e-mail collard-picard@orange.fr r.-v.

Collard

RAOUL COLLET Cuvée du fondateur ★

5 ha 10 000 30 à 38 €

Célèbre commune du vignoble, Aÿ possède sa coopérative, fondée au début des années 1920 par Raoul Collet. La cave regroupe aujourd'hui quatre cents adhérents et vinifie la vendange de 450 ha. La Cuvée du fondateur se compose de 60 % de noirs (dont 40 % de pinot noir) et de 40 % de blancs. Des notes beurrées et épicées s'agrémentent de nuances de fruits cuits et de cerise à l'alcool. La bouche ronde à l'attaque finit sur une pointe de fraîcheur. Un champagne gourmand. (CM)

Raoul Collet, 14, bd Pasteur, 51160 Aÿ,
tél. 03.26.55.15.88, fax 03.26.54.02.40,
e-mail info@champagne-raoul-collet.com r.-v.

COLLON Réserve ★

1 ha 10 000 11 à 15 €

Vignerons depuis trois siècles, les Collon sont établis dans cette partie de la Champagne qui confine à la Bourgogne. Au début des années 1930, André Collon fut l'un des premiers viticulteurs aubois à devenir récoltant-manipulant. Son fils Michel, qui a repris l'exploitation au début des années 1970, conduit 7 ha de vignes. Issue des années 2003 à 2001, sa Réserve donne le premier rôle au pinot noir (80 %), complété par le chardonnay. Elle se partage entre l'amande et le brioché-vanillé avec finesse et élégance. (RM)

Collon, 27, Grande-Rue, 10110 Landreville,
tél. et fax 03.25.38.53.04,
e-mail champ.collon@wanadoo.fr r.-v.
Michel Collon

JACQUES COPIN Tradition ★

5 ha n.c. 11 à 15 €

Fondée en 1960 par Jacques Copin, cette propriété a été reprise en 1995 par son fils. Le vignoble (10,5 ha) est implanté sur la rive droite de la Marne. Cette partie de la Champagne est propice au pinot meunier, cépage qui règne (90 %) dans l'assemblage de cette cuvée Tradition, un blanc de noirs. Non millésimée, celle-ci marie la récolte de 2003 à des vins de réserve de 2002. On y trouve un fruité mûr, avec souplesse et dans une belle harmonie. (RM)

Jacques Copin, 23, rue de la Barre, 51700 Verneuil,
tél. 03.26.52.92.47, fax 03.26.52.94.13,
e-mail champagne.copin@wanadoo.fr

JACQUES COPINET
Cuvée Marie-Étienne Blanc de blancs 2000 ★★

2 ha 15 000 15 à 23 €

Cette propriété de 8 ha a été fondée en 1975 par Jacques Copinet, dans le Sézannais, au sud du département de la Marne. Sa Cuvée Marie-Étienne eut son heure de gloire dans l'édition 1999, avec un coup de cœur pour le 1992. Le 2000 est un blanc de blancs typé et d'une grande finesse, avec ses arômes beurrés et ses notes de pain grillé. Son harmonie le destine à l'apéritif. La **Cuvée Marie-Étienne blanc de blancs sans année** assemble les récoltes de 2002 à 2000. Elle obtient une étoile pour ses arômes de fleurs blanches (acacia) et de miel, ainsi que pour sa rondeur. Même note pour le **blanc de blancs brut (11 à 15 €)**, issu des années 2003 à 2001. Un vin puissant, gras, complexe et fruité. (RM)

Jacques Copinet, 11, rue de l'Ormeau,
51260 Montgenost, tél. 03.26.80.49.14,
fax 03.26.80.44.61,
e-mail info@champagne-copinet.com r.-v.

STÉPHANE COQUILLETTE Cuvée Diane

n.c. 7 957 15 à 23 €

La grand-mère de Stéphane Coquillette fut la première, dit-on, à élaborer et à commercialiser son champagne à Chouilly. Aujourd'hui, son petit-fils exploite un domaine de 6 ha. Issue de l'année 2004, sa cuvée Diane doit tout aux raisins blancs. C'est un champagne aux arômes exotiques, frais et gourmand, mais au dosage perceptible. (RM)

Stéphane Coquillette, 15, rue des Écoles,
51530 Chouilly, tél. 03.26.51.74.12, fax 03.26.54.90.97,
e-mail stephane.coquillette@club-internet r.-v.

CORDEUIL PÈRE ET FILS ★

5 ha 19 000 11 à 15 €

Établis dans la Côte des Bar (Aube), les Cordeuil ont reconstitué leur vignoble après la guerre et commercialisé leurs premières bouteilles en 1974. Complété par le chardonnay, le pinot noir joue les premiers rôles dans leur brut sans année, issu des récoltes de 2002 et 2001. Le nez associe les fleurs blanches à des nuances beurrées et briochées. La bouche harmonieuse poursuit dans le même registre automatique. (RM)

EARL Cordeuil, 2, rue de Fontette,
10360 Noé-les-Mallets, tél. et fax 03.25.29.65.37
t.l.j. 9h-12h 14h-18h

COUCHE PÈRE ET FILS Demi-Sec Sélection

8 ha 64 123 11 à 15 €

Installé en 1996 sur le domaine familial, Vincent Couche a introduit l'élevage en fût : les deux champagnes retenus ont connu le bois. Tous deux privilégient le pinot noir, majoritaire dans cette partie du vignoble. Complété par le chardonnay, ce cépage compose 70 % de cette cuvée née des vendanges de 2001 à 1999. Dosé à plus de 36 g/l, ce demi-sec onctueux mêle le pain d'épice, le caramel, les fruits mûrs, l'amande et l'anis étoilé. La **Cuvée rosé (15 à 23 €)** assemble les années 2004 à 2002. Deux tiers de pinot noir et un tiers de raisins blancs se marient dans cette bouteille aux arômes de fruits rouges et de cédrat confit, citée pour sa vinosité équilibrée et élégante. (RM)

EARL Couche, 29, Grande-Rue, 10110 Buxeuil,
tél. 03.25.38.53.96, fax 03.25.38.41.69,
e-mail champagne.couche@wanadoo.fr r.-v.

ROGER COULON Prestige Les Champs de Vallier

0,7 ha 6 000 23 à 30 €

Voici deux siècles, Edmond Coulon a constitué un domaine du côté de Vrigny, près de Reims. Aujourd'hui, ses descendants exploitent un vignoble de 10 ha. Les Champs de Vallier est le nom de la cuvée de prestige de la maison : elle assemble 80 % de chardonnay et 20 % de pinot noir des années 1999 et 1998. Le champagne n'est pas boisé (les fûts étant de réemploi) ; il est rond, vif, avec des arômes de beurre, de miel et de mirabelle. (RM)

Roger Coulon, 12, rue de la Vigne-du-Roy,
51390 Vrigny, tél. 03.26.03.61.65, fax 03.26.03.43.68,
e-mail contact@champagne-coulon.com r.-v.
Éric Coulon

ALAIN COUVREUR Cuvée de réserve ★

1,2 ha 12 000 11 à 15 €

Établi à Prouilly, dans le massif de Saint-Thierry, à l'ouest de Reims, ce récoltant-manipulant exploite 4 ha de vignes. Sa Cuvée de réserve associe deux tiers de noirs (40 % de pinot noir, 25 % de meunier) à un tiers de blancs. Un champagne équilibré, dont les arômes beurrés et cacaotés témoignent d'une évolution favorable. La **Cuvée de réserve blanc de blancs** est citée. Avec son nez de beurre et de noisette et son attaque vive, elle accompagnera un poisson cuisiné ou une tourte. (RM)

EARL Alain Couvreur, 18, Grande-Rue, 51140 Prouilly, tél. 03.26.48.58.95, fax 03.26.48.26.29, e-mail earl-alain.couvreur@laposte.net r.-v.

CUPERLY Grande Réserve ★

n.c. 80 000 11 à 15 €

Fondée en 1845 à Mourmelon-le-Petit, cette maison de négoce ne s'est vraiment intéressée au champagne qu'au début du XXes., lorsque Robert Cuperly acheta les premières parcelles du vignoble familial. Aujourd'hui, Gilbert Cuperly, fort d'une vingtaine d'hectares, propose toute une gamme de champagnes, dont trois obtiennent une étoile ; tous ont connu le bois. Cette Grande Réserve assemble 60 % de pinot noir et 40 % de chardonnay des années 2002 et 2001. Fleurs et fruits se rejoignent dans un bouquet frais, fraîcheur que l'on retrouve dans une bouche vive. Le **blanc de noirs Cuvée Prestige (23 à 30 €)**, des années 2000 et 1999, est en revanche très souple, boisé, avec des arômes de fruits compotés. Le **Prestige 1998 (15 à 23 €)** privilégie le chardonnay (80 %). Un vin équilibré et mûr, avec ses arômes d'agrumes confits, de miel et de grillé assortis de notes épicées. (NM)

Cuperly, 2, rue Ancienne-Église, 51380 Verzy, tél. 03.26.70.23.90, fax 03.26.70.22.41, e-mail champagne.cuperly@wanadoo.fr r.-v.

PAUL DANGIN ET FILS Carte or

15 ha 130 000 11 à 15 €

Les Dangin ont le statut de négociant mais sont d'importants récoltants puisqu'ils exploitent 35 ha dans la Côte des Bar. Ils ont fourni les maisons de champagne avant que Paul Dangin ne se lance dans la manipulation en 1947. Ce sont les raisins noirs, des années 2004 et 2003, qui marquent cette cuvée : 90 %, dont 80 % de pinot noir. Un brut sans année classique, fruité et assez persistant. (NM)

Paul Dangin et Fils, 11, rue du Pont, 10110 Celles-sur-Ource, tél. 03.25.38.50.27, fax 03.25.38.58.08, e-mail champagne-dangin@wanadoo.fr r.-v.

JACQUES DEFRANCE Prestige

1 ha 4 000 11 à 15 €

Ce récoltant-manipulant est installé aux Riceys, village aubois où prospère le pinot noir. Mais c'est encore grâce à un champagne largement dominé par le chardonnay qu'il se distingue cette année : sa cuvée Prestige, retenue comme dans la dernière édition (mais issue des vendanges de 2002 et 2000). Ce champagne provient à 90 % de blancs qui lui donnent ses arômes de fleurs blanches et sa finesse. Le dosage est cependant perceptible. (RM)

Jacques Defrance, 28, rue de la Plante, 10340 Les Riceys, tél. 03.25.29.32.20, fax 03.25.29.77.83, e-mail champagne-jacques-defrance@wanadoo.fr r.-v.

DEHOURS Grande Réserve

5 ha 50 000 15 à 23 €

Cette maison familiale implantée dans la vallée de la Marne est conduite par Jérôme Dehours qui cherche à vinifier des champagnes de caractère. Ceux-ci ne font pas leur fermentation malolactique, ce qui leur confère de la vivacité. Le dosage est mesuré : 8 g/l de sucres résiduels pour cette Grande Réserve, qui assemble 75 % de noirs (dont 55 % de pinot meunier) et 25 % de blancs. Un vin discrètement fruité, souple à l'attaque, frais en finale. Plus nerveuse encore, la **Grande Réserve Extra-brut** résulte d'un assemblage identique mais elle est très peu dosée (4 g/l). Des arômes de pomme, au nez comme en bouche, contribuent à sa vivacité. Pour des fruits de mer. (NM)

Dehours et Fils, 2, rue de la Chapelle, 51700 Cerseuil, tél. 03.26.52.71.75, fax 03.26.52.73.83, e-mail champagne.dehours@wanadoo.fr r.-v.

DELABARRE Cuvée réservée ★

1,5 ha 8 000 15 à 23 €

Récoltants-manipulants depuis les années 1920, les Delabarre exploitent 6 ha dans la vallée de la Marne. Dominée par les raisins noirs (90 %, dont 60 % de pinot noir), leur Cuvée réservée a décroché un coup de cœur dans l'édition précédente. Elle assemble cette année les récoltes de 2002 et 2001. On y trouve encore une expression riche et complexe, une attaque franche et des arômes de fruits confits, avec davantage de fugacité. Issu des années 2003 et 2002, le **brut Tradition** est encore plus marqué par les noirs (95 %, dont 70 % de meunier). Fruité, équilibré et long, il est cité. (RM)

Christiane Delabarre, 26, rue de Châtillon, 51700 Vandières, tél. 03.26.58.02.65, fax 03.26.57.10.94, e-mail delabarre.christiane@wanadoo.fr r.-v.

DELAHAIE Brut Premier ★

n.c. 45 000 11 à 15 €

Marque de négoce d'Épernay, dont les champagnes sont élaborés par Jacques Brochet. Ce brut donne une large majorité aux noirs (80 % des deux pinots à parts égales). Le beurre côtoie les fruits mûrs, les fruits secs et la pomme cuite dans ce champagne vineux, gras et généreusement dosé. Une étoile encore pour la **Cuvée sublime (15 à 23 €)**, qui assemble les blancs et les noirs dans une proportion inverse à la précédente (80 % de chardonnay complétés par du pinot noir) : de l'abricot et de la reine-claude au nez, de la rondeur et une finale agréable. (NM)

Jacques Brochet, Champagne Delahaie, 16, allée de la Côte-des-Blancs, 51200 Épernay, tél. 03.26.54.08.74, fax 03.26.54.34.45, e-mail champagne.delahaie@wanadoo.fr t.l.j. sf sam. dim. 9h-12h 14h-17h; f. 15-31 août

DELAMOTTE Blanc de blancs ★

n.c. n.c. 30 à 38 €

Delamotte, Salon : deux maisons sœurs et voisines, implantées au Mesnil-sur-Oger, dans la Côte des Blancs, aujourd'hui propriété du groupe Laurent-Perrier. Fondée en 1760, Delamotte est la plus ancienne. Elle signe un blanc de blancs des plus classiques, harmonieusement fondu, mêlant les agrumes à des notes briochées et miellées. Assemblage de pinot noir (70 %) et de chardonnay, le **rosé** est cité pour ses arômes de fruits rouges, sa charpente et sa finale assez persistante. (NM)

Delamotte, 7, rue de la Brèche-d'Oger, 51190 Le Mesnil-sur-Oger, tél. 03.26.57.51.65, fax 03.26.57.79.29, e-mail champagne@salondelamotte.com r.-v.

CHAMPAGNE

ANDRÉ DELAUNOIS Cuvée royale ★★

● 1er cru n.c. 2 900 ▮ 15 à 23 €

Implantée à Rilly-la-Montagne, tout près de Reims, cette exploitation viticole a élaboré ses premiers champagnes dès les années 1920. Trois champagnes retenus, tous 1ers crus des années 2004 et 2003 ; deux étoiles pour cette Cuvée royale, une étoile pour les deux autres. Né des trois cépages champenois, ce rosé assemble 70 % de noirs, dont 10 % vinifiés en rouge. Des fruits mûrs, voire macérés, se mêlent à des nuances de caramel dans un ensemble équilibré par une fraîcheur acidulée. Une bouteille harmonieuse pour l'apéritif. Deux tiers de chardonnay et un tiers de pinot noir composent la **cuvée du Fondateur**, empyreumatique, fruitée et élégante. La **Cuvée sublime (11 à 15 €)** donne en revanche une large majorité aux noirs (80 %, dont 55 % de meunier). Elle est florale, vive et équilibrée. (RM)

André Delaunois, 17, rue Roger-Salengro, BP 42, 51500 Rilly-la-Montagne, tél. 03.26.03.42.87, fax 03.26.03.45.40, e-mail champagne.a.delaunois@wanadoo.fr r.-v.

DELAVENNE PÈRE ET FILS 1999

Gd cru 1 ha 3 500 ▮ 15 à 23 €

Cette exploitation créée en 1920 dispose de 8,50 ha de vignes. Elle est installée à Bouzy, village du flanc sud de la Montagne de Reims classé en grand cru. Son 1999 est un assemblage classique de 60 % de pinot noir et de 40 % de chardonnay. On y découvre le pain d'épice, le tilleul et... un dosage sensible. (RM)

Delavenne Père et Fils, 6, rue de Tours, 51150 Bouzy, tél. 03.26.57.02.04, fax 03.26.58.82.93, e-mail info@champagne-delavenne.com

t.l.j. 10h30-12h 14h30-17h; f. 10 août au 10 sep.

VINCENT DELOUVIN

3 ha 20 000 ▮ 11 à 15 €

À Mardeuil, près d'Épernay, un grand porche ouvre sur la demeure sur cour où est installée cette famille de récoltants. Vincent Delouvin conduit les 12 ha de vignes et élabore les cuvées. Celle-ci, née de la vendange de 2001, est un blanc de noirs de pinot meunier. Son fruité de pruneau et de pomme mûre s'impose au nez comme en bouche. (RM)

Émile Leclère, 15, rue Victor-Hugo, 51530 Mardeuil, tél. 03.26.55.24.45, fax 03.26.55.05.13, e-mail info@champagne-leclere.com

t.l.j. 8h30-12h 13h30-17h30

Delouvin

DELOUVIN NOWACK Carte d'or

5 ha 40 000 ▮ 11 à 15 €

Si cette famille est au service du vin depuis le XVIe s., elle ne commercialise son champagne que depuis les années 1930. Bertrand Delouvin exploite 7 ha de vignes, plantés surtout de pinot meunier, cépage qui couvre des superficies importantes dans la vallée de la Marne. Cette variété est à l'origine de ce blanc de noirs issu des années 2004 et 2003. Au nez, des senteurs biscuitées, des fruits secs, une touche de coing. En bouche, une touche de violette et beaucoup de rondeur. Pour l'apéritif. (RM)

Delouvin-Nowack, 29, rue Principale, 51700 Vandières, tél. 03.26.58.02.70, fax 03.26.57.10.11, e-mail info@champagne-delouvin-nowack.com

r.-v.

Bertrand Delouvin

YVES DELOZANNE Tradition

n.c. n.c. ▮ 11 à 15 €

Apporteurs de raisins et agriculteurs, les Delozanne ont longtemps vécu au rythme des vendanges et des moissons. C'est Yves qui, installé en 1968, décide de miser exclusivement sur le champagne. Le domaine s'étend sur près de 9 ha dans la vallée de l'Ardre. Le pinot meunier compose 70 % de ce brut Tradition issu des années 2004 et 2003. S'y ajoutent 20 % de pinot noir et 10 % de chardonnay. Un peu fugace, ce champagne se voit retenu pour ses arômes légèrement empyreumatiques et épicés, pour sa rondeur et son équilibre. (RM)

Yves Delozanne, 67, rue de Savigny, 51170 Serzy-et-Prin, tél. 03.26.97.40.18, fax 03.26.97.49.14, e-mail info@champagne-yvesdelozanne.com

r.-v.

M. DEMIÈRE ET FILS ★★

3 ha n.c. 11 à 15 €

Installés à Trépail, sur le versant sud-est de la Montagne de Reims, Michel Demière et son fils exploitent un vignoble de 6 ha en 1er cru et en grand cru. Leur brut assemble 70 % de chardonnay et 30 % de pinot noir de l'année 2004. Il s'annonce par un nez empyreumatique, où la noisette côtoie le grillé. Des notes fruitées s'ajoutent à cette palette complexe dans une bouche équilibrée, charnue et d'une grande élégance. Le **grand cru cuvée Saint-Matthieu**, qui provient de la même année, marie 60 % de chardonnay et 40 % de pinot noir. Il est cité pour sa souplesse et sa vinosité. (RM)

SCEV Michel Demière et Fils, 2, allée du Jardinot, 51380 Trépail, tél. 03.26.57.06.23, fax 03.26.57.83.04

r.-v.

GÉRARD DEMILLY Madame de Sainte-Maure ★

10 ha 40 000 ▮ 11 à 15 €

Gérard Demilly a pris la suite de toute une lignée établie depuis 1624 à Bligny, dans la Côte des Bar. Après ses études de viticulture et d'œnologie, il a créé sa maison, qui a son siège dans une ancienne verrerie. Pour cette cuvée des années 2004 et 2002, il a marié 80 % de pinot noir à 20 % de blancs. Une originalité : les 5 % de pinot blanc qui entrent dans l'assemblage. Fruits exotiques au nez comme en bouche, c'est un champagne souple et charpenté, plutôt généreusement dosé. La cuvée **Demilly de Baere Carte d'or zéro dosage** provient des mêmes années et des même cépages, avec un peu plus de blancs que la précédente (25 %). Elle est citée pour sa richesse, sa vinosité et son équilibre. (NM)

Gérard Demilly, Dom. de La Verrerie, rue du Château, 10200 Bligny, tél. 03.25.27.44.81, fax 03.25.27.45.02, e-mail champagne-demilly@wanadoo.fr

t.l.j. 10h-12h 14h-18h30; dim. lun. sur r.-v.; f. 1 sem. fév. et 1 sem. août

GASTON DERICBOURG Cuvée de réserve ★

● 3 ha 30 000 ▮ 15 à 23 €

Marque lancée par Gaston Dericbourg, maire de Pierry, au début du XXe s. et reprise en 1955 avec les 5 ha de vignes par la maison Mandois. Ce rosé pâle de couleur marie 70 % de chardonnay au pinot noir. Frais et fruité, généreusement dosé, il est facile, flatteur. Il trouvera sa place à l'apéritif. (NM)

🔑 Gaston Dericbourg,
66, rue du Gal-de-Gaulle, BP 9, 51530 Pierry,
tél. 03.26.54.03.18, fax 03.26.51.53.66 ⊥ 🚶 r.-v.
🔑 Mandois

DÉROT-DELUGNY Coiffe or ★

	2,5 ha	21 481	▮ 11 à 15 €

François Dérot est installé depuis 1990. C'est son grand-père, fils de maréchal-ferrand, qui s'est lancé dans l'aventure du champagne dès 1929. Le domaine s'étend sur 11 ha dans un secteur de la vallée de la Marne proche de Paris, entre Château-Thierry et Meaux. Complété par le chardonnay, le pinot meunier (75 %) joue le rôle principal dans cette cuvée des années 2004 et 2003. Un champagne d'apéritif au nez intense et au fruité souligné par un dosage perceptible. Produit des récoltes 2001 et 2000, le **sec** est cité. Chardonnay et meunier se partagent équitablement cette cuvée équilibrée aux arômes de fruits macérés. (RM)

🔑 François Dérot, 15, Grande-Rue,
02310 Crouttes-sur-Marne, tél. 03.23.82.18.18,
fax 03.23.82.08.78 ☑ ⊥ 🚶 r.-v.

DÉROUILLAT Cuvée Tradition Fleur de bulles ★

	3,4 ha	37 000	▮ 11 à 15 €

Le vignoble familial a été constitué à partir de 1929 et s'est peu à peu agrandi au fil des générations. Les étiquettes ont varié au gré des mariages, puis Luc Dérouillat a opté pour la simplification. Deux de ses cuvées, des années 2004 et 2003, obtiennent une étoile. Celle-ci marie 70 % de noirs (dont 55 % de meunier) aux blancs. Elle est riche, puissante et longue, avec des arômes de fruits à noyau. Le **blanc de blancs 1er cru Cuvée réservée L'Esprit** est un vin d'apéritif fin, frais et élégant. (RM)

🔑 Luc Dérouillat, 23, rue des Chapelles,
51530 Monthelon, tél. 03.26.59.76.54,
fax 03.26.59.77.27,
e-mail champagne.derouillat@wanadoo.fr
☑ ⊥ 🚶 t.l.j. sf dim. 10h-12h 14h-18h; f. 15 j. début août

É. DESAUTEZ ET FILS
Grande Cuvée Saint-Nicolas ★

	0,5 ha	4 000	▮ 15 à 23 €

Émile Desautez, Didier et, depuis 1975, le gendre Patrick Deibener se sont succédé aux commandes de cette propriété familiale fondée en 1905. Une superficie modeste (3,7 ha) mais une commune prestigieuse de la Montagne de Reims. Le pinot noir est largement majoritaire (80 % pour 20 % de chardonnay) dans cette cuvée des années 2004 et 2003. Un champagne fin, élégant, structuré et frais qui pourrait tenir sa place lors d'un apéritif en tête-à-tête. (RM)

🔑 Patrick Deibener, 22, rue de Mailly,
51360 Verzenay, tél. 03.26.49.40.59, fax 03.26.49.46.88
☑ ⊥ 🚶 t.l.j. 9h-20h; f. 15-31 août

PAUL DÉTHUNE 2000 ★

Gd cru	0,5 ha	4 000	23 à 30 €

Cette exploitation familiale créée en 1840 dispose d'un vignoble de 7 ha implanté exclusivement sur le terroir d'Ambonnay, grand cru situé sur le flanc sud-est de la Montagne de Reims. Les vins de la propriété sont vinifiés dans des foudres de chêne. Ce 2000 assemble 40 % de pinot noir et 60 % de chardonnay. Ample, il est marqué au nez par des arômes empyreumatiques (café, chocolat) que l'on retrouve dans une agréable finale cacaotée. Cité, le **blanc de noirs grand cru (15 à 23 €)** naît de pinot noir récolté en 2002. Il est harmonieux, fruité, mais une certaine légèreté, surprenante pour un blanc de noirs, destine cette bouteille à l'apéritif. (RM)

🔑 Paul Déthune, 2, rue du Moulin, 51150 Ambonnay,
tél. 03.26.57.01.88, fax 03.26.57.09.31,
e-mail info@champagne-dethune.com ☑ ⊥ 🚶 r.-v.

DEUTZ 2002 ★

	n.c.	n.c.	▮ 38 à 46 €

Cette maison fondée en 1838 a son siège à Aÿ, illustre village situé entre les rives de la Marne et le versant sud de la Montagne de Reims. Longtemps demeurée familiale, elle est maintenant dans l'orbite de Roederer. Elle signe un rosé de pur pinot noir, qui doit sa teinte rose pâle à l'adjonction de 9 % de vin rouge d'Aÿ. Son fruité est frais, sa bouche très harmonieuse. « Le grand classicisme, BCBG », écrit un dégustateur. Pour un cocktail distingué. Quant au **rosé cuvée William Deutz 1999 (plus de 76 €)**, il naît de trois quarts de pinot noir et d'un quart de chardonnay, des raisins de noble origine issus de grands crus. Souple, léger, fin, il révèle une évolution intéressante : un champagne d'amateurs. (NM)

🔑 Deutz, 16, rue Jeanson, BP 9, 51160 Aÿ,
tél. 03.26.56.94.00, fax 03.26.56.94.13,
e-mail france@champagne-deutz.com ☑ r.-v.

CHAMPAGNE

JACQUES DEVILLERS Réserve ★

	0,4 ha	2 000	▮ 11 à 15 €

Au XIIIes., aux alentours de La Neuville, ce n'étaient que « larris », friches en vieux français. Aujourd'hui, les ceps couvrent les coteaux de ce village niché entre les vallées de l'Ardre et de la Marne, au sud-ouest de Reims. Les Devillers en exploitent 2 ha. Leur Réserve, mi-blancs mi-noirs (pinot meunier), se montre discrète au nez avant de s'ouvrir en bouche, avec ampleur et longueur. Les raisins noirs (90 % de meunier et 10 % de pinot noir) sont à l'origine d'un **brut** et d'un **rosé**, tous deux cités. Le premier est fruité, jeune, généreusement dosé, le second est coloré, tout en fruits rouges, assez long pour accompagner un repas. (RM)

🔑 Jacques Devillers, 19, rue de Paradis,
51480 La Neuville-aux-Larris, tél. 03.26.58.14.04,
fax 03.26.59.40.73,
e-mail devillers.jacques@wanadoo.fr ☑ ⊥ 🚶 r.-v.

DOM BASLE Prestige ★

Gd cru	1 ha	8 000	▮ 11 à 15 €

Cette marque appartenant au Champagne Lallement-Deville perpétue le souvenir (ou la légende) de dom Basle, ermite qui vivait à Verzy à l'époque mérovingienne. L'exploitation couvre 3,50 ha autour de ce village de la Montagne de Reims. Deux de ses champagnes sont sélectionnés, tous deux grands crus mi-blancs mi-noirs (pinot noir). Issu de l'année 2002, ce brut Prestige se partage entre coing et pâte d'amandes, son attaque est fraîche, sa longueur avenante. La **Réserve extra-brut**, des années 2002 à 1999, se montre empyreumatique, vive et persistante ; elle obtient la même note. (RM)

🔑 Dom Basle, 28, rue I. Gass, BP 29, 51380 Verzy,
tél. 03.26.97.95.90, fax 03.26.97.98.25,
e-mail dombasle@wanadoo.fr ☑ ⊥ 🚶 r.-v. 🏠 Ⓐ
🔑 Damien Lallement

PIERRE DOMI Grande Réserve ★

	6 ha	50 000	11 à 15 €

Une propriété familiale créée en 1947, située entre Épernay et la Côte des Blancs et dirigée aujourd'hui par deux frères, Stéphane et Thierry Domi. La Grande Réserve marie la récolte de 2004 à 25 % de vins de réserve et assemble 60 % de chardonnay à 40 % de pinot meunier. Elle est beurrée, briochée, grillée, généreuse et... dosée. Issue de l'année 2002, la **cuvée Memory (15 à 23 €)** donne en revanche le premier rôle au meunier (80 %), pour 20 % de chardonnay. Sa structure, ses arômes de fruits cuits et sa fraîcheur lui valent aussi une étoile. (RM)

Pierre Domi, 8, Grande-Rue, 51190 Grauves, tél. 03.26.59.71.03, fax 03.26.52.86.91, e-mail champagnedomipierre@wanadoo.fr r.-v.

DOM PÉRIGNON 1999 ★

	n.c.	n.c.	+ de 76 €

Cette marque emblématique de Moët et Chandon est synonyme de champagne de prestige. Elle porte le nom du cellerier de l'abbaye d'Hautvillers – ce contemporain de Louis XIV qui fut un gestionnaire avisé doublé d'un maître de chai et assembleur hors pair, devenu pour la postérité « l'inventeur du champagne ». La cuvée a été lancée en 1935 à l'occasion du voyage inaugural du *Normandie*, autre symbole du luxe français. Sa composition est gardée secrète : probablement du pinot noir et du chardonnay en proportions égales. Le 1999, complexe, joue sur des notes empyreumatiques (fruits secs, grillé). Il est d'une grande finesse et très équilibré, mais moins ample que certains millésimes plus mémorables, comme (pour s'en tenir aux blancs et aux plus récents) les 1996, 1988, 1985... (NM)

Moët et Chandon, 20, av. de Champagne, 51200 Épernay, tél. 03.26.51.20.00 r.-v.

DOQUET-JEANMAIRE Blanc de blancs Tradition ★

1er cru	5,48 ha	40 000	11 à 15 €

L'exploitation est conduite depuis 2004 par Pascal Doquet. Son blanc de blancs Tradition, issu des années 2002 à 2000, conjugue rondeur, vivacité et fraîcheur. Le **Cœur de terroir 1er cru 1996 (23 à 30 €)** assemble 80 % de blancs à 20 % de pinot noir et connaît la barrique. Un champagne nerveux, qu'il faut aérer pour qu'il exprime son bouquet, fait de fruits surmûris, de mirabelle et de cacao. (SR)

Doquet-Jeanmaire, 44, chem. du Moulin-de-la-Cense-Bizet, 51130 Vertus, tél. 03.26.52.16.50, fax 03.26.59.36.71, e-mail info@champagne-doquet-jeanmaire.com r.-v.

Pascal Doquet

D. DOSNON Cuvée rosé ★★

	n.c.	1 000	15 à 23 €

Installé depuis 1996 à Avirey-Lingey, près des Riceys (Aube), ce récoltant-manipulant a travaillé en Bourgogne, à Gevrey-Chambertin, où il a pris goût à l'élevage en fût, qu'il applique à ses vinifications. Ainsi, ce rosé de noirs (100 % pinot noir dont 10 % de vin rouge) issu de l'année 2004 passe huit mois dans le bois. Cela donne un vin intense, complexe, structuré et frais. Un coup de cœur fut envisagé, mais la couleur pâle n'a pas fait l'unanimité. Cette bouteille n'en reste pas moins hautement recommandable. (RM)

Dosnon, 8, rte de Pargues, 10340 Avirey-Lingey, tél. et fax 03.25.29.19.24, e-mail sc.lepage@champagne-domaine.com

DIDIER DOUÉ Prestige ★★

	0,7 ha	5 000	15 à 23 €

Didier Doué a constitué son vignoble en 1976 : 5 ha de vignes à 8 km de Troyes. Quatre ans plus tard, il s'est équipé d'un pressoir et d'une cave pour élaborer son champagne. Aujourd'hui, il appuie l'association Sève qui milite pour d'authentiques vins de terroir. Son terroir, c'est celui de Montgueux, îlot viticole favorable au chardonnay. Les blancs, récoltés en 2000, entrent à hauteur de 60 % dans cette cuvée Prestige, complétés par 40 % de pinot noir de 2001. Un champagne dominé par les agrumes, modèle d'équilibre et de fraîcheur. (RM)

Didier Doué, 3, voie des Vignes, 10300 Montgueux, tél. 03.25.79.44.33, fax 03.25.79.40.04, e-mail doue.didier@wanadoo.fr r.-v.

ÉTIENNE DOUÉ Cuvée Sélection

	3,8 ha	38 000	11 à 15 €

Pendant quinze ans, Étienne Doué a été salarié avant de pouvoir vivre de son vignoble. Alors que le pinot noir est très présent dans l'Aube, Montgueux est propice au chardonnay. La cuvée Sélection assemble 60 % de blancs au pinot noir, et naît des années 2003 à 2001. Le nez « chardonne », avec ses notes d'agrumes, tandis que le palais « pinote » quelque peu, avec sa légère touche de fruits rouges. Un champagne frais et facile. Issue des mêmes années, la **Grande Réserve** est un blanc de blancs léger et fin. (RM)

Étienne Doué, 11, rte de Troyes, 10300 Montgueux, tél. 03.25.74.84.41, fax 03.25.79.00.47, e-mail champagne.etienne.doue@wanadoo.fr r.-v.

DOURDON-VIEILLARD Cuvée Grande Réserve ★

	2,3 ha	12 500	11 à 15 €

Ce domaine familial établi dans la vallée de la Marne s'étend sur 9,50 ha. Sa cuvée Grande Réserve, des années 2002 et 2001, assemble 60 % de chardonnay aux deux pinots à parts égales. Elle ne fait pas sa fermentation malolactique. Des notes grillées marquent le nez, puis la dégustation évolue sur un fruité frais et complexe, où la pomme voisine avec l'abricot et les agrumes, nuancés d'une touche végétale, marque de jeunesse. Une étoile également pour la **cuvée Vieilles Vignes 2000 (15 à 23 €)**, un blancs de noirs né des deux pinots (60 % de meunier). Elle se partage entre le miel et les fruits secs, fruits secs que l'on retrouve avec la réglisse dans une bouche d'une belle longueur. (RM)

Dourdon-Vieillard, 7, rue du Château, 51480 Reuil, tél. 03.26.58.06.38, fax 03.26.58.35.13, e-mail dourdonvieillard@aol.com r.-v.

DOYARD Œil de perdrix Collection de l'An 1 2002 ★★★

	1 ha	3 000	23 à 30 €

Doyard : un nom célèbre en Champagne, Maurice Doyard ayant été cofondateur du Comité interprofessionnel des vins de Champagne. Aujourd'hui, Yannick Doyard exploite un vignoble de 10 ha dans la Côte des Blancs. Grand succès pour cet Œil de perdrix, autrement dit un « blanc taché » ou encore un « rosé de pressée », produit d'un pressurage lent et tardif qui permet au pinot de livrer un peu de couleur. Trois quarts de pinot noir, un quart de chardonnay élevé sous bois et dont la fermentation malolactique n'est que partielle. Le tout donne une robe vieil or à reflets roses, un fruité complexe et une bouche fondue, à la fois riche, vive et légère, d'une somptueuse maturité. Pour la poularde de Noël. Cité, le **blanc de blancs Vendémiaire (15 à 23 €)** résulte d'un assemblage des années 1999 à 1997, d'une « malo » partielle, et d'une vinification pour partie en barrique. Il retient l'attention par ses arômes miellés, légèrement boisés, par sa finesse et sa persistance. (RM)

Doyard, 39, av. Gal-Leclerc, BP 3, 51130 Vertus, tél. 03.26.52.14.74, fax 03.26.52.24.02, e-mail champagne.doyard@hexanet.fr
t.l.j. sf dim. 8h-12h 14h-18h
Yannick Doyard

DRAPPIER Blanc de blancs

n.c. n.c. 15 à 23 €

Les Cisterciens de la proche abbaye de Clairvaux avaient déjà des vignes dans cette région de la Côte des Bar. Ils ont bâti au XIIes. d'impressionnantes caves acquises par les Drappier. En deux siècles, cette famille a constitué un vignoble de 50 ha dans l'Aube. En outre, son statut de négociant lui permet de s'approvisionner dans d'autres régions. La maison signe un blanc de blancs caractérisé par une maturité un peu replète, rond, miellé et brioché. (NM)

Drappier, rue des Vignes, 10200 Urville, tél. 03.25.27.40.15, fax 03.25.27.41.19, e-mail info@champagne-drappier.com r.-v.

DRIANT-VALENTIN ★★★

1er cru 2 ha 16 000 11 à 15 €

Domaine de 6 ha créé en 1924 à l'orée de la Côte des Blancs. Jacques Driant réalise encore cette année une très belle performance avec deux superbes cuvées. Ce brut 1er cru assemble 60 % de chardonnay et 40 % de pinot noir des années 2002 et 2001. Ses arômes grillés, miellés et confits traduisent une harmonieuse maturité. S'y ajoutent une puissance dénuée de lourdeur et une longue finale. Un coup de cœur fut proposé, mais quelques voix ont manqué, car cette bouteille est réservée aux amateurs de champagnes évolués. C'est ce même public averti qui appréciera la **Grande Réserve extra-brut 1er cru**, qui marie 80 % de chardonnay et 20 % de pinot noir des années 1997 et 1998. Fruité généreux, richesse et finesse : deux étoiles. (RM)

Jacques Driant, 4, imp. de la Ferme, 51190 Grauves, tél. 03.26.59.72.26, fax 03.26.59.76.55, e-mail contact@champagne-driant-valentin.com
r.-v.

CLAUDE DUBOIS ★

2 ha n.c. 11 à 15 €

Le grand-père de ce producteur, Edmond Dubois, connut son heure de gloire lors de la crise de 1911, lorsqu'il prit la défense des vignerons. Claude Dubois, à la tête de 7 ha de vignes, lui rend hommage en vinifiant « à l'ancienne » ses cuvées, élevées un an en foudre. Son brut donne une majorité écrasante aux noirs qui composent 90 % de l'assemblage (60 % de pinot meunier, 30 % de pinot noir). Il est fruité, souple, puissant, évolué. (RM)

Claude Dubois, rte d'Arty, 51480 Venteuil, tél. 03.26.58.48.37, fax 03.26.58.63.46, e-mail redempteur@wanadoo.fr
t.l.j. 9h-12h 13h30-17h30; sam. dim. sur r.-v.

GÉRARD DUBOIS Blanc de blancs 1998 ★

Gd cru 2 ha 11 000 15 à 23 €

Depuis 1920, trois générations se sont succédé à la tête de ce domaine qui s'étend sur 5 ha dans la Côte des Blancs, autour du grand cru d'Avize. Les champagnes sélectionnés doivent tout au chardonnay. Ce 1998, léger, frais et fin, atteint son apogée : il ne gagnera pas à vieillir. Cité, le **blanc de blancs Réserve (11 à 15 €)**, issu de la récolte de 2000, évoquant les fruits blancs avec des nuances compotées, conviendra à l'apéritif. (RM)

Gérard Dubois, 67, rue Ernest-Vallé, 51190 Avize, tél. 03.26.57.58.60, fax 03.26.57.41.94, e-mail info@champagne-gerard-dubois.com r.-v.

HERVÉ DUBOIS Cuvée de réserve ★★

1,5 ha 4 000 11 à 15 €

Depuis 1980, Hervé Dubois conduit 5,50 ha de vignes. Son domaine est implanté autour d'Avize, dans la Côte des Blancs. La vinification de sa cuvée de réserve mérite d'être décrite : le pinot noir (25 % de l'assemblage) fait sa fermentation malolactique, et non le chardonnay (75 %). Il en résulte un champagne aussi élégant au nez qu'en bouche, vif et prenant, aux arômes complexes de mirabelle, de miel et d'orange fraîche. (RM)

Hervé Dubois, 67, rue Ernest-Vallé, 51190 Avize, tél. 03.26.57.52.45, fax 03.26.57.99.26 r.-v.

J. DUMANGIN FILS Grande Réserve ★★

1er cru 3,9 ha 39 000 15 à 23 €

Cinq générations se sont succédé à la tête de cette maison qui a son siège à Chigny-les-Roses, dans la Montagne de Reims, et qui dispose d'un peu plus de 5 ha de vignes. Jacky Dumangin a vinifié une cuvée qui fait la part belle au pinot meunier (50 %), à côté du pinot noir (25 %) et du chardonnay. Un champagne qui marie la récolte de 2004 avec des vins de réserve de 2003 à 2001. Frais, puissant et harmonieux, avec une palette complexe composée de miel, de citron et d'amande, ce champagne décroche un coup de cœur. Le **1er cru 2000** donne une courte majorité aux blancs (54 %, le solde en pinot noir) ; il est empyreumatique, grillé, rond, équilibré et long : une étoile. (NM)

J. Dumangin Fils, 3, rue de Rilly, BP 23, 51500 Chigny-les-Roses, tél. 03.26.03.46.34, fax 03.26.03.45.61, e-mail info@champagne-dumangin.fr r.-v.
Gilles Dumangin

DUMÉNIL

1er cru 4 ha 20 520 11 à 15 €

Frédérique Poret a repris en 2005 le vignoble familial implanté à Chigny-les-Roses, sur le flanc nord de la

Montagne de Reims. Les trois cépages champenois collaborent équitablement à son brut 1er cru issu des années 2003 à 2001. Un champagne assez discret, mais fin et harmonieux. Également citée, la **cuvée Prestige (15 à 23 €)** assemble 80 % de chardonnay et 20 % de pinot noir des récoltes de 2003 et 2002. Si elle n'est pas très longue, elle est intense et vineuse. (RM)
Duménil, rue des Vignes, 51500 Chigny-les-Roses, tél. 03.26.03.44.48, fax 03.26.03.45.25, e-mail info@champagne-dumenil.com
t.l.j. sf sam. dim. 8h-12h 13h30-17h; f. 18-29 jan. et 8-30 août
Frédérique Poret

DANIEL DUMONT Grande Réserve

1er cru 7 ha 60 000 11 à 15 €

Cette propriété familiale est établie à Rilly-la-Montagne, aux portes de Reims. Son vignoble s'étend sur quelque 10 ha. Issue des années 2004 et 2003, cette Grande Réserve marie 60 % de noirs (dont 40 % de pinot noir) au chardonnay. Un nez frais, discrètement fruité (agrumes) annonce une bouche elle aussi sur sa réserve. Les blancs et les noirs sont assemblés dans des proportions inverses (40 % de pinot noir, 60 % de chardonnay) dans la **Cuvée d'Excellence Vieilli en fût 2002 (15 à 23 €)**. Citée elle aussi, elle est beurrée, fondue, nerveuse et... dosée. (RM)
Daniel Dumont, 11, rue Gambetta, 51500 Rilly-la-Montagne, tél. 03.26.03.40.67, fax 03.26.03.44.82, e-mail info@champagne-danieldumont.com r.-v.

PHILIPPE DUMONT Prestige *

1er cru 0,53 ha 7 720 15 à 23 €

Depuis le XIXes., sept générations se sont succédé sur ce domaine de Chigny-les-Roses, dans la Montagne de Reims. Philippe Dumont, installé en 1997, a pris le statut de négociant. Le pinot noir (70 %) et le chardonnay (30 %) de la récolte de 2004 collaborent à son 1er cru Prestige au nez léger, beurré, iodé et à la bouche équilibrée. Cité, le **rosé 1er cru** met aussi à contribution ces deux cépages : 55 % de pinot noir (dont 10 % vinifiés en rouge), 45 % de chardonnay. On y découvre la fraise, la framboise et la réglisse, avec une certaine nervosité. (NM)
Philippe Dumont, 30, rue Sainte-Agathe, 51500 Chigny-les-Roses, tél. 03.26.03.49.48, fax 03.26.03.53.43, e-mail champagne.ph.dumont@club-internet.fr
r.-v.

R. DUMONT ET FILS Brut nature *

n.c. 5 000 15 à 23 €

Vignerons depuis plus de deux siècles à Champignol-lez-Mondeville, petit village des environs de Bar-sur-Aube, les Dumont ont constitué un coquet domaine (23 ha). Assemblage des années 2001 à 1999, leur Brut nature privilégie les noirs (80 % de pinot noir, le solde en chardonnay). Il n'est pas du tout dosé et se montre fruité, fondu, équilibré et parfaitement net. (RM)
R. Dumont et Fils, rue de Champagne, 10200 Champignol-lez-Mondeville, tél. 03.25.27.45.95, fax 03.25.27.45.97, e-mail rdumontetfils@wanadoo.fr
r.-v.

DUVAL-LEROY Blanc de chardonnay 1999 *

n.c. n.c. 38 à 46 €

Fondée en 1859, cette société est restée familiale tout en développant un vignoble considérable (200 ha), ce qui en fait la maison la plus importante de la Côte des Blancs. Depuis 1991, elle est dirigée avec brio par Carol Duval-Leroy. Le chardonnay est à l'honneur dans ses cuvées. Ce 1999 exprime des arômes confits et miellés et se distingue par sa souplesse et sa persistance. « Un champagne attachant », écrit un dégustateur. Une étoile encore pour la cuvée de prestige **Femme de Champagne 1996 (plus de 76 €)**, assemblage de 79 % de chardonnay et de 21 % de pinot noir. Un grand millésime intense, beurré, toasté, nerveux et long. Une citation enfin pour **Fleur de Champagne 1er cru (30 à 38 €)**, qui allie deux tiers de blancs et un tiers de noirs. Un dégustateur loue particulièrement son expression « délicate et romantique, sur les fruits exotiques » et son excellente fraîcheur en bouche. (NM)
Duval-Leroy, 69, av. de Bammental, BP 37, 51130 Vertus, tél. 03.26.52.10.75, fax 03.26.52.37.10, e-mail champagne@duval-leroy.com r.-v.

ALBÉRIC DUVAT 2002 *

2 ha 20 000 15 à 23 €

Trois générations s'activent sur cette exploitation située en direction du Sézannais : Albéric, bientôt à la retraite, Xavier et le jeune Léonard. Assemblage de 60 % de chardonnay et de 40 % des deux pinots (30 % de pinot noir), ce 2002 présente un nez discret mais complexe, sur les agrumes, la poire, le beurre. Cette complexité s'affirme dans une bouche ample, ronde et longue. Cette bouteille trouvera sa place aussi bien à l'apéritif qu'avec des coquilles Saint-Jacques ou des viandes blanches. Né des vendanges de 2004 et 2003, le **brut Tradition Carte noire (11 à 15 €)** privilégie les noirs (40 % de meunier, 20 % de pinot noir). Son bouquet fruité et végétal et sa longueur lui valent une citation. (RM)
Xavier Duvat, 20, Grande-Rue, 51270 Fèrebrianges, tél. 03.26.59.35.69, fax 03.26.59.34.04, e-mail xduvat@wanadoo.fr
r.-v.

CHARLES ELLNER Séduction 1999 **

2 ha 16 766 15 à 23 €

Élaborateurs de champagne depuis la fin du XIXes. puis négociants, les Ellner sont établis à Épernay. Ce 1999 assemble 75 % de chardonnay et 25 % de pinot noir. Son nez riche mêle des notes empyreumatiques (pain grillé), des nuances briochées, du pain d'épice et une touche boisée. Cette complexité se prolonge dans une bouche équilibrée et longue. Issu de la récolte de 2003, le **rosé** met à contribution les deux pinots à parts égales (dont 14 % vinifié en rouge). Intense, vineux et frais, imprégné de fraise et de griotte, il obtient une belle étoile. Même note pour la **Cuvée de réserve**, à laquelle collaborent 60 % de chardonnay et 40 % de pinot noir de l'année 2002. Un champagne frais, mêlant au nez les fleurs et des notes plus évoluées de café et de praliné. (NM)
SAS Charles Ellner, 6, rue Côte-Legris, BP 223, 51207 Épernay Cedex, tél. 03.26.55.60.25, fax 03.26.51.54.00, e-mail info@champagne-ellner.com
r.-v.

ESTERLIN Sélection **

n.c. 400 000 15 à 23 €

Marque de la coopérative de Mancy, commune proche d'Épernay. Fondée en 1948, la cave vinifie la production de 110 ha de vignes. La cuvée Sélection donne une courte majorité aux raisins noirs (55 % dont 45 % de pinot meunier). Elle séduit par la finesse de son bouquet miellé et citronné ainsi que par sa longueur. La cuvée **Elzevia (23 à 30 €)** obtient une étoile. Ce blanc de blancs offre un nez intense aux notes de miel, de grillé et de café. Dans le même registre aromatique, le palais est puissant, mûr et long. Un champagne de repas. (CM)

Esterlin, 25, av. de Champagne, BP 342,
51200 Épernay, tél. 03.26.59.71.52, fax 03.26.59.77.72,
e-mail contact@champagne-esterlin.com
t.l.j. sf dim. 9h-12h30 13h30-18h;
f. 1er jan.-31 mars et août
CVM

CHRISTIAN ÉTIENNE Tradition

8 ha 25 000 11 à 15 €

Christian Étienne a repris en 1978 le vignoble familial : une dizaine d'hectares du côté de Bar-sur-Aube. Née des récoltes de 2003 et de 2002, sa cuvée Tradition assemble 78 % de pinot noir et 22 % de chardonnay. Minérale et fruitée au nez, elle révèle une vivacité qui la fera apprécier à l'apéritif. Mi-blancs mi-noirs (pinot noir), le **1998** est cité pour ses arômes complexes, briochés et confits, pour sa rondeur et sa structure. (RM)

Christian Étienne,
EARL Dom. de l'Espérance, 12, rue de la Fontaine,
10200 Meurville, tél. 03.25.27.46.66, fax 03.25.27.45.84
r.-v.

JEAN-MARIE ÉTIENNE 1998 *

1er cru 0,6 ha 5 000 15 à 23 €

Installés depuis une vingtaine d'années à Cumières, dans la « grande vallée de la Marne », Daniel et Pascal Étienne, fils de Jean-Marie, descendent d'une lignée de vignerons-maréchaux-ferrants. Ils proposent un 1998 mi-blancs mi-noirs (pinot noir), élégant et complexe, empyreumatique au nez, rond, souple et puissant en bouche. La **Cuvée spéciale (11 à 15 €)**, mi-blancs mi-noirs elle aussi (assemblage identique à un soupçon de pinot meunier près), marie les récoltes de 2000 à 1998. Un registre aromatique grillé proche de la précédente, de la fraîcheur, de l'ampleur, de la richesse : même note. Pour un poisson cuisiné. (RM)

Jean-Marie Étienne, 33, rue Louis-Dupont,
51480 Cumières, tél. 03.26.51.66.62, fax 03.26.55.04.65,
e-mail champetienne@hotmail.fr r.-v.

ÉTIENNE-BÉNARD Tradition *

1,8 ha 15 000 11 à 15 €

Installé en 1993 sur l'exploitation familiale, Pascal Étienne a agrandi la propriété et aménagé une cave avant de lancer son champagne en 2004. Son brut Tradition, des années 2003 et 2002, assemble 80 % des deux pinots à parts égales et 20 % de chardonnay. Expressif et chaleureux, il s'ouvre sur la pâte de coings, la marmelade de prunes et des notes beurrées-briochées. Vif à l'attaque, il est rond, ample et équilibré. (RM)

Pascal Étienne, 39, rte Nationale, 51530 Mardeuil,
tél. et fax 03.26.54.49.60,
e-mail pascal-etienne@wanadoo.fr r.-v.

FRANÇOIS FAGOT **

0,8 ha 7 300 11 à 15 €

François Fagot a repris le vignoble familial en 1956 et lancé son champagne quatre ans plus tard. La famille exploite près de 7 ha autour de Rilly-la-Montagne, à 10 km de Reims. Déjà remarqué ces dernières années, son rosé est issu d'une saignée ; il provient à 90 % de raisins noirs (75 % de pinot noir) de l'année 2004. Une robe rose pâle aux reflets cuivrés ; de la cerise, de la framboise, de la fraise, une vivacité délicate pour ce champagne de caractère, vineux, puissant, équilibré et persistant. (NM)

SARL François Fagot, 26, rue Gambetta,
51500 Rilly-la-Montagne, tél. 03.26.03.42.56,
fax 03.26.03.41.19,
e-mail info@champagne-francois-fagot.com r.-v.

FALLET-DART 2002 *

n.c. n.c. 30 à 38 €

Ce récoltant-manipulant est installé dans un secteur de la vallée de la Marne assez proche de Paris, du côté de Château-Thierry. Il a vinifié ce 2002 en assemblant 60 % de chardonnay et 40 % de pinots (dont 30 % de pinot noir). Discrètement épicé au nez, c'est un champagne rond et élégant en bouche. (RM)

Fallet-Dart, 2, rue des Clos-du-Mont, Drachy,
02310 Charly-sur-Marne, tél. 03.23.82.01.73,
fax 03.23.82.19.15 r.-v.

FENEUIL-POINTILLART **

1er cru 0,72 ha 6 037 11 à 15 €

Dès le XVIIe s., les familles Feneuil et Pointillart vivaient autour du haut clocher effilé de Chamery, sur le versant nord de la Montagne de Reims. Aujourd'hui, Daniel Feneuil exploite un vignoble de 7,5 ha. Issu de la récolte de 2004, son rosé comprend 80 % de pinots (dont 35 % de pinot noir) et 20 % de chardonnay ; 12 % du pinot noir est vinifié en rouge. La robe rose pâle est engageante, tout comme les parfums de fruits à chair blanche (pêche) et de fruits confits que l'on retrouve en bouche. De la finesse, de la complexité et de la longueur : un ensemble harmonieux et voluptueux. Une étoile pour la **cuvée Louis 1er cru 2000 (15 à 23 €)**. Les blancs dominent (70 %) dans ce champagne qui ne fait pas sa « malo ». Ses arômes puissants de fruits cuits se prolongent au palais dans une belle harmonie. (RC)

Feneuil-Pointillart, 21, rue du Jard, 51500 Chamery,
tél. 03.26.97.62.35, fax 03.26.97.67.70,
e-mail champagne.fp@wanadoo.fr r.-v.
Daniel Feneuil

NICOLAS FEUILLATTE Blanc de blancs 1999 *

n.c. n.c. 23 à 30 €

Tout est gigantesque au Centre vinicole de Chouilly, groupement de quatre-vingt-trois coopératives : les caves, le nombre de vignerons adhérents (5 000), la surface des vignobles concernés (2 220 ha). Nicolas Feuillatte est la marque phare. Ce blanc de blancs millésimé offre un bouquet puissant de mirabelle, une attaque franche, des arômes de fruits confits. Il est harmonieux et long. Une étoile encore pour le brut **1998 Cuvée 225 élevée en fût de chêne (38 à 46 €)**. Pourquoi 225 ? Parce que ce champagne mi-noirs mi-blancs a séjourné en barrique de 225 l. Il en résulte une palette complexe et fine, vanillée et boisée, avec des nuances d'agrumes. Une bouteille pour repas de fête. (CM)

Nicolas Feuillatte,
Centre vinicole champagne, BP 210, Chouilly,
51206 Épernay, tél. 03.26.59.55.50, fax 03.26.59.55.82
r.-v.

DANY FÈVRE Tradition **

3 ha 20 500 11 à 15 €

Ce vignoble familial aubois a été constitué dès les années 1880. C'est Dany Fèvre, installé un siècle plus tard,

CHAMPAGNE

qui s'est lancé en 1990 dans la manipulation. Sa cuvée Tradition, issue des années 2005 à 2003, est presque un blanc de noirs, à 5 % de chardonnay près. Agrumes et fleurs blanches se marient élégamment au nez, alors qu'en bouche, les fruits jaunes s'affirment avec complexité. Un ensemble franc et racé. Deux champagnes reçoivent chacun une étoile : le **2000 (15 à 23 €)**, issu de pinot noir et de chardonnay, complexe, vineux, rond et très bien équilibré ; la **cuvée Isabelle**, un champagne mi-noirs mi-blancs des années 2004 à 2002, citronnée et fraîche. (RM)

Dany Fèvre, 8, rue Benoit, 10110 Ville-sur-Arce,
tél. 03.25.38.76.63, fax 03.25.38.78.52,
e-mail champagne.fevre@wanadoo.fr r.-v.

ALEXANDRE FILAINE Cuvée spéciale *

1 ha 3 800 11 à 15 €

Propriétaire d'un petit vignoble dans la vallée de la Marne, ce récoltant-manipulant élève ses vins en fût. Issue des années 2004 et 2003, sa Cuvée spéciale assemble 70 % de noirs (dont 45 % de pinot noir) au chardonnay. Présent au nez comme en bouche, son boisé vanillé, un peu grillé, se marie bien à une matière fine et vive. L'ensemble, très équilibré, pourra accompagner une viande, même rouge. La **cuvée Confidence (15 à 23 €)** avait décroché un coup de cœur dans l'édition 2006. Provenant cette année des récoltes de 2002 et 2001, elle assemble les trois cépages champenois dans des proportions identiques à la Cuvée spéciale ; elle a été tirée sous liège. Elle est vive, ronde, puissante et équilibrée. Une étoile. (RM)

Fabrice Gass, 17, rue Raymond Poincaré,
51480 Damery, tél. 03.26.58.88.39,
e-mail fgass@wanadoo.fr r.-v.

FLEURY-GILLE Carte d'or

3 ha 30 000 11 à 15 €

Cette exploitation familiale dont les origines remontent à 1842 est située dans cette partie de la vallée de la Marne qui confine à la Picardie. Elle élabore son champagne depuis 1950. Cette Carte d'or est un blanc de noirs dominé par le meunier (80 %). Nez fruité et floral, attaque franche et finale fraîche : un vin facile, pour l'apéritif. (RM)

EARL Fleury et Fils,
23, rue Pascal, hameau de Courcelles,
02850 Trélou-sur-Marne, tél. 03.23.70.21.58,
fax 03.23.70.14.91, e-mail fleury-gille@wanadoo.fr
r.-v.

FLEURY PÈRE ET FILS Robert Fleury 2000 ***

n.c. 10 000 23 à 30 €

Établi dans la Côte des Bar (Aube), Jean-Pierre Fleury perpétue une lignée vigneronne remontant à plus d'un siècle. C'est un pionnier de la biodynamie, à laquelle il a converti son domaine dès 1989. Il vinifie ses champagnes sous bois. Cette cuvée Robert Fleury rend hommage au fondateur de la marque. Elle assemble 60 % de pinot noir à 40 % de raisins blancs – dont 20 % de pinot blanc, ce qui est permis par la réglementation de l'AOC mais peu pratiqué. Un élevage de onze mois en fût lui a conféré un nez élégant et complexe, boisé, floral et confit. Cette complexité se prolonge dans une bouche équilibrée, séduisante de l'attaque à la longue finale. « J'achète ! », s'exclame un dégustateur. Le **brut 1998**, encore plus marqué par les noirs (80 % de pinot noir et 20 % de chardonnay) obtient deux étoiles pour ses arômes confits de pomme et de poire, pour son équilibre et son intensité. (NM)

Fleury, 43, Grande-Rue, 10250 Courteron,
tél. 03.25.38.20.28, fax 03.25.38.24.65,
e-mail champagne@champagne-fleury.fr r.-v.

FLUTEAU Cuvée réservée *

5 ha 20 000 15 à 23 €

Thierry Fluteau se flatte d'avoir été le plus petit négociant champenois. En 2002, il a adopté le statut de récoltant-manipulant, procédant en cela à l'inverse de nombreux producteurs. Ses champagnes proviennent donc exclusivement des 9 ha de sa propriété auboise. Issue des années 2002 à 2000, sa Cuvée réservée privilégie le pinot noir (85 %, le solde en chardonnay). Un brut sans année classique et bien fait, floral et fruité, frais, structuré, bien équilibré et long. (RM)

EARL Thierry Fluteau, 5, rue de la Nation,
10250 Gyé-sur-Seine, tél. 03.25.38.20.02,
fax 03.25.38.24.84 r.-v.

JEAN FORGET Tradition **

1er cru 1 ha 3 000 11 à 15 €

Christian Forget est établi à Ludes, commune de la Montagne de Reims classée en 1[er]cru. Sa cuvée Tradition marie les trois cépages champenois. Sa robe jaune soutenu fait craindre une forte évolution. Il n'en est rien : l'arôme dominant au nez est le fruit rouge, que l'on retrouve en bouche. Équilibre et persistance comblent les dégustateurs. (RM)

Christian Forget, 2, rue Nationale, 51500 Ludes,
tél. 03.26.61.13.35, fax 03.26.61.81.96,
e-mail champagnejforget@aol.com r.-v.

FORGET-BRIMONT *

1er cru n.c. 50 000 15 à 23 €

Les Forget ont cultivé la vigne dès le XIX[e]s., champagnisé à partir des années 1920, d'abord précautionneusement puis résolument avec Michel Forget, en 1978. Le vignoble familial s'étend sur 15 ha, réparti sur des grands crus (Mailly et Verzenay) et des 1ers crus du flanc nord de la Montagne de Reims. Issu des années 2004 à 2002, ce rosé fait appel à 80 % de noirs (les deux pinots à parts égales) et à 20 % de blancs. Sa robe est pâle ; son nez complexe aux nuances de fruits rouges annonce une bouche fraîche et de bonne tenue. Cité, le brut **1er cru (11 à 15 €)** provient des mêmes années et d'un assemblage identique. Bien équilibré, c'est un champagne classique destiné à l'apéritif. (NM)

Forget-Brimont, 11, rte de Louvois,
51500 Craon-de-Ludes, tél. 03.26.61.10.45,
fax 03.26.61.11.58,
e-mail contact@champagne-forget-brimont.fr
r.-v.

FORGET-CHEMIN Spécial Club 2002

n.c. 5 000 15 à 23 €

Œnologue, Thierry Forget représente la quatrième génération à la tête de ce domaine familial situé à Ludes, dans la Montagne de Reims. Mi-blancs mi-noirs (30 % de meunier), ce 2002 ne fait pas oublier d'autres plus belles années, comme les 2000 et 1998. Il intéresse par sa complexité florale et vanillée et par sa bouche ronde et vineuse. (RM)

Forget-Chemin, 15, rue Victor-Hugo, 51500 Ludes, tél. 03.26.61.12.17, fax 03.26.61.14.51, e-mail champagne.forget-chemin@voila.fr r.-v.

FOURNAISE THIBAUT ★

1 ha 10 000 11 à 15 €

Conduite par Daniel Fournaise depuis 1973, cette propriété familiale dispose d'un vignoble de 3 ha sur la rive droite de la Marne. Son rosé doit tout au pinot meunier récolté en 2004. De couleur rose pâle, dominé par des arômes de fruits confits, il est bien dosé, ample, puissant et persistant. (RM)

Daniel Fournaise, 2, rue des Boucheries, 51700 Châtillon-sur-Marne, tél. 03.26.58.06.44, fax 03.26.51.60.91, e-mail champagne.fournaise.thibaut@wanadoo.fr r.-v.

FRANÇOIS-BROSSOLETTE
Blanc de blancs Cuvée Dame Nesle ★★

1,5 ha 4 500 11 à 15 €

Cette famille cultive la vigne depuis quatre générations dans l'Aube. La dernière a lancé son champagne en 1991. Produit des récoltes de 2004 et de 2003, ce blanc de blancs conjugue la puissance et la finesse. Des arômes d'agrumes et de fruits blancs, de la fraîcheur, une structure équilibrée : un excellent champagne d'apéritif. La **cuvée Prestige (15 à 23 €)** se partage équitablement entre chardonnay et pinot noir des années 2004 à 2002. Subtile, charpentée et longue, elle obtient une étoile, tout comme le **2002 (15 à 23 €)**, assemblage de pinot noir (69 %) et de chardonnay : un vin droit aux arômes de beurre et d'amande. (RM)

François-Brossolette, 42, Grande-Rue, 10110 Polisy, tél. 03.25.38.57.17, fax 03.25.38.51.56, e-mail francois-brossolette@wanadoo.fr r.-v.

GABRIEL FRESNE Tradition ★★

4,2 ha 19 600 11 à 15 €

Un ancien relais de poste sur la route d'Épernay à Sézanne, devenu ferme puis exploitation viticole. Les Fresne se lancent dans la manipulation il y a quarante ans. La dernière génération est aux commandes depuis 2000. Sa cuvée Tradition assemble 70 % de noirs (meunier surtout) au chardonnay et provient des années 2002 et 2000. C'est un remarquable brut sans année, floral, miellé, généreux, frais et long. (RM)

EARL Gabriel Fresne, 7, rte Nationale, 51530 Brugny-Vaudancourt, tél. 03.26.59.98.09, fax 03.26.58.49.02, e-mail gafresne@club-internet.fr r.-v.

FRESNET-BAUDOT ★

Gd cru 2 ha 20 000 11 à 15 €

D'ancienne notoriété, le grand cru de Sillery est aujourd'hui le plus discret de tous car ses raisins sont très prisés des grandes marques. Le village compte donc peu de récoltants-manipulants. Parmi eux, les Fresnet exploitent 3,5 ha de vignes. Leur brut assemble du pinot noir (60 %) et du chardonnay des années 2002 à 2000. Il est vineux, souple et rond. Provenant des mêmes années, le **rosé grand cru (15 à 23 €)** a connu le bois. Il est cité pour sa finesse, son élégance et son équilibre. (RM)

Fresnet-Baudot, 9, rue de Puisieulx, 51500 Sillery, tél. 03.26.49.11.74, fax 03.26.49.10.72, e-mail courrier@champagne-fresnet.fr r.-v.
Jean-Pierre Fresnet

FRESNET-JUILLET Spécial Club 1996 ★★

1er cru 1 ha 5 000 15 à 23 €

Un projet mûrement creusé... Pour faire du champagne, il faut une vaste cave afin d'élever les cuvées et de stocker les vins à assembler. Celle des Fresnet-Juillet a été construite à la main à partir des années 1950 – la craie était remontée dans des seaux de 10 l ! Après plusieurs éboulements et autres péripéties, elle est bonne pour le service dans les années 1970 ; puis tout l'équipement en 1991. Aujourd'hui, Vincent Fresnet conduit un domaine de 7 ha dans plusieurs crus. Au bout du tunnel, des étoiles. Celles décrochées par ce 1996, coup de cœur du Guide. Le chardonnay (60 %) est récolté à Bisseuil (1er cru) au lieu-dit La Galoise, le pinot noir provient de deux grands crus : de la vigne de la Tourmante à Mailly et des Monts-de-Bruyères à Verzy. Les dégustateurs sont unanimes : « grande finesse, belle fraîcheur, beaucoup de corps, persistance... » (NM)

Fresnet-Juillet, 10, rue de Beaumont, 51380 Verzy, tél. 03.26.97.93.40, fax 03.26.97.92.55, e-mail info@champagne-fresnetjuillet.com r.-v.
Vincent Fresnet

MICHEL FURDYNA Carte blanche ★

6 ha 20 000 11 à 15 €

Ce domaine aubois a été créé par Michel Furdyna qui a lancé son champagne en 1976. On retrouve sa Carte blanche, provenant cette année des récoltes de 2004 et 2003. Celle-ci privilégie le pinot noir (80 %) mais a la particularité de faire entrer dans l'assemblage 10 % de pinot blanc aux côtés du chardonnay. Les agrumes, notamment le citron, investissent ce champagne nerveux, assez jeune. (RM)

EARL Michel Furdyna, 13, rue du Trot, 10110 Celles-sur-Ource, tél. 03.25.38.54.20, fax 03.25.38.25.63, e-mail champagne.furdyna@wanadoo.fr r.-v.

GABRIEL-PAGIN FILS Grande Réserve

1er cru 2,3 ha n.c. 11 à 15 €

Conduite par Pascal Gabriel depuis 1984, cette exploitation familiale implantée sur la rive droite de la Marne, non loin d'Épernay, s'étend sur près de 10 ha. Elle est équipée d'un gîte d'étape. Sa Grande Réserve se compose de deux tiers de blancs et d'un tiers de noirs (pinot noir). Un champagne puissant, aux arômes de fruits mûrs ou compotés, pour accompagner un repas. (RM)

Pascal Gabriel, 4, rue des Remparts, 51160 Avenay-Val-d'Or, tél. 03.26.52.31.03, fax 03.26.58.87.20, e-mail gabriel.pagin@wanadoo.fr r.-v.

GAIDOZ-FORGET Cuvée de réserve ★

1er cru n.c. 6 000 15 à 23 €

Les Gaidoz exploitent 9 ha de vignes autour de Ludes, dans la Montagne de Reims. Leur Cuvée de réserve, des années 1999 et 1998, assemble un quart de blancs et trois quarts de noirs, dont 50 % de pinot meunier. Sa bouche ronde et mûre, un rien confite, ne nuit pas à sa fraîcheur. Issu des années 2004 et 2003, le **rosé 1er cru** laisse dominer les raisins noirs (92,5 % dont 85 % de meunier). Chaleureux, gras et dosé, il est cité. (RM)

Gaidoz-Forget, 1, rue Carnot, 51500 Ludes, tél. 03.26.61.13.03, fax 03.26.61.11.65, e-mail lgaidoz@wanadoo.fr r.-v.

Luc Gaidoz

GAILLARD-GIROT Réserve ★

3,5 ha 27 000 11 à 15 €

Cette famille de récoltants établie depuis un siècle à Mardeuil, tout près d'Épernay, dispose de 3,5 ha de vignes. Assemblage des années 2003 à 2001, son brut Réserve privilégie largement les noirs : 85 % (du pinot meunier surtout). Cela se traduit par des arômes de fruits rouges (griotte, fraise) agrémentés d'une touche vanillée. L'impression générale est favorable, même si le dosage est sensible. Né des trois cépages champenois à parts égales, le **2002** est plutôt discret mais agréable : une citation. (RM)

EARL Gaillard-Girot, 43, rue Victor-Hugo, 51530 Mardeuil, tél. 03.26.51.64.59, fax 03.26.51.70.59, e-mail champagne-gaillard-girot@wanadoo.fr r.-v.

RÉMY GALICHET Blanc de blancs ★

1,5 ha 15 000 11 à 15 €

La famille Galichet s'est installée à Bouzy, célèbre commune du versant sud de la Montagne de Reims. Durant la dernière décennie, Rémy a agrandi l'exploitation et pris le statut de négociant. Il propose un blanc de blancs de la vendange 2000, torréfié au nez comme en bouche, équilibré et long. (NM)

Rémy Galichet, 21, rue Jeanne-d'Arc, 51150 Tours-sur-Marne, tél. 03.26.57.12.03, fax 03.26.52.86.53 r.-v.

CH. GARDET & C^O^

Selected Reserve Cuvée Foudres ★

1 ha 10 000 15 à 23 €

Créée en 1895, cette maison de négoce implantée à Chigny-les-Roses (Montagne de Reims) vinifie des cuvées longuement élevées en foudre. C'est le cas de celle-ci, assemblage de 60 % de noirs (40 % de pinot noir) et de 40 % de blancs : les vins de base, des années 2000 et 1999, ont connu le bois durant un à deux ans avant tirage en bouteille. Il en résulte un vin complexe, assez évolué au nez, aux arômes d'épices douces (gingembre) et de citron confit. Un champagne de repas. (NM)

Georges Gardet, 13, rue Georges-Legros, 51500 Chigny-les-Roses, tél. 03.26.03.42.03, fax 03.26.03.43.95, e-mail info@champagne-gardet.com r.-v.

BERNARD GAUCHER Carte d'or ★

4,5 ha 20 000 11 à 15 €

Installé à quelques kilomètres de Bar-sur-Aube, Bernard Gaucher exploite un vignoble de 10,5 ha depuis 1972. Sa cuvée Carte d'or privilégie les raisins noirs : le pinot noir entre à hauteur de 60 % dans l'assemblage de ce brut des années 2003 et 2002. Floral et mentholé au nez, équilibré et frais, il tiendra sa place à l'apéritif. (RM)

Bernard Gaucher, 27, rue de la Croix-de-l'Orme, 10200 Arconville, tél. 03.25.27.87.31, fax 03.25.27.85.84 r.-v.

GAUDINAT-BOIVIN Grande Réserve ★

0,66 ha 7 000 11 à 15 €

Implantée sur la rive gauche de la Marne, cette propriété constituée au début du XX^e^s. s'étend sur plus de 5 ha. La marque a été lancée en 1970. La Grande Réserve assemble à parts égales le chardonnay et le pinot meunier des années 2004 et 2003. Au nez, elle exprime les fruits confits, le coing et le miel que l'on retrouve dans une bouche ronde et longue. (RM)

EARL Gaudinat-Boivin, 6, rue des Vignes, Le Mesnil-le-Huttier, 51700 Festigny, tél. 03.26.58.01.52, fax 03.26.58.97.46, e-mail ch.gaudinat.boivin@wanadoo.fr r.-v.

GAUTHEROT ★

1,2 ha 10 000 11 à 15 €

Le développement de Celles-sur-Ource et de son vignoble est lié à la présence d'une abbaye cistercienne fondée au Moyen Âge. De nombreux viticulteurs sont installés de longue date dans cette commune auboise, comme les Gautherot, établis depuis le XVII^e^s. La famille élabore du champagne depuis les années 1930. Provenant de l'année 2004, son rosé doit tout au pinot noir. Habillé d'une robe rose soutenu aux reflets rouges, cassis-framboise au nez, frais à l'attaque, rond et long, il pourra accompagner des viandes blanches. (RM)

EARL Gautherot, 29, Grande-Rue, 10110 Celles-sur-Ource, tél. 03.25.38.50.03, fax 03.25.38.58.14, e-mail contact@champagne-gautherot.com r.-v.

MICHEL GENET

Blanc de blancs Grande Réserve 2002 ★

Gd cru n.c. n.c. 15 à 23 €

Ce sont Vincent et Antoine Genet qui conduisent aujourd'hui la propriété située dans la Côte des Blancs et créée par leur père dans les années 1960. Sur les 8,3 ha du domaine, 6,6 sont implantés en grand cru. Ce blanc de blancs a beaucoup de qualités : il est rond, puissant, équilibré et long. Une étoile encore pour le **Brut classic (11 à 15 €)**. Ce blanc de noirs (pinot noir) apparaît très vif en raison de son faible dosage. On le servira à l'apéritif ou sur des fruits de mer. (RM)

Michel Genet, 22, rue des Partelaines, 51530 Chouilly, tél. 03.26.55.40.51, fax 03.26.59.16.92, e-mail champagne.genet.michel@wanadoo.fr r.-v.

RENÉ GEOFFROY Volupté ★

1er cru 2 ha 11 180 23 à 30 €

Si les Geoffroy vivent à Cumières depuis le XVII^e^s., ils ont attendu la fin de la dernière guerre pour élaborer leur champagne, comme de nombreux récoltants. Leur vignoble s'étend aujourd'hui sur 13,50 ha. Les vins de la propriété ne font pas leur fermentation malolactique. Deux champagnes retenus, une étoile pour chacun. Issue de l'année 2002, cette cuvée Volupté assemble 78 % de chardonnay et 22 % de pinot noir. Un nez citronné, une attaque souple, une bouche équilibrée, fine et légèrement réglissée composent un champagne d'apéritif. Le **1999 (38 à 46 €)** marie le pinot noir (60 %) et le chardonnay ; il est élevé dix mois en fût. Il en résulte un bouquet complexe, boisé et beurré. (RM)

René Geoffroy, 150, rue du Bois-des-Jots, 51480 Cumières, tél. 03.26.55.32.31, fax 03.26.54.66.50, e-mail info@champagne-geoffroy.com r.-v.

PIERRE GERBAIS L'Originale ★

0,5 ha 3 000 15 à 23 €

Si le pinot blanc prend volontiers mousse en Alsace, son utilisation en Champagne, quoique autorisée, est fort rare. Ce domaine aubois en a fait une spécialité. Sa cuvée L'Originale doit tout à ce cépage ; elle est fort bien nommée puisque c'est sans doute le seul blanc de blancs champenois à naître exclusivement de cette variété. Issu de l'année 2003, c'est un champagne ample et complexe, dominé par de vifs arômes d'orange. Il conviendra à l'apéritif. (NM)

Pierre Gerbais, 13, rue du Pont, BP 17, 10110 Celles-sur-Ource, tél. 03.25.38.51.29, fax 03.25.38.55.17, e-mail champ.gerbais@wanadoo.fr t.l.j. sf dim. 9h-12h 13h30-18h; sam. sur r.-v.

JEAN GIMONNET Blanc de blancs 2003 ★★

1er cru 1,5 ha 3 444 15 à 23 €

La famille Gimonnet est omniprésente au nord de la Côte des Blancs. Voici, signé par une branche de la dynastie, un remarquable 2003, charnu, puissant, opulent, harmonieux et long. Ses arômes évoquent les fruits mûrs, voire confits : le millésime de la canicule. La **Réserve 1er cru (11 à 15 €)** serait un blanc de blancs si 5 % de pinot meunier n'entraient pas dans son assemblage. Le fruit rouge voisine avec des notes beurrées et vanillées, la bouche est complexe et persistante : une étoile. (RM)

Jean Gimonnet, 16, rue Jean-Mermoz, 51530 Cuis, tél. 03.26.59.78.39, fax 03.26.51.05.07 r.-v.

GIMONNET-GONET Tradition

6 ha 25 000 11 à 15 €

Trois familles ont dominé la Côte des Blancs : les Larmandier, les Gimonnet et les Gonet. Des mariages les ont unis, parfois jusqu'à donner une marque (partiellement) commune. Trois champagnes sont cités. Deux d'entre eux assemblent les années 2004 et 2003. Il s'agit du brut Tradition, assemblage de 60 % de chardonnay et de 40 % de pinot noir, un vin dominé par les agrumes, tout en légèreté, pour l'apéritif ; et du brut **Or blanc de blancs**, fin et très vif. Quant au brut **Prestige (15 à 23 €)**, il est issu de la vendange de 2002. C'est un autre blanc de blancs, biscuité, rond, d'une élégance discrète. (RM)

Gimonnet-Gonet, Le Bas-des-Auges, BP 35, 51190 Le Mesnil-sur-Oger, tél. 03.26.57.51.44, fax 03.26.58.00.03, e-mail charlanne.gimonnet@wanadoo.fr r.-v.

GIMONNET-OGER Grande Réserve ★★

n.c. 25 000 15 à 23 €

Jean-Luc Gimonnet est récoltant-manipulant à Cuis, à l'orée de la Côte des Blancs. Il signe une Grande Réserve qui doit presque tout au chardonnay (10 % seulement de pinot meunier). Un champagne brioché, élégant, long, et d'un très bel équilibre conciliant la fraîcheur et la rondeur. Deux étoiles encore pour le **blanc de blancs Sélection 1er cru** qui offre lui aussi une palette beurrée-briochée et un palais harmonieux et long. Une étoile enfin pour le **blanc de blancs 1er cru 2001**, un « vin de caractère » riche et complexe, belle expression d'un millésime difficile. (RM)

Jean-Luc Gimonnet, 7, rue Jean-Mermoz, 51530 Cuis, tél. 03.26.59.86.50, fax 03.26.59.86.53, e-mail chg.o@free.fr r.-v.

PIERRE GOBILLARD Réserve ★

1er cru 1 ha 10 000 15 à 23 €

Cette exploitation appartenant à un autre famille Gobillard de Hautvillers domine la vallée de la Marne. On y fait du champagne depuis soixante ans. La cuvée Réserve privilégie les noirs (60 %, dont 40 % de pinot noir) et provient de l'année 2002. Miellée, beurrée et compotée au nez, elle présente une finale nerveuse. Citée, la **cuvée Prestige 1er cru** est issue de la récolte de 2002. Mi-blancs mi-noirs (30 % de pinot noir), elle exprime d'élégants arômes de fleurs blanches mentholées et conviendra à l'apéritif. (RM)

Hervé Gobillard, 341, rue des Côtes-de-l'Héry, 51160 Hautvillers, tél. 03.26.59.45.66, fax 03.26.52.04.43, e-mail info@champagne-gobillard-pierre.com r.-v.

JM GOBILLARD ET FILS Grande Réserve ★★

1er cru 10 ha 90 000 15 à 23 €

L'étiquette porte le nom de Jean-Marie Gobillard, qui a constitué le domaine et lancé le champagne en 1955. Implanté dans la « grande vallée » de la Marne, le vignoble couvre 25 ha autour de Hautvillers, célèbre par son abbaye où vécut dom Pérignon. Cette Grande Réserve est un champagne mi-blancs mi-noirs (pinot noir) des années 2004 et 2003. Délicatement floral et fruité au nez, il est très équilibré en bouche où des arômes de fruits rouges, de mirabelle et de miel viennent compléter sa palette aromatique. Le **blanc de blancs Gervais Gobillard** provient des mêmes années ; il est gourmand, sur le fruit, bien équilibré : une étoile. (NM)

J.-M. Gobillard et Fils, 38, rue de l'Église, 51160 Hautvillers, tél. 03.26.51.00.24, fax 03.26.51.00.18, e-mail champagne-gobillard@wanadoo.fr r.-v.

GODMÉ PÈRE ET FILS Blanc de noirs

Gd cru 3,5 ha 20 000 15 à 23 €

Installés à Verzenay dans la Montagne de Reims, Hugues, Dominique et Sabine Godmé exploitent à la suite de quatre générations 11,5 ha de vignes répartis en quatre-vingt-trois parcelles disséminées dans cinq villages – trois grands crus et deux 1ers crus. Ils proposent un blanc de noirs de pur pinot noir, ample, riche, vineux et bien dosé. Un champagne de repas. (RM)

Godmé Père et Fils, 10, rue de Verzy, 51360 Verzenay, tél. 03.26.49.48.70, fax 03.26.49.45.30, e-mail contact@champagne-godme.fr r.-v.

PAUL GOERG Tradition ★

1er cru 90 ha 150 000 11 à 15 €

Fondée en 1950, la coopérative de Vertus a d'abord élaboré du champagne pour le compte de ses adhérents avant de lancer en 1984 sa marque, qui rend hommage à un ancien maire de la commune. La cave vinifie les récoltes de 117 ha. Son brut Tradition assemble 60 % de chardonnay et 40 % de pinot noir des années 2004 à 2002. Exotique au nez, jeune et frais en bouche, il offre « un bon compromis entre la puissance et la finesse », écrit un dégustateur. Un champagne de table. (CM)

🔑 Paul Goerg, 30, rue du Gal-Leclerc, 51130 Vertus, tél. 03.26.52.15.31, fax 03.26.52.23.96, e-mail info@champagne-goerg.com ☑ Y ⚲ r.-v.

MICHEL GONET B de B 1998 ★★

	n.c.	n.c.	23 à 30 €

Fondée en 1802 par Charles Gonet, cette exploitation a été reprise par Michel Gonet qui a porté son vignoble à 40 ha et qui, fort de son succès, développe ses propriétés dans le Bordelais. Son blanc de blancs 1998 offre un nez riche, évolué, fait de fruits cuits et de coing. Dans le même registre au palais, il est puissant et gourmand et pourra accompagner une viande blanche. Le **chardonnay grand cru 2001 (15 à 23 €)** obtient une étoile pour sa palette briochée, torréfiée et vanillée et pour son équilibre : une belle réussite dans le millésime. (RM)

🔑 SCEV Michel Gonet et Fils, 196, av. Jean-Jaurès, 51190 Avize, tél. 03.26.57.50.56, fax 03.26.57.91.98, e-mail champagne.gonet@wanadoo.fr ☑ Y ⚲ t.l.j. 9h-12h 14h-17h; sam. dim. sur r.-v.; f. août 🏠 ④

PHILIPPE GONET Réserve ★

Gd cru	9 ha	60 000	11 à 15 €

Un des membres de la famille Gonet, très présente dans la Côte des Blancs. Philippe Gonet a repris en 2001 le domaine de 19 ha, qui s'étend au Mesnil-sur-Oger et dans d'autres secteurs du vignoble. Son brut Réserve laisse la vedette aux noirs (60 % de pinot noir, 10 % de pinot meunier). Il provient de la vendange de 2004 complétée par des vins de réserve de 2003. Il est complexe, charpenté, rond et persistant. Une étoile encore pour le **blanc de blancs (15 à 23 €)** au nez de pomme verte, au palais fruité, grillé et plutôt nerveux. (NM)

🔑 Philippe Gonet, 1, rue de la Brèche-d'Oger, 51190 Le Mesnil-sur-Oger, tél. 03.26.57.53.47, fax 03.26.57.51.03, e-mail info@champagne-philippe-gonet.com ☑ Y ⚲ r.-v.

GONET-MÉDEVILLE Tradition

1er cru	3 ha	25 000	11 à 15 €

Les Gonet sont bien connus dans la Côte des Blancs, les Médeville dans le Sauternais. Du mariage de Xavier Gonet avec Julie Médeville est née cette propriété de 7 ha. Sa cuvée Tradition assemble 60 % de chardonnay aux deux pinots (30 % de pinot noir) et provient des années 2004 et 2003. Avec ses senteurs beurrées et briochées, associées à des nuances de fleurs blanches et de miel, elle porte la marque du chardonnay. Franche, un peu fugace, elle trouvera sa place à l'apéritif ou lors d'un vin d'honneur. (RM)

🔑 Gonet-Médeville, 1, ch. de la Cavotte, 51150 Bisseuil, tél. 03.26.57.75.60, e-mail gonet-medeville@wanadoo.fr ☑ Y ⚲ r.-v.

GONET-SULCOVA Chardonnay Cuvée Gaïa ★★

Gd cru	1 ha	2 700	23 à 30 €

L'un des Gonet, celui d'Épernay. Charles, puis Jacques et Vincent Gonet ont développé ce domaine qui s'étend sur 17 ha dans la Côte des Blancs et dans l'Aube. Ce blanc de blancs grand cru de l'année 2003 a passé six mois en fût. Très fin, légèrement boisé, il sera excellent avec les crustacés. Deux champagnes reçoivent une étoile : le **brut blanc de blancs (11 à 15 €)** des années 2003 et 2002, citronné, minéral et vif, pour du poisson en sauce, et le **blanc de blancs grand cru 2001 (15 à 23 €)** d'une grande richesse aromatique pour le millésime, avec ses nuances de verveine, de tilleul, de thé et de vanille. (RM)

🔑 Gonet-Sulcova, 13, rue Henri-Martin, 51200 Épernay, tél. 03.26.54.37.63, fax 03.26.54.87.73, e-mail gonet-sulcova@wanadoo.fr ☑ Y ⚲ r.-v.

GOSSET Grand Millésime 1999 ★★★

	n.c.	200 000	46 à 76 €

Gosset n'est pas la plus ancienne « maison de champagne », mais elle se flatte d'être la plus ancienne « maison de vins de la Champagne » : elle avait déjà pignon sur rue à Aÿ au XVIe s., avant que le pinot ne prît mousse. En 1993, la société a été rachetée par Béatrice Cointreau (Cognac Frapin). Les champagnes Gosset ne font pas leur fermentation malolactique. Ce 1999, qui accorde une courte majorité au chardonnay (56 %, le solde en pinot noir), s'est attiré une pluie de compliments. La complexité de sa palette aromatique rend les dégustateurs diserts : ils évoquent le beurre de noisette, le caramel au lait, le nougat, le moka, la poire... Sa fraîcheur, sa netteté, son équilibre sont salués. Deux cuvées obtiennent une étoile : la **Grande Réserve (30 à 38 €)** : 46 % de blancs et 54 % de noirs (dont 39 % de pinot noir) pour un vin minéral, rond et équilibré, et **Celebris 1998 (plus de 76 €)** : 64 % de chardonnay et 36 % de pinot noir grand cru au service d'un ensemble empyreumatique, rond et gourmand. Trois champagnes de gastronomie. (NM)

🔑 Gosset, 69, rue Jules-Blondeau, BP 7, 51160 Aÿ, tél. 03.26.56.99.56, fax 03.26.51.55.88, e-mail info@champagne-gosset.com

GOSSET-BRABANT

1er cru	2 ha	4 000	15 à 23 €

D'autres Gosset établis à Aÿ, descendants de vignerons du XVIe s. Cette branche a gardé le statut de récoltant-manipulant et ses 9,5 ha de vignes. Le pinot noir règne dans son rosé 1er cru, né de la vendange de 2004. Une robe soutenue tirant sur le rubis et un fruité rouge intense au nez annoncent une bouteille qui joue avant tout sur la puissance, et qui trouvera sa place au repas ou avec une salade de fruits rouges. (RM)

🔑 Gosset-Brabant, 23, bd du Mal-de-Lattre-de-Tassigny, Tassigny, 51160 Aÿ, tél. 03.26.55.17.42, fax 03.26.54.31.33, e-mail gosset-brabant@wanadoo.fr ☑ Y ⚲ r.-v.

🔑 GAEC des Chaudes Terres

J.-M. GOULARD Tradition ★

	n.c.	50 177	11 à 15 €

Le domaine s'étend sur 7 ha autour de Prouilly, à l'ouest de Reims et du massif de Saint-Thierry. Ce brut Tradition est un blanc de noirs issus des deux pinots et des années 2004 et 2003. On y découvre le miel, le pain d'épice et la brioche ainsi qu'un bon équilibre. Le **rosé** doit lui aussi tout aux raisins noirs et résulte d'un assemblage proche (deux tiers de pinot meunier, un tiers de pinot noir des mêmes années). Nez fin sur la griotte, attaque souple, dosage sensible : une citation. (RM)

EARL Goulard, 13, Grande-Rue, 51140 Prouilly, tél. 03.26.48.21.60, fax 03.26.48.23.67, e-mail goulard@club-internet.fr r.-v. 2

GÉRARD GOUTHIÈRE ET FILS Prestige *

	1 ha	3 500	15 à 23 €

Créé en 1973, ce domaine est situé au nord-est de Bar-sur-Aube, aux confins de la Haute-Marne. Il compte aujourd'hui 4,50 ha de vignes et commercialise son champagne depuis les années 1980. Sa cuvée Prestige assemble 75 % de chardonnay, 20 % de pinot noir et 5 % de meunier des années 2003 et 2002. Fruité et mentholé, il est à la fois frais et onctueux. Produit des années 2004 et 2003, le brut **Tradition (11 à 15 €)** est, à 5 % près, un blanc de noirs. Il obtient la même note pour son équilibre et pour son fruité discret mais élégant. (RM)

Gérard Gouthière, 7, rue des Tilleuls, 10200 Saulcy, tél. 03.25.27.12.06, fax 03.25.27.15.56, e-mail info@champagne-gouthiere.com t.l.j. 9h-12h 14h-19h; groupes sur r.-v.

HENRI GOUTORBE Prestige *

	n.c.	n.c.	15 à 23 €

Pépiniéristes viticoles depuis le début du XX[e]s., les Goutorbe ont constitué en une trentaine d'années un vignoble qui ne compte pas moins de 20 ha autour d'Aÿ, commune célèbre par son pinot noir. Assemblage de deux tiers de noirs et d'un tiers de blanc, la cuvée Prestige se partage entre les fruits confits et le miel ; elle est structurée, équilibrée et persistante. Le **grand cru Spécial Club 2000 (23 à 30 €)** assemble 70 % de pinot noir et 30 % de chardonnay récoltés dans le village d'Aÿ. Son fruité intense, son ampleur, sa puissance et sa longueur lui valent aussi une étoile. (RM)

SARL Goutorbe Père et Fils, 9, bis rue Jeanson, 51160 Aÿ, tél. 03.26.55.21.70, fax 03.26.54.85.11, e-mail info@champagne-henri-goutorbe.com r.-v.

GRANZAMY PÈRE ET FILS **

	1 ha	10 000	11 à 15 €

Le pinot meunier implanté sur la rive droite de la Marne bénéficie d'une grande réputation. Un cépage présent dans les cuvées de cette maison, établie dans ce secteur. Il compose ainsi 72 % de ce rosé, associé à 15 % de chardonnay et à 13 % de pinot noir vinifié en rouge – un brut assemblant les années 2005 et 2004. Habillé d'une robe saumon intense, ce champagne séduit par son bouquet de petits fruits rouges légèrement compotés, que l'on retrouve dans une bouche fraîche. Il convient à la table. Une étoile pour la cuvée **Prestige**. Issue des mêmes années, celle-ci comprend 70 % de noirs (dont 40 % de pinot noir). Florale et minérale, elle révèle une belle fraîcheur qui lui confère de l'élégance. (NM)

SARL Granzamy Père et Fils, 15, rue de Champagne, 51480 Venteuil, tél. 03.26.58.60.62, fax 03.26.51.10.21 r.-v.

ALFRED GRATIEN 1997 *

	n.c.	20 000	30 à 38 €

Fondée en 1864 par Alfred Gratien, cette maison a été cédée par ses descendants en 2000 au groupe allemand Henkell et Söhnlein. Ce changement de mains n'a pas perturbé l'état d'esprit de cette maison traditionnelle qui vinifie toujours ses vins dans le bois (sans rechercher un goût boisé car il n'est pas fait appel à du chêne neuf). Issu des trois cépages champenois, ce 1997 est grillé et brioché au nez, tandis qu'en bouche se révèle un fruité confit. Un millésime à boire sans trop attendre. Cité, le **brut cuvée Paradis (46 à 76 €)** assemble deux tiers de blancs aux noirs (les deux pinots). Discret au nez, il est rond, ample et élégant. (NM)

Alfred Gratien, 30, rue Maurice-Cerveaux, 51200 Épernay, tél. 03.26.54.38.20, fax 03.26.54.53.44, e-mail contact@alfredgratien.com r.-v.

Henkell et Söhnlein

GÉRARD GRATIOT Prélude *

	n.c.	4 000	11 à 15 €

En 1907, Désiré Gratiot remporte un concours agricole pour un « vin blanc champenois ». Un siècle plus tard, ses descendants exploitent un coquet vignoble de 17 ha dans la vallée de la Marne, en aval de Château-Thierry. Leur cuvée Prélude assemble 75 % de meunier et 25 % de chardonnay des années 2003 et 2002. C'est un champagne gras, rond et franc de goût. (RM)

Gérard Gratiot, 27, av. Fernand-Drouet, BP 10, 02310 Charly-sur-Marne, tél. 03.23.82.06.89, fax 03.23.82.08.18, e-mail champagne.gratiot.gerard@wanadoo.fr r.-v.

J.-M. GREMILLET Cuvée Élodie *

	n.c.	100 000	11 à 15 €

Négociants dans l'Aube, les Gremillet disposent en propre de 27 ha de vignes. Ils ne sont pas loin des Riceys, village bien connu pour son rosé de pinot noir. Un cépage qui entre pour 70 % dans cette cuvée, complété par le chardonnay. L'assemblage fait intervenir les années 2004 à 2002. Fruité exotique, fraîcheur et rondeur, finale harmonieuse, l'ensemble donne toute satisfaction. Issu des années 2004 à 2001, le brut **Prestige** est un champagne mi-blancs mi-noirs (pinot noir). Charnu, complexe et puissant, il s'accordera avec volailles et viandes blanches : une étoile également. (NM)

Jean-Michel Gremillet, Envers de Valeine, 10110 Balnot-sur-Laignes, tél. 03.25.29.37.91, fax 03.25.29.30.69, e-mail info@champagnejmgremillet.fr t.l.j. 8h-12h 14h-18h

GRUET

	13 ha	53 500	11 à 15 €

Claude Gruet a pris en 1975 la suite de onze générations de vignerons sur son domaine de la Côte des Bar (Aube). C'est lui qui s'est lancé dans l'élaboration et la commercialisation du champagne. Son rosé comprend 80 % de pinot noir et 20 % de chardonnay, dont 20 % vinifié en rouge. C'est un classique, assez léger aussi bien dans sa couleur que dans ses arômes d'agrumes et de fruits rouges. Il se montre assez vif. Également cité, le **blanc de blancs 2003** est élevé six mois en fût, sans être marqué par le boisé. C'est un vin frais qui respire la fleur blanche. (NM)

Gruet, 48, Grande-Rue, 10110 Buxeuil, tél. 03.25.38.54.94, fax 03.25.38.51.84, e-mail champagne-gruet@wanadoo.fr t.l.j. 8h30-12h 14h-17h30; sam. dim. sur r.-v., f. sem. 15 août

P. GUERRE ET FILS Tradition ★

	n.c.	n.c.	11 à 15 €

Héritier de plusieurs générations de vignerons, Michel Guerre exploite un vignoble de 8 ha dans la vallée de la Marne. 80 % de raisins noirs (dont 60 % de pinot noir) et 20 % de blancs collaborent à son brut Tradition au joli nez floral, fruité (fruits rouges), vanillé et miellé, souple à l'attaque et bien équilibré. (RM)

EARL Michel Guerre, 3, rue de Champagne, 51480 Venteuil, tél. 03.26.58.62.72, fax 03.26.58.64.06, e-mail champagne.michel.guerre@orange.fr r.-v.

GUILLETTE-BREST 1998 ★★

	0,3 ha	3 000	11 à 15 €

Cette propriété familiale s'étend sur 4,5 ha autour de Monthelon, sur les coteaux sud d'Épernay. Ce 1998 doit tout au chardonnay. Au nez, il exprime la pomme mûre et le fruit cuit. Franc à l'attaque, frais, vif et citronné au palais, il révèle quelques notes évoluées. Un bel apogée. Le **brut** assemble 60 % de noirs (dont 50 % de pinot meunier) et 40 % de blancs des années 2004 et 2003. Il est cité pour son bouquet beurré et brioché nuancé d'agrumes et pour son bon équilibre. (RM)

Guillette, 14, rue Gaston-Poittevin, 51530 Monthelon, tél. 03.26.59.73.38, fax 03.26.51.96.99 r.-v.

ROMAIN GUISTEL ★

	0,5 ha	3 000	11 à 15 €

1797-2007 : les Guistel perpétuent une tradition viticole qui remonte à la Révolution. Aujourd'hui, Romain et Richard Guistel exploitent quelque 5 ha de vignes à flanc de coteau autour du village. Ce rosé associe 70 % de noirs (dont 60 % de meunier) à 30 % de blancs. De couleur saumon pâle, il libère de délicats parfums de fleurs et de bonbon anglais et exprime des arômes de fruits rouges dans une bouche souple, complexe et fine. Quant au brut **Tradition**, cité, c'est un blanc de noirs de pinot meunier, au nez discret et à la bouche vive. (NM)

Romain Guistel, 1, rue du Rempart-de-l'Ouest, 51480 Damery, tél. 03.26.58.40.40, fax 03.26.52.04.28, e-mail r.guistel@wanadoo.fr r.-v.

HAMM 1999

	n.c.	5 000	15 à 23 €

Cette affaire familiale fait du champagne depuis 1910 et a pris le statut de négociant en 1930. Elle ne vend qu'aux particuliers. Mi-blancs mi-noirs (pinot noir), son brut 1999 assemble les raisins de six grands crus. Il n'a pas fait sa fermentation malolactique et a connu le bois. Il en résulte un champagne franc et vif, en un mot classique. (NM)

Hamm et Fils, 16, rue N.-Philipponnat, 51160 Aÿ, tél. 03.26.55.44.19, fax 03.26.51.98.68, e-mail champagne.hamm@wanadoo.fr t.l.j. 9h-12h 14h-18h; sam. dim. 9h-12h

HARLIN Harmonie ★★

	n.c.	30 000	11 à 15 €

La famille Paillard, de Tours-sur-Marne, est à l'origine de cette marque de négoce. Assemblage classique de 60 % de pinot noir et de 40 % de chardonnay, cette cuvée Harmonie marie la vendange de 2004 (45 %) à des vins de réserve de 2003 à 2000. Elle mérite bien son nom : mûre, ronde, corpulente, elle n'en montre pas moins beaucoup de finesse. (NM)

Harlin, 41, av. de Champagne, 51150 Tours-sur-Marne, tél. 03.26.51.88.95, fax 03.26.58.96.31, e-mail champagneharlin@wanadoo.fr r.-v.

Famille Paillard

HARLIN PÈRE ET FILS Tradition ★

	Gd cru	5,5 ha	30 000	11 à 15 €

Cette propriété dispose d'un vignoble de 8,5 ha dans la vallée de la Marne près d'Épernay et à Tours-sur-Marne. Sa cuvée Tradition naît de 10 % de blancs et de 90 % de noirs (dont 70 % de pinot meunier) ; elle assemble les années 2004 et 2003. Au nez, du fruit confit, en bouche, une fraîcheur élégante. « Bon brut sans année », conclut un dégustateur. Issu des années 2003 et 2002, le **brut grand cru** privilégie lui aussi les noirs (60 % de pinot noir). Vif, puissant, confit, gourmand et long, c'est un champagne de repas. (RM)

Harlin Père et Fils, 8, rue de la Fontaine, Port-à-Binson, 51700 Mareuil-le-Port, tél. 03.26.58.34.38, fax 03.26.58.63.78 t.l.j. sf dim. 9h-12h 14h-18h; f. 10-31 août

JEAN-NOËL HATON Extra ★

	n.c.	10 000	23 à 30 €

Jean-Noël Haton est à la tête d'une maison de négoce et d'un vignoble de 14 ha. Son rosé Extra appartient à une gamme réservée aux cavistes, restaurateurs et épiceries fines. Assemblant 70 % de noirs (les deux pinots à parts égales) et 30 % de blancs, il comprend à peine 5 % de vin rouge. Sa teinte pâle, œil de perdrix, annonce un bouquet tout en finesse. L'ensemble est mûr et persistant. Mi-blancs mi-noirs (pinot noir), la **cuvée Prestige (15 à 23 €)** est équilibrée, ronde et longue : une citation. (NM)

Jean-Noël Haton, 5, rue Jean-Mermoz, 51480 Damery, tél. 03.26.58.40.45, fax 03.26.58.63.55, e-mail contact@champagne-haton.com r.-v.

HATON ET FILS Grande Réserve ★

	1 ha	10 000	11 à 15 €

Un domaine fondé à la fin du XIXe s., et aujourd'hui conduit par la quatrième génération. Deux vins sont retenus, issus de la récolte de 2004. Ce rosé est le préféré. Très marqué par le pinot meunier (80 %) que complète le chardonnay, il s'habille d'une robe saumon aux légers reflets violacés, allie puissance et élégance. Citée, la **Grande Réserve** naît de trois quarts de meunier et d'un quart de chardonnay. Gourmand et miellé, c'est un champagne fait pour l'apéritif. (NM)

Philippe Haton et Fils, 3, rue Jean-Mermoz, 51480 Damery, tél. 03.26.58.41.11, fax 03.26.58.45.98, e-mail contact@champagnehatonetfils.com r.-v.

LUDOVIC HATTÉ
Verzenay Brut Grande Réserve ★

	Gd cru	0,8 ha	5 000	11 à 15 €

Implantée à Verzenay, célèbre commune de la Montagne de Reims, cette exploitation familiale couvre près de 10,5 ha répartis dans quatre grands crus. Sa Grande Réserve naît des années 2001 et 2000 et privilégie les noirs : 70 % de pinot noir, le solde en chardonnay. Un fruité confit au nez comme en bouche, un rien de vanille, de la rondeur, un palais de bonne tenue composent un champagne de repas. (RM)

Ludovic Hatté, 3, rue Thiers, 51360 Verzenay,
tél. 03.26.49.43.94, fax 03.26.49.81.96,
e-mail champagneludovichatte@orange.fr r.-v.

MARC HÉBRART Sélection ★

1er cru 2 ha 10 000 11 à 15 €

Cette propriété familiale couvre trois grands crus (Oiry, Chouilly et Aÿ) et quatre 1ers crus (Mareuil-sur-Aÿ, Bisseuil, Avenay-Val-d'Or, Mutigny). Constituée en 1962, elle est conduite depuis 1997 par Jean-Luc Hébrart, le fils de Marc. Son 1er cru Sélection assemble deux tiers de pinot noir au chardonnay. Au nez, il exprime les fruits secs relevés de touches poivrées. Structuré et complexe au palais, il trouvera sa place à table. (RM)

EARL Hébrart, 18, rue du Pont,
51160 Mareuil-sur-Aÿ, tél. 03.26.52.60.75,
fax 03.26.52.92.64 r.-v.

CHARLES HEIDSIECK
Blanc des millénaires 1995 ★★

n.c. 200 000 46 à 76 €

Avant la Révolution, Florens Louis Heidsieck, venu de Westphalie, fit souche à Reims. Sa maison donna naissance à plusieurs sociétés dont Charles Heidsieck, fondée en 1851, longtemps demeurée familiale et entrée en 1985 dans le groupe Rémy-Cointreau. Charles Heidsieck dispose d'un vignoble de 65 ha. Cuvée spéciale millésimée, son Blanc des millénaires se distingue régulièrement dans le Guide (pas moins de cinq coups de cœur). Empyreumatique, gras, vineux, frais et long, ce 1995 a atteint son apogée. Une étoile pour le **Champagne Charlie 1985 (plus de 76 €)** : 55 % de pinot noir, 45 % de chardonnay. Robe vieil or, arômes de torréfaction, équilibre : ce grand millésime paraît éternel. Une citation enfin pour la cuvée **Réserve (23 à 30 €)**, issue des trois cépages champenois à parts égales. Vineux et gourmand, avec des arômes de fruits cuits, de pâte de coings et de pain d'épice, ce brut atteint sa maturité. (NM)

Charles Heidsieck, 12, allée du Vignoble,
51100 Reims, tél. 03.26.84.43.50, fax 03.26.84.43.99
r.-v.

P. HENIN Réserve

1er cru 0,15 ha 1 000 11 à 15 €

Modeste par sa superficie, cette exploitation familiale est implantée dans une commune réputée du vignoble. Trois de ses cuvées ont été citées : ce 1er cru Réserve assemble 60 % de pinot noir et 40 % de chardonnay des années 2002 et 2001. Il mêle les fleurs à des notes de fruits mûrs et se montre rond, avec ce qu'il faut de fraîcheur. Le **1er cru Tradition** résulte d'un même assemblage mais provient des années 2004 et 2003. Franc et bien équilibré, c'est un brut sans année classique. Quant au **grand cru 2002 (15 à 23 €)**, mi-blancs mi-noirs (pinot noir), il marie des notes florales avec des nuances plus évoluées de noisette grillée et de fruits confits. (RM)

Pascal Henin, 22, rue Jules-Lobet, 51160 Aÿ,
tél. 03.26.54.61.50, fax 03.26.51.69.25,
e-mail champagne.henin.pascal@hexanet.fr r.-v.

HÉNIN-DELOUVIN Tradition ★

1er cru 2 ha n.c. 11 à 15 €

Un vigneron et une vigneronne ; de chaque côté, trois générations au service du vin ; un domaine de près de 5 ha. Jacky Hénin a assemblé dans cette cuvée 60 % de pinot noir et 40 % de chardonnay des années 2005 et 2004. Il en résulte un champagne généreux et frais, très équilibré et assez long, aux arômes variés (fleurs, fruits jaunes, miel, fruits secs). Une citation pour le **1er cru 2002 (15 à 23 €)**, mi-blancs mi-noirs (pinot noir), réglissé et ample. (RM)

Hénin-Delouvin, 22, quai du Port, 51160 Aÿ,
tél. 03.26.54.01.81, fax 03.26.52.80.54,
e-mail champagne-henin-delouvin@hexanet.fr r.-v.
Jacky Hénin

D. HENRIET-BAZIN 2002 ★

Gd cru 3 ha n.c. 15 à 23 €

Cinq générations se sont succédé depuis la création du domaine à la fin du XIXes. Implantée sur le flanc nord-est de la Montagne de Reims, la propriété dispose aujourd'hui de 7,5 ha de vignes. Ce 2002 marie 70 % de pinot noir à 30 % de chardonnay récoltés sur le terroir de Verzenay, commune classée en grand cru. Du nez beurré, brioché et toasté, agrémenté de fruits confits, jusqu'à la finale intense, la finesse, l'équilibre et l'élégance sont les maîtres mots de la dégustation. (RM)

Henriet-Bazin, 9 bis, rue Dom-Pérignon,
51380 Villers-Marmery, tél. 03.26.97.96.81,
fax 03.26.97.97.30, e-mail henriet.bazin@wanadoo.fr
r.-v.

HENRIOT Cuvée des Enchanteleurs 1995 ★★

n.c. 20 000 + de 76 €

Cette maison rémoise, fondée en 1808, a gardé son caractère familial : elle est aujourd'hui dirigée par Stanislas Henriot. Champagne haut de gamme issu de pinot noir et de chardonnay, la Cuvée des Enchanteleurs a obtenu un coup de cœur dans les grands millésimes 1989 et 1990. 1995 est une autre année réputée. Puissant et fin à la fois, persistant, ce millésime exprime une belle maturité. Assemblage des mêmes cépages, le brut **1998 (30 à 38 €)** obtient une étoile. Ses arômes empyreumatiques (pain grillé) et ses nuances de fruits confits traduisent également un vin à son apogée. Très différent, le **Brut Souverain (23 à 30 €)** marie 60 % de noirs (pinot noir) et 40 % de blancs des années 2002 à 1998. Agréable et long, il exprime un bouquet frais d'agrumes et de fruits jaunes qui lui donne un air de jeunesse. Il est cité. (NM)

Henriot, 81, rue Coquebert, 51100 Reims,
tél. 03.26.89.53.00, fax 03.26.89.53.10,
e-mail france@champagne-henriot.com

DIDIER HERBERT Cuvée Platinium 2002 ★

1er cru 0,6 ha 4 300 15 à 23 €

À la tête de 7 ha de vignes à Rilly-la-Montagne, village proche de Reims, Didier Herbert a pris le statut de négociant qui lui permet de produire davantage. Il se fournit auprès des viticulteurs de son village, 1er cru de la Montagne de Reims. Sa cuvée Platinium privilégie les blancs (60 %, le solde en pinot noir). L'amande et la torréfaction donnent à son bouquet une dominante eupyreumatique. Un peu de brioche beurrée et des nuances florales s'ajoutent à cette palette, avant une finale minérale et longue. « Un vin précis », conclut un dégustateur. (NM)

Didier Herbert, 32, rue de Reims,
51500 Rilly-la-Montagne, tél. 03.26.03.41.53,
fax 03.26.03.44.64, e-mail infos@champagneherbert.fr
r.-v.

HEUCQ PÈRE ET FILS ★

0,4 ha 4 500 15 à 23 €

André Heucq a pris la suite de trois générations de récoltants. Son exploitation s'étend sur plus de 5 ha et a son siège à Cuisles, sur la rive droite de la Marne. Rosé de noirs issu de la vendange de 2003, ce brut privilégie largement le pinot meunier (80 %). De couleur soutenue, presque rouge cerise, c'est un rosé gourmand, franc et vif, au bouquet de grenadine et de framboise. La **Cuvée antique 1999** marie 60 % de chardonnay au pinot noir. Un séjour d'au moins un an en fût lui a légué une touche vanillée et pralinée. L'ensemble est puissant et généreux : une citation. (RM)

André Heucq, 6, rue Eugène-Moussé,
51700 Cuisles, tél. 03.26.58.10.08, fax 03.26.58.12.00
r.-v.

SERGE HORIOT

Sève Rosé de saignée Extra-brut En Barmont

0,5 ha 3 600 15 à 23 €

Installé aux Riceys (Aube), en 1999, Olivier Horiot a présenté avec succès plusieurs millésimes de rosés-des-riceys. Pour sa première vinification en champagne, il applique la même démarche que pour l'élaboration des vins tranquilles : expression des terroirs (ici, En Barmont, lieu-dit figurant sur l'étiquette) ; macération carbonique du pinot noir ; dosage réduit au minimum pour privilégier la fraîcheur (extra-brut). Les vins sont élevés en fût. Le résultat ? Un bouquet très fin de framboise que l'on retrouve dans une bouche un peu fugace, mais souple et équilibrée. (RM)

Olivier Horiot, 25, rue de Bise, 10340 Les Riceys,
tél. 03.25.29.32.16, fax 03.25.29.17.99,
e-mail champagne.horiot@libertysurf.fr r.-v.

M. HOSTOMME *

2 ha 18 000 11 à 15 €

Paul Hostomme commence à cultiver la vigne il y a près d'un siècle ; puis Marcel se lance dans la commercialisation du champagne, avec ses fils Jacques et Michel. Aujourd'hui, Laurent Hostomme est à la tête de la maison de négoce ; il valorise la production de 12 ha. Son rosé doit tout aux raisins noirs (80 % de meunier) et provient des années 2004 et 2003. Ses arômes de griotte et de framboise, sa bouche ample, fraîche et ronde à la fois, sa finale longue et fruitée lui confèrent une réelle élégance. À essayer sur une charlotte aux fruits. Issu des années 2003 à 2001, le **blanc de blancs grand cru (15 à 23 €)** est citronné et frais ; il est cité. (NM)

Hostomme, 5, rue de l'Allée, 51530 Chouilly,
tél. 03.26.55.40.79, fax 03.26.55.08.55,
e-mail champagne.hostomme@wanadoo.fr r.-v.

AUGUSTE HUIBAN **

0,5 ha 3 000 11 à 15 €

Ce récoltant-manipulant mène une existence discrète dans sa modeste exploitation (4,5 ha) cachée dans un vallon presque secret, entre l'Ardre au nord et la Marne au sud. Le nom d'Auguste Huiban et celui d'Éric Ammeux qui conduit la propriété depuis 1990, seront une découverte pour la plupart des lecteurs du Guide. Le vignoble a été constitué en 1955, le champagne lancé au début des années 1960. Celui-ci, un rosé de noirs des deux pinots (dont 80 % de meunier), s'attire une pluie de compliments. Pâle de couleur, saumoné clair, il montre une complexité naissante dans son nez délicat de pêche de vigne. Une complexité qui se révèle pleinement dans une bouche fine et élégante, vive à l'attaque, où l'on découvre orange, mandarine, menthol, poire au vin et fruits confits. Les dégustateurs sont sous le charme. (RM)

Auguste Huiban, Éric Ammeux, 51700 Jonquery,
tél. 03.26.52.10.55, fax 03.26.58.15.52,
e-mail eric.ammeux@wanadoo.fr
t.l.j. 8h-12h 14h-18h; dim. sur r.-v.

FERNAND HUTASSE ET FILS Tradition *

3 ha n.c. 11 à 15 €

Rudy et Nathalie Hutasse-Tornay, récoltants-manipulants établis à Bouzy, célèbre grand cru, exploitent un vignoble constitué en 1930, et qui s'étend aujourd'hui sur 11 ha. Leur brut Tradition assemble 60 % de pinot noir et 40 % de chardonnay. Son bouquet et ses arômes se partagent entre les fruits confits, l'abricot et le caramel. Équilibré et persistant, ce champagne ne manque pas de personnalité. Il a atteint son apogée. (RM)

Rudy et Nathalie Hutasse-Tornay,
rue du Haut-Petit-Chemin, 51150 Bouzy,
tél. 03.26.57.08.58, fax 03.26.57.06.62,
e-mail info@champagne-tornay.fr
t.l.j. 8h30-12h 13h-18h, sam. et dim. sur r.-v.;
f. 12-31 août

ÉRIC ISSELÉE Cuvée rosé *

Gd cru 0,35 ha 3 700 15 à 23 €

Si l'on veut admirer la Côte des Blancs, on peut se rendre chez Éric Isselée qui a ouvert des chambres d'hôtes avec vue panoramique sur le vignoble. Éric Isselée a repris en 1985 le domaine créé en 1954 par son père. Installé à Cramant, il met surtout à contribution le chardonnay, y compris dans ce rosé où ce cépage entre à hauteur de 90 %. Un soupçon de pinot noir lui donne sa robe pâle. L'ensemble est brioché au nez, fruité en bouche, gourmand et charnu. (RM)

Éric Isselée, 350, rue des Grappes-d'Or,
51530 Cramant, tél. 03.26.57.54.96, fax 03.26.53.91.76,
e-mail champagneisselee@wanadoo.fr
r.-v. 4

JACQUART Mosaïque *

n.c. 1 000 000 15 à 23 €

Jacquart est à la fois le nom d'une marque et celui d'une union de coopératives. Créée en 1962 à l'initiative de trente vignerons, elle a connu depuis un essor spectaculaire dont témoigne le tirage de ce brut Mosaïque, issu des années 2002 et 2001 : pas moins d'un million de cols ! Comme nombre de champagnes Jacquart, il s'agit d'une cuvée mi-blancs mi-noirs (35 % de pinot noir, 15 % de meunier). Elle est complexe (fougère, fruits confits), intense et longue. Deux autres champagnes obtiennent chacun une étoile : le **Brut de Nominée (30 à 38 €)**, autre mi-blancs mi-noirs de l'année 1999, vif, équilibré et persistant ; la **Cuvée Allegra 1999 (23 à 30 €)**, qui donne une courte majorité au pinot noir (54, 5 % pour 45,5 %), empyreumatique et fraîche. (CM)

Jacquart et Associés Distribution, 6, rue de Mars,
51100 Reims, tél. 03.26.07.88.40, fax 03.26.07.12.07,
e-mail jacquart@jad.fr

A. JACQUART ET FILS

Blanc de blancs Cuvée Prestige

Gd cru 3 ha 20 000 15 à 23 €

Cette propriété familiale dispose d'un important vignoble (24 ha) en grand cru dans la Côte des Blancs, conduit depuis 2004 par les petits-enfants d'André Jacquart. Les vins ne font pas leur fermentation malolactique et sont généralement élevés en fût. C'est le cas de cette

cuvée, un blanc de blancs des années 2004 et 2003, qui dévoile des arômes d'herbes aromatiques, d'agrumes et de fruits confits au sein d'une composition équilibrée. (RM)
🔑 André Jacquart et Fils,
63, av. de Bammental, BP 14, 51130 Vertus,
tél. 03.26.57.52.29, fax 03.26.57.78.14,
e-mail contact@a-jacquart.com ☑ Y 🚶 r.-v.
🔑 Couleurs Doyard

YVES JACQUES Tradition Réserve ★

| | 10 ha | 10 000 | ▮ 11 à 15 € |

Venu de Brie champenoise, André Jacques s'est installé en 1932 à Baye, où quelques îlots viticoles prospèrent sur la rive droite du Petit Morin. Yves a créé la marque en 1960 et Rémi lui a succédé en 1985. Le domaine ne compte pas moins de 16 ha. Issu des années 2000 à 1998, le brut Tradition privilégie les noirs (80 % de l'assemblage, dont 50 % de meunier). Un champagne frais et ample, marqué par les fruits confits, et qu'un dégustateur servirait bien avec du gibier. (RM)
🔑 Rémi Jacques, 1, rue de Montpertuis, 51270 Baye,
tél. 03.26.52.80.77, fax 03.26.52.83.97,
e-mail champagne.yvesjacques@wanadoo.fr
☑ Y 🚶 t.l.j. 9h-12h 14h-18h; dim. 9h-12h

CAMILLE JACQUET
Blanc de blancs Cuvée Prestige ★★

| Gd cru | 1 ha | 5 000 | ▮ 15 à 23 € |

Marque de négoce appartenant au Champagne Jean Pernet. Ce n'est pas la première fois qu'un de ses blancs de blancs se distingue dans le Guide. Une autre cuvée avait décroché un coup de cœur dans l'édition 2006. Celle-ci, issue des années 2002 et 2001, s'annonce par un nez intense et flatteur, fait de pêche blanche et de notes beurrées. Le miel s'ajoute à cette palette dans un palais riche, élégant et long. (NM)
🔑 Camille Jacquet, 3, Le Pont-de-Bois,
51530 Chavot-Courcourt, tél. 03.26.57.54.24,
fax 03.26.57.96.98,
e-mail champagne.pernet@wanadoo.fr ☑ Y 🚶 r.-v.
🔑 Champagne Jean Pernet

JACQUINET-DUMEZ

| 1er cru | 0,9 ha | 9 015 | ▮ 11 à 15 € |

Ce domaine familial a été créé dans les années 1930. Il est conduit depuis 1992 par Oliver Jacquinet qui exploite tout près de Reims 7 ha de vignes classées en 1er cru. Son rosé est issu exclusivement de raisins noirs (dont 40 % de meunier). Saumoné pâle, presque pelure d'oignon, il offre des parfums de fruits rouges compotés, agrémentés d'une touche mentholée, et se montre gras et gourmand en bouche. (RM)
🔑 Jacquinet-Dumez, 26, rue de Reims,
51370 Les Mesneux, tél. 03.26.36.25.25,
fax 03.26.36.58.92,
e-mail contact@champagne-jacquinet-dumez.com
☑ Y 🚶 r.-v.

PIERRE JAMAIN

| | 2,5 ha | 24 311 | ▮ 11 à 15 € |

La Celle-sous-Chantemerle ? Un village éloigné de la vallée de la Marne, et très proche de la vallée de la Seine et du département de l'Aube. Créé par Pierre Jamain dans les années 1950, ce petit vignoble (3,5 ha) a été repris par sa fille Élisabeth en 1985. Issu des années 2004 à 2002, ce brut fait la part belle au chardonnay (90 %). Un champagne léger, crémeux et rond. (RM)
🔑 EARL Pierre Jamain, 1, rue des Tuileries,
51260 La Celle-sous-Chantemerle, tél. 03.26.80.21.64,
fax 03.26.80.29.32 ☑ Y 🚶 r.-v.
🔑 Éts Jamain-Dona

PH. JANISSON ★★

| 1er cru | 4 ha | 5 000 | ▮ 15 à 23 € |

Ce domaine familial, qui fait du champagne depuis les années 1920, dispose d'un vignoble intéressant, implanté sur quatre grands crus et trois 1ers crus de la Montagne de Reims. Son rosé assemble 60 % de chardonnay et 40 % de pinot noir. Sa couleur saumon pâle est légère et délicate ; son nez à la fois intense et élégant se partage entre le fruit et le bonbon anglais. La mise en bouche dévoile un vin puissant, rond et long, au bon goût de fruits rouges. (NM)
🔑 Philippe Janisson, 17, rue Gougelet,
51500 Chigny-les-Roses, tél. 03.26.03.46.93,
fax 03.26.03.49.00, e-mail champagne@janisson.fr
☑ Y 🚶 r.-v.

CHAMPAGNE

JANISSON BARADON ET FILS Sélection ★★

| | 5 ha | 41 166 | ▮ 🛢 15 à 23 € |

En 1922, un tonnelier, Georges Baradon, et son gendre, Maurice Janisson, décident de produire leur champagne. Aujourd'hui, les Baradon sont nombreux à travailler dans le domaine familial d'Épernay dont le vignoble couvre 9 ha. Mi-blancs mi-noirs (pinot noir) des années 2004 et 2003, leur cuvée Sélection est fort remarquée dans cette édition. Elle exprime les agrumes avec subtilité, et surtout, affiche un potentiel peu courant pour un brut sans année. Les dégustateurs louent son équilibre sans faille, son dosage adéquat, sa bonne structure et sa longue finale. Issu d'un assemblage identique mais des années 2002 et 2001, le brut **Grande Réserve (23 à 30 €)** est légèrement boisé (six mois de fût). Il est cité pour sa puissance, sa souplesse et sa maturité. (RM)
🔑 SCEV Janisson-Baradon et Fils,
2, rue des Vignerons, 51200 Épernay,
tél. 03.26.54.45.85, fax 03.26.54.25.54,
e-mail info@champagne-janisson.com ☑ Y 🚶 r.-v.

JEANMAIRE Cuvée brut

| | n.c. | 800 000 | ▮ 15 à 23 € |

Trois dates dans l'histoire de cette maison : 1933, fondation ; 1981, rachat par la famille Trouillard ; 2004, prise de contrôle par Laurent-Perrier. Jeanmaire dispose de caves traditionnelles et d'une cuverie ultramoderne au château Malakoff à Épernay. Née de la vendange de 2002, sa Cuvée brut fait appel à 70 % de noirs (dont 50 % de pinot noir) et à 30 % de blancs. Discrète mais élégante au nez, fruitée et minérale, elle est fraîche à l'attaque, riche et citronnée. Issu lui aussi des trois cépages champenois, mais des années 2002 et 2000, le **brut Élysée** donne également la majorité aux noirs (60 %). Discrètement floral, sur la violette, il est printanier et frais. (NM)
🔑 Jeanmaire, SAS Ch. Malakoff, 3, rue Malakoff,
51200 Épernay, tél. 03.26.59.50.10, fax 03.26.54.78.52,
e-mail contact@chateau-malakoff.com

JEAUNAUX-ROBIN Prestige ★

| | 0,6 ha | 8 000 | ▮ 15 à 23 € |

Le statut de récoltant-manipulant permet des débuts prudents et artisanaux. Ainsi, en 1964, Marie-Claire et Michel Jeaunaux cultivaient 1,5 ha et vendaient cinq cents bouteilles par an. Aujourd'hui, la nouvelle génération,

installée en 1999, exploite 5,50 ha de vignes. La propriété est implantée dans la vallée du Petit Morin, sur la route qui mène d'Épernay à Sézanne. Cyril Jeaunaux a mis à contribution la récolte de 2004 pour élaborer cette cuvée dominée par le chardonnay (80 %) ; un champagne charnu, gras, puissant et évolué. (RM)
EARL Jeaunaux-Robin, 1, rue de Bannay, 51270 Talus-Saint-Prix, tél. 03.26.52.80.73, fax 03.26.51.63.78, e-mail cyril@champagne-jr.fr r.-v.

ABEL JOBART Cuvée Prestige

2 ha 2 200 15 à 23 €

L'Ardre prend sa source dans la Montagne de Reims. Sa vallée abrite des récoltants comme les Jobart, qui exploitent 10 ha de vignes. Leur cuvée Prestige donne une courte majorité aux noirs (55 %, dont 35 % de pinot meunier). Discrètement confite, elle est un peu fugace mais séduit par sa rondeur et son équilibre ; elle fait preuve d'une belle finesse sans manquer de caractère. Également cité, le brut **Sélection (11 à 15 €)** est un blanc de noirs de meunier. Son nez évoque les fruits mûrs, la cerise macérée ; son attaque est souple, son corps assez charpenté. (RM)
Abel Jobart, 4, rue de la Sous-Préfecture, 51170 Sarcy, tél. 03.26.61.89.89, fax 03.26.61.89.90, e-mail contact@champagne-abeljobart.com r.-v.
GAEC Jobart

RENÉ JOLLY Blanc de noirs

8 ha 25 000 11 à 15 €

La famille Jolly dispose de 11 ha dans l'Aube. Trois cuvées citées, toutes des années 2004, 2002 et 2001. Frais à l'attaque, ce blanc de noirs (100 % pinot noir) exprime les fruits jaunes et fait preuve d'une certaine rondeur soulignée par le dosage. Le **rosé (15 à 23 €)** est dominé par le chardonnay (15 % seulement de pinot noir). Framboisé et frais, il révèle lui aussi un dosage généreux ; quant au **blanc de blancs (15 à 23 €)**, c'est un vin plutôt souple, épicé, au fruité exotique. (RM)
René Jolly, 10, rue de la Gare, 10110 Landreville, tél. 03.25.38.50.91, fax 03.25.38.30.51, e-mail contact@jollychamp.com r.-v.
Pierre-Éric Jolly

JOLY-CHAMPAGNE *

1,5 ha 9 000 11 à 15 €

Établis sur la rive gauche de la Marne, les Joly ont créé leur domaine dans les années 1930. Les deux pinots (dont 80 % de meunier) collaborent à leur rosé issu des années 2004 à 2002. D'un rose soutenu, ce champagne présente un nez élégant de fruits rouges et de cerise macérée. Une élégance qui se prolonge dans une bouche riche et persistante. (RM)
Joly-Champagne, 16, rte de Paris, 51700 Troissy, tél. 03.26.52.70.28, fax 03.26.52.97.93, e-mail info@champagne-joly-champagne.com r.-v.

BERTRAND JOREZ Prestige **

1er cru 0,5 ha n.c. 11 à 15 €

Village classé en 1er cru, Ludes accroche son vignoble au flanc nord de la Montagne de Reims, non loin de la Ville des sacres. Cette cuvée Prestige assemble 39 % de noirs (les deux pinots) et 61 % de blancs. Son nez floral tout en finesse, son attaque nette, son palais ample, frais, puissant, bien construit et persistant font l'unanimité. Deux cuvées sont citées, issues elles aussi des trois cépages champenois mais dominées par les raisins noirs, notamment par le pinot meunier : la cuvée **Sélection 1er cru**, (58 % de noirs), toastée, beurrée et complexe, et le **rosé 1er cru** (80 % de noirs dont 12 % de vin rouge), un champagne ample, puissant et long qui pourra accompagner une viande blanche. (RC)
EARL Bertrand Jorez, 13, rue de Reims, BP 21, 51500 Ludes, tél. 03.26.04.51.64, fax 03.26.61.14.96, e-mail bertrand.jorez@wanadoo.fr r.-v.

KRUG 1996 ***

n.c. n.c. + de 76 €

Fondée en 1843 et reprise en 1999 par LVMH, cette maison rémoise réputée ne propose que des cuvées haut de gamme, fruits d'assemblages minutieux et complexes de vins élevés en fût de 205 l identifiés par vignobles. Vieillis au moins six ans, ce sont des champagnes complexes et de garde, qui ont décroché une trentaine de coups de cœur. Cette bouteille ? Un double mythe : Krug et 1996. Les amateurs attendaient ce millésime, il arrive. Au départ, des vins de base qui rappelaient le légendaire 1928. Aujourd'hui, de l'or partout. Un or soutenu, un or de 1996. Au nez, la fraîcheur incisive des agrumes. En bouche, une vivacité impérieuse, de la densité, de la complexité, une puissance ravageuse. Un champagne unique, un coup de cœur en or. Krug **Collection 1985** ? Une cuvée livrant les dernières bouteilles d'un millésime exceptionnel. 48 % de pinot noir, 22 % de meunier et 30 % de chardonnay. Au nez, du café grillé, du chocolat, de la vanille. Un champagne gourmand et remarquablement équilibré. Évolué ? Bien sûr, mais sans excès. Un coup de cœur également, deux étoiles. La **Grande Cuvée** assemble une cinquantaine de vins des trois cépages champenois. Finement toastée et briochée au nez, vive à l'attaque, elle évolue sur les agrumes (citron) avec finesse, légèreté et nervosité en finale. (NM)
Krug Vins fins de Champagne, 5, rue Coquebert, 51100 Reims, tél. 03.26.84.44.20, fax 03.26.84.44.49, e-mail rkrug@krug.fr r.-v.
LVMH

GEORGES LACOMBE Sélection **

20 ha 200 000 11 à 15 €

Marque de négoce lancée en 2004 par Georges Lacombe qui fait vinifier ses champagnes par René-James Lallier d'Aÿ. Cette Sélection privilégie les noirs (70 % dont 50 % de pinot noir). Expressif au nez, vif à l'attaque, marqué par les fruits rouges, légèrement poivré, équilibré et de bonne longueur, ce champagne trouvera sa place à l'apéritif ou en début de repas. (NM)
Georges Lacombe, 4, pl. de la Libération, 51160 Aÿ, tél. 03.26.55.43.40, fax 03.26.55.79.93

LACROIX 2002

1,2 ha 10 000 15 à 23 €

Cette propriété créée en 1960 s'étend sur 11 ha dans la vallée de la Marne. Elle signe un millésimé mi-blancs mi-noirs (30 % de pinot noir) au nez intense de fruits confiturés ; de bonne tenue, la bouche est marquée en finale par une touche de mirabelle. (RM)

Lacroix, 14, rue des Genêts, 51700 Montigny-sous-Châtillon, tél. 03.26.58.35.17, fax 03.26.58.36.39, e-mail champlacroix2@wanadoo.fr r.-v.

LACROIX-TRIAULAIRE ET FILS Tradition ★

4,33 ha 14 700 11 à 15 €

Un vignoble assez récent, comme nombre de vignobles aubois : il a été constitué dans les années 1970 et reste conduit par son fondateur. Un champagne lancé dans les années 1980. Aujourd'hui, un peu plus de 7 ha de vignes. Le brut Tradition évoque les fruits blancs au nez comme en bouche. Franc à l'attaque, il est fin, équilibré, élégant et long. Une citation pour la **cuvée Prestige 2002**, vineuse au nez, intense et vive en bouche. (RM)

Lacroix-Triaulaire, 4, rue de la Motte, 10110 Merrey-sur-Arce, tél. 03.25.29.83.59, fax 03.25.29.63.44 r.-v.

CHARLES LAFITTE ★

n.c. n.c. 23 à 30 €

Ancienne maison de cognac créée en 1848, Charles Lafitte a acheté le Champagne Georges Goulet, fondé en 1834. La marque appartient aujourd'hui à l'empire Vranken. Son rosé assemble 60 % de noirs (les deux pinots à parts égales) au chardonnay. De couleur cuivrée, il est brioché et vineux : un champagne gourmand qui convient à la table. Même note pour la **Cuvée spéciale 1999 (38 à 46 €)**, un mi-noirs mi-blancs issu des trois cépages champenois. Un champagne puissant et souple, dominé par des arômes d'agrumes. (NM)

Charles Lafitte, 5, pl. Général-Gouraud, BP 1049, 51689 Reims Cedex 2, tél. 03.26.61.62.63, fax 03.26.61.61.28 r.-v.

BENOÎT LAHAYE

Gd cru 2 ha 18 000 15 à 23 €

Domaine fondé en 1930. Situés sur les communes de Bouzy, d'Ambonnay et de Tauxières, ses 4,5 ha de vignes sont majoritairement complantés de pinot noir. Ce cépage, complété par le chardonnay, compose 85 % de l'assemblage de ce brut issu des années 2004 à 2002. Comme tous les champagnes de ce récoltant, il est élevé partiellement dans le bois. Une touche minérale et une nuance d'agrumes contribuent à la fraîcheur et à l'élégance de cette bouteille d'une belle longueur. (RM)

EARL Benoît Lahaye, 33, rue Jeanne-d'Arc, 51150 Bouzy, tél. 03.26.57.03.05, fax 03.26.52.79.94, e-mail lahaye.benoit@wanadoo.fr r.-v.

LAHERTE FRÈRES Blanc de blancs Tradition ★

2 ha 15 000 11 à 15 €

Cette maison fondée en 1889 est établie à Chavot, village proche d'Épernay célèbre par son église perchée au-dessus des vignes. Elle exploite en propre un domaine de 11 ha dans la vallée de la Marne et la Côte des Blancs. Deux vins retenus, qui ont connu tous deux le bois. Son blanc de blancs sans année met à contribution la récolte de 2004, complétée par des vins de réserve de 2002 et 2001. Il est puissant, souple, épicé en finale. Le brut **Tradition**, cité, provient des mêmes années, mais il privilégie les noirs (70 %, dont 60 % de meunier). Sa matière est dense, un rien épicée, légèrement boisée et sensiblement dosée. (NM)

Laherte Frères, 3, rue des Jardins, 51530 Chavot-Courcourt, tél. 03.26.54.32.09, fax 03.26.51.54.77, e-mail contact@champagne-laherte.com r.-v.

ALAIN LALLEMENT Cuvée Prestige ★

Gd cru 0,4 ha 4 000 11 à 15 €

Les Lallement sont installés depuis un siècle à Verzy, grand cru de la Montagne de Reims. Alain Lallement, qui a repris l'exploitation familiale en 1975, signe cette cuvée mi-chardonnay mi-pinot noir provenant de la vendange de 2002. Au nez, du miel, du coing et du pain d'épice ; au palais, des fruits jaunes, du corps et du caractère. (RM)

Alain Lallement, 19, rue Carnot, 51380 Verzy, tél. et fax 03.26.97.92.32, e-mail champagne.alain.lallement@club-internet.fr r.-v.

LAMIABLE Extra-brut ★★

Gd cru 5 ha 15 000 11 à 15 €

Cette propriété créée en 1950 a son siège à Tours-sur-Marne, commune classée en grand cru située en amont d'Épernay. Son vignoble s'étend sur près de 6 ha. Issue des années 2004 et 2003, cette cuvée est un extra-brut, c'est-à-dire très peu dosé (5 g/l de sucres). Elle assemble 60 % de pinot noir et 40 % de chardonnay. Finesse florale et fruitée du nez, franchise, intensité, rondeur et persistance de la bouche, notes de citron vert : un remarquable représentant du style extra-brut, à servir à l'apéritif ou avec poisson et fruits de mer. Le **Spécial Club 2002 grand cru (15 à 23 €)** assemble chardonnay et pinot noir dans des proportions inverses au précédent. Il est cité pour ses parfums d'acacia, sa fraîcheur et sa jeunesse. (RM)

Lamiable, 8, rue de Condé, 51150 Tours-sur-Marne, tél. 03.26.58.92.69, fax 03.26.58.76.67, e-mail lamiable@champagnelamiable.com r.-v.

LANCELOT-PIENNE

Blanc de blancs Marie Lancelot 2000 ★★

Gd cru 1 ha 2 000 15 à 23 €

C'est Albert Lancelot, de souche vigneronne, qui a développé le domaine il y a une quarantaine d'années. Son fils Gilles, installé en 1997, apporte à l'exploitation sa formation d'œnologue. La propriété a pignon sur rue à Cramant, une des communes phares de la Côte des Blancs (grand cru). Fine, beurrée et complexe au nez, la cuvée Marie Lancelot est fraîche, puissante, harmonieuse et longue. On l'ouvrira à l'apéritif et on la finira sur un poisson. La cuvée **Sélection (11 à 15 €)**, qui mobilise 65 % de noirs (dont 50 % de meunier) et 35 % de blancs des années 2002 à 1999, est citée. Un ensemble miellé, souple et charmeur. (RM)

Lancelot-Pienne, 1, allée de la Forêt, 51530 Cramant, tél. 03.26.57.55.74, fax 03.26.57.53.02, e-mail lancelot-pienne@wanadoo.fr r.-v.

P. LANCELOT-ROYER

Blanc de blancs Cuvée des Chevaliers ★★

Gd cru 2 ha 18 937 15 à 23 €

D'autres Lancelot de Cramant. La propriété (5 ha) a été créée en 1960 par Pierre Lancelot et reprise par sa fille Sylvie en 1996. Les bâtiments d'exploitation s'adossent à une butte de craie dans laquelle sont creusées les caves ; un vendangeoir installé au sommet permet d'ali-

CHAMPAGNE

menter les cuves par gravité. La Cuvée des Chevaliers met à contribution la récolte de 2004 et des vins de réserve. Elle est élevée un an dans le bois. Palette aromatique complexe (fleurs, fruits blancs et fruits secs), bouche structurée et fraîche : une belle harmonie. (RM)

🔑 EARL P. Lancelot-Royer,
540, rue du Gal-de-Gaulle, 51530 Cramant,
tél. 03.26.57.51.41, fax 03.26.57.12.25,
e-mail champagne.lancelot.royer@cder.fr ✉ 𝐈 ✶ r.-v.
🔑 Sylvie Lancelot

LANG-BIÉMONT *

● 15 ha 3 093 ▮ 15 à 23 €

Cette marque porte le nom d'Henri-Paul Lang et d'Héloïse Biémont, le couple fondateur de la maison. L'affaire, créée en 1875, a changé plusieurs fois de mains jusqu'à son acquisition par les Bauchet. Elle est installée au cœur d'Avize, commune grand cru de la Côte des Blancs. Aussi le chardonnay joue-t-il un rôle central dans la plupart de ses cuvées, y compris dans ce rosé où n'entrent que 15 % de pinot noir vinifié en rouge, pour la couleur. Un champagne très pâle, vieil or aux reflets orangés. Beurré et brioché au nez, framboisé en bouche, il séduit par sa complexité. (NM)

🔑 Lang-Biémont, 26, rue Pasteur, 51190 Avize,
tél. 03.26.57.40.30, fax 03.26.57.40.31,
e-mail info@lang-biemont.com
✉ 𝐈 ✶ t.l.j. 10h-17h; f. jan.
🔑 Bauchet

LANSON Gold Label 1997 **

○ n.c. 250 000 ▮ 30 à 38 €

L'une des plus anciennes marques de champagne (1760), fleuron de Marne et Champagne vendu au groupe BCC à la suite de la déconfiture de l'empire de Gaston Burtin. Les 1997 sont rares. En voici un, presque mi-blancs mi-noirs (57 % de pinot noir). Sa maturité complexe séduit au nez comme en bouche : la brioche se marie au miel, à l'amande, au pain grillé. Son équilibre et son élégance inspirent à un juré cette réflexion : « J'aurais aimé l'élaborer. » Le célèbre **Black Label (23 à 30 €)**, une étoile, est le brut sans année de Lanson : 5 millions de cols ! 65 % de noirs (dont 50 % de pinot noir) et 35 % de blancs des années 2003 à 2000 pour un champagne assez complexe lui aussi (fleurs blanches et fruits blancs) qui finit sur une touche de nervosité. La **Noble Cuvée 1998 (plus de 76 €)** est la cuvée prestige millésimée. Dominée par le chardonnay (70 %), elle offre un nez puissant de beurre, d'épices, d'agrumes ; elle est citée pour sa fraîcheur et sa longueur. (NM)

🔑 Lanson, 66, rue de Courlancy, 51100 Reims,
tél. 03.26.78.50.50, fax 03.26.78.53.89,
e-mail info@lanson.fr ✉ 𝐈 ✶ r.-v.

GUY LARMANDIER **

● 1er cru 0,4 ha 10 000 ▮ 15 à 23 €

La marque Guy Larmandier a été lancée par l'époux de Colette Larmandier. Devenue veuve, cette dernière a repris avec ses enfants l'exploitation : 9 ha de vignes dans la Côte des Blancs, à Cramant et à Chouilly (grands crus) ainsi qu'à Cuis et à Vertus (1ers crus). Le chardonnay (80 %) joue le premier rôle dans ce rosé coloré par du pinot noir de Vertus vinifié en rouge. Complexe (fruits rouges, fruits jaunes et fruits exotiques), ample et élégant, ce vin pourrait accompagner une volaille cuisinée aux pêches. Cité, le **brut 1er cru (11 à 15 €)**, est presque un blanc de blancs (à 5 % près). Il est floral, droit, tout en finesse. (RM)

🔑 EARL Guy Larmandier, 30, rue du Gal-Koenig,
51130 Vertus, tél. 03.26.52.12.41, fax 03.26.52.19.38,
e-mail guy.larmandier@wanadoo.fr ✉ 𝐈 r.-v.

LAUNOIS PÈRE ET FILS

Blanc de blancs Spécial Club 2000

○ Gd cru 2,5 ha 12 000 ▮ 23 à 30 €

Un château de style Renaissance (à Villers-au-Bois), des caves aménagées en musée du Vin, des journées à thèmes : ce domaine fondé en 1872 au cœur de la Côte des Blancs a de nombreux atouts pour développer l'œnotourisme. Il dispose aussi d'un coquet vignoble (20 ha) d'où provient ce 2000. S'il n'est pas des plus complexes, ce blancs de blancs ne manque pas d'agréments : attaque directe, palais rond, puissant, fin et beurré. (RM)

🔑 Launois Père et Fils,
2, av. Eugène-Guillaume, BP 7,
51190 Le Mesnil-sur-Oger, tél. 03.26.57.50.15,
fax 03.26.57.97.82 ✉ 𝐈 ✶ r.-v.

LAURENT-GABRIEL Cuvée Carte d'or **

○ 1er cru 2,5 ha 10 800 ▮▮ 11 à 15 €

Cette exploitation familiale a son siège dans la « Grande Vallée de la Marne », sur le flanc sud-est de la Montagne de Reims, en face d'Épernay. Elle a été reprise en 1982 par Daniel Laurent. Deux champagnes retenus, deux 1ers crus dominés par les raisins noirs. Le préféré est cette Carte d'or, assemblage de 85 % de pinots (pinot noir surtout) et de 15 % de chardonnay des années 2003 à 2001. Puissant, fruité, long, judicieusement dosé, c'est un charmeur. Cité, le **demi-sec Carte blanche** résulte d'un assemblage proche (80 % de noirs, dont 75 % de pinot noir) : nez de pain grillé et de fruits secs, sucres bien fondus, finale fraîche. (RM)

🔑 Laurent-Gabriel, 2, rue des Remparts,
51160 Avenay-Val-d'Or, tél. 03.26.52.32.69,
fax 03.26.59.92.08, e-mail email@laurent-gabriel.fr
✉ 𝐈 ✶ r.-v.

LAURENT-PERRIER Grand Siècle *

○ n.c. n.c. ▮ + de 76 €

Maison fondée en 1812 à Tours-sur-Marne. La commune reste toujours le siège de cette marque magistralement développée par Bernard de Nonancourt qui la dirige depuis la fin de la guerre. N'a-t-il pas fait de Laurent-Perrier un groupe puissant, comprenant des marques illustres (Salon, Delamotte...) ? Lancée en 1957, la cuvée Grand Siècle est l'une des premières cuvées de prestige « sans année ». Mi-blancs mi-noirs (pinot noir), elle est fine et intense au nez, vive à l'attaque, équilibrée et jeune. Une touche de fruits exotiques contribue à sa complexité. Créé en 1968 et logé dans une bouteille spéciale, le **brut rosé (46 à 76 €)** provient exclusivement de pinot noir, et résulte d'une saignée, ce qui n'est pas très fréquent en Champagne. Discret au nez, minéral, il révèle des arômes d'agrumes et de fruits exotiques dans une bouche souple et ronde. Une étoile aussi. (NM)

🔑 Laurent-Perrier, Dom. Laurent-Perrier,
51150 Tours-sur-Marne, tél. 03.26.58.91.22,
fax 03.26.58.77.29 ✉ ✶ r.-v.
🔑 Famille de Nonancourt

LAVAURE-HUBER *

● 0,65 ha n.c. 11 à 15 €

Maison créée en 1999 à Chavot-Courcourt, à deux pas d'Épernay. Saumoné, floral au nez, son rosé est marqué en bouche par des arômes de fruits rouges et par un dosage généreux. Il n'en laisse pas moins une impression de richesse, d'équilibre et de finesse. Cité, le brut **Sélection** fait appel au chardonnay, qui s'exprime dans des arômes de fleurs blanches. Un champagne d'apéritif. (NM)

Lavaure-Huber, 4, Le Pont-de-Bois,
51530 Chavot-Courcourt, tél. 03.26.54.57.95
r.-v.

PASCAL LEBLOND-LENOIR Désir de Matthieu *

n.c. n.c. 11 à 15 €

En Champagne, on assimile les « blancs » au chardonnay. Pourtant, quelques originaux cultivent un goût louable pour les cépages locaux, tel le pinot blanc, très rare dans ce vignoble. C'est le cas de quelques producteurs de l'Aube, comme ce récoltant-manipulant de Buxeuil. Sa cuvée Désir de Matthieu est un blanc de blancs de pinot blanc issu de la récolte de 2004. On y découvre le citron, une attaque très vive et une belle élégance. (RM)

Pascal Leblond-Lenoir, 49, Grande-Rue,
10110 Buxeuil, tél. 03.25.38.54.04, fax 03.25.28.57.50
r.-v.

ALAIN LEBŒUF *

3,5 ha 36 500 11 à 15 €

Alain Lebœuf a repris il y a une vingtaine d'années le vignoble de 7 ha. Il est installé à Colombé-la-Fosse, village proche de Bar-sur-Aube et d'un autre Colombey plus connu, situé dans la Haute-Marne. Son brut est un blanc de noirs qui met à contribution les deux pinots (15 % de meunier) des années 2004 et 2003. Fruité charmeur, bouche équilibrée et longue : une belle expression du pinot pour un champagne convivial. (RM)

SCEV Alain Lebœuf, 1, rue du Moulin,
10200 Colombé-la-Fosse, tél. 03.25.27.11.26,
fax 03.25.27.17.23 r.-v.

PAUL LEBRUN Blanc de blancs 1996

1,3 ha 10 000 15 à 23 €

Créée en 1902 et implantée à Cramant dans la Côte des Blancs, cette maison de négoce dispose d'un vignoble de 16,50 ha. Elle ne produit que des blancs de blancs. Celui-ci, un millésimé, exprime bien sa double origine : 1996 et chardonnay ; l'amande s'y allie à la torréfaction, la finesse se conjugue avec la puissance. On y trouve la nervosité du millésime, la chaleur de l'alcool. De la complexité aussi et un début d'évolution. (NM)

SA Vignier Lebrun, 35, rue Nestor-Gaunel,
51530 Cramant, tél. 03.26.57.54.88, fax 03.26.57.90.02,
e-mail champagne.vignier-lebrun@wanadoo.fr
t.l.j. sf dim. 8h-12h 13h30-17h30; f. août

LE BRUN DE NEUVILLE **

n.c. 10 000 15 à 23 €

Cette coopérative est installée aux confins méridionaux de la Marne, dans le Sézannais. Fondée en 1963, elle regroupe aujourd'hui cent cinquante adhérents et vinifie la production de 150 ha. Son rosé comprend 60 % de chardonnay et 40 % de pinot noir. Fruité au nez comme en bouche, structuré, équilibré et frais, il accompagnera agréablement un repas. La cuvée **Lady de N Clovis (23 à 30 €)**, une étoile, met à contribution les mêmes cépages que la précédente mais dans des proportions inverses. Un nez fin, fait de fleurs, de pomme, de nuances mentholées ; de la légèreté, une vivacité citronnée, un air de jeunesse : un champagne d'apéritif. (CM)

Le Brun de Neuville, rte de Chantemerle,
51260 Béthon, tél. 03.26.80.48.43, fax 03.26.80.43.28,
e-mail lebrundeneuville@wanadoo.fr r.-v.

LE BRUN-SERVENAY Spécial Club 1999 **

0,4 ha 4 000 15 à 23 €

Constitué dans les années 1920, le vignoble s'étend sur 8 ha dans la Côte des Blancs. La marque a été lancée en 1945. Le vigneron recherche avant tout l'expression du terroir ; les vins ne font pas leur fermentation malolactique et le dosage reste mesuré. Ce Spécial Club favorise le chardonnay (80 %) complété par les deux pinots à parts égales. Au nez, du miel, que l'on retrouve en bouche, avec du fruit confit. Une belle rondeur, de la vivacité aussi : une réelle harmonie. « J'achète ! », écrit un dégustateur. Une étoile pour le brut **Sélection grand cru à Avize (11 à 15 €)**. Un blanc de blancs, évidemment, provenant des années 2002 à 1999. Une palette complexe, faite de grillé et de tabac blond, et une longue finale miellée. (RM)

SCEV Le Brun-Servenay, 14, pl. Léon-Bourgeois,
51190 Avize, tél. 03.26.57.52.75, fax 03.26.57.02.71,
e-mail contact@champagnelebrun.com r.-v.

LECLAIRE-GASPARD
Blanc de blancs Grande Réserve *

Gd cru 1,5 ha 10 000 15 à 23 €

Les Leclaire sont établis à Mareuil-sur-Aÿ, dans la « Grande Vallée de la Marne », au sud de la Montagne de Reims. Ils possèdent près de 6 ha de vignes et exploitent deux marques : Leclaire-Thiéfaine (voir ci-dessous) et Leclaire-Gaspard. Un débat s'est instauré autour de ce vin : certains jurés pointent son évolution, d'autres soulignent l'harmonie de cette évolution, l'équilibre et l'agrément de cette bouteille, ses parfums miellés d'une belle finesse. (RM)

Leclaire, 26, rue Sadi-Carnot,
51160 Mareuil-sur-Aÿ, tél. 03.26.52.88.65,
fax 03.26.58.87.71,
e-mail champagne.leclaire.thiefaine@wanadoo.fr
r.-v.

LECLAIRE-THIÉFAINE
Blanc de blancs Cuvée Sainte-Apolline **

Gd cru 1,5 ha 10 000 15 à 23 €

Le vignoble des Leclaire s'étend en partie sur Avize, grand cru de la Côte des Blancs d'où provient cette cuvée issue de l'année 2000. Son approche est séduisante, avec un nez riche et complexe, alliant une minéralité chaude, du fruit compoté et une touche fumée fort agréable. La bouche ronde et longue confirme le nez. Un ensemble cohérent et bien construit. (RM)

Leclaire, 26, rue Sadi-Carnot,
51160 Mareuil-sur-Aÿ, tél. 03.26.52.88.65,
fax 03.26.58.87.71,
e-mail champagne.leclaire.thiefaine@wanadoo.fr
r.-v.

LECLERC-BRIANT Cuvée de réserve

2 ha 15 000 23 à 30 €

Une longue lignée de viticulteurs : elle commence à Aÿ en 1664 et s'affirme lorsque Louis Leclerc, en 1872, commercialise sa première bouteille. Aujourd'hui, Pascal Leclerc-Briant est à la tête d'un vignoble de 30 ha du côté de Cumières, Hautvillers, Dizy, Damery (vallée de la Marne près d'Épernay). Dominée par le pinot noir (70 %

pour 30 % de chardonnay), cette Cuvée de réserve rappelle les fruits confits, avec insistance et souplesse. Un champagne de repas. (NM)

Leclerc-Briant, 67, rue Chaude-Ruelle, BP 108, 51204 Épernay Cedex, tél. 03.26.54.45.33, fax 03.26.54.49.59, e-mail plb@leclercbriant.com
t.l.j. 9h-11h30 13h30-17h30; sam. dim. sur r.-v.; f. 5-25 août

LECLERC-MONDET Grande Réserve **

0,5 ha 5 000 11 à 15 €

Trois générations ont fait vivre ce vignoble : Henri Leclerc et Renée Mondet, qui plantent les premières vignes à Chassins, dans les années 1950, et commencent la commercialisation ; Jacqueline et Christian Leclerc ; Fabien et Cédric. Le vignoble s'étend sur 9 ha dans la vallée de la Marne. La Grande Réserve assemble 60 % des deux pinots à parts égales au chardonnay et provient des années 2000 et 1999. On y découvre le coing et les agrumes confits ainsi qu'une bouche fraîche. À ouvrir à l'apéritif et à finir sur une viande blanche. Deux cuvées obtiennent chacune une étoile : le brut **blanc de blancs**, des années 2001 et 2000, auquel le chardonnay a légué un nez beurré, grillé et minéral ainsi qu'une agréable vivacité ; et le **1998**, mi-blancs mi-noirs (pinot noir) au nez intense, agréablement évolué et à la bouche d'une belle tenue, aux arômes de noisette et de grillé. (RM)

Leclerc-Mondet, 5, rue Beethoven, Chassins, 02850 Trélou-sur-Marne, tél. 03.23.70.23.39, fax 03.23.70.10.59, e-mail leclerc-mondet@wanadoo.fr
r.-v.
Leclerc

ÉMILE LECLÈRE Cuvée de Réserve

5 ha 40 000 11 à 15 €

Au XVIII[e]s., cette propriété proche d'Épernay dépendait de l'abbaye de Hautvillers, distante de 3 km ; elle abritait une laiterie. C'est Émile Leclère qui a planté le vignoble à partir de 1880. Celui-ci s'étend sur 12 ha. Ce brut Réserve laisse la vedette aux noirs (80 % de pinot meunier) et met à contribution la récolte de 2002. Floral et vanillé au nez, avec des arômes de fruits cuits, il est gras et ample en bouche. (RM)

Émile Leclère, 15, rue Victor-Hugo, 51530 Mardeuil, tél. 03.26.55.24.45, fax 03.26.55.05.13, e-mail info@champagne-leclere.com
t.l.j. 8h30-12h 13h30-17h30
Delouvin

XAVIER LECONTE Cuvée Alexis *

1,5 ha 4 500 11 à 15 €

Xavier Leconte exploite 10 ha sur la rive droite de la Marne – un vignoble familial constitué depuis près d'un siècle. Sa cuvée Alexis associe 70 % de chardonnay et 30 % de pinot meunier de l'année 2003. Elle présente un bouquet intense et fruité, une bouche ronde aux vifs arômes de groseille qui lui donnent un air de jeunesse. Cette jeunesse lui assure un bon potentiel. (RM)

Xavier Leconte, 7, rue des Berceaux, Bouquigny, 51700 Troissy, tél. 03.26.52.73.59, fax 03.26.52.71.81, e-mail xavier-leconte@wanadoo.fr r.-v.

LE GALLAIS Cuvée du Manoir

2,5 ha 21 000 15 à 23 €

Proche du château de Boursault, sur la rive gauche de la Marne, ce vignoble de 3,5 ha constitué dans l'entre-deux-guerres est clos de murs. Exploité par Hervé Le Gallais depuis une dizaine d'années, il est commandé par un manoir qui a donné son nom à cette cuvée. Né de la récolte de 2002, ce champagne est largement dominé par les noirs (10 % de chardonnay et les deux pinots à égalité). Des fruits jaunes et blancs au nez, de la souplesse et de la légèreté : un champagne d'apéritif. (RM)

Hervé Le Gallais, 2, rue Maurice Gilbert, 51480 Boursault, tél. et fax 03.26.58.94.55 r.-v.

ÉRIC LEGRAND Réserve *

5 ha 55 000 11 à 15 €

Situé dans l'Aube à mi-chemin entre Bar-sur-Seine et Les Riceys, le village de Celles-sur-Ource abrite de nombreux récoltants-manipulants, comme Éric Legrand, qui exploite depuis 1982 la propriété familiale (7 ha). Le pinot noir, majoritaire dans ce secteur, domine dans cette cuvée (80 %, le solde en chardonnay) issue des années 2004 et 2002. Avec ses fins arômes (fleurs blanches, fruits blancs, notes biscuitées et anisées) et son côté aérien, ce champagne est fait pour l'apéritif. (RM)

Éric Legrand, 39, Grande-Rue, 10110 Celles-sur-Ource, tél. 03.25.38.55.07, fax 03.25.38.56.84, e-mail champagne.legrand@wanadoo.fr
t.l.j. sf sam. dim. 9h-12h 14h-17h30; f. août

PIERRE LEGRAS Blanc de blancs 1990 **

Gd cru 1 ha 10 000 15 à 23 €

Pierre Legras aurait été étonné de lire son nom et son prénom sur l'étiquette d'une bouteille. Contemporain de dom Pérignon, il est né en 1662... Depuis, une dizaine de générations se sont succédé à Chouilly, grand cru de la Côte des Blancs autour duquel Vincent Legras, installé en 2002, cultive plus de 8 ha. 1990 est un millésime trop riche pour être éternel. Celui-ci a très bien évolué et se « trouve en pleine forme, fin et frais », écrit un dégustateur. Ses arômes évoquent la noisette. Cité, le **blanc de blancs grand cru Cuvée spéciale** provient, lui, de la récolte 1995 – autre belle année. Il est incroyablement jeune, vif, complexe et long. (NM)

Pierre Legras, 28, rue Saint-Chamand, 51530 Chouilly, tél. 03.26.56.30.97, fax 03.26.56.30.98, e-mail pierre.legras@wanadoo.fr r.-v.

LEGRAS ET HAAS Blanc de blancs

Gd cru 12 ha 20 000 15 à 23 €

Le vignoble remonte à l'époque de la Révolution. Il couvre aujourd'hui 24 ha, dont la moitié dans la commune de Chouilly. C'est de ce grand cru de la Côte des Blancs que provient ce champagne issu des années 2004, 2003, 2002 et 1999. Discrètement floral, il est vif et révèle un dosage sensible. Il pourrait gagner à patienter quelques mois en cave. (NM)

Legras et Haas, 7, Grande-Rue, 51530 Chouilly, tél. 03.26.54.92.90, fax 03.26.55.16.78, e-mail direction@legras-et-haas.com r.-v.

JEAN-PIERRE LEGRET Cuvée spéciale **

n.c. 5 500 11 à 15 €

Talus-Saint-Prix ? Sur la route d'Épernay à Sézanne, à l'ouest des marais de Saint-Gond et au bord du Petit Morin. L'un des îlots viticoles qui prolongent vers le sud la Côte des Blancs. Les parents de Jean-Pierre Legret y ont constitué un vignoble de 5 ha qui accède à la notoriété grâce à cette cuvée, un blanc de blancs salué par le jury.

Le bouquet vanillé et toasté évolue vers des notes de cacao. L'attaque franche prélude à une bouche où la richesse se conjugue avec la finesse. Le gras de la finale laisse une sensation d'ampleur. Deux étoiles encore pour le **rosé**, à la palette complexe mêlant les fruits rouges confiturés à une touche de café et au palais gras, très fin et long. Une propriété à suivre... (RM)
EARL Jean-Pierre Legret, 6, rue de Bannay, 51270 Talus-Saint-Prix, tél. 03.26.52.81.41, fax 03.26.52.99.50, e-mail alain.legret@wanadoo.fr
r.-v.

LELARGE-PUGEOT Réserve ★

0,8 ha 5 000 **11 à 15 €**

Dominique Lelarge est récoltant-manipulant à Vrigny, à l'ouest de Reims. Il assemble 80 % de noirs (dont 60 % de meunier) et 20 % de chardonnay de 2001 et 2000 dans ce brut Réserve au bouquet brioché qui évolue en bouche vers l'abricot, les agrumes et le miel. Un ensemble expressif et équilibré. (RM)
Dominique Lelarge, 30, rue Saint-Vincent, 51390 Vrigny, tél. 03.26.03.69.43, fax 03.26.03.68.93, e-mail champagnelelarge-pugeot@wanadoo.fr
r.-v.

FERNAND LEMAIRE Grande Réserve ★

1er cru n.c. 7 700 **11 à 15 €**

Propriété fondée par Fernand Lemaire, reprise par son petit-fils Frédéric en 1984. L'exploitation, qui s'étend sur plus de 6 ha, a son siège à Hautvillers, patrie de dom Pérignon, dans la « Grande Vallée de la Marne ». Cette cuvée assemble 60 % de noirs (les deux pinots à égalité) et 40 % de chardonnay de la récolte de 2002 : un champagne bien équilibré, puissant, vif et long. (RM)
Fernand Lemaire, 88, rue des Buttes, 51160 Hautvillers, tél. 03.26.59.40.44, fax 03.26.51.88.97, e-mail fernand.lemaire1@libertysurf.fr r.-v.
Frédéric Lemaire

HENRI LEMAIRE Vieille Réserve

0,6 ha 4 000 **11 à 15 €**

Ce récoltant-manipulant dispose de 5,5 ha de vignes sur les communes de Cumières et de Damery (rive droite de la Marne). Deux bruts non millésimés sont cités, tous deux des années 2004 et 2003 ; ce blanc donne le premier rôle au pinot meunier (80 %, le solde en chardonnay). Il est rond, franc, fruité et gras. Quant au **rosé**, il doit tout aux noirs (60 % de pinot noir, 40 % de meunier). Sa teinte est assez soutenue, son attaque nette et sa finale agréable. (RM)
SCEV Lemaire-Fourny, 13, rue Raymond-Poincaré, 51480 Damery, tél. 03.26.53.83.12, fax 03.26.59.01.14, e-mail champagne-lemairefourny@wanadoo.fr
r.-v.
Nathalie et Pascal Guillemont

PHILIPPE LEMAIRE Fût de chêne ★

0,5 ha 3 000 **11 à 15 €**

Établi dans la vallée de la Marne, Philippe Lemaire élève ses vins sous bois. Ce brut a ainsi séjourné douze mois dans le chêne. Mi-blancs mi-noirs (les deux pinots à égalité), il exprime au nez le boisé-vanillé légué par son élevage. Au palais, le boisé est bien fondu, en harmonie avec sa richesse et sa complexité. (RM)
Philippe Lemaire, 40, rue du 8-Mai, 51480 Œuilly, tél. 03.26.58.30.82, fax 03.26.52.92.44 r.-v.

R. C. LEMAIRE Chardonnay 1999 ★★

1er cru 1 ha 7 500 **23 à 30 €**

R. C. Lemaire : Roger Constant Lemaire, fondateur de la marque après la guerre. En 1975, Brigitte Lemaire et son mari Gilles Tournant ont repris l'exploitation et les 10 ha de vignes situés dans la vallée de la Marne, de Cumières à Leuvrigny. Leur blanc de blancs 1999 a été élevé neuf mois en fût de chêne. Les dégustateurs saluent « l'équilibre parfait » de ce vin complexe, empyreumatique et confit, rond et long. Deux étoiles encore pour le **Sélect Réserve (11 à 15 €)**, blanc de noirs (de meunier) débordant de fruits rouges tant au nez qu'en bouche, ample, rond et frais. Une étoile enfin pour la **cuvée Trianon 1er cru (15 à 23 €)**, une cuvée lancée en 1966. Le pinot noir (60 %) et le chardonnay collaborent à ce champagne vif à l'attaque, équilibré, ample et frais, au dosage sensible. (RM)
Gilles Tournant, rue de la Glacière, 51700 Villers-sous-Châtillon, tél. 03.26.58.36.79, fax 03.26.58.39.28, e-mail tournant@club-internet.fr
r.-v.

LEMAIRE-RASSELET Cuvée Sélection 2000

n.c. 6 000 **15 à 23 €**

Pour créer une marque de champagne, rien ne vaut un mariage. Celui des enfants de Louis Lemaire et d'Hippolyte Rasselet a été célébré après la guerre. L'exploitation est implantée à 1 km du château de Boursault (vallée de la Marne). Deux de ses champagnes obtiennent une citation : ce 2000, assemblage de pinot noir (60 %) et de chardonnay, confit, gras et rond et la **cuvée Tradition (11 à 15 €)**, mariant les années 2003 et 2002 et très marquée par les noirs (90 % dont 75 % de pinot meunier) : un champagne empyreumatique, fin et discret. (RM)
EARL Lemaire-Rasselet, 5, rue de la Croix-Saint-Jean, Villesaint, 51480 Boursault, tél. et fax 03.26.58.44.85, e-mail champ.lemaire.rasselet@wanadoo.fr r.-v.

MICHEL LENIQUE Prestige ★★

1 ha 5 340 **15 à 23 €**

L'étiquette porte la mention « maison Lenique depuis 1768 ». Ces négociants sont établis à Pierry, tout près d'Épernay ; ils disposent d'un vignoble de 9 ha. Issu de la récolte de 2004, leur rosé Prestige est dominé par le chardonnay (85 % de l'assemblage), complété par du vin rouge pour la couleur. Ample, puissant, fruité, vineux et frais à la fois, il conjugue élégance et caractère. Une étoile pour le brut **Réserve blanc de noirs (11 à 15 €)**, né de pinot meunier de Vincelles (vendange de 2004) : un champagne fin, frais et harmonieux. (NM)
SA Lenique et Fils, 20, rue du Gal-de-Gaulle, 51530 Pierry, tél. 03.26.54.03.65, fax 03.26.51.57.14, e-mail salenique@wanadoo.fr
t.l.j. sf sam. dim. 9h-12h 14h-17h

A. R. LENOBLE Blanc de blancs ★

Gd cru 7 ha n.c. **23 à 30 €**

A. R. comme Armand-Raphaël Graser, marchand de vins originaire d'Alsace à qui l'on doit la création de cette maison gérée aujourd'hui par la quatrième génération. La société possède en propre un vignoble de qualité (18 ha), notamment à Chouilly, grand cru de la Côte des Blancs. Assemblage de vins de 2002 et de vins de réserve, ce blanc de blancs est fort apprécié pour son attaque vive, sa jeunesse et sa complexité. Un champagne de gastronomie. Cité, le **Brut nature (15 à 30 €)** marie 60 % des deux pinots à parts égales au chardonnay et l'année 2003 à des vins de réserve. Son nom indique qu'il n'est pas dosé. On y trouve du pain grillé, des fruits rouges mûrs, du coing. Un ensemble élégant, généreux et long, un peu évolué pour certains dégustateurs. (NM)

Lenoble, 35, rue Paul-Douce, 51480 Damery, tél. 03.26.58.42.60, fax 03.26.58.65.57, e-mail contact@champagne-lenoble.com r.-v.

Malassagne

ABEL LEPITRE Blanc de blancs Cuvée n° 134 ★

n.c. n.c. **23 à 30 €**

Maison fondée en 1924 à Ludes par Abel Lepitre, reprise par son fils Jacques à l'âge de dix-huit ans. Ce dernier s'est installé à Reims et a lancé en 1961 la célèbre Cuvée n° 134. Après plusieurs changements de mains, la société est passée sous le contrôle du groupe BCC. Blanc de blancs, cette cuvée exploite des vins de 1997 et 1996. Elle est florale, légère, tout en finesse. Issue des années 2003 et 2002 et des trois cépages champenois à parts égales, l'**Idéale Cuvée (15 à 23 €)** est citée pour son fruité de mirabelle et pour sa franchise. (NM)

Abel Lepitre, allée du Vignoble, 51100 Reims, tél. 03.26.36.61.60, fax 03.26.36.66.62 r.-v.

PAUL LEREDDE Carte rouge ★

3 ha 21 000 **11 à 15 €**

L'arrière-grand-père et le grand-père étaient « laboureurs-vignerons » ; les parents ont lancé leur marque dans les années 1950 par l'intermédiaire de la coopérative. Jean-Yves Leredde, installé en 1979, est devenu récoltant-manipulant. Il exploite 6,5 ha dans le secteur de la vallée de la Marne le plus proche de Paris. Sa Carte rouge allie 80 % de noirs (dont 55 % de pinot meunier) à 20 % de blancs. Puissant, rond et long, ce champagne pourra accompagner des viandes blanches. (RM)

Jean-Yves Leredde, 33, Grande rue, 02310 Crouttes-sur-Marne, tél. 03.23.82.09.41, fax 03.23.82.00.22, e-mail contact@champagne-paul-leredde.com r.-v.

LHEUREUX PLÉKHOFF

1er cru 0,8 ha 7 000 **11 à 15 €**

Georges Lheureux et Stéphanie Plékhoff s'unissent ; une marque de champagne naît en 2002. Ces négociants-manipulants sont installés à Mutigny-en-Champagne, non loin d'Épernay. Ils proposent un 1er cru mi-blancs mi-noirs, confituré, souple et corpulent. Un champagne de repas par excellence, qui pourra même accompagner une viande en sauce. Également cité, le **1er cru 2002 (15 à 23 €)** assemble deux tiers de noirs (pinot noir) et un tiers de blancs. Un vin discrètement floral avec une nuance de fruits exotiques, souple et miellé en finale. (NM)

Lheureux Plékhoff, Manoir de Montflambert, 51160 Mutigny, tél. 03.26.52.33.21, fax 03.26.59.71.08, e-mail g-lheureux@wanadoo.fr r.-v. 7

LHEUREUX-SAINTOT Réserve

1er cru 2,5 ha 25 000 **11 à 15 €**

Cette propriété familiale créée en 1957 a son siège à Mareuil-sur-Aÿ, dans la « Grande Vallée de la Marne », sur le versant sud de la Montagne de Reims. La nouvelle génération est aux commandes depuis 1997. Mi-blancs mi-noirs (pinot noir surtout), le brut Réserve des années 2002 à 2000 est expressif, souple, rond et mûr. Un ensemble très flatteur. (RM)

Lheureux Saintot, 14, bd de l'Est, 51160 Mareuil-sur-Aÿ, tél. 03.26.52.60.68, fax 03.26.51.05.46, e-mail g-lheureux@wanadoo.fr r.-v.

L'HOSTE PÈRE ET FILS

5 ha 30 000 **11 à 15 €**

Ce domaine de 12 ha est situé dans la partie orientale du vignoble, à une trentaine de kilomètres au sud-est de Châlons-en-Champagne. La commune de Bassuet est très propice au chardonnay et les blancs constituent la majorité de son encépagement. Ce brut des années 2004 et 2003 doit tout à cette variété. Il exprime les agrumes et se montre plein de jeunesse et de nervosité. (NM)

L'Hoste Père et Fils, rue de Vauray, 51300 Bassuet, tél. 03.26.73.94.43, fax 03.26.73.97.21, e-mail champagnelhoste@wanadoo.fr r.-v.

LIÉBART-RÉGNIER ★

n.c. 6 000 **15 à 23 €**

La propriété a lancé son champagne en 1960. Installé en 1987, Laurent Liébart exploite 9 ha de vignes dans la vallée de la Marne et des communes proches. Comme d'autres vignerons de Baslieux, il a participé à une étude européenne sur la qualité des eaux dans le vignoble. Deux cuvées retenues, issues des années 2004 et 2003 et donnant le premier rôle aux noirs (90 %, du pinot meunier surtout). Le rosé l'emporte d'une courte tête. Sa palette aromatique se partage entre les fruits rouges et les fruits cuits, il est vif et long. Le brut sans année **blanc** est un bon classique, floral au nez, fruité en finale. (RM)

Liébart-Régnier, 6, rue Saint-Vincent, 51700 Baslieux-sous-Châtillon, tél. 03.26.58.11.60, fax 03.26.52.34.60, e-mail info@champagne-liebart-regnier.com r.-v.

Laurent Liébart

LOCRET-LACHAUD ★

1er cru n.c. n.c. **11 à 15 €**

Héritier d'une lignée d'apporteurs de raisins, Gaston Locret s'est lancé dans la manipulation dès 1920. La troisième génération exploite 10 ha autour d'Hautvillers, le « berceau du champagne ». Ce brut assemble 60 % de noirs (les deux pinots à égalité) et 40 % de blancs de l'année 2002. Bouquet léger, bouche souple : un champagne flatteur. Issu de l'année 2003, le **rosé**, cité, résulte d'un assemblage très proche (60 % de noirs, dont 40 % de pinot noir). On y trouve beaucoup de fruité, de la rondeur et un dosage sensible. (RM)

🔑 SARL Locret-Lachaud,
40, rue Saint-Vincent, Le Point du Jour,
51160 Hautvillers, tél. 03.26.59.40.20,
fax 03.26.59.40.92,
e-mail champagne.locret.lachaud@wanadoo.fr
☑ Y ⚲ r.-v.

LOMBARD & CIE ★

n.c. n.c. ▮ 15 à 23 €

Maison de négoce familiale d'Épernay fondée en 1925. Son brut sans année présente un fruité d'abricot et un équilibre qui le destine aux repas. Le 1er cru 1999 (23 à 30 €), cité, est un champagne fin et élégant par son acidité bien fondue et sa finale aux arômes de tilleul, de vanille et de réglisse. (NM)

🔑 Lombard et Médot, 1, rue des Cotelles,
51200 Épernay, tél. 03.26.59.57.40, fax 03.26.54.16.38
☑ r.-v.
🔑 Lombard

BERNARD LONCLAS 2002 ★★

0,4 ha 2 900 ▮ 15 à 23 €

Bernard Lonclas plante son vignoble en 1976, lance sa marque trois ans plus tard et construit sa cave. Aujourd'hui, il exploite 8 ha à Bassuet, village excentré non loin de Vitry-le-François. Le chardonnay, qui prospère dans cette commune, est majoritaire dans les deux cuvées retenues. Ce 2002 naît de 70 % de chardonnay et de 30 % de pinot meunier. Il ne suscite qu'une réserve : son dosage, jugé généreux par certains jurés. Mais tous apprécient ce champagne délicat et complexe, où les agrumes côtoient des notes minérales, un fruité compoté et des notes miellées. Citée, la **cuvée Prestige extra-dry (11 à 15 €)** marie 60 % de chardonnay aux deux pinots et provient des années 2003 à 2001. Son bouquet se partage entre les fruits confits et la brioche, son attaque laisse une impression de tendreté accentuée par le dosage. (RM)

🔑 Bernard Lonclas, chem. de Travent, 51300 Bassuet,
tél. 03.26.73.98.20, fax 03.26.73.16.17,
e-mail champagne.lonclas@hexanet.fr
☑ Y ⚲ t.l.j. sf mar. dim. 9h-19h

JACQUES LORENT Cuvée Tradition 2002

4 ha 27 000 ▮ 15 à 23 €

Une des deux marques (avec Charles Leprince) de la coopérative de Mardeuil, près d'Épernay, qui regroupe deux cent quarante-sept viticulteurs et vinifie 85 ha. Mi-blancs mi-noirs (40 % de pinot noir), ce millésimé apparaît gourmand et intense dès le premier coup de nez. Il est généreux, onctueux, bien fruité, d'un bel équilibre. La **cuvée Tradition non millésimée (11 à 15 €)** obtient la même note. Elle assemble 75 % de noirs et 25 % de blancs des années 2004 à 2002. C'est un brut sans année classique, toasté et délicat. (CM)

🔑 Jacques Lorent,
64, rue de la Liberté, 51530 Mardeuil,
tél. 03.26.55.29.40, fax 03.26.54.26.30,
e-mail contact@champagne-beaumont.com ☑ Y r.-v.

GÉRARD LORIOT Sélection ★

1,1 ha 9 500 ▮ 11 à 15 €

Fils de vignerons, les deux grands-pères de Gérard Loriot élaboraient leur champagne dès les années 1930. Installé en 1981, ce dernier a doublé la superficie du vignoble, qui s'étend aujourd'hui sur 7,5 ha dans la vallée de la Marne. Ce brut Sélection associe 55 % de chardonnay à 45 % de pinot meunier. On y découvre des arômes d'agrumes et la vivacité de la jeunesse : cette bouteille pourrait gagner à attendre un an. (RM)

🔑 Gérard Loriot,
rue Saint-Vincent, Le Mesnil-le-Huttier, 51700 Festigny,
tél. 03.26.58.35.32, fax 03.26.51.93.71 ☑ Y ⚲ r.-v.

MICHEL LORIOT Prestige

0,5 ha 3 500 ▮ 15 à 23 €

Les Loriot sont nombreux à Festigny. Léopold Loriot, arrière-grand-père de Michel, avait installé le premier pressoir du village, aujourd'hui exposé dans la salle de réception de la propriété. Le vignoble couvre près de 7 ha. Complété par le chardonnay, le pinot meunier est majoritaire (70 %) dans ce brut Prestige de l'année 2004. Un champagne floral et riche, dont la finale laisse percevoir un dosage généreux. Le **pinot meunier Vieilles Vignes 2002 (23 à 30 €)** est également cité. Le cépage favori de la vallée de la Marne s'affiche sur l'étiquette de ce blanc de noirs retenu pour son nez de pâtisserie, sa bonne structure et ses arômes complexes de pain d'épice et de miel. (RM)

🔑 Michel Loriot, 13, rue de Bel-Air, 51700 Festigny,
tél. 03.26.58.34.01, fax 03.26.58.03.98,
e-mail info@champagne-loriot.com ☑ Y ⚲ r.-v.

JOSEPH LORIOT-PAGEL
Cuvée de Réserve 2000 ★

1 ha 8 000 15 à 23 €

D'autres Loriot de Festigny. En 1980, Joseph Loriot épouse Mlle Pagel : naissance de la marque. Le vignoble compte aujourd'hui plus de 8 ha. Ce 2000 est un assemblage classique : 60 % de noirs (les deux pinots à parts égales) et 40 % de chardonnay. Il est expressif, frais, assez léger et long. Le **blanc de blancs 2002** offre des arômes caractéristiques de pain grillé et d'agrumes et se montre rond en bouche. Il obtient la même note. (RM)

🔑 Joseph Loriot, 33-40, rue de la République,
51700 Festigny, tél. 03.26.58.33.53, fax 03.26.58.05.37
☑ Y ⚲ r.-v.

LOUIS SOSTÈNE Cuvée LS ★

1er cru 1,5 ha 7 260 ▮ 15 à 23 €

Une nouvelle marque de Pierre Gonet, récoltant-manipulant du Mesnil-sur-Oger, dans la Côte des Blancs. Classique, cette cuvée assemble 60 % de noirs (dont 40 % de pinot noir) et 40 % de chardonnay des années 2004 et 2003. Un champagne complexe et long, où les fruits rouges (cerise) côtoient la prune, l'orange et les fleurs. (RM)

🔑 Pierre Gonet, 2, rue de l'Église,
51190 Le Mesnil-sur-Oger, tél. 03.26.59.07.72,
fax 03.26.57.51.03 ☑ Y ⚲ r.-v.

YVES LOUVET Cuvée de sélection

3 ha 20 000 ▮ 11 à 15 €

C'est Frédéric Louvet, fils d'Yves, qui conduit depuis 2004 le domaine familial situé à Tauxières-Mutry, au sud de la Montagne de Reims. Sa Cuvée de sélection assemble trois quarts de pinot noir et un quart de chardonnay des années 2003 et 2002. Avec sa vinosité et son fruité chaleureux, ce champagne trouvera sa place au repas. (RM)

🔑 Frédéric Louvet, 21, rue du Poncet,
51150 Tauxières-Mutry, tél. 03.26.57.03.27,
fax 03.26.57.67.77 ☑ Y ⚲ r.-v.

DE LOZEY Blanc de noirs Tradition

n.c. 55 000 **11 à 15 €**

Marque auboise lancée par Philippe Cheurlin afin d'éviter toute confusion entre sa production et celle des autres Cheurlin, nombreux à Celles-sur-Ource. La maison possède 12 ha de vignes en propre dans la Côte des Bar. Son brut Tradition est un blanc de noirs issu du cépage dominant dans la région, le pinot noir. Au nez, la fleur blanche et la mirabelle ; puis un palais étoffé dont la nervosité conviendra à l'apéritif. (NM)

de Lozey, 72, Grande-Rue, 10110 Celles-sur-Ource, tél. 03.25.38.51.34, fax 03.25.38.54.80, e-mail de.lozey@wanadoo.fr r.-v.

Ph. Cheurlin

MACQUART-LORETTE Cuvée de réserve *

1er cru 4,8 ha 13 000 **11 à 15 €**

André Macquart reprend le vignoble en 1974 et lance sa marque un an plus tard. Il exploite près de 5 ha de vignes autour d'Écueil, village situé à deux pas de la Ville des sacres sur le versant nord de la Montagne de Reims. Cette Cuvée de réserve de la vendange de 2004 naît d'une majorité de noirs (85 % de pinot noir). Une touche de minéralité équilibre la douceur de ses arômes de fruits rouges. Le palais équilibré et frais en fait un classique. (RM)

André Macquart, 6, chem. des Glaises, 51500 Écueil, tél. 03.26.49.74.42, fax 03.26.49.77.42, e-mail contact@champagne-macquart.fr r.-v.

MICHEL MAILLIARD
MM de Champagne Rare 1982 **

1er cru n.c. 3 500 **46 à 76 €**

Ce récoltant-manipulant est habitué aux places d'honneur du Guide : quatre coups de cœur, dont un l'an dernier. Il cultive 14 ha autour de Vertus, 1er cru de la Côte des Blancs, et les trois cuvées retenues sont des 1ers crus. Ce champagne mérite bien son nom de « rare », car le chardonnay qui compose la quasi-totalité de la cuvée (95 %) a été récolté en 1982 ! Une couleur cuivre doré, des arômes complexes, évolués certes (torréfaction, pain grillé, fruits confits) mais aucune oxydation, et même de la fraîcheur. Un superbe champagne d'amateur à servir sur du foie gras. La cuvée **Grégory 2003 (15 à 23 €)**, qui donne la vedette aux blancs (92 %), obtient une étoile pour son nez fin partagé entre les agrumes et la brioche et pour son harmonie en bouche. Une citation enfin pour la **Cuvée du Mont Vergon 1999 (15 à 23 €)**, un blanc de blancs monocru, typique, gras et long. (RM)

Michel Mailliard, 52, av. de Bammental, 51130 Vertus, tél. 03.26.52.15.18, fax 03.26.52.24.05, e-mail info@champagne-michel-mailliard.com r.-v. 5

MAILLY GRAND CRU L'Intemporelle 2002 **

Gd cru n.c. 11 856 **38 à 46 €**

Fondée en 1929, cette coopérative sélectionne ses adhérents qui doivent obligatoirement posséder un vignoble à Mailly, grand cru de la Montagne de Reims. Ce 2002 assemble 60 % de pinot noir et 40 % de chardonnay. Beurré, vif, équilibré, il conviendra à l'apéritif. Quant au **blanc de noirs (23 à 30 €)**, cité, il provient évidemment du pinot noir, cépage vedette du secteur. Intensément fruité, il est rond et gras. (CM)

Mailly Grand Cru, 28, rue de la Libération, 51500 Mailly-Champagne, tél. 03.26.49.41.10, fax 03.26.49.42.27, e-mail contact@champagne-mailly.com r.-v.

ÉRIC MAÎTRE Tradition **

3 ha 25 000 **11 à 15 €**

Installé en 1987, l'un des nombreux récoltants-manipulants de Celles-sur-Ource (Aube). Le vignoble a été constitué dans les années 1960, le champagne lancé en 1995. La propriété s'étend sur 7,5 ha. Blanc de noirs, le brut Tradition est un pur pinot noir de l'année 2004. C'est un champagne complexe et frais, charmeur et élégant. (RM)

Éric Maître, 32, Grande-Rue, 10110 Celles-sur-Ource, tél. 03.25.38.58.69, fax 03.25.38.23.48, e-mail champagne.ericmaitre@wanadoo.fr t.l.j. 9h-12h 13h30-18h; sam. dim. sur r.-v.; f. août

MALARD Chardonnay Excellence *

Gd cru n.c. n.c. **15 à 23 €**

Marque fondée en 1996 par Jean-Louis Malard qui a rejoint ensuite le groupe Thiénot. Tous les champagnes vendus sous cette marque sont des 1ers crus ou des grands crus. Cette cuvée est un blanc de blancs expressif, beurré et torréfié. Puissant et élégant à la fois, il pourra être débouché à l'apéritif puis accompagner une viande blanche. (NM)

Jean-Louis Malard, 65, av. de Champagne, BP 95, 51203 Épernay Cedex, tél. 03.26.57.77.24, fax 03.26.52.75.54, e-mail info@champagnemalard.com

FRÉDÉRIC MALETREZ Réserve **

1er cru 4,5 ha 48 000 **11 à 15 €**

Descendant de plusieurs générations de vignerons, Frédéric Maletrez s'est lancé dans la manipulation deux ans après son installation en 1982. Son vignoble couvre les coteaux de Chamery, petit village du flanc nord de la Montagne de Reims. Deux tiers de noirs (les deux variétés) et un tiers de chardonnay des années 2003 à 2000 sont assemblés dans ce brut Réserve. Les pinots laissent leur empreinte dans un nez complexe mêlant fruits rouges compotés, coing et beurre et dans un palais charpenté, puissant et long : un champagne de repas. (RM)

Frédéric Maletrez, 11, rue de La Bertrix, 51500 Chamery, tél. 03.26.97.63.92, fax 03.26.97.66.40 r.-v.

B. MALLOL-GANTOIS
Blanc de blancs Grande Réserve **

Gd cru n.c. 3 000 **11 à 15 €**

Cette exploitation dispose d'un vignoble de haute qualité : près de 7 ha à Cramant et à Chouilly, deux grands crus de la Côte des Blancs. Les deux vins retenus doivent tout au chardonnay. Le brut Grande Réserve marie les années 1999 et 1998. Élégant, fin, puissant, gourmand, c'est un séducteur. Deux étoiles encore pour le **1998 (15 à 23 €)**, un vin superbe, bien persistant, à la palette complexe évocatrice du petit déjeuner dans ses nuances de pain grillé beurré. (RM)

Bernard Mallol, 290, rue du Gal-de-Gaulle, 51530 Cramant, tél. 03.26.57.96.14, fax 03.26.59.22.57, e-mail champagne.mallol@wanadoo.fr r.-v.

HENRI MANDOIS Blanc de blancs 2002 ★★

1er cru	4 ha	40 000	23 à 30 €

Cette maison de négoce familiale a son siège à Pierry, commune voisine d'Épernay. Elle dispose d'un vignoble assez important : 35 ha dans la Côte des Blancs, les coteaux d'Épernay et le Sézannais. Ce blanc de blancs 1er cru assemble des raisins de crus réputés : Vertus et Pierry (1ers crus) et Chouilly (grand cru). Il offre tout ce que l'on attend de ce style de champagne : la complexité, la finesse et l'élégance. Cité, le **Brut nature** résulte d'un assemblage classique : 60 % de noirs (les deux pinots à égalité) et 40 % de blancs. Il n'est pas très long, mais sa vivacité juvénile, dénuée d'agressivité, lui permet de figurer ici. (NM)

Henri Mandois, 66, rue du Gal-de-Gaulle, BP 9, 51530 Pierry, tél. 03.26.54.03.18, fax 03.26.51.53.66, e-mail info@champagne-mandois.fr r.-v.

DIDIER MARC ★

	0,25 ha	2 000	11 à 15 €

Les ancêtres de ce récoltant cultivaient déjà la vigne en 1625. Didier Marc exploite 4 ha autour de Fleury-la-Rivière, village proche d'Hautvillers. Son rosé est marqué par les raisins noirs (80 %, dont 70 % de pinot meunier). C'est un champagne ferme, ample, dominé par des arômes de fruits rouges. Citée, la **Grande Réserve** résulte d'un assemblage identique – la couleur en moins. Nez discret d'agrumes, grande fraîcheur de jeunesse. À essayer sur des crustacés. (RM)

Didier Marc, 11, rue Dom-Pérignon, 51480 Fleury-la-Rivière, tél. 03.26.58.60.69, fax 03.26.52.84.20, e-mail dimadima@club-internet.fr t.l.j. 8h-20h

PATRICE MARC Cuvée noir et blanc ★

	2 ha	15 399	11 à 15 €

Une autre branche de la famille Marc de Fleury-la-Rivière. Patrice Marc exploite un peu plus de 3 ha aux alentours. Il a associé dans cette cuvée trois quarts de noirs (les deux pinots) et un quart de chardonnay. L'année 2002 compose les deux tiers de l'assemblage, complétée par des vins de 2001 et de 1999. Floral, minéral et miellé, ce champagne séduit par sa fraîcheur. (RM)

Patrice Marc, 1, rue du Creux-Chemin, 51480 Fleury-la-Rivière, tél. 03.26.58.46.88, fax 03.26.59.48.21, e-mail contact@champagne-marc.fr r.-v.

MARGUET PÈRE ET FILS ★

	3 ha	25 000	15 à 23 €

Ancienne maison Marguet-Bonnerave, créée en 1905 par l'arrière-arrière grand-père de Benoît Marguet, qui en a pris les commandes un siècle plus tard. Elle dispose d'un vignoble dans plusieurs grands crus de la Montagne (Mailly, Verzenay...). Une fois de plus, c'est un rosé qui a la préférence du jury. Deux tiers de blancs et un tiers de noirs (pinot noir) pour ce champagne saumoné, bien équilibré et assez long, aux arômes de confiture de fraises et de miel. La **Réserve grand cru**, mi-blancs mi-noirs (pinot noir), est citée pour son fruité compoté et son attaque fraîche. (NM)

Marguet Père et Fils, 3, rue du Château, 51150 Ambonnay, tél. 03.26.53.78.61, fax 03.26.53.81.80, e-mail info@champagne-marguet.fr r.-v.

MARIE-LE BRUN Blanc de blancs Sélection

1er cru	1 ha	9 500	11 à 15 €

Installée à 300 m de la belle église de Cuis, dans la Côte des Blancs, Françoise Le Brun élabore ses cuvées en vinifiant la récolte de ce village 1er cru ainsi que celle de Cramant, un grand cru. Ses champagnes sont étiquetés Marie-Le Brun, une marque lancée en 2001. Ce blanc de blancs fait appel pour les trois quarts à la vendange de 2004, le solde provenant de 2003 et 2002. Il est empyreumatique au nez (grillé, fruits secs), puissant et équilibré en bouche. (RM)

Le Brun, 5, rte d'Épernay, 51530 Cuis, tél. et fax 03.26.59.79.83 r.-v.

MARIE STUART Cuvée de la Reine

	n.c.	n.c.	23 à 30 €

Fondée en 1867, cette maison rémoise a formé en 1994 le premier maillon du groupe Thiénot. Sa cuvée de la Reine porte l'empreinte du chardonnay qui compose 90 % de l'assemblage, complété par le pinot noir : nez discret mais élégant, beurré et biscuité, attaque franche, bouche charnue et fraîche. (NM)

Marie Stuart, 65, av. de Champagne, 51200 Épernay, tél. 03.26.57.77.24, e-mail info@mariestuart.fr

Thiénot

CH. MARIN ET FILS Blanc de blancs ★

	0,6 ha	1 500	11 à 15 €

Proche des Riceys, dans l'Aube, le village d'Avirey-Lingey mériterait d'être plus connu. Henri IV n'offrait-il pas à Sully « son bon vin d'Avirey » ? Les Marin ont créé aux alentours un vignoble de 5 ha et ont commencé à vinifier en 1993. Dans ce pays du pinot noir, ils ont produit un joli blanc de blancs, brut sans année de la vendange 2004. Son nez expressif d'agrumes et de fleurs blanches annonce une bouche assez complexe, équilibrée et bien construite. (RM)

Ch. Marin et Fils, 2, rue du Pigeonnier, 10340 Avirey-Lingey, tél. 03.25.29.32.55, fax 03.25.29.19.74, e-mail champagne-marin@wanadoo.fr r.-v.

JEAN MARNIQUET Grande Réserve ★★

1er cru	n.c.	25 000	11 à 15 €

Situé à quelques kilomètres d'Épernay, Avenay-Val-d'Or fait partie de la « Grande Vallée de la Marne », ce secteur du flanc sud de la Montagne de Reims. Fondée en 1920 par Jean Marniquet, ancien pionnier de l'aviation, cette propriété de 6 ha est conduite depuis 1995 par Brice Marniquet, qui a vinifié cette Grande Réserve des années 2003 et 2002. Marqué par le pinot noir (80 % de l'assemblage, le solde en chardonnay), c'est un champagne de caractère, riche, expressif et complexe, où les fruits confits côtoient des notes grillées et des nuances de fruits secs. (RM)

EARL Brice Marniquet, 12, rue Pasteur, 51160 Avenay-Val-d'Or, tél. 03.26.52.32.36, fax 03.26.52.65.89 t.l.j. 10h-19h

JEAN-PIERRE MARNIQUET ★★

	n.c.	7 000	11 à 15 €

Récoltant-manipulant installé à Venteuil, sur la rive droite de la Marne, et à la tête d'un vignoble de 7 ha. Mariant les années 2004 et 2003, son rosé est très marqué par le chardonnay, qui compose 90 % de l'assemblage. À

CHAMPAGNE

peine 10 % des deux pinots pour donner à ce champagne sa couleur pâle, prélude à une bouche légère et tout en finesse : un vin d'apéritif. Cité, le brut **Tradition** associe un tiers de blancs à deux tiers de noirs (55 % de pinot meunier) de 2003 et 2002 ; il n'a pas fait sa fermentation malolactique. Il est fruité, ample, fin et frais. (RM)

Jean-Pierre Marniquet, 8, rue des Crayères,
51480 Venteuil, tél. 03.26.58.48.99, fax 03.26.58.45.21,
e-mail jp.marniquet@cder.fr r.-v.

MARQUIS DE POMEREUIL

0,6 ha 6 000 11 à 15 €

Marque d'une coopérative des Riceys fondée en 1922 et vinifiant la production de 90 ha de vignes. Issu des années 2003 et 2002, son rosé porte l'empreinte des noirs, qui constituent 89 % de l'assemblage (82 % de pinot noir). Il doit sa couleur soutenue à 11 % de pinot noir vinifié en rouge. Du fruit rouge et du cassis pour le bouquet, une bouche longue, tout en finesse : un joli champagne d'apéritif. Citée également, la **Cuvée des Fondateurs 2000 (15 à 23 €)** marie deux tiers de blancs à un tiers de noirs (pinot noir). Elle est fruitée, harmonieuse et assez longue. (CM)

Marquis de Pomereuil, 31, rte de Gyé,
10340 Les Riceys, tél. 03.25.29.32.24,
fax 03.25.38.59.86,
e-mail marquis.de.pomereuil@hexanet.fr
t.l.j. sf dim. 8h-12h 14h-18h

MARQUIS DE SADE Blanc de blancs 1996 ★★

Gd cru 4 ha 8 000 23 à 30 €

Outre son vignoble en Côte des Blancs, la famille Gonet possède un pavillon de chasse qui appartint à la famille du sulfureux marquis, d'où l'idée de cette marque, lancée en accord avec les descendants de l'écrivain. Cette cuvée, un blanc de blancs du grand millésime 1996, réjouit les dégustateurs. Son nez encore frais se partage entre notes beurrées et nuances grillées plus évoluées évoquant le moka. Une palette qui se prolonge dans une bouche vive et équilibrée : une excellente évolution. (RM)

SCEV Michel Gonet et Fils, 196, av. Jean-Jaurès,
51190 Avize, tél. 03.26.57.50.56, fax 03.26.57.91.98,
e-mail champagne.gonet@wanadoo.fr
t.l.j. 9h-12h 14h-17h; sam. dim. sur r.-v.;
f. août 4

G. H. MARTEL & C^O Victoire 1999 ★★

n.c. 20 000 23 à 30 €

Marque lancée en 1869 et rachetée en 1970 par la famille Rapeneau. Détenteur d'autres marques, le groupe produit plus de 8 millions de cols par an. Dominée par le chardonnay (60 %, le solde en pinot noir), la cuvée Victoire possède un excellent nez brioché, complexe et délicat, une bouche fondue et harmonieuse qui séduit jusqu'à la longue finale fruitée. Trois autres vins de 15 à 23 € : une étoile pour le **rosé**, né de 80 % de pinot noir et de 20 % de chardonnay : un ensemble fin et persistant aux arômes de fraise des bois. Deux citations encore : pour le **1er cru**, rond et vineux, ainsi que pour le brut **Prestige**, discrètement floral et miellé. (NM)

G.H. Martel, 69, av. de Champagne, BP 1011,
51318 Épernay Cedex, tél. 03.26.51.06.33,
fax 03.26.54.41.52

P. LOUIS MARTIN ★

Gd cru n.c. 10 000 15 à 23 €

Une autre marque du groupe Rapeneau. Elle signe un brut grand cru, assemblage de pinot noir et de chardonnay. Le nez rappelle la cerise à l'eau-de-vie, nuance qui se prolonge dans une bouche puissante, épicée et évoluée. (RM)

Paul-Louis Martin, 3, rue d'Ambonnay, BP 4,
51150 Bouzy, tél. 03.26.57.01.27, fax 03.26.57.83.25
r.-v.

DENIS MARX Tradition ★★

6 ha 60 000 15 à 23 €

Denis Marx a repris en 1974 une partie de la propriété familiale. Aujourd'hui, il exploite avec ses deux fils 11 ha de vignes répartis sur sept communes de la vallée de la Marne. Distingué dans l'édition 2006, il présente en 2007 un brut flatteur, issu des années 2005 à 2003. Un champagne très marqué par les noirs (85 % dont 60 % de meunier) qui lui lèguent des arômes de fruits rouges et de fruits confits bien fondus dans une bouche souple et équilibrée. Le **2000** assemble 60 % de chardonnay aux deux pinots à parts égales. Un peu fugace, il est cité pour ses arômes vanillés et miellés et sa bouche structurée. (RM)

Denis Marx, 31, rue de la Chapelle, 51700 Cerseuil,
tél. 03.26.52.71.96, fax 03.26.52.72.65,
e-mail denis-marx@wanadoo.fr r.-v.

THIERRY MASSIN Blanc de blancs 2000 ★★

n.c. 3 500 15 à 23 €

De vieille souche vigneronne, Thierry Massin et sa sœur Dominique ont développé un vignoble de 10 ha dans l'Aube et se sont lancés dans la manipulation en 1977. Leur blanc de blancs 2000 embaume les fruits exotiques et les fruits jaunes ; puissant et très long, harmonieux et de caractère, il ne se laisse pas oublier. Le brut **2000** assemble deux tiers de pinot noir et un tiers de chardonnay. Souple, équilibré, fruité et floral, il obtient une étoile. (RM)

Thierry Massin, 6, rte des Deux-Bar,
10110 Ville-sur-Arce, tél. 03.25.38.74.01,
fax 03.25.38.79.10,
e-mail champagne.thierry.massin@wanadoo.fr
t.l.j. 9h-12h 13h30-18h30; sam. dim. sur r.-v.

LOUIS MASSING Blanc de blancs ★

Gd cru 3 ha 15 000 15 à 23 €

Cette maison a le statut de négociant mais dispose d'un beau vignoble de 11 ha autour d'Avize, grand cru de la Côte des Blancs. Les deux cuvées retenues doivent tout au chardonnay. Ce brut provient de la vendange de 2004. Fin, brioché, pas très long mais équilibré, il accompagnera avantageusement une viande blanche. La **cuvée Prestige grand cru**, une étoile elle aussi, est issue de l'année 1998. Miellée et florale au nez, elle est puissante, vive et élégante en bouche. Elle aussi pourra être servie à table. (NM)

SAS Deregard-Massing, La Haie Maria, RD 9,
51190 Avize, tél. 03.26.57.52.92, fax 03.26.57.78.23,
e-mail champagne.louismassing@wanadoo.fr
t.l.j. sf sam. dim. 9h-12h 14h-16h30
Élia Deregard

HERVÉ MATHELIN Cuvée Privilège

0,8 ha 8 000 11 à 15 €

Depuis 1999, Nicolas Mathelin exploite le vignoble familial, 14 ha dans la vallée de la Marne. Deux de ses champagnes sont cités, issus de la récolte de 2004. La cuvée Privilège est très marquée par le chardonnay (90 % de l'assemblage, le solde en pinot noir). Un nez discret, des arômes d'agrumes, un palais simple mais équilibré pour ce jeune champagne qui pourra accompagner des huîtres chaudes. La **Réserve** est au contraire dominée par les noirs (60 %, dont 40 % de pinot meunier). Florale, minérale, elle est très jeune, elle aussi. (RM)

Hervé Mathelin, 2, rte de Paris, 51700 Troissy, tél. 03.26.52.74.42, fax 03.26.57.16.54, e-mail herve.mathelin@wanadoo.fr r.-v.

Nicolas Mathelin

SERGE MATHIEU Cuvée Prestige *

4 ha 30 000 11 à 15 €

En 1770, Louis Mathieu acquiert des vignes à Avirey, un terroir réputé dès le XVes. Deux siècles plus tard, Serge Mathieu, à la tête d'un domaine de 11 ha dans l'Aube, se lance dans la vinification. Cette cuvée Prestige assemble 70 % de pinot noir et 30 % de chardonnay des années 2003 et 2002. Fruitée (griotte), épicée, briochée, elle est fort harmonieuse. Même note pour le **2000 (15 à 23 €)**, produit d'un assemblage identique. Du grillé au nez, de la pêche et de l'abricot en bouche, un dosage sensible pour ce champagne de repas. Cité, le **blanc de noirs Tradition** est un pur pinot noir des années 2005 et 2004. Vif et citronné, il apparaît très jeune. (RM)

Serge Mathieu, 6, rue des Vignes, 10340 Avirey-Lingey, tél. 03.25.29.32.58, fax 03.25.29.11.57 r.-v.

MATHIEU-PRINCET Extra brut 2000 *

1er cru 1,8 ha 17 500 15 à 23 €

Établis à Grauves, près d'Avize, Michel Mathieu et Françoise Princet ont commercialisé leurs premiers champagnes en 1966. Quarante ans plus tard, l'exploitation compte 8,5 ha. Cet extra-brut (très peu dosé) met en vedette le chardonnay (80 %, le solde en pinot noir). Il séduit par son bouquet intense et généreux, beurré et brioché. La bouche ronde semble un peu en retrait. Pour un poisson ou une viande blanche en sauce. L'**extra-dry 2000**, une étoile aussi, reprend le même assemblage avec le dosage assez important propre à ce style de champagne. Un dosage qui confère du gras au vin et qui exalte son fruité, lui donnant des accents confits, miellés et abricotés. (RM)

SARL Mathieu-Princet, 16, rue Bruyère, 51190 Grauves, tél. 03.26.59.73.72, fax 03.26.59.77.75, e-mail mathieu.princet@cegetel.net r.-v.

Michel Mathieu

PASCAL MAZET Tradition **

1er cru 2 ha n.c. 11 à 15 €

Pascal Mazet est récoltant-manipulant dans la Montagne de Reims. Il vinifie en cuve inerte, en foudre et en fût de chêne. Son brut Tradition naît de 70 % de noirs (dont 45 % de pinot meunier) et de 30 % de blancs des années 2001 à 1999 ; 40 % des vins sont élevés en fût. Son bouquet est empyreumatique (pain grillé), avec des nuances miellées qui se prolongent dans une bouche nette, judicieusement dosée, équilibrée, structurée et longue. Les dégustateurs sont conquis. (RM)

Pascal Mazet, 8, rue des Carrières, 51500 Chigny-les-Roses, tél. 03.26.03.41.13, fax 03.26.03.41.74, e-mail champagne.mazet@free.fr r.-v.

GUY MÉA

1er cru 0,5 ha n.c. 11 à 15 €

Ce rosé assemble la vendange de 2004 à des vins de 2003 et 2002. Il est dominé par les noirs (82 % de pinot noir). De couleur rose pâle, il est puissant et assez long. Son dosage sensible incite à le servir au dessert, sur une soupe de fruits rouges par exemple. (RM)

Guy Méa, SCE La Voie des Loups, 2, rue de l'Église, 51150 Louvois, tél. 03.26.57.03.42, fax 03.26.57.66.44, e-mail champagne.guy.mea@wanadoo.fr r.-v.

MÉDOT Tradition

n.c. n.c. 15 à 23 €

Marque de négoce fondée en 1899, acquise il y a quelques années par le groupe Lombard. De longue date, elle exploite le cépage pinot meunier. Cette cuvée Tradition est un brut sans année classique, subtilement floral au nez, fruité et rond en bouche. (NM)

Lombard et Médot, 1, rue des Cotelles, 51200 Épernay, tél. 03.26.59.57.40, fax 03.26.54.16.38 r.-v.

Lombard

LE MESNIL Blanc de blancs

Gd cru n.c. n.c. 15 à 23 €

Marque de la coopérative du Mesnil-sur-Oger lancée au début des années 1970. La cave vinifie la production de propriétaires de vignes dans cette commune de la Côte des Blancs classée en grand cru (300 ha en tout). Tous ses champagnes sont donc exclusivement des blancs de blancs grand cru. Celui-ci, floral au nez, grillé en bouche, est vif, voire nerveux. Péché de jeunesse ? Il accompagnera volontiers le poisson. (CM)

Union des propriétaires-récoltants, 19, rue Charpentier-Laurain, 51190 Le Mesnil-sur-Oger, tél. 03.26.57.53.23, fax 03.26.57.79.54, e-mail upr-lemesnil@wanadoo.fr r.-v.

Gilles Marguet

MÉTÉYER PÈRE ET FILS Carte d'argent *

1,5 ha 12 000 11 à 15 €

Située dans la vallée de la Marne, la commune de Trélou abrite de nombreux récoltants-manipulants, comme les Météyer, vignerons depuis 1860. Deux cuvées obtiennent une étoile, issues l'une comme l'autre de l'année 2003. Cette Carte d'argent naît des trois cépages champenois à parts égales. Son nez expressif se partage entre les fleurs blanches et la pâtisserie ; en bouche, elle allie une forte constitution à une agréable onctuosité. On pourra la servir aussi bien à l'apéritif qu'avec une viande blanche. Mi-blancs mi-noirs (les deux pinots à égalité), charpentée et riche, la **cuvée Marine** est proche de la précédente. (RM)

🗝 Météyer Père et Fils, 39, rue de l'Europe, 02850 Trélou-sur-Marne, tél. 03.23.70.26.20, fax 03.23.70.14.26, e-mail champagnemeteyer@wanadoo.fr r.-v.

BRUNO MICHEL Cuvée blanche ★★★

	6 ha	49 000		15 à 23 €

Les Michel sont nombreux à Pierry. Parmi eux, Bruno exploite 15 ha de vignes répartis sur plusieurs dizaines de parcelles. Depuis 2004, il s'est orienté vers l'agriculture biologique. Son brut Cuvée blanche est un champagne mi-blancs mi-noirs (pinot meunier) des années 2004 et 2003. Il a été partiellement élevé en fût. Il ne s'agit pas de chêne neuf, et pourtant, le boisé-vanillé est perceptible au nez comme en bouche, harmonieusement marié à une touche de fruits exotiques. D'une belle vivacité, ce champagne plein de séduction pourra accompagner un repas. Il a frôlé le coup de cœur. (RM)

🗝 Bruno Michel, 4, allée de la Vieille-Ferme, 51530 Pierry, tél. 03.26.55.10.54, fax 03.26.54.75.77, e-mail champagne.j.b.michel@cder.fr r.-v.

G. MICHEL Cuvée de réserve ★

	2 ha	20 000		11 à 15 €

Proche d'Épernay, ce domaine a été fondé au milieu du XIXe s. Il a décroché un coup de cœur dans les deux dernières éditions. Le palmarès reste intéressant cette année, avec trois cuvées très réussies (une étoile). Ce brut Réserve est un blanc de blancs de 2000. Au nez, de la fougère et du zeste d'agrumes ; en bouche, du citron confit, une attaque vive, de l'intensité et une finale épicée. La cuvée **Tradition 1983 (30 à 38 €)** est un blanc de noirs de meunier. Grillée au nez, puissante et ronde au palais, elle évoque les fruits confits et le coing. Un vieux champagne de gastronomie. La cuvée **Paris Folies (23 à 30 €)** propose des magnums habillés d'une étiquette évoquant les Années folles. Elle assemble 70 % de blancs et 30 % de noirs (les deux pinots) des années 1997 à 1995. Équilibrée, elle séduit par la complexité de sa palette mentholée, miellée et torréfiée. (RM)

🗝 SCEV Guy Michel et Fils, 54, rue Léon-Bourgeois, 51530 Pierry, tél. 03.26.54.67.12, fax 03.26.58.15.84 r.-v.

JEAN MICHEL Cuvée spéciale 2002 ★

	3,5 ha	9 000		15 à 23 €

Une autre famille Michel des environs d'Épernay : Moussy jouxte Pierry. L'exploitation dispose de 12 ha répartis dans neuf crus. Elle propose un 2002 mi-blancs mi-noirs (pinot meunier) aux arômes de fruits rouges mûrs. On y trouve à la fois finesse, fraîcheur, rondeur et vinosité, dans un bel équilibre. Cité, le brut **Carte blanche (11 à 15 €)** met à contribution 70 % de meunier et 30 % de chardonnay des années 2003 à 2001 ; il est léger et jeune. (RM)

🗝 EARL Jean Michel, 15, rue Jean-Jaurès, 51530 Moussy, tél. 03.26.54.03.33, fax 03.26.51.62.66, e-mail champagnejeanmichel@yahoo.fr r.-v.

JOËL MICHEL Classique ★★

	4,75 ha	47 568		11 à 15 €

Joël Michel a délaissé Moussy pour créer, en 1970, sa propre exploitation à Brasles, près de Château-Thierry. Son vignoble s'étend sur 8 ha sur la rive droite de la Marne. Un quart de blancs et trois quarts de noirs (dont 50 % de pinot meunier) des années 2004 à 2002 collaborent à cette cuvée. Une faible proportion (10 %) de vins élevés en fût a légué au champagne un fin boisé vanillé, épicé et fumé, bien marié au fruité, qui se confirme dans une bouche franche et agréable : un « classique » plutôt original. Cité, le **2000 (23 à 30 €)**, issu des trois cépages champenois à parts égales, apparaît floral, bien construit et vineux. (RM)

🗝 Joël Michel, 1, pl. Brigot, 02400 Brasles, tél. 03.23.69.01.10, fax 03.23.69.38.18, e-mail joel.michel9@wanadoo.fr t.l.j. 8h-12h 14h-18h; dim. 10h-12h

PAUL MICHEL
Chardonnay Grande Réserve 1999 ★

1er cru	2 ha	5 000		15 à 23 €

Créé au début des années 1950, ce domaine est implanté à 6 km d'Épernay à Cuis, village de la Côte des Blancs. Il dispose d'un vignoble de 20 ha. Les deux vins retenus sont des blancs de blancs. La préférence du jury est allée à cette Grande Réserve millésimée, un champagne fin et complexe au nez, mêlant notes briochées et fruits blancs, léger et très vif en bouche. Ce 1999 peut encore attendre. Citée, la **Carte blanche 1er cru** provient de l'année 2002. Ample et assez longue, elle peut paraître à table. (RM)

🗝 Paul Michel, 20, Grande-Rue, 51530 Cuis, tél. 03.26.59.79.77, fax 03.26.59.72.12 t.l.j. sf sam. dim. 9h-12h 14h-17h; f. août

CHARLES MIGNON Grande Réserve ★

1er cru	n.c.	165 000		15 à 23 €

Cette maison de négoce familiale a son siège à Épernay et dispose de plusieurs marques. Elle assemble dans sa Grande Réserve trois quarts de noirs (pinot noir) et un quart de chardonnay. Un ensemble frais au nez, vif à l'attaque et intense, qui semble assez jeune. Même note pour le champagne **Louis Tollet Grande Cuvée 1er cru**, assemblage de 55 % de pinot noir et de 45 % de chardonnay. Empyreumatique, torréfié au nez, ce vin est citronné et frais en bouche. (NM)

🗝 Charles Mignon, 7, rue Irène-Joliot-Curie, 51200 Épernay, tél. 03.26.58.33.33, fax 03.26.51.54.10, e-mail bmignon@champagne-mignon.fr r.-v.

PIERRE MIGNON Prestige ★

	3 ha	20 000		15 à 23 €

Pierre et Yveline Mignon ont considérablement développé la maison de négoce familiale depuis qu'ils l'ont reprise en 1970 : la production est passée de 10 000 à 350 000 cols. Ils n'ont pas manqué la sortie de la première édition du Guide et sont restés des habitués. Leur cuvée Prestige est dominée par les noirs, qui composent 75 % de l'assemblage (50 % de pinot meunier). Mariant les années 2003 et 2002, c'est un champagne frais, équilibré, nerveux, très jeune, qui peut attendre un à deux ans. (NM)

🗝 Pierre Mignon, 5, rue des Grappes-d'Or, 51210 Le Breuil, tél. 03.26.59.22.03, fax 03.26.59.26.74, e-mail p.mignon@voila.fr r.-v.

MILAN
Blanc de blancs Terres de Noël Vieille Vigne 2002 ★

Gd cru	0,45 ha	3 000		30 à 38 €

Courtier et vigneron, Charles Milan fut l'un des premiers récoltants-manipulants de la Côte des Blancs, en 1864. Puis vinrent Henry, Jean, Henry-Pol et, aujourd'hui, Caroline. Le domaine dispose de 6 ha de vignes mais il a pris le statut de négociant qui a permis son expansion à l'international. Ce blanc de blancs 2002 séduit par sa finesse, sa fraîcheur et sa longueur : une belle expression du millésime. Le **blanc de blancs Millénaire (15 à 23 €)**, une étoile aussi, assemble les années 2003 et 2002. Discret au nez, sur les agrumes, il est direct, léger, souple et dosé. (NM)

Milan, 6, rue d'Avize, 51190 Oger,
tél. 03.26.57.50.09, fax 03.26.57.78.47,
e-mail info@champagne-milan.com r.-v.

Henry-Pol Milan

MOËT ET CHANDON Brut impérial ★

n.c. n.c. **23 à 30 €**

Cette maison figure parmi les plus anciennes de la Champagne, et apparaît comme l'un des fleurons du groupe LVMH. C'est surtout la plus importante, non seulement par son volume de production, mais aussi par la superficie des vignobles qu'elle possède, et qui approche les 1 000 ha. Ses caves d'Épernay comptent 28 km de galeries. Le Brut impérial est le cheval de bataille de la marque. Il est très fruité, vif à l'attaque, rond et ample : un champagne civilisé. (NM)

Moët et Chandon, 20, av. de Champagne,
51200 Épernay, tél. 03.26.51.20.00 r.-v.

LVMH

PIERRE MONCUIT
Blanc de blancs Brut non dosé 1996 ★★

Gd cru 5 ha 36 000 **23 à 30 €**

Important domaine (19 ha), créé en 1889 au Mesnil-sur-Oger, grand cru de la Côte des Blancs. Aujourd'hui, Yves Moncuit assure la direction commerciale, Nicole les vinifications. Les champagnes de la propriété sont tous des blancs de blancs, à part le rosé. Un 1996, millésime si vif, non dosé ? Une gageure ! Le pari est réussi, à en juger par ce nez brioché puissant et par cette bouche certes nerveuse, mais superbe et persistante. Très bien conservé, un vin à son apogée. Deux étoiles également pour la **cuvée Nicole Moncuit Vieille Vigne grand cru 1996 (30 à 38 €)**, représentative de ce millésime d'exception, très vive elle aussi, puissante, complexe, structurée et longue. Une étoile pour la **cuvée Pierre Moncuit-Delos (15 à 23 €)**, un brut de l'année 2004, beurré, toasté, miellé et équilibré. (RM)

Pierre Moncuit, 11, rue Persault-Maheu,
51190 Le Mesnil-sur-Oger, tél. 03.26.57.52.65,
fax 03.26.57.97.89, e-mail contact@pierre-moncuit.fr
r.-v.

Nicole et Yves Moncuit

ROBERT MONCUIT Blanc de blancs ★

Gd cru 2 ha 25 000 **11 à 15 €**

Une autre lignée de Moncuit du Mesnil-sur-Oger, au service du blanc de blancs grand cru depuis 1889 : Alex, Alexandre, puis Robert. Aujourd'hui, Françoise Moncuit pour la commercialisation et son fils Pierre au chai. La maison, qui a lancé son champagne dans l'entre-deux-guerres, dispose de 8 ha de vignes. Ce brut de la vendange de 2004, épaulée par des vins de 2003, séduit par son nez complexe mêlant fruits mûrs et notes briochées. Il laisse une impression de puissance. Le **blanc de blancs extra-brut (15 à 23 €)** assemble les années 2003 et 2002. Floral et épicé, il est cité pour son équilibre. (RM)

Pierre Amillet, 2, pl. de la Gare,
51190 Le Mesnil-sur-Oger, tél. 03.26.57.52.71,
fax 03.26.57.74.14,
e-mail contact@champagnerobertmoncuit.com
r.-v.

MONDET Grande Réserve Extra quality ★

8 ha 70 000 **11 à 15 €**

Fondée en 1928, cette maison a son siège sur la rive droite de la Marne, non loin d'Hautvillers et d'Épernay. Elle dispose de 11 ha de vignes. Les noirs jouent le premier rôle dans cette Grande Réserve : 85 % (dont 70 % de pinot meunier). Au nez, des parfums de fraise et de cerise « donnent envie de mettre ce vin en bouche ». La suite de la dégustation confirme ces impressions, dévoilant un champagne fruité, équilibré, élégant et persistant. (NM)

Francis Mondet, 2, rue Dom-Pérignon,
51480 Cormoyeux, tél. 03.26.58.64.15,
fax 03.26.58.44.00,
e-mail champagne.mondet@wanadoo.fr r.-v.

MONMARTHE Extra-brut Coup de cœur ★

1er cru 1 ha 6 000 **15 à 23 €**

Sous Louis XV, des Monmarthe cultivaient la vigne à Ludes, à deux lieues de la Ville des sacres. En 1930, premiers champagnes. En 1990, Jean-Guy Monmarthe reprend le domaine : 17 ha situés dans le village de ses ancêtres, 1er cru de la Montagne de Reims. Mi-blancs mi-noirs (pinot noir) de la récolte 2002, cette cuvée grillée, briochée, généreuse, mûre et longue ne décroche pas le coup de cœur, mais une étoile. Cité, le **1er cru 2000** assemble 60 % de chardonnay au pinot noir. Avec ses arômes intenses de fruits blancs et d'agrumes et son élégance aérienne, il est marqué par les blancs. (RM)

Jean-Guy Monmarthe, 38, rue Victor-Hugo,
51500 Ludes, tél. 03.26.61.10.99, fax 03.26.61.12.67,
e-mail champagne-monmarthe@wanadoo.fr
r.-v.

DANIEL MOREAU Cuvée Équilibre 2000 ★★

0,5 ha 2 000 **15 à 23 €**

Daniel Moreau reprend le vignoble familial dans les années 1970 et ne tarde pas à quitter la coopérative. Il exploite 3,5 ha de vignes autour de Vandières, dans la vallée de la Marne. Sa cuvée Équilibre mérite bien son nom : elle assemble les trois cépages champenois à parts égales et fait preuve d'une réelle élégance du premier coup de nez à la finale. Des senteurs beurrées, un rien toastées, une bouche réglissée et soyeuse : quelle finesse ! (RM)

Daniel Moreau, 5, rue du Moulin, 51700 Vandières,
tél. 03.26.58.01.64, fax 03.26.58.15.64 r.-v.

MOREL PÈRE ET FILS Rosé de Cuvaison ★★

2 ha 6 000 **15 à 23 €**

À la tête de 7,5 ha de vignes, ces vignerons des Riceys (Aube) se dévouent – il va sans dire – au rosé, avec ou sans bulles. Ils ont d'abord limité leur production au vin tranquille qui fait la réputation de leur village avant de s'intéresser au champagne. Celui-ci a été obtenu par une cuvaison courte (30 à 36 h) de pinot noir ; il assemble la vendange de 2004 à des vins de réserve de 2003. Très fruité (cerise, fraise, groseille, framboise, pêche de vigne...), il apparaît ample, vineux et élégant. Le pinot noir règne aussi dans le brut **Réserve (11 à 15 €)** des années 2004 à 2001 : 90 % de l'assemblage (le solde en chardonnay). Une cuvée citée pour sa structure et son onctuosité. Pour une volaille à la crème. (RM)

Morel Père et Fils, 93, rue du Gal-de-Gaulle,
10340 Les Riceys, tél. 03.25.29.10.88,
fax 03.25.29.66.72, e-mail morel.pereetfils@wanadoo.fr
r.-v.

Pascal Morel

MORIZE PÈRE ET FILS *

n.c. n.c. 11 à 15 €

Les Morize habitent aux Riceys depuis 1830 et sont récoltants-manipulants depuis trois générations. Très fruité, leur brut sans année « pinote bien ». Un champagne bien frais, d'une extrême jeunesse. (RM)

Morize Père et Fils, 122, rue du Gal-de-Gaulle, 10340 Les Riceys, tél. 03.25.29.30.02, fax 03.25.38.20.22, e-mail champagnemorize@wanadoo.fr r.-v.

PIERRE MORLET Grande Réserve *

1er cru 4,1 ha 35 000 15 à 23 €

Apporteurs de raisins, les Morlet ont fini par fonder leur maison au début du XXe s. Installée à Avenay-Val-d'Or, au nord-est d'Épernay, la famille exploite de nombreuses parcelles disséminées dans cette commune, ainsi qu'à Aÿ et à Mutigny. Trois quarts de pinot noir et un quart de chardonnay des années 2002 à 2000 dans cette cuvée qui a connu le bois. Du tabac, du pain grillé, des fruits compotés, puis une attaque douce, prélude à une bouche ample et bien équilibrée. Un champagne d'apéritif. (NM)

Pierre Morlet, 7, rue Paulin-Paris, 51160 Avenay-Val-d'Or, tél. 03.26.52.32.32, fax 03.26.59.77.13 r.-v.

CORINNE MOUTARD **

n.c. n.c. 11 à 15 €

Héritière d'une lignée auboise au service du vin depuis des siècles, Corinne Moutard a décidé de signer ses cuvées. Elle propose un rosé de noirs 100 % pinot noir ; les dégustateurs y ont trouvé beaucoup de parfums et de caractère. Le nez embaume la framboise, agrémentée de violette et de poire. Également très fruité, le palais se montre vineux sans aucune lourdeur. Sa belle charpente permettra à cette bouteille d'accompagner un repas. (NM)

Corinne Moutard, 51, Grande-Rue, 10110 Polisy, tél. 03.25.38.52.47, fax 03.25.29.37.46, e-mail champagnecorinnemoutard@wanadoo.fr r.-v.

MOUTARDIER 1998 *

n.c. 20 000 15 à 23 €

La famille Moutardier est établie au Breuil, commune située au bord du Surmelin, affluent de rive gauche de la Marne. Constituée dans les années 1920, la maison affectionne le pinot meunier, qui le lui rend bien. Le cépage se plaît en effet dans ce secteur argilo-calcaire du vignoble ; il compose 85 % de ce 1998, complété par le chardonnay. Grillé et miellé, c'est un champagne puissant et gras. Cité, le brut **Sélection**, mi-blancs mi-noirs (pinot noir), se partage au nez entre le grillé et le noyau, tandis que les fruits confits se révèlent dans une bouche charnue, avec une touche minérale. Un ensemble délicat. (NM)

Jean Moutardier, chem. des Ruelles, 51210 Le Breuil, tél. 03.26.59.21.09, fax 03.26.59.21.25, e-mail contact@champagne-jean-moutardier.fr r.-v.

MOUTARD PÈRE ET FILS Cuvée Prestige *

6,6 ha 63 797 15 à 23 €

En 1642, des Moutard cultivaient déjà la vigne dans la Côte des Bar. Aujourd'hui, leur domaine s'étend sur plus de 22 ha et la famille, qui élabore ses champagnes depuis les années 1920, a en outre maintenant le statut de négociant. La cuvée Prestige est un assemblage classique, mi-blancs mi-noirs (pinot noir). Le nez frais et léger, sur les fruits exotiques, annonce une bouche dans le même registre, équilibrée, florale et fruitée. Plus originale est la **Cuvée des six cépages (30 à 38 €)**, citée, de l'année 2002 : à la trilogie champenoise, elle ajoute trois cépages blancs locaux : le pinot blanc, l'arbane et le petit meslier (ces deux derniers en voie de disparition). Chaque variété entre pour 16 % dans l'assemblage. Les dégustateurs apprécient ce champagne, son attaque, sa texture, sa longue finale, son élégance. Il est cher : le prix de la « biodiversité » ? (NM)

Moutard-Diligent, 6, rue des Ponts, BP 1, 10110 Buxeuil, tél. 03.25.38.50.73, fax 03.25.38.57.72, e-mail champagne.moutard@wanadoo.fr t.l.j. sf dim. 9h-12h 14h-18h; groupes sur r.-v.

PH. MOUZON-LEROUX Grande Réserve *

Gd cru n.c. 83 000 11 à 15 €

Vignerons à Verzy depuis 1776, les Mouzon exploitent 11 ha dans ce grand cru de la Montagne de Reims. Ils ont élaboré leurs premiers champagnes dans les années 1930. Trois cuvées retenues, toutes en grand cru. La préférée est celle-ci, fruit d'un assemblage savant : 70 % de pinot noir et 30 % de chardonnay ; 50 % de 2003 ; 50 % de vins de réserve de 2002 à 2000 ; 80 % des vins de base ne font pas leur fermentation malolactique, 20 % l'effectuent. Telle est la formule de ce séducteur, qui réunit fraîcheur harmonieuse, rondeur vineuse dans un ensemble suave, équilibré et élégant. Deux vins cités, qui ne « font pas leur malo » : le brut **Prestige**, chardonnay 72 %, pinot noir 28 % des années 2001, 2000 et 1998, beurré et complexe, et le brut **Prestige 2000 (15 à 23 €)**, encore plus marqué par les blancs (85 %), pomme au nez, miel en bouche, discret mais bien équilibré. (RM)

EARL Mouzon-Leroux, 16, rue Basse-des-Carrières, 51380 Verzy, tél. 03.26.97.96.68, fax 03.26.97.97.67, e-mail champagne-mouzon-leroux@wanadoo.fr r.-v.

G.H. MUMM Cordon rouge 1999 **

60 ha 590 000 30 à 38 €

Fondée en 1827, cette grande marque rémoise est entrée en 2005 dans le groupe Pernod-Ricard. La maison dispose d'un vaste vignoble de 218 ha. Le Cordon rouge est son étendard, et ce 1999 est le 53e millésime d'une série qui a commencé avec le 1874. Deux tiers de noirs (pinot noir) et un tiers de blancs, un dosage à 8 g/l pour ce champagne qui peut se résumer en deux mots : puissance et élégance. De la fraîcheur aussi, et une belle harmonie entre le nez et la bouche. Remarquable aussi, le **Mumm de Cramant (46 à 76 €)**, une cuvée spéciale grand cru blanc de blancs, tirée à demi-mousse, inventée en 1882 pour les amis de la maison et commercialisée seulement à partir de 1960. Dosé à 6 g/l, ce champagne harmonieux et élégant allie la fraîcheur des agrumes à une touche exotique. Une étoile enfin pour le **Cordon rouge 1998**, fin, complexe et long. (NM)

G.-H. Mumm, 29, rue du Champ-de-Mars, 51100 Reims, tél. 03.26.49.59.69, fax 03.26.40.46.13, e-mail mumm@mumm.fr r.-v.

Pernod-Ricard

NAPOLÉON Réserve ★

n.c. n.c. 15 à 23 €

Il n'est pas rare qu'une coopérative rachète une marque plus ou moins tombée dans l'oubli. Le fait est moins commun lorsqu'il s'agit, comme ici, d'une marque active au nom flamboyant : la maison Prieur, fondée en 1825 à Vertus, et sa marque Napoléon, lancée il y a un siècle qui sont depuis 2005 rattachées à la coopérative de la Goutte d'or. Les assemblages traditionnels perdurent. Ce brut Réserve, des années 2002 et 2000, donne une courte majorité aux blancs (54 %, le solde en meunier). Un ensemble discrètement floral, bien équilibré et léger, pour l'apéritif. Une étoile également pour la cuvée **Tradition**, des années 2000 et 1998, fruit d'un assemblage proche (le pinot noir se substituant au meunier). Une belle expression d'amande fraîche pour ce champagne jeune et riche, bien dosé, qui laisse une très bonne impression en finale. À servir à l'apéritif ou avec du poisson. (NM)

SAS Ch. et A. Prieur, 2, rue de Villers-aux-Bois, BP 41, 51130 Vertus, tél. 03.26.52.11.74, fax 03.26.52.29.10, e-mail champagne-napoleon@wanadoo.fr r.-v.

Coopérative La Goutte d'or

BERNARD NAUDÉ ★

n.c. 4 500 11 à 15 €

Napoléon veille sur le domaine Naudé. Dans cette propriété de la vallée de la Marne se retira en effet un ancien officier de l'Empire qui fit construire après la chute de Charles X une tour surmontée d'une statue de l'empereur, devenue curiosité locale. Les Naudé, apporteurs de raisins pendant plusieurs générations, élaborent leur champagne depuis le début des années 1980. Ils proposent un rosé de noirs né des deux pinots (80 % de meunier) et des années 2004 et 2003. Un champagne habillé sans timidité, si fruité, si rond et si puissant qu'il ne craindra pas d'accompagner une viande. (RM)

SCEV Bernard Naudé, 12, av. Fernand-Drouet, BP 61, 02310 Charly-sur-Marne, tél. 03.23.82.09.26, fax 03.23.82.85.62, e-mail info@champagne-bernard-naude.com t.l.j. sf dim. 9h-12h 13h30-19h; sam. 9h-18h30

ALAIN NAVARRE Cuvée fût de chêne

0,3 ha 2 600 15 à 23 €

Sur la rive droite de la Marne, à quelques kilomètres en amont de Château-Thierry, ce domaine s'étend sur 6,6 ha. Son champagne change de nom à chaque génération. Depuis 1980 : Alain Navarre. Cette cuvée élevée un an en fût résulte d'un assemblage classique : 60 % de chardonnay, 40 % de pinot noir des années 2003 et 2002. Il doit à ce séjour dans le chêne son bouquet vanillé, avec une touche de cire chaude et une note oxydative. L'ensemble est charpenté et rond. (RM)

Alain Navarre, 10, rue de Champagne, 02850 Passy-sur-Marne, tél. 03.23.70.35.12, fax 03.23.70.64.97, e-mail champagnealainnavarre@wanadoo.fr r.-v.

NOWACK Carte d'or Réserve ★

2 ha 15 000 15 à 23 €

Précurseurs, les Nowack commercialisent leurs premières bouteilles en 1906. Au début de cette lignée de récoltants-manipulants, Ferdinand, l'arrière-grand-père, puis Fernand le grand-père. Aujourd'hui Frédéric, installé en 1985, propose ce brut issu des trois cépages champenois à parts égales et de l'année 2000. Un champagne puissant et miellé, charpenté et moelleux. Une étoile également pour la **Grande Cuvée Laurine Carte d'or** : un blanc de blancs de la récolte 2002, floral et mentholé au nez, minéral, torréfié et réglissé en bouche. (RM)

Frédéric Nowack, 10, rue Bailly, 51700 Vandières, tél. 03.26.58.02.69, fax 03.26.58.39.62, e-mail champagne.nowack@wanadoo.fr r.-v.

CHARLES ORBAN Carte noire ★★

n.c. 40 000 11 à 15 €

Un des champagnes de la galaxie Rapeneau. Issue des trois cépages champenois, sa cuvée Carte noire est réservée aux amateurs de champagnes mûrs. Son nez généreux se partage entre miel et fruits confits, sa bouche toujours miellée, avec une touche de noisette, est ronde, sphérique même ; elle apparaît évoluée, mais sans avoir dépassé son apogée : la fraîcheur est présente. Cette bouteille pourra accompagner des crustacés ou une volaille à la crème. Le **blanc de noirs**, pur pinot meunier, offre des arômes de fruits secs. Ample, charnu et gras, il laisse une impression de richesse. (RM)

Charles Orban, 44, rte de Paris, 51700 Troissy, tél. 03.26.52.70.05, fax 03.26.52.74.66 r.-v.

BRUNO PAILLARD
Blanc de blancs Réserve privée ★★

n.c. n.c. 30 à 38 €

Héritier d'une lignée de vignerons et de courtiers, Bruno Paillard crée sa maison en 1981, à vingt-sept ans. Il mise sur le haut de gamme, et sur l'international (la maison écoule aujourd'hui 80 % de sa production à l'export). Puis il achète des vignes : 21 ha aujourd'hui. Pour les champagnes maison, la date du dégorgement est indiquée sur l'étiquette. Les deux cuvées retenues ont été élevées partiellement (15 %) sous bois. Ce blanc de blancs est originaire (pour 85 %) de six grands crus de la Côte des Blancs, et pour le reste du Sézannais. Grillé, vanillé, torréfié au nez avec une note d'évolution, il conjugue rondeur et fraîcheur dans une belle finesse. Citée, la **Première Cuvée (23 à 30 €)** assemble deux tiers de noirs (pinot noir 45 %) et un tiers de blancs. Elle allie des arômes de vanille, de caramel au lait et de fruits confits à une grande vivacité. (NM)

Bruno Paillard, av. de Champagne, 51100 Reims, tél. 03.26.36.20.22, fax 03.26.36.57.72, e-mail info@brunopaillard.com r.-v.

PAILLETTE ★★

n.c. 2 590 11 à 15 €

Situé dans un village voisin de Château-Thierry (vallée de la Marne), ce domaine de quelque 7 ha élabore du champagne depuis le début des années 1920. Mi-blancs mi-noirs, ce rosé des années 2004 et 2003 s'habille d'une robe claire. Il est équilibré et gourmand, avec ses arômes de fruits confits. (RM)

SARL Paillette, 4, Aulnois, 02400 Essômes-sur-Marne, tél. 03.23.70.82.63, fax 03.23.83.78.01 r.-v.

PALMER & C° Blanc de blancs 2000 ★

n.c. n.c. 15 à 23 €

Palmer & C° : un nom plus commercial pour désigner la Société de Producteurs des grands terroirs de la Champagne, créée après guerre par sept vignerons de la Côte des Blancs et de la Montagne de Reims. Une coopérative qui n'accepte comme adhérents que des viticulteurs dont les propriétés sont bien situées. La cave fait parfois prendre mousse à des vins logés dans les célèbres nabuchodonosors. Elle a soumis au jury des cuvées plus classiques, comme ce blanc de blancs au nez d'agrumes et de fruits blancs, souple à l'attaque, biscuité, épicé, et bien équilibré. Citée, la cuvée **Amazone (23 à 30 €)** est le seul champagne présenté dans un flacon ovale. Née des années 2000 à 1998, elle est ample, encore fraîche, mais elle atteint son apogée : à déguster sans tarder. (CM)

Palmer et C°, 67, rue Jacquart, 51100 Reims, tél. 03.26.07.35.07, fax 03.26.07.45.24 r.-v.

PANNIER Extra-brut Égérie 1999 ★★

n.c. 10 460 46 à 76 €

Anciennes carrières médiévales, les caves du Champagne Pannier, aux allures de catacombes, portent la signature des tailleurs de pierre du temps jadis. Là mûrissent les bouteilles produites sur 646 ha de vignes. La marque, lancée en 1899 par Louis-Eugène Pannier, a été rachetée en 1974 par un groupement de producteurs. Ce 1999, mi-blancs mi-noirs (pinot noir surtout) séduit par sa finesse, sa légèreté et laisse une impression d'harmonie. La cuvée **Égérie rosé de saignée**, une étoile, met à contribution 80 % de pinot noir et 20 % de chardonnay. Un rosé atypique, tant par sa palette aromatique (fruits cuits, caramel, guimauve, pelure d'orange, notes muscatées) que par sa puissance et sa corpulence, qui le destinent exclusivement à la table. (CM)

SCVM Covama, 25, rue Roger-Catillon, BP 55, 02400 Château-Thierry, tél. 03.23.69.51.30, fax 03.23.69.51.31, e-mail champagnepannier@champagnepannier.com r.-v.

PAQUES ET FILS Chardonnay Cuvée Aurore

1er cru 0,5 ha 3 000 15 à 23 €

Fondée en 1905, cette exploitation s'étend aujourd'hui sur 10,5 ha autour de Chigny-les-Roses, commune de la Montagne de Reims classée en 1er cru. Philippe Paques la conduit depuis 1995. Sa cuvée Aurore, des années 2000 et 1999, est un blanc de blancs discret et léger, équilibré et élégant. (RM)

Paques et Fils, 1, rue Valmy, 51500 Rilly-la-Montagne, tél. 03.26.03.42.53, fax 03.26.03.40.29, e-mail phil.paques@wanadoo.fr r.-v.

FRANCK PASCAL Non dosé Cuvée de réserve ★

2 ha 16 000 15 à 23 €

Franck Pascal a repris un petit vignoble familial en 1994. Il a converti par étapes au bio son domaine (3,5 ha) situé sur la rive droite de la Marne ; depuis 2004, il le conduit en biodynamie. Deux cuvées jugées très réussies (une étoile) et qui ont toutes deux connu le bois. Non dosée, cette Cuvée de réserve est un « brut nature ». Les dégustateurs apprécient sa complexité beurrée et briochée, sa fraîcheur, sa générosité, sa longueur. La **cuvée Clarisse Premières Vendanges**, équilibrée, privilégie un fruité confit et miellé. (RM)

Franck Pascal, 1 bis, rue Valentine-Regnier, 51700 Baslieux-sous-Châtillon, tél. 03.26.51.89.80, fax 03.26.51.88.98, e-mail franck.pascal@wanadoo.fr r.-v.

SÉBASTIEN PASCAL Grande Réserve ★★

2 ha 20 000 11 à 15 €

Un vieux château restauré, avec des chambres d'hôtes, et une jeune marque de négoce, lancée en 2000 par Sébastien Pascal, héritier de plusieurs générations de vignerons. La maison est implantée sur la rive droite de la Marne. Blanc de noirs issu des deux pinots (70 % de meunier) et des années 2003 à 2001, cette Grande Réserve a fait grande impression. Son nez est discrètement floral, d'une belle fraîcheur. Son attaque nette prélude à des sensations d'ampleur et de plénitude, accompagnées d'une touche minérale. La rémanence est exemplaire. Une réelle élégance. (NM)

Sébastien Pascal, Ch. de Cuisles, 4, rte de Jonquery, 51700 Cuisles, tél. 03.26.51.74.89, fax 03.26.51.94.73, e-mail spascal.mercier@wanadoo.fr r.-v.

PASCAL-DELETTE ET FILS
Cuvée Prestige 1999 ★

1,41 ha 14 998 11 à 15 €

Propriété familiale de la rive droite de la Marne conduite par la troisième génération. Sa cuvée Prestige millésimée assemble 60 % de noirs (dont 40 % de meunier) et 40 % de blancs. Intense au nez comme en bouche, florale, fruitée et épicée, elle allie la puissance à l'élégance. Un champagne de table. Une autre étoile va à la **cuvée Adrien (15 à 23 €)** ; issu de la récolte de 2000, c'est un blanc de blancs qui, sans s'afficher sur l'étiquette, se laisse deviner à son joli nez de noisette, de beurre et de fruits blancs. Un vin riche, à l'attaque nette et de bonne persistance. (RM)

Pascal-Delette, 48, rue Valentine-Régnier, 51700 Baslieux-sous-Châtillon, tél. 03.26.58.11.35, fax 03.26.57.11.93 t.l.j. 8h-12h 14h-19h

DENIS PATOUX Cuvée Prestige 1997 ★★

n.c. 4 500 15 à 23 €

Ce domaine créé en 1945 sur la rive droite de la Marne compte 8,5 ha de vignes. Le pinot noir et le chardonnay collaborent également à sa cuvée Prestige 1997. Un vin gourmand aux arômes de fruits exotiques (mangue, ananas, passion) et de fruits jaunes (mirabelle), d'une rondeur aimable au palais. On peut le déguster pour lui-même, ou l'accompagner de plats exotiques épicés, comme une viande blanche au curry. (RM)

Denis Patoux, 1, rue Bailly, 51700 Vandières, tél. 03.26.58.36.34, fax 03.26.59.16.10 r.-v.

HUBERT PAULET Cuvée Risléus ★★

1er cru 1,2 ha n.c. 23 à 30 €

Domaine de 8 ha implanté à Rilly-la-Montagne, village proche de Reims et classé en 1er cru. Fondée au

début du XX[e]s., la propriété s'est développée dans les années 1930, avec Hubert Paulet, créateur de la marque. Installé en 1998, Olivier Paulet, son petit-fils, a soumis au jury l'an dernier une intéressante cuvée Risléus vinifiée en fût, assemblage des trois cépages champenois (53 % des deux pinots, 47 % de chardonnay de 2001). Très marquée l'an dernier par un chêne quelque peu monolithique, elle s'est épanouie : le boisé s'est fondu et sa touche vanillée laisse s'exprimer de fines notes beurrées, citronnées et grillées. Dans une belle continuité, la bouche est vive à l'attaque, riche et généreuse, équilibrée et longue. Le **1er cru 2002 (15 à 23 €)** assemble 60 % de noirs (dont 40 % de pinot noir) et 40 % de blancs. Il obtient une étoile pour son nez expressif, floral et frais, et pour sa bouche équilibrée et longue. (RM)

Olivier Paulet, 55 et 58, rue de Chigny,
51500 Rilly-la-Montagne, tél. 03.26.03.40.68,
fax 03.26.03.48.63, e-mail champ.h.paulet@wanadoo.fr
r.-v.

SAMUEL PAVEAU ★★

Gd cru 1,3 ha 14 616 11 à 15 €

Depuis son installation en 1998 sur l'exploitation familiale, Samuel Paveau a lancé son étiquette (2003) et rénové sa cave (2004). Si sa propriété a son siège à Bouzy, célèbre grand cru, ses 5 ha de vignes sont disséminés dans douze communes. Elle s'illustre cette année par deux cuvées nées de la récolte de 2004 et qui décrochent chacune deux étoiles. Deux vins proches du coup de cœur. Mi-blancs mi-noirs (pinot noir), ce grand cru est salué pour son nez expressif, intense et complexe aux nuances de mirabelle, de pomme et de poire, et pour sa bouche ample, corpulente, vive sans agressivité, d'une belle longueur. Quant au **brut** (étiquette dorée), assemblage des trois cépages champenois à parts égales, il est loué pour son élégance printanière et sa complexité. (RM)

Samuel Paveau, 6, rue du Mont-Rouge,
51150 Bouzy, tél. et fax 03.26.58.26.37,
e-mail s.paveau@libertysurf.fr t.l.j. 9h-20h

PÉHU SIMONET 2002 ★

Gd cru 0,5 ha 4 000 23 à 30 €

Exploitation créée en 1910 à Verzenay, grand cru de la Montagne de Reims. David Péhu, qui conduit depuis 2000 les 5 ha de vignes du domaine, a donné une ligne graphique moderne aux étiquettes. Ses vins ne font pas leur fermentation malolactique et passent souvent par le bois. Mi-blancs mi-noirs (pinot noir), ce 2002 plaît par sa présence aromatique, aux nuances exotiques de mangue et de litchi, et sa bouche charnue et vineuse ; plus faiblement dosé, il aurait eu une étoile de plus. Très réussie elle aussi, la **Sélection grand cru (11 à 15 €)** assemble 70 % de pinot noir et 30 % de chardonnay des années 2004 à 2002 ; un champagne fruité, frais et vif. Diffusé par la structure de négoce créée par David Péhu, le **rosé Antonin Péhu (11 à 15 €)**, mi-blancs mi-noirs des années 2005 et 2004, est cité pour son fruité complexe. (RM pour les deux premiers)

David Péhu, 7, rue de la Gare, BP 22,
51360 Verzenay, tél. 03.26.49.43.20, fax 03.26.49.45.06,
e-mail champagne.pehu-simonet@wanadoo.fr r.-v.

PERNET-LEBRUN Blanc de blancs ★

Gd cru n.c. 3 380 11 à 15 €

Ce récoltant-manipulant est installé à Mancy, au sud d'Épernay, et exploite 12 ha de vignes dans ce secteur. Il propose un blanc de blancs issu de la récolte de 2003. Un fruité compoté et abricoté, une attaque souple, une évolution déjà sensible : cette bouteille est bien fille du millésime de la canicule. Elle accompagnera volontiers un poulet au champagne. (RM)

Pernet-Lebrun, Ancien Moulin, 51530 Mancy,
tél. 03.26.59.71.63, fax 03.26.57.10.42,
e-mail contact@champagne-pernetlebrun.com
r.-v.

JOSEPH PERRIER Cuvée Joséphine 1995 ★★

n.c. n.c. + de 76 €

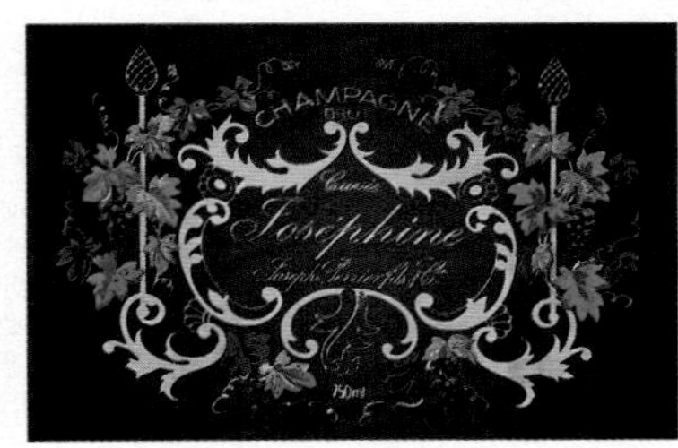

Maison fondée en 1825 à Châlons-en-Champagne, reprise en 1994 par Laurent-Perrier et en 1998 par Alain Thiénot. Elle a conservé son siège social et reste la seule maison de champagne ayant gardé pignon sur rue dans le chef-lieu de la Marne. Logée dans un flacon à l'ancienne doré à l'or fin, la Cuvée Joséphine est le fleuron du Champagne Joseph Perrier. Pratiquement mi-blancs mi-noirs, elle dévoile des arômes complexes de miel d'acacia, d'orange et d'aubépine ainsi qu'une rondeur caressante. Un champagne de gastronomie. La **Cuvée royale blanc de blancs (30 à 38 €)**, beurrée et briochée, souple et équilibrée, obtient une étoile. (NM)

SA Joseph Perrier, 69, av. de Paris, BP 31,
51000 Châlons-en-Champagne, tél. 03.26.68.29.51,
fax 03.26.70.57.16, e-mail contact@josephperrier.fr
r.-v.

PERRIER-JOUËT Grand Brut ★★

n.c. 1 630 600 23 à 30 €

Maison sparnacienne fondée en 1811, associée au Champagne Mumm et, comme ce dernier, vendue à plusieurs reprises avant d'être finalement acquise en 2005 par le groupe Pernod-Ricard. Le Grand Brut est issu de 75 % de noirs (dont 40 % de pinot meunier) et de 25 % de blancs et assemble l'année 2003 avec des vins de réserve. Un champagne épicé, floral et d'un remarquable équilibre. Les trois cépages champenois sont également sollicités pour le **Blason rose (38 à 45 €), rosé** qui marie la récolte de 2004 avec des vins de réserve. L'ensemble est complexe, rond et gourmand : deux étoiles également. Une étoile enfin pour la cuvée **Belle Époque 1998 (plus de 76 €)**, mi-blancs mi-noirs, aussi réussie que sa célèbre bouteille décorée d'anémones par Émile Gallé. Droiture et harmonie : un bel apogée qui dure. (NM)

Perrier-Jouët, 28, av. de Champagne, 51200 Épernay, tél. 03.26.53.38.00, fax 03.26.54.54.55, e-mail info@perrier-jouet.fr

Pernod-Ricard

DANIEL PERRIN 2000 ★★

2 ha 15 700 15 à 23 €

Cinquante ans d'existence pour ce domaine aubois de la Côte des Bar fondé par Daniel Perrin, et 13 ha de vignes. Aujourd'hui, c'est son fils Christian qui élabore les champagnes dans une cave rénovée en 2005 : 50 000 cols par an. La propriété a brillé l'an dernier de l'éclat de son 1998, coup de cœur. Voici le 2000, même assemblage mi-blancs mi-noirs, et dans la même lignée que son aîné. Fleurs, brioche, agrumes, amande, il semble plus marqué par le chardonnay que par le pinot noir, et séduit par sa finesse et sa longueur. (RM)

EARL Daniel Perrin, 40, rue des Vignes, 10200 Urville, tél. 03.25.27.40.36, fax 03.25.27.74.57 r.-v.

GASTON PERRIN Cuvée Prestige ★★

1,25 ha 5 000 11 à 15 €

Jackie Illis, marié à Annie Perrin, exploite un vignoble dans la vallée de la Marne. C'est le grand-père Georges Perrin qui a constitué le vignoble, tandis que le champagne a été lancé par Gaston Perrin en 1957. Leur cuvée Prestige est dominée par le chardonnay, qui constitue 85 % de l'assemblage, complété par les deux pinots ; assemblage de quatre années, 2003, 2002, 2000 et 1999, elle est briochée, d'une grande finesse et a atteint son apogée. Un champagne de gastronomie. Le **brut** privilégie au contraire les noirs (80 %, dont 70 % de pinot meunier) et est issu des années 2004 à 2001. Beurré et brioché, il obtient une étoile pour sa puissance et sa longueur. C'est aussi un vin de repas. (RM)

Gaston Perrin, 5, rue de la Source, 51700 Festigny, tél. 03.26.59.48.49, fax 03.26.57.12.09 r.-v.

Jackie et Annie Illis

PERTOIS-MORISET ★

1 ha 10 000 11 à 15 €

Au début des années 1950, Yves Pertois, originaire de Cramant, fils et petit-fils de vignerons, se marie avec Janine Moriset, du Mesnil, fille et petite-fille de vignerons. De cette union est née la marque Pertois-Moriset, ainsi qu'un fils, Dominique, aujourd'hui à la tête d'un coquet domaine : 18 ha dans la Côte des Blancs et le Sézannais. Son brut rosé provient majoritairement de la récolte de 2003 et ne met à contribution que 15 % de pinot noir, pour la couleur. L'essentiel provient du chardonnay. Il en résulte un rosé de caractère, mûr, souple, plein, adapté aux repas. Une citation pour le **blanc de blancs grand cru**, discret et souple. (RM)

Pertois Moriset, 13, av. de la République, 51190 Le Mesnil-sur-Oger, tél. 03.26.57.52.14, fax 03.26.57.78.98, e-mail info@champagne-pertois-moriset.com

t.l.j. 9h-12h 14h-18h; sam. dim. sur r.-v.; f. août

Dominique Pertois

PIERRE PETERS Blanc de blancs Extra-Brut

2,5 ha 10 000 15 à 23 €

François Peters est aujourd'hui à la tête de cette exploitation familiale de 17,5 ha, qui a pignon sur rue au Mesnil-sur-Oger, au cœur de la Côte des Blancs. Aussi le chardonnay règne-t-il dans ses cuvées. Celle-ci est extra-brut, c'est-à-dire dosée entre 0 et 5 g/l. Son côté brioché s'accompagne en bouche de notes minérales, ainsi que de nuances de vanille et de fruits blancs. Fine et équilibrée, elle prouve qu'un champagne peut être apprécié des dégustateurs sans les flatteries du dosage. (RM)

Pierre Peters, 26, rue des Lombards, 51190 Le Mesnil-sur-Oger, tél. 03.26.57.50.32, fax 03.26.57.97.71, e-mail champagne-peters@wanadoo.fr r.-v.

F. Peters

PETITJEAN-PIENNE Blanc de blancs ★

Gd cru 1,8 ha 17 000 11 à 15 €

Quatre générations ont précédé Denis Petitjean à la tête de cette exploitation sise à Cramant, grand cru de la Côte des Blancs. Cette cuvée met à contribution le chardonnay de la vendange 2004. Floral, fumé, miellé, déjà évolué, ce champagne mériterait un dosage plus discret. Son côté facile lui vaudra cependant plus d'un amateur. (RM)

Petitjean-Pienne, 4, allée des Bouleaux, 51530 Cramant, tél. 03.26.57.58.26, fax 03.26.57.00.68, e-mail petitjean.pienne@wanadoo.fr

r.-v. 2

PHILIPPONNAT Cuvée 1522 2000 ★

Gd cru n.c. 26 000 46 à 76 €

Les Philipponnat ont occupé diverses charges à Aÿ depuis 1522 : ils possèdent des vignes depuis plusieurs siècles mais il a fallu attendre 1910 pour que Pierre et Auguste créent une maison et achètent les caves de Mareuil-sur-Aÿ. La maison exploite 17 ha de vignes dans ce secteur. Elle a été acquise en 1987 par Marie Brizard puis, en 1997, par le groupe BCC. Charles Philipponnat en assure la direction. La cuvée 1522 met à contribution deux tiers de pinot noir et un tiers de chardonnay. Elle séjourne partiellement en fût et tous les vins assemblés ne font pas leur fermentation malolactique. Son évolution dévoile des arômes miellés, un peu grillés. Elle n'en est pas moins vive, voire nerveuse. (NM)

Philipponnat, 13, rue du Pont, 51160 Mareuil-sur-Aÿ, tél. 03.26.56.93.00, fax 03.26.56.93.18, e-mail info@champagnephilipponnat.com r.-v.

BCC

PHILIZOT ET FILS Brut N°1

1,5 ha 12 000 11 à 15 €

Vignerons, les Philizot se sont fait négociants et ont lancé leur marque en 2002. Ils sont établis au Reuil, au nord-ouest d'Épernay. Leur brut N°1 est un blanc de blancs, issu essentiellement de la récolte de 2001. Un vin mûr, puissant, corpulent, charnu, gourmand. Cité, le brut **Alquente (15 à 23 €)** naît de la vendange de 1998 et assemble 60 % de chardonnay au pinot noir. Évolué, sur des notes confites et torréfiées, il est vif à l'attaque, puis se développe en rondeur. Il pourrait accompagner un foie gras poêlé. (NM)

🔑 Philizot, 49, Grande-Rue, 51480 Reuil,
tél. 03.26.51.02.96, fax 03.26.57.76.69,
e-mail champagne.philizot.fils@wanadoo.fr
t.l.j. 10h-20h ⑦

CORINNE PICARD ★★

	3 ha	30 000	11 à 15 €

Domaine de 17 ha situé dans le prolongement de la Montagne de Reims, au nord-est de la Ville des sacres. Créé en 1950, il est exploité par Jacques Picard, ses filles et ses gendres. Corinne Picard signe cette cuvée où elle a assemblé quatre années : 2004 à 2002 et 2000. Ce champagne mi-blancs mi-noirs (pinot meunier) se partage entre la prune (mirabelle) et les agrumes et laisse une impression de moelleux en finale. Issu des années 2004 à 2002, le **rosé Jacques Picard**, une étoile, marie 85 % de chardonnay à 15 % de pinot noir vinifié en rouge qui lui donnent sa couleur nettement saumonée. Les fruits rouges sont bien présents dans ce champagne frais et assez charpenté. (RM)
🔑 SCEV Jacques Picard, 12, rue de Luxembourg,
51420 Berru, tél. 03.26.03.22.46, fax 03.26.03.26.03,
e-mail info@champagnepicard.com r.-v.

PIERRE LEFRANC ★

1er cru	2,5 ha	20 000	11 à 15 €

Fondée en 1948, la coopérative de Grauves, près d'Épernay, est l'une des plus petites du vignoble. Elle exploite trois marques, Philippe Florent, le Royal Coteau et celle-ci. Issu des années 2004 à 2002, ce brut privilégie les noirs qui représentent 60 % de l'assemblage (les deux pinots à parts égales). Discrètement fruité, beurré et grillé au nez comme en bouche, il est frais à l'attaque et gras au palais. (CM)
🔑 Le Royal Coteau, 11, rue de la Coopérative,
51190 Grauves, tél. 03.26.59.71.12, fax 03.26.59.77.66
r.-v.

PIERSON-CUVELIER Cuvée Tradition

Gd cru	5 ha	30 000	11 à 15 €

Des ancêtres viticulteurs depuis le Second Empire, un vignoble depuis 1901. Premières bouteilles vendues en 1928. Le domaine de 11 ha a son siège à Louvois, grand cru situé sur le flanc sud-est de la Montagne de Reims. Issu des années 2002 à 2000, ce brut Tradition donne le premier rôle au pinot noir (85 %, le solde en chardonnay). D'approche discrète, il laisse pourtant en bouche une impression de générosité et dévoile des arômes de fruits confits. (RM)
🔑 Pierson-Cuvelier, 4, rue de Verzy, 51150 Louvois,
tél. 03.26.57.03.72, fax 03.26.51.83.84
t.l.j. 9h-12h 14h-18h; f. 15 août-1er sept.

PIERSON WHITAKER Blanc de blancs

1er cru	0,7 ha	7 000	11 à 15 €

Didier Pierson, d'une vieille famille vigneronne, et sa compagne Imogen Whitaker, d'origine britannique, se sont unis en 1992 sur l'étiquette de leur champagne. Leur maison a pignon sur rue à Avize, au cœur de la Côte des Blancs. C'est justement un blanc de blancs qui a été retenu par le jury, un non millésimé des années 2004 et 2003. Conforme à son cépage, il livre des impressions florales, beurrées et briochées et se montre très vif, effet d'une grande jeunesse. (NM)
🔑 Didier Pierson, 14, rue d'Oger, 51190 Avize,
tél. 03.26.57.77.04, fax 03.26.57.97.97,
e-mail champagnepiersonwhitaker@club-internet.fr
r.-v. ④

PIÉTREMENT-RENARD Carte d'or ★

	n.c.	n.c.	11 à 15 €

Au nord du Sézannais, le coteau de Villevenard penche vers le Petit Morin et contemple au loin les marais de Saint-Gond. Emmanuel Piétrement, à la suite de trois générations, y cultive la vigne (12 ha aujourd'hui). Son brut Carte d'or a séduit. Il marie 80 % de noirs (les deux pinots à parts égales) et 20 % de blancs et assemble les vins de la récolte de 2003 et 15 % de vins de réserve. Son nez intense et complexe mêle les fruits secs, la vanille, les fruits confits et macérés, le pain d'épice. La bouche est fondue, équilibrée, ronde avec ce qu'il faut de vivacité. À déboucher à l'apéritif et à finir au repas. (RC)
🔑 Piétrement-Renard,
30, rue des Hauts-de-Saint-Loup, 51270 Villevenard,
tél. 03.26.52.83.03, fax 03.26.52.84.25
t.l.j. 9h-12h 14h-18h; dim. 10h-12h

PIPER-HEIDSIECK Rosé sauvage ★★

	n.c.	250 000	30 à 38 €

Célèbre maison rémoise créée en 1785 par Florens-Louis-Heidsieck, originaire de Westphalie et qui, comme bien d'autres, passa de l'état de drapier à celui de négociant en champagne. En 1989, Piper-Heidsieck a été repris par le groupe Rémy-Cointreau. Le Rosé sauvage, qui donne la vedette aux noirs (85 % dont 55 % de pinot noir), contient en outre 25 % de vin rouge. De cet assemblage résulte une couleur soutenue, presque rouge, et un caractère vineux, capiteux, épicé, poivré... sauvage en un mot. Un champagne qui pourra donner la réplique à une viande, même rouge comme de l'agneau. Fleuron de la gamme, la **Cuvée rare (plus de 76 €)** assemble 60 % de chardonnay au pinot noir. Elle obtient une étoile pour sa complexité, sa belle structure et sa persistance. Le **brut sans année (23 à 30 €)**, dominé par les noirs (85 %) des deux pinots, offre un joli nez frais ; un classique, bien dosé, équilibré : une étoile également. Cité, le **2000 (30 à 38 €)** marie 60 % de pinot noir au chardonnay. Il est rond et équilibré. (NM)
🔑 Piper-Heidsieck, 51, bd Henry-Vasnier,
51100 Reims, tél. 03.26.84.43.00, fax 03.26.84.43.49
r.-v.
🔑 Rémy Cointreau

PLOYEZ-JACQUEMART
L. d'Harbonville 1996 ★★

1er cru	1,75 ha	4 800	46 à 76 €

Maison de négoce fondée en 1930 par Marcel Ployez et Yvonne Jacquemart et conduite depuis 2006 par Laurence Ployez. Elle dispose d'un vignoble autour de Ludes et de Mailly, dans la Montagne de Reims. Cuvée de prestige millésimée, ce champagne assemble 70 % de

chardonnay aux deux pinots à parts égales. Pas de fermentation malolactique, une vinification de six mois en fût, un vieillissement prolongé en bouteilles. Le résultat emporte l'adhésion, avec un 1996 à la hauteur de ce grand millésime. Le bouquet complexe de miel et d'abricot sec, agrémenté d'un boisé vanillé bien fondu, se prolonge dans une bouche harmonieuse et longue, avec une note de fleurs blanches qui contribue à son élégance. « Grande classe », conclut un dégustateur, qui voit dans cette bouteille « la marque d'un vigneron qui aime son métier ». (NM)

Ployez-Jacquemart, 8, rue Astoin, 51500 Ludes, tél. 03.26.61.11.87, fax 03.26.61.12.20, e-mail ployez-jacquemart@wanadoo.fr

t.l.j. 9h-12h 14h-17h; sam. dim. sur r.-v.; f. 12-27 août et 20 déc.-15 janv.

C. et V. Prieux

POL ROGER Extra Cuvée de réserve 1998 ★

n.c. n.c. 38 à 46 €

En 1848, Pol Roger vend ses premières bouteilles à l'âge de dix-huit ans. C'est l'origine de cette maison sparnacienne, restée familiale, et dont une des cuvées, coup de cœur l'an dernier pour le millésime 1996, garde le souvenir d'un client célèbre, Winston Churchill. Cette édition salue le brut Extra Cuvée de réserve dans deux millésimes, chacun noté une étoile. Un champagne qui fait appel au pinot noir et au chardonnay. Avec son nez de fruits mûrs et de torréfaction, sa bouche d'une réelle complexité et d'une belle longueur, ce 1998 affiche un grand caractère et « mérite d'être connu ». Le **1999 (46 à 76 €)** mêle des notes fruitées (fraise des bois) à des nuances empyreumatiques (grillé) plus évoluées. Équilibré, il conserve de la fraîcheur. (NM)

SA Pol Roger, 1, rue Henri-Lelarge, 51200 Épernay, tél. 03.26.59.58.00, fax 03.26.55.25.70, e-mail polroger@polroger.fr r.-v.

POMMERY 1998 ★

Gd cru n.c. n.c. 30 à 38 €

Maison rémoise fondée en 1836, et considérablement développée au XIXe s. par madame Pommery. C'est cette célèbre veuve champenoise qui ouvrit en 1868 le grand chantier des bâtiments du siège, de style néogothique, et surtout des caves spectaculaires où l'on descend par un escalier monumental. Détenue jusqu'en 1979 par ses descendants, la maison a changé plusieurs fois de mains, passant sous le contrôle des frères Gardinier, puis de LVMH (en 1991) avant d'être revendue en 2002 au groupe Vranken - délestée de son superbe vignoble. Son grand cru 1998, mi-chardonnay mi-pinot noir, évolue parfaitement. Le beurre, l'amande et l'orange s'y marient en une composition complexe. Un champagne de repas, à servir sur une volaille de fête. Issu des trois cépages champenois (38 % de chardonnay), le **Brut royal (23 à 30 €)** est cité pour son évolution aromatique sur les agrumes, le sous-bois puis les fruits cuits, et pour sa longueur. (NM)

SA Pommery, 5, pl. du Gal-Gouraud, BP 1049, 51100 Reims, tél. 03.26.61.62.63, fax 03.26.61.63.98

r.-v.

Vranken Pommery Monopole

PASCAL PONSON Prestige ★

1er cru 8 ha 94 000 11 à 15 €

Ce récoltant-manipulant dispose d'un vignoble de 13 ha réparti dans plusieurs communes du sud-ouest de Reims. Son brut Prestige marie 80 % de noirs (dont 70 % de meunier) et 20 % de chardonnay des années 2004 et 2003. Il conjugue vivacité et puissance. (RM)

Pascal Ponson, 2, rue du Château, 51390 Coulommes-la-Montagne, tél. 03.26.49.20.17, fax 03.26.49.76.48, e-mail ponson@wanadoo.fr

r.-v.

HUGUES POPULUS ★

0,4 ha 2 500 11 à 15 €

Établi à Grauves, village des coteaux sud d'Épernay, non loin d'Avize, Hugues Populus a repris en 1992 l'exploitation familiale fondée au début des années 1970. Il dispose de près de 4 ha de vignes et a ajouté en 2004 aux caves voûtées creusées par son père un nouveau pressoir et une cuverie thermorégulée. Son rosé est largement dominé par le chardonnay (88 %), à peine teinté par 12 % de vin rouge. Très fruité, puissant, il peut paraître à table. Le **1er cru blanc de blancs** est cité pour son nez floral et épicé, pour ses arômes d'agrumes (pamplemousse et orange) et pour sa longueur. (RM)

Hugues Populus, 8, rue des Petits-Prés, 51190 Grauves, tél. 03.26.59.76.22, fax 03.26.59.03.94, e-mail champagne-hpopulus@club-internet.fr

t.l.j. 8h-19h

POTEL-PRIEUX Grande Réserve ★

4,5 ha 40 000 11 à 15 €

La vallée de la Marne sait parfois retenir ceux qui peuplent ses coteaux : Charles Potel cultivait la vigne à Venteuil en... 1640. François Potel s'est installé en 1997 sur le domaine familial et exploite 6 ha, toujours à Venteuil. Née des trois cépages champenois à parts égales, sa cuvée Grande Réserve met à contribution la vendange de 2004 et des vins de réserve. Son bouquet est complexe, sa bouche équilibrée et assez longue. (RM)

Potel-Prieux, 10, rue de Champagne, 51480 Venteuil, tél. 03.26.58.48.59, fax 03.26.58.68.11, e-mail potel-prieux@wanadoo.fr r.-v.

ROGER POUILLON ET FILS ★

1er cru n.c. 10 000 11 à 15 €

Ce champagne porte le nom du grand-père de Fabrice Pouillon, qui a élaboré les premiers champagnes du domaine en 1947. Ce dernier a pris les rênes de la propriété en 1998 et conduit un vignoble de 7 ha comprenant un grand cru de blancs au Mesnil-sur-Oger, un grand cru de noirs à Aÿ et trois 1ers crus. Il est attaché à la vinification sous bois, dont il a acquis la maîtrise en Bourgogne et en Bordelais. Son brut rosé est obtenu par macération courte de pinot noir de Mareuil-sur-Aÿ récolté en 2004 et en 2003. Bien coloré, complexe et puissant, il accompagnera un repas. Autre champagne de table, le

Brut Vigneron 1er cru (15 à 23 €), mi-blancs, mi-noirs, provient de nombreux millésimes selon le principe de la solera. Dominé par le pinot noir, il est fruité, mûr et gourmand. Il est cité. (RM)

Roger Pouillon et Fils, 3, rue de la Couple, 51160 Mareuil-sur-Aÿ, tél. 03.26.52.60.08, fax 03.26.59.49.83, e-mail contact@champagne-pouillon.com r.-v.

PRESTIGE DES SACRES Cuvée Privilège *

n.c. n.c. **15 à 23 €**

Lancée en 1974, une des marques de la coopérative de Janvry, fondée en 1961 aux portes ouest de Reims, et qui vinifie la récolte de 133 ha. Mi-chardonnay, mi-pinot noir de l'année 2000, cette cuvée Privilège est un champagne vif, ample et puissant. Même note pour le **2002**, mi-blancs mi-noirs également, marqué par la finesse des fruits blancs (pêche), franc à l'attaque, discret mais harmonieux. (CM)

Prestige des Sacres, rue de Germigny, 51390 Janvry, tél. 03.26.03.63.40, fax 03.26.03.66.93, e-mail info@champagne-prestige-des-sacres.com r.-v.

YANNICK PRÉVOTEAU La Perle des treilles *

0,8 ha 7 000 **15 à 23 €**

Ce domaine de la vallée de la Marne (10 ha) est conduit par deux frères, Éric et Yannick Prévoteau, qui perpétuent une vieille tradition vigneronne. On y fait du champagne depuis le début des années 1970. La Perle des treilles marie 60 % de pinot noir et 40 % de chardonnay des années 2003 à 2001. Un « champagne de plaisir », vineux, équilibré, frais et rond. Une étoile également pour le **2002**, un blanc de blancs gras et onctueux, aux arômes de brioche et de noisette. (RM)

EARL Prévoteau Père et Fils, 4 bis, av. de Champagne, 51480 Damery, tél. 03.26.58.41.65, fax 03.26.58.61.05, e-mail yannick.prevoteau@wanadoo.fr t.l.j. sf dim. 8h-12h 13h30-18h

PRÉVOTEAU-PAVEAU Blanc de blancs *

0,3 ha 3 000 **15 à 23 €**

Installée en 2001, Estelle Prévoteau est à la tête d'un petit domaine (4 ha environ) implanté dans la Côte des Blancs. Ce blanc de blancs provient de l'année 2001. Son bouquet mêle les agrumes et de la mirabelle ; au palais, il fait preuve d'une rondeur flatteuse. (RM)

Prévoteau-Paveau, 1, rue Sainte-Dorothée, 51190 Avize, tél. 03.26.51.95.92, fax 03.26.52.09.51 r.-v.

CLAUDE PRIEUR Cuvée de réserve *

n.c. n.c. 11 à 15 €

La famille Prieur exploite un vignoble de 9 ha proche de Bar-sur-Aube créé à l'issue de la dernière guerre. Elle élabore son champagne depuis les années 1970. Déjà mentionnée dans des éditions antérieures, sa Cuvée de réserve marie toujours les années 2001 et 2000, mais l'assemblage diffère quelque peu, avec 70 % de noirs (dont 60 % de pinot noir). Un champagne séduisant par son bouquet délicatement floral et par sa bouche ample, ronde et longue. (RM)

Claude Prieur, 2, rue Gaston-Cheq, 10200 Bergères, tél. 03.25.27.44.01, fax 03.25.92.80.84, e-mail champrieur@free.fr r.-v.

PRIN PÈRE ET FILS Blanc de blancs 1995

n.c. n.c. **23 à 30 €**

Cette discrète maison de négoce d'Avize (Côte des Blancs) vinifie sans fermentation malolactique, ce qui favorise la longévité des vins. Ce 1995, déjà goûté les années précédentes, a prouvé son aptitude à la garde. Il atteint maintenant son apogée, et montre des signes d'évolution. Un champagne volumineux et puissant, qui trouvera plutôt sa place à table. (NM)

Prin Père et Fils, 28, rue Ernest-Vallé, 51190 Avize, tél. 03.26.53.54.55, fax 03.26.53.54.56, e-mail champagneprin@wanadoo.fr r.-v.

QUATRESOLS-GAUTHIER *

1er cru 7,12 ha 15 482 **11 à 15 €**

Si l'étiquette Quatresols-Gauthier a été lancée en 1950, la famille Quatresols, établie sur le versant nord de la Montagne de Reims, commercialise son champagne depuis 1928. Aujourd'hui, Régis Quatresols, rejoint par son fils Guillaume, exploite 7 ha de vignes. Les noirs l'emportent (70 % dont 40 % de pinot noir) dans ce brut, qui assemble la récolte de 2003 à des vins de réserve de 2002. Des arômes de fruits rouges et de pêche, des nuances compotées : une évolution favorable pour ce champagne persistant, qui pourra accompagner une viande blanche. Une étoile pour le **rosé 1er cru**, un pur pinot noir des mêmes années que le précédent. Rose pâle tuilé, vineux, un peu évolué, il rappelle la griotte et les fruits confits. Un rosé de dessert. (RM)

Quatresols-Gauthier, 4, rue de Reims, 51500 Ludes, tél. 03.26.61.10.13, fax 03.26.61.12.71, e-mail regis.quatresols@wanadoo.fr r.-v.

SERGE RAFFLIN **

n.c. n.c. 15 à 23 €

Établie à Ludes, dans la Montagne de Reims, la famille Rafflin perpétue une tradition vigneronne qui remonte à 1740. Elle a commercialisé du champagne dès 1920. Celui-ci est presque un rosé de noirs : les deux pinots composent 92 % de l'assemblage, et le vin rouge entre à hauteur de 20 %. Il en résulte une robe soutenue, un fruité exubérant, un palais rond et ample. Un champagne de repas. Le **Brut cuvée (11 à 15 €)** privilégie lui aussi largement les noirs (80 %, dont 60 % de meunier). Il est cité pour sa bouche fraîche et jeune aux arômes d'agrumes. (RM)

Denis Rafflin, 1a, rue de Chigny, BP 25, 51500 Ludes, tél. 03.26.61.12.84, fax 03.26.61.14.07, e-mail champagnesergerafflin@wanadoo.fr r.-v.

DIDIER RAIMOND Tradition

1,2 ha 7 500 **11 à 15 €**

Installé en 1984, Didier Raimond a lancé son champagne dix ans plus tard. Il exploite près de 6 ha de vignes dans la région d'Épernay. Sa cuvée Tradition assemble deux tiers de blancs et un tiers de noirs (dont 25 % de pinot noir) des années 2004 et 2002. Elle offre un bouquet fin, élégant et minéral, qualités que l'on retrouve dans une bouche droite. (RM)

Didier Raimond, 39, rue des Petits-Prés, 51200 Épernay, tél. et fax 03.26.54.51.70 r.-v.

F. REMY-COLLARD Grande Réserve **

Gd cru n.c. 2 000 **11 à 15 €**

Jeune vigneron de vingt-sept ans, Fabrice Remy a pris la suite de trois générations de viticulteurs. Il exploite

5 ha de vignes dans la vallée de la Marne et a lancé son étiquette en 2006. Son brut Grande Réserve sollicite les trois cépages champenois des années 2002 et 2001. Un nez printanier de fleurs blanches, d'acacia annonce une bouche souple, équilibrée, justement dosée, qui donne beaucoup de plaisir aux dégustateurs. Pour l'apéritif. Née elle aussi de la trilogie champenoise, la **cuvée Dame Jeanne (15 à 23 €)** est vineuse et riche, avec des arômes de pain d'épice : une étoile. (RM)

F. Remy-Collard, 41, rue du Jardin-Neuf, 51700 Villers-sous-Châtillon, tél. 03.26.59.44.56, fax 03.26.51.67.53, e-mail remy-collard@alice-adsl.fr r.-v.

Fabrice Remy

MARC RIGOLOT *

1 ha 2 660 **15 à 23 €**

Marc Rigolot exploite 4 ha de vignes dans la région des coteaux sud d'Épernay. Il a très bien réussi son rosé, pur pinot noir né de la récolte 2003. Sa robe soutenue aux reflets rubis, ses arômes de fraise présents au nez comme en bouche, son palais gras et vineux destinent ce champagne à la table. Deux cuvées sont citées, deux blancs de blancs : le brut **Prestige 1998**, encore frais, équilibré, au dosage généreux, et le **3e Millénaire**, de l'année 1997, torréfié et vif. (RM)

Marc Rigolot, 54, rue Julien-Ducos, 51530 Saint-Martin-d'Ablois, tél. 03.26.59.95.52, fax 03.26.59.94.95 t.l.j. 8h-20h; f. août

J.M. RIGOT *

2 ha 22 000 **11 à 15 €**

Jean-Marie Rigot exploite depuis 2001 un vignoble familial de 5 ha sur la rive droite de la Marne, au nord-ouest d'Épernay. Un secteur propice au pinot meunier, cépage exclusif de ce blanc de noirs de l'année 2004 : un champagne d'une harmonieuse jeunesse au nez de tilleul et de tabac blond. Cité, le brut **Réserve** sollicite la récolte de 2003 et les trois cépages champenois à parts égales. Bien équilibré, il révèle un bouquet empyreumatique (grillé, fumé) et des notes de griotte macérée qui traduisent un début d'évolution. (RM)

Jean-Marie Rigot, 1, rue de Châtillon, 51700 Binson-et-Orquigny, tél. 03.26.58.33.38, fax 03.26.51.60.86, e-mail champagne.jm.rigot@cder.fr r.-v.

BERTRAND ROBERT Cuvée Séduction 2003 *

1 ha 4 200 **15 à 23 €**

Ce récoltant-manipulant est installé au Mesnil-sur-Oger, en plein cœur de la Côte des Blancs. Sa cuvée Séduction fait honneur au chardonnay, qui constitue 70 % de l'assemblage, complété par du pinot noir. Son bouquet d'une agréable finesse annonce une bouche citronnée et équilibrée. À servir à l'apéritif ou sur des entrées. (RM)

André Robert Père et Fils, 15, rue de l'Orme, BP 5, 51190 Le Mesnil-sur-Oger, tél. 03.26.57.59.41, fax 03.26.57.54.90, e-mail champ.andre.robert@free.fr r.-v.

VALÉRY ROBERT Cuvée Prestige *

n.c. 10 000 **11 à 15 €**

Exploitation familiale auboise de 12 ha, conduite depuis 2001 par la deuxième génération. Son rosé cuvée Prestige doit tout au pinot noir, cépage vedette des Riceys. Sa couleur est légère, saumon pâle ; son bouquet intéresse, fait de mandarine, d'épices, de vanille, d'anis, de réglisse et de fruits cuits. L'ensemble est plaisant, quoique généreusement dosé. Une étoile également pour la **Cuvée Désirée**, dominée par les blancs (60 % de chardonnay, 40 % de pinot noir des années 2002 à 2000). Un champagne d'apéritif rond, vif et élégant. (RM)

SCEV Robert, 8, rue de Bagneux, 10340 Les Riceys, tél. 03.25.29.10.33, fax 03.25.29.12.64, e-mail champagnerobert@wanadoo.fr r.-v.

ÉRIC RODEZ

Blanc de blancs Empreinte de terroir 1996 **

Gd cru n.c. n.c. **38 à 46 €**

Fort d'un vignoble de 6 ha autour d'Ambonnay, commune classée en grand cru, Éric Rodez s'emploie à des vinifications raffinées : les vins de base ne font que partiellement leur fermentation malolactique et sont élevés totalement ou en partie dans le bois. Ce vigneron est établi sur le versant sud-est de la Montagne de Reims, secteur parfois appelé Côte des Grands Noirs. Pourtant c'est en blanc de blancs qu'il a souvent brillé dans le Guide, avec trois coups de cœur. C'est encore le cas cette année, puisque des trois vins retenus, de la même gamme de prestige, le préféré doit tout au chardonnay. Ce champagne montre le potentiel de garde du grand millésime 1996. Déjà dégusté l'an dernier, il gagne une étoile, preuve qu'il n'a pas atteint son apogée. Son bouquet mêle harmonieusement le pain grillé et le coing confit, son palais est puissant et structuré. Le **blanc de blancs Empreinte de terroir 1998**, ample et boisé, est cité. Le **blanc de noirs Empreinte de terroir 1998**, charpenté et riche, obtient la même note. (RM)

Éric Rodez, 4, rue de Isse, 51150 Ambonnay, tél. 03.26.57.04.93, fax 03.26.57.02.15, e-mail contact@champagne-rodez.fr r.-v.

LOUIS ROEDERER Cristal 2000 **

n.c. n.c. **+ de 76 €**

Née en 1776, cette maison, qui a pris le nom de Roederer en 1833, est la plus importante affaire de négoce champenoise restée familiale : elle est encore dirigée par les descendants du fondateur. Son vaste vignoble (204 ha) couvre les deux tiers de ses besoins. Réservée à l'origine au tsar Alexandre II, Cristal est la cuvée de prestige de la maison. S'y marient 55 % de pinot noir et 45 % de chardonnay issus des grands crus appartenant à la société. Le 2000 a été jugé aussi remarquable que le 1996 l'an dernier. On y trouve de la complexité (des agrumes à la torréfaction), de la puissance et un équilibre subtilement moelleux. Un vin de gastronomie qui appelle un faisan rôti ou une pintade aux écrevisses. Une étoile pour le **rosé 2000 (46 à 76 €)**, issu d'un pressurage de 70 % de pinot noir complété de 30 % de chardonnay. Saumoné clair, il est ample, puissant, assez généreusement dosé (11 g/l). Cité, le **Brut premier (30 à 38 €)** assemble 65 % de noirs (dont 50 % de pinot noir) au chardonnay ; un champagne droit aux arômes épicés, vanillés et anisés. (NM)

Louis Roederer, 21, bd Lundy, 51100 Reims, tél. 03.26.40.42.11, fax 03.26.61.40.35, e-mail com@champagne-roederer.com

ROUILLÈRE FILS *

4,2 ha 20 000 **11 à 15 €**

Dans cette propriété, on fait du champagne depuis 1935, même si les noms sur les étiquettes ont varié avec les générations. Aujourd'hui, Hervé Rouillère exploite un peu plus de 4 ha sur la rive droite de la Marne. Son brut sans année met à contribution la récolte de 2004 et privilégie largement les noirs : 80 %, dont 60 % de meunier. Il est floral, gras et onctueux. La même cuvée, fortement dosée, donne naissance au **demi-sec**, cité, dont la rondeur n'a pas effacé la vivacité. Ce champagne pourrait agrémenter un buffet en plein air. (RM)

Hervé Rouillère, 5, rue du Vieux-Moulin, 51700 Baslieux-sous-Châtillon, tél. et fax 03.26.58.15.26, e-mail champagne.rouillere@wanadoo.fr
t.l.j. 9h-11h 15h-17h; dim. 9h-11h

JACQUES ROUSSEAUX
Cuvée de la montgolfière *

Gd cru 0,43 ha 4 000 11 à 15 €

La famille Rousseaux est établie à Verzenay, grand cru de la Montagne de Reims. Elle exploite 8 ha sur le territoire de cette commune et sur celui de Verzy, village voisin également classé en grand cru. Assemblage à parts égales de pinot noir et de chardonnay vendangés en 2005, cette cuvée spéciale, florale au nez, se montre franche à l'attaque, ronde, grasse et vive ; elle persiste assez longtemps en bouche. Un bel équilibre. (RM)

Jacques Rousseaux, 5, rue de Puisieulx, 51360 Verzenay, tél. 03.26.49.42.73, fax 03.26.49.40.72, e-mail champagne.jacques.rousseaux@cder.fr
r.-v.

ROUSSEAUX-BATTEUX Cuvée RB 2003 *

0,3 ha 2 880 15 à 23 €

Il y a plus d'un Rousseaux à Verzenay. Denis Rousseaux conduit depuis 1974 dans ce village un domaine de plus de 3 ha de vignes. Le pinot noir, qui se plaît dans la Montagne de Reims, tient le premier rôle dans cette cuvée (80 %), complété par le chardonnay. Ce champagne dévoile un agréable bouquet de fruits rouges agrémenté de touches de moka au nez et de nuances mentholées en bouche. Il pourra accompagner un repas. (RM)

Rousseaux-Batteux, 17, rue de Mailly, 51360 Verzenay, tél. 03.26.49.81.81, fax 03.26.49.48.49, e-mail rousseaux.batteux@wanadoo.fr r.-v.

ROYER PÈRE ET FILS Cuvée de réserve **

14 ha 140 000 11 à 15 €

Cette exploitation implantée dans la Côte des Bar dispose de 14 ha de vignes. Elle assemble 75 % de pinot noir et 25 % de chardonnay des années 2004 et 2003 dans sa Cuvée de réserve qui pinote intensément au nez comme en bouche, sur des notes de fraise, de framboise et de cassis. Un champagne vineux, élégant et long. Cité, le **millésimé 2002** est équilibré, mûr tout en restant frais. Il trouvera sa place à l'apéritif. (RM)

Royer Père et Fils, 120, Grande-Rue, BP 6, 10110 Landreville, tél. 03.25.38.52.16, fax 03.25.38.37.17, e-mail infos@champagne-royer.com
r.-v.

RUELLE-PERTOIS Blanc de blancs 2001 *

Gd cru 1,5 ha 10 000 15 à 23 €

Quatre générations se sont succédé à la tête de cette exploitation sise à Moussy, au sud d'Épernay. Le vignoble de 6 ha est disséminé dans sept communes. Il fallait oser millésimer un 2001 ! Ce blanc de blancs donne une belle et fidèle illustration de cette année très difficile, à évolution rapide. Le nez est toasté, la bouche briochée, harmonieuse, de persistance moyenne. Une bouteille à son apogée, à servir avec des crustacés, des entrées ou à l'occasion d'un apéritif dînatoire. Cité, le **blanc de blancs 1er cru Cuvée de réserve (11 à 15 €)** naît des années 2004 et 2003. Un champagne d'apéritif minéral et souple. (RM)

SCEV Ruelle-Pertois, 11, rue de Champagne, 51530 Moussy, tél. 03.26.54.05.12, fax 03.26.52.87.58, e-mail ruellemi@wanadoo.fr
t.l.j. 8h-12h 13h30-19h; sam. dim. sur r.-v.; f. 8-31 août

RUFFIN ET FILS Cuvée Roseanne *

2 ha 15 000 15 à 23 €

Fondateur de la maison il y a soixante ans, Jean Ruffin vient de disparaître. Son fils Dominique et son petit-fils Alexandre assurent la pérennité de la société, sise à Étoges, petit bourg situé entre Côte des Blancs et Sézannais. Ils disposent d'un vignoble de 11 ha. Leur cuvée Roseanne marie 55 % des deux pinots à 45 % de chardonnay des années 2004 et 2003. Vinifié en rouge, le pinot noir (20 %) donne une couleur soutenue à ce rosé à la fois confituré, floral, printanier, fin et léger, qui conviendra à l'apéritif. Une étoile encore à la **cuvée Nobilis grand cru 2002 (23 à 30 €)**, un blanc de blancs complexe, rond, prêt à boire. (NM)

Ruffin et Fils, 20, Grande-Rue, 51270 Étoges, tél. 03.26.59.30.14, fax 03.26.59.34.96, e-mail contact@champagnes-ruffin.com
t.l.j. sf dim. 9h-12h 14h-17h; f. février

RUINART

n.c. n.c. 46 à 76 €

En 1728, un arrêté royal autorise le transport du vin en bouteilles. Un texte décisif qui permet le commerce du champagne. Nicolas Ruinart, négociant en drap, saisit aussitôt l'occasion pour lancer en 1729 son commerce de vin – si fructueux qu'il peut consacrer à ce produit toute son activité dès 1735. Les vins de la doyenne des maisons de champagne vieillissent dans des crayères classées Monument historique. Ce brut rosé assemble la récolte de 2000 et 20 % de vins de réserve de 1999 et 1998 : 45 % de chardonnay de la Côte des Blancs et 55 % de pinot noir de la Montagne de Reims. Des bulles fines et persistantes montent dans sa robe saumoné clair. Le nez, minéral puis floral, allie la puissance et la finesse. La bouche, qui révèle un dosage sensible, finit sur une touche d'amertume. (NM)

Ruinart, 4, rue des Crayères, BP 85, 51053 Reims Cedex, tél. 03.26.77.51.51, fax 03.26.77.51.00, e-mail jpmoulin@ruinart.com r.-v.

LOUIS DE SACY

Gd cru 12 ha 15 000 23 à 30 €

Sacy : le nom d'un village de la Montagne ; celui d'une famille de vignerons enracinée depuis 1633 dans la même Montagne, mais à quelques kilomètres de là, à Verzy, village classé en grand cru. Alain Sacy, qui a pris le statut de négociant, dispose d'un domaine propre de 20 ha dans la Montagne, la Côte des Blancs et la vallée de la Marne. Il a élaboré un rosé de noirs (90 % de pinot noir) classiquement rose pâle, au fruité puissant, et qui finit sur une touche d'amertume. (NM)

⊶ Louis de Sacy, 6, rue de Verzenay, 51380 Verzy, tél. 03.26.97.91.13, fax 03.26.97.94.25, e-mail contact@champagne-louis-de-sacy.fr ☑ Y ⚲ r.-v.
⊶ Alain Sacy

SADI MALOT Blanc de blancs SM 1999 ★

○ n.c. 10 000 ▮ 15 à 23 €

Descendant de Sadi Malot, Franck a gardé la marque lancée en 1929 et exploite un vignoble autour de Villers-Marmery, le seul village de la Montagne de Reims réputé pour son chardonnay. Ce 1999 est tout en finesse, raffinement, légèreté et arômes de fleurs blanches. Le 1989 de cette cuvée avait décroché un coup de cœur. (RM)

⊶ Sadi Malot, 35, rue Pasteur, 51380 Villers-Marmery, tél. 03.26.97.90.48, fax 03.26.97.97.62, e-mail sadi-malot@wanadoo.fr ☑ Y ⚲ r.-v.
⊶ Malot

SAINT-CHAMANT ★

● n.c. 7 732 ▮ 15 à 23 €

Propriété et marque créées en 1950. Aujourd'hui, Christian Coquillette exploite 11,50 ha autour d'Épernay et dans la Côte des Blancs. Le chardonnay est prépondérant dans ce rosé où il entre à hauteur de 90 %. L'assemblage met à contribution l'année 2003 et des vins de réserve, 10 % de pinot meunier donnent au champagne sa couleur. Sa robe est pâle, saumonée, alors que ses arômes de fruits confits affichent une belle puissance. Ce côté confit n'empêche pas la bouche d'être fraîche. Un vin gourmand. (RM)

⊶ Christian Coquillette, Saint-Chamant, 50, av. Paul-Chandon, 51200 Épernay, tél. 03.26.54.38.09, fax 03.26.54.96.55 ☑ r.-v.

DE SAINT-GALL

● n.c. 100 000 ▮ 23 à 30 €

Marque d'Union Champagne d'Avize, une remarquable union de coopératives qui draine la production de 1 200 ha. Les blancs de blancs représentent bien sûr une part importante de sa gamme. Ce rosé marie les années 2004, 2002 et 2001 ; le chardonnay représente 50 % de son assemblage, complété par 33 % de pinot noir et 17 % de vin rouge. Il est bien coloré, vif, rond et élégant. Même note pour le **blanc de blancs 1er cru 2002**, plein, puissant, généreusement dosé, un peu évolué, ainsi que pour la cuvée **Orpale blanc de blancs grand cru 1996 (46 à 76 €)**, complexe, structurée et nerveuse. (CM)

⊶ Union Champagne, 7, rue Pasteur, 51190 Avize, tél. 03.26.57.94.22, fax 03.26.57.57.98, e-mail info@union-champagne.fr

SALMON Prestige ★

○ 3 ha 8 000 ▮ ⫼ 15 à 23 €

Chamuzy est situé au sud-ouest de Reims, dans la vallée de l'Ardre. La famille Salmon, qui a lancé sa marque en 1958, exploite un vignoble de 10 ha. Sa cuvée Prestige, un mi-blancs mi-noirs (des deux pinots) des millésimes 2003 et 2002, a connu le bois. Elle a gardé de son élevage des notes de café et de vanille qui se mêlent à un fruité un peu confit. Un champagne équilibré, frais et ample. Une étoile aussi pour le **brut Sélection**, un blanc de noirs (meunier) des mêmes années : un vin puissant qui s'entendra avec les viandes blanches. Le **2002**, assemblage de 70 % de meunier et de 30 % de chardonnay, obtient la même note pour son nez délicat et complexe (fruits blancs, fleurs, pain d'épice), pour sa finesse et sa longueur. (RM)

⊶ EARL Salmon, 21-23, rue du Capitaine-Chesnais, 51170 Chaumuzy, tél. 03.26.61.82.36, fax 03.26.61.80.24, e-mail champagne.salmon@wanadoo.fr ☑ Y ⚲ r.-v.

DENIS SALOMON Cuvée Prestige 2003 ★

○ 1,8 ha 6 678 11 à 15 €

Installé depuis 1974, ce récoltant-manipulant est établi derrière les remparts de Vandières. Comme souvent dans ce secteur de la vallée de la Marne, le meunier domine l'encépagement de sa propriété. Il laisse cependant le premier rôle au pinot noir (70 %) dans ce blanc de noirs de l'année 2003, un champagne rond et puissant, beurré et grillé, que l'on propose de servir avec des ris de veau. Mi-blanc mi-noirs (meunier), le **2002 (15 à 23 €)** attaque vivement et se montre élégant, quoique généreusement dosé. (RM)

⊶ Denis Salomon, 5, rue Principale, 51700 Vandières, tél. 03.26.58.05.77, fax 03.26.58.00.25, e-mail info@champagne-salomon.com ☑ Y ⚲ r.-v.

SALON Blanc de blancs 1996 ★★

○ n.c. 60 000 ▮ + de 76 €

À l'origine, ce champagne était destiné à la consommation personnelle de son propriétaire, Eugène Aimé Salon, qui avait fait fortune dans la fourrure. 1905 fut le premier millésime. Aujourd'hui, cette maison du Mesnil-sur-Oger, dans la Côte des Blancs, est une filiale de Laurent-Perrier. Le champagne Salon est un champagne d'exception : toujours millésimé, toujours blanc de blancs monocru du Mesnil-sur-Oger, il n'est élaboré que les années jugées excellentes. En un siècle, seuls trente-cinq champagnes Salon ont vu le jour. Le 1996 ? Une bouteille d'amateurs. Il est nerveux, puissant, complexe. Il faut encore l'attendre. À redéguster en 2016, peut-être en 2026. (NM)

⊶ Salon, 5, rue de la Brèche-d'Oger, 51190 Le Mesnil-sur-Oger, tél. 03.26.57.51.65, fax 03.26.57.79.29, e-mail champagne@salondelamotte.com Y ⚲ r.-v.

SANCHEZ-LE GUÉDARD

● 0,42 ha 3 487 ▮ 15 à 23 €

Bernard Le Guédard, ancien salarié viticole, a créé son vignoble à la force du poignet, à partir de 1953. En 1983, il a transmis à sa fille et à son gendre une exploitation de 5 ha autour de Cumières, dans la « Grande Vallée de la Marne ». José Sanchez a élaboré un rosé de noirs issu d'une saignée de pinot noir récolté en 2004. Saumon limpide, c'est un champagne ample, vineux et élégant aux arômes de petits fruits rouges et noirs. (RM)

⊶ Sanchez-Le Guédard, 106, rue Gaston-Poittevin, 51480 Cumières, tél. et fax 03.26.51.66.39 ☑ Y ⚲ r.-v.

SANGER Blanc de blancs ★★

○ Gd cru n.c. n.c. ▮ 11 à 15 €

Marque de la Coopérative des anciens, fondée en 1952 par les anciens élèves du lycée d'Avize, qui forme les futurs acteurs de la filière viticole champenoise. Ses champagnes sont régulièrement mentionnés dans le Guide (un brut est même monté sur le podium dans l'édition 2004). Ce brut grand cru a conquis les dégustateurs par sa rondeur et sa complexité. Pour reprendre la conclusion d'un juré : « Du corps, du volume, du terroir et une vinification maîtrisée ». Le **brut**, issu des trois cépages champenois à parts égales, obtient une étoile pour sa légèreté florale et sa persistance. Un champagne d'apéritif. (CM)

🔑 Coopérative des Anciens, Lycée viticole, 51190 Avize, tél. 03.26.57.79.79, fax 03.26.57.78.58, e-mail champagne.sanger@hexanet.fr
☑ 🍷 🚶 t.l.j. sf sam. dim. 8h-12h 14h-18h

FRANÇOIS SECONDÉ Clavier ★★

Gd cru | 0,5 ha | 1 500 | 15 à 23 €

François Secondé est l'un des rares vignerons à exploiter un vignoble (6,20 ha) dans le grand cru de Sillery, village de très ancienne réputation situé au sud-est de Reims et fort prisé par les grandes maisons de négoce. Une étiquette en forme de clavier de piano à queue habille cette cuvée, assemblage de 70 % de chardonnay et de 30 % de pinot noir. Une palette aromatique complexe, dominée par les agrumes et légèrement beurrée caractérise ce champagne ample, fin et élégant, qui pourra accompagner un repas. Le **brut grand cru (11 à 15 €)** assemble ces mêmes cépages dans des proportions inverses. Il est cité pour ses arômes de fruits rouges et pour son bel équilibre. (RM)
🔑 François Secondé, 6, rue des Galipes, 51500 Sillery, tél. 03.26.49.16.67, fax 03.26.49.11.55, e-mail francois.seconde@orange.fr ☑ 🍷 🚶 r.-v.

CRISTIAN SENEZ 1998 ★★★

2 ha | 14 878 | 15 à 23 €

A-t-il pris un abonnement aux coups de cœur ? C'est la quatrième fois que Cristian Senez est couronné, et ce rosé 1998 suit sur le podium une Grande Réserve de la même année ! Un beau parcours pour celui qui débuta comme ouvrier agricole avant de devenir chef de cave à la coopérative. Premières plantations dans les années 1950, premières bouteilles en 1973. Aujourd'hui, il lègue à sa fille et à son gendre 30 ha de vignes dans la Côte des Bar, et la maison exporte 40 % de sa production. Ses champagnes ne font pas leur fermentation malolactique, gage de fraîcheur, comme le montre ce rosé dominé par le pinot noir (80 %), complété par le chardonnay. Un vin d'une captivante complexité (orange, cerise, fruits cuits, tabac...), gras, long, d'une rare harmonie. Deux étoiles pour le **brut 1997** qui privilégie les raisins blancs (75 %), lui aussi apprécié pour sa complexité (pêche, agrumes, citron vert), pour sa belle tenue dans le temps et pour son équilibre. (NM)
🔑 Cristian Senez, 6, Grande-Rue, 10360 Fontette, tél. 03.25.29.60.62, fax 03.25.29.64.63, e-mail contact@champagne-senez.com ☑ 🍷 🚶 r.-v.

SERVEAUX FILS Carte d'or ★

2,5 ha | 20 000 | 11 à 15 €

Une exploitation créée en 1954 par le père de Pascal Serveaux. Celui-ci a repris le vignoble en 1993 ; il est aujourd'hui secondé par ses propres enfants. Le domaine, implanté dans la vallée de la Marne, s'étend sur plus de 12 ha. La cuvée Carte d'or naît des années 2004 à 2002 et assemble 60 % de chardonnay à 40 % de pinots (30 % de meunier). C'est un champagne rond, plus vif en finale, où se mêlent les agrumes confits et des notes briochées. (RM)
🔑 Pascal Serveaux, 2, rue de Champagne, 02850 Passy-sur-Marne, tél. 03.23.70.35.65, fax 03.23.70.15.99, e-mail serveaux.p@wanadoo.fr
☑ 🍷 🚶 r.-v.

SIMART-MOREAU Extra brut Grande Réserve ★

Gd cru | 0,2 ha | 2 000 | 11 à 15 €

En 1976, les familles Simart et Moreau s'unissent et lancent leur marque. Le vignoble s'agrandit et compte aujourd'hui 4,50 ha autour de Chouilly, dans la Côte des Blancs. Complété par le pinot noir, le chardonnay (75 %) domine cette cuvée issue des années 2002 et 2001. Extra-brut, il n'en est pas moins miellé, onctueux et persistant et offre un joli nez, floral et épicé. Encore plus marquée par les blancs (85 %), la **Grande Réserve grand cru** provient des années 2003 et 2002. Proche du précédent par son bouquet, élégante, pleine, ronde et longue, elle obtient la même note. (RM)
🔑 Simart-Moreau, 9, rue du Moulin, 51530 Chouilly, tél. 03.26.55.42.06, fax 03.26.55.95.92, e-mail simart.moreau@wanadoo.fr ☑ 🍷 🚶 r.-v.

GABRIEL SIMON Brut Réserve

Gd cru | n.c. | 100 000 | 15 à 23 €

Marque d'un groupement de producteurs de la Montagne de Reims basé à Mailly-Champagne. Le brut Réserve assemble 75 % de pinot noir au chardonnay. Jaune doré dans le verre, il offre un nez fruité légèrement évolué et une attaque puissante. Une intéressante maturité. (CM)
🔑 Cave des vignerons de la Montagne de Reims, BP 1, 51500 Mailly-Champagne, tél. 03.26.49.41.10, fax 03.26.49.42.27

SOURDET-DIOT Tradition ★

4 ha | 35 000 | 11 à 15 €

Les premières vignes sont plantées en 1962. En 1975, la marque est créée, mais une partie des raisins est vendue au négoce. Depuis 1990, l'ensemble de la production est écoulé auprès des particuliers. Le domaine s'étend sur 8 ha dans la vallée de la Marne. Trois champagnes sont retenus, qui tous privilégient le meunier, complété par du chardonnay. Issue des années 2004 et 2003, cette cuvée Tradition séduit par ses arômes floraux et fruités ainsi que par sa netteté, sa fraîcheur et son élégance. Provenant des années 2003 et 2002, la **Cuvée de réserve** se partage entre la framboise et l'aubépine et montre les mêmes qualités de vivacité et d'équilibre que la précédente : une étoile. (RM)
🔑 Sourdet-Diot, 1, hameau de Chézy, 02330 La Chapelle-Monthodon, tél. 03.23.82.46.18, fax 03.23.82.18.82, e-mail sourdet-diot@wanadoo.fr
☑ 🍷 🚶 r.-v.

A. SOUTIRAN Cuvée Alexandre ★★

1er cru | 4,8 ha | n.c. | 23 à 30 €

Les Soutiran sont nombreux à Ambonnay, grand cru de la Montagne de Reims. Alain Soutiran a lancé sa marque en 1970. Aujourd'hui, sa fille Valérie Renaux préside la maison. La cuvée Alexandre comprend 60 % de

CHAMPAGNE

noirs (dont 40 % de pinot noir) et 40 % de blancs. Complexe, pleine, ample et élégante, elle fera un excellent champagne d'apéritif. Le **brut grand cru** (pinot noir 60 %, chardonnay 40 %) obtient une étoile pour sa palette mêlant pêche et abricot à des notes miellées ainsi que pour sa persistance. Même note pour la **Perle noire grand cru**, un blanc de noirs équilibré, rond, vineux, un peu évolué. (NM)

A. Soutiran, 3, rue de Crilly, 51150 Ambonnay, tél. 03.26.57.07.87, fax 03.26.57.81.74, e-mail info@soutiran.com
t.l.j. sf. dim. 9h-12h 13h30-18h

PATRICK SOUTIRAN Blanc de blancs *

1er cru | 0,6 ha | 3 300 | 15 à 23 €

Exploitation créée par Gérard Soutiran, qui a livré ses premières bouteilles dans les années 1950. Depuis 1970, Patrick Soutiran a pris le relais. Son vignoble s'étend sur 3 ha autour d'Ambonnay, grand cru très favorable au pinot noir, et de Trépail, 1er cru réputé pour son chardonnay. Issu des années 2004 à 2002, ce blanc de blancs se distingue par ses arômes complexes (fleurs champêtres, notes beurrées, vanillées, réglissées) et par son palais gras et long. (RM)

Patrick Soutiran, 3, rue des Crayères, 51150 Ambonnay, tél. 03.26.53.85.94, fax 03.26.57.81.87, e-mail patrick.soutiran@wanadoo.fr
r.-v.

TAITTINGER Prélude *

Gd cru | n.c. | n.c. | 38 à 46 €

Les lointaines origines de cette maison rémoise remontent en 1734, lorsque Jacques Fourneaux fonda sa société. Les Taittinger en ont pris le contrôle entre les deux guerres. Un an après son rachat en 2005 par un fonds de pension américain, l'affaire est revenue à la famille, sans changement de cadres ni de personnel. Elle est désormais dirigée par Pierre-Emmanuel Taittinger. La cuvée Prélude est bien nommée, car c'est un agréable champagne d'apéritif, mi-blancs mi-noirs (pinot noir). Son bouquet se partage entre les petits fruits rouges et la noisette. Elle est franche à l'attaque, structurée, judicieusement dosée, miellée en finale. Mi-blancs mi-noirs lui aussi, le **brut 2000** est un champagne gourmand, au nez floral et fruité, nerveux au palais. Il est cité. (NM)

Taittinger C.C.V.C., 9, pl. Saint-Nicaise, 51100 Reims, tél. 03.26.85.45.35, fax 03.26.50.14.30, e-mail export@taittinger.fr r.-v.

TARLANT Rosé zéro *

n.c. | 2 500 | 23 à 30 €

Pierre Tarlant cultivait la vigne à l'époque de dom Pérignon. Premières bouteilles de champagne dès 1929. Aujourd'hui, quatre générations, dont l'aîné approche les cent ans, s'intéressent aux destinées du vignoble (13,50 ha). Les vins de base sont ici élevés dans le bois et les dosages sont faibles. Rosé zéro ? Non dosé. Issu des années 2003 et 2002, il laisse la vedette au chardonnay (seulement 15 % de vin rouge de pinot noir). Il n'en pinote pas moins sur des notes de petits fruits rouges. Charnu et long, il excellera avec une viande blanche. Le **brut Prestige 1996 (30 à 38 €)** allie deux tiers de chardonnay à un tiers de pinot noir. Il ne fait pas sa « malo », technique audacieuse appliquée à un millésime réputé vif. Brioché, beurré, toasté, réglissé, très long, il obtient une étoile. Citée, la **cuvée Louis (30 à 38 €)**, mi-chardonnay mi-pinot noir des années 1996 et 1997, mêle puissance et finesse, avec nervosité. (RM)

Tarlant, 51480 Œuilly, tél. 03.26.58.30.60, fax 03.26.58.37.31, e-mail champagne@tarlant.com
t.l.j. sf dim. 10h-12h 13h30-17h30; f. jan.

EMMANUEL TASSIN Tradition *

0,75 ha | 4 100 | 11 à 15 €

Les Tassin figurent au nombre des premiers vignerons de Celles-sur-Ource (Aube) qui se sont lancés dans l'élaboration de champagne : dès 1930, le grand-père d'Emmanuel Tassin vend ses bouteilles. Ce dernier, installé en 1987, exploite un domaine de 7,50 ha. Trois de ses champagnes obtiennent une étoile. Ce rosé provient d'une saignée de pinot noir récolté en 2004. Très coloré, presque rubis, il est souple à l'attaque, structuré et équilibré. Issue des années 2004 et 2003, la **Cuvée de réserve** assemble deux tiers de noirs (pinot noir) et un tiers de blancs ; 15 % de pinot blanc entre dans sa composition. Fraîche et fruitée au nez, vive à l'attaque puis ample et structurée, bien dosée, elle évolue sur des notes de pêche. La **Cuvée ancestrale 2003 élevée en fût de chêne (15 à 23 €)** est un vin « intéressant », vanillé, boisé, épicé, équilibré et long. (RM)

Emmanuel Tassin, 104, Grande-Rue, 10110 Celles-sur-Ource, tél. 03.25.38.59.44, fax 03.25.29.94.59 r.-v.

J. DE TELMONT Blanc de blancs 2002 *

n.c. | 31 000 | 15 à 23 €

Cette maison familiale fondée en 1912 à Damery, non loin d'Épernay, exploite en propre un assez important vignoble (36 ha). Son blanc de blancs 2002, floral, souple et ample, est agréable, bien que son dosage semble un peu fort. Le **Grand Rosé** ne comporte qu'une petite proportion des deux pinots qui lui donnent sa couleur. Confituré, vineux, il trouvera sa place à table : même note. Quant à la pléthorique **Grande Réserve** (un million de cols), assemblage à parts égales des trois cépages champenois des années 2004 à 2001, elle est plaisante par son bouquet de prune cuite, quoique généreusement dosée, elle aussi. (NM)

J. de Telmont, 1, av. de Champagne, 51480 Damery, tél. 03.26.58.40.33, fax 03.26.58.63.93, e-mail commercial@champagne-de-telmont.com
t.l.j. sf dim. 9h30-12h 14h-18h; sam. 10h-17h

V. TESTULAT Cuvée de réserve

3 ha | 30 000 | 11 à 15 €

Cette maison a été fondée en 1862 à Épernay. Transmise de père en fils, elle dispose d'un vignoble de 17 ha. Sa Cuvée de réserve met surtout les noirs à contribution (90 % dont 50 % de pinot meunier). Fruitée, gourmande, elle offre des caractères d'onctuosité et de rondeur qui en font un « champagne d'automne » selon un dégustateur. (NM)

SA V. Testulat, 23, rue Léger-Bertin, BP 21, 51201 Épernay Cedex, tél. 03.26.54.10.65, fax 03.26.54.61.18, e-mail vtestulat@champagne-testulat.com r.-v.

JACKY THERREY Carte blanche

n.c. | n.c. | 11 à 15 €

Jacky Therrey constitue son vignoble en 1966 (environ 5 ha aujourd'hui). Il fournit d'abord les grandes maisons de négoce avant de lancer son champagne en 1980. Son vignoble s'étend autour de Montgueux. Cet îlot viticole à l'ouest de Troyes offre un excellent terroir au chardonnay. Deux cuvées sont citées, toutes deux nées de la vendange de 2004. La Carte blanche assemble 80 % de blancs et 20 % de noirs. C'est un champagne minéral, frais et long. Le chardonnay est encore plus présent (90 %) dans la **Cuvée spéciale**, un vin floral, ample, généreux et d'une certaine élégance. (RM)

Jacky Therrey,
8, rte de Montgueux, La Grange-au-Rez,
10300 Montgueux, tél. 03.25.70.30.87,
fax 03.25.70.30.84, e-mail therrey.eric@wanadoo.fr
r.-v.

ALAIN THIÉNOT ★

n.c. | n.c. | 23 à 30 €

Dynamique entrepreneur, Alain Thiénot a acquis successivement Marie Stuart, Joseph Perrier et Canard-Duchêne ainsi que plusieurs châteaux bordelais. Il a aussi lancé sa propre marque en 1985. Son brut comprend les trois cépages champenois et 20 % de vins de réserve. Citronné, nerveux et long, il pourra être débouché à l'apéritif. Deux autres cuvées sont citées : la **Grande Cuvée 1996 (46 à 76 €)**, qui donne une courte majorité au pinot noir (55 %), un champagne complexe, grillé, fondu ; et **La Vigne aux gamins 1998 (plus de 76 €)**, un blanc de blancs issu d'une vieille vigne d'Avize et vendu en bouteilles numérotées, un vin volumineux, direct et équilibré. (NM)

Alain Thiénot, 4, rue Joseph-Cugnot, 51500 Taissy,
tél. 03.26.77.50.10, fax 03.26.77.50.19,
e-mail infos@thienot.com r.-v.

J.-M. TISSIER Apollon 2002 ★★

n.c. | 3 800 | 15 à 23 €

Les Tissier sont nombreux à Chavot-Courcourt, au sud d'Épernay. Le plus connu est Diogène, père de Jean-Marie Tissier et grand-père de Jacques, qui a repris le vignoble de son père (5 ha). Étiquette en forme de cratère, buste, colonnades : ici, on cultive le style peplum. La cuvée Apollon est mi-blancs mi-noirs (les deux pinots à égalité). Florale, réglissée, tout en rondeur et dosée avec justesse, elle est de très bonne facture et trouvera sa place à l'apéritif. (RM)

Jacques Tissier, 9, rue du Gal-Leclerc,
51530 Chavot-Courcourt, tél. 03.26.54.17.47,
fax 03.26.59.01.43,
e-mail champagne.tissier@wanadoo.fr r.-v.

DIOGÈNE TISSIER ET FILS Autre Temps 2002

1 ha | 9 600 | 15 à 23 €

En 1931, Diogène et Juliette Tissier créent leur maison, implantée dans les coteaux d'Épernay. Symbole : Diogène dans son tonneau ! Depuis 1998, Vincent Hubert, petit-fils du fondateur, dirige l'affaire et conduit le vignoble de 9,50 ha. Cette cuvée Autre Temps célèbre les trois quarts de siècle de la maison. Mi-blancs mi-noirs (avec 20 % de meunier), elle est riche, ronde et nerveuse. (NM)

Diogène Tissier et Fils, 10, rue du Gal-Leclerc,
51530 Chavot-Courcourt, tél. 03.26.54.32.47,
fax 03.26.54.32.48, e-mail diogenetissier@hexanet.fr
t.l.j. sf dim. 9h-12h 13h30-18h; f. 15-30 août

MICHEL TIXIER Rosé de saignée

1er cru | 0,8 ha | 6 000 | 11 à 15 €

André Tixier crée le vignoble et lance le champagne dans les années 1920. En 1963, Michel Tixier fait figurer son prénom sur les étiquettes. C'est depuis 1998 son fils Benoît qui tient les rênes de la propriété : 4,50 ha du côté de Chigny-les-Roses, dans la Montagne de Reims. Son rosé de saignée, issu de la vendange de 2003, doit tout au pinot meunier. Rubis intense, c'est un vin simple mais bien équilibré, qui joue avec discrétion sur la cerise, la fraise et la violette. (RM)

EARL Michel Tixier, 8, rue des Vignes,
51500 Chigny-les-Roses, tél. 03.26.03.42.61,
fax 03.26.03.41.80,
e-mail champ.michel.tixier@wanadoo.fr r.-v.
Benoît Tixier

ANDRÉ TIXIER ET FILS Carte d'or

1er cru | 3 ha | 8 305 | 11 à 15 €

Provenant d'un partage du domaine créé par André Tixier dans les années 1920, il est exploité depuis 1986 par Patrice Tixier, petit-fils du fondateur. La Carte d'or marie 60 % de chardonnay aux deux pinots des années 2004 et 2003. Fraîche, aérienne, elle persiste sur des notes fruitées. Un classique de bonne facture. Également citée, la **Réserve des grandes années 2000 (15 à 23 €)** assemble les mêmes cépages que le précédent dans des proportions identiques. Miellée, confite et briochée, elle offre une finale fraîche. (RM)

Patrice Tixier, 19, rue des Carrières,
51500 Chigny-les-Roses, tél. 03.26.03.44.62,
fax 03.26.03.44.43,
e-mail champagne-andre-tixier@wanadoo.fr r.-v.

TRIBAUT-SCHLOESSER Tradition ★

n.c. | n.c. | 15 à 23 €

Fondée en 1929, cette maison implantée à Romery, près d'Hautvillers, se transmet de père en fils. Son vignoble, régulièrement agrandi, s'étend aujourd'hui sur 20 ha. Ce brut Tradition assemble une majorité de noirs (les deux pinots) au chardonnay. Plaisant par ses arômes de pêche, d'abricot et de bergamote, il est équilibré quoique plutôt généreusement dosé. La **cuvée Renée** marie 60 % de chardonnay au pinot noir. Elle aussi fort dosée, elle est citée pour ses nuances florales et mentholées ainsi que pour son ampleur. (NM)

Tribaut-Schloesser, 21, rue Saint-Vincent,
51480 Romery, tél. 03.26.58.64.21, fax 03.26.58.44.08,
e-mail contact@champagne-tribaut.com r.-v.

TRICHET-DIDIER Cuvée spéciale ★

1er cru | 0,3 ha | 4 680 | 11 à 15 €

En 1948, le grand-père du propriétaire actuel plante le vignoble (aujourd'hui près de 4 ha aux portes de Reims). Ses parents lancent la marque dans les années 1970. En 1984, Pierre Trichet reprend l'exploitation ; il crée une activité de négoce en 2001. Issue des années 2002 et 2001, sa Cuvée spéciale est un blanc de blancs. Un champagne léger, vif et fin, équilibré et persistant, destiné à l'apéritif. (NM)

Pierre Trichet, 11, rue du Petit-Trois-Puits,
51500 Trois-Puits, tél. 03.26.82.64.10,
fax 03.26.97.80.99, e-mail trichet-didier@orange.fr
t.l.j. sf dim. 8h-12h 14h-18h

ALFRED TRITANT Carte d'or

Gd cru | 1,47 ha | 4 600 | 11 à 15 €

Installée de longue date dans le grand cru de Bouzy, la famille Tritant a lancé son champagne dès 1929. Sa Carte d'or marie deux tiers de pinot noir et un tiers de chardonnay des années 2002 à 2000. Elle offre une attaque franche, prélude à une bouche ronde et miellée, doublée d'un fruité mûr. Également citée, la cuvée **Prestige** assemble les mêmes cépages dans des proportions identiques, mais elle provient des années 2001 à 1999. Elle est florale au nez, généreuse, un peu trop dosée. (RM)

Alfred Tritant, 23, rue de Tours, 51150 Bouzy, tél. 03.26.57.01.16, fax 03.26.58.49.56, e-mail champagne.tritant@free.fr r.-v.

JEAN VALENTIN Blanc de blancs Saint Avertin ★

0,4 ha 4 000 11 à 15 €

Madame Valentin, née Jane Roualet, fonde la maison en 1920. Jean Valentin prend le relais en 1946, puis Gilles en 1994. Les 6 ha du vignoble sont principalement situés dans des 1ers crus de la Montagne de Reims. Assemblage des années 2003 et 2002, ce blanc de blancs mêle au nez le caramel au lait et des notes briochées et grillées. Après une attaque franche, la bouche apparaît un peu lourde mais elle reste harmonieuse. Elle finit sur des impressions réglissées. (RM)

Jean Valentin, EARL les Coteaux Valentin, 9, rue Saint-Rémi, 51500 Sacy, tél. 03.26.49.21.91, fax 03.26.49.27.68, e-mail givalentin@wanadoo.fr r.-v.

VARNIER-FANNIÈRE Blanc de blancs ★

Gd cru 2,5 ha 24 000 15 à 23 €

En 1950, Jean Fannière décide de mettre directement en valeur le vignoble familial – idéalement situé autour d'Avize, grand cru de la Côte des Blancs – en élaborant lui-même ses champagnes. Son gendre Guy Varnier lui succède, puis en 1988 son petit-fils Denis Varnier, œnologue. La propriété ne produit pratiquement que des blancs de blancs grand cru. Celui-ci assemble les années 2005 à 2003. Son fruité blanc s'assortit de notes minérales et épicées. Un vin tout en finesse et pourtant persistant. Citée, la **cuvée Saint-Denis Avize** naît de vieilles vignes et des vendanges de 2003 et 2002. C'est un blanc de blancs vif, beurré et brioché. (RM)

Varnier-Fannière, 23, rempart du Midi, 51190 Avize, tél. 03.26.57.53.36, fax 03.26.57.17.07, e-mail contact@varnier-fanniere.com r.-v.

VAUTRAIN-PAULET Rosé ★

n.c. n.c. 15 à 23 €

Vignerons depuis cinq générations, les Vautrain disposent d'un vignoble de 11 ha situé dans les terroirs de Dizy (1er cru) et d'Aÿ (grand cru). Leur rosé privilégie le pinot noir (80 %, le reste en chardonnay). Sa robe assez colorée annonce un nez fin et fruité et une bouche harmonieuse, qui décline la fraise, la framboise et la groseille. Un champagne que l'on pourra déboucher aussi bien pour l'apéritif que pour le repas. (RM)

Vautrain-Paulet, 195, rue du Colonel-Fabien, 51530 Dizy, tél. 03.26.55.24.16, fax 03.26.51.97.42, e-mail contact@champagne-vautrain-paulet.fr r.-v.

VAZART-COQUART ET FILS Blanc de blancs Grand Bouquet 2002 ★★

Gd cru 3 ha 6 000 15 à 23 €

Située dans la rue principale de Chouilly, la maison de famille en brique rouge, construite sous le Second Empire, était à l'origine une ferme. Le vignoble a été constitué dans les années 1950 par Louis et Jacques Vazart. Jean-Pierre Vazard s'est installé au début des années 1990. Ce Grand Bouquet présente un nez bien frais, discrètement floral ; il affirme sa puissance et sa longueur en bouche, où des notes empyreumatiques et miellées viennent compléter sa palette aromatique. Excellente bouteille. (RM)

Vazart-Coquart, 6, rue des Partelaines, 51530 Chouilly, tél. 03.26.55.40.04, fax 03.26.55.15.94, e-mail contact@vazart-coquart.com r.-v.

JEAN VELUT Tradition ★

2 ha 20 000 11 à 15 €

Alors que le vignoble aubois, notamment dans la Côte des Bar, est dominé par le pinot noir, le terroir argilo-calcaire de Montgueux, à l'ouest de Troyes, est propice au chardonnay. Cette exploitation, qui s'est lancée dans la manipulation il y a une trentaine d'années seulement, en tire des cuvées régulièrement recommandées par le jury. La cuvée Tradition assemble en 2007 les années 2004, 2002 et 2000. Elle fait la part belle au chardonnay (85 %), complété par le pinot noir. Un nez subtil d'agrumes, une bouche finement fruitée aux flaveurs de mirabelle composent une bouteille agréable et légère. Cité, le **brut 1998** résulte d'un assemblage proche (80 % de blancs). Le nez, délicat et assez complexe, mêle le coing et des touches beurrées ; la bouche équilibrée annonce une belle présence qui devrait s'affirmer dans l'année qui vient. (RM)

Jean Velut, 9, rue du Moulin, 10300 Montgueux, tél. 03.25.74.83.31, fax 03.25.74.17.25, e-mail champ.velut@wanadoo.fr r.-v.

VÉLY-RASSELET Carte d'or

n.c. n.c. 11 à 15 €

Françoise Vély, installée dans la vallée de la Marne, exploite un vignoble de 3,3 ha constitué à la fin de la dernière guerre. Son Carte d'or assemble trois quarts de noirs (dont 50 % de meunier) au chardonnay. Il livre un nez agréable de fruits frais, qui annonce une bouche vive et acidulée, marquée par des notes de fruits à chair blanche. (RM)

Françoise Vély, 4, rue du Château, 51480 Reuil, tél. 03.26.58.38.60, fax 03.26.57.15.50 r.-v.

DE VENOGE Louis XV 1995 ★★

n.c. 50 000 + de 76 €

Fondateur de la maison en 1837, Henri-Marc de Venoge est originaire d'une région viticole de Suisse, dans le canton de Vaud. Associé huit ans plus tard à la marche des affaires, son fils Joseph a développé la société et déposé la marque Cordon bleu (sans doute une allusion à la Venoge, rivière qui se jette dans la lac Léman et qui figure dans les armes de la famille). Mi-blancs mi-noirs (pinot noir), cette cuvée Louis XV est plébiscitée par le jury. Sa robe est dorée, son nez expressif et fin, fruité et grillé. Intense et harmonieux, ce 1995 finit sur une pointe de fraîcheur bienvenue. Le tout appelle des toasts au foie gras. Le **blanc de blancs 2000 (30 à 38 €)** n'est pas très long, mais sa palette aromatique partagée entre les fruits mûrs et des notes grillées lui vaut une citation. Même note pour le **rosé (30 à 38 €)**, dominé par les noirs (80 % dont 60 % de pinot noir), un vin puissant et structuré aux arômes de fruits rouges. (NM)

de Venoge, 46, av. de Champagne, 51200 Épernay, tél. 03.26.53.34.34, fax 03.26.53.34.35, e-mail infos@champagnedevenoge.com r.-v.

J. L. VERGNON Blanc de blancs Extra-brut

Gd cru 5,26 ha 25 000 15 à 23 €

Créé en 1950, ce domaine de plus de 6 ha, autour du Mesnil-sur-Oger, dans la Côte des Blancs, n'est complanté que de chardonnay. Il privilégie les champagnes vifs et très faiblement dosés, dont l'extra-brut (dosé à moins de 5 g/l) représente le modèle accompli. Un style de champagne très souvent mentionné dans le Guide pour cette maison (coup de cœur dans l'édition 2005). Celui-ci, né de la vendange de 2003 avec des vins de réserve de 2002 à 2000, n'est dosé qu'à 2,3 g/l. En outre, il n'a pas fait sa fermentation malolactique. Le résultat ? Un champagne aux arômes discrets, incisif, très frais : il lui faut du poisson, une petite friture par exemple. (RM)

J.-L. Vergnon, 1, Grande-Rue, 51190 Le Mesnil-sur-Oger, tél. 03.26.57.53.86, fax 03.26.51.57.02, e-mail contact@champagne-jl-vergnon.com t.l.j. 8h-12h 13h30-18h; sam. dim. sur r.-v.

ALAIN VESSELLE Cuvée Saint-Éloi

Gd cru n.c. n.c. 15 à 23 €

Une des branches de la famille Vesselle à Bouzy, village classé en grand cru sur le flanc sud de la Montagne de Reims. Les ancêtres d'Alain Vesselle ont créé le vignoble en 1885 ; aujourd'hui, celui-ci s'étend sur 18 ha. Éloi Vesselle est aux commandes. Mi-blancs mi-noirs (pinot noir), la cuvée Saint-Éloi met à contribution la récolte de 2004. C'est un champagne classique, un peu évolué. (RM)

Alain Vesselle, 15, rue de Louvois, 51150 Bouzy, tél. 03.26.57.00.88, fax 03.26.57.09.77, e-mail champagneavesselle@wanadoo.fr r.-v.
Éloi Vesselle

GEORGES VESSELLE

Gd cru 12 ha 130 000 15 à 23 €

Vesselle, un patronyme très répandu à Bouzy : il faut prendre garde aux prénoms. Georges Vesselle est sans doute le plus connu d'entre eux puisqu'il fut maire du village pendant plus d'un quart de siècle ! Le vignoble familial est passé de 4 ha en 1951 à 17,50 ha aujourd'hui. Le brut de la maison porte la marque du pinot noir : le cépage phare de Bouzy compose 90 % de son assemblage, complété par le chardonnay. Un peu plus long, il aurait eu une étoile, car le jury a apprécié son nez floral et printanier, un rien exotique, tout comme sa bouche franche, fraîche et bien dosée. Le **2003** résulte d'un assemblage identique. Du coing, du miel, un corps souple, ample et rond : même note. (NM)

Georges Vesselle, 16, rue des Postes, 51150 Bouzy, tél. 03.26.57.00.15, fax 03.26.57.09.20, e-mail contact@champagne-vesselle.fr t.l.j. sf sam. dim. 9h-12h 14h-17h

JEAN VESSELLE Le Petit Clos 1995 ★★

Gd cru 8,52 ha 612 46 à 76 €

Les ancêtres de Delphine Vesselle étaient déjà vignerons à Bouzy il y a trois siècles. Son arrière-grand-père élabore du champagne dès le début du XXᵉs. Elle-même, peu de temps après la fin de ses études, en 1995, doit prendre la relève de son père sur le domaine (12 ha de vignes). Elle choie particulièrement la récolte de ce Petit Clos de 8 a 52 ca situé dans le village : le pinot noir est fermenté en barrique avec bâtonnage, faiblement dosé (4 g/l) et vieilli neuf ans sur lattes. Si les arômes de fruits cuits, macérés ou secs traduisent son évolution, ce 1995 a gardé sa vivacité et séduit par sa finesse et son ampleur. Un bel apogée pour ce champagne à marier avec une viande blanche. Autre spécialité de la propriété, l'**Œil de perdrix (15 à 23 €)**, un blanc taché, c'est-à-dire un rosé très pâle coloré par les pellicules du pinot noir. L'assemblage comprend 85 % de 2002 et des vins de réserve (1998, 1996). Attaque vive, bouche charnue et longue : une étoile. (RM)

Jean Vesselle, 4, rue Victor-Hugo, 51150 Bouzy, tél. 03.26.57.01.55, fax 03.26.57.06.95, e-mail champagne.jean.vesselle@wanadoo.fr r.-v.

MAURICE VESSELLE 1996

Gd cru n.c. 16 000 15 à 23 €

Didier et Thierry Vesselle perpétuent la marque fondée par Maurice en 1955. Leur vignoble est entièrement situé à Bouzy, grand cru de la Montagne de Reims. On retrouve cette année ce 1996, un grand millésime. Si le nez est évolué, la bouche a gardé de la fraîcheur. Le miel et l'agrume confit s'y allient dans un corps fondu et harmonieux. À réserver aux amateurs de vieux champagnes. (RM)

Maurice Vesselle, 2, rue Yvonnet, 51150 Bouzy, tél. 03.26.57.00.81, fax 03.26.57.83.08, e-mail champagne.vesselle@wanadoo.fr t.l.j. 10h-12h 14h-18h

VEUVE A. DEVAUX Blanc de noirs ★

6 ha 50 488 15 à 23 €

Maison créée vers le milieu du XIXᵉs. à Épernay par les frères Devaux. La marque, en déshérence, a été acquise en 1986 par l'Union auboise pour en faire son haut de gamme – un projet parfaitement réussi. Ce blanc de noirs des années 1999 et 1998 séduit par ses arômes de fruits jaunes qui s'accordent avec sa bouche ronde, élégante et longue. Une étoile encore pour le **D de Devaux (30 à 38 €)**, assemblage des années 2000, 1998 et 1990 : un champagne tout en finesse avec ses nuances briochées, ses notes de fleurs séchées et de noisette. On pourra le servir avec un carpaccio de Saint-Jacques. Une citation enfin pour le **1998 (23 à 30 €)**, un blanc de blancs jeune, tonique, aérien et ne manquant pas de classe. (CM)

Union Auboise, Devaux, Dom. de Villeneuve, 10110 Bar-sur-Seine, tél. 03.25.38.30.65, fax 03.25.29.73.21, e-mail info@champagne-devaux.fr r.-v.

VEUVE CLICQUOT PONSARDIN La Grande Dame 1998 ★★

n.c. n.c. + de 76 €

Maison fondée en 1772 par Philippe Clicquot, qui devint ensuite le beau-père de Nicole Barbe Ponsardin. Cette dernière, veuve à vingt-sept ans en 1805, prit contre l'avis de tous la direction de la maison et la hissa au

sommet. En 1987, cette grande marque est passée sous le contrôle de LVMH. La maison dispose d'un vaste vignoble : 515 ha, répartis sur treize grands crus et dix-huit 1ers crus. Hommage à la célèbre veuve, la Grande Dame est la cuvée prestige de la maison. Elle provient exclusivement de grands crus : 64 % de pinot noir et 36 % de chardonnay. Son point fort est l'élégance, tant au nez qu'en bouche. Frais, équilibré, c'est un champagne de grande gastronomie. Le **2002 (38 à 46 €)** assemble également deux tiers de noirs et un tiers de blancs, selon le style de la maison. Il obtient une étoile pour son bouquet de fleurs blanches et pour sa bouche persistante mêlant une certaine minéralité à des arômes d'amande. Le brut **Carte jaune (30 à 38 €)** est un assemblage dans le même esprit (environ deux tiers des deux pinots). Il est cité pour son ampleur et sa rondeur. (NM)

Veuve Clicquot Ponsardin, 12, rue du Temple, 51054 Reims Cedex, tél. 03.26.89.54.40, fax 03.26.40.60.17 r.-v.

VEUVE DOUSSOT Tradition

4,3 ha 40 000 **11 à 15 €**

Fondée dans les années 1970 par Georges Joly, de vieille souche vigneronne, cette maison auboise est dirigée aujourd'hui par Stéphane Joly. Issue des récoltes de 2004 et de 2003, la cuvée Tradition est très marquée par le pinot noir qui compose 85 % de l'assemblage. C'est un champagne puissant et rond, aux arômes de fruits exotiques. (NM)

SARL Chatet, 1, rue de Chatet, 10360 Noé-les-Mallets, tél. 03.25.29.60.61, fax 03.25.29.11.78, e-mail champagne.veuve.doussot@wanadoo.fr r.-v.

Stéphane Joly

VEUVE ÉLÉONORE Rubis Rosé de saignée ★★

1,8 ha 17 000 **15 à 23 €**

Didier Dzieciuck dirige depuis 1965 cette exploitation de 13 ha qui a son siège à Oger, dans la Côte des Blancs. Un de ses blancs de blancs fut couronné l'an dernier. Très différent est le champagne préféré du jury cette année. Il s'agit d'un rosé de saignée issu des deux pinots à parts égales, et qui ne fait pas sa fermentation malolactique. Une cuvée Rubis qui mérite bien son nom : le vin est très coloré, puissant, souple. Sa corpulence pourrait convenir à du gibier à plume, voire à une viande rouge. Deux autres champagnes obtiennent une étoile : la cuvée **Prestige d'antan 2002**, qui fut coup de cœur l'an dernier pour le 2000, un blanc de blancs brioché, puissant, rond et assez long, et la cuvée **Opaline**, un blanc de blancs des années 2002 et 2000 qui a connu le bois : un ensemble vif, ample et persistant. (RM)

Didier Dzieciuck, 11, rue Margot, 51190 Oger, tél. 03.26.57.50.49, fax 03.26.59.17.72, e-mail veuve.eleonore@cder.fr r.-v.

VEUVE FOURNY ET FILS Vertus

1er cru 1 ha 10 000 **23 à 30 €**

Madame Fourny a transmis le savoir-faire de la maison à ses fils qui dirigent depuis 1995 la société implantée à Vertus, au sud de la Côte des Blancs. Ici, on pratique des vinifications raffinées. Le vin rouge de pinot noir qui entre à 15 % dans la composition de ce rosé est ainsi macéré à froid avec pigeage. Le chardonnay vient compléter l'assemblage. C'est un rosé structuré et qui laisse pourtant une sensation de légèreté pleine d'élégance. Pour l'apéritif. (NM)

Veuve Fourny et Fils, 2 et 5, rue du Mesnil, BP 12, 51130 Vertus, tél. 03.26.52.16.30, fax 03.26.52.20.13, e-mail info@champagne-veuve-fourny.com r.-v.

VEUVE MAÎTRE-GEOFFROY Grand Rosé ★

1er cru 1,8 ha 19 000 **11 à 15 €**

Marque créée en 1878 par l'arrière-grand-mère de Thierry Maître au décès de son mari. Rejoint par son fils en 2002, Thierry Maître cultive 12 ha autour de Cumières, village proche d'Épernay sur la rive droite de la Marne. Le Grand Rosé assemble 60 % de pinot noir et 40 % de chardonnay. Si sa robe n'est pas très colorée, son fruité rouge est puissant. Vif, fin, élégant et persistant, ce champagne pourra accompagner les viandes blanches. (RM)

Veuve Maître-Geoffroy, 116, rue Gaston-Poittevin, 51480 Cumières, tél. 03.26.55.29.87, fax 03.26.51.85.77, e-mail th.maitre@wanadoo.fr r.-v.

MARCEL VÉZIEN
Cuvée de prestige Double Eagle II

1,5 ha 13 000 **11 à 15 €**

Domaine constitué à la fin du XIXes. dans la Côte des Bar. Aujourd'hui, 15 ha de vignes. Le champagne a été lancé en 1958 et l'exploitation reprise par Jean-Pierre Vézien, fils de Marcel. Cette cuvée Double Eagle II commémore une traversée de l'Atlantique en ballon. Née de la récolte de 2002 et construite sur le pinot noir complété par 20 % de chardonnay, elle semble n'avoir pas encore pris son envol. Ses arômes d'agrumes teintés de minéralité, sa bouche fraîche, voire nerveuse, signent un champagne un peu jeune, à descendre un an dans une cave bien noire. Une citation encore pour le **brut chardonnay**, un blanc de blancs de l'année 2004, vanillé et brioché, souple à l'attaque et généreux, pour l'apéritif. (NM)

Marcel Vézien et Fils, 68, Grande-Rue, 10110 Celles-sur-Ource, tél. 03.25.38.50.22, fax 03.25.38.56.09, e-mail contact@champagne-vezien.com t.l.j. 8h-18h, sam. dim. sur r.-v.

FLORENT VIARD 2000 ★

1er cru 0,7 ha 3 000 **11 à 15 €**

En 1994, Florent Viard s'est installé à Vertus, au sud de la Côte des Blancs, sur un vignoble de 3 ha majoritairement complanté de chardonnay. Son 2000 est un blanc de blancs discrètement beurré au nez, brioché et fin, de bonne longueur. Une même étoile brille au-dessus de la cuvée **Prestige 1er cru 1999 (15 à 23 €)**, dominée par le chardonnay (85 %). Un champagne complexe, déjà évolué (grillé, fruits secs), fin et équilibré, qui devrait être excellent avec un poulet de Bresse. (RC)

Florent Viard, 35, av. Saint-Vincent, 51130 Vertus, tél. 03.26.51.60.82, fax 03.26.59.36.66, e-mail viard.florent@wanadoo.fr r.-v.

VILMART ET CIE Grand Cellier d'or 2000 *

1er cru | 1 ha | 7 000 | 23 à 30 €

Constituée en 1895 par Désiré Vilmart, la propriété dispose de 11 ha autour de Rilly-la-Montagne, près de Reims. Elle est conduite depuis 1990 par Laurent Champs, descendant du fondateur. Ce vigneron élève ses vins de base dans le bois, foudre (pour les sans année) ou fût (pour les millésimés). Un mode de vinification dont ce 2000, assemblage de 80 % de chardonnay et de 20 % de pinot noir, porte la marque ; les dégustateurs trouvent son nez « fabuleux », « envoûtant » et détaillent à l'envi ses arômes abricotés, beurrés, boisés aux nuances de noix de coco. L'attaque est souple, mais le vin est encore trop jeune : il mérite d'attendre un an. Même assemblage, même élevage et même note pour la cuvée **Création 1er cru 1998 (30 à 38 €)**, un champagne ample et gras, à la palette boisée, vanillée et grillée. (RM)

Vilmart et Cie, 5, rue des Gravières, 51500 Rilly-la-Montagne, tél. 03.26.03.40.01, fax 03.26.03.46.57, e-mail laurent.champs@champagnevilmart.fr r.-v.

Laurent Champs

VINCENT-LAMOUREUX **

0,5 ha | 5 000 | 11 à 15 €

Sylviane Vincent et Jean-Michel Lamoureux ont réuni leurs exploitations en 1988, d'où la marque Vincent-Lamoureux. Leur vignoble est situé aux Riceys, où prospère le pinot noir à l'origine du rosé tranquille d'appellation. Ce cépage donne ici un champagne rose bonbon soutenu, qui pinote au nez comme en bouche sur des notes de fruits rouges nuancées de violette. Charnu, puissant et généreux tout en restant frais, ce vin s'appréciera aussi bien à l'apéritif qu'au repas. Poulet aux girolles ? Pigeon aux airelles ? (RM)

Vincent-Lamoureux, 2, rue du Sénateur-Lesaché, 10340 Les Riceys, tél. 03.25.29.39.32, fax 03.25.29.80.30 r.-v.

VOIRIN-JUMEL Blanc de blancs *

Gd cru | 2 ha | 20 000 | 11 à 15 €

C'est en 1945 que cette famille de vignerons lance son champagne. Établie à Cramant, village de la Côte des Blancs classé en grand cru, elle exploite 11 ha de vignes principalement situés dans ce secteur. Ce blanc de blancs assemble les années 2004 et 2002. Complexe, floral, rond, chaleureux et assez long, il s'accordera avec des viandes blanches ou du poisson en sauce. Cité, le **blanc de blancs grand cru extra-brut** provient des mêmes années. Au nez, des fleurs ; en bouche, du citron vert et de la vivacité : bien dans le type, un champagne de poissons et de fruits de mer. (RM)

Voirin-Jumel, 555, rue de la Libération, 51530 Cramant, tél. 03.26.57.55.82, fax 03.26.57.56.29, e-mail info@champagne-voirin-jumel.com r.-v.

VRANKEN Demoiselle Grande Cuvée **

n.c. | n.c. | 23 à 30 €

Vranken est une maison et une marque, créées en 1976. C'est aussi un groupe puissant, qui a racheté de nombreuses maisons ces deux dernières décennies. La cuvée Demoiselle a été créée en 1985. La forme de sa bouteille et le style de son étiquette révèlent un style Art nouveau épuré. Les assemblages privilégient le chardonnay. Ce rosé pâle magnifie par sa finesse et son élégance toutes les qualités du chardonnay. Ses arômes déclinent les agrumes et le miel, avec des nuances beurrées caractéristiques. Un champagne raffiné. Faut-il dire féminin ? Citée, la **Demoiselle parisienne 2000 (38 à 46 €)** assemble 80 % de chardonnay au pinot noir. Légèrement fumée, elle est puissante, évoluée et dosée. (NM)

Vranken, Pommery Monopole, 5, pl. du Gal-Gouraud, 51100 Reims, tél. 03.26.61.62.63, fax 03.26.61.61.35 r.-v.

ALAIN WARIS ET FILS
Blanc de blancs Cuvée étrusque *

0,5 ha | n.c. | 15 à 23 €

Il y a plus d'un siècle que les Waris sont établis à Avize, dans la Côte des Blancs. Seule la marque a changé. Depuis dix ans, Odile Waris tient les rênes de la propriété (6 ha de vignes). Son blanc de blancs est beurré, intense, rond et gras. (RM)

Alain Waris et Fils, 6, rue d'Oger, 51190 Avize, tél. 03.26.57.87.35, fax 03.26.51.61.45 r.-v.

Odile Waris

CHAMPAGNE

WARIS-HUBERT Équinoxe *

Gd cru | 0,5 ha | 2 500 | 23 à 30 €

Installé en 1998 à Cramant, grand cru de la Côte des Blancs, Olivier Waris a lancé sa marque en 2001. Or jaune dans le verre, sa cuvée Équinoxe naît de la vendange de 2002. Elle offre un nez complexe, où la mangue côtoie l'abricot, le miel et la torréfaction. Une tonalité qui annonce le gras, l'onctuosité, la rondeur de la bouche. Pas très vif, ce millésime a été justement dosé et se montre bien équilibré. (RM)

Olivier Waris, 227, rue du Moutier, 51530 Cramant, tél. 03.26.58.29.93, fax 03.26.51.26.57, e-mail olivier-waris@wanadoo.fr t.l.j. 9h-12h30 14h30-18h; f. 16-31 août

WARIS-LARMANDIER Cuvée Sensation

0,52 ha | 5 150 | 11 à 15 €

Cette propriété, fondée par Vincent et Marie-Hélène Waris en 1989, est conduite depuis 2000 par cette dernière et ses enfants. Le vignoble, qui s'étend sur 5,5 ha dans trois grands crus de la Côte des Blancs et dans l'Aube, donne la vedette au chardonnay. Cette cuvée Sensation, blanc de blancs des années 2004 et 2003, se montre discrète et fine au nez. La bouche équilibrée révèle une rondeur flatteuse. Le **blanc de blancs grand cru Tradition**, également cité, assemble des vins de Chouilly, de Cramant et d'Avize des années 2004 et 2003. Floral et fruité, souple et équilibré, il révèle un dosage généreux. (RM)

EARL Waris-Larmandier, 608, rempart du Nord, 51190 Avize, tél. 03.26.57.79.05, fax 03.26.52.79.52, e-mail earlwarislarmandier@wanadoo.fr r.-v.

Coteaux-champenois

Appelés vins nature de Champagne, ils devinrent AOC en 1974 et prirent le nom de coteaux-champenois. Tranquilles, ils sont rouges, plus rarement rosés ; on boira les blancs avec respect et curiosité historique, en songeant qu'ils sont la survivance de temps anciens, antérieurs à la naissance du champagne. Comme lui, ils peuvent naître de raisins noirs vinifiés en blanc (blanc de noirs), de raisins blancs (blanc de blancs) ou encore d'assemblages.

Le coteaux-champenois rouge le plus connu porte le nom de la célèbre commune de Bouzy (grand cru de pinot noir). Dans cette commune, on peut admirer l'un des deux vignobles les plus étranges au monde (l'autre est situé à Aÿ) : un vaste panneau indique « vieilles vignes françaises préphylloxériques » ; on ne les distinguerait pas des autres si elles n'étaient conduites en foule, selon une technique immémoriale abandonnée partout ailleurs. Tous les travaux sont exécutés artisanalement, à l'aide d'outils anciens. C'est la maison Bollinger qui entretient ce joyau destiné à l'élaboration du champagne le plus rare et le plus cher.

Les coteaux-champenois se boivent jeunes, à 7-8 °C et avec les plats convenant aux vins très secs pour les blancs, à 9-10 °C et avec des mets légers (viandes blanches et... huîtres) pour les rouges que l'on pourra, pour quelques années exceptionnelles, laisser vieillir.

PAUL BARA Bouzy 2000

■ Gd cru 3 ha 7 000 15 à 23 €

Paul Bara est vigneron à Bouzy, un village très réputé pour son pinot noir et ses « coteaux » rouges. Sur son domaine de 11 ha, il en consacre trois à cette production. Son 2000 offre un nez charmeur de fruits rouges et noirs : cassis, cerise et framboise. La framboise se prolonge dans un palais nerveux à l'attaque, légèrement tannique en finale. Un vin pour maintenant.

Paul Bara, 4, rue Yvonnet, 51150 Bouzy, tél. 03.26.57.00.50, fax 03.26.57.81.24, e-mail champagne.paul.bara@wanadoo.fr r.-v.

E. BARNAUT Bouzy 2002 *

■ Gd cru 0,7 ha 5 000 15 à 23 €

Cette exploitation familiale porte le nom de l'ancêtre qui le premier s'est lancé dans la vinification et la commercialisation de sa production, dès 1874. Implantée à Bouzy, village célèbre par ses vins dès le XVIIes. et classé en grand cru, elle ne manquait pas d'atouts. Aujourd'hui ses descendants consacrent au champagne l'essentiel de leurs superficies, réservant moins d'un hectare au bouzy rouge. Ce 2002 présente une robe tuilée, un nez charmeur de fruits à noyau accompagnés d'une touche d'herbes aromatiques. La bouche, imprégnée d'arômes de confiture de cerises, est ample, ronde, fondue. Un vin à servir dans l'année qui vient avec une viande rouge grillée.

Philippe Secondé, 2, rue Gambetta, BP 19, 51150 Bouzy, tél. 03.26.57.01.54, fax 03.26.57.09.97, e-mail contact@champagne-barnaut.fr
t.l.j. sf dim. 9h-17h30

HERBERT BEAUFORT Bouzy 2000 *

■ 2 ha 5 000 15 à 23 €

Cette famille cultive la vigne depuis le XVIIes., produit du vin depuis la fin du XIXes., le commercialise depuis le début du XXes. et « champagnise » depuis 1929. Elle consacre un huitième de ses 16 ha à la production de ce bouzy rouge. Un long élevage (un an en cuve et deux ans en fût) lui a donné une robe profonde et un bouquet riche, où les fruits rouges se nuancent de notes vanillées, épicées (cannelle, poivre) et réglissées. Une attaque souple prélude à une bouche aux tanins bien fondus, gorgée d'arômes de petits fruits rouges. Un vin harmonieux, prêt à passer à table.

Herbert Beaufort, 32, rue de Tours-sur-Marne, BP 7, 51150 Bouzy, tél. 03.26.57.01.34, fax 03.26.57.09.08, e-mail beaufort-herbert@wanadoo.fr r.-v.

DOYARD-MAHÉ Vertus

■ 0,5 ha 1 000 15 à 23 €

À Vertus, au sud de la Côte des Blancs, le pinot noir réapparaît, alors qu'il est pratiquement absent des villages plus septentrionaux du secteur, presque entièrement voués au chardonnay. Philippe Doyard produit ainsi sur les 6 ha de sa propriété une cuvée de vin rouge de Vertus. Celle-ci, non millésimée, naît des vendanges de 2004 et de 2002. Élevée environ trois ans dans le bois, elle arbore une robe très soutenue et présente un bouquet surprenant, où le fruit noir et le boisé-vanillé s'accompagnent de notes de cuir. En bouche s'impose une forte structure, teintée d'une certaine austérité. Cette bouteille, prête à boire, sera mise en valeur par une côte de bœuf.

Philippe Doyard, Moulin d'Argensole, 51130 Vertus, tél. 03.26.52.23.85, fax 03.26.59.36.69
t.l.j. sf dim. 10h-12h 14h-18h; f. 16 déc-6 janv.

R. DUMONT ET FILS 2003 *

■ 0,5 ha 1 200 11 à 15 €

Depuis plus de deux siècles, les Dumont cultivent la vigne dans la Côte des Bar, région où le pinot noir domine l'encépagement. Leurs 23 ha fournissent pour l'essentiel les vins de base destinés à l'élaboration de leur champagne, mais une parcelle est consacrée à la production de ce « coteaux » aubois. Ici, un 2003. Les grappes entières ont macéré et le vin a été élevé huit mois en cuve et en fût. Le bois, qui n'était pas neuf, lui a légué quelques notes épicées et fumées, mais cette bouteille porte surtout la marque du millésime caniculaire dans sa robe profonde, dans ses arômes chaleureux, réglissés, et dans sa bouche concentrée, corsée, évoluée, aux tanins très présents mais dénués d'agressivité. À servir dès maintenant.

R. Dumont et Fils, rue de Champagne, 10200 Champignol-lez-Mondeville, tél. 03.25.27.45.95, fax 03.25.27.45.97, e-mail rdumontetfils@wanadoo.fr
r.-v.

JEAN-MARIE ÉTIENNE Cumières

■ 1er cru 0,3 ha 1 300 11 à 15 €

Cumières est l'un des villages de la « Grande Vallée de la Marne » : situés sur le flanc sud de la Montagne de Reims, ceux-ci se rapprochent par leur encépagement des autres secteurs de la Montagne. Le pinot noir représente ainsi une part importante des superficies. À Cumières, il produit des vins rouges réputés, si bien que le nom de ce premier cru figure sur l'étiquette. Celui-ci est issu de pinot noir récolté en 2004, foulé et égrappé, macéré à froid puis vinifié en chapeau immergé avec remontages, pour favoriser les extractions. Le résultat ? Une robe soutenue, un vin construit, tannique et vineux. Les arômes, légèrement évolués (cuir, sous-bois), suggèrent de servir cette bouteille dans les deux ans.

Jean-Marie Étienne, 33, rue Louis-Dupont, 51480 Cumières, tél. 03.26.51.66.62, fax 03.26.55.04.65, e-mail champetienne@hotmail.fr ☑ Y ✝ r.-v.

OLIVIER HORIOT Les Riceys En Barmont 2003 ★

■ 0,5 ha 3 000 11 à 15 €

Installé en 1999 aux Riceys, Olivier Horiot s'est d'abord intéressé aux vins tranquilles. Il recherche comme ses voisins bourguignons l'expression des terroirs, isolant des parcelles et nommant ses cuvées selon des lieux-dits, comme En Barmont. Le pinot noir a été ici vinifié en fût, avec bâtonnage. Le vin est caractéristique du millésime 2003, avec sa robe profonde, ses chaleureux arômes de cerise confite ou macérée, son palais volumineux, puissant, concentré et tannique. On peut commencer à le boire.

Olivier Horiot, 25, rue de Bise, 10340 Les Riceys, tél. 03.25.29.32.16, fax 03.25.29.17.99, e-mail champagne.horiot@libertysurf.fr ☑ Y ✝ r.-v.

LARMANDIER-BERNIER Vertus 2002 ★★

■ 1er cru 0,7 ha 2 000 23 à 30 €

Installé en 1988, Pierre Larmandier exploite en biodynamie son vignoble situé au sud de la Côte des Blancs. Son vertus rouge provient d'une parcelle de vieux ceps de pinot noir (quarante ans). La fermentation s'effectue en cuve tronçonnique ouverte, en bois, puis le vin séjourne dix-huit mois en fût. Il en résulte une robe soutenue, violacée, un nez partagé entre le cassis, le cuir et des notes boisées, vanillées, épicées et un corps franc et charpenté. Un vin de gibier qui bénéficiera d'une petite garde (un an au moins) et qui gagnera à être servi carafé.

Larmandier-Bernier, 19, av. du Gal-de-Gaulle, 51130 Vertus, tél. 03.26.52.13.24, fax 03.26.52.21.00, e-mail champagne@larmandier.fr ☑ Y r.-v.

PH. MOUZON-LEROUX Verzy

■ Gd cru 0,5 ha 700 11 à 15 €

Installés de longue date à Verzy, grand cru de la Montagne de Reims où prospère le pinot noir, les Mouzon exploitent près de 11 ha de vignes. Ils élaborent un verzy rouge à partir d'une parcelle d'un demi-hectare de vieilles vignes (plus de quarante ans). Né des récoltes de 2001 et 2002, ce « coteaux » a été élevé trois ans en fût. Sa robe est pourtant assez claire et limpide. Sa palette aromatique mêle les fruits cuits et des touches grillées. Le palais est tannique, plutôt sévère. Un vin déjà mûr, à servir maintenant.

EARL Mouzon-Leroux, 16, rue Basse-des-Carrières, 51380 Verzy, tél. 03.26.97.96.68, fax 03.26.97.97.67, e-mail champagne-mouzon-leroux@wanadoo.fr
☑ Y ✝ r.-v.

CAMILLE SAVÈS Bouzy 2002 ★

■ Gd cru 4,3 ha 9 345 15 à 23 €

En 1894, Eugène Savès, ingénieur agronome, épouse Anaïs Jolicœur, fille d'un vigneron de Bouzy : l'origine de cette propriété conduite depuis 1982 par Hervé Savès. Ce dernier a un faible pour le bouzy rouge, puisque sur les 9 ha de son exploitation, il en destine presque la moitié à cette production. Les vins sont vinifiés en cuve avec chapeau immergé puis élevés dix mois en barrique. Le 2002 affiche une couleur soutenue, et révèle des arômes de fruits rouges cuits. Équilibré et rond, soutenu par des tanins fondus, c'est un ensemble harmonieux que l'on peut apprécier dès maintenant ou attendre un peu.

Camille Savès, 4, rue de Condé, 51150 Bouzy, tél. 03.26.57.00.33, fax 03.26.57.03.83, e-mail champagne.saves@hexanet.fr
☑ Y ✝ t.l.j. sf dim. 8h-12h30 14h-19h
Hervé Savès

EMMANUEL TASSIN Les Fioles 2002 ★

■ 0,25 ha 1 000 8 à 11 €

Emmanuel Tassin exploite 7,50 ha de vignes dans l'Aube. Il réserve une petite parcelle de pinot noir à la production de « coteaux ». Ce 2002 a été élevé quinze mois en barrique, dont un quart étaient neuves. C'est un vin très coloré, partagé entre les fruits rouges et des nuances fumées. En bouche, on découvre de fins tanins et un boisé marqué. Un vin qui devrait pouvoir vieillir quatre ou cinq ans. Le 1996 avait eu un coup de cœur.

Emmanuel Tassin, 104, Grande-Rue, 10110 Celles-sur-Ource, tél. 03.25.38.59.44, fax 03.25.29.94.59 ☑ Y ✝ r.-v.

JEAN VESSELLE Bouzy 1999 ★

■ Gd cru 0,5 ha 3 500 15 à 23 €

La famille Vesselle cultivait la vigne à Bouzy il y a trois siècles. À cette époque, les vignerons du village ne produisaient aucun champagne, mais leur vin rouge avait ses entrées à la cour. Delphine Vesselle, qui vinifie depuis 1993 et qui a pris la succession de son père disparu en 1995, signe un bouzy issu d'une macération pelliculaire à froid suivie d'un élevage de trois ans en cuve. Sa robe foncée annonce un vin intense, frais et acidulé, aux tons de griotte et d'épices. L'ensemble est déjà harmonieux, même si des tanins austères incitent à garder cette bouteille trois à quatre ans en cave.

Jean Vesselle, 4, rue Victor-Hugo, 51150 Bouzy, tél. 03.26.57.01.55, fax 03.26.57.06.95, e-mail champagne.jean.vesselle@wanadoo.fr
☑ Y ✝ r.-v.

VEUVE DOUSSOT Élevé en fût de chêne 2004 ★

n.c. 1 000 8 à 11 €

Le seul « coteaux » blanc de la série, venu de l'Aube. Malgré sa couleur, il comprend 50 % de pinot noir vinifié en blanc, comme pour un champagne. Il a été élevé un an en fût de chêne. Il est vanillé, brioché, légèrement boisé, assez puissant. Le style de vin à marier à un poisson en sauce.

SARL Chatet, Stéphane Joly, 1, rue de Chatet, 10360 Noé-les-Mallets, tél. 03.25.29.60.61, fax 03.25.29.11.78, e-mail champagne.veuve.doussot@wanadoo.fr
☑ Y ✝ r.-v.

Rosé-des-riceys

Les trois villages des Riceys (Haut, Haute-Rive et Bas) sont situés à l'extrême sud de l'Aube, non loin de Bar-sur-Seine. La

CHAMPAGNE

commune des Riceys accueille les trois appellations : champagne, coteaux-champenois et rosé-des-riceys. Ce dernier est un vin tranquille, d'une grande rareté et d'une grande qualité, l'un des meilleurs rosés de France. C'est un vin que buvait déjà Louis XIV : il aurait été apporté à Versailles par les canats, spécialistes réalisant les fondations du château, originaires des Riceys.

Ce rosé est issu de la vinification par macération courte de pinot noir, dont le degré alcoolique naturel ne peut être inférieur à 10 % vol. Il faut interrompre la macération – saigner la cuve – à l'instant précis où apparaît le « goût des Riceys » qui, sinon, disparaît. Ne sont labellisés que les rosés marqués par ce goût spécial. Élevé en cuve, le rosé-des-riceys se boit jeune, à 8-9 °C ; élevé en pièce, il attendra entre trois et dix ans, et on le servira alors à 10-12 °C pendant le repas. Jeune, il se boira à l'apéritif ou au début du repas.

ALEXANDRE BONNET 2002

■ 1,8 ha 11 708 **15 à 23 €**

Maison familiale auboise reprise par le groupe BCC en 1998. Disposant de plus de 40 ha de vignes, c'est le premier producteur de rosé-des-riceys. Une robe tuilé clair habille ce 2002 au nez fruité (agrumes, fruits rouges) et au palais fin, léger et nerveux.

Alexandre Bonnet, 138, rue du Gal-de-Gaulle, 10340 Les Riceys, tél. 03.25.29.30.93, fax 03.25.29.38.65, e-mail info@alexandrebonnet.com r.-v.

MICHEL CHEVROLAT 2005 *

■ 0,3 ha 3 340 **11 à 15 €**

Michel Chevrolat, installé sur l'exploitation familiale en 1984, conduit 6,50 ha de vignes. C'est en 1999 qu'il s'est équipé d'un pressoir et en 2003 qu'il a rénové sa cave. Il a vinifié son premier rosé-des-riceys dans le millésime 2003. Voici le 2005. Le pinot noir en grappes entières est macéré pendant cinq jours en cuve ouverte, jus de goutte et jus de presse sont ensuite assemblés. Il en résulte une robe orangée, un nez de griotte et une bouche charnue, bien dans le type.

EARL Michel Chevrolat, 7 bis, rue du Pont, 10340 Les Riceys, tél. 03.25.29.99.64, fax 03.25.29.75.24, e-mail champagne.mchevrolat@cder.fr r.-v.

OLIVIER HORIOT En Barmont 2004 *

■ 0,5 ha 1 900 **11 à 15 €**

Installé en 1999, Olivier Horiot est très attaché à l'expression du terroir. Son rosé-des-riceys est vinifié et élevé en fût, bâtonné puis mis en bouteilles sans collage ni filtration. La couleur en est soutenue, les arômes de fruits rouges s'accompagnent de touches épicées et fumées. Corsé et structuré pour un rosé, l'ensemble est élégant et typé.

Olivier Horiot, 25, rue de Bise, 10340 Les Riceys, tél. 03.25.29.32.16, fax 03.25.29.17.99, e-mail champagne.horiot@libertysurf.fr r.-v.

MOREL PÈRE ET FILS 2003

■ 2 ha 5 000 **11 à 15 €**

À l'origine, il y a vingt ans, les Morel ne produisaient que du rosé-des-riceys. Celui-ci naît d'une macération du pinot en grappes entières, durant trois à six jours, dans des cuves Inox. Le vin est élevé un an en fût de réemploi puis deux ans en cave. Celui-ci, assez discret, mêle un fruité rouge à des touches légèrement fumées. Le fruité se prolonge dans une bouche à la fois souple, fraîche et longue.

Morel Père et Fils, 93, rue du Gal-de-Gaulle, 10340 Les Riceys, tél. 03.25.29.10.88, fax 03.25.29.66.72, e-mail morel.pereetfils@wanadoo.fr r.-v.

LE JURA, LA SAVOIE ET LE BUGEY

LE JURA, LA SAVOIE ET LE BUGEY

Le Jura

Faisant le pendant de celui de la haute Bourgogne, de l'autre côté de la vallée de la Saône, ce vignoble occupe les pentes qui descendent du premier plateau des monts du Jura vers la plaine, selon une bande nord-sud traversant tout le département, depuis la région de Salins-les-Bains jusqu'à celle de Saint-Amour. Ces pentes, beaucoup plus dispersées et irrégulières que celles de la Côte-d'Or, se répartissent sous toutes les expositions, mais ce ne sont que les plus favorables qui portent des vignes, à une altitude se situant entre 250 et 400 m. Le vignoble couvre 1 903 ha sur lesquels ont été produits, en 2006, environ 75 000 hl.

Nettement continental, le climat voit ses caractères accusés par l'orientation générale en façade ouest et par les traits spécifiques du relief jurassien, notamment l'existence des « reculées » ; les hivers sont très rudes et les étés très irréguliers, mais avec souvent beaucoup de journées chaudes. La vendange s'effectue pendant une période assez longue, se prolongeant parfois jusqu'à novembre en raison des différences de précocité qui existent entre les cépages. Les sols sont en majorité issus du trias et du lias, surtout dans la partie nord, ainsi que des calcaires qui les surmontent, surtout dans le sud du département. Les cépages locaux sont parfaitement adaptés à ces terrains argileux et sont capables de réaliser une remarquable qualité spécifique. Ils nécessitent toutefois un mode de conduite assez élevé au-dessus du sol, pour éloigner le raisin d'une humidité parfois néfaste à l'automne. C'est la taille dite « en courgées », longs bois arqués que l'on retrouve sur les sols semblables du Mâconnais. La culture de la vigne est ici très ancienne : elle remonte au moins au début de l'ère chrétienne si l'on en croit les textes de Pline ; et il est sûr que le vin du Jura, qu'appréciait tout particulièrement Henri IV, était fort en vogue dès le Moyen Âge.

Pleine de charme, la vieille cité d'Arbois, si paisible, est la capitale de ce vignoble ; on y évoque le souvenir de Pasteur qui, après y avoir passé sa jeunesse, y revint souvent. C'est là, de la vigne à la maison familiale, qu'il mena ses travaux sur les fermentations, si précieux pour la science œnologique ; ils devaient, entre autres, aboutir à la découverte de la « pasteurisation ».

Des cépages locaux voisinent avec d'autres, issus de la Bourgogne. L'un d'entre eux, le poulsard (ou ploussard), est propre aux premières marches des monts du Jura ; il n'a été cultivé, semble-t-il, que dans le Revermont, ensemble géographique incluant également le vignoble du Bugey, où il porte le nom de mècle. Ce très joli raisin à gros grains oblongs, délicieusement parfumé, à pellicule fine peu colorée, contient peu de tanin. C'est le cépage type des vins rosés, qui sont en fait vinifiés ici le plus souvent comme des rouges. Le trousseau, autre cépage local, est en revanche riche en couleur et en tanin, et c'est lui qui donne les vins rouges classiques très caractéristiques des appellations d'origine du Jura. Le pinot noir, venu de la Bourgogne, lui est souvent associé en petites proportions pour l'élaboration des vins rouges. Il a par ailleurs un avenir important pour la vinification de vins blancs de noirs destinés à des assemblages avec le blanc de blancs, pour élaborer des mousseux de qualité. Le chardonnay, comme en Bourgogne, réussit ici parfaitement sur les terres argileuses, où il apporte aux vins blancs leur bouquet inégalable. Le savagnin, cépage blanc local, cultivé sur les marnes les plus ingrates, donne, après plus de six ans d'élevage spécial dans des fûts en vidange, le magnifique vin jaune de très grande classe. Le vin de paille est également l'une des grandes productions du Jura.

La région paraît spécialement favorable à l'obtention d'un type d'excellents mousseux de belle classe, issus, comme on l'a dit, d'un assemblage de blanc de noirs (pinot) et de blanc de blancs (chardonnay). Ces mousseux sont de grande qualité, depuis que les vignerons ont compris qu'il fallait les élaborer avec des raisins d'un niveau de maturité assurant la fraîcheur nécessaire.

Les vins blancs et rouges sont de style classique, mais, du fait semble-t-il d'une attraction pour le vin jaune, on cherche à leur donner un caractère très évolué, presque oxydé. Il y a un demi-siècle, il existait même des vins rouges de plus de cent ans, mais on est maintenant revenu à des évolutions plus normales.

Le rosé, quant à lui, est en fait un vin rouge peu coloré et peu tannique, qui se rapproche souvent plus du rouge que du rosé des autres vignobles. De ce fait, il est apte à un certain vieillissement. Il ira très bien sur les mets assez légers, les vrais rouges – surtout issus de trousseau – étant réservés aux mets puissants. Le blanc a les usages habituels, viandes blanches et poissons ; s'il est vieux, il sera un bon partenaire du fromage de comté. Le vin jaune excelle sur le comté mais aussi sur le roquefort et sur certains plats difficiles à accorder aux vins tels le canard à l'orange ou les préparations en sauce américaine.

Arbois

La plus connue des appellations d'origine du Jura s'applique à tous les types de vins produits sur douze communes de la région d'Arbois, soit 835 ha ; la production a atteint 31 974 hl en 2006, dont 16 647 hl de rouges et rosés, 14 790 hl de blancs ou jaunes, 537 hl de vins de paille. Il faut rappeler l'importance des marnes triasiques dans cette zone, et la qualité toute particulière des « rosés » de poulsard qui sont issus des sols correspondants.

FRUITIÈRE VINICOLE D'ARBOIS
En Savigny Chardonnay 2004

3 ha 10 000 8 à 11 €

Une alerte centenaire (la fruitière vinicole, fondée en 1906) propose un blanc au nez discret mais élégant, qui nous fait tourner dans un panier de fruits comme au marché : mirabelle, pêche, agrumes, fruits exotiques. La bouche est souple, avec une structure légère, mais se défend bien du côté aromatique. La finale laisse une sensation agréable. La cuvée pur **trousseau 2004 rouge** est également citée. De nature légère, elle aussi, elle nous emmène aimablement vers les petits fruits rouges et se comporte en toute franchise. Essayez ce vin avec un Mont-d'Or bien affiné, mais attention, c'est un fromage saisonnier qu'on ne trouve qu'en début d'automne jusqu'à la fin de l'hiver. Ça tombe bien, ce trousseau peut attendre.

Fruitière vinicole d'Arbois, 2, rue des Fossés, 39600 Arbois, tél. 03.84.66.11.67, fax 03.84.37.48.80, e-mail contact@chateau-bethanie.com r.-v.

CAVEAU DE BACCHUS
Chardonnay Cuvée des docteurs 2005

1 ha 3 500 11 à 15 €

Une maison adepte de la sélection massale des vignes et, sans aucun lien, des bouteilles cirées. Baptisée Cuvée des docteurs avec la malice qui caractérise les hommes de ces lieux, ce vin pur chardonnay est floral et fruité au nez, rond et équilibré en bouche. À boire. Cité également, le **trousseau Cuvée des géologues rouge 2005** existe en deux versions : l'une issue de vignes de quarante-cinq ans d'âge implantées sur graviers et argiles à chailles, vendangées le 20 septembre, structurée mais pas très typique du cépage, et l'autre issue de vignes de vingt ans cultivées sur éboulis, vendangées cinq jours plus tard, un peu légère mais aux arômes caractéristiques du cépage ! À vous de choisir.

Lucien Aviet et Fils, rue Boutière, 39600 Montigny-lès-Arsures, tél. et fax 03.84.66.11.02 t.l.j. 8h-12h 13h-19h30

PAUL BENOIT ET FILS Pupillin Chardonnay 2004

3 ha 15 000 8 à 11 €

Avec son belvédère sur le vignoble et le soin apporté au fleurissement, le village de Pupillin vaut le détour. Parmi de nombreux vignerons, on y trouve les Benoit Père et Fils qui ont élaboré cette cuvée de chardonnay d'une belle couleur or pâle. Le nez est assez discret, sans doute encore fermé, mais délicat. La bouche est équilibrée et d'une agréable compagnie. À servir dès maintenant sur une truite aux amandes ou une volaille.

Paul Benoit et Fils, La Chenevière, rue du Chardonnay, 39600 Pupillin, tél. 03.84.37.43.72, fax 03.84.66.24.61, e-mail benoit-pupillin@tiscali.fr t.l.j. 9h-12h 14h-19h; f. dim. de nov. à mars

ANDRÉ BONNOT 2004 ★★

n.c. 2 500 5 à 8 €

Cette affaire de négoce se trouve à Saint-Lothain, un petit village plein de vie qui avait il y a encore quelques années sa fruitière à comté, désormais associée à celle de Tourmont, bourgade voisine. Elle fut construite au début du XX^e^s., alors que les vignerons abandonnaient la vigne pour l'élevage. Et puis la vigne a de nouveau reconquis l'espace... rien n'est jamais acquis ! Issu du terroir d'Arbois, ce vin pur chardonnay joue des notes fruitées au nez, tendance agrumes. Le fruit, on le retrouve dans une bouche équilibrée et persistante. Ayant gardé toute sa jeunesse, il pourra s'apprécier tout de suite, mais aussi se conserver. Le **côtes-du-jura blanc 2005**, à déguster maintenant pour son fruit, décroche une étoile.

André Bonnot, 75, rte du Revermont, 39230 Saint-Lothain, tél. 03.84.37.10.89, fax 03.84.37.10.64, e-mail bonthi@tele2.fr
t.l.j. 8h-12h 14h-18h30

DOM. DE LA BORDE

Pupillin Ploussard Brume des Chambines 2005 ★★

0,25 ha 1 000 5 à 8 €

Une propriété créée en 2003, hors cadre familial. Brume des Chambines : un joli nom pour cette cuvée de ploussard d'un rouge soutenu. Point de brume à l'horizon pour le nez qui oscille entre purée de groseilles, cerise confite et raisin frais. Les tanins fins et soyeux emplissent agréablement la bouche et le vin continue à dévoiler les petits fruits rouges bien mûrs. Il ne se livre pas immédiatement, et il faut le laisser s'ouvrir pour accéder pleinement à chaque instant d'une dégustation qui révèle bien des surprises, découvrant peu à peu une riche palette aromatique. Qu'on débouche cette bouteille dès maintenant ou qu'on l'attende deux à trois ans, le plaisir est assuré. Le rosbif reste l'alliance idéale.

Julien Mareschal, chem. des Vignes, 39600 Pupillin, tél. 03.84.66.25.61, e-mail julien.mareschal@wanadoo.fr
r.-v.

CH. DE CHAVANES Changoin Ploussard 2003 ★

0,8 ha 1 850 8 à 11 €

La famille de Chavanes est implantée dans la région depuis le XVIe s., époque où la Franche-Comté dépendait de la couronne d'Espagne. Aujourd'hui, le vin est un des points d'accroche de ce domaine qui propose aussi des stages de cuisine en formation professionnelle, des salles de séminaires et de spectacles et des chambres d'hôtes. Avec sa robe rouge sombre aux reflets tuilés, ce ploussard a du mal à cacher son millésime. Cette année 2003 si chaude qui donne un nez lui aussi intense, aux nuances de petits fruits rouges. La bouche, ronde et équilibrée, laisse une impression de superbe harmonie. Maintenant que vous avez le vin, si vous appreniez à cuisiner pendant que Madame se repose en chambre d'hôtes ! ?

SCEA Ch. de Chavanes, quartier Saint-Laurent, 39600 Montigny-lès-Arsures, tél. 03.84.37.47.95, fax 03.84.37.47.65, e-mail reservation@chateau-de-chavanes.com
r.-v. 7

JOSEPH DORBON

Chardonnay Vieilles Vignes 2004 ★

0,6 ha 4 000 5 à 8 €

Installé il y a une dizaine d'années, Joseph Dorbon exploite un tout petit vignoble (moins de 3 ha). Vendangées manuellement, les grappes de chardonnay à l'origine de ce blanc aux beaux reflets d'or sont issues de vieilles vignes. D'abord floral, assez discret, le nez évolue vers la pomme, tout en restant sur un ton frais. Ce vin a une bonne présence en bouche, grâce à une structure équilibrée et une qualité aromatique intéressante, dans la continuité du nez. Un dégustateur recommande de le servir avec une poule faisane braisée aux raisins et macvin. On en salive déjà.

Joseph Dorbon, 3, pl. de la Liberté, 39600 Vadans, tél. et fax 03.84.37.47.93 t.l.j. 10h-19h E

DANIEL DUGOIS

Trousseau Cuvée Grevillière 2003 ★★

1,15 ha 5 470 8 à 11 €

On voit souvent Henri IV plastronner dans les pages des Guides Hachette successifs. Et pour cause : Daniel Dugois est un habitué des coups de cœur, notamment pour le vin jaune. Cette fois-ci, le jury a craqué pour cet arbois pur trousseau récolté le 17 août 2003 ! Rouge aux reflets cacao, il affiche ostensiblement son caractère épicé au nez, avec une agréable persistance. Dans une superbe rondeur, les fruits rouges apportent une remarquable vitalité à une bouche puissante mais équilibrée. Les tanins soyeux enrobent une belle matière. À boire ou à attendre un an ou deux, c'est un plaisir assuré dans l'authenticité. Avec deux étoiles, le **vin jaune 2000 (23 à 30 €)** est qualifé de « moderne » par un dégustateur. Parce que c'est le premier millésime du siècle ou parce que le côté vanillé prend un peu le pas sur la noix ? Tous louent en tout cas sa puissance, sa franchise et sa finesse.

Dom. Daniel Dugois, 4, rue de la Mirode, 39600 Les Arsures, tél. 03.84.66.03.41, fax 03.84.37.44.59, e-mail daniel.dugois@wanadoo.fr
t.l.j. sf dim. 10h-12h 14h-19h B

RAPHAËL FUMEY, ADELINE CHATELAIN

Chardonnay 2005

1 ha 5 000 5 à 8 €

Une exploitation encore jeune, créée il y a une vingtaine d'années et qui, de la vente de raisins au négoce, s'est orientée progressivement vers la vinification et la mise en bouteilles. Limpide, la robe or pâle de cet arbois se plaît à jouer de reflets verts ou argentés. Le nez se place sous le signe de l'exotisme et de la jeunesse : agrumes et mangue y forment un joli fruité. La bouche est équilibrée, toujours pleine de fruits et de vivacité. Un vin prêt à boire, frais et pas compliqué du tout.

Raphaël Fumey, Adeline Chatelain, quartier Saint-Laurent, 39600 Montigny-lès-Arsures, tél. 03.84.66.27.84, fax 03.84.66.18.72, e-mail raphael.fumey@wanadoo.fr r.-v.

DOM. GEILLON Chardonnay 2005 ★★

n.c. 10 000 5 à 8 €

Vous trouverez les vins de cette gamme en grande distribution. Celui-ci, floral par excellence, est à l'opposé du vin dit « typé » ou « tradition ». Or pâle et reflets argentés ; une belle première rencontre qui se poursuit par une sacrée balade olfactive au nez : poire, fruits secs et fleur de sureau tourbillonnent. Si l'attaque en bouche est fraîche, la dégustation se poursuit dans la puissance, l'équilibre et la longueur. Tartare de saumon avec filet de citron au menu.

🔑 Auguste Pirou, Caves royales, 39600 Arbois, tél. 03.84.66.42.70, fax 03.84.66.42.71, e-mail info@auguste-pirou.fr

DOM. AMÉLIE GUILLOT
Savagnin Vieilles Vignes 2001 ★★

0,2 ha 550 11 à 15 €

Amélie Guillot, œnologue, s'est installée dans ce petit coin du Jura il y a plus d'une dizaine d'années. Parmi les 3 ha de vigne qu'elle cultive, une petite parcelle de savagnin a donné ce vin discret mais fort harmonieux. D'un beau vert, la robe est brillante et limpide. Noix mûre, noisette, curry et champignon assurent une réelle complexité au nez. Tout en finesse, la bouche développe ces mêmes notes aromatiques. Si la puissance n'est pas l'atout premier de ce vin, son élégance et son côté racé méritent toute notre attention. Le vieillissement ne lui apportera que du bien.

🔑 Amélie Guillot, 1, rue du Coin-des-Côtes, 39600 Molamboz, tél. et fax 03.84.66.04.00, e-mail amelie.guillot@wanadoo.fr r.-v.

HENRI MAIRE
Collection privée Henri Maire Chardonnay 2005 ★

3 ha 4 000 11 à 15 €

Qui ne connait Henri Maire ? Disparu il y a quelques années, cet homme de caractère a bâti une maison de négoce qui a permis aux vins du Jura, depuis déjà longtemps, de sortir de leurs frontières habituelles. Ce pur chardonnay, vieilli partiellement en fûts de chêne neufs, n'a pas peur non plus de se montrer. Robe jaune d'or, nez vanillé intense, bouche grasse, complexe, puissante. Un ensemble harmonieux et chaleureux qu'il convient d'apprécier sans attendre, avec des noix de Saint-Jacques. Marque réservée aux cavistes et restaurateurs, le **pupillin Marcel Poux rosé 2004 (5 à 8 €)** est cité.

🔑 Henri Maire, Ch. Boichailles, 39600 Arbois, tél. 03.84.66.12.34, fax 03.84.66.42.42, e-mail info@henri-maire.fr
t.l.j. 9h-18h; groupes sur r.-v.

DOM. MARTIN-FAUDOT Tradition 2005 ★★★

1 ha 6 000 11 à 15 €

Sous cette dénomination Tradition se cache un assemblage de 40 % de poulsard, 40 % de trousseau et 20 % de pinot noir. Une alliance de qualité pour un millésime d'un beau rouge rubis. Le premier nez s'ouvre sur le cassis mûr, le sureau et la réglisse pour laisser la place à des tons fins et intenses de violette. Ces mêmes notes aromatiques évoluent dans une bouche où tanins, alcool et acidité sont en parfait équilibre. Une vendange sans doute bien mûre qui donne un ensemble harmonieux et caressant. Il n'y a plus qu'à trouver une belle viande rouge. Si jamais la boucherie était fermée, un dégustateur se voit bien l'ouvrir à l'apéritif. C'est dire le pouvoir de séduction de ce vin rouge.

🔑 Dom. Martin-Faudot, 1, rue Bardenet, 39600 Mesnay, tél. 03.84.66.29.97, fax 03.84.66.29.84, e-mail info@domaine-martin.fr t.l.j. 9h-19h

OPUS VINUM Chardonnay Tamino 2005 ★

0,6 ha 2 000 8 à 11 €

Un nouveau domaine dans le Guide. Diplômés, deux jeunes ont décidé de tenter l'aventure du vin, de la vigne à la vente en bouteilles. S'ils sont tous deux passionnés par leur métier, ils ont aussi en commun l'amour de la musique et notamment des opéras de Mozart. Les différentes cuvées portent donc les noms de Zerlina ou de Don Giovanni. Tamino est un pur chardonnay et il sort victorieux du Temple des Épreuves – ici, l'œil, le nez et la bouche. La robe charme avec son or pâle, tandis que le fruité du nez enchante et ne veut s'effacer devant un palais frais et minéral. Un vin déjà prêt mais qui peut attendre.

🔑 Dom. Opus Vinum, 1, rue de la Faïencerie, 39600 Arbois, tél. 03.84.66.27.39, e-mail contact@opusvinum.fr r.-v.
🔑 Dagard Bouvot

DOM. OVERNOY-CRINQUAND
Pupillin Ploussard 2005 ★★

0,4 ha 2 500 5 à 8 €

Les adeptes du « bio » sont de plus en plus nombreux et ils trouveront ici de quoi satisfaire leurs exigences environnementales certes, mais aussi gustatives avec ce vin d'un rouge cerise qui exprime le fruit rouge (framboise, groseille) au premier nez, puis s'aventure vers le sous-bois, voire l'animal. Ces belles notes continuent de s'offrir dans une bouche équilibrée où après une attaque souple, on glisse sereinement vers un joli volume. Un vin rouge bien structuré et qui reste pourtant frais. Tout ce qu'il faut pour une côte de bœuf au gril. L'**arbois Pupillin chardonnay 2005** reçoit une étoile. Très fruité au nez, il affiche une belle vivacité en bouche. À apprécier sans attendre.

JURA

Le Jura

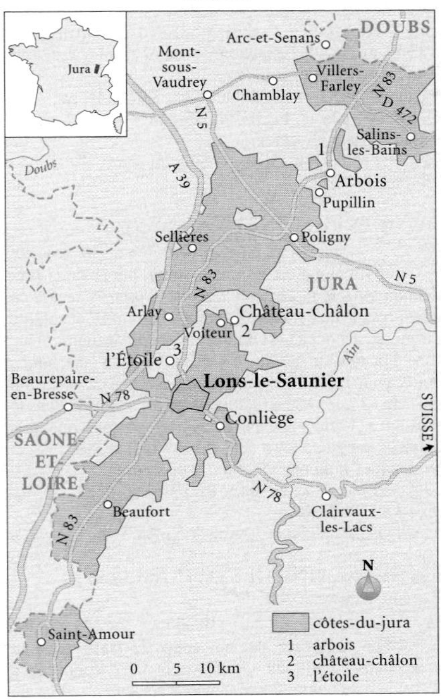

Dom. Overnoy-Crinquand, chem. des Vignes,
39600 Pupillin, tél. 03.84.66.01.45
t.l.j. sf dim. 9h30-12h 13h30-18h

DÉSIRÉ PETIT Pupillin Vin de paille 2003 ★

1,6 ha 6 200 15 à 23 €

C'est « caves ouvertes » chaque année au domaine pendant le week-end de l'Ascension. L'occasion de venir goûter ce 2003 qui a divisé les dégustateurs. Il présente un côté très confit, avec des notes insistantes de figue sèche et de noix tant au nez qu'en bouche. Ce caractère séduit ou déroute. Assez pointu bien que sucré, c'est un vin qualifié d'intéressant. Les jurés sont cependant d'accord pour dire que ce torride vin de paille est prêt à boire et qu'il faut donc... le boire. Le 2000 avait décroché un coup de cœur. Le **macvin blanc (11 à 15 €)** du domaine décroche une étoile.

Dom. Désiré Petit, rue du Ploussard,
39600 Pupillin, tél. 03.84.66.01.20, fax 03.84.66.26.59,
e-mail domaine-desire-petit@wanadoo.fr r.-v.
Gérard et Marcel Petit

DOM. DE LA PINTE Pupillin Chardonnay 2005 ★

1,5 ha 8 000 8 à 11 €

« Plante beau, cueille bon, pinte bien » : telle est la devise de ce domaine créé par Roger Martin dans les années 1950, toujours propriété de la famille et exploité en agriculture biologique. Le chardonnay n'est pas la spécialité de la maison, qui a fait du savagnin sa pierre angulaire, mais Fabienne et Philippe Chatillon, respectivement maître de chai et directeur, en ont fait un très beau vin. Il faut aimer le boisé, mais les tons briochés du nez sont aussi sympathiques que les chaleureuses notes beurrées d'une bouche riche à qui le gras donne de l'ampleur. Puissant, mais accessible, l'ensemble est à boire sans trop tarder. Tout comme l'**arbois poulsard 2003 rouge (11 à 15 €)** qui est cité. La matière de ce singulier millésime est bien là, mais dans l'équilibre.

Dom. de La Pinte, rte de Lyon, 39600 Arbois,
tél. 03.84.66.06.47, fax 03.84.66.24.58,
e-mail accueil@lapinte.fr
t.l.j. 9h-12h 13h30-17h30; dim. sur r.-v.
Pierre Martin

JACQUES PUFFENEY Vin jaune 2000 ★

2 ha 3 000 23 à 30 €

Ce vin jaune est un digne ambassadeur de la production viticole jurassienne. Jacques Puffeney réalise en effet presque un tiers de ses ventes à l'étranger, et compte parmi ses débouchés l'Ukraine ou encore le Japon. Une robe d'or pâle, un nez de noix sèche et de foin : une bonne entrée en matière. Non dénué d'une certaine nervosité qui participe à une belle structure, le palais s'affirme dans la puissance. Cette bouteille doit rester en cave quelques années pour s'épanouir ; elle tiendra quinze ans.

Jacques Puffeney, quartier Saint-Laurent,
39600 Montigny-lès-Arsures, tél. 03.84.66.10.89,
fax 03.84.66.08.36,
e-mail jacques.puffeney@wanadoo.fr r.-v.

FRUITIÈRE VINICOLE DE PUPILLIN
Pupillin Trousseau 2005 ★★★

1,5 ha 10 500 5 à 8 €

Déjà distinguée par un coup de cœur dans la précédente édition du Guide, cette cave coopérative regroupe cinquante vignerons pour seulement 70 ha de

vignes. De l'assemblage des raisins de trousseau de ces différentes parcelles est né ce superbe arbois Pupillin. Bien coloré pour ce type de vin, il fait vibrer dès le premier nez. Celle ou celui qui a déjà ramassé des fraises au jardin et qui a, par mégarde, écrasé un de ces petits fruits, se souviendra immédiatement de cet univers olfactif. Ce fruité mûr et puissant fait de ce nez une expression éclatante de l'appellation. La bouche, très bien structurée, poursuit cette ligne fruitée avec un grain particulièrement fin. Encore une petite pointe d'astringence mais qui va s'adoucir avec le temps. Attendre donc deux à cinq ans pour savourer cette bouteille avec une viande rouge. L'**arbois Pupillin ploussard 2004 rouge** reçoit une étoile. Finement réglissé au nez, c'est un vin rond et équilibré en bouche, bien fait compte tenu du millésime difficile. L'**arbois Pupillin chardonnay 2004 blanc** est cité. De bonne facture, il se partage agréablement entre agrumes et réglisse.

Fruitière vinicole de Pupillin, rue du Ploussard,
39600 Pupillin, tél. 03.84.66.12.88, fax 03.84.37.47.16,
e-mail fvp39@wanadoo.fr
t.l.j. 8h30-12h 14h-18h

LA CAVE DE LA REINE JEANNE
Vin de paille 2003

n.c. 3 500 15 à 23 €

Voilà dix ans que Stéphane Tissot, fils d'André et Mireille, a repris avec sa femme la cave de la Reine Jeanne. Ils y ont créé une activité de négoce. Les dégustateurs ont tous évoqué le coing pour décrire le nez de ce vin de paille. L'un d'entre eux a même immédiatement retrouvé la confiture de coings en train de cuire dans une bassine en cuivre. Le voyage dans les souvenirs de la cuisine de maman continue en bouche avec ces arômes de fruits séchés ou caramélisés. Un parcours élégant et original.

Le Cellier des Tiercelines, 54, Grande-Rue,
39600 Arbois, tél. 03.84.66.08.27, fax 03.84.66.25.08
Bénédicte et Stéphane Tissot

DOM. DE LA RENARDIÈRE
Pupillin Chardonnay Vieilles Vignes 2004 ★★

1 ha 5 500 8 à 11 €

Dans le village de Pupillin, prenez la route principale, puis engagez-vous dans une petite rue perpendiculaire. Cherchez alors une cave ornée d'une fresque. Vous êtes chez Jean-Michel Petit. Le nez de cet arbois Pupillin est discret, sans doute encore fermé, mais joliment illustré : fruits secs, citron vert et fleurs blanches forment une autre fresque... Un zeste d'agrumes, une touche de boisé, un soupçon de réglisse et un fond de beurré : une palette d'une belle complexité dans une bouche qui attaque fort

mais sait vite s'assagir. Séduisante, déjà très agréable à boire, cette bouteille trouvera facilement sa place à l'apéritif ou sur un poisson en sauce.
Jean-Michel Petit, rue du Chardonnay,
39600 Pupillin, tél. 03.84.66.25.10, fax 03.84.66.25.70,
e-mail renardiere@libertysurf.fr
t.l.j. 10h-12h 13h30-19h; dim. sur r.-v.

ROLET PÈRE ET FILS Vin jaune 1999

15 ha 10 000 23 à 30 €

Les vins de la famille Rolet s'achètent au domaine (le caveau est juste en face de la mairie d'Arbois), mais aussi dans de nombreux salons dans toute la France. La propriété a obtenu sept coups de cœur dans le Guide, dans tous les styles et dans toutes les couleurs. Ce 1999 est un vin jaune couleur or pâle, au nez complexe et élégant. Équilibré, il est bien représentatif de cette production jurassienne si particulière mais tellement envoûtante. Le vin jaune : un monde à part auquel il faut goûter.
Dom. Rolet Père et Fils, Montesserin, rte de Dole,
39600 Arbois, tél. 03.84.66.00.05, fax 03.84.37.47.41,
e-mail rolet@wanadoo.fr
t.l.j. 9h-12h 14h-18h30 au caveau
11, rue de l'Hôtel-de-Ville

CELLIER SAINT-BENOIT Pupillin 2005 *

0,4 ha 1 333 5 à 8 €

À la tête d'un vignoble de 6 ha, Denis Benoit, installé en 1989, élabore son vin depuis cinq ans. D'un rouge soutenu aux reflets pourpres, celui-ci est issu de l'assemblage de 80 % de pinot noir et de 20 % de poulsard. Témoin de cette union réussie, le nez s'aventure d'abord sur le terrain des fruits noirs bien mûrs et de la cerise confite pour aller voir ensuite du côté de la violette, puis enfin fureter autour des épices. Encore un peu fermé en bouche, il laisse cependant entrevoir un bon potentiel. À condition d'attendre quatre à cinq ans, l'alliance avec une côte de bœuf sera parfaite.
Denis Benoit,
Cellier Saint-Benoit, rue du Chardonnay,
39600 Pupillin, tél. et fax 03.84.66.06.07,
e-mail celliersaintbenoit@wanadoo.fr r.-v.

DOM. DE SAINT-PIERRE La Vouivre 2005 **

1,5 ha 1 500 15 à 23 €

Constituant une des plus célèbres légendes de Franche-Comté, la vouivre est un de ces animaux fantastiques qui peuplent la mémoire de nos pays. Cette cuvée qui porte son nom est d'un jaune étincelant. Fruité, mais aussi beurré, le nez ouvre déjà une perspective de puissance. Verrait-on déjà l'animal sortir de son repaire ? C'est que la bouche, grasse mais fraîche, longue mais aérienne dans ses airs citronnés et briochés, a bien des ressemblances avec la bête, sorte de serpent ailé. Prenez un verre et partez en Séquanie à sa recherche. On dit qu'elle porte un trésor...
Hubert et Renaud Moyne,
Dom. de Saint-Pierre, rue du Moulin, 39600 Mathenay,
tél. 03.84.73.97.23, fax 03.84.37.59.48,
e-mail domainedesaintpierre2@wanadoo.fr r.-v.

DOM. DU SORBIEF Pupillin 2005 *

40 ha 20 000 11 à 15 €

Le célèbre négociant de la place d'Arbois est également propriétaire de vignes depuis fort longtemps, tel ce domaine acquis au début des années 1960 et planté principalement en poulsard. L'assemblage de ce vin comprend donc 70 % de ce cépage, complété par 25 % de trousseau. De couleur corail, il présente un nez délicat de groseille mêlée au bonbon anglais. La bouche souple et fruitée fait valoir aussi un fond épicé mais doux. Ce vin frais à souhait sera à son aise à l'apéritif ou encore avec des grillades.
SCV des Domaines Henri Maire, 39600 Arbois,
tél. 03.84.66.12.34, fax 03.84.66.42.42 r.-v.

DOM. ANDRÉ ET MIREILLE TISSOT Vin jaune 1999 **

3 ha 7 500 30 à 38 €

« Un vrai vin jaune », « magnifique ! » : que d'éloges pour ce vin ! Il est issu d'un domaine bien connu et qui a une dizaine de coups de cœur à son actif. De couleur paille, cet arbois est puissant et rond au nez. La noix est « énergique », commente un dégustateur. Un vrai nez de « jaune », comme on dit ici. En harmonie avec le nez, la bouche magnifie la puissance, mais dans le respect de l'équilibre. Matière, gras, rondeur sont réunis dans cet ensemble d'une remarquable finesse. Le **trousseau Singulier 2005 rouge (11 à 15 €)** reçoit une étoile. La fraise mûre s'impose au nez, avec puissance également. Du fruit aussi en bouche, mais dans une structure très solide dont il faudra attendre l'épanouissement. Trois à cinq ans devraient arrondir les tanins et mettre encore plus en valeur une belle typicité.
André et Mireille Tissot,
39600 Montigny-lès-Arsures, tél. 03.84.66.08.27,
fax 03.84.66.25.08,
e-mail stephane.tissot.arbois@wanadoo.fr r.-v.
Stéphane Tissot

JURA

JACQUES TISSOT Vin jaune 1999 **

1 ha 3 000 23 à 30 €

Il y a en vente dans cette cave tout ce que vous voulez, dont des vins jaunes de millésimes déjà anciens. Le dernier-né, ce 1999, fait honneur à cette propriété réputée, bien implantée dans la ville d'Arbois avec trois caveaux. Or cuivré, c'est un vin puissant au nez, qui, dans sa richesse n'oublie pas l'élégance. L'églantine côtoie ainsi des notes empyreumatiques. La bouche séduit par sa rondeur, mais on retiendra surtout la captivante rétro-olfaction, composée de noix, d'épices et de réglisse et qui n'en finit pas. Au Monopoly, la rue de Courcelles ne vaut pas grand-chose. À Arbois, c'est un placement sûr ! En **rouge, le trousseau 2005 (8 à 11 €)** est cité. Un vin plaisant, pour maintenant.
Dom. Jacques Tissot, 39, rue de Courcelles,
39600 Arbois, tél. 03.84.66.14.27, fax 03.84.66.24.88,
e-mail courrier@domaine-jacques-tissot.fr
r.-v.

JEAN-LOUIS TISSOT Trousseau 2005

■ 0,5 ha 4 000 ■ 8 à 11 €

Deux caveaux de dégustation sont ouverts : l'un sur le domaine principal, à Montigny-lès-Arsures, et l'autre aux Arsures, au domaine de la Mirode, acquis par Jean-Louis Tissot il y a une dizaine d'années. Ce vin de trousseau 2005 affiche un nez puissant évocateur de bourgeon de cassis. Solide en bouche, il va devoir attendre cinq à neuf ans pour permettre aux tanins de se fondre. L'**arbois Vin jaune 1999 (23 à 30 €)** est également cité. Il est « poivré à souhait », comme le dit un dégustateur, pour résumer un nez épicé, riche et élégant. Avec peu d'acidité, c'est un vin jaune qui ne tiendra pas une éternité et qu'il conviendra de boire dans les six ans qui viennent.

Jean-Louis Tissot, Vauxelles,
39600 Montigny-lès-Arsures, tél. 03.84.66.13.08,
fax 03.84.66.08.09, e-mail jean.louis.tissot.vigneron.arbois@wanadoo.fr
t.l.j. sf dim. 9h-12h 14h-18h

DOM. DE LA TOURNELLE
Chardonnay Les Corvées sous Curon 2005 *

0,4 ha 2 000 8 à 11 €

Créé en 1991, ce domaine conduit en « bio » vient d'ouvrir un bistrot à vins, au pied des remparts, où l'on pourra goûter sa production. La propriété nous avait fait vibrer avec son vin de paille 2002. Ce pur chardonnay élevé en fût a divisé notre jury. Le nez, complexe et puissant rallie tous les suffrages, mais la bouche très puissante, racée, fort boisée aussi, se montre presque « disproportionnée ». Un petit perlant vient la chatouiller. Dérangeant, mais bon.

Évelyne et Pascal Clairet, 5, Petite-Place,
39600 Arbois, tél. 03.84.66.25.76, fax 03.84.66.27.15,
e-mail domainedelatournelle@wanadoo.fr r.-v.

RÉMI TREUVEY
Chardonnay Cuvée Le Louis 2005 **

n.c. 2 000 5 à 8 €

Rémi Treuvey a repris l'exploitation familiale en 2003. Sa cuvée Le Louis avait été très appréciée dans le millésime précédent. Le 2005 est de la même veine. Vendangé manuellement, le chardonnay a été vinifié en fût et élevé sous bois pendant douze mois. La robe est étincelante. Bien ouvert, mûr et typé, le nez laisse deviner de jolies nuances de fruits. L'attaque est douce, presque moelleuse. Acacia, fruits secs, noix grillée forment une palette aromatique complexe dans un fond harmonieux. Entre « floral » et « tradition », selon la nouvelle nomenclature locale, ce vin séduit à tous les coups.

Rémi Treuvey, 20, Petite-Rue,
39600 Villette-lès-Arbois, tél. et fax 03.84.66.14.51,
e-mail remi.treuvey@cegetel.net r.-v.

Château-chalon

Le plus prestigieux des vins du Jura, produit sur 46 ha, est exclusivement du vin jaune, le célèbre vin de voile élaboré selon des règles strictes. Le raisin est récolté sur les marnes noires du lias, dans un site remarquable : un vieux village établi sur les falaises. La production est limitée mais elle a atteint, en 2006, 1 500 hl ; la mise en vente s'effectue six ans et trois mois après la vendange. Il est à noter que, dans un souci de qualité, les producteurs eux-mêmes ont refusé l'agrément en AOC pour les récoltes de 1974, 1980, 1984 et 2001.

PHILIPPE BUTIN 2000 *

0,16 ha 1 100 23 à 30 €

Cela fait déjà un moment que Philippe Butin fait du château-chalon, mais c'est ici son premier millésime du siècle et sans doute... le seul, même si on lui prête longue vie ! De couleur jaune-vert, un 2000 plein de vie et d'envie face aux nombreuses années qui l'attendent. De jolies notes discrètes de noix fraîche au nez et une bouche assez souple qui se laisse déguster dans la rondeur. Un vin de bonne facture. Le millésime 1996 avait obtenu un coup de cœur. À noter, le **macvin blanc Vieilli en fût de chêne (11 à 15 €)** est cité.

Philippe Butin, 21, rue de la Combe,
39210 Lavigny, tél. 03.84.25.36.26, fax 03.84.25.39.18,
e-mail ph.butin@wanadoo.fr r.-v.

MARCEL CABELIER 2000 ***

5,5 ha 14 000 15 à 23 €

Produit de France
Grand Vin du Jura
CHATEAU CHALON
Appellation Château-Chalon Contrôlée 2000
Mis en Bouteille par la Compagnie des Grands Vins du Jura
MARCEL
CABELIER

Surtout connue pour son savoir-faire en matière de crémant-du-jura, la Compagnie des Grands Vins du Jura s'intéresse de plus en plus aux vins tranquilles, notamment sous la marque « Marcel Cabelier ». C'est de la tranquillité que nous procure la dégustation ce vin jaune. Et même de la sérénité. Pas de marque intempestive d'agressivité dans ce château-chalon, couleur or à reflets verts. Le nez est discret, sur les champignons, le curry et les fruits secs. La bouche, remarquablement équilibrée, laisse un long sillage de touches citronnées et d'épices. Tout est posé en finesse mais avec netteté. Déjà plaisant, ce beau château-chalon s'exprimera aussi dans la durée.

Compagnie des Grands Vins du Jura,
rte de Champagnole, 39570 Crançot,
tél. 03.84.87.61.30, fax 03.84.48.21.36,
e-mail pespitalie@cgrj.fr r.-v.
J. Helfrich

CAVEAU DU TERROIR 1999

1 ha 2 000 23 à 30 €

1999 : l'année où Philippe Peltier a succédé à son père à la tête de ce domaine, propriété familiale depuis plusieurs générations (7 ha aujourd'hui). C'est donc le

premier château-chalon de Philippe. Or clair aux reflets verts, il présente un nez bien ouvert, imposant, dans des tons de noix verte. La bouche paraît presque plus légère, tout en étant assez solide. Une pointe d'amertume en finale, mais une certaine longueur et une bonne fraîcheur.
⊶ Philippe Peltier, rue Fontaine,
39210 Menétru-le-Vignoble, tél. et fax 03.84.85.26.67
☑ Ⲧ ⛹ t.l.j. 9h-12h 14h-19h; dim. sur r.-v.

MARIE ET DENIS CHEVASSU 1999

0,5 ha 4 000 **23 à 30 €**

Pour aider à faire découvrir ce qu'il appelle le « mystère de la chambre jaune », Denis Chevassu a vitré une face d'un tonneau. Le visiteur est alors spectateur émerveillé d'un vin qui se repose ou s'expose (puisqu'il résulte d'une oxydation ménagée) sous son voile protecteur de levures. Doré, son château-chalon est puissant au nez, entre noix et épices. Il se montre généreux, un peu rude peut-être (peu de gras) mais sa belle présence aromatique le rend digne de notre table.
⊶ Denis Chevassu, Granges-Bernard,
39210 Menétru-le-Vignoble, tél. et fax 03.84.85.23.67
☑ Ⲧ ⛹ t.l.j. 10h-12h 14h-19h30

COURBET 1999 ★

0,9 ha 2 500 **23 à 30 €**

Avec l'arrivée récente de la jeune génération, la maison s'essaye à la biodynamie : un hectare pour commencer. On ne sait si le savagnin qui a servi à élaborer ce château-chalon faisait partie de l'essai mais il est né sous une bonne étoile. Puissant, ouvert, le nez évolue de la noisette à la noix, des tons vanillés et réglissés. La structure est assez vive, mais, grâce à une bonne charpente, la dégustation laisse une impression d'équilibre. La finale est marquée par une jolie note citronnée. Un vin qu'on peut attendre.
⊶ Dom. Courbet, rue du Moulin,
39210 Nevy-sur-Seille, tél. 03.84.85.28.70,
fax 03.84.44.68.88, e-mail dcourbet@hotmail.com
☑ Ⲧ ⛹ r.-v.

GASPARD FEUILLET 1993

n.c. 4 000 **38 à 46 €**

Gaspard Feuillet est une marque de la maison de négoce Henri Maire qu'elle réserve aux cavistes spécialisés. Un château-chalon d'un millésime déjà ancien, discret au nez avec une dominante de champignon. Alcool et acidité font bon ménage dans une bouche longue et harmonieuse où s'expriment notes de fruits secs et de curry. Il est impératif de déboucher cette bouteille quelques heures avant de la servir pour ne pas risquer de passer à côté de ses qualités.
⊶ Gaspard Feuillet, 39600 Arbois, tél. 08.11.45.39.39,
fax 03.84.66.42.42

DOM. MACLE 1999

3 ha 9 000 **30 à 38 €**

Le mémorable 1997 avait décroché un coup de cœur. Jaune doré, ce 1999 est fidèle au style de la maison, jouant sur la finesse de l'amande fraîche et de la noix. L'attaque révèle quelque vivacité mais c'est un château-chalon, et tout bon jaune qui se respecte doit en avoir. Le gras et l'ampleur se dévoilent ensuite avec l'arrivée des fruits secs. Un ensemble très généreux, cohérent entre nez et bouche et bien équilibré.
⊶ Dom. Macle, rue de la Roche,
39210 Château-Chalon, tél. 03.84.85.21.85,
fax 03.84.85.27.38, e-mail maclel@wanadoo.fr
☑ Ⲧ ⛹ r.-v.

HENRI MAIRE Réserve Catherine de Rye 1988 ★★

1,72 ha 9 000 **30 à 38 €**

La maison Henri Maire se flatte d'avoir la plus grande réserve mondiale de vin jaune : quatre mille pièces de 225 l chacune. C'est ce qui explique la présentation d'un millésime aussi ancien que 1988, et qui se porte comme un charme. Le nez est discret mais fondu et harmonieux, mêlant noisette, amande, champignon et sous-bois. Poursuivant dans la même gamme aromatique, la bouche est élégante et équilibrée. Un très bon vin qui peut se savourer dès maintenant, à condition de le déboucher quelques heures à l'avance. À moins que l'on ne préfère l'oublier en cave : encore dix à vingt ans de garde sont à sa portée.
⊶ Henri Maire, Ch. Boichailles, 39600 Arbois,
tél. 03.84.66.12.34, fax 03.84.66.42.42,
e-mail info@henri-maire.fr
☑ Ⲧ ⛹ t.l.j. 9h-18h; groupes sur r.-v.

JURA

Côtes-du-jura

L'appellation englobe toute la zone du vignoble de vins fins. En 2006, la surface en production était de 596 ha et a donné 20 200 hl (14 369 hl en vins blancs ou jaunes, 5 472 hl en rouges et rosés, 359 hl en vins de paille).

CH. D'ARLAY Vin jaune 2000 ★

2,5 ha 6 000 **23 à 30 €**

Un imposant château classique qui fut un temps abbaye a remplacé l'ancienne forteresse du XIII^{e}s. Le domaine viticole (30 ha aujourd'hui) fut constitué dès le Moyen Âge. On peut visiter également un parc romantique avec un jardin qui a pour thème les jeux. Fleurs, fruits et légumes s'entremêlent pour donner des compositions telles que dominos ou damiers. La découverte de ce vin jaune et de ses arômes évocateurs est, elle aussi, un parcours ludique, du nez grillé à la bouche équilibrée. Déjà évolué, l'ensemble peut être bu dès à présent. Vinifiés ensemble, les cépages chardonnay (70 %) et savagnin (30 %) donnent un **côtes-du-jura blanc 2002 (11 à 15 €)** qui obtient la même note. Notes végétales discrètes, un léger boisé, un ton acidulé : cet assemblage est dominé par le chardonnay ; sa légèreté et sa finesse sont appréciées.
⊶ Alain de Laguiche,
Ch. d'Arlay, rte de Saint-Germain, 39140 Arlay,
tél. 03.84.85.04.22, fax 03.84.48.17.96,
e-mail alaindelaguiche@aol.com
☑ Ⲧ ⛹ t.l.j. 9h-12h 14h-18h; sam; 9h-12h 14h-17h; dim. sur r.-v.

BENOÎT BADOZ Arrogance 2005 ★★

2 ha 4 000 **8 à 11 €**

Née du chardonnay, cette cuvée a été élevée en barriques neuves et bâtonnée durant un an. Sa robe d'or, brillante et limpide, se pare de reflets argent. Intense, le nez croise les tons de vanille, de pomme et de miel. Des notes chaleureuses se révèlent en bouche, entre réglisse et foin, mais la structure garde un bon équilibre. La cohérence entre le nez et la bouche et la qualité aromatique laissent une impression de réelle harmonie dans un style très boisé. Plus classique, le **vin jaune 2000 (15 à 23 €)** est cité. Il convient de l'attendre plusieurs années.

Benoît Badoz, 3, av. de la Gare, 39800 Poligny, tél. 03.84.37.11.85, fax 03.84.37.11.18, e-mail infos@badoz.fr t.l.j. 8h-12h 14h-19h

BAUD Trousseau 2005 ★★

1,3 ha 6 000 8 à 11 €

Alain et Jean-Michel Baud aiment raconter l'histoire de leur ancêtre Jean-François arrivé au Vernois au milieu du XVII^e^s. comme vigneron tâcheron, et qui acquit un lopin de terre, puis un autre à la sueur de son front. Ses descendants n'ont eu de cesse de conforter ce domaine qui s'étend aujourd'hui sur 20 ha dans trois appellations. La dernière génération présente le résultat de ces siècles d'investissement : un côtes-de-jura splendide qui vaut à la propriété son sixième coup de cœur. Très puissant, le nez de mûre, de cassis et même de violette rappellerait presque un vin de la vallée du Rhône. Réchauffement climatique ou pas, la comparaison avec les vins du Rhône vient à l'esprit de plusieurs dégustateurs. La bouche s'offre ainsi des notes fumées et épicées dans une ampleur faite de tanins riches et d'alcool. Monumental, excellent, l'ensemble est résolument atypique. Mi-chardonnay mi-savagnin, la **cuvée Tradition blanc 2003** est citée. Elle est prête.

Dom. Baud Père et Fils, rte de Voiteur, 39210 Le Vernois, tél. 03.84.25.31.41, fax 03.84.25.30.09, e-mail info@domainebaud.com
t.l.j. sf dim. 9h-12h 14h-18h

DOM. BERTHET-BONDET Vin de paille 2002 ★★

1 ha 5 300 15 à 23 €

Monsieur le maire de Château-Chalon donne avec cette bouteille l'occasion de confirmer que ce village recèle bien des trésors, outre le célèbre vin jaune. Le vin de paille par exemple. De l'or dans le verre ; du coing, de la pomme confite, de la figue, des épices douces. Tel un rapace planant sur le cirque de Château-Chalon, le nez de haut vol fait voyager dans de multiples sphères. Un long vol dans les olfactives. La bouche expressive est portée par une belle acidité qui équilibre le côté moelleux. La palette aromatique se partage entre des impressions presque minérales et des nuances plus classiques de raisins secs ou de figue. Pour un foie gras poêlé. Deux étoiles aussi pour le **blanc cuvée Tradition 2003 (8 à 11 €)** plébiscité notamment pour la richesse de sa gamme aromatique où de classiques notes de noix voisinent avec des touches plus originales d'anis. Le **côtes-du-jura Rubis 2005 (8 à 11 €)** reçoit une étoile. Friand du premier nez jusqu'à la finale, ce vin mi-trousseau mi-poulsard est fin prêt pour le filet de bœuf aux morilles.

Berthet-Bondet, rue de la Tour, 39210 Château-Chalon, tél. 03.84.44.60.48, fax 03.84.44.61.13, e-mail domaine.berthet.bondet@wanadoo.fr
r.-v.

THIERRY BERTIN Vin jaune 1995 ★★★

0,5 ha 540 23 à 30 €

Une petite parcelle héritée de l'arrière-grand-père ; des vignes à métayage, quelques acquisitions, des locations : installé depuis 1977, Thierry Bertin constitue peu à peu son domaine (5 ha aujourd'hui). Et le voici coup de cœur, grâce à un déjà vieux vin jaune, à la robe paille. Mais pour un vin jaune, douze ans, c'est presque le berceau ! Le nez associant pomme reinette, noix verte, curry et fleurs blanches, n'est-il pas un modèle de fraîcheur ? La bouche équilibrée, d'une belle rondeur dès l'attaque, entraîne dans un captivant périple aromatique. Un ensemble structuré et complexe que l'on peut apprécier maintenant ou attendre cinquante ans. Pour fêter le bac de votre petit-fils, offrez-lui cette bouteille : il l'ouvrira pour célébrer sa retraite.

Thierry Bertin, La Combe, 39190 Augéa, tél. 03.84.48.94.26, fax 03.84.85.99.82 r.-v.

JOËL BOILLEY Vin de paille 2003

2,5 ha 4 800 11 à 15 €

Joël Boilley est domicilié à Dôle, sous-préfecture du Jura, mais a ses vignes à Mantry. Le nez de son vin de paille joue dans un registre assez frais sur des notes d'agrumes confits, assortis de nuances miellées. Un peu fugace, mais présentant cependant une certaine finesse, c'est un vin agréable que l'on pourra servir à l'apéritif ou au dessert.

Joël Boilley, 18, rue Marius-Pieyre, 39100 Dôle, tél. 06.81.66.87.20, fax 03.84.72.70.90, e-mail fboilley@netcourrier.com r.-v.

XAVIER ET CLAUDE BUCHOT
Terroir du Bry Tradition 2003 ★

1,8 ha 5 000 5 à 8 €

C'est Claude Buchot qui a, il y a maintenant une bonne trentaine d'années, planté en vignes ce domaine conduit selon les règles de l'agriculture biologique. Le chardonnay a donné naissance à un vin à la robe dorée, éclatante ; le nez, en revanche, est sur sa réserve, mais il fait preuve d'une certaine finesse : des notes beurrées et

vanillées croisent des tons de miel d'acacia. La bouche vive soutient un séduisant dégradé de notes fruitées (citron, fruits blancs très mûrs). Pour un poisson de rivière en sauce.
Claude Buchot, 40, Grandes-Rues, 39190 Maynal, tél. 03.84.85.94.27, fax 03.84..85.94.27 r.-v.

PHILIPPE BUTIN Vin jaune 2000 ★

0,4 ha 2 000 15 à 23 €

Voici une sélection de vins blancs mais cette cave produit aussi des vins rouges. De couleur citron, aux reflets verts, ce vin jaune s'annonce par un nez léger cependant expressif, aux nuances de noisette, de noix et de curry. La bouche est vive à l'attaque mais le gras vient vite tapisser le palais. À déboucher sans hâte pendant une décennie. Le savagnin (70 %) associé au chardonnay est à l'origine du **blanc Cuvée spéciale 2001 (11 à 15 €)** qui obtient aussi une étoile. De l'expression au nez, entre noix verte, fruits confits et aubépine, palette qui se retrouve en bouche. Mais où est donc passé le chardonnay se demandent tous les dégustateurs, voyant dans l'aplomb de ce vin la marque d'un savagnin omniprésent ? Un vin de garde assurément, à attendre au moins deux ans.
Philippe Butin, 21, rue de la Combe, 39210 Lavigny, tél. 03.84.25.36.26, fax 03.84.25.39.18, e-mail ph.butin@wanadoo.fr r.-v.

MARCEL CABELIER
Chardonnay Vieilles Vignes 2004 ★

10 ha 40 000 3 à 5 €

Le grand spécialiste du crémant-du-jura (le **crémant blanc 2005 (5 à 8 €)** est cité) propose aussi des vins tranquilles, telle cette cuvée de chardonnay jaune pâle aux reflets verts. Ouvert, le nez délivre d'abord des senteurs de chèvrefeuille puis développe des tons vanillés. Une belle attaque prélude à une bouche ample qui reste équilibrée. L'acidité soutenue confère au palais une belle fraîcheur. Cette bouteille peut se garder encore deux à quatre ans.
Compagnie des Grands Vins du Jura, rte de Champagnole, 39570 Crançot, tél. 03.84.87.61.30, fax 03.84.48.21.36, e-mail pespitalie@cgrj.fr r.-v.
J. Helfrich

CAVEAU DU TERROIR 2005 ★

2 ha 3 500 5 à 8 €

Le nom du village ne laisse aucun doute : on est bien ici au cœur du vignoble jurassien. La route des Vins passe d'ailleurs devant la porte des Peltier. D'abord discrètement minéral, le nez de ce 2005 s'ouvre ensuite sur les fruits secs, l'abricot ou l'orange. La bouche, légèrement boisée, est équilibrée et harmonieuse. Un vin pour maintenant. Le **macvin blanc (11 à 15 €)** est cité.
Philippe Peltier, rue Fontaine, 39210 Menétru-le-Vignoble, tél. et fax 03.84.85.26.67 t.l.j. 9h-12h 14h-19h; dim. sur r.-v.

LES CHAIS DU VIEUX BOURG Pinot noir 2004

0,35 ha 1 500 8 à 11 €

Pas facile de s'installer vigneron en 2003, année caniculaire, et quand on est architecte de formation et de métier. Mais un chardonnay de ce millésime n'en a pas moins été cité. Voici cette année un vin de pinot noir d'un rouge limpide, élevé quinze mois en fût, qui est prêt à boire.
Ludwig Bindernagel, Les Chais du Vieux Bourg, Vieux-Bourg, 39140 Arlay, tél. 03.84.85.07.91 r.-v.

ÉLISABETH ET BERNARD CLERC
Cuvée du Pré Cottin 2005

1 ha 3 000 5 à 8 €

Une propriété dans la famille depuis 1929. Sa cuvée du Pré Cottin, assemblage de 60 % de chardonnay et de 40 % de savagnin, est un vin jaune pâle au nez de fleurs et de pomme. Solide en bouche, il peut être bu dès à présent ou être mis en cave pour environ cinq ans. Aux antipodes du vin technologique, tout comme l'étiquette parcheminée, sympathiquement désuète.
Élisabeth et Bernard Clerc, rue de Recanoz, 39230 Mantry, tél. 03.84.85.58.37 t.l.j. 8h30-12h30 14h-19h

CLOS DES GRIVES Vin jaune 1999 ★

0,7 ha 1 400 23 à 30 €

Chaque année, à l'occasion de la « Percée du Vin jaune », une vente aux enchères de vieux millésimes est organisée. En 2007, une bouteille de 1865 figurait dans le lot... Verra-t-on ce 1999, couleur paille, en vente en 2141 ? Il a en tous cas tous les attributs du type : nez de fruits secs (noix et noisette), bouche ample et équilibrée. Sans attendre le XXIIe s. il est cependant conseillé de laisser cette bouteille tranquille pendant une dizaine d'années. Le **côtes-du-jura Clos des Grives chardonnay 2003 (5 à 8 €)** obtient une étoile également. Miel, fleur d'acacia, touches beurrées au nez et bouche chaleureuse, le plaisir est immédiat. Rien ne sert d'attendre.
Claude Charbonnier, 204, Grande-Rue, 39570 Chille, tél. 03.84.47.23.78, fax 03.84.47.29.27 r.-v.

JURA

DOM. COURBET 2004

2,5 ha 9 500 5 à 8 €

En 2003, Damien Courbet a rejoint Jean-Marie sur l'exploitation : 7,5 ha de vignes, une maison du XVIe s. et même l'ancienne église du village, achetée par la famille en 1982. Le tandem signe un côtes-du-jura blanc, assemblage de 65 % de chardonnay et de 35 % de savagnin. Assez classique mais de qualité, le nez décline fruits mûrs, pomme, noisette et réglisse. Frais en bouche, ce vin reflète bien le millésime 2004. Un ensemble cohérent qu'on verrait bien à l'apéritif.
Dom. Courbet, rue du Moulin, 39210 Nevy-sur-Seille, tél. 03.84.85.28.70, fax 03.84.44.68.88, e-mail dcourbet@hotmail.com r.-v.

DOM. JEAN-CLAUDE CRÉDOZ Savagnin 2003

0,8 ha 3 000 11 à 15 €

La cave est implantée au village de Château-Chalon, site exceptionnel qu'il ne faut pas manquer de visiter. La commune a pour spécialité des vins jaunes, et ce côtes-du-jura rappelle ce type de vin. Très caractéristique d'un savagnin élevé sous voile, son nez associe la noix, la noisette et le pain d'épice. Un peu abrupt en bouche pour le moment, il devra attendre un an ou deux. Il gagnera en effet en harmonie.
Dom. Jean-Claude Crédoz, rue des Chèvres, 39210 Château-Chalon, tél. 03.84.44.64.91, fax 03.84.44.98.76, e-mail domjccredoz@aol.com t.l.j. 8h-12h 13h-19h

RICHARD DELAY Vin jaune 1999 *

1 ha 700 15 à 23 €

On avait beaucoup aimé le vin jaune 1998 de Richard Delay, coup de cœur de la précédente édition. Le millésime suivant se montre dans de beaux atours dorés, aux reflets verts. Puissant, le nez évoque la noisette, la noix et le curry tandis que la bouche semble plus timide. Savez-vous qu'un vin jaune ne se sert pas frais mais plutôt chambré ? Une condition essentielle pour apprécier toute la noblesse d'un produit si particulier. On peut commencer à déboucher cette bouteille, sans hâte.

Richard Delay, 37, rue du Château, 39570 Gevingey, tél. 03.84.47.46.78, fax 03.84.43.26.75, e-mail delay@freesurf.fr r.-v.

SYLVAIN FAUDOT Chardonnay 2005

0,3 ha 1 800 5 à 8 €

Petit domaine (4 ha) créé par Sylvain Faudot en 1998. Il est situé au nord d'Arbois et il propose aussi bien des arbois que des côtes-du-jura, comme ce 2005 issu de chardonnay vendangé manuellement et vieilli en fût douze mois. Équilibré et de facture classique, il est prêt. Il pourra accompagner une truite.

Sylvain Faudot, 13, rte de Salins, 39600 Saint-Cyr-Montmalin, tél. et fax 03.84.37.41.03 t.l.j. 10h-13h 14h-19h

JEAN-FRANÇOIS GANEVAT

Pinot noir Sous la roche Cuvée Julien 2005

0,5 ha 3 000 15 à 23 €

Héritier d'une lignée de vignerons remontant au milieu du XVII[e]s., Jean-François Ganevat a repris en 1998 le domaine familial. Il exploite ses 7 ha en agriculture biologique. La Cuvée Julien, pur pinot noir est régulièrement mentionnée dans le Guide (coup de cœur dans le millésime 2001). Pas de doute, cette robe rouge cerise aux nuances violacées est bien la marque de ce cépage. Légèrement boisé, le nez est encore sur la réserve mais se plaît déjà à offrir des notes de fruits rouges que des tons vanillés ne contrarient absolument pas. Tanins encore un peu austères et boisé marqué invitent à laisser la bouche évoluer pendant encore environ un an. Avec la cuvée **Les Chalasses chardonnay Vieilles Vignes Sous la roche 2004 (11 à 15 €)**, citée, Jean-François Ganevat fait valoir son patrimoine viticole. C'est un vin, lui aussi, marqué par le fût et plutôt massif. Lui réserver des plats solides, à base de crème.

Dom. J.-F. Ganevat, La Combe, 39190 Rotalier, tél. et fax 03.84.25.02.69 r.-v.

DOM. GRAND FRÈRES Sélection 2005

3 ha 9 000 5 à 8 €

Régulièrement mentionné dans le Guide, parfois aux meilleures places, ce domaine familial remonte au XVII[e]s. Le pinot noir entre pour moitié dans l'assemblage de la cuvée Sélection, associé au trousseau et à un peu de poulsard. Bien rouge à l'œil, elle développe un nez où l'airelle rencontre la cerise, le cassis, la groseille, la fraise et la mûre. Un plaisant défilé. Légèrement boisée, la bouche présente des tanins serrés mais mûrs. Un vin un peu strict mais qu'un gibier saura sans doute décrisper. Mariant chardonnay et savagnin, le **blanc Tradition 2003 (8 à 11 €)**, fruité et typé, est également cité.

Dom. Grand, 139, rue du Savagnin, 39230 Passenans, tél. 03.84.85.28.88, fax 03.84.44.67.47, e-mail domaine-grand@wanadoo.fr t.l.j. 9h-12h 14h-18h; sam. dim. sur r.-v.

PATRICK ET ÉLISABETH GRANDMAISON

Pinot 2005 **

0,5 ha 2 000 5 à 8 €

Les premiers vins rouges d'Élisabeth et Patrick Grandmaison ont été élaborés à partir des cépages poulsard et trousseau. Ajouté à leur gamme, ce vin de pinot, issu de jeunes vignes, s'en sort très bien. Lumineuse, la robe rubis affiche une jeunesse presque provocante. Très aromatique, le nez distille délicatement de jolies notes fruitées et confiturées. Framboise, griotte, cerise et cassis sont juste dérangés, si l'on peut dire, par quelques nuances grillées. Dans une bouche aux tanins bien marqués mais déjà fondus, cet harmonieux ballet aromatique continue sa course jusqu'à la finale. Un vin très facile à boire, qu'il faut apprécier maintenant sans vouloir attendre. Il accompagnera un magret de canard.

Patrick et Élisabeth Grandmaison, EARL Les Sarmentelles, 7, rue des Orcières, 39110 Aiglepierre, tél. et fax 03.84.73.26.16, e-mail patrick.grandmaison@wanadoo.fr r.-v.

CH. GRÉA Pinot noir 2005 **

2 ha 5 000 5 à 8 €

Le pinot noir se plaît dans ces terres du sud Revermont. Ce vin pourpre aux nuances violacées en témoigne avec éclat. Encore sur la réserve, le nez laisse percer une première note vanillée, puis s'ouvre sur le cassis et la cerise pour finir sur des tons de pruneau. Une charpente veloutée, des tanins fondus et une acidité plaisante constituent une structure harmonieuse. La griotte confite ou les fruits à l'eau-de-vie forment le fond aromatique de cette bouteille à haut potentiel, mais qui fera merveille dès maintenant sur une viande rouge. Le **côtes-du-jura rouge trousseau 2005** est cité : on y retrouve le registre des fruits rouges mais ce vin fait valoir une autre structure, beaucoup plus fraîche. Le **savagnin 2002 blanc (8 à 11 €)** est également cité. Encore vif, il demande à vieillir.

GAEC Nicolas Caire, Ch. Gréa, 14, Froideville, 39190 Sainte-Agnès, tél. et fax 03.84.25.05.47, e-mail gaec.nicolas.caire@aricia.fr r.-v.

FRANCK GUIGNERET Chardonnay 2004

1 ha 4 000 5 à 8 €

Vigneron à Château-Chalon et producteur de l'appellation du même nom, Franck Guigneret signe là un côtes-du-jura pur chardonnay mais dont la vinification, probablement de nature oxydative, donne un ton typé que les vins de savagnin ont aussi. Robe vieil or, nez ouvert sur les fruits secs, le curry, la pâte d'amandes. Malgré une légère astringence, la finale joue sur la rondeur et le gras dans une certaine harmonie. À servir dès maintenant. Côté cuisine, un curry d'agneau fera l'affaire.

Franck Guigneret, rue des Chèvres, 39210 Château-Chalon, tél. 03.84.44.67.97, fax 03.84.44.69.20, e-mail savagnin@aol.com r.-v.

CLAUDE JOLY Vin de paille 2002 *

0,75 ha 2 600 15 à 23 €

Un domaine habitué du Guide, repris en 2004 par Cédric Joly. 80 % de chardonnay, 10 % de savagnin et 10 % de poulsard sont à l'origine de ce vin de paille à la robe vieil or. Un nez gourmand, fait de fruits secs (figue, abricot) et de cacao précède une bouche un peu monolithique mais très pure. Le sucre enrobe bien une certaine présence

acide, donnant un bon équilibre. La finale liquoreuse sur les fruits secs et les agrumes confits laisse un bon souvenir. Un archétype du vin de paille pour une tarte chaude aux coings.
🔑 EARL Claude et Cédric Joly, chem. des Patarattes, 39190 Rotalier, tél. 03.84.25.04.14, fax 03.84.25.14.48, e-mail cc.joly@wanadoo.fr ☑ Ɏ ⛹ r.-v.

DOM. LABET Fleur de chardonnay 2004 ★★

1 ha 5 200 8 à 11 €

Une pièce en trois actes où le chardonnay joue le rôle vedette, issu de différentes parcelles. Le chêne fait plus que de la figuration : les trois vins retenus y ont séjourné dix-huit mois. D'abord cette cuvée d'un jaune pâle aux reflets verts. Le boisé est un peu dominateur au nez, mais fleurs blanches et minéralité commencent à s'y faire une place. Racée, la bouche offre dès l'attaque sa matière riche et ample. Le fût est là encore assez puissant, mais un peu de vieillissement devrait laisser s'affirmer une minéralité en réserve. La cuvée **Fleur de marne La Bardette 2004 blanc (11 à 15 €)** reçoit une étoile. Également marquée par l'élevage en barrique, elle ne manque ni d'élégance, ni de sève, ni d'équilibre. Quant à la cuvée **Fleur de marne Le Montceau 2003 blanc (11 à 15 €)**, une étoile également, elle révèle un millésime plus solide, mais ses agréables nuances de miel et d'amande grillée sont à apprécier tout de suite.
🔑 Alain Labet, pl. du Village, 39190 Rotalier, tél. 03.84.25.11.13, fax 03.84.25.06.75, e-mail domainelabet@wanadoo.fr ☑ Ɏ r.-v.

JULIEN LABET Chardonnay En Billat 2004 ★★★

0,2 ha 1 000 11 à 15 €

Julien Labet, fils d'Alain, propose un vin tout simplement magnifique. Habillé d'une robe d'or soutenu, ce pur chardonnay associe au nez des notes minérales, florales, fruitées et végétales. Que de complexité ! L'attaque en bouche se fait sur le gras, mais une fine acidité relève constamment une matière ample et généreuse. « Un beau profil » dit un dégustateur. Les agrumes et les fruits secs rivalisent de puissance et de finesse, comme pour confirmer l'élégance de la bouche. Le **chardonnay Les Varrons 2004** reçoit une étoile : un premier nez curieusement végétal (rhubarbe) qui fait rapidement place aux fleurs blanches, de la fraîcheur et de la franchise en bouche. Même note pour le chardonnay **La Reine 2004** : belle expression du millésime, c'est un vin qui mise sur la fraîcheur, avec ses notes minérales et ses tons d'agrumes. Ces trois cuvées sont loin des vins dits « typés » à la jurassienne, issus de tonneaux non ouillés, mais leur pureté et leur droiture vont droit au cœur.
🔑 Julien Labet, chem. Monceau, 39190 Rotalier, tél. 03.84.25.18.39, fax 03.84.25.06.75, e-mail domainelabet@wanadoo.fr ☑ Ɏ r.-v.

FRÉDÉRIC LAMBERT Les Gryphés 2005 ★

0,3 ha 1 100 5 à 8 €

Constitué à partir de 1993, le vignoble de Frédéric Lambert s'agrandit peu à peu : 4 ha aujourd'hui. Issu de vendanges manuelles de chardonnay, voici un vin de couleur paille aux reflets bronze. Intense, le nez dévoile vite ses charmes : abricot, orange confite, pomme verte et réglisse ponctuent le voyage olfactif. La bouche, assez nerveuse, affiche toujours une forte présence aromatique, dans les tons de miel, de fleur d'acacia et de réglisse. À servir maintenant à l'apéritif ou avec des entrées froides.
🔑 Frédéric Lambert, 14, Pont-du-Bourg, 39230 Le Chateley, tél. et fax 03.84.25.97.83, e-mail cellierdesterroirs@wanadoo.fr ☑ Ɏ ⛹ r.-v.

DOM. LIGIER PÈRE ET FILS Les Chassagnes 2005

1 ha 4 000 5 à 8 €

En vingt ans, les Ligier ont constitué, parcelle après parcelle, un domaine de 10 ha. Essentiellement producteurs de vins d'AOC arbois, ils ont élaboré un côtes-du-jura issu de jeunes vignes de trousseau. Conçu pour mettre en valeur le fruit et la fraîcheur, ce vin atteint pleinement son but. Le nez apparaît en effet plein de promesses avec ses tons floraux et ses notes plaisantes de petits fruits rouges. La bouche est d'une structure légère – les vignes n'ont que cinq ans – mais l'équilibre et la qualité aromatique emportent l'adhésion. Pour la pintade aux choux ou du gibier à plume.
🔑 Dom. Ligier Père et Fils, 56, rue de Pupillin, 39600 Arbois, tél. 03.84.66.28.06, fax 03.84.66.24.38, e-mail ligier@netcourrier.com
☑ Ɏ ⛹ t.l.j. 9h-19h; dim. sur r.-v.

JEAN MACLE 2004

8 ha 20 000 8 à 11 €

La maison est spécialisée dans les vins blancs, dont l'illustre château-chalon. Ici, le savagnin n'est qu'accessoire dans l'assemblage aux côtés du chardonnay. Mais ces 20 % ne se font pas oublier. Une robe dorée, brillante. Une nez ouvert, franc, entre noix, amande et curry. Une franchise qu'on retrouve dans une bouche ronde et équilibrée, où tout est à sa place. Un bon mariage entre le fruit du chardonnay et la typicité du savagnin. Des mariages, Jean Macle, ancien maire de Château-Chalon, en a célébré plus d'un !
🔑 Dom. Macle, rue de la Roche, 39210 Château-Chalon, tél. 03.84.85.21.85, fax 03.84.85.27.38, e-mail maclel@wanadoo.fr
☑ Ɏ ⛹ r.-v.
🔑 Laurent Macle

LA MAISON DE ROSE Vin de paille 2003 ★

0,2 ha 500 15 à 23 €

Dans une précédente édition du Guide, nous avions retenu le distingué vin de paille 2001 de La Maison de Rose en relevant son originalité. Avec cette fraîcheur peu ordinaire, celui-ci laisse la même impression. Nez et bouche développent des tons floraux et fruités vifs et très expressifs. Atypique mais plaisant. Le **blanc Novelin 2005 (8 à 11 €)** est un vin de pur savagnin qui reçoit aussi une étoile. Discret mais délicat au nez, sur des tons de miel, il offre une bouche grasse aux nuances d'orange confite. Un joli travail qu'il faut savoir attendre trois à cinq ans. Une citation enfin pour le **chardonnay Saugeot 2005 (5 à 8 €)**, une bouteille plutôt vive et boisée, pour l'apéritif.
🔑 Dominique Grand, 8, rue de l'Église, 39230 Saint-Lothain, tél. 03.84.37.01.32, e-mail lamaisonderose@wanadoo.fr ☑ Ɏ ⛹ r.-v.

DOM. MOREL-THIBAUT Trousseau 2005 ★

1 ha 6 000 5 à 8 €

Pour trouver la cave, vous pouvez demander la rue Jacques-Coittier, mais vous pouvez aussi guider votre interlocuteur en lui suggérant la route de Lons-le-Saunier. Régulièrement distinguée par les dégustateurs, en particulier pour ses vins de paille, vins jaunes et autre blancs,

JURA

elle a proposé cette année un joli vin couleur grenat. Autant le nez est puissant, sur le cassis et les fruits mûrs, autant la bouche est souple. Le fruité fait un lien agréable, laissant une impression générale d'harmonie. Un fruit qu'il faut apprécier dès maintenant.
➡ Dom. Morel-Thibaut, 8, rue Jacques-Coittier, 39800 Poligny, tél. et fax 03.84.37.07.61 ✉ 🍷 🚶 r.-v.

JEAN-LUC MOUILLARD Vin de paille 2003

0,5 ha 2 500 **23 à 30 €**

Adeptes de l'œnotourisme, vous trouverez chez Jean-Luc Mouillard des chambres d'hôtes à la propriété qui vous permettront d'apprécier en toute quiétude les produits de la cave, tel ce vin paille de couleur vieil or. Un nez plutôt solide, aux tons beurrés, prolongé par une bouche moelleuse aux arômes de raisins secs macérés dans le marc. Un classique de l'appellation, qui trouvera facilement sa place, à l'apéritif par exemple. **L'étoile Sélection blanc 2004 (5 à 8 €)**, un tiers savagnin, deux tiers chardonnay, est cité.
➡ Jean-Luc Mouillard, rue du Parron, 39230 Mantry, tél. 03.84.25.94.30, fax 03.84.25.97.29, e-mail jean-luc.mouillard@wanadoo.fr ✉ 🍷 🚶 t.l.j. sf dim. 8h-12h 13h30-19h; groupes sur r.-v. 🏠 ❷

DOM. DE LA PETITE MARNE
Chardonnay 2005 ★★

2 ha 3 000 5 à 8 €

À la tête de 11 ha de vignes, les frères Noir sont sortis de la coopérative en 2003. Avec des vignes de chardonnay qui n'ont que quinze ans, ils ont réussi un remarquable blanc. À voir sa robe diaphane, ce 2005 semble fragile mais il n'en est rien. Le premier nez, minéral et fleuri, l'annonce, tandis que la deuxième plongée dans le verre le confirme : vanille, amande et abricot sec marquent une forte présence aromatique. La bouche ne faiblit pas, jouant dans une belle persistance cette même gamme. Une touche acidulée, mais du gras. Cet ensemble subtil nous met en joie. Deux étoiles encore pour le **trousseau rouge 2005**. Cassis et fraise côtoient au nez les épices pour donner ce côté sauvage si particulier du cépage. Dans une structure solide, la matière se plaît à dévoiler des tons de fraise aguicheurs. Premier de la propriété, le **vin de paille 2003 (15 à 23 €)** est cité. Il a une étonnante inflexion macvin, un effet du millésime sans doute, mais la finale aux saveurs de tranche de pain d'épice beurrée est appréciée.
➡ Noir Frères, Dom. de la Petite Marne, 39800 Poligny, tél. et fax 03.84.37.20.32, e-mail petitemarne.noir@wanadoo.fr ✉ 🍷 🚶 r.-v.

DOM. PIGNIER Trousseau 2005 ★

■ 1,2 ha 4 500 **11 à 15 €**

Les moines, qui exploitaient ce vignoble jusqu'à la Révolution, ont laissé aux Pignier un cellier du XIIIᵉs. sur croisée d'ogives. Robe rubis, nez riche et fruité, un trousseau très caractéristique de ce cépage jurassien : cassis, myrtille, mûre, épices, le tout agrémenté d'une pointe sauvage. La bouche, gouleyante, n'est pas du genre coincée. Elle donne tout et tout de suite, mais dans l'équilibre. Un vin friand et facile, à savourer dans les deux ans avec viande rouge ou abats. Le **blanc À la Percenette 2005** reçoit lui aussi une étoile. Le pur chardonnay oscille au nez entre les fleurs et un subtil dégradé de tons d'amande grillée, de beurre et de boisé. Acidulée, la bouche révèle une bonne fraîcheur. Une bouteille pour maintenant. Le **pinot noir 2005 (8 à 11 €)** est cité. « Un vin de caractère dans sa conception » dit un dégustateur. « Bio ? » s'interroge un autre. Affirmatif : biodynamique, même.
➡ Dom. Pignier, Cellier des Chartreux, 39570 Montaigu, tél. 03.84.24.24.30, fax 03.84.47.46.00, e-mail pignier-vignerons@wanadoo.fr ✉ 🍷 🚶 t.l.j. sf dim. 9h-12h 14h-19h

DOM. G. QUILLOT Vin jaune 2000 ★

1 ha 3 500 **15 à 23 €**

De couleur vieil or, ce vin jaune développe un joli nez sur une légère oxydation. La noix côtoie le curry et des notes chocolatées. Une attaque sur la rondeur et la puissance, sans dureté aucune, de la noix sèche comme compagne de route, dans une belle longueur. Cinq ans de garde supplémentaires ne feront pas de mal à ce vin déjà élégant et harmonieux.
➡ Dom. Quillot, rte de Champagnole, 39570 Crançot, tél. 03.84.87.61.30, fax 03.84.48.21.36, e-mail pespitalie@cgvj.fr ✉ 🍷 🚶 r.-v.
➡ J. Helfrich

XAVIER REVERCHON
Les Boutasses Vieilles Vignes 2004 ★

0,6 ha 3 100 **11 à 15 €**

Habitué du Guide, ce domaine né avec le XXᵉs. signe un vin issu de vignes âgées d'un demi-siècle. Moitié savagnin, moitié chardonnay, cette cuvée s'est lentement façonné une personnalité par un passage de deux ans en fût. Dans une certaine discrétion, le nez s'ouvre sur le voile (levures), puis la noix s'impose. Avec une acidité bien présente, mais de la matière, la bouche se fait généreuse au cours de la dégustation. La noix et la noisette restent maîtresses du palais dans une belle longueur. Un vin raffiné pour tête-à-tête d'épicuriens. Le **vin jaune 2000 (23 à 30 €)** reçoit une étoile. Encore vif, il ne révèle pas maintenant tout son potentiel. À attendre cinq à dix ans.
➡ Xavier Reverchon, 2, rue du Clos, 39800 Poligny, tél. 03.84.37.02.58, fax 03.84.37.00.58, e-mail reverchon.chantemerle@wanadoo.fr ✉ 🍷 🚶 r.-v.

PIERRE RICHARD Trousseau 2005 ★

■ 0,6 ha 3 000 5 à 8 €

La commune du Vernois fut le théâtre dans les années 1970 d'un grand remembrement expérimental, ce qui explique les chemins bétonnés dans les coteaux. Point démembré et même avec un joli corps, ce côtes-du-jura s'annonce discrètement au nez sur des tons de violette, puis s'enrichit de cerise, de mûre et de cassis. La bouche est équilibrée, avec de bons tanins et une belle fraîcheur. Pleine d'avenir, elle a besoin encore de deux à trois ans pour s'épanouir totalement, puis elle donnera la réplique à un lapereau. Dans un tout autre registre, le **vin de paille 2002 (15 à 23 €)** est cité. Élaboré à partir de raisins récoltés au 15 septembre, il n'a été pressuré que le 19 février 2003. Son nez intense d'abricot sec et d'agrumes confits est typique.
➡ Pierre Richard, rue Florentine, 39210 Le Vernois, tél. 03.84.25.33.27, fax 03.84.25.36.13, e-mail domainepierrerichard@wanadoo.fr ✉ 🍷 🚶 t.l.j. 9h-18h

ROLET PÈRE ET FILS Vin de paille 2002 ***

1,3 ha 5 000 15 à 23 €

Avec une soixantaine d'hectares, ce domaine est l'un des plus vastes du vignoble jurassien. Sa réputation est grande et il collectionne les étoiles dans le Guide. Généralement associé à l'AOC arbois, il produit aussi des côtes-du-jura, comme ce vin de paille issu uniquement de cépages blancs, chardonnay et savagnin. Un millésime qui lui vaut son neuvième coup de cœur. Habillé d'une robe jaune d'or aux reflets mordorés, il s'ouvre au nez avec ampleur mais délicatesse sur des tons d'agrumes confits. La bouche moelleuse reste fraîche, grâce à un bel équilibre entre sucre et acidité. Des notes de raisins secs, de chocolat et d'agrumes assurent un parcours captivant jusque dans une finale liquoreuse. Un ensemble sans faille aucune, à servir avec un foie gras chaud aux pommes reinette.

Dom. Rolet Père et Fils,
Montesserin, rte de Dole, 39600 Arbois,
tél. 03.84.66.00.05, fax 03.84.37.47.41,
e-mail rolet@wanadoo.fr
t.l.j. 9h-12h 14h-18h30 au caveau
11, rue de l'Hôtel-de-Ville

DOM. DES RONCES Pinot 2005 *

0,8 ha 2 000 5 à 8 €

Le pinot noir donne généralement de beaux résultats dans la partie sud du vignoble, où est implantée cette propriété. Voyez cette cuvée pourpre à reflets violacés. Le nez, racé bien qu'encore sur la réserve, développe une palette aromatique complexe mêlant fruits mûrs, cuir et sous-bois. En bouche, les tanins sont fortement marqués sans montrer d'agressivité. Ils s'équilibrent avec l'acidité pour donner une impression d'harmonie et suggérer un potentiel intéressant. On devine un côté animal, mais au palais aussi, ce vin est encore fermé. En attendant qu'il ne se livre, allez à la chasse au lièvre. Accommodé en civet, il formera un accord parfait avec cette bouteille. Mesdames, si vos maris tardent à revenir de la chasse, servez le **côtes-du-jura blanc Florale Vieilles Vignes 2004**, recommandé pour l'apéritif. Cité, ce vin de chardonnay est tout en fraîcheur et en fluidité. De quoi patienter en toute quiétude.

Michel Mazier, Dom. des Ronces,
9, imp. du Rochet, 39190 Orbagna,
tél. et fax 03.84.25.09.76 r.-v.

DOM. DE SAVAGNY Vin jaune 2000 **

0,9 ha 2 900 23 à 30 €

Propriété de la Compagnie des Grands Vins du Jura, qui en assure la vinification, ce domaine de 7,50 ha a produit un vin jaune à la robe vieil or. Miel, curry, noisette et accroche chocolatée constituent un nez intense et complexe, d'une belle fraîcheur. L'attaque puissante et grasse laisse imaginer une vendange bien mûre. Harmonie et équilibre caractérisent la bouche qui finit sur une note de noix fraîche des plus plaisantes. Le 1998 avait obtenu un coup de cœur. Le **macvin blanc (11 à 15 €)** décroche une étoile.

Dom. de Savagny, rte de Champagnole,
39570 Crançot, tél. 03.84.87.61.30, fax 03.84.48.21.36,
e-mail pespitalie@cgrj.fr r.-v.
J. Helfrich

CH. DE SELLIÈRES Vin de paille 2003 **

n.c. 450 15 à 23 €

2002 : Stéphane et Hervé Pernet achètent des vignes du château de Sellières. Août 2003 : sous la chaleur accablante de cette fin d'été, les raisins de chardonnay, de poulsard et de savagnin ont été délicatement cueillis pour être séchés et donner ce vin de paille qui ne renie pas son millésime. Confiture de vieux garçon, figue, raisin confit sont autant de nuances odorantes chaleureuses. La bouche, épanouie et pleine, participe à la même dominante, avec un côté sucré très présent et une acidité en léger retrait, mais sans que ce caractère fasse vaciller le moins du monde l'équilibre de l'ensemble. Une bouteille élégante et agréable.

EURL Ch. de Sellières, rue des Grangettes,
39570 Perrigny, tél. 03.84.86.11.11, fax 03.84.86.11.12

JEAN TRÉSY ET FILS Pinot noir 2005 *

0,62 ha 4 500 5 à 8 €

Jean Trésy dispose d'un acte d'achat de vignes, par un de ces aïeux, daté de 1749. La cave voûtée remonte aussi au XVIIIe s. Ce côtes-du-jura de pur pinot noir affiche une robe rouge aux reflets violacés qui lui donne tout de suite de la tenue. Ne serait-ce qu'apparence ? Non. Le nez de fruits rouges, teinté d'épices et de notes animales, lui confère une élégance indéniable. En bouche, la charpente est légère mais le fruité agréable. À déboucher dès maintenant sur un raclette ou une salade de gésiers. Dans un style tout aussi fruité et léger, le **côtes-du-jura poulsard 2005 rouge** obtient la même note. À boire également sans attendre sur des grillades.

Jean Trésy et Fils, rte des Longevernes,
39230 Passenans, tél. 03.84.85.22.40,
fax 03.84.44.99.73, e-mail tresy.vin@wanadoo.fr
r.-v.

FRUITIÈRE VINICOLE DE VOITEUR Chardonnay 2005 **

4 ha 20 000 3 à 5 €

Proche de Château-Chalon, cette coopérative fondée il y a cinquante ans regroupe 73 ha de vignes. Les vins blancs du Jura peuvent être à base de chardonnay, de savagnin ou de l'assemblage des deux, ouillés ou non, vinifiés et élevés en cuve ou en fût. Celui-ci est un pur chardonnay qui n'a vu que la cuve. Vinifié à basse température, il a été conçu pour privilégier les arômes frais et fruités. Le résultat est conforme aux souhaits des élaborateurs : ce 2005 n'est que fruits du nez jusqu'en finale. Un parcours entre subtils arômes de fruits exotiques et tons délicats d'agrumes au sein d'une réelle fraîcheur. Une bouteille aux antipodes des vins de voile, mais qui va réveiller les coquilles Saint-Jacques pour une fête mémorable.

Fruitière vinicole de Voiteur, 60, rue de Nevy,
39210 Voiteur, tél. 03.84.85.21.29, fax 03.84.85.27.67,
e-mail voiteur@fvv.fr r.-v.

Crémant-du-jura

Reconnue par décret du 9 octobre 1995, l'AOC crémant-du-jura s'applique à des mousseux élaborés selon les règles strictes des crémants, à partir de raisins récoltés à l'intérieur de l'aire de production de l'AOC côtes-du-jura. Les cépages rouges autorisés sont le poulsard (ou ploussard), le pinot noir appelé localement gros noirien, le pinot gris et le trousseau ; les cépages blancs sont le savagnin (appelé localement naturé), le chardonnay (appelé melon d'Arbois ou gamay blanc). Notez qu'en 2006 ont été déclarés 16 017 hl de crémant.

BAUD 2004 *

4 ha 25 000 5 à 8 €

Un blanc de blancs à la bulle légère mais au nez complexe et affirmé : menthol, citron, touches végétales. La vivacité de la bouche n'altère en rien une impression d'élégance et d'équilibre. Ce crémant ne manque pas d'atouts : sa palette aromatique variée, sa fraîcheur, sa polyvalence aussi. Il sera apprécié autant à l'apéritif qu'au dessert, avec une tarte au citron par exemple.

Dom. Baud Père et Fils, rte de Voiteur, 39210 Le Vernois, tél. 03.84.25.31.41, fax 03.84.25.30.09, e-mail info@domainebaud.com t.l.j. sf dim. 9h-12h 14h-18h

LA CAVE DU BON PAYS 2004

3 ha 24 000 5 à 8 €

Quatorze vignerons se sont réunis en 2002 pour vinifier et commercialiser leur production. Le « bon pays » a donné un bon crémant, un vin qualifié de « très sympa » par son côté frais et gouleyant, aiguisé par le fruité. Tout ce qu'il faut pour un apéritif entre amis.

SARL Les Vignerons du Sud Revermont, imp. du Rochet, 39190 Orbagna, tél. et fax 03.84.25.09.76

DANIEL BROCARD 2004 **

1 ha 9 000 5 à 8 €

Un vignoble transmis de père en fils depuis 1890. Daniel Brocard, à sa tête depuis 1992, propose un crémant dont la mousse ne tient guère mais dont les bulles se pressent pour renouveler cette couronne qui ne cesse de s'évanouir. Subtil et élégant, plutôt floral et un rien brioché, le nez s'offre dans une bonne intensité. La bouche est équilibrée, très fine. Neutre ? Plutôt délicate. Il y a dans ce crémant quelque chose de droit et de rassurant. Le **côtes-du-jura chardonnay Vieilles Vignes 2003**, plutôt vif, est cité.

Daniel Brocard, 7, rue de l'Église, 39570 Pannessières, tél. 03.84.43.04.67, fax 03.84.86.28.99 t.l.j. 8h-20h; dim. 8h-12h

CAVEAU DES BYARDS 2004

6,25 ha 50 000 5 à 8 €

Le Caveau des Byards est une fruitière, c'est-à-dire une coopérative : ce terme, répandu dans l'est de la France, notamment en Franche-Comté, désigne la mise en commun du fruit du travail. Le fruit, il en est encore question pour ce crémant qui fait de la pomme verte son égérie. La fraîcheur est de mise, avec une belle expression de ce que peut donner le chardonnay « mis en bulles ».

Caveau des Byards, rte de Voiteur, 39210 Le Vernois, tél. 03.84.25.33.52, fax 03.84.25.38.02, e-mail info@caveau.des.byards.fr r.-v.

LES CHAIS DU VIEUX BOURG

Délire des Lyres 2004 *

0,35 ha 1 000 8 à 11 €

Rien que le nom de cette petite cuvée est déjà tout un programme. À noter également que c'est un rosé, ce qui n'est pas courant dans le vignoble jurassien. Il provient du pinot noir. Une couronne de bulles se forme dans une robe couleur framboise très mûre. Cela donne tout de suite un air de gaieté mais la fête ne commence qu'avec le nez, intense et puissant, d'un fruité qui mérite le détour (cassis, framboise et autres fruits rouges). La bouche suit la trajectoire aromatique précédente dans une structure pleine de sève. Une belle envolée.

Ludwig Bindernagel, Les Chais du Vieux Bourg, Vieux-Bourg, 39140 Arlay, tél. 03.84.85.07.91 r.-v.

RICHARD DELAY 2004 *

2 ha 14 000 5 à 8 €

Un blanc de blancs à la mousse exubérante formée par des bulles régulières et persistantes. Tout aussi intense, le nez se révèle très fruité mais évolué, sur des notes de confiture. Le vin attaque sur le registre fruité de la pêche et de l'abricot dans une certaine souplesse, puis arrivent de la vivacité et des tons de pomme verte qui donnent une impression de grande fraîcheur en bouche. Un agréable cheminement.

Richard Delay, 37, rue du Château, 39570 Gevingey, tél. 03.84.47.46.78, fax 03.84.43.26.75, e-mail delay@freesurf.fr r.-v.

DOM. GRAND Prestige *

8 ha 70 000 5 à 8 €

Certains vignerons de Passenans élaborent des crémants demi-secs. Ce n'est pas le cas de celui-ci, qui est un brut. Mais il se révèle assez polyvalent et conviendra pour l'apéritif comme pour le dessert. « Un léger train de bulles fines », écrit un dégustateur. Ce n'est certes pas le TGV mais ce n'est pas l'omnibus non plus. L'essentiel, d'ailleurs, n'est-il pas de faire un agréable parcours ? C'est ainsi que le nez vous emmène sur les chemins d'un fruité varié et sensuel (poire, pomme, agrumes). Quant à la bouche, ample et suffisamment vive, elle fait preuve d'un bon équilibre.

Dom. Grand, 139, rue du Savagnin, 39230 Passenans, tél. 03.84.85.28.88, fax 03.84.44.67.47, e-mail domaine-grand@wanadoo.fr t.l.j. 9h-12h 14h-18h; sam. dim. sur r.-v.

FRÉDÉRIC LAMBERT **

1 ha 5 000 5 à 8 €

Une exploitation familiale créée de toutes pièces il y a une quinzaine d'années et située un peu à l'écart de l'axe principal du vignoble. Son crémant dégage une mousse légère qui ne s'attarde pas en surface. Ces jolies bulles évanescentes ne cessent pourtant de se renouveler, formant un beau cordon sur fond jaune paille. Le nez apparaît végétal mais le fruit se révèle à l'agitation tandis qu'une touche de grillé se développe à l'aération. L'attaque est franche, puis la bouche se distingue par sa maturité et par son équilibre. Le côté minéral s'associe volontiers

aux notes fruitées pour former une palette aromatique harmonieuse. Un crémant typique et qui ne décevra pas.
⊶ Frédéric Lambert, 14, Pont-du-Bourg, 39230 Le Chateley, tél. et fax 03.84.25.97.83, e-mail celllierdesterroirs@wanadoo.fr ☑ 𝕀 ⛹ r.-v.

DOM. MARTIN-FAUDOT

● 1,2 ha 8 000 ▮ 8 à 11 €

Les chais sont à Mesnay, mais vous pourrez découvrir ce crémant sous les arcades de la petite ville d'Arbois où Jean-Pierre Martin et Michel Faudot ont un caveau de dégustation. Au sein d'une robe dorée, un très beau dégagement de fines bulles. Délicat et fin, avec ses notes briochées, le nez ne manque pas d'intensité. Le bon foisonnement en bouche consacre un ensemble sans défaut. Un classique à offrir à l'apéritif, avec des toasts de terrine de truite, par exemple.
⊶ Dom. Martin-Faudot, 1, rue Bardenet, 39600 Mesnay, tél. 03.84.66.29.97, fax 03.84.66.29.84, e-mail info@domaine-martin.fr ☑ 𝕀 ⛹ t.l.j. 9h-19h

DÉSIRÉ PETIT 2005

● 1,1 ha 8 000 ▮ 8 à 11 €

Ils ne sont pas légion, les crémants rosés. Issu de 70 % de pinot noir et de 30 % de poulsard, celui-ci est d'un rose pâle aux reflets violacés. Discret mais fin, le nez est plutôt floral. Un vin appétent de la robe jusqu'à la finale, facile à servir à l'apéritif. Faites sauter le bouchon !
⊶ Dom. Désiré Petit, rue du Ploussard, 39600 Pupillin, tél. 03.84.66.01.20, fax 03.84.66.26.59, e-mail domaine-desire-petit@wanadoo.fr ☑ 𝕀 ⛹ r.-v.
⊶ Gérard et Marcel Petit

AUGUSTE PIROU Chardonnay

● n.c. 18 000 ▮ 5 à 8 €

Une marque de la société Henri Maire pour la grande distribution. Ce blanc de blancs a la bulle fine et rapide. Puissant et complexe, le nez apparaît d'abord fruité (poire, amande) puis évolue vers des notes résinées et des tons briochés. La bouche souple, presque douce, est de bonne longueur. On pourra servir ce crémant avec un dessert, quatre-quarts ou brioche par exemple.
⊶ Auguste Pirou, Caves royales, 39600 Arbois, tél. 03.84.66.42.70, fax 03.84.66.42.71, e-mail info@auguste-pirou.fr

MARCEL POUX ★

● n.c. 6 000 ▮ 8 à 11 €

Marcel Poux fut vigneron et homme politique de la place d'Arbois. Son nom a été repris comme marque par la société Henri Maire pour la commercialisation en restauration et chez les cavistes. D'une robe cristalline aux reflets dorés se dégagent de fines bulles. Frais et intense, le nez offre de manière très persistante des nuances complexes, florales et fruitées (agrumes). Le palais est rond et équilibré. Un vin d'apéritif indéniablement.
⊶ Marcel Poux, 39600 Arbois, tél. 03.84.66.12.34, fax 03.84.66.42.42

DOM. G. QUILLOT 2004 ★

● 6 ha 39 000 5 à 8 €

Une mousse onctueuse un peu brouillonne, mais un dégagement de bulles constant. Le nez parfumé et intense rappelle le menthol et le buis, avec des notes florales. Puissante, la bouche est déjà assez évoluée mais la palette aromatique reste intéressante. Un crémant qui trouvera sa place même au cœur des repas.
⊶ Dom. Quillot, rte de Champagnole, 39570 Crançot, tél. 03.84.87.61.30, fax 03.84.48.21.36, e-mail pespitalie@cgvj.fr ☑ 𝕀 ⛹ r.-v.
⊶ J. Helfrich

CELLIER SAINT-BENOIT 2004

● 0,2 ha 2 000 ▮ 5 à 8 €

Voilà quelques années que Denis Benoit a quitté la coopérative pour s'installer à son compte. Son crémant présente une bonne effervescence et un nez fruité (abricot, agrumes, pomme verte). Ample, onctueux, paraissant fortement dosé, ce vin divise les dégustateurs pour ce qui est de la bouche. Certains aiment son caractère assez vineux, d'autres préfèrent des crémants plus légers. Question de goût.
⊶ Denis Benoit, Cellier Saint-Benoit, rue du Chardonnay, 39600 Pupillin, tél. et fax 03.84.66.06.07, e-mail celliersaintbenoit@wanadoo.fr ☑ 𝕀 ⛹ r.-v.

DOM. DE SAVAGNY 2004 ★

● 3,9 ha 34 000 ▮ 5 à 8 €

Un crémant élaboré par la Compagnie des Grands Vins du Jura. Une mousse abondante formée d'une colonne de bulles fines et persistantes. Intense, le nez brioché laisse percer quelques effluves d'agrumes. La bouche est fruitée, légèrement vineuse sans que cela porte atteinte cependant à l'équilibre. Un bel ensemble.
⊶ Dom. de Savagny, rte de Champagnole, 39570 Crançot, tél. 03.84.87.61.30, fax 03.84.48.21.36, e-mail pespitalie@cgrj.fr ☑ 𝕀 ⛹ r.-v.
⊶ J. Helfrich

MICHEL TISSOT ET FILS

● n.c. 8 000 5 à 8 €

Cette ancienne maison de négoce est désormais sous le contrôle de la société Henri Maire. Dans une robe aux reflets vieil or, les bulles disparaissent aussi vite qu'elles sont apparues. Le nez est puissant, sur des tons de pomme fraîche et d'agrumes, légèrement mentholés. La structure riche et solide de la bouche invite à servir ce crémant très frais, et plutôt au dessert.
⊶ Michel Tissot et Fils, BP 40012, 39601 Arbois Cedex, tél. 03.84.66.47.97, fax 03.84.66.47.75, e-mail info@mtissot.com

L'étoile

Le village doit son nom à des fossiles, segments de tiges d'encrines (échinodermes en forme de fleurs), petites étoiles à cinq branches. Son vignoble (67 ha) a produit 2 448 hl de vins blancs, jaunes, de paille et mousseux en 2006.

ANDRÉ BONNOT 2004 ★

n.c. 7 000 5 à 8 €

Dans cette petite appellation les intervenants du négoce sont plutôt rares. La maison André Bonnot, négociant à Saint-Lothain, sait y sélectionner de jolis vins, telle cette cuvée jaune paille, issue de chardonnay. Le nez est expressif, entre brioche et amande. La bouche révèle une acidité marquée mais aussi du gras, offrant donc une structure agréable. À boire ou à attendre.

André Bonnot, 75, rte du Revermont, 39230 Saint-Lothain, tél. 03.84.37.10.89, fax 03.84.37.10.64, e-mail bonthi@tele2.fr
t.l.j. 8h-12h 14h-18h30

CH. L'ÉTOILE Vin jaune 1999 ★

3 ha 5 000 23 à 30 €

C'est sur les pentes du mont Muzard que se trouve l'essentiel des 16 ha de vignes de la propriété menée par Georges Vandelle, sa femme et ses deux fils. Vêtu d'une robe d'un jaune bien doré, ce vin sait aussi séduire par ses senteurs de caramel, de noisette et de curry. Il offre de la fraîcheur en bouche, mais aussi une belle ampleur ; les arômes puissants se développent en harmonie avec le nez. Un vrai jaune qui peut déjà se boire mais qui est aussi apte à une garde d'une cinquantaine d'années. Bien connu des fidèles lecteurs du Guide, la **cuvée des Ceps d'or 2004 (8 à 11 €)** est citée. Issu de chardonnay, c'est un vin jeune et léger.

G. Vandelle et Fils, GAEC Ch. L'Étoile, 994, rue Bouillod, 39750 L'Étoile, tél. 03.84.47.33.07, fax 03.84.24.93.52, e-mail info@chateau-etoile.com r.-v.

DOM. GENELETTI Vin de paille L'Étoile 2003 ★

0,95 ha 5 500 15 à 23 €

Initialement implantée à l'Étoile, cette exploitation s'est agrandie du côté de Château-Chalon avec l'arrivée en 2001 de David, le fils de Michel Geneletti. Une récolte exceptionnellement précoce pour ce vin de paille du millésime 2003. C'est au 15 août en effet que les grappes de chardonnay, de savagnin et de poulsard ont été vendangées. Pruneau cuit et caramel constituent le fil conducteur aromatique d'un vin harmonieux.

Dom. Geneletti, rue Saint-Jean, 39210 Château-Chalon, tél. 03.84.44.95.06, fax 03.84.47.38.18, e-mail contact@domaine-geneletti.net
t.l.j. 8h-12h 14h-19h

CLAUDE ET CÉDRIC JOLY Vin jaune 1999 ★★

0,6 ha 1 600 23 à 30 €

Ne cherchez pas Rotalier dans le secteur de l'Étoile, le village est situé au sud de l'aire d'appellation, mais Claude et Cédric Joly ont des vignes dans cette AOC, ce qui leur permet de proposer ce vin jaune assez fluide, mais très aromatique. De la noix, une touche grillée, des épices : les arômes ne s'expriment pas d'emblée mais s'affirment en cours de dégustation pour persister longuement en bouche. On a vraiment envie de savourer cette bouteille sans attendre. Pourtant mieux vaut être patient. Dans quelques années, elle n'en sera que meilleure. Le **macvin blanc (11 à 15 €)**, équilibré et harmonieux, est cité.

EARL Claude et Cédric Joly, chem. des Patarattes, 39190 Rotalier, tél. 03.84.25.04.14, fax 03.84.25.14.48, e-mail cc.joly@wanadoo.fr r.-v.

DOM. DE MONTBOURGEAU Vin de paille 2002 ★★★

n.c. 1 800 15 à 23 €

Victor Gros achète ce domaine en 1920 et Jean, son fils, le reprend en 1956. Aujourd'hui c'est Nicole Deriaux, petite-fille de Victor, qui en est à la tête. Son vin de paille, qui décroche le sixième coup de cœur obtenu par la propriété, force les confidences. Un dégustateur écrit : « Je ne l'ai pas craché » et un autre « on voudrait le garder pour la fin » ! C'est que ce nez d'abricot, de miel et de pêche blanche, on n'est pas prêt de l'oublier. Quant à la bouche, elle est somptueuse. Une élégance rare, des arômes ciselés sur une base épicée, rappelant ces gâteaux secs alsaciens de Noël. Superbe alliance en perspective avec un gâteau au chocolat amer. Remarquable est également l'**étoile blanc Cuvée spéciale fermentée en fût 2002 (8 à 11 €)**. L'appellation s'exprime bien à travers le nez expressif de fruits à chair blanche. Si l'attaque est vive, la poursuite de la dégustation se fait dans un bel équilibre. Noix fraîche et agrumes se partagent le palais. Le **vin jaune 1999 (23 à 30 €)** reçoit une étoile. Tabac blond et noix fraîche forment comme la bande annonce d'un film dont il reste à attendre la sortie en salle.

Nicole Deriaux, Dom. de Montbourgeau, 53, rue de Montbourgeau, 39570 L'Étoile, tél. 03.84.47.32.96, fax 03.84.24.41.44, e-mail domaine.montbourgeau@wanadoo.fr
r.-v.

CH. DE PERSANGES 2003 ★

1 ha 5 000 5 à 8 €

Le propriétaire des lieux, dit-on, descend du frère de Jeanne d'Arc. On ne va pas le canoniser, cet étoile, parce que sa bouche est encore un peu sévère, mais son nez est remarqué. De la cire au miel, en passant par la noix et les fruits exotiques, il ménage un agréable périple dans un monde olfactif fin mais dense. Le **vin jaune 1999 (23 à 30 €)** est cité. Vinifié et élevé sans ensemencement, il présente beaucoup de matière mais doit attendre quelques années.

Ch. de Persanges, 1516, rte de Saint-Didier, 39570 L'Étoile, tél. 06.77.86.47.50, fax 03.84.86.03.36
r.-v.

Arnaud Lionel-Marie d'Arc

DOM. PHILIPPE VANDELLE Vin jaune 1999 ★★

2 ha 4 500 15 à 23 €

Une belle réussite pour le dernier millésime du XX[e]s ! Jaune paille à reflets verts, il possède un nez profond et dense qui décline des nuances de noix. La bouche est elle aussi expressive et bien équilibrée. Notes torréfiées et finale d'orange amère, les arômes sortent un peu du classicisme mais affichent une belle prestance. Un remarquable vin jaune donc à boire ou à conserver des décennies. L'**étoile Vieilles Vignes 2004 (5 à 8 €)**

obtient... une étoile. Assemblage de 80 % de chardonnay et 20 % de savagnin, il séduit par son nez intense de noix fraîche et par sa bouche puissante.
Dom. Philippe Vandelle, 186, rue Bouillod, 39570 L'Étoile, tél. 03.84.86.49.57, fax 03.84.86.49.58, e-mail info@vinsphilippevandelle.com r.-v.

CAVEAU DU VIEUX PRESSOIR
Vin jaune 1998 *

n.c. 1 500 15 à 23 €

Cette activité de négoce, propriété de Georges Caire, a été créée en 2005. Son vin jaune de l'Étoile est séduisant à l'œil dans sa robe dorée et agréable au nez, dans ses tons de champignon et d'amande grillée. En bouche, les arômes empyreumatiques côtoient épices et noix. L'attaque dévoile une bouche vive et puissante. Cette bouteille gagnera à attendre un peu. L'**étoile chardonnay 2003 (5 à 8 €)** est lui aussi très réussi. Harmonieux au nez, bien équilibré en bouche, il finit sur d'agréables notes d'agrumes.
Caveau du Vieux Pressoir, 14, rue des Teppes, 39190 Vincelles, tél. et fax 03.84.25.05.47, e-mail caveau.du.vieux.pressoir@aricia.fr
r.-v.
Georges Caire

Vin de liqueur du Jura

Macvin-du-jura

Tirant probablement son origine d'une recette des abbesses de l'abbaye de Château-Chalon, l'AOC macvin-du-jura - anciennement maquevin ou marc-vin-du-jura - a été reconnue en 1991. C'est en 1976 que la Société de Viticulture engagea pour la première fois une démarche de reconnaissance en AOC pour ce produit très original. L'enquête fut longue. En effet, au cours du temps, le macvin, d'abord vin cuit additionné d'aromates ou d'épices, est devenu mistelle, élaboré à partir du moût concentré par la chaleur (cuit), puis vin de liqueur muté soit au marc, soit à l'eau-de-vie de vin de Franche-Comté. La méthode la plus courante a été finalement retenue ; il s'agit pour l'AOC d'un vin de liqueur mettant en œuvre du moût ayant subi un tout léger départ en fermentation, muté avec l'eau-de-vie de marc de Franche-Comté à appellation d'origine, issue de la même exploitation que les moûts. Le moût doit provenir des cépages et de l'aire de production ouvrant droit à l'AOC. L'eau-de-vie doit être « rassise », c'est-à-dire vieillie en fût de chêne pendant dix-huit mois au moins.

Après cette ultime association qui se fait sans filtration, le macvin doit « reposer » pendant un an en fût de chêne, puisque sa commercialisation ne peut se faire avant le 1er octobre de l'année suivant la récolte.

La production, en évolution, s'est située à 2 842 hl en 2006 (sur 67 ha). C'est un apéritif d'amateur qui rappelle les produits jurassiens à forte influence du terroir.

BERNARD FRÈRES
Vieilli quatre ans en fût de chêne **

0,9 ha 2 000 11 à 15 €

Ce n'est pas la première fois que ces viticulteurs du sud Revermont décrochent un coup de cœur pour leur macvin (voir l'édition 2005). Est-ce un savoir-faire particulier, notamment la pratique d'un long vieillissement (quatre ans de fût) qui est à l'origine de ce succès ? À moins que la pratique d'une agriculture biologique « depuis toujours », mais sans certification ne soit un facteur de réussite ? Couleur or, la robe est limpide et brillante. Intense et complexe, le nez joue les nuances épicées, vanillées et grillées. L'attaque est très franche, l'alcool totalement fusionné aux sucres. Une grande douceur s'impose dans une belle longueur. Un vin galant.
Bernard Frères, 15, rue Principale, 39570 Gevingey, tél. 03.84.47.33.99, e-mail clbernard@orange.fr r.-v.
Claude Bernard

DANIEL BROCARD *

0,2 ha 1 500 11 à 15 €

Couleur vieil or, ce macvin affiche une réelle présence au nez, grâce à sa puissance et à sa qualité aromatique. Les notes de miel, de cire, d'épices, de coing et de raisins secs se mêlent aux tons de vieux marc. Une même puissance règne en bouche qui se conjugue à une

impression d'harmonie. Marc et sucre s'allient dans une suave douceur qui semblent destiner ce macvin au dessert.
Daniel Brocard, 7, rue de l'Église, 39570 Pannessières, tél. 03.84.43.04.67, fax 03.84.86.28.99 t.l.j. 8h-20h; dim. 8h-12h

CAVEAU DES BYARDS

0,45 ha 3 000 11 à 15 €

Derrière la dénomination « caveau des Byards », on trouve une petite coopérative, qui vinifie la production de 34 ha. Son macvin est d'un jaune très pâle. Le marc apparaît présent dès le premier nez et reste dominant en bouche malgré une présence sucrée. Un peu de vieillissement (un à deux ans) lui permettra sans doute de se fondre. Pour l'apéritif.
Caveau des Byards, rte de Voiteur, 39210 Le Vernois, tél. 03.84.25.33.52, fax 03.84.25.38.02, e-mail info@caveau.des.byards.fr r.-v.

MARIE ET DENIS CHEVASSU *

n.c. 2 000 11 à 15 €

Le hameau de Granges-Bernard est situé à 3 km de Château-Chalon et de Menétru-le-Vignoble. À côté de la gamme traditionnelle des vins du Jura, vous trouverez dans cette cave accueillante un macvin qui l'est tout autant. Jaune ambré, celui-ci présente un nez fin et élégant qui allie boisé et notes de miel. Très doux en bouche, il plaira aux palais délicats qui privilégient l'harmonie et la finesse à la puissance. Le marc est bien là mais se fond totalement. Il n'y a pas que les vieilles dames qui l'apprécieront au goûter avec un gâteau au chocolat.
Denis Chevassu, Granges-Bernard, 39210 Menétru-le-Vignoble, tél. et fax 03.84.85.23.67 t.l.j. 10h-12h 14h-19h30

DANIEL DUGOIS **

1,5 ha 3 300 11 à 15 €

Le petit village des Arsures est à quelques kilomètres d'Arbois. On y accède en toute facilité par la route nationale 83. Rencontre aisée aussi avec ce macvin d'un jaune soutenu aux reflets verts. Fin et complexe, le nez est le témoin d'un subtil mariage entre le fruit et l'alcool. « Rien ne dépasse », écrit un dégustateur, « on savoure un produit où l'alcool est totalement fondu. » Un équilibre et une harmonie soulignés par un autre des goûteurs qui conclut par ces mots : « Fait du bien à celui qui le boit. » Apéritif ? Melon ? Dessert ? Comme il vous plaira.
Dom. Daniel Dugois, 4, rue de la Mirode, 39600 Les Arsures, tél. 03.84.66.03.41, fax 03.84.37.44.59, e-mail daniel.dugois@wanadoo.fr t.l.j. sf dim. 10h-12h 14h-19h B

RAPHAËL FUMEY, ADELINE CHATELAIN *

0,4 ha 2 000 11 à 15 €

Cette exploitation, créée il y a une vingtaine d'années, vendait à l'origine ses raisins au négoce. Elle a petit à petit développé une vente en bouteilles de la gamme des vins du Jura, dont le macvin. Jaune doré, celui-ci exprime au nez beaucoup de nuances de fruits secs. Très doux en bouche, fondu, il laisse une impression d'harmonie. Apéritif ou dessert, vous avez le choix.
Raphaël Fumey, Adeline Chatelain, quartier Saint-Laurent, 39600 Montigny-lès-Arsures, tél. 03.84.66.27.84, fax 03.84.66.18.72, e-mail raphael.fumey@wanadoo.fr r.-v.

DOM. GENELETTI *

0,5 ha 4 000 11 à 15 €

On pourra trouver ce beau macvin couleur jaune d'or aux reflets verts à l'Étoile, chez le père, et à Château-Chalon, chez le fils. La délicatesse du nez séduit : impossible de résister à l'appel des agrumes, des épices et des fruits confits. La bouche est tout aussi élégante. Souple à en être presque aérienne, elle conserve du marc toute la fraîcheur. À servir très frais pour l'apéritif ou un peu plus chambré pour le dessert.
Dom. Geneletti, rue Saint-Jean, 39210 Château-Chalon, tél. 03.84.44.95.06, fax 03.84.47.38.18, e-mail contact@domaine-geneletti.net t.l.j. 8h-12h 14h-19h

JEAN MACLE

n.c. 3 000 15 à 23 €

Ce sont les dernières vendanges de chardonnay qui ont été utilisées pour ce macvin afin d'avoir la meilleure maturité possible. Elles ont été associées à du vieux marc et le tout a connu une longue garde en fût de chêne (cinq ans). Le résultat ? Une robe superbe, couleur paille, un nez intense où l'alcool est assez présent, une bouche plutôt fugace mais plaisante.
Dom. Macle, rue de la Roche, 39210 Château-Chalon, tél. 03.84.85.21.85, fax 03.84.85.27.38, e-mail maclel@wanadoo.fr r.-v.

JEAN-LUC MOUILLARD *

0,6 ha 3 000 11 à 15 €

La première qualité de ce macvin, c'est sa réelle complexité aromatique : miel, épices, alcool « sortant de l'alambic ». Tout cela procure un vrai plaisir. Alors si l'alcool joue un peu les gros bras en bouche, on ne lui en tient pas trop rigueur. Apéritif ou dessert, il se tient prêt à parer à toute envie.
Jean-Luc Mouillard, rue du Parron, 39230 Mantry, tél. 03.84.25.94.30, fax 03.84.25.97.29, e-mail jean-luc.mouillard@wanadoo.fr t.l.j. sf dim. 8h-12h 13h30-19h; groupes sur r.-v. 2

DOM. DE LA PINTE *

1,5 ha 3 000 15 à 23 €

Le savagnin, cépage emblématique du domaine, constitue la base du moût qui a été muté avec le vieux marc de la maison pour obtenir ce macvin de couleur ocre. Une note particulière de boisé sec apparaît au nez. Souple mais équilibrée, la bouche révèle un bon mariage du sucre et du marc, ainsi que d'agréables notes de miel. La touche boisée se prolonge en bouche, discrète mais déroutante pour certains palais.
Dom. de La Pinte, rte de Lyon, 39600 Arbois, tél. 03.84.66.06.47, fax 03.84.66.24.58, e-mail accueil@lapinte.fr t.l.j. 9h-12h 13h30-17h30; dim. sur r.-v.
Pierre Martin

LA CAVE DE LA REINE JEANNE *

n.c. 2 000 11 à 15 €

La cave de la Reine Jeanne appartient à un négociant qui achète principalement des raisins plutôt que des vins

déjà élaborés, ce qui permet une meilleure maîtrise de ses produits. Pour ce macvin, ce sont des grappes de chardonnay et de savagnin qui sont à la base du moût qui a été ensuite muté. Plaisant, le nez se présente dans la douceur avec ses notes de miel. La bouche, moelleuse, conviendra aux personnes qui craignent les macvins un peu trop marqués par l'alcool. Et si vous l'essayiez avec du melon ?
Le Cellier des Tiercelines, 54, Grande-Rue, 39600 Arbois, tél. 03.84.66.08.27, fax 03.84.66.25.08
Bénédicte et Stéphane Tissot

DOM. DE LA RENARDIÈRE

0,3 ha 1 000 11 à 15 €

Un macvin rouge, ce n'est pas si fréquent : cette bouteille pourra donc donner l'occasion d'un amusant jeu à l'aveugle entre œnophiles pour découvrir ce qui se cache derrière cette robe rubis violacé. Le jus de ploussard, de trousseau et de pinot noir a été muté avec du vieux marc et élevé en pièces pendant douze mois. Il en résulte un nez surtout floral, sur la violette et une bouche équilibrée.
Jean-Michel Petit, rue du Chardonnay, 39600 Pupillin, tél. 03.84.66.25.10, fax 03.84.66.25.70, e-mail renardiere@libertysurf.fr
t.l.j. 10h-12h 13h30-19h; dim. sur r.-v.

DOM. DE LA TOURNELLE *

0,5 ha 6 000 11 à 15 €

Une exploitation dynamique, bientôt biodynamique même, qui organise des apéritifs dînatoires dans ses jardins au pied des remparts d'Arbois. Pour l'apéritif justement, ce macvin sera parfait. Au nez, l'alcool semble bien fondu, ce qui se vérifie en bouche. Présent, mais tout en souplesse, un ensemble flatteur.
Évelyne et Pascal Clairet, 5, Petite-Place, 39600 Arbois, tél. 03.84.66.25.76, fax 03.84.66.27.15, e-mail domainedelatournelle@wanadoo.fr r.-v.

CAVEAU DU VIEUX PRESSOIR **

n.c. 1 500 11 à 15 €

Cette affaire de négoce récemment créée propose un macvin jaune paille, presque orangé. Le nez intense et subtil évoque les fruits confits. La bouche poursuit l'œuvre de séduction, avec un alcool fondu, source de douceur, une bonne longueur en bouche et une impression générale d'harmonie. Un excellent macvin qu'on a envie de partager avec des amis à l'apéritif.
Caveau du Vieux Pressoir, 14, rue des Teppes, 39190 Vincelles, tél. et fax 03.84.25.05.47, e-mail caveau.du.vieux.pressoir@aricia.fr r.-v.
Georges Caire

La Savoie

Du lac Léman à la vallée de l'Isère, dans les deux départements de la Savoie et de la Haute-Savoie, le vignoble occupe les basses pentes favorables des Alpes. En constante extension (2 170 ha en 2006), il produit bon an mal an environ 140 000 hl. Il forme une mosaïque complexe au gré des différentes vallées dans lesquelles il est établi en îlots plus ou moins importants. Cette diversité géographique se retrouve dans les variantes climatiques, les caractères montagnards étant accentués par le relief ou tempérés par le voisinage des lacs Léman et du Bourget.

Vin-de-savoie et roussette-de-savoie sont les appellations régionales, utilisées dans toutes les zones ; elles peuvent être suivies de la mention d'un cru, mais ne s'appliquent alors en général qu'à des vins tranquilles, uniquement blancs pour les roussettes. Les vins des secteurs de Crépy et de Seyssel ont droit chacun à leur propre appellation.

Les cépages, du fait de la grande dispersion du vignoble, sont assez nombreux mais, en réalité, un certain nombre n'existent qu'en très faible quantité : le pinot et le chardonnay, notamment. Quatre blancs et deux noirs sont les principaux, en même temps que ceux qui donnent des vins originaux spécifiques. Le gamay, importé du Beaujolais voisin après la crise phylloxérique, est celui des vins frais et légers, à consommer dans l'année. La mondeuse, cépage local, donne des vins rouges bien charpentés, notamment à Arbin, dont elle est la variété exclusive ; c'était, avant le phylloxéra, le cépage le plus important de la Savoie ; il est souhaitable qu'elle reprenne sa place, car ses vins sont de belle qualité et ont beaucoup de caractère. La jacquère est le cépage blanc le plus répandu ; elle donne des vins blancs frais et légers, à consommer jeunes. L'altesse est un cépage très fin, typiquement savoyard, celui des vins blancs vendus sous le nom de roussette-de-savoie. La roussanne, portant le nom local de bergeron, donne également des vins blancs de haute qualité, spécialement à Chignin, avec le chignin-bergeron. Enfin, le chasselas, présent sur les rives du lac Léman, est utilisé dans la partie haut-savoyarde de l'AOC.

Crépy

Comme sur toute la rive du lac Léman, c'est le chasselas qui est planté dans le vignoble de Crépy (48 ha en 2006) ; il est le cépage unique. Il a donné 2 466 hl de vin blanc léger en 2006. Cette petite région a obtenu l'AOC en 1948.

LA GOUTTE D'OR
Cuvée tardive de décembre 2005 ★★

2 ha n.c. **15 à 23 €**

Claude Mercier exploite son vignoble de 39 ha en biodynamie. D'année en année, il donne une image originale du chasselas. Le cépage n'engendre pas ici un vin vif et léger, mais une bouteille complexe et d'une rare concentration – des « gouttes d'or ». Il est vrai que la vendange a lieu à la mi-décembre. La robe ambrée annonce les parfums confits, accompagnés de notes boisées, empyreumatiques (fumé) et épicées (poivre, clou de girofle). Cette palette se prolonge au palais, agrémenté de poire, d'orange, d'abricot confits et de miel : un caractère rôti en harmonie avec une matière ample et dense, riche et vive à la fois. De facture remarquable, ce crépy trouvera sa plénitude avec une tarte aux abricots.

Claude Mercier,
Dom. de La Grande Cave, Ballaison, 74140 Douvaine,
tél. 04.50.94.01.23, fax 04.50.94.19.86,
e-mail clmercier74@aol.com
t.l.j. 8h-12h 14h-18h; f. dim. de sept. à mai

JACQUES MÉTRAL 2006

3 ha 13 000 **5 à 8 €**

Acquis par la famille Métral en 1962, ce domaine s'étend aujourd'hui sur 25 ha. Voici un autre profil, plus classique de l'appellation. Un court séjour en fût (quatre mois) n'a guère marqué ce 2006 dont le nez franc se partage entre les fleurs (fleurs blanches et pivoine) et les fruits (abricot). Un peu plus discrète aromatiquement, la bouche révèle une bonne matière, bien équilibrée.

Jacques Métral,
Dom. Le Chalet, 225, chem. du Chalet, 74140 Loisin,
tél. 04.50.94.10.60, fax 04.50.94.18.39,
e-mail jacques.metral1@wanadoo.fr
t.l.j. sf dim. 9h-12h 14h-19h

Vin-de-savoie

Le vignoble donnant droit à l'appellation vin-de-savoie est installé le plus souvent sur les anciennes moraines glaciaires ou sur les éboulis, ce qui, joint à la dispersion géographique, conduit à une diversité souvent consacrée par l'adjonction d'une dénomination locale à celle de l'appellation régionale. Au bord du Léman, c'est, comme sur la rive suisse, le chasselas qui, à Marin, Ripaille, Marignan, donne des vins blancs légers, à boire jeunes, et que l'on élabore souvent perlants. Les autres zones ont des cépages différents et, selon la vocation des sols, produisent des vins blancs ou des vins rouges. On trouve ainsi, du nord au sud, Ayze, au bord de l'Arve, avec des vins blancs pétillants ou mousseux, puis, au bord du lac du Bourget (et au sud de l'appellation seyssel), la Chautagne, dont les vins rouges en particulier ont un caractère affirmé. Au sud de Chambéry, les bords du mont Granier recèlent des vins blancs frais, comme l'Apremont et le cru des Abymes, vignoble établi sur le site d'un effondrement qui, en 1248, fit des milliers de victimes. En face, Monterminod, envahi par l'urbanisation, a malgré tout conservé un vignoble qui donne des vins remarquables ; il est suivi de ceux de Saint-Jeoire-Prieuré, de l'autre côté de Challes-les-Eaux, puis de Chignin, dont le bergeron qui a une renommée parfaitement justifiée. En remontant l'Isère par la rive droite, les pentes sud-est sont occupées par les crus de Montmélian, Arbin, Cruet et Saint-Jean-de-la-Porte.

Cette région très touristique a produit 125 284 hl dont 87 863 hl de blanc en 2006. Les vins sont surtout consommés dans leur jeunesse, sur place, avec un marché où la demande dépasse parfois l'offre. Les blancs vont bien sur les produits des lacs ou de la mer, et les rouges issus de gamay s'accordent avec beaucoup de mets. Il est cependant dommage de consommer jeunes les vins rouges de mondeuse, qui ont besoin de plusieurs années pour s'épanouir et s'assouplir : ces bouteilles de haut niveau conviendront aux plats puissants, au gibier, à l'excellente tomme de Savoie et au fameux reblochon.

ANTOINE BARRIER Apremont Jacquère 2006 ★

13,5 ha 123 000 **3 à 5 €**

Deux vins élaborés par la coopérative d'Apremont et son œnologue Olivier Turlet. Le premier développe des arômes floraux d'une rare franchise, avec des nuances citronnées qui s'affirment en bouche au sein d'un ensemble fruité, frais et harmonieux. Produit en quantité, un très bon apremont qui trouvera facilement sa place autour d'une raclette. La cave a présenté aussi le **Domaine Albert Mithieux Apremont jacquère 2006**. Plus discret au nez, il est vif, intense et minéral en bouche, sur des notes de pierre à fusil. Il est cité.

SICA Les Vignerons des Terroirs de Savoie,
rte de Myans, 73190 Apremont, tél. 04.79.28.33.29,
fax 04.79.28.20.68, e-mail viallet-vins@wanadoo.fr
r.-v.

DOM. BELLUARD Gringet Le Feu 2005 ★★

1 ha 5 000 **11 à 15 €**

Les vallées alpines recèlent des cépages locaux anciens. La mondeuse est de ceux-là ; le gringet, cépage blanc proche du savagnin, est sans doute le plus rare : on n'en compte plus guère que quelques hectares dans la vallée de l'Arve. Souvent destinée aux vins effervescents

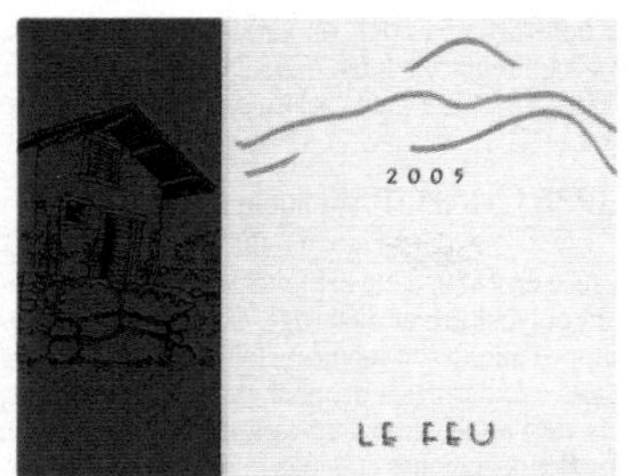

d'Ayze, cette variété a donné ici naissance à un vin tranquille qui a charmé le jury. Le vigneron a su tirer la quintessence de ses qualités aromatiques. Le Feu ? Celui du ciel, qui transparaît dans la robe dorée, dans les fragrances de fruits confits et de coing et la richesse de la bouche. Un ensemble complexe, remarquablement équilibré et de très bonne tenue.

🔑 Dom. Belluard, 283, Les Chenevaz, 74130 Ayze, tél. 04.50.97.05.63, fax 04.50.25.79.66, e-mail domainebelluard@wanadoo.fr
☑ 🍷 🚶 t.l.j. sf dim. 8h-12h 14h-18h

BLARD ET FILS

Pinot noir Cuvée Pierre Émile 2005 ★★

■ 0,55 ha 3 000 🛢 5 à 8 €

Implantée sur la rive droite de l'Isère, cette exploitation s'étend sur 10 ha environ. Elle a présenté une cuvée déjà bien accueillie dans le millésime précédent. Le 2005 obtient une étoile supplémentaire. Dix mois passés en fût ont conféré à ce vin une palette complexe, où d'élégantes notes de vanille et de tabac blond s'ajoutent à la griotte du pinot noir. La bouche puissante évolue sur des tanins soyeux, bien fondus et épicés. Fruit d'un réel savoir-faire, cette bouteille est prête à paraître à table. Elle pourra accompagner du gibier en sauce.

🔑 Dom. Blard et Fils, Le Darbé, 73800 Les Marches, tél. 06.11.50.30.37, fax 04.79.28.01.35 ☑ 🍷 r.-v.

La Savoie et le Bugey

AOC :
vin-de-savoie
crépy
seyssel
AOVDQS :
bugey
Limites de départements
0 10 20 km

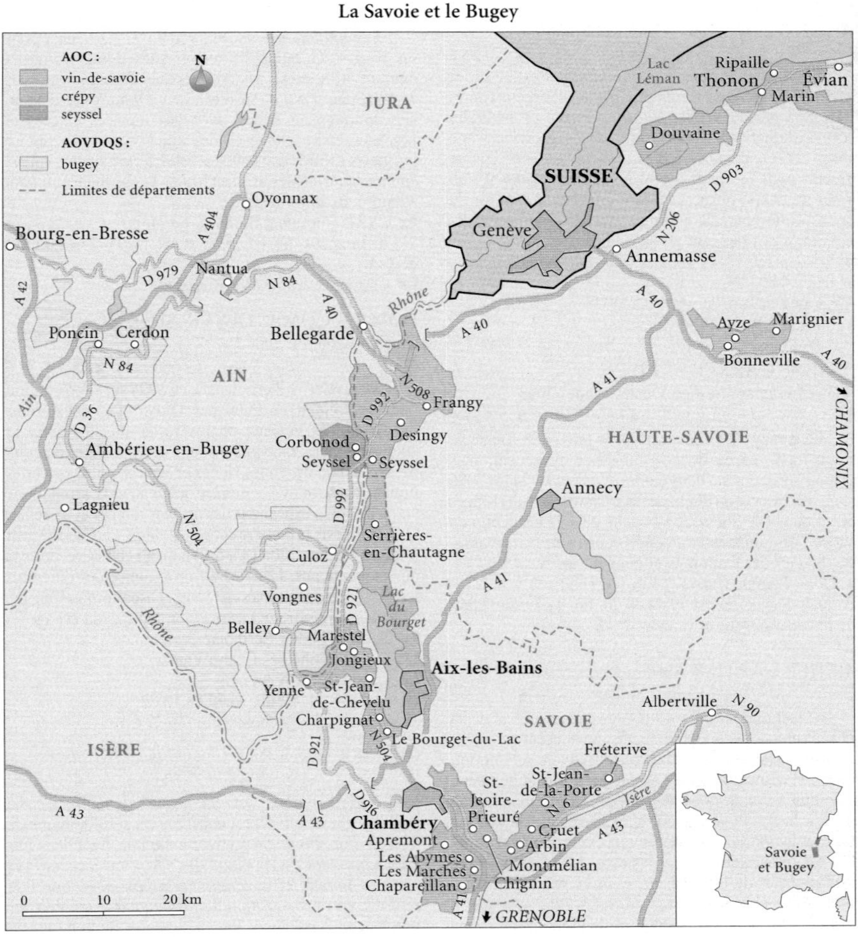

SAVOIE

DOM. G. et G. BOUVET

Mondeuse Cuvée Sainte-Barbe
Élevé en fût de chêne 2005 ★★

■ 1,3 ha 8 000 ◖◗ 5 à 8 €

À la tête du domaine Bouvet depuis 2003, Delphine et Frédéric Garanjoud exploitent un vignoble réparti en soixante parcelles sur les terrains d'éboulis argilo-calcaires des contreforts sud du massif des Bauges. Ils ont proposé une mondeuse qui exprime à la fois le cépage et un élevage bien mené. Au nez, des notes torréfiées aux accents de cacao et de café, et des fruits rouges et noirs. Une palette qui se prolonge en bouche, avec un boisé un peu brûlé et des tanins qui commencent à se fondre. Un vin bien élevé qui pourra accompagner dès l'automne un cuissot de chevreuil.

Dom. G. et G. Bouvet, Le Villard, 73250 Fréterive, tél. 04.79.28.54.11, fax 04.79.28.51.97, e-mail contact@domainebouvet.com
t.l.j. 8h30-12h30 13h30-17h30; sam. dim. sur r.-v.
D. et F. Garanjoud

ÉRIC CARREL

Jongieux Gamay Vieilles Vignes 2006

■ 3 ha 18 000 3 à 5 €

Éric Carrel représente la troisième génération sur ce domaine où la vigne a pris une place croissante depuis 1946. Son gamay Vieilles Vignes présente de multiples facettes aromatiques : petits fruits rouges (groseille, framboise, cerise), pivoine, épices. Les tanins sont encore présents mais ils commencent à se fondre, laissant s'affirmer les fruits rouges surmûris. Expression typique du cépage, cette bouteille accompagnera la charcuterie dès cet automne et pendant un an ou deux.

Éric Carrel, 73170 Jongieux, tél. 04.79.44.02.20, fax 04.79.44.03.73, e-mail gaec-de-la-rosiere@wanadoo.fr
t.l.j. 9h-12h 14h-19h

EUGÈNE CARREL ET FILS

Jongieux Gamay Prestige Vieilles Vignes 2006

■ 1,8 ha 14 000 5 à 8 €

Le gamay s'exprime bien sur le terroir de Jongieux, témoin cette cuvée dont le millésime précédent, plus éclatant, avait obtenu deux étoiles. Couleur cerise, le 2006 est un peu réservé au nez mais ses parfums de fruits rouges sont d'une belle finesse. La bouche dévoile beaucoup de matière, des tanins assez arrondis et un fruité cerise-cassis. À apprécier dès l'automne et pendant un an.

Dom. Eugène Carrel et Fils, Le Haut, 73170 Jongieux, tél. 04.79.44.00.20, fax 04.79.44.03.06, e-mail carrel-eugene@wanadoo.fr r.-v.

MICHEL CARTIER Abymes Jacquère 2005 ★★★

5 ha 20 000 3 à 5 €

« Quel plaisir ! » écrit un dégustateur au bas de sa fiche. Professionnels rigoureux, les jurés usent rarement du point d'exclamation. Mais cette jacquère sort du lot. Intense et complexe, le nez allie à des senteurs de fleurs, de pomme verte, de poire William une touche minérale de pierre à fusil. D'une franchise irréprochable, la bouche marie les fleurs blanches à des nuances citronnées. L'équilibre est remarquable, avec juste ce qu'il faut d'acidité pour apporter de la fraîcheur, et la longueur peu commune. Pour l'accord gourmand, on sortira aussi de la banalité. Pourquoi pas des cuisses de grenouille ?

Michel Cartier, EARL du Château, rue du Puits, 38530 Chapareillan, tél. 04.76.45.21.26, fax 04.76.45.21.67, e-mail earl-du-chateau@wanadoo.fr
r.-v.

PHILIPPE CHAPOT Apremont 2006

6 ha 50 000 3 à 5 €

Créée en 1850, cette exploitation a vécu pendant un siècle de polyculture et d'élevage. C'est le père et l'oncle de Philippe Chapot (lui-même installé en 1996) qui se sont spécialisés. Ce dernier a proposé deux honorables représentants de l'appellation : un apremont au nez intense, entre les fleurs blanches et la pierre à fusil, un peu alourdi en bouche par des sucres résiduels ; et un **gamay 2006** assez tannique, dont le fruité s'accompagne de notes originales d'herbes aromatiques qui ne sont pas sans rappeler la Chartreuse. Deux bouteilles pour l'année qui vient.

Philippe Chapot, La Serraz, 73190 Apremont, tél. et fax 04.79.28.26.20 r.-v.

CHEVALLIER-BERNARD Jongieux Gamay 2006

■ 2,5 ha 20 000 5 à 8 €

Un domaine très souvent retenu, en particulier pour ses rouges. Question de terroir sans doute, Jongieux figurant au nombre des crus réputés du vignoble, mais certainement aussi de savoir-faire. Ce gamay présente un nez discrètement fruité, avec des nuances épicées et végétales. La bouche révèle des tanins un peu austères. Le **jongieux mondeuse 2006** est assez fermé au nez, vineux en bouche, avec des arômes fruités et chocolatés. Il peut attendre un an ou deux.

EARL Chevallier-Bernard, Le Haut, 73170 Jongieux, tél. 04.79.36.86.90, fax 04.79.44.00.33
r.-v.
Chantal et Jean-Pierre Bernard

DOM. LA COMBE DES GRAND'VIGNES

Chignin-Bergeron 2006 ★

3 ha 13 000 5 à 8 €

Denis Berthollier s'installe en 1995 sur l'exploitation familiale, rejoint en 2000 par Didier. Les deux frères replantent des coteaux pentus restés incultes pendant cinquante ans. Ils vinifient par terroirs. Ce chignin-bergeron, issu de jeunes vignes et élevé sur lies, est certes timide au nez, mais il se montre puissant, gras, aromatique au palais, où s'expriment des arômes miellés et torréfiés. On y trouve de la matière et de l'équilibre. Cité, le **chignin Vieilles Vignes 2006 (3 à 5 €)** naît, au contraire, de ceps de cinquante ans. Les vins en provenance des différents terroirs ont été assemblés en février. Discrète mais franche, cette jacquère offre une expression typique du cépage.

Denis et Didier Berthollier, Dom. La Combe des Grand'Vignes, Le Viviers, 73800 Chignin, tél. 04.79.28.11.75, fax 04.79.28.16.22, e-mail berthollier@chignin.com r.-v.

CELLIER DES CRAY Chignin Jacquère 2006 ★

1,5 ha 7 500 3 à 5 €

Adrien Berlioz est un jeune vigneron installé en 2006. En un an, il s'est constitué un petit domaine de 4 ha environ. Pour son premier millésime, il est deux fois retenu. Le blanc est le préféré. Il s'agit d'une jacquère aux parfums floraux et minéraux caractéristiques, que l'on retrouve en rétro-olfaction. Un vin équilibré qui finit sur une touche d'amertume pas désagréable du tout.

🔑 Adrien Berlioz, Le Viviers, 73800 Chignin,
tél. 06.72.73.48.55, fax 04.79.28.00.53,
e-mail adrienberlioz@hotmail.com ☒ 🍷 r.-v.

CAVE DES VINS FINS DE CRUET
Chardonnay 2006

30 ha 117 000 ▮ 3 à 5 €

Créée dans les années 1930, cette coopérative implantée dans la Combe de Savoie regroupe des vignerons établis sur le versant sud du massif des Bauges. Elle propose avec ce chardonnay en robe d'or un vin flatteur. Le nez est discret : un rien de fleurs blanches, une touche de fruits secs ; du fruit confit aussi, qui annonce un palais rond et gras, bien équilibré. Le **rosé 2006**, tiré du gamay, est cité pour sa fraîcheur aromatique – du fruit rouge et du bonbon anglais – et pour sa bouche équilibrée entre vivacité et rondeur.

🔑 Cave des vins fins de Cruet, La Gare, 73800 Cruet,
tél. 04.79.84.28.52, fax 04.79.84.08.70,
e-mail cavedecruet@wanadoo.fr ☒ 🍷 🚶 r.-v.

DOM. GENOUX
Arbin Mondeuse L'Authentique 2006

3,5 ha 20 000 ▮ 5 à 8 €

Ce domaine est souvent présent dans le Guide à travers cette cuvée de mondeuse du cru Arbin issue de vignes de plus de cinquante ans. Ce 2006 est moins amène que le précédent : le nez ne s'exprime pas encore pleinement, les tanins sont fermes, voire revêches. Mais la robe grenat foncé et le nez délicatement épicé, poivré inspirent confiance : le potentiel est là. On attendra cette bouteille au moins deux ans avant de la servir avec un gigot d'agneau.

🔑 Dom. Genoux, Ch. de Mérande, 73800 Arbin,
tél. et fax 04.79.65.24.32,
e-mail domaine.genoux@wanadoo.fr ☒ 🍷 🚶 r.-v.

FRÉDÉRIC GIACHINO Abymes Tradition 2006

3 ha 20 000 3 à 5 €

Il y a vingt ans, Frédéric Giachino s'est constitué un vignoble de toutes pièces. Il exploite près de 9 ha de vignes. Ses vins du cru Abymes sont souvent retenus. Ce 2006 est né d'un élevage sur lies qui lui a conféré des arômes de fleurs blanches et de pomme. Il est porté par une nervosité citronnée qui lui donne un caractère bien trempé. Les dégustateurs apprécient.

🔑 Frédéric Giachino, La Palud, 38530 Chapareillan,
tél. et fax 04.76.45.57.11 ☒ 🍷 🚶 r.-v.

SAMUEL ET FABIEN GIRARD-MADOUX
Chignin Bergeron 2006

0,64 ha 5 600 5 à 8 €

Ce chignin-bergeron est un vin d'initiation, pour découvrir le cépage et le cru. Jaune paille brillant, il mêle au nez le foin, la pêche, la cire et le miel. Des notes miellées que l'on retrouve dans une bouche ronde, donnant à ce vin un caractère surmûri.

🔑 Samuel et Fabien Girard-Madoux,
SEA Cave Plantin, Tormery, 73800 Chignin,
tél. 04.79.28.11.76 ☒ 🍷 🚶 r.-v.

YVES GIRARD-MADOUX
Chignin Mondeuse 2006

1,7 ha 14 000 ▮ 5 à 8 €

Le vignoble d'Yves Girard-Madoux est implanté sur des coteaux argilo-calcaires exposés au sud-ouest, au pied de la Savoyarde, contrefort calcaire du massif des Bauges. Sa mondeuse 2006 offre une réelle typicité, des nuances épicées à dominante de poivre venant compléter ses parfums de fruits rouges. Ample et ronde, elle possède une structure assez légère, ce qui permettra de la servir dans les deux prochaines années avec une viande rouge.

🔑 Yves Girard-Madoux,
EARL Vignoble de la Pierre, Tormery, 73800 Chignin,
tél. et fax 04.79.28.05.60
☒ 🍷 🚶 t.l.j. sf dim. 8h-12h 14h-18h

CHARLES GONNET Chignin Jacquère 2006 ★

6 ha 45 000 ▮ 5 à 8 €

Ingénieur agricole, Charles Gonnet a repris l'exploitation familiale en 1989. Il a planté des vignes, gardé des parcelles plantées par son père dans les années 1960 et même de vénérables ceps datant de son arrière grand-père. Depuis dix ans, il s'est orienté vers une viticulture raisonnée et plus qualitative. Cet habitué du Guide a été contraint à un tri de la vendange pour obtenir cette jacquère 2006. Le vin séduit par la finesse de son nez où la pomme s'allie à l'abricot et à l'amande. Tout aussi aromatique, équilibrée, la bouche laisse une impression d'harmonie. Citée, la **mondeuse 2006** doit attendre un peu. Les fruits rouges épicés, poivrés sont bien là, les tanins répondent aussi présents... avec fermeté. À goûter en 2008.

🔑 Dom. Charles Gonnet, Chef-lieu, 73800 Chignin,
tél. 04.79.28.09.89, fax 04.79.71.55.91 ☒ r.-v.

DOM. IDYLLE Arbin Mondeuse 2006

3 ha 30 000 ▮ 5 à 8 €

Ce domaine implanté à Arbin défend sa mondeuse, la spécialité du cru, et manque rarement le rendez-vous du Guide, même lorsque l'année apparaît... peu idyllique. Après un 2004 et un 2005 très réussis, comment le 2006 se comporte-t-il ? Le nez est agréable et divers, dominé par les notes épicées du cépage, avec du fruit rouge, du pruneau, du cacao. Dans le même registre, la bouche révèle une structure moyenne – l'effet millésime. À goûter dans un an ou deux.

🔑 Philippe et François Tiollier,
Dom. de l'Idylle, Saint-Laurent, 73800 Cruet,
tél. 04.79.84.30.58, fax 04.79.65.26.26,
e-mail tiollier.idylle@wanadoo.fr
☒ 🍷 🚶 t.l.j. sf jeu. dim. 10h-12h15 14h-18h

XAVIER JACQUELINE
Méthode traditionnelle 2005

1 ha 6 000 ▮ 5 à 8 €

Œnologue, Xavier Jacqueline a planté il y a une vingtaine d'années un vignoble dominant le lac du Bourget, sur des coteaux exposés au soleil couchant. Sur ses 5 ha de vignes, il réserve 1 ha de chardonnay pour élaborer ce mousseux de méthode traditionnelle. Une bulle fine monte dans une robe jaune pâle. Fleurs blanches, fruits mûrs et accents tropicaux se partagent le nez. La bouche est équilibrée, assez souple, agréable. Une bouteille qui pourrait gagner à attendre quelques mois.

🔑 Xavier Jacqueline, 7, chem. de Saint-Simond,
73100 Aix-les-Bains, tél. 06.74.49.57.05,
fax 04.79.69.26.89,
e-mail xavier.jacqueline@wanadoo.fr ☒ 🍷 🚶 r.-v.

EDMOND JACQUIN ET FILS Jongieux 2006

2,37 ha 21 400 ▮ 5 à 8 €

Cité comme le dernier millésime, voici le vin qu'il faut pour une fondue savoyarde. Un nez discret mais

SAVOIE

agréable, minéral et floral, et une bouche équilibrée et structurée par de vifs arômes d'agrumes. Ce côté acidulé, pas désagréable du tout, s'accordera avec le fromage cuit.
Edmond Jacquin et Fils, Le Haut, 73170 Jongieux, tél. 04.79.44.02.35, fax 04.79.44.03.05, e-mail jacquin4@wanadoo.fr
t.l.j. 9h-12h 15h-19h

DOM. LABBE Abymes 2006

8 ha 10 000 3 à 5 €

Les frères Labbe ont repris en 2004 l'exploitation familiale : 9,50 ha au pied du Parc naturel régional de la Chartreuse. D'un jaune pâle brillant et limpide, leur jacquère du cru Abymes s'exprime peu au nez : une touche de fleur blanche, un rien de pierre à fusil. La bouche est plus intense, plus éloquente, avec vivacité : des notes citronnées lui donnent cette nervosité pacifique qui appelle le plateau de fruits de mer.
Dom. Labbe, Pont Royal, 73800 Les Marches, tél. et fax 04.76.13.21.79, e-mail domainelabbe@free.fr
r.-v.

PASCAL PAGET Apremont 2006 *

2 ha 4 000 3 à 5 €

Pascal Paget a quitté son Beaujolais natal pour reprendre cette exploitation cédée par un viticulteur partant à la retraite. Auparavant, il a exercé quinze ans comme technicien-œnologue en laboratoire. Vinifié sans levurage, son premier millésime apparaît plutôt fermé au nez, un peu épicé, mais il révèle en bouche une riche matière, beurrée, charnue, pas très longue mais agréable. Un caractère affirmé qui lui permettra d'accompagner tout un repas.
Pascal Paget, 13, lot. du Granier, 73800 Francin, tél. 04.79.84.47.47, e-mail pascal.paget@wanadoo.fr
r.-v.

LE CELLIER DU PALAIS Apremont Vieilles Vignes 2006 *

n.c. n.c. 5 à 8 €

René et Béatrice Bernard sont établis à Apremont où ils exploitent 7 ha. C'est de cette célèbre commune que provient ce vin blanc de jacquère, qui offre une expression typique du cru. Intense et plaisant au nez, il mêle les fleurs à des notes de pierre à fusil. La bouche, dominée par des sensations de fraîcheur de l'attaque à la finale, persiste longuement. Un apéritif de choix.
René et Béatrice Bernard, Le Cellier du Palais, 73190 Apremont, tél. 04.79.28.28.61, fax 04.79.28.33.30, e-mail bea-bernard@wanadoo.fr
t.l.j. sf dim. 9h-12h 14h-18h

DOM. PERRIER PÈRE ET FILS Chignin Bergeron Fleur de Roussane 2006

4,2 ha 30 000 5 à 8 €

Établis depuis 1853 au pied du massif des Bauges, ces vignerons sont des habitués du Guide. Leur domaine de 39 ha ne compte pas moins de cent parcelles. Une fois de plus, il est au rendez-vous avec deux vins blancs qui défendent honorablement un millésime modeste. Le chignin-bergeron est retenu pour ses qualités aromatiques : ses fragrances abricotées tout en finesse expriment bien la roussanne. Le palais franc finit sur une touche d'amertume. Quant à l'**apremont signé Jean Perrier et Fils Cuvée Gastronomie 2006**, c'est un classique, frais et léger.
Dom. Perrier Père et Fils, Saint-André, 73800 Les Marches, tél. 04.79.28.11.45, fax 04.79.28.09.91, e-mail vperrier@vins-perrier.com
t.l.j. sf sam. dim. 9h-12h 14h-17h

LA CAVE DU PRIEURÉ Gamay 2006 *

3,5 ha 28 000 3 à 5 €

Une exploitation figurant régulièrement dans le Guide. Cette nouvelle sélection montre que le terroir de Jongieux est favorable aux vignes rouges. En effet, c'est un gamay qui a la préférence du jury. Un rosé en robe soutenue, groseille à reflets grenadine, et au nez expressif, vif et complexe, où l'on trouve du citron confit, de la bergamote, du petit fruit rouge, du bourgeon de cassis... Le fruité se prolonge en bouche, sur des notes de cerise et de bonbon anglais. L'ensemble est puissant, vif, équilibré, assez long. La **mondeuse 2006 (5 à 8 €)** est citée pour ses arômes de fruits rouges ; son caractère tannique et sauvage incite à l'attendre un peu.
Raymond Barlet et Fils, La Cave du Prieuré, 73170 Jongieux, tél. 04.79.44.02.22, fax 04.79.44.03.07, e-mail caveduprieure@wanadoo.fr
t.l.j. sf dim. 14h-19h

JEAN-PIERRE ET JEAN-FRANÇOIS QUÉNARD Chignin Anne de la Biguerne 2006 *

1,5 ha 10 000 5 à 8 €

Les Quénard sont légion à Chignin. On trouve ce nom dans des écrits de 1644. Niché au pied de l'ancien château, ce domaine a été repris il y a vingt ans par Jean-François, œnologue. Ses vins sont souvent brillamment représentés dans le Guide. Cette cuvée de jacquère mêle au nez des parfums de fruits secs et des notes beurrées. Équilibrée, grasse, aromatique et longue, elle devrait bien s'accorder avec une viande blanche.
J.-Pierre et J.-François Quénard, caveau de la Tour-Villard, 73800 Chignin, tél. 04.79.28.08.29, fax 04.79.28.18.92, e-mail j.francois.quenard@wanadoo.fr r.-v.

PASCAL ET ANNICK QUÉNARD Chignin Bergeron Cuvée Noé 2006 *

0,4 ha 2 500 11 à 15 €

Cette autre famille Quénard de Chignin a vinifié sans levurage un chignin-bergeron fort apprécié des dégustateurs. Sa robe d'un jaune soutenu brillant et limpide et ses doux effluves miellés et abricotés sont de bon augure. Ils annoncent une bouche chaleureuse et suave aux arômes de pêche. Ce vin devrait mettre en valeur des noix de Saint-Jacques juste poêlées. La **mondeuse 2006 (5 à 8 €)** révèle une structure assez légère conforme au millésime, mais la franchise de son fruité de cerise lui vaut une citation.
Dom. Pascal et Annick Quénard, Le Villard, 73800 Chignin, tél. 04.79.28.09.01, fax 04.79.28.13.53, e-mail pascal.quenard.vin@wanadoo.fr r.-v.

PHILIPPE RAVIER Les Abymes 2006 *

5,5 ha 45 000 3 à 5 €

Ce domaine manque rarement le rendez-vous du Guide. C'est encore le cas avec cet abymes qui prouve que le vigneron a su s'affranchir des aléas du millésime pour livrer un vin d'une typicité sans faille. Fil conducteur de la dégustation, les fleurs blanches sont présentes au nez comme en bouche et laissent une plaisante empreinte, à côté d'une discrète minéralité. À marier avec une entrée à base de poisson.

Philippe Ravier, rte des Couards, 73800 Myans, tél. et fax 04.79.28.17.75, e-mail vinsdesavoie@wanadoo.fr r.-v.

DOM. DE ROUZAN Gamay 2006

0,8 ha 7 000 5 à 8 €

Denis Fortin est installé à Saint-Badolph, sur le territoire du Parc naturel régional de Chartreuse. Produit d'une macération semi-carbonique, ce gamay a été vinifié en grappes entières, ce qui transparaît au nez à travers d'intenses arômes de fruits rouges (cerise, framboise) accompagnés de notes torréfiées. La griotte règne dans une bouche dominée par la rondeur. À boire sans attendre avec une salaison savoyarde.

Denis Fortin, 152, chem. de la Mairie, 73190 Saint-Baldoph, tél. 04.79.28.25.58, fax 04.79.28.21.63, e-mail denis.fortin@wanadoo.fr r.-v.

DOM. DES SABOTS DE VÉNUS
Apremont 2006 *

11,33 ha 17 000 3 à 5 €

Cet apremont vinifié par la coopérative s'annonce par un nez tout en dentelle, aux subtiles fragrances d'agrumes et de pêche. En bouche, le fruit de la Passion vient dominer la palette aromatique au sein d'une matière ronde et grasse.

Le Vigneron Savoyard, Le Château, 73190 Apremont, tél. 04.79.28.33.23, fax 04.79.28.26.17 t.l.j. sf dim. 8h-12h 14h-18h

DOM. SAINT-GERMAIN
Gamay Vieilles Vignes 2006

2,8 ha 18 000 3 à 5 €

Pour sa septième vendange, ce domaine est une fois de plus retenu, grâce à un gamay issu de vignes de trente-cinq ans. De couleur soutenue, framboise à nuances grenat, ce vin présente un nez discret, mêlant le fruit cuit à des notes de sous-bois. Cette retenue se retrouve en bouche, mais l'ensemble est agréable. Les arômes de fruits rouges devraient s'épanouir dans les mois qui viennent. Cette bouteille s'entendra avec une viande blanche.

Dom. Saint-Germain, rte du Col-du-Frêne, 73250 Saint-Pierre-d'Albigny, tél. et fax 04.79.28.61.68, e-mail vinsstgermain1@aol.com ven. sam. 10h-12h 16h-18h

CH. LA TOUR DE MARIGNAN
Marignan Perlant 2005

2,7 ha 3 600 5 à 8 €

Ce domaine est situé sur les bords du Léman. Une maison forte commande son vignoble qui fut monastique aux origines, avant d'être vendu dès l'époque de la Réforme lors de l'occupation du Chablais par les calvinistes suisses. L'exploitation est aujourd'hui conduite en agriculture biologique. Dans ce cru de Marignan, le chasselas est roi. Celui-ci a été élevé six mois en foudre : un séjour qui lui a légué un côté torréfié qui se mêle aux notes de fruits confits, d'abricot, de coing et de fleurs blanches. Le bois a aussi apporté au vin une certaine rondeur.

Bernard Canelli-Suchet, Ch. La Tour de Marignan, 74140 Sciez, tél. 04.50.72.70.30, fax 04.50.72.36.02, e-mail ocanelli@caramail.com t.l.j. 9h30-12h30 13h30-19h30

CHANTAL ET GUY TOURNOUD
Apremont 2006

1,9 ha 10 000 3 à 5 €

Implanté au sud de Chambéry, à Chapareillan, commune située dans l'Isère mais voisine d'Apremont, le domaine des Tournoud propose des vins de ce cru qui sont souvent retenus. Ce 2006 laisse s'exprimer le terroir et le cépage jacquère à travers un nez franc partagé entre les fleurs et un fruité d'agrumes qui se prolonge en bouche. Une pointe d'amertume marque la finale.

Guy Tournoud, rue Basse-du-Château-Fort, Bellecombe, 38530 Chapareillan, tél. et fax 04.76.45.22.05 r.-v.

LE CELLIER DES TOURS
Chignin Bergeron La Bergeronnelle 2006 *

2 ha 15 000 8 à 11 €

Le Cellier des Tours est dirigé par une autre famille Quénard de Chignin. Un mot pour résumer ce chignin-bergeron : le gras. Ce vin jaune doré exprime au nez des fragrances d'abricot et de miel. Beurré au palais, il fait preuve d'une belle tenue et affiche une bonne persistance. Le **chignin mondeuse 2006 (5 à 8 €)** obtient également une étoile pour son nez expressif mêlant la violette, les fruits rouges, le cassis et le poivre et pour son palais tannique et assez long, caractéristique du cépage. Une bouteille à servir dans les deux ans sur des viandes rouges ou du gibier en sauce.

Les Fils de René Quénard, Les Tours-Le Villard, 73800 Chignin, tél. 04.79.28.01.15, fax 04.79.28.18.98, e-mail fils.rene.quenard@wanadoo.fr r.-v.

SAVOIE

LES FILS DE CHARLES TROSSET
Arbin Mondeuse Prestige des Arpents 2006 **

4 ha 30 000 8 à 11 €

1992, 2002, 2003, 2005, 2006. Ce domaine qui ne s'est spécialisé que depuis une vingtaine d'années est décidément le roi de la mondeuse : un cépage qui lui vaut son cinquième coup de cœur. Même dans ce millésime, il a su produire un vin remarquable. La robe très sombre, presque noire, laisse entrevoir son potentiel. Cassis, mûre, myrtille, épices, le nez est complexe et captivant. La bouche généreuse, épicée, torréfiée révèle des tanins bien fondus ; elle rappelle un peu l'univers gustatif de la syrah. Les impatients ouvriront sans hâte cette bouteille qui devrait se bonifier dans les mois qui viennent. À servir avec viandes rouges ou gibier en sauce.

SCEA Les Fils de Charles Trosset, 280, chem. des Moulins, 73800 Arbin, tél. et fax 04.79.84.30.99 r.-v.

ADRIEN VACHER Abymes Cuvée réservée 2006

▒ 4 ha 35 000 ∎ 3 à 5 €

Ce vigneron-négociant est régulièrement présent dans le Guide. Cette cuvée jaune pâle se partage au nez entre la pierre à fusil et le citron, registre caractéristique de la jacquère. En bouche, le sucre résiduel très présent l'alourdit quelque peu, mais l'ensemble reste équilibré. Une vivacité suffisante permettra de servir cette bouteille avec du poisson grillé.

Maison Adrien Vacher, Z.A. plan Cumin, 73800 Les Marches, tél. 04.79.28.11.48, fax 04.79.28.09.26, e-mail vacher.adrien@wanadoo.fr
t.l.j. sf sam. dim. 8h-12h 14h-18h30

DOM. DE VÉRONNET Chautagne Gamay 2006 ★

■ 3,7 ha 30 000 3 à 5 €

Ce gamay vient rappeler que le terroir de Chautagne est propice aux cépages rouges. Des vins rouges généralement réussis par cette exploitation. Celui-ci affiche un nez assez intense, fruité et grillé. Ce registre aromatique se retrouve en bouche, avec des tanins souples et fondus. Un ensemble espiègle et caractéristique du cépage, qui s'accordera avec une viande blanche.

Alain Bosson, Dom. de Véronnet, 73310 Serrières-en-Chautagne, tél. et fax 04.79.63.73.11, e-mail alain.bosson@wanadoo.fr
t.l.j. sf dim. 9h-19h

DOM. VIALLET
Chignin Bergeron Les Bouillettes 2006

▒ 1,7 ha 12 000 ∎ 5 à 8 €

Ce domaine souvent sélectionné en blanc signe un chignin-bergeron qui n'a pas laissé indifférent. Sa robe jaune paille attire l'attention, tout comme ses effluves toastés et abricotés. Les fruits jaunes et le miel imprègnent une bouche marquée par une pointe de nervosité. À déboucher à l'apéritif.

EARL Dom. Viallet, rte de Myans, 73190 Apremont, tél. 04.79.28.33.29, fax 04.79.28.20.68, e-mail viallet-vins-prod@wanadoo.fr
t.l.j. sf sam. dim. 8h30-12h 14h-17h30

CH. DE LA VIOLETTE Les Abymes 2006 ★

▒ 4 ha 35 000 ∎ 3 à 5 €

Sélectionné en rouge ces dernières années, le château de la Violette a tiré de la jacquère une bouteille très réussie cette année. Cet abymes est unanimement qualifié de charmeur. Sa matière est certes assez ténue, mais son élégance et sa typicité sont saluées : le nez est floral et citronné, la bouche séduisante de l'attaque à la finale. On y trouve cette minéralité caractéristique du cépage. La bouteille qu'il faut pour la tartiflette et la fondue.

Charles-Henri Gayet, Dom. du Ch. de La Violette, 73800 Les Marches, tél. 04.79.28.13.30, fax 04.79.28.09.26 t.l.j. sf dim. 9h-12h 14h-18h

DOM. JEAN VULLIEN ET FILS
Chignin Bergeron Harmonie 2006 ★★

▒ 1,5 ha 10 000 ∎ 8 à 11 €

Pépiniéristes viticoles et vignerons, les Vullien ont développé leur domaine ces dernières années, notamment dans le secteur de Chignin. Ils disposent aujourd'hui de plus de 26 ha, entre Fréterive et Montmélian. Harmonie ? Le nom de cette cuvée n'est pas usurpé. Son nez est grillé avec finesse. La bouche apparaît complexe et affiche dans ce millésime une puissance, une intensité et une longueur remarquables. Un coup de cœur fut mis aux voix...

EARL Jean Vullien et Fils, La Grande Roue, 73250 Fréterive, tél. 04.79.28.61.58, fax 04.79.28.69.37, e-mail jeanvullien@wanadoo.fr
t.l.j. sf dim. 9h-12h 14h-18h30; sam. 9h-12h

Roussette-de-savoie

Issue du seul cépage altesse (depuis le nouveau décret du 18 mars 1998), la roussette-de-savoie se trouve essentiellement à Frangy, le long de la rivière des Usses, à Monthoux et à Marestel, au bord du lac du Bourget. L'usage qui veut que l'on serve jeunes les roussettes de ce cru est regrettable, puisque, bien épanouies avec l'âge, elles font merveille lorsqu'on les associe à des préparations de poisson ou de viandes blanches ; ce sont elles qui accompagnent le beaufort local.

DOM. G. BLANC ET FILS 2006

▒ 1,5 ha 8 250 5 à 8 €

Ces vignerons, établis à Saint-Badolph, aux portes sud de Chambéry, exploitent 10 ha de vignes. On peut trouver leurs vins au Cellier des Chênes, leur magasin de vente (606, route d'Apremont). Cette roussette a séduit par la complexité de sa palette aromatique, où les agrumes voisinent avec les fruits exotiques, des notes minérales et des nuances torréfiées. Franche à l'attaque, elle est un peu envahie en finale par les sucres résiduels mais l'impression générale reste favorable.

Dom. Gilbert Blanc et Fils, 73, chem. de Revaison, 73190 Saint-Baldoph, tél. et fax 04.79.28.36.90, e-mail lecellierdeschenes@free.fr
t.l.j. sf mar. dim. 9h-12h 15h-19h

JEAN-NOËL BLARD ET FILS 2005

▒ 1,2 ha 8 000 ∎ 5 à 8 €

Ce 2005 ne fait pas oublier le 2003, un des coups de cœur de l'édition 2006. D'un jaune d'or soutenu, la robe laisse d'emblée entrevoir son côté évolué. Des notes de fruits confits et de miel confirment au nez cette première impression, ainsi que le gras et la rondeur de la bouche. Un ensemble intéressant, mais à découvrir sans tarder.

Dom. Blard et Fils, Le Darbé, 73800 Les Marches, tél. 06.11.50.30.37, fax 04.79.28.01.35 r.-v.

EUGÈNE CARREL ET FILS Marestel 2006 ★★

▒ 1,8 ha 13 000 ∎ 5 à 8 €

Cette roussette est l'illustration remarquable de toutes les potentialités offertes par le cru Marestel. De couleur or pâle, elle libère des parfums francs, complexes et de qualité, fruités (agrumes, fruits blancs), épicés et torréfiés. En bouche, elle révèle une matière puissante, grasse et superbement équilibrée. La longue finale est marquée par un élégant retour épicé aux nuances de gingembre. Une bouteille à servir pendant deux ou trois ans avec des noix de Saint-Jacques aux épices ou des poissons du lac.

Dom. Eugène Carrel et Fils, Le Haut, 73170 Jongieux, tél. 04.79.44.00.20, fax 04.79.44.03.06, e-mail carrel-eugene@wanadoo.fr r.-v.

DOM. LA COMBE DES GRAND'VIGNES
Baron Decouz 2005 ★★

	0,37 ha	1 800		5 à 8 €

C'est Alexis Berthollier qui a spécialisé l'exploitation familiale dès le début des années 1960. À la tête de 8 ha de vignes, ses deux fils poursuivent la même démarche de qualité, en replantant des coteaux incultes et en adaptant les cépages aux terroirs. Pour n'avoir que dix ans d'âge, les ceps à l'origine de cette roussette ont livré une matière première de grande qualité. Une bonne maîtrise de la vinification a fait le reste et produit un vin jaune paille au nez à la fois floral, minéral et grillé. La bouche est riche, grasse, suave, harmonieuse et longue. Pour découvrir la roussette.

Denis et Didier Berthollier, Dom. La Combe des Grand'Vignes, Le Viviers, 73800 Chignin, tél. 04.79.28.11.75, fax 04.79.28.16.22, e-mail berthollier@chignin.com r.-v.

VINCENT COURLET Frangy 2006

	2,5 ha	10 000		3 à 5 €

Ce domaine a été créé il y a une quarantaine d'années à partir de 20 a de vignes. Aujourd'hui, Vincent Courlet exploite 5 ha autour de Frangy, l'un des meilleurs crus pour la roussette. Celle-ci est citée pour sa robe jaune paille intense et pour son nez expressif, légèrement miellé, torréfié et beurré. Ample, d'un bon équilibre entre la rondeur et la fraîcheur, elle finit sur une originale touche réglissée. Une belle minéralité sur un support acide incite à l'attendre un an. On pourra servir ce vin avec des quenelles de brochet.

Vincent Courlet, 133, rue Basse, 74270 Frangy, tél. 06.81.86.02.52, e-mail vincourlet@yahoo.fr r.-v.

DOM. DUPASQUIER Marestel 2005

	2,5 ha	13 000		8 à 11 €

Le 2003 fut distingué d'un coup de cœur dans l'édition 2006 et ce 2005, par son niveau qualitatif (une belle citation), confirme le savoir-faire des producteurs. Un séjour d'un an en fût a donné de la complexité à cette roussette, et des arômes de fruits secs, qui constituent le fil conducteur de la dégustation jusqu'à une touche finale de noisette. S'y ajoutent le miel, la cire, les épices... L'ensemble est rond et gras, sans manquer d'élégance. À déboucher dès maintenant.

Dom. Dupasquier, Aimavigne, 73170 Jongieux, tél. 04.79.44.02.23, fax 04.79.44.03.56 r.-v.

CHARLES GONNET 2006

	1 ha	7 000		5 à 8 €

Cette roussette-de-savoie ne donne pas dans l'exubérance. Quelques effluves d'agrumes et de fleurs ; une fraîche minéralité en bouche. Malgré cette discrétion, le potentiel qualitatif est bien là. À servir à l'apéritif dès la sortie du Guide.

Dom. Charles Gonnet, Chef-lieu, 73800 Chignin, tél. 04.79.28.09.89, fax 04.79.71.55.91 r.-v.

GUY JUSTIN Marestel 2005 ★★★

	0,3 ha	1 800		5 à 8 €

Guy Justin est établi dans un petit village proche de Jongieux, à l'ouest du lac du Bourget, et cultive une dizaine d'hectares. Il a un faible pour la roussette, qui représente 70 % de l'encépagement de sa propriété, et dont il a tiré le meilleur dans le millésime 2005. Cette cuvée du cru Marestel n'a qu'un défaut, son caractère confidentiel. Pour le reste, ce vin doré est un modèle de l'appellation. Son nez, d'une rare intensité, mêle de délicates nuances de miel, d'épices et de pêche blanche. Sa bouche élégante représente un remarquable équilibre, avec juste ce qu'il faut de sucres résiduels pour contrebalancer un support acide de toute première qualité. La **cuvée Gabrielle 2005** obtient une étoile pour la complexité de ses arômes.

EARL Guy Justin, La Touvière, 73170 Billième, tél. et fax 04.79.36.81.61 r.-v.

DOM. LUPIN Frangy 2006

	4 ha	25 000		5 à 8 €

Bruno Lupin choie ses vignes d'altesse, cépage qui couvre la majeure martie de ses 5 ha – peut-il en être autrement quand on est établi à Frangy, l'un des crus de prédilection de la roussette ? Sa cuvée principale s'annonce par un nez flatteur partagé entre les fleurs et l'abricot, avec des nuances de pain grillé. La bouche est plus discrète, mais elle fait preuve d'une certaine élégance. Une citation encore pour la **cuvée du Pépé Frangy 2006**, issue de vignes plantées en gobelet et sur échalas par le grand-père du vigneron, il y a cinquante-quatre ans. Un vin gras, presque moelleux, encore fermé. Deux bouteilles à découvrir au caveau de dégustation qui fait aussi ferme-auberge.

Bruno Lupin, rue du Grand-Pont, 74270 Frangy, tél. 04.50.44.75.04, fax 04.50.32.29.12 t.l.j. sf dim. lun. 8h30-14h 17h-19h30; f. début sept.

DOM. MAGNE Tête de cuvée 2006 ★

	0,38 ha	2 666		8 à 11 €

Technicien supérieur en œnologie, Michel Magne a repris en 1995 le domaine familial implanté sur les éboulis du mont Granier. Sa Tête de cuvée a été fort appréciée. Très expressive au nez, elle explore les fleurs et les fruits avant d'évoluer sur les fruits secs et la cire pour finir sur des notes fraîches et citronnées. Des nuances aromatiques qui se retrouvent pour la plupart en bouche, au sein d'une matière riche, ample et persistante. À déguster dans les trois ans qui viennent.

SAVOIE

Michel Magne, Saint-André, 38530 Chapareillan, tél. 04.79.28.07.91, fax 04.79.28.17.96, e-mail domaines.michel.magne@neuf.fr
t.l.j. 15h-19h

CH. DE MONTERMINOD 2006 ★

4 ha 25 000 5 à 8 €

Plusieurs dégustateurs ont souligné la qualité de la matière première de cette roussette, dont la palette aromatique ne manque pas non plus d'intérêt. Riche et variée, celle-ci décline la mirabelle, le miel, le pain d'épice, le beurre, le grillé. La bouche équilibrée est dominée par des impressions de richesse ; elle révèle aussi des notes d'évolution qui incitent à apprécier cette bouteille dès maintenant. Une cassolette de Saint-Jacques formera un bel accord gourmand.

Dom. Perrier Père et Fils, Saint-André, 73800 Les Marches, tél. 04.79.28.11.45, fax 04.79.28.09.91, e-mail vperrier@vins-perrier.com
t.l.j. sf sam. dim. 9h-12h 14h-17h

MAISON PHILIPPE VIALLET
La Séduisante Élevé en fût de chêne 2006

2 ha 10 000 8 à 11 €

Cette roussette a été élevée un an en merrain du Tronçais. Le chêne de l'Allier s'exprime indubitablement, à côté de notes florales, végétales (buis, bourgeon de cassis) et minérales. La bouche a néanmoins conservé une certaine fraîcheur citronnée. L'ensemble, de qualité mais atypique, plaira aux amateurs de vins boisés.

Maison Philippe Viallet, rte de Myans, 73190 Apremont, tél. 04.79.28.33.29, fax 04.79.28.20.68, e-mail viallet-vins@wanadoo.fr
r.-v.

Seyssel

Cette AOC est élaborée, pour ses vins tranquilles, à base du seul cépage altesse. Les quelques vignes de molette qui subsistent à Seyssel entrent dans les vins mousseux de l'AOC, en association avec l'altesse ; ceux-ci sont commercialisés trois ans après leur prise de mousse. Ces cépages locaux donnent un bouquet et une finesse spécifiques aux vins de Seyssel, où l'on reconnaît notamment la violette. L'aire d'appellation couvre 83 ha pour 4 454 hl produits en 2006.

AIMÉ BERNARD ET FILS Cuvée Prestige 2006

0,7 ha 5 060 5 à 8 €

La quatrième génération, représentée par deux fils, vient de prendre pleinement les rênes de cette propriété avec le départ à la retraite du père. L'exploitation s'étend sur 11 ha et accueille les visiteurs dans une cave voûtée. Cette cuvée Prestige naît de vieilles vignes. Jaune paille brillant, elle s'annonce par un nez fin, fruité et minéral, et se montre ample, grasse et assez longue. Citée également, la **cuvée principale (3 à 5 €)** exprime des parfums floraux, miellés avec une touche minérale. Malgré la présence de sucres résiduels, l'équilibre est préservé grâce à un bon support acide.

GAEC Aimé Bernard et Fils, Sylans, 01420 Corbonod, tél. et fax 04.50.56.19.18
t.l.j. 9h-12h 14h-19h; groupes sur r.-v.

Le Bugey

Bugey AOVDQS

Dans le département de l'Ain, le vignoble du Bugey occupe les basses pentes des monts du Jura, dans l'extrême sud du Revermont, depuis le niveau de Bourg-en-Bresse jusqu'à Ambérieu-en-Bugey, ainsi que celles qui, de Seyssel à Lagnieu, descendent sur la rive droite du Rhône. Autrefois important, il est aujourd'hui réduit et dispersé sur 490 ha. En 2006, 29 767 hl ont été déclarés.

Il est établi le plus souvent sur des éboulis calcaires de pentes assez fortes. L'encépagement reflète la situation de carrefour de la région : en rouge, le poulsard jurassien - limité à l'assemblage des effervescents de Cerdon - y voisine avec la mondeuse savoyarde et le pinot et le gamay de Bourgogne ; de même, en blanc, la jacquère et l'altesse sont en concurrence avec le chardonnay - majoritaire - et l'aligoté, sans oublier la molette, cépage local surtout utilisé dans l'élaboration des vins mousseux.

MAISON ANGELOT
Chardonnay Cuvée Maxime Tête de cuvée 2006 ★

2,5 ha 18 400 5 à 8 €

Deux associés exploitent 27 ha de vignes répartis sur sept communes autour de Marignieu. La propriété, souvent sélectionnée pour ses rouges, se voit cette année retenue pour une cuvée de chardonnay or pâle. Le nez légèrement beurré dispense un fruité élégant et complexe, où la pêche s'associe à l'ananas puis, en bouche, aux agrumes et à la banane. Rond et gras, suffisamment frais, le palais est équilibré et long. Déjà agréable, ce vin pourra accompagner pendant un à deux ans un poisson en sauce ou une volaille.

GAEC Maison Angelot, Au bourg, 01300 Marignieu, tél. 04.79.42.18.84, fax 04.79.42.13.61, e-mail maison.angelot@proveis.com
t.l.j. 9h-12h 14h-19h

DOM. DE BEL-AIR Chardonnay 2006

5 ha 26 900 5 à 8 €

Ce domaine familial, restructuré dans les années 1980, s'étend sur 7 ha ; on y cultive de nombreux cépages rouges et blancs, ce qui lui permet d'être souvent retenu dans plusieurs couleurs ; son chardonnay 2006 est prêt à servir à l'apéritif. Ses arômes de fruits blancs (poire, pêche), de fleurs blanches et d'agrumes, présents au nez comme en bouche, sont vifs et agréables. Au palais, ce vin est plutôt souple, frais et long en finale. Le **gamay 2006** est également cité pour son nez expressif et vif, sur la groseille et la cerise, et pour sa bouche typique, nerveuse et légère. Un sympathique vin de casse-croûte.

Dom. de Bel-Air, rue Albert-Ferier, 01350 Culoz, tél. 04.79.87.04.20, fax 04.79.87.18.23, e-mail cellierbelair@aol.com

t.l.j. 9h-12h 15h-19h; dim. 9h-12h

Valérie Glaizal

DANIEL BOCCARD

Cerdon Méthode ancestrale 2006 *

3,33 ha 34 667 5 à 8 €

Daniel Boccard est installé à 7 km de Cerdon, et exploite plus de 11 ha de vignes. L'assemblage à l'origine de cette méthode ancestrale associe 95 % de gamay à un soupçon de poulsard : 5 % qui ont été détectés par les dégustateurs ! Une mousse sémillante anime un robe rose pâle, libérant d'agréables et fraîches senteurs fruitées. Ce fruité se prolonge dans une bouche équilibrée et assez longue, ronde et fraîche à la fois, pas trop douce. Un cerdon harmonieux.

Daniel Boccard, Poncieux, 01640 Boyeux-Saint-Jérôme, tél. et fax 04.74.36.84.34

r.-v.

CAVEAU SYLVAIN BOIS

Roussette Coteau de Chambon 2006 *

0,9 ha 4 300 3 à 5 €

En 2001, Sylvain Bois a repris le vignoble de 1,20 ha de son grand-père. Il a créé sa cave et agrandi la propriété. Il dispose aujourd'hui de 4,50 ha de vignes dont il tire sept vins différents. Cette jeune vigne d'altesse a subi les caprices d'un millésime chaotique : la sécheresse de juillet, puis l'humidité d'août ont fait perdre 40 % de la vendange, mais le reste a permis à cette troisième récolte de figurer en bonne place dans le Guide – comme les deux années précédentes. De couleur paille légèrement ambrée, cette roussette présente un nez intense et complexe où le miel voisine avec les fruits mûrs, voire confits. Riche et grasse, la bouche est dans le même registre, laissant s'exprimer le coing. Une bouteille à servir pendant trois ans sur des noix de Saint-Jacques. Le **chardonnay 2006**, plus classique, est cité pour ses élégants arômes minéraux et exotiques.

Sylvain Bois, Les Mortiers, 01350 Béon, tél. 06.88.49.03.95, fax 04.79.87.23.26, e-mail caveausylvainbois@vinsdubugey.net

t.l.j. sf dim. 9h-12h 14h-18h30

CHRISTIAN BOLLIET

Cerdon Méthode ancestrale Cuvée spéciale 2006

0,5 ha 4 000 5 à 8 €

Établi dans un village voisin de Cerdon, Christian Bolliet exploite le petit domaine familial créé par ses ancêtres à l'époque de la Révolution : un peu plus de 4 ha de vignes. Le poulsard domine à 95 % dans cette méthode ancestrale, complété par le gamay. La mousse est timide, la robe pâle montre quelques reflets pelure d'oignon. Si les senteurs et les arômes, frais et vifs, évoquent les petits fruits rouges, groseille et framboise, la bouche est marquée par la douceur, de l'attaque à la finale. C'est au dessert qu'il faudra déboucher cette bouteille.

Christian Bolliet, hameau de Bôches, 01450 Saint-Alban, tél. 04.74.37.37.21, fax 04.74.37.37.69 r.-v.

LE CAVEAU BUGISTE Chardonnay Tradition 2006

10 ha 80 000 3 à 5 €

Six vignerons se sont associés en 1967 pour créer cette structure qui dispose aujourd'hui de 45 ha de vignes et propose plus de vingt-cinq vins différents. Une plus ancienne maison restaurée associe un espace de dégustation à un petit musée, vitrine du Bugey artisanal et viticole. Fidèle au rendez-vous du Guide, le Caveau se voit cité cette année pour deux cuvées de chardonnay. La préférée est sans doute cette Tradition, appréciée des dégustateurs pour son nez expressif sur les fruits exotiques (ananas) et les agrumes (pamplemousse, citron) et pour sa bouche tout aussi aromatique et fraîche. Le **chardonnay Vieilles Vignes 2006 (5 à 8 €)** est plus mesuré dans son expression aromatique, mais il tire tout de même son épingle du jeu.

Le Caveau Bugiste, Chef-lieu, 01350 Vongnes, tél. 04.79.87.92.32, fax 04.79.87.91.11, e-mail caveau-bugiste@wanadoo.fr

t.l.j. 9h-12h 14h-19h

BUGEY

PIERRE DUCOLOMB Mondeuse 2006 *

1,21 ha 6 100 3 à 5 €

Une cuvée de mondeuse de ce producteur décrocha l'un des coups de cœur de l'appellation dans le millésime précédent. Cette variété est également à l'origine de ce 2006 qui n'a pas séjourné dans le bois. Un grand soin a été apporté à la matière première, récoltée à la main. La couleur est soutenue, le nez développe de suaves parfums de fruits rouges et noirs qui se prolongent en bouche. La structure est surprenante : pas d'aspérités ici, mais au contraire de la rondeur et une certaine souplesse qui permet de déboucher cette bouteille dès maintenant. On pourra aussi l'attendre au moins deux ans.

Pierre Ducolomb, 01680 Lhuis, tél. et fax 04.74.39.82.58, e-mail pierre.ducolomb@wanadoo.fr r.-v.

LAURENT ET GÉRARD DUFOUR

Altesse Cuvée des Grands Hautains 2006

0,4 ha 2 500 3 à 5 €

Installée à Massignieu-de-Rives, au bord du Rhône, la famille Dufour cultive la vigne depuis plus d'un demi-siècle. L'exploitation s'étend sur une dizaine d'hectares. Une parcelle d'altesse est à l'origine d'une roussette honorable. Florale et fruitée au nez, cette cuvée développe au palais des notes de poire et de mangue au sein d'une matière riche et grasse. L'ensemble, qui peut attendre un an ou deux, accompagnera un poisson en sauce.

GAEC Laurent et Gérard Dufour, Le Bourg, 01300 Massignieu-de-Rives, tél. 04.79.42.10.48, fax 04.79.42.19.98, e-mail gaecdufour@wanadoo.fr

r.-v.

MAISON DUPORT
Chardonnay Vieilles Vignes 2006

2,5 ha 17 000 5 à 8 €

Cette exploitation située sur la rive droite du Rhône a réalisé de gros investissements il y a une dizaine d'années et propose tous les styles de vins du Bugey. Ses vieilles vignes de chardonnay, de quarante ans d'âge, donnent un vin régulièrement retenu dans le Guide. Le 2006 exprime des parfums intenses et caractéristiques : fruits mûrs (pêche blanche), ananas, fruits secs, notes grillées. La bouche équilibrée finit sur les agrumes, avec une touche minérale. La **cuvée Harmonie rouge 2005** est un assemblage maison de deux tiers de pinot noir et d'un tiers de mondeuse. Plutôt sévère, elle est citée pour sa bouche structurée aux arômes de fruits noirs et pour sa finale réglissée.

Maison Denis et Yves Duport, Le Lavoir, 01680 Groslée, tél. 04.74.39.74.33, fax 04.74.39.74.68, e-mail maison.duport@wanadoo.fr r.-v.

DUPORT ET DUMAS Mondeuse 2006

0,83 ha 4 000 8 à 11 €

Cette maison de négoce a déjà trois coups de cœur à son actif : deux en mondeuse (millésimes 1999 et 2001), un en chardonnay (millésime 2004). Olivier Turlais en est l'œnologue. Produit d'une macération carbonique avec pigeage durant sept jours, ce 2006 offre un nez expressif et fin de griotte. Puissante et charnue, la bouche présente le côté tannique et sévère assez caractéristique des jeunes vins de mondeuse ; mieux vaut l'attendre trois ou quatre ans. Également cité, le **chardonnay 2006 (5 à 8 €)** développe des parfums floraux au nez, tandis que la bouche équilibrée se partage entre les fruits exotiques et le pamplemousse. Un carpaccio de poisson s'accommodera de la présence de sucres résiduels.

SARL Duport-Dumas, Pont-Bancet, 01680 Groslée, tél. 04.74.39.75.19, fax 04.74.39.70.05, e-mail duportdumas.vinsdubugey@orange.fr r.-v.

LINGOT-MARTIN Cerdon Méthode ancestrale
Cuvée réservée Vignes âgées 2006 ★★

3 ha 15 000 5 à 8 €

Aux Lingot et aux Martin se sont associés ensuite les Bolliet et les Guillon pour former une exploitation de 25 ha de vignes. Longtemps établie à Cerdon, la propriété a maintenant son siège à quelques kilomètres plus à l'ouest, à Poncin, sur les bords de l'Ain – une commune possédant une fruitière où l'on fabrique du comté, autre AOC. Le cerdon méthode ancestrale constitue la principale production du Cellier. Dans la cave neuve aménagée en 2006 a été élaborée cette nouvelle cuvée, assemblage de 80 % de gamay et de 20 % de poulsard. Fuschia aux reflets cuivrés, ce 2006 présente un nez timide mais frais et délicat. Les fruits rouges s'affirment dans une bouche riche, équilibrée par une fine acidité. Le **cerdon cuvée Classic demi-sec 2006**, de pur gamay, exprime la groseille avec fraîcheur et simplicité. Une étoile pour ce représentant harmonieux et sans artifice de l'appellation.

Cellier Lingot-Martin, sous la côte Menestruel, 01450 Poncin, tél. 04.74.39.97.77, fax 04.74.39.94.55, e-mail lingot-martin@wanadoo.fr t.l.j. 8h30-12h 13h30-18h; sam. dim. à partir de 10h

Lingot-Martin, Guillon Frères, Bolliet

DOM. MONIN La Serranne Chardonnay 2006

3 ha 19 600 5 à 8 €

Ce domaine est établi à Vongnes, village pittoresque au pied du massif du Grand Colombier. Il propose des chambres d'hôtes, notamment des cabanes perchées. Ses vins ont été très remarqués les années précédentes, en particulier les rouges. Cette année, voici deux cuvées de chardonnay citées par le jury. Cette Serranne exprime au nez comme en bouche la fraîcheur des agrumes. Sa vivacité s'accordera avec une friture de poissons. Très différent est le **chardonnay Les Bâtardes 2005** : il a séjourné huit mois en fût et l'élevage lui a légué un boisé torréfié et vanillé sensible du premier nez à la finale. Beurré et gras, il accompagnera des quenelles sauce Nantua.

Dom. Monin, 01350 Vongnes, tél. 04.79.87.92.33, fax 04.79.87.93.25, e-mail info@domaine-monin.fr t.l.j. 9h-12h30 14h-19h

CAVEAU D'ONCIN Montagnieu Roussette 2005 ★

0,89 ha 2 622 5 à 8 €

Benoît Dumont a repris en 1999 l'exploitation fondée par son arrière-grand-père. Sur ces quelque 3 ha de vignes, il produit quatre vins différents, en ayant à cœur de mettre à profit l'expérience de ses aïeux. Sa roussette de Montagnieu a donné toute satisfaction. Dès le premier nez, elle déploie une palette variée de parfums : agrumes, fruits jaunes (pêche, abricot), fruits mûrs, voire confits. Dans un même registre, le palais développe les aspects miellés et confits perçus à l'olfaction. Gras et chaleureux, avec une touche de vivacité en finale, l'ensemble s'accordera avec une truite meunière.

Benoît Dumont, vers Oncin, 01470 Montagnieu, tél. et fax 04.74.36.72.23, e-mail caveau-oncin@wanadoo.fr t.l.j. 8h-20h

FRANCK PEILLOT Montagnieu Roussette 2006

1,28 ha 10 000 5 à 8 €

Tel un balcon sur le Rhône, le coteau escarpé de Montagnieu porte un vignoble d'altesse qui donne une roussette réputée. Depuis plus de cinquante ans, ce cépage est le fer de lance de la famille Peillot. Il a engendré ici un vin or pâle très marqué par les agrumes, au nez comme en bouche. Pamplemousse et citron, avec quelques touches minérales, vivifient cette cuvée franche à l'attaque, fraîche et longue en finale, qui devrait pouvoir vieillir. Cette bouteille s'entendra avec de la cuisine exotique.

EARL Famille Peillot, Au village, 01470 Montagnieu, tél. 04.74.36.71.56, fax 04.74.36.14.12, e-mail franckpeillot@aol.com r.-v.

DOM. DES PLANTAZ Roussette 2005 ★

2,5 ha 7 800 5 à 8 €

La famille Gros exploite la vigne depuis le début du XXe s. La viticulture a pris une importance croissante dans la propriété : les superficies sont passées d'un peu plus de 2 ha à 10 aujourd'hui. Couvrant des moraines glaciaires, les plants d'altesse ont donné naissance à cette roussette harmonieuse, complexe et très fine, au nez bien ouvert sur un fruité mûr aux notes confites et miellées. Franche à l'attaque, la bouche garde ce caractère aromatique ; la poire et l'ananas viennent s'ajouter à sa palette. La finale est fraîche et longue. On suggère d'essayer cette bouteille sur un gâteau de foies de volaille.

EARL Fabrice Gros, Dom. des Plantaz, Chavillieu, 01510 Pugieu, tél. et fax 04.79.81.47.48 r.-v.

CAVEAU QUINARD
Chardonnay Tradition Vieilles Vignes 2006

4,6 ha 25 000 3 à 5 €

Cette exploitation familiale, qui offre une vue magnifique sur la vallée du Rhône, dispose de plus de 13 ha de vignes. Un tiers des superficies est complanté en chardonnay, un autre tiers en vignes rouges (gamay, pinot noir et mondeuse), le restant en roussette et molette destinées notamment aux effervescents. Issue de ceps trentenaires, cette cuvée est expressive et complexe au nez, structurée et charnue en bouche. Plutôt fruitée à l'olfaction, elle est marquée au palais par une certaine minéralité. À goûter avec des diots (saucisses locales) accompagnés d'un gratin de cardons.

EARL Caveau Quinard, Au bourg,
01300 Massignieu-de-Rives, tél. 04.79.42.10.18,
fax 04.79.42.12.84, e-mail qjacqueli@aol.com
r.-v.

BERNARD RONDEAU
Cerdon Méthode ancestrale 2006

4,5 ha 43 000 5 à 8 €

La famille Rondeau élabore un cerdon très souvent mentionné dans le Guide, parfois aux meilleures places (dernier coup de cœur en 2003). La bulle est ici fine et abondante, le nez de fruits frais un rien timide. Les arômes s'affirment en bouche, sur des accents de bonbon anglais. De la douceur et de la souplesse, puis de la fraîcheur en finale. Un joli vin d'apéritif.

Marjorie et Bernard Rondeau,
hameau de Cornelle, 01640 Boyeux-Saint-Jérôme,
tél. et fax 04.74.37.12.34,
e-mail bernardrondeau@wanadoo.fr r.-v.

THIERRY TISSOT Mataret Mondeuse 2006 ★

0,79 ha 5 200 5 à 8 €

Parcouru par un ruisseau, encadré de collines, le village de Vaux-en-Bugey est bucolique et charmant. Mais ses coteaux abrupts, synonymes de travail ingrat et peu rentable, ont rebuté les viticulteurs qui les ont laissés à l'abandon. Jeune ingénieur-œnologue installé en 2001, Thierry Tissot a replanté celui du Mataret de variétés locales, la mondeuse et l'altesse. Première récolte en 2003, première mention dans le Guide. Une belle régularité par la suite. Le 2006, d'abord discret, s'ouvre sur des notes de fruits très mûrs. Les fruits rouges et noirs s'affirment dès l'attaque, puis on découvre des tanins encore un peu sauvages, mais qui commencent à se fondre. Très représentatif du cépage, ce vin typique est aussi un modèle accompli de vin de terroir.

Thierry Tissot, quai du Buizin,
01150 Vaux-en-Bugey, tél. 06.81.14.02.17,
e-mail thierrytissot@hotmail.com r.-v.

DOM. DE VILLENEUVE Altesse 2005

1 ha 6 373 5 à 8 €

Philippe Perdrix a repris en 1999 le domaine créé par son père en 1985 autour de Saint-Benoît, village situé sur la rive droite du Rhône. Sur ses 3,5 ha de vignes, il produit cinq types de vins. L'exploitation est régulièrement mentionnée dans le Guide, cette année au travers d'une altesse élevée douze mois, discrètement confite au nez, un peu amylique. Les dégustateurs parient sur le potentiel de ce vin, pour l'heure plutôt réservé, qui accompagnera une raclette d'ici deux à trois ans.

Philippe Perdrix, Dom. de Villeneuve,
01300 Saint-Benoît, tél. et fax 04.74.39.74.24,
e-mail vin.philippeperdrix@wanadoo.fr r.-v.

BUGEY

LE LANGUEDOC ET LE ROUSSILLON

LE LANGUEDOC ET LE ROUSSILLON

Entre la bordure méridionale du Massif central et les régions orientales des Pyrénées, c'est une mosaïque de vignobles et une large palette de vins qui s'offrent à travers quatre départements côtiers : le Gard, l'Hérault, l'Aude, les Pyrénées-Orientales, grand cirque de collines aux pentes parfois raides se succédant jusqu'à la mer, constituant quatre zones successives : la plus haute, formée de régions montagneuses, notamment de terrains anciens du Massif central ; la deuxième, région des soubergues (coteaux pierreux) et des garrigues, la partie la plus ancienne du vignoble ; la troisième, la plaine alluviale assez bien abritée présentant quelques coteaux peu élevés (200 m) ; et la quatrième, zone littorale formée de plages basses et d'étangs dont les récents aménagements ont fait l'une des régions de vacances les plus dynamiques d'Europe. Ici encore, c'est aux Grecs que l'on doit sans doute l'implantation de la vigne, dès le VIII^e^s. av. J.-C., au voisinage des points de pénétration et d'échanges. Avec les Romains, le vignoble se développa rapidement et concurrença même le vignoble romain, si bien qu'en l'an 92 l'empereur Domitien ordonna l'arrachage de la moitié des surfaces plantées ! La culture de la vigne resta alors une spécificité de la Narbonnaise pendant deux siècles. En 270, Probus redonna au vignoble du Languedoc-Roussillon un nouveau départ, en annulant les décrets de 92. Celui-ci se maintint sous les Wisigoths, puis dépérit lorsque les Sarrasins intervinrent dans la région. Le début du IX^e^s. marqua une renaissance du vignoble, dans laquelle l'Église joua un rôle important grâce à ses monastères et à ses abbayes. La vigne est alors placée surtout sur les coteaux, les terres de plaine étant réservées aux cultures vivrières.

Le commerce du vin s'étendit surtout aux XIVe et XV^e^s., de nouvelles technologies voyant le jour, tandis que les exploitations se multipliaient. Aux XVIe et XVII^e^s. se développa aussi la fabrication des eaux-de-vie.

Aux XVIIe et XVIII^e^s., l'essor économique de la région passe par la création du port de Sète, l'ouverture du canal des Deux Mers, la réfection de la voie romaine, le développement des manufactures de tissage de draps et de soieries. Il donne une nouvelle impulsion à la viticulture. Facilitée par les nouvelles infrastructures de transport, l'exportation du vin et des eaux-de-vie est encouragée.

On assiste alors au développement d'un nouveau vignoble de plaine, et l'on voit apparaître dès cette période la notion de terroir viticole, où les vins liquoreux occupent déjà une grande place. La création du chemin de fer, entre les années 1850 et 1880, diminue les distances et assure l'ouverture de nouveaux marchés dont les besoins seront satisfaits par l'abondante production de vignobles reconstitués après la crise du phylloxéra.

Grâce à ses terroirs situés sur les coteaux, dans le Gard, l'Hérault, le Minervois, les Corbières et le Roussillon, un vignoble planté de cépages traditionnels (voisin des vignobles qui avaient fait la gloire du Languedoc-Roussillon au siècle précédent) va se développer à partir des années 1950. Un grand nombre de vins deviennent alors AOVDQS et AOC, tandis que l'on constate une orientation vers une viticulture de qualité.

Les différentes zones de production du Languedoc-Roussillon se trouvent dans des situations très variées quant à l'altitude, à la proximité de la mer, à l'établissement en terrasses ou en coteaux, aux sols et aux terroirs.

Les sols et les terroirs peuvent être ainsi des schistes de massifs primaires comme à Banyuls, à Maury, en Corbières, en Minervois et à Saint-Chinian ; des grès du lias et du trias alternant souvent avec des marnes comme en Corbières et à Saint-Jean-de-Blaquière ; des terrasses et cailloux roulés du quaternaire, excellent terroir à vignes comme à Rivesaltes, Val-d'Orbieu, Caunes-Minervois, dans la Méjanelle ou les Costières de Nîmes ; des terrains calcaires à cailloutis souvent en pente ou situés sur des plateaux, comme en Roussillon, en Corbières, en Minervois ; ou, dans les coteaux du Languedoc, des terrains d'alluvions récentes (sans oublier les arènes granitiques et gneiss des Albères et Fenouillèdes).

Le climat méditerranéen assure l'unité du Languedoc-Roussillon, climat fait parfois de contraintes et de violence. C'est en effet la région la plus chaude de France (moyenne annuelle voisine de 14 °C, avec des températures pouvant dépasser 30 °C en juillet et en août) ; les pluies sont rares, irrégulières et mal réparties. La belle saison connaît toujours un manque d'eau important du 15 mai au 15 août. Dans beaucoup d'endroits du Languedoc-Roussillon, seule la culture de la vigne et de l'olivier est possible. Il tombe 350 mm d'eau au Barcarès, la localité la moins arrosée de France. Mais la quantité d'eau peut varier du simple au triple suivant l'endroit (400 mm au bord de la mer, 1 200 mm sur les massifs montagneux). Les vents viennent renforcer la sécheresse du climat lorsqu'ils soufflent de la terre (mistral, cers, tramontane) ; au contraire, les vents provenant de la mer modèrent les effets de la chaleur et apportent une humidité bénéfique à la vigne.

Le réseau hydrographique est particulièrement dense ; on compte une vingtaine de rivières, souvent transformées en torrents après les orages, souvent à sec à certaines périodes de sécheresse. Elles ont contribué à l'établissement du relief et des terroirs depuis la Vallée du Rhône jusqu'à la Têt, dans les Pyrénées-Orientales.

Sols et climat constituent un environnement très favorable à la vigne en Languedoc-Roussillon, ce qui explique qu'y soient localisés près de 40 % de la production nationale, dont annuellement environ 2 730 000 hl en VQPRD.

Dans le vignoble de vins de table, on constate depuis 1950 une évolution de l'encépagement : régression très importante de l'aramon, cépage de vins de table légers planté au XIXes., àu profit des cépages traditionnels du Languedoc-Roussillon (carignan, cinsault, grenache noir, syrah et mourvèdre) ; et implantation d'autres cépages plus aromatiques (cabernet-sauvignon, cabernet franc, merlot et chardonnay).

Dans le vignoble de vins fins, les cépages rouges sont le carignan qui apporte au vin structure, tenue et couleur ; le grenache, cépage sensible à la coulure, qui donne au vin sa chaleur, participe au bouquet mais s'oxyde facilement lors du vieillissement ; la syrah, cépage de qualité, qui apporte ses tanins et un arôme se développant avec le temps ; le mourvèdre, qui vieillit bien et donne des vins élégants, résistants à l'oxydation ; le cinsault enfin, qui, cultivé en terrain pauvre, donne un vin souple présentant un fruité agréable et surtout entrant dans l'assemblage des vins rosés.

Les blancs sont produits à partir de grenache blanc pour les vins tranquilles, de picpoul, de bourboulenc, de macabeu, de clairette – donnant une certaine chaleur mais madérisant assez rapidement. Depuis peu, marsanne, roussanne et vermentino agrémentent cette production. Pour les vins effervescents, on fait appel au mauzac, au chardonnay et au chenin.

Le Languedoc

Blanquette-de-limoux

Ce sont les moines de l'abbaye Saint-Hilaire, commune proche de Limoux, qui, découvrant que leurs vins repartaient en fermentation, ont été les premiers élaborateurs de blanquette-de-limoux. Trois cépages sont utilisés pour son élaboration : le mauzac (90 % minimum), le chenin et le chardonnay, ces deux derniers cépages étant introduits à la place de la clairette et apportant à la blanquette acidité et finesse aromatique. La blanquette-de-limoux est élaborée suivant la méthode de fermentation en bouteille et se présente sous dosages brut, demi-sec ou doux.

JEAN LAFON 2005

n.c. 100 000 ▮ 5 à 8 €

Spécialisée dans les effervescents, la maison Georges et Roger Antech est aujourd'hui dirigée par Françoise Antech. Destinée à la société Interdis (Mondeville, Calvados), cette cuvée résulte d'un assemblage classique : 90 % de mauzac, 5 % de chardonnay et 5 % de chenin. Jaune pâle à reflets verts, elle exprime des parfums incisifs et apparaît dense et bien équilibrée en bouche.

🔑 Georges et Roger Antech, Dom. de Flassian, 11300 Limoux, tél. 04.68.31.15.88, fax 04.68.31.71.61, e-mail courriers@antech-limoux.com ☑ Ῑ ⁂ r.-v.

DAME ROBERT ★★

2 ha 10 000 5 à 8 €

Pieusse a gardé des vestiges d'un château du XII^e^s. où se tint en 1225 un concile cathare. Aujourd'hui, ce village perché sur une butte dominant l'Aube cultive les vignes blanches pourvoyeuses de la blanquette. Le domaine de Fourn exploite 38 ha aux environs et figure souvent en bonne place dans le Guide. Cette cuvée a frôlé le coup de cœur. Enveloppée d'une robe or pâle, elle libère des parfums subtils de fleurs blanches qui évoluent vers des notes briochées et, en bouche, vers des nuances épicées très douces. Vif et ample, un ensemble d'une remarquable harmonie. Le **Domaine de Fourn 2004** obtient une étoile.

🔑 GFA Robert, Dom. de Fourn, 11300 Pieusse, tél. 04.68.31.15.03, fax 04.68.31.77.65, e-mail robert.blanquette@wanadoo.fr ☑ Ῑ ⁂ r.-v.

DOM. ROSIER 2005 ★★

30 ha 28 000 ▮ 3 à 5 €

Les vignes à l'origine de cette séduisante blanquette sont implantées sur des coteaux, à l'ouest de Limoux, en particulier sur la commune de Villelongue-d'Aude, ancien village fortifié construit en circulade. Dans ce terroir situé à 300 m d'altitude, le climat océanique atténué permet une expression aromatique optimale des cépages blancs de l'appellation. Cette blanquette or pâle libère des bulles fines et régulières, ainsi que des parfums intenses de poire

williams et de chèvrefeuille. Vive et ample, elle dévoile en bouche des notes de pain grillé légèrement miellé. L'ensemble est remarquablement équilibré, onctueux et frais. Du même producteur, la **cuvée Jean-Philippe 2005** est citée pour sa palette typique de l'appellation, où la pomme golden voisine avec des notes briochées et toastées.

🔑 Dom. Rosier, rue Farman, 11300 Limoux, tél. 04.68.31.48.38, fax 04.68.31.34.16, e-mail domaine-rosier@wanadoo.fr ☑ Ῑ ⁂ r.-v.

SIEUR D'ARQUES 1re Bulle de blanquette ★

n.c. n.c. ▮ 8 à 11 €

« Première bulle du monde », proclame la bouteille. Eh oui ! Limoux revendique l'antériorité en matière d'effervescents. Dans les celliers monastiques de Saint-Hilaire, le vin pétillait dès le XVI^e^s. La coopérative Aimery-Sieur d'Arques perpétue cette tradition, en portant un soin particulier à l'étude de toutes les parcelles qu'elle vinifie. Le terroir d'où est issue cette blanquette a légué au vin de beaux arômes toastés et briochés. Sous une robe jaune pâle, la vive effervescence fait monter des fragrances de fleurs miellées et d'épices. Après une attaque franche et vive, on retrouve en bouche les notes d'épices agrémentées de nuances de pêche et de grillé. Trois autres cuvées ont été également retenues avec une étoile : la **Grande Cuvée Diaphane 2004**, la **1re Bulle de blanquette 2003** et **Aimery La Bulle de Limoux (5 à 8 €)**.

🔑 Aimery-Sieur d'Arques, av. de Carcassonne, 11300 Limoux, tél. 04.68.74.63.00, fax 04.68.74.63.12 ☑ Ῑ ⁂ r.-v.

LANGUEDOC

Blanquette méthode ancestrale

AOC à part entière, la blanquette méthode ancestrale reste un produit confidentiel. Le principe d'élaboration réside dans une seule fermentation en bouteille. Aujourd'hui, les techniques modernes permettent d'élaborer un vin peu alcoolisé (autour de 6 % vol.), doux, provenant du seul cépage mauzac.

MICHÈLE CAPDEPON 2005 ★

20 ha 50 000 3 à 5 €

Lorsque Michèle Capdepon et son époux commencent à élaborer de la blanquette méthode ancestrale, ils ne possèdent que quelques hectares de vigne, une vieille cave dans le village et des moyens rudimentaires. Depuis, la propriété s'est agrandie et a élargi la gamme de ses vins. Celui-ci s'habille d'une robe d'or parcourue de nombreuses bulles fines. Il offre d'emblée une expression typique de la méthode ancestrale : pomme mûre et miel. Bien équilibré en bouche, il finit sur des arômes d'abricot confituré et de raisin sec. Un produit authentique.

SARL Capdepon, 4, chem. de L'Horto, 11300 Villelongue, tél. 04.68.69.51.81, fax 04.68.69.51.69, e-mail capdepon@wanadoo.fr r.-v.

CLAIR DE LUNE 2005 ★

1,71 ha 13 300 5 à 8 €

C'est en blanquette méthode ancestrale que Bernard Delmas, initié par son père, fait ses premières armes en matière de vinification. Ce produit si particulier était autrefois mis en bouteilles au clair de la lune vieille de mars, d'où le nom de cette cuvée, qui a obtenu un coup de cœur dans le millésime précédent. Le 2005 revêt une robe or pâle aux reflets verts, animée par une effervescence délicate. Le vin s'exprime d'emblée sur des notes de pomme et de poire. Son équilibre, sa finale douce et agréable en font une très bonne bouteille, à apprécier au dessert. À noter que le domaine est exploité en agriculture biologique.

Delmas, 11, rte de Couiza, 11190 Antugnac, tél. 04.68.74.21.02, fax 04.68.74.19.90, e-mail domainedelmas@wanadoo.fr r.-v.

Crémant-de-limoux

Reconnu par le décret du 21 août 1990, le crémant-de-limoux n'en est pas pour autant peu expérimenté. En effet, les conditions de production de la blanquette étaient déjà très strictes. Les Limouxins n'ont eu aucune difficulté à adopter la rigueur de l'élaboration du crémant.

Depuis déjà quelques années s'affinaient dans les chais des cuvées issues de subtils mariages entre la personnalité et la typicité du mauzac, l'élégance et la rondeur du chardonnay, la jeunesse et la fraîcheur du chenin.

En 2004, le décret de l'AOC crémant-de-limoux a été modifié. Le mauzac, cépage traditionnel de la région, est désormais réservé à la blanquette et c'est le chardonnay qui règne en maître dans l'appellation.

ALAIN CAVAILLÈS 2004 ★

2 ha 3 000 5 à 8 €

Un chapelet de bulles fines et régulières, une robe claire et lumineuse, un bouquet tout en finesse de fleurs blanches (aubépine et acacia). Assez vif et pétillant en bouche, ce vin traduit un terroir bien marqué, situé au cœur de l'appellation. Un ensemble intéressant, d'autant plus que ce producteur est souvent distingué dans le Guide. Il avait même obtenu un coup de cœur dans l'édition 2003 pour sa blanquette-de-limoux 2000.

Alain Cavaillès, chem. d'Alon, 11300 Magrie, tél. et fax 04.68.31.11.01, e-mail cavailles.alain@wanadoo.fr r.-v.

DELMAS Cuvée des Sacres 2004 ★★

1 ha 7 000 11 à 15 €

Que de chemin parcouru depuis 1975, année où Bernard Delmas a repris les quelques vignes familiales ! Soucieux de préserver l'environnement, il adopte la culture biologique et élabore avec rigueur des produits de qualité, tel ce crémant à la belle mousse surmontant une robe jaune pâle aux reflets verts. Le nez délicat associe les fruits mûrs et la brioche ; la bouche est bien structurée, la finale longue et harmonieuse. La **cuvée principale (8 à 11 €)**, étiquette jaune, obtient une étoile.

Delmas, 11, rte de Couiza, 11190 Antugnac, tél. 04.68.74.21.02, fax 04.68.74.19.90, e-mail domainedelmas@wanadoo.fr r.-v.

DOM. DE FOURN 2004 ★

3 ha 20 000 8 à 11 €

Joseph Delteil, paysan-écrivain anticonformiste né en 1874 dans ce petit village de Pieusse, ne cessait de louer la qualité des vins de la région. S'il revenait parmi nous, il serait agréablement surpris par ce crémant. La robe jaune clair est agrémentée d'une mousse fine. Le nez floral, rehaussé d'épices, séduit par son intensité. La bouche ample confirme l'olfaction avec beaucoup de puissance et de longueur. Très harmonieux, ce crémant trouvera sa place en toutes circonstances.

GFA Robert, Dom. de Fourn, 11300 Pieusse, tél. 04.68.31.15.03, fax 04.68.31.77.65, e-mail robert.blanquette@wanadoo.fr r.-v.

MICHEL OLIVIER Tête de cuvée 2005 ★

30 ha 28 000 5 à 8 €

Un coup de cœur pour la blanquette-de-limoux, une étoile en crémant : encore une année faste pour Michel Rosier. Cette cuvée a séduit le jury par sa robe lumineuse, par son effervescence délicate et par ses arômes de foin coupé et de brioche, que l'on retrouve en bouche. L'ensemble est bien équilibré, agréable à boire. Le **Château de Villelongue 2005** est cité. Le 2000 avait obtenu un coup de cœur.

Dom. Rosier, rue Farman, 11300 Limoux, tél. 04.68.31.48.38, fax 04.68.31.34.16, e-mail domaine-rosier@wanadoo.fr r.-v.

SAINT-FLORENT 2004

12 ha 60 000 5 à 8 €

Fondé en 1890, le domaine est établi près d'un important gisement archéologique, où fut découvert un squelette entier de dinosaure. Ici, les crémants affichent une forte personnalité. C'est le cas de cette cuvée jaune ambré, aux notes aromatiques de miel et de pomme mûre. Bien équilibrée, elle finit sa course sur une légère amertume.

Joseph Salasar, Le Village, 11260 Campagne-sur-Aude, tél. 04.68.20.04.68, fax 04.68.20.91.06 t.l.j. 8h-12h 14h-18h; dim. 10h-12h 15h-18h

TOQUES ET CLOCHERS 2003 ★★

n.c. 150 000 15 à 23 €

Cette cuvée est le résultat d'une vingtaine d'années de recherches. Assemblage de 70 % de chardonnay, 20 % de chenin et 10 % de mauzac, elle provient de vignes travaillées en agriculture raisonnée. De couleur jaune doré, elle séduit par son bouquet complexe, partagé entre les fleurs blanches et le pain grillé. Vive à l'attaque, équilibrée et d'une grande persistance aromatique, elle a fait l'unanimité du jury. La **Grande Cuvée Millénaire Blason rouge du Sieur d'Arques (8 à 11 €)** obtient une étoile pour sa palette complexe mêlant les fruits secs (abricot) et le miel, ainsi que pour son bel équilibre.
Aimery-Sieur d'Arques, av. de Carcassonne, 11300 Limoux, tél. 04.68.74.63.00, fax 04.68.74.63.12 r.-v.

Limoux

L'appellation limoux nature reconnue en 1938 désignait en réalité le vin de base destiné à l'élaboration de l'appellation blanquette-de-limoux et toutes les maisons de négoce en commercialisaient quelque peu.

En 1981, cette AOC s'est vu interdire, au grand regret des producteurs, l'utilisation du terme *nature* et elle est devenue limoux. Resté à 100 % mauzac, le limoux a décliné lentement, les vins de base de la blanquette-de-limoux étant alors élaborés avec du chenin, du chardonnay et du mauzac.

Cette appellation renaît depuis l'intégration, pour la première fois à la récolte 1992, des cépages chenin et chardonnay, le mauzac restant toutefois obligatoire. Une particularité : la fermentation et l'élevage jusqu'au 1er mai, à réaliser obligatoirement en fût de chêne. La dynamique équipe limouxine voit ainsi ses efforts récompensés.

Depuis 2004, l'AOC produit des vins rouges à partir des cépages atlantiques (cabernet, merlot et cot) et des cépages méditerranéens.

CH. D'ANTUGNAC Terres Amoureuses 2005 ★

5 ha 20 000 11 à 15 €

Lorsque Charles Ramirez, rapatrié d'Afrique du Nord, président fondateur de la Fédération des caves particulières, achète le domaine, celui-ci est en très mauvais état. Une première vague de travaux est engagée. La propriété est rachetée il y a dix ans par Collovray et Terrier, originaires du Mâconnais, autre grande terre du chardonnay. Ces derniers restructurent complètement le vignoble et modernisent les chais. Ils ont élaboré un limoux d'un doré étincelant, aux parfums complexes d'ananas, d'épices et de grillé. La bouche, élégante et vive, prolonge bien le nez. Le boisé, très présent, devrait s'estomper peu à peu avec le temps.
Collovray et Terrier, Ch. d'Antugnac, 4, rue du Château, 11190 Antugnac, tél. 04.68.74.22.38, fax 04.68.74.22.60, e-mail info@collovrayterrier.com r.-v.

DOM. ASTRUC DA LRT Réserve 2005 ★

2,1 ha 10 000 5 à 8 €

Cocher de fiacre au château de Bourigeole au XIXe s., Jean Astruc réalise enfin son rêve en achetant 12 ha de vignes. Ses successeurs agrandissent l'exploitation. Jacques représente la quatrième génération. Après ses études à Paris, il revient sur l'exploitation, la modernise et prend le statut de négociant. Actuellement dirigée par Jean-Claude Mas, cette affaire ne cesse de prospérer. Elle a proposé un limoux rouge qui ne manque pas de caractère. La robe à reflets noirs est d'une jeunesse prometteuse ; les arômes de fruits rouges surmûris et le palais puissant aux tanins ronds composent une bouteille déjà prête, mais qui s'affinera dans les années à venir. On pourra le servir sur une fricassée limouxine. Le **limoux blanc 2005** obtient également une étoile.
Dom. Astruc, 20, av. du Chardonnay, 11300 Malras, tél. 04.68.31.13.26, fax 04.68.31.72.11, e-mail info@domaineastruc.com t.l.j. 8h-12h 13h30-17h30

DOM. DE BARON'ARQUES 2005 ★★

18,53 ha 80 000 30 à 38 €

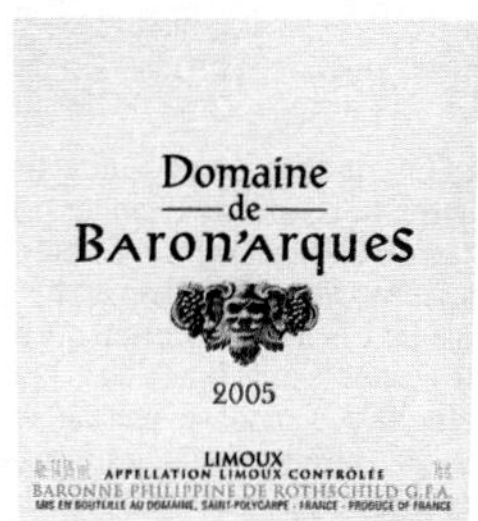

Deuxième présentation au Guide, deuxième consécration. On retrouve bien ici la griffe de Mouton Rothschild. Ce domaine est en effet depuis 1998 la propriété de la baronne Philippine de Rothschild et de ses deux fils. Dirigé par Vincent Montigaud, il bénéficie d'un microclimat sous la double influence de la fraîcheur de la haute vallée de l'Aude et de la chaleur méditerranéenne. D'une couleur profonde, ce 2005 assemble 62 % de merlot, 16 % de cabernet franc, 8 % de malbec et 14 % de syrah. Il manifeste une forte personnalité à travers une séduisante

palette aromatique faite de fruits rouges surmûris et de vanille, avec une pointe de cuir. On retrouve en bouche l'élevage en barrique dans une touche grillée qui évolue vers des notes de vanille. L'ensemble, riche et plein de vie, accompagnera un filet de veau aux morilles ou un carré d'agneau sauce poivrade.
⊶ Dom. de Baron'Arques, 11300 Saint-Polycarpe, tél. 04.68.31.96.60, fax 04.68.31.54.23, e-mail vpous@domainedebaronarques.com ☑ Y ⁂ r.-v.
⊶ GFA Baronne Philippine de Rothschild

DOM. DE CASSAGNAU 2005 **

■ 1 ha 6 000 ⦀ 5 à 8 €

Médecin vigneron, Jacques Abet donne depuis quelques années avec passion une seconde jeunesse au domaine exploité autrefois par ses aïeux. Dans la dernière édition du Guide, ses Sarments d'Hippocrate ont été reçus par un jury sous le charme : coup de cœur ! Voici un autre excellent vin rouge, composé à 50 % de merlot et, pour l'autre moitié, de cépages méditerranéens. La couleur sombre annonce une cuvée de haute expression, puis la dégustation dévoile des arômes de groseille et de framboise, une bouche fraîche, savoureusement épicée, onctueuse et persistante, marquée en finale par un joli retour fruité. Du coup de cœur, il fut question.
⊶ Jacques Abet, Dom. de Cassagnau, 11300 Pauligne, tél. et fax 04.68.69.55.64, e-mail jacques.abet@wanadoo.fr ☑ Y ⁂ r.-v.

LE CHEMIN DE MARTIN
Élevé en fût de chêne 2005 **

□ 12 ha 35 000 ⦀ 8 à 11 €

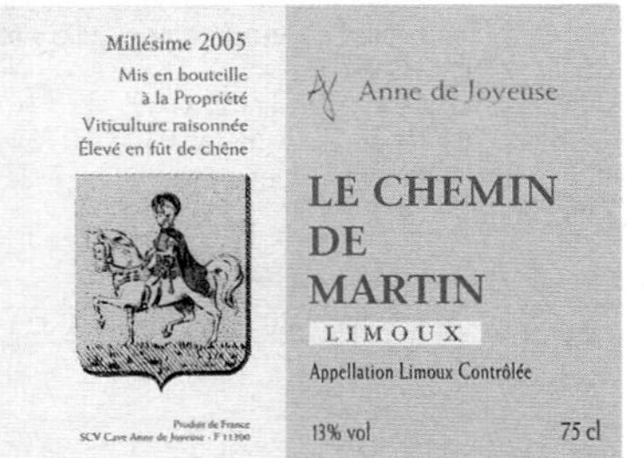

Millésime 2005
Mis en bouteille à la Propriété
Viticulture raisonnée
Élevé en fût de chêne
Anne de Joyeuse
LE CHEMIN DE MARTIN
LIMOUX
Appellation Limoux Contrôlée
13% vol
75 cl

Lorsque Guy Andrieu prend la direction de la cave Anne de Joyeuse, la coopérative vinifie principalement des vins en vrac destinés au négoce. Depuis, grâce à une sélection rigoureuse, elle produit des vins haut de gamme, telle cette cuvée Le Chemin de Martin, qui a déjà obtenu un coup de cœur dans le millésime 2003. Jaune paille aux reflets verts, le 2005 s'annonce par un nez ouvert et complexe, partagé entre les fleurs, les fruits exotiques et quelques notes minérales. Bien équilibrée, la bouche fait l'unanimité grâce à sa parfaite élégance et à sa longueur.
⊶ Anne de Joyeuse, 34, promenade du Tivoli, 11300 Limoux, tél. 04.68.74.79.40, fax 04.68.74.79.49, e-mail commercial.france@cave-adj.com
☑ Y t.l.j. 9h-12h30 15h-19h

DOM. JEAN-LOUIS DENOIS Sainte-Marie 2004

□ 1 ha 5 000 ⦀ 11 à 15 €

Adossé au pic de Brau (655 m) qui le protège des vents marins, le domaine de Borde-Longue se laisse bercer par le doux ronronnement des éoliennes situées au sommet et qui prodiguent une énergie propre. Le chardonnay a engendré ce vin d'un or soutenu, au bouquet discrètement vanillé nuancé de notes grillées. La bouche est fraîche, élégante, et d'une bonne persistance aromatique. De la même maison, le **limoux rouge Grande Cuvée Jean-Louis Denois 2004 (8 à 11 €)** obtient la même note.
⊶ Jean-Louis Denois, Borde-Longue, 11300 Roquetaillade, tél. 04.68.31.39.12
☑ Y ⁂ r.-v. ⌂ E

CH. RIVES-BLANQUES Cuvée de l'Odyssée 2004 *

□ 3 ha 14 000 ⦀ 5 à 8 €

Cette propriété appartenait à l'une des plus anciennes maisons de blanquette-de-limoux. Elle fut reprise en 1987 par Éric Vialade, puis en 2001, c'est un couple anglo-hollandais, Jan et Caryl Panman, qui en a fait l'acquisition, l'a modernisée et a créé un chai de barriques ainsi qu'un caveau d'accueil. Éric Vialade reste maître de chai. Cette cuvée de l'Odyssée fait voyager au sein d'un vaste univers olfactif parmi des notes minérales, des nuances d'agrumes et de fruits exotiques. La bouche est tout aussi complexe et intéressante. Cette bouteille aimera un canard aux figues, un poulet aux écrevisses ou tout simplement une truite de mer.
⊶ Jan et Caryl Panman, Dom. Rives-Blanques, 11300 Cépie, tél. et fax 04.68.31.43.20, e-mail rives-blanques@wanadoo.fr ☑ Y ⁂ r.-v.

Cabardès

Les cabardès proviennent de terroirs situés au nord de Carcassonne et à l'ouest du Minervois. Le vignoble s'étend sur 592 ha et dix-huit communes. Il a produit environ 15 000 hl de vins rouges et rosés associant les cépages méditerranéens et atlantiques. Ces vins d'appellation sont assez différents des autres vins du Languedoc-Roussillon : produits dans la région la plus occidentale, ils subissent davantage l'influence océanique. C'est pourquoi les cépages autorisés comprennent le merlot et le cabernet-sauvignon à côté du grenache noir et de la syrah.

LE SUC DE BRAU 2005 *

■ 0,25 ha 1 500 ⦀ 5 à 8 €

Ce domaine est conduit par Wenny et Gabriel Tari qui, depuis près de vingt ans, se sont investis dans l'agriculture biologique. Des précurseurs. Le Suc de Brau, leur plus haute sélection, est un mariage à parts égales de syrah et de cabernet-sauvignon, élevés douze mois en fût. C'est un vin à la robe rouge intense, au nez légèrement toasté et vanillé qui annonce déjà des senteurs de sous-bois. Attaquant sur la rondeur, la bouche s'équilibre bien avant d'offrir une finale réglissée. Un vin à boire dès maintenant.
⊶ Wenny et Gabriel Tari, Ch. de Brau, 11620 Villemoustaussou, tél. 04.68.72.31.92, fax 04.68.25.91.17, e-mail chateaudebrau@aliceadsl.fr
☑ Y ⁂ t.l.j. sf dim. 9h-12h 14h-19h; sam. sur r.-v.

DOM. DE CABROL Cuvée Vent d'ouest 2004 ★★★

■ 4 ha 20 000 ▮◖◗ 8 à 11 €

Le vent tourne mais la qualité reste : coup de cœur en 2006 pour la cuvée Vent d'est, Claude Carayol retrouve la première place cette année avec sa cuvée Vent d'ouest. Elle est issue d'un grand terroir tardif, au cœur des garrigues d'Aragon, qui demande rigueur et patience pour obtenir la pleine maturité des raisins (ici les cabernets, la syrah et le grenache). Ce 2004 fait preuve d'une étonnante intensité au nez, sur le cassis et les fruits rouges. Puissante, onctueuse, encadrée par des tanins fondus, la bouche s'étire dans une longue finale agréable.

Claude Carayol, Dom. de Cabrol, D 118, 11600 Aragon, tél. 04.68.77.19.06, fax 04.68.77.54.90, e-mail domaine.de.cabrol@tiscali.fr

t.l.j. 11h-12h 15h-19h

CH. JOUCLARY
Cuvée Guilhaume de Jouclary Élevé en fût 2004 ★★

■ 1,5 ha 8 000 ◖◗ 8 à 11 €

Valeurs sûres de l'appellation, Robert Gianesini et son fils se distinguent cette année par deux vins : le **rosé 2006 (5 à 8 €)** riche d'arômes de groseille et de framboise, et cette cuvée coup de cœur l'an dernier, qui rend hommage au fondateur du domaine, consul de Carcassonne au XVI[e]s. Le nez intense et complexe réalise le mariage des épices et du cassis. Puissant en bouche, c'est un vin onctueux d'une belle longueur. Une bouteille à déboucher dès maintenant, mais que l'on pourra aussi garder quelques années.

Gianesini, rte de Villegailhenc, 11600 Conques-sur-Orbiel, tél. 04.68.77.10.02, fax 04.68.77.00.21, e-mail chateau.jouclary@wanadoo.fr

t.l.j. sf dim. 17h30-19h30; sam. 11h-19h30

CH. PARAZOLS BERTROU 2006 ★

■ n.c. n.c. 3 à 5 €

Ce jeune vigneron, qui a créé sa cave particulière en 2003, propose un rosé à la robe saumonée et au nez fruité. La bouche tendre et d'une bonne vivacité se développe sur des parfums d'agrumes. De passage au domaine, vous pourrez visiter le conservatoire des vieux outils.

Ch. de Parazols Bertrou, Dom. de Parazols, 11600 Bagnoles, tél. 04.68.77.06.46, fax 04.68.72.57.41

r.-v.

Bertrou

L'ESPRIT DE PENNAUTIER 2004 ★★★

■ 5,5 ha 30 000 ◖◗ 15 à 23 €

Ce grand domaine viticole chargé d'histoire et qui compte Molière parmi ses hôtes illustres est un habitué du Guide. On retrouve cette année encore la cuvée L'Esprit de Pennautier, assemblage de merlot (60 %) et de syrah élevé dix-huit mois en fût. Un vin d'une grande densité qui marie au nez les épices douces et les fruits mûrs. Puissante et riche, la bouche offre des notes chocolatées, sur un lit de tanins encore présents. Un vin de garde que l'on peut commencer à boire.

M. de Lorgeril, SCEA Ch. de Pennautier, BP 4, 11610 Pennautier, tél. 04.68.72.65.29, fax 04.68.72.65.84 t.l.j. sf dim. 10h-18h

CH. PONS LOUPIA Cuvée Haute Pierre 2004 ★

■ 2 ha 3 000 ▮ 8 à 11 €

Les femmes ont un grand rôle sur le domaine, car depuis cinq générations, ce sont les mères qui transmettent vignes et passion à leurs filles. Pionniers de la culture biologique, Nathalie et Philippe Pons se distinguent avec leur cuvée Haute Pierre, sélection de leurs meilleures vignes de syrah et de merlot. Le nez intense exprime des notes d'épices et de garrigue. Rond et souple à l'attaque, ce vin tout en élégance, à boire dès aujourd'hui, se développe sur des tanins fondus.

Nathalie et Philippe Pons, Dom. Loupia, Les Albarels, 11610 Pennautier, tél. 04.68.24.91.77, fax 04.68.24.81.61, e-mail domaineloupia@wanadoo.fr

t.l.j. sf dim. 11h-12h30 18h-19h30; sam. 11h-12h30; ou sur r.-v.

CH. SALITIS Cuvée Premium 2005 ★★

■ 10 ha 65 000 ▮ 5 à 8 €

Ce très ancien domaine, autrefois dépendance de l'abbaye de Lagrasse, s'étend sur 110 ha. Il propose cette cuvée issue de cépages atlantiques (merlot, cabernet-sauvignon) et méditerranéens (syrah, grenache). Sous une robe rouge sombre intense, le nez complexe réussit le mariage des fruits à l'alcool et des cerises noires très mûres. La bouche, concentrée et ample, est très élégante et se prolonge dans une finale ponctuée par une note réglissée.

Depaule-Marandon et Frédéric Maurel, Ch. Salitis, 11600 Conques-sur-Orbiel, tél. 04.68.77.16.10, fax 04.68.77.05.69, e-mail salitis@wanadoo.fr

t.l.j. 8h30-12h 13h30-16h30

Clairette-du-languedoc

Les vignes du cépage clairette sont cultivées sur 60 ha dans huit communes de la vallée moyenne de l'Hérault. Après vinification à basse température avec le minimum d'oxydation, on obtient un vin blanc généreux, à la robe jaune soutenu. Il peut être sec, demi-sec ou moelleux. En vieillissant, il acquiert un goût de rancio qui plaît à certains consommateurs. Il s'allie bien à la bourride sétoise et à la baudroie à l'américaine.

PRESTIGE DU CH. D'ADISSAN Moelleux 2006 *

▒ 3 ha 16 000 **5 à 8 €**

Berceau de la clairette, Adissan perpétue encore la tradition des moelleux. Le doré soutenu de la robe et les arômes de fruits confits et de marmelade d'oranges montrent une bonne maturité des raisins. La sucrosité s'impose en bouche tandis que des notes de miel percent en finale. Pour un foie gras ou, mieux encore, un roquefort.

La Clairette d'Adissan, Cave coopérative, 34230 Adissan, tél. 04.67.25.01.07, fax 04.67.25.37.76, e-mail clairette.adissan@wanadoo.fr

t.l.j. sf dim. 9h-12h 15h-18h

Corbières

Les corbières, VDQS depuis 1951, sont passés AOC en 1985. L'appellation s'étend sur plus de 13 167 ha, sur quatre-vingt-sept communes, pour une production de 551 726 hl en 2005. Ce sont des vins généreux, puisqu'ils titrent entre 11 % vol. et 13 % vol. d'alcool. Ils sont élaborés à partir d'assemblages de cépages comportant un maximum de 60 % de carignan complétés par le grenache noir, la

Le Languedoc

syrah, le cinsault, le mourvèdre, en rouge et rosé et pour les blancs le grenache, le maccabeo, le bourboulenc, la marsanne, la roussanne et le vermentino.

Les Corbières constituent une région typiquement viticole, et n'offrent guère d'autres possibilités de culture. L'influence méditerranéenne dominante, mais également une certaine influence océanique à l'ouest, le cloisonnement des sites par un relief accentué, l'extrême diversité des sols, conduisent aujourd'hui à une réflexion sur les spécificités des terroirs de l'AOC, notamment ceux de Durban, Lagrasse et Sigean. Le terroir de Boutenac fait l'objet depuis 2005 d'une AOC à part entière corbières-boutenac.

ABBAYE DE FONTFROIDE 2006 *

2,25 ha 9 000 5 à 8 €

Le vignoble actuel est planté au même endroit que le vignoble historique de l'abbaye, fondée à la fin du XIe s. Grenache blanc (60 %), roussanne et marsanne (20 % chacune) forment l'assemblage de ce 2006 aux reflets dorés, brillants, qui développe un nez puissant d'agrumes,

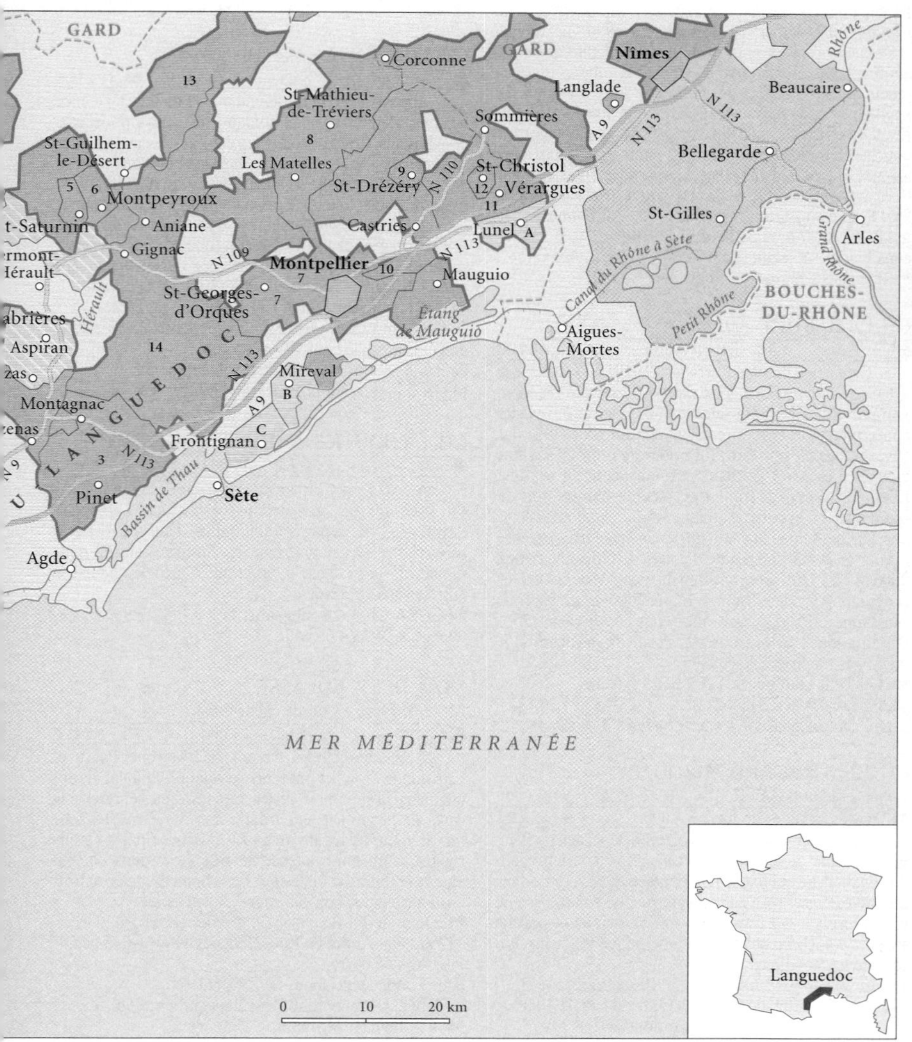

de fleurs blanches et de fruits secs. La bouche est complexe, beurrée, ponctuée de notes citronnées qui lui confèrent une fraîcheur agréable. À découvrir sur une lotte en pot-au-feu ou un loup grillé aux sarments de bois.
Ch. de Saint-Julien de Septime,
abbaye de Fontfroide, RD 613, 11100 Narbonne,
tél. 04.68.45.11.08, fax 04.68.45.18.31,
e-mail vin@fontfroide.com
t.l.j. 10h-12h30 13h30-18h; f. nov.-mars
De Cheuron Villette

CH. D'AUSSIÈRES 2005 **

■ 105 ha 60 000 15 à 23 €

Le hameau d'Aussières est depuis longtemps un village vigneron. C'est là que les Domaines Barons de Rothschild (Lafite) ont décidé de poser leurs valises en Languedoc, en 1999, pour redonner vie à cet ancien vignoble abandonné dans les années 1980. Le travail colossal qui a été entrepris porte ses fruits depuis quelques années, comme le prouve ce 2005 à la robe noire, aux reflets brillants. Le nez très concentré livre des notes de fruits à noyau confiturés. Un vin qui doit être carafé pour révéler l'élégance et la finesse de son assemblage. La bouche charnue offre des tanins mûrs et enrobés, des arômes épicés et une longue finale sur la fraîcheur. En devenir, cette bouteille devra être gardée deux ans en cave.
Dom. d'Aussières, RD 613, 11100 Narbonne,
tél. 04.68.45.17.67, fax 04.68.45.76.38,
e-mail aussieres@lafite.com r.-v.
Domaines Barons de Rothschild (Lafite)

CH. LA BASTIDE 2005 *

■ 25 ha 100 000 8 à 11 €

Cet ancien domaine, créé au XVIII[e]s. et établi sur le site d'une *villa* romaine, a été repris en 1989 par Guilhem Durand. Régulièrement sélectionné, on le retrouve cette année pour trois cuvées récoltant chacune une étoile. La cuvée principale porte une robe pourpre profond à reflets violines. Les notes de fleurs accompagnent au nez une palette d'épices et de fruits secs soutenue par une note de framboise. La bouche, d'attaque souple, se montre charnue, sur des tanins fins et feutrés. La finale harmonieuse est marquée par une pointe d'épices. **L'Optimée rouge 2005 (11 à 15 €)**, élevée un an en fût, possède de la rondeur et des tanins vanillés. Enfin, le **blanc 2006**, assemblage de roussanne (50 %), de vermentino et de bourboulenc (25 % chacun), joue sur les fruits secs, les fleurs blanches et le miel dans un ensemble équilibré.
Guilhem Durand, SCEA Ch. La Bastide,
11200 Escales, tél. 04.68.27.08.47, fax 04.68.27.26.81,
e-mail chateaulabastide@wanadoo.fr r.-v.

CH. BEAUREGARD MIROUZE
Cuvée Tradition 2006 *

■ 2,5 ha 15 000 5 à 8 €

Le troisième week-end d'octobre, le village de Bizanet accueille la « ronde des cépages ». C'est un duo syrah-grenache qui forme l'assemblage de ce rosé né dans une cave de grès rose à demi-enterrée. La robe s'orne de reflets cerise, le nez frais et plaisant conduit à une bouche riche et équilibrée qui possède une bonne longueur. Un rosé de gastronomie.
Ch. Beauregard Mirouze, Ch. Beauregard,
11200 Bizanet, tél. 04.68.45.19.35, fax 04.68.45.10.07,
e-mail info@beauregard-mirouze.com r.-v.

CH. BEL ÉVÊQUE 2005 *

■ n.c. 5 000 5 à 8 €

Pierre Richard n'est pas venu ici jouer au propriétaire terrien, mais vivre en artisan vigneron : « Le nez plongé dans cette terre odoriférante, le nez aux quatre vents, dans les grappes gorgées de soleil, le nez dans les barriques aux parfums boisés... », comme il l'écrit lui-même sur son étiquette. La robe de ce 2005 est étincelante, son nez puissant exprime le cassis accompagné de notes iodées héritées de la garrigue environnante et de l'étang tout proche. La bouche pleine de soleil se développe sur des tanins ronds, avant une finale très équilibrée. Le **2005 rouge élevé en fût de chêne (8 à 11 €)** est cité.
Pierre Richard, Ch. Bel Évêque, rte des Salins,
11430 Gruissan, tél. 04.68.75.00.48, fax 04.68.49.09.23,
e-mail pr.films@wanadoo.fr
t.l.j. 10h-13h 15h-18h (19h en été); f. dim. en hiver

CH. LE BOUÏS Cuvée Arthur 2004 **

■ 1,8 ha 3 200 11 à 15 €

Appuyé aux contreforts du massif de La Clape, face à la mer Méditerranée, ce domaine offre des vins délicats et séduisants. Coup de cœur il y a deux ans, la cuvée Arthur s'avance dans une robe rouge intense et brillante. Le nez aux notes de réglisse et de fruits exotiques (litchi) est marqué d'une touche légèrement végétale. La bouche fondue et grasse, bien équilibrée, se prolonge sur des notes grillées héritées de l'élevage en fût (quinze mois). À servir sur une côte de bœuf accompagnée de quelques ceps poêlés. La cuvée **K rouge 2005 (30 à 38 €)** est citée.
De Kerouartz, SCEA Ch. Le Bouïs, rte Bleue,
11430 Gruissan, tél. 04.68.75.25.25, fax 04.68.75.25.26,
e-mail chateau.le.bouis@wanadoo.fr
t.l.j. sf lun. mer. 10h-13h 15h-19h en été;
t.l.j. sf dim. lun. 9h-12h 14h-18h en hiver 7

CH. LA BOUTIGNANE Cuvée classique 2006 *

■ 10 ha 45 000 3 à 5 €

Au cœur des Corbières, le domaine de la Boutignane est situé sur des coteaux lui permettant d'optimiser l'expression des cépages traditionnels. Dans ce rosé à la robe claire, syrah, grenache et cinsault s'allient pour donner un nez intense et fin et une bouche en équilibre entre vivacité et chaleur.
SCEA Ch. La Boutignane, 11200 Fabrezan,
tél. et fax 04.68.43.53.46

DOM. DE LA BOUYSSE
Mazérac Élevé en fût de chêne 2004

■ 2,5 ha 13 000 8 à 11 €

Après des études d'œnologie, Martine Pagès et Christophe Molinier ont repris le vignoble familial. Ils ont augmenté la superficie, restructuré les vignes et rénové la cave. Ils proposent aujourd'hui une cuvée mi-grenache mi-carignan, élevée un an en fût, marquée par les fruits rouges et un boisé intense au nez. Les tanins doivent encore se fondre et on laissera cette bouteille deux ou trois ans en cave pour qu'elle gagne en harmonie.
Dom. de La Bouysse, 19, rue des Écoles,
11200 Saint-André-de-Roquelongue, tél. 04.68.45.50.34,
fax 04.68.45.09.86,
e-mail domainedelabouysse@wanadoo.fr
t.l.j. sf sam. dim. 9h-12h et sur r.-v. 16h-19h
C. Molinier, M. Pagès

CH. DE CABRIAC Prieuré Saint-Martin 2004 ★

■ 1,2 ha 6 000 11 à 15 €

Situé sur le flanc nord de la montagne d'Alaric, face à la Montagne Noire, ce domaine compte une soixantaine d'hectares. Le mourvèdre (20 %) y mûrit bien et, assemblé au grenache (20 %) sur une base syrah, il donne ce vin d'un grenat soutenu et brillant. Le nez épicé développe des notes de fruits mûrs légèrement compotés. La bouche se promène dans le sous-bois et la garrigue, sur des tanins fins, avant une finale assez longue. À boire dès aujourd'hui.

SCEA Cabriac, Ch. de Cabriac, 11700 Douzens, tél. 04.68.79.19.15, fax 04.68.79.00.75, e-mail cabriac@wanadoo.fr
t.l.j. sf dim. 10h-12h30 15h-18h

DOM. CALVEL Cuvée Ghyslain 2004 ★

■ 3 ha 13 000 5 à 8 €

Installée en 1996 avec le statut de « jeune agriculteur », Pascale Calvel consacre les premières années à la restructuration du vignoble, puis décide de franchir le pas en 2003 en quittant la coopérative pour vinifier en cave particulière. Pari gagné, comme le montre ce 2004 à la robe cerise noire profonde, dont le nez dégage des arômes boisés encore présents, où la vanille est perceptible. La bouche puissante devra encore s'arrondir, mais les tanins sont prometteurs et l'ensemble est en harmonie sur des notes de cassis. À ouvrir dans un an sur un pavé de biche aux airelles.

Pascale Calvel, 16, rue de la Rivière, 11200 Saint-André-de-Roquelongue, tél. 06.88.76.89.10, e-mail domainecalvel@hotmail.fr r.-v.

CH. CAMBRIEL Tradition 2005 ★

■ 6 ha 2 364 3 à 5 €

Une histoire de famille comme le monde du vin les aime. André Cambriel, le père, se fait viticulteur en 1981, puis vigneron cinq ans plus tard. Son épouse Lydie et son fils Christophe le rejoignent et tous les trois décident de donner un nouveau souffle au domaine en agrandissant les chais. Leur 2005, rubis clair, offre des parfums miellés aux notes de figue sèche. De la personnalité et une belle intensité. La bouche, assez légère mais équilibrée, est fidèle au nez, ajoutant à la palette aromatique une touche de fruits confits. Une bonne fraîcheur vient habiter la finale. À servir dès maintenant sur un magret de canard aux abricots.

GAEC Les Vignobles Cambriel, Ch. Cambriel, 65, av. Saint-Marc, 11200 Ornaisons, tél. et fax 04.68.27.43.08, e-mail christophe.cambriel@wanadoo.fr
t.l.j. 10h-12h30 16h-19h (15h30-19h30 en été); dim. 10h-12h30

CH. DE CARAGUILHES 2006

■ n.c. 111 000 11 à 15 €

Ancienne dépendance de l'abbaye de Fontfroide au Moyen Âge, le domaine s'étend sur plusieurs centaines d'hectares. Cultivés en agriculture biologique, la syrah et le grenache à parts égales ont donné en 2006 ce rosé au nez de fleurs et de bourgeon de cassis, qui présente une bouche agréable et équilibrée de l'attaque jusqu'à la finale. Vif et friand, il conviendra parfaitement à l'apéritif. Le **rouge 2005**, souple et flatteur, est également cité.

Ch. de Caraguilhes, 11220 Saint-Laurent-de-la-Cabrerisse, tél. 04.68.27.88.99, fax 04.68.27.88.90
t.l.j. sf sam. dim. 8h-12h 13h30-18h; f. 1er-15 août
Gabison

JEAN DE CASCASTEL 2005 ★★

■ n.c. 120 000 5 à 8 €

Nés sur un terroir de schistes, la syrah, le grenache et le carignan se sont alliés pour donner cette cuvée qui combine qualité et quantité. Quand on pense que la cave coopérative a été pratiquement détruite par les terribles inondations de 1999, on mesure les efforts entrepris pour remonter la pente. La robe grenat est soutenue et brillante. Le nez développe des notes de garrigue, d'épices et de menthe, relevées d'une pointe minérale agréable et élégante. La bouche structurée par des tanins puissants présente un bon équilibre. La finale sur la fraîcheur invite à attendre encore deux ans ce vin avant de le servir sur une côte à l'os grillée.

Les Maîtres Vignerons de Cascastel, Grand-Rue, 11360 Cascastel, tél. 04.68.45.91.74, fax 04.68.45.82.70, e-mail info@cascastel.com r.-v.

CASTELMAURE Grande Cuvée 2005 ★

■ 20 ha 100 000 8 à 11 €

L'amphithéâtre de Castelmaure est un lieu idéal pour le touriste œnophile, puisqu'il combine beauté naturelle et vin de qualité, telle cette Grande Cuvée qui fut coup de cœur pour le millésime 1998. La robe du 2005 est noire, profonde ; le nez de fruits rouges confiturés affiche de la puissance, des notes poivrées et une minéralité bien présente. La bouche agréablement boisée offre plénitude et souplesse. À servir dans un an sur un rôti de bœuf à la moutarde.

SCV Castelmaure, 4, rte des Cannelles, 11360 Embres-et-Castelmaure, tél. 04.68.45.91.83, fax 04.68.45.83.56, e-mail castelmaure@wanadoo.fr
t.l.j. 10h-12h 15h-18h

CLOS CANOS Les Cocobirous 2004 ★

■ 2 ha 6 000 15 à 23 €

Sur des terrasses argilo-calcaires, les vignes sexagénaires de carignan, grenache et syrah ont produit en 2004 cette cuvée au nom curieux qui se présente dans une robe soutenue et brillante aux reflets rubis. Le nez puissant est encore marqué par l'élevage sous bois, mais en bonne voie d'apaisement comme le prouvent les notes de noisette et de vanille que l'on perçoit sur un fond de fruits rouges compotés. Une attaque ronde, des tanins soyeux, une longue finale : la bouche réalise le tiercé gagnant. Un vin à attendre deux ans. Le **Clos Canos rosé 2006 (5 à 8 €)** est cité.

Pierre Galinier, Dom. de Canos, rue de Canos, 11200 Luc-sur-Orbieu, tél. 04.68.27.00.06, fax 04.68.27.61.08, e-mail chateau-canos@wanadoo.fr
r.-v.

CH. DONOS Tradition 2004 ★★

■ 4 ha 13 000 🍷 5 à 8 €

Haut lieu de la lutte intégrée en Corbières depuis des générations, ce domaine est situé dans un écrin de verdure, abrité des vents dominants par une barre rocheuse. La robe de ce 2004 est rouge cerise, limpide et brillante. Le nez exprime les fruits mûrs et les fruits cuits. D'attaque souple, la bouche suave retrouve les fruits, dans un ensemble plein de fraîcheur et d'une bonne longueur. Un vin que l'on peut commencer à boire sur un gibier à poil. Composée quasi exclusivement de syrah, la cuvée **Gomezinde 1er rouge 2004 (8 à 11 €)** décroche également deux étoiles.

Chardigny, Ch. de Donos,
11200 Thézan-des-Corbières, tél. et fax 04.68.43.34.27,
e-mail jerome.lavoignat@orange.fr
t.l.j. 8h-12h 14h-19h 7 E

CH. FONTARÈCHE

Pierre Mignard Élevé en fût de chêne 2005 ★

■ 9 ha 40 000 5 à 8 €

Ce domaine appartient à la famille Mignard depuis plus de trois siècles. Cette cuvée rend hommage à l'un des membres de la famille, qui fut peintre attitré de Louis XIV. Grenat intense, elle se montre d'abord discrète au nez, puis s'ouvre sur des notes d'épices et de réglisse. La bouche charnue développe une matière ample et grasse aux tanins bien élevés, qui se prolonge dans une finale épicée. Le **rosé cuvée Tradition 2006 (3 à 5 €)** obtient une citation.

Arnaud de Lamy,
SCEA Ch. Fontarèche, Canet-d'Aude,
11200 Lézignan-Corbières, tél. 04.68.27.10.01,
fax 04.68.27.48.15,
e-mail domaine.de.lamy@wanadoo.fr
t.l.j. sf sam. dim. 9h-12h 14h-17h

FONTBORIES 2004 ★

■ 30 ha 160 000 5 à 8 €

Abrité par le mont Alaric, le vignoble est disposé en terrasses graveleuses permettant une maturation optimale des raisins. Sous la robe brillante et soutenue de ce 2004, le nez légèrement mentholé révèle des arômes floraux (lilas) et des notes d'agrumes. Élégante, la bouche montre des tanins puissants mais enrobés. Accompagnera des plats de terroir.

Vignerons de Camplong, 23, av. de la Promenade,
11200 Camplong-d'Aude, tél. 04.68.43.60.86,
fax 04.68.43.69.21,
e-mail vignerons-camplong@wanadoo.fr
t.l.j. sf dim. 8h-12h 14h-18h E

CH. DE FONTENELLES

Cuvée Renaissance 2005 ★

■ 5 ha 20 000 11 à 15 €

Établi au pied du mont Alaric, ce domaine possède deux trésors : du vieux mourvèdre, cépage emblématique des vignobles proches de la mer mais rare en coteaux, et du vieux carignan. Assemblés à la syrah et au grenache, ils donnent ce vin à la robe très foncée et au nez puissant marqué par un grillé toasté intense et les fruits à l'alcool. La bouche offre des notes de vanille, du volume, du gras et une finale fruitée. Un vin solide à attendre deux ans, puis à servir sur un lièvre à la royale.

Thierry Tastu,
Ch. de Fontenelles, 78, av. des Corbières,
11700 Douzens, tél. et fax 04.67.58.15.27,
e-mail t.tastu@fontenelles.com r.-v.

DOM. DE FONTSAINTE Gris de gris 2006 ★

■ 12 ha 75 000 5 à 8 €

Poteries, monnaies anciennes... des vestiges témoignent que le domaine est établi sur le site d'une ancienne *villa* romaine. Voué entièrement à la vigne depuis le XIXes., il propose un 2006 à la robe saumonée, cristalline, dont le nez tout en finesse exprime des nuances fruitées. La bouche généreuse en fait un rosé de repas à réserver aux poissons de la Méditerranée toute proche. Le **rouge Réserve La Demoiselle 2004** est cité.

SEP Laboucarié, Dom. de Fontsainte,
11200 Boutenac, tél. 04.68.27.07.63, fax 04.68.27.62.01,
e-mail sep.laboucarie@tiscali.fr
t.l.j. 10h-12h 15h-18h

GRAFFAN 2005 ★

■ n.c. 30 000 🍷 3 à 5 €

La coopérative d'Ornaisons vient de fusionner avec celle de Ferrals, cette dernière apportant dans la corbeille de mariage sa célèbre cuvée Graffan, coup de cœur en blanc l'an dernier, déclinée ici en rouge. Rubis brillant, elle affiche un nez délicat et séduisant où le poivre et une certaine minéralité se marient sur un fond fruité. La bouche est élégante, avec des tanins harmonieux et une finale qui retrouve les notes de fruits.

Celliers d'Orfée, 53, av. des Corbières,
11200 Ornaisons, tél. 04.68.27.09.76,
fax 04.68.27.58.15, e-mail info@cuveesextant.com
r.-v.

DOM. DU GRAND ARC

Cuvée des Quarante 2005 ★

■ 3,75 ha 12 000 5 à 8 €

Bruno Schenck a parfaitement réussi sa reconversion en vigneron depuis qu'il s'est installé, au début des années 1990, dans cette région connue pour ses châteaux cathares. Quarante, c'est l'âge des vignes qui ont produit ce 2005 aux reflets violacés, dont le nez puissant et intense marie les fruits rouges et les épices. La bouche fraîche est pleine de charme et d'élégance. Un joli grain des tanins et une bonne longueur sont autant d'atouts qui permettront à ce vin d'attendre un an avant d'accompagner un canard au miel et aux épices.

Dom. du Grand Arc, Le Devez, 11350 Cucugnan,
tél. et fax 04.68.45.01.03, e-mail info@grand-arc.com
r.-v. 2

Bruno Schenck

CH. DU GRAND CAUMONT

Cuvée Tradition 2005 ★

■	18,65 ha	100 000	🍷	3 à 5 €

Ce domaine appartient depuis un siècle à la famille Rigal. Laurence en a repris les rênes en 2003. Elle propose ce 2005 qui s'habille d'une robe rubis et livre un nez particulier, atypique mais pointu, soutenu par des notes animales. La bouche très franche retrouve la cerise, sur un lit de tanins agréables. Un vin souple, équilibré, à essayer sur un fromage.

SARL F.L.B. Rigal, Ch. du Grand Caumont, 11200 Lézignan-Corbières, tél. 04.68.27.10.82, fax 04.68.27.54.59, e-mail chateau.grand.caumont@wanadoo.fr

t.l.j. sf sam. dim. 8h-12h 13h-18h

DOM. DU GRAND CRÈS Cuvée majeure 2004 ★

■	4 ha	15 000		11 à 15 €

Ancien régisseur du domaine de La Romanée-Conti, Hervé Leferrer a posé ses valises en 1989 dans les Corbières méridionales. Il a troqué le pinot noir contre le grenache, la syrah ou le carignan et cela lui réussit fort bien. Son 2004, qui n'a pas profité de la nouvelle cave construite à Fabrezan en 2005, s'annonce dans une robe pourpre sombre à reflets rubis. Le nez poivré est agréable et puissant. À l'aération apparaissent des fruits rouges frais et des arômes floraux (lilas). La bouche, généreuse et équilibrée, aux tanins fondus, termine sur la fraîcheur. À attendre deux ou trois ans. La **Cuvée classique rouge 2004 (5 à 8 €)** est citée.

Hervé Leferrer, EARL Dom. du Grand Crès, 40, av. de la Mer, 11200 Ferrals-les-Corbières, tél. 04.68.43.69.08, fax 04.68.43.58.99, e-mail grand.cres@wanadoo.fr

r.-v.

CH. GRAND MOULIN La Tour 2006 ★

	n.c.	n.c.		3 à 5 €

Depuis toujours passionné par la vigne, Jean-Noël Bousquet achète, il y a vingt ans, 24 ha de vignes et s'installe sur le site d'un ancien moulin. Issu de grenache blanc, de vermentino et de roussanne, son 2006 jaune pâle possède un nez évoquant les fruits mûrs (abricot, pêche), relevé d'une note mentholée. La bouche est agréable, bien équilibrée entre la fraîcheur des notes de citron et de pamplemousse et la souplesse fruitée. Un vin séduisant, à ouvrir à l'apéritif et à terminer sur un repas de fruits de mer ou de poissons grillés.

Jean-Noël Bousquet, Ch. Grand Moulin, 6, av. Gallieni, 11200 Lézignan-Corbières, tél. 04.68.27.40.80, fax 04.68.27.47.61, e-mail chateaugrandmoulin@wanadoo.fr

t.l.j. sf dim. 9h-18h

GRUSSIUS Élevé en fût de chêne 2004 ★★

■	4,3 ha	14 000		15 à 23 €

Protégé par le massif de La Clape, situé en bordure de la mer Méditerranée, le vignoble bénéficie d'une configuration idéale pour faire mûrir ses raisins de mourvèdre, qui constituent 70 % de l'assemblage de cette cuvée, complété par la syrah. D'un grenat sombre à reflets violines, ce 2004 livre un nez de garrigue où le thym ressort, accompagné par le clou de girofle, le poivre et les fruits des bois. La bouche développe une matière charnue soutenue par des tanins puissants mais ronds. La finale d'une longueur surprenante invite à laisser patienter ce vin un an ou deux en cave, afin qu'il gagne encore en complexité.

SCV La Cave de Gruissan, 1, bd de la Corderie, 11430 Gruissan, tél. 04.68.49.01.17, fax 04.68.49.34.99, e-mail contact@cavedegruissan.com

t.l.j. 10h-12h30 15h-19h

CH. HAUT GLÉON Élevé en fût de chêne 2004

■	18,37 ha	50 000		11 à 15 €

Un château féodal érigé en marquisat au milieu du XVIII[e]s., converti en résidence au siècle suivant, puis augmenté d'un vignoble. Sur 38 ha aujourd'hui, avec gîte et chambres d'hôtes. Sous une robe grenat moyennement intense, on devine un nez fruité. La bouche bien construite est équilibrée, marquée par une pointe de chaleur en finale. À boire dès maintenant sur un carré d'agneau au thym.

Léon-Nicolas Duhamel, Gléon, 11360 Villesèque-des-Corbières, tél. 04.68.48.85.95, fax 04.68.48.46.20, e-mail contact@hautgleon.com

t.l.j. 9h-12h30 13h30-18h 5 E

CH. DE L'HORTE Réserve spéciale 2004

■	2 ha	9 000		5 à 8 €

Conduites en biodynamie, les vignes (carignan, syrah, grenache et mourvèdre – le quatuor local) ont produit ce 2004 aux notes de pruneau et de cerise à l'eau-de-vie, au palais structuré par des tanins présents mais fondus. Une bouteille que l'on peut déboucher dès maintenant mais qui gagnera à attendre un an ou deux.

Jean-Pierre Biard, Ch. de L'Horte, 11700 Montbrun-des-Corbières, tél. 04.68.43.91.70, fax 04.68.43.95.36, e-mail horte@wanadoo.fr

t.l.j. sf mer. sam. dim. 10h-12h 14h-17h D

CH. DE L'ILLE Cuvée Angélique 2004 ★★

■	2 ha	5 400		5 à 8 €

D'origine belge, Pol Flandroy s'est installé en 1983 sur 12 ha de vignes, dans cette presqu'île entourée par les étangs de Sigean et de Bages. À la tête de 40 ha aujourd'hui, il propose ce 2004 à la robe violette, au nez puissant et séduisant réglissé et mentholé. La bouche équilibrée montre des tanins fondus, du gras et de la générosité. À ouvrir pour accompagner un magret de canard aux figues confites.

Ch. de L'Ille, 11440 Peyriac-de-Mer, tél. 04.68.41.05.96, fax 04.68.42.81.73, e-mail chateau-de-lille@wanadoo.fr r.-v.

CH. DE LASTOURS

Cuvée Simone Descamps Élevé en fût de chêne 2005 ★★

■	7,5 ha	35 000		8 à 11 €

Sur ce domaine récemment repris, la compétition entre les sports mécaniques et le vignoble est permanente. Cette cuvée se montre un *challenger* à la hauteur de l'épreuve. Sa robe pourpre intense est brillante. Le nez révèle un boisé fin et délicat qui vient enrober, sans les écraser, les notes de garrigue et de fruits cuits. Attaquant sur la fraîcheur, la bouche trouve rapidement son équilibre, affichant volume et rondeur, se parfumant de notes gourmandes de fraise sauvage et de framboise. Longue finale chaleureuse sur des notes grillées. Le **rouge Réserve 2005 (15 à 23 €)** décroche une étoile. Ses tanins encore serrés demandent quelques années de garde pour s'assouplir.

⊶ SCA Famille P. et J. Allard, Ch. de Lastours, 11490 Portel-des-Corbières, tél. 04.68.48.64.74, fax 04.68.40.06.94, e-mail contact@chateaudelastours.com
⊠ Y t.l.j. 10h-12h 13h-18h

CH. DE MATTES-SABRAN

Cuvée Chevreuse Élevé en fût de chêne 2004 ★★

■ 8 ha 21 000 ⫼ 5 à 8 €

L'originalité de ce domaine est d'être géré depuis plus d'un siècle par des femmes vigneronnes. Issu d'un terroir argilo-calcaire à galets roulés, ce 2004 s'avance dans une robe soutenue. Il offre un bouquet de fleurs méditerranéennes et de fruits rouges. La bouche est élégante, fraîche, en équilibre sur des tanins encore présents, lui permettant d'accompagner un salmis de palombe ou un civet de sanglier. Le **Clos Redon rouge 2005 (3 à 5 €)**, qui n'a pas connu le fût, exprime des notes de fruits frais et de violette au nez comme en bouche. Il décroche également deux étoiles.
⊶ Marie-Alyette Brouillat, Ch. de Mattes, 11490 Portel-des-Corbières, tél. 04.68.48.22.77, fax 04.68.48.55.32, e-mail mattes.sabran@laposte.net
⊠ Y ⁂ t.l.j. 8h-12h 14h-18h; sam. dim. sur r.-v. en hiver ⌂ G

CH. MEUNIER SAINT-LOUIS 2006 ★

▒ 10,4 ha 69 066 ▮ 5 à 8 €

Des trois couleurs proposées par le domaine cette année, le rosé a eu la préférence du jury. Assemblage de cinsault et de syrah à parts égales, il se présente dans une robe rose claire limpide et brillante. Son nez plaisant marie les notes de fleurs et de bonbon anglais. Attaquant sur la fraîcheur, la bouche équilibrée, friande et gourmande, offre une longue finale sur la griotte. Le **blanc 2006**, vif et fruité, décroche une citation, tout comme le **rouge A Capella 2005 (8 à 11 €)**, riche, aux tanins fondus et boisés.
⊶ Ph. Pasquier-Meunier, Ch. Meunier Saint-Louis, 11200 Boutenac, tél. 04.68.27.09.69, fax 04.68.27.53.34, e-mail info@pasquier-meunier.com ⊠ Y r.-v.

CH. MONTFIN

Cuvée Saint-Jacques Vinifié en fût de chêne 2006 ★

□ 0,85 ha 3 000 ▮ ⫼ 8 à 11 €

Proche de l'étang de Bages, ce vignoble ne craint pas la sécheresse grâce aux embruns qui viennent rafraîchir les fins de soirées estivales, permettant aux raisins de mûrir lentement. Un vin blanc pâle au nez fruité intense, relevé de notes grillées, épicées et boisées. La bouche généreuse, ample et ronde, invite à des accords avec une volaille farcie ou des fromages à pâte pressée.
⊶ Ch. Montfin, 10, rue du Rec-de-l'Aire, 11440 Peyriac-de-Mer, tél. 06.08.93.84.27, fax 04.68.41.93.30, e-mail info@chateaumontfin.com
⊠ Y ⁂ r.-v.
⊶ Estève

LES OLLIEUX ROMANIS 2004

■ 9,5 ha 53 000 ▮ 3 à 5 €

En septembre 2006, le domaine Ollieux Romanis a racheté le domaine des Ollieux. On trouvera donc ici aussi bien **La Volière du Château des Ollieux rouge 2004**, citée, que cette cuvée, assemblage de vieux carignans, de syrah et de grenache. Les fruits, frais dans le bouquet, se font fruits à l'eau-de-vie en bouche, dans un ensemble ample et gras dont tous les éléments doivent encore se fondre. À garder en cave deux à cinq ans.
⊶ Jacqueline Bories, Ch. Ollieux Romanis, TM 13, 11200 Montséret, tél. 04.68.43.35.20, fax 04.68.43.35.45, e-mail jbories@chateaulesollieux.com
⊠ Y ⁂ r.-v. ⌂ E

CH. LES PALAIS Cuvée Tradition 2006 ★

▒ 8 ha 55 000 5 à 8 €

Cet ancien couvent du XIIe s. a été reconverti en domaine viticole au début du XIXe s. Le caveau de dégustation est installé dans l'ancienne chapelle. Vous pourrez y déguster naturellement la cuvée **La Chapelle rouge 2004 (15 à 23 €)**, qui obtient une étoile, tout comme ce rosé au nez floral, à la bouche vive mais charnue, agréablement équilibrée. Pour accompagner des poissons de la Méditerranée ou du lapin grillé sur les sarments de vigne.
⊶ Anne et Xavier de Volontat, Ch. Les Palais, 11220 Saint-Laurent-de-la-Cabrerisse, tél. 04.68.44.01.63, fax 04.68.44.07.42, e-mail chateau.les.palais@wanadoo.fr
⊠ Y t.l.j. 8h-12h 13h30-18h30; sam. dim. 9h30-12h30 14h-18h30 ⌂ E

CH. PECH-LATT Alix 2004 ★

■ 3,8 ha 10 000 ⫼ 15 à 23 €

Conduit en agriculture biologique depuis 1991, ce domaine propose deux cuvées en rouge. Ce 2004 tout d'abord, élevé une quinzaine de mois en fût, qui en sort paré d'une robe grenat foncé aux reflets violets. Son nez encore fermé laisse néanmoins échapper des nuances de fruits mûrs. La bouche complexe avance sur des tanins fondus dans un ensemble harmonieux et généreux, d'une bonne persistance aromatique. À servir sur des plats de terroir régionaux, comme le cassoulet ou le tripoux. Le **2005 Sélection Vieilles Vignes (8 à 11 €)**, puissant, est à attendre encore deux à cinq ans. Il est cité.
⊶ SC Ch. Pech-Latt, 11220 Lagrasse, tél. 04.68.58.11.40, fax 04.68.58.11.41, e-mail chateau.pechlatt@louis-max.fr
⊠ Y ⁂ t.l.j. 8h-12h 13h-17h; sam. dim. sur r.-v.

CH. PRIEURÉ DE BUBAS Clos Bubas 2005 ★

■ 1 ha 2 000 ⫼ 15 à 23 €

Le domaine est situé au pied du mont Alaric, lieu de départ de nombreuses randonnées pédestres. Au retour de l'une d'elles, arrêtez-vous pour goûter ce 2005 qui assemble à parts égales carignan, grenache et syrah nés sur argilo-calcaires. La robe est profonde, ornée de reflets violacés ; le nez, fin et séduisant, exprime la garrigue environnante soutenue par une minéralité agréable, sans oublier les fruits rouges et une touche de vanille héritée du fût. La bouche volumineuse montre de la chair, des tanins fins et une longueur remarquable. Un an d'attente suffira avant de découvrir ce vin.

Olivier Durand-Roger, Dom. de Bubas, 11700 Comigne, tél. 04.68.79.18.48, fax 04.68.79.18.55, e-mail odr01@wanadoo.fr t.l.j. 8h-20h

PRIEURÉ SAINTE-MARIE D'ALBAS
Terre rouge 2005 ★

4 ha 15 000 5 à 8 €

Accroché aux pentes du mont Alaric, ce domaine réunit tous les facteurs favorables à la production de vins de qualité : des terroirs diversifiés, une altitude variable et un vieil encépagement. Ce 2005 rubis profond en est la démonstration. Son bouquet de fruits rouges concentrés est marqué par des notes de garrigue et de cuir. Sa bouche, pleine et puissante, livre une matière ronde et fruitée qui persiste longuement sur des notes de fruits cuits et de grillé. Un bon représentant de l'appellation, que l'on ouvrira dans trois ans sur une pièce de gibier.

Jean-Louis Galibert, Prieuré Sainte-Marie d'Albas, 11700 Comigne, tél. 04.68.79.09.64, fax 04.68.79.28.39, e-mail GJLG@wanadoo.fr r.-v.

CH. LA PUJADE
Cuvée Gomard Fût de chêne 2004 ★★

6 ha 29 000 5 à 8 €

Cette propriété familiale a toujours appartenu à des femmes. Depuis 1997, Viviane Mennesson en est aux commandes. Son 2004 est un vin noir et brillant, aux reflets violines. Cette teinte annonce une puissance que l'on découvre au nez, marqué par des arômes de réglisse et de café. La bouche est surprenante, à la fois chaleureuse et pleine de finesse. La finale se prolonge sur des notes de cassis bien mûr. À réserver à une cuisine de terroir en sauce.

Viviane Mennesson, 3, av. des Vignerons, 11200 Ferrals-les-Corbières, tél. 04.68.43.55.65, fax 04.68.43.56.16, e-mail chateaupujade@aol.com t.l.j. 10h-13h 16h-19h

CH. ROMILHAC Les Terrasses 2005 ★

2,5 ha 7 900 11 à 15 €

Artisans-vignerons, les Bouvier produisent année après année, sur leurs 10 ha, des cuvées de qualité, distinguées par des coups de cœur dans les éditions 2004 et 2006 du Guide. On découvre cette année un 2005 à la robe dense et profonde, presque noire, dont le nez développe des arômes floraux de violette et des notes de cacao. Beaucoup de finesse et d'élégance dans la bouche généreuse et charnue, qui se prolonge dans une finale encore un peu austère, qu'une garde de quelques années permettra d'arrondir. Le **rouge Rapsodie 2005**, au très beau potentiel, obtient la même note.

Élie Bouvier, Ch. Romilhac, chem. des Geyssières, 11100 Narbonne, tél. et fax 04.68.41.59.67, e-mail chateau-de-romilhac@wanadoo.fr r.-v.

CH. SAINT-JEAN-DE-LA-GINESTE
Rosée de la Saint-Jean 2006 ★

2 ha 15 000 - de 3 €

Issu de grenache (80 %) et de cinsault nés sur le terroir de Boutenac, ce rosé apparaît dans une robe claire et cristalline, sous laquelle le nez assez intense exprime des nuances florales. La bouche, agréable dès l'attaque, affiche rondeur, équilibre et fruité persistant. Un vin à partager entre amis autour de tapas.

Marie-Hélène Bacave, Saint-Jean-de-la-Gineste, 11200 Saint-André-de-Roquelongue, tél. et fax 04.68.45.12.58, e-mail saintjeandelagineste@wanadoo.fr r.-v. E

DOM. SERRES-MAZARD Petit Jules 2006 ★

1,5 ha 3 500 5 à 8 €

Ce domaine se place résolument sous le signe de la famille. Son nom, déjà, emprunte aux patronymes des grands-parents paternels et maternels. La cuvée **Annie 2004 rouge (15 à 23 €)**, citée, est un hommage de Jean-Pierre Mazard à son épouse qui conduit avec lui le domaine. Enfin, cette cuvée du Petit Jules, que l'on aperçoit sur l'étiquette au milieu de la nature, à côté de l'indication de son âge : « 2 ans ». Un hommage en blanc, sur des notes fines de fruits et de boisé, que l'on retrouve en bouche dans un ensemble fondu et harmonieux. À garder en cave un ou deux ans, puis à servir sur un *vitello tonato*.

Annie et Jean-Pierre Mazard, pl. Fontvieille, 11220 Talairan, tél. 04.68.44.02.22, fax 04.68.44.08.47, e-mail mazard.jean-pierre@wanadoo.fr avril à oct. t.l.j. 8h-19h; hiver sur r.-v. C

CH. SERRES SAINTE-LUCIE
Cuvée la Marquise 2005 ★

8 ha 50 000 5 à 8 €

La situation favorable des coteaux en pente douce bien exposés permet d'obtenir une bonne maturation du mourvèdre, qui compte pour 40 % dans l'assemblage de ce vin à côté de la syrah. Le nez du 2005 développe des arômes épicés et agréables. La puissance se confirme en bouche, ample et structurée par des tanins présents mais enrobés. Quelques notes de cuir apparaissent en finale. À garder cinq ans en cave, puis à ouvrir sur un pavé d'autruche.

Jean-Paul Serres, SCEA Ch. Sainte-Lucie d'Aussou, 11200 Boutenac, tél. 04.68.45.12.35, fax 05.61.58.13.83, e-mail serres.jeanpaul@wanadoo.fr r.-v.

CH. DE TRÉVIAC 2006 ★★

0,69 ha 2 500 5 à 8 €

Situé au cœur des Corbières, entre les deux cités médiévales de Lagrasse et de Carcassonne, ce domaine propose un blanc dont l'assemblage grenache-roussanne comprend également une touche de muscat à petits grains. La robe jaune pâle brillante s'éclaire de reflets dorés. Le nez fin exprime de délicates notes florales et fruitées. La bouche attaque sur la vivacité, puis montre quelques rondeurs avant une finale longue et équilibrée aux accents fruités. Rare en zone chaude, ce type de vin doit être apprécié sur des ris de veau aux morilles ou des cailles aux pruneaux. Le **rouge 2004**, concentré et mûr, aux tanins fins, décroche une étoile.

Arnaud Sié, pl. de la République, 11220 Talairan, tél. et fax 04.68.44.09.84, e-mail treviac@wanadoo.fr r.-v.

DOM. DU TRILLOL 2006 ★★

2,17 ha 7 200 5 à 8 €

La famille Sichel a racheté cette propriété en 1991, puis a engagé un programme d'extension du vignoble et

LANGUEDOC

de modernisation des techniques de vinification. Déjà sélectionné par le passé, le domaine prouve encore une fois avec ce 2006 que les efforts ont payé. Assemblage de roussanne (80 %) et de macabeu, c'est un vin jaune pâle brillant à reflets verts, au nez légèrement plaisant, sur les fruits exotiques. La bouche ronde et ample est équilibrée par une bonne vivacité. Une excellente bouteille pour des viandes blanches, ou pour un apéritif autour de tapas.
Dom. du Trillol, rte de Duilhac, 11350 Cucugnan, tél. 04.68.45.01.13, fax 04.68.45.00.67, e-mail cave.reverend@wanadoo.fr
nov.-mars t.l.j. 10h-18h; avr.-oct. t.l.j. 10h30-18h30; f. jan.-fév.

CH. VAUGELAS Élevé en fût de chêne 2005 *

22 ha 140 000 8 à 11 €

Situé à deux pas du site historique de l'abbaye de Lagrasse, ce domaine fut créé au début du XVIIe s. par des bénédictins. S'appuyant sur la trilogie syrah-grenache-carignan, ce 2005 joue au nez sur des arômes de fruits rouges cuits, qu'un léger grillé vient enrober après aération. La bouche est encore marquée par des notes boisées intenses, qui révèleront en s'estompant des senteurs de garrigue et une structure de tanins fins et équilibrés. Ouverture à l'horizon 2010.
SCEA Ch. de Vaugelas, 11200 Camplong-d'Aude, tél. 04.68.43.68.41, fax 04.68.43.57.43, e-mail chateauvaugelas@wanadoo.fr r.-v.
Bonfils

CH. VEREDUS 2005 *

30 ha 80 000 5 à 8 €

L'agriculture biologique n'est pas un phénomène de mode, mais une vraie philosophie pour Marie Teisserenc qui gère une centaine d'hectares. Son 2005 se pare d'une robe noire à reflets violets. Le nez intense évoque le fruit rouge, suivi par des notes de torréfaction et de vanille. En bouche, la matière pleine et ronde est marquée par un joli grain de tanins et une minéralité séduisante. Élégant, structuré, ce vin peut déjà paraître à table sur un gigot d'agneau ou rester en cave quelque temps.
Marie Teisserenc, Ch. Veredus, 11200 Cruscades, tél. 04.68.27.10.80, fax 04.68.27.38.19, e-mail masviel@aol.com
t.l.j. 9h-12h 14h-18h; sam. dim. sur r.-v.

CH. VIEUX MOULIN 2005 **

10 ha 60 000 5 à 8 €

Alexandre They préside depuis 2000 aux destinées de ce domaine, qui compte deux siècles d'histoire familiale. Il joue de l'assemblage et de l'élevage pour composer ses différentes cuvées de rouge. La cuvée principale, élevée en cuve, assemble le carignan (30 %) et le grenache (40 %) au mourvèdre et à la syrah (15 % chacun). Vêtue d'une robe profonde aux reflets violets, elle s'exprime sur le fruit cuit, le fruit à l'alcool et le cuir. La bouche est généreuse, puissante (notes épicées) et délicatement structurée par des tanins fins. Deux étoiles pour la cuvée **Les Ailes rouge 2005 (11 à 15 €)** qui a connu le fût mais pas la syrah. Également puissante, grasse et vanillée, elle est à attendre. Enfin, la cuvée **Vos Deï rouge 2004**, élevée sous bois et assemblant les quatre cépages, est un vin charpenté mais déjà fondu que l'on pourra apprécier dès maintenant sur un civet de sanglier. Une étoile.
EARL Alexandre They et Associés, Ch. Vieux Moulin, 11700 Montbrun-des-Corbières, tél. 04.68.43.29.39, fax 04.68.43.29.36, e-mail alex.they@vieuxmoulin.net r.-v.

CH. DU VIEUX PARC La Sélection 2005 *

10 ha 40 000 8 à 11 €

Depuis 1988 à la tête du domaine, Louis Panis a été rejoint cette année par son fils sur l'exploitation. Cette cuvée, déjà distinguée par deux coups de cœur pour les millésimes 1996 et 2003, figure une nouvelle fois en bonne place dans le Guide. Issue d'une sélection parcellaire, comme son nom l'indique, et élevée en fût pendant un an, elle exprime dans le verre des notes animales (cuir) et boisées. Souple en attaque, la bouche offre une matière charnue et fondue et une finale sur des notes grillées. Un vin harmonieux, à boire ou à garder.
Louis Panis, Ch. du Vieux Parc, 1, av. des Vignerons, 11200 Conilhac-Corbières, tél. 04.68.27.47.44, fax 04.68.27.38.29, e-mail louis.panis@wanadoo.fr
r.-v.

LE ROSÉ DE VILLEMAJOU Vinifié en barrique 2006 *

25 ha 20 000 8 à 11 €

À l'énoncé du nom de ce domaine, toute une série d'images viennent à l'esprit de l'œnophile : une propriété chargée d'histoire, connue depuis des siècles ; le dynamisme et l'innovation, les Bertrand ayant été parmi les premiers à vendre à la propriété dans la région ; et le savoir-faire permettant de tirer la meilleure expression du terroir du Miocène et des vieilles vignes profondément enracinées. La maîtrise de la vinification et de l'élevage en fût sont aussi une caractéristique du domaine, témoins les deux vins sélectionnés cette année. Le rosé, à la teinte claire, aux reflets légèrement orangés, atypique par ses notes de boisé vanillé que l'on retrouve tout au long de la dégustation. Rond en bouche, puissant mais toujours agréable, il accompagnera des viandes rouges grillées au barbecue. **Le blanc de Villemajou vinifié en barrique 2006**, assemblant à parts égales marsanne, roussanne, bourboulenc et macabeu, obtient également une étoile.
Gérard Bertrand, Ch. L'Hospitalet, rte de Narbonne-Plage, BP 20409, 11104 Narbonne Cedex, tél. 04.68.45.36.00, fax 04.68.45.27.17, e-mail vins@gerard-bertrand.com
t.l.j. 9h30-12h30 14h-19h

CH. VILLEROUGE LA CRÉMADE Évohé 2005 **

3 ha 10 000 8 à 11 €

Évohé était le cri rituel poussé par les Bacchantes en l'honneur du dieu du vin. S'ils ont, eux aussi, imploré Bacchus, les propriétaires qui ont racheté ce domaine en 1999 ont été entendus et exaucés. Leur 2005 à la robe noire profonde est issu d'une belle extraction, comme le soulignent les arômes de fruits cuits et de réglisse, la bouche ronde et ample dotée d'une longue finale équilibrée. À attendre deux ans. La **Cuvée classique rouge 2005 (3 à 5 €)**, également prometteuse, obtient une étoile.
Ch. Villerouge la Crémade, 1, chem. de Thézan, 11200 Fabrezan, tél. 04.68.49.03.93, fax 04.68.32.59.30, e-mail chateauvlc@wanadoo.fr r.-v.

CH. LA VOULTE-GASPARETS
Cuvée réservée 2005

■ 26 ha 130 000 ▮ ◗ 5 à 8 €

Sur son beau terroir de galets roulés, Patrick Reverdy soigne son vieux carignan (50 % de l'assemblage), son grenache, son mourvèdre et sa syrah, avec lesquels il a confectionné cette Cuvée réservée qui brille dans le verre avec intensité. Le nez de fruits confiturés se rafraîchit d'une note de garrigue. La bouche souple avance sur des tanins présents mais fins. À boire dès maintenant sur un plat du terroir.

Patrick Reverdy, Ch. La Voulte-Gasparets, 11200 Boutenac, tél. 04.68.27.07.86, fax 04.68.27.41.33, e-mail chateaulavoulte@wanadoo.fr
t.l.j. 9h-12h 14h-18h

Coteaux-du-languedoc

Cent soixante-huit communes, dont cinq dans l'Aude et dix-neuf dans le Gard, les autres étant dans l'Hérault, constituent un ensemble de terroirs disséminés en Languedoc, dans la zone des coteaux et des garrigues s'étendant de Narbonne à Nîmes, du pied de la Montagne Noire et des Cévennes à la mer Méditerranée. Ces terroirs spécialisés plus particulièrement dans le vin rouge et rosé produisent des AOC coteaux-du-languedoc, appellation d'origine contrôlée depuis 1985, à laquelle peuvent être ajoutées des dénominations particulières en rouge et rosé : la Clape et Quatourze dans l'Aude, Cabrières, Grès de Montpellier, Terrasses du Larzac, Montpeyroux, Saint-Saturnin, Pic Saint-Loup, Saint-Georges-d'Orques, la Méjanelle, Saint-Drézéry, Saint-Christol, Pézenas et les coteaux de Vérargues dans l'Hérault ; ainsi que deux dénominations en blanc : la Clape et Picpoul-de-Pinet. Toutes sont issues des vins renommés dans les siècles passés.

Les coteaux-du-languedoc ont produit 62 085 hl de vin blanc sur 1 400 ha et 325 536 hl de rouge et de rosé sur 8 273 ha en 2005. Six cépages dominent la production des vins rouges : carignan et cinsault (limités à 40 %) complétés par grenache noir, lladoner, mourvèdre et syrah ; grenache blanc, clairette et bourboulenc dominent en blanc, avec le piquepoul, la marsanne, la roussanne et le vermentino.

Un décret du 30 avril 2007 modifie le nom de l'appellation coteaux-du-languedoc en languedoc et prévoit l'élargissement de son aire de production aux aires d'appellations contrôlées du Languedoc et du Roussillon. Le terme languedoc pourra être utilisé dès la récolte 2006, et le terme coteaux-du-languedoc continuer à figurer sur l'étiquette pendant cinq ans.

ABBAYE DE VALMAGNE
Grès de Montpellier Cuvée de Turenne 2004 *

■ 4,2 ha 4 000 ◗ 11 à 15 €

Deux cuvées de cette ancienne abbaye cistercienne sont à l'honneur cette année : leur nom rappelle la riche histoire familiale des propriétaires. Couleur soutenue, éclairée des reflets de la jeunesse, ce 2004 provient d'un terroir de grès rouges. Aux notes de fruits noirs surmûris, de fumée, d'épices et de réglisse répond une chair volumineuse, étayée par des tanins encore très serrés. Une étoile revient également à la cuvée **Cardinal de Bonzi Grès de Montpellier rouge 2005 (15 à 23 €)**, pleine, mais dont les tanins demandent encore deux ou trois ans pour s'assouplir.

Philippe d'Allaines, Abbaye de Valmagne, 34560 Villeveyrac, tél. 04.67.78.06.09, fax 04.67.78.02.50, e-mail info@valmagne.com
r.-v.

DOM. L'AIGUELIÈRE
Montpeyroux Côte dorée 2004 *

■ 5 ha 9 000 ◗ 15 à 23 €

Un Montpeyroux pourpre intense, au disque violacé. Ses arômes retiennent l'attention tant ils sont complexes : réglisse, olive noire, épices évoquent la garrigue en été. Après une attaque ronde, la chair généreuse développe des flaveurs rafraîchissantes de camphre et de menthol. Un vin bien adapté à la cuisine du sud, comme un lapin aux olives.

Dom. L'Aiguelière, 2, pl. du Square-Michel, 34150 Montpeyroux, tél. 04.67.96.61.43, fax 04.67.44.49.67, e-mail christine@aigueliere.com
r.-v.

L'ARGENTIER Les Demoiselles 2004

■ 1,9 ha 6 600 ▮ 11 à 15 €

C'est sur le terroir de Sommières, le plus oriental des coteaux du Languedoc, qu'est né ce vin assez classique avec sa robe grenat bien brillante, ses arômes fruités et épicés, sa bouche équilibrée et fondue. À boire dès aujourd'hui.

SCEA du Mas Rouge, chem. de l'Argentier, 30250 Sommières, tél. et fax 04.66.80.98.66, e-mail chateauargentier@hotmail.fr r.-v.

DOM. AUBRESPY 2005 *

■ 2,92 ha 13 300 ▮ 8 à 11 €

L'année 2005 marque les débuts dans la vinification de cet ancien cheminot et viticulteur qui vient de quitter le système coopératif. Beaux débuts, en effet, que ce coteaux-du-languedoc issu d'un terroir argilo-calcaire. Sous une teinte sombre apparaissent des arômes d'abord discrets, puis plus marqués de violette, de garrigue et d'épices. La bouche est ample, riche, bâtie sur des tanins de qualité qui se font veloutés en finale.

Jacques Aubrespy, Dom. Aubrespy, 2, rue de la Mairie, 34230 Saint-Pargoire, tél. et fax 04.67.98.71.70, e-mail aubrespy.jacques@wanadoo.fr
r.-v.

LANGUEDOC

A D'AUMIÈRES 2004 ★★

■	4,87 ha	7 500	◍ 15 à 23 €

Cette cuvée provient des meilleures parcelles de ce domaine de 28 ha, aux rendements faibles. Couleur pourpre à reflets violets, effluves de griotte, de pruneau et de garrigue sur fond boisé assez discret, chair généreuse et pourtant élégante : voilà un vin sérieux qui atteindra sa plénitude d'ici deux ou trois ans. Si vous ne pouvez y résister plus longtemps, servez-le en carafe.

Ch. Saint-Jean d'Aumières, rte de Montpellier, 34150 Gignac, tél. 04.67.57.23.49, fax 04.67.57.46.30, e-mail paul@aumieres.com
t.l.j. sf dim. 9h-12h 15h-18h
Paul Tori

DOM. D'AUPILHAC
Montpeyroux La Boda 2004 ★★

■	n.c.	n.c.	15 à 23 €

Une partie des vignes est plantée à Cocalières à 350 m d'altitude, exposée au nord ; l'autre se trouve sur les terrasses d'Aupilhac. Assemblage des raisins de mourvèdre, de syrah, de carignan et de grenache récoltés sur les deux terroirs, cette cuvée s'impose en douceur à la dégustation. Sudiste par ses parfums de fruits confits, d'épices et ses notes balsamiques comme par sa chair ronde, au joli grain tannique, elle garde une remarquable fraîcheur. À savourer dès maintenant avec des grillades.

Sylvain Fadat, 28, rue du Plô, 34150 Montpeyroux, tél. 04.67.96.61.19, fax 04.67.96.67.24, e-mail aupilhac@wanadoo.fr r.-v.

DOM. BALLICCIONI 2005

■	3,99 ha	13 000	5 à 8 €

Issu de la région de Faugères, aux sols argilo-calcaires et schisteux, ce vin sombre en couleur, est bien le fruit du millésime 2005, chaud et sec, avec ses arômes de mûre et de cerise confites et sa rondeur en bouche. Il s'appuie sur des tanins structurés qui lui permettront d'attendre au moins deux ans.

SARL Dom. Balliccioni, 1, chem. de Ronde, 34480 Autignac, tél. et fax 04.67.90.20.31, e-mail ballivin@aol.com r.-v.

CH. BAS D'AUMELAS
Grès de Montpellier L'Égérie 2005 ★

■	1 ha	2 000	◍ 11 à 15 €

Le vieux mas fortifié du XIVes. a retrouvé sa vocation viticole grâce aux frères d'Albenas qui conduisent ses 8 ha sur les coteaux argilo-calcaires d'Aumelas. Le 2005, couleur grenat avenante, revêt un caractère rafraîchissant par ses arômes d'eucalyptus et de curcuma qui rejoignent après aération ceux de fruits confits (écorce d'orange) et de cerise. Sa chair élégante, fruitée et épicée, pareille à du velours tant elle est ronde, invite à un accord avec une blanquette de veau, de l'agneau ou un lapin en gibelotte.

Jean-Philippe et Geoffroy d'Albenas, Ch. Bas, 34230 Aumelas, tél. 06.19.57.88.27, fax 04.67.96.83.40, e-mail chateau-bas@caramail.com t.l.j. 9h-19h

DOM. BELLES PIERRES
Les Clauzes de Jo 2005 ★★

□	n.c.	10 000	◍ 8 à 11 €

Déjà reconnu l'an dernier pour son 2004, Damien Coste confirme, avec ce nouveau millésime, qu'il maîtrise l'élaboration des vins blancs. Une robe dorée brillante introduit cette cuvée. Les arômes se succèdent dans des tonalités florales et vanillées, fruitées aussi (abricot sec) qui font penser aux marchés de Turquie. De la tenue sans lourdeur, une subtile vivacité : cette bouteille honorera des rougets grillés.

Damien Coste, Dom. Belles Pierres, rte de Bel-Air, 34570 Murviel-lès-Montpellier, tél. et fax 04.67.47.30.43, e-mail bellespierres@wanadoo.fr r.-v.

CH. BOUÏSSET La Clape Cuvée Eugénie 2005 ★

■	6,5 ha	36 000	◍ 5 à 8 €

Non loin des Cabanes de Fleury et de l'embouchure de l'Aude, le vignoble grimpe sur des coteaux. Syrah, grenache et carignan sont à l'origine d'un vin grenat profond, dont les arômes intenses sont une évidence : grillé, vanille, confiture et sous-bois s'enchaînent du nez au palais. Dense et bien charpenté, ce 2005 s'épanouira encore d'ici un à deux ans, lorsque le boisé se sera entièrement fondu.

Christophe Barbier, EARL Constantine, Ch. Bouisset, 11560 Cabanes-de-Fleury, tél. et fax 04.68.33.60.13 r.-v.

LES VIGNERONS DE CABRIÈRES
Cuvée Fulcrand Cabanon 2006 ★★

▪	8 ha	40 000	5 à 8 €

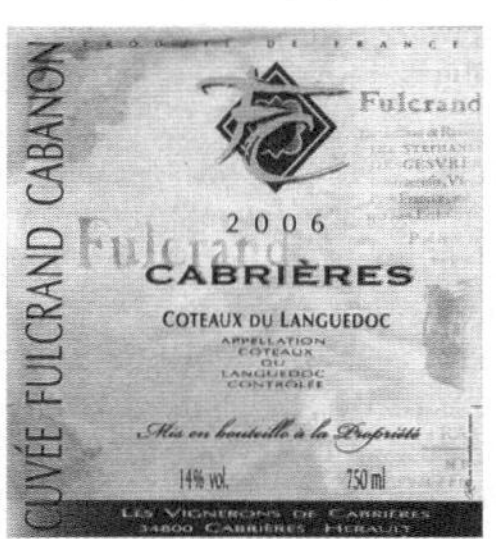

S'il est un terroir des coteaux du Languedoc renommé pour ses rosés, c'est bien celui de Cabrières. Les conditions de production y sont d'ailleurs spécifiques, puisque le cinsault doit représenter au moins 40 % de l'encépagement. Sol de schistes, savoir-faire de la cave et voici le coup de cœur pour une cuvée qui porte le nom de l'abbé de Cabrières qui, à la cour de Louis XIV, proposait son vin comme fortifiant. Le jury a apprécié la robe pastel brillante, les arômes de framboise, de miel et de fleurs séchées, ainsi que la bouche ample et friande. Un grand classique. Dans un autre registre, la **clairette-du-languedoc Les Hauts de Saint-Rome 2006** obtient une étoile pour son délicat moelleux.

SCA Vignerons de Cabrières, rte de Roujan, 34800 Cabrières, tél. 04.67.88.91.60, fax 04.67.88.00.15, e-mail sca.cabrieres@wanadoo.fr
t.l.j. 9h-12h 14h-18h

CH. CAMPLAZENS La Clape La Réserve 2004

■	40 ha	15 000	◍ 5 à 8 €

Sur l'étiquette, l'indication du millésime en chiffres romains vous rappellera que les vétérans de Jules César cultivaient déjà la vigne sur ce domaine. Voici un vin de bonne extraction issu de raisins mûris sous le soleil de La

Clape : robe pourpre, arômes de tabac blond et de fruits confiturés, tanins un brin rustiques, finale généreuse. Petite précaution : vous devrez l'aérer en carafe avant le service.
SCEA Ch. Camplazens, Dom. de Camplazens, 11110 Armissan, tél. 04.68.45.38.89, fax 04.68.45.59.70, e-mail domaine.camplazens@wanadoo.fr
t.l.j. sf ven. sam. dim. 8h-12h 14h-17h

CH. CAPION Cardinal Collection 2004 *

8 ha 25 000 11 à 15 €

Un parc planté de cèdres et un jardin à la française entourent le château du XVII^e^s., sis aux portes d'Aniane, dans la vallée de Gassac. Capion fait son retour dans le Guide grâce à ce vin de teinte profonde qui a gardé des reflets de jeunesse. Au nez ouvert sur les fruits noirs et la torréfaction succède une bouche volumineuse et ronde, qui porte encore l'empreinte des douze mois d'élevage sous bois. Un coteaux-du-languedoc qui demande l'appui du temps pour se fondre : deux ou trois ans y suffiront.
SCA de Ch. Capion, Dom. de Capion, 34150 Gignac, tél. 04.67.57.71.37, fax 04.67.57.47.39, e-mail chateau-capion@wanadoo.fr
t.l.j. sf sam. dim. 8h-12h 13h30-18h
Buhrer

CH. CAPITOUL La Clape Maelma 2002 **

2 ha 8 000 30 à 38 €

Cette cuvée doit son nom à un village proche d'Alger dont est originaire la mère de Charles Mock. Après le 2001 noté deux étoiles l'an dernier, ce 2002 parvient à un même niveau de qualité. Sa robe sombre augure la grande complexité du bouquet : fruits à noyau, girofle, vanille et boisé délicat. Devant la richesse de la matière, l'élégance des tanins et la longue persistance aromatique, il sera bien difficile de résister à la tentation de le servir dès maintenant.
Charles Mock, Ch. Capitoul, rte de Gruissan, 11100 Narbonne, tél. 04.68.49.23.30, fax 04.68.49.55.71, e-mail contact@chateau-capitoul.com
t.l.j. 9h-20h

DOM. CASTAN
Terroir du Lias Élevé en fût de chêne 2004 *

2 ha 5 500 5 à 8 €

Ici, l'aire d'appellation jouxte celle de saint-chinian. Dans ce vin, l'élevage en fût de chêne n'a pas masqué la typicité du terroir. La robe est d'un pourpre encore jeune, tandis que le nez, d'abord minéral, évoque ensuite un chaudron de confiture de fruits rouges. L'ampleur et le velouté en bouche témoignent de la maturité des raisins.
André Castan, av. Jean-Jaurès, 34370 Cazouls-lès-Béziers, tél. 04.67.93.54.45, e-mail domandrecastan@aol.com
t.l.j. sf dim. 10h-12h30 16h30-19h30

CH. DE CAZENEUVE
Pic Saint-Loup Les Calcaires 2005 *

6 ha 25 000 11 à 15 €

André Leenhardt va bientôt fêter ses vingt ans d'installation et de vinification. C'est un artiste reconnu dans la région du pic Saint-Loup. Ce vin est encore jeune, et il faudra attendre un ou deux ans pour une ouverture totale. Le fruité domine, nuancé de notes poivrées et d'un léger caractère animal qui disparaît après agitation. La bouche est discrète sans manquer d'élégance et de générosité. À boire avec un cuisseau de chevreuil.
André Leenhardt, Dom. de Cazeneuve, 34270 Lauret, tél. 04.67.59.07.49, fax 04.67.59.06.91, e-mail andre.leenhardt@wanadoo.fr r.-v.

ALAIN CHABANON Campredon 2005

3 ha 11 000 8 à 11 €

Alain Chabanon s'est reconverti dans la vitiviniculture en 1992 et a su développer des marchés à l'export, non seulement en Suisse, au Canada, mais aussi en Thaïlande et en Chine. Quelques reflets d'évolution apparaissent dans la robe pourpre intense de ce 2005 qui laisse une impression de douceur après aération, en libérant des arômes de figue et de fruits noirs. Au palais, même caractère gourmand dû à l'extrême rondeur et aux flaveurs chaleureuses de fruits compotés.
SARL Dom. Alain Chabanon, chem. de Saint-Étienne, 34150 Lagamas, tél. 04.67.57.84.64, fax 04.67.57.84.65, e-mail alainchabanon@free.fr
mer. sam. 9h30-12h30

DOM. DU CHÂTEAU
Picpoul-de-Pinet Cuvée des Comtesses 2005 *

8 ha 40 000 3 à 5 €

Cette propriété est aujourd'hui entre les mains des femmes après deux cent cinquante ans d'héritage de père en fils. Le vin, quant à lui, reste bien dans la lignée des Picpoul-de-Pinet : une robe pâle et cristalline, des arômes d'agrumes et une pointe d'anis au nez, une bouche à la fois vive et ronde. Proposez-le avec des coquillages ou des poissons grillés, vous ne vous tromperez pas.
Simonne Arnaud-Gaujal, Ch. de Pinet, 34850 Pinet, tél. 04.68.32.16.67, fax 04.68.32.16.39, e-mail chateaudepinet@voila.fr r.-v.

MARIE ET FRÉDÉRIC CHAUFFRAY
Terrasses du Larzac La Réserve d'O 2005 **

5 ha 12 000 8 à 11 €

Marie et Frédéric Chauffray, installés en 2005 sur les terrasses du Larzac, font une entrée remarquée dans le Guide. Dans leur chai contemporain, mais respectueux de l'architecture du village languedocien, ils ont élaboré un vin tout aussi authentique, dont le jury a apprécié la fraîcheur et le caractère floral et grillé. Il ne manque pas de mâche, cependant, ce 2005, et sa structure lui permettra de bien évoluer au cours de deux ou trois ans de garde. Vous le servirez alors avec un veau rosé des Pyrénées *a la plancha*, des pieds de porc caramélisés ou une pintade aux noix.
Marie et Frédéric Chauffray, rue du Château, 34150 Arboras, tél. 06.76.04.03.88, fax 04.67.75.59.72, e-mail bel_air@club-internet.fr r.-v.

LE CHEMIN DES RÊVES Bois-moi 2005 *

3,52 ha 20 000 5 à 8 €

Histoire authentique d'un pharmacien qui fit ses premières expériences de vinification dans sa salle de bains en Angleterre. Benoît Viot officie depuis 2004 dans un vieux mas languedocien et vinifie le raisin de ses vignes plantées sur des coteaux exposés à l'est. Avec le fruit (groseille notamment) pour leitmotiv, son 2005 livre aussi des notes de fumée et de girofle, puis une chair ronde, franche et souple, à la finale persistante. Pour une viande

LANGUEDOC

blanche ou des charcuteries. Une citation est attribuée au **Grès de Montpellier L'Exubérant rouge 2005 (8 à 11 €).**
Benoît Viot, 2, rue Predimau, 34790 Grabels, tél. 04.67.03.44.04, fax 04.67.10.09.84, e-mail contact@chemin-des-reves.com r.-v.

CIGAL'ART Prélude 2004

1,5 ha 6 000 11 à 15 €

Deux Belges amoureux du vin se sont liés d'amitié avec des vignerons languedociens et ont réalisé leur rêve, ce coteaux-du-languedoc qui provient de l'alliance subtile de plusieurs terroirs de l'appellation. Des arômes de fruits rouges et de sous-bois pointent sous la robe rubis. Évoquant le kirsch et un boisé délicat, la bouche est déjà fondue. Inutile d'attendre.
Hesby-Vins, rue Bonnechère, 39, 4367 Crisnée, tél. 495.500.031, e-mail cigalart@hotmail.com r.-v.

DOM. CLAVEL La Méjanelle Les Garrigues 2005 *

10,32 ha 54 000 5 à 8 €

Un mas languedocien, un terroir villafranchien et un vigneron fort de vingt ans d'expérience. Un contexte favorable à la réussite de ce Méjanelle de teinte grenat, fleurant bon la garrigue, en effet. Poivre noir et fruits confits complètent le nez, tandis qu'au palais réglisse et notes grillées accompagnent des tanins fins, mais présents, dans une chair ronde, de grande maturité. Ouvrez cette bouteille à l'avance, décantez-la en carafe, puis servez-la avec des plats régionaux épicés ou un tajine d'agneau.
Vins Pierre Clavel, Mas de Perié, 34820 Assas, tél. 04.99.62.06.13, fax 04.99.62.06.14, e-mail info@vins-clavel.fr
t.l.j. sf dim. 14h-19h

CLOS DE FONTEDIT Les Flacons 2003 *

n.c. 5 750 11 à 15 €

Ce vin de négociant-éleveur est de belle facture : une robe encore jeune aux reflets violines, des senteurs de grillé, de vanille et de cerise noire, une bouche ample et charnue, aux tanins déjà fondus. Autant de caractères qui traduisent une bonne maîtrise de l'élevage en fût.
Maison Maurel-Vedeau, ZI La Baume, 34290 Servian, tél. 04.67.39.21.20, fax 04.67.39.22.13, e-mail contact@maurelvedeau.com
Bonfils

CLOS DE L'AMANDAIE
Grès de Montpellier Huis clos 2004 *

n.c. 3 000 11 à 15 €

Philippe Peytavy a su tirer parti d'un terroir argilo-calcaire recouvert de garrigue. Syrah et grenache à parts égales composent ce vin léger, qui trouvera parfaitement sa place aux côtés d'une bavette à l'échalote ou de charcuteries. Son registre est celui du fruité, au nez comme en bouche, complété d'épices douces. C'est aussi celui de la fraîcheur et de la souplesse grâce à des tanins fondus. Un caractère friand bien engageant.
Philippe Peytavy, Mas Arnaud, 34230 Aumelas, tél. 06.86.68.08.62, fax 04.67.88.72.37, e-mail closdelamandaie@free.fr r.-v.

CLOS DES AUGUSTINS
Pic Saint-Loup Le Gamin 2005 *

4,84 ha 12 999 8 à 11 €

En hommage aux deux grands-pères, Roger Mezy et son fils Frédéric ont défriché, replanté le terroir argilo-calcaire, puis créé une cave en 2000. Leur cuvée rouge sombre, aux arômes puissants de fruits rouges à l'eau-de-vie, se montre équilibrée et ronde, sans structure trop imposante. Un profil qui invite à une dégustation d'ici fin 2008.
EARL Les Augustins, 111, chem. de la Vieille, 34270 Saint-Mathieu-de-Tréviers, tél. 04.67.54.73.45, fax 04.67.54.52.77, e-mail closdesaugustins@wanadoo.fr r.-v.
Mezy

CLOS DES NINES L'Orée 2005 *

3,1 ha 6 000 11 à 15 €

Quarante ans peut être l'âge d'un nouveau départ. Il en fut ainsi pour ce couple qui a acheté une petite propriété de moins de 10 ha sur sol argilo-calcaire, dans la garrigue, et s'est reconverti à la vitiviniculture. Syrah, grenache et cinsault s'expriment harmonieusement dans ce vin friand qui mêle des arômes de réglisse, de fruits et de garrigue. L'impression de rondeur et de fondu prévaut, invitant à un moment de convivialité. Le **Clos des Nines O rouge 2004 (15 à 23 €)**, élevé dix-huit mois en fût, est cité.
Isabelle Mangeart, 329, chem. du Pountiou, 34690 Fabrègues, tél. et fax 04.67.68.95.36, e-mail clos.des.nines@free.fr r.-v.

CLOS DU LUCQUIER Cuvée Philippe 2004 *

3 ha 4 000 11 à 15 €

En 2004, Claude Panis a franchi le pas vers la vinification de ses propres vins. Sa cuvée enchante le regard par sa teinte éclatante, puis offre des arômes expressifs de fruits rouges à l'eau-de-vie, de toasté, de garrigue, nuancés d'une pointe animale. Après une attaque ronde, un bon équilibre se réalise entre le gras et la fraîcheur des notes de cassis et de menthol. Quant aux tanins, ambitieux, ils sont en passe de se fondre. Un coteaux-du-languedoc avec de la personnalité, qui se mariera à un gibier en sauce.
SCEA La Font du Loup, Clos du Lucquier, rue de la Font-du-Loup, 34725 Jonquières, tél. 04.67.90.51.51, fax 04.67.90.02.90 r.-v.
Claude Panis

CH. LA CLOTTE-FONTANE Crémailh 2005 *

4,5 ha 20 000 8 à 11 €

Depuis sa première vinification, en 2000, Maryline Pagès n'a pas manqué un rendez-vous dans le Guide. Au tour de la cuvée Crémailh de remporter les suffrages du jury, pour sa robe violine, son bouquet complexe de fruits noirs, de grillé et de romarin, sa bouche ample et structurée. Les notes boisées de l'élevage apparaissent en finale, mais sans excès. Ce vin se gardera trois ans dans votre cave et s'accordera à un civet de biche.
Maryline Pagès, Ch. La Clotte-Fontane, rte de Lecques, 30250 Salinelles, tél. 04.66.80.06.09, fax 04.66.80.42.60, e-mail clotte@club-internet.fr r.-v.

DOM. DES CONQUÊTES
Terrasses du Larzac N° 2 2005 **

1 ha 4 000 8 à 11 €

Syrah, grenache et mourvèdre récoltés à Aniane, sur les terrasses argilo-calcaires du Larzac, ont donné naissance à ce vin pourpre nuancé de reflets violets qui part à la conquête des dégustateurs en mettant en avant ses arômes intenses de fruits rouges, de torréfaction et

d'épices. Les tanins soyeux soutiennent un bon volume et illustrent le remarquable travail réalisé au vignoble comme au chai, pendant les dix-huit mois d'élevage. Une bouteille à servir à partir de 2008, avec un pigeon fermier par exemple.
Sylvie et Philippe Ellner,
Dom. des Conquêtes, chem. des Conquêtes,
34150 Aniane, tél. et fax 04.67.57.35.99,
e-mail ellner.philippe@neuf.fr r.-v.

DOM. DE LA COSTE-MOYNIER

Saint-Christol Cuvée sélectionnée 2005 ★★

■ 10,5 ha 20 000 ▮ 5 à 8 €

Quand l'osmose se réalise parfaitement entre un vigneron et un terroir, villafranchien en l'occurrence, l'amateur de grands vins est comblé. Voyez cette cuvée pourpre profond qui exhale des senteurs de cassis, de poire à l'eau-de-vie, de fleur d'oranger et d'eucalyptus. Quelle originalité ! Au palais, l'équilibre est parfait entre fraîcheur, rondeur et tanins de qualité. Un délice en compagnie d'une daube de bœuf aux cèpes ou de fromages bien faits.
Luc et Élisabeth Moynier,
Dom. de La Coste-Moynier, 34400 Saint-Christol,
tél. 04.67.86.02.10, fax 04.67.86.07.71,
e-mail luc.moynier@wanadoo.fr
t.l.j. sf dim. 9h-12h30 13h30-19h

DOM. COUR SAINT-VINCENT

Grès de Montpellier Le Clos du Prieur 2006

■ 5 ha 5 000 15 à 23 €

Propriété familiale depuis le XVIII[e]s., dont l'histoire débuta par le mariage d'un Lozérien avec la fille d'un tonnelier languedocien. Au nord de Montpellier, galets roulés et cailloutis calcaires composent le terroir qui porte les vignes de syrah, de grenache et de mourvèdre à l'origine de ce 2006 pourpre sombre. Aux arômes de fruits compotés et de cassis répond une chair très concentrée, ronde, malgré des tanins encore marqués qui demandent entre deux et quatre ans de garde pour s'assouplir. Vin de terroir, vin international aussi, de l'avis du jury.
Martine et Francis Bouys,
Dom. Cour Saint-Vincent, 1, pl. Saint-Vincent,
34730 Saint-Vincent-de-Barbeyrargues,
tél. 04.67.59.60.74, fax 04.99.62.02.06,
e-mail francis.bouys@tiscali.fr r.-v.

CH. DES CRÈS RICARDS

Terrasses du Larzac Stécia 2005

■ 2,2 ha 13 000 ▮ 8 à 11 €

De ce 2005, rubis soutenu, le jury a souligné la jolie expression de groseille, de truffe et de fruits confits. L'attaque en bouche est gourmande, puis les tanins et la vivacité restent harmonieux. Le vin est prêt à être servi avec un agneau du Larzac à la broche.
Colette et Gérard Foltran, Dom. des Crès Ricards,
34800 Ceyras, tél. et fax 04.67.44.67.63,
e-mail contact@cresricards.com r.-v.

DOM. LA CROISÉE DES MONDES 2005

■ 2,5 ha 7 000 ▮ 5 à 8 €

Après avoir travaillé durant dix ans dans le centre de recherche d'un grand groupe agroalimentaire, Christophe Deffontaines se consacre depuis 2002 à ses 4,50 ha de vignes. Ce vin, vif et violacé en couleur, décline des notes de fruits rouges, de violette et d'épices. La bouche, plus réservée, se montre équilibrée et fraîche, suffisamment structurée pour attendre un peu.
Christophe Deffontaines, 5, rue du Barry,
34700 Le Bosc, tél. 06.86.27.44.14, fax 04.67.15.06.79,
e-mail deffontaines@wanadoo.fr r.-v.

DOM. LA CROIX CHAPTAL

Terrasses du Larzac Cuvée Charles 2004 ★

■ 5,5 ha 25 000 8 à 11 €

Charles Pacaud a repris en 1999 ce vignoble très ancien, créé au X[e]s. par les moines bénédictins de l'abbaye de Gellone. Syrah, grenache et carignan à parts égales ont donné sur ce terroir de galets roulés un vin aux notes légèrement animales, complétées d'arômes de grillé et de garrigue. Des tanins fermes le soutiennent dans son développement, qui garantissent une bonne évolution sur deux à trois ans. À boire avec une gardiane de taureau.
Pacaud-Chaptal,
Dom. La Croix Chaptal, hameau de Cambous,
34725 Saint-André-de-Sangonis, tél. 06.82.16.77.82,
fax 04.67.16.09.36, e-mail lacroixchaptal@wanadoo.fr
r.-v.
Charles Pacaud

DOM. DE DAURION Prestige 2005 ★★

■ 3 ha 12 000 8 à 11 €

La syrah et le grenache vendangés sur les sols basaltiques des environs de Caux constituent cette cuvée pourpre violacé, encore jeune. Après les arômes de violette, de fruits confiturés et de vanille se révèle une chair ronde, solidement soutenue par des tanins de qualité qui ne laissent aucune aspérité et respectent l'expression complexe et durable des flaveurs.
SCEA Dom. de Daurion, Daurion, 34720 Caux,
tél. et fax 04.67.98.47.36, e-mail roch@daurion.com
r.-v.

DOM. DU DAUSSO

Saint-Saturnin Complaisance 2004

■ 2 ha 3 000 11 à 15 €

Si la robe de ce vin est devenue légèrement tuilée, une certaine puissance se manifeste dans les arômes de fruits cuits, de réglisse et de vanille. La bouche plus discrète, mais bien harmonieuse, procure une sensation d'équilibre. Une bouteille à déboucher dans l'année.
Dom. du Dausso, Mas du Dausso, rte de Brignac,
34800 Ceyras, tél. 06.09.76.35.73, fax 04.67.57.99.85,
e-mail valerie@domainedudausso.fr r.-v.

CH. DE LA DEVÈZE MONNIER 2004 ★

■ 1,5 ha 3 000 5 à 8 €

Repris par la famille Damais en 1964, le domaine de 34 ha, sis à l'emplacement d'une ancienne *villa* gallo-

LANGUEDOC

romaine au pied du Larzac, est à présent conduit par Laurent, le fils. Syrah (70 %) et grenache composent un 2004 rouge clair à reflets violets qui exprime des arômes de fruits rouges avant de révéler une structure de tanins fins et une chair ronde. N'attendez pas : ce vin est prêt à rejoindre un agneau des Causses du Larzac.

SCEA du Dom. de La Devèze, 34190 Montoulieu, tél. 04.67.73.70.21, fax 04.67.73.32.40, e-mail domaine@deveze.com r.-v.
Marcel Damais

DOM. DE LA DOURBIE Mala Coste 2004 ★★

4,84 ha 11 500 11 à 15 €

Situé au confluent de l'Hérault et de la Dourbie, le domaine compte 32 ha de vignes. Il aura fallu détourner le lit de la Dourbie en 1870, puis construire une digue au bord de l'Hérault en 2005 pour le protéger. Emmanuel Serin propose son deuxième millésime seulement, mais quel millésime ! Presque noir, son vin ne peut laisser indifférent par la puissance de ses arômes de confiture de cerises et de mirabelles, nuancés de garrigue. L'attaque reste fruitée, la chair chaleureuse et ronde, aussi équilibrée que persistante. À boire ou à attendre, à chacun de choisir, pourvu qu'une pièce d'agneau aux herbes en croûte soit de la fête au moment de la dégustation.

Emmanuel Serin, Dom. de La Dourbie, 34800 Canet, tél. 04.67.44.45.82, fax 04.67.44.47.84, e-mail info@ladourbie.fr
t.l.j. sf sam. dim. 9h-13h 14h-18h

CH. DE L'ENGARRAN
Grès de Montpellier Grenache majeur 2004 ★★

1,2 ha 2 700 11 à 15 €

Vous pourrez profiter des journées du Patrimoine pour visiter ce château du XVIIIes. qui possède aussi un musée du Vin. Une occasion rêvée de découvrir cette cuvée jamais produite avant le millésime 2004. Issue de 60 % de grenache et de 40 % de syrah récoltés sur des grès villafranchiens, elle résulte d'un travail d'orfèvre, salué par le jury. Sous une teinte pourpre aux très légers reflets orangés, arômes et saveurs rivalisent d'élégance et de complexité. Aucune explosion des senteurs, mais la déclinaison délicate de notes florales de violette et de rose, fruitées de mûre, nuancées d'une touche épicée. Une chair ronde, subtilement rehaussée de fraîcheur emplit le palais harmonieusement. Du curry d'agneau à la tarte au chocolat, les accords seront nombreux avec ce vin prêt à être savouré. Une étoile revient au **Saint-Georges-d'Orques cuvée Quetton Saint-Georges rouge 2004 (15 à 23 €)**, dans un style plus puissant, souligné de flaveurs de réglisse et de fruits rouges.

Ch. de L'Engarran, 34880 Lavérune, tél. 04.67.47.00.02, fax 04.67.27.87.89, e-mail lengarran@wanadoo.fr
t.l.j. 10h-13h 15h-19h
Famille Grill

L'ÉTANG DE SOL Picpoul-de-Pinet 2006 ★★

6 ha 40 000 3 à 5 €

Créée en 1923, la cave de L'Ormarine est une institution dans le village et l'un des piliers de l'appellation. Cette cuvée s'alliera parfaitement à des huîtres de Bouzigues : robe brillante à reflets verts, nez encore jeune rappelant le zeste de pamplemousse et les fruits exotiques, rondeur en bouche soutenue par la vivacité caractéristique des Picpoul-de-Pinet. La cuvée **Font Française blanc 2006** obtient une étoile.

SCA Cave de L'Ormarine, 13, av. du Picpoul, 34850 Pinet, tél. 04.67.77.03.10, fax 04.67.77.76.23, e-mail g.maussiere@caveormarine.com
t.l.j. sf dim. 8h-12h 14h-18h

FALLET Sauvage 2004 ★

4 ha 13 000 5 à 8 €

Sur un terroir argilo-calcaire au nord de l'aire des coteaux-du-languedoc, ce domaine a élaboré un vin tout en fraîcheur. De la robe rouge sombre s'élèvent des arômes de fruits mûrs légèrement boisés. La bouche est franche, harmonieuse, car si les tanins sont présents, ils demeurent aimables. Pour tout de suite ou pour demain.

SARL Dom. Fallet, 30170 Pompignan, tél. et fax 04.66.71.55.32, e-mail guillaumeode@yahoo.fr r.-v.

DOM. DE FAMILONGUE
Terrasses du Larzac 3 naissances 2005 ★

1,2 ha 6 600 15 à 23 €

Cinq cépages traditionnels des terrasses du Larzac ont été sélectionnés : syrah, mourvèdre, carignan, cinsault et grenache. Martine et Jean-Luc Quinquarlet procèdent de manière originale, puisqu'ils vinifient sous bois et élèvent le vin dans les mêmes barriques, douze mois durant. Il en résulte un 2005 de caractère, aux senteurs de garrigue, de fruits rouges et de café. La structure est tout naturellement puissante, mais elle ne nuit pas à la fraîcheur de l'ensemble. Patientez un an ou deux : la dégustation n'en sera que plus agréable.

SCEA Jean-Luc Quinquarlet, 3, rue Familongue, 34725 Saint-André-de-Sangonis, tél. 04.67.57.59.71, fax 04.67.57.26.32, e-mail contact@domainedefamilongue.fr r.-v.

DOM. FAURMARIE
Grès de Montpellier Reliure 2004 ★★

1 ha 2 000 11 à 15 €

Christian Faure a créé de toutes pièces ce domaine de 10 ha en défrichant la garrigue et en plantant la vigne à partir de 1983. Mourvèdre, syrah et grenache à parts égales composent cette cuvée d'un pourpre intense qui exhale des arômes complexes de garrigue, de fruits (cassis, fraise des bois) et de boisé hérité de quinze mois de séjour en fût. Le plaisir est immédiat au palais, tant la chair ronde et fraîche à la fois enrobe les tanins et laisse un long sillage aromatique. Attendez-la deux ou trois ans : elle n'en sera que meilleure. Une étoile est attribuée à la cuvée **Les Mathilles rouge 2005 (5 à 8 €)** qui n'a pas connu le bois : elle possède un juste équilibre, de l'ampleur et des flaveurs de fruits mûrs.

Christian Faure, 260, rue du Mistral, 34160 Galargues, tél. et fax 04.67.86.87.26, e-mail faurmarie@free.fr r.-v.

CH. DE FLAUGERGUES

La Méjanelle Cuvée Sommelière 2006 ★

1,8 ha 4 800 8 à 11 €

Première « folie » montpelliéraine, le château de Flaugergues (1696) et ses 33 ha de vignes résistent à la pression urbaine. Quel bonheur de découvrir cet ensemble architectural, son mobilier, son jardin à la française, et ce vin blanc pâle en couleur, aux arômes de fruits confits, d'abricot et de miel. La bouche délicate développe une rondeur délicieuse qui permettra d'envisager un accord avec un gratin de saint-jacques.

Pierre de Colbert, Ch. de Flaugergues, 1744, av. Albert-Einstein, 34000 Montpellier, tél. 04.99.52.66.37, fax 04.99.52.66.44, e-mail colbert@flaugergues.com r.-v.

DOM. LES GRANDES COSTES

Les Grandes Costes 2004 ★★

1,63 ha 5 300 11 à 15 €

Ce domaine situé aux limites du pic Saint-Loup produit des vins de plaisir, fruités et fidèles au terroir caillouteux. La syrah et le grenache, caractéristiques du secteur, ont donné naissance à un coteaux-du-languedoc de teinte soutenue, au nez complexe d'olive noire, d'épices, de fumée et de sous-bois. Des tanins denses mais veloutés soutiennent la matière, avec en finale une fraîcheur bienvenue. À déguster avec des mets exotiques, à une température de 16 °C.

Jean-Christophe Granier, Dom. Les Grandes Costes, 2, rte du Moulin-à-Vent, 34270 Vacquières, tél. et fax 04.67.59.27.42, e-mail jcgranier@grandes-costes.com r.-v.

DOM. DE GRANOUPIAC

Le Chant des cigales 2006 ★

1,25 ha 4 000 5 à 8 €

Les vignes de roussanne, de rolle et de grenache puisent leur caractère sur les larges terrasses argilo-calcaires de Granoupiac, à mi-chemin entre Montpellier et le Larzac. Si ce 2006 est de teinte discrète, il se montre éloquent par ses arômes d'agrumes, de fruits exotiques et sa touche minérale. Gras et complexe en bouche, il ne manque pourtant pas de vivacité et pourra accompagner – tout de suite ou dans un an – une soupe d'huîtres.

Claude Flavard, Dom. de Granoupiac, 34725 Saint-André-de-Sangonis, tél. 04.67.57.58.28, fax 04.67.57.95.83, e-mail domaine.granoupiac@gmail.com t.l.j. sf dim. 9h-12h 15h-19h30

GRAVETTISSIME 2005

n.c. 1 200 8 à 11 €

À Corconne, porte d'entrée du pic Saint-Loup, la coopérative a aménagé un caveau de vente qui fait honneur à ses vins. Celui-ci, bien doré, ravira ceux qui aiment les arômes vanillés. La bouche, ronde, chaleureuse et déjà mûre, laisse poindre un léger fruité et confirme l'élevage en fût. Une rouille de seiches à la sétoise sera bien adaptée à ce 2005.

SCA La Gravette de Corconne, 30260 Corconne, tél. 04.66.77.32.75, fax 04.66.77.13.56, e-mail la.gravette@wanadoo.fr t.l.j. 8h-12h 14h-19h

DOM. DES GRECAUX Montpeyroux Hêmèra 2004

n.c. 7 000 15 à 23 €

Une cuvée délicate, couleur grenat. Au bouquet minéral et empyreumatique succède une bouche élégante, toute fruitée (cassis) et épicée. Les tanins encore présents se manifestent dans une chair qui tend vers la rondeur, avec une petite pointe de fraîcheur en plus. Pour un rôti de porc aux pruneaux.

Isabelle et Alain Caujolle-Gazet, Dom. des Grecaux, 4, av. du Monument, 34150 Saint-Jean-de-Fos, tél. et fax 04.67.57.38.83, e-mail caujolle@club-internet.fr t.l.j. 18h-20h

GRÈS SAINT-PAUL

Grès de Montpellier Antonin 2005 ★★

9,64 ha 45 000 8 à 11 €

Un domaine de 24 ha organisé autour d'une maison de maître et de son parc. Coup double cette année grâce à deux remarquables cuvées. Celle-ci, sous une robe noire, se développe entre finesse et puissance. Au nez, les fruits mûrs, la garrigue et le poivre noir se donnent le change. En bouche, des tanins fins, réglissés et épicés, étayent une chair ample. Deux à trois ans de garde sont à la portée de ce vin. Deux étoiles brillent aussi pour la cuvée **Grès de Montpellier Syrhus rouge 2004 (23 à 30 €)** dans un registre plus puissant encore, sur une matière dense et mûre. Idéale sur une gardiane de taureau (après tout, nous sommes proches de la Camargue), après quatre ou cinq ans de vieillissement.

Jean-Philippe Servière, Ch. Grès Saint-Paul, rte de Restinclières, 34400 Lunel, tél. 04.67.71.27.90, fax 04.67.71.73.76, e-mail contact@gres-saint-paul.com t.l.j. sf dim. 9h-12h 14h-19h

DOM. GUINAND

Saint-Christol Grande Cuvée 2004 ★★

4 ha 10 000 8 à 11 €

Il faut venir ici en fin d'année, lorsque des artistes de la région exposent leurs œuvres dans le caveau de dégustation. L'occasion de conjuguer art et vin en découvrant ce 2004 profondément coloré, mêlant avec complexité des arômes de réglisse, de cassis aux notes de l'élevage sous bois. Des flaveurs de fumée et de vanille accompagnent le développement de la chair dense et persistante, d'un remarquable équilibre. À servir avec une viande rouge en sauce, aujourd'hui comme demain.

Dom. Guinand, 36, rue de l'Épargne, 34400 Saint-Christol, tél. 04.67.86.85.55, fax 04.67.86.07.59, e-mail domaineguinand@saint-christol.com r.-v.

DOM. GUIZARD Saint-Georges d'Orques

Cuvée Prestige Élevé en fût de chêne 2005 ★

0,8 ha 4 000 5 à 8 €

Propriété familiale depuis 1580, ce domaine de 40 ha bénéficie d'un terroir de galets roulés favorable à la maturation de la syrah, du grenache et du mourvèdre. Le 2005 retient l'attention par sa robe rouge profond, ses senteurs intenses de fruits frais et mûrs. Après une attaque ample, une impression d'équilibre perdure, car les tanins sont certes présents, mais fins et soyeux.

SCEA Consorts Guizard, 12, bd de la Mairie, 34880 Laverune, tél. et fax 04.67.27.86.59 r.-v.

LANGUEDOC

CH. HAUT-BLANVILLE

Grès de Montpellier Grande Cuvée 2004 ★★

■ 5 ha 20 000 ▮ ⅢⅡ 15 à 23 €

Ce petit château du XVIIIᵉs., entouré d'un parc et doté de caves du XIXᵉs., a bien de la chance. Il a été repris en 1997 par Béatrice et Bernard Nivollet, passionnés de vignes, et a bénéficié des investissements de leurs amis. Ce sont 50 ha sur sols calcaires. « Déjà plaisant, le vin sera encore meilleur dans deux ans », confie un dégustateur, séduit par la teinte pourpre à reflets griotte de ce 2004, par son nez puissant, mais non dénué de finesse : chocolat, épices, grillé, eucalyptus. La bouche est remarquable d'ampleur et d'élégance, étayée par des tanins soyeux jusqu'à la longue finale rafraîchissante. Mariez-le à un filet de veau aux truffes. Une étoile revient au **Grès de Montpellier Clos des Légendes rouge 2004 (30 à 38 €)**, qui livre des arômes de fruits mûrs et de garrigue, puis une bouche ronde et fraîche à la fois. Pour une côte de bœuf.

Bernard et Béatrice Nivollet,
Ch. Rieutort, rte de Gignac, 34230 Saint-Pargoire,
tél. 04.67.25.22.53, fax 04.67.25.22.54,
e-mail deblanville@wanadoo.fr Y ⛹ t.l.j. sf dim. 9h-13h 14h30-19h 🏠 5

DOM. HAUT-LIROU Pic Saint-Loup 2005 ★

■ n.c. 30 000 ⅢⅡ 11 à 15 €

Les pierres qui ont servi à bâtir ce mas languedocien ont été prises tout simplement dans le vignoble, puisque le sol est ici argilo-calcaire. La syrah, majoritaire, a été assemblée au grenache pour élaborer cette cuvée pourpre, dominée par des arômes de fruits rouges et de poivre. Les tanins sont certes présents, mais sans agressivité, de sorte que l'impression générale est celle d'harmonie des composants.

Jean-Pierre Rambier,
Dom. Haut-Lirou, Le Triadou,
34270 Saint-Jean-de-Cuculles, tél. 04.67.55.38.50,
fax 04.67.55.38.49, e-mail domaine.haut-lirou@mnet.fr
V Y ⛹ r.-v.

DOM. HENRY

Saint-Georges d'Orques Les Chailles 2005 ★★

■ 2 ha 2 500 ▮ 15 à 23 €

Cette cuvée doit son nom au calcaire à chailles qui compose le terroir. Son caractère intense et gourmand lui vient de l'assemblage de grenache, de mourvèdre et de cinsault. Aux arômes floraux et fruités (mûre, cassis), sans oublier les notes de laurier et de réglisse, répond une imposante structure tannique enveloppée dans une chair soyeuse et chaleureuse. À boire ou à attendre une quinzaine de mois. Une étoile brille pour le **Saint-Georges-d'Orques Domaine Henry 2005 (11 à 15 €)**, aux senteurs de fruits rouges confiturés et aux tanins présents mais bien enrobés.

Dom. Henry, av. d'Occitanie,
34680 Saint-Georges-d'Orques,
tél. et fax 04.67.45.57.74,
e-mail contact@domainehenry.fr V Y ⛹ r.-v.

DOM. DE L'HORTUS

Pic Saint-Loup Grande Cuvée 2004 ★

■ 14,2 ha 57 757 ⅢⅡ 15 à 23 €

La vigne est une affaire de famille chez les Orliac. Tout a commencé en 1978, lorsque les terres abandonnées ont été défrichées et plantées. Syrah, mourvèdre et grenache s'allient dans ce vin à la fois concentré et frais, dont le fruité charme immédiatement. L'élevage sous bois a légué des caractères grillés, mais son empreinte se fond dans la chair ronde et aromatique. À apprécier dans deux ou trois ans avec un gibier.

Vignoble Jean Orliac, Dom. de L'Hortus,
34270 Valflaunès, tél. 04.67.55.31.20,
fax 04.67.55.38.03, e-mail orliac-hortus@wanadoo.fr
V Y ⛹ t.l.j. sf dim. 9h-12h 14h-18h

CH. DES HOSPITALIERS

Saint-Christol Réserve 2005

■ 1,1 ha 5 000 ⅢⅡ 5 à 8 €

Les quatre cépages syrah, grenache, carignan et mourvèdre se partagent équitablement la vedette dans cette cuvée prête à boire, habillée d'une robe presque noire. Si les arômes de l'élevage – moka, grillé, torréfaction – dominent au nez, la matière séveuse et ronde présente des notes d'épices douces bien fondues. Un vin destiné à accompagner des fromages ou un magret de canard. Une citation également pour le **Saint-Christol Prestige rouge 2005 (3 à 5 €)**, élevé en cuve.

SCEA Ch. des Hospitaliers, 923, av. Boutonnet,
34400 Saint-Christol, tél. 04.67.86.03.50,
fax 04.67.86.90.02, e-mail martin-pierrat@wanadoo.fr
V Y ⛹ t.l.j. 9h-19h
Martin-Pierrat

HUGUES DE BEAUVIGNAC Picpoul-de-Pinet

Cuvée Prestige Vinifié en fût de chêne 2005

□ 2 ha 9 600 ⅢⅡ 5 à 8 €

Il fallait que le piquepoul soit bien mûr pour décider d'élever ce vin en fût. La robe a gardé la pâleur de la jeunesse, le boisé reste discret aux côtés des notes de citron confit. Quant à la bouche, ronde et harmonieuse, elle appelle un accord avec un poisson à la crème. Joli résultat, même si ce 2005 est apparu en léger décalage avec le caractère typique du Picpoul-de-Pinet.

Cave coop. Les Costières de Pomérols,
av. de Florensac, 34810 Pomérols, tél. 04.67.77.01.59,
fax 04.67.77.77.21, e-mail info@cave-pomerols.com
V Y ⛹ r.-v.

INSANIA Grès de Montpellier 2004 ★★

■ 3 ha 16 000 ⅢⅡ 8 à 11 €

En 2005, cette coopérative, fondée quarante-cinq ans plus tôt, a fusionné avec celle de Montpellier. Elle a réalisé de gros investissements et a même ouvert un nouveau caveau en mars 2007, à Montpellier. Là ou à Saint-Geniès-des-Mourgues, vous découvrirez ce vin pourpre ourlé de reflets orangés qui laisse exploser ses arômes de tabac, de vanille, de fumé. Gourmande et légère en attaque, la chair trouve le soutien de tanins soyeux pour se développer sur des accents épicés. Prêt à passer à table avec une viande en sauce.

SCA Les Coteaux de Montpellier, rte de Beaulieu,
BP 13, 34160 Saint-Geniès-des-Mourgues,
tél. 04.67.86.21.99, fax 04.67.86.22.65,
e-mail coteauxdemontpellier@wanadoo.fr
V Y ⛹ t.l.j. sf dim. 9h30-12h 15h-18h

DOM. DE JONQUIÈRES 2003 ★

■ 4 ha 7 000 ▮ 8 à 11 €

Classé à l'inventaire des Monuments historiques, le château est resté dans la même famille depuis le XIIᵉs. Aujourd'hui, François et Isabelle de Cabissole conduisent la destinée d'un domaine de 9 ha sur cailloutis calcaires. Leur 2003 réjouit l'œil par sa teinte profonde comme le nez par ses arômes complexes de fruits mûrs et de pruneau. Dans le même registre aromatique, la bouche charnue se développe avec élégance, mais une petite pointe d'austérité en finale invite à une garde de deux ou trois ans avant un service avec une côte de bœuf ou un lièvre à la broche.

François de Cabissole, Ch. de Jonquières, 34725 Jonquières, tél. 04.67.96.62.58, fax 04.67.88.61.92, e-mail contact@chateau-jonquieres.com
r.-v.

DOM. LACROIX-VANEL
Pézenas Fine Amor 2004

3 ha 8 000 8 à 11 €

Un peu en retrait à cette heure, ce vin promet de s'épanouir au cours de l'année 2008. Ne présente-t-il pas une teinte avenante, grenat, une minéralité intéressante, accompagnée de notes de fumée et de fruits cuits ? La chair trouve le soutien de tanins bien présents, de qualité, qui sauront se fondre. Débouchez cette bouteille à l'avance, puis servez-la avec un civet, par exemple.

Jean-Pierre Vanel, 41, bd du Puits-Allier, 34720 Caux, tél. et fax 04.67.09.32.39, e-mail lacroix-vanel@wanadoo.fr r.-v.

CH. DE LANCYRE
Pic Saint-Loup Vieilles Vignes 2005 *

15 ha 60 000 8 à 11 €

Le maître de chai, Régis Valentin, est également œnologue et excellent dégustateur. Il a obtenu un vin pourpre aussi puissant au nez que fin au palais. Les arômes de cerise noire, de mûre dominent de prime abord, puis laissent poindre des notes de garrigue à la faveur de l'aération. Une structure soyeuse soutient la chair ample et suffisamment persistante. Une pintade aux figues sèches, un lapin chasseur : des mets qui s'accorderont à ce 2005 servi en carafe à 16 °C.

SCEA Ch. de Lancyre, Lancyre, 34270 Valflaunès, tél. 04.67.55.32.74, fax 04.67.55.23.84, e-mail chateaudelancyre@wanadoo.fr
r.-v.

Durand et Valentin

CH. LANGLADE Prestige 2005

4 ha 5 000 8 à 11 €

À Langlade, le village le plus à l'est de l'appellation, vous admirerez l'architecture unique de cette cave d'élevage avec sa voûte de parefeuilles. Ce vin y a été élevé durant quatorze mois dans les fûts de chêne et l'on décèle les notes de boisé aux côtés des arômes de fruits rouges. La bouche ample et épicée à l'attaque laisse ensuite poindre des tanins un peu sévères qui devraient s'arrondir dans les mois prochains.

Cadène Frères, Ch. Langlade, chem. des Aires, 30980 Langlade, tél. et fax 04.66.81.30.22, e-mail chateaulanglade@gmail.com
t.l.j. sf dim. lun. mer. 9h30-12h30 17h-19h30

CH. DE LASCAUX
Pic Saint-Loup Les Secrets 2003 *

1,2 ha 5 000 15 à 23 €

Il suffit de goûter ce vin pour percer les secrets du terroir calcaire de Lascaux. Dans l'ancien prieuré du XIIe s., transformé en caveau, vous découvrirez aussi les caractères de la syrah et du grenache à parts égales. La richesse des arômes a inspiré les dégustateurs – fruits noirs, tapenade, garrigue, vanille –, tandis que les tanins encore jeunes pour se fondre dans la matière ample les ont incités à conseiller une garde de deux ou trois ans.

Jean-Benoît Cavalier, Ch. de Lascaux, pl. de l'Église, 34270 Vacquières, tél. 04.67.59.00.08, fax 04.67.59.06.06, e-mail info@chateau-lascaux.com
t.l.j. sf dim. 10h-12h 14h-19h

CH. DE LASCOURS Pic Saint-Loup Nobilis 2005 *

5 ha 28 000 5 à 8 €

La fille de Claude Arlès, étudiante en viti-œnologie, devrait bientôt rejoindre le domaine familial. Elle pourra prendre ce 2005 pour exemple. Sous une robe grenat soutenu, le vin libère après aération des notes de fruits mûrs, d'épices et de poivre. Le fruité revient au palais, accompagné de tanins fins et serrés qui laissent en finale des notes réglissées fraîches. S'il est possible de le boire jeune, avec un gigot d'agneau, par exemple, un dégustateur préfère conseiller une garde de deux ou trois ans.

Claude Arlès, Ch. de Lascours, 34270 Sauteyrargues, tél. et fax 04.67.59.00.58, e-mail domaine.de.lascours@wanadoo.fr
r.-v.

DOM. DES LAURIERS Picpoul-de-Pinet 2006

9,5 ha 40 000 3 à 5 €

Voici un vin bien dans la tradition des Picpoul-de-Pinet : de légers reflets verts ornent la robe ; les notes de pamplemousse et de fleurs blanches dominent au nez ; la bouche, ronde à l'attaque, s'appuie sur une vivacité citronnée rafraîchissante.

Marc Cabrol, Dom. des Lauriers, 15, rte de Pézenas, 34120 Castelnau-de-Guers, tél. 04.67.98.18.20, fax 04.67.98.96.49, e-mail cabrol.marc@wanadoo.fr
r.-v.

LEYRIS MAZIÈRE L'Aïguier 2005 *

3 ha 6 000 5 à 8 €

Moins concentré que la cuvée des Pouges décrite dans les éditions précédentes du Guide, cet Aïguier de couleur pourpre se distingue par sa chair caressante et ronde. Les fruits noirs et les épices, discrets au premier nez, s'amplifient en finale tandis que les tanins bien enrobés contribuent à l'harmonie du palais. Pour aujourd'hui ou dans deux ans, c'est au choix.

Gilles Leyris, Dom. Leyris Mazière, chem. des Pouges, 30260 Cannes-et-Clairan, tél. et fax 04.66.93.05.98, e-mail gilles.leyris@libertysurf.fr r.-v.

CH. MANDAGOT
Montpeyroux Grande Réserve 2005 **

8,5 ha 50 000 8 à 11 €

Ce vaste domaine de 54 ha propose un Montpeyroux à majorité de syrah, complétée de grenache et de mourvèdre. La maturité du raisin récolté sur sol argilo-calcaire est perceptible dans la teinte soutenue comme dans la complexité des arômes de garrigue, d'humus, d'épices douces et de laurier. Les tanins apparaissent fermes encore, mais promettent de se fondre dans la chair dense à la faveur d'un ou deux ans de vieillissement.

Vignoble Jean-François Vallat, Dom. Les Thérons, 34150 Montpeyroux, tél. 04.67.96.64.06, fax 04.67.96.67.63, e-mail vignoble.vallat@wanadoo.fr r.-v.

MARQUIS DE MONTLAUR Grès de Montpellier 2004 *

■ 1,91 ha 4 000 5 à 8 €

Petite coopérative créée en 1938, les Celliers du Val des Pins présentent une réussite collective, celle d'un vin grenat, aux arômes un peu sauvages de mûre, d'épices (poivre) et de garrigue. La chair pleine et gourmande, un rien de truffe pour flaveur, emplit bien le palais. Servez-le dès maintenant avec des grillades.

Celliers du Val des Pins, 18, rue de Montlaur, 34160 Montaud, tél. 04.67.86.94.55, fax 04.67.86.11.70, e-mail valdespins@wanadoo.fr
t.l.j. sf dim. 9h-12h30 15h30-19h30

JEAN-CLAUDE MAS Les Faïsses 2005 *

■ 5 ha 17 400 11 à 15 €

En langue régionale, une « faïsse » est une petite parcelle de vignes, souvent aménagée en terrasse. Sur sols argilo et marno-calcaires, grenache (60 %) et syrah ont donné naissance à ce vin d'un rouge lumineux, qui livre tout au long de la dégustation des arômes de fruits rouges et noirs, de fruits cuits aussi. Rond et équilibré au palais, il se prolonge sur des notes de camphre et d'épices bien agréables. Servez-le un peu frais avec un mets relevé.

Domaines Paul Mas, Dom. de Nicole, rte de Villeveyrac, 34530 Montagnac, tél. 04.67.90.16.10, fax 04.67.98.00.60, e-mail bbarreiro@paulmas.com
t.l.j. sf sam. dim. 10h-12h 16h-18h
J.-C. Mas

MAS BRUNET Élevé sur lies fines 2006 *

■ 0,85 ha 5 200 5 à 8 €

Ce terroir – l'un des plus septentrionaux de l'appellation – confère une certaine finesse aux vins. Ce rosé en est un exemple avec sa robe bien colorée, son fruité intense (cassis, cerise), son équilibre subtil entre gras et vivacité. Pour une tourte aux poireaux de vigne.

GAEC du Dom. de Brunet, rte de Saint-Jean-de-Buèges, 34380 Causse-de-la-Selle, tél. 04.67.73.10.57, fax 04.67.73.12.89, e-mail domainebrunet@tiscali.fr r.-v. 3
Coulet

MAS CAL DEMOURA Les Combariolles 2004 *

■ 1 ha 3 500 15 à 23 €

« Il faut rester », soit, en occitan, *cal demoura*. Ce domaine de 11 ha créé par J.-P. Jullien a été repris en 2003 par Isabelle et Vincent Goumard dans un même esprit de valorisation du terroir de cailloutis calcaires. Finesse et fraîcheur caractérisent le 2004 au nez d'épices, de cassis et de réglisse. D'attaque ronde, le vin présente des tanins bien domptés et un boisé sage qui s'harmonise avec le fruit. La garde ne pourra que l'affiner, mais il est déjà fort agréable.

Vincent Goumard, Mas Cal Demoura, rte de Saint-André, 34725 Jonquières, tél. et fax 04.67.44.70.82, e-mail info@caldemoura.com r.-v.

MAS D'AUZIÈRES Les Éclats 2005 *

■ 9 ha 25 000 8 à 11 €

C'est Irène Tolleret qui vous accueillera dans ce petit mas isolé, au pied du pic Saint-Loup, et qui vous parlera sans tarir du terroir constitué de gros éclats calcaires. Son vin ne manque pas d'originalité par ses arômes fins, aériens même, de minéral et d'épices. En bouche, aucune aspérité ne vient troubler la rondeur de la chair, car les tanins s'y fondent totalement. Pour une grillade d'agneau aux herbes de la garrigue.

Mas d'Auzières, rte de Saint-Mathieu, 34820 Guzargues, tél. 06.25.45.16.60, fax 04.67.85.39.54, e-mail irene@auzieres.com r.-v.
Tolleret

MAS DE FIGUIER Joseph 2004 *

■ 2 ha 6 000 11 à 15 €

Sur un terroir argilo-calcaire, à l'est du pic Saint-Loup, Gilles Pagès vinifie ses propres cuvées depuis 2001. Il propose un 2004 solidement constitué, évocateur de cuir, de paprika et de cacao. L'attaque franche, nuancée de réglisse introduit une chair structurée par des tanins bien présents. Un coteaux-du-languedoc prometteur, mais qui ne décevra pas dans les prochains mois s'il est accompagné d'un gigot d'agneau.

Gilles Pagès, Mas de Figuier, 34270 Vacquières, tél. et fax 04.67.59.00.29, e-mail pagesgi@wanadoo.fr
r.-v. D

MAS DE FOURNEL Pic Saint-Loup 2005 **

■ 3 ha n.c. 8 à 11 €

Un vieux mas dont les premières pierres ont été posées au XIVᵉs. et qui possédait un four à pain. Gérard Jeanjean a produit un agréable coteaux-du-languedoc, dont la robe pourpre comme le nez complexe de fruits mûrs, de griotte et de réglisse sont avenants. La bouche ronde et charnue laisse apparaître des nuances épicées, ainsi que des tanins puissants mais sans agressivité. Un vin équilibré qui pourra rester en cave deux ou trois ans. Le **Pic Saint-Loup cuvée Pierre 2005 (15 à 23 €)** est noté une étoile, la marque de l'élevage sous bois devant se fondre.

Gérard Jeanjean, SCEA Mas de Fournel, 34270 Valflaunès, tél. 04.67.55.22.12, fax 04.67.55.70.43 t.l.j. 9h-19h

MAS DE LA BARBEN À l'improviste 2004 *

■ 13 ha 20 000 3 à 5 €

Située aux portes de Nîmes, au cœur de la garrigue, La Barben cultive de vieux ceps de grenache qui contribuent à la typicité de ses vins. Si cette cuvée se veut facile et très abordable en prix, elle est avant tout une pure gourmandise. Vous serez conquis par sa robe assez légère, ses arômes de figue sèche et d'écorce confite, son soyeux en bouche et sa grande rondeur. Par sa délicatesse, elle saura mettre en valeur les mets sucrés-salés.

Véronique et Marcel Hermann, Mas de La Barben, rte de Sauve, 30900 Nîmes, tél. 04.66.81.15.88, fax 04.66.63.80.43, e-mail masdelabarben@wanadoo.fr
t.l.j. 10h-12h 14h-19h

MAS DE LA MEILLADE Montpeyroux Les Combals Élevé en fût de chêne 2004 *

■ 3 ha 3 500 8 à 11 €

Ce domaine de 18 ha signe un 2004 rouge intense, au nez de réglisse, de cassis et d'autres fruits frais. En bouche, le vin se fait velouté et rond, doté de gentils tanins qui n'accrochent pas. La finale persistante sur les fruits rouges laisse une agréable impression. À servir sans plus attendre avec un laguiole bien affiné.

Bruno Salze, 51, rue La Meillade,
34150 Montpeyroux, tél. et fax 04.67.96.61.72
t.l.j. 9h-19h30

MAS DE LA SERANNE

Terrasses du Larzac Antonin et Louis 2004 ★★

■ 1,5 ha 4 600 15 à 23 €

Isabelle et Jean-Pierre Venture, en s'installant en 1998 dans le Larzac, sont revenus dans leur pays natal défendre le potentiel de ces terrasses anciennes. Ce 2004 est le reflet de leur travail soigné à la vigne comme au chai. Tout en finesse, il décline à l'aération des arômes complexes, empyreumatiques, fruités et épicés, puis offre une chair ample et longue, d'une bonne fraîcheur, que les tanins encore serrés respectent. Déjà appréciable, le vin gagnera également à vieillir deux ou trois ans. La cuvée **Les Ombelles blanc 2005 (8 à 11 €)**, finement boisée et rafraîchissante, obtient une étoile.

Isabelle et Jean-Pierre Venture,
Mas de La Seranne, rte de Puechabon, 34150 Aniane,
tél. et fax 04.67.57.37.99,
e-mail mas.seranne@wanadoo.fr
t.l.j. sf dim. 10h-12h 15h-19h

MAS DE LUNÈS 2005

■ 20 ha 100 000 3 à 5 €

Un domaine de 90 ha qui s'est agrandi progressivement depuis 1936. Le 2005 est un vin qui s'accordera aussi bien avec la cuisine méditerranéenne à l'huile d'olive, qu'avec des viandes rouges ou des fromages. De teinte soutenue, il exhale des arômes dominants de fruits rouges frais, nuancés de notes de sureau, puis s'appuie sur des tanins fermes et une certaine fraîcheur pour bien persister au palais. Il ne servirait à rien d'attendre plus longtemps pour le servir.

SARL Mas de Lunès, Cabrials, 34230 Aumelas,
tél. 04.67.88.81.72, fax 04.67.88.80.62

DOM. MAS DE MARTIN Cuvée Cinarca 2005 ★

■ 5 ha 18 000 11 à 15 €

Après deux coups de cœur et une présence régulière dans le Guide, Christian Mocci présente deux cuvées très réussies. Pimpante dans sa robe rouge assez clair, Cinarca marie avec complexité les fruits mûrs (myrtille) et le thym tout en offrant une chair chaleureuse, structurée par des tanins encore fermes, mais de belle facture. Vin d'automne et d'hiver, à boire ou à garder, destiné à des viandes en sauce. Le **Grès de Montpellier cuvée Ultreïa rouge 2005 (15 à 23 €)**, au nez épicé et balsamique puissant, gourmand et bien bâti pour affronter le temps, obtient une étoile.

Christian Mocci,
Dom. Mas de Martin, rte de Carnas,
34160 Saint-Bauzille-de-Montmel,
tél. et fax 04.67.86.98.82,
e-mail masdemartin@wanadoo.fr r.-v.

MAS DE MORTIÈS

Pic Saint-Loup Que sera sera 2005 ★

■ 3 ha n.c. 15 à 23 €

Au pied du pic Saint-Loup, ce domaine bénéficie d'un cadre naturel remarquable. Vous vous y rendrez également pour découvrir ce vin pourpre, dont les arômes de mûre, de cassis, de cerise et de cachou se manifestent clairement. La bouche souple en attaque, puis persistante peut compter sur des tanins serrés pour affronter un ou deux ans de garde. Une étoile également pour la cuvée **Mortiès blanc 2005 (8 à 11 €)**, de bonne fraîcheur, qui dévoile progressivement sa palette florale, épicée et miellée.

GAEC du Mas de Mortiès, rte de Cazevieille,
34270 Saint-Jean-de-Cuculles, tél. et fax 04.67.55.11.12,
e-mail contact@morties.com r.-v.

MAS DES CABRES La Draille 2005 ★

■ 1,36 ha 5 800 8 à 11 €

En 2003, Florent Boutin, ingénieur agronome et œnologue, reprend le domaine familial de 14,50 ha. L'originalité ne tarde pas à poindre dans les vins : ce 2005 en témoigne. Robe sombre, arômes de fruits noirs confiturés et de grillé, rondeur à l'attaque suivie d'une matière concentrée et serrée qui saura tenir tête à un magret de canard aux figues. Il a encore de l'avenir devant lui.

Florent Boutin,
Mas des Cabres, Le Plan, Cidex 1160, 30250 Aspères,
tél. 06.23.68.14.24, fax 04.66.80.05.60 r.-v.

MAS DES CHIMÈRES 2005 ★

■ 8,54 ha 19 300 8 à 11 €

Dans la région du lac de Salagou, site classé, Guilhem Dardé cultive ses vignes sur un terroir basaltique. Syrah (50 %), grenache et mourvèdre composent ce vin typique, qui déroule des arômes de fruits et d'épices jusqu'à la finale persistante et chaleureuse. La matière ronde ne s'impose pas outre mesure, mais fait preuve d'harmonie et de souplesse. Un coteaux-du-languedoc pour un plaisir simple avec une grillade de mouton, des charcuteries ou un ragoût d'escoubilles.

SCEA Mas des Chimères, 34800 Octon,
tél. 04.67.96.22.70, fax 04.67.88.07.00,
e-mail mas.des.chimeres@wanadoo.fr r.-v.
Dardé

MAS DES CIGALES Dionys 2004 ★★

■ 0,75 ha 1 250 30 à 38 €

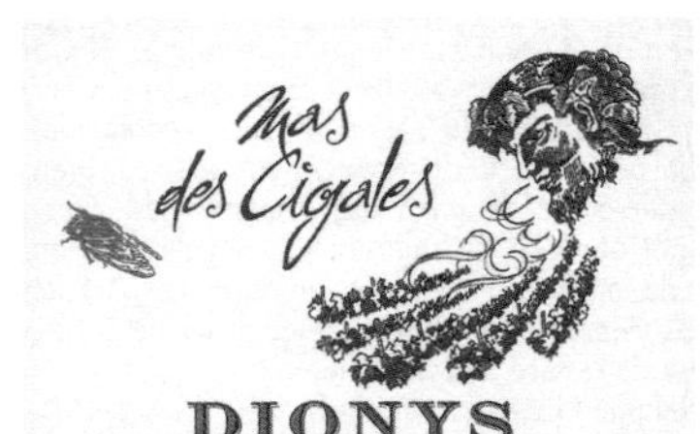

Un vignoble ancré dans l'histoire depuis le XVIIIe s., un mas méditerranéen entouré de pins et une famille de vignerons qui frappe un grand coup cette année grâce à cette cuvée ensoleillée. Vêtue d'une robe violine encore jeune, elle affiche la grande maturité du raisin par ses arômes de confiture de mûres, de cerise à l'eau-de-vie et d'épices vanillées. La matière ample et fruitée est certes puissante, mais non dénuée de fraîcheur, ce qui lui donne de l'équilibre et lui permet de persister longuement en une sensation veloutée. La cuvée **Sang des volcans rouge**

LANGUEDOC

2004 (15 à 23 €) brille d'une étoile. Issue d'un terroir de basalte, elle présente des notes de grillé et de pruneau, puis offre une chair harmonieuse, de bonne longueur.
Alain Rasigade,
Mas des Cigales, 54, bd Anselme-Nougaret,
34720 Caux, tél. 04.67.98.46.18, fax 04.67.98.49.08,
e-mail vitiplus@wanadoo.fr r.-v.

MAS DU POUNTIL Gourmandise 2004 *

	1,5 ha	4 600		5 à 8 €

Jonquières est un petit village des terrasses du Larzac, au terroir argilo-calcaire. Grenache, carignan, cinsault et syrah s'unissent dans ce vin qui porte bien son nom. Car, sous une teinte pourpre, des arômes gourmands se manifestent, évocateurs de fruits rouges, de fumé et de grillé. Débutant sur la réglisse, la bouche se fait soyeuse, puis chaleureuse en finale. On imagine parfaitement la garrigue en été en dégustant ce 2004 qui mérite un plat languedocien pour compagnon de table.
Brice et Bernard Bautou,
10 bis, rue du Foyer-Communal, 34725 Jonquières,
tél. et fax 04.67.44.67.13,
e-mail mas.du.pountil@wanadoo.fr
t.l.j. sf dim. 17h-19h; sam. 15h-19h

MAS DU SOLEILLA La Clape Réserve 2005 *

	3,5 ha	8 000		11 à 15 €

Peter Wildbolz, œnologue suisse, a acquis en 2002 ce vignoble implanté dans un site naturel de grande beauté, regardant mer et étang. Il a déjà prouvé son talent dans les vins rouges. La démonstration vaut désormais pour les blancs : robe brillante à reflets or, senteurs intenses de miel d'acacia et de fruits exotiques, bouche pleine sans manquer de fraîcheur. Le miel revient en finale aux côtés de notes grillées et boisées. Pour une bourride de baudroie, mais vous avez encore le temps.
Peter Wildbolz,
Mas du Soleilla, rte de Narbonne-Plage,
11100 Narbonne, tél. 04.68.45.24.80,
fax 04.68.45.25.32, e-mail vins@mas-du-soleilla.com
t.l.j. 8h-20h

MAS FABREGOUS
Terrasses du Larzac Sentier botanique 2005 **

	2 ha	7 500		11 à 15 €

En créant leur cave en 2003, Philippe et Corinne Gros ont mis tous les atouts de leurs côtés pour élaborer de grands coteaux-du-languedoc sur ce domaine resté familial depuis 1610. En témoigne ce vin issu de grenache, de syrah et de carignan qui dispense des arômes de menthol, de rose et de fruits noirs. L'élégance et l'équilibre vont de pair au palais, les tanins étant parfaitement fondus. Servez-le avec une pintade aux écrevisses ou un magret de canard à la mangue.
Philippe Gros,
Mas Fabregous, 1772, chem. d'Aubaygues,
34700 Soubes, tél. 04.67.44.31.75,
e-mail masfabregous@free.fr r.-v.

MAS GRANIER Les Marnes 2005 *

	3 ha	6 000		5 à 8 €

À trois minutes à peine de Sommières, ce domaine produit des vins blancs hauts en couleur. Ainsi de ce 2005 d'un doré soutenu qui livre des arômes complexes de fruits confits, de vanille et de grillé, puis une bouche tout en gras et en ampleur. On le servirait bien avec un pélardon ou même un foie gras.
EARL Granier, Mas Montel, Cidex 1110,
30250 Aspères, tél. 04.66.80.01.21, fax 04.66.80.01.87,
e-mail montel@wanadoo.fr
t.l.j. sf dim. 9h-12h 14h-19h

MAS HAUT-BUIS Les Carlines 2005 *

	7 ha	18 000		8 à 11 €

Olivier Jeantet est un autodidacte ; il a créé son domaine de 12 ha sur sols schisteux, du côté de Saint-Jean-de-la-Blanquière, en 1999, et a bâti sa cave sur le plateau du Larzac, à 750 m d'altitude. Il propose un 2005 d'abord discret, mais qui s'ouvre à l'aération sur des arômes de fruits rouges (cerise). Cette même ligne aromatique, complétée de garrigue, souligne la bouche équilibrée. Un vin sans artifice, destiné à des grillades ou à des viandes rôties.
Olivier Jeantet, rte de Saint-Maurice,
34520 La Vacquerie, tél. 06.13.16.35.47,
fax 04.67.44.12.13, e-mail mashautbuis@wanadoo.fr
r.-v.

MAS SAINT-ANTOINE
Picpoul-de-Pinet La Font du Loup 2006 **

	1,43 ha	8 000		5 à 8 €

Cette bouteille, dont la forme de l'étiquette rappelle la voûte principale de la chapelle Saint-Antoine de Thau qui jouxte la cave, fait une entrée remarquée dans le Guide. Si la robe est pâle, le nez est haut en couleur avec ses notes d'agrumes et de pêche. Vif et gras, voici un vin tout en rondeurs qui ne trahit pas son terroir. Un dégustateur suggère un accord avec une queue de lotte au four, au Picpoul-de-Pinet évidemment.
Mas Saint-Antoine, descente de la Bergerie,
34120 Castelnau-de-Guers, tél. 06.62.82.08.31,
fax 04.67.98.33.62, e-mail robertjaeger@club-internet.fr
t.l.j. 10h-12h30 17h-19h30; dim. sur r.-v.
Jaeger Portes Woimant

MAS THÉLÈME Pic Saint-Loup Carpe Diem 2005

	1,6 ha	5 700		8 à 11 €

Rabelais a inspiré à Fabienne et Alain Bruguière le nom de Thélème pour désigner ce mas. Ici, on presse à la main le fruit de 9 ha de vignes. Troisième millésime du domaine, le 2005, rouge sombre, révèle un discret fruité avant de laisser place aux notes grillées et épicées héritées de sept mois d'élevage en fût. Le bois marque encore le palais et demande un peu de temps pour se fondre. En 2009, vous pourrez servir ce vin avec une épaule d'agneau au thym sur lit de pommes de terre.
Fabienne et Alain Bruguière, rte de Cazeneuve,
34270 Lauret, tél. et fax 04.67.59.53.97
sam. dim. 10h-12h 17h-19h

CH. LES MAZES La Méjanelle 2006 *

	1,9 ha	9 000		3 à 5 €

Ici, les vignes s'enracinent sur une terrasse de galets roulés, à 3 km à peine de Montpellier. La finesse caractérise ce rosé : robe pâle – un peu pétale de rose –, arômes de fleurs et touche d'ananas, équilibre indiscutable en bouche et longueur certaine. À croquer dans sa jeunesse.
Bernard et Dorothée Bouchet, Ch. Les Mazes,
34130 Saint-Aunès, tél. et fax 04.67.72.60.10,
e-mail bouchet@chateau-les-mazes.com
t.l.j. sf dim. 8h30-20h

LA MELÏA Montpeyroux 2004 ★

■ 2 ha 10 000 ▮⏺ 11 à 15 €

Stéphane Vedeau et Claude Serra allient leurs compétences pour mettre en valeur le terroir argilo-calcaire de Montpeyroux. L'élégance caractérise leur 2004 aux notes de cerise noire et de vanille, qui offre une matière souple et persistante, tout en légèreté. Profitez-en d'ici 2009.

Stéphane Vedeau et Claude Serra, 3, imp. des Acanthes, 34070 Montpellier, tél. et fax 04.67.44.24.94, e-mail la-melia@orange.fr
r.-v.

CH. MINISTRE
La Méjanelle Grande Réserve 2004 ★

■ 6 ha 12 000 ⏺ 11 à 15 €

Le terroir de La Méjanelle est à l'honneur au château Ministre. Cette Grande Réserve, prête à passer à table, séduit par l'élégance de ses arômes de fumé, de sous-bois et de fruits. Sa chair est fine, ronde et suave, soutenue par des tanins soyeux. Une étoile brille aussi pour le **Méjanelle Mas Noir rouge 2005 (8 à 11 €)**, bien pourvu en senteurs empyreumatiques, balsamiques et épicées, charnu, mais tenu par des tanins encore fermes.

SCEA Ch. Ministre, Mas du Ministre, 34130 Maugio, tél. 04.67.12.19.09, fax 04.67.06.92.96, e-mail chateauministre@wanadoo.fr
t.l.j. 10h-12h 14h-17h

DOM. MIRABEL Pic Saint-Loup Les Éclats 2005 ★

■ 2 ha 7 500 ⏺ 11 à 15 €

Mirabel, c'est-à-dire belle vue... sur le pic Saint-Loup. Un domaine à suivre de près puisque Les Éclats 2004 avait reçu un coup de cœur l'an passé. Le 2005 étonne par la complexité et l'intensité de son bouquet de fruits, de laurier, de garrigue, d'épices douces et de boisé. En tous points généreux, il s'appuie sur une trame de tanins dense pour développer sa chair volumineuse. Il faudra patienter deux ou trois ans pour mieux le redécouvrir aux côtés d'une gardiane de taureau de Camargue.

Samuel et Vincent Feuillade, Dom. Mirabel, 30260 Brouzet-les-Quissac, tél. 06.22.78.17.47, fax 04.66.77.48.88 r.-v.

CH. MIRE L'ÉTANG
La Clape Réserve du Château 2004 ★★

■ 4 ha 4 000 ⏺ 15 à 23 €

Mire L'Étang excelle dans les trois couleurs de La Clape : une étoile pour le **blanc cuvée Aimée de Coigny 2006 (5 à 8 €)**, bien délicat ; deux étoiles pour le **rosé cuvée Corail 2006 (5 à 8 €)**, riche en couleur et en fruits. Quant à ce vin rouge, il s'impose par sa densité résultant de la bonne maturité des raisins et de la longue macération : robe grenat profonde, nez intense de girofle, de réglisse et de boisé, matière puissante et déjà fondue. Un coteaux-du-languedoc prêt à être savouré, mais qui pourra encore bien évoluer dans le temps.

Ch. Mire L'Étang, 11560 Fleury-d'Aude, tél. 04.68.33.62.84, fax 04.68.33.99.30, e-mail mireletang@wanadoo.fr r.-v.

CH. DES MONGES La Clape 2004 ★

■ 4,5 ha 18 000 ▮ 5 à 8 €

Le domaine de 30 ha correspond à une ancienne abbaye cistercienne de femmes, dont il ne reste que la chapelle du XIII[e]s. Des tanins soyeux structurent ce 2004 de couleur sombre, aux arômes intenses de fruits rouges mûrs et de grillé. L'harmonie en bouche est déjà atteinte. « Un vin élégant », note un dégustateur. La **Réserve de l'abbaye rouge 2004 (8 à 11 €)** reçoit elle aussi une étoile et se prêtera mieux à la garde compte tenu de sa charpente et de son caractère encore marqué par l'élevage.

Paul de Chefdebien, abbaye des Monges, rte de Gruissan, 11100 Narbonne, tél. 04.68.32.26.61, fax 04.68.65.39.03, e-mail info@abbaye-des-monges.com
t.l.j. 8h30-12h30 14h-19h

CH. DES MOUCHÈRES
Pic Saint-Loup Cuvée Les Centaurées 2005 ★

■ 0,5 ha 2 750 ⏺ 5 à 8 €

Terroir argilo-calcaire et syrah (85 %), telle est l'équation de ce vin pourpre, au nez de menthol, de thym et de garrigue. Après une attaque ample, une matière solide emplit le palais, avec en finale une légère austérité, signe que deux ou trois ans de garde s'imposent avant le service. Le **Pic Saint-Loup cuvée L'Estelou rouge 2005**, qui n'a pas connu le bois, est cité ; fruité et souple, il mérite d'être apprécié dans sa jeunesse.

Jean-Philippe Teissèdre, hameau de la Vieille, 34270 Saint-Mathieu-de-Tréviers, tél. et fax 04.67.55.20.17, e-mail chateaudesmoucheres@free.fr
t.l.j. 14h-19h

CH. MOYAU La Clape L'Unique 2005 ★★

□ 0,7 ha 2 000 ▮⏺ 11 à 15 €

Depuis 2005, Stéphanie Chanot dirige ce domaine niché dans la garrigue. Le nom de Moyau aurait été donné par un pirate qui s'y serait réfugié. Remarquable coup d'essai que ce coteaux-du-languedoc blanc cristallin qui marie puissance et élégance au nez : miel, notes de fumé et d'eucalyptus, poire pochée. La fraîcheur domine en bouche, et l'on pourrait qualifier le vin de structuré. Pourquoi ne pas le servir avec un gratin de langoustines ?

Ch. Moyau, Dom. de Moyau, 11560 Fleury-d'Aude, tél. 04.68.45.68.83, fax 04.68.33.62.48, e-mail chateau.moyau@wanadoo.fr t.l.j. 9h-19h
M. Koehel

CH. DE LA NÉGLY La Clape La Falaise 2005 ★★

■ 15 ha 40 000 ⏺ 15 à 23 €

Le vignoble de La Négly regarde la Méditerranée tout en s'abritant derrière une falaise, d'où le nom de cette cuvée plusieurs fois mentionnée dans le Guide. La profondeur de la robe surprend tout comme la richesse des arômes : après la confiture de cassis arrive le cacao, puis la vanille. Concentrée et puissante, la bouche se montre déjà veloutée. Le vin, bien élevé, saura attendre deux ans au moins et gagnera encore à être servi en carafe.

Paux Rosset, Ch. de La Négly, 11560 Fleury-d'Aude, tél. 04.68.32.36.28, fax 04.68.32.10.69, e-mail lanegly@wanadoo.fr
t.l.j. 10h-12h 14h-16h30; sam. dim. sur r.-v.

DOM. DE NIZAS 2004 ★

■ 9,4 ha 50 000 ⏺ 11 à 15 €

Dans les années 1970, John Goelet avait fondé les domaines Clos Duval en Californie, Taltarni et Clover Hill en Australie. Depuis 1998, il est aux commandes de cette propriété de 68 ha qu'il a restructurée. D'un pourpre foncé, presque noir, ce 2004 affiche un nez intense de fruits noirs mûrs, confiturés même, qui annoncent l'ex-

LANGUEDOC

trême rondeur de la chair fruitée et ample, enveloppant totalement les tanins. Le vin gagnera à être décanté et, en accord gourmand, un magret de canard aux cerises s'impose comme une évidence.

John Goelet,
SCEA Dom. de Nizas et Sallèles, hameau de Sallèles, 34720 Caux, tél. 04.67.90.17.92, fax 04.67.90.21.78, e-mail contact@domainedenizas.com
t.l.j. sf sam. dim. 10h-17h

DOM. LE NOUVEAU MONDE
Élevé en fût de chêne 2005 ★★

1,88 ha 5 000 8 à 11 €

Ce terroir de galets roulés, influencé par l'air marin, excelle en 2005. En témoigne ce vin de teinte profonde et violacée qui mêle avec intensité des arômes de cerise noire, d'épices douces et un boisé plus que discret. Le volume de la chair enchante, les tanins s'y fondent tout en douceur. Déjà épanoui, ce coteaux-du-languedoc a aussi la capacité d'attendre deux ou trois ans.

Famille Gauch-Borras, Dom. Le Nouveau Monde, 34350 Vendres, tél. 04.67.37.33.68, fax 04.67.37.58.15, e-mail domaine-lenouveaumonde@wanadoo.fr
r.-v. E
SCEA Gauch

NOVI Grès de Montpellier 2004 ★★

2,23 ha 13 000 15 à 23 €

Autrefois, les jeunes moines de l'abbaye de Valmagne, les « novi », entretenaient cette grange viticole. Dans la lignée des millésimes précédents, dont le 2003 coup de cœur dans le Guide l'an passé, le 2004 est en tous points puissant. Robe intense tirant sur le noir, arômes complexes de fleurs, de kirsch, de toast et d'épices ; bouche volumineuse, ample, dotée de tanins soyeux. Un séducteur, indéniablement, qui accompagnera des plats de caractère comme une daube de bœuf ou une gardiane de taureau.

SAS Saint-Jean du Noviciat,
Mas du Novi, rte de Villeveyrac, 34530 Montagnac, tél. et fax 04.67.24.07.32,
e-mail carobezier@wanadoo.fr t.l.j. 10h-19h

DOM. LE PAS DE L'ESCALETTE
Terrasses du Larzac Les Clapas 2005

4 ha 12 000 11 à 15 €

La relative légèreté de la robe révélerait-elle déjà que le vin est issu d'un vignoble situé à plus de 300 m d'altitude ? La finesse de la dégustation le confirme : arômes de groseille et de fruit, fraîcheur et souplesse en bouche. On parierait pourtant que ce 2005 pourra se garder.

Dom. Le Pas de l'Escalette, 1, pl. de l'Aire, 34700 Pégairolles-de-l'Escalette, tél. 04.67.96.13.42, e-mail escalette@wanadoo.fr r.-v.
Zernott

CH. PECH-CÉLEYRAN La Clape Céleste 2005 ★

8 ha 50 000 8 à 11 €

Depuis 1860, la famille Saint-Exupéry tire le meilleur de ce domaine où venait jouer Toulouse-Lautrec enfant. Syrah, grenache et mourvèdre se mêlent dans une cuvée sombre, au nez éloquent qui évoque successivement le cassis, le cacao et les épices. La matière aussi généreuse que chaleureuse est étayée par des tanins au grain fin. Un ou deux ans de garde sont à la portée de ce 2005.

Jacques de Saint-Exupéry, Ch. Pech-Céleyran, 11110 Salles-d'Aude, tél. 04.68.33.50.04, fax 04.68.33.36.12,
e-mail saint-exupery@pech-celeyran.com
t.l.j. 9h-12h30 14h-19h 5 D

CH. PECH-REDON La Clape L'Épervier 2004 ★

10 ha 15 000 8 à 11 €

Une route sinueuse grimpe au sommet de Pech-Redon dans un site sauvage où vous découvrirez ce domaine. Dans son vin de couleur sombre, l'élevage a contribué à la complexité du bouquet : des notes finement boisées se joignent aux effluves de garrigue et de fruits secs. Dense et puissante, la bouche développe une fraîcheur délectable en finale.

Christophe Bousquet,
Ch. Pech-Redon, rte de Gruissan, 11100 Narbonne, tél. 04.68.90.41.22, fax 04.68.65.11.48,
e-mail chateaupechredon@wanadoo.fr
t.l.j. sf dim. 10h-12h 14h-19h C

DOM. DU PECH ROME Clemens 2005 ★

2 ha 3 600 8 à 11 €

Le terroir de calcaire et de galets roulés a donné son caractère à ce vin rubis avenant. Le nez est minéral, complété de notes de moka et de garrigue, de thym et de cade, puis le palais fait preuve de souplesse, avec un élégant équilibre. Appréciez-le dès la sortie du Guide.

SCEA Remparts de Neffiès,
17, montée des Remparts, 34320 Neffiès, tél. 06.08.89.58.11, fax 04.67.59.42.05,
e-mail pechromevin@wanadoo.fr r.-v.
Pascal Blondel

DOM. DE LA PERRIÈRE Cuvée Prestige 2005 ★★

5,2 ha 20 000 5 à 8 €

Issue d'un terroir de galets siliceux, cette cuvée, jeune encore, pourra cependant être servie dans les prochains mois avec une viande blanche ou des grillades. Sous une teinte rubis à reflets violacés, les arômes de petits fruits rouges et noirs (groseille, cassis) se déclinent tout au long de la dégustation. La bouche convainc par son équilibre entre rondeur et fraîcheur comme par sa structure fine et sa bonne longueur.

Thierry Sauvaïre,
975, rte de Saint-Vincent-de-Barbeyrargues, 34820 Assas, tél. 04.67.59.61.75, fax 04.67.59.52.52
r.-v. B

CH. PETIT SAINT-AUNÈS
Pic Saint-Loup Tradition 2005 ★

3 ha 15 000 11 à 15 €

Dans la région du pic Saint-Loup, une visite au caveau de l'Ermitage s'impose, ne serait-ce que pour découvrir ce vin qui décline progressivement des arômes de tapenade, de fruits confiturés et de thym frais. La chair ample, structurée par d'élégants tanins, laisse une sensation de rondeur avenante. Un coteaux-du-languedoc prêt à savourer. Également retenu avec une étoile, le **Pic Saint-Loup Ermitage du pic Saint-Loup Guilhem Gaucelm rouge 2002 (30 à 38 €)** a atteint son apogée.

GAEC Ermitage du Pic Saint-Loup,
34270 Saint-Mathieu-de-Treviers, tél. 04.67.54.24.68, fax 04.67.55.23.49, e-mail ermitagepic@free.fr
t.l.j. sf dim. 10h-12h 14h-18h
Ravaille

PLAN DE L'OM
Terrasses du Larzac Roucan 2005 ★

■ 3 ha 4 000 15 à 23 €

Pharmacien, marin et vigneron : Joël Foucou est un touche-à-tout et surtout un passionné. Quand il rachète le domaine en 1987, il le restructure et confie sa vendange à la coopérative. Depuis 2000, il a repris la haute main sur la vinification. Ainsi propose-t-il ce vin pourpre, aux senteurs complexes de poivre, de cuir, de grillé et de vanille, héritées d'un long élevage sous bois. Le fruité apparaît au palais, en accompagnement d'une matière puissante et longue que le temps saura affiner.

Joël Foucou,
SCEA Plan de l'Om, chem. de la Charité,
34700 Saint-Jean-de-la-Blaquière,
tél. et fax 04.67.10.91.25,
e-mail plan-de-lom@wanadoo.fr r.-v.

DOM. DU POUJOL Podio Alto 2005 ★

■ 2,5 ha 7 500 11 à 15 €

Deux ans de garde, pas moins, cinq ans dans l'idéal. Tel est le temps nécessaire pour que ce vin puissant, issu d'un terroir argilo-calcaire, s'épanouisse. Sous une teinte grenat ourlé de violine se révèlent des arômes intenses de fruits rouges et d'épices douces, puis une chair franche, soutenue par des tanins encore fermes, mais de qualité.

EARL Dom. du Poujol, rte de Grabels,
34570 Vailhauquès, tél. 04.67.84.47.57,
fax 04.67.84.43.50, e-mail info@domainedupoujol.com
r.-v.
Cripps

POURPRE DE SAVIGNAN 2004 ★

■ n.c. 3 500 8 à 11 €

Cent quatre-vingts adhérents répartis sur quatre villages gardois apportent leur vendange à cette cave. Dans le millésime 2004, que l'on sait difficile ici, cette cuvée est une réussite : robe sombre, arômes de fruits rouges et d'épices mêlés à des notes vanillées, bouche ronde et harmonieuse. Elle est à boire sans trop attendre.

Les Vignerons du Grand Souvignargues,
83, rte de Sommières, 30250 Souvignargues,
tél. 04.66.80.01.44, fax 04.66.77.71.46,
e-mail cave.souvignargues@laposte.net
t.l.j. sf sam. dim. 8h30-12h 14h-17h

DOM. DES PRÉS-LASSES Les Tabernolles 2004 ★

■ 1,3 ha 3 800 11 à 15 €

Aménagé en 2000 au cœur du Faugerois, ce domaine vinifie en coteaux-du-languedoc le fruit des parcelles au sol argilo-calcaire. De couleur grenat, ce 2004 présente un nez original mais bien méditerranéen par ses notes d'eucalyptus et de garrigue. L'attaque soyeuse, la structure de bonne tenue et la longueur aromatique ont été particulièrement remarquées. L'élégance en prime.

Denis Feigel,
Dom. des Prés-Lasses, 5, rue de L'Amour,
34480 Autignac, tél. et fax 04.67.90.21.19,
e-mail denis.feigel@pres-lasse.com r.-v.

PRIEURÉ DE SAINT-JEAN DE BÉBIAN 2004 ★

□ 3 ha 6 000 23 à 30 €

Déguster en 2007 un 2004 blanc d'une telle tenue et pouvant encore attendre, c'est vraiment la preuve du talent des vignerons pour mettre en valeur leur terroir. Ici, l'élégance le dispute à l'intensité : robe d'un doré lumineux, arômes de noisette, de vanille, de miel et de cire ; bouche ronde et puissante, dévoilant une vivacité réjouissante. **La Chapelle de Bébian blanc 2006 (8 à 11 €)** reçoit une étoile : plus discrète (mais les vignes sont encore jeunes), elle est à boire plus tôt.

EARL Lebrun-Lecouty,
Prieuré de Saint-Jean de Bébian, rte de Nizas,
34120 Pézenas, tél. 04.67.98.13.60, fax 04.67.98.22.24,
e-mail bebian@wanadoo.fr r.-v.

PRIEURÉ SAINT-HIPPOLYTE 2006 ★

■ n.c. 150 000 3 à 5 €

Le rosé de la cave de Fontès séduit le jury pour la troisième année consécutive. Si la robe paraît un peu plus claire que dans les précédents millésimes, les arômes de fruits rouges sont tout aussi puissants. Du volume, du gras, de la longueur, la bouche se montre à la hauteur. Pour un repas estival.

Cave coop. La Fontesole, bd Jules-Ferry,
34320 Fontès, tél. 04.67.25.14.25, fax 04.67.25.30.66,
e-mail la.fontesole@wanadoo.fr
t.l.j. sf dim. 8h-12h 14h-18h

CH. PUECH-HAUT Tête de Bélier 2005 ★

□ 8 ha 35 000 23 à 30 €

Et voici, dans la continuité de l'an dernier, cette cuvée dont le nom fait référence aux pierres sculptées en forme de béliers qui portent les cuves en bois. On retrouve dans ce 2005 la robe dorée, les arômes de miel et la pointe de vanille élégante. En bouche, la vivacité se mêle à la rondeur, ce qui autorise un accord avec un fromage à pâte cuite ou une poularde à la crème. Le **Château Puech-Haut blanc 2005 (15 à 23 €)** obtient lui aussi une étoile car il est ample et rond.

Gérard Bru, Ch. Puech-Haut, 2250, rte de Teyran,
34160 Saint-Drézéry, tél. et fax 04.67.86.93.70,
e-mail chateau-puech-haut@wanadoo.fr
t.l.j. sf dim. 10h-12h 14h-18h

DOM. REINE JULIETTE
Picpoul-de-Pinet Terres rouges 2006 ★

□ 10 ha 25 000 3 à 5 €

Voici un vin tout en finesse grâce à sa robe claire, à ses notes de pétale de rose et d'agrumes, à sa fraîcheur caractéristique et à sa rondeur équilibrée par une juste vivacité. Pour un plateau de coquillages du bassin de Thau, bien entendu.

EARL Allies, 4, av. de Florensac, 34810 Pomérols,
tél. et fax 04.67.24.78.77, e-mail alliesetfils@wanadoo.fr
jeu. sam. 10h-12h 16h-18h

CH. RICARDELLE La Clape Closablières 2005 ★

■ 5,8 ha 25 000 8 à 11 €

Bruno Pellegrini cultive l'élégance dans les vins de son domaine situé sur la route qui mène de Narbonne à Gruissan. Pour preuve ce 2005 qui, dans sa robe imposante en couleur, exhale des senteurs de torréfaction, de fruits noirs et d'épices douces. Les tanins soyeux et la chair ronde ajoutent à sa finesse.

Bruno Pellegrini, Ch. Ricardelle, rte de Gruissan,
11100 Narbonne, tél. 04.68.65.21.00,
fax 04.68.32.58.36, e-mail ricardelle@wanadoo.fr
t.l.j. 9h-12h 13h-19h
Pellegrini

DOM. ROCAUDY Tour de magie 2005 *

■ 3 ha 8 000 11 à 15 €

Dans la lignée des millésimes précédents, cette cuvée d'un pourpre sombre, presque noir, dispense d'élégants arômes de fruits noirs, de cerise à clafoutis, d'épices (poivre) et de chocolat. La maturité caractérise aussi la chair ronde et gourmande, que des tanins encore bien présents soutiennent. Le temps (deux ou trois ans) sera le meilleur allié de ce vin destiné à accompagner des viandes rôties.

Pascal Oury, Dom. Rocaudy, 6, rue Bouscarel, 34320 Vailhan, tél. 04.67.24.18.92, fax 03.87.52.09.17 r.-v.

ROUCAILLAT 2004 *

3 ha 12 000 8 à 11 €

Coup de cœur dans le précédent millésime, le Roucaillat présente une même originalité en 2004 : doré intense de la robe, typicité singulière du bouquet (noisette, miel, fruits confits, grillé) et un volume étonnant en bouche. Une tielle sétoise s'impose. Si vous ouvrez la bouteille à l'avance et que vous ne la servez pas trop fraîche, vous profiterez mieux encore de sa complexité.

Paul Reder, Comberousse, rte de Gignac, 34660 Cournonterral, tél. et fax 04.67.85.05.18, e-mail paul@comberousse.com r.-v.

CH. ROUQUETTE-SUR-MER
La Clape Cuvée Arpège 2006 *

4 ha 15 000 5 à 8 €

Situé sur les falaises qui surplombent la Méditerranée, ce domaine est une valeur sûre. Le jury a aimé la finesse du vin bien typé La Clape, sa robe dorée lumineuse, ses notes minérales et florales. Si un mot devait résumer les saveurs, ce serait équilibre, entre fraîcheur et rondeur. Daurade et loup grillé se disputeront un tel 2006.

Jacques Boscary, rte Bleue, 11100 Narbonne-Plage, tél. 04.68.65.68.65, fax 04.68.65.68.68, e-mail bureau@chateaurouquette.com t.l.j. 10h-12h 15h-19h

DOM. SAINT-ANDRIEU
Montpeyroux Vallongue 2005 *

■ 6 ha 20 000 5 à 8 €

La cave voûtée sur deux étages se trouve dans une maison du XVIIe s., dans le village de Montpeyroux. Charles Giner cultive des ceps de carignan vieux de plus de quatre-vingts ans, dont le raisin constitue 50 % de ce vin grenat à reflets violines, qui évoque la garrigue et les épices (poivre), nuancées de fumée. D'attaque souple et ronde, la bouche s'appuie sur des tanins fermes, mais sans agressivité, et laisse en finale quelques notes de Zan. À déguster avec un gigot de sept heures.

Renée-Marie et Charles Giner, 1, chem. d'Aigues-Vives, 34150 Montpeyroux, tél. 04.67.88.61.00, fax 04.67.96.63.20, e-mail giner.charles@wanadoo.fr r.-v.

DOM. SAINTE-CROIX 2005 *

■ 4 ha 18 500 8 à 11 €

Les plus impatients le goûteront dès la sortie du Guide. Pourtant, une garde de deux ou trois ans lui permettrait de s'affiner encore. Issu d'un terroir de galets, ce 2005 d'un rouge profond et brillant semble discret de prime abord, mais bientôt il décline le cuir, le pruneau cuit et les orangettes. La bouche de belle tenue présente des tanins fermes, encore jeunes, mais intégrés dans une chair ample, finement boisée (chocolat).

Dom. Sainte-Croix, 34400 Saint-Sériès, tél. 03.80.21.32.92, fax 03.80.21.35.00, e-mail roux.pere.et.fils@wanadoo.fr r.-v.

Famille Roux

SAINT-JACQUES 2006 *

n.c. 100 000 3 à 5 €

En montant de Montpellier vers le Larzac, vous longerez les vignobles qui ont donné naissance à ce rosé vinifié par saignée : robe pastel, arômes de framboise, de cerise et de fleurs ; bouche ronde et fraîche. Une gourmandise en somme.

Les Vignerons de Saint-Félix-Saint-Jean, 21, av. Marcellin-Albert, 34725 Saint-Félix-de-Lodez, tél. 04.67.96.60.61, fax 04.67.88.61.77, e-mail info@vignerons-saintfelix.com r.-v.

CH. SAINT-MARTIN DE LA GARRIGUE
Bronzinelle 2005

■ 16,66 ha 100 000 8 à 11 €

Robe cerise brillante, nez de fruits, de garrigue et d'épices ; bouche ronde en attaque, puis élégante, sur le fruité et le boisé. Un vin sérieux que cette Bronzinelle, qui pourra être servie dès maintenant avec des grillades.

SCEA Saint-Martin de la Garrigue, Ch. Saint-Martin de la Garrigue, 34530 Montagnac, tél. 04.67.24.00.40, fax 04.67.24.16.15, e-mail contact@stmartingarrigue.com t.l.j. 8h-12h 13h30-17h30; sam. dim. sur r.-v.

Umberto Guida

DOM. SARRAT DE GOUNDY
La Clape La Cuvée du Planteur 2005 *

■ 3,6 ha 11 000 5 à 8 €

Ici, le vignoble a été conquis sur la garrigue du massif de La Clape. Dans ce 2005 rubis brillant, le fruité l'emporte au nez devant des senteurs intéressantes d'épices orientales. La chaleur en bouche bien caractéristique du millésime enveloppe avantageusement les tanins. Le vin pourra être servi aujourd'hui comme dans dix-huit mois avec un tajine aux citrons confits.

Olivier Calix, Dom. Sarrat de Goundy, 46, av. de Narbonne, 11110 Armissan, tél. 04.68.45.30.68, fax 04.68.45.21.11, e-mail oliviercalix@hotmail.com t.l.j. sf dim. 9h-12h30 15h-19h30

Rosette Calix

DOM. DE SAUMAREZ S' 2005 *

■ 4,5 ha 11 500 5 à 8 €

Ils sont néo-zélandais et britannique, autrefois comptable et banquier. Les Williamson, qui ont repris en 2004 ce domaine laissé à l'abandon, font une entrée très réussie dans le Guide, en rouge comme en blanc. Cette cuvée de teinte sombre livre des arômes puissants d'épices, de grillé, de torréfaction, de réglisse et de petits fruits noirs. Une complexité qui caractérise également la chair riche et volumineuse, dotée de solides tanins, garants d'une bonne tenue dans le temps (quatre ou cinq ans). Noté une étoile, le **S'blanc 2005** affiche un fruité mûr, rejoint au palais par une ligne minérale qui rehausse le gras.

Liz et Robin Williamson,
Dom. de Saumarez, Métairie de Bouisson,
34570 Murviel-lès-Montpellier, tél. 06.24.41.56.20,
fax 04.67.45.66.18,
e-mail domainedesaumarez@yahoo.co.uk r.-v.

SEIGNEUR DES DEUX VIERGES

Saint-Saturnin Élevé en fût de chêne 2005 *

n.c. 25 000 8 à 11 €

Étrange, surprenant, déroutant, mais une vraie personnalité. Ce Saint-Saturnin grenat décline de prime abord des senteurs de fruits, puis développe à l'aération des notes de gâteau de riz au lait, nappé de caramel. Au palais ? Tout n'est que rondeur, gras, volume et arômes. « Très éloigné des poncifs commerciaux, écrit un dégustateur, il ravira les amateurs de vins improbables. »

Les Vins de Saint-Saturnin, av. Noël-Calmel,
34725 Saint-Saturnin-de-Lucian, tél. 04.67.96.61.52,
fax 04.67.88.60.13,
e-mail contact@vins-saint-saturnin.com r.-v.

VIGNERONS DU SOMMIÉROIS

Les Romanes 2005

1,5 ha 10 000 3 à 5 €

Élégant dans sa robe assez sombre, voici un vin d'un abord aimable. Les fruits noirs et les épices se partagent discrètement la palette aromatique, tandis que la bouche se fait gouleyante et ronde. Pour des grillades aux sarments de vigne.

SCA Les Vignerons du Sommiérois,
rte de Saussines, 30250 Sommières, tél. 04.66.80.03.31,
fax 04.66.77.14.31, e-mail vigndusommierois@aol.com
r.-v.

LES SOULS 2005 **

3 ha 3 000 15 à 23 €

Frères jumeaux, Roland et Gérard Alméras ont laissé leur tablier de caviste pour la tenue de vigneron lorsqu'ils ont découvert ce vignoble situé entre 300 et 380 m d'altitude, balayé par le vent du Nord : là, les cigales cessent de chanter... mais les vignes donnent le meilleur d'elles-mêmes sur les sols argilo-calcaires. En témoigne ce vin typé, aux arômes de laurier, de garrigue, d'épices et de fruits mûrs. Un élevage de qualité a donné aux tanins bien présents du soyeux, si bien que la chair apparaît souple et ronde jusqu'à la finale persistante. Pour une volaille aux champignons ou des fromages affinés dégustés avec un morceau de pain traditionnel.

Roland Alméras, 325, chem. de Roquegude,
34700 Soubes, tél. 04.67.44.21.56,
e-mail galmeras@tele2.fr r.-v.

DOM. DE TRÉPALOUP Les Costes 2005 *

3,5 ha 4 000 5 à 8 €

Entré l'an dernier dans le Guide, ce domaine gardois mérite autant d'intérêt dans cette édition. Son 2005 de couleur grenat rappelle la garrigue environnante et les épices. Sa rondeur à l'attaque, son équilibre et ses tanins enrobés en font le partenaire idéal de côtes d'agneau au thym.

Rémi et Laurent Vandôme,
Dom. de Trépaloup, rue du Moulin-d'Huile,
30260 Saint-Clément, tél. et fax 04.66.77.48.39
mer. ven. sam. 17h-19h30 (sam. à partir de 14h)

DOM. DE LA TRIBALLE

Grès de Montpellier Cuvée La Capitelle 2005 *

2 ha 4 000 8 à 11 €

Un domaine de 17 ha cerné par la garrigue, depuis longtemps conduit en agriculture biologique. Il doit son nom aux petites constructions circulaires en pierre sèche qui servaient autrefois d'abris et qui parsemaient le vignoble. « Un beau sauvageon », écrit un dégustateur, séduit par les senteurs mêlées de romarin, de menthol, de réglisse, de résineux, de pivoine et de fraise mûre. Chaleureux en attaque, ce 2005 offre une chair structurée, soulignée de flaveurs épicées (noix muscade) et fruitées. Il s'alliera aussi bien à une viande corsée comme un sanglier qu'à une côte de bœuf grillée.

Sabine et Olivier Durand, Dom. de La Triballe,
34820 Guzargues, tél. 04.67.59.66.32,
fax 04.67.59.59.58, e-mail la-triballe@club-internet.fr
r.-v.

CH. LA VERNÈDE Caecilia 2004 **

1 ha 4 000 15 à 23 €

À 6 km de l'Oppidum d'Ensérune, La Vernède est bordée d'un parc classé. La cuvée Caecilia, élevée durant un an en fût de chêne, est proche de son apogée. Toute la finesse et le classicisme qui la caractérisent se retrouvent dans la robe grenat sombre, les notes de grillé, de fruits rouges et de réglisse. La bouche est de la même veine, ronde et équilibrée, dotée de tanins veloutés et joliment boisés. Le nombre de bouteilles étant limité, vous pourrez aussi vous tourner vers la cuvée **Tradition rouge 2005 (5 à 8 €)** – pas moins de 45 000 cols – tout en fruits mais bien structurée. Elle obtient une étoile.

Jean-Marc Ribet,
SCEA Ch. de La Vernède, rte de Salles,
34440 Nissan-les-Ensérune, tél. 04.67.37.00.30,
fax 04.67.36.60.11, e-mail chateaulavernede@infonie.fr
t.l.j. 9h-12h 14h-18h 7

DOM. DE LA VIEILLE

Pic Saint-Loup Le Sang du Wisigoth 2005 **

2,91 ha 9 600 5 à 8 €

Ce domaine est intégré dans un hameau datant du XIes., situé à l'emplacement d'un cimetière wisigoth que Roger et René Ratier ont mis au jour. Le nom de « Domaine de La Vieille » date, lui, de 2002, lorsque Guy Ratier a repris les commandes de la propriété familiale. Issu de syrah et de grenache à parts égales, ce vin d'un rouge profond évoque les fruits mûrs, le cuir, les épices douces et le menthol. Au palais, des tanins bien présents étayent une matière ronde qui monte en puissance. À garder entre trois et cinq ans. Le **Pic Saint-Loup Domaine de La Vieille rouge 2005**, qui n'a pas connu le bois, obtient également deux étoiles pour sa fraîcheur et sa bonne structure le rendant à la fois appréciable aujourd'hui et apte à deux ans de garde.

Guy Ratier, Dom. de La Vieille,
34270 Saint-Mathieu-de-Tréviers,
tél. et fax 04.67.55.35.17,
e-mail domainedelavieille@wanadoo.fr
t.l.j. 18h-20h; dim. sur r.-v.

VILLA SYMPOSIA L'Équilibre 2005 **

5 ha 17 000 8 à 11 €

Une histoire qui débute en 2003, lorsque les Prissette, à la recherche d'un bon terroir, s'arrêtent à Aspiran et y repèrent un sol d'argile, de calcaire et de graves

LANGUEDOC

propice. Raison leur est donnée avec ce vin destiné à la garde. Le charme de sa teinte violine opère d'emblée, de même que celui de son bouquet, alliance d'arômes de cire d'abeille, de mine de crayon, d'olive noire, de fruits secs, de cerise confite, rehaussés de notes mentholées. Les tanins sont encore fermes, mais la chair remarquablement aromatique a suffisamment d'ampleur pour les enrober au fil du temps. Tajine et canard seront les bienvenus à table à ses côtés dans quatre ou cinq ans.

🔑 SCEA L'Hermitage, chem. Saint-Georges,
34800 Aspiran, tél. 05.57.74.43.51, fax 05.57.74.45.13,
e-mail info@rolvalentin.com Y r.-v.
🔑 E. Prissette

DOM. ZUMBAUM TOMASI
Pic Saint-Loup Clos Maginiai 2004 *

■ 6,17 ha 10 000 ▮ ⏸ 11 à 15 €

Un juriste international allemand est tombé amoureux du petit village de Claret et des vins du pic Saint-Loup. Depuis 1992, il cultive 8,5 ha selon les principes de l'agriculture biologique, avec pour cépages principaux la syrah et le grenache. Rouge sombre, le 2004 ne manque ni de mâche, ni de structure. Un caractère animal se manifeste de prime abord, suivi après aération d'un fruité bien mûr et de notes de cacao. Vous garderez ce vin deux ou trois ans pour laisser aux tanins le temps de se fondre.

🔑 Zumbaum, 83, rue des Airs, 34270 Claret,
tél. 04.67.55.78.77, fax 04.67.02.82.84,
e-mail domainezumbaumtomasi@wanadoo.fr
☑ Y ✝ t.l.j. sf dim. 9h-12h 14h-18h 🏠 D

Faugères

Les vins de Faugères sont des vins AOC depuis 1982, comme les saint-chinian leurs voisins. La région de production, qui comporte sept communes situées au nord de Pézenas et de Béziers et au sud de Bédarieux, a produit 73 113 hl en 2005 sur près de 1 904 ha de vigne, dont 802 hl de blanc. Les vignobles sont plantés sur des coteaux à forte pente, d'altitude relativement élevée (250 m), dans les premiers contreforts schisteux peu fertiles des Cévennes. Produit à partir de grenache, syrah, mourvèdre, carignan et cinsault, le faugères est un vin bien coloré, pourpre, capiteux, aux arômes de garrigue et de fruits rouges.

CH. DES ADOUZES 2006 *

■ 5 ha 20 000 ▮ 5 à 8 €

Les vestiges d'un château du XI[e]s. veillent sur ce domaine situé au milieu des bois, sur le territoire du petit village de Roquessels ; la famille Estève y est installée de longue date. Jean-Claude Estève propose un 2006 de bonne facture, né du grenache et de la syrah. Nez de fruits rouges, bouche vive et ronde à la fois, élégante : n'attendez pas pour le déguster.

🔑 Jean-Claude Estève,
Ch. des Adouzes, 2, rue Tras-du-Castel,
34320 Roquessels, tél. 04.67.90.24.11,
fax 04.67.90.12.74, e-mail adouzes@tiscali.fr
☑ Y ✝ t.l.j. 9h30-12h 14h-18h30

GILBERT ALQUIER ET FILS
Cuvée Eugénie 2005 *

■ 2 ha 4 000 ⏸ 11 à 15 €

Le père de Frédéric Alquier a été l'un des premiers vignerons à introduire en Faugerois les cépages syrah et mourvèdre, dans les années 1960. Le domaine compte aujourd'hui 12 ha répartis en trois parcelles, toutes sur des coteaux schisteux exposés au sud. La syrah seule compose ce vin parfumé d'épices : cannelle et poivre mènent le défilé. La bouche est charpentée, légèrement boisée et réglissée, dotée d'une élégante finale. Pourquoi ne pas déguster ce 2005 avec un civet de lapin ou de lièvre ?

🔑 Frédéric Alquier,
Le Clos Timothée, 6, rte de Pézènes-les-Mines,
34600 Faugères, tél. 04.67.95.15.21, fax 04.67.95.36.21,
e-mail frederic@gilbert-alquier.fr ☑ Y ✝ r.-v.

LES AMANTS DE LA VIGNERONNE
De chair et de sang 2005 *

■ 1 ha 2 000 ⏸ 11 à 15 €

La bâtisse du début du XIX[e]s. s'appelle La Vigneronne et ses occupants proposent un vin sensuel que le mourvèdre, le grenache et la syrah ont fait naître sous une teinte pourpre. Aux arômes intenses de vanille, de cacao et d'épices, hérités de dix-huit mois d'élevage en fût, répond une bouche ample que l'empreinte du bois domine encore. Patienter quelques années ne fera qu'aviver le désir de le déguster.

🔑 Les Amants de la Vigneronne, 18, rte de Pézenas,
34600 Faugères, tél. 04.67.95.78.49, fax 04.67.95.79.20,
e-mail lesamantsdelavigneronne@yahoo.fr
☑ Y ✝ r.-v. 🏠 5
🔑 C. Godefroid

L'ANCIENNE MERCERIE Cuvée Couture 2004 *

■ 5 ha 5 000 ⏸ 11 à 15 €

En 2000, François Caumette a décidé de vinifier sa propre production. Il ne peut que s'en féliciter puisque sa cuvée Couture 2003 avait obtenu deux étoiles l'an passé et que ce 2004, dominé par la syrah et le grenache, est de bon augure. Des arômes complexes de grillé et de menthol se mêlent au fruité, tandis qu'au palais un caractère minéral accompagne des tanins fondus et élégants.

🔑 François Caumette, 6, rue de l'Égalité,
34480 Autignac, tél. et fax 04.67.90.27.02,
e-mail ancienne.mercerie@free.fr ☑ Y ✝ r.-v.

DOM. DE L'AUSTER 2005 **

■ 10 ha 48 500 ▮ 3 à 5 €

Une petite maison de négoce fondée en 1998 par deux familles languedociennes. Elle a su sélectionner la production du domaine de L'Auster, la vinifier et l'élever dans de bonnes conditions pour obtenir ce 2005 remarquable. Après l'expression des arômes de cassis et de fruits rouges, le jury a été séduit par le gras de la matière qui enrobe des tanins fins dans un équilibre flatteur. Que demander de plus, d'autant que le rapport qualité-prix est excellent ?

Signatures du Sud, 7, av. de Clermont-L'Hérault, 34230 Plaissan, tél. 04.67.44.90.50, fax 04.67.44.90.51, e-mail signatures-sud@wanadoo.fr

BARON ERMENGAUD 2005 *

8 ha 20 000 5 à 8 €

Une cuvée créée en 1996 à partir d'une sélection de syrah, de grenache et de mourvèdre. Le millésime 2005 ne s'affranchit pas de la fraîcheur attendue, ni même des arômes minéraux. Une viande rouge lui conviendrait parfaitement. Une étoile est également attribuée au **Pas du lièvre rosé 2006 (3 à 5 €)**, fruité et équilibré, que vous apprécierez à l'apéritif.

Maîtres Vignerons du Faugerois, chem. de la Murelle, 34480 Laurens, tél. 04.67.90.28.23, fax 04.67.90.25.47, e-mail mvf.brice@nerim.net

t.l.j. 9h-12h 14h-18h; dim. 10h30-12h 15h-18h

CH. DES ESTANILLES Le Clos du Fou 2004 **

2 ha 4 000 23 à 30 €

Michel Louison, le perfectionniste, et sa fille Sophie, depuis dix ans sur la propriété, ont élaboré ce faugères dominé par la syrah, aux arômes intenses d'épices, de toasté et de grillé. La rondeur et les tanins remarquablement fondus rendent la dégustation des plus flatteuses jusqu'à la longue finale. Deux étoiles brillent aussi pour le **Château des Estanilles blanc 2005 (8 à 11 €)**, au nez floral intense et à la minéralité persistante au palais.

EARL Michel Louison, Ch. des Estanilles, Lenthéric, 34480 Cabrerolles, tél. 04.67.90.29.25, fax 04.67.90.10.99, e-mail louison.estanilles@orange.fr r.-v.

DOM. DE FENOUILLET 2005 *

50 ha 200 000 3 à 5 €

Le domaine de Fenouillet a été acquis par les frères Jeanjean en 1990 : ils souhaitaient s'implanter dans cette aire d'appellation réputée du Languedoc. Le 2005, de belle présentation, affiche des arômes de fruits rouges nuancés de réglisse, puis des tanins fins en soutien d'une chair souple, longuement épicée. À boire avec une viande rouge grillée au barbecue.

SCEA Le Fenouillet, BP1, 34725 Saint-Félix-de-Lodez, tél. 04.67.88.81.97, fax 04.67.88.80.62

DOM. DU FRAÏSSE Fleur de cuvée 2005

3 ha 14 000 8 à 11 €

Jacques Pons, installé à Autignac en 1972, a patiemment défriché la garrigue et progressivement constitué son vignoble qui compte aujourd'hui 43 ha. Cuvée originale que ce 2005 au nez de fruits rouges très mûrs et dont la bouche ronde ne laisse aucune trace des tanins tant ils sont soyeux. Il ne manque que l'entrecôte grillée pour assurer un moment simple de convivialité.

Jacques Pons, 1 bis, rue du Chemin-de-Ronde, 34480 Autignac, tél. 04.67.90.23.40, fax 04.67.90.10.20, e-mail contact@domaine-fraisse.com r.-v.

LA GRANDE D'AÏN Le Cèdre 2005 *

n.c. n.c. 8 à 11 €

Le grenache domine largement le carignan (20 %) dans cette cuvée qui apparaît, en toute logique, riche d'arômes de mûre, de griotte et d'épices. L'attaque est ronde, les tanins bien assagis et la finale légèrement vanillée par les huit mois d'élevage en fût. Vous pouvez oublier sans crainte ce faugères une petite année avant de le déguster.

Cédric Saur, Fontanilles, 34480 Cabrerolles, tél. 06.12.10.18.30, e-mail cedricsaur@hotmail.com

CH. GRÉZAN Cuvée Vieilles Vignes 2004 *

2 ha 8 000 11 à 15 €

Sur ce domaine de 100 ha, les fortifications remaniées au XIX^e^s. sont une curiosité architecturale. Non moins intéressante, cette cuvée issue de vignes cinquantenaires. Au nez chaleureux de garrigue succède une bouche franche et équilibrée, marquée durablement par les fruits rouges et les épices. Une étoile est attribuée à la **cuvée Arnaud 2005 (8 à 11 €)** pour sa structure de qualité. Attendez deux ou trois ans pour l'apprécier à son meilleur niveau.

Ch. Grézan, D 909, 34480 Laurens, tél. 04.67.90.27.46, fax 04.67.90.29.01, e-mail contact@chateau-grezan.fr

t.l.j. sf dim. 8h-12h 14h-18h (basse saison); sf dim. mat. 8h-19h (haute saison) 7 E

Fardel et Pujol

CH. DE LA LIQUIÈRE Cistus 2004 ***

7 ha 25 000 11 à 15 €

S'il est une famille qui s'est investie dans la réussite de l'appellation faugères, ce sont bien les Vidal : Jean Vidal fut à l'origine de l'AOC, son fils Bernard longtemps son président, et maintenant la troisième génération se distingue avec François, Sophie et son mari Laurent Dumoulin, tous deux œnologues. Déguster vaut mieux qu'un long discours : nez d'épices, de violette et de réglisse, chair ample et d'une persistance presque infinie. Le coup de cœur n'est pas loin. Deux étoiles encore pour le **Château de La Liquière Cistus blanc 2006 (8 à 11 €)**, frais et rond à la fois, expressif.

Ch. de La Liquière, La Liquière, 34480 Cabrerolles, tél. 04.67.90.29.20, fax 04.67.90.10.00, e-mail info@chateaulaliquiere.com

t.l.j. sf dim. 9h-12h 15h-18h; sam. sur r.v.

Vidal-Dumoulin

CH. SYLVAIN MAS Cuvée originale 2005

10 ha 55 000 3 à 5 €

Thierry Dalmas a procédé à un assemblage classique de syrah, de grenache, de carignan, à parts presque égales, avec une touche de mourvèdre en plus. La particularité de son vin réside dans son terroir d'origine qui correspond à la partie argilo-calcaire de l'AOC. Tout en simplicité, celui-ci est marqué par les fruits rouges et affiche une rondeur gourmande. Un faugères à apprécier dans l'instant, sans bouder son plaisir.

Thierry Dalmas, Ch. Sylvain Mas, 34480 Autignac, tél. 04.67.88.80.00, fax 04.67.96.65.67

MAS GABINÈLE Rarissime 2005 *

3,4 ha 4 800 23 à 30 €

En 1997, Thierry Rodriguez a acheté à un ami ses premières vignes pour constituer son domaine. Habillé de

LANGUEDOC

rouge profond, son 2005 présente un bouquet complexe de fruits rouges et de grillé, mais il apparaît encore sous l'emprise du bois, due aux seize mois d'élevage. Un caractère qui a ses amateurs. Il faudra cependant patienter deux ou trois ans pour que l'harmonie se réalise entre vin et fût.

Thierry Rodriguez, hameau de Veyran, 34490 Causses-et-Veyran, tél. 04.67.89.71.72, fax 04.67.89.70.69, e-mail throdriguez@wanadoo.fr
r.-v. E

DOM. DU MÉTÉORE Les Perséides 2004 ★★

3 ha 6 000 8 à 11 €

Geneviève Libes s'est déjà distinguée grâce à ses faugères blancs, mais ses vins rouges ne sont pas en reste comme en témoigne cette cuvée qui doit son originalité à la présence de 70 % de mourvèdre dans l'assemblage. Au nez d'épices et de kirsch répond une bouche ronde et élégante, les tanins fondus préparant une finale tout en douceur. Un 2004 bien vinifié, à marier à un magret de canard aux figues fraîches, par exemple.

Geneviève Libes, Dom. du Météore, 34480 Cabrerolles, tél. 04.67.90.21.12, fax 04.67.90.11.92, e-mail domainedumeteore@wanadoo.fr
t.l.j. sf sam. dim. 9h30-12h 15h30-19h; hiver sur r.-v. D

DOM. OLLIER TAILLEFER Grande Réserve 2005 ★★

6 ha 32 000 5 à 8 €

Régulièrement présents dans le Guide, Luc et Françoise Ollier, frère et sœur, connaissent bien leur terroir de schistes sur lesquels ils ont vendangé le carignan, le grenache et la syrah pour élaborer cette cuvée pareille à une corbeille de fruits frais dans ses arômes. De la chair, le vin n'en manque pas : rond et persistant, il satisfera dès aujourd'hui les plus gourmands, aux côtés d'un carré d'agneau.

Dom. Ollier Taillefer, rte de Gabian, 34320 Fos, tél. 04.67.90.24.59, fax 04.67.90.12.15, e-mail ollier.taillefer@wanadoo.fr
t.l.j. sf dim. 11h-12h 14h30-18h; sur r.-v. hors saison C
Luc et Françoise Ollier

PARFUM DE SCHISTES 2005 ★★

20 ha 50 000 5 à 8 €

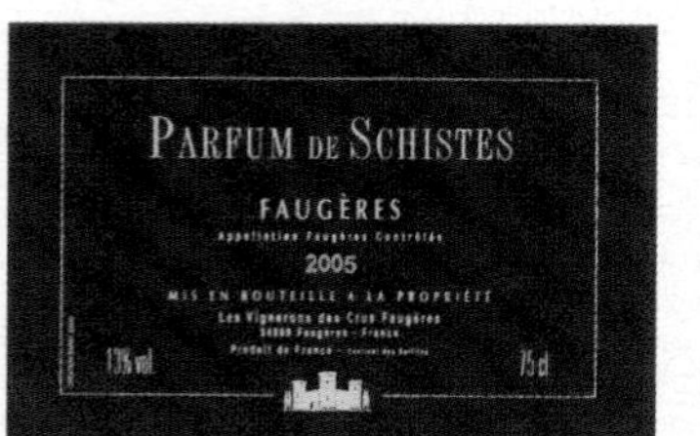

Un coup de cœur qui ne doit rien au hasard. L'une des dernières coopératives créées en Languedoc, en 1959, Les vignerons des Crus Faugères ont su s'organiser commercialement en diversifiant leur gamme, puis techniquement en employant un personnel qualifié, enfin humainement en impliquant les vignerons dans la sélection au vignoble. Le résultat est là : une cuvée issue des quatre cépages traditionnels qui offre un bouquet de fruits rouges de plus en plus intense au fil de la dégustation. Une longueur remarquable caractérise ce vin charnu qui ne demande qu'à s'épanouir à la faveur d'un ou deux ans de garde. Associez-le à une viande rouge.

Les Crus Faugères, Mas Olivier, 34600 Faugères, tél. 04.67.95.08.80, fax 04.67.95.14.67, e-mail contact@lescrusfaugeres.com r.-v.

CH. DES PEYREGRANDES Prestige 2005

4,5 ha 13 000 8 à 11 €

Marie Boudal, qui a gardé l'esprit artiste de son premier métier, a repris en 1995 le domaine familial. Depuis lors, elle compose avec créativité ses cuvées, tel ce Prestige qui décline des arômes de fruits rouges compotés, puis offre une chair ronde, soyeuse, toute réglissée. Pour un filet mignon aux olives.

Marie Boudal, 11, chem. de l'Aire, 34320 Roquessels, tél. 04.67.90.15.00, fax 04.67.90.15.60, e-mail chateau-des-peyregrandes@wanadoo.fr
t.l.j. sf dim. 14h-19h

DOM. DE LA REYNARDIÈRE 2006

1,8 ha 10 000 5 à 8 €

Au milieu des années 1980, cette propriété familiale a retrouvé son unité après les divers partages liés aux successions familiales : elle compte ainsi 70 ha. Son rosé étonne par sa teinte soutenue, presque digne d'un rouge primeur, comme par ses arômes de fruits rouges très présents. Servi à table avec une salade composée, il ne laissera pas indifférent.

Dom. de La Reynardière, 7, cours Jean-Moulin, 34480 Saint-Geniès-de-Fontedit, tél. 04.67.36.25.75, fax 04.67.36.15.80, e-mail domaine.reynardiere@wanadoo.fr
t.l.j. sf dim. 10h-12h 15h-19h
Mégé-Pons

CH. DE SAUVANES 2005

5 ha 25 000 8 à 11 €

Jean-François Vallat, déjà viticulteur à Montpeyroux, a acquis en 2003 ce domaine de 43 ha pour y élaborer des vins de schistes. Il est sur le bon chemin avec ce 2005 charnu et gras, dont les arômes ont la fraîcheur du menthol et de la garrigue. Original ? En effet.

SARL Vignoble Sauvanes, 9, av. de la Gare, 34480 Laurens, tél. 04.67.96.64.06, fax 04.67.96.67.63, e-mail vignobles.vallat@wanadoo.fr r.-v.
Vallat

TRANSHUMANCE 2005 ★

3 ha 10 000 11 à 15 €

Du savoir-faire pour les trois associés de cette maison de négoce-éleveur dont le siège social est en Isère. La cuvée Transhumance retient l'attention par son nez épicé (vanille) et sa bouche à la fois structurée et ronde, de bonne persistance aromatique. Il serait toutefois judicieux d'attendre un an ou deux afin de la découvrir au meilleur d'elle-même.

Les Vins de Vienne, 1108, rte de Roche-Couloure, Le Bas-Seyssuel, 38200 Seyssuel, tél. 04.74.85.04.52, fax 04.74.31.97.55, e-mail vdv@lesvinsdevienne.fr r.-v.
Cuilleron-Gaillard-Villard

DOM. VALAMBELLE Florentin Abbal 2005 ★

■ 2,2 ha 7 500 ▮ 5 à 8 €

Coup de cœur l'an passé dans le millésime 2004, la cuvée Florentin Abbal reflète en 2005 le climat de l'année. Il n'est plus question ici d'une explosion aromatique, mais d'un délicat sillage de fruits compotés. Loin de la puissance, le vin joue la rondeur et le caractère gouleyant. Il n'en sera que plus sympathique avec une viande blanche.

Abbal,
GAEC Dom. de Valinière, 25, av. de la Gare,
34480 Laurens, tél. 04.67.90.12.12, fax 04.67.32.95.50,
e-mail m.abbal@tiscali.fr t.l.j. 8h-12h30 15h-20h

Fitou

L'appellation fitou, la plus ancienne AOC rouge du Languedoc-Roussillon (1948), est située dans la zone méditerranéenne de l'aire des corbières avec à l'est le fitou maritime qui borde l'étang de Leucate et à l'ouest le fitou de l'intérieur à l'abri du mont Tauch ; elle s'étend sur neuf communes qui ont également le droit de produire les vins doux naturels rivesaltes et muscat-de-rivesaltes. La production a été de 88 436 hl en rouge en 2006 pour une superficie déclarée de 2 595 ha. Le carignan trouve ici son terroir de prédilection. Il peut être complété par le grenache noir, le mourvèdre et la syrah. C'est un vin d'une belle couleur rubis foncé qui compte au minimum 12 % vol. d'alcool et dont l'élevage dure au moins neuf mois.

CH. ABELANET Cuvée Patrimoine Roma 2005

■ 5 ha 5 000 15 à 23 €

Le vieux village de Fitou, c'est une rue en pente vers le plateau d'un côté, l'étang de l'autre, où alternent maisons et caves accolées les unes aux autres. À l'entrée, la cave de Régis Abelanet dont la famille possède le domaine depuis plus de trois siècles. La dégustation commence par un bouquet complexe (cerise, mûre, torréfaction, épices), puis continue en bouche sur un vin structuré, marqué par l'élevage sous bois. Un vin encore jeune aux notes toastées qui donnera du plaisir dans deux à trois ans sur un beau gibier.

Ch. Abelanet, 7, av. de la Mairie, 11510 Fitou,
tél. 04.68.45.76.50
t.l.j. 9h-12h 14h-18h; f. janv.-mars

BERTRAND-BERGÉ
Cuvée ancestrale 2005 ★★★

■ 5 ha 12 000 ▮ 8 à 11 €

Deviner qui est coup de cœur à Fitou n'est même plus un jeu ! Même si l'an dernier, le domaine n'avait décroché « que » trois étoiles... Le scoop ? Jérôme Bertrand, distingué cette année pour sa Cuvée ancestrale. Un vin construit sur la trilogie syrah, carignan, grenache, à parts égales, précisément ce que les meilleurs techniciens

préconisent pour ce secteur. Du cousu main et, d'entrée, de la haute couture pour la robe. Ensuite la réglisse et la violette se mêlent aux fruits rouges ; les tanins sont domptés avec doigté tant le fruit se montre charnu ; une bouteille souple dotée de beaucoup de fraîcheur. À déboucher dans un an. **Les Mégalithes 2005**, du même auteur, non boisé et plus souple, parfait pour un plaisir immédiat, est cité.

Dom. Bertrand-Bergé, av. du Roussillon,
11350 Paziols, tél. 04.68.45.41.73, fax 04.68.45.03.94,
e-mail bertrand-berge@wanadoo.fr
t.l.j. 9h-12h 14h-18h
Jérôme Bertrand

DOM. DU CAPITAT Cuvée Chautrus 2005

■ 3,3 ha 6 000 ▮ 3 à 5 €

La propriété familiale date du XVIIe s., mais ce n'est qu'en 2001 que Pierre Abelanet, après vingt-cinq ans d'expérience collective, a décidé de prendre les choses en mains, de la vigne à la bouteille, en créant son domaine. L'élevage en cuve permet une pleine expression des cépages. Cela se traduit par une richesse aromatique (fruits rouges, cassis), des tanins de mourvèdre pleins de finesse sur un fond d'épices. Intense, riche, déjà très fondu, un fitou de plaisir à ouvrir sur des viandes rouges grillées.

Dom. du Capitat, 39, RN 9, 11510 Fitou,
tél. et fax 04.68.45.76.98,
e-mail pierre.abelanet@wanadoo.fr
t.l.j. 9h30-12h 14h30-18h30
Abelanet

CARTE OR Élevé en fût de chêne 2005 ★

■ 32 ha 170 000 3 à 5 €

Le cépage carignan décrié en plaine trouve dans les schistes fracturés d'altitude des conditions idéales pour son expression. Certes, à Cascastel le terroir est rude, mais une fois la vigne établie, elle s'y plaît. Sous la robe profonde, on découvre des senteurs de cassis à peine contestées par un léger boisé. Remarqué pour sa belle structure, ce vin sait garder fraîcheur et élégance, avant une finale chaleureuse sur des notes de fruits à l'eau-de-vie. La cuvée **Seigneurie d'Arse 2005** est citée : non boisée, très fruitée, elle saura accompagner une pintade aux raisins.

Les Maîtres Vignerons de Cascastel, Grand-Rue,
11360 Cascastel, tél. 04.68.45.91.74, fax 04.68.45.82.70,
e-mail info@cascastel.com r.-v.

CH. CHAMP DES SŒURS La Tina 2005 ★

■ 2 ha 5 000 11 à 15 €

Depuis dix ans, Laurent Maynadier recherche la perfection. Cette année, avec ce vin associant les cépages

LANGUEDOC

historiques du fitou, à savoir le grenache et le carignan, il trouve la récompense de ses efforts, démontrant sa connaissance du terroir. Dans le verre, la couleur est intense et des notes de cacao grillé accompagnent le fruit noir. L'attaque est pleine, chaleureuse ; les tanins souples s'accordent avec la chair du fruit et la note sauvage du carignan. Un fitou qui pourra se garder mais qui procure déjà du plaisir.
Laurent Maynadier, 19, av. des Corbières, 11510 Fitou, tél. et fax 04.68.45.66.74, e-mail chateauchampdessoeurs@orange.fr r.-v.

CH. DES ERLES Mont Luzis 2005

■ 30 ha 60 000 5 à 8 €

Le terroir de Fitou a la particularité d'être composé de deux zones distinctes : l'une maritime et l'autre intérieure, autour de Tuchan et Villeneuve dans les Corbières. Issu d'un terroir de schistes et d'ardoises, ce 2005, d'abord timide, se révèle à l'aération sur le fruit, riche et confituré. Structuré et onctueux, il exprime au palais un fruit noir finement vanillé avant de conclure sur les épices. La cuvée des **Ardoises 2005 (8 à 11 €)**, harmonieusement boisée et prête à boire, est également citée. On nous dit, au moment où nous mettons sous presse, que le domaine pourrait être cédé.
Jacques et François Lurton, Dom. de Poumeyrade, 33870 Vayres, tél. 05.57.55.12.12, fax 05.57.55.12.13, e-mail jfl@jflurton.com

L'EXTRAVAGANT DU FITOU 2005 ★★

■ 15 ha 80 000 5 à 8 €

Cascastel, c'est le bout du monde du fitou, lové dans les schistes en bord de l'étang de Berre. C'est aussi une cave des plus performantes, relayée par la structure commerciale Grand Terroir. L'Extravagant est un vrai vin de garde qui s'exprime avec concentration et maturité. Puissant, robuste avec un boisé fondu, il garde la belle fraîcheur du fruit et offre une charpente solide dans un corps généreux. C'est tout fitou. Diffusé par la même structure, le **Domaine Comerade 2005** est cité.
Grand Terroir, 9, rue d'Alger, 34500 Béziers, tél. 04.67.26.79.11, fax 04.67.21.93.86, e-mail grand.terroir@wanadoo.fr
Cave de Cascastel

L'IMPOSSIBLE 2005

■ n.c. 30 000 5 à 8 €

Impossible, comme le paraissait cette idée de faire pousser de la vigne dans ce coin sauvage, sous un climat capricieux. La robe rubis est soutenue et le bouquet complexe : garrigue, cassis, torréfaction. L'élevage de dix-huit mois en fût a permis de dompter ce vin vif, en lui conférant une certaine rondeur. Il n'en garde pas moins de solides épaules qui encouragent à le garder deux à cinq ans.
Vignerons et Passions, BP 1, 34725 Saint-Félix-de-Lodez, tél. 04.67.88.45.75, fax 04.67.88.45.79, e-mail caveau@vignerons-passions.fr
t.l.j. sf dim. 9h-12h30 14h-19h

DOM. LEPAUMIER 2005

■ 2,5 ha 10 000 3 à 5 €

Christophe Lepaumier poursuit sur la propriété le travail initié par son grand-père au début du XXe s. Certes, les temps ont changé, la cave s'est modernisée, la syrah s'est invitée dans les assemblages mais le domaine reste bien ancré dans la tradition. C'est sur un trio carignan, grenache, mourvèdre qu'est construit ce 2005 qui s'affiche dans une robe rubis et livre au nez des notes de fruits frais (framboise) relevées d'une touche sauvage. L'élevage en cuve permet de préserver ce fruité en bouche, donnant un vin charnu typique, non dénué d'une certaine vivacité. À boire dès aujourd'hui.
Christophe Lepaumier, 3, imp. du Moulin, 11510 Fitou, tél. et fax 04.68.45.73.41
t.l.j. 9h30-12h30 14h-19h

DOM. LERYS Tradition 2005 ★★

■ 6 ha 25 000 5 à 8 €

Tradition ou Prestige, faut-il vraiment faire un choix ? Certes, on est en « Fitounie », pays de tradition, mais la **cuvée Prestige 2005** n'en arbore pas moins fièrement son étoile ; le cassis et des tanins veloutés sont ses meilleurs arguments. La cuvée Tradition, elle, porte l'empreinte de son terroir de schiste, avec la note sauvage et florale du maquis qui vient accompagner la cerise. Le fruit envahit le palais, le carignan apportant sa structure que le grenache adoucit et parfume d'une délicate note chocolatée. Un superbe équilibre et de la longueur viennent conclure la dégustation de cet excellent fitou.
Alain Izard, Dom. Lerys, 1, rue de Pech-de-Gril, 11360 Villeneuve-les-Corbières, tél. 04.68.45.95.47, fax 04.68.45.86.11, e-mail domlerys@aol.com
t.l.j. sf dim. 10h-19h; f. à 18h (basse saison)

MONT TAUCH
Vieilles Vignes Élevé en fût de chêne 2005 ★★

■ 8,44 ha 45 000 5 à 8 €

Volonté, compétence, qualité : on pourrait résumer ainsi l'histoire de cette cave née en 1913, qui est aujourd'hui exemplaire. Elle vinifie les deux tiers de l'appellation et s'enorgueillit d'un outil technologique modèle. Au détour du nez, le cassis et la cerise se mêlent aux notes boisées et aux épices. On y décèle même comme un parfum gourmand de banane flambée. La bouche retrouve le boisé qu'elle enrichit de notes de fruits à l'alcool et de fruits confits (abricot). Un fitou équilibré et plaisant, d'une grande complexité. Le **Prieuré de Ségure 2005** décroche une étoile tandis que la **Grande Réserve Roc Flamboyant élevé en fût de chêne 2005** et le **fitou classique 2005 (3 à 5 €)** sont cités.
Les Vignerons du Mont Tauch, 2, rue de la Cave-Coopérative, 11350 Tuchan, tél. 04.68.45.41.08, fax 04.68.45.45.29, e-mail contact@mont-tauch.com
t.l.j. sf sam. dim. 9h-12h 14h-18h

CH. DE NOUVELLES Cuvée Gabrielle 2005

■ 2,09 ha 8 000 11 à 15 €

Un domaine chargé d'histoire, qu'il faut aller chercher au large du col d'Extrême. Cela n'a visiblement pas rebuté Benoît XII, pape en Avignon en 1342, qui en fut propriétaire. La barrique accompagne et épaule la finesse de ce vin né sur schistes. Les notes de torréfaction, de réglisse et de noix de coco s'expriment au nez, puis on découvre une bouche ample et fruitée, agrémentée d'une pointe de grillé. La **cuvée Cantorel 2004**, souple et déjà prête, est citée.

SCEA R. Daurat-Fort, Ch. de Nouvelles, 11350 Tuchan, tél. 04.68.45.40.03, fax 04.68.45.49.21, e-mail daurat-fort@terre-net.fr
t.l.j. sf. sam. dim. 9h-12h 14h-18h

DOM. DE LA ROCHELIERRE
Noblesse du temps 2005 ★★★

	2 ha	5 000		15 à 23 €

Accroché aux soubresauts calcaires formant les premiers contreforts des Corbières, le village de Fitou ancre ses maisons dans le « caillou ». Cela permet comme ici d'avoir caveaux et chais creusés dans la roche à laquelle s'agrippe le lierre. Présent en finale du coup de cœur, ce 2005 au regard sombre s'ouvre sur le fût grillé et le fruit vanillé. Plein, dense, structuré et équilibré, l'ensemble est à maturité, regorgeant de fruit noir. Un vin qui sera superbe sur un gibier ou un pavé de bœuf, tout simplement.

Jean-Marie Fabre, Dom. de La Rochelierre, 17, rue du Vigné, 11510 Fitou, tél. et fax 04.68.45.70.52
t.l.j. 8h-12h 14h-19h

DOM. DE ROUDÈNE Florine 2005 ★★

	3 ha	2 000		15 à 23 €

Lorsque l'on parle de vieilles vignes, mieux vaut parfois préciser. Chez les Faixo, cela veut dire plus de cent ans ! Elles donnent un vin sorti tout droit de la cuve, sans passer par la « case » fût, qui offre derrière la fraîcheur fruitée un parfum de réglisse. Un vin remarquable par sa générosité, la grande finesse de ses tanins, sa présence qui n'attend qu'une viande rouge en sauce pour passer à table. **Les Pys 2005 (3 à 5 €)**, plus tendre, décroche une étoile.

Jean-Pierre et Bernadette Faixo et Famille, Espace des Écoles, 11350 Paziols, tél. et fax 04.68.45.43.47, e-mail domainederoudene@caramail.com
t.l.j. 9h-12h30 14h-19h

SAINT-PANCRACE 2005 ★

	12 ha	65 000		8 à 11 €

Entre étang et collines, Lapalme regarde son vignoble s'étirer vers le sud pour se gorger de soleil à l'abri du vent. La robe de ce 2005 est noire et ses arômes parlent de torréfaction, de café et de fruits rouges bien mûrs. La bouche est chaleureuse, intense et structurée, marquée par un boisé puissant. Un fitou méditerranéen qui appelle le gibier.

SCAV Fitou-Lapalme, RN 9, Les Cabanes, 11510 Fitou, tél. 04.68.45.71.41, fax 04.68.45.60.32, e-mail contact@fitou-lapalme.com
t.l.j. 9h-12h 14h-18h

DOM. TERRE ARDENTE
Cap Éole Élevé en fût de chêne 2005

	n.c.	13 000		11 à 15 €

Terre ardente, Cap Éole, voilà ce qui caractérise ce terroir inondé de soleil et animé par le vent ! Prisé pour l'un comme attrait touristique estival, incontournable désormais pour l'autre avec le Mondial du vent. Le fitou se prête à l'élevage en barrique, particulièrement lorsque le mourvèdre vient apporter la complicité du soyeux de ses tanins. C'est le cas pour ce vin de garde, bien sur le fruit, affichant déjà un beau fondu. La cuvée « L » **2005 (23 à 30 €)**, élevée dix-huit mois en fût, à attendre quelques années, est citée.

Les Vignerons du Cap Leucate, 2, av. Francis-Vals, 11370 Leucate, tél. 04.68.40.01.31, fax 04.68.40.08.90, e-mail cave-leucate@wanadoo.fr r.-v.

CH. WIALA Sélection Élevé en fût de chêne 2005

	4 ha	10 000		5 à 8 €

Installés depuis six ans, Wiebke Seubert et Alain Voorons ont très vite adhéré à l'esprit de la région. Petite surface cultivée, quasiment bio, des parcelles de vieilles vignes cernées par le maquis, l'odeur des schistes les soirs d'été... Grenache et carignan jouent sur l'épice et le fruit rouge sous une robe grenat profond. Ils composent en bouche un fitou typique, charnu, rond et pourtant structuré, remarqué pour son équilibre et sa fraîcheur.

SCEA Seubert, Ch. Wiala, rue de la Gare, 11350 Tuchan, tél. 04.68.45.49.49, fax 04.68.45.92.13, e-mail vins@chateau-wiala.com t.l.j. 16h-20h

Minervois

Le minervois, vin AOC, est produit sur soixante et une communes, dont quarante-cinq dans l'Aude et seize dans l'Hérault. Cette région plutôt calcaire, aux collines douces et au revers exposé au sud, protégée des vents froids par la Montagne Noire, produit des vins blancs, rosés et rouges : ces derniers représentent 95 % de la production ; en tout 166 494 hl en 2005 dans les trois couleurs sur 4 297 ha.

Le vignoble du Minervois est sillonné de routes séduisantes ; un itinéraire fléché constitue la route des Vins, bordée de nombreux caveaux de dégustation. Un site célèbre dans l'histoire du Languedoc, celui de l'antique cité de Minerve, où eut lieu un acte décisif de la tragédie cathare, de nombreuses petites chapelles romanes et les intéressantes églises de Rieux et de Caune sont les atouts touristiques de la région.

CH. D'AGEL Caudios 2004 ★

	2 ha	9 000		11 à 15 €

2004 est le deuxième millésime de ce domaine acquis en juillet 2003 par des passionnés de la vigne. Cette cuvée, issue du terroir « Caudios-Haut » situé à 180 m d'altitude, affiche au nez un brelan d'arômes gagnants : griotte, mûre et vanille. Puissance et harmonie sont ses atouts maîtres, mais il sait aussi jouer la carte de la finesse et de la rondeur. Ses tanins soyeux raflent la mise sur la donne finale. Une bouteille qui fait durer longtemps la partie. Le **Caudios blanc 2006**, assemblage d'une quinte de cépages, décroche une étoile.

SAS Ch. d'Agel, 1, rue de la Fontaine, 34210 Agel, tél. 04.68.91.37.74, fax 04.68.91.12.76, e-mail contact@chateaudagel.com
t.l.j. 9h-12h 14h-18h; sam. dim. sur r.-v.

CH. ARTIX
Les Murailles Vieilli en fût de chêne 2005 ★★

■ 35 ha 130 000 ⬛ 5 à 8 €

À l'entrée du domaine se trouve une chapelle wisigothe vouée au culte de sainte Madeleine d'Artix. Ici, les vignes de syrah, de grenache et de carignan côtoient les pinèdes et offrent ce vin généreux aux arômes de fruits mûrs et confiturés entourés de notes de cacao. Harmonieux et équilibré, long, ce vin montre aussi une certaine puissance avec ses tanins délicatement patinés, chaleureux et épicés. Au pied du podium du grand jury.

Jérôme Portal, Dom. d'Artix, 34210 Beaufort, tél. 04.68.91.28.28, fax 04.68.91.38.38, e-mail ch-beaufort@wanadoo.fr ☑ Y ⚲ r.-v. ⌂ E

DOM. DE BARROUBIO Vieilles Vignes 2004 ★

■ 2 ha 5 000 ⬛ 8 à 11 €

Célèbre pour ses muscats, Raymond Miquel montre une facette supplémentaire de son talent avec cette cuvée issue de vignes centenaires de carignan et de grenache. Les notes de kirsch et de fruits confiturés (fraise, cassis) s'accorderont avec un fondant au chocolat, comme le suggère un dégustateur. Le cœur de bouche est ample et onctueux, et ses accents de garrigue autorisent également un accord classique avec un magret de canard. Le **rosé 2006 (3 à 5 €)** est cité.

Raymond Miquel, Barroubio, 34360 Saint-Jean-de-Minervois, tél. 04.67.38.14.06, e-mail barroubio@barroubio.fr ☑ Y ⚲ t.l.j. 10h-12h 14h-18h ⌂ C

CH. BASSANEL Les Hauts de Bassanel 2005 ★★★

■ 2 ha 8 000 ⬛ 11 à 15 €

Château Bassanel
Minervois
2005
Les Hauts de Bassanel

Coup de cœur dans la précédente édition, cette cuvée est réélue par le grand jury pour son 2005. Ce vin puissant et chaleureux respecte la parité avec d'un côté le racé et la richesse toastée de son élevage et de l'autre la finesse et la douceur des fruits rouges. Il navigue avec grâce et majesté au palais, agréablement marqué par le boisé, avant une longue finale. Mieux qu'un suppléant, la **Réserve rouge 2004 (15 à 23 €)** décroche une étoile.

SCEA Ch. Bassanel, RD 11, 34210 Olonzac, tél. 04.68.27.27.00, fax 04.68.27.84.60, e-mail contact@bassanel.com ☑ Y ⚲ t.l.j. 8h-12h 13h30-18h, sam. dim. sur r.-v.; f. nov.

DOM. DE BLAYAC Syracruz 2005 ★

■ 5 ha 5 000 ▮ 5 à 8 €

Syracruz ? Une cuvée de syrah (95 %) issue de la parcelle La Croix, *cruz* en occitan. Les sols de calcaires durs et le savoir-faire du viticulteur ont permis d'obtenir ce vin au caractère trempé, qui exprime des arômes de confiture de fraises, mêlés à des notes de garrigue. Assez puissant en bouche, il demeure néanmoins toujours équilibré. La côte de bœuf grillée l'attend de pied ferme.

Stéphane Blayac, Vialanove, 34210 La Caunette, tél. 04.68.91.25.40, fax 04.68.91.80.63, e-mail earldomaineblayac@wanadoo.fr ☑ Y ⚲ t.l.j. 8h-20h, dim. sur r.-v. ⌂ D

DOM. BORIE DE MAUREL Cuvée Sylla 2005 ★★

■ 2 ha 8 500 ▮ 15 à 23 €

Deux percherons patiemment dressés pendant trois ans arpentent désormais les parcelles du domaine : Michel Escande souhaite rendre à cette terre sa culture et son âme. Ainsi devient-il l'homme qui parle aux chevaux, observe la lune et le vent pour travailler ses vignes et son vin. La cuvée Sylla est le fruit de cette communion. Issue de syrah, elle livre des arômes de cassis, de truffe et d'épices. Sa bouche ample et veloutée affiche des tanins de bonne constitution.

GAEC Michel et Sylvie Escande, rue de la Sallele, 34210 Félines-Minervois, tél. 04.68.91.68.58, fax 04.68.91.63.92, e-mail contact@boriedemaurel.fr ☑ Y t.l.j. 9h-12h 15h-18h; sam. dim. sur r.-v.

DOM. DE CAZELLES-VERDIER
Élevé en fût de chêne 2005

■ 3,6 ha n.c. ⬛ 3 à 5 €

Un ancêtre de Jean-Paul Verdier serait allé demander audience à Louis XVI pour plaider la cause des paysans locaux. Avec le même courage, son lointain descendant travaille ses coteaux calcaires d'où il a tiré cette cuvée riche et équilibrée, empyreumatique et vanillée. Les tanins viennent marquer la bouche de leur empreinte minérale caractéristique, tout en restant soyeux, pour finir par se fondre lentement dans la finale aux notes de garrigue. Un vin prêt à boire.

Jean-Paul Verdier, hameau de Cazelles, 2, rte de Bize, 34210 Agel, tél. et fax 04.68.91.15.81, e-mail jean-paul.verdier@wanadoo.fr ☑ Y r.-v.

DOM. CROS Les Aspres 2004 ★★

■ n.c. n.c. 15 à 23 €

Si elle ne remporte pas le coup de cœur cette année, comme les 2002 et 2003, cette cuvée n'en reste pas moins remarquable dans le millésime 2004. Toujours cette puissance enrobée de vanille et de cacao, dans un corps de rêve drapé de velours et parfumé d'épices (poivre et cannelle). La douce chaleur des notes torréfiées vient habiter la longue finale. Assurément un vin d'artiste.

Pierre Cros, 20, rue du Minervois, 11800 Badens, tél. 04.68.79.21.82, fax 04.68.79.24.03 ☑ Y ⚲ t.l.j. 8h-12h 14h-19h ⌂ E

CH. DU DONJON 2006 ★★

■ 8 ha 45 000 ▮ 5 à 8 €

Habitué des sélections du Guide pour ses vins rouges, Jean Panis ajoute une corde à son arc en décochant ce rosé qui fait mouche. Sa pâleur délicatement tuilée est le prélude à des senteurs de fraise et de cerise... L'attaque est rondement menée avec force et vivacité devant un parterre de fleurs, puis la bouche affirme sa puissance et son volume, avant une finale d'une bonne longueur. Un vrai rosé de repas.

Jean Panis, Ch. du Donjon, 11600 Bagnoles,
tél. 04.68.77.18.33, fax 04.68.72.21.17,
e-mail jean.panis@wanadoo.fr
t.l.j. 9h-12h 15h-19h; sam. dim. sur r.-v.

DOM. D'ESCAPAT 2005 *

15 ha n.c. 5 à 8 €

Un propriétaire canadien épris de la France et confiant en l'avenir du Languedoc, des vignes centenaires côtoyant de jeunes pousses prometteuses ; c'est dans ce cadre qu'est née cette cuvée, assemblage de syrah (60 %), de grenache et de carignan (20 % chacun), aux notes de réglisse et de vanille (élevage du vin à 40 % en fût). Chaleur et tanins règnent en maîtres en bouche, accompagnés par le fruit noir. Un avenir radieux est promis à cette bouteille.

SCEA Escapat, Dom. d'Escapat,
11160 Villeneuve-Minervois, tél. 04.68.26.49.77,
fax 04.68.26.17.09, e-mail escapat@wanadoo.fr

CH. FESTIANO Maxime 2005 **

n.c. 5 000 5 à 8 €

Propriété familiale depuis 1562, Festiano était le lieu où s'élaboraient les grandes charpentes de chêne destinées aux châteaux de la région. Le bois ne règne plus en maître aujourd'hui comme le prouve ce vin élevé en cuve, qui exprime au nez un fruit confituré enrobé de kirsch. Après une attaque parfaite où l'épice sonne la charge sur une belle matière, on navigue avec chaleur sur un lit de tanins encore impétueux, mais caractéristique des grands carignans. À attendre en toute tranquillité.

Mazard, Lesol, 11200 Tourouzelle,
tél. et fax 04.68.91.23.44
t.l.j. 11h-12h 16h-19h

DOM. PIERRE FIL Cuvée Orebus 2005 **

2,3 ha 14 200 8 à 11 €

Cette propriété, dans la famille depuis au moins sept générations, propose une cuvée issue à majorité de mourvèdre (60 %), complété de carignan (25 %) et de grenache plantés sur des terrasses de galets roulés. Élevée dix-huit mois en fût, elle affiche d'entrée des notes de poivre, de cacao et de vanille, sans oublier les arômes de fruits rouges (cerise). La bouche structurée reste suave, jusqu'à la longue finale. Un délice.

Jérôme Fil, 12, imp. les Combes, 11120 Mailhac,
tél. et fax 04.68.46.13.09, e-mail fil.pierre@yahoo.fr
r.-v.

CH. LA GRAVE Ô Marie 2004 ***

1 ha 4 500 23 à 30 €

Troisième coup de cœur pour la famille Orosquette, dont le domaine est situé sur les terres de l'ancien prieuré de Milhegrand. Est-ce pour cela que l'on y rend hommage à Marie ? Cette cuvée est en tout cas une ode à la grâce et au bon goût. Ses arômes de fruits défilent en procession – cassis, mûre, cerise –, et parfument la bouche puissante et généreuse. La finesse des tanins participe à l'équilibre de l'ensemble et conduit à une finale aux accents épicés. La cuvée **Expression blanc 2006 (5 à 8 €)** brille d'une étoile.

Jean-François Orosquette, Ch. La Grave,
11800 Badens, tél. 04.68.79.16.00, fax 04.68.79.22.91,
e-mail chateaulagrave@wanadoo.fr
t.l.j. 9h-12h 14h-17h30, sam. dim. sur r.-v.

HEGARTY CHAMANS N° 1 2004 **

6 ha 15 000 11 à 15 €

Cuvée N° 1, mais deuxième millésime pour John Hegarty et deuxième année de présence dans le Guide. Avec le nom évocateur du domaine, on pourait croire que c'est pur prodige ! Mais nulle alchimie dans ce vin, bien qu'il soit très ténébreux à l'œil. Au premier tour de verre, la magie s'opère : cassis, myrtille et groseille apparaissent... La bouche, ample et corsée, charme par ses arômes de fruits surmûris, ses tanins enrobés et sa longue finale sur la sucrosité.

Hegarty Chamans, Dom. de Chamans,
11160 Trausse-Minervois, tél. et fax 04.68.78.46.21,
e-mail chamans@wanadoo.fr r.-v.

INSTANT SI RARE ! 2005 *

1 ha 4 000 5 à 8 €

Instant si rare... En tout cas les dégustateurs ont passé un moment agréable à goûter ce vin chaleureux, aux arômes de cerise à l'eau-de-vie et d'épices. Il respire à pleins poumons les essences de garrigue et d'eucalyptus, et sera le compagnon privilégié d'un repas asiatique.

Les Vignerons de Pouzols, RD 5,
11120 Pouzols-Minervois, tél. 04.68.46.13.76,
fax 04.68.46.33.95,
e-mail lesvigneronsdepouzols@wanadoo.fr
t.l.j. 8h-12h 14h-19h

CH. LANDURE Chant des cigales 2004

3 ha 19 000 5 à 8 €

Il suffit de faire une halte l'été au château pour prendre la mesure du nom de cette cuvée : sous les pins centenaires, vous serez en effet bercé par le chant enthousiaste et reposant des cigales. Ce vin est dans le même tempo. D'abord chaleureux et rythmé par ses notes de fruits à l'alcool, d'épices et de cassis, il se fait ensuite langoureux, évoluant avec souplesse et élégance sur des tanins très fondus. À servir sur une viande en sauce.

Luc Rouvière, Ch. Landure, 11120 Mailhac,
tél. et fax 04.68.46.30.59, e-mail rouviereluc@orange.fr
r.-v.

LAURAIRE DES LYS 2005

2 ha 4 000 15 à 23 €

Étiquette, graphisme, nom de cuvée, tout ici sort des sentiers battus, comme ce vin rouge issu d'un causse calcaire, qui s'ouvre sur une riche corbeille de fruits rouges et noirs. Ample, volumineux, chaleureux, il finit sur un grain de tanin réglissé un peu rocailleux, typique du terroir, qui devrait s'arrondir dans votre cave.

Khalkhal-Pamiès, Vialanove, 34210 La Caunette,
tél. 04.67.97.07.11, e-mail laurairedeslys@wanadoo.fr
r.-v.

LAURAN CABARET 2006 ★★

15 ha 50 000 3 à 5 €

Le plus grand déclarant de l'appellation sait aussi faire dans la dentelle. La preuve avec ce vin blanc cousu main, assemblant le macabeu (80 %), la marsanne et le grenache blanc (10 % chacun), soyeux en bouche, gorgé de fruits à chair blanche et tout en sucrosité. Évoluant dans la douce chaleur de la garrigue, il montre en finale vivacité et persistance. À ouvrir sur des poissons grillés.

Cellier Lauran Cabaret, 11800 Laure-Minervois, tél. 04.68.78.12.12, fax 04.68.78.17.34, e-mail laurancabaret@hotmail.com

t.l.j. sf dim. 8h-12h 14h-18h, ouv. dim. en juil. août

DOM. DES MAELS Le Clos du Pech Laurié 2004 ★

n.c. 4 500 8 à 11 €

On aurait pu croire le nom de ce domaine d'origine germanique. Mais ce couple d'œnologues venus d'Alsace a simplement pris la première syllabe des prénoms de leurs filles Manon et Élisa ! On retrouve dans ce vin toute la rigueur de l'élevage et la maîtrise du terroir. Passé par l'épreuve du fût (un an d'élevage, après six mois de cuve), il en ressort grandi et parfumé de vanille. La bouche complexe et puissante trouve des senteurs de cannelle et de fruits compotés. Il est à boire sur un petit gibier ou des côtes d'agneau.

Schwertz, Dom. des Maels, 32, av. des Platanes, 11200 Argens-Minervois, tél. et fax 04.68.27.52.29, e-mail vignoble@domainedesmaels.com

t.l.j. sf sam. 10h-13h 15h-19h 4

DOM. LES MAILLOLS L'Âme des Maillols 2005

0,64 ha 1 800 11 à 15 €

Tout va très vite sur ce domaine créé de toutes pièces en 2005 ; la cave a été terminée quarante-huit heures seulement avant les vendanges ! Cela n'a pas nui à la qualité du vin, comme le montre ce rouge au nez élégant de fruits secs et de cannelle. Il affiche une belle fraîcheur tempérée par le moelleux du cassis apporté par le grenache. Le tout forme un ensemble rond, vivifiant et plaisant.

Christophe Hernandez, 4, rue des Maillols, 11600 Villalier, tél. et fax 04.68.78.95.09, e-mail domainelesmaillols@neuf.fr

t.l.j. sf dim. 10h-18h

DOM. DU PETIT CAUSSE 2005

3 ha 3 000 5 à 8 €

Syrah, grenache et carignan sur argilo-calcaires entrent à parts presque égales dans l'assemblage de ce 2005 aux senteurs intenses de fruits noirs et de cacao. Douceur et élégance caractérisent la bouche, dans laquelle les tanins charnus dansent en duo avec les épices. Un vin plaisant à servir sur une entrecôte grillée.

Philippe et Maguy Chabbert, rue de la Sallèle, 34210 Félines-Minervois, tél. et fax 04.68.91.66.12, e-mail chabbertphilippe@free.fr r.-v. B

CH. DE PEYRIAC 2005 ★

12,8 ha 15 000 5 à 8 €

Le terroir des terrasses du quaternaire est à l'honneur avec ces deux cuvées de la cave de Peyriac, qui assemblent mourvèdre, grenache, carignan et syrah. Archétype du vin rouge moderne, complexe et plaisant, ce 2005 séduit par son ampleur et sa souplesse. Tout en rondeur, couronné de fruits rouges, délicatement vanillé et réglissé, il offre une finale d'une grande longueur. Le **rosé 2006 (3 à 5 €)** est également sélectionné.

SCAV Tour Saint-Martin, av. Ferroul, 11160 Peyriac-Minervois, tél. 04.68.78.11.20, fax 04.68.78.17.93, e-mail contact@tour-saint-martin.com

t.l.j. 9h-12h 14h-19h; dim. sur r.-v.

DOM. PLÔ NOTRE-DAME 2004 ★

0,86 ha 1 833 11 à 15 €

Le domaine tient son nom du lieu-dit où se trouvent les vignes de syrah et de grenache les plus âgées. Issu de pieds de syrah sexagénaires, ce 2004 élevé six mois en fût présente un nez complexe de pêche, de noisette et de cacao. La bouche, dense, se développe sur des notes d'iris et de girofle, avant une finale sur la sucrosité. À déboucher au moment du fromage.

Nicolas Azalbert, L'Atelier, rte du Pouzet, 11600 Bagnoles, tél. et fax 04.68.77.05.33, e-mail azalbert.nath.nico@wanadoo.fr r.-v.

DOM. LA PRADE MARI Chant de l'olivier 2004 ★

8 ha n.c. 8 à 11 €

Pierre Mari et son fils Laurent ont quitté Oran (Algérie) et leur exploitation en 1964, pour venir s'installer de l'autre côté de la Méditerranée, sur un terroir limono-argilo-calcaire. Depuis 2000, l'histoire se poursuit avec Éric, le petit-fils qui rejoue cette année encore son Chant de l'olivier. On ne s'en plaindra pas, car c'est un vin gourmand, aux arômes de cerise bigarreau, de confiture de mûres et de pruneaux. Sa bouche ronde et élégante livre des tanins polis par l'élevage et délicatement vanillés. Un bon accord pour un tajine d'agneau.

Éric Mari, EARL Dom. La Prade Mari, La Prade, 34210 Aigne, tél. et fax 04.68.91.22.45, e-mail domainelaprademari@wanadoo.fr r.-v.

CH. PUICHERIC Les Clots 2005

n.c. 30 000 5 à 8 €

En 1996, les Celliers du Nouveau Monde ont racheté les vignes et la cave de ce château. On découvre pour la première fois cette cuvée, véritable promenade dans un jardin aux senteurs de fleur de cerisier et de framboise. La bouche soyeuse et équilibrée se parfume d'une touche délicate de violette, sur un fond de réglisse. Un vin gourmand pour une viande grillée.

Celliers du Nouveau Monde, 10, rue de la Paix, 11700 Puicheric, tél. 04.68.43.70.01, fax 04.68.43.76.17, e-mail cnm.puicheric@wanadoo.fr

t.l.j. sf sam. dim. 8h-18h

DOM. PUJOL Cuvée Saint-Fructueux 2005 ★

2,5 ha 12 500 11 à 15 €

Une pointe de grenache accompagne la syrah dans l'assemblage de cette cuvée au bouquet délicat mêlant des notes de fleurs, de cerise burlat et de miel. Le palais velouté et vanillé évolue avec beaucoup de grâce et d'ampleur, jusqu'à une finale boisée sans excès. Le pigeonneau aux pruneaux l'accueillera avec plaisir à sa table.

Pujol-Izard, Dom. Pujol, 8 bis, av. de l'Europe, 11800 Saint-Frichoux, tél. 04.68.78.15.30, fax 04.68.78.24.58, e-mail info@pujol-izard.com

t.l.j. 8h-12h 14h-18h30; sam. dim. sur r.-v.

CH. REMAURY 2005 ★

■ 15 ha 100 000 3 à 5 €

Cette propriété est dans la famille depuis cinq siècles. Bon sang ne saurait mentir ! Comme celui de cette terre que Damien Remaury exploite avec ferveur pour tirer de ces pieds de syrah et de mourvèdre ce vin au bouquet de fruits très mûrs, de cerise et de figue, relevé d'une pointe gourmande de noisette (huit mois d'élevage en fût). La bouche souple aux tanins soyeux réalise un équilibre parfait avant une finale longue et aérienne.

Damien Remaury, Ch. de Floris, 11700 Azille, tél. 04.68.91.51.33, fax 04.68.91.58.56 r.-v.

CH. RIVIÈRE Cuvée Prestige 2005

■ n.c. 26 000 5 à 8 €

Situé au pied de la Montagne Noire, ce domaine bénéficie de terroirs argilo-calcaires desquels il tire ce vin à la robe profonde et soutenue qui exprime au nez d'élégantes notes de chocolat et de pain grillé. En bouche, on est séduit par la finesse du fruit et l'harmonie de l'élevage vanillé. À servir sur un civet de lièvre.

GAEC Agnel, Ch. Rivière, 11160 Caunes-Minervois, tél. 04.68.68.39.94, fax 04.68.78.39.94, e-mail agnelphilippe@aol.com r.-v.

CH. SAINTE-EULALIE Cuvée Prestige 2005 ★

■ 3 ha 12 000 5 à 8 €

Si le **Printemps d'Eulalie rosé 2006 (3 à 5 €)** a plu au jury, celui-ci a surtout retenu cette cuvée Prestige aux arômes de cerise, de mûre et de vanille. La bouche structurée et étoffée ne manque pas de puissance et se prolonge dans une finale agréable.

Isabelle Coustal, Ch. Sainte-Eulalie, 34210 La Livinière, tél. 04.68.91.42.72, fax 04.68.91.66.09, e-mail info@chateausainteeulalie.com r.-v.

CH. SAINT-MÉRY Cuvée Exige 2004 ★

■ 2,27 ha 2 000 8 à 11 €

Ce château se situe au pied de la montagne d'Alaric, dont la légende dit qu'elle recèle le trésor des Wisigoths. De l'exigence, Richard Labène n'en manque pas comme le montre cette syrah parée de pourpre profond, typique par ses arômes de fruits à l'alcool, de clou de girofle et d'épices. On voit en bouche la maîtrise du vigneron qui dose la souplesse de la structure, règle le boisé sur une tonalité grillée et construit patiemment une longue finale. Idéale sur un poulet au curry.

Richard Labène, Dom. Saint-Méry, 11800 Marseillette, tél. 06.07.02.44.97, fax 04.68.79.00.19, e-mail richard.labene@saintmery.com r.-v.

DOM. TAILHADES MAYRANNE ... À Élise 2004 ★★

■ 1,1 ha 2 000 11 à 15 €

La syrah de cette cuvée provient d'une sélection massale de Saint-Joseph. Celle-ci, comme Élise, qui attend son petit frère, pousse fort bien dans les grésettes de Mayranne, sous le regard d'André. Le bouquet est caractéristique, marqué par le cacao, le moka et les fruits mûrs. Cette complexité se retrouve dans la bouche soyeuse et parfumée de fraise, tandis que la réglisse se déroule délicatement en finale.

Dom. Tailhades Mayranne, Dom. de Mayranne, 34210 Minerve, tél. et fax 04.68.91.11.96, e-mail domaine.tailhades@wanadoo.fr r.-v.

DOM. TERRES GEORGES Quintessence 2005 ★★

■ 1,4 ha 5 500 8 à 11 €

Ce vin vous entraîne dans une véritable ronde au pays des senteurs. Cela commence par une balade dans la garrigue aux parfums de pin et de romarin ; puis commence la cueillette des baies, fraise et framboise. En bouche, la réglisse s'impose avant qu'une touche de cacao racée vienne apporter un peu de puissance aussitôt rafraîchie par la minéralité. À carafer et à servir sur un bœuf en daube.

Anne-Marie et Roland Coustal, rue des Jardins, 11700 Castelnau-d'Aude, tél. 06.30.49.97.73, fax 04.68.43.79.39, e-mail info@domaineterresgeorges.com r.-v.

CH. TOURRIL 2006 ★

■ 2,3 ha 13 000 5 à 8 €

Pour accéder à ce château, il faut sortir des sentiers battus et marcher entre pins et garrigue. À l'arrivée, vous pourrez déguster ce rosé issu de cinsault et de grenache, peu conventionnel mais riche de notes de framboise, de mûre et de cassis. On est charmé par sa suavité et sa douce chaleur et par la délicate corbeille de fleurs, qui vient parfumer une finale intense. Idéal sur la cuisine exotique.

EARL Ch. Tourril, Le Tourril, 11200 Roubia, tél. 04.68.91.36.89, fax .04.68.91.30.24, e-mail chateau.tourril@wanadoo.fr r.-v.

CH. VILLERAMBERT JULIEN Ourdivieille 2004

■ 1,15 ha 1 500 30 à 38 €

Ce domaine commandé par une grande bastide du XVIes. flanquée de quatre tours n'est jamais à court d'originalité ! Pour preuve, cette cuvée issue de grenache né sur les schistes tout proches de la Montagne Noire. Elle y a puisé la fine minéralité caractéristique du terroir qu'elle associe aux notes de cassis et d'épices typiques du cépage. Passée douze mois en fût, elle offre ce soupçon de vanille délicat, qui est le signe des vins bien élevés qui savent se faire attendre.

Michel Julien, Ch. Villerambert Julien, D 620, 11160 Caunes-Minervois, tél. 04.68.78.00.01, fax 04.68.78.05.34, e-mail contact@villerambert-julien.com t.l.j. 9h-11h30 14h-18h, sam. dim. sur r.-v.

DOM. VORDY-MAYRANNES Cuvée Louise 2005 ★

■ 2 ha 8 000 5 à 8 €

C'est sur des grésettes typiques des environs de Minerve que Didier Vordy cultive les vignes de syrah, grenache et mourvèdre qui forment l'assemblage de ce vin. À la première agitation du verre, on sent l'explosion aromatique : la groseille s'amorce et le cassis s'éternise. Dès l'attaque, les fruits envahissent la bouche qui, appuyée par une structure puissante, révèle une jolie longueur. Une bouteille à garder dans votre cave quelque temps pour mieux l'apprécier.

Didier Vordy, Mayranne, 34210 Minerve, tél. et fax 04.68.91.80.39, e-mail vordy.didier@wanadoo.fr t.l.j. 9h-12h 14h-19h

Minervois-la-livinière

La commune de La Livinière s'inscrit depuis 1999 dans le cadre d'une appellation minervois-la-livinière regroupant cinq communes des contreforts de la Montagne Noire. Elle a produit 6 786 hl de vin uniquement rouge en 2005 sur 200 ha.

CH. CESSERAS 2004 ★

■ 3 ha 13 300 8 à 11 €

Nés sur les marnes caillouteuses de ce grand domaine qui exploite une cinquantaine d'hectares, la syrah (70 %), le carignan, le grenache et le mourvèdre se marient pour donner ce 2004 qui affiche un bouquet intense de cassis, de groseille et de vanille (quatorze mois en fût). On retrouve ces arômes dans une bouche ample et charnue, qui s'agrémente en finale d'une pointe d'épices.

Dom. Coudoulet, chem. de Minerve, 34210 Cesseras, tél. 04.68.91.15.70, fax 04.68.91.15.78, e-mail pierreandre.coudoulet@wanadoo.fr r.-v.

J.-Y. et P.-A. Ournac

CH. FAÎTEAU 2004 ★

■ 1,6 ha 6 600 8 à 11 €

Sorti de la coopérative en 2000, ce domaine possède une cave dont la charpente du XIX[e]s. en pointe de diamant est typique des constructions du Languedoc. Les Arnaud y taillent sur mesure de superbes joyaux. Ce livinière brille de mille feux rubis et grenat. Son bouquet est serti d'épices et de cassis. Les tanins, parfaitement polis, construisent harmonieusement un palais frais aux accents minéraux et floraux.

GAEC Yves et Jean-Michel Arnaud, 18, rte des Meulières, 34210 La Livinière, tél. 06.15.90.89.48, fax 04.68.91.48.28, e-mail jma-ch-faiteau@wanadoo.fr t.l.j. 10h-12h 17h-19h; r.-v. (nov. à mai)

CUVÉE GAÏA 2005 ★★

■ 3,76 ha 20 000 8 à 11 €

La cave Les Trois Blasons fait cette année encore honneur au terroir et à sa divinité, la déesse Gaïa. Cette cuvée est toujours un péché de gourmandise, caressant les sens par sa sucrosité, la chaleur des épices et la suavité de ses notes cacaotées. Élégante, ample et équilibrée, la bouche offre une finale qui vous transportera en douceur vers des contrées exotiques où se cultivent la cannelle et la vanille. Le **blanc Les Trois Blasons 2006 (3 à 5 €)** est sélectionné pour ses riches arômes floraux et sa fraîcheur.

SCV Les Crus du Haut-Minervois, Cave Les Trois Blasons, 34210 Azillanet, tél. 04.68.91.22.61, fax 04.68.91.19.46, e-mail les3blasons@wanadoo.fr t.l.j. 8h30-12h30 14h30-18h30

Les Trois Blasons

CH. LAVILLE BERTROU 2005

■ 25 ha 128 000 8 à 11 €

Ce 2005 s'ouvre au nez sur des notes de fruits rouges, bientôt rejoints par de gourmands effluves de chocolat chaud. L'attaque est souple, vive et élégante. La cerise burlat et la vanille conduisent le bal en bouche, dont la chair et la rondeur autorisent un plaisir immédiat tout en promettant une belle évolution.

Gérard Bertrand, Ch. L'Hospitalet, rte de Narbonne-Plage, BP 20409, 11104 Narbonne Cedex, tél. 04.68.45.36.00, fax 04.68.45.27.17, e-mail vins@gerard-bertrand.com t.l.j. 9h30-12h30 14h-19h

L'OSTAL CAZES 2004 ★

■ 40 ha 40 000 15 à 23 €

Deux tiers de terroir, un tiers de savoir : l'immense talent du maître de chai Fabrice Darmaillacq s'exprime dans l'élevage de ce vin. Après quinze mois sous chêne, on aurait pu s'attendre à une certaine austérité. Au contraire ! Au nez, un vanillé délicat vient enrober sans les écraser les fruits légèrement compotés. La bouche ample et corsée reste élégante, tout en délicatesse et sucrosité. Un vin abouti qui saura vous plaire si vous n'avez pas la patience d'attendre, mais qui préférera rester encore quelque temps en cave.

L'Ostal Cazes, Tuilerie Saint-Joseph, 34210 La Livinière, tél. et fax 04.68.91.47.79

J.-M. Cazes

DOM. LA ROUVIOLE 2004 ★★★

■ 1 ha 5 600 15 à 23 €

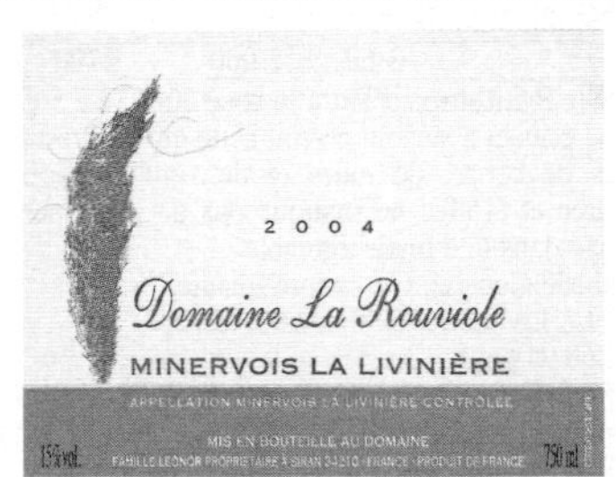

« Formule heureuse », telle est la conclusion d'un dégustateur. Fait-il référence à l'assemblage de trois quarts de syrah et d'un quart de grenache nés sur argilo-calcaire ? Sans doute celui-ci contribue-t-il à la réussite exceptionnelle de ce 2004, mais surtout les avis sont unanimes pour louer l'alliance entre le caractère puissant de ce vin et la noblesse de son élevage. L'attaque ample et fraîche cède le pas à une profusion de vanille et de cannelle qui viennent rejoindre la confiture de fraises et le toasté dans une palette aromatique riche et complexe. Ajoutez une pincée d'épices, une douce chaleur réglissée, et vous aurez le coup de foudre pour ce coup de cœur de la famille Léonor.

Léonor, Dom. La Rouviole, 34210 Siran, tél. et fax 04.68.91.42.13, e-mail franck.leonor@wanadoo.fr r.-v.

Saint-chinian

VDQS depuis 1945, le saint-chinian est devenu AOC en 1982 ; cette appellation couvre vingt communes sur 3 129 ha et a produit 124 129 hl de vins rouges et rosés et 1 365 hl de vins blancs en 2005. Dans l'Hérault, au nord-ouest de Béziers, sur des coteaux s'élevant à 100 ou 200 m d'altitude, le vignoble est orienté vers la mer. Les sols sont constitués de schistes, surtout dans la partie nord, et de cailloutis calcaires, dans le sud. Les vins nés du grenache, de la syrah, du mourvèdre, du carignan et du cinsault ont un potentiel de garde de quatre à cinq ans. Ils sont réputés depuis très longtemps : on en parlait déjà en 1300. Une maison des Vins a été créée à Saint-Chinian.

BARDOU 2005 *

■ 6 ha 25 000 ▮◖◗ 15 à 23 €

Les générations de Miquel se succèdent au hameau de Cazal-Viel. Laurent, fils de Henri Miquel qui est aujourd'hui président de l'appellation, propose deux cuvées récompensées d'une étoile. Ce 2005 porte bien l'héritage de douze mois d'élevage en fût avec ses arômes vanillés et toastés qui se révèlent sous une teinte soutenue. La structure est imposante, la chair persistante et dense, de sorte qu'une garde d'un an ou deux est envisageable et même souhaitable pour parvenir à un meilleur fondu. La cuvée **Larmes des fées 2003 (23 à 30 €)**, plus mûre et intensément aromatique, vous permettra de patienter.

Laurent Miquel, Hameau Cazal-Viel,
34460 Cessenon-sur-Orb, tél. 04.67.89.74.93,
fax 04.67.89.65.17, e-mail laurent@laurent-miquel.com
t.l.j. sf dim. 9h-12h 13h-17h

DOM. BELLES COURBES
Élevé en fût de chêne 2006 *

■ 3,3 ha 2 000 ◖◗ 5 à 8 €

De belles courbes, en effet, que celles dessinées par les vignes plantées en courbes de niveaux sur trois coteaux schisteux. Carignan, grenache et cinsault ont donné naissance à un rosé à la délicate teinte saumon, dont les arômes évoquent avec finesse la grenadine et les fleurs blanches. La bouche est fraîche, friande, et c'est à peine si l'on y devine l'élevage de quatre mois en fût à travers quelques notes vanillées. À déguster dès maintenant avec des salades composées ou, pourquoi pas, à l'apéritif.

Jean-Benoît Pelletier, 24, cours La Fayette,
34480 Saint-Geniès-de-Fontedit,
tél. et fax 04.67.36.32.24,
e-mail vinbellescourbes@wanadoo.fr r.-v.

CH. BELOT Le Vignalet 2005 *

■ 6 ha 40 000 ▮ 5 à 8 €

À partir de 1998, les Belot ont restauré le domaine du XVIIᵉs. et la cave de vinification centenaire, mais leur histoire a commencé dix ans plus tôt, lorsqu'ils ont défriché la garrigue pour planter syrah et mourvèdre. Le grenache noir s'ajoute à ces deux cépages pour composer un 2005 de couleur pourpre qui fleure bon le pain grillé et le cassis. La rondeur et le velouté des tanins flattent le palais, de même que la longue finale réglissée. Quand l'élégance rejoint la typicité.

Ch. Belot,
Dom. Le Tendon, rte de Cessenon-sur-Orb,
34360 Pierrerue, tél. et fax 04.67.38.08.96,
e-mail vignoble.belot@wanadoo.fr
t.l.j. sf dim. 9h-12h 14h-19h

BORIE LA VITARÈLE Les Terres blanches 2005 **

■ 7 ha 28 000 ▮◖◗ 5 à 8 €

Si vous vous arrêtez à la ferme auberge des Izarn, domaine de 60 ha d'un seul tenant, vous ferez une expérience gastronomique unique. Ce 2005 de teinte encore violacée ne peut renier son élevage en fût de chêne pendant douze mois. Aux notes vanillées succèdent celles de coing, d'épices et de fruits confits, tandis que la chair ronde et soyeuse repose sur une structure de tanins solides. Ne vous pressez pas : ce vin saura attendre, de même que la cuvée **Les Schistes 2005 (8 à 11 €)** qui reçoit, elle aussi, deux étoiles pour son ampleur et sa complexité aromatique.

Jean-François et Cathy Izarn-Planès,
Borie la Vitarèle, 34490 Causses-et-Veyran,
tél. 04.67.89.50.43, fax 04.67.89.70.79,
e-mail jf.izarn@libertysurf.fr r.-v.

CH. BOUSQUETTE Prestige 2004 *

■ 2 ha 6 600 ◖◗ 8 à 11 €

À 2 km de l'abbaye de Foncaude, ce domaine pratique l'agriculture biologique sur 24 ha de sols argilo-calcaires. Sa cuvée Prestige 2004, vêtue de grenat, rappelle la garrigue, le ciste et le cassis. Le fruité s'intensifie au palais, nuancé d'épices, et accompagne une chair ronde, aux tanins bien assagis. Servez ce vin courant 2008, avec un gigot d'agneau aux oignons doux des Cévennes.

Éric Perret, Ch. Bousquette, rte de Cazouls,
34460 Cessenon, tél. 04.67.89.65.38, fax 04.67.89.57.58,
e-mail labousquette@wanadoo.fr
t.l.j. 9h-12h 13h30-18h; sam. dim. sur r.-v.

DOM. DE CAMBIS La Vie en rose 2006 *

■ 1,2 ha 3 400 ▮ 5 à 8 €

Une entrée dans le Guide pour ce producteur qui vinifie en cave particulière depuis 2004. Pâle, discrètement saumoné, ce rosé évoque un panier de fruits rouges avant de dévoiler des notes plus singulières de verveine et de fumé. La chair est ronde et parfumée, équilibrée et non dénuée d'élégance. « Pour la table », conclut un dégustateur.

Dom. de Cambis, 2, av. des Mimosas,
34360 Berlou, tél. et fax 04.67.89.63.62,
e-mail domainedecambis@wanadoo.fr r.-v.
GFA Perolari

CH. MICHEL CAZEVIEILLE 2006

■ 12,67 ha 30 000 ◖◗ 5 à 8 €

Un domaine d'à peine moins de 20 ha, constitué par acquisitions de vignes au fil des générations depuis 1925. Ce vin légèrement vêtu mais bien brillant exprime un fruité agréable, ainsi qu'une souplesse et une rondeur avenantes, rehaussées de flaveurs de cassis persistantes.

Michel Cazevieille, 12, av. de la Grotte,
34460 Cazedarnes, tél. 04.67.38.20.89

CLOS BAGATELLE La Terre de mon père 2004 *

■ 3 ha 14 000 ◖◗ 15 à 23 €

Une terre argilo-calcaire, défrichée à partir de 1623 par Pierre Mucadier, ancêtre des propriétaires actuels, puis délimitée par des bordures et plantée de vignes. Ainsi est né le Clos Bagatelle, transmis depuis longtemps de mère en fille. Des reflets cuivrés apparaissent dans ce vin : rien de plus normal puisque trois ans ont passé déjà depuis sa vinification. Le nez exhale des effluves de truffe et de sous-bois, tandis qu'au palais une impression de gras et de soyeux domine. Un saint-chinian parvenu à maturité, que vous pourrez servir avec une gigue de chevreuil, une volaille ou des grillades.

Luc et Christine Simon,
EARL Bagatelle, Clos Bagatelle, 34360 Saint-Chinian,
tél. 04.67.93.61.63, fax 04.67.93.68.84,
e-mail closbagatelle@wanadoo.fr
t.l.j. sf dim. 9h-12h 14h-17h

LE CLOS GOUTINES Julie Caprice 2005 **

■ 3 ha 5 000 8 à 11 €

Le vignoble de 17 ha est niché sur les terrasses du rieu Berlou, au pied du Parc naturel régional du Haut Languedoc. En 1997, Christophe et Nathalie Goutines se sont lancés dans la restauration de ces vignes. Un lieu paradisiaque qui faillit disparaître dans les années 1970, en raison d'un projet de barrage hydraulique. Vous le découvrirez autrement en savourant ce 2005 de couleur sombre, riche d'arômes de fruits rouges et de grillé. Puissant, remarquablement construit et équilibré, c'est un vin en devenir qui mérite deux ou trois ans de garde.

Christophe Goutines, 5, rue Fontaine-Janaré,
34360 Saint-Chinian, tél. et fax 04.67.38.19.00,
e-mail christophe.goutines@9business.fr r.-v.

CH. DE COMBEBELLE 2005

■ 12,5 ha 12 000 5 à 8 €

Situé à plus de 250 m d'altitude, ce vignoble de 17 ha est cultivé en biodynamie. Syrah (70 %) et grenache composent un 2005 aussi intense dans sa couleur que dans ses arômes de laurier et de cassis. Structuré, le vin affiche du volume, mais ses tanins encore jeunes demandent à s'assouplir à la faveur de la garde.

SCEA Ch. Combebelle, Combebelle-le-Haut,
34360 Villespassans, tél. et fax 04.67.38.09.86,
e-mail info@combebelle.com r.-v.

DOM. COMPS Cuvée Le Soleiller 2004 *

■ 2 ha 5 000 5 à 8 €

Un saint-chinian représentatif du sud de l'aire d'appellation, aux sols argilo-calcaires. Des reflets violines l'habillent, tandis que se révèle un bouquet complexe aux notes d'eucalyptus, de baies rouges et de grillé. Des tanins enrobés structurent la chair ronde, vanillée en finale. Le résultat d'un élevage en fût bien maîtrisé pendant dix mois.

SCEA Martin-Comps, 23, rue Paul-Riquet,
34620 Puisserguier, tél. 04.67.93.73.15,
fax 04.67.35.16.55 r.-v.

CH. COUJAN Cuvée Bois joli 2006

5 ha 6 000 5 à 8 €

Coujan est une curiosité avec son îlot de corail fossilisé. Il l'est aussi pour ce 2006 doré qui développe des arômes de fleurs séchées, de poire et une fine note boisée. Équilibré et ample, le vin s'associera sans attendre à une fricassée de lotte.

SCEA F. Guy et S. Peyre, Ch. Coujan,
34490 Murviel-lès-Béziers, tél. 04.67.37.80.00,
fax 04.67.37.86.23, e-mail chateau-coujan@orange.fr
t.l.j. 9h-12h 14h-19h; dim. sur r.-v. E

CH. CRUZY 2005

■ 5 ha 12 000 3 à 5 €

Vinifiés en grains entiers, carignan, mourvèdre, grenache, syrah et mourvèdre à parts égales ont donné naissance à un vin à la fois souple et structuré. De teinte grenat, celui-ci évoque dès le premier nez les fruits rouges et l'encens, puis emplit le palais de sa chair ronde et soyeuse. Il laisse ainsi la possibilité de nombreux accords gourmands.

Alain Espinasse, 4, rue de la Place, 34310 Cruzy,
tél. et fax 04.67.89.34.40,
e-mail alain.espinasse3@wanadoo.fr
mar. ven. et sam. 9h30-19h C

DOM. LES ÉMINADES Sortilège 2004

■ 2 ha 5 000 11 à 15 €

Depuis sa première vinification en 2002, ce domaine est toujours au rendez-vous. Le voici avec un 2004 élevé en fût dix-huit mois durant, d'une étonnante profondeur à l'œil. Les arômes s'amplifient à la faveur de l'aération, passant des fruits noirs au cuir et au boisé, tandis que la bouche affiche un caractère corsé, solidement étayée par les tanins. Ce vin aura de la tenue aux côtés d'un ragoût d'escoubilles un peu rustique.

Luc et Patricia Bettoni, rue des Vignes,
34360 Cébazan, tél. et fax 04.67.36.14.38,
e-mail les.eminades@wanadoo.fr r.-v.

CH. ÉTIENNE LA DOURNIE 2005 **

■ 2 ha 5 000 8 à 11 €

Après un coup de cœur l'an passé, La Dournie reste dans la cour des grands grâce à cette cuvée qui porte déjà la mention « Sud de France » sur l'étiquette. Sous une robe grenat intense apparaissent des arômes de cassis et d'épices, prélude à l'impression de soyeux que laisse la chair ronde et délicate. Un régal en accompagnement d'un filet de bœuf aux cèpes. La cuvée **Élise rouge 2004 (11 à 15 €)** reçoit une étoile pour son fruité vanillé et son ampleur.

Étienne, Ch. La Dournie, rte de Saint-Pons,
34360 Saint-Chinian,
tél. 04.67.38.19.43, fax 04.67.38.00.37,
e-mail chateau.ladournie@wanadoo.fr r.-v.

DOM. FONTAINE MARCOUSSE Cuvée Victorey 2005 *

■ 1,27 ha 4 800 5 à 8 €

Vins et garrigue n'ont pas de secret pour Myriam et Luc Robert qui proposent des séances de dégustation et des circuits botaniques à ceux qui font halte au domaine, dans leur gîte rural. Quelques reflets d'évolution apparaissent dans ce 2005, mais les arômes, de forte intensité, s'inscrivent encore largement dans le registre du cassis et du laurier. Plus discret au palais, le vin se développe en souplesse et en rondeur. Un saint-chinian de copains.

Myriam et Luc Robert, Le Pontil, av. de la Gare,
34620 Puisserguier, tél. et fax 04.67.93.81.37,
e-mail robertmy@aliceadsl.fr r.-v. D

CH. FONTANCHE 2006 **

0,8 ha 6 000 5 à 8 €

Frédéric Lornet, présent dans le Jura, en AOC arbois, s'est installé en Languedoc en 2004. Il maîtrise déjà bien son terroir argilo-calcaire à en juger par ce vin saumon pâle, aux arômes de fleur d'amandier, de pêche et de fumé, puis à la chair pleine et persistante. En un mot, exquis.

Frédéric Lornet, Dom. de Fontanche, 34310 Quarante, tél. 03.84.37.45.10, fax 03.84.37.40.17, e-mail frederic.lornet@orange.fr r.-v.

DOM. GRAVIMEL Dame Saint-Charles 2005 ★

■ 6,7 ha 5 300 8 à 11 €

Vignoble d'un seul tenant sur des coteaux argilo-calcaires, le domaine a été créé en 2002 et s'est entièrement doté d'un équipement neuf, notamment de cuves en Inox. Aucune trace de bois, en conséquence, dans ce vin aux nuances violines qui livre un nez d'abord fruité, puis plus complexe au fil de l'aération, évoquant le genièvre et le grillé. Matière généreuse, tanins puissants mais fins : ce 2005 a encore de l'avenir.

Dom. de Gravimel, 4, av. de Villespassans, 34360 Cébazan, tél. et fax 04.67.24.89.72, e-mail contact@domainedegravimel.fr.st r.-v.

MICHEL ET POMPILIA GUIRAUD La Suite dans les idées 2005

■ 2,3 ha 5 200 8 à 11 €

Coup de cœur l'an passé pour le 2004, Michel et Pompilia Guiraud ne manquent sûrement pas de suite dans les idées... Certes, le 2005 doit s'épanouir, mais dans deux ou trois ans il méritera que vous vous y attardiez. À cette heure, le voici, pourpre profond, doté d'arômes de grillé et de cade alliés à un boisé vanillé, qui impose sa charpente de tanins encore austères.

Michel et Pompilia Guiraud, av. de Balaussan, 34460 Roquebrun, tél. et fax 04.67.89.68.17, e-mail gaec.guiraud@wanadoo.fr r.-v.

DOM. DES JOUGLA Ancestrale 2005 ★★

■ 1,5 ha 9 300 5 à 8 €

Une propriété que se transmet la même famille depuis 1595. Aucun doute, ses ancêtres ont inspiré Alain Jougla lors de l'élaboration de cette cuvée qui revêt la typicité du terroir de schistes. Robe cerise noire, elle égrène ses notes empyreumatiques, épicées et fruitées jusque dans sa chair soyeuse et longuement réglissée, soutenue par des tanins mûrs. Pour un civet de marcassin. Une étoile brille pour la **Cuvée signée rouge 2005 (8 à 11 €)**, élevée un an en fût, qui demande deux ans de garde, ainsi que pour le **coteaux-du-languedoc Les Tuileries blanc 2006**, élevé en cuve, qui met en avant ses arômes d'abricot et sa rondeur.

Alain Jougla, Le Village, 34360 Prades-sur-Vernazobre, tél. 04.67.38.06.02, fax 04.67.38.17.74 r.-v.

LE LAOUZIL Terroir de schistes 2005

■ 5,5 ha 20 000 5 à 8 €

En langue occitane, le terme de *laouzil* désigne le sol composé de lauzes, petites plaques de schistes. Ce 2005 révèle bel et bien les arômes minéraux (pierre à fusil) caractéristiques de ce terroir. Sous une robe sombre à reflets bruns, il se montre rond déjà, empreint de flaveurs de fruits rouges à l'eau-de-vie.

Thierry Navarre, av. de Balaussan, 34460 Roquebrun, tél. 04.67.89.53.58, fax 04.67.89.70.88, e-mail thierry.navarre@wanadoo.fr r.-v.

DOM. LA LINQUIÈRE Le Chant des cigales Élevé en fût de chêne 2005 ★★

■ 3,5 ha 12 000 8 à 11 €

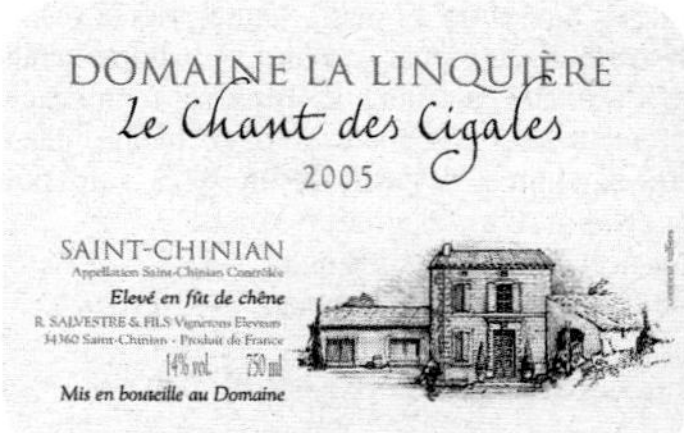

2005 à La Linquière ? Un millésime hors du commun : deux saint-chinian rouges ont été classés premiers, *ex aequo*, au grand jury des coups de cœur. De schistes, de calcaires et de grès, plantés de syrah, de mourvèdre et de carignan, est né ce Chant des cigales. Rassurez-vous : quand la bise sera venue, il continuera de vous enchanter par la profondeur de sa robe et par sa déclinaison d'arômes de truffe, d'épices, de réglisse, de garrigue et de petits fruits noirs. Puissant et suave en bouche, structuré par des tanins fondus, il est aussi élégant que typique. Un coup de cœur va également à **La Sentenelle 310 2005 (15 à 23 €)**, qui obtient deux étoiles pour son bouquet intense comme pour sa rondeur remarquable. Elle provient de syrah et de mourvèdre récoltés sur un terroir de schistes situé à 310 m d'altitude.

Robert Salvestre et Fils, Dom. La Linquière, 34360 Saint-Chinian, tél. 04.67.38.25.87, fax 04.67.38.04.57, e-mail linquiere@neuf.fr t.l.j. 9h-12h 14h30-19h

DOM. LA MADURA Classic 2003 ★

■ 11,5 ha 42 000 8 à 11 €

Depuis bientôt dix ans, Cyril Bourgne a fait son retour aux sources, à Saint-Chinian. Il en a observé attentivement toutes les facettes du terroir : argilo-calcaires, schistes et grès. Son vin de carignan (42 %), de grenache, de syrah et de mourvèdre possède un caractère affable et sait jouer de ses délicats reflets orangés dans le verre. Au bouquet d'épices et de fruits mûrs répond une bouche ronde et ample. Ce 2003 s'associera sans plus tarder à un sauté de veau à la coriandre.

N. et C. Bourgne, Dom. La Madura, 12, rue de la Digue, 34360 Saint-Chinian, tél. et fax 04.67.38.17.85, e-mail info@lamadura.com r.-v.

MAS CHAMPART Côte d'Arbo 2005 ★

■ 2,4 ha 11 000 5 à 8 €

Au mas Champart, le paysage est exceptionnel. En 1976, Isabelle et Matthieu Champart ont été conquis par ce vignoble qu'ils ont patiemment restauré et agrandi sur les terrasses avant de se lancer dans la vinification, en 1988. Ils proposent un 2005 de teinte pourpre, marqué par des arômes originaux de menthol, de réglisse et de cerise. La bouche tout en rondeur et en subtilité trouve une juste harmonie. À déguster dès aujourd'hui avec une côte à l'os.

EARL Champart, Bramefan, rte de Villespassans, 34360 Saint-Chinian, tél. et fax 04.67.38.20.09, e-mail mas-champart@wanadoo.fr r.-v.

LANGUEDOC

MAS DE CYNANQUE Acutum 2005 ★

■ 3 ha 6 500 11 à 15 €

Lors des vendanges 2005, cette cave était encore à ciel ouvert, sa construction n'étant pas achevée. Pourtant, Violaine et Xavier de Franssu, jeunes vignerons, y ont élaboré cette cuvée grenat profond. Si le boisé vanillé est encore dominant au nez, le fruit se manifeste plus distinctement au palais, en accompagnement d'une chair ronde et équilibrée. À partir de fin 2008, vous pourrez servir ce vin avec un magret de canard.

Xavier et Violaine de Franssu,
Mas de Cynanque, rte d'Assignan, 34310 Cruzy,
tél. et fax 04.67.25.01.34,
e-mail masdecynanque@orange.fr r.-v.

DOM. LA MAURERIE Esprit du terroir 2005 ★

■ 2,25 ha 12 000 5 à 8 €

Il suffit de sentir les arômes empyreumatiques et ceux d'eucalyptus pour être convaincu que Michel Depaule, œnologue, a mis la technique au service du terroir schisteux. Sous une robe grenat, ce 2005 déploie une chair ample, riche de flaveurs de fruits rouges en finale. Les tanins bien présents s'assoupliront dans le temps (un an ou deux), mais ils inviteront toujours à un accord avec un cuissot de sanglier.

Michel Depaule, Dom. La Maurerie,
34360 Prades-sur-Vernazobre, tél. et fax 04.67.38.22.09,
e-mail michel-depaule@wanadoo.fr r.-v. B

DOM. DE MONTPLO Cuvée Chrysalide 2005 ★★

■ 3 ha 9 500 8 à 11 €

Ici, syrah, grenache et carignan s'enracinent sur une terrasse villafranchienne, à 200 m d'altitude. Le terroir, le savoir-faire de Jean-Michel Consul et l'élevage en fût pendant quatorze mois ont permis d'obtenir un vin couleur cerise noire qui conjugue les épices, le grillé, la vanille et la truffe. La chair est impressionnante de rondeur et sa puissance permettra sans doute à ce saint-chinian de patienter tranquillement dans votre cave jusqu'en 2009.

Jean-Michel Consul, Hameaux de Montplo,
34310 Cruzy, tél. et fax 04.67.24.97.92,
e-mail jmconsul34@wanadoo.fr t.l.j. 11h-14h

DOM. MOULIN DU ROCHER 2005

■ 3,5 ha 14 500 3 à 5 €

Vous serez ici aux premières loges pour admirer le Caroux. Y verrez-vous la femme allongée que décrivent les habitués du lieu ? Il ne vous sera pas si aisé de percevoir les arômes du 2005 tant ils sont complexes : tabac, sous-bois, vanille. Ronde en attaque, la bouche se prolonge sur des flaveurs de pruneau et autres fruits à l'eau-de-vie, mais les tanins apparaissent fermes encore. Dans un an, vous servirez ce vin avec une viande en sauce.

Luc Frances, 44, av. de Villespassans,
34360 Saint-Chinian, tél. et fax 04.67.38.12.87
t.l.j. 9h30-12h30 15h-19h30

CH. PECH-MÉNEL 2004

■ 2 ha 7 200 11 à 15 €

Au cœur de la garrigue, ce domaine de 21 ha est installé sur un point culminant, d'où son nom de *pech* (sommet de la colline) et de *ménel* (cieux). Voici un 2004 en phase d'épanouissement : robe profonde, senteurs méditerranéennes de cade et de laurier, sans oublier des notes de menthol, tanins fermes et bien affirmés. Il n'est pas impossible qu'il se bonifie encore avec le temps.

Marie-Françoise et Élisabeth Poux,
SCEA Dom. de Pech-Ménel, 34310 Quarante,
tél. 04.67.89.41.42, fax 04.67.89.38.17,
e-mail pech-menel@wanadoo.fr r.-v.

DOM. PIN DES MARGUERITES Berlou Pétale pourpre 2005 ★

■ 1 ha 2 000 8 à 11 €

Premier millésime de Richard Carpena, ce 2005 traduit bien le terroir de schistes. Il apparaît dans une robe rubis et livre des arômes minéraux, des senteurs de fumé et de fruits à l'eau-de-vie. Sa chair généreuse enrobe les tanins et laisse une impression d'ampleur déjà flatteuse. Un vigneron à suivre, évidemment.

Richard Carpena, 14, rue des Clapiers,
34360 Berlou, tél. et fax 04.67.89.58.61,
e-mail richard.carpena@wanadoo.fr r.-v.

CH. DU PRIEURÉ DES MOURGUES Grande Réserve 2005 ★

■ 5,5 ha 15 000 11 à 15 €

En acquérant il y a deux ans les 6 ha qui lui manquaient, Jérôme Roger a reconstitué à l'identique l'ancien domaine de l'évêché de Saint-Pons-de-Thomières. Ce vin grenat profond ne trahit pas son terroir de schistes : aux arômes de fumé et de confiture de fruits se mêlent des senteurs minérales. D'attaque ronde, il fait preuve de volume et s'appuie sur des tanins serrés qui s'assoupliront au cours d'un à trois ans de garde.

Jérôme Roger, Ch. du Prieuré des Mourgues,
34360 Pierrerue, tél. 04.67.38.18.19, fax 04.67.38.27.29,
e-mail prieure.des.mourgues@wanadoo.fr
r.-v. E

PRIEURÉ SAINT-ANDRÉ 2006

■ 0,9 ha 5 000 3 à 5 €

À l'apéritif comme à table, ce rosé fera bel effet dans sa robe saumon pâle. Il vous livrera ses arômes fins de pêche blanche alliés à une petite note poivrée, puis sa chair bien équilibrée et fruitée, qui ne manque pas d'une certaine élégance.

Michel Claparède, Prieuré Saint-André,
34460 Roquebrun, tél. 04.67.89.70.82,
fax 04.67.89.71.41, e-mail prieure.st.andre@wanadoo.fr
t.l.j. 8h-12h 14h-18h D

CH. PUYSSERGUIER 2005 ★

□ 1,1 ha 5 000 8 à 11 €

Grenache blanc, marsanne et roussanne se complètent harmonieusement dans ce 2005 de teinte pâle, mais aux arômes expressifs de compote de pêches et de vanille. À la fraîcheur de l'attaque succède une certaine rondeur, soulignée par un boisé fondu en finale. L'élevage d'un an en fût a été bien maîtrisé.

Les Vignerons de Puisserguier,
29, rue Georges-Pujol, 34620 Puisserguier,
tél. 04.67.89.49.22, fax 04.67.89.30.76,
e-mail info.france@v3t.fr t.l.j. 10h30-12h30 13h30-17h; f. 1re sem. de déc., 2 sem. fin janv.

CH. QUARTIRONI DE SARS Élevé en foudre de chêne 2005

■ 3,7 ha 20 000 5 à 8 €

Si le caractère de ce vin peut dérouter certains dégustateurs, il en satisfera d'autres qui y verront la typicité du terroir de schistes. Léger en couleur, le 2005 offre des senteurs de pierre à fusil, de laurier et de cuir dès le premier nez. La structure est souple, la chair réglissée en finale. « On ne reste pas indifférent », conclut un membre du jury. On imagine déjà les discussions animées autour de la table.

Famille Quartironi, Hameau le Priou, 34360 Saint-Chinian, tél. et fax 04.67.38.01.53, e-mail quartironipradels@orange.fr r.-v.

DOM. DES QUAT'Z'ARTS 2005 ★★

2,1 ha 6 500 8 à 11 €

Si l'étiquette a été créée par le peintre Yvan Surville, une âme d'artiste se cache aussi dans ce vin élaboré par un vigneron installé depuis 2003 dans l'aire d'appellation. Celui-ci a su tirer la quintessence du terroir argilo-calcaire, en s'imposant des rendements inférieurs à 25 hl/ha. Il en résulte un saint-chinian des plus harmonieux dans une robe sombre à reflets violines. Aux arômes intenses de fruits noirs, de cade et de réglisse répond une chair soyeuse et fondante, soutenue par des tanins délicats. « Tout en dentelle », ose un dégustateur. Car l'élégance n'est pas contradictoire avec un corps volumineux. Une bouteille à savourer dès maintenant et pendant encore deux ans, accompagnée de plats mijotés, en sauce, ou de petit gibier.

SARL Levindici, 3, av. du Château, 34310 Quarante, tél. 06.68.37.55.32, fax 04.67.89.77.23, e-mail philippe@domainedesquatzarts.com r.-v.

Philippe Delhaye

DOM. RIMBERT Le Mas au schiste 2004 ★

8 ha 27 000 8 à 11 €

« Mas au schiste » : si vos hôtes n'ont pas l'esprit assez vif pour sourire du jeu de mots, c'est peut-être parce qu'ils sont déjà intrigués par la couleur un peu cuivrée de la robe et par la « typicité quelque peu féerique » – selon l'expression d'un dégustateur – des arômes : grillé, fourrure, Zan à la violette. Les tanins fondus laissent derrière eux de discrètes notes boisées dans une chair ronde et fruitée (cerise mûre). Pour un gigot d'agneau.

Jean-Marie Rimbert, rue de l'Aire, 34360 Berlou, tél. 04.67.89.74.66, fax 04.67.89.73.98, e-mail domaine-rimbert@wanadoo.fr r.-v.

DOM. DU SACRÉ-CŒUR Cuvée Charlotte 2004 ★

3 ha 2 500 11 à 15 €

Huile d'olive et navets noirs de Pardailhan font maintenant partie des produits du terroir proposés par ce domaine. Côté vins, le jury a apprécié l'expression délicate de la roussanne et du grenache blanc dans le **Domaine du Sacré-Cœur blanc 2006 (3 à 5 €)**, noté une étoile à l'instar de cette cuvée Charlotte. Celle-là, grenat à nuances plus soutenues, évoque la confiture de fruits rouges et les épices douces, puis laisse une impression chaleureuse grâce à sa chair ronde, aux tanins bien lissés. N'hésitez pas à la servir en carafe en accompagnement de viandes de caractère.

Dom. du Sacré-Cœur, 34360 Assignan, tél. 04.67.38.17.97, fax 04.67.38.24.52, e-mail gaecsacrecoeur@wanadoo.fr t.l.j. 9h-12h30 14h-19h

SCHISTEIL 2006 ★

8,5 ha 24 300 5 à 8 €

Agrippé aux rudes schistes des derniers contreforts des Cévennes, le vignoble de Berlou est l'un des plus attachants du Languedoc. Le Schisteil est une valeur sûre, comme en témoigne ce 2006 qui livre des arômes persistants de fruits (cassis, pêche), puis une matière gourmande et fraîche. On verrait bien un feuilleté d'escargots accompagner une telle bouteille.

Les Coteaux de Berlou, av. des Vignerons, 34360 Berlou, tél. 04.67.89.58.58, fax 04.67.89.59.21, e-mail contact@berloup.com r.-v.

SEIGNEUR D'AUPENAC Roquebrun 2005 ★★

15 ha 45 000 15 à 23 €

Des pentes escarpées de schistes bordent ce village enchanteur, orienté au sud, où poussent mimosas et eucalyptus. Roquebrun a été reconnu en tant que dénomination de saint-chinian en 2005. En voici un remarquable représentant. Sans timidité aucune, le vin dévoile sa robe profonde et ses arômes d'épices, de cassis, nuancés d'une touche mentholée. Ses tanins de qualité et sa chair ample se développent au palais avec finesse. Un 2005 apte à une garde de deux à trois ans, qui a frôlé le coup de cœur.

Cave de Roquebrun, av. des Orangers, 34460 Roquebrun, tél. 04.67.89.64.35, fax 04.67.89.57.93, e-mail cave@cave-roquebrun.fr r.-v.

DOM. DU TABATAU Lo Tabataïre 2005 ★

2,2 ha 6 700 8 à 11 €

Lo Tabataïre signifie « marchand de tabac ». Pourtant, c'est bien de vin dont on parle ici, et plus précisément d'un 2005 grenat, pareil à un velours épais. Épices, griotte et cacao se succèdent au nez, tandis que la bouche droite et assez tendre laisse une impression d'élégance. Pour un accord avec un gigot d'agneau à l'ail.

Bruno et Jean-Paul Gracia, rue du Bal, 34360 Assignan, tél. 04.67.38.19.60, fax 04.67.38.19.54, e-mail domainedutabatau@wanadoo.fr r.-v.

CH. VEYRAN Clos de l'Olivette 2005 ★

10,08 ha 40 000 5 à 8 €

Accord tout trouvé avec un chevreuil grand veneur, dans deux ou trois ans. Car le vin, de teinte profonde à reflets violines, exhale des senteurs de garrigue, de vanille et d'épices. Car il se montre volumineux, structuré, mariant en finale les fruits noirs aux notes d'élevage. La cuvée **Tradition rouge 2005 (3 à 5 €)**, qui n'a pas connu le bois, mérite une étoile pour son nez de fruits noirs mûrs et son soyeux qui autorise une dégustation dès la fin 2008.

Gérard et Olivier Antoine, Ch. Veyran, 34490 Causses-et-Veyran, tél. 06.63.85.22.80, fax 04.67.89.67.89, e-mail antoine@chateau-veyran.com r.-v.

CH. VIRANEL Tradition 2004 *

■ 10 ha 30 000 ▮ (I) 5 à 8 €

Propriété familiale de longue date, le château Viranel a été construit sur un site gallo-romain. Sur ses sols argilo-calcaires, syrah, grenache, mourvèdre et carignan ont donné naissance à ce 2004 encore joliment grenat, évocateur de Zan, d'épices et de cassis. Le fruité perceptible à l'attaque laisse place à l'expression de tanins puissants, mais fondus dans la chair ronde, puis à une finale sur les fruits secs. Il est inutile d'attendre pour servir cette bouteille.

Ch. Viranel, 34460 Cessenon, tél. 04.67.89.60.59, fax 04.67.89.64.99, e-mail nbergasse@hotmail.com r.-v.

Bergasse

Malepère

Longtemps AOVDQS côtes-de-la-malepère, ce vignoble a accédé à l'appellation d'origine contrôlée en 2007. Il s'étend sur le territoire de 39 communes de l'Aude. Sa situation au nord-ouest des hauts de Corbières limite les influences méditerranéennes pour le soumettre à des influences océaniques. Aussi les malepère, vins rouges ou rosés, ne privilégient-ils pas les cépages du Sud mais les variétés bordelaises. En rouge, le merlot doit constituer la moitié de l'assemblage, suivi du cabernet franc ou du cot (20 %). En rosé, c'est le cabernet franc qui joue le rôle majeur (50 %). Les cépages méditerranéens comme le grenache et le cinsault n'entrent dans les assemblages qu'à titre accessoire.

CH. DE COINTES Clémence 2005 *

■ 3 ha 6 000 (I) 8 à 11 €

André et Jean Cointes, consuls de Carcassonne au XVIIe s., furent les premiers propriétaires du château qui porte aujourd'hui leur nom. Le domaine se distingue cette année par sa cuvée Clémence d'un beau grenat aux reflets tuilés. Son nez intense marie les notes de cacao et de fruits confits. Sa bouche soyeuse se développe sur un équilibre chaleureux et sur de délicates notes boisées (douze mois d'élevage en fût).

Anne Gorostis, Ch. de Cointes, 11290 Roullens, tél. 04.68.26.81.05, fax 04.68.26.84.37, e-mail gorostis@chateaudecointes.com r.-v.

FANA DE PHÉNOLS 2005 *

■ n.c. 30 000 ▮ 3 à 5 €

Nouveau venu sur le marché, l'Atelier d'Are est le résultat de la mise en commun des moyens de commercialisation de deux caves coopératives de l'appellation. Fana de Phénols ? Le nom peut surprendre. Pourtant, ce sont ces molécules qui donnent aux vins ses arômes et ses tanins. Cette cuvée ne fait pas mentir son nom, avec sa robe cerise intense, son nez de petits fruits rouges et sa bouche grasse à l'attaque, équilibrée et aux tanins fondus. À boire sur une viande grillée.

L'Atelier d'Are, Ch. de Samary, 11170 Caux et Sauzens, tél. et fax 04.68.47.87.44, e-mail contact@latelierdare.com r.-v.

Groupe Evoc

DOM. LE FORT Élevé en fût de chêne 2005 **

■ 5 ha 30 000 (I) 5 à 8 €

Stéphanie et Marc Pagès ont repris cette propriété familiale en 1995. Leur 2005 à dominante de merlot (60 %) affiche intensité et complexité au nez, avec une succession de notes de pruneau, de vanille et de pain d'épice. La bouche pleine et harmonieuse trouve son équilibre sur un fond boisé, avant une finale d'une bonne longueur. À boire ou à attendre un peu.

Marc Pagès, Dom. Le Fort, 11290 Montréal, tél. et fax 04.68.76.20.11, e-mail info@domainelefort.com t.l.j. sf dim. 10h-12h 14h30-18h30; mer. 10h-12h

LE FOUCAULD 2005 *

■ 2 ha 13 000 ▮ 3 à 5 €

Sélectionnée en rosé l'an dernier, cette cuvée, élevée douze mois en cuve, se décline ici en rouge. Sous sa robe pourpre intense, on découvre un nez assez puissant, mêlant le cassis et la violette. La bouche d'attaque franche affiche des tanins encore présents, avant une finale suffisamment longue qui retrouve des accents de violette.

Cave La Malepère, av. des Vignerons, 11290 Arzens, tél. 04.68.76.71.71, fax 04.68.76.71.72 t.l.j. sf sam. dim. 8h-12h 14h-18h

DOM. GIRARD Cuvée Néri 2004 ***

■ 0,6 ha 4 000 (I) 8 à 11 €

Après un coup de cœur l'an dernier pour la cuvée Tradition, le domaine Girard est à nouveau distingué cette année pour sa cuvée Néri assemblant merlot (60 %) et cabernet franc (40 %). Ce 2004 se montre assez puissant et exprime au nez des arômes de fruits rouges et de réglisse. La bouche ample est bien soutenue par des tanins finement enrobés. Un vin harmonieux, d'un bel équilibre, qui pourra accompagner le cassoulet.

Dom. Girard, 5, rue de la Fontaine, 11240 Alaigne, tél. et fax 04.68.69.05.27, e-mail domaine-girard@wanadoo.fr r.-v.

CH. GUILHEM Cuvée Prestige 2005 **

■ 7,5 ha 45 000 (I) 8 à 11 €

Le millésime 2005 vient confirmer l'impulsion donnée au domaine avec l'arrivée en 2003 de la nouvelle génération qui sait conjuguer modernité et tradition. Ce

vin à la robe profonde livre au nez des arômes de fruits très mûrs et des notes mentholées et boisées (huit mois d'élevage en fût). La bouche, d'attaque suave, monte en puissance sans jamais perdre en harmonie.
Ch. Guilhem, Le Château, 11300 Malviès, tél. 04.68.31.14.41, fax 04.68.31.58.09, e-mail bgourdou@chateauguilhem.com
t.l.j. sf sam. dim. 9h-12h 14h-19h; f. 1er-15 août
B. Gourdou

LE MAS DE MON PÈRE
Partez pour le rêve ! 2005 ★★

1 ha 3 600 8 à 11 €

Frédéric Palacios est un jeune vigneron de trente ans qui s'est installé en 2005 sur un petit vignoble de 4 ha. Sa cuvée Partez pour le rêve ! porte bien son nom, tant ce vin procure de plaisir. Plaisir des yeux d'abord, avec la robe rubis profond. Plaisir des sens, avec le nez fin et complexe, la bouche puissante et équilibrée déclinant des arômes de fruits frais et de réglisse sur un boisé élégant.
Frédéric Palacios, 11290 Arzens, tél. et fax 04.68.76.23.07, e-mail f.palacios@tiscali.fr
r.-v.

D. DE NOUGAYROL 2006 ★★

n.c. 100 000 3 à 5 €

Régulièrement sélectionnée par le Guide pour ses vins rouges, la cave du Razès se distingue cette année pour son vin rosé. Sous la robe pâle pleine d'élégance, le nez exprime des notes florales rappelant l'aubépine. L'attaque en bouche se fait sur la fraîcheur, puis la matière se montre friande, parfumée de petits fruits mûrs. Une bouteille idéale pour l'apéritif.
Cave du Razès, 11240 Routier, tél. 04.68.69.02.71, fax 04.68.69.00.49, e-mail info@cave-razes.com
t.l.j. sf dim. 8h-12h 14h-18h

Vins doux naturels du Languedoc

LANGUEDOC

Dès l'Antiquité, les vignerons de la région ont élaboré des vins liquoreux de haute renommée. Au XIIIe s., Arnaud de Villeneuve découvrit le mariage miraculeux de la « liqueur de raisin et de son eau-de-vie » : c'est le principe du mutage qui, appliqué en pleine fermentation sur des vins rouges ou blancs, arrête celle-ci en préservant ainsi une certaine quantité de sucre naturel.

Les vins doux naturels d'appellation contrôlée se répartissent dans la France méridionale : Pyrénées-Orientales, Aude, Hérault, Vaucluse et Corse, jamais bien loin de la Méditerranée. Les cépages utilisés sont le grenache (blanc, gris, noir), le macabeu, la malvoisie du Roussillon, dite tourbat, le muscat à petits grains et le muscat d'Alexandrie. La taille courte est obligatoire.

Les rendements sont faibles, et les raisins doivent, à la récolte, avoir une richesse en sucre de 252 g minimum par litre de moût. L'agrément des vins est obtenu après un contrôle analytique. Ils doivent présenter un taux d'alcool acquis de 15 à 18 % vol., une richesse en sucre de 45 g minimum à plus de 100 g pour certains muscats, et un taux d'alcool total (alcool acquis plus alcool en puissance) de 21,5 % vol. minimum. Certains sont commercialisés tôt (muscats), d'autres le sont après trente mois d'élevage. Vieillis sous bois de manière traditionnelle, c'est-à-dire dans des fûts, ils acquièrent parfois après un long élevage des notes très appréciées de rancio.

Muscat-de-lunel

Le terroir de Lunel est principalement constitué de gress, cailloutis sur plusieurs mètres d'épaisseur à ciment d'argile rouge. Le vignoble se localise sur ces nappes caillouteuses, au sommet des coteaux. Ici, seul le muscat à petits grains est utilisé ; les vins finis doivent avoir au minimum 110 g de sucre. 7 775 hl ont été élaborés pour le millésime 2005 sur une superficie de 357 ha.

GRÈS SAINT-PAUL Sévillane 2006 ★★

3,4 ha 17 000 11 à 15 €

GRES SAINT PAUL
2006
SÉVILLANE

Jean-Philippe Servière, perfectionniste dans l'âme, a encore réussi son coup... de cœur ! C'est la quatrième fois qu'il obtient cette distinction, grâce à son travail de sélection des meilleurs terroirs. Sa cuvée Sévillane a remporté les suffrages, pour ses arômes complexes d'évolution où se mêlent la verveine, les agrumes, un zeste d'orange et de la liqueur de kumquat. La bouche ample et suave retrouve tous ces parfums et les prolongent à l'infini.

Jean-Philippe Servière,
Ch. Grès Saint-Paul, rte de Restinclières, 34400 Lunel,
tél. 04.67.71.27.90, fax 04.67.71.73.76,
e-mail contact@gres-saint-paul.com
t.l.j. sf dim. 9h-12h 14h-19h

MAS DE BELLEVUE
Lacoste Cuvée Tradition 2006 ★★

8 ha 20 000 5 à 8 €

Il y a bien longtemps que les muscats de Régine et Francis Lacoste sont installés dans le haut du panier. C'est le cas cette année encore avec ce 2006, dont le bouquet, marqué par l'élegance, exprime des arômes de litchi et d'agrumes. Équilibré en bouche, harmonieux, c'est le muscat moderne par excellence, idéal pour un apéritif entre amis.

EARL Francis et Régine Lacoste, Mas de Bellevue,
rte de Sommières, 34400 Lunel, tél. 04.67.83.24.83,
fax 04.67.71.48.23, e-mail muscatlacoste@wanadoo.fr
t.l.j. sf dim. 9h-19h (hiver 18h)

LES VIGNERONS DU MUSCAT DE LUNEL
Le Muscat de Printemps 2005 ★

5,38 ha 14 000 5 à 8 €

La cave coopérative de Vérargues innove avec cette cuvée « de Printemps », issue d'une sélection au vignoble. Le résultat est plutôt encourageant. Le nez exprime de délicates notes de fleurs blanches et de tilleul. De la suavité en bouche mais aussi de l'élégance et une bonne harmonie générale. Un muscat de plaisir à déguster dès aujourd'hui.

Les Vignerons du Muscat de Lunel, rte de Lunel-Viel,
34400 Vérargues, tél. 04.67.86.00.09, fax 04.67.86.07.52,
e-mail info@muscat-lunel.com r.-v.

Muscat-de-frontignan

Le frontignan a été le premier muscat à obtenir l'appellation d'origine contrôlée en 1936. C'est un jugement du tribunal de Montpellier (du 4 juillet 1935) qui a fixé la nature des terroirs susceptibles de produire ces vins. Les muscat-de-frontignan ne peuvent naître que de terrains généralement secs, caillouteux, pierreux, issus de couches jurassiques, molassiques et d'alluvions anciennes – des sols ingrats à toute autre culture. Ils proviennent exclusivement du muscat à petits grains (anciennement appelé « muscat doré de Frontignan »). Ces vins doivent garder 125 g de sucre par litre. Puissants, ils ne manquent pourtant jamais d'élégance. Les 800 ha de l'AOC ont produit 19 582 hl en 2005.

DOM. DU MAS ROUGE 2005 ★★

2,8 ha 5 000 8 à 11 €

Domaine repris en 2001 et entièrement rénové, de la vigne au chai en 2002. Beaucoup d'ampleur dans ce frontignan, traduisant une parfaite maturité des raisins. Ses arômes mentholés agrémentés d'une pointe de figue sèche lui confèrent une bonne fraîcheur. Un dégustateur a noté une légère amertume en fin de bouche, rarement décrite dans les muscat-de-frontignan. À réserver aux connaisseurs.

Julien Cheminal, Dom. du Mas Rouge,
30, chem. de la Poule-d'Eau, 34110 Vic-la-Gardiole,
tél. 04.67.51.66.85, fax 04.67.51.66.89,
e-mail contact@domainedumasrouge.com
r.-v.

CH. DE LA PEYRADE Cuvée Prestige 2006 ★

n.c. 50 000 8 à 11 €

Ce château collectionne les étoiles et les coups de cœur du Guide. Il se distingue cette année avec cette cuvée Prestige à la robe or vert profond, au nez d'agrumes encore discret, qui révèle en bouche une certaine générosité. Il s'affirmera après un ou deux ans de garde.

Yves Pastourel et Fils,
Ch. de La Peyrade, 34110 Frontignan,
tél. 04.67.48.61.19, fax 04.67.43.03.31,
e-mail info@chateaulapeyrade.com
t.l.j. sf dim. 9h-12h 14h-18h30

DOM. PEYRONNET Cuvée Belle Étoile 2006 ★

11 ha 8 000 8 à 11 €

Implanté dans l'ancienne forge de l'arrière-grand-père de l'actuel propriétaire, ce domaine, coup de cœur l'an dernier, a ouvert en 2007 un mini-musée. Si vous le visitez, prenez aussi le temps de goûter cette cuvée soignée, dont la fraîcheur des arômes (mangue, citron) constitue un gage de bonne évolution. En bouche, c'est un vin qui ne manque ni d'ampleur, ni d'élégance. À stocker dans toutes les bonnes caves.

EARL Dom. Peyronnet,
9, av. de la Libération, 34110 Frontignan,
tél. 04.67.48.34.13, fax 04.67.48.14.42,
e-mail caves.favier-bel@wanadoo.fr
t.l.j. 9h-12h 14h-19h

DOM. DE LA PLAINE Cuvée Christho 2005 ★

20 ha 20 000 5 à 8 €

Marie-Noëlle et Francis Sala ont pris la première syllabe des prénoms de leurs deux fils, Christophe et Thomas, pour baptiser cette cuvée or pâle à reflets verts. Le nez intense de verveine et de menthe est accompagné d'une délicate touche de peau d'orange sèche. La bouche fraîche complète cet ensemble harmonieux qui peut s'inviter à un apéritif entre amis.

Francis Sala, Dom. de la Plaine, 6, rte de Montpellier, 34110 Vic-la-Gardiole, tél. 04.67.48.10.78, fax 04.67.48.18.67, e-mail muscat-de-f@wanadoo.fr t.l.j. 8h-19h

CH. DE SIX TERRES 2006 ★

15 ha 36 000 5 à 8 €

Ici, quand la coopérative tousse, c'est tout le frontignan qui s'enrhume. Représentant en effet 80 % de la production, la cave semble heureusement se porter comme un charme, témoin ces deux vins sélectionnés. D'abord ce Château, très onctueux en bouche, dont le bouquet d'agrumes ne demande que quelques mois de plus pour s'exprimer pleinement. Même note pour le désormais célèbre rancio qui, cette année, n'a « que » **douze ans d'âge (11 à 15 €)** ! À réserver aux amateurs avertis.

SCA Coop. de Frontignan, 14, av. du Muscat, BP 136, 34112 Frontignan Cedex, tél. 04.67.48.12.26, fax 04.67.43.07.17, e-mail frontignancoop@wanadoo.fr t.l.j. 9h30-12h30 14h30-18h30; groupes sur r.-v.

CH. DE STONY Sélection de vendanges 2006 ★★

15 ha 23 000 8 à 11 €

Vignoble planté il y a plus d'un siècle pour assurer l'approvisionnement en vin de la fabrique de vermouth de l'aïeul savoyard... Du vermouth au muscat, la conversion est plus que réussie ! Coup de cœur du Guide 2006, coup de cœur de l'édition 2008 ; voilà deux distinctions qui ne doivent rien au hasard. Sérieux à la vigne, appliqué à la cave, Frédéric Nodet maîtrise son sujet et le grand jury élit sa Sélection à l'unanimité. Doré à reflets verts, ce 2006 livre un nez de fleurs blanches et d'agrumes, le tout légèrement miellé. Il montre en bouche une réelle harmonie et une persistance infinie. À associer à un foie gras poêlé aux figues chaudes.

Nodet, GAEC Ch. de Stony, La Peyrade, 34110 Frontignan, tél. 04.67.18.80.30, fax 04.67.43.24.96 r.-v.

Muscat-de-mireval

Ce vignoble est délimité par Frontignan à l'ouest, le massif de la Gardiole au nord et la mer et les étangs au sud. Les sols sont d'origine jurassique et se présentent sous forme d'alluvions anciennes de cailloutis calcaires. Le cépage est uniquement le muscat à petits grains ; il a donné, en 2005, 6 694 hl de vins doux naturels.

Le mutage est effectué assez tôt, car les vins doivent avoir un minimum de 110 g de sucre ; ils sont moelleux, fruités et liquoreux.

DOM. DE LA CAPELLE Parcelle 8 2005 ★

6 ha 6 000 23 à 30 €

Alexandre Maraval produit du muscat de qualité depuis longtemps. Il a étendu son domaine viticole dans les années 1980, en défrichant des garrigues dans le massif de la Gardiole. Aujourd'hui, il exploite 15 ha de vigne et commercialise notamment le vin de la parcelle n °8, aux arômes d'évolution où la liqueur d'orange et la gentiane rivalisent de finesse. L'onctuosité en bouche n'est pas encombrante, toujours bien équilibrée.

Alexandre Maraval, Dom. de La Capelle, 5, av. Gambetta, 34110 Mireval, tél. 04.67.78.15.14, fax 04.67.78.58.96 t.l.j. 9h30-12h 14h-19h

CH. D'EXINDRE Vent d'Anges 2005 ★★

2,51 ha 7 600 8 à 11 €

Coup de cœur l'an dernier, le muscat de Catherine Sicard-Géroudet ne laisse jamais indifférent. Par petites touches de liqueur d'orange, de pruneau, de cire et de miel, un artiste pourrait essayer de recomposer son bouquet mais sans jamais y parvenir, tant il est complexe. Sa bouche, ample et liquoreuse, miellée et douce, n'en finit plus de séduire. À servir sur une tarte à la frangipane.

Catherine Sicard-Géroudet, La Magdelaine d'Exindre, 34750 Villeneuve-les-Maguelone, tél. et fax 04.67.69.49.77, e-mail catherinegeroudet@yahoo.fr lun. mar. jeu. ven. 15h-19h; sam. 9h-12h

DOM. DU MAS ROUGE 2005 ★

4 ha 6 000 8 à 11 €

Depuis son installation en 2001, Julien Cheminal a prouvé son professionnalisme à la fois en muscat-de-frontignan et en muscat-de-mireval. Aujourd'hui, il propose ce millésime 2005 au nez encore très frais d'agrumes et d'écorce de pamplemousse. En bouche, liqueur et vivacité maintiennent l'équilibre et participent à une finale particulièrement harmonieuse. Une tarte Tatin caramélisée s'impose.

Julien Cheminal, Dom. du Mas Rouge, 30, chem. de la Poule-d'Eau, 34110 Vic-la-Gardiole, tél. 04.67.51.66.85, fax 04.67.51.66.89, e-mail contact@domainedumasrouge.com r.-v.

LANGUEDOC

Muscat-de-saint-jean-de-minervois

Ce muscat est produit par un vignoble perché à 200 m d'altitude et dont les parcelles s'imbriquent dans un paysage de garrigue. Il s'ensuit une récolte tardive, près de trois semaines environ après les autres appellations de muscat de l'Hérault. Le vignoble est implanté sur des sols calcaires d'un blanc étincelant où apparaît parfois la coloration rouge de l'argile. Là encore, seul le muscat à petits grains est autorisé ; les vins obtenus doivent avoir un minimum de 125 g/l de sucre. Ils sont très aromatiques, avec beaucoup de finesse, de fraîcheur et des notes florales caractéristiques. C'est la plus petite AOC de muscat sur le continent (188 ha) avec une production de 5 334 hl en 2005.

BAGATELLE 2006

8 ha 25 000 8 à 11 €

Le Clos Bagatelle n'a pas suivi le courant des muscats modernes, tout en dentelle et légèreté, avec cette bouteille de 2006. Bien au contraire, il propose un muscat aux arômes compotés et confits, où la liqueur de kumquat accompagne une bouche très onctueuse. Un vin tout en puissance à réserver aux amateurs avertis.

EARL Bagatelle, Clos Bagatelle, 34360 Saint-Chinian, tél. 04.67.93.61.63, fax 04.67.93.68.84, e-mail closbagatelle@wanadoo.fr r.-v.

DOM. DE BARROUBIO
Cuvée Nicolas Vieilles Vignes 2004 ★★

n.c. 5 000 15 à 23 €

Septième coup de cœur pour le domaine qui fait de la qualité un véritable cheval de bataille. Comment rester

insensible à la complexité de ce nez aux notes de menthol, de verveine, de miel puis d'orange confite ? Très ample en bouche, généreux, le 2004 garde, malgré cette grande richesse, une note fraîche, presque acidulée, qui allège la finale jusqu'à la rendre aérienne. À réserver pour un fondant au chocolat. Une étoile pour la **cuvée classique 2005 (8 à 11 €)**, pour ses arômes de verveine et sa bouche moelleuse aux accents légèrement citronnés.

Raymond Miquel, Barroubio, 34360 Saint-Jean-de-Minervois, tél. 04.67.38.14.06, e-mail barroubio@barroubio.fr t.l.j. 10h-12h 14h-18h

ÉCLATS BLANCS 2005 ★★

1,4 ha 5 406 11 à 15 €

En 2005, la coopérative a procédé à la sélection de la vendange de 1,40 ha de muscat selon des critères de qualité extrêmement rigoureux. Le résultat est immédiatement salué par les membres du jury : arômes intenses de litchi et d'ananas, rafraîchis par la fleur d'acacia. La bouche légèrement citronnée laisse apparaître des senteurs de pétales de rose. Le bel équilibre de ce vin le classe unanimement parmi les muscats remarquables. Essayez-le donc sur un foie gras poêlé !

SCA Le Muscat, Le Village, 34360 Saint-Jean-de-Minervois, tél. 04.67.38.03.24, fax 04.67.38.23.38 r.-v.

Le Roussillon

L'implantation de la vigne en Roussillon, sous l'impulsion des marins grecs attirés par les richesses minières de la côte catalane, date du VIIe s. avant notre ère. Elle se développa au Moyen Âge, et les vins doux de la région connurent de bonne heure une solide réputation. Après l'invasion phylloxérique, la vigne a été replantée sur les coteaux du plus méridional des vignobles de France.

Amphithéâtre tourné vers la Méditerranée, le vignoble du Roussillon est bordé par trois massifs : les Corbières au nord, le Canigou à l'ouest, les Albères au sud, qui font la frontière avec l'Espagne. La Têt, le Tech et l'Agly sont des fleuves qui ont modelé un relief de terrasses dont les sols caillouteux et lessivés sont propices aux vins de qualité, et particulièrement aux vins doux naturels que vous trouverez dans ce chapitre. On rencontre également des sols d'origine différente avec des schistes noirs et bruns, des arènes granitiques, des argilo-calcaires ainsi que des collines détritiques du pliocène.

Le vignoble du Roussillon bénéficie d'un climat particulièrement ensoleillé, avec des températures clémentes en hiver, chaudes en été. La pluviométrie (350 à 600 mm) est mal répartie, et les pluies d'orages ne profitent guère à la vigne. Il s'ensuit une période estivale sèche, dont les effets sont souvent accentués par la tramontane qui favorise la maturation des raisins.

La vigne est encore le plus souvent conduite en gobelet, avec une densité de 4 000 pieds. La culture reste traditionnelle, souvent peu mécanisée. L'équipement des caves se modernise avec la diversification des cépages et des techniques de vinification. Après de rigoureux contrôles de maturité, la vendange est transportée en comportes ou petites bennes sans être écrasée ; une partie des raisins est traitée par macération carbonique. Les températures au cours de la vinification sont de mieux en mieux maîtrisées, afin de protéger la finesse des arômes : tradition et technicité se côtoient.

Côtes-du-roussillon et côtes-du-roussillon-villages

Ces appellations sont issues des meilleurs terroirs de la région. Les côtes-du-roussillon-villages sont localisés dans la partie septentrionale du département des Pyrénées-Orientales ; quatre communes bénéficient de l'appellation avec le nom du village : Caramany, Lesquerde, Latour-de-France et Tautavel. Terrasses de galets, arènes granitiques, schistes confèrent aux vins une richesse et une diversité qualitatives que les vignerons ont bien su mettre en valeur. Au sud de Perpignan, depuis 2003, on produit des côtes-du-roussillon-Les-Aspres, une dénomination attribuée après identification parcellaire.

Les vins blancs sont produits principalement à partir des cépages macabeu, malvoisie du Roussillon et grenache blanc, mais également avec la marsanne, la roussanne et le rolle, vinifiés par pressurage direct. Ils sont méditerranéens, avec un arôme fin, floral (fleur de vigne). Ce sont des compagnons de choix pour les fruits de mer, les poissons et les crustacés.

Les vins rosés et les vins rouges sont obtenus à partir d'au moins trois cépages, le carignan noir (60 % maximum), le grenache noir, la syrah et le mourvèdre constituant les cépages principaux. Tous ces cépages (sauf la syrah) sont conduits en taille courte à deux yeux. Souvent, une partie de la vendange est vinifiée en macération carbonique, surtout à partir du carignan qui donne, avec cette méthode de vinification, d'excellents résultats. Les vins rosés sont vinifiés obligatoirement par saignée.

Les vins rosés sont fruités, corsés et nerveux ; les vins rouges sont fruités, épicés, d'une richesse alcoolique de 12% vol. environ. Les côtes-du-roussillon-villages varient selon la nature de leur terroir mais affichent toujours de beaux tanins ; certains peuvent se boire jeunes, mais d'autres peuvent se garder plus longtemps et développer alors un bouquet intense et complexe. Leurs qualités organoleptiques diversifiées leur permettent de s'associer avec les mets les plus variés.

Le vignoble (8 040 ha) a produit en 2006 quelque 283 000 hl (67 500 hl de côtes-du-roussillon-villages sur 2 270 ha et 215 500 hl de côtes-du-roussillon avec une dominante en rosé : 114 000 hl environ). Les blancs restent confidentiels (4 400 hl).

ROUSSILLON

Côtes-du-roussillon

AGLY BROTHERS 2004 ★★

■ n.c. 4 000 🍷 15 à 23 €

Michel et Corinne Chapoutier, venus des terrasses de Tain, s'allient à Ron et Elva Langhton, du domaine australien Jasper Ill ; ils choisissent de vieux ceps de l'Agly cultivés en biodynamie qui donnent ce vin remarquable à la robe pourpre et vive. Le nez chemine entre le fruit mûr épicé et la douceur vanillée d'un excellent élevage sous bois. Les tanins présents mais déjà mûrs structurent la bouche, ample et équilibrée, et prolongent le plaisir en finale par de délicates notes boisées. À ouvrir dans un an sur un tournedos aux morilles.

🔑 M. Chapoutier, 18, av. Paul-Durand, BP 38, 26600 Tain-l'Hermitage, tél. 04.75.08.28.65, fax 04.75.08.81.70, e-mail chapoutier@chapoutier.com
☑ 🍷 🚶 t.l.j. 9h-12h30 14h-19h; dim. 10h-13h 14h-18h

DOM. BOUDAU Le Clos 2005 ★★

■ 10 ha 35 000 🍾 5 à 8 €

Village vigneron, Rivesaltes est surtout connu pour les vins doux naturels qui portent son nom. Mais le grenache, si précieux dans ces vins, se plaît aussi à jouer dans la cour des vins secs. Aidé par le savoir-faire des

Boudau, il apporte suavité et fruits, souplesse et générosité à ce 2005 grenat brillant. Allié à un vieux carignan, il dessine une bouche ample et longue, que vient agrémenter en finale la fraîcheur poivrée de la syrah. À partager entre amis autour de tapas.
Dom. Boudau, 6, rue Marceau, 66600 Rivesaltes, tél. 04.68.64.45.37, fax 04.68.64.46.26, e-mail info@domaineboudau.fr
t.l.j. sf dim. 10h-12h 15h-19h

CH. DE CALCE 2004 *

■ n.c. 20 000 3 à 5 €

Aux portes nord de Perpignan, bien calé au soleil dans les derniers soubresauts des Corbières, Calce joue entre schistes et calcaires sur des terroirs hors pair. Les quatre cépages du Roussillon (carignan, grenache, mourvèdre, syrah) à parts égales ont produit ce 2004 qui joue à fond la carte des fruits mûrs confiturés. Le cassis apporte une touche sauvage et acide, la fraise sa chair savoureuse et la cerise son croquant. Les tanins fins, légèrement épicés, contribuent à l'harmonie de l'ensemble. À boire sur une grillade ou des boules de picoulat.
Les Vignerons du Ch. de Calce, 8, rte d'Estagel, 66600 Calce, tél. 04.68.64.47.42, fax 04.68.64.36.48, e-mail sevcalce@orange.fr
t.l.j. sf dim. 9h-12h 15h-18h

CLOS DE L'ORIGINE 2004

■ 2 ha 3 500 11 à 15 €

Un nouveau venu sur le terroir de Maury. Premier millésime, première sélection. Est-ce dû au travail en biodynamie sur le petit vignoble de 6 ha ou à l'assemblage réussi des cépages traditionnels grenache, carignan et syrah ? Le fait est que ce vin sombre, qui évolue sur le pruneau et le fruit très mûr, surprend en bouche par sa sucrosité, son volume et la saveur épicée de ses tanins. À boire dès aujourd'hui.
Marc Barriot, Clos de l'Origine, 1, rte de Lesquerde, 66460 Maury, tél. 06.75.03.71.71, fax 04.68.53.10.38, e-mail closdelorigine@gmail.com r.-v.

CLOS MASSOTTE Corail d'automne 2005 **

□ 1 ha 3 000 8 à 11 €

Ici, la valeur n'attend pas le nombre des années. Jeune vigneron en cave particulière depuis 2003, coup de cœur l'an dernier pour un rouge, Pierre-Nicolas Massotte surprend en osant un grenache blanc, pur cépage traditionnel des vins doux naturels, vinifié en sec dans le chaleureux terroir des Aspres. Bien lui en a pris, car voici une cuvée mûre, à l'or soutenu, aux senteurs de pêche, de vanille et de fruits exotiques. La bouche offre une superbe matière toastée, finement boisée, ample et non départie d'une touche fraîche et sauvage en finale. Le **Corail d'automne rouge 2005 (11 à 15 €)**, au fruité réglissé, très fondu, décroche également deux étoiles.
Pierre-Nicolas Massotte, Clos Massotte, 3, rue des Alzines, 66300 Trouillas, tél. 06.23.36.43.01, fax 04.68.53.49.66, e-mail pn@massotte.com r.-v.

CH. LA COMMANDERIE DU MAS DEU
Élevé en fût de chêne 2005 *

■ 35,4 ha 33 000 3 à 5 €

L'attirance des Bordelais pour le Roussillon se manifeste par des accords de partenariat entre vignerons, et nombreux sont ceux qui ont ainsi investi dans la vallée de Maury. Le négoce est également présent, comme le montre ce vin proposé par Œnoalliance, qui marie les fruits confiturés, les fruits secs (amande) et les notes toastées de l'élevage. La bouche fondue, aux tanins légers, retrouve les fruits rouges, avant une longue finale sur la fraîcheur.
Œnoalliance, rte du Petit-Conseiller, 33750 Beychac-et-Caillau, tél. 05.57.97.39.73, fax 05.57.97.39.74, e-mail info@oenoalliance.com

CH. DE CORNEILLA
Cuvée Prestige Élevé en fût de chêne 2004

■ 3 ha 8 000 5 à 8 €

Cette très ancienne famille du Roussillon, mondialement connue pour ses champions d'escrime et d'équitation, réside dans le château féodal de Corneilla depuis le XV[e]s. Ce sont ses qualités de vigneron qui la distinguent ici. Ce 2004 pourpre clair, aromatique (fruits à noyau), est finement habillé par un élevage en fût discret. Bien équilibrée, sa bouche fraîche ne manque pas de persistance aromatique. À ouvrir sur des brochettes de veau.
EARL Jonquères d'Oriola, Ch. de Corneilla, 66200 Corneilla-del-Vercol, tél. 04.68.22.73.22, fax 04.68.22.43.99, e-mail chateaudecorneilla@hotmail.com
t.l.j. sf dim. 11h-12h 17h-19h

DOM. DEPRADE-JORDA Sélection 2005 **

■ 2 ha 6 000 8 à 11 €

La famille Deprade vend en direct 80 % de la production de ses 65 ha de vignes. Chacun dans sa partie a su trouver sa place. Leur beau terroir s'exprime dans des vins de qualité. Brillant, limpide, une touche de minéralité : ce 2005 se montre élégant. Le merveilleux terrain des Albères apporte sa finesse au grain des tanins, la syrah sa touche réglissée, le carignan assure la longueur tandis que le grenache enrobe l'ensemble. À apprécier dans un an.
Jacques Deprade, 98, rte Nationale, 66700 Argelès-sur-Mer, tél. 04.68.81.10.29, fax 04.68.89.04.64 t.l.j. 8h30-12h 16h-19h

DOM BRIAL 2005

□ 7 ha 46 180 3 à 5 €

Cette importante cave de muscat-de-rivesaltes dispose d'un excellent savoir-faire et, muscat oblige, d'un outil performant. Celui-ci s'avère particulièrement utile pour l'élaboration de vins délicats, tels les blancs et les rosés. Ce 2005 s'affiche dans une robe rose soutenu et livre un nez mêlant les fruits rouges, des notes grillées et des senteurs de garrigue. Vif, ample et structuré, ce rosé solide saura accompagner tout un repas.
SCV Les Vignerons de Baixas Vignobles Dom Brial, 14, av. du Mal-Joffre, 66390 Baixas, tél. 04.68.64.22.37, fax 04.68.64.26.70, e-mail contact@dom-brial.com
t.l.j. sf dim. 8h-12h 14h-18h

CH. L'ESPARROU 2004 *

■ 2 ha 10 000 5 à 8 €

L'Esparrou, c'est l'éperon, le dernier soubresaut des terrasses de cailloux roulés par la Têt, dominant mer et étangs. Un vignoble bien calé autour d'un des châteaux construits par Ralph Petersen au XIX[e]s. dans son style si particulier. Fin, souple, élégant et fruité, ce 2004 aux tanins soyeux est un vin plaisant, auquel ne manquent pas même la petite touche épicée ni la fraîcheur toujours bienvenue ! Charcuterie catalane, tournedos et fromage : le menu est prêt.

Jean-Louis et Marie-Pascale Rendu, Dom. de L'Esparrou, 66140 Canet-en-Roussillon, tél. 04.68.73.30.93, fax 04.68.73.58.65, e-mail esparrou@hotmail.com

t.l.j. 9h-12h 14h-18h; f. dim. en hiver

DOM. FERRER-RIBIÈRE
Mémoire des temps 2005 ★

3,5 ha 11 000 8 à 11 €

Il y a quinze ans, un viticulteur et un ancien responsable de communication décidèrent de s'associer pour créer ce domaine. Partageant la même philosophie du bio et de la biodynamie, ils réalisent désormais la majorité de leurs ventes à l'exportation. Le nom de ce vin est bien choisi, car ce rouge saura témoigner dans deux à trois ans des conditions climatiques de 2005 à Terrats. Un millésime de concentration, riche en fruits mûrs, agrémenté ici de notes de torréfaction, charpenté par un tanin présent, marqué par le côté épicé du carignan. Le palais d'une bonne ampleur invite à la patience avant d'ouvrir cette bouteille sur une viande rouge.

Dom. Ferrer-Ribière, SCEA des Flo, 20, rue du Colombier, 66300 Terrats, tél. 04.68.53.24.45, fax 04.68.53.10.79, e-mail domferrerribiere@aol.com r.-v.

FRUITÉ CATALAN 2006 ★★

125 ha 747 000 3 à 5 €

Se regrouper pour agir : les Catalans pratiquent cet adage sur les terrains de rugby avec un certain succès, mais aussi en vitiviniculture. Leur fer de lance est cette cuvée au nom si explicite. Robe profonde et violine, nez intense et élégant, aux accents de fruits mûrs et d'épices, ce 2006 est fait pour un plaisir immédiat. Les tanins soyeux jouent avec la chair du fruit. D'une grande fraîcheur et d'un remarquable équilibre, il accompagnera un magret de canard. Une étoile distingue le **rosé Saveurs oubliées 2006 (moins de 3 €)**, un vin amylique, frais et sur le petit fruit ; une citation va au **rosé Côteaux de Rasiguères 2006**.

Vignerons Catalans en Roussillon, 1870, av. Julien-Panchot, BP 29000, 66962 Perpignan Cedex 9, tél. 04.68.85.04.51, fax 04.68.55.25.62

DOM. LAFAGE Les Aspres Cuvée Léa 2005 ★★★

2,3 ha 8 000 11 à 15 €

La dénomination « Les Aspres », encore confidentielle, est attribuée suivant des critères stricts, après identification parcellaire de vignes situées au sud de

ROUSSILLON

Le Roussillon

Vins doux naturel : maury ; muscat-de-rivesaltes et rivesaltes ; banyuls et banyuls grand-cru

Régions viticoles limitrophes

AOC : collioure ; côtes-du-roussillon-villages ; côtes-du-roussillon

Limites de départements

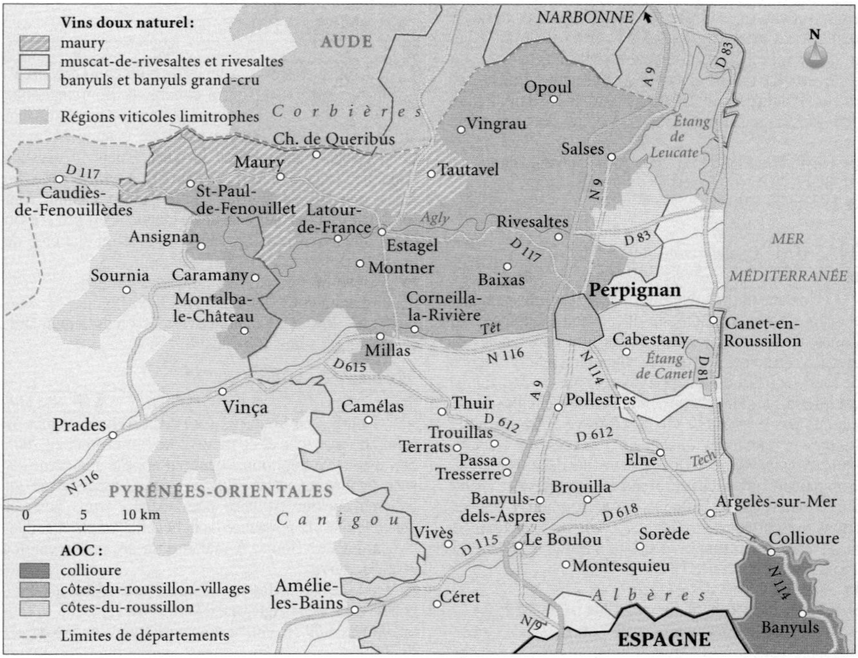

Perpignan. La famille Lafage, depuis ses premières bouteilles en 1995, n'a cessé d'investir dans les terroirs. Ce vin travaillé, profond, limpide, est solide dès l'approche, où le vanillé se laisse déborder par la douceur du fruit à l'eau-de-vie. Chaleureuse, très fruitée, la bouche se montre charnue, avant une finale au boisé fondu et finement épicée, pleine de fraîcheur. Un plaisir à partager dans un à deux ans. Le **rosé 2006 Parfum de vignes (5 à 8 €)**, fin et aromatique, obtient une étoile.

SCEA Dom. Jean-Marc Lafage,
Mas Miraflors, rte de Canet, 66000 Perpignan,
tél. 04.68.80.35.82, fax 04.68.80.38.90,
e-mail domaine.lafage@wanadoo.fr r.-v.

DOM. LAGUERRE Le Ciste 2005

7 ha 13 000 11 à 15 €

Dans les Fenouillèdes (terroirs d'altitude d'arènes granitiques), le blanc est d'une expression toute particulière. La palette des cépages judicieusement plantés, l'agriculture biologique et la passion chaleureuse d'Éric Laguerre pour son métier de vigneron ont donné ce vin bien élevé dont la robe est or pâle. Ce 2005 mêle au nez les senteurs grillées du fût aux fruits très mûrs. Le fruité exotique s'allie aux notes vanillées dans un palais gras et ample, à la finale très fraîche.

Dom. Laguerre, Le Village,
66220 Saint-Martin-de-Fenouillet,
tél. et fax 04.68.59.26.92,
e-mail domaine.laguerre@free.fr r.-v.

MAS AMIEL Le Plaisir 2005

18,1 ha 50 000 5 à 8 €

Incontournable pour ses maury, le Mas a depuis longtemps compris que le grenache pouvait se décliner en vin sec et exprimer un terroir jusqu'alors méconnu dans ce registre. Certes, ce n'est pas le petit vin gouleyant, mais sous une robe élégante, on découvre la chaleur d'un soir d'été avec la touche du ciste et celle, plus fraîche, du laurier. Puis la cerise et la groseille se marient dans la chair du palais, riche en tanins fondus. À boire ou à attendre un peu.

Olivier Decelle, Dom. Mas Amiel, 66460 Maury,
tél. 04.68.29.01.02, fax 04.68.29.17.82
t.l.j. 8h30-18h

MAS BAUX Soleil rouge 2004 ★★★

2,2 ha 9 900 11 à 15 €

Une vue imprenable sur les Pyrénées, un vieux mas catalan totalement isolé sur le plateau caillouteux de Canet, à cinq minutes des plages, quelques vignes de grenache en bon état, le reste du vignoble à refaire : le coup de foudre qu'ont eu les époux Baux pour ce domaine se comprend aisément. Syrah et mourvèdre mènent la danse, rejoints par le grenache (10 %), dans ce 2004 aux notes fruitées et minérales auxquelles l'élevage en barrique (quinze mois) a conféré un grillé vanillé délicat et jamais dominateur. La bouche surprend et séduit par sa richesse qui se manifeste dès l'attaque, sur le fruit noir, et par ses tanins présents sans être agressifs. Un vin chaleureux et plein, à servir dans un ou deux ans sur un bœuf bourguignon.

Mas Baux, voie des Coteaux,
66140 Canet-en-Roussillon, tél. et fax 04.68.80.25.04,
e-mail contact@mas-baux.com r.-v.
Serge Baux

DOM. DU MAS BÉCHA Excellence 2005 ★★★

1,7 ha 10 000 5 à 8 €

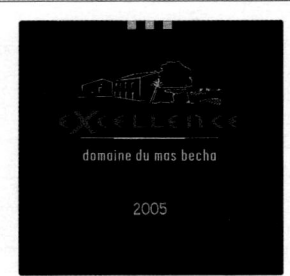

À Nyls, les vignes font tout pour résister à la pression immobilière et l'on peut s'en réjouir lorsque l'on voit ce qu'elles savent donner quand elles sont conduites avec soin et savoir-faire. Grenat profond, cette cuvée Excellence, composée d'une majorité de syrah, porte décidément bien son nom. Avec ses senteurs d'épices miellées et de fruits confiturés, c'est un vin généreux aux tanins soyeux, alliant la fraîcheur du sous-bois et de la violette aux fruits noirs mûrs, superbe par sa persistance et la touche réglissée qui anime la finale. Raffiné, il pourra accompagner une gigue de chevreuil ou un carré d'agneau aux morilles. Le **rouge Élevé en fût de chêne 2003**, qui s'impose par sa maturité, et le **rouge Tradition 2005**, qui se distingue par sa fraîcheur et ses notes de garrigue, obtiennent chacun une citation.

Perez, SARL Dom. du Mas Bécha,
1, av. de Pollestres, 66300 Nyls-Ponteilla,
tél. 04.68.56.23.64, fax 04.68.56.23.65,
e-mail hachette2008@masbecha.com r.-v.

DOM. MAS CREMAT 2005 ★

n.c. 13 000 5 à 8 €

Le mas tient son nom des terres noires qui l'entourent. Un terroir surprenant qui a conquis la Bourguignonne Catherine Jeannin, catalane depuis maintenant dix-sept ans, dont les enfants, Julien et Christine, continuent l'aventure. Fruits rouges, cerise kirschée, soupçon sauvage d'amande fraîche, un brin de laurier, le terroir parle. Le palais puissant est marqué par le fruit ; les tanins sont solides, le grain soyeux et la finale longue. Déjà prêt, ce vin saura aussi bien accompagner un lièvre qu'une côte de bœuf.

Jeannin-Mongeard, Dom. du Mas Cremat,
66600 Espira-de-l'Agly, tél. 04.68.38.92.06,
fax 04.68.38.92.23, e-mail mascremat@mascremat.com
t.l.j. sf dim. 10h-12h 14h-18h

MAS LAS CABES 2005 ★★★

10 ha 35 000 8 à 11 €

Plantées sur les terres noires de l'Agly, les vignes de syrah, de grenache et de mourvèdre ont produit en 2005 ce vin rouge exceptionnel que tout appelle à la garde : la robe sombre aux reflets violacés ; le nez un peu fermé qui réclame quelque patience pour exhaler fruits noirs et chèvrefeuille ; la puissance de la bouche, ample et ronde, aux tanins de velours. À attendre un an, puis à carafer avant de servir.

Jean Gardiès, Mas Las Cabes, 1, rue Milière,
66600 Espira-de-l'Agly, tél. 04.68.64.61.16,
fax 04.68.64.69.36, e-mail domgardies@wanadoo.fr
r.-v.

DOM. DU MAS ROUS
Élevé en fût de chêne 2004 ★

■ 8 ha 24 000 (|) 8 à 11 €

Le merveilleux terroir des Albères nécessite un vrai savoir-faire pour se révéler et s'exprimer en dentelles au palais. José Pujol est depuis longtemps en symbiose avec ces sols acides et trouve naturellement le geste vigneron. Pour vous en convaincre, essayez le **rouge Tradition 2005 (5 à 8 €)**, élevé en cuve, qui obtient une citation ou mieux encore ce 2004 élevé en fût. Boisé ou non, à chaque fois le geste est juste. Ici, les notes empyreumatiques s'allient à la minéralité du sol, à une touche de sous-bois et à un soupçon d'épices. Un vin élégant, velouté et fin, à la finale réglissée et aux tanins présents mais soyeux, vraie marque du terroir.

José Pujol, Dom. du Mas Rous, BP 4, 66740 Montesquieu-des-Albères, tél. 04.68.89.64.91, fax 04.68.89.80.88, e-mail masrous@mas-rous.com ▽ Y ★ r.-v.

CH. MOSSÉ Coume d'abeille 2005 ★★

■ 2,5 ha 10 000 (|) 8 à 11 €

Les Mossé cultivent leurs vignes sur le site d'une ancienne commanderie des Templiers depuis cinq générations. Coup de cœur dans les éditions 2005 et 2006, trois étoiles l'an dernier, ils montrent à nouveau cette année toute l'étendue de leur talent. Issue d'un terroir de schistes, cette Coume d'abeille est bien ouverte sur les fruits des bois et les épices. En bouche, le vin se marie harmonieusement avec les notes empyreumatiques de l'élevage, sur un lit de tanins soyeux. La cuvée **Temporis 2005 rouge Vieilli en fût de chêne (11 à 15 €)** ronde et souple, mais encore marquée par le boisé, est à attendre un à deux ans et décroche une étoile. Enfin, le **Clos de la Serre 2005 rouge (3 à 5 €)** du même château, mais proposé par Signatures du Sud, est cité.

Jacques Mossé, Ch. Mossé, 66300 Ste-Colombe-de-la-Commanderie, tél. 04.68.53.08.89, fax 04.68.53.35.13, e-mail chateau.mosse@worldonline.fr ▽ Y ★ r.-v.

CLAUDE OLIVER
La Fille du soleil Vieilli en fût de chêne 2005 ★★

■ 3 ha 3 600 ▮(|) 8 à 11 €

C'est en ces lieux que le docteur A. de Villeneuve mit au point, dit-on, le principe du mutage des vins doux naturels, il y a quelque... sept cents ans ! C'est pourtant un vin sec que propose ce château, anciennement commanderie des Templiers. Si l'approche est dominée par des notes empyreumatiques, c'est l'équilibre en bouche qui a séduit le jury. Il se fait entre un boisé fin entouré d'épices (cannelle, girofle), le fruité noir de la cerise et la touche acidulée de la framboise, sans que jamais l'un ne domine les autres. Les tanins doux structurent l'ensemble qui est prêt à boire sur une côte de bœuf grillée.

Claude Oliver, Ch. du Mas Deu, 66300 Trouillas, tél. 04.68.53.11.66, fax 04.68.53.16.67, e-mail claude.oliver@orange.fr ▽ Y t.l.j. sf dim. 10h-12h 14h-18h; f. jan.

DOM. DES ORMES Cuvée Azur 2005 ★

■ 4 ha 6 600 ▮ 8 à 11 €

Sainte-Colombe-de-la-Commanderie est sans nul doute l'un des plus beaux villages du Roussillon. L'habitat typique y est homogène autour de la vieille église adossée aux premiers contreforts des Aspres, avec au loin le bleu azur de la mer et le vert bleuté du massif pyrénéen. Ce vin élevé longuement en cuve demande une aération avant de livrer ses arômes de cerise à l'eau-de-vie et la note poivrée due au mourvèdre. La bouche se montre un brin sauvage en attaque avant de s'adoucir sur le pruneau. Les tanins encore jeunes n'en sont pas moins prometteurs et il faudra attendre un peu ce 2005, avant de le servir sur une grillade accompagnée de tomates à la provençale.

Dom. des Ormes, 1, Cami de Cantarana, 66300 Ste-Colombe-de-la-Commanderie, tél. et fax 04.68.53.19.33, e-mail domainedesormes@yahoo.fr ▽ Y ★ r.-v.

CH. DE L'OU 2005 ★

■ 8,5 ha 20 000 ▮(|) 5 à 8 €

Ce domaine converti au bio tient son nom d'une fontaine en forme d'œuf (*ou* en catalan) où les Templiers venaient abreuver leurs chevaux. C'est aussi, si l'on en croit l'étiquette, un symbole de pureté. Issu à 60 % de syrah, ce 2005 se présente dans une robe pourpre profonde, sous laquelle on perçoit des notes animales et de sous-bois. Puis le vin s'ouvre en bouche sur la mûre et la cerise. Le toasté est léger, les tanins encore solides et la finale très fraîche, dominée par la cannelle et une note poivrée. À boire dès maintenant sur de la charcuterie catalane.

Ch. de L'Ou, rte de Villeneuve, 66200 Montescot, tél. et fax 04.68.54.68.67, e-mail chateaudelou66@orange.fr ▽ Y ★ r.-v. 3

Bourrier

ROUSSILLON

DOM. PARAIRE 2004

■ 8 ha 12 000 ▮ 5 à 8 €

Bien que l'on soit sous le climat venteux et ensoleillé du Roussillon et sous l'aile protectrice du Canigou, l'agriculture biologique, même dans les collines entrecroisées de Fourques, reste un art délicat. Saluons d'autant plus ce travail ici, qu'il est l'œuvre de la coopérative. Un 2004 rouge tendre, empreint de groseille et de fruits des bois, franc et frais à l'attaque, aux tanins souples et soyeux, gouleyant à souhait. Un vrai vin plaisir à partager entre amis sur des charcuteries catalanes.

SCA Les Vignerons de Fourques, 1, rue des Taste-Vin, 66300 Fourques, tél. 04.68.38.80.51, fax 04.68.38.89.65, e-mail vigneronsdefourques@wanadoo.fr ▽ Y ★ t.l.j. sf dim. 14h-18h; sam. 9h-12h

DOM. PARCÉ Vieilli en fût de chêne 2003 ★

■ 5 ha 12 000 (|) 5 à 8 €

Que de chemin parcouru depuis un quart de siècle à vinifier en cave particulière. Un chemin raisonné, comme la culture du vignoble, et réfléchi, avec d'importants investissements au fil des ans : vigne, cave, caveau de vente. Un parcours à saluer. Les reflets tuilés de ce 2003 annoncent une sage évolution, que confirment les senteurs de fruits confits, de clou de girofle et de venaison, le volume de la bouche, une belle sucrosité et un boisé qui s'allie au pruneau. Les tanins encore présents mais fins le destinent d'ici peu à une viande rouge.

EARL A. Parcé, 21 ter, rue du 14-Juillet, 66670 Bages, tél. 04.68.21.80.45, fax 04.68.21.69.40, e-mail vinsparce@aol.com ▽ Y ★ r.-v.

LA PASSION D'UNE VIE 2004 ★

■ 5,5 ha 20 000 (|) 23 à 30 €

L'homme aux multiples vignobles en France et dans le monde ne pouvait ignorer le Roussillon, où il a choisi de construire un nouveau et superbe chai dans le village de Montner. La violette, le sous-bois du Midi et la vanille exotique signent cette cuvée fort réussie. L'équilibre se fait en bouche entre le gras et la fraîcheur, sur un lit de tanins présents et délicatement boisés. Cantal ou entrecôte ? Pourquoi pas les deux ?

Bernard Magrez, Domaines Magrez, Grand-Rue, 66720 Montner, tél. 04.68.80.24.81

t.l.j. 8h-12h 14h-17h; sam. dim. sur r.-v.

DOM. DE LA PERDRIX
Cuvée Joseph-Sébastien Pons 2005 ★

2 ha 5 000 11 à 15 €

Venus de la restauration, André et Virginie Gil ont repris en 1996 la propriété familiale. Ils commencent par restructurer le vignoble et rénovent la cave. En 2000, c'est la grande aventure avec le premier millésime et aujourd'hui ils réalisent 50 % des ventes à l'export. L'or de ce 2005 est finement grisé ; puis on découvre le nez intense qui mêle vanille et fruits exotiques. Ample et gras, le palais évolue sur des notes miellées et toastées, avant une finale fraîche marquée par les épices et une pointe d'amertume. À apprécier d'ici quelques mois sur des fromages affinés.

Dom. de La Perdrix, 7, rue des Platanes, 66300 Trouillas, tél. 04.68.53.12.74, fax 04.68.53.52.73, e-mail domaineperdrix@libertysurf.fr r.-v.

Gil

CH. PÉZILLA Fût de chêne 2004 ★★

5 ha 20 000 5 à 8 €

G. Caillens quitte ses fonctions de directeur de la coopérative. Voici l'une de ses dernières cuvées remarquables. Un vin de passion, à l'image de sa vie de vigneron. Élégant, racé, le bouquet est complexe, alliant boisé, senteurs de garrigue et touche sauvage du genévrier. La bouche est harmonieuse, équilibrée, ample et longue, jouant sur le fruit et un boisé épicé évoluant vers le grillé en finale. À découvrir sur une daube de sanglier.

Les Vignerons de Pézilla, 1, av. du Canigou, 66370 Pézilla-la-Rivière, tél. 04.68.92.00.09, fax 04.68.92.49.91, e-mail contact@pezilla.com

t.l.j. sf dim. 8h30-12h30 14h-18h30

CH. PLANÈRES Les Aspres La Coume d'Ars 2005 ★

5 ha 6 000 8 à 11 €

Avec quatre cuvées retenues, Jaubert et Noury font preuve une nouvelle fois de leur capacité à appréhender et à exprimer ce terroir des Aspres. La Coume d'Ars est un vin au fruité éclatant, jouant sur des notes confiturées, apprécié pour sa sucrosité, son ampleur, sa finesse et surtout sa longueur. Déjà prêt, il pourra attendre également grâce à sa fraîcheur. Issu du même terroir, le **2005 rouge La Romanie Les Aspres (15 à 23 €)** est sélectionné pour la richesse de son fruit et ses tanins prometteurs. Sans dénomination de terroir, **La Romanie blanc 2006 (11 à 15 €)**, boisée, se mariera à des encornets *a la plancha*. Enfin, la cuvée **Prestige rouge 2005 (5 à 8 €)**, intense et charpentée, est à attendre un ou deux ans. Toutes ces bouteilles décrochent une étoile.

Jaubert et Noury, Ch. Planères, 66300 Saint-Jean-Lasseille, tél. 04.68.21.74.50, fax 04.68.21.87.25, e-mail contact@chateauplaneres.com

t.l.j. 9h-12h 14h-18h

CH. DE REY Les Galets roulés 2005

3 ha 8 000 11 à 15 €

L'aiguille élancée du château de Rey, construit par Petersen, est le point de repère du plateau de galets roulés qui s'étend à deux pas de Canet. Là, loin des plages surpeuplées, c'est le souffle de la tramontane et le chant des cigales qui accompagnent le promeneur dans les vignes. De passage au domaine, ce dernier pourra découvrir ce vin à la robe presque noire, qui mêle au nez les fruits des bois, les épices et le boisé. La bouche n'est pas moins aromatique, montrant des tanins présents et une finale chaleureuse qui invitent à garder cette bouteille en cave un ou deux ans. Le magret de canard accompagnera sa sortie. Les **Galets roulés blanc 2005**, frais et légèrement miellés, sont cités.

Cathy et Philippe Sisqueille, Ch. de Rey, rte de Saint-Nazaire, 66140 Canet-en-Roussillon, tél. 04.68.73.86.27, fax 04.68.73.15.03, e-mail contact@chateauderey.com

t.l.j. sf sam. dim. 10h-12h 14h-17h

DOM. ROSSIGNOL Les Aspres Bérénice 2004 ★★

2 ha 5 892 8 à 11 €

Au lieu de se laisser bercer par le succès (mérité), Pascal Rossignol a décidé de relever de nouveaux défis : création d'un vignoble à 400 m d'altitude sur schistes, construction d'un chai dédié exclusivement aux vins doux naturels et conversion à l'agriculture biologique. Tout cela en 2005-2006 ! Pour les amoureux de vins structurés, cet Aspres est un régal de puissance, avec ses tanins marqués mais fins sur fruits confiturés et l'excellent apport aromatique (vanille, réglisse, épices) de l'élevage en barrique. Sans oublier ses premières senteurs de fruits rouges surmûris et de figue. Pour un pavé de bœuf ou du gibier mais dans un an ou deux.

Pascal Rossignol, rte de Villemolaque, 66300 Passa, tél. et fax 04.68.38.83.17, e-mail domaine.rossignol@free.fr

t.l.j. sf dim. 10h30-12h30 16h-19h

DOM. SALVAT Tradition 2005 ★

10 ha 12 000 8 à 11 €

Les Fenouillèdes, c'est le jardin secret du Roussillon. On n'en parle qu'avec ceux qu'on aime, et encore on ne dit pas tout, de peur de donner trop envie d'y aller voir ! C'est aussi le lieu des combats des Don Quichotte locaux contre les éoliennes, nouveaux moulins à vent qui poussent un peu partout en Roussillon. Il y pousse aussi de la syrah, du grenache et du carignan, qui donnent ce vin intense, profond, exprimant les petits fruits frais acidulés. La bouche gourmande, fruitée et réglissée, est remarquée pour sa fraîcheur et ses tanins qui sauront se fondre d'ici le printemps. On servira alors cette bouteille sur un jarret de bœuf accompagné de Béa primeur du Roussillon.

Dom. Salvat, 8, av. Jean-Moulin, 66220 Saint-Paul-de-Fenouillet, tél. 04.68.59.29.00, fax 04.68.59.20.44, e-mail salvat.jp@wanadoo.fr

r.-v.

DOM. SARDA-MALET Terroir Mailloles 2004 ★

4 ha 4 000 15 à 23 €

Un des derniers vignobles de Perpignan, bien calé dans les collines du sud de la ville, un havre à préserver de l'appétit des promoteurs pour la belle expression, en blanc comme en rouge, de ce terroir de Serrat d'en Vaquer – également réputé pour son passé paléontologique. Un

excellent 2004 prêt à boire, très fin et gras, enrichi par les notes boisées de l'élevage qu'accompagnent les senteurs exotiques de la marsanne et de la roussette, avant une finale sur la fraîcheur. À réserver à un poisson au beurre blanc. Le **Sarda rouge 2005 (5 à 8 €)** est cité pour sa fraîcheur et son intensité aromatique.
Dom. Sarda-Malet,
Mas Saint-Michel, chem. de Sainte-Barbe,
66000 Perpignan, tél. 04.68.56.72.38,
fax 04.68.56.47.60, e-mail sardamalet@wanadoo.fr
r.-v.
Jérôme Malet

DOM. SOL-PAYRÉ Imo Pectore 2004 **

■	2 ha	6 000		8 à 11 €

Que de chemin parcouru depuis le début du XXᵉs., quand A. Payré, ouvrier agricole, décida de franchir un cap en devenant vigneron ! Alliant tradition, avec le caveau typique situé dans le vieux Elne, et modernité, avec le nouveau chai des collines de Saint-Martin, le domaine propose une cuvée **Scelerata Âme noire 2004 rouge (11 à 15 €)** encore jeune (une citation), et cet Imo Pectore mêlant au nez le fruit noir et le grillé. Le palais attaque en souplesse, puis développe une matière ample et fruitée, portée par des tanins présents mais jamais agressifs. La finale fraîche est marquée par une pointe mentholée. À boire ou à attendre un an ou deux, et à servir sur une côte de bœuf.
Jean-Claude Sol, rue de Paris, 66200 Elne,
tél. 04.68.22.17.97, fax 04.68.22.50.42,
e-mail domaine@sol-payre.com
t.l.j. sf dim. 9h-12h 15h-18h;
f. 15h-18h de jan. à mars

DOM. DES TROIS ORRIS La Figarasse 2005 **

■	1 ha	3 000		8 à 11 €

Les *orris*, ce sont ces cabanes de berger, ces abris de pierres sèches qui se fondent dans le paysage sauvage des Fenouillèdes. C'est là, à 600 m d'altitude, que Joep Graler a décidé en 2003 de poser ses valises et de laisser s'exprimer sa passion pour le vin. Empreint de minéralité et de baies rouges sauvages, ce vin issu à majorité de très vieux carignan (presque centenaire) est remarquable en bouche par sa présence et sa persistance. Du fruit mûr et du boisé pour les arômes, des tanins souples et solides pour la structure, et de la fraîcheur pour la finale. Un bel exemple de complicité entre un homme et son terroir.
Dom. des Trois Orris,
Mas Llossannes, rte de Marçevol, 66320 Tarérach,
tél. 06.75.02.51.00, fax 04.68.05.29.19,
e-mail troisorris@wanadoo.fr r.-v.
Joep Graler

CH. VALFON Mirabet 2005 **

■	1,3 ha	6 000		8 à 11 €

Deux amis d'enfance réunis par la même passion du vin et de la terre catalane, ont créé ce domaine cultivé en lutte raisonnée sur 26 ha. Fruits confits, petites notes animales et grain de café torréfié se disputent le nez. Le vin s'assagit ensuite, s'arrondit, se développant sur des tanins et des notes fruitées et vanillées, avant une finale d'une élégante fraîcheur.
Dom. Valfon, 11, rue des Rosiers, 66300 Ponteilla,
tél. et fax 04.68.53.61.66, e-mail chvalfon@aol.com
r.-v.

LE PREMIER DE VALMY 2004 **

■	2,7 ha	10 830		15 à 23 €

Cadeau de mariage d'un ministre de l'Agriculture à l'héritière des papiers à cigarette Job, le romantique château de Valmy a vu le jour en 1900. Il revit depuis 1997, grâce à B. Carbonnell qui y a ouvert des chambres d'hôtes, mais qui a aussi restructuré le vignoble. Cela donne un vin qui s'ouvre à l'aération sur la vanille et les fruits mûrs. Le petit fruit frais se présente dès l'attaque, puis la maturité s'impose, les tanins s'expriment, tapissant la bouche de leur grain fin avant de se fondre doucement. Une bouteille prête à boire sur un carré d'agneau rôti.
B. et M. Carbonnell,
Ch. de Valmy, chem. de Valmy,
66700 Argelès-sur-Mer, tél. 04.68.81.25.70,
fax 04.68.81.15.18, e-mail chateau.valmy@tiscali.fr
r.-v. 7

DOM. DU VIEUX CHÊNE Lou Ginesta 2006

■	5 ha	4 000		5 à 8 €

Le lieu ne manque ni de charme ni de couleurs : des pins verts sur schistes noirs, une vue sur le bleu azur de la mer et sur le blanc lumineux des neiges du Canigou. Le vin marie au nez les fruits mûrs et les notes poivrées ; la bouche attaque en souplesse puis laisse s'exprimer avec vigueur les tanins avant une longue finale marquée par une fraîcheur réglissée. À attendre encore un an pour un meilleur fondu de l'ensemble.
Dom. du Vieux Chêne, Mas Kilo, rte de Vingrau,
66600 Espira-de-l'Agly, tél. 04.68.38.92.01,
fax 04.68.38.95.79, e-mail venise@hautvaloir.com
r.-v.
Denis Sarda

ROUSSILLON

Côtes-du-roussillon-villages

LES ARÈNES DE GRANIT Lesquerde 2005

■	15 ha	13 000		5 à 8 €

Lorsque les schistes de Maury s'estompent, on découvre entre deux vallons le village de Lesquerde, au terroir de granite et de gneiss. La coopérative de la commune est de nouveau présente cette année avec cette cuvée, assemblage de syrah (70 %), de grenache et de carignan. Une robe cerise burlat, un nez bourgeon de cassis ; une attaque vive et des tanins encore assez présents qui ne masquent pas la présence du fruit : un vin plaisir à déguster entre amis.
SCV Lesquerde, rue du Grand-Capitoul,
66220 Lesquerde, tél. 04.68.59.02.62,
fax 04.68.59.08.17, e-mail lesquerde@wanadoo.fr
t.l.j. sf dim. 9h-12h 14h-18h

DOM. D'ARFEUILLE L'Originelle 2004 *

■	7,5 ha	15 000		8 à 11 €

Plusieurs propriétaires du Bordelais investissent en Languedoc-Roussillon. Stéphane d'Arfeuille (Château La Pointe en pomerol) est de ceux-là. En 2003, il a acheté 7,5 ha plantés de vignes de plus de cinquante ans. Syrah (40 %), carignan (35 %) et grenache nés sur schistes sont à l'origine de cette cuvée couleur rouge profond, au nez

intense de fruits rouges (cerise, framboise) accompagnés d'une touche sauvage et d'une pointe florale. La bouche ample offre elle aussi une corbeille de fruits. Des tanins fins enrobent une matière puissante, et une belle sucrosité contribue à l'équilibre de ce vin solide et riche.
⊶ Stéphane d'Arfeuille, 32, rue Baste,
33300 Bordeaux, tél. 05.57.87.35.27,
fax 05.57.51.42.33,
e-mail domaine.darfeuille@laposte.net

LE GRAND A D'ARGUTI Cuvée MCA 2005

■ 8,2 ha 6 420 8 à 11 €

Proche des vertigineuses gorges de Galamus, dans le Fenouillèdes, un petit domaine créé en 2004. Née sur les schistes, la cuvée MCA fait la part belle au grenache (60 %), assemblé à la syrah et au carignan. Un élevage en barrique pour ce vin rubis soutenu, au nez intense mêlant fruits noirs et notes toastées. La bouche compose un plaisant cocktail d'arômes aussi exubérants que variés : la groseille, la fraise des bois, puis les fruits cuits et les épices (cannelle, clou de girofle) s'expriment au fur et à mesure de la dégustation. L'ensemble est prêt à accompagner du gibier rôti.
⊶ Dom. Arguti, 14, av. du 16-Août-1944,
66220 Saint-Paul-de-Fenouillet, tél. 06.76.12.89.98,
fax 05.57.74.69.82, e-mail domaine.arguti@wanadoo.fr
r.-v.

ARNAUD DE VILLENEUVE 2003 *

■ n.c. n.c. 5 à 8 €

Les Vignobles du Rivesaltais sont issus du regroupement en 1993 de deux coopératives, les caves de Rivesaltes et de Salses-le-Château : plus de cinq cents viticulteurs, 3 000 ha de vignes et, depuis 2007, une nouvelle cave qui permet de miser sur l'avenir. Aux commandes, Fernand Baixas, directeur et œnologue. S'il n'a pas profité des nouvelles installations, ce 2003 de la gamme Arnaud de Villeneuve, assemblage de syrah (40 %), de grenache et de mourvèdre, ne donne pas moins toute satisfaction. Avec son bouquet d'épices et de garrigue aux notes poivrées, sa bouche souple et soyeuse, bien équilibrée, ce vin persistant et aromatique laisse une impression d'harmonie.
⊶ Les Vignobles du Rivesaltais,
1, rue de la Roussillonnaise, 66600 Rivesaltes,
tél. 04.68.64.06.63, fax 04.68.64.64.69,
e-mail vignobles.rivesaltais@wanadoo.fr r.-v.

DOM. DE L'AUSSEIL

Latour de France Les Trois Pierres 2004 ***

■ 3 ha 5 000 11 à 15 €

Latour-de-France resserre ses maisons au cœur de la vallée de l'Agly. Aux alentours, le massif de la Tourèze invite à la randonnée. Quant à cet Ausseil (« oiseau » en occitan), il a pris son envol en 2001 : 12 ha de vieilles vignes de carignan, syrah et grenache, plantées sur arènes de gneiss et schistes. Anne et Jacques de Chancel élaborent des vins savoureux et élégants, à l'image de ce 2004 grenat foncé, dont le nez intense de fruits mûrs et d'épices a enchanté le jury. En bouche, une explosion de fruits noirs et de vanille, des tanins soyeux signent une cuvée structurée à la forte personnalité. On songe pour l'accompagner à une création culinaire de Pierre-Louis Marin de l'Auberge du Cellier à Montner. La syrah (majoritaire dans l'assemblage des Trois Pierres) cède le pas au carignan dans la cuvée **La Capitelle (8 à 11 €)** qui obtient deux étoiles.
⊶ Anne et Jacques de Chancel, 18, bd Carnot,
66720 Latour-de-France, tél. et fax 04.68.29.18.68,
e-mail jc@lausseil.com r.-v.

CH. AVERNUS

Tautavel Élevé en fût de chêne 2004 **

■ 7 ha 25 000 11 à 15 €

Établie près du musée de la Préhistoire, la coopérative de Tautavel vient de fêter son quatre-vingtième anniversaire. Aux alentours, un terroir argilo-calcaire où grenache, syrah et carignan ont engendré trois cuvées bien accueillies par les dégustateurs. Rouge profond aux reflets fuchsia, ce Château Avernus offre un nez appétissant de fraise des bois. La bonne attaque dévoile une matière volumineuse, concentrée et onctueuse, imprégnée d'arômes de fruits mûrs, de cassis et d'épices. Un vin gourmand. Deux étoiles également pour le **Tautavel Grand Sang et Or 2004 (3 à 5 €)**, tout en finesse et en élégance, et une citation pour le **Tautavel Réserve de Gérard Bertrand 2004 (5 à 8 €)**.
⊶ Les Maîtres Vignerons de Tautavel,
24, av. Jean-Badia, 66720 Tautavel, tél. 04.68.29.12.03,
fax 04.68.29.41.81,
e-mail vignerons.tautavel@wanadoo.fr
t.l.j. 9h-12h 14h-18h

DOM. DE LA BALMIÈRE

Latour de France 2005 **

■ 0,9 ha 3 200 8 à 11 €

Ces parcelles de La Balmière, achetées en 2002, Laurent Marquier a participé à leur plantation alors qu'il était stagiaire au domaine vingt ans plus tôt. Syrah (50 %), carignan et grenache composent ce 2005 auquel un passage en barrique de huit mois a légué un nez intense, vanillé et grillé. Après une attaque ample, un joli boisé domine, qui ne masque pourtant pas les arômes de fruits bien mûrs. Le palais puissant et volumineux est marqué par des tanins encore très présents mais de qualité. La finale épicée et fruitée confère à ce vin une réelle harmonie. Une étoile pour la cuvée **Latour de France Tradition 2005 (5 à 8 €)** qui ajoute le mourvèdre à l'assemblage et qui ne connaît pas le bois. Une belle rondeur, des arômes de fruits mûrs assortis d'une pointe de sous-bois pour cette bouteille prête à passer à table.
⊶ Dom. de La Balmière, rte de Montner, Le Mouli,
66720 Latour-de-France, tél. 04.68.29.00.04,
fax 04.68.29.47.60, e-mail lc.marquier@club-internet.fr
r.-v.
⊶ Laurent Marquier

DOM. BOUDAU Cuvée Henri Boudau 2004 *

■ 5 ha 20 000 8 à 11 €

Exemple de régularité, ce domaine a décroché un coup de cœur pour cette même cuvée dans le millésime précédent. Assemblage de syrah (60 %), de grenache (30 %) et de carignan, le 2004 est d'un rouge profond aux reflets cerise. Complexe, aussi intense qu'élégant, le nez marie le pruneau, la vanille et les épices. La mise en bouche révèle un vin puissant et volumineux, soutenu par une structure de tanins fins et soyeux. Pour un moment de plaisir.
⊶ Dom. Boudau, 6, rue Marceau, 66600 Rivesaltes,
tél. 04.68.64.45.37, fax 04.68.64.46.26,
e-mail info@domaineboudau.fr
t.l.j. sf dim. 10h-12h 15h-19h

CH. DE CALADROY

Cuvée La Juliane Élevé en fût de chêne 2004 ★★

■ 12 ha 22 711 11 à 15 €

Construit au XIIe s. à la frontière entre les royaumes de France et d'Aragon, le château de Caladroy campe sa silhouette fortifiée au milieu d'un vaste domaine (130 ha) de vignes et d'oliviers. Une terrasse, un patio, une chapelle accueillent l'amateur. Serge Maurin, responsable du domaine, et Jean-François Agen, maître de chai, signent trois bouteilles distinguées par le jury. Dominée par la syrah, cette cuvée La Juliane attire par sa robe profonde. Au nez comme en bouche, elle offre une alliance réussie entre un boisé épicé et les fruits rouges. Un mariage accompli qui donne un vin de mâche aux légers accents de venaison. Prêt à boire mais apte à la garde, l'ensemble, gourmand, s'accordera avec un canard aux cerises. Deux étoiles encore pour la **cuvée Saint-Michel 2004 (15 à 23 €)** où le mourvèdre tient la vedette, et une étoile pour la **cuvée Les Schistes 2005 (5 à 8 €)**, élevée en cuve.

SCEA Ch. de Caladroy, 66720 Bélesta,
tél. 04.68.57.10.25, fax 04.68.57.27.76,
e-mail chateau.caladroy@wanadoo.fr
t.l.j. sf dim. 8h-12h 13h30-17h30; sam. sur r.-v.
Mezerette

DOM. CELLER D'AL MOULI Tramontane 2005 ★

■ 3 ha 8 000 5 à 8 €

Non loin du village, dans la Caune de l'Arago, grotte creusée dans une falaise calcaire, fut découvert le crâne de l'« homme de Tautavel » qui vivait il y a 450 000 ans. Les environs offrent d'autres occasions de randonnées aux touristes, à l'intention desquels Pierre Pelou, propriétaire de 21 ha de vignes, a aménagé un gîte rural. Grenache, syrah et carignan plantés sur argilo-calcaires composent sa cuvée Tramontane couleur cerise burlat, au nez à la fois puissant et subtil, complexe et harmonieux, mêlant les fruits noirs au poivre, avec une nuance empyreumatique. Des notes de réglisse se révèlent en bouche, au sein d'un ensemble ample et équilibré. La finale généreuse appelle un filet de bœuf aux morilles. Le **Tautavel 2004** obtient la même note.

Pierre Pelou, EARL Celler d'al Mouli, 9, rue de la République, 66720 Tautavel, tél. et fax 04.68.29.02.21
r.-v.

CLOT DE L'OUM

La Compagnie des Papillons 2003 ★

■ 8 ha 26 000 11 à 15 €

Domaine de 15 ha constitué il y a une dizaine d'années et exploité en agriculture biologique. Leia et Éric Monné ont créé leur cave en 2000 et vinifié leur premier millésime en 2001. Le lledoner pelut, le carignan, le grenache et la syrah plantés sur gneiss et schistes ont donné ici un vin frais et intense sur les fruits noirs, qui s'ouvre ensuite sur un léger vanillé. Ample, dense, volumineuse, la bouche révèle un bel équilibre. Des tanins fins et des arômes de cerise noire, de mûre, de pruneau et de réglisse s'expriment dans une finale savoureuse.

Éric Monné, Dom. du Clot de l'Oum,
66720 Bélesta, tél. 04.68.57.82.32, fax 04.68.62.19.78,
e-mail emonne@web.de r.-v.

DOM. DE LA COUME MAJOU

Cuvée du Casot 2005 ★★★

■ 1 ha 1 200 23 à 30 €

Une entrée en fanfare dans le Guide pour ce « Flamand élevé en français », comme se définit Luc Charlier. Où l'on voit que la néphrologie, la chimie et les biostatistiques peuvent mener à la viticulture. Il est vrai que le médecin-pharmacien était déjà rédacteur à la revue spécialisée *In vino veritas* et dispensait des cours de dégustation... Depuis deux ans, il se consacre exclusivement à son vignoble de Corneilla-la-Rivière : 10 ha de vieilles vignes. Sa Cuvée du Casot mêle au nez la mûre et le cassis écrasé à une agréable touche poivrée. Onctueux, rond, suave, plein et long, construit sur des tanins croquants, c'est un vin gourmand qui donne envie d'un foie gras aux fruits rouges. Le coup de cœur n'est pas loin. La **cuvée Miquelet 2005 (15 à 23 €)** obtient une étoile.

Luc Charlier, 11, rue de l'Église,
66550 Corneilla-la-Rivière, tél. 04.68.51.84.83,
fax 04.68.35.68.65, e-mail charlier.luc@wanadoo.fr
r.-v.

DOM. DEPEYRE Cuvée Sainte-Colombe 2004

■ 2,3 ha 3 500 11 à 15 €

Après avoir étudié en vallée du Rhône, Serge Depeyre et Brigitte Bile s'installent en Roussillon en 2002, région d'origine de Brigitte, et constituent peu à peu leur domaine : 12 ha de vignes aujourd'hui. Ils obtiennent leur troisième mention dans le Guide pour un vin né du grenache et de la syrah, complétés par un peu de carignan. De couleur profonde, ce 2004 allie les épices (poivre) à un boisé grillé et vanillé. Une attaque souple prélude à une bouche charpentée aux arômes à dominante réglissée. La finale est nette et agréable.

Brigitte Bile et Serge Depeyre,
Dom. Depeyre, 1, rue Pasteur, 66600 Cases-de-Pène,
tél. et fax 04.68.28.32.19 r.-v.

ROUSSILLON

LA DIFFÉRENCE

Tautavel La Racine carrée de La Différence 2005 ★★★

■ 8 ha 35 000 8 à 11 €

Année faste pour Sylvie et Charles Faisant, installés à Tautavel en 2003 : quatre vins retenus en bonne place. Tous jouent sur la trilogie syrah-grenache-carignan. Habillée d'une étiquette énigmatique en forme de formule, la Racine carrée a su créer la différence et frôle le coup de cœur. D'un pourpre intense et brillant aux reflets violines, cette séductrice aux accents sauvages vous transportera au milieu du thym. Le poivre est là, pour une harmonie méditerranéenne. L'attaque dévoile une belle rondeur et des arômes de cerise mûre qui cèdent la place aux notes de garrigue perçues au nez, accompagnées de touches de vanille et de caramel. Les tanins fondus ajoutent à l'harmonie. **La Grande Cuvée La Différence 2005 (30 à 38 €)** obtient elle aussi trois étoiles. Deux étoiles pour le **Mas Jaume Cuvée Candice Tautavel Élevé en fût de chêne 2005 (5 à 8 €)** et une étoile pour le **Mas Jaume Seguala 2005 (3 à 5 €)**.

Sylvie et Charles Faisant,
SCEA La Différence, Mas Seguala, 66720 Tautavel,
tél. 04.67.30.09.06, fax 04.67.30.03.34,
e-mail faisantsylvie@aol.com r.-v.

DOM. DE L'EDRE L'Edre 2005 ★★

■ 2 ha 2 500 15 à 23 €

Le vin est presque un violon d'Ingres pour Jacques Castany et Pascal Dieunidou, qui ont d'autres activités en ville et ont installé en 2002 leur cave dans un garage. Mais les deux associés, qui ont des attaches dans le vignoble, manient l'archet avec doigté, et leurs cuvées ont déjà été distinguées l'an dernier. Celle-ci, pourpre soutenu, évoque un velours luisant. Le nez, puissant et équilibré, associe la confiture de mûres, des notes mentholées, la garrigue et des nuances boisées. En bouche, une bonne présence, une texture serrée, de la concentration et une longue finale épicée finement boisée dessinent le portrait d'un vin très méditerranéen et fort prometteur. La **cuvée Carrément rouge (11 à 15 €)**, élevée en cuve, reçoit une étoile.

Dom. de L'Edre, 1, rue des Écoles, 66600 Vingrau, tél. 06.08.66.17.51, fax 04.68.68.55.44, e-mail contact@edre.fr ☑ 𝐈 ⁂ r.-v.

Jacques Castany et Pascal Dieunidou

DOM. FONTANEL Tradition 2005 ★★★

■ 7 ha 10 000 ▮ 5 à 8 €

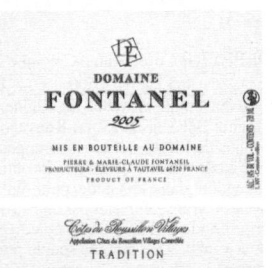

Ce coup de cœur ne surprendra pas les fidèles lecteurs du Guide, tant ce domaine affiche sa régularité à un haut niveau. Artiste du vin, Pierre Fontaneil se voit ainsi couronné pour la quatrième fois grâce à ce 2005 élégant et puissant, fondé sur la trilogie syrah-grenache-carignan. Tout en finesse et très typé, le nez marie les fruits rouges, le pain d'épice et la garrigue. La bouche équilibrée et ample joue sur du velours, celui de tanins fondus au grain fin, et sur des arômes de framboise confite et d'épices. Cette bouteille subtile et charmeuse procurera un grand plaisir dès maintenant, mais elle peut attendre deux à trois ans. La **cuvée Les Cistes Tautavel 2005 (8 à 11 €)** contient un peu plus de syrah (60 %) et a connu le bois. Elle reçoit une étoile.

Dom. Fontanel, 25, av. Jean-Jaurès, 66720 Tautavel, tél. 04.68.29.04.71, fax 04.68.29.19.44, e-mail domainefontanel@hotmail.com ☑ 𝐈 ⁂ t.l.j. 10h-12h 14h-19h

DOM. FORÇA RÉAL 2005

■ n.c. 20 000 8 à 11 €

Exemple de régularité, ce domaine est établi sur les hauts de Millas. Couvrant des pentes schisteuses, grenache (70 %), syrah (20 %) et mourvèdre ont donné naissance à une cuvée à la robe noir d'encre et au nez puissant et complexe, associant le café, le poivre et la réglisse. Une note de cuir s'associe aux épices au sein d'un palais ferme, tannique mais équilibré, à la finale gourmande.

J.-P. Henriquès, Dom. Força Réal, Mas de la Garrigue, 66170 Millas, tél. 04.68.85.06.07, fax 04.68.85.49.00, e-mail info@forcareal.com ☑ 𝐈 ⁂ r.-v.

DOM. GARDIÉS La Torre 2004 ★★★

■ 4 ha 10 000 ⏸ 23 à 30 €

Le millésime précédent de cette même cuvée avait obtenu trois étoiles. Le 2004 décroche le coup de cœur. Les cépages mourvèdre, grenache noir et carignan se

partagent les terroirs de schistes et d'argile pour donner naissance à un vin à la forte personnalité. La première variété domine (70 %) et apporte une puissance qui se conjugue à l'élégance et à la typicité. Le nez est fin et fruité, légèrement vanillé (dix-huit mois de fût). Le palais apparaît droit, généreux et équilibré ; son relief aromatique s'impose sur une structure importante mais bien enrobée. Un superbe vin de terroir qu'il faut attendre un peu.

Jean Gardiés, Mas Las Cabes, 1, rue Milière, 66600 Espira-de-l'Agly, tél. 04.68.64.61.16, fax 04.68.64.69.36, e-mail domgardies@wanadoo.fr ☑ 𝐈 ⁂ r.-v.

MAS AMIEL Carerades 2005 ★

■ 6,5 ha 13 000 ⏸ 15 à 23 €

Il y a quelque deux siècles, l'évêque de Perpignan aurait perdu ce domaine au jeu et dû le céder à un certain Amiel. La propriété passa en 1910 à la famille Dupuy, qui la garda jusqu'en 1999. Bien connue pour ses maury, cette vaste exploitation élabore depuis l'arrivée d'Olivier Decelle des côtes-du-roussillon-villages. Dans celui-ci, le grenache s'associe à la syrah et au carignan pour donner un vin au nez riche, où les fruits surmûris, cuits ou macérés dans l'eau-de-vie côtoient le caramel et la vanille avec une pointe de venaison. Charnu et structuré, le palais est construit sur des tanins très présents et à grains serrés. Épices, vanille et torréfaction se partagent une jolie finale.

Olivier Decelle, Dom. Mas Amiel, 66460 Maury, tél. 04.68.29.01.02, fax 04.68.29.17.82 ☑ 𝐈 ⁂ t.l.j. 8h30-18h

MAS DE LA DEVÈZE Vieilles Vignes 2005 ★

■ 5 ha 15 000 ⏸ 15 à 23 €

Troisième vinification pour Anne-Lise et Olivier Bernstein, créateurs du domaine en 2002 et entrés dans le Guide 2007. Installés dans un vieux mas catalan au milieu des vignes, ils exportent la majeure partie de leur production, qui s'adresse notamment à la grande restauration. Le grenache est majoritaire (60 %) dans ce millésime d'un grenat soutenu et dense, marqué au nez par un joli boisé aux nuances de café et par des parfums de mûre. L'attaque vive confirme les arômes de fruits mûrs, puis des tanins serrés mais d'une texture très fine laissent présager un bel avenir à ce vin. On l'attendra un an avant de le servir avec un pigeon rôti. Non boisée, la **cuvée 66 2005 (8 à 11 €)** obtient une étoile.

Mas de La Devèze, 66720 Tautavel, tél. et fax 04.68.29.42.47, e-mail vinum@wanadoo.fr ☑ 𝐈 r.-v.

Olivier Bernstein

MAS DE LAVAIL Tradition 2004 *

■ n.c. n.c. ▮ 5 à 8 €

Entre Jean Batlle, le père, et Nicolas, le fils, la passion de la vigne reste intacte. Dans leur mas acquis en 1999, situé tout près de la rivière Maury, entre les massifs calcaires et les schistes noirs, ils déclinent toutes les couleurs. D'un rouge profond, cette cuvée Tradition s'annonce par un nez intense et élégant de fruits mûrs, qui donne le ton. La fine attaque dévoile des notes fraîches de violette, de myrtille et de fraise des bois. Des tanins de qualité soutiennent un palais riche à la finale épicée et poivrée. Une bouteille à servir dans les prochaines années avec un civet de chevreuil. Le 2001 avait obtenu un coup de cœur.

Nicolas Batlle,
Dom. de Lavail, 18, rue Henri-Barbusse, 66460 Maury,
tél. 04.68.59.15.22, fax 04.68.29.08.95,
e-mail masdelavail@wanadoo.fr r.-v.

MAS KAROLINA 2004

■ 8,3 ha 13 000 11 à 15 €

Entreprenante et dynamique, Caroline Bonville s'est établie en Roussillon et installée sur cette propriété en 2003. Son vignoble compte 17 ha répartis sur une mosaïque de terroirs, à Maury, Lesquerde et Rasiguères. Assemblage de grenache (60 %) et de syrah complétés par un rien de carignan, ce vin provient d'un terroir de granite et de marnes rouges. Le nez riche mêle la cerise burlat et la violette au sous-bois et à la vanille. Franche et équilibrée, l'attaque introduit une bouche sur le fruit à la finale élégante.

Caroline Bonville, 29, bd de L'Agly,
66220 Saint-Paul-de-Fenouillet, tél. 06.20.78.05.77,
fax 04.68.84.78.30, e-mail mas.karolina@wanadoo.fr
t.l.j. sf dim. 10h-18h

Alain Bonville

CH. MONTNER 2005

■ 5 ha 20 000 ▮ 5 à 8 €

Les Vignerons de Montner ont rejoint ceux d'Estagel au sein des Vignerons des Côtes d'Agly. En cadeau, ils apportent cette jolie bouteille. L'élevage en cuve de ce vin de schistes lui conserve sa fraîcheur. Les cépages carignan, syrah et grenache vous accueillent avec des fruits frais et des épices douces. Grâce à ses tanins fins, l'ensemble pourra se laisser déguster sans attendre. Il accompagnera des viandes rouges.

Les Vignerons des Côtes d'Agly, av. Louis-Vigo,
66310 Estagel, tél. 04.68.29.00.45, fax 04.68.29.19.80,
e-mail contact@agly.fr r.-v.

DOM. PIQUEMAL Pygmalion 2005 **

■ 4 ha 5 000 ▮ 11 à 15 €

On ne sera pas surpris de voir bien noté ce Pygmalion, haut de gamme du domaine. Annie et Pierre Piquemal, eux-mêmes héritiers d'une longue tradition viticole, ont su transmettre leur passion à Marie-Pierre et à Franck. La syrah (70 %), le grenache noir et un soupçon de carignan cultivés au pied des Corbières ont engendré un vin puissant et velouté. Tout en lui est fin et élégant. Le nez introduit dans un riche univers aromatique une pointe de cerise, une touche de torréfaction, puis une note de cacao sur une finale de fruits mûrs délicatement épicée. Cette bouteille en devenir gagnera à attendre quelques années avant d'accompagner un tournedos Rossini.

Dom. Piquemal, 1, rue Pierre-Lefranc,
66600 Espira-de-l'Agly, tél. 04.68.64.09.14,
fax 04.68.38.52.94,
e-mail contact@domaine-piquemal.com
t.l.j. sf dim. 9h-12h 15h-18h30

DOM. POUDEROUX Terre brune 2004 **

■ 3 ha 9 000 11 à 15 €

Robert et Cathy Pouderoux savent tirer d'intéressantes cuvées de leur mosaïque de terroirs. Celle-ci révèle une réelle maîtrise de l'élevage en barrique. Les grenache (60 %), syrah (30 %) et mourvèdre issus de sols de schistes noirs, ainsi qu'un séjour d'un an dans le bois, ont donné un vin à la robe rouge profond. Le nez s'ouvre sur des notes de poivre et de fruits très mûrs. Ronde et équilibrée, l'attaque dévoile une matière volumineuse et des tanins veloutés. Fruits et épices se partagent la longue finale. On suggère de servir ce remarquable millésime sur un carré d'agneau à la crème de truffe et aux girolles.

Dom. Pouderoux, 2, rue Émile-Zola, 66460 Maury,
tél. 04.68.57.22.02, fax 04.68.57.11.63,
e-mail 123pou@wanadoo.fr r.-v.

DOM. LE ROC DES ANGES
Les Vieilles Vignes 2004 *

■ 4 ha 8 000 ▮ 15 à 23 €

À la tête de 22 ha, Marjorie Gallet a créé son domaine en 2001 à partir de 10 ha de vieilles vignes implantées sur les schistes de Montner. Les ceps à l'origine de cette cuvée très expressive ont soixante-dix ans d'âge. Dominant (60 %), le carignan apporte son lot de fruits mûrs. Des notes d'épices douces s'épanouissent au sein d'un ensemble puissant et élégant. La matière et le volume sont là, les tanins bien présents mais déjà fort soyeux, l'équilibre est au rendez-vous. La finale harmonieuse promet des moments gourmands.

Le Roc des Anges, Las Fredes, 66720 Tautavel,
tél. 04.68.29.16.62, fax 04.68.29.45.31,
e-mail rocdesanges@wanadoo.fr r.-v.

Marjorie Gallet

DOM. DES ROSES Élevé en fût de chêne 2005 *

■ 9,35 ha 33 300 5 à 8 €

Œnoalliance est une maison de négoce de la place de Bordeaux, résultant de la fusion de plusieurs sociétés. Elle propose aussi des vins du Roussillon. Celui-ci affiche une robe profonde, couleur cerise noire. Le nez puissant oscille entre la noisette grillée et vanillée, et un boisé fumé. Le palais montre beaucoup d'ampleur dès l'attaque ; on y retrouve une certaine complexité aromatique, avec des notes épicées et réglissées, mais le merrain domine encore. Bois, structure et matière : une telle richesse mérite deux à quatre ans de garde.

Œnoalliance, rte du Petit-Conseiller,
33750 Beychac-et-Caillau, tél. 05.57.97.39.73,
fax 05.57.97.39.74, e-mail info@oenoalliance.com

DOM. ROUAUD Essència 2005

■ 0,4 ha 600 11 à 15 €

Ancien caviste, Jérôme Rouaud s'est installé en 2003 sur 9 ha de vignes à Pézilla-la-Rivière, sur la route du Vin de la vallée de la Têt. Il a terminé sa conversion bio. Issue d'un terroir argilo-caillouteux, sa cuvée Essència porte l'empreinte du mourvèdre (80 % de l'assemblage, complété par le grenache et le carignan). La robe montre des reflets violines ; le nez se partage entre l'eau-de-vie de

ROUSSILLON

prune et un boisé légué par un séjour de dix mois en barrique. La bouche généreuse développe des notes mentholées et poivrées. Marqué par le bois, l'ensemble demande une garde de trois ans.

Jérôme Rouaud, 7, rue du Portal-d'Amont, 66370 Pézilla-la-Rivière, tél. et fax 04.68.92.46.59, e-mail rouaud.vigneron@wanadoo.fr r.-v.

DOM. DES SCHISTES
Tautavel Les Terrasses 2004 ★★

5 ha	8 000	11 à 15 €

La cave de vinification et le caveau sont situés au centre d'Estagel, mais l'une des caves d'élevage est implantée au hameau de Las Fredas, tout près de Maury. Au-dessus des barriques où se bonifient les cuvées des Terrasses, deux gîtes entourés d'une mer de vignes accueillent le visiteur, non loin du château de Quéribus. Jacques Sire et son fils Mickael tirent chaque année de remarquables cuvées de leur terroir de schistes. Celle-ci avait obtenu un coup de cœur dans le millésime précédent. D'un grenat brillant aux reflets violines, le 2004 offre au nez un panier de fruits rouges et de cerise confite relevés d'épices (poivre et clou de girofle). Épices que l'on retrouve en bouche, associées à la vanille et au cassis, autour de tanins à la fois puissants, fins et élégants. Équilibré et frais, ce vin complet est prêt, mais il peut aussi attendre.

Jacques Sire, Dom. des Schistes, 1, av. Jean-Lurçat, 66310 Estagel, tél. 04.68.29.11.25, fax 04.68.29.47.17, e-mail sire-schistes@wanadoo.fr r.-v.

SEMPER Lesquerde Voluptas 2005 ★★

2 ha	4 000	8 à 11 €

De génération en génération, la famille Semper cultive ses vignes implantées pour la plupart sur les schistes noirs typiques de la vallée de Maury. Son **Clos Florent 2004**, dominé par le grenache (60 %), cité, cède le pas à la cuvée Voluptas. Semper Voluptas : ces noms sur l'étiquette font songer à quelque devise latine (Toujours, la volupté...). La cuvée est une habituée du Guide. La syrah (50 %) y joue le plus grand rôle, avec le renfort du carignan (35 %) et un appoint de grenache. Une vinification bien maîtrisée en barriques ouvertes a donné naissance à ce vin au nez évoluant entre fruits noirs et notes grillées. En bouche, une attaque ample et franche, des tanins présents et un bel équilibre donnent à l'ensemble une réelle harmonie.

Dom. Paul et Geneviève Semper, 6, rte de Cucugnan, 66460 Maury, tél. et fax 04.68.59.14.40, e-mail domaine.semper@wanadoo.fr r.-v.

DOM. SERRELONGUE Saveur de vigne 2005 ★

1,78 ha	5 500	8 à 11 €

Si le schiste domine à Maury, on trouve au pied des Corbières quelques argilo-calcaires et de gros galets roulés qui portent en particulier le mourvèdre de la famille Fournier. On retrouve ce cépage en compagnie de la syrah et du grenache dans cette cuvée à la robe profonde. Le nez complexe associe les fruits noirs et la garrigue à des touches légèrement épicées et poivrées. L'attaque est marquée par des notes animales et boisées, puis le laurier et le poivre viennent enrober le tanin sur une finale réglissée.

GAEC Fournier, 149, av. Jean-Jaurès, 66460 Maury, tél. 04.68.59.02.17, fax 04.68.59.08.10, e-mail julienf66@aol.com r.-v.

TERROIR CATALAN Charpenté et épicé 2005 ★

6 ha	33 000	3 à 5 €

Le plus important groupement de producteurs du département est à l'origine de marques conçues pour les nouveaux consommateurs. Après le Fruité catalan, voici la gamme Terroir catalan, qui se décline en plusieurs cuvées. « Charpenté et épicé », ce 2005 assemble les quatre cépages emblématiques du Roussillon (syrah et grenache, complétés par un peu de carignan et de mourvèdre) issus d'un terroir argilo-calcaire. Un cocktail d'épices, de garrigue, de fruits confits, de vanille et de réglisse compose un nez d'une grande richesse. Une attaque moelleuse, une bonne charpente, des arômes puissants et persistants, une finale nette et agréable dessinent un vin de terroir déjà séduisant et qui peut affronter une garde de deux ans.

Vignerons Catalans en Roussillon, 1870, av. Julien-Panchot, BP 29000, 66962 Perpignan Cedex 9, tél. 04.68.85.04.51, fax 04.68.55.25.62

LES VIGNERONS DE VINGRAU Le 20 2005 ★

n.c.	4 930	3 à 5 €

Un village célèbre pour ses falaises propices à la varappe. La Cave des Vignerons est implantée à l'entrée de la commune, face au cirque de Vingrau. Un terroir où les ceps noueux dessinent des arabesques sur les différentes couleurs de terre. Cette cuvée est issue de grenache, de carignan et de syrah implantés sur argilo-calcaires. Rouge soutenu, limpide et animée de brillants reflets rubis, la robe attire. Le nez explore les épices et le poivre avant de se tourner vers les fruits mûrs et la garrigue. L'attaque franche et ronde sur des tanins fermes et élégants confirme les épices et la garrigue, en ajoutant la réglisse à cette palette. Son bon équilibre permet de déguster ce vin dès à présent. Pourquoi pas sur un gigot d'agneau en croûte d'épices cuit à la ficelle durant sept heures ?

Les Vignerons de Vingrau, 3, rue du Mal-Joffre, 66600 Vingrau, tél. 04.68.29.40.41, fax 04.68.29.42.87, e-mail vignerons.de.vingrau@wanadoo.fr r.-v.

Collioure

Portant le nom d'un charmant petit port méditerranéen, cette toute petite appellation couvre actuellement 619 ha, produisant 17 380 hl en rouge et rosé et 2 550 hl de blanc. Le terroir est le même que celui de l'appellation banyuls ; il regroupe les quatre communes de Collioure, Port-Vendres, Banyuls-sur-Mer et Cerbère.

L'encépagement est à base de grenache noir, de mourvèdre et de syrah, le cinsault et le carignan entrant comme cépages accessoires. Jusqu'à 2002, les collioure étaient uniquement des vins rouges et rosés, élaborés en début de vendanges, avant la récolte des raisins pour le banyuls. La faiblesse des rendements est à l'origine de vins bien colorés, chaleureux, corsés, aux arômes de fruits rouges bien mûrs. Les rosés sont aromatiques, riches et néanmoins nerveux. Le collioure blanc, qui fait la part belle aux grenaches blanc et gris, est produit depuis le millésime 2002.

ABBÉ ROUS Cornet & Cie 2006 ★★

■ n.c. n.c. 11 à 15 €

Une belle architecture pour cette cave et des millésimes très souvent présents dans le Guide, particulièrement en rosé. C'est encore le cas cette année avec cette cuvée élevée pour les deux tiers en barrique de chêne neuf pendant un mois et demi. Sous une robe profonde et limpide, des arômes intenses de fruits rouges mûrs, puis une bouche charnue. Originale, surprenante mais d'un très bon équilibre, une bouteille à marier avec des rougets grillés. Le **collioure blanc Cuvée des Peintres 2005 (5 à 8 €)** et le **blanc Cornet & Cie 2005** jouent sur la rondeur et la vivacité. Le premier assemble cinq cépages et le second, dominé par le grenache gris, trois variétés. Une étoile chacun. Même note encore pour le **collioure rouge Cyrcée 2003 (30 à 38 €)**, assemblage de grenache noir, de carignan, de mourvèdre et de syrah à l'origine d'un vin puissant, minéral, riche, charpenté et velouté.

Cave de l'Abbé Rous, 56, av. Charles-de-Gaulle, 66650 Banyuls-sur-Mer, tél. 04.68.88.72.72, fax 04.68.88.30.57, e-mail contact@banyuls.com

DOM. DE LA CASA BLANCA 2005 ★★

■ 4 ha 8 000 11 à 15 €

Après un coup de cœur pour le 2003, un retour remarqué dans le Guide pour Hervé Levano et Laurent Escapa qui assurent la continuité de l'un des plus anciens domaines de Banyuls. Ici, le mulet travaille encore au labour d'une grande partie des vieilles vignes de grenache et de syrah. Ces deux variétés sont à l'origine de ce millésime. Un travail minutieux en cave a permis de proposer un vin grenat brillant, dont le nez puissant mêlant la mûre sauvage, le grillé et le sous-bois préfigure une bouche d'un beau volume. Le palais est ample, frais et long, soutenu par des tanins souples et soyeux. Un ensemble harmonieux et en devenir.

Dom. de la Casa Blanca, 16, av. de la Gare, 66650 Banyuls-sur-Mer, tél. 04.68.88.12.85, fax 04.68.88.04.08 r.-v.

Laurent Escapa et Hervé Levano

LES CLOS DE PAULILLES 2003

■ 10 ha 40 000 11 à 15 €

Plantées autour d'une crique sauvage, entre schistes et mer, les vignes du domaine dessinent un amphithéâtre autour de la ferme auberge de la propriété. Assemblage de 80 % de mourvèdre et de 20 % de syrah, ce vin rouge de couleur rubis profond laisse percer au nez quelques notes poivrées. Puissant en bouche, il révèle une belle harmonie faite de tanins soyeux et d'une agréable sucrosité aux accents de cerise mûre. La finale est fraîche et relevée.

Dauré, Les Clos de Paulilles, Baie de Paulilles, 66660 Port-Vendres, tél. 04.68.98.07.58, fax 04.68.38.91.33, e-mail daure@wanadoo.fr t.l.j. 10h-19h; f. nov. à mars

COUME DEL MAS Quadratur 2005 ★★★

■ 4 ha 8 000 23 à 30 €

Installés dans leur cave de Cosprons flambant neuve qui domine la baie de Paulilles, Philippe et Nathalie Gard se sont déjà distingués dans le Guide grâce aux deux millésimes précédents de cette cuvée. Ce coup de cœur consacre avec éclat un travail mené sur l'expression du terroir – respecté et magnifié dans ce vin impressionnant, né d'un assemblage de grenache (50 %), de mourvèdre (30 %) et de carignan. La robe noire retient l'attention, tout comme le nez à la fois intense, subtil et complexe qui s'ouvre sur des notes d'olive noire, de girofle, d'épices douces et de café. Une attaque de velours, de l'onctuosité à souhait et des tanins aériens, une puissance maîtrisée... Un plaisir fou qui appelle un gigot de sept heures à la cannelle. La cuvée **Schistes 2005 (11 à 15 €)**, qui marie 90 % de grenache au carignan, obtient une étoile pour son élégance et son bouquet de fruits frais.

Coume Del Mas, 3, rue Alphonse-Daudet, 66650 Banyuls-sur-Mer, tél. et fax 04.68.88.37.03, e-mail coumedelmas@tiscali.fr r.-v.

ROUSSILLON

L'ÉTOILE 2006 ★

■ n.c. n.c. 8 à 11 €

Cette cave coopérative est aujourd'hui dirigée par Xavier Saint-Dizier, avec Patrick Terrier comme œnologue maison. Elle collectionne les coups de cœur en banyuls et s'intéresse aussi aux vins secs. Mi-syrah mi-grenache, ce rosé tendre, saumoné et limpide, présente un nez fin et délicat, qui joue sur des touches fruitées et florales. Franc à l'attaque, équilibré, gras et long, il finit sur une touche minérale aux nuances de pierre à fusil. Le **collioure blanc Les Feixes 2006**, assemblage à parts égales de grenaches blanc et gris, est cité.

SCV L'Étoile, 26, av. du Puig-del-Mas, 66650 Banyuls-sur-Mer, tél. 04.68.88.00.10, fax 04.68.88.15.10, e-mail cave.letoile@tiscali.fr t.l.j. 8h-12h 14h-18h

DOM. MADELOC Cuvée Magenca 2004 ★★

■ n.c. 8 000 15 à 23 €

Pierre Gaillard est venu de la vallée du Rhône septentrionale : les vignobles escarpés, il connaît. Fasciné par celui de Banyuls, il achète en 2002 un domaine à l'abandon : une vingtaine d'hectares répartis en multiples parcelles. Il s'attache à restructurer la propriété et investit dans la cave. Cette année, trois collioure rouges se distinguent. Le préféré ? Ce Magenca, issu d'un assemblage de grenache (60 %), de mourvèdre (30 %) et de carignan. Son nez complexe décline griotte, fleurs (violette) et sous-bois, assortis d'un léger cacao. Ampleur et fraîcheur caractérisent une bouche bien structurée, aux tanins soyeux. La finale associant une belle minéralité à des notes fumées et réglissées laisse le souvenir d'un vin élégant et subtil. La cuvée **Serral (11 à 15 €)** marie le grenache (60 %) au mourvèdre, la cuvée **Crestall**, le mourvèdre (70 %) à la syrah. Toutes deux obtiennent une étoile.

Gaillard,
Dom. Madeloc, 1 bis, av. du Gal-de-Gaulle,
66650 Banyuls-sur-Mer, tél. 04.68.88.38.29,
fax 04.68.88.04.65,
e-mail domaine-madeloc@wanadoo.fr r.-v.

DOM. MANYA PUIG 2005 *

	1 ha	2 500	8 à 11 €

Au XIXᵉs., le Dr Manya possédait un coquet vignoble et une pharmacie, où il vendait son vin en bouteilles ! Quelques siècles plus tôt, Arnaud de Villeneuve, qui découvrit le mutage à l'origine du banyuls, n'était-il pas lui aussi médecin ? L'esprit de l'époque a changé, mais la lignée de médecins-vignerons se perpétue : Henry Manya, qui développe le vignoble dans les années 1950, et ensuite son fils Jacques. En 1998, nouveau tournant avec Cathy et Guy Puig. L'accent est mis sur l'entretien du vignoble et des murettes de schistes. Grenache blanc, vermentino, marsanne et roussanne ont donné ce blanc subtil et expressif, au nez minéral, floral et anisé. En bouche, les notes d'agrumes et de fleurs viennent se fondre dans sa rondeur, puis la finale fraîche laisse une impression d'équilibre. Le **collioure rosé 2006 du domaine** est cité.

Dom. Manya Puig, 7, av. de la République,
66190 Collioure, tél. et fax 04.68.98.02.59
t.l.j. 9h30-12h30 15h-19h

DOM. DU MAS BLANC Cosprons Levants 2004 *

	2 ha	6 000	15 à 23 €

Au Mas Blanc, des médecins passionnés de vins : Gaston Parcé, le grand-père, s'allie à une famille vigneronne puis son fils, André, figure locale, se fait le défenseur de la qualité et le héraut de l'appellation. Fils cadet, Jean-Michel ne devient pas médecin, mais il s'investit à fond sur le domaine, diversifiant les productions. Les cuvées sont vinifiées en plein cœur de Banyuls. Aussi réussie que dans le millésime précédent, celle-ci associe syrah (60 %), mourvèdre (30 %) et une touche de grenache noir. Rouge profond à reflets bruns, elle offre un nez puissant et élégant, mariage subtil du fruit et du bois avec des notes sauvages de poivre et de grillé. Un vin bien fondu, sans excès de volume et onctueux à souhait. À apprécier maintenant.

SCA Dr Parcé et Fils, 9, av. du Gal-de-Gaulle,
66650 Banyuls-sur-Mer, tél. 04.68.88.32.12,
fax 04.68.88.72.24, e-mail domainemas-blanc@free.fr
t.l.j. 9h-12h 14h-18h; sam. dim. sur r.-v.

DOM. PIÉTRI-GÉRAUD L'Écume 2005 **

	0,62 ha	2 800	11 à 15 €

Créé au XIXᵉs., ce domaine familial s'étend sur 29 ha autour du célèbre clocher de Collioure et de son château royal. Trois femmes président aujourd'hui à ses destinées : Maguy et Laetitia Géraud et Hélène Grau, leur œnologue. Cette Écume, assemblage de grenaches blanc et gris, mariés à un peu de vermentino, brille et captive l'attention. Élégant et original, le nez mêle des notes minérales à la poire et aux épices, prélude à une bouche fraîche où le jasmin, le lilas et, encore, les épices douces se partagent l'onctuosité d'une finale remarquable. Un ensemble gourmand et plaisant. De la même propriété, le **collioure rouge 2005 (8 à 11 €)** est cité.

Maguy et Laetitia Piétri-Géraud, 7, rue du Dr-Coste,
66190 Collioure, tél. 04.68.82.07.42, fax 04.68.98.02.52,
e-mail domaine.pietri-geraud@wanadoo.fr
t.l.j. sf lun. 10h-12h30 15h30-19h;
sur r.-v. en hiver

DOM. SAINT-SÉBASTIEN Cuvée Alexandre 2005 *

	0,26 ha	1 200	15 à 23 €

Sous la protection du saint patron de Banyuls, cette propriété, vinifiée par la coopérative jusqu'en 2000, a pris son indépendance. Elle est située au cœur de Banyuls, sur le port. Les vignes à l'origine de cette cuvée croissent sur le schiste, face à la mer. L'expression du grenache noir, majoritaire dans l'assemblage, a séduit le jury. Le vin a séjourné un an dans le bois. Aujourd'hui, ce 2005 affiche une robe profonde et brillante, un nez intense mariant les fruits bien mûrs et les épices douces au cacao. Une attaque généreuse, des tanins chaleureux, arrondis et aimables, une chair souple composent une bouteille gourmande, dotée d'un certain potentiel, mais qui fera plaisir dès maintenant.

Dom. Saint-Sébastien, 10, av. du Fontaulé,
66650 Banyuls-sur-Mer, tél. 04.68.88.30.14,
fax 04.68.88.35.77, e-mail st.sebastien@wanadoo.fr
t.l.j. 9h30-20h (haute-saison);
10h30-18h (basse-saison); f. jan.
Becque

CELLIER DES TEMPLIERS Premium 2005 *

	n.c.	13 000	23 à 30 €

Située sur les hauts de Banyuls, la plus grande coopérative du cru : ses caves recèlent plus de mille cuves, foudres ou fûts. Cette année, elle décroche en collioure une étoile dans les trois couleurs. Ce vin rouge grenat à reflets acajou offre un nez intense associant le boisé toasté de l'élevage à des nuances animales. L'attaque onctueuse introduit une bouche aux tanins élégants. Puissance et volume sont au rendez-vous d'une finale persistante. Le **rosé Cuvée de la Salette 2006 (8 à 11 €)** est fruité et équilibré, tandis que le **blanc Abbaye de Valbonne 2005 (11 à 15 €)** fait rimer minéralité et vivacité.

Cellier des Templiers, rte du Mas-Reig,
66650 Banyuls-sur-Mer, tél. 04.68.98.36.70,
fax 04.68.98.36.91, e-mail accueil-visite@templers.com
r.-v.

DOM. LA TOUR VIEILLE Puig Oriol 2005

	3 ha	8 000	11 à 15 €

Cette année, Jean Baills rejoint Vincent Cantié et Christine Campadieu sur le domaine. Ses vieilles vignes vont tenir compagnie à celles de la Tour Vieille. De belles signatures en perspective. La Tour Vieille s'est bien défendue par le passé. Cette cuvée a décroché un coup de cœur dans le millésime 2002. Le 2005 révèle un nez confit aux notes de torréfaction, de caramel, de café et de cacao. Une corbeille de fruits rouges bien mûrs laisse la place à des tanins fins. Sans excès de volume, le vin mise sur une finale fraîche.

Dom. La Tour Vieille, 12, rte de Madeloc,
66190 Collioure, tél. 04.68.82.44.82, fax 04.68.82.38.42
t.l.j. 10h30-12h30 16h-19h30 avr. à oct.;
r.-v. en hiver
Campadieu et Cantié

Les vins doux naturels du Roussillon

Banyuls et banyuls grand cru

Voici un terroir exceptionnel, comme il en existe peu dans le monde viticole : à l'extrémité orientale des Pyrénées, des coteaux en pente abrupte sur la Méditerranée. Seules les quatre communes de Collioure, Port-Vendres, Banyuls-sur-Mer et Cerbère bénéficient de l'appellation. Le vignoble (1 160 ha environ) s'accroche le long des terrasses installées sur des schistes dont le substrat rocheux est, sinon apparent, tout au plus recouvert d'une mince couche de terre. Le sol est donc pauvre, souvent acide, n'autorisant que des cépages très rustiques, comme le grenache, aux rendements extrêmement faibles, souvent moins d'une vingtaine d'hectolitres à l'hectare. Une production de banyuls et de banyuls grand cru de 28 500 hl en 2006.

En revanche, l'ensoleillement optimisé par la culture en terrasses – culture difficile où le vigneron entretient manuellement les terrasses, en protégeant la terre qui ne demande qu'à être ravinée par le moindre orage – et le microclimat qui bénéficie de la proximité de la Méditerranée sont sans doute à l'origine de la noblesse des raisins gorgés de sucre et d'éléments aromatiques.

L'encépagement est à base de grenache ; ce sont surtout de vieilles vignes qui occupent le terroir. La vinification se fait par macération ; le mutage intervient parfois sur le raisin, permettant ainsi une longue macération de plus d'une dizaine de jours ; c'est la pratique de la macération sous alcool, ou mutage sur grains.

L'élevage joue un rôle essentiel. En général, il tend à favoriser une évolution oxydative du produit, dans le bois (foudres, demi-muids) ou en bonbonnes exposées au soleil sur les toits des caves. Les différentes cuvées ainsi élevées sont assemblées avec le plus grand soin par le maître de chai pour créer les nombreux types que nous connaissons. Dans certains cas, l'élevage cherche au contraire à préserver le fruit du vin jeune en empêchant toute oxydation ; on obtient alors des produits différents aux caractéristiques organoleptiques bien précises : ce sont les rimages. Il faut noter que, pour l'appellation grand cru, l'élevage sous bois est obligatoire pendant trente mois.

Les vins sont rouges, de couleur rubis à acajou, avec un bouquet de raisins secs, de fruits cuits, d'amande grillée, de café, d'eau-de-vie de pruneau ou plus rarement blancs (2 450 hl). Les rimages gardent des arômes de fruits rouges, de cerise et de kirsch. Les banyuls se dégustent à une température de 12 à 17 °C selon leur âge ; on les boit à l'apéritif, au dessert (certains banyuls sont les seuls vins à pouvoir accompagner un dessert au chocolat), avec un café et un cigare, mais également avec du foie gras, un canard aux cerises ou aux figues, et certains fromages à pâte persillée.

Banyuls

DOM. DE LA CASA BLANCA Pineil 2005 ★★★

■ 4 ha 4 000 11 à 15 €

Sans bruit, loin des médias, Laurent Escapa et Hervé Levano se contentent de vivre leur passion, leur amour du terroir, qu'ils travaillent non avec des chevaux de labour mais avec des mules. Le résultat est ici remarquable : la couleur grenat est profonde, brillante. Le nez s'ouvre sur le cassis, les fruits confiturés et un soupçon d'olive noire. La surprise vient en bouche de l'accord entre les petits fruits acidulés, le charnu de la cerise, les tanins de garde et l'amorce d'évolution généreuse marquée par les notes de cacao. Une bouteille à découvrir maintenant mais qui pourra attendre de longues années.

Dom. de la Casa Blanca, 16, av. de la Gare, 66650 Banyuls-sur-Mer, tél. 04.68.88.12.85, fax 04.68.88.04.08 ☑ Y r.-v.

Laurent Escapa, Hervé Levano

CLOS CHATART 1999 ★★

■ 3,6 ha 6 000 15 à 23 €

L'adresse est tout un symbole. « Vallée du tombeau d'Aristide Maillol » : c'est ici en effet, dans les contours sinueux de la vallée de la Baillaury, rivière le plus souvent à sec, que repose le sculpteur, natif de Banyuls. La robe de ce 1999 est d'un bel acajou. Le nez, confituré et intense, mêle le pruneau au séchage et la douce torréfaction des vieux foudres. Au palais, ample et généreux, aux tanins remarquablement fondus, la figue retrouve le pruneau, la cerise à l'eau-de-vie et l'épice avant une finale très équilibrée où perce un soupçon de cacao.

Jacques Laverrière, Clos Chatart, Vallée du tombeau de A.-Maillol, 66650 Banyuls-sur-Mer, tél. 04.68.88.12.58, fax 04.68.88.51.51

☑ Y t.l.j. 10h-13h 16h-19h; f. janv.

LES CLOS DE PAULILLES Rimage 2005 ★

■ 6 ha 25 000 11 à 15 €

L'anse de Paulilles est un lieu magique de la côte Vermeille, où se retrouvent baigneurs et plaisanciers, dans

ROUSSILLON

un paysage de vignes. Alignés sur la terrasse, les futurs vieux banyuls prennent un bain de soleil dans leurs bonbonnes grillagées. Plus loin, les chais de schistes enserrent leurs trésors. Ce 2005 grenat vif s'exprime au nez sur la mûre et le cassis relevés d'une touche de laurier. La griotte s'impose dans une bouche fraîche, légèrement mentholée, puis le vin se développe sur des tanins fins et soyeux. L'ensemble est élégant, très bien équilibré et recommandé sur le chocolat.

Dauré, Les Clos de Paulilles, Baie de Paulilles, 66660 Port-Vendres, tél. 04.68.98.07.58, fax 04.68.38.91.33, e-mail daure@wanadoo.fr
t.l.j. 10h-19h; f. nov. à mars

CORNET & CIE Rimage 2005 *

■ n.c. 6 000 15 à 23 €

Un pays vraiment particulier que celui de Banyuls où les premiers à mettre le vin en bouteilles furent les médecins ou les pharmaciens, ou encore l'abbé Rous, pionnier en la matière. Le type rimage érige tout l'art du vinificateur. La robe de ce 2005 est grenat profond, le nez est dominé par la cerise, la fraise et la framboise, senteurs qui s'invitent en bouche sur une matière charnue délicatement structurée par des tanins soyeux et veloutés. À ouvrir sur une soupe de fruits rouges.

Cave de l'Abbé Rous, 56, av. Charles-de-Gaulle, 66650 Banyuls-sur-Mer, tél. 04.68.88.72.72, fax 04.68.88.30.57, e-mail contact@banyuls.com

COUME DEL MAS Quintessence 2005 ***

■ 2,4 ha 2 800 23 à 30 €

Rigoureux, Philippe Gard s'est rapidement imposé en banyuls. Depuis trois ans, dans sa cave au hameau de Cospron, il n'a de cesse de rechercher à exprimer au mieux la quintessence de ce terroir de schistes où poussent les vieux grenaches. Il y a superbement réussi comme le montre ce *vintage*, plébiscité par le grand jury, qui s'ouvre doucement sur la mûre, la myrtille et les épices de la barrique. Un vin franc et ample jouant sur la violette et le sous-bois, les fruits des bois et la réglisse, agrémentés d'une pointe d'exotisme. Tout en puissance retenue, le palais est relevé en finale par la fraîcheur généreuse et fumée d'une note de bourbon. (Bouteilles de 50 cl.)

Coume Del Mas, 3, rue Alphonse-Daudet, 66650 Banyuls-sur-Mer, tél. et fax 04.68.88.37.03, e-mail coumedelmas@tiscali.fr r.-v.

CROIX MILHAS
4 ans d'âge Élevé en foudre de chêne centenaire *

■ 60 ha 200 000 5 à 8 €

Spécialisés dans la commercialisation de vins secs du Roussillon, les Vignerons catalans reviennent aux valeurs historiques de leur terroir en développant une gamme de vins doux naturels fort appréciée. La Croix Milhas offre un bouquet intense de pain d'épice et d'écorce d'orange agrémenté de notes vanillées et grillées. Souple et gourmand, le palais se développe sur la mûre et la cerise à l'eau-de-vie, avant une finale chaleureuse et légèrement épicée. On poursuivra la découverte avec le **rimage 2004 Mise précoce (8 à 11 €)**, au nez fruité (cerise, cassis) et à la bouche puissante mais déjà fondue qui termine sur la fraîcheur. Il obtient également une étoile.

SIVIR, 1870, av. Julien-Panchot, BP 19908, 66962 Perpignan Cedex 09, tél. 04.68.85.77.07, fax 04.68.85.77.00, e-mail sivir@sivir.fr

L'ÉTOILE Extra-vieux 1994 **

■ 1,9 ha 5 000 15 à 23 €

Si la tendance est au banyuls jeune en pleine expression du fruit, il n'en demeure pas moins que le banyuls, c'est surtout ceci, un vin de culture et d'élevage qui s'apprivoise à l'oxydation, épouse le bois, s'enrichit du travail du chai, s'imprègne du parfum des saisons et s'offre sur le café, le cigare ou le chocolat. C'est le cas de ce 1994 qui se présente dans une robe tuilée aux reflets ambrés et se montre complexe, puissant et fondu, jouant sur des notes de torréfaction, de tabac blond miellé, d'orange confite, de figue et de cacao, avec un soupçon de rancio au final.

SCV L'Étoile, 26, av. du Puig-del-Mas, 66650 Banyuls-sur-Mer, tél. 04.68.88.00.10, fax 04.68.88.15.10, e-mail cave.letoile@tiscali.fr
t.l.j. 8h-12h 14h-18h

DOM. MADELOC Robert Pagès 2004 *

■ n.c. 2 000 11 à 15 €

À cent mètres de la cave, en bord de mer, une balise indique que de cet endroit vous pouvez, avec un peu de courage et de bonnes chaussures, rejoindre l'Atlantique. Avant cette trans-pyrénéenne, qui passe par la tour Madeloc, une halte à la cave du même nom s'impose. Les vingt-quatre mois du fût donnent au grenat de ce 2004 des reflets tuilés ; l'évolution se fait des fruits rouges vers des notes plus confites de pruneau. Encore marquée par un boisé réglissé, la bouche charpentée livre des arômes de figue. Un vin que l'on attendra quelques années. Pour patienter, on découvrira le **banyuls blanc Asphodèles 2005 (11 à 15 €, bouteilles de 50 cl)**, qui obtient une citation.

Gaillard,
Dom. Madeloc, 1 bis, av. du Gal-de-Gaulle, 66650 Banyuls-sur-Mer, tél. 04.68.88.38.29, fax 04.68.88.04.65,
e-mail domaine-madeloc@wanadoo.fr r.-v.

DOM. MANYA PUIG Rimage 2005

■ 1,5 ha 5 000 15 à 23 €

Cathy et Guy Puig sont associés depuis 1997 au développement du domaine Manya qui produit du vin depuis un siècle et demi. Les bouteilles étaient alors vendues dans la pharmacie du docteur Manya... Aujourd'hui, on découvre un 2005 grenat tuilé aux arômes de pruneau légèrement chocolatés. La bouche hésite entre la jeunesse du fruit frais et le charnu de la figue, marquée d'un soupçon de grillé. À découvrir en apéritif, à la fraîche.

Dom. Manya Puig, 7, av. de la République, 66190 Collioure, tél. et fax 04.68.98.02.59
t.l.j. 9h30-12h30 15h-19h
Puig

DOM. SAINT-SÉBASTIEN 2005

0,4 ha 2 200 11 à 15 €

Le nom du domaine est celui du saint patron de Banyuls. Ici, la vigne crée le paysage. Une rareté que ce banyuls blanc à la robe fraîche et tendre, au parfum de muscat et de litchi. Souple, fleuri (rose) et finement muscaté, il surprend par la pointe tannique qui prolonge la finale.

Dom. Saint-Sébastien, 10, av. du Fontaulé, 66650 Banyuls-sur-Mer, tél. 04.68.88.30.14, fax 04.68.88.35.77, e-mail st.sebastien@wanadoo.fr t.l.j. 9h30-20h (haute-saison); 10h30-18h (basse-saison); f. jan.

Becque

CELLIER DES TEMPLIERS 2005 ★★

n.c. 11 000 30 à 38 €

À Banyuls, les Templiers ont laissé leur empreinte dans l'organisation du vignoble, l'écoulement des eaux de pluie et l'acheminement de la vendange par des conduits en terre cuite. Pour leur rendre hommage, les vignerons coopérateurs se sont réunis autour de leur nom. Ce banyuls fruité élaboré selon la technique des *vintages* garde une robe rouge profond. Dans la corbeille de fruits, la cerise et les petites baies des sous-bois se conjuguent. En bouche, la douceur compense la force généreuse, le fruit est gourmand, charnu, la cerise se parfume de vanille, les tanins solides sont enrobés et la finale légèrement mentholée. Remarquable aujourd'hui, ce vin possède également un bel avenir.

Cellier des Templiers, rte du Mas-Reig, 66650 Banyuls-sur-Mer, tél. 04.68.98.36.70, fax 04.68.98.36.91, e-mail accueil-visite@templers.com r.-v.

DOM. DU TRAGINER Rimage Mise tardive 2003 ★

2 ha 6 000 11 à 15 €

Pendant longtemps, la mule a été la meilleure amie du vigneron banyulenc. Cela explique les nombreuses cabanes construites pour abriter le *traginer* – le muletier – et parfois sa mule. Désormais, celle-ci est de retour dans les exploitations car le terroir accidenté exclut la mécanisation. Ce 2003 ambré aux reflets acajou s'ouvre sur la vanille, les notes d'agrumes, de caramel et de tabac miellé. La bouche retrouve ces arômes, sur un registre plus évolué avec des notes de noix et de torréfaction. Un banyuls équilibré et harmonieux, prêt à boire.

Jean-François Deu, Dom. du Traginer, 56, av. Puig-del-Mas, 66650 Banyuls-sur-Mer, tél. 04.68.88.15.11, fax 04.68.88.31.48, e-mail jfdeu@hotmail.com r.-v.

Banyuls grand cru

CAVE DE L'ABBÉ ROUS
Cuvée Christian Reynal 1995 ★★

n.c. 9 000 30 à 38 €

Onze ans d'élevage oxydatif en foudre et à l'arrivée une cuvée remarquable : magie des banyuls grands crus ! Le Reynal est né sur les terrasses pentues peuplées de grenaches noueux et de quelques rares carignans qui lui confèrent une excellente charpente. Les hommes du chai ont su parfaitement traduire l'expression de ce terroir. Exprimant à la fois les fruits réglissés et épicés, l'écorce d'orange et les fruits à l'eau-de-vie, le vin, ample et intense, trouve en bouche quelques notes cacaotées à ajouter à sa riche palette aromatique. Il continuera à jouer cette partition *per molts anys*, comme on dit ici.

Cave de l'Abbé Rous, 56, av. Charles-de-Gaulle, 66650 Banyuls-sur-Mer, tél. 04.68.88.72.72, fax 04.68.88.30.57, e-mail contact@banyuls.com

L'ÉTOILE 1999 ★

n.c. 6 000 11 à 15 €

Située au centre du village, la plus ancienne cave du cru est aussi la plus originale. Créée par les membres d'une même famille, elle s'est développée au fil du temps sans pouvoir guère dépasser ses murs d'origine. Ici, la richesse n'est pas la dernière technologie mais plutôt le parc de foudres et demi-muids quasi centenaires pour certains. Après cinq ans de « futaille », le tuilé de ce 1999 est encore soutenu et le vin offre dès le premier nez toute l'expression de l'élevage, avec des senteurs de café, de cacao et de torréfaction. Ample, généreux, marqué d'une touche de figue et d'abricot sec, il s'exprime en bouche sur les fruits secs et la noix de cajou, montrant une structure et une puissance qui laissent présager un bel avenir.

SCV L'Étoile, 26, av. du Puig-del-Mas, 66650 Banyuls-sur-Mer, tél. 04.68.88.00.10, fax 04.68.88.15.10, e-mail cave.letoile@tiscali.fr t.l.j. 8h-12h 14h-18h

GICB 1998 ★★

30 ha 50 000 11 à 15 €

Le grand cru, c'est la sélection parcellaire de vieux grenache, le mutage sur grains, une longue macération et un élevage d'au moins trente mois en barrique. En fait, il lui faut bien davantage pour atteindre fondu, finesse et complexité aromatique comme le prouve ce millésime dont la robe noir profond s'est adoucie en tuilé acajou très brillant. Le fruit frais est désormais figue, pruneau et les foudres ont apporté des notes typiques de vanille, puis de café et de cacao. Les tanins se sont fondus et l'ensemble a gagné en longueur et en harmonie.

SIVIR, 1870, av. Julien-Panchot, BP 19908, 66962 Perpignan Cedex 09, tél. 04.68.85.77.07, fax 04.68.85.77.00, e-mail sivir@sivir.fr

CELLIER DES TEMPLIERS
Cuvée Président Henry Vidal 1995 ★★

n.c. 17 000 30 à 38 €

BANYULS
Grand Cru
APPELLATION BANYULS GRAND CRU CONTROLEE
VIN DOUX NATUREL
TRÈS GRANDE CUVÉE
75cl e
18,5% Vol
Cuvée Président Henry Vidal
MIS EN BOUTEILLE A LA PROPRIETE
CELLIER DES TEMPLIERS/66650 BANYULS SUR MER

Au Cellier, vous découvrirez le charme des vieux foudres qui ont fait l'histoire de Banyuls et, quelques centaines de mètres plus loin, le Mas Reig dont les demi-muids exposés au soleil sont remplis aux trois quarts des banyuls en cours d'élevage. Ce 1995 est un vrai grand

ROUSSILLON

cru traditionnel, riche, ample, remarquablement fondu, suave, où se mêlent abricot sec et figue, puis fruits secs grillés, douceur du chocolat et finesse du moka. Un ensemble harmonieux pour un foie gras, du chocolat ou un cigare, aujourd'hui et dans dix ans encore ! Le **Mas de La Serra demi-sec 1999 (15 à 23 €)**, plus puissant et plus sec, obtient deux étoiles également.
Cellier des Templiers, rte du Mas-Reig,
66650 Banyuls-sur-Mer, tél. 04.68.98.36.70,
fax 04.68.98.36.91, e-mail accueil-visite@templers.com
r.-v.

VIAL-MAGNÈRES Cuvée André Magnéres 1996 *

1,5 ha 3 000 23 à 30 €

Pour bien connaître le terroir et la culture banyulencque, il faut prendre le temps. C'est ce que vous dira Bernard Sapéras, et pour cela, il vous conduira sur le chemin d'Anicet, vous parlera du rôle des mules, vous mènera admirer le travail des architectes vignerons avant de vous conter Banyuls, verre en main dans sa cave. Autour de ce 1996 peut-être, joliment tuilé, le nez sur le fruit grillé, la noisette et le pruneau. Les arômes vanillés, le soyeux des tanins, l'ampleur et la suavité du fruit confituré, la note torréfiée des fruits secs : c'est tout cela l'alliance du grenache et de l'élevage en foudre après six ans.
Olivier Sapéras,
Vial-Magnères, 14, rue Edouard-Herriot,
66650 Banyuls-sur-Mer, tél. 04.68.88.31.04,
fax 04.68.88.02.43, e-mail al.tragou@wanadoo.fr
r.-v.

Rivesaltes

Longtemps, rivesaltes fut la plus importante des appellations des vins doux naturels : elle atteignait 14 000 ha et 264 000 hl en 1995. Après un Plan rivesaltes qui a permis la reconversion d'une partie de ce vignoble, la production de cette appellation en difficulté économique est tombée à 131 000 hl en 2000. En 2006, elle a représenté 110 500 hl (l'AOC grand-roussillon ayant atteint 9 500 hl) ; elle se rapproche désormais en volume du muscat-de-rivesaltes dont les volumes atteignent 103 200 hl. Le terroir du rivesaltes s'étend en Roussillon et dans une toute petite partie des Corbières, sur des sols pauvres, secs, chauds, favorisant une excellente maturation. Quatre cépages sont autorisés : grenache, macabeu, malvoisie et muscat. Cependant, ces deux derniers n'interviennent que très peu dans l'élaboration de ces produits. La vinification se fait en général en blanc, mais aussi en rouge, à partir de grenache noir, qui subit une macération, afin de donner le maximum de couleur et de tanins.

L'élevage des rivesaltes est fondamental pour la détermination de la qualité. En cuve ou dans le bois, ils développent des bouquets bien différents. Il existe une possibilité de repli dans l'appellation grand-roussillon.

Les couleurs varient de l'ambré au tuilé. Le bouquet rappelle la torréfaction, les fruits secs, et le rancio dans les cas les plus évolués. Les rivesaltes rouges ont, dans leur phase de jeunesse, des arômes de fruits rouges : cerise, cassis, mûre. On les boira à l'apéritif ou au dessert, à une température de 11 à 15 °C, selon leur âge.

ARNAUD DE VILLENEUVE
Ambré Hors d'âge 1977 **

2 ha 3 400 23 à 30 €

Cette cuvée rend hommage à celui qui est considéré comme l'inventeur du vin doux naturel, ayant le premier découvert l'accord harmonieux de la liqueur de raisin et de son eau-de-vie. Rouge ou blanc ? On hésite face au roux de la robe. Car le vin est passé en pays rancio, celui de la bouche grasse et fondue, de la plénitude et de la complexité aromatique alliant figue, tabac, épices, café et cerneau de noix, le tout relevé par la fraîcheur d'une belle acidité. Les amateurs apprécieront. Le **Tradició ambré Hors d'âge 1982 (15 à 23 €)**, plus classique, décroche une étoile pour ses notes de miel, de verveine et d'agrumes.
Les Vignobles du Rivesaltais,
1, rue de la Roussillonnaise, 66600 Rivesaltes,
tél. 04.68.64.06.63, fax 04.68.64.64.69,
e-mail vignobles.rivesaltais@wanadoo.fr r.-v.

CH. DE CALADROY Grenat 2005 *

1,5 ha 6 000 8 à 11 €

Caladroy, ancienne forteresse du XIIe s. dresse son imposante structure au regard de deux vallées. L'ancienne chapelle a été reconvertie en caveau de dégustation. Dans sa jeunesse, le rivesaltes est ainsi, grenat profond, dominé par les petits fruits et la cerise sur un fond épicé. La difficulté réside alors dans la recherche rapide de l'équilibre entre fruits, tanins et alcool, pour atteindre cette puissance veloutée et l'harmonie des saveurs. Mission accomplie pour ce 2005, que vous servirez sur une charlotte au chocolat. (Bouteilles de 50 cl.)
SCEA Ch. de Caladroy, 66720 Bélesta,
tél. 04.68.57.10.25, fax 04.68.57.27.76,
e-mail chateau.caladroy@wanadoo.fr
t.l.j. sf dim. 8h-12h 13h30-17h30; sam. sur r.-v.
Mezerette

DOM. CAZES Ambré 1995 *

12 ha 12 000 11 à 15 €

Ce domaine, coup de cœur l'an dernier, compte près de 200 ha exploités en biodynamie : voilà un bel exploit technique. De plus, la totalité de la production part du domaine en bouteilles. Mais au-delà, ce sont trois générations de vignerons et une disponibilité incroyable couplée à un rare sens de l'accueil. La robe de ce 1995, or liquide, délicate, se lève sur des senteurs anisées et de verveine. Fin et élégant, il joue sur la fraîcheur intense de plantes macérées, sur le soyeux des tanins et la plaisante touche d'agrumes en finale. Le **Tuilé 1990**, plus sec, sur des notes de tabac et de pruneau, est cité.

🔑 Dom. Cazes, 4, rue Francisco-Ferrer, BP 61, 66602 Rivesaltes, tél. 04.68.64.08.26, fax 04.68.64.69.79, e-mail info@cazes.com ☑ Y ♿ r.-v.

DOM. CELLER D'AL MOULI Tuilé 2004

■ 2,3 ha 4 500 ▮ 5 à 8 €

De passage à Tautavel pour visiter son musée de la Préhistoire, vous pourrez séjourner au domaine et vous plonger dans une autre histoire, celle des vins doux naturels. Commencez par déguster ce 2004 tuilé limpide, au bouquet dominé par les fruits confiturés, le pruneau, le cacao et les notes d'élevage. Ample, la bouche confirme les arômes perçus au nez, s'enrichissant d'une touche agréable et fraîche de cerise à l'eau-de-vie. À découvrir à l'apéritif ou sur un dessert aux fruits.

🔑 Pierre Pelou, EARL Celler d'al Mouli, 9, rue de la République, 66720 Tautavel, tél. et fax 04.68.29.02.21 ☑ Y r.-v. 🏠 D

CLOS ORLINE Cuvée des Deux Pierre

n.c. n.c. 8 à 11 €

Le rivesaltes se décline en grenat (vin jeune en élevage réducteur) ou le plus souvent en tuilé (issu principalement de cépages rouges) ou ambré (à base de cépages blancs ou de grenache gris). Dans ces deux derniers cas, c'est l'élevage en milieu oxydatif qui caractérise le vin. Cet ambré issu du terroir citadin de Perpignan offre des senteurs de plantes macérées et d'agrumes. La bouche retrouve l'orange amère, le quinquina, et s'entoure de notes toastées et de nuances de caramel au lait. À servir bien frais à l'apéritif.

🔑 Jean-Marie Soulage, Mas Orline, 3202, chem. de Mailloles, 66000 Perpignan, tél. 04.68.85.01.42, fax 04.68.68.03.54 🏠 D

DOM. COLL DE ROUSSE
Ambré Hors d'âge Élevé en fût de chêne 2000

5 ha 3 000 ▮▮ 8 à 11 €

Tresserre tire son nom des trois serres (collines) qui entourent le village. Ce sont autant de cols à franchir, dont celui de « Rousse » qui donne son nom au domaine. Ce 2000 annonce clairement la couleur dès l'étiquette : on y voit des noix et des amandes ainsi que des feuilles mortes, sur un fond orangé. En effet, voilà un rivesaltes ambré roux intense, au nez de pruneau, de foin coupé, de cire et de fruits secs. Il surprend agréablement en bouche, vif sur des notes d'eau-de-vie et de tabac brun. La finale sur des tanins marqués mais cacaotés en fait le compagnon tout désigné des desserts au chocolat.

🔑 Boussuge, 2, rue de Montesquieu, 66300 Tresserre, tél. 06.73.72.58.20, fax 04.68.38.83.29, e-mail coll.de.rousse@tiscali.fr ☑ Y ♿ r.-v.

DOM BRIAL Tuilé 2000 ★★★

■ 4 ha 13 000 ▮ 5 à 8 €

La cave de Baixas, premier producteur de muscat, sait jouer aussi sur l'or de l'ambré **Immoral 2004 (8 à 11 €)**, cité, un or à faire pâlir le retable de l'église du village ! Mais cette année, c'est le travail d'élevage du tuilé qui est distingué. Un rivesaltes aux reflets roux et aux senteurs de fruits des bois, de confiture, de figue et de fruits secs grillés. L'ensemble est ample, gras, fondu, ponctué des notes épicées héritées du fût et d'une longueur remarquable. Le

Château Les Pins 2000 Primage rouge (8 à 11 €), élevé en cuve, aux notes de cerise et de kirsch, reçoit une étoile.

🔑 SCV Les Vignerons de Baixas Vignobles Dom Brial, 14, av. du Mal-Joffre, 66390 Baixas, tél. 04.68.64.22.37, fax 04.68.64.26.70, e-mail contact@dom-brial.com ☑ Y ♿ t.l.j. sf dim. 8h-12h 14h-18h

CH. L'ESPARROU Ambré Hors d'âge 1993 ★

1,66 ha 3 600 ▮▮ 8 à 11 €

Si vous consultez un exemplaire du *Guide du voyageur de France* (1816), vous y trouverez mentionné ce domaine pour la qualité de ses vins. Et si, autour, le littoral de Canet a bien changé, L'Esparrou a conservé son vignoble dominant l'étang. Après plus de dix ans d'élevage, l'or de ce 1993 est devenu ambre roux. Le fût a apporté au fruit des notes empyreumatiques, l'accord se faisant sur un parfum de garrigue. À la fois doux et nerveux, d'un bon volume, le palais s'agrémente d'une touche d'abricot sec. Pour des envies de fromage à pâte persillée.

🔑 Jean-Louis et Marie-Pascale Rendu, Dom. de L'Esparrou, 66140 Canet-en-Roussillon, tél. 04.68.73.30.93, fax 04.68.73.58.65, e-mail esparrou@hotmail.com ☑ Y ♿ t.l.j. 9h-12h 14h-18h; f. dim. en hiver

ROUSSILLON

DOM. DU MARIDET
Despenja Figues Grenat 2005 ★★

■ 1 ha 2 000 ▮ 8 à 11 €

Despenja Figues : on pense au *grandas* long et mince à la morphologie adaptée à la cueillette de fruits, ici en l'occurrence pour dépendre les figues. Ce 2005 s'affiche comme un rivesaltes du type *vintage*, très noir, intense et profond, le nez sur la cerise noire et le cassis. Puissant, mûr, le palais retrouve la cerise qu'il croque légèrement poivrée. Les tanins sont solides, l'ensemble chaleureux, exubérant de jeunesse est prêt pour une soupe de fruits à la cannelle.

🔑 Dom. du Maridet, 21, bd de la Marine, Mas de L'Alme, 66510 Saint-Hippolyte, tél. et fax 04.68.59.61.46, e-mail domainedumaridet@wanadoo.fr ☑ Y ♿ t.l.j. sf dim. 17h30-19h30; sam. 10h-12h30

🔑 Tisseyre

CH. MONTNER Tuilé 1996 ★★★

■ 3 ha 8 000 ▮▮ 5 à 8 €

Le Mont Noir (Montner), qui surplombe le village vers le Fort Royal (Força Réal), et d'où l'on peut du regard embrasser quasiment tout le Roussillon, doit son nom à la couleur des sols. Le temps a fait son œuvre et coloré la robe de ce 1996 tuilé, roux, fauve, mais le vin reste solide, offrant des notes de cuir et de fruits secs. La bouche charnue complète cette palette aromatique par des arômes de fruits confiturés et de figue. L'équilibre est

superbe, le vin fondu et soyeux, et la finale gourmande s'étire longuement sur des notes de cacao. L'**Ambré 1996**, jouant sur le miel et l'abricot, obtient une étoile.
Les Vignerons des Côtes d'Agly, av. Louis-Vigo, 66310 Estagel, tél. 04.68.29.00.45, fax 04.68.29.19.80, e-mail contact@agly.fr r.-v.

DOM. MOUNIÉ Tuilé Roc de l'Amor 1998

3 ha 4 000 15 à 23 €

Niché dans les Corbières catalanes, Tautavel est un vrai village vigneron. C'est aussi un agréable lieu de séjour, vivant et culturel, à la fois proche de la mer, de la ville et de la montagne. C'est enfin un superbe terroir pour les vins doux naturels. Des vignes de grenache quinquagénaires, du savoir-faire, des vieux foudres, et voilà ce tuilé au nez de fruits confiturés et de pruneau à l'eau-de-vie. Un vin vif, chaleureux, entre cerise et figue, aux tanins solides légèrement maltés, prêt pour un dessert aux fruits rouges.
Dom. Mounié, 1, av. du Verdouble, 66720 Tautavel, tél. 04.68.29.12.31, fax 04.68.29.05.59, e-mail domainemounie@free.fr r.-v.
Rigaill

LES VIGNERONS DE PÉZILLA Hors d'âge **

5 ha 10 000 8 à 11 €

Les pieds au frais en bord de la Têt, la tête dans les coteaux, le village de Pézilla est riche d'une agriculture diversifiée. La vigne, plantée sur des terrasses, s'offre plein sud au soleil catalan. La robe de ce rivesaltes se pare d'un ambré doré éclatant. L'approche complexe mêle les fruits confits et des senteurs chaleureuses de garrigue. Souple, ample et riche, la bouche est marquée par l'abricot sec autour de notes de paille, de cire et de tabac blond. L'ensemble se montre équilibré et de bonne longueur. Ouvrez cette bouteille à l'apéritif et gardez-la sur le foie gras poêlé.
Les Vignerons de Pézilla, 1, av. du Canigou, 66370 Pézilla-la-Rivière, tél. 04.68.92.00.09, fax 04.68.92.49.91, e-mail contact@pezilla.com
t.l.j. sf dim. 8h30-12h30 14h-18h30

CH. PRADAL Ambré Hors d'âge Le Serrat d'en Vaquer Élevé en fût de chêne 1999 *

1,5 ha 2 500 11 à 15 €

À force de grandir, Perpignan met, comme le souhaitait A. Allais, sa « ville à la campagne ». Mais la commune n'en reste pas moins fière de son agriculture et de ses canaux : le domaine d'André Coll-Escluse jouxte le centre du monde version Dali (la gare de Perpignan). S'il faut faire un choix parmi les vins du château, coup de cœur l'an dernier pour un tuilé exceptionnel, on prendra ce 1999 ambré roux, au nez de fruits confits et d'amande. Suave, il mêle la douceur de la noisette grillée et la fraîcheur de l'orange amère, tout en apportant à la finale de délicates notes grillées. L'élevage sage et maîtrisé a su préserver la part du fruit.
André Coll-Escluse, 58, rue Pépinière-Robin, 66000 Perpignan, tél. 04.68.85.04.73, fax 04.68.56.80.49 r.-v.

DOM. DE RANCY Ambré 1991 ***

10 ha 5 000 15 à 23 €

Les vins doux se prêtent à bien des exercices : mise précoce ou tardive, élevage de cinq, dix, vingt ans et plus en cuve, en foudres pleins ou en vidange, voire en bonbonnes au soleil... Voici ici encore autre chose : le

rancio. Pour en savoir plus, pas besoin de longs discours, le plus simple est d'aller chez Jean-Hubert Verdaguer goûter ce 1991 pour initiés. Dire qu'il fut blanc... désormais il est roux, empreint d'arômes de chocolat, de pruneau et de fruits secs. Il joue avec finesse sur la torréfaction et les épices. On découvre en bouche cette sensation onctueuse si caractéristique, dans un ensemble ample et fondu, à la finale pleine de vivacité marquée par la saveur de noix du rancio. Magnifique.
Jean-Hubert Verdaguer, Dom. de Rancy, 11, rue Jean-Jaurès, 66720 Latour-de-France, tél. 04.68.29.03.47, fax 04.68.29.06.13, e-mail info@domaine-rancy.com
t.l.j. sf dim. 10h-12h30 15h-19h

CH. ROMBEAU Grande Réserve Hors d'âge **

4 ha 5 300 11 à 15 €

P.-H. de la Fabrègue ! À la fois le conteur érudit de l'histoire catalane, le boulimique défricheur d'idées, l'hôtelier affable, le vigneron maintes fois distingué... et le chef d'orchestre d'un superbe piano de la restauration locale. Sa Grande Réserve a plus de vingt-cinq ans. Elle hésite, et c'est normal à cet âge, entre l'ambre et le roux. Des reflets verdâtres annoncent le rancio, qui pointe le bout de son nez après la figue, le chocolat et une note épicée apportée par les vieux foudres. L'ensemble est ample et fondu, la noisette a le grillé du café, un soupçon de tabac miellé vient faire un tour de piste avant de laisser au palais toute la place au rancio. (Bouteilles de 50 cl.)
P.-H. de la Fabrègue, av. de la Salanque, 66600 Rivesaltes, tél. 04.68.64.35.35, fax 04.68.64.64.66, e-mail domainederombeau@wanadoo.fr
t.l.j. 8h-23h

DOM. ROSSIGNOL Ambré 2001 *

3 ha 3 846 5 à 8 €

Depuis 1995, rien n'arrête la marche en avant des Rossignol. De plus, alors que beaucoup s'interrogent (à tort) sur l'avenir des vins doux naturels, eux créent en 2006 un chai spécifique pour leur élevage. Dernier défi en date : la conversion en bio entamée en septembre 2006. La touche de muscat d'Alexandrie dans l'assemblage (10 %) apporte une note d'orange amère qui se fond dans la noisette et les fruits secs torréfiés. Fraîche, gouleyante, la bouche se rehausse d'une pointe d'amertume en finale. Un ambré typique pour un foie gras de canard servi sur des tranches de pain aux figues.
Pascal Rossignol, rte de Villemolaque, 66300 Passa, tél. et fax 04.68.38.83.17, e-mail domaine.rossignol@free.fr
t.l.j. sf dim. 10h30-12h30 16h-19h

RENÉ SAHONET
Ambré Vieilli en fût de chêne 1998

	5 ha	3 000	8 à 11 €

Entre le métier de vigneron et celui d'enseignant, René Sahonet n'a pu choisir, mais que ce soit en français ou en viticulture, il a su faire partager son savoir, suscitant la vocation d'un fils désormais chargé de la communication et de la vente sur ce domaine plusieurs fois centenaire. L'ambré de ce 1998 a évolué vers le roux sous l'emprise de vieux foudres qui lui confèrent leurs arômes caractéristiques. Très doux, il s'avance sur des notes de café, de tabac brun et de cacao, vers le rancio dont il a déjà la vivacité.

René Sahonet, 13, rue de Saint-Exupéry, 66450 Pollestres, tél. et fax 04.68.55.15.98 r.-v.

LES MAÎTRES VIGNERONS DE TAUTAVEL
Ambré Hors d'âge ★★

	16 ha	30 000	8 à 11 €

Tautavel, c'est bien sûr l'homme préhistorique, le musée interactif, mais aussi une belle vallée viticole qu'il faut aller chercher au pied des Corbières. Les amateurs de paysages bruts et sauvages emprunteront au retour ou depuis Casses de Pènes la petite route D 59 qui longe le Verdouble. Séquence émotion en perspective. Un ambré aux senteurs de vieux foudres et de fruits à l'eau-de-vie. Doux, suave, bien équilibré, il offre des notes d'abricot et de banane flambée qui cèdent le pas aux fruits secs grillés. Une touche maltée invite à le déguster à l'apéritif.

Les Maîtres Vignerons de Tautavel, 24, av. Jean-Badia, 66720 Tautavel, tél. 04.68.29.12.03, fax 04.68.29.41.81, e-mail vignerons.tautavel@wanadoo.fr
t.l.j. 9h-12h 14h-18h

TERRASSOUS Ambré Hors d'âge Rancio 1974 ★

	5 ha	5 000	30 à 38 €

Distingué l'an dernier pour un 1998 et un 2001, les vignerons de Terrats démontrent avec ce 1974 que le sérieux et l'application des vignerons, des dirigeants et des employés de l'entreprise ne datent pas d'hier. Un millésime qui « ranciote », avec ses reflets verts autour de l'ambre roux. Pas d'erreur, le nez confirme, ajoutant le tabac, le sous-bois et des notes empyreumatiques. Le vin est vif, sur les fruits secs torréfiés, le cacao, la vieille eau-de-vie de noix et un soupçon de tourbe, avant la finale marquée par le rancio et ses parfums de noix.

SCV Les Vignerons de Terrats, BP 32, av. des Corbières, 66300 Terrats, tél. 04.68.53.02.50, fax 04.68.53.23.06, e-mail scv-terrats@wanadoo.fr
r.-v.

CH. VALFON Tuilé 2004 ★

	1,5 ha	5 000	11 à 15 €

Au sud de Perpignan, Ponteilla abrite des caves catalanes typiques de briques et de cayroux aux poutres monumentales. C'est également, aux portes de la ville, un village encore préservé, représentatif des Aspres du Roussillon. Le rouge soutenu annonce la fraîcheur des fruits des bois, que le nez conserve, malgré les vingt-quatre mois en fût. Agréable, gouleyant, frais, le palais affiche un début d'évolution du fruit vers plus de maturité. Les tanins encore un peu accrocheurs montrent un grain fin et prometteur.

Dom. Valfon, 11, rue des Rosiers, 66300 Ponteilla, tél. et fax 04.68.53.61.66, e-mail chvalfon@aol.com
r.-v.

VILAFORCA Ambré Hors d'âge ★★

	45 ha	10 000	5 à 8 €

Regroupés depuis soixante ans, les vignerons de Fourques étendent leur vignoble au pied du Canigou, jouant à retrouver l'ocre et l'or de leur terroir dans leurs rivesaltes. Or soutenu à reflets vermeil, cet ambré se montre harmonieux dès le nez, offrant abricot et fruits confiturés. Équilibré entre le gras et la vivacité, le palais trouve des notes de fruits confits et de coing finement grillés, animées en finale par une pointe citronnée qui confère au vin une fraîcheur remarquable. Tarte au citron ou à l'abricot en perspective.

SCA Les Vignerons de Fourques, 1, rue des Taste-Vin, 66300 Fourques, tél. 04.68.38.80.51, fax 04.68.38.89.65, e-mail vigneronsdefourques@wanadoo.fr
t.l.j. sf dim. 14h-18h; sam. 9h-12h

VILLA PASSANT Élevé en fût de chêne ★★

	12 ha	40 000	8 à 11 €

Claude Nougaro aimait venir se ressourcer ici entre la rocaille déchirée des Corbières et la douceur de l'oasis viticole de Tuchan-Paziols. Quelques dessins, de belles rimes et le rouge ocre des vieux grenaches. Ainsi coulait la vie. Le nez complexe mêle le boisé, le pruneau et la noisette grillée. La bouche ample, liquoreuse mais équilibrée se développe sur des arômes de figue, de tabac miellé et une note épicée de garrigue. La cuvée **CQFD 1995 Vieille Réserve (11 à 15 €)**, suave et aux notes de pruneau, est citée. La robe tuilé roux de ce rivesaltes s'orne de reflets verdâtres ; le rancio n'est pas loin.

Les Vignerons du Mont Tauch, 2, rue de la Cave-Coopérative, 11350 Tuchan, tél. 04.68.45.41.08, fax 04.68.45.45.29, e-mail contact@mont-tauch.com
t.l.j. sf sam. dim. 9h-12h 14h-18h

LES VIGNERONS DE VINGRAU
Ambré Hors d'âge 1996 ★★★

	n.c.	4 250	5 à 8 €

Vingrau tient son nom des vingt grades (ou marches) qui permettaient de descendre les gradins du cirque naturel pour arriver au village. C'est là qu'aujourd'hui les vignerons domptent grenache et macabeu. Dix ans, et l'or pâle a pris la patine ambré roux du vieil or. Très affiné par l'élevage, ce 1996 s'ouvre sur les fruits secs, l'eau-de-vie de noyau et les senteurs de vieux foudres. Fondu, harmonieux, bien équilibré, il joue sur l'abricot et le zeste d'orange, mêlant en finale la fraîcheur et les fleurs miellées.

Les Vignerons de Vingrau, 3, rue du Mal-Joffre, 66600 Vingrau, tél. 04.68.29.40.41, fax 04.68.29.42.87, e-mail vignerons.de.vingrau@wanadoo.fr r.-v.

Muscat-de-rivesaltes

Sur l'ensemble du terroir des rivesaltes, maury et banyuls, le vigneron peut élaborer du muscat-de-rivesaltes, lorsque l'encépagement se compose à 100 % de cépages muscat. La superficie de ce vignoble représente 4 950 ha, pour une production de 103 200 hl en 2006. Les deux cépages autorisés sont le muscat à petits grains et le muscat d'Alexandrie. Le premier, souvent appelé muscat blanc ou muscat de Rivesaltes, est précoce et se plaît dans des terrains relativement frais et si possible calcaires. Le second, appelé aussi muscat romain, est plus tardif et très résistant à la sécheresse.

La vinification s'opère soit par pressurage direct, soit avec une macération plus ou moins longue. La conservation se fait obligatoirement en milieu réducteur, pour éviter l'oxydation des arômes primaires. Les vins sont liquoreux, avec 100 g minimum de sucre par litre. Ils sont à boire jeunes, à une température de 9 à 10 °C. Ils accompagnent parfaitement les desserts : tartes au citron, aux pommes ou aux fraises, sorbets, glaces, fruits, touron, pâte d'amandes... ainsi que le roquefort.

DOM. ALQUIER 2005 *

2,5 ha 2 000 8 à 11 €

Le domaine est situé au sud de l'appellation, sur les terrasses en bordure du Tech. Ce vin, issu uniquement de muscat à petits grains, s'affiche dans une robe couleur dorée, scintillante. Tout en ayant conservé un caractère floral (glycine et viorne-tin), le nez montre également une belle évolution sur des notes confites (coing, abricot). Très élégant en bouche, ample et frais, ce 2005 possède une agréable longueur.

Pierre Alquier, Dom. Alquier, 66490 Saint-Jean-Pla-de-Corts, tél. 04.68.83.20.66, fax 04.68.83.55.45, e-mail domainealquier@wanadoo.fr
t.l.j. sf mer. dim. 9h-12h 15h-19h

LA BEILLE 2005

1,5 ha 3 500 8 à 11 €

Quand un *winemaker* australien rencontre une jeune catalane, cela donne... un muscat jaune d'or, au nez ample et complexe d'agrumes confits et de raisin mûr. La bouche, bien présente, est à la fois onctueuse et vive avec une finale sur des notes de tilleul et d'amande fraîche. Agathe Larrère et Ashley Hausler font une entrée réussie dans le Guide pour leur premier millésime en cave particulière.

Dom. La Beille, 18, rue Saint-Jean, 66550 Corneilla-la-Rivière, tél. 04.68.57.17.82
r.-v.
Agathe Larrère et Ashley Hausler

DOM. BERTRAND-BERGÉ 2006 *

2,01 ha 5 000 8 à 11 €

Non loin des forteresses cathares de Peyrepertuse et de Quéribus, ce domaine produit des muscats régulièrement sélectionnés dans le Guide. Dans la tradition du domaine, ce 2006 joue la fraîcheur et la légèreté. La robe claire étincelle de reflets verts. Les arômes sont ceux du fruit à chair blanche (pêche, poire), agrémentés d'une touche légèrement mentholée. La bouche se montre élégante et ample et la finale fraîche.

Dom. Bertrand-Bergé, av. du Roussillon, 11350 Paziols, tél. 04.68.45.41.73, fax 04.68.45.03.94, e-mail bertrand-berge@wanadoo.fr
t.l.j. 9h-12h 14h-18h
Jérôme Bertrand

DOM. BOUDAU 2006

10 ha 20 000 8 à 11 €

Déjà deux fois coup de cœur, le domaine produit régulièrement des muscats sélectionnés. Le 2006 ne fait pas exception. Robe or clair brillante, nez intense aux nuances de fleurs blanches et d'agrumes, bouche fraîche, florale et finement citronnée : tout est réuni pour le plaisir de l'amateur.

Dom. Boudau, 6, rue Marceau, 66600 Rivesaltes, tél. 04.68.64.45.37, fax 04.68.64.46.26, e-mail info@domaineboudau.fr
t.l.j. sf dim. 10h-12h 15h-19h

DOM. CAZES 1995 ***

20 ha 50 000 23 à 30 €

Le vignoble familial de près de 200 ha est aujourd'hui dans les mains de la troisième génération ; qualité et originalité sont toujours au rendez-vous. Témoin cet admirable 1995, qui obtient un coup de cœur, le sixième pour ce domaine dans cette appellation. La robe bouton d'or resplendit de lumière. Les arômes évoquent un monde complexe où se mêlent liqueur de verveine, bonbon au miel, feuille de menthe et orange confite. Somptueuse aussi la bouche, à la fois liquoreuse et d'une étonnante fraîcheur. Un vin rare, à savourer en bonne compagnie. Le **muscat 2004 (8 à 11 €)**, aux notes de génépi et de citron confit, est cité.

Dom. Cazes, 4, rue Francisco-Ferrer, BP 61, 66602 Rivesaltes, tél. 04.68.64.08.26, fax 04.68.64.69.79, e-mail info@cazes.com r.-v.

DOM. DES CHÊNES 2005 **

3 ha 8 000 8 à 11 €

Un domaine dont la réputation n'est plus à faire et qui prouve qu'on peut être professeur en œnologie (à Sup Agro Montpellier) et aussi un grand vigneron ! Ce muscat 2005 est superbe et a frôlé le coup de cœur. La robe or pâle se pare de reflets verts. Le bouquet, à la fois délicat et intense, offre des notes de buis, de menthol et de fruits mûrs relevées d'une pointe minérale. Un vin riche et d'une grande élégance. À déguster avec un croquant de Saint-Paul.

Alain Razungles, Dom. des Chênes, 7, rue Mal-Joffre, 66600 Vingrau, tél. 06.87.70.15.87, fax 04.68.29.10.91, e-mail domainedeschenes@wanadoo.fr r.-v.

CH. LA COMMANDERIE DU MAS DEU 2006 ★★

5,05 ha 18 600 ▮ 5 à 8 €

Le Mas Deu est un lieu mythique. C'est là en effet qu'aurait été découvert au XIII^e^s. le « miraculeux mariage de l'esprit du vin et du suc du raisin », soit le principe même du mutage des vins doux naturels. Des siècles plus tard, ce domaine élabore un muscat à la robe or pâle brillante, aux arômes intenses, délicats et frais d'agrumes, de pêche et d'abricot. Un ensemble exubérant mais d'un équilibre parfait, qui saura accompagner un sabayon aux fruits. Une sélection du négociant bordelais.

Œnoalliance, rte du Petit-Conseiller, 33750 Beychac-et-Caillau, tél. 05.57.97.39.73, fax 05.57.97.39.74, e-mail info@oenoalliance.com

LES VIGNERONS DES CÔTES D'AGLY 2006 ★

n.c. 60 000 5 à 8 €

Vinifiant près de 1 600 ha de vignes, cette coopérative ne sacrifie en rien la qualité à la quantité, comme en témoigne le coup de cœur obtenu en 2003 ou encore les deux cuvées sélectionnées cette année. Les **Terrasses d'Agly 2006** obtiennent une citation. Quant à la cuvée traditionnelle, elle est jugée très réussie. La robe est brillante, les arômes évoquent la fleur d'acacia, les agrumes et la menthe sauvage. La bouche onctueuse se montre équilibrée grâce à une bonne fraîcheur en finale.

Les Vignerons des Côtes d'Agly, av. Louis-Vigo, 66310 Estagel, tél. 04.68.29.00.45, fax 04.68.29.19.80, e-mail contact@agly.fr r.-v.

CROIX MILHAS 2005 ★

60 ha 200 000 ▮ 3 à 5 €

Cette cuvée de négoce est un assemblage de muscat à petits grains (70 %) et de muscat d'Alexandrie. Elle se présente dans une robe d'un or paille lumineux. Les arômes, tout d'abord végétaux (verveine, thym, menthol), évoluent ensuite vers les agrumes frais et les fruits exotiques. L'équilibre en bouche et la longue finale laissent une impression des plus agréables. De la même maison, le jury a également retenu la cuvée **Les Genêts 2006 (5 à 8 €)**.

SIVIR, 1870, av. Julien-Panchot, BP 19908, 66962 Perpignan Cedex 09, tél. 04.68.85.77.07, fax 04.68.85.77.00, e-mail sivir@sivir.fr

DOM BRIAL 2006 ★★

5 ha 13 000 ▮ 5 à 8 €

Premiers producteurs de l'appellation en volume, les vignerons de Baixas figurent aussi parmi les meilleurs. Leur cuvée Dom Brial 2006 est remarquable d'originalité. De la teinte or pâle, aux reflets argentés, aux arômes de bourgeon de cassis et d'eau de rose, tout étonne et émerveille. Et que dire de l'équilibre du palais entre une onctuosité délicate et une extrême fraîcheur ! Dans un style différent, le **Château Les Pins 2005 (8 à 11 €)** décroche une étoile pour ses notes de fruits mûrs. Enfin, une citation pour la cuvée **Euphoric 2004 (8 à 11 €)**.

SCV Les Vignerons de Baixas Vignobles Dom Brial, 14, av. du Mal-Joffre, 66390 Baixas, tél. 04.68.64.22.37, fax 04.68.64.26.70, e-mail contact@dom-brial.com t.l.j. sf dim. 8h-12h 14h-18h

DOM. DE L'ÉVÊCHÉ 2006

n.c. 5 000 5 à 8 €

Au XII^e^s., l'église d'Espira-de-l'Agly, commune sur laquelle on trouve le domaine, devint la propriété de l'évêché d'Elne, qui y adjoignit un prieuré de moines augustins. Ce 2006 ne porte pas une robe d'évêque mais un habit or pâle aux reflets verts. Son bouquet intense et original exprime des nuances de bourgeon de cassis, de menthol et de fruits exotiques. La bouche est puissante et agrémentée de notes d'ananas confit et de fleur d'oranger. Beaucoup d'onctuosité et en même temps de finesse pour ce muscat à apprécier sur un foie gras.

Dom. de L'Évêché, rte de Baixas, 66600 Espira-de-l'Agly, tél. 06.07.78.27.86 r.-v.

DOM. FONTANEL L'Âge de pierre 2006 ★

n.c. n.c. 8 à 11 €

Les terroirs calcaires sont particulièrement adaptés à la culture du muscat à petits grains. Témoin cet Âge de pierre, hommage au passé préhistorique de la région, à la robe or pâle brillante. Le nez intense évoque les fruits exotiques, la pêche, la poire, les agrumes et les fleurs blanches. Un joli bouquet, soutenu en bouche par une fraîcheur élégante.

Dom. Fontanel, 25, av. Jean-Jaurès, 66720 Tautavel, tél. 04.68.29.04.71, fax 04.68.29.19.44, e-mail domainefontanel@hotmail.com t.l.j. 10h-12h 14h-19h

DOM. DE LA GRANGE 2006

5 ha 10 000 ▮ 5 à 8 €

Après la visite de la cité de Lapalme où vous aurez le choix entre vieilles pierres, salins et sites naturels, faites une halte au domaine pour goûter ce 2006 à la robe brillante parée de reflets or clair. Le nez exprime des arômes de fruits blancs et exotiques, tandis qu'en bouche s'exhalent des nuances plus mûres de kumquat et de cédrat confit. La tarte au citron l'attend.

GAEC Dell'Ova Frères, Cabanes de La Palme, BP 5, 11480 Lapalme, tél. 04.68.48.17.88, fax 04.68.48.24.59 t.l.j. sf dim. 10h-12h 14h-19h

DOM. LAFAGE Grain de vignes 2006 ★★

5,6 ha 15 000 ▮ 8 à 11 €

Présente dans le Guide depuis de nombreuses éditions, cette cuvée reçoit cette année un coup de cœur. Certes, on sent tout le soin apporté à la vinification, mais c'est bien le grain de raisin qui domine le bouquet aux notes florales et exotiques, et aux arômes de pêche blanche

et de citron vert. L'attaque se fait sur la douceur, immédiatement relevée par une excellente fraîcheur. Un vin élégant et harmonieux.

SCEA Dom. Jean-Marc Lafage, Mas Miraflors, rte de Canet, 66000 Perpignan, tél. 04.68.80.35.82, fax 04.68.80.38.90, e-mail domaine.lafage@wanadoo.fr r.-v.

LES VIGNERONS DE LESQUERDE 2006 *

n.c. 26 000 5 à 8 €

On ne passe pas par Lesquerde, on s'y rend. La petite route en lacets qui monte de la vallée vous amène dans un paysage superbe où les vignes se lovent dans leur terroir d'arènes granitiques. Au bout du chemin, la cave des vignerons accueille le visiteur et propose un muscat à la robe or pâle pailletée d'argent. Livrant au nez des arômes de fleurs (mimosa, aubépine) et de fruits mûrs, il s'épanouit en bouche sur une matière délicate et sensuelle. Un bon accord pour une salade de fruits.

SCV Lesquerde, rue du Grand-Capitoul, 66220 Lesquerde, tél. 04.68.59.02.62, fax 04.68.59.08.17, e-mail lesquerde@wanadoo.fr t.l.j. sf dim. 9h-12h 14h-18h

DOM. DU MAS DES CLOTS 2005 *

n.c. 5 000 8 à 11 €

Le mas et sa bergerie du XVe s. sont situés dans une petite vallée (*clot* en catalan) entourée de garrigues, dans les contreforts argilo-calcaires des Corbières. Le muscat s'habille d'une robe bouton d'or. Son nez intense offre des notes de fleur d'oranger et de confiserie. Ample et persistant en bouche, c'est un vin original dans son évolution. À servir sur des desserts catalans.

Piquemal, Mas des Clots, 66600 Salses-le-Château, tél. et fax 04.68.64.20.13, e-mail michel.piquemal@masdesclots.com t.l.j. sf dim. 8h-12h 14h-18h

MAS KAROLINA 2005 *

1,54 ha 5 200 5 à 8 €

Caroline Bonville a eu le coup de foudre pour les terroirs de la vallée de l'Agly où elle décide en 2003 de créer son domaine, qui compte aujourd'hui 17 ha. Le muscat 2005, 100 % petits grains issus d'arènes granitiques, est son premier millésime sélectionné dans cette appellation. De la robe or pâle à reflets argent, aux notes aromatiques de buis, de fruits exotiques, d'agrumes et de raisin frais, tout respire la fraîcheur dans ce vin élégant et original à ouvrir à l'apéritif.

Caroline Bonville, 29, bd de L'Agly, 66220 Saint-Paul-de-Fenouillet, tél. 06.20.78.05.77, fax 04.68.84.78.30, e-mail mas.karolina@wanadoo.fr t.l.j. sf dim. 10h-18h

Alain Bonville

CH. MOSSÉ

Saignée d'or Vieilli en fût de chêne 2001 *

5 ha 5 000 11 à 15 €

Un muscat élevé en foudres de chêne, ce n'est pas très courant ! Mais Jacques Mossé connaît son métier et réussit parfaitement l'exercice. La robe est d'un or soutenu aux reflets paille. Les arômes sont intenses et évolués : on y trouve pêle-mêle la liqueur de verveine, le menthol, le pain d'épice et une pointe de cacao. La bouche se montre puissante, élégante et d'une bonne longueur. À essayer sur une crème catalane ou un bras de Vénus.

Jacques Mossé, Ch. Mossé, 66300 Ste-Colombe-de-la-Commanderie, tél. 04.68.53.08.89, fax 04.68.53.35.13, e-mail chateau.mosse@worldonline.fr r.-v.

CH. DE NOUVELLES Cuvée Prestige 2006 *

8,5 ha 10 000 8 à 11 €

Superbe domaine familial niché au creux des Corbières, construit autour d'un château féodal du XIIe s. dont on peut encore voir des ruines. La cuvée Prestige est revêtue d'or pâle brillant et offre un nez intense aux notes de fleurs blanches et d'agrumes, alliées à une pointe de thym et de verveine. Beaucoup de douceur en bouche relevée par une fraîcheur citronnée.

SCEA R. Daurat-Fort, Ch. de Nouvelles, 11350 Tuchan, tél. 04.68.45.40.03, fax 04.68.45.49.21, e-mail daurat-fort@terre-net.fr t.l.j. sf. sam. dim. 9h-12h 14h-18h

CH. DE L'OU 2006 **

1,7 ha 3 000 5 à 8 €

Les 38 ha d'un seul tenant du domaine sont cultivés en agriculture biologique. Ce 2006 est issu à 100 % de muscat à petits grains. La robe dorée et brillante s'orne de reflets verts. Le nez exprime la verveine, la bergamote, le jasmin et les agrumes frais. La bouche, à la fois suave et fraîche, s'épanouit dans un bouquet délicat de fleurs et de fruits.

Ch. de L'Ou, rte de Villeneuve, 66200 Montescot, tél. et fax 04.68.54.68.67, e-mail chateaudelou66@orange.fr r.-v. 3

Bourrier

CH. PÉZILLA Cuvée Prestige 2006

5 ha 10 000 5 à 8 €

Créée en 1935, la coopérative de Pézilla propose cette année un 2006, assemblage de muscat à petits grains (60 %) et de muscat d'Alexandrie. Sous une robe aux reflets argentés, le nez puissant mêle le géranium et les fruits bien mûrs (poire, ananas, mangue). La bouche ample se parfume de miel et de fruits exotiques, avant une finale sur des notes d'agrumes frais. Un vin fin et typé.

Les Vignerons de Pézilla, 1, av. du Canigou, 66370 Pézilla-la-Rivière, tél. 04.68.92.00.09, fax 04.68.92.49.91, e-mail contact@pezilla.com t.l.j. sf dim. 8h30-12h30 14h-18h30

CH. PRADAL

Cuvée Centre du monde Élevé en fût de chêne 1998 *

3 ha 3 500 11 à 15 €

Ce ne sont pas les sélections répétées de ses vins dans le Guide, aussi bien en rivesaltes qu'en muscat, qui sont montées à la tête d'André Coll-Escluse. Si cette cuvée porte ce nom, c'est parce que le domaine est tout proche de la gare de Perpignan, ainsi qualifiée par Salvador Dali. Un muscat vieilli comme on en découvre parfois. La robe est d'un vieil or soutenu. Le nez d'une rare intensité livre des notes balsamiques et des arômes de fruits confits, d'écorce d'agrumes et d'amande grillée. La bouche, onctueuse, explose dans des nuances de cassonade, de cannelle et de cacao. Une superbe bouteille à réserver à des moments d'exception.

André Coll-Escluse, 58, rue Pépinière-Robin, 66000 Perpignan, tél. 04.68.85.04.73, fax 04.68.56.80.49 r.-v.

CH. DE REY Étiquette orange 2006 *

1,5 ha 4 200 5 à 8 €

Le château, œuvre de l'architecte danois Petersen, est situé sur la terrasse caillouteuse qui domine l'étang de Canet. Un terroir quasi idéal pour la maturation des raisins de muscat. La cuvée **Étiquette or 2006**, issue à 100 % de muscat à petits grains, obtient une citation. Cette Étiquette orange, qui assemble les deux muscats (dont 80 % d'Alexandrie), a été appréciée pour sa robe éclatante de lumière, sa grande finesse aromatique aux notes de buis et de menthol relevées d'une subtile pointe minérale, ainsi que sa bouche élégante et tonique.

Cathy et Philippe Sisqueille,
Ch. de Rey, rte de Saint-Nazaire,
66140 Canet-en-Roussillon, tél. 04.68.73.86.27,
fax 04.68.73.15.03, e-mail contact@chateauderey.com
t.l.j. sf sam. dim. 10h-12h 14h-17h

CH. ROMBEAU 2006 *

7,8 ha 8 260 8 à 11 €

Issu d'une longue lignée de vignerons, Pierre-Henri de la Fabrègue est passé maître dans l'art de recevoir et de faire apprécier cuisine et vins du domaine. Il propose un muscat à petits grains, tout en notes de raisin mûr, de fleurs d'amandier, de fruits exotiques et de miel. La bouche est ronde, fraîche, élégante et d'une bonne longueur.

SCEA Dom. de Rombeau, P.-H. de la Fabrègue,
av. de la Salanque, 66600 Rivesaltes,
tél. 04.68.64.35.35, fax 04.68.64.64.66,
e-mail domainederombeau@wanadoo.fr
t.l.j. 8h-23h

DOM. SAINTE JACQUELINE 2006 *

3,8 ha 5 000 5 à 8 €

Un quart de muscat d'Alexandrie et trois quarts de muscat à petits grains forment l'assemblage de ce 2006 or pâle, dont le nez intense offre des notes de fruits frais, d'agrumes et de fleur d'acacia. L'attaque en bouche est onctueuse, l'équilibre suave, aromatique et frais, et la persistance bonne sur des notes d'agrumes.

Dom. Sainte Jacqueline, 17, av. Gal-de-Gaulle,
66240 Saint-Estève, tél. et fax 04.68.92.35.10,
e-mail domaine@saintejacqueline.com r.-v.

DOM. SALVAT 2006

5 ha 12 000 8 à 11 €

Les deux muscats à parts égales nés sur sol argilo-calcaire, leur terroir de prédilection, ont donné ce vin qui fait preuve au nez d'une jolie finesse, avec ses notes de raisin mûr, de miel et de fleurs blanches. La bouche équilibrée, fraîche et souple s'achève sur des senteurs délicatement miellées.

Dom. Salvat, 8, av. Jean-Moulin,
66220 Saint-Paul-de-Fenouillet, tél. 04.68.59.29.00,
fax 04.68.59.20.44, e-mail salvat.jp@wanadoo.fr
r.-v.

DOM. SARDA-MALET 2006

4 ha 9 000 8 à 11 €

Le domaine se situe non loin du site paléontologique du Serrat d'en Vaquer, aux portes de Perpignan. Le 2006 est issu uniquement de muscat à petits grains. La robe légère s'orne de reflets or pâle. Les arômes sont complexes, marqués par le fruit frais (poire, litchi) et quelques notes surmûries (coing). La bouche se montre ample, concentrée, et la finale d'une bonne fraîcheur.

Dom. Sarda-Malet,
Mas Saint-Michel, chem. de Sainte-Barbe,
66000 Perpignan, tél. 04.68.56.72.38,
fax 04.68.56.47.60, e-mail sardamalet@wanadoo.fr
r.-v.

TERRASSOUS 2006 *

n.c. 10 000 5 à 8 €

Au cœur des collines des Aspres, la cave de Terrats est conduite par une équipe dynamique. Elle produit notamment ce muscat qui a retenu l'attention du jury. Sous une robe or pâle, le nez délicat livre des nuances d'agrumes, de fruits exotiques et de rose. La bouche est équilibrée, et la finale s'étire sur des notes de miel d'acacia. À tester sur un *mel i mato* (fromage frais au miel).

SCV Les Vignerons de Terrats, BP 32, av. des Corbières, 66300 Terrats, tél. 04.68.53.02.50,
fax 04.68.53.23.06, e-mail scv-terrats@wanadoo.fr
r.-v.

DOM. LES TOURDELLES 2006

9,67 ha 4 500 5 à 8 €

Deuxième millésime vinifié par le domaine, après le départ de la cave coopérative en 2004, et deuxième sélection. Un joli vin à la robe or clair brillante, au nez fin exprimant des notes de fleur d'oranger et d'agrumes frais (kumquat, citron). La bouche subtile et équilibrée ne manque pas de fraîcheur.

Jean-Louis Majoral,
Dom. Les Tourdelles, 3, imp. des Champs,
66310 Estagel, tél. et fax 04.68.29.08.87,
e-mail lestourdelles-majoral@wanadoo.fr r.-v.

CH. LA VIGNE BARBÉ 2006 **

2 ha 2 000 8 à 11 €

Au XIVe s., le muscat de Claira était, paraît-il, servi à la table des papes d'Avignon. La famille Barbé propose un muscat étincelant, au bouquet intense de fruits exotiques, de citronnelle, de pétale de rose et de miel. La bouche délicate, souple et élégante se prolonge dans une finale marquée par le fruit et la fraîcheur.

Sylvie et José Barbé, chem. de Torreilles,
66530 Claira, tél. et fax 04.68.61.38.71,
e-mail michel.barbe8@wanadoo.fr
t.l.j. 10h-12h 17h-19h

Maury

L'aire de maury recouvre la commune de Maury, au nord de l'Agly, et une partie des communes limitrophes. Ce sont des collines escarpées couvertes de schistes noirs de l'aptien plus ou moins décomposés. On y a produit 6 600 hl de vin en 2006 sur 280 ha, à partir du grenache noir. La vinification se fait souvent par de longues macérations, et l'élevage permet d'affiner des cuvées remarquables.

D'un rouge profond lorsqu'ils sont jeunes, les vins prennent par la suite une teinte acajou. Le bouquet est d'abord très aromatique, à base de petits fruits rouges. Celui des vins plus évolués rappelle le cacao, les fruits cuits et le café. Les maury sont appréciés à l'apéritif et au dessert, et peuvent également se prêter à des accompagnements sur des mets à base d'épices et de sucre.

LA COUME DU ROY 2003 ★★★

■ 15 ha 8 000 ▮ 11 à 15 €

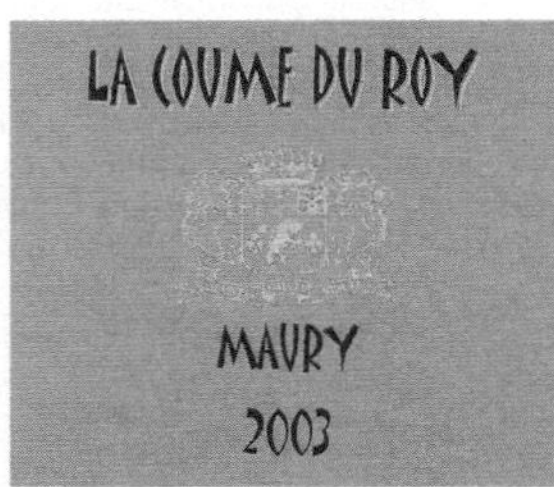

Agnès, Hélène, Anne, chacune dans son domaine, accompagnent de la vigne à la mise le Roy grenache. Il est vrai qu'ici, le grenache se complaît. La robe profonde est ornée de reflets légèrement tuilés. Le nez fin et complexe joue des notes de griotte sur un fond de cassis. Au palais, après une approche tout en douceur, la cerise se croque, le tanin soyeux glisse sa note épicée et le vin se déroule, puissant, élégant, ample et... interminable. Il ne faudra pas moins qu'un foie gras poêlé à la confiture de figues pour accompagner ce maury. (Bouteilles de 50 cl.)

🔑 Dom. de La Coume Du Roy, 13, rte de Cucugnan, 66460 Maury, tél. et fax 04.68.59.67.58, e-mail contact@lacoumeduroy.com ☑ 🍷 🚶 r.-v.

🔑 A. Bachelet

DOM. DU DERNIER BASTION Premier Printemps 2005 ★★

■ 1,4 ha 4 100 ▮ 11 à 15 €

Dernier bastion des cathares, le château de Quéribus est tout proche du domaine. Sorti des mains expertes de l'œnologue, B. Soriano, ce Premier Printemps d'une limpidité remarquable, très aromatique, mêle cassis, sous-bois, Zan et violette au nez. Rond, suave et équilibré au palais, il offre une matière charnue, tout en finesse, parfumée à la cerise et à la réglisse. Le **rancio 1999**, élevé six ans en fût, plein de charme, est cité.

🔑 J.-L. Lafage, Dom. du Dernier Bastion, 13, rue Dr-Pougault, 66460 Maury, tél. 04.68.59.12.66, fax 04.68.59.13.14, e-mail dernierbastion@aol.com ☑ 🍷 🚶 r.-v.

DOM. FONTANEL 2004 ★★

■ 3 ha 4 000 ▮ ⫼ 11 à 15 €

Ce 2004 est paré d'une robe grenat sombre, sous laquelle on découvre des fruits mûrs (framboise, cerise, mûre) et des épices, agrémentés d'un joli toasté. La bouche riche et charnue est marquée par le fruité, ainsi que par des notes vanillées et chocolatées héritées de l'élevage sous bois. Excellent fondu et équilibre rehaussé par une agréable fraîcheur. Un maury prêt à boire.

🔑 Dom. Fontanel, 25, av. Jean-Jaurès, 66720 Tautavel, tél. 04.68.29.04.71, fax 04.68.29.19.44, e-mail domainefontanel@hotmail.com

☑ 🍷 🚶 t.l.j. 10h-12h 14h-19h

MAS AMIEL Prestige 15 ans d'âge ★★★

■ 3 ha 8 000 ▮ ⫼ 15 à 23 €

Bienvenue dans le monde privilégié des amateurs de vieux maury, ces vins rares élevés dans de vieux foudres de chêne, après avoir fait leur preuve en résistant durant une année au climat catalan, exposés à l'extérieur dans le parc de bonbonnes de verre. C'est ainsi que l'on dompte ici le grenache, qui garde néanmoins des notes rubis sous les reflets fauves. Celui-ci conserve un superbe nez mêlant pruneau, cacao, tabac miellé et senteurs de cave à vin doux. Puissant, très aromatique en bouche (fruits confiturés, épices, eau-de-vie), ce Prestige est un vin harmonieux à la finale longue et intense. Le **Vintage Réserve rouge 2004**, concentré, structuré et généreux, décroche deux étoiles ; quant au **Vintage blanc 2004 (11 à 15 €)**, frais et élégant, il obtient une étoile.

🔑 Olivier Decelle, Dom. Mas Amiel, 66460 Maury, tél. 04.68.29.01.02, fax 04.68.29.17.82

☑ 🍷 🚶 t.l.j. 8h30-18h

MAS DE LAVAIL Expression 2005 ★★

■ 4 ha 12 000 ⫼ 8 à 11 €

C'est bien l'expression du terroir de marnes noirs que les Batlle recherchent dans leurs vins. Installés depuis 1999 en cave particulière, ils ont trouvé la recette du succès comme le prouve ce jeune maury plein d'avenir au regard sombre, aux effluves sauvages tout juste sortis du maquis, tempérés par la finesse du fruit (cassis). Souple, élégant, équilibré, déjà très fondu sur des notes de figue, il offre une longue finale aux tanins enrobés.

🔑 Nicolas Batlle, Dom. de Lavail, 18, rue Henri-Barbusse, 66460 Maury, tél. 04.68.59.15.22, fax 04.68.29.08.95, e-mail masdelavail@wanadoo.fr ☑ 🍷 🚶 r.-v.

DOM. LA PLÉIADE Les Terrasses noires 2005 ★

■ 3,6 ha 12 000 ▮ 5 à 8 €

Des vignes de grenache quinquagénaires, est né ce maury rouge profond à reflets violacés, aux senteurs de garrigue, de genévrier et de cassis. Sur un équilibre plein de douceur, la bouche retrouve la palette aromatique du nez, encadrée par de solides tanins. L'édifice saura durer. On patientera en dégustant **La Croix rouge 2003 (8 à 11 €)**, cité.

🔑 EARL Dom. La Pléiade, hameau de la Roque, 66220 Saint-Paul-de-Fenouillet, tél. et fax 04.68.52.21.66 ☑ 🍷 r.-v.

DOM. POUDEROUX Vendange Mise tardive 2002 ★

■ 7 ha 8 000 ▮ ⫼ 11 à 15 €

En bon rugbyman, R. Pouderoux maîtrise les « fondamentaux » vignerons du Roussillon : toujours respecter le grenache, bien connaître le terroir, travailler en équipe et être aussi performant chez soi qu'à l'export. Essai transformé avec cette Vendange Mise tardive intense, le nez encore sur la cerise mais où percent déjà les fruits confiturés. Présents mais élégants, les tanins enrobés structurent la bouche aux arômes de fruits noirs et leur apportent une touche finement vanillée d'élevage.

🔑 Dom. Pouderoux, 2, rue Émile-Zola, 66460 Maury, tél. 04.68.57.22.02, fax 04.68.57.11.63, e-mail 123pou@wanadoo.fr ☑ 🍷 🚶 r.-v.

LE POITOU ET LES CHARENTES

POITOU-CHARENTES

À l'ouest, la Vendée ; au nord-ouest, l'Anjou ; au nord-est, la Touraine ; à l'est, les plateaux du Limousin ; au sud, le Bassin aquitain. Géologiquement, le Poitou, enserré entre les terrains primaires du Massif armoricain et du Massif central, fait communiquer les deux grands bassins sédimentaires du territoire français, le Bassin parisien et le Bassin aquitain : d'où le nom de Seuil du Poitou. Ses terrains jurassiques sont de nature sédimentaire, tout comme ceux, au sud, des pays charentais, auréoles crétacées et tertiaires du Bassin aquitain. La région est marquée par des paysages de plaines en Poitou, plus ondulés en Charente, où les sols prennent çà et là la couleur blanchâtre du calcaire.

La région administrative comprend quatre départements : la Vienne, les Deux-Sèvres, la Charente et la Charente-Maritime. D'un point de vue viticole, elle s'identifie à son vignoble principal, celui du cognac, qui s'étend sur les deux Charentes, avec une incursion en Dordogne. Ce n'est pas le seul ; le vignoble du Saumurois pousse une pointe en Poitou-Charentes, tout au nord des Deux-Sèvres, dans la plaine de Thouars. Et au nord-est de Poitiers, vers Neuville, subsistent des lambeaux du vignoble du Poitou, dont les vins, au XIIe s., dépassaient en notoriété ceux du Bordelais.

Son climat océanique très doux, souvent ensoleillé en été ou à l'arrière-saison, avec de faibles écarts de températures qui permettent une lente maturation des raisins, rapproche la région Poitou-Charentes de l'Aquitaine. C'est tout aussi vrai de l'histoire. Dès l'époque gallo-romaine, les pays des Pictaves et des Santones ont été rattachés à la même province que Bordeaux, et à partir du Xe s., Aquitaine et Poitou ont été réunis sous un même duché, avant de devenir partie intégrante, au milieu du XIIe s., du grand royaume Plantagenêt, comprenant Aquitaine, Poitou, Anjou et Angleterre. Leur histoire viticole présente ainsi bien des traits communs, quoique les époques de prospérité n'aient pas toujours coïncidé.

Aux temps gallo-romains, malgré l'éclat de Saintes et de Poitiers, nul indice d'une viticulture prospère dans la région, alors que Bordeaux possède déjà des vignobles réputés. C'est au Moyen Âge que le vignoble poitevin s'épanouit. Sa viticulture a un caractère hautement spéculatif : elle est suscitée par l'essor des villes de l'Europe du Nord et par le renouveau de la navigation maritime. Ce nouveau patriciat urbain veut consommer du vin. Des navires, plus gros et plus perfectionnés qu'auparavant, partent en quête de la boisson aristocratique. Les Poitevins répondent à cette demande. On plante en quantité dans les diocèses de Poitiers et de Saintes : vins de la Rochelle, de Ré et d'Oléron, vins de Niort, vins de Saint-Jean d'Angély, vins d'Angoulême.... Fondée par Guillaume X et protégée par les ducs d'Aquitaine, La Rochelle est l'un des principaux ports d'expédition, mais le moindre port de rivière profite de ce commerce. On appelle aussi vins du Poitou les produits nés dans les régions voisines de l'Aunis, de la Saintonge et de l'Angoumois – les provinces historiques situées sur le territoire actuel des deux Charentes.

Si la prise de La Rochelle par le roi de France, en 1224, ferme aux vins du Poitou le marché anglais qui achète désormais des clarets bordelais, la soif des autres régions de l'Europe du Nord permet aux vignobles de la région de survivre. La Hollande devient leur principal débouché, surtout après 1579, quand les Provinces-Unies prennent leur indépendance et s'affirment comme une puissance maritime et commerciale. Les Hollandais apprécient les vins blancs doux. Néanmoins, la production de la région devenue pléthorique voyage mal. Les négociants hollandais trouvent la solution : le *brandwijn*, ou eau-de-vie. Grâce à la distillation, ils remédient non seulement à la surproduction mais parviennent à valoriser des vins faibles. Une opération tellement intéressante que l'alambic se répand dans les campagnes de l'Aunis et de la Saintonge.

Cette eau-de-vie est devenue cognac, dont la notoriété s'est affirmée aux XVIII^e^s. et XIX^e^s. La crise phylloxérique, si elle a suscité l'essor des alcools de grains, n'a pas ruiné durablement le vignoble charentais, qui bénéficiait d'un grand prestige, consacré par une AOC dès 1909. En revanche, le vignoble poitevin, resté très étendu mais dont la réputation avait pâli, a failli disparaître complètement du paysage viticole.

Haut-poitou AOVDQS

Le docteur Guyot rapporte, en 1865, que le vignoble de la Vienne représente 33 560 ha. De nos jours, outre le vignoble du nord du département, rattaché au Saumurois, et une enclave dans les Deux-Sèvres, le seul intérêt porté à la vigne se situe autour des cantons de Neuville et de Mirebeau. Marigny-Brizay est la commune la plus riche en viticulteurs indépendants. Les autres se sont regroupés pour former la cave de Neuville-de-Poitou. Les vins du Haut-Poitou produisent 26 965 hl dont 15 007 en blanc, sur une surface déclarée de 469 ha. Le Haut-Poitou est en passe de demander l'accession à l'appellation d'origine contrôlée.

Les sols du plateau du Neuvillois, évolués sur calcaires durs et craie de Marigny ainsi que sur marnes, sont propices aux différents cépages de l'appellation ; le plus connu d'entre eux est le sauvignon (blanc).

CH. DE BRIZAY Sauvignon 2006 ★★

■ 11 ha 75 000 ▮ 5 à 8 €

Créée en 1948, la Cave du Haut-Poitou vinifie un peu moins de 500 ha, ce qui représente la grande majorité de la production de l'appellation. La sélection Château de Brizay, issue de sols argilo-calcaires, revêt une robe d'un jaune pâle cristallin. Elle laisse une sensation de fraîcheur étonnante, en harmonie avec ses arômes d'agrumes (citron vert et pamplemousse), et s'accordera avec du poisson cuisiné. Cité, le **rouge 2006 (3 à 5 €)** est un assemblage original de cabernet franc, de pinot noir et de gamay. Caractéristique de son appellation, il donne l'impression de croquer des fruits rouges.

SA Cave du Haut-Poitou, 32, rue Alphonse-Plault, 86170 Neuville-de-Poitou, tél. 05.49.51.21.65, fax 05.49.51.16.07, e-mail c-h.p@wanadoo.fr
r.-v.

MARIGNY-NEUF Cabernet 2005 ★

■ n.c. 120 000 5 à 8 €

Voilà plus de dix ans que Frédéric Brochet, docteur en œnologie, s'est installé à Marigny-Brizay, où il a développé une exploitation ainsi qu'une activité de négoce. Sur ces terres vouées aux hybrides à la fin du XIX^e^s., il s'attache à exalter les qualités des bonnes variétés, et réussit cette année une performance : quatre vins présentés, quatre vins retenus. Ce cabernet élevé huit mois en barrique respire le soleil avec ses notes de fruits mûrs et sa structure intense. Rouge aux reflets orangés, le **pinot noir 2005 (3 à 5 €)**, également passé par le bois, est tout en élégance avec ses arômes de vanille, de fleurs et de fruits : une étoile également. Deux autres cuvées sont citées : le **gamay 2005 (3 à 5 €)**, un vin d'initiation, facile d'accès avec ses notes caractéristiques de petits fruits rouges, et le **sauvignon 2006**, un ensemble printanier aux notes fraîches d'agrumes, de citron vert et de pêche.

Ampelidæ, Manoir de Lavauguyot, 86380 Marigny-Brizay, tél. 05.49.88.18.18, fax 05.49.88.18.85 r.-v.

Frédéric Brochet

DOM. LA TOUR BEAUMONT Cabernet 2006

■ 3 ha 10 000 ▮ 3 à 5 €

Ce domaine est implanté sur une côte crayeuse située à quelques kilomètres du Futuroscope. Il propose un vin aux arômes séduisants de petits fruits rouges frais. Souple à l'attaque, cette bouteille révèle en finale quelques tanins un peu sévères qu'une petite garde arrondira. Elle sera prête à la sortie du Guide. On la servira rafraîchie avec des grillades ou du petit gibier à plume.

Gilles et Brigitte Morgeau, 2, av. de Bordeaux, 86490 Beaumont, tél. 05.49.85.50.37, fax 05.49.85.58.13, e-mail tour.beaumont@terre-net.fr
t.l.j. sf dim. 14h15-18h15

DOM. DE VILLEMONT 2006 ★

■ 1,7 ha 13 000 ▮ 3 à 5 €

Situé aux confins nord de l'appellation, le domaine, créé en 1974, a vu il y a quelques années les deux enfants rejoindre l'exploitation. La vente directe a été développée. Le caveau de dégustation, les chais et la cave de vieillissement sont regroupés dans un clos du XIXᵉs. Une salle de réception avec charpente apparente accueille les groupes. Deux vins ont été retenus. Ce rosé naît d'un assemblage de cabernet franc, de pinot noir et de gamay : robe saumon à reflets grenat, nez intense, floral et fruité, où la fraise joue le premier rôle, bouche aromatique, ample, bien équilibrée entre fraîcheur et moelleux. Le second, **cabernet 2006 (5 à 8 €)**, est cité : robe rouge à reflets violines, nez partagé entre fruits rouges et cuir, palais vif aux nuances de fruits frais. Une bouteille typique de son appellation, qui appelle un carré d'agneau... de Poitou-Charentes bien sûr !

Alain Bourdier,
6, rte de l'Ancienne Commune, Seuilly,
86110 Mirebeau, tél. 05.49.50.51.31,
fax 05.49.50.96.71,
e-mail domaine-de-villemont@wanadoo.fr
t.l.j. sf dim. 9h30-12h30 14h-18h30

Vins de liqueur des Charentes

Pineau-des-charentes

Le pineau-des-charentes est produit dans la région de Cognac qui forme un vaste plan incliné d'est en ouest d'une altitude maximum de 180 m, et qui s'abaisse progressivement vers l'océan Atlantique. Le vignoble, traversé par la Charente, est implanté sur des coteaux au sol essentiellement calcaire et couvre plus de 79 000 ha, dont la destination principale est la production du cognac. Le cognac est « l'esprit » du pineau-des-charentes : ce vin de liqueur est en effet le résultat du mélange des moûts des raisins charentais frais ou partiellement fermentés avec du cognac.

Selon la légende, c'est par hasard qu'au XVIᵉs. un vigneron un peu distrait commit l'erreur de remplir de moût de raisin une barrique qui contenait encore du cognac. Constatant que ce fût ne fermentait pas, il l'abandonna au fond du chai. Quelques années plus tard, alors qu'il s'apprêtait à vider la barrique, il découvrit un liquide limpide, délicat, à la saveur douce et fruitée : ainsi serait né le pineau-des-charentes. Le recours à cet assemblage se poursuit aujourd'hui encore, de la même façon artisanale à chaque vendange, car le pineau-des-charentes ne peut être élaboré que par les viticulteurs. Restée locale pendant longtemps, sa renommée s'est étendue peu à peu à toute la France, puis au-delà de nos frontières.

Les moûts de raisins proviennent essentiellement, pour le pineau-des-charentes blanc, des cépages ugni blanc, colombard, montils, sauvignon et sémillon auxquels peuvent être adjoints les merlot et cabernet franc ou sauvignon, et, pour le rosé, des cabernets franc ou sauvignon et du merlot et malbec. Les ceps doivent être conduits en taille courte et cultivés sans engrais azotés. Les raisins devront donner un moût dépassant les 170 g de sucre par litre en puissance. Le pineau-des-charentes vieillit en fût de chêne pendant au minimum une année, le plus souvent plusieurs années. Il ne peut sortir de la région que mis en bouteilles.

Comme en matière de cognac, il n'est pas d'usage d'indiquer le millésime. En revanche, un qualificatif d'âge est souvent spécifié. Le terme « vieux pineau » est réservé au pineau de plus de cinq ans et celui de « très vieux pineau » au pineau de plus de dix ans. Dans ces deux cas, il doit passer son temps de vieillissement exclusivement en barrique et la qualité de ce vieillissement doit être reconnue par une commission de dégustation. Le degré alcoolique est généralement compris entre 17 % vol. et 18 % vol. et la teneur en sucre non fermenté de 125 à 150 g ; le rosé est généralement plus doux et plus fruité que le blanc, lequel est plus nerveux et plus sec. En 2006, il a été produit 93 000 hl de pineau, la moitié en blanc, l'autre en rosé.

Nectar de miel et de feu, dont la merveilleuse douceur dissimule une certaine traîtrise, le pineau-des-charentes peut être consommé jeune (à partir de deux ans) ; il donne alors tous ses arômes de fruits, encore plus abondants dans le rosé. Avec l'âge, il prend des parfums de rancio très caractéristiques. Par tradition, il se consomme à l'apéritif ou au dessert ; cependant, de nombreux gastronomes ont noté que sa rondeur accompagne le foie gras et le roquefort, que son moelleux intensifie le goût et la douceur de certains fruits, principalement le melon (charentais), les fraises et les framboises. Il est utilisé également en cuisine pour la confection de plats régionaux (mouclades).

VEUVE BARON ET FILS ★★

2,5 ha 17 000 8 à 11 €

Le logis de Brissac est un ancien pavillon de chasse époque François Ier commandant un vignoble d'une cinquantaine d'hectares et appartenant à la famille Baron depuis 1851. Ce pineau blanc se distingue par sa robe or brillante et limpide, son nez fin et élégant, frais et fruité, et sa bouche délicate et subtilement boisée.

Jean-Michel Baron,
SCEA Vignobles Baron, Logis du Coudret,
16370 Cherves-Richemont, tél. 05.45.83.16.27,
fax 05.45.83.18.67, e-mail veuve.baron@wanadoo.fr
r.-v.

DOM. DE BIRIUS ★

1,35 ha 4 300 5 à 8 €

Anne et Philippe Bouyer ont repris en 1984 l'exploitation familiale située en Petite Champagne et y ont développé la vente directe. Leur pineau blanc s'affiche dans une robe d'un bel or brillant. Son nez fin et complexe livre des arômes de fruits secs et des nuances florales et vanillées. La bouche ronde, souple, offre une longue finale caractérisée par des notes d'abricot confit. Le **rosé**, fin et élégant, décroche également une étoile.

EARL Bouyer, 4, rue des Peupliers,
Dom. de Birius - La Brande, 17800 Biron,
tél. et fax 05.46.91.22.71,
e-mail contact@cognac-birius.com
r.-v.

RAYMOND BOSSIS ★

4,5 ha 8 000 8 à 11 €

Cela fait un demi-siècle que la famille Bossis, d'origine vendéenne, s'est lancée dans l'aventure viticole en Charentes. Aujourd'hui aux commandes, Jean-Luc Bossis, fils de Raymond, élabore un pineau rosé à la robe rouge intense et soutenue, qui développe au nez des arômes de fruits rouges. La bouche, équilibrée entre la vinosité et la vivacité, offre une finale assez longue. À déguster avec des fraises.

SCEA Les Groies, Les Groies,
17150 Saint-Bonnet-sur-Gironde, tél. 05.46.86.02.19,
fax 05.46.70.66.85, e-mail pineau.bossis@neuf.fr
t.l.j. 9h-12h 14h-19h
Raymond Bossis

BOULE ET FILS ★★

4 ha 7 000 5 à 8 €

Cette exploitation s'étend sur 37 ha à la limite de la Gironde. Son pineau, né d'un assemblage à dominante de merlot (80 %), est un concentré de fruits (cerise, cassis). Ces arômes se retrouvent dans la bouche, ample, puissante et persistante.

Boule et Fils, La Verrerie, 17150 Boisredon,
tél. 05.46.49.64.64, fax 05.46.49.68.68,
e-mail boule.fils@wanadoo.fr r.-v.

DOM. DE BOURSAC ★

n.c. 30 000 5 à 8 €

Situé à Ars, tout près de Cognac, ce domaine compte 64 ha. Sous sa robe jaune doré couleur « cognac », son

Le Poitou-Charentes

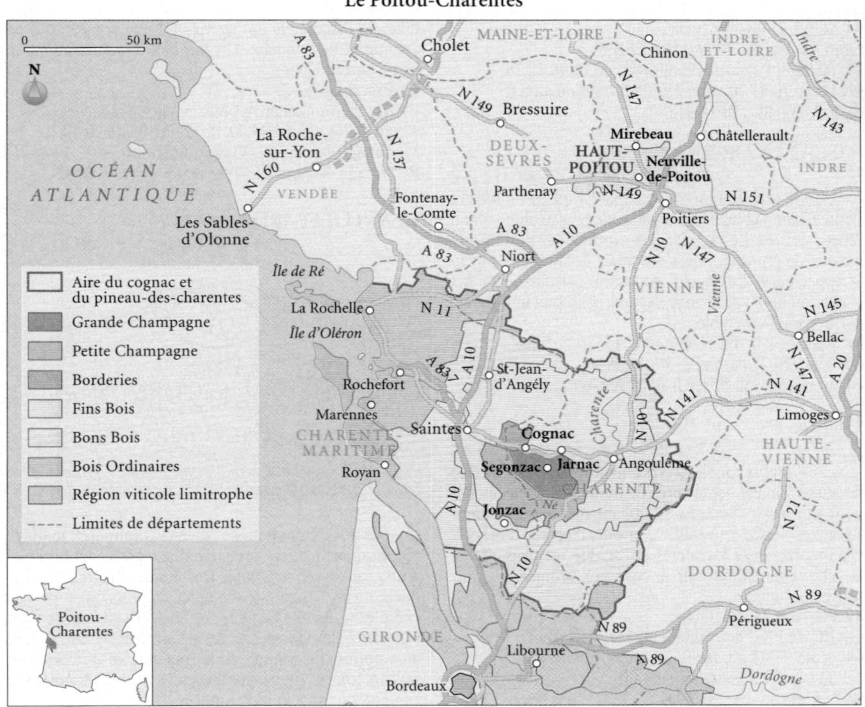

pineau blanc très typé exprime des arômes intenses de miel et d'amande. L'attaque est vive, puis le gras et la rondeur emplissent la bouche. D'une bonne longueur, c'est un produit harmonieux à apprécier sur une salade aux noix et au roquefort.
Dom. de Boursac, 45, rte de Cognac, 16130 Ars, tél. et fax 05.45.82.13.03, e-mail nicolasgir@hotmail.com r.-v.
Giraud

BRARD BLANCHARD ★

0,89 ha 9 300 **8 à 11 €**

Ce pineau a été élaboré à partir de raisins issus de l'agriculture biologique, exclusivement à base de merlot. Il présente au nez des arômes de fruits confits, témoins de l'élevage en fût. La bouche est souple, légèrement miellée. L'ensemble apparaît harmonieux et équilibré. Le **blanc** est cité.
SCEA Brard Blanchard, 1, chem. de Routreau, 16100 Boutiers-Saint-Trojan, tél. 05.45.32.19.58, fax 05.45.36.53.21, e-mail brard.blanchard@free.fr
t.l.j. sf dim. 9h-12h 14h-18h

DOM. DU CHÊNE Extra-vieux ★★

1 ha 3 000 **15 à 23 €**

Ugni blanc (60 %) et colombard composent l'assemblage de ce pineau passé tout près du coup de cœur tant son harmonie est remarquable. Le nez intense exprime un rancio de qualité, que l'on retrouve en bouche accompagné de notes boisées et grillées. L'équilibre se fait entre le sucre et l'acidité, avant une longue finale. Le **blanc vieux (11 à 15 €)**, généreux et élégant, au bouquet complexe (pêche, abricot, raisin sec, aubépine), obtient une étoile.
SCEA Doussoux-Baillif, Dom. du Chêne, 20, rue des Chênes, 17800 Saint-Palais-de-Phiolin, tél. 06.11.96.32.78, fax 05.46.70.91.70, e-mail baillif.jm@wanadoo.fr
t.l.j. 8h-12h 14h-18h

PASCAL CLAIR Vieux ★

2 ha 5 000 **11 à 15 €**

Cette exploitation, qui compte 21 ha en Grande et Petite Champagne, propose un vieux pineau jaune d'or à reflets ambrés. Le premier nez exprime des parfums de figue et de pruneau, puis s'ouvre sur des notes de rancio et de pâtisserie. En bouche, des raisins parfaitement mûrs et une eau-de-vie de cognac élégante confèrent une grande harmonie à l'ensemble.
Pascal Clair, La Genebrière, 17520 Neuillac, tél. 05.46.70.22.01, fax 05.46.48.06.77, e-mail pascal.clair@free.fr r.-v.

DULUC ★★

2 ha n.c. 5 à 8 €

Joli doublé pour les frères Duluc, aux commandes du domaine familial depuis près de trente ans. Deux étoiles pour leur blanc, d'un or pâle brillant, au bouquet expressif : notes boisées et vanillées, saveurs d'écorce d'orange. L'harmonie entre les sucres et l'acidité est plaisante en bouche. Une étoile pour le **rosé** aux arômes de fruits rouges prononcés.
Pierre et Daniel Duluc, GAEC de l'If, chez Guionnet, 16120 Touzac, tél. 05.45.97.03.30, fax 05.45.66.28.49, e-mail cognac.duluc@wanadoo.fr
t.l.j. sf dim. 9h-19h

FÉLIX-MARIE DE LA VILLIÈRE ★

n.c. 3 000 5 à 8 €

Ce vignoble de 75 ha, situé tout près d'Archiac, au cœur de la Petite Champagne, a été créé en 1934. Son pineau rosé de nuance rubis révèle un nez intense de framboise et de groseille, arômes que l'on retrouve avec plaisir en bouche dans un ensemble harmonieux et équilibré entre le sucre, l'acide et l'alcool.
SA Distillerie Vinet-EGE, 3, imp. Félix-Chartier, 17520 Brie-sous-Archiac, tél. 05.46.70.04.66, fax 05.46.70.25.30, e-mail contact@distillerievinetege.com
t.l.j. sf sam. dim. 9h-12h 14h-17h

DOM. DE LA FONTAINE ★★

0,6 ha 5 226 8 à 11 €

Sous une teinte jaune citron étincelante, le nez mêle des senteurs subtiles de fleurs blanches et de fruits jaunes. Après une attaque acidulée, témoin de la jeunesse de ce pineau, la bouche devient souple et longue. Un vin harmonieux qui aura toute sa place à l'apéritif.
EARL Dom. de La Fontaine, 125, rte de Bréville, La Fontaine, 17160 Sonnac, tél. 05.46.58.56.05, fax 05.46.58.26.34, e-mail emmanuel.rullier@cognac.fr r.-v.
Rullier

PIERRE GAILLARD ★

4,5 ha n.c. **8 à 11 €**

L'ugni blanc (50 %) s'associe au colombard (20 %), au sémillon (20 %) et au montils pour donner ce pineau à la robe jaune doré. À la dominante de miel et de fleur d'acacia perceptible au nez répond une bouche tout en volume et en rondeur. Un vin bien représentatif d'un jeune pineau blanc.
Pascal Gaillard, EARL Pierre Gaillard et Fils, 5, chez Trébuchet, 17240 Clion, tél. 05.46.70.45.15, fax 05.46.70.39.30, e-mail pierre-gaillard-et-fils@wanadoo.fr
t.l.j. sf dim. 14h-19h; matin sur r.-v.

HENRI GEFFARD Vieux ★★★

1,5 ha 10 000 **11 à 15 €**

Coup de cœur pour ce pineau exceptionnel, mariage parfait d'une matière première d'une grande maturité et d'une eau-de-vie de cognac très florale. Fleurs blanches, miel, raisin, prune, le bouquet impressionne par sa complexité. La touche subtile de noisette et de vanille vient rappeler l'élevage en fût. Au palais, les sensations sont aussi fortes : du volume, de la rondeur, de la richesse en saveurs fruitées (figue, pomme cuite, pêche, abricot) avec des notes de rancio bien fondues. Du grand art.

Henri Geffard, La Chambre, 16130 Verrières,
tél. 05.45.83.02.74, fax 05.45.83.01.82,
e-mail cognac.geffard@tiscali.fr
t.l.j. sf dim. 8h-12h 14h-18h

GUILLON-PAINTURAUD *

2,5 ha 6 500 8 à 11 €

Situé à Segonzac au cœur de la Grande Champagne, ce domaine possède un caveau de dégustation établi dans une maison charentaise du XVII[e]s. Vous pourrez y goûter ce pineau blanc qui mêle flaveurs exotiques et parfums vanillés de la barrique au nez comme en bouche. Le palais, ample et rond, termine sur une pointe d'agrumes rafraîchissante. Le **rosé extra-vieux (15 à 23 €)**, élégant et fin, est cité.

Guillon-Painturaud, Biard, 16130 Segonzac,
tél. 05.45.83.41.95, fax 05.45.83.34.42,
e-mail infos@guillon-painturaud.com
t.l.j. sf dim. 9h-12h 14h-18h

ILRHÉA *

30 ha 150 000 5 à 8 €

Établi sur des terres de groies et de sables, le vignoble de la coopérative de l'Île de Ré bénéficie d'une excellente exposition. Ce pineau rosé a été distingué pour son nez de fruits rouges frais et sa bouche souple, légère et parfumée. À servir avec une salade de fruits.

Coop. des Vignerons de l'Ile de Ré,
17580 Le Bois-Plage-en-Ré, tél. 05.46.09.23.09,
fax 05.46.09.09.26, e-mail unire@wanadoo.fr
r.-v.

THIERRY JULLION *

2 ha 10 000 8 à 11 €

Cette propriété familiale, située près de la ville thermale de Jonzac, existe depuis plus de cinq générations. Thierry Jullion, à la tête du domaine depuis 1980, a élaboré ce pineau 100 % merlot à la robe rubis et au nez typé cassis. La bouche se développe en finesse avant une agréable finale persistante. Pour le melon ou les desserts au chocolat.

Thierry Jullion, Montizeau, 17520 Saint-Maigrin,
tél. 05.46.70.00.73, fax 05.46.70.02.60,
e-mail jullion@wanadoo.fr
t.l.j. sf dim. 15h-19h; sam. 9h-12h

S. LASCAUX *

4 ha n.c. 5 à 8 €

Domaine typiquement charentais, le Logis du Renfermis date du XVII[e]s. Séduisant dans sa robe jaune dorée, son pineau blanc, aux armoiries de Louis XV et de son épouse Marie Leczinska, affiche un nez typé de raisin frais où l'eau-de-vie de cognac pointe encore un peu. La bouche souple et ronde rend l'ensemble harmonieux.

Lascaux, Logis du Renfermis,
16720 Saint-Même-les-Carrières, tél. 05.45.81.90.48,
fax 05.45.81.98.34, e-mail earl.des.renfermis@orange.fr
t.l.j. 8h30-20h

MÉNARD Très vieux *

n.c. 5 000 15 à 23 €

Une propriété familiale de 60 ha en Grande Champagne. La robe ambrée de ce très vieux pineau témoigne de son long séjour en fût (plus de dix ans). Son nez élégant offre des nuances de fruits secs, de figue confite et d'abricot. Fruits que l'on retrouve en bouche sur des tanins fondus. La finale est longue et équilibrée. Un foie gras fera un bon compagnon de table.

J.-P. Ménard et Fils, 2, rue de la Cure,
16720 Saint-Même-les-Carrières, tél. 05.45.81.90.26,
fax 05.45.81.98.22,
e-mail menard@cognac-menard.com
t.l.j. sf sam. dim. 8h-12h 14h-18h

MOINE FRÈRES Vieux Mémoire *

2 ha 1 800 8 à 11 €

En 1980, Jean-Yves et François Moine reprennent la petite exploitation familiale. La vente directe débute en 1986. Depuis 1990, ils proposent aux visiteurs un parcours initiatique, « le circuit du chêne », qui met en évidence le rôle du bois dans le vieillissement du cognac et du pineau. Après cette découverte, ne manquez pas la dégustation de ce vieux rosé aux notes de fruits rouges confits, aux tanins subtils, à la bouche volumineuse, riche et aromatique.

Jean-Yves et François Moine, Villeneuve,
16200 Chassors, tél. 05.45.80.98.91, fax 05.45.80.96.01,
e-mail lesfreres.moine@wanadoo.fr r.-v.

VIGNOBLES MORANDIÈRE Le Patoisan *

3 ha 10 000 8 à 11 €

Vincent Morandière, jeune viticulteur, a pris la succession de son père Guy depuis 2000. Son pineau est intense au nez comme en bouche, avec des tanins souples et soyeux. Pensez à la forêt noire pour l'accompagner.

Vignobles Vincent Morandière, Le Breuil,
17150 Saint-Georges-des-Agouts, tél. 05.46.86.02.76,
fax 05.46.70.63.11,
e-mail vignobles.morandiere@wanadoo.fr
t.l.j. 9h-12h 13h30-19h; sam. dim. sur r.-v.

CH. DE L'OISELLERIE Gerfaut Rubis *

5 ha 10 000 8 à 11 €

À la fin du XV[e]s., le château de L'Oisellerie était un lieu réputé pour son cognac, mais aussi pour son élevage de gerfauts dressés pour la chasse royale. Le domaine est la propriété du Conseil général depuis le début du XX[e]s. et le siège du lycée agro-viticole. Les notes intenses de fruits rouges dominent le nez comme la bouche de ce pineau rosé, qui affiche au palais une bonne persistance aromatique.

Lycée agricole L'Oisellerie, 16400 La Couronne,
tél. 05.45.67.36.90, fax 05.45.67.16.51,
e-mail expl.angouleme@educagri.fr r.-v.

PELLETANT **

0,9 ha 8 500 8 à 11 €

Beaucoup d'élégance et de fraîcheur dans ce pineau blanc à la robe jaune paille aux reflets dorés, qui présente au nez des arômes d'agrumes. La bouche rappelle les bonbons acidulés de notre enfance, à la fois douce, sucrée et vive. La finale est longue. À servir avec un fromage de chèvre ou des coquilles Saint-Jacques.

Pelletant, La Chevalerie,
16170 Saint-Amand-de-Nouère, tél. 05.45.96.88.53,
fax 05.45.96.45.16, e-mail jackypelletant@wanadoo.fr
t.l.j. sf dim. 8h-20h

ANDRÉ PETIT *

2,5 ha 15 000 8 à 11 €

Établie sur des sols argilo-calcaires et forte de près de 17 ha, la propriété Petit a été créée en 1875 et exporte

CHARENTES

aujourd'hui plus de la moitié de sa production. À l'œil, la couleur vieil or de ce pineau est le gage d'un bon vieillissement (trois ans) en fût, que confirment au nez les notes de rancio. La bouche est ronde, puissante et d'une bonne longueur.
André Petit, Au bourg, 16480 Berneuil, tél. 05.45.78.55.44, fax 05.45.78.59.30, e-mail andrepetit3@wanadoo.fr
t.l.j. sf dim. 8h-12h30 14h-18h30; sam. sur r.-v.; f. mi-août
Jacques Petit

DOM. LE PETIT COUSINAUD **

0,9 ha 3 500 8 à 11 €

Le domaine du Petit Cousinaud a une vocation viticole vieille de plus d'un siècle. Son pineau blanc est issu d'un assemblage à proportions égales de colombard, d'ugni blanc et de merlot blanc. Dans sa robe jaune paille, il a une superbe allure. Le nez allie finesse et complexité aromatique, jouant sur la gamme des fruits confits et exotiques. La bouche est ample, souple et ronde, agrémentée de notes d'amande fraîche. À servir avec un foie gras.
Denis Maurice, Le Petit Cousinaud, 16480 Guizengeard, tél. 05.45.98.72.68, fax 05.45.98.45.20, e-mail denismaurice1@cario.fr
r.-v.

THIERRY POUILLOUX *

1,9 ha 13 000 8 à 11 €

Établi entre Cognac et Pons, ce domaine familial de 32 ha produit ce pineau jaune doré au nez de fruits confits. La bouche ronde et souple offre une longue finale aromatique très agréable. Une bouteille idéale pour essayer l'accord pineau-roquefort.
Thierry Pouilloux, 6, imp. du Sud, 17800 Pérignac, tél. 05.46.96.41.41, fax 05.46.96.35.04, e-mail pouilloux.thierry@wanadoo.fr
t.l.j. 10h-12h30 15h-19h30

DOM. DE LA RAMBAUDERIE *

3 ha 9 000 5 à 8 €

Cette propriété est située sur des coteaux argilo-calcaires surplomblant l'estuaire de la Gironde. Ses vignes entourent un pavillon de chasse datant du XVIII[e]s. D'un rouge intense, ce pineau où le merlot domine (90 %) présente un nez riche en fruits mûrs. Tout en équilibre et en souplesse, il sera idéal à l'apéritif. Le **pineau blanc** est cité.
SCEA Boucher, Dom. de La Rambauderie, 78, rue des Ajoncs, 17150 Saint-Sorlin-de-Conac, tél. 05.46.86.00.72, fax 05.46.49.06.58, e-mail boucher.suzette@neuf.fr
r.-v.

REYNAC **

18,02 ha 140 000 5 à 8 €

Cette marque a été créée à la fin des années 1960 et a contribué à faire connaître le pineau au-delà de ses frontières régionales, et notamment en Belgique, en Angleterre et au Canada. Son pineau rosé à la robe limpide et brillante livre un nez agréable où pointe une note de rancio. D'attaque acidulée, la bouche évolue avec équilibre entre le fruit et la fraîcheur avant une finale assez longue.
SA H. Mounier, 49, rue Lohmeyer, BP 35, 16102 Cognac Cedex, tél. 05.45.82.45.77, fax 05.45.82.83.04, e-mail hmounier@hmounier.fr
t.l.j. sf sam. dim. 8h30-12h 13h30-17h

CH. SAINT-SORLIN Vieux **

4 ha n.c. 11 à 15 €

On ne présente plus le château de Saint-Sorlin et son propriétaire haut en couleur, Denys Castelnau, tant il a été « étoilé » dans le Guide. Son **très vieux rosé (30 à 38 €)** lui vaut une citation. Quant au vieux rosé, il se présente dans une robe tuilée digne de son âge. Son nez a su garder des arômes de griotte et de fruits rouges confits très fins, accompagnés comme il se doit d'une note de rancio. Le palais n'est que rondeur et harmonie ; il fait preuve d'une impressionnante persistance aromatique.
Ch. Saint-Sorlin, 17150 Saint-Sorlin-de-Conac, tél. 05.46.86.01.27, fax 05.46.70.65.59, e-mail chateau.saint.sorlin@wanadoo.fr
t.l.j. 8h-13h 14h-20h; dim. sur r.-v.
Famille Castelnau

J.-CL. SEGUIN Très vieux **

1,05 ha 2 000 15 à 23 €

Élevé pendant vingt-trois ans à Rouffiac, sur les bords de la Charente, à quelques enjambées de la ville gallo-romaine de Saintes, ce pineau développe des notes de noix, de fruits confits, de miel et un rancio intense au nez. La bouche est d'une grande onctuosité et d'une persistance aromatique remarquable. Un produit rare. Le **très vieux pineau rosé** obtient quant à lui une citation.
EARL Seguin, 7, av. de Peuplat, 17800 Rouffiac, tél. 05.45.96.40.80 t.l.j. 9h-19h

DOM. DE LA VILLE **

n.c. 5 000 8 à 11 €

Cette importante exploitation, entièrement dédiée au pineau, est située sur des coteaux argilo-calcaires dominant l'estuaire de la Gironde. C'est grâce à cet excellent terroir que merlots et cabernets acquièrent une si belle expression. Une robe rouge grenat brillante, des parfums de fruits rouges (framboise) et de cassis au nez comme en bouche ainsi qu'une longue finale aromatique composent un pineau expressif et agréable qui a charmé le jury.
Dom. de la Ville, La Ville, 17150 Saint-Thomas-de-Conac, tél. 05.46.86.03.33, fax 05.46.70.67.00, e-mail fxcaillet@caramail.com
r.-v.
Jacques Caillet

LA PROVENCE
ET LA CORSE

LA PROVENCE ET LA CORSE

La Provence

La Provence, pour tout un chacun, c'est un pays de vacances, où « il fait toujours soleil » et où les gens, à l'accent chantant, prennent le temps de vivre... Pour les vignerons, c'est aussi un pays de soleil, qui brille trois mille heures par an. Les pluies y sont rares mais violentes, les vents fougueux et le relief tourmenté. Les Phocéens, débarqués à Marseille vers 600 av. J.-C., ne se sont pas étonnés d'y voir de la vigne, comme chez eux, et ont participé à sa diffusion. Plus tard, les Romains puis les moines et les nobles, et jusqu'au roi-vigneron René d'Anjou, comte de Provence au XVe s., les ont imités.

Éléonore de Provence, épouse d'Henri III, roi d'Angleterre, sut donner aux vins de Provence un grand renom, tout comme Aliénor d'Aquitaine l'avait fait pour les vins d'Aquitaine. Ils furent par la suite un peu oubliés du commerce international, faute de se trouver sur les grands axes de circulation. Ces dernières décennies, le développement du tourisme les a remis à l'honneur, et spécialement les vins rosés, vins joyeux s'il en est, symboles de vacances estivales et dignes accompagnements des plats provençaux.

La structure du vignoble est souvent morcelée, la géo-pédologie étant très diversifiée par le relief offrant des zones contrastées, tant au niveau des sols que des microclimats, ce qui explique que près de la moitié de la production soit élaborée en caves coopératives.

Comme dans les autres vignobles méridionaux, les cépages sont très variés : l'appellation côtes-de-provence en admet treize. Encore que les muscats, qui firent la gloire de bien des terroirs provençaux avant la crise phylloxérique, aient aujourd'hui disparu. Le vignoble est le plus souvent conduit en gobelet bas ; cependant, les formes palissées se font de plus en plus fréquentes. Vins rosés et vins blancs (ceux-ci plus rares mais souvent surprenants) sont généralement bus jeunes. Il en est de même pour beaucoup de vins rouges, lorsqu'ils sont légers. Mais les plus corsés, dans toutes les appellations, vieillissent fort bien.

Tout petit, le vignoble de Palette, aux portes d'Aix, englobe l'ancien clos du bon roi René. On signalera ici ses blancs, rosés et rouges.

Et puisqu'on parle encore provençal dans quelques domaines, sachez qu'un « avis » est un sarment, qu'une « tine » est une cuve et qu'une « crotte » est une cave ! Peut-être vous dira-t-on aussi qu'un des cépages porte le nom de « pecoui-touar » (queue tordue) ou encore « ginou d'agasso » (genou de pie), à cause de la forme particulière du pédoncule de sa grappe...

Côtes-de-provence

Née en 1977, cette appellation, dont la production est considérable (1 108 610 hl en 2006) a reconnu en 2005 les dénominations Sainte-Victoire et Fréjus. Elle occupe un bon tiers du département du Var, avec des prolongements dans les Bouches-du-Rhône, jusqu'aux abords de Marseille, et une enclave dans les Alpes-Maritimes, sur une superficie de 23 280 ha. Trois terroirs la caractérisent : le massif siliceux des Maures, au sud-est, bordé au nord par une bande de grès rouge allant de Toulon à Saint-Raphaël, et, au-delà, l'importante masse de collines et de plateaux calcaires qui annonce les Alpes. On conçoit que les vins issus de nombreux cépages différents, en proportions variables, sur des sols et des expositions tout aussi divers, présentent, à côté d'une parenté due au soleil, des variantes qui font précisément leur charme... Un charme que le Phocéen Protis goûtait sans doute déjà, 600 ans avant notre ère, lorsque Gyptis, fille du roi, lui offrait une coupe en aveu de son amour...

Sur les blancs tendres (35 600 hl) mais sans mollesse du littoral, les nourritures maritimes et très fraîches seront tout à fait à leur place, tandis que ceux qui sont un peu plus « pointus », un peu plus au nord, apaiseront mieux les irritations des écrevisses à l'américaine et des fromages piquants. Les rosés, tendres ou nerveux, selon l'humeur et le goût, seront les meilleurs compagnons des fragrances puissantes de la soupe au pistou, de l'anchoïade, de l'aïoli, de la bouillabaisse, et aussi des poissons et des fruits de mer aux arômes iodés : rougets, oursins, violets. Enfin, dans les rouges, ceux qui sont tendres (à servir frais) conviennent aux gigots, aux rôtis, mais aussi aux pots-au-feu, et en particulier au pot-au-feu froid en salade ; les rouges corsés, puissants, généreux, qui peuvent parfois vieillir une dizaine d'années, conviendront aux civets, aux daubes, aux bécasses. Et pour ceux qui ne sont pas ennemis d'harmonies insolites, rosé frais et champignons, rouge et crustacés en civet, blanc avec daube d'agneau (au vin blanc) procurent de bonnes surprises.

DOM. DE L'ABBAYE Le Thoronet 2006 *

■ 2,8 ha 6 400 ■ **11 à 15 €**

Un souterrain reliait autrefois cette ferme conduite par des moines à l'abbaye cistercienne du Thoronet. Le domaine couvre aujourd'hui une trentaine d'hectares sur les sols argilo-calcaires. Syrah, grenache et cinsault composent ce rosé de teinte saumon qui livre une palette de fleurs, de pêche et de citron, puis une chair ronde, agrémentée de longues notes de fruits rouges : ce que l'on attend d'un rosé de Provence.

🔑 Franc Petit, Dom. de L'Abbaye, quartier Pugette, 83340 Le Thoronet, tél. 04.94.73.87.36, fax 04.94.60.11.62, e-mail domaine.de.labbaye@wanadoo.fr ☑ Y ✱ r.-v.

CH. L'AFRIQUE La Rosée 2006

■ 12 ha 66 000 ■ **5 à 8 €**

Sur l'étiquette de ce second vin du château L'Afrique, un dessin de Géricault figurant une tête de cheval rappelle l'influence orientaliste qui régnait au XIXe s., lorsque ce domaine fut entièrement rénové. Ce 2006 offre sous une teinte rose pâle des notes amyliques légères, suivies d'arômes de fruits rouges. Si l'attaque est souple, la bouche ronde se développe vers une finale plus chaleureuse. À servir avec un poisson grillé ou une viande blanche aux herbes.

🔑 Famille Élie Sumeire, Ch. L'Afrique, 83390 Cuers, tél. 04.42.61.20.00, fax 04.42.61.20.01, e-mail sumeire@sumeire.com ☑ Y ✱ r.-v.

DOM. DE L'AMAURIGUE Fleur de L'Amaurigue 2005 *

■ 3,5 ha 15 000 ⏸ **5 à 8 €**

Une robe chatoyante habille ce vin aux reflets grenat. Au nez plutôt discret répond une chair ronde en attaque. Les tanins se manifestent en milieu de bouche et laissent dans leur sillage final des flaveurs torréfiées. Un 2005 structuré qui doit encore s'assouplir à la faveur d'un ou deux ans de garde.

🔑 SARL Dom. de L'Amaurigue, rte de Cabasse, 83340 Le Luc-en-Provence, tél. 04.94.50.17.20, fax 04.94.50.17.21, e-mail domaine-l-amaurigue@wanadoo.fr ☑ Y ✱ t.l.j. 9h-18h

🔑 Dick De Groot

CH. DES ANGLADES Collection privée 2006 *

■ 1,2 ha 6 000 ■ **5 à 8 €**

Sis à la sortie de Hyères, sur la route de La Londe-les-Maures, le château des Anglades est une belle bastide devancée par une allée de palmiers et commandant un domaine de 24 ha. Depuis 2000, la famille Gautier s'attache à sa restauration. C'est un rosé de table qu'elle nous offre ici : sous une teinte saumon, les notes de fleurs blanches et de fruits à chair blanche se déclinent jusqu'au palais, en accompagnement d'une chair puissante et chaleureuse.

🔑 Ch. des Anglades, quartier Couture, 83400 Hyères, tél. 04.94.65.22.21, fax 04.94.65.96.69 ☑ Y r.-v.

🔑 Gautier

DOM. DE L'ANGUEIROUN Prestige 2005 **

■ 2 ha 4 200 ⏸ **11 à 15 €**

Coup de cœur pour le Prestige rosé 2005 dans le Guide précédent, le domaine de l'Angueiroun poursuit sa route vers l'excellence. Créé en 1931 par un négociant sur une ancienne réserve de chasse, il couvre 120 ha face à la mer, dont 35 ha de vignes sur un terroir de schistes et de quartz. Depuis 1998, Éric Dumon préside à sa destinée. Syrah, grenache et cabernet-sauvignon composent cette cuvée rubis aux reflets éclatants qui dévoile progressivement de chaleureuses notes de fruits rouges, de cuir, de vanille, de cacao et d'épices. Les tanins issus d'un élevage de douze mois en fût ont de l'assurance, mais ils se fondent déjà dans la chair longuement fruitée. À savourer dès maintenant et jusqu'en 2009.

PROVENCE

🔑 Éric Dumon,
Dom. de L'Angueiroun, 1077, chem. de l'Angueiroun,
83230 Bormes-les-Mimosas, tél. 04.94.71.11.39,
fax 04.94.71.75.51, e-mail angueiroun@wanadoo.fr
t.l.j. sf dim. 8h-12h 14h-18h

DOM. DE L'ANTICAILLE 2005 ★

■ 1 ha 5 000 **5 à 8 €**

Non loin du château de Trets qui abrite la vinothèque Sainte-Victoire, ce domaine de 50 ha ménage une jolie vue sur le mont. Son 2005 d'un rubis lumineux passe des arômes de fruits rouges au nez à ceux de fruits noirs (pruneau, mûre) au palais. Nulle puissance excessive, mais de la douceur et de l'équilibre, avec le soutien de tanins fins. À découvrir dès cet automne. Le **rosé 2006**, vif, souligné de notes d'agrumes et de fruits rouges, est cité.

🔑 Martine Paillet, Dom. de L'Anticaille, D 57,
13530 Trets, tél. 04.42.29.22.64, fax 04.42.29.41.64,
e-mail domainedelanticaille@hotmail.com r.-v.
🔑 Féraud

CELLIER DES ARCHERS
Cuvée de la Tour 2006 ★★

■ 10 ha 20 000 **3 à 5 €**

À deux pas du village médiéval des Arcs, le Cellier peut s'enorgueillir de cette cuvée qui conjugue élégance et séduction. Rose chair, elle décline des arômes flatteurs d'agrumes et d'aubépine, puis offre un corps charnu, rond et longuement fruité. Un dégustateur conseille un accord avec une tarte aux pommes.

🔑 Cellier des Archers, quartier des Laurons,
BP 24, 83460 Les Arcs-sur-Argens,
tél. 04.94.73.30.29, fax 04.94.47.50.84,
e-mail cellierdesarchers@free.fr
t.l.j. sf dim. 8h-12h 14h-17h

CH. D'ASTROS Cuvée spéciale 2006

■ 3,2 ha 23 000 **5 à 8 €**

Construit en 1860, le château d'allure italienne possède de jolis jardins où furent tournées des scènes du film d'Yves Robert, *Le Château de ma mère*, d'après l'œuvre de Marcel Pagnol. Bernard Maurel y propose un rosé bien fruité dans lequel se distinguent des arômes de framboises fraîchement cueillies et de sorbet aux fruits relevés d'épices. Au palais, le vin laisse une sensation intense de douceur. Une citation est également attribuée à la **Cuvée spéciale 2006 blanc**, gourmande et à l'expression florale.

🔑 Bernard Maurel, Ch. d'Astros, rte de Lorgues,
83550 Vidauban, tél. 04.94.99.73.00,
fax 04.94.73.00.18, e-mail chateau-astros@wanadoo.fr
t.l.j. sf dim. 8h30-12h30 14h-18h

CH. DE L'AUMERADE Seigneur de Piegros 2006 ★

■ Cru clas. 4 ha 25 000 **8 à 11 €**

Henri IV fut séduit par ce terroir, fief des seigneurs de Piegros, qui produisait déjà au XVIes. des vins de qualité. Le grenache, nuancé de 10 % de syrah, est à l'origine de ce rosé de couleur tendre, bien construit et riche d'un bouquet de fruits exotiques (ananas, fruit de la Passion) et d'abricot. Une étoile brille aussi pour la **cuvée Sully 2006 blanc**, finement aromatique (pêche), dont la tonicité est accentuée par une pointe d'agrumes.

🔑 SCEA des Domaines Fabre, Ch. de L'Aumerade,
83390 Pierrefeu-du-Var, tél. 04.94.28.20.31,
fax 04.94.48.23.09, e-mail info@aumerade.com
t.l.j. sf dim. 8h30-12h30 14h-18h
🔑 Louis Fabre

CH. BARBANAU Et cae-terra 2004 ★

■ 2 ha 7 000 **8 à 11 €**

Les sports de montagne et la vigne : telles sont les passions de la famille Cerciello qui a quitté la région de Chamonix pour revenir sur les terres provençales à la fin des années 1980. En côtes-de-provence, son domaine couvre 23 ha sur les coteaux argilo-calcaires de Roquefort-la-Bédoule. De couleur pourpre, ce 2004 s'ouvre sur des arômes de fruits noirs avant de développer une chair équilibrée et structurée. Un accord avec un civet de lièvre ou une daube de sanglier s'impose.

🔑 Ch. Barbanau, hameau de Roquefort,
13830 Roquefort-la-Bédoule, tél. 04.42.73.14.60,
fax 04.42.73.17.85, e-mail barbanau@wanadoo.fr
t.l.j. sf dim. 10h-12h 15h-18h
🔑 Cerciello

DOM. DE LA BASTIDE BLANCHE 2006 ★★

■ n.c. 15 000 **8 à 11 €**

À quelques encablures du golfe de Saint-Tropez, longeant les plages de sable chaud de la presqu'île, les vignes de La Bastide Blanche forment un cadre paisible et harmonieux : 100 ha sur les coteaux de micaschistes, qui ont été restructurés depuis 2001. Ce rosé pâle exprime volontiers des senteurs de menthe poivrée et de bourgeon de cassis. Au palais, il donne la faveur aux flaveurs persistantes de fruits exotiques dans une chair soyeuse et équilibrée. Le **Domaine de La Croix 2005 rouge (15 à 23 €)** est cité.

🔑 SE des Domaines de La Bastide Blanche
et de La Croix, Le Saunier Neuf,
83420 La Croix-Valmer, tél. 04.94.79.73.49,
fax 04.94.79.76.05, e-mail bastidecroix@wanadoo.fr
t.l.j. sf dim. 10h30-13h30 16h-19h30; f. oct. à avr.
🔑 Bolloré

BASTIDE DE SAINT-JEAN
Cuvée Signature 2006 ★

■ 1,2 ha 6 600 **8 à 11 €**

La syrah trouve l'appui de 10 % de grenache dans ce vin haut en couleur, dont la réussite réside dans les arômes de mûre, de réglisse et de cuir comme dans la structure de tanins fins, entourée d'une chair ronde, toute fruitée. À déguster cet hiver.

🔑 M. et Mme Henry,
Bastide de Saint-Jean, quartier Saint-Jean,
83460 Les Arcs-en-Provence, tél. 04.98.10.43.49,
fax 04.94.99.84.63,
e-mail bastidedesaintjean@wanadoo.fr
t.l.j. 8h-20h

BASTIDE DES BERTRANDS
Bouquet de La Bastide Élevé en fût de chêne 2005 ★★

■ 4,42 ha 2 000 8 à 11 €

Situé au cœur du massif des Maures, sur un terroir de grès permien, le domaine s'étend sur 90 ha. L'assemblage des cépages syrah, cabernet-sauvignon et carignan a donné naissance à ce vin grenat à reflets violacés, dont le nez puissant et complexe rappelle les fruits noirs, les épices (vanille) et le cacao. La bouche est ronde, structurée par des tanins élégants qui assureront une bonne évolution jusqu'en 2009. Une étoile est attribuée à la cuvée **Le Bouquet de La Bastide 2006 rosé (11 à 15 €)** dont les arômes d'agrumes et de fleurs blanches, ainsi que le caractère chaleureux, s'associeront à une cuisine épicée.

Dom. des Bertrands, rte de Saint-Tropez, 83340 Le Cannet-des-Maures, tél. 04.94.99.79.00, fax 04.94.99.79.09, e-mail info@bastidedesbertrands.com r.-v.

Philippe Marotzki

LA BASTIDE DU CURÉ 2006 ★

■ 17 ha 140 000 3 à 5 €

Créée en 1912, la coopérative de Vidauban exploite 700 ha de vignes. Cette cuvée constituée à parts presque égales de grenache et de cinsault s'habille de rose pâle et exprime des arômes à dominante d'agrumes. La structure équilibrée et souple la soutient efficacement jusqu'à une agréable finale. Servez-la avec des rougets grillés à la tapenade.

La Vidaubanaise, 89, chem. de Sainte-Anne, 83550 Vidauban, tél. 04.94.73.00.12, fax 04.94.73.54.67, e-mail commercial@vidaubanaise.com r.-v.

DOM. DE LA BASTIDE NEUVE
Perle des anges 2006 ★

■ 10 ha 60 000 8 à 11 €

Produite sur un terroir de grès face au massif des Maures, cette cuvée issue de l'assemblage de grenache, de tibouren et de cinsault présente une robe pâle à reflets saumon. Au nez délicat de fleurs blanches et d'agrumes répondent une attaque vive, puis une impression de rondeur encore soulignée par les fins arômes de miel qui se mêlent à la palette. Pour la cuisine asiatique.

Dom. de La Bastide Neuve, quartier Maltrate, 83340 Le Cannet-des-Maures, tél. 04.94.50.09.80, fax 04.94.50.09.99, e-mail domaine@bastideneuve.fr t.l.j. sf sam. dim. 8h-12h 13h-17h

Wiestner

CH. LE BASTIDON 2005 ★★

■ 3,5 ha 18 000 3 à 5 €

Une vaste chartreuse entourée d'un vignoble et de quatre mille oliviers que Jean-Pierre Rose a plantés en 2003, envers et contre la pression immobilière très forte à La Londe. Si son bouquet paraît encore réservé, ce vin d'un rouge intense fait preuve d'une remarquable expression aromatique au palais. Les flaveurs de fruits rouges soulignent sa chair ample, puissante que portent des tanins certes présents, mais dénués de toute agressivité. Vous pourrez servir ce 2005 cet automne ou bien le conserver en cave jusqu'en 2010.

Jean-Pierre Rose, Ch. Le Bastidon, rte du Pansard, 83250 La Londe-les-Maures, tél. 04.94.66.80.15, fax 04.94.66.68.23, e-mail vigneronvar@aol.com t.l.j. sf dim. 9h-12h 15h-18h30

CH. BEAUMET Cuvée Cristallo 2006 ★★

■ 3 ha 10 000 5 à 8 €

Le massif des Maures sert de toile de fond à ce domaine de 27 ha, qui jouit d'un sol de grès permien. Grenache et syrah signent ce rosé couleur framboise, au nez intense de fruits rouges et d'agrumes. La bouche trouve un équilibre remarquable entre la rondeur et une vivacité qui soutient bien les arômes.

SCEA Ch. Beaumet, quartier Beaumet, 83590 Gonfaron, tél. 04.98.05.21.00, fax 04.94.78.27.40, e-mail chateaubeaumet@wanadoo.fr t.l.j. sf dim. 9h-12h 14h-18h

Gierling

DOM. LE BERCAIL Confidence 2004 ★

■ 2,3 ha 6 000 8 à 11 €

Assemblage de syrah et de cabernet-sauvignon récoltés sur un terroir sablonneux, ce vin d'un rouge intense exhale des arômes puissants de fruits noirs (mûre, cassis) associés à des notes de sous-bois et d'épices. Il se montre ample, structuré par des tanins fins qui laissent une sensation d'élégance. Un 2004 au fort potentiel qui s'accordera avec une daube de taureau de Camargue à la provençale.

Dom. Le Bercail, 864, chem. de la Plaine, 83480 Puget-sur-Argens, tél. 04.94.19.54.09, fax 04.94.81.50.80 r.-v.

CH. DE BERNE Cuvée spéciale 2005 ★

□ 10 ha 20 000 8 à 11 €

Le rolle et le sémillon sont à l'origine de ce vin jaune pâle, aussi harmonieux par ses arômes que par sa rondeur et sa souplesse. Un élevage en fût de huit mois lui a légué des notes boisées légères, en contrepoint des flaveurs d'agrumes et d'une ligne minérale fraîche. Il sera intéressant de le découvrir avec un poulet aux morilles. La **Cuvée spéciale 2004 rouge (11 à 15 €)**, citée, doit être servie sans attendre pour apprécier ses notes épicées, mentholées et fruitées, ainsi que sa structure avenante.

Ch. de Berne, 83510 Lorgues, tél. 04.94.60.43.60, fax 04.94.60.43.58, e-mail infos@chateauberne.com t.l.j. 10h-19h

PROVENCE

DOM. BORRELY-MARTIN
Carré de Laure 2006 ★

■ 1,5 ha 6 000 5 à 8 €

Issue d'un assemblage original de mourvèdre et de cinsault, cette cuvée se distingue par ses fragrances de fleurs blanches et de pêche de vigne. Si elle se montre légère au palais, elle n'en est pas moins élégante et soyeuse, agréablement fruitée.

Dom. Borrely-Martin, 83340 Les Mayons, tél. et fax 04.94.60.09.39, e-mail jacques.martin@wanadoo.fr r.-v.

DOM. BOUISSE-MATTERI
Cuvée du Paradis 2006 ★★

■ 3 ha 7 983 5 à 8 €

Du château, que l'ancien procureur du roi à Toulon, le sieur Bouis, se fit construire au début du XIX[e]s., aucune trace, ni des oliviers qui firent la prospérité du domaine. Seules trois arches d'un ancien moulin à huile en témoignent aujourd'hui dans la cave. En revanche, vous y découvrirez ce rosé de couleur chair qui décline de délicates notes de groseille. De la gourmandise, car la bouche n'est que rondeur et gras.

🔑 Mathilde Merle,
Dom. Bouisse-Matteri, 3301, rte des Loubes,
83400 Hyères, tél. 04.94.38.65.05,
e-mail bruno.merle@wanadoo.fr
☑ Ῠ 🚶 t.l.j. sf dim. 9h-19h

DOM. DE LA BOUVERIE 2006

■ 15 ha 50 000 ▮ **5 à 8 €**

L'énorme rocher de grès rouge qui domine le village et la vallée de l'Argens est à l'origine du nom de la commune de Roquebrune. Au pied du rocher, des prairies riches en orchidées. Un rosé bien sous tous rapports : robe rose pâle, nez délicat à dominante d'abricot, pointe de vivacité qui apporte de la fraîcheur. Pour l'apéritif et les barbecues.

🔑 Jean Laponche, Dom. viticole de La Bouverie,
83520 Roquebrune-sur-Argens, tél. 04.94.44.00.81,
fax 04.94.44.04.73,
e-mail domainedelabouverie@wanadoo.fr
☑ Ῠ t.l.j. 9h30-12h 15h30-18h

CH. DE BRÉGANÇON Cuvée Prestige 2006

□ Cru clas. 1 ha 1 300 ⦀ **8 à 11 €**

En bord de mer, face au fort de Brégançon, résidence d'été des présidents de la République, le vignoble s'étend sur les coteaux de schistes du massif des Maures. Le rolle domine l'assemblage de ce vin jaune pâle, au nez floral délicat. Un discret boisé vient souligner au palais les arômes et la rondeur de la chair. À marier avec un loup grillé.

La Provence

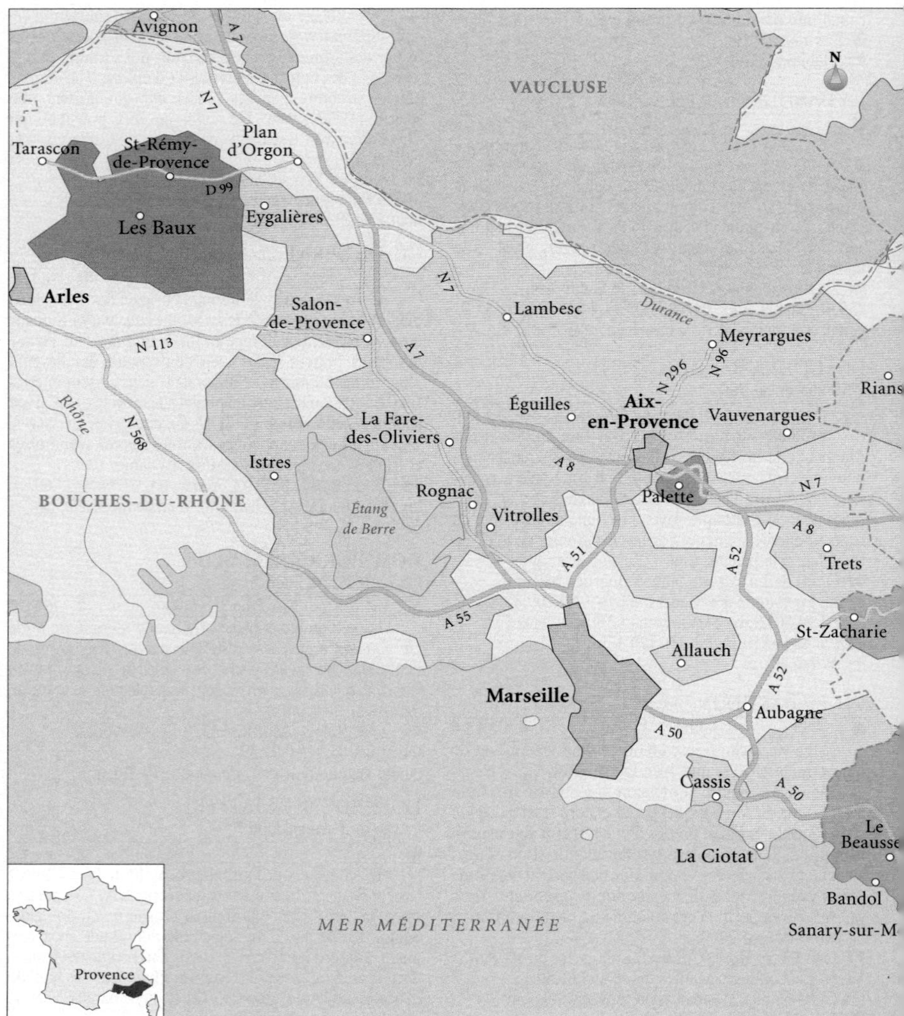

Jean-François Tézenas,
Ch. de Brégançon, 639, rte de Léoube,
83230 Bormes-les-Mimosas, tél. 04.94.64.80.73,
fax 04.94.64.73.47 t.l.j. 9h-12h 14h-17h

DOM. BUNAN Bélouvé 2006 ★

■ 6 ha 15 000 **8 à 11 €**

À quelques encablures de Bandol, la famille Bunan fêtera en 2008 ses trente ans à la tête de ce domaine commandé par une bastide du XVIII[e]s. entourée de cyprès et d'oliviers. Elle a élaboré un vin haut en couleur, brillant de reflets violacés, puissant en bouche, qui persiste sur des notes de sous-bois. Les tanins s'intègrent agréablement dans la chair veloutée. À servir d'ici 2009.

Domaines Bunan, Moulin des Costes,
83740 La Cadière-d'Azur, tél. 04.94.98.58.98,
fax 04.94.98.60.05, e-mail bunan@bunan.com
r.-v.

LA CADIÉRENNE San Ceri 2006 ★

n.c. 10 000 **3 à 5 €**

Résultant du regroupement de trois coopératives en 2003 – la Cadiérenne, la Saint-Cyrienne et la Pradet –, cette cave rassemble quatre cent vingt adhérents. C'est un rosé aux reflets corail qui la distingue ici, délivrant toute une panoplie d'arômes, depuis le pain frais jusqu'aux agrumes et aux fruits exotiques. L'équilibre se réalise au palais et une finale épicée signe la dégustation.

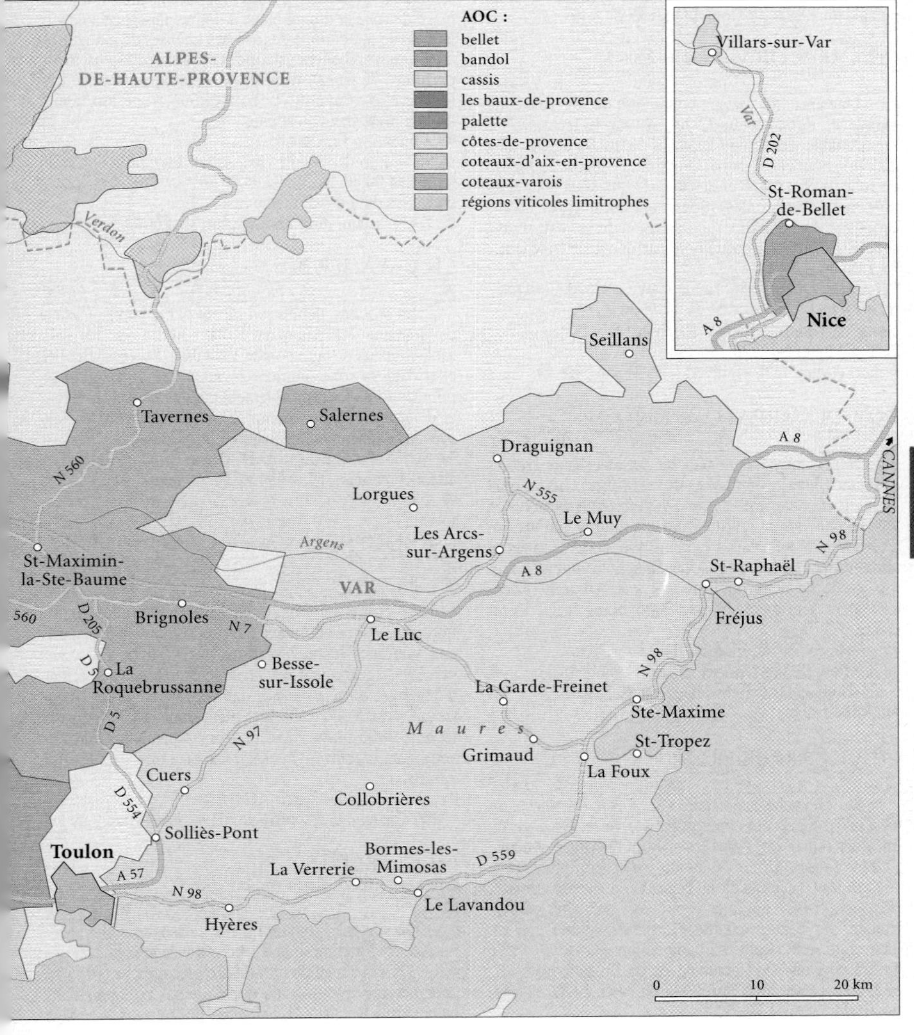

PROVENCE

SCV La Cadiérenne, quartier Le Vallon, 83740 La Cadière-d'Azur, tél. 04.94.90.11.06, fax 04.94.90.18.73, e-mail cadierenne@wanadoo.fr r.-v.

DOM. DE CANTA RAINETTE Tradition 2005 *

2,5 ha 10 000 5 à 8 €

Propriété familiale de 27 ha proche des gorges de Pennafort, Canta Rainette propose un 2005 grenat, encore timide dans son expression olfactive, mais plus disert au palais. Les fruits rouges accompagnent avec subtilité une chair ronde, aux tanins bien domptés. À boire ou à attendre deux ans. La cuvée **Noblesse 2006 rosé**, typée pêche et abricot mûrs, est citée.

Édouard Castellino, Dom. de Canta Rainette, 1144, rte de Bagnols, 83920 La Motte, tél. et fax 04.94.70.28.25, e-mail canta.rainette@wanadoo.fr r.-v.

CH. CARPE DIEM Premium 2006 **

1 ha 6 000 5 à 8 €

Une ancienne maison bourgeoise du XVIIIe s. commande ce domaine de 32 ha, sis sur le territoire du remarquable village de Cotignac. *Carpe Diem*, « Profite du jour » nous conseille-t-il. On profitera déjà de ce vin issu de rolle, d'ugni blanc et de clairette qui, sous une teinte pâle, livre des arômes variés : agrumes, citron, fruits exotiques. Au palais, le fruit se glisse dans sa chair ronde, souple, parfaitement équilibrée par une juste fraîcheur.

Francis Adam, Ch. Carpe Diem, 4436, rte de Carcès, 83570 Cotignac, tél. 04.94.04.72.88, fax 04.94.04.77.50, e-mail chateaucarpediem@libertysurf.fr t.l.j. 10h-12h30 15h-19h; f. mer. et dim. mat. en hiver; f. 15-31 jan.

DOM. DE CARRAT Cuvée Anaïs 2005

1 ha 5 000 5 à 8 €

Négociant pendant plus de dix ans, René Dubuis s'est lancé dans la vinification de ses propres vins en 2003 dans une cave flambant neuve. Sous une teinte carmin, son vin décline des notes de fruits confiturés (griotte) et d'épices jusqu'au palais. Les tanins sont encore fermes en attaque, mais la structure est élégante, faite pour affronter une garde de deux ou trois ans. Une citation revient également à la **cuvée Anaïs 2006 blanc**, minérale et légère.

Dom. de Carrat, quartier de La Joselette, 83390 Pierrefeu-du-Var, tél. et fax 04.94.48.26.33, e-mail domaine.carrat@wanadoo.fr r.-v.

René Dubuis

CH. DU CARRUBIER 2006 *

19 ha 23 700 5 à 8 €

Du grenache majoritaire (92 %) sur sol siliceux et c'est un rosé pâle qui apparaît dans le verre. De la syrah, quelques reflets roses plus francs sont l'héritage. Aucune timidité dans les arômes, mais une palette complexe qui se décline tout au long de la dégustation : fraise écrasée, agrumes, fruits exotiques, bourgeon de cassis. De la rondeur au palais, rehaussée en finale d'une vivacité bienvenue, aux accents de pamplemousse rose.

SC du Dom. du Carrubier, rte de Brégançon, 83250 La Londe-les-Maures, tél. 04.94.66.82.82, fax 04.94.35.00.01 r.-v.

DOM. CASTEL LAMARE 2006 *

30 ha 150 000 3 à 5 €

Sous une teinte saumon à reflets orangés se libèrent des arômes de fruits et d'épices, invitation à découvrir la bouche franche en attaque, qui garde le fruit pour ligne de conduite et s'arrondit progressivement. Un rosé destiné à des plats sucrés-salés.

Patrick Croisy, Dom. Castel Lamare, 83570 Montfort-sur-Argens, tél. 04.94.59.51.88, fax 04.94.59.57.31 t.l.j. sf sam. dim. 9h-12h 13h-17h

CH. DE LA CASTILLE 2006 *

4,51 ha 6 400 5 à 8 €

Ancienne propriété des comtes de Provence, aujourd'hui grand séminaire diocésain, le domaine étend ses 146 ha sur un terroir de gravoches calcaires. L'assemblage de rolle et d'ugni blanc a donné naissance à ce vin jaune pâle qui déroule des arômes intenses de mangue et d'agrumes. La bouche est ronde et équilibrée, intensément parfumée de fruits exotiques. Un côtes-de-provence qui fera bel effet à l'apéritif. Le **rouge 2006**, fruité, aux tanins un peu accrocheurs, est cité.

Fondation La Castille, rte de la Farède, Solliès-Ville, 83260 La Crau, tél. 04.94.00.80.46, fax 04.94.00.80.42, e-mail fondation@domaine-castille.fr t.l.j. sf lun. dim. 8h-12h 14h-18h

CH. CAVALIER 2006 *

65 ha 300 000 5 à 8 €

En sept ans, depuis son rachat par la famille Castel, ce domaine est passé de 50 à 130 ha sur les sols sablo-argileux de la région de Vidauban. Son rosé fait bel effet dans sa robe saumon classique. La dégustation se poursuit tout aussi agréablement par des arômes de cerise et d'agrumes (citron, pamplemousse) en accord parfait avec la fraîcheur bien équilibrée du palais.

SCEA Ch. Cavalier, 1265, chem. de Marafiance, 83550 Vidauban, tél. 04.94.73.56.73, fax 04.94.73.10.93 r.-v.

CH. DU CENGLE Vieilles Vignes 2005 *

4 ha 25 000 5 à 8 €

Cengle est le nom du contrefort de la montagne Sainte-Victoire, au flanc duquel s'accrochent les vignes trentenaires de ce domaine qui propose un 2005 élégant, aux arômes chaleureux de fruits rouges. Au palais, ce vin privilégie la rondeur et la souplesse, ce qui permet d'envisager un service avec une côte de bœuf dès maintenant. Une étoile brille également pour le **Château du Cengle 2006 blanc**, rond et aromatique. Vous le réserverez à un brochet au beurre blanc ou à un curry de lotte au safran.

SCEA Ch. du Cengle, RN 7, 13790 Châteauneuf-Le-Rouge, tél. et fax 04.42.29.09.84

CH. CLARETTES Grande Cuvée Élevage en bois 2005 *

2 ha 8 000 8 à 11 €

Un site gallo-romain du Ier s. témoigne de l'ancienneté de ce domaine situé à 1 km du village médiéval des Arcs. Un vin rouge de mourvèdre presque pur (10 % de cabernet-sauvignon), voilà qui n'est pas commun dans cette partie de l'aire d'appellation. Et pourtant, le cépage

bandolais est parvenu à parfaite maturité sur les sols argilo-calcaires du trias. En témoignent les arômes de fruits mûrs (myrtille, cerise burlat) que soulignent les notes de pain grillé et de vanille issues de l'élevage. La robe est d'un grenat profond, la structure puissante, prête à s'assouplir à la faveur du temps.
🔑 EARL Crocé-Spinelli, Dom. des Clarettes, BP 31, 83460 Les Arcs-sur-Argens, tél. 04.94.47.45.05, fax 04.94.73.30.73, e-mail crocespinellivin@aol.com
☑ Y t.l.j. 10h-12h 14h-19h

DOM. DU CLOS D'ALARI Grand Clos 2005 *

■ 2 ha 9 000 ▮ 8 à 11 €

Implantées sur les coteaux argilo-calcaires de Saint-Antonin, les vignes du Clos d'Alari sont menées depuis 1999 avec passion par Anne-Marie et Nathalie Vancoillie, mère et fille. Si vous le leur demandez, elles vous organiseront un séjour à thème autour du vin, de l'olive ou de la truffe. Pour l'heure, c'est ce 2005 rouge sombre qui fait parler de lui. Un vin aux arômes complexes de fruits rouges nuancés d'épices. Au palais, les tanins fins soutiennent élégamment la chair ronde et assez puissante. Accord parfait avec un civet de lièvre.
🔑 Anne-Marie et Nathalie Vancoillie, Dom. du Clos d'Alari, 83510 Saint-Antonin-du-Var, tél. 04.94.72.90.49, fax 04.94.72.90.51, e-mail leclosdalari@noos.fr ☑ Y ⚘ r.-v.

CLOS LA NEUVE Sainte-Victoire 2004

■ 2 ha 10 000 ⬮ 8 à 11 €

Paisible campagne provençale face à la montagne Sainte-Victoire. Il n'en fut pourtant pas toujours ainsi car, en 102 av. J.-C., c'est sur la voie Aurélienne, là où se situe aujourd'hui le domaine, que les Teutons et les Romains s'opposèrent brutalement. Syrah (80 %) et grenache font alliance dans ce vin rubis qui évoque les épices (vanille), la truffe et la garrigue, puis laisse au palais une empreinte boisée bien fondue. Les tanins souples contribuent à la rondeur de la matière et laissent en finale toute la place aux fruits à l'eau-de-vie. À présenter à table dès cet automne.
🔑 Fabienne Joly, EARL Dom. de La Neuve, La Neuve, 83910 Pourrières, tél. 04.94.78.17.02, fax 04.94.59.86.42 ☑ Y ⚘ t.l.j. 9h-12h 14h-19h

CLOS RÉQUIER L'Excellence 2005 *

□ 3,5 ha 8 000 ⬮ 11 à 15 €

Une propriété historique fondée à l'époque des Templiers et qui couvre aujourd'hui 50 ha. Ce 2005 témoigne d'une bonne maîtrise de l'élevage en fût : citron vert et autres agrumes composent une palette élégante, à peine nuancée de notes boisées. Une même finesse caractérise le palais qui persiste bien sur des touches minérales. **L'Excellence 2006 rosé** obtient lui aussi une étoile pour sa structure épicée comme pour ses arômes de pêche jaune et de fleurs légèrement citronnés.
🔑 SCEA Ch. Réquier, La Plaine, 83340 Cabasse, tél. 04.94.80.22.01, fax 04.94.80.21.14, e-mail chateaurequier@aol.com ☑ Y ⚘ r.-v.
🔑 Alain Loison

CAVE DES VIGNERONS DE COGOLIN Cabestan 2006 *

■ 4 ha 10 000 ⬮ 5 à 8 €

La cave de Cogolin, fondée en 1912, défend bien les couleurs des côtes-de-provence. En témoigne cette cuvée issue d'un assemblage de grenache et de cinsault. Rose saumon, elle exprime des arômes intenses de fruits rouges et fait preuve d'équilibre en associant rondeur et vivacité. Un rosé de belle facture qui s'accordera avec la cuisine asiatique.
🔑 La Cave des Vignerons de Cogolin, rue Marceau, 83310 Cogolin, tél. 04.94.54.40.54, fax 04.94.54.08.75, e-mail vin-1@wanadoo.fr
☑ Y ⚘ t.l.j. sf dim. 8h30-12h30 14h-18h

CH. COLLET REDON 2005 *

■ 2,4 ha 3 000 ▮ 5 à 8 €

Dans un cadre parfaitement préservé, ce château et ses dépendances bâtis au milieu du XVIIIe s. commandent un domaine de 16 ha. C'est vers l'avenir que se tourne ce vin d'un rouge intense, prêt à affronter deux, voire quatre ans de garde grâce à ses tanins bien extraits, à sa chair volumineuse et puissante. Le bouquet à dominante fruitée et grillée à ce jour n'a pas dit son dernier mot, et la finale mentholée est un autre signe de bon augure.
🔑 Pierre Terrier, Ch. Collet Redon, 1695, RN 555, 83490 Le Muy, tél. 04.94.45.06.09, fax 04.94.45.80.15, e-mail chateau-colletredon@tiscali.fr
☑ Y t.l.j. sf dim. 10h-12h 15h-19h

COMMANDERIE DE PEYRASSOL 2006

■ 17 ha 90 000 ▮ 8 à 11 €

La famille Rigord, propriétaire de cette ancienne commanderie templière pendant trois cents ans, a passé le relais en 2001. Depuis, l'ensemble du domaine, de la vigne au chai, a été rénové. Un rosé pâle se distingue ici par ses notes de fleurs et d'épices (cannelle). Le cinsault lui a légué sa finesse, et le grenache sa vivacité.
🔑 SCEA Commanderie de Peyrassol, Chem. du Luc, 83340 Flassans, tél. 04.94.69.71.02, fax 04.94.59.69.23, e-mail contact@peyrassol.com ☑ Y ⚘ r.-v.
🔑 Austruy

LES CAVES DU COMMANDEUR Dédicace 2006 *

■ 1,9 ha 12 000 ▮ 5 à 8 €

De couleur grenat, ce vin puissamment marqué par la violette et le sous-bois s'appuie sur des tanins sans démesure, de sorte qu'une impression veloutée domine la dégustation, avec en finale de longues flaveurs chaleureuses. Dans un an, il sera à son apogée. Le **rosé Dédicace 2006**, pâle et brillant, révèle des notes de pêche blanche et d'abricot, se montre gras et finit sur des nuances citronnées. Il obtient une étoile.
🔑 Les Caves du Commandeur, 44, rue de la Rouguière, 83570 Montfort-sur-Argens, tél. 04.94.59.59.02, fax 04.94.59.53.71, e-mail valcommandeur@aol.com ☑ Y ⚘ r.-v.

LES VIGNERONS DE CORRENS Croix de Basson 2006 **

■ 4 ha 20 000 ▮ 5 à 8 €

Située au cœur de la Provence verte dans le village pittoresque de Correns, la cave coopérative ne compte que des adhérents convertis à l'agriculture biologique. Le jury a apprécié la robe parme de ce rosé, ainsi que les arômes puissants, floraux et fruités (pêche, litchi). La bouche est ronde, équilibrée par une juste vivacité. Un côtes-de-provence typé qui s'accordera avec la cuisine niçoise. Une étoile revient au **Vallon Sourn cuvée Tradition 2005 rouge (15 à 23 €)**, aux arômes de fruits mûrs et de torréfaction : il est taillé pour une garde de trois ou quatre ans.

PROVENCE

🔑 Les Vignerons de Correns, chem. de l'Église, 83570 Correns, tél. 04.94.59.59.46, fax 04.94.59.50.32, e-mail lesvignerons-correns@wanadoo.fr ☑ 🍷 🚶 r.-v.

COSTE BRULADE Réserve 2006 ★

■ n.c. 8 000 ▮ 3 à 5 €

Un rosé aux reflets violines qui exhale des arômes de fruits exotiques et d'agrumes pourvu qu'on le laisse s'aérer dans le verre. Bien équilibré, il se développe en rondeur sur des flaveurs de guimauve et de bonbon anglais. Accord prometteur avec une bouillabaisse ou un loup au fenouil.

🔑 Cellier Saint-Sidoine, rue de la Libération, 83390 Puget-Ville, tél. et fax 04.98.01.80.50, e-mail courrier@provence-sidoine.com ☑ 🍷 🚶 r.-v.

LES VIGNERONS DE COTIGNAC Centenaire de la Cave 2006 ★

■ n.c. n.c. 5 à 8 €

Un rosé de la Provence verte, vêtu d'une robe pivoine brillante, qui laisse dans son sillage des senteurs de bonbon anglais, de pêche de vigne et quelques notes florales. Il paraît rond et concentré au palais, d'un juste équilibre. L'heure de l'apéritif sera la sienne.

🔑 Les Vignerons de Cotignac, quartier Basse-Combe, 83570 Cotignac, tél. 04.94.04.60.04, fax 04.94.04.79.54, e-mail lesvignerons.decotignac@orange.fr
☑ 🍷 🚶 t.l.j. sf dim. 9h-12h 14h-18h

CH. DE LA COULERETTE 2006

■ 2 ha 6 500 ▮ 5 à 8 €

Exposé au sud, le vignoble se situe au pied du massif des Maures, tourné vers la mer. Le terroir argilo-siliceux et schisteux ne connaît pas la sécheresse car toutes les sources de La Londe se rejoignent à La Coulerette. La maturité du raisin se devine à la robe grenat comme aux arômes de fruits (cerise, myrtille) et à la bouche persistante, aux tanins légers. Pour un plateau de charcuteries. Le **blanc 2006** accompagnera volontiers un sauté de veau. Une citation lui est attribuée.

🔑 Famille Brechet, Ch. de La Coulerette, 83250 La Londe-les-Maures, tél. 04.94.66.80.03, fax 04.94.15.92.31, e-mail julien.brechet@famillebrechet.fr
☑ 🍷 🚶 t.l.j. sf sam. dim. 8h30-17h

DOM. DE LA COURTADE L'Alycastre 2006 ★★

■ 13 ha 78 000 ▮ 8 à 11 €

Né sur l'île de Porquerolles, ce vin issu de l'assemblage de rolle, de mourvèdre, de tibouren et de grenache s'habille d'une robe rose pâle et développe des senteurs élégantes d'agrumes et de fruits exotiques. Rond, il se rehausse d'une vivacité bienvenue qui lui assure une bonne persistance aromatique. « Osez-le pendant tout un repas », conseille un dégustateur. Deux étoiles sont également attribuées à la cuvée **L'Alycastre 2006 blanc**, expressive (agrumes), ample et non dénuée de fraîcheur.

🔑 Dom. de La Courtade, 83400 Île-de-Porquerolles, tél. 04.94.58.31.44, fax 04.94.58.34.12, e-mail domaine@lacourtade.com
☑ 🍷 🚶 t.l.j. sf sam. dim. 9h-12h 13h-16h

CH. COUSSIN Sainte-Victoire 2006 ★

■ 6 ha 33 000 ▮ 8 à 11 €

L'étonnante façade du château, d'inspiration mexicaine, est reproduite sur les étiquettes des vins de cet ancien domaine viticole, autrefois traversé par la voie Aurélienne. Brillant de reflets bois de rose, ce 2006 exprime à l'envi des notes de fleurs et de fruits à chair blanche. D'une fraîcheur affirmée, il laisse percevoir une pointe de minéralité typée et se développe durablement en finale. Un vin flatteur destiné à une cuisine méridionale.

🔑 Famille Élie Sumeire, Ch. Coussin, Sainte-Victoire, 13530 Trets, tél. 04.42.61.20.00, fax 04.42.61.20.01, e-mail sumeire@sumeire.com ☑ 🍷 🚶 r.-v.

CELLIER DE LA CRAU 2006 ★

■ n.c. 30 000 ▮ 3 à 5 €

1912, telle est la date de création de cette coopérative, située à une dizaine de kilomètres de Hyères. Un assemblage classique de 30 % de grenache, de 50 % de cinsault et de 20 % de syrah est à l'origine de ce rosé à la personnalité bien trempée. Couleur saumon pâle, arômes d'agrumes, d'abricot et de melon, bouche ronde et persistante, chaleureuse en finale : une gourmandise que l'on appréciera à l'apéritif.

🔑 Cellier de La Crau, 85, av. de Toulon, 83260 La Crau, tél. 04.94.66.73.03, fax 04.94.66.17.63, e-mail cellier-lacrau@wanadoo.fr
☑ 🍷 t.l.j. 8h-12h 14h30-17h30

DOM. DE LA CRESSONNIÈRE Cuvée Mataro 2004

■ 4,5 ha 14 000 ⦀ 11 à 15 €

Originaire d'un terroir argilo-calcaire dominant le village de Pignans, cette cuvée porte le nom espagnol du cépage mourvèdre. Rubis soutenu, elle présente un nez puissant et complexe de fruits noirs mêlés de vanille et de confiture de figues. La bouche est ronde, dotée de tanins fins qui ne manquent pas d'élégance.

🔑 Dom. de La Cressonnière, RN 97, 83790 Pignans, tél. 04.94.48.81.22, fax 04.94.48.81.25, e-mail cressonniere@wanadoo.fr
☑ 🍷 🚶 t.l.j. sf dim. 9h-12h 15h-18h
🔑 Depeursinge

DOM. DE LA CROIX 2006 ★

■ Cru clas. 10 ha 40 000 ▮ 8 à 11 €

Rose tendre, ce vin exprime de fins arômes de fruits rouges, réminiscences de fraise et de groseille. Il trouve au palais l'équilibre juste entre rondeur et vivacité, ce qui lui permettra de s'associer à une darne de thon rouge ou à une daurade au four.

🔑 Dom. de La Croix, Reillanne, rte de Saint-Tropez, 83340 Le Cannet-des-Maures, tél. 04.94.50.11.70, fax 04.94.50.11.75, e-mail bastidecroix@wanadoo.fr
☑ 🍷 r.-v.

CH. LES CROSTES 2006 ★★

□ 13 ha 17 000 ▮ 5 à 8 €

Autour d'un château du XVIᵉs., 60 ha d'un seul tenant, plantés de vignes, d'oliviers et de forêts. Rolle et sémillon se partagent la vedette dans ce vin ponctué de notes de noisette, dont la puissance de la chair ronde reste mesurée. Toute l'élégance de la discrétion. Un mariage avec un poisson en sauce s'impose. Dans la même lignée, la **cuvée Prestige 2006 rosé**, à la fois tendre et fraîche, au bon potentiel aromatique, obtient une étoile.

🔑 Ch. Les Crostes, chem. de Saint-Louis, BP 55, 83510 Lorgues, tél. 04.94.73.98.40, fax 04.94.73.97.93, e-mail chateau.les.crostes@wanadoo.fr
☑ 🍷 🚶 t.l.j. sf dim. 10h-18h (avr.-sept 9h-19h)

DOM. DE CUREBÉASSE Forum Julii 2006 ★

1,75 ha 5 800 5 à 8 €

Un domaine de 27 ha implanté sur un sol de roches volcaniques. Le rolle y a trouvé un terroir favorable à l'expression de ses arômes typiques de fleurs et de fruits frais. Il donne à ce vin un caractère enlevé, tout en fraîcheur et en légèreté, avec en finale quelques notes de fruits exotiques.

SCEA Paquette,
Dom. de Curebéasse, rte de Bagnols-en-Forêt,
83600 Fréjus, tél. 04.94.40.87.90, fax 04.94.40.75.18,
e-mail courrier@curebeasse.com
t.l.j. 9h-12h30 14h-18h

DUPÉRÉ BARRERA
Très longue Macération 2004 ★

1 ha 1 200 11 à 15 €

Une vinification à l'ancienne, sans électricité, une macération très longue de cinq mois des cépages cabernet-sauvignon et syrah. Au final, un vin aux arômes de griotte et de fruits à l'eau-de-vie, dont le caractère chaleureux se confirme au cours de la dégustation. Soyeux, généreux, il porte encore la marque de l'élevage de dix-huit mois en fût. À déguster dès maintenant ou dans un an. Une étoile brille également pour le **Domaine du Clos de La Procure 2005 rouge**, lui aussi ample et boisé, fait pour une garde de deux ans. Deux vins capables d'affronter un gibier.

Dupéré Barrera, 254, rue R.-Schumann,
83130 La Garde, tél. 04.94.23.36.08,
fax 04.92.94.77.63,
e-mail vinsduperebarrera@hotmail.com r.-v.

CH. D'ESCLANS 2006 ★

16,91 ha 81 800 15 à 23 €

Donnant sur la mer et sur la vallée de l'Endre, la bastide du XIX[e]s. s'entoure d'un parc de platanes centenaires. Un cadre qui a séduit Sacha Lichine, nouveau propriétaire du domaine depuis 2006. Joli travail que ce rosé de couleur pâle qui joue tout au long de la dégustation sur un duo fruité et floral. Doté d'une chair ronde, pleine de finesse, il a toutes les qualités requises pour accompagner une daurade grillée.

Domaines Sacha Lichine,
Ch. d'Esclans, 4005, rte de Callas, 83920 La Motte,
tél. 04.94.60.40.40, fax 04.94.70.23.99,
e-mail chateaudesclans@sachalichine.com
t.l.j. 9h30-12h30 13h30-18h

DOM. DE L'ESPARRON Cuvée Virginie 2006 ★

2 ha 13 300 5 à 8 €

Non loin du village des tortues, cette propriété de plus de 46 ha propose une cuvée bien typée par le grenache (80 %). De l'élégance et de la discrétion au nez, puis une plus grande intensité aromatique dans la chair ronde et ample, flatteuse. Pour des grillades et des salades composées.

Migliore, Dom. de L'Esparron, 83590 Gonfaron,
tél. 04.94.78.34.41, fax 04.94.78.34.43,
e-mail domaineesparron@wanadoo.fr
t.l.j. sf dim. 8h-12h 13h30-19h

L'ESTANDON Cuvée Bleu Mistral 2006 ★★

96,96 ha 400 000 3 à 5 €

En digne représentant de l'appellation, ce rosé à reflets saumon offre des arômes de fruits blancs (pêche) et d'autres fruits mûrs, nuancés de notes florales de freesia. Une chair ronde enveloppe le palais, qui s'efface tout en douceur sur des flaveurs finales de mûre et de framboise. Une étoile brille pour la cuvée **Les Agaves 2006 rosé**, souple, suave, riche de senteurs de fruits exotiques confits.

Les Vignerons des Caves de Provence,
ZI Les Consacs, 83170 Brignoles, tél. 04.94.37.21.00,
fax 04.94.59.14.84, e-mail info@cercleprovence.fr

L'ESTELLO Cuvée Sextant d'or 2005 ★

3 ha 12 500 8 à 11 €

Partagée entre la vente aux particuliers et à la restauration, la production de ce domaine créé il y a plus de douze ans fait preuve d'une régularité notable. En témoigne ce vin issu de sols argilo-calcaires, assemblage de syrah, de cabernet, de mourvèdre et de carignan. Grenat profond, il révèle des arômes discrets de fruits rouges et d'épices, puis une matière fruitée et concentrée, soutenue par des tanins encore bien présents qui lui assureront une bonne tenue dans le temps. En finale, l'élevage sous bois se traduit par quelques notes cacaotées en contrepoint des flaveurs de mûre et de myrtille.

Dom. de L'Estello, rte de Carcès, 83510 Lorgues,
tél. 04.94.73.22.22, fax 04.94.73.29.29,
e-mail lestello@lestello.com r.-v.
G. Malinge

LA FERME DES LICES 2006 ★★

2,2 ha 10 000 8 à 11 €

Fruit du travail de cinq propriétaires mitoyens et de leur œnologue Laurence Berlemont, ce rosé, saumon pâle, exprime des arômes puissants et élégants à la fois : agrumes et fruits exotiques. Sa rondeur et son équilibre témoignent de la maturité des raisins de grenache et de cinsault. À servir avec une daurade ou un loup de ligne grillé. Deux étoiles sont également attribuées au **blanc 2006**, tout en senteurs de pêche blanche et d'agrumes.

SCEA Clos des Vignes,
Mas de La Moutte, chem. des Treilles-de-La-Moutte,
83990 Saint-Tropez, tél. 04.94.59.12.96,
fax 04.94.59.16.11

CH. FERRY LACOMBE Cuvée Lou Cascaï 2006 ★

4 ha 26 000 8 à 11 €

Les 45 ha du château couvrent un terroir argilo-calcaire sur les contreforts du mont Aurélien, face à la montagne Sainte-Victoire. Le rosé ne manque pas de séduction dans sa robe saumon pâle et brillante. Il développe des arômes puissants de bonbon anglais et de fruits rouges, puis une chair ronde, soutenue par une certaine vivacité typique de ce terroir. À déguster avec une viande blanche.

Ch. Ferry Lacombe, rte de Saint-Maximin,
13530 Trets, tél. 04.42.29.40.04, fax 04.42.61.46.65,
e-mail info@ferrylacombe.com r.-v.
Pinot

DOM. DE LA FOUQUETTE
Cuvée Pierres de moulin 2006

8 ha 6 000 5 à 8 €

Dominé par la syrah, ce rosé de teinte soutenue affiche des senteurs originales d'anis et de fenouil, sans oublier le fruit. Au palais, il hésite entre rondeur et vivacité, sans perdre son équilibre. À découvrir avec une ratatouille ou des petits farcis provençaux.

Isabelle Daziano, Dom. de La Fouquette,
83340 Les Mayons, tél. 04.94.60.00.69,
fax 04.94.60.02.91,
e-mail domaine.fouquette@wanadoo.fr
r.-v. 4

PROVENCE

DOM. FOUSSENQ Collet Redoun 2006

■ 3 ha 20 000 ▮ 3 à 5 €

Un domaine familial de longue date, fort de 25 ha sur un terroir argilo-calcaire du centre du Var. Couleur rose tendre pour ce vin finement aromatique, évocateur d'acacia et de pivoine. Au palais, les flaveurs de fleurs blanches se mêlent aux notes d'épices pour souligner la chair ronde. Un rosé que vous destinerez à la cuisine méditerranéenne.

Dom. Manuel Foussenq, 9, pl. Gabriel-Peri, 83570 Carcès, tél. 04.94.04.54.18, fax 04.94.04.37.77, e-mail foussenq@wanadoo.fr r.-v.

CH. DU GALOUPET 2006 ★★

■ Cru clas. 8 ha 33 000 ▮ 8 à 11 €

Cet ancien domaine situé près des îles d'Or, sur un sol schisteux à calcite, fait l'objet d'une réorganisation depuis 2006. Déjà signalé sur la carte de France établie à la demande de Louis XIV, il n'est pas près de quitter le devant de la scène. Voyez ce vin parfaitement construit qui marie des arômes d'agrumes, de pêche et de tilleul, issus du raisin, à ceux de l'élevage sous bois. Il se montre souple en attaque, à la fois rond et frais dans son développement, d'un fruité persistant. Pour des noix de Saint-Jacques parsemées de noisettes grillées. Une citation revient au **rouge 2005**.

Ch. du Galoupet, Saint-Nicolas, 83250 La Londe-les-Maures, tél. 04.94.66.40.07, fax 04.94.66.42.40, e-mail galoupet@club-internet.fr r.-v.

M. Shiudasani

CH. DES GARCINIÈRES 2005

■ 2 ha 9 000 ▮ 5 à 8 €

Une allée de platanes séculaires mène à cette grande bastide qui, en plus de la forêt, dont le bois servait autrefois à la fabrication des caisses de savon de Marseille, a toujours commandé des vignes. À l'écart de la foule tropézienne, vous y viendrez apprécier son calme et ses vins, tel ce 2005 aux notes de fruits mûrs légèrement épicés. Le volume n'est pas trop marqué, mais la rondeur est avenante.

Famille Valentin, Ch. des Garcinières, RN 98, 83310 Cogolin, tél. 04.94.56.02.85, fax 04.94.56.07.42, e-mail garcinieres@wanadoo.fr

t.l.j. 9h-13h 15h-19h; hiver 9h-12h 14h-18h

LES VIGNERONS DU GARLABAN 2005 ★

■ 4,6 ha 30 000 3 à 5 €

Voilà dix ans que la cave produit des côtes-de-provence. Non sans succès à en juger par cette cuvée rubis, riche d'arômes de fruits rouges et noirs associés aux notes épicées. La bouche est ample, étayée par des tanins fins qui lui confèrent une certaine élégance. Pour un civet de lièvre ou des bécasses à la broche.

Les Vignerons du Garlaban, 8, chem. Saint-Pierre, 13390 Auriol, tél. 04.42.04.70.70, fax 04.42.72.89.49, e-mail vignerons.garlaban@wanadoo.fr

t.l.j. sf dim. 9h-12h 15h-19h

VIGNOBLES GASPERINI
Cuvée des Commandeurs 2006

■ 1 ha 7 500 5 à 8 €

Syrah, grenache et cabernet se partagent la vedette dans cette cuvée légèrement vêtue de rouge. Du fruit (cerise) avec discrétion, un caractère aérien et rond au palais : c'est un vin simple mais bien fait, à boire avec des grillades à la première occasion. La **cuvée Joachim 2006 blanc**, florale, souple et harmonieuse, est citée.

Vignobles Gasperini, 42, av. de la Libération, 83260 La Crau, tél. 04.94.66.70.01, fax 04.94.66.10.33, e-mail gasperini.vins@wanadoo.fr

t.l.j. sf sam. dim. 9h-12h 14h-18h

CH. GASSIER 2006 ★

■ 12 ha 80 000 ▮ 5 à 8 €

Puyloubier a offert à la famille Gassier des sols argilo-calcaires et une exposition favorables à la vigne. Grenache, cinsault et syrah composent un vin bien typé Provence. Classique, il mêle des senteurs de fruits et de bonbon anglais, puis laisse une impression de fraîcheur.

Anthony Gassier, Ch. Gassier, 13114 Puyloubier, tél. 04.42.66.38.74, fax 04.42.66.38.77, e-mail gassier@chateau-gassier.fr

DOM. GAVOTY Cuvée Clarendon 2006 ★

■ 6 ha 35 000 ▮ 11 à 15 €

De la cave construite à la fin du XVIII[e]s. demeurent des foudres et la charpente. Belle expression du terroir pour cette cuvée tout en fruits (orange, fruits exotiques) qui emplit le palais de sa chair volumineuse et généreuse, rehaussée d'une ligne minérale en finale. Un rosé haut en couleur qui trouvera sa place aux côtés des poissons de la Méditerranée.

Roselyne et Pierre Gavoty, Dom. Gavoty, Le Grand Campdumy, 83340 Cabasse, tél. 04.94.69.72.39, fax 04.94.59.64.04, e-mail domaine.gavoty@wanadoo.fr r.-v.

CH. GIROUD 2006 ★

■ 3,18 ha 10 000 ▮ 5 à 8 €

Caroline et Thierry Giroud, jeunes vignerons, mènent ce domaine de plus de 11 ha depuis 2003. Leur rosé de teinte saumon pâle se distingue par la finesse de ses arômes de fleur d'oranger et d'agrumes qui trouvent écho au palais, associés à une rondeur plaisante. Accordez-le à une viande blanche ou à des pâtes au pistou. Le **rouge 2006**, encore un peu austère en finale, est cité. Laissez-le patienter deux ou trois ans en cave.

Thierry et Caroline Giroud, Ch. Giroud, rte du Luc, 83340 Cabasse, tél. 06.82.86.52.29, fax 04.94.80.29.83, e-mail chateaugiroud@yahoo.fr r.-v.

CH. LA GORDONNE
La Chapelle Gordonne 2006 ★

■ 1,8 ha 11 400 ▮ 15 à 23 €

Sur les coteaux de schistes issus du massif des Maures, proches du village de Pierrefeu, ce domaine a produit un vin de teinte pâle à reflets verts. Couleur seyante, bien en accord avec la fraîcheur des senteurs de pamplemousse, de citron et de pêche de vigne. La bouche ronde et équilibrée laisse le souvenir durable de ses flaveurs d'écorce d'agrumes. Un côtes-de-provence fait pour une daurade grillée. Cité, le **Château La Gordonne 2006 rosé (5 à 8 €)** est un vin vif et fruité.

Dom. Listel, Ch. La Gordonne, 83390 Pierrefeu-du-Var, tél. et fax 04.94.28.20.35, e-mail njulian@listel.fr

t.l.j. 8h-12h 13h-18h30; sam. dim. sur r.-v.

LE GRAND CROS L'Esprit de Provence 2006 ★

■ 1 ha 5 300 ▮ 5 à 8 €

Un assemblage de rolle et de sémillon récoltés sur un terroir argilo-calcaire est à l'origine de ce vin jaune pâle à reflets verts, délicatement parfumé de fruits blancs et de notes grillées. Rond, il reste équilibré tout au long de la dégustation et se prolonge durablement au palais. Un bar de ligne grillé lui ira bien.

Julian Faulkner, Dom. du Grand Cros, RD 13, 83660 Carnoules, tél. 04.98.01.80.08, fax 04.98.01.80.09, e-mail info@grandcros.fr
t.l.j. sf dim. 9h-18h

CH. LA GRANDE BAUQUIÈRE
Les Ceps d'Épicure 2006 **

1 ha	1 000	5 à 8 €

Une bastide du XIXe s. au milieu de 80 ha de vignes, mais à peine 1 ha accordé à la production de ce vin de teinte légère, rehaussé de reflets dorés. Difficile de rester insensible à sa palette complexe, florale surtout. Rond, élégant, il ne semble jamais devoir se départir de cette ligne aromatique qui le rendra plus gourmand encore en accompagnement d'un poisson ou d'un fromage de chèvre du terroir. La cuvée **Les Ceps d'Épicure 2006 rosé**, vive, dotée des arômes classiques de bonbon anglais et d'agrumes, est citée.

G. et A. Francart, Ch. La Grande Bauquière, 13114 Puyloubier, tél. et fax 04.42.66.39.27, e-mail lagrandebauquiere@cegetel.net
t.l.j. 10h-12h 14h-17h

DOM. DE GRANDPRÉ Cuvée spéciale 2004 *

4 ha	6 000	5 à 8 €

Sous la protection du massif des Maures, le domaine accorde le plus grand respect à ses vieux ceps de carignan, donnant à ce cépage des lettres de noblesse qu'on lui a trop souvent refusées faute de le récolter sur des terroirs favorables. Rouge sombre à reflets violacés, ce vin livre un nez puissant de fruits noirs nuancés de quelques notes animales. Mais c'est en bouche qu'il révèle l'expression du carignan sur le terroir de Puget : finesse des tanins, velouté de la chair, complexité des arômes. Il s'accordera avec un civet de lièvre dès maintenant et pendant encore un ou deux ans.

Dom. de Grandpré, RN 98, chem. des Grands-Prés, 83390 Puget-Ville, tél. 04.94.23.42.86, fax 04.93.28.60.21, e-mail vvr@domainedegrandpre.fr
t.l.j. sf dim. 9h-18h

DOM. DES GRANDS ESCLANS
Cuvée Castrum 2004 *

3,75 ha	10 600	11 à 15 €

Le Mémorial du 15-Août 1944 rappelle que La Motte fut le premier village libéré de la Provence. Cette cuvée de syrah, de mourvèdre et de carignan récoltés sur un sol de grès du permien affiche une bonne complexité par ses arômes de fruits noirs, de cannelle, de garrigue et par ses notes empyreumatiques. Elle laisse une impression d'ampleur, puis de puissance au palais, sans jamais perdre son équilibre. Les impatients la présenteront à table dès cet automne, mais sachez que le passage du temps sera à son avantage.

SCEA Dom. des Grands Esclans, chem. de Fontcyrille, D 25, 83920 La Motte, tél. et fax 04.94.70.26.08, e-mail gesclans@aol.com
t.l.j. 9h-18h; dim. 9h30-12h30

LES VIGNERONS DE GRIMAUD
Cuvée du Golfe de Saint-Tropez 2006 *

100 ha	500 000	3 à 5 €

Aux environs de ce domaine se trouvent des trésors : le château de Grimaud ainsi que la cité lacustre créée de toutes pièces par l'architecte François Spoerry à partir de 1966. Une découverte classique que celle de ce rosé couleur chair à reflets plus pâles encore. Des arômes de fruits confiturés contribuent à l'impression de rondeur qu'il laisse au palais.

Vignerons de Grimaud, 36, av. des Oliviers, 83310 Grimaud, tél. 04.94.43.20.14, fax 04.94.43.30.00, e-mail vignerons.grimaud@wanadoo.fr
t.l.j. 8h30-12h 14h-18h

CH. HERMITAGE SAINT-MARTIN
Grande Cuvée Enzo 2006 **

2,53 ha	10 000	8 à 11 €

Dans l'arrière-pays varois, ce domaine de près de 11 ha, ancienne propriété monacale, a gardé une allée de trente oliviers vieux de plus de deux cent cinquante ans au milieu des vignes. Le rolle signe seul ce vin jaune pâle à reflets verts, très expressif par ses arômes de pêche blanche et de pamplemousse qui persistent longuement au palais. La rondeur et la souplesse le caractérisent, avant une pointe de fraîcheur bienvenue en finale. Des coquilles Saint-Jacques ou une tarte aux pêches lui tiendront compagnie à table.

Guillaume Enzo Fayard, Ch. Hermitage Saint-Martin, Le Haut Pansard, BP 1, 83250 La Londe-les-Maures, tél. 04.94.00.44.44, fax 04.94.00.44.45, e-mail info@chateauhermitagesaintmartin.com
t.l.j. sf dim. 8h-12h 14h-18h; sam. 9h30-12h 14h-17h30

DOM. HOUCHART 2006 *

59 ha	260 000	5 à 8 €

Implanté au pied de la Sainte-Victoire, sur un terroir de cailloutis calcaires, le domaine fut la propriété d'un ami de Paul Cézanne, Aurélien Houchart. Ses descendants conduisent aujourd'hui ses 90 ha et proposent un vin de belle facture, d'un rose-rouge brillant. Au nez intense de fruits rouges (cerise) répond une bouche ronde et complexe, équilibrée par une juste vivacité. Un rosé à marier avec des plats asiatiques. Le jury a attribué une citation au **Sainte-Victoire 2004 rouge**, fruité et suffisamment étoffé pour une petite garde.

Famille Quiot, 5, av. Baron-Leroy, 84230 Châteauneuf-du-Pape, tél. 04.90.83.73.55, fax 04.90.83.78.48, e-mail contact@jeromequiot.com
r.-v.

DOM. DE JACOURETTE 2006 ***

0,1 ha	700	5 à 8 €

Situé au pied de la Sainte-Victoire chère à Cézanne, ce domaine familial est mené depuis la fin des années 1999 par Hélène Dragon qui, dans le millésime 2006, a donné naissance non seulement à son exceptionnelle cuvée mais aussi à une petite Luce. Issu du cépage rolle récolté sur un terroir de cailloutis calcaires, ce vin lumineux à reflets verts libère un nez puissant et complexe de fruits exotiques et de miel d'acacia. Au palais, il se développe avec rondeur jusqu'à une longue finale. Une étoile est attribuée au **Sainte-Victoire rosé 2006**, tandis que le **Sainte-Victoire rouge 2004** est cité.

Dom. de Jacourette, rte de Trets, RD 23, 83910 Pourrières, tél. 04.94.78.54.60, fax 04.94.78.54.90, e-mail helene.dragon@jacourette.com
t.l.j. sf lun. dim. 15h30-18h30; f. nov.
Hélène Dragon

PROVENCE

DOM. DE JALE La Lone 2006 ★

	1 ha	2 000	11 à 15 €

Sur les sols argilo-sableux du permien, le rolle trouve terroir à son goût. Il a ainsi donné naissance à ce vin nuancé de reflets verts, aux arômes de fleurs et d'agrumes frais. La bouche ronde en attaque monte en puissance et s'étire agréablement en finale. Une citation est attribuée à la cuvée **La Bouïsse 2005 rouge**, légère et fruitée.
Dom. de Jale,
chem. des Fenouils, rte de Saint-Tropez,
83550 Vidauban, tél. et fax 04.94.73.51.50,
e-mail domjale@yahoo.fr
t.l.j. sf dim. 9h30-12h 14h30-18h
François Seminel

DOM. DU JAS D'ESCLANS
Cuvée du Loup Élevé en barrique 2005 ★

Cru clas.	2,9 ha	13 000	11 à 15 €

Ancienne magnanerie du XVIIIe s., cette bastide commande un domaine de 53 ha, dont les vignes sont cultivées en agriculture biologique sur un terroir de grès et de quartzite. Syrah et mourvèdre composent ce vin d'un rouge violacé qui exprime avec franchise des senteurs de fruits rouges, de violette et de torréfaction. Au palais, les tanins se manifestent sans agressivité aucune, mais avec élégance. La **cuvée du Loup 2006 rosé (5 à 8 €)**, entre agrumes et fruits rouges, tout en rondeur, obtient également une étoile.
SARL du Dom. du Jas d'Esclans,
3094, rte de Callas, 83920 La Motte,
tél. 04.98.10.29.29, fax 04.98.10.29.28,
e-mail mdewulf@terre-net.fr r.-v.
De Wulf

JAS DES OLIVIERS Cuvée Sainte Brigitte 2006 ★

	n.c.	1 600	5 à 8 €

Le Jas des Oliviers est une ancienne bergerie convertie à la vigne ; ses 20 ha se dispersent sur le territoire de Fréjus, à 1 km à peine de la mer, sur le terroir de roche volcanique d'Estérel. Un vin aux reflets vert d'eau, dont les arômes floraux et minéraux s'associent à une rondeur fruitée.
Ollivier, Jas des Oliviers, 1380, av. André-Léotard,
83600 Fréjus, tél. et fax 04.94.51.15.19,
e-mail info@jas-des-oliviers.com r.-v.

CH. DE JASSON Cuvée Éléonore 2006 ★

	8,02 ha	33 000	8 à 11 €

Le domaine s'étend sur un terroir de schistes et de phyllades issu du massif des Maures. Benjamin de Fresne et son épouse ont élaboré un vin rose tendre en assemblant grenache, syrah, cinsault et tibouren. Au nez fin de pêche de vigne et d'agrumes répond une bouche ronde, équilibrée, laissant une sensation durable d'élégance. À déguster à l'apéritif ou avec un tian de légumes.
Benjamin de Fresne,
Ch. de Jasson, Les Jassons, D 88,
83250 La Londe-les-Maures, tél. 04.94.66.81.52,
fax 04.94.05.24.84,
e-mail chateau.de.jasson@wanadoo.fr r.-v.

DOM. DE LA JEANNETTE Baguier 2005 ★★

	1,86 ha	8 800	8 à 11 €

Depuis sa reprise en 2000, le domaine connaît une rénovation complète sur ce terroir limono-argilo-schisteux, au pied du massif des Maures. Des vestiges gallo-romains y ont été découverts, notamment des pièces de bronze à l'effigie de Marc-Aurèle. Ce 2005 doit à la syrah (81 %) sa personnalité : une teinte profonde, des arômes complexes d'épices (vanille) et de fruits mûrs, puis une matière dense et persistante. Certes, il porte encore la marque de sa jeunesse et saura bien évoluer au cours des cinq prochaines années, mais il est déjà bien agréable. Une étoile revient au **Domaine de La Jeannette 2006 blanc (5 à 8 €)** pour sa ligne fraîche, minérale et florale.
SCEA Dom. de la Jeannette, Les Borrels,
83400 Hyères, tél. 04.94.65.68.30, fax 04.94.12.76.07,
e-mail domjeannette@aol.com r.-v.
G. et H. Limon

CH. DES LAUNES Cuvée première 2006 ★★

	0,48 ha	2 500	11 à 15 €

En 2005, ce domaine de 10 ha a été repris par la famille Dielesen qui a entrepris sa rénovation. Les travaux devraient s'achever en 2008. Pour l'heure, les résultats sont déjà remarquables à en juger par ce vin expressif, riche de senteurs de citron vert et d'agrumes. Son équilibre entre rondeur et fraîcheur est sans faute et la longue finale lui donne de l'allant. Pour l'apéritif ou le dessert. Une citation revient au **Château des Launes 2005 rouge**, vin de petite garde, aux flaveurs d'épices vanillées.
Dielesen, SA Ch. Les Launes, rue Pontevès,
83680 La Garde-Freinet, tél. 04.94.60.01.95,
fax 04.94.60.01.43 r.-v.

CH. DE LÉOUBE 2006 ★

	3,5 ha	5 300	11 à 15 €

Suivez la belle route qui mène au fort de Brégançon à partir de La Londe. Ne vous laissez pas intimider en passant devant cet imposant domaine restructuré et modernisé depuis son rachat en 2000. Rolle et sémillon, récoltés sur sols de schistes argileux, jouent à parts égales dans ce vin rond et frais à la fois. Sous une teinte pâle s'expriment des arômes complexes, floraux et minéraux.
Ch. de Léoube, 2387, rte de Léoube,
83230 Bormes-les-Mimosas, tél. 04.94.64.80.03,
fax 04.94.71.75.40, e-mail bureau@chateaudeleoube.fr
t.l.j. sf dim. 9h-12h 14h-18h
Sir Antony Bamford

CAVE DES VIGNERONS LONDAIS
Cuvée des Borrels 2006 ★★

	5 ha	10 000	5 à 8 €

Issue d'une sélection de terroirs de schistes et de phyllades de la vallée des Borrels, sur les contreforts du massif des Maures, cette cuvée est le fruit de quatre coopérateurs, ainsi que du maître de chai, Jean-Jacques Bés. Un vin rouge sombre à reflets violacés, dont les arômes complexes de fruits rouges mûrs persistent durablement au palais, associés à une chair ronde et à des tanins soyeux. Sorti des chais de la cave, le **Domaine San Peïre cuvée Alphonse 2006 rosé (3 à 5 €)**, fruité (pêche) et frais, obtient une étoile.
Cave des Vignerons Londais, Le Pansard,
83250 La Londe-les-Maures, tél. 04.94.66.80.23,
fax 04.94.05.20.10
t.l.j. sf sam. dim. lun. 8h30-12h 15h-18h

LOU BASSAQUET Sainte-Victoire 2006 ★

	n.c.	n.c.	5 à 8 €

Depuis plusieurs années, la cave coopérative de Trets se distingue par ses cuvées sélectionnées, telles que ce 2006 de la Sainte-Victoire, d'un rose tendre à reflets bleutés, qui laisse des accents de pêche blanche et de

brugnon dans son sillage. La vivacité se fait complice des arômes au palais, en assurant leur persistance. Fine et friande, dans le registre floral, la cuvée **Rascailles 2006 blanc (3 à 5 €)** est notée une étoile.
Cellier Lou Bassaquet, chem. du Loup, BP 22, 13530 Trets, tél. 04.42.29.20.20, fax 04.42.29.32.03, e-mail contact@loubassaquet.com
t.l.j. sf dim. 9h-12h 14h30-18h30

DOM. LUDOVIC DE BEAUSÉJOUR
Cuvée Bacarras 2005 ★

1,9 ha 8 000 11 à 15 €

Propriété de la famille Maunier depuis plusieurs générations, ce domaine de 40 ha couvre des coteaux argilo-calcaires autour du village provençal typique de Lorgues. Son 2005, rubis à reflets violets, mêle de puissantes senteurs de petits fruits rouges à des notes torréfiées. C'est l'annonce d'une chair ronde, complexe, élégamment marquée par le boisé hérité de quatorze mois d'élevage en fût. Un vin qui gagnera à vieillir une petite année.
Dom. Ludovic de Beauséjour, hameau de la Basse-Maure, rte de Salernes-Flayosc, 83510 Lorgues, tél. 04.94.50.91.90, fax 04.94.47.24.94
r.-v.
Ph. Ludovic Maunier

CH. MAÏME Cuvée Raphaëlle 2005 ★★

2 ha 10 000 8 à 11 €

Implanté près de la cité médiévale des Arcs-sur-Argens, ce domaine étale ses vignes sur les contreforts du massif des Maures, au terroir de schistes et de phyllades. Les dégustateurs ont été sensibles à la robe intense, sombre, de cette cuvée, comme à ses parfums de fruits noirs mêlés de notes grillées. La bouche ronde, complexe et harmonieuse a achevé de les convaincre, d'autant que les tanins au grain fin sont de bon augure. Une bouteille de garde qui rejoindra un gibier d'ici quatre ans.
Ch. Maïme, RN 7, 83460 Les Arcs-sur-Argens, tél. 04.94.47.41.66, fax 04.94.47.42.08, e-mail maime.terre@wanadoo.fr
t.l.j. sf dim. 10h-12h 14h-18h
Sibran, Garcia

CH. MARAVENNE Collection privée 2006 ★★★

4 ha 26 000 5 à 8 €

Bien dans l'esprit de ce domaine de 20 ha sur sols schisteux, conduit en agriculture biologique, cette cuvée de grenache et de syrah offre une brassée de fleurs blanches, sans oublier quelques notes d'agrumes. La rose et la violette persistent longuement dans une chair ronde et fraîche à la fois, d'une étonnante structure. Un vin qui ensoleillera votre table à l'apéritif et en accompagnement de desserts légers comme une mousse de fruits. Fraîcheur, finesse et équilibre caractérisent la **Collection privée 2006 blanc** qui obtient une étoile.
Gourjon, Ch. Maravenne, rte de Valcros, 83250 La Londe-les-Maures, tél. 04.94.66.80.20, fax 04.94.66.97.79
t.l.j. 8h-12h 14h-18h G E

DOM. DE MARCHANDISE 2006 ★

31 ha 200 000 5 à 8 €

Le tibouren est un cépage adapté au terroir de Roquebrune-sur-Argens. En témoigne ce rosé de teinte saumon dans lequel il s'associe au grenache et au mourvèdre. Une palette de fleurs blanches et de pêche de vigne se décline, suivie de l'expression d'une chair ronde et complexe, empreinte de flaveurs de fruits blancs et de bonbon anglais. Une citation pour le **rouge 2005**, de structure puissante.
GAEC Chauvier Frères, Dom. de Marchandise, 83520 Roquebrune-sur-Argens, tél. 04.94.45.42.91, fax 04.94.81.62.82, e-mail domainedemarchandise@wanadoo.fr
r.-v.

CH. DES MARRES 2006 ★★

0,95 ha 7 000 8 à 11 €

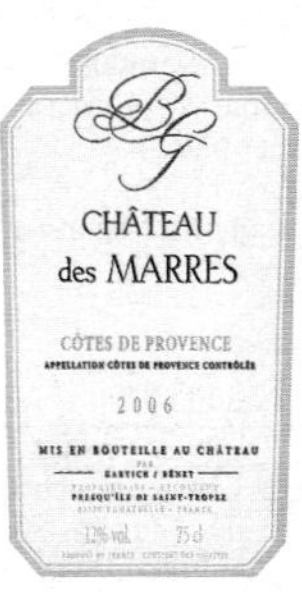

Un rosé lui avait valu un coup de cœur pour sa première entrée dans le Guide il y a deux ans. Le Château des Marres revient décrocher les étoiles grâce à un blanc des plus harmonieux et complexes. Après une explosion d'arômes d'agrumes (clémentine, pamplemousse) et de fruits blancs, il emplit le palais d'une chair ample, aromatique et fraîche. Servez-le d'ici 2010 avec un homard grillé. Le **rosé 2006** est noté deux étoiles. Pâle, marqué par les fruits, rond et élégant, il accompagnera la cuisine italienne.
René Gartich, Ch. des Marres, rte des Plages, 83350 Ramatuelle, tél. 04.94.97.22.61, fax 04.94.96.33.84, e-mail contact@chateaudesmarres.com r.-v.

CH. MARTINETTE 2006 ★★

20 ha 40 000 5 à 8 €

Vêtu d'une robe coquille d'œuf à reflets gris, ce rosé fait bonne impression dès le premier regard. Impression confirmée par les parfums de fruits jaunes et de fleurs blanches qui demeurent longuement au palais. L'élégance est le signe distinctif de cette chair ample et ronde, avec juste ce qu'il faut de fraîcheur pour l'équilibre.
Ch. Martinette, 4005, chem. de La Martinette, 83510 Lorgues, tél. 04.94.73.84.93, fax 04.94.73.88.34
r.-v.
Liegeon

MAS DE CADENET Sainte-Victoire 2006 ★

15 ha 63 000 8 à 11 €

Le vignoble de 45 ha conduit par Guy Négrel est remarquablement situé sur un terroir de gravoches, au pied de la montagne Sainte-Victoire. Chaque année, en juillet et en décembre, sont organisés au domaine des concerts et des pièces de théâtre. Ce rosé de teinte corail brillant présente un nez élégant de fruits rouges et de fleurs mêlés, puis se montre rond et persistant, équilibré. Un vin typique de la dénomination Sainte-Victoire, qui se mariera avec des rougets grillés.

🔑 Guy Négrel, Mas de Cadenet, CD 57, 13530 Trets, tél. 04.42.29.21.59, fax 04.42.61.32.09, e-mail guy.negrel@masdecadenet.fr
t.l.j. sf dim. 9h-12h 14h-19h

MAS DE VICTOIRE 2006 *

■ 2,1 ha 2 500 15 à 23 €

Ce tout petit vignoble de 2,50 ha sur les coteaux argilo-schisteux de Ramatuelle a été créé en 2004 dans le seul but de produire des vins rouges. De jeunes vignes de syrah (85 %) et de grenache ont ainsi donné naissance à ce 2006. Sous une teinte pourpre profond se révèlent des arômes puissants de fruits noirs et de cuir, puis une chair ronde, bâtie sur des tanins présents mais élégants. Un vin ample et structuré qui s'accordera avec un civet de sanglier dans un an et plus.

🔑 Mas de Victoire, chem. des Ayguiers, quartier Saint-André, 83350 Ramatuelle
🔑 Durand

CH. MATHÉRON 2005 **

■ 1 ha 3 000 5 à 8 €

De cette grande bâtisse du début du XIX^e^s., la vue s'étend sur le massif des Maures. Son caveau de vente réserve la surprise d'un 2005 né de raisins parfaitement mûrs et soigneusement élevé sous bois huit mois durant. Le voici grenat velouté qui s'ouvre dans le registre automnal du coing et des marrons chauds, sans omettre pour autant les fruits rouges attendus. Il apparaît frais en attaque, puis charpenté par des tanins déjà assouplis. La réglisse blanche, le tabac et le chocolat alimentent la longue finale. À apprécier dès à présent avec un filet de bœuf en gelée ou à laisser évoluer deux ou trois ans encore.

🔑 EARL Bernard, 400, chem. du Dom. de Mathéron, 83550 Vidauban, tél. et fax 04.94.73.01.64, e-mail bernardmatheron@aol.com
t.l.j. sf dim. 9h30-12h 14h30-18h; été dim. 9h30-12h; f. 1 sem. nov. et fév.

DOM. DE MAUVAN 2006 *

■ 3 ha n.c. 5 à 8 €

Établi au pied de la montagne Sainte-Victoire, le domaine bénéficie d'un terroir de cailloutis calcaires des plus favorables à la vigne. Gaëlle Maclou propose un rosé pâle, légèrement saumon, qui sous des parfums intenses de fruits rouges et d'agrumes développe une agréable vivacité. Un vin typé. Une étoile brille aussi pour le **Sainte-Victoire 2004 rouge (11 à 15 €)**, ample et structuré, qui pourra être attendu.

🔑 Gaëlle Maclou, Dom. de Mauvan, RN 7, 13114 Puyloubier, tél. et fax 04.42.29.38.33, e-mail mauvan@wanadoo.fr r.-v.

CH. MENTONE Cuvée Excellence 2004 *

■ 4 ha 12 000 11 à 15 €

Le jury ne le savait pas, mais vous le découvrirez au domaine : ce vin est logé dans une bouteille sérigraphiée. Il aura belle allure sur votre table cet hiver et plus encore dans le verre où il révèlera sa robe grenat, ses arômes discrets de figue confite, de réglisse et de pâte de coings. Au palais, il s'ouvre davantage, s'appuyant sur des tanins soyeux pour mieux s'étirer en finale et se garantir quelques beaux jours devant lui (deux ans).

🔑 Ch. Mentone, 401, chem. de Mentone, 83510 Saint-Antonin-du-Var, tél. 04.94.04.42.00, fax 04.94.37.27.57, e-mail info@chateaumentone.com
r.-v. 7
🔑 Caille

CH. LES MESCLANCES Cuvée Saint Honorat 2005 *

■ 2 ha 8 000 8 à 11 €

Issu d'un assemblage à parts égales de syrah et de cabernet-sauvignon sur terroir de schistes et de phyllades, ce vin s'habille d'une robe sombre à reflets violacés. Il exprime des notes de fruits noirs mûrs, de grillé et de torréfaction avant d'emplir le palais de sa chair ample, richement soutenue par les tanins. À servir maintenant comme demain avec un civet de lièvre ou une daube de sanglier. Une citation pour la **cuvée Saint Honorat 2006 rosé (5 à 8 €)**, vive.

🔑 Xavier de Villeneuve-Bargemon, Les Mesclances, chem. du Moulin-Premier, 83260 La Crau, tél. 04.94.66.75.07, fax 04.94.35.10.03, e-mail mesclances@yahoo.fr r.-v.

CH. MINUTY Prestige 2006 **

■ Cru clas. 16 ha 80 000 11 à 15 €

Jean-Étienne et François Matton sont aux commandes de ce domaine de 72 ha créé en 1986. C'est une ravissante propriété avec château et chapelle d'époque napoléonienne. Prestige, une cuvée qui n'est pas inconnue des lecteurs du Guide. La voici en 2006 vêtue d'une robe pâle et parfumée de fleurs mêlées d'aromates (sauge). Son élégance est incontestable au palais : un vin ample, gras, qui n'oublie pas d'être frais et complexe. Une étoile brille pour la cuvée **Blanc et Or de Minuty 2006** qui décline les agrumes et les fruits blancs avec persistance.

🔑 Matton, SA Ch. Minuty, 83580 Gassin, tél. 04.94.56.12.09, fax 04.94.56.18.38
t.l.j. sf sam. dim. 9h-12h 14h-18h

CH. MIRAVAL 2006 *

■ 8 ha 30 000 8 à 11 €

Un terroir argilo-calcaire accueille ce domaine de 28 ha, dans un site de toute beauté, entouré de restanques restaurées avec goût. Le jury a apprécié la robe pâle de son rosé, le nez élégant de fruits blancs et d'agrumes, puis la bouche ronde, harmonieuse, qui laisse le souvenir d'arômes de pêche de vigne et de pomelos. Une bouteille à réserver à la cuisine méditerranéenne.

🔑 Ch. Miraval, rte de Barjols, 83570 Correns, tél. 04.94.86.39.33, fax 04.94.86.46.79, e-mail miraval@club-internet.fr
t.l.j. 10h-13h 14h-16h30; après 16h30 et sam. dim. sur r.-v.

DOM. DE MONT REDON 2005 ★

■ 1,5 ha 6 000 ■ 5 à 8 €

Un assemblage de grenache, de syrah et de cinsault est à l'origine de ce vin rubis brillant, au nez complexe de fruits noirs et d'épices. Après une attaque puissante, les tanins soutiennent avec élégance une chair ronde, non dénuée de complexité aromatique. Accord réussi avec un rôti de sanglier ou un gigot de chevreuil.

Torné, Dom. de Mont Redon, 2496, rte de Pierrefeu, 83260 La Crau, tél. et fax 04.94.57.82.12, e-mail mont.redon@libertysurf.fr t.l.j. sf dim. 9h-12h 14h-18h

LES VIGNERONS DU MONT SAINTE-VICTOIRE Les Élégantes 2006 ★

■ 5 ha 10 000 ■ 3 à 5 €

Une cuvée issue d'un assemblage de grenache et de cinsault cultivés sur le terroir de gravoches, argilo-calcaire, de Puyloubier, village provençal dominé par la Sainte-Victoire. D'un rose tendre brillant, il exprime des senteurs de fleurs blanches associées à celles de fruits rouges. Il se fait rond, complexe au palais, d'une bonne persistance aromatique. Une citation est attribuée à la **cuvée des Terres rouges 2006 rouge**.

Les Vignerons du Mont Sainte-Victoire, 1, av. d'Aix, 13114 Puyloubier, tél. 04.42.66.32.21, fax 04.42.66.34.20, e-mail vignerons-msv@wanadoo.fr r.-v.

CH. MOURESSE Grande Cuvée 2004 ★

■ 2 ha 6 000 11 à 15 €

Conduit depuis 1999 par Patrick Horst, ce domaine s'étend sur 30 ha d'un terroir de grès dominant la plaine des Maures, réserve écologique. Jazz pique-nique, paella flamenco, expositions art et vin : au château, il se passe toujours quelque chose, mais l'on y vient avant tout pour des côtes-de-provence à l'image de ce 2004 rubis, au nez puissant de fruits noirs mêlés de notes de cuir et de sous-bois. Au palais, le vin est ample, puissant, structuré par des tanins certes présents, mais fins. Pour une charlotte d'agneau ou un gigot de chevreuil à la broche.

Famille Horst, Ch. Mouresse, 3353, chem. de Pied-de-Banc, 83550 Vidauban, tél. 04.94.73.12.38, fax 04.94.73.57.04, e-mail mouresse@gmail.com t.l.j. 10h-12h30 13h30-18h

CH. LA MOUTÈTE Vieilles Vignes Grande Réserve 2006

■ 6,5 ha 30 000 ■ 8 à 11 €

L'hiver 1956 n'a épargné aucun olivier à La Moutète et marqua le terme de l'activité oléicole de ce domaine qui se tourna alors uniquement vers la viticulture. Depuis 2004, Olivier Duffort conduit sa destinée. On lui doit ce rosé floral et légèrement épicé, qui laisse une agréable sensation de fraîcheur.

SAS Gérard Duffort, BP 41, Le Rouve, 83330 Le Beausset, tél. 04.94.98.71.31, fax 04.94.60.44.87, e-mail contact@domainesduffort.com r.-v.

DOM. DES MYRTES Cuvée Prestige 2006

■ 1 ha 4 000 ■ 5 à 8 €

D'un jaune pâle à reflets verts, ce vin exprime bien le terroir de schistes de La Londe-les-Maures par ses arômes d'agrumes. Il est franc en attaque, puis rond et aromatique, laissant en souvenir des flaveurs de pêche de vigne. Mariez-le à une bouillabaisse.

GAEC Barbaroux, Dom. des Myrtes, 83250 La Londe-les-Maures, tél. 04.94.66.83.00, fax 04.94.66.65.73 r.-v.

DOM. DES NIBAS 2006

■ 3,9 ha 4 300 ■ 5 à 8 €

Autour de Vidauban, les botanistes en herbe aiment chercher les orchidées et les iris sauvages. Ils en trouveront sur ce domaine de 12 ha, implanté sur des grès permiens, au cœur du sanctuaire écologique de la plaine des Maures. Autre couleur, autres parfums : ce vin rose tendre aux arômes d'agrumes et de fleurs blanches offre une bouche ronde, dotée de suffisamment de vivacité pour soutenir son expression aromatique. Une citation également pour le **rouge 2004**, fruité et encore jeune.

Nicolas Hentz, Dom. des Nibas, 9130, RD 48, 83550 Vidauban, tél. et fax 04.94.73.67.46, e-mail nic-hentz@wanadoo.fr t.l.j. 10h-12h 14h-18h; f. vendanges

DOM. OTT Château de Selle Cœur de grain 2006

■ Cru clas. 51,41 ha 250 000 15 à 23 €

Sur les hauteurs de Taradeau, le vignoble du château de Selle – bâtisse du XVIII[e]s. – jouit d'un terroir de cailloutis calcaires sur lequel prospèrent aussi les oliviers. Ce rosé très pâle et brillant présente un nez discret mais élégant d'agrumes (citron, pomelo). Il fait preuve d'ampleur et de rondeur, puis laisse le souvenir de flaveurs fruitées mêlées de fleurs blanches. Pour la cuisine méditerranéenne.

Dom. Ott, Ch. de Selle, RD 73, 83460 Taradeau, tél. 04.94.47.57.57, fax 04.94.47.57.58, e-mail chateaudeselle@domaines-ott.com r.-v.

Ott et Roederer

CH. DE PALAYSON Grande Cuvée 2005 ★

■ 2 ha 3 000 15 à 23 €

Sis à l'emplacement d'une *villa* romaine du nom de Palaio, ce domaine de 10 ha conjugue tradition et modernité : il vient de s'équiper d'un matériel de vinification flambant neuf. Son 2005 est riche d'arômes de fruits confiturés (cerise), d'épices, de réglisse et de sous-bois. Grenat sombre, il possède un caractère chaleureux qui se traduit au palais par une structure solide et un boisé bien fondu, hérité de douze mois d'élevage. Un vin de terroir, prêt à passer à table.

SA Dom. de Palayson, chem. de Palayson, 83520 Roquebrune-sur-Argens, tél. 04.98.11.80.40, fax 04.98.11.80.39, e-mail chateaupalayson@aol.com t.l.j. 9h-12h 14h-19h; dim. sur r.-v.

von Eggers Rudd

CH. DE PAMPELONNE 2005

■ 15 ha 60 000 ■ 8 à 11 €

Le château, dont la construction remonte à la fin du XVII[e]s., se situe à proximité des célèbres plages de Pampelonne, mais c'est à la cave des Maîtres vignerons de la presqu'île de Saint-Tropez que vous découvrirez ce 2005. Encore timide au nez, le vin offre une matière ronde aux flaveurs de fruits rouges qui le rendra avenant dès cet hiver.

Ch. de Pampelonne, 83350 Ramatuelle, tél. 04.94.56.32.04, fax 04.94.43.42.57 r.-v.

Pascaud

PROVENCE

CH. PAS DU CERF Rocher des croix 2006 **

■ 3,2 ha 13 000 **8 à 11 €**

Certainement le plus minéral des vignobles londais, le Pas du Cerf est aussi le plus intérieur. Au cœur des schistes, il produit des vins d'une grande finesse, à l'image de ce rosé né de vieux grenaches qui évoque les îles par ses arômes de fruits exotiques, de pamplemousse et de citron avant de livrer une chair gourmande. Plus printanière, la cuvée **Diane 2006 rosé (5 à 8 €)** obtient une étoile.

Patrick Gualtieri,
Ch. Pas du Cerf, rte de Collobrières,
83250 La Londe-les-Maures, tél. 04.94.00.48.80,
fax 04.94.00.48.81, e-mail info@pasducerf.com
r.-v.

DOM. DES PEIRECÈDES Cuvée d'Ariane 2006 *

■ 7 ha 40 000 **5 à 8 €**

Entre Pierrefeu et Cuers, ce domaine de 38 ha se répartit entre trois îlots, sur un sol de gravoches, argilo-calcaire. Cinsault, syrah et grenache s'assemblent dans ce rosé de teinte saumon brillant, dont le nez intense évoque les fruits rouges et les agrumes. La bouche laisse percevoir de la vivacité ainsi qu'une grande rondeur. Une étoile revient aussi à la **cuvée Règue des Botes 2004 rouge (8 à 11 €)**, du nom d'un des îlots de vignes, car elle est souple, ample, riche d'un fruité mûr.

SCEA Alain Baccino,
Dom. des Peirecèdes, Pierrefeu, 83390 Cuers,
tél. 04.94.48.67.15, fax 04.94.48.52.30,
e-mail alainbaccino@free.fr r.-v.

DOM. PINCHINAT 2006 *

■ 0,5 ha 3 400 **5 à 8 €**

Rolle (90 %) et clairette cultivés selon les règles de l'agriculture biologique constituent l'assemblage de ce vin dont la production est confidentielle. Au bouquet floral et fruité répond une chair suave et tonique à la fois, qui trouve en finale des notes minérales fraîches. Le **rosé 2006**, plus discret, est cité.

Alain de Welle, Dom. Pinchinat, 83910 Pourrières,
tél. et fax 04.42.29.29.92,
e-mail domainepinchinat@wanadoo.fr r.-v.

DOM. DE PIQUEROQUE 2006 **

■ 4 ha 25 000 **5 à 8 €**

Dans un hameau remontant au XVIIe s., cette vaste bastide commande un domaine de 15 ha sur un terroir argilo-calcaire. Grenache, cinsault et syrah font alliance dans ce rosé couleur bois de rose, aux senteurs de fruits frais (cerise, citron). Le fruité souligne sans faillir une chair d'abord tout en fraîcheur, puis plus ronde en finale.

EARL Piqueroque, rte de Cabasse,
83340 Flassans-sur-Issole, tél. 04.94.37.30.71,
fax 04.94.37.30.72, e-mail piqueroque@aol.com
t.l.j. sf dim. 9h-12h 14h-18h
Hubbard

DOM. DES PLANES L'Admirable 2006 **

■ 5 ha n.c. **8 à 11 €**

Propriété familiale à quelques kilomètres de la cité millénaire de Roquebrune-sur-Argens, Les Planes bénéficient d'un terroir de gneiss et de micaschistes qui n'est pas étranger au caractère de ce rosé pâle et brillant : arômes de fruits rouges mêlés d'agrumes, équilibre entre gras et fraîcheur, flaveurs persistantes de pamplemousse et de citron. Le jury a retenu avec une étoile la cuvée **Élégance 2005 blanc (11 à 15 €)**, ronde, fruitée et discrètement boisée.

Christophe et Ilse Rieder, Dom. des Planes,
83520 Roquebrune-sur-Argens, tél. 04.98.11.49.00,
fax 04.94.82.94.76, e-mail vin@dom-planes.com
t.l.j. sf dim. 9h-12h30 14h30-18h30

DOM. DES POMPLES 2006 *

■ 16 ha 112 000 **3 à 5 €**

Commercialisé par les établissements Bréban, ce vin marie les trois principaux cépages de Provence : grenache, cinsault et syrah. Sous une teinte saumon se déclinent des arômes intenses de fruits, puis l'harmonie se réalise au palais entre la rondeur de la chair et la fraîcheur d'un fruité persistant. Pour des plats de poisson méditerranéens. Cité, le **Domaine Pont de Cagnosc 2006 rosé** est tout en légèreté.

SCEA Brissy, Dom. des Pomples, 83340 Cabasse,
tél. et fax 04.94.80.24.66,
e-mail vins-breban@hotmail.com

LES MAÎTRES VIGNERONS DE LA PRESQU'ÎLE DE SAINT-TROPEZ
Carte noire 2004 *

■ 25 ha 150 000 **5 à 8 €**

Incontournable étiquette que celle des vignerons de la presqu'île de Saint-Tropez. Il est bien mûr ce 2004, à en juger par sa robe rouge sombre. Les arômes sont fruités, épicés aussi, et quelques notes de cuir viennent s'y mêler. Ils se joignent au palais à une chair ample et ronde qui invite à une garde d'un an à peine avant un service avec un gigot d'agneau aux herbes. Le **Carte noire 2006 rosé**, plein et structuré, aux accents d'agrumes et de fruits exotiques, laisse une impression chaleureuse en finale. Il est cité, à l'instar du **Domaine de Carteyron 2006 rosé (3 à 5 €)**.

Les Maîtres vignerons de la Presqu'île
de Saint-Tropez, carrefour de la Foux, 83580 Gassin,
tél. 04.94.56.32.04, fax 04.94.43.42.57,
e-mail info@mavigne.com
t.l.j. sf dim. 9h-12h 15h-19h

CH. DU PUGET Cuvée de Chavette 2005

■ 3,5 ha 7 128 **5 à 8 €**

Une cuvée à base de cabernet-sauvignon (70 %) et de syrah, aux arômes discrets d'épices, de cuir et de boisé. Elle trouve de la rondeur au palais, malgré quelques tanins qui demandent à rentrer dans le rang, et laisse en finale une impression chaleureuse. À attendre entre un et deux ans.

Ch. du Puget, rue du Mas-de-Clappier,
83390 Puget-Ville, tél. 04.94.48.31.15,
fax 04.94.33.58.55, e-mail chateaupuget@wanadoo.fr
r.-v.
Pierre Grimaud

CH. RASQUE Cuvée Alexandra 2006 *

■ 30 ha 80 000 **11 à 15 €**

Dans un écrin remarquable, au terroir argilo-calcaire, grenache et cinsault ont donné naissance à ce rosé de couleur tendre et brillante. De la complexité dans les arômes floraux et fruités, de l'équilibre au palais avec une rondeur soutenue que rehausse une juste vivacité. Pour la cuisine méditerranéenne.

🔑 SCEA du Ch. Rasque, rte de Draguignan, 83460 Taradeau, tél. 04.94.99.52.20, fax 04.94.99.52.21, e-mail chateau-rasque@wanadoo.fr ☑ Y ✯ t.l.j. 9h-18h
🔑 Biancone

CH. RÉAL MARTIN Grande Cuvée 2006 *

	6,25 ha	20 000	11 à 15 €

À la limite de l'aire des coteaux-varois, sis à 350 m d'altitude dans un cadre naturel resté intact, ce domaine récolte souvent tard son raisin, à la fin septembre et même au début octobre. Il en résulte ce rosé de teinte litchi ou corail, finement parfumé de fruits rouges. Après une attaque ronde, il se montre souple et équilibré, d'une suavité notable.

🔑 Jean-Marie Paul,
SCEA Ch. Réal Martin, rte de Barjols,
83143 Le Val-en-Provence, tél. 04.94.86.40.90,
fax 04.94.86.32.23,
e-mail crm@chateau-real-martin.com
☑ Y ✯ t.l.j. sf dim. 10h-12h30 13h30-17h30

CH. RÊVA Chais d'œuvre Grande réserve 2004

	2 ha	12 000	11 à 15 €

Anciennement domaine de Clastron, cette bastide du XVIII[e]s. et les 34 ha y afférant ont été rebaptisés Rêva après leur rachat en 2004. Du rêve à la réalité, un gros travail de rénovation a été entrepris qui se concrétise dans ce premier millésime issu de syrah et de cabernet-sauvignon. Rouge grenat, celui-ci développe un nez complexe de fruits noirs, de vanille, de réglisse et de moka, puis fait preuve d'une bonne tenue en bouche, avec l'appui de tanins enrobés. Pour une pièce de bœuf.

🔑 GFA Ch. Rêva, rte de Bagnols, 83920 La Motte,
tél. 04.94.70.24.57, fax 04.94.84.31.43,
e-mail chateaureva@wanadoo.fr ☑ Y ✯ r.-v.
🔑 Maillard

DOM. DU RÉVAOU 2005

	10 ha	20 000	8 à 11 €

Bernard Scarone dirige depuis bientôt vingt ans ce domaine de 24 ha qui porte le nom du ruisseau qui passe par le quartier des Troisièmes Borrels. Issu de vignes cultivées en agriculture biologique sur un terroir de schistes et de phyllades, ce vin pourpre à reflets violacés laisse percevoir des arômes de fruits noirs épicés. Il se montre rond, efficacement soutenu par les tanins qui savent rester élégants. Un dégustateur lui prédit une bonne évolution sur les deux ans à venir.

🔑 Bernard Scarone, Dom. du Révaou, Les 3e Borrels,
83250 La Londe-les-Maures, tél. 04.94.65.68.44,
fax 04.94.35.88.54 ☑ Y t.l.j. sf dim. lun. 15h-18h

CH. RIO-TORD 2006

	35 ha	37 000	5 à 8 €

Sur les contreforts du massif des Maures, ce domaine est de longue date propriété de la famille Abeille qui, récemment encore, apportait ses vendanges à la coopérative. Ce rosé vif et brillant possède un nez intense de fruits rouges et de bonbon anglais. Au palais, équilibré, il associe rondeur et persistance aromatique. Pour une bouillabaisse ou un loup grillé.

🔑 Ch. Rio-Tord, c/o Ch. Mont-Redon,
84230 Châteauneuf-du-Pape, tél. 04.90.83.72.75,
fax 04.90.83.77.20,
e-mail contact@chateaumontredon.fr ☑ Y r.-v.
🔑 Abeille Frères

CH. DE ROQUEFEUILLE 2006 **

	70 ha	100 000	5 à 8 €

La maison Gilardi excelle dans la production de vins rosés. En tête de la sélection, ce vin pétale de rose, complexe, qui séduit par ses arômes de cassis, de pêche, d'abricot et de mangue, comme par la souplesse de sa chair suave. En finale, il offre un feu d'artifice aux couleurs des fleurs blanches, des fruits et du poivre. Élégant, ample et charnu, la **Grande Réserve 2006 rosé** obtient deux étoiles, tandis que le **Domaine de La Vieille Tour 2006 rosé** brille d'une étoile pour sa fraîcheur fruitée.

🔑 SA Gilardi, ZAC du Pont Rout,
83460 Les Arcs-sur-Argens, tél. 04.98.10.45.45,
fax 04.98.10.45.49, e-mail gilardi@gilardi.fr
☑ t.l.j. 8h-12h 13h-17h

DOM. DE LA ROSE TRÉMIÈRE Cuvée Cristal 2006 *

	1 ha	2 500	5 à 8 €

Joliment frais ce 2006 qui s'épanouit en notes de fleurs, de buis et de menthol. Minéral, complexe, il laisse une agréable sensation. Plus vive, le **cuvée Cristal 2006 rosé** est citée pour ses arômes exotiques.

🔑 Pierre Maunier,
Dom. de la Rose Trémière, 2230, rte de Carcès,
83510 Lorgues, tél. et fax 04.94.73.26.93,
e-mail larosetremiere83@aol.com
☑ Y ✯ t.l.j. 8h30-12h15 14h30-18h30

CH. ROUBINE Cuvée Philippe Riboud 2006 *

Cru clas.	3 ha	n.c.	15 à 23 €

Les Templiers, l'ordre de Saint-Jean-de-Jérusalem puis de grandes familles provençales se sont succédé à la tête de ce domaine dont la réputation remonte au début du XIV[e]s. Aujourd'hui, les Riboud proposent une cuvée saumon pâle, parfumée de fruits noirs au nez, puis de fruits exotiques au palais. La fraîcheur et la souplesse sont ses atouts majeurs.

🔑 Ch. Roubine, RD 562, 83510 Lorgues,
tél. 04.94.85.94.94, fax 04.94.85.94.95,
e-mail riboud@chateauroubine.com ☑ Y ✯ t.l.j. 9h-18h
🔑 Riboud

CH. DU ROUËT Cuvée Estérelle 2006 *

	13,2 ha	96 000	5 à 8 €

Le saviez-vous ? La vigne est un excellent pare-feu et protège les forêts au plus fort de l'été. C'est dans ce but que fut planté ce vignoble au début du XXe s., autour d'une bastide de style italien. Grenache, cinsault et carignan ont donné naissance à un rosé de teinte saumon pâle. Au nez de fleurs blanches et de fruits frais (melon, abricot) succède une bouche ronde et fraîche à la fois, qui laisse en finale le souvenir du fruit. Une étoile revient aussi à la cuvée **Forum Julii 2005 rouge (11 à 15 €)**, structurée pour la garde et encore marquée par les arômes torréfiés de l'élevage.

🔑 Dom. du Ch. du Rouët, rte de Bagnols,
83490 Le Muy, tél. 04.94.99.21.10, fax 04.94.99.20.42
☑ Y ✯ t.l.j. 8h-12h 14h-18h; dim. 14h-18h 6 D
🔑 Savatier

DOM. SAINT-ANDRÉ DE FIGUIÈRE Vieilles Vignes 2006 *

	2,5 ha	20 000	8 à 11 €

Si Alain Combard, venu de Chablis, fut séduit par la région il y a quinze ans déjà, ce domaine de 42 ha est à

PROVENCE

présent une passion qu'il partage avec ses trois enfants. Des vignes de rolle et de sémillon plantées sur schistes, et voici un vin à l'agréable bouquet de glycine, un rien poivré, qui explose au nez avant d'offrir sa rondeur fruitée en bouche. Une gourmandise à l'apéritif. La **Réserve 2005 rouge (15 à 23 €)**, aux accents chaleureux de cerise, de pruneau, de grillé, d'épices et de réglisse, est un vin puissant, mais dont les tanins fondus autorisent une dégustation immédiate avec une pièce de bœuf. Une étoile.
Dom. Saint-André de Figuière, quartier Saint-Honoré, BP 47, 83250 La Londe-les-Maures, tél. 04.94.00.44.70, fax 04.94.35.04.46, e-mail figuiere@figuiere-provence.com t.l.j. sf dim. 9h-12h 14h-19h
Alain Combard

DOM. SAINT-ANDRIEU 2006 ★★

6,03 ha 35 000 5 à 8 €

Au pied de la source de Saint-Andrieu, une bâtisse du XVIIIes. commande ce domaine en rénovation depuis sa reprise en 2003. Rose pâle à reflets violines, ce vin a participé au grand jury des coups de cœur. Tout est friand en lui : le bouquet fruité complexe, la texture équilibrée et longuement aromatique, chaleureuse en finale. Le **rouge 2006**, au boisé subtil, gouleyant par sa structure légère, obtient une étoile.
Dom. Saint-Andrieu, BP 32, 83570 Correns, tél. 04.94.59.52.42, fax 04.94.77.73.18, e-mail bdutartre@club-internet.fr
t.l.j. sf sam. dim. 8h-12h 13h-17h

DOM. SAINTE-CROIX 2006

4 ha 20 000 3 à 5 €

Christian Pélépol propose un rosé de teinte saumon dont les arômes fruités (citron et fraise) restent discrets. La fraîcheur caractérise la dégustation en bouche qui demeure harmonieuse jusqu'en finale. Le complément d'une moussaka d'aubergine.
Christian Pélépol, EARL La Manuelle, Dom. Sainte-Croix, rte du Thoronet, 83570 Carcès, tél. 04.94.04.56.51, fax 04.94.04.38.10, e-mail saintecroix@wanadoo.fr
t.l.j. sf dim. 9h-12h 14h-18h (été 15h-19h)

CH. SAINTE-CROIX Cuvée Acacia 2006 ★★★

n.c. n.c. 5 à 8 €

Ancienne ferme fortifiée du XIIes., le château commande 35 ha sur sol argilo-calcaire. Rolle et sémillon font alliance dans ce vin floral et fruité, qui laisse au palais une sensation de volume et de suavité. Les arômes de fruits confits, de melon et de pamplemousse ne font que confirmer l'excellente maturité de la vendange. Une étoile brille pour le bien nommé **Rosé charmeur 2006**, aromatique, dense et pourtant frais.
Jacques Pélépol, Ch. Sainte-Croix, rte du Thoronet, 83570 Carcès, tél. 06.29.97.22.48 r.-v.

DOM. SAINTE-LUCIE
Premium Made in Provence 2006 ★★★

3 ha 10 000 5 à 8 €

Deuxième millésime sorti des caves de ce domaine de 35 ha situé sur le piémont de la montagne Sainte-Victoire. Double coup de cœur déjà. Le premier distingue un rosé de teinte framboise, dont les arômes de fruits rouges (cerise, fraise) se développent longuement, jusque dans la chair veloutée qui laisse une impression d'élégance. Le

second est attribué à la cuvée **Premium Made in Provence 2006 blanc**, notée deux étoiles, d'une brillance notable et très aromatique (poire, pamplemousse), qui mêle rondeur et fraîcheur. Une citation revient à la cuvée **Sainte-Victoire Élite 2006 rosé**.
Michel Fabre, Dom. Sainte-Lucie, av. Paul-Cézanne, 13114 Puyloubier, tél. 06.81.43.94.62, fax 04.42.66.33.22, e-mail domaine-saintelucie@wanadoo.fr r.-v.

CH. SAINTE-MARGUERITE
Cuvée Prestige 2006 ★

Cru clas. 26,6 ha 119 000 8 à 11 €

Jean-Pierre et Brigitte Fayard, aujourd'hui aidés de leurs enfants, ont su mettre en valeur ce terroir argilo-siliceux depuis bientôt trente ans. Les vignes font face à la mer et aux îles d'Or, sur les premiers contreforts du massif des Maures. De la tendresse dans cette robe pâle, de la finesse dans ces arômes de fleurs et de fruits, de la rondeur rehaussée d'une juste vivacité dans cette chair des plus harmonieuses. Un rosé de belle facture qui s'accordera à la cuisine provençale. Une étoile est aussi attribuée à la **Grande Réserve 2006 rosé**, plus discrète, ainsi qu'à la cuvée **Prestige M de Château Sainte-Marguerite 2005 rouge**, souple et fruitée.
Jean-Pierre Fayard, Ch. Sainte-Marguerite, BP 1 Le Haut-Pansard, 83250 La Londe-les-Maures, tél. 04.94.00.44.44, fax 04.94.00.44.45, e-mail info@chateausaintemarguerite.com
t.l.j. sf dim. 8h-12h 14h-18h; sam. 9h30-12h 14h-17h30

DOM. SAINTE-MARIE 1884 2005 ★

1 ha 5 000 11 à 15 €

Au cœur du massif des Maures, ce domaine jouit d'un terroir de micaschistes et de quartz que la famille Duburcq a su apprécier lorsqu'elle décida de l'acquérir en 2006. Une judicieuse sélection de syrah, de cabernet-sauvignon et de carignan a permis d'élaborer ce vin intensément fruité et riche, bâti sur des tanins fondus qui lui promettent un bel avenir. La fraîcheur et l'expression aromatique de la cuvée **Prestige 1884 blanc 2006 (8 à 11 €)** lui valent une étoile également.
Dom. Sainte-Marie, RN 98, 83230 Bormes-les-Mimosas, tél. 04.94.49.57.15, fax 04.94.49.58.57, e-mail domaine.saintemarie@wanadoo.fr
t.l.j. sf dim. 9h-13h 14h-18h
Duburcq

DOM. DU SAINT-ESPRIT Grande Cuvée 2006 ★

2 ha 12 000 5 à 8 €

Au nord du village médiéval des Arcs-sur-Argens, sur les coteaux argilo-calcaires, une ancienne confrérie du

XII[e]s. est devenue domaine viticole. On y trouve ce 2006 rose tendre qui s'épanouit avec puissance sur des arômes de fruits rouges associés à des notes d'anis. La bouche est ronde, ample et harmonieuse. À présenter à l'apéritif avec une tapenade ou des toasts au saumon.
EARL Crocé-Spinelli, Dom. des Clarettes, BP 31, 83460 Les Arcs-sur-Argens, tél. 04.94.47.45.05, fax 04.94.73.30.73, e-mail crocespinellivin@aol.com
t.l.j. 10h-12h 14h-19h

CH. SAINT-JULIEN D'AILLE Imperator 2006 *

4 ha | 26 000 | 5 à 8 €

Un centurion romain martyrisé en 304 après J.-C. - saint Julien - et une petite rivière, l'Aille. Voilà pour le nom de ce domaine de 170 ha qui a appartenu à l'institut Pasteur jusqu'en 1973. Couleur coquille d'œuf : étrange couleur pour un rosé. Mais cette discrétion est le prélude à des arômes délicats d'abricot et à un équilibre des plus réussis. Pour des salades composées.
Ch. Saint-Julien d'Aille, 5480, RD 48, rte de La Garde-Freinet, 83550 Vidauban, tél. 04.94.73.02.89, fax 04.94.73.61.31, e-mail contact@saintjuliendaille.com r.-v.
Fleury

CH. DE SAINT-MAUR L'Excellence 2006

Cru clas. | 2 ha | 6 600 | 8 à 11 €

Sur les contreforts du massif des Maures, à quelques kilomètres du golfe de Saint-Tropez, le domaine bénéficie d'un terroir de schistes et de phyllades. Issu d'un assemblage de grenache et de cinsault, ce rosé de couleur pâle développe de fins arômes de fleurs blanches et quelques notes d'agrumes. Il se fait rond, aromatique et harmonieux au palais. Vous le dégusterez à l'apéritif, accompagné de tapas. La cuvée **La Tour 2006 rosé (5 à 8 €)** est citée également.
SA Ch. Saint-Maur, rte de Collobrières, 83310 Cogolin, tél. 04.94.54.63.12, fax 04.94.54.00.63, e-mail chateau.saint-maur@wanadoo.fr r.-v.
Nadine Patricot

CH. SAINT-PIERRE Cuvée du Prieuré 2004 *

3 ha | 15 000 | 8 à 11 €

Cette cuvée exprime toute la complexité de la syrah et du cabernet-sauvignon cultivés sur les terrasses argilo-calcaires qui entourent le village médiéval des Arcs. Élégante, elle se pare de rubis et livre des arômes aussi complexes que puissants : fruits rouges mûrs et épices. La chair est chaleureuse, structurée par des tanins présents, mais fondus. Un 2004 harmonieux qui s'accordera à un civet de sanglier ou de lièvre. Une étoile est également attribuée à la **cuvée Marie 2006 rosé (5 à 8 €)**, discrètement fruitée et souple.
Jean-Philippe Victor, Ch. Saint-Pierre, rte de Taradeau, 83460 Les Arcs-sur-Argens, tél. 04.94.47.41.47, fax 04.94.73.34.73, e-mail contact@chateausaintpierre.fr
t.l.j. sf dim. 9h-12h 14h-18h

DOM. DE LA SANGLIÈRE Prestige 2005

3,1 ha | 14 000 | 8 à 11 €

Sols de schistes, situation maritime créant un microclimat : ce domaine de plus de 20 ha a des atouts. En témoigne ce vin bâti pour la garde qui présente pour l'heure des tanins solides et une puissante matière. Sous sa robe profonde à reflets violines, les arômes se déclinent dans le registre de la myrte, de la mûre, du tabac et du café. À laisser en cave deux à trois ans.
Dom. de La Sanglière, 3886, rte de Léoube, 83230 Bormes-les-Mimosas, tél. 04.94.00.48.58, fax 04.94.00.43.77, e-mail remy@domaine-sangliere.com
t.l.j. sf dim. 9h-12h 15h-18h

DOM. DE SANT-JANET Cuvée Cézanne 2005 *

1,1 ha | 5 200 | 8 à 11 €

Un arrêt à Cotignac s'impose pour découvrir les rues de ce village typiquement provençal et sa fontaine des Quatre-Saisons, classée monument historique. Puis, faites halte au domaine Sant-Janet qui a produit cette cuvée pourpre à reflets noirs, puissamment structurée, dont les arômes d'encre de Chine, de boisé, de café et de poivre se succèdent jusqu'en finale. Les dégustateurs s'accordent à conseiller une garde de deux à trois ans.
SCEA Jean Lecocq, Dom. de Sant-Janet, 83570 Cotignac, tél. 04.94.04.77.69, fax 04.94.04.76.31, e-mail sant-janet@orange.fr
t.l.j. 10h-12h 14h30-19h; dim. sur r.-v.

DOM. DES SAURONNES 2006 *

0,3 ha | 1 200 | 5 à 8 €

La production de ce tout nouveau domaine se met en place sereinement, à l'image de ce vin finement aromatique, rond et soyeux qui laisse un goût de « revenez-y ». Idée d'accord gourmand : quenelles à la crème. Une citation est accordée au **rosé 2006**, vif.
Dom. des Sauronnes, La Haute Ruol, 83390 Puget-Ville, tél. 04.94.48.37.04, fax 04.94.28.61.36 r.-v.
Bouisson

DOM. DE SAUVECANNE La Main de Ber 2006 **

0,6 ha | 4 000 | 5 à 8 €

Installé en 2006 sur des restanques exposées plein sud, Philippe Caillol, jeune vigneron, propose un remarquable rosé de couleur tendre. Au nez complexe de fruits rouges et de mandarine répond une bouche suave, franche en attaque et de belle expression aromatique. Un vin à marier à un gigot d'agneau et à un tian de légumes à la provençale.
Philippe Caillol, 60, chem. Jean-Court-Le-Haut, 83390 Pierrefeu-du-Var, tél. 04.94.28.25.97, e-mail philippe.caillol@sauvecanne.com

DOM. DE SIOUVETTE Siouvette le Clos 2004

1 ha | 5 000 | 11 à 15 €

Issu d'un assemblage de syrah et de cabernet-sauvignon, ce vin de teinte rubis traduit bien le terroir de schistes et de phyllades des contreforts du massif des Maures. Il décline des notes de fruits rouges et de pain grillé, puis révèle une chair de bonne ampleur, étayée par des tanins fins, mais encore fermes. Il s'accordera à une pintade farcie. Citée également : la **cuvée Marcel Galfard 2006 rosé (8 à 11 €)**, discrète et ronde.
Sylvaine Sauron, Dom. Siouvette, RN 98, 83310 La Môle, tél. 04.94.49.57.13, fax 04.94.49.59.12, e-mail sylvaine.sauron@wanadoo.fr
t.l.j. 8h-12h30 13h30-19h

PROVENCE

DOM. ÉLIE SUMEIRE
Réserve de la Famille 2006 ★★

■ 35 ha 220 000 ▮ 3 à 5 €

Peinte maintes fois par Paul Cézanne, la montagne Sainte-Victoire domine ce terroir d'éboulis et d'argiles gréseuses. Elle illustre l'étiquette de ce rosé si pâle qu'il en accroche la lumière. Fraise écrasée, pêche blanche se déclinent jusqu'au palais, ample et persistant, rejointes en finale par des notes d'agrumes. La cuvée **Sainte-Victoire Château Maupague 2006 rosé (5 à 8 €)** reçoit une étoile : vive, elle n'en demeure pas moins élégante.

Famille Élie Sumeire, Ch. Maupague,
13114 Puyloubier, tél. 04.42.61.20.00,
fax 04.42.61.20.01, e-mail sumeire@sumeire.com
r.-v.

DOM. DES THERMES 2006 ★

■ 2 ha 16 000 ▮ 5 à 8 €

Implanté sur le site d'une *villa* romaine, ce domaine de 35 ha est resté dans la même famille depuis 1795. Il se distingue par un rosé de teinte saumon pâle, aux arômes d'agrumes nuancés de minéral. Rond, équilibré, le vin fait preuve d'une persistance suffisante et fera bel effet avec une daurade grillée. Une étoile revient aussi au **rouge 2006**, souple et gras.

EARL Michel Robert, Dom. des Thermes, RN 7,
83340 Le Cannet-des-Maures, tél. 04.94.60.73.15,
fax 04.94.99.29.71 t.l.j. 8h-19h; f. dim. en hiver

CH. LA TOUR DE L'ÉVÊQUE Pétale de rose 2006

■ 40 ha 360 000 ▮ 8 à 11 €

Les premières grappes de raisin ont été vendangées le 14 août 2006 pour élaborer ce rosé si bien nommé : pétale de rose comme sa robe. Tout en délicatesse, le vin met en valeur son fruité et sa rondeur, sans jamais perdre son équilibre. Un bon choix pour les salades et crudités.

Régine Sumeire,
Ch. La Tour de l'Évêque, La Tour Sainte-Anne,
83390 Pierrefeu-du-Var, tél. 04.94.28.20.17,
fax 04.94.48.14.69,
e-mail regine.sumeire@toureveque.com
t.l.j. sf dim. 9h-17h (19h en saison)

DOM. LA TOUR DES VIDAUX Alegria 2004 ★

■ 2,5 ha 3 200 15 à 23 €

Un vignoble en restanques dans un paysage sauvage et minéral au cœur des Maures. Conduit en agriculture biologique, il tire profit de rendements faibles pour donner naissance à des vins concentrés, comme cette cuvée aux senteurs de cassis, soutenue par des tanins prometteurs pour l'avenir. La syrah représente 95 % de l'assemblage, complétée de grenache.

Paul Weindel,
Dom. La Tour des Vidaux, quartier Les Vidaux,
83390 Pierrefeu-du-Var, tél. 04.94.48.24.01,
fax 04.94.48.24.02, e-mail tourdesvidaux@wanadoo.fr
t.l.j. sf dim. 9h-12h 14h30-18h30

DOM. LA TOURRAQUE 2005 ★

■ 1,5 ha 6 000 8 à 11 €

Ce domaine de 100 ha propose un vin boisé juste comme il faut. Encore sur la réserve au nez, il se montre rond et ample au palais, doté de tanins fins qui autorisent une dégustation immédiate comme une garde d'un an ou deux. Le **blanc 2006**, souple en attaque, puis vif, est cité.

GAEC Brun-Craveris, Dom. La Tourraque,
83350 Ramatuelle, tél. 04.94.79.25.95,
fax 04.94.79.16.08, e-mail latourraque@wanadoo.fr
t.l.j. sf sam. dim. 9h-12h 14h-18h

CH. TOUR SAINT-HONORÉ
Cuvée Olivier 2006 ★★

■ 2,8 ha 15 000 ▮ 8 à 11 €

Une éloquence toute méridionale pour cette cuvée généreuse, aux accents d'agrumes. Dense, elle persiste au palais en rejouant sa partition fruitée. « Une belle pointure » dit un dégustateur. Elle sera en accord avec la cuisine de terroir si riche en Provence.

Serge Portal, Ch. La Tour Saint-Honoré,
RD 559, 83250 La Londe-les-Maures,
tél. 04.94.66.98.22, fax 04.94.66.52.12,
e-mail chateau-tsh@wanadoo.fr
t.l.j. sf dim. 10h-12h 16h-18h30

DOM. LES TROIS TERRES 2006 ★

■ 1,3 ha 8 000 ▮ 5 à 8 €

Luc Nivière, enfant du pays, a décidé de voler de ses propres ailes et c'est face à un menhir qu'il a choisi de construire sa cave. Son premier millésime est conforme à ce que l'on attend d'un rosé de Provence ; riche expression aromatique (agrumes, fleurs blanches, rose poivrée, épices), structure équilibrée, finale tonique. Il sera agréable à l'apéritif comme au dessert.

Luc Nivière, Dom. Les Trois Terres,
D 79, rte de Brignoles, 83340 Cabasse,
tél. 06.72.21.36.61, fax 04.94.80.38.46,
e-mail domainetroisterres@wanadoo.fr
t.l.j. 10h-12h15 15h30-19h30; dim. 10h-12h15

DOM. DE VALBOURGÈS
Cuvée Prestige Élevé en fût de chêne 2004

■ 0,5 ha 2 000 5 à 8 €

Un vin de bon équilibre, issu de grenache, de cinsault et de mourvèdre. Grenat brillant, il s'ouvre sur des notes de fruits noirs, puis laisse apparaître des notes épicées. La bouche est ronde, étayée par des tanins encore un peu austères. À garder un an ou deux avant un accord avec des viandes grillées au feu de bois.

Méry, Dom. de Valbourgès, 83920 La Motte,
tél. 04.94.70.24.69, fax 04.94.84.31.07,
e-mail r.mery@worldonline.fr r.-v.

DOM. DU VAL DE GILLY
Cuvée Alexandre Castellan Élevé en fût de chêne 2005 ★

■ 2 ha 8 000 ▮ 5 à 8 €

Propriété familiale créée en 1890 par Alexandre Castellan, le vignoble est implanté sur les contreforts sud du massif des Maures, au sol de schistes et de gneiss. Syrah, grenache et cabernet-sauvignon composent cette cuvée pourpre profond, au nez puissant de fruits rouges mêlés de notes grillées. La bouche est ronde, mais les tanins bien présents augurent d'une bonne évolution à la garde. Une étoile est aussi attribuée à la **cuvée Alexandre Castellan 2006 rosé**, très ronde.

Dom. du Val de Gilly, Val de Gilly,
83310 Grimaud, tél. 04.94.43.21.25, fax 04.94.43.26.27,
e-mail domaineduvaldegilly@orange.fr
t.l.j. sf dim. 9h-12h 15h-19h
Castellan

CH. LES VALENTINES 2006 ★

■ 15,56 ha 93 000 ▮ 8 à 11 €

Régulièrement présent dans le Guide, le château Les Valentines ne manque pas ce nouveau rendez-vous grâce à un rosé parfumé de garrigue, de pêche et d'abricot. Un fruité persistant accompagne le développement du vin au palais, tout en rondeur. Le **blanc 2006**, aromatique (fleurs blanches, citron), reçoit une étoile.

SCEA Pons-Massenot,
Ch. Les Valentines, rte de Collobrières,
83250 La Londe-les-Maures, tél. 04.94.15.95.50,
fax 04.94.15.95.55, e-mail contact@lesvalentines.com
t.l.j. sf dim. 9h-19h
Gilles Pons

CH. DE VAUCOULEURS
Fréjus Élevé en fût de chêne 2005 ★

■ 3 ha 6 000 8 à 11 €

Remis à flot en 1943 lors de son rachat par un ancien contrôleur de la marine, le domaine est demeuré aux mains de la famille Le Bigot depuis. Il compte 24 ha aujourd'hui sur les sols sablo-limoneux de Puget. D'un rubis éclatant, ce vin offre des arômes légers de fruits mûrs, d'épices et de bois de santal. Les tanins fins respectent la matière ronde, fruitée et vanillée.

Le Bigot, Ch. de Vaucouleurs, RN 7,
83480 Puget-sur-Argens, tél. et fax 04.94.45.20.27,
e-mail chateau.vaucouleurs@wanadoo.fr r.-v.

CH. VAUDOIS 2006 ★

■ 5,36 ha 5 600 ▮ 8 à 11 €

Marie et Gérard Delli-Zotti ont créé ce domaine de 11 ha d'un seul tenant, situé entre Saint-Raphaël et Saint-Tropez, sur sol schisteux. Ils font leur entrée dans le Guide grâce à ce rosé de teinte saumon pâle, aux arômes de fruits à chair blanche, de fraise, de framboise et de rose. C'est un vin très rond, gourmand et chaleureux, qui sied bien à la cuisine méridionale.

Delli-Zotti,
Ch. Vaudois, lieu-dit Vaudois, rte de Saint-Aygulf,
83520 Roquebrune-sur-Argens, tél. 04.94.81.11.87,
e-mail chateau-vaudois@wanadoo.fr r.-v.

CH. VÉREZ 2006

■ 24 ha 60 000 ▮ 5 à 8 €

Entouré de pins parasols, le domaine d'une centaine d'hectares est sous la houlette des Rosinoer depuis 1994. Bois de rose, ce 2006 rejoindra volontiers une salade de fruits car il y associera ses arômes de rose, de melon et d'épices douces de bonne intensité. Souple en attaque, il ne tarde pas à imposer sa vivacité et son agréable fruité (fraise).

Ch. Vérez,
5192, chem. de la Verrerie-Neuve, Le Grand-Pré,
83550 Vidauban, tél. 04.94.73.69.90,
fax 04.94.73.55.84, e-mail verez@chateau-verez.com
t.l.j. 9h-12h 13h-17h; sam. dim. sur r.-v.
Rosinoer

CH. VERT 2005 ★

■ 4 ha 20 000 ▮ 5 à 8 €

Cette imposante bastide du XVIIIe s., aux boiseries peintes en vert (d'où son nom), a commandé jusqu'à 800 ha au tournant du XXe s. Aujourd'hui, ce sont plus de 30 ha sur les sols argilo-schisteux de La Londe-les-Maures. Syrah, carignan et cabernet-sauvignon ont donné naissance à un vin pourpre sombre, non seulement riche d'arômes d'épices et de café grillé, mais aussi bien marqué par le fruit. De la matière, il n'en manque certes pas, volumineuse, ronde et épicée. Une garde de deux ou trois ans est à sa portée.

Dom. du Ch. Vert, av. Georges-Clemenceau,
83250 La Londe-les-Maures, tél. 04.94.66.80.59,
fax 04.94.66.64.42, e-mail chateau.vert@tiscali.fr
t.l.j. sf dim. lun. 9h-12h 15h-18h

VIEUX CHÂTEAU D'ASTROS
Cuvée du Commandeur 2006 ★

■ 1,25 ha 6 600 ▮ 5 à 8 €

Propriété de la famille Maurel depuis 1802, le Vieux Château d'Astros est une ancienne commanderie templière. Ses 36 ha sont implantés sur un terroir argilo-calcaire. Voici un rosé de teinte pâle des plus agréables par ses arômes puissants de fruits rouges qui trouvent écho au palais, en accompagnement d'une chair ample et ronde. La **Cuvée du Commandeur 2006 blanc**, fruitée et particulièrement chaleureuse, est citée.

Christian Maurel,
Vieux Château d'Astros, rte de Lorgues,
83550 Vidauban, tél. 04.94.99.73.00,
fax 04.94.73.00.18, e-mail chateau-astros@wanadoo.fr
t.l.j. sf dim. 8h30-12h30 14h-18h

Cassis

Un creux de rochers, auquel on n'accède que par des cols relativement hauts depuis Marseille ou Toulon, abrite, au pied des plus hautes falaises de France, des calanques, des anchois et une certaine fontaine qui, selon les Cassidens, rendrait leur ville plus remarquable que Paris... Mais aussi un vignoble que se disputaient déjà, au XIe s., les puissantes abbayes, en demandant l'arbitrage du pape. Le vignoble occupe aujourd'hui 198 ha, dont 141 en cépages blancs pour un volume total de 7 660 hl en 2006. Les vins sont rouges, rosés et surtout blancs (5 285 hl). Mistral disait de ces derniers qu'ils sentaient le romarin, la bruyère et le myrte. Bues avec les bouillabaisses, les poissons grillés, les coquillages et les viandes blanches, les cuvées de ces blancs capiteux et parfumés ne sont plus de simples vins de comptoir mais des vins de classe.

DOM. DU BAGNOL 2006 ★

n.c. n.c. ▮ 8 à 11 €

De par sa situation géographique, au pied du cap Canaille, ce vignoble subit l'influence directe de la mer. Une bouteille harmonieuse qui se dévoile sans timidité. Le nez généreux offre des saveurs briochées, miellées, relevées d'une pointe mentholée. La bouche suave et pleine s'agrémente de notes abricotées et florales. Un plaisir. Le **rosé 2006**, joliment coloré, fortement marqué par la fraise, la cerise et le bonbon anglais, est cité.

Sébastien Genovesi, 12, av. de Provence,
13260 Cassis, tél. 04.42.01.78.05, fax 04.42.01.11.22
t.l.j. sf sam. dim. 9h-12h 13h30-18h

PROVENCE

CLOS D'ALBIZZI 2006 *

	10 ha	40 000	8 à 11 €

Marsanne, clairette et ugni blanc composent l'assemblage de ce 2006 paille clair aux reflets verts, qui s'affirme comme un vin puissant et de bonne longueur. D'un abord fruité, il montre en bouche volume et équilibre, avant un retour miellé, anisé et épicé en finale. Il se suffit à lui-même et sera parfait pour l'apéritif.

François Dumon,
Ferme Saint-Vincent, Clos d'Albizzi, 13260 Cassis,
tél. et fax 04.42.01.11.43 r.-v.

CLOS VAL BRUYÈRE Cuvée Kalahari 2005 *

	1,2 ha	3 000	15 à 23 €

Les amateurs de boisé ne manqueront pas de découvrir cette cuvée Kalahari. Son élevage domine encore le vin avec ses notes vanillées, boisées et de cire encaustique. En bouche, on devine un réel équilibre entre acide et gras. Un vin destiné à des poissons en sauce dans trois ou quatre ans. La cuvée classique **blanc 2005 (8 à 11 €)** est bien typée, ouverte sur les fruits à chair blanche, le coing et l'amande fraîche. Pleine de vivacité, elle est citée.

Ch. Barbanau, hameau de Roquefort,
13830 Roquefort-la-Bédoule, tél. 04.42.73.14.60,
fax 04.42.73.17.85, e-mail barbanau@wanadoo.fr
t.l.j. sf dim. 10h-12h 15h-18h

DOM. COURONNE DE CHARLEMAGNE 2006 *

	5,59 ha	25 000	8 à 11 €

Les 8 ha en restanques du domaine sont exploités depuis 1988 par Bernard Piche. Ce blanc présente toutes les qualités d'un vin de cassis complet, équilibré entre le vif et le gras. La palette aromatique riche et variée s'enrichit au fil de l'aération : poire, aubépine, eucalyptus, menthol. Miel et résine de pin reviennent en bouche et laissent la place en finale à une fraîcheur d'agrumes (cédrat). Un vin à boire ou à garder un peu.

Bernard Piche,
Dom. Couronne de Charlemagne, Les Janots,
13260 Cassis, tél. et fax 04.42.01.15.83,
e-mail bp@couronnedecharlemagne.com
t.l.j. 10h-12h 16h-18h

CH. DE FONTCREUSE Cuvée «F» 2006 *

	15,87 ha	85 000	8 à 11 €

Lors de la construction du château au XVII[e]s., une fontaine fut creusée pour alimenter en eau la propriété : c'est aujourd'hui du vin qui coule au domaine, tel ce blanc paille clair à reflets dorés. Marsanne (52 %), ugni (33 %) et clairette (15 %) participent intensément à sa personnalité généreuse. Son bouquet s'imprègne de minéralité, de fleurs blanches et de pêche jaune. La bouche, charnue et bien structurée, laisse sur une impression de fraîcheur. La **cuvée « F » rosé 2006** à la teinte corail est un vin complet, à déboucher pour un repas de copains. Elle est citée.

J.-F. Brando,
Ch. de Fontcreuse, 13, rte Pierre-Imbert, 13260 Cassis,
tél. 04.42.01.71.09, fax 04.42.01.32.64,
e-mail fontcreuse@wanadoo.fr r.-v.

LES HAUTS DE SEIGNOL 2005 **

	6 ha	6 000	8 à 11 €

Magnifique triplé pour ce domaine appartenant à la même famille depuis plus de trois siècles et demi : une

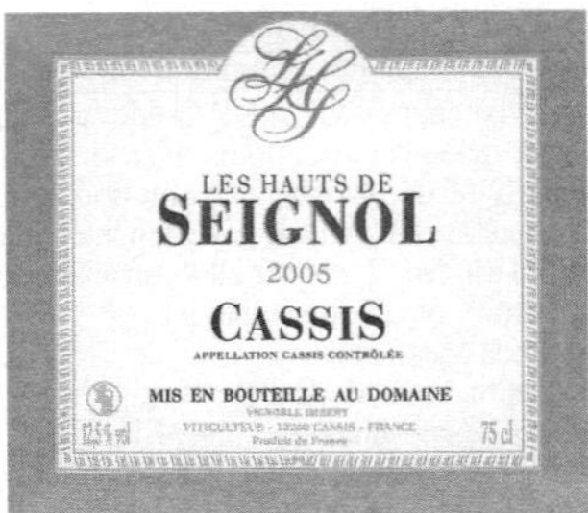

étoile pour les **Hauts de Seignol rosé 2006**, friand et équilibré ; deux étoiles pour le **Domaine La Ferme Blanche blanc 2006**, plein et généreux, aux arômes de garrigue et de menthol, qui a disputé la finale du grand jury ; et ce coup de cœur d'une complexité étonnante. Tilleul, verveine, bonbon au miel au nez. Citron confit et fruits mûrs dans la bouche, fine et ample, bien construite, se prolongeant sur une note anisée. Poisson grillé ou cuisine asiatique ?

Dom. La Ferme Blanche, RD 559, 13260 Cassis,
tél. 04.42.01.00.74, fax 04.42.01.73.94,
e-mail fermeblanche@wanadoo.fr t.l.j. 9h-19h
F. Paret

DOM. DU PATERNEL Grande Réserve 2005 *

	2 ha	5 000	11 à 15 €

Coup de cœur l'an dernier pour le blanc, le domaine propose cette année les deux autres couleurs. La préférence des dégustateurs va au rouge, encore plein de jeunesse, qui livre des arômes de fruits rouges (griotte) et des notes boisées. La bouche est bien équilibrée entre rondeur et vivacité. Le **rosé 2006 (8 à 11 €)**, rond et chaleureux, aux saveurs de fruits confiturés, obtient la même note.

Santini, Dom. du Paternel, 11, rte Pierre-Imbert,
13260 Cassis, tél. 04.42.01.77.03, fax 04.42.01.76.50,
e-mail domaine.paternel@wanadoo.fr
t.l.j. sf dim. 11h-12h 14h-18h

Bellet

De rares privilégiés connaissent ce minuscule vignoble (48 ha) situé sur les hauteurs de Nice, dont la production est réduite (1 056 hl) et presque introuvable ailleurs qu'à Nice. Elle est faite de blancs originaux et aromatiques, grâce au rolle, cépage de grande classe, et au chardonnay (qui se plaît à cette latitude quand il est exposé au nord et suffisamment haut) ; de rosés soyeux et frais ; de rouges somptueux, auxquels deux cépages locaux, la fuella et le braquet, donnent une originalité certaine. Ils seront à leur juste place avec la riche cuisine niçoise si originale, la tourte de blettes, le tian de légumes, l'estocaficada, les tripes, sans oublier la socca, la pissaladière ou la poutine.

CH. DE BELLET 2005

	3 ha	7 000	15 à 23 €

Rose de Bellet, mère de Ghislain de Charnacé, est à l'origine du renouveau du vignoble et du nom de l'appellation. Encore vert dans ses reflets, voici un 2005 qui a gardé du caractère. Des arômes frais de fruits blancs viennent égayer une matière dense, au velouté accentué par des notes de surmaturité. À marier avec un poulet aux morilles.
Ghislain de Charnacé,
Ch. de Bellet, 440, chem. de Saquier, 06200 Nice,
tél. 04.93.37.81.57, fax 04.93.37.93.83,
e-mail chateaudebellet@aol.com r.-v.

CLOS SAINT-VINCENT Le Clos 2005 *

	3 ha	4 000	23 à 30 €

« Ma passion, le vin ; mon but, votre plaisir » : telle est la profession de foi que Gio Sergi affiche sur son étiquette. C'est réussi pour ce blanc, 100 % rolle, au nez expressif marqué par des notes grillées et beurrées. Bien construit, le palais dense retrouve les mêmes arômes accompagnés de délicates notes de miel, de praline et d'une pointe minérale, avant une finale longue et chaleureuse. À boire ou à attendre deux à cinq ans. **Le Clos 2005 rouge**, au nez de fruits frais, de réglisse et de grillé, et aux tanins fins et fondus, obtient la même note.
Joseph Sergi,
Collet des Fourniers, Saint-Roman-de-Bellet,
06200 Nice, tél. et fax 04.92.15.12.69,
e-mail clos.st.vincent@wanadoo.fr r.-v.

COLLET DE BOVIS 2005 **

	1,5 ha	2 500	11 à 15 €

Voici le vignoble le plus au sud de l'appellation, qui surplombe la vallée du Var. Régulièrement sélectionné, ce domaine fut coup de cœur en 1997 pour le blanc 1994. C'est le 2005 qui est distingué cette année, un vin jaune paille à reflets or. L'aération révèle lentement un nez d'une grande complexité : fruits mûrs, fleurs blanches, notes balsamiques et toastées, pointe minérale. Excellente impression de rondeur au palais, orienté sur les fruits secs, puis sur la réglisse et les épices. La finale longue et élégante laisse sur une sensation de plénitude. Un vin à boire dès maintenant.
Jean Spizzo,
SCEA Collet de Bovis, dom. du Fogolar,
370, chem. de Crémat, 06200 Nice,
tél. et fax 04.93.37.82.52,
e-mail spizzo.jean@wanadoo.fr
t.l.j. sf dim. 9h-19h

LES COTEAUX DE BELLET 2006

	2,96 ha	9 466	15 à 23 €

Hélène Calviera est à la tête de la propriété depuis 1992. Elle propose un 2006 issu de rolle, complété d'une touche de chardonnay (3 %). Le nez est à dominante agrumes (citron vert) et le palais, d'attaque vive, laisse apparaître progressivement des notes beurrées et briochées qui contribuent à l'harmonie de l'ensemble. Un vin à boire dès aujourd'hui.
SCEA Les Coteaux de Bellet,
325, chem. de Saquier, 06200 Nice, tél. 04.93.29.92.99,
fax 04.93.18.10.99,
e-mail lescoteauxdebellet@wanadoo.fr r.-v.
Hélène Calviera

CH. DE CRÉMAT 2004 **

	4,76 ha	2 500	15 à 23 €

Le château à lui seul vaut le détour. Construit au début du XXes. dans un style néogothique, il est dominé par un imposant donjon. Au caveau, ne manquez pas la dégustation de ce 2004 sombre aux reflets violets. Son nez a besoin de s'ouvrir, mais il offre déjà un bel équilibre entre les notes fruitées et grillées. La bouche dense et généreuse, encore marquée par l'élevage, est tout en devenir et en promesse comme le montre sa longue finale aux douces saveurs de fruits confits et de boisé. Une bouteille bien faite, à garder au moins un an en cave. Les notes toastées et vanillées ne masquent en rien la vivacité du **blanc 2006**, qui est cité.
SCEA Kamerbeek,
Ch. de Crémat, 442, chem. de Crémat, 06200 Nice,
tél. 04.92.15.12.15, fax 04.92.15.12.13
t.l.j. sf sam. dim. 10h-18h

DOM. DE LA SOURCE 2006

	0,22 ha	1 150	15 à 23 €

La source n'est pas loin, mais ce sont 22 a de rolle qui sont à l'origine de ce 2006 à la forte expression aromatique (fruits exotiques, raisin, pêche blanche). La bouche élégante et équilibrée développe une matière moyennement concentrée, à la finale chaleureuse et plaisante. À servir en accompagnement d'une cuisine du Midi.
Jacques Dalmasso,
303, chem. de Saquier, Saint-Roman-de-Bellet,
06200 Nice, tél. et fax 04.93.29.81.60,
e-mail domainedelasourcevindebellet@wanadoo.fr
t.l.j. 9h-20h30

DOM. DE TOASC 2006 *

	0,65 ha	2 700	11 à 15 €

Cette année encore le rosé de Bernard Nicoletti décroche une étoile. Quelques reflets pivoine dans sa robe pâle, un bouquet élégant de fraise, de pamplemousse et de mandarine, et une bouche ronde et complexe dessinent un vin flatteur et bien fait, à boire sur une cuisine exotique. Le **blanc 2006 (15 à 23 €)**, aux notes d'agrumes et d'acacia, est cité.
Dom. de Toasc, 213, chem. de Crémat, 06200 Nice,
tél. 04.92.15.14.14, fax 04.92.15.14.00
r.-v.
Nicoletti

Bandol

Noble vin produit sur les terrasses brûlées de soleil des villages de Bandol, Le Beausset, La Cadière-d'Azur, Le Castellet, Évenos, Ollioules, Saint-Cyr-sur-Mer et Sanary, à l'ouest de Toulon. Recouvrant une superficie de

PROVENCE

1 691 ha, le bandol (58 224 hl en 2006) est blanc, rosé ou rouge. Ce dernier est corsé et tannique grâce au mourvèdre, cépage qui le compose pour plus de la moitié. Vin généreux, compagnon idéal des venaisons et des viandes rouges, il apporte ses subtilités aromatiques faites de poivre, de cannelle, de vanille et de cerise noire. Il supporte fort bien une longue garde.

DOM. DES BAGUIERS
Cuvée Gaston Jourdan 2004 ★★

■ 0,71 ha 3 500 11 à 15 €

Sur l'important vignoble de 32 ha qu'ils exploitent, Franck et Claudine Jourdan sélectionnent quelques rangées de mourvèdre (95 % de l'assemblage, complété de grenache et de cinsault) pour cette cuvée qu'ils élèvent vingt-quatre mois en fût. Paré d'une robe de teinte profonde, le 2004 s'ouvre avec discrétion sur des fruits rouges très mûrs ou à l'eau-de-vie, qu'accompagnent des notes de garrigue et un léger boisé. Riche et plein, le palais s'affirme par une charpente tannique fine, qui porte longuement des notes réglissées et fruitées. Un vin de bonne garde à accorder avec des mets d'exception (plats à la truffe, par exemple). La cuvée principale **rosé 2006 (8 à 11 €)**, chaleureuse, aux arômes de fruits rouges, est citée.

Jourdan,
Dom. des Baguiers, 227, rue des Micocouliers,
83330 Le Plan-du-Castellet, tél. et fax 04.94.90.41.87,
e-mail jourdan@domainedesbaguiers.com
mer. sam. 9h30-12h 15h-18h30, dim. 9h30-12h

DOM. BARTHÈS 2005 ★

■ n.c. n.c. 11 à 15 €

Le domaine avait décroché un coup de cœur l'an dernier pour son rosé. On le retrouve cette année pour les deux autres couleurs. Le rouge affiche une robe soutenue aux reflets jeunes et violacés. Il retient l'attention par sa palette aromatique complexe (fruits, fleurs, notes animales) qui demande encore à s'épanouir, et par son palais dense et puissant étoffé par des tanins généreux. À attendre quatre à sept ans. Le **blanc 2006 (8 à 11 €)**, aux accents minéraux et exotiques, est vif et agréable. Il est cité.

Monique Barthès, chem. du Val d'Arenc,
83330 Le Beausset, tél. 04.94.98.60.06,
fax 04.94.98.65.31 r.-v.

LA BASTIDE BLANCHE 2004 ★

■ 14 ha 50 000 11 à 15 €

Le terroir argilo-calcaire caillouteux du domaine privilégie le mourvèdre. Michel Bronzo en assemble une part importante (75 %) au grenache (20 %), complétés d'une touche de cinsault et même d'une pointe de carignan. Rouge grenat, ce 2004 livre un nez encore un peu fermé où l'on distingue déjà des notes animales et poivrées caractéristiques. Attaquant en douceur, le palais prend vite de l'ampleur avec l'arrivée des tanins, présents et pleins de fraîcheur. Un vin à laisser impérativement en cave au moins cinq ans. Dans le type bandol, le **blanc 2006**, à la fois charnu, aromatique et harmonieux, affiche beaucoup de caractère. Une étoile également.

EARL Bronzo, 367, rte des Oratoires,
83330 Sainte-Anne-du-Castellet, tél. 04.94.32.63.20,
fax 04.94.32.74.34, e-mail earl.bronzo@wanadoo.fr
r.-v.

CH. DES BAUMELLES 2005 ★

■ 5 ha 20 000 11 à 15 €

Le domaine des Baumelles compte une douzaine d'hectares de vignes établies sur des coteaux en restanques exposés plein est. Le mourvèdre (90 %) s'y épanouit pour donner ce vin à la palette aromatique séduisante, où la réglisse et l'iris se marient à un côté plus animal. Les épices apparaissent en bouche autour de tanins serrés. Un vin solide à laisser s'arrondir en cave au moins trois à cinq ans. Le **rosé 2006 (8 à 11 €)**, à la structure affirmée, s'accommodera d'une viande blanche grillée aux herbes de Provence. Il obtient lui aussi une étoile.

EARL Bronzo, 367, rte des Oratoires,
83330 Sainte-Anne-du-Castellet, tél. 04.94.32.63.20,
fax 04.94.32.74.34, e-mail earl.bronzo@wanadoo.fr
r.-v.

DOM. DE LA BÉGUDE La Brulade 2004

■ 1,5 ha 4 000 **30 à 38 €**

Le terroir argilo-calcaire de la Bégude est situé sur la partie la plus élevée (400 m) et la plus septentrionale de l'appellation. Le mourvèdre y bénéficie de l'ensoleillement des journées et de la fraîcheur des nuits. Il a donné en 2004 ce vin riche et complexe, dont la palette aromatique décline les notes de fruits noirs, de réglisse et de cuir. De la matière, des tanins présents, une finale chaleureuse sur le fruit : tout invite à laisser reposer cette bouteille en cave pendant quelques années.

Tari, Dom. de La Bégude, rte des Garrigues,
83330 Le Camp-du-Castellet, tél. 04.42.08.92.34,
fax 04.42.08.27.02
t.l.j. 9h-15h, sam. dim. sur r.-v.

LES VIGNERONS DE LA CADIÉRENNE 2006

■ 35 ha 150 000 **3 à 5 €**

La cave de La Cadière regroupe plus de quatre cents vignerons et vinifie 800 ha de vignes. Elle propose ce rosé à majorité de mourvèdre, complété de grenache et de cinsault, qui se présente dans une robe rose très brillante. L'ensemble, marqué par la fraise et le bonbon anglais, trouve un bon équilibre en bouche entre matière, rondeur et fraîcheur.

SCV La Cadiérenne, quartier Le Vallon,
83740 La Cadière-d'Azur, tél. 04.94.90.11.06,
fax 04.94.90.18.73, e-mail cadierenne@wanadoo.fr
r.-v.

DOM. DE CAGUELOUP 2004 ★

■ n.c. n.c. **11 à 15 €**

Le rouge 2004 de Richard Prebost est un vin bien construit. Le palais souple évolue vers un bon équilibre, sur des tanins présents mais de qualité. La finale décline longuement des notes chaleureuses de fruits rouges mûrs, de cuir et d'épices. L'ensemble, très harmonieux, accompagnera dans trois ou quatre ans une épaule d'agneau confite à l'ail. Le **blanc 2006 (8 à 11 €)** offre une fraîcheur citronnée et du volume. Il sera apprécié de l'apéritif jusqu'à la fin d'un repas maritime. Il obtient aussi une étoile.

Richard Prebost,
SCEA Dom. de Cagueloup, rte de la Cadière,
83270 Saint-Cyr-sur-Mer, tél. 04.94.26.15.70,
fax 04.94.26.54.09 r.-v.

DOM. CASTELL-REYNOARD 2004 *

1 ha 4 200 11 à 15 €

Ce domaine familial propose un 2004 encore en retrait dans son expression aromatique où percent néanmoins les fruits rouges à l'eau-de-vie et des notes florales. La bouche révèle une matière ample et généreuse, et la longue finale tannique laisse présager une bonne garde. Les amateurs de vins jeunes et solides associeront cette bouteille dès cet hiver avec une entrecôte aux sarments de vigne ; les plus patients prévoiront un filet de taureau camarguais en croûte dans trois ou quatre ans.

SCEA Castell,
Dom. Castell-Reynoard, quartier Thouron,
83740 La Cadière-d'Azur, tél. et fax 04.94.90.10.16,
e-mail jcastell@wanadoo.fr r.-v.

DOM. DE FONT-VIVE 2006 **

6,93 ha 35 000 8 à 11 €

Installé comme jeune agriculteur en 1990, Philippe Barthès a souvent été sélectionné dans le Guide, notamment pour ses rosés. C'est le cas à nouveau cette année, avec à la clé un coup de cœur. Mourvèdre, grenache, cinsault, l'assemblage est équilibré. L'œil attire par la teinte pâle aux nuances framboisées. Le nez séduit par son expression fraîche d'agrumes, de fruits rouges et d'épices fines. L'attaque est vive, puis la matière s'exprime avec rondeur et élégance sur des notes fruitées. Un rosé friand qui accompagnera une daurade grillée.

Philippe Barthès,
Dom. de Font-Vive, quartier Val-d'Arenc,
83330 Le Beausset, tél. 04.94.98.60.06,
e-mail barthesph2@wanadoo.fr r.-v.

DOM. DE FRÉGATE 2006 *

3,5 ha 13 000 8 à 11 €

Un environnement verdoyant à deux pas des plages : les vignes côtoient un golf autour d'une cave agrandie (400 m²) qui comprend depuis l'été une salle de réception. Derrière la robe saumon pâle, le nez discret évoque les fruits rouges et le minéral. Si la bouche est corsée, marquée par la cerise et les agrumes, elle laisse une impression d'élégance grâce à son équilibre harmonieux entre matière, vivacité et chaleur. Le **rouge Longue Garde 2004 (11 à 15 €)** est cité. Sa structure et son élevage maîtrisé le prédisposent à une évolution sereine.

SAS Dom. de Frégate, rte de Bandol,
83270 Saint-Cyr-sur-Mer, tél. 04.94.32.57.57,
fax 04.94.32.24.22,
e-mail domainedefregate@wanadoo.fr
t.l.j. 9h-12h 15h-18h

DOM. LE GALANTIN 2004 **

10 ha 40 000 8 à 11 €

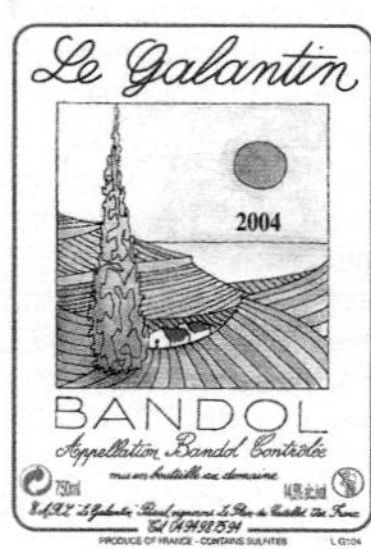

Achille et Liliane Pascal ont créé ce vignoble en 1965, puis la marque en 1972. Leurs enfants Jérôme et Céline les ont rejoints dans les années 1990, et depuis 2000 Céline vinifie seule. Fidèle à l'esprit de l'appellation, ce vin privilégie le mourvèdre (95 %). Sous sa robe grenat profond, on découvre des notes d'épices, de fruits mûrs et de cuir. L'attaque souple évolue vers un bel équilibre, entre la rondeur et les tanins ; la bouche retrouve en finale des accents de fruits rouges. Un vin qui a tous les atouts

Bandol

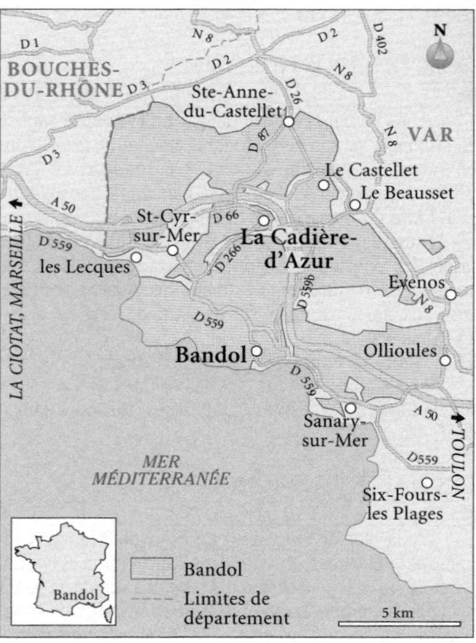

pour un vieillissement heureux. Une daube de bœuf avec une sauce aux truffes fera alors un accord gourmand exceptionnel. Le **rosé 2006**, frais et sympathique, est cité.
⊶ Famille Achille Pascal,
Dom. Le Galantin, 690, chem. du Galantin,
83330 Le Plan-du-Castellet, tél. 04.94.98.75.94,
fax 04.94.90.29.55,
e-mail domaine-le-galantin@wanadoo.fr
☑ Ɪ ⛹ t.l.j. 9h-12h 14h-17h30

DOM. DE LA GARENNE 2004 *

■ 8 ha 29 000 ⦀ 11 à 15 €

Mourvèdre (70 %), grenache (25 %) et carignan sont à l'origine de ce 2004 élevé dix-huit mois en fût, au premier nez fermé. À l'aération, le vin dispense des notes de fruits secs et de réglisse. Équilibré, évoluant sur des tanins peu agressifs, il se montre structuré, offrant d'agréables notes d'épices et de fruits noirs. À boire cet automne ou à attendre quelques années ? Les avis sont partagés.
⊶ Béatrix de Balincourt,
Dom. de La Garenne, rte de Saint-Come-d'Azur,
83740 La Cadière-d'Azur, tél. 06.88.69.15.97,
fax 04.94.90.11.34, e-mail garenne.beatrix@orange.fr
☑ Ɪ ⛹ t.l.j. sf sam. dim. 8h-12h 14h-17h

CH. JEAN-PIERRE GAUSSEN 2004

■ 4 ha 13 000 ⦀ 15 à 23 €

Jean-Pierre et Julie Gaussen ont créé ce domaine il y a quarante-cinq ans. Ils sont connus pour leurs vins puissants et ce n'est pas ce 2004 issu à 98 % de mourvèdre et élevé vingt mois en fût qui démentira cette réputation. Derrière la robe grenat aux reflets de velours, on découvre un nez aux notes animales, confiturées. Au départ plutôt austère, la bouche se fait plus expressive et suave au fur et à mesure de la dégustation. Une daube de sanglier conviendra parfaitement à cette bouteille.
⊶ Jean-Pierre Gaussen,
1585, chem. de l'Argile, BP 23,
83740 La Cadière-d'Azur, tél. 04.94.98.75.54,
fax 04.94.98.65.34 ☑ Ɪ ⛹ r.-v.

DOM. DU GROS NORÉ 2004 *

■ 11,29 ha 29 000 ⦀ 15 à 23 €

Alain Pascal a créé ce domaine en 1996 et l'a baptisé en l'honneur de son père Honoré, surnommé Gros Noré en raison de son embonpoint. De rondeur, ce 2004 profond en couleur, issu de raisins bien mûrs n'en manque pas. Élevé dix-huit mois en fût, il présente un nez encore sur la réserve, où percent des notes de fruits noirs et de grillé. La bouche, très grasse, marquée par les fruits rouges, est structurée par des tanins fins. À découvrir dans trois ans, après carafage, sur un sauté de sanglier.
⊶ Alain Pascal,
Dom. du Gros Noré, 675, chem. de l'Argile,
83740 La Cadière-d'Azur, tél. 04.94.90.08.50,
fax 04.94.98.20.65, e-mail alainpascal@gros-nore.com
☑ Ɪ ⛹ r.-v.

LES HAUTS DE SEIGNOL 2006

■ 10 ha 50 000 ▮ 5 à 8 €

Voilà plus de vingt ans que François Maury, œnologue et vinificateur, œuvrait dans l'appellation et notamment ici, au domaine de Val d'Arenc. Il a décidé de partir vers de nouveaux horizons. Sa dernière cuvée garde le cap bandol dans sa couleur et son expression. Souple d'attaque, la bouche évolue sur la vivacité avant de trouver son équilibre dans une finale de bonne longueur. Agréable et frais, ce rosé accompagnera volontiers un plat exotique.
⊶ SCA Dom. de Val d'Arenc,
997, chem. du Val-d'Arenc, 83330 Le Beausset,
tél. 04.94.98.71.89, fax 04.94.98.74.10
☑ Ɪ ⛹ t.l.j. sf sam. dim. 8h-12h 13h30-18h

DOM. DE L'HERMITAGE L'Oratoire 2006 **

■ 23,35 ha 110 000 ▮ 11 à 15 €

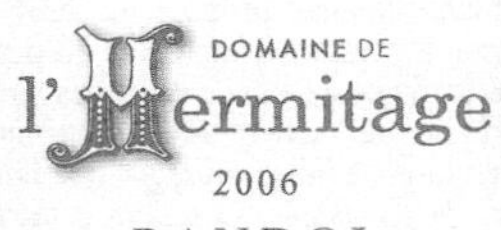

L'hermitage de la chapelle du Beausset-Vieux qui domine le vignoble a donné son nom au domaine, dirigé depuis 2004 par Olivier Duffort. Sous une robe saumon pâle élégante, le nez frais et croquant évoque une corbeille de fruits : framboise, ananas, pamplemousse, abricot. La bouche est bien équilibrée entre rondeur et notes acidulées. La structure du mourvèdre (la moitié de l'assemblage) arrive en milieu de dégustation, portée par une longueur gourmande. Encore marqué par l'élevage, le **rouge L'Oratoire 2004 (15 à 23 €)** est à garder trois à cinq ans en cave. Une étoile.
⊶ SAS Gérard Duffort,
Dom. de L'Hermitage, Le Rouve, BP 41,
83330 Le Beausset, tél. 04.94.98.71.31,
fax 04.94.90.44.87,
e-mail contact@domainesduffort.com
☑ Ɪ ⛹ t.l.j. sf sam. dim. 9h-12h 14h-18h

DOM. LAFRAN-VEYROLLES
Cuvée spéciale 2005 *

■ n.c. 7 000 ⦀ 15 à 23 €

Lafran-Veyrolles est un domaine chargé d'histoire. La vigne était déjà présente ici il y a plus de trois cent cinquante ans, et la marque elle-même a été créée en même temps que l'appellation bandol, en 1941. C'est dire si l'on maîtrise ici le sujet, comme le montre cette cuvée spéciale issue à 95 % de mourvèdre. Son nez riche s'affirme autour de notes confiturées, réglissées et animales (cuir). Ses tanins mûrs doivent encore vieillir mais le potentiel est là pour un séjour de quatre à cinq ans en cave. Le **rouge Tradition 2005**, assemblage de mourvèdre (70 %), de grenache (20 %) et de cinsault, joue en subtilité sur un bel équilibre entre tanins et acidité. Une étoile également.
⊶ Mme Jouve-Férec,
Dom. Lafran-Veyrolles, 2115, rte de l'Argile,
83740 La Cadière-d'Azur, tél. 04.94.90.13.37,
fax 04.94.90.11.18 ☑ Ɪ ⛹ r.-v.

DOM. DE LA LAIDIÈRE 2006 **

■ 2,7 ha 13 000 ▮ 11 à 15 €

De nature marno-sableuse, le terroir est constitué de terrasses exposées sud-sud-est. Un 2006 attrayant, issu de clairette (60 %) et d'ugni blanc, qui n'attend pas pour dévoiler sa complexité dans un bouquet floral intense. Le vin trouve son harmonie en bouche autour de la vivacité de l'attaque et de la finale ronde aux notes anisées. Vêtu d'une robe aux reflets gris, le **rosé 2006** exhale généreusement des parfums fleuris d'aubépine et de genêt, complétés par des notes d'agrumes. Bien équilibré, il accompagnera aussi bien une terrine de légumes qu'une salade de fruits. Il obtient une étoile.

Estienne,
Dom. de La Laidière, 426, chem. de Font-Vive, Sainte-Anne-d'Évenos, 83330 Évenos,
tél. 04.98.03.65.75, fax 04.94.90.38.05,
e-mail info@laidiere.com
t.l.j. sf dim. 9h-12h 14h-18h; sam. 10h30-12h

DOM. LES LUQUETTES 2006 *

2,5 ha 13 000 8 à 11 €

Dans le verre, la robe lumineuse est d'une teinte saumon pâle. Il s'en dégage une expression élégante de fleurs (genêt) et d'agrumes (pamplemousse), dans un ensemble d'une rondeur fruitée, à la finale empreinte d'une pointe de sucrosité. Un loup en croûte de sel, voilà l'idée d'accord gourmand d'une dégustatrice. Cité, le **rouge 2004 (15 à 23 €)** ne peut nier son élevage de vingt-quatre mois en fût. Sous son boisé marqué, une structure à la fois ronde et soutenue. Il faudra patienter quelques années avant de l'inviter à table.

SCEA Le Lys,
Dom. Les Luquettes, 20, chem. des Luquettes,
83740 La Cadière-d'Azur, tél. 04.94.90.02.59,
fax 04.94.98.31.95, e-mail info@les-luquettes.com
t.l.j. 9h-12h30 15h-20h
E. Lafourcade

MOULIN DES COSTES Charriage 2005 *

3 ha 6 000 15 à 23 €

Outre la vigne, cette propriété cultive les abricotiers et les immortelles. Cette cuvée, élaborée à partir des plus vieux ceps (mourvèdre) du domaine, se présente aujourd'hui dans toute sa jeunesse. La robe foncée accroche quelques reflets violines ; le nez aromatique reste en devenir quoique déjà harmonieux sur des notes de boisé vanillé. La bouche ample et riche affiche des tanins présents sur un très beau fruit. Horizon prometteur à cinq ans. La **cuvée principale blanc 2006 (11 à 15 €)**, citée, se conjugue au présent : son nez harmonieux mêlant les fruits et les fleurs et sa fraîcheur en bouche en font un vin très plaisant.

Domaines Bunan, Moulin des Costes,
83740 La Cadière-d'Azur, tél. 04.94.98.58.98,
fax 04.94.98.60.05, e-mail bunan@bunan.com
r.-v.

DOM. DE LA NARTETTE 2006 **

6 ha 25 000 8 à 11 €

Le vignoble de La Nartette est un site protégé, propriété du Conservatoire du littoral. Ce rosé vinifié par le Moulin de la Roque joue dans un registre riche et intense. Équilibré, enveloppant, il offre une finale longue, agréable et gourmande. L'approche florale (chèvrefeuille), la robe orangée aux reflets roses ajoutent à l'élégance et à l'harmonie de l'ensemble. Une bouteille de gastronomie. Vinifié par la même cave, le **Domaine Les Capelaniers rouge 2004** obtient également deux étoiles. Il faut lui laisser le temps (cinq à dix ans) de fondre ses tanins. Le bouquet d'épices, de fruits noirs et d'iris reste encore discret ; son épanouissement est à venir.

Moulin de la Roque, quartier Vallon,
83740 La Cadière-d'Azur, tél. 04.94.90.10.39,
fax 04.94.90.08.11, e-mail cave@laroque-bandol.fr
r.-v.

DOM. DE L'OLIVETTE 2006 **

2 ha 8 400 11 à 15 €

Une vieille bastide et son pigeonnier règnent sur ce domaine de 54 ha qui fait face aux villages médiévaux de La Cadière et du Castellet. La clairette (85 %) et le sauvignon ont donné à ce blanc une robe jaune paille clair. L'exotisme, le floral puis le miellé se marient dans le bouquet, offrant une complexité harmonieuse. La finesse et la longueur caractérisent la bouche savoureuse qui retrouve les arômes du nez. Le **rouge 2004 (15 à 23 €)**, une étoile, très typé mourvèdre avec ses arômes de fruits à l'eau-de-vie et ses notes animales, dévoile une bouche chaleureuse aux tanins fondus. Dans deux ou trois ans, il accompagnera un tajine d'agneau aux pruneaux et aux fruits secs.

SCEA Dumoutier,
Dom. de L'Olivette, 519, chem. de L'Olivette,
Le Brulat, 83330 Le Castellet, tél. 04.94.98.58.85,
e-mail info@domaine-olivette.com
t.l.j. 8h30-12h 14h-18h

DOM. DU PEY-NEUF
Vieilli en fût de chêne 2005 **

10 ha 20 000 11 à 15 €

La tête de cheval figurant sur l'étiquette rappelle que cet animal est encore utile aux labours de certaines parcelles en restanques. De même, les vendanges manuelles sont-elles ici aussi la règle. Le **rosé 2006 (8 à 11 €)**, aux reflets sable, simple et frais, sera idéal pour l'apéritif ou les entrées de légumes. Il est cité. Ce 2005 affiche un nez « joliment rustre », comme l'écrit un dégustateur, mariant les notes d'élevage au cassis et au poivre. La bouche puissante est équilibrée, les tanins soyeux et fondus, signes d'un vieillissement sous bois maîtrisé. Un vin racé que l'on servira dans trois à cinq ans sur une pièce de gibier.

Guy Arnaud, 367, rte de La Cadière,
83740 La Cadière-d'Azur, tél. 04.94.90.14.55,
fax 04.94.26.13.89,
e-mail domaine.peyneuf@wanadoo.fr
t.l.j. sf dim. 9h-12h30 15h-18h30

LES RESTANQUES DE PIBARNON 2004 *

4 ha 15 000 11 à 15 €

Ce domaine fondé il y a plus d'un demi-siècle figure parmi les fleurons de l'appellation. Loin de se reposer sur ses lauriers, il continue à innover. Ainsi le vignoble est-il en cours de conversion à l'agriculture biologique. Autre nouveauté, cette cuvée issue de jeunes vignes (huit à seize ans) créée pour proposer un bandol plus facile d'accès. Mission accomplie, comme le prouve la dégustation. Le bouquet développe des arômes de raisins mûrs et de fruits rouges. Les tanins souples et fins étoffent une bouche équilibrée qui termine sur quelques notes d'épices. Une bouteille prête à boire ces toutes prochaines années. Typé bandol par sa couleur, la **cuvée principale rosé 2006 (15 à 23 €)** est florale au nez et chaleureuse au palais. Elle est citée.

Éric de Saint-Victor, Ch. de Pibarnon,
83740 La Cadière-d'Azur, tél. 04.94.90.12.73,
fax 04.94.90.12.98, e-mail contact@pibarnon.com
t.l.j. sf dim. 9h-12h 15h-18h

PROVENCE

CH. PIGNATEL 2004 ★

■ 1,1 ha 5 000 8 à 11 €

Coup de cœur l'an dernier, le **Château de La Noblesse 2006 (11 à 15 €)** obtient dans ce nouveau millésime une étoile pour son fruité (melon, abricot) et sa fraîcheur mentholée. Autre marque d'Agnès et Henri Gaussen, le Château Pignatel. Essayez un gigot de sept heures aux échalotes et aux morilles avec cette bouteille. Une recette qui s'accordera au caractère réglissé, au boisé fin, aux arômes de fruits mûrs et à la structure tannique racée de ce 2004. La finale longue et chaleureuse invite toutefois à l'attendre un peu (trois ou quatre ans).

Agnès et Henri Gaussen,
Ch. de La Noblesse, 1685, chem. de l'Argile,
83740 La Cadière-d'Azur, tél. 04.94.98.72.07,
fax 04.94.98.40.41
t.l.j. 10h-12h 14h-19h; dim. sur r.v.

CH. SAINTE-ANNE 2005 ★

0,8 ha 3 300 11 à 15 €

La dégustation de cette cuvée de blanc va crescendo. Elle commence par un nez fin et discret de fleurs blanches, continue avec une mise en bouche souple, qui ouvre sur une matière ample, grasse et structurée, pour terminer sur une longue finale miellée marquée d'une pointe d'amertume. À déguster dans un an. Le **rosé 2006** obtient la même note pour son expression fruitée et sa rondeur.

Dutheil de la Rochère,
Ch. Sainte-Anne, Sainte-Anne-d'Évenos, 83330 Évenos,
tél. 04.94.90.35.40, fax 04.94.90.34.20,
e-mail chateausteanne@free.fr r.-v.

CH. SALETTES 2004 ★★

■ 8,11 ha 26 000 15 à 23 €

On ne compte plus les générations qui ont cultivé cette terre des Salettes. La succession familiale est assurée : Jean-Pierre Boyer, président honoraire des vins de Bandol, a laissé les rênes en 2002 à son fils Nicolas. Ce 2004 s'inscrit dans le meilleur classicisme bandolais. La robe est de teinte profonde, aux accents violacés ; le nez complexe marie iris, violette, fruits rouges et épices. La bouche bien construite réalise un bon équilibre acidité-rondeur-tanins. Elle s'agrémente d'une pointe minérale en finale, soulignant par sa fraîcheur la trame tannique fine et serrée. À attendre au moins cinq ans. Le **blanc 2006**, très aromatique et charmeur, obtient également deux étoiles.

EARL Boyer et Fils, Ch. Salettes,
83740 La Cadière-d'Azur, tél. 04.94.90.06.06,
fax 04.94.90.04.29, e-mail salettes@salettes.com
t.l.j. sf dim. 8h-12h 14h-18h; sam. sur r.-v.

DOM. SORIN 2006 ★

1,5 ha 5 800 11 à 15 €

D'origine bourguignonne, Luc Sorin s'est installé ici en 1994. Il s'est bien vite adapté à son nouvel environnement méditerranéen, comme en témoignent ses nombreuses sélections dans le Guide. La robe corail très clair de ce 2006 scintille de reflets roses. Le nez évoque les petits fruits rouges, la viennoiserie. Ample et rond, ce vin structuré et équilibré s'accordera bien avec une grillade.

Dom. Sorin, 1617, rte de La Cadière-d'Azur,
83270 Saint-Cyr-sur-Mer, tél. 04.94.26.62.28,
fax 04.94.26.40.06, e-mail luc.sorin@wanadoo.fr
t.l.j. sf dim. 8h30-12h 15h-18h

DOM. DE SOUVIOU 2006 ★★

6,5 ha 30 000 11 à 15 €

Ce domaine se consacre à la culture de la vigne et à celle de l'olivier. Il commercialise donc également de l'huile d'olive. Mais restons dans le plaisir bacchique avec ce rosé tout à fait typique, grâce à la présence importante de mourvèdre dans l'assemblage. Bien fait, ce vin repose sur une matière ronde et gouleyante, marquée d'une pointe de vivacité qui équilibre son côté chaleureux. La fraîcheur est florale (lys), végétale (thé vert) et minérale. On pourra marier cette bouteille à un rôti de veau aux herbes.

EARL Olivier Pascal, Dom. de Souviou, RN 8,
83330 Le Beausset, tél. 04.94.90.57.63,
fax 04.94.98.62.79, e-mail souviou@aol.com
t.l.j. sf dim. 9h-12h 14h-18h

DOM. LA SUFFRÈNE 2006 ★

2 ha 8 000 8 à 11 €

Coup de cœur en rouge l'an dernier, ce domaine familial est retenu dans les deux autres couleurs cette année. Ce vin blanc montre une certaine tendreté sous sa teinte pâle, par son expression de zeste d'agrumes et d'épices légères. La bouche, dans le même registre que le nez, offre un bel équilibre, rafraîchie par une minéralité finale bienvenue. Accords gourmands variés en perspective : coquillages ou petits chèvres du terroir. Le **rosé 2006**, ample et carré, joue sur des arômes de fruits rouges (fraise, groseille) et des notes d'agrumes. Il obtient lui aussi une étoile ; il est prêt à accompagner un saumon à l'oseille.

GAEC Gravier-Piche,
Dom. La Suffrène, 1066, chem. de Cuges,
83740 La Cadière-d'Azur, tél. 04.94.90.09.23,
fax 04.94.90.02.21, e-mail suffrene@wanadoo.fr
t.l.j. sf dim. 9h-12h 14h-18h;
9h-12h de Pâques à la Toussaint
Cédric Gravier

CH. VANNIÈRES 2005 ★★

■ 12 ha n.c. 23 à 30 €

Une présence de la vigne qui remonte au XVIe s., un château du XIXe s. : Vannières a des racines et une histoire. Elle se conjugue au présent avec ce 2005 à la présentation impeccable (robe sombre aux reflets violet foncé). Le bouquet riche et complexe est dominé par une note vanillée et soyeuse d'élevage tandis que sa bouche massive révèle une maturité et un équilibre superbes. Un vin de grande qualité, qui a participé à la finale du coup de cœur, et qu'il faudra attendre cinq à dix ans. En apéritif ou sur des fromages de brebis, le **blanc 2006 (15 à 23 €)** jouera de sa fraîcheur, de sa rondeur et de ses accents fruités. Il obtient une étoile.

Ch. Vannières, 83740 La Cadière-d'Azur,
tél. 04.94.90.08.08, fax 04.94.90.15.98,
e-mail info@chateauvannieres.com
t.l.j. sf dim. 8h-12h 14h-18h

Palette

Tout petit vignoble, aux portes d'Aix, qui englobe l'ancien clos du bon roi René. Blancs, rosés et rouges sont produits régulièrement sur 48 ha et ont donné 1 745 hl de vin en

2006. Le plus souvent, et après une bonne maturation (car le rouge est de longue garde), on y retrouve une odeur de violette et de bois de pin.

CH. HENRI BONNAUD 2005 *

■ 2 ha 8 000 15 à 23 €

Stéphane Spitzglous a repris l'exploitation à la suite de son grand-père, et a décidé de baptiser le domaine du nom de celui-ci. Du relief, une matière concentrée, marquée par des tanins encore jeunes pour ce rouge au boisé fondu et aux agréables notes de griotte et de cassis. Il pourra attendre 2010 en toute sérénité. Le **rosé 2006**, puissant au nez et frais en bouche, décroche également une étoile.

Stéphane Spitzglous,
EARL de Pécout, 945, chem. de la Poudrière,
13100 Le Tholonet, tél. 04.42.66.86.28,
fax 04.42.66.94.64,
e-mail stephane.spitzglous@wanadoo.fr
t.l.j. sf dim. 10h-12h 14h-18h

CH. CRÉMADE 2006 **

■ 1,45 ha 7 000 15 à 23 €

Domaine adossé à la montagne Sainte-Victoire, qui inspira de grands artistes : Zola et Cézanne ne trouvèrent-ils pas là une part de leur inspiration ? Vous serez à votre tour inspiré par ce rosé à la robe timide, au bouquet d'agrumes, agrémenté de notes muscatées et épicées, qui s'épanouit en bouche avec du corps et une belle prestance. La longue finale est marquée par une sucrosité aux accents de melon, de grenadine et de fraise. Une complexité qui élève ce rosé au rang de vin de gastronomie. Le **blanc 2005**, aux arômes généreux (miel, citron confit, pêche), brille d'une étoile.

SCEA Dom. de La Crémade, rte de Langesse,
13100 Le Tholonet, tél. 04.42.66.76.80,
fax 04.42.66.76.81 r.-v.

Coteaux-d'aix-en-provence

Sise entre la Durance au nord et la Méditerranée au sud, entre les plaines rhodaniennes à l'ouest et la Provence triasique et cristalline à l'est, l'AOC coteaux-d'aix-en-provence appartient à la partie occidentale de la Provence calcaire. Le relief est façonné par une succession de chaînons, parallèles au rivage marin et couverts naturellement de taillis, de garrigue ou de résineux : chaînon de la Nerthe près de l'étang de Berre, chaînon des Costes prolongé par les Alpilles, au nord.

Entre ces reliefs s'étendent des bassins sédimentaires d'importance inégale (bassin de l'Arc, de la Touloubre, de la basse Durance) où se localise l'activité viticole, soit sur des formations marno-calcaires donnant des sols caillouteux à matrice argilo-limoneuse, soit sur des formations de molasses et de grès avec des sols très sableux ou sablo-limoneux caillouteux. 4 718 ha ont produit 196 165 hl en 2006, dont 9 841 en blanc. Grenache et cinsault forment encore la base de l'encépagement, avec une prédominance du grenache ; syrah et cabernet-sauvignon sont en progression et remplacent progressivement le carignan.

Les vins rosés sont légers, fruités et agréables. Ils doivent être bus jeunes avec des plats provençaux : ratatouille, artichauts barigoule, poisson grillé au fenouil, aïoli... Les vins rouges sont des vins équilibrés. Ils bénéficient d'un contexte pédologique et climatique favorable. Jeunes et fruités, avec des tanins souples, ils peuvent accompagner viandes grillées et gratins. Ils atteignent leur plénitude après deux ou trois ans d'élevage et se marient alors avec viandes en sauce et gibier. Ils méritent que l'on parte à leur (re)découverte. La production de vins blancs est limitée. La partie nord de l'aire de production est plus favorable à leur élaboration, qui mêle la rondeur du grenache blanc à la finesse de la clairette, du rolle et du bourboulenc.

DOM. BAGRAU 2006

■ 2 ha 5 000 3 à 5 €

Un nouveau vigneron. Ou plutôt une vigneronne : Mireille Bastard s'est installée en 2005 en reprenant les terres du domaine La Javie : 13 ha autour de Rognes. Cette jeune viticultrice signe un rosé 2006 où le grenache (50 %) épouse la syrah (30 %) et le cabernet. Un vin de couleur claire aux arômes de violette et de myrtille, qui se distingue par sa fraîcheur et son ampleur. Également cité, le **rouge 2005 (5 à 8 €)** assemble la syrah (70 %) et le cabernet. Il attaque avec franchise sur les fruits rouges avant de révéler des tanins un peu sévères qui incitent à l'attendre un à deux ans.

Mireille Bastard,
EARL Dom. Bagrau, Le Grand-Saint-Paul,
rte des Mauvares, 13840 Rognes,
tél. et fax 04.42.50.12.53,
e-mail domainebagrau@wanadoo.fr
t.l.j. 10h-12h 15h-19h

CH. BARBEBELLE Cuvée Madeleine 2006

■ 4 ha 23 000 5 à 8 €

Plus de trois siècles d'existence pour ce domaine de quelque 380 ha. Le vignoble, qui représente 37 ha, est implanté sur les coteaux argilo-calcaires des parties hautes

de la Trévaresse. Le grenache (50 %), la syrah (30 %) et le cabernet-sauvignon contribuent à l'expression de ce rosé. Madeleine n'offre pas le visage d'une pénitente. Sa robe pétale de rose soutenu aux reflets bleus attire, ses parfums de fleurs (rose, violette) et de fruits (fraise, groseille) retiennent. De la finesse et de l'élégance.
Brice Herbeau, Ch. Barbebelle, 13840 Rognes, tél. 04.42.50.22.12, fax 04.42.50.10.20, e-mail contact@barbebelle.com
t.l.j. 9h-12h 14h-18h

LA BARGEMONE Cuvée Marina 2004 *

1 ha 5 000 5 à 8 €

Créée par les Templiers au XIIIe s., cette propriété fut le bien du comte des Baux, puis passa aux mains de la famille Arbaud de Bargemon, d'où le nom de Bargemone. Cette commanderie a mis en ordre de bataille des fruits rouges, de la cannelle, du pruneau, une pointe tannique, le tout dans un bel ordonnancement. Cabernet-sauvignon, syrah et grenache bien assemblés et bien élevés ont donné un vin aromatique, structuré, persistant et déjà agréable.
SAS Cofavi Cave de la Bargemone, RN 7, Labargemone, 13760 Saint-Cannat, tél. 04.42.57.22.44, fax 04.42.57.26.39, e-mail commanderie-la-bargemone@wanadoo.fr
t.l.j. sf sam. dim. 8h-12h 13h30-18h
Garin-Rozan

CH. BAS Cuvée du Temple 2004 **

3 ha 10 000 **11 à 15 €**

Sur l'étiquette de ce vin, une colonne corinthienne, à l'image de celles qui subsistent du temple de Diane du Ier s. av. J.-C. que l'on peut voir dans le domaine. Il a longtemps vécu de la polyculture et de l'élevage ovin, et le vignoble n'a été (re)planté que dans les années 1970. Il faut être patient pour apprécier le vin rouge élaboré par Philippe Pouchin. Ses vins sont à son image, toujours en recherche. Cabernet-sauvignon (60 %), syrah (25 %) et grenache collaborent à cette cuvée à la robe très soutenue, limpide et brillante. Le nez intense mêle les épices, le coing et le pruneau. De l'équilibre et de la longueur pour cette bouteille au fort potentiel. On l'attendra deux à trois ans.
EARL Georges de Blanquet, Ch. Bas, 13116 Vernègues, tél. 04.90.59.13.16, fax 04.90.59.44.35, e-mail chateaubas@wanadoo.fr
r.-v.

DOM. DES BÉATES Les Béatines 2006 *

3 ha 7 600 5 à 8 €

Sur le fronton du domaine et sur les étiquettes, une cloche discrète : ces Béates, ce sont des religieuses envoyées ici au XVIIe s. pour instruire et catéchiser les enfants. La propriété compte aujourd'hui une cinquantaine d'hectares exploités en biodynamie. Rolle et grenache, avec un appoint de sauvignon, se marient dans ce blanc intéressant par sa finesse, sa fraîcheur et ses arômes d'amande et de fleurs. Cité, le **rouge Les Béatines 2004** met le grenache (40 %), le cabernet-sauvignon, la syrah et le carignan au service d'un vin chaleureux et rond, au fruité rouge bien présent (cerise, cassis). Une bouteille pour maintenant.
Dom. des Béates, rte de Caireval, BP 52, 13410 Lambesc, tél. 04.42.57.07.58, fax 04.42.57.19.70, e-mail contact@domaine-des-beates.com
t.l.j. sf dim. 9h-18h

CH. BEAULIEU Cuvée Bérengère 2004

n.c. 9 000 8 à 11 €

Une importante bastide commande cette propriété qui domine la vallée de la Durance. Le terroir est intéressant : les sols argilo-calcaires sont plus ou moins mêlés de basalte, car le domaine est implanté à l'emplacement de l'immense cratère du volcan éteint de la Trévaresse. Depuis 2002, les Guenant gèrent ce vaste domaine (300 ha). Cette année, leurs vins sont cités dans les trois couleurs de l'AOC. Les rouges, qui assemblent syrah, cabernet-sauvignon et grenache, seront prêts dès la sortie du Guide. Cette cuvée Bérengère n'est pas très dense mais elle fait preuve d'élégance dans son fruité rouge et son boisé fondu. Le **rouge cuvée Alexandre 2004 (5 à 8 €)** offre un nez flatteur aux nuances de fruits mûrs, de cannelle et d'amande grillée. Le **Château Beaulieu blanc 2006 (5 à 8 €)** marie sauvignon (70 %) et sémillon : un vin frais partagé entre fleurs blanches et miel. Dans la gamme **Terres Ocrées, le rosé cuvée de Diane 2006 (3 à 5 €)** est délicat au nez et bien structuré en bouche.
Ch. Beaulieu, Dom. de Beaulieu, D14C, 13840 Rognes, tél. 04.42.50.20.19, fax 04.42.50.19.53, e-mail jpmargnat@pgadomaines.com r.-v.
Guenant

CH. DE BEAUPRÉ Collection du château 2005 *

3,5 ha 20 000 **11 à 15 €**

Avec sa façade classique, sa fontaine aux dauphins, son parc complanté de platanes, sa maison de maître (1739), la propriété donne une bonne image de la bastide aixoise. Cette Collection du château laisse dominer le cabernet-sauvignon (90 %), le solde en syrah, et séjourne un an en fût de un à cinq ans. Elle est encore trop marquée par le bois, mais sa structure est belle et les arômes devraient se développer. On note déjà des accents d'épices, de fruits noirs macérés. Un vin de très bonne facture mais qui demande un à trois ans de patience pour s'affiner. Le **blanc 2006 (5 à 8 €)**, assemblage de rolle (60 %), de grenache (30 %) et de sémillon, reçoit également une étoile pour son élégance, sa générosité et sa longueur.
Phanette Double, Ch. de Beaupré, RN 7, 13760 Saint-Cannat, tél. 04.42.57.33.59, e-mail chbeaupre1@aol.com
t.l.j. 9h-12h 14h-18h30
GFA Ch. Beaupré

DOM. DE LA CADENIÈRE Élevé en fût de chêne 2004 **

2,56 ha 10 666 8 à 11 €

La première génération achète le domaine en 1952 et livre ses récoltes à la coopérative ; la deuxième crée la cave (1973). Depuis 1986, Vincent, Pierre et Gabriel Tobias perpétuent la tradition viticole familiale ; ils apportent un grand soin au travail dans les vignes. Ils signent une cuvée dominée par la syrah (63 %), avec un appoint de grenache (32 %) et un soupçon de cabernet. Au nez, un boisé nuancé de cannelle (un an de fût), mais c'est surtout la bouche qui a séduit, complexe, équilibrée et structurée par une trame de tanins déjà agréables. Un vin à servir maintenant ou dans trois ans. Cité, le **rouge classique 2005 (5 à 8 €)**, issu d'un assemblage proche, est pour aujourd'hui. Un vin plaisir qui offre des fruits à volonté.
Tobias Frères, EARL La Cadenière, 19, rte de Coudoux, 13680 Lançon-de-Provence, tél. et fax 04.90.42.82.56, e-mail la-cadeniere@wanadoo.fr
t.l.j. sf dim. 8h30-12h 14h-18h

CH. DE CALAVON Grande Réserve 2004 ★

■ 10 ha 15 000 **11 à 15 €**

Le plus ancien domaine de Lambesc, morcelé à la Révolution, puis peu à peu reconstitué. Aujourd'hui, 50 ha de vignes, dans les mains de la famille Audibert depuis 1903. Michel Audibert en a pris les rênes en 1998. Il avait obtenu un coup de cœur pour un rouge 2003. Avec cette cuvée, il propose un assemblage de cabernet (48 %), de grenache (39 %) et de syrah. Le bois de l'élevage n'a pas écrasé le vin. On y trouve, dans une atmosphère très fraîche, des arômes intenses : confiture de fraises, mûre, cassis, épices. Bien équilibré, ce 2004 offre une harmonie faite de gras et de rondeur. Il est déjà prêt, mais deux à trois ans de garde ne peuvent que lui faire du bien.

Michel Audibert, Ch. de Calavon, 13410 Lambesc, tél. et fax 04.42.57.15.37, e-mail michel-audibert@chateaudecalavon.com
t.l.j. sf dim. 9h-12h30 15h-18h

CH. CALISSANNE Clos Victoire 2004 ★★★

■ n.c. 20 000 **15 à 23 €**

La vigne et l'olivier prospéraient ici avant même la conquête romaine, et, pendant plus de deux mille ans, les maîtres des lieux successifs ont mis ces terres en valeur en laissant leur marque dans le paysage. Ce Clos Victoire, assemblage de syrah (60 %) et de cabernet-sauvignon, élevé quatorze mois dans le bois, vaut au domaine son neuvième coup de cœur. Bien ouvert et complexe, le nez marie sous-bois, cannelle, vanille, pain d'épice. En bouche, ce 2004 conjugue intensité, rondeur et longueur et procure des sensations aussi multiples qu'agréables. Trois ans de cave conseillés. Le **rosé cuvée Prestige 2006 (8 à 11 €)** est particulièrement plein, structuré et persistant : une étoile. Le **rouge 2005 (5 à 8 €)** est franc, aromatique (cuir, épices, olive noire), apte à la garde (trois ans) : une citation.

Ch. Calissanne, SAS Jasso de Calissanne, RD 10, 13680 Lançon-de-Provence, tél. 04.90.42.63.03, fax 04.90.42.40.00, e-mail contact@calissanne.fr
t.l.j. 9h-19h; dim. 9h-13h; groupes sur r.-v.
M. Kessler

DOM. DE CAMAÏSSETTE Cuvée Amadeus 2004

■ 3,5 ha 12 000 **8 à 11 €**

Le bourg d'Éguilles s'est développé à l'époque gallo-romaine le long de la *via Aurelia* qui relie l'Italie à l'Espagne. Cette voie romaine traverse le domaine des Nasles, dans la famille depuis 1901 : des oliviers et 24 ha de vignes. Syrah et cabernet-sauvignon collaborent à parité à ce vin élevé dix-huit mois en fût. Au nez, un boisé fondu dans des notes épicées, animales, et des nuances de cerise à l'eau-de-vie. En bouche, de la vivacité, des tanins bien intégrés, encore très présents en finale. Un vin de bonne facture et assez élégant. Également cité, le **Domaine Camaïssette blanc 2006 (3 à 5 €)** libère des parfums amyliques. Nerveux, il laisse l'impression d'une belle fraîcheur.

Michelle Nasles, Dom. de Camaïssette, 13510 Éguilles, tél. 04.42.92.57.55, fax 04.42.28.21.26, e-mail michelle.nasles@wanadoo.fr
t.l.j. sf dim. 9h30-12h 14h30-18h30

LA CHAPELLE SAINT-BACCHI Cuvée Prestige Élevé en fût de chêne 2004 ★★

■ 1 ha 1 400 **8 à 11 €**

Une chapelle romane désaffectée campe sur le domaine, restauré en 2006. Saint Bacchi ? Un officier syrien dans l'armée romaine. Le nom possède des affinités avec le dieu romain du vin auquel on pourra rendre ici un culte joyeux. En versant par exemple ce rouge 2004 élevé dix-huit mois en fût, très méridional par l'assemblage de la syrah (60 %) et du grenache. Ample et concentré, ce vin associe le fruit à des notes de torréfaction et fait preuve de beaucoup de longueur. Le **rosé 2006 (5 à 8 €)** est tout en fraîcheur sur des notes de framboise, de citron, de pamplemousse et de fleurs blanches. Il est cité.

La Chapelle Saint-Bacchi, Dom. Saint-Bacchi, RD 561, 13490 Jouques, tél. et fax 04.42.67.62.92, e-mail valensisi.christian@neuf.fr
t.l.j. sf dim. 9h-12h 14h-18h
Christian Valensisi

DOM. D'ÉOLE 2005 ★

■ 7 ha 24 000 **8 à 11 €**

Le mistral qui souffle du nord sur toute la Provence, contribuant au bon état sanitaire de la vendange, a inspiré le nom de ce domaine, implanté au nord des Alpilles, non loin des Baux et de Saint-Rémy-de-Provence. Acquise en 1996 par un financier, Christian Raimont, la propriété s'étend sur plus de 26 ha, cultivés en agriculture biologique. Deux vins rouges présentés, une étoile chacun. Ce 2005 est tout en rondeur et en chaleur, avec des arômes de fruits rouges et noirs, de truffe, de champignon. Le **rouge cuvée Léa 2004 (15 à 23 €)**, grenat foncé, a connu le bois. Le merrain y laisse s'exprimer d'autres arômes complexes et intéressants : un côté animal (cuir), des épices, de la violette. Ce vin généreux affirme un caractère résolument méridional. Deux bouteilles à ouvrir maintenant ou à laisser en cave un an ou deux.

Dom. d'Éole, rte de Mouriès, D 24, 13810 Eygalières, tél. 04.90.95.93.70, fax 04.90.95.99.85 r.-v.
Christian Raimont

PÉTALES DE GLAUGES 2006 ★

■ 5 ha 20 000 **5 à 8 €**

La région des Alpilles est devenue en 2007 Parc naturel régional. Le domaine étend ses 34 ha de vignes et ses oliviers au pied des barres calcaires qui donnent au pays sa physionomie, dans l'aire des baux-de-provence. Il a adopté le nom d'un iris sauvage de couleur jaune qui ne pousse qu'ici, représenté sur l'étiquette de ce vin. Un rosé dans la pure tradition méridionale (80 % de grenache, 20 % de cinsault). Sa couleur aux reflets saumonés n'évoque pas le pétale de glauge mais plus classiquement celui de la rose ou de l'églantine. Au nez, un discret pamplemousse ; en bouche, une belle présence sur une fraîcheur d'agrumes et une expression muscatée. Convivial à souhait.

Berrebi, Dom. des Glauges, voie d'Aureille, 13430 Eyguières, tél. 04.90.59.81.45, fax 04.90.57.83.19, e-mail info@glaugesdesalpilles.com
t.l.j. sf dim. 10h-12h30 14h30-18h

CH. GRAND SEUIL Prestige 2005 **

3 ha 15 000 8 à 11 €

La famille Carreau-Gaschereau a fait renaître le vignoble au début des années 1970 autour du château du Seuil (XIIIe-XVIIe s.) qui appartenait avant la Révolution à une famille de parlementaires à la cour d'Aix. Le domaine est implanté sur les terrains argilo-calcaires et basaltiques du massif de la Trévaresse. Trente-deuxième millésime, ce 2005 vaut à la propriété son quatrième coup de cœur (les trois premiers distinguèrent des rosés). Il s'agit cette fois d'un vin de couleur jaune limpide aux arômes délicats marqués par le sauvignon (80 %). Le grenache qui complète l'assemblage apporte la richesse et le gras pour conférer une belle longueur. Un séjour de dix mois dans le chêne ajoute à la complexité à travers un subtil boisé. Un vin tout en dentelle, à servir avec un vol-au-vent ou une viande blanche.

Carreau-Gaschereau, 4690, rte du Seuil, 13540 Puyricard, tél. 04.42.92.15.99, fax 04.42.28.05.00, e-mail contact@chateauduseuil.fr
t.l.j. 9h-12h 14h-19h (18h nov.-avr.)

LE MAS BLEU Val des vignes 2006 *

0,6 ha 4 000 **5 à 8 €**

La propriété familiale (35 ha) se répartit sur deux îlots : l'un au sud de l'étang de Berre, à Gignac, sur des terrains riches et argileux ; l'autre à l'est, du côté de Velaux, sur des sols filtrants, caillouteux et sableux. Elle peut ainsi jouer la diversité des terroirs. Deux de ses rosés ont reçu une étoile. Cette cuvée à dominante de syrah (70 %), le reste en grenache, séduit par son nez intense et complexe (framboise, groseille, citron, aubépine, fruit de la Passion) et par sa douceur, équilibrée par une finale vive. Le **rosé Domaine du Mas Bleu 2006** joue sur le grenache (60 %) et le cabernet-sauvignon. Il présente un nez puissamment fruité et une grande fraîcheur en bouche.

EARL du Mas Bleu, 6, av. de la Côte-Bleue, 13180 Gignac-la-Nerthe, tél. 04.42.30.41.40, fax 04.42.30.32.53, e-mail earldumasbleu.vdv@wanadoo.fr
t.l.j. sf dim. 9h-12h 14h30-18h30 (15h-19h en été)
Didier Rougon

MAS DE LA DAME Coin caché 2004 **

2,15 ha 4 300 **15 à 23 €**

Peint par Van Gogh, le mas de la Dame est situé sur le versant sud des Alpilles, au pied du rocher des Baux. Auguste Faye, négociant en vin, l'acheta en 1903. Aujourd'hui conduit en agriculture biologique par ses arrière-petites-filles Caroline Missoffe et Anne Poniatowski, il s'étend sur 300 ha et l'olivier s'y mêle à la vigne. Ce 2004 ? Un beau vin doré, gras, plein, aux arômes délicats de calisson d'Aix. Vinifié en cuve, le **blanc La Stèle 2006 (8 à 11 €)** reçoit une étoile pour son nez de fruits mûrs (poire notamment) tout en finesse et pour son ampleur.

Mas de La Dame, RD 5, 13520 Les Baux-de-Provence, tél. 04.90.54.32.24, fax 04.90.54.40.67, e-mail masdeladame@masdeladame.com
t.l.j. 8h-19h
Missoffe-Poniatowski

MAS SAINTE-BERTHE 2006 **

5 ha 22 000 5 à 8 €

Le mas Sainte-Berthe s'étend sur le versant sud du rocher des Baux. Une chapelle dédiée à sainte Berthe lui a donné son nom. Non loin, une source réputée guérir les fièvres faisait accourir les pèlerins. Aujourd'hui, ce n'est plus l'eau mais le vin qui attire les visiteurs. Christian Nief, œnologue et régisseur du domaine, a assemblé quatre cépages pour ciseler ce blanc séducteur qui fut candidat au coup de cœur. Très ouvert sur la mangue, ce 2006 gagne en complexité au palais pour s'épanouir sur des notes de miel, d'ananas et de pamplemousse qui lui vont à ravir. L'ensemble est persistant et remarquablement équilibré.

Mas Sainte-Berthe, 13520 Les Baux-de-Provence, tél. 04.90.54.39.01, fax 04.90.54.46.17, e-mail info@mas-sainte-berthe.com
t.l.j. 9h-12h 14h-18h
Rolland

CH. MONTAURONE 2006 *

55,68 ha 200 000 3 à 5 €

Ici, on a gardé en mémoire le terrible tremblement de terre de 1909 qui ravagea le pays d'Aix et détruisit les bâtiments du domaine. Tout a été reconstruit, et le vaste domaine s'étend sur 89 ha. Il a présenté deux cuvées de rosé approuvées par le jury, qui a fait briller une étoile au-dessus de chacune d'elles. Le grenache y joue le premier rôle (60 %) ; ce Château Montaurone y ajoute quatre autres variétés, y compris un soupçon de counoise. De couleur cerise, il offre un nez fin de fleurs et d'épices et un parfait équilibre. Rosé de repas, il accompagnera volontiers soupes de poisson et plats épicés. Le **rosé Château de La Touloubre 2006 (5 à 8 €)** résulte d'un assemblage plus classique grenache-syrah-cinsault. C'est un vin structuré et puissant aux arômes de rose.

SCEA Berthoune, Dom. Montaurone, D 18, rte d'Éguilles, 13760 Saint-Cannat, tél. 04.42.57.20.04, fax 04.42.57.32.80, e-mail scea.berthoune@orange.fr
t.l.j. sf dim. 8h-12h 14h-18h
P. Decamps

DOM. NAÏS 2006 *

5 ha 25 000 3 à 5 €

Un domaine repris en 2002 par deux amis d'enfance : 42 ha de vignes et une cave rénovée cette année-là. Son rosé assemble grenache (40 %), syrah et cabernet (30 % chacun). « Un séducteur », écrit une dégustatrice. Robe pâle, aux reflets subtilement bleutés ; nez expressif et délicat sur des notes de fruits rouges et des senteurs de garrigue. En bouche, le fruité s'agrémente de fraîches notes mentholées.

Ample et bien rond, ce vin pourra accompagner tout un repas. Les dégustateurs ne sont pas à court de suggestions : feuilletés d'anchoïade ou aux deux saumons, Tatin d'asperges... Le **rouge Symphonie de Naïs Élevé en fût de chêne 2005 (5 à 8 €)** donne un plus grand rôle à la syrah et au cabernet (40 % chacun). Cité pour ses tanins fins et fondus et son fruité rouge compoté, il est prêt.

Laurent Bastard et Éric Davin, rte du Puy, 13840 Rognes, tél. et fax 04.42.50.16.73, e-mail domainenais@club-internet.fr

t.l.j. sf dim. 9h-12h 15h-18h30

OPALE D'UN ROY 2006 *

40 ha	65 000	3 à 5 €

Fondée en 1920 par le maire de la commune, la cave de Lambesc a fusionné en 1998 avec celle de Saint-Cannat pour devenir le plus important producteur de cette appellation. Aujourd'hui, la coopérative vinifie les vendanges de 700 ha. Elle réussit un beau doublé avec deux rosés aussi réussis l'un que l'autre. Cette Opale d'un Roy, issue de grenache (50 %), de syrah et de cinsault, attire par ses reflets framboise. Elle séduit surtout en bouche, par son équilibre, l'harmonie de ses arômes de petits fruits frais (cassis, myrtille) et par sa finale d'une agréable vivacité. Quant au rosé **Château de Libran 2006 (5 à 8 €)**, il obtient son étoile grâce à son volume et à sa longue finale.

Les Vignerons du Roy René, 6, av. du Gal-de-Gaulle, RN 7, 13410 Lambesc, tél. 04.42.57.00.20, fax 04.42.92.91.52, e-mail c.lesage@lesvigneronsduroyrene.com r.-v.

OPHÉLIE 2006 *

10 ha	25 000	3 à 5 €

Grenache (60 %) et syrah donnent à cette Ophélie des couleurs, un teint de rose, des joues rouge cerise. Elle laisse dans son sillage une profusion de parfums de fruits rouges, d'épices avec une pointe anisée de fenouil pleine de fraîcheur. La coopérative propose aussi le **rouge cuvée du Sieur d'Éguilles 2005** auquel une dominante de cabernet-sauvignon (85 %) confère des tanins serrés. Un vin ambitieux et réussi, qui mérite d'attendre deux ans. Il est cité.

Le Cellier d'Éguilles, 1, pl. Lucien-Fauchier, 13510 Éguilles, tél. 04.42.92.51.12, fax 04.42.92.38.57, e-mail cellierdeguilles@tiscali.fr

t.l.j. 9h-12h 14h-19h

DOM. L'OPPIDUM DES CAUVINS 2006 *

2 ha	16 000	3 à 5 €

La famille Ravaute se transmet depuis le début du XX^e^s. un vaste domaine (92 ha) qui saute la Durance pour se prolonger au nord dans les côtes-du-luberon. Le siège de l'exploitation est installé sur la rive gauche de la rivière, non loin d'un antique *oppidum* qui a donné son nom à la propriété. Cette année, deux vins « étoilés ». Ce blanc comprend beaucoup de sauvignon (50 %), du grenache et du vermentino. On y trouve de l'aubépine, de la noisette et ce miel qui signe une vendange bien mûre ; en bouche, une belle attaque, du gras et de la longueur. Le **rouge 2006**, au nez fruité et réglissé, reçoit une étoile. On le servira dans les trois ans.

Ravaute, EARL Dom. L'Oppidum des Cauvins, RD 343, Les Cauvins, 13840 Rognes, tél. 04.42.50.13.85, fax 04.42.50.29.40, e-mail oppidumdescauvins@wanadoo.fr

t.l.j. 9h-12h 14h-19h; dim. 9h-12h

CH. PARADIS Terre des Anges 2005 *

3 ha	10 000	11 à 15 €

En 2003, les Deschamps ont trouvé un coin de paradis sur les contreforts de la Trévaresse, au nord de l'appellation. Ils organisent en juillet des soirées jazz dans les vignes. Que recèle cette Terre des Anges sous sa robe grenat sombre ? Du cabernet (50 %) dans son bouquet encore fermé ; de la barrique (un an de fût pour 60 % du vin) dans ses notes fumées. Le côté animal au nez est apporté certainement par la syrah (30 %). Le grenache donne la cohérence. Le bel équilibre acidité-tanins intéresse, ainsi que l'expression aromatique : groseille, puis fruits noirs et Zan en finale. À boire ou à attendre, comme il vous plaira.

Ch. Paradis, quartier Paradis, 13610 Le Puy-Sainte-Réparade, tél. 04.42.54.09.43, fax 04.42.54.05.05, e-mail chateauparadis@wanadoo.fr

t.l.j. 10h-13h 15h-19h; f. dim en jan.-fév.

Deschamps

CH. PETIT SONNAILLER 2005 *

2 ha	14 000	5 à 8 €

Ce domaine fut au XII^e^s. une commanderie des Templiers. Il a gardé de cette époque une tour carrée de fort belle allure. Aux alentours, un vaste massif boisé, au nord-est de Salon-de-Provence. Du bois, il y en a aussi beaucoup dans ce vin, assemblage de syrah, de cabernet et de grenache, logé quatorze mois dans le chêne. Mais on y trouve autre chose : de la figue, de la mûre et du poivron, dans une belle rondeur. Un millésime à déguster dès la sortie du Guide sur une côte d'agneau marinée.

Dominique Brulat, Ch. Petit Sonnailler, 13121 Aurons, tél. 04.90.59.34.47, fax 04.90.59.32.30

t.l.j. 8h-19h 5

CH. PIGOUDET Cuvée La Chapelle 2006 **

3 ha	20 000	5 à 8 €

Implanté à l'emplacement d'une *villa* romaine, le domaine dépendit de l'évêché d'Aix jusqu'à la Révolution. Il est situé à l'extrême nord-est de l'appellation, à 400 m d'altitude, et s'étend sur 110 ha (40 ha de vignoble). Cette année, une belle réussite pour la cuvée La Chapelle. Le rosé, assemblage de syrah et de cabernet-sauvignon, se situe dans les parages du coup de cœur tant on apprécie sa puissance, son gras et ses arômes de fruits rouges mûrs. Le **blanc La Chapelle 2006** est plein d'élégance dans ses fragrances de sauvignon léger, cépage qui accompagne le vermentino : deux étoiles également. Le **rosé La Tourelle 2006** est fin, ciselé ; il respire les fleurs, la fraise et la mûre : une étoile.

SC Ch. Pigoudet, rte de Jouques, 83560 Rians, tél. 04.94.80.31.78, fax 04.94.80.54.25, e-mail pigoudet@pigoudet.com r.-v.

Schmidt-Rabe

LES QUATRE TOURS Esprit Sud 2005 *

4 ha	18 000	5 à 8 €

Installée au pied de la montagne Sainte-Victoire, la cave de Venelles réunit des vignerons du pourtour nord d'Aix-en-Provence. Elle vinifie les vendanges de 250 ha de vignes, répartis de part et d'autre de la chaîne de la Trévaresse, entre 200 et 350 m d'altitude. Coup de cœur dans le millésime 2003, cet Esprit Sud, fils de syrah (70 %) et de cabernet, conjugue la puissance et la finesse et séduit par ses notes de mûre et de cassis enrobées de vanille. La **cuvée Prestige 2004** mise sur le grenache et le cabernet,

PROVENCE

la syrah venant en renfort. Elle reçoit une étoile pour son gras, son équilibre et pour ses arômes de fruits mûrs et confits. Enfin, le **rosé Signature 2006 (3 à 5 €)**, floral, gras et long, est cité.

Les Quatre Tours,
56, av. de la Grande-Bégude, RN 96, 13770 Venelles,
tél. 04.42.54.71.11, fax 04.42.54.11.22,
e-mail 4tours@wanadoo.fr r.-v.

DOM. DE LA RÉALTIÈRE Camille 2004 ★

■ 3 ha 7 500 11 à 15 €

Bordé d'oliviers et de chênes verts, ce vignoble de 10 ha s'étend entre montagne Sainte-Victoire et canal de Provence, dans la partie nord de l'appellation. Jean-Louis Michelland s'y est installé en 1994 et l'a converti au « bio ». Son fils Pierre continue son œuvre. Un dégustateur a trouvé à sa cuvée Camille un nez typé syrah. En effet, ce cépage entre à hauteur de 50 % dans l'assemblage, épaulé par 30 % de grenache et 20 % de cabernet-sauvignon. Du fruit noir confit et de la violette au nez, une grande concentration au palais. Attente de deux ans hautement recommandée. Assemblage classique de cinsault et de grenache à parts égales, le **rosé cuvée Pastel 2006 (5 à 8 €)**, équilibré, gourmand et élégant, reçoit une étoile également. Mignonne étiquette illustrée par Desclozeaux.

Pierre Michelland,
Dom. de La Réaltière, rte de Jouques, 83560 Rians,
tél. 04.94.80.32.56, fax 04.94.80.55.70,
e-mail realtiere@terre-net.fr r.-v.

CELLIER SAINT-AUGUSTIN Les Caillas Élevé en fût de chêne 2005 ★★

■ n.c. 8 900 5 à 8 €

Située aux portes des Alpilles, cette petite coopérative présente souvent des cuvées intéressantes. Celle-ci, assemblage de grenache (40 %), de syrah et de cabernet-sauvignon, se distingue par un nez intense de fruits noirs (myrtille), nuancé de sous-bois, de truffe et d'épices douces. Les tanins sont fondus, le boisé apparaît bien intégré, la finale fort élégante. Un vin qui procure déjà beaucoup de plaisir mais devrait encore se bonifier pendant deux ans au moins. Il donnera volontiers la réplique à un tajine aux pruneaux.

Cellier Saint-Augustin, quartier de la Gare,
13560 Sénas, tél. 04.90.57.20.25, fax 04.90.59.22.96
r.-v.

LES SANTONS 2006 ★

■ n.c. 150 000 3 à 5 €

Ce négociant a bien choisi ce vin à la cave du Roy René de Lambesc. Il fournit un rosé à la robe fraise écrasée aux reflets bleus. Le nez, très élégant, exprime la groseille, arôme qui persiste longuement en bouche. Le vin est rond et chaleureux, avec ce qu'il faut de fraîcheur. Proposé par la même maison, le **rosé Domaine Collavery 2006** est cité pour sa finesse, sa fraîcheur et, lui aussi, pour son côté groseille.

Les Vins Bréban, av. de la Burlière,
83170 Brignoles, tél. 04.94.69.37.55, fax 04.94.69.03.37,
e-mail contact@vinsbreban.com

CH. SULAUZE Cuvée Saint-Jean 2006 ★

■ 7 ha 20 000 5 à 8 €

Un vaste domaine, qui se déploie sur 650 ha entre Miramas et l'étang des Oliviers. Pas moins de 40 ha pour le vignoble d'appellation coteaux-d'aix-en-provence et, cette année, une triple sélection dans les trois couleurs. C'est sans conteste ce rosé qui entraîne l'adhésion la plus immédiate par son côté fruité et floral puissant. C'est une corbeille de fruits débordant de mangue, de fruit de la Passion et de pamplemousse, décorée d'un brin de chèvrefeuille. La **cuvée Saint-Jean blanc 2006**, très marquée par le grenache (70 %), reçoit elle aussi une étoile pour son nez mêlant l'abricot et les agrumes ainsi que pour sa fraîcheur. Déjà prête, la **cuvée Prestige rouge 2005 (8 à 11 €)**, assemblage mi-cabernet mi-grenache, a connu le bois. Son nez mêle les fruits rouges et des notes grillées ; son palais apparaît tannique, un peu austère en finale. Elle est citée.

Ch. Sulauze, RN 569, 13140 Miramas,
tél. 04.90.58.02.02, fax 04.90.58.04.37,
e-mail domaine.sulauze@wanadoo.fr r.-v.

PRESTIGE DE SURIANE M 2004 ★★

■ 0,44 ha 1 200 5 à 8 €

Situé entre l'étang de Berre et les collines de La Crau, ce domaine familial comprend plus de 35 ha de vignes et une oliveraie. Il est exploité depuis 2001 par Marie-Laure Merlin, arrière-petite-fille du fondateur. La jeune vigneronne a particulièrement choyé sa première cuvée prestige, assemblage à parts égales de syrah et de cabernet-sauvignon. Malgré quatorze mois en fût, le boisé n'a rien d'envahissant. On aime cette touche souple et élégante avec des notes de rose, des tanins soyeux, bien intégrés tout au long de la dégustation. Une bouteille prête à accompagner un magret de canard. Petite garde possible (trois ans).

Marie-Laure Merlin,
SCEA Dom. de Suriane, CD 10, 13250 Saint-Chamas,
tél. 04.90.50.91.19, fax 04.90.50.92.80,
e-mail domaine.suriane@wanadoo.fr t.l.j. 9h-19h

CH. VIGNELAURE 2004

■ 16 ha 50 000 11 à 15 €

À Vignelaure, on aime les vins rouges. Et l'élevage sous bois : plus de quatre cents fûts s'alignent dans les caves. Il est peut-être encore trop tôt pour porter un jugement définitif sur ce 2004, assemblage de syrah, de cabernet-sauvignon et de grenache. Encore fougueux, ce vin montre un côté trop tannique et demande à s'affiner. Épicé, très agréable, avec un peu de fruits noirs en arrière-plan, le nez inspire confiance. Il faudra attendre deux ans au minimum pour que la complexité que l'on pressent aujourd'hui puisse se dévoiler.

Ch. Vignelaure, rte de Jouques, 83560 Rians,
tél. 04.94.37.21.10, fax 04.94.80.53.39,
e-mail david.obrien@wanadoo.fr
t.l.j. 9h-12h30 14h-18h

CH. VIRANT Tradition 2006

□ 2 ha 13 000 3 à 5 €

Ici, on cultive la vigne et l'olivier, selon la tradition méditerranéenne millénaire : la première s'étend sur 123 ha, le second sur une vingtaine. Le tout est dominé par un piton rocheux qui a donné son nom au domaine. Cette année la cuvée Tradition s'habille en blanc ; ou plutôt d'un or vert brillant. Le rolle domine l'assemblage (80 %), le sauvignon ne faisant guère que de la figuration. Le vin a un côté anisé qui ressort. Est-ce pour cette raison que le jury le trouve bien typé provençal ? En bouche, il se montre souple, fin et frais. À servir à l'apéritif ou avec une pissaladière.

Cheylan Père et Fils, Ch. Virant, 13680 Lançon-de-Provence, tél. 04.90.42.44.47, fax 04.90.42.54.81 t.l.j. 8h-12h 14h-18h30

Les baux-de-provence

Les Alpilles, chaînon le plus occidental des anticlinaux provençaux, est un massif érodé, au relief pittoresque taillé en biseau, fait de calcaires et calcaires marneux du crétacé. C'est le paradis de l'olivier. Le vignoble trouve également dans ce secteur un milieu favorable, sur les dépôts caillouteux très caractéristiques de cette région. Les grèzes litées sont peu épaisses et la fraction fine, dont dépend la réserve hydrique du sol, est importante. Au sein de l'AOC coteaux-d'aix-en-provence, ce secteur se distingue par une nuance climatique qui en fait une zone précoce, peu gélive, chaude et plus arrosée (650 mm).

Des règles de production plus affinées (rendement plus bas, densité plus élevée, taille plus restrictive, élevage d'au moins douze mois pour les vins rouges, minimum de 50 % de saignée pour les vins rosés), un encépagement mieux défini reposant sur le couple grenache-syrah, accompagné quelquefois du mourvèdre, sont à la base de la reconnaissance de cette appellation sous-régionale en 1995. Elle est réservée aux vins rouges (80 %) et rosés, et met en valeur un terroir original autour de la citadelle des Baux-de-Provence sur une superficie de 299 ha qui ont produit un volume de 6 522 hl en 2006.

DOM. OLIVIER D'AUGE L'Arcoule 2004 ★

■ 6 ha 20 000 8 à 11 €

Trois comme la trilogie de cultures pratiquées sur ce domaine : le blé, la vigne, l'olivier. Ou comme le nombre des cépages qui composent à parts égales l'assemblage de ce vin (syrah, mourvèdre, cabernet-sauvignon). Après trois semestres d'élevage en fût, il en ressort empreint d'une trilogie d'arômes : fruits noirs, réglisse, poivre. La bouche, concentrée et longue, révèle des tanins serrés qui devront s'affiner en cave. Pendant trois ans, évidemment. Trois enfin comme la note de ce vin, qui lui vaut son étoile.

Dom. Olivier d'Auge, Auge, 13990 Fontvieille, tél. 04.90.54.62.95, fax 04.90.54.63.09, e-mail domaine@olivierdauge.fr r.-v.

CH. D'ESTOUBLON 2004

■ 14 ha 32 000 15 à 23 €

Le château d'Estoublon a été racheté en 1999 par les Reboul. Ils décident alors de restructurer le vignoble en collaboration avec Éloi Durbach, du domaine de Tréval-lon. Les projets ne manquent pas, comme celui de vinifier et d'élever les blancs en amphores d'argile. C'est pourtant un vin rouge que l'on découvre cette année. Les notes de thé ont surpris le jury, qui conseille néanmoins de découvrir ce 2004 à la bouche souple et légère, finement boisée.

Rémy Reboul, rte de Maussane, 13990 Fontvieille, tél. 04.90.54.64.00, fax 04.90.54.64.01, e-mail chateauestoublon@wanadoo.fr t.l.j. 9h-13h 14h-19h

MAS DE LA DAME La Stèle 2004 ★

■ 3 ha 10 000 11 à 15 €

D'ici à ce que la prophétie de Nostradamus se réalise, qui prévoit que la mer monte jusqu'à la stèle située sur le domaine, vous aurez tout le loisir de découvrir les trois vins retenus cette année avec une étoile. Le **Rosé du Mas 2006 (5 à 8 €)**, tout en finesse, fait preuve d'une certaine complexité aromatique (ananas, pamplemousse, groseille, fleurs blanches). Le **rouge Réserve du Mas 2004 (8 à 11 €)** est un vin à la fois fin et tannique. Cette Stèle enfin, au nez de fruits à noyau bien mûrs possède une matière charnue, équilibrée par une bonne fraîcheur. Le mariage entre le vin et le bois n'est pas consommé, mais on distingue déjà une belle typicité. « Pour s'initier à l'appellation », conclut un dégustateur.

Mas de La Dame, RD 5, 13520 Les Baux-de-Provence, tél. 04.90.54.32.24, fax 04.90.54.40.67, e-mail masdeladame@masdeladame.com t.l.j. 8h-19h

Missoffe et Poniatowski

MAS SAINTE-BERTHE Passe-Rose 2006 ★

■ 10 ha 45 000 5 à 8 €

Pas moins de cinq cépages forment l'assemblage de ce vin : sur une base de grenache (50 %), la syrah (25 %) et le cinsault (10 %) apportent leur contribution, complétés par une touche de mourvèdre (8 %) et un soupçon de cabernet-sauvignon (7 %). Il en résulte un rosé au nez complexe (fruits rouges, bonbon, agrumes), à la bouche ronde et aromatique d'une bonne longueur.

Mas Sainte-Berthe, 13520 Les Baux-de-Provence, tél. 04.90.54.39.01, fax 04.90.54.46.17, e-mail info@mas-sainte-berthe.com t.l.j. 9h-12h 14h-18h

Rolland

CH. ROMANIN Cœur 2004

■ n.c. 5 300 30 à 38 €

Ce domaine a été racheté en mai 2006 par M. et Mme Charmolüe, anciens propriétaires du château Montrose (cru classé de saint-estèphe). Le nez est dominé par la syrah, qui représente 35 % de l'assemblage, à égalité avec le grenache. Fruits noirs et épices se partagent ainsi le bouquet. La bouche attaque en souplesse, puis révèle des tanins présents et poivrés qui doivent encore s'assagir.

SCEA Ch. Romanin, 13210 Saint-Rémy-de-Provence, tél. 04.90.92.45.87, fax 04.90.92.24.36, e-mail contact@romanin.com t.l.j. 9h-19h

Charmolüe

Coteaux-varois-en-provence

Les coteaux-varois-en-provence sont produits dans le département du Var sur vingt-huit communes entre les massifs calcaires boisés. Les vins, à servir jeunes, sont friands, gais et tendres, à l'image de Brignoles, jolie petite ville provençale qui fut résidence d'été des comtes de Provence. Ils ont été reconnus en AOC par décret du 26 mars 1993 et recouvrent 2 200 ha ; rosés, rouges et blancs se partagent les 105 236 hl de l'AOC agrées en 2005. Signalons, l'exception est méritée, que le siège du syndicat est dans l'ancienne abbaye de La Celle reconvertie en hôtel-restaurant de luxe sous la houlette d'Alain Ducasse.

ABBAYE DE SAINT-HILAIRE 2006 *

18 ha 130 000 **5 à 8 €**

Des bâtiments abbatiaux du XVII[e]s. et un immense domaine (1 500 ha) dans le prolongement de la montagne Sainte-Victoire ; un vignoble étendu (plus de 100 ha), des bois qui offrent aux visiteurs de multiples activités de plein air. Une ferme équestre, des bâtiments pour accueillir séminaires ou fêtes familiales, des gîtes. Ce rosé ? Il assemble grenache et syrah, avec un appoint de cinsault et de cabernet. Un œil pâle, des arômes de fruits rouges et d'agrumes, une expression harmonieuse et fine, une certaine longueur. Tout ce qu'il faut pour une cuisine méridionale d'été.

Abbaye de Saint-Hilaire,
les Domaines de Provence, rte de Rians,
83740 Ollières, tél. 04.98.05.40.10, fax 04.98.05.40.17,
e-mail cave@domainesdeprovence.com
r.-v.
Pierre Burel

CH. DES ANNIBALS Suivez-moi-jeune-homme 2006

11,08 ha 30 000 **5 à 8 €**

Un caveau du XII[e]s., un vignoble dont l'origine se perd dans la nuit des temps : 1772 ? Le III[e]s. av. J.-C., lorsque Hannibal et ses éléphants marchaient sur Rome en piétinant, à ce que l'on raconte, les ceps du domaine ? Sur l'étiquette, un pachyderme doré, mais regardez bien le nom de la cuvée : ces Carthaginois sont matière à plaisanterie. En revanche, l'environnement est ici pris au sérieux : les 29 ha du domaine sont cultivés en « bio ». Le cinsault (60 %) épouse le grenache dans ce rosé à la robe claire et lumineuse. Aucune lourdeur ici, une marche vive, une pointe de chaleur même. Une fraîcheur minérale et du fruit frais. En finale, une touche tannique. Pourquoi pas une tourte aux poivrons ?

Ch. des Annibals,
hameau des Gaetans, rte de Bras (D 35),
83170 Brignoles, tél. 04.94.69.30.36, fax 04.94.69.50.70,
e-mail dom.annibals@wanadoo.fr
t.l.j. 9h-12h 15h-19h; f. dim. lun. d'oct. à avr.
Coquelle

LA BASTIDE DES OLIVIERS Cuvée Justine 2006 **

0,85 ha 2 500 **8 à 11 €**

Décor de crèche provençale, oliviers argentés, vignes vertes (10 ha). Un vieil atavisme viticole, et le « bio » perçu comme un retour à la tradition. Patrick Mourlan signe une séduisante cuvée Justine, cinsault mâtiné de grenache : une couleur pétale de rose lumineuse et un nez de bonbon anglais et d'agrumes. Une attaque ronde, de l'ampleur, de la richesse, ce qu'il faut de fraîcheur : un rosé de gastronomie, qui mérite la bouillabaisse. Une étoile pour le **rosé classique 2006 (5 à 8 €)**, qui donne l'avantage au grenache. Un ensemble fruité, harmonieux et frais.

Patrick Mourlan, 1011, chem. Louis-Blériot,
83136 Garéoult, tél. et fax 04.94.04.03.11,
e-mail patrick.mourlan@wanadoo.fr
t.l.j. sf dim. 10h-12h 16h-19h

DOM. DE LA BATELIÈRE 2004

1 ha 2 500 **5 à 8 €**

Quatre cépages (grenache 40 %, cinsault 30 %, syrah et cabernet-sauvignon 15 % chacun) pour un vin rouge à la robe satinée, encore violacée. De la garrigue, du sous-bois et des épices, un boisé discret pour le premier nez : un abord sympathique. Plaisir maintenu lors de la mise en bouche : de la souplesse, une rétro-olfaction vanillée sur des tanins encore vifs. Un petit manque de chair ? Au moins sera-t-il prêt dès cet hiver.

Philippe Chabas, Dom. de La Batelière,
83470 Saint-Maximin, tél. et fax 04.94.78.01.21,
e-mail philippe.chabas@wanadoo.fr
sam. 9h-19h

CH. LA CALISSE Patricia Ortelli 2006 *

1,5 ha 5 000 **8 à 11 €**

Patricia Ortelli, qui a acquis le domaine en 1990, en a fait une valeur sûre de l'appellation après avoir restructuré de fond en comble le vignoble. Elle signe un rosé mi-syrah mi-grenache. Derrière une tendre robe pastel environnée d'arômes floraux percent les agrumes. Cette vivacité citronnée s'affirme en bouche au sein d'un festival fruité et d'une rondeur goûteuse. De l'équilibre et de la longueur pour ce vin plein de nerf et de gaieté, qui devrait bien tenir dans le temps. Cité, le **rouge cuvée Étoiles 2006 (23 à 30 €)**, dense et plein de promesses, devra attendre un an.

Patricia Ortelli, Ch. La Calisse, RD 560,
83670 Pontevès, tél. 04.94.77.24.71, fax 04.94.77.05.93,
e-mail contact@chateau-la-calisse.fr r.-v.

DOM. DE CAMBARET Cuvée Tradition 2006

2 ha 10 000 **3 à 5 €**

Créé dans les années 1960, ce domaine s'étend sur 30 ha. Il vinifie ses récoltes depuis 1991. Construit sur le grenache (80 %) avec un appoint de cabernet-sauvignon, ce 2006 s'annonce par une robe intense aux reflets violacés. Le nez chaleureux respire la vendange. En bouche, on découvre un fruit gourmand, une structure prometteuse, une certaine souplesse mais l'attente est recommandée. On pourra apprécier dès maintenant la **cuvée des Gravètes rouge 2004 Élevé en fût de chêne (5 à 8 €)**.

Francis Truc,
Dom. de Cambaret, 4, rue Louis-Cauvin,
83136 Garéoult, tél. et fax 04.94.04.88.81,
e-mail sebastien-truc@tiscali.fr
t.l.j. 9h-12h 15h-19h30

CH. DE CANCERILLES L'Ambroisie du terroir 2005 *

1,25 ha 6 000 **8 à 11 €**

Au XI[e]s., une chartreuse ; en 1708, la terre noble d'un ambassadeur de Louis XIV devenu seigneur de Cancerilles. Le domaine s'est ouvert au tourisme et propose le gîte et le couvert, voire des tablées vigneronnes. On pourra y découvrir ce vin rouge, fils du grenache (40 %), de la syrah et du cabernet-sauvignon et reflet d'un élevage bien maîtrisé. Ses parfums de fruits mûrs et compotés s'agrémentent de nuances de vanille et de noix de coco léguées par un séjour de deux ans en fût. En bouche se révèle une belle matière, équilibrée entre rondeur et vivacité. La finale achève de mettre en confiance : le vin est bien structuré. Il sera parfait dans un an.

Chantal et Serge Garcia,
Ch. de Cancerilles, 1400, rte de Belgentier,
83870 Signes, tél. et fax 04.94.90.83.93,
e-mail garcia@chateaudecancerilles.com
t.l.j. 10h-12h 14h-19h

CH. DES CHABERTS Cuvée Prestige 2006 *

2 ha 6 600 5 à 8 €

La vigne pousse ici sur des coteaux aux sols caillouteux, argilo-calcaires. Adossées à la montagne de la Loube couverte de forêt, exposées plein sud, ces pentes sont bien abritées et offrent à la vigne un microclimat propice : les Chaberts figurent souvent parmi les premières propriétés à commencer leurs vendanges. Ils ont collectionné cinq coups de cœur dans les trois couleurs. Ce blanc 2006, assemblage de rolle et de sémillon, offre un nez expressif mêlant les agrumes, la pêche et la banane à des fragrances de rose. Une fraîcheur paisible se conjugue à la rondeur dans un bel équilibre et un plaisant retour du fruit marque la finale persistante. Une étoile brille aussi pour le **rosé cuvée Prestige 2006**.

SCI Ch. des Chaberts, 83136 Garéoult,
tél. 04.94.04.92.05, fax 04.94.04.00.97,
e-mail chaberts@wanadoo.fr
t.l.j. sf dim. 9h-12h 14h-18h
Mme Cundall

DOM. DU DEFFENDS Rosé d'une nuit 2006 **

6 ha 20 000 5 à 8 €

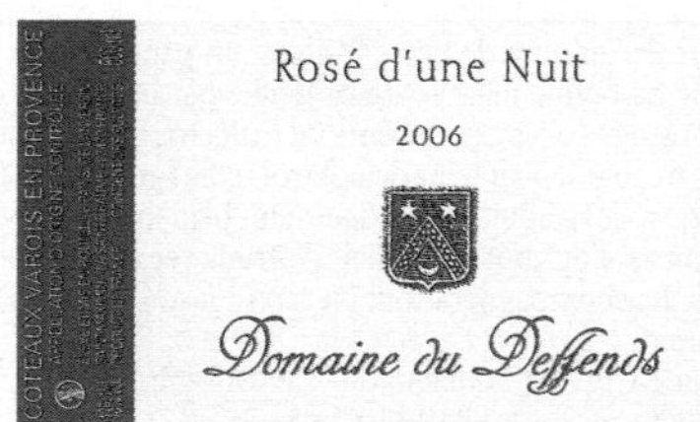

Des tessons, des pièces, une aire de battage... : le site était mis en valeur dès l'époque romaine. Si le vignoble est à 400 m d'altitude, son exposition sud-sud-est le met à l'abri du gel. Même les oliviers ont survécu à celui de 1956 ! Racheté au début des années 1960 par la famille de Lanversin, restructuré, le domaine est présent dans le Guide depuis la première édition. Cette année, un rouge et ce Rosé d'une nuit, que le jury a plébiscité. Soutiré dans la nuit qui suit la récolte, ce 2006 assemble le grenache et le cinsault à parts presque égales. Sa robe claire et lumineuse annonce un nez tout en finesse, finesse qui se prolonge dans une bouche harmonieuse, ample et longue. Le vin plaisir par excellence. Syrah et cabernet-sauvignon à égalité composent le **rouge Clos de la Truffière 2004 (8 à 11 €)**, un vin de daube et de gibier, tannique, franc, un rien rustique aux saveurs méditerranéennes de laurier, de romarin et d'épices. Il est cité, alors que le 1985 avait été l'un des premiers coups de cœur de l'appellation.

Suzel de Lanversin, Dom. du Deffends,
83470 Saint-Maximin-la-Sainte-Baume,
tél. 04.94.78.03.91, fax 04.94.59.42.69,
e-mail domaine@deffends.com
t.l.j. sf dim. 9h-12h 15h-18h; groupes sur r.-v.

CH. DE L'ESCARELLE Les Belles Bastilles 2006 *

10 ha 30 000 5 à 8 €

Plus de 100 ha pour ce vignoble planté sur un sol de cailloutis calcaire et étagé en restanques, enserré dans une propriété de plus de 1 000 ha, peuplée de pins, de chênes et d'une riche végétation méditerranéenne pleine de senteurs. Le rolle (70 %) et l'ugni blanc composent ce vin blanc fin et délicat, dont la fraîcheur est soulignée de notes de fleurs blanches et de touches minérales. Simple mais très bien équilibré, l'ensemble trouvera sa place à l'apéritif ou sur des entrées fraîches comme une terrine de légumes.

Ch. de L'Escarelle, 83170 La Celle,
tél. 04.94.69.09.98, fax 04.94.69.55.06,
e-mail l.escarelle@free.fr t.l.j. 9h-12h 14h-18h

DOM. DE FONTLADE Saint-Quinis 2006 *

1,5 ha 1 000 5 à 8 €

Ces terres, traversées par la voie aurélienne, dépendaient au Moyen Âge des moines de Saint-Victor. Aujourd'hui, le domaine produit de bons vins, régulièrement mentionnés. Dans la dernière édition, un rouge 2004, coup de cœur et Grappe de bronze du Guide. Cette année, un blanc, issu de rolle (70 %) et de grenache. La robe est jaune pâle ; le nez ajoute à une dominante florale une touche de bourgeon de cassis, puis les agrumes soulignent la vivacité de l'attaque, nuancés par la poire. De la franchise, du relief et une excellente harmonie.

SCEA Baronne Philippe de Montrémy,
Dom. de Fontlade, rte de Cabasse, 83170 Brignoles,
tél. 04.94.59.24.34, fax 04.94.72.02.88,
e-mail fontlade@orange.fr r.-v.

DOM. DE GARBELLE 2006 *

4 ha 10 000 5 à 8 €

Le nom du domaine suggère des gerbes de blé. Ici, on produisait aussi des céréales. Aujourd'hui, 11 ha de vignes et quelques rangs d'oliviers pour renouer avec une autre culture ancestrale de la Méditerranée. Cette année, un rosé de cinsault (70 %) et de grenache, classiquement pâle de couleur, mais expressif dans ses parfums de fruits blancs nuancés de fleurs. Pas trop de longueur, mais une rondeur gourmande. Une terrine de légumes l'accompagnera sous la tonnelle.

Jean-Charles Gambini,
Dom. de Garbelle, vieux chemin de Brignoles,
83136 Garéoult, tél. 06.08.63.91.00, fax 04.94.04.86.30,
e-mail gambini.jean-charles@neuf.fr
t.l.j. 9h-12h 14h-18h

LA GRAND'VIGNE 2005 *

2 ha 4 700 5 à 8 €

Deux coups de cœur récents en rosé (éditions 2005 et 2006), un autre rosé bien noté l'an dernier, ainsi qu'un blanc. Cette année, voici la Grand'Vigne en rouge. Beaucoup de syrah (70 %), un appoint de cabernet-sauvignon (20 %) et de carignan donnent à ce 2005 une robe grenat, des accents de réglisse et d'épices douces et cette bouche qui sait se montrer généreuse, ronde et corpulente sans sacrifier l'élégance. Un ensemble flatteur et bien construit.

Mistre, La Grand'Vigne,
rte de Cabasse, 83170 Brignoles, tél. 04.94.69.37.16,
fax 04.94.69.15.59, e-mail rmistre@club-internet.fr
t.l.j. 9h-19h

PROVENCE

DOM. DE LA JULIENNE Cuvée Émilie 2006 *

■ 4 ha 10 000 **5 à 8 €**

Au milieu, le mas et la cave ; tout autour, les vignes, environnées de pins et de chênes. Un domaine récent : dix ans seulement que Marc Sicardi a racheté une propriété à l'abandon et l'a progressivement replantée ; 14 ha aujourd'hui. Construit sur le grenache (80 %) accompagné de cinsault et d'un rien de syrah, ce rosé à la robe pâle cristalline séduit par sa vivacité et par ses arômes persistants de fruits rouges. Il donnera la réplique à un tajine d'agneau.

Marc Sicardi,
Dom. de La Julienne, Chem. des Plaines,
83170 Tourves, tél. 04.94.78.78.76, fax 04.94.78.81.62,
e-mail marc.sicardi@lajulienne.com
t.l.j. sf dim. 9h-19h

CH. LAFOUX 2004 *

■ 3,2 ha 10 000 **5 à 8 €**

Ce vaste domaine (plus de 150 ha) a pris la suite d'une *villa* romaine. Son nom a changé plusieurs fois pour prendre finalement, après son rachat en 1999, celui d'une source proche. Commandé par une demeure du XVIII[e]s., le vignoble s'étend sur 22 ha. L'an dernier, un coup de cœur en blanc ; aujourd'hui, un rouge d'une belle complexité, né de syrah (70 %) et de cabernet. Son nez riche mêle fruits secs, épices et pivoine ; en bouche, rondeur et fraîcheur s'équilibrent sur un fond réglissé. À découvrir dès à présent, ou dans deux à trois ans. Une étoile également pour le **rosé 2006**, issu majoritairement de grenache. Un vin nerveux, gras, aromatique et long, qui pourra accompagner tout un repas.

SCEA Ch. Lafoux, RN 7, Le Boulon,
83170 Tourves, tél. et fax 04.94.78.77.86,
e-mail sales@chateaulafoux.com
t.l.j. 10h-19h30 en été

CH. LA LIEUE Cuvée Tradition 2006

■ 6,36 ha 26 000 **5 à 8 €**

Acquis par la famille en 1876, cet important domaine (80 ha de vignes) s'est converti à l'agriculture biologique. Il était déjà mentionné dans la première édition du Guide. Cette année, un blanc et un rouge font jeu égal. Ce blanc choisit un registre fruité légèrement épicé : pêche, poire, pomelo agrémentent le nez et la bouche. Du gras, de la vivacité et une finale assez longue, sur la fraîcheur du pamplemousse, ajoutent au plaisir. Le **rouge cuvée Batilde Philomène 2005** a connu le bois. Un vin bien typé, de structure moyenne.

EARL Famille Vial, Ch. La Lieue, rte de Cabasse,
83170 Brignoles, tél. 04.94.69.00.12, fax 04.94.69.47.68,
e-mail chateau.la.lieue@wanadoo.fr
t.l.j. 9h-12h30 14h-19h; dim. 10h-12h30 15h-18h

DOM. DU LOOU Esprit de blancs 2006 **

■ 3 ha 8 000 **5 à 8 €**

Un chemin long de 2 km conduit au domaine. La vigne, l'olivier et des vestiges gallo-romains (dont un cellier) minutieusement fouillés attestent son antériorité. Donné par l'évêque de Marseille à l'abbaye de Saint-Victor, il changea plusieurs fois de mains pour être finalement acquis par la famille Di Placido en 1954. Aujourd'hui, 60 ha d'un seul tenant, et des sélections dès la première édition du Guide. Cette année, un blanc harmonieux et... plein d'esprit, qui est passé près du coup de cœur. Du rolle dominant (70 %) et du sémillon au service d'un nez intensément floral et d'une bouche puissamment aromatique, soulignée par une belle fraîcheur. Mi-grenache, mi-cinsault, le **rosé Rosée de printemps 2006** offre la finesse de la fraise au nez, la fraîcheur des agrumes en bouche. Sa franchise et son élégance lui valent aussi deux étoiles.

SCEA Di Placido, Dom. du Loou,
83136 La Roquebrussanne, tél. 04.94.86.94.97,
fax 04.94.86.80.11,
e-mail domaine-du-loou@wanadoo.fr r.-v.

CH. MARGILLIÈRE 2006

■ 9 ha 20 000 **5 à 8 €**

Au XVII[e]s., c'était une magnanerie. Patrick Caternet a racheté le domaine (une soixantaine d'hectares) en 1996, a restauré l'ancienne bastide et converti au « bio » le vignoble (24 ha). Assemblage dominé par le grenache (80 %) avec un appoint de cinsault, son rosé puissant et agréable révèle des arômes de fruits rouges. Son naturel plutôt vif le fera apprécier sur des poissons cuisinés.

Ch. Margillière, rte de Cabasse, 83170 Brignoles,
tél. 04.94.69.05.34, fax 04.94.72.00.98,
e-mail contact@chateau-margilliere.fr r.-v.
Caternet

CH. MARGÜI 2005 *

■ 3,6 ha 13 000 **8 à 11 €**

Les Guillanton ont racheté en 2000 les quelque 114 ha de terres, de prés et de bois pour y faire renaître la vigne et l'olivier selon les règles de l'agriculture biologique. Aujourd'hui, 12 ha en production, et deux vins jugés très réussis (une étoile). D'une couleur profonde, ce rouge laisse parler la syrah (70 %), appuyée par le cabernet (30 %) ; il s'entoure de notes fruitées, un peu animales et épicées. Sa bonne matière est soutenue par une trame de tanins bien enrobés aux flaveurs de fruits rouges réglissés. Déjà agréable, il peut tenir deux à trois ans. Le **blanc 2006** (90 % de rolle) traduit un élevage en fût bien maîtrisé, avec ses arômes d'agrumes, de miel, de fruits secs et de boisé vanillé. Il accompagnera tout un repas, jusqu'au tiramisu du dessert.

Marie-Christine Guillanton, Ch. Margüi,
83670 Chateauvert, tél. 06.10.26.56.25,
fax 04.94.77.30.34, e-mail philguillanton@yahoo.fr
r.-v.

CH. LA MARTINE 2006 *

■ 25,15 ha 110 000 **3 à 5 €**

Lassé de voyager en Perse, Amédée Jaubert s'installe en 1820 sur les terres familiales où il débute la culture de la vigne. Depuis 1991, Aurore Jaubert perpétue la tradition. Assemblage de grenache (50 %), de cinsault et de syrah, son rosé se montre flatteur par sa vivacité soulignée de notes de citron et de pamplemousse. Une fraîcheur qui appelle les crustacés et les fruits de mer. Cité, le **blanc 2006**, frais et bien construit, remplira le même office.

SCEA Dom. Aurore Jaubert,
Ch. La Martine, RN 560, 83860 Nans-les-Pins,
tél. 04.94.78.90.52, fax 04.94.78.66.49,
e-mail stovna@orange.fr r.-v.

DOM. LA MERCADINE 2006 **

■ 2 ha 10 000 **5 à 8 €**

Lucie Moutonnet vinifie les vignes que vendangeait son arrière-grand-mère. Son père a racheté le vignoble en 1977 (11 ha aujourd'hui) et elle-même a créé la cave

lorsqu'elle en a pris les commandes en 2001. Mi-grenache, mi-cinsault, son rosé est si pâle qu'il montre des reflets argentés. Le nez complexe évolue de l'ananas à la framboise, avec des touches de poivre. Le vin insiste en bouche, ample, harmonieux et persistant. De la richesse et de la classe. Cité, le **blanc 2006**, assemblage à parts égales de rolle, de grenache et d'ugni blanc, exprime les agrumes dans une belle fraîcheur.
Lucie Moutonnet-Demirdjian,
Dom. La Mercadine, Les Mercadiers, 83670 Pontevès,
tél. et fax 04.94.77.12.05 r.-v.

DOM. DE MERLANÇON 2006 *

n.c. 4 000 3 à 5 €

Un record peut-être : ce domaine, situé à 3 km à l'est de Brignoles, est dans la famille depuis 1496. La dernière génération, qui en a pris les rênes en 2007, propose en revanche un rosé résolument moderne. Grenache (60 %), cinsault et syrah donnent un rosé aux accents amyliques, accompagnés de nuances de framboise et de fruits exotiques. Équilibré, ample et long en bouche, ce vin trouvera sa place aussi bien à l'apéritif qu'à table.
Dominique Noël,
Dom. de Merlançon, rte de Cabasse, 83170 Brignoles,
tél. 06.28.35.51.58, fax 04.94.69.04.50,
e-mail dominiquenoel@laposte.net
t.l.j. 10h-12h 14h-19h; f. 1er déc.-15 mars

CH. MIRAVAL 2006

3,6 ha 14 000 11 à 15 €

Établi à Correns, le château Miraval (30 ha de vignes) contribue à la réputation de la commune, qui se flatte d'être le « premier village bio de France ». Dans le verre, le rolle élevé six mois en fût se pare de reflets verts ; il intrigue par son nez frais, minéral, un rien iodé. Au palais, il dévoile un équilibre plus classique, des agrumes (citron vert), de la mangue. À essayer sur une salade de poulpe.
Ch. Miraval, rte de Barjols, 83570 Correns,
tél. 04.94.86.39.33, fax 04.94.86.46.79,
e-mail miraval@club-internet.fr
t.l.j. 10h-13h 14h-16h30;
après 16h30 et sam. dim. sur r.-v.

CH. PESSÉGUIÈRE 2005 *

1 ha 6 666 3 à 5 €

Première vinification pour Didier Grasso, qui a pris en 2005 les commandes de cette propriété créée sous le règne de Louis XIV et acquise en 1911 par sa famille : 47 ha de terres, 26 ha de vignes et une cave de vinification flambant neuve, inaugurée pour ce 2005. Le carignan et le cabernet à parité épaulent la syrah (50 %) dans ce vin rouge qui, sans chercher à en imposer, vise le plaisir et l'obtient, par la rondeur, le fondu des tanins. Les arômes ? Cassis en bourgeon, une touche végétale, un côté épicé. Des débuts encourageants.
Didier Grasso, Dom. de La Pességuière,
83136 Rocbaron, tél. et fax 04.94.72.61.37,
e-mail didiergrasso@free.fr
t.l.j. sf dim. 10h-19h

DOM. DE LA PRÉGENTIÈRE 2006 *

35 ha 100 000 3 à 5 €

Veillé par son château perché sur un piton rocheux, Pontevès, dans le haut Var, est dominé par le massif des Bessillons. J.-C. Caillou est installé à l'écart du village, au pied des pentes boisées. Assemblage de grenache (60 %), de cinsault et de carignan, son rosé est porté sur les fruits ; au nez, il explore la fraise, les fruits jaunes (abricot), tandis qu'en bouche, il penche pour les agrumes : citron et pamplemousse marquent la finale avec fraîcheur. Une belle harmonie.
Dom. de La Prégentière, RD 560, 83670 Pontevès,
tél. 04.94.77.10.64, fax 04.94.77.03.47
t.l.j. sf sam. dim. 10h-12h 14h-18h
Caillou

DOM. LA ROSE DES VENTS
Réserve Seigneur de Broussan 2006 *

3 ha 15 000 5 à 8 €

Cette exploitation familiale située au pied de la montagne de la Loube a été fondée au début du XXes. Jean-Louis Baude, aux commandes depuis 1994, a construit la cave, rénovée en 2006. Aujourd'hui, les 31 ha de vignes sont conduits en agriculture biologique. Bâti sur le grenache (75 %), avec un appoint de syrah et de rolle (un cépage blanc), ce rosé retient l'attention par sa robe rose pâle cristalline. Son expression florale est délicate, en harmonie avec la bouche équilibrée et fine. Un ensemble aérien.
Dom. La Rose des Vents, rte de Toulon,
83136 La Roquebrussanne, tél. 04.94.86.99.28,
fax 04.94.86.91.75, e-mail larosedesvents073@orange.fr
t.l.j. sf dim. lun. 9h-12h 14h-18h
Baude

ROUTAS Rouvière 2006 **

n.c. 82 600 5 à 8 €

Ce domaine a la cote dans les pays anglo-saxons, où il exporte 90 % de sa production. Il a été racheté par Sir David Murray, homme d'affaires écossais et œnophile éclairé. Syrah, grenache et cinsault à parts presque égales composent ce rosé harmonieux et homogène, qui monte en puissance tout au long de la dégustation et qui prend la cerise comme leitmotiv. Discret au nez, le vin s'épanouit au palais, révélant une matière riche, ronde et ample. Un joli retour du fruit rouge agrémente la finale qui persiste longuement. Un rosé de gastronomie.
SARL Rouvière-Plane,
Ch. Routas, rte de Barjols-Chateauvert, 83149 Bras,
tél. 04.98.05.25.80, fax 04.98.05.25.81,
e-mail rouviere.plane@wanadoo.fr
t.l.j. sf sam. dim. 8h-12h 13h-16h; ven. 9h-12h
D. Murray

PROVENCE

DOM. SAINT-ANDRIEU 2006

3,4 ha 12 000 5 à 8 €

Commandée par une demeure du XVIIIes., cette propriété porte le nom d'une source située sur le domaine. Le grenache, majoritaire, se fait complice de la syrah et s'adjoint un soupçon de rolle pour donner un rosé couleur corail aux parfums de fraise et de fruits exotiques. Fraîche sans être mordante, la bouche persiste sur les arômes exotiques perçus au nez. À partager autour de tapas et d'entrées fraîches.
Dom. Saint-Andrieu, BP 32, 83570 Correns,
tél. 04.94.59.52.42, fax 04.94.77.73.18,
e-mail bdutartre@club-internet.fr
t.l.j. sf sam. dim. 8h-12h 13h-17h
Bignon

LE CELLIER DE LA SAINTE-BAUME
Élevé en fût de chêne 2005 ★★

n.c. 30 000 3 à 5 €

Créé en 1912, le Cellier de la Sainte-Baume vinifie la récolte de 530 ha. Son architecture est typique des coopératives provençales. La cave est souvent retenue pour ses rosés, et c'est encore le cas cette année : le **rosé 2006 (moins de 3 €)**, qui met le grenache et la syrah au service d'une robe éclatante et d'un fruité fraise-framboise acidulé, mérite d'être cité. Mais il s'efface derrière ce vin rouge qui traduit un remarquable travail de sélection et d'élevage. Syrah, grenache et cabernet ont séjourné un an dans le chêne et donné ce bouquet complexe et flatteur au boisé net et doux à la fois. Au palais, ce 2005 évolue tout en souplesse et en rondeur sur des tanins aux saveurs de vanille et de cannelle. Un modèle d'élégance qui appelle un mets de choix, tel qu'une bécasse ou autre petit gibier.

Le Cellier de la Sainte-Baume, RN 7,
83470 Saint-Maximin-la-Sainte-Baume,
tél. 04.94.78.03.97, fax 04.94.78.07.40,
e-mail cooperative-amicale@wanadoo.fr
t.l.j. 8h-12h 14h-17h45, dim. 8h-12h

DOM. SAINT-JEAN-DE-VILLECROZE
Cuvée spéciale 2006 ★

1 ha 5 000 5 à 8 €

À l'origine, sans doute un domaine des Templiers. Saint-Jean-de-Villecroze a (re)trouvé sa vocation viticole dans les années 1970, au temps des anciens propriétaires, qui ont fait appel à des experts des universités de Davis (Californie) et de Montpellier pour planter le vignoble. Aujourd'hui dirigé par Francesco Caruso, il est régulièrement mentionné dans le Guide – cette année pour un vin blanc 100 % rolle. Expressif, délicat et frais, le nez s'ouvre sur les fleurs blanches, avec une touche minérale. De la douceur en milieu de bouche, puis un retour de la vivacité en finale pour ce vin qui cultive avec succès et gaieté le registre de la finesse. Un poisson cuisiné ou de nombreux fromages lui conviendront.

Dom. Saint-Jean-de-Villecroze, quartier Saint-Jean,
83690 Villecroze, tél. 04.94.70.63.07,
fax 04.94.70.67.41,
e-mail contact@domaine-saint-jean.com r.-v.
Francesco Caruso

DOM. DE SAINT-JEAN-LE-VIEUX 2006

18,87 ha 10 000 3 à 5 €

Vous trouverez ce domaine familial à la sortie de Saint-Maximin, dont il faut voir la basilique et le couvent royal. Au caveau, vous pourrez découvrir en été une exposition de peintures, avant de goûter ce rosé à la belle robe pâle. Un joli nez pêche-fraise, assorti d'une pointe minérale invite à le porter en bouche. On y trouve de la vivacité et un agréable retour fruité qui arrive à point nommé.

Dom. de Saint-Jean-le-Vieux, 317, rte de Bras,
83470 Saint-Maximin-la-Sainte-Baume,
tél. 04.94.59.77.59, fax 04.94.59.73.35,
e-mail saint-jean-le-vieux@wanadoo.fr
t.l.j. sf dim. 8h-12h30 14h-19h
Pierre Boyer

CH. SAINT-JULIEN 2006 ★

1 ha 5 000 5 à 8 €

La bastide de Saint-Julien, lieu de villégiature et source de revenus agricoles pour de nobles habitants d'Aix, remonte au XVII^{e}s. Depuis 1992, la famille Garrassin a métamorphosé le domaine. Elle a replanté 27 ha de vignes, construit un chai de vinification moderne d'où est sorti ce vin blanc, assemblage de rolle (75 %) et de grenache. Un vin qui accroche quelques reflets verts à sa robe pâle et laisse un sillage aromatique persistant de fruits à chair blanche et d'acacia. D'une fraîcheur aérienne, une bouteille flatteuse, tout en finesse, à apprécier sous la tonnelle.

EARL Dom. Saint-Julien, rte de Tourves,
83170 La Celle, tél. et fax 04.94.59.26.10,
e-mail info@domaine-st-julien.com
t.l.j. sf dim. 9h-12h 14h-18h;
f. lun. et le matin en hiver
M. Garrassin

SAINT-MITRE Clos Madon 2006 ★

1,5 ha 8 000 **5 à 8 €**

Nombre d'hommes d'affaires ou de viticulteurs septentrionaux subissent bien volontiers le tropisme solaire et investissent dans les vignobles méditerranéens. Le Champenois Daniel Martin est de ceux-là. En 2004, il a repris ce domaine de 40 ha, restauré les bâtiments et doté la cave d'équipements de pointe. Mi-syrah mi-grenache, son Clos Madon est une jolie cuvée d'un rose franc au bouquet expressif, tutti frutti : framboise, fraise, cassis, pêche et pamplemousse. Complet, équilibré, il ne manque pas de relief et pourra accompagner presque toute la cuisine méditerranéenne.

Dom. de Saint-Mitre, rte d'Esparron,
83470 Saint-Maximin-la-Sainte-Baume,
tél. 04.94.78.07.54, fax 04.98.05.82.88,
e-mail saintmitre@wanadoo.fr
t.l.j. sf sam. dim. 10h-12h 14h-17h
Daniel Martin

LES TERRES DE SAINT-LOUIS 2006 ★

n.c. 900 000 - de 3 €

Ce groupement de coopératives basé à Brignoles propose un rosé en robe claire à reflets argent, intense et aromatique au nez. La bouche souple et ronde persiste sur la framboise et la fraise des bois. Harmonieux et convivial, un vin à prix d'ami à partager entre amis.

Le Cellier de Saint-Louis, ZI Les Consacs,
83170 Brignoles, tél. 04.94.37.21.00, fax 04.94.59.14.84,
e-mail info@cercleprovence.fr

THUERRY Le Château 2006 ★★

4,8 ha 33 000 **8 à 11 €**

Thuerry, terres de contrastes : un aqueduc gallo-romain ; une cave spectaculaire, ultramoderne, qui jouxte de très anciens bâtiments (le domaine est une création templière du XII[e]s.). Les nouvelles installations traduisent les ambitions qualitatives de J.-L. Croquet, qui conduit ce vaste domaine de plus de 300 ha (42 ha de vignes). Depuis dix ans, la restructuration du vignoble et la rénovation des chais portent leurs fruits. Trois coups de cœur dans le Guide, en rouge, couleur vedette de Thuerry. Dans cette édition, le Guide hisse les deux autres couleurs. Le rosé est superbe dans sa robe bois de rose aux reflets fuschia. Floral et fruité, le bouquet brille par son élégance. Le palais s'impose par son harmonie et par sa persistance. Du relief et de la finesse. Le **blanc Les Abeillons 2006**, aromatique, nerveux et long, est cité.

Ch. Thuerry, 83690 Villecroze, tél. 04.94.70.63.02, fax 04.94.70.67.03, e-mail thuerry@chateauthuerry.com
t.l.j. 9h-17h30 (19h en été); f. dim. en hiver
J.-L. Croquet

CH. TRIANS 2005

2,65 ha 10 000 **5 à 8 €**

Assemblage de sémillon (40 %), de rolle et d'ugni blanc, ce blanc aux reflets verts offre au nez comme en bouche la fraîcheur et les arômes des agrumes. Ample et élégant, insistant en finale sur le citron et le pamplemousse, il ouvre quelques perspectives de garde. Élevé dix-huit mois en foudre, le **rouge cuvée T 2004 (11 à 15 €)** peut déjà s'apprécier pour sa richesse fruitée et épicée et pour son équilibre. Ses tanins autorisent aussi une petite garde.

Dom. de Trians, chem. des Rudelles, 83136 Néoules, tél. 04.94.04.08.22, fax 04.94.04.84.39, e-mail trians@wanadoo.fr
t.l.j. 9h-12h 14h-18h; dim. sur r.-v.
J.-Louis Masurel

DOM. DU VALCOLOMBE Rouge classique 2005

1,1 ha 7 000 **5 à 8 €**

Valcolombe, ou la reconversion réussie de deux médecins spécialistes, qui ont repris en 1994 une propriété à l'abandon depuis soixante ans, commandée par une bastide du XVIII[e]s. Assemblage de syrah (50 %) et de grenache avec un appoint de carignan, leur vin rouge présente un nez original, qui « terroite » sur des notes animales, des nuances de cuir, avec une touche suave de violette fort bienvenue. La bouche est corpulente, chaleureuse, un rien sauvage. Un vin de caractère. Une citation également pour le **rosé 2006**, qui met à contribution cinq cépages (dont un soupçon de rolle). Le nez fait cohabiter les agrumes et le melon, tandis qu'en bouche, douceur et fraîcheur vivent en bonne intelligence. Intéressant.

Pierre et Marie Leonetti, Dom. de Valcolombe, chem. des Espèces, 83690 Villecroze, tél. 04.94.67.57.16, e-mail valcolombe@wanadoo.fr
t.l.j. 10h-12h30 15h-19h; f. mar. jeu. hors saison

La Corse

Une montagne dans la mer : la définition traditionnelle de la Corse est aussi pertinente en matière de vins que pour mettre en évidence ses attraits touristiques. La topographie est en effet très tourmentée dans toute l'île, et même l'étendue que l'on appelle la côte orientale – et qui, sur le continent, prendrait sans doute le nom de costière – est loin d'être dénuée de relief. Cette multiplication des pentes et des coteaux, inondés le plus souvent de soleil mais maintenus dans une relative humidité par l'influence maritime, les précipitations et le couvert végétal, explique que la vigne soit présente à peu près partout. Seule l'altitude en limite l'implantation.

Le relief et les modulations climatiques qu'il entraîne s'associent à trois grands types de sols pour caractériser la production vinicole, dont la majeure partie est constituée de vins de pays et de vins de table. Le plus répandu des sols est d'origine granitique ; c'est celui de la quasi-totalité du sud et de l'ouest de l'île. Au nord-est se rencontrent des sols de schistes et, entre ces deux zones, existe un petit secteur de sols calcaires.

Associés à des cépages importés, on trouve en Corse des cépages spécifiques d'une originalité certaine, en particulier le niellucciu, au caractère tannique dominant et qui excelle sur le calcaire. Le sciaccarellu, lui, présente plus de fruité et donne des vins que l'on apprécie davantage dans leur jeunesse. En blanc, le vermentinu (ou malvaisia) est, semble-t-il, apte à produire les meilleurs vins des rivages méditerranéens. La viticulture corse compte 374 déclarants. Elle couvre environ 7 000 ha pour une production moyenne de 350 000 hl. La part des AOC représente 34 % de la production avec 119 349 hl et couvre 2 902 ha.

En règle générale, on consommera plutôt jeunes les blancs et surtout les rosés ; ils iront très bien sur tous les produits de la mer et avec les excellents fromages de chèvre du pays, ainsi qu'avec le brocciu. Les vins rouges, eux, conviendront, selon leur âge et la vigueur de leurs tanins, aux différentes préparations de viande et, bien sûr, à tous les fromages de brebis. À noter que certains grands vins blancs, passés ou non en bois, ont une belle aptitude au vieillissement.

Corse ou vins-de-corse

Les vignobles de l'appellation corse ou vins-de-corse couvrent une superficie de 2 150 ha, soit 74 % de la superficie totale d'AOC en production. Selon les régions et les domaines, les proportions respectives des différents cépages ajoutées aux variétés des sols apportent des tonalités diverses qui, dans la plupart des cas, justifient une indication spécifique de la micro-région dont le nom peut être associé à l'appellation (Coteaux-du-Cap-Corse, Calvi, Figari, Porto-Vecchio, Sartène). L'AOC corse peut être produite sur l'ensemble des terroirs classés de l'île, à l'exception de l'aire d'appellation patrimonio. La majeure partie des 90 360 hl vinifiés (dont 90 % en rouge et rosé) est issue de la côte orientale, où cinq coopératives occupent une place prépondérante.

DOM. D'ALZIPRATU
Calvi Cuvée Fiumeseccu 2006 ★★

▒ 3 ha 10 000 ▮ 8 à 11 €

Un domaine de 23 ha, réparti sur trois terroirs autour du couvent d'Alzipratu, bâti au XVI^e^s. Pierre Acquaviva propose un pur vermentinu dont le nom de *Fiumeseccu* signifie « fleuve sec ». De teinte brillante animée de reflets verts, le vin libère des arômes certes discrets, mais fins, évocateurs de fruits. Surprenante, la bouche apparaît ronde et complexe, élégamment soulignée de notes florales et citronnées. Une citation revient au **Calvi Fiumeseccu 2005 rouge**, ainsi qu'au **Calvi Fiumeseccu 2006 rosé**.

⚷ Pierre Acquaviva, Dom. d'Alzipratu, 20214 Zilia, tél. 04.95.62.75.47, fax 04.95.60.32.16, e-mail alzipratu@wanadoo.fr
☑ Y ⚲ t.l.j. sf sam. dim. 9h-12h 14h-18h

DOM. CASABIANCA 2005 ★

■ 10 ha 60 000 ▮ 3 à 5 €

À équidistance du phare d'Alistro et de l'étang de Diana, Bravone ménage de mémorables panoramas sur la mer Tyrrhénienne et les îles de l'archipel toscan. En activité depuis 1954, le domaine Casabianca, au terroir argilo-schisteux, a assemblé le niellucciu, la syrah et le grenache pour composer ce 2005 de teinte pourpre, au nez floral de maquis. Charpenté, mais équilibré, le vin se développe durablement sur des flaveurs finales de réglisse. À boire ou à garder une petite année. L'**Excellence du domaine de Casabianca 2005 rouge (8 à 11 €)**, aux arômes d'épices, de figue et de cerise mûre, est notée une étoile également.

⚷ SCEA du Dom. Casabianca, Coteaux de Santa Maria, 20230 Bravone, tél. 04.95.38.96.00, fax 04.95.38.81.91, e-mail domainecasabianca@wanadoo.fr ☑ Y ⚲ r.-v.

CLOS CULOMBU Calvi 2005 ★

■ 14 ha 50 000 ▮ 8 à 11 €

Situé non loin de Lumio, village de « lumière » et de la top-modèle Laetizia Casta, le Clos Culombu existe depuis 1972. Grâce à des efforts permanents de rénovation et aux soins apportés à tous les stades de la production, les résultats sont là. Devant vous, un 2005 intensément coloré, au nez de fruits cuits et à la bouche souple, persistante et bien équilibrée, malgré une légère pointe d'austérité due aux tanins. Le **Calvi Clos Culombu blanc 2006** reçoit lui aussi une étoile : jaune doré ambré, chaleureux, il exprime bien les caractères du vermentinu.

⚷ Étienne Suzzoni, Clos Culombu, chem. San-Pedru, 20260 Lumio, tél. 04.95.60.70.68, fax 04.95.60.63.46, e-mail culombu.suzzoni@wanadoo.fr ☑ Y ⚲ r.-v.

CLOS D'ORLÉA Alliance n° 1 2006 ★★

▒ 1,1 ha 7 000 ▮ 5 à 8 €

Symboles d'un parcours peu commun, choisi et réalisé à deux, les Alliances des époux Orsucci se distinguent par leur finesse. Limpide, l'Alliance n° 1 libère de fins arômes de fruits, de fleurs et de miel avant d'emplir le palais d'une matière remarquablement équilibrée entre rondeur et fraîcheur, longuement florale. L'**Alliance n° 2 rouge 2005** brille d'une étoile pour son intense fruité et sa bonne tenue au palais, tandis que l'**Alliance n° 2 rosé 2006** est citée.

🔑 François Orsucci, Clos d'Orléa, 20270 Aléria,
tél. 04.95.57.13.60, fax 04.95.57.09.64,
e-mail contact@closdorlea.com
▣ Y ⛹ t.l.j. 10h-13h 16h-20h

CLOS FORNELLI 2006 ★★

▫ 1,53 ha 9 000 ▮ 5 à 8 €

Situé non loin de Cervione, centre patrimonial et culturel important, le Clos Fornelli exploite des terres riches de vieux dépôts d'alluvions fluviales. Depuis son installation en 2005, Josée Vanucci-Couloumère ne ménage pas ses efforts à la vigne, en taillant sévèrement et en ébourgeonnant pour réduire les rendements. Ainsi a-t-elle obtenu ce vin or pâle, à l'élégante expression minérale, nuancée de notes de miel et de fleurs du maquis. Généreusement présente au palais, elle s'épanouit en finale sur une touche légèrement épicée. Des coquilles Saint-Jacques constitueront un délicieux accord gourmand.

🔑 Josée Vanucci-Couloumère,
Pianiccia, lieu-dit Quercete, 20270 Tallone,
tél. 06.61.76.46.19, fax 04.95.57.11.54,
e-mail josee.vanucci@laposte.net
▣ Y ⛹ t.l.j. sf dim. 11h-12h30 16h-19h

CLOS POGGIALE 2005 ★★

■ n.c. 30 000 ▮ 🛢 11 à 15 €

Le vignoble du Clos Poggiale comprend une dizaine d'hectares sur le plateau de Pianiccia. Appartenant à la famille Skalli, il est géré par Christian et Élise Costa. Leur 2005 est un assemblage de niellucciu (55 %) et de syrah, élevé dix mois en fût. Il en retire des notes de moka et de noisette grillée, que l'on retrouve au nez mais aussi en bouche, bien fondues dans une matière structurée par des tanins de qualité. À déguster dans un an sur un sanglier en daube.

🔑 SAS Terra Vecchia, Dom. Terra Vecchia,
20270 Tallone, tél. 04.95.57.20.30, fax 04.95.57.08.98,
e-mail elise.costa@skalli.com ▣ Y ⛹ r.-v.

DOM. DE LA FIGARELLA
Calvi A Ronca 2006 ★★

▫ 1,92 ha 6 500 ▮ 5 à 8 €

A Ronca est le nom de l'affluent de la rivière Figarella qui traverse le domaine, mais ce mot corse désigne aussi la femelle du cerf, animal fréquent sur l'île de Beauté. Cette cuvée aurait-elle l'allure d'une biche ? Robe claire, nez floral discret, attaque vive et bouche fraîche qui s'étire longuement sur des notes citronnées subtiles. Il est recommandé de la servir avec des fruits de mer comme des huîtres de Diana. Le **Calvi A Ronca 2006 rouge**, de structure suffisante pour une garde de deux ans, obtient une étoile.

🔑 Marina Acquaviva,
dom. de La Figarella, rte de la Forêt-de-Bonifato,
20214 Calenzana, tél. 04.95.61.06.69,
fax 04.95.65.41.58,
e-mail domainefigarella@wanadoo.fr
▣ Y t.l.j. sf dim. 11h-13h 16h-20h

DOM. FIUMICICOLI Sartène 2006 ★

▫ 6 ha 28 000 ▮ 8 à 11 €

Avec leur puissante architecture rehaussée de granite, les bâtiments de production du domaine se dressent au-dessus de la riante vallée du Rizzanese, non loin du séculaire pont génois de Spin'a Cavaddu (« en dos de cheval ») dont la silhouette est reproduite sur l'étiquette de ce vin. Un Sartène blanc qui a tout pour plaire : couleur paille clair, arômes de fruits mûrs en abondance, bouche ronde et persistante, à la finale voluptueuse. Servez-le avec un poisson en sauce. Le **Sartène cuvée Vassilia 2005 rouge (11 à 15 €)** est cité. Élevé six mois en fût, il mérite d'attendre un peu pour s'assouplir.

🔑 EARL Andréani, rte de Levie, 20100 Sartène,
tél. 04.95.76.14.08, fax 04.95.76.24.24 ▣ Y ⛹ r.-v.

DOM. DE GRANAJOLO Porto-Vecchio 2006 ★

▫ 2,5 ha 10 400 ▮ 5 à 8 €

Non loin des sites qui font la célébrité des environs de Porto-Vecchio, Monika et sa fille Gwenaële poursuivent l'œuvre entreprise par André Boucher, en respectant ses principes d'agriculture biologique sur les 20 ha. Elles ont produit une cuvée particulièrement séduisante, dans ses tonalités florales subtiles, et équilibrée dans ses longues saveurs typiques du vermentinu.

La Corse

CORSE

Monika et Gwenaële Boucher, La Testa, 20144 Sainte-Lucie-de-Porto-Vecchio, tél. 04.95.70.37.83, fax 04.95.71.57.36, e-mail granajolo@aol.com r.-v.

DOM. MAESTRACCI Calvi E Prove 2004 *

8 ha 38 000 8 à 11 €

Au pied de l'imposant Monte Grossu, le domaine offre une vue incomparable sur la haute Balagne, le rivage et le village classé de San Antoninu. Dans la cave, ancienne usine à huile d'olive de l'entreprise Puget, Michel Raoust a réservé à cette cuvée un élevage d'un an sous bois. Il en résulte un vin intensément coloré, libérant des arômes complexes de fruits rouges, puis offrant une chair dense, structurée et persistante. Une garde de deux ans est à sa portée. La cuvée **Calvi E Prove 2006 blanc (5 à 8 €)**, pleine, chaleureuse et très fruitée, obtient également une étoile, alors que le **Calvi Clos Reginu 2006 rouge (5 à 8 €)** est cité.

Michel Raoust, Clos Reginu, rte de Santa-Reparata, 20225 Feliceto, tél. 04.95.61.72.11, fax 04.95.61.80.16, e-mail clos.reginu@wanadoo.fr
t.l.j. sf dim. 9h-12h 14h-19h30

DOM. DU MONT SAINT-JEAN
Era una volta 2006

2,5 ha 18 000 3 à 5 €

À la tête d'une propriété de 95 ha, les Pouyau père et fille mettent en valeur un terroir limono-argileux. *Era una volta* : il était une fois une cuvée jaune pâle, au nez fruité et floral, qui laissait une agréable sensation de fraîcheur au palais. Il était une autre fois, la cuvée **Era una volta 2006 rouge** que le jury avait également citée.

Dom. du Mont Saint-Jean, Campo Quercio Antisanti, BP 19, 20270 Aléria, tél. 04.95.57.13.21, fax 04.95.56.16.99, e-mail montstjean@wanadoo.fr r.-v.

DOM. DE MUSOLEU Cuvée Monte Cristo 2005 **

1 ha 6 600 5 à 8 €

Situé à Folelli sur la côte est de la Corse, à 30 km au sud de Bastia, le domaine de Charles Morazzani est face à l'île de Monte-Cristo. Cette cuvée de niellucciu (70 %) et de syrah, élevée un an en cuve, se présente dans une robe brillante et livre un nez intense de cassis. On retrouve ce fruit en bouche, dans un ensemble rond et équilibré, avant une longue finale. À boire ou à attendre un peu.

Charles Morazzani, Dom. de Musoleu, 20213 Folelli, tél. 04.95.36.80.12, fax 04.95.36.90.16, e-mail charles.morazzani@wanadoo.fr r.-v.

PERAGNOLO 2004 *

30 ha 30 000 5 à 8 €

Une cuvée à base de 70 % de niellucciu et de 30 % de syrah qu'il faudra servir à 16 °C pour en apprécier les arômes de fruits, la rondeur, la souplesse et le subtil équilibre tannique. Pourquoi ne pas la servir avec un poisson ? Une citation revient aux rosés **Peragnolo 2006** et **Domaine Filippi Cuvée Capo di Terra 2006**.

Filippi Frères, La Ruche Foncière, Arena, 20215 Vescovato, tél. 04.95.58.40.80, fax 04.95.36.40.55, e-mail la-ruche-fonciere@wanadoo.fr
t.l.j. 8h-12h 14h30-18h

DOM. PERO LONGO Sartène Équilibre 2005 *

12 ha 25 000 5 à 8 €

À la tête du domaine depuis 1994, Pierre Richarme cultive ses vignes en biodynamie. Équilibre, le nom est bien choisi pour ce 2005 intensément coloré qui accorde une large place aux fruits rouges et aux épices dans sa palette aromatique. La bouche est agréable, légère et portée par la fraîcheur. Un sauté de veau formera un accord réussi avec un tel vin.

Pierre Richarme, Dom. Pero Longo, lieu-dit Navara, 20100 Sartène, tél. et fax 04.95.77.07.11, e-mail perolongo@aol.com
r.-v. 4 E

DOM. DE PETRA BIANCA
Figari Vinti Legna 2004 *

4 ha 15 000 11 à 15 €

Dans un remarquable cadre naturel et architectural, les vignes du domaine (50 ha) puisent leurs ressources dans des arènes granitiques. Le niellucciu (80 %), le sciaccarellu et une touche de syrah composent ce vin parfaitement équilibré. Sous une teinte franche se révèlent des arômes boisés, épicés et réglissés hérités de douze mois d'élevage, puis une chair ronde et persistante. Un Figari destiné à accompagner des viandes rouges grillées.

Dom. de Petra Bianca, 20114 Figari, tél. et fax 04.95.71.01.62, e-mail joel.rossi@worldonline.fr r.-v.

DOM. PIERETTI Coteaux-du-cap-corse 2006

n.c. 11 000 5 à 8 €

Issus d'une famille de vignerons depuis le XVIIe s., les Pieretti jouissent d'un cadre de rêve sur leur domaine, en contact direct avec le rivage. Leur rosé, à la teinte légèrement saumon, possède un nez épicé suffisamment intense et frais. Au palais, s'il manque un peu de vivacité, il n'en est pas moins équilibré et long. Un vin classique et plaisant.

Lina Venturi-Pieretti, Santa-Severa, 20228 Luri, tél. et fax 04.95.35.01.03 t.l.j. 10h-13h 16h-20h; du 1er oct. au 30 avr. sur r.-v.

DOM. RENUCCI Calvi Cuvée Vignola 2006

7 ha 30 000 8 à 11 €

Depuis 1991, date de création du domaine, Bernard Renucci prend soin de ses vignes plantées sur sol argilo-sableux. Sciaccarellu (80 %), grenache et syrah à parts égales s'assemblent dans cette cuvée couleur framboise soutenu. Au nez fin de pain grillé, d'épices et de fruits rouges répond une bouche ronde et bien structurée. Cité également, le **Calvi cuvée Vignola 2006 blanc** se montre floral et mûr.

Bernard Renucci, 20225 Feliceto, tél. 04.95.61.71.08, fax 04.95.38.28.74
t.l.j. sf dim. 10h-12h 15h-18h30; f. automne-hiver

RÉSERVE DU PRÉSIDENT 2006 *

150 ha 150 000 3 à 5 €

Hommage au fondateur de la coopérative d'Aléria, la Réserve du Président remporte à nouveau les suffrages. Un pur niellucciu de teinte soutenue, dont la puissance des arômes annonce une chair ronde et persistante. La **Réserve du Président 2006 rosé**, fraîche et florale, est citée, tandis qu'une étoile est attribuée à la cuvée **Terra Natale 2006 rouge**, aux notes de fraise des bois, qui sera appréciée avec les charcuteries et les fromages locaux.

⊶ Union des Vignerons de l'Île de Beauté, Padulone, Coop. Aléria, 20270 Aléria, tél. 04.95.57.02.48, fax 04.95.57.09.59, e-mail aleymarie@uvib.fr ☑ Ī ⛹ r.-v.

DOM. SAN MICHELI Sartène 2006 ★

	3 ha	14 000	▮	8 à 11 €

Comme le reste de la Corse-du-Sud, jadis terre des seigneurs, et à l'exception du plateau calcaire de Bonifacio, la vallée de l'Ortolo est le domaine exclusif du granite. Là, dans le cadre représentatif de la vieille culture agropastorale insulaire, le domaine de San Micheli s'étend sur 22 ha. Son Sartène se distingue par d'intenses arômes fruités, une bouche équilibrée en attaque, puis fraîche et longue. La cuvée **Sartène Alfieri Polidori 2004 rouge (11 à 15 €)**, chaleureuse et puissamment aromatique, obtient une étoile également.

⊶ Dom. San Micheli, 24, rue Jean-Jaurès, 20100 Sartène, tél. 04.95.77.06.38, fax 04.95.73.15.75 ☑ Ī r.-v. 🏠 Ⓔ

DOM. SANTA MARIA 2006 ★

	4 ha	20 000	▮	3 à 5 €

Le domaine s'étend sur 255 ha répartis sur les coteaux argilo-schisteux de Santa Maria, à Bravone. Le vermentinu seul compose ce vin d'un or délicat qui traduit bien les caractères du cépage par ses arômes intenses de fruits et notamment d'agrumes, comme par sa bouche ample, dotée d'une légère minéralité en finale qui rehausse sa douce chaleur. Une citation revient au **rouge 2005**, fruité et souple, que l'on servira assez frais.

⊶ Dom. Santa Maria, 20230 Bravone, tél. 04.95.38.96.08, fax 04.95.38.96.09, e-mail domainecasabianca@wanadoo.fr ☑ Ī ⛹ r.-v.

SANT'ANTONE 2006 ★

	50 ha	300 000		5 à 8 €

Fondée en 1975, la coopérative propose une large palette de vins représentatifs de la production corse. Cette cuvée, vêtue d'une robe saumon, développe d'intenses arômes floraux qui persistent avec élégance jusqu'en finale d'une bouche friande. Une étoile brille aussi pour le **Casone 2006 rouge (3 à 5 €)** et pour le **Sant'Antone 2006 rouge (3 à 5 €)**.

⊶ Coop. de Saint-Antoine, Saint-Antoine, 20240 Ghisonaccia, tél. 04.95.56.61.00, fax 04.95.56.61.60, e-mail info@cavesaintantoine.com ☑ Ī ⛹ r.-v.

DOM. SANT'ARMETTU Sartène 2006

	2 ha	10 000	▮	5 à 8 €

Implantées en balcon juste au-dessus de la plage de Baracci et de l'embouchure de la rivière du même nom, les vignes du domaine bénéficient d'un traitement héliomarin idéal, sur un terroir d'arènes granitiques. Cette cuvée illustre bien le caractère du vermentinu soumis à de telles conditions. Limpide, éclairée de reflets verts, elle affiche un nez typé, discrètement floral, puis fait preuve de finesse et de rondeur au palais. Un vin léger, à partager à l'apéritif en contemplant le coucher de soleil sur le golfe du Valinco.

⊶ Gilles Seroin, Les Cannes, 20113 Olmeto, tél. 04.95.76.39.46, fax 04.95.76.24.47, e-mail santarmettu@wanadoo.fr ☑ Ī ⛹ t.l.j. 8h-12h 13h-18h 🏠 Ⓔ

DOM. SAPARALE Sartène Casteddu 2005 ★★

	3 ha	18 000	⫼	11 à 15 €

Après un coup de cœur pour le millésime 2004, la cuvée Casteddu revient sur le devant de la scène. Composée de 80 % de sciaccarellu et de 20 % de niellucciu, elle se pare d'une robe intense et brillante, puis déroule une ligne fruitée, nuancée d'un boisé épicé subtil. La bouche ronde monte en puissance, en s'appuyant sur des tanins de qualité, tout en laissant le souvenir du fruit. Une valeur sûre pour la garde. Le **Sartène Domaine Saparale 2005 rouge (5 à 8 €)**, qui n'a pas connu le bois, obtient aussi deux étoiles, car il est élégamment frais et souple. Une étoile revint au **Sartène Domaine Saparale 2006 blanc (5 à 8 €)**, tout en finesse et typique du vermentinu.

⊶ Philippe Farinelli, 5, cours Bonaparte, 20100 Sartène, tél. 04.95.77.15.52, fax 04.95.73.43.08, e-mail philippe@saparale.com ☑ Ī ⛹ r.-v. 🏠 Ⓔ

DOM. DE SOLENZARA Porto-Vecchio 2006 ★

	n.c.	6 600		5 à 8 €

Un opus composé par le vermentinu qui satisfera les amateurs d'huîtres élevées dans les vastes étangs de la côte orientale. L'équilibre le caractérise, car sous une teinte claire typique du cépage, se manifestent un nez floral, discrètement citronné, ainsi qu'une chair ronde puis fraîche en finale.

⊶ Émile Lucchini, Dom. de Solenzara, 20145 Sari-Solenzara, tél. 06.10.17.82.94, fax 04.95.57.44.10Ī r.-v. 🏠 Ⓔ

TERRA MARIANA Niellucciu 2005

	64 ha	300 000	▮	3 à 5 €

En Italie, on le nomme sangiovese, en Corse niellucciu. À la cave de La Marana, ce cépage est à l'origine d'un 2005 pourpre, aux fines tonalités de maquis. Celui-ci réserve une attaque souple au palais, puis une chair équilibrée et suffisamment persistante sur des flaveurs de fruits rouges.

⊶ Cave coop. de la Marana, Rasignani, 20290 Borgo, tél. 04.95.58.44.00, fax 04.95.38.38.10, e-mail uval.sica@corsicanwines.com ☑ t.l.j. sf dim. 9h-12h 15h-19h

TERRA NOSTRA Cuvée Ancestrale 2005 ★★

	10 ha	35 000	⫼	8 à 11 €

Issue d'une sélection de parcelles situées sur la côte orientale sur des terroirs argilo-schisteux, cette cuvée de niellucciu a séduit le jury. Son élevage de quatorze mois en fût lui confère un boisé vanillé intense au nez, agrémenté de notes de pruneau et de réglisse. La bouche rejoue ces arômes, accompagnés d'une touche de figue, dans un ensemble rond et généreux aux tanins présents. Une bouteille à servir dans un an sur une viande en sauce.

🔑 Uval, Les Vignerons Corsicans, Rasignani, 20290 Borgo, tél. 04.95.58.44.00, fax 04.95.38.38.10, e-mail uval.sica@corsicanwines.com
☑ t.l.j. sf dim. 9h-12h 15h-19h

DOM. DE TORRACCIA Porto-Vecchio 2006

4,5 ha 20 000 8 à 11 €

Situé non loin du bord de mer, sur la commune de Lecci, le domaine de Torraccia s'étend sur une quarantaine d'hectares. Ambassadeur infatigable de la viticulture corse, Christian Imbert conduit ses vignes en bio. Sa cuvée de vermentinu affiche une robe cristalline aux reflets verts et un nez floral. En bouche, les notes d'agrumes viennent ajouter fraîcheur et mordant. Une pointe d'amertume, typique du cépage, conclut la dégustation. Un vin à déguster dès maintenant sur une tranche d'espadon grillé.
🔑 Christian Imbert, Dom. de Torraccia, 20137 Lecci, tél. 04.95.71.43.50, fax 04.95.71.50.03
☑ Y ⚲ t.l.j. sf dim. 8h-12h 14h-18h

DOM. VICO Cuvée Morosaglia 2006 *

n.c. n.c. 5 à 8 €

Implanté dans le centre de l'île, ce domaine propose cette année trois vins sélectionnés dans les trois couleurs. Le rosé se présente dans une robe limpide de teinte saumonée. Son nez délicat exprime des notes florales (violette). La bouche équilibrée et fraîche est très agréable. La **cuvée Morosaglia rouge 2005** obtient également une étoile, tandis que le **Domaine Vico blanc 2006 (3 à 5 €)**, gras et fruité, est cité.
🔑 SCEA Dom. Vico, 20218 Ponte-Leccia, tél. 04.95.47.61.35, fax 04.95.47.32.04, e-mail melleray.yves@wanadoo.fr
☑ Y ⚲ t.l.j. sf dim. 9h-12h 14h-18h

Ajaccio

L'appellation ajaccio, dont les vignes couvrent 243 ha, borde sur quelques dizaines de kilomètres la célèbre cité impériale et son golfe. Ce terroir d'exception, généralement granitique, permet au sciaccarellu, cépage phare pour les rouges et rosés, et au vermentinu d'exprimer tout leur potentiel. La production (8 800 hl environ) est essentiellement axée sur les vins rouges (60 %) ; les vins rosés représentent 30 % tandis que les blancs restent minoritaires (10 % environ).

DOM. ABBATUCCI Cuvée Faustine 2006 *

4 ha 6 000 8 à 11 €

Passionné et passionnant, c'est ce que vous retiendrez si vous rencontrez Jean-Charles Abbatucci. Ardent défenseur de sa terre, il conduit son vignoble de 18 ha selon les principes de la biodynamie. Les dégustateurs ont apprécié cette cuvée Faustine qui s'ouvre sur des arômes d'agrumes et de fleurs blanches, puis offre une bouche franche en attaque, ronde dans son développement et nuancée d'une pointe de cédrat. Le compagnon d'un poisson de roche en papillote, à la confiture d'oignons de Sisco. Une élégante robe pâle et des arômes fruités tout en discrétion valent une citation à la **cuvée Faustine rosé 2006**.

🔑 Jean-Charles Abbatucci, Dom. Comte Abbatucci, lieu-dit Chiesale, 20140 Casalabriva, tél. 04.95.74.04.55, fax 04.95.74.26.39, e-mail domaine-abbatucci@wanadoo.fr ☑ Y r.-v. 🏠 G

CLOS CAPITORO 2004 **

33 ha 120 000 5 à 8 €

Sur la commune de Cauro, au lieu-dit Pisciatella, Jacques Bianchetti exploite les coteaux argilo-silicieux du Clos Capitoro depuis trente ans. Vigneron chevronné, au fait des techniques les plus modernes, il s'affirme cette année encore comme une valeur sûre de l'appellation. Le cœur du jury a été conquis par le rubis intense du 2004 comme par ses senteurs de fruits rouges et de réglisse. Après une attaque souple, la bouche apparaît complexe, structurée par des tanins puissants et agrémentée des flaveurs typiques du sciaccarellu : poivre et maquis. Une petite garde ne pourra être que bénéfique à ce vin. Scintillant, comme l'étoile qui le distingue, le **blanc 2006** révèle une agréable fraîcheur que soulignent des notes persistantes d'agrumes et de poire. Le **rosé 2006** n'est pas en reste avec son nez floral et son caractère tonique.
🔑 Jacques Bianchetti, Clos Capitoro, Pisciatella, 20166 Porticcio, tél. 04.95.25.19.61, fax 04.95.25.19.33, e-mail relais@clos-capitoro.com ☑ Y ⚲ r.-v.

CLOS D'ALZETO Cuvée Prestige 2004 *

6 ha 20 000 8 à 11 €

Depuis 1820, le Clos d'Alzeto se transmet de père en fils. Pascal Albertini et ses fils sont fiers de leur vignoble, à l'extrême ouest de l'aire d'appellation, qui est aussi le plus haut de Corse. Leur cuvée Prestige, rubis à peine orangé, traduit bien le caractère du sciaccarellu par ses arômes d'épices et de fruits rouges. Soyeuse, elle bénéficie de tanins bien fondus dans une chair chaleureuse et riche. Le **rosé d'Alzeto 2006 (5 à 8 €)**, délicatement aromatique et tonique, obtient deux étoiles : il s'alliera à une rascasse grillée. Une citation revient au **Clos d'Alzeto 2006 blanc (5 à 8 €)**, empreint de minéralité.
🔑 Pascal Albertini, Clos d'Alzeto, 20151 Sari-d'Orcino, tél. 04.95.52.24.67, fax 04.95.52.27.27, e-mail contact@closdalzeto.com
☑ Y ⚲ t.l.j. sf dim. 8h-12h 14h-18h

CLOS ORNASCA 2006 *

4,45 ha 26 000 5 à 8 €

Appuyée par son compagnon, Laetitia Tola est à la tête des 10 ha du domaine et du chai bien équipé, depuis 1995. Les trois couleurs présentées ont été retenues cette année. Le rosé, de teinte pâle, arbore un nez fruité et épicé, typique du sciaccarellu. Après une bonne attaque, il garde ce caractère aromatique sur fond de fraîcheur. À servir sans attendre à l'apéritif ou en accompagnement d'une volaille rôtie. Le **blanc 2006** obtient une citation pour son

fruité persistant, de même que le **rouge 2005** remarqué pour son élégante robe rubis, la fraîcheur de ses notes de petits fruits rouges et de réglisse, sa bouche souple.
⊶ Tola-Manenti, Clos Ornasca, Eccica Suarella, 20117 Cauro, tél. 04.95.25.09.07, fax 04.95.25.96.05, e-mail earl-clos-ornasca@wanadoo.fr ☑ Y 🚶 r.-v.
⊶ Tola Père et Fille

DOM. COMTE PERALDI 2006 ★★

□ n.c. 8 200 8 à 11 €

DOMAINE
COMTE PERALDI
AJACCIO
APPELLATION AJACCIO CONTRÔLÉE
COMTE GUY DE POIX
PROPRIÉTAIRE
MIS EN BOUTEILLE AU DOMAINE COMTE PERALDI
13,5% Vol.
75 cl

Situation exceptionnelle pour ce domaine établi aux portes de la cité impériale, où Guy de Poix et Christophe Georges démontrent la qualité et la régularité de leur travail avec ce millésime 2006. Charmés, vous le serez à votre tour par cet ajaccio blanc à la robe cristalline. L'ananas et le fruit de la Passion laissent une impression de fraîcheur et rehaussent durablement la bouche ronde, au développement tout en finesse. Un loup grillé aux herbes relevé d'un filet d'huile d'olive saura mettre en valeur un tel vin. Deux étoiles également pour le **Clos du Cardinal 2004 rouge (11 à 15 €)** qui laisse échapper des notes de maquis et de thym, puis enveloppe le palais de sa chair souple et vanillée. Le **2006 rosé** est cité pour sa palette de fruits et d'épices.
⊶ Guy Tyrel de Poix, Dom. Peraldi, chem. du Stiletto, 20167 Mezzavia, tél. 04.95.22.37.30, fax 04.95.20.92.91 ☑ Y 🚶 r.-v.

DOM. MARTINI Tradition 2003 ★

■ 18 ha n.c. ▮ 8 à 11 €

Le domaine familial, conduit en agriculture biologique, s'étend sur 17 ha en limite de la vallée du Prunelli ; le chai fonctionnel vient d'être rénové. Assemblage de sciaccarellu (50 %), de nielluciu (40 %) et de cinsault (10 %), le 2003 revêt une robe rouge assez clair, nuancée de reflets orangés. Au nez puissant, marqué par les épices, répond une bouche équilibrée et structurée, dont la finale déroule de séduisantes flaveurs de fruits confits. Laissez-le en cave pendant deux ou trois ans avant de le servir avec un civet de sanglier.
⊶ Dom. Martini, Le Pont de la Pierre, 20117 Eccica-Suarella, tél. 04.95.20.04.09, fax 04.93.45.62.97 ☑ r.-v.
⊶ Laure Martini

DOM. DE PRATAVONE 2005 ★

■ 6,66 ha 40 000 ▮ 5 à 8 €

La fête de la Saint-Vincent, saint patron des vignerons d'Ajaccio, s'est déroulée cette année chez Isabelle Courrèges. Cette vigneronne et œnologue de talent propose un 2005 au nez poivré, typique du sciaccarellu, cépage emblématique de la Corse. En bouche, des flaveurs de fraise et de cerise agrémentent la chair ronde avant de céder la place en finale à des accents résolument épicés. Le **2006 rosé**, aux notes de pamplemousse rose légèrement épicées, est cité.
⊶ Jean Courrèges, Dom. de Pratavone, 20123 Cognocoli-Monticchi, tél. 04.95.24.34.11, fax 04.95.24.34.74, e-mail domainepratavone@wanadoo.fr ☑ Y 🚶 r.-v.

DOM. DE LA SORBA 2005 ★

■ 5 ha 20 000 ▮ 5 à 8 €

Sur la route du Finosello, le domaine domine la ville d'Ajaccio et son golfe. Louis Musso est presque un viticulteur citadin.... Fidèles du Guide, vous savez que ce domaine réserve d'agréables surprises. Ce 2005 rubis, aux arômes intenses de réglisse et de griotte, dévoile un profil suave : les tanins bien fondus contribuent à la rondeur et à la souplesse de la bouche, une note poivrée venant relever le tout. Il vieillira quatre ou cinq ans encore.
⊶ Louis Musso, EARL Dom. San Biaggio, rte du Finosello, 20090 Ajaccio, tél. et fax 04.95.23.38.26, e-mail domainedelasorba@wanadoo.fr ☑ Y r.-v.

DOM. DE VACCELLI Tradition 2006

□ n.c. n.c. ▮ 5 à 8 €

Un vin clair et limpide qui se montre encore discret au nez, mais bien équilibré et joliment agrémenté de flaveurs miellées. La **cuvée Tradition 2006 rosé**, couleur bonbon, obtient aussi une citation pour son caractère épicé typé, de même que la puissante **cuvée Roger Courrèges 2003 rouge**, au boisé bien fondu, qu'un gigot d'agneau à la broche épousera sans attendre.
⊶ EARL Dom. Alain Courrèges, Aja Donica, 20123 Cognocoli-Monticchi, tél. 04.95.24.35.54, fax 04.95.24.38.07, e-mail vaccelli@aol.com
☑ Y 🚶 r.-v.

Patrimonio

La petite enclave (409 ha en production) de terrains calcaires, qui, depuis le golfe de Saint-Florent, se développe vers l'est et surtout vers le sud, présente vraiment les caractères d'un cru bien homogène dans lequel l'encépagement, s'il est bien adapté, permet d'obtenir des vins de très haut niveau. Ce sont le nielluciu à 90 % en rouge et le vermentinu à 100 % en blanc qui donnent des produits très typés et d'excellente qualité. Selon les millésimes, les rouges peuvent être somptueux et de très longue garde. La production est répartie en moyenne entre 50 % de rouges, 16 % de blancs et 34 % de rosés.

DOM. NAPOLÉON BRIZI 2006 ★

□ 2 ha 5 500 ▮ 5 à 8 €

Situé non loin des portes nord de la station balnéaire de Saint-Florent, ce domaine familial remonte au début du XXe s. Napoléon Brizi propose un patrimonio dont la douce teinte jaune pâle est bien en accord avec les notes de fleurs et d'agrumes, classiques du vermentinu. Au palais, le vin se montre charnu et rond, relevé d'une légère pointe d'amertume en finale qui rafraîchit et renforce sa typicité. Idéal pour accompagner des viandes blanches, des poissons ou des crustacés.

⊶ Napoléon Brizi, Lieu-dit Strutta,
20217 Saint-Florent, tél. et fax 04.95.37.08.26
☑ Y ☨ r.-v.

DOM. DE CATARELLI 2006

■ 2 ha 10 000 ▮ 5 à 8 €

Les 8 ha de vignes dominent une petite crique, là même où étaient mises à l'eau les tartanes et chebecs du chantier naval installé à Farinole par Pascal Paoli, au temps où la Corse était indépendante. Dans ce petit paradis a été produit ce vin aérien, tant par sa teinte pâle que par ses arômes finement floraux. Le palais fruité, rond et expressif parvient à un bon équilibre.

⊶ EARL Dom. de Catarelli,
marine de Farinole, rte de Nonza, 20253 Patrimonio,
tél. 04.95.37.02.84, fax 04.95.37.18.72
☑ Y t.l.j. sf dim. 9h-12h 15h-19h; f. nov.-mars
⊶ Laurent Le Stunff

CLOS CLEMENTI Cuvée Emma 2006

■ 1 ha 4 000 ▮ 8 à 11 €

Êtes-vous amateur d'araignées de mer et cherchez-vous vin en accord ? Ce 2006 répondra à votre attente. Car sous une teinte jaune brillante, il laisse percevoir une ligne minérale et fruitée, puis une matière ample, suffisamment fraîche et persistante.

⊶ Jean-Pierre Clementi, hameau Olivacce,
20232 Poggio-d'Oletta, tél. et fax 04.95.39.05.62,
e-mail antoine.clementi@orange.fr ☑ Y ☨ r.-v.

CLOS DE BERNARDI 2005 *

■ 6 ha 20 000 8 à 11 €

Dominé par l'éperon sur lequel se trouve l'église Saint-Martin, le Clos de Bernardi est à l'origine d'un vin particulièrement adapté à l'accompagnement de plats de viande en sauce. D'un rouge soutenu, il se montre aussi riche et complexe au nez qu'au palais. Aux arômes de fruits rouges (cerise confite), nuancés de tabac, répond une bouche dotée d'un léger gras et soutenue par des tanins bien présents mais sans agressivité. Le fruité y a toute sa place. Dans deux ou trois ans, ce 2005 sera à son meilleur niveau.

⊶ Jean-Laurent de Bernardi, 20253 Patrimonio,
tél. 04.95.37.01.09, fax 04.95.32.07.66
☑ Y ☨ t.l.j. 9h-13h 14h-19h

CLOS SAN QUILICO 2005

■ 16 ha 28 000 ▮ 5 à 8 €

À Patrimonio, les vignerons n'hésitent pas parfois à faire appel à des architectes de renom pour améliorer un cadre pourtant déjà idéal. Ainsi est-ce le cabinet Lacaton et Vassal, connu pour le Palais de Tokyo à Paris, qui a conçu le dernier bâtiment d'exploitation du domaine San Quilico. Voici un vin rubis à reflets violets, agréable par son fruité et sa légèreté que l'on aura plaisir à boire cet hiver, servi légèrement frais. Le **blanc 2006** est cité également.

⊶ EARL Dom. San Quilico, Morta-Majo,
20253 Patrimonio, tél. 04.95.37.45.00,
fax 04.95.37.14.25 ☑ Y ☨ r.-v.

CLOS SIGNADORE 2006 **

■ 1 ha 4 000 ▮ 8 à 11 €

Aux alentours de Santa Maria Assunta, cathédrale de calcaire bâtie au XIIe s. sur la butte qui domine Saint-Florent, Christophe Ferrandis s'est lancé en 2001 dans l'aventure viticole. Belle aventure à en juger par ce rosé limpide, rehaussé de reflets orangés, qui exprime des arômes complexes d'agrumes (citron) et de menthol. De la fraîcheur au palais, du gras aussi et de la longueur pour un équilibre remarquable.

⊶ Christophe Ferrandis, Clos Signadore,
lieu-dit Morta-Piana, 20232 Poggio-d'Oletta,
tél. 06.15.18.29.81, fax 04.95.37.69.68,
e-mail christopheferrandis@wanadoo.fr ☑ Y ☨ r.-v.

CLOS TEDDI 2006 **

■ 3 ha 14 000 ▮ 5 à 8 €

Marie-Brigitte Poli-Juillard exploite, depuis plus de dix ans, le domaine créé par son père, Joseph Poli, en 1970, en plein cœur des Agriates. Parce que l'accès en est difficile, une boutique s'est ouverte en 2006 à Saint-Florent. On y découvrira deux cuvées, en blanc et en rosé, dont la qualité a fait l'unanimité du jury. Ce patrimonio, jaune pâle à reflets vert brillant, révèle toute sa finesse dans son expression aromatique. Gras et fraîcheur s'équilibrent remarquablement au palais, soulignés de longues flaveurs de fruits mûrs. Le **rosé 2006**, délicatement parfumé de fruits rouges (groseille) et harmonieux, brille de deux étoiles.

⊶ Marie-Brigitte Poli-Juillard,
EARL Clos Teddi, Casta, sentier des Agriates,
20217 Saint-Florent, tél. 06.10.84.11.73,
fax 04.95.37.24.07 ☑ Y ☨ r.-v.

DOM. GENTILE Cuvée Grande Expression 2004 **

■ 3,5 ha 16 000 ⦀ 15 à 23 €

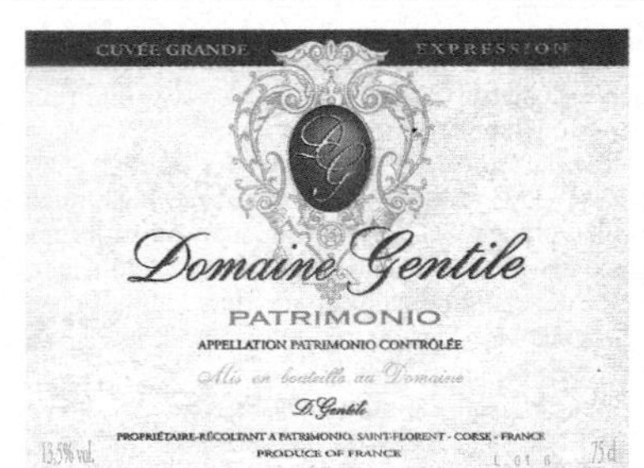

Le niellucciu, sur sol argilo-calcaire, exprime au mieux ses potentialités. Pour preuve, ce vin de teinte profonde, dont l'élégance réside dans ses arômes de fruits confits finement nuancés de notes boisées et animales. Au palais, l'attaque est puissante et la chair persistante permet d'explorer une palette aromatique remarquable, typique du cépage. Un patrimonio pour connaisseurs, parfaitement représentatif du terroir et qui pourra attendre cinq ans au moins.

EARL Dom. Gentile, Olzo, 20217 Saint-Florent, tél. 04.95.37.01.54, fax 04.95.37.16.69, e-mail domaine.gentile@wanadoo.fr r.-v.

GIACOMETTI Cru des Agriates 2006 ★

■ 10 ha n.c. 5 à 8 €

C'est au lieu-dit Casta, au pied du mont Genova dans les Agriates, que Christian Giacometti a trouvé en 1987 un domaine correspondant à ses ambitions vinicoles : 35 ha qui se répartissent sur trois parcelles. Niellucciu et sciaccarellu composent cette cuvée grenat qui pourra attendre 2008 pour être appréciée. Au nez intense de fleurs, d'épices et de fruits mûrs répond une bouche bien structurée et persistante. Une étoile est aussi attribuée au **cru des Agriates 2006 rosé**, fruité et franc.

Christian Giacometti, Casta, 20217 Saint-Florent, tél. 04.95.37.00.72, fax 04.95.37.19.49 r.-v.

DOM. GIUDICELLI 2005

■ 5,67 ha 10 000 11 à 15 €

Muriel Giudicelli-Liobard mène ce domaine créé en 1998 et a entrepris en 2006 sa conversion en agriculture biologique. Elle propose un vin discrètement fruité et épicé, qui laisse au palais une impression de légèreté et des notes de cerise. Un patrimonio dont il faudra profiter d'ici 2009.

Muriel Giudicelli-Liobard, 5, bd Auguste-Gaudin, 20200 Bastia, tél. et fax 04.95.35.62.31, e-mail muriel.giudicelli@wanadoo.fr t.l.j. sf sam. dim. 8h-12h 16h-20h; f. nov.

DOM. LAZZARINI 2006 ★

■ 7 ha 42 600 5 à 8 €

Depuis trente-sept ans, les frères Lazzarini, Maurice et Maxime, conduisent ce domaine de 37 ha, créé dans les années 1940. Récolté sur sol argilo-calcaire, le niellucciu est à l'origine d'un 2006 couleur saumon, aux senteurs de fruits rouges (fraise). De bonne tenue au palais, le vin laisse un souvenir durable de son élégante expression aromatique. Un rosé qui s'associera aussi bien à un poisson grillé qu'à une viande blanche.

Maurice et Maxime Lazzarini, 20253 Patrimonio, tél. 04.95.37.18.61, fax 04.95.37.13.17, e-mail christophe.lazzarini@wanadoo.fr t.l.j. 8h30-19h30; f. nov. à mars

DOM. LECCIA 2004 ★

■ 5 ha 20 000 11 à 15 €

Le domaine, que surplombe le pittoresque mont San Anghjulu, s'inscrit dans un paysage agropastoral demeuré authentique et vivant. Là, sur un terroir argilo-calcaire, niellucciu, vermentinu et muscat à petits grains s'expriment pleinement. La preuve en est ce vin issu du premier cépage, densément coloré et souligné de senteurs de sous-bois. Il emplit le palais de sa chair aussi ronde qu'ample et longue. La typicité et l'harmonie à saisir dans les trois ans à venir. Une étoile revient au **blanc 2006**, équilibré et riche d'arômes de fruits exotiques.

Annette Leccia, Dom. Leccia, Morta-Piana, 20232 Poggio-d'Oletta, tél. 04.95.37.11.35, fax 04.95.37.17.03, e-mail domaine.leccia@wanadoo.fr r.-v.

YVES LECCIA 2006 ★★

■ 1 ha 6 000 15 à 23 €

Yves Leccia s'est occupé du domaine familial avec sa sœur, avant de s'installer seul, en 2004, sur une partie des terres de son père : 12 ha sur les parcelles argilo-calcaires et schisteuses d'E Croce et de Partinelone. Le vermentinu y a donné naissance à un vin remarquablement expressif et apte à vieillir sereinement. Des fleurs et du miel pour arômes, une chair dense, ronde et persistante, signe de la bonne maturité de la vendange. À l'heure de passer à table, mariez ce patrimonio à des langoustines rôties au beurre salé : le plaisir n'en sera que plus grand. Une étoile brille pour le **rosé 2006** qui se distingue par sa rondeur.

Yves Leccia, lieu-dit Morta Piana, 20232 Poggio-d'Oletta, tél. et fax 04.95.30.72.33, e-mail leccia.yves@wanadoo.fr r.-v.

DOM. MONTEMAGNI 2006 ★★

■ 3 ha 15 000 5 à 8 €

Avec ses 105 ha, ce domaine est la plus grande propriété familiale de l'appellation. Point de repère pour en trouver la porte d'entrée : la pittoresque église Saint-Martin du XIII[e]s., toute proche. Le seuil franchi, c'est ce patrimonio qu'il faut chercher. Celui-ci livre sous une teinte jaune pâle d'intenses arômes de fleurs printanières, puis une chair ronde et persistante, équilibrée par ce qu'il faut de fraîcheur. Un dégustateur propose un accord avec un denti au fenouil confit. Deux étoiles ont été attribuées à la **cuvée Prestige du Menhir 2006 blanc (8 à 11 €)**, dont le nom fait référence au monolithe millénaire découvert sur une parcelle de la propriété : un vin fruité, floral et minéral. Quant au **Domaine Montemagni 2006 rosé**, il reçoit une étoile pour sa fraîcheur.

Montemagni, Puccinasca, 20253 Patrimonio, tél. 04.95.37.14.46, fax 04.95.37.17.15, e-mail scea.montemagni@wanadoo.fr r.-v. 3

ORENGA DE GAFFORY 2006 ★★

■ 12 ha 70 000 5 à 8 €

Idéalement installé à l'entrée sud de Patrimonio, Henri Orenga de Gaffory élabore ses vins comme il reçoit les meilleurs peintres et plasticiens du moment : avec passion. Si la cave est, en effet, devenue un incontournable lieu culturel, elle maintient haut sa vocation première. Voyez ce rosé de caractère, aux arômes floraux et minéraux prononcés. Il fait preuve de rondeur sans jamais céder à la lourdeur. Voyez également le **2005 rouge**, noté deux étoiles pour sa complexité aromatique et son aptitude à une garde d'un ou deux ans. Quant à la **cuvée des Gouverneurs 2004 rouge (11 à 15 €)**, elle obtient une étoile : légèrement vanillée et structurée par des tanins encore présents, elle demande à vieillir un peu.

GFA Orenga de Gaffory, Morta-Majo, 20253 Patrimonio, tél. 04.95.37.45.00, fax 04.95.37.14.25 r.-v.

DOM. PASTRICCIOLA 2006 ★

■ n.c. n.c. 5 à 8 €

Les quelque 15 ha de vignes ondulent juste sous les falaises des Strettes, aux marches de Patrimonio. Jolie couleur pour ce rosé dont les fins arômes fruités, évocateurs de groseille, trouvent écho dans la chair légère et équilibrée. Pour un apéritif dînatoire avec des *tapas*. Cité, le **rouge 2005** fait preuve de fraîcheur.

Dom. Pastricciola, rte de Saint-Florent, 20253 Patrimonio, tél. 04.95.37.18.31, fax 04.95.37.08.83 t.l.j. 9h-19h; f. nov.

DOM. SANTAMARIA 2006

n.c. 6 000 **8 à 11 €**

Un 2006 que l'on peut boire dès aujourd'hui, pour profiter de sa jeunesse qui s'exprime dans sa robe jaune brillante à reflets verts, son bouquet fin et fleuri et sa bouche à la vivacité agréable. Un blanc bien vinifié, pour accompagner des fromages de chèvre.

Jean-Louis Santamaria,
20232 Oletta, tél. 04.95.39.05.16
t.l.j. 9h-19h

Les vins doux naturels de la Corse

Muscat-du-cap-corse

L'appellation muscat-du-cap-corse a été reconnue par décret en date du 26 mars 1993. C'est l'aboutissement des longs efforts d'une poignée de vignerons regroupés sur les terroirs calcaires de Patrimonio et ceux, schisteux, de l'AOC vins-de-corse coteaux-du-cap-corse, soit 17 communes de l'extrême nord de l'île couvrant 98 ha et représentant une production de 2 500 hl.

Les vins élaborés à partir de muscat blanc à petits grains répondent aux conditions de production des vins doux naturels, mariage du raisin avec une eau-de-vie de vin, principe du mutage qui, appliqué en pleine fermentation sur le raisin muscat, arrête celle-ci et préserve ainsi au moins 95 g/l de sucres résiduels. Ce sont de délicieux vins très frais qui pourront être servis lors des cocktails avec des canapés de foie gras ou du fromage et des salades de fruits.

CASA ANGELI 2006

0,75 ha 2 000 **11 à 15 €**

À la pointe du cap Corse, Antoine Angeli « dorlote » son hectare de muscat. Il propose ce 2006 à reflets or, aux arômes d'agrumes et de fruits frais légèrement miellés. L'élégance d'une note d'orange en finale de la bouche toute douce lui permettra d'accompagner un foie gras mi-cuit.

Antoine Angeli, Stoppione, 20248 Tomino,
tél. 06.76.99.15.36, fax 04.95.32.07.79,
e-mail angeli.daniel@wanadoo.fr r.-v.

NAPOLÉON BRIZI 2006 ★★★

3,5 ha 13 000 **8 à 11 €**

À la tête du domaine depuis 1975, Napoléon Brizi est une figure de l'appellation. Dans ce millésime 2006, il ne faillit pas à sa réputation. Exceptionnel, ce muscat élégamment vêtu, aux arômes aussi complexes qu'intenses, parmi lesquels se distinguent le mimosa et le cédrat. L'équilibre se réalise parfaitement au palais grâce à une juste fraîcheur qui confère au vin de la tonicité. En finale, de délicieuses flaveurs d'abricot et de fruits confits se manifestent.

Napoléon Brizi, Lieu-dit Strutta,
20217 Saint-Florent, tél. et fax 04.95.37.08.26
r.-v.

DOM. DE CATARELLI 2006 ★

1,8 ha 8 000 **11 à 15 €**

La marine de Farinole, cirque en bordure du golfe de Saint-Florent, est un écrin pour le muscat de Laurent Le Stunff. De l'or à reflets verts dans le verre, des parfums de menthe et de musc qui confèrent une fraîcheur sans égale. Équilibre des saveurs, finesse des arômes d'agrumes et de miel viennent compléter le profil d'un vin qui rendra une tarte aux fruits plus délicieuse encore.

EARL Dom. de Catarelli,
marine de Farinole, rte de Nonza, 20253 Patrimonio,
tél. 04.95.37.02.84, fax 04.95.37.18.72
t.l.j. sf dim. 9h-12h 15h-19h; f. nov.-mars
Laurent Le Stunff

CLOS MARFISI 2006

3,5 ha 10 000 **11 à 15 €**

De l'or, jaune clair et limpide. Des arômes tout en discrétion, mais gourmands, de miel surtout et de fruits confits. Et le vin d'envahir les sens de sa douceur extrême qui satisfera les « bouches sucrées ».

Toussaint Marfisi, Clos Marfisi, av. Jules-Ventre,
20253 Patrimonio, tél. 04.95.37.07.49,
fax 04.95.37.06.37 t.l.j. 9h-13h 14h-19h

CLOS NICROSI 2006

4 ha 10 000 **11 à 15 €**

Jean-Noël Luigi et son fils Sébastien sont d'ardents défenseurs des muscats de tradition. Leur 2006, jaune paille doré, se montre généreux en arômes de fruits cuits et de pruneau, nuancés d'eucalyptus. Au palais, des accents de beurre et d'orange confite soulignent son caractère chaleureux et suave. Pour l'apéritif d'un soir.

Jean-Noël Luigi, Clos Nicrosi, 20247 Rogliano,
tél. 04.95.35.41.17, fax 04.95.35.47.94,
e-mail clos.nicrosi@wanadoo.fr
t.l.j. sf dim. 10h-12h 16h-19h; f. 1er oct.-30 avr.

CLOS SAN QUILICO 2006 ★

3 ha 12 500 **8 à 11 €**

Le muscat à petits grains d'Henri Orenga livre dans ce vin une expression sophistiquée. Teinte claire, arômes de miel et de fruits exotiques entremêlés, équilibre et délicatesse du palais. Vous l'apprécierez frais, en compagnie de desserts peu sucrés.

EARL Dom. San Quilico, Morta-Majo, 20253 Patrimonio, tél. 04.95.37.45.00, fax 04.95.37.14.25 r.-v.
Henri Orenga

DOM. GENTILE 2006 ★★

4 ha 15 000 15 à 23 €

Le soin particulier que Dominique et Jean-Paul Gentile, père et fils, apportent à leur muscat produit sur les coteaux argilo-calcaires, vinifié après une macération pelliculaire à froid et élevé en cuve Inox n'a pas échappé au jury. Fraîcheur des arômes d'agrumes et de miel, richesse en bouche, équilibre parfait entre l'alcool et le sucre, fruit persistant. Il suffira d'un fondant au chocolat nappé de marmelade d'oranges pour que le plaisir soit complet.

EARL Dom. Gentile, Olzo, 20217 Saint-Florent, tél. 04.95.37.01.54, fax 04.95.37.16.69, e-mail domaine.gentile@wanadoo.fr r.-v.

LOUIS MONTEMAGNI Cuvée Prestige 2005 ★★

2 ha 9 000 11 à 15 €

Le domaine Montemagni est le plus grand producteur de muscat en volume. Ce 2005 confirme le souci de qualité qui anime Louis Montemagni et Aurélie Melleray, son œnologue. Vêtu d'une robe claire, il exprime des arômes floraux, rehaussés de touches mentholées et miellées. Au palais, la fraîcheur est au rendez-vous,

laissant une impression persistante de finesse. L'accord avec un dessert au chocolat est de mise.

Montemagni, Puccinasca, 20253 Patrimonio, tél. 04.95.37.14.46, fax 04.95.37.17.15, e-mail scea.montemagni@wanadoo.fr r.-v. 3

DOM. PIERETTI 2006

1,5 ha 5 500 11 à 15 €

Le domaine de Lina Venturi plonge dans la Méditerranée et jouit de toutes ses influences bénéfiques. Sous de tels auspices est né ce 2006 doré, floral au nez avec des accents de genêt. Il procure une sensation de fraîcheur au palais et l'illusion de croquer dans le fruit mûr. À réserver aux fêtes de fin d'année.

Lina Venturi-Pieretti, Santa-Severa, 20228 Luri, tél. et fax 04.95.35.01.03 t.l.j. 10h-13h 16h-20h; du 1er oct. au 30 avr. sur r.-v.

CORSE

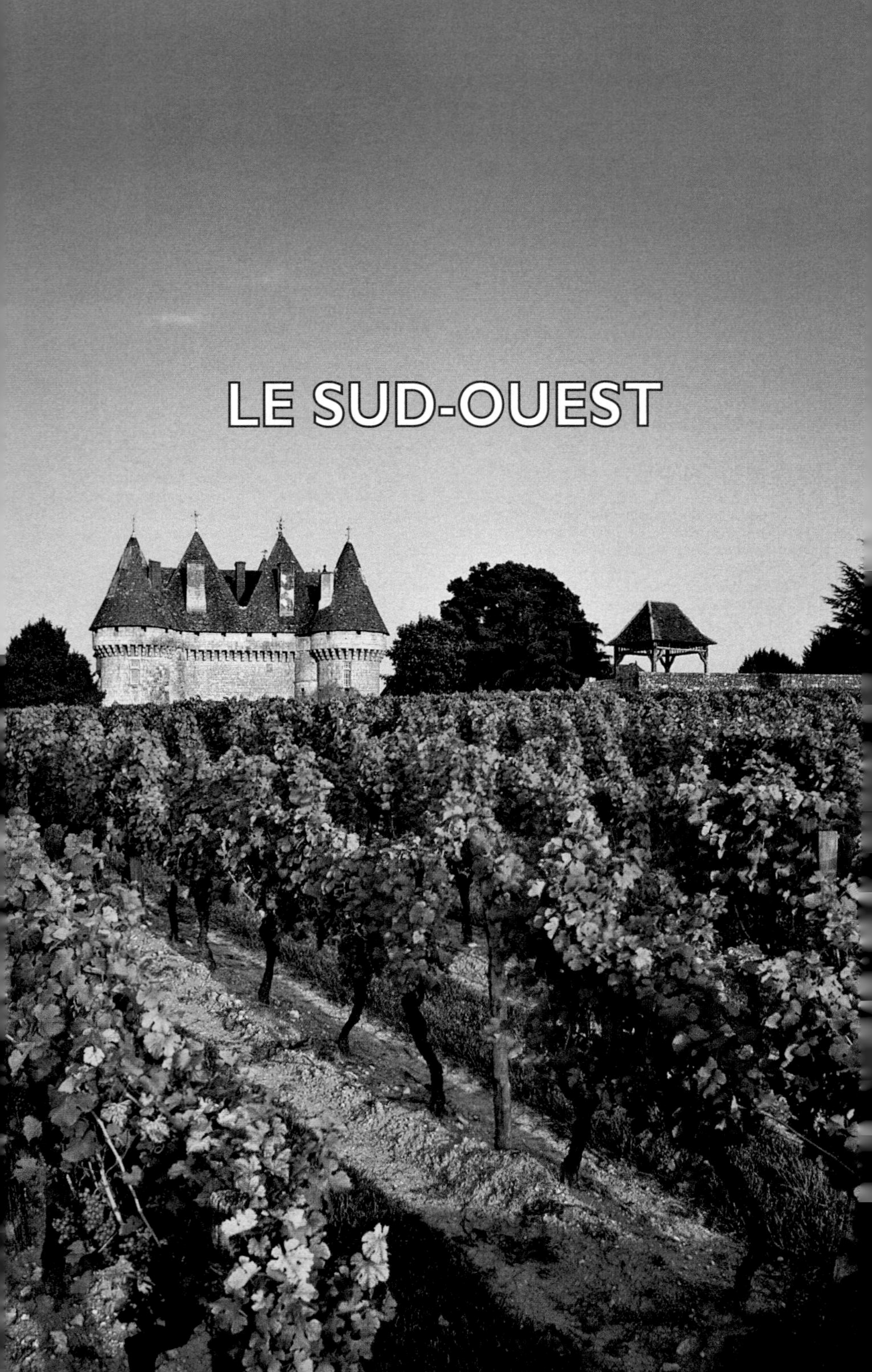

LE SUD-OUEST

LE SUD-OUEST

Groupant sous la même bannière des appellations aussi éloignées qu'irouléguy, bergerac ou gaillac, la région viticole du Sud-Ouest rassemble ce que les Bordelais appelaient « les vins du Haut-Pays » et le vignoble de l'Adour. Jusqu'à l'apparition du rail, le premier groupe, qui correspond aux vignobles de la Garonne et de la Dordogne, a vécu sous l'autorité bordelaise. Fort de sa position géographique et des privilèges royaux, le port de la Lune dictait sa loi aux vins de Duras, Buzet, Fronton, Cahors, Gaillac et Bergerac. Tous devaient attendre que la récolte bordelaise soit entièrement vendue aux amateurs d'outre-Manche et aux négociants hollandais avant d'être embarqués, quand ils n'étaient pas utilisés comme vin « médecin » pour remonter certains clarets. De leur côté, les vins du piémont pyrénéen ne dépendaient pas de Bordeaux, mais étaient soumis à une navigation hasardeuse sur l'Adour avant d'atteindre Bayonne. On peut comprendre que, dans ces conditions, leur renommée ait rarement dépassé le voisinage immédiat.

Et pourtant, ces vignobles, parmi les plus anciens de France, sont le véritable musée ampélographique des cépages d'autrefois. Nulle part ailleurs on ne trouve une telle diversité de variétés. De tout temps, les Gascons ont voulu avoir leur vin et, quand on connaît leur goût du particularisme, on ne s'étonne pas de la découverte de ces terroirs épars et de leur forte personnalité. Les cépages manseng, tannat, négrette, duras, len-de-l'el (loin-de-l'œil), mauzac, fer-servadou, arrufiac et baroque ainsi que le raffiat de Moncade et le camaralet de Lasseube au nom charmant sont sortis de la nuit des temps viticoles et donnent à ces vins des accents d'authenticité, de sincérité et de typicité inimitables. Loin de renier le qualificatif de vin « paysan », toutes ces appellations le revendiquent avec fierté en donnant à ce terme toute sa noblesse. La viticulture n'a pas exclu les autres activités agricoles, et les vins côtoient sur le marché les produits fermiers avec lesquels ils se marient tout naturellement. Les cuisines locales trouvent dans les vins de leur pays une confraternité qui fait de ce Sud-Ouest l'une des régions privilégiées de la gastronomie de tradition.

Le piémont du Massif central

Cahors

D'origine gallo-romaine, le vignoble de Cahors (4 110 ha déclarés pour 189 195 hl en 2005) est l'un des plus anciens de France. Jean XXII, pape d'Avignon, fit venir des vignerons quercinois pour cultiver le châteauneuf-du-pape, et François Ier planta à Fontainebleau un cépage cadurcien ; l'Église orthodoxe l'adopta comme vin de messe et la cour des tsars comme vin d'apparat... Pourtant, le vignoble de Cahors revient de loin ! Totalement anéanti par les gelées de 1956, il était retombé à 1 % de sa surface antérieure. Reconstitué dans les méandres de la vallée du Lot avec des cépages nobles traditionnels – le principal étant l'auxerrois qui porte aussi les noms de cot ou malbec, représentant 70 % de l'encépagement, complété par le tannat (moins de 2 %) ou le merlot (environ 20 %) –, le terroir de Cahors a retrouvé la place qu'il mérite parmi les terres productrices de vins de qualité. On assiste d'ailleurs à des tentatives courageuses de reconstitution sur les causses, comme dans les temps anciens.

Les cahors sont puissants, robustes, hauts en couleur (le *black wine* des Anglais) ; ce sont incontestablement des vins de garde. Un cahors peut toutefois être bu jeune : il est alors charnu et aromatique avec un bon fruité, et doit être consommé légèrement rafraîchi, sur des grillades par exemple. Après deux ou trois années où il devient fermé et austère, le cahors se reprend, pour donner toute son harmonie au bout d'un délai égal, avec des arômes de sous-bois et d'épices. Sa rondeur, son ampleur en bouche en font le compagnon idéal des truffes sous la cendre, des cèpes et du gibier. Les différences de terroir, d'encépagement et de vinification donneront des vins plus ou moins aptes à la garde.

DOM. LA BÉRANGERAIE Cuvée Maurin 2005

■ 4 ha 16 000 ▮ 5 à 8 €

Sans une once de bois, cette cuvée de malbec privilégie les fruits, rouges et noirs, agrémentés de touches de violette. Couleur intense, sur le violet, elle persiste dans cette gamme aromatique au palais, tout en se montrant équilibrée et fraîche. Une citation est attribuée à la cuvée **La Gorgée de Mathis Bacchus 2004 (15 à 23 €)**, élevée vingt mois en fût : un cahors qui mérite de s'assouplir.

Famille Bérenger, coteaux de Cournou, 46700 Grézels, tél. 05.65.31.94.59, fax 05.65.31.94.64, e-mail berangeraie@wanadoo.fr
t.l.j. 9h-12h 14h-18h

CH. BERGON-DELTOUR Dame des vignes 2004

■ 1,89 ha 1 800 11 à 15 €

Une Dame née des vignes de malbec cultivées sur argilo-calcaire. Un vin rubis profond, parfumé de senteurs intenses de fruits rouges auxquelles s'ajoutent au palais des notes poivrées. La chair est pleine, étayée par des tanins encore perceptibles mais qui laissent aux flaveurs de fruits noirs toute leur place en finale. Attendre deux ou trois ans pour un meilleur fondu.

Jean-Luc Bergon, EARL Ch. Bergon-Deltour, Les Roques, 46140 Saint-Vincent-Rive-d'Olt, tél. 05.65.30.76.40, fax 05.65.30.52.99, e-mail bergon.jean-luc@wanadoo.fr
r.-v.

CH. BLADINIÈRES La Préférence 2004 ★

■ 6 ha 40 000 ▮ 5 à 8 €

Une pointe de merlot s'associe à 90 % de malbec dans cette cuvée à laquelle a participé Arnaud Bladinières, le fils de Marie-Claire et Serge, venu rejoindre cette propriété de 26 ha en 2005. L'harmonie se réalise sous une teinte intense à reflets violacés : aux senteurs de cerise et de pruneau succède une chair franche et dense, aux tanins bien maîtrisés et à la finale chaleureuse.

Ch. Bladinières, Le Bourg, 46220 Pescadoires, tél. 05.65.22.41.85, fax 05.65.36.47.10, e-mail chateau.bladinieres@laposte.net
t.l.j. sf dim. 9h-12h30 15h-19h

DOM. LA BORIE 2005 ★

■ 10 ha 30 000 ▮ 3 à 5 €

« Le plaisir sans attendre » pourrait être la devise de ce vin rubis profond, marqué par de francs arômes de fruits rouges et notamment de framboise. Une matière empreinte de fruits noirs emplit le palais, soutenue par des tanins bien maîtrisés qui laissent en finale quelques notes de menthol et de réglisse.

Froment et Fils, EARL des Coteaux, Dom. La Borie, 46220 Prayssac, tél. 05.65.22.42.90, fax 05.65.30.64.70, e-mail domaine.la.borie@wanadoo.fr
t.l.j. sf dim. 9h-12h 14h-19h

DOM. LE BOUT DU LIEU Empyrée 2004 ★★

■ 0,35 ha 1 600 ▮ 15 à 23 €

Le Bout du Lieu est un domaine de 17 ha, implanté sur des alluvions anciennes. Le malbec a donné naissance à un vin de velours noir, dont le nez complexe exprime les fruits confiturés rehaussés de notes fraîches de réglisse. La chair opulente, ronde, déroule ses flaveurs de fruits noirs et de cachou jusqu'à une longue finale. Des promesses pour l'avenir.

Monique et Arnaldo Diman, Le Bout du Lieu, 46140 Saint-Vincent-Rive-d'Olt, tél. et fax 05.65.30.70.80, e-mail leboutdulieu@orange.fr r.-v.

CH. LE BRÉZÉGUET Les Vieilles Vignes Élevé en fût de chêne 2004 ★

■ 1 ha 3 000 11 à 15 €

En 2003, ce domaine est sorti du système coopératif, Jean Longueteau et sa femme ayant bâti leur propre chai dans une ancienne grange. Venus de Guadeloupe, où ils produisaient du rhum agricole, ils ont su tirer le meilleur parti de ce terroir argilo-calcaire. Pour preuve, ce 2004 déjà prêt, tant les tanins apparaissent fondus dans la chair ample et le bouquet épanoui sur le cassis et les notes grillées. Un cahors équilibré.

Jean Longueteau, Le Brézéguet, 46800 Saux, tél. 05.65.24.23.90, fax 05.65.24.23.95, e-mail chateaulebrezeguet@wanadoo.fr r.-v.

CH. LA CAMINADE La Commandery 2004 ★★★

■ 5 ha 20 000 11 à 15 €

Il est des domaines souvent sur les plus hautes marches du podium. La Caminade est de ceux-là, tantôt grâce à sa cuvée Esprit, coup de cœur dans le Guide 2005, tantôt grâce à La Commandery qui, dans le millésime 2004, a conquis le jury par le mariage du fruit et du bois (arômes de cerise, de cassis et de grillé très fin). La bouche est ample, remarquablement fraîche, puissante et ronde puisque les tanins apparaissent fondus. La cuvée **Prélat 2005 (3 à 5 €)**, élevée en cuve, obtient une étoile pour son fruité et son grain tannique très fin.

Ressès et Fils, SCEA Ch. La Caminade, 46140 Parnac, tél. 05.65.30.73.05, fax 05.65.20.17.04, e-mail resses@wanadoo.fr r.-v.

CH. DU CÈDRE Le Cèdre 2004 ★

■ 9 ha 35 000 23 à 30 €

Créée en 1996, la cuvée Le Cèdre a gagné ses lettres de noblesse au fil des années. La voici qui s'ouvre à peine sur des arômes de fruits noirs, de kirsch et des notes balsamiques. Elle se montre soyeuse et charnue, assurée d'un bon potentiel de garde grâce à des tanins fins. La cuvée **GC 2004 (46 à 76 €)** brille d'une étoile également : construite pour durer, elle saura fondre l'empreinte du bois et sa structure tannique dans sa chair dense.

🔑 Pascal et Jean-Marc Verhaeghe,
Ch. du Cèdre, Bru, 46700 Vire-sur-Lot,
tél. 05.65.36.53.87, fax 05.65.24.64.36,
e-mail chateauducedre@wanadoo.fr
▣ 🍷 ✈ t.l.j. sf dim. 9h-12h 14h-18h

CH. DE CESSAC-EN-QUERCY
Harmony Élevé en fût de chêne 2004 ★

■ 1,63 ha 6 511 ⏸ 11 à 15 €

Les trentenaires sont aux commandes de ce domaine de 30 ha, mais les parents ne sont pas loin et prodiguent leurs conseils pour l'élaboration de vins à l'image de cette cuvée de pur malbec grenat profond, déjà mûr, aux tanins fondus. Les arômes se développent dans la gamme des fruits rouges et de la torréfaction (grillé). N'attendez pas, ce 2004 est déjà prêt.

🔑 Alibert-Debaere, rue de l'Église, 46140 Douelle,
tél. 05.65.30.91.92, fax 05.65.36.71.66,
e-mail vincessac@orange.fr
▣ 🍷 ✈ t.l.j. 10h-13h 15h-19h30; dim. 10h-13h;
f. sem. du 15 août

CH. DE CHAMBERT Orphée 2003 ★★

■ 2,7 ha 7 200 ⏸ 15 à 23 €

Cette cuvée confirme la qualité de ce cru. Vêtue de rubis violacé, elle impressionne tant par ses arômes de cerise noire et de grillé que par sa chair dense, empreinte de flaveurs de fruits à l'eau-de-vie et de violette. L'ensemble est fin et frais, accessible déjà et pourtant de longue garde encore. **Les Hauts de Chambert 2005 (5 à 8 €)**, issus de malbec, de merlot et de tannat, obtiennent une étoile pour leur fruité persistant, à peine nuancé de boisé.

🔑 Ch. de Chambert, Les Hauts Coteaux,
46700 Floressas, tél. 05.65.31.95.75, fax 05.65.31.93.56,
e-mail info@chambert.com
▣ 🍷 ✈ t.l.j. sf dim. 8h30-12h30 14h-18h30
🔑 Delgoulet

DOM. CHEVALIERS D'HOMS 2005 ★★

■ 2,55 ha 12 000 ▮ 11 à 15 €

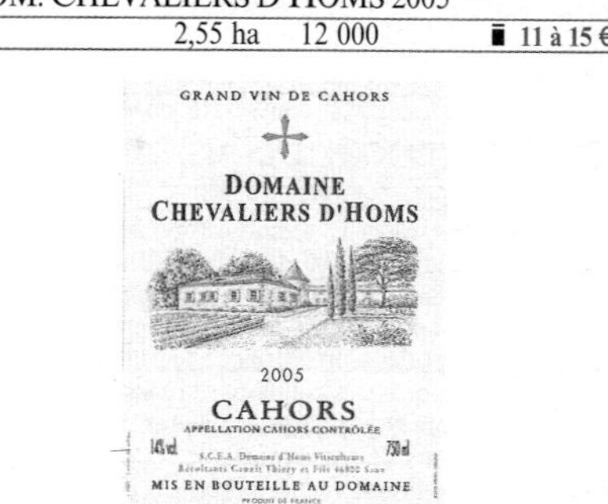

Coup de cœur dans les Guides 2002 et 2005, la cuvée Chevaliers d'Homs renouvelle cette performance. Daniel Cauzit, qui a repris ce domaine en 1993 avec R. Thiery élabore des cahors haut de gamme. Aidé de sa fille Charlène depuis 2003, il propose un pur malbec, sans aucune trace de

Le Sud-Ouest

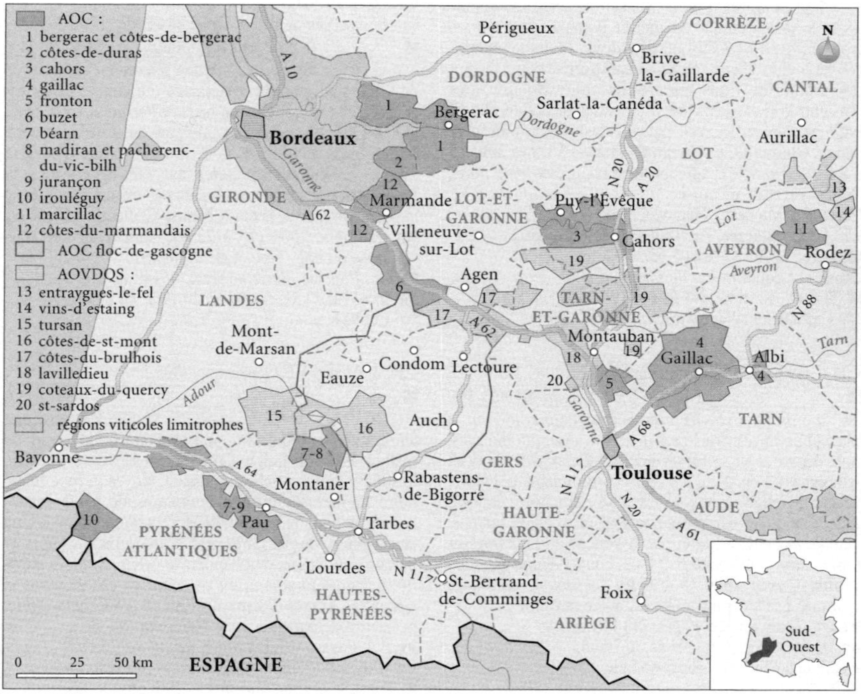

AOC :
1 bergerac et côtes-de-bergerac
2 côtes-de-duras
3 cahors
4 gaillac
5 fronton
6 buzet
7 béarn
8 madiran et pacherenc-du-vic-bilh
9 jurançon
10 irouléguy
11 marcillac
12 côtes-du-marmandais
AOC floc-de-gascogne
AOVDQS :
13 entraygues-le-fel
14 vins-d'estaing
15 tursan
16 côtes-de-st-mont
17 côtes-du-brulhois
18 lavilledieu
19 coteaux-du-quercy
20 st-sardos
régions viticoles limitrophes

0 25 50 km

bois, de sorte que le nez, complexe, se concentre sur le pruneau, les fruits mûrs et le raisin. La chair onctueuse et élégante, structurée par des tanins soyeux, laisse une remarquable impression de fraîcheur. L'élégance d'un grand cahors, grenat sombre à reflets violets. Une étoile pour le **Prestige noir 2005 (5 à 8 €)**, élevé en cuve également, qui se distingue par sa plénitude et ses arômes fruités.
Dom. d'Homs, Maux, D656, 46800 Saux,
tél. 05.65.24.93.12, fax 05.65.24.96.78,
e-mail scea.domaine.dhoms@wanadoo.fr
t.l.j. 10h-17h (19h été); groupes sur r.-v.
Daniel Cauzit

CLOS TROTELIGOTTE La Perdrix 2005 *

3,5 ha 18 000 5 à 8 €

Deux ans après le retour d'Emmanuel Rybinski, parti travailler en Australie et aux États-Unis, le profil des vins de ce domaine familial a évolué vers plus de modernité. Cela se traduit par un 2005 grenat intense à reflets violets, qui libère des arômes friands de fruits en confiture, dominés par le cassis. L'équilibre se réalise au palais, au profit d'une impression flatteuse de gras et d'une persistance des flaveurs de fruits mûrs.
Christian et Emmanuel Rybinski,
Le Cap Blanc, 46090 Villesèque,
tél. 06.74.81.91.26, fax 05.65.36.94.58,
e-mail clostroteligotte@hotmail.com
t.l.j. 10h-12h30 14h-18h30

CH. LA COUSTARELLE Cuvée Prestige 2005 **

15 ha 90 000 11 à 15 €

Paul, Gaston, Pierre, Michel et Caroline : depuis 1870, la même famille conduit ce domaine situé sur les troisièmes terrasses du Lot, rive droite. Malbec et merlot (10 %) composent une cuvée de teinte cerise noire, mêlant des arômes de fruits mûrs et de grillé. Robuste, très concentrée, riche de flaveurs de cassis et de poivre, elle est bâtie pour la garde. Pour patienter, vous vous tournerez vers le **Château Cos Suzanne Vieilles Vignes 2005 (5 à 8 €)**, déjà souple et agréablement nuancé de fruits noirs, de réglisse et de menthol.
SCEA Michel et Nadine Cassot,
Ch. La Coustarelle, Les Canis, 46220 Prayssac,
tél. 05.65.22.40.10, fax 05.65.30.62.46,
e-mail chateaulacoustarelle@wanadoo.fr
t.l.j. sf dim. 9h-12h 14h-19h
Caroline, Nadine et Michel Cassot

CH. LES CROISILLE Divin Croisille 2004 **

1 ha 3 000 15 à 23 €

Le couple Croisille a repris ce domaine situé sur le plateau de Fages, voilà près de trente ans. Autodidactes, tous deux ont su se forger une grande expérience dont témoigne aujourd'hui ce 2004 profondément coloré, éclairé de reflets violets. Le travail d'extraction a été bien mené à en juger par le nez non seulement épicé, torréfié, vanillé, mais aussi fruité, par la bouche ample et persistante, aux tanins assagis. Une bouteille d'avenir. La **Noble Cuvée 2004 (5 à 8 €)**, soyeuse et davantage marquée par les fruits noirs, est notée une étoile.
Ch. Les Croisille, Fages, 46140 Luzech,
tél. 05.65.30.53.88, fax 05.65.30.70.33,
e-mail chateaulescroisille@wanadoo.fr
t.l.j. 9h-19h

CROIX DU MAYNE Élevé en fût de chêne 2005 **

16 ha 80 000 5 à 8 €

Après avoir flâné dans le village, autour de l'église classée et du château, rendez-vous dans ce domaine où une heureuse surprise vous attend : un grand cahors, velours noir, révélant des arômes de fruits noirs (mûre), de chocolat et de café. La bouche riche et pleine, ponctuée de notes fraîches de cassis, de poivre et de réglisse, se développe avec volume jusqu'à une longue finale. Une élégance déjà appréciable, qui demeurera jusqu'en 2010 au moins.
SCEV François Pélissié, 46140 Anglars-Juillac,
tél. 05.65.21.45.37, fax 05.65.21.45.38 r.-v.

CH. CROZE DE PYS 2005 *

30 ha 114 000 3 à 5 €

Une propriété de 60 ha dont l'histoire a commencé en 1966, lorsque René Roche décida de restaurer un vignoble laissé à l'abandon. Depuis vingt ans, Jean Roche est aux commandes ; il propose ici un vin d'auxerrois, de merlot et de tannat qui flatte l'œil comme le nez : teinte rouge foncé, arômes de fruits noirs et rouges (cerise, fraise), nuancés d'épices. La bouche est tout aussi flatteuse, fraîche en attaque, puis ronde et soyeuse. Pour faire plaisir sans attendre.
Jean Roche,
SCEA des Domaines Roche, Ch. Croze de Pys,
46700 Vire-sur-Lot, tél. 05.65.21.30.13,
fax 05.65.30.83.76,
e-mail chateau-croze-de-pys@wanadoo.fr r.-v.

CH. EUGÉNIE

Cuvée réservée de l'aïeul Élevé en fût de chêne 2005 *

8 ha 65 000 8 à 11 €

1470 : c'est à cette date que remontent les archives de Cahors au nom de ce domaine qui connut de prestigieux clients au XVIII[e]s., les tsars de Russie. À votre cave, aujourd'hui, d'accueillir ce 2005 qui laisse deviner quelques arômes de fruits noirs et un léger toasté. L'attaque est franche, les tanins présents mais sans agressivité et la finale de bonne longueur. La patience est aussi de rigueur avant de profiter de la cuvée **Haute Collection Élevé en fût de chêne 2004 (15 à 23 €)**, dense et encore sous l'emprise du bois. Une étoile également.
Ch. Eugénie, Rivière-Haute, 46140 Albas,
tél. 05.65.30.73.51, fax 05.65.20.19.81 r.-v.
Couture

CH. FAGES VIe Génération 2005 **

1 ha 3 000 11 à 15 €

Toutes les générations de la famille Bel ainsi que leurs amis se réunissent pour vendanger le raisin de malbec. Élevé dix-huit mois en fût, dans les caves voûtées, le 2005 est un vin riche et puissant. Voyez sa robe tulipe noire, humez ses arômes complexes de fruits rouges bientôt rejoints par la vanille et l'empyreumatique. Une chair solide, dense, empreinte de flaveurs cacaotées et balsamiques emplit durablement le palais. Il faudra attendre quelques années avant de servir ce cahors, mais la cuvée **Les Terres d'Albanie 2005 (5 à 8 €)**, plus ronde, permettra de patienter : elle obtient une étoile.
Bel, Fages, 46140 Luzech, tél. 05.65.20.11.83,
fax 05.65.30.53.58, e-mail belfages@wanadoo.fr
t.l.j. sf dim. 9h-13h 15h-19h; groupes sur r.-v.

CH. FANTOU L'Élite 2004 ★

■ 0,9 ha 3 000 11 à 15 €

Une maison vigneronne du XIXe s., typique du Lot, commande ce domaine familial de 27 ha, qui ne nécessite qu'un petit détour depuis le circuit des dolmens. De teinte aubergine, cette cuvée présente une palette complexe, faite d'un fruité généreux et d'un boisé vanillé. La bouche est ronde, bien structurée et empreinte de flaveurs de fruits noirs. Un cahors prêt à passer à table.

B. A. A. Aldhuy, Ch. Fantou, 46220 Prayssac, tél. 05.65.30.61.85, fax 05.65.22.45.69, e-mail domainedefantou@wanadoo.fr
t.l.j. 9h-19h; dim. sur r.-v.

DOM. DE LA GARDE
Élevé en fût de chêne 2005 ★

■ 3,6 ha 8 500 5 à 8 €

Un an d'élevage en fût de chêne, pas plus, pour obtenir ce vin bien extrait. Couleur grenat sombre à reflets violacés, il mêle à un boisé encore dominant des arômes gourmands de fruits rouges, puis il se montre souple, tout en rondeur, avec une finale persistante de fruits noirs confiturés qui renforce l'impression de complexité.

Jean-Jacques Bousquet, Le Mazut, 46090 Labastide-Marnhac, tél. et fax 05.65.21.06.59, e-mail domainedelagarde@yahoo.fr
t.l.j. sf dim. 9h-12h30 14h-19h

CH. DE GAUDOU
Renaissance Élevé en fût de chêne 2004 ★★

■ 4,62 ha 18 000 11 à 15 €

René Durou a créé en 1993 la cuvée Renaissance qui devait devenir le haut de gamme de sa production. Le temps n'a rien changé à cet objectif, puisque le 2004, de pur malbec, a convaincu le jury par ses arômes de fruits rouges confiturés, de réglisse, de vanille et de toasté. La bouche est ample, d'un remarquable équilibre ; seuls les tanins, en passe de gagner en soyeux, indiquent qu'une garde serait souhaitable. Création de Fabrice Durou, le fils arrivé en 2000 sur le domaine, la cuvée **Réserve de Caillau 2004 (23 à 30 €)**, encore ferme, mérite une étoile.

Fabrice Durou, Ch. de Gaudou, 46700 Vire-sur-Lot, tél. 05.65.36.52.93, fax 05.65.36.53.60, e-mail info@chateaudegaudou.com
t.l.j. sf dim. 9h-12h 15h-18h

CH. GAUTOUL Cuvée Exception 2004 ★

■ n.c. 25 000 8 à 11 €

Alain Senderens est à l'origine de la création du chai de ce domaine, situé près de Puy-l'Évêque. Y ont été vinifiés les raisins de cot, de merlot et de tannat récoltés sur les deuxième et troisième terrasses de la vallée du Lot. Après un élevage raisonné (75 % du vin a séjourné en fût pendant quatorze mois) apparaît un cahors rubis intense, au nez de fruits noirs et de toasté. La chair souple y ajoute des notes de groseille et de vanille, avant une finale encore marquée par les tanins, gage de longévité. L'élégance future.

SCEA Ch. Gautoul, Lieu-dit Meaux, 46700 Puy-l'Évêque, tél. 05.65.30.84.17, fax 05.65.30.85.17, e-mail chateau.gautoul@wanadoo.fr
r.-v.
Éric Swenden

CH. LA GINESTE Secrets... de La Gineste 2004 ★★

■ n.c. 10 300 8 à 11 €

Le secret de ce domaine d'un peu plus de 13 ha, situé dans une boucle du Lot, ne résiderait-il pas dans son terroir kimméridgien où le malbec, âgé d'un quart de siècle, plonge ses racines ? Le 2004 ne restera pas longtemps secret au dégustateur, lui qui affiche une robe intense, violacée, ainsi que des arômes complexes de fruits et de torréfaction. De l'ampleur, de la concentration, du fruit et des tanins en passe de se fondre : il pourra satisfaire les plus impatients comme les amateurs disposant d'une bonne cave. Élevé en cuve, le **Château La Gineste 2005 (5 à 8 €)**, sur la fraîcheur, est cité.

SCEA Les Vignobles Dega, Ch. La Gineste, 46700 Duravel, tél. 05.65.30.37.00, fax 05.65.30.37.01, e-mail chateau-la-gineste@wanadoo.fr
t.l.j. 8h30-12h 14h-17h30

Cahors

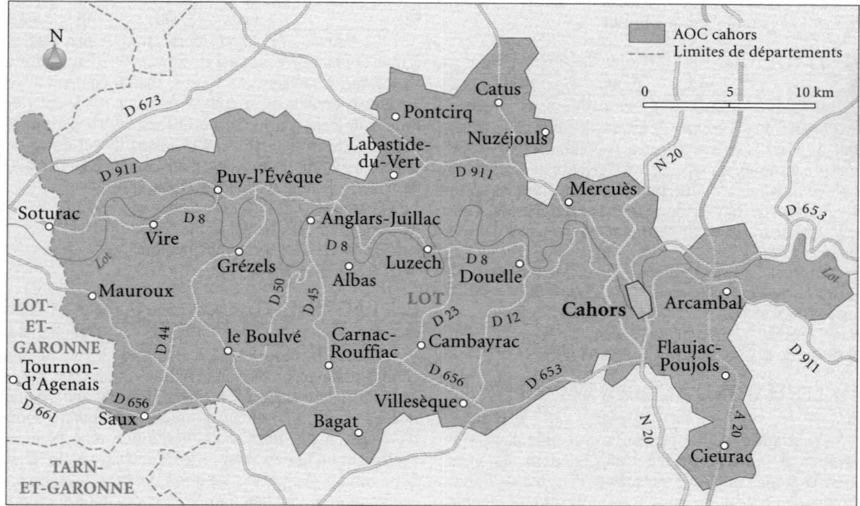

CH. LES GRAUZILS Cuvée Tradition 2005 *

■ 11 ha 65 000 ▮ 5 à 8 €

Du fruit... Celui du cot et du merlot (10 %), qui se traduit par des arômes intenses de fruits rouges et noirs. De la séduction dans la robe profonde, à reflets violines, comme dans la chair aromatique, souple, dans laquelle les tanins semblent s'effacer. Une étoile revient également à la cuvée **Héritage 2004 (11 à 15 €)**, encore ferme après ses dix-huit mois passés en fût, mais prometteuse.

Philippe Pontié, Gamot, 46220 Prayssac, tél. 05.65.30.62.44, fax 05.65.22.46.09

t.l.j. sf dim. 9h-12h 14h30-19h

CH. HAUTE BORIE Cuvée Prestige 2005 *

■ 1 ha 4 666 11 à 15 €

Situé à l'extrémité occidentale de l'aire d'appellation, le domaine jouit d'une exposition sud et de sols argilo-siliceux, puis graveleux. De l'auxerrois est né ce vin pourpre violacé, aux arômes de fruits mûrs, d'épices et de torréfaction. Les tanins soutiennent encore fermement la chair ample et demandent un peu de temps pour s'assagir. Cité, le **Château Haute Borie 2005 (3 à 5 €)**, qui n'a pas connu le bois, est un cahors appréciable pour sa fraîcheur et son caractère déjà friand.

Jean-Marie Sigaud, Ch. Haute Borie, 46700 Soturac, tél. 05.65.22.41.80, fax 05.65.30.67.32, e-mail barat.sigaud@wanadoo.fr

CH. DE HAUTERIVE

Cuvée Prestige Élevé en fût de chêne 2005 *

■ 1,2 ha 6 300 5 à 8 €

Exposé sud-ouest, le vignoble occupe un versant argilo-graveleux sur les hauteurs du village de Vire-sur-Lot, les hauts de Vire, d'où l'anagramme de Hauterive. Le malbec est à l'origine de ce vin rubis qui livre des arômes de fruits acidulés mêlés de torréfaction et de chocolat. Le charme opère au palais, au contact de la chair franche, à la fois fraîche et ronde.

Gilles et Dominique Filhol, Le Bourg, 46700 Vire-sur-Lot, tél. 05.65.36.52.84, fax 05.65.24.64.93, e-mail chateauhauterive@wanadoo.fr

t.l.j. sf dim. 8h-12h 14h-19h

CH. HAUT MONPLAISIR Pur Plaisir 2004 *

■ 1,65 ha 5 500 15 à 23 €

Il faudra décanter ce vin en carafe pour favoriser l'expression de ses arômes de kirsch, de mûre et de grillé, tout disposés à se manifester à l'aération sous la robe pourpre profond. L'empreinte de l'élevage de vingt-deux mois en fût semble fondue, ne laissant que quelques notes de réglisse et de fumé en finale de la bouche charnue. Une juste fraîcheur assure en outre une bonne tenue dans le temps.

Daniel et Cathy Fournié, Ch. Haut Monplaisir, 46700 Lacapelle-Cabanac, tél. 05.65.24.64.78, fax 05.65.24.68.90, e-mail chateau.hautmonplaisir@wanadoo.fr

t.l.j. sf dim. 9h-12h 14h-18h

CH. LES HAUTS D'AGLAN A 2005 **

■ 3 ha 10 000 ▮ 11 à 15 €

Isabelle Rey-Auriat poursuit son chemin dans l'élaboration de vins de qualité régulière, dont témoigne ce 2005 grenat au disque violacé qui dispense de francs arômes de cerise et de fruits noirs, puis offre sa matière riche, ample, puissante, non dénuée d'élégance. Les tanins fins autorisent un service dès aujourd'hui, mais assurent également une bonne tenue dans le temps.

Isabelle Rey-Auriat, Aglan, 46700 Soturac, tél. 05.65.36.52.02, fax 05.65.24.64.27, e-mail isabelle.auriat@terre-net.fr

t.l.j. sf dim. 9h-19h

CH. HAUTS DE BRU 2005 **

■ 3 ha 20 000 ▮ 3 à 5 €

En 2004, Claude Guitard a repris ce vignoble dont le vin était jusqu'alors vendu en vrac. Belle initiative, à en juger par ce 2005 grenat, brillant de reflets violacés, qui exprime d'engageants arômes de fruits rouges avant de développer une matière souple, onctueuse même, accompagnée de notes mentholées. Un dégustateur propose un accord avec un tajine ou un mets espagnol, riche d'épices.

Ch. Les Hauts de Bru, Bru, 46700 Vire-sur-Lot, tél. 05.65.36.52.73 r.-v.

DOM. LABRANDE 2005 *

■ 10 ha 60 000 5 à 8 €

Incontournable figure de l'appellation, Jean-Luc Baldès se distingue cette année grâce à ce Domaine Labrande qui a parfaitement intégré l'élevage de douze mois en fût. Sous une teinte profonde, éclairée de violet, le vin révèle des arômes vanillés et torréfiés sans omettre des nuances fruitées de myrtille. Il se montre souple, bâti sur des tanins bien enrobés, dont les accents de cacao se mêlent aux flaveurs de cassis gourmandes. Du même auteur, le **Clos Triguedina 2005 (11 à 15 €)**, les **Cailloux de Rieu 2005 (3 à 5 €)** et la **Vigne Grande 2005 (3 à 5 €)**, élevée en cuve, sont cités. Ce sont des vins jeunes encore, qui méritent de vieillir.

SARL Jean-Luc Baldès-Triguedina, Les Poujols, 46700 Vire-sur-Lot, tél. 05.65.21.30.81, fax 05.65.21.39.28, e-mail triguedina@laposte.net

t.l.j. 9h-12h 14h-18h; dim. sur r.-v.

J.-L. Baldès

CH. LACAPELLE CABANAC

Prestige Élevé en fût de chêne 2004 *

■ 8 ha 3 000 5 à 8 €

Le domaine de 20 ha, repris en 2001 par Thierry Simon et Philippe Vérax, est en conversion à l'agriculture biologique. Le malbec (85 %) et le merlot composent ce vin grenat à reflets rubis, dont la séduction réside dans les arômes de fruits rouges mûrs et de toasté. La bouche n'est pas en reste, structurée par des tanins fins et dotée de beaucoup de gras. Pour aujourd'hui comme pour demain.

Thierry Simon et Philippe Vérax, Le Château, 46700 Lacapelle-Cabanac, tél. 05.65.36.51.92, fax 05.65.36.52.62, e-mail contact@lacapelle-cabanac.com

t.l.j. 9h-12h 14h-18h

CH. LAGRÉZETTE Cuvée Dame Honneur 2004 *

■ 5 ha 19 000 30 à 38 €

Faut-il le rappeler ? Le domaine de 60 ha est commandé par un élégant château du XV[e]s., classé Monument historique. Cette Dame Honneur, qui a marié malbec et merlot (10 %), a connu vingt-quatre mois d'élevage en fût, dont elle a hérité une robe pourpre profond et un nez épanoui de fruits rouges, nuancé d'un boisé discret. Au palais, des notes poivrées et réglissées accompagnent la chair ample que des tanins encore

perceptibles soutiennent. Laissez le temps opérer et cette trame s'assouplira. Une citation revient au **Château Lagrézette 2005 (15 à 23 €)**, de pur malbec, dont l'empreinte du bois mérite de se fondre.
🔑 Alain-Dominique Perrin,
SCEV Lagrézette, Dom. de Lagrézette, 46140 Caillac,
tél. 05.65.20.07.42, fax 05.65.20.06.95,
e-mail adpsa@lagrezette.fr ☑ 🍷 🚶 t.l.j. 10h-18h; f. janv.

CH. LAMARTINE Cuvée Particulière 2005 ★★

■ 18 ha 100 000 🛢 8 à 11 €

Une ancienne demeure du XVIIIes. commande ce domaine de 32 ha. Créée en 1988, la cuvée Particulière est élaborée de façon à être apte à une longue garde. Il en est ainsi en effet du 2005 à base de cot et de 10 % de tannat, élevé douze mois durant sous bois. Intenses notes de kirsch, de fruits rouges et noirs sur fond vanillé, tanins fondus en soutien d'une chair ample et persistante : de cinq à sept années de conservation en cave sont à la portée de ce vin. La cuvée **Expression 2005 (15 à 23 €)**, issue de pur cot, mérite une étoile : sa structure demande encore à s'assouplir.
🔑 Ch. Lamartine, 46700 Soturac, tél. 05.65.36.54.14,
fax 05.65.24.65.31,
e-mail chateau-lamartine@wanadoo.fr
☑ 🍷 🚶 t.l.j. sf dim. 9h-12h 14h-18h
🔑 Alain Gayraud

CH. LAUR L'Hor 2005 ★

■ 1 ha 3 500 🛢 23 à 30 €

L'Hor de Laur... Un nom qui sonne juste pour un cahors richement aromatique, qui met en valeur un duo de fruits noirs en confiture et de torréfaction. De la rondeur, du charnu, de l'expression : le palais est en cohérence. Il faudra juste patienter un an ou deux pour que les tanins, encore austères en finale, se fondent.
🔑 Patrick Laur, Le Bourg, 46700 Floressas,
tél. 05.65.31.95.61, fax 05.65.31.95.64,
e-mail vignoblelaur@orange.fr ☑ 🍷 🚶 r.-v.

DOM. DE MAISON NEUVE 2004 ★

■ 1,4 ha 9 500 ▮ 5 à 8 €

Vieille de plus d'un siècle, cette propriété familiale compte aujourd'hui 14 ha. Le malbec y a produit ce vin élégamment vêtu de grenat, éclairé de reflets violines. Au nez de cerise, de cassis et de violette répond une bouche solidement étayée par les tanins, nuancée de touches mentholées et épicées en finale. Un cahors bien travaillé, que l'on peut déjà apprécier.
🔑 Delmouly, Maison Neuve, 46800 Le Boulve,
tél. 05.65.31.95.76, fax 05.65.31.93.80 ☑ 🍷 🚶 r.-v.

DOM. MARCILHAC Élevé en fût de chêne 2005 ★

■ 1,5 ha 7 400 🛢 5 à 8 €

Une teinte sombre qu'illuminent quelques reflets violets invite à poursuivre la dégustation pour percevoir les arômes de fruits rouges et de torréfaction. Des notes de fruits noirs et des touches animales s'expriment au palais, en accompagnement de tanins encore bien présents mais sans agressivité. À attendre quelques années.
🔑 Cagnac, rue de la Prade, 46140 Douelle,
tél. 05.65.30.90.32, fax 05.65.30.54.03,
e-mail domaine-marcilhac@wanadoo.fr ☑ 🍷 🚶 r.-v.

MAS DEL PÉRIÉ Cuvée Tradition 2005 ★

■ 0,7 ha 4 500 ▮ 5 à 8 €

Fabien Jouves, nouvellement diplômé en œnologie à Bordeaux, a rejoint le domaine familial en 2005, juste à temps pour vinifier le nouveau millésime. Bonne note ! Cette cuvée de couleur sombre laisse une juste place au fruit. Certes discrète au nez, elle n'en libère pas moins d'agréables notes de fruits rouges qui gagnent en intensité au palais, dans une matière franche, ronde et persistante.
🔑 Marie-Rose Ortalo, Le Bourg,
46090 Trespoux-Rassiels, tél. 05.65.30.18.07,
fax 05.65.53.12.13, e-mail masdelperie@wanadoo.fr
☑ 🍷 🚶 t.l.j. 8h-20h
🔑 Jouves

CH. DE MERCUÈS 2005 ★★

■ 10 ha 55 000 🛢 8 à 11 €

Dominant la vallée du Lot, le château, classé Monument historique, fut la résidence des comtes évêques de Cahors. Georges Vigouroux préside à la destinée de ce célèbre domaine de 30 ha depuis vingt ans. Remarquable 2005 pourpre violacé dont les arômes séduisants de fruits noirs, d'épices et de léger boisé témoignent d'une juste extraction. Des tanins solides soutiennent durablement la chair ronde et volumineuse, riche de flaveurs de fruits noirs confiturés. À savourer aujourd'hui avec un cassoulet, dans trois ou quatre ans avec un magret de canard. Du même producteur, le **Château de Haute-Serre 2005**, rond, doté d'une note de griotte et de tanins fins, obtient une étoile, de même que le **Château Leret Monpezat 2005 (5 à 8 €)**, plus léger.
🔑 GFA Georges Vigouroux, Ch. de Mercuès,
46090 Mercuès, tél. 05.65.20.80.80, fax 05.65.20.80.81,
e-mail vigouroux@g.vigouroux.fr ☑ 🍷 🚶 r.-v.

LE PASSELYS Prestige Élevé en fût de chêne 2005 ★

■ 5 ha 30 000 🛢 5 à 8 €

Une robe sombre à reflets violets enveloppe ce vin aux arômes complexes de fruits mûrs et de cacao. Celui-ci se fait déjà gourmand grâce à une chair ronde et fruitée, soutenue par des tanins certes présents mais sans une once d'agressivité et qui laissent en finale quelques notes élégantes de moka. Le jury recommande deux petites années de patience afin de profiter pleinement de cette bouteille.
🔑 Thierry et Marie-Hélène Baudel,
EARL Le Passelys, La Prade, 46140 Douelle,
tél. 05.65.20.05.76, fax 05.65.30.99.37
☑ 🍷 t.l.j. 9h-12h30 14h-19h; dim. 9h-12-30

DOM. DU PEYRIÉ
Cuvée de l'âge d'or Élevé en fût de chêne 2004 ★

■ 1,25 ha 6 690 🛢 5 à 8 €

L'âge d'or était-il celui où Gabriel Soulacroix, baryton qui interpréta au XIXes. les opéras de Verdi ou de

Massenet, possédait cette propriété ? Il ne semble pas être passé, cependant, à en juger par ce cahors de couleur aubergine, doté d'un nez complexe de fruits rouges, de violette, de vanille et d'épices, puis d'une matière souple et ronde. Un moment de plaisir à partager sans attendre. Une citation est attribuée au **Domaine du Peyrié 2005 (3 à 5 €)**, élevé en cuve, apprécié pour son fruité expressif.
Christian Gilis, Dom. du Peyrié, 46700 Soturac, tél. 05.65.36.57.15, fax 05.65.36.57.28, e-mail domaine.peyrie@wanadoo.fr
t.l.j. 8h30-12h 13h30-19h; dim. sur r.-v.

CH. PINERAIE L'Authentique 2005 ★★

■ 5 ha 20 000 15 à 23 €

Anne et Emmanuelle Burc ont rejoint le domaine familial de 45 ha, dont l'origine remonte à la seconde moitié du XIX^e^s. Elles bénéficient de l'expérience et des conseils de Jean-Luc Burc qui a produit ce cahors bel et bien « authentique ». Un pur malbec, élevé pendant dix-huit mois en fût, qui révèle une rare richesse aromatique : fruits noirs, fruits confiturés, notes vanillées et torréfiées. Le vin est souple et ample, longuement empreint de flaveurs de cassis et de sous-bois. Dès 2008, il fera honneur à votre table. Une étoile revient à la cuvée principale **Château Pineraie 2005 Vieilli en fût de chêne (5 à 8 €)**, cahors fruité et frais, encore jeune.
Jean-Luc Burc, Leygues, 46700 Puy-l'Évêque, tél. 05.65.30.82.07, fax 05.65.21.39.65, e-mail chateaupineraie@wanadoo.fr
t.l.j. sf dim. 8h-12h 14h-18h

CH. PLAT FAISANT Cuvée des générations Élevé en fût de chêne 2005 ★

■ 4 ha 10 000 3 à 5 €

Serge Bessières et Caroline Dumond aiment rendre hommage à leur famille. Aromatique et déjà souple, la **Cuvée de l'Ancêtre Élevé en fût de chêne 2005 (5 à 8 €)**, pur malbec, obtient une étoile, à l'instar de ce vin qui célèbre les générations à travers le cot. Sous une teinte pourpre à reflets violacés se manifestent des arômes complexes de cassis, de poivre, de cuir et de vanille qui trouvent un long écho dans la chair chaleureuse, bien soutenue par des tanins fins. Après un an ou deux de garde, l'harmonie sera pleinement atteinte.
SCEA Dumond-Bessières, Les Roques, 46140 Saint-Vincent-Rive-d'Olt, tél. 05.65.30.76.38, fax 05.65.30.76.10 r.-v.

CH. PONZAC Éternellement 2005 ★★

■ 0,5 ha n.c. 11 à 15 €

Souhaitons que Matthieu Molinié produise « éternellement » cette cuvée avec ce niveau de qualité. Impressionnante de concentration dans sa robe pourpre à reflets aubergine, elle livre des arômes tout aussi intenses de mûre, de myrtille, de cassis, auxquels s'ajoutent des notes de vanille. Au palais, les tanins serrés soutiennent une chair ronde et grasse, empreinte de flaveurs persistantes de fruits noirs, de réglisse et de menthol. Un grand cahors, à attendre deux ans.
Matthieu Molinié, EARL La Croix des Vignes, Le Causse, 46140 Carnac-Rouffiac, tél. et fax 05.65.31.99.48, e-mail chateau.ponzac@wanadoo.fr
t.l.j. sf dim. 8h-12h 14h-19h

CH. DU PORT Tertre-Perdigous 2005 ★

■ 11,2 ha 79 000 3 à 5 €

Depuis le château du XIX^e^s. dominant la vallée du Lot, une jolie vue s'étend sur le village d'Albas. Du fruit à perte de « nez » dans ce vin de teinte profonde, dominé par les arômes intenses de cerise et de pruneau. La bouche ample et longue s'appuie sur ces tanins encore un peu austères, mais le plaisir devrait être complet après deux ans de garde.
Pelvillain, GAEC de Circofoul, 46140 Albas, tél. 05.65.20.13.13, fax 05.65.30.75.67 r.-v.

PRIMO PALATUM Classica Réserve 2005 ★★

■ n.c. 3 000 8 à 11 €

Coup de cœur ou deux étoiles, c'est un minimum pour Xavier Copel en appellation cahors, à en juger par son palmarès passé et présent. De couleur d'encre violacée, le Classica exprime un duo fruité et boisé : les arômes de fruits noirs et de pruneau se marient à la vanille et au cacao. Harmonieusement structuré, ample, rond et longuement accompagné de flaveurs de kirsch, il ne demande pas plus d'un à deux ans de garde pour faire son entrée à table.
Xavier Copel - Primo Palatum, 1, Roy, 33190 Pondaurat, tél. 05.56.71.39.39, fax 05.56.71.39.40, e-mail xavier-copel@primo-palatum.com r.-v.

DOM. DU PRINCE Lou Prince 2005 ★★★

■ 1 ha n.c. 15 à 23 €

Une composante argilo-ferrique d'au moins 50 % fait la différence sur ce terroir. Coup de cœur l'an passé, la cuvée Lou Prince ne démérite pas cette année. Sombre, illuminée de reflets violacés, elle se montre aussi sensuelle que complexe par ses arômes de fruits noirs et de moka d'abord, par sa chair ronde, dense, qui persiste sur des notes de fruits macérés et de violette ensuite. Le temps la mènera à la perfection.
Jouves, GAEC de Pauliac, Cournou, 46140 Saint-Vincent-Rive-d'Olt, tél. 05.65.20.14.09, fax 05.65.30.78.94, e-mail domaine-du-prince@libertysurf.fr
t.l.j. sf dim. 9h-20h

CH. LES RIGALETS Prestige 2005 ★

■ 6 ha 40 000 8 à 11 €

Une extraction bien maîtrisée a permis d'obtenir cette teinte profonde aux nuances violacées, ces arômes fruités qui se prolongent subtilement dans la chair franche, dotée de tanins encore fermes. Il est souhaitable d'oublier cette bouteille deux ou trois ans en cave pour mieux la redécouvrir.

Jean-Luc Bouloumié, Les Cambous, 46220 Prayssac, tél. 05.65.30.61.69, fax 05.65.30.60.46
t.l.j. 9h-19h; dim. sur r.-v.

CH. DES ROCHES Vendémiaire 2005 ★

2,5 ha 13 000 5 à 8 €

Ce domaine est passé de 4 à 12 ha en un peu plus de vingt ans, mais Jean Labroue poursuit sa politique de vendanges en vert sévères. Belle expression du malbec et du millésime, ce vin lui donne raison, qui, vêtu de rouge sombre, légèrement violacé, libère un nez complexe, fruité et épicé. Les tanins certes puissants sont fondus. Un cahors expressif, de bon potentiel.

Jean Labroue, Les Roches, 46220 Prayssac, tél. 05.65.30.61.49, fax 05.65.30.83.53, e-mail chateaudesroches@wanadoo.fr
t.l.j. 9h-13h 15h-20h

CH. SAINT-DIDIER-PARNAC
Prestige Élevé en fût de chêne 2005 ★★

26 ha 160 000 5 à 8 €

Des caves voûtées du VIIe s. et du XVIIIe s. rappellent l'antériorité de l'activité viticole de ce domaine. L'assemblage du cot à une touche de merlot a permis d'élaborer un vin sérieux, auquel un travail soigné d'extraction a apporté une teinte sombre, à peine violacée, ainsi qu'une palette de fruits, d'épices et de grillé. La matière est en cohérence, suffisamment ronde, souple et longue pour procurer un plaisir immédiat. Du même producteur, le **Château de Grézels Prestige Élevé en fût de chêne 2005**, plus riche en merlot, ample et épicé, mérite une étoile.

SCEA Ch. Saint-Didier-Parnac, Ch. Saint-Didier, 46140 Parnac, tél. 05.65.30.78.13, fax 05.65.36.76.40, e-mail maite.rigal@wanadoo.fr
t.l.j. sf dim. 8h-12h 14h-18h
Franck Rigal

CH. SAINT-SERNIN
Prestige Vieilli en fût de chêne 2004 ★

5 ha 30 000 8 à 11 €

Anne Swartvagher a repris en 2005 le domaine familial de 45 ha. Elle prend ses marques en créant sans attendre une nouvelle cuvée, non sans succès puisque le **S du Château Saint-Sernin 2005 (5 à 8 €)**, assemblage de malbec et de merlot élevé en cuve, est cité. La préférence va à cette cuvée Prestige dans laquelle l'empreinte du bois s'est parfaitement fondue au profit des arômes de fruits noirs. L'attaque est souple, la bouche équilibrée. Un cahors prêt à être servi.

Anne Swartvagher, Les Landes, 46140 Parnac, tél. 05.65.20.13.26, fax 05.65.30.79.88, e-mail jms@chateau-saint-sernin.com
t.l.j. sf sam. dim. 10h-12h 13h30-18h; groupes 20 p. sur r.-v.
SCEA Cavalié

DOM. DU SOULEILLAN 2004 ★★

7 ha 12 000 3 à 5 €

« Souleillan » signifie en patois « soleil levant ». Car c'est à l'est que sont exposés les 14,5 ha de vignes plantées sur sol argilo-calcaire. Le cot a donné naissance à un grand cahors de terroir, vêtu de teinte sombre, cerise burlat, tirant vers l'encre violacée. Les arômes gourmands de cerise, de guignolet même, nuancés de notes fumées se prolongent dans la chair souple, complétés de touches chocolatées. La finale plaisante confirme l'équilibre remarquable. Une bouteille qui trouve déjà sa place à table.

Francis Alazard, Flottes, 46090 Pradines, tél. et fax 05.65.35.61.72, e-mail domaine.du.souleillan@wanadoo.fr
t.l.j. sf dim. 9h30-12h30 14h30-19h30

TERRE DE GAULE
Vieilles Vignes Élevé en fût de chêne 2005 ★★

30 ha 120 000 3 à 5 €

Une certaine modernité distingue ce vin élégamment vêtu de pourpre violacé. La complexité est au rendez-vous dans la palette de fruits noirs, de cannelle et de vanille, tandis que la bouche souple, aromatique, revêt une finesse remarquable. Il est inutile d'attendre plus longtemps pour profiter de pareille bouteille. La coopérative se distingue aussi par les cahors **Comte André de Monpezat 2005**, qui n'a pas connu le bois, et **Château Les Bouysses Élevé en fût de chêne 2005 (5 à 8 €)**, notés une étoile.

Côtes d'Olt, 46140 Parnac, tél. 05.65.30.71.86, fax 05.65.30.35.28
t.l.j. 9h-12h30 13h30-18h30; f. janv.

DOM. DU THÉRON 2005 ★

12 ha 29 000 5 à 8 €

Un violent orage s'est abattu en juillet 2005, endommageant 85 % du vignoble. En conséquence, le domaine n'a pu élaborer qu'une seule cuvée. Cette étoile brille comme le soleil revenu après la pluie. De la classe dans la robe sombre à reflets violacés comme dans les arômes de mûre, de vanille, de réglisse, qui traduisent bien la présence du cot et l'élevage de douze mois sous bois. La bouche charnue, fondante même, se rehausse de notes mentholées rafraîchissantes. À boire ou à attendre.

SCEA Dom. du Théron, Le Théron, 46220 Prayssac, tél. 05.65.30.64.51, fax 05.65.30.69.20, e-mail domainetheron@wanadoo.fr
t.l.j. 10h-19h; sam. dim. sur r.-v.
Pauwels

TOURNEPIQUE 2005

18,15 ha 116 000 3 à 5 €

Autrefois, dans la région de Cahors, étaient installées des sortes de péages signalés par des barrières hérissées pivotantes, des « tournepiques ». Aucun signe de tanins « hérissés » dans ce cahors. Bien au contraire, les dégustateurs s'accordent sur leur caractère soyeux qui donne au vin une souplesse plaisante. Sous une teinte grenat sombre apparaissent des arômes francs de fruits noirs, qu'une certaine fraîcheur met en valeur au palais.

SARL Albas Distribution F.V., RD 9, Circofoul, 46140 Albas, tél. 05.65.30.52.97, fax 05.65.30.75.67

CH. VINCENS Prestige Élevé en fût de chêne 2005 ★

12 ha 80 000 5 à 8 €

Dominant un cirque dans la vallée de Parnac, les chais du château ont accueilli douze mois durant ce vin de cot assagi par 20 % de merlot, issus de sols siliceux. La couleur encre est tout aussi séduisante que les arômes de fruits frais (cassis, mûre) mêlés de vanille. Après une attaque fraîche, les tanins se manifestent, puissants, dans la chair suffisamment ample. Le temps devrait arrondir ce cahors solide et expressif.

Ch. Vincens, Foussal, 46140 Luzech, tél. 05.65.30.51.55, fax 05.65.20.15.83
t.l.j. sf dim. 8h-12h 14h-19h

SUD-OUEST

DOM. DE VINSSOU 2005 ★★

■ 2 ha 10 000 ▮ 5 à 8 €

Un domaine familial passé de la polyculture à la vigne sous la houlette de Louis Delfau et de son épouse. Régulièrement mentionnés dans le Guide, ses vins font preuve d'une remarquable régularité que ne démentira pas ce 2005 pourpre, qui attire l'œil de ses reflets violacés, puis enchante le nez par ses puissants arômes de cerise, de fraise et de framboise. Le palais n'est pas en reste, souple, rond, fruité et frais. Un pur plaisir dès maintenant.

⊶ Louis Delfau, Dom. de Vinssou, rue du Castagnol, 46090 Mercuès, tél. et fax 05.65.30.99.91, e-mail vinssou.cahors@wanadoo.fr
☑ Y ⚲ t.l.j. sf dim. 10h-19h; f. dernière sem. d'août

Coteaux-du-quercy AOVDQS

Située entre Cahors et Gaillac, la région viticole du Quercy s'est reconstituée assez récemment. Mais, comme dans toute l'Occitanie, la vigne y était cultivée dès avant notre ère. La vigne connut cependant plusieurs périodes de reflux : au Iers., à la suite de l'édit de Domitien interdisant toute nouvelle plantation hors d'Italie, au XVes., en raison de la prépondérance de Bordeaux, puis au début du XXes., à cause du poids du Languedoc-Roussillon. La recherche de la qualité, qui s'est mise en place à partir de 1965 avec le remplacement des hybrides, a conduit à la définition d'un vin de pays en 1976. Peu à peu, les producteurs ont isolé les meilleurs cépages et les meilleurs sols. Ces progrès qualitatifs ont débouché sur l'accession à l'AOVDQS en 1999. Le territoire délimité s'étend sur 33 communes des départements du Lot et du Tarn-et-Garonne.

L'appellation est réservée aux vins rouges et rosés. Les vins rouges et rosés assemblent le cabernet franc, cépage principal pouvant atteindre 60 %, et les tannat, cot, gamay noir ou merlot (chacune de ces variétés à hauteur de 20 % maximum). La déclaration de récolte en 2005 a atteint 7 033 hl pour 144 ha. Elle est assurée par une trentaine de producteurs, dont trois caves coopératives.

DOM. DES GANAPES 2006 ★

■ 0,5 ha 2 666 ▮ 3 à 5 €

Depuis 2002, Jean-Marc Seguy conduit avec sa fille ce domaine de 67,7 ha sur sol argilo-calcaire, qu'une vieille ferme en torchis commande. Du cabernet franc (60 %), du gamay et une pointe de merlot composent ce rosé brillant, parfumé de notes de banane et de fruits rouges. Après une attaque vive, le vin parvient à un équilibre très réussi entre la fraîcheur et un caractère chaleureux, qui met en valeur le fruité persistant.

⊶ Jean-Marc Seguy, Ambayrac, 2574, chem. de Mirabel, 82440 Realville, tél. 05.63.31.04.81, fax 05.63.31.89.63, e-mail domaine.des.ganapes@wanadoo.fr
☑ Y ⚲ t.l.j. 10h-12h 14h-18h

DOM. DE LA GARDE 2005 ★★

■ 10 ha 12 000 ◑ 5 à 8 €

Douze mois de fût ont permis d'affiner ce vin de velours noir, brillant de reflets violets. Certes, le boisé se manifeste, mais il se mêle avec complexité aux senteurs de fleurs, de fruits et d'épices. Après une attaque ferme, la bouche apparaît ample et dense, riche de flaveurs. Les tanins se font suaves et le boisé s'efface dans la finale. Le **Domaine de La Garde rouge Tradition 2005**, plus discret mais équilibré, mérite une citation.

⊶ Jean-Jacques Bousquet, Le Mazut, 46090 Labastide-Marnhac, tél. et fax 05.65.21.06.59, e-mail domainedelagarde@yahoo.fr
☑ Y ⚲ t.l.j. sf dim. 9h-12h30 14h-19h

DOM. DE GUILLAU Élevé en fût de chêne 2004 ★

■ 2 ha 2 000 ◑ 5 à 8 €

Si vous passez par ce domaine en juillet, non seulement vous y dégusterez les vins, mais vous pourrez aussi profiter de l'orchestre de jazz qui anime ses portes ouvertes. C'est un 2004 qui a séduit le jury. Issu de 60 % de cabernet franc, ainsi que de merlot et de tannat à parts égales, il livre sous une teinte rouge-noir des arômes intenses et frais : le boisé est bien fondu laissant au fruit la place qui lui revient, une touche mentholée en plus. À l'impression première de rondeur et de chaleur succède l'expression d'un boisé bien maîtrisé et de tanins légèrement fermes en finale. Le **Domaine de Guillau rouge Tradition 2005 (3 à 5 €)** obtient la même note.

⊶ Jean-Claude Lartigue, Dom. de Guillau, 82270 Montalzat, tél. 05.63.93.17.24, fax 05.63.93.28.06, e-mail jean-claude.lartigue@orange.fr ☑ Y ⚲ r.-v.

DOM. DE LACOSTE 2006

■ 2 ha 13 000 ▮ 3 à 5 €

Le domaine du lycée viticole de Cahors permet aux étudiants d'apprendre leur metier sur le terrain depuis 1992. Les activités offertes aux visiteurs sont nombreuses, depuis le concours de taille de vigne, le salon des Saveurs d'automne jusqu'à la visite d'une station expérimentale de trufficulture et d'un élevage de cervidés. Truffes et terrines de gibier formeront de bons accords avec ce 2006 grenat soutenu, ouvert sur des arômes de fruits noirs en confiture, d'épices, soulignés de menthol. À la fois fraîche et grasse, la bouche fait preuve de concentration, mais les tanins encore marqués méritent de se fondre. Un coteaux-du-quercy qui a bon fond.

⊶ Dom. de Lacoste, Lycée viticole de Cahors, 46090 Le Montat, tél. 05.65.21.03.67, fax 05.65.21.00.01 ☑ Y ⚲ t.l.j 8h-12h 13h30-17h30

DOM. DE LAFAGE Tradition 2005 ★★

■ 8 ha 24 000 ▮ 5 à 8 €

Montpezat-de-Quercy est un joli village en pierre blanche, dont la collégiale mérite une halte. Quatre kilomètres plus loin, vous trouverez Bernard Bouyssou au cœur de ses 12 ha conduits en agriculture biologique. Il a élaboré un 2005 des plus originaux sous une teinte bordeaux à reflets violacés. Très fin, ce vin livre un panier

de fruits mûrs, presque confits (fraise, framboise, cassis), relevés d'une pointe de réglisse. Il bénéficie d'une structure de qualité, respectueuse de la chair souple et fruitée, longuement persistante.
Bernard Bouyssou, Dom. de Lafage,
82270 Montpezat-de-Quercy, tél. 05.63.02.06.91,
fax 05.63.02.04.55, e-mail domainedelafage@free.fr
r.-v.

DOM. DE LINON 2005

12,68 ha 12 000 3 à 5 €

Le domaine de Linon est situé en bordure de la nationale 20. Thomas Mourgues, qui a rejoint son père voilà quatre ans, produit ce 2005 dont les premières nuances d'évolution éclairent la robe rouge intense. Une légère touche animale se glisse dans la palette de fruits mûrs (fraise, groseille et cassis) qui se décline jusqu'en finale d'une bouche souple et équilibrée, aux tanins fondus. Un vin sincère, à déguster dès à présent.
GAEC de Linon, Linon,
46170 Saint-Paul-de-Loubressac,
tél. et fax 05.65.21.98.03
t.l.j. sf dim. 8h-12h30 14h-18h30
Mourgues

DOM. DU MERCHIEN Chien rouge 2005

3 ha 5 000 3 à 5 €

David et Sarah Meakin sont tombés sous le charme du Quercy, il y a sept ans, et s'attachent à partager leur passion avec les amateurs britanniques et danois qui représentent 60 % de la clientèle. Un vin qui ne « manque pas de chien » que ce 2005 couleur cerise burlat. Les arômes de fruits rouges à l'alcool sont en parfaite cohérence avec la chair dense et bien tramée, chaleureuse mais équilibrée par la touche de fraîcheur due au caractère aromatique du cabernet franc. Le **Domaine du Merchien Vat 565 2005**, encore très jeune, est cité également.
David et Sarah Meakin,
Dom. du Merchien, Penchenier,
46230 Belfort-du-Quercy, tél. et fax 05.63.64.97.21,
e-mail wine@merchien.com
t.l.j. sf dim. 11h-19h; dim. sur r.-v.

PEYRE FARINIÈRE Élevé en fût de chêne 2005 *

1,5 ha 10 200 5 à 8 €

Les Vignerons du Quercy montrent l'exemple avec ce 2005 intensément coloré, de bonne facture. Au nez frais et complexe de fruits rouges, de vanille et d'épices fines répond une bouche souple, étayée par de doux tanins. Le fruit rehausse l'impression agréable de fraîcheur, cependant qu'un boisé léger prolonge la finale.
Vignerons du Quercy, RN 20,
82270 Montpezat-de-Quercy, tél. 05.63.02.03.50,
fax 05.63.02.00.60,
e-mail lesvigneronsduquercy@wanadoo.fr r.-v.

DOM. SAINT-JULIEN 2005 *

4,5 ha 18 000 3 à 5 €

L'équilibre fait tout dans ce coteaux-du-quercy, par ailleurs intensément aromatique : des notes de fruits rouges et noirs bien mûrs relevés d'épices se manifestent jusqu'au palais, soulignant la matière dense, sans heurts, plutôt gourmande. Pour une assiette de charcuteries.
GAEC de Saint-Julien, Le Gros,
46170 Castelnau-Montratier, tél. 05.65.21.95.86,
fax 05.65.21.83.89 r.-v.
Jacques Vignals

Gaillac

Comme l'attestent les vestiges d'amphores fabriquées à Montels, les origines du vignoble gaillacois remontent à l'occupation romaine. Au XIIIe s., Raymond VII, comte de Toulouse, prit à son endroit un des premiers décrets d'appellation contrôlée, et le poète occitan Auger Gaillard célébrait déjà le vin pétillant de Gaillac bien avant l'invention du champagne. Le vignoble (4 189 ha) se divise entre les premières côtes, les hauts coteaux de la rive droite du Tarn, la plaine, la zone de Cunac et le pays cordais pour une production de 117 202 hl de vins rouges et rosés et 69 900 hl de vins blancs en 2005.

Les coteaux calcaires se prêtent admirablement à la culture des cépages blancs traditionnels comme le mauzac, le len-de-l'el (loin-de-l'œil), l'ondenc, le sauvignon et la muscadelle. Les zones de graves sont réservées aux cépages rouges, duras, braucol ou fer-servadou, syrah, gamay, négrette, cabernet, merlot. La variété des cépages explique la palette des vins gaillacois.

Pour les blancs, on trouvera les secs et perlés, frais et aromatiques, et les moelleux des premières côtes, riches et suaves. Ce sont ces vins, très marqués par le mauzac, qui ont fait la renommée du gaillac. Le gaillac mousseux peut être élaboré soit par une méthode artisanale à partir du sucre naturel du raisin, soit par la méthode traditionnelle ; la première donne des vins plus fruités, avec du caractère. Les rosés de saignée sont légers et faciles à boire, les vins rouges dits de garde, typés et bouquetés.

CH. D'ARLUS 2006 *

1,8 ha 12 000 5 à 8 €

Rive droite du Tarn, le château d'Arlus ne possède pas moins de 32 ha de vignes. Le gamay, le duras, le merlot et la syrah ont été assemblés pour composer ce vin brillant, rose bonbon, d'une agréable tonicité. Aux arômes de bonbon anglais et de fraise répond une bouche fraîche et longuement aromatique, soulignée par un léger perlant. La cuvée **Mauzac 2006 blanc sec**, bien vive, est citée.
EARL Lucien Schmitt, Ch. d'Arlus, Les Homps,
81140 Montels, tél. 05.63.33.15.06, fax 05.63.57.90.87,
e-mail arlus3@wanadoo.fr r.-v.

CH. BARON 2005

3 ha 20 000 5 à 8 €

Grenat sombre, ce vin exprime des arômes de fruits rouges et noirs, parmi lesquels se distingue nettement une note de cassis. Quelques touches d'épices douces les accompagnent. La bouche est souple, ronde, grâce à des tanins qui jouent les timides devant le fruit, nuancé d'une pointe de poivron vert. (Serait-ce la marque des 10 % de cabernet-sauvignon ?) Un gaillac plaisant.

SUD-OUEST

SCEA Verdier et Fils, Les Pièces-Longues, 81140 Le Verdier, tél. 05.63.33.93.46, fax 05.63.33.24.59 r.-v.

DOM. BARREAU

Les Braisiers Vieilli en fût de chêne 2005 ★

1 ha 3 000 11 à 15 €

Il aura fallu près de quatorze ans à Jean-Claude Barreau pour reconstituer une partie de son vignoble sur les sols argilo-calcaires. Les vignes de braucol ont maintenant douze ans. Elles sont à l'origine de ce vin intensément coloré, aux nuances violines, dont le premier nez, très boisé, décline la vanille et le grillé. Viennent ensuite les fruits et des notes de sous-bois. D'attaque fraîche, la bouche intègre davantage le bois et s'appuie sur d'agréables tanins. Il en résulte une sensation de rondeur et d'harmonie. Le **Caprice d'Automne 2005 doux (8 à 11 €)** obtient également une étoile.

Jean-Claude Barreau, Boissel, 81600 Gaillac, tél. 05.63.57.57.51, fax 05.63.57.66.37, e-mail domaine.barreau@wanadoo.fr t.l.j. 9h-12h 14h-19h

DOM. DE BONNEFIL

Méthode gaillacoise ancestrale Cuvée spéciale 2006

0,6 ha 1 500 8 à 11 €

Ce gaillac bien équilibré saura aiguiser l'appétit par sa vivacité et son perlant. Jaune assez pâle, bulles discrètes, arômes subtils de pomme et de coing, légère douceur : il joue la simplicité et cela lui va bien.

Alain et Martine Lagasse, Bonnefil, 81150 Lagrave, tél. et fax 05.63.41.70.62, e-mail lagasse.martine@wanadoo.fr r.-v.

CH. BOURGUET 2005 ★

2,85 ha 20 800 3 à 5 €

Exposé au soleil levant, face au village de Cordes-sur-Ciel, le vignoble de plus de 21 ha entoure la demeure et les caves. Le sol est ici très caillouteux, argilo-calcaire. Attrayant dans sa robe aux reflets cerise, ce gaillac présente quelques notes animales, bientôt rejointes par des senteurs de fraise et d'airelle, puis de poivron grillé. Les mêmes arômes s'expriment au palais, soulignant la matière dense et suffisamment persistante, aux tanins séveux.

Jean et Jérôme Borderies, Les Bourguets, 81170 Vindrac-Alayrac, tél. et fax 05.63.56.15.23, e-mail jean.borderies@libertysurf.fr t.l.j. sf dim. 9h-12h 15h-19h; ouv. dim. juil.-août; groupes sur r.-v.

DOM. DE BROUSSE Haut Cordurier 2005 ★

1 ha 6 000 5 à 8 €

Situé sur les premiers coteaux du plateau cordais, exposé plein sud, ce vignoble fait honneur au braucol qui constitue à lui seul cette cuvée d'un rouge-violet, d'une franche jeunesse. Bien ouverte, elle exprime des arômes de fruits noirs, d'épices et de poivron, avec une touche de truffe en plus. Le fruit trouve écho au palais ; les tanins soutiennent élégamment la chair ronde, bien qu'ils laissent en finale une pointe d'austérité. Deux ou trois ans de garde y remédieront. Le **Domaine de Brousse 2005 rouge Élevé en fût de chêne (8 à 11 €)**, fruité et réglissé, obtient une étoile également.

Philippe et Suzanne Boissel, Dom. de Brousse, 81140 Cahuzac-sur-Vère, tél. et fax 05.63.33.90.14, e-mail domainedebrousse@wanadoo.fr t.l.j. 10h30-12h30 15h-20h; f. 20-30 août

DOM. DES CAILLOUTIS Doux 2006 ★★

n.c. 6 000 5 à 8 €

En culture biologique depuis 2001, ce domaine porte bien son nom : des cailloutis calcaires composent ce terroir, offrant aux cépages gaillacois de bonnes conditions de maturation. Ce vin de loin-de-l'œil ne passe pas inaperçu dans sa robe vieil or brillant. Le nez est montant, étonnant par ses notes de pomme mûre et de pain d'épice, ses arômes de fruits confits et de praline. Après une attaque fraîche, la matière ne tarde pas à prendre du volume ; elle est gourmande et pourtant bien dotée en vivacité jusqu'à la finale marquée par les fruits secs. La **cuvée Prestige 2005 rouge (8 à 11 €)**, qui a connu le fût, obtient une étoile.

Bernard Fabre, Dom. des Cailloutis, 81140 Andillac, tél. 05.63.33.97.63, e-mail bernardfabre2@aol.com r.-v.

CH. CANDASTRE Le Rosé de Candastre 2006

32,96 ha 231 600 3 à 5 €

Un rosé de teinte soutenue qui présente un caractère printanier grâce à ses arômes fruités intenses. La bouche est à la fois ronde, grasse et suffisamment fraîche pour se montrer friande. Les grillades et les charcuteries s'imposent.

SCEA Ch. Candastre, rte de Senouillac, 81600 Gaillac, tél. 05.63.41.70.38, fax 05.63.57.60.44, e-mail candastre@wanadoo.fr

Pelissié

DOM. CARCENAC

Doux Frisson d'automne 2006 ★

1,5 ha 6 000 5 à 8 €

Fort d'une cinquantaine d'hectares, ce domaine bénéficie de trois terroirs, dont un, argilo-graveleux, complanté de loin-de-l'œil et de muscadelle. Récolté début septembre, ce vin or pâle offre un nez expressif de miel, de pâte de coings, de peau d'orange. Loin de décevoir au palais, il se montre souple et frais, aromatique. Dommage qu'il ne persiste pas plus longtemps, car le plaisir est réel.

Dom. Carcenac, Le Jauret, 81600 Montans, tél. 05.63.57.57.28, fax 05.63.57.68.41, e-mail domaine.carcenac@wanadoo.fr t.l.j. 8h-12h 14h-19h

CH. CHAUMET-LAGRANGE

Rêveries d'automne 2005 ★

3 ha 16 000 5 à 8 €

Le domaine, repris en 2001 et restauré, a trouvé son rythme de croisière. En témoignent deux cuvées issues de cabernet, de braucol et de syrah. Rêveries d'automne, qui fait une plus grande place au cabernet, a séduit le jury par sa robe rouge vif comme par son nez de fruits rouges. Ce vin est rond, souple et fondant jusqu'à la finale légèrement épicée. La **cuvée Tradition 2005 rouge (3 à 5 €)**, qui n'a pas connu le bois, obtient une étoile également.

SCEA Chaumet-Lagrange, Les Fediès, 81600 Gaillac, tél. 05.63.57.07.12, fax 05.63.57.64.12, e-mail chateau.ch-lagrange@wanadoo.fr r.-v.

Ch. Boizard

DOM. LA CROIX DES MARCHANDS

Doux 2005 ★

3 ha 13 000 5 à 8 €

Le nom du domaine se réfère aux potiers qui faisaient commerce de leur production, dont des amphores, à l'époque gallo-romaine. C'est un vin doré brillant que l'on découvre aujourd'hui sur ce terroir graveleux. Aux senteurs d'abricot, de zeste d'orange confit et de cire d'abeille, signe d'une grande maturité, correspond une forte sucrosité au palais. Un gaillac rond et très doux.

J.-M. et M.-J. Bezios,
Dom. La Croix des Marchands, 81600 Montans,
tél. 05.63.57.19.71, fax 05.63.57.48.56 r.-v.

L'ENCLOS DES BRAVES L 2005 *

1,2 ha 4 000 8 à 11 €

Nicolas Lebrun, œnologue, a acquis en 2005 cette propriété de 6 ha. Une étoile l'an passé pour un gaillac sec, une étoile cette année pour un gaillac rouge. La maîtrise de la vinification est patente. Ce 2005, d'une couleur cassis à nuances violines, affiche un nez intense et typé de cassis, de poivre et de poivron vert, souligné d'un boisé très doux. Il reste fruité au palais, toujours nuancé de l'empreinte du fût, et développe une matière ronde, qu'une trame de tanins fins soutient. Une belle expression du braucol. Une étoile revient également à la cuvée **Les Gourmands 2005 rouge (5 à 8 €)**, élevée en cuve, plus légère.

Nicolas et Chantal Lebrun,
imp. du Séjour-des-Braves, 81800 Rabastens,
tél. 06.08.30.27.81, fax 05.63.40.33.49,
e-mail lebrun.nicolas@cegetel.net r.-v.

DOM. D'ESCAUSSES
Doux Les Vendanges dorées 2006 *

4 ha 15 000 8 à 11 €

Arrivée en 2006 sur le domaine avec son diplôme d'œnologie en poche, Aurélie Balaran vient aider ses parents à élaborer de bons gaillac à l'image de cette cuvée bien nommée. De l'or, en effet, se distingue dans sa robe brillante, annonce des arômes intenses de fruits confits, nuancés d'une touche de noisette. La bouche est concentrée, très grasse et douce, empreinte de flaveurs de miel et de gelée de coings. (Bouteilles de 50 cl.) Une étoile encore pour **La Croix petite 2005 rouge Élevé en fût de chêne. La Vigne de l'oubli 2005 blanc sec (5 à 8 €)** reçoit une citation.

EARL Denis Balaran,
Dom. d'Escausses, La Salamandrie,
81150 Sainte-Croix,
tél. 05.63.56.80.52, fax 05.63.56.87.62,
e-mail jean-marc.balaran@wanadoo.fr
t.l.j. sf dim. 9h-19h; groupes sur r.-v.
Jean-Marc et Roselyne Balaran

CH. DE FRAUSSEILLES 2005 *

0,5 ha 1 200 11 à 15 €

Robe foncée à nuances violettes, nez de fruits cuits, de torréfaction et d'épices, à peine nuancé de notes animales. C'est un vin rond et gras qui se présente ainsi. Les tanins réglissés sont déjà fondus et le bois souligne discrètement la finale. Un gaillac moderne, bien fait.

SCEA Ch. de Frausseilles,
Le Bourg, 81170 Frausseilles,
tél. 05.63.56.14.02, fax 05.63.56.15.03,
e-mail chateaufrausseilles@wanadoo.fr r.-v.
Comte de Thun et Hohenstein

DOM. DE GINESTE Cuvée pourpre 2005 *

6 ha 38 000 5 à 8 €

Le domaine a été repris voilà sept ans et a bénéficié d'un large travail d'adaptation des cépages aux différents

Gaillac

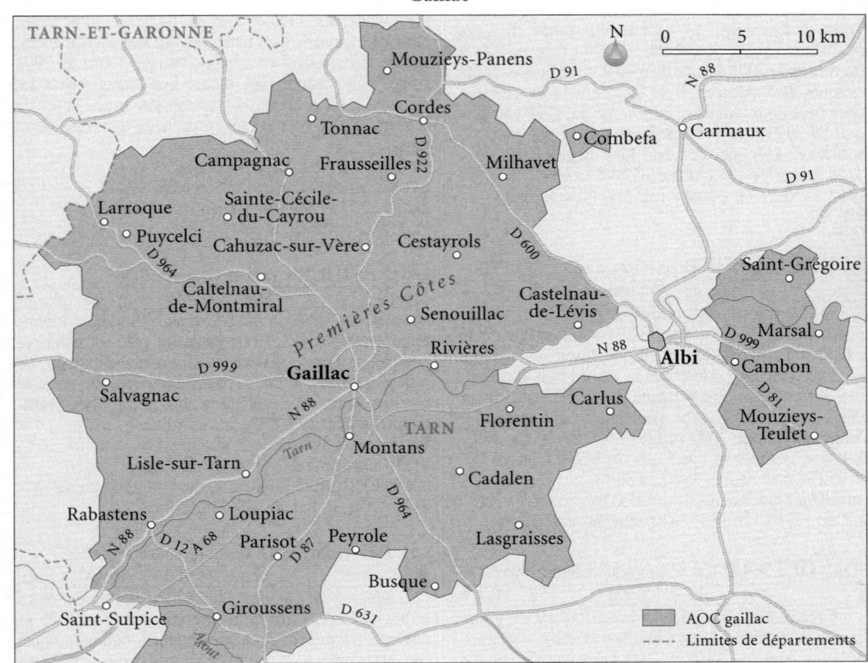

SUD-OUEST

terroirs : sablonneux pour les cépages blancs, argilo-sableux et graveleux pour les rouges. Le résultat est probant à en juger par ce vin « pourpre », qui livre un nez intense, bien équilibré entre le fruit et le bois, relevé d'épices. L'attaque est souple, la bouche ample et ronde, persistante. Le potentiel est là. La **Cuvée blonde 2005 (8 à 11 €)** est citée.
SARL Dom. de Gineste, Gineste, 81600 Técou,
tél. 05.63.33.03.18, e-mail info@domainedegineste.com
t.l.j. sf dim. 10h-12h30 14h30-18h30
Maugeais-Delmotte

DOM. DE LABARTHE Doux Cuvée les Grains d'or Élevé en fût de chêne 2005 ★★

2,5 ha 4 500 8 à 11 €

Des vignes de quarante-cinq ans, dont les rangs sont enherbés, sont à l'origine de cette cuvée or pâle à reflets verts. Le jury a apprécié sa riche palette de fruits confits, discrètement mêlés de notes boisées. La bouche est généreuse, assez chaleureuse mais toujours élégante. Un gaillac doux déjà agréable, mais qui saura également attendre. La **cuvée Guillaume 2005 rouge (5 à 8 €)**, élevée un an en fût, obtient une étoile pour sa souplesse et son fruité, tandis que la **cuvée L'Héritage 2005 blanc sec (5 à 8 €)** est citée.
Albert, Dom. de Labarthe, 81150 Castanet,
tél. 05.63.56.80.14, fax 05.63.56.84.81,
e-mail labarthe@labarthe.com
t.l.j. sf dim. 8h-12h 14h-19h

LABASTIDE Le Perlé 2006 ★

n.c. 200 000 3 à 5 €

Labastide est le plus important producteur de gaillac blanc et de gaillac primeur. C'est dans cette cave qu'en 1957 le premier gaillac perlé a été produit. Tout naturellement, ce style de vin a la vedette cette année. Avec ses fines bulles à peine perceptibles dans la robe or pâle à reflets verts, le 2006 décline de discrètes senteurs de fruits exotiques et d'agrumes. Il se montre à la fois frais et légèrement doux, équilibré en somme. Le **Château Labastidié 2005 rouge (5 à 8 €)** est cité.
Cave de Labastide-de-Lévis, Lieu-dit Les Bartes,
81150 Labastide-de-Lévis, tél. 05.63.53.73.73,
fax 05.63.53.73.74, e-mail info@cave-labastide.com
r.-v.

CH. DE LACROUX Doux Vigne du Rey 2005 ★

1,56 ha 10 000 5 à 8 €

Ici, on connaît son terroir par cœur. La propriété appartient à la famille depuis 1726. 60 % de mauzac et le reste de loin-de-l'œil composent une cuvée jaune pâle à reflets verts qui joue la légèreté. Le nez est frais et délicat, floral et fruité. Après une attaque vive, le vin reste frais et aérien, sans excès de sucre. Pour une cuisine épicée. Le **Château Philippe 2005 rouge (3 à 5 €)** est cité.
Pierre Derrieux et Fils, Lacroux, 81150 Cestayrols,
tél. 05.63.56.88.88, fax 05.63.56.86.18,
e-mail chateaudelacroux@wanadoo.fr
t.l.j. 9h-12h 14h-18h30; dim. sur r.-v. 2

DOM. DE LARROQUE Privilège d'antan 2005 ★★

2 ha 9 500 5 à 8 €

Créé en 1995, le domaine de Larroque a déjà reçu des coups de cœur de la part du jury du Guide. Rappelez-vous des éditions 2004 et 2005. Dans le caveau de

dégustation flambant neuf, vous découvrirez aujourd'hui cette cuvée de teinte presque noire qui livre des arômes aussi puissants que complexes : fruits rouges et noirs, notes florales et épicées. Au palais, elle offre un bon volume et fait preuve d'équilibre entre le gras et des tanins fondus qui laissent en finale toute la place aux arômes. Un gaillac authentique. Deux étoiles brillent également pour le **Domaine de Larroque 2006 blanc sec**, souple, rond et très aromatique, cependant qu'une étoile est attribuée à la cuvée **Les Seigneurines 2005 rouge Élevé en fût de chêne (8 à 11 €)**, encore un peu marquée par le bois.
EARL Patrick et Valérie Nouvel,
Dom. de Larroque, 81150 Cestayrols,
tél. 05.63.56.87.63, fax 05.63.56.87.40,
e-mail domainedelarroque@wanadoo.fr
t.l.j. 9h-12h 14h-19h; dim. sur r.-v.

CH. LARROZE 2005

14 ha 80 000 5 à 8 €

François Linard a acquis en 1998 cette propriété, dont il a restructuré le vignoble 70 ha aujourd'hui, avec une majorité de cépages rouges. Le chai est en outre des plus modernes, creusé dans la roche et entièrement climatisé. Couleur bien nette, brillant de reflets mauves, nez de fruits rouges et d'épices typique : voici un 2005 fruité, mais encore bien jeune. Les tanins jouent les vedettes à cette heure, laissant en finale des notes de réglisse. Il faut attendre un an ou deux que jeunesse se passe.
Linard, SARL La Colombarié,
81140 Cahuzac-sur-Vère, tél. 05.63.33.92.62,
fax 05.63.33.92.49, e-mail larroze@anavim.com
r.-v. 4 D

CH. LASTOURS Sec Les Graviers 2006 ★

8 ha 40 000 3 à 5 €

Un domaine de 40 ha, dont la tradition viticole remonte au XVIIIe s. Et un gaillac or pâle, au séduisant bouquet de fleurs et d'agrumes. Une même impression de fraîcheur est perceptible au palais, équilibrée par une juste rondeur. Une étoile également pour la **méthode traditionnelle brut (5 à 8 €)**, fine et fruitée.
Hubert et Pierric de Faramond, Ch. Lastours,
81310 Lisle-sur-Tarn, tél. 05.63.57.07.09,
fax 05.63.41.01.95, e-mail chateau-lastours@wanadoo.fr
t.l.j. sf dim. 9h-12h 14h-18h

CH. LÉCUSSE Vieilli en fût de chêne 2005 ★

5 ha 36 000 8 à 11 €

Mogens N. Olesen, obtenteur de rosiers danois, a acquis cette demeure de maître en 1994. Son 2005 se distingue par une robe pourpre à nuances violines, comme par un nez intense et complexe de fruits noirs (cassis), de réglisse et d'épices, agrémenté d'une touche de violette. La chair est pleine, grasse et chaleureuse, toujours épicée ; elle enveloppe en partie une structure de tanins solides. Un gaillac corsé qui peut attendre, mais que certains apprécieront dès maintenant.

Mogens N. Olesen, SCA du Ch. Lécusse, 81600 Broze, tél. 05.63.33.90.09, fax 05.63.33.94.36, e-mail post@chateaulecusse.fr r.-v.

MANOIR DE L'EMMEILLÉ Doux 2006 ★

2 ha 5 000 5 à 8 €

Manoir du Moyen Âge, dont la chapelle a été aménagée en caveau de dégustation. Lieu inspiré pour découvrir les vins de ce domaine de 40 ha, et particulièrement ce 2006 jaune paille, aux arômes de pomme au four et de viennoiseries. D'attaque franche, il emplit le palais de sa chair ronde et douce, suffisamment équilibrée pour bien évoluer dans le temps. Pour l'apéritif ou le dessert. Le **Manoir de l'Emmeillé Perlé 2006 (3 à 5 €)** obtient une étoile, tandis que le **Manoir de l'Emmeillé 2005 rouge (3 à 5 €)** est cité.

Dom. de L'Emmeillé, 81140 Campagnac, tél. 05.63.33.12.80, fax 05.63.33.20.11, e-mail contact@emmeille.com
t.l.j. sf dim. 9h-12h 14h-18h
Poussou

CH. MARESQUE Cuvée Thomas 2005 ★★

2 ha 12 000 5 à 8 €

Sur les premiers coteaux de Gaillac, exposé plein sud, ce domaine est commandé par un château vieux de plus de trois siècles. Cette cuvée, cerise burlat intense à reflets violets, livre une palette complexe de fruits rouges et noirs (cassis), complétée d'épices. Elle fait preuve de rondeur et de volume au palais, étayée par une structure de tanins réglissés, bien fondus. Une étoile est attribuée au **Château Maresque 2005 rouge Élevé en fût de chêne (8 à 11 €)**.

Ch. Maresque, chem. de Maresque, 81600 Gaillac, tél. 06.82.43.87.36, fax 05.63.57.53.32, e-mail info@maresque.com t.l.j. 8h-19h

MAS D'AUREL 2005 ★★

8 ha 30 000 3 à 5 €

Jacques Aymard et Brigitte Molinier dirigent depuis 1963 ce domaine bien placé sur les routes touristiques et gastronomiques du Ségala. Vous vous y arrêterez pour découvrir ce vin grenat intense, aux arômes séduisants de fruits rouges (cerise) et noirs mûrs, nuancés de poivre. Sa chair ronde, bien structurée par des tanins soyeux, laisse une impression fruitée durable au palais. Un gaillac chaleureux, mais remarquablement équilibré.

Mas d'Aurel, 81170 Donnazac, tél. 05.63.56.06.39, fax 05.63.56.09.21, e-mail masdaurel@wanadoo.fr
t.l.j. sf dim. 9h-12h 14h-19h
Molinier-Aymard

MAS DES COMBES Sec 2006 ★

3 ha 8 000 3 à 5 €

Composé à parts égales de muscadelle et de sauvignon, ce gaillac aux reflets argentés traduit la bonne maturité du raisin par des arômes de fruits exotiques et des notes muscatées. Après une attaque vive, légèrement perlante, la bouche reste fraîche tout en révélant un peu de gras. Joli retour aromatique en finale, sur les fruits à chair blanche.

EARL Rémi Larroque, Oustry, 81600 Gaillac, tél. 05.63.57.06.13, fax 05.63.57.48.31, e-mail larroque.remi@wanadoo.fr
t.l.j. sf dim. 9h-12h 14h-19h

CH. MONTELS Doux 2005 ★★

2,5 ha 9 900 5 à 8 €

Souvenez-vous : Bruno Montels a obtenu un coup de cœur l'an passé pour son gaillac rouge 2004. Il confirme son talent de vinificateur, mais en gaillac blanc dans le millésime 2005. Un vin or pâle brillant qui dispense d'élégants arômes de fleurs et de fruits, de gelée de coings et de miel, d'amande douce, de pomme au four et de zeste d'agrumes. À la fois acidulée, ronde et moelleuse, la bouche révèle une même complexité aromatique, une pointe de vivacité soutenant la finale. Pour un foie gras ou un roquefort.

Bruno Montels, Burgal, 81170 Souel, tél. 05.63.56.01.28, fax 05.63.56.15.46 r.-v.

DOM. DU MOULIN
Vieilles Vignes Élevé en fût 2005 ★

4 ha 20 000 5 à 8 €

Un ancien moulin à vent veille sur le vignoble de 40 ha de ce domaine, qui bénéficie de deux terroirs, rive gauche, l'un argilo-calcaire, l'autre de graviers. De ces derniers sols est née une cuvée pourpre à reflets violets, dont le nez intense évoque le boisé avant de s'orienter à l'agitation vers des notes plus fraîches de fruits noirs. Douce et chaleureuse en attaque, la bouche demeure ronde et souple, accompagnée d'un bois harmonieux et de tanins réglissés. Une citation est attribuée au **Domaine du Moulin Sec Vieilles Vignes 2006**.

Nicolas et Jean-Paul Hirissou, Dom. du Moulin, chem. de Bastié, 81600 Gaillac, tél. 05.63.57.20.52, fax 05.63.57.66.67, e-mail hirissou81@wanadoo.fr
t.l.j. 8h-12h 14h-19h

DOM. DES PARISES Doux Loin-de-l'œil 2005 ★★

2 ha 4 000 5 à 8 €

Jean et Pierrette Arnaud conduisent cette propriété familiale de 25 ha depuis le début des années 1980. Sur des sols très graveleux, le loin-de-l'œil leur a offert un raisin parfaitement sain et mûr au début octobre pour élaborer ce vin doux. Le travail d'élevage (six mois en fût) est aussi remarquable. Sous une teinte paille doré à reflets intenses se manifestent des arômes élégants de fruits à chair blanche et de fruits exotiques alliés à un boisé bien maîtrisé. La bouche est grasse, ronde et ample, parfaitement équilibrée. Tout n'est qu'harmonie et fondant. Le potentiel de ce gaillac est grand : il serait dommage de ne pas garder quelques bouteilles pour plus tard.

🔑 SCEV Arnaud, 25, rue de la Mairie,
81150 Lagrave, tél. et fax 05.63.41.78.63,
e-mail arnaudpj@wanadoo.fr
☑ 🍷 t.l.j. sf sam. dim. 8h-12h 14h-18h 🏠 B

LE PAS SAINT-ANGEL 2005 ★★

■ 35 ha 220 000 ▮ 3 à 5 €

La cave des Vignerons de Rabastens est équipée des dernières technologies vinicoles. Elle propose ainsi tous les types et styles de vin. Ce gaillac de teinte intense à reflets violets en est une remarquable illustration. Le voici qui développe des arômes intenses de cassis, de framboise, de cerise et de menthe, puis une bouche ronde et fraîche à la fois, toute fruitée. Un vin friand. Le **Raimbault Cuvée magistrale 2005 rouge** obtient une étoile, tandis que le **Perle d'Autan 2006 blanc perlé (moins de 3 €)** est cité.

🔑 Vignerons de Rabastens, 33, rte d'Albi,
81800 Rabastens, tél. 05.63.33.73.80,
fax 05.63.33.85.82,
e-mail cave@vigneronsderabastens.com ☑ 🍷 🚶 r.-v.

DOM. DE PIALENTOU
Les Gentilles Pierres Élevé en fût de chêne 2005 ★★

■ 2,15 ha 11 400 🛢 8 à 11 €

Jean et Agnès Gervais vous signaleront ces grosses pierres qui font l'originalité des coteaux d'argile et de boulbènes qui composent leur vignoble de plus de 12 ha. De retour dans la ferme tarnaise traditionnelle, ils vous expliqueront l'influence d'un tel terroir sur leur cuvée de syrah, de cabernet-sauvignon, de merlot et de braucol. D'un rubis profond à reflets violets, celle-ci possède un nez plaisant, d'abord sur les fruits noirs compotés, puis sur les épices et une pointe de réglisse. La chair très aromatique et finement boisée laisse une impression d'ampleur et de concentration tout en révélant une certaine fraîcheur. Le caractère du gaillac.

🔑 SCEA du Pialentou, Dom. de Pialentou,
81600 Brens, tél. 05.63.57.17.99, fax 05.63.57.20.51,
e-mail domaine.pialentou@wanadoo.fr
☑ 🍷 🚶 t.l.j. 8h-12h 13h30-17h30
🔑 J. Gervais

DOM. RENÉ RIEUX Concerto 2005 ★

■ n.c. 3 000 🛢 8 à 11 €

Le braucol seul joue ce Concerto écrit sur la gamme des fruits rouges, des épices et d'un boisé fin. Rubis brillant, le vin est ample, riche et structuré, longuement fruité. Les tanins et le bois sont présents, mais bien enrobés. L'élevage de douze mois en fût a été parfaitement maîtrisé. La cuvée **Harmonie 2005 blanc doux** obtient une étoile pour son équilibre entre fraîcheur et douceur, rehaussé d'arômes de pamplemousse.

🔑 Dom. René Rieux-Tricat, 1495, rte de Cordes,
81600 Gaillac, tél. 05.63.57.29.29, fax 05.63.57.51.71,
e-mail domainerenerieux@wanadoo.fr
☑ 🍷 🚶 t.l.j. sf sam. dim. 9h-12h 14h-17h
🔑 Adapeai

DOM. ROTIER Doux Renaissance 2006 ★★

▨ 6 ha 17 000 🛢 11 à 15 €

Alain Rotier et Francis Marre, vignerons au savoir-faire reconnu depuis plus de vingt ans, ont choisi en 2005 de se tourner vers une culture plus écologique. Ainsi ont-ils planté entre les rangs de vigne des semis de céréales et ont-ils limité les désherbants et autres produits de traitement chimiques. Le loin-de-l'œil en est fort aise à en juger par cette cuvée Renaissance ciselée d'or et de cuivre. Tout en finesse, elle libère crescendo ses arômes : d'abord les fruits confits et la marmelade d'orange, puis l'abricot sec et une touche de miel. Sa sève riche emplit le palais, rehaussée d'une pointe de fraîcheur bienvenue, et déroule ses arômes intenses à l'infini. Des étoiles comme s'il en pleuvait : une pour la cuvée **Renaissance 2004 rouge (8 à 11 €)**, ronde et élégante, une autre pour la cuvée **Les Gravels 2005 rouge (5 à 8 €)**, qui n'a pas connu le bois et livre un fruité expressif.

🔑 Dom. Rotier, Petit Nareye, 81600 Cadalen,
tél. 05.63.41.75.14, fax 05.63.41.54.56,
e-mail rotier.marre@domaine-rotier.com
☑ 🍷 🚶 t.l.j. sf dim. 9h-12h 14h-18h;
groupes sur r.-v. 🏠 D
🔑 Alain Rotier et Francis Marre

CH. DE SALETTES 2005 ★

■ 12 ha 35 000 🛢 8 à 11 €

Un château des XIIIe et XV^e^s. commande ce vignoble de 27 ha. Les accords gourmands ne manqueront pas avec ce gaillac rubis brillant qui offre volontiers son bouquet de friandises (bonbon au cassis et à la réglisse) et d'épices. La bouche est ronde et souple, mêlant le fruit à un boisé fin. Des tanins, nulle trace ou presque tant ils sont soyeux jusqu'en finale.

🔑 Ch. de Salettes, Lieu-dit Salettes,
81140 Cahuzac-sur-Vère,
tél. 05.63.33.60.63, fax 05.63.33.60.61,
e-mail salettes@chateaudesalettes.com
☑ 🍷 🚶 r.-v. 🏨 7
🔑 Derrieux-Lenet

DOM. DE SALMES Méthode gaillacoise Doux 2006

● 0,5 ha 1 550 ▮ 5 à 8 €

Jean-Paul Pezet a déjà connu un joli succès l'an passé avec son gaillac effervescent doux issu de pur mauzac. Il revient cette année avec un 2006 tout doré qui évoque typiquement la pomme d'automne bien mûre et sucrée. La

bouche trouve un bon équilibre entre douceur et vivacité, tout en déroulant des arômes persistants de pomme, de coing et de figue. L'heure du goûter a sonné.
EARL Jean-Paul Pezet, Dom. de Salmes, 81150 Bernac, tél. 05.63.55.42.53, fax 05.63.53.10.26
t.l.j. 9h-19h; sam. dim. sur r.-v.

CH. DE TAUZIÈS Sec 2006 ★

2 ha 8 000 3 à 5 €

À base de sauvignon, de loin-de-l'œil et de mauzac, ce vin jaune clair à reflets d'argent affiche un nez franc et frais de fleurs, de buis, d'agrumes et de fruits exotiques. Légèrement perlant en attaque, il garde cette même ligne fraîche au palais, le fruité s'exprimant dans une finale tout acidulé.
Mouly, Ch. de Tauziès, 81600 Gaillac, tél. 05.63.57.06.06, fax 05.63.41.01.92, e-mail chateau.tauzies@wanadoo.fr r.-v.

CAVE DE TÉCOU Évasion 2005 ★

10 ha 65 000 3 à 5 €

La cave de Técou propose aux amateurs de gaillac de s'évader dans un univers à la fois floral et fruité, celui de ce vin rubis attrayant, rond et ample, qu'une structure de tanins fondus soutient durablement jusqu'à la finale fruitée et épicée. Un 2005 harmonieux.
SCA Cave de Técou, Pagesou, 81600 Técou, tél. 05.63.33.00.80, fax 05.63.33.06.69, e-mail passion@cavedetecou.fr r.-v.

CH. DE TERRIDE
Méthode gaillacoise Demi-sec 2006 ★

1 ha 4 500 5 à 8 €

Le château du XIXe s., reconnaissable à ses deux tours carrées, connut de nombreux propriétaires, dont les maîtres verriers de Grésigne. Depuis plus de dix ans, Alix et Xavier David conduisent sa destinée et celle de son vignoble de 44 ha. Leur gaillac, jaune clair à reflets verts, offre un nez séduisant et frais, floral et surtout fruité. La bouche est franche, ronde et aromatique, avec une légère pointe d'amertume en finale qui prolonge les sensations. À servir avec une croustade aux pommes.
Alix David, Ch. de Terride, 81140 Puycelsi, tél. 05.63.33.26.63, fax 05.63.33.26.46, e-mail alixdavid@wanadoo.fr
t.l.j. sf dim. 9h-12h 14h-19h

DOM. DES TERRISSES Terre originelle 2004 ★★

1,1 ha 6 000 8 à 11 €

80 % de braucol et 20 % de syrah composent ce vin vêtu d'un rouge intense, aux nuances d'évolution. Le nez élégant évoque la compote de fruits et les épices sur fond doucement boisé et réglissé. En bouche, tout est fondu : la chair ronde enveloppe la structure et les arômes font un joli retour en finale.
EARL Cazottes, Dom. des Terrisses, 81600 Gaillac, tél. 05.63.57.16.80, fax 05.63.41.05.87, e-mail domaine.des.terrisses@wanadoo.fr r.-v.

TERROIR DE LAGRAVE
Doux Octobre doré 2005 ★★

2 ha 4 000 8 à 11 €

Trois vignerons se sont associés en 1993 pour créer Terroir de Lagrave : ils élaborent leurs vins chacun de leur côté, mais les vendent sous cette marque commune. Ce 2005 n'est pas passé loin du coup de cœur. Difficile de rester insensible à sa robe vieil or, à ses arômes complexes et soutenus de fruits confits, de figue, de miel et d'épices. La bouche est grasse et concentrée, d'un fondu remarquable, et sa sucrosité met en valeur les arômes persistants.
Terroir de Lagrave, La Bouissounade, 81150 Lagrave, tél. 05.63.81.52.20, fax 05.63.81.55.42, e-mail terroirdelagrave@wanadoo.fr
t.l.j. 9h30-12h30 14h-19h

CH. TOUNY LES ROSES Cuvée du Poète 2005

1 ha 7 000 8 à 11 €

Cette ancienne propriété du poète gaillacois Touny-Lérys (1881-1976) se situe en bordure du Tarn. La demeure de maître du XIXe s., avec jardin à la française, commande les vignes implantées sur graves. Le Poète a un caractère bien trempé en 2005. Sous une teinte soutenue à reflets violacés, il arbore des arômes intenses de fruits, d'épices, de torréfaction et de fumée. Il affirme au palais sa solide structure, avec en finale des notes de bois brûlé. Le temps devrait adoucir un tel tempérament. La **cuvée Théa 2005 rouge**, prometteuse, est citée également.
Ch. Touny les Roses, Touny, 81150 Lagrave, tél. 05.63.57.90.90, fax 05.63.57.90.91, e-mail chateau@tounylesroses.fr r.-v. 7
Lavite

CH. LA TOUR PLANTADE 2005

2 ha 12 000 5 à 8 €

Labastide-de-Lévis mérite une visite pour son église du XIIe s. dont le clocher est classé. Vous emprunterez le circuit des bastides qui vous mènera jusqu'à ce domaine de 20 ha. Un gaillac grenat aux reflets mauves vous y attend. Au nez de fruits frais (cerise, groseille), légèrement floral et épicé, répond une bouche franche en attaque, puis ronde, aérienne et croquante par son fruité. Le vin évolue avec souplesse et se laisse apprécier avec simplicité. Une autre citation est attribuée au **Château La Tour Plantade 2006 blanc sec**, finement floral.
EARL France et Jaffar Nétanj, La Soucarie, 81150 Labastide-de-Lévis, tél. 05.63.55.47.43, fax 05.63.53.27.78, e-mail jaffarnetanj@wanadoo.fr
r.-v. C

DOM. DE VAISSIÈRE Doux 2005 ★

1 ha 3 300 5 à 8 €

Les vignes sont implantées sur le coteau de Puech Pilié, au-dessus de la vallée du Dadou. Le loin-de-l'œil a la faveur dans ce gaillac qui livre de délicates notes florales en contrepoint des arômes de fruits confits, d'abricot et de zeste d'agrumes. La bouche présente une agréable vivacité et un fruité persistant qui la rendent élégante. Le plaisir est immédiat.
Marie-Ange et André Vaissière, Vaissière, 81300 Busque, tél. et fax 05.63.34.59.06, e-mail andre.vaissiere@orange.fr
t.l.j. sf dim. 10h-12h30 15h-19h30; dim. et groupes sur r.-v.

DOM. VAYSSETTE Doux Cuvée Maxime 2005 ★★

2,67 ha 4 670 11 à 15 €

À 6 km du beau village de Castelnau-de-Montmirail, le domaine de Vayssette est une halte obligée pour qui aime les gaillac. Réputé pour ses vins moelleux, il en propose une nouvelle fois un remarquable exemple. Or d'aspect patiné, ce 2005 marqué par des arômes de miel et de fruits exotiques confits apparaît rond et généreux au palais. Les flaveurs, plus intenses encore qu'au nez, se prolongent à l'infini en rappelant le sucre d'orge. Une friandise. Les vins rouges ne sont pas en reste au domaine. En témoigne la **cuvée Léa 2005 (8 à 11 €)**, notée une étoile.

Patrice, Maryse et Nathalie Vayssette, Laborie, 81600 Gaillac, tél. 05.63.57.31.95, fax 05.63.81.56.84, e-mail domaine.vaysette@tiscali.fr
t.l.j. 9h-12h 13h30-19h; dim. sur r.-v.

V DE VIGNÉ-LOURAC 2005 *

2,5 ha 15 000 5 à 8 €

Rubis noir à nuances violines, ce gaillac affiche un nez puissant de fruits à l'eau-de-vie et de fruits confiturés, souligné de notes fumées. Il se révèle ample et tout aussi aromatique au palais, sa matière riche et bien structurée étant agrémentée d'un fin boisé. Puissance et élégance conjuguées. À la fois ronde et fraîche, la **cuvée Vieilles Vignes 2005 rouge (3 à 5 €)**, qui n'a pas connu le bois, obtient aussi une étoile.

Vignobles Gayrel, 103, av. Foch, 81600 Gaillac, tél. 05.63.81.21.11, fax 05.63.81.21.09, e-mail cave-gaillac@wanadoo.fr
t.l.j. 9h30-12h30 14h30-19h30

Entraygues-le-fel AOVDQS

Les vins blancs d'Entraygues, cultivés sur d'étroites banquettes de sols schisteux à flanc de coteaux abrupts, sont issus de chenin et de mauzac ; ils sont frais et fruités. Ils font merveille sur les truites sauvages et le cantal doux. Les vins rouges du Fel, solides et terriens, seront bus sur l'agneau des Causses et la potée auvergnate. Sur 22 ha déclarés en 2005, les blancs ont représenté 119 hl, les rosés et les rouges 427 hl.

JEAN-MARC VIGUIER 2005

2 ha 8 000 5 à 8 €

Un vin original, issu du cépage chenin récolté sur arènes granitiques. Couleur or pâle à reflets argentés et verts, il offre un nez typé, marqué par les fruits blancs et les agrumes (citron, pamplemousse), avec des touches d'amande fraîche et de brioche. Frais au palais, il n'en possède pas moins de la rondeur et fait preuve d'équilibre dans un style léger. Les mêmes arômes se déclinent jusqu'en finale.

Jean-Marc Viguier, Les Buis, 12140 Entraygues, tél. 05.65.44.50.45, fax 05.65.48.62.72, e-mail gaecviguier@tele2.fr
t.l.j. sf dim. 9h-12h 14h-19h

Vins-d'estaing AOVDQS

Entouré par les causses de l'Aubrac, les monts du Cantal et le plateau du Lévezou, le vignoble de l'Aveyron serait plutôt à classer parmi ceux du Massif central. Ces petites appellations sont très anciennes ; leur fondation par les moines de Conques remonte au IXe s.

Les vins-d'estaing (17,52 ha) se partagent entre rouges et rosés frais et parfumés (cassis, framboise), à base de fer-servadou et de gamay (605 hl pour les rouges et les rosés en 2005), et blancs originaux, assemblages de chenin, de mauzac et de rousselou (1,67 hl). Ils sont vifs avec des parfums de terroir.

LES VIGNERONS D'OLT Cuvée de l'Amiral 2006

1,15 ha 3 000 3 à 5 €

La vinification et la vente des vins des Vignerons d'Olt se font désormais à la maison de la Vigne, du Vin et des Paysages d'Estaing, à Coubisou. Vous y découvrirez le **rosé Cuvée des brumes 2006**, assemblage de gamay, de pinot, de cabernet et de fer-servadou, auquel le jury a attribué une citation. Vous vous attarderez aussi devant cet estaing, jaune paille, essentiellement floral et miellé. Rond, complété de notes d'épices au palais, il accompagnera les poissons et les volailles à la crème.

SCA Les Vignerons d'Olt, L'Escaillou, 12190 Coubisou, tél. et fax 05.65.44.04.42, e-mail cave.vigneronsdolt@wanadoo.fr r.-v.

Marcillac

Dans une cuvette naturelle, le « vallon », au microclimat favorable, le mansoi (fer-servadou) donne aux vins rouges de marcillac une grande originalité empreinte d'une rusticité tannique et d'arômes de framboise. En 1990, cette démarche de typicité et cette volonté d'originalité ont été reconnues par l'accession à l'AOC. L'aire d'appellation recouvre aujourd'hui 178 ha et a produit, en 2005, 7 035 hl d'un vin reconnaissable entre tous.

DOM. DE CANTAGREL 2005 *

3 ha 13 000 5 à 8 €

Forte de quarante-deux adhérents, la cave propose une palette de vins d'une jolie régularité. Quatre marcillac obtiennent une étoile dans cette édition : la **cuvée Tradition 2006 rosé (3 à 5 €)**, le **2005 rouge élevé en fût de chêne**, le **Domaine de Ladrech 2005 rouge**, ainsi que le Domaine de Cantagrel qui brille de nuances violacées et révèle un fruité de qualité. Ce vin laisse une meilleure impression encore au palais, plus aromatique, plus fraîche. La structure est bien présente, mais sans agressivité.

Les Vignerons du Vallon, RD 840, 12330 Valady, tél. 05.65.72.70.21, fax 05.65.72.68.39, e-mail valady@groupe-unicor.com r.-v.

DOM. DES COSTES ROUGES 2006 ★

■ 3,17 ha 13 000 ▮ 3 à 5 €

Il y a maintenant quatorze ans que la polyculture (vignes et élevage de vaches) n'a plus cours au domaine des Costes Rouges. On n'y produit plus que du vin, tel ce 2006 intense et brillant, bien ouvert sur les fruits rouges, avec une légère touche de poivron vert et une note poivrée. Velouté dès l'attaque, il s'avère souple, rond, de structure légère et épicée, laissant au palais une sensation agréable.
Claudine et Éric Vinas, Combret, 12330 Nauviale, tél. et fax 05.65.72.83.85, e-mail domaine-des-costes-rouges@wanadoo.fr r.-v.

DOM. DU CROS Cuvée Vieilles Vignes 2005 ★★

■ 4 ha 25 000 8 à 11 €

Cent pour cent de fer-servadou, dont les plus vieilles vignes ont quatre-vingt-dix ans, et un terroir particulier de terre rouge (le rougier permien) : telles sont les origines de ce marcillac de couleur sombre, aux nuances burlat. Au nez aussi expressif que typé répond une chair soyeuse, ronde et fraîche à la fois, longuement aromatique. Un modèle pour l'appellation. **Lo Sang del Païs 2005 rouge (5 à 8 €)** est cité.
Philippe Teulier, Dom. du Cros, 12390 Goutrens, tél. 05.65.72.71.77, fax 05.65.72.68.80, e-mail pteulier@domaine-du-cros.com t.l.j. sf dim. 9h-12h 14h-18h30, groupes sur r.-v.

DOM. LAURENS 2005 ★★

■ 2,5 ha 15 600 5 à 8 €

La cave se situe dans le village médiéval fortifié. Il est donc aisé de s'y rendre, d'autant que l'intérêt d'une visite est indéniable. Coup de cœur pour la cuvée de Flars 2002, le domaine se distingue à nouveau grâce à ce 2005 sombre et brillant, riche de senteurs de fruits rouges et noirs, d'épices qui s'intensifient encore à la faveur de l'aération. Agréablement velouté en attaque, le vin affiche une matière dense et ronde, souple, soutenue par une fraîcheur qui souligne durablement les arômes.
Dom. Laurens, 7, av. de la Tour, 12330 Clairvaux, tél. 05.65.72.69.37, fax 05.65.72.76.74, e-mail info@domaine-laurens.com r.-v.

TERRES D'ANGLES 2005 ★

■ 0,7 ha 3 000 ▮ 11 à 15 €

Bernard Angles acheta en 1994 ce domaine, laissé à l'abandon et qui ne comptait que quelque six cents pieds. Ce sont maintenant 20 ha qui se déploient autour de la maison, dont des ceps de fer-servadou vieux de plus de cent ans et cultivés francs de pied (non greffés). Le 2005 offre sous une teinte burlat intense des arômes délicats de fruits rouges, nuancés d'une note de bourgeon de cassis. Il paraît frais, souple et léger, avec une certaine vivacité qui soutient bien la finale.
Bernard Angles, Le Mioula, 12330 Salles-la-Source, tél. 06.08.95.15.60, fax 05.65.68.50.45 r.-v.

Côtes-de-millau AOVDQS

L'appellation AOVDQS côtes-de-millau a été reconnue le 12 avril 1994. La production atteint 1 967 hl sur 52,10 ha déclarés en 2005 dont 72 hl en blanc et 1 895 hl en rouge et rosé. Les vins sont composés de syrah et de gamay noir et, dans une moindre proportion, de cabernet-sauvignon, de fer-servadou et de duras.

DOM. MONTROZIER
Collection spéciale 2005 ★★★

■ 0,87 ha n.c. 11 à 15 €

La cave coopérative, dirigée par M. Montrozier, regroupe douze producteurs. Les vins y sont élevés dans d'anciennes caves voûtées. Vêtu d'un habit sombre, celui-ci affiche un nez puissant de crème de cassis, d'épices, de cannelle, de cuir et de fruits confits, puis une bouche ample, riche et structurée par des tanins fermes encore, mais garants d'une bonne garde. La cave coopérative propose une cuvée **Seigneurs de Peyreviel 2005 (3 à 5 €)**, aux arômes de fruits rouges et de violette, qui offre un plaisir immédiat. Une étoile.
SCV Les Vignerons des Gorges du Tarn, 6, av. des Causses, 12520 Aguessac, tél. 05.65.59.84.11, fax 05.65.59.17.90, e-mail scvcotesdemillau@wanadoo.fr t.l.j. sf dim. 8h-12h 14h-19h

DOM. DU VIEUX NOYER 2005

■ 2,87 ha 12 000 ▮ 3 à 5 €

Si vous passez par le hameau de Boyne, arrêtez-vous chez Bernard et Carmen Portalier : vous pourrez y déguster ce vin agréablement parfumé de petits fruits rouges. De structure légère, il est déjà tout disposé à accompagner des charcuteries aveyronnaises et des trénels (tripes et panse d'agneau).
Dom. du Vieux Noyer, Boyne, 12640 Rivière-sur-Tarn, tél. et fax 05.65.62.64.57 t.l.j. 9h-12h30 14h30-19h

SUD-OUEST

La moyenne Garonne

Fronton

Vin des Toulousains, le fronton provient d'un très ancien vignoble, autrefois propriété des chevaliers de l'ordre de Saint-Jean-de-Jérusalem. Lors du siège de Montauban, Louis XIII et Richelieu se livrèrent à force dégustations comparatives... Reconstitué grâce à la création des coopératives de Fronton et de Villaudric, le vignoble a conservé un encépagement original avec la négrette, cépage local que l'on retrouve à Gaillac ; lui sont associés le cot, le cabernet franc et le cabernet-sauvignon, la syrah, le gamay et le mauzac.

Le terroir occupe environ 2 000 ha sur les trois terrasses du Tarn, avec des sols de boulbènes, graves ou rougets. La production a atteint 88 622 hl en 2005. Les vins rouges, à forte proportion de cabernet, gamay ou syrah, sont légers, fruités et aromatiques. Les plus riches en négrette sont plus puissants, tanniques, dotés d'un fort parfum de terroir. Les rosés sont francs, vifs, avec un agréable fruité.

CH. BAUDARE 2005 ★★

■ 25 ha 150 000 ▮ 5 à 8 €

Claude et David Vigouroux revendiquent une culture et une vinification à l'ancienne, ce qui signifie pour la cuvée traditionnelle un élevage en cuve, à basse température, afin de préserver les arômes du cabernet (70 %), de la négrette et de la syrah. Il en résulte un 2005 noir d'encre, aux parfums concentrés de fruits à l'eau-de-vie et d'épices. D'une remarquable construction, le vin, dense, gras et volumineux, aux tanins enrobés, fait la roue en finale. « Un moment de dégustation rare », signale un dégustateur. Le **Secret des anges rouge 2005 Élevé en fût de chêne (8 à 11 €)** fait la part belle à la négrette (50 %) récoltée sur les contreforts sud, argilo-siliceux. Ce 2005 mérite une étoile pour son fruité et son équilibre. Il en va de même du **rosé de saignée 2005 (3 à 5 €)**, aromatique et de bon volume.

🔑 Claude et David Vigouroux, Ch. Baudare, 82370 Labastide-Saint-Pierre, tél. 05.63.30.51.33, fax 05.63.64.07.24, e-mail vigouroux@aol.com
☑ Y ✶ r.-v.

CH. BELLEVUE LA FORÊT
La Fôret royale 2005 ★★

■ 4,5 ha 25 000 ⦀ 5 à 8 €

Du fer et du quartz dans ce sol graveleux des terrasses frontonnaises, des éléments favorables au cépage négrette qui compose ce vin à 45 % complété de cabernet-sauvignon et de syrah. Sous une robe pourpre intense, nuancée de vermillon, se libèrent de délicats arômes : le fruité se mêle à une pointe de réglisse et à un boisé de qualité. La bouche ronde et grasse, puissante, garde ce même caractère aromatique tout en bénéficiant du soutien de tanins fondus et réglissés. Un 2005 à conserver encore un an ou deux avant de le servir avec un gibier à plume ou un lapin aux pruneaux. Une étoile brille pour la cuvée **BLF rouge 2005**, très souple, qui n'a pas connu le bois, tandis que le **Château Bellevue La Forêt rosé 2006** est cité pour son caractère fruité et sa rondeur.

🔑 Ch. Bellevue la Forêt, 5580, rte de Grisolles, 31620 Fronton, tél. 05.34.27.91.91, fax 05.61.82.39.70, e-mail contact@chateaubellevuelaforet.com ☑ Y ✶ r.-v.
🔑 Patrick Germain

CH. BOUISSEL Haute Expression 2005 ★

■ 1 ha 4 000 ▮ 11 à 15 €

Créée en 2001, la cuvée Haute Expression a connu les honneurs du Guide puisque le millésime 2003 fut coup de cœur. Le 2005, pourpre profond à nuances violacées, semble encore sur la retenue, mais il décline des senteurs avenantes de griotte et de fruits noirs, ainsi qu'une touche de violette. L'attaque est douce, le corps charnu, les tanins fermes et de qualité. Seule la petite pointe d'austérité en finale invite à une attente de un à deux ans. La **cuvée Classic rouge 2005 (5 à 8 €)** est citée.

🔑 Pierre et Anne-Marie Selle, Ch. Bouissel, 200, chem. du Vert, 82370 Campsas, tél. 05.63.30.10.49, fax 05.63.64.01.22, e-mail chateaubouissel@free.fr
☑ Y ✶ t.l.j. sf dim. 9h-12h 14h-19h; groupes sur r.-v.

CH. CAHUZAC L'Authentique 2005 ★

■ 13 ha 80 000 ▮ 3 à 5 €

Un fronton de forte intensité colorante, noir nuancé de reflets pivoine. Ses arômes séduisent d'emblée par leurs accents floraux (violette) et fruités, à peine réglissés. L'attaque est agréable, sur le fruit, la silhouette svelte, portée par des tanins fins, et le caractère assez chaleureux. Une étoile est également attribuée à la cuvée **Fleuron de Guillaume rouge 2005 Élevé en fut de chêne (5 à 8 €)**, déjà agréable par son fondu. **L'Authentique rosé 2006**, léger, est cité.

🔑 EARL de Cahuzac, Les Peyronnets, 82170 Fabas, tél. 05.63.64.10.18, fax 05.63.67.36.97, e-mail chateau.cahuzac@wanadoo.fr
☑ Y ✶ lun. ven. 14h-18h; sam. 10h-12h
🔑 Ferran Père et Fils

CH. CAZE Patrimoine Élevé en fût de chêne 2005 ★

■ 2,5 ha 8 000 ⦀ 5 à 8 €

Des chais du XVIIIe s. creusés en sous-sol ont accueilli dix-huit mois durant ce vin marqué par un caractère vanillé prononcé, qui laisse cependant s'exprimer quelques notes de fruits rouges. Après une attaque franche, celui-ci révèle une structure suffisante, avec ce même boisé jusqu'en finale. Pour des volailles bien relevées.

🔑 Martine Rougevin-Baville, Ch. Caze, 45, rue de la Négrette, 31620 Villaudric, tél. 05.61.82.92.70, fax 05.61.82.09.95, e-mail chateau.caze@wanadoo.fr ☑ Y ✶ r.-v.

CHEMIN SAINT-JACQUES 2005 ★

■ 6 ha 44 000 ▮ 3 à 5 €

Après une halte à la basilique Saint-Sernin de Toulouse, les pèlerins de Saint-Jacques-de-Compostelle pas-

saient immanquablement par Fronton, où ils pouvaient se reposer chez les Hospitaliers de Saint-Jean-de-Jérusalem, propriétaires de vignes depuis 1122. Clin d'œil à l'histoire donc que ce vin assez intense, aux reflets tuilés, qui laisse poindre des notes de violette et de fruits rouges. Il est franc en attaque, frais et sans accroche, puis les tanins se manifestent et laissent leur marque dans une finale aux accents de violette. La **cuvée Excellence 2003 du Château Fonvieille** obtient la même note.
ABA, 149, av. Charles-de-Gaulle,
82000 Montauban, tél. 05.63.20.23.15,
fax 05.63.03.06.64

CH. CLAMENS Cuvée Julie 2005 **

■ 1,5 ha 8 000 ▮ 5 à 8 €

Beau millésime pour Jean-Michel Bégué qui récolte les étoiles aussi bien qu'il manie l'art de l'assemblage des cépages frontonnais. Négrette, syrah et cot signent cette cuvée cerise burlat aux intenses reflets violacés. Le nez d'emblée expressif s'ouvre encore davantage à l'aération pour offrir plus de fruits rouges et noirs mûrs, avec une touche de violette en complément. Après une attaque souple, veloutée, la bouche apparaît ample et persistante, d'une grande structure. L'équilibre est remarquable. Deux étoiles reviennent également à la **cuvée des Templiers rouge 2005 Élevé en fût de chêne**, fruitée et concentrée, qui mérite une garde de deux ans au moins. Dans le registre de la fraîcheur et de la souplesse, la **cuvée Sélection rouge 2005 (3 à 5 €)** obtient une étoile.
Jean-Michel Bégué,
720, chem. du Tapas, 31620 Fronton,
tél. 05.61.82.45.32, fax 05.62.79.21.73,
e-mail chateau.clamens@terre-net.fr r.-v.

CH. LA COLOMBIÈRE Vin gris 2006 *

■ 1,5 ha 4 900 ▮ 5 à 8 €

En 2007, Diane et Philippe Cauvin se sont lancés dans la conversion de leurs 17 ha de vignes en agriculture biologique. Ils ont également décidé d'ouvrir un gîte et d'organiser des soirées dégustations. Ce vin est tout indiqué pour accompagner une viande blanche ou une quiche. Très légèrement œil-de-perdrix, d'un bel éclat, il se montre aussi fin que complexe dans ses arômes de fruits rouges, de fruits blancs et de fruits exotiques. Au palais, il trouve un équilibre agréable et reste dans la même ligne aromatique jusque dans la finale fraîche. Un fronton bien typé. Le **Baron de D. rouge 2005** est cité.
Ch. La Colombière,
190, rte de Vacquiers, 31620 Villaudric,
tél. 05.61.82.44.05, fax 05.61.82.57.56,
e-mail vigneron@chateaulacolombiere.com
t.l.j. sf dim. 9h-12h 14h-18h
Cauvin

COMTE DE NÉGRET 2005 **

■ n.c. 600 000 ▮ 3 à 5 €

Négrette et cabernet à parts égales pour ce vin irréprochable dans sa robe rouge sombre, presque noire. Au nez puissant, riche de fruits noirs mûrs (cassis, mûre), de réglisse et d'épices répond une bouche ronde, ample et charnue, soutenue par des tanins sans aspérités. L'harmonie. Le **Comte de Négret cuvée Excellence rouge 2005 Élevé en fut de chêne**, fruité et puissant, obtient une étoile. Il pourra évoluer encore en cave pendant un an ou deux. La même note revient au **Comte de Négret rosé 2006**.
Cave de Fronton, rte de Montauban,
31620 Fronton, tél. 05.62.79.97.79, fax 05.62.79.97.70
r.-v.

CH. CRANSAC Tradition 2006

■ 1,5 ha 9 000 ▮ 3 à 5 €

Une bouteille prête à accompagner tout un repas campagnard. Brillant de reflets orangés, ce vin laisse une impression de fraîcheur, de vivacité même, tout en faisant preuve de volume et d'un caractère aromatique. La cuvée **Château Cransac Tradition rouge 2005**, discrète et légère, est citée.
SCEA Dom. de Cransac, impasse de Lissard,
31620 Fronton, tél. 05.62.79.34.30, fax 05.62.79.34.37,
e-mail secretariat@chateaucransac.com
t.l.j. 9h-12h 14h-18h; sam. dim. 10h-12h 15h-18h

CH. DEVÈS Allegro 2005

■ 1 ha 4 000 ▮ 5 à 8 €

Pour avoir déjà été reproduite dans le Guide, l'étiquette à l'écriture enfantine ne vous est pas inconnue. Michel Abart propose un 2005 plus modeste que les millésimes antérieurs, mais toujours de bonne facture. Presque noir, celui-ci décline des notes subtiles de fruits rouges et d'épices (poivre), puis il se montre franc en attaque, à la fois frais et charnu au palais. Les arômes fruités ne tardent pas à réapparaître pour laisser une impression plaisante en finale. Le **Château Devès rosé 2006 (3 à 5 €)**, vif et aromatique, obtient une citation.
Michel Abart, 2255, rte de Fronton,
31620 Castelnau-d'Estrefonds, tél. et fax 05.61.35.14.97
r.-v.

CH. FONT BLANQUE 2005 *

■ 2,5 ha 3 000 ▮ 3 à 5 €

Un fronton qui a du cœur et du corps. Vous n'aurez pas à attendre longtemps pour percevoir sous une teinte grenat intense l'agréable fruité enrichi d'épices, de réglisse et de violette. L'attaque est franche, la matière ronde et charnue. En finale, cependant, les tanins se resserrent, mais ne serait-ce pas un gage de bonne tenue dans le temps ?
Jacqueline et Didier Bonhoure,
Font Blanque, 1055, rte de Fabas, 82370 Campsas,
tél. 05.63.64.08.91, fax 05.63.67.95.89 r.-v.

CH. JOLIET Symphonie Élevé en fût de chêne 2005 *

■ 2 ha 6 000 8 à 11 €

François Daubert connaît bien la musique de ces cépages du Frontonnais plantés sur sol de boulbènes et de rougets (graves argileuses riches en oxydes de fer, d'où leur couleur rouge). Symphonie est un vin de teinte pourpre nuancée de violacé, expressif par ses parfums de fruits à l'eau-de-vie, de vanille complétés de touches balsamiques. Il s'introduit au palais avec souplesse, puis offre sa chair ample et concentrée. Son caractère chaleureux et sa struc-

SUD-OUEST

ture s'affirment progressivement, tandis qu'en finale les arômes perçus au nez réapparaissent, aux côtés de flaveurs empyreumatiques. Du potentiel. La cuvée **Mélodie rouge 2005 (5 à 8 €)**, élevée en cuve, est citée.

François Daubert, Ch. Joliet, 345, chem. de Caillol, 31620 Fronton, tél. 05.61.82.46.02, fax 05.61.82.34.56, e-mail chateau.joliet@wanadoo.fr

t.l.j. sf dim. 9h-12h 14h-18h, f. 1 sem. en août

CH. LAUROU Cuvée Prestige Élevé en fût de chêne 2005 ★★★

5 ha 10 000 5 à 8 €

Dix ans après son installation dans le Frontonnais, Guy Salmona n'a rien à regretter de sa vie passée d'informaticien parisien. Il a su mettre en valeur ce vignoble de 48 ha implanté sur boulbènes blanches, dont la création remonte à 1976. En témoigne cette cuvée de haute expression. Vêtue d'une robe cerise burlat, profonde, elle mêle avec complexité les senteurs de fruits noirs, de vanille, de tabac et de torréfaction. Elle se dévoile progressivement au palais : d'abord souple, presque discrète, puis concentrée et richement aromatique, étayée par des tanins fondus qui portent loin en finale les flaveurs épicées. Une étoile revient au **Château Laurou rosé 2006**, parfumé et rafraîchissant.

Guy Salmona, Ch. Laurou, 2250, rte de Nohic, 31620 Fronton, tél. 05.61.82.40.88, fax 05.61.82.73.11, e-mail chateau.laurou@wanadoo.fr t.l.j. 9h-18h

CH. MONTAURIOL Tradition 2005 ★★

30 ha 95 000 5 à 8 €

Nicolas Gélis possède deux châteaux en Frontonnais : Montauriol sur boulbènes graveleuses et Ferran sur sol de rougets. Du premier est né ce vin d'un rouge grenat, intensément parfumé de fruits noirs cuits et d'épices, de menthe et de violette. Souple de prime abord, il gagne en volume et dévoile une charpente de tanins bien présents, mais déjà soyeux. En finale, des dégustateurs ont apprécié le retour des flaveurs de réglisse et d'épices. Lui aussi charnu et riche d'arômes, le **Château Ferran rouge 2005** brille d'une étoile.

Nicolas Gélis, Ch. Montauriol, 31340 Villematier, tél. 05.61.35.30.58, fax 05.61.35.30.59, e-mail contact@chateau-montauriol.com r.-v.

NICOLAS DE PANASSAC 2005 ★

10 ha 66 500 - de 3 €

Il sort de l'ordinaire ce fronton pourpre à reflets violacés. Des fruits rouges à l'envi auquel le gamay (10 % de l'assemblage) n'est pas étranger. Une chair ronde, souple et douce, dotée de suffisamment de fraîcheur pour être équilibrée et d'une finale plaisante. Un vin à déguster sur son fruit, avec des grillades et des salades composées.

Éts Nicolas, 4, imp. Abbé-Arnoult, 31620 Fronton, tél. 05.62.22.97.40, fax 05.62.22.97.49

CH. LA PALME 2006 ★

12 ha 80 000 3 à 5 €

Le rosé est à l'honneur dans l'équipe du château Marguerite. Château La Palme ? Un vin de teinte pâle à reflets saumonés, qui affiche une palette intense de bonbon anglais, de banane, suivis de quelques épices. L'attaque est vive, légèrement perlante, la bouche fraîche, mais suffisamment ample et grasse. En finale, les flaveurs de bonbon acidulé régalent les dégustateurs. Le **Château Marguerite rosé 2006** obtient la même note. Couleur fraise clair et brillant, il s'inscrit dans le même profil que le précédent.

SCEA Ch. Marguerite, 1709, chem. des Cavailles, 82370 Campsas, tél. et fax 05.63.64.08.21, e-mail chateau.marguerite@wanadoo.fr

CH. PLAISANCE 2006 ★

4 ha 20 000 5 à 8 €

Marc Penavayre, sans revendiquer aucun label, pratique l'agriculture biologique sur son vignoble de 30,5 ha. Il ne colle ni ne filtre ses vins. Son rosé, couleur brique rose (toulousaine !), brille dans le verre et livre un nez ouvert, floral et fruité, souligné d'une touche de bonbon anglais. Déjà agréable en attaque, il laisse bientôt une sensation de fraîcheur sans rien perdre de sa rondeur. L'équilibre se réalise et la finale se prolonge durablement. Notée à l'identique, la cuvée **Thibaut de Plaisance rouge 2005 (8 à 11 €)**, élevée en fût, est typique de la négrette. Quant au **Château Plaisance 2005**, qui n'a pas connu le bois, c'est un vin souple et équilibré : une étoile.

Ch. Plaisance, pl. de la Mairie, 31340 Vacquiers, tél. 05.61.84.97.41, fax 05.61.84.11.26, e-mail chateau-plaisance@wanadoo.fr

mer. à sam. 9h-12h 15h-19h

Marc Penavayre

CH. ROYER LAFONTAINE 2006

2 ha 8 250 3 à 5 €

C'est à la fin du XIXe s. que la famille Turroques commença à constituer un domaine viticole. Thierry Turroques est aujourd'hui à la tête de 21 ha ; il a vinifié la seule négrette pour obtenir ce rosé de teinte saumon brillant. De la fraise, de la framboise, de l'œillet pour notes aromatiques. De la franchise, de la vivacité et suffisamment de gras pour des saveurs équilibrées, puis une bonne finale pour mémoire. une citation revient également au **Château Lafontaine rouge 2005 Vieilli en fût de chêne (5 à 8 €)**, prêt à être servi.

Thierry Turroques, 249, rue de la Fontaine, 82370 Nohic, tél. et fax 05.63.68.01.41, e-mail turroques@wanadoo.fr

t.l.j. sf dim. 9h-12h 14h-19h

CH. DE VIGUERIE DE BEULAYGUE Tradition 2006 ★

1 ha 4 000 3 à 5 €

Un rose franc, nuancé de rouge, brillant. Un nez intense de bonbon anglais, de framboise et de réglisse. Avenante introduction... La bouche n'est pas en reste, fraîche, assez ample et longuement aromatique. Qu'attendez-vous pour passer à table ? Cette bouteille s'accordera avec tous les mets simples et goûteux.

Janine et Cédric Faure, 1650, chem. de Bonneval, 82370 Labastide-Saint-Pierre, tél. et fax 05.63.30.54.72

r.-v.

Lavilledieu AOVDQS

Au nord du Frontonnais, sur les terrasses du Tarn et de la Garonne, le vignoble de Lavilledieu produit des vins rouges et rosés. La production, classée en AOVDQS, est très confidentielle (2 033 hl en 2005 sur 43 ha). La négrette (30 %), le cabernet franc, le gamay, la syrah et le tannat sont les cépages autorisés.

GRAND CAPITOUL 2005

■ 5 ha 13 000 3 à 5 €

Teinte grenat, arômes de fleurs et de fruits sur fond discrètement boisé. Une agréable introduction pour ce vin souple et rond, svelte. Les tanins sont peu marqués et la finale puissante. Cité également, le **Domaine de Magnac rouge 2005**, qui n'a pas connu le bois, joue la légèreté.

Cave de Lavilledieu, 337, rte de Meauzac, 82290 Lavilledieu-du-Temple, tél. 05.63.31.60.05, fax 05.63.31.69.11, e-mail cave-lavilledieu@wanadoo.fr r.-v.

Côtes-du-brulhois AOVDQS

Passés de la catégorie des vins de pays à celle des AOVDQS en novembre 1984, ces vins sont produits de part et d'autre de la Garonne, autour de la petite ville de Layrac, dans les départements du Gers, du Lot-et-Garonne et du Tarn-et-Garonne sur une superficie de 206,11 ha. Essentiellement rouges, ils sont issus des cépages bordelais et des cépages locaux, tannat et cot, et ont représenté 10 586 hl en 2005. La majeure partie de la production est assurée par deux caves coopératives.

CLOS POUNTET L'Horloge 2005 *

■ 1 ha 2 400 11 à 15 €

Guillaume Combes affectionne le village d'Auvillar, l'un des plus beaux de France. Aussi fait-il référence à sa tour de l'horloge dans le nom de cette cuvée. Malbec à 90 % et tannat composent ce vin noir brillant qui affiche un boisé bien présent, aux accents de noix de coco et aux notes empyreumatiques. L'attaque est plaisante, aromatique et douce, la matière ronde mais structurée et puissante. Le bois se fond en finale, preuve d'un élevage correctement mené. La cuvée **Éclats de fruits rouge 2006 (5 à 8 €)** est citée.

Guillaume Combes, Clos Pountet, Lieu-dit : La Sidone, 82340 Saint-Cirice, tél. 06.23.84.82.45, fax 05.53.93.22.05, e-mail contact@pountet.com r.-v.

DEUX SŒURS EN AQUITAINE La Réserve 2005 *

■ 5 ha 8 000 5 à 8 €

Deux sœurs, Catherine et Isabelle Orliac, ont su mettre en valeur cette ancienne place forte du XII[e]s. qui commande 10 ha de vignes. Elles proposent un 2005 grenat presque noir, complexe par ses arômes de fleurs et de fruits, soulignés d'un boisé fumé. Le vin est souple et rond, bâti autour de tanins déjà fondus qui s'effacent au profit d'un fruité mûr. En finale, une impression de douce chaleur se manifeste. Un côtes-du-brulhois plaisant dès maintenant.

Catherine Orliac, Deux sœurs en Aquitaine, Ch. La Bastide, 47270 Clermont-Soubiran, tél. 05.53.87.41.02, fax 05.53.68.22.64, e-mail chateau.orliac@wanadoo.fr r.-v.

CH. GRAND CHÊNE Sélection 2005 *

■ 25 ha 30 000 5 à 8 €

Depuis 1994, la cave coopérative organise le championnat du monde des coupeurs de raisin. Si vous opérez dans les vignes du château Grand Chêne, vous noterez l'arbre pluricentenaire qui lui donne son nom. Délicatesse et fraîcheur sont les maîtres mots de la dégustation de ce 2005 qui sait aussi se montrer souple, rond et gras. Les tanins présents mais fins apportent un soutien efficace en finale. Un vin gouleyant. La même note est attribuée au **Château Grand Chêne 2005 Élevé en fût de chêne (8 à 11 €)**, ainsi qu'au **Parvis des Templiers rouge 2005**, dont les tanins encore jeunes appellent une garde d'un an ou deux.

Les Vignerons du Brulhois, 82340 Dunes, tél. 05.63.39.91.92, fax 05.63.39.82.83, e-mail info@vigneronsdubrulhois.com t.l.j. sf sam. dim. 9h-12h 14h-18h

LA VOÛTE SAINT-ROC 2005 *

■ 20 ha 30 000 8 à 11 €

C'est de la fusion des caves de Goulens et de Donzac qu'est née la cave des vignerons du Brulhois, en 2002. Une partie de sa production est vinifiée en fût, dont ce 2005, noir à reflets violets, qui exprime joliment le fruit sous des notes toastées. D'attaque puissante, le vin offre une chair concentrée, étayée par des tanins encore fermes, gage d'une bonne tenue dans le temps.

Les Vignerons du Brulhois, 82340 Dunes, tél. 05.63.39.91.92, fax 05.63.39.82.83, e-mail info@vigneronsdubrulhois.com t.l.j. sf sam. dim. 9h-12h 14h-18h

SUD-OUEST

Buzet

Connu depuis le Moyen Âge comme partie intégrante du haut-pays bordelais, le vignoble de Buzet s'étageait entre Agen et Marmande. D'origine monastique, il a été développé par les bourgeois d'Agen. Réduit à l'état de souvenir après la crise phylloxérique, il est devenu à partir de 1956 le symbole de la renaissance du vignoble du haut-pays. Deux hommes, Jean Mermillod et Jean Combabessouse, ont présidé à ce renouveau, qui doit aussi beaucoup à la cave coopérative des Vignerons de Buzet, laquelle élève une grande partie de sa production en barriques régulièrement renouvelées. Ce vignoble s'étend aujourd'hui entre Damazan et Sainte-Colombe, sur les premiers coteaux de la Garonne près des villes touristiques de Nérac et Barbaste.

L'alternance de boulbènes, de sols graveleux et argilo-calcaires permet d'obtenir des vins à la fois variés et typés. Les rouges, puissants, profonds, charnus et soyeux, rivalisent avec certains de leurs voisins girondins. Ils s'accordent à merveille avec la gastronomie locale : magret, confit et lapin aux pruneaux. S'étendant sur 2 009 ha, buzet a donné 93 822 hl dont 89 714 hl en rouge et rosé et 4 108 hl en blanc, car, si le buzet est rouge par tradition, blancs et rosés complètent une palette consacrée aux harmonies pourpres, grenat et vermillon.

CH. BALESTÉ 2005 *

■ 20 ha 40 000 ▮ 5 à 8 €

Ce domaine s'est tourné vers la viticulture après guerre. Son 2005 affiche une robe d'un rubis intense comme tous les 2005. Le nez délicat, aux nuances de fruits mûrs et de confiture, intéresse. En attaque, une certaine sucrosité enrobe bien la structure tannique, à la fois puissante et soyeuse. Une ombre de sévérité en finale, mais aussi des touches mentholées qui laissent le souvenir d'un vin tout en élégance. Exactement ce qu'il faut pour accompagner une viande rouge.

Les Vignerons de Buzet, av. des Côtes-de-Buzet, 47160 Buzet-sur-Baïse, tél. 05.53.84.74.30, fax 05.53.84.74.24, e-mail buzet@vignerons-buzet.fr

☑ Y r.-v.

BARON D'ALBRET 2005 *

■ 42,66 ha 250 000 ▮ ⬮ 5 à 8 €

Cette cuvée a pris ses habitudes dans le Guide (le 2000 fut même coup de cœur). Rubis limpide, le 2005 présente un nez délicat alliant un fruit très mûr à un boisé épicé agréablement fondu. Après une attaque souple et fruitée, la bouche dévoile une structure tannique au grain serré. Suave, gras, volumineux mais équilibré, l'ensemble bénéficiera d'un an de garde qui lui apportera de la finesse. Mais on pourra déboucher dès maintenant cette bouteille qui s'accordera aussi bien avec une viande blanche qu'une viande rouge grillée.

Les Vignerons de Buzet, av. des Côtes-de-Buzet, 47160 Buzet-sur-Baïse, tél. 05.53.84.74.30, fax 05.53.84.74.24, e-mail buzet@vignerons-buzet.fr

☑ Y r.-v.

BARON D'ARDEUIL

Vieilles Vignes Cuvée élevée en fût de chêne 2005 *

■ 52 ha 283 000 ▮ ⬮ 5 à 8 €

Une autre cuvée phare de la cave coopérative. D'un rouge intense et profond aux reflets violets, ce millésime séduit par l'intensité de son fruité souligné par de discrètes notes grillées et vanillées. Après une attaque souple, épicée, poivrée, les tanins affichent leur puissance tout en étant bien enrobés. Un vin de caractère qui gagnera à vieillir quelques années.

Les Vignerons de Buzet, av. des Côtes-de-Buzet, 47160 Buzet-sur-Baïse, tél. 05.53.84.74.30, fax 05.53.84.74.24, e-mail buzet@vignerons-buzet.fr

☑ Y r.-v.

CH. DU BOUCHET 2005 **

■ n.c. 60 000 ▮ ⬮ 3 à 5 €

Fondé dans les années 1950, un des plus anciens domaines de l'appellation, présent de longue date dans le Guide. Le grand jury a couronné ce millésime pour son fruité remarquable. La robe brillante, violet intense est déjà prometteuse. Au nez, c'est avec une rare puissance que s'expriment les fruits mûrs et la framboise. Après une attaque souple, tout en finesse, une matière savoureuse et suave, imprégnée d'arômes de fruits mûrs, emplit la bouche. Les tanins ajoutent à la complexité avec un léger toasté vanillé. Un vin agréable que l'on peut déjà apprécier ou attendre deux ans.

Les Vignerons de Buzet, av. des Côtes-de-Buzet, 47160 Buzet-sur-Baïse, tél. 05.53.84.74.30, fax 05.53.84.74.24, e-mail buzet@vignerons-buzet.fr

☑ Y r.-v.

DOM. DE LA CROIX 2005 *

■ 15,25 ha 77 850 ▮ ⬮ 3 à 5 €

Un vin à boire sous la tonnelle, agréable, gouleyant et fruité. Rubis brillant à reflets violacés, il n'est pas très puissant au nez, mais décline de séduisants parfums de grenadine, de fraise et de banane. L'attaque est souple et légère puis la bouche se montre assez charpentée et généreuse, bâtie sur d'aimables tanins veloutés. Une souplesse de caractère qui fera bon ménage avec charcuterie et grillades.

Les Vignerons de Buzet, av. des Côtes-de-Buzet, 47160 Buzet-sur-Baïse, tél. 05.53.84.74.30, fax 05.53.84.74.24, e-mail buzet@vignerons-buzet.fr

☑ Y r.-v.

CH. DU FRANDAT 2005 *

■ 6,5 ha 31 000 ▮ ⬮ 5 à 8 €

À la tête de cette propriété depuis 1980, Patrice Sterlin a quitté la coopérative en 1989. Nombreuses mentions dans le Guide, trois coups de cœur : le domaine est une valeur sûre. La robe limpide de ce 2005 est d'un rouge violet intense. Le nez n'est pas très expressif et il faut le solliciter pour qu'il révèle des notes de fruits rouges, d'épices et des nuances vanillées et fumées. Après une attaque charnue, généreuse, la bouche révèle des tanins très présents et qui doivent s'assagir. La finale agréable ramène le fruit. Cette bouteille bénéficiera d'une petite garde (un an ou deux). La **cuvée du Majorat rouge 2004** est plus ronde et peut être consommée dès à présent sur une viande rouge ou du gibier. Elle obtient la même note.

🔑 Patrice Sterlin, Ch. du Frandat, 47600 Nérac, tél. 05.53.65.23.83, fax 05.53.97.05.77, e-mail chateaudufrandat@orange.fr
☑ Y ✯ t.l.j. sf dim. 10h-12h 14h-18h

CH. DE GUEYZE 2005 ★★

■ 8 ha 44 000 🛢 11 à 15 €

Le plus grand château de l'appellation (80 ha d'un seul tenant) obtient un nouveau coup de cœur comme l'année dernière (sans parler des millésimes 1987 et 1990). La couleur du 2005 est intense, rubis aux nuances violettes. Le nez, tout aussi intense, associe la mûre et le cassis sur un support boisé très fin. En bouche, on apprécie la rondeur, le charnu, la puissance, le fruité, la longueur. La trame tannique présente beaucoup de finesse et d'élégance malgré la jeunesse du vin. Un style très flatteur pour cette bouteille qui mérite de vieillir un peu (un à deux ans) avant d'accompagner une entrecôte. Deux étoiles aussi pour le **rosé 2006 (5 à 8 €)** qui allie matière et équilibre. Un vrai rosé de repas. La **Tuque de Gueyze 2005 (3 à 5 €)**, déjà prête, obtient une étoile.
🔑 Les Vignerons de Buzet, av. des Côtes-de-Buzet, 47160 Buzet-sur-Baïse, tél. 05.53.84.74.30, fax 05.53.84.74.24, e-mail buzet@vignerons-buzet.fr
☑ Y ✯ r.-v.

CH. DE MAZELIÈRES 2005 ★

■ 10 ha 21 600 ▮ 5 à 8 €

Mazelières est un vrai château de style Renaissance avec une immense cour carrée. Son vin revêt une robe brillante rubis profond. Complexe au nez, il libère des parfums de fruits mûrs, de cassis et de vanille. L'attaque est souple et ronde ; les tanins forment une solide charpente avec une certaine sucrosité. Équilibré et puissant, l'ensemble gagnera à vieillir quelques années. À réserver au gibier ou aux fromages.
🔑 Les Vignerons de Buzet, av. des Côtes-de-Buzet, 47160 Buzet-sur-Baïse, tél. 05.53.84.74.30, fax 05.53.84.74.24, e-mail buzet@vignerons-buzet.fr
☑ Y ✯ r.-v.

CH. TOURNEMINE 2005 ★

■ 12 ha 75 000 ▮ 5 à 8 €

Belle expression du millésime 2005, voici un vin souple et fruité que l'on peut apprécier dans sa jeunesse ou laisser vieillir un à deux ans. La robe est fraîche, intense avec des reflets mauves. Vineux et chaleureux, le nez évoque les fruits mûrs. La bouche puissante mais soyeuse est construite sur de jeunes tanins déjà fins et élégants. À servir avec des viandes blanches ou de la volaille.
🔑 Les Vignerons de Buzet, av. des Côtes-de-Buzet, 47160 Buzet-sur-Baïse, tél. 05.53.84.74.30, fax 05.53.84.74.24, e-mail buzet@vignerons-buzet.fr
☑ Y ✯ r.-v.

Côtes-du-marmandais

Non loin de l'Entre-deux-Mers, des vins de Duras et de Buzet, les côtes-du-marmandais sont produits en majorité par la Cave du Marmandais qui regroupe les sites de Beaupuy et de Cocumont, sur les deux rives de la Garonne. Les vins blancs, à base de sémillon, de sauvignon, de muscadelle et d'ugni blanc, sont secs, vifs et fruités. Les vins rouges, à base de cépages bordelais et d'abouriou, syrah, cot et gamay, sont bouquetés et d'une bonne souplesse. Le vignoble occupe 1 406 ha qui ont produit 2 208 hl de vins blancs et 68 016 hl de rouges et rosés en 2005.

CH. BAZIN 2005 ★

■ 4 ha 12 000 🛢 11 à 15 €

Un vin joliment fait, produit d'un élevage de deux ans sous bois bien maîtrisé. La robe est brillante, assez colorée. Légèrement fruité, le premier nez laisse la place à un boisé agréable. Une plaisante attaque sur la fraîcheur et sur le fruit prélude à une bouche structurée et équilibrée, aux tanins enrobés. À attendre deux à trois ans. La cuvée **Excellence de Bazin rouge 2005** est citée. Le boisé et le fruité commencent juste à se fondre et le palais convenablement construit laisse augurer un avenir prometteur à cette bouteille (même temps de garde).
🔑 Cave du Marmandais, La Vieille Église, 47250 Cocumont, tél. 05.53.94.50.21, fax 05.53.94.52.84, e-mail accueil@origine-marmandais.fr
☑ Y ✯ t.l.j. sf dim. 9h-12h 14h30-18h

CH. DE BEAULIEU Élevé en fût de chêne 2005 ★★

■ 19,5 ha 77 000 🛢 5 à 8 €

Deux tours de défense sur la façade nord témoignent de l'ancienneté des bâtiments : des vestiges de la guerre de Cent Ans. Quant au vignoble, il existerait depuis le XII[e]s. Les Schulte, qui vinifient leur récolte depuis 1991, le restructurent et replantent à haute densité. Cette cuvée, qui fut coup de cœur dans le millésime 2003, figure toujours en bonne place dans la sélection. Le 2005 présente une robe rouge profond et un nez intense, sur les fruits mûrs. Ronde et bien équilibrée, la bouche dévoile une superbe montée en puissance des tanins. Le tout traduit un solide potentiel et incite à laisser cette bouteille en cave (au moins deux à trois ans).
🔑 Robert et Agnès Schulte, Ch. de Beaulieu, 47180 Saint-Sauveur-de-Meilhan, tél. 05.53.94.30.40, fax 05.53.94.81.73, e-mail chateau_de_beaulieu@hotmail.com
☑ Y ✯ t.l.j. 8h-12h 14h-18h; sam. dim. sur r.-v.

CH. BOIS BEAULIEU
Cuvée Belle du Méras Élevé en fût de chêne 2005 ★

■ 3 ha 10 000 🛢 5 à 8 €

Le domaine vinifie sa production depuis une dizaine d'années et cette cuvée, dédiée à une jument, est souvent sélectionnée dans le Guide. Ce 2005 de couleur intense et soutenue, presque noire, traduit une recherche de concentration. Le nez puissant se partage entre les fruits mûrs et

SUD-OUEST

un fin boisé. Le fruité s'épanouit en bouche, où les tanins forment une trame solide mais prennent un air de sévérité en finale. Deux ou trois ans de garde permettront à cette bouteille prometteuse de gagner en harmonie.
SCEA de Campot, 47180 Saint-Sauveur-de-Meilhan, tél. 05.53.94.32.41, fax 05.53.64.65.11, e-mail boisbeaulieu@aliceadsl.fr
sam. 9h-12h 14h-18h

CLOS CAVENAC Le Rosé 2006 ★

2 ha 10 000 3 à 5 €

De couleur assez soutenue, brillante et fraîche, ce rosé est un vin de repas, puissant et chaleureux. Le nez discret mêle des notes fruitées et épicées. L'attaque apparaît vive, nerveuse mais on retrouve le fruit, bien présent, au sein d'une bouche ample et généreuse qui persiste longuement.
Emmanuelle Piovesan, Cavenac, 47180 Castelnau-sur-Gupie, tél. et fax 05.53.83.81.20, e-mail closcavenac@yahoo.fr r.-v.

CH. DE LA COURONNE 2005 ★

10 ha 80 000 3 à 5 €

Une couleur cerise foncé pour la robe limpide. Du fruit rouge pour le nez, avec puissance. Très agréable, ronde et gouleyante, la bouche fait elle aussi la part belle au fruité. Un ensemble plaisant à déboucher tout de suite sur une entrecôte bien persillée.
Cave du Marmandais, La Vieille Église, 47250 Cocumont, tél. 05.53.94.50.21, fax 05.53.94.52.84, e-mail accueil@origine-marmandais.fr
t.l.j. sf dim. 9h-12h 14h30-18h

LE GEAI 2005

3 ha 20 000 3 à 5 €

Les vignobles Boissonneau ont leur siège en Gironde, à la limite du Lot-et-Garonne et s'étendent à la fois dans le Bordelais et les côtes-du-marmandais. La robe de ce 2005 est brillante, d'une couleur rouge cerise assez soutenue. Comme ce Geai n'a pas connu le chêne, le nez est « tout fruit », développant de discrètes nuances de pêche. L'attaque souple et agréable annonce une bouche de structure assez légère. Un ensemble plaisant et facile à boire, à servir dès la sortie du Guide.
Vignobles Boissonneau, Le Cathelicq, 33190 Saint-Michel-de-Lapujade, tél. 05.56.61.72.14, fax 05.56.61.71.01, e-mail vignobles@boissonneau.fr
r.-v.

CH. LESCOUR 2005 ★

5 ha 40 000 3 à 5 €

Ce n'est pas un vin d'une grande puissance, mais il présente une certaine finesse qu'il faut apprécier sans trop tarder. La robe est brillante, d'une couleur cerise avenante. Le nez fruité, associe le cassis à une touche épicée. L'attaque agréable dévoile une bouche un peu fugace mais plaisante. À servir dès maintenant.
Cave du Marmandais, La Vieille Église, 47250 Cocumont, tél. 05.53.94.50.21, fax 05.53.94.52.84, e-mail accueil@origine-marmandais.fr
t.l.j. sf dim. 9h-12h 14h30-18h

CH. LOUSTALOT 2005

10 ha 40 000 3 à 5 €

La robe pimpante, d'un rouge clair, annonce un nez un peu discret, mais non dénué de finesse, sur des notes de fruits mûrs. Dans la même tonalité, l'attaque légère et fruitée, et la bouche équilibrée, dessinent les contours d'une bouteille pour maintenant.
Cave du Marmandais, La Vieille Église, 47250 Cocumont, tél. 05.53.94.50.21, fax 05.53.94.52.84, e-mail accueil@origine-marmandais.fr
t.l.j. sf dim. 9h-12h 14h30-18h

CH. MONPLAISIR 2005

10 ha 35 000 3 à 5 €

Rien d'explosif dans cette bouteille mais une franchise de bon aloi. Grenat très sombre, la robe est brillante. Les parfums de fruits rouges mûrs affichent une belle intensité. Après une attaque franche où l'on retrouve le fruit, la bouche se développe sur des tanins bien fondus laissant une impression d'équilibre. La finale est longue et plaisante. À servir dans les deux prochaines années.
Cave du Marmandais, La Vieille Église, 47250 Cocumont, tél. 05.53.94.50.21, fax 05.53.94.52.84, e-mail accueil@origine-marmandais.fr
t.l.j. sf dim. 9h-12h 14h30-18h

CH. SEGAS TERRE SAUVE 2005

20 ha 80 000 3 à 5 €

Avec sa robe bien colorée, son nez franc sur les fruits rouges, il sait se présenter. Après une agréable attaque fruitée, la bouche évolue sur des tanins flatteurs, même s'ils manquent de la puissance nécessaire à la garde. Une bouteille à servir sans tarder, avec une volaille.
Cave du Marmandais, La Vieille Église, 47250 Cocumont, tél. 05.53.94.50.21, fax 05.53.94.52.84, e-mail accueil@origine-marmandais.fr
t.l.j. sf dim. 9h-12h 14h30-18h

CH. VIDEAU 2005 ★★★

n.c. 11 000 3 à 5 €

Château Videau est un îlot viticole de 7,45 ha de vignes exposé à l'ouest. Il a donné naissance à un vin qui a fait l'unanimité. Brillante, la robe est très classique, d'un rouge intense. Le nez conjugue la puissance et la finesse dans ses nuances de fruits tout à fait mûrs. Ces fruits mûrs se développent intensément en bouche, sur des tanins fins légèrement boisés. La finale très persistante reste sur le fruit. Un rare équilibre pour cette bouteille qui sera superbe d'ici deux à trois ans. Elle accompagnera du gibier ou un rôti de bœuf.
Michel Charlot, Dom. Bonnet et Laborde, La Chalosse, 47180 Lagupie, tél. 06.14.74.78.90, fax 05.53.83.43.07, e-mail bonnet.gc@libertysurf.fr r.-v.

Saint-sardos AOVDQS

Dernier né des AOVDQS, saint-sardos est consacré depuis le 1er octobre 2005. Historique, ce vignoble fut créé au XIIes. lors de la fondation de l'abbaye de Grandselve à Bouillac. Ses 200 ha de vigne sont plantés en rive gauche de la Garonne, au sud-ouest du Tarn-et-Garonne, et au nord du département de la Haute-Garonne. Saint-sardos produit des rouges et rosés issus des cépages syrah (supérieur à 40 % de l'encépagement), tannat (supérieur à 20 %) complétés par du cabernet franc et du merlot, ce dernier ne pouvant excéder 10 %. L'obligation d'assembler au moins trois cépages figure dans le décret et la densité de plantation minimale est de 4 000 pieds à l'hectare.

MOULIN ROUT 2006 *

■ 7,5 ha 44 000 ▮ 3 à 5 €

Deux vins de ce nouveau VDQS produit par la cave coopérative à partir d'un vignoble expérimental, départemental et régional. Ce vin rosé brillant, aussi expressif que délicat, offre une chair ronde et soyeuse, très fraîche et toujours aromatique. Il est déjà harmonieux. Le **Moulin Rout rouge 2004 Élevé en fût de chêne (5 à 8 €)**, bien équilibré, mais dont les tanins méritent de s'affiner, est cité.

Cave Les Vignerons de Saint-Sardos, Le Bourg, 82600 Saint-Sardos, tél. 05.63.02.52.44, fax 05.63.02.62.19 r.-v.

Le Bergeracois et Duras

Bergerac

Bergerac est l'une des villes les plus connues de France par le personnage d'Edmond de Rostand, Cyrano de Bergerac. C'est aussi une capitale gastronomique, qui a donné son nom à l'AOC en 1936. Vallonné, véritable mosaïque de terroirs, le vignoble représente un intérêt touristique non négligeable.

Les vins peuvent être produits dans 90 communes de l'arrondissement de Bergerac ; le vignoble représente 10 248 ha dont 3 057 ha en blanc. Le rosé, frais et fruité, est souvent issu de cabernet ; le rouge, aromatique et souple, est un assemblage des cépages traditionnels. Leur production a atteint 171 365 hl en blanc et 346 180 hl en rouge et rosé.

DOM. DU BOIS DE POURQUIÉ 2005 *

■ 2 ha 10 000 ▮ 3 à 5 €

Enracinés dans la région depuis le XVIes., les Mayet ont acquis le domaine en 1860. Celui-ci, qui compte aujourd'hui 30 ha, a produit sa première bouteille en 1971. Cette année, son bergerac est sélectionné dans les trois couleurs. Ce vin rouge mêle au nez la cerise et la framboise sur un fond vanillé et épicé. Puissant, charnu et fruité, il révèle en finale des tanins boisés et austères qui demandent deux à trois ans pour s'arrondir. Souple et aromatique, avec ses notes de bonbon anglais et de cassis, le **bergerac rosé** est flatteur : une étoile également. Quant au **bergerac sec Révélation élevé en fût de chêne 2005 (8 à 11 €)**, marqué par le bois, il est cité.

Marlène et Alain Mayet, Le Bois de Pourquié, 24560 Conne-de-Labarde, tél. 05.53.58.25.58, fax 05.53.61.34.59, e-mail domaine-du-bois-de-pourquie@wanadoo.fr t.l.j. sf dim. 8h30-19h

CANTUS TERRA* Élevé en fût de chêne 2005 *

■ 15 ha 50 000 5 à 8 €

La coopérative de Sigoulès propose un vin rouge très moderne, alliant un fruité puissant à un boisé très fin. Pourpre foncé à reflets violets, la robe est de bon augure. Fin et complexe, le nez associe les fruits noirs bien mûrs, la griotte et un léger toasté. L'attaque ronde est suivie d'impressions plus fraîches, et la bouche finit sur des notes un peu brûlées. Bien structurée et déjà souple, une bouteille à attendre un an ou deux. Également produits par la cave, le **bergerac sec Château le Vigneau 2006 (3 à 5 €)** et le **bergerac rouge Château le Vigneau 2006 (3 à 5 €)** ont été cités.

Les Vignerons de Sigoulès, 24240 Sigoulès, tél. 05.53.61.55.00, fax 05.53.61.55.10, e-mail contact@vigneronsdesigoules.fr r.-v.

CH. CAPULLE 2005 **

■ 2,5 ha 14 000 ▮ 3 à 5 €

À la tête de 35 ha de vignes, Jean-Paul Migot représente la quatrième génération sur le domaine. D'une couleur profonde, son bergerac rouge a séduit, tant par son fruit que par sa matière. Le nez surmûri mêle les fruits rouges confiturés et les épices, tandis que le cassis et la violette imprègnent une bouche volumineuse, fraîche et persistante. Quelques tanins encore un peu sévères suggèrent d'attendre cette bouteille trois à cinq ans.

Jean-Paul Migot, Ch. Capulle, 24240 Thénac, tél. 05.53.58.42.67, fax 05.53.58.39.50, e-mail jean_paul.migot@aliceadsl.fr r.-v.

CH. LE CASTELLOT 2005

■ 4 ha 21 000 5 à 8 €

La famille Ley possède d'importants vignobles dans le Bergeracois et le Libournais. Le château Le Castellot est implanté à l'emplacement d'une ancienne commanderie du Temple dont il subsiste une chapelle. Son bergerac rouge s'annonce par une robe profonde et par un nez subtilement fruité. On apprécie sa rondeur en bouche, ses arômes de fruits bien mûrs, voire confiturés, et son boisé discret et fondu. Un vin à servir maintenant avec des grillades. Également cité, le **côtes-de-montravel blanc doux Les Templiers 2006** est un vrai moelleux simple et franc.

GAF Ley, Dom. des Templiers, 24230 Saint-Michel-de-Montaigne, tél. 05.53.58.68.15, fax 05.53.58.79.99, e-mail ley.vignobles@wanadoo.fr t.l.j. 9h-12h30 14h-17h30

SUD-OUEST

CHÊNE PEYRAILLE 2005 ★

■ 50 ha 260 000 3 à 5 €

Une cuvée emblématique de la cave de Sigoulès que le millésime 2005 met particulièrement en valeur, avec un bergerac rouge couleur cerise noire, aussi intense à l'œil qu'au nez. Les parfums associent des notes fruitées et épicées à un léger grillé. Aromatique et fraîche, construite sur des tanins souples, la bouche se montre très harmonieuse en finale. Un vin bien fait, que l'on peut apprécier jeune ou attendre un peu. Le **côtes-de-bergerac blanc Chêne Peyraille 2006**, un moelleux léger et frais, est cité.

Les Vignerons de Sigoulès, 24240 Sigoulès, tél. 05.53.61.55.00, fax 05.53.61.55.10, e-mail contact@vigneronsdesigoules.fr r.-v.

CH. LE CLÉRET
Cuvée Cornélia Élevé en barrique 2005 ★

■ 1,5 ha 3 500 5 à 8 €

Ce petit domaine (5,3 ha) est établi à Port-Sainte-Foy (commune qui, malgré son code postal en 33, est bien située dans le département de la Dordogne, au bord de la rivière). Il propose deux vins rouges très réussis. Sa cuvée Cornélia présente un nez ouvert sur les fruits à l'eau-de-vie. L'attaque franche et souple révèle des notes fruitées qui évoluent vers les épices et le sous-bois. La bouche aux tanins fins et agréables est fraîche, plutôt chaleureuse en finale. Le **bergerac rouge cuvée Dalmain 2005** séduit par son fruité intense de cerise noire. Deux bouteilles prêtes à paraître à table.

SCEA Le Cléret, 106, av. du Périgord, 33220 Port-Sainte-Foy, tél. 06.62.68.58.96, fax 05.53.57.75.96, e-mail tim.richardson@lecleret.com r.-v.

CLOS DES CABANES
Expression Élevé en fût de chêne 2005 ★★

■ 1 ha 6 000 5 à 8 €

Histoire de Georges et d'Anne Lafont ; lui : fils de viticulteurs, il « s'engage » chez Michelin. Pendant de longues années, il travaille dans des usines du monte entier, avant de revenir à la vigne, à la cinquantaine. Elle : esthéticienne, elle s'intéressait aux parfums, elle se passionnera pour les vins. Le domaine est acheté en 1998. Dans ce guide, deux cuvées remarquables (deux étoiles). Celle-ci, pourpre à reflets violacés presque noirs, embaume le fruit mûr, le cassis et la cerise, arômes qui se confirment dès la mise en bouche, relevés d'épices. Les tanins encore un peu jeunes et serrés vont s'assouplir d'ici un an ou deux. Le **bergerac rouge Prince de Foncalpre 2005** n'a pas connu le bois. Plus accessible, il est fruité, frais et rond.

Georges Lafont, Clos des Cabanes, 24100 Saint-Laurent-des-Vignes, tél. et fax 05.53.24.85.03, e-mail clos.des.cabanes@wanadoo.fr t.l.j. sf dim. 9h-12h 14h-18h; f. 20 août au 3 sept.

CLOS DU MAINE CHEVALIER 2005

■ 2,5 ha 8 000 3 à 5 €

La propriété familiale vivait de l'élevage. Claudine et Claude Caillard, qui l'ont prise en mains dans les années 1980, ont délaissé cette activité pour se consacrer aux céréales et à la vigne – laquelle occupe aujourd'hui 12 ha sur les 75 ha du domaine. Leur bergerac rouge naît d'un assemblage de quatre cépages (la « trilogie bordelaise » et un peu de malbec), ce qui est assez rare dans la région. Rouge profond, il présente un nez frais, discrètement fruité. Cette fraîcheur se retrouve en bouche, où des tanins un peu serrés suggèrent d'attendre cette bouteille trois ou quatre ans. Le **bergerac sec 2006** est également cité pour la finesse et la complexité de ses arômes de sauvignon. Deux sélections qui témoignent des potentialités des calcaires d'Issigeac, dans la partie sud-est du Bergeracois.

Claude et Claudine Caillard, EARL Clos du Maine-Chevalier, 24560 Plaisance, tél. et fax 05.53.58.55.63, e-mail claude-caillard@wanadoo.fr t.l.j. 10h-12h30 13h30-19h

DOM. LE CLOS DU MÈGE
Cuvée de la Bastide 2005

■ 1,6 ha 5 000 5 à 8 €

Originaire des Pays Bas, Helena de Long a été horticultrice avant de constituer, à partir de 1999, ce domaine autour de la vigne et du tourisme : un petit complexe de bungalows disposés autour d'une piscine accueille les visiteurs. Cette entreprise devrait contribuer à la notoriété des vins de Bergerac. Celui-ci reste assez discret au nez, sur des arômes de fruits frais, et s'affirme en bouche. Puissant, souple et fruité, bâti sur de jeunes tanins déjà arrondis, il est typique de son appellation. Une petite pointe de fraîcheur lui permettra de tenir deux à trois ans.

Helena de Jong, La Ferme du Mège, 24240 Monestier, tél. et fax 05.53.58.95.15 r.-v. 5

CLOS JULIEN Extravagance 2005

■ 1 ha 1 200 8 à 11 €

Produit selon les normes de l'agriculture biologique, ce vin pourpre violacé a des abords modestes et peu puissants mais sympathiques avec des notes de fruits et de boisé (quatorze mois de fût). En bouche, il se montre souple et chaleureux, construit sur des tanins fondus qui lui permettront de paraître à table dès l'été 2008.

Viviane Sroka, Clos Julien, 24230 Saint-Antoine-de-Breuilh, tél. 06.16.65.13.67, fax 05.53..27.82.07, e-mail vitijul@club-internet.fr r.-v.

CH. COMBRILLAC L'Inédit 2005 ★

■ 0,75 ha 3 000 8 à 11 €

Cette propriété située aux portes de Bergerac propose une cuvée haut de gamme qui se distingue par son équilibre. D'un rouge profond, ce 2005 présente un nez complexe et intense aux nuances de fruits rouges bien mûrs. Avec ses tanins fins, la bouche est plaisante par sa souplesse et par sa rondeur qu'apporte la sucrosité du bois. Le retour aromatique sur la cerise à l'eau-de-vie laisse aussi un bon souvenir. Une bouteille déjà prête et apte à une petite garde. Cité, le **bergerac sec l'Inédit 2006**, pur sauvignon, est très marqué par le cépage, avec ses arômes de buis, et porte aussi l'empreinte de l'élevage. À déboucher dès maintenant.

Girou, Combrillac, 24130 Prigonrieux, tél. et fax 05.53.58.02.06, e-mail combrillac@hotmail.com r.-v.

DOM. DE COUTANCIE 2005

■ 1,5 ha 6 500 5 à 8 €

À quelques kilomètres à l'ouest de Bergerac, dans la vallée de la Dordogne, vous trouverez ce domaine de 8 ha ouvert au tourisme. Au chai, Nicole Maury. Son bergerac rouge est pour l'heure assez sévère, mais il présente un bon potentiel de vieillissement. Il n'a pas connu le bois, et respire le fruit noir. Dès l'attaque, les tanins se manifestent. La dégustation se poursuit sur des impressions de fraîcheur et des arômes de fruits à l'eau-de-vie que souligne la chaleur de la finale. On attendra au moins un an cette bouteille. Même note pour le **rosette 2005** de la propriété, expressif et agréable.

SCEA Maury, Dom. de Coutancie,
24130 Prigonrieux, tél. 05.53.57.52.26,
fax 05.53.58.52.76, e-mail coutancie@wanadoo.fr
r.-v.

CH. FONMOURGUES 2005 *

■	1,3 ha	1 700		5 à 8 €

Le domaine a pris le nom d'un aïeul de Dominique Vidal, le premier viticulteur (languedocien) de la lignée, qui vivait au XVIIes. L'actuel propriétaire exploite une quinzaine d'hectares. Avec ce bergerac d'un rouge profond, il propose un vin complexe, chaleureux et plaisant que l'on peut consommer jeune ou attendre jusqu'à cinq ans. Le nez évoque le fruit surmûri, voire macéré. L'attaque souple et chaleureuse apporte du fruit à l'eau-de-vie, les tanins une certaine sucrosité et des notes épicées.

EARL Dominique Vidal, La Haute Borie,
24240 Monbazillac, tél. 05.53.63.02.79,
fax 05.53.27.20.32, e-mail htborie@voila.fr r.-v.

CH. GAGEAC MONPLAISIR 2005 *

■	9,12 ha	3 500		5 à 8 €

Britanniques, David et Helen Baxter se sont installés en 1997 sur ce domaine commandé par un petit manoir du début du XXes. Rouge cerise, leur bergerac est encore assiégé par la barrique : fermé au nez, très boisé, torréfié au palais. Mais la bouche ample, grasse et très structurée est de bon augure : le chêne devrait baisser la garde dans deux à trois ans.

SARL Ch. Monplaisir, Ch. Monplaisir,
24240 Gageac-Rouillac, tél. 05.53.23.93.92,
fax 05.53.23.93.83, e-mail vinedab@club-internet.fr
t.l.j. 9h-12h 13h30-17h30; f. déc.
David Baxter

CH. LA GRANDE PLEYSSADE

Cuvée réservée Vieilli en fût de chêne 2005 *

■	20 ha	130 000		5 à 8 €

Commandée par une chartreuse classée, cette ancienne terre noble a changé de mains en 2007. Le domaine s'étend sur 35 ha. Sa Cuvée réservée est tout en nuances et en subtilités. Puissant et très complexe, le nez mêle les fruits mûrs et les épices à des touches animales. Cette richesse dans la délicatesse se retrouve dans une bouche imprégnée de fruits rouges, ample, longue et suave. La matière est belle, bien structurée sans les excès parfois rencontrés dans ce millésime. Un ensemble harmonieux, que l'on pourra apprécier dès maintenant et pendant trois ou quatre ans.

SCEA Dupuy, Ch. La Grande Pleyssade,
24240 Mescoulès, tél. 05.53.24.27.61,
fax 05.53.23.48.97, e-mail scea.dupuy@orange.fr
r.-v.

CH. HAUT LAMOUTHE 2005 **

■	3 ha	15 000		3 à 5 €

À Haut-Lamouthe, on vend des pommes, des pruneaux et du vin. Située à 7 km de Bergerac, sur la rive

Le Bergeracois

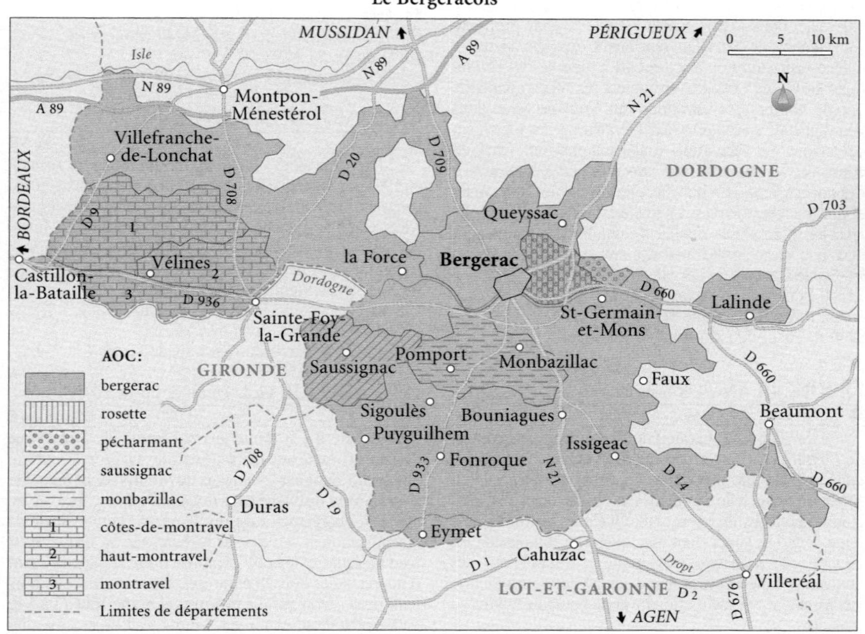

SUD-OUEST

gauche de la Dordogne, cette exploitation familiale conduite par trois frères, Christian, Michel et Alain Durand, possède aussi des vergers ; depuis les années 1980, les propriétaires ont développé le vignoble (20 ha de vignes rouges aujourd'hui). Ils élaborent leurs vins depuis 1999. Un domaine à suivre, car ce bergerac est remarquable par son fruité. Le terroir de terrasses graveleuses est sans doute à l'origine de la réussite de ce 2005. La robe s'habille d'un rouge soutenu. Le nez particulièrement expressif, sur la fraise et le cassis, annonce un ensemble croquant et rafraîchissant. À la fois dense, soyeuse et fraîche, la bouche offre un panier de fruits rouges. Pas de bois, et l'on ne s'en plaindra pas ici : le chêne n'ajouterait rien à l'agrément de ce vin plaisir à savourer dans les deux ou trois prochaines années.

🔑 GAEC de Lamouthe,
56, rte de Lamouthe, 24680 Lamonzie-Saint-Martin,
tél. 05.53.24.07.73, fax 05.53.74.33.13,
e-mail chateauhautlamouthe@wanadoo.fr ☑ Y ⚘ r.-v.

CH. LES HAUTS DE CAILLEVEL Été 2005 ★★

■ 8 ha 21 000 ▮ 5 à 8 €

Une bouteille de caractère, à l'image de Sylvie Chevallier qui est depuis 1999 à la tête de cette propriété – un vignoble de 20 ha d'un seul tenant, exposé plein sud –, qu'elle restructure en augmentant la densité des plantations. Le Guide a déjà mis en lumière ces efforts qualitatifs par de nombreuses sélections (un coup de cœur dans l'édition 2007 en rouge). Ce bergerac rouge est un joli vin de terroir. Sa robe rubis foncé annonce un vin bien constitué. Son nez très mûr associe le cassis et la mûre à des notes épicées. En bouche, on retrouve les fruits mûrs et des touches poivrées. La finale est longue, d'une belle vivacité. L'ensemble devrait s'entendre dès maintenant avec une viande grillée marinée aux épices.

🔑 Sylvie Chevallier, Les Hauts de Caillevel,
24240 Pomport, tél. et fax 05.53.73.92.72,
e-mail caillevel@wanadoo.fr
☑ Y ⚘ t.l.j. sf dim. 9h-12h 14h-18h

LE JONC-BLANC Les Sens du fruit 2005 ★

■ n.c. 25 000 ▮ 5 à 8 €

Domaine situé à l'ouest du Bergeracois, aux confins du Libournais. Cette cuvée, qui avait obtenu deux étoiles dans le millésime précédent, confirme sa valeur. D'un rouge soutenu, elle libère des parfums de fruits frais comme pour justifier son nom. Quelques notes d'épices (clou de girofle) apportent une touche de complexité. En bouche, elle reste très aromatique et s'appuie sur des tanins fins. Une légère pointe d'acidité permettra un bon vieillissement : on peut attendre cette bouteille quatre ou cinq ans.

🔑 SCEA I. Carles et F. Pascal, Le Jonc-Blanc,
24230 Vélines, tél. et fax 05.53.74.18.97,
e-mail jonc.blanc@free.fr ☑ Y ⚘ r.-v.

CH. K 2005 ★

■ 2 ha 8 000 ⏺ 8 à 11 €

K, comme Katharina Mowinckel, originaire de Norvège et propriétaire de ce domaine depuis 2003. Elle a restructuré le chai et le vignoble, qu'elle exploite maintenant en agriculture biologique. Son Château K est encore très marqué par le bois ; les notes grillées de la barrique se mêlent aux nuances de fruits noirs surmûris. En bouche, l'attaque se montre fraîche, mais le chêne masque un peu le fruit. Une bouteille à attendre trois ou quatre ans. Les impatients s'orienteront vers la **Cuvée K par Château K 2005 (5 à 8 €)** qui procure un plaisir plus immédiat. Ce vin a été élevé en cuve et l'on y trouve davantage de fruit et de fraîcheur. Une étoile également.

🔑 Katharina Mowinckel, Le Fougueyrat,
24240 Saussignac, tél. 06.72.13.73.17,
fax 05.53.58.79.60, e-mail mowi@wanadoo.fr
☑ Y ⚘ r.-v.

CH. KALIAN Élevé en barrique 2005 ★★★

■ 0,42 ha 1 200 ⏺ 5 à 8 €

Anne et Alain Griaud ont eu un coup de cœur pour ce domaine qu'ils ont acheté en 1992. Quant à ce vin, il a failli décrocher le coup de cœur du Guide. Il est vrai que sa structure, « monstrueuse » selon un dégustateur, ne peut laisser indifférent. Dès le premier coup d'œil, l'intensité et la profondeur de la robe ne laissent aucun doute sur la concentration de ce 2005. Le nez est encore très boisé, fumé, mais il laisse percer des arômes de petits fruits confits. En bouche, on trouve des tanins à la fois serrés et soyeux ainsi qu'une belle fraîcheur. À laisser en cave au moins cinq ans.

🔑 Alain et Anne Griaud,
Ch. Kalian, lieu-dit Bernasse, 24240 Monbazillac,
tél. et fax 05.53.24.98.34,
e-mail kalian.griaud@wanadoo.fr ☑ Y ⚘ t.l.j. 8h-20h

CH. LAMOTHE BELLEVUE 2005

■ 5 ha 15 000 ▮ 3 à 5 €

Domaine situé à la limite du Libournais, et racheté en 1991 par Stéphane Pujol à un coopérateur. Ce bergerac rouge est idéal pour les grillades. Ses arômes évoquent les fruits cuits, sa bouche est ronde et charnue. La finale agréable et persistante laisse le souvenir d'un ensemble harmonieux. À déboucher dans les deux ans.

🔑 SCEA des Vignobles Stéphane Puyol,
Ch. Barberousse, 33330 Saint-Émilion,
tél. 05.57.24.74.24, fax 05.57.24.62.77,
e-mail chateau-barberousse@wanadoo.fr ☑ Y ⚘ r.-v.

CH. LAULERIE Vieilli en fût de chêne 2005 ★

■ 12 ha 70 000 ⏺ 5 à 8 €

Acheté il y a trente ans par la famille Dubard, le domaine compte une nouvelle recrue : Grégory, le neveu, œnologue. Situé sur les coteaux de Montravel, ce domaine s'est souvent distingué dans le Guide, tant en blanc qu'en rouge. Ce bergerac rouge révèle une parfaite maîtrise de la vinification et de l'élevage en barrique. Sa structure est bien marquée et le boisé commence à se fondre, révélant d'intéressantes notes mentholées. On attendra cette bouteille deux à trois ans. Le **montravel blanc 2006 (3 à 5 €)** de l'exploitation est un vin sec qui s'accordera avec les crustacés. Ses arômes sont typiques du sauvignon (50 % de l'assemblage) : une étoile également. Le **montravel rouge Comtesse de Ségur 2004 (8 à 11 €)**, équilibré et de moyenne structure, sera bientôt prêt : il est cité.

Vignobles Dubard, GAEC du Gouyat, Le Gouyat, 24610 Saint-Méard-de-Gurçon, tél. 05.53.82.48.31, fax 05.53.82.47.64, e-mail vignobles-dubard@wanadoo.fr
t.l.j. 8h-13h 14h-19h; dim. sur r.-v.

CH. LESPINASSAT L'Absolue 2005

3 ha 13 000 8 à 11 €

Arrivée de Champagne en 1990, Agnès Verseau exploite une douzaine d'hectares de vignes au bord d'une ancienne voie romaine. D'une couleur profonde à reflets violacés, sa cuvée l'Absolue incline vers la cerise, avec des nuances de sous-bois. Une attaque franche et souple prélude à une bouche aux tanins fins. La finale n'est pas très longue mais elle laisse un bon souvenir grâce à un retour du fruit. À déboucher dans les deux ou trois prochaines années. Cité également, le **bergerac rosé Vieilles Vignes 2006 (5 à 8 €)** affiche une robe soutenue et un caractère assez tannique.

Agnès Verseau, Les Oliviers, 24230 Montcaret, tél. 05.53.58.34.23, fax 05.53.61.36.57, e-mail agnes.verseau@wanadoo.fr r.-v.

CH. MARIE-PLAISANCE Cuvée Prestige 2005 ★★

1,25 ha 6 700 5 à 8 €

La cinquième génération vient de s'installer sur le domaine, situé dans la vallée de la Dordogne, aux confins du Libournais. Un rouge intense et profond habille ce bergerac au nez complexe, fait de fruits noirs, de cerise à l'eau-de-vie, d'épices et de sous-bois. Fruité et généreux, vif et chaleureux en finale, soutenu par une trame de tanins souple, ce 2005 fin et élégant est le produit d'une extraction bien menée. On pourra l'apprécier dès maintenant. Le **saussignac cuvée Prestige 2005 (8 à 11 €)** obtient une étoile. Fleurs blanches au nez, il est boisé en bouche, mais la fraîcheur de sa finale lui confère légèreté et équilibre.

Alain Merillier, La Ferrière, 24240 Gageac-Rouillac, tél. et fax 05.53.27.86.23, e-mail chateau.marie.plaisance@wanadoo.fr
t.l.j. sf dim. 10h-12h 14h-18h30

CH. LES MERLES 2005

30 ha 100 000 5 à 8 €

Un des trois châteaux de la famille Lajonie qui exploite 70 ha dans la région. Ce vin d'un rouge profond exprime dans ses parfums de fruits confits la surmaturation caractéristique de ce millésime 2005 si chaleureux. Au nez comme en bouche, le pruneau domine nettement. L'élevage en barrique donne pour l'heure au palais une note de sévérité que le temps estompera. Également cité, le **bergerac sec Le Merle blanc vinifié en barriques 2005 (11 à 15 €)**. Sa vivacité soulignée par des arômes d'agrumes laisse espérer un bel épanouissement d'ici un à deux ans.

J. et A. Lajonie, GAEC Les Merles, Les Merles, 24520 Mouleydier, tél. et fax 05.53.63.43.70, e-mail vignobles-lajonie@libertysurf.fr r.-v.

DOM. DE MIQUE 2005 ★

n.c. 2 000 3 à 5 €

Les frères Auroux exploitent un domaine de 11 ha situé à la limite du Lot-et-Garonne. Trois de leurs vins sont retenus. La préférence va au rouge. Sa robe profonde affiche des reflets violets. Son nez se porte vers les fruits rouges avec une pointe épicée. Souple et fruitée, l'attaque est suivie d'impressions plus tanniques, un rien austères, qui incitent à attendre au moins un an cette bouteille de bonne facture. Le **bergerac sec 2006** est un sauvignon bien vinifié, vif et légèrement amer en finale. Il est cité, comme le **bergerac rosé 2006**, fruité, souple et suave, à servir bien frais.

SCEA Auroux Frères, Mique, 24560 Boisse, tél. 05.53.24.56.69, fax 05.53.57.88.09, e-mail aurouxfreres@wanadoo.fr r.-v.

CH. MONESTIER LA TOUR Cuvée de Navarre 2005 ★★★

10 ha 45 000 8 à 11 €

Il ne manque pas un créneau à la tour de ce château composite. Le domaine est vaste (plus de 100 ha, dont 43 pour le vignoble). Le tout a été racheté en 1998 par Philip de Haseth-Möller, qui s'est entouré de conseillers de renom pour produire des vins distingués. Après un coup de cœur décroché par un 2002, celui-ci obtient la note maximale et manque de peu le podium. Le ton est donné par une robe franche, intense, d'un rouge très profond. Le nez, véritable festival de senteurs, mêle la cerise, la mûre, les épices au boisé-vanillé de l'élevage. Très marquée par le merrain, ample et riche, l'attaque introduit une bouche aux tanins riches, soyeux et suaves. La finale est très longue et tout en finesse. Un vin de gibier, à garder en cave au moins cinq ans.

SCEA Monestier La Tour, Ch. Monestier La Tour, 24240 Monestier, tél. 05.53.24.18.43, fax 05.53.24.18.14, e-mail contact@chateaumonestierlatour.com
r.-v.

DOM. DE MOULIN-POUZY Cuvée Prestige Élevé en fût de chêne 2005

2,2 ha 13 000 5 à 8 €

Voilà plus d'un siècle que la famille Castaing exploite ce domaine situé sur la rive gauche de la Dordogne, du côté de Monbazillac. Fabien est aux commandes depuis sept ans. Sa cuvée Prestige affiche dans ce millésime une robe pourpre aux reflets violacés. Le nez, puissant et très mûr, évoque les fruits confits et le pruneau. La bouche ronde, aux tanins fondus, finit sur une note un peu brûlée (dix-huit mois de fût). Une bouteille à attendre un an ou deux.

Famille Castaing, La Font-du-Roc, 24240 Cunèges, tél. 05.53.58.41.20, fax 05.53.58.02.29, e-mail info@moulin-pouzy.com
t.l.j. sf dim. 8h30-12h 14h-17h30; sam. sur r.-v.

MOULINS DE BOISSE Floriane 2005 ★

0,18 ha 1 200 5 à 8 €

Le père a acheté la propriété en 1964 et l'a orientée vers la viticulture. Le fils la dirige depuis 1995. Décrire cette cuvée en deux mots ? Puissance et équilibre. Puissance du nez, mariant les fruits mûrs et le pruneau à un léger boisé ; équilibre au palais, souple à l'attaque, riche sans excès, persistant en finale. À servir jeune ou à garder deux à trois ans. Le **côtes-de-bergerac moelleux Floriane 2005 (3 à 5 €)**, un pur sémillon, a été cité pour sa belle concentration.

SUD-OUEST

Bernard Molle, Spérétout, 24560 Boisse,
tél. 06.08.94.24.70, fax 05.53.24.12.01,
e-mail moulins.de.boisse@wanadoo.fr
t.l.j. sf dim. 8h30-12h30 13h30-18h30

CH. PAGNON Élevé en fût de chêne 2005 ★★

■ 5 ha 7 500 5 à 8 €

Encore austère, un 2005 plein de promesses. Un séjour de vingt mois dans le chêne a laissé son empreinte dans le vin, mais des notes de fruits, de menthol et de poivre commencent à percer au nez. Ample, opulente et concentrée, la bouche traduit une réelle maîtrise de l'élevage. Un bergerac de garde qu'il faut laisser encore trois à cinq ans en cave pour l'apprécier dans sa plénitude.

Sylvette Moro, Prentygarde, 24230 Vélines,
tél. 05.53.27.10.72, fax 05.53.27.56.06,
e-mail chateau.pagnon@wanadoo.fr
r.-v.

CH. PERROU Marquis de Lentilhac 2005 ★

■ 41 ha 77 333 5 à 8 €

Environné d'une forêt, cet ancien vignoble était à l'abandon quand il a été acheté par la famille d'Amécourt, en 2002 : pas de chai alors, et des ronces entre les ceps. La remise en état est en bonne voie, témoin ce 2005 dont le millésime précédent figurait déjà dans le Guide. La robe est intense, de couleur grenat ; le nez bien ouvert et floral exprime la violette. Après une attaque souple, la bouche découvre une trame tannique soyeuse et persiste longuement en finale sur des notes de cerise. Un joli vin de terroir à attendre deux ans.

SCEA Famille d'Amécourt,
Saint-Romain-de-Vignague,
33540 Sauveterre-de-Guyenne, tél. 05.56.71.54.56,
fax 05.56.71.83.95, e-mail vignesdamecourt@aol.com
r.-v.

CH. PETITE BORIE 2005

■ 10 ha 50 000 5 à 8 €

Exploités depuis 1987, Château Petite Borie et Château Bramefant font partie des vastes vignobles acquis dans le Bergeracois par la famille Sadoux à partir des années 1960. Une robe grenat, un nez fruité aux nuances de cassis, une bouche ronde, équilibrée, assez fraîche composent une bouteille harmonieuse et déjà plaisante. Le **côtes-de-bergerac moelleux Château Bramefant 2006** est également cité pour son fruité et son équilibre.

Pierre Sadoux, Court-Les-Mûts,
24240 Razac-de-Saussignac, tél. 05.53.27.92.17,
fax 05.53.23.77.21, e-mail court-les-muts@wanadoo.fr
t.l.j. 9h-12h 14h-18h; sam. dim. sur r.-v.

CH. PINTOUQUET 2005 ★

■ n.c. 10 000 5 à 8 €

L'un des trois châteaux de la famille Lajonie. D'un rouge profond, celui-ci séduit par son fruit et sa complexité. Très ouvert, il libère des parfums de fruits noirs en surmaturation. On retrouve le fruit dans une attaque ample et souple et, de nouveau, en finale, après une évolution sur des tanins soyeux et suaves. Un vin harmonieux, déjà prêt mais apte à une petite garde. Le **bergerac sec 2006** est cité. Rond à l'attaque et vif en finale, il porte la marque du sauvignon majoritaire dans l'assemblage.

SCEA Lajonie D.A.J., Saint-Christophe,
24100 Bergerac, tél. 05.53.57.17.96, fax 05.53.58.06.46,
e-mail vignobles-lajonie@libertysurf.fr r.-v.

CH. PIQUE-SÈGUE 2005 ★★

■ 40 ha 100 000 3 à 5 €

Henri IV faisant halte à Pique-Sègue pour abreuver son cheval à l'une des fontaines de la propriété, c'est peut-être une légende. Le premier coup de cœur du Guide Hachette en montravel rouge (en 2001), c'est ici ; le fait est avéré. Cette année, ce bergerac lui vole la vedette. Rouge cerise à reflets violines, il exprime des parfums de fruits noirs (mûre et cassis) relevés de touches poivrées. Dans le même registre aromatique, la bouche ample et chaleureuse évolue sur des tanins fondus, plus sévères en finale. Un vin remarquablement structuré et équilibré, à attendre deux ou trois ans. Quant au **montravel rouge Terre de Pique-Sègue Anima Vitis 2004 (11 à 15 €)**, il est cité.

SNC Ch. Pique-Sègue, Ponchapt,
Pique-Sègue, 33220 Port-Sainte-Foy, tél. 05.53.58.52.52,
fax 05.53.58.77.01,
e-mail chateau-pique-segue@wanadoo.fr r.-v.
Ph. et M. Mallard

CH. LES PLAGUETTES Cuvée de l'Ancêtre 2006

■ 4 ha 26 000 3 à 5 €

Exploité en fermage depuis 1999 puis racheté en 2005, ce Château Les Plaguettes est l'un des vignobles de Serge Gazziola (Château Seignoret les Tours, bien en vue l'an dernier). Une robe très foncée à reflets violets. Un nez intense : cassis et poivre. Une attaque franche, un peu vive, puis des tanins présents, pour l'heure austères. Un à deux ans de garde et ils gagneront en amabilité.

EARL Vignobles Serge Gazziola,
Les Plaguettes, 24240 Saussignac,
tél. 06.08.61.58.77, fax 05.53.22.37.79,
e-mail contact@vignobles-gazziola.com r.-v.

CH. LA RAYRE Premier Vin 2005 ★

■ 1 ha 3 000 8 à 11 €

Vincent Vesselle a acquis cette propriété en 1999 (23 ha). Un peu à l'instar des Bordelais, il réalise un premier vin. La réussite de celui-ci est liée à son équilibre entre le bois et le raisin. La robe rouge sombre montre de brillants reflets. Le nez vanillé laisse deviner des notes de fruits compotés, de groseille. La bouche est puissante, riche, mais sans excès, bâtie sur des tanins souples. Le chêne n'écrase pas le fruit. Déjà prête, cette bouteille peut vieillir quatre ou cinq ans. Le **bergerac sec Premier Vin 2005**, un pur sauvignon, révèle lui aussi une belle harmonie entre le fruit et la barrique. Il est cité.

EARL Ch. La Rayre, La Rayre, 24560 Colombier,
tél. 05.53.58.32.17, fax 05.53.24.55.58,
e-mail vincent.vesselle@wanadoo.fr r.-v.
Vesselle

DOM. DE LA ROCHE MAROT 2005 ★★

■ 4,7 ha 30 000 3 à 5 €

Aux confins occidentaux du Bergeracois, le plateau de Saint-Michel exprime le meilleur du fruit. Voyez ce bergerac grenat foncé, aux parfums complexes de fruits noirs et d'épices qui s'épanouissent en bouche. Gras, soyeux, le palais s'appuie sur une trame de tanins bien mûrs. Harmonieux et expressif, ce vin a frôlé le coup de cœur. Il est prêt à accompagner une côte de bœuf. De la même propriété, le **côtes-de-montravel blanc 2005 (8 à 11 €)**, issu de vendanges passerillées, obtient une étoile pour sa concentration, tandis que le **montravel blanc 2006**, est cité pour son élégance.

GAEC de la Roche Marot, La Roche Marot, 24230 Lamothe-Montravel, tél. et fax 05.53.58.52.05, e-mail gaecdelarochemarot@orange.fr r.-v.
M. Boyer

SEIGNEURS DE BERGERAC 2005

100 ha 700 000 3 à 5 €

On ne manquera pas de bergerac. Ces Seigneurs brandissant la bannière du négoce emmènent une armée impressionnante de bouteilles qui défend très honnêtement l'appellation. Ce rouge affiche un nez franc et intense de fruits mûrs et se montre flatteur par sa souplesse. Le **bergerac sec 2006** n'est pas des plus complexes, mais il sait se faire apprécier par son nez de pamplemousse, sa légèreté et sa rondeur. Deux bouteilles pour maintenant.

Yvon Mau, rue Sainte-Pétronille, 33190 Gironde-sur-Dropt, tél. 05.56.61.54.54, fax 05.56.61.54.61, e-mail info@ymau.com

TERRES NOIRES 2005 *

2 ha 10 000 5 à 8 €

Une cuvée produite par la cave des Lèves, coopérative membre du groupe Univitis, puissant acteur viticole dans le Bordelais et le Sud-Ouest. Expressive au nez, elle mêle la mûre et la cerise. En bouche, la mûre s'allie au cassis au sein d'un corps tannique mais déjà rond. Un vin sur le fruit, assez flatteur et à servir sans tarder : un à deux ans de garde. Citée par le jury, la cuvée **rouge Brennus 2005 vieillie en fût de chêne (3 à 5 €)** s'habille d'une étiquette représentant le bouclier offert à l'équipe victorieuse du championnat français de rugby à XV. Serait-elle plus virile ? Il semblerait. Destinée aux troisièmes mi-temps ? Pas seulement. On pourra la boire jeune, elle aussi.

Closerie d'Estiac, Les Lèves, 33220 Sainte-Foy-la-Grande, tél. 05.57.56.02.33, fax 05.57.56.02.22, e-mail jm.portier@univitis.fr t.l.j. sf dim. lun. 9h30-12h30 15h-18h

Bergerac rosé

LE ROSÉ DU CHÂTEAU BOUFFEVENT 2006 **

2 ha 13 500 3 à 5 €

Dans le verre, un rose pimpant aux reflets rubis. Un nez puissant et printanier, fait de fleurs et de fruits frais, cerise et groseille. L'attaque franche et fruitée confirme cette palette et lui ajoute la violette et le raisin. La fraîcheur souligne la persistance. Fruité et finement boisé, le **bergerac rouge cuvée Tradition 2005** est cité. Ce domaine est exploité par les trois héritières de la famille Pauty qui détient la propriété depuis un siècle.

Vignobles Pauty, 19, rte de Bouffevent, 24680 Lamonzie-Saint-Martin, tél. 05.53.24.29.05, fax 05.53.61.83.32, e-mail chateaubouffevent@wanadoo.fr r.-v.

CLOS DU PECH BESSOU 2006 *

3,5 ha 10 500 3 à 5 €

Pascal et Sylvie Thomassin, frère et sœur, ont repris en 2000 l'exploitation familiale (7 ha). Une robe soutenue aux reflets rouges habille leur rosé au nez intense, partagé entre le fruit rouge et le bonbon anglais. Ample à l'attaque, aromatique, ce vin mise sur la rondeur et la douceur. On le servira bien frais. Le **bergerac sec 2006** du domaine, assez complexe et souple, obtient une citation.

GAEC Thomassin, La Pouge, 24560 Plaisance, tél. 06.85.63.23.93, fax 05.53.61.76.79, e-mail closdupechbessou@wanadoo.fr t.l.j. sf dim. 9h-12h 14h-18h; sam. 9h-12h

DOM. DE LA COMBE 2006 *

3 ha 13 000 3 à 5 €

Le rosé des Sergenton. Sa robe est soutenue, grenadine à reflets rubis. Ses frais parfums évoquent la groseille. Après une attaque souple et franche, la dégustation se poursuit sur des impressions chaleureuses et vineuses et des arômes de fruits à l'eau-de-vie. La finale est fraîche et persistante. À ouvrir au début du repas.

EARL Dom. de la Combe, La Combe, 24240 Razac-de-Saussignac, tél. 05.53.27.86.51, fax 05.53.27.99.87, e-mail domainedelacombe24@wanadoo.fr r.-v.
Sergenton

DOM. LES GRAVES 2006

1,5 ha 1 200 3 à 5 €

Quatre cépages du sud-ouest (les cabernets, le merlot et le malbec pour 25 %) contribuent à ce vin rose clair brillant, au nez frais et floral tirant sur le bourgeon de cassis. Souple à l'attaque, discrètement aromatique, ce rosé est un tendre, plutôt porté sur la rondeur et sur la suavité que sur la vivacité. Un peu de nervosité anime enfin la finale. Un style qui a ses amateurs.

Bernard Barse, Dom. Les Graves, 24240 Gageac-Rouillac, tél. et fax 05.53.24.01.11, e-mail bernardbarse@aol.com r.-v. 2

DOM. DU HAUT-MONTLONG
Vin d'une Nuit 2006

4 ha 25 000 3 à 5 €

Ce rosé est issu d'une macération très brève ; le temps d'une nuit, et il est écoulé. De là vient la couleur pâle de sa robe brillante. Le fruit n'en parle pas moins, exprimant avec franchise des notes de fruits rouges et de cassis. Rond, velouté et élégant, ce vin fera plaisir servi bien frais à l'apéritif. Le **bergerac sec élevage sur lies 2006** est également cité.

Dom. du Haut-Montlong, Montlong, 24240 Pomport, tél. 05.53.58.81.60, fax 05.53.58.09.42, e-mail sergenton-haut-montlong@wanadoo.fr t.l.j. 9h-12h 14h-18h; sam. dim. sur r.-v. 4 E
EARL Sergenton

JULIEN DE SAVIGNAC 2006 **

5,2 ha 31 000 5 à 8 €

Fondée en 1985, une maison de négoce spécialisée dans les vins du Bergeracois. Elle a acquis un petit vignoble de 10 ha, le Clos l'Envège, d'où provient ce 2006. C'est un rosé de repas. Il s'habille d'une robe vive et brillante aux reflets cerise et assortit ses parfums de fruits mûrs de touches épicées. Rond et plein à l'attaque, puis suave et doux, il révèle en bouche des arômes de fruits rouges (cerise). La finale est fraîche, légèrement vineuse. Le **bergerac rouge Julien de Savignac 2005** est cité.

🔑 Julien de Savignac, av. de la Libération, 24260 Le Bugue, tél. 05.53.07.10.31, fax 05.53.07.16.41, e-mail julien.de.savignac@wanadoo.fr
t.l.j. sf dim. 10h-12h30 15h-19h; groupes sur r.-v.
🔑 P. Monfort

CH. LE MAYNE 2006 ★★

12 ha 25 000 3 à 5 €

Beaucoup de fruit et ce qu'il faut de vivacité font le charme de ce rosé. Sa couleur est pâle et brillante, son nez rappelle avec intensité la groseille et le sirop de fraise. Après une attaque souple, la bouche évolue sur un fruité puissant. Son volume et son gras enrobent bien la vivacité. « Il pourrait se boire à Noël », écrit un dégustateur. Pour un Noël au balcon... Le **bergerac sec 2006** obtient une étoile. Peu de longueur, mais de jolis arômes de chèvrefeuille. Un classique.

🔑 Les Vignobles du Mayne, Le Mayne, 24240 Sigoulès, tél. 05.53.58.40.01, fax 05.53.24.67.72, e-mail vignobles.du.mayne@wanadoo.fr
t.l.j. 8h-12h 14h-18h; sam. dim. sur r.-v.; f. 20 déc.-2 jan.
🔑 Martrenchard

CH. MIAUDOUX 2006 ★

3 ha 13 000 3 à 5 €

Ce domaine de 28 ha campe sur les coteaux de Saussignac. Exploité depuis 1986 par Gérard Cuisset qui s'est orienté vers l'agriculture biologique, il affiche un palmarès intéressant : cinq coups de cœur. Cette année, le rosé vole la vedette aux autres couleurs. Dans une robe cerise aux reflets violines, ce 2006 mêle au nez le fruit en confiture, les épices et la fraise écrasée. Rond en attaque, gras au palais, c'est un vin suave à servir très frais. Le **bergerac rouge Château Miaudoux 2005 (5 à 8 €)** est cité pour sa souplesse et son bel équilibre, ainsi que le **bergerac sec 2006** pour sa vivacité et ses arômes d'agrumes.

🔑 Gérard Cuisset, Les Miaudoux, 24240 Saussignac, tél. 05.53.27.92.31, fax 05.53.27.96.60, e-mail gerard.cuisset@wanadoo.fr r.-v.

CH. DU PRIORAT 2006

10,54 ha 35 000 3 à 5 €

Ce rosé vient des confins du Libournais. Cerise à l'œil comme au nez, il attire par son fruité. Son perlant souligne une vivacité qui se fait un peu nerveuse en finale. Les arômes de fruits mûrs restent bien présents au palais et rendent l'ensemble sympathique.

🔑 GAEC du Priorat, Le Priorat, 24610 Saint-Martin-de-Gurson, tél. 05.53.80.76.06, fax 05.53.81.21.83, e-mail lepriorat-gaec@wanadoo.fr
t.l.j. sf dim. 8h-12h 14h-18h

CH. ROQUE-PEYRE Fraîcheur Lively 2006

16 ha 40 000 3 à 5 €

Cette exploitation familiale fondée en 1888 s'étend aujourd'hui sur 45 ha et s'est spécialisée à partir des années 1970. Cuvée Fraîcheur ? Ce rosé est bien nommé. Intense dans le verre, fruité et fin au nez, vif en bouche, il est animé d'un petit perlant. Une touche d'amertume marque la finale.

🔑 GAEC de Roque-Peyre, Vignobles Vallette Frères, 33220 Fougueyrolles, tél. 05.53.24.77.98, fax 05.53.61.36.87, e-mail vignobles.vallette@wanadoo.fr
t.l.j. 9h-12h 14h-18h; sam. sur r.-v.

CH. LA TILLERAIE 2006

4 ha 10 000 5 à 8 €

Une robe fraîche et avenante, cerise à reflets rouges pour ce rosé très ouvert sur des parfums de fruits mûrs, de cerise et de groseille. Fraîche et fruitée, l'attaque introduit une bouche légère, où la groseille s'allie au cassis. La finale vive laisse le souvenir d'une bouteille sympathique.

🔑 SARL Ch. La Tilleraie, Pécharmant, 24100 Bergerac, tél. et fax 05.53.57.86.42, e-mail contact@vignobles-fauconnier.fr
t.l.j. 9h-18h
🔑 Bruno Fauconnier

Bergerac sec

La diversité des sols (calcaire, graves, argile, boulbènes) donne des expressions aromatiques variées. Jeunes, les vins sont fruités et élégants, avec une pointe de nervosité. S'ils sont vinifiés dans le bois, il faudra patienter un an ou deux pour discerner l'expression du terroir.

CH. BRUNET-CHARPENTIÈRE 2006

1,35 ha 10 600 3 à 5 €

À la tête de l'exploitation depuis 2002, Franck Descoins signe un bergerac sec classique et de bonne facture. D'un jaune pâle limpide, ce 2006 délivre des parfums frais et floraux caractéristiques du cépage sauvignon, majoritaire dans l'assemblage. Sa bouche vive au joli fruité le destine au plateau de fruits de mer.

🔑 Franck Descoins, Brunet Les Charpentières, 24230 Montazeau, tél. et fax 05.53.27.54.71, e-mail franck.descoins@free.fr r.-v.

CH. CAILLAVEL 2006 ★

1 ha 4 000 3 à 5 €

Sous une robe jaune pâle brillant, de puissants parfums floraux. D'une belle expression aromatique, la bouche évolue sur des impressions de rondeur et de gras, puis une pointe de fraîcheur vient vivifier la finale, avec une touche d'amertume pas désagréable du tout. Un style intéressant.

🔑 GAEC Ch. Caillavel, Caillavel, 24240 Pomport, tél. 05.53.58.43.30, fax 05.53.58.20.31
t.l.j. sf dim. 8h30-12h 14h-18h30
🔑 GFA Lacoste

CH. CAILLEVET Accent 2005 ★

2,8 ha 11 500 8 à 11 €

Domaine de 16 ha acquis en 1999 par A. Chemel, industriel de Sarlat, qui a renouvelé les équipes et les installations. Une forte proportion de sémillon et un élevage en fût donnent à ce bergerac sec sa personnalité : une couleur jaune doré, un nez de pamplemousse discrètement boisé, un palais harmonieux, au gras bien équilibré par une agréable fraîcheur aux accents d'agrumes. Le **côtes-de-bergerac rouge Accent 2004 (11 à 15 €)** est cité. Il porte la marque du millésime et sera vite prêt.

⊶ SCEA Ch. Caillevet, Le Caufour, 24240 Thénac, tél. 05.53.58.80.71, fax 05.53.61.39.94, e-mail chateaucaillevet@free.fr ☑ Y ⁂ r.-v.
⊶ Alex Chemel

DOM. DU CANTONNET 2006 *

4 ha 18 000 ■ 3 à 5 €

Ce vin s'annonce par une robe brillante et limpide aux reflets jaune-vert et par des parfums de fruits à chair blanche et de fruits tropicaux un peu lourds. Une vivacité bienvenue se manifeste à l'attaque et la bouche évolue sur des arômes d'agrumes. L'ensemble est assez léger, mais fort plaisant.

⊶ EARL Vignobles Rigal, Dom. du Cantonnet, 24240 Razac-de-Saussignac, tél. 05.53.27.88.63, fax 05.53.27.12.31, e-mail vignobles-rigal@orange.fr ☑ Y ⁂ r.-v.

DOM. DU CASTELLAT 2005 **

2 ha 13 000 ■ 3 à 5 €

Une maison de plaisance du XIXe s. campe à la place de la tour de garde qui a donné son nom à ce domaine. Avec ce vin jaune pâle brillant, Jean-Luc Lescure propose un très joli bergerac sec qui met en valeur le fruit. Le nez intense mêle le brugnon, l'abricot, la violette et des touches muscatées. Imprégnée d'arômes de fruits bien mûrs, volumineuse et longue, la bouche possède ce qu'il faut de fraîcheur pour que l'harmonie soit complète. Quant au **bergerac rouge 2005** du domaine, il mérite une citation pour sa finesse.

⊶ Jean-Luc Lescure, Le Castellat, 24240 Razac-de-Saussignac, tél. et fax 05.53.27.08.83, e-mail domaine.castellat@wanadoo.fr ☑ Y ⁂ t.l.j. 8h30-19h ⌂ Ⓑ

CLOS D'YVIGNE Cuvée Nicholas 2005 *

4 ha 4 600 ⏸ 11 à 15 €

Installée en 1990 en Périgord, Patricia Atkinson ne compte plus les sélections dans le Guide. Cette cuvée a été coup de cœur dans le millésime précédent. Or pâle à reflets verts, le 2005 libère des parfums d'agrumes assortis de touches muscatées. Après une attaque vive, la bouche évolue avec fraîcheur sur des notes fruitées et un léger boisé. La finale tout en finesse est fort plaisante. On suggère de servir cette bouteille avec des tagliatelles au saumon. Le **bergerac rouge Petit Prince 2004** est cité. Il est équilibré mais très marqué par le bois.

⊶ Clos d'Yvigne, Le Bourg, 24240 Gageac-Rouillac, tél. 05.53.22.94.40, fax 05.53.23.47.67 ☑ Y ⁂ r.-v. ⌂ Ⓔ
⊶ P. Atkinson

CASANOVA DES CONTI 2006 *

n.c. 40 000 ■ 3 à 5 €

Propriétaire du Château Tour des Gendres, la famille De Conti a développé une maison de négoce qui voit trois de ses vins sélectionnés. Ce bergerac sec porte la marque du sauvignon bien que ce cépage ne constitue que la moitié de l'assemblage. La robe témoigne d'un élevage sur lies. Le nez exprime des arômes variétaux aux nuances d'agrumes (pamplemousse) qui persistent en bouche. À la fois rond et nerveux, l'ensemble est bien équilibré. Dans cette même gamme Casanova, le jury a cité le **bergerac rouge 2005** ainsi que le **bergerac rouge Es Passion des Conti 2005 (5 à 8 €)**.

⊶ SARL La Julienne, Les Gendres, 24240 Ribagnac, tél. 05.53.57.12.43, fax 05.53.58.89.49, e-mail familledeconti@wanadoo.fr ☑ Y ⁂ r.-v.
⊶ Famille De Conti

CH. LA GRANDE BORIE 2006 *

2 ha 14 000 ■ 5 à 8 €

Cette année, le rouge cède la vedette au blanc. De couleur très pâle aux reflets verts, ce bergerac sec affiche un nez franc et complexe où les fleurs se mêlent aux agrumes. En bouche, il est rond, équilibré, sur le fruit. D'un excellent équilibre, c'est un vin à servir sur un poisson en sauce. Du même domaine, le **bergerac rosé 2006** a été cité pour sa fraîcheur et sa persistance.

⊶ EARL des Vignobles Lafon-Lafaye, La Grande Borie, 24520 Saint-Nexans, tél. 05.53.24.33.21, fax 05.53.24.97.74, e-mail cllafaye@wanadoo.fr ⁂ r.-v.

DOM. DE GRANGE NEUVE 2006 *

2,37 ha 20 533 ■ 3 à 5 €

Cent dix ans d'existence pour cette exploitation où les paysans sont devenus vignerons au fil des générations. Le domaine s'étend sur plus de 65 ha. Ce bergerac sec avait obtenu deux étoiles dans le millésime précédent ; ce 2006 n'a pas trop de couleur mais montre de jolis reflets jaune-vert dans sa robe limpide. Il s'épanouit au nez, libérant de complexes parfums. Il attaque avec rondeur et finit sur une pointe d'acidité.

⊶ SCEA de Grange Neuve, Grange Neuve, 24240 Pomport, tél. 05.53.58.42.23, fax 05.53.61.35.50, e-mail fmcastaing@aol.com ☑ Y ⁂ t.l.j. 8h30-12h 13h30-18h; sam. dim. sur r.-v. ⌂ Ⓔ
⊶ Castaing et Fils

CH. GRINOU Cuvée Tradition 2006 ***

11 ha 80 000 ■ 5 à 8 €

Cinquième coup de cœur pour Catherine et Guy Cuisset. Ce vin naît d'un assemblage peu commun : le sauvignon et le sémillon à parts égales. Le premier cépage donne des arômes, le second du volume et de la structure. Limpide et brillant avec des reflets jaune-vert, ce 2006 s'annonce par un nez tout en finesse où les fleurs blanches et les fruits sont rehaussés d'une touche minérale. À la fois rond et vif en attaque, il renoue au palais avec les fleurs blanches, accompagnées de touches de violette, de muscat et de litchi. Quelle persistance ! Quelle élégance ! Quant au **bergerac sec Grande Réserve 2005 (8 à 11 €)**, il naît lui aussi d'une courte majorité de sémillon. Ses arômes intenses (acacia et pêche blanche au nez, complétés par la

SUD-OUEST

mangue en bouche), son volume et son très bel équilibre lui valent une étoile. Le 2003 fut coup de cœur. Enfin, le **Grand Vin du Château Grinou en bergerac rouge 2005 (11 à 15 €)**, très souple, est cité.

⊶ Catherine et Guy Cuisset, Ch. Grinou,
24240 Monestier, tél. 05.53.58.46.63,
fax 05.53.61.05.66, e-mail chateaugrinou@wanadoo.fr
☑ Y ⚲ r.-v.

CH. DE LA JAUBERTIE 2006 ★★

▫ 21 ha 122 000 ▮ ⏸ 5 à 8 €

Il est arrivé second au grand jury et a tellement conquis les dégustateurs qu'il décroche lui aussi un coup de cœur. Il fait suite à deux millésimes remarquables (le 2004 fut également couronné). Jaune paille à reflets verts, ce vin séduit d'emblée par l'intensité et la complexité de son nez où les fruits à noyau bien mûrs complètent les classiques parfums de buis. Nerveux en attaque, puis rond et ample, d'un excellent équilibre, il offre un long retour fruité en finale. Quant au **bergerac rouge 2005**, qui a reçu une étoile pour son fruité éclatant et frais, il peut attendre au moins trois ans. Un autre succès pour Hugh Ryman qui conduit ce domaine depuis 1981.

⊶ SA Ryman, Ch. de La Jaubertie, 24560 Colombier,
tél. 05.53.58.32.11, fax 05.53.57.46.22,
e-mail jaubertie@wanadoo.fr
☑ Y ⚲ t.l.j. sf sam. dim. 10h-17h

ALPHA DU JONCAL 2005 ★★★

▫ 2 ha 4 500 ⏸ 11 à 15 €

La place la plus ingrate du podium : la troisième... Un presque coup de cœur. La robe limpide à reflets jaunes et le nez à la fois boisé et fruité intéressent. Le vin attaque avec vivacité puis s'arrondit avec suavité et douceur, avant que la fraîcheur ne revienne animer la finale. Un peu de chaleur aussi, et une empreinte du bois très marquée, qui inciterait à laisser en cave cette bouteille. Le **côtes-de-bergerac rouge Mirage du Joncal 2004** et le **bergerac rouge Mystère du Joncal 2005 (46 à 76 €)**, très boisés, sont cités. Les vins du domaine proviennent de l'agriculture biologique.

⊶ Joëlle Tatard, Clos Le Joncal,
24500 Saint-Julien-d'Eymet, tél. 06.86.96.70.52,
fax 05.53.61.84.73, e-mail tatard.roland@wanadoo.fr
☑ Y ⚲ r.-v.

CH. DE LA MALLEVIEILLE 2006

▫ 5 ha 20 000 ▮ 3 à 5 €

Situé à 25 km à l'ouest de Bergerac, ce domaine compte 30 ha de vignes. Il a proposé un bergerac sec jaune pâle aux reflets verts, au nez assez complexe mêlant le buis, le chèvrefeuille et les fruits exotiques : la marque du sauvignon qui règne sur l'assemblage. Au palais, ce vin révèle un gras important mis en valeur par son côté perlant.

⊶ Vignobles Biau, La Mallevieille, 24130 Monfaucon,
tél. 05.53.24.64.66, fax 05.53.58.69.91,
e-mail chateaudelamallevieille@wanadoo.fr
☑ Y ⚲ t.l.j. 9h-12h 14h-19h

MARQUIS DE SEYNAC 2005

▫ n.c. 10 000 ▮ 5 à 8 €

Présenté par une marque de négoce, un vin de style moderne fait pour un plaisir immédiat. D'un jaune pâle plaisant, ce 2005 tout sauvignon s'annonce par un nez délicat mariant la pêche et les fleurs blanches. Il n'est pas des plus longs, mais il séduit par son attaque souple et fruitée ainsi que par son équilibre.

⊶ Sauret Père et Fils, rue Gustave-Courbet, BP 6,
19101 Brive, tél. 05.55.86.91.15, fax 05.55.86.03.81,
e-mail sauret@sauret.fr

CH. LES NICOTS 2005

▫ 7,5 ha 14 624 ▮ 3 à 5 €

Une majorité de sémillon pour ce bergerac sec jaune pâle limpide, aux parfums intenses de pêche blanche, de muscat et d'agrumes. Après une attaque fraîche, on retrouve ces arômes dans une bouche ronde, persistante et chaleureuse en finale.

⊶ SAS Socav, 1, rue Ferdinand-de-Labattut,
24100 Bergerac, tél. 05.53.57.63.61, fax 05.53.61.80.48

DOM. DE PÉCOULA
Harmonie Élevé en fût de chêne 2005 ★★

▫ 1 ha 1 500 ⏸ 5 à 8 €

Souvent mentionné en monbazillac ou en moelleux, ce domaine s'illustre particulièrement cette année en bergerac sec. La robe est brillante, jaune doré. Le nez intense de fruits mûrs évoque l'abricot et la mangue. Après une attaque nerveuse, la dégustation évolue sur des impressions rondes et fraîches aux accents de fruits exotiques. Ample, puissant et harmonieux, ce vin digne d'un bar en croûte de sel fera plaisir pendant trois ans au moins. Le **monbazillac Harmonie 2004 (11 à 15 €)** est cité. Floral et confit au nez, équilibré, c'est un classique.

⊶ GAEC de Pécoula, 24240 Pomport,
tél. 05.53.58.46.48, fax 05.53.58.82.02,
e-mail pecoula.labaye@wanadoo.fr ☑ Y ⚲ r.-v.

CH. PÉROUDIER 2006 ★★

▫ 6 ha 8 000 ▮ 3 à 5 €

De plein pied, le château aux lignes classiques évoque une chartreuse ; le toit de tuile pentu est cependant bien périgourdin. La propriété produit non seulement du vin, mais aussi des pruneaux. Sur l'étiquette de ce 2006, on peut lire la mention suivante : « De la trilogie des cépages de Bergerac, le sauvignon ressort particulièrement. » De fait, cette variété prend toute la place dans ce millésime et se manifeste par des notes de fruits exotiques et d'agrumes caractéristiques. Ces arômes se prolongent dans une bouche ronde et longue, offrant ce qu'il faut d'acidité pour vivifier sans agresser. Un remarquable équilibre.

⊶ SCEA du Ch. Péroudier, Le Péroudier,
24240 Monbazillac, tél. 05.53.58.30.04,
fax 05.53.24.55.20 ☑ Y t.l.j. 9h-19h
⊶ Famille Loisy

LE PÉTROCORE 2005 ★

n.c. 3 000 5 à 8 €

Cette cuvée rend hommage à nos ancêtres les Gaulois et plus spécialement à la tribu qui, au temps de Jules César, peuplait l'actuel département de la Dordogne, et qui a donné son nom à la région du Périgord. La robe est claire, légèrement dorée à reflets verts. Intense et complexe, le nez associe des notes florales et fruitées à une pointe vanillée léguée par l'élevage. En bouche, les premières impressions, fraîches et fruitées, sont relayées par un boisé fondu. La finale est assez chaleureuse. Ce vin peut attendre un an ou deux. Le **bergerac rosé Château Ladesvignes 2006 (3 à 5 €)** est cité pour sa fraîcheur.

SCEA Ch. Ladesvignes, 24240 Pomport, tél. 05.53.58.30.67, fax 05.53.58.22.64, e-mail chateau.ladesvignes@wanadoo.fr
t.l.j. 9h-12h 14h-19h; sam. dim. sur r.-v.
Monbouché

CH. LA ROBERTIE 2006 ★

1,19 ha 4 200 5 à 8 €

Jean-Philippe et Brigitte Soulier ont repris en 1999 ce domaine dont les origines remontent au XVIII[e]s. Ils ont présenté deux bergerac secs différents par leur assemblage et par leur élevage. Le jury a préféré celui-ci, où le sémillon entre pour 50 %, à côté des deux autres cépages blancs régionaux. D'un jaune paille léger et brillant, ce 2006 présente un nez bien ouvert sur les agrumes. Gras, rond et long au palais, soutenu par une belle fraîcheur, il laisse une sensation d'équilibre. Cité, le **bergerac sec Élevé en fût de chêne 2005 (8 à 11 €)** donne une place relativement plus importante au sauvignon mais c'est surtout le chêne qui est sensible à la dégustation. À attendre un peu.

Ch. La Robertie, 24240 Rouffignac-de-Sigoulès, tél. 05.53.61.35.44, fax 05.53.58.53.07, e-mail chateau.larobertie@wanadoo.fr
t.l.j. 10h-19h; sam. dim. sur r.-v.
J.-P. et B. Soulier

CH. TOURMENTINE 2006 ★

10 ha 50 000 5 à 8 €

Ce vignoble acquis par la famille Huré en 1986 s'étend sur 33 ha dans l'aire du saussignac, aux confins de la Gironde et du Lot-et-Garonne. C'est en bergerac sec qu'il se distingue cette année. D'un jaune pâle brillant, ce 2006 séduit par son nez élégant et délicat aux parfums de fruits exotiques. La bouche ajoute à cette palette les agrumes et le buis ; sa finale fraîche s'accompagne d'une pointe d'amertume. Une bouteille prête à servir à l'apéritif ou sur une entrée.

EARL Vignobles Huré, Tourmentine, 24240 Monestier, tél. 05.53.58.41.41, fax 05.53.63.40.52, e-mail aetjmhure@wanadoo.fr
t.l.j. sf dim. 9h-12h 14h-18h

CH. TOUR MONTBRUN 2006

0,5 ha 3 200 3 à 5 €

Établie sur le territoire de Montravel, cette propriété domine la vallée de la Dordogne. C'est encore en bergerac sec qu'elle figure cette année. Le plus souvent, les 2006 ne sont pas d'une extrême concentration et présentent un petit côté végétal et amer. C'est le cas de celui-ci, mais cette bouteille tire son épingle du jeu grâce à sa robe brillante à reflets jaunes, à son nez bien ouvert sur les agrumes et à sa bouche aromatique, ronde et nerveuse à la fois. À déboucher dès maintenant.

Philippe Poivey, Montravel, 24230 Montcaret, tél. et fax 05.53.58.66.93, e-mail philippe.poivey@wanadoo.fr r.-v.

Côtes-de-bergerac

Cette appellation ne définit pas un terroir mais des conditions de récolte plus restrictives qui doivent permettre d'obtenir des vins riches et charpentés. Ils sont recherchés pour leur concentration et leur durée de garde plus longue.

DOM. DE L'ANCIENNE CURE
L'Abbaye 2004 ★★

1 ha 7 000 11 à 15 €

Un domaine installé dans l'ancien presbytère de Colombier, d'où son nom. Heureux curé, si son vin de messe ressemblait aux cuvées produites par Christian Roche : cinq coups de cœur dans le Guide. En monbazillac, mais le rouge ne démérite pas : voyez ce 2004 à la robe profonde presque noire. Au nez, l'élevage de dix-huit mois en fût a laissé sa marque, mais le chêne ne domine pas et laisse parler les fruits rouges. Une attaque ample et ronde, un fruité intense et des tanins puissants et fins. Un rien d'amertume en finale ? Le bois doit encore se fondre. À laisser en cave trois ou quatre ans. Le **bergerac sec L'Extase 2006 (15 à 23 €)**, gras et riche, très boisé obtient une étoile. Il devra lui aussi attendre un peu avant d'accompagner une viande blanche.

EARL Christian Roche, L'Ancienne Cure, 24560 Colombier, tél. 05.53.58.27.90, fax 05.53.24.83.95, e-mail ancienne-cure@wanadoo.fr
t.l.j. sf dim. 9h-18h

CLOS DES TERRASSES 2005 ★

6 ha 15 000 8 à 11 €

Domaine racheté en 2001 par Fabrice de Suyrot. Le nouveau propriétaire a d'emblée investi dans un chai de vinification et un chai à barriques. Prochaine étape : l'agriculture biologique (reconversion entamée en 2005). Le Clos des Terrasses est issu d'un élevage sous bois. La robe profonde, presque noire avec des reflets pourpres, annonce un nez puissant mêlant les fruits rouges (framboise) à un boisé élégant. Ample, imprégné d'arômes de fruits compotés, la bouche est construite sur une trame tannique serrée mais soyeuse : cette bouteille vieillira quelques années.

SCEA de Suyrot, Clos des Terrasses, Les Terrasses, 24240 Sigoulès, tél. et fax 05.53.63.22.60, e-mail fabricedesuyrot@wanadoo.fr r.-v.

LE CLOS DU BREIL
Élevé en fût de chêne 2005 ★★★

0,3 ha 1 800 5 à 8 €

Située dans la partie orientale de l'appellation, sur les calcaires d'Issigeac, cette petite propriété familiale (7 ha)

SUD-OUEST

ne s'est spécialisée qu'en 1994. Ce qui n'empêche pas ce vin d'avoir fait l'unanimité. D'un rouge profond et intense, ce 2005 s'annonce par un nez expressif associant les fruits rouges, la réglisse et la guimauve à un boisé cacaoté bien marié. Si la structure tannique n'est pas colossale, la bouche séduit par son élégance : tout en nuances, ample, ronde et longue, elle confirme l'harmonie entre le fruité et le boisé. Les impatients peuvent commencer à découvrir cette bouteille, mais elle devrait tenir au moins cinq ans. Cité, le **bergerac rouge L'Odyssée 2005** n'a pas connu le bois. C'est un vin rond et léger à servir avec des grillades.

Jean Vergniaud, Le Breil,
24560 Saint-Léon-d'Issigeac, tél. et fax 05.53.58.75.55,
e-mail leclosdubreil@free.fr t.l.j. sf dim. 9h-19h

CH. CLUZEAU L'Empyrée 2005 ★

■ 5 ha n.c. 15 à 23 €

La famille Saury a racheté en 2004 cette propriété de 10 ha à un viticulteur qui partait à la retraite. La création d'un chai moderne et fonctionnel permet de mettre en valeur la production de ce vignoble auparavant vinifié en cave-coopérative. Déjà, trois vins sont retenus. Ce 2005 ? Une robe profonde, presque noire. Premier nez sur les fruits rouges, sur le cassis, rapidement dominé par des notes vanillées (seize mois de fût). Bouche friande, qui donne l'impression de croquer le raisin. Retour du cassis, sur une trame tannique assez fine. Un vin très équilibré à attendre trois ou quatre ans. Le **bergerac rouge 2005 (8 à 11 €)** obtient la même note. Le boisé est bien fondu et il pourra se consommer un peu plus jeune. Le **bergerac sec L'Envol 2005**, également boisé, est cité.

SCEA Le Petit Cluzeau, Le Cluzeau,
24240 Flaugeac, tél. 06.80.71.04.05, fax 05.53.24.33.71
r.-v.

CH. HAUT BERNASSE 2004 ★

■ 1,5 ha 4 000 23 à 30 €

Rachetée en 2002 par la famille Villette, cette propriété a vite trouvé ses marques dans le Guide. D'un grenat profond et brillant, son côtes-de-bergerac rouge exprime de puissantes notes de torréfaction évoquant le café et le chocolat, mais le fruit rouge perce sous le bois. Le fruit revient à la charge dans une attaque franche, puis des impressions tanniques aux nuances empyreumatiques prennent le dessus. La finale assez longue voit le triomphe du chêne. L'ensemble est équilibré et prometteur, mais la barrique doit se fondre. Attente recommandée (trois ans au moins).

SARL Jules et Marie Villette, Ch. Haut Bernasse,
24240 Monbazillac, tél. 05.53.58.36.22,
fax 05.53.61.26.40, e-mail contact@haut-bernasse.com
t.l.j. 8h30-12h 13h30-19h; sam. dim. sur r.-v.

CH. LES JANDIS Aramis 2005 ★

■ 4 ha 22 000 5 à 8 €

Établi aux alentours de Monbazillac, Joël Lacotte signe un vin élégant qui allie un fruité fin à un boisé subtil. Pourpre moiré de noir, ce 2005 présente un nez intense où les fruits noirs côtoient la réglisse et des touches de chêne et de torréfaction. Gras et suave à l'attaque, puissant, aromatique, le palais révèle une fine acidité fruitée et des tanins presque fondus. La finale est marquée par un retour des notes grillées. On peut déjà goûter cette bouteille mais elle gagnera à attendre au moins deux ans.

Joël Lacotte, Les Jandis, 24500 Singleyrac,
tél. et fax 05.53.24.55.81 t.l.j. 8h-20h

CH. MASBUREL 2005 ★★

■ n.c. 6 000 15 à 23 €

Voici dix ans qu'Olivia Donnan, venue d'Angleterre, a acquis ce domaine (23 ha). Restructuration du vignoble, modernisation des chais, une galerie d'art pour ajouter au lustre. D'un rouge profond, ce 2005, d'abord fermé au nez, laisse percer des notes de réglisse et de menthol. L'attaque souple et puissante révèle des tanins denses mais soyeux. Très harmonieux, l'ensemble sera parfait d'ici deux à trois ans. Une étoile pour la cuvée **Lady Masburel 2005 rouge (11 à 15 €)**. Elle est plus concentrée que la précédente, mais le bois demande à se fondre. Garde de quatre à cinq ans recommandée.

Olivia Donnan, Ch. Masburel,
Fougueyrolles, 33220 Sainte-Foy-la-Grande,
tél. 05.53.24.77.73, fax 05.53.24.27.30,
e-mail olivia@chateau-masburel.com
t.l.j. 9h-12h 14h-17h30; sam. dim. sur r.-v.

CH. MONDOYEN 2005

■ 3,5 ha 10 000 5 à 8 €

Domaine racheté en 1996 et modernisé de fond en comble, des bâtiments aux chais. Avec ce côtes-de-bergerac, il propose un vin austère au potentiel intéressant. D'un grenat profond, ce 2005 associe au nez des notes confiturées, du pruneau et une touche de vanille. Ample et puissante avec une certaine vivacité, soutenue par une trame tannique serrée, la bouche finit sur des impressions sévères. Mieux vaut attendre cette bouteille une paire d'années. Même note pour le **bergerac sec (15 à 23 € – bouteilles de 50 cl)**, nerveux en bouche et encore dominé par le bois.

SARL des Vignobles Jean-Paul Hembise,
Ch. Montdoyen, 24240 Monbazillac,
tél. 05.53.58.85.85, fax 05.53.61.67.78,
e-mail chateaumontdoyen@wanadoo.fr r.-v.

CH. MONESTIER LA TOUR Magnus 2004 ★★

■ 4 ha 13 000 15 à 23 €

Ce vin possède une structure impressionnante tout en restant élégant. La robe est profonde, presque noire. Le nez exprime un boisé intense, toasté et grillé, qui masque un peu le fruit. L'attaque ample et soyeuse renoue avec le fruit, puis la bouche évolue sur des notes de torréfaction et sur des tanins puissants qui demandent à se fondre. Malgré une finale vive, très boisée, la dégustation laisse le souvenir d'un vin complexe. Cette bouteille gagnera à attendre au moins trois ans. Également boisé, le **bergerac sec 2005 (8 à 11 €)** du château est cité pour sa fraîcheur et son volume.

🔑 SCEA Monestier La Tour,
Ch. Monestier La Tour, 24240 Monestier,
tél. 05.53.24.18.43, fax 05.53.24.18.14,
e-mail contact@chateaumonestierlatour.com
r.-v.
🔑 P. de Haseth-Möller

CH. MOULIN CARESSE

Cuvée Prestige Élevé en fût de chêne 2004 *

■ 7,5 ha 34 226 8 à 11 €

Propriété dominant la vallée de la Dordogne, aux confins du Libournais. Cette année, tous les vins rouges de Moulin Caresse sont retenus. Le montravel est en vedette, mais les autres sont de très bonne tenue. Rouge cerise intense, ce côtes-de-bergerac est encore envahi par un boisé vanillé (seize mois de fût), mais il laisse percer des notes fruitées à l'agitation. Souple à l'attaque, il se montre ensuite très tannique jusqu'à la finale épicée et vanillée. Le **bergerac rouge Magie d'automne 2005 Élevé en fût de chêne (5 à 8 €)**, même note, est moins puissamment structuré et plus chaleureux. On peut commencer à le boire ou l'attendre deux ou trois ans.

🔑 Sylvie et Jean-François Deffarge-Danger, Couin, 24230 Saint-Antoine-de-Breuilh, tél. 05.53.27.55.58, fax 05.53.27.07.39, e-mail moulin-caresse@cegetel.net
t.l.j. 9h-12h 14h-18h; sam. dim. sur r.-v.

PETIT PARIS

Cuvée Prestige Élevé en fût de chêne 2005 *

■ 2 ha 6 600 15 à 23 €

Cette propriété, dans la même famille depuis la fin du XIX^e^s., est souvent présente dans le Guide à travers cette cuvée. Le 2005, avec sa chaleur un peu méridionale, porte à un haut degré le caractère du millésime. Pourpre soutenu, il s'annonce par un nez élégant mêlant les fruits noirs et un chêne aux nuances de moka. Douce, fruitée, fondue, la bouche évolue sur des tanins bien mûrs et finement boisés. Déjà prête, cette bouteille peut attendre deux à trois ans.

🔑 Dom. du Petit Paris, RN 21, 24240 Monbazillac, tél. 05.53.58.30.41, fax 05.53.58.35.63, e-mail petit-paris@wanadoo.fr t.l.j. 8h-20h

CH. LES SAINTONGERS D'HAUTEFEUILLE

Élevé en fût de chêne 2004

■ 2,26 ha 14 300 8 à 11 €

Situé dans la partie sud du vignoble, vers le Lot-et-Garonne, ce domaine tire son nom de familles venues des Charentes au XVI^e^s. Il a été racheté en 1997. Ce 2004 est plus modeste que le millésime précédent. Des nuances orangées apparaissent dans sa robe cerise. Le nez reste fermé mais le fruit ressort de l'agitation, accompagné de notes grillées et cacaotées. Après une attaque souple et harmonieuse, dans le même registre (fruits rouges et nuances toastées), la dégustation se poursuit sur des tanins puissants mais dénués d'agressivité. Ce vin commence à évoluer : à servir sans tarder.

🔑 Catherine d'Hautefeuille, Les Saintongers, 24560 Saint-Cernin-de-Labarde, tél. 06.08.28.27.96, fax 05.53.57.77.18, e-mail adhautefeuille@hotmail.fr
r.-v.

CH. LE TAP Cuvée Julie Jolie 2005 *

■ 1 ha 4 000 8 à 11 €

Établi à Saussignac, terre de vins blancs doux, ce domaine se distingue avec constance dans les deux couleurs. D'un pourpre intense et brillant, sa cuvée Julie Jolie est un vin d'avenir déjà agréable. Le nez vineux évoque les fruits rouges (groseille). L'attaque est souple et aromatique, la structure tannique soyeuse et fondue : Julie Jolie compte plus sur son charme que sur sa force pour convaincre. Le **bergerac rouge 2006 (3 à 5 €)** est cité. Un peu tannique, il est agréablement fruité.

🔑 Olivier Roches, Ch. Le Tap, 24240 Saussignac, tél. 05.53.27.53.41, fax 05.53.22.07.55, e-mail chateauletap@orange.fr
t.l.j. 8h30-13h 14h-19h

CH. TOUR DES GENDRES

La Gloire de mon père 2005

■ 15 ha 50 000 8 à 11 €

L'ancien domaine viticole du château de Bridoire (manoir du XV^e^s. que l'on peut admirer à 1 km) est mis en valeur par la famille De Conti dans le respect de l'environnement (exploitation en bio depuis 1994). Leurs deux vins phares ont décroché huit coups de cœur au fil des éditions du Guide. Ceux du millésime 2005, pour n'avoir pas la carrure de certains prédécesseurs, ne manquent pas de qualités. La Gloire de mon père ? Coup de cœur l'an dernier (le 2003), et toujours une robe pourpre soutenue. Beaucoup de bois, mais le nez exprime aussi la prune. Une bouche ronde, aux tanins mûrs et fondus. Même note pour le **Moulin des Dames 2005 rouge (15 à 23 €)**, qui fut lui aussi couronné dans le millésime 2003. Un boisé bien maîtrisé, qui laisse parler le fruit, une certaine puissance, et surtout de l'élégance. Deux bouteilles à servir maintenant ou à attendre un à trois ans.

🔑 SCEA De Conti, Tour des Gendres, Les Gendres, 24240 Ribagnac, tél. 05.53.57.12.43, fax 05.53.58.89.49, e-mail familledeconti@wanadoo.fr r.-v.

L'EXCELLENCE DU CH. LES TOURS DES VERDOTS Les Verdots selon David Fourtout 2005 *

■ 4,4 ha 16 000 15 à 23 €

Originaire de Saint-Émilion, la famille Fourtout exploite 35 ha dans le Bergeracois. Cette cuvée L'Excellence décroche régulièrement des étoiles, souvent par paire (un coup de cœur dans le millésime 2002). Voici de nouveau un vin de concentration et d'extraction, comme le montre la robe d'un pourpre sombre presque noir. Le nez puissant exprime des notes de torréfaction (dix-huit mois de fût). L'attaque est suave, avec une belle sucrosité, la matière suffisante, soutenue par des tanins de qualité, boisés et vanillés. Très bien fait mais encore dominé par le merrain, ce 2005 présente un potentiel intéressant (trois ans). Cité, le **monbazillac Château Les Tours des Verdots 2004 (11 à 15 €)** devra patienter au moins cinq ans en cave pour permettre à la barrique de se fondre.

🔑 David Fourtout, Les Verdots, 24560 Conne-de-Labarde, tél. 05.53.58.34.31, fax 05.53.57.82.00, e-mail verdots@wanadoo.fr
t.l.j. sf dim. 9h-12h 14h-19h

SUD-OUEST

Côtes-de-bergerac blanc

Les mêmes cépages que les vins blancs secs, mais récoltés à surmaturité, permettent d'élaborer ces vins moelleux recherchés pour leurs arômes de fruits confits et leur souplesse.

CH. LES ANDRIEUX Vendanges d'Adeline 2005 *

1,02 ha 5 500 5 à 8 €

Jean-Michel Durand exploite quelque 10 ha au pied des coteaux de Saussignac. Jaune clair limpide, sa cuvée Vendanges d'Adeline se montre encore un peu fermée, mais elle révèle à l'agitation des senteurs florales et fruitées. Une attaque onctueuse introduit une bouche équilibrée, persistante et assez complexe, aux arômes de bonbon acidulé et d'abricot. Déjà prête, cette bouteille peut attendre deux à trois ans.

Jean-Michel Durand, 756, rte de Andrieux, 24680 Gardonne, tél. et fax 05.46.04.85.85, e-mail jean-michel.durand8@wanadoo.fr r.-v.

LE NECTAR DES BRANDEAUX 2005 **

0,5 ha 1 600 5 à 8 €

Côtes-de-bergerac moelleux ? À vrai dire, ce vin jaune paille brillant se rapproche d'un liquoreux issu de pourriture noble. Son nez complexe évoque les fruits confits. L'attaque franche, sur des notes de fleurs et de fruits secs, est suivie d'impressions de richesse et de douceur. La finale se montre particulièrement longue. S'il n'est pas vraiment représentatif de l'appellation, ce vin mérite d'être couronné. Un coup de cœur qui prouve le savoir-faire en blanc des Piazzetta, qui avaient déjà été distingués en rouge.

EARL Piazzetta, Les Brandeaux, Puyguilhem, 24240 Thénac, tél. et fax 05.53.58.41.50 r.-v.

CH. HAUTE-FONROUSSE 2006 *

7 ha 42 000 3 à 5 €

Les Géraud sont vignerons de père en fils depuis 1870. Ils ont rénové leur cave en 2006. Ce millésime a-t-il profité de ces travaux ? Toujours est-il qu'il est flatteur et bien équilibré. D'un jaune clair avenant, il présente un nez joliment fruité aux nuances de surmaturation. En bouche, la palette aromatique se partage entre les fruits confits et les agrumes. Pas d'excès de sucre, de la fraîcheur en finale et une petite note d'amertume. L'ensemble reste bien fait et prêt à servir.

Géraud, EARL Ch. Haute-Fonrousse, 24240 Monbazillac, tél. et fax 05.53.58.30.28, e-mail geraud.vins@wanadoo.fr
t.l.j. sf sam. dim. 8h30-19h

JULIEN DE SAVIGNAC Cuvée Pauline 2006 **

4,6 ha 25 000 3 à 5 €

Cette maison de négoce très souvent mentionnée dans le Guide a noué des partenariats avec des viticulteurs. Ainsi les deux vins sélectionnés proviennent-ils d'une même propriété. Cette année, le moelleux tient la vedette. Sa robe apparaît claire et brillante, vert pâle. Son nez séduit par sa complexité : on y trouve de la poire, de l'abricot, de la pêche, du litchi, assortis d'une pointe végétale de bourgeon de cassis. Rondeur et fraîcheur se conjuguent en bouche, servant l'harmonie de ce vin qui persiste sur des notes citronnées. Une bouteille à boire jeune. Le **bergerac sec cuvée Lisa 2005 (5 à 8 €)** a été cité pour ses arômes variétaux où s'expriment le sauvignon et la muscadelle.

Julien de Savignac, av. de la Libération, 24260 Le Bugue, tél. 05.53.07.10.31, fax 05.53.07.16.41, e-mail julien.de.savignac@wanadoo.fr
t.l.j. sf dim. 10h-12h30 15h-19h; groupes sur r.-v.
P. Montfort

DOM. DE LA LINIÈRE 2006 *

0,4 ha 2 000 3 à 5 €

Deux industriels décident de se faire vignerons. Ils achètent une bastide fortifiée et un petit vignoble alentour (2 ha environ), aménageant un chai dans une ancienne étable. Ce 2006 est leur premier millésime. La robe est limpide, d'un jaune clair. Très majoritaire dans l'assemblage, le sauvignon a laissé son empreinte, tant au nez, marqué par l'acacia, qu'au palais, aromatique. Agréable et fruité, un joli vin d'apéritif à déboucher maintenant.

Mathias Wauquier, La Linière, 24240 Monestier, tél. et fax 05.53.57.31.40, e-mail info@domainedelaliniere.com r.-v.

CH. MARIE PLAISANCE Le Bouquet de Plaisance 2006 *

1,3 ha 6 700 3 à 5 €

La cinquième génération vient de prendre les commandes de ce domaine de 65 ha situé en partie dans la vallée de la Dordogne. Jaune pâle aux reflets verts, le Bouquet de Plaisance évoque les fleurs blanches, avec une pointe citronnée. En bouche, il se montre vif tout en étant assez riche en sucre. La finale est longue, plutôt chaleureuse. Le **bergerac rosé Brin de Plaisance 2006** obtient lui aussi une étoile. Il offre un nez intense de cerise au kirsch et se montre vineux et rond. Quant au **bergerac sec Le Bouquet de Plaisance 2006**, il est cité.

Alain Merillier, La Ferrière, 24240 Gageac-Rouillac, tél. et fax 05.53.27.86.23, e-mail chateau.marie.plaisance@wanadoo.fr
t.l.j. sf dim. 10h-12h 14h-18h30

DOM. DE SIORAC Tradition 2005 *

3,85 ha 14 000 3 à 5 €

Cette propriété est dans la même famille depuis 1818. Elle a pour originalité de produire du verjus, condiment traditionnel à base de raisin vert. S'il ne manque pas de vivacité, ce 2005 jaune clair n'a rien du verjus. Il affiche au contraire une personnalité bien marquée de vin moelleux. Au nez, il évoque les fruits secs. En bouche, il est fruité et d'une belle complexité aromatique. Agréable et souple, il finit sur une note de fraîcheur qui contribue à son harmonie.

Landat Fils, GAEC Dom. du Siorac, 24500 Saint-Aubin-de-Cadelech, tél. 05.53.74.52.90, fax 05.53.58.35.32, e-mail info@domainedusiorac.fr
t.l.j. sf dim. 9h-12h 14h-18h

LA TUILIÈRE 2006 **

n.c. 10 000 3 à 5 €

Cette propriété familiale ancienne ne s'est spécialisée dans la viticulture que depuis les années 1960. Elle était

auparavant en polyculture et exploitait même jadis une tuilerie, d'où son nom. Jaune pâle à reflets dorés, son moelleux est d'une remarquable harmonie. Son nez complexe associe les fruits à chair blanche (poire), le litchi et les agrumes. Grasse et ronde, la bouche est équilibrée par une bonne acidité. Le **bergerac sec 2006** obtient une étoile pour ses arômes de sauvignon et sa fraîcheur.
SCEA Moulin de Sanxet, Belingard-Bas,
24240 Pomport, tél. 05.53.58.30.79, fax 05.53.61.71.84,
e-mail moulindesanxet@wanadoo.fr
t.l.j. sf dim. 9h-18h
Grellier

LE FRUIT DES VIOLINES 2006 ★

3 ha 14 000 3 à 5 €

Jaune brillant à reflets or pâle, ce vin mêle au nez des fruits confits et des notes briochées. On retrouve les fruits confits, accompagnés de nuances de mirabelle, dans un palais gras et souple, vivifié en finale par une pointe de fraîcheur. Une recherche réussie du fruité et de l'équilibre.
Richard Yahya, Le Muscat, 24500 Sadillac,
tél. 06.11.78.84.47, fax 05.53.73.11.35 r.-v.

Monbazillac

Au cœur du Bergeracois, sur des coteaux pentus exposés au nord de la rive gauche de la Dordogne, les vignes reçoivent la fraîcheur et les brumes de l'automne favorisant le développement du botrytis, pourriture noble donnant des vins moelleux et liquoreux.

S'étendant sur 2 500 ha dont 1 904 revendiqués pour une production de 49 092 hl en 2005, le vignoble de monbazillac produit des vins riches. Le sol argilo-calcaire apporte des arômes intenses ainsi qu'une structure complexe et puissante qui s'harmonisera avec le foie gras, les viandes blanches à la crème ou les fraises du Périgord.

CH. BÉLINGARD Blanche de Bosredon 2005 ★

n.c. 9 000 15 à 23 €

C'est en 1986 que Laurent de Bosredon a quitté ses fonctions de consultant pour reprendre la propriété familiale, ancien domaine monastique planté dès l'époque carolingienne. Aujourd'hui le vignoble s'étend sur 85 ha. Cette cuvée jaune paille aux reflets verts : c'est l'une des plus prêtes à la consommation de la sélection. Elle ne mise pas sur la puissance, mais sur la fraîcheur : celle des agrumes présents tout au long de la dégustation, nuancés de banane au nez et d'abricot sec en bouche. Harmonieux et flatteur, ce vin fera plaisir pendant cinq ans. Le **bergerac sec 2006 (3 à 5 €)** est cité pour ses arômes de fruits exotiques.
Laurent de Bosredon,
SCEA Comte de Bosredon, Ch. Belingard,
24240 Pomport, tél. 05.53.58.28.03, fax 05.53.58.38.39,
e-mail laurent.debosredon@wanadoo.fr
t.l.j. sf dim. 8h30-12h30 14h-19h

CH. BELLEVUE
Réserve Lajonie Élevé en fût de chêne 2005 ★

10 ha 10 000 11 à 15 €

La famille Lajonie exploite plusieurs domaines dans le Bergeracois. Le château Bellevue (40 ha) produit des monbazillac. Ce 2005 jaune paille prend la suite de deux autres millésimes tout aussi réussis. Au nez, du miel d'acacia sur un fond grillé. En attaque, de plaisantes impressions fraîches et fruitées. Une pointe d'amertume en finale. De bonne facture mais encore un peu dominé par le bois, ce vin gagnera à attendre quatre à cinq ans.
SCEA Lajonie D.A.J., Saint-Christophe,
24100 Bergerac, tél. 05.53.57.17.96, fax 05.53.58.06.46,
e-mail vignobles-lajonie@libertysurf.fr r.-v.

DOM. DE LA BORIE BLANCHE
Élevé en fût de chêne 2005 ★★

3,58 ha 7 800 8 à 11 €

À la Borie Blanche, on domine la campagne vallonnée et on maîtrise son sujet. Ce 2005, particulièrement harmonieux et puissant, prend la suite de trois millésimes tout aussi remarquables (le 2003 fut coup de cœur). Jaune doré intense, délicatement floral au premier nez, ce vin développe à l'agitation des notes de prune, d'abricot et de fruit à l'eau-de-vie. Des arômes de fruits confits imprègnent la bouche structurée et très persistante. Le boisé un peu dominateur en finale incite à laisser cette bouteille quelques années en cave. (Bouteilles de 50 cl.)
Emmanuelle et Jean-Luc Ojeda, La Borie Blanche,
24240 Pomport, tél. et fax 05.53.73.02.45,
e-mail ejlojeda@wanadoo.fr
t.l.j. 10h30-19h; nov.-avr. sur r.-v.

CH. LA BRIE Cuvée Prestige 2005 ★

25 ha 12 000 11 à 15 €

Le domaine du lycée viticole ne pouvait pas manquer le rendez-vous du Guide. Cette année, le monbazillac a eu la préférence du jury. Le doré brillant de la robe, aux nuances vieil or, attire. Le nez exprime les fruits avec puissance, netteté et concentration. Très gras mais bien équilibré par une bonne acidité, le palais s'agrémente d'une touche vanillée. L'ensemble, rond et élégant, peut attendre quatre ou cinq ans. Le **bergerac rouge Cuvée Prestige 2005 (5 à 8 €)** est cité : une bouteille d'une simplicité de bon aloi, fruitée et agréable.
Ch. La Brie, Lycée viticole, Dom. de La Brie,
24240 Monbazillac, tél. 05.53.74.42.42,
fax 05.53.58.24.08, e-mail lpa.bergerac@educagri.fr
t.l.j. sf dim. 10h30-12h 14h-17h30; f. jan.

CH. LE CLOU Andromède 2005 ★★

3,5 ha 7 500 11 à 15 €

Installés en 2000, Sylvie et Manuel Killias exploitent les 28 ha de leur domaine en agriculture biologique. Ils signent un vin plein de promesses. Son gras, sa richesse et sa concentration ne trompent pas. Pour l'heure, le boisé monopolise le nez et impose ses puissantes notes grillées en finale. Une bouteille qui mérite d'attendre cinq ans. Le **bergerac sec Pléiades élevé en barrique (5 à 8 €)** est lui aussi très marqué par son élevage. Il est cité.

SUD-OUEST

Sylvie et Manuel Killias, Ch. Le Clou, 24240 Pomport, tél. et fax 05.53.63.32.76, e-mail chateau.le.clou@online.fr r.-v.

CH. COMBET 2005

22,53 ha 30 000 8 à 11 €

Près de 31 ha pour ce domaine situé à 2 km du château de Monbazillac. Or aux reflets paille dorée, ce monbazillac est sous l'emprise de notes de pain grillé et de torréfaction. Ample et plein, le vin fait preuve d'un équilibre et d'une concentration intéressants, mais le boisé demande à se fondre. Le **bergerac rouge 2005 (3 à 5 €)**, souple, chaleureux et sur le fruit, obtient la même note.

EARL de Combet, Dom. de Combet, 24240 Monbazillac, tél. 06.85.33.50.57, fax 05.53.58.33.47, e-mail earldecombet@wanadoo.fr t.l.j. 9h30-12h 14h-18h; f. jan.

CH. LE FAGÉ

Cuvée Grande Réserve Vinifié en fût de chêne 2005 *

2 ha 4 500 15 à 23 €

Commandée par une chartreuse Empire aux harmonieuses proportions, cette propriété s'étend sur plus de 39 ha. Jaune paille à reflets dorés, ce monbazillac mêle des parfums de fruits mûrs et un boisé élégant. En bouche, une belle fraîcheur, de puissants arômes d'abricot et de pêche jaune et un boisé bien fondu composent une bouteille séduisante que l'on pourra garder cinq à six ans. Même note pour le **bergerac rouge 2005 (5 à 8 €)**, équilibré et puissant.

EARL Vignobles Gérardin, Ch. Le Fagé, 24240 Pomport, tél. 05.53.58.32.55, fax 05.53.24.57.19, e-mail info@chateau-le-fage.com r.-v.

GRANDE MAISON Cuvée du Château 2004 **

4 ha 4 800 15 à 23 €

Thierry Desprès a acquis en 1990 ce domaine commandé par une maison forte du XIIIe s. Son vignoble, exploité en biodynamie, s'étend aujourd'hui sur 15 ha. Après la remarquable Cuvée des Monstres, cette Cuvée du Château. Une robe attirante, dorée aux reflets jaune pâle ; un bouquet expressif fait de fruits secs, d'abricot et d'un boisé-toasté fondu ; une attaque onctueuse, du gras, beaucoup de douceur, de la vivacité aussi, une longue finale épicée : un vin gourmand que les années vont bonifier. La **Cuvée exotique 2004**, née de pur sauvignon, est très vive, sur des arômes d'agrumes. Elle est citée, comme le **bergerac sec cuvée Sophie 2005 (5 à 8 €)**, retenu pour son équilibre entre le fruit et le bois.

Thierry Desprès, Grande Maison, 24240 Monbazillac, tél. 05.53.58.26.17, fax 05.53.24.97.36, e-mail thierry.despres@free.fr r.-v.

CH. DU HAUT-PEZAUD Révélation 2005 **

7,25 ha 2 000 15 à 23 €

Reconversion réussie pour Christine Borgers, ancienne comptable belge qui s'est installée dans le Périgord en 1999. Sa cuvée Révélation a frôlé le coup de cœur. Or pâle à reflets dorés, ce 2005 se distingue par la complexité de son nez où les fruits confits, la pêche et l'abricot s'agrémentent d'un léger boisé. On retrouve cette richesse aromatique en bouche, au sein d'un ensemble équilibré et long, marqué par l'abricot sec et la goyave et en finale par une touche grillée. Ce vin affiche un superbe potentiel : dix ans de garde sont à sa portée. Moins concentrée que la précédente, la **cuvée Tentation (11 à 15 €)** obtient une étoile.

Christine Borgers, Les Pezauds, 24240 Monbazillac, tél. 05.53.73.01.02, fax 05.53.61.35.31, e-mail cborgers@wanadoo.fr t.l.j. sf dim. 13h-19h; été 10h-19h

CH. HAUT-THEULET 2004 **

20 ha n.c. 11 à 15 €

Les fidèles lecteurs du Guide connaissent ce domaine : son 2002 fut l'un des coups de cœur de l'édition 2005. Le 2004 a été très remarqué : il fut candidat au coup de cœur. Sa robe jaune doré, un peu évoluée, annonce un nez intense et complexe, où l'abricot voisine avec la nèfle et la figue. En bouche, ce vin s'impose par sa puissance, sa richesse et son ampleur, tout en révélant une fraîcheur acidulée qui contribue à son harmonie. Un ensemble somptueux et fin, déjà séduisant et apte à la garde. (Bouteilles de 50 cl).

GAEC Ch. Caillavel, Caillavel, 24240 Pomport, tél. 05.53.58.43.30, fax 05.53.58.20.31 t.l.j. sf dim. 8h30-12h 14h-18h30

Lacoste GFA

CH. LES MARNIÈRES Élevé en fût de chêne 2005

0,3 ha 1 000 15 à 23 €

Le monbazillac n'est pas la principale production de cette propriété qui s'est illustrée plus d'une fois dans le Guide en côtes-de-bergerac ; mais cette cuvée produite sur une toute petite parcelle de vignes de soixante ans a intéressé les dégustateurs. De couleur jaune paille, ce 2005 s'annonce par un nez plaisamment fruité. S'il n'est pas des plus complexes, sa fraîcheur et son boisé bien fondu en font un vin friand et facile à boire. Également cité, le **bergerac rouge l'Églantier 2005 (5 à 8 €)** gagnera à vieillir deux ou trois ans.

Famille Geneste, GAEC des Brandines, 24520 Saint-Nexans, tél. 05.53.58.31.65, fax 05.53.73.20.34, e-mail christophe.geneste2@wanadoo.fr r.-v.

DOM. LE PETIT MARSALET

Cuvée Tradition Élevé en fût de chêne 2005 *

2 ha 1 500 11 à 15 €

Jean-Philippe Cathal a repris en 2002 cette exploitation créée en 1976. À la fois puissant et équilibré, son 2005 est très représentatif de son appellation et de son millésime. Plaisante, la robe jaune doré brillant annonce un nez surmûri aux nuances de coing et de poire. Si l'attaque apparaît riche, sur le sucre et les fruits compotés, le palais se montre sans lourdeur aucune, grâce à une finale tout en fraîcheur. Cette bouteille peut attendre quatre à cinq ans.

Jean-Philippe Cathal, Le Marsalet, 24100 Saint-Laurent-des-Vignes, tél. et fax 05.53.57.53.36 t.l.j. sf dim. 8h-12h 14h-19h

CH. DE PLANQUES 2005 **

1,85 ha 6 666 8 à 11 €

De religion protestante, la famille de Meslon a développé le commerce des vins de Monbazillac avec la Hollande après la révocation de l'Édit de Nantes. Elle est toujours aux commandes du vignoble et propose avec ce 2005 un superbe millésime, ambassadeur de son

appellation. La robe jaune doré est somptueuse, le nez rayonnant libère d'intenses arômes de fruits compotés. Tout aussi puissante, la bouche révèle un équilibre remarquable entre la douceur et le fruit. Une réelle harmonie.
🔑 de Meslon, SCEA Ch. de Planques,
24100 Bergerac, tél. 05.53.58.30.18, fax 05.53.61.33.18
☑ Y ✝ t.l.j. 8h30-12h 14h-18h

GRAINS NOBLES DE LA TRUFFIÈRE 2004 ★★

■ 5 ha 7 000 ⦀ 11 à 15 €

Une année faste pour cette exploitation, reprise en 2003 par Fabrice Feytout : deux coups de cœur ! L'un en pécharmant (voir Quintessence de Beauportail), l'autre en monbazillac. Ce 2004 limpide, doré à reflets paille, porte au plus haut degré les qualités du millésime précédent. Son nez, partagé entre amande, fleurs blanches (acacia) et fruits frais, captive par sa complexité. L'attaque vive révèle un vin d'une grande finesse ; les arômes de mangue montent en puissance et la finale tout en douceur persiste longuement. Grâce à sa fraîcheur, ce vin harmonieux trouvera facilement sa place à table, de l'entrée au dessert. Déjà séduisant, il peut attendre. (Bouteilles de 50 cl.)
🔑 EARL La Truffière-Beauportail,
14, rte des Cabernets, 24100 Pécharmant,
tél. 05.53.24.85.16, fax 05.53.61.28.63,
e-mail truffiere@beauportail.com ☑ Y ✝ r.-v.

CH. VARI 2005 ★

■ 13 ha 20 000 8 à 11 €

Reprise en 1994 par Yann Jestin, œnologue, cette propriété couvre 21 ha sur le coteau sud de monbazillac. Elle propose avec ce 2005 jaune doré un joli vin de plaisir, que sa légèreté semble destiner à l'apéritif. Le nez fruité évoque l'abricot et le pruneau, la bouche est équilibrée et fine. La **Réserve du château 2005 élevé en fût de chêne (15 à 23 €)** est citée : le bois n'est pas encore assez fondu. Également cité, le **bergerac rouge 2005 (5 à 8 €)** offre un fruité plaisant mais ses tanins demandent à s'arrondir.
🔑 Vignobles Jestin, Ch. Vari, 24240 Monbazillac,
tél. et fax 05.53.61.84.98,
e-mail contact@chateau-vari.com ☑ Y r.-v.

Montravel

Sur les coteaux, de Port-Sainte-Foy et Ponchapt jusqu'à Saint-Michel-de-Montaigne, le terroir de Montravel produit, sur 344 ha, des vins blancs secs et moelleux toujours remarqués pour leur élégance. En 2005, le montravel a atteint 9 578 hl en blanc sec, le haut-montravel 2 007 hl tandis que le côtes-de-montravel a donné 2 285 hl. Depuis la récolte 2001, les vins rouges aux tanins concentrés peuvent prétendre, eux aussi, à l'AOC montravel.

B. BLEUE 2006 ★

■ 5 ha 33 000 ▮ 3 à 5 €

Ce vin d'un jaune-vert pâle et brillant est très original. Né assez classiquement du sauvignon, il ne manque pas d'arômes, mais ses parfums surprennent : on y trouve du litchi, à côté du citron et de la verveine. Le palais lui aussi révèle une nuance exotique peu courante, ainsi que de la réglisse. D'une rondeur charnue, il mise sur la souplesse plus que sur la vivacité. La finale est longue et épicée. À découvrir dès maintenant et à servir pendant un à deux ans avec des gambas ou du crabe.
🔑 Closerie d'Estiac, Les Lèves,
33220 Sainte-Foy-la-Grande, tél. 05.57.56.02.33,
fax 05.57.56.02.22, e-mail jm.portier@univitis.fr
☑ Y ✝ t.l.j. sf dim. lun. 9h30-12h30 15h-18h

CH. DU BLOY Le Bloy 2004

■ 0,83 ha 5 400 ⦀ **11 à 15 €**

Voilà six ans qu'Olivier Lambert, consultant en informatique, et Bertrand Lepoittevin-Dubost, avocat, ont repris un vignoble de 19 ha en Bergeracois. Cette année, leur montravel est sélectionné dans les deux couleurs. Ce rouge montre quelques nuances d'évolution dans sa robe carmin. Au nez, son fruité discret aux nuances de cassis s'accompagne d'une touche boisée. Le palais croquant aux arômes de groseille et de framboise révèle des tanins bien enrobés et finit sur un sympathique retour du fruit. De structure moyenne, ce vin ne joue pas sur la puissance. Mieux vaut le servir dès maintenant. Boisé lui aussi, le **montravel blanc Le Bloy 2005** obtient la même note. Frais et gras, encore peu expressif, il mérite d'attendre deux à trois ans avant d'être servi sur du poisson en sauce ou des coquilles Saint-Jacques.
🔑 SCEA Lambert Lepoittevin-Dubost, Le Blois,
24230 Bonneville, tél. 05.53.22.47.87,
fax 05.53.27.56.34, e-mail chateau.du.bloy@wanadoo.fr
☑ Y ✝ t.l.j. 9h-12h 14h-18h; sam. dim. sur r.-v.

SUD-OUEST

CHEVALIER DE SAINT-AVIT 2006 ★★

	3 ha	7 300	■	3 à 5 €

Jaune pâle à reflets verts, ce montravel libère des parfums intenses évocateurs du sauvignon (80 % de l'assemblage) : on y trouve du fruit de la Passion, de la pêche de vigne et du buis, accompagnés d'une fraîcheur citronnée. Prolongeant bien le nez, la palette en bouche se montre aussi variée que puissante. La finale est persistante, vive et acidulée. Une superbe expression aromatique. Quant au **bergerac rosé St-V de Saint-Vivien 2006**, il est cité pour son palais frais et fruité.

Vignerons de Montaigne et Gurson, Le Bourg, 24230 Saint-Vivien, tél. 05.53.27.52.22, fax 05.53.22.61.12
t.l.j. sf dim. 9h-12h30 14h-18h30

CH. LES GRIMARD 2006 ★

	1 ha	6 000	■	3 à 5 €

Cette famille cultive la vigne depuis le XVII[e]s. Son chai a été aménagé dans une étable qui remonterait à la guerre de Cent Ans. Le domaine s'étend aujourd'hui sur près de 27 ha. Avec ce vin jaune pâle à reflets verts, il propose un ensemble fin et élégant, typique du cépage sauvignon ; le nez expressif ne trompe pas avec ses notes de buis, de fleur de genêt et de citron vert. La bouche est aérienne et vive. Les arômes puissants sont portés par une belle acidité : tout ce qu'il faut pour les fruits de mer. Une citation va au **bergerac rosé 2006**, un vin agréable et fruité pour les grillades d'automne.

J. Joyeux et B. Havard, lieu-dit Les Grimard, 24230 Montazeau, tél. 05.53.63.09.83, fax 05.53.24.90.14, e-mail ch.lesgrimard@wanadoo.fr
t.l.j. 8h-20h; dim. sur r.-v.

CH. MOULIN CARESSE
Grande Cuvée Cent pour 100 2004 ★★

■	5 ha	20 220	■ ◖◗	11 à 15 €

Les dégustateurs étaient à cent pour cent d'accord lorsqu'il fut question d'accorder un coup de cœur à cette cuvée, déjà couronnée dans le millésime précédent. C'est la cinquième fois que ces vignerons sont ainsi distingués. Leurs vins rouges sont particulièrement bien accueillis. Celui-ci s'habille d'un pourpre soutenu, presque noir. Le premier nez est un peu animal, puis les fruits rouges – fraise et cerise – apparaissent à l'agitation. Ample et souple, l'attaque débouche sur une structure tannique bien enrobée. Le boisé demande encore à se fondre, mais il laisse deviner le potentiel sous-jacent. La finale est généreuse et longue. Ce vin, qui conjugue la puissance et l'élégance, devra patienter cinq ans au moins en cave. Il pourra alors donner la réplique à du gibier ou à quelque fromage de garde, un vieux comté par exemple.

Sylvie et Jean-François Deffarge-Danger, Couin, 24230 Saint-Antoine-de-Breuilh, tél. 05.53.27.55.58, fax 05.53.27.07.39, e-mail moulin-caresse@cegetel.net
t.l.j. 9h-12h 14h-18h; sam. dim. sur r.-v.

CH. MOULIN-GARREAU Miss Diane 2005

	0,3 ha	1 600	◖◗	11 à 15 €

Le premier millésime d'Alain Péronnet, un 2005 blanc, obtint un coup de cœur l'an dernier. Voici sa première cuvée élevée en barrique. Or pâle dans le verre, ce vin libère d'intenses arômes de vanille et de caramel légués par l'élevage, mais les fruits exotiques percent sous le bois. Après une attaque fraîche, la bouche évolue sur des impressions de rondeur. Le boisé est déjà bien intégré, mais deux ou trois ans de garde permettront à cette bouteille de gagner en harmonie.

Alain et Nathalie Péronnet, SCEA Moulin-Garreau, Garreau, 24230 Lamothe-Montravel, tél. et fax 05.53.61.26.97, e-mail aperonnet@wanadoo.fr r.-v.

CH. LE RAZ Les Filles 2004 ★

■	2,2 ha	13 090	■ ◖◗	11 à 15 €

Une famille établie à Saint-Méard depuis le XVII[e]s., une demeure de la même époque surmontée de girouettes en forme de dauphin. La viticulture, en revanche, est d'implantation récente : elle ne s'est substituée à l'élevage qu'à la fin des années 1970. Bien connue des lecteurs du Guide, la propriété a obtenu trois étoiles pour cette même cuvée dans le millésime précédent, mais en blanc. D'un rouge sombre limpide, ce 2004 décline toute une palette de senteurs léguées par l'élevage : épices, moka, réglisse. Gourmande et fruitée en attaque, la bouche est elle aussi rapidement dominée par des impressions boisées. Il faut laisser au fruit le temps de s'épanouir : deux ans de garde minimum. Le **montravel blanc Cuvée Grand Chêne 2005 (5 à 8 €)** obtient la même note. Son boisé élégant ménage l'expression du fruit. À déboucher dans les trois ans.

Vignobles Barde, GAEC du Maine, Le Raz, 24610 Saint-Méard-de-Gurçon, tél. 05.53.82.48.41, fax 05.53.80.07.47, e-mail vignobles-barde@le-raz.com
t.l.j. sf dim. 8h30-12h30 14h30-18h30; sam. sur r.-v.

Côtes-de-montravel

CH. DES ILLARETS Cuvée d'octobre 2005 ★

	0,2 ha	900	◖◗	8 à 11 €

Ce domaine est établi à Saint-Michel-de-Montaigne, où l'on peut visiter le château de l'auteur des *Essais*. La quatrième génération s'apprête à s'installer sur l'exploitation, qui compte 10 ha de vignes. Cette Cuvée d'octobre (du pur sémillon vendangé le 25) apparaît plus concentrée qu'un moelleux ; elle se rapproche d'un liquoreux. Jaune doré brillant, elle associe au nez les fruits cuits, le miel et quelques notes beurrées. L'attaque est ample et dense, la bouche marquée par des arômes de fruits exotiques et des touches toastées. Présente tout au long de la dégustation, la fraîcheur contribue à l'équilibre de cette bouteille. Cité, le **bergerac 2005 élevé en fût de chêne (3 à 5 €)** est fruité, bien structuré mais encore dominé par le bois. Mieux vaut l'attendre un à deux ans.

GAEC Vignobles Lacombe, Les Illarets, 24230 Saint-Michel-de-Montaigne, tél. et fax 05.53.58.52.49, e-mail r-c.lacombe@hotmail.fr r.-v.

Haut-montravel

CH. PUY-SERVAIN Terrement 2005

3 ha 1 502 15 à 23 €

Une cuvée particulièrement choyée par Daniel Hecquet, aux commandes de la propriété depuis 1985. Quatre coups de cœur au fil des éditions du Guide, et de nombreux millésimes remarquables. Pour ce 2005, n'ont été récoltées que des grappes botrytisées de sémillon, en trois tries successives. Il en résulte une robe paille brillante, un nez discret aux nuances de fruits confits, une bouche riche mêlant harmonieusement les fruits exotiques à une petite touche toastée léguée par l'élevage. À attendre.

SCEA Puy-Servain, Calabre, 33220 Port-Sainte-Foy, tél. 05.53.24.77.27, fax 05.53.58.37.43, e-mail oenovit.puyservain@wanadoo.fr t.l.j. sf sam. dim. 8h-12h 14h-18h

Hecquet

Pécharmant

Au nord-est de Bergerac, ce « Pech », colline couverte de 441 ha de vignes, donne un vin rouge aux tanins fins et élégants, apte à la garde. La production 2005 est de 17 632 hl.

L'ANCIENNE CURE
Sélection Collection Élevé en fût de chêne 2005

n.c. 5 000 11 à 15 €

Bien connu comme producteur de monbazillac, Christian Roche possède aussi une affaire de négoce qui diffuse ce pécharmant. Le nez est déjà bien ouvert sur des notes de fruits noirs accompagnées d'une touche fumée et épicée (seize mois de fût). Après une attaque ronde sur le fruit, on découvre une belle matière, soutenue par les tanins du bois et par une certaine vivacité. Déjà agréable, c'est un vin à consommer plutôt dans sa jeunesse.

SARL L'Ancienne Cure, 24560 Colombier, tél. 05.53.58.27.90, fax 05.53.24.83.95, e-mail ancienne-cure@wanadoo.fr t.l.j. sf dim. 9h-18h

CH. BEAUPORTAIL
Quintessence de Beauportail 2005 ★★★

2 ha 6 000 15 à 23 €

Installé comme jeune agriculteur à la fin des années 1990, Fabrice Feytout a d'emblée trouvé ses marques dans le Guide. Sa cuvée principale **Château Beauportail 2005 (8 à 11 €)**, ronde et longue, obtient une étoile, et cette Quintessence est élue coup de cœur. La robe de cette dernière est très soutenue, presque noire, avec des reflets violets. Le nez intense se partage entre les fruits noirs et les notes toastées et torréfiées de l'élevage (vingt mois de fût). L'attaque franche, grasse et riche, prélude à une bouche harmonieuse et persistante, aux tanins soyeux et légèrement boisés. Un superbe équilibre pour ce vin déjà plaisant et qui se gardera cinq ans.

EARL La Truffière-Beauportail, 14, rte des Cabernets, 24100 Pécharmant, tél. 05.53.24.85.16, fax 05.53.61.28.63, e-mail truffiere@beauportail.com r.-v.

Fabrice Feytout

DOM. BRISSEAU-BELLOC
Élevé en fût de chêne 2004 ★

7 ha 9 000 5 à 8 €

Domaine vinifié par l'Union vinicole Bergerac-Le-Fleix, et souvent retenu dans le Guide. Son 2004 affiche une brillante robe cerise et un nez plaisant, finement toasté et vivifié par une fraîcheur mentholée. La structure n'est pas énorme, mais les tanins agréables, ronds, souples et moelleux composent une bouteille bien équilibrée et déjà agréable. L'**Étiquette Noire Élevé en fût de chêne 2004**, marque de la coopérative, obtient une citation.

Union vinicole Bergerac-Le Fleix, 70, bd Santraille, 24100 Bergerac, tél. 05.53.57.16.27, fax 05.53.24.57.47 t.l.j. sf dim. lun. 8h-12h 14h-18h

CLOS LES CÔTES 2004

6,5 ha 25 000 5 à 8 €

Plus d'un siècle d'existence pour ce domaine qui s'étend sur 10 ha. Son vin revêt une robe brillante, rubis assez léger. Au nez, il exprime des notes florales, un rien végétales, avec des nuances de croûte de pain. Si la structure est moyenne, les tanins se révèlent mûrs et d'une belle finesse. La finale est marquée par une certaine nervosité.

Colette Bourgès, Les Costes, 24100 Bergerac, tél. 05.53.57.59.89, fax 05.53.24.20.24, e-mail clos.les.cotes@wanadoo.fr r.-v.

DOM. DES COSTES Grande Réserve 2005 ★

2 ha 6 000 15 à 23 €

Ce domaine figure régulièrement dans le Guide. Il n'a pas manqué le rendez-vous annuel, avec ce 2005 qui

SUD-OUEST

offre un compromis séduisant entre la puissance et la fraîcheur. Intense au nez, ce vin évoque les fruits noirs cuits. L'attaque ronde est suivie d'impressions fraîches et très fruitées qui s'affirment de nouveau en finale, accompagnées de touches boisées. Cette bouteille devrait être très élégante d'ici trois à quatre ans.
🔑 Nicole Dournel, 4, rue Jean-Brun, 24100 Bergerac, tél. 05.53.57.64.49, fax 05.53.61.69.08, e-mail jean-marc.dournel@wanadoo.fr
☑ 🍷 🚶 t.l.j. sf dim. 9h-12h 15h-19h; groupes sur r.-v.

CH. D'ELLE Une femme, un vin 2005

■ 2,44 ha 10 600 **15 à 23 €**

Un vin « au féminin singulier », signé et revendiqué par Jocelyne Pécou qui choie son tout petit vignoble (moins de 2,50 ha). De teinte violette très soutenue, cette bouteille ne manque pas de caractère. Le nez est bien ouvert sur des notes mentholées et épicées ; la bouche apparaît concentrée et l'on y retrouve la fraîcheur du fruit. La longue finale finit sur une touche d'amertume.
🔑 Jocelyne Pécou, Ch. d'Elle, chem. de La Briasse, 24100 Bergerac, tél. 05.53.61.66.62, fax 05.53.61.66.88, e-mail contact@chateaudelle.com ☑ 🍷 🚶 t.l.j. 9h-19h

CH. LES FARCIES DU PECH' Cuvée du Hameau 2004

■ n.c. n.c. **5 à 8 €**

Cette chartreuse du XVIII[e]s. s'ouvrant sur un parc de 8 ha entouré de vignes était, dit-on, un lieu de villégiature pour l'ancien président de la République Félix Faure. Dans la même famille depuis la fin du XVI[e]s., la propriété a été reprise en 1999 par les Dubard. Cette cuvée montre quelques reflets d'évolution dans sa robe grenat. Au nez, des notes mentholées et des nuances de mie de pain se fondent dans un boisé intense et dominant. L'attaque est ronde et suave, puis les tanins se font plus sévères en finale.
🔑 SARL Hameau de Pécharmant, Ch. Les Farcies du Pech', 24100 Bergerac, tél. 05.53.82.48.31, fax 05.53.82.47.64, e-mail vignobles-dubard@wanadoo.fr
☑ 🍷 🚶 t.l.j. 8h-12h 14h-18h; sam. dim. sur r.-v. 🏠 7
🔑 Famille Dubard

DOM. DU GRAND JAURE Mémoire Élevé en fût de chêne 2005 ★★

■ 1 ha 4 200 **11 à 15 €**

Située aux portes de Bergerac, cette propriété a près d'un siècle d'existence. Elle a décroché deux coups de cœur dans la précédente édition, dont un pour cette cuvée (millésime 2003). Elle a failli renouveler l'exploit cette année : deux cuvées se sont classées troisième et deuxième de la sélection des pécharmant, obtenant chacune deux étoiles. La cuvée Mémoire présente un nez de fruits rouges et d'épices captivant par sa complexité. L'attaque ronde révèle des tanins fondus et un volume intéressant, la finale est longue et équilibrée. Un vin concentré et de garde, qui gagnera à attendre deux ans. Quant à la **cuvée classique élevée en fût 2005 (8 à 11 €)**, tout aussi harmonieuse et fruitée, elle pourra être appréciée plus tôt.
🔑 GAEC Baudry, 16, chem. de Jaure, 24100 Lembras, tél. 05.53.57.35.65, fax 05.53.57.10.13, e-mail domaine.du.grand.jaure@wanadoo.fr
☑ 🍷 🚶 t.l.j. sf dim. 8h30-19h

DOM. LES GRANGETTES Selon Gaston 2004

■ 3 ha 15 333 **8 à 11 €**

La famille Borderie est installée dans des bâtiments du XVI[e]s., anciennes dépendances du château de Monbazillac. Depuis les années 1920, trois générations ont constitué peu à peu un vaste domaine : plus de 100 ha aujourd'hui, ce qui en fait une des exploitations les plus importantes de la région. De la vigne, du prunier d'Ente. Francis, l'oncle, est à la vigne, Frédéric, le neveu, au chai. Vêtu d'une robe fraîche, couleur grenat, cette cuvée libère au nez un fruité puissant accompagné d'une touche boisée. Ronde en attaque, la bouche révèle une belle matière, toujours marquée par le chêne et soutenue par une trame de tanins serrés et mûrs, un peu sévères en finale. À attendre.
🔑 Famille Borderie, Poulvère, 24240 Monbazillac, tél. 05.53.58.30.25, fax 05.53.58.35.87, e-mail francis.borderie@poulvere.com ☑ 🍷 🚶 r.-v.
🔑 GFA Poulvère

DOM. DU HAUT-PÉCHARMANT Cuvée Prestige Élevé en fût de chêne 2004 ★

■ 3,5 ha 20 000 **8 à 11 €**

Situé sur le sommet d'un coteau regardant le sud, ce domaine entouré d'un parc arboré domine la vallée de la Dordogne. Le vignoble s'étend sur 23 ha. Sa cuvée Prestige affiche une teinte grenat, encore fraîche pour un 2004. Au nez, elle découvre un fruité discret mais net, accompagné d'une pointe boisée. Ronde à l'attaque, la bouche dévoile une matière assez riche et concentrée. Un retour fruité marque la finale persistante, un rien austère. Dédiée à la fille du vigneron née cette année-là, la cuvée **Clara 2005 (11 à 15 €)** obtient elle aussi une étoile. Elle a séjourné deux ans en fût. C'est un vin bien structuré et long, à laisser quelques années en cave pour permettre au chêne de se fondre.
🔑 Didier Roches, Dom. du Haut-Pécharmant, 24100 Bergerac, tél. 05.53.57.29.50, fax 05.53.24.28.05, e-mail dhp2@tiscali.fr
☑ 🍷 🚶 t.l.j. 9h-13h 14h-19h 🏠 G

CH. HUGON Élevé en fût de chêne 2005

■ 1,58 ha 9 000 **8 à 11 €**

Situé au sommet du hameau de Pécharmant, ce petit vignoble de 4 ha est bichonné par ses propriétaires qui ne lésinent pas sur le travail à la vigne : effeuillage, ébourgeonnage, vendange en vert – autant de tâches qui témoignent d'un souci de qualité. Ce 2005 recèle un potentiel intéressant. Le nez très ouvert évoque le pruneau produit dans la région, le fruit cuit, avec des touches épicées. L'attaque est franche et assez fraîche, les tanins fins et concentrés révèlent l'élevage sous bois. Une bouteille à oublier deux à trois ans dans sa cave.
🔑 Bernard Cousy, Pécharmant, 24100 Bergerac, tél. 05.53.63.28.44 ☑ 🍷 🚶 t.l.j. 9h-12h 14h-18h

CH. NEYRAC Élevé en fût de chêne 2005

■ 5,8 ha 30 000 **5 à 8 €**

Cette propriété a été constituée à partir de l'an 2000. Son pécharmant s'annonce par une robe sombre, presque noire, à reflets violets. Au nez, il associe la cerise et la violette à un boisé bien intégré. L'attaque ronde et équilibrée introduit une bouche fruitée, chaleureuse en finale. Ce vin devrait être très agréable dans deux à trois ans.

🔑 SCEA Ch. Neyrac, Pécharmant, 24100 Bergerac, tél. et fax 05.53.61.62.90, e-mail chateauneyrac@hotmail.com ☑ Ⲧ ⛹ r.-v.
🔑 Élise Bouché

CH. PEYRETAILLE 2004

■ 12,75 ha 28 000 ▮ 3 à 5 €

Dans la même famille depuis 1881, cette exploitation compte 16 ha de vignes. Sur certaines parcelles, on a retrouvé des outils préhistoriques. Paré d'une brillante robe cerise, ce 2004 ne traversera pas le temps mais il procurera un bon moment dès la sortie du Guide grâce à un nez fruité aux nuances de mie de pain et à son palais qui joue sur la finesse plus que sur la puissance. Un peu évolué, assez vif en finale, l'ensemble est flatteur.

🔑 Yvan Lascoup, Pécharmant, 24100 Bergerac, tél. 05.53.74.38.37, fax 05.53.74.35.59, e-mail t.s-o@libertysurf.fr
🔑 TSO

PIQUE-PEYRE 2004

■ n.c. 40 000 ▮ 5 à 8 €

Un pécharmant mis en bouteilles par l'Union viticole Bergerac-Le-Fleix et commercialisé par Prodiffu, important groupement de coopératives. Grenat à reflets violacés, il apparaît encore fermé au nez, ne laissant percer que d'austères notes de cuir. Après une attaque souple, les tanins montent en puissance et se font sévères en finale. Une bouteille équilibrée, mais qui demande à s'exprimer. À attendre.

🔑 Prodiffu, 17-19, rte des Vignerons, 33790 Landerrouat, tél. 05.56.61.33.73, fax 05.56.61.40.57, e-mail prodiffu@prodiffu.com

CH. LA RENAUDIE Élevé en fût de chêne 2005

■ 38 ha 40 000 ⬮ 8 à 11 €

Construit en haut d'une colline, un château du XVIIIe s. typique de l'architecture périgourdine, avec sa maison de maître et ses bâtiments d'exploitation ordonnés autour d'une cour. La propriété s'étend sur plus de 100 ha dont une quarantaine porte du vignoble d'appellation pécharmant. Cette bouteille ? Une robe sombre aux nuances violettes, un nez bien ouvert sur les fruits noirs et la violette avec une pointe boisée, une attaque ronde et ample puis des tanins dominés par le bois, qui devront gagner en aménité dans un à deux ans.

🔑 Ch. La Renaudie, RN 21, 24100 Lembras, tél. 05.53.27.05.75, fax 05.53.73.37.10, e-mail contact@chateaurenaudie.com
☑ Ⲧ ⛹ t.l.j. 10h-19h
🔑 Allamagny

CH. DU ROOY Élevé en fût de chêne 2005

■ 3,5 ha 20 000 ⬮ 5 à 8 €

Gilles Gérault a acheté ce vignoble en 1998 à un viticulteur qui prenait sa retraite. Il exploite 18 ha de vignes. Ce 2005 vêtu d'une robe soutenue, presque noire, n'a pas le potentiel du millésime précédent, mais il a su retenir les dégustateurs par son nez flatteur de cassis et de mûre, sa bouche aromatique, souple et ample, chaleureuse. Un vin à consommer jeune.

🔑 Gilles Gérault, Rosette, 24100 Bergerac, tél. et fax 05.53.24.13.68, e-mail gilles.gerault@wanadoo.fr ☑ Ⲧ ⛹ r.-v.

CH. TERRE VIEILLE

Vieilli en fût de chêne 2005 ★★

■ 7,5 ha 35 000 ⬮ 8 à 11 €

Aujourd'hui, les bâtiments ordonnés autour d'une cour et le pigeonnier ne manquent pas d'allure. Les propriétaires ont disposé des tables de pique-nique à l'intention des visiteurs qui se voient offrir un verre de pécharmant. Le vin est bon, et vous aurez sans doute envie d'en emporter. Voyez celui-ci, en robe presque noire. Au nez, il exprime des parfums de fruits rouges (cerise) accompagnés d'une pointe grillée aux nuances de moka. Le fruit se prolonge dans une attaque riche et ample, puis la dégustation évolue sur des tanins soyeux, plus austères en finale. Un ensemble remarquablement équilibré à garder en cave. Le 2002 avait obtenu un coup de cœur.

🔑 Gérôme et Dolorès Morand-Monteil, Ch. Terre-Vieille, Grateloup, 24520 Saint-Sauveur-de-Bergerac, tél. 05.53.57.35.07, fax 05.53.61.91.77, e-mail gerome-morand-monteil@wanadoo.fr
☑ Ⲧ ⛹ t.l.j. 9h-19h; sam. dim. sur r.-v. l'hiver

CH. DE TIREGAND 2005

■ 35 ha 123 000 ⬮ 8 à 11 €

Un pavillon de style classique au milieu d'un jardin à la française ; des chais du XVIIe s. Le tout, qui appartint jadis au président du Parlement de Bordeaux, est dans la famille depuis le début du XIXe s. Le domaine abrite aussi un club hippique et sert de cadre à des concerts : un lieu d'accueil pour l'œnotourisme. D'autant que le vaste vignoble n'est pas négligé. Le 2005 affiche une robe profonde, presque noire, à reflets grenat. Le nez mêle les fruits noirs et la cerise à un boisé fondu. Après une attaque puissante et souple, on retrouve les fruits noirs assortis d'arômes torréfiés et chocolatés. La finale encore sévère incite à attendre cette bouteille.

🔑 Héritiers Comtesse F. de Saint-Exupéry, SCEA du Ch. de Tiregand, Ch. de Tiregand, 24100 Creysse, tél. 05.53.23.21.08, fax 05.53.22.58.49, e-mail chateautiregand@club-internet.fr ☑ Ⲧ ⛹ r.-v.

DOM. DU VIEUX SAPIN

Élevé en fût de chêne 2004 ★

■ 8,87 ha 20 000 ⬮ 5 à 8 €

Ce vignoble figure au nombre de propriétés mentionnées dans la première édition ; c'est une valeur sûre. Le 2004 s'habille d'une robe assez claire, grenat limpide, qui annonce un nez charmeur, au fruité fin et net. En bouche aussi, la matière est plaisante, sans excès, avec des tanins civilisés et un retour fruité des plus agréables en finale. Un ensemble flatteur à découvrir sans trop tarder.

🔑 Union vinicole Bergerac-Le Fleix, 70, bd Santraille, 24100 Bergerac, tél. 05.53.57.16.27, fax 05.53.24.57.47
☑ Ⲧ ⛹ t.l.j. sf dim. lun. 8h-12h 14h-18h

Rosette

Dans un amphithéâtre de collines dominant au nord la ville de Bergerac et sur un terroir argilo-graveleux, rosette est l'appellation la plus méconnue et la plus confidentielle de la région avec 748 hl produits sur 20 ha.

DOM. DU GRAND JAURE 2006 ★

1,14 ha 4 500 5 à 8 €

Le coup de cœur de l'édition précédente. Le 2006 a moins d'éclat que son prédécesseur, mais il brille d'une belle étoile. D'un jaune très pâle, limpide et brillant, il se montre puissant au nez et sauvignonne sur des notes de buis et de pierre à fusil. Dans le même registre aromatique, la bouche est vive, perlante. Une bouteille plaisante à servir très fraîche à l'apéritif.

GAEC Baudry, 16, chem. de Jaure, 24100 Lembras, tél. 05.53.57.35.65, fax 05.53.57.10.13, e-mail domaine.du.grand.jaure@wanadoo.fr
t.l.j. sf dim. 8h30-19h

LES VIGNOBLES DU LAC 2005 ★

2,4 ha 6 000 3 à 5 €

Jaune pâle brillant, un rosette friand et gourmand, plus porté sur les fruits que sur le sucre. Le nez exubérant associe la mangue et le litchi. La bouche garde ce côté aromatique. Elle est fraîche, équilibrée, nette. On la dit « frivole ». On prendra ce terme en bonne part.

SCEA Dom. du Lac, Le Lac, 24130 Ginestet, tél. 05.53.57.45.27, fax 05.53.73.10.13, e-mail domainedulac@wanadoo.fr t.l.j. 8h-20h

CH. MONTPLAISIR 2006 ★

0,5 ha 1 600 5 à 8 €

Avant de reprendre en 2001 le domaine de ses parents, à quelques kilomètres en aval de Bergerac, Charles Blanc a travaillé en Nouvelle-Zélande, où prospère le sauvignon des antipodes. D'un jaune pâle brillant, son rosette est une fois de plus très réussi. Expressif et flatteur au nez, floral et fruité, croquant en bouche, imprégné d'arômes de chèvrefeuille, long en finale avec un joli retour du fruit, c'est un moelleux léger et aérien, sa douceur restant mesurée. Aromatique, équilibré et très rond, le **bergerac rouge 2006** est cité.

Charles Blanc, rte de Montpon-Montplaisir, 24130 Prigonrieux, tél. et fax 05.53.24.68.17, e-mail info@chateau-montplaisir.com
t.l.j. 9h-20h

Saussignac

Loué au XVIe s. par le Pantagruel de François Rabelais, inscrit au cœur d'un superbe paysage de plateaux et de coteaux, ce terroir engendre de grands vins liquoreux. La production a atteint 1 080 hl pour 53 ha en 2005.

CLOS D'YVIGNE 2004 ★

1,4 ha 1 800 23 à 30 €

Nombreux sont les Britanniques à quitter la *city* pour s'établir dans ces terres périgourdines liées à leur histoire et pleines de charme. Patricia Atkinson est de ceux-là. Son travail de vigneronne est reconnu (cinq coups de cœur dans le Guide). Cette année, son saussignac est jaune pâle aux nuances dorées. Au nez, des fruits confits et du miel, de l'ananas et des agrumes, une touche grillée. On retrouve le miel, allié à la noisette dans une bouche bien ronde. Le boisé est très présent sans nuire à l'équilibre d'ensemble. Gras, puissant et long, ce vin devrait pouvoir vieillir. (Bouteilles de 50 cl.)

Clos d'Yvigne, Le Bourg, 24240 Gageac-Rouillac, tél. 05.53.22.94.40, fax 05.53.23.47.67
r.-v.

CH. DES EYSSARDS

Cuvée Flavie Élevé en fût de chêne 2005 ★

4 ha 25 000 8 à 11 €

Un producteur très souvent mentionné ; il a obtenu quatre coups de cœur. Ce 2005 s'enveloppe d'une robe jaune doré brillante. Puissant au nez, il associe les fleurs à une touche boisée et épicée. En bouche, il est marqué par les fruits confits et par une douceur suave qui ne va pas jusqu'à la lourdeur. Ce vin riche peut déjà satisfaire les impatients mais il gagnera à vieillir. (Bouteilles de 50 cl.) Le **bergerac rouge Adagio 2005 (11 à 15 €)** est cité. Son boisé encore très présent incite à l'attendre un à deux ans. Une citation encore pour le **bergerac sec Cuvée Prestige 2005 (5 à 8 €)** qui offre un bon équilibre entre le vin et le chêne.

GAEC des Eyssards, 24240 Monestier, tél. 05.53.24.36.36, fax 05.53.58.63.74, e-mail eyssards@wanadoo.fr r.-v.

CH. LARDY 2004 ★

2 ha 2 500 8 à 11 €

Ce domaine a été acquis par le grand-père d'Emmanuel Vurpillot dans les années 1930. La propriété s'étend aujourd'hui sur 14 ha. Ici, le terroir calcaire est si caillouteux qu'il faut enfoncer les piquets de vignes au marteau-piqueur ! Il a donné naissance à un vin d'une couleur dorée nette et brillante. Le nez, assez intense, associe les fruits secs, le miel et les fruits confits à des touches grillées. Riche, confite, plutôt chaleureuse mais bien équilibrée, la bouche persiste en finale sur des notes de noisette. Le boisé demande encore à se fondre : mieux vaut attendre un peu cette bouteille au bon potentiel. Cité, le **bergerac rouge Sélection petits grains 2005 (5 à 8 €)** est rond, agréable : il est prêt.

Emmanuel Vurpillot, Ch. Lardy, 24240 Razac-de-Saussignac, tél. 05.53.27.92.67, e-mail manu.vurpillot@wanadoo.fr r.-v.

CH. LESTEVÉNIE Élevé en fût de chêne 2005 ★★

0,5 ha 1 000 15 à 23 €

Reconversion réussie pour Dominique Audoux, venu de l'industrie. Il s'installe en 2000 dans le Bergeracois. Premier millésime, premier coup de cœur ; voici son quatrième (et le troisième pour un saussignac). Ce 2005

affiche une livrée jaune doré et un nez intense, fait de fleurs blanches et de fruits confits aux nuances miellées. En bouche, il révèle une matière imposante, puissante et riche, d'une douceur impressionnante. On retrouve les fruits confits rehaussés par un boisé discret en finale. Ce vin d'une rare opulence vieillira bien, et le temps le servira encore, en lui conférant plus de subtilité. Dix ans de garde semblent à sa portée. (Bouteilles de 50 cl.)
Ch. Lestevénie, Le Gadon, 24240 Gageac-Rouillac, tél. 05.53.74.24.48, fax 05.53.74.24.49, e-mail chateaulestevenie@orange.fr r.-v.

CH. LE PAYRAL 2005

2 ha 7 000 11 à 15 €

Thierry Daulhiac a élaboré un saussignac d'un style assez aérien, et qui plaira à ceux qui n'apprécient pas les vins trop doux. D'un vieil or aux nuances ambrées, ce 2005 associe au nez les fruits secs et des notes un rien confites. L'attaque est légère et fraîche, puis des impressions plus chaleureuses prennent le dessus en finale. Le bois n'est pas tout à fait fondu mais ce vin sera bientôt prêt.
Thierry Daulhiac, Le Bourg, 24240 Razac-de-Saussignac, tél. 05.53.22.38.07, fax 05.53.27.99.81, e-mail daulhiac.thierry@wanadoo.fr r.-v. 3

CH. RICHARD Cuvée coup de cœur 2004

1 ha 1 500 15 à 23 €

Richard Doughty cultive ses 17 ha de vignes en agriculture biologique. La vinification s'effectue avec des levures indigènes. Il en résulte un vin plutôt ambré aux reflets dorés. Le nez, très botrytisé et miellé, n'est cependant pas dépourvu de fraîcheur. La bouche attaque sur des saveurs de confiture d'abricot. L'ensemble est équilibré, peut-être légèrement évolué. À servir maintenant. (Bouteilles de 50 cl.)
Richard Doughty, Ch. Richard, 24240 Monestier, tél. 05.53.58.49.13, fax 05.53.58.49.30, e-mail info@chateaurichard.com
t.l.j. 9h-12h 14h-19h; sam. dim. sur r.-v. D

CH. LE TAP Élevé en fût de chêne 2005 ★

2,5 ha 9 330 11 à 15 €

Or pâle dans le verre, ce 2005 est aussi réussi que les deux millésimes précédents. Au premier nez, il libère des effluves délicats de fleurs blanches puis exprime des notes boisées et chaleureuses. La bouche est confite, riche et grasse, mais une grande fraîcheur assure un bel équilibre. Un vin harmonieux et élégant, plutôt destiné à l'apéritif qu'à la table. (Bouteilles de 50 cl.)
Olivier Roches, Ch. Le Tap, 24240 Saussignac, tél. 05.53.27.53.41, fax 05.53.22.07.55, e-mail chateauletap@orange.fr
t.l.j. 8h30-13h 14h-19h E

Côtes-de-duras

Les côtes-de-duras sont issus d'un vignoble de 2 158 ha qui est le prolongement naturel du plateau de l'Entre-deux-Mers et a produit en 2005 112 724 hl. On raconte qu'après la révocation de l'Édit de Nantes, les exilés huguenots gascons faisaient venir le vin de Duras jusqu'à leur retraite hollandaise et marquaient d'une tulipe les rangs de vigne qu'ils se réservaient.

Sur des coteaux découpés par la Dourdèze et ses affluents, avec des sols argilo-calcaires et des boulbènes, les côtes-de-duras ont accueilli tout naturellement les cépages bordelais. En blanc, sémillon, sauvignon et muscadelle ; en rouge, cabernet franc, cabernet-sauvignon, merlot et malbec. La gloire de Duras, c'est bien le vin blanc avec 39 393 hl (blancs secs et moelleux suaves). Les vins rouges sont souvent vinifiés en cépages séparés. La région produit des vins rosés. Rouges et rosés représentent, en 2005, 73 331 hl. À noter, la nouvelle Maison des Vins de Duras qui propose une exposition permanente sur le vignoble ainsi qu'un jardin des vignes où l'on peut découvrir les cépages et pique-niquer.

DOM. DES ALLEGRETS Moelleux 2005 ★★★

1 ha 4 000 5 à 8 €

Établis dans le pays de Duras à la limite de la Gironde, les Blanchard exploitent 19 ha. Le nom de leur domaine est bien connu des fidèles lecteurs du Guide. N'ont-ils pas cinq coups de cœur à leur actif, dont quatre en moelleux ? Ce 2005 reste dans la même lignée. Cet assemblage dominé par le sémillon (80 %) est un véritable liquoreux comme le montre d'emblée sa robe doré brillant, son nez franc et expressif de fruits confits et de coing. Après une attaque souple sur des arômes de fleurs blanches, d'abricot sec et de litchi, la bouche s'impose par sa puissance ; elle persiste longuement sur des notes confites. Très aromatique, l'ensemble sera parfait pour l'apéritif. Une étoile pour le **rosé 2006 (3 à 5 €)** : un vin souple et fruité, pour les entrées.
SCEA Blanchard, Dom. des Allegrets, 47120 Villeneuve-de-Duras, tél. et fax 05.53.94.74.56, e-mail allegrets@hotmail.fr r.-v.

DOM. AMBLARD Moelleux 2005 ★

3 ha 13 000 3 à 5 €

Guy Pauvert exploite une vaste propriété (98 ha) constituée dans les années 1930. Avec ce 2005 jaune brillant à reflets vert pâle, il propose un véritable moelleux tout en fraîcheur et en fruits. Le nez est très ouvert sur la poire et la figue confite. Après une attaque vive, on retrouve les notes fruitées perçues à l'olfaction, avec une belle intensité. Un équilibre surprenant, mais qui séduit.
SCEA Dom. Amblard, Chez Amblard, 47120 Saint-Sernin-de-Duras, tél. 05.53.94.77.92, fax 05.53.94.27.12, e-mail domaine.amblard@wanadoo.fr
t.l.j. 8h-12h30 13h30-18h30; sur r.-v. en juil-août (a.-m.)
Pauvert

DOM. DES ARGILES Moelleux Cuvée du Soleil 2005 ★★★

3,4 ha 11 000 8 à 11 €

La famille Pénicaud exploite un domaine de 22 ha acquis en 1984. En 2004, elle a aménagé une boutique d'accueil. Initiative judicieuse, car ce coup de cœur

SUD-OUEST

pourrait attirer sur les lieux nombre de visiteurs. Le charme et l'élégance de ce moelleux ont été largement plébiscités. D'un or intense et brillant, ce 2005, d'abord sur sa réserve, développe à l'agitation des senteurs intenses de fleurs blanches et de fruits confits. Après une attaque ronde et grasse, cette palette gagne encore en complexité : épices, poivre, figue, fruits secs viennent captiver le palais. Un vin qui ne demande qu'à s'épanouir et à révéler sa superbe richesse aromatique. Ouvrez-le dès l'automne et laissez-lui le temps de libérer ses parfums.

EARL Pénicaud, Pont-de-Roche,
47120 Saint-Astier, tél. 05.53.94.73.91,
fax 05.53.83.08.57,
e-mail domainedesargiles@aliceadsl.fr
t.l.j. 10h-12h 14h-19h; dim. sur r.-v.; f. jan.

PRÉLUDE DE BERTICOT 2006 ★

n.c. 33 333 3 à 5 €

Née en 1965, la cave de Duras s'est associée depuis avec deux coopératives girondines. Elle élabore tous les types de vins de l'appellation avec un savoir-faire reconnu par de nombreuses mentions dans le Guide, dès les premières éditions. Son rosé ne manque pas d'étoffe. Sa robe, vive et brillante, est assez soutenue ; le nez exprime de puissants parfums fruités. On retrouve ce fruité dans une attaque vive, dont la fraîcheur est renforcée par un petit perlant. La finale révèle un côté tannique qui permettra à cette bouteille d'accompagner un repas. Deux autres cuvées obtiennent une étoile : le **rouge Duc de Berticot élevé en fut de chêne 2005 (5 à 8 €)** et **La Grange aux garçons rouge 2005 (8 à 11 €)**.

SCA Les Vignerons de Landerrouat-Duras-Cazaugitat,
Berticot, 47120 Duras,
tél. 05.53.83.75.47, fax 05.53.83.82.40,
e-mail berticot@wanadoo.fr r.-v.

QUINTESSENCE DE BERTICOT
Moelleux 2005 ★★

n.c. 13 231 5 à 8 €

Voici trois vins particulièrement intéressants de la gamme Berticot. Ils sont commercialisés par Prodiffu, important groupement de coopératives d'Aquitaine et premier metteur en marché dans cette appellation. Avec sa robe dorée, intense, son nez concentré de fruits confits un peu évolué, cette Quintessence est plus que moelleuse : elle a tout d'un liquoreux. On retrouve en bouche ce fruité surmûri aux accents de prune, de coing, de fruits à l'eau-de-vie au sein d'un corps dense et riche. Un joli vin pour l'apéritif. Toujours avec deux étoiles, le **rosé Daguet de Berticot 2006 (3 à 5 €)** est un vin délicieusement vif, fruité et long. Enfin, la **Grande Réserve rouge élevée en fût de Berticot 2005 (3 à 5 €)** est appréciée pour ses arômes de fruits rouges et ses tanins bien fondus : une étoile.

Prodiffu, 17-19, rte des Vignerons,
33790 Landerrouat, tél. 05.56.61.33.73,
fax 05.56.61.40.57, e-mail prodiffu@prodiffu.com

DOM. LES BERTINS
Moelleux Cuvée des Demoiselles 2005 ★

1 ha 2 400 11 à 15 €

Sur ce domaine de près de 18 ha, on ne produit pas que du vin : on propose des conserves de canard gras, autre spécialité régionale. C'est l'amour d'un terroir et la passion d'un vigneron qui s'expriment ici dans trois cuvées très réussies (une étoile chacune). Ce moelleux porte une robe d'or intense. Riche et complexe au nez, il associe les fleurs blanches et les fruits à quelques touches miellées. Dans le même registre aromatique, la bouche est très grasse, mais sans mollesse grâce à une certaine vivacité. Elle s'impose par sa puissance et sa longueur. Un vin déjà très agréable mais qui peut attendre quelques années. La **Cuvée Dominique rouge 2004 élevé en fût (5 à 8 €)** reflète un élevage bien maîtrisé même si le bois domine un peu le vin. Le **blanc sec sauvignon 2006 (3 à 5 €)** sauvignonne à souhait : pour les inconditionnels de ce cépage.

Les Bertins-Manfé, Dom. Les Bertins,
47120 Saint-Astier, tél. 05.53.94.76.26,
fax 05.53.94.76.64, e-mail bertins.manfe@wanadoo.fr
t.l.j. sf dim. 9h-12h30 14h-19h

CH. DES BRUYÈRES Moelleux 2005 ★

1,4 ha 13 000 5 à 8 €

L'historien Roger Dion raconte comment les négociants hollandais en quête de vins blancs doux ont favorisé la plantation de vignes blanches dans les régions du Sud-Ouest. Deux siècles plus tard, en 1997, un couple de Néerlandais s'installe au pays de Duras pour produire leurs vins. Avec ce 2005 jaune brillant, aux reflets verts, ils proposent un vrai moelleux à la fois fruité et nerveux. Le nez très frais joue à fond la fleur blanche puis le fruit s'épanouit en bouche avec élégance et vivacité, jusqu'à la finale marquée par les fruits secs. Le **blanc sec sauvignon 2006** obtient lui aussi une étoile. S'il ne brille pas par sa complexité, il n'en est pas moins plaisant et bien équilibré.

Piet et Annelies Heide, Ch. des Bruyères,
47120 Loubès-Bernac, tél. et fax 05.53.94.22.61,
e-mail chateaudesbruyeres@wanadoo.fr r.-v.

CHATER 2006 ★

0,55 ha 1 800 5 à 8 €

Informaticiens et consultants anglais, Alain et Jacky Chater ont quitté leur île pour acheter un vignoble en Guyenne. Ils sont arrivés en 2003 à Saint-Sernin-de-Duras et dès leur premier millésime ont décroché un coup de cœur en rouge. Cette année, leur rosé a intéressé. Vif, soutenu, d'une limpidité cristalline, il exprime des parfums assez discrets de fruits frais. Souple et toujours fruité au palais, dense et charnu, il présente un côté chaleureux et accompagnera agréablement vos entrées.

Alain et Jacky Chater, Vignoble de la Lègue,
47120 Saint-Sernin-de-Duras, tél. et fax 05.53.64.67.14,
e-mail info@domainechater.com
lun. mar. jeu. ven. 14h-18h

DOM. DE FERRANT Moelleux 2005 ★

0,1 ha 800 11 à 15 €

La famille Vuillien a racheté le domaine de Ferrant en 2003. Elle y cultive 13 ha de vignes et possède aussi des vergers de pruniers d'ente : Agen n'est pas loin. Le domaine

est bien en main : ses vins ont repris leurs habitudes dans le Guide. Ce moelleux met presque exclusivement à contribution le sémillon, récolté par tries successives et élevé seize mois en fût. D'un jaune brillant à reflets verts, il est pour l'heure dominé par le bois mais le chêne laisse percer de plaisants arômes de fruits cuits que l'on retrouve en bouche associés à des notes de miel et d'abricot sec. Le merrain reprend ses droits en finale : mieux vaut attendre un peu qu'il se fonde. Une étoile pour le **rouge Cuvée Thomas 2004 élevé en fût (5 à 8 €)** ainsi que pour le **blanc sec cuvée Clément 2005 (5 à 8 €)**, mariage équilibré du vin et du bois.
SCEA Vignobles Vuillien, Dom. de Ferrant, 47120 Esclottes, tél. 05.53.84.45.02, fax 05.53.93.52.10, e-mail vignobles.vuillien@free.fr
t.l.j. sf sam. dim. 8h30-17h30
D. Vuillien

DOM. DU GRAND MAYNE

Sec Sauvignon 2006 ★★

11 ha 80 000 3 à 5 €

Voilà vingt-deux ans qu'Andrew Gordon a racheté ce domaine. En 1985, la propriété était à l'abandon. Il l'a modernisée (nouvelles caves en 2003) et a obtenu deux coups de cœur en blanc sec dont le 2005. Ce 2006, dans la lignée du millésime précédent, propose une expression intéressante de sauvignon. La robe est brillante, blanc vert. Le nez, fin et aromatique, reflète bien le cépage. Quelques touches muscatées s'ajoutent à sa palette. L'attaque séduit avec ses intenses arômes variétaux rappelant le buis, mêlés de nuances exotiques. Un peu de perlant vient donner de la fraîcheur jusqu'en finale. Récoltée par les clients, la **cuvée des Vendangeurs blanc 2006 (5 à 8 €)** obtient une étoile. Le bois confère un peu de finesse et de complexité à ce vin gras et agréablement fruité. En **rouge, la cuvée principale 2005** décroche une étoile pour ses tanins soyeux et ses arômes persistants de fruits noirs et de réglisse. Même note pour la **cuvée Prestige 2005 (5 à 8 €)**, élevé en fût, dont le boisé doit encore se fondre.
SARL Andrew Gordon, Le Grand Mayne, 47120 Villeneuve-de-Duras, tél. 05.53.94.74.17, fax 05.53.94.77.02, e-mail domaine-du-grand-mayne@wanadoo.fr
t.l.j. sf sam. dim. 9h-12h 13h30-17h30

DOM. DU GRAND TRUCHASSON

Sec Sauvignon 2006 ★

2 ha 5 000 3 à 5 €

Une charmante étiquette pour ce sauvignon : elle donne envie de se mettre à table. La macération pelliculaire a donné à ce blanc sec le gras et la complexité qui manquent parfois aux vins issus de ce cépage. Jaune pâle, ce 2006 associe en une palette variée et intense le bourgeon de cassis classique à une touche de fruits confits. Ce côté riche et aromatique se prolonge en bouche, avec une rare ampleur. La finale témoigne d'une belle maturité. Le **rouge 2005** du domaine, un pur merlot, est cité. Bien structuré mais tannique, il devrait gagner à attendre un an.
Teyssandier, La Sivaderie, 47120 Saint-Jean-de-Duras, tél. 05.53.89.04.38, fax 05.53.89.01.57, e-mail thierryteyssandier@wanadoo.fr
t.l.j. 8h-12h 14h-19h

CH. LA GRAVE BÉCHADE 2005 ★

47 ha 210 000 5 à 8 €

Un domaine entièrement modernisé en 2000 et une cuvée fort réussie. Sa robe soutenue et brillante lui confère une belle présentation. Le fruité attire, qui sait se faire insistant avec subtilité et élégance : au nez, à l'attaque puis, longuement, en finale. La bouche est ample, dotée de tanins un peu serrés qui ne nuisent pas à l'équilibre de ce vin plaisant. Un an de cave recommandé.
Ch. la Grave Béchade, 47120 Baleyssagues, tél. 05.53.83.70.06, fax 05.53.83.82.14, e-mail lagravebechade@wanadoo.fr
t.l.j. sf sam. dim. 8h-18h

DOM. LES HAUTS DE RIQUETS

La Muguette 2005 ★★

1,5 ha 4 000 8 à 11 €

Arrière-petit-fils d'Élie Bireaud qui œuvra dans les années 1920 à la consécration en AOC des côtes-de-duras, Pierre Bireaud a été coopérateur à partir de 1985 avant de créer son propre domaine en 2003. Sentier viticole, gîte : il mise sur l'œnotourisme. Son vin harmonieux peut être consommé jeune mais il vieillira bien quatre ou cinq ans. Un 2005 pourpre profond, aussi intense à l'œil qu'au nez, et d'une attirante complexité : le cassis s'y nuance d'une pointe animale et de notes beurrées et toastées (dix mois de fût). Après une attaque souple, s'impose le fruit rouge bien mûr relevé d'épices. Une belle fraîcheur donne de la tenue aux tanins puis des évocations de fruits à l'eau-de-vie marquent la finale.
Pierre et Marie-José Bireaud, Les Riquets, 47120 Baleyssagues, tél. et fax 05.53.83.83.60, e-mail marie-jose.bireaud@wanadoo.fr
r.-v.

DOM. DE LAULAN Sec Sauvignon 2006 ★★

13,5 ha 85 000 3 à 5 €

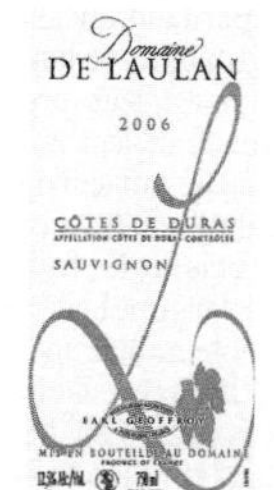

Acquis en 1974 par la famille Geoffroy, le domaine a été restructuré et modernisé. En 2006, la construction d'un chai climatisé a marqué un nouveau progrès. C'est l'année de naissance de ce vin sec qui offre le meilleur du sauvignon avec puissance et équilibre. D'une robe cristalline à reflets verts s'exhalent d'intenses parfums de bourgeon de cassis sur un fond légèrement minéral. Très aromatique, la bouche conjugue un gras important avec une rare fraîcheur soulignée par un fruité d'agrumes très présent en finale. La **Cuvée M de Laulan 2005 (8 à 11 €)** obtient une étoile. Fille de merlot, c'est une bouteille sympathique et facile, prête à boire car son boisé est bien intégré. Quant au **moelleux 2005 (5 à 8 €)**, né du sauvignon, son fruit et sa fraîcheur lui confèrent une réelle harmonie : même note.
EARL Geoffroy, Dom. de Laulan, 47120 Duras, tél. 05.53.83.73.69, fax 05.53.83.81.54, e-mail contact@domainelaulan.com
t.l.j. 8h-12h 14h-18h30; dim. sur r.-v.

SUD-OUEST

CH. LAVANAU Merlot Sélection 2005 ★

■ 8,25 ha 90 000 3 à 5 €

Ancien domaine repris en 2005 par les Uhart qui ont rééquipé le chai et orienté la propriété vers l'œnotourisme. Juliana Uhart anime un atelier de peinture sur l'exploitation. Faire le portrait de ce vin ? Montrer la densité de sa couleur rubis profond, ses reflets bleus ; l'intensité de son fruité rouge aux nuances de cerise. En exprimer la puissante matière, sa souplesse, représenter le soyeux des tanins. Sans fioritures : ce rouge est simple et droit, visant le plaisir immédiat. Au premier plan une goûteuse entrecôte. À servir dans deux ou trois ans.

Paul et Juliana Uhart, Ch. Lavanau, Les Faux, 47120 Loubès-Bernac, tél. et fax 05.53.94.86.45, e-mail paul.uhart@gmail.com
t.l.j. 10h-12h 14h-18h; sam. dim. sur r.-v.; f. nov.-fév.

CH. MOLHIÈRE Cuvée Pierrot 2005 ★

■ 1,1 ha 6 000 11 à 15 €

Cuvée signée par les frères Blancheton qui exploitent près de 30 ha autour de Duras. Un beau rubis intense et profond puis un nez puissant et complexe, harmonieux mariage de parfums fruités et boisés : ce vin sait se présenter. L'attaque souple et ronde prélude à une bouche équilibrée aux tanins veloutés. La finale persiste longuement et agréablement. Un vin à consommer jeune pour en savourer tout le fruit.

Blancheton Frères, La Moulière, 47120 Duras, tél. 08.77.74.24.40, fax 05.53.83.07.30, e-mail molhiere@wanadoo.fr r.-v.

DOM. MONT RAMÉ
Sauvignon Doux Cuvée Tantely 2005 ★★

0,04 ha 200 11 à 15 €

En 2005, André Baritaud, ancien instituteur et son fils Manuel, ingénieur agronome, se lancent dans la vinification. Cette cuvée, qui est leur premier millésime, les convaincra du bien-fondé de leur initiative. Elle présente l'originalité d'être issue de pur sauvignon vinifié en barrique. Robe jaune brillant à reflets verts, nez élégant mariant les fleurs blanches (acacia) et les fruits exotiques, attaque ronde sur le fruit frais, dans une belle intensité aromatique, finale souple : l'ensemble traduit une réelle maîtrise.

André et Manuel Baritaud, Dom. Mont Ramé, 47120 Duras, tél. et fax 05.53.83.70.78, e-mail manuel_baritaud@yahoo.fr r.-v.

DOM. MOUTHES LE BIHAN
Les Apprentis 2004 ★

■ 2,8 ha 9 000 11 à 15 €

Venus à la vigne en 1997, Catherine et Jean-Mary Le Bihan exploitent en « bio » leur domaine. Ils signent une cuvée limpide, rubis profond, au nez à la fois intense et fin mariant la cerise à des notes toastées et chocolatées (douze mois de fût). Après une attaque souple et riche, on découvre une belle matière où la structure boisée est heureusement compensée par la sucrosité du vin. La finale persiste longuement sur des notes épicées. L'élevage l'emporte ici sur le terroir, mais l'ensemble est harmonieux et prêt à passer à table.

Vignobles Le Bihan, Mouthes, 47120 Saint-Jean-de-Duras, tél. 05.53.83.06.98, fax 05.53.89.62.70, e-mail domainemoutheslebihan@wanadoo.fr
r.-v.

CH. LA PETITE BERTRANDE
Vieilli en fût de chêne 2005

■ 5 ha 20 000 8 à 11 €

Jean-François Thierry s'est installé en 1991 sur ce domaine qui s'étend sur 25 ha. Il propose avec ce 2005 élevé en fût un vin de garde classique et de bonne facture. La couleur est soutenue, rouge sombre à reflets violacés. Le nez est fait de subtils parfums de fruits à l'eau-de-vie assortis d'une légère pointe végétale. Après une attaque douce, les tanins se développent sur une très grosse structure, dans une bouche aromatique au boisé bien enrobé. Une note de sévérité en finale, qui devrait s'estomper d'ici deux à trois ans.

Jean-François Thierry, Ch. La Petite Bertrande, 47120 Saint-Astier-de-Duras, tél. 05.53.94.74.03, fax 05.53.94.75.27, e-mail vguignard@aol.com
t.l.j. sf sam. dim. 10h-12h 16h-19h
Alain Tingaud

DOM. DU PETIT MALROMÉ
Sec Sauvignon 2006 ★

1,25 ha 11 000 3 à 5 €

Les passionnés de préhistoire trouveront exposée au domaine une collection de silex taillés et d'outils de l'âge de pierre trouvés sur la propriété. Les amateurs de vins se tourneront vers ce sauvignon en robe brillante à reflets verts, issu de l'agriculture biologique. Le nez joue la partition du cépage dans une version florale élégante et subtile. Un fruité aux nuances exotiques agrémente l'attaque, tandis qu'un perlant contribue à l'indispensable fraîcheur. À déboucher à l'apéritif.

Dom. du Petit Malromé, Le Lac, 47120 Saint-Jean-de-Duras, tél. 05.53.89.01.44, e-mail petitmalrome@wanadoo.fr
t.l.j. sf dim. 11h-19h

CH. LA PILAR
La Réserve Élevé en fût de chêne 2005 ★★

■ n.c. 20 000 3 à 5 €

Un vin élaboré par la coopérative Berticot à Duras. Il naît de la trilogie rouge bordelaise (merlot, cabernet-sauvignon et cabernet franc) et affiche une couleur grenat soutenu. Le nez encore fermé esquisse le fruit rouge, le cassis et la réglisse, avec netteté. Ample, ronde, charnue et complexe, la bouche est construite sur des tanins bien mûrs et soyeux. Une petite note d'austérité en finale ? Cela passera et n'altère pas l'impression d'équilibre qui se dégage de cette bouteille. Attente recommandée (trois à cinq ans).

Prodiffu, 17-19, rte des Vignerons, 33790 Landerrouat, tél. 05.56.61.33.73, fax 05.56.61.40.57, e-mail prodiffu@prodiffu.com

CH. LES ROQUES 2005

■ 8,78 ha 65 000 - de 3 €

Situé sur le plateau calcaire de Loubès, ce vignoble serait le plus élevé du Lot-et-Garonne : 175 m d'altitude. Merlot (60 %) et cabernet sont à l'origine de ce 2005 d'un rouge à la fois profond et limpide. Un élevage de dix mois en fût a laissé un puissant sillage torréfié et vanillé. Après une attaque assez souple, les tanins boisés reprennent le dessus, un peu sévères en finale. Destinée aux amateurs de vins bien boisés, cette bouteille peut être débouchée dès maintenant.

SCEA Ch. Guillaume, Guillaume Blanc, BP 43, 33220 Saint-Philippe-du-Seignal, tél. 05.57.41.91.50, fax 05.57.46.42.76 r.-v.

DOM. DU VIEUX BOURG
Cuvée Sainte-Anne 2005 ★★★

■	n.c.	10 000	🛢	5 à 8 €

La famille de Bernard Bireaud est établie depuis plus de deux cents ans dans le pays de Duras. Le domaine du Vieux Bourg a été acquis en 1952. Cette cuvée Sainte-Anne tire son nom d'une ancienne chapelle qui a fait place au chai. Elle fut couronnée dans le millésime 1995. Le 2005 fait impression : il finit troisième au grand jury, et manque de peu le coup de cœur. Rouge sombre à reflets violacés, il offre un nez complexe mêlant les fruits rouges au grillé de la barrique (un an de fût). Une attaque souple introduit une bouche volumineuse et longue, d'une certaine austérité tannique vers la fin. La promesse d'une excellente bouteille après cinq ans de garde. Un vin pour tout de suite : le **rosé 2006 (3 à 5 €)** ; complexité aromatique, souplesse, rondeur, on se régale : deux étoiles. Quant au **sauvignon blanc sec 2006 (3 à 5 €)** du domaine, il sauvignonne avec souplesse : une étoile.

🔑 Bernard Bireaud, Dom. du Vieux Bourg,
47120 Pardaillan, tél. 05.53.83.02.18,
fax 05.53.83.02.37, e-mail vieux-bourg2@wanadoo.fr
☑ 🍷 🚶 t.l.j. sf dim. 9h-12h 14h-18h; sam. sur r.-v.

Le piémont pyrénéen

Madiran

D'origine gallo-romaine, le madiran fut pendant longtemps le vin des pèlerins de Saint-Jacques-de-Compostelle. La gastronomie du Gers est l'un de ses ambassadeurs. Sur les 1 260 ha de l'appellation déclarés en 2005, le cépage roi est le tannat, qui donne un vin âpre dans sa jeunesse, très coloré, avec des arômes primaires de framboise ; il s'exprime après un long vieillissement. Lui sont associés cabernet-sauvignon et cabernet franc (ou bouchy), fer-servadou (ou pinenc). Les vignes sont conduites en demi-hautain. La production a atteint 66 754 hl en 2005.

Le vin de Madiran est le vin viril par excellence. Quand sa vinification est adaptée, il peut être bu jeune, ce qui permet de profiter de son fruité et de sa souplesse. Il accompagne les confits d'oie et les magrets saignants de canard. Les madiran traditionnels, à forte proportion de tannat, supportent très bien le passage sous bois et doivent attendre quelques années. Les vieux madiran sont sensuels, charnus et charpentés, avec des arômes de pain grillé, et s'allient avec le gibier et les fromages de brebis des hautes vallées.

CH. D'AYDIE 2004 ★★

■	10 ha	40 000	🛢	11 à 15 €

La structure de négoce Pierre Laplace s'est ajoutée en 1984 à l'exploitation familiale. Sa réputation ne s'est jamais démentie depuis. En témoigne ce madiran de pur tannat, pourpre profond, qui marie parfaitement les arômes du raisin et du bois : fruits rouges et épices douces. La chair, ronde et bien soutenue par les tanins, conforte cette impression d'harmonie aromatique. Une étoile brille pour le **pacherenc-du-vic-bilh moelleux 2005 (5 à 8 € la bouteille de 50 cl)** qui garde une bonne fraîcheur.

🔑 GAEC Vignobles Laplace, Ch. d'Aydie,
64330 Aydie, tél. 05.59.04.08.00, fax 05.59.04.08.08,
e-mail pierre.laplace@wanadoo.fr
☑ 🍷 🚶 t.l.j. 9h-12h30 14h-19h

CH. BARRÉJAT
Cuvée des vieux Ceps Élevé en fût de chêne 2005 ★★

■	4,5 ha	26 000	🛢	5 à 8 €

Voici quarante ans que le vin est mis en bouteilles directement au château Barréjat. L'équipement s'est perfectionné depuis, notamment sous l'impulsion de Denis Capmartin. Celui-ci se distingue dans le millésime 2005. Voyez ce madiran grenat intense, intensément parfumé de cuir frais, de fruits noirs, de réglisse et de menthol : la complexité et l'élégance d'un élevage sous bois de douze mois bien maîtrisé. Plein, charnu, bien équilibré entre fraîcheur et gras, c'est un vin persistant. S'ils constituent une solide structure, les tanins n'en font pas moins patte de velours. Deux étoiles encore pour le **pacherenc-du-vic-bilh moelleux cuvée de la Passion Élevé en fût de chêne 2005 (bouteilles de 50 cl)**, encore marqué par l'empreinte du bois, mais d'une agréable fraîcheur.

🔑 Denis Capmartin, Ch. Barréjat,
32400 Maumusson-Laguian, tél. 05.62.69.74.92,
fax 05.62.69.77.54
☑ 🍷 🚶 t.l.j. sf dim. 8h-12h30 14h-19h

DOM. BARRICAT
Grande Sélection Élevé en fût de chêne 2005 ★

■	1,25 ha	8 000	🛢	3 à 5 €

En 2005, le domaine a entrepris de changer ses méthodes de vinification, ce qui se traduit par une réussite notable de cette cuvée destinée à la grande distribution sur le marché belge. Un vin brillant de mille feux qui décline d'intenses arômes de fruits rouges et noirs, de vanille, de cannelle et de toasté. L'attaque est ronde, la bouche équilibrée avec un agréable retour du fruité et un boisé bien maîtrisé.

🔑 Dom. des Bories, SCEA Vignobles V. Chabert,
10, rte du Boscq, 64350 Crouseilles,
tél. 05.59.68.18.04, fax 05.59.68.27.48,
e-mail dom.desbories-madiran@orange.fr ☑ 🍷 🚶 r.-v.

DOM. DE BASSAIL 2005 ★★

■	10 ha	70 000	▮	3 à 5 €

Tannat à 60 %, cabernet franc et cabernet-sauvignon chacun à 20 % : ainsi se compose ce vin d'un rouge-violet intense. Franc, il exprime des arômes de fruits rouges et d'épices qui trouvent un long écho dans la chair souple dès l'attaque, bâtie sur des tanins fins. Un madiran sur le fruit. Le **pacherenc-du-vic-bilh moelleux cuvée Muriel 2005 (5 à 8 €)**, aromatique (fruits à chair blanche et miel), obtient une étoile.

🔑 Patrick Berdoulet et Françoise Roca,
GAEC du Dom. de Bassail, 32400 Viella,
tél. 05.62.69.76.62, fax 05.62.69.78.02,
e-mail domaine-bassail@wanadoo.fr
☑ 🍷 🚶 t.l.j. 9h-12h30 14h-19h; dim. sur r.-v.

DOM. DOU BERNÈS
Élevé en fût de chêne 2005 ★★

■ 3 ha 9 000 5 à 8 €

Vendangés sur un terroir réputé au lieu-dit Rendaou – littéralement « rangs pentus » –, le tannat (90 %) et le cabernet-sauvignon ont donné naissance à ce vin grenat éclatant. Les notes de torréfaction, de vanille et de menthol héritées de l'élevage en fût se mêlent à celles de fruits macérés, puis une chair douce et souple s'introduit au palais et gagne progressivement en puissance en s'appuyant sur des tanins serrés. Le fruit et la fraîcheur n'en demeurent pas moins, rejoints en finale par d'intenses flaveurs épicées.

Cazenave, Curon, 64330 Aydie, tél. 05.59.04.06.78, fax 05.59.04.05.79 r.-v.

DOM. BERTHOUMIEU
Charles de Batz Élevé en fût de chêne 2004 ★

■ 8 ha 40 000 11 à 15 €

C'est en 1640 que Charles de Batz quitta sa région de Castelmore pour rejoindre les Cadets des Gardes françaises, sous le nom de d'Artagnan. Cette cuvée rend hommage au plus célèbre des Gascons de notre histoire. Elle ne manque pas de panache dans sa robe cerise burlat à reflets violets. Composée à 90 % de tannat pour 10 % de cabernet-sauvignon, elle libère des arômes subtils de fruits rouges et noirs en confiture, ainsi que des notes de sous-bois. L'attaque est franche, la bouche charnue et chaleureuse, marquée par la vanille en finale. Aucune austérité dans ce vin déjà harmonieux. Le **pacherenc-du-vic-bilh moelleux Symphonie d'automne 2005 (8 à 11 €)**, au nez de fruits exotiques, obtient une étoile.

Didier Barré, rte de Maumusson, 32400 Viella, tél. 05.62.69.74.05, fax 05.62.69.80.64, e-mail barre.didier@wanadoo.fr
t.l.j. 8h-12h30 14h-19h; dim. sur r.-v.

COURTET LAPERRE
Vieilles Vignes Élevé en fût de chêne 2004 ★

■ 100 ha 100 000 5 à 8 €

Longue série de vins étoilés pour les Vignobles de Gascogne. En vedette, cette cuvée vêtue de sombre, à nuances grenat. L'équilibre se réalise entre les notes toastées et épicées du bois et les senteurs de fruits rouges, ponctuées de touches de safran. Il en va de même au palais car la chair ample, ronde et aromatique bénéficie du soutien de tanins fins et déjà fondus. Une étoile a été attribuée au **Chênaie du Tilh Élevé en fût de chêne 2004**, au **Terreforts de Madiran Élevé en fût de chêne 2004**, au **Château de Pierron 2005 (3 à 5 €)**, qui n'a pas connu le bois, ainsi qu'au **pacherenc-du-vic-bilh moelleux Magie d'or 2005 (bouteilles de 50 cl)**.

Vignoble de Gascogne, 32400 Saint-Mont, tél. 05.62.69.62.87, fax 05.62.69.66.71, e-mail f.lhau@plaimont.fr r.-v.

DOM. DU CRAMPILH
Vignes vieilles Élevé en fût de chêne 2004 ★

■ 2,5 ha 14 600 11 à 15 €

Les arts sont à l'honneur dans ce domaine de 30 ha : on y expose peintures, sculptures et photographies dans une bâtisse à l'architecture originale. L'art de la vinification n'y est pas oublié comme l'illustre ce 2004 qui joue sur la couleur grenat et les notes de vanille. À l'aération apparaissent des arômes de fruits bien mûrs, presque macérés dans l'eau-de-vie. Telle une sculpture, le vin présente du volume, un bon équilibre des formes et une structure solide faite de tanins serrés. S'il possède un caractère chaleureux en milieu de bouche, une pointe acidulée se révèle en finale, accompagnée de saveurs boisées. Laissez-le en cave deux petites années.

Bruno Oulié, Dom. du Crampilh, 64350 Aurions-Idernes, tél. 05.59.04.00.63, fax 05.59.04.04.97, e-mail madirancrampilh@aol.com
t.l.j. 9h-12h 14h-19h; sam. dim. sur r.-v.

DOM. DAMIENS Saint-Jean 2004 ★

■ 2 ha 12 000 8 à 11 €

Grenat sombre nuancé de pourpre, ce vin exhale un nez intense, d'abord marqué par une note de fumée, puis par le pain grillé et le café, enfin par les fruits noirs et un peu de réglisse. La bouche équilibrée dévoile plus nettement le fruit, le boisé étant mieux intégré et les tanins bien fondus. Une touche acidulée en finale apporte une certaine élégance à ce 2004 qui évoluera bien encore un an ou deux.

André et Pierre-Michel Beheity, Dom. Damiens, 64330 Aydie, tél. 05.59.04.03.13, fax 05.59.04.02.74
t.l.j. 9h-12h30 14h-19h; sam. dim. sur r.-v.

CH. DE DIUSSE
Cuvée Privilège Élevé en fût de chêne 2004 ★

■ 2,5 ha 12 000 8 à 11 €

Au château de Diusse, Établissement et service d'aide par le travail (ESAT), les 18 ha de vignes permettent à des adultes handicapés de participer à la vie sociale. Ils peuvent être fiers de ce madiran aussi expressif au nez qu'au palais. Sous une robe grenat intense à reflets violets, il décline des notes de fruits rouges et noirs confiturés, agrémentés de vanille légère. Attaque souple, matière ronde aux tanins enveloppés : le plaisir est au rendez-vous. Rappelons que la cuvée principale Château de Diusse 2004 fut coup de cœur l'an passé.

Ch. de Diusse, ESAT de Diusse, 64330 Diusse, tél. 05.59.04.00.52, fax 05.59.04.05.77
t.l.j. sf sam. dim. 9h-12h 14h-17h

GRAINS DE ROY Élevé en fût de chêne 2004 ★

■ 25 ha 60 000 5 à 8 €

Vous souvenez-vous du C de Crouseilles 2004, coup de cœur dans l'édition précédente ? La cave propose cette année ce Grains de Roy bien vinifié. Du noir à reflets violets pour couleur, de légères touches d'épices douces, de cuir et de sous-bois pour palette aromatique. Le vin s'est parfaitement assoupli et laisse une impression de rondeur fruitée, subtilement acidulée en finale. Une étoile encore pour le **Château de La Motte 2005**, élevé en cuve, pour le **Château de Crouseilles Élevé en fût de chêne 2004 (8 à 11 €)**, sans oublier le **Château d'Arricau-Bordes 2004 (11 à 15 €)**.

Cave de Crouseilles, 64350 Crouseilles, tél. 05.62.69.66.77, fax 05.62.69.66.08, e-mail m.darricau@crouseilles.com r.-v.

DOM. LABRANCHE LAFFONT 2004 ★

■ 7 ha 45 000 5 à 8 €

Christine Dupuy a repris en 1993 ce domaine familial de 20 ha. Assemblage de tannat (60 %) et des deux cabernets à parts égales, son madiran s'affiche dans une robe rouge sombre à reflets violines et dévoile des arômes de compote de fruits rouges et noirs, d'épices et d'eau-de-vie. Franc en attaque, il fait preuve d'un juste équilibre

entre fraîcheur et rondeur, étayé par des tanins fins, déjà fondus. Un vin gouleyant tout en restant typique de l'appellation.
Christine Dupuy, 32400 Maumusson-Laguian,
tél. 05.62.69.74.90, fax 05.62.69.76.03,
e-mail labranchelaffont@aol.com
t.l.j. 9h-12h30 14h-19h

LAFFONT Érigone 2005 *

■ 2 ha 9 000 11 à 15 €

Hécate l'an passé, Érigone aujourd'hui : deux héroïnes de la mythologie grecque, deux cuvées du domaine Laffont qui alternent dans le Guide. Cette année, elles se partagent la vedette. Érigone, amante de Bacchus, est déjà prête à être savourée. Sa robe sombre annonce la concentration de ses arômes intenses de petits fruits noirs mûrs, de réglisse, de café torréfié et de vanille. La chair ronde et chaleureuse, inscrite de tanins veloutés, laisse toute la place au fruit et à un boisé presque totalement intégré. **Hécate 2005 (15 à 23 €)** brille d'une même étoile, mais elle devra attendre quelques années.
Dom. Laffont, 32400 Maumusson-Laguian,
tél. 05.62.69.75.23, fax 05.62.69.80.27 r.-v.
Pierre Speyer

DOM. LAOUGUÉ 2005 *

■ 2 ha 13 000 11 à 15 €

Pierre Dabadie est conseillé par l'œnologue Stéphane Castro. Tous deux ont réussi un 2005 souple et rond, de style moderne. Presque noir, comme il se doit, le vin libère un nez intensément boisé (grillé, cacao, vanille) qui cède progressivement la place aux arômes de fruits en confiture et à une note de cuir. La bouche est douce dès l'attaque, toujours soulignée d'une ligne boisée aux accents de torréfaction. Une citation revient au **pacherenc-du-vic-bilh moelleux Domaine Laougué 2005 (5 à 8 €)**.
Pierre Dabadie, rte de Madiran, 32400 Viella,
tél. 05.62.69.90.05, fax 05.62.69.71.41,
e-mail earldabadiepierre@32.sideral.fr
t.l.j. 9h-19h; groupes sur r.-v.

CH. LATREILLE SOUNAC
Élevé en fût de chêne 2003 *

■ 6 ha 20 000 8 à 11 €

Un domaine de 11,60 ha. Tannat, cabernets et pinenc, récoltés sur le terroir de Cannet, ont donné naissance à ce vin profondément coloré qui laisse percevoir quelques nuances rouges sur fond noir. Le nez de bonne intensité évoque les fruits mûrs, les épices (vanille) et le pain grillé, tandis que la bouche ample évolue avec beaucoup de rondeur, empreinte de flaveurs de vanille. La finale se resserre en raison des tanins, mais n'est nullement agressive. Un millésime prêt à boire.
SCEA d'Asten, Balembitz, 32400 Riscle,
tél. et fax 05.62.69.70.32,
e-mail latreillesounac@aol.com r.-v.
Vanasten

DOM. DE MAOURIES
Cailloux de Pyren Vieilles Vignes 2005 **

■ 2 ha 8 000 8 à 11 €

Créé dans les premières années du XXe s., le domaine couvre 25 ha sur des coteaux argilo-calcaires, caillouteux, exposés au sud. Du tannat et à peine 5 % de cabernet entrent dans ce vin qui a traduit remarquablement la maturité des raisins : teinte pourpre soutenu, arômes de confiture de fruits mêlés aux notes d'épices et de torréfaction héritées de l'élevage sous bois, bouche ronde, aux tanins fondus, qui fait la part belle au fruité avant une finale marquée par des flaveurs de moka.
Dom. de Maouries, 32400 Labarthète,
tél. 05.62.69.63.84, fax 05.62.69.65.49,
e-mail domainemaouries@32.sideral.fr
r.-v.
Dufau

CH. MONTUS 2005 **

■ n.c. n.c. 15 à 23 €

En 1979, Alain Brumont a fait l'acquisition de ce domaine qu'il a entièrement replanté sur les pentes de galets roulés, au sous-sol d'argiles brunes. Il a depuis obtenu les meilleurs résultats qui ont permis aux vins de Château Montus de se forger une réputation internationale. Le 2005 ne fera pas exception : couleur cerise burlat, presque noir satiné, il livre un nez aussi intense que complexe, riche d'un fruit mûr et d'un noble boisé. Parfaitement équilibrée, la chair monte en puissance et révèle progressivement toute sa concentration. La trame de tanins serrés, mais fins, est encore sensible en finale : nul doute que le temps saura y remédier. Deux étoiles brillent aussi pour le **Château Bouscassé 2005 (8 à 11 €)** qui bénéficie d'une structure bien fondue, et d'un caractère aromatique soutenu (réglisse, épices, cassis, pruneau).
Alain Brumont, SCEA Montus Bouscassé,
Ch. Bouscassé, 32400 Maumusson-Laguian,
tél. 05.62.69.74.67, fax 05.62.69.70.46,
e-mail brumont.commercial@wanadoo.fr
t.l.j. sf dim. 9h-12h30 14h-18h

DOM. DU MOULIÉ Cuvée Chiffre 2004 *

■ 2 ha 2 000 8 à 11 €

Michèle et Lucie Charrier ont rejoint en 2002 ce domaine familial de 15 ha, classé « ferme de patrimoine ». Bon point pour ce 2004 vêtu de noir à reflets violines. Le premier nez décline des notes animales, mais bientôt se manifestent des arômes plus frais de sous-bois, plus printaniers de baies sauvages. L'attaque est souple, la bouche équilibrée entre puissance et fraîcheur, avec une large place faite au fruit. Certes, la finale reste encore ferme sous l'influence des tanins, mais ce caractère devrait se fondre rapidement.
Famille Charrier, Dom. du Moulié, 32400 Cannet,
tél. 05.62.69.77.73, fax 05.62.69.83.66,
e-mail domainedumoulie@wanadoo.fr
t.l.j. sf dim. 9h-12h30 14h-19h

SUD-OUEST

CH. DE PERRON 2004 ★

■ 10 ha 50 000 ▮ 5 à 8 €

Viticulteur de souche, passionné d'œnologie et inventeur de la micro-oxygénation, Patrick Ducourneau propose une cuvée composée à 70 % de tannat, à 25 % de cabernet et à 5 % de fer-servadou. De l'intensité ? Difficile d'en douter au regard de la robe presque noire comme à la perception des arômes chaleureux et complexes de fruits rouges (cerise) et noirs, de chocolat, de cuir et d'épices. Un caractère corsé même se révèle au palais, car la chair est dense, solidement étayée par des tanins serrés, et les flaveurs se manifestent en finale avec franchise.

Patrick Ducournau, Dom. Mouréou, 32400 Maumusson-Laguian, tél. 05.62.69.78.11, fax 05.62.69.75.87

r.-v. au ch. d'Aydie (05 59 04 08 00)

PLÉNITUDE 2004 ★★★

■ n.c. 13 000 11 à 15 €

Dans la large gamme des vins Plaimont, le jury a apprécié quatre madiran, dont cette cuvée qui a fait l'unanimité. Comment rester insensible, en effet, à sa teinte rouge sombre à reflets rubis, à ses arômes déjà bien affinés et complexes, mêlant les fruits rouges et noirs confiturés à un noble boisé (épices et torréfaction) ? La bouche ronde et charnue se développe harmonieusement jusqu'à une longue finale. Un 2004 de haute expression. Une étoile est attribuée à l'**Arte Benedicte Vieilles Vignes Élevé en fût de chêne 2004**, à **La Mothe Peyran Élevé en fût de chêne 2004 (5 à 8 €)** et au **Château Saint-Benazit Élevé en fût de chêne 2005 (5 à 8 €)**.

Producteurs Plaimont, rte d'Orthez, 32400 Saint-Mont, tél. 05.62.69.62.87, fax 05.62.69.61.68, e-mail f.lhau@plaimont.fr

r.-v.

DOM. POUJO 2004 ★

■ 2 ha 3 000 5 à 8 €

Si vous passez par Aydie le 20 novembre, les portes de ce domaine vous seront grandes ouvertes, au cœur du village. L'occasion de découvrir ce pur tannat de teinte cerise burlat. Un peu timide au premier nez, le vin s'ouvre ensuite sur les fruits rouges et noirs, avec une pointe de bourgeon de cassis et de vanille. Rondeur et souplesse sont de mise dès l'attaque, relevées d'une juste fraîcheur qui souligne le fruité. Fondus, le boisé et les tanins restent à leur place, en léguant une petite note réglissée en finale.

Philippe Lanux, Dom. Poujo, 64330 Aydie, tél. 05.59.04.01.23, fax 05.59.04.06.47, e-mail slanux@wanadoo.fr t.l.j. 8h-13h 14h-20h

CH. VIELLA Tradition 2005 ★

■ 15 ha 80 000 ▮ 5 à 8 €

Vous y resterez bien des heures... Alain Bortolussi a des idées plein la tête pour partager son goût du vin avec les visiteurs : parcours ludique dans les vignes, visite du château du XVIIIe s. et du chai, animations d'une troupe de théâtre pendant les dégustations le vendredi soir et, le dimanche à midi, un repas XVIIIe s. Quel vin sera servi à cette occasion ? Le Tradition, peut-être. Un vin grenat, d'abord sur la retenue, mais riche de senteurs de baies noires (cassis, myrtille), de réglisse et de torréfaction à la faveur de l'aération. Il se montre souple en attaque, puis monte en puissance en s'appuyant sur des tanins équilibrés. Les arômes reviennent plaisamment, avec une dominante épicée en finale. Une étoile brille également pour la cuvée **Prestige 2004 (8 à 11 €)**, encore dominée par le boisé, mais de bonne structure.

Alain Bortolussi, Ch. Viella, rte de Maumusson, 32400 Viella, tél. 05.62.69.75.81, fax 05.62.69.79.18, e-mail chateauviella@32.sideral.fr

t.l.j. sf dim. 8h-12h30 14h-19h

Pacherenc-du-vic-bilh

Sur la même aire que le madiran, ce vin blanc est issu de cépages locaux (arrufiac, manseng, courbu) et bordelais (sauvignon, sémillon) ; cet ensemble apporte une palette aromatique d'une extrême richesse. Suivant les conditions climatiques du millésime, les vins (11 000 hl sur 267 ha) seront secs et parfumés ou moelleux et vifs. Leur finesse est alors remarquable ; ils sont gras et puissants avec des arômes mariant l'amande, la noisette et les fruits exotiques. Ils feront d'excellents vins d'apéritif et, moelleux, seront parfaits sur le foie gras en terrine.

DOM. BERNET Moelleux 2005 ★

2 ha 8 000 5 à 8 €

De l'or patiné, à reflets cuivrés : voilà pour la couleur, non dénuée d'attrait. Des senteurs miellées intenses, des notes de fleurs blanches, de fruits confits et de clou de girofle : voilà pour la complexité. Une vivacité citronnée en équilibre avec le moelleux caractérise le palais qui renoue avec les arômes perçus au nez en y ajoutant une pointe d'amertume agréable. Un foie gras aux figues : voilà un mets qui saura mettre cette bouteille à l'honneur.

Yves Doussau, EARL Bernet, Dom. Bernet, 32400 Viella, tél. 05.62.69.71.99, fax 05.62.69.75.08, e-mail earl.bernet@wanadoo.fr r.-v.

CH. BOUSCASSÉ Moelleux Brumaire 2005 ★★

n.c. n.c. 11 à 15 €

En référence au calendrier républicain qui s'inspirait de la nature pour désigner les mois, Alain Brumont a donné les noms de Vendémiaire et de Brumaire à ses cuvées de pacherenc-du-vic-bilh. Le **Vendémiaire 2005 moelleux (8 à 11 €)** obtient deux étoiles pour ses arômes de fruits frais épicés et sa juste fraîcheur. Mais le coup de cœur revient au Brumaire, pur nectar d'un or soutenu. L'élégance se manifeste dès les premières notes d'acacia et de miel, puis dans les arômes de mandarine, d'ananas

mêlés de fins accents toastés. La liqueur enveloppe le palais, d'un équilibre parfait, ses arômes intenses persistant pendant de nombreuses caudalies.
Alain Brumont, SCEA Montus Bouscassé, Ch. Bouscassé, 32400 Maumusson-Laguian, tél. 05.62.69.74.67, fax 05.62.69.70.46, e-mail brumont.commercial@wanadoo.fr
t.l.j. sf dim. 9h-12h30 14h-18h

DOM. CAPMARTIN Moelleux Cuvée du Couvent Élevé en fût de chêne 2005 ★

1,5 ha 7 000 8 à 11 €

L'un des grands noms du pacherenc-du-vic-bilh, Guy Capmartin œuvre depuis 1987 sur ce domaine, ancien couvent de Maumusson. Issue à 99 % du petit manseng, cette cuvée livre sous une teinte bouton d'or une palette aussi complexe que délicate, faite de notes d'acacia, de mirabelle, de coing et de fruits exotiques bien mûrs. La bouche est ronde et ample, très liquoreuse mais tempérée par une juste vivacité qui lui confère une longue finale. Un beau pacherenc à l'ancienne. Une étoile revient aussi au **sec Domaine Capmartin 2006 (3 à 5 €)** et au **madiran Cuvée du Couvent 2004**, vin structuré et ample, qui mérite une garde de trois ou quatre ans pour que le bois se fonde.
Guy Capmartin, Le Couvent, 32400 Maumusson-Laguian, tél. 05.62.69.87.88, fax 05.62.69.83.07, e-mail gcapmart@wanadoo.fr
t.l.j. sf dim. 9h-13h 14h-19h

CLOS BASTÉ Moelleux 2005 ★

0,5 ha 4 000 8 à 11 €

D'un jaune paille brillant, ce 2005 livre un nez intense de fruits très mûrs (ananas, litchi) et d'abricot sec, de beurre et de vanille. Annonce d'une chair grasse et riche, soulignée de flaveurs de miel et de fruits confits vanillés. Une juste vivacité relève l'ensemble et soutient une agréable finale. Une petite douceur. (Bouteilles de 50 cl.)
Chantal et Philippe Mur, Clos Basté, 64350 Moncaup, tél. et fax 05.59.68.27.37
t.l.j. sf dim. 10h-18h

CAVE DE CROUSEILLES Moelleux Grains de givre 2005 ★★

n.c. 15 000 11 à 15 €

Parmi les vins de la cave de Crouseilles, le Guide a retenu les meilleurs dans leur style : une étoile pour le **pacherenc-du-vic-bilh sec Les Ombrages 2006 (5 à 8 €)**, deux étoiles pour le **moelleux Château d'Arricau Bordes 2005**. Quant à ce Grains de givre, couleur chaume doré, il séduit instantanément par sa présence aromatique : peau d'orange, miel, pâte de coings, fruits exotiques se mêlent avec complexité. La bouche fraîche et suave à la fois évolue avec ampleur, nuancée d'un boisé bien fondu. Une enthousiasmante modernité.
Cave de Crouseilles, 64350 Crouseilles, tél. 05.62.69.66.77, fax 05.62.69.66.08, e-mail m.darricau@crouseilles.com r.-v.

DOM. DE GRABIEOU Moelleux La Remise de novembre 2005 ★

1,25 ha 15 000 5 à 8 €

Une Remise de novembre récoltée aux premiers jours de ce mois sur les ceps du petit manseng. Dans le verre : un vin brillant, jaune doré à reflets orangés, qui livre un nez intense de fruits confits, de fruits secs, de miel et même de résine. De la rondeur, du volume, une ligne aromatique persistante aux accents acidulés en finale... Un élégant équilibre entre chaleur et fraîcheur, ce pacherenc est déjà bien affiné. (Bouteilles de 50 cl.)
Dom. de Grabieou, 32400 Maumusson-Laguian, tél. 05.62.69.74.62, fax 05.62.69.73.08, e-mail f.dessans@32.sideral.fr
t.l.j. 8h-12h 14h-19h
F. Dessans

CH. LAFFITTE-TESTON Sec Ericka Élevé en fût de chêne 2006 ★

4 ha 24 000 5 à 8 €

70 % de petit manseng, 20 % de gros manseng et 10 % de petit courbu pour une cuvée phare de ce célèbre domaine de 40 ha. Couleur chaume à reflets dorés, elle laisse monter des arômes de fruits mûrs accompagnés de notes de beurre et de miel. Le raisin a été vendangé assez tard pour un vin sec, le 20 octobre 2006. Cette légère surmaturité est également perceptible dans la matière volumineuse et grasse, ponctuée de flaveurs de viennoiserie jusqu'en finale. Le fruit d'un sérieux travail d'élevage. Une citation est attribuée au **madiran Château Laffitte-Teston Vieilles Vignes 2004 Vieilli en fût de chêne (8 à 11 €)**.
Jean-Marc Laffitte, Ch. Laffitte-Teston, 32400 Maumusson-Laguian, tél. 05.62.69.74.58, fax 05.62.69.76.87, e-mail info@laffitte-teston.com
t.l.j. sf dim. 9h-12h30 13h30-19h

MAESTRIA Moelleux 2005 ★★

15 ha 20 000 5 à 8 €

Maestria... Belle maîtrise de l'élevage, en effet, dans ce pacherenc qui offre un nez soutenu, certes richement boisé (vanille, pralin, noix de coco), mais aussi largement fruité et miellé. Il se révèle équilibré au palais, avec une douce montée en puissance des arômes et des saveurs. (Bouteilles de 50 cl.) La cave affiche aussi d'autres beaux résultats : le **moelleux Château Saint-Benazit 2005** et le **moelleux Collection Plaimont 2005** obtiennent chacun une étoile.
Producteurs Plaimont, rte d'Orthez, 32400 Saint-Mont, tél. 05.62.69.62.87, fax 05.62.69.61.68, e-mail f.lhau@plaimont.fr
r.-v.

CH. DE LA MOTTE Sec 2006 ★★

1 ha 4 000 5 à 8 €

Étonnant assemblage pour un pacherenc-du-vic-bilh : 62 % de sauvignon, 24 % de sémillon et 14 %

SUD-OUEST

d'arrufiac. Le vin n'en est pas moins remarquable. Or pâle à reflets verts, brillant, il s'ouvre sur de fines notes de fleurs blanches et, plus encore, sur des senteurs intenses de fruits. Plein de vivacité, il trouve un équilibre réel au palais et revient longuement sur les arômes. Exercice de style parfaitement réalisé. Deux étoiles vont au **pacherenc-du-vic-bilh moelleux Château de La Motte 2005 (11 à 15 €)**, intensément aromatique et de bonne fraîcheur.
SCEV Ch. de La Motte, 64350 Crouseilles, tél. 05.62.69.66.77, fax 05.62.69.66.08, e-mail m.darricau@crouseilles.com r.-v.

DOM. DU PEYROU Moelleux 2005 ★

0,49 ha 3 000 5 à 8 €

Plantées en 2001 et 2002, les vignes de petit manseng sont encore jeunes, mais la qualité n'attend pas toujours le nombre des années, à en juger par ce vin doré soutenu, au nez subtil d'acacia et de miel, nuancé de fruits jaunes et d'agrumes. L'attaque est franche, la bouche assez puissante et équilibrée entre sucre et vivacité. La finale bien aromatique, soutenue par un agréable caractère acidulé, est un autre atout de ce 2005.
Jacques Brumont, Dom. du Peyrou, quartier Delariou, 32400 Viella, tél. et fax 05.62.69.90.12
t.l.j. 8h30-12h30 14h-20h; sam. dim. sur r.-v.
Jeanne Brumont

DOM. SERGENT Sec Élevé en fût de chêne 2006 ★★

0,37 ha 2 900 5 à 8 €

Depuis 1995, Brigitte et Corinne, les filles de Gilbert Dousseau, sont à la tête de ce domaine d'une petite vingtaine d'hectares. À partir d'un assemblage de petit et gros mansengs à parts égales, elles ont élaboré un pacherenc or pâle, brillant de reflets verts, qui joue la subtilité dans ses évocations de fruits exotiques, légèrement nuancés de fleurs et de miel. Le vin s'épanouit au palais, ample, équilibré entre fraîcheur et gras, dans la même ligne aromatique que le nez.
Famille Dousseau, Dom. Sergent, 32400 Maumusson-Laguian, tél. 05.62.69.74.93, fax 05.62.69.75.85, e-mail b.dousseau@32.sideral.fr
t.l.j. sf dim. 8h30-12h30 14h-18h30

Côtes-de-saint-mont AOVDQS

Prolongement du vignoble de Madiran, le côtes-de-saint-mont a été consacré AOVDQS en 1981. Le vignoble déclaré en 2005 couvre 1 115 ha, produisant 72 326 hl. Le cépage rouge principal est encore ici le tannat, les cépages blancs se partageant entre la clairette, l'arrufiac, le courbu et les mansengs. L'essentiel de la production est assuré par l'union dynamique des caves coopératives Plaimont. Les vins rouges sont colorés et corsés, et deviennent vite ronds et plaisants. Ils seront bus avec des grillades et de la garbure gasconne. Les rosés sont fins et fruités. Les blancs (13 542 hl) ont des parfums de terroir et sont secs et nerveux.

MONASTÈRE DE SAINT-MONT 2005 ★★

7 ha 15 000 11 à 15 €

Le monastère de Saint-Mont, édifice emblématique du village, donne son nom à cette cuvée elle aussi remarquable représentante du vignoble en 2005. Elle sort du lot dans sa robe grenat éclairée de rubis, d'une profondeur qui n'a d'égale que la concentration de la matière. Elle mêle élégamment des senteurs de fruits mûrs, d'épices, de menthol et de torréfaction, puis offre une chair riche et ample, étayée par une trame de tanins fondus qui respectent son expression finale. Un remarquable équilibre. À savourer jusqu'en 2010.
SCEV Monastère de Saint-Mont, rte d'Orthez, 32400 Saint-Mont, tél. 05.62.69.52.87, fax 05.62.69.61.68, e-mail f.lhau@plaimont.fr
r.-v.

CH. DE LA ROQUE 2005 ★

11 ha 25 000 8 à 11 €

Difficile à départager les vins des Vignerons de Saint-Mont. Le Château de la Roque, d'un grenat flatteur, s'ouvre volontiers sur des arômes de fruits des bois mûrs, d'épices et de menthol. À l'attaque suave succède l'expression d'une chair de belle maturité, riche et parfumée. Les tanins sont présents, mais en passe de se fondre, preuve d'un élevage bien maîtrisé. Une étoile est aussi attribuée à l'**Esprit de vignes Vieilles Vignes rouge 2006** : plus ferme et boisé, il mérite une petite garde.
Vignerons de Saint-Mont, rte d'Orthez, 32400 Saint-Mont, tél. 05.62.69.62.87, fax 05.62.69.61.68, e-mail f.lhau@plaimont.fr
r.-v.

THIBAULT DE BRÉTHOUS Vieilles Vignes 2005 ★

50 ha 150 000 5 à 8 €

Vêtu de rubis intense, presque noir, mais brillant, ce côtes-de-saint-mont offre des parfums de qualité, mélange de fruits noirs, d'épices et de fumée. Volume et souplesse le caractérisent, ainsi qu'une structure solide. Les tanins et le boisé se manifestent de façon plus marquée dans la longue finale, mais l'équilibre se réalise. Quelques années de garde lui seront favorables. Une étoile encore pour le gourmand **Bastz d'autan rouge 2005 Élevé en fût de chêne (3 à 5 €)** comme pour **Le Passé authentique rosé 2006** (« bon nez, belle bouche », résume un dégustateur) ainsi que pour le **Domaine La Vendôme Élevé en fût de chêne 2006.**

Vignoble de Gascogne, 32400 Saint-Mont, tél. 05.62.69.62.87, fax 05.62.69.66.71, e-mail f.lhau@plaimont.fr ☑ 𝕐 ☦ r.-v.

LES VIGNES RETROUVÉES 2006 ★★

n.c. 300 000 ▮ 5 à 8 €

Présent au grand jury des coups de cœur, ce vin blanc charme par sa teinte or pâle brillant, nuancée de vert. Les parfums s'ouvrent progressivement, complexes et fins, en un large éventail de fruits : pêche, poire, agrumes, fruits exotiques, sans oublier une délicate touche de miel. La bouche est ronde, ample et pourtant d'une grande fraîcheur. Les sensations sont en parfaite cohérence et la persistance aromatique soutenue.

Producteurs Plaimont, rte d'Orthez, 32400 Saint-Mont, tél. 05.62.69.62.87, fax 05.62.69.61.68, e-mail f.lhau@plaimont.fr ☑ 𝕐 ☦ r.-v.

Les Vignerons Landais, 30, rue Saint-Jean, 40320 Geaune, tél. 05.58.44.51.25, fax 05.58.44.40.22, e-mail info@tursan.fr ☑ 𝕐 ☦ t.l.j. sf dim. 9h-12h 14h-17h30

CH. DE PERCHADE 2006

2 ha 13 000 ▮ 5 à 8 €

Paille à reflets argentés, ce vin livre de discrètes senteurs d'agrumes, d'abricot et de fleurs miellées. Souplesse, rondeur et fraîcheur s'associent pour le rendre plaisant jusqu'à la finale très légèrement épicée. Un tursan léger, destiné à accompagner des fruits de mer ou une quiche.

EARL Dulucq, Ch. de Perchade, 40320 Payros-Cazautets, tél. 05.58.44.50.68, fax 05.58.44.57.75, e-mail tursan-dulucq@wanadoo.fr ☑ 𝕐 ☦ t.l.j. sf dim. 8h-13h 14h30-19h

Tursan AOVDQS

Autrefois vignoble d'Aliénor d'Aquitaine, le terroir de Tursan représente 275 ha pour une production de 15 556 hl en 2005. Il produit des vins rouges et rosés (12 827 hl) et blancs. Les plus intéressants sont les blancs, issus d'un cépage original, le baroque. Sec et nerveux, au parfum inimitable, le tursan blanc accompagne alose, pibale et poisson grillé.

BARON DE BACHEN 2005 ★

4,1 ha 19 000 ▮ ⦀ 11 à 15 €

Michel et Christine Guérard ont créé un univers à part à Eugénie-les-Bains, mêlant gastronomie et bien-être autour d'une demeure dont les fondations remontent au XIIIe s. Dans le chai Renaissance sont nés ces deux vins blancs. Le Baron de Bachen a eu la préférence du jury pour la complexité de ses arômes de fruits exotiques, de miel et d'amande, de vanille aussi. Il laisse une impression de rondeur agréablement relevée d'un caractère acidulé, puis se prolonge sur les arômes déjà perçus au nez, doublés d'un boisé bien fondu. Le **Château de Bachen blanc 2005 (8 à 11 €)**, plus vif, est cité.

Michel Guérard, Cie hôtelière et fermière d'Eugénie-les-Bains, 40320 Eugénie-les-Bains, tél. 05.58.71.76.76, fax 05.58.71.77.77, e-mail direction@michelguerard.com ☑ 𝕐 ☦ r.-v.

MÉMOIRE DE TURSAN 2006 ★

7 ha 50 000 ▮ 5 à 8 €

La maison des Vignerons de Tursan se trouve juste devant la cave coopérative. D'une porte à l'autre, il n'y a qu'un pas. Ce 2006 grenat sombre mais brillant se distingue par son caractère amylique, fruité, mentholé et poivré. Il est souple, assez dense et gras. Les tanins sont de qualité et le fruit justement présent. Un vin jeune, mais tout disposé à se bonifier en cave. Le **Paysage rouge 2006 (3 à 5 €)**, simple et fruité, est cité.

Béarn

Les vins du Béarn peuvent être produits sur trois aires séparées. Les deux premières coïncident avec celles du jurançon et du madiran. La zone purement béarnaise comprend les communes qui entourent Orthez et Salies-de-Béarn. C'est le béarn de Bellocq. Cette AOC couvre environ 258 ha pour 13 414 hl dont 13 355 hl ont été produits en 2005 en rouges et rosés, 58 hl en blanc.

Reconstitué après la crise phylloxérique, le vignoble occupe les collines prépyrénéennes et les graves de la vallée du Gave. Les cépages rouges sont constitués par le tannat, les cabernet-sauvignon et cabernet franc (bouchy), les anciens manseng noir, courbu rouge et fer-servadou. Les vins sont corsés et généreux, et accompagnent garbure (soupe régionale) et palombe grillée. Les rosés de Béarn sont vifs et délicats, avec des arômes fins de cabernet et une bonne structure en bouche.

CAVE DE CROUSEILLES Les Hautains 2006 ★

n.c. 50 000 ▮ 3 à 5 €

Le château de Crouseilles n'est qu'à 500 m de cette cave coopérative qui porte haut les couleurs de l'appellation béarn. Ce rosé aux nuances orangées livre sans retenue des arômes de fruits et de fleurs intenses. Il est rond, frais et chaleureux à la fois, toujours aromatique. La même note revient au **rosé Les Fors de Pyrène 2006**, ainsi qu'au béarn **Les Hautains rouge 2006**, léger et équilibré.

Cave de Crouseilles, 64350 Crouseilles, tél. 05.62.69.66.77, fax 05.62.69.66.08, e-mail m.darricau@crouseilles.com ☑ 𝕐 ☦ r.-v.

DOM. LAMAZOU 2005 ★

11 ha 20 000 ▮ 3 à 5 €

Grenat intense et brillant, ce béarn affiche des arômes francs de fruits rouges, nuancés de touches

SUD-OUEST

florales. Il laisse une impression de rondeur et d'équilibre, sans jamais se départir de sa ligne fruitée. Une étoile revient aussi au **Domaine Lamazou rouge 2005**, prêt à passer à table, tandis que le **Domaine Lacazette rosé 2005** est cité.
Cave des producteurs de Jurançon, 53, av. Henri-IV, 64290 Gan, tél. 05.59.21.57.03, fax 05.59.21.72.06, e-mail cave@cavedejurancon.com r.-v.

DOM. LAPEYRE Vieilli en fût de chêne 2005 ★★
3 ha 16 000 5 à 8 €

De la constance dans l'élaboration de vins salués régulièrement par des coups de cœur dans le Guide. Le 2005 ne faillit pas. Sous une robe rubis brillant et profond, il dispense d'intenses parfums de fruits noirs et rouges en confiture, ainsi qu'un agréable boisé. Un remarquable équilibre se réalise entre la chair ronde, gourmande et l'empreinte d'un élevage de douze mois parfaitement maîtrisé. La finale persiste longuement. Le **Domaine Guilhemas rouge 2005**, harmonieux et complexe, obtient une étoile.
Pascal Lapeyre, 52, av. des Pyrénées, 64270 Salies-de-Béarn, tél. 05.59.38.10.02, fax 05.59.38.03.98 t.l.j. 9h-12h30 14h30-19h30; dim. et groupes sur r.-v.

Jurançon et jurançon sec

« Je fis, adolescente, la rencontre d'un prince enflammé, impérieux, traître comme tous les grands séducteurs : le jurançon », écrit Colette. Célèbre depuis qu'il servit au baptême d'Henri IV, le jurançon est devenu le vin des cérémonies de la maison de France. On trouve ici les premières notions d'appellation protégée – car il était interdit d'importer des vins étrangers – et même une hiérarchie des crus, puisque toutes les parcelles étaient répertoriées suivant leur valeur par le parlement de Navarre. Comme les vins de Béarn, le jurançon, alors rouge ou blanc, était expédié jusqu'à Bayonne, au prix de navigations parfois hasardeuses sur les eaux du Gave. Très prisé des Hollandais et des Américains, le jurançon parvint à un vedettariat qui ne prit fin qu'avec le phylloxéra. La reconstitution du vignoble fut effectuée avec les méthodes et les cépages anciens, sous l'impulsion de la cave de Gan et de quelques propriétaires fidèles.

Ici plus qu'ailleurs, le millésime revêt une importance primordiale, surtout pour les jurançon moelleux qui demandent une surmaturation tardive par passerillage sur pied. Les cépages traditionnels, uniquement blancs, sont le gros et le petit manseng, et le courbu. Les vignes sont cultivées en hautains pour échapper aux gelées. Il n'est pas rare que les vendanges se prolongent jusqu'aux premières neiges.

Le jurançon sec, 75 % de la production, est un blanc de blancs d'une belle couleur claire à reflets verdâtres, très aromatique, avec des nuances miellées. Il accompagne truites et saumons du Gave. Les jurançon moelleux ont une belle couleur dorée, des arômes complexes de fruits exotiques (ananas et goyave) et d'épices, comme la muscade et la cannelle. Leur équilibre acide-liqueur en fait des faire-valoir tout indiqués du foie gras. Ces vins peuvent vieillir très longtemps et donner de grandes bouteilles qui accompagneront un repas, de l'apéritif au dessert en passant par les poissons en sauce et le fromage pur brebis de la vallée d'Ossau. La production a atteint 42 120 hl en 2005 pour 1 046 ha déclarés.

Jurançon

CH. D'ABOS Cuvée Soleil d'automne 2005 ★
0,85 ha 4 300 8 à 11 €

Sur les hauteurs de la commune d'Abos, à l'emplacement d'un oppidum romain, le château du XVIIe s. possède un tout petit vignoble de 1,50 ha. Cette cuvée de pur petit manseng, or pâle aux légers reflets cuivrés, se distingue par d'intenses notes de poire mûre, de miel et de fruits exotiques. Une même ligne aromatique souligne la bouche plutôt ronde et équilibrée qui joue la légèreté. Un style aérien. Une étoile brille en outre pour la cuvée principale **Château d'Abos 2005 (5 à 8 €)**, à majorité de gros manseng.
Régis Lafon, 2, rue du Château d'Abos, 64230 Arbus, tél. 05.59.83.08.13, e-mail lafonregis@neuf.fr r.-v.

DOM. BELLEGARDE Sélection DB 2005 ★★
1,8 ha 1 900 38 à 46 €

Un vignoble de 16 ha commandé par une bâtisse béarnaise du XVIIIe s. Il n'y a que du bon au Domaine Bellegarde dans le millésime 2005 : la **cuvée Thibault 2005 (11 à 15 €)**, ample et portée par des arômes d'abricot, obtient une étoile, de même que le **jurançon sec La Pierre Blanche 2005 (11 à 15 €)**, frais et souple. Mais la préférence du jury va à cette Sélection DB dont la concentration est perceptible dès le premier regard porté sur la teinte ambre. Le nez profond et complexe évoque aussi bien la marmelade que la crème catalane à la vanille. Chaleureux et bien doux, le vin n'en présente pas moins une agréable fraîcheur ; il met en valeur un boisé harmonieux, qui apporte en finale des accents persistants de torréfaction. Un jurançon fondant.

🔑 Pascal Labasse, Dom. Bellegarde, quartier Coos, 64360 Monein, tél. 05.59.21.33.17, fax 05.59.21.44.40, e-mail contact@domainebellegarde-jurancon.com
☒ Y ✱ t.l.j. sf dim. 8h-12h 14h-19h

BI DE PRAT 2005 ★★

3,5 ha 6 500 8 à 11 €

La date de création de ce domaine est bien antérieure à la Révolution et la même famille en est propriétaire depuis le XVII[e]s. Vous avez dit « expérience » ? Ce vin le confirme, lui qui, sous une teinte or léger à reflets cuivrés, exhale de fines nuances de fruits exotiques, d'agrumes confits, d'abricot et de miel. Il se montre frais, ample et aromatique au palais, d'un excellent équilibre entre le fruit et le bois. La persistance est un autre atout de ce liquoreux de grande qualité.

🔑 GFA Dom. Guirardel, quartier Marquemale, 64360 Monein, tél. 05.59.21.31.48, fax 05.59.21.48.31
☒ Y ✱ t.l.j. 8h-12h 14h-20h

DOM. BORDENAVE Harmonie 2005 ★★

13 ha n.c. 5 à 8 €

Forte d'un diplôme d'œnologue obtenu à Bordeaux, Gisèle Bordenave a repris en 1993 ce domaine de 13 ha. Ses vins ont séduit des chefs étoilés aussi célèbres que Marc Veyrat, Alain Ducasse ou Guy Savoye. Que de tels talents ne vous intimident pas : ce liquoreux s'associera volontiers avec un foie gras, une viande blanche ou un dessert au chocolat. Issu du seul gros manseng, il séduit par ses arômes fruités et finement toastés comme par sa chair gourmande, souple et tellement fraîche. Son caractère aérien et sa précision aromatique en font un modèle du genre. Une étoile revient à la **cuvée des Dames 2005 (11 à 15 €)**, de pur petit manseng, et au **jurançon sec Souvenirs d'enfance 2006 (5 à 8 €)**.

🔑 Gisèle Bordenave, Dom. Bordenave, quartier Ucha, 64360 Monein, tél. 05.59.21.34.83, fax 05.59.21.37.32, e-mail contact@domaine-bordenave.com
☒ Y ✱ t.l.j. sf dim. 9h-19h

DOM. BRU-BACHÉ L'Éminence 2005 ★

1,5 ha 2 000 38 à 46 €

Incontournables, le domaine Bru-Baché et ses cuvées L'Éminence et Quintessence. En 2005, la première l'emporte par sa concentration. Un pur petit manseng jaune d'or intense qui exprime puissamment les fruits exotiques, le zeste d'orange confit, le pain d'épice et le miel d'acacia. Une matière imposante, riche en sucre et très aromatique emplit le palais ; le boisé prend sa place en toute harmonie, sans nuire à la fraîcheur de l'ensemble. Une étoile aussi pour **La Quintessence 2005 (15 à 23 €)**, sur le fruit, le miel et la pâte de coings.

🔑 Dom. Bru-Baché, 39, rue Barada, 64360 Monein, tél. 05.59.21.36.34, fax 05.59.21.32.67, e-mail domaine.bru-bache@wanadoo.fr ☒ Y ✱ r.-v.
🔑 Claude Loustalot

DOM. DE CABARROUY
Cuvée Sainte-Catherine Élevé en fût de chêne 2002 ★

2 ha 4 000 8 à 11 €

Une cuvée confidentielle qui présente tous les caractères d'un jurançon à pleine maturité. Jaune d'or intense, parfaitement limpide, elle décline de délicats arômes de fleurs, de pâte de fruits et de fruits exotiques. Mais c'est au palais qu'elle surprend le dégustateur par l'incroyable fraîcheur qui équilibre son gras et la porte jusqu'à une finale épicée, nuancée d'une pointe d'amertume. Un vin puissant. (Bouteilles de 50 cl.)

🔑 Dom. de Cabarrouy, 64290 Lasseube, tél. 05.59.04.23.08, fax 05.59.04.21.85
☒ Y ✱ t.l.j. 10h-12h30 14h-19h; dim. sur r.-v.
🔑 P. Limousin et F. Skoda

CAMIN LARREDYA Au Capcéu 2005 ★★

3 ha 8 000 15 à 23 €

Une étoile l'an passé pour le millésime 2004. Deux étoiles et deux coups de cœur dans ce Guide : cette cuvée a plus que jamais la « tête au ciel », *au capcéu*. D'un vieil or brillant, elle libère des arômes de confiture d'oranges et de coing mêlés de notes de crème brûlée, de café et de chocolat : une gourmandise. La chair fruitée et crémeuse caresse le palais de tout son volume et s'étire en finale sur une pointe rafraîchissante de menthol. La cuvée **A Sólhevat 2005 (30 à 38 € la bouteille de 50 cl)** n'est pas en reste : notée deux étoiles, elle obtient également un coup de cœur pour ses senteurs de pain d'épice et de zeste d'agrumes, sa bouche ample et aromatique, tellement généreuse.

🔑 Jean-Marc Grussaute, Chapelle-de-Rousse, 64110 Jurançon, tél. 05.59.21.74.42, fax 05.59.21.76.72, e-mail jm.grussaute@wanadoo.fr ☒ Y ✱ r.-v.

CANCAILLAÜ Gourmandise 2005 ★

2 ha 4 200 11 à 15 €

Une propriété familiale de 16 ha répartie sur deux terroirs, dont l'un, de galets roulés silico-argileux, a donné naissance à ce vin gourmand, couleur ambrée. Au nez intense, marqué par le boisé tout en laissant une place aux nuances de fleurs, de miel, de poire, de pêche et d'abricot sec répond une bouche puissante, dotée d'une juste fraîcheur qui soutient durablement la palette aromatique. Un jurançon chaleureux. Autre terroir (des poudingues), autre vin : le **jurançon sec Clos de la Vierge 2006 (5 à 8 €)**, fruité et rond, obtient une étoile également.

🔑 EARL Barrère, pl. de l'Église, 64150 Lahourcade, tél. 05.59.60.08.15, fax 05.59.60.07.38
☒ Y ✱ t.l.j. sf dim. 8h-19h; f. 1er oct.-15 nov.

CHAMARRÉ Tradition 2003 ★

20 ha 100 000 11 à 15 €

Sous la marque de négoce Chamarré est commercialisée la production de viticulteurs et de coopératives.

SUD-OUEST

Issu de 70 % de gros manseng et de 30 % de petit manseng, ce 2003 aux nuances cuivrées évoque les viennoiseries et la confiture. Rond, il tend vers la sucrosité, mais bénéficie d'une pointe de fraîcheur avant de revenir sur le miel en finale. Bien fait, en toute simplicité.
🔑 OVS Vins et Spiritueux, 1, rue Méhul, 75002 Paris, tél. 01.40.20.46.49, fax 01.40.20.04.71, e-mail mgorjux@ovs-wines.com

DOM. DU CINQUAU Cuvée Marguerite 2005 *

2 ha 4 500 11 à 15 €

Bonne initiative de Pierre Saubot que celle de réactiver ce domaine viticole abandonné cinquante ans durant. Depuis 1989, il a su mettre en valeur ses 9 ha de vignes, dont les ceps de petit manseng et de petit courbu ont donné naissance à cette cuvée. Sous une teinte claire se libèrent des arômes intenses et frais, mariage réussi du fruit et du bois. L'attaque est vive et fruitée, la bouche fraîche, généreuse, avec un même boisé fondu et une même complexité aromatique jusqu'à la finale acidulée. C'est bon ! Le **jurançon sec Domaine du Cinquau 2006 (5 à 8 €)** est cité.
🔑 SCEA Dom. du Cinquau, 2, chemin du Cinquau, 64230 Artiguelouve, tél. 05.59.83.10.41, fax 05.59.83.12.93, e-mail p.saubot@free.fr
t.l.j. 9h-19h
🔑 Pierre Saubot

CLOS BENGUÈRES Le Chêne couché 2005 **

2,1 ha 5 330 11 à 15 €

Il y a sept ans, Thierry Bousquet a repris cette propriété de 4,50 ha, longtemps restée en fermage ou en métayage. Dans le chai à barriques semi-enterré, il a élevé douze mois durant ce jurançon ciselé d'or, de cuivre et d'argent qui laisse exploser ses arômes de coing, de miel, de fruits exotiques et de fleurs blanches. L'attaque est fraîche, la bouche ample et grasse, bien équilibrée entre vivacité et douceur. Dans la même gamme qu'au nez, les flaveurs s'expriment intensément, accompagnées d'un boisé plus présent. Un vin élégant.
🔑 Thierry Bousquet, Clos Benguères, chem. de l'École, 64360 Cuqueron, tél. 05.59.21.48.40, fax 05.59.21.43.03, e-mail closbengueres@aol.com
t.l.j. sf dim. 9h-12h 14h-19h

CLOS FOURCATÈRES 2005 **

7 ha 30 000 5 à 8 €

Difficile de départager les jurançon de la cave de Gan dans le millésime 2005 : le **Château Les Astous 2005 (11 à 15 €)** et le **Château de Navailles 2005 (11 à 15 €)** obtiennent une étoile, tandis que le **Domaine Laguilhon 2005** brille de deux étoiles. Et le coup de cœur de revenir à ce Clos Fourcatères vêtu d'or brillant qui s'ouvre sur des arômes de compote de pommes, de raisin sec, de cannelle, de pêche, d'abricot et de fruits exotiques. Il se montre frais, rond et souple, remarquablement fruité jusqu'à la longue finale. Le sujet est parfaitement maîtrisé.
🔑 Cave des producteurs de Jurançon, 53, av. Henri-IV, 64290 Gan, tél. 05.59.21.57.03, fax 05.59.21.72.06, e-mail cave@cavedejurancon.com
r.-v.

CLOS GUIROUILH 2005 **

8 ha 35 000 8 à 11 €

Coup de cœur dans l'édition précédente pour son jurançon sec 2005, ce domaine se distingue cette année par un moelleux remarquable, brillant de nuances ocre et ambrées. Le nez montant et complexe évoque les fruits exotiques, la confiture, les épices douces, avec une touche de menthe en complément. D'abord très doux, le vin développe une chair ronde, aussi ample que longue, aromatique. Le **jurançon sec Clos Guirouilh 2006 (5 à 8 €)** est cité.
🔑 Jean Guirouilh, rte de Belair, 64290 Lasseube, tél. 05.59.04.21.45, fax 05.59.04.22.73 r.-v.

CLOS THOU Suprême de Thou 2005 **

2 ha 6 600 11 à 15 €

Suprême de Thou, issu d'une sélection de petit manseng, est le fleuron du domaine. Le 2005 se présente sous une teinte or brillant et mêle avec subtilité de délicates notes boisées à des arômes plus confits et miellés. D'attaque suave, il fait preuve d'un excellent équilibre au palais, se montre ample et plus aromatique encore qu'au nez. La cuvée **Délice de Thou 2005** est citée.
🔑 Henri Lapouble-Laplace, chem. Larredya, clos Thou, 64110 Jurançon, tél. 05.59.06.08.60, fax 05.59.06.87.81, e-mail clos.thou@wanadoo.fr
t.l.j. 9h-12h 14h-18h30; dim. sur r.-v.

CH. JOLYS Cuvée Jean 2005 *

5 ha 30 000 8 à 11 €

D'un jaune doré intense, le 2005 s'ouvre sur des parfums d'agrumes, puis exhale des arômes de fruits exotiques, nuancés d'une note de noisette. L'attaque est vive, la bouche fraîche et fruitée. L'équilibre se réalise dans ce jurançon suffisamment persistant, qui sort résolument de l'ordinaire. Du même producteur, le **Château de Jurque 2005** est cité.
🔑 Sté des Domaines Latrille, Ch. Jolys, 64290 Gan, tél. 05.59.21.72.79, fax 05.59.21.55.61, e-mail chateau.jolys@wanadoo.fr
t.l.j. sf sam. dim. 8h-12h 13h30-17h

CH. LAPUYADE Élevé en fût de chêne 2005 *

3 ha 2 400 11 à 15 €

En agriculture biologique depuis sept ans, ce domaine propose un jurançon ambitieux, d'un bon potentiel de garde. Or brillant, celui-ci décline des notes fraîches de fleurs et surtout de fruits, nuancées de vanille. La bouche est à la fois fraîche et moelleuse, dense et longue. À ce stade, le boisé domine encore le fruit, mais il laisse présager une certaine complexité future.
🔑 Aurisset, SCEA Clos Marie-Louise, 64360 Cardesse, tél. 05.59.21.32.01, fax 05.59.21.46.99, e-mail clos.marie-louise@wanadoo.fr r.-v.

DOM. LARROUDÉ Un Jour d'automne 2005 ★★

1 ha 3 000 15 à 23 €

Christiane et Julien Estoueigt dirigent cet ancien domaine familial implanté en coteaux, où le petit manseng a la vedette. Régulièrement mentionnée dans le Guide, leur cuvée Un Jour d'automne ne déçoit pas dans le millésime 2005. D'un jaune intense, elle livre un bouquet puissant, floral et fruité (fruits exotiques, fruits secs), miellé et vanillé. Une même harmonie se dessine au palais entre la fraîcheur et la rondeur de la chair dense, toujours aromatique. La finale légèrement vanillée se prolonge plaisamment comme une gourmandise.

Christiane et Julien Estoueigt, Dom. Larroudé, quartier Marquesouquères, 64360 Lucq-de-Béarn, tél. 05.59.34.35.40, fax 05.59.34.35.92, e-mail domaine.larroude@wanadoo.fr r.-v.

DOM. DE MALARRODE 2004 ★★

0,5 ha 1 200 15 à 23 €

Vendangés en décembre, les raisins passerillés et flétris sur souches ont permis d'élaborer cette cuvée de teinte vieil or qui n'a rien perdu de sa brillance. Intense également, le nez bien affiné rappelle les fruits confits, le miel, le sucre candi, sans oublier les notes d'eucalyptus et de bois toasté. Au palais règne une chair dense, ronde et puissante, riche d'une liqueur complexe et persistante. Prometteur.

Gaston Mansanné, quartier Ucha, 64360 Monein, tél. 05.59.21.44.27, fax 05.59.21.48.01, e-mail mansanne.gaston@wanadoo.fr r.-v.

DOM. DE MONTESQUIOU Grappe d'or 2005 ★

2 ha 6 500 11 à 15 €

En 2002, Sébastien et Fabrice Bordenave ont repris le flambeau sur ce domaine familial dont la demeure a tout le charme de la région béarnaise : murs en galets et toit pentu en ardoise. À partir du seul petit manseng, ils ont élaboré un liquoreux couleur d'ambre, encore sur la retenue au premier nez, mais qui livre après agitation des senteurs de poire, de coing, de chocolat, de moka et même une petite pointe de truffe. La bouche est chaleureuse, puissante et épicée : on perçoit tout le volume de cette matière dont les flaveurs persistantes se mêlent à l'empreinte du bois.

GAEC Bordenave-Montesquieu et Fils, quartier Haut-Ucha, 64360 Monein, tél. et fax 05.59.21.43.49, e-mail domainedemontesquiou@wanadoo.fr t.l.j. sf dim. 9h-12h 14h-19h

DE NAYS-LABASSÈRE La Pointe 2004 ★★

2 ha n.c. 11 à 15 €

La famille Larrieu a agrandi sa propriété en 2004, en acquérant ce domaine de 6,50 ha, implanté sur poudingues, qu'elle convertit progressivement à l'agriculture biologique. Jean-Bernard Larrieu propose un vin de petit manseng remarquable d'élégance. Il n'est que de regarder sa robe paille à reflets dorés, puis de percevoir cette palette fraîche d'arômes de fleurs, de pêche, de poire, de fruits secs et de vanille pour s'en convaincre. Le palais est plus raffiné encore, plus expressif et plus riche : certes, la matière est ronde et dense, mais une juste vivacité l'équilibre de manière plaisante.

Jean-Bernard Larrieu, Clos Lapeyre, Chapelle-de-Rousse, 64110 Jurançon, tél. 05.59.21.50.80, fax 05.59.21.51.83, e-mail contact@lapeyreenjurancon.com t.l.j. 9h-12h 14h-18h; dim. sur r.-v.

DOM. NIGRI Réserve 2005 ★

4,5 ha 15 000 11 à 15 €

En 1993, après avoir forgé son expérience dans le Bordelais et sous des horizons plus lointains, Jean-Louis Lacoste a repris cet ancien domaine dont les origines remontent au XVIIe s. Onze mois d'élevage en fût ont permis à ce 2005 de façonner sa robe jaune paille à reflets dorés, comme ses arômes intenses, élégants et frais : parfums floraux mêlés de notes de pêche et d'abricot. La vivacité le caractérise au palais, ainsi qu'un bon support aromatique. Quant au boisé, il demeure discret et ne se perçoit véritablement qu'en finale. Le **jurançon sec Domaine Nigri 2006 (5 à 8 €)**, riche d'arômes et frais, obtient une étoile.

Dom. Nigri, Candeloup, 64360 Monein, tél. 05.59.21.42.01, fax 05.59.21.42.59, e-mail domaine.nigri@wanadoo.fr r.-v.

Jean-Louis Lacoste

DOM. PEYRETTE 2005 ★

2,5 ha 5 600 8 à 11 €

Une propriété d'une quarantaine d'hectares où petit et gros mansengs se partagent la vedette. Dans ce 2005, cependant, seul le petit manseng intervient. Un vin franc et expressif, aux arômes de fruits prêts à s'exprimer. L'attaque est vive, la bouche tout aussi fraîche, aérienne et généreusement fruitée jusqu'à la finale acidulée. Du potentiel.

Patrick Peyrette, Dom. Peyrette, chem. des Vignes, 64360 Cuqueron, tél. et fax 05.59.21.31.10 t.l.j. 9h-19h; dim. sur r.-v.

DOM. DE SOUCH Cuvée Marie Kattalin 2005 ★

2,5 ha 10 500 15 à 23 €

En 1776, Jean de Souch était syndic des éleveurs de treille. La tradition viticole est donc bien ancrée dans ce domaine fort de 6,50 ha aujourd'hui, conduit en agriculture biologique. Le petit manseng a donné naissance à un vin d'un or profond, bien typé par ses arômes de fruits exotiques mûrs, nuancés d'une touche de truffe et d'un boisé harmonieux. La chair ample ne manque pas de fraîcheur, une pointe vive relançant les flaveurs en finale. Un jurançon tonique et persistant.

Yvonne Hegoburu, 805, chem. de Souch, 64110 Laroin, tél. 05.59.06.27.22, fax 05.59.06.51.55, e-mail domaine-desouch@neuf.fr t.l.j. sf dim. 10h-12h30 14h-19h30

SUD-OUEST

DOM. VIGNAU LA JUSCLE 2004 ★★

3 ha 5 000 15 à 23 €

Pour élaborer cette cuvée de pur petit manseng, les vendanges ont été réalisées par tries successives de décembre 2004 à fin janvier 2005. Vieil or brillant, le vin se montre expressif dans ses évocations de fruits confits, de coing, d'abricot, d'orange, complétés de notes de gingembre et d'épices. Il apparaît non seulement rond, gourmand, mais aussi remarquablement frais et persistant.

Michel Valton, Dom. Vignau La Juscle, 64110 Saint-Faust, tél. 05.59.83.03.66, e-mail michel.valton@dbmail.com r.-v.

Jurançon sec

DOM. CASTERA 2006 *

	2,5 ha	1 400	■	5 à 8 €

Une ferme béarnaise typique, avec une cour intérieure fermée et des murs en pierre apparente. Vous y trouverez ce vin jaune clair, limpide et brillant, dont les arômes intenses évoquent les agrumes (citron) et la pêche blanche, introduction d'une bouche fraîche et expressive, nuancée d'une pointe minérale en finale. Une étoile revient au **moelleux cuvée Privilège 2005 (11 à 15 €)**, tout en finesse.

Christian Lihour, quartier Ucha, 64360 Monein, tél. 05.59.21.34.98, fax 05.59.21.46.32, e-mail christian.lihour@wanadoo.fr
t.l.j. 9h-12h 14h-19h

DOM. CAUHAPÉ La Canopée 2005 **

	1,72 ha	8 000		15 à 23 €

Un vignoble réputé, fort d'une quarantaine d'hectares sur des coteaux exposés sud-est. Le petit manseng a été récolté à la mi-novembre pour produire ce vin de teinte paille. Aux notes florales de buis et de fleurs de pêcher se mêlent des arômes de fruits confits, nuancés de touches de viennoiserie. L'expression est tout aussi remarquable au palais, soulignant l'impression d'ampleur et de rondeur avant une finale aussi longue que fraîche. Le **moelleux Noblesse du temps 2005 (23 à 30 €)** est cité.

Henri Ramonteu, Dom. Cauhapé, quartier Castet, 64360 Monein, tél. 05.59.21.33.02, fax 05.59.21.41.82, e-mail contact@cauhape.com
t.l.j. sf dim. 8h-12h 14h-18h

CLOS BELLEVUE 2006 *

	2 ha	3 000	■	5 à 8 €

Ici, rien ne semble avoir changé depuis la création du domaine en 1789 : une ferme béarnaise, une exploitation familiale vouée à la polyculture. Les techniques modernes y sont pourtant appliquées pour produire des vins comme ce 2006, jaune pâle à reflets argentés. Au premier nez discret (mais subtil) de fleurs succèdent à l'aération des arômes plus francs de fruits à chair blanche (pêche) et d'agrumes. L'attaque est souple, la chair équilibrée sur la vivacité qui joue un rôle de soutien pour les arômes en finale. Une étoile brille également pour le **moelleux Cuvée spéciale 2005 (11 à 15 €)**, vin puissant, aux senteurs de fruits exotiques.

Muchada, Clos Bellevue, chem. des Vignes, 64360 Cuqueron, tél. et fax 05.59.21.34.82, e-mail closbellevue@club-internet.fr r.-v.

CAVE DE GAN Le Bon Roy Henry 2006 **

	n.c.	65 000	■	3 à 5 €

La cave coopérative ne manque pas de bons représentants de l'appellation. Pas moins de trois vins du millésime 2006 obtiennent des étoiles, avec un bon rapport qualité-prix. Celui-ci se distingue par sa robe aux reflets d'or comme par ses arômes intenses de fruits mûrs exotiques. Équilibré, il garde une même ligne aromatique jusqu'en finale. Deux étoiles brillent en outre pour le **Château de Navailles 2006 (5 à 8 €)** et le **Domaine Conte 2006**, tous deux remarquablement fruités.

Cave des producteurs de Jurançon, 53, av. Henri-IV, 64290 Gan, tél. 05.59.21.57.03, fax 05.59.21.72.06, e-mail cave@cavedejurancon.com
r.-v.

CHARLES HOURS Cuvée Marie 2005 **

	8 ha	40 000		11 à 15 €

Charles Hours travaille avec sa fille Marie le vignoble qu'il a progressivement porté à 16 ha depuis son acquisition en 1983. Dotée de 90 % de gros manseng et de 10 % de courbu, cette cuvée reste la vedette du domaine. Du charme dès le premier regard porté sur sa teinte jaune paille à reflets verts. De l'intensité dans ses arômes variés de genêt, de poire Williams, d'abricot et d'agrumes confits, nuancés d'une note toastée. L'équilibre se réalise au palais entre vivacité et gras, l'ensemble laissant une impression de rondeur et un boisé fondu enrichissant la palette aromatique d'une surprenante persistance. Le **moelleux Uroulat 2005 (15 à 23 €)**, élégant et fruité, obtient une étoile.

Charles et Marie Hours, Uroulat, quartier Trouilh, 64360 Monein, tél. 05.59.21.46.19, fax 05.59.21.46.90, e-mail charleshours@orange.fr r.-v.

LAPEYRE Vitatge Vielh 2005 *

	n.c.	12 000		8 à 11 €

Situé à une altitude de 250 à 350 m sur des coteaux pentus, le vignoble de 16 ha est cultivé selon les principes de l'agriculture biologique. Jean-Bernard Larrieu réserve une vinification et un élevage en fût à cette cuvée issue de gros et petit mansengs, complétés de courbu. Paille à reflets dorés intenses dans le verre, celle-ci libère des arômes expressifs, allant du miel aux fleurs, du fruit mûr au fruit confit, de la vanille au toasté. Elle garde le même profil au palais, concentré et charnu, longuement parfumé. Un jurançon fait pour durer. Une étoile encore pour le **moelleux La Magendia de Lapeyre 2005 (11 à 15 €)**, de bonne fraîcheur.

Jean-Bernard Larrieu, Clos Lapeyre, Chapelle-de-Rousse, 64110 Jurançon, tél. 05.59.21.50.80, fax 05.59.21.51.83, e-mail contact@lapeyreenjurancon.com
t.l.j. 9h-12h 14h-18h; dim. sur r.-v.

PRIMO PALATUM Classica Réserve 2005 *

	2 ha	1 800		15 à 23 €

Haute couture, ainsi pourrait-on qualifier la gamme de vins que Xavier Copel produit dans différentes régions viticoles. En jurançon, gros et petit mansengs lui ont offert cette cuvée or pâle qui possède un nez montant de fleurs blanches, de pamplemousse, de pêche, d'abricot et de toasté. Elle se montre ronde, aromatique et équilibrée au palais. Un jurançon classique, en effet, dans le meilleur sens du terme. Une étoile brille aussi pour la cuvée **Mythologia Grande Réserve 2005 (23 à 30 €)**, puissante et typée.

Xavier Copel - Primo Palatum, 1, Roy, 33190 Pondaurat, tél. 05.56.71.39.39, fax 05.56.71.39.40, e-mail xavier-copel@primo-palatum.com r.-v.

CH. DE ROUSSE 2006 **

	2 ha	13 000	■	5 à 8 €

Henri IV, grand amateur de jurançon, avait fait de ce domaine son rendez-vous de chasse. La vigne pousse sur ce coteau argilo-siliceux depuis le XV[e]s. Le gros manseng est le seul cépage de ce jurançon jaune pâle à reflets argentés, qui offre un nez intense de fleurs, de fruits à chair blanche et d'agrumes. D'attaque souple, la bouche monte en puissance sans rien perdre de son équilibre ni de son gras. La persistance des arômes fait aussi tout le

charme de ce jurançon. Le **moelleux Château de Rousse 2005 (8 à 11 €)**, noté deux étoiles, et le **moelleux Séduction 2005 (11 à 15 €)**, une étoile, sont d'autres fleurons de ce domaine qui tient chaque année des portes ouvertes en décembre.

Marc Labat,
Ch. de Rousse, La Chapelle-de-Rousse,
64110 Jurançon, tél. 05.59.21.75.08, fax 05.59.21.76.54,
e-mail mlabat@nomade.fr r.-v.

SÉDUCTION DE LA BEAUGRAVIÈRE
Réserve des deux mansengs 2006 ★★

1,5 ha 10 000 3 à 5 €

En achetant depuis 1997 des vendanges sélectionnées auprès de cinquante vignerons de l'aire d'appellation, la confrérie du Jurançon produit plusieurs cuvées. Le jury a retenu ce 2006 qui porte bien son nom. De la séduction, en effet, dans la teinte jaune pâle à reflets verts et argentés. De la séduction encore dans les arômes intenses qui mêlent un caractère minéral à des notes de fruits exotiques et d'agrumes. L'attaque est franche, la chair ronde et assez pleine, intensément aromatique jusqu'à la finale acidulée. De la personnalité.

Confrérie du Jurançon, quartier Loupien,
64360 Monein, tél. 05.59.21.34.58, fax 05.59.21.27.68,
e-mail contact@canon-de-montanin.com r.-v.
Castel Frères

Irouléguy

Dernier vestige d'un grand vignoble basque dont on trouve la trace dès le XI[e]s., l'irouléguy (le chacoli, côté espagnol) témoigne de la volonté des vignerons de perpétuer l'antique tradition des moines de Roncevaux. Le vignoble s'étage sur le piémont, dans les communes de Saint-Étienne-de-Baïgorry, d'Irouléguy et d'Anhaux sur quelque 215 ha.

Les cépages d'autrefois ont à peu près disparu pour laisser place au cabernet-sauvignon, au cabernet franc et au tannat pour les vins rouges, au courbu et aux gros et petit mansengs pour les blancs. La presque totalité de la production est vinifiée par la coopérative d'Irouléguy, mais de nouveaux vignobles sont en train de voir le jour. Le vin rosé est vif, bouqueté et léger, avec une couleur cerise ; il accompagnera la piperade et la charcuterie. L'irouléguy rouge est un vin parfumé, parfois assez tannique, qui conviendra aux confits. La production a atteint 7 662 hl en 2005.

DOM. ABOTIA 2005 ★

6,5 ha 24 000 8 à 11 €

Encadré par les Pyrénées, le domaine est fort de plus de 8 ha de vignes. Du tannat, du cabernet franc et du cabernet-sauvignon composent ce vin grenat intense, tout disposé à livrer ses arômes de fruits rouges sous des accents boisés et poivrés que complète une touche végétale fraîche. L'attaque est franche, la bouche ronde et suffisamment structurée, riche de flaveurs florales et réglissées persistantes.

Louisette et Peïo Errecart, Dom. Abotia,
64220 Ispoure, tél. 05.59.37.03.99, fax 05.59.37.23.57,
e-mail abotia@wanadoo.fr r.-v.

ANDERE D'ANSA 2006 ★

4 ha 20 000 5 à 8 €

Proche de Saint-Étienne-de-Baïgorry et de son château, la cave, créée en 1952, a su s'adapter aux souhaits des nouveaux amateurs. Elle propose ainsi un circuit ludique de découverte des vins et de leurs arômes. Avec 90 % de gros manseng et 10 % de petit manseng, cet irouléguy couleur paille fraîche, à reflets bouton d'or, se présente comme un vin de plaisir, prêt à accompagner des poissons grillés et des fromages de chèvre. Légers et délicats, ses arômes font la part belle aux fleurs, rehaussées d'une touche de menthol. La bouche ronde, ample et grasse se prolonge dans la même ligne aromatique.

Cave d'Irouléguy, rte de Saint-Jean-Pied-de-Port,
64430 Saint-Étienne-de-Baïgorry, tél. 05.59.37.41.33,
fax 05.59.37.47.76, e-mail contact@cave-irouleguy
t.l.j. 9h-12h 14h-18h; f. dim. oct. à avril

ARRETXEA 2006 ★★

3,5 ha 12 000 8 à 11 €

Un vignoble paysager, ainsi que se définit le domaine Arretxea qui étale ses 8,5 ha en terrasses sur des coteaux abrupts. Thérèse et Michel Riouspeyrous ont fait le choix de la culture biologique et de la biodynamie. Ils proposent un 2006 impressionnant dans sa robe noir profond, livrant des parfums intenses, évocateurs de cassis. C'est un vin rond, charnu et structuré, qui développe ses flaveurs fruitées jusqu'à une longue finale. S'il est déjà agréable, il saura également attendre deux ou trois ans. De la patience sera nécessaire pour apprécier la **cuvée Haitza 2005 rouge (11 à 15 €)**, citée.

Thérèse et Michel Riouspeyrous, Dom. Arretxea,
64220 Irouléguy, tél. et fax 05.59.37.33.67,
e-mail domainearretxea@free.fr r.-v.

GORRI D'ANSA 2006 ★

25 ha 100 000 5 à 8 €

Une cuvée de teinte sombre à reflets violets, dont le nez franc décline des senteurs de fruits rouges et noirs, nuancées d'épices. Elle emplit le palais de sa chair ronde

et équilibrée, non dénuée d'une certaine fraîcheur qui soutient bien les arômes. Un irouléguy gouleyant. Une citation est attribuée au **Domaine de Mignaberry 2005 rouge (8 à 11 €)**, qui mêle fruité et boisé.
Cave d'Irouléguy, rte de Saint-Jean-Pied-de-Port, 64430 Saint-Étienne-de-Baïgorry, tél. 05.59.37.41.33, fax 05.59.37.47.76, e-mail contact@cave-irouleguy
t.l.j. 9h-12h 14h-18h; f. dim. oct. à avril

DOM. ILARRIA Cuvée Bixintxo 2004 ★★

2,5 ha	6 400	11 à 15 €

Non loin d'une chapelle du XII[e]s., ce domaine conduit en agriculture biologique est à l'origine d'un vin grenat brillant, déjà bien affiné comme en témoignent les arômes intenses de fruits rouges et noirs confiturés, de vanille et de cuir. Après une attaque franche, il se montre chaleureux, rond et charnu, tout en bénéficiant d'une trame de tanins solides, garante d'une bonne évolution dans le temps.
Dom. Ilarria, 64220 Irouléguy, tél. et fax 05.59.37.23.38, e-mail ilarria@wanadoo.fr
t.l.j. sf dim. 10h-12h 14h-19h; r.-v. sept.-juin

DOM. MOURGUY 2005

7 ha	n.c.	8 à 11 €

Dans le cadre magnifique de la montagne Arradoy, le domaine organise des promenades à dos d'âne afin de découvrir le vignoble d'Irouléguy. Une halte vous permettra de goûter ce vin rubis intense qui mêle les senteurs de sous-bois à celles de fruits et de vanille. L'attaque est souple, la bouche chaleureuse, ronde et légèrement boisée sur fond de fruits et de réglisse. La légère amertume finale invite à une petite garde.
Famille Mourguy, Etxeberria, Ispoure, 64220 Saint-Jean-Pied-de-Port, tél. et fax 05.59.37.06.23, e-mail domainemourguy@hotmail.com
t.l.j.10h-12h 15h-19h; groupes sur r.-v.

Vin de liqueur de Gascogne

Floc-de-gascogne

Le floc-de-gascogne est produit dans l'aire géographique d'appellation bas-armagnac, armagnac-ténarèze et haut-armagnac répondant aux dispositions du décret du 25 mai 2005. Cette région viticole fait partie du piémont pyrénéen et se répartit sur trois départements : le Gers, les Landes et le Lot-et-Garonne. Afin de donner une force supplémentaire à l'antériorité de leur production, les vignerons du floc-de-gascogne ont mis en place un principe nouveau qui n'est ni une délimitation parcellaire telle qu'on la rencontre pour les vins, ni une simple aire géographique telle qu'on la rencontre pour les eaux-de-vie. C'est le principe des listes parcellaires approuvées annuellement par l'INAO.

Les blancs (4 000 à 5 000 hl) sont issus des cépages colombard, gros manseng et ugni blanc, qui doivent ensemble représenter au moins 70 % de l'encépagement, et ne peuvent dépasser seuls 50 % depuis 1996, avec pour cépages complémentaires le baroque, la folle blanche, le petit manseng, le mauzac, le sauvignon, le sémillon ; pour les rosés (4 500 à 5 500 hl), les cépages sont le cabernet franc et le cabernet-sauvignon, le cot, le fer-servadou, le merlot et le tannat, ce dernier ne pouvant dépasser 50 % de l'encépagement.

Les règles de production mises en place par les producteurs sont contraignantes : 3 300 pieds/ha taillés en guyot ou en cordon, nombre d'yeux à l'hectare toujours inférieur à 60 000, irrigation des vignes strictement interdite en toute saison, rendement de base des parcelles inférieur ou égal à 60 hl/ha.

Chaque viticulteur doit, chaque année, souscrire la déclaration d'intention d'élaboration destinée à l'INAO, afin que ce dernier puisse vérifier réellement sur le terrain les conditions de production. Les moûts récoltés ne peuvent avoir moins de 170 g/l de sucres de moût. La vendange, une fois égrappée et débourbée, est mise dans un récipient où le moût peut subir un début de fermentation. Aucune adjonction de produits extérieurs n'est autorisée. Le mutage se fait avec une eau-de-vie d'armagnac d'un compte d'âge minimum 0 et d'un degré minimum de 52 % vol. Tous les lots de vins sont dégustés et analysés. En raison de l'hétérogénéité toujours à craindre de ce type de produit, l'agrément se fait en bouteilles et ces dernières ne peuvent sortir des chais des récoltants avant le 15 mars de l'année qui suit celle de la récolte.

DOM. DE BILÉ ★★

1,84 ha	n.c.	8 à 11 €

Dans les années 1960, alors que beaucoup d'agriculteurs du Haut-Armagnac arrachaient leurs vignes, la famille Della Vedove a misé sur l'armagnac. L'exploitation offre de nombreuses animations (circuit de randonnée, journées vendanges, distillation, marché à la ferme...). La qualité de ses produits leur a donné raison. Voyez cette robe claire, limpide et brillante ; ce nez fin et complexe, où l'armagnac bien présent joue avec des nuances d'aubépine, de poire ; cette bouche au très bel équilibre sucre-acidité, souple à l'attaque, harmonieusement fruitée, persistante. Comme elle laisse une impression de chaleur et de bien-être ! Quant au **rosé**, d'un rouge soutenu, il obtient une étoile pour son nez où les fruits rouges et la vanille se teintent d'agrumes, pour son attaque grasse, sur l'orange, et pour sa finale tout en douceur. Un ensemble original à essayer avec un dessert à l'orange.

EARL Della-Vedove, Dom. de Bilé,
32320 Bassoues-d'Armagnac,
tél. 05.62.70.21.64, fax 05.62.70.93.59,
e-mail armagnac.della-vedove@marciac.net
t.l.j. 8h-20h

BORDENEUVE-ENTRAS *

0,46 ha 2 800 8 à 11 €

Ce domaine de la Ténarèze a présenté deux flocs qui ont obtenu tous deux une étoile. D'un jaune pâle limpide, ce blanc se partage entre les fleurs et les fruits à chair blanche (pêche). La bouche ajoute à la pêche mûre des notes de confiture de groseilles. Présent tout au long de la dégustation et bien fondu, l'armagnac structure harmonieusement l'ensemble. D'un rouge carmin cristallin, le **rosé** offre tant au nez qu'en bouche des arômes de fruits rouges bien mûrs. Sa douceur chaleureuse le fera apprécier sur un melon de Lectoure.

GAEC Bordeneuve-Entras, Entras,
32410 Ayguetinte, tél. 05.62.68.11.41,
fax 05.62.68.15.32,
e-mail mbrmaestrojuan@wanadoo.fr
t.l.j. 9h-12h30 14h-18h (20h en été)
Maestrojuan

DOM. DES CASSAGNOLES Plaisir ***

2 ha 1 484 8 à 11 €

Ce vaste domaine (plus de 76 ha), d'abord voué à l'armagnac, a diversifié sa production et propose vins et flocs. Ces derniers brillent régulièrement dans le Guide. Ainsi, cette cuvée Plaisir vaut à la propriété son troisième coup de cœur. D'un rouge soutenu et lumineux, elle captive d'emblée par son nez intense, panier de fruits rouges et noirs (framboise, fraise, cassis). L'attaque riche prélude à une bouche volumineuse où l'on retrouve la même palette, aux nuances légèrement confites. La longue finale procure une sensation de plénitude. Un nom décidément bien choisi pour ce floc qui vous comblera, servi avec une charlotte. Cité, le **blanc** présente une robe très pâle, un nez de sauge, une attaque assez vive, des arômes de pêche. L'alcool et le fruit sont bien mariés et l'ensemble laisse une agréable impression de fraîcheur.

J. et G. Baumann, Dom. des Cassagnoles,
32330 Gondrin, tél. 05.62.28.40.57, fax 05.62.28.42.42,
e-mail j.baumann@domainedescassagnoles.com
t.l.j. sf dim. 9h-18h; sam. 10h-17h30;
f. 22/12 au 07/01

DE CASTELFORT **

12 ha 100 000 5 à 8 €

Terre de gastronomie, Nogaro est aussi un haut lieu sportif grâce à ses courses automobiles. La coopérative a son siège à proximité du circuit récemment rénové. Elle brille une fois de plus, mais cette année, le rosé a la préférence. Rouge pâle à reflets saumonés, il séduit par son nez expressif où l'acacia et l'aubépine côtoient les fruits rouges et l'orange. Après une attaque grasse, la bouche évolue sur des impressions de douceur, réveillée en finale par une pointe de vivacité. L'ensemble laisse une très belle impression d'harmonie. D'un jaune clair à reflets verts, le **blanc** séduit par l'élégance de ses arômes de fleurs et de fruits blancs sur fond d'armagnac bien marié : une étoile.

Cave des Producteurs réunis de Nogaro,
Les Hauts de Montrouge, 32110 Nogaro,
tél. 05.62.09.01.79, fax 05.62.09.10.99,
e-mail cpr@de-castelfort.com r.-v.

DOM. DE CHIROULET

1,2 ha 6 000 8 à 11 €

Ici, on distille depuis 1893. Située au cœur de la Ténarèze, la propriété s'est agrandie après guerre pour atteindre aujourd'hui 45 ha. Le rosé du domaine obtint un coup de cœur l'an dernier. D'un jaune pâle lumineux et brillant, son floc blanc présente un nez fin et vif où pêche et noisette se conjuguent harmonieusement. En bouche, on découvre une attaque douce, moelleuse et de frais arômes de raisin. Une belle tenue.

EARL Famille Fezas, Dom. de Chiroulet,
32100 Larroque-sur-l'Osse, tél. 05.62.28.02.21,
fax 05.62.28.41.56, e-mail chiroulet@wanadoo.fr
t.l.j. sf dim. 9h-12h 15h-19h

CAVE DE CONDOM ***

2 ha 10 000 5 à 8 €

La capitale de la Ténarèze a dédié un musée à l'armagnac. À la mi-mai, la cité vit au rythme endiablé du Festival européen des bandas. Ce floc met aussi le cœur en fête. Rubis brillant à reflets violacés, il marie dans une parfaite harmonie les fruits (pêche, cassis) et les fleurs (aubépine). Avec ses arômes exubérants et persistants de fruits rouges, le palais est un feu d'artifice. Un floc croquant et gai, modèle de l'appellation. Quant au **blanc** de la cave, il obtient deux étoiles. Or pâle à reflets verts, il offre un nez intense, légèrement marqué par un armagnac de qualité, aux nuances de fleurs, d'eucalyptus, d'agrumes (pamplemousse rose) et d'épices (cannelle). Dans le même registre aromatique, le palais conjugue harmonieusement vivacité et douceur.

Les Producteurs de la Cave de
Condom-en-Armagnac,
Terres de Gascogne, 59, av. des Mousquetaires,
32100 Condom, tél. 05.62.28.12.16, fax 05.62.68.39.62,
e-mail cavedecondom@terresdegascogne.fr
t.l.j. sf dim. 9h30-12h30 14h-19h

DOM. D'EMBIDOURE

1,5 ha 4 000 8 à 11 €

Cette propriété familiale s'est tournée vers la production d'armagnac en 1953, avant de se diversifier dans les

années 1970, notamment avec le floc. Celui-ci est le dernier élaboré par Jean-Pierre Ménégazzo, car ses filles Nathalie et Sandrine ont pris la relève. D'un jaune paille intense et brillant, il possède un nez subtil mêlant des nuances exotiques (litchi), de fruits secs, d'acacia et de vanille. La bouche aux arômes de fruits blancs bien mûrs et de noix laisse en permanence une impression de douceur.
EARL Ménégazzo Filles, Dom. d'Embidoure, 32390 Réjaumont, tél. 05.62.65.28.92, fax 05.62.65.27.40, e-mail menegazzo.embidoure@wanadoo.fr
t.l.j. 9h-19h; dim. sur r.-v.

FERME DE GAGNET ★★

1 ha 5 000 8 à 11 €

À Mézin, village du Lot-et-Garonne proche de Nérac, on produisait des bouchons au XIX[e]s. Cette industrie a périclité, mais la commune garde bien des atouts, et cette exploitation, qui propose notamment de l'armagnac, du floc et du foie gras, donne une idée de ses ressources gastronomiques. Cette année encore, son floc est retenu dans les deux couleurs. Rose bonbon à reflets cerise, ce rosé mène droit au cassis. Un arôme qui se prolonge en bouche, en harmonie avec des impressions dominantes de douceur. Très souple et pourtant persistant, l'ensemble s'accordera avec des fraises. D'une couleur jaune pâle à reflets verts, le **blanc**, vif, fin, équilibré et franc, finit sur une agréable note d'armagnac. Il est cité.
Ferme de Gagnet, Mme Lorenzon, 47170 Mézin, tél. 05.53.65.73.76, fax 05.53.97.22.04, e-mail fermedegagnet@wanadoo.fr
t.l.j. 8h-12h 15h-20h

DOM. DE JOŸ ★★★

0,84 ha 6 000 8 à 11 €

Venus de Suisse, les Gessler se sont établis dans le Bas-Armagnac en 1934. Ils proposent avec ce blanc, issu de gros manseng, de colombard et d'ugni blanc à parts égales, une superbe bouteille, modèle de l'appellation. De couleur soutenue, jaune d'or lumineux, ce floc s'annonce par un nez intense, délicat et complexe, déclinant la vanille, l'acacia et les agrumes (orange, mandarine). Le palais gras, d'une grande ampleur, remarquablement équilibré et persistant révèle des arômes d'armagnac bien fondus ainsi qu'une originale touche de noix de coco. Les accords gourmands ? Foie gras ou croustade.
GAEC Gessler et Fils, Dom. de Joÿ, 32110 Panjas, tél. 05.62.09.03.20, fax 05.62.69.04.46, e-mail contact@domaine-joy.com r.-v.

DOM. DE LARTIGUE ★

1 ha 3 860 8 à 11 €

Vous trouverez ce domaine entre Eauze, capitale de l'Armagnac, et la *villa* gallo-romaine de Séviac aux mosaïques ornées de grappes de raisins. La maison d'habitation, du XVIII[e]s., accueillait jadis les pèlerins qui se rendaient à Saint-Jacques-de-Compostelle. Pépinière horticole, puis viticole, l'exploitation s'est tournée vers la viticulture avec succès, comme en témoignent les mentions régulières dans le Guide. D'un jaune pâle lumineux, ce floc présente un nez intense, floral et frais, aux nuances mentholées et citronnées. Dans le même registre, le palais est gras, rond et fin. Un bel apéritif.
EARL Francis Lacave, Au village, 32800 Bretagne-d'Armagnac, tél. et fax 05.62.09.90.09, e-mail francis.lacave@wanadoo.fr r.-v.

DOM. DE MALARTIC ★

0,5 ha 3 000 8 à 11 €

Depuis 1900, cinq générations se sont succédé sur cette propriété proche de la vallée de l'Adour. Sa production, comme celle de nombreuses exploitations de la région, s'est diversifiée : armagnac, puis floc et enfin vins de pays. Élaboré à partir d'un assemblage à parts égales de cabernet franc et de tannat, ce rosé affiche une robe cerise à reflets rubis. Son nez, peu intense mais d'une intéressante complexité, mêle les petits fruits noirs (cassis, sureau) et des notes épicées. Après une attaque franche, la dégustation évolue sur des impressions vives soulignées par de frais arômes de noyau. Un floc harmonieux et typique.
EARL Périssé Père et Fils, Dom. de Malartic, 32400 Sarragachies, tél. 05.62.69.75.72, fax 05.62.69.80.37, e-mail malartic@aol.com
r.-v.

CHRISTOPHE MENDOUSSE ★★

0,2 ha 1 860 5 à 8 €

Établi à quelques kilomètres de la station thermale de Castéra-Verduzan, Christophe Mendousse signe deux flocs remarquables. À base de merlot, de cabernets et de tannat, ce rosé revêt une robe rubis à reflets rouge profond. Intense et complexe au nez, il associe la framboise, la pâte d'amandes, le bourgeon de cassis et les épices (poivre). Cette richesse aromatique se prolonge dans un palais fruité, gras, équilibré et persistant. Quant au **blanc**, il marie des parfums de fleurs et de mangue d'une grande délicatesse. La poire s'ajoute à cette palette dans une attaque douce, tandis que le tilleul marque la finale agréable et longue.
Christophe Mendousse, Capitaine, 32410 Beaucaire-sur-Baïse, tél. 05.62.68.15.16, fax 05.62.68.14.65, e-mail earlducapitaine@32.sideral.fr
t.l.j. 9h-19h

CH. DE MONS ★

2,5 ha 9 000 8 à 11 €

Bâti au Moyen Âge sur l'emplacement d'une *villa* gallo-romaine, le château de Mons est la propriété de la chambre d'agriculture du Gers. Son élégante architecture sert de cadre à des séminaires et à des réceptions. Le domaine viticole s'étend sur 35 ha au cœur de la Ténarèze. Il est à l'origine d'un rosé rubis étincelant, au nez très plaisant de fruits frais (cassis) bien soutenu par un armagnac de qualité. Dans le même registre aromatique, l'attaque introduit un palais rond, gras et complexe, riche sans lourdeur. La finale est longue, légèrement vanillée.
Dom. de Mons, CA 32, 32100 Caussens, tél. 05.62.68.30.30, fax 05.62.68.30.35, e-mail chateau-mons@gers.chambagri.fr
r.-v.

DOM. DE PAJOT ★

1 ha 3 000 8 à 11 €

Implanté sur un coteau, ce domaine familial fait face à la ville d'Eauze, capitale de l'Armagnac. Damien Barreau s'est orienté vers l'agriculture biologique en 2001. Rouge clair à reflets tuilés, son rosé présente un nez fin et élégant, très floral (rose) et légèrement marqué par l'alcool. Fruitée, grasse et souple à l'attaque, la bouche finit sur les impressions chaleureuses de l'armagnac. Cité, le **blanc** mêle au nez les fruits blancs et le miel, tandis que les arômes de raisin dominent au palais. L'équilibre en bouche est marqué par la vivacité d'un armagnac très présent et qui ne demande qu'à se fondre.

Dom. de Pajot, Pajot, 32800 Eauze, tél. 06.80.88.66.79, fax 05.62.09.85.20, e-mail damienbarreau@domainepajot.com
t.l.j. 10h-18h

DOM. DE POLIGNAC *

3 ha 6 000 5 à 8 €

Cette propriété campe sur un coteau argilo-calcaire caillouteux d'où l'on peut apercevoir les Pyrénées. Rouge intense à reflets rubis, son floc rosé possède un nez montant et complexe, qui s'épanouit en nuances de figue et de fruits rouges (fraise très mûre). La bouche confirme ces impressions favorables. On y découvre une belle matière, douce, grasse et suave à l'attaque, vivifiée en finale par une pointe d'acidité qui lui donne de la singularité.

EARL Gratian, Polignac, 32330 Gondrin, tél. 05.62.28.54.74, fax 05.62.28.54.86, e-mail j.gratian@32.sideral.fr
t.l.j. 10h-13h 15h-20h

CH. POMÈS-PÉBÉRÈRE *

2 ha 13 000 8 à 11 €

Commandé par un manoir du XVe s., ancienne demeure du gouverneur de Condom, le domaine appartient à la famille Faget depuis 1820. Son floc blanc résulte d'un assemblage de colombard, d'ugni blanc et de sémillon. Jaune clair aux brillants reflets verts, il offre un nez puissant et complexe, où le bourgeon de cassis se marie à des notes grillées. Grasse, volumineuse et longue, la bouche est marquée par un retour aromatique prolongé de cassis qui rend l'ensemble friand et original.

François Faget, Ch. Pomès-Pébérère, 32100 Condom, tél. 05.62.28.11.53, fax 05.62.28.46.10, e-mail chateaupomespebe@wanadoo.fr
t.l.j. sf dim. 8h30-12h 13h30-18h

DOM. LES REMPARTS *

9 ha 2 600 8 à 11 €

Ce vignoble familial a été restructuré pour diversifier sa production et s'est équipé en 2000 d'un nouveau chai. Deux flocs présentés, deux flocs retenus. Le préféré est le rosé, qui obtient une étoile pour sa couleur soutenue et vive, pour ses arômes intenses et fins, floraux et fruités (prune, cassis), pour sa bouche souple mais sans excès à la finale longue et chaleureuse. Le **blanc**, cité, libère des parfums de fruits secs et confits et révèle un mariage réussi de l'armagnac et du raisin. La bouche gourmande, tout en douceur, offre des nuances de vanille et de bergamote.

Catherine Marcellin, SCEA des Remparts, pl. de l'Église, 32480 Gazaupouy, tél. 05.62.28.39.30, fax 05.62.28.87.78, e-mail contact@gazaupouygers.com r.-v.

DOM. DE SANCET *

2,5 ha 4 200 8 à 11 €

Investi dans la vie politique locale et professionnelle, Alain Faget ne néglige pas pour autant son domaine, témoin ce floc de couleur paille clair limpide. Le nez à la fois puissant et fin mêle une touche d'armagnac et des nuances de pomme verte et de coing. Équilibré, le palais dévoile un mariage fort harmonieux du raisin et de l'armagnac. Un ensemble aérien.

Alain Faget, Dom. de Sancet, 32110 Saint-Martin-d'Armagnac, tél. 05.62.09.08.73, fax 05.62.69.04.13, e-mail domainedesancet@wanadoo.fr
t.l.j. sf dim. 9h-12h 15h-20h

LES VIGNERONS DE LA TÉNARÈZE *

1,58 ha 13 450 8 à 11 €

Créée en 1938, la coopérative de Vic-Fezensac, après la réunion en 2001 avec la cave de Castelnau-d'Auzan, a fusionné fin 2006 avec la coopérative généraliste Vivadour. Les Vignerons de la Ténarèze signent deux flocs très réussis. D'un jaune clair limpide et lumineux, ce blanc associe au nez des parfums intenses de fruits exotiques (carambole) et de fruits jaunes (pêche, abricot). Sa bouche équilibrée, fruitée et vanillée, souple et longue en fait un floc typé. Le **rosé** arbore une robe rouge soutenu et se partage au nez entre le cassis et la fraise. Doux à l'attaque, il est souple, léger, gouleyant.

Vivadour Filière viticole, rte de Mouchan, 32150 Vic-Fezensac, tél. 05.62.58.05.25, fax 05.62.06.34.21, e-mail filiere.viticole@vivadour.com
r.-v.

SUD-OUEST

LA VALLÉE DE LA LOIRE ET LE CENTRE

LA VALLÉE DE LA LOIRE ET LE CENTRE

Unis par un fleuve que l'on a dit royal, et qui justifierait le qualificatif par sa seule majesté si les rois en effet n'avaient aimé résider sur ses rives, les divers pays de la vallée de la Loire sont baignés par une lumière unique, mariage subtil du ciel et de l'eau qui fait éclore ici le « Jardin de la France ». Et dans ce jardin, bien sûr, la vigne est présente ; des confins du Massif central jusqu'à l'estuaire, les vignobles ponctuent le paysage au long du fleuve et d'une dizaine de ses affluents, dans un vaste ensemble que l'on désignera sous le nom de « vallée de la Loire et Centre », plus étendu que ne l'est le Val de Loire au sens strict, sa partie centrale. C'est dire combien le tourisme est ici varié, culturel, gastronomique ou œnologique ; et les routes qui suivent le fleuve sur les « levées », ou celles, un peu en retrait, qui traversent vignobles et forêts sont les axes d'inoubliables découvertes.

Jardin de la France, résidence royale, terre des Arts et des Lettres, berceau de la Renaissance, la région est vouée à l'équilibre, à l'harmonie, à l'élégance. Tantôt étroite et sinueuse, rapide et bruyante, tantôt imposante et majestueuse, calme d'apparence, la Loire en est bien le facteur d'unité ; mais il convient cependant d'être attentif aux différences, surtout lorsqu'il s'agit des vins.

Depuis Roanne ou Saint-Pourçain jusqu'à Nantes ou Saint-Nazaire, la vigne occupe les coteaux de bordure, bravant la nature des sols, les différences de climat et les traditions humaines. Sur près de 1 000 km, plus de 70 000 ha couverts de vignes (dont 52 000 en AOC et AOVDQS) donnent, avec de grandes variations, entre 9,50 et 10 % de la production française. En 2005, la production a été de 1 481 469 en AOC de vins blancs et de 1 150 290 en AOC de vins rouges et rosés. Les vins de cette vaste région ont pour points communs la fraîcheur et la délicatesse de leurs arômes, essentiellement dues à la situation septentrionale de la plupart des vignobles.

Vouloir désigner toutes ces productions sous le même vocable est un peu audacieux malgré tout, car, bien qu'identifiés comme septentrionaux, certains vignobles sont situés à une latitude qui, dans la vallée du Rhône, subit l'influence climatique méditerranéenne... Mâcon est à la même latitude que Saint-Pourçain et Roanne que Villefranche-sur-Saône. C'est donc le relief qui influe ici sur le climat ; le courant d'air atlantique s'engouffre d'ouest en est dans le couloir tracé par la Loire, puis s'estompe peu à peu au fur et à mesure qu'il rencontre les collines du Saumurois et de la Touraine.

Les vignobles formant de véritables entités sont donc ceux de la région nantaise, de l'Anjou et de la Touraine. Mais on y a joint ceux du haut Poitou, du Berry, des côtes d'Auvergne et roannaises ; il faut bien les associer à une grande région, et celle-ci est la plus proche, aussi bien géographiquement que par les types de vins produits. Il paraît donc nécessaire, sur un plan général, de définir quatre grands ensembles, les trois premiers cités, plus le Centre.

Dans la basse vallée de la Loire, l'aire du muscadet et une partie de l'Anjou reposent sur le Massif armoricain, constitué de schistes, de gneiss et d'autres roches sédimentaires ou éruptives de l'ère primaire. Les sols évolués sur ces formations sont très propices à la culture de la vigne, et les vins qui y sont produits sont d'excellente qualité. Encore appelée région nantaise, cette première entité, la plus à l'ouest du Val de Loire, présente un relief peu accentué, les roches dures du Massif armoricain étant entaillées à l'abrupt par de petites rivières. Les vallées escarpées ne permettent pas la formation de coteaux cultivables, et la vigne occupe les mamelons de plateau. Le climat est océanique, assez uniforme toute l'année, l'influence maritime atténuant les variations saisonnières. Les hivers sont peu rigoureux et les étés chauds et souvent humides ; l'ensoleillement est bon. Les gelées printanières viennent cependant parfois perturber la production.

L'Anjou, pays de transition entre la région nantaise et la Touraine, englobe historiquement le Saumurois ; cette région viticole s'inscrit presque entièrement dans le département du Maine-et-Loire, mais géographiquement le Saumurois devrait plutôt être rattaché à la Touraine occidentale avec laquelle il présente davantage de similitudes, tant au point de vue des sols que du climat. Les formations sédimentaires du Bassin parisien viennent d'ailleurs recouvrir en transgression des formations primaires du Massif armoricain, de Brissac-Quincé à Doué-la-Fontaine. L'Anjou se divise en plusieurs sous-régions : les coteaux de la Loire (prolongement de la région nantaise), en pente douce d'exposition nord, où la vigne occupe la bordure du plateau ; les coteaux du Layon, schisteux et pentus, les coteaux de l'Aubance ; et la zone de transition entre l'Anjou et la Touraine, dans laquelle s'est développé le vignoble des rosés.

Le Saumurois se caractérise essentiellement par la craie tuffeau sur laquelle poussent les vignes ; au-dessous, les bouteilles rivalisent avec les champignons de Paris pour occuper galeries et caves facilement creusées. Les collines un peu plus élevées arrêtent les vents d'ouest et favorisent l'installation d'un climat qui devient semi-océanique et semi-continental. En face du Saumurois, on trouve sur la rive droite de la Loire les vignobles de Saint-Nicolas-de-Bourgueil, sur le coteau turonien. Plus à l'est, après Tours, et sur le même coteau, le vignoble de Vouvray se partage avec Chinon – prolongement du Saumurois sur les coteaux de la Vienne – la réputation des vins de Touraine. Azay-le-Rideau, Montlouis, Amboise, Mesland et les coteaux du Cher complètent la panoplie de noms à retenir dans ce riche « Jardin de la France », où l'on ne sait plus si l'on doit se déplacer pour les vins, les châteaux ou les fromages de chèvre (sainte-maure, selles-sur-cher, valençay) ; mais pourquoi pas pour tout à la fois ? Les petits vignobles des coteaux du Loir, de l'Orléanais, de Cheverny, de Valençay et des coteaux du Giennois peuvent être rattachés à la troisième entité naturelle que forme la Touraine.

Les vignobles du Berry (ou du Centre) constituent une quatrième région, indépendante et différente des trois autres tant par les sols, essentiellement jurassiques, voisins du Chablisien pour Sancerre et Pouilly-sur-Loire, que par le climat semi-continental, aux hivers froids et aux étés chauds. Pour la commodité de la présentation, nous rattachons Saint-Pourçain, les côtes roannaises et le Forez à cette quatrième unité, bien que sols (Massif central primaire) et climats (semi-continental à continental) soient différents.

Si, pour aborder les domaines spécifiquement viticoles, on reprend la même progression géographique, le muscadet est caractérisé par un cépage unique (le melon) produisant un vin « unique », blanc sec irremplaçable. Le cépage folle blanche est également dans cette région à l'origine d'un autre vin blanc sec, de moindre classe, le gros-plant. La région d'Ancenis, elle, est « colonisée » par le gamay noir.

Dans l'Anjou, en blanc, le cépage chenin ou pineau de la Loire est le principal ; le chardonnay et le sauvignon y ont été récemment associés. Il est à l'origine des grands vins liquoreux ou moelleux, ainsi que, suivant l'évolution des goûts, d'excellents vins secs et mousseux. En cépage rouge, autrefois très répandu, citons le grolleau noir. Il donne traditionnellement des rosés demi-secs. Cabernet franc, anciennement appelé « breton », et cabernet-sauvignon produisent des vins rouges fins et corsés ayant une bonne aptitude au vieillissement. Comme les hommes, les vins reflètent, ou contribuent à constituer la « douceur angevine » : à un fond vif dû à une acidité forte vient souvent s'associer une saveur douce résultant de la présence de sucres restants. Le tout dans une production multiple, à la diversité un peu déroutante.

À l'ouest de la Touraine, le chenin en Saumurois, Vouvray et Montlouis ou dans les coteaux du Loir, et le cabernet franc à Chinon, Bourgueil et dans le Saumurois, puis le grolleau à Azay-le-Rideau, sont les principaux cépages. Le gamay noir en rouge et le sauvignon en blanc produisent, dans la région est, des vins légers, fruités et agréables. Citons enfin, pour être complet, le pineau d'Aunis des coteaux du Loir, à la nuance poivrée, et le gris meunier, dans l'Orléanais.

Dans le vignoble du Centre, le sauvignon (en blanc) est roi à Sancerre, Reuilly, Quincy et Menetou-Salon, ainsi qu'à Pouilly, où il est encore appelé blanc-fumé. Il partage là son territoire avec quelques vignobles vestiges de chasselas, donnant des blancs secs et nerveux. En rouge, on perçoit le voisinage de la Bourgogne, puisque à Sancerre et Menetou-Salon les vins sont produits à partir de pinot noir.

Pour être exhaustif, il convient d'ajouter quelques mots sur le vignoble du haut Poitou, réputé en blanc pour son sauvignon aux vins vifs et fruités, son chardonnay aux vins corsés, et, en rouge, pour ses vins légers et robustes issus des cépages gamay, pinot noir et cabernet. Sous un climat semi-océanique, le haut Poitou assure la transition entre le Val de Loire et le Bordelais. Entre Anjou et Poitou, la production du vignoble du Thouarsais (AOVDQS) est confidentielle. Quant au vignoble des Fiefs vendéens, terroir AOVDQS anciennement dénommé vin des Fiefs du Cardinal et implanté le long du littoral atlantique, ses vins les plus connus sont les vins rosés de Mareuil, issus de gamay noir et de pinot noir ; la curiosité de la région étant constituée par le vin de « ragoûtant », issu du cépage négrette et difficile à trouver.

La Vallée de la Loire

Val de Loire

Rosé-de-loire

Il s'agit de vins d'appellation régionale, AOC depuis 1974, qui peuvent être produits dans les limites des AOC régionales d'anjou, saumur et touraine. Cabernet franc, cabernet-sauvignon, gamay noir à jus blanc, pineau d'Aunis et grolleau se retrouvent dans ces vins rosés secs dont la production a atteint 43 694 hl en 2005.

DOM. AMBROISE 2006 *

■ 2,5 ha 25 000 ▮ 3 à 5 €

Élaboré en partenariat avec le négociant Joseph Verdier, ce rosé-de-loire issu de terrain sableux est de nouveau sélectionné, mais cette année l'assemblage est légèrement différent : c'est le cabernet qui complète les 70 % de gamay. Une robe brillante aux nuances saumonées habille cette bouteille au nez flatteur et complexe évoquant le pamplemousse rose, la framboise et les fruits exotiques. En bouche, la fraîcheur et le moelleux s'équilibrent pour donner un ensemble harmonieux.

Michel Gouny, 58, rue de la Gigotière, 41140 Noyers-sur-Cher, tél. 02.41.40.22.50, fax 02.41.40.29.69, e-mail v.roulleau@joseph-verdier.fr

DOM. BODINEAU 2006

■ 1 ha 2 000 ▮ 3 à 5 €

Établis dans le haut Layon, les Bodineau sont viticulteurs de père en fils depuis 1850. Le vignoble (25 ha) est principalement installé sur le coteau et le plateau de schistes du hameau de Savonnières. Le cabernet-sauvignon (70 %) s'allie au grolleau pour donner ce rosé aux nuances orangées. D'abord discret, le nez libère à l'aération des arômes fruités flatteurs (framboise) que l'on retrouve avec plaisir dans une bouche friande.

EARL Bodineau, Savonnières, 49700 Les Verchers-sur-Layon, tél. 02.41.59.22.86, fax 02.41.59.86.21 r.-v.

DOM. DE BOIS MOZÉ 2006 *

■ 4,31 ha 33 000 ▮ 3 à 5 €

Une propriété qui s'est développée dans les années 1950-1970 avant de connaître des vicissitudes puis de changer de mains en 1996. La cave vient d'être rénovée. Remarquable dans le millésime précédent, ce rosé-de-loire est encore bien jugé cette année. Le cabernet franc (60 %) est assemblé au grolleau pour donner une robe soutenue, presque rubis, une palette fruitée intense et variée, une bouche elle aussi aromatique, franche et ronde, marquée en finale par une pointe de fraîcheur qui assure une belle longueur. Une citation pour le **cabernet-d'anjou 2006**.

Lancien, Dom. de Bois Mozé, Le Bois Mozé, 49320 Coutures, tél. 02.41.57.91.28, fax 02.41.57.93.71, e-mail boismoze@ansamble.fr r.-v.

CH. DE CHAMPTELOUP 2006 **

■ 20 ha 100 000 ▮ 3 à 5 €

Le château de Champteloup a déjà été remarqué pour ses rosés dans les précédentes éditions, et celui-ci lui vaut un coup de cœur. D'un rose brillant légèrement orangé, ce vin libère des parfums intenses de cassis et de framboise accompagnés de subtiles nuances florales. Ce caractère fruité perdure dans un palais rond, gras, très équilibré et long. Une friandise.

CHÂTEAU DE
CHAMPTELOUP
2006
ROSÉ DE LOIRE
MIS EN BOUTEILLE À LA PROPRIÉTÉ

SCEA Champteloup, 49700 Brigné-sur-Layon, tél. 02.40.36.66.00, fax 02.40.33.95.81

DOM. DE LA CHENARDIÈRE 2006 *

6,6 ha 53 000 3 à 5 €

Gamay, cabernet franc et grolleau sont assemblés pour donner ce rosé saumon limpide aux reflets orangés, aux arômes fins et frais, sur les fruits et le bonbon. Équilibré en bouche, il révèle un côté acidulé et une originale touche un peu réglissée. Le **cabernet-d'anjou 2006** est cité.

SCEA Dom. du Cléray, le Bourg, 24, rte de Doué-la-Fontaine, 49700 Les Verchers-sur-Layon, tél. 02.40.33.93.46, fax 02.40.36.26.26

DOM. DE GÂTINES 2006 **

1 ha 5 000 3 à 5 €

La famille Dessèvre exploite un domaine de 46 ha, implanté à Tigné sur la rive gauche du Layon, selon la démarche de l'agriculture raisonnée à laquelle elle adhère de longue date. Déjà retenu ces dernières années, son rosé-de-loire a été très remarqué dans ce millésime. Grolleau gris, grolleau noir et cabernet franc s'allient dans ce vin à la robe délicate et aux parfums de fruits rouges tirant vers le bourgeon de cassis. Un rosé-de-loire aromatique, élégant, rond et long. Le **rosé-d'anjou 2006** est cité.

Vignoble Dessèvre, 12, rue de la Boulaie, 49540 Tigné, tél. 02.41.59.41.48, fax 02.41.59.94.44, e-mail contact@domainedegatines.fr

t.l.j. sf dim. 8h-12h 14h-18h30

DOM. DE LA GRETONNELLE 2006

0,5 ha 1 200 3 à 5 €

Situé à une quinzaine de kilomètres de Montreuil-Bellay, ce domaine est implanté dans le secteur nord-est du département des Deux-Sèvres, où se prolonge le vignoble angevin vers le sud. Assemblage de cabernet franc, de grolleau et d'un soupçon de gamay, ce vin s'habille de rose orangé et exprime un fruité assez discret rappelant la fraise et la cerise. Sa bonne structure et son équilibre le rendent très agréable.

EARL Charruault-Schmale, Les Landes, 79290 Bouillé-Loretz, tél. 05.49.67.04.49, fax 05.49.67.18.36 r.-v.

DOM. DES MATINES 2006

4,5 ha 30 000 5 à 8 €

La quatrième génération de vignerons exploite ce domaine implanté sur le tuffeau du Saumurois. Son rosé-de-loire donne la part belle au cabernet franc, complété par un peu de grolleau. De couleur soutenue aux reflets violacés, il exprime les petits fruits rouges, en particulier la framboise. Il est frais, équilibré, ample et généreux.

Dom. des Matines, 31, rue de la Mairie, 49700 Brossay, tél. 02.41.52.25.36, fax 02.41.52.25.50, e-mail contact@domainedesmatines.fr

r.-v.

Etchegaray

CH. DE MONTGUÉRET 2006 **

20 ha 100 000 3 à 5 €

Cette vaste propriété s'étend sur 120 ha dans la haute vallée du Layon et le sud du Saumurois. Ses rosés ont été bien notés dans le Guide ces dernières années. Le 2004 n'a-t-il pas obtenu un coup de cœur dans cette appellation. Ce 2006 est constitué majoritairement de grolleau, complété par le cabernet franc et le gamay. De couleur rose aux légers reflets violacés, il privilégie le cassis au nez, sans exclusive : les fleurs et le bonbon anglais sont de la partie. Riche, frais et harmonieux, il séduit par sa longue finale fruitée. À découvrir à l'apéritif.

SCEA Montguéret, rte de Passavant, 49560 Nueil-sur-Layon, tél. 02.40.36.66.00, fax 02.40.33.95.81

CH. DE PASSAVANT 2006

4,57 ha 25 000 3 à 5 €

Situé presque aux sources du Layon, un vrai château avec des parties médiévales et un domaine exploité en agriculture biologique. Son rosé-de-loire donne le rôle principal aux grolleaux gris et noir, complétés par 30 % de cabernet franc. D'un rose orangé, il révèle à l'aération des notes de fruits rouges très mûrs. En bouche, il est rond, souple, avec une finale longue et riche.

SCEA David-Lecomte, rte de Tancoigné, 49560 Passavant-sur-Layon, tél. 02.41.59.53.96, fax 02.41.59.57.91, e-mail passavant@orange.fr

t.l.j. sf dim. 8h-12h30 14h-18h; sam. sur r.-v.

DOM. SAINT-ARNOUL 2006

1,5 ha 8 000 3 à 5 €

Créé en 1963, ce domaine s'est progressivement agrandi pour compter aujourd'hui près de 30 ha. Alain Poupard le conduit depuis vingt ans. Son rosé-de-loire assemble le grolleau (70 %) et le cabernet franc. Il retient l'attention par sa robe soutenue et brillante, rose orangé. Son nez délicatement fruité privilégie la fraise et la mûre, avec des nuances de bonbon anglais que l'on retrouve en bouche. Intense, le palais est un peu tannique en finale.

Alain Poupard, Dom. Saint-Arnoul, rue des Caves-Sousigné, 49540 Martigné-Briand, tél. 02.41.59.43.62, fax 02.41.59.69.23, e-mail domaine@saintarnoul.com

r.-v.

DOM. DE TERREBRUNE 2006 *

8 ha 65 000 3 à 5 €

Pour posséder quelques parcelles en bonnezeaux, les propriétaires de Terrebrune ne négligent pas leurs rosés. Celui-ci, assemblage de gamay (60 %), de cabernet franc (30 %) et de grolleau, est des plus séduisant. La robe aux reflets orangés est intense, tout comme le nez qui mêle des parfums complexes de fruits rouges, de pêche, des nuances amyliques et miellées. Cette palette persiste longuement dans une bouche franche, laissant une impression d'harmonie. Ce rosé pourra se boire seul. Il est aussi possible de le servir avec du poisson.

🔑 SCA Dom. de Terrebrune, La Motte,
49380 Notre-Dame-d'Allençon, tél. 02.41.54.01.99,
fax 02.41.54.09.06,
e-mail domaine-de-terrebrune@wanadoo.fr ☑ 🍷 ⛹ r.-v.

DOM. DES TOUCHES 2006 *

■ 1,2 ha 3 000 **3 à 5 €**

Daniel Belin est installé dans un village troglodytique du Saumurois. Il a assemblé le cabernet franc (70 %) et le grolleau pour obtenir un vin qui évoque la grenadine, tant par sa couleur soutenue que par ses parfums, tutti-frutti de fruits rouges un peu amyliques. Ronde et puissante, aromatique, la bouche offre, de surcroît, une belle longueur.

🔑 Daniel Belin, Dom. des Touches, 49320 Coutures,
tél. 02.41.57.90.06, fax 02.41.57.90.56,
e-mail daniel.belin@viticulture.net ☑ 🍷 ⛹ r.-v. 🏠 ©

DOM. VERDIER 2006 **

■ 1 ha 3 000 ▮ **3 à 5 €**

Deux générations s'activent sur ce domaine de 27 ha établi dans une importante localité viticole des coteaux-du-layon. La propriété a produit dernièrement de remarquables rosés et c'est encore le cas de celui-ci, qui marie le cabernet-sauvignon, le grolleau et le gamay. Un rose saumoné profond habille cette bouteille. Bien ouvert et complexe, le nez associe la cerise et un fruité plus amylique. Les fleurs viennent s'ajouter à cette palette dans une bouche ample, généreuse, bien structurée, fraîche et légèrement acidulée. Une bonne longueur ajoute à son harmonie.

🔑 EARL Verdier Père et Fils, 7, rue des Varennes,
49750 Saint-Lambert-du-Lattay,
tél. et fax 02.41.78.35.67
☑ 🍷 t.l.j. 8h-12h 14h-18h; sam. dim. sur r.-v.;
f. 26 août-9 sep.

Crémant-de-loire

Ici encore, l'appellation régionale peut s'appliquer à des vins effervescents produits dans les limites des appellations anjou, saumur, touraine et cheverny. La méthode traditionnelle fait merveille ; la production de ces vins de fête atteint 62 722 hl en 2005, en nette progression par rapport à 2004. Les cépages sont nombreux : chenin ou pineau de Loire, cabernet-sauvignon et cabernet franc, pinot noir, chardonnay, etc. Si la plus grande part de la production est constituée de vins blancs, on trouve aussi quelques rosés.

CH. D'AVRILLÉ **

● n.c. 50 000 **5 à 8 €**

Le château d'Avrillé, du XVIII[e]s., domine la vallée de l'Aubance. Il a été acheté en 1938 par Eusèbe Biotteau qui a lancé dans la foulée le premier caveau de dégustation d'Anjou. Son petit-fils exploite aujourd'hui 200 ha. La sélection proposée est le résultat d'un assemblage de trois cépages (50 % de pinot noir, 50 % de cépages blancs, du chardonnay et un soupçon de chenin). Elle laisse une sensation d'élégance et de richesse et offre une très belle expression aromatique faite de fleurs blanches (aubépine) et de fruits frais. À servir très frais en apéritif.

🔑 Pascal Biotteau, Ch. d'Avrillé, L'Homois,
49320 Saint-Jean-des-Mauvrets, tél. 02.41.91.22.46,
fax 02.41.91.25.80, e-mail chateau.avrille@wanadoo.fr
☑ 🍷 ⛹ t.l.j. sf dim. 9h30-12h30 14h30-18h30

BONNIGAL Prestige de la Prévôté 2004 *

● 10 ha 15 000 ▮ **5 à 8 €**

Établis à quelques kilomètres en amont d'Amboise, Serge et Pascal Bonnigal ont proposé plus d'une fois des cuvées fort réussies en crémant-de-loire. La récolte manuelle des raisins est soignée. Assemblage de chardonnay et de chenin, avec un soupçon de cabernet franc, cette cuvée séduit par la finesse de ses bulles et ses arômes de fruits blancs assortis de notes d'agrumes. Sa longueur lui permettra d'accompagner tout un repas.

🔑 GAEC Bonnigal, La Prévôté, 17, rue d'Enfer,
37530 Limeray, tél. 02.47.30.11.02, fax 02.47.30.11.09,
e-mail bonnigalprevote@wanadoo.fr
☑ 🍷 ⛹ t.l.j. sf dim. 8h-12h 14h-19h

DOM. DE BRIZÉ 2004 *

● 1,8 ha 9 600 **5 à 8 €**

Le domaine angevin de Brizé est devenu une référence de l'appellation crémant-de-loire. Luc et Line Delhumeau, œnologues, tiennent à ne présenter que des vins dont la durée de prise de mousse est au minimum de deux ans. Assemblage de chardonnay (60 %), de chenin et de cabernet franc, un 2004 dans la droite ligne des cuvées précédentes. La robe jaune pâle s'anime de chapelets de bulles fines et persistantes. La palette aromatique, très séduisante, évoque les fruits frais et les fruits blancs. La bouche, intense et équilibrée, laisse en finale des notes de brioche et de pêche particulièrement agréables. Autre effervescent, le **saumur 2005 rosé Méthode traditionnelle** obtient la même note.

🔑 Line et Luc Delhumeau,
EARL Dom. de Brizé, village de Cornu,
49540 Martigné-Briand, tél. 02.41.59.43.35,
fax 02.41.59.66.90, e-mail domainedebrize@wanadoo.fr
☑ 🍷 r.-v.

CH. DE BROSSAY 2003 *

● 3 ha 5 000 ▮ **5 à 8 €**

Situé dans le vignoble du haut Layon, le château de Brossay est devenu en quelques années une des références du vignoble angevin. Les Deffois montrent ici leur maîtrise en crémant : la sélection présentée a été élaborée à partir d'un vin de base de 2003, qui fut en Anjou également le « millésime de la canicule ». Elle laisse une sensation de générosité, de puissance mais aussi de délicatesse. Sa très belle expression aromatique est faite de fruits mûrs, de brioche et de grillé. Un vin à servir avec un poisson ou une viande blanche.

🔑 Raymond et Hubert Deffois, Ch. de Brossay,
49560 Cléré-sur-Layon, tél. 02.41.59.59.95,
fax 02.41.59.58.81, e-mail chateau.brossay@wanadoo.fr
☑ 🍷 ⛹ t.l.j. sf dim. 9h-12h 14h-19h

FRANÇOIS CAZIN *

● 1 ha 4 600 ▮ **5 à 8 €**

François Cazin est établi dans l'aire d'appellation du cheverny. Pour son crémant, il a ajouté au chardonnay

(90 %), une menue portion de menu pineau, cépage typique de la Sologne. L'association des deux est parfaitement réussie. L'élaboration soignée donne à ce vin l'élégance et la légèreté des fines bulles, les fragrances des fleurs blanches, la fraîcheur du Val de Loire.
François Cazin, Le Petit Chambord,
41700 Cheverny, tél. 02.54.79.93.75, fax 02.54.79.27.89
r.-v.

PIERRE CHANAU

n.c. 130 000 **5 à 8 €**

Pierre Chanau est la marque des magasins Auchan. Son crémant-de-loire a été élaboré par les Caves de Grenelle, créées au début du XXᵉs. à Saumur, et spécialisées dans la production de vins effervescents. Celui-ci naît d'un assemblage de trois cépages (90 % de blancs, chenin majoritaire, 10 % de cabernet). Sa robe jaune pâle attire l'œil, avec ses reflets légèrement rosés. Ses arômes agréables évoquent les fruits blancs et jaunes, la pêche et l'abricot. Légère et fruitée, la bouche finit sur une touche d'amertume.
Caves de Grenelle, 20, rue Marceau, BP 206,
49415 Saumur, tél. 02.41.50.17.63, fax 02.41.50.83.65,
e-mail grenelle@louisdegrenelle.fr
t.l.j. 9h-12h 13h30-18h; f. sam. dim. oct. à mars

DOM. DE L'ÉTÉ 2005 ★

2,76 ha 14 130 **5 à 8 €**

L'Été – un lieu-dit ancien où est installé le domaine repris en 2001 par Catherine Nolot – jouit peut-être d'un microclimat particulièrement chaud. En tout cas, le soleil n'a pas manqué en ce millésime 2005. Chardonnay, chenin et cabernet franc ont donné naissance à un crémant à la belle robe jaune pâle, égayée de longs chapelets de bulles. Le nez délicat associe les fruits frais et les fleurs blanches. La bouche agréable, ronde et onctueuse, révèle des notes de fruits rouges (fraise) particulièrement agréables.
SCEA Catherine Nolot, Dom. de L'Été,
49700 Concourson-sur-Layon, tél. 02.41.59.11.63,
fax 02.41.59.95.16, e-mail domainedelete@wanadoo.fr
t.l.j. sf dim. 9h-12h 14h-17h; sam. 9h-12h

DOM. DE LA GERFAUDRIE 2005 ★

1,3 ha 12 000 **5 à 8 €**

Comme le faucon gerfaut qui planait au-dessus de la corniche angevine et qui a donné son nom à ce domaine, ce crémant-de-loire aérien laisse une sensation de délicatesse et de légèreté. Il marie le chenin (75 %) et le chardonnay. Ses arômes subtils mêlent la pierre à fusil et les fruits blancs. La bouche est harmonieuse, facile, bien fraîche en finale.
SCEV J.-P. et P. Bourreau, 25, rue de l'Onglée,
49290 Chalonnes-sur-Loire, tél. 02.41.78.02.28,
fax 02.41.78.03.07,
e-mail domaine-gerfaudrie@wanadoo.fr r.-v.

PATRICK HUGUET ★

1,1 ha 5 000 **5 à 8 €**

Sur ses 10 ha, le domaine Huguet produit aussi du cheverny. Son crémant-de-loire est un séducteur qui trouvera toute sa place à l'apéritif. Ses fines bulles exaltent sa vivacité. En bouche, on ressent la rondeur du chardonnay et la fraîcheur du chenin. Un vin élégant.

La vallée de la Loire

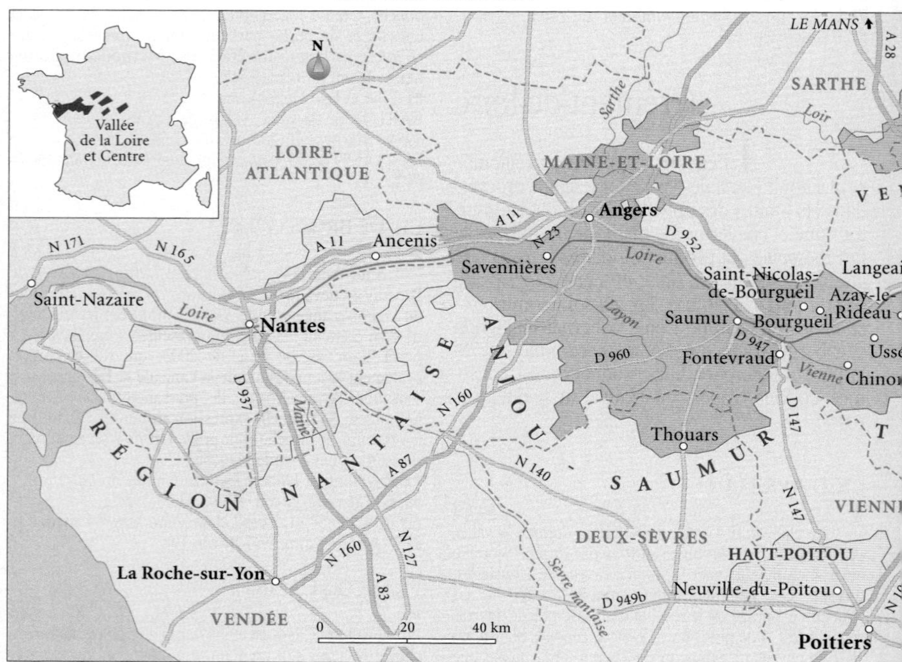

⊶ Patrick Huguet, 12, rue de la Franchetière, 41350 Saint-Claude-de-Diray, tél. 02.54.20.57.36, fax 02.54.20.58.57 ☑ 🍸 🚶 r.-v.

LANGLOIS

● 30 ha 350 000 ▮ 8 à 11 €

Créée en 1912 par Édouard Langlois et Jeanne Chateau, cette maison a toujours pignon sur rue à Saint-Hilaire-Saint-Florent, près de Saumur. Elle s'est orientée dès l'origine vers la production de fines bulles. Aujourd'hui, si son vaste vignoble lui permet de présenter des vins tranquilles, les effervescents d'AOC crémant-de-loire sont toujours sa spécialité. Elle propose un ensemble étonnant de millésimes. Cette sélection Langlois est un « brut sans année », un classique de l'appellation, assemblage de chenin (60 %), chardonnay et cabernet (20 % chacun) ; sa robe jaune pâle s'anime de longs chapelets de bulles ; ses arômes délicats évoquent la brioche, les fleurs blanches et les fruits frais ; sa bouche d'une agréable légèreté laisse une sensation de fraîcheur.

⊶ Langlois-Chateau, 3, rue Léopold-Palustre, 49400 Saint-Hilaire-Saint-Florent, tél. 02.41.40.21.40, fax 02.41.40.21.49, e-mail contact@langlois-chateau.fr ☑ 🍸 🚶 t.l.j. 10h-12h30 14h30-18h30; f. janv.

JOSÉ MARTEAU

● 3 ha n.c. ▮ 5 à 8 €

Ce crémant est élaboré en Touraine, sur la rive droite de la Loire, non loin de Thenay et de Montrichard. Assemblage de chenin (70 %) et de chardonnay, ce produit séduit par sa robe or pâle et son effervescence fine. Vif avec ampleur, il trouvera toute sa place à l'apéritif.

⊶ José Marteau, 41, La Rouerie, 41400 Thenay, tél. 02.54.32.50.51, fax 02.54.32.18.52, e-mail josemarteau@msn.com ☑ 🍸 🚶 t.l.j. 9h-12h 14h-18h; dim. 9h-12h

DOM. MICHAUD *

● 2,7 ha 26 000 ▮ 5 à 8 €

Régulièrement sélectionné dans cette appellation, ce domaine proche de Chenonceaux est une valeur sûre. Deux coups de cœur en crémant-de-loire (édition 2002 et 2003). Quatre cépages : blancs (chardonnay 50 %, chenin 10 %) et noirs (40 % de pinot noir et de cabernets à parts égales) se marient dans ce crémant qui révèle beaucoup de maîtrise dans l'assemblage. Des bulles fines montent dans une robe or pâle brillant. Elles forment une mousse légère et laissent apparaître un fruité d'agrumes qui s'affirme tout en douceur. Un bel ensemble, frais, léger et aromatique.

⊶ Dom. Michaud, 20, rue des Martinières, 41140 Noyers-sur-Cher, tél. 02.54.32.47.23, fax 02.54.75.39.19, e-mail thierry-michaud@wanadoo.fr ☑ 🍸 🚶 t.l.j. sf dim. 9h-12h 14h-19h

MONMOUSSEAU 2004 *

● 29,1 ha 252 844 ▮ 5 à 8 €

La Loire et la Moselle unies au service des fines bulles : fondée en 1886 à Montrichard, la maison Monmousseau est passée en 1995 sous le contrôle de Bernard-Massard, élaborateur de crémant-du-luxembourg. Mais pas de confusion : c'est bien avec des cépages ligériens mûris en Touraine (chenins, chardonnay et cabernet franc à parts égales) qu'a été produit ce crémant-de-loire, élevé

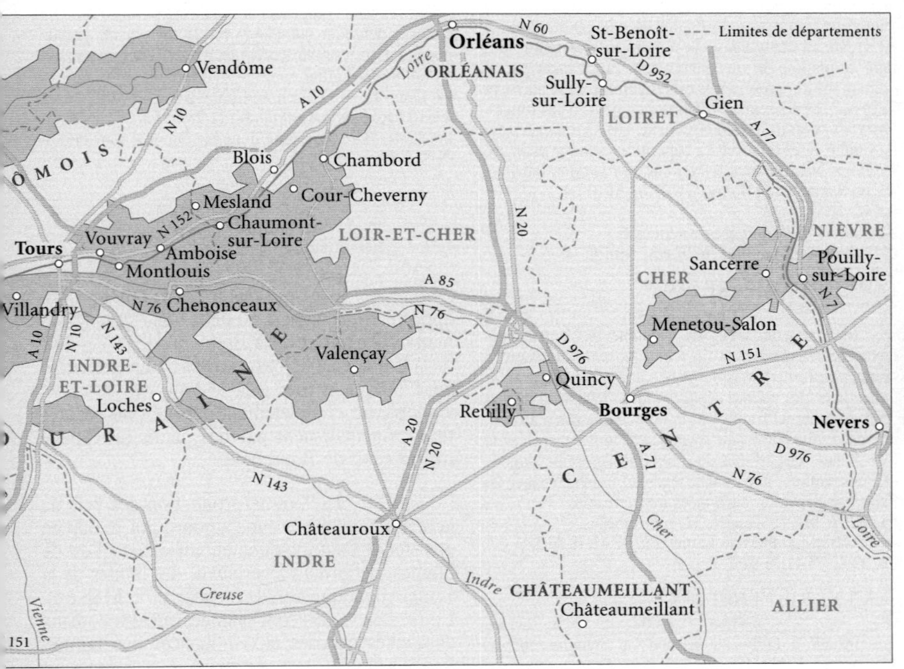

patiemment dans les galeries souterraines des coteaux de tuffeau de la vallée de Chenonceaux. Son effervescence légère le rend flatteur. Ses arômes d'agrumes assortis d'un subtil grillé confèrent élégance et prestance. À découvrir sans tarder à l'apéritif.

🗝 SA Monmousseau, 71, rte de Vierzon, BP 25, 41400 Montrichard, tél. 02.54.71.66.66, fax 02.54.32.56.09, e-mail monmousseau@monmousseau.com ☑ Y 🚶 r.-v.

🗝 Bernard-Massard

LYCÉE VITICOLE DE MONTREUIL-BELLAY *

● 0,35 ha 3 000 ▮ 5 à 8 €

Le lycée de Montreuil-Bellay est un établissement public d'enseignement et de formation professionnelle agricole créé en 1967. Il a été conçu sous le mandat d'Edgard Pisani, alors ministre de l'Agriculture et maire de Montreuil-Bellay. Un vignoble d'une dizaine d'hectares permet aux futurs viticulteurs et techniciens viticoles du Val de Loire d'apprendre le métier de vigneron. Ce crémant-de-loire rosé naît exclusivement de cabernet franc. Il exprime des arômes délicats de fruits rouges frais (fraise, cerise). Une invitation pour les futurs professionnels à produire des crémant-de-loire.

🗝 Lycée prof. agricole de Montreuil-Bellay, rte de Méron, 49260 Montreuil-Bellay, tél. 02.41.40.19.27, fax 02.41.38.72.86, e-mail montreuil-bellay.expl@educagri.fr ☑ Y 🚶 t.l.j. sf sam. dim. 9h-12h 14h-17h; f. 15-31 août

DOM. DE NERLEUX **

● 1,5 ha 10 000 ▮ 5 à 8 €

Implanté en Saumurois, le domaine de Nerleux est une propriété familiale sur laquelle huit générations de vignerons se sont succédé. Exploitation incontournable en AOC saumur-champigny, elle montre aussi un réel savoir-faire en matière de vins effervescents, à en juger par ce crémant-de-loire rosé, né de cabernet franc. Ses bulles très fines portent des senteurs délicates de petits fruits rouges. On retrouve les fruits frais en bouche. Un vin tonique, plein de vitalité, que l'on servira à l'apéritif un soir, en plein air.

🗝 Régis Neau, Dom. de Nerleux, 4, rue de la Paleine, 49260 Saint-Cyr-en-Bourg, tél. 02.41.51.61.04, fax 02.41.51.65.34, e-mail contact@domaine-de-nerleux.fr ☑ Y 🚶 t.l.j. sf dim. 9h-17h30; sam. 9h-12h

DOM. DE PAIMPARÉ 2004 *

○ 1 ha 7 500 5 à 8 €

Implantée au cœur du vignoble des coteaux-du-layon, cette exploitation décrocha un coup de cœur en crémant-de-loire dans la dernière édition. Issu d'une autre année mais des mêmes cépages (75 % de chardonnay et 25 % de cabernet franc), ce vin ne manque pas d'atouts : une belle robe jaune pâle traversée de longs chapelets de fines bulles ; des arômes de fruits frais (groseille blanche et fruits blancs) ; une bouche légère et fraîche, vivifiée en finale par des notes citronnées très agréables.

🗝 SCEA Michel Tessier, 32, rue Rabelais, 49750 Saint-Lambert-du-Lattay, tél. 02.41.78.43.18, fax 02.41.78.41.73 ☑ Y 🚶 r.-v.

JEAN-MARIE PENET 2004 *

○ 2,68 ha 25 000 ▮ 5 à 8 €

Installé à Oisly, au cœur de la Sologne viticole, Jean-Marie Penet privilégie le chardonnay dans ce crémant-de-loire à la mousse fine sur une robe or pâle. Le nez est délicat, très floral avec une note grillée. Fraîche, ronde, généreuse, la bouche laisse une impression harmonieuse.

🗝 Dom. Jean-Marie Penet, Ch. de La Presle, 41700 Oisly, tél. 02.54.79.52.65, fax 02.54.79.08.50, e-mail domaine.jean-marie.penet@wanadoo.fr ☑ Y 🚶 t.l.j. sf dim. 9h-12h 14h-18h30

L'ARCHE DE LA REBELLERIE 2005 *

○ 2 ha n.c. ▮ 5 à 8 €

L'exploitation créée en 1950 a été aménagée en 1978 pour recevoir et employer des personnes handicapées. Le vignoble compte 23 ha dont deux sont réservés à la production de crémant-de-loire. Celui-ci, assemblage de quatre cépages (80 % de blancs), s'habille d'une robe jaune pâle et sa mousse abondante dessine de longs chapelets de bulles. Les arômes évoquent les fruits frais, la brioche et le pain grillé. La bouche, légère, presque aérienne par sa vivacité, est bien représentative de l'appellation.

🗝 CAT de la Rebellerie, La Rebellerie, 49560 Nueil-sur-Layon, tél. 02.41.59.54.94, fax 02.41.59.99.89 ☑ Y 🚶 t.l.j. sf sam. dim. 9h-12h 14h-17h; f. août

DOM. RICHOU Dom Nature 2004 *

○ n.c. 8 000 ▮ 🛢 11 à 15 €

Réputé pour la production des vins blancs, le domaine Richou a lancé en Anjou la méthode dite « ancestrale » avec sa cuvée Dom Nature : la deuxième fermentation en bouteille est réalisée à partir des sucres naturels du raisin. Une « recette » qui avait valu à la propriété un coup de cœur pour le millésime 2002. La robe jaune pâle du 2004 est parcourue de fins chapelets de bulles. Les arômes élégants rappellent la vanille et les fruits mûrs. La bouche, dense et complexe, révèle un vin de grande matière. Un ensemble très original à servir sur un poisson ou un homard grillé.

🗝 Dom. D. et D. Richou, Chauvigné, 49610 Mozé-sur-Louet, tél. 02.41.78.72.13, fax 02.41.78.76.05, e-mail domaine.richou@wanadoo.fr ☑ Y 🚶 r.-v.

La région nantaise

Ce sont des légions romaines qui apportèrent la vigne il y a deux mille ans en pays nantais, carrefour de la Bretagne, de la Vendée, de la Loire et de l'Océan. Après un hiver terrible en 1709 où la mer gela le long des côtes, le vignoble fut complètement détruit, puis reconstitué principalement par des plants du cépage melon venu de Bourgogne.

L'aire de production des vins de la région nantaise occupe aujourd'hui 16 000 ha et s'étend géographiquement au sud et à l'est de Nantes, débordant légèrement des limites de la Loire-Atlantique vers la Vendée et le Maine-et-Loire. Les vignes sont plantées sur des coteaux ensoleillés exposés aux influences océaniques. Les sols plutôt légers et caillouteux se composent de terrains anciens entremêlés de roches éruptives. Le vignoble produit bon an, mal an, 960 000 hl dans les quatre appellations d'origine contrôlée : muscadet, muscadet-coteaux-de-la-loire, muscadet-sèvre-et-maine et muscadet-côtes-de-grand-lieu, ainsi que les AOVDQS gros-plant du pays nantais, coteaux-d'ancenis et fiefs-vendéens.

Les AOC du muscadet et le gros-plant du pays nantais

Le muscadet est un vin blanc sec qui bénéficie de l'appellation d'origine contrôlée depuis 1936. Il est issu d'un cépage unique : le melon. La superficie du vignoble est de 12 164 ha. Quatre appellations d'origine contrôlée sont distinguées suivant la situation géographique et ont produit 691 179 hl de vin en 2006 : le muscadet-sèvre-et-maine, qui représente à lui seul 7 970 ha et 412 173 hl, le muscadet-côtes-de-grand-lieu (252 ha et 12 874 hl), le muscadet-coteaux-de-la-loire (82 ha et 4 022 hl) et le muscadet (2 665 ha et 162 110 hl).

La mise en bouteilles sur lie est une technique traditionnelle de la région nantaise, qui fait l'objet d'une réglementation précise, renforcée en 1994. Pour bénéficier de cette mention, les vins doivent n'avoir passé qu'un hiver en cuve ou en fût, et se trouver encore sur leur lie et dans leur chai de vinification au moment de la mise en bouteilles ; celle-ci ne peut intervenir qu'à des périodes définies et en aucun cas avant le 1er mars, la commercialisation étant autorisée seulement à partir du premier jeudi de mars. Ce procédé permet d'accentuer la fraîcheur, la finesse et le bouquet des vins. Par nature, le muscadet est un vin blanc sec mais sans verdeur, au bouquet épanoui. C'est le vin de toutes les heures. Il accompagne parfaitement les poissons, les coquillages et les fruits de mer, et constitue également un excellent apéritif. Il doit être servi frais mais non glacé (8-9 °C). Quant au gros-plant, c'est par excellence le vin d'accompagnement des huîtres.

Muscadet

CH. HAYE BOTTEREAU Sur lie 2004 ★★

5 ha 15 000 ▮ 5 à 8 €

La famille Saupin est connue dans la région pour ses activités de pépiniériste viticole, mais elle cultive aussi la vigne dans la partie nord du Loroux-Bottereau et propose ainsi du muscadet. Son 2004 a gardé toute sa fraîcheur grâce à une minéralité bien présente, puis à une matière d'une élégante vivacité et de bonne structure. Une remarquable jeunesse encore. Deux étoiles brillent aussi pour le **muscadet-sèvre-et-maine cuvée Prestige 2006 Sur lie (3 à 5 €)**, souple et harmonieuse.

Dom. Serge Saupin, Le Norestier,
44450 La Chapelle-Basse-Mer, tél. 02.40.06.31.31,
fax 02.40.03.60.67 r.-v.

DOM. LANDES DES CHABOISSIÈRES Sur lie Granit 2003 ★★

1 ha 6 000 ▮ 8 à 11 €

Une cuvée qui porte bien son nom : au nez, la minéralité explose en notes de pierre à fusil et de pétrole fort agréables, suivie d'arômes de fruits exotiques. La structure est représentative du millésime 2003 : attaque souple, puis vivacité et finale légèrement perlante qui ajoute à la fraîcheur de l'ensemble.

Georges et Guy Desfossés,
Landes des Chaboissières, 44330 Vallet,
tél. et fax 02.40.33.99.54,
e-mail vignoble.desfosses@wanadoo.fr r.-v.

LE MOULIN DE LA TOUCHE Sur lie 2006 ★

1 ha 5 000 ▮ 3 à 5 €

Bourgneuf-en-Retz est la commune la plus excentrée du vignoble nantais, en bordure de l'Atlantique. Ses coteaux dominent la mer et le marais vendéen. Issu d'un terroir de schistes, ce vin propose un nez intense de fleurs blanches et de fruits. L'équilibre repose sur la fraîcheur et la finale persiste agréablement sur une note presque douce.

GAEC Le Moulin de la Touche,
Le Moulin de la Touche, 44580 Bourgneuf-en-Retz,
tél. et fax 02.40.21.47.89,
e-mail herisse.joel@cegetel.net r.-v.

LA PERRIÈRE 2006 ★

6 ha 40 000 ▮ - de 3 €

En limite du Pallet et de La Chapelle-Heulin, La Perrière ne possède pas le terroir caractéristique de cette dernière commune, mais bénéficie de sols de sables et de schistes. Dans ses vastes chais couverts de lierre a été élevé un muscadet jaune pâle à reflets verts qui livre des arômes de pêche et de poire, nuancés d'une touche végétale et minérale. Une vivacité agréable emplit le palais, de sorte que les fruits de mer seront les bienvenus pour accompagner le service de ce vin.

Vincent Loiret, 120, La Mare-Merlet,
44330 Le Pallet, tél. 02.40.80.43.24, fax 02.40.80.46.99,
e-mail vins.loiret@free.fr
t.l.j. 8h-12h 14h-18h; f. 15-25 août

Muscadet-sèvre-et-maine

LOIRE

DOM. DE LA BAREILLE Sur lie 2006 ★

10 ha 66 000 ▮ 3 à 5 €

Vertou, aux portes de Nantes, subit la pression de l'urbanisation. Néanmoins, ce domaine de 27 ha, qui s'est distingué l'an passé en obtenant un coup de cœur dans le Guide, résiste. Il est à l'origine de ce vin or pâle à reflets vert soutenu, dont les arômes de bonne intensité évoquent le citron et le pamplemousse. La bouche structurée, vive, révèle en finale une pointe d'amertume typique. L'harmonie générale est très réussie. La **cuvée du Moulin 2005 Sur lie**, élevée en fût pendant onze mois, obtient une étoile également.

EARL Philippe Delaunay, 28, rue de l'Herbray, 44120 Vertou, tél. et fax 02.40.80.07.07 r.-v.

BARRÉ FRÈRES Sur lie Les Printanières 2006 ★

18 ha 90 000 3 à 5 €

Cette ancienne maison de négoce jouit d'une bonne réputation auprès des restaurateurs. Elle a été reprise par la société Guilbaud en 2000. Printanière, en effet, cette cuvée au nez discret de fleurs blanches et d'agrumes. Une même fraîcheur est perceptible au palais, soutenant efficacement les arômes en finale. Un vin destiné à des huîtres de Bretagne Sud. Une citation est attribuée au **gros-plant du pays nantais Les Printanières 2006 Sur lie (moins de 3 €)**, vif et citronné.

Barré Frères, BP 49601, 44196 Clisson Cedex, tél. 02.40.06.93.05, fax 02.40.06.93.07 r.-v.

MICHEL BEDOUET Sur lie L'Original 2005 ★

3 ha 15 000 5 à 8 €

Depuis 1993, Michel Bedouet ne produit cette cuvée spéciale, issue d'un terroir de gabbro, que dans les meilleurs millésimes. 2005 est de ceux-là. Nez de torréfaction (café, chocolat) lié à l'élevage en fût, attaque franche et souple, développement harmonieux, subtilement boisé : ce vin demande simplement à vieillir un an ou deux pour atteindre sa plénitude.

Michel Bedouet, 28, Le Pé-de-Sèvre, 44330 Le Pallet, tél. 02.40.80.97.30, fax 02.40.80.40.68, e-mail michel@bedouet-vigneron.com r.-v.

DOM. DE LA BERNARDIÈRE Sur lie 2006 ★

n.c. 13 000 3 à 5 €

Autrefois, depuis le port du Montru, à proximité de La Bernardière, partaient pour Nantes les barriques de vin de la région, à travers les marais de Goulaine. Aujourd'hui, on y vient pique-niquer avec une bonne bouteille de muscadet-sèvre-et-maine. Celui-ci vous sera indispensable à un déjeuner sur l'herbe. Aux fins arômes de fruits secs répond une chair équilibrée et ample, ponctuée de flaveurs d'agrumes bien fraîches. L'évolution devrait être favorable.

Dominique Coraleau, 14, rue des Châteaux, La Bernardière, 44330 La Chapelle-Heulin, tél. et fax 02.40.06.76.21 r.-v.

DOM. DE LA BERTAUDIÈRE Sur lie 2006 ★

3,5 ha 23 000 3 à 5 €

Entre Le Loroux-Bottereau et La Chapelle-Basse-Mer, on peut apercevoir la ville de Nantes depuis le domaine de La Bertaudière. Les micaschistes sont très présents dans ce secteur et donnent au vin un caractère particulier dont témoigne ce 2006 d'un jaune-vert pâle. Aux premières notes de fruits frais succèdent des arômes de citron mûr expressifs. Plus subtile, la bouche présente un léger perlant et un agréable fruité, tout en se développant avec une certaine légèreté.

Alain Vallet, La Bertaudière, 44430 Le Loroux-Bottereau, tél. et fax 02.40.33.85.66 t.l.j. 8h30-12h30 14h-19h; f. 11-20 août

CH. LA BIDIÈRE Sur lie Le Moulin Vieilles Vignes 2005 ★

4 ha 80 000 5 à 8 €

Jolie propriété entourée d'un parc en bordure de la Sèvre. Le nouveau propriétaire a restauré depuis 2000 les vignes, le chai et le château. Des efforts récompensés par ce 2005 de bonne facture. Après les premières senteurs de fruits confits viennent des arômes de confiture de rhubarbe qui se prolongent au palais. Un vin tout en rondeur et expressif qui appréciera la compagnie d'une langouste grillée.

SCEA Ch. La Bidière, 44690 Maisdon-sur-Sèvre, tél. 02.40.54.81.06, fax 02.40.36.98.46, e-mail jpthomson@wanadoo.fr r.-v.

Thomson

DOM. DE LA BIGOTIÈRE Sur lie 2006

7 ha 50 000 3 à 5 €

Au cœur du Sèvre-et-Maine, La Bigotière fait partie des vingt propriétés regroupées au sein de la structure des Maîtres Vignerons et réparties sur sept communes. Ce 2006 jaune vif à reflets verts évoque le beurre frais et la noisette, puis révèle une matière souple, d'une fraîcheur irréprochable.

Coopérative Maîtres Vignerons nantais, 79, ZI Les Roitelières, 44330 Le Pallet, tél. 02.40.80.95.64, fax 02.40.30.99.81, e-mail maitres-vignerons-nantais@terre-net.fr t.l.j. sf sam. dim. 8h30-12h30 14h-17h30

CH. BOIS BENOIST Sur lie 2005 ★★

5 ha 11 000 5 à 8 €

C'est dans les bois défrichés qu'au début du XV^e^s. fut créé un vaste domaine qui sera, des siècles plus tard, divisé en plusieurs propriétés, dont celle de la famille Luneau. Issu de vignes de quarante ans, ce vin représente bien le millésime 2005 par sa puissance, sa rondeur et sa complexité. Il possède suffisamment de fraîcheur également pour évoluer favorablement au cours des cinq prochaines années.

Christian et Pascale Luneau, Bois-Braud, 44330 Vallet, tél. 02.40.33.93 76, fax 02.40.33.64.19, e-mail cpluneau@wanadoo.fr r.-v.

C. Luneau

DOM. DU BOIS BRULEY Sur lie 2006 ★★

10 ha 70 000 5 à 8 €

Basse-Goulaine, aux portes de Nantes, a conservé quelques vignes et le domaine du Bois Bruley joue les irréductibles face aux zones commerciales et industrielles. On ne peut que s'en réjouir et le soutenir quand on a dégusté son 2006 remarquable d'un bout à l'autre de la dégustation. Les arômes d'agrumes se mêlent harmonieusement à des notes de réglisse, tandis que l'équilibre se réalise au palais entre rondeur et fraîcheur, souligné de délicates flaveurs de fleurs blanches et d'agrumes d'une persistance notable. Déjà agréable, ce vin saura également vieillir heureusement. Du même producteur, le **Château de Chasseloir Comte Leloup de Chasseloir cuvée des Ceps centenaires 2006 Sur lie** obtient une étoile : s'il est encore jeune, il n'en affiche pas moins de la complexité.

Bernard Chéreau, Chasseloir, 44690 Saint-Fiacre-sur-Maine, tél. 02.40.54.81.15, fax 02.40.54.81.70, e-mail bernard.chereau@wanadoo.fr t.l.j. sf dim. 9h-18h

DOM. DU BOIS-JOLY Sur lie Harmonie 2006

10 ha 69 000 3 à 5 €

Jaune doré, ce vin exhale des arômes de fruits exotiques (banane) et de fleurs qui se développent pro-

gressivement. La vivacité domine au palais, avec en finale une légère amertume. Également cité, le muscadet-sèvre-et-maine **Les Gâts 2002 (5 à 8 €)**, auquel le vieillissement a apporté quelques notes de cire d'abeille. N'attendez pas : il faut le boire dès maintenant.
Laurent Bouchaud, Le Bois-Joly, 44330 Le Pallet, tél. 06.08.28.46.75, fax 02.40.80.45.85, e-mail l.bouchaud@domaineduboisjoly.com
r.-v.

DOM. GILBERT BOSSARD
Sur lie Le Quarteron 2005 ★

2 ha 4 000 **5 à 8 €**

Afin de tirer la quintessence des terroirs de gneiss qui constituent son vignoble, Gilbert Bossard aime vendanger tardivement. Le résultat est probant : ce muscadet-sèvre-et-maine offre un nez intense d'amande grillée, ainsi qu'une chair riche, capiteuse et longue. Un vin de connaisseur, compagnon idéal de brochettes de coquilles Saint-Jacques ou d'un poisson en sauce.
Dom. Gilbert Bossard, EARL Basse-Ville, 44330 La Chapelle-Heulin, tél. 02.40.06.74.33, fax 02.40.06.77.48, e-mail gilbert.bossard@wanadoo.fr
t.l.j. sf dim. 8h-12h30 14h-18h30
Jean-Louis Bossard

DOM. DES CANTREAUX Sur lie 2006 ★

2 ha 10 000 **3 à 5 €**

Le domaine des Cantreaux est l'un des points culminants du Loroux-Bottereau. Vous pourrez sillonner les vignes à partir d'un chemin pédestre qui passe tout près. Les terroirs de micaschistes donnent naissance à des vins de caractère à l'image de ce 2006 très ouvert et flatteur, à la fois structuré et fin : arômes de pamplemousse, chair souple et persistante sont ses qualités premières. Une bouteille qui pourra être conservée deux ou trois ans.
Patrice Marchais, Les Cantreaux, 44430 Le Loroux-Bottereau, tél. 02.40.33.84.20, fax 02.51.71.90.36, e-mail marchaispatrice@wanadoo.fr
r.-v.

DOM. DE CHAINTRÉ Sur lie Prestige 2005 ★

2 ha 12 500 **3 à 5 €**

Dans le secteur tardif de Mouzillon, les vendanges 2005 ont permis d'obtenir de bons résultats à la cave. Ce vin jaune pâle à reflets argentés décline des nuances d'acacia et de buis élégantes, puis affiche du volume et une chair gourmande, sans aucune aspérité jusqu'à la longue finale. Du caractère. La cuvée **Prestige 2006 Sur lie** est citée pour ses arômes persistants et complexes comme pour son équilibre.
Marcel Luneau, Dom. de Chaintré, 44330 Mouzillon, tél. et fax 02.40.36.31.16 r.-v.

DOM. DES CHAUSSELIÈRES Sur lie 2006 ★

13 ha 80 000 **3 à 5 €**

Au Pallet, ne manquez pas de visiter le musée du Vignoble, très instructif sur l'histoire de la culture de la vigne dans la Loire-Atlantique. Au domaine des Chausselières, l'histoire commença à la fin du XIX[e]s., lorsque l'aïeul, boulanger, planta les ceps de vignes que ses clients lui donnaient pour payer le pain. Issue de gabbro, cette

La région nantaise

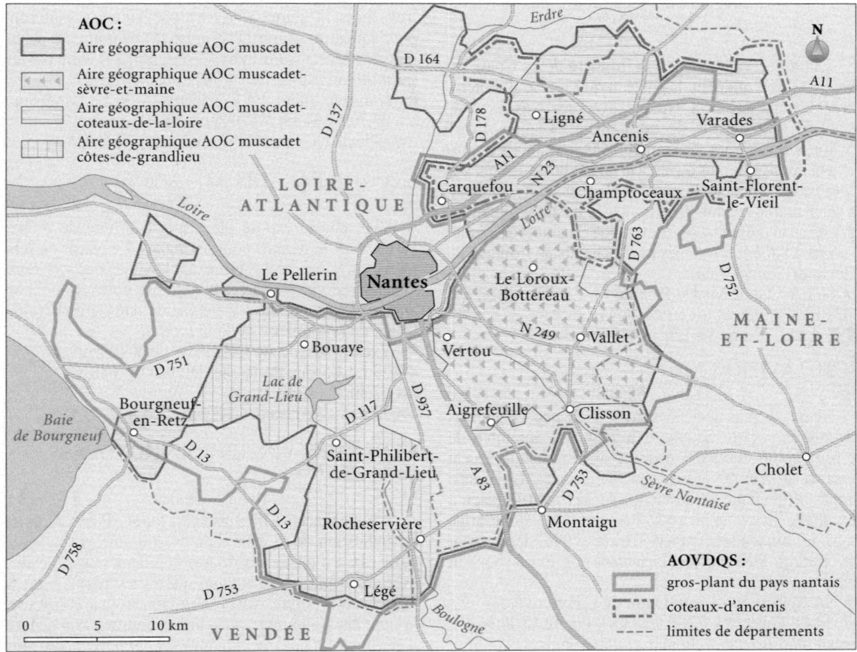

LOIRE

cuvée offre un nez complexe de fleurs et de fruits exotiques, puis une bouche fraîche, bien équilibrée et expressive.

Dom. des Chausselières, 12, rue des Vignes, 44330 Le Pallet, tél. 02.40.80.93.88, fax 02.40.80.46.42, e-mail domainechausselieres@wanadoo.fr r.-v.

CH. DE LA CHAUVINIÈRE
Granit de Château-Thébaud 2002 *

1 ha 5 200 **5 à 8 €**

Coup de cœur l'an passé, le château de La Chauvinière revient dans les colonnes du Guide grâce à une cuvée de vieilles vignes issue d'un terroir de granite, de faible rendement qui domine la Maine. Subtile alliance de fruits confits, d'anis et de menthe sauvage, le vin a conservé beaucoup de fraîcheur au palais, ainsi qu'une pointe d'amertume en finale qui laisse encore présager un bonne garde.

Yves et Jérémie Huchet, La Chauvinière, 44690 Château-Thébaud, tél. 02.40.06.51.90, fax 02.40.06.57.13, e-mail domaine-de-la-chauviniere@wanadoo.fr r.-v.

CH. LA CHEVILLARDIÈRE Sur lie 2006 **

16 ha 106 000 **3 à 5 €**

Situé sur Vallet, mais à la frontière de La Chapelle-Heulin et du Landreau, le château de La Chevillardière, bien reconnaissable et typique avec ses œils-de-bœuf, bénéficie d'un terroir de micaschistes. Claude-Michel Pichon a élaboré un remarquable 2006, d'abord discrètement floral, puis plus ouvert à la faveur de l'aération. Un léger perlant, caractéristique de l'élevage sur lie, souligne la chair souple et équilibrée, ponctuée de notes minérales fraîches. Un muscadet-sèvre-et-maine élégant et classique, à servir à l'apéritif avec des toasts chauds de fromage de chèvre de Sainte-Maure.

SCEA Claude-Michel Pichon, La Chevillardière, 44330 Vallet, tél. et fax 02.40.06.74.29 t.l.j. sf dim. 9h-12h 15h-19h

LES CLAVIÈRES 2006 **

39,81 ha 265 403 **- de 3 €**

Une des plus anciennes maisons de négoce du pays nantais, la société Sautejeau a réuni un ensemble de terroirs homogènes. Elle propose un vin plein de gaieté dans ses arômes ouverts de genêt et d'acacia. La bouche ample, aromatique, se développe sur la fraîcheur jusqu'à une finale vive, aux accents citronnés. Une étoile brille pour le **muscadet Cuvée fruitée 2006**, légèrement citronné, qui laisse percevoir en finale une note de bonbon anglais.

SA Marcel Sautejeau, Dom. de L'Hyvernière, 44330 Le Pallet, tél. 02.40.06.73.83, fax 02.40.06.76.49, e-mail marcelsautejeau@marcel-sautejeau.fr

CLOS DES BARILLÈRES Sur lie 2005 **

2 ha 9 000 **3 à 5 €**

Assemblage de différents terroirs représentatifs du secteur est du pays nantais, cette cuvée fait preuve d'une remarquable finesse. Elle développe des arômes de raisin intenses, ainsi qu'un bon fruité, puis une chair plaisante, structurée et longue, qui a gardé toute sa fraîcheur.

Pierre-Henri Grégoire, Les coteaux de la Sanguèze, Beauregard, 44330 Mouzillon, tél. 02.40.36.45.64, fax 02.40.36.45.63, e-mail lescoteauxsanguese@free.fr r.-v.

CLOS DES BOURGUIGNONS Sur lie 2006 **

6 ha 30 000 **3 à 5 €**

Le Clos des Bourguignons est une ancienne parcelle que les moines avaient sélectionnée ; elle fut replantée en melon après le terrible hiver 1709 qui ravagea complètement le vignoble nantais. Deux frères cultivent aujourd'hui ses 7 ha (dont 6 ha en production). Ils y ont produit un vin ouvert sur des arômes d'agrumes et de pierre à fusil, nuancés d'une touche d'iode. La chair souple et riche se déroule avec complexité jusqu'à une finale persistante. Un 2006 qui sera prêt à agrémenter les fêtes de fin d'année 2007, mais dont la grande structure est aussi garante d'un bon vieillissement (deux ou trois ans).

GAEC Michel Luneau et Fils, 3, rte de Nantes, 44330 Mouzillon, tél. et fax 02.40.33.95.22, e-mail luneau.michel.et.fils@wanadoo.fr r.-v.

CLOS DU GAUFFRIAUD Sur lie 2006

1,5 ha 5 000 **3 à 5 €**

Sur le terroir précoce du Landreau, composé de micaschistes, est né ce vin discrètement aromatique, qui laisse poindre des notes florales et de subtiles touches de fruits mûrs. D'attaque vive, il tire profit d'un gras suffisant pour équilibrer sa fraîcheur, et laisse apparaître au palais un caractère de fruits mûrs (pêche, abricot) voire confits (pruneau à l'eau-de-vie en finale) plus évident.

Jean-Luc Viaud, La Renouère, 44430 Le Landreau, tél. 06.70.61.54.84, fax 02.40.06.46.43, e-mail jean_luc.viaud@club-internet.fr r.-v.

CLOS DU PARADIS Sur lie 2006 *

5 ha 30 000 **5 à 8 €**

Un coteau exposé plein sud, constitué de roches vertes, c'est le paradis pour les vignes. Le plaisir ne sera pas éternel, mais réel et immédiat lorsque vous servirez à l'apéritif ce vin très aromatique, aux notes de bonbon anglais. Un muscadet-sèvre-et-maine dans le registre du fruité, de la souplesse et de la légèreté.

Yves et Jacqueline Delaunay, Le Val-Fleuri, 44430 Le Loroux-Bottereau, tél. 02.40.33.86.84, fax 02.40.33.88.99, e-mail domaineduvalfleuri@wanadoo.fr r.-v.

CLOS SAINT-VINCENT DES RONGÈRES
Sur lie 2006 ***

10 ha 50 000 **3 à 5 €**

Saint Vincent a bien inspiré la famille Provost lors de la vinification de ce 2006 d'un exceptionnel potentiel de garde. Issu d'un terroir de gneiss à deux micas, celui-ci livre des arômes aussi intenses que variés, parmi lesquels le jasmin et le poivre. Après une attaque souple et soyeuse, la chair apparaît ample, puissante et pourtant non dénuée d'élégance. La finale se prolonge sur des flaveurs de fruits

confits et de figue sèche. Oubliez cette bouteille quelques années dans votre cave : elle n'en sera que plus délicieuse en compagnie d'une poêlée de langoustines à la crème.
🔑 EARL Yves Provost et Fils, Le Pigeon Blanc, 44430 Le Landreau, tél. 02.40.06.43.54, fax 02.40.06.47.10, e-mail muscadet.provost@wanadoo.fr ☑ Y 🚶 r.-v.

CH. DU COING DE SAINT-FIACRE
Sur lie 2006 *

	6 ha	41 600	▮	5 à 8 €

Ce château, emblématique du Muscadet, a été reconstruit en 1850, sur le site d'un édifice médiéval. Un terroir constitué de schistes tendres, exposé plein sud, est à l'origine de ce vin richement aromatique, évocateur de poire, d'orange, de citron, de fruits confits et de fleurs. Rond et frais à la fois, il ne manque pas de classe et laisse persister durablement le fruit agrémenté de notes épicées. Du même producteur, le **Grand Fief de La Cormeraie 2006 Sur lie**, né d'un terroir plus tardif sur Monnières, obtient une étoile pour son harmonie et ses arômes d'abricot sec.
🔑 Véronique Günther-Chéreau, Ch. du Coing-de-Saint-Fiacre, 44690 Saint-Fiacre-sur-Maine, tél. 02.40.54.85.24, e-mail contact@chateau-du-coing.com
☑ Y 🚶 t.l.j. sf sam. dim. 9h-12h 14h-19h

LES FRÈRES COUILLAUD
Collection privée M 2001 *

	0,8 ha	5 000	▮	8 à 11 €

Très originale cette cuvée 2001. Elle a été mise en bouteille en juin 2004, après trente mois d'élevage sur lies fines. Cette maturation a permis au vin de développer une palette de coing, de pomme et de poire mêlés de senteurs florales de jasmin et de notes de fenouil. La bouche confirme le caractère fruité mûr, voire confit, avant de terminer sur une pointe de miel et de menthe fraîche. À servir en carafe avec une lotte sauce au vin. Une étoile revient également au **Château de La Ragotière 2006 Sur lie (3 à 5 €)**, bien structuré et frais en finale.
🔑 Couillaud Frères, GAEC Ragotière, Ch. Ragotière, 44330 La Regrippière, tél. 02.40.33.60.56, fax 02.40.33.61.89, e-mail freres.couillaud@wanadoo.fr
☑ Y 🚶 t.l.j. sf sam. dim. 8h-12h 14h-18h

DOM. DE LA COUR DU CHÂTEAU DE LA POMMERAIE Sur lie 2006 *

	5 ha	30 000	▮	- de 3 €

En limite nord de Vallet, sur la route d'Ancenis, le domaine de La Cour du Château de La Pommeraie a produit un vin que la société Chon et fils s'est chargée d'élever. Aux senteurs fines de fruits mûrs à chair blanche (poire) et de kiwi, nuancées de menthol, répond une bouche charnue dès l'attaque, puis structurée et puissante, de bonne persistance. De la même société de négoce, le **Domaine du Bois Malinge 2006 Sur lie (3 à 5 €)**, issu de Saint-Julien-de-Concelles, brille d'une étoile pour son expression fidèle au terroir et sa fraîcheur.
🔑 SARL Chon et Fils, Le Bois Malinge, 44450 Saint-Julien-de-Concelles, tél. 02.40.54.11.08, fax 02.40.54.19.90, e-mail muscadetchon@aol.com
🔑 SARL Poilane

DOM. MICHEL DAVID
Le Clos du Ferré Schistes de Goulaine 2004 **

	1 ha	4 000	▮	5 à 8 €

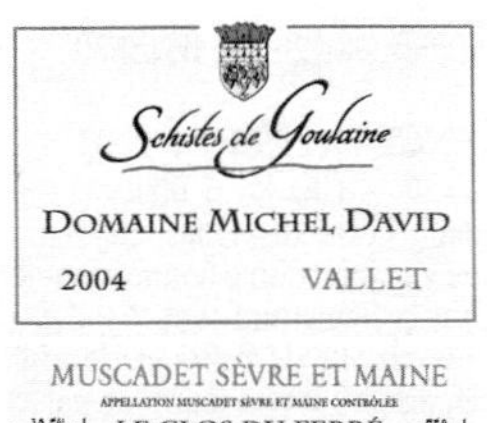

À la sortie de Vallet, sur la route de La Chapelle-Heulin, le Clos du Ferré compte parmi les meilleurs domaines de Sèvre-et-Maine. Le rendement de cette parcelle est assez faible, autour de 45 hl/ha, ce qui confère au vin une remarquable structure. Ce 2004 affiche une grande finesse dans ses arômes de fruits intenses, notamment de figue fraîche. En bouche, la noisette se manifeste, traduisant l'évolution aromatique, mais la fraîcheur restée intacte équilibre élégamment l'impression de rondeur et assure une persistance notable. À servir avec des coquilles Saint-Jacques à la crème. Une étoile revient au **Clos du Ferré 2006 Sur lie (3 à 5 €)**, harmonieux.
🔑 Dom. Michel David, Le Landreau-Village, 44330 Vallet, tél. 02.40.36.42.88, fax 02.40.33.96.94, e-mail earl.david.michel@wanadoo.fr ☑ Y 🚶 r.-v.

MICHEL DELHOMMEAU
Clos Armand Vieilles Vignes 2005

	1 ha	6 500	▮	3 à 5 €

Une couleur jaune paille soutenu habille ce 2005 au nez discret, légèrement minéral. C'est un vin de terroir, à l'attaque vive, puis au développement fruité progressif et suffisamment long. Une autre citation est attribuée à la **cuvée Harmonie Sur lie 2006** élégante, mais fugace.
🔑 Michel Delhommeau, EARL Les Vignes Saint-Vincent, La Huperie, 44690 Monnières, tél. 02.40.54.60.37, fax 02.40.54.64.51, e-mail delhommeaum@wanadoo.fr
☑ Y 🚶 r.-v.

DOM. DE DOUIVET Sur lie 2006 *

	1,3 ha	8 000	▮	3 à 5 €

Le domaine surplombe le vignoble du Landreau. Né sur gneiss à deux micas, son vin s'affiche dans une robe jaune pâle à reflets verts et libère des arômes de fruits frais à chair blanche. Tel est le prélude à une expression vive et franche au palais, non dénuée d'équilibre et servie par des flaveurs intenses.

🔑 Gilles Couillaud-Brunelière, Lieu-dit Douivet, 44430 Le Landreau, tél. 02.40.06.40.76, fax 02.40.06.48.64 r.-v.

DOM. DE L'ÉCHASSERIE Sur lie Honoré 2006 *

24,5 ha 35 000 3 à 5 €

Né d'un terroir de micaschistes albitiques, semi-précoce, ce vin fait preuve d'une fraîcheur bien équilibrée que soulignent des arômes intenses et persistants : du fruit blanc, de la minéralité, de l'acacia, voire une pointe de miel. Une dégustation plaisante qui fait aimer le muscadet-sèvre-et-maine.

🔑 EARL Honoré, L'Échasserie, 44330 Vallet, tél. et fax 02.40.36.22.75, e-mail earlhonore@wanadoo.fr t.l.j. sf dim. 8h-12h30 14h-18h30

L'EXCELLENCE DU FERRÉ 2003 *

1 ha 1 000 5 à 8 €

Un domaine cerné de vignes, au cœur de la région Sèvre-et-Maine, qui jouit d'une bonne réputation. Ce n'est pas le 2003 qui la démentira tant il séduit par son nez intense, aux évocations de fleurs et de grillé, et par sa bouche souple, ample, certes marquée par la chaleur du millésime, mais rehaussée d'une touche minérale. À déguster avec un turbot grillé nappé d'une sauce hollandaise.

🔑 Philippe Douillard, La Champinière, 44330 Vallet, tél. 02.40.36.61.77, fax 02.40.36.38.30, e-mail latourduferre@wanadoo.fr r.-v.

DOM. DES FÉVRIES Sur lie 2006 *

2 ha 8 000 3 à 5 €

De ce terroir silico-argileux réputé, dominant la Sèvre, est issue une grande partie des greffons du vignoble nantais. Le domaine propose un vin à reflets verts, dont le nez expressif va du floral aux notes d'agrumes. Vif en attaque, rond et ample, ce 2006 livre des flaveurs si intenses qu'il s'écarte un peu du type muscadet-sèvre-et-maine. Un tel concentré de fruits témoigne de la technicité du vinificateur.

🔑 Guy Branger, 18, la Févrie, 44690 Maisdon-sur-Sèvre, tél. et fax 02.40.36.90.41 t.l.j. sf dim. 8h-19h

LE FIEF COGNARD Sur lie Vieilles Vignes 2002 *

1,2 ha 7 300 3 à 5 €

Un vin né de vignes plantées sur sol granitique. Souple et tendre, il révèle un agréable fruité de papaye et d'ananas. Une légère pointe acidulée ajoute à son caractère élégant et sera propre à aiguiser les papilles. Un muscadet-sèvre-et-maine d'apéritif.

🔑 Dominique Salmon, Les Landes de Vin, 44690 Château-Thébaud, tél. 02.40.06.53.66, fax 02.40.06.55.42 r.-v.

LE FIEF DUBOIS
Sur lie Champs Geffroy Vieilles Vignes 2005 *

1,6 ha 8 000 5 à 8 €

Récolté sur une petite surface, ce vin revêt un nez intense, dominé par les fruits confits, mais évoluant vers le fumé et le grillé. La bouche est souple et ample, d'une étonnante rondeur avant d'être rehaussée d'une pointe de vivacité en finale.

🔑 Bruno Dubois, 53, La Févrie, 44690 Maisdon-sur-Sèvre, tél. 02.40.36.93.84, fax 02.40.36.98.87, e-mail fief-dubois@wanadoo.fr r.-v.

FLEURON DES ROCHETTES Sur lie 2006 *

4 ha 26 000 3 à 5 €

Les terroirs du Landreau se distinguent par leur précocité qu'illustre bien ce vin caractéristique des sols de gneiss à deux micas. Franc en attaque, puis plutôt souple et friand, il développe des flaveurs à dominante de fruits secs et de fleurs blanches (aubépine).

🔑 EARL Jean-Pierre et Éric Florance, Bas-Briacé, 44430 Le Landreau, tél. 02.40.06.43.84, fax 02.40.06.45.66, e-mail domaine.des.rochettes@wanadoo.fr t.l.j. sf dim. 8h-12h 14h-19h

DOM. DE LA FOLIETTE
Sur lie Clos de la Fontaine Vieilles Vignes 2006 **

10 ha 50 000 3 à 5 €

Au XVIIIe s., les armateurs nantais, de retour de leur tour du monde, faisaient construire des propriétés aux environs de la ville. La Foliette est un exemple de ces folies nantaises, lieu de fêtes de la bourgeoisie. Festif également ce vin très pâle et légèrement perlant. Il affiche un premier nez intense de fruits exotiques, suivi d'une ligne minérale due à la présence d'orthogneiss dans le terroir. L'équilibre se réalise au palais, avec en finale un léger côté acidulé.

🔑 Dom. de la Foliette, 35, rue de la Fontaine, 44690 La Haye-Fouassière, tél. 02.40.36.92.28, fax 02.40.36.98.16, e-mail domaine.de.la.foliette@wanadoo.fr r.-v.

GADAIS PÈRE ET FILS
Sur lie Vieilles Vignes 2000 **

3 ha 15 000 5 à 8 €

Saint-Fiacre, pays natal de Sophie Trébuchet, mère de Victor Hugo, est la commune la plus viticole de France ; son église de style byzantin domine les coteaux couverts de vignes. Fort de 40 ha, le domaine Gadais est particulièrement morcelé puisqu'il compte pas moins de cent parcelles ; c'est sur un terroir de gneiss à deux micas qu'est né ce vin qui prouve que le muscadet-sèvre-et-maine peut être un vin de longue garde. Jaune doré, celui-ci libère des arômes intenses de confiture de cerises en train de cuire. Il révèle beaucoup de puissance en bouche, avec en finale une note mentholée fraîche. Servez-le en carafe, légèrement chambré (12-14 °C) avec un camembert à cœur ou une volaille à la crème.

🔑 Gadais Père et Fils, Les Perrières, 44690 Saint-Fiacre-sur-Maine, tél. 02.40.54.81.23, fax 02.40.36.70.25, e-mail musgadais@wanadoo.fr r.-v.

🔑 Christophe Gadais

CHRISTIAN GAUTHIER
Sur lie Cuvée des Granits 2006 *

2 ha 13 000 3 à 5 €

Issu des granites de Clisson, ce vin au nez puissant, dominé par la minéralité, possède tous les atouts pour la garde. La fraîcheur flatte le palais, de même que les notes florales de chèvrefeuille qui se prolongent avec subtilité en finale. Dans deux ans, vous le servirez avec des verrines au fromage de chèvre.

🔑 Christian Gauthier, 19, La Mainguionnière, 44190 Saint-Hilaire-de-Clisson, tél. 02.40.54.42.91, fax 02.40.54.25.83 ▣ 𝕐 r.-v.

DOM. DU GRAND-AIR Sur lie 2006 *

3 ha	10 000	▮	3 à 5 €

Clisson, dernière commune au sud-est du vignoble de Sèvre-et-Maine, est une petite cité aux allures italiennes. Le domaine du Grand-Air occupa une place stratégique pendant les guerres de Vendée. On y vient aujourd'hui apprécier paisiblement un vin jaune doré intense et aromatique. La bouche porte encore le caractère réservé de la jeunesse, mais on perçoit la fraîcheur et la matière nécessaires à une bonne évolution.

🔑 EARL Maurice et Frédéric Loiret, 6, rue du Grand-Air, Bournigal, 44190 Clisson, tél. 02.40.54.31.03, fax 02.28.06.00.29, e-mail loiret.frederic@neuf.fr ▣ 𝕐 ⛹ t.l.j. sf dim. 9h-12h 14h-19h

DOM. DU GRAND CHATELIER
Quercus Harmonie Vinifié et élevé en fût de chêne 2002

0,2 ha	1 000	⏸	5 à 8 €

Une toute petite parcelle de gneiss est à l'origine de ce vin jaune pâle, au nez de confiture de fruits. Le palais paraît équilibré, depuis son attaque franche, relevée d'une note acidulée, jusqu'à la finale très légèrement boisée, due à huit mois d'élevage en fût.

🔑 Patrick Lebas, Le Chatelier, 44330 Vallet, tél. et fax 02.40.36.40.01, e-mail patrick.lebas@wanadoo.fr ▣ 𝕐 ⛹ r.-v.

DOM. DU GRAND FIEF
Sur lie Terroir Tradition 2006 **

17,8 ha	70 000	▮	3 à 5 €

Le joli petit village de Vallet domine la Sanguèze. C'est ici que Dominique Guérin possède un domaine de 25 ha, dont le terroir de gabbro a donné naissance à ce vin or pâle, parfumé d'agrumes et de fleurs blanches. Rond, le palais laisse une impression de volume et se prolonge sur une finale minérale d'une grande finesse.

🔑 EARL Dominique Guérin, Les Corbeillères, 44330 Vallet, tél. 02.40.36.27.37, fax 02.40.36.27.16, e-mail dominiqueguerin19@wanadoo.fr ▣ 𝕐 ⛹ t.l.j. sf dim. 8h-20h

GRAND FIEF DE L'AUDIGÈRE Sur lie 2000 *

n.c.	600	▮	8 à 11 €

Cette ancienne demeure de la marquise de Sévigné, située sur la route qui mène de Vallet au Pallet, possède encore six cents bouteilles du millésime 2000, un vin floral et fruité qui a gardé toute sa fraîcheur et son équilibre. Vous le servirez avec une volaille de Bresse aux morilles, par exemple. Une étoile brille aussi pour la cuvée **L'Audigère de Jean Aubron Vieilles Vignes 2005 Sur lie (5 à 8 €)**, fruitée et ample.

🔑 Jean Aubron, L'Audigère, 44330 Vallet, tél. 02.40.33.91.91, fax 02.40.33.91.31, e-mail jean.aubron@wanadoo.fr ▣ 𝕐 r.-v.

LES GRANDS PRESBYTÈRES
Sur lie Vieilles Vignes 2005

3,75 ha	25 000	▮	5 à 8 €

Le domaine doit son nom au fait que ses vignes appartenaient à l'évêché avant la Révolution. Nelly Marzelleau-Couprie saura vous parler de l'histoire aussi bien que de son vin issu d'orthogneiss. Ce 2005, jeune et prometteur, exhale des arômes intenses de fruits secs : noisette et amande grillée. La bouche se montre vive, mais commence à s'ouvrir vers plus de richesse en finale. Cité également, le **gros-plant du pays nantais 2006 (3 à 5 €)**, aux flaveurs d'agrumes.

🔑 Nelly Marzelleau-Couprie, Les Grands Presbytères, 2 bis, rue Combe-la-Petière, 44690 Saint-Fiacre, tél. 02.40.54.80.73, fax 02.40.36.70.78, e-mail nelly.marzelleau@wanadoo.fr ▣ 𝕐 ⛹ r.-v.

DOM. R DE LA GRANGE
Sur lie Vieilles Vignes 2006

2,8 ha	15 000	▮	3 à 5 €

Sous une teinte jaune pâle s'exprime un premier nez de pierre à fusil, puis un fruité discret. Frais, coulant, le vin révèle une vivacité à peine marquée. Une citation revient également au **Grand R de La Grange 2005 Sur lie (5 à 8 €)**, frais et persistant.

🔑 Rémy Luneau, La Grange, 44430 Le Landreau, tél. 02.40.06.45.65, fax 02.40.06.48.17, e-mail domaine.r.delagrange@wanadoo.fr ▣ 𝕐 ⛹ t.l.j. 9h-12h 14h30-18h30; sam. a.-m. dim. sur r.-v.

PHILIPPE GUÉRIN
Sur lie Cuvée Souverain 2006 **

10,5 ha	175 000	▮	3 à 5 €

Une propriété familiale créée en 1795 et qui s'est transmise depuis de père en fils. Délicat mélange de fleur d'oranger et de pain brioché, que nuancent des notes d'ananas : voici un vin riche et rond, plein de subtilité. Une pointe de tilleul apporte la touche finale à un profil harmonieux. À déguster avec un saumon en papillote.

🔑 Philippe Guérin, Dom. Les Pèlerins, 44330 Vallet, tél. 02.40.36.37.34, fax 02.40.36.40.73, e-mail phguerin44@free.fr ▣ 𝕐 ⛹ r.-v.

CH. DE LA GUIPIÈRE
Schistes de Goulaine 2003 **

1,15 ha	4 000	▮	5 à 8 €

Issue d'un terroir de micaschistes aux rendements limités, cette cuvée revêt la minéralité typique de ses origines. Cette ligne aromatique se développe sur fond d'amande et de pêche, puis se prolonge au palais, en accompagnement d'une matière puissante qui laisse en finale une légère pointe d'amertume, signe de bonne aptitude à la garde. Une étoile brille pour **L'Excellence du Château de La Guipière 2006 Sur lie (3 à 5 €)**, bien équilibrée sur la fraîcheur.

🔑 GAEC Charpentier Père et Fils, Ch. de La Guipière, 44330 Vallet, tél. 02.40.36.23.30, fax 02.40.36.38.14 ▣ 𝕐 ⛹ r.-v.

CH. DU HALLAY Sur lie 2006 **

9 ha	60 000	▮	3 à 5 €

Joachim Descasaux fit la célébrité du château du Hallay, car il jouissait d'une large réputation dans le négoce à la fin du règne de Louis XIV et fut anobli en 1702. Malheureusement, l'édifice fut détruit en 1945, mais le vignoble, de 9 ha aujourd'hui, est demeuré aussi qualitatif. En témoigne ce vin jaune pâle qui développe des arômes intenses de pain grillé, nuancés d'amande grillée. Si la jeunesse est perceptible au palais à travers sa fraîcheur et son léger perlant, l'élégance est déjà au rendez-vous.

Laissez-lui le temps d'évoluer jusqu'en 2009-2010. Le **Top Domaine de La Cognardière 2006 Sur lie (5 à 8 €)**, parfumé de fleurs blanches et bien fondu, obtient une étoile.

Dominique Richard,
11, rue des Rouliers, La Cognardière, 44330 Le Pallet,
tél. 02.40.80.42.30, fax 02.40.80.44.37,
e-mail f.richard-de-tournay@wanadoo.fr r.-v.

DOM. LA HAUTE FÉVRIE Sur lie 2006 *

12,5 ha 80 000 3 à 5 €

Quelques vignerons vendangent encore manuellement en pays nantais, parmi lesquels Claude Branger qui s'attache en outre à maîtriser ses rendements et à appliquer les règles de l'agriculture raisonnée en bannissant l'usage des engrais chimiques. Mêmes soins attentifs à la cave dont résulte ce vin complexe et élégant. Pêle-mêle, celui-ci libère des arômes d'amande fraîche, de pierre à fusil et de fruits, tandis qu'au palais il laisse une réelle sensation d'équilibre entre gras et fraîcheur, avant de s'achever sur une longue finale. Cité, le **Clos Joubert 2003 Sur lie Vinifié en fût de chêne (5 à 8 €)**, dix mois en fût, offre une bouche acidulée, marquée par la framboise et à peine boisée.

Claude Branger et Fils,
Dom. la Haute Févrie, 109, La Févrie,
44690 Maisdon-sur-Sèvre, tél. 02.40.36.94.08,
fax 02.40.36.96.69,
e-mail haute-fevrie@netcourrier.com r.-v.

DOM. DE LA JOCONDE Sur lie 2006 *

6 ha 180 000 3 à 5 €

Le Pé-de-Sèvre est un petit village au charme intact, au pied duquel serpente la Sèvre nantaise. D'un terroir de gneiss, Yves Maillard a obtenu un vin bien typé, puissant et structuré, aux arômes d'agrumes et de pêche persistants. Un muscadet-sèvre-et-maine plaisant, à boire dès maintenant avec des fruits de mer.

Yves Maillard, Le Pé-de-Sèvre, 44330 Le Pallet,
tél. 06.08.27.07.64, fax 02.40.80.43.29,
e-mail anneyvesmaillard@orange.fr r.-v. 3

DOM. DE LA LANDELLE
Sur lie Les Treilles Vieilles Vignes 2006 *

2,58 ha 8 000 3 à 5 €

Vendangé à la main sur un sol schisteux, le melon a donné naissance à un vin brillant de reflets verts typiques des muscadets dans leur jeunesse. Si le premier nez reste discret, des arômes fins de fleurs de troène et de muguet, nuancés de miel, se révèlent à l'aération. L'attaque est franche, perlante, la bouche harmonieuse grâce à un gras bien présent, ponctué de flaveurs de fruits confits, d'amande et de notes florales, évocatrices de jasmin et de chèvrefeuille. À redécouvrir dans un an, lorsque la finesse se sera pleinement forgée, avec un dessert acidulé comme une tarte à la rhubarbe.

Michel et François Libeau, La Landelle,
44430 Le Loroux-Bottereau, tél. 02.40.33.81.15,
fax 02.40.33.85.37,
e-mail domainelandelle@libertysurf.fr r.-v.

DOM. DE LA LOGE
Sur lie Les Vieilles Vignes 2004 *

0,6 ha 2 800 5 à 8 €

Née sur les coteaux de la Sanguèze, cette cuvée a gardé toute sa fraîcheur. Les arômes ont évolué vers les raisins secs, nuancés de notes vanillées héritées de dix mois d'élevage en fût, tandis que la matière, volumineuse, a gagné en souplesse et laisse en finale des touches boisées et mentholées. À servir avec un brochet au beurre blanc nantais.

SCEA Jean-Yves Sécher & Ass., Dom. de La Loge,
44330 Vallet, tél. 02.40.33.97.08, fax 02.40.33.91.99,
e-mail jysecher@domaine-delaloge.com
t.l.j. 9h-12h30 14h-19h; sam. dim. sur r.-v.

DOM. DES LOUETTIÈRES Sur lie 2006 *

3 ha 15 000 3 à 5 €

Barbechat se situe à l'extrême nord du vignoble de Sèvre-et-Maine. Ses sols de schistes et de micaschistes ont permis au melon, récolté dans la première semaine de septembre, de produire ce vin à reflets verts, de bonne intensité. Une grande puissance se révèle au palais, où se mêlent harmonieusement le minéral et le floral. Laissez-le attendre encore une année pour que sa personnalité s'épanouisse.

EARL Dominique Peigne, 2, Le Martinet,
44450 Barbechat, tél. 02.40.33.64.49, fax 02.40.33.36.05
r.-v.

CHRISTOPHE MAILLARD
Sur lie La Maison vieille 2006 **

1 ha 6 500 3 à 5 €

Amateur de randonnées rendez-vous au petit village typique du Pé-de-Sèvre, en longeant la rivière. Vous y rencontrerez Christophe Maillard qui a produit ce muscadet-sèvre-et-maine jaune pâle à reflets verts. Au nez d'agrumes intense répond une bouche fraîche, équilibrée et persistante. Les fruits de mer apprécieront. Une citation est attribuée au **gros-plant du pays nantais La Maison Vieille 2006**, citronné et vif comme il se doit.

Christophe Maillard, 59, Le Pé-de-Sèvre,
44330 Le Pallet, tél. 06.08.27.07.64 r.-v.

DOM. MÉNARD-GABORIT
Sur lie Cuvée Prestige 2005 *

10 ha 66 000 3 à 5 €

Si vous empruntez le chemin de randonnée de Monnières, vous passerez devant le moulin de la Minière, où est installé ce vigneron. Le 2005, au nez plaisant de pêche, séduit par son côté perlant qui souligne sa fraîcheur et son caractère aromatique persistant. Pour des fruits de mer, des poissons grillés et des fromages de chèvre, bien sûr.

Dom. Ménard-Gaborit, La Minière,
44690 Monnières, tél. 02.40.54.61.06,
fax 02.40.54.66.12,
e-mail philippe.menard7@wanadoo.fr
t.l.j. 10h-12h30 14h-18h30; sam. dim. sur r.-v.

DOM. DES MORTIERS-GUIBOURG
Sur lie 2006 *

0,9 ha 8 000 - de 3 €

Caractéristique des vins de gabbro, ce 2006 d'un jaune brillant allie harmonieusement le végétal et le fruité. L'attaque est souple, la bouche fraîche et la finale élégante, avec la légère amertume typique, indiquant un bon potentiel de vieillissement. Trois ou quatre ans de garde sont à la portée de ce muscadet-sèvre-et-maine.

Damien Cormerais, 2, Les Bas Mortiers,
44190 Gorges, tél. et fax 02.40.06.98.57 r.-v.

DOM. DU MOULIN Sur lie 2006 ★★

10 ha 14 000 ▮ 5 à 8 €

Les randonneurs trouveront aisément ce domaine situé le long d'un sentier pédestre et couvrant pas moins de 36 ha sur un terroir de schistes et de granites. Alexandre et Bernard Déramé ont remarquablement réussi le millésime 2006. Un vin intense et complexe, dans lequel se distinguent des arômes de lilas. Il emplit le palais d'une chair ronde, longue et d'un bon volume, avec en finale une note minérale rafraîchissante. Une alose sera un bon compagnon de table. Vous réserverez à des rougets à la sauce aux poivrons le muscadet-sèvre-et-maine **Cave du Château de La Morandière Les Roches Gaudinières 2004 (8 à 11 €)**, au nez de noisette et d'amande grillée rappelant le macaron.

EARL Déramé et Fils, La Morandière, 44330 Mouzillon, tél. 02.40.80.41.43, fax 02.40.54.80.87, e-mail derame@wanadoo.fr
r.-v.
Alexandre Déramé

DOM. DU MOULIN CAMUS Sur lie 2006 ★

19,23 ha 130 000 ▮ 3 à 5 €

Sur des sols de gabbro et de micaschistes, ce domaine a obtenu un vin jaune pâle brillant, dont le caractère minéral s'harmonise avec le fruit (citron vert). Le perlant, signe d'un élevage sur lie, souligne la chair rafraîchissante, non dénuée d'équilibre ni d'élégance. Une étoile est aussi attribuée au **Domaine du Moulin Camus 2006**, non élevé sur lie (étiquette bleue), frais, léger et floral.

Huteau-Hallereau, 41, rue Saint-Vincent, 44330 Vallet, tél. 02.40.33.93.05, fax 02.40.36.29.26, e-mail domainedumoulincamus@wanadoo.fr
r.-v.
Catherine et François Boulanger

DOM. DE LA MOUTONNIÈRE Sur lie 2006 ★

4 ha 20 000 ▮ 3 à 5 €

Les dégustateurs n'ont pas manqué de qualificatifs pour décrire ce vin : les arômes de fruits exotiques mûrs comme la mangue et l'ananas, nuancés d'épices, explosent dans le verre, tandis qu'en bouche la chair ronde et ample dès l'attaque bénéficie de la fraîcheur des flaveurs d'agrumes.

SCEA Guilbaud-Moulin, 1, rue de La Planche, 44330 Mouzillon, tél. 02.40.06.90.69, fax 02.40.06.90.79

DOM. DE LA NOË Sur lie 2006 ★

36 ha 180 000 ▮ - de 3 €

Les granites de Château-Thébaud produisent des vins assez précoces. Celui-ci en apporte l'illustration par ses arômes de miel intenses et ses notes florales qui précèdent des senteurs de fruits mûrs et de fruits secs. La richesse domine après une attaque marquée par des flaveurs de pâte de coings, cependant qu'en finale se manifeste une légère amertume. Déjà plaisant, ce 2006 pourra aussi attendre pour acquérir davantage de fondu. Il rejoindra à table un wok de légumes et des nems, des coquilles Saint-Jacques ou des bouchées à la reine. Le **muscadet Domaine de La Noë 2006**, noté une étoile, révèle la vivacité de son jeune âge, mais jeunesse n'est pas défaut.

Dom. de La Noë, 44690 Château-Thébaud, tél. et fax 02.40.06.50.57, e-mail domainelanoe@wanadoo.fr
t.l.j. sf dim. 8h-12h30 14h-19h
Drouard Frères

DOM. DES NOELLES Sur lie 2006 ★

15 ha 15 000 ▮ 3 à 5 €

La Haye-Fouassière doit son nom à une spécialité gourmande, la fouace, gâteau qui accompagne bien le muscadet-sèvre-et-maine à l'apéritif. Celui de Michel Ripoche, dont le grand-père était fouacier – fabricant de fouaces –, est tout indiqué. Un 2006 couleur paille qui développe des arômes de fleurs et de fruits à chair blanche. Bien équilibré, il évolue vers une minéralité persistante et laisse en finale la petite amertume attendue.

EARL Michel Ripoche, 8, rue de la Torrelle, 44690 La Haye-Fouassière, tél. 02.40.36.91.95, fax 02.40.36.73.19 r.-v.

CH. LA PETITE GIRAUDIÈRE Sur lie 2006 ★

25 ha 35 000 ▮ - de 3 €

Situé sur un terroir tardif de gabbro, ce domaine familial de 35 ha a pu être vendangé début septembre, juste avant les pluies. Bien joué ! Le vin offre un nez élégant, dans la ligne typique de l'appellation (agrumes mûrs). L'attaque est franche, la bouche expressive et fraîche, toute citronnée. Servez les crustacés.

Françoise et Joël Luneau, Les Giraudières, 44190 Gorges, tél. et fax 02.40.54.45.23 r.-v.

DOM. DES PIERRES BLANCHES Sur lie 2006 ★

8,5 ha 60 000 ▮ - de 3 €

Aux portes de Nantes, Vertou est une autre de ces communes qui résistent à l'urbanisation. La propriété d'Édith et de Pierrick Albert, forte de 35 ha, n'est ainsi qu'à dix minutes du centre-ville. Tous deux proposent un vin jaune pâle, marqué par des arômes de fleurs et par des senteurs d'abricot sec que l'on perçoit plus généralement dans les vieux millésimes. La vivacité est pourtant présente au palais, qui équilibre le gras et rehausse les flaveurs de fruits exotiques.

Pierrick et Édith Albert, 18, rue des Ouches, 44120 Vertou, tél. et fax 02.40.34.81.27 r.-v.

DOM. DE LA PINARDIÈRE
Sur lie Cuvée spéciale 2006 ★

8 ha 38 600 ▮ 3 à 5 €

Sous une teinte or pâle, ce vin développe des arômes de bonne intensité, à dominante minérale avec une pointe florale (fleur de troène). Épanoui, rond et long, il joue davantage la puissance que la finesse, promettant de se bonifier au cours des trois à cinq prochaines années. Vous le proposerez alors avec un poisson en sauce.

Dom. de La Pinardière, 44330 Vallet, tél. 02.40.33.96.01, fax 02.40.36.39.13
t.l.j. sf dim. 8h-12h 14h-19h

CH. DU POYET Sur lie Vieilles Vignes 2006 ★

14,71 ha 101 000 ▮ 5 à 8 €

Propriété des marquis de Goulaine au XVI[e]s., le château du Poyet fut en partie détruit lors du soulèvement de 1832. C'est au début du XX[e]s. que la famille Bonneau prit sa destinée en main et porta sa superficie aux quelque 45 ha actuels. Le 2006, jaune pâle à reflets argentés, fait preuve d'intensité dans ses arômes fruités et minéraux qui se prolongent au palais, portés par une juste fraîcheur et un caractère perlant. Une légère amertume est perceptible en finale, mais elle s'estompera à la faveur de la garde (un an ou deux).

EARL Famille Bonneau, Ch. du Poyet,
44330 La Chapelle-Heulin, tél. 02.40.06.74.52,
fax 02.40.06.77.57,
e-mail chateau.dupoyet@wanadoo.fr
t.l.j. sf dim. 9h-12h30 14h-18h
GFA Ch. du Poyet

DOM. DE LA PROUTIÈRE Sur lie Cuvée royale 2006 ★

3,5 ha 20 000 ▮ 3 à 5 €

Robe claire à reflets verts, nez discret à tendance florale, nuancé de notes de fruits secs comme l'amande. La typicité est perceptible dans ce vin qui présente en outre beaucoup de fraîcheur, un côté perlant propre à l'élevage sur lie et des flaveurs d'agrumes persistantes (citron, pamplemousse). L'océan vous fournira les poissons et fruits de mer qui conviennent à cette bouteille.

GAEC Claude Blanchard et Fils, 4, Le Quarteron,
44190 Gorges, tél. et fax 02.40.54.07.82 r.-v.

DOM. DU RAFOU Sur lie Clos de Béjarry 2006 ★

11 ha 60 000 ▮ 3 à 5 €

À l'extrême est du vignoble nantais, la commune de Tillières est aux portes de l'Anjou. Les trois frères Luneau, à la tête d'un domaine de 20 ha, exploitent leurs vignes sur les coteaux de la Sanguèze. Des vins de sol de gabbro, assez tardif, l'on dit souvent qu'ils doivent faire leurs Pâques pour atteindre leur plénitude. Il en est ainsi de ce 2006 qui saura évoluer favorablement dans le temps. Les dégustateurs ont apprécié la teinte jaune pâle à reflets argentés, le nez minéral, encore discret mais prometteur, ainsi que la bouche souple et ronde, aux notes persistantes de fruits jaunes. La légère amertume finale n'est qu'un signe de bon augure pour la garde. Une citation revient au **gros-plant du pays nantais Clos de Béjarry 2006 Sur lie**, coulant, vif et citronné.

EARL Marc et Jean Luneau,
Dom. du Rafou de Béjarry, 49230 Tillières,
tél. et fax 02.41.70.68.78,
e-mail domainedurafou@wanadoo.fr r.-v.

DOM. DE LA RENOUÈRE Sur lie 2006 ★

2,7 ha n.c. ▮ 3 à 5 €

Le Landreau est une commune au terroir assez précoce, notamment sur le secteur de La Renouère. Le vin ne manque pas de caractère : minéralité et épices font bon ménage au nez, tandis que la bouche apparaît riche et de bonne longueur, toujours minérale. À déguster dès maintenant à l'apéritif, avec quelques fruits de mer en guise de tapas.

Vincent Viaud, La Renouère, 44430 Le Landreau,
tél. 02.40.06.43.05, fax 02.40.06.46.01,
e-mail viaudv@club-internet.fr r.-v.

DOM. DE LA ROCHE BLANCHE Sur lie 2006 ★★

26 ha 25 000 ▮ 3 à 5 €

L'ensemble des dégustateurs a noté la typicité de ce vin à la minéralité dominante. Des notes florales pointent cependant, évocatrices d'acacia, et se prolongent au palais, en accompagnement de flaveurs de pêche et de poire. Une agréable fraîcheur définit la matière harmonieuse et longue. À boire ou à garder, cette bouteille trouvera sa place à l'apéritif avec des canapés au fromage de chèvre.

EARL Lechat et Fils, 12, av. des Roses,
44330 Vallet, tél. 02.40.33.94.77, fax 02.40.36.44.31
r.-v.

CH. DES ROIS Sur lie 2001 ★

6 ha 30 000 ▮ 3 à 5 €

Un muscadet-sèvre-et-maine parfaitement conservé et qui a su évoluer vers des arômes tertiaires complexes : noisette grillée, fruits confits, miel et fumée. Il se montre souple, équilibré entre fraîcheur et rondeur, avec encore une légère amertume en finale. Vous le servirez à l'apéritif avec un bon pain de campagne et des rillettes de saumon.

Gilbert Ganichaud et Fils, 9, rte d'Ancenis,
44330 Mouzillon, tél. 02.40.33.93.40,
fax 02.40.36.38.79, e-mail ganichaud@wanadoo.fr
t.l.j. 8h-12h 14h-18h

DOM. PATRICK SAILLANT Sur lie 2006

5,06 ha 8 000 ▮ - de 3 €

Sur les coteaux granitiques de la Sèvre, ce domaine d'un peu moins de 10 ha mise sur l'image conviviale du muscadet-sèvre-et-maine. Tel est bien le profil de ce 2006 au nez intense de fleurs blanches et de fruits, nuancé d'une pointe minérale. Gras et fraîcheur font alliance pour laisser une impression plaisante, durable. Cité également, le **muscadet-sèvre-et-maine 2006**, non élevé sur lie, léger.

EARL Saillant-Esneu, 8, La Grenaudière,
44690 Maisdon-sur-Sèvre, tél. et fax 02.40.03.80.10,
e-mail saillant_esneu@caramail.com r.-v.
Patrick Saillant

CH. SALMONIÈRE Sur lie 2006

8 ha 50 000 ▮ 3 à 5 €

Le château correspond aux fortifications de l'ordre des Templiers, élevées au XV[e]s. Du sol argilo-sablonneux et granitique est né un vin or pâle, parfumé de fleurs et d'agrumes (citron, pamplemousse), avec quelques notes d'amande. Une agréable fraîcheur envahit le palais après une attaque franche, invitant à un service immédiat lors d'un déjeuner improvisé avec amis ou parents.

SARL Chon et Fils, Le Bois Malinge,
44450 Saint-Julien-de-Concelles, tél. 02.40.54.11.08,
fax 02.40.54.19.90, e-mail muscadetchon@aol.com
GFA du Parc

LA SANCIVE Sur lie 2006 ★★★

24 ha 160 000 ▮ 3 à 5 €

Datant de 1880, Drouet Frères est l'une des plus anciennes maisons de négoce-éleveur. Elle a élevé avec talent le vin du domaine de La Sancive, sis sur la commune de Haute-Goulaine. Un vin jaune pâle, d'une rare complexité aromatique, évocateur de fleurs (jacinthe), de fruits à chair blanche, d'agrumes et de fruits confits. Un sillage citronné souligne durablement la fraîcheur du palais, parfaitement équilibré. Un grand ambassadeur de l'ap-

pellation et de cette maison qui exporte sa production dans cinquante-six pays. Une étoile brille pour le **Grand Duc Cuvée Prestige 2006 Sur lie (moins de 3 €)**, minéral et fruité, frais et persistant.
SA Drouet Frères, 8, bd du Luxembourg,
44330 Vallet, tél. 02.40.36.65.20, fax 02.40.33.99.78
t.l.j. sf dim. 9h-12h30 15h-19h

DOM. DE LA SAULZAIE Sur lie 2006 *

1,6 ha 11 400 3 à 5 €

La commune de La Chapelle-Basse-Mer est essentiellement maraîchère, mais la vigne est également cultivée sur les coteaux qui dominent la Loire. Cette cuvée se distingue par un nez intense, plus floral que minéral, sur fond fruité. La bouche élégante se développe sur des flaveurs de poire et d'agrumes, avec une légère amertume en finale.
EARL Luc Pétard, 60, rte de la Loire,
44450 La Chapelle-Basse-Mer,
tél. et fax 02.40.33.30.92,
e-mail petard.luc@wanadoo.fr r.-v.

CH. LA TARCIÈRE
Sur lie Cuvée Les Gautronnières 2006 *

10 ha 20 000 3 à 5 €

La Tarcière occupe le site d'une ancienne demeure médiévale qui fut à l'origine de La Chapelle-Heulin. En conversion à l'agriculture biologique depuis 2006, le domaine compte une cinquantaine d'hectares. Son muscadet-sèvre-et-maine laisse deviner sa bonne maturité par sa teinte jaune d'or comme par ses arômes complexes de miel et de fleurs, rehaussés d'une touche minérale discrète à l'aération. Beaucoup de rondeur et de gras se manifestent au palais, ainsi qu'une pointe d'amertume en finale qui signale un bon potentiel d'évolution. Dans un à deux ans, vous pourrez servir cette bouteille avec un brochet ou un sandre au beurre blanc.
Bonnet-Huteau, La Levraudière,
44330 La Chapelle-Heulin, tél. 02.40.06.73.87,
fax 02.40.06.77.56, e-mail bonnet-huteau@wanadoo.fr
t.l.j. sf dim. 8h-12h30 14h-18h30

DOM. DE LA THÉBAUDIÈRE Sur lie 2006 *

6,3 ha 43 700 3 à 5 €

La butte de La Roche domine les marais de Goulaine et son château. Dans ce secteur, on vendange souvent très tôt, car les sols légers, de sable et de roche volcanique, sont précoces. Dans ce 2006, la minéralité domine au premier abord, mais bientôt les fruits se manifestent plaisamment. Aussi charnu que frais, le vin laisse une impression d'élégance et de classicisme. Accords tout aussi classiques : chèvre chaud ou volaille.
EARL Philippe Pétard, La Thébaudière,
44430 Le Loroux-Bottereau, tél. et fax 02.40.33.81.81,
e-mail philippe.petard@wanadoo.fr r.-v.

DOM. DU VIEUX FRÊNE
Sur lie Cuvée Saint-Marcel 2006 *

5 ha 34 000 3 à 5 €

Une cuvée en hommage au grand-père du producteur. Sous une teinte jaune pâle à reflets verts apparaissent les premières notes mentholées et fumées avant que l'aération ne favorise l'expression d'arômes d'ananas et de fruits mûrs, presque confiturés. L'attaque est franche, la matière ronde et fine. Bonne harmonie d'ensemble.
EARL Baudrit, La Récivière, 44330 Mouzillon,
tél. et fax 02.40.36.47.70 t.l.j. 8h-12h 14h-19h

DOM. DE LA VINÇONNIÈRE Sur lie 2006 **

12 ha 80 000 3 à 5 €

Le domaine, fort de 60 ha, se situe à proximité de Clisson, ville réputée pour son architecture italienne. Il privilégie la lutte intégrée et limite donc au strict minimum les traitements sur ses sols de schistes, d'argiles et de graves. C'est ainsi que Laurent Perraud a obtenu ce 2006 bien fourni en arômes de fruits mûrs (coing), voire confits, et d'épices (cardamome). Encore sur la réserve au palais, le vin n'en développe pas moins une matière franche, riche et structurée, ponctuée de notes poivrées. Laissez-lui encore quelques mois pour s'ouvrir complètement.
Laurent Perraud, dom. de La Vinçonnière,
44190 Clisson, tél. 02.40.03.95.76, fax 02.40.03.96.56,
e-mail laurent-et-sylvie.perraud@wanadoo.fr
t.l.j. 8h30-12h30 14h-19h; sam. dim. sur r.-v.;
f. août

ANDRÉ VINET Sur lie Le Chant de la mer 2006 *

10 ha 20 000 3 à 5 €

Un joli nom pour un vin jaune pâle, légèrement perlant, qui flatte l'odorat par ses notes de bonbon, puis le palais par sa souplesse et ses arômes expressifs de fleurs, de pêche, à peine nuancés d'une pointe minérale. N'attendez pas pour vous laisser séduire par le « chant » de ce muscadet.
André Vinet, BP 49601, 44196 Clisson Cedex,
tél. 02.40.06.93.05, fax 02.40.06.93.07

DOM. DE LA VRILLONNIÈRE Sur lie 2006 *

6 ha 40 000 3 à 5 €

Situé à proximité du château de Briacé, collège réputé pour la formation des jeunes viticulteurs de la région nantaise, ce domaine de 33 ha bénéficie d'un terroir argilo-sablonneux. Il a produit un muscadet-sèvre-et-maine typique, printanier grâce à ses reflets verts qui attirent le regard. De séduisants arômes de fruits blancs incitent à poursuivre la dégustation. À juste titre, car se révèle au palais une chair équilibrée, fraîche et de bonne longueur. Une citation est attribuée au **gros-plant du pays nantais 2006 Sur lie (moins de 3 €)**, vif et parfumé de fruits blancs.
Jean-François et Stéphane Fleurance,
GAEC de La Vrillonnière, 44430 Le Landreau,
tél. 02.40.06.42.00, fax 02.40.06.45.75,
e-mail lavrillonniere@netcourrier.com
t.l.j. sf dim. 8h-12h 14h-18h

Muscadet-côtes-de-grand-lieu

DOM. DE BEL-AIR
Sur lie Clos des Grandes Vignes 2006 *

1,8 ha n.c. 3 à 5 €

Un domaine familial situé près de l'aéroport de Nantes. Son 2006, jaune paille, témoigne d'une vinification bien maîtrisée par l'intensité des ses arômes de fruits blancs comme par l'équilibre entre la fraîcheur et la rondeur de la chair persistante, non dénuée de finesse.
EARL Bouin-Jacquet, Dom. de Bel-Air,
44860 Saint-Aignan-Grand-Lieu, tél. 02.51.70.80.80,
fax 02.51.70.80.79 t.l.j. sf dim. 14h-19h

DOM. LES COINS Sur lie 2006 ★

■ 23 ha 30 000 ■ 3 à 5 €

Les coteaux de la Logne, au sous-sol de micaschistes, constituent le berceau de ce 2006 aux arômes originaux de fleur de pêcher. Un caractère citronné se manifeste au palais, soulignant une chair ample, apte à bien évoluer au cours d'une petite année de garde pour donner au vin une personnalité plus marquée. Une étoile revient aussi à la cuvée **Héritage Haute Expression 2003 (5 à 8 €)**, évocatrice de genêt et de fruits confits.

Didier Malidain, Grossève, 44650 Corcoué-sur-Logne, tél. 02.40.05.95.95, fax 02.40.05.80.99, e-mail jeanclaude.malidain@free.fr r.-v.

CH. LA FORCHETIÈRE Sur lie 2006 ★

■ 10 ha 44 000 ■ - de 3 €

En venant de Nantes, à l'entrée de Corcoué-sur-Logne, il est impossible de manquer cette vaste propriété de 40 ha assez homogène. Vous y attend ce 2006 discret de prime abord dans ses arômes de fleurs blanches, mais qui libère à l'aération des senteurs plus intenses, d'agrumes et de fruits blancs. Frais et coulant, le vin révèle une vivacité à peine marquée. Une étoile encore pour le **gros-plant du pays nantais 2006 Sur lie**, riche d'arômes d'agrumes (citron, pamplemousse).

SCEA Champteloup, 49700 Brigné-sur-Layon, tél. 02.40.36.66.00, fax 02.40.33.95.81

GCF

CH. DE LA GRANGE Sur lie 2006 ★

■ 15 ha 40 000 ■ 3 à 5 €

Cette propriété, restée dans la famille Goulaine depuis 1777 et où la duchesse de Berry séjourna, a toujours été plantée de vignes. Le terroir d'amphibolites marque nettement les vins du domaine. En témoigne ce 2006 qui s'inscrit dans le registre minéral (pierre à fusil) : si ces notes sont encore discrètes à ce jour, elles ne manqueront pas de se développer au fil du temps. Le vin monte progressivement en puissance, souple en attaque, puis riche et enfin marqué par des flaveurs d'agrumes.

EARL A. de Goulaine, Ch. de La Grange, 44650 Corcoué-sur-Logne, tél. 02.40.26.68.60, fax 02.40.26.66.73, e-mail baudouin.de-goulaine@wanadoo.fr r.-v.

DOM. DU HAUT BOURG 2000 ★

■ 2 ha 13 000 ■ 5 à 8 €

Le domaine du Haut Bourg résiste de manière exemplaire à l'urbanisation de la région nantaise, avec ses 40 ha. D'un terroir de granit et de micaschistes, il a obtenu un 2000 aujourd'hui étonnant par ses arômes de kiwi et de grillé mêlés comme par sa fraîcheur. Le palais, tout en flaveurs d'agrumes, laisse une impression de souplesse et de persistance. Un muscadet-côtes-de-grandlieu qui accompagnera un poisson grillé lors d'un repas amical, un peu festif.

Dom. du Haut Bourg, 11, rue de Nantes, 44830 Bouaye, tél. 02.40.65.47.69, fax 02.40.32.64.01, e-mail hautbourg@free.fr t.l.j. sf dim. 9h-12h 14h-18h

Choblet

DOM. DES HERBAUGES Sur lie Le Légendaire 1999 ★★

■ 3 ha 15 000 ■ 5 à 8 €

Dans leur vaste propriété au bord du lac de Grandlieu, Luc et Jérôme Choblet ont vinifié avec soin ce millésime déjà ancien. Il n'est pour s'en convaincre que de humer les arômes complexes et intenses de pruneau, de fleur d'oranger et de tilleul, puis de goûter la chair montante, douce en attaque, ample ensuite, qui laisse percer en finale une fraîcheur bienvenue. Une étoile est attribuée à la cuvée **Herbauges Sélection 2006 Sur lie (3 à 5 €)**, fine et flatteuse.

Luc et Jérôme Choblet, SCEA Les Herbauges, 44830 Bouaye, tél. 02.40.65.44.92, fax 02.40.65.58.02, e-mail domherbauges@wanadoo.fr r.-v.

CH. DE LORIÈRE Sur lie 2005 ★★

■ 10 ha 69 000 ■ 3 à 5 €

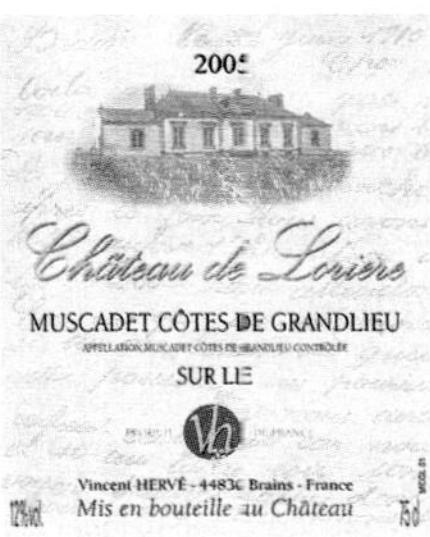

Les coteaux de Brains dominent l'Acheneau, rivière qui sert de trop-plein à l'un des plus grands lacs de France : le lac de Grandlieu. Issu d'un terroir de micaschistes (amphibolites à grenats), ce 2005 jaune-vert, plutôt pâle, développe des arômes complexes de fruits jaunes, à peine nuancés de notes de fougère. Il apparaît fringant au palais, agréablement vif, avec en finale la touche d'amertume qui présage une bonne aptitude à la garde (entre un et trois ans). Accompagnez-le d'une fricassée de saint-jacques ou bien d'un plateau d'huîtres.

Hervé Vincent, Lorière, 44830 Bouaye, tél. et fax 02.40.65.68.47, e-mail herve.vincent@neuf.fr t.l.j. 9h-12h 14h-18h

MANOIR DE L'HOMMELAIS Sur lie Sélection Vieilles Vignes 2006

■ 3 ha 18 000 ■ 3 à 5 €

Un domaine familial de 45 ha situé au sud du lac de Grandlieu, commandé par un manoir du XVII[e]s. Son 2006 affiche des arômes de pain grillé et de brioche avant d'offrir une bouche équilibrée, légèrement citronnée en finale. Ce que l'on attend pour accompagner un plateau de fruits de mer.

Dominique Brossard, Manoir de L'Hommelais, 44310 Saint-Philbert-de-Grand-Lieu, tél. 02.40.78.96.75, fax 02.40.78.76.91 r.-v.

Muscadet-coteaux-de-la-loire

DOM. DES GÉNAUDIÈRES Sur lie La Coulée d'or 2006 ★

■ 8 ha 25 000 ■ 3 à 5 €

Cet ancien domaine familial, remontant à 1635, se trouve sur la rive droite de la Loire et ménage une vue remarquable sur le fleuve royal. De ses coteaux orientés plein sud est né un vin jaune d'or brillant de reflets verts, dont les arômes de poire, de miel et de fruits secs s'expriment intensément et de manière originale pour l'appellation. La chair est ronde, équilibrée par une pointe de minéralité qui lui confère la fraîcheur souhaitée. Une étoile brille en outre pour le **coteaux-d'ancenis Domaine des Génaudières cabernet 2005**, qui livre des notes complexes d'épices.

Athimon et ses Enfants, Dom. des Génaudières, 44850 Le Cellier, tél. 02.40.25.40.27, fax 02.40.25.35.61, e-mail earl.athimon@wanadoo.fr
t.l.j. sf dim. 9h-12h30 14h-19h

CH. MESLIÈRE Sur lie 2006 ★★

4 ha 26 000 3 à 5 €

Une visite s'impose du château Meslière, propriété de 19 ha, créée dans les années 1930 sur un site préhistorique et qui ménage un vaste panorama sur la Loire. Vous y découvrirez ce vin brillant de reflets jaunes qui réunit harmonieusement les arômes de brioche et la minéralité issue des sols de schistes anceniens. Rond, riche de flaveurs persistantes d'abricot et de fruits secs, le palais n'en laisse pas moins une délicieuse impression de fraîcheur. À marier avec un sandre grillé, servi avec un beurre blanc. Du même producteur, le **coteaux-d'ancenis Domaine des Pierres Meslières 2006 malvoisie moelleux (5 à 8 €)** obtient deux étoiles également tant il est structuré et parfumé de notes de gelée de coing.

Jean-Claude Toublanc, Les Pierres Meslières, 44150 Saint-Géréon, tél. et fax 02.40.83.23.95, e-mail jean-claude.toublanc@wanadoo.fr
t.l.j. sf dim. 9h-12h30 13h30-19h; f. 15-30 sept.

DOM. DE PORT-JEAN 2006

0,8 ha 6 000 3 à 5 €

En bordure de la rivière l'Erdre, que François Ier considérait comme l'une des plus belles de France, existe un petit vignoble de 13 ha. Celui-ci est à l'origine d'un vin jaune d'or, aux arômes intenses de miel, de raisins secs et de poire confite. Une exubérance qui annonce l'ampleur de la matière, bien rehaussée d'un léger perlant et d'une finale vive. Le **coteaux-d'ancenis gamay 2006 rouge** est également cité.

EARL de Port-Jean, L'Angle, rte de Port-Jean, 44470 Carquefou, tél. et fax 02.40.50.94.64, e-mail becavin.cyrille@neuf.fr
t.l.j. sf dim. 10h-12h30 16h-19h
Bécavin

Gros-plant AOVDQS

Le gros-plant du pays nantais est un vin blanc sec, AOVDQS depuis 1954, produit dans trois départements, Loire-Atlantique, Maine-et-Loire et Vendée. Il est issu d'un cépage unique : la folle blanche, d'origine charentaise, appelée ici gros-plant. En 2006, la production a atteint un volume de 86 753 hl sur une superficie de 1 195 ha. Comme le muscadet, le gros-plant peut être mis en bouteilles sur lie. Vin blanc sec, il convient parfaitement aux fruits de mer en général et aux coquillages en particulier ; il doit être servi, lui aussi, frais mais non glacé (8-9 °C).

ABBAYE DE SAINTE-RADEGONDE
Sur lie La Haute-Vrignais 2006 ★

7,75 ha 41 300 - de 3 €

Il est loin le temps où les nonnes de cette abbaye, située sur le chemin de Saint-Jacques-de-Compostelle, élaboraient du vin de messe. Aujourd'hui, Sainte-Radegonde est un vaste domaine implanté sur schistes, qui réserve au visiteur non seulement la découverte de produits typiques du pays nantais, mais aussi celle d'un musée du Vin. Vous y goûterez ce gros-plant élégant, partagé entre les notes citronnées et des senteurs de bonbon anglais au nez. La bouche, parfumée de pêche, offre un léger perlant qui souligne la fraîcheur. Une étoile revient aussi au **muscadet-sèvre-et-maine 2006 Sur lie (3 à 5 €)**, fringant et riche d'arômes exotiques.

SCEA Abbaye de Sainte-Radegonde, 44330 Le Loroux-Bottereau, tél. 02.40.03.74.78, fax 02.40.03.79.91, e-mail info@radegonde.fr
r.-v.

DOM. DE BEAUREPAIRE Sur lie 2006

2,78 ha 14 000 - de 3 €

Clisson n'est qu'à 3 km de ce domaine de 20,50 ha et la demeure, en briquettes rouges de style italien, s'inscrit en droite ligne dans l'architecture de cette ville. En 2006, les vendanges ont eu lieu sur une courte période, car le raisin est vite parvenu à maturité. Il en résulte un vin aux nuances citronnées, pas très long en bouche, mais de bon équilibre. Du même producteur, le **muscadet-sèvre-et-maine 2006 Sur lie (3 à 5 €)**, vif, est cité également.

Jean-Paul Bouin-Boumard, 5, La Recivière, 44330 Mouzillon, tél. et fax 02.40.36.35.97, e-mail bouinboumard@orange.fr
t.l.j. 10h-12h 14h-19h; dim. sur r.-v.

DOM. MICHEL BERTIN
La Tour Gasselin 2006 ★★

2 ha 1 600 - de 3 €

Sur la route qui mène des moulins du Landreau au Loroux-Bottereau, la tour Gasselin domine le vignoble. Issue d'un terroir sablo-limoneux, cette cuvée est apparue typique de l'appellation tant par son intensité colorante et par ses arômes fruités de citron et de pamplemousse, agrémentés d'une touche minérale que par la juste vivacité perceptible au palais. Vous servirez ce gros-plant avec des cuisses de grenouilles... des marais de Goulaine, bien sûr, ou des anguilles persillées. Une étoile brille pour le **muscadet-sèvre-et-maine 2006 Sur lie (3 à 5 €)**, assez ample et long.

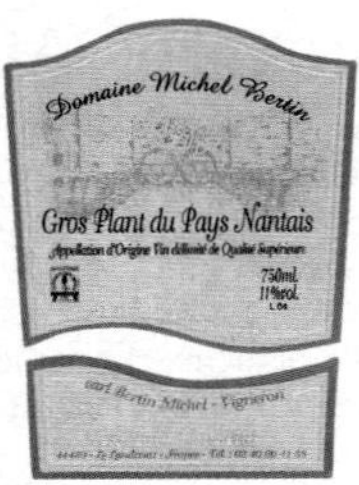

EARL Michel Bertin, La Tour Gasselin, 44430 Le Landreau, tél. 02.40.06.41.38, fax 02.40.06.48.75, e-mail earlbertin.michel@wanadoo.fr r.-v.

ANDRÉ-MICHEL BRÉGEON 2005

0,75 ha 4 000 - de 3 €

Michel Brégeon est plus connu dans la région pour ses muscadets d'anciens millésimes. Il n'en vinifie pas moins des gros-plants bien typés à l'image de ce 2005 issu d'un terroir de gabbro, qui a gardé toute sa fraîcheur. Brillant de reflets nacrés, il livre un nez franc et fin, citronné et minéral, puis une bouche vive, pleine d'allant en finale. Une curiosité.

André-Michel Brégeon, 5, Les Guisseaux, 44190 Gorges, tél. 02.40.06.93.19, fax 02.40.06.95.91 t.l.j. 9h-12h30 14h30-19h

CH. DE BRIACÉ Sur lie 2006

1 ha 5 000 - de 3 €

C'est au château de Briacé que sont formés de nombreux enfants de viticulteurs de la région nantaise. Le gros-plant est ici précoce. En 2006, il a produit un vin jaune pâle, dominé par des arômes citronnés intenses en concorde avec la vivacité et un léger perlant. Une autre citation est attribuée au **muscadet-sèvre-et-maine 2006 Sur lie (3 à 5 €)**, au nez de fruits mûrs, légèrement compotés, et à la bouche acidulée en finale.

Ch. de Briacé, Lycée agricole, 44430 Le Landreau, tél. 02.40.06.49.16, fax 02.40.06.46.15 r.-v.

DOM. DE LA COCHE Sur lie 2006

1,1 ha 1 200 3 à 5 €

Pourquoi ne pas faire un tour à La Planète sauvage, parc animalier situé à Port-Saint-Père ? Vous vous arrêterez ensuite au domaine Coche pour découvrir ce gros-plant très floral sous une teinte dorée à reflets verts. L'équilibre se réalise au palais entre fraîcheur et fruité. Il n'en faut pas davantage pour apprécier un moment de détente et de gourmandise avec des huîtres.

SCEA Dom. de La Coche, La Coche, 44680 Sainte-Pazanne, tél. 02.40.02.44.43, fax 02.40.02.43.55, e-mail lacochevins@aol.com r.-v.

DOM. DE L'ESPÉRANCE Sur lie Tradition 2006 *

1 ha 1 000 - de 3 €

C'est aux portes de l'Anjou que ce gros-plant a vu le jour, sur des sols argilo-limoneux reposant sur gabbro. La différence ? Des arômes intenses de fruits exotiques, une attaque franche et vive, bientôt suivie d'une matière ronde, non dénuée de volume. La finale persistante revient sur la fraîcheur grâce à une pointe de menthe et de thé vert.

Patrice et Anne-Sophie Chesné, Dom. de L'Espérance, 49230 Tillières, tél. et fax 02.41.70.46.09 t.l.j. sf dim. 9h-12h30 14h-18h30

HAUTE-COUR DE LA DÉBAUDIÈRE Sur lie 2006 *

2,48 ha 13 200 - de 3 €

À proximité d'un ancien moulin, à la limite de Vallet et de Mouzillon, ce domaine bénéficie de sols de gabbros semi-précoces. Le gros-plant y a produit un vin jaune pâle, nuancé de vert. Au nez complexe de genêt et d'agrumes répond une chair fine, bien typée par la fraîcheur et persistante. Un 2006 équilibré, fort sympathique.

GAEC Goislot Papin, 220, La Débaudière, 44330 Vallet, tél. 06.13.24.48.91, fax 02.40.33.79.31, e-mail yves.goislot@orange.fr r.-v.

DOM. DE LA HOUSSAIS Sur lie 2006

0,6 ha 2 000 3 à 5 €

La commune du Landreau est réputée pour la qualité de ses gros-plants. Le domaine de La Houssais ne déroge pas à la règle. Son 2006 révèle un fruit bien présent et une fraîcheur persistante qui lui confèrent de l'élégance et le destinent sans le moindre doute aux fruits de mer. Cité également, le **muscadet-sèvre-et-maine 2006 Sur lie**, aromatique et gouleyant.

Bernard Gratas, Dom. de La Houssais, 44430 Le Landreau, tél. 02.40.06.46.27, fax 02.40.06.47.25, e-mail gratas-bernard@wanadoo.fr t.l.j. sf dim. 9h-12h30 14h30-19h

CH. DE LA JOUSSELINIÈRE Sur lie 2006 **

4 ha 25 000 - de 3 €

Comme un certain nombre de châteaux de la région nantaise, celui de la Jousselinière fut détruit pendant la Révolution et reconstruit au XIXe s. Son chai, de style néonormand, son vignoble reconstitué il y a une trentaine d'années et sa chapelle du XVIIe s. en font un lieu de charme. Le vin, lui-même, est avenant. Sous une robe or pâle, les arômes floraux se développent durablement jusque dans la matière ample et ronde, parfaitement rehaussée par la juste vivacité qui convient aux gros-plants. Une citation est attribuée au **muscadet-sèvre-et-maine 2006 Sur lie (3 à 5 €)**, puissant et gras, doté d'une note de surmaturité.

GAEC de la Jousselinière, La Jousselinière, 44450 Saint-Julien-de-Concelles, tél. 02.40.54.11.08, fax 02.40.54.19.90, e-mail muscadetchon@aol.com t.l.j. sf dim. 10h-12h 14h-18h

GFA du Parc

DOM. DU PARC Sur lie 2006 *

8,39 ha 30 000 - de 3 €

Situé entre Corcoué-sur-Logne et Rocheservière, le domaine du Parc couvre 52 ha. Son 2006, jaune pâle à reflets verts, présente un nez surprenant et intense de fleur de sureau. Bien structuré et vif, il se développe sur des flaveurs citronnées, avec toute la typicité d'un vin issu d'un terroir de roche verte, dénommée amphibiolite.

EARL Pierre Dahéron, Dom. du Parc, 44650 Corcoué-sur-Logne, tél. 02.40.05.86.11, fax 02.40.05.94.98, e-mail pierredaheron@aol.com r.-v.

Sylvie Garcia

HENRI POIRON ET FILS Sur lie 2006

1,2 ha 9 800 -de 3 €

Pépiniéristes bien connus dans la région nantaise, Henri Poiron et son fils Éric possèdent 37 ha de vignes sur un terroir limono-schisteux. Ils font aussi preuve d'un réel savoir-faire à la cave comme en témoigne ce vin aux arômes intenses de fleurs blanches et d'agrumes, nuancés d'une note iodée. L'équilibre se réalise au palais, sur la fraîcheur et un subtil perlant. Un gros-plant non dénué de finesse.

Dom. Henri Poiron et Fils, Les Quatre Routes, 44690 Maisdon-sur-Sèvre, tél. 02.40.54.60.58, fax 02.40.54.62.05, e-mail poiron.henri@wanadoo.fr
t.l.j. 9h-12h30 14h-18h30 (17h sam.); dim. sur r.-v.

Éric Poiron

CH. DE LA PREUILLE
Sur lie Cuvée Réserve grande tradition 2006 ★★

1,95 ha 11 000 5 à 8 €

À la périphérie du vignoble, Saint-Hilaire-de-Loulay est l'une des rares communes de Vendée à être située dans l'aire d'appellation gros-plant du pays nantais. Ce vignoble assez ancien est rattaché au château de La Preuille resté dans l'histoire en raison du coup d'État qu'y fomenta, en 1832, la duchesse de Berry afin de rendre le trône à son le fils, le duc de Bordeaux. Aujourd'hui, Christian et Philippe Dumortier dirigent la destinée des 35,50 ha et proposent un 2006 très minéral (pierre à fusil). Après une attaque fraîche, le vin paraît souple et équilibré, avec un rien de rondeur qui invite à le servir en accompagnement de fromages de chèvre secs.

Philippe et Christian Dumortier, Ch. de La Preuille, 85600 Saint-Hilaire-de-Loulay, tél. 02.51.46.32.32, fax 02.51.46.48.98, e-mail chateaudelapreuille@free.fr
t.l.j. 9h30-12h30 14h-18h; dim. lun. sur r.-v.

DOM. DE LA RINIÈRE Sur lie 2006

2 ha 20 000 -de 3 €

Un domaine familial d'une vingtaine d'hectares répartis sur trois coteaux. Les micaschistes du Landreau sont réputés produire des vins typés, à l'image de ce 2006 aux arômes de genêt et d'agrumes. Le fruit se manifeste au palais, souligné par une vivacité équilibrée.

EARL Didier Pasquereau, Dom. de La Rinière, 44430 Le Landreau, tél. 02.40.06.44.23, fax 02.40.06.48.56, e-mail pasquereau.didier@orange.fr
r.-v.

DOM. DU SILLON CÔTIER 2006 ★

1,3 ha 2 000 3 à 5 €

Les vignes du domaine sont cultivées sur la commune de Bourgneuf-en-Retz qui domine la baie du même nom, réputée pour ses huîtres. Provisions de fruits de mer faites, il ne vous reste plus qu'à trouver la bouteille adéquate. Ce gros-plant est tout désigné, car sous une teinte jaune-vert se distinguent des notes citronnées, puis une chair fruitée (agrumes) et fraîche, élégante.

Jean-Marc Ferre, EARL du Sillon Côtier, chem. de Trélebourg, 44760 Les Moutiers-en-Retz, tél. et fax 02.40.64.77.29, e-mail ferre-jm@wanadoo.fr
t.l.j. sf dim. 10h-13h 16h-19h

DOM. DU VIEUX PRESSOIR 2006 ★

0,5 ha 3 600 -de 3 €

Les granites sont réputés propices au cépage melon. Pourtant, la folle blanche ne s'y déplaît pas. Pour preuve ce vin aux reflets dorés qui livre des arômes francs d'agrumes et de fruits exotiques avant d'emplir le palais de sa juste fraîcheur. Et le vin de laisser le souvenir persistant du citron et de la pêche blanche en finale.

EARL Bernard Maillard, 32, Les Défois, 44190 Saint-Lumine-de-Clisson, tél. et fax 02.40.54.74.37, e-mail bernard.maillard5@wanadoo.fr
r.-v.

Fiefs-vendéens AOVDQS

Anciens fiefs du Cardinal : cette dénomination évoque le passé de ces vins, appréciés par Richelieu après avoir connu un renouveau au Moyen Âge, ici, comme bien souvent, à l'instigation des moines. La dénomination AOVDQS fut accordée en 1984, confirmant les efforts qualitatifs qui ne se relâchent pas sur les 461 ha complantés pour une production de 22 526 hl de vins rouges et rosés et de 3 363 hl de vins blancs en 2005.

À partir de gamay, de cabernet et de pinot noir, la région de Mareuil produit des rosés et des rouges fins, bouquetés et fruités ; les blancs sont encore confidentiels. Non loin de la mer, le vignoble de Brem, lui, donne des blancs secs à base de chenin et de grolleau gris, mais aussi du rosé et du rouge. Aux environs de Fontenay-le-Comte, blancs secs (chenin, colombard, melon, sauvignon), rosés et rouges (gamay et cabernets) proviennent des régions de Pissotte et de Vix. On boira ces vins jeunes, selon les alliances classiques des mets et des vins.

DOM. DE LA CAMBAUDIÈRE
Mareuil Cuvée Michel Arnaud 2006 ★★

3 ha 10 000 3 à 5 €

Dominant la vallée de l'Yon qui a donné son nom à la préfecture de la Vendée – La Roche-sur-Yon –, le domaine possède encore une vigne de négrette vieille de cent quarante ans, qui a pu résister au phylloxéra. Mais c'est le gamay (60 %) et le pinot noir qui composent ce vin d'un rose soutenu, dominé par des arômes de fruits rouges tout au long de la dégustation. Un 2006 rond et friand, à déguster avec une andouille grillée aux sarments de vigne.

Michel Arnaud, La Cambaudière, 85320 Rosnay, tél. 02.51.30.55.12, fax 02.51.28.21.02
t.l.j. 9h-12h 14h-19h

DOM. DE LA CHAIGNÉE Vix 2006 ★

7 ha n.c. 3 à 5 €

En limite maritime des départements de la Vendée et de la Charente, le domaine de La Chaignée est situé sur le plateau calcaire dominant le Marais poitevin. Assemblage des trois cépages blancs de l'appellation (chenin, sauvignon et chardonnay) à parts égales, récoltés sur sol argilo-calcaire, ce vin évoque la pêche blanche nuancée d'une pointe de genêt à laquelle le sauvignon n'est sans doute pas étranger. La bouche est fraîche, équilibrée, avec une certaine rondeur dans la finale fruitée de bonne persistance.

LOIRE

⊶ Vignobles Mercier, 16, rue de la Chaignée, BP 6, 85770 Vix, tél. 02.51.00.60.87, fax 02.51.00.67.60, e-mail vignobles@mercier-groupe.com
☒ 𝐈 ✦ t.l.j. 8h-12h 14h-18h

LE CLOS DES CHAUMES Mareuil 2006 *

■ 3,1 ha 12 000 ▮ 3 à 5 €

Un domaine familial de 16 ha que Fabien Murail conduit depuis 2000. Issus de schistes, chenin et chardonnay à parts égales ont donné naissance à un vin expressif, tout en arômes de fleurs et de fruits sous une teinte doré clair à reflets verts. L'attaque est souple grâce au chardonnay, la fraîcheur du chenin se manifestant en milieu de bouche, soulignée par des flaveurs d'agrumes. Un 2006 typique de l'appellation. Une étoile brille également pour le **Clos des Chaumes Mareuil rouge 2006 (étiquette bleue)**, à base de pinot noir et de gamay, tandis que le **Clos des Chaumes Mareuil 2006 rouge (étiquette rouge)**, issu de cabernet, de gamay et de négrette, est cité.
⊶ EARL Fabien Murail, La Tudelière, 85320 La Couture, tél. et fax 02.51.30.58.56, e-mail gaec.murail@orange.fr ☒ 𝐈 ✦ r.-v.

COIRIER PÈRE ET FILS Pissotte 2006 **

■ 10 ha 37 000 ▮ 5 à 8 €

En limite de la forêt de Vouvrant, à la sortie de Fontenay-le-Comte, le vignoble de Pissotte est implanté sur un terroir particulier d'argile à silex, dit de groie, qui imprime une typicité aux vins. En témoigne ce rosé de teinte pâle qui joue sur des arômes exotiques. Après une attaque vive, il se fait souple et bien structuré, ponctué de notes d'aubépine. Il accompagnera dignement un mets exotique. Une étoile revient au **Pissotte 2006 blanc**, fin, et au **Pissotte 2006 rouge**, fruité et doté de tanins bien sages.
⊶ Coirier Père et Fils, 15, rue des Gélinières, 85200 Pissotte, tél. 02.51.69.40.98, fax 02.51.69.74.15
☒ 𝐈 ✦ t.l.j. sf mar. dim. 9h-12h 14h-18h

DOM. DES DAMES Mareuil La Vallière 2006 *

■ 5 ha 10 000 ▮ 3 à 5 €

Le domaine de 18 ha doit son nom au fait qu'il s'est transmis de mère en fille. Ce vin de cabernet franc, de gamay et de négrette s'affiche dans une robe rubis et libère des arômes intenses d'épices, auxquels se mêlent des touches animales. Marqué par le terroir, il s'appuie sur des tanins un peu rustiques, mais qui devraient s'estomper au cours de la garde. Une citation est attribuée au **Mareuil La Pompadour 2006 blanc**, léger et acidulé.
⊶ GAEC Vignoble Gentreau, Follet, 85320 Rosnay, tél. 02.51.30.55.39, fax 02.51.28.22.36, e-mail domaine.des.dames@free.fr
☒ 𝐈 ✦ t.l.j. sf dim. 9h30-12h 14h-19h

DOM. DU LUX EN ROC Brem 2005

■ 2,5 ha 5 000 ▮ 3 à 5 €

Autrefois, les habitants de Brem-sur-Mer avaient coutume d'allumer un feu sur un rocher pour signaler la côte aux bateaux. Coutume dont le nom de Lux en Roc témoigne. Aujourd'hui, ce sont les vins qui se signalent ici. Ce Brem, né de chenin qui trouve un climat propice sur ce terroir silico-argileux, apparaît sous une teinte jaune d'or. Au nez assez intense de pomme verte répond une bouche souple et légère, plus vive en finale. Le **Brem 2006 rosé** est également cité.
⊶ Jean-Pierre Richard, 5, imp. Richelieu, 85470 Brem-sur-Mer, tél. et fax 02.51.90.56.84
☒ 𝐈 ✦ t.l.j. sf dim. 9h-12h30 15h-19h30; sur r.-v. de nov. à fév.

CH. MARIE DU FOU Mareuil 2006 **

■ 17,63 ha 13: 000 ▮ 5 à 8 €

Les premières traces de la propriété remontent au XII^e^s., mais le château fut pris par les Anglais pendant la guerre de Cent Ans et son donjon fut détruit sur ordre du cardinal de Richelieu ; l'actuel édifice date ainsi du XVI^e^s. Sur un sol schisteux ont été récoltés, puis assemblés, le pinot noir, le gamay et le cabernet afin de produire ce vin rose saumon qui décline une palette de fruits (fraise, pêche, litchi) avant d'emplir le palais de sa chair bien équilibrée entre fraîcheur et gras. La finale persistante est un autre de ses atouts. Deux étoiles encore pour le **Mareuil 2006 blanc**, fruité, souple et long. Le **Mareuil 2006 rouge**, riche de fruits rouges, mais encore un peu marqué par les tanins, obtient une étoile.
⊶ Mourat, Ch. Marie du Fou, 5, rue de La Trémoille, 85320 Mareuil-sur-Lay, tél. 02.51.97.20.10, fax 02.51.97.21.58, e-mail jmourat@wanadoo.fr
☒ 𝐈 ✦ t.l.j. sf dim. 9h-12h30 14h30-19h

DOM. DES PIERRES FOLLES Mareuil 2006 *

■ 12 ha 40 000 ▮ 3 à 5 €

Il n'y a pas qu'en Bretagne que l'on trouve des mégalithes. La Vendée a aussi ses « pierres folles ». D'un rouge profond à reflets grenat, ce vin évoque les fruits mûrs, non sans complexité. Des tanins élégants tapissent le palais, contribuant à la bonne structure de la chair souple et fruitée. Cité, le **Mareuil 2006 rosé** fait preuve d'un juste équilibre entre fraîcheur et gras.
⊶ Jean-François Tessier-Brunier, Pierres-Folles, 85320 Rosnay, tél. 02.51.28.21.00, fax 02.51.28.24.38
☒ 𝐈 ✦ r.-v.

DOM. DE LA VIEILLE RIBOULERIE Mareuil Cuvée des Moulins brûlés 2006 *

■ 2 ha 8 000 ▮ 3 à 5 €

Les trois moulins à vent du domaine, qui servaient à signaler l'arrivée de l'ennemi, n'ont pas survécu aux guerres de Vendée. Le nom de cette cuvée rappelle leur histoire. Issu de cabernet franc, de pinot noir, de gamay et de négrette vendangés sur sols argilo-siliceux, c'est un vin bien typé que l'on découvre : nez de fruits, d'épices, nuancé d'une pointe animale, tanins encore rustiques mais cœur souple et rond. Il faudra juste l'attendre un an avant de le servir avec un gibier à poil (sanglier ou chevreuil).
⊶ Vignoble Macquigneau-Brisson, Le Plessis, 85320 Rosnay, tél. 02.51.30.59.54, fax 02.51.30.21.80
☒ 𝐈 ✦ t.l.j. 8h-12h 14h-19h; dim. sur r.-v.; f. fin août
⊶ H. Macquigneau

DOM. DE LA VRIGNAIE Mareuil 2006

■ 10 ha 40 000 ▮ 3 à 5 €

Un assemblage des trois cépages rouges des fiefs-vendéens : gamay (66 %), cabernet-sauvignon et cabernet franc. Il en résulte un vin grenat à reflets violacés, parfumé de fruits rouges et tout en légèreté, qu'il faut proposer dès aujourd'hui à table, avec une viande blanche ou des grillades. Également cité, le **Mareuil 2006 rosé**, mariant pinot noir et gamay, rafraîchissant et légèrement acidulé en finale.

🔑 Vignoble Macquigneau-Brisson, Le Plessis, 85320 Rosnay, tél. 02.51.30.59.54, fax 02.51.30.21.80
t.l.j. 8h-12h 14h-19h; dim. sur r.-v.; f. fin août
🔑 Daniel Brisson

Coteaux-d'ancenis AOVDQS

Les coteaux d'ancenis sont classés AOVDQS depuis 1954. On en produit quatre types, à partir de cépages purs : gamay (80 % de la production), cabernet, chenin et malvoisie. La superficie du vignoble est de 187 ha déclarés et la production a été de 11 689 hl en 2005, dont 766 hl en blanc.

DOM. DE LA CAMBUSE
Moelleux Malvoisie 2006 ★★

0,5 ha 2 500 3 à 5 €

La malvoisie, ou pinot gris, ne représente qu'une dizaine d'hectares dans la région. Ce vin originaire de micaschistes albitiques, sur la rive gauche de la Loire, n'en est que plus remarquable. Aux arômes plaisants de poire et de pêche succède une bouche riche en gras et pourtant non dénuée de fraîcheur. Les flaveurs persistent longuement, laissant en finale une légère pointe mentholée. Servez ce 2006 moelleux dès aujourd'hui avec un dessert aux pommes et aux pruneaux ou un clafoutis. Une étoile revient au **gamay 2006 (moins de 3 €)**, fruité et frais, tandis que le **gamay 2006 rosé (moins de 3 €)** et le **muscadet-coteaux-de-la-loire 2006 sur lie** sont cités.

🔑 Dom. de la Cambuse, La Cambuse, 49530 Drain, tél. 02.40.83.91.63, fax 09.65.18.19.11, e-mail gaec-cambuse@orange.fr
t.l.j. sf dim. 9h-12h30 14h-19h

DOM. DES CLÉRAMBAULTS Gamay 2006 ★

5 ha 15 000 3 à 5 €

Un gamay bien représentatif du millésime 2006. Grenat soutenu, il affiche sa jeunesse dans un bouquet de fruits rouges mûrs mêlés d'épices et de tabac. Des tanins élégants soutiennent la chair ronde, bien équilibrée. Une citation est attribuée au **gamay rosé 2006 (moins de 3 €)**, fruité et souple.

🔑 GAEC Terrien, Dom. des Clérambaults, 30, rue de Verdun, 49530 Bouzillé, tél. 02.40.98.17.51, fax 02.40.98.11.45
t.l.j. sf sam. 9h-18h30

DOM. DES GALLOIRES
Moelleux Malvoisie 2006 ★

3 ha 20 000 5 à 8 €

Depuis le domaine, vous jouirez d'une vue exceptionnelle sur la Loire majestueuse des rois de France. C'est dans ce cadre que vous apprécierez cette malvoisie bien équilibrée entre vivacité et rondeur, accompagnée de flaveurs élégantes de fruits exotiques et de fleurs. De retour chez vous, vous marierez cette bouteille à une tarte aux poires ou la proposerez à l'apéritif avec des toasts d'anguille fumée de Loire.

🔑 GAEC des Galloires, La Galoire, 49530 Drain, tél. 02.40.98.20.10, fax 02.40.98.22.06, e-mail contact@galloires.com
t.l.j. sf dim. 8h-12h 14h-19h (17h sam.)

DOM. DES GÉNAUDIÈRES Cabernet 2005 ★

3 ha 15 000 3 à 5 €

Cultivant la vigne sur un coteau schisteux depuis 1635, ce domaine couvre aujourd'hui 35 ha. Le cabernet franc, récolté au tout début octobre 2005, a donné naissance à un vin rouge vif, aux arômes caractéristiques d'épices, de fruits rouges et de poivron. L'attaque est souple, la bouche suffisamment ample et persistante, avec des tanins à peine perceptibles. Une étoile revient également au **pinot de la Loire moelleux 2006** (cépage qui n'est autre que le chenin) et une citation à la **malvoisie 2006**, florale et fruitée, tout en légèreté.

🔑 Athimon et ses Enfants, Dom. des Génaudières, 44850 Le Cellier, tél. 02.40.25.40.27, fax 02.40.25.35.61, e-mail earl.athimon@wanadoo.fr
t.l.j. sf dim. 9h-12h30 14h-19h

DOM. PIERRE GUINDON Gamay 2006 ★

4,5 ha 30 000 5 à 8 €

À la sortie d'Ancenis, sur la route de Nantes, la maison Guindon est l'une des plus anciennes exploitations de la rive droite de la Loire. Elle propose un gamay de teinte intense, nuancée de violine. Si le nez est encore sur la retenue, il n'en laisse pas moins percer des arômes chaleureux de fruits rouges. Ceux-ci se manifestent, plus puissants, au palais, en accompagnement d'une chair suffisamment structurée. Une étoile est aussi attribuée au **gamay rosé 2006**, d'un rose soutenu et discrètement aromatique.

🔑 Vignobles Brochard-Guindon, La Couleuverdière, 44150 Saint-Géréon, tél. 02.40.83.18.96, fax 02.40.83.29.51, e-mail domaine.guindon@hotmail.fr
r.-v.

DOM. DU HAUT FRESNE
Gamay Cuvée Prestige 2006 ★

2 ha 15 000 3 à 5 €

Joachim du Bellay louait la douceur angevine : douceur du climat, douceur des vins. Vous apprécierez vous aussi la souplesse de ce vin rubis, au nez flatteur de fruits rouges. Si les tanins sont bien présents, ils savent se faire oublier et ne laissent en finale que le souvenir de la réglisse. Une curiosité à découvrir : la **malvoisie 2006**, aux arômes de mangue et de poire, obtient une étoile. Une citation revient au **muscadet-coteaux-de-la-loire 2006 Sur lie**.

🔑 GAEC Renou Frères, Dom. du Haut Fresne, 49530 Drain, tél. 02.40.98.26.79, fax 02.40.98.27.86, e-mail contact@renou-freres.com r.-v.

DOM. DU MOULIN GIRON Gamay 2006

■ 2,42 ha 5 000 ▮ 3 à 5 €

Sur la rive gauche, le domaine du Moulin Giron, fort de 40 ha, domine la Loire. Les schistes briovériens de la région d'Ancenis laissent leur empreinte dans les vins. Voyez ce rosé pâle à reflets orangés qui fait preuve de typicité dans ses arômes de fleurs, d'amande fraîche et d'abricot sec. La chair est ronde et souple, avec une juste fraîcheur.

EARL Allard Père et Fille, Le Moulin Giron, chai Bellevue, 49530 Liré, tél. 02.40.09.03.15, fax 02.40.96.11.95 t.l.j. sf mer. dim. 9h30-12h 14h30-18h; f. 21 juil.-6 août

DOM. DE LA PLÉIADE Gamay 2006 *

■ 1 ha 7 000 3 à 5 €

Une référence littéraire pour ce vin issu du village de Liré, cher à Joachim du Bellay. La robe rubis profond à reflets framboise invite à découvrir les fins arômes de fruits mûrs, puis la bouche ample et ronde, à la finale persistante, nuancée d'épices. Le **muscadet-coteaux-de-la-loire 2006 Sur lie**, vif, mais joliment ponctué de senteurs de fleurs blanches et de gingembre, est cité.

Bernard Crespin, La Pléiade, 49530 Liré, tél. 02.40.09.01.39, fax 02.40.09.07.42, e-mail crespin.pleiade@wanadoo.fr r.-v.

DOM. DU QUARTERON Gamay 2006 **

■ 7 ha 8 000 ▮ - de 3 €

Un gamay rouge foncé qui, loin d'être timide, livre sans ambages des arômes de framboise, de mûre et de cassis. Un panier de fruits d'été. De la légèreté au palais, du soyeux, du fruit encore et toujours, puis une légère vivacité en finale... En somme, un classique, bien typé par le cépage. Le **muscadet-coteaux-de-la-loire 2006 Sur lie (3 à 5 €)** est noté une étoile.

EARL François Vincent, La Vasinière, 49530 Bouzille, tél. 02.40.98.11.22, fax 02.40.09.65.41 t.l.j. sf dim. 8h-12h 14h-19h

Anjou-Saumur

À la limite septentrionale des zones de culture de la vigne, sous un climat atlantique, avec un relief peu accentué et de nombreux cours d'eau, les vignobles d'Anjou et de Saumur s'étendent dans le département du Maine-et-Loire, débordant un peu sur le nord de la Vienne et des Deux-Sèvres.

Les vignes ont depuis fort longtemps été cultivées sur les coteaux de la Loire, du Layon, de l'Aubance, du Loir, du Thouet... C'est à la fin du XIXᵉs. que les surfaces plantées sont les plus vastes. Le Dr Guyot, dans un rapport au ministre de l'Agriculture, cite alors 31 000 ha en Maine-et-Loire. Le phylloxéra anéantira le vignoble, comme partout. Les replantations s'effectueront au début du XXᵉs. et se développeront un peu dans les années 1950-1960, pour régresser ensuite. Aujourd'hui, ce vignoble couvre environ 17 380 ha, qui produisent un million d'hectolitres.

Les sols, bien sûr, complètent très largement le climat pour façonner la typicité des vins de la région. C'est ainsi qu'il faut faire une nette différence entre ceux qui sont produits sur « l'Anjou noir », constitué de schistes et autres roches primaires du Massif armoricain, et ceux qui sont produits sur « l'Anjou blanc », ou Saumurois, terrains sédimentaires du Bassin parisien dans lesquels domine la craie tuffeau. Les cours d'eau ont également joué un rôle important pour le commerce : ne trouve-t-on pas encore trace aujourd'hui de petits ports d'embarquement sur le Layon ? Les plantations sont de 4 500-5 000 pieds par hectare ; la taille, qui était plus particulièrement en gobelet et en éventail, a évolué en guyot.

La réputation de l'Anjou est due aux vins blancs moelleux, dont les coteaux-du-layon sont les plus connus. L'évolution conduit cependant désormais aux types demi-sec et sec, et à la production de vins rouges. Dans le Saumurois, ces derniers sont les plus estimés, avec les vins mousseux qui ont connu une forte croissance, notamment les AOC saumur et crémant-de-loire.

Anjou

Constituée d'un ensemble de près de 200 communes, l'aire géographique de cette appellation régionale englobe toutes les autres. On y trouve des vins blancs (environ 45 037 hl sur 999 ha en 2005) et des vins rouges (226 773 hl). Pour beaucoup, le vin d'anjou est, avec raison, synonyme de vin blanc doux ou moelleux. Le cépage est le chenin, ou pineau de la Loire, mais l'évolution de la consommation vers des secs a conduit les producteurs à y associer chardonnay ou sauvignon, dans la limite maximale de 20 %. La production de vins rouges est en train de modifier l'image de la région ; ce sont les cépages cabernet franc et cabernet-sauvignon qui sont alors mis en œuvre.

DOM. DE L'ANGELIÈRE Prestige Sec 2005 *

□ 1 ha 1 200 3 à 5 €

La cinquième génération perpétue la tradition viticole de ce domaine situé dans la vallée du Layon. Son anjou sec retient l'attention par sa robe claire et limpide aux reflets dorés. Encore discret, le nez laisse percer à l'agitation des notes fruitées et florales que l'on retrouve dans une bouche agréable et harmonieuse.

GAEC Boret, Dom. de L'Angelière, 49380 Champ-sur-Layon, tél. 02.41.78.85.09, fax 02.41.78.67.10 r.-v.

VIGNOBLE DE L'ARCISON 2006 *

10 ha 10 000 3 à 5 €

L'exploitation est située sur le territoire de la commune de Thouarcé, célèbre par son cru bonnezeaux. Ses chais sont aménagés dans d'anciens bâtiments d'élevage caractéristiques de ceux que l'on trouve dans les Mauges. Son anjou rouge, rubis intense, ne manque pas de caractère. Le nez évoque les fruits rouges compotés, la bouche intense et riche révèle une belle structure tannique. À servir dans les trois ans sur du gibier ou des fromages à pâte molle.

Damien Reulier, Le Mesnil, 49380 Thouarcé, tél. 02.41.54.16.81, fax 02.41.54.31.12, e-mail damien.reulier@wanadoo.fr r.-v.

DOM. DE LA BELLE ANGEVINE Les Mûriers 2005 **

1 ha 3 000 5 à 8 €

Issu du regroupement de deux propriétés, ce domaine de 18 ha est situé dans la vallée du Layon. Il a remarquablement réussi son anjou rouge : un 2005 de couleur soutenue, au bouquet caractéristique de fruits rouges et noirs, bien franc en bouche. Une petite garde ? Les tanins s'arrondiront encore, mais on pourra déboucher cette bouteille dès la sortie du Guide.

Florence Dufour, Dom. de La Belle Angevine, La Motte, 49750 Beaulieu-sur-Layon, tél. 02.41.78.34.86, fax 02.41.72.81.58, e-mail labelleangevine@wanadoo.fr r.-v.

DOM. MICHEL BLOUIN Sec 2006 *

0,63 ha 3 000 3 à 5 €

Une propriété agrandie au fil des générations : 2 à 3 ha en 1870, plus de 21 ha aujourd'hui. Les lecteurs du Guide connaissent bien ses liquoreux, coteaux-du-layon et chaume. Voici un anjou des plus agréables. De couleur jaune paille, il exprime au nez des notes minérales qui font ressortir sa belle expression fruitée en bouche. Aucune agressivité dans ce vin souple et facile à boire. Le **coteaux-du-layon Beaulieu 2005 (5 à 8 €)** est cité.

Dom. Michel Blouin, 53, rue du Canal-de-Monsieur, 49190 Saint-Aubin-de-Luigné, tél. 02.41.78.33.53, fax 02.41.78.67.61 r.-v.

CH. DE BOIS-BRINÇON La Seigneurie 2005 *

2 ha 10 000 5 à 8 €

Le château couvert d'ardoises ne semble pas très ancien. Pourtant, le vignoble de Boscus Breceii, pour reprendre la formulation des actes médiévaux, remonte au XIII[e]s. Il dépendait de l'hôpital de Saint-Jean d'Angers. La famille Cailleau l'a acquis en 1892. Xavier Cailleau propose aujourd'hui deux vins très réussis : ce rouge de couleur soutenue, aux parfums de fruits rouges et noirs bien mûrs, rond en bouche, un peu plus austère et tannique en finale, qui pourrait bénéficier d'une garde d'un an ou deux ; et le **rouge Le Clos Bertin 2005 (8 à 11 €)**, élevé un an en fût ; ce dernier dispense des senteurs de petits fruits noirs (cassis et mûre) accompagnées de notes boisées qui se prolongent dans une bouche ample, riche et longue.

Xavier Cailleau, Ch. de Bois-Brinçon, 49320 Blaison-Gohier, tél. 02.41.57.19.62, fax 02.41.57.10.46, e-mail chateau.bois.brincon@terre-net.fr r.-v.

DOM. DES CHESNAIES La Potardière 2005

1,6 ha 4 500 5 à 8 €

Domaine de la corniche angevine racheté en 1998 par deux Parisiens qui soignent autant le vignoble que les bâtiments et le jardin, ouverts aux touristes. Un coup de cœur en anjou-villages cette année, et deux citations en anjou : pour ce blanc, au nez assez vif, discrètement floral et à la bouche fraîche et légère ; et pour le **rouge Le Bretault 2006**, qui offre la même légèreté fruitée et qui trouvera sa place aussi bien sur un poulet à l'angevine que sur une entrecôte ou un plateau de fromages.

Olivier de Cenival, Dom. des Chesnaies, La Noue, 49190 Denée, tél. 02.41.78.79.80, fax 02.41.68.05.61, e-mail odecenival@wanadoo.fr r.-v.

DOM. DES COTEAUX BLANCS Les Moulins d'Ardenay 2005 ***

2,5 ha 3 000 3 à 5 €

Créée en 1980 avec 3 ha, cette exploitation en compte 17 aujourd'hui, répartis sur plusieurs terroirs, dans la vallée de la Loire et celle du Layon. Son anjou rouge des Moulins d'Ardenay montre un réel savoir-faire. Pourpre profond, il libère d'intenses parfums de fruits rouges et noirs. Ce fruité se prolonge dans une bouche gourmande, franche, ample, à la fois charpentée et fondue. Reflet d'une vendange mûre à souhait, ce vin est un modèle de son appellation. Agneau ? Porc et viandes blanches ? Fromages ? Le choix est large.

François Picherit, EARL Dom. des Coteaux Blancs, Les Coteaux Blancs, 49290 Chalonnes-sur-Loire, tél. 02.41.78.16.83, fax 02.41.74.96.14, e-mail picherit49@hotmail.com r.-v.

DOM. DE LA COUCHETIÈRE Élevé en fût de chêne 2005 **

1 ha 5 400 3 à 5 €

Éric Brault s'est installé en 1995 sur le domaine familial, suivi dix ans plus tard par Tony. Le tandem exploite 23 ha de vignes du côté de Bonnezeaux. Leurs cabernets ont profité d'une année ensoleillée, et le savoir-faire des vignerons a fait le reste : toute la dégustation n'est que plaisir, de la robe rouge soutenu à la bouche fruitée, ample et riche en passant par le nez aux accents de fruits surmûris enveloppés d'un boisé agréable. Produit d'une vendange bien mûre, un vin déjà plaisant et de garde : il sera à son apogée dans quatre à cinq ans.

GAEC Brault, Dom. de La Couchetière, 49380 Notre-Dame-d'Allençon, tél. 02.41.54.30.26, fax 02.41.54.40.98 t.l.j. sf dim. 8h-12h 14h-19h

DOM. PHILIPPE DELESVAUX 2005 **

2 ha 7 000 5 à 8 €

Figure de la génération adepte du « sans sucre, sans soufre », et militant des petits rendements, Philippe Delesvaux conduit ses 11 ha de vignes en agriculture biologique. Les lecteurs du Guide connaissent bien ses sélections de grains nobles en coteaux-du-layon. Ce rouge révèle lui aussi un réel savoir-faire. De couleur profonde,

LOIRE

il évoque les fruits rouges et le raisin bien mûr. Il se développe sur des tanins enrobés qui charment d'emblée tout en offrant d'intéressantes perspectives de garde (quatre à cinq ans). Le **rouge La Montée de l'Épine 2005**, élevé sous bois, obtient une étoile. Il exprime un fruité fumé et gagnera à attendre deux à trois ans pour fondre ses tanins. Même note pour le **blanc L'Authentique Vignes françaises 2005 (15 à 23 €)**, issu de chenin franc de pied. Un nez discret, floral et légèrement boisé pour ce vin tendre, suave et harmonieux.

Dom. Philippe Delesvaux,
Les Essards, La Haie Longue,
49190 Saint-Aubin-de-Luigné, tél. 02.41.78.18.71,
fax 02.41.78.68.06,
e-mail dom.delesvaux.philippe@wanadoo.fr
r.-v.

DOM. DES DEUX MOULINS 2006 *

2 ha 5 000 5 à 8 €

Ce domaine, proche des vallées de l'Aubance et de la Loire, tient son nom de deux moulins caviers typiques de l'Anjou viticole. Créée en 1989 avec 12 ha de vignes, la propriété en compte 60 aujourd'hui. C'est encore un blanc qui se trouve étoilé cette année. Ce 2006 brille d'un bel éclat doré, exprime avec netteté et intensité les fleurs et les fruits, arômes qui se prolongent dans un palais gras, riche et bien équilibré.

Daniel Macault,
Dom. des Deux Moulins, 20, rte de Martigneau,
49610 Juigné-sur-Loire, tél. 02.41.54.65.14,
fax 02.41.54.67.94,
e-mail les.deux.moulins@wanadoo.fr r.-v.

DOM. DES DEUX VALLÉES
Clos de la Casse 2005 **

2 ha 10 000 5 à 8 €

Les Deux Vallées ? Celles de la Loire et du Layon. Un domaine racheté en 2001 par Philippe et René Socheleau qui ont refait la cave et restructuré le vignoble (40 ha). Des vignerons devenus rapidement des habitués du Guide. Après un coup de cœur l'an dernier en coteaux-du-layon, voici un anjou plein de qualités : une robe jaune doré intense aux reflets brillants, un nez franc, floral, fruité et légèrement boisé (dix mois de fût), une bouche tout aussi franche et fruitée, charnue et ronde.

Philippe et René Socheleau,
Dom. des Deux Vallées, Bellevue,
49190 Saint-Aubin-de-Luigné, tél. 02.41.78.33.24,
fax 02.41.78.66.58,
e-mail contact@domaine2vallees.com
t.l.j. sf dim. 9h-12h 14h-18h

DOM. DHOMMÉ Clos des Fresnaies 2005 *

3,2 ha 6 000 5 à 8 €

En aval d'Angers, la Loire est parsemée d'îles assez vastes. C'est sur l'une d'entre elles qu'est installé ce domaine. Le vignoble, bien sûr, est localisé plus en hauteur, dans l'aire des coteaux-du-layon et, sur l'autre rive, du savennières. Tout aussi réussi que dans le millésime précédent, ce blanc Clos des Fresnaies affiche une robe jaune doré et mêle d'agréables notes boisées à un fruité complexe, fait de pamplemousse et d'abricot sec. La bouche est soyeuse, ronde et longue. Le 2002 avait obtenu un coup de cœur.

Dom. Dhommé,
Le Petit Port Girault, rte de Saint-Georges-sur-Loire,
49290 Chalonnes-sur-Loire, tél. 02.41.78.24.27,
fax 02.41.74.94.91,
e-mail domainedhomme@wanadoo.fr
t.l.j. sf dim. 9h-12h 14h-19h

DOM. DE LA DUCQUERIE
Les Clavières Sec 2006 **

0,8 ha 3 750 3 à 5 €

Installés dans un important village des coteaux-du-layon, les Cailleau exploitent 48 ha de vignes. Ils ont élaboré un anjou sec jaune pâle aux reflets verts, intense et frais au nez, très aromatique en bouche : tout ce que l'on attend de cette appellation.

EARL Cailleau et Fils,
Dom. de la Ducquerie, 2, chem. du Grand-Clos,
49750 Saint-Lambert-du-Lattay, tél. 02.41.78.42.00,
fax 02.41.78.48.17 t.l.j. sf dim. 8h-12h 14h-18h

DOM. DES ÉPINAUDIÈRES 2006 **

0,5 ha 2 500 3 à 5 €

Plus de quarante ans d'existence pour ce domaine fondé par Roger Fardeau et exploité maintenant par la deuxième génération ; 21 ha, partagés entre vignes rouges et vignes blanches. Ces dernières ont engendré un vin jaune pâle aux intenses parfums de fruits bien mûrs qui se prolongent dans une bouche riche et chaleureuse. La finale fruitée et minérale laisse un excellent souvenir. À marier avec un poisson de rivière ou du fromage.

SCEA Fardeau, Sainte-Foy,
49750 Saint-Lambert-du-Lattay, tél. 02.41.78.35.68,
fax 02.41.78.35.50, e-mail fardeau.paul@club-internet.fr
r.-v.

CH. DE FESLES La Chapelle Sec 2006 **

4 ha 24 000 8 à 11 €

Établi dans un haut lieu des liquoreux de Loire, le château de Fesles a été acquis par la famille Germain en 1996. Le domaine viticole couvre 35 ha. Les coteaux portent des vignes blanches qui donnent liquoreux et anjou secs. Pour la troisième année consécutive, ces derniers figurent dans le Guide. D'un jaune pâle limpide, la cuvée La Chapelle révèle à l'aération d'intenses parfums fruités nuancés par les notes boisées et vanillées de l'élevage qui lui confèrent beaucoup de charme. Riche, bien construite et complexe, la bouche laisse le souvenir d'une réelle harmonie. Pour l'apéritif, les poissons fins, les viandes blanches et le fromage. La **cuvée principale 2006 (5 à 8 €)** obtient une étoile pour ses arômes de fruits bien mûrs, voire macérés, et pour sa bouche ample et équilibrée.

Ch. de Fesles, 49380 Thouarcé, tél. 02.41.68.94.00,
fax 02.41.68.94.01, e-mail loire@vgas.com r.-v.
Bernard Germain

CH. LA FRANCHAIE Clos Bachelot 2005 *

0,7 ha 1 000 5 à 8 €

Jeune vigneron, Jean-Marc Renaud a repris en 2004 un domaine modeste par la superficie (7,50 ha) mais bien situé, en aval de Savennières, et réputé pour la qualité de ses terroirs. Planté de chenin, le Clos Bachelot se distingue par ses sols de spilite, une roche volcanique noire. Il a donné naissance à un vin jaune pâle à reflets verts, au nez discrètement fruité et floral, vivifié par une pointe minérale fort agréable. La bouche est fraîche, légère, juvénile

et de bonne longueur. Un domaine à découvrir en calèche lors des journées portes ouvertes de la propriété, le premier dimanche de juin.
Jean-Marc Renaud, Ch. La Franchaie, 49170 La Possonnière, tél. 02.41.39.18.16, fax 02.41.39.18.17, e-mail chateau.franchaie@wanadoo.fr r.-v.

CH. DU FRESNE 2006

n.c. 30 000 3 à 5 €

Ce vaste domaine (76 ha sur les deux rives du Layon) est commandé par un château médiéval construit en pierre de schiste : il illustre parfaitement cette partie du vignoble appelé Anjou noir en raison de ses roches sombres qui appartiennent au Massif armoricain. Ces types de sols sont à l'origine d'un anjou frais, de couleur rouge vif, aux parfums de fruits rouges et de mûre. Il laisse en finale une légère sensation d'austérité caractéristique des vins rouges produits sur schistes.

Robin-Bretault, Ch. du Fresne, 25 bis, rue des Monts, 49380 Faye-d'Anjou, tél. 02.41.54.30.88, fax 02.41.54.17.52, e-mail chateaudufresne@wanadoo.fr t.l.j. sf dim. 9h-12h 15h-18h30

DOM. GAUDARD

Les Vauguérins 2006 ★★

5,21 ha 10 000 5 à 8 €

Pierre Aguilas exploite 27 ha dans la vallée du Layon. Impliqué dans la défense du vignoble angevin, c'est un vigneron hors normes, comme son anjou rouge d'une maturité impressionnante, élaboré à partir de petits rendements. Un vin remarquable, qui a frôlé le coup de cœur, et qui prend la suite d'une série de millésimes très bien accueillis dans les précédentes éditions. D'un pourpre intense, ce 2006 présente un nez de fruits rouges très mûrs. Il est ample, structuré et de caractère.

Anjou et Saumur

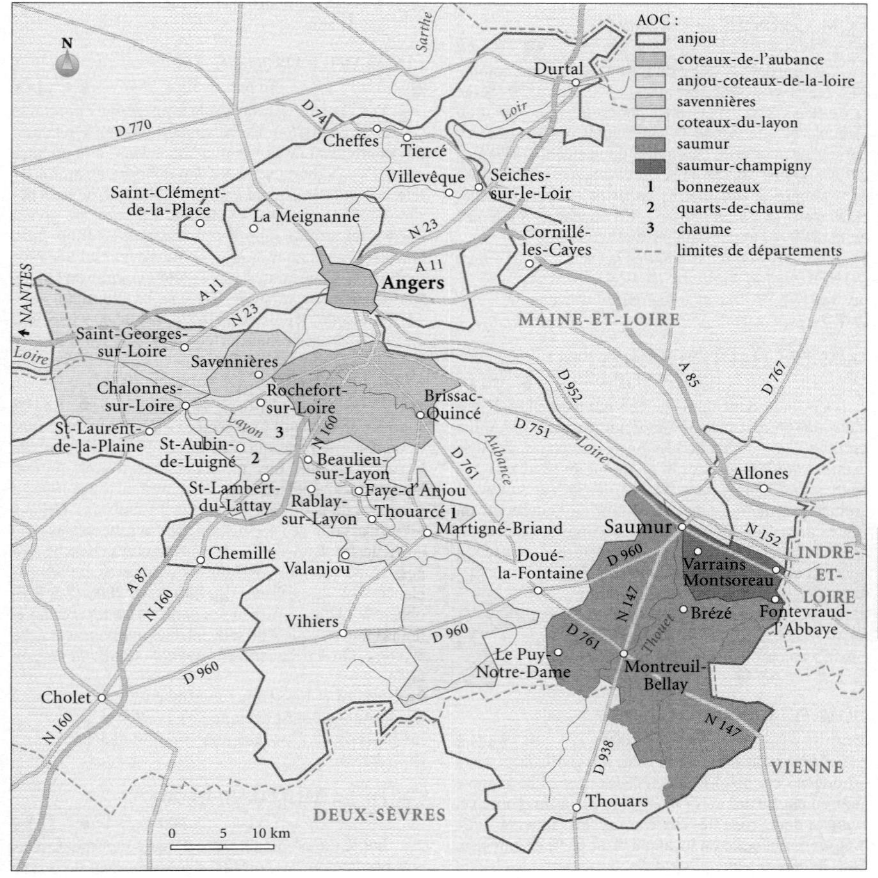

🔑 Janes et Pierre Aguilas,
Dom. Gaudard, rte de Saint-Aubin,
49290 Chaudefonds-sur-Layon, tél. 02.41.78.10.68,
fax 02.41.78.67.72, e-mail pierre.aguilas@wanadoo.fr
t.l.j. 9h-12h 14h-18h; dim. sur r.-v.

DOM. LES GRANDES VIGNES
Varenne du Poirier 2005 ★★

2,25 ha 12 500 5 à 8 €

Six coups de cœur en liquoreux comme en blancs secs : les Grandes Vignes donnent souvent de grands vins. Ce domaine de la vallée du Layon maintient son exigence de qualité. Il a présenté un anjou or pâle, très plaisant par son nez floral, fruité et citronné. L'attaque ronde prélude à une bouche suave et fraîche à la fois, tout en fruit. Une expression typique et harmonieuse du chenin. Cité, le **rouge L'Aubinaie 2006**, encore sur sa réserve, se montre ample et charnu en bouche. Il sera prêt à la parution du Guide.

🔑 Dom. Les Grandes Vignes, La Roche Aubry,
49380 Thouarcé, tél. 02.41.54.05.06, fax 02.41.54.08.21,
e-mail vaillant@domainelesgrandesvignes.com
r.-v.
🔑 GFA Vaillant

DOM. GROSSET Le Vau 2005 ★★

0,5 ha 1 150 5 à 8 €

Installé dans la vallée du Layon, ce domaine compte 14,5 ha. Il s'est spécialisé dans les années 1970. Serge Grosset, à sa tête depuis vingt ans, est fidèle au labour du vignoble et affectionne la vinification en barrique, en particulier pour cette cuvée déjà doublement étoilée l'an dernier. D'une couleur paille dorée limpide, ce 2005 offre un nez expressif et complexe associant les fleurs blanches et les fruits secs à un fin boisé. En bouche, il révèle une riche matière, ample, équilibrée et séduisante.

🔑 Serge Grosset, 60, rue René-Gasnier,
49190 Rochefort-sur-Loire, tél. 02.41.78.78.67,
fax 02.41.78.79.79, e-mail segrosset@wanadoo.fr
r.-v.

DOM. DES HAUTES OUCHES 2006 ★

2 ha 3 000 5 à 8 €

Cet important domaine (55 ha) s'est illustré plus d'une fois en rosé mais réussit d'autres styles de vin. Il a proposé comme l'an dernier un blanc tendre, de style demi-sec voire moelleux (30 g/l de sucres résiduels). Un court séjour dans le bois n'a pas déteint sur sa palette aromatique, marquée au nez comme en bouche par un fruité intense aux accents exotiques (papaye). En bouche, le vin se montre franc, ample et structuré. Une citation pour le **cabernet-d'anjou 2006 (3 à 5 €)**.

🔑 EARL Joël et Jean-Louis Lhumeau,
9, rue Saint-Vincent, 49700 Brigné-sur-Layon,
tél. 02.41.59.30.51, fax 02.41.59.31.75,
e-mail jeanlouis.lhumeau@wanadoo.fr
r.-v.

DOM. DU LANDREAU La Jalousie 2005 ★★

3 ha 13 000 8 à 11 €

Après avoir parié sur la vente aux particuliers, cette propriété s'est régulièrement développée. Elle compte aujourd'hui 50 ha et s'est étendue jusqu'en Touraine. Habillée d'une robe très claire aux reflets jaunes et verts, la cuvée La Jalousie est un anjou blanc élevé en barrique. Mais le bois, à peine perceptible, laisse parler le chenin. Les fleurs printanières s'associent à la pêche blanche et se prolongent dans une bouche fraîche à l'attaque, persistante et douce en finale, aux arômes typiques du cépage. Le **rouge 2005 (5 à 8 €)** n'a pas connu le bois. Il obtient une étoile pour ses arômes de fruits rouges, son ampleur, ses tanins fondus et son élégance.

🔑 SARL Dom. du Landreau, Le Landreau,
49750 Saint-Lambert-du-Lattay, tél. 02.41.78.30.41,
fax 02.41.78.45.11,
e-mail cmorin@domaine-du-landreau.com r.-v.
🔑 Le Corre

DOM. LEROY Vinifié en fût de chêne 2006 ★

1,5 ha 3 000 5 à 8 €

Cinq générations se sont succédé sur ce domaine de la vallée du Layon qui compte aujourd'hui 25 ha. La famille est installée dans une maison de 1612. Jean-Michel Leroy a soumis au jury un anjou blanc vinifié en fût de chêne déjà mentionné dans le millésime précédent. Un vin doré, assez fermé. On y trouve une fraîcheur agréable et ses arômes naissants devraient s'exprimer avec le temps.

🔑 Jean-Michel Leroy, rue d'Anjou,
49540 Aubigné-sur-Layon, tél. 02.41.59.61.00,
fax 02.41.59.96.47, e-mail leroy.domaine@wanadoo.fr
t.l.j. sf dim. 8h30-12h30 14h-19h;
f. 1er juil-25 août

LES MARILLAIS 2006 ★

14 ha n.c. 3 à 5 €

Les Vignerons de la Noëlle forment une importante coopérative (environ 800 ha vinifiés) implantée à l'ouest du département de Loire-Atlantique, dans l'aire du muscadet. Ils produisent aussi des vins d'Anjou, comme cette sélection qui correspond à un assemblage de cépages nés sur différentes roches schisteuses. La robe est grenat intense, les arômes rappellent le cassis et les fruits frais. Onctueuse en attaque, la bouche fraîche finit sur une note de poivron. Cette bouteille sera prête à la sortie du Guide.

🔑 Vignerons de la Noëlle, Terrena, bd des Alliés,
44150 Ancenis, tél. 02.40.98.92.72, fax 02.40.98.96.70,
e-mail vignerons-noelle@terrena.fr r.-v.

DOM. DE MIHOUDY Symphonie 2006 ★

2,5 ha 12 000 8 à 11 €

Bruno Cochard représente la sixième génération sur le domaine familial qui s'étend sur 51 ha. Habitué du Guide, il soumet aux jurys des vins rouges, secs et liquoreux souvent bien accueillis. Un anjou rouge 1995 lui a même valu la Grappe de bronze il y a dix ans. Celui-ci est un classique de l'appellation avec sa robe rouge foncé aux reflets violets, son nez de fruits frais et sa bouche tout aussi fruitée, ronde et agréable. À servir avec des viandes blanches ou des grillades. Le **blanc sec 2006 (5 à 8 €)** obtient la même note pour ses parfums fruités (pêche) et floraux intenses qui se prolongent dans une bouche fraîche et ample. On le débouchera à l'apéritif ou avec du poisson grillé.

🔑 Cochard et Fils, Dom. de Mihoudy,
49540 Aubigné-sur-Layon, tél. 02.41.59.46.52,
fax 02.41.59.68.77, e-mail mihoudy@wanadoo.fr
r.-v.

CH. DE LA MULONNIÈRE 2006

1,3 ha 8 600 5 à 8 €

Sur le Layon canalisé, des barques descendaient les vins produits sur les coteaux ; elles revenaient de la côte

chargées de sel couvert d'une couche protectrice d'argile appelée mulon, d'où le nom de la propriété, belle unité couvrant 35 ha. Intense à l'œil comme au nez, son anjou blanc se montre frais à l'attaque puis souple et assez long.
🔑 SCEA Ch. de La Mulonnière,
49750 Beaulieu-sur-Layon, tél. 02.41.78.47.52,
fax 02.41.78.63.63 ☑ Ⲧ 🚶 r.-v. 🏨 ❺
🔑 Saget

GILLES MUSSET-SERGE ROULLIER
Les Neuf-Vingt 2006 ★★

■ 4 ha 20 000 ▮ 3 à 5 €

Quatre coups de cœur aussi bien en blanc (anjou-coteaux-de-la-loire) qu'en anjou rouge : ce domaine de 34 ha, né en 1994 de l'association de deux propriétés, est une valeur sûre du vignoble angevin. Sa production reflète une rigueur remarquable dans le travail, tant à la vigne qu'aux chais. Cette sélection laisse une étonnante sensation de fruits rouges mûrs, voire écrasés ou compotés, au nez comme en rétro-olfaction. Un anjou apparemment léger et facile et qui cache une grande matière parfaitement vinifiée. Il est prêt.
🔑 Vignoble Musset-Roullier, Le Chaumier,
49620 La Pommeraye, tél. 02.41.39.05.71,
fax 02.41.77.75.76, e-mail musset.roullier@wanadoo.fr
☑ Ⲧ 🚶 r.-v.

CH. DE PASSAVANT 2006 ★

□ 3,71 ha 18 000 ⫼ 5 à 8 €

Un château aux tours trapues, vestiges des temps féodaux et de la geste de Foulque Nerra, comte d'Anjou, mais un chai moderne pour ce domaine du haut Layon exploité en agriculture biologique. Bien accueilli par le jury, son anjou blanc 2006 s'annonce par une robe avenante, jaune doré ; le nez se partage entre des nuances florales et fruitées qui se prolongent dans une bouche agréable. Pour un poisson en sauce. Le **cabernet d'anjou 2006 (3 à 5 €)** est cité.
🔑 SCEA David-Lecomte, rte de Tancoigné,
49560 Passavant-sur-Layon, tél. 02.41.59.53.96,
fax 02.41.59.57.91, e-mail passavant@orange.fr
☑ Ⲧ 🚶 t.l.j. sf dim. 8h-12h30 14h-18h; sam. sur r.-v.

DOM. DU PETIT VAL 2005 ★

■ 1,4 ha 9 000 ▮ 3 à 5 €

Créé en 1950 par le père de Denis Goizil, ce domaine a connu une belle expansion puisqu'il est passé de 4,5 ha à ses débuts à 43 ha aujourd'hui. Rouges ou liquoreux, ses vins sont souvent très bien accueillis par les dégustateurs. Celui-ci s'habille d'une élégante robe rubis aux reflets violacés et exprime d'intenses senteurs de petits fruits rouges bien mûrs. Sa bouche est franche et agréable malgré quelques tanins austères en finale qui ne perturbent pas l'harmonie générale. Une bouteille à déboucher dès maintenant.
🔑 EARL Denis Goizil, Dom. du Petit Val,
49380 Chavagnes, tél. 02.41.54.31.14,
fax 02.41.54.03.48, e-mail denisgoizil@tiscali.fr
☑ Ⲧ 🚶 r.-v.

CH. PIÉGUË La Croix des Gardes 2005 ★

□ 1 ha 6 500 ⫼ 5 à 8 €

Cette propriété domine la vallée de la Loire, face au vignoble de Savennières situé sur l'autre rive. Elle s'étend sur 27 ha. À l'œil, sa cuvée La Croix des Gardes rappelle un liquoreux tant sa robe est dorée. Au nez, elle associe un boisé épicé légué par un élevage d'un an en fût à des nuances de miel et de tilleul. La bouche se montre riche et chaleureuse. Quant à sa cuvée **rouge 2005 Le Clocher (3 à 5 €)**, typique de l'appellation, elle est citée.
🔑 SCEA Ch. Piéguë, 49190 Rochefort-sur-Loire,
tél. 02.41.78.71.26, fax 02.41.78.75.03,
e-mail chateau-piegue@wanadoo.fr
☑ Ⲧ 🚶 t.l.j. 9h-12h 14h-19h 🏨 ❼
🔑 Claude Thomas

CH. DE PUTILLE 2006

■ 6 ha 30 000 ▮ 3 à 5 €

Le château de Putille a réellement existé. Les premières caves ont été creusées dans ses douves. L'exploitation, qui s'étend sur 45 ha dans le secteur des coteaux de la Loire, a plusieurs coups de cœur à son actif, en rouge, en blanc et même en crémant. Ce 2006 rouge intense a besoin d'aération pour s'exprimer. Il libère alors des parfums de fruits rouges et de cassis. Léger, facile et agréable en bouche, il est prêt dès la parution du Guide.
🔑 Pascal Delaunay, EARL Ch. de Putille,
49620 La Pommeraye, tél. 02.41.39.02.91,
fax 02.41.39.03.45,
e-mail pascal.genevieve.delaunay@wanadoo.fr
☑ Ⲧ 🚶 t.l.j. sf dim. 8h-12h 14h-19h

DOM. DES QUARRES
Les Pierres noires Sec 2005 ★

□ 2,3 ha n.c. ⫼ 5 à 8 €

Implanté sur un coteau de la vallée du Layon aménagé en terrasses en 1973, ce domaine est exploité par Luc Arenou et Sylvaine Bidet depuis 1986. Il compte 30 ha de vignes. Sa cuvée Les Pierres noires attire par sa robe d'un jaune doré intense. Au nez, elle associe les fruits à un léger boisé légué par un élevage de dix mois en fût. Un vin aromatique, puissant et chaleureux. Le **blanc sec Les Graviers 2005** (une étoile également) a lui aussi connu le bois, mais c'est un fruité qui domine au nez, nuancé de touches épicées. Rond et gras, le palais offre une longue finale fruitée et fraîche.
🔑 SCEA Dom. des Quarres, 66, Grande-Rue,
49750 Rablay-sur-Layon, tél. 02.41.78.36.00,
fax 02.41.78.62.58 ☑ Ⲧ 🚶 r.-v.

DOM. RICHOU Les Rogeries 2005 ★

□ 2 ha n.c. ⫼ 8 à 11 €

Un Richou, médecin ordinaire du roi, fut sans doute au XVIe s. le premier d'une lignée de propriétaires de vignes. Quatre siècles plus tard, Henri Richou et son fils obtinrent le premier coup de cœur du Guide en anjou blanc : un 1983, dans la première édition. Six autres ont suivi, toujours en blanc : anjou sec (ces Rogeries), ou liquoreux, des coteaux-de-l'aubance surtout. Un domaine qui a contribué au renouveau du vignoble angevin. Jaune à reflets dorés, le millésime 2005 des Rogeries libère des parfums de fruits blancs et de fleurs blanches (acacia) accompagnés de nuances boisées très agréables. Ces évocations se prolongent dans une bouche équilibrée et persistante.
🔑 Dom. D. et D. Richou, Chauvigné,
49610 Mozé-sur-Louet, tél. 02.41.78.72.13,
fax 02.41.78.76.05, e-mail domaine.richou@wanadoo.fr
☑ Ⲧ 🚶 r.-v.

ROCHES DES ROCHELLES 2005 *

■ 3 ha 7 000 11 à 15 €

Ce domaine est installé à Saint-Jean-des-Mauvrets, entre la vallée de l'Aubance et celle de la Loire. Brissac est tout proche, et, sur les 57 ha de la propriété, une partie est consacrée à l'appellation anjou-village-brissac, dans laquelle les Lebreton excellent (quatre coups de cœur, tous en rouge). Ils n'en produisent pas moins des blancs dignes d'intérêt comme cet anjou jaune pâle au fruité intense légèrement poivré. Toujours fruitée, la bouche est ample, riche et très chaleureuse. Cette bouteille devrait gagner à attendre.

EARL J.Y.-A. Lebreton, Dom. des Rochelles, 49320 Saint-Jean-des-Mauvrets, tél. 02.41.91.92.07, fax 02.41.54.62.63, e-mail jy.a.lebreton@wanadoo.fr
t.l.j. sf dim. 9h-12h 14h-19h

CH. DES ROCHETTES 2006 *

■ 2 ha 10 000 3 à 5 €

Ce château des Rochettes qui appartenait à la famille Douet depuis de nombreuses générations a changé de mains en juillet 2006 : Jean Douet l'a vendu à Catherine Nolot qui exploite déjà dans la région le domaine de l'Été. Habituée du Guide, la propriété reste sélectionnée. Ce 2006 affiche une robe rouge vif et exprime des arômes frais de fruits rouges, que l'on retrouve dans une bouche tout en souplesse. Un vin printanier, très bon représentant de son appellation.

SCEA Catherine Nolot, Ch. des Rochettes, 49700 Concourson-sur-Layon, tél. 02.41.59.11.51, fax 02.41.59.37.73 r.-v.

DOM. DE SAINT MAUR 2006 *

■ 1 ha 1 500 3 à 5 €

Ce vignoble fut exploité par les bénédictins jusqu'en 1985. De cet âge monastique subsistent des bâtiments classés Monuments historiques. Depuis 1962, le vignoble appartient à la famille Chouteau ; Xavier a pris le relais en 2000. Son anjou sec, de couleur jaune pâle, se pare de jolis reflets verts et offre d'agréables arômes frais et fruités. Long et ample en bouche, l'ensemble est fort plaisant. L'**anjou-villages 2005 (5 à 8 €)** est cité.

Xavier Chouteau, Saint-Maur, 49350 Le Thoureil, tél. 02.41.57.30.24, fax 02.41.57.09.18, e-mail info@domaine-de-saint-maur.fr
t.l.j. sf dim. 17h-19h

DOM. DES SAULAIES 2006 *

■ 0,33 ha 2 666 5 à 8 €

Les Leblanc cultivent avec autant de zèle leur chenin que leur généalogie : leurs ancêtres travaillaient déjà la vigne sous le règne de Louis XIV ; ils maintiennent en bon état de marche leur outil de travail, pour le léguer à la dernière génération, née en 2003 et 2005 ; ainsi ont-ils rénové en 2006 leur cuverie. Jaune d'or éclatant, leur anjou blanc, encore discret au nez, laisse percer à l'aération un fruité subtil caractéristique du cépage. Son agrément réside dans sa souplesse et sa rondeur : c'est un tendre.

EARL Philippe et Pascal Leblanc, Dom. des Saulaies, 49380 Faye-d'Anjou, tél. 02.41.54.30.66, fax 02.41.54.17.21, e-mail philippepascal.leblanc@wanadoo.fr
t.l.j. sf dim. 8h-12h30 14h-19h

CH. SOUCHERIE Champ aux loups 2005 **

■ 4 ha 12 000 8 à 11 €

Situé à mi-coteau, le château Soucherie offre un remarquable point de vue sur la vallée du Layon. Il est entré dans la famille Tijou en 1952 et s'étend aujourd'hui sur 35 ha. Très souvent sélectionnée, la cuvée Champ aux loups est élevée en fût. Le 2005 s'inscrit dans ses plus beaux millésimes. Rubis intense, ce vin libère des parfums de fruits rouges frais fort agréables, soulignés d'un léger boisé vanillé. En bouche, la concentration, le volume et la richesse témoignent d'une vendange mûre à souhait. L'ensemble appelle la côte de bœuf.

Pierre-Yves Tijou et Fils, Ch. Soucherie, 49750 Beaulieu-sur-Layon, tél. 02.41.78.31.18, fax 02.41.78.48.29, e-mail chateausoucherie@yahoo.fr
r.-v.

DOM. DU TERTRE Vieilles Vignes 2006

■ 3 ha 10 000 3 à 5 €

Aux XVIIIe et XIXe s., Montjean-sur-Loire était une cité minière et le siège d'une intense activité de batellerie. Aujourd'hui, la commune y développe la batellerie de plaisance et des activités culturelles variées : musée des Deux Roues, écomusée et exposition de sculptures monumentales à ciel ouvert. Ancienne ferme spécialisée en viticulture, le domaine du Tertre s'étend sur 16 ha aux alentours. Son anjou 2006 affiche une couleur intense et offre des arômes délicats de cassis et de fruits mûrs. La bouche ronde, fraîche, un peu végétale est bien représentative du millésime.

GAEC Onillon, Le Tertre, 49570 Montjean-sur-Loire, tél. 02.41.39.02.72, fax 02.41.39.76.80 r.-v.

LES VIGNES DE L'ALMA 2006 **

■ 1 ha 7 000 3 à 5 €

Constitué d'une dizaine d'hectares, ce domaine dominant la vallée de la Loire est situé aux confins de l'aire du muscadet. Il avait d'ailleurs obtenu un coup de cœur pour un muscadet-coteaux-de-la-loire 2003 et, dans le même millésime, pour un anjou-gamay. Autre appellation, autre cépage, nouveau coup de cœur cette année. Cet anjou rouge s'est imposé par son remarquable équilibre, sa plaisante rondeur, ses arômes fins et légers de framboise et de cassis, sa matière à la fois présente et tout en délicatesse. Prêt à boire, un vin digne d'une côte de bœuf. La **cuvée Prestige rouge 2005 (5 à 8 €)** du domaine, obtient une étoile.

Roland Chevalier, L'Alma, 49410 Saint-Florent-le-Vieil, tél. 02.41.72.71.09, fax 02.41.72.63.77, e-mail chevalier.roland@wanadoo.fr
t.l.j. sf dim. 8h30-12h30 14h-19h

Anjou-gamay

Vin rouge produit à partir du cépage gamay noir. Sur les terrains les plus schisteux de la zone, bien vinifié, il peut donner un excellent vin de carafe. Quelques exploitations se sont spécialisées dans ce type, qui n'a d'autre ambition que de plaire au cours de l'année de sa récolte. 9 538 hl ont été produits en 2005.

DOM. DU FRESCHE 2006 ★★

■ 1 ha 6 000 ▮ 3 à 5 €

La commune de La Pommeraye est située dans la partie ouest du vignoble angevin, à quelques kilomètres de l'aire du muscadet. Les vignes couvrent des coteaux schisteux dominant la Loire. Elles sont ici à l'origine d'un vin rouge intense aux reflets violets et aux arômes de fruits frais marqués par la cerise mûre. La bouche à la fois puissante et élégante reflète une vendange récoltée à maturité optimale. Un vin riche et gourmand.

EARL Alain Boré,
Dom. du Fresche, rte de Chalonnes,
49620 La Pommeraye, tél. 02.41.77.74.63,
fax 02.41.77.79.39 ☑ Ɪ t.l.j. sf dim. 10h-12h 14h-18h

DOM. DE SAINTE-ANNE 2006

■ 5 ha 20 000 ▮ 3 à 5 €

Une butte calcaire constituée de marnes à huîtres annonce au niveau de Brissac le début des formations secondaires qui recouvrent les terres schisteuses du Massif armoricain. Le domaine de Sainte-Anne y est implanté depuis plus de cinq générations. Les terres argilo-calcaires de la propriété ne sont pas a priori propices au gamay. Et pourtant, ce 2006 a séduit par sa couleur cerise, son nez intense de fruits acides et par sa bouche équilibrée, nerveuse en finale. Le type de vin facile à servir sur des entrées et charcuteries.

EARL Marc Brault, Dom. de Sainte-Anne,
49320 Brissac-Quincé, tél. 02.41.91.24.58,
fax 02.41.91.25.87, e-mail eva.brault@wanadoo.fr
☑ Ɪ t.l.j. sf dim. 9h-12h 14h-18h

Anjou-villages

Le terroir de l'AOC anjou-villages correspond à une sélection de terrains dans l'AOC anjou : seuls les sols se ressuyant facilement, précoces et bénéficiant d'une bonne exposition ont été retenus. Ce sont essentiellement des sols développés sur schistes, altérés ou non. Les dix communes situées autour du château de Brissac constituent l'aire géographique de l'AOC anjou-villages-brissac, reconnue en 1998 ; elles sont situées sur un plateau en pente douce vers la Loire, limité au nord par ce fleuve, et au sud par les coteaux abrupts du Layon. Les sols sont profonds. La proximité de la Loire, qui limite les températures extrêmes, explique également la particularité du terroir. La vendange 2005 a produit 8 063 hl en anjou-villages et 4 483 hl en anjou-villages-brissac.

CH. DE L'ASSAY Vieilli en fût de chêne 2005

■ 2,5 ha 4 000 ⫼ 5 à 8 €

Trois générations au service du vin, trois statuts pour les Dufour : métayers, fermiers puis propriétaires. Un nouveau chai en 1995. Aujourd'hui, 20 ha de vignes du côté de Thouarcé, dans la vallée du Layon, commandés par un imposant château du XIX[e]s. Élevé un an en barrique, l'anjou-villages de la propriété représente bien son appellation, avec une robe rouge intense, un nez partagé entre les fruits compotés et un intense boisé vanillé et grillé, une bouche délicate à l'attaque et légèrement tannique en finale.

EARL Dufour, La Chesnaye,
49380 Faveraye-Machelles, tél. 02.41.54.07.83,
fax 02.41.54.09.48, e-mail vinanjou@earldufour.com
☑ Ɪ ⛹ r.-v.

DOM. DE LA BERGERIE Évanescence 2005 ★

■ 0,7 ha 4 000 ⫼ 8 à 11 €

Savennières, quarts-de-chaume, chaume, anjou-villages... La Bergerie est une valeur sûre de l'Anjou viticole pour tous les styles de vins, qu'ils soient blancs secs, liquoreux ou rouges. Cette cuvée, remarquable dans le millésime précédent, fait encore bonne figure cette année : élevée seize mois en fût, elle est assez marquée par un boisé vanillé et devrait gagner à attendre deux à trois ans. Puissante et harmonieuse, elle pourra accompagner les plats sucrés-salés comme du porc à la sauce aigre-douce. La cuvée **Le Chant du bois 2005 (5 à 8 €)** n'a pas connu le chêne. Elle évoque des fruits rouges croquant au palais.

Yves Guégniard, Dom. de La Bergerie,
49380 Champ-sur-Layon, tél. 02.41.78.85.43,
fax 02.41.78.60.13,
e-mail domainede.la.bergerie@wanadoo.fr
☑ Ɪ ⛹ t.l.j. sf dim. 9h-12h 14h-19h; f. 15-30 août

DOM. DES CHESNAIES La Musse 2005 ★★★

■ 1 ha 6 600 5 à 8 €

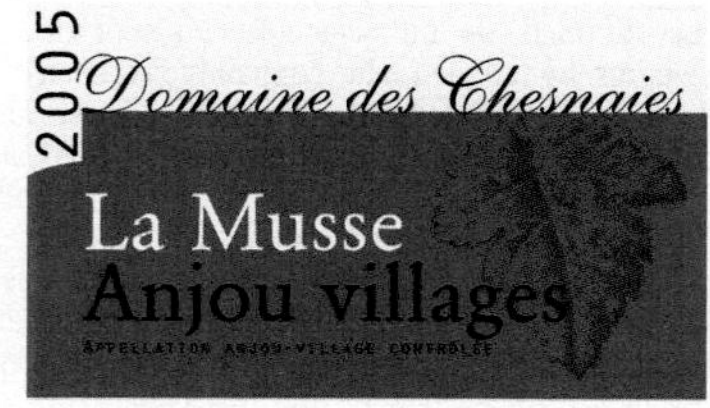

2005
Domaine des Chesnaies
La Musse
Anjou villages

Un décor charmant pour une nouvelle vie : la gentilhommière de la Noue (XVI[e]s.), un jardin dessiné en 1889 inscrit à l'Inventaire supplémentaire des Monuments historiques et un coquet vignoble (19 ha aujourd'hui). L'ensemble a attiré en 1998 des Parisiens passionnés de vin qui ont restauré les bâtiments pour les ouvrir aux visiteurs et mettre en valeur la propriété. Un cadre romantique et un vin d'émotion. La robe, d'un rouge violet profond presque noir, annonce les parfums intenses qui se répandent à l'aération en notes de fruits cuits et compotés. La bouche est dense, opulente. Une bouteille d'une rare harmonie qui cache une matière impressionnante. L'orangerie de la propriété a été aménagée en salle de dégustation pour accueillir groupes et séminaires.

🔑 Olivier de Cenival, Dom. des Chesnaies, La Noue, 49190 Denée, tél. 02.41.78.79.80, fax 02.41.68.05.61, e-mail odecenival@wanadoo.fr ☑ 🍷 🚶 r.-v. 🏠 ❺

DOM. DU FRESCHE 2005 ★★

■ 1 ha 6 000 ▮ 5 à 8 €

Implanté sur les coteaux schisteux dominant la Loire, ce domaine se distingue régulièrement dans le Guide. Il a proposé un anjou-villages très prometteur, à attendre un à deux ans. La robe est sombre, dense, à reflets violets. Les parfums évoquent les fruits rouges (cerise) et noirs (myrtille, cassis, prunelle). Velouté en attaque, presque moelleux, le palais montre une certaine fermeté tannique en finale : une belle structure caractéristique d'un vin de garde. Le 2003 avait obtenu un coup de cœur. L'**anjou-coteaux-de-la-loire 2005 cuvée Vieille Sève** est cité.

🔑 EARL Alain Boré,
Dom. du Fresche, rte de Chalonnes,
49620 La Pommeraye, tél. 02.41.77.74.63,
fax 02.41.77.79.39 ☑ 🍷 t.l.j. sf dim. 10h-12h 14h-18h

DOM. DE LA GERFAUDRIE
Cuvée Prestige 2005 ★

■ 1,7 ha 12 000 ⦀ 5 à 8 €

Le faucon gerfaut avait-il son aire dans ce coin de la corniche angevine, au confluent de la Loire et du Layon ? En tout cas, le nom est joli, et le vin fort réussi. Habillé d'une robe rouge sombre, ce 2005 n'est pas avare de parfums de fruits rouges et noirs bien mûrs. Tout aussi intense, puissante, la bouche révèle en finale quelques aspérités tanniques qui suggèrent d'attendre un à deux ans cette bouteille. Cet anjou-villages pourra affronter des plats de caractère, comme le gibier ou les viandes en sauce.

🔑 SCEV J.-P. et P. Bourreau, 25, rue de l'Onglée,
49290 Chalonnes-sur-Loire, tél. 02.41.78.02.28,
fax 02.41.78.03.07,
e-mail domaine-gerfaudrie@wanadoo.fr ☑ 🍷 🚶 r.-v.

LEDUC-FROUIN La Seigneurie 2005 ★★

■ 1 ha 6 000 ▮ 5 à 8 €

Les fermiers de La Seigneurie en sont devenus propriétaires. La famille Leduc connaît bien ces terres du haut Layon – au nord de Martigné-Briand – que ses aïeux ont commencé à exploiter dans les années 1870 alors qu'elles appartenaient à un marquis, pour les acquérir en 1933. Ce sont aujourd'hui Antoine Leduc, œnologue, et sa sœur Nathalie qui sont aux commandes. L'élevage de ce 2005 s'est prolongé vingt-quatre mois et a permis à ce vin d'acquérir une rondeur et une délicatesse remarquables. Celui-ci offre également une très belle expression aromatique, sur les fruits mûrs et des notes grillées. Cette bouteille sera prête à la sortie du Guide et pourra se garder deux à trois ans.

🔑 Antoine et Nathalie Leduc,
La Seigneurie, Sousigné, 49540 Martigné-Briand,
tél. 02.41.59.42.83, fax 02.41.59.47.90,
e-mail info@leduc-frouin.com ☑ 🍷 🚶 r.-v.

DOM. MATIGNON 2005 ★

■ 1,5 ha 8 000 ▮ 5 à 8 €

La commune de Martigné-Briand correspond au recouvrement argilo-graveleux de formations schisteuses du Massif armoricain. Elle a été avec Tigné la capitale des vins rosés d'Anjou. Le domaine Matignon, dont la production est fondée principalement sur ces derniers, mais aussi, depuis quelques années, sur les vins rouges, constitue un bon exemple de ce que l'on peut tirer de ce terroir. Il a décroché l'an dernier un coup de cœur pour un anjou rouge 2005. Cet anjou-villages affiche une robe rouge sombre et libère des parfums de fruits noirs et de fruits compotés. Dans le même registre, la bouche associe le cassis et la mûre à la framboise. Prêt à boire, un très bon ambassadeur de l'appellation.

🔑 EARL Yves et Hélène Matignon,
21, av. du Château, 49540 Martigné-Briand,
tél. 02.41.59.43.71, fax 02.41.59.92.34,
e-mail info@domaine-matignon.fr ☑ 🍷 🚶 r.-v. 🏠 ❶

DOM. AUX MOINES 2005 ★★

■ 0,78 ha 4 000 ▮ 5 à 8 €

Autrefois propriété des moines de Saint-Nicolas d'Angers, ce domaine a été conduit pendant vingt ans par Monique Laroche qui a cédé en 2001 les rênes à sa fille Tessa, œnologue. Les amateurs le savent bien, la gloire de ce vignoble, et sa principale production, c'est le savennières. Cet anjou-villages, né d'une petite parcelle de cabernets cachée dans les vignes de chenin, semble un intrus. Il mérite cependant attention car il est fort harmonieux et représentatif de son appellation. Sa robe sombre, presque noire, ses arômes délicats de fruits compotés et de pruneau, sa bouche riche, ample et généreuse composent un ensemble séducteur et élégant, que l'on peut apprécier dès à présent ou garder quelques années.

🔑 EARL Tessa Laroche,
Dom. aux Moines, La Roche aux Moines,
49170 Savennières, tél. 02.41.72.21.33,
fax 02.41.72.86.55, e-mail tessalaroche@wanadoo.fr
☑ 🍷 🚶 t.l.j. 9h-12h30 14h-19h; dim. sur r.-v.

DOM. DE LA MOTTE 2005 ★

■ 1,46 ha 6 000 ▮ 5 à 8 €

Ce domaine est implanté à Rochefort-sur-Loire, commune de la Corniche angevine renommée pour ses liquoreux d'appellation chaume et quarts-de-chaume. Cela ne l'empêche pas de se distinguer régulièrement pour ses vins rouges (on n'a pas oublié son anjou 2004 qui obtint un coup de cœur). D'un rouge sombre prometteur, cet anjou-villages libère des parfums engageants de griotte et de confiture de cassis. Intense et chaleureux au palais, il finit sur des arômes de fruits mûrs typiques de l'appellation. On peut déjà prévoir la viande rouge qui l'accompagnera.

🔑 EARL Sorin, Dom. de La Motte, 35, av. d'Angers,
49190 Rochefort-sur-Loire, tél. 02.41.78.72.96,
fax 02.41.78.75.49, e-mail sorin.dommotte@wanadoo.fr
☑ 🍷 🚶 t.l.j. sf dim. 9h-18h30

GILLES MUSSET-SERGE ROULLIER
Petit Clos 2005 ★

■ 1 ha 4 800 5 à 8 €

Implanté sur les coteaux dominant la Loire, ce domaine a plus d'un coup de cœur à son actif, aussi bien en blanc qu'en rouge. La cuvée du Petit Clos naît d'un lieu-dit célèbre du vignoble angevin. Les dégustateurs avaient loué son 2003. Ils apprécient ce millésime en robe rouge moirée de noir et aux arômes délicats de fruits rouges, de fraise des bois et de cassis. Le début de bouche laisse une impression de moelleux et de gras, alors que la

finale apparaît encore austère. À découvrir sur des plats mijotés, du gibier ou des fromages de caractère, maintenant ou dans deux à trois ans.
Vignoble Musset-Roullier, Le Chaumier, 49620 La Pommeraye, tél. 02.41.39.05.71, fax 02.41.77.75.76, e-mail musset.roullier@wanadoo.fr r.-v.

DOM. OGEREAU Côte de la Houssaye 2005 *

1,2 ha 3 000 11 à 15 €

Installé dans l'une des plus importantes communes viticoles des coteaux-du-layon, un domaine de référence en Anjou : sept coups de cœur dans les trois couleurs. Cet anjou-villages né de schistes anciens est digne d'une côte de bœuf ou d'un magret de canard. Sa robe d'un rouge profond tire sur le noir. Son nez à la fois puissant et délicat ne porte pas l'empreinte de l'élevage mais il exprime les fruits rouges et noirs. Le palais est tout aussi intense ; on y retrouve les fruits rouges en compote. La finale présente un caractère légèrement tannique qui s'assouplira au vieillissement.
Vincent Ogereau, 44, rue de la Belle-Angevine, 49750 Saint-Lambert-du-Lattay, tél. 02.41.78.30.53, fax 02.41.78.43.55, e-mail domaine.ogereau@wanadoo.fr r.-v.

DOM. DU PETIT CLOCHER 2005

2 ha 12 000 5 à 8 €

Ce domaine est situé aux confins méridionaux du Maine-et-Loire, non loin des sources du Layon. Il ne couvrait que 5 ha aux origines et s'étend sur 68 ha aujourd'hui, cinquante ans après. Leader de la production de vins rouges dans les années 1990, il accorde une place importante aux cabernets et se voit souvent retenu en anjou-villages. Ce 2005 présente une très belle palette aromatique faite de fruits rouges et de cassis. Puissant et intense, c'est un vin de garde que l'on pourra apprécier après un an ou deux de vieillissement.
GAEC du Petit Clocher, 3, rue du Layon, 49560 Cléré-sur-Layon, tél. 02.41.59.54.51, fax 02.41.59.59.70, e-mail petit.clocher@wanadoo.fr t.l.j. sf dim. 8h30-12h30 14h-18h
Jean-Noël Denis

CH. DE PLAISANCE Clos de l'Étang 2005 *

2 ha 5 000 5 à 8 €

Figure du vignoble angevin, Guy Rochais est propriétaire du château de Plaisance, implanté à Rochefort-sur-Loire, sur le célèbre coteau qui produit les grands liquoreux des appellations chaume et quarts-de-chaume. Sur ce terroir, il est le seul à cultiver des vignes rouges. Celles-ci donnent d'ailleurs un vin intéressant. Ce Clos de l'Étang a ainsi obtenu deux coups de cœur (millésimes 2000 et 2002). Le 2005 se distingue par sa richesse, par sa puissance et par ses arômes de fruits rouges intenses. Tout aussi réussi, le **Croix Pistolle 2005 (11 à 15 €)** a été élevé un an en fût. Il est proche du précédent, avec en plus un boisé vanillé. Deux vins de caractère qu'un séjour d'un à deux ans de cave affinera.
Guy Rochais, Ch. de Plaisance, Chaume, 49190 Rochefort-sur-Loire, tél. 02.41.78.33.01, fax 02.41.78.67.52, e-mail rochais.guy@wanadoo.fr r.-v.

DOM. ROMPILLON 2005

0,52 ha 3 200 5 à 8 €

Deux générations s'activent sur ce domaine implanté juste en face de l'appellation quarts-de-chaume, dans la vallée du Layon. Mais ce sont ses vignes rouges qui lui valent ses mentions les plus nombreuses dans le Guide. Cet anjou-villages est exubérant de jeunesse. Sa robe est vive et gaie, ses parfums expriment avec franchise et délicatesse les fruits rouges. La bouche souple, presque légère, reste dans le même registre aromatique. Une bouteille représentative de l'appellation.
SARL Dom. Rompillon, L'Ollulière, 49750 Saint-Lambert-du-Lattay, tél. et fax 02.41.78.48.84 r.-v.

DOM. DES TROIS MONTS 2005

0,5 ha 4 000 3 à 5 €

Située dans le haut Layon, cette propriété a ouvert en 2007 un Gîte de France pour huit personnes dans une maison vigneronne traditionnelle. De couleur rouge sombre, son anjou-villages a été élevé pour partie, et pendant six mois, en barrique. Ce bref séjour dans le chêne lui a légué quelques notes vanillées, mais ces nuances boisées ne masquent pas l'expression de fruits mûrs. Ample et puissant en bouche, ce vin reste dominé par des notes grillées et torréfiées qui incitent à le laisser en cave un à deux ans.
Dom. des Trois Monts, 3, rue Saint-Fiacre, 49310 Trémont, tél. 02.41.59.45.21, fax 02.41.59.69.90, e-mail scea.hubertgueneauetfils@wanadoo.fr t.l.j. sf dim. 8h-12h 14h-18h30

CH. DE LA VIAUDIÈRE 2005 *

n.c. 7 849 3 à 5 €

Créé en 1650, ce vignoble se transmet de père en fils depuis quatre siècles. Il signe un anjou-villages rouge foncé typique de son appellation avec ses arômes de fruits rouges et de mûre, sa bouche riche et intense, un peu austère en finale. Un vin qui s'arrondira avec le temps et qui accompagnera une viande rouge.
Giovannoni, EARL Vignoble Gélineau, Ch. de La Viaudière, 49380 Champ-sur-Layon, tél. 02.41.78.86.27, fax 02.41.78.60.45, e-mail gelineau@wanadoo.fr r.-v.

LA VIGNE NOIRE 2005

0,25 ha 2 000 5 à 8 €

Un jeune domaine créé en 2001 dans la partie méridionale du vignoble angevin qui empiète sur la région Poitou-Charentes. Le nom de Vigne noire est lié non à la couleur du cépage mais aux roches volcaniques sombres qui caractérisent cette région du nord des Deux-Sèvres. Ces sols ont engendré un vin rouge intense aux nuances sombres, violet tirant sur le noir. Le nez délicat évoque les fruits compotés et le cassis. Riche et généreuse, la bouche associe des arômes fruités à une légère touche de vanille traduisant un élevage sous bois bien maîtrisé. Un ensemble plus qu'honorable à servir sur du gibier ou des viandes rouges. Le **rosé-de-loire 2006 (3 à 5 €)** est cité.
Nathalie et Guillaume Cauty, La Vigne Noire, 79290 Bouillé-Saint-Paul, tél. 05.49.96.83.19, fax 05.49.68.45.03 t.l.j. sf dim. 9h-19h

Anjou-villages-brissac

DOM. DE BABLUT Petra Alba 2005

5 ha 20 000 8 à 11 €

Christophe Daviau, œnologue, conduit en agriculture biologique un vignoble familial constitué dès 1546. Il propose deux cuvées élaborées en fonction de l'origine géologique. Très remarquée dans les deux millésimes précédents, cette sélection Petra Alba (« pierre blanche ») naît sur marnes à ostracées, tandis que **Rocca Nigra** (« roche noire ») provient de schistes primaires. Les deux vins sont en fait assez proches : robe d'un rouge intense, presque noir, nez discret de fruits cuits et de sous-bois. En bouche, le jury a été surpris par une note d'évolution inhabituelle. Un débat s'est instauré : ce caractère est-il dû à un long élevage ou à une légère oxydation ? Quoi qu'il en soit, les deux cuvées n'en sont pas moins recommandables.

Daviau, Dom. de Bablut, 49320 Brissac-Quincé, tél. 02.41.91.22.59, fax 02.41.91.24.77, e-mail daviau.contact@wanadoo.fr
t.l.j. sf dim. 9h-12h 14h-18h30

DOM. DES BONNES GAGNES 2005 ★★★

■ 2 ha 10 000 ▮ 5 à 8 €

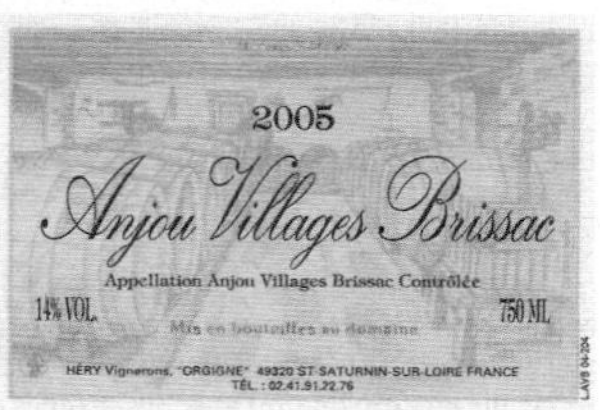

Lorsqu'ils plantaient, les moines savaient choisir leur terroir ; nombre de vignobles illustres d'origine ecclésiastique en témoignent. Ce domaine, fondé dès le XI[e]s. par l'abbaye bénédictine du Ronceray, à Angers, donne l'image d'une belle continuité, puisque la même lignée le cultive depuis 1610. Ce 2005 provient de marnes calcaires permettant une alimentation en eau régulée, même lors de millésimes secs et ensoleillés comme ce fut le cas cette année-là. Il emporte l'adhésion par sa bouche suave et presque tendre qui laisse une impression de puissance en finale. Un vin dense, concentré, comme l'annonçait sa robe rouge noir. De garde et à attendre trois ans. L'**anjou rouge 2006** obtient une citation.

Vignerons Héry, Orgigné, 49320 Saint-Saturnin-sur-Loire, tél. 02.41.91.22.76, fax 02.41.91.21.58, e-mail hery.vignerons@wanadoo.fr
t.l.j. 9h-12h 14h-19h; dim. sur r.-v.

DOM. DITTIÈRE Clos de la Grouas 2005 ★

■ 0,5 ha 4 000 ▮ 5 à 8 €

Le domaine a été constitué par le grand-père au début du XX[e]s. au lieu-dit Les Grouas qui a donné son nom à cette cuvée plus d'une fois retenue dans les éditions précédentes. Cette sélection a séduit par sa robe rouge moirée de noir, ses arômes de fruits noirs (cassis), sa bouche riche, puissante, un peu sévère en finale : un classique de l'appellation. Avec ses notes prononcées de vanille et de grillé, le **Clos Guenet élevé en fût de chêne 2005 (8 à 11 €)** ne peut cacher son séjour en barrique. Il est cité.

Dom. Dittière, 1, chem. de la Grouas, 49320 Vauchrétien, tél. 02.41.91.23.78, fax 02.41.54.28.00, e-mail domaine.dittiere@wanadoo.fr r.-v.

DOM. DE GAGNEBERT 2005

■ 10 ha 40 000 ▮ 5 à 8 €

Exploitées jusqu'à la Révolution et aujourd'hui classées, riches d'une flore remarquable, les anciennes ardoisières de Juigné-sur-Loire, situées à 1 km à peine de la propriété, ont couvert nombre de toits londoniens après le grand incendie de 1666. Localement, elles servaient aussi à construire des murs : le caveau d'accueil de ce domaine est bâti dans ce matériau. Ces terrains argilo-schisteux sont à l'origine d'un vin à la robe attirante, rouge grenat, et aux arômes intenses de pruneau, de fruits noirs et de cacao. La bouche est agréable, puissante, avec un côté animal en finale. Un domaine à découvrir lors de ses journées Portes ouvertes, (1er dimanche d'avril ou 2e dimanche de décembre).

GAEC Moron, Dom. de Gagnebert, 2, chem. de la Naurivet, 49610 Juigné-sur-Loire, tél. 02.41.91.92.86, fax 02.41.91.95.50, e-mail moron@domaine-de-gagnebert.com
t.l.j. sf dim. 8h-12h 14h-19h

DOM. DE HAUTE-PERCHE 2005 ★★★

■ 5 ha 15 000 ▮ 5 à 8 €

Situé aux portes d'Angers, ce domaine fait partie des exploitations incontournables du vignoble : il obtint un des premiers coups de cœur en anjou rouge (un 1985) et le voici au sommet pour la troisième fois dans cette appellation anjou-villages-brissac. Ses parcelles, qui couvrent un plateau incliné en pente douce vers la Loire, expriment tout leur potentiel les années chaudes et sèches comme 2005 ou encore 1997 (autre millésime couronné). Ce millésime conjugue la puissance et la délicatesse. D'un rouge noir intense, il exprime avec fraîcheur des parfums de fruits mûrs, de fruits cuits et de réglisse. La bouche intense, puissante révèle une certaine fermeté en finale. Un vin à attendre un à deux ans avant de le servir avec une viande rouge.

EARL Agnès et Christian Papin, Dom. de Haute Perche, 7, chem. de la Godelière, 49610 Saint-Melaine-sur-Aubance, tél. 02.41.57.75.65, fax 02.41.57.75.42, e-mail papin.ch.a@wanadoo.fr
r.-v.

DOM. DE MONTGILET L'Encère 2005 ★

■ 0,3 ha 2 009 ▮▮ 8 à 11 €

Les carrières des Garennes firent pendant plusieurs siècles la fortune de Juigné-sur-Loire. Le schiste ardoisier marque toujours l'habitat traditionnel – il a été utilisé pour construire l'ancien chai et le caveau de dégustation du domaine de Montgilet ; il continue aussi à nourrir les vignes qui constituent aujourd'hui la principale ressource de la commune. Cette sélection, qui a séjourné un an en barrique, porte encore nettement l'empreinte boisée et vanillée de son élevage, à côté d'arômes intenses de terre, de fougère et de nuances animales. Rond, moelleux et puissant en bouche, c'est un vin à laisser un à deux ans en cave.

Victor et Vincent Lebreton, Dom. de Montgilet, 49610 Juigné-sur-Loire, tél. 02.41.91.90.48, fax 02.41.54.64.25, e-mail montgilet@terre-net.fr
t.l.j. sf dim. 8h-18h

CH. PRINCÉ 2005 **

1,5 ha 5 500 8 à 11 €

Le millésime précédent fut le coup de cœur de l'appellation. La propriété, située aux portes d'Angers, est constituée de 15 ha d'un seul tenant. Depuis 2002, Mathias Levron, jeune vigneron, est au chai, et sa production est souvent distinguée. C'est encore le cas cette année avec ce 2005 qui exprime des notes de fruits compotés et de cacao caractéristiques de vendanges récoltées à leur optimum. Ample et charpenté, le palais révèle une remarquable matière. Un excellent représentant de l'appellation, à attendre deux ans.

SCEA Levron-Vincenot, Le Petit Princé, 49610 Saint-Melaine-sur-Aubance, tél. 02.41.57.82.28, fax 02.41.57.73.78, e-mail chateauprince@wanadoo.fr
r.-v.

DOM. RICHOU 2005 **

4 ha n.c. 5 à 8 €

Avec six coups de cœur obtenus aussi bien en anjou sec, en liquoreux (coteaux-de-l'aubance) qu'en crémant, le domaine Richou est une référence pour sa production de vins blancs. Cela ne doit pas faire oublier que Henri Richou figure parmi les premiers vignerons d'Anjou à avoir misé sur la production de vins rouges. Ce 2005 en robe rouge sombre reflète un réel savoir-faire. Élevé vingt-quatre mois en barrique, il se partage entre les fruits noirs, la vanille et les épices. La puissance et l'harmonie se conjuguent dans un ensemble remarquable, à attendre deux ans. Une étoile pour l'**anjou-gamay 2006 Les Châteliers (3 à 5 €)**.

Dom. D. et D. Richou, Chauvigné, 49610 Mozé-sur-Louet, tél. 02.41.78.72.13, fax 02.41.78.76.05, e-mail domaine.richou@wanadoo.fr
r.-v.

DOM. DES ROCHELLES
La Croix de Mission 2005 *

7 ha 20 000 11 à 15 €

Un 1983 coup de cœur il y a vingt ans : ce domaine est une valeur sûre de l'Anjou pour sa production de vins rouges. Les clés de cette réussite ? Un travail des vignes exemplaire et une curiosité alliée à une grande rigueur dans le suivi des vinifications. Quant à la cuvée Croix de Mission, elle est devenue un porte-drapeau de l'appellation anjou-villages-brissac (coup de cœur pour les 1999, 2000, 2003). Elle naît de schistes profonds qui permettent une alimentation en eau limitée mais régulière en période estivale. Une robe sombre, presque noire, pour ce 2005 d'une intensité et d'une profondeur surprenantes ; un bouquet puissant fait de notes fraîches, de sous-bois, de fruits mûrs compotés. Une même puissance en bouche, avec une finale encore austère qui incite à décanter ce vin et à l'attendre un à deux ans. La **sélection du domaine 2005 (8 à 11 €)**, classique de l'appellation, obtient une étoile ; la cuvée **Les Millerits 2005 (15 à 23 €)** est citée ; elle est à conseiller aux amateurs de vins boisés.

EARL J.Y.-A. Lebreton, Dom. des Rochelles, 49320 Saint-Jean-des-Mauvrets, tél. 02.41.91.92.07, fax 02.41.54.62.63, e-mail jy.a.lebreton@wanadoo.fr
t.l.j. sf dim. 9h-12h 14h-19h

CH. LA VARIÈRE 2005 **

6 ha 30 000 5 à 8 €

À 15 km d'Angers, une seigneurie du XIVᵉs. rattachée au château de Brissac au XVIIᵉs. Un chai à barriques installé dans un bâtiment à colombage du XVᵉs. et un vaste domaine (92 ha) qui se distingue régulièrement dans cette appellation. Cette sélection du domaine, en robe rouge noir, étonne par ses nuances d'évolution (fruits cuits, pruneau). Puissante, chaleureuse, la bouche est pourtant délicate et présente une finale particulièrement harmonieuse. La cuvée **Vieilles Vignes 2005** reste dans le même registre aromatique que la précédente mais apparaît plus austère en finale. Elle est citée, de même que la sélection du **Clos des Boujets 2005 (8 à 11 €)** vinifiée en barrique et pour l'heure fort boisée : pour les inconditionnels du style.

Jacques Beaujeau, Ch. La Varière, 49320 Brissac-Quincé, tél. 02.41.91.22.64, fax 02.41.91.23.44, e-mail beaujeau@wanadoo.fr
t.l.j. sf sam. dim. 10h-12h 15h-19h

Rosé-d'anjou

Après un fort succès à l'exportation au début du XXᵉs., ce vin demi-sec connaît à nouveau une embellie. Le grolleau, principal cépage, autrefois conduit en gobelet, produisait des vins rosés, légers, appelés « rougets ».

DOM. DE FLINES 2006 *

13 ha 100 000 3 à 5 €

Les ancêtres de Catherine Motheron étaient vignerons en Touraine dès le XVIᵉs. Dans les années 1960, la famille est venue s'établir en Anjou, à Martigné-Briand, commune qui a fait des vins rosés sa spécialité. Celui-ci, d'un rose orangé délicat, conjugue richesse et fraîcheur, ce qui en fait un représentant typique de son appellation. Ses arômes penchent vers le fruit rouge, dans une tonalité fraîche et vive qui évoque la groseille. Ce que l'on appelle un vin de soif.

C. Motheron, Dom. de Flines, 102, rue d'Anjou - BP 12, 49540 Martigné-Briand, tél. et fax 02.41.59.42.78, e-mail domaine.de.flines@wanadoo.fr
t.l.j. sf dim. 10h-12h 14h-18h; sam. sur r.-v.; f. août

FOUCHER-LEBRUN Les Merles 2006 *

n.c. n.c. 3 à 5 €

Fondée dans les années 1920 par un tonnelier, cette affaire de négoce est restée familiale. Elle a son siège dans la Nièvre, car son activité s'est d'abord limitée aux vins du Centre. Son rosé-d'anjou séduit par la délicatesse de sa robe qui rappelle la couleur tendre de certains pétales de rose. Le nez, à l'unisson, est un peu floral, avec des nuances de bonbon anglais et de fruits. Un fruit frais qui entame la conversation en bouche et qui garde le dernier mot. Une citation pour le **cabernet-d'anjou Les Grives 2006**.

LOIRE

⊶ Foucher-Lebrun, 29, rte de Bouhy, 58200 Alligny-Cosne, tél. 03.86.26.87.27, fax 03.86.26.87.20, e-mail foucher.lebrun@wanadoo.fr ☑ Y t.l.j. sf dim. lun. 8h-12h 14h-18h
⊶ Picard Vins & Spiritueux

DOM. DES IRIS 2006 ★★

■ 4,5 ha 36 000 ▮ 3 à 5 €

L'appellation rosé-d'anjou est la deuxième en volume produite par le vignoble angevin. Elle provient principalement du grolleau, cépage qui fut introduit à la fin du XIXᵉs., juste après la crise phylloxérique. Le rosé-d'anjou proposé par le domaine des Iris (maison Joseph Verdier) est l'archétype de l'appellation : la robe rose tendre fait songer aux pétales de rose, le nez fruité se tourne vers la fraise et le bonbon anglais, la bouche gourmande et délicate laisse une sensation de fraîcheur remarquable. Une étoile pour l'**anjou blanc 2006**.
⊶ Dom. des Iris, La Roche-Coutant, 49540 Tigné, tél. 02.41.40.22.50, fax 02.41.40.29.69, e-mail v.roulleau@joseph-verdier.fr
⊶ Joseph Verdier

CH. PRINCÉ 2006 ★

■ 1 ha 6 000 ▮ 5 à 8 €

Arrivé sur l'exploitation en 2002, Mathias Levron a fait régulièrement parler de lui. Un récent coup d'éclat : son anjou-villages brissac 2004, couronné dans l'édition 2007. La recette du succès ? Une conduite des vignes rigoureuse, qui permet l'obtention d'une maturité optimale. La même rigueur est appliquée aux cépages composant ce rosé, grolleau et cabernet. Le jury a particulièrement apprécié la sensation de fruits frais bien mûrs qui constitue le fil conducteur de la dégustation. Un vin de soif qui ne manque pas de caractère.
⊶ SCEA Levron-Vincenot, Le Petit Princé, 49610 Saint-Melaine-sur-Aubance, tél. 02.41.57.82.28, fax 02.41.57.73.78, e-mail chateauprince@wanadoo.fr ☑ Y ★ r.-v.

Cabernet-d'anjou

On trouve dans cette appellation d'excellents vins rosés demi-secs, issus des cépages cabernet franc et cabernet-sauvignon. À table, on les associe assez facilement, lorsqu'ils sont parfumés et servis frais, au melon en hors-d'œuvre, ou à certains desserts pas trop sucrés. En vieillissant, ils prennent une nuance tuilée et peuvent être bus à l'apéritif. La production a atteint 238 017 hl en 2005 sur 4 176 ha. C'est sur les faluns de la région de Tigné et dans le Layon que ces vins sont les plus reputés.

DOM. DES BLEUCES 2006 ★

■ 5,5 ha 20 000 ▮ 3 à 5 €

L'originalité de ce domaine : un chai à barriques aménagé sous un ancien moulin. Son cabernet-d'anjou, lui, a été élevé en cuve dans des chais rénovés en 2006. Mis en bouteille à la fin du printemps, ce vin compte parmi les productions les plus originales du vignoble angevin en associant des sensations de fraîcheur et de douceur. Très réussi comme le millésime précédent, ce 2006 affiche une robe intense et libère des parfums de fruits mûrs et de cassis. Un bel équilibre règne en bouche où la finale est marquée par un séduisant retour des fruits mûrs. Une citation pour le **rosé-de-loire 2006**.
⊶ Inès et Benoît Proffit, Dom. des Bleuces, 49700 Concourson-sur-Layon, tel. 02.41.59.11.74, fax 02.41.59.97.64, e-mail inesproffit@domainedesbleuces.com
☑ Y ★ t.l.j. sf dim. 8h-12h 13h30-17h30; groupes sur r.-v.

DOM. DE LA BODIÈRE Rousseau 2006

■ 4 ha 13 000 ▮ 3 à 5 €

Ce vignoble est situé sur les terres schisteuses de Saint-Lambert-du-Lattay entre les rivières du Layon et de l'Hyrôme. Fondé il y a un siècle, ce domaine est passé de la polyculture à la viticulture dans les années 1980. Son cabernet-d'anjou revêt une robe rose orangé attirante et se partage entre les fruits et les fleurs dans des tons bien représentatifs de l'appellation. Un peu fugace, la bouche n'en est pas moins plaisante et typée. On suggère de servir cette bouteille avec un filet de sandre sauce échalote, réduite avec ce vin et montée au beurre.
⊶ Rousseau, 8 bis, rue de La Chauvière, 49750 Saint-Lambert-du-Lattay, tél. 02.41.78.34.76, fax 02.41.78.44.40, e-mail rousseau.domaine@wanadoo.fr
☑ Y ★ r.-v. 🏠 ❶

DOM. DES BOHUES 2006

■ 4 ha 3 000 ▮ 5 à 8 €

Créée en 1933, l'exploitation compte aujourd'hui une quinzaine d'hectares, après le travail de trois générations. Son cabernet-d'anjou attire l'attention par l'intensité de sa robe rose aux reflets orangés ; en revanche, il apparaît encore un peu fermé au nez. La bouche équilibrée et persistante inspire confiance : ce vin devrait s'exprimer pleinement à la sortie du Guide.
⊶ Denis Retailleau, Les Bohues, 49750 Saint-Lambert-du-Lattay, tél. 02.41.78.33.92, fax 02.41.78.34.11, e-mail denisretailleau.bohues@orange.fr ☑ Y ★ r.-v.

DOM. DE CLAYOU 2006 ★★

■ 6 ha 40 000 ▮ 3 à 5 €

Jean-Bernard Chauvin exploite 22 ha autour de Saint-Lambert-du-Lattay, au cœur du vignoble des coteaux-du-layon. Il signe un vin de caractère à la robe rose intense. Le nez mêle des nuances de fleurs blanches à des parfums de fruits mûrs, – fruits mûrs que l'on retrouve en finale d'une bouche équilibrée et puissante. Un remarquable représentant de l'appellation, qui a eu des partisans pour le coup de cœur.

🔑 SCEA Jean-Bernard Chauvin, 18 bis, rue du Pont-Barré, 49750 Saint-Lambert-du-Lattay, tél. 02.41.78.44.44, fax 02.41.78.48.52, e-mail domainedeclayou@tiscali.fr
☑ Y ♟ t.l.j. sf dim. 9h-12h 14h-18h30; f. 15-31 août

LE CLOS DES MOTÈLES 2006 ★

■ 1,39 ha 3 100 - de 3 €

Cette exploitation est située à l'extrême sud du vignoble angevin, près de Thouars dans le département des Deux-Sèvres. Le cabernet franc est planté sur des terrains graveleux correspondant à d'anciennes terrasses quaternaires. Il a donné naissance à un vin rose aux reflets rubis, mêlant au nez les fleurs blanches et les fruits rouges. Équilibré, vif et tendre à la fois, il donne la sensation de croquer des fruits frais. L'**anjou sec 2006** est cité.

🔑 GAEC Le Clos des Motèles, 42, rue de la Garde, 79100 Sainte-Verge, tél. 05.49.66.05.37, fax 05.49.66.37.14
☑ Y ♟ t.l.j. sf dim. 8h-12h 14h-18h30

DOM. DU COLOMBIER 2006 ★★

■ 0,5 ha 2 500 ▮ 3 à 5 €

Exploité depuis quelques années par Sylvain Bazantay, rejoint par sa sœur Florence, ce vignoble créé en 1974 compte plus de 32 ha. Il s'étend sur les terres sablo-calcaires de Brigné. À 8 km du domaine, creusé dans la même formation géologique, le village troglodytique de Rochemenier mérite que l'on s'y arrête. Ce cabernet-d'anjou aussi. Sa robe est légère, délicate, animée de reflets rose orangé ; le nez, d'abord discret, s'épanouit lentement à l'aération et libère des parfums de fruits frais, de fraise. Gourmande, ronde et longue, la bouche donne la sensation de croquer des fruits mûrs.

🔑 Bazantay, Dom. du Colombier, 10, rue du Colombier, Linières, 49700 Brigné-sur-Layon, tél. et fax 02.41.59.31.82, e-mail earlbazantay@orange.fr ☑ Y r.-v.

DOM. DES DEUX ARCS 2006 ★

■ 2 ha 4 500 ▮ 3 à 5 €

Installé dans une ancienne ferme du bourg de Martigné-Briand, ce domaine dispose de 37 ha exploités par la cinquième génération. Son cabernet-d'anjou offre tout ce que l'on attend de cette appellation : une robe brillante et soutenue, des arômes délicats de fruits frais (fraise et framboise), une bouche intense où la fraîcheur équilibre la douceur.

🔑 Michel et Jean-Marie Gazeau, Dom. des Deux Arcs, 11, rue du 8-Mai-1945, 49540 Martigné-Briand, tél. 02.41.59.47.37, fax 02.41.59.49.72, e-mail do2arcs@wanadoo.fr
☑ Y ♟ r.-v.

DOM. GAUDARD 2006 ★

■ 5 ha 10 000 5 à 8 €

Le cabernet-d'anjou est l'appellation fétiche du domaine qui propose pourtant du chaume et du quarts-de-chaume ! D'un rose intense et soutenu, ce 2006 libère à l'aération des parfums de fruits frais et de confiture d'oranges. En bouche, il associe délicatement des sensations de fraîcheur et de moelleux. La finale laisse un sillage séduisant de framboise. Un vin original qui étonnera vos amis à l'apéritif et qui peut être servi tout au long d'un repas.

🔑 Janes et Pierre Aguilas, Dom. Gaudard, rte de Saint-Aubin, 49290 Chaudefonds-sur-Layon, tél. 02.41.78.10.68, fax 02.41.78.67.72, e-mail pierre.aguilas@wanadoo.fr
☑ Y ♟ t.l.j. 9h-12h 14h-18h; dim. sur r.-v.

DOM. LE MONT 2006

■ 4 ha 7 000 3 à 5 €

Situé en haut d'un coteau, le domaine du Mont domine le Layon. Ses terres caillouteuses exposées plein sud sont le royaume du chenin qui donne les liquoreux. Elles portent aussi les vignes rouges à l'origine du cabernet-d'anjou, rosé demi-sec. Celui-ci revêt une robe rose orangé limpide, et offre en bouche des arômes de raisin mûr. La finale est dominée par des impressions de douceur.

🔑 EARL Louis et Claude Robin, 64, rue des Monts, 49380 Faye-d'Anjou, tél. 02.41.54.31.41, fax 02.41.54.17.98, e-mail clauderobin@domainelemont.fr ☑ Y ♟ r.-v.

CH. DE MONTGUÉRET 2006 ★

■ 40 ha 200 000 ▮ 3 à 5 €

Situé à quelques kilomètres de la source du Layon, le château de Montguéret propose de nombreuses appellations angevines, en particulier des rosés. Plus de 40 ha sont ainsi orientés vers la production de cabernet-d'anjou. Ce 2006 présente une attaque vive qui lui donne un côté juvénile et printanier. Le nez est floral, la bouche fruitée. La finale sur les fruits rouges est très agréable.

🔑 SCEA Montguéret, rte de Passavant, 49560 Nueil-sur-Layon, tél. 02.40.36.66.00, fax 02.40.33.95.81
🔑 GCF

DOM. OGEREAU 2006 ★★

■ 3 ha 9 000 ▮ 3 à 5 €

Une valeur sûre du vignoble angevin : sept coups de cœur dans les éditions successives du Guide, dans toutes les couleurs. L'année dernière, le cabernet-d'anjou était précisément couronné. Le 2006 apporte une nouvelle preuve d'un grand savoir-faire. La robe rose aux reflets rouges est intense, le nez exprime les fruits très mûrs, arômes qui se prolongent dans une bouche remarquable de présence, aux nuances de cerise et de griotte. Un vin haut en couleur, qui mettra tout le monde d'accord à l'apéritif. On peut aussi l'essayer sur des rillauds ou des salades de fruits rouges.

🔑 Vincent Ogereau, 44, rue de la Belle-Angevine, 49750 Saint-Lambert-du-Lattay, tél. 02.41.78.30.53, fax 02.41.78.43.55, e-mail domaine.ogereau@wanadoo.fr ☑ Y r.-v.

DOM. DES PETITES GROUAS 2006 ★

■ 2 ha 5 000 ▮ 3 à 5 €

À Martigné-Briand, les formations schisteuses du Massif armoricain sont recouvertes par les terrains argilo-graveleux ou calcaires du Bassin parisien. Un terroir de prédilection pour les cépages grolleau et cabernet, ce qui a fait de cette commune la capitale des vins rosés d'Anjou. Le 2002 avait obtenu ici un coup de cœur. Le 2006 séduit tout au long de la dégustation. D'un rose orangé montrant des reflets légèrement violacés, il mêle au nez les fruits rouges et les agrumes, tandis que le pamplemousse et le cassis se partagent la bouche dans une atmosphère de fraîcheur. Une étoile également pour l'**anjou rouge 2005**.

EARL Philippe Léger, Cornu, Les Petites Grouas, 49540 Martigné-Briand, tél. 02.41.59.67.22, fax 02.41.59.69.32 r.-v.

DOM. DE PIERRE BLANCHE 2006

10 ha 8 000 5 à 8 €

Les vignobles Lecointre rassemblent 40 ha de vignes répartis sur trois communes de la vallée du Layon. La propriété est commandée par une « folie » 1900 construite par l'arrière-grand-père. L'aube du XXe s. était une période prospère pour le vignoble angevin qui se lançait avec succès dans la production de rosés ; ces vins se consommaient au comptoir ou dans les bals musette. Ce 2006 trouvera aussi des amateurs grâce à ses parfums de fruits rouges et de cassis et à sa bouche délicate et fraîche. À servir sur des quiches lorraines, des plats asiatiques sucrés-salés ou une salade de fruits rouges.

Vignoble Lecointre, 6 B, rue du Pineau, 49380 Champ-sur-Layon, tél. 02.41.78.86.34, fax 02.41.78.61.60, e-mail vignoblelecointre@wanadoo.fr r.-v.

CH. DE LA ROCHE BOUSSEAU 2006 ★

23 ha 290 000 3 à 5 €

À découvrir à Trémont, dans le secteur des coteaux-du-layon, ce vignoble installé après la Révolution et qui compte aujourd'hui 70 ha. Près d'un tiers des superficies sont orientées vers la production de cabernet-d'anjou. Celui-ci séduit par sa palette aromatique associant la rose, les fleurs blanches et le cassis et par son bel équilibre au palais, où la fraîcheur vient contrebalancer la douceur.

SCEV Régnard, La Petite Roche, 49310 Trémont, tél. 02.41.59.43.03, fax 02.41.59.69.43, e-mail scevregnard@wanadoo.fr r.-v.

DOM. SAUVEROY 2006 ★★★

6,5 ha 45 000 3 à 5 €

L'origine du cabernet-d'anjou remonte au début du XXe s. lorsqu'un vigneron saumurois vinifia un rosé moelleux à partir du cépage cabernet. En parfaite harmonie avec son temps, ce vin fit florès dans le Paris de la Belle Époque et devint la coqueluche des bals. Les rosés sont à la mode et celui-ci est signé par un producteur qui a plus d'un coup de cœur à son actif. D'un rose orangé intense, il affiche un nez exubérant de fruits rouges (griotte). Généreux en bouche, gourmand, juvénile, il semble destiné à la fête.

Pascal Cailleau, Dom. du Sauveroy, 49750 Saint-Lambert-du-Lattay, tél. 02.41.78.30.59, fax 02.41.78.46.43, e-mail domainesauveroy@sauveroy.fr r.-v.

DOM. DE TERREBRUNE 2006 ★★

11,5 ha 90 000 3 à 5 €

Fondé il y a une vingtaine d'années, ce domaine s'étend sur 50 ha. Sa production est centrée sur les vins rosés qui représentent aujourd'hui plus de la moitié des vins d'Anjou et de Saumur. Associant un travail rigoureux à la vigne et une maîtrise des vinifications, ce cabernet-d'anjou témoigne des efforts entrepris par la viticulture angevine. Il suffit de relire les fiches des dégustateurs : « La couleur, le nez (framboise, bonbon anglais) de ce vin nous incitent à le déguster et, en bouche, on découvre une remarquable friandise. » Que dire de plus, sinon vous recommander de le goûter ?

SCA Dom. de Terrebrune, La Motte, 49380 Notre-Dame-d'Allençon, tél. 02.41.54.01.99, fax 02.41.54.09.06, e-mail domaine-de-terrebrune@wanadoo.fr r.-v.

DOM. DES TRAHAN Le Logis de Preuil 2006 ★★★

3 ha 5 000 3 à 5 €

Le domaine est implanté aux confins sud du vignoble angevin, dans la partie viticole des Deux-Sèvres. Il s'est peu à peu construit par le travail de trois générations de vignerons et représente aujourd hui 65 ha. Son cabernet-d'anjou a particulièrement enthousiasmé le jury de dégustation : sa robe rose intense aux reflets violacés, sa palette aromatique délicate aux nuances de fruits mûrs, de cassis et de violette, sa bouche remarquablement équilibrée, fraîche et douce à la fois, composent une bouteille « parfaite ». L'**anjou rouge 2006 Les Grands Sillons Vieilles Vignes** est cité.

EARL Les Magnolias des Trahan, 2, rue des Genêts, 79290 Cersay, tél. 05.49.96.80.38, fax 05.49.96.37.23 r.-v.

J.-M. Trahan

DOM. VERDIER 2006 ★★

1 ha 6 000 3 à 5 €

Le vignoble (27 ha) couvre les coteaux bordant le Layon, et le domaine a son siège à Saint-Lambert-du-Lattay, l'une des principales communes viticoles du secteur. Le jury a particulièrement apprécié la finesse et l'originalité de ce cabernet-d'anjou rose orangé, qui frôle le coup de cœur. Son nez délicat respire la fleur blanche, l'orange et la mandarine ; sa bouche fraîche et tendre porte les mêmes notes aromatiques. Une réelle harmonie.

EARL Verdier Père et Fils, 7, rue des Varennes, 49750 Saint-Lambert-du-Lattay tél. et fax 02.41.78.35.67 t.l.j. 8h-12h 14h-18h; sam. dim. sur r.-v.; f. 26 août-9 sep.

Coteaux-de-l'aubance

La petite rivière Aubance est bordée de coteaux de schistes portant de vieilles vignes de chenin, dont on tire un vin blanc moelleux qui s'améliore en vieillissant. La production a atteint 5 790 hl en 2005 sur 191 ha. Cette appellation a choisi de limiter strictement ses rendements.

Depuis 2002, la mention « Sélection de grains nobles » est autorisée pour les vins de vendanges présentant une richesse naturelle minimale de 234 g/l, soit 17,5 ° sans aucun enrichissement. Ceux-ci ne pourront être commercialisés que dix-huit mois après la récolte.

CH. D'AVRILLÉ Beaumont 2005

n.c. 10 000 **5 à 8 €**

Une histoire discrète mais florissante : celle de la famille Biotteau. En 1938, Eusèbe, cordonnier, lâche le cuir, la forme et l'alêne et achète 40 ha de vignes, commandés par un imposant château. Précurseur, ce dernier a été le premier dans la région à installer au domaine un caveau de dégustation pour les visiteurs. Aujourd'hui, la troisième génération est à la tête de l'exploitation viticole la plus vaste de l'Anjou (200 ha). De couleur jaune, son coteaux-de-l'aubance 2005 est un vin simple, agréable, facile d'accès, avec ses arômes de fruits mûrs, sa bouche à la fois douce et vive, fraîche dans l'ensemble.

Pascal Biotteau, Ch. d'Avrillé, L'Homois,
49320 Saint-Jean-des-Mauvrets, tél. 02.41.91.22.46,
fax 02.41.91.25.80, e-mail chateau.avrille@wanadoo.fr
t.l.j. sf dim. 9h30-12h30 14h30-18h30

DOM. DE BABLUT Vin noble 2005 *

5 ha 11 000 **15 à 23 €**

Un domaine très ancien, conduit depuis 1989 par Christophe Daviau. Ce vigneron, œnologue, a apporté une vision nouvelle dans le vignoble des coteaux-de-l'aubance. Ici, les élevages sont longs, sans soufre, et s'effectuent en barrique. Cette cuvée Vin noble peut surprendre par son originalité, mais elle ne manque pas de classe. La robe est soutenue, jaune orangé ; le nez se partage entre les fruits secs et les fruits confits, l'écorce d'orange. Au palais, ce vin est riche, ample, très marqué par la douceur. Le 2002 avait obtenu un coup de cœur. (Bouteilles de 50 cl.) Citée, la sélection **Grandpierre 2005** allie des senteurs délicates de raisin de Corinthe et de fruits mûrs. Elle semble presque légère et laisse une sensation de tendreté intéressante.

Daviau, Dom. de Bablut, 49320 Brissac-Quincé,
tél. 02.41.91.22.59, fax 02.41.91.24.77,
e-mail daviau.contact@wanadoo.fr
t.l.j. sf dim. 9h-12h 14h-18h30

DOM. DES BONNES GAGNES La Butte 2005 *

2 ha 8 000 **5 à 8 €**

Planté dès 1020 par les moines de l'abbaye de Ronceray à Angers et cultivé depuis 1610 par la famille Héry, le vignoble des Bonnes Gagnes occupe les premières auréoles calcaires du Bassin parisien. Il est souvent distingué en rouge et c'est encore le cas cette année (voir anjou-villages-brissac), mais il ne manque pas d'arguments en blanc, témoin ce coteaux-de-l'aubance représentatif de son appellation et de son millésime. Jaune à reflets d'or, encore un peu fermé au nez, ce 2005 laisse lentement poindre à l'aération des notes de fruits mûrs, de fruits blancs. Un peu simple au palais, il sait se faire apprécier par sa délicatesse et par sa fraîcheur.

Vignerons Héry, Orgigné,
49320 Saint-Saturnin-sur-Loire, tél. 02.41.91.22.76,
fax 02.41.91.21.58, e-mail hery.vignerons@wanadoo.fr
t.l.j. 9h-12h 14h-19h; dim. sur r.-v.

DOM. DITTIÈRE Excellence 2005 *

0,5 ha 1 500 **15 à 23 €**

Cette exploitation familiale s'est installée en 1900 sur des formations du début de l'ère secondaire appelées les grouas. Deux de ses coteaux-de-l'aubance ont séduit le jury et obtenu une étoile. Cette sélection Excellence, intense et puissante, est caractéristique du millésime 2005 qui fut l'un des plus ensoleillés de ces dernières années. Ses arômes évoquent les fruits confits et les fruits secs. La cuvée **Les Boujets 2005 (11 à 15 €)**, plus légère mais aussi plus délicate, évoque les fruits frais et les agrumes. Elle se déguste comme une friandise.

Dom. Dittière, 1, chem. de la Grouas,
49320 Vauchrétien, tél. 02.41.91.23.78,
fax 02.41.54.28.00,
e-mail domaine.dittiere@wanadoo.fr r.-v.

DOM. DE HAUTE PERCHE Les Fontenelles 2005 **

4 ha 6 000 **11 à 15 €**

Lorsque l'on quitte Angers, après avoir traversé la Loire, on trouve très vite ce domaine bien connu des fidèles lecteurs du Guide. Une propriété qui illustre les progrès qualitatifs du vignoble angevin : ne produisait-elle pas il y a quarante ans des vins de table ? Christian Papin l'a replantée en cépages nobles, cabernets et chenin. Ses rouges de l'appellation anjou-villages-brissac ont obtenu plus d'un coup de cœur ; les coteaux-de-l'aubance constituent son autre fer de lance, et cette cuvée Les Fontenelles décroche régulièrement des étoiles. Ce 2005 associe des impressions de richesse et de délicatesse. Subtil au nez, il mêle les fruits secs, les fruits frais et les agrumes. Au palais, il est harmonieux, présent et si frais qu'il évoquerait presque un vin de soif. Pourtant, c'est un grand.

EARL Agnès et Christian Papin,
Dom. de Haute Perche, 7, chem. de la Godelière,
49610 Saint-Melaine-sur-Aubance, tél. 02.41.57.75.65,
fax 02.41.57.75.42, e-mail papin.ch.a@wanadoo.fr
r.-v.

DOM. DE MONTGILET Les Trois Schistes 2005 *

10 ha 19 000 **15 à 23 €**

Créée en 1920 par le grand-père, l'exploitation est implantée aux portes d'Angers sur un terroir caractéristique des appellations coteaux-de-l'aubance et anjou-villages-brissac : les schistes ardoisiers. Ces roches, qui constituent les murs de l'ancien chai et ornent les étiquettes, sont l'emblème de la propriété. Régulièrement mentionnée dans le Guide, la cuvée Les Trois Schistes est comme à son habitude marquée par son terroir. La robe montre de jolis reflets paille ; la palette aromatique associe la vanille de l'élevage aux raisins confits, aux fruits secs et

LOIRE

aux fruits mûrs. Puissante et intense, la bouche reste fraîche grâce à une pointe de vivacité très agréable en finale. Le domaine a par ailleurs obtenu cinq coups de cœur dans cette appellation.

Victor et Vincent Lebreton, Dom. de Montgilet, 49610 Juigné-sur-Loire, tél. 02.41.91.90.48, fax 02.41.54.64.25, e-mail montgilet@terre-net.fr
t.l.j. sf dim. 8h-18h

CH. PRINCÉ Cuvée Delphine 2005 ★★★

2 ha 1 600 23 à 30 €

Arrivé en 2002 sur l'exploitation, Mathias Levron a très vite impressionné par son professionnalisme et sa rigueur. Un coup de cœur obtenu l'an dernier en anjou-villages-brissac traduisait la remise en état complète du vignoble (augmentation de la surface foliaire, maîtrise des rendements...). Arrivé en deuxième position au grand jury, ce coteaux-de-l'aubance a manqué de peu le coup de cœur. Il est salué pour la complexité de sa palette associant la pâte de fruits, les fruits confits, les fruits secs à un léger boisé. Sa richesse est exceptionnelle et sa longue finale fraîche de bon augure. Ce vin gagnera encore en intensité et en expression après une à deux années de garde.

SCEA Levron-Vincenot, Le Petit Princé, 49610 Saint-Melaine-sur-Aubance, tél. 02.41.57.82.28, fax 02.41.57.73.78, e-mail chateauprince@wanadoo.fr
r.-v.

DOM. MICHEL RABINEAU 2005 ★

1,5 ha 2 000 8 à 11 €

Fondé au XVIe s., ce domaine est dans la famille de Michel Rabineau depuis 1801. Ce dernier occupe des responsabilités professionnelles sans négliger son vignoble, témoin ce 2005 riche et puissant, qui n'a pas encore donné sa pleine mesure. Le nez ne libère qu'à l'aération des fragrances de fruits confits et de raisin de Corinthe. En bouche, on trouve de l'intensité, du gras. Un vin à oublier quelques années en cave pour lui permettre de prendre de l'ampleur.

Rabineau-Fillion, La Douesnerie, 49320 Vauchrétien, tél. 02.41.54.81.62, fax 02.41.54.82.73, e-mail rabineau@terre-net.fr
t.l.j. 9h-12h30 14h-18h; f. 12-20 août

DOM. DE ROCHAMBEAU Confit'Danse 2005

1 ha 2 000 11 à 15 €

Le vignoble des coteaux-de-l'aubance est constitué de petites buttes situées de part et d'autre de l'Aubance. Au niveau de Rochambeau, les coteaux deviennent plus marqués et les sols, décapés par l'érosion, font apparaître la roche mère schisteuse. Ce domaine de 15 ha est cultivé en agriculture biologique. Sa sélection Confit'Danse s'annonce par une palette aromatique élégante où la pomme et la poire voisinent avec la pâte de coings. Souple à l'attaque, riche, la bouche finit sur des impressions chaleureuses. À servir avec des tartes aux fruits. Également cité, l'**anjou blanc 2006 Matin d'Automne (5 à 8 €)**.

EARL Forest, Dom. de Rochambeau, 49610 Soulaines-sur-Aubance, tél. et fax 02.41.57.82.26, e-mail rochambeau@wanadoo.fr
t.l.j. 9h-12h 14h-19h

AMBRE DE ROCHES DES ROCHELLES 2005 ★★★

n.c. 2 400 23 à 30 €

Eh oui ! Le coup de cœur, cette année, c'est ici, en coteaux-de-l'aubance. Quelques étoiles déjà dans de pré-

cédentes éditions, mais le renom de la famille Lebreton semblait attaché aux vins rouges (quatre coups de cœur en anjou-villages-brissac). La cuvée Ambre en blanc pourrait avoir la même destinée en donnant une merveilleuse image des vins liquoreux d'Anjou. Quelle élégance d'ensemble, quelle impression de légèreté, quelle fraîcheur dans ce vin ! Et une expression aromatique d'une incroyable variété, avec des notes de fruits confits, de coing, de fleurs blanches, de poire, de grillé... Si vous avez la patience, vous l'attendrez au moins cinq ans. Un foie gras poêlé aux figues, pourquoi pas ?

EARL J.-Y.-A. Lebreton, Dom. des Rochelles, 49320 Saint-Jean-des-Mauvrets, tél. 02.41.91.92.07, fax 02.41.54.62.63, e-mail jy.a.lebreton@wanadoo.fr
t.l.j. sf dim. 9h-12h 14h-19h

Anjou-coteaux-de-la-loire

L'appellation est réservée aux vins blancs issus du pinot de la Loire. Elle constitue en quelque sorte un vestige du vignoble médiéval d'Anjou qui était planté sur les bords de la Loire, principale voie de transport à cette époque. Cette proximité du fleuve conditionne le climat des coteaux qui se caractérise par des températures douces, avec des écarts atténués. Les vins paraissent presque légers, délicats, ce qui traduit bien les conditions de maturation équilibrées. Les volumes sont confidentiels (878 hl en 2005) par rapport à l'aire de production (une douzaine de communes), située uniquement sur les schistes et les calcaires de Montjean.

VIGNOBLE MUSSET-ROULLIER Raisins confits 2005 ★

2 ha 8 000 5 à 8 €

Un autre vignoble installé en plein cœur de l'appellation, et dont on attend avec impatience les résultats, car il a obtenu quatre coups de cœur, dont deux en anjou-coteaux-de-la-loire – le dernier en date pour cette cuvée dans le millésime 2003. Cette sélection Raisins confits résulte d'un assemblage de trois tries provenant de deux parcelles : l'une se caractérise par une roche mère calcaire (pierre à chaux), l'autre sur un substrat schisteux. La richesse naturelle des vendanges dépassait les 20 % vol. Le vin affiche une robe jaune étincelante de reflets or et mêle au nez l'acacia, les fruits confits et l'orange. Le coing et la figue viennent compléter la palette dans une bouche puissante et riche, qui termine dans la vivacité. Original et harmonieux. (Bouteilles de 50 cl.)

Vignoble Musset-Roullier, Le Chaumier, 49620 La Pommeraye, tél. 02.41.39.05.71, fax 02.41.77.75.76, e-mail musset.roullier@wanadoo.fr
r.-v.

CH. DE PUTILLE Cuvée Pierre carrée 2005 ★

	5,5 ha	4 000		8 à 11 €

Pour se rendre à La Pommeraye, il faut suivre la rive gauche de la Loire et quitter ses bords à Monjean. Très vite, on trouve ce village où sont installés des vignerons talentueux comme Pascal Delaunay – huit coups de cœur à son actif. Cette cuvée Pierre carrée doit son nom à une roche volcanique acide se débitant en parallélogramme. Elle engendre des vins qui tournent rond : voyez ce millésime jaune aux reflets d'or intense. Au nez, des fruits frais, des fruits confits et du miel, de la vivacité et de la concentration. En bouche, de la richesse et de la légèreté, des évocations de fruits mûrs et des impressions acidulées. Un vin qui laisse une impression de fraîcheur caractéristique de l'appellation. Les 1999 et 2000 avaient obtenu un coup de cœur. (Bouteilles de 50 cl.)

Pascal Delaunay, EARL Ch. de Putille,
49620 La Pommeraye, tél. 02.41.39.02.91,
fax 02.41.39.03.45,
e-mail pascal.genevieve.delaunay@wanadoo.fr
t.l.j. sf dim. 8h-12h 14h-19h

DOM. PUTILLE
Délice du temps Cuvée des Claveries 2005 ★★

	1,5 ha	4 600	5 à 8 €

Isabelle Sécher et Stève Roulier exploitent 15 ha de vignes implantées sur les coteaux schisteux dominant la Loire. Fin 2006, ils ont « mis du marketing » dans leurs vins. Créé des marques, sans doute à l'intention du « nouveau consommateur ». La gamme « Délice du temps » offre des « vins tout en finesse », explique la contre-étiquette. Les Claveries ? Un liquoreux. Comme les vignerons n'ont pas oublié de mettre de la qualité dans cette bouteille, les voici distingués à l'aveugle par le jury. Une première pour le domaine dans cette appellation. Cette sélection est une invitation au voyage, avec ses fragrances de fruits frais aux nuances exotiques et ses évocations de fruits secs. Merveille d'équilibre, la bouche se partage équitablement entre les fruits mûrs et des notes acidulées d'agrumes, de citron vert. La finale est éclatante et vive. La **cuvée des Hautes Blanches 2005 (11 à 15 € la bouteille de 50 cl)** obtient elle aussi deux étoiles. Plus riche, avec ses arômes de miel, de pâte de coings, elle plaira aux amateurs de vins concentrés. Pour le foie gras.

Isabelle Sécher et Stève Roulier,
Dom. de Putille, Putille,
49620 La Pommeraye, tél. 02.41.39.80.43,
fax 02.41.39.81.91,
e-mail domaine.de.putille@wanadoo.fr
t.l.j. sf dim. 9h-12h 14h-19h

Savennières

Ce sont des vins blancs de type sec, produits à partir du chenin sur environ 140 ha, essentiellement sur la commune de Savennières. Les schistes et grès pourpres leur confèrent un caractère particulier, ce qui les a fait définir longtemps comme crus des coteaux de la Loire ; mais ils méritent d'occuper une place à part entière. Cette appellation devrait s'affirmer et se développer. Pleins de sève, un peu nerveux, ses vins vont à merveille sur les poissons cuisinés. La production du savennières et de ses crus coulée-de-serrant et roche-aux-moines a atteint 5 102 hl en 2005.

DOM. DES BARRES Les Bastes 2005 ★★★

	1,1 ha	4 500		5 à 8 €

Fondé dans les années 1930, ce domaine est conduit depuis 1991 par Patrice Achard qui représente la troisième génération. Les 25 ha du vignoble couvrent principalement les coteaux de Saint-Aubin-de-Luigné, dans la vallée du Layon, mais quelques hectares s'étendent sur la rive droite de la Loire, en AOC savennières. Une vendange manuelle puis une vinification en barrique pendant neuf mois pour ce 2005, merveille d'équilibre. Quelle belle combinaison de richesse et de légèreté, de notes de fruits mûrs et de nuances plus vives d'acacia et de fruits frais ! Le bois tient discrètement sa place, bien marié au vin. Une harmonie caractéristique des vins septentrionaux.

Patrice Achard, Dom. des Barres,
49190 Saint-Aubin-de-Luigné, tél. 02.41.78.98.24,
fax 02.41.78.68.37, e-mail achardpatrice@wanadoo.fr
r.-v.

CH. DE CHAMBOUREAU Cuvée d'Avant 2005

	8,3 ha	25 000		8 à 11 €

Un vrai petit « château de la Loire », ce manoir du XV^{e}s. avec sa tourelle octogonale Renaissance enfermant un escalier à vis. Le vignoble existait déjà à la même époque, et celui de Savennières jouissait d'une solide réputation. Une fois de plus, la Cuvée d'Avant est marquée par son terroir. Minéral en première impression, le nez libère rapidement des notes de fruits mûrs et de fruits jaunes (abricot). L'ensemble apparaît assez simple, mais flatteur et bien fait. Également cité, le **Château de la Bizolière 2005** exprime des notes de fruits macérés dans l'alcool et révèle la chaleur des vins de soleil. On le servira sur un sandre au beurre blanc.

Pierre Soulez, Ch. de Chamboureau, 49170 Savennières, tél. 02.41.77.20.04, fax 02.41.77.27.78, e-mail pierre.soulez@wanadoo.fr r.-v.

DOM. DU CLOSEL-CHÂTEAU DES VAULTS
La Jalousie 2005 ★★

6 ha 20 000 8 à 11 €

Les dames de Jessey sont des pionnières en œnotourisme. Le domaine propose un programme de dégustations à thèmes, de visites, d'animations culturelles et d'ateliers de gastronomie échelonné toute l'année – de la Saint-Vincent en janvier à la Saint-Nicolas en décembre. Le château – d'époque classique revisitée au XIXᵉs. – et le parc à l'anglaise s'entourent d'un vignoble exploité en « bio ». Le vin ? D'abord discret dans sa robe jaune pâle, austère et minéral au premier nez ; un peu d'air, et il se fait chaleureux, exubérant, sur des notes de fruits mûrs et d'épices. Ample et persistante, la bouche laisse une sensation de légèreté. Un très grand vin marqué par un terroir unique.

Évelyne de Ponbriand, Dom. du Closel, Ch. des Vaults, 49170 Savennières, tél. 02.41.72.81.00, fax 02.41.72.86.00, e-mail closel@savennieres-closel.com t.l.j. 9h-12h30 13h30-18h30; sam. dim. sur r.-v.

De Jessey

CH. D'EPIRÉ Cuvée spéciale 2005 ★

1 ha 4 500 11 à 15 €

Ce château néoclassique a l'allure imposante des édifices du Second Empire ; il remonte à 1860 et son vignoble a participé depuis cette époque au rayonnement du savennières. En 2007, trois vins présentés, une étoile pour chacun. Cette Cuvée spéciale est typique de son appellation par son approche minérale évoluant vers une sensation chaleureuse de fruits mûrs. La cuvée **Le Hu Boyau 2006**, vinifiée également en barrique, laisse une impression de fruits frais et combine harmonieusement des sensations de richesse et de légèreté. La **cuvée principale 2006 (8 à 11 €)** n'a pas connu le bois. Fraîche et minérale, elle n'est austère qu'en apparence et procure un plaisir immédiat.

Luc Bizard, Chais du Ch. d'Epiré, Epiré, 49170 Savennières, tél. 02.41.77.15.01, fax 02.41.77.16.23, e-mail luc.bizard@wanadoo.fr t.l.j. sf dim. 10h-12h 14h-18h30

DOM. DES FORGES Moulin du Gué 2005

1,5 ha 6 000 8 à 11 €

Implanté à Saint-Aubin-de-Luigné, dans la vallée du Layon, ce domaine est une référence en vins liquoreux, qui lui ont valu plus d'un coup de cœur – aussi bien en coteaux-du-layon qu'en quarts-de-chaume. Il comprend aussi des vignes en savennières, sur l'autre rive de la Loire. Pas de machines à vendanger non plus pour les vins secs, et une vinification en tonnes de 400 l. Très marqué par le bois, ce 2005 n'a pas dit son dernier mot. Il dévoile déjà une belle matière ronde et puissante, des notes de raisins bien mûrs. Une garde d'un à deux ans lui permettra de se révéler.

Branchereau, Dom. des Forges, Le Clos des Forges, 49190 Saint-Aubin-de-Luigné, tél. 02.41.78.33.56, fax 02.41.78.67.51 t.l.j. 9h-12h 13h30-19h; dim. matin sur r.-v.

CH. LA FRANCHAIE 2005

1,7 ha 6 000 8 à 11 €

Le site de la Franchaie, sur la rive droite de la Loire, est cité dès le XIXᵉs. pour ses vins secs. Le domaine (7,5 ha) a été repris en 2004 par un jeune vigneron, Jean-Marc Renaud. Son savennières 2005 est caractéristique de ce millésime très ensoleillé. Les raisins, qui avaient des degrés naturels très importants, ont donné naissance à des vins marqués par la chaleur de l'alcool. C'est le cas de celui-ci ; il est généreux et finit sur des notes de fruits macérés.

Jean-Marc Renaud, Ch. La Franchaie, 49170 La Possonnière, tél. 02.41.39.18.16, fax 02.41.39.18.17, e-mail chateau.franchaie@wanadoo.fr r.-v.

Chaillou

DOM. DU GUÉ D'ORGER
Les Fougeraies 2005 ★★

1 ha 3 000 8 à 11 €

Loïc Mahé s'est installé en 2000 sur 1 ha ; il a planté 3 ha et en exploite aujourd'hui plus de cinq. Sa sélection Les Fougeraies se distingue par sa richesse et sa belle acidité, qualité attendue des savennières. La palette aromatique joue sur les fruits mûrs, pêche et prune. Ample en attaque, la bouche finit sur des notes vives qui feront apprécier cette bouteille sur un poisson noble à chair blanche ou un fromage à pâte cuite bien affiné.

Loïc Mahé, Dom. du Gué d'Orger, La Piquellerie, 49130 Sainte-Gemmes-sur-Loire, tél. 06.14.76.66.01, e-mail gue.dorger@wanadoo.fr r.-v.

MOULIN DE CHAUVIGNÉ 2006 ★

3,5 ha 20 000 5 à 8 €

Les vieux moulins d'Anjou sont composés d'une assise en forme de pain de sucre, le « massereau », et d'une cage mobile en bois, la « hucherolle ». Le massereau abrite une cave qui a donné à ces constructions leur nom de « moulins caviers ». Celui de Chauvigné remonte à 1750 et offre un panorama étonnant sur la vallée de la Loire. Comme l'an dernier, deux savennières sont sélectionnés, mais l'étoile échoit à la cuvée principale : caractéristique de son appellation, ce 2006 associe des notes austères de minéralité à des nuances plus chaleureuses de fruits mûrs. La bouche est intense, riche et fraîche à la fois. Avec ses notes de fleurs blanches et de fruits frais, le **Clos Brochard 2006 (8 à 11 €)** semble léger, presque facile. Il accompagnera les poissons grillés ou les crustacés.

S. & Ch. Plessis-Termeau, Le Moulin de Chauvigné, 49190 Rochefort-sur-Loire, tél. et fax 02.41.78.86.56, e-mail lemoulindechauvigne@wanadoo.fr r.-v.

DOM. OGEREAU
Clos le Grand Beaupréau 2005 ★★

2 ha 8 000 8 à 11 €

Un vignoble de 24 ha, valeur sûre du vignoble angevin : sept coups de cœur dans les trois couleurs de la région – mais pas encore en savennières : quelques voix ont manqué à celui-ci, qui fut finaliste devant le grand jury. Il n'en montre pas moins le savoir-faire du producteur. Jaune paille limpide, minéral au premier nez, il évolue à l'aération vers les fruits mûrs, les fruits secs, les épices et la vanille. Ample et puissant au palais, il laisse pourtant une impression aérienne. Un excellent représentant du terroir de Savennières.

Vincent Ogereau, 44, rue de la Belle-Angevine, 49750 Saint-Lambert-du-Lattay, tél. 02.41.78.30.53, fax 02.41.78.43.55, e-mail domaine.ogereau@wanadoo.fr r.-v.

CH. DE PLAISANCE Le Clos 2005 *

2 ha 10 000 11 à 15 €

Implanté au milieu du vignoble de Chaume, le château de Plaisance apparaît comme le gardien de ce coteau réputé. Si Guy Rochais soigne particulièrement cette appellation, qui lui a valu plus d'un coup de cœur, il montre aussi son talent dans le registre des vins secs. Une étoile brille encore sur Le Clos. Le soleil du millésime a donné à ce vin plein et dense des arômes de fruits macérés que l'on retrouve au nez comme en rétro-olfaction.

Guy Rochais, Ch. de Plaisance, Chaume, 49190 Rochefort-sur-Loire, tél. 02.41.78.33.01, fax 02.41.78.67.52, e-mail rochais.guy@wanadoo.fr r.-v.

CH. SOUCHERIE Clos des Perrières 2005

2 ha 8 000 8 à 11 €

Ancienne propriété de la marquise de Brissac, ce domaine possède des caves voûtées et une terrasse qui offre un intéressant panorama sur les coteaux du Layon. Ce Clos des Perrières est encore dominé par les notes boisées vanillées de l'élevage qui ne permettent pas de l'apprécier à sa juste valeur. Sa très belle attaque, riche et puissante, met en confiance. Un vin prometteur à laisser en cave un à deux ans.

Pierre-Yves Tijou et Fils, Ch. Soucherie, 49750 Beaulieu-sur-Layon, tél. 02.41.78.31.18, fax 02.41.78.48.29, e-mail chateausoucherie@yahoo.fr r.-v.

CH. DE VARENNES 2005

7 ha 40 000 11 à 15 €

Ce vignoble, totalement planté en chenin, est constitué d'un ensemble de 7 ha surplombant la Loire et exposé au sud. Son savennières a besoin d'aération pour se révéler. En bouche, il se montre agréable. D'abord minéral, il évolue ensuite sur les fruits mûrs. La finale intense et persistante en fait un vin prometteur. À attendre un à deux ans et à servir carafé.

Vignobles Alain Chateau, Chaume, 49190 Rochefort-sur-Loire, tél. 02.41.78.33.66, fax 02.41.78.68.47, e-mail info@vignobles-alainchateau.com t.l.j. sf sam. dim. 9h-12h30 13h30-17h30

LES VIEUX CLOS 2005 **

4,5 ha 15 000 15 à 23 €

Nicolas Joly sillonne la France et le monde entier pour expliquer la biodynamie, cette forme d'agriculture biologique qui inscrit la vigne dans le cosmos, « entre ciel et terre », et qui seule permet, selon lui, de préserver la typicité de l'appellation. Une démarche qu'il a adoptée dès 1985 dans son domaine. Ses vins plaident pour lui, même si parfois ils étonnent et interpellent. La sélection Les Vieux Clos 2005 est un vin intense, plein de joie et de soleil. La bouche est opulente ; elle conserve pourtant cette part d'austérité minérale caractéristique du terroir de Savennières.

EARL Nicolas Joly, Ch. de La Roche aux Moines, 49170 Savennières, tél. 02.41.72.22.32, fax 02.41.72.28.68, e-mail coulee-de-serrant@wanadoo.fr t.l.j. sf dim. 9h-12h 14h-17h30

Savennières-roche-aux-moines, savennières-coulée-de-serrant

Il est difficile de séparer ces deux crus qui ont pourtant reçu une codification particulière, tant ils sont proches en caractères et en qualité. La coulée-de-serrant, plus restreinte en surface (7 ha), est située de part et d'autre de la vallée du petit Serrant. La plus grande partie est en pente forte, d'exposition sud-ouest. Propriété en monopole de la famille Joly, cette appellation a atteint, tant par sa qualité que par son prix, la notoriété des grands crus de France. C'est après cinq ou dix ans que ses qualités s'épanouissent pleinement. La roche-aux-moines appartient à plusieurs propriétaires et couvre une surface de 19 ha déclarés (qui n'est pas totalement plantée). Si elle est moins homogène que son homologue, on y trouve des cuvées qui n'ont cependant rien à lui envier.

Savennières-roche-aux-moines

CLOS DE LA BERGERIE 2005 **

3,5 ha 8 000 23 à 30 €

Le savennières-roche-aux-moines de Nicolas Joly, pionnier de la biodynamie. Ce 2005 peut surprendre en première impression par ses notes très chaleureuses. C'est le soleil du millésime qui s'exprime ici ; on lui doit des vendanges récoltées à des degrés naturels importants. Mais que la bouche est bonne ! Envoûtante même, avec ses nuances de pruneau et de reine-claude surmûrie ! Un vin hors normes à laisser vieillir un an ou deux. Il fera bien des heureux.

EARL Nicolas Joly, Ch. de La Roche aux Moines, 49170 Savennières, tél. 02.41.72.22.32, fax 02.41.72.28.68, e-mail coulee-de-serrant@wanadoo.fr t.l.j. sf dim. 9h-12h 14h-17h30

DOM. DES FORGES 2005

0,65 ha 2 000 8 à 11 €

Vinifié en tonnes de 400 l, ce savennières-roche-aux-moines est encore sous l'empire du bois. En bouche, il montre une réelle présence et apparaît plein de promesses. On y trouve ces notes de miel caractéristiques de raisins récoltés à très grande maturité. Un vin à attendre un à deux ans et à servir sur des plats de caractère, poissons au beurre blanc ou coquilles Saint-Jacques poêlées.

Branchereau, Dom. des Forges, Le Clos des Forges, 49190 Saint-Aubin-de-Luigné, tél. 02.41.78.33.56, fax 02.41.78.67.51 t.l.j. 9h-12h 13h30-19h; dim. matin sur r.-v.

DOM. AUX MOINES 2005 **

7,38 ha 30 000 11 à 15 €

La Roche aux Moines est un éperon rocheux surplombant la Loire. Son vignoble a été créé au Moyen Âge par les moines de Saint-Nicolas d'Angers. Depuis 1981, ce domaine est dirigé par des femmes : Monique Laroche, et, depuis 2001, Tessa, qui a vinifié ces deux cuvées. D'une rare élégance, ce Domaine aux Moines révèle tout au long de la dégustation des arômes intenses de fruits blancs (poire) et d'abricot. La bouche combine des impressions d'opulence et de légèreté dans un parfait équilibre. Une étoile pour la **Cuvée des Nonnes 2005** ; ce vin a gardé des sucres résiduels (39 g/l) tout en conservant la fraîcheur caractéristique de son terroir ; il finit sur des notes de miel, de poire et d'abricot. On l'oubliera deux à cinq ans en cave pour le consommer à son apogée sur de la cuisine sucrée-salée ou des desserts peu sucrés (tarte fine aux pommes, par exemple).

EARL Tessa Laroche, Dom. aux Moines, La Roche aux Moines, 49170 Savennières, tél. 02.41.72.21.33, fax 02.41.72.86.55, e-mail tessalaroche@wanadoo.fr t.l.j. 9h-12h30 14h-19h; dim. sur r.-v.

Savennières-coulée-de-serrant

CLOS DE LA COULÉE DE SERRANT 2005 *

7 ha 22 000 38 à 46 €

Depuis la plantation du vignoble au XII[e]s. par les cisterciens, la Coulée de Serrant a toujours porté des ceps et a joui d'une grande réputation dès le Moyen Âge : Louis XI prisait ses vins. Le site fut aussi le cadre d'un épisode décisif de la guerre qui vit en 1214 la défaite des armées de Jean sans Terre contre les troupes du roi de France. En forte pente vers la Loire, le vignoble interdit toute mécanisation. Une contrainte qui ne dérange pas Nicolas Joly, qui le conduit en biodynamie. La coulée-de-serrant donne des vins de garde. C'est bien le cas de ce 2005 aux étincelants reflets or. Pour l'heure, il exprime surtout la puissance de l'alcool. En bouche, il est dominé par des notes de fruits macérés (prune). Oubliez-le quelques années en cave et il dévoilera alors toute la lumière et la chaleur des étés ensoleillés sur les bords de la Loire.

EARL Nicolas Joly, Ch. de La Roche aux Moines, 49170 Savennières, tél. 02.41.72.22.32, fax 02.41.72.28.68, e-mail coulee-de-serrant@wanadoo.fr t.l.j. sf dim. 9h-12h 14h-17h30

Coteaux-du-layon

Sur les coteaux des communes qui bordent le Layon, de Nueil à Chalonnes, représentant quelque 1 703 ha, on a produit, en 2005, 48 067 hl de vins demi-secs, moelleux ou liquoreux. Le chenin est le seul cépage. Plusieurs villages sont réputés : le plus connu, devenu une appellation à part entière, est celui de Chaume. Six noms peuvent être ajoutés à l'appellation : Rochefort-sur-Loire, Saint-Aubin-de-Luigné, Saint-Lambert-du-Lattay, Beaulieu-sur-Layon, Rablay-sur-Layon, Faye-d'Anjou. Depuis 2002, les vins ont droit à la mention « Sélection de grains nobles » lorsque la richesse naturelle de la vendange minimale est de 234 g/l, soit 17,5 % vol. sans aucun enrichissement. Ils ne pourront être commercialisés avant dix-huit mois suivant la récolte. Vins subtils, or vert à Concourson, plus jaunes et plus puissants en aval, ils présentent des arômes de miel et d'acacia acquis lors de la surmaturation. Leur capacité de vieillissement est étonnante.

DOM. DE L'ARBOUTE Prestige 2006

3 ha 5 000 5 à 8 €

Les origines de ce domaine, qui compte aujourd'hui 36 ha, remontent à l'Ancien Régime. Les chais, vieux d'un siècle, sont entourés de chênes centenaires. Reprise par Jules Massicot dans les années 1950, la propriété est passée à son fils Yves en 1985. Lors de l'installation de la troisième génération en 2005, la cave de vinification a été rénovée. De couleur jaune aux reflets dorés, la cuvée Prestige de l'exploitation présente un nez classique, fait de fleurs blanches et de fruits mûrs nuancés d'une touche grillée. La bouche fraîche offre un bel équilibre entre les sensations de sucrosité et d'acidité. Simple, mais agréable et bien fait, ce vin sera prêt à la sortie du Guide.

EARL Massicot Père et Fils, Dom. de L'Arboute, 49380 Faye-d'Anjou, tél. 02.41.54.03.38, fax 02.41.47.19.52, e-mail earl.massicot@wanadoo.fr t.l.j. sf dim. 9h-12h 14h-18h30

DOM. DES BARRES
Saint-Aubin Les Paradis 2005 **

1,2 ha 3 000 11 à 15 €

Avec son hôtel de ville Renaissance et ses coteaux où campe le domaine des Barres, Saint-Aubin-de-Luigné ne manque pas de charme. Chaume est tout proche, et Patrice Achard, à la tête de l'exploitation familiale depuis 1991, est depuis cette année le président de cette AOC. Il détient aussi, en coteaux-du-layon Saint-Aubin, le clos Les Paradis qui décroche très souvent des étoiles, souvent par paires (le 2001 fut coup de cœur). Jaune paille, le 2005 reste discret au premier nez, mais à l'aération, il libère une multitude de parfums : fruits confits, fruits secs, figue. La bouche, intense et fraîche à la fois, est typique de l'appellation. Une bouteille à mettre en cave au moins un an ou deux, et dix si l'on est patient.

Patrice Achard, Dom. des Barres, 49190 Saint-Aubin-de-Luigné, tél. 02.41.78.98.24, fax 02.41.78.68.37, e-mail achardpatrice@wanadoo.fr r.-v.

DOM. DES BAUMARD Cuvée Le Paon 2005 ★

	5 ha	10 000	15 à 23 €

Des ancêtres de Florent Baumard cultivaient déjà la vigne à Rochefort au début du XVII[e]s. L'exploitation, qui a pris son essor à partir des années 1950, vinifie les plus prestigieuses appellations de l'Anjou, comme le savennières et le quarts-de-chaume. Le nom de cette cuvée se réfère à une expression utilisée par les dégustateurs pour décrire un vin aux mille nuances aromatiques : « Il fait la queue de paon ». Une livrée jaune pâle aux légers reflets verts habille ce millésime aux parfums de fleurs et de fruits frais. La bouche vive offre un bel équilibre alcool-sucres. Des touches fraîches et citronnées réveillent la finale.

SCEA Dom. des Baumard, 8, rue de l'Abbaye, 49190 Rochefort-sur-Loire, tél. 02.41.78.70.03, fax 02.41.78.83.82, e-mail contact@baumard.fr
t.l.j. sf dim. 10h-12h 14h-17h30

DOM. DE LA BELLE ANGEVINE
Beaulieu Cuvée Béhuard 2005 ★

	2 ha	4 000	11 à 15 €

La Belle Angevine ? L'héroïne d'une histoire d'amour au temps d'Henri IV. Le vignoble (18 ha) couvre les coteaux abrupts de la rive droite du Layon, sur le territoire de Beaulieu-sur-Layon. Il a donné naissance à un 2005 jaune aux légers reflets dorés, mêlant au nez la menthe, les fleurs blanches (acacia) et le miel. Ample et généreuse, la bouche est constamment soutenue par une fraîcheur vivifiante. Une réelle élégance.

Florence Dufour, Dom. de La Belle Angevine, La Motte, 49750 Beaulieu-sur-Layon, tél. 02.41.78.34.86, fax 02.41.72.81.58, e-mail labelleangevine@wanadoo.fr
r.-v.

DOM. DE LA BERGERIE
Rablay Le Clos de La Girardière 2005 ★

	2 ha	7 000	8 à 11 €

Yves Guégniard exploite 36 ha et vinifie avec talent toutes les appellations angevines, du cabernet-d'anjou au savennières, comme le montrent de nombreuses mentions dans le Guide. Il propose un Clos de La Girardière de Rablay-sur-Layon, commune dont les sols graveleux donnent naissance à des vins originaux, souvent marqués par la légèreté et la nervosité. C'est bien le cas de ce 2005. De couleur jaune aux légers reflets dorés, il offre un bouquet frais évoquant les agrumes, nuancé de notes de fruits mûrs et de fruits confits. Tendre et délicat au palais, il finit sur une agréable vivacité. À servir dès l'automne.

Yves Guégniard, Dom. de La Bergerie, 49380 Champ-sur-Layon, tél. 02.41.78.85.43, fax 02.41.78.60.13, e-mail domainede.la.bergerie@wanadoo.fr
t.l.j. sf dim. 9h-12h 14h-19h; f. 15-30 août

CH. DE BROSSAY Sélection de grains nobles 2005 ★

	2 ha	800	15 à 23 €

C'est sur le territoire de Cléré que le Layon prend sa source. C'est en tout cas ce que disent les vignerons de la commune. La question serait complexe et sujette à débats. Pas de discussion possible en revanche à propos de cette sélection de grains nobles. Avec sa robe jaune d'or intense, ses arômes puissants de raisin sec, de muscat et de fruits surmûris, sa bouche épicée, onctueuse, équilibrée, c'est un très beau représentant de ce style de vins que l'on ne peut produire tous les ans, car la vendange doit être récoltée à un degré au moins égal à 17,5 % vol. nature.

Raymond et Hubert Deffois, Ch. de Brossay, 49560 Cléré-sur-Layon, tél. 02.41.59.59.95, fax 02.41.59.58.81, e-mail chateau.brossay@wanadoo.fr
t.l.j. sf dim. 9h-12h 14h-19h

DOM. CADY Saint-Aubin Les Varennes 2005 ★★

	2,5 ha	6 000	11 à 15 €

Alexandre Cady s'est associé en septembre 2006 avec son père Philippe. Leur domaine fête cette année son quatre-vingtième anniversaire. Les Cady soignent particulièrement leurs vins liquoreux qui ont obtenu plus d'un coup de cœur. Cette cuvée des Varennes, issue des sols schisteux squelettiques, fut ainsi couronnée dans le millésime 1997. Le 2005 affiche sa classe avec sérénité. Jaune d'or dans le verre, il délivre des parfums délicats de fruits confits, de raisin sec, de coing et de noisette. La bouche ample et puissante offre en rétronasal des notes fruitées et grillées. Incontestablement un très grand vin de terroir, que l'on peut commencer à déguster sans hâte, ou attendre quelques années.

Philippe Cady, EARL Dom. Cady, Valette, 49190 Saint-Aubin-de-Luigné, tél. 02.41.78.33.69, fax 02.41.78.67.79, e-mail domainecady@yahoo.fr
t.l.j. sf dim. 9h-12h 14h-18h30

DOM. DE CHANTEMERLE L'Intemporel 2005 ★

	1,5 ha	2 000	8 à 11 €

La commune de Trémont est constituée de trois « monts » plantés principalement de vignes. Située dans le haut Layon, elle a été intégrée dans l'aire d'appellation des coteaux-du-layon dans les années 1990. Cette cuvée porte un nom bien choisi, car sa richesse lui permettra de traverser le temps. « Elle a du répondant », écrit un dégustateur. Elle dévoile une très grande puissance ainsi qu'une forte sensation de sucrosité. La bouche donne l'impression de croquer dans une pâte de fruits ou dans des fruits confits. Douceurs angevines...

Patrick et Caroline Laurilleux, Dom. de Chantemerle, 4, rue de l'École, 49310 Trémont, tél. 02.41.59.43.18, fax 02.41.50.02.99, e-mail chantemerle49@wanadoo.fr r.-v.

DOM. PIERRE CHAUVIN Rablay 2005 ★★

	n.c.	4 000	8 à 11 €

La commune de Rablay-sur-Layon est située sur la rive gauche de la rivière. Ses sols sablo-graveleux correspondent à des dépôts continentaux du début de l'ère secondaire restés sur place en raison d'une topographie douce, tandis que sur l'autre rive, plus abrupte, la roche schisteuse a été mise à nu par l'érosion. Ce 2005 offre un bon exemple des coteaux-du-layon obtenus sur sables et graviers – des vins tendres et délicats. Il charme par la complexité de sa palette aromatique, qui reflète par ses notes surmûries, compotées et confiturées une vendange passerillée et botrytisée. Dominé par des impressions de gras et de rondeur, le palais reste étonnamment équilibré.

Dom. Pierre Chauvin, 45, Grande-Rue, 49750 Rablay-sur-Layon, tél. 02.41.78.32.76, fax 02.41.78.22.55, e-mail info@domainepierrechauvin.fr r.-v.
P. Chauvin et Ph. Cesbron

DOM. DES CHESNAIES
Clos des Bonnes Blanches 2005 ★★

	2,5 ha	4 000	11 à 15 €

Repris en 1998 par Catherine et Olivier de Cenival, ce domaine de 19 ha offre un cadre reposant et plein de cachet

LOIRE

(bâtiments du XVIe s., jardin romantique) qui a incité les nouveaux propriétaires à en développer les capacités d'accueil. Ils ont ouvert dans l'orangerie une salle de dégustation qui reçoit groupes et séminaires. Les visiteurs y découvriront des vins qui se sont rapidement fait une place dans le Guide. Celui-ci affiche une robe jaune d'or intense. Discret au premier nez, il livre à l'aération des notes de fruits confits, de pâte de fruits et d'épices qui annoncent la puissance de la bouche. Une légère vivacité permet à cette bouteille de rester élégante et délicate. On la servira avec du foie gras poêlé ou des fromages persillés.

Olivier de Cenival, Dom. des Chesnaies, La Noue, 49190 Denée, tél. 02.41.78.79.80, fax 02.41.68.05.61, e-mail odecenival@wanadoo.fr r.-v.

DOM. DE CLAYOU
Saint-Lambert-du-Lattay 2005 ★★

	1 ha	3 200		8 à 11 €

Établi à Saint-Lambert-du-Lattay, importante commune viticole de la vallée du Layon, Jean-Bernard Chauvin s'est engagé dans la défense de l'appellation. Une appellation dont ce 2005, riche et élégant, est un excellent ambassadeur. Sa robe jaune d'or intense annonce le bouquet délicat de fruits cuits, compotés et confits. La bouche associe une fraîcheur tonique et une puissance onctueuse dans une remarquable harmonie.

SCEA Jean-Bernard Chauvin, 18 bis, rue du Pont-Barré, 49750 Saint-Lambert-du-Lattay, tél. 02.41.78.44.44, fax 02.41.78.48.52, e-mail domainedeclayou@tiscali.fr t.l.j. sf dim. 9h-12h 14h-18h30; f. 15-31 août

DOM. DES CLOSSERONS Vieilles Vignes 2006 ★★

	3,1 ha	6 500		8 à 11 €

Constitué il y a une cinquantaine d'années, ce domaine a pris un nouvel essor avec l'arrivée des deux fils, Yannick et Dominique, qui se sont pleinement investis dans l'élaboration de vins liquoreux, n'hésitant pas à replanter des coteaux abrupts propices à ce style de produits. Il fallait beaucoup de métier pour réussir une cuvée de ce niveau dans ce difficile millésime 2006. Les dégustateurs ont souligné la qualité de ses parfums de fruits à l'alcool (pruneau), de pomme et de coing ainsi que la richesse et la complexité de sa bouche où l'on retrouve le coing, accompagné de notes de pâte de fruits. Quant au **coteaux-du-layon Faye L'Excellence 2005 (15 à 23 €)**, c'est un vin caractéristique d'un millésime où le soleil a « rôti » les raisins par son côté chaleureux et ses arômes presque exubérants de fruits concentrés, d'abricot sec et de miel : une étoile.

EARL Jean-Claude Leblanc et Fils, Dom. des Closserons, 49380 Faye-d'Anjou, tél. 02.41.54.30.78, fax 02.41.54.12.02, e-mail earlleblanc@domainedesclosserons.com r.-v.

COTEAU SAINT-VINCENT
Vieilles Vignes 2006 ★★

	3 ha	3 200		5 à 8 €

Le millésime précédent de cette cuvée obtint dans la dernière édition l'un des coups de cœur de l'appellation. La cave du domaine offre une vision panoramique sur Chalonnes-sur-Loire. Elle a été agrandie en 2007 et loge un coteaux-du-layon bien né (de vignes de plus d'un demi-siècle) et remarquable pour le millésime. Jaune doré à reflets orangés, ce 2006 présente un nez agréable où les fruits secs s'accompagnent de touches grillées et empyreumatiques. La bouche riche et dense, équilibrée, se distingue par son onctuosité et associe en finale des impressions de puissance et de fraîcheur du plus bel effet.

EARL Voisine, Coteau Saint-Vincent, 49290 Chalonnes-sur-Loire, tél. 02.41.78.59.00, fax 02.41.78.18.26, e-mail coteau-saint-vincent@wanadoo.fr r.-v.

DOM. DES COTEAUX BLANCS
Clos de Pierre-Couts 2006 ★

	n.c.	n.c.		5 à 8 €

Avec ses bords de Loire verdoyants où se mire une église, sa grande île où l'on cultivait le chanvre, Chalonnes-sur-Loire vaut le détour. La vigne, bien sûr, croît sur les « coteaux blancs » de la corniche angevine qui dominent ces basses terres. Un petit train touristique, en période estivale, serpente au milieu du vignoble. Le millésime 2006 a été ensoleillé jusqu'à la mi-septembre, pluvieux ensuite. Cette sélection, légère et fruitée, offre une bonne image de l'année. Récoltés à bonne maturité, les raisins n'ont pas donné un monstre de concentration, mais un vin franc et délicat, aux arômes de fruits mûrs, de figue et de miel.

François Picherit, EARL Dom. des Coteaux Blancs, Les Coteaux Blancs, 49290 Chalonnes-sur-Loire, tél. 02.41.78.16.83, fax 02.41.74.96.14, e-mail picherit49@hotmail.com r.-v.

DOM. LA CROIX DE GALERNE
Les Pinçonnes 2005 ★

	1 ha	1 400		8 à 11 €

Le site de Maligné, sur la commune de Martigné-Briand, correspond à un affleurement de sables calcaires coquilliers appelés faluns, dans lesquels sont creusées les caves. Le coteau au sud du village était cité dès le XVIIIe s. comme un des crus du vignoble des coteaux-du-layon. Il a engendré un 2005 d'un jaune d'or attirant, dont les parfums floraux et minéraux évoluent vers des notes plus chaleureuses de pâte de fruits. Intense, la bouche est fraîche en attaque, douce en finale. Une étoile également pour l'**anjou rouge 2005 (3 à 5 €)**.

Yvette, André et Frédéric Roger, 20, rue du Pressoir, Maligné, 49540 Martigné-Briand, tél. 02.41.59.65.73, fax 02.41.59.82.57, e-mail y-r@tiscali.fr r.-v.

DELAUNAY Saint-Aubin 2005 ★

	3,79 ha	13 000		5 à 8 €

Née en 1975, la propriété associe aujourd'hui les quatre enfants Delaunay qui exploitent 40 ha de vergers et 46 ha de vignes. Le domaine propose avec ce 2005 un coteau-du-layon simple, délicat et facile à boire. Sa palette aromatique tout en fraîcheur, sur des notes d'agrumes, d'ananas et de fleurs blanches, accompagnées de nuances de raisin sec, contribue à son harmonie.

Dom. Delaunay Père et Fils, Daudet, rte de Chalonnes, 49570 Montjean-sur-Loire, tél. 02.41.39.08.39, fax 02.41.39.00.20, e-mail delaunay.anjou@wanadoo.fr t.l.j. 8h-12h 14h-18h; sam. dim. sur r.-v.

DOM. DES DEUX VALLÉES
Saint-Aubin Vieilles Vignes 2005 ★★★

	1 ha	3 000		11 à 15 €

Deux coups de cœur consécutifs en coteaux-du-layon pour Philippe Socheleau, arrivé en 2001 dans le vignoble

et qui a très vite fait parler de lui. Ce 2005 affiche une robe jaune d'or à reflets orangés, prélude à des arômes de fruits confits et d'orange caractéristiques des vendanges atteintes par la pourriture noble. Intense, à la fois opulente et raffinée, la bouche laisse en finale une sensation de vivacité rafraîchissante. Une présence rare.
🔑 Philippe et René Socheleau,
Dom. des Deux Vallées, Bellevue,
49190 Saint-Aubin-de-Luigné, tél. 02.41.78.33.24,
fax 02.41.78.66.58,
e-mail contact@domaine2vallees.com
☑ Y ⛹ t.l.j. sf dim. 9h-12h 14h-18h

DOM. DHOMMÉ Les Beauvais 2005 ★★★

	2,15 ha	5 000		8 à 11 €

Ce domaine est implanté entre les bras de la Loire, au Petit Port Girault. Un nouveau chai a été construit l'an dernier au pied du vignoble des coteaux-du-layon. La propriété, qui a déjà proposé de fort beaux millésimes, obtient son deuxième coup de cœur dans cette appellation (après un 1999) avec un somptueux 2005. Magnifique robe coupée dans une soie jaune solaire, presque orangée ; délicatesse d'une palette complexe, mêlant les épices de l'élevage (vanille, clou de girofle), la torréfaction et les fruits confits d'une arrière-saison flamboyante. Au palais, concentration, puissance et raffinement : un vin digne d'être dégusté pour lui-même, en fin de soirée, et à savourer longuement.
🔑 Dom. Dhommé,
Le Petit Port Girault, rte de Saint-Georges-sur-Loire,
49290 Chalonnes-sur-Loire, tél. 02.41.78.24.27,
fax 02.41.74.94.91,
e-mail domainedhomme@wanadoo.fr
☑ Y ⛹ t.l.j. sf dim. 9h-12h 14h-19h

DOM. DES ÉPINAUDIÈRES Saint-Lambert 2005

	2 ha	4 900		8 à 11 €

Le domaine a été créé en 1966 par Roger Fardeau, rejoint par son fils Paul en 1991. Il s'étend sur 21 ha. Né de vignes du même âge que le domaine, ce 2005 offre des arômes extrêmement chaleureux, caractéristiques du millésime : l'arrière-saison sèche et ensoleillée a en effet entraîné cette année-là une richesse naturelle des vendanges considérable. La robe jaune d'or montre des reflets dorés. La bouche puissante exprime les raisins rôtis par le soleil à travers des arômes de pomme cuite, de fruits confits et de coing. On retrouve en finale la chaleur de l'alcool. Une cuvée qui devrait gagner en harmonie avec le temps.
🔑 SCEA Fardeau, Sainte-Foy,
49750 Saint-Lambert-du-Lattay, tél. 02.41.78.35.68,
fax 02.41.78.35.50, e-mail fardeau.paul@club-internet.fr
☑ Y ⛹ r.-v.

DOM. DE L'ÉTÉ 2005 ★

	5,18 ha	22 000		5 à 8 €

L'Été : un nom commercial judicieusement choisi ? Sans doute, mais aussi un authentique lieu-dit, mentionné dans des manuscrits de 1650. Une dénomination qui laisse présager pour ce vignoble un microclimat privilégié. Ce 2005 est en tout cas un vin de soleil, qui brille dans une robe jaune soutenu et qui offre toute une gamme d'arômes délicats. On y trouve des fruits jaunes (pêche, abricot), des fruits confits et des nuances plus vives de verveine et de citron. En bouche, la puissance et la fraîcheur typiques de l'appellation sont bien présentes. L'intuition des anciens était bonne, le site semble comblé par la nature.
🔑 SCEA Catherine Nolot, Dom. de L'Été,
49700 Concourson-sur-Layon, tél. 02.41.59.11.63,
fax 02.41.59.95.16, e-mail domainedelete@wanadoo.fr
☑ Y ⛹ t.l.j. sf dim. 9h-12h 14h-17h; sam. 9h-12h

DOM. FARDEAU Cuvée Stefy 2005 ★

	1,5 ha	5 000		23 à 30 €

Situé au pied de la corniche angevine sur la commune de Chaudefonds-sur-Layon, ce domaine fondé il y a soixante ans compte 16 ha de vignes. Cuvée Vieilles Vignes ou cuvée Stefy sont régulièrement présentes dans le Guide. Cette année, Stefy. De couleur or pâle limpide, c'est un vin de soleil riche, aux notes chaleureuses rappelant le miel et les fruits rôtis. L'équilibre est assuré grâce à une belle fraîcheur et la finale laisse un bon souvenir.
🔑 Chantal Fardeau, Les Hauts Perrays,
49290 Chaudefonds-sur-Layon, tél. 02.41.78.67.57,
fax 02.41.78.68.78 ☑ Y ⛹ r.-v.

CH. DU FRESNE
Faye La Butte des Chevriottes 2005 ★

	3,5 ha	3 500		8 à 11 €

Construit en 1437 en schiste, le château du Fresne donne une bonne image de l'Anjou noir qui doit son nom à la couleur sombre de ses roches. Son vaste vignoble s'étend sur 76 ha. Deux sélections retenues avec une étoile. Cette Butte des Chevriottes est caractéristique d'un vin obtenu à partir de raisins rôtis au soleil par ses arômes de miel et de fruits confits. Avec son gras et sa douceur, elle gagnera à attendre quelques années. La seconde cuvée, le **Faye Clos des Cocus 2005 (15 à 23 €)**, encore plus riche, évoque le raisin sec et le caramel. Sa bouche ample et volumineuse lui permettra de traverser plusieurs décennies.
🔑 Ch. du Fresne, 25 bis, rue des Monts,
49380 Faye-d'Anjou, tél. 02.41.54.30.88,
fax 02.41.54.17.52,
e-mail chateaudufresne@wanadoo.fr
☑ Y ⛹ t.l.j. sf dim. 9h-12h 15h-18h30

DOM. LES GRANDES VIGNES
Le Pont Martin 2005 ★

3,25 ha 12 000 8 à 11 €

Fort de 52 ha de vignes, le domaine Les Grandes Vignes jouit d'une solide réputation confortée par sept coups de cœur dans le Guide (voir encore cette année ses bonnezeaux 2005). Ce coteaux-du-layon du même millésime est, lui aussi, un vin de caractère. Ses arômes délicats évoquent les fleurs blanches, les fruits confits et la gelée de coings. À la fois vive et volumineuse, la bouche laisse en finale une très agréable sensation de fraîcheur. Cette bouteille sera prête dès l'automne.

Dom. Les Grandes Vignes, La Roche Aubry, 49380 Thouarcé, tél. 02.41.54.05.06, fax 02.41.54.08.21, e-mail vaillant@domainelesgrandesvignes.com r.-v.

GFA Vaillant

DOM. DES HAUTES BROSSES
Vieilles Vignes 2006

4,5 ha 15 000 5 à 8 €

« Hautes Brosses ? » Un lieu-dit ouvert aux vents situé sur un des points culminants de Rochefort-sur-Loire. Localement, les « brosses » désignent des friches, des terres incultes couvertes de broussailles qui permettent de se protéger du vent. Une fois plantés, ces lieux s'avèrent fort propices à la production de vins liquoreux. Deux cuvées présentées, deux citations : ces Vieilles Vignes, et la **cuvée principale 2006** (étiquette dorée). Toutes deux offrent des arômes de figue, de fruits secs et de coing caractéristiques de l'appellation, avec simplicité, millésime oblige.

Vignoble Pin, Les Hautes Brosses, 49190 Rochefort-sur-Loire, tél. et fax 02.41.78.35.26, e-mail pin@webmails.com r.-v.

LUC ET FABRICE MARTIN
Cuvée Prestige 2005 ★★

2 ha 6 000 8 à 11 €

Associés en 1997, Luc et Fabrice Martin ont attiré d'emblée l'attention en décrochant trois coups de cœur dans cette appellation (millésimes 1997, 2000, 2001). Cette cuvée, sélectionnée pour concourir au grand jury, a manqué à peu de voix près cette distinction recherchée. Sa robe jaune ambré, son nez intense fait de fruits mûrs, de miel et d'épices, sa bouche puissante et dense, déployant une multitude de nuances de fruits confits et de fruits secs signent un très grand vin, haut en couleur et qui prendra encore de l'ampleur après quelques années de garde.

GAEC Luc et Fabrice Martin, 2 bis, rue du Stade, 49290 Chaudefonds-sur-Layon, tél. 02.41.78.19.91, fax 02.41.78.98.25, e-mail luc.martin3@wanadoo.fr r.-v.

VIGNOBLE DU MARTINET
Beaulieu Cuvée spéciale 2005 ★

8 ha 3 000 5 à 8 €

Avec Samuel Bertrand, la quatrième génération vient de s'installer sur ce domaine en février 2007. Ce 2005 donne une très bonne image des vins liquoreux de l'appellation. Robe jaune d'or intense ; nez associant des senteurs fraîches de menthe et de fleurs blanches à des nuances plus chaleureuses de fruits mûrs et de fruits blancs ; bouche à la fois riche, intense et fraîche : ce vin montre à toutes les étapes de la dégustation qu'il a été élaboré à partir de raisins récoltés à une très bonne maturité.

Samuel Bertrand, Vignoble du Martinet, 1, rue du Martinet, 49750 Beaulieu-sur-Layon, tél. 02.41.78.36.18, fax 02.41.78.69.34 r.-v.

DOM. DES MAURIÈRES
Saint-Lambert Sélection Rive gauche 2005 ★★

0,65 ha 1 500 8 à 11 €

Sélection Rive gauche : le chic parisien ? Pourquoi pas ? Mais surtout une allusion à la situation de Saint-Lambert-du-Lattay, une commune de la rive gauche du Layon. Une robe jaune d'or intense ; un premier nez en revanche réservé, mais qui s'épanouit à l'aération en une palette chaleureuse : fruits cuits, pâte de fruits, coing et miel. On retrouve les fruits, très mûrs ou cuits, dans une bouche délicate et ample, remarquablement équilibrée. Une harmonie que l'on pourra apprécier dès cette année.

EARL Moron, Dom. des Maurières, 8, rue de Perinelle, 49750 Saint-Lambert-du-Lattay, tél. 02.41.78.30.21, fax 02.41.78.40.26 r.-v.

DOM. DE LA MOTTE
Rochefort Cuvée La Garde 2005 ★

1 ha 3 000 11 à 15 €

Le lieu-dit de La Garde fait face à l'aire du savennières située de l'autre côté de la Loire, sur la rive droite. Il est composé des mêmes schistes gréseux qui ont fait la renommée de ce vignoble dès le Moyen Âge. Ce 2005 a besoin d'être aéré pour donner sa pleine mesure. Il libère alors avec délicatesse des notes de fruits confits, d'abricot sec, de cire d'abeille et d'acacia. Riche et intense, la bouche dévoile ces notes de raisin sec qui reflètent une vendange séchée par le soleil. Déjà agréable, cette bouteille gagnera en expression dans trois à cinq ans.

EARL Sorin, Dom. de La Motte, 35, av. d'Angers, 49190 Rochefort-sur-Loire, tél. 02.41.78.72.96, fax 02.41.78.75.49, e-mail sorin.dommotte@wanadoo.fr t.l.j. sf dim. 9h-18h30

CH. DES NOYERS Réserve Vieilles Vignes 2005

5,5 ha 5 000 11 à 15 €

Ancienne bâtisse à vocation militaire, le château des Noyers, construit à la fin du XVIe s. au bord du Layon, a conservé quelques éléments d'architecture défensive. Son classicisme naissant garde une allure un rien austère, austérité que l'on oubliera complètement en dégustant les vins de l'exploitation. Ses deux cuvées de coteaux-du-layon sont toutes deux citées. Cette Réserve Vieilles Vignes est riche, concentrée, presque massive. La **cuvée du château 2005 (8 à 11 €)** semble plus discrète, mais sa bouche dense laisse en finale des impressions de miel et de raisin sec intéressantes.

Ch. des Noyers, Les Noyers, 49540 Martigné-Briand, tél. 02.41.54.03.71, fax 02.41.54.27.63 r.-v. 7

Jean-Paul Besnard

DOM. OGEREAU
Saint-Lambert Clos des Bonnes Blanches 2005 ★★

2 ha 3 000 23 à 30 €

Le Clos des Bonnes Blanches est un lieu-dit réputé de Saint-Lambert-du-Lattay. Situé tout près du Layon et recouvert de dépôts graveleux reposant sur un matériau schisteux altéré, il bénéficie de conditions climatiques favorables au développement de la pourriture noble. La sélection qui en est issue fait partie des grands liquoreux du millésime 2005 : sa robe jaune d'or soutenu, ses arômes puissants de fruits compotés, confits et de pâte de fruits, sa bouche concentrée et riche, sa finale intense et persistante sont caractéristiques de ce style de vins. Une richesse qui ouvre des perspectives de garde de plusieurs décennies. Le 1999 de ce même clos avait obtenu un coup de cœur.

Vincent Ogereau, 44, rue de la Belle-Angevine, 49750 Saint-Lambert-du-Lattay, tél. 02.41.78.30.53, fax 02.41.78.43.55, e-mail domaine.ogereau@wanadoo.fr r.-v.

CH. PIERRE-BISE

Beaulieu Les Rouannières 2005 ★★★

5 ha 10 500 **11 à 15 €**

Le Château Pierre-Bise décline autant de cuvées qu'il y a de formations géologiques spécifiques sur son vignoble des coteaux-du-layon. Avec talent. Rappelez-vous, l'an dernier, celle du Haut de la Garde 2004, huitième coup de cœur du Guide. Celle des Rouannières provient d'une roche volcanique basique de couleur bleu-vert appelée spilite : elle est l'enfant chéri du domaine et pourrait devenir le vôtre ! Jaune d'or intense, elle dévoile des arômes puissants d'épices, de fruits confits, de caramel et de miel. En bouche, elle offre sa générosité, son ampleur onctueuse. Un vin de soleil et de terroir. Magique.

Claude Papin, Ch. Pierre-Bise, 49750 Beaulieu-sur-Layon, tél. 02.41.78.31.44, fax 02.41.78.41.24, e-mail chateaupb@hotmail.com r.-v.

DOM. DES QUARRES

Faye La Magdelaine Prestige 2005 ★

n.c. 5 300 **11 à 15 €**

Dès 1973, les vignerons de ce domaine ont aménagé un coteau de plus de 13 ha en terrasses. Avec près de trente ans d'avance, ces pionniers anticipaient un vaste mouvement de reconquête des versants abrupts qui avaient contribué jadis à la réputation des vins d'Anjou avant d'être délaissés en raison de leur escarpement même. La sélection La Magdelaine, qui provient de ces pentes replantées, témoigne du bien-fondé de cette démarche. La robe jaune prend des nuances dorées. La palette aromatique délicate mêle les fleurs blanches, la menthe et les fruits blancs, accompagnés d'une touche grillée. Les fruits confits se manifestent dans une bouche intense et fraîche, qui finit sur des notes de confiture de pêches. Du plaisir pour maintenant et pour longtemps. Le 2003 avait obtenu un coup de cœur.

SCEA Dom. des Quarres, 66, Grande-Rue, 49750 Rablay-sur-Layon, tél. 02.41.78.36.00, fax 02.41.78.62.58 r.-v.

DOM. DES RICHÈRES 2006

3 ha 4 000 **5 à 8 €**

Fabrice Guibert a pris les rênes du domaine familial en 2006. Première vinification : un coteaux-du-layon 2006. Un défi : l'arrière-saison a été humide, le millésime difficile. Le vin, jaune doré aux reflets ambrés, a séduit les dégustateurs par ses arômes de fleurs blanches, de coing confit et de grillé. Fraîche, assez longue, équilibrée, la bouche ne manque pas non plus d'agréments. Une citation encourageante pour ce vin bien réussi dans le millésime, à déboucher dès la sortie du Guide.

Alain Guibert, 7, rte d'Angers, Millé, 49380 Chavagnes-les-Eaux, tél. 02.41.54.10.47, fax 02.41.44.97.91, e-mail faguibert@yahoo.com r.-v.

MICHEL ROBINEAU

Saint-Lambert Sélection de grains nobles 2005 ★★★

2 ha 2 000 **11 à 15 €**

Michel Robineau s'est installé en 1990 avec quelques hectares de vignes et un tout petit pressoir afin de respecter au mieux les tries effectuées pour l'élaboration de liquoreux. Très vite, trois coups de cœur. L'exploitation compte aujourd'hui une dizaine d'hectares et son vigneron garde, contre vents et marées, son engagement d'artisan du vin. Avec cette sélection de grains nobles, véritable monument, il remonte sur la plus haute marche du podium. Une robe or intense, un nez puissant, où les fleurs blanches et le tilleul voisinent avec les fruits confits et la pâte de coings. Le palais ? Riche, concentré, onctueux. Une matière exceptionnelle qui laisse entrevoir une garde de plusieurs décennies. Le **coteaux-du-layon Saint-Lambert 2005 (5 à 8 €)** obtient une étoile : un vin plus frais, bien équilibré, aux arômes de fruits mûrs, qui se dégustera plus tôt.

Michel Robineau, 3, chem. du Moulin, Les Grandes Tailles, 49750 Saint-Lambert-du-Lattay, tél. et fax 02.41.78.34.67 r.-v.

CH. DES ROCHETTES

Cuvée Folie Sélection de grains nobles 2005 ★★

1 ha 1 300 **15 à 23 €**

Jean Douet a été l'instigateur de la mention « sélection de grains nobles » qui démarque au sein des vins liquoreux ceux qui sont élaborés à partir de vendanges récoltées à plus de 17,5 % vol. nature, sans enrichissement. Il prend sa retraite, et a vendu en août 2006 le Château des Rochettes à Catherine Nolot. La cuvée Folie, comme ses devancières, présente une matière hors normes. Sa palette aromatique associe la pâte de fruits, les fruits confits, le caramel et le miel. La finale est étonnante, légèrement acidulée. Un ensemble envoûtant. Les millésimes 1995, 1996 et 1997 avaient obtenu un coup de cœur. Une étoile, la cuvée **Vieilles Vignes 2006 (8 à 11 €)**, moins puissante, joue sur le registre de la fraîcheur et de la délicatesse. Elle offre en bouche de belles impressions de fruits mûrs et toujours cette finale d'une vivacité vivifiante.

SCEA Catherine Nolot, Ch. des Rochettes, 49700 Concourson-sur-Layon, tél. 02.41.59.11.51, fax 02.41.59.37.73 r.-v.

DOM. DES SAULAIES

Faye Sélection de grains nobles Cuvée Canelle 2005 ★

0,51 ha 2 000 **15 à 23 €**

La famille Leblanc est fière de montrer ses origines vigneronnes remontant à 1662 – arbre généalogique à l'appui. Le minois de Canelle, née en 2005, apparaît sur l'étiquette de cette sélection de grains nobles. Ce vin, qui présente une matière hors normes par sa richesse, accompagnera Canelle toute sa vie ! La cuvée **Faye Vieilles Vignes 2005 (8 à 11 €)**, plus simple, fraîche et fruitée, est citée. Elle sera prête en fin d'année.

EARL Philippe et Pascal Leblanc, Dom. des Saulaies, 49380 Faye-d'Anjou, tél. 02.41.54.30.66, fax 02.41.54.17.21, e-mail philippepascal.leblanc@wanadoo.fr t.l.j. sf dim. 8h-12h30 14h-19h

DOM. DU SAUVEROY
Saint-Lambert Cuvée Nectar 2005 ★★

1 ha 2 500 11 à 15 €

Domaine acquis en 1947 par Francis Cailleau et repris par la deuxième génération en 1985. La propriété, qui tire le meilleur des vignes rouges, montre ici qu'elle possède aussi un réel savoir-faire en coteaux-du-layon. Les raisins à l'origine de cette cuvée Nectar, vendangés début novembre, possédaient un degré de 24 % vol. naturel. D'un jaune d'or intense, ce 2005 combine dans une belle harmonie les fruits jaunes, les fruits exotiques, la compote et le miel. Ample et onctueuse, la bouche donne l'impression de croquer dans des pâtes de fruits. Caractéristique d'un millésime ensoleillé, un vin que l'on n'oubliera pas de sitôt. L'**anjou rouge 2006 (3 à 5 €)** est cité.

Pascal Cailleau, Dom. du Sauveroy, 49750 Saint-Lambert-du-Lattay, tél. 02.41.78.30.59, fax 02.41.78.46.43, e-mail domainesauveroy@sauveroy.fr r.-v.

CH. LA TOMAZE Faye 2005 ★

1 ha n.c. 11 à 15 €

Les bâtiments du château La Tomaze, à Champ-sur-Layon, ont été construits par l'arrière-grand-père de Vincent Lecointre dans le style d'une « folie 1900 ». Les premières années du XXe s. ont constitué une époque faste pour le vignoble angevin. Le domaine familial (40 ha) résulte du regroupement de plusieurs îlots viticoles situés à Rablay-sur-Layon, à Faye d'Anjou et à Champ-sur-Layon. Ce 2005 issu des coteaux de Faye exprime de fraîches notes de fleurs, de fruits blancs et d'agrumes qui lui donnent un côté aérien. La bouche riche, soutenue par une belle acidité, est marquée en finale par des arômes de confiture de pêches blanches.

Vignoble Lecointre, 6 B, rue du Pineau, 49380 Champ-sur-Layon, tél. 02.41.78.86.34, fax 02.41.78.61.60, e-mail vignoblelecointre@wanadoo.fr r.-v.

DOM. DES VARENNES
Saint-Lambert Cuvée des Varennes 2005

1 ha 2 500 8 à 11 €

Gros bourg viticole au cœur des coteaux-du-layon, Saint-Lambert-du-Lattay expose dans un musée de la Vigne et du Vin à travers de nombreux objets les mutations de la viticulture angevine. La commune abrite de nombreux vignerons metteurs en marché, comme les Richard, qui exploitent leur domaine créé en 1930. Jaune doré intense, leur cuvée des Varennes a besoin d'être aérée pour exprimer son potentiel. Ample, riche et concentrée en bouche, elle reflète une vendange récoltée à très bonne maturité. Une citation pour l'**anjou rouge 2006 (3 à 5 €)**.

EARL A. Richard, 11, rue des Varennes, 49750 Saint-Lambert-du-Lattay, tél. 02.41.78.32.97, fax 02.41.74.00.30, e-mail gaec.richarda@wanadoo.fr r.-v.

Quarts-de-chaume

Le seigneur se réservait le quart de la production : il gardait le meilleur, c'est-à-dire le vin produit sur le meilleur terroir. L'appellation, qui couvre 54 ha pour un volume de 862 hl en 2005, est située sur le mamelon d'une colline, plein sud, autour de Chaume, à Rochefort-sur-Loire.

Les vignes sont vieilles, en général. La conjonction de l'âge des ceps, de l'exposition et des aptitudes du chenin conduit à des productions souvent faibles et de grande qualité. La récolte se fait par tries. Les vins sont du type moelleux, séveux et nerveux, et ont une bonne aptitude au vieillissement.

CH. DE L'ÉCHARDERIE Clos Paradis 2005 ★

1,4 ha 2 400 23 à 30 €

Située au cœur de l'appellation quarts-de-chaume, l'Écharderie est mentionnée bien avant la Révolution, période durant laquelle son château fut détruit. Le vignoble perdure (plus de 9 ha), qui a donné naissance à ce 2005 jaune aux reflets dorés. Les arômes s'épanouissent lentement à l'aération : au nez, des fruits secs grillés, des fruits blancs pochés ; en bouche, des fruits confits, du bonbon au miel. La finale laisse une agréable sensation de fraîcheur. Un classique de l'appellation, à servir sur un foie gras poêlé, des fromages bleus ou des desserts glacés.

Vignobles Laffourcade, L'Écharderie, 49190 Rochefort-sur-Loire, tél. 02.41.54.16.54, fax 02.41.54.00.10, e-mail laffourcade@wanadoo.fr r.-v.

Pascal Laffourcade

DOM. DES FORGES 2005 ★★

0,86 ha 2 500 23 à 30 €

Conduit par Claude Branchereau jusqu'en 1995, et aujourd'hui par Stéphane, le domaine des Forges a contribué au renouveau des vins liquoreux d'Anjou. L'axe de cette démarche : un travail soigné dans les vignes et des récoltes manuelles strictes, en plusieurs passages. Le Guide a enregistré le bien-fondé de cette approche : cinq coups de

cœur, principalement en liquoreux ; le dernier en date : un quarts-de-chaume 2000. En voici un sixième, un 2005, vin de soleil avec ses notes de raisins de Corinthe, de fruits secs, d'amande grillée et sa puissance hors du commun. Une bouteille appelée à s'exprimer superbement : il serait dommage de l'ouvrir avant quelques années.
Branchereau,
Dom. des Forges, Le Clos des Forges,
49190 Saint-Aubin-de-Luigné, tél. 02.41.78.33.56,
fax 02.41.78.67.51 t.l.j. 9h-12h 13h30-19h;
dim. matin sur r.-v.

DOM. GAUDARD 2005 ★★

1,73 ha 4 000 30 à 38 €

Abritée des vents dominants, l'aire du quarts-de-chaume offre des conditions optimales au développement de la pourriture noble. Ce 2005 est caractéristique d'une vendange colonisée par ce champignon tant recherché : la robe jaune d'or aux reflets légèrement orangés, les arômes de fruits confits, d'amande grillée et d'écorce d'orange ; la bouche riche, à la fois puissante et légère, tout évoque le botrytis. Un très grand vin de terroir, tout en délicatesse et en nuances.
Janes et Pierre Aguilas,
Dom. Gaudard, rte de Saint-Aubin,
49290 Chaudefonds-sur-Layon, tél. 02.41.78.10.68,
fax 02.41.78.67.72, e-mail pierre.aguilas@wanadoo.fr
t.l.j. 9h-12h 14h-18h; dim. sur r.-v.

DOM. DE LA ROCHE MOREAU 2005 ★★

n.c. n.c. 23 à 30 €

À contempler le vaste panorama sur les vallées de la Loire et du Layon qui se déploie autour du domaine, on comprend que René Gasnier, pionnier angevin de l'aviation, ait choisi la corniche de la Haie-Longue pour point de départ de ses premiers vols, avant la Première Guerre mondiale. Cet ami de Blériot a son monument à quelques mètres du chalet de dégustation des Davy. Les vignerons de la Roche Moreau visent eux aussi les sommets, et les atteignent souvent grâce à leurs liquoreux. Ce quarts-de-chaume a ainsi décroché un coup de cœur dans le millésime précédent. Le 2005 conjugue des sensations de légèreté et de richesse ; il mêle des notes fraîches de fleurs blanches et de menthe à des impressions plus chaleureuses de fruits mûrs, de pâte de fruits et de fruits confits. Le **chaume 2005 (11 à 15 €)** est cité.
André Davy,
Dom. de La Roche Moreau, La Haie Longue,
49190 Saint-Aubin-de-Luigné, tél. 02.41.78.34.55,
fax 02.41.78.17.70,
e-mail davy.larochemoreau@wanadoo.fr r.-v.

CH. DE SURONDE 2004

5 ha 7 500 30 à 38 €

Ce domaine de 7,50 ha, cultivé en biodynamie, a changé de mains en 2005. Son fleuron : une parcelle portant le nom cadastral « Les Quarts », et qui correspond au cœur historique de l'appellation. Ces 5 ha de vignes sont à l'origine de ce 2004 jaune d'or aux reflets orangés. Avec des notes iodées et des parfums de fruits surmûris, le nez semble presque évolué. La bouche laisse une sensation de légèreté malgré sa richesse, caractéristique de l'appellation.
Ch. de Suronde, 49190 Rochefort-sur-Loire,
tél. 02.41.78.66.37, fax 02.41.78.68.90
r.-v.

CH. LA VARIÈRE 2005 ★

1,3 ha 2 800 30 à 38 €

Depuis plus d'un siècle, les Beaujeau visent médailles et trophées. Une exigence qui a valu à Jacques Beaujeau plusieurs coups de cœur – le dernier dans l'édition 2006 pour un quarts-de-chaume 2003. Ce 2005 dévoile une puissance impressionnante : les raisins ont été récoltés à plus de 22 % vol. potentiel. Pour l'heure un peu alourdi par le sucre, il exprimera sa vraie nature et dévoilera toute sa finesse après plusieurs années de garde. (Bouteilles de 50 cl.)
Jacques Beaujeau, Ch. La Varière,
49320 Brissac-Quincé, tél. 02.41.91.22.64,
fax 02.41.91.23.44, e-mail beaujeau@wanadoo.fr
t.l.j. sf sam. dim. 10h-12h 15h-19h

Chaume

Petite enclave dans les coteaux-du-layon, l'AOC chaume a été reconnue par décret du 21 février 2007. Les vins sont issus des parcelles délimitées autour du hameau de Chaume sur le territoire de la commune de Rochefort-sur-Loire. Ce sont des vins dont la teneur en sucres résiduels ne peut être inférieure à 68 g/l et dont la richesse des vendanges est au moins égale à 272 g/l, soit 16 %vol.

CH. DE BELLEVUE 2005 ★

9 ha 12 000 8 à 11 €

Un château du XIX[e]s. entouré d'un parc, un vignoble de 32 ha et... une belle vue sur la région : le domaine d'Hervé Tijou, qui a pris en 1995 les commandes de cette propriété acquise par ses ancêtres en 1894. Jaune à reflets ambrés, son chaume 2005 associe au nez la poire et l'abricot mûrs et les fruits exotiques. Riche et puissant en bouche, il finit sur une séduisante note de fraîcheur. Un classique de l'appellation. Une étoile également pour l'**anjou-gamay 2006 (3 à 5 €)**.
EARL Tijou et Fils, Ch. de Bellevue,
49190 Saint-Aubin-de-Luigné, tél. 02.41.78.33.11,
fax 02.41.78.67.84,
e-mail chateaubellevuetijou@orange.fr r.-v.

DOM. DES DEUX VALLÉES
Cuvée Privilège 2005 ★

2 ha 5 000 15 à 23 €

Domaine de 40 ha racheté en 2001 par Philippe et René Socheleau. Installé sur le haut d'un coteau, entre les communes de Rochefort-sur-Loire et Saint-Aubin-de-Luigné, le chai domine les vallées du Layon et de la Loire, d'où le nouveau nom du domaine. Son chaume 2005, puissant et chaleureux, est caractéristique d'un millésime ensoleillé rôtissant les raisins. Au nez, d'intenses parfums de fruits exotiques, d'épices et de fruits macérés dans l'alcool. En bouche, le même registre, la même intensité, de la richesse, et une finale évoquant le kirsch. (Bouteilles de 50 cl.)
Philippe et René Socheleau,
Dom. des Deux Vallées, Bellevue,
49190 Saint-Aubin-de-Luigné, tél. 02.41.78.33.24,
fax 02.41.78.66.58,
e-mail contact@domaine2vallees.com
t.l.j. sf dim. 9h-12h 14h-18h

LOIRE

DOM. DES FORGES Les Onnis 2005 ★

▒ 2,5 ha 6 000 ⏺ 15 à 23 €

Le site de Chaume correspond à un haut de coteau ouvert à l'action des vents dominants : les vendanges se dessèchent et atteignent des richesses naturelles en sucres importantes. Situé à côté du vignoble des quarts-de-chaume, le lieu-dit Les Onnis est constitué de terres graveleuses et siliceuses, résultat de l'altération de poudingues du carbonifère. Il donne des vins régulièrement distingués dans le Guide. Le 2005 évoque le raisin de Corinthe. Des notes de fruits confits, de nougat, de miel et de fruits secs viennent compléter sa palette aromatique. La richesse et la puissance se conjuguent avec l'élégance dans une bouche qui laisse en finale une agréable sensation de fraîcheur.

Branchereau,
Dom. des Forges, Le Clos des Forges,
49190 Saint-Aubin-de-Luigné, tél. 02.41.78.33.56,
fax 02.41.78.67.51 ☑ Y ⚲ t.l.j. 9h-12h 13h30-19h;
dim. matin sur r.-v. ⌂ Ⓔ

CH. DE LA GENAISERIE Les Tétuères 2005 ★

▒ 1,17 ha 2 900 ▮ 15 à 23 €

Le château de la Genaiserie, un manoir néoclassique assez austère, tient toujours debout. Et pourtant, il fut construit peu de temps avant la Révolution et saccagé à l'époque de la guerre de Vendée, avant d'être restauré après la Terreur. Le vignoble (21 ha) a été acquis par les Julia en 2003. Son chaume des Tétuères dévoile une matière étonnante par son gras et sa richesse. Au nez, les fruits rôtis par le soleil se mêlent à des notes de torréfaction ; en bouche, les arômes rappellent la pomme et la poire cuites, les épices et les fruits macérés dans l'alcool (pruneau). Un vin hors normes à laisser vieillir quelques années. (Bouteilles de 50 cl.)

Ch. de La Genaiserie, 49190 Saint-Aubin-de-Luigné,
tél. 02.41.54.38.82, fax 02.41.54.60.45,
e-mail genaiserie@genaiserie.com ☑ Y ⚲ r.-v.
F. Julia

DOM. DU PETIT MÉTRIS Les Tétuères 2005

▒ 1 ha n.c. ⏺ 11 à 15 €

L'origine de cette propriété familiale remonte à 1742. Le domaine est implanté sur la commune de Saint-Aubin-de-Luigné, coquet village surnommé la « perle du Layon », proche de l'aire du chaume. Cette sélection Les Tétuères dévoile une intéressante palette aromatique, faite de pêche, de fruits mûrs, de fruits exotiques et de vanille. Pas très longue, elle laisse une impression de légèreté et finit sur une note de vivacité.

GAEC Joseph Renou et Fils,
13, chem. de Treize Vents, Le Grand Beauvais,
49190 Saint-Aubin-de-Luigné, tél. 02.41.78.33.33,
fax 02.41.78.67.77,
e-mail domaine-petit-metris@wanadoo.fr ☑ Y ⚲ r.-v.

CH. PIERRE-BISE 2005 ★

▒ 5 ha 2 400 ⏺ 15 à 23 €

Le château Pierre-Bise s'est lancé il y a une dizaine d'années dans une recherche de caractérisation des terroirs du vignoble des coteaux-du-layon. Il est aujourd'hui le fer de lance de l'appellation et chacun de ses millésimes est attendu avec impatience (huit coups de cœur, en liquoreux surtout). Ce chaume 2005, par sa puissance, reflète une vendange rôtie par le soleil. Aujourd'hui intense, marqué par la chaleur de l'alcool, il deviendra élégant et délicat en développant une multitude de saveurs. Il mérite de vieillir quelques années en cave. (Bouteilles de 50 cl.)

Claude Papin, Ch. Pierre-Bise,
49750 Beaulieu-sur-Layon, tél. 02.41.78.31.44,
fax 02.41.78.41.24, e-mail chateaupb@hotmail.com
☑ Y ⚲ r.-v.

CH. DE PLAISANCE Les Zerzilles 2005 ★★★

▒ 3 ha 3 000 ⏺ 15 à 23 €

Installé au cœur de l'appellation, Guy Rochais a obtenu deux coups de cœur pour ses deux sélections de chaume dans le millésime précédent. La cuvée Les Zerzilles est de nouveau couronnée. Jaune d'or aux reflets orangés, elle déploie une gamme chaleureuse de parfums de fruits compotés, de muscat et de confiture d'oranges, avec des notes de fleurs blanches. En bouche, elle fait la queue de paon, développant une multitude d'arômes. Elle est prête mais peut attendre dix ans. La **sélection du domaine (11 à 15 €)**, étiquette ovale, dévoile avec délicatesse des notes étonnantes de grillé, de nougat et de miel. Elle est citée.

Guy Rochais, Ch. de Plaisance, Chaume,
49190 Rochefort-sur-Loire, tél. 02.41.78.33.01,
fax 02.41.78.67.52, e-mail rochais.guy@wanadoo.fr
☑ Y ⚲ r.-v.

CH. DE LA ROULERIE 2005 ★★

▒ n.c. n.c. 15 à 23 €

Le château ligérien de la famille Germain, qui possède aussi des vignobles dans le Bordelais. Avec plusieurs coups de cœur à son actif, il fait partie des exploitations de référence du vignoble des coteaux-du-layon. Son chaume 2005 associe harmonieusement des sensations de richesse et de fraîcheur, tant dans ses arômes que dans sa structure. On y trouve, à côté de notes chaleureuses de pain d'épice, de caramel et de fruits secs (noisette, amande), des touches fraîches rappelant le citron vert et le pamplemousse. En bouche, la puissance et les impressions de raisins passerillés se conjuguent en permanence avec des impressions vives.

SCEA Ch. de La Roulerie,
49190 Saint-Aubin-de-Luigné, tél. et fax 02.41.54.88.26,
e-mail philippemile.germain@wanadoo.fr ☑ Y r.-v.

Bonnezeaux

« C'est l'inimitable vin de dessert », disait le Dr Maisonneuve, en 1925. À cette époque, les grands vins liquoreux étaient essentiellement consommés à ce moment du repas ou dans l'après-midi, entre amis. De nos jours, on apprécie plutôt ce grand cru à l'apéritif. Très parfumé, plein de sève, le bonnezeaux doit toutes ses qualités au terroir exceptionnel qu'il occupe : plein sud, sur trois petits coteaux de schistes abrupts au-dessus du village de Thouarcé (La Montagne, Beauregard et Fesles).

Le volume de production a atteint, en 2005, 2 135 hl. L'aire de production comprend 130 ha plantables dont 104 ont été revendiqués. C'est un vin de grande garde.

CLOSERIE DE LA PICARDIE
La Montagne Hortense 2005 *

1 ha 1 500 23 à 30 €

Créé en 1904, ce domaine s'est spécialisé au fil des générations. Les bâtiments, anciens corps de ferme, ont été réaménagés en cave viticole. Les 22 ha de vignes de la propriété sont consacrés presque exclusivement aux vins d'appellation. Cette cuvée, La Montagne Hortense, mérite l'attention. Jaune d'or à reflets dorés, elle associe au nez les fleurs, les fruits mûrs et les fruits secs (figue). La bouche conjugue richesse et vivacité, dans un très bel équilibre.

Benoît Rocher, Closerie de la Picardie,
49380 Notre-Dame-d'Allençon, tél. 02.41.54.30.32,
fax 02.41.54.32.27,
e-mail benoit.rocher@closeriedelapicardie.fr
t.l.j. 9h-20h; dim. 10h-18h; f. 1re semaine d'août

DOM. DES CLOSSERONS 2006 *

1,69 ha 5 000 11 à 15 €

Yannick et Dominique Leblanc ont repris en 1983 le domaine fondé par leurs parents. Ce sont des passionnés des vins liquoreux du Layon : n'ont-ils pas remis en état plusieurs parcelles très accidentées longtemps laissées à l'abandon ? Des vignes difficiles à exploiter mais prometteuses en termes de qualité. Ce bonnezeaux jaune d'or soutenu a lui aussi du caractère. Ses arômes d'orange et de fruits concentrés suggèrent la surmaturation ; sa bouche riche révèle aussi une très belle vivacité. Un vin qui prendra de l'ampleur avec le temps. Les amateurs de style Art nouveau apprécieront son étiquette.

EARL Jean-Claude Leblanc et Fils,
Dom. des Closserons, 49380 Faye-d'Anjou,
tél. 02.41.54.30.78, fax 02.41.54.12.02,
e-mail earlleblanc@domainedesclosserons.com
r.-v.

DOM. DE LA COUCHETIÈRE Beauregard 2006 *

1,3 ha 3 500 11 à 15 €

Installés respectivement en 1995 et en 2005, Éric et Tony, les deux frères Brault, représentent la quatrième génération sur l'exploitation familiale. Établis dans un village jouxtant Bonnezeaux, ils possèdent une précieuse parcelle de chenin qui a donné naissance à un 2006 d'une plaisante fraîcheur : son nez vif mêle la menthe, le verger en fleurs et les fruits blancs, tandis que les fruits mûrs marquent la bouche. Une finale d'une belle fraîcheur laisse une impression de légèreté : cette bouteille surprendra agréablement à l'apéritif. Une étoile également pour le **coteaux-du-layon 2006 (5 à 8 €)**.

GAEC Brault, Dom. de La Couchetière,
49380 Notre-Dame-d'Allençon, tél. 02.41.54.30.26,
fax 02.41.54.40.98 t.l.j. sf dim. 8h-12h 14h-19h

DOM. LES GRANDES VIGNES
Noble Sélection 2005 ***

2,1 ha 2 240 15 à 23 €

Conduit avec brio par deux frères et une sœur, ce domaine de 52 ha a son siège à Thouarcé, au cœur de l'appellation bonnezeaux. Ses vins blancs s'imposent régulièrement aux meilleures places. Dans cette AOC, les deux sélections présentées ont été jugées dignes de passer devant le grand jury des coups de cœur et se sont placées en première et seconde position. Le coup de cœur est allé à cette Noble Sélection ; une distinction que la propriété obtient pour la septième fois, et pour la troisième fois en bonnezeaux. Ce 2005 révèle une concentration et un équilibre exceptionnels, caractéristiques des grands millésimes angevins. Intenses et délicats à la fois, ses arômes évoquent les fruits confits, les fruits secs et la confiture. (Bouteilles de 50 cl.) Le **Malabé 2005 (11 à 15 €)** fut couronné dans le millésime précédent. Il est plus léger, d'une finesse étonnante. Sa palette aromatique d'une rare élégance associe les fruits mûrs, le miel et le coing. Comme tous les grands liquoreux, ces deux bonnezeaux sont de garde, mais les impatients peuvent y trouver plaisir dès maintenant.

GFA Vaillant,
Dom. Les Grandes Vignes, La Roche Aubry,
49380 Thouarcé, tél. 02.41.54.05.06, fax 02.41.54.08.21,
e-mail vaillant@domainelesgrandesvignes.com
r.-v.

DOM. DE LA PETITE CROIX
Cuvée Prestige 2005 *

3,5 ha 2 500 15 à 23 €

Alain Denéchère, rejoint par Françoise Geffard, est aux commandes d'un domaine familial dont le siège est à Thouarcé, village dominé par les coteaux du bonnezeaux. Il exploite tout naturellement des vignes sur ses pentes abruptes, dont les sols mis à nu par l'érosion laissent affleurer les schistes sombres du Massif armoricain, et en tire des cuvées très souvent mentionnées dans le Guide. Ce 2005 reflète bien la classe de ce terroir unique. La robe jaune d'or montre des reflets orangés. Les arômes évoquent les fruits mûrs (pomme, poire, pêche) et les agrumes. Concentrée et intense, la bouche finit sur des notes délicates de fleurs blanches et de miel. Le **coteaux-du-layon 2005 Clos de Chanzé (8 à 11 €)** obtient également une étoile.

A. Denéchère et F. Geffard,
Dom. de La Petite Croix, 49380 Thouarcé,
tél. 02.41.54.06.99, fax 02.41.54.30.05,
e-mail scea@lapetitecroix.com r.-v.

DOM. DES PETITS QUARTS Le Malabé 2005 ★

3 ha 4 000 15 à 23 €

Même si l'émulation règne dans cette appellation d'élite, le domaine reste champion des coups de cœur en bonnezeaux : il en a décroché huit. Il réalise un tir groupé avec trois cuvées très réussies dans cette appellation (une étoile). Le Malabé, six fois couronné, est un grand vin de terroir, riche et frais à la fois. Sa palette aromatique rappelle le miel, au nez comme en bouche, et se nuance de notes de fruits exotiques (ananas) et de caramel. La cuvée **Les Melleresses 2005**, d'une concentration étonnante, est un vin de soleil, chaleureux, miellé, confit, exubérant. La **sélection du domaine 2005 sans nom de cuvée (11 à 15 €)** offre des arômes délicats de fruits confits, de coing et d'abricot sec ; moins puissante, elle joue le registre de la délicatesse. Par ailleurs, **le coteaux-du-layon Faye 2005 (11 à 15 €)** est cité.

Godineau Père et Fils, Dom. des Petits Quarts, 49380 Faye-d'Anjou, tél. 02.41.54.03.00, fax 02.41.54.25.36

t.l.j. sf dim. 8h-12h 14h-17h30

DOM. DU PORTAILLE Coteaux de Fèles 2005 ★

0,5 ha 700 11 à 15 €

Conduite par deux jeunes vignerons, Philippe et François Tisserond, âgés respectivement de trente et de ving-cinq ans, cette exploitation familiale a son siège à Chavagnes, au-dessus des coteaux du bonnezeaux. Ceux-ci, au nombre de trois, figurent parmi les plus escarpés de la vallée du Layon, en particulier celui qui porte le nom évocateur de La Montagne. Le domaine possède une parcelle sur le coteau de Fesles d'où il a tiré un 2005 jaune à reflets paille typique de son appellation. Ses arômes de fruits secs évoquent les raisins desséchés par le soleil et le vent. On trouve aussi dans ce vin des fruits mûrs (pêche, poire), du raisin de Corinthe et du miel. Riche et vive à la fois, la bouche montre un bel équilibre.

EARL François et Philippe Tisserond, 18, rue de Jarzé-Millé, 49380 Chavagnes, tél. 02.41.54.07.85, e-mail earl.tisserond@wanadoo.fr

t.l.j. sf dim. 9h-12h 14h-19h

DOM. LOUIS ET CLAUDE ROBIN
Cuvée Mathieu 2005

1,5 ha 2 500 15 à 23 €

Géré aujourd'hui par Claude Robin seul, ce domaine s'étend sur 27 ha. Il est établi au hameau du Mont, situé sur un haut de coteau dominant la vallée du Layon. La cuvée Mathieu est bien représentative de son appellation : d'un jaune doré, elle exprime les fruits secs, l'abricot et le miel et se montre intense en bouche, tout en semblant presque légère. Sa jolie finale laisse sur des arômes de fruits confits et de pêche de vigne.

EARL Louis et Claude Robin, 64, rue des Monts, 49380 Faye-d'Anjou, tél. 02.41.54.31.41, fax 02.41.54.17.98, e-mail clauderobin@domainelemont.fr r.-v.

CH. LA VARIÈRE Les Melleresses 2005 ★★

1,8 ha 3 800 23 à 30 €

Depuis 1900, année d'obtention d'une médaille d'or lors de l'Exposition universelle de Paris, la famille Beaujeau s'efforce d'obtenir des trophées nationaux et internationaux. Jacques Beaujeau, qui perpétue l'exploitation depuis 1992, continue avec succès cette quête de la qualité et de la notoriété, à laquelle ont contribué de nombreuses étoiles et plusieurs coups de cœur du Guide. Il réalise un beau doublé cette année : deux cuvées, deux étoiles chacune. La cuvée Les Melleresses est élaborée à partir de trois tries. Ses arômes d'agrumes, de fruits compotés et de miel prendront des nuances infinies après quelques années de garde. Son potentiel, qui se compte en décennies, semble presque illimité. La **Sélection du château 2005 (15 à 23 €)**, très riche elle aussi, ouvre des perspectives de garde presque aussi importantes (plusieurs décennies). Un liquoreux somptueux dont les dégustateurs apprécient déjà la palette complexe, délicate et suave évoquant les fruits secs, les agrumes, les fruits confits et la confiture de reines-claudes. (Bouteilles de 50 cl.)

Jacques Beaujeau, Ch. La Varière, 49320 Brissac-Quincé, tél. 02.41.91.22.64, fax 02.41.91.23.44, e-mail beaujeau@wanadoo.fr

t.l.j. sf sam. dim. 10h-12h 15h-19h

Saumur

L'aire de production (2 544 ha) s'étend sur trente-six communes. En 2005, on y a produit 45 524 hl de vins rouges et 22 226 hl en blancs secs et nerveux et 80 504 hl de vins mousseux avec les mêmes cépages que dans les AOC anjou. Leur aptitude au vieillissement est bonne.

Les vignobles s'étalent sur les coteaux de la Loire et du Thouet. Les vins blancs de Turquant et de Brézé étaient autrefois les plus réputés ; les vins rouges du Puy-Notre-Dame, de Montreuil-Bellay et de Tourtenay, entre autres, ont acquis une bonne notoriété. Mais l'appellation est beaucoup plus connue par les vins mousseux dont l'évolution qualitative mérite d'être soulignée. Les élaborateurs, tous installés à Saumur, possèdent des caves creusées dans le tuffeau, qu'il faut visiter.

ACKERMAN Méthode traditionnelle Cuvée 1811

11 ha 100 000 5 à 8 €

Le nom de cette cuvée, 1811, rappelle l'année de fondation de cette société, qui en fait l'une des plus anciennes maisons de vins effervescents de Saumur. Le vin de base assemble une majorité de chenin (80 %) au chardonnay et au cabernet franc. Avec ses arômes de fleurs blanches et de fruits, ce saumur est un classique de l'appellation. La bouche délicate et légère laisse une sensation d'harmonie typique des vins effervescents provenant des régions septentrionales.

Ackerman-Rémy Pannier, 19, rue Léopold-Palustre, Saint-Hilaire-Saint-Florent, 49412 Saumur, tél. 02.41.53.03.10, fax 02.41.53.03.19, e-mail contact@ackerman.fr

t.l.j. 9h30-18h30 mai à sept.; t.l.j. sf dim. 9h30-12h30 14h-18h30 oct. à avril

CH. DE BEAUREGARD Cuvée Guy 2006 ★

1 ha 6 000 5 à 8 €

Alain Gourdon a pris il y a neuf ans les rênes de l'exploitation fondée par son grand-père à la fin du XIXe s. On retrouve dans cette édition sa cuvée Guy, un saumur blanc qui accompagnera un poisson en sauce. Le jaune doré intense de la robe annonce un nez bien ouvert mêlant les fleurs blanches miellées et les fruits mûrs. Fraîche à l'attaque, la bouche confirme cet agréable fruité et la dégustation se poursuit dans l'équilibre et une certaine rondeur.

Alain Gourdon,
Ch. de Beauregard, 4, rue Saint-Julien,
49260 Le Puy-Notre-Dame, tél. 02.41.52.25.33,
fax 02.41.52.29.62,
e-mail christine.gourdon969@orange.fr r.-v.

DOM. BÉNASTRÉ 2006 ★

4 ha 16 600 5 à 8 €

Si la vigne était déjà cultivée ici à l'époque de François Ier, le domaine n'est pas antérieur à 2000. Il a été repris en 2006 par Myriam Dubois qui exploite 42 ha de vignes. Dessiné sur l'étiquette, un motif gravé au portail de la propriété : l'astre de la nuit et une étoile. S'il ne décroche pas encore la lune, ce saumur d'un rouge soutenu reçoit une belle étoile pour son fruité intense, fil conducteur de la dégustation jusqu'à la longue finale. Riche, généreuse, un rien tannique, une bouteille à servir maintenant ou dans un an.

Myriam Dubois, Dom. Bénastré, 3, imp. Painlevé,
49260 Montreuil-Bellay, tél. 02.41.52.43.47,
fax 02.41.52.42.91, e-mail domainebenastre@orange.fr

DOM. DU BOIS MIGNON 2006 ★

n.c. 5 000 3 à 5 €

Le vignoble de Saumur pousse une pointe dans le département « poitevin » de la Haute-Vienne : ce domaine est situé dans cette partie méridionale de l'appellation. Les terrains sont les mêmes : le Bois Mignon dispose ainsi d'une vaste salle troglodytique qui peut accueillir cent soixante personnes, et où vous pourrez peut-être goûter ce saumur. Très coloré, avec des reflets violets, ce 2006 est plus discret au nez, mais, à l'agitation, il libère des parfums de mûre et de cassis qui tapissent une bouche ronde, harmonieuse et bien structurée. À déguster dans les deux ans.

SCEA Charier Barillot, Dom. du Bois Mignon,
86120 Saix, tél. 05.49.22.94.59, fax 05.49.22.91.54,
e-mail p.barillot@wanadoo.fr r.-v.

DOM. DU BOURG NEUF 2006 ★

18 ha 100 000 3 à 5 €

Créé en 1955, par le père de Christian Joseph et repris par ce dernier en 1981, ce domaine a connu un bel essor : extension du vignoble (passé de 9 à 34 ha), aménagement d'un chai puis, en 2005, rénovation des caves et restauration des bâtiments. On pourra y découvrir ce vin rubis intense à l'œil, fruité au nez comme en bouche, ample et souple grâce à ses tanins arrondis. Il sera bon pour le service en 2008.

Christian Joseph, 35, rue des Menais, 49400 Chacé,
tél. 02.41.52.94.43, fax 02.41.52.94.53,
e-mail domainedubourgneuf@wanadoo.fr r.-v.

BOUVET Méthode traditionnelle Saphir 2005 ★★

n.c. 150 000 8 à 11 €

Cette affaire fondée en 1851 illustre la mondialisation, puisqu'elle est passée en 2006 sous le contrôle du groupe indien UB et qu'elle exporte près de 60 % de sa production. Elle incarne aussi le raffinement avec ses bâtiments en bord de Loire, son théâtre et ses événements artistiques égrenés au fil de l'année (Journées du Livre et du Vin, expositions...). Elle brille cette année de deux cuvées, assemblages chenin en majorité et chardonnay. La plus remarquable est ce Saphir, classique avec panache et caractère. La finesse de son cordon de bulles, son bouquet fruité et floral – invitation au voyage – sa bouche harmonieuse et longue l'ont fait passer près du coup de cœur. La cuvée **Mlle Ladubay Éclat 2004 (5 à 8 €)** obtient une étoile. Née de vins de base vinifiés en barrique, elle séduit par ses nuances de prune, d'amande, de vanille et par sa bouche étonnamment ronde. Elle accompagnera un repas.

Bouvet-Ladubay, 1, rue de l'Abbaye,
49400 Saint-Hilaire-Saint-Florent, tél. 02.41.83.83.83,
fax 02.41.50.24.32, e-mail contact@bouvet-ladubay.fr
t.l.j. 9h-12h 14h-17h30

CH. DE BRÉZÉ 2005 ★

3 ha 17 500 5 à 8 €

Ouvert à la visite, un monument historique à tous égards : par son architecture imposante, ses douves profondes, ses galeries souterraines immenses, « château sous le château » ; par les familles de la plus haute noblesse liées à son histoire : Brézé, Maillé-Brézé, Condé, Dreux-Brézé... En 2007, un descendant du grand Colbert. Le vignoble ? Présent depuis huit cents ans. Aujourd'hui, un saumur intensément rouge, révélant après agitation une jolie palette de petits fruits rouges qui imprègnent une bouche ronde, légère et harmonieuse. Assez proche, le fruit noir et le tanin un rien plus insistants, la cuvée **Prince de Condé 2005** : même note. Deux vins bien de notre époque, faits pour l'année qui vient.

EARL Ch. de Brézé, 2, rue du Château,
49260 Brézé, tél. 02.41.51.62.06, fax 02.41.51.65.15,
e-mail vins.chateaubreze@wanadoo.fr r.-v.

DOM. DES CHAMPS FLEURIS
Les Damoiselles 2005 ★

3 ha 6 000 5 à 8 €

Cette même cuvée fut coup de cœur l'an dernier (un 2004). Dans le millésime suivant, les Damoiselles font encore belle figure, vêtues d'une robe intense et brillante et environnées de parfums de fruits bien mûrs accompagnés d'une nuance boisée. Ces arômes légués par un long élevage en barrique se fondent très bien dans une bouche longue et très équilibrée. À apprécier dès maintenant.

EARL Rétiveau-Rétif, 50-54, rue des Martyrs,
49730 Turquant, tél. 02.41.38.10.92, fax 02.41.51.75.33,
e-mail domainechamps.fleuris@wanadoo.fr r.-v.

CHAPIN ET LANDAIS
Méthode traditionnelle Le Grand Saumur 2005 ★

n.c. 80 000 5 à 8 €

Créée en 1848 et rattachée à la société Bouvet-Ladubay présidée par P. Monmousseau, cette maison a proposé deux cuvées fort réussies (une étoile), issues d'assemblages de cépages blancs à dominante de chenin. Ce Grand Saumur séduit par son bouquet complexe associant les fruits blancs, la brioche et le foin frais. Il accompagnera aussi bien le poisson, les viandes blanches que certains desserts. Plus simple, la **Cuvée du Cent Cinquantenaire (8 à 11 €)** se livre facilement dans une sensation de fraîcheur très agréable.

Chapin-Landais, rue Jean-Ackerman,
49400 Saint-Hilaire-Saint-Florent, tél. 02.41.83.83.80,
fax 02.41.50.33.55 t.l.j. 9h-12h 14h-17h30

LOIRE

DOM. DES CHAUFFAUX Les Chauffaux 2005 ★

■ 3 ha 8 000 ▮ 5 à 8 €

Les 5 ha du domaine sont implantés sur les anciennes terres de l'abbaye de Saint-Florent. Le monastère possédait dès le X^{e}s. un vignoble, vendu comme bien national à la Révolution et exploité aujourd'hui par la famille Ligaud. Ce saumur rouge exprime des arômes marqués de fruits rouges. C'est un vin de caractère, ample et généreux, apte à une certaine garde. Il accompagnera les grillades, les volailles rôties et de nombreux fromages.

Ligaud et Fils,
Dom. des Chauffaux, 2, rue de l'Eglise, 49400 Distré, tél. 02.41.59.96.84, fax 01.43.02.44.80,
e-mail ligaud@club-internet.fr ☑ Y ⛹ r.-v. 🏠 ©

DOM. DE LA CHENARDIÈRE 2006 ★★

■ 4 ha 27 000 ▮ 3 à 5 €

Saint-Hilaire-Saint-Florent abrite plus d'une affaire de négoce, comme la maison Besombes, fondée il y a quatre-vingts ans. Avec ce Domaine de la Chenardière, celle-ci propose un vin rouge grenat intense, qui exprime au nez comme en bouche la fraîcheur des fruits rouges. La matière n'est pas énorme mais cette bouteille laisse une réelle impression d'élégance. On pourra l'attendre un an ou deux.

SAS Besombes-Moc-Baril,
24, rue Jules-Amiot, BP 125,
49400 Saint-Hilaire-Saint-Florent, tél. 02.41.50.23.23, fax 02.41.50.30.45, e-mail labo.besombes@uapl.fr
☑ Y r.-v.
UAPL

DOM. LE CLOS DES MOTÈLES Méthode traditionnelle 2005 ★

● 0,84 ha 7 000 5 à 8 €

Cette exploitation familiale est située à l'extrémité méridionale du vignoble angevin, à proximité de Thouars dans le département des Deux-Sèvres. Les terroirs graveleux du domaine correspondent à d'anciennes terrasses quaternaires. Le chenin est le cépage presque exclusif de ce saumur mousseux jaune pâle aux légers reflets verts, qui exprime des arômes délicats et frais de fruits à chair jaune et blanche. Fraîche et harmonieuse, la bouche ramène en finale un joli retour de fruits blancs.

GAEC Le Clos des Motèles, 42, rue de la Garde, 79100 Sainte-Verge, tél. 05.49.66.05.37,
fax 05.49.66.37.14
☑ Y ⛹ t.l.j. sf dim. 8h-12h 14h-18h30

DOM. DES CLOS MAURICE 2006 ★

□ 1 ha 2 500 ⫴ 5 à 8 €

Voilà dix ans que Mickaël Hardouin a pris les rênes de ce domaine familial situé dans l'aire du saumur-champigny. C'est pourtant le chenin qui tient la vedette cette année, avec un saumur de couleur jaune pâle aux reflets verts, au nez ouvert et élégant dominé par les fleurs blanches. Dans une belle continuité avec le nez, la bouche est souple et ronde. Un léger boisé (cinq mois de fût) apporte de la complexité et des arômes vanillés. À déboucher dès maintenant sur un poisson gras, des crustacés, du fromage. Le **rouge La Pièce d'or 2006 (3 à 5 €)** n'a pas connu le bois. Il est cité pour son fruité.

Mickaël Hardouin, 18, rue de la Mairie,
49400 Varrains, tél. 02.41.52.93.76, fax 02.41.52.44.32,
e-mail clos.maurice@wanadoo.fr
☑ Y ⛹ t.l.j. sf dim. 8h-12h 14h-18h30

ARMAND DAVID L'Enchanteur Vieilles Vignes 2006 ★★

□ 1,5 ha 2 300 ▮ 3 à 5 €

Armand David en 1932, Louis en 1952, Denis en 1986 et Sébastien en 2002. Trois quarts de siècle d'existence pour ce domaine « sans histoire », qui élève ses vins dans une cave troglodytique qui aurait été creusée il y a mille ans. Quelques coups de cœur dans un passé récent. Ce 2006 s'annonce par une robe jaune paille aux reflets plus colorés et par des arômes intenses et complexes de fruits bien mûrs aux nuances miellées. Puissante et ronde, tout en fruits, la bouche s'étire en une longue et harmonieuse finale. À servir dès maintenant sur viandes blanches et poissons en sauce.

Denis David, Messemé, 49260 Vaudelnay,
tél. 02.41.52.20.84, fax 02.41.38.28.51,
e-mail domaine.armanddavid@orange.fr
☑ Y ⛹ t.l.j. 9h-19h

CH. DE LA DURANDIÈRE Vieilles Vignes 2005 ★

■ 3 ha 20 000 ▮ 5 à 8 €

Ancienne seigneurie du XVII^{e}s., cette propriété n'est pas très loin du château de Montreuil-Bellay dont l'architecture médiévale domine la vallée du Thouet. Née de ceps de quarante ans, sa cuvée Vieilles Vignes a su capter l'attention par l'intensité et la profondeur de sa robe, par son fruité et par sa bouche équilibrée, agréablement ronde. À découvrir dès maintenant.

SCEA Antoine Bodet,
Ch. de La Durandière, 51, rue des Fusillés,
49260 Montreuil-Bellay, tél. 02 41.40.35.30,
fax 02.41.40.35.31,
e-mail durandiere.chateau@wanadoo.fr
☑ Y ⛹ t.l.j. 8h-19h; sam. dim. sur r.-v.

DOM. DE L'ENCHANTOIR 2005 ★★

■ 4 ha 12 000 ▮ 5 à 8 €

Un joli nom pour ce domaine fondé au milieu du XIX^{e}s. et commandé par une demeure de cette époque. Les bâtiments d'exploitation sont plus anciens, car la vigne est présente ici depuis le XVI^{e}s. Didier Wieder, qui conduit la production depuis six ans, signe un 2005 qui offre tout ce que l'on attend des saumur rouges : une robe rouge profond, des arômes intenses de fruits rouges bien mûrs aux nuances torréfiées, une bouche aromatique, charnue, ronde et bien équilibrée, qui laisse espérer un certain potentiel, dans les limites de l'appellation.

EARL Didier Wieder, 4, rue l'Arguray, Chavannes, 49260 Le Puy-Notre-Dame, tél. 02.41.52.26.33,
fax 02.41.52.23.34, e-mail d.wieder@wanadoo.fr
☑ Y ⛹ r.-v.

DOM. DE L'ÉPINAY Cuvée du Haut Clos 2006 ★

■ 3 ha 15 000 ▮ 3 à 5 €

Ce domaine est situé au sud de l'appellation, aux environs de Loudun. Si administrativement, ce secteur de la Vienne fait partie de la région Poitou-Charentes, en matière géologique et viticole il se rattache bien au vignoble angevin. La propriété n'est pas inconnue des lecteurs du Guide, car sa cuvée du Haut Clos fait souvent parler d'elle (coup de cœur dans le millésime 2004). Rouge intense aux reflets violacés, le 2006 assume de façon plaisante la légèreté du millésime. Ses parfums agréables et complexes, dominés par les fruits rouges, se prolongent bien au palais. La bouche est ronde et agréable, de l'attaque à la finale. Un vin pour maintenant.

⊶ Laurent Menestreau,
EARL de L'Épinay, 3, all. du Presbytère,
86120 Pouançay, tél. 05.49.22.98.08,
fax 05.49.22.39.98,
e-mail menestreau-epinay@wanadoo.fr
t.l.j. 10h-13h 15h-19h

SAUMUR D'ÉTERNES Le Clos 2006 ★★

2 ha 5 000 5 à 8 €

Mentionné dès la fin du IXe s., le château d'Éternes, dans la Vienne, dépendit d'abord des moines de Saint-Hilaire. Au XIVe s., il était rattaché à la toute proche abbaye de Fontevraud. Les bâtiments conservent de nombreuses parties médiévales. Le cheval et la charrue passent aujourd'hui dans le vignoble cultivé en agriculture biologique. D'un jaune soutenu aux reflets dorés, ce saumur blanc séduit par la complexité de son nez un peu évolué, rappelant un liquoreux. Riche et fraîche à la fois, équilibrée et longue, la bouche révèle des arômes de fruits confits. Nombreux accords possibles pour cet ensemble original et harmonieux : viandes blanches, tagine d'agneau, fromages à pâte cuite... Une bouteille prête, au potentiel de quelques années.

⊶ Ch. d'Éternes, 86120 Saix, tél. et fax 05.49.22.34.77,
e-mail chateau@chateau-eternes.com r.-v.
⊶ Marteling

CH. DE FOSSE-SÈCHE Arcane 2005 ★

3 ha 16 000 8 à 11 €

Une chapelle (XVe et XVIe s.) et un pigeonnier attestent l'ancienneté de ce domaine, qui était au XIIIe s. une dépendance du prieuré Saint-Nicolas de Montreuil-Bellay, commune distante de 5 km. Les vignes couvrent 45 ha de terrains argilo-siliceux et sont conduites en agriculture biologique. Prête à servir, la cuvée Arcane ne doit pas être longtemps sollicitée pour livrer tous ses secrets. La robe jaune doré annonce un nez expressif, un corps puissant et équilibré, à la fois rond et frais. Un plaisir visuel, olfactif et gustatif.

⊶ EARL Keller, Ch. de Fosse-Sèche, 49700 Brossay,
tél. 02.41.52.22.22, fax 02.41.67.02.52,
e-mail fosseseche@tiscali.fr r.-v.

DOM. DE LA FUYE Vieilles Vignes 2005 ★★

5 ha 12 000 8 à 11 €

La Fuye ? Un pigeonnier rond, dans le parler du Val de Loire. Le domaine familial créé en 1960 compte 17 ha de vignes, aujourd'hui exploitées en agriculture biologique. Des ceps de cabernet franc âgés de trente-cinq ans sont à l'origine de ce millésime qui a séduit le jury tout au long de la dégustation. Intense est la robe aux reflets chatoyants, intense le nez aux nuances de fruits bien mûrs d'une belle franchise, intense la bouche charnue et remarquablement équilibrée. Un vin plaisir à inviter dès maintenant à votre table.

⊶ Philippe Elliau, 527, rue du Château, Sanziers,
49260 Vaudelnay, tél. 06.08.86.30.32,
fax 02.41.38.87.31 r.-v.

DOM. GÉRON Méthode traditionnelle
Demi-sec Clos de la Tronnière 2005

0,35 ha 1 500 5 à 8 €

Ce domaine est implanté au sud du vignoble, dans les Deux-Sèvres, sur des terres argilo-siliceuses correspondant à d'anciennes terrasses quaternaires. La prise de mousse de cette sélection s'est faite sur des vins de base nés exclusivement de chenin. La robe jaune pâle est délicate ; les arômes légers s'orientent vers les fruits mûrs et les fleurs blanches. La bouche agréable apparaît marquée par une douceur un peu lourde pour certains dégustateurs – mais il s'agit d'un demi-sec. Une alternative au thé de cinq heures.

⊶ EARL Dom. Géron, 14, rte de Thouars,
79290 Brion-près-Thouet, tél. 05.49.67.73.43,
fax 05.49.67.22.67 r.-v.

DOM. DE LA GIRARDRIE Instinct 2005 ★★★

n.c. 10 000 3 à 5 €

Que boit le moine gourmand qui tête goulûment un tonnelet sur une des stalles de la collégiale du Puy-Notre-Dame ? Du rouge ou du blanc ? Au XVIe s., sans doute du blanc. Aujourd'hui, il se porterait d'instinct sur ce rouge intense tout en fruits rouges, un rien réglissé, ample, rond, sphérique même, à la finale de tanins soyeux. Un « presque coup de cœur », l'harmonie même, le plaisir à saisir maintenant, sans honte. Et le **blanc 2005 (5 à 8 €)** ? Avec sa robe limpide et brillante, ses arômes complexes, boisés et vanillés (dix mois de fût), avec sa bouche ronde et vive à la fois, au merrain bien fondu, il suscite aussi la convoitise : deux étoiles. Un domaine du Puy-Notre-Dame à (re)découvrir.

⊶ SCEA Falloux et Fils, 1, rue de la Fontaine, Cix,
49260 Le Puy-Notre-Dame, tél. 02.41.52.25.10,
fax 02.41.38.83.77 r.-v.

LA GIRAUDIÈRE Vieilles Vignes 2005 ★★

0,7 ha 3 000 5 à 8 €

Fabrice Esnault a repris le domaine familial en 1999 : plus de 14 ha de vignes et, comme partout à Brézé, des caves troglodytiques. Il réalise un très beau doublé dans les deux couleurs de l'appellation : ce rouge, né de ceps de plus de cinquante ans, laisse une impression des plus flatteuses : sa robe soutenue au disque pourpre annonce une palette complexe : fruits noirs très mûrs, touches épicées et fumées. Ample, suave, c'est un vin de matière où les constituants sont bien fondus. Structuré, et donnant pourtant une sensation de légèreté. « Mérite le détour », lit-on en matière de conclusion sur une fiche. À boire ou à attendre, comme il vous plaira. Une étoile encore pour le **blanc 2006 (3 à 5 €)** aux agréables arômes de fruits (agrumes) et de fleurs blanches, rond avec vivacité, à servir dès maintenant. Le **coteaux-de-saumur 2005** obtient une citation.

⊶ EARL de la Giraudière, rue Saint-Vincent,
49260 Brézé, tél. 02.41.51.63.84, fax 02.41.52.89.13
t.l.j. 10h-19h
⊶ F. Esnault

GRATIEN ET MEYER Méthode traditionnelle ★

n.c. 300 000 5 à 8 €

De Saumur à Épernay, Alfred Gratien a investi à fond dans les vins effervescents, fondant en 1864 deux maisons où figure encore son nom. À sa mort en 1885, son associé Jean-Albert Meyer a pris les rênes de l'affaire devenue plus tard Gratien et Meyer. Son « temple du saumur », construit en bordure du fleuve est toujours prospère. La cuvée présentée résulte d'un assemblage bien ligérien : chenin dominant, comme il se doit, cabernet franc et un soupçon de chardonnay. Elle laisse une impression d'harmonie et de délicatesse avec ses notes de fleurs des champs, de fruits exotiques et de fruits blancs. Un très joli vin d'apéritif.

Gratien et Meyer, rte de Montsoreau, BP 22, 49400 Saumur, tél. 02.41.83.13.32, fax 02.41.83.13.49, e-mail contact@gratienmeyer.com t.l.j. 9h30-18h; sur r.-v. 1er nov.-31 mars

DOM. DE LA GUILLOTERIE 2006 ★★

5 ha 30 000 5 à 8 €

Établie depuis plusieurs générations à Saint-Cyr-en-Bourg, la famille Duveau exploite un important vignoble dans le Saumurois. Elle fait coup double dans ce millésime qui voit ses saumur appréciés dans deux couleurs. Le rouge est le préféré. Il respire les fruits rouges bien mûrs, explore les fruits noirs. Toujours fruité au palais, ample, généreux et rond, il termine son parcours sur un joli retour aromatique. Le type même du vin plaisir, à savourer dans les deux ans. Le **blanc 2006** reçoit une étoile pour son équilibre et l'élégance de ses arômes de fleurs blanches et de pêche de vigne, un rien poivrés. Une étoile également pour le **saumur-champigny 2006**.

SCEA Duveau Frères, 63, rue Foucault, 49260 Saint-Cyr-en-Bourg, tél. 02.41.51.62.78, fax 02.41.51.63.14, e-mail contact@domainedelaguilloterie.com r.-v.

DOM. DES GUYONS Cuvée Murmure 2005 ★★

1,5 ha 7 000 5 à 8 €

Depuis 1995 aux commandes de son domaine de 20 ha, Franck Bimont cherche à révéler le terroir. Ses vendanges sont souvent largement étalées dans le temps en fonction des maturités. Le cabernet franc, récolté à la mi-septembre, a donné naissance à un millésime à la robe à la fois profonde et gaie, au nez élégant mêlant les fruits rouges à d'élégantes notes florales (pivoine, iris), à la bouche souple, ronde et charnue. Il ne « murmure » pas, ce 2005, il s'exprime avec spontanéité en sachant charmer et convaincre. « Il fait envie », ce vin plaisir, à déboucher tout de suite.

EARL Franck et Ingrid Bimont, Dom. des Guyons, 7, rue Saint-Nicolas, 49260 Le Puy-Notre-Dame, tél. 02.41.52.21.15, fax 02.41.38.88.24, e-mail domainedesguyons@wanadoo.fr r.-v.

DOM. DES HAUTES VIGNES Vieilles Vignes 2005 ★

3,5 ha 8 000 5 à 8 €

Créé en 1961 par le père d'Alain Fourrier, ce domaine a connu un essor notable, puisque ses superficies sont passées de 0,5 à 40 ha. Il a présenté un 2005 rouge sombre aux parfums fruités intenses qui imprègnent agréablement le palais. Quelques tanins austères en finale, certes, mais le plaisir sera au rendez-vous dans un avenir proche. À déboucher dans les deux ans.

SCA Fourrier et Fils, 22, rue de la Chapelle, 49400 Distré, tél. 02.41.50.21.95, fax 02.41.50.12.83, e-mail fourrieralain@wanadoo.fr r.-v.

DOM. LANGLOIS-CHATEAU 2006 ★

11,5 ha 86 000 5 à 8 €

Créée à la Belle Époque par Édouard Langlois et Jeanne Chateau, cette maison a été maintenue par la seconde, devenue veuve (la Grande Guerre...). Depuis 1973 sous le contrôle de Bollinger, elle se développe et diversifie sa production dans les vins tranquilles du Val de Loire. Elle a présenté cette année deux vins aussi réussis l'un que l'autre. D'un jaune pâle parcouru de reflets verts, ce blanc exprime avec intensité et complexité des parfums de fleurs et de fruits blancs. Un fruité un rien épicé qui accompagne jusqu'à la belle finale une bouche légère, équilibrée et fraîche. Le **rouge 2006** reçoit la même note pour ses arômes de fruits rouges et son harmonie. Deux bouteilles pour maintenant.

Langlois-Chateau, 3, rue Léopold-Palustre, 49400 Saint-Hilaire-Saint-Florent, tél. 02.41.40.21.40, fax 02.41.40.21.49, e-mail contact@langlois-chateau.fr t.l.j. 10h-12h30 14h30-18h30; f. janv.

DOM. LAVIGNE 2006 ★★

1 ha 7 000 3 à 5 €

Établi à Varrains, dans l'aire du saumur-champigny, ce domaine de 35 ha est réputé pour ses vins rouges. C'est pourtant grâce à un blanc qu'il se distingue dans le Guide. Avec sa robe jaune pâle aux reflets verts, son joli nez très chenin sur les fleurs et les fruits blancs, sa bouche toujours fruitée et bien ronde vivifiée par une finale fraîche, cette bouteille est un excellent ambassadeur du saumur blanc. Prête au service, elle pourra être débouchée à l'apéritif et terminée sur poissons, viandes blanches ou fromages.

SCEA Lavigne-Véron, 15, rue des Rogelins, 49400 Varrains, tél. 02.41.52.92.57, fax 02.41.52.40.87, e-mail scea.lavigne-veron@wanadoo.fr r.-v.

LE LOGIS DU PRIEURÉ Méthode traditionnelle ★

1 ha 4 000 5 à 8 €

Les Jousset sont installés à Concourson-sur-Layon : la rivière des grands liquoreux y est proche de sa source et le village confine au Saumurois. Le saumur mousseux fait donc partie de leur gamme. Celui-ci provient d'un assemblage de chenin (60 %) et de chardonnay caractéristiques de l'appellation. Robe jaune pâle, nez frais de fleurs et de fruits, bouche délicate, une séduisante légèreté.

SCEA Jousset et Fils, Le Logis du Prieuré, 8, rte des Verchers, 49700 Concourson-sur-Layon, tél. 02.41.59.11.22, fax 02.41.59.38.18, e-mail logis.prieure@wanadoo.fr t.l.j. sf dim. 8h30-12h30 14h-19h

LOUIS DE GRENELLE Méthode traditionnelle Grande Cuvée ★★

n.c. 30 000 5 à 8 €

Fondées en 1859, les caves de Grenelle se sont spécialisées dans la production de vins effervescents. Avec cette cuvée, assemblage de chenin (80 %) et de chardonnay, elles obtiennent leur quatrième coup de cœur, qui témoignent de leur maîtrise du sujet. Dans une robe jaune léger à reflets or montent indéfiniment de délicats cordons de bulles qui incitent à la rêverie. Aérien et complexe, le nez distille des notes de fruits blancs, de cacao, de café et

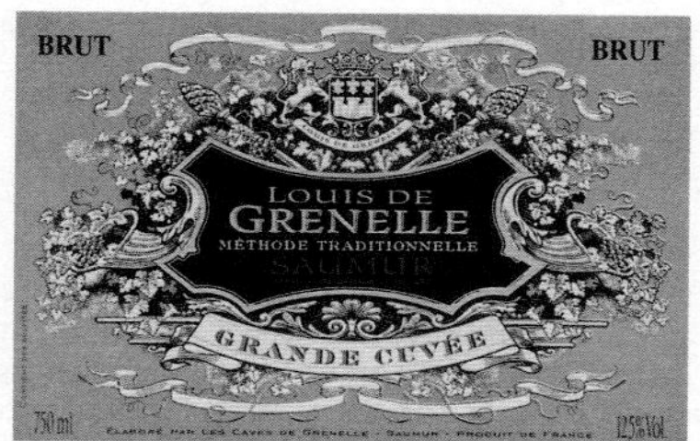

de caramel. La bouche élégante et persistante laisse une impression de fraîcheur remarquable.
🔑 Caves de Grenelle, 20, rue Marceau, BP 206, 49415 Saumur, tél. 02.41.50.17.63, fax 02.41.50.83.65, e-mail grenelle@louisdegrenelle.fr
☑ Y 🚶 t.l.j. 9h-12h 13h30-18h; f. sam. dim. oct. à mars

VIGNOBLE MAINGUIN-BARON

Héritage 2005 ★★

■	n.c.	1 500	ⓘ	5 à 8 €

Implanté sur la rive droite du Thouet, en face du château de Montreuil-Bellay, ce domaine de 35 ha fondé dans les années 1920 est, depuis 1998, exploité par la quatrième génération représentée par deux cousins, Fabrice Baron et Stéphane Minguin. Les deux vignerons signent un saumur grenat profond et brillant, qui libère après aération de complexes parfums de fruits rouges et noirs accompagnés d'une touche fumée. Ce fruité tapisse le palais et s'épanouit en finale. Ce vin accompagnera dès maintenant les viandes rouges et pourra soutenir une petite garde.
🔑 GAEC Mainguin-Baron, 156, av. Paul-Painlevé, 49260 Montreuil-Bellay, tél. 02.41.52.34.94, fax 02.41.50.02.06 ☑ Y t.l.j. sf dim. 9h-13h 15h-19h

DOM. DES MATINES

Cuvée Vieilles Vignes 2006 ★★

■	4 ha	25 000	▮	5 à 8 €

Important domaine (50 ha), conduit depuis 2001 par la quatrième génération. Il conserve dans une cave creusée dans le roc tous les millésimes depuis 1950. Celui-ci, grenat intense aux reflets violacés, est une remarquable expression du 2006. Le nez, à la fois intense et délicat, évoque les fruits rouges et noirs très mûrs, voire confiturés. Des tanins bien présents mais arrondis donnent au palais un caractère agréable et fondu. Harmonieux et structuré, ce saumur fera plaisir pendant cinq ans.
🔑 Dom. des Matines, 31, rue de la Mairie, 49700 Brossay, tél. 02.41.52.25.36, fax 02.41.52.25.50, e-mail contact@domainedesmatines.fr
☑ Y 🚶 r.-v. 🏠 ©
🔑 Etchegaray

DOM. DE MONTFORT Vieilles Vignes 2006 ★★

■	1,5 ha	3 000	▮	5 à 8 €

Le domaine de Montfort (15 ha) est implanté à... Montfort, entre Doué-la-Fontaine et Saumur. D'un grenat intense et limpide, son saumur rouge emporte l'adhésion. À l'agitation, il libère de complexes senteurs de fruits noirs compotés. Une bonne attaque dévoile une bouche harmonieuse, charnue et aromatique. Un ensemble flatteur qui conjugue puissance et élégance. On pourra l'attendre quelques années.
🔑 Gérard Huet, 4, rte de Brossay, 49700 Montfort, tél. 02.41.67.02.20, fax 02.41.67.85.85 ☑ r.-v.

DOM. DU MOULIN DE L'HORIZON

Cuvée Vieilles Vignes 2005 ★

■	1,5 ha	8 000	ⓘ	3 à 5 €

Le point culminant du Maine-et-Loire a beau n'être pas très élevé (118 m), passer du plat pays (le Pas de Calais) au « Puy » Notre-Dame représente tout de même un changement de vie complet. Christine était informaticienne, Hervé cadre commercial. Depuis 2002, ils sont vignerons. Des mentions dans le Guide, déjà. Cette année, un saumur rouge bien réussi : robe pourpre brillant, joli nez complexe de fruits rouges avec une note végétale, bouche en harmonie avec l'olfaction sur la fraîcheur du fruit, structure équilibrée. Une certaine fermeté incite à garder cette bouteille quelque temps en cave (trois ans maximum).
🔑 Hervé et Christine Des Grousilliers-Lefort, Dom. du Moulin de L'Horizon, rue Saint-Vincent, Sanziers, 49260 Le Puy-Notre-Dame, tél. 02.41.52.25.52, fax 02.41.52.48.39, e-mail moulin.delhorizon@orange.fr ☑ Y 🚶 r.-v.

DOM. DE LA PALEINE

Moulin des Quints 2005 ★★

■	2 ha	6 000	▮	8 à 11 €

Moulin
des Quints
2005
DOMAINE DE LA PALEINE

Les Vincent ont acquis en 2003 à l'entrée du Puy-Notre-Dame ce domaine de 32 ha. Ils ont investi en 2005 dans un chai climatisé ultramoderne dont les lignes contrastent avec l'architecture sobrement classique de la maison de maître en tuffeau. Ce 2005 a-t-il profité de ces installations ? Toujours est-il que sa robe intense et violacée, son nez suave, délicat et complexe de fruits noirs compotés et épicés, sa bouche ample, opulente, charnue, imprégnée d'arômes de cassis en font une gourmandise. Facile et riche à la fois, conciliant sur les accords culinaires, il réjouira votre table dès maintenant tout en pouvant attendre. Une étoile pour le **saumur rouge Multa paucis 2005 (5 à 8 €)** : œil sombre, richesse, chaleur, souplesse, fruits noirs confiturés – le reflet d'un millésime solaire, pour dire beaucoup en peu de mots ; même note pour le **saumur blanc 2006 (5 à 8 €)** où l'on trouve des fruits mûrs et exotiques ainsi qu'un bel équilibre.
🔑 Dom. de La Paleine, 9, rue de La Paleine, 49260 Le Puy-Notre-Dame, tél. 02.41.52.21.24, fax 02.41.52.21.66, e-mail contact@domaine-paleine.com ☑ Y 🚶 r.-v.
🔑 Marc Vincent

CH. DE PARNAY 2006 ★

□	1,5 ha	4 000	▮	5 à 8 €

Les jeunes et talentueux vignerons du château Princé, en Anjou, exploitent également les 13 ha du château de Parnay qui appartint autrefois à Antoine

LOIRE

Cristal. Avec ce saumur blanc très réussi, ils proposent une belle expression de chenin bien mûr : une robe jaune doré aux reflets orangés, un fruité mûr et compoté, un rien épicé, au nez comme en bouche. Gras et rond avec équilibre, l'ensemble est prêt. Un poisson à la crème, pourquoi pas ?

⊶ Levron-Vincenot,
Ch. de Parnay, 1, rue Antoine-Cristal, 49730 Parnay,
tél. 02.41.38.10.85, fax 02.41.38.18.04,
e-mail chateaudeparnay@wanadoo.fr
☑ Y ☨ t.l.j. sf dim. 10h-12h30 14h-17h30;
ouvert dim. été

DE PRÉVILLE Méthode traditionnelle *

n.c. 300 000 3 à 5 €

Deux saumur mousseux présentés par la société Lacheteau, maison spécialisée dans les rosés et les effervescents, aujourd'hui rattachée aux Grands Chais de France. Cette cuvée de Préville, expressive, mêle l'aubépine, les fruits exotiques et les fruits mûrs ; elle se distingue par sa légèreté et sa délicatesse. Le **saumur brut Lacheteau**, plus discret, est typique de l'appellation par ses arômes de fleurs blanches et de fruits frais. Même note.

⊶ SA Lacheteau, ZI La Saulaie,
49700 Doué-la-Fontaine, tél. 02.41.59.26.26,
fax 02.41.59.01.94

DOM. DE ROCHEVILLE La Dame 2006 **

0,33 ha 2 500 11 à 15 €

Repris en 2005, ce domaine de 9 ha met en scène sur ses étiquettes des personnages d'un Moyen Âge mythique : le Roi, la Dame, Le Troubadour, etc. Les jurés ont adressé beaucoup de compliments à cette Dame habillée de jaune pâle. Intense et complexe, sa palette aromatique associe au nez comme au palais la pêche bien mûre à une note épicée et boisée. L'ensemble est ample, riche, gras, la finale longue et fraîche. Un superbe équilibre et de l'élégance pour ce vin qui trouvera sa place à l'apéritif ou sur des poissons fins en sauce.

⊶ Porche Callet Hardouin,
EARL Dom. de Rocheville, 283, rue de Rougeville,
49260 Parnay, tél. 06.77.51.23.68, fax 02.41.52.44.32,
e-mail jeromecallet@domainederocheville.fr
☑ Y ☨ r.-v.
⊶ Porche

DOM. SAINT-VINCENT La Papareille 2006 **

2 ha 10 000 5 à 8 €

Patrick Vadé a repris en 1984 le domaine familial. Coup de cœur l'an dernier en saumur-champigny, il brille cette année en blanc. Jaune pâle à reflets verts, ce millésime libère de suaves parfums de fruits blancs surmûris et de pomme au four. Puissant, gras, fondu, frais, d'une bonne longueur, c'est un vin élégant qui s'accordera dès maintenant avec un poisson en sauce.

⊶ EARL Patrick Vadé, Dom. Saint-Vincent,
49400 Saumur, tél. 02.41.67.43.19, fax 02.41.50.23.28,
e-mail pavade@wanadoo.fr ☑ Y ☨ r.-v.

CH. LA SALLE 2006 *

3,82 ha 20 000 3 à 5 €

Implanté sur la rive droite du Thouet, à Montreuil-Bellay, ce domaine s'étend sur 30 ha. Il propose avec ce 2006 un vin très coloré aux arômes de fruits surmûris et de confiture de cerises. Ample et généreux, le palais est soutenu par des tanins très présents mais déjà enrobés. Une bouteille pleine de promesses, à déboucher sans hâte à partir de 2008.

⊶ SCEA La Salle, 306, rue du Presbytère,
49260 Montreuil-Bellay, tél. 02.41.52.30.88,
fax 02.41.52.37.42, e-mail gerard.j@chateaulasalle.com
☑ r.-v.

CAVE DE SAUMUR Original 2005 *

1,5 ha 7 000 8 à 11 €

Depuis sa création par six viticulteurs il y a juste cinquante ans, la Cave de Saumur a singulièrement pris de l'envergure : la coopérative vinifie aujourd'hui les récoltes de 1 750 ha de vignes. Elle propose un blanc et un rouge aussi réussis l'un que l'autre. Élevé un an en fût, ce 2005 blanc affiche une robe pâle et limpide aux reflets brillants. Il libère après agitation d'agréables parfums fruités, accompagnés d'une touche boisée. Gras et rond à souhait, avec suffisamment de vivacité, il est très agréable. Le **rouge Lieu-dit La Croix verte 2005** n'a pas connu le bois. Il se distingue par de jolis arômes fruités et floraux. Assez tannique, il devra s'affiner.

⊶ Cave de Saumur, rte de Saumoussay,
49260 Saint-Cyr-en-Bourg, tél. 02.41.53.06.06,
fax 02.41.53.06.10, e-mail cellier@cavedesaumur.com
☑ Y ☨ t.l.j. 9h-12h30 14h-18h

CAVE DE SAUMUR Pierre Ier 2006 **

16 ha 130 000 3 à 5 €

Deux autres vins de la Cave de Saumur, diffusés par Alliance Loire, structure de commercialisation regroupant sept coopératives. Cette cuvée Pierre Ier attire l'œil par sa robe soutenue, presque noire. Au nez, des fruits noirs et du grillé. Au palais, du fruité et des tanins déjà arrondis. Ce vin, qui devrait atteindre son apogée en 2009, peut déjà accompagner une viande rouge. La **cuvée Sélection 2006 (5 à 8 €)** obtient la même note pour ses arômes de fruits noirs compotés, sa bouche bien présente, charnue, fraîche et assez longue, reflet d'une vendange d'une bonne maturité.

⊶ Alliance Loire, rte de La Perrière,
49260 Saint-Cyr-en-Bourg, tél. 02.41.53.74.44,
fax 02.41.53.74.49, e-mail info@allianceloire.com
☑ Y ☨ r.-v.

DOM. DE LA SEIGNEURIE DES TOURELLES 2006 **

3,5 ha 25 000 3 à 5 €

Vinifié en collaboration avec les œnologues de la maison Verdier, ce saumur met en confiance par sa robe très soutenue, tirant sur le noir. Ses parfums de fruits rouges se nuancent de notes grillées que l'on retrouve au palais, dans un fort bel équilibre. Cette bouteille est prête mais elle peut aussi attendre un an ou deux.

⊶ SCEA Dubé et Fils, Croix Saint-André,
49260 Le Vaudelnay, tél. 02.41.40.22.50,
fax 02.41.40.29.69, e-mail v.rouilleau@joseph-verdier.fr
⊶ Joseph Verdier

CH. DE TARGÉ Les Fresnettes 2005 *

3 ha 12 460 11 à 15 €

Dominant la Loire, le château de Targé fut avant la Révolution la résidence de chasse d'ancêtres de l'actuel propriétaire, alors secrétaires personnels de Louis XIV et de Louis XV. Edouard Pisani-Ferry, qui conduit aujourd'hui le domaine, est agronome. Le château s'est entouré de vignes dès le milieu du XVIIe s. Aujourd'hui,

24 ha. La cuvée Les Fresnettes est un blanc fermenté en barrique avec bâtonnage. De couleur jaune pâle, il associe un fruité intense à un léger boisé que l'on retrouve avec plaisir dans une bouche flatteuse, longue et bien équilibrée.
SCEA Édouard Pisani-Ferry, Ch. de Targé, 49730 Parnay, tél. 02.41.38.11.50, fax 02.41.38.16.19, e-mail edouard@chateaudetarge.fr
t.l.j. sf dim. 9h-12h 14h-18h; sam. sur r.-v.

VEUVE AMIOT

Méthode traditionnelle Cuvée réservée

n.c. 70 000 **5 à 8 €**

En 1884, la jeune Elisa Amiot, veuve depuis peu, fonde la maison Veuve Amiot qui se spécialise dans l'élaboration des saumur mousseux élevés dans des caves creusées dans le tuffeau. Cette sélection née de la récolte de 2004 provient d'un assemblage de chenin (80 %) et de chardonnay. Elle est bien représentative des vins effervescents produits en zone septentrionale par son expression aromatique tout en finesse (fleurs blanches, fruits à chair blanche) et par la sensation de fraîcheur vivifiante qu'elle procure en bouche.
SAS Veuve Amiot, BP 67, Saint-Hilaire-Saint-Florent, 49426 Saumur Cedex, tél. 02.41.83.14.14, fax 02.41.50.17.66
r.-v.

DOM. DU VIEUX BOURG 2006 *

1,5 ha 5 000 **5 à 8 €**

Situé dans l'aire du saumur-champigny, ce domaine produit surtout du rouge. Il propose avec ce 2006 un saumur blanc très agréable et prêt à accompagner un poisson en sauce. Jaune soutenu, ce vin se partage au nez entre des arômes fruités et un boisé aux nuances de fruits secs et d'épices. Dans le même registre, la bouche se montre complexe, structurée, fraîche et longue. Le **saumur-champigny Vieilles Vignes 2005 (5 à 8 €)** est cité.
Dom. du Vieux Bourg, 30, Grand-Rue, 49400 Varrains, tél. 02.41.52.91.89, fax 02.41.52.42.43, e-mail n.girard@vieux-bourg.com
t.l.j. 9h-12h 14h-18h

DOM. DU VIEUX PRESSOIR Les Silices 2006 *

5 ha 25 000 **3 à 5 €**

Une fois de plus présent dans le Guide, ce domaine très représentatif du Saumurois compte 26 ha de vignes implantées sur le plateau jurassique de Vaudelnay. Rubis intense, sa cuvée Les Silices se montre encore réservée au nez ; il faut un peu la solliciter pour qu'elle consente à laisser poindre des senteurs de fruits rouges et d'épices. Une attaque souple et agréable introduit une bouche harmonieuse au fruité persistant. À servir dès maintenant.
EARL Albert B. et J., 205, rue du Château-d'Oiré, 49260 Vaudelnay, tél. 02.41.52.21.78, fax 02.41.38.85.83, e-mail vieuxpressoir@wanadoo.fr
r.-v. 3

Cabernet-de-saumur

Bien qu'elle ne représente que de faibles volumes (3 305 hl en 2005), l'appellation cabernet-de-saumur tient bien sa place par la finesse de ce cépage, élaboré en rosé et cultivé sur 55 ha de terrains calcaires.

DOM. DE L'ÉPINAY 2006

2 ha 12 000 **3 à 5 €**

Le vignoble angevin se prolonge dans la Vienne, à quelques kilomètres au sud-est de Montreuil-Bellay. C'est là qu'est implanté ce domaine, situé sur une côte calcaire dominant le plateau jurassique appartenant au seuil du Poitou. Les terres blanches de l'exploitation sont caractéristiques du vignoble saumurois, l'Anjou blanc des géographes. Elles ont donné naissance à un vin rose intense aux reflets rouges et au nez de bonbon anglais, de pêche blanche et de fruits rouges. Équilibrée et délicate, la bouche laisse une impression de rondeur typique de son appellation.
Laurent Menestreau, EARL de L'Épinay, 3, all. du Presbytère, 86120 Pouançay, tél. 05.49.22.98.08, fax 05.49.22.39.98, e-mail menestreau-epinay@wanadoo.fr
t.l.j. 10h-13h 15h-19h

DOM. DES SANZAY 2006

0,55 ha 3 700 **5 à 8 €**

Ce domaine de 30 ha, dont le saumur-champigny constitue la principale production, réserve un demi-hectare de cabernet à l'élaboration de ce rosé. Ce 2006 revêtu d'une robe saumonée pleine d'attraits représente gentiment cette appellation presque confidentielle. Sa palette aromatique délicate mêle les fruits à chair blanche (pêche, brugnon) et la groseille. La bouche laisse une impression harmonieuse de tendreté caractéristique des rosés produits sur sols calcaires.
Didier Sanzay, Dom. des Sanzay, 93, Grand-Rue, 49400 Varrains, tél. 02.41.52.91.30, fax 02.41.52.45.93, e-mail didier-sanzay@domaine-sanzay.com r.-v.

Coteaux-de-saumur

Ils ont acquis autrefois leurs lettres de noblesse. Les coteaux-de-saumur, équivalents en Saumurois des coteaux-du-layon en Anjou, sont élaborés à partir du chenin pur planté sur la craie tuffeau. Leur production a atteint 579 hl (22,39 ha déclarés en 2005).

THIERRY ET LYDIE CHANCELLE 2005 *

1 ha 4 500 **11 à 15 €**

L'exploitation de Thierry Chancelle a son siège à Turquant, pittoresque village troglodytique. Situé sur la « côte », son vignoble domine la vallée de la Loire. L'encépagement comprend presque exclusivement des cépages rouges destinés à la production de saumur-champigny, mais la propriété a maintenu une petite superficie en chenin, perpétuant ainsi une tradition viticole : au XVIII[e]s., la région devait uniquement sa notoriété aux vins blancs liquoreux. À déguster ce millésime, on comprend les raisons de cette renommée : sa robe jaune d'or, ses arômes frais d'ananas, de poire, de fruit de la Passion, sa bouche friande, à la fois riche et vive, composent un ensemble fort harmonieux.
Thierry Chancelle, EARL Bourdin, 27, rue des Martyrs, 49730 Turquant, tél. 02.41.38.11.83, fax 02.41.51.47.71, e-mail earlbourdin@aol.com r.-v.

CH. DU HUREAU 2005 *

0,5 ha 1 400 46 à 76 €

Le château du Hureau est une des références de l'appellation saumur-champigny – il n'est que de passer en revue la liste des coups de cœur obtenus. Ce coteaux-de-saumur 2005 est un concentré de soleil : sa richesse a surpris le jury de dégustation. Les arômes, qui rappellent les fruits secs et les fruits confits, ne sont pas complètement épanouis. La bouche ne révélera son potentiel qu'après plusieurs années de vieillissement. Un vin hors normes, à oublier comme un trésor dans un coin de sa cave. Cinq ans pour le moins. (Bouteilles de 50 cl.) Une étoile également pour le **saumur-champigny 2005 (8 à 11 €)**.

Philippe Vatan, Ch. du Hureau,
49400 Dampierre-sur-Loire, tél. 02.41.67.60.40,
fax 02.41.50.43.35, e-mail philippe.vatan@wanadoo.fr
t.l.j. sf sam. dim. 9h-12h 14h-17h

DOM. DES SABLES VERTS
Nectar de chenin 2005 *

0,2 ha 1 000 11 à 15 €

Ce domaine doit son nom à une formation géologique constituée de sables calcaires riches en glauconie, minéral de couleur verdâtre. Il s'étend sur 15 ha consacrés principalement aux cépages rouges. Ce Nectar de chenin procure une sensation de fraîcheur caractéristique de l'appellation. Au nez, des fruits blancs, des fruits exotiques et des agrumes. La bouche est dans le même registre : on y trouve de la poire, de l'ananas ; le miel y apporte sa note de douceur. Un vin riche qui se déguste comme une friandise.

GAEC Dominique et Alain Duveau,
66, Grand-Rue, 49400 Varrains, tél. 02.41.52.91.52,
fax 02.41.38.75.32,
e-mail duveau@domaine-sables-verts.com r.-v.

DOM. DU VIEUX PRESSOIR
Cuvée Émilie 2005 **

0,5 ha 2 000 15 à 23 €

L'aire géographique des coteaux-de-saumur comprend non seulement la côte de Saumur bordant la Loire mais aussi, plus au sud, des buttes calcaires comme celle du Puy-Notre-Dame (commune voisine de Vaudelnay) et des coteaux calcaires du département de la Vienne. Un terroir crayeux que cette cuvée exprime parfaitement. Les dégustateurs saluent son remarquable équilibre entre les sensations de douceur et de fraîcheur, ses arômes délicats de fruits mûrs (fruits blancs) et d'agrumes ainsi que sa finale longue, puissante et onctueuse.

EARL Albert B. et J., 205, rue du Château-d'Oiré,
49260 Vaudelnay, tél. 02.41.52.21.78,
fax 02.41.38.85.83, e-mail vieuxpressoir@wanadoo.fr
r.-v. 3

Saumur-champigny

En circulant dans les villages aux rues étroites du Saumurois, vous accéderez au paradis dans les caves de tuffeau qui abritent de nombreuses vieilles bouteilles. Si l'expansion de ce vignoble (1 521 ha) est récente, les vins rouges de Champigny sont connus depuis plusieurs siècles. Produits sur neuf communes, à partir du cabernet franc (ou breton), ils sont légers, fruités, gouleyants. La production a été d'environ 84 728 hl en 2005.

DOM. ANNIVY 2006 **

1 ha 3 500 5 à 8 €

Un vignoble de poche (3,50 ha) et deux cuvées retenues. La cuvée principale est la préférée. Derrière sa robe pourpre jaillissent des parfums exubérants de fruits noirs très mûrs ; en bouche, une matière concentrée et une belle charpente témoignent d'une vendange mûre à souhait. Citée, la cuvée **Vieilles Vignes 2006** doit être sollicitée avant de laisser percer des arômes de fruits mûrs qui persistent en bouche. Bien structurée mais encore austère et tannique, elle patientera deux ou trois ans.

Bruno Bersan, 66, rue des Ducs-d'Anjou,
49400 Souzay-Champigny, tél. 02.41.50.73.49,
fax 02.41.38.64.66
t.l.j. 10h-12h 14h-18h; f. 15 août-1er sept.

DOM. DU BOIS MOZÉ PASQUIER
Élevé en fût de chêne 2005 *

0,5 ha 2 500 8 à 11 €

Proche de Champigny, ce domaine de 8 ha comprend un clos de 2,50 ha que Patrick Pasquier fait visiter en expliquant le mode de conduite de la vigne. C'est une cuvée élevée en fût qui est retenue cette année. Rouge soutenu aux reflets violacés, elle libère à l'agitation d'intenses notes boisées qui se prolongent en bouche. Une belle attaque introduit un palais équilibré, aux tanins arrondis, plaisant en finale. Les amateurs de boisé l'ouvriront bientôt sur des viandes rouges ou du fromage, les autres l'attendront deux ou trois ans.

Patrick Pasquier,
Dom. du Bois Mozé Pasquier, 7, rue du Bois-Mozé,
49400 Chacé, tél. et fax 02.41.52.59.73 r.-v.

DOM. LA BONNELIÈRE Tradition 2006 *

5,5 ha 40 000 5 à 8 €

Cette exploitation a connu un développement notable en une génération : 3 ha à sa création dans les années 1970, 28 ha en 2007, plantés principalement en cabernet franc. Né sur des sols chauds, argilo-limoneux et graveleux, ce 2006 affiche une robe profonde aux reflets violets. Il séduit par ses arômes élégants de fruits rouges et noirs bien mûrs, présents au nez comme en bouche, et par son corps souple qui le fera apprécier dès maintenant. Une étoile également pour le **saumur rouge 2006 Tradition (3 à 5 €)**.

EARL Bonneau et Fils,
Dom. La Bonnelière, 45, rue du Bourg-Neuf,
49400 Varrains, tél. 02.41.52.92.38, fax 02.41.67.35.48,
e-mail bonneau@labonneliere.com r.-v.

CH. DE CHAINTRES
Cuvée des Oratoriens 2005 ★★

■ 1 ha 4 500 ⓘ 8 à 11 €

Tous les ans, les producteurs du cru organisent une course de fond à travers les vignes, *Les Foulées du champigny*. Le parcours passe par Chaintres. Les Oratoriens du château de Chaintres gagnent cette année la course du Guide. Leur œuvre tient décidément dans le temps. Élevés il y a plusieurs siècles, les murs de leur clos, qui enserrent ce domaine de 20 ha, sont toujours debout. Quant à cette cuvée, déjà très plaisante, elle se bonifiera en cave. Sa robe grenat, intense et gaie, s'anime de reflets violets. Le nez, fait de petits fruits noirs et d'épices, avec une pointe de minéralité et de boisé, reflète la bonne maturité de la vendange. Ample, structuré par des tanins bien extraits, ce vin ne sera à son apogée que dans deux ou trois ans. Une étoile pour la **cuvée principale 2005 (5 à 8 €)** qui a elle aussi connu le bois. Plus discrète au nez, elle se montre équilibrée et fruitée. Une petite garde lui fera du bien.

🔑 Dom. vinicole de Chaintres,
54, rue de la Croix-de-Chaintres, Chaintres,
49400 Dampierre-sur-Loire, tél. 02.41.52.90.54,
fax 02.41.52.99.92, e-mail info@chaintres.com
☑ Y ⛹ t.l.j. 9h-12h 14h-18h; sam. dim. sur r.-v.
🔑 De Tigny

THIERRY CHANCELLE 2006 ★★

■ 3 ha 20 000 ▮ 5 à 8 €

Conduite par Thierry Chancelle depuis 2000, cette exploitation familiale est implantée sur la côte turonienne qui s'étend entre Saumur et Montsoreau. L'étiquette montre sa cave troglodytique typique du village de Turquant. D'un pourpre intense à reflets violacés, le 2006 du domaine libère des arômes de fruits bien mûrs. Rond en bouche, puissant, équilibré, doté d'une belle structure tannique, il offre un retour fruité très agréable.

🔑 Thierry Chancelle,
EARL Bourdin, 27, rue des Martyrs, 49730 Turquant,
tél. 02.41.38.11.83, fax 02.41.51.47.71,
e-mail earlbourdin@aol.com ☑ Y ⛹ r.-v.

CLOS DES CORDELIERS Cuvée Tradition 2006

■ 16 ha 130 000 ▮ 5 à 8 €

Créé au début du XVII^e^s., ce vignoble fut entre les mains des Cordeliers de Saumur entre 1696 et la Révolution, qui décida la mise en vente des biens monastiques. Appartenant à la famille Ratron depuis 1932, il s'étend sur plus de 18 ha plantés exclusivement en cabernet franc. Née sur le tuffeau, la cuvée Tradition révèle toute la finesse de ce cépage : une robe rubis lumineuse, un nez fruité, subtilement floral et un palais frais aux tanins fins et veloutés. À servir dès maintenant.

🔑 Dom. Ratron,
G. Meirav-Ratron et S. Ratron, Clos des Cordeliers,
49400 Souzay-Champigny, tél. 02.41.52.95.48,
fax 02.41.52.99.50,
e-mail domaine-ratron@clos-des-cordeliers.com
☑ Y ⛹ t.l.j. 8h-12h 14h-18h; dim. sur r-.v

DOM. DES CLOSIERS 2006 ★★

■ 11,8 ha 27 000 ▮ 5 à 8 €

Au Moyen Âge, les closiers exploitaient les vignes de notables en échange d'un logement. Dans le Saumurois, un certain nombre de ces petits vignerons vivaient dans des habitations troglodytiques. Leur situation s'est améliorée, on le voit ici : une demeure a été construite au XIX^e^s. au pied du coteau, et les locaux creusés dans le tuffeau abritent aujourd'hui la salle de dégustation. On pourra y découvrir ce délicieux millésime aux intenses arômes de fruits rouges, qui conjugue en bouche la puissance et la rondeur. De très bonne facture, cette bouteille pourra passer à table dès maintenant tout en étant apte à une petite garde.

🔑 EARL Elie Moirin, 8, rue Valbrun, 49730 Parnay,
tél. 02.41.38.12.32, fax 02.41.38.11.14,
e-mail domainedesclosiers@wanadoo.fr ☑ Y ⛹ r.-v.

DOM. LA CROIX DE CHAINTRES 2006

■ 15 ha 120 000 ▮ 5 à 8 €

Domaine de 20 ha créé en 2005 par Fredrik Filliatreau et son beau-frère Jean-Michel Bercetche. Avec sa robe rubis intense, ses arômes complexes de fruits rouges surmûris accompagnés d'une pointe végétale, sa bouche friande et ronde aux tanins fondus, son saumur-champigny fera plaisir dès maintenant.

🔑 Dom. La Croix de Chaintres,
49, rue de la Croix-de-Chaintres,
49400 Dampierre-sur-Loire, tél. et fax 02.41.38.60.37,
e-mail fredrik@filliatreau.fr ☑ Y ⛹ r.-v. 🏠 Ⓓ
🔑 Filliatreau, Bercetche

DOM. DE LA CUNE Charl'Anne 2005 ★★

■ 2 ha 6 000 ▮ 8 à 11 €

Membre du réseau France Passion, ce domaine familial de 17 ha accueille pour une journée les « camping-caristes » sur la propriété. L'occasion pour ces vacanciers – comme pour les autres promeneurs – de découvrir les richesses œnologiques de la propriété : la cuvée Charl'Anne, par exemple, très appréciée cette année. D'un rouge soutenu aux nuances violettes, ce 2005 libère des parfums fruités intenses, frais et complexes, teintés d'une légère minéralité. Ce fruité se prolonge dans une bouche ample, assez structurée, soutenue par des tanins bien présents mais déjà soyeux. Cette bouteille pourra attendre au moins trois ans. La cuvée **Tradition 2006 (5 à 8 €)** est citée pour ses arômes de fruits rouges surmûris et ses tanins ronds.

🔑 Jean-Luc et Jean-Albert Mary, Chaintres,
49400 Dampierre-sur-Loire, tél. 02.41.52.91.37,
fax 02.41.52.44.13, e-mail jlmcune@wanadoo.fr
☑ Y ⛹ t.l.j. sf dim. 9h-12h 14h-18h

DAHEUILLER Laurientale 2005 ★★

■ 0,5 ha 2 500 ▮ 8 à 11 €

La famille Daheuiller exploite depuis cinq générations ce domaine situé à 3 km de Saumur et qui couvre 42 ha répartis entre le cabernet franc, le chenin et le chardonnay. Le premier cépage est à l'origine de ce 2005

grenat soutenu, aux nuances presque noires, et qui libère d'intenses parfums de fruits très mûrs, un peu grillés. Sa charpente, sa rondeur et une belle complexité témoignent de raisins récoltés à maturité optimale. On devrait pouvoir garder cette bouteille trois ou quatre ans. Le **Domaine des Varinelles 2006 (5 à 8 €)** reçoit une étoile pour ses arômes de fruits noirs confiturés et pour sa bouche ample et persistante. Un vin à boire ou à attendre, lui aussi.
SCA Daheuiller, 28, rue du Ruau, 49400 Varrains, tél. 02.41.52.90.94, fax 02.41.52.94.63, e-mail daheuiller.vins@wanadoo.fr
t.l.j. sf dim. 9h-12h 14h-18h; sam. sur r.-v.

BRUNO DUBOIS 2006 *

■ 1,5 ha 8 000 5 à 8 €

Bruno Dubois, installé en 2002, a pris ses habitudes dans le Guide. Il a présenté deux vins qui ont obtenu chacun une étoile. D'un rouge profond tirant sur le noir, la cuvée du domaine séduit par ses évocations de fruits rouges bien mûrs qui persistent dans une bouche franche, ample, ronde et structurée. Elle pourra se garder quelques années. Tout aussi aromatique, boisée sans excès, ronde et harmonieuse, la **cuvée du Coin 2005 (11 à 15 €)** est à dénicher dans un coin du cellier : 800 bouteilles...
Dom. Bruno Dubois, 98, rue de la Paleine, 49260 Saint-Cyr-en-Bourg, tél. 06.07.70.95.20, fax 02.41.38.62.96, e-mail b-d@wanadoo.fr r.-v.

DOM. DUBOIS Cuvée d'Automne 2006 **

■ 2 ha 12 000 5 à 8 €

Domaine Dubois
Produce of France
2006
Saumur Champigny
Appellation Saumur Champigny Contrôlée
mis en bouteille au Domaine par
13,5% vol 750 ml
E.A.R.L. Dubois, route de Chacé, 49260 St Cyr en Bourg

Avec son sous-sol de tuffeau creusé de galeries, Saint-Cyr-en-Bourg abrite de nombreuses caves. Les fidèles du Guide connaissent bien le domaine Dubois, qui exploite 18 ha aux alentours. Cuvée de printemps ? Cuvée d'automne ? C'est la dernière qui figure cette année. Une fois de plus remarquable, elle décroche cette année un coup de cœur, tant elle a séduit tout au long de la dégustation. Grenat intense aux reflets violines, elle mêle des arômes typiques de fruits rouges bien mûrs à des notes confites et épicées. Sa structure souple et ronde, construite sur des tanins puissants, charnus et bien fondus, laisse une sensation très plaisante et révèle un beau potentiel. En revanche, il faut déboucher maintenant la cuvée **Vieilles Vignes 2005 (8 à 11€)**, qui est citée. Une étoile pour le **saumur rouge 2005**.
Dom. Dubois, 8, rte de Chacé, 49260 Saint-Cyr-en-Bourg, tél. 02.41.51.61.32, fax 02.41.51.95.29 r.-v.

DOM. FILLIATREAU Vieilles Vignes 2006 *

■ 9 ha 50 000 8 à 11 €

Quand ce vigneron a hérité du domaine familial en 1967, les 8 ha de l'exploitation étaient surtout destinés à la production de rosés. Paul Filliatreau, maintenant rejoint par son fils Fredrik, a misé sur le rouge, et la propriété, bien plus vaste, est devenue une référence en saumur-champigny, plusieurs fois couronnée par les jurys du Guide. Des ceps de cinquante ans ont engendré une cuvée pourpre profond aux arômes typiques de fruits rouges et noirs. La bouche est équilibrée, veloutée et la finale fruitée prolonge le plaisir. Ces arômes de fruits rouges prennent une nuance confite dans la cuvée **La Grande Vignolle 2006 (5 à 8 €)** qui est citée. L'étiquette représente l'ancien village troglodytique qui constitue le domaine. La cuvée **Léna Filliatreau 2006 (5 à 8 €)**, produite par la structure de négoce du domaine, est également citée pour son fruité persistant.
Paul Filliatreau, Chaintres, 49400 Dampierre-sur-Loire, tél. 02.41.52.90.84, fax 02.41.52.49.92, e-mail domaine@filliatreau.fr
t.l.j. 8h-12h 13h30-17h30

FOUCHER-LEBRUN Les Colombes 2006 **

■ n.c. n.c. 5 à 8 €

Maison de négoce fondée au début des années 1920 par un ancien tonnelier et aujourd'hui gérée par son petit-fils. Sa sélection Les Colombes a été fort bien accueillie du jury, qui a apprécié sa robe profonde et brillante, ses arômes de cassis et de myrtille et ses tanins veloutés. Tout ce que l'on attend de l'appellation, et un plaisant mariage en perspective avec viandes rouges et fromages.
Foucher-Lebrun, 29, rte de Bouhy, 58200 Alligny-Cosne, tél. 03.86.26.87.27, fax 03.86.26.87.20, e-mail foucher.lebrun@wanadoo.fr
t.l.j. sf dim. lun. 8h-12h 14h-18h
Picard Vins et Spiritueux

JULIEN FOUET 2006 *

■ 2 ha 15 000 5 à 8 €

À 5 km de Fontevraud et de sa célèbre abbaye, la commune de Saint-Cyr-en-Bourg prospère grâce à la viticulture. La famille Fouet y travaille au service du vin depuis six générations. Elle a créé une structure de négoce et développe ses exportations (20 %). Pourpre intense, ce 2006 libère des parfums typiques de fruits rouges et noirs, aux nuances de griotte. Souple et rond au palais, construit sur des tanins bien fondus, il offre en finale un plaisant retour fruité qui laisse un bon souvenir.
SARL Julien Fouet, 11, rue de Judée, 49260 Saint-Cyr-en-Bourg, tél. 02.41.51.60.52, fax 02.41.67.01.79, e-mail j.fouet@domaine-fouet.com
t.l.j. sf dim. 10h-12h 14h-18h

DOM. DES FRÉMONCLAIRS Vieilles Vignes 2006 *

■ 4 ha 3 000 5 à 8 €

Village typique du Saumurois, Turquant adosse ses maisons à la blanche falaise de tuffeau, en retrait des basses terres verdoyantes qui longent la Loire. Les Hallouin y sont vignerons depuis plus d'un siècle et exploitent aujourd'hui 22 ha. Née de ceps âgés de cinquante ans, leur cuvée Vieilles Vignes affiche une robe rubis : elle exprime d'intenses parfums de petits fruits rouges nuancés d'épices qui se prolongent dans une bouche ronde et bien équilibrée. Un peu courte mais élégante et non dépourvue d'un certain potentiel, la **cuvée principale 2006 (3 à 5 €)** est citée.
Christophe Hallouin, 45, rue des Martyrs, 49730 Turquant, tél. 02.41.38.14.81, fax 02.41.51.73.63, e-mail dom.fremonclairs@wanadoo.fr r.-v.

DOM. DES HAUTES TROGLODYTES 2006

■ 2,5 ha 13 000 ▮ 3 à 5 €

Un vin élaboré en partenariat avec la maison Joseph Verdier. D'un rubis profond aux nuances violettes, ce millésime exprime les fruits rouges bien mûrs relevés d'agréables touches épicées. Sa bouche équilibrée et légère aux tanins soyeux en fait un vin de plaisir, belle expression du millésime.

Dom. des Hautes Troglodytes, 4, rue Moulin, 49400 Souzay-Champigny, tél. 02.41.40.22.50, fax 02.41.40.22.60, e-mail v.roulleau@joseph-verdier.fr

Joseph Verdier

RENÉ-NOËL LEGRAND La Chaintrée 2005 *

■ 2 ha 12 000 8 à 11 €

Les Legrand-Duveau sont vignerons à Varrains depuis cinq générations. La propriété compte aujourd'hui 15 ha. Pourpre aux reflets violacés, sa cuvée La Chaintrée est passée par le bois mais le vin n'apparaît guère marqué par l'élevage. Discret au nez, il exprime son fruité après aération ; en bouche il dévoile une matière bien présente. La finale est longue et agréable.

René Legrand, 13, rue des Rogelins, 49400 Varrains, tél. 02.41.52.94.11, fax 02.41.52.49.78, e-mail renenoel.legrand@wanadoo.fr r.-v.

DOM. LES MÉRIBELLES 2006 *

■ 10 ha 60 000 ▮ 5 à 8 €

Installé en 1984, Jean-Yves Dézé exploite 15 ha partagés entre cabernet franc et chenin ; il dispose de vastes caves, anciennes champignonnières. Vous le trouverez « rue de la Bienboire » : tout un programme... Son 2006 ? Pourpre soutenu, discret au nez. À l'agitation, des arômes de fruits mûrs qui se prolongent dans une bouche équilibrée, bien constituée. Des tanins encore vifs suggèrent d'attendre quelques mois cette bouteille.

Jean-Yves Dézé, 14, rue de la Bienboire, 49400 Souzay-Champigny, tél. 02.41.67.46.64, fax 02.41.67.73.77, e-mail jean-yves.deze@wanadoo.fr r.-v.

DOM. DES MURAILLES NEUVES 2005

■ 1 ha 4 000 ▮ 5 à 8 €

Bruno Richard s'est installé en 2004 sur le domaine familial où il représente la quatrième génération. Son saumur-champigny remplit son contrat : le rubis est suffisamment intense, avec des reflets sombres, violacés ; les fruits rouges s'expriment bien, au nez comme en bouche. celle-ci, agréable, gouleyante, se révèle plus tannique en finale. Quelques mois de garde arrondiront sans doute ces quelques aspérités.

Bruno Richard, 7, rue de la Poterne, 49400 Varrains, tél. et fax 02.41.52.97.64 r.-v.

DOM. DE NERLEUX
Clos des Chatains Vieilles Vignes 2005 *

■ 7 ha 30 000 ▮ 5 à 8 €

Un vaste domaine (45 ha) commandé par des bâtiments des XVIIe et XVIIIe s. restaurés en 2001 : la propriété familiale conduite par Régis Neau, dont les cuvées sont régulièrement présentes dans le Guide. Celle-ci née de ceps de soixante-cinq ans affiche une robe profonde. Au nez, elle reste discrète, et il faut la solliciter pour qu'elle révèle après agitation une palette complexe qui se prolonge en bouche. L'attaque est agréable, puis des tanins sévères prennent le dessus ; ce vin ne sera à son apogée que dans quelques années. Il en va de même pour la cuvée **Les Loups noirs 2005 (11 à 15 €)**, qui obtient elle aussi une étoile. Elle est bien constituée, mais très tannique et encore sous l'emprise du bois.

Régis Neau, Dom. de Nerleux, 4, rue de la Paleine, 49260 Saint-Cyr-en-Bourg, tél. 02.41.51.61.04, fax 02.41.51.65.34, e-mail contact@domaine-de-nerleux.fr
t.l.j. sf dim. 9h-17h30; sam. 9h-12h

DOM. DE LA PERRUCHE Cuvée Prestige 2006 **

■ n.c. 15 000 5 à 8 €

Héritier d'une lignée de vignerons soucieux de renommée dès le début du XXe s., Jacques Beaujeau possède le vaste domaine du château de la Varière (AOC anjou-villages-brissac, coteaux-de-l'aubance) auquel il a ajouté en 2000 cette propriété de 43 ha, à découvrir en même temps que le château de Montsoreau. Quatre cuvées présentées, cinq étoiles au total ! Cette cuvée Prestige pourpre profond, frôle le coup de cœur. Intense, complexe, frais et gai, le nez mêle le fruité à un léger boisé. Une palette que l'on retrouve avec plaisir dans un palais velouté, gras et long aux tanins soyeux. Une bouteille déjà agréable et apte à la garde. Trois autres cuvées obtiennent chacune une étoile : **La Pente des Rochepicards 2006**, fruitée, équilibrée et bien structurée, **Le Chaumont 2006 (8 à 11 €)**, ronde et tendre (coup de cœur dans le millésime 2004), **Les Hauts de la Perruche 2006**, fraîche et tonique au nez, ample et bien structurée, « très champigny ».

Jacques Beaujeau, Dom. de La Perruche, 29, rue de la Maumenière, 49730 Montsoreau, tél. 02.41.91.22.64, fax 02.41.91.23.44, e-mail beaujeau@wanadoo.fr
t.l.j. sf sam. dim. 10h-12h 15h-18h

DOM. DE LA PETITE CHAPELLE
Cuvée Tradition 2005 *

■ 6 ha 15 000 ▮ 5 à 8 €

Le domaine tire son nom d'une chapelle située en bordure de Loire à côté de la maison de famille. Sa cuvée Tradition attire l'attention par sa robe rubis intense. Expressive au nez, elle mêle les fruits rouges et des touches épicées évoquant la cannelle. Dans le même registre aromatique, la bouche se montre équilibrée, agréable, ronde et légère. Une étoile également pour le **saumur blanc 2005 Cuvée Tradition (3 à 5 €)**.

Laurent Dézé, 4, rue des Vignerons, Champigny, 49400 Souzay-Champigny, tél. 02.41.52.41.11, fax 02.41.52.93.48, e-mail deze.laurent@orange.fr
r.-v.

DOM. LES PETITES MARIGOLLES 2006

■ 6 ha 45 000 ▮ 5 à 8 €

Depuis 1993, ce domaine réserve cette cuvée aux grandes surfaces Système U ouest. Rubis foncé aux reflets grenat, son 2006 laisse s'exprimer à l'aération d'intenses arômes de fruits très mûrs, voire compotés. Agréable, il révèle en finale une pointe d'austérité qui ne remet pas en cause l'équilibre général et qui s'atténuera avec le temps.

Christian Joseph, 35, rue des Menais, 49400 Chacé, tél. 02.41.52.94.43, fax 02.41.52.94.53, e-mail domainedubourgneuf@wanadoo.fr r.-v.

DOM. DE ROCFONTAINE Vieilles Vignes 2006 *

■ 3,5 ha 20 000 ▮ 5 à 8 €

En 1987, Philippe Bougreau a repris le domaine de ses grands-parents. Il exploite 13 ha autour de Parnay,

village connu pour sa réserve ornithologique. Vieilles Vignes ou Tradition, ses vins passent régulièrement la barre. La cuvée Vieilles Vignes provient de plants de cabernet franc âgés de quarante-cinq ans. Son nez est complexe et profond, ses tanins riches et soyeux. Encore austère, ce vin gagnera à attendre au moins un an ou deux. Il mettra en valeur viandes rouges et fromages.
Philippe Bougreau, 7, ruelle des Bideaux, 49730 Parnay, tél. 02.41.51.46.89, fax 02.41.38.18.61, e-mail domaine-de-rocfontaine@wanadoo.fr
r.-v.

DOM. DES ROCHES NEUVES
Terres chaudes 2006

■ 5 ha 25 000 11 à 15 €

Repris en 1992 par Thierry Germain, ce domaine de 22 ha est exploité en biodynamie et exporte 40 % de sa production. Le 2002 de cette cuvée avait obtenu un coup de cœur. D'un rouge profond, le 2006 développe à l'aération des notes de violette. Suave à l'attaque, il révèle ensuite des tanins sévères qui se fondront avec le temps.
Thierry Germain, Dom. des Roches Neuves, 56, bd Saint-Vincent, 49400 Varrains, tél. 02.41.52.94.02, fax 02.41.52.49.30, e-mail thierry-germain@wanadoo.fr r.-v.

DOM. DE ROCHEVILLE Le Prince 2006 *

■ 3 ha 16 000 5 à 8 €

Racheté en 2005 à un coopérateur, ce domaine de quelque 9 ha a fait son apparition dans la dernière édition du Guide. Récolté à pleine maturité sur le coteau de la Loire, son Prince fait cette année encore bonne figure à la cour : fruité et vif au nez, élégant, fin en bouche, soutenu par une trame tannique veloutée, il reste tout au long de la dégustation sur la fraîcheur des fruits rouges. Déjà très agréable, ce 2006 se gardera un à trois ans, voire davantage dans une bonne cave. **Le Roi 2006 (11 à 15 €)**, élevé dix mois en fût, est cité pour sa belle matière, mais ses tanins austères incitent à une petite garde.
Porche Callet Hardouin, EARL Dom. de Rocheville, 283, rue de Rougeville, 49260 Parnay, tél. 06.77.51.23.68, fax 02.41.52.44.32, e-mail jeromecallet@domainederocheville.fr
r.-v.

LA SOURCE DU RUAULT 2006 *

■ 10 ha 30 000 5 à 8 €

Jean-Noël Millon conduit depuis 2002 le domaine familial (14 ha) fondé dans les premières années du XIX[e]s. Sa Source du Ruault inspire d'emblée confiance avec sa robe rouge rubis intense et ses parfums puissants de fruits noirs, assortis d'une touche végétale. Le palais rond et équilibré laisse un bon souvenir.
Jean-Noël Millon, 29, rue du Ruau, 49400 Varrains, tél. 02.41.52.93.80, fax 02.41.52.46.13, e-mail jeannoelmillon@free.fr
t.l.j. 8h-20h; dim. sur r.-v.

DOM. DE SAINT-JUST Terres rouges 2006 *

■ 3 ha 16 000 5 à 8 €

Voilà plus de dix ans qu'Yves Lambert, auparavant financier dans une compagnie d'assurances, a pu réaliser son rêve : devenir vigneron. C'est Arnaud Lambert, œnologue, qui se charge depuis 2005 des vinifications. Les 40 ha du domaine se répartissent entre plusieurs terroirs, qui donnent leurs noms aux cuvées. Celle des Terres rouges naît de sols argilo-calcaires. Le 2005 avait obtenu un coup de cœur – le troisième en dix ans. Rubis intense, ce 2006 séduit par ses puissants arômes de fruits rouges et noirs (cassis) légèrement compotés. Un fruité qui accompagne toute la dégustation, de l'attaque franche à la longue finale. La bouche ample et structurée permettra d'apprécier ce vin maintenant ou de le garder deux à trois ans. Le **saumur blanc 2006 Yves Lambert** est cité.
Yves Lambert, Dom. de Saint-Just, Mollay, 49260 Saint-Just-sur-Dive, tél. 02.41.51.62.01, fax 02.41.67.94.51, e-mail infos@st-just.net r.-v.

DOM. SAINT-VINCENT 2006

■ 5 ha 40 000 5 à 8 €

Patrick Vadé conduit avec talent le domaine familial repris en 1984. Il a particulièrement brillé dans les deux dernières éditions, décrochant deux coups de cœur dans cette appellation. Ce millésime a pour atouts une robe rubis foncé aux reflets grenat et de sympathiques parfums de fraise, de framboise et de cassis qui se prolongent agréablement dans une bouche élégante et souple. Ce que l'on appelle un vin plaisir. À déboucher dès l'automne. La cuvée **Les Trézellières 2006**, assez proche, obtient la même note.
EARL Patrick Vadé, Dom. Saint-Vincent, 49400 Saumur, tél. 02.41.67.43.19, fax 02.41.50.23.28, e-mail pavade@wanadoo.fr r.-v.

ANTOINE SANZAY L'Expression 2005 *

■ 0,5 ha n.c. 11 à 15 €

De vieille souche vigneronne, Antoine Sanzay a constitué son domaine en 2002. Depuis lors, son nom paraît régulièrement dans le Guide. Sa cuvée L'Expression a séjourné quinze mois en fût. Il en résulte une robe rouge profond, un nez où le fruit rouge s'accompagne d'un boisé intense que l'on retrouve en bouche, bien intégré. Rond et équilibré, ce 2005 séduira l'amateur de ce style de vins. Il devrait gagner à attendre deux à trois ans.
Antoine Sanzay, 19, rue des Roches-Neuves, 49400 Varrains, tél. 02.41.52.90.08, fax 02.41.50.27.39, e-mail antoine-sanzay@wanadoo.fr r.-v.

DOM. DES SANZAY Les Poyeux 2006 *

■ 0,91 ha 4 500 5 à 8 €

Didier Sanzay a repris en 1991 le domaine familial. Il exploite aujourd'hui 30 ha, dont 27 sont consacrés au saumur-champigny. Il figure régulièrement dans le Guide, notamment à travers sa cuvée Les Poyeux, très réussie dans ce millésime. D'un grenat limpide étincelant de reflets, elle révèle des senteurs intenses de fruits bien mûrs aux accents compotés. Ces nuances accompagnent la bouche jusqu'en finale, enveloppant des tanins encore très présents. L'ensemble, puissant, riche et harmonieux, mérite de vieillir quelques années.
Didier Sanzay, Dom. des Sanzay, 93, Grand-Rue, 49400 Varrains, tél. 02.41.52.91.30, fax 02.41.52.45.93, e-mail didier-sanzay@domaine-sanzay.com r.-v.

CAVE DE SAUMUR Émotion 2005 **

■ 1,5 ha 7 000 11 à 15 €

La Cave de Saumur vient de fêter en 2007 son cinquantième anniversaire. Créée par six viticulteurs, elle regroupe aujourd'hui 300 adhérents et vinifie les vendanges de 1 750 ha. Sa cuvée Émotion affiche une robe grenat profond et mêle au nez des senteurs fruitées à des notes boisées et grillées léguées par un élevage d'un an en fût.

La barrique est également présente dans une bouche franche et structurée, aux tanins déjà fondus et soyeux. Cette bouteille devrait cependant bénéficier de quelques années de garde.

Cave de Saumur, rte de Saumoussay, 49260 Saint-Cyr-en-Bourg, tél. 02.41.53.06.06, fax 02.41.53.06.10, e-mail cellier@cavedesaumur.com t.l.j. 9h-12h30 14h-18h

CAVE DE SAUMUR Sélection 2006 *

■ 16 ha 130 000 5 à 8 €

Ce vin de la coopérative de Saumur est diffusé par Alliance Loire, une structure de commercialisation qui réunit depuis 2001 sept groupements de producteurs du Val de Loire. Cette dernière s'ouvre au grand public le premier week-end d'avril, et propose un marché gourmand ainsi qu'une initiation à la dégustation. D'un rubis profond et brillant, cette cuvée Sélection s'annonce par un nez discrètement fruité. Équilibrée et assez longue en bouche, elle révèle en finale des tanins fermes et plutôt sévères qui devraient s'arrondir avec le temps.

Alliance Loire, rte de La Perrière, 49260 Saint-Cyr-en-Bourg, tél. 02.41.53.74.44, fax 02.41.53.74.49, e-mail info@allianceloire.com r.-v.

LA SEIGNEURIE Élevé en fût de chêne 2005 **

■ 0,2 ha 1 200 5 à 8 €

La deuxième génération a pris en 2005 les commandes de ce domaine créé en 1976. Son premier millésime, élevé un an en barrique, a fait grande impression. D'un rouge profond à reflets violets, il charme par un nez complexe et intense qui associe à des notes de fruits mûrs des touches épicées et légèrement boisées. Ces nuances aromatiques se prolongent dans une bouche ronde, harmonieuse et assez longue. Une bouteille à oublier en cave au moins trois ans, avant de la servir avec une viande rouge ou du fromage.

EARL Foucher, 2, rue Dovalle, Le Petit Puy, 49400 Saumur, tél. 02.41.50.11.15, fax 02.41.51.19.84, e-mail foucheralbanlaseigneurie@hotmail.com t.l.j. 9h-20h

DOM. DU VAL BRUN Bay rouge 2006

■ 20 ha 100 000 5 à 8 €

Éric Charruau exploite 30 ha sur le coteau calcaire de la rive gauche de la Loire. Ses vins sont très souvent mentionnés dans le Guide. On retrouve sa cuvée Bay rouge. Ce 2006 est un vrai vin de vigneron : fruité, élégant, frais et souple. À servir dès maintenant.

Éric Charruau, 74, rue Valbrun, 49730 Parnay, tél. 02.41.38.11.85, fax 02.41.38.16.22, e-mail eric-charruau@valbrun.com r.-v.

DOM. DU VAL HULIN 2006 *

■ 5,5 ha 40 000 5 à 8 €

Domaine du Val Hulin, domaine des Champs Fleuris : les deux entités appartiennent aux membres d'une même famille qui se sont associés pour les exploiter : Denis Rétiveau, sa sœur Catherine et son beau-frère Patrice Rétif. Ce Val Hulin 2006 s'habille d'une robe rubis nuancé de violet et exprime un agréable fruité. Après une attaque souple se manifestent des tanins encore un peu austères qui ne devraient pas tarder à se fondre. Le **Domaine des Champs Fleuris Les Tufolies 2006** obtient la même note pour son fruité et son équilibre.

EARL Rétiveau-Rétif, 50-54, rue des Martyrs, 49730 Turquant, tél. 02.41.38.10.92, fax 02.41.51.75.33, e-mail domainechamps.fleuris@wanadoo.fr r.-v.

DOM. DES VERNES Les Poyeux 2006 *

■ 0,2 ha 3 000 5 à 8 €

Dominique et Sébastien Sanzay exploitent une trentaine d'hectares autour de Chacé, tout près de Champigny. Deux de leurs cuvées se sont encore distinguées en 2007, mais la préférence est allée cette année à ces Poyeux qui ont séjourné six mois en fût. Ce 2006 n'est pas pour autant marqué par le bois. Il exprime d'intenses parfums de fruits surmûris nuancés d'une touche végétale. Ronde à l'attaque, la bouche donne l'impression de croquer dans le fruit ; elle finit sur la puissance de tanins un peu jeunes. Mieux vaut attendre cette bouteille au moins un an. La **cuvée principale 2006** n'a pas connu le bois. Elle obtient la même note.

Dominique et Sébastien Sanzay, 7, bd de Caulx, 49400 Chacé, tél. 02.41.52.99.13, fax 02.41.38.75.13 r.-v. 3

CH. DE VILLENEUVE Le Grand Clos 2005 *

■ 3 ha 10 000 15 à 23 €

Le château de Villeneuve offre une vue imprenable sur la vallée de la Loire. Il est commandé par une maison de maître en tuffeau du XVIII[e]s., remaniée au siècle suivant. La famille Chevallier a acquis l'ensemble en 1969. Depuis 1985, Jean-Pierre Chevallier, œnologue, apporte tous ses soins au vignoble de 30 ha ainsi qu'aux vinifications (cinq coups de cœur au fil des éditions du Guide). Il a restauré il y a dix ans la cave de tuffeau dans laquelle a mûri ce vin grenat au nez puissant et complexe dominé par les fruits rouges. La structure souple et ronde autorise une consommation immédiate.

Chevallier, Ch. de Villeneuve, 3, rue Jean-Brevet, 49400 Souzay-Champigny, tél. 02.41.51.14.04, fax 02.41.50.58.24, e-mail jpchevallier@chateau-de-villeneuve.com t.l.j. sf dim. 9h-12h 14h-18h

La Touraine

Les intéressantes collections du musée des Vins de Touraine à Tours témoignent du passé de la civilisation de la vigne et du vin dans la région ; et il n'est pas indifférent que les récits légendaires de la vie de saint Martin, évêque de Tours vers 380, émaillent la *Légende dorée* d'allusions viticoles ou vineuses... À Bourgueil, l'abbaye et son célèbre clos abritaient le « breton » ou cabernet franc, dès les environs de l'an mil, et, si l'on voulait poursuivre, la figure de Rabelais arriverait bientôt pour marquer de faconde et de bien-vivre une histoire prestigieuse. Une histoire qui revit au long des itinéraires touristiques, de Mesland à Bourgueil sur la rive droite (par Vouvray, Tours, Luynes, Langeais), de Chaumont à Chinon sur la rive gauche (par Amboise et Chenonceaux, la vallée du Cher, Saché, Azay-le-Rideau, la forêt de Chinon).

Célèbre il y a donc fort longtemps, le vignoble tourangeau atteignit sa plus grande extension à la fin du XIXᵉs. Il se répartit essentiellement sur les départements de l'Indre-et-Loire et du Loir-et-Cher, empiétant au nord sur la Sarthe. Des dégustations de vins anciens, des années 1921, 1893, 1874 ou même 1858, par exemple, à Vouvray, Bourgueil ou Chinon, laissent apparaître des caractères assez proches de ceux des vins actuels. Cela montre que, malgré l'évolution des pratiques culturales et œnologiques, le « style » des vins de la Touraine reste le même ; sans doute parce que chacune des appellations n'est élaborée qu'à partir d'un seul cépage. Le climat joue aussi son rôle : le jeu des influences atlantique et continentale ressort dans l'expression des vins, les coteaux formant écran aux vents du nord. En outre, la succession de vallées orientées est-ouest, vallée du Loir, de la Loire, du Cher, de l'Indre, de la Vienne multiplie les coteaux de tuffeau favorables à la vigne, sous un climat tout en nuances, et en entretenant une saine humidité. Ce tuffeau, pierre tendre, est creusé d'innombrables caves. Dans les sols des vallées, l'argile se mêle au calcaire et au sable, avec parfois des silex ; au bord de la Loire et de la Vienne, des graviers s'y ajoutent.

Ces différents caractères se retrouvent donc dans les vins. À chaque vallée correspond une appellation, dont les vins s'individualisent chaque année grâce aux variations climatiques ; et l'association du millésime aux données du cru est indispensable.

Le classement des millésimes est à moduler, bien sûr, entre les rouges tanniques de Chinon ou de Bourgueil (plus souples quand ils proviennent des graviers, plus charpentés quand ils sont issus des coteaux) et ceux plus légers, et parfois diffusés en primeur, de l'appellation touraine ; entre les rosés plus ou moins secs selon l'ensoleillement, tout comme les blancs d'Azay-le-Rideau ou d'Amboise, et ceux de Vouvray et de Montlouis dont la production va des secs aux moelleux en passant par les vins effervescents. Les techniques d'élaboration des vins ont leur importance. Si les caves de tuffeau permettent un excellent vieillissement à une température constante d'environ 12 °C, les vinifications en blanc se font à température contrôlée ; les fermentations durent quelquefois plusieurs semaines, voire plusieurs mois pour les vins moelleux. Les rouges légers, de type touraine, sont issus de cuvaisons au contraire assez courtes ; en revanche, à Bourgueil et à Chinon, les cuvaisons sont longues : deux à quatre semaines. Si les rouges font leur fermentation malolactique, les blancs et les rosés doivent au contraire leur fraîcheur à la présence de l'acide malique.

Touraine

S'étendant des portes de Montsoreau à l'ouest, jusqu'à Blois et Selles-sur-Cher à l'est, l'ère d'appellation régionale touraine recouvre 4 579 ha. Elle est principalement localisée de part et d'autre des vallées de la Loire, de l'Indre et du Cher. Le tuffeau affleure rarement ; les sols surmontent le plus souvent l'argile à silex. Ils sont plantés surtout de gamay noir pour les vins rouges, accompagné selon les terrains de cépages plus tanniques, comme le cabernet franc et le cot. La majorité des vins rouges, dont les vins primeurs, légers et fruités, sont issus de ce gamay noir uniquement. À base de deux ou trois cépages, ils ont une bonne tenue en bouteille. Nés du cépage sauvignon qui depuis quarante ans a détrôné les autres, les blancs sont secs. Une partie de la production des blancs et des rosés est élaborée en mousseux selon la méthode traditionnelle. Enfin, les rosés toujours secs, friands et fruités, sont élaborés à partir des cépages rouges. La production a atteint environ 255 427 hl en 2006 dont 28 496 hl de touraine mousseux.

DOM. GUY ALLION
Sauvignon Le Haut Perron 2005 ★★

▒ 3 ha 20 000 ▮ 3 à 5 €

Depuis que Cédric Allion s'est installé sur le domaine familial (28 ha sur les coteaux de la rive droite du Cher), la cave a été rénovée et de nouveaux locaux d'accueil ont été aménagés dans les caves troglodytiques. L'exploitation a proposé deux touraine sauvignon aux expressions de terroir marquées. Celui-ci présente un nez intense et doux d'agrumes sur un fond floral un peu miellé qui révèle une rare maturité. En bouche, il dévoile beaucoup de matière, du gras et affiche une belle longueur. Des toasts au chèvre de Selles-sur-Cher le mettront en valeur. Le **sauvignon Domaine du Haut Perron 2006**, bien équilibré mais plus frais, est un classique : une étoile.

🔑 Dom. Guy Allion, 15, rue du Haut-Perron, 41140 Thésée, tél. 02.54.71.48.01, fax 02.54.71.48.51, e-mail contact@guyallion.com ☑ 🍷 ✝ r.-v. 🏠 ©

DOM. DE L'AUMONIER Sauvignon 2006

▒ 27 ha 130 000 ▮ 3 à 5 €

Une croissance rapide depuis l'installation, en 1996, de ce couple sur les 2 ha du grand-père : leur domaine de la rive gauche du Cher s'étend aujourd'hui sur 47 ha : 26 ha sur perruche (argiles à silex), 21 sur aubuis (argilo-calcaires). Plus de la moitié des surfaces est consacrée au sauvignon, cépage roi du secteur, qui a donné ce gentil vin tout en rondeur, au nez intense de fruits exotiques. Également cité, le **cabernet 2005** a séjourné en barrique et son nez se partage entre les fruits rouges et un boisé vanillé. Assez rond, il patientera un à deux ans en cave avant d'accompagner viandes rouges ou plateau de fromages.

🔑 Sophie et Thierry Chardon, 4, rue de Villequemoy, 41110 Couffy, tél. 02.54.75.21.83, fax 02.54.75.21.56, e-mail domaine.aumoniertchardon@wanadoo.fr ☑ 🍷 ✝ r.-v.

DOM. AUPETITGENDRE Cuvée des Lys 2005

■ 1,5 ha 6 000 ▮ 3 à 5 €

Claude Aupetitgendre est installé depuis 1998 à Civray-de-Touraine, commune qui jouxte Chenonceaux sur la rive droite du Cher, et il s'emploie à restructurer son exploitation, longtemps laissée à l'abandon. Sa Cuvée des Lys, assemblage à parts égales de cot, de cabernet et de gamay, a su retenir l'attention par un nez gourmand, sur le fruit, une bouche fraîche, acidulée sans excès, le tout porté par une structure bien présente. À la fois vin d'été et vin d'hiver, ce 2005 accompagnera aussi bien les grillades que le coq au vin. Il sera bientôt prêt, tout en offrant des perspectives de bonification dans les deux ans à venir.

🔑 Claude Aupetitgendre, 12, rue des Fougères, Thore, 37150 Civray-de-Touraine, tél. 02.47.23.92.50, fax 02.47.23.96.29,
e-mail vin-aupetitgendre@wanadoo.fr ☑ Y r.-v.

DOM. DE L'AZURÉ Cuvée Fantaisie 2005 ★

■ 1,3 ha 6 000 ▮ 5 à 8 €

Lors de ses années de formation, Thierry Pillault s'est envolé plus loin que l'Azuré – petit lépidopère très sédentaire – allant jusqu'à l'Australie explorer les vignobles de la mondialisation. Puis il est retourné se poser à deux pas de Chenonceaux, dans sa maison de tuffeau centenaire, pour rechercher l'expression de son terroir de perruches. Sa Fantaisie ? Privilégié dans cette cuvée le cot, cépage historique de ce secteur au XIX^{e}s. (70 %, le solde en cabernet franc), qui donne à ce vin un caractère original. Derrière sa robe soutenue, ce 2005 dévoile un fruité épicé qui se prolonge en bouche. Ample et riche, il accompagnera dès maintenant viandes en sauce et gibier. Une citation pour la **Cuvée des Sentaurées sauvignon 2006 (3 à 5 €)**.

🔑 Thierry Pillault,
Parçay 9, chem. des Noues, Mozelles,
41400 Saint-Georges-sur-Cher,
tél. et fax 02.54.32.34.12,
e-mail thierry.pillault@tiscali.fr
☑ Y ⁂ t.l.j. sf dim. 8h30-12h30 14h-18h30; f. 20-30 août

DOM. BARON Le Baron rouge 2005

■ 2,3 ha 15 000 ▮ 3 à 5 €

Installé en 2002 sur la propriété familiale, Samuel Baron a fait sensation dès son deuxième millésime en décrochant un coup de cœur pour ce Baron rouge, mi-cot mi-cabernet. Le millésime suivant ne manque pas d'allure

La Touraine

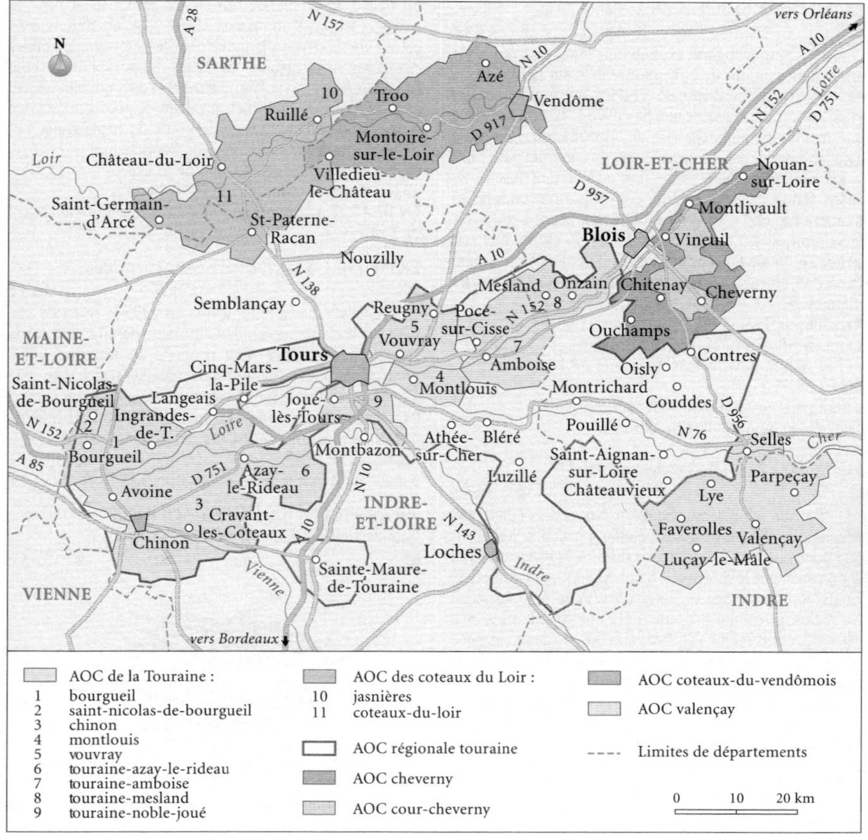

avec sa robe très colorée aux reflets violets de jeunesse et son nez bien fruité (fruits rouges et noirs), un rien réglissé. Souple, soyeux, équilibré et assez long, c'est un honorable représentant de la vallée de Chenonceaux, prêt à servir mais apte à une petite garde.

Dom. Baron, La Bougonnetière, 6, rue Jean-Pinaut, 41140 Thésée, tél. 02.54.71.58.67, fax 02.54.71.41.30, e-mail vignoblebaron@aol.com r.-v.

CELLIER DU BEAUJARDIN 2006 *

12 ha 30 000 3 à 5 €

Bléré est une déformation d'un terme gaulois qui signifie « le village au pied du pont ». De fait, un pont traverse le Cher au niveau de la commune, et la route mène à la Loire et à Amboise, assez proches ; une autre conduit à Chenonceaux, à deux pas. C'est dans ce carrefour qu'est implantée cette coopérative qui a mis à contribution le gamay, avec un appoint de cot, pour obtenir ce rosé. Un vin qui a la couleur soutenue et les arômes des fruits rouges, avec des nuances amyliques. Attaque franche, perlant rafraîchissant, finale relevée : tout ce qu'il faut pour les grillades et les repas sous la tonnelle.

Cellier du Beaujardin, 32, av. du 11-Novembre, 37150 Bléré, tél. 02.47.57.91.04, fax 02.47.23.51.27 t.l.j. 8h-12h 14h-18h30

DOM. BEAUSÉJOUR L'Excellence 2005 *

5 ha 20 000 5 à 8 €

Philippe Trotignon exploite une lentille sableuse sur argile à silex autour de Noyers-sur-Cher, sur la rive droite de la rivière. Il s'est distingué ces dernières années par des vins d'une grande harmonie. Sa cuvée L'Excellence reste une très bonne ambassadrice de l'appellation. Elle puise à parité dans les ressources du cot et du cabernet pour faire valoir ses atouts. Son expression affable de fraise et de cassis séduit, puis sa solidité convainc, tout comme sa manière franche d'en venir au fait, son talent à jouer sur le velours de ses tanins et son art de la chute. Netteté, structure, finale épicée : ses lettres de créances se voient encore confirmées dans cette édition et on l'invite dès maintenant.

Philippe Trotignon, Dom. Beauséjour, 14, rue des Bruyères, 41140 Noyers-sur-Cher, tél. 02.54.71.34.17, fax 02.54.71.77.61, e-mail philippe.trotignon@wanadoo.fr t.l.j. sf dim. 9h-12h 14h-19h

DOM. BELLEVUE Sauvignon 2006 **

14 ha 80 000 3 à 5 €

Patrick Vauvy est installé à Noyers-sur-Cher, aux Martinières (lieu-dit où sont établis plusieurs vignerons talentueux). De sa propriété, on domine la vallée du Cher et l'on distingue le château de Saint-Aignan, sur l'autre rive. En matière de sauvignon, Patrick Vauvy domine son sujet. Le millésime qu'il a proposé a été une fois de plus bien accueilli, et fut même candidat au coup de cœur. Sa robe jaune soutenu annonce un nez puissant mêlant les fleurs blanches et les agrumes, une attaque franche mais tout en souplesse, un palais gras à souhait. Un vin accompli qui satisfera aussi bien le novice que l'amateur éclairé.

EARL Vauvy, Dom. Bellevue, 6, rue du Coteau, Les Martinières, 41140 Noyers-sur-Cher, tél. 02.54.71.42.73, fax 02.54.75.21.89, e-mail domainebellevue@orange.fr r.-v.

DOM. DE LA BERGEONNIÈRE Méthode traditionnelle 2004 *

1,58 ha 13 460 5 à 8 €

Jeunes vignerons, Delphine et Laurent Benoist conduisent depuis quatre ans le domaine familial : 14 ha de vignes sur la rive droite du Cher. Ils vous feront certainement découvrir cet effervescent lors de la journée Portes ouvertes qu'ils organisent le week-end de la Pentecôte. Du chenin majoritaire et un appoint de chardonnay, selon les canons régionaux. Pas trop de longueur, mais beaucoup de bulles dans sa robe dorée, de la vivacité au nez, sur les fleurs et la pomme verte, de la franchise à l'attaque, et du fruit sec en bouche.

EARL Bodin, Dom. de La Bergeonnière, 26, rte des Fourneaux, 41140 Saint-Romain-sur-Cher, tél. et fax 02.54.71.70.43, e-mail jcbodin@wanadoo.fr t.l.j. sf dim. 9h-19h

Benoist

BLANC FOUSSY Tête de cuvée

n.c. 10 000 5 à 8 €

Installée sur les bords de la Loire aux portes de Tours, cette maison est spécialisée dans les vins effervescents. Elle dispose des caves de Saint-Roch, véritable dédale creusé dans le tuffeau entre le XII^e^s. et le XIX^e^s. pour bâtir les maisons et châteaux qui enchantent le cours du fleuve. Ces galeries offrent un climat idéal pour le mûrissement des mousseux. Deux cuvées sont citées : cette Tête de cuvée à la livrée or pâle parcourue de bulles régulières, aux arômes de fruits blancs et à la jolie fraîcheur finale ; et le **Blanc Foussy rosé**, qui met quatre cépages (gamay, cabernet, grolleau et pinot) au service d'une robe couleur fraise, de notes de fruits rouges et d'une vivacité caractéristique de l'appellation.

SA Blanc Foussy, 65, quai de la Loire, 37210 Rochecorbon, tél. 02.47.40.40.20, fax 02.47.52.65.82, e-mail tourisme@blancfoussy.com r.-v.

DOM. DE LA BLINIÈRE Sauvignon 2006

4 ha 6 000 3 à 5 €

Gaëlle Charbonnier a pris en 2005 le relais de son père sur le domaine familial, implanté depuis 1870 sur la rive droite du Cher. Elle propose un touraine sauvignon classique et léger, agrumes et feuilles fraîches au nez ; à déboucher sur un pique-nique ou des entrées de la mer.

Gaëlle Charbonnier-Marinier, Dom. de La Blinière, 41140 Saint-Romain-sur-Cher, tél. 02.54.71.48.60, fax 02.54.71.56.45, e-mail gaellecharbonnier@wanadoo.fr r.-v.

VIGNOBLES DES BOIS VAUDONS Gamay Le Bois Jacou 2006 **

6 ha 30 000 5 à 8 €

Jean-François Mérieau est installé dans un village de la rive gauche du Cher qui regarde Montrichard sur l'autre rive. De son vignoble de 35 ha, il a tiré trois cuvées fort bien accueillies. Surtout ce gamay, élu coup de cœur. Le maître mot de la dégustation ? Pureté. Pureté des parfums de fraise et de cassis, pureté d'un palais tout en élégance, ample, frais, aromatique et persistant. Bien sûr, un vin prêt à passer à table. Le cot **Les Cent Visages 2005** obtient une étoile pour ses tanins soyeux. Il pourra attendre un peu. Le **sauvignon Arpent des Vaudons 2006**, une étoile aussi, présente un nez complexe où les agrumes côtoient l'acacia et le bois fendu. Ample sur des arômes de raisin sec, il est typique de la vallée de Chenonceaux.

Jean-François Mérieau,
Vignobles des Bois Vaudons, 30, rte de la Vallée,
41400 Saint-Julien-de-Chédon, tél. 02.54.32.14.23,
fax 02.54.32.84.03, e-mail merieau2@wanadoo.fr
r.-v.

DOM. DES CAILLOTS
Sauvignon Vieilles Vignes 2006 ★

1 ha 4 000 5 à 8 €

Cet ancien domaine ((XVIII[e]s.) implanté sur les terrains silico-argileux de la rive droite du Cher s'est beaucoup développé depuis l'installation en 1983 de Dominique Girault ; sa superficie a doublé en douze ans (20 ha aujourd'hui) et les caves ont été régulièrement modernisées (derniers travaux en 2005). La propriété a ses habitudes dans le Guide. Pas moins de trois cuvées cette année. La préférée est ce sauvignon Vieilles Vignes aux arômes concentrés et complexes de fruits mûrs (fruits exotiques et fruits blancs), un vin gras et bien équilibré. Une étoile également pour le **rouge cuvée Louis des Caillots 2005** ; un mi-cot mi-cabernet sur la griotte et les fruits noirs au nez comme en bouche ; harmonieuse, souple et friande, une bouteille à déboucher dès maintenant sur une viande en sauce. Le **sauvignon cuvée principale 2006 (3 à 5 €)**, typé et frais, est cité.

EARL Dominique Girault, 2, chem. du Vigneron,
41140 Noyers-sur-Cher, tél. 02.54.32.27.07,
fax 02.54.75.27.87,
e-mail domaine.des.caillots@orange.fr
t.l.j. 8h30-12h 14h-19h; dim. matin sur r.-v.

DOM. DE LA CHAPELLE Méthode traditionnelle

0,88 ha 2 600 3 à 5 €

Cette petite ferme de polyculture et d'élevage est passée de 5 ha à 25 ha depuis sa création en 1932 ; elle s'est spécialisée, comme tant d'autres. Thierry Gosseaume la perpétue depuis 1996. Son touraine mousseux est élaboré par la maison Mirault à Vouvray. L'assemblage comprend chenin, chardonnay et 35 % d'arbois – cépage blanc local appelé aussi menu pineau. Une mousse fine, des effluves d'agrumes citronnés, une touche fumée en bouche, de la fraîcheur : un bel équilibre pour ces fines bulles à inviter à l'apéritif.

Thierry Gosseaume, La Chapelle, 41700 Choussy,
tél. et fax 02.54.71.32.43 r.-v.

LA CHAPINIÈRE Sauvignon 2006 ★★

7,4 ha 10 000 3 à 5 €

En 2003, Florence Veilex quitte la ville et s'installe à Châteauvieux, sur la rive gauche du Cher, pour réaliser son rêve : conduire un domaine viticole. Reconversion réussie, à en juger par cet admirable touraine blanc. Du sauvignon, il affiche le caractère aromatique, avec une réelle élégance. Finesse des arômes d'agrumes, pamplemousse et orange mêlés, droiture de l'attaque sur des notes de rhubarbe et de réglisse, fraîcheur de la finale : quelle harmonie !

La Chapinière de Châteauvieux,
4, chem. de la Chapinière, 41110 Châteauvieux,
tél. 02.54.75.43.00, fax 02.54.75.31.60,
e-mail contact@lachapiniere.com
t.l.j. 10h-19h; dim. sur r.-v.
Florence Veilex

DOM. DU CHAPITRE Cot 2005 ★

2 ha 10 000 3 à 5 €

La famille Desloges est installée à Saint-Romain-sur-Cher, à la limite orientale de la vallée de Chenonceaux. À l'est se déploient les paysages ponctués d'étangs de la Sologne. Le domaine produit des vins rouges particulièrement terroités. Celui-ci, un pur cot, offre un corps généreux, déjà soyeux, et gagnera à vieillir. Cité, le **rouge cuvée Prestige 2005 (5 à 8 €)**, fort différent, joue le registre du fruité (fraise, cassis) et affirme une fraîcheur toute ligérienne. À déboucher dès maintenant et à garder deux à trois ans.

Maryline et François Desloges, 82, rue Principale,
41140 Saint-Romain-sur-Cher, tél. 02.54.71.71.22,
fax 02.54.71.08.21,
e-mail ledomaineduchapitre@wanadoo.fr
t.l.j. 9h-19h

DOM. CHARBONNIER Cot 2005

2,7 ha 10 000 3 à 5 €

Châteauvieux possède, en face de la mairie, un Conservatoire de la vigne où sont plantés une cinquantaine de cépages. Daniel et Michel Charbonnier, rejoints par Stéphane, sont installés au-dessus du bourg, où ils exploitent une vingtaine d'hectares. Le millésime 2005 a offert au cot une maturité exceptionnelle. Ces vignerons en ont tiré un vin puissant et encore sévère, qui demandera deux à trois ans de cave pour s'ouvrir pleinement. On pourra le servir sur du gibier.

GAEC Charbonnier, 4, chem. de la Cossaie,
41110 Châteauvieux, tél. 02.54.75.49.29,
fax 02.54.75.40.74,
e-mail dms.charbonnier@wanadoo.fr r.-v.

DOM. DES CHÉZELLES Symphonie 2005

1 ha 3 000 8 à 11 €

Installé en 1996, Alain Marcadet assure la pérennité d'une exploitation fondée en 1850. Ses 20 ha de vignes sont implantés sur des terrains argilo-calcaires à tendance siliceuse. Le cabernet franc et le cot sont assemblés à parts égales dans cette cuvée qui retient l'attention par sa puissance. Le nez est marqué par un boisé aux nuances de fruits secs, la bouche attaque avec ampleur sur des notes de fruits rouges avant de dévoiler une bonne charpente. Un vin encore jeune et assez tannique qui atteindra son apogée dans deux à trois ans. Le **cabernet 2005 (5 à 8 €)**, cité lui aussi, n'a pas connu le bois. Son nez de fruits rouges (cerise) et sa rondeur lui permettront d'accompagner dès maintenant une viande rôtie.

EARL Alain Marcadet, 18, rue du Grand-Mont,
41140 Noyers-sur-Cher, tél. 02.54.75.13.94,
fax 02.54.75.44.09, e-mail alain.marcadet@wanadoo.fr
t.l.j. sf dim. 9h-12h 14h-19h

LOIRE

DOM. DU CLOS ROUSSELY Anthologie 2005 ★

2,5 ha 9 000 5 à 8 €

Un rêve d'enfant : recréer le domaine cultivé par son aïeul, disparu depuis deux décennies. Vincent Roussely l'a réalisé, à vingt-cinq ans, non sans avoir parcouru aupa-

ravant les vignobles du Nouveau Monde. Depuis son installation, des sélections régulières témoignent de son savoir-faire. Sa cuvée Anthologie porte une robe dense à reflets violets qui annonce un nez intense mêlant sous-bois, épices et cassis bien mûr. L'attaque souple introduit un corps étoffé aux tanins déjà fondus. Un peu d'austérité en finale, due à l'élevage en fût, mais on pourra déboucher cette bouteille courant 2008.
Dom. du Clos Vincent Roussely, La Chauverie, 41400 Saint-Georges-sur-Cher, tél. et fax 02.54.32.86.46, e-mail clos-roussely@yahoo.fr r.-v.

DOM. DES CORBILLIÈRES Sauvignon 2006 *

13 ha 95 000 5 à 8 €

Un domaine de la Sologne viticole acquis par la famille Barbou dans les années 1920. Dans la première édition du Guide, Maurice. Aujourd'hui, Dominique. Or pâle cristallin, son touraine sauvignon offre tout ce que l'on attend de ce style de vin : un nez aromatique de fruits bien mûrs aux accents exotiques, une attaque intense et ronde, une bonne tenue en bouche, de la complexité, de l'équilibre, de la persistance.
EARL Barbou, Dom. des Corbillières, 41700 Oisly, tél. 02.54.79.52.75, fax 02.54.79.64.89 r.-v.

DANIELLE DE L'ANSÉE Sauvignon 2006

10 ha 50 000 3 à 5 €

Marque de négoce de Pascal Gibault, par ailleurs vigneron à Noyers-sur-Cher. Or pâle, son touraine sauvignon attire par son nez de coing et de miel, prélude à une bouche assez chaleureuse. Un vin riche et puissant qui devrait se conserver un an ou deux.
SARL Danielle de l'Ansée, Les Martinières, 15, rue des Vignes, 41140 Noyers-sur-Cher, tél. 02.54.71.09.95, fax 02.54.75.29.79, e-mail danielle-de-lansee@wanadoo.fr
t.l.j. sf dim. 9h-18h
Pascal Gibault

DANIEL DELAUNAY Sauvignon 2006

7,5 ha 14 000 3 à 5 €

Installé en 1974 sur la rive gauche du Cher, en amont de Chenonceaux, Daniel Delaunay exploite 18 ha. Son sauvignon montre peu de couleur, mais affiche un nez puissant et frais de bourgeon de cassis, avec une note minérale. En bouche, l'aubépine s'invite avec le chèvrefeuille, dans une attaque souple ; on retrouve les arômes du nez, sur un fond végétal, tandis que la finale est marquée par une touche d'amertume. Une bouteille qui s'accordera avec les crustacés. Également cité, le **gamay 2006** a la couleur et le goût de la cerise, avec une note acidulée de groseille. Il maintient l'équilibre entre la rondeur et la fraîcheur et sera servi dès maintenant.
Daniel Delaunay, 2, rue de la Bergerie, La Tesnière, 41110 Pouillé, tél. 02.54.71.46.93, fax 02.54.71.77.34
t.l.j. sf dim. 9h30-12h30 14h-19h

DOM. JOËL DELAUNAY Sauvignon 2006

10 ha 80 000 5 à 8 €

Joël Delaunay, qui a développé ce domaine de la vallée du Cher à partir de 1965, a plus d'un coup de cœur à son actif. En 2003, il a passé la main à son fils Thierry qui se trouve à la tête de 23 ha de vignes. Jaune léger à reflets tilleul, ce touraine sauvignon offre une belle expression de la vallée du Cher. Frais et gras, bien équilibré, c'est un touraine blanc typique.
EARL Dom. Joël Delaunay, 48, rue de la Tesnière, 41110 Pouillé, tél. 02.54.71.45.69, fax 02.54.71.55.97, e-mail contact@joeldelaunay.com
t.l.j. sf dim. 9h-12h 14h-18h
Thierry Delaunay

VIGNOBLE DUBREUIL Cot 2005

0,6 ha 2 000 3 à 5 €

À la tête de 25 ha de vignes, Rémi Dubreuil propose une cuvée de cot, un cépage qui convient tout à fait à ce terroir de la Sologne viticole. Au nez, ce 2005 associe les petits fruits rouges aux épices et au sous-bois. Après une attaque souple, la bouche évolue avec rondeur, puis les tanins font sentir leur présence. Déjà agréable à boire, ce vin pourra attendre un an ou deux, ce qui lui permettra de s'arrondir.
Rémi Dubreuil, La Touche, 41700 Couddes, tél. 02.54.71.34.46, fax 02.54.71.09.64, e-mail dubreuil.remi@wanadco.fr
t.l.j. 8h30-12h30 14h30-19h30

DOM. DES ÉCHARDIÈRES
Cabernet franc Vieilles Vignes 2005

1 ha 5 500 3 à 5 €

Jeune vigneron, Luc Poullain a repris en 2000 une exploitation située sur la rive gauche du Cher, en amont de Chenonceaux. Il a rénové la cave et exploite ses quelque 15 ha de vignes en agriculture raisonnée. Bien homogène, sa cuvée Vieilles Vignes exprime au nez de chaleureux parfums de framboise et de fraise bien mûres. Ronde et franche à l'attaque, toujours fruitée, elle finit sur des tanins fondus. Une bouteille à associer dès aujourd'hui à des viandes rouges ou à du gibier. Elle peut aussi attendre un peu.
Luc Poullain, 9, rue de La Brosse, 41110 Pouillé, tél. et fax 02.54.71.46.66, e-mail info@domaine-echardieres.com r.-v.

DOM. DE FONTENAY Sauvignon 2006 *

1,5 ha 5 000 3 à 5 €

Didier et Carole Corby ont repris il y a une dizaine d'années une exploitation située sur la rive gauche du Cher, à deux pas de Chenonceaux. La vigne avait été arrachée, ils l'ont replantée (8,5 ha aujourd'hui). Issu de sols de perruches (argile à silex), leur touraine blanc mise sur la finesse, avec son nez légèrement exotique, sa bouche élégante, équilibrée et longue, à la fois souple et fraîche. Un ensemble complet et gracieux. Mi-cot mi-cabernet, la cuvée **Prestige rouge 2005**, une étoile également, mêle le bigarreau et la fraise à des notes vanillées héritées d'un court passage dans le bois. Soyeuse au palais, déjà prête, elle prendra la suite du vin blanc au cours du repas.
EARL Didier et Carole Corby, 3, Fontenay, 37150 Bléré, tél. et fax 02.47.57.93.05 r.-v.

DOM. DE LA GARENNE
Méthode traditionnelle Fines bulles de Touraine **

1,5 ha 6 000 5 à 8 €

Jacky Charbonnier a repris en 1976 la propriété qui compte aujourd'hui 20 ha dans la vallée du Cher. Il a été rejoint en 2002 par son fils Ludovic. Ces vignerons réunissent leurs clients le premier week-end de mai autour de produits du terroir. Les vins effervescents sont une

spécialité traditionnelle de la Touraine. Voici un exemple accompli des « fines bulles » régionales, né du chenin avec un appoint de chardonnay. Une mousse très fine surmonte la robe jaune clair brillant. Le nez subtil est fait de coing, vivifié par des effluves citronnés, tandis que l'attaque souple apporte des arômes de fruits à chair blanche et jaune (pêche, abricot). L'ensemble, structuré et long, fera un bel apéritif. Cité, le **sauvignon 2006 (3 à 5 €)**, minéral, pierre à fusil, pourra accompagner un pain de poisson.

🔑 GAEC Jacky Charbonnier et Fils,
11, rte de la Vallée, 41400 Angé, tél. 02.54.32.10.06,
fax 02.54.32.60.84,
e-mail ludoviccharbonnier@wanadoo.fr ☑ Y 🚶 r.-v.

DOM. GIBAULT Sauvignon Platine 2006 ★★

■ 5 ha 40 000 ▮ 5 à 8 €

Installé en 1988, Pascal Gibault est établi aux confins de la Touraine et de la Sologne viticole. Il apporte beaucoup de soin à son vignoble (22 ha) et n'hésite pas à retarder la date de ses vendanges pour que ses raisins se gorgent de la substance du terroir. Le sauvignon, il connaît : ce cépage lui a valu trois coups de cœur. Loin d'être de la couleur du métal blanc, sa cuvée Platine affiche un jaune paille soutenu, qui annonce ses arômes de fruits très mûrs, voire confiturés, et sa matière riche, puissante et pleine. Un style de vin qui pourrait bénéficier prochainement d'une appellation chenonceaux. Le **rouge cuvée Émotion 2005 (3 à 5 €)** associe le cot et les deux cabernets. Il est cité pour ses arômes de cerise griotte et pour sa bouche équilibrée et longue, assez tannique. Il peut attendre deux ans.

🔑 Dom. Gibault, 11, rue des Vignes, Les Martinières,
41140 Noyers-sur-Cher, tél. 02.54.75.36.52,
fax 02.54.75.29.79 ☑ Y 🚶 r.-v.

VIGNOBLE GIBAULT Sauvignon 2006

■ 3,5 ha 18 000 ▮ 3 à 5 €

Établi à l'extrémité orientale de la vallée du Cher, Patrick Gibault exploite depuis 1981 le vignoble constitué par son père : 27 ha aujourd'hui, sur des sols d'argiles à silex. Une minéralité qu'exprime son touraine blanc, agréable et rond en bouche, un peu chaleureux en finale. Ce vin pourra accompagner les asperges que l'on produit dans le Val de Loire. Une citation également pour la **cuvée L'Audacieuse rouge 2005**, un pur cot assez tannique, qui affiche un certain potentiel.

🔑 Vignoble Patrick et Chantal Gibault,
183, rue Gambetta, 41130 Meusnes, tél. 02.54.71.02.63,
fax 02.54.71.58.92, e-mail vignoblegibault@wanadoo.fr
☑ Y 🚶 t.l.j. sf dim. 8h-12h 14h-19h

DOM. DE LA GIRARDIÈRE Sauvignon 2006

■ 6,66 ha 15 000 ▮ 3 à 5 €

Ce domaine familial est implanté sur le territoire de Saint-Aignan-sur-Cher, bourg de la rive gauche qui a gardé un cachet médiéval avec son château et sa collégiale romane. Créé au début du XX^e^s., il a été agrandi au fil des générations et s'est spécialisé. À sa tête depuis 1988, Patrick Léger exploite ses 16 ha en agriculture raisonnée. Une robe pâle à reflets verts habille son touraine blanc. Un vin discrètement floral au nez, fin à l'attaque et d'une bonne tenue en bouche. Également cité, le **rouge cuvée Prestige 2005** met à contribution cabernet franc (65 %) et cot. Framboise-cassis, une bouteille équilibrée, fruitée du premier nez à la finale, à servir avec viandes rouges et fromages.

🔑 Patrick Léger, La Girardière, 41110 Saint-Aignan,
tél. 02.54.75.42.44, fax 02.54.75.21.14,
e-mail contact@domainedelagirardiere.com ☑ Y 🚶 r.-v.

CAVE DE LA GRANDE BROSSE Cabernet 2005 ★

■ 5 ha 25 000 ▮ 3 à 5 €

Les origines de la cave de la Grande Brosse remontent au X^e^s. Cette galerie longue de 3 km et profonde de 40 m, qui fournit jadis des pierres pour la construction des châteaux de Chambord et de Cheverny, est une des curiosités de la commune de Chémery, aux portes de la Sologne. On pourra y découvrir cette cuvée de cabernet aux arômes de cassis caractéristiques, franche à l'attaque et soutenue par une structure tannique puissante mais soyeuse. On la décantera avant de la servir sur une viande rouge ou du gibier. Elle peut supporter une petite garde (un à trois ans).

🔑 Cave de la Grande Brosse, La Grande Brosse,
41700 Chémery, tél. 02.54.32.32.21, fax 02.54.71.81.03,
e-mail cave-grande-brosse@wanadoo.fr ☑ Y 🚶 r.-v.
🔑 Philippe Oudin

DOM. DU GRAND MOULIN Sauvignon 2006 ★

■ 10 ha 2 000 3 à 5 €

Deuxième millésime de Vincent Seneau, qui a repris en 2005 l'exploitation familiale : 15 ha sur la rive gauche du Cher. Or pâle à reflets verts, son touraine sauvignon allie intensité aromatique, finesse et élégance. Un léger perlant rehausse sa fraîcheur. Un vin friand que l'on suggère de servir lors d'un apéritif dînatoire entre amis. Il accompagnera aussi des entrées ou des produits de la mer.

🔑 Vincent Seneau, EARL Dom. du Grand Moulin,
41110 Châteauvieux, tél. et fax 02.54.75.14.50
☑ Y 🚶 r.-v.

DOM. DE LA GRANGE Les Buissonnets 2006 ★

■ 2 ha 6 000 ▮ 3 à 5 €

Bruno Curassier conduit depuis 1992 le domaine familial : 13 ha à deux pas de Chenonceaux et d'Amboise. Sa cuvée Les Buissonnets assemble 70 % de sauvignon au chardonnay. Elle offre un nez léger, discrètement citronné, et une bouche ample et ronde, où l'on retrouve la fraîcheur et les arômes des agrumes. Cité, le **moelleux La Taille Saint Julien 2005 (8 à 11 €)** laisse dominer le chenin (70 %), complété par le sauvignon, et a connu le bois. Avec ses arômes de fruits confits, il trouvera sa place à l'apéritif.

🔑 Dom. de La Grange, La Grange, 37150 Bléré,
tél. et fax 02.47.57.68.18,
e-mail bruno.curassier@orange.fr
☑ Y 🚶 t.l.j. sf dim. 10h-12h 15h-19h;
f. vacances scolaires fév. 🏠 Ⓓ
🔑 Bruno Curassier

DOM. DE LA GRANGE TIPHAINE
Becarre 2005 ★

■	0,5 ha	1 500	8 à 11 €

Damien Delecheneau a pris en 2002 la succession de trois générations sur le domaine familial, créé à la fin du XIXes. et qui compte aujourd'hui 10 ha. Producteur à Montlouis-sur-Loire, il possède aussi quelques parcelles à Amboise sur des terroirs argilo-calcaires. Issue de cabernet franc, cette cuvée a été élevée dix-huit mois en fût. Elle libère des parfums de fruits rouges et noirs (cerise, mûre, cassis) sur un fond vanillé. Dans le même registre aromatique, la bouche se montre riche et équilibrée, légèrement tannique. Un vin de viande rouge et de gibier, que l'on peut servir dès maintenant ou attendre deux à trois ans.

Damien Delecheneau, Dom. La Grange Tiphaine, 37400 Amboise, tél. 02.47.57.64.17, fax 02.47.57.39.49, e-mail lagrangetiphaine@wanadoo.fr r.-v.

DOM. GUENAULT Sauvignon 2006 ★

■	8,34 ha	60 000	3 à 5 €

Propriété de la famille Bougrier depuis quatre générations, ce domaine de 45 ha implanté sur la rive gauche du Cher, à la frontière de l'Indre-et-Loire et du Loir-et-Cher, possède de réels atouts, comme le montre ce touraine blanc au nez intense d'agrumes et de genêt. La bouche est dominée par des impressions de rondeur et de gras, et marquée par quelques sucres résiduels qui rendent cette bouteille facile d'accès.

Dom. Guenault, Les Hauts Lieux, 41400 Saint-Georges-sur-Cher, tél. 02.54.32.31.36
Bougrier

DOM. DE LA HAUTE CLÉMENCERIE
Gamay 2006

■	6 ha	5 000	3 à 5 €

Ce vignoble familial, situé du côté de Chenonceaux, sur la rive gauche du Cher, remonte aux années 1930 ; le domaine est plus ancien encore. Patrick Mahoudeau, qui a pris le relais en 1995, exploite aujourd'hui 27 ha. Il propose un touraine gamay classique, avec sa robe cerise, ses arômes intenses de fruits rouges, sa bouche ronde et souple, assez longue. Pour accompagner un bon petit repas simple et convivial.

EARL de La Haute Clémencerie, 7, rte de la Haute-Clémencerie, 41400 Faverolles-sur-Cher, tél. et fax 02.54.32.49.38, e-mail patrickmahoudeau@aol.com
t.l.j. 8h-12h 14h-18h, f. 1re quinzaine août
Patrick Mahoudeau

DOM. LOUET-ARCOURT
Cot Cuvée Réserve 2005 ★★

■	1,5 ha	4 000	3 à 5 €

En 1989, Jean-Louis Arcourt a repris l'exploitation, à la suite de son beau-père Jean Louet qui représenta l'appellation touraine à l'Inao durant les années 1990. Exploitée en agriculture raisonnée, la propriété, proche de Chaumont sur la rive gauche de la Loire, s'étend sur 18 ha, principalement sur des argiles à silex. Un terroir magistralement mis en valeur par ce vigneron dans cette cuvée de pur cot aux arômes puissants de mûre et de myrtille. Un vin frais et d'une réelle élégance, déjà harmonieux tout en pouvant soutenir une petite garde. Une étoile pour le **rouge cuvée Prestige 2005**, assemblage mi-cot mi-cabernet complexe et gourmand, avec des arômes de fruits cuits et une bouche souple, harmonieuse, de bonne tenue et assez longue.

EARL Dom. Louet-Arcourt, La Berthaudière, 1, rue de la Paix, 41120 Monthou-sur-Bièvre, tél. 02.54.44.04.54, fax 02.54.44.15.06
t.l.j. 9h-12h 14h-19h; f. fin août

JEAN-CHRISTOPHE MANDARD 2006

■	2 ha	7 000	3 à 5 €

Jean-Christophe Mandard cultive 16,5 ha de vignes en agriculture raisonnée sur la rive gauche du Cher, du côté de Saint-Aignan. Avec cet assemblage dominé par le gamay (75 %, le reste en cot), il propose ce que l'on appelle un « vin de soif » : un rosé tout en souplesse, au nez de fruits des bois, un peu amylique au palais, à déguster avec grillades, volailles, charcuteries et salades composées.

Jean-Christophe Mandard, 14, rue du Bas-Guéret, 41110 Mareuil-sur-Cher, tél. 02.54.75.19.73, fax 02.54.75.16.70, e-mail mandard.jc@wanadoo.fr
r.-v.

DOM. DE MARCÉ Sauvignon 2006

■	12 ha	50 000	3 à 5 €

Ce sauvignon provient des terres argilo-siliceuses du secteur oriental de la Touraine, aux confins de la Sologne. Jaune clair à reflets tilleul, il présente un nez fin et élégant aux nuances variétales. Suave et gras à l'attaque, il finit sur une touche de fraîcheur caractéristique.

Daniel Godet, Marcé, 41700 Oisly, tél. 02.54.79.54.04, fax 02.54.79.54.45
t.l.j. 8h-12h 14h-19h

HENRY MARIONNET Première Vendange 2006 ★

■	6 ha	40 000	5 à 8 €

La famille Marionnet s'est installée en Touraine orientale, aux confins de la Sologne, dans les années 1960 et cultive aujourd'hui 62 ha de vignes. Elle s'intéresse aux cépages locaux et oubliés, et exploite une vigne non greffée. Henry Marionnet élabore toujours une cuvée avec les premiers raisins récoltés, d'où cette cuvée Première Vendange, issue de gamay. Rond, équilibré et long, fruité à souhait, c'est le type même du vin plaisir, prêt à passer à table. Le 2004 avait reçu un coup de cœur.

Henry Marionnet, Dom. de La Charmoise, 41230 Soings-en-Sologne, tél. 02.54.98.70.73, fax 02.54.98.75.66, e-mail henry@henry-marionnet.com
t.l.j. sf dim. 9h-12h 14h-17h30; sam. sur r.-v.; f. août

MARQUIS DE ROCHEMONT
Cabernet Malbec 2005

■	3 ha	n.c.	3 à 5 €

Marque créée en 2006 par une structure de négoce mise en place en 2004 par deux associés établis depuis des

siècles près de Chenonceaux. Ce marquis, loin d'être replié sur ses terres, semble vouloir se mettre en phase avec l'économie mondialisée, lorsqu'il met en avant (sur ses étiquettes) les vins de la *Loire Valley*. Il promeut ceux de la vallée du Cher, et les cépages cabernet franc et malbec (cot), variétés présentes dans cette cuvée qui laisse cependant dominer le cabernet-sauvignon (60 %). Ce dernier marque de sa présence cette bouteille au nez cassis-fraise et aux tanins très présents, réglissés en finale. Un vin de semi-garde que l'on peut déboucher dès aujourd'hui ou garder deux ans.
Marquis de Rochemont, 4, Porteau,
41400 Saint-Georges-sur-Cher, tél. 02.54.32.06.31,
fax 01.53.01.46.32, e-mail contact@m-rochemont.com
r.-v.

DOM. JACKY MARTEAU Sauvignon 2006

12 ha 80 000 3 à 5 €

Le millésime précédent fut coup de cœur (sans remonter au 1992...). Ce vigneron installé sur la rive gauche du Cher ne manque pas le rendez-vous du Guide. Le 2006 affiche une robe or jaune et une grande puissance, teintée de minéralité. Il est souple et rond, avec des arômes de fruits mûrs. Le tout devrait s'entendre avec un carpaccio de saint-jacques.
Jacky Marteau, 36, rue de La Tesnière,
41110 Pouillé, tél. 02.54.71.50.00, fax 02.54.71.75.83,
e-mail domainejackymarteau@free.fr r.-v.

DOM. MICHAUD
Cuvée Ad vitam Vieilles Vignes 2005 *

5 ha 15 000 3 à 5 €

Sur la rive droite de la rivière, la ville de Noyers-sur-Cher abrite nombre de vignerons talentueux comme les Michaud, forts d'un domaine de 20 ha aux alentours, et qui ont collectionné une demi-douzaine de coups de cœur. Ainsi cette cuvée, assemblage de cabernet franc (60 %) et de cot, a-t-elle été couronnée dans le millésime 2003. Le 2005 se pare d'une robe grenat sombre et laisse sur une bonne impression, avec ses tanins qui font patte de velours et sa jolie bouche fraîche qui reste longtemps sur le fruit. À garder ad vitam... ? Surtout pas. Comme les vins rouges de Touraine, cette bouteille n'a pas vocation à la vie éternelle mais le plaisir sera certain. Cité, le **sauvignon 2006** délivre des arômes de fruits exotiques (mangue) dans un style chaleureux cultivé du côté de Chenonceaux.
Dom. Michaud, 20, rue des Martinières,
41140 Noyers-sur-Cher, tél. 02.54.32.47.23,
fax 02.54.75.39.19, e-mail thierry-michaud@wanadoo.fr
t.l.j. sf dim. 9h-12h 14h-19h

MONMOUSSEAU Cuvée J.M. 2004 *

47,5 ha 411 866 5 à 8 €

Maison fondée en 1886. Elle a son siège à Montrichard, sur les bords du Cher et dispose de 15 km de galeries creusées dans le tuffeau. Elle a diversifié ses activités, mais les vins effervescents de Loire constituent une part importante de son offre. Cette cuvée J.M. est élaborée à partir de pur chenin. Un cordon persistant monte dans sa robe jaune pâle. Le nez associe de fines notes beurrées à des fruits exotiques. L'attaque franche introduit une bouche vive et pleine de fruits. Un bel équilibre.
SA Monmousseau, 71, rte de Vierzon, BP 25,
41400 Montrichard, tél. 02.54.71.66.66,
fax 02.54.32.56.09,
e-mail monmousseau@monmousseau.com r.-v.
Bernard Massard

DOM. DES MOREAUX Cot 2005

0,5 ha 3 000 3 à 5 €

Producteur en valençay, Francis Jourdain propose aussi des vins d'appellation touraine. Ce 2005 qui doit tout au cépage cot s'annonce par des parfums de groseille et de cassis. Vif, aromatique et long, il est déjà agréable tout en révélant un certain potentiel. Il devrait bénéficier d'une petite garde (un à deux ans).
Francis Jourdain, Les Moreaux, 36600 Lye,
tél. 02.54.41.01.45, fax 02.54.41.07.56,
e-mail jourdain.earl@wanadoo.fr r.-v.

DOM. OCTAVIE Sauvignon 2006

15,5 ha 100 000 5 à 8 €

Le nom du domaine est un hommage à l'arrière-grand-mère de l'actuelle propriétaire, qui apporta les premières parcelles à la fin du XIX[e]s. Aujourd'hui, Isabelle Rouballay, avec son mari Noë, exploite 30 ha de vignes aux lisières de la Sologne, selon les principes de l'agriculture raisonnée. Bien construit, le touraine blanc de la propriété présente un nez discret de fleurs et surtout d'agrumes. Ces derniers se mêlent au bourgeon de cassis dans un palais vif à l'attaque et non dénué d'élégance. Un ensemble typique de cette région de Oisly.
Noë Rouballay, Dom. Octavie, Marcé, 41700 Oisly,
tél. 02.54.79.54.57, fax 02.54.79.65.20,
e-mail domaineoctavie@domaineoctavie.com
t.l.j. 9h-12h30 14h-18h30; dim. sur r.-v.

CAVES DU PÈRE AUGUSTE Sec 2006 *

1,5 ha 9 000 3 à 5 €

Une histoire familiale : le père Auguste en captivité, puis rentrant de Prusse à pied, après le désastre de 1870. C'est ce trisaïeul d'Alain, de Joël et de Christine Godeau qui a creusé les caves dans le tuffeau. Aujourd'hui, un domaine de 32 ha situé aux portes de Chenonceaux, et des mentions régulières dans le Guide – cette année pour un rosé qui remet en honneur le grolleau. Ce cépage, un peu oublié en Touraine, constitue la base de cette bouteille, associé au cabernet et au cot. D'une pimpante couleur pivoine, ce vin respire les fruits exotiques. Souplesse à l'attaque, vivacité en finale : la grâce même.
GAEC des Caves du Père Auguste,
14, rue des Caves, 37150 Civray-de-Touraine,
tél. 02.47.23.93.04, fax 02.47.23.99.58,
e-mail contact@cavesduepereauguste.com
t.l.j. 8h30-19h30; dim. 10h-12h
Godeau

DOM. DES PIERRETTES Le Cabernet 2005 *

6 ha 2 000 3 à 5 €

Repris en 2003 par deux jeunes vignerons, Cyril Geffard et Vincent Guilbaud, ce domaine est situé sur la rive gauche de la Loire. Deux repères : le château de Chaumont à l'est, celui d'Amboise à l'ouest. Bon terroir sur les premières côtes de perruches, 18 ha. Le Cabernet vous accueille à bras ouverts, simple et expansif : du fruit rouge, de la groseille. Il sait se faire apprécier par sa rondeur, ses arômes de cerise et, au moment des adieux, vous retient longuement sur le pas de la porte. Vous reviendrez. Un style friand bien réussi. À servir dans les deux ans à venir.
Dom. des Pierrettes, Le Meunet,
41150 Rilly-sur-Loire, tél. 02.54.20.98.44,
fax 02.54.20.98.83, e-mail dom.pierrettes@free.fr
t.l.j. sf dim. 8h-19h

LOIRE

DOM. DU PRÉ BARON L'Élégante 2006

5 ha 25 000 5 à 8 €

1964 : création du domaine. Trente ans plus tard, Guy Mardon prend le relais. Il exploite aujourd'hui en lutte raisonnée ses 35 ha de vignes situés en Sologne viticole. Une fois de plus au rendez-vous du Guide, il propose deux touraine blancs de pur sauvignon ; fort différents, ceux-ci illustrent bien l'effet terroir. L'Élégante, issue de sols argilo-sableux, est intense au nez, riche, ronde et persistante : un vin de caractère. La **cuvée principale Domaine du Pré Baron sauvignon 2006 (3 à 5 €)**, citée également, provient de sables sur argiles du miocène ; elle est plus discrète, minérale et fraîche.

Jean-Luc Mardon, Dom. du Pré Baron,
41700 Oisly, tél. 02.54.79.52.87, fax 02.54.79.00.45,
e-mail jean-luc.mardon@wanadoo.fr r.-v.

CH. DE LA PRESLE Gamay 2006

9 ha 45 000 3 à 5 €

Vigneron à Oisly, Jean-Marie Penet est depuis 1998 à la tête du domaine familial acquis par ses aïeux dans les années 1880. Il exploite les terroirs argilo-sableux de la Sologne viticole et a su conserver le caractère jovial du gamay de Touraine. Avec sa robe intense, son nez aromatique aux accents de fruits rouges, sa structure légère et vive non dénuée d'une certaine fermeté, ce 2006 est un classique qui égaiera les buffets de charcuteries, barbecues et autres repas simples et conviviaux.

Dom. Jean-Marie Penet, Ch. de La Presle,
41700 Oisly, tél. 02.54.79.52.65, fax 02.54.79.08.50,
e-mail domaine.jean-marie.penet@wanadoo.fr
t.l.j. sf dim. 9h-12h 14h-18h30
F. et A.-S. Meurgey-Penet

CH. DE QUINÇAY
Opus Vinum Sélection château 2005

25 ha 10 000 5 à 8 €

Après 1870, un général de brigade se fait vigneron. Il s'installe à Meusnes... capitale de la pierre à fusil. Ses descendants ont hérité d'un petit château et d'un vignoble à l'extrême est de la vallée de Chenonceaux. La propriété possède des sols de graves, lentilles caillouteuses laissées sur place par les remaniements géologiques successifs. Mi-cabernet mi-cot, cet Opus Vinum est issu de ce terroir particulier. Sa teinte soutenue annonce des arômes de fruits très mûrs et une riche matière aux tanins déjà soyeux. La finale sur les fruits noirs est du plus bel effet. L'ensemble est prêt, mais pourra se garder au moins deux ans.

Frédéric et Philippe Cadart,
Ch. de Quinçay, Quinçay, 41130 Meusnes,
tél. 02.54.71.00.11, fax 02.54.71.77.72,
e-mail quincay@cario.fr
t.l.j. sf dim. 9h-12h 14h-19h

DOM. DE LA RABOTIÈRE Sauvignon 2006 ★

0,59 ha 5 000 3 à 5 €

Les vignes de la famille Trotignon (près de 23 ha) sont groupées autour d'une vieille loge de château, à Angé, près de Montrichard dans la vallée du Cher. Avec ce 2006, celle-ci propose un vin bien élevé et conforme à l'idée que l'on peut se faire d'un touraine blanc. Des notes exotiques et citronnées en approche, une attaque d'une agréable fraîcheur, un petit perlant sympathique composent un ensemble fringant que vous pourrez inviter tout au long de l'année à votre table.

EARL Dom. de La Rabotière,
41-43, rte de la Vallée, La Rabotière, 41400 Angé,
tél. 02.54.32.27.27, fax 02.54.32.01.65,
e-mail rabotier@wanadoo.fr r.-v.

DOM. DE LA RENAUDIE Sauvignon 2006 ★★

8 ha 60 000 5 à 8 €

Il brille, ce vin or pâle à reflets verts. Pas seulement dans le verre. Il brille de deux étoiles, et vaut à la propriété son troisième coup de cœur. Ce sauvignon sort du lot. Il vient du terroir silico-argileux de Mareuil-sur-Cher, aux confins de la Touraine et de la Sologne. Son joli nez plein de vivacité évoque le pamplemousse et l'orange, avec la petite touche variétale de bourgeon de cassis. L'attaque ronde prélude à une bouche intense, équilibrée, persistante, toujours aromatique, marquée par une note de pierre à fusil. Un modèle pour les vins de Chenonceaux, qui bénéficieront peut-être prochainement d'une appellation. À découvrir dans un domaine où l'on aime aussi la musique, et où l'on organise périodiquement des soirées jazz.

Bruno Denis,
Dom. de La Renaudie, 115, rte de Saint-Aignan,
41110 Mareuil-sur-Cher, tél. 02.54.75.18.72,
fax 02.54.75.27.65,
e-mail domaine.renaudie@wanadoo.fr
t.l.j. sf dim. 9h-12h 14h-19h; f. fin août

DOM. DE LA RENNE Sauvignon 2006

11 ha 65 000 3 à 5 €

Implanté sur la rive droite du Cher, ce domaine fondé il y a un siècle a connu un développement spectaculaire depuis les années 1980, passant de 4 à 50 ha. Ce sauvignon représente une part non négligeable de sa production. C'est un classique, très caractéristique du cépage avec son nez intense de bourgeon de cassis et de buis, son attaque vive et son corps léger. Sa fraîcheur s'accordera avec des fruits de mer ou l'onctuosité des charcuteries tourangelles.

Guy Lévêque,
Dom. de La Renne, 1, chemin de la Forêt,
41140 Saint-Romain-sur-Cher, tél. 02.54.71.72.79,
fax 02.54.71.35.07,
e-mail domaine.de.la.renne@wanadoo.fr r.-v.

RICARD PÈRE ET FILS
Sauvignon Le Petiot 2006 ★

8 ha 50 000 5 à 8 €

Sur l'étiquette, le Petiot, qui sort du verre, a l'air d'un petit ange malicieux. Ou d'un petit démon ? Quant à ce touraine blanc, c'est un vin traditionnel aux parfums puissants de bourgeon de cassis sur un fond végétal. Rond et souple à l'attaque, il renoue en bouche avec le cassis, nuancé de pamplemousse, et persiste longuement, laissant une impression d'équilibre. À déboucher sur une entrée de poisson ou sur une tarte salée. Le 2003 avait obtenu un coup de cœur.

🔑 Dom. Ricard, 19, rue de la Bougonnetière, 41140 Thésée, tél. 02.54.71.00.17, fax 02.57.71.00.17, e-mail domaine.ricard@wanadoo.fr ☑ Y 🚶 r.-v.

DOM. DU RIN DU BOIS Sauvignon 2006 *

▒ 4,5 ha 20 000 ▮ 5 à 8 €

Le Rin du Bois, ou l'orée du bois, en patois local. De bois, le village d'Oisly en est cerné ; d'étangs aussi : ce domaine (19 ha) est installé sur les douces ondulations de la Sologne viticole et les vignes croissent sur des sols d'argiles à silex. Il réussit un beau doublé avec deux vins très réussis (une étoile chacun). Or pâle limpide, ce touraine blanc possède un nez très ouvert sur des notes de bourgeon de cassis caractéristique du sauvignon. Son corps svelte, vif et long en fait un représentant typique de ce terroir oriental de Touraine. Il appelle le fromage de Valençay et celui de Pouligny-Saint-Pierre et appréciera aussi le poisson. Pour la charcuterie, choisissez le **rosé 2006**, mi-cabernet mi-pinot noir, qui offre sa fraîcheur et ses arômes de fruits exotiques.

🔑 Pascal Jousselin, Dom. du Rin du Bois, 41230 Soings-en-Sologne, tél. 02.54.98.71.87, fax 02.54.98.75.09, e-mail jousselin@jousselinetfils.com ☑ Y 🚶 r.-v.

DOM. DES ROY Gamay 2006

■ 1,5 ha 8 000 ▮ 5 à 8 €

Ici, enfants et adultes peuvent découvrir la vie rurale. Ces derniers dégusteront les cuvées d'Anne-Cécile Roy dans l'ancien atelier de tonnellerie de l'arrière-grand-père. Œnologue, la vigneronne a pris en 2005 les rênes de la propriété familiale, sur la rive droite du Cher. Elle signe un gamay dont la robe soutenue annonce un vin assez structuré. Les arômes évoquent les fruits rouges des bois. Bien équilibrée, cette bouteille accompagnera avantageusement de la charcuterie ou quelque géline de Touraine.

🔑 Anne-Cécile Roy, Dom. des Roy, 3, rue Franche, 41400 Pontlevoy, tél. et fax 02.54.32.51.07, e-mail domaine-des-roy@wanadoo.fr ☑ Y 🚶 r.-v. 🏠 B

GUY SAGET Sauvignon Les 3 Saisons 2006

▒ 10 ha 80 000 ▮ 5 à 8 €

Originaire de Pouilly-sur-Loire, les Saget sont devenus des négociants d'envergure et d'importants producteurs, fort de sept domaines disséminés dans tout le Val de Loire. Leur sauvignon cuvée des 3 Saisons se partage au nez entre la minéralité et des notes plus vertes de feuilles fraîches froissées. Son équilibre est agréable, dans un style vif mais nullement mordant. Pour découvrir l'appellation touraine, autour de produits de la mer ou de fromages de chèvre.

🔑 SA Guy Saget, La Castille, 58150 Pouilly-sur-Loire, tél. 03.86.39.57.75, fax 03.86.39.08.30 ☑ Y 🚶 t.l.j. sf dim. 8h-12h 14h-19h

🔑 JL Saget

ALAIN ET PHILIPPE SALLÉ Cabernet 2005

■ 3 ha 10 000 3 à 5 €

Sur la rive droite du Cher, on approche de la limite septentrionale de la culture du cabernet qui, plus en amont, fait progressivement place au pinot noir, vers Valençay et Reuilly. Aussi, le millésime 2005, très ensoleillé, a été profitable à ce cépage. Alain et Philippe Sallé en ont tiré un vin aux arômes de fruits rouges, souple à l'attaque, rond et légèrement tannique en finale. Prête à passer à table, une bouteille qui permet de découvrir l'expression de cette variété en terroir ligérien.

🔑 EARL Alain et Philippe Sallé, 1, rue du Cher, Les Martinières, 41140 Noyers-sur-Cher, tél. 02.54.75.48.10, fax 02.54.75.39.80 ☑ Y t.l.j. 8h-12h 14h-18h

DOM. DES SOUTERRAINS Sauvignon 2006

▒ 7,5 ha 20 000 ▮ 3 à 5 €

Ce domaine est passé de 6 à 22 ha en quatre générations. Il a en outre entièrement renouvelé son encépagement. Très aromatique, son touraine blanc penche vers le fruit exotique, la mangue. D'un bel équilibre, il est rond, frais, croquant et finit sur une touche d'amertume évoquant la gentiane. Châtillon-sur-Cher regarde Selles-sur-Cher, un peu en amont sur l'autre rive : l'accord gourmand est tout trouvé.

🔑 Jacky Goumin, 37, rue des Souterrains, La Haie-Jallet, 41130 Châtillon-sur-Cher, tél. 02.54.71.02.94, fax 02.54.71.76.26, e-mail mjgoumin@wanadoo.fr ☑ Y 🚶 t.l.j. sf dim. 9h-12h 14h-18h30

LES CAVES DE LA TOURANGELLE Sauvignon 2006

▒ 20 ha 160 000 3 à 5 €

Ce négociant-éleveur propose une synthèse des terroirs de Touraine avec un 2006 au nez intense de buis évoluant vers les agrumes. Souple à l'attaque, léger en finale, c'est un vin de première approche de l'appellation touraine.

🔑 Les Caves de La Tourangelle, 26, rue de la Liberté, 41400 Saint-Georges-sur-Cher, tél. 02.54.32.31.36, fax 02.54.71.09.61

CH. DE VALLAGON Sauvignon 2006 *

▒ 11 ha 60 000 ▮ 5 à 8 €

Un touraine blanc vinifié par la coopérative de Oisly, en Sologne viticole. Il revêt une brillante robe paille, mais là ne s'arrêtent pas ses qualités. Fruits mûrs, agrumes et fleurs composent un nez agréable. L'attaque ronde et fruitée révèle une texture élégante, « un grain » fort plaisant. Un vin équilibré et tout en finesse, à apprécier à l'apéritif ou avec un poisson à chair fine.

🔑 Confrérie des Vignerons de Oisly et Thésée, Le Bourg, 41700 Oisly, tél. 02.54.79.75.20, fax 02.54.79.75.29, e-mail oisly@uapl.fr ☑ Y 🚶 t.l.j. 9h-12h 14h-18h; f. dim. jan. fév. mars

DOM. MICHEL VAUVY Cot 2005

■ 1 ha 3 000 ▮ 3 à 5 €

Noyers-sur-Cher regarde la cité médiévale de Saint-Aignan, sur l'autre rive. De nombreux récoltants, comme Michel Vauvy, ont pignon sur rue dans ce village. Son vin rouge donne une bonne expression du cépage cot implanté sur les terroirs de Touraine. Un nez de cerise et de sous-bois, une attaque souple et légère ; peu de longueur sans doute, mais l'ensemble est équilibré et plaisant. À servir dès maintenant, sur les viandes rouges.

🔑 Michel Vauvy, 81, rue Nationale, 41140 Noyers-sur-Cher, tél. et fax 02.54.75.26.57 ☑ Y r.-v.

JEAN-MARC VILLEMAINE Sauvignon 2006

▒ 8 ha 20 000 ▮ 3 à 5 €

Les amateurs d'histoire ancienne ne manqueront pas d'aller méditer sur les impressionnantes et mystérieuses ruines gallo-romaines qui se trouvent sur le territoire de Thésée, sur la rive droite du Cher. Installé en 1995 sur

l'exploitation familiale, Jean-Marc Villemaine cultive 20 ha dans les environs. Il signe un touraine sauvignon jaune pâle et tout en fraîcheur, au nez intense et caractéristique de bourgeon de cassis. Avec sa bouche fruitée et équilibrée, c'est une bouteille sympathique.
🔑 Jean-Marc Villemaine, 62 bis, rue des Charmoises, 41140 Thésée, tél. et fax 02.54.71.52.69, e-mail jean-marc.villemaine@wanadoo.fr ☑ 🍷 🚶 r.-v.

DOM. DU VIVIER Tradition 2005

■ 1,5 ha 3 000 ▮ 3 à 5 €

Un défi en 2004 pour Christine Louet : reprendre le vignoble familial. Née d'un assemblage de gamay (40 %), de cabernet et de cot, sa cuvée Tradition se montre fort aimable, bien ouverte sur les petits fruits, cassis et framboise. On retrouve ces arômes dans une bouche structurée aux tanins soyeux. À découvrir pour sortir du gamay traditionnel, et à servir en 2008 sur viandes blanches ou grillades de viandes rouges.
🔑 Christine Louet,
Dom. du Vivier, Le Marchais, rte de Valaire,
41120 Monthou-sur-Bièvre, tél. et fax 02.54.44.01.56,
e-mail christinelouet@tele2.fr ☑ 🍷 🚶 r.-v.

Touraine-noble-joué

Présent à la cour du roi Louis XI, le noble-joué est au sommet de sa renommée au XIXe s. Grignoté par l'urbanisation de la ville de Tours, le vignoble, qui faillit disparaître, renaît sous l'impulsion de vignerons qui le reconstituent. Ce vin gris, issu des pinot meunier, pinot gris et pinot noir, a aujourd'hui repris sa place historique par sa consécration en AOC. Le millésime 2006 a produit 1 685 hl sur 27,95 ha.

RÉMI COSSON 2006 *

■ 2,5 ha 10 500 3 à 5 €

Il apporte tout ce que l'on attend d'un noble-joué. Ce 2006 à la couleur œil-de-perdrix libère des parfums délicats qui se prolongent en bouche jusqu'à la finale acidulée. Certains le trouveront un peu frêle, mais c'est le type même des vins de cette appellation. Il remplira parfaitement son office sur des repas légers pris en plein air.
🔑 Rémi Cosson, La Hardellière,
37320 Esvres-sur-Indre, tél. 02.47.65.70.63,
fax 02.47.34.80.13, e-mail remicosson@orange.fr
☑ 🍷 🚶 r.-v.

ANTOINE DUPUY 2006

■ 6 ha 25 000 ▮ 3 à 5 €

Millésime ténu, couleur pâle (comme il se doit) ; nez léger et fin (comme il convient). En bouche, de la légèreté : ce que l'on appelle un « vin de soif » pour un noble pique-nique.
🔑 EARL Antoine Dupuy, Le Vau,
37320 Esvres-sur-Indre, tél. 02.47.26.44.46,
fax 02.47.65.78.86 ☑ 🍷 🚶 r.-v.

ROUSSEAU FRÈRES 2006

■ 12 ha 80 000 ▮ 3 à 5 €

Un gris assez coloré, un nez élégant où se côtoient fleurs blanches et fruits frais. Légèrement perlant, ce noble-joué est un tendre, assez généreux. Un caractère qui n'enthousiasmera pas les puristes de l'appellation, attachés à sa vivacité, mais qui trouvera des amateurs.
🔑 Rousseau Frères, Le Vau, 37320 Esvres-sur-Indre,
tél. 02.47.26.44.45, fax 02.47.26.53.12,
e-mail rousseau-freres@wanadoo.fr
☑ 🍷 🚶 t.l.j. sf dim. 9h-12h30 14h-19h

JEAN-JACQUES SARD 2006

■ 5 ha n.c. ▮ 3 à 5 €

Un vin à la jolie robe légère et aux parfums discrets. La bouche est tout aussi réservée et légère, mais bien équilibrée. La couleur de l'appellation, mais aussi du millésime.
🔑 Jean-Jacques Sard, La Chambrière,
37320 Esvres-sur-Indre, tél. 02.47.26.42.89,
fax 02.47.26.57.59, e-mail jj.sard@tele2.fr ☑ 🍷 🚶 r.-v.

Touraine-amboise

De part et d'autre de la Loire sur laquelle veille le château des XVe et XVIe s., non loin du manoir du Clos-Lucé où vécut et mourut Léonard de Vinci, le vignoble de l'appellation touraine-amboise (175 ha) a produit 7 740 hl de vins rosés et rouges en 2006 à partir du gamay, du cot et du cabernet franc. Ce sont des vins pleins, aux tanins légers ; lorsque cot et cabernet dominent, les vins ont une certaine aptitude au vieillissement. Les mêmes cépages donnent des rosés secs et tendres, fruités et bien typés. Secs à demi-secs selon les années, et pouvant également être gardés en cave, les blancs ont représenté 960 hl.

PHILIPPE CATROUX Demi-sec 2005

□ 0,8 ha 4 000 ▮ 5 à 8 €

Installé depuis 1985 sur 15 ha, Philippe Catroux signe deux fort honnêtes représentants de l'appellation qui recueillent chacun une citation. Ce blanc demi-sec offre des senteurs de fleurs blanches et un palais équilibré, assez long. Il sait rester frais malgré sa douceur. Le **rouge Cuvée de Moncé 2005** est dominé par le cot et le cabernet franc. Le gamay, minoritaire, lui lègue peut-être son nez vif, fruité et épicé. Pour le reste, c'est un vin riche et corsé, apte à une garde d'au moins trois ans.
🔑 Philippe Catroux, 4, rue des Caves-de-Moncé,
37530 Limeray, tél. 02.47.30.13.10, fax 02.47.23.22.87,
e-mail philippecatroux@cegetel.net
☑ 🍷 🚶 t.l.j. sf dim. 8h30-12h30 14h-19h30

DAMIEN DELECHENEAU Clef de sol 2005 *

■ 1,4 ha 6 000 ▮🛢 8 à 11 €

Damien Delecheneau a repris en 2002 les 10 ha du vignoble familial. Musicien à ses heures, il a baptisé Clef de sol cette cuvée assemblant deux tiers de cabernet franc et un tiers de cot. Aucune fausse note dans la dégustation. Une robe profonde, des senteurs vanillées au nez. Les petits fruits rouges percent toutefois derrière le boisé, et s'affirment au palais. L'attaque agréable, puissante, introduit une bouche structurée dont les tanins commencent à s'arrondir. Une bouteille à déboucher sans hâte à la fin de l'année, et à marier pendant deux ou trois ans avec des plats en sauce aux champignons.

Damien Delecheneau, Dom. La Grange Tiphaine, 37400 Amboise, tél. 02.47.57.64.17, fax 02.47.57.39.49, e-mail lagrangetiphaine@wanadoo.fr r.-v.

GUY DURAND

La Mignonne des Perrières 2005 ★★

	0,4 ha	1 300	11 à 15 €

À la tête de 12 ha, Guy Durand est installé sur la rive gauche de la Loire, sur la même rive que le château d'Amboise qui campe sa gracieuse silhouette sur le coteau voisin. Il a rénové sa cave en 2005. Ce moelleux a-t-il profité de ces travaux ? En tout cas, le vin est le superbe reflet d'un savoir-faire éprouvé, d'une arrière-saison ensoleillée et d'un terroir de choix (une première côte aux sols riches en silex). La couleur paille dorée est intense, le nez associe de délicates senteurs de fruits confits, de miel et d'acacia qui se prolongent en bouche. Une belle fraîcheur confère à l'ensemble une réelle harmonie et permettra de varier les accords gourmands. Que diriez-vous d'un foie gras en croûte de sel aux cinq épices ? Ou d'un crumble sur des pommes caramélisées ?

Guy Durand,
11, chem. Neuf, 37530 Mosnes,
tél. et fax 02.47.30.43.14 t.l.j. 8h-19h30

DOM. DUTERTRE Cuvée Gabriel 2005 ★★

	1 ha	5 000	8 à 11 €

Chaque génération a apporté quelques hectares à ce domaine, créé par l'arrière-grand-père : 1 ha au début du XXe s., 37 aujourd'hui. La famille réside rue d'Enfer, mais son moelleux donne un avant-goût de paradis ! Les arômes de coing et de pêche sont d'une réelle finesse, tout comme le palais qui sait rester frais. Cette bouteille fera plaisir pendant cinq ans et s'accordera aussi bien avec le foie gras qu'avec un fromage de chèvre. Cité, le **rouge cuvée Prestige 2005 (5 à 8 €)**, mi-cot mi-cabernet élevé en fût, est assez boisé. On peut commencer à le boire à la fin de l'année.

EARL Dom. Dutertre,
20-21, rue d'Enfer, pl. du Tertre, 37530 Limeray,
tél. 02.47.30.10.69, fax 02.47.30.06.92,
e-mail dutertre@terre-net.fr
t.l.j. 9h-12h30 14h-18h; dim. 9h-12h30

DOM. FRISSANT François Ier 2005 ★

	1 ha	7 000	3 à 5 €

Xavier Frissant cultive près de 20 ha de vignes en Touraine. Un nom bien connu des lecteurs, car il a obtenu plus d'un coup de cœur. Dans cette édition du Guide, deux cuvées très réussies (une étoile). En rouge, la cuvée François Ier assemble 60 % de gamay au cot et au cabernet. Elle s'ouvre à l'aération sur des arômes de fruits bien mûrs. Sa rondeur permettra de la servir dès la fin de l'année, mais elle peut soutenir une courte garde (trois ans maximum). Élevé en foudre, le **rouge Renaissance 2005 (5 à 8 €)** marie le cot aux deux cabernets. Riche et complexe au nez, il dévoile une matière puissante et généreuse, mais bien équilibrée. À déboucher à partir de 2008.

Xavier Frissant, 1, chem. Neuf, 37530 Mosnes,
tél. 02.47.57.23.18, fax 02.47.57.23.25,
e-mail xavier.frissant@wanadoo.fr
t.l.j. 8h30-12h30 14h-19h; dim. sur r.-v.

DOM. DE LA GABILLIÈRE Expression 2005 ★

	1,5 ha	8 000	3 à 5 €

Exploitation du lycée viticole d'Amboise constituée en 1975, et qui sert de support pédagogique aux futurs vignerons et techniciens viticoles. Son vin blanc sec livre un bon nez vanillé. Rond, fruité, persistant, il mérite bien son nom, Expression. Dans un autre style, le **rouge cuvée François Ier 2005**, cité, apparaît généreux, bien structuré, voire massif. Il est marqué par le cot, qui compose la moitié de l'assemblage et qui lui donne une note de terroir. On l'attendra un an ou deux.

Dom. de La Gabillière,
Lycée viticole, 46, av. Émile-Gounin, 37400 Amboise,
tél. 02.47.23.35.51, fax 02.47.57.01.76,
e-mail expl.lpa.amboise@educagri.fr
t.l.j. sf sam. dim. 9h-12h 14h-17h

DOM. DE LA GRANDE FOUCAUDIÈRE

Cuvée François 1er 2005 ★

	0,5 ha	3 500	5 à 8 €

Cabernet franc et cot dominent l'assemblage de cette petite cuvée grenat aux reflets violets. Le nez offre un fruité concentré, un peu confit. Une attaque aromatique, souple et ample introduit un palais charpenté et d'une belle finesse. Une bouteille qui a du répondant et que l'on pourra servir pendant trois à quatre ans avec une pièce de viande rouge rôtie.

Lionel Truet, La Grande Foucaudière,
37530 Saint-Ouen-les-Vignes, tél. 02.47.30.04.82,
fax 02.47.30.03.55, e-mail lioneltruet@wanadoo.fr
t.l.j. 8h-20h

DOM. MESLIAND Cuvée Prestige 2005 ★

	0,5 ha	2 500	5 à 8 €

L'arrière-grand-père, greffeur après la crise du phylloxéra, a planté les premiers ceps. Depuis 2004, Stéphane Mesliand gère les 15 ha du domaine. Sa cuvée Prestige est dominée par le cabernet franc, avec un appoint de cot. Son élevage lui a légué des notes vanillées qui se mêlent aux senteurs de fruits rouges. Assez charpentée et tannique, dévoilant sous le boisé des arômes de pruneau et de cassis, la bouche est agréable. Cette bouteille accompagnera pendant trois ans aux moins des viandes rouges grillées, de la volaille rôtie ou du petit gibier. Cités, deux blancs ont eux aussi séjourné en fût. Le **blanc sec 2005** offre des arômes de fruits blancs et de vanille dans une ambiance chaleureuse ; le **blanc moelleux cuvée Marcel 2005 (8 à 11 €)** est miellé et boisé.

Stéphane Mesliand, 15 bis, rue d'Enfer,
37530 Limeray, tél. 08.75.80.40.30, fax 02.47.30.11.15,
e-mail domaine.mesliand@orange.fr
t.l.j. 9h-21h 3

LOIRE

DOMINIQUE PERCEREAU
Réserve Marguerite 2005

0,6 ha 2 300 11 à 15 €

Les Percereau travaillent en famille leur 20 ha de vignes. Leur Réserve Marguerite se distingue par son caractère moelleux, de l'approche jaune doré à la finale intense. Plus de 100 g/l de sucres ont donné ces arômes de confiture et cette bouche droite et chaleureuse. À servir à l'apéritif ou sur du foie gras.

Dominique Percereau, Dom. des Poupelines, 85, rue de Blois, 37530 Limeray, tél. 02.47.30.11.40, fax 02.47.30.16.51, e-mail domainedespoupelines@wanadoo.fr r.-v.

PLOU ET FILS Sélection 2005

5 ha 30 000 5 à 8 €

Les fondateurs du domaine, qui vivaient au début du XVI[e]s., ont vu bâtir les châteaux de la Loire. Depuis, la propriété se transmet de père en fils. La dernière génération, installée en 2004, a proposé deux vins rouges, tous deux cités. Cette cuvée Sélection privilégie largement le cot, complété par le cabernet. On aime son nez frais et intensément fruité, sa matière riche, ample et généreuse. Déjà agréable, elle peut attendre un à deux ans. Le **rouge Prestige 2005** assemble cot et cabernet à parts égales. Il sent le cassis, la feuille froissée, il est frais, fruité, plus léger que le précédent : à boire de préférence dans l'année.

Plou et Fils, 26, rue du Gal-de-Gaulle, 37530 Chargé, tél. 02.47.30.55.17, fax 02.47.23.17.02, e-mail plou@cegetel.net t.l.j. 9h-13h 14h30-19h

CH. DE POCÉ 2005 ★

n.c. 20 000 3 à 5 €

Situé à 4 km en amont d'Amboise, sur la même rive, le château de Pocé est un manoir de style Renaissance, construit vers 1470. Il servait de poste de garde pour surveiller un gué sur le fleuve. Aujourd'hui il commande un vignoble exploité par la famille Chainier, qui détient plusieurs domaines dans la région. Le cot (60 %) marque cette cuvée assez discrète au nez, qu'il faut aérer pour qu'elle livre des parfums de fruits rouges. En bouche, on trouve des arômes de framboise, mais aussi des tanins fermes qui suggèrent d'attendre cette bouteille deux à trois ans.

SCA Dom. Chainier, ZI La Boitardière, 37400 Amboise, tél. 02.47.30.73.07, fax 02.47.30.73.09

DOM. DE LA PRÉVÔTÉ Moelleux 2005 ★★

1 ha n.c. 5 à 8 €

La famille Bonnigal dispose d'un important domaine et de vastes caves creusées dans le tuffeau il y a six cents ans. Ce blanc moelleux ne constitue qu'une petite part de la production – c'est là son seul défaut. Un élevage de dix mois en barrique lui a donné un nez complexe où des notes vanillées et toastées s'allient harmonieusement à des nuances de fruits blancs. Élégant, équilibré et persistant, ce vin pourra se conserver cinq à dix ans.

GAEC Bonnigal, La Prévôté, 17, rue d'Enfer, 37530 Limeray, tél. 02.47.30.11.02, fax 02.47.30.11.09, e-mail bonnigalprevote@wanadoo.fr t.l.j. sf dim. 8h-12h 14h-19h

DOM. TANCREZ Sève et pierre 2005 ★

0,9 ha 2 500 5 à 8 €

Jeune couple installé en 2004, Séverine et Pierre-Emmanuel Tancrez ont acquis 18 ha de vignes au nord de l'appellation. Ils en ont réservé un pour élaborer ce vin sec un peu tendre, qui a séjourné six mois en fût et en a retiré un caractère plutôt boisé. Équilibrée, fruitée, typique, cette bouteille trouvera sa place lors d'apéritifs dînatoires ou avec des coquilles Saint-Jacques.

Dom. Tancrez, Fleuray, 37530 Cangey, tél. 02.47.30.18.82, fax 02.47.30.02.79, e-mail pierresev@aol.com r.-v.

DOM. DE LA TONNELLERIE
Fleur d'amandier 2006 ★

0,5 ha 1 000 3 à 5 €

Vincent Péquin a pris en 1994 la suite de quatre générations de vignerons. Un ancêtre tonnelier planta les premiers ceps au XIX[e]s. Il a légué à ses descendants une enseigne en fer forgé et le goût de la vigne et du vin. Le rosé Fleur d'amandier affiche une robe saumonée assez soutenue et délivre au nez comme en bouche des arômes de fraise des bois fraîchement cueillie. Un léger perlant souligne sa vivacité. Une bouteille agréable qui peut accompagner tout un repas.

Vincent Péquin, Dom. de La Tonnellerie, 71, rue de Blois, 37530 Limeray, tél. 02.47.30.13.52, fax 02.47.30.06.23 r.-v.

Touraine-azay-le-rideau

Produits sur 150 ha, répartis sur les deux rives de l'Indre, les vins ont ici l'élégance du château qui se reflète dans la rivière et dont ils ont pris le nom. La moitié sont des blancs (928 hl en 2006) ; secs à tendres, particulièrement fins, vieillissant bien, ils sont issus du cépage chenin blanc (ou pineau de la Loire). Les cépages grolleau (60 % minimum de l'assemblage), gamay, cot (avec au maximum 10 % de cabernets) donnent des rosés secs et très friands (830 hl). Les vins rouges ont l'appellation touraine.

DOM. DE LA CROULE 2006

1 ha 4 500 3 à 5 €

Négociant à Tours, Christophe Garnier a créé un petit domaine de 3 ha. Son rosé de pur grolleau arbore une robe soutenue et offre un petit nez de fraise. Son corps léger montre une certaine rondeur. Une pointe d'amertume en finale n'altère pas l'harmonie d'ensemble.

Christophe Garnier, 18, rue Inglessi, 37230 Fondettes, tél. 02.47.42.18.88, e-mail cgselection@wanadoo.fr r.-v.

NICOLAS PAGET Arpège 2006 ★

n.c. 10 000 3 à 5 €

Désormais, Nicolas Paget signe seul les vins du domaine familial, encore étiquetés James et Nicolas dans la précédente édition du Guide Trois de ses cuvées sont retenues. La préférée est ce rosé de grolleau, fruité, puissant et riche, dont les saveurs tendres feront ressortir les notes salées de la charcuterie tourangelle. Deux vins sont cités : le **blanc cuvée Harmonie 2005 (5 à 8 €)**, un demi-sec à servir à l'apéritif, et le **touraine rouge Tra-**

dition 2005, assemblage de cabernet franc, de gamay et de cot, prêt à boire et fort aimable avec ses arômes de fruits rouges.

🔑 Dom. Nicolas Paget, 7, rte de la Gadouillère, 37190 Rivarennes, tél. 02.47.95.54.02, fax 02.47.95.45.90, e-mail domaine.paget@wanadoo.fr ☑ 🍷 🚶 t.l.j. sf dim. lun. 9h-12h 14h30-18h30

PASCAL PIBALEAU 2006 *

■ 4 ha 10 000 ▮ 3 à 5 €

Quand on habite si près de châteaux tels que ceux d'Azay-le-Rideau et de Langeais, comment ne pas s'accrocher à son terroir ? Surtout si celui-ci fournit l'un des meilleurs rosés du Val de Loire. Fort de plusieurs coups de cœur, Pascal Pibaleau continue une tradition viticole familiale commencée en 1886. Il exploite en « bio » ses 16 ha de vignes. Le cépage grolleau s'est épanoui doucement sur des mamelons sableux pour donner ce rosé aussi droit qu'élégant, fruité à l'attaque, frais en finale. Cité, le **blanc La Noblesse d'Azium 2005 (5 à 8 €)** a fermenté en barrique. Il mêle la vanille de l'élevage à un fruité confit et accompagnera non seulement des poissons de rivière mais aussi des plats légèrement relevés. Enfin le **touraine rouge Héritage d'Azium 2005 (5 à 8 €)**, rond et fruité, un rien boisé, accompagnera pendant deux ans des grillades.

🔑 Pascal Pibaleau, 68, rte de Langeais, 37190 Azay-le-Rideau, tél. 02.47.45.27.58, fax 02.47.45.26.18, e-mail pascal.pibaleau@wanadoo.fr ☑ 🍷 🚶 t.l.j. sf dim. 9h-12h30 13h30-19h

FRANCIS ROLLAND Moelleux 2005

■ 1 ha 1 500 ▮ 5 à 8 €

Lignières-de-Touraine regarde la Loire, plus proche de Langeais et de son château, sur l'autre rive du fleuve, que d'Azay-le-Rideau. Francis Rolland exploite 6 ha aux alentours. Malgré sa richesse en sucre, son moelleux laisse plutôt l'impression d'un demi-sec. Le chenin lui donne sa richesse, sa structure, son côté acidulé, sa finale fraîche. La palette aromatique se partage entre la pêche jaune et des notes plus vives de citronnelle. À servir à l'apéritif, ou en fin de repas. Fromage ou dessert ? On penche pour le premier. Choisissez un bleu d'Auvergne.

🔑 Francis Rolland, 30, rue de Villandry, 37130 Lignières-de-Touraine, tél. 02.47.96.83.55, fax 02.47.96.69.08 ☑ 🍷 🚶 t.l.j. 9h-12h30 13h30-20h

LA CAVE DES VALLÉES 2005

■ 0,58 ha 4 500 ▮ 3 à 5 €

Si la maison et le chai, adossés au coteau, ne sont guère anciens, les caves où les Badiller font mûrir leurs vins appartenaient à un château. Le vignoble familial (12 ha) est situé entre l'Indre et la forêt de Chinon. Il a donné naissance à un vin blanc tout en minéralité, léger, fin et frais, caractéristique du chenin dans un style tendre. Cette bouteille accompagnera un poisson en sauce. Également cité, le **touraine rouge cabernet franc 2005** présente un fruité affirmé, et affiche un équilibre chaleureux. À servir dans les trois ans à venir.

🔑 Marc Badiller, 29, Le Bourg, 37190 Cheillé, tél. 02.47.45.24.37, fax 02.47.45.29.66 ☑ 🍷 🚶 t.l.j. sf dim. 9h-12h 15h-19h

FRANCK VERRONNEAU 2005

■ 1 ha 2 000 ▮ 8 à 11 €

On peut trouver les vins de la propriété à Azay-le-Rideau même, au 9 rue du Pineau. Pineau (de la Loire), l'autre nom du chenin qui compose ce blanc moelleux, comme il se doit dans l'appellation. Bien ensoleillé, le millésime 2005 a permis aux raisins d'atteindre une forte maturité. Celle-ci se retrouve dans ce vin à la robe jaune brillant et au nez de fruits mûrs. La bouche est bien encadrée par une attaque franche, sur la pêche, et par une bonne finale. Cette bouteille pourra accompagner un sainte-maure-de-touraine affiné.

🔑 Franck Verronneau, Beaulieu, Cheillé, 37190 Azay-le-Rideau, tél. 02.47.45.40.86, fax 02.47.45.94.82 ☑ 🍷 🚶 r.-v.

CHRISTOPHE VERRONNEAU

Demi-sec La Herpinière 2005

■ 1,1 ha 7 000 ▮▮ 5 à 8 €

Après avoir travaillé dans plusieurs régions viticoles de France, Christophe Verronneau est venu prendre la suite de sept générations sur le domaine familial. Il exploite ses 9 ha en agriculture biologique. Deux de ses vins blancs sont cités : ce demi-sec esquisse un nez fruité et minéral. La pomme jaune apparaît dans une bouche ronde et bien équilibrée. Encore fermé, l'ensemble s'exprimera mieux dans deux ans. Quant au **blanc sec La Herpinière Vieille Vigne 2005**, c'est plutôt un tendre, floral et minéral au nez, miellé en bouche, puissant et bien équilibré. Poule au pot, poissons ou noix de Saint-Jacques en sauce, chèvre régionaux, ces vins n'auront pas de mal à se placer.

🔑 Christophe Verronneau, 17, La Vallée, 37190 Vallères, tél. 02.47.45.92.38, fax 02.47.45.92.39, e-mail laherpiniere@aol.com ☑ 🍷 🚶 r.-v.

Touraine-mesland

Sur la rive droite de la Loire, au nord de Chaumont et en aval de Blois, le vignoble d'appellation couvre 200 ha. 3 670 hl ont été produits en 2006 dont 498 en blanc. Les sols sont perrucheux (argile à silex à couverture localement sableuse - miocène - ou limono-sableuse). La production de vins rouges est abondante ; issus du gamay assemblé à du cabernet et à du cot, ceux-ci sont bien structurés et typés. Comme les rosés, les blancs (issus surtout du chenin) sont secs.

DOM. DE LA BESNERIE Vieilles Vignes 2006

■ 1,5 ha 10 000 ▮ 5 à 8 €

Jacqueline et François Pironneau s'apprêtent à transmettre à leur fils Frédéric le vignoble qu'ils ont acheté et remis en état à partir de 1976 : 16 ha au total. Le gamay, qui compose la moitié de cette cuvée rubis sombre, a donné à ce 2006 des accents de vin primeur, avec son nez sur les fleurs et les fruits rouges, son attaque légère et fraîche, et sa souplesse. Élégante et conviviale, une bouteille à saisir dès la sortie du Guide et à boire jeune, sur son fruit.

🔑 J. et F. Pironneau, Dom. de La Besnerie, 41, rte de Mesland, 41150 Monteaux, tél. 02.54.70.23.75, fax 02.54.70.21.89, e-mail pironneau.f@wanadoo.fr ☑ 🍷 🚶 r.-v.

LOIRE

CLOS DE LA BRIDERIE Vieilles Vignes 2006 ★★

■ 6,59 ha n.c. 5 à 8 €

Vincent Girault exploite 10 ha de vignes en biodynamie. Son touraine-mesland rouge, fort remarqué, est proche du coup de cœur. Dominé par le cabernet et le cot, il attire d'emblée l'attention par la densité et la profondeur de sa robe. Le nez n'a pas dit son dernier mot ; il affiche déjà sa complexité : les fruits mûrs y côtoient la réglisse, avec une touche de gibier. La matière apparaît bien présente, les tanins sont soyeux et la finale laisse sur une agréable impression de fruits compotés. À servir courant 2008 avec des viandes rouges grillées ou en sauce. Chenin (deux tiers) et chardonnay collaborent par ailleurs à un **blanc Vieilles Vignes 2006**, cité pour son nez floral, miellé, épicé et pour sa bouche souple.

Vincent Girault,
Clos de La Briderie, 70, rue Rol Tanguy,
41150 Monteaux, tél. 02.54.70.28.89,
fax 02.54.70.28.70
lun. mar. jeu. ven. 9h-12h 13h30-17h;
sam. dim. sur r.-v.; f. 10-27 août

CH. GAILLARD 2006 ★

n.c. n.c. 5 à 8 €

Deux autres vins proposés par Vincent Girault, également issus de viticulture biodynamique. Né de chenin (70 %) et de chardonnay, ce vin blanc revêt un bel or assez soutenu. Ses parfums, à la fois miellés et citronnés, invitent à le goûter. On découvre alors une attaque franche et une bouche volumineuse, reflet d'une excellente matière première. La finale fraîche laisse le souvenir d'un ensemble harmonieux. Cité, le **gris 2006** est un pur gamay. Avec sa fraîcheur acidulée aux nuances d'agrumes frais, il agrémentera les repas champêtres.

Vincent Girault, Ch. Gaillard, 41150 Mesland,
tél. 02.54.70.25.47, fax 02.54.70.28.70
lun. mar. jeu. ven. 9h-12h 13h30-17h,
sam. dim. sur r.-v.; f. 10-27 août

DOM. DU PARADIS Vieilles Vignes 2006

■ 5 ha 15 000 3 à 5 €

La vigne n'occupe que 16 ha sur cet important domaine. Cela ne l'empêche pas de réussir ses vins. Cette année, deux cuvées ont retenu l'attention du jury, en rouge et en rosé. Toutes deux sont dominées par le gamay qui leur donnent un côté léger. Ce vin rouge au nez vineux, vif à l'attaque, montre encore quelques tanins mais il devrait être prêt à la fin de l'année 2007. Également cité, le **rosé 2006** se montre frais et équilibré.

EARL Philippe Souciou,
Dom. du Paradis, 39, rue d'Asnières, 41150 Onzain,
tél. 02.54.20.81.86, fax 02.54.33.72.35,
e-mail philippe.souciou@orange.fr r.-v.

DOM. DE RABELAIS 2006

1,1 ha 5 000 3 à 5 €

La famille Chollet cultivait-elle la terre à l'époque de Rabelais ? On n'en a pas la preuve, mais elle était déjà installée à Onzain en 1720. Cédric perpétue cette tradition viticole depuis 1999. Son rosé accroche le regard par sa robe saumon soutenue, aux nuances brique. Le nez est intensément fruité, la finale incisive. À servir à l'apéritif ou à table, sur des charcuteries et des crudités. Quant au **blanc 2006**, également cité, il offre des senteurs de miel et de coing. Ses rondeurs le destinent à un poisson en sauce à la crème.

Cédric Chollet, 60, rte de Meuves, 41150 Onzain,
tél. 02.54.20.88.91, fax 02.54.20.79.50
t.l.j. 10h-12h30 14h-19h

LA RÉSERVE DES ALLAUTIÈRES 2006

■ 2,72 ha 20 000 3 à 5 €

Les trois cépages de l'appellation se partagent équitablement cette cuvée d'une belle intensité colorante, où la pivoine côtoie la violette. Ce vin possède une fraîcheur appétissante qui appelle l'onctuosité roborative de gésiers confits ou de rillons. Les grillades et crudités formeront, elles aussi, un bon accord.

Dom. de Lusqueneau, rue du Foyer,
41150 Mesland, tél. 02.54.32.31.36

DOM. DES TERRES NOIRES 2006

2 ha 6 000 3 à 5 €

Exploité par trois frères associés depuis 1993, ce domaine s'étend sur 12 ha. Il signe deux cuvées qui portent toutes deux la marque du gamay (100 % pour le rosé, 60 % pour le rouge). L'une comme l'autre sont citées, même si les dégustateurs gardent un petit faible pour ce rosé d'un rose saumon délicat intensément fruité et d'un bel équilibre, alliance de tendreté et de fraîcheur. Le **rouge 2006** s'habille d'une robe rubis aux brillants reflets qui annonce un nez vif de groseille rouge et un corps gracile, léger et souple : un vin friand à boire sur des grillades.

GAEC des Terres Noires, 81, rue de Meuves,
41150 Onzain, tél. 02.54.20.72.87, fax 02.54.20.85.12,
e-mail gaec.terres.noires@orange.fr
t.l.j. 9h-12h 14h-19h

LES VAUCORNEILLES Du grain au vin 2005 ★★

■ 3 ha 8 000 5 à 8 €

« Néo-vignerons », Christine et Gilles Chelin ont repris en 1998 cette propriété de 13 ha et fait rapidement parler d'eux. Ils organisent dans leur domaine des soirées thématiques autour de la musique, du théâtre et de la magie. Au programme du Guide 2008, la magie du vin : deux coups de cœur, en rouge et en blanc ! Et deux pièces captivantes, en trois actes. Le rouge ? Les trois cépages de l'appellation se distribuent équitablement les rôles. En entrée, une robe pourpre cardinal à reflets violines ; puis une explosion de fruits rouges compotés, qui ouvre sur une suite intense, ample et soyeuse. Aucune faiblesse non plus dans le scénario de **Lucile blanc 2005**. Robe de bal doré brillant, parfums d'agrumes mûrs, rondeurs aimables ; souplesse et tendresse, mais nulle langueur, car une jolie fraîcheur vient réveiller la finale. Deux vins déjà prêts. Le rouge pourra attendre deux à trois ans.

🔑 EARL Les Vaucorneilles, 10, rue de l'Egalité, 41150 Onzain, tél. 02.54.20.72.91, fax 02.54.20.74.26, e-mail les.vaucorneilles@wanadoo.fr
☑ Ṭ ✻ t.l.j. sf dim. lun. 9h-12h 14h-19h
🔑 Chelin

Bourgueil

À partir du cépage cabernet franc (breton), 68 440 hl de vins rouges et rosés ont été produits en 2006 sur les 1 412 ha du vignoble d'appellation contrôlée bourgueil, à l'ouest de la Touraine et aux frontières de l'Anjou, sur la rive droite de la Loire. Racés, dotés de tanins élégants, ils ont une très bonne aptitude au vieillissement, après une cuvaison longue, s'ils proviennent des sols sur tuffeau jaune des coteaux. Leur évolution en cave peut alors durer plusieurs dizaines d'années pour les meilleurs millésimes. Ils sont plus gouleyants et fruités s'ils proviennent des terrasses aux sols graveleux à sableux.

JEAN-MARIE ET NATHALIE AMIRAULT 2005 ★★

■ 7,5 ha 5 000 ▮ 5 à 8 €

Le grand-père menait allègrement ses quarante-cinq boisselées de vigne (2,50 ha). Aujourd'hui, ses petits-enfants cultivent 8 ha et réussissent l'exploit de n'élaborer qu'une seule cuvée. Les terres de Benais, à forte teneur en argile, ont la réputation de produire des vins solidement construits. Celui-ci n'échappe pas à la règle : il est fait pour la garde. Si le nez est encore discret, il laisse une impression de fruits rouges mûrs. En bouche, matière et tanins font jeu égal dans un équilibre parfait, tandis que rondeur et fruité se développent longuement.
🔑 Jean-Marie Amirault, La Motte, 6, rue de Nozillon, 37140 Benais, tél. et fax 02.47.97.48.00, e-mail jm.amirault.vins@wanadoo.fr ☑ Ṭ ✻ r.-v.

HUBERT AUDEBERT Vieilles Vignes 2005 ★★

■ 2 ha 10 000 ▮ 5 à 8 €

Hubert Audebert a hérité des vignes de ses grands-parents, mais il en a planté d'autres et a équipé le chai. Aujourd'hui, il conduit près de 10 ha. Issue des terres constituées par les anciens éboulis du coteau argilo-calcaire, cette cuvée affiche nettement son aptitude à la garde. La bouche est riche, pleine, nullement troublée par une présence tannique trop forte. La finale laisse le dégustateur sur une impression d'élégance et de subtilité. Si vous êtes impatient, goûtez ce vin avec un fromage de chèvre, sinon prêtez-lui vie.
🔑 Hubert Audebert, 5, rue Croix-des-Pierres, 37140 Restigné, tél. 02.47.97.42.10, fax 02.47.97.77.53
☑ Ṭ ✻ r.-v.

DOM. AUDEBERT ET FILS 2005

■ 7 ha 15 000 ▮ ⦀ 5 à 8 €

Un domaine de près de 20 ha, bien exposé, sis au plus haut de la terrasse de Bourgueil. Le chai semi-enterré bénéficie du meilleur équipement, ce qui permet d'élaborer des vins à l'image de ce 2005, rond et souple, où le fruité l'emporte sur les tanins. Le régal des invités à un mariage de famille. Des convives qui apprécieront également la cuvée **Le Clos Sénéchal 2005**, citée pour ses arômes de fruits rouges.
🔑 Dom. Audebert et Fils, 3, rue du Grand-Clos, 37140 Bourgueil, tél. 06.81.47.56.07, fax 02.47.97.72.07, e-mail francois@audebert.fr
☑ Ṭ ✻ r.-v.

DOM. DU BEL AIR Les Vingt lieux dits 2005 ★★

■ 5 ha 25 000 ⦀ 5 à 8 €

Seul sur une propriété de 17 ha, Pierre Gauthier a dû voir arriver avec plaisir son fils Rodolphe en 2005. On peut donc laisser à ce dernier une part de responsabilité dans la réussite de cette cuvée, qui résulte de l'assemblage de vingt lieux-dits. Dotée d'arômes de fruits rouges dominants, elle offre une matière riche et volumineuse, dans laquelle le cassis est omniprésent. Les tanins discrets ne rompent pas l'équilibre remarquable de l'ensemble. Un bourgueil prêt à savourer, comme la cuvée **Jour de Soif 2005**, fruitée et de structure légère, qui mérite d'être citée.
🔑 GAEC Pierre et Rodolphe Gauthier, 7, La Motte, 37140 Benais, tél. 02.47.97.41.06, fax 02.47.97.47.07, e-mail gaecgauthier@wanadoo.fr ☑ Ṭ ✻ r.-v.

MAISON BOURDIN LÉCUREUIL Cuvée de l'Ormeau de Maure 2005

■ 2,1 ha 10 000 ⦀ 5 à 8 €

Henri Bourdin privilégie l'accueil au domaine. Ses clients sont ses amis et il ne manque pas de les réunir chaque année à la découverte du vin nouveau. Il met même à leur disposition une salle où, au coin d'un feu de bois, ils peuvent prendre le repas qu'ils auront apporté, agrémenté d'une cuvée du domaine. Celle présentée ici leur paraîtra un peu jeune. Puissante, bien structurée, aux arômes de petits fruits noirs, elle est la promesse d'un bel avenir. Laissez-la mûrir.
🔑 EARL Henri Bourdin, 7, Le Bourg-de-Paille, 37140 Bourgueil, tél. et fax 02.47.97.96.69 ☑ Ṭ ✻ r.-v.

BRESSON-PENET 2005 ★

■ 1 ha 4 000 ▮ ⦀ 5 à 8 €

Ici, on bichonne les ceps (les plus vieux ont plus de cent ans), on vendange à la main, on n'ajoute aucun additif au vin et on procède à un long élevage en fût. Cette cuvée ne vivra pas un siècle, mais elle est bâtie pour évoluer joliment. La robe grenat laisse percer des senteurs fruitées, épicées, un peu animales même. La bouche fait la part de la matière et des tanins, imposants, et les marie en finale avec des accents de fumée. À revoir dans trois ans.
🔑 Bresson-Penet, 2, rte des Caves-Saint-Martin, 37140 Restigné, tél. et fax 02.47.97.88.47 ☑ Ṭ ✻ r.-v.
🔑 Laurent Bresson

DOM. DE LA BUTTE Perrières 2005 ★

■ 1 ha 5 000 🍷 8 à 11 €

Jacky Blot est présent en Touraine dans plusieurs aires d'appellation et y réussit pleinement. En AOC bourgueil depuis 2002, il met en valeur un domaine de 15 ha sur terres argilo-calcaires. Lutte raisonnée, vendanges manuelles, vieillissement en foudre et en fût de chêne : tout ce qu'il y a de plus classique. De la robe rouge sombre s'élèvent des senteurs de fruits rouges que l'on retrouve en bouche après une attaque franche. Tanins et matière constituent une bouche fine, agrémentée d'un léger boisé. Une bouteille qui pourra patienter raisonnablement en cave. **Le Haut de la Butte 2005**, au caractère nettement boisé, obtient une étoile également.

🔑 SCEA Jacky Blot, Dom. de La Butte,
37140 Bourgueil, tél. 02.47.97.81.30,
fax 02.47.97.99.45, e-mail labutte@jackyblot.com
☑ 🍷 🚶 r.-v.

DOM. CASLOT-PONTONNIER
Secret d'Automne 2005 ★

■ 3 ha 13 000 🍷 5 à 8 €

Le mariage de leurs enfants a permis à deux familles de Saint-Nicolas-de-Bourgueil et de Bourgueil de regrouper leurs exploitations : Franck Caslot et Claudia Pontonnier mènent ainsi avec dynamisme cet ensemble de 35 ha. Leur vin, fortement marqué par des arômes de fruits frais et de violette, offre une bouche franche, non dénuée de fraîcheur, où la petite fleur reprend vigueur. Les tanins se rappellent à votre bon souvenir en finale. Un bourgueil typé qui sera à point dans deux ans. La cuvée **Les Vieilles Vignes 2005**, légère, est citée.

🔑 Caslot-Pontonnier, 4, chem. de l'Épaisse,
37140 Saint-Nicolas-de-Bourgueil, tél. 02.47.97.84.69,
fax 02.47.97.48.55, e-mail bertrand.caslot@free.fr
☑ 🍷 🚶 r.-v.

DOM. DE LA CHANTELEUSERIE
Cuvée Beauvais 2005 ★★★

■ 2 ha 9 000 🍷 5 à 8 €

On dit qu'à La Chanteleuserie les alouettes grisollent tout le jour. Les vignerons n'ont guère le temps de les écouter pour bien conduire ce domaine de 21 ha, implanté à Benais, où les terres ont la réputation de donner des vins de forte structure. De cette cuvée Beauvais (qui signifie Bellevue), senteurs de groseille et de fraise des bois mêlées d'accents floraux s'échappent à profusion. Après une attaque soyeuse, les tanins apparaissent un peu vifs, mais ils sont vite tempérés par un gras confortable. La rondeur en finale, non dénuée d'élégance, laisse penser à une vendange réalisée à pleine maturité. Un vin qui célébrera le terroir pendant de longues années. Fruitée mais encore sous l'emprise des tanins, la **cuvée Alouettes 2005 (3 à 5 €)** est citée.

🔑 Thierry Boucard, La Chanteleuserie, 37140 Benais,
tél. 02.47.97.30.20, fax 02.47.97.46.73,
e-mail t-boucard@wanadoo.fr
☑ 🍷 🚶 t.l.j. sf dim. 9h-12h 14h-18h

DOM. DES CHESNAIES Cuvée Prestige 2005 ★★

■ 9,4 ha 60 000 🍷 5 à 8 €

Lucien Lamé a constitué en 1968 ce domaine de 43 ha, doté d'un chai impressionnant où le bois règne en maître. Son gendre, René Boucard, a créé la marque, et ce sont maintenant les petits-enfants, Stéphanie et Philippe, diplômés d'œnologie, qui maintiennent haut le flambeau de cette entreprise. Témoin ce vin presque noir qui propose un bouquet de mûre et de cassis, tandis que la bouche repose sur des tanins enveloppés d'une matière riche qui persiste en finale. Bourgueil de garde remarquable.

🔑 EARL Lamé Delisle Boucard,
Dom. des Chesnaies, 21, rue de la Galotière,
37140 Ingrandes-de-Touraine, tél. 02.47.96.98.54,
fax 02.47.96.92.31,
e-mail lame.delisle.boucard@wanadoo.fr
☑ 🍷 t.l.j. sf dim. 9h-12h 13h30-17h30; sam. 9h-12h
🔑 Boucard et Degaugue

DOM. DE LA CHEVALERIE
Chevalerie Vieilles Vignes 2005 ★★

■ 4 ha 18 000 🍷 8 à 11 €

Les 33 ha du domaine, face au midi, vont du coteau, où les sols présentent une assez forte teneur en argile, aux portes du bourg, où les sables siliceux dominent. Il inclut donc plusieurs terroirs, que Pierre Caslot vinifie séparément dans sa cave immense de 1 ha, aux voûtes spectaculaires (à voir !). Une cuvée typique du Val de Loire, au nez intense de fruits rouges et noirs épicés, résultat d'une cueillette à parfaite maturité. Au palais, la matière concentrée laisse une impression durable de richesse et d'équilibre en finale. Ce bourgueil commence une carrière prometteuse. La cuvée **Galichets 2005 (5 à 8 €)** obtient une étoile pour ses tanins ronds et son fruité subtil.

🔑 Pierre Caslot,
Dom. de La Chevalerie, 7, rue du Peu-Muleau,
37140 Restigné, tél. 02.47.97.37.18, fax 02.47.97.45.87,
e-mail caslot@wanadoo.fr
☑ 🍷 🚶 t.l.j. 9h-12h 14h-18h; dim. sur r.-v.

DOM. DE LA CHOPINIÈRE DU ROY
Cuvée d'Antan 2005

■ 0,87 ha 3 600 🍷 3 à 5 €

Christophe Ory s'est installé en 1999 à La Chopinière, domaine qui compte aujourd'hui près de 22 ha ; son frère Nicolas, encore en formation vitivinicole, s'apprête à le rejoindre. Une future équipe solide, à laquelle la cuvée d'Antan pourrait servir de référence. La framboise qui se retrouve à toutes les étapes de la dégustation agrémente un gras et une rondeur flatteurs. N'attendez pas : cueillez-la sur son fruit.

🔑 Christophe Ory, 30, rue de la Rodaie,
37140 Saint-Nicolas-de-Bourgueil, tél. 02.47.97.77.74,
fax 02.47.97.78.86, e-mail chopiniereduroy@aol.com
☑ 🍷 🚶 t.l.j. 8h-20h

CLOS DE L'ABBAYE 2005 ★

■ 6,85 ha 32 000 🍷 5 à 8 €

C'est au XIe s., dans l'enceinte de l'abbaye, qu'est né le vignoble de bourgueil. Plus tard, l'abbé Baudry, prieur, plus connu pour son récit de la bataille d'Hastings, invitait ses amis à venir boire « ce vin qu'il avait en abondance ». Une invitation que les vignerons du domaine renouvellent aujourd'hui pour découvrir cette cuvée bien tentante. Si le nez est un peu timide, la bouche est souple et pleine de fruit. Le gras et les tanins y font bon ménage et prédisent un bon avenir.

🔑 SCEA de la Dime,
Clos de L'Abbaye, av. Le Jouteux, 37140 Bourgueil,
tél. 02.47.97.76.30, fax 02.47.97.72.03,
e-mail closdelabbaye@wanadoo.fr
☑ 🍷 🚶 t.l.j. sf dim. 10h30-12h 14h30-19h

DOM. DE LA CLOSERIE 2005 ★

■ 5 ha 15 000 🍷 5 à 8 €

Après douze mois de séjour en fût, la dégustation prend une toute autre allure. Le nez chocolaté et vanillé surprend. L'attaque se fait souple, mais les tanins ne sont pas loin ; la matière bien présente les tempère heureusement, et c'est une finale où tout commence à se fondre qui reste en dernière impression. Ne pas y toucher avant deux ans serait une sage décision.

Jean-François Mabileau, 28, rte de Bourgueil, 37140 Restigné, tél. 02.47.97.36.29, fax 02.47.97.48.33 r.-v.

LE COUDRAY LA LANDE Vieilles Vignes 2005 ★

■ 2,6 ha 12 000 🍷 5 à 8 €

Une vieille propriété familiale, dominée par une imposante maison en pierre de taille du XIXe s. ; le vignoble couvre plus de 19 ha. D'un bout à l'autre de la dégustation du 2005, ce sont les arômes de fruits rouges qui l'emportent. L'attaque souple se prolonge par des tanins soyeux, enveloppés de gras. Le tout est harmonieux, élégant et d'une grande aménité.

Jean-Paul et Françoise Morin, Le Coudray La Lande, 30, rue de la Lande, 37140 Bourgueil, tél. 02.47.97.76.92, fax 02.47.97.98.20, e-mail morin-jpf@hotmail.com r.-v.

DOM. DUBOIS Vieilles Vignes 2005 ★★★

■ 2 ha 7 500 5 à 8 €

Mickaël Dubois a pris la suite de son père, Serge, sur ce domaine de près de 14 ha créé par son grand-père. Son arrivée en 2002 a correspondu à une modernisation complète du chai. Cette cuvée ne manque pas d'expression. Au nez comme au palais, les arômes de fruits rouges s'imposent, mais le café y ajoute sa petite note. L'attaque franche annonce un équilibre réussi entre des tanins bien plantés et une matière généreuse. La finale présente une légère austérité qui s'estompera avec le temps, tandis que d'autres arômes se développeront. Un bourgueil exceptionnellement concentré.

EARL Dom. Serge Dubois, 49, rue de Lossay, 37140 Restigné, tél. 02.47.97.31.60, fax 02.47.97.43.33, e-mail domaine.sergedubois@wanadoo.fr r.-v.

Mickaël Dubois

DOM. BRUNO DUFEU Cuvée Clémence 2005 ★★

■ n.c. n.c. 5 à 8 €

Bruno Dufeu est trop occupé par ses 11 ha de vignes pour courir les salons et autres foires. Il préfère consacrer une part de son temps à l'accueil du visiteur. C'est ainsi qu'il augmente sa clientèle d'année en année. Si cette dernière croît et lui est fidèle, c'est que ses produits sont bons, telle cette cuvée au fruité puissant, nuancé de chocolat. L'attaque nette introduit un corps ample et souple. Pas de tanins importuns, mais une finale longue et réglissée. Tentant aujourd'hui, ce bourgueil a une longue carrière devant lui. La **cuvée Grand Mont 2005**, dense et persistante, obtient également deux étoiles.

Bruno Dufeu, Les Neusaies, 37140 Benais, tél. et fax 02.47.97.76.53, e-mail brunodufeu@wanadoo.fr r.-v.

DOM. DES FONTENYS Vieilles Vignes 2005

■ 20 ha 24 696 5 à 8 €

Créée l'année de la reconnaissance de l'appellation, il y a soixante-dix ans, la cave coopérative contribue au succès des vins de Bourgueil tant au niveau national qu'international. Agréable fruité, souplesse et charnu sont les traits de cette bouteille qui devrait trouver place sur toutes les bonnes tables.

Cave des Vins de Bourgueil, 16, rue des Chevaliers, 37140 Restigné, tél. 02.47.97.32.01, fax 02.47.97.46.29, e-mail accueil@cave-de-bourgueil.com r.-v.

DOM. DES FORGES Vieilles Vignes 2005 ★★

■ 4 ha 20 000 5 à 8 €

Le domaine s'étend sur les sept communes de l'appellation. Créé en 1830 par un aïeul passionné de vin et d'écriture, qui notait chaque année les événements et la qualité des récoltes, il n'a cessé de grandir pour atteindre aujourd'hui 18 ha. Jean-Yves Billet, tout aussi passionné, propose une cuvée remarquable par la qualité de ses composants et son harmonie générale. Le nez un peu timide mais prometteur laisse place à une bouche pleine que n'entament pas des tanins mûrs à point. Un bourgueil voué à évoluer en cave mais qui fera aussi bel effet sur une table aujourd'hui. La cuvée **Les Bezards 2005**, encore austère, est citée.

Jean-Yves Billet, Dom. des Forges, 28, pl. des Tilleuls, 37140 Restigné, tél. 02.47.97.32.87, fax 02.47.97.46.47, e-mail j.y.billet@wanadoo.fr r.-v.

FOUCHER-LEBRUN

Cécile Lebrun Les Emblématiques 2005 ★

■ n.c. n.c. 5 à 8 €

Paulin Lebrun, tonnelier de son état, s'est pris de passion pour la vigne et le vin au contact des vignerons avec lesquels il travaillait. Il a créé un petit domaine sur Bourgueil, que son petit-fils exploite en même temps qu'il gère une maison de négoce spécialisée dans les vins du Val de Loire. Une bouteille qu'apprécieront les amateurs de bois. Élevé huit mois en fût de chêne, c'est un ensemble charpenté, au fort potentiel. La garde s'impose, d'autant qu'elle doit assagir l'empreinte boisée. Un pari sur l'avenir. Une étoile également pour le **saint-nicolas-de-bourgueil 2005 Les Grands Jardins**.

Foucher-Lebrun, 29, rte de Bouhy, 58200 Alligny-Cosne, tél. 03.86.26.87.27, fax 03.86.26.87.20, e-mail foucher.lebrun@wanadoo.fr t.l.j. sf dim. lun. 8h-12h 14h-18h

Picard Vins et Spiritueux

BERTRAND GALBRUN Impétueuse 2005 ★★

■ 1 ha 5 000 5 à 8 €

Installé depuis peu sur un petit domaine de 2,63 ha qu'il a créé, Bertrand Galbrun récolte le raisin en caisses,

LOIRE

trie sévèrement, suit avec attention sa fermentation et ne filtre pas ses vins. Les esprits chagrins trouveront toujours que ce 2005 manque un peu de brillance, mais quels arômes et quel fruit ! La bouche volumineuse enrobe des tanins bien sages et se prolonge en une finale presque interminable. Une remarquable expression du millésime. À boire ou à attendre.
Bertrand Galbrun, rue Noiret, 37140 Restigné, tél. 02.47.97.92.97, e-mail bertrand.galbrun@wanadoo.fr r.-v.

GALBRUN-LECOQ Cuvée Les Pressoirs 2005 *

6,3 ha 4 000 5 à 8 €

Le domaine a été créé en 1879 par un ancêtre descendant d'une famille d'agriculteurs. On est ici sur les graviers de Restigné : il ne faut donc pas s'attendre à un vin très charpenté. C'est le fruit qui l'emporte sur des tanins modestes. La matière est là, suffisante, mais surtout généreuse en arômes de fruits rouges et noirs. Obtenu en agriculture biologique, ce bourgueil est tout à fait dans le vent.
GAEC Galbrun-Lecoq, 36, rue des Pressoirs, 37140 Restigné, tél. 02.47.97.33.24, fax 02.47.97.77.11 r.-v.

DOM. DE LA GAUCHERIE 2005 **

5 ha 10 000 5 à 8 €

Le chai et les bâtiments d'exploitation sont situés sur les premières marches de la terrasse de Bourgueil, mais les vignes s'étendent jusqu'au coteau, où les sols de graves mêlés aux argiles du plateau sont réputés produire des vins structurés. Celui-ci n'échappe pas à la règle. Riche en matière et en tanins, il se présente solide et charpenté, avec l'ambition de bien évoluer à la garde. Il faut l'encourager dans cette voie. Le **Domaine Régis Mureau 2005**, fruité et tout en souplesse, est cité.
Régis Mureau, 16, rue d'Anjou, 37140 Ingrandes-de-Touraine, tél. 02.47.96.97.60, fax 02.47.96.93.43, e-mail regismureau@wanadoo.fr t.l.j. sf dim. 8h-12h 14h-19h

DOM. DES GÉLÉRIES Vieilles Vignes 2005 **

2 ha 7 000 5 à 8 €

Le domaine des Géléries, par le jeu des successions et des alliances, s'étend maintenant sur trois appellations : chinon, bourgueil et récemment saint-nicolas-de-bourgueil. Cette cuvée franche, bien droite, offre fruit, matière et tanins en justes proportions. Un boisé léger et élégant enveloppe l'ensemble. Pour un meilleur fondu des composants, laissez le vin patienter pendant deux ou trois ans. Souple et tout en finesse, la cuvée **Les Sablons 2005** obtient une étoile.
Jean-Marie Rouzier, Les Géléries, 37140 Bourgueil, tél. 02.47.97.74.83, fax 02.47.97.48.73, e-mail jean-marie.rouzier@wanadoo.fr t.l.j. sf dim. 9h-12h30 14h30-19h; f. 25 sept.-10 oct.

DOM. GEORGET Vieilles Vignes 2005 **

3,75 ha 7 000 8 à 11 €

Le domaine est en agriculture biologique certifiée depuis 1980. On y pratique les vendanges manuelles et le vin reste en fût douze mois durant. Voilà de quoi satisfaire les esprits qui se veulent proches de la nature. Le résultat leur donne raison. Ce 2005 sombre s'ouvre sur des arômes de fruits rouges et de vanille. Une fraîcheur intéressante s'impose d'emblée au palais, tandis que gras et tanins se fondent en formant un beau volume. Sur le fruité bien présent flotte un boisé assez marqué. À attendre deux ans. La cuvée principale **Domaine Georget 2005 (5 à 8 €)** est citée.
Dom. Georget, 41, rte de Gizeux, 37140 Bourgueil, tél. 02.47.97.83.29, fax 02.47.97.49.41, e-mail domainegeorget@infonie.fr r.-v.

DOM. DES GESLETS L'Expression 2005 *

1,5 ha 4 000 5 à 8 €

Cette cuvée, la bien nommée, est un exemple d'expression au nez comme au palais. Les fruits noirs, les épices et le grillé envahissent les sens. Des tanins soyeux révèlent une petite fraîcheur inattendue. Une semi-garde lui conviendrait.
EARL Vincent Grégoire, Dom. des Geslets, 37140 Bourgueil, tél. 02.47.97.97.06, fax 02.47.97.73.95, e-mail domainedesgeslets@wanadoo.fr t.l.j. 10h-18h30

DOM. DU GRAND CLOS 2005 *

7,83 ha 35 000 5 à 8 €

Une maison de négoce qui a contribué longtemps au succès des vins du Bourgueillois. Aujourd'hui, elle s'approvisionne dans son propre domaine viticole et ne procède auprès des vignerons qu'à quelques achats de complément. Vigilante sur la qualité, elle jouit d'une bonne renommée auprès des restaurants de la région, qui apprécieront cette cuvée pour son côté gourmand. La bouche ronde, équilibrée, finit sur une fraîcheur inattendue. Deux vins de la Maison Audebert et Fils sont cités : le **bourgueil rosé 2006** et le **saint-nicolas-de-bourgueil 2005 Les Gravices**.
Maison Audebert et Fils, 20, av. Jean-Causeret, 37140 Bourgueil, tél. 02.47.97.70.06, fax 02.47.97.72.07, e-mail maison@audebert.fr t.l.j. 8h-12h 13h30-18h; sam. dim. sur r.-v.

VIGNOBLE DE LA GRIOCHE
Cuvée Manon 2005 *

0,6 ha 3 300 5 à 8 €

La création d'une nouvelle cuvée issue de ceps de soixante ans d'âge, plantés sur sol argilo-calcaire, a occupé les mains et les esprits chez les Breton. Le résultat est probant. De la robe violacée s'échappe un bouquet de fruits rouges mûrs, que l'on retrouve dans une chair élégante et fine. Gras et tanins s'entendent dans une longue finale. Dans trois ou quatre ans, ce vin sera au sommet. La **cuvée Prestige 2005**, légère et charnue, est citée.
Jean-Marc Breton, 19, rue Les Marais, 37140 Restigné, tél. 02.47.97.31 64, fax 02.47.97.92.39 r.-v.

DOM. GUION Cuvée Prestige 2005

3 ha 10 000 5 à 8 €

Le domaine fut pionnier en matière de culture biologique, instituée ici en 1965. Le fils, Stéphane Guion, poursuit la tradition tout en y apportant sa touche personnelle. Cette dernière se manifeste peut-être à travers la note boisée qui se révèle dans cette cuvée. Bien intégrée, elle n'empêche pas aux arômes de fruits frais de s'exprimer en attaque et souligne la matière soyeuse. La maturité du raisin est perceptible en finale. Un bourgueil qui ne demande qu'à être partagé.

🔑 Stéphane Guion, 3, rte Saint-Gilles, 37140 Benais, tél. 02.47.97.30.75, fax 02.47.97.83.17, e-mail stephane.guion@terre-net.fr ☑ 𝐓 ⛹ r.-v.

DOM. DE LA LANDE Les Graviers 2005 *

■ 1,2 ha 4 000 ⅏ 5 à 8 €

C'est le fils, François Delaunay, qui a pris depuis longtemps les rênes de cette exploitation de 16 ha, mais le père, Marc, souvent disponible, vous accueillera et vous commentera vignobles et vins du domaine. Bourgueil très bouqueté, aux arômes de fruits rouges dominants, ce 2005 offre une matière élégante, structurée par des tanins discrets. Il a tout du vin de printemps. Pour un plaisir immédiat. Encore sous l'emprise du bois, la **cuvée Prestige 2005 (8 à 11 €)** est citée.

🔑 EARL Delaunay Père et Fils, Dom. de La Lande, 20, rte du Vignoble, 37140 Bourgueil, tél. 02.47.97.80.73, fax 02.47.97.95.65, e-mail earl.delaunay.pfils@wanadoo.fr ☑ 𝐓 ⛹ t.l.j. sf dim. 8h-12h 14h-18h

DAMIEN LORIEUX Tuffeaux 2005 *

■ 1,85 ha 10 000 ▮ 5 à 8 €

Un coup d'essai qui vaut un coup de maître. C'est la première cuvée que réalise Damien Lorieux, installé en 2005 sur les 11 ha que vient de lui céder son père. Les senteurs de fraise des bois annoncent le fruit d'une chair élégante qui enveloppe des tanins bien nés. Après une petite garde, ce bourgueil sera des plus agréables.

🔑 Damien Lorieux, 2, rue de la Percherie, 37140 Bourgueil, tél. et fax 02.47.97.88.44, e-mail lorieux.damien@orange.fr ☑ 𝐓 ⛹ t.l.j. sf dim. 9h-12h 14h-19h

MICHEL ET JOËLLE LORIEUX Chevrette 2005 *

■ 2 ha 5 500 ▮⅏ 5 à 8 €

Michel Lorieux a l'esprit d'entreprise. Outre la gérance des vignes de l'Abbaye, qu'il assure en association avec un autre vigneron, il mène son domaine de 15 ha sur les hauts de la terrasse de Bourgueil, auxquels s'ajoutent 4 ha repris récemment à Saint-Nicolas-de-Bourgueil. D'une bonne présence tannique, cette cuvée puissante n'en est pas moins élégante et laisse toute sa place au fruit. Le potentiel de garde est réel.

🔑 Michel et Joëlle Lorieux, Chevrette, 26, rte du Vignoble, 37140 Bourgueil, tél. et fax 02.47.97.85.86, e-mail lorieux.michel@wanadoo.fr ☑ 𝐓 ⛹ r.-v. 🏠 B

FRÉDÉRIC MABILEAU Racines 2005 *

■ 2 ha 8 000 ⅏ 8 à 11 €

Frédéric Mabileau a conservé les pratiques d'autrefois : labour des vignes, vendanges manuelles et élevage de douze mois en barrique. Il peut s'en féliciter car il est presque toujours mentionné dans le Guide, dont plusieurs fois en coup de cœur. Cette cuvée tient son rang : robe pourpre léger, parfums de fraise confite, attaque vive débouchant sur une structure équilibrée, une matière ronde et un léger boisé bien fondu jusqu'en finale. Réservez-lui éventuellement un peu de garde.

🔑 EARL Frédéric Mabileau, 17, rue de la Treille, 37140 Saint-Nicolas-de-Bourgueil, tél. 02.47.97.79.58, fax 02.47.97.45.19, e-mail contact@fredericmabileau.com ☑ 𝐓 ⛹ t.l.j. 9h-12h 14h-18h; sam. dim. sur r.-v.

DOM. DES MAILLOCHES Vieilles Vignes 2005 *

■ 2 ha 10 000 ▮ 5 à 8 €

Sable, graviers et argilo-calcaires constituent les terroirs de ce domaine nanti d'une maison tourangelle de la fin du XVIII[e]s., aux lignes élégantes. Élégante aussi cette cuvée venue tout droit de terres d'argile et de calcaire. Bien pourvue en fruit, souple à l'attaque, longue, elle s'inscrit dans le type de l'appellation et trouvera rapidement des amateurs. La **cuvée Sophie 2005**, légère et fruitée, mérite une citation.

🔑 Jean-François et Samuel Demont, EARL Dom. des Mailloches, 40, rue de Lossay, 37140 Restigné, tél. 02.47.97.33.10, fax 02.47.97.43.43, e-mail demont-j.f@wanadoo.fr ☑ 𝐓 r.-v. 🏠 D

DOMINIQUE MESLET 2005

■ 3 ha 3 000 ▮ 5 à 8 €

Trois générations de vignerons sont à l'origine de ce coquet domaine de près de 13 ha. Une cuvée bien construite, qui ne manque ni de fruit ni d'équilibre entre matière et tanins. Si ces derniers ont tendance à l'emporter en finale, c'est pour lui conférer l'aptitude à la garde qu'ont toujours en réserve les vins de Bourgueil.

🔑 Dominique Meslet, 10, rue de la Percherie, 37140 Bourgueil, tél. et fax 02.47.97.42.95 ☑ 𝐓 ⛹ r.-v.

CH. DE MINIÈRE 2005 *

■ 3 ha 15 000 ▮ 8 à 11 €

Le château émerge des vignes depuis le XVII[e]s. ; il a toujours été transmis et dirigé par des femmes. En cette année 2005, c'est une personnalité dont beaucoup d'hommes envieraient la compétence qui a travaillé cette vendange saine et mûre, propre au millésime. L'attaque souple et fraîche de ce vin cède vite à un élan tannique que vient tempérer une matière dense et un fruit dominateur qui a le dernier mot en finale. Une cuvée à conserver deux ans en cave.

🔑 Évelyne de Mascarel, Ch. de Minière, 37140 Ingrandes-de-Touraine, tél. 02.47.96.94.30, fax 02.47.96.91.53, e-mail chateau.de.miniere@wanadoo.fr ☑ 𝐓 ⛹ r.-v.

NAU FRÈRES Vieilles Vignes 2005 *

■ 6 ha 15 000 ▮ 5 à 8 €

Deux frères dirigent ce domaine familial de 19 ha. Toujours aux avant-postes pour produire des vins typés, ils trouvent régulièrement bonne place dans le Guide. C'est une bouteille de garde mais déjà avenante qu'ils proposent. Le nez discret rappelle fruits rouges et fruits noirs, tandis qu'une attaque franche et soyeuse introduit l'expression d'une matière dense, issue de vendanges mûres à point. La cuvée **Les Blottières 2005** est citée pour ses arômes intenses et sa grande souplesse.

🔑 Nau Frères, 52, rue de Touraine, 37140 Ingrandes-de-Touraine, tél. 02.47.96.98.57, fax 02.47.96.90.34, e-mail naufreres@wanadoo.fr ☑ 𝐓 ⛹ r.-v.

DOM. DE LA NOIRAIE Cuvée Prestige 2005 **

■ 6 ha 36 000 ▮ 5 à 8 €

Une affaire de famille où tout le monde a sa place. Les deux frères sont aux vignes et à la cave, une des épouses tient de haute main la comptabilité, et le fils nanti d'un diplôme vitivinicole œuvre sur le terrain et à l'extérieur pour élargir la clientèle. Ainsi le domaine s'agrandit-il de 7 ha sur les tufs de Benais. Une telle équipe

LOIRE

ne pouvait que bien faire. La framboise et la fraise des bois constituent le bouquet, alors qu'à l'attaque franche et souple succède une matière dense qui résiste victorieusement à des tanins robustes. Une finale persistante, et voilà un remarquable vin de semi-garde. La **cuvée Saint-Vincent 2005 (3 à 5 €)**, légère, reçoit une citation.
GAEC Delanoue Frères, 19, rue du Fort-Hudeau, 37140 Benais, tél. 02.47.97.30.40, fax 02.47.97.46.95, e-mail delanoue@terre-net.fr
t.l.j. 8h30-12h30 14h-20h; dim. 8h30-12h30

BERNARD OMASSON 2005 ★★

1 ha 2 000 3 à 5 €

Un bourgueil des plus classiques dans un registre de qualité remarquable. Beaucoup de fruits rouges se dégagent d'une robe rubis brillant. Les tanins sont présents mais ronds et bien enrobés d'un gras imposant. Le vin est souple, coulant, si bien qu'on pourrait être tenté de le servir maintenant ; pourtant, il montre une indéniable aptitude à la garde.
Bernard Omasson, La Perrée, 54, rue de Touraine, 37140 Ingrandes-de-Touraine, tél. 02.47.96.98.20
r.-v.

NATHALIE OMASSON 2005 ★

1 ha 3 000 3 à 5 €

Nathalie Omasson a repris depuis peu ce domaine de 8,40 ha situé sur le coteau de Saint-Patrice. Chaque matin, elle ne manque pas, en regardant ses vignes, d'admirer au loin le château d'Ussé, qui aurait inspiré le conte de *La Belle au bois dormant*. Ne laissez pas dormir ce bourgueil rubis limpide, aux frais arômes de fraise des bois et de cerise. La vivacité de l'attaque s'efface devant un équilibre tanins-gras réussi, puis revient progressivement pour donner une impression de fraîcheur qu'accentue une finale mentholée.
Nathalie Omasson, 3, rue de la Cueille-Cadot, 37130 Saint-Patrice, tél. et fax 02.47.96.90.26
r.-v.

DOM. DES OUCHES Les Clos Boireaux 2005 ★

2,35 ha 10 000 8 à 11 €

Paul et Odile Gambier ont par leur travail amené ce domaine à un niveau de notoriété indéniable. L'état des vignes et l'équipement de la cave sont exemplaires. Leurs deux enfants, Thomas et Denis, sont prêts à relever le défi. Pour l'heure, c'est un vin intensément coloré, marqué par le bois, qui se distingue. Les tanins bien présents sont entourés d'une certaine fraîcheur mais laissent se développer une matière dense et persistante. À conserver au moins un an. Citée, la cuvée principale **Domaine des Ouches 2005** possède une structure tannique encore ferme qui la destine à la garde.
Paul Gambier et Fils, Dom. des Ouches, 3, rue des Ouches, 37140 Ingrandes-de-Touraine, tél. 02.47.96.98.77, fax 02.47.96.93.08, e-mail domaine.des.ouches@wanadoo.fr
t.l.j. sf dim. 9h-12h 14h-18h
Thomas et Denis Gambier

ANNICK PENET 2005 ★

0,8 ha 2 500 5 à 8 €

On est conservateur chez Annick Penet : l'étiquette est d'autrefois et une partie des vignes a plus de cent ans. C'est égal, le vin est bon. Un bourgueil classique fait pour la garde. Tanins et matière en juste équilibre font le plein, de même que les arômes de fruits rouges, nuancés d'un léger boisé. On est parti pour au moins trois ans d'évolution en cave.
Annick Penet, 29, rue Basse, 37140 Restigné, tél. 02.47.97.33.68 r.-v.

DOM. DU PETIT BONDIEU Le Petit Mont 2005 ★

1,5 ha 9 000 5 à 8 €

Au Petit Bondieu, on cherche à maintenir l'expression des terroirs. Sur un domaine de 21 ha où les sols vont du sable à l'argilo-calcaire, c'est une gageure. Pourtant, le pari est gagné dans cette cuvée franche de goût, aux formes rondes. On sent l'argile temporisée par une présence siliceuse. Un vin qui trouvera sa place en toutes circonstances, dès maintenant. En revanche, la cuvée **Les Couplets 2005**, citée, issue d'argilo-calcaires, n'échappera pas à la garde.
EARL Jean-Marc et Thomas Pichet, Dom. du Petit Bondieu, 30, rte de Tours, 37140 Restigné, tél. 02.47.97.33.18, fax 02.47.97.46.57, e-mail jean-marc-pichet@wanadoo.fr
t.l.j. sf dim. 9h-12h 14h-18h30

DOM. DE LA PETITE MAIRIE
Cuvée Ronsard Sélection particulière 2005 ★

3 ha 4 500 5 à 8 €

Un petit coin de Provence que cette Petite Mairie avec ses rangées de lauriers roses disposés à l'accueil. Cependant, les vins sont bien du terroir. Voyez cette cuvée Ronsard de teinte soutenue, dont le nez hésite entre le minéral et les fruits rouges, et dont le palais n'est que rondeur et harmonie. La douceur de la finale témoigne d'une excellente maturité des raisins. Un bourgueil pour après-demain. Déjà prête à boire, la cuvée principale **Domaine de La Petite Mairie 2005** est citée.
James Petit, La Petite Mairie, 37140 Restigné, tél. 02.47.97.30.13, fax 02.47.97.44.33, e-mail jaco.petit@wanadoo.fr r.-v.

DOM. DU PETIT SOUPER Vieilles Vignes 2005 ★

1,6 ha 10 000 5 à 8 €

Le domaine est situé au cœur de Benais, là où les terres à forte teneur en argile sont disposées à produire des vins de garde. Paradoxe, ici, c'est une cuvée de printemps qui semble sortir tout droit d'un terroir de sable ou de graves. La robe rubis brillante, le nez floral et la bouche fraîche en font un excellent vin de soif. Vous en profiterez lors d'une soirée entre amis.
EARL Dupuis, 13, rue de la Barbinière, 37130 Saint-Patrice, tél. et fax 02.47.96.97.46
r.-v.

DOM. LES PINS Vieilles Vignes 2005

2 ha 12 000 5 à 8 €

Au centre du domaine trône une bâtisse du XVIe s., mais les Pitault-Landry ne sont aux Pins que depuis cinq générations. Cette cuvée s'ouvre sur des parfums de fruits rouges agréables. Au palais, l'attaque fraîche cède lentement place à une chair pleine et mûre, bien que la finale se place du côté des tanins. Un peu de patience, donc. La cuvée **Clos Les Pins 2005**, également citée, a un caractère de garde plus affirmé encore
Pitault-Landry et Fils, Dom. Les Pins, 8, rte du Vignoble, 37140 Bourgueil, tél. et fax 02.47.97.47.91, e-mail philippe.pitault@wanadoo.fr r.-v.

DOM. LE PONT DU GUÉ Vieilles Vignes 2005 ★

■ 1 ha 2 500 ▮ 3 à 5 €

Un vin qui fera carrière. Sous la robe presque noire apparaissent des senteurs intenses de fruits mûrs. L'attaque franche, soyeuse, est le signe d'une grande concentration, mais les tanins revendiquent leur droit à l'existence avant que la finale n'insiste à nouveau sur la richesse de la matière. La **cuvée Tradition Domaine Le Pont du Gué 2005**, citée pour son fruité, est de semi-garde.

Éric Ploquin, Le Pont-du-Gué, 37140 Bourgueil, tél. et fax 02.47.97.90.82, e-mail ploquin.eric@free.fr
t.l.j. 8h-12h30 14h-18h30

DOM. DU PRESSOIR FLANIÈRE
Vieilles Vignes 2005 ★

■ 2 ha 12 000 3 à 5 €

Le vignoble de 15 ha s'étend sur les terrasses d'Ingrandes, qui dominent la Loire. De là, le paysage est remarquable et la vue porte jusqu'au château d'Ussé, sur l'autre rive du fleuve. Cette cuvée de bonne tenue se distingue par un nez expressif, richement fruité, par sa rondeur et par sa finale élégante. Vin de printemps, vin de plaisir : vous serez impatient de le servir.

GAEC Gérard Galteau, 44-48, rue de Touraine, 37140 Ingrandes-de-Touraine, tél. et fax 02.47.96.90.91
t.l.j. 8h-20h

DOM. DES RAGUENIÈRES Les Haies 2005 ★

■ 1,4 ha 8 500 3 à 8 €

C'est le gendre d'un des anciens responsables qui est maintenant aux commandes de ce domaine de près de 19 ha, sis sur les pentes de Bourgueil, adossé au coteau. Ce vin est issu de sols argilo-calcaires, ce qui implique une vocation de garde. Violacée, dense, elle dégage des parfums de fruits confits et de fruits rouges mûrs. Après une attaque franche, la palette aromatique de fruits cuits se confirme dans un palais quelque peu bousculé par les tanins. La **cuvée principale Domaine des Raguenières 2005**, plus vive, est citée.

Éric Roi, Raguenières, 11, rue du Machet, 37140 Benais, tél. 02.47.97.30.16, fax 02.47.97.46.78
t.l.j. 9h-12h 14h-18h30; f. 15 août-1er sept.
Maître et Viémont

DOM. DU ROCHOUARD Cuvée Coteau 2005 ★

■ 1,5 ha 6 500 ▮ 5 à 8 €

Quarante ans d'agriculture et de viticulture, c'est suffisant pour Guy Duveau : il passe la main à ses deux fils, Dominique et Jean-Luc, qui se garderont bien d'abandonner la notion de terroir qu'il avait instituée. Pour l'heure, cette cuvée n'a rien de banal et montre son caractère. Élégante au nez, elle offre en bouche un fruité intense qui se fond dans un corps élégant et équilibré. Elle ne laissera pas insensible une tablée de jeunes amateurs. Une citation pour le **saint-nicolas-de-bourgueil 2005 Les Argiles à Silex**.

GAEC Duveau-Coulon et Fils, 1, rue des Géléries, 37140 Bourgueil, tél. 02.47.97.85.91, fax 02.47.97.99.13, e-mail domainedurochouard@wanadoo.fr
t.l.j. 8h30-12h30 13h30-19h; dim. 9h-12h30 15h-18h

VIGNOBLE DE LA ROSERAIE 2005 ★

■ 4,5 ha 10 000 5 à 8 €

Un père, qui n'a eu de cesse de développer le domaine en le portant à 30 ha et d'équiper le chai, voit maintenant ses deux fils, Éric et Patrick Vallée, prendre sa suite. Tous trois proposent un vin encore timide au nez mais dont le fruité s'épanouit en bouche. La réglisse y ajoute sa petite note, apportant une impression de fraîcheur. Élégante, subtile, une cuvée à partager entre amis lors d'un déjeuner improvisé.

GAEC Vignoble de La Roseraie, 46, rue Basse, 37140 Restigné, tél. 02.47.97.32.97, fax 02.47.97.44.24
r.-v.

DOM. THOUET-BOSSEAU L'Humelaye 2005 ★★

■ 3,15 ha 12 000 ▮ 5 à 8 €

De son vignoble de 7 ha situé sur les graviers et argiles à silex proches de Bourgueil, Jean-Baptiste Thouet-Bosseau a sélectionné des parcelles pour élaborer cette cuvée grenat, dont les arômes de fruits rouges du jardin et de fraise des bois invitent à la gourmandise. L'attaque souple, la rondeur et le fruité qui se manifeste à chaque instant seront autant d'atouts pour un accord avec une viande rouge bien tendre. La **cuvée Vieilles Vignes 2005** obtient deux étoiles, elle aussi, pour son élégance.

Jean-Baptiste Thouet-Bosseau, 13, rue de Santenay, 37140 Bourgueil, tél. 02.47.97.73.51, fax 02.47.97.72.03, e-mail domaine.thouet-bosseau@wanadoo.fr r.-v.

DOM. DES VALLETTES Vieilles Vignes 2005 ★★★

■ 1,5 ha 11 500 5 à 8 €

Le domaine des Vallettes est bien implanté au milieu du vignoble de Saint-Nicolas, où il a son activité principale, mais il comporte une extension sur Bourgueil, où a été créée, en 1990, la cuvée Vieilles Vignes. Une riche idée de la part de Francis Jamet, son auteur. La forte personnalité du 2005 se dessine d'emblée dans la teinte grenat. Après un nez délicat de fruits rouges, l'attaque apparaît franche et ronde, puis la matière équilibrée entre fruit et tanins. Un vin si gourmand qu'on ne sait trop s'il faut l'attendre ou en profiter tout de suite.

Francis et François Jamet, Dom. des Vallettes, 37140 Saint-Nicolas-de-Bourgueil, tél. 02.47.97.44.44, fax 02.47.97.44.45, e-mail francis.jamet@les-vallettes.com
t.l.j. sf dim. 8h-12h 14h-18h

DOM. DE LA VERNELLERIE
Lys d'Argent 2005 ★

■ 3 ha 5 000 ▮ 5 à 8 €

La propriété viticole dépendait du château de Benais ; elle en a été séparée à la Révolution, en 1789. La maison d'habitation, une longère dans la tradition tourangelle en tuffeau, date de 1575. Ronde, riche, souple et gourmande, les adjectifs ne manquent pas pour qualifier cette cuvée. Point n'est besoin d'en dire plus : un engagement immédiat ou une garde, c'est au choix.

EARL Dom. de La Vernellerie, 7, rue d'Orfeuil, 37140 Benais, tél. et fax 02.47.97.31.18
r.-v. B
Camille Petit

DOM. DU VIEUX MOULIN Les Mesliers 2005 ★

■ 1 ha 2 500 ▮ 5 à 8 €

Christian Houx a laissé le domaine à son fils Jérôme qui, maintenant, assume pleinement son rôle et marche sur les traces de son père, si l'on en juge par le niveau de ses vinifications. D'un fruité intense et persistant jusqu'en finale, cette cuvée offre une matière puissante et riche,

LOIRE

d'un juste équilibre, de sorte qu'elle pourra aussi bien être conservée en cave que servie dès aujourd'hui.
GAEC Christian et Jérôme Houx,
9, Les Grandes-Rottes, 37140 Restigné,
tél. 02.47.97.30.38 r.-v.

Saint-nicolas-de-bourgueil

Si les vignobles ont les mêmes caractéristiques que ceux de l'aire contiguë de Bourgueil, la commune de Saint-Nicolas-de-Bourgueil (simple paroisse détachée de Bourgueil au XVIII^e^s.) possède son appellation particulière.

Son vignoble croît, pour les deux tiers, sur les sols sablo-graveleux des terrasses de la Loire. Au-dessus, le coteau est protégé des vents du nord par la forêt ; le tuffeau y est surmonté d'une couverture sableuse. Bien que ce ne soit pas le cas des vins provenant exclusivement du coteau, les saint-nicolas-de-bourgueil, souvent issus d'assemblages, ont la réputation d'être plus légers que les bourgueil. Ils ont produit 58 224 hl en 2006 sur une superficie de 1 073 ha déclarés.

YANNICK AMIRAULT La Mine 2005 *

2,5 ha n.c. 8 à 11 €

À la tête d'un domaine de 19 ha sur les premières pentes de Saint-Nicolas, Yannick Amirault travaille au plus près des anciennes pratiques : labour du sol, vendanges manuelles, aucune correction du moût, pas de filtration et élevage en fût de chêne pendant douze mois. Cette recherche de l'authenticité conduit à des vins représentatifs des millésimes. Celui-ci, puissant au nez, plein en bouche, est bien signé 2005. La robe sombre s'ouvre sur un bouquet de fruits mûrs, presque cuits. La matière riche tempère les ardeurs des tanins, et ce n'est que souplesse et rondeur au palais. La bouteille sera à son apogée dans deux ou trois ans.
Yannick Amirault, 5, pavillon du Grand-Clos,
37140 Bourgueil, tél. 02.47.97.78.07,
fax 02.47.97.94.78, e-mail info@yannickamirault.fr
r.-v.

DOM. AUDEBERT ET FILS 2005 **

6,26 ha 32 000 5 à 8 €

C'est François Audebert, le fils, qui est un peu l'artisan de cette cuvée. L'exposition du domaine face au midi lui apporte un concours sérieux. Le soin à la vendange et le tour de main à la vinification font le reste. Une robe rouge soutenue annonce des senteurs de fruits mûrs. L'élégance en attaque est suivie d'un fort développement de la matière, qui laisse en finale une petite austérité, gage d'une évolution prometteuse au cours des deux prochaines années.
Dom. Audebert et Fils, 3, rue du Grand-Clos,
37140 Bourgueil, tél. 06.81.47.56.07,
fax 02.47.97.72.07, e-mail francois@audebert.fr
r.-v.

BEAU PUY Vieilles Vignes 2005 *

8 ha 9 300 5 à 8 €

Jean-Paul Morin est installé à Bourgueil, mais il possède sur Saint-Nicolas, à Beau Puy, une extension qui lui vient de sa famille maternelle. Cette parcelle se situe sur un puy (éminence) qui offre un large panorama de Saumur à Ussé, sur l'autre rive de la Loire. Dans le vin, les arômes de cassis et d'épices insistent au nez comme au palais. La charge tannique discrète ne fait pas barrage au caractère printanier de cette cuvée qui n'attendra pas.
Jean-Paul et Françoise Morin,
Le Coudray La Lande, 30, rue de la Lande,
37140 Bourgueil, tél. 02.47.97.76.92,
fax 02.47.97.98.20, e-mail morin-jpf@hotmail.com
r.-v.

DOM. DES BERGEONNIÈRES 2005 **

14 ha 50 000 5 à 8 €

Si vous cherchez une cuvée simple, bien positionnée sur le fruit, pour un buffet de mariage par exemple, vous la trouverez dans ce 2005 constitué de la plus grande partie de la récolte du domaine. Ce dernier, de 18 ha, au sol de graves, aligne ses rangs de vignes sur les premières terrasses de Saint-Nicolas, face au sud, non loin de l'ancien lit de la Loire. Floral au nez, élégant en bouche, avec le désir de plaire, le vin ne s'éternisera pas sur la table.
André Delagouttière, Les Bergeonnières,
37140 Saint-Nicolas-de-Bourgueil, tél. 02.47.97.48.87,
fax 02.47.97.48.47,
e-mail andre.delagouttiere@laposte.net r.-v.

DOM. DU BOURG Les Graviers 2005 *

5 ha 35 000 5 à 8 €

Jean-Paul Mabileau a créé ce domaine de 30 ha, situé non loin du bourg. Il a construit et équipé lui-même son chai en aménageant ensuite une salle de dégustation pour l'accueil du visiteur. Son fils, Frédéric, a pris la suite et c'est ici l'une de ses toutes premières cuvées. Après une attaque douce, monte en puissance une matière florale intense ; celle-ci s'atténue progressivement ensuite, remplacée par une fraîcheur marquée. Un vin charmeur, à garder une année pour une harmonie parfaite.
Jean-Paul Mabileau,
Dom. du Bourg, 6, rue du Pressoir,
37140 Saint-Nicolas-de-Bourgueil, tél. 02.47.97.79.58,
fax 02.47.97.45.19,
e-mail contact@domainedubourg.net
t.l.j. 9h-12h 14h-18h; sam. dim. sur r.-v.

CAVE BRUNEAU-DUPUY Cuvée Réserve 2005 **

1 ha 4 000 5 à 8 €

Les terres des hauts de Saint-Nicolas ont été enrichies en argile au fil des millénaires par les éboulis du coteau. Avec le calcaire sous-jacent – le tuffeau –, elles forment un type de sol argilo-calcaire qui produit des vins fort différents de ceux des terres de graves et de sable, majoritaires dans l'aire d'appellation. Ce 2005 paré d'une robe presque noire révèle un nez puissant de fruits ayant largement dépassé leur point de maturité. Le palais est du même type, rond, chaud, doté de tanins solides mais prêts à se fondre dans la matière volumineuse. De belles perspectives d'avenir.
Sylvain Bruneau,
EARL Bruneau-Dupuy, 14, La Martellière,
37140 Saint-Nicolas-de-Bourgueil, tél. 02.47.97.75.81,
fax 02.47.97.43.25,
e-mail info@cave-bruneau-dupuy.com r.-v.

CARROI Élevage traditionnel en fût de bois 2005 ★★

■ 2,4 ha 8 000 5 à 8 €

Roselyne et Bruno Breton ont leur activité principale sur Bourgueil. L'extension sur Saint-Nicolas est loin du siège de l'exploitation, mais ils y apportent toute leur ardeur. Le résultat est là, avec une cuvée puissante, dotée d'une matière fine et gourmande. Si les tanins fondus ne demandent pas leur reste, la finale fruitée insiste pour se faire remarquer. Un petit séjour en cave conviendrait éventuellement à cette bouteille. Le **bourgueil 2005 Cuvée Tradition (8 à 11 €)** obtient une citation.

Bruno et Roselyne Breton,
EARL du Carroi, 45, rue Basse, 37140 Restigné,
tél. 02.47.97.31.35, fax 02.47.97.49.00,
e-mail bruno.breton086@orange.fr r.-v.

CASLOT-BOURDIN Les Hauts-Clos Caslot 2005 ★

■ 5,5 ha 15 000 5 à 8 €

À Saint-Nicolas-de-Bourgueil, qui comprend une majorité de sols de sable et de graves, point n'est besoin de s'inquiéter des tanins : ils sont aux abonnés absents. C'est le fruit qui préoccupe le dégustateur. Porté par une matière généralement riche, relevé d'une pointe de fraîcheur, il explose souvent en bouche. Cette cuvée est parfaitement représentative de l'appellation, avec en plus une remarquable harmonie des composants. On peut l'attendre mais pas trop longtemps. Le **bourgueil 2005 La Charpenterie** est cité.

EARL Caslot-Bourdin,
21, rue Brûlée, La Charpenterie,
37140 La Chapelle-sur-Loire, tél. 02.47.97.34.45,
fax 02.47.97.44.80, e-mail info@caslot-bourdin.com
t.l.j. sf dim. 9h-12h 14h-19h
Cyprien Caslot

VIGNOBLE DE LA CHEVALLERIE
Cuvée Martial 2005 ★

■ 4 ha 25 000 5 à 8 €

C'est le grand-père, en 1947, qui a planté les vignes et c'est le petit-fils, aujourd'hui, qui récolte et vinifie. Entre-temps, le père a apporté sa patte et développé le domaine. Ici, un saint-nicolas classique : au nez des senteurs de fruits puissantes, en bouche une légèreté et une gourmandise sans pareil. Point de tanins importuns, uniquement de l'évocation fruitée et du plaisir. Un vin à ne pas laisser passer.

Jean-Claude Bruneau, 4, La Chevallerie,
37140 Saint-Nicolas-de-Bourgueil, tél. 02.47.97.81.19,
fax 02.47.97.40.73
t.l.j. 9h-12h30 14h-19h30; dim. sur r.-v.

DOM. DE LA CHOPINIÈRE DU ROY
Vieilles Vignes Cuvée Coquelicot 2005

■ 0,85 ha 6 200 5 à 8 €

Le fils, Christophe Ory, sera bientôt rejoint par son frère encore « aux études » : la nouvelle génération conduira ainsi ce domaine de 22 ha équipé et développé par Michel Ory, le père. L'équilibre en bouche est à mettre en avant dans ce 2005. Une consistance que les tanins ne bousculent pas et que les fruits mûrs, nuancés d'un petit côté animal, couvrent agréablement. À consommer sans tarder.

Christophe Ory, 30, rue de la Rodaie,
37140 Saint-Nicolas-de-Bourgueil, tél. 02.47.97.77.74,
fax 02.47.97.78.86, e-mail chopiniereduroy@aol.com
t.l.j. 8h-20h

DOM. DU CLOS DE L'ÉPAISSE
Cuvée des Clos 2005 ★

■ 2,5 ha 14 000 5 à 8 €

La propriété de l'Épaisse, de 20 ha environ, adossée au coteau, reçoit un ensoleillement incomparable. Les sols des premières pentes sont à forte teneur d'argile, ceux situés plus bas ont une composition sableuse ou graveleuse. Une terre d'argile et de calcaire est à l'origine de cette cuvée qui développe largement son bouquet de fruits mûrs, cuits même, et montre en bouche une rondeur plaisante, conséquence d'une matière dense qui a bien intégré les tanins. Elle a des qualités de garde. La cuvée traditionnelle **Domaine du Clos de l'Épaisse 2005**, plus timide, est citée.

Yvan Bruneau, 50, av. Saint-Vincent,
37140 Saint-Nicolas-de-Bourgueil, tél. 02.47.97.90.67,
fax 02.47.97.49.45 r.-v.

CLOS DES QUARTERONS Les Quarterons 2005 ★

■ 2 ha 13 600 5 à 8 €

Thierry Amirault pilote 30 ha de vignes réparties sur les premières terrasses de Saint-Nicolas. La grande maison familiale en pierre de tuffeau ne passe pas inaperçue dans le bourg. Le 2005 fera, lui aussi, bel effet sur la table. Sous une robe un peu tuilée à reflets rubis apparaît un bouquet intense de fruits mûrs et de fruits cuits. À l'attaque douce et délicate succède une chair ronde et fraîche. Il y a une grande féminité dans cette cuvée prête à boire.

Thierry Amirault,
EARL Clos des Quarterons, 46, av. Saint-Vincent,
37140 Saint-Nicolas-de-Bourgueil, tél. 02.47.97.75.25,
fax 02.47.97.97.97, e-mail amirault.thierry@wanadoo.fr
t.l.j. sf dim. 8h-12h 13h30-18h30

CLOS DU VIGNEAU 2005 ★

■ 19,32 ha 110 000 5 à 8 €

L'imposante maison de maître en pierre de tuffeau de 1850 est bien identifiable quand on se présente au Vigneau. Le domaine de 22 ha a été patiemment constitué depuis 1820 par six générations de la famille Jamet. Pour l'heure, Alain et Brigitte Jamet sont aux commandes, mais ils seront bientôt secondés par une génération montante. Cette cuvée, qui représente la quasi-totalité des vignes du domaine, ne manque ni de fruit ni de gras. Les tanins jouent les modestes et c'est une impression de vin coulant qui reste en finale. Un vrai saint-nicolas, en somme. La **cuvée Les Dames du Temps Jadis 2005** est citée pour sa souplesse.

Anselme Jamet et Fils,
EARL Clos du Vigneau, BP 6,
37140 Saint-Nicolas-de-Bourgueil, tél. 02.47.97.75.10,
fax 02.47.97.98.98, e-mail clos.du.vigneau@wanadoo.fr
t.l.j. 8h30-12h15 13h30-19h; dim. sur r.-v.

DOM. DE LA CLOSERIE 2005 ★

■ 3 ha 13 000 5 à 8 €

Jean-François Mabileau se distingue grâce à une cuvée de grande ampleur, aux notes persistantes de fruits et de grillé. Le combat d'arrière-garde des tanins n'est qu'un prétexte pour l'inviter à une petite évolution supplémentaire en cave.

Jean-François Mabileau, 28, rte de Bourgueil,
37140 Restigné, tél. 02.47.97.36.29, fax 02.47.97.48.33
r.-v.

LYDIE ET MAX COGNARD-TALUAU
Cuvée Estelle 2005 ★

■ 7 ha 50 000 ∎ 5 à 8 €

Chevrette est un hameau de Bourgueil, à la limite de Saint-Nicolas. Adossé au coteau, le terroir est à forte teneur en argile, mais en descendant la pente, sable et graviers apparaissent pour composer la majorité des terres de l'appellation. Cette cuvée, née sur ces sols légers et constituée de plus de la moitié de la récolte du domaine, proclame haut sa typicité : notes de cassis relevées d'un peu d'épices, gras couvrant un support tannique déjà fondu, finale sur les mêmes notes fruitées. De la souplesse, de la rondeur et du fruit à chaque instant. Déjà à point, un tel vin enchantera les vrais amateurs de saint-nicolas.

⊶ Lydie et Max Cognard-Taluau, Chevrette,
37140 Saint-Nicolas-de-Bourgueil, tél. 02.47.97.76.88,
fax 02.47.97.97.83, e-mail max.cognard@wanadoo.fr
☒ Ɪ 🚶 r.-v.

DOM. DE LA COTELLERAIE 2005 ★★

■ 16 ha 128 000 ∎ 5 à 8 €

DOMAINE DE LA COTELLERAIE
2005
Saint Nicolas de Bourgueil
APPELLATION SAINT NICOLAS DE BOURGUEIL CONTRÔLÉE
Mis en bouteille à la propriété par earl
Gérald VALLÉE
12,5 vol.
750 ml.
Vigneron - Laboureur 37140 Saint Nicolas de Bourgueil - France
PRODUCT OF FRANCE
L05.17

Sur cette propriété familiale qui date du XIXe s., Bertille et Guilhem Vallée s'apprêtent à prendre la succession. En attendant, c'est toujours Gérald Vallée qui décide et officie dans les vignes comme à la cave. Il obtient un succès d'autant plus remarquable que cette cuvée est issue de 16 ha sur les 28 que compte le domaine. D'une teinte entre le bigarreau mûr et le noir profond, le vin s'ouvre sur des senteurs de fruits rouges, parmi lesquelles la framboise se taille la meilleure part. Au palais, matière et tanins pactisent harmonieusement. La petite austérité qui se pose en finale est un gage d'avenir. L'attendre, c'est obtenir encore mieux dans le futur. Une étoile revient à la cuvée **Les Perruches 2005 (8 à 11 €)**, puissante et chaleureuse.

⊶ EARL Gérald Vallée, La Cotelleraie,
37140 Saint-Nicolas-de-Bourgueil, tél. 02.47.97.75.53,
fax 02.47.97.85.90, e-mail gerald.vallee@wanadoo.fr
☒ Ɪ 🚶 t.l.j. 9h-19h; dim. 9h-12h

DAVID ET NATHALIE DRUSSÉ
Les Graviers 2005 ★

■ 1,5 ha 8 000 ∎ 3 à 5 €

David Drussé n'a pas voulu dépendre du cadre familial. Natif de Saint-Nicolas et fils de vigneron, il s'est installé en 1996 sur 3 ha, a construit son chai, puis porté sa superficie à 13 ha. Son épouse est devenue salariée, un statut peu fréquent dans les milieux viticoles. Objectif de qualité atteint dans cette cuvée aux évocations fruitées et épicées, dont la matière est suffisante pour couvrir des tanins vigoureux. La finale semble fondue et laisse penser à une certaine disponibilité, mais un complément de mûrissement en cave serait une bonne option également.

⊶ David Drussé, 1, impasse de la Villatte,
37140 Saint-Nicolas-de-Bourgueil, tél. 02.47.97.98.24,
fax 02.47.97.61.89, e-mail drusse@wanadoo.fr
☒ Ɪ 🚶 t.l.j. 9h-12h 14h-19h; dim. sur r.-v.

LE VIGNOBLE DU FRESNE Vieilles Vignes 2005

■ 0,5 ha 3 000 ∎ ⦀ 5 à 8 €

Trois générations de Guenescheau se sont succédé au Fresne pour constituer ce vignoble de 21 ha. Les sols de graviers et de sable signent cette cuvée marquée au nez comme au palais par les fruits noirs. L'attaque douce et les tanins fins et souples forment une suite élégante. Une bouteille tout indiquée pour accompagner des mets simples dans une ambiance amicale.

⊶ Patrick Guenescheau, 1, Le Fresne,
37140 Saint-Nicolas-de-Bourgueil, tél. 02.47.97.86.60,
fax 02.47.97.42.53 ☒ Ɪ 🚶 r.-v.

VIGNOBLE DE LA GARDIÈRE
La Claie Rotine 2005 ★

■ 4 ha 7 000 ∎ 5 à 8 €

La Gardière est un hameau sis sur les hauts de Saint-Nicolas. Près du coteau les terres sont argilo-calcaires ; à mi-pente et au bas, elles deviennent graveleuses et sableuses. Cette cuvée Claie Rotine (en parler tourangeau, « claie » signifie petite porte et « rotine » chemin pédestre) s'ouvre sur des arômes de fleurs et de fruits, et vous emmène sur des sentiers tapissés de rondeur et de fraîcheur. Une promenade de charme qui n'attendra pas.

⊶ Bernard David, La Gardière,
37140 Saint-Nicolas-de-Bourgueil, tél. 02.47.97.81.51,
fax 02.47.97.95.05 ☒ Ɪ 🚶 r.-v.

DOM. DES GESLETS La Contrie 2005 ★

■ 3 ha 12 000 ∎ 5 à 8 €

Le domaine a une bonne renommée en appellation bourgueil, mais sur les graviers de Saint-Nicolas, Vincent Grégoire maîtrise les techniques de vinification et fait tout aussi bien. Comme sa cousine de bourgueil L'Expression, cette cuvée présente un fruité intense au nez et en bouche. Sa chair ronde, dont toute aspérité est gommée, la rend coulante et prête à boire dès cette année. En profiter.

⊶ EARL Vincent Grégoire, Dom. des Geslets,
37140 Bourgueil, tél. 02.47.97.97.06,
fax 02.47.97.73.95,
e-mail domainedesgeslets@wanadoo.fr
☒ Ɪ 🚶 t.l.j. 10h-18h30

DOM. GODEFROY Cuvée Prestige 2005

■ 0,8 ha 6 000 ∎ 5 à 8 €

Son père parti à la retraite, Jérôme Godefroy a construit son chai de vinification et a amélioré l'accueil du visiteur. La salle de dégustation s'ouvre sur un terrain arboré, doté d'un étang où peuvent être reçus des camping-cars et organisés des pique-niques. Il ne reste plus qu'à trouver le vin. Le jury suggère cette cuvée typée, dont les tanins fins se fondent dans la matière ronde. Dans très peu de temps, elle sera à son meilleur niveau.

⊶ EARL Jérôme Godefroy, 19, Le Plessis,
37140 Chouzé-sur-Loire, tél. 02.47.95.16.56,
e-mail domaine.godefroy@orange.fr ☒ Ɪ 🚶 r.-v.

DOM. DES GRAVIERS 2005 *

■ n.c. 20 000 ▮ 5 à 8 €

Après l'extension du domaine, porté à 10 ha, c'est le chai qui a été le souci d'Hubert David. L'équipement est maintenant complètement rénové et la maîtrise des températures est assurée. Le résultat ne s'est pas fait attendre. Ce 2005 rubis présente un nez encore timide et une matière sans puissance excessive, où légèreté et délicatesse sont de mise. La finale plaisante a un goût de revenez-y.

EARL Hubert David, 20, La Forcine, 37140 Saint-Nicolas-de-Bourgueil, tél. 02.47.97.86.93, fax 02.47.97.48.50 r.-v.

DOM. DU GROLLAY 2005

■ 11 ha 30 000 ▮ 3 à 5 €

Jean Brecq mène son domaine de 14 ha seul. Son fils, encore au lycée viticole, ne le rejoindra que dans quelques années. C'est un joli vin qu'il propose dans le millésime 2005, à boire sur une grillade et avec bons amis. Les fruits rouges se manifestent au nez comme au palais, matière et tanins s'entendent à merveille, et la fraîcheur en finale laisse le dégustateur ravi.

Jean Brecq, Le Grollay, 37140 Saint-Nicolas-de-Bourgueil, tél. et fax 02.47.97.78.54 t.l.j. 9h-12h 13h30-19h

VIGNOBLE DE LA JARNOTERIE Vieilles Vignes Concerto 2005

■ 2,2 ha 15 000 5 à 8 €

Du temps de l'arrière-grand-père, on vinifiait dans la pièce où l'on reçoit aujourd'hui le visiteur. Les surfaces étaient petites et la mécanisation n'existait pas. Aujourd'hui, s'ils sont bien équipés et mènent rondement leurs 24 ha, les vignerons de La Jarnoterie restent fidèles à l'enseignement de l'aïeul et ne s'écartent guère de la tradition. Dans leur 2005, les fruits rouges imposent agréablement leur présence, au nez et en bouche. L'attaque puissante annonce des tanins que ne couvre pas tout à fait la matière. Une petite garde sera la bienvenue.

Didier Rezé, La Jarnoterie, 37140 Saint-Nicolas-de-Bourgueil, tél. 02.47.97.75.49, fax 02.47.97.79.98, e-mail mabileau.reze@wanadoo.fr r.-v.

MICHEL ET JOËLLE LORIEUX Chevrette 2005 *

■ 1,8 ha 5 000 5 à 8 €

C'est le grand-père qui, en 1979, a accueilli ce couple de vignerons. Depuis, ces derniers ont fait leur chemin, agrandissant le domaine, construisant un chai et reprenant 4 ha sur Saint-Nicolas. Les terres de sable ne peuvent renier cette cuvée tout en fruit, ample, bien mise et longue. Les perfectionnistes la laisseraient bien en cave deux petites années.

Michel et Joëlle Lorieux, Chevrette, 26, rte du Vignoble, 37140 Bourgueil, tél. et fax 02.47.97.85.86, e-mail lorieux.michel@wanadoo.fr r.-v.

PASCAL LORIEUX Agnès Sorel 2005 **

■ 0,9 ha 5 000 ▮ 8 à 11 €

Une entreprise conduite par deux frères et qui s'étend sur les appellations chinon et saint-nicolas-de-bourgueil. Sur cette dernière, le vignoble de 10,50 ha est implanté sur du sable profond, au caractère filtrant et se réchauffant rapidement. Une qualité de sol qui exacerbe le fruit du vin et modère la présence tannique. Dans le 2005, les arômes de fruits mûrs traduisent une récolte faite à point. La matière dense et riche, enveloppant des tanins en retrait, donne à cette bouteille un potentiel de semi-garde à exploiter. Chaleureuse et fruitée, la cuvée **Les Mauguerets La Contrie 2005 (5 à 8 €)** brille d'une étoile.

Pascal et Alain Lorieux, 64, av. Saint-Vincent, 37140 Saint-Nicolas-de-Bourgueil, tél. 02.47.97.92.93, fax 02.47.97.47.88, e-mail contact@lorieux.fr r.-v.

FRÉDÉRIC MABILEAU Les Rouillères 2005

■ 20 ha 80 000 ▮ 5 à 8 €

Les ancêtres labouraient les vignes afin de les désherber et d'obliger les racines à s'enfoncer dans le sol pour y trouver eau et nourriture. Frédéric Mabileau conserve cette pratique et ne veut pas entendre parler de vendanges à la machine. Maintenir la tradition est un objectif louable : il l'appliquera sur le domaine du Bourg, qu'il vient de reprendre. Il propose ici un 2005 aux arômes de fruits frais, dominés par la groseille. Rond en bouche, avec un côté plein et généreux, ce vin a sa place à table dès aujourd'hui.

EARL Frédéric Mabileau, 17, rue de la Treille, 37140 Saint-Nicolas-de-Bourgueil, tél. 02.47.97.79.58, fax 02.47.97.45.19, e-mail contact@fredericmabileau.com t.l.j. 9h-12h 14h-18h; sam. dim. sur r.-v.

JACQUES ET VINCENT MABILEAU Vieilles Vignes La Gardière 2005 **

■ 2,73 ha 20 000 ▮ 5 à 8 €

Les vignes de La Gardière, proches du coteau, croissent sur des terres argilo-calcaires aptes à donner des vins structurés. C'est un peu le cas de cette cuvée, mais la science des vinificateurs en a disposé autrement. Tout en étant bien bâtie, elle présente des tanins délicats, un côté friand, épicé, frais en finale, qui la rendent attrayante. La **cuvée Les Garillères 2005** est citée.

EARL Jacques et Vincent Mabileau, La Gardière, 37140 Saint-Nicolas-de-Bourgueil, tél. 02.47.97.75.85, fax 02.47.97.98.03, e-mail j.v.m@wanadoo.fr t.l.j. sf dim. 8h30-12h30 14h-18h30

LAURENT MABILEAU 2005 *

■ 14 ha 90 000 5 à 8 €

Les fermentations terminées, Laurent Mabileau laisse évoluer son vin en fût pendant une année. C'est une pratique peu courante à Saint-Nicolas, où les vins sont généralement plus fruités que structurés. Aussi a-t-on affaire dans ce 2005 à une forte trame tannique qui a besoin d'être tempérée. Cette dernière est enveloppée par une matière dense qui joue bien son rôle. Il flotte en finale une petit air de boisé plaisant. À attendre, bien entendu.

Dom. Laurent Mabileau, La Croix-du-Moulin-Neuf, 37140 Saint-Nicolas-de-Bourgueil, tél. 02.47.97.74.75, fax 02.47.97.99.81, e-mail domaine@mabileau.fr r.-v.

LYSIANE ET GUY MABILEAU Vieilles Vignes 2005 **

■ 0,85 ha 6 000 ▮ 5 à 8 €

Guy et Lysiane Mabileau œuvrent avec Wilfrid, qui les a rejoints maintenant sur les 18 ha du domaine. Rien à reprocher à cette cuvée tout en souplesse, dont les tanins veloutés se fondent dans la matière dense et fraîche. Un

LOIRE

peu timide encore, elle s'ouvrira pleinement dans deux ans. À réserver à des invités de qualité. La **cuvée Lysiane et Guy Mabileau 2005** est citée.
🔑 GAEC Lysiane et Guy Mabileau,
17, rue du Vieux-Chêne,
37140 Saint-Nicolas-de-Bourgueil,
tél. et fax 02.47.97.70.43,
e-mail lysianeetguy.mabileau@aliceadsl.fr
t.l.j. sf dim. 9h-19h

LAURENCE ET CHRISTIAN MILLERAND
La Taille 2005 *

■ 0,86 ha 5 800 ■ 5 à 8 €

La Taille est une ancienne île de la Loire au temps où, au quaternaire, cette dernière divaguait, cherchant son lit définitif. Le sol graveleux, profond, est une excellente terre à vigne. Ce rappel géologique montre la diversité des terroirs en Bourgueillois. Une cuvée tout en fruit, tant au nez qu'en bouche. La rondeur se dessine, légère et élégante, laissant sur une finale des plus harmonieuse. Il n'est pas question d'attendre pour apprécier ce saint-nicolas-de-bourgueil.
🔑 Laurence et Christian Millerand,
2 bis, imp. des Galuches, 37420 Savigny-en-Véron,
tél. 02.47.58.45.38, fax 02.47.58.08.52 r.-v.

VIGNOBLE DE LA MINERAIE
Vieilles Vignes 2005 **

■ 1 ha 6 500 ■ 5 à 8 €

Le domaine de 16,50 ha s'étend des premières marches de la terrasse de Saint-Nicolas aux pentes du coteau ; les sols vont des graves et sables profonds aux argilo-calcaires. Richard Réthoré a compris que les multiples expressions du terroir faisaient la richesse de son vignoble. Cette cuvée puissante et charnue est à l'image du sol qui l'a vu naître : argile sur fond de tuffeau. Les senteurs fruitées (cassis, framboise) sont envahissantes. L'attaque souple introduit une matière généreuse qui couvre des tanins assagis. Un équilibre à ne pas rompre, appréciable tout de suite ou après une garde de deux à trois ans.
🔑 Richard Réthoré, La Mineraie,
37140 Saint-Nicolas-de-Bourgueil, tél. 02.47.97.76.45,
fax 02.47.97.69.34,
e-mail vignobledelamineraie@wanadoo.fr r.-v.

DOM. DU MORTIER Graviers 2005 *

■ 1,7 ha 7 260 ■ 5 à 8 €

Un vin pour amateurs de boisé. L'empreinte du fût accompagne, en effet, jusqu'en finale la matière imposante, aux tanins fondus, qui laisse une agréable sensation de rondeur et de souplesse. Une attente de plusieurs années s'impose pour une meilleure intégration du bois.
🔑 Boisard Fils, Dom. du Mortier,
37140 Saint-Nicolas-de-Bourgueil,
tél. et fax 02.47.97.94.68, e-mail info@boisard-fils.com
r.-v.

DOM. OLIVIER 2005 *

■ 25 ha 25 000 ■ 5 à 8 €

Au domaine Olivier, on attache beaucoup d'importance à l'accueil du visiteur, mais on n'en néglige pas pour autant le travail à la cave. Cette cuvée obtenue avec la totalité de la récolte en témoigne par son fruité prononcé et par son équilibre en bouche : matière et tanins ne font qu'un. Ronde et souple, telle est l'impression finale. Facile à boire, cette bouteille ne fréquentera pas la cave.
🔑 EARL Dom. Olivier, La Forcine,
37140 Saint-Nicolas-de-Bourgueil, tél. 02.47.97.75.32,
fax 02.47.97.48.18,
e-mail patrick.olivier14@wanadoo.fr
t.l.j. sf dim. 8h-12h 14h-19h

THIERRY PANTALÉON
Haut de La Gardière 2005

■ 4 ha 20 000 ■ 3 à 5 €

Il faut aller à La Gardière avant qu'elle ne vienne à vous... Vous y dégusterez cette cuvée à la robe intense, qui s'ouvre sur un bouquet de cassis, avec en fond les arômes classiques du cabernet. La première impression est un peu vive, mais bientôt la souplesse s'installe sans toutefois effacer les derniers soubresauts de quelques tanins isolés. Tout redeviendra normal après une petite garde.
🔑 Thierry Pantaléon, 20, La Gardière,
37140 Saint-Nicolas-de-Bourgueil, tél. 02.47.97.87.26,
fax 02.47.97.47.71 r.-v.

DOM. DE LA PERRÉE Cuvée Vieilles Vignes 2005

■ 1,5 ha 10 000 ■ 5 à 8 €

La pierre a donné son nom à ce domaine fort de 13 ha, situé sur les graves de Saint-Nicolas. Les premières terrasses riches en éléments grossiers (sable et graviers), bien exposées, donnent des vins de fruit incomparables. Faits pour le plaisir, ils n'attendent généralement pas. Celui-ci, pour son côté friand, se placera sur une table d'amis et déliera bien vite les langues et les esprits.
🔑 Patrice et Lydie Delarue, La Perrée,
37140 Saint-Nicolas-de-Bourgueil,
tél. et fax 02.47.97.94.74 r.-v.

LES CAVES DU PLESSIS Vieilles Vignes 2005 **

■ 3 ha 21 540 ■ 5 à 8 €

L'imposante maison de maître, construite en pierre de tuffeau à la fin du XIX^{e}s., émerge des vignes du domaine, qui couvre aujourd'hui plus de 25 ha. Les terres argilo-calcaires, fidèles à leur vocation, ont produit un vin des plus charpenté : les tanins et la matière s'entendent pour lui donner rondeur et puissance. Les arômes de fruits mûrs sont un plus appréciable. Lui laisser un peu de temps pour s'épanouir. La cuvée **Réserve Stéphane 2005** décroche une étoile pour son potentiel.
🔑 Claude Renou, 17, La Martellière,
37140 Saint-Nicolas-de-Bourgueil, tél. 02.47.97.85.67,
fax 02.47.97.45.55,
e-mail lescavesduplessis@wanadoo.fr
t.l.j. sf dim. 9h-12h 14h-18h30

DOM. CHRISTIAN PROVIN 2005 *

■ 12 ha 50 000 ■ 5 à 8 €

Les terres de L'Épaisse, adossées au coteau, sont à forte teneur argileuse, ce qui confère généralement du corps aux vins. Les graves et le sable donnent du fruit. Cette cuvée est sans doute un assemblage des deux terroirs. Le nez est presque méridional, avec une sorte de réserve de puissance. L'attaque franche débouche rapidement sur une matière tout en volume, les tanins n'étant présents que pour taquiner la finale et donner un peu de relief. Une bouteille qui n'attendra pas. La **cuvée Vieilles Vignes 2005**, ronde et prête à boire également, décroche aussi une étoile.
🔑 Christian Provin, L'Épaisse,
37140 Saint-Nicolas-de-Bourgueil, tél. 02.47.97.85.14,
fax 02.47.97.47.75, e-mail provin.christian@wanadoo.fr
r.-v.

LA RODAIE Élevé en fût de chêne 2005 ★★

■ 0,5 ha 3 800 🍷 3 à 5 €

C'est l'arrière-grand-père qui a créé le domaine en 1938. Le grand-père et le père l'ont agrandi et modernisé. Le fils, maintenant, s'oriente vers la mécanisation et poursuit l'extension. Il propose un vin plaisant, dans lequel les tanins passent inaperçus, tant le gras est volumineux. Long et coulant, ce 2005 sera bien difficile à attendre. La cuvée **Levant 2005 (5 à 8 €)**, dense et structurée, mérite une citation.

EARL H. et J.-C. Morin, La Rodaie,
37140 Saint-Nicolas-de-Bourgueil, tél. 02.47.97.75.34,
fax 02.47.97.47.96 t.l.j. 8h-19h

JOËL TALUAU Vieilles Vignes 2005 ★★

■ 4 ha 19 500 8 à 11 €

On se doute que Joël Taluau laisse de plus en plus de liberté à son gendre qui, formé à bonne école, prend les initiatives qui conviennent sur ce domaine de 26 ha implanté principalement sur les sols argilo-calcaires bordant le coteau. Un vin brut de décoffrage, mais quelle architecture ! Sous une robe d'un noir violacé, il est très chargé en matière et en tanins, qui s'unissent intimement pour donner de la puissance tout en préservant la souplesse. Le laisser mûrir un peu en cave ? Ne serait-ce pas là une façon de mieux apprécier l'harmonie de sa construction ? La cuvée **Le Vau Jaumier 2005 (5 à 8 €)**, ronde et élégante, obtient une étoile.

EARL Taluau-Foltzenlogel, 11, Chevrette,
37140 Saint-Nicolas-de-Bourgueil, tél. 02.47.97.78.79,
fax 02.47.97.95.60, e-mail joel.taluau@wanadoo.fr
t.l.j. sf dim. 9h-12h 14h-18h; sam. sur r.-v.
Joël Taluau

Chinon

Autour de la vieille cité médiévale qui lui a donné son nom et son cœur, au pays de Gargantua et de Pantagruel, l'AOC chinon (2 345 ha) est produite sur les terrasses anciennes et graveleuses du Véron (triangle formé par le confluent de la Vienne et de la Loire), sur les basses terrasses sableuses du val de Vienne (Cravant), sur les coteaux de part et d'autre de ce val (Sazilly) et sur les terrains calcaires, les « aubuis » (Chinon). Le cabernet franc, dit breton, y a donné environ 109 672 hl en 2006 de beaux vins rouges et de rosés secs : race, élégance des tanins, longue garde – certains millésimes exceptionnels pouvant dépasser plusieurs décennies ! Confidentiel mais très original, le chinon blanc (1 368 hl en 2006) est un vin plutôt sec, mais qui peut devenir tendre certaines années.

DOM. DE L'ABBAYE 2005 ★★

■ 35 ha 130 000 5 à 8 €

Au XIe s. déjà, le vin de l'abbaye de Parilly jouissait d'une bonne réputation ; il n'était pas un voyageur qui ne s'y arrêtât pour s'en délecter. À cette époque, le cabernet franc arrivant tout droit du Bordelais s'implantait progressivement en Touraine. Une qualité qui perdure si l'on en juge par les commentaires que ce 2005 a suscités : nez de fruits mûrs prononcé, équilibre parfait en bouche avec des tanins soyeux, finale de fruits rouges. Un chinon élégant, presque de la dentelle, qui régalera tout de suite.

Michel Fontaine, Le Repos Saint-Martin,
37500 Chinon, tél. 02.47.93.35.96, fax 02.47.98.36.76,
e-mail sarl.fontaine@club-internet.fr
t.l.j. sf dim. 8h-12h 14h-19h

CAVES ANGELLIAUME
Cuvée Vieilles Vignes 2005

■ 10 ha 60 000 🍷 5 à 8 €

« Le vin c'est la France, l'eau c'est la sou-france » : c'est en ces termes que l'on vous invite chez les Angelliaume, d'abord à visiter les caves, remarquables par leurs dimensions et leur agencement, ensuite à déguster les dernières récoltes. Vous serez séduit par ce vin, bois de rose et vanille au nez, riche d'une matière issue de raisins bien mûrs. La finale un peu épicée évoque très légèrement le bois. Une bouteille à attendre un peu. La **cuvée du Père Léonce 2005 rouge (8 à 11 €)** est citée.

EARL Caves Angelliaume, La Croix de Bois,
37500 Cravant-les-Coteaux, tél. 02.47.93.06.35,
fax 02.47.98.35.19,
e-mail caves.angelliaume@wanadoo.fr
t.l.j. sf dim. 8h30-12h 14h-18h; sam. 8h30-12h

L'ARPENTY Cuvée Prestige 2005

■ 2 ha 10 000 5 à 8 €

Le domaine, qui comporte près de 18 ha de vignes, borde un charmant vallon fréquenté par de nombreux randonneurs. Les plus avisés ne manqueront pas, après l'effort, de s'arrêter à l'Arpenty pour trouver dans cette cuvée le fruit classique du cabernet et la souplesse d'une matière bien vinifiée. Une bouteille qui ne saurait attendre.

Francis et Françoise Desbourdes,
11, rue de la Forêt, Arpenty, 37220 Panzoult,
tél. et fax 02.47.95.22.86 r.-v.

DOM. CLAUDE AUBERT Vieilles Vignes 2005 ★

■ 1,2 ha 5 600 🍷 5 à 8 €

À Cravant-les-Coteaux, le terroir est partagé en deux : pentes argilo-calcaires, face au midi, et terrasses graveleuses de la Vienne. Les domaines de cette commune reposent bien souvent sur ces deux types de sols. Ici, ce sont les terres de coteaux qui ont vu naître deux cuvées de bonne tenue. Celle-ci, issue de vieilles vignes, est imposante par sa structure solide qui la destine à une garde de dix ans. Le café et le cacao sont omniprésents dans sa palette. La **cuvée Prestige 2005 rouge**, plus ronde, est citée ; elle permettra d'attendre la première.

SCEA Dom. Claude Aubert, 4, rte de Malvault,
37500 Cravant-les-Coteaux, tél. 02.47.93.33.72,
fax 02.47.98.34.70, e-mail aubert.monory@yahoo.fr
r.-v.

DOM. DE BEAUSÉJOUR 2005 ★

■ 27,15 ha 100 000 5 à 8 €

Le domaine de Beauséjour, de création récente, est un modèle du genre : 27 ha d'un seul tenant, sur des pentes calcaires face au midi, et un chai fonctionnel. De la robe pourpre naissent les arômes classiques du cabernet, tandis que la matière et les tanins s'équilibrent harmonieusement au palais. Un vin qui peut se garder un temps.

🔑 Earl Gérard et David Chauveau,
Dom. de Beauséjour, 37220 Panzoult,
tél. 02.47.58.64.64, fax 02.47.95.27.13,
e-mail info@domainedebeausejour.com
t.l.j. sf dim. 10h-12h 14h-18h

DOM. DES BÉGUINERIES Vieilles Vignes 2005

■ 3 ha 12 000 5 à 8 €

« Le chinon est une valeur sûre aux yeux et aux papilles », déclare J.-C. Pelletier à la tête d'un coquet domaine de 12 ha qui couvrent les premières côtes de la Vienne. On le croit volontiers au vu des résultats de la dégustation de sa cuvée. L'attaque est souple, légère, mais une charpente solide s'impose bientôt. On perçoit un vrai potentiel de garde. La fraîcheur en finale est un plus surprenant.

🔑 Jean-Christophe Pelletier,
52, Clos Braie-Saint-Louans, 37500 Chinon,
tél. 06.08.92.88.17, fax 02.47.93.37.16,
e-mail domainedesbeguineries@wanadoo.fr
t.l.j. 10h30-19h; dim. 10h30-13h

DOM. DE BEL AIR L'Esprit du loup 2005

■ 2 ha 6 000 8 à 11 €

Jean-Louis Loup, à la tête du domaine (13,61 ha) depuis plus de dix ans maintenant, ne manque pas d'esprit. Sa cuvée non plus, si l'on en croit les dégustateurs. C'est une expression fruitée qui s'impose de prime abord, puis une trame tannique puissante. D'une persistance non négligeable, la finale plaisante revient sur le fruit. Vin d'avenir sans nul doute.

🔑 Jean-Louis Loup, Dom. de Bel Air,
37500 Cravant-les-Coteaux, tél. 02.47.98.42.75,
fax 02.47.93.98.30, e-mail jean-louis.loup@wanadoo.fr
r.-v.

DOM. DE BERTIGNOLLES Vieilles Vignes 2005

■ 1,5 ha 9 000 5 à 8 €

À Bertignolles, près de Savigny-en-Véron, la Vienne ne coule pas loin. Les sols sont des alluvions de la rivière, riches en éléments grossiers, disposées en terrasses. La vigne y trouve matière à développer fruit et tanins dans ses vins. Tel est le cas ici, où l'équilibre de ces deux composants est réussi. Une cuvée dont on se régale déjà, mais que l'on destinerait bien aussi à quelques années de cave.

🔑 Pierre Prieur, 1, rue des Mariniers, Bertignolles,
37420 Savigny-en-Véron, tél. 02.47.58.45.08,
fax 02.47.58.94.56 r.-v.

CH. DE LA BONNELIÈRE
Chapelle Élevé en fût de chêne 2005 *

■ 1 ha 6 000 8 à 11 €

La bâtisse du XVIe s. ne manque pas d'allure, entourée des 18 ha de vignes conduites en agriculture biologique. Ajoutons à cela un équipement de chai rationnel, où trône une table de tri, gage de qualité. Ce vin rouge se distingue par sa matière épaisse qui enveloppe bien les tanins et un boisé léger, bien intégré. Un chinon de garde, puissant. La cuvée principale **Château de La Bonnelière 2005 rouge (5 à 8 €)**, qui n'a pas connu le bois, est citée.

🔑 Marc Plouzeau, Ch. de La Bonnelière,
37500 La Roche-Clermault, tél. 02.47.93.16.34,
fax 02.47.98.48.23, e-mail info@plouzeau.com
t.l.j. sf sam. dim. 9h-12h 14h-18h

DOM. DES BOUQUERRIES Cuvée royale 2005 *

■ 7,5 ha 40 000 5 à 8 €

L'église du IXe s., située dans le vieux bourg de Cravant, vaut le détour, d'autant que sa rénovation a été entreprise. Ce 2005 mérite aussi que l'on s'y arrête. De la robe rouge pourpre émane un bouquet de fruits rouges intense, annonce d'une matière dense qui enrobe des tanins souples et soyeux jusque dans la finale persistante. Une réelle impression d'harmonie persiste longuement. La **cuvée Confidence 2005 rouge (11 à 15 €)**, élevée sous bois, obtient une étoile également.

🔑 Guillaume et Jérôme Sourdais,
GAEC des Bouquerries, 4, les Bouquerries,
37500 Cravant-les-Coteaux, tél. 02.47.93.10.50,
fax 02.47.93.41.94,
e-mail gaecdesbouquerries@wanadoo.fr r.-v.

BROCOURT Terroirs des coteaux 2005 **

■ 7 ha 25 000 5 à 8 €

Philippe Brocourt dispose de 24 ha de vignes, plantées sur les sables de la Vienne et les coteaux argilo-calcaires mêlés de silice qui la dominent. Comme à son habitude pourrait-on dire, il présente une série de trois vins d'exception. Le premier, la cuvée Terroirs des coteaux, ne renie pas son appartenance à ce cépage. Un cabernet franc à la robe presque noire, aux arômes de fruits rouges développés et à la bouche souple en attaque. La matière complète gagne en ampleur et les tanins restent élégants jusqu'en finale. Bel avenir. Le **Clos des Gaillards 2005 rouge (8 à 11 €)** décroche une étoile, tandis que le **Domaine Brocourt 2006 rosé (3 à 5 €)** brille de deux étoiles.

🔑 Brocourt, 3, chem. des Caves, 37500 Rivière,
tél. 02.47.93.34.49, fax 02.47.93.97.40,
e-mail philippe.brocourt@gmail.com r.-v.

DOM. CAMILLE Cuvée Tradition 2005 *

■ 0,5 ha 3 500 3 à 5 €

Créé en 1982, le domaine a grandi au fil des ans pour couvrir aujourd'hui plus de 7 ha sur les terrasses graveleuses de la Vienne. Cette cuvée laisse dans son bouquet une large place au cassis. L'attaque est souple, le corps équilibré et la finale revient longuement sur les fruits. Original par ses arômes ? Peut-être. En tout cas, elle fera parler d'elle lors d'un repas entre amis.

🔑 Alain Camille, 14, rue Grande, 37220 Tavant,
tél. et fax 02.47.95.26.67 r.-v.

DOM. DE LA CHAPELLE Les 3 Quartiers 2005 *

■ 4 ha 21 000 8 à 11 €

La vieille chapelle qui existe sur le domaine a inspiré Philippe Pichard pour décorer sa cave. Il a reconstitué au pic cet édifice, dans le rocher, ce qui donne au lieu une sérénité inhabituelle. Ce vin a reçu du ciel (et de son auteur !) cette matière dense, riche, propre aux vins puissants qui n'ont pas peur d'affronter l'avenir. La trame tannique s'y fond totalement. La cuvée **Les Varesnes 2005 rouge (5 à 8 €)**, friande, est citée.

🔑 Philippe Pichard, 9, Malvault,
37500 Cravant-les-Coteaux, tél. 02.47.93.42.35,
fax 02.47.98.33.76,
e-mail philippe-pichard@club-internet.fr r.-v.

CHÂTELAIN DESJACQUES 2005 *

■ 7,5 ha 50 000 3 à 5 €

Cette vieille maison de négoce, installée près de Saumur, commercialise l'ensemble des vins de Loire

auprès de la grande distribution. Très bien équipée, dynamique, elle propose à sa clientèle un 2005 à l'attaque souple et aux tanins fondus, dans lequel le fruit s'impose jusqu'en finale. On peut sans risque le laisser évoluer quelques années.
SAS Besombes-Moc-Baril,
24, rue Jules-Amiot, BP 125,
49400 Saint-Hilaire-Saint-Florent, tél. 02.41.50.23.23,
fax 02.41.50.30.45, e-mail labo.besombes@uapl.fr
r.-v.

DOM. DANIEL CHAUVEAU Vieilles Vignes 2005

■ 2 ha 7 700 8 à 11 €

Amis passionnés de vins et de leurs accessoires, vous trouverez plaisir à vous arrêter chez Daniel Chauveau pour y découvrir sa collection de tire-bouchons. Par la même occasion, vous ferez connaissance avec cette cuvée toute en élégance, malgré un support tannique encore très présent. Vin de semi-garde. (Bouteilles de 1,5 l.)
Dom. Daniel Chauveau, Pallus,
37500 Cravant-les-Coteaux, tél. 02.47.93.06.12,
fax 02.47.93.93.06,
e-mail domaine.daniel.chauveau@wanadoo.fr
r.-v.

LES CHESNAIES 2006

1 ha 3 600 11 à 15 €

Pascal Lambert s'est installé ici il y a vingt ans déjà et a augmenté progressivement son vignoble aux 13 ha actuels, dont une partie en coteau. Exposée plein sud sur sols argilo-calcaires, cette parcelle ne pouvait que donner de bons résultats avec le chenin, cépage tardif. Jeune par sa couleur, ce vin développe des arômes de fumée et de vanille, puis offre une sensation de gras prometteuse pour l'avenir. Le bois est en passe de se fondre. Laissez-lui sa chance en le dégustant à nouveau dans deux ans.
Pascal Lambert, Les Chesnaies,
37500 Cravant-les-Coteaux, tél. 02.47.93.13.79,
fax 02.47.93.40.97,
e-mail lambert-chesnaies@wanadoo.fr
t.l.j. 9h30-12h30 14h-19h; dim. sur r.-v.;
f. 1-8 août

CLOS DE LA CROIX MARIE Vieilles Vignes 2005 ★

■ 3,7 ha 24 000 5 à 8 €

Rivière, petite commune de la rive droite de la Vienne, se compose de terrasses de graves et de coteaux argilo-calcaires plus ou moins riches en silice. L'exposition plein sud est un don du ciel. Les vins se font tout seuls ou presque ! Cette cuvée évoque au nez l'époque de la fenaison. Empreinte de réglisse, la matière dense a commencé son évolution, de sorte que les tanins restent discrets. À boire ou à garder une bonne dizaine d'années.
EARL Barc, Clos de La Croix Marie,
37500 Rivière, tél. 02.47.93.02.24, fax 02.47.93.99.45
r.-v.
Patrick Barc

DOM. DES CLOSEAUX Les Puys Vieilles Vignes 2005 ★

■ 2 ha 3 000 5 à 8 €

Sols de prédilection pour la vigne que les coteaux argilo-calcaires des Closeaux. Au fruité vanillé perceptible au nez répond une ligne boisée qui se développe lentement au palais. La matière dense laisse poindre en finale quelques tanins qui demanderont deux ans pour s'assagir.
Thierry Landry,
Dom. des Closeaux, 39, rue de Turpenay,
37500 Chinon, tél. et fax 02.47.93.20.20 r.-v.

DOM. DES CLOSIERS DE SAINT-HILAIRE Vieilles Vignes 2005 ★★

■ 2,8 ha 13 000 5 à 8 €

Domaine de 20 ha qui couvre les coteaux et les terrasses siliceuses de Rivière, petite commune des bords de Vienne qui se signale par son église des XIe et XIIe s. Que de charme dans cette cuvée qui libère une bouffée d'arômes du potager ou du verger à petits fruits ! Les tanins surprennent, mais la matière est là pour compenser, avec une touche de cassis en finale. Un grand vin de garde, qui sera toutefois également appréciable dès 2008 pour son fruit.
François Médard, 10, rue des Lavandières,
37500 Rivière, tél. 02.47.98.40.49, fax 02.47.98.04.49,
e-mail medard.francois@wanadoo.fr r.-v.

DOM. DU COLOMBIER Clos du Martinet 2005

■ 2,8 ha 13 000 5 à 8 €

Yves Loiseau, figure bien connue des milieux viticoles, est le véritable créateur du Colombier. Son gendre, qui lui succède en 1998, vient d'ajouter 8 ha au domaine qui en compte ainsi 30. Les terres argilo-calcaires chaudes, propices à la maturation du raisin, se reconnaissent dans les accents de fruits mûrs de ce 2005. Pas de pression tannique excessive : le vin est de type léger et fruité, plaisant tout de suite.
EARL Loiseau-Jouvault, Dom. du Colombier,
37420 Beaumont-en-Véron, tél. 02.47.58.43.07,
fax 02.47.58.93.99,
e-mail chinon.colombier@club-internet.fr
t.l.j. sf dim. 9h-12h 14h-18h30
O. Jouvault

DOM. COTON Cuvée des Tonneliers 2005 ★

■ n.c. 5 000 5 à 8 €

Le vignoble chinonais s'est développé dans les années 1970 grâce à la reconversion de fermes de polyculture et d'élevage, comme cette propriété, en domaines viticoles. La cuvée des Tonneliers conviendra à un dîner entre amis ; ses arômes de fruits rouges mûrs, ses tanins enrobés et sa longueur plaisante mettront en valeur une viande en sauce. Le **Domaine Coton 2005 rouge (3 à 5 €)**, prêt à boire, est cité.
Dom. Coton, La Perrière, 37220 Crouzilles,
tél. 02.47.58.55.10, fax 02.47.58.55.69 r.-v.
Métivier

CH. DE COULAINE Clos de Turpenay 2005 ★★

■ 2,2 ha 9 000 11 à 15 €

À flanc de coteau de Coulaine, dominant la Vienne, le château est une construction typique du gothique flamboyant, du milieu du XVe s. Il a toujours été un domaine agricole et viticole, mais c'est sous l'impulsion du propriétaire actuel, Étienne de Bonnaventure, que sa vocation viticole s'est affirmée : plus de 18 ha de ceps, dont le Clos de Turpenay, constitué de terres argilo-calcaires et situé face au midi. La robe soutenue du 2005 se pare d'un disque violet. L'attaque puissante mais élégante cède place à des tanins fondus qui persistent sur une note de poivre gris. Il faut attendre quatre ou cinq ans ce chinon qui a la trempe d'un vin de longue garde.

LOIRE

Étienne de Bonnaventure, Ch. de Coulaine, 37420 Beaumont-en-Véron, tél. 02.47.98.44.51, fax 02.47.93.49.15, e-mail chateaudecoulaine@club-internet.fr r.-v.

PIERRE ET BERTRAND COULY 2006

n.c. 12 000 5 à 8 €

C'est un domaine de création récente, animé par deux vignerons avisés. Le rosé ne représente qu'une faible partie de la production de l'appellation, mais il est un excellent accompagnement des grillades. Ample et rond avec un joli fruit, celui-ci vous en convaincra.

Pierre et Bertrand Couly, rue de la Batellerie, Saint-Louans, 37500 Chinon, tél. 02.47.93.43.97, fax 02.47.93.05.99, e-mail couly.pierreetbertrand@club-internet.fr r.-v.

COULY-DUTHEIL Clos de l'Écho 2005 ★

20 ha 55 000 11 à 15 €

Créée par Baptiste Dutheil en 1921, la maison Couly-Dutheil a contribué à la notoriété du chinon. Depuis deux ans, elle oriente sa production vers un nouveau style plus mûr et fruité. Cette cuvée Clos de l'Écho (ancienne propriété du père de Rabelais) s'ouvre progressivement sur les fruits rouges, puis offre une bouche volumineuse, bien équilibrée entre la matière et des tanins qui s'estompent dans une finale fraîche et longue. L'avenir est devant elle. Le **Domaine René Couly 2005 rouge (5 à 8 €)**, porté sur le fruit, obtient une étoile.

Couly-Dutheil, 12, rue Diderot, 37500 Chinon, tél. 02.47.97.20.20, fax 02.47.97.20.25, e-mail info@coulydutheil-chinon.com r.-v.

DEMOIS 2005 ★

3 ha 2 000 3 à 5 €

La famille Demois s'est installée il y a plus de cent ans sur ce domaine des graves de la Vienne qu'elle a porté progressivement à 24 ha. Son 2005, discret au nez, s'exprime avec élégance bien qu'il soit fortement structuré. Il vous donne rendez-vous dans dix ans. Plus aimable, doté du charme de la jeunesse, le **Domaine de La Fosse de Doulaie 2005 rouge**, simple mais agréable, et le **Demois 2006 rosé**, floral et fruité, sont cités.

EARL Demois, Chézelet, 37500 Cravant-les-Coteaux, tél. 02.47.98.49.01, fax 02.47.93.33.36 r.-v.

DOM. DOZON Clos du Saut au loup 2005

4 ha 14 000 5 à 8 €

Paul Dozon a créé le domaine dans les années d'après-guerre, relayé plus tard par son fils Jean-Marie, puis par sa petite-fille Laure qui s'apprête à prendre la main. Le Saut au loup est une parcelle de 13 ha d'un seul tenant sur les 24 ha du domaine, sise à Ligré-l'Ancienne, où les terres sont réputées produire des vins de garde, à l'image de cette cuvée couleur cerise mûre qui développe des senteurs de chocolat et de café. La bouche puissante associe tanins et matière pour une belle promesse d'avenir. À oublier en cave.

Jean-Marie et Laure Dozon, Dom. Dozon, 52, rue du Rouilly, 37500 Ligré, tél. 02.47.93.17.67, fax 02.47.93.95.93, e-mail dozon@terre-net.fr t.l.j. sf dim. 9h-12h 14h-18h

DOM. DE LA DOZONNERIE La Rebelle 2005

1 ha 3 000 5 à 8 €

La première vigne fut plantée en 1936, année de la reconnaissance de l'appellation. Un bon signe pour Jean-François Delalay qui conduit son vignoble, aujourd'hui de 12 ha, dans le respect des traditions. Sa cuvée n'a rien de « rebelle », mais se place dans la catégorie des vins puissants, solidement charpentés, faits pour la garde.

Jean-François Delalay, La Dozonnerie, Les Vallées-de-Basses, 37500 Chinon, tél. 06.08.92.97.15, fax 02.47.93.23.37, e-mail jean-francois.delalay@wanadoo.fr r.-v.

ALINA ET STÉPHANE FILLIATREAU Cuvée de la Pucelle 2005

5 ha 30 000 5 à 8 €

Dix ans passés au Chili à vinifier : une expérience unique. Stéphane est de retour au pays pour piloter un domaine de 15 ha de vignes implantées sur les terrasses graveleuses de la Vienne. Bien réussi ce chinon léger, qui associe harmonieusement matière et tanins. Des arômes de fruits rouges et de sous-bois l'agrémentent.

Vignobles Alina et Stéphane Filliatreau, Le Moulin des Sablons, 37420 Savigny-en-Véron, tél. 02.41.67.48.36, fax 02.47.58.42.61, e-mail stephane-filliatreau@wanadoo.fr r.-v.

FOUCHER-LEBRUN Les Grands Jardins 2005 ★

n.c. n.c. 3 à 5 €

L'entreprise a été fondée par le grand-père, Paulin Lebrun, tonnelier de son état qui laissa le travail du chêne et du châtaignier pour celui de la vigne. Il fonda un établissement de négoce qui s'intéressa aux vins du Centre d'abord, puis à ceux du Val de Loire. Aujourd'hui, la maison se distingue par ce 2005 discret au premier nez, mais qui laisse entrevoir à l'agitation un fruité délicat, agrémenté de violette. L'attaque est nette, les tanins en retrait, et le fruit persistant. Un vin de plaisir, à inviter à un buffet campagnard. Élevée sous bois, la cuvée **Les Emblématiques 2005 rouge (5 à 8 €)** de Cécile Lebrun obtient une citation.

Foucher-Lebrun, 29, rte de Bouhy, 58200 Alligny-Cosne, tél. 03.86.26.87.27, fax 03.86.26.87.20, e-mail foucher.lebrun@wanadoo.fr t.l.j. sf dim. lun. 8h-12h 14h-18h

Picard vins et spiritueux

FABRICE GASNIER Cuvée à l'ancienne 2005 ★★

2,5 ha 12 000 5 à 8 €

Un domaine de 23 ha implanté sur les terrasses graveleuses de la Vienne. En cours de certification en agriculture biologique, Fabrice Gasnier pense qu'en se rapprochant au maximum de la nature, la variabilité des millésimes sera plus grande. Cette Cuvée à l'ancienne a enthousiasmé le jury. La pointe boisée et la note de pain grillé sont loin de couvrir les arômes de fruits mûrs et de violette qui percent au travers de la robe intense. Les tanins élégants s'entourent d'une matière riche, laissant libre cours à une finale soyeuse et persistante. Une longue carrière est promise à ce vin. La **cuvée Vieilles Vignes 2005 rouge**, élevée sous bois, est citée.

Fabrice Gasnier, Chézelet,
37500 Cravant-les-Coteaux, tél. 02.47.93.11.60,
fax 02.47.93.44.83, e-mail fabricegasnier@wanadoo.fr
r.-v.

DOM. DES GÉLÉRIES Le Puy blanc 2005

■ 3 ha 10 500 5 à 8 €

Quoique habitant Bourgueil, Jean-Marie Rouzier est Chinonais bon teint. C'est son père, né à Chinon, qui a créé le domaine en 1973 et qui s'est implanté ensuite à Bourgueil. Jean-Marie prend le relais en 1981 avant de reprendre, très récemment, des vignes à Saint-Nicolas-de-Bourgueil. Il a de quoi faire, mais s'en sort bien. En témoigne ce vin souple en attaque et à la structure légère, qui se placera facilement à table. La cuvée **Vieilles Vignes 2005 rouge** encore sur le fruit, est citée.

Jean-Marie Rouzier, Les Géléries, 37140 Bourgueil,
tél. 02.47.97.74.83, fax 02.47.97.48.73,
e-mail jean-marie.rouzier@wanadoo.fr
t.l.j. sf dim. 9h-12h30 14h30-19h;
f. 25 sept.-10 oct.

DOM. DU GRAND BOUQUETEAU Réserve 2005 ★

■ 4 ha 15 000 8 à 11 €

Le domaine de 30 ha sur les pentes de sable, d'argile et de calcaire de Chinon est conduit selon la méthode de lutte intégrée : l'emploi d'insecticides et de fongicides est réduit au minimum, n'intervenant que lorsque la récolte est vraiment en danger. Le Grand Bouqueteau ne s'arrête pas là et s'engage dans une conversion à l'agriculture biologique. Sa cuvée à l'élégance sans pareil, tout en légèreté, vous envahit de ses arômes de fruits rouges. Réservez-la à un repas de cérémonie, baptême ou mariage : elle fera son effet.

Dom. du Grand Bouqueteau,
29, rue Pierre-et-Marie-Curie, 37500 Chinon,
tél. 02.47.52.60.77, fax 02.47.93.42.41 r.-v.
M. Feray

DOM. DU GRAND PORTAIL Vieilles Vignes 2005 ★

■ 1,5 ha 5 000 5 à 8 €

Victime d'un licenciement économique en l'an 2000, Sylvain Colla n'a pas hésité à créer sa propre entreprise à partir d'un vignoble de 5,50 ha. Les bâtiments du XVe et du XVIes. possèdent un fuye (un pigeonnier) de 940 boulins (emplacements des nids). Franche au nez, ample en bouche, cette cuvée bénéficie d'un support tannique solide et d'une matière riche. Un vin de garde qui fera une carrière sans aucun doute brillante. Le **Clos de La Grille 2005 rouge**, qui n'a pas connu le bois, est cité pour son caractère aimable dès à présent.

Sylvain Colla, Le Ponceau, 37220 Crouzilles,
tél. et fax 02.47.58.62.85 t.l.j. 8h-20h

CH. DE LA GRILLE 2005 ★★

■ 27 ha n.c. 15 à 23 €

Construit au XVIes., puis remanié au XIXes., le château a fière allure au cœur du vignoble de 27 ha. Il appartient depuis 1951 à la famille Gosset, d'origine champenoise. Beaucoup de subitilité dans ce 2005. Au nez, fraise des bois et cassis se disputent l'avantage, arbitrés par un léger boisé. En bouche, tanins et matière s'entendent à merveille pour se fondre en une longue finale. Une bouteille à servir dès aujourd'hui ou à conserver.

Sylvie et Laurent Gosset,
Ch. de La Grille, rte de Huismes-et-Ussé,
37500 Chinon, tél. 02.47.93.01.95, fax 02.47.93.45.91,
e-mail chateaudelagrille@wanadoo.fr r.-v.

FAMILLE GROSBOIS Clos du Noyer 2005

■ 1,2 ha 6 000 8 à 11 €

Un vignoble qui résulte d'une tradition familiale commencée en 1850. Terres graveleuses et argilo-calcaires, mêlées de silex, se partagent les 9 ha du domaine. Cette cuvée reflète bien le terroir qui l'a vue naître. Solide mais coulante à la fois, marquée par le cépage (bretonnante, comme on dit en Touraine), elle est typée et a une vocation de semi-garde évidente.

Dom. Grosbois, Le Pressoir, 37220 Panzoult,
tél. 02.47.58.66.87, fax 02.47.95.26.52,
e-mail domaine.grosbois@wanadoo.fr r.-v.

FRÉDÉRIC HARDOUIN Les Quarts sélection 2005

■ 1,8 ha 5 000 5 à 8 €

Frédéric Hardouin, passionné par la vigne et le vin, n'a pas hésité en 2002 à abandonner un métier qui ne l'enchantait guère pour créer son propre vignoble. Après une solide formation au lycée viticole, il s'installe sur un domaine de 5,50 ha. Son 2005, marqué par le bois, se montre pourtant souple en bouche et manifeste jusqu'en finale une rondeur plaisante. Un vin de l'instant. La cuvée **Lune rousse 2006 rosé (3 à 5 €)**, droite et fraîche, est également citée.

Frédéric Hardouin, Les Quarts Fleuris,
37500 Cravant-les-Coteaux, tél. et fax 02.47.93.13.17,
e-mail hardouin.frederic@wanadoo.fr r.-v.

DOM. HÉRAULT Vieilles Vignes 2005

■ 4 ha 19 972 5 à 8 €

Éric Hérault a installé à l'entrée de sa cave, qui était autrefois une immense carrière datant du XIIIes., une statue de Rabelais, enfant du pays, avec ces mots : « Jamais homme noble ne hait le bon vin ». Une invitation à découvrir cette cuvée prête à boire, typique du terroir, dans laquelle le fruit l'emporte sur la matière.

EARL Éric Hérault, Le Château, 37220 Panzoult,
tél. 02.47.58.56.11, fax 02.47.58.69.47,
e-mail domainecherault@club-internet.fr
t.l.j. sf dim. 8h-12h 14h-18h30

DOM. LA JALOUSIE Cuvée La Chapelle 2005 ★

■ 4,3 ha 31 630 11 à 15 €

Des sols sableux et graveleux sont à l'origine de cette cuvée à servir sans attendre : robe nette, d'un rouge cerise classique, nez fin, un peu évolué, marqué par le thym et le laurier, bouche délicate jusqu'en finale. Une compagne de table pleine de charme.

LOIRE

EARL Michel Le Corre, 17, Briançon, 37500 Cravant-les-Coteaux, tél. et fax 02.47.93.90.83 r.-v.

PIERRE JAUTROU Vieilles Vignes 2005

■ 2 ha 6 000 5 à 8 €

Cette exploitation de polyculture et d'élevage s'est reconvertie tardivement à la viticulture, en 1998, mais elle progresse et ce sont maintenant plus de 11 ha de pur cabernet franc qui sont menés par un vigneron enthousiaste. Le nez, d'abord nuancé de poivron, monte en puissance à l'agitation. Puis, au palais, se manifeste d'emblée la réglisse, rejointe plus tardivement par les fruits rouges. Des tanins bien érodés laissent une impression de douceur en finale. Bon pour le service.

EARL Pierre Jautrou, 12, rte de Chinon, 37500 Anché, tél. et fax 02.47.93.47.96, e-mail pierre.jautrou@wanadoo.fr r.-v.

PATRICK LAMBERT Âme d'antan 2005 ★★

■ 0,55 ha 2 000 8 à 11 €

Le domaine n'est pas très grand et Patrick Lambert prend tout son temps pour soigner ses vignes et peaufiner ses vinifications. L'Âme d'antan, qu'il a créée en 2002, est issue de ceps bien éclaircis et effeuillés en été, dont le rendement n'excède pas 30 hl/ha. Elle leur doit cette concentration en couleur et en matière. Conforme au millésime, elle se montre ronde, confortée par des tanins aimables. Si elle semble être prête à boire grâce à son bouquet fruité et à sa souplesse, il serait dommage de ne pas la laisser évoluer davantage. Ronde et avenante dès maintenant, la **Tradition 2005 rouge (5 à 8 €)** obtient une étoile, tandis que la cuvée **Vieilles Vignes 2005 rouge (5 à 8 €)** est citée : dotée de tanins puissants, elle n'en restera pas là.

Earl Patrick Lambert, 6, coteau de Sonnay, 37500 Cravant-les-Coteaux, tél. et fax 02.47.93.92.39, e-mail vins.lambert.patrick@orange.fr r.-v.

ANGÉLIQUE LÉON 2005

■ 1 ha 5 000 5 à 8 €

Une vigneronne installée sur 6,20 ha, pleine de projets et qui s'efforce de travailler au plus près de la tradition : vendanges manuelles, levures indigènes exclusivement, pas de bactéries lactiques pour la fermentation mololactique, pas de chaptalisation et une cave fraîche où évoluent lentement les vins. Une cuvée à l'architecture légère, qui mêle les arômes de fruits rouges aux senteurs de violette. Simple et de bon aloi, elle vous laissera sur une impresson de fraîcheur. À déguster maintenant, à la température de la cave.

Angélique Léon, 2, rue des Capelets, 37420 Savigny-en-Véron, tél. et fax 02.47.58.92.70, e-mail contact@leonvindechinon.com r.-v.

CH. DE LIGRÉ 2006 ★★

■ 2,5 ha 18 000 5 à 8 €

Vaste propriété de la rive gauche de la Vienne, où les terres généreuses ont la réputation de donner naissance à des vins puissants. Mais ici, on est en rosé et ce 2006 est construit gentiment avec équilibre. Le fruit aux multiples évocations (pêche, fraise, bonbon arlequin) se glisse dans une matière ronde du début à la fin. À savourer bien frais, naturellement, avec des grillades. Le **Château de Ligré 2006 blanc**, issu de chenin, est cité pour sa souplesse et sa fraîcheur.

Pierre Ferrand, Ch. de Ligré, 1, rue Saint-Martin, 37500 Ligré, tél. 02.47.93.16.70, fax 02.47.93.43.29, e-mail chateau.de.ligre@wanadoo.fr t.l.j. sf dim. 9h-12h 14h-18h

LE LOGIS DE LA BOUCHARDIÈRE Les Clos 2005 ★

■ 7 ha 42 000 5 à 8 €

Le prince Charles d'Angleterre est venu un jour rendre visite à Serge et à Bruno Sourdais. Une venue qui ne leur a pas fait tourner la tête pour autant ; ces deux vignerons continuent à travailler comme ils l'ont toujours fait, avec sérieux. Cette cuvée en témoigne. La palette aromatique intense ajoute aux notes classiques du cabernet un léger boisé. Classique également, la bouche, dont l'équilibre entre tanins et gras est réussi. On peut sans crainte prêter longue vie à ce vin.

Serge et Bruno Sourdais, Le Logis de la Bouchardière, 37500 Cravant-les-Coteaux, tél. 02.47.93.04.27, fax 02.47.93.38.52, e-mail info@sergeetbrunosourdais.com t.l.j. sf dim. 8h30-12h 14h-18h

ALAIN LORIEUX Thélème 2005 ★

■ 2,2 ha 7 000 8 à 11 €

Pascal et Alain Lorieux sont deux frères qui exploitent deux domaines l'un sur Chinon, l'autre sur Saint-Nicolas-de-Bourgueil. Ils ont mis en commun leur matériel et leur savoir-faire, mais les deux exploitations restent séparées et c'est Alain qui est chargé de la vinification du chinon. La cuvée Thélème est à l'honneur, elle qui développe des arômes de fruits rouges (framboise et groseille). L'attaque est ronde, la finale longue, évocatrice de bourgeon de cassis. Entre les deux, une matière tendre et une absence d'agressivité tannique. Vin d'un abord aisé, qui a sa place partout.

Pascal et Alain Lorieux, Malvault, 37500 Cravant-les-Coteaux, tél. 02.47.98.35.11, fax 02.47.98.36.11, e-mail contact@lorieux.fr r.-v.

DOM. DE LA MARINIÈRE Vieilles Vignes 2005

■ 2 ha 4 500 5 à 8 €

Le Clos des Rabattées, réuni au domaine en 1970, était au XVIes. une propriété des seigneurs de Roncée. Mais c'est un marin qui, las de naviguer, posa un jour son sac à La Marinière et donna ce nom au domaine. Un peu de poivron et du sous-bois, c'est une jolie expression au nez. La bouche est sur le même ton, délicate et longue. Cette cuvée saura attendre. La **Réserve de La Marinière 2005 Élevé en fût de chêne rouge**, citée, a également l'avenir devant elle.

Renaud Desbourdes, La Marinière, 37220 Panzoult, tél. et fax 02.47.95.24.75, e-mail domaine.la.mariniere@wanadoo.fr t.l.j. sf dim. 9h-12h30 14h-18h30

LA MASSONNIÈRE 2005

■ 6,5 ha 15 000 3 à 5 €

Le domaine a été créé en 1980 par Frédéric Delalande, le père, alors qu'il travaillait encore en usine. Celui-ci a vite abandonné son emploi de salarié pour se consacrer à ses vignes. Son fils Cyril vient de le rejoindre pour mettre en valeur plus de 12 ha. Le nez discret de ce 2005 a un côté floral et vanillé. Les tanins mûrs, accompagnés d'une matière riche, évoquent la réglisse et le cacao. Point n'est besoin d'attendre.

GAEC Frédéric et Cyril Delalande, 3, rte des Marais, 37420 Huismes, tél. et fax 02.47.95.56.23 r.-v.

DOM. DES MILLARGES Les Mûriers 2005

	5 ha	20 700		3 à 5 €

Le domaine fort de 25 ha, rattaché au lycée agricole de Tours-Fondettes, sert de support pédagogique aux étudiants. Des techniciens de bon niveau y mettent en pratique les méthodes de culture et de vinification les plus recommandées dans la région. Le chai, semi-enterré, utilise au maximum la gravité afin de respecter le raisin, tandis que la cave d'élevage, dont l'origine remonte au Moyen Âge, est creusée dans le roc. Bien installée sur le fruit, souple et équilibrée, cette cuvée est à servir sans hésitation à la moindre occasion.

Lycée agricole de Tours-Fondettes, Centre vitivinicole, Les Fontenils, 37500 Chinon, tél. 02.47.93.36.89, fax 02.47.93.96.20 r.-v.

DOM. DU MORILLY Cuvée Vieilles Vignes 2005 ★★

	3 ha	6 000		3 à 5 €

La maison d'habitation du XVIII[e]s. se trouve au milieu des vignes. Comme beaucoup de propriétés à Cravant, le vignoble est réparti entre coteaux et terrasses de la Vienne. Le coteau et ses vieilles vignes enracinées dans le calcaire, face au sud, sont à l'origine de ce vin grenat, qui laisse apparaître à l'agitation des notes de cassis mûr. La bouche souple repose sur des tanins fondus et se prolonge avec élégance. Dilemme : est-il à boire ou à mettre en cave ? La cuvée **Vieilles Vignes 2005 rouge Élevé en fût (5 à 8 €, étiquette rouge)** et la cuvée **Vieilles Vignes 2005 rouge (étiquette noire)**, qui est issue des terrasses et non boisée, obtiennent toutes deux une citation.

EARL André-Gabriel Dumont, Malvault, 37500 Cravant-les-Coteaux, tél. 02.47.93.24.93, fax 02.47.93.45.05 t.l.j. 9h-19h

MOULIN DE BEAU PUY 2005 ★★

	n.c.	20 000		5 à 8 €

Une maison de négoce de Pouilly-sur-Loire qui travaille avec des récoltants de Chinon. Le choix des responsables a été judicieux si l'on en juge par les commentaires du jury. Un « grand chinon » qui n'est passé pas loin du coup de cœur. Le bouquet va des épices aux fruits rouges, puis revient aux premiers. Au palais, le vin affiche souplesse et équilibre, les tanins faisant profil bas. Le plaisir est pour maintenant. Le **Moulin de Beauregard 2005 rouge (8 à 11 €)**, produit par Guy Saget, souple et délicatement parfumé de fruits noirs, obtient une étoile.

Jean Dumont, La Castille, BP 26, 58150 Pouilly-sur-Loire, tél. 03.86.39.57.75, fax 03.86.39.08.30 t.l.j. sf dim. 8h-12h 14h-18h30

J.-L. Saget

VINCENT NAULET Cuvée Tradition 2005 ★

	6 ha	10 000		3 à 5 €

4,50 ha en 2001, près de 9 ha aujourd'hui. On travaille à l'ancienne chez Vincent Naulet : vendanges manuelles, pas de thermorégulation et trois mois d'élevage en fût. Les vins sont solides, en particulier cette cuvée qui exhale des arômes de fruits noirs et affiche une puissante matière, gage d'une bonne évolution dans le temps. La cuvée **Vieilles Vignes 2005 rouge (5 à 8 €)**, plus austère, est citée.

Vincent Naulet, 22, rue des Rabottes, 37420 Beaumont-en-Véron, tél. 02.47.58.80.40, fax 02.47.58.84.60, e-mail vincent.naulet@free.fr r.-v.

DOM. DE LA NOBLAIE Pierre de tuf 2005 ★

	2,5 ha	9 500		8 à 11 €

La propriété, très ancienne, n'est dans la famille que depuis 1952 ; Pierre Manzagol d'abord, puis François Billard et maintenant Jérôme qui a rejoint ses parents se sont efforcés de la mettre en valeur et de perfectionner ses équipements. Elle couvre aujourd'hui 18 ha sur les sols de Ligré, aptes à la production de vins structurés. La cuvée Pierre de tuf, du nom d'une cuve creusée à même le tuffeau dans les fondations du domaine, témoigne de ce que l'on peut obtenir dans cette partie de l'appellation. Si le nez évoque le grillé et la vanille hérités de l'élevage sous bois, les tanins et le gras s'équilibrent parfaitement pour donner du corps et assurer une bonne évolution dans le temps. La cuvée **Les Blancs Manteaux 2005 rouge (5 à 8 €)** – dont le nom rappelle que les Templiers auraient séjourné à La Noblaie – est citée ; elle s'inscrit dans le même registre que sa grande sœur. Le **Domaine de La Noblaie 2006 blanc (5 à 8 €)**, souple et long, reçoit une étoile.

Manzagol-Billard, 21, rue des Hautes-Cours, 37500 Ligré, tél. 02.47.93.10.96, fax 02.47.93.26.13, e-mail contact@lanoblaie.fr r.-v.

DOM. DE NOIRÉ Élégance 2005 ★★

	5 ha	22 000		5 à 8 €

Au temps du classement des crus de Chinon, bien avant la reconnaissance de l'appellation, le domaine de Noiré figurait dans les premières côtes. Les temps ont changé, mais les sols et le microclimat ont gardé les mêmes qualités. La preuve, ce vin de couleur dense, dont la trame tannique, puissante mais déjà pleine d'amabilité, est équilibrée par une matière riche issue de raisins vendangés à la bonne date. Fruits noirs et fruits rouges s'y ajoutent comme une touche printanière. La longueur appréciable confirme le jugement. À laisser mûrir quelques années en lieu sûr. La cuvée **Caractère 2005 rouge (8 à 11 €)**, au boisé marqué, reçoit une citation.

Dom. de Noiré, 160, rte de l'Olive, Noiré, 37500 Chinon, tél. 06.76.81.91.29, fax 02.47.98.32.33, e-mail jmmanceau@club-internet.fr r.-v.

Odile Manceau

LOIRE

DOM. DE NUEIL Cuvée Vieilles Vignes 2005 ★★

■ 2,3 ha 3 000 3 à 5 €

La ferme de Nueil comprend les ruines de l'ancien manoir ayant appartenu à Marie de Mauléon. Une porte plein cintre du XVIᵉs., deux échauguettes et un long bâtiment élevés au XVIIᵉs. témoignent de l'importance de l'édifice. Le vignoble de 11,50 ha se répartit entre terrasse et coteau. Sur les terres chaudes, argilo-calcaires, exposées plein sud du coteau est né ce vin charnu, aux tanins fins et soyeux. Les évocations de fruits rouges et de poivron ne manquent pas et la finale confirme l'équilibre de l'ensemble. Quelque temps de garde ne nuira pas à un tel chinon. La **cuvée des Cigales 2005 rouge (5 à 8 €)**, fruitée et légère, décroche une étoile.

Laurent Gilloire, Dom. de Nueil, 37500 Cravant-les-Coteaux, tél. 02.47.93.19.24, e-mail laurent.gilloire@wanadoo.fr t.l.j. sf dim. 8h-19h; f. 1er-15 août

JEAN-LOUIS PAGE Cuvée Vieilles Vignes 2005

■ 1,6 ha 5 000 5 à 8 €

Jean-Louis Page n'en est pas à ses tous débuts dans la viticulture. Installé en 1997, il songe à développer son entreprise, ce qui sera fait l'année prochaine avec la reprise du domaine du Puy Rigault, proche. Pour l'heure, il propose un 2005 équilibré entre gras et tanins, assorti de notes fruitées. Un vin friand, prêt à s'adapter à toutes les occasions. La cuvée **Sélection Clément Martin 2005 rouge (3 à 5 €)** est citée également.

Jean-Louis Page, 12, rte de Candes, 37420 Savigny-en-Véron, tél. 02.47.58.96.92, fax 02.47.58.86.65, e-mail jlpage1@aol.com r.-v.

NICOLAS PAGET Le Symphonique 2005 ★★

■ 1,5 ha n.c. 5 à 8 €

James et Geneviève Paget, les parents, ont amené ce domaine à un niveau d'équipement remarquable. Ils le cèdent à leur fils Nicolas, impatient d'en découdre. Orienté vers la production des vins blancs et rosés d'Azay-le-Rideau, le domaine bénéficie, depuis quelques années déjà, d'une extension en AOC chinon : 1,50 ha de vignes qui ont produit cette cuvée grenat et cassis dans le verre. En bouche, rencontre au sommet pour une entente parfaite entre la matière et des tanins de qualité. L'impression de puissance domine, avant la finale persistante relevée d'une note fraîche. Un pur produit du millésime et de l'appellation. Longue carrière assurée.

Dom. Nicolas Paget, 7, rte de la Gadouillère, 37190 Rivarennes, tél. 02.47.95.54.02, fax 02.47.95.45.90, e-mail domaine.paget@wanadoo.fr t.l.j. sf dim. lun. 9h-12h 14h30-18h30

DOM. CHARLES PAIN Cuvée du Domaine 2005 ★

■ 10 ha 30 000 3 à 5 €

Le domaine de plus de 28 ha s'étend sur les trois communes les plus à l'est de l'aire d'appellation. Cependant, par la vallée de la Vienne venant de la Loire, pénètrent les influences atlantiques qui jouent beaucoup sur le climat. En outre, rive droite, l'exposition est idéale, en plein midi. De bonnes dispositions pour élaborer des vins à l'image de ce 2005 intensément fruité. Les tanins restent modestes, et c'est une souplesse bien agréable qui se développe jusqu'en finale. Les impatients seront ravis. Le **rosé de saignée 2006** obtient également une étoile.

Dom. Charles Pain, Chézelet, 37220 Panzoult, tél. 02.47.93.06.14, fax 02.47.93.04.43, e-mail charles.pain@wanadoo.fr t.l.j. sf dim. 8h-12h30 14h-17h30 C

VIGNOBLE DE LA POËLERIE
Vieilles Vignes 2005 ★

■ 3 ha 6 000 5 à 8 €

À Panzoult, si les vignes et le vin sont l'objet de toutes les préoccupations des vignerons, les randonnées pédestres (50 km de sentiers au total) sont le souci de la municipalité. Le visiteur songera certainement aux plaisirs de la table ; il les trouvera dans cette cuvée cerise noire, qui déborde de senteurs de fruits rouges. La structure est typique du chinon : du gras avec en arrière-plan des tanins qui ne se laissent pas faire. Avec le temps la matière et les arômes seront victorieux.

François Caillé, Le Grand-Marais, 37220 Panzoult, tél. 02.47.95.26.37, fax 02.47.58.56.67, e-mail caille37@wanadoo.fr r.-v. B

DOM. PRÉVEAUX Cuvée du Plessis 2006 ★

■ 1,7 ha 6 000 3 à 5 €

Une exploitation qui est partie de 2 ha et qui a grandi tout doucement pour en atteindre près de 7 aujourd'hui. Le 2006 se distingue par sa robe œil-de-perdrix comme par son fruité intense. Le palais est sans aspérité, avec cette pointe vive qui fait le succès des rosés du terroir. Flatteur, ce vin accompagnera un barbecue. Pour l'apéritif ou le fromage de chèvre, pourquoi ne pas tenter la **cuvée Prestige 2006 blanc (5 à 8 €)**, citée ?

Bruno Préveaux, 19, rue de Launay, 37500 La Roche-Clermault, tél. 02.47.93.23.19, fax 02.47.93.30.84 r.-v. B

DOM. DU PUY Vieilles Vignes Cuvée Baptiste 2005

■ 5 ha 12 000 5 à 8 €

Les premiers Delalande se sont installés au Puy en 1820. C'est maintenant Patrick qui est en charge du domaine de 27 ha. « Un joli vin franc qui embaume le cassis » : ainsi est décrit le 2005 par un jury qui a aussi noté sa puissance et sa structure tannique, propice à deux années de garde. Le **Domaine du Puy Tradition 2005 rouge (3 à 5 €)**, prêt à déguster, est cité, de même que la **cuvée Mathilde 2006 rosé (3 à 5 €)**.

Patrick Delalande, 11, Le Puy, 37500 Cravant-les-Coteaux, tél. 02.47.98.42.31, fax 02.47.93.39.79 r.-v.

DOM. DU PUY RIGAULT Tradition 2005 ★

■ 1 ha 4 000 5 à 8 €

Le domaine est implanté au cœur du Véron, petite région entre Loire et Vienne, où Rabelais, en son temps, situait la culture du cabernet franc. Un vin de printemps

que cette Tradition au fruité développé, équilibrée et fraîche. Elle fera une entrée de repas idéale. La cuvée **Vieilles Vignes 2005 rouge**, dense en matière et en tanins, mérite de vieillir : elle est citée.
Dom. du Puy Rigault, 6, rue de la Fontaine-Rigault, 37420 Savigny-en-Véron, tél. 02.47.58.44.46, fax 02.47.58.99.50 r.-v.
Michel Page

DOM. DES QUATRE VENTS
Cuvée Sélection 2005 *

3,5 ha 15 000 5 à 8 €

Planté sur une butte et balayé par les vents, le domaine de Philippe Pion, de plus de 20 ha, ne craint pas les gelées printanières. Assemblage de raisins issus de terres fortes, argileuses, ou argilo-calcaires, ce 2005 se pare d'une couleur dense, violet sombre. Matière et tanins jouent ensemble harmonieusement de sorte que le vin semble solide et coulant à la fois. À deux fins, pour aujourd'hui ou pour demain. Tout aussi puissante, la cuvée **Vieilles Vignes 2005 rouge** reçoit une étoile.
Philippe Pion, La Bâtisse, 37500 Cravant-les-Coteaux, tél. 02.47.93.46.79, fax 02.47.93.99.59, e-mail pionphilippe@aol.com r.-v.

CAVES DES VINS DE RABELAIS
Les Hauts Buis 2005 **

21 ha 134 530 3 à 5 €

Cette société d'intérêt collectif agricole a été créée en 1989 par soixante-dix vignerons qui voulaient travailler avec la grande distribution et affronter les problèmes de l'exportation, tout en gardant un bon niveau de qualité. Cette cuvée pourpre affiche des arômes de fruits noirs mûrs et d'épices. Elle débute en souplesse, puis devient dense et puissante. Les tanins très enrobés se dévoilent dans une finale persistante. Une belle bouteille à laisser vieillir ou à servir dès maintenant.
SICA des Vins de Rabelais, Les Aubuis-Saint-Louans, 37500 Chinon, tél. 02.47.93.42.70, fax 02.47.98.35.40 t.l.j. sf sam. dim. 9h-12h 14h-17h

JEAN-MAURICE RAFFAULT Le Puy 2005 ***

1 ha 4 500 15 à 23 €

Jean-Maurice Raffault a tiré cette année un feu d'artifice ! Il présente quatre cuvées qui sont qualifiées pour l'une d'exceptionnelle, pour deux de remarquables, pour la quatrième de très réussie. Est-ce dû à la sagesse et à l'expérience du père ou à la technicité du fils Rodolphe ? La cuvée Le Puy ne renie pas son passage en fût, mais le bois s'intègre parfaitement dans une matière riche, contre-balancée par des tanins solides et élégants à la fois. Des arômes de fruits cuits, de sous-bois et de grillé se manifestent à tout instant. On imagine ce vin plus extraordinaire encore dans dix ans. Le **Clos d'Isoré 2005 rouge (8 à 11 €)** et le **Clos des Capucins 2005 rouge (11 à 15 €)**, toujours dans un registre de vins de garde, brillent de deux étoiles. **Les Picasses 2005 rouge (5 à 8 €)**, une étoile, est encore sur le fruit actuellement. Un an de garde lui permettra de gagner en complexité.
Jean-Maurice Raffault, La Croix, 37420 Savigny-en-Véron, tél. 02.47.58.42.50, fax 02.47.58.83.73, e-mail rodolphe.raffault@wanadoo.fr r.-v.

MARIE-PIERRE RAFFAULT La Chevesserie 2005

3 ha 5 000 5 à 8 €

Le domaine de 13 ha de Marie-Pierre Raffault est situé sur Chinon même, avec une parcelle sur les coteaux argilo-calcaires et une autre sur les graves siliceuses de la Vienne. Cette cuvée est issue des pentes sud, riches en cailloux de craie et de silice ; sa vocation de garde apparaît d'emblée au palais par la densité de sa matière et son fond tannique.
Marie-Pierre Raffault, Les Loges, 37500 Chinon, tél. 02.47.93.17.89, fax 02.47.93.92.60, e-mail mpraffault@aol.com r.-v.

OLGA RAFFAULT Les Picasses 2005

10 ha 60 000 8 à 11 €

Olga Raffault, une figure de la profession viticole à Chinon, a fondé son vignoble en 1920. Elle a transmis son savoir à son fils et c'est maintenant sa petite-fille Sylvie, soutenue par son mari Éric, qui a repris le flambeau avec un même succès. Les Picasses a toujours eu la réputation d'être un vin de grande force tannique et de grande intensité. Le 2005 a beau afficher des arômes de fruits bien mûrs, deux ans de garde seront nécessaires pour l'assagir. Une patience qui sera certainement récompensée.
SARL Olga Raffault, 1, rue des Caillis, 37420 Savigny-en-Véron, tél. 02.47.58.42.16, fax 02.47.58.83.61, e-mail infos@olga.raffault.com t.l.j. sf dim. 9h-12h 14h-18h

DOM. DU RAIFAULT Clos du Villy 2005 *

3 ha n.c. 8 à 11 €

L'élégante gentilhommière des XVe et XVIes. ne passe pas inaperçue à l'amateur de vieilles pierres en visite dans le terroir du Véron. Le vignoble qui l'entoure, dont le Clos du Villy, se remarque aussi. Un léger boisé se manifeste dans ce vin, suivi de notes de cerise. La matière dense tente d'envelopper des tanins pas encore domestiqués en fin de bouche. Un peu de garde s'impose donc. Le **Domaine du Raiffault 2006 blanc (5 à 8 €)** est cité.
Julien Raffault, 23-25, rte de Candes, 37420 Savigny-en-Véron, tél. 02.47.58.44.01, fax 02.47.58.92.02, e-mail domaineduraifault@wanadoo.fr t.l.j. 8h30-12h30 14h-19h; dim. sur r.-v.

PHILIPPE RICHARD
Cuvée Tymothé Vieilli en fût de chêne 2005 *

1 ha 3 500 8 à 11 €

C'est une pluie d'étoiles qui s'abat cette année sur le domaine. Trois vins proposés, trois fois une étoile ! Celle présentée ici est peut-être la plus représentative de ce petit vignoble de 6,50 ha, bien abrité des vents du nord par la forêt de Chinon. Philippe Richard le tient de son grand-père qui l'a initié au secret de la vigne et du vin. Issue d'une parcelle où les ceps ont plus de cinquante ans, Tymothé a grandi à l'ancienne, avec un passage d'un an en fût vieilli. Les senteurs de petits fruits rouges et de baies noires forment le bouquet, relevées d'un léger fumé. La structure est harmonieuse : tanins élégants et gras font alliance, tandis qu'une petite touche boisée persiste en finale. Une bouteille de garde, cela va sans dire. Les cuvées **Tyfaine 2005 rouge (5 à 8 €)** et **Vieilles Vignes 2005 rouge (5 à 8 €)**, équilibrées et fruitées, sont déjà séduisantes.
Philippe Richard, Le Sanguier, 37420 Huismes, tél. 02.47.95.45.82, fax 02.47.95.59.27, e-mail philipperichard.vins-chinon@wanadoo.fr t.l.j. 9h-19h; dim. sur r.-v.

DOM. DE LA ROCHE HONNEUR
Cuvée Rubis 2005

■ 6 ha 25 000 🍷 5 à 8 €

Chez Stéphane Mureau, la cave entièrement sculptée témoigne d'un penchant pour l'art. Ce penchant se retrouve dans son vin dont les tanins font assaut d'élégance et de finesse. Le gras apporte de l'ampleur, et le fruité de la gaieté. Il n'y a plus qu'à attendre l'œuvre du temps – deux ans – pour une consécration. La cuvée **Diamant Prestige 2005 rouge (8 à 11 €)**, solide et boisée, obtient une citation.

Dom. de La Roche Honneur, 1, rue de la Berthelonnière, 37420 Savigny-en-Véron, tél. 02.47.58.42.10, fax 02.47.58.45.36, e-mail roche.honneur@club-internet.fr r.-v.
Stéphane Mureau

DOM. DU RONCÉE Clos des Marronniers 2005 ★★

■ 6 ha 35 000 8 à 11 €

Christophe Baudry et Jean-Martin Dutour ont repris cet important domaine, qui relevait au XII[e]s. de la châtellenie de l'Île-Bouchard. Il couvre près de 35 ha répartis en plusieurs clos, dont le fruit est vinifié séparément. Le Clos des Marroniers, remarquable par sa densité, a une vocation de garde affirmée. La trame tannique bien faite soutient une matière ample qui donne de la rondeur à l'attaque et de la puissance jusqu'en finale, avec un petit retour d'austérité qui confirme qu'un vieillissement sera favorable. Le coup de cœur n'est pas passé loin. La cuvée **Coteau de Chenanceaux 2005 rouge (11 à 15 €)**, de garde également, brille d'une étoile et le **rosé 2006 (3 à 5 €)** est cité.

Baudry-Dutour, Dom. du Roncée, La Morandière, 37220 Panzoult, tél. 02.47.58.53.01, fax 02.47.58.64.06, e-mail info@baudry-dutour.fr
t.l.j. sf dim. lun. 10h-12h 14h-18h B

DOM. DES ROUET 2005

■ 11 ha 40 000 5 à 8 €

Graves et limons de la Vienne constituent les sols de cette proppiréte de 14 ha bien conduite par Jean-François Rouet et dont la création remonte à 1880. La maison, très ancienne, possède une cour intérieure qui protégeait autrefois l'intimité de ses occupants. Cette cuvée affiche des arômes de fruits rouges et des tanins solides. Le gras n'est pas absent, mais comme pour tout bon chinon, il faut simplement un peu de temps pour que l'ensemble se fonde.

Dom. des Rouet, Chézelet, 37500 Cravant-les-Coteaux, tél. 02.47.93.19.41, fax 02.47.93.96.58, e-mail jean-francois.rouet@wanadoo.fr r.-v.

WILFRID ROUSSE Cuvée Terroir 2005 ★

■ 7 ha 12 000 5 à 8 €

La girouette du XVII[e]s. qui représente une sirène gobant un poisson est devenue l'emblème du domaine. Ce dernier est passé de 1 à 18 ha en vingt ans. La cuvée Terroir est issue des hauts de Beaumont-en-Véron, là où la vigne emmagasine la chaleur du soleil. Coup de cœur dans le Guide 2007, Wilfrid Rousse se place encore bien cette année grâce à ce vin d'un équilibre général très réussi, mais dont la finale légèrement austère indique qu'une évolution est souhaitable. Le léger boisé, prêt à s'intégrer, est plaisant. La cuvée **Les Puys 2005 rouge**, notée une étoile, est déjà avenante.

Wilfrid Rousse, 21, rte de Candes, La Halbardière, 37420 Savigny-en-Véron, tél. 02.47.58.84.02, fax 02.47.58.92.66, e-mail wilfrid.rousse@wanadoo.fr
t.l.j. 9h-12h30 14h-19h; f. 15-31 août

CAVES DE LA SALLE Vieilles Vignes 2005

■ 4 ha 8 000 5 à 8 €

Les bâtiments datent du XVIII[e]s. et le vignoble fort de 13 ha, implanté sur argilo-calcaire et sables de la Vienne, n'est pas loin. Un camping à la ferme montre le sens de l'accueil de ces vignerons. Les touristes allieront repos et plaisir en découvrant cette cuvée souple et légère, destinée à une cuisine de vacances improvisée. Le **rosé 2006 (3 à 5 €)**, assez rond et élégant, est cité.

EARL Rémi Desbourdes, La Salle, 37220 Avon-les-Roches, tél. 02.47.95.24.30, fax 02.47.95.24.83, e-mail remi.desbourdes@wanadoo.fr
t.l.j. 9h-12h30 14h30-19h30; dim. 9h-12h30

DOM. DE LA SEMELLERIE Vieilles Vignes
Cuvée Déborah Élevé en fût de chêne 2005

■ 1,3 ha 7 000 8 à 11 €

Le domaine de 39 ha s'étend sur la meilleure partie de la commune de Cravant, au plus haut du coteau, là où les rayons du soleil « tombent droit », comme on dit dans le Midi. Le sol argilo-calcaire, chaud et sain, contribue à la maturation du raisin. Beaucoup de fées, en somme, se sont penchées sur le berceau de ce vin complexe qui mêle fruits rouges, épices et boisé. La bouche évoque également les fruits rouges et les épices ; souple, elle cède en finale à un petit élan tannique qui indique qu'une ou deux années de garde ne seront pas de trop.

Fabrice Delalande, EARL de La Semellerie, 37500 Cravant-les-Coteaux, tél. 02.47.93.18.70, fax 02.47.93.94.00, e-mail la-semellerie@wanadoo.fr
r.-v.

PIERRE SOURDAIS Réserve Stanislas 2005 ★

■ 4 ha 20 000 5 à 8 €

Sur le domaine de 25 ha se rencontrent terres de coteaux et sols de graves. Cette cuvée est un assemblage de vendanges de côtes et de graves, vieillies en fût pendant douze mois. Le passage sous bois apporte une note vanillée qui ne masque pas les arômes de fruits rouges. La bouche souple à l'attaque gagne en puissance grâce à une matière riche et persistante, soutenue par des tanins soyeux. Réservez à cette bouteille la meilleure place dans votre cave. Les cuvées **Tradition 2005 rouge**, prête à boire, et **Les Boulais 2005 rouge (11 à 15 €)**, destinée à deux ans de garde pour s'assouplir, sont citées.

Pierre Sourdais, 12, Le Moulin à Tan, 37500 Cravant-les-Coteaux, tél. 02.47.93.31.13, fax 02.47.98.30.48, e-mail pierre.sourdais@wanadoo.fr
r.-v. C

DOM. DE LA TOUR 2005 ★

■ 7 ha 20 000 5 à 8 €

Au plus haut du coteau, au cœur du vignoble, s'élève une tour, vestige d'un ancien moulin à grains. La vigne, face au midi, plonge ses racines dans un sol argilo-calcaire où le tuffeau n'est pas loin. Fruit et souplesse sont les maîtres mots de la dégustation. Dans une matière volumineuse, les tanins se font tout petits et le fruit domine jusqu'en finale, rehaussé d'une pointe de vivacité. Profitez-en vite.

⊶ Guy Jamet, 25, rue de la Buissonnière, 37420 Beaumont-en-Véron, tél. 02.47.58.47.61, fax 02.47.58.40.24 ☑ Y ⚘ r.-v.

DOM. DE LA TRANCHÉE 2005

■ 4 ha 10 000 ⅰ ⦀ 5 à 8 €

À Beaumont-en-Véron, les sols chargés en éléments grossiers, de calcaire et de silex, reposent sur le tuffeau. Ce sont donc des terres saines, chaudes, le plus souvent tournées vers le soleil. Difficile de trouver mieux en matière de terroir. Il parle dans cette cuvée aux arômes de fruits et de fleurs – la violette domine, classique à chinon. Rond, plutôt léger en bouche (c'est un compliment), le vin laisse une impression soyeuse. Un 2005 sympathique que l'on tutoiera facilement.

⊶ Pascal Gasné, 33, rue de la Tranchée, 37420 Beaumont-en-Véron, tél. 02.47.58.91.78, fax 02.47.58.85.25, e-mail pascal.gasne@club-internet.fr ☑ Y ⚘ r.-v.

LES VARENNES DU GRAND CLOS 2005 *

■ 4 ha 20 000 ⅰ ⦀ 11 à 15 €

Cette année encore, ce domaine étonne : quatre vins retenus, dont les Varennes du Grand Clos, aux arômes de cassis et de pruneau. Ce vin offre une matière puissante, étayée par des tanins fermes, en équilibre, avec un boisé présent, mais nullement dominant. Il a tout l'avenir devant lui. Deux autres chinon de garde, le **Clos du Chêne vert 2005 rouge (15 à 23 €)** reçoit une étoile et le **Clos de la Diotrie 2005 rouge (15 à 23 €)** est cité. Le **rosé 2006 (5 à 8 €)**, souple et ouvert sur les fruits rouges, est noté une étoile également.

⊶ SCEA Charles Joguet, La Dioterie, 37220 Sazilly, tél. 02.47.58.55.53, fax 02.47.58.52.22, e-mail contact@charlesjoguet.com ☑ Y ⚘ r.-v.

⊶ J. Genet

CH. DE VAUGAUDRY
Clos du Plessis-Gerbault 2005

■ 1 ha 6 000 ⅰ ⦀ 8 à 11 €

Le château actuel a été reconstruit en 1820 sur les vestiges de l'ancienne maison noble de Vaugaudry. Fait remarquable, il est entouré d'un mur qui forme un clos de 58 ha. Le vignoble reconstitué depuis peu n'en compte que 12 et bénéficie du microclimat créé par cette construction. Le nez de ce 2005 surprend par son côté mentholé plaisant. La bouche se déroule sans aspérités et sans qu'aucun élément majeur ne domine. Le caractère végétal (dans le bon sens) de la finale est apprécié. Attendez cette bouteille deux petites années.

⊶ SCEA Ch. de Vaugaudry, Vaugaudry, 37500 Chinon, tél. 02.47.93.13.51, fax 02.47.93.23.08 ☑ Y ⚘ r.-v. 🏠 E

⊶ Belloy

Coteaux-du-loir

Avec le jasnières, voici le seul vignoble de la Sarthe, sur les coteaux de la vallée du Loir. Il renaît après avoir failli disparaître il y a vingt-cinq ans. Les vignes sont plantées sur l'argile à silex qui recouvre le tuffeau. En 2006, une production intéressante de 1 504 hl d'un rouge léger et fruité (pineau d'Aunis, assemblé aux cabernet, gamay ou cot) et de rosé ainsi que 1 367 hl de blanc sec (chenin ou pineau blanc de la Loire).

DOM. DE CÉZIN Pineau d'Aunis 2005 **

■ 4 ha 6 000 ⅰ 3 à 5 €

Tant en jasnières qu'en coteaux-du-loir, le domaine de Cézin est une valeur sûre de la Sarthe viticole : quatre coups de cœur ont distingué sa production depuis son installation en 1982. Dans cette édition du Guide, ses coteaux-du-loir sont en vedette. Et particulièrement ce vin rouge né du pineau d'Aunis, cépage historique de cette vallée du Loir. D'un rubis très frais, il exprime au nez comme en bouche les saveurs épicées et poivrées de l'Orient. Assez bien structuré, il révèle quelques tanins anguleux que le temps arrondira. Un authentique représentant de l'appellation, qui peut être apprécié dans la fraîcheur de sa jeunesse. Le **coteaux-du-loir blanc 2006 (5 à 8 €)** est frais, fruité, avec un potentiel de garde de deux à trois ans. Il obtient une étoile. Même note pour le **jasnières 2006 (5 à 8 €)** : un sec un peu tendre à l'attaque, frais en bouche, aux sympathiques arômes de fruits mûrs (pêche et poire) qui en font une bouteille facile, à servir à l'apéritif ou avec du fromage.

⊶ François Fresneau, rue de Cézin, 72340 Marçon, tél. et fax 02.43.44.13.70, e-mail earl.francois.fresneau@wanadoo.fr ☑ Y ⚘ r.-v.

CHRISTOPHE CROISARD Cuvée de Rasné 2006

□ 1 ha 8 000 ⅰ 5 à 8 €

À la tête du domaine familial depuis 1996, Christophe Croisard a proposé un beau représentant du millésime ; la robe est soutenue, jaune doré. Le nez complexe intéresse : s'y mêlent les fruits secs, les noix et le beurre. L'attaque souple dévoile des arômes de fleurs séchées et la finale se montre légèrement confite. Un tendre, agréable et facile.

⊶ Christophe Croisard, La Pommeraie, 72340 Chahaignes, tél. et fax 02.43.79.14.90, e-mail christophecroisard@wanadoo.fr ☑ Y ⚘ r.-v.

DOM. DE LA GAUDINIÈRE
Pineau d'Aunis 2005 *

■ 0,8 ha 2 000 ⅰ 3 à 5 €

Un vin rouge bien dans l'esprit de cette vallée du Loir. Discret au nez, il exprime cependant la touche épicée typique du pineau d'Aunis. Agréable au palais, il est à la fois bien présent et gouleyant, sans aspérités. La finale laisse un sillage feuille fraîche froissée, comme des promenades à la campagne : joli parcours. Le **jasnières 2005 (5 à 8 €)** de La Gaudinière est cité : il est tendre mais bien droit dans son appellation, avec sa jolie minéralité sur fond de fleurs blanches, son attaque franche et sa finale fraîche.

⊶ EARL Cartereau, La Gaudinière, 72340 Lhomme, tél. 02.43.44.55.38, fax 02.43.79.30.68 ☑ Y ⚘ r.-v.

LA GRAPPERIE Pineau d'Aunis Adonis 2005 *

■ 1 ha 3 000 ⦀ 11 à 15 €

Un nouveau nom dans le Guide. Renaud Guettier s'est installée en 2005 ; il a constitué son vignoble en rachetant de vieilles vignes (quinze parcelles réparties sur quatre communes) et s'est engagé dans une démarche d'agriculture biologique. Au chai, il n'a recours qu'aux levures indigènes pour les fermentations et pratique un

dosage homéopathique du soufre. Adonis est... beau, dans sa robe rouge profond. Au nez, du poivre, et les signes d'une légère évolution. L'attaque est franche avec un côté friand agréable, la finale assez longue. Le **blanc Les Dorrées Vendanges tardives 2005 (15 à 23 €)**, cité, est quant à lui une curiosité. C'est un vin à tendance moelleuse qui exprime des notes de noix et de caramel salé sur un fond boisé : il fera le bonheur des amateurs de vins naturels.
La Grapperie, EARL Soudairie, La Soudairie, 37370 Bueil-en-Touraine, tél. et fax 02.47.24.48.06, e-mail renaud-guettier@lagrapperie.com
Renaud Guettier

DOM. LES MAISONS ROUGES

Les Vieilles Vignes d'Aunis 2005 ★★

1,2 ha 4 000 8 à 11 €

Benoît et Élisabeth Jardin, installés en 1994, ont su au fil des années développer leur connaissance des terroirs de la vallée du Loir. Ils cultivent maintenant en « bio » leurs 6,50 ha. Trois cuvées témoignent de leur savoir-faire. Ce rouge, né du cépage local, brille de reflets grenat et laisse des larmes sur les parois du verre. Légèrement poivré, franc et rond à l'attaque, il révèle une charpente de bons tanins qui demanderont un à deux ans avant de se fondre. Le **blanc La Fontenelle 2005** obtient lui aussi deux étoiles. Il épouse avec brio le style des grands vins « secs tendres » du Val de Loire et pourra paraître aux repas de fête. Quant au jasnières **Clos des Molières 2005 (11 à 15 €)**, il reçoit une étoile pour son nez fruité, son attaque à la fois fraîche et suave. Son léger boisé dû à l'élevage en barrique sur lie devrait s'estomper. Dans deux ou trois ans, il donnera un grand vin sec que l'on pourra marier avec un carpaccio de saint-jacques.
Élisabeth et Benoît Jardin, Dom. Les Maisons Rouges, 72340 Ruillé-sur-Loir, tél. et fax 02.43.79.50.09, e-mail mr@maisonsrouges.com r.-v.

Jasnières

C'est le cru des coteaux du Loir, bien délimité sur un unique versant plein sud de 4 km de long sur environ 65 ha. Une production en 2006 de 2 379 hl de vin blanc, issu du seul cépage chenin ou pineau de la Loire, qui peut donner des produits sublimes les grandes années. Curnonsky n'a-t-il pas écrit : « Trois fois par siècle, le jasnières est le meilleur vin blanc du monde » ? Il accompagne élégamment, dit-on, la « marmite sarthoise », spécialité locale, où il rejoint d'autres produits du terroir : poulets et lapins finement découpés, légumes cuits à la vapeur. Vin rare, à découvrir.

VINS M. BOULAY Cuvée Camille 2005 ★

8 ha 13 000 8 à 11 €

Jaune d'or soutenu, cette cuvée attire par son nez expressif. L'attaque franche dévoile une matière fine et joviale. Une certaine sévérité en finale devrait s'estomper avec le temps. On peut commencer à déboucher cette bouteille cet automne, ou l'attendre quelques années.
SCEA Vins Boulay, La Perrière, 72250 Parigné-L'Évêque, tél. et fax 02.43.75.82.22 r.-v.

DOM. DE LA CHARRIÈRE

Sélection de raisins nobles 2005 ★

3,5 ha 3 500 11 à 15 €

Vin issu d'une sélection de grains nobles, ce 2005 est bien dans son millésime. Il se présente dans une somptueuse robe jaune doré. Au nez, les arômes de fruits mûrs se dégagent immédiatement. La bouche séduit par sa richesse et sa complexité. Il n'y manque pas cette minéralité qui fait l'originalité des vins de la vallée du Loir. Apéritif et foie gras bien sûr. Mais pourquoi pas du fromage ? Une étoile encore pour un **coteaux-du-loir pineau d'Aunis rouge 2005 (5 à 8 €)**, un vin alerte et chaleureux qui exprime le côté poivré et épicé du cépage.
Joël Gigou, 4, rue des Caves, 72340 La Chartre-sur-le-Loir, tél. 02.43.44.48.72, fax 02.43.44.42.15, e-mail vins.gigou@wanadoo.fr r.-v.

BERNARD CROISARD 2005 ★★

0,6 ha 3 000 5 à 8 €

Vigneron discret mais attentif à la nature, Bernard Croisard propose un superbe 2005 jaune paille brillant. Le nez intense respire la pulpe de raisin surmûri ; on y découvre aussi la fleur blanche et l'orange sanguine. En bouche, le fruit confit prend le dessus, associé au coing et à l'abricot. La finale longue et nerveuse vivifie sans agacer. Une seule question : faut-il l'apprécier tout de suite ou dans cinq ans ? C'est selon votre bon plaisir. Il est prêt.
Bernard Croisard, La Pommeraie, 72340 Chahaignes, tél. 02.43.44.47.12 r.-v.

DOM. DES GAULETTERIES

Cuvée Saint-Vincent 2006

13 ha 8 000 5 à 8 €

Francine et Raynald Lelais se feront un plaisir de vous faire visiter le dédale de leurs caves en tuffeau où séjournent quelques vieux millésimes. Ce 2006 à la robe paillée n'y restera sans doute pas une éternité, climatologie oblige, mais il est de bonne facture. Des arômes de pêche jaune et une note minérale de silex sous-jacente font son principal attrait. On aurait préféré un peu plus de matière en finale mais l'attaque est franche et l'ensemble cohérent. Également citée, la cuvée **Tradition** est expressive et souple. On l'appréciera dans les deux ans à venir.
Francine et Raynald Lelais, Dom. des Gauletteries, 72340 Ruillé-sur-Loir, tél. et fax 02.43.79.09.59, e-mail vins@domainelelais.com
t.l.j. 10h-12h30 14h-19h; fév. et août sur r.-v.

PASCAL JANVIER Cuvée du Silex 2006

2 ha 8 000 5 à 8 €

Peu de nez encore, un rien de fruit noir. La bouche séduit par son équilibre : une attaque franche, du gras et du volume. Une note de fenouil pour souligner la fraîcheur de la finale. À servir dans les cinq prochaines années sur un poisson blanc. Même note et même usage pour le **coteaux-du-loir blanc 2006 (3 à 5 €)**, floral au nez, tendre en attaque et citronné en finale.
Pascal Janvier, La Minée, 72340 Ruillé-sur-Loir, tél. 02.43.44.29.65, fax 02.43.79.25.25, e-mail vins-p.janvier@wanadoo.fr r.-v.

JEAN-JACQUES MAILLET 2006 ★

4 ha	10 000	5 à 8 €

Plusieurs coups de cœur dans des éditions antérieures ; une valeur sûre du Guide. Ce 2006 est une très belle expression du millésime. Pâle de couleur mais fort expressif au nez, il suggère la pomme. En attaque, de la douceur, puis une touche minérale et un retour fruité où l'on retrouve le fruit blanc (pomme et poire). La finale fraîche en fait un vin harmonieux qui formera une plaisante harmonie avec le gras onctueux des cochonnailles chaudes. Une étoile encore pour le **coteaux-du-loir rosé 2006 (3 à 5 €)**. Un pineau d'Aunis œil-de-perdrix au nez de cassis et de framboise, à la bouche fruitée et fraîche qui finit sur une note typique de poivre blanc.

Jean-Jacques Maillet, La Pâquerie, 72340 Ruillé-sur-Loir, tél. 02.43.44.47.45, fax 02.43.44.35.30 r.-v.

DOM. MARTELLIÈRE Cuvée du Poète 2005 ★

0,55 ha	2 500	5 à 8 €

Le millésime 2005 est une référence en terme de maturité et cette cuvée du Poète est une ode à la nature. Au nez, un fruité confit de poire et de pêche agrémenté de litchi ; une attaque tout en douceur imprégnée de fruits à chair blanche ; une longue finale laissant une impression d'équilibre. « Je le servirais bien sur un foie gras poêlé au pain d'épice », conclut un dégustateur. Les millésimes 2002 et 2003 avaient chacun obtenu un coup de cœur. Cité, le **jasnières cuvée des Perrés 2006** est un vin sec tendre aux accents de feuilles fraîches froissées, à déguster dès maintenant avec entrées de poissons, crustacés ou crudités. Autre citation pour le **coteaux-du-loir rouge 2005 (3 à 5 €)**, un pineau d'Aunis assez coloré et tannique qui accompagnera des plats riches.

Jean-Vivien Martellière, 11, rue de Fosse, Fosse, 41800 Montoire-sur-le-Loir, tél. et fax 02.54.85.16.91, e-mail domainesmartelliere@free.fr r.-v.

CHRISTINE DE MIANVILLE Chant de Vigne 2005 ★

0,3 ha	2 000	11 à 15 €

Christine de Mianville exploite 30 a de vignes à Jasnières : l'équivalent d'un grand jardin. Élevé en barrique, ce vin aux arômes de fruits secs se révèle flatteur et montre beaucoup de puissance et de volume. Il faudra l'attendre quelques années pour que le bois se fonde. À servir sur les plats à sauce crémeuse.

Christine de Mianville, chem. de la Serpette, 72340 Lhomme, tél. 02.41.52.91.62, e-mail demianville@voila.fr r.-v.

JEAN-MARIE RENVOISÉ Moelleux 2005

2 ha	5 000	8 à 11 €

Un habitué du Guide, trois fois cité cette année. Un jasnières 2005 moelleux à la robe paillée et aux fragrances d'anis et de tilleul fort agréables. Une bonne structure, de la minéralité à l'appui de la fraîcheur. Une douceur un peu lourde ? La rançon d'un millésime ensoleillé. L'ensemble est prêt. Le **jasnières demi-sec 2005 (5 à 8 €)** obtient la même note pour ses arômes d'aubépine, de fenouil accompagnés de touches minérales. Il est tendre, sans mollesse, long et frais en finale. Le **coteaux-du-loir pineau d'Aunis rouge 2005 (5 à 8 €)** serait, lui, plutôt du genre nerveux et devra attendre un peu.

Jean-Marie Renvoisé, Le Vaugermain, 72340 Chahaignes, tél. et fax 02.43.44.89.37 r.-v.

PHILIPPE SEVAULT 2006 ★

n.c.	15 000	5 à 8 €

Ce vigneron est une fois de plus présent grâce à deux cuvées de jasnières. La cuvée principale a eu la préférence du jury : dans sa robe or pâle, ce 2006 offre un bouquet délicat de fruits et de fleurs. Bien équilibré, tendre sur des notes de pêche blanche, il sera prêt à l'automne tout en pouvant se garder deux ans ; il aimera les repas en plein air. Le **jasnières cuvée Louis 2006 (8 à 11 €)** est un classique, au nez de fleurs blanches qui plaira aux amateurs de douceur. Il est cité, tout comme le **coteaux-du-loir cuvée Ronsard rosé 2006 (3 à 5 €)**, léger, souple et tendre. Comme la rose de Ronsard, n'attendez pas le soir pour l'apprécier.

Philippe Sevault, rue Élie-Savatier, 72340 Poncé-sur-le-Loir, tél. 02.43.79.07.75 r.-v.

Montlouis-sur-loire

La Loire au nord, la forêt d'Amboise à l'est, le Cher au sud limitent l'aire d'appellation (1 000 ha de vignes dont 400 environ revendiqués en AOC montlouis-sur-loire). Les sols « perrucheux » (argile à silex), localement recouverts de sable, sont plantés de chenin blanc (ou pineau de la Loire) et produisent des vins blancs vifs et pleins de finesse, tranquilles, secs ou doux, ou effervescents (16 246 hl en 2006). Les premiers gagnent à évoluer longuement en bouteilles dans les caves de tuffeau. Ils ont un potentiel de garde d'une dizaine d'années.

DOM. AURORE DE BEAUFORT Sec Cuvée tendre 2005

1 ha	3 200	5 à 8 €

Le domaine actuel (6 ha) a emprunté son nom aux Beaufort, ancêtres de Jean-Marie Moyer, qui possédaient, bien avant la Révolution, manoir et vignes ainsi que des caves immenses. Il propose des chambres d'hôtes aux visiteurs qui pourront ainsi découvrir sa production. D'un jaune paille soutenu, ce sec tendre laisse fuser des évocations d'agrumes et de menthol. L'attaque tout en rondeur introduit une bouche bien équilibrée aux accents de fruits secs. Une alliance avec des viandes blanches en sauce serait réussie. Le **moelleux Cuvée Prestige 2005 (11 à 15 €)** est riche, avec une finale légère ; il obtient la même note.

Jean-Marie Moyer, 23, rue des Caves, 37270 Saint-Martin-le-Beau, tél. 02.47.50.61.51, fax 02.47.50.27.56, e-mail aurore-de-beaufort@wanadoo.fr t.l.j. sf dim. 8h-20h; f. janv. 4

PATRICE BENOIT Sec 2005 ★

1 ha	3 000	3 à 5 €

Patrice Benoit a bénéficié de la restructuration générale des exploitations qui s'est opérée il y a une vingtaine d'années. Profitant du départ à la retraite de petits exploitants, il a regroupé plusieurs parcelles pour se constituer un coquet domaine (7 ha aujourd'hui). Cette année, son

LOIRE

meilleur vin est un sec de fort belle facture. Ce sont les fruits mûrs qui l'emportent dans un bouquet très expressif. La bouche nette, sans fioritures, exclut toute rondeur superflue. Un vrai sec pour tous les produits de la mer. Le **demi-sec** à la finale tout en fraîcheur reçoit une citation.
Patrice Benoit, 3, rue des Jardins, Nouy, 37270 Saint-Martin-le-Beau, tél. 02.47.50.62.46, fax 02.47.50.63.93 r.-v.

CLAUDE BOUREAU
Brut Grande Tradition 2003 *

3 ha 2 000 5 à 8 €

« Artisan vigneron » comme il aime à se présenter, Claude Boureau ne fait jamais les choses à moitié. Cette année, trois types de montlouis ont été sélectionnés par le jury. Avec une étoile, cette méthode traditionnelle à la robe brillante, animée de longs chapelets de fines bulles, aux arômes d'acacia, de miel et à la bouche fondante, équilibrée, relevée d'une pointe d'acidité et un **moelleux Vieilles Vignes 2005 (8 à 11 €)**, expressif, équilibré, un rien vanillé en finale. Quant au sec **Les Maisonnettes 2005**, un vin vif pour produits de la mer, il est cité.
Claude Boureau, 1, rue de la Résistance, 37270 Saint-Martin-le-Beau, tél. et fax 02.47.50.61.39, e-mail boureau.claude865@orange.fr r.-v.

BOUTINOT Brut Première

11 ha 150 000 5 à 8 €

Le secret des effervescents réussis ? Une longue période de repos avant le dégorgement. C'est le cas de cette méthode traditionnelle restée sur lattes pendant trois ans : la deuxième fermentation terminée, le vin a eu tout le temps de développer sur lies ses arômes et de préparer une mousse fine et abondante. La robe est dorée ; les bulles sont fines et les évocations de coings et d'agrumes manifestes. La finale vive plaira lors d'une chaude après-midi d'été.
Paul Boutinot, La Roche, 71570 Saint-Vérand, tél. 03.85.23.05.40, fax 03.85.23.09.55

LAURENT CHATENAY
Sec Les Maisonnettes 2005

2 ha 7 000 8 à 11 €

Installé il y a dix ans, Laurent Chatenay n'est pas à la tête d'un vaste domaine, mais 6 ha sur les terres argilo-siliceuses des pentes du Cher n'en constituent pas moins un capital, qu'il sait valoriser. Le vigneron vient de compléter l'équipement de sa cave avec le dernier cri en matière de pressoir. Cette année, il obtient une citation pour ce sec légèrement boisé, frais et léger. L'accent minéral en fin de bouche signe le terroir. Même note pour le **demi-sec La Vallée 2005** qui, lui aussi, taquine le bois.
Laurent Chatenay, 41, rte de Montlouis, 37270 Saint-Martin-le-Beau, tél. 02.47.50.65.58, fax 02.47.35.64.32, e-mail laurent.chatenay@wanadoo.fr r.-v.

FRANÇOIS CHIDAINE Sec Clos du Breuil 2005 *

3 ha n.c. 11 à 15 €

En dix-huit ans, François Chidaine, parti de 5 ha, s'est constitué un domaine d'une trentaine d'hectares (dont 10 à Vouvray). Si vous avez le temps de faire halte chez lui, il vous parlera de ses méthodes de vinification et d'élevage ainsi que de la biodynamie, à laquelle il s'est converti il y a quelques années. Si vous êtes pressé, vous trouverez ses vins à sa boutique, La Cave insolite. Bien construit, ce sec révèle une matière dense qui annonce une belle longueur. Le boisé (un an d'élevage en fût) ne cache pas une minéralité plaisante offerte par le terroir.
GAEC François Chidaine, 5, Grande-Rue, 37270 Montlouis-sur-Loire, tél. 02.47.45.19.14, fax 02.47.45.19.08, e-mail francois.chidaine@wanadoo.fr
r.-v. à la Cave insolite : 30, quai A. Baillet

STÉPHANE COSSAIS
Sec Maison Marchandelle 2005 *

1,3 ha 5 500 11 à 15 €

Stéphane Cossais n'est installé à Montlouis que depuis 2001, mais il possède les qualités d'un vigneron d'expérience. On le devine à travers ce sec bien né, issu de l'agriculture biologique. Déjà un peu évolué, ce vin montre une grande richesse, apanage des vendanges très mûres. L'acidité délicatement dosée confère une note de fraîcheur plaisante, tandis que l'expression aromatique multiple reste typiquement celle du chenin. Un vin pour poisson en sauce.
Stéphane Cossais, 12 bis, rte de Saint-Aignan, 37270 Montlouis-sur-Loire, tél. 06.63.16.21.91
r.-v.

DANIEL FISSELLE Demi-sec 2005 *

1 ha 4 200 3 à 5 €

Parti de rien en 1973, ce domaine s'est agrandi au fil des ans. Il compte aujourd'hui 8 ha de ceps implantés sur des sols siliceux et ses vins se trouvent souvent en bonne place dans le Guide. Ce demi-sec présente un nez de raisins bien mûrs qui témoigne de la qualité des vendanges. En bouche, il monte en puissance pour révéler une matière riche qu'agrémente une acidité mesurée. Cette expression se prolonge dans une longue finale. Une bouteille pour maintenant. Le **moelleux 2005 (5 à 8 €)** à 45 g/l de sucres résiduels reçoit une citation.
Daniel Fisselle, 43 bis, rte de Saint-Aignan, 37270 Montlouis-sur-Loire, tél. et fax 02.47.50.93.59
t.l.j. 10h-13h 14h-19h

DOM. FLAMAND-DELÉTANG
Sec Les Petits Boulay 2005 *

1,72 ha 4 500 5 à 8 €

Gérard et Guy Delétang ont marqué la profession. Ils ont créé un très beau domaine dont une partie (8 ha) revient maintenant aux époux Flamand-Delétang. Tries de la vendange, pressurage lent, débourbage, fermentations longues et élevage sur lies fines, sont des méthodes contraignantes, mais indispensables pour atteindre à la qualité. Après un moelleux coup de cœur l'année dernière, ces vignerons se placent fort bien cette année avec ce sec. Séduisant par son intensité aromatique, sa netteté, son gras, ce 2005 est représentatif des chenins de la Loire. Une petite rondeur en attaque le rend très engageant. On pensera à lui pour un poisson au four. Le **demi-sec 2005 (8 à 11 €)** obtient la même note pour son harmonie.
Olivier Flamand, 19, rte d'Amboise, 37270 Saint-Martin-le-Beau, tél. 02.47.35.65.71, fax 02.47.35.67.64, e-mail flamandolivier@aol.com
t.l.j. 9h-20h
Flamand

DOM. LA GRANGE TIPHAINE
Demi-sec Les Grenouillères 2005 *

1 ha 4 000 8 à 11 €

Quatre générations se sont succédé sur ce domaine qui compte aujourd'hui 10 ha. Chez ces artisans, c'est la

tradition qui guide le travail, à la vigne comme à la cave. Ce demi-sec respire le sérieux. Le menthol et les agrumes l'emportent au nez, accompagnés d'une touche boisée, tandis que la pêche blanche s'impose en bouche. L'attaque souple introduit une matière dense, riche qui s'étire en une longue finale. Deux autres vins du domaine, également boisés, sont cités : le **sec Clef de sol 2005** et le **moelleux L'Équilibriste 2005 (15 à 23 € la bouteille de 50 cl)** – dont le millésime 2003 avait obtenu un coup de cœur.
Damien Delecheneau, Dom. La Grange Tiphaine, 37400 Amboise, tél. 02.47.57.64.17, fax 02.47.57.39.49, e-mail lagrangetiphaine@wanadoo.fr r.-v.

ALAIN JOULIN Sec Les Quarts de Boulay 2005

1,2 ha 5 000 5 à 8 €

Installé en 1979, Alain Joulin s'est constitué patiemment un domaine de 12 ha couvrant les coteaux de Saint-Martin-le-Beau qui dominent le Cher. Pour cette édition, le jury a retenu le sec. Un vin sans défaut et agréable. Menthol au nez avec un petit air d'anis, agrumes en bouche, il ne manque pas de matière et une petite rondeur le rend avenant. Servez-le avec des fruits de mer.
EARL Alain Joulin et Fils,
58, rue de Chenonceaux, 37270 Saint-Martin-le-Beau,
tél. 02.47.50.28.49, fax 02.47.50.69.73,
e-mail alain-joulin@wanadoo.fr
t.l.j. 8h30-19h30; dim. 9h-12h

BERTRAND JOUSSET ET LISE GIRARD
Moelleux Sur le fil 2005 *

1,5 ha 3 200 11 à 15 €

Une ancienne closerie du XVIes., des bâtiments du XVIIIes., 9 ha de vignes couvrant les premières côtes qui dominent la Loire. Lise et Bertrand Jousset se sont installés ici depuis deux ans seulement et s'installent dans le Guide, puisque l'on retrouve cette année encore leur nom dans cette édition. Ce moelleux à 40 g/l de sucres résiduels allie avec bonheur gras et vivacité dans une sucrosité élégante. Un bouquet où se mêlent la poire, le miel et la vanille du fût donne du charme à la dégustation. Un joli vin d'apéritif. Boisé lui aussi, le **demi-sec Trait d'union 2005 (8 à 11 €)** est cité pour son harmonie. Il aimera une viande blanche. À noter que le domaine s'est orienté vers l'agrobiologie.
Bertrand Jousset et Lise Girard,
36, rue des Bouvineries, 37270 Montlouis-sur-Loire,
tél. 02.47.50.70.33, fax 02.47.45.09.87,
e-mail bertrand.jousset@wanadoo.fr r.-v.
Jousset

DOM. DES LIARDS Sec 2005

4 ha 12 000 5 à 8 €

Les frères Berger, qui ont créé le domaine au lendemain de la guerre, ont maintenant passé la main à la jeune génération, qui se trouve à la tête de 19 ha de vignes. Les vins de la propriété sont régulièrement mentionnés dans le Guide. Cette année, le jury a retenu un sec : c'est un vrai sec aux évocations tenaces de fruits mûrs. Il est fait pour tous les fruits de la mer. Même note pour le **moelleux Vieilles Vignes La Montée des Liards 2005**, retenu pour son équilibre sucre-acidité.
EARL Berger Frères, 33, rue de Chenonceaux, 37270 Saint-Martin-le-Beau, tél. 02.47.50.67.36, fax 02.47.50.21.13, e-mail bergerfreres@aol.com
r.-v.

DOM. LES LOGES DE LA FOLIE
Moelleux Le Chemin des Loges 2005 **

0,2 ha 1 500 11 à 15 €

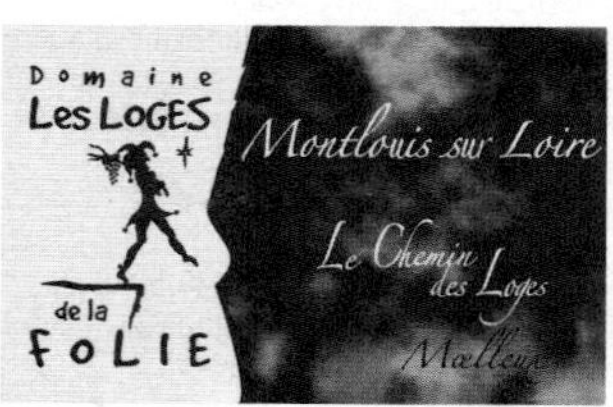

Dès le Moyen Âge, les Pays-Bas importaient des vins doux de Vouvray et de Montlouis pour les assembler avec un cépage plus méridional, le pedro ximenès. Les Loges de la Folie ? L'Éloge de la Folie ! Les deux jeunes vignerons qui se sont associés pour créer ce domaine en 2004 ont certainement songé à Érasme en choisissant le nom de la propriété. Une interprétation toute personnelle mais divertissante de l'œuvre du docte humaniste. Le vignoble ? 7 ha sur les premières côtes de Montlouis, conduits en agriculture biologique. Premier millésime de V. Mordelet et de J.-D. Kloeckle, ce 2005 a conquis le jury. L'intensité est le maître mot de la dégustation. Le nez très ouvert n'est que miel, abricot et coing. Le palais, plein et puissant, exprime à la perfection la maturité du raisin. La finale tonique vous laisse un rien gaillard... Une bouteille à déboucher tout de suite, et à servir par exemple avec un foie gras poêlé aux mangues. Assez vif et boisé, le **demi-sec La Nef des Fous 2005 (8 à 11 €)** est cité.
Les Loges de la Folie,
21, rue des Rocheroux, Husseau,
37270 Montlouis-sur-Loire, tél. 02.47.45.18.30,
fax 02.47.50.88.24,
e-mail contact@les-loges-de-la-folie.com
t.l.j. sf dim. lun. 10h-13h 15h-19h
Kloeckle et Mordelet

DOM. MARNÉ Demi-sec 2005 *

1,3 ha 4 600 5 à 8 €

Une exploitation adhérente à France-Passion, un réseau de domaines qui accueillent les camping-cars. Patrick Marné exploite 12 ha de vignes, ce qui n'a rien de négligeable dans cette appellation. Le vignoble couvre les pentes qui dominent la Loire et les sols argilo-calcaires, superbement exposés, se réchauffent facilement. Les bâtiments sont bien équipés, la cave a été rénovée en 2005. Autant d'atouts pour produire des vins de qualité, comme ce demi-sec au nez délicat de fleurs et d'agrumes. L'attaque est douce, la finale longue et entre les deux, on trouve beaucoup de matière. Une bouteille à déboucher à l'apéritif, puis à servir sur une viande blanche.
Patrick Marné, 21, rue du Chapitre,
37270 Montlouis-sur-Loire, tél. 02.47.45.11.32,
fax 02.47.45.07.49, e-mail domaine.marne@wanadoo.fr
r.-v.

ALEX MATHUR Demi-sec Dionys 2004 **

1,5 ha 4 300 8 à 11 €

Sans attaches vigneronnes, Éric Gougeat a repris en 2000 une propriété de 10,50 ha qu'il exploite en agriculture biologique. Il a montré un réel savoir-faire, comme en témoignent de multiples étoiles et deux coups de cœur : l'an dernier pour un moelleux et dans l'édition 2004 pour

LOIRE

cette même cuvée Dionys (millésime 2001). Le coup de cœur fut d'ailleurs mis aux voix pour ce 2004. Ce demi-sec à 16 g/l de sucres résiduels a séduit par sa robe d'or, son nez de fruits bien mûrs, voire confits. Au palais, il confirme ces premières impressions, révélant une matière au bel équilibre sucre-acidité. Un vin de gastronomie, à marier avec des viandes blanches, et qui devrait tenir dix ans. Le **sec Les Lumens 2005** est cité.

Dom. Levasseur-Alex Mathur,
38, rue des Bouvineries, Husseau,
37270 Montlouis-sur-Loire, tél. 02.47.50.97.06,
fax 02.47.50.96.80, e-mail alex.mathur@wanadoo.fr
r.-v.

Éric Gougeat

CAVE DES PRODUCTEURS DE MONTLOUIS-SUR-LOIRE Brut Cuvée réservée *

6,33 ha 50 000 5 à 8 €

Fondée en 1961, cette coopérative, avec ses installations imposantes adossées à la falaise, ne passe pas inaperçue lorsque l'on sort du bourg de Montlouis. Elle s'est attachée les services d'œnologues, garants de progrès qualitatifs. On retrouve cette année encore la cave dans le Guide avec une méthode traditionnelle puissante et de bonne tenue en bouche. Au nez comme au palais, ce brut égrène des notes de fruits mûrs, de noisette et même de framboise. Si cette bouteille avait une devise, ce serait : *Fraîcheur et Fruit.*

Cave des Producteurs de Montlouis-sur-Loire,
2, rte de Saint-Aignan, 37270 Montlouis-sur-Loire,
tél. 02.47.50.80.98, fax 02.47.50.81.34,
e-mail contact@cave-montlouis.com r.-v.

DANIEL ET THIERRY MOSNY

Sec Les Graviers 2005

4 ha 8 000 5 à 8 €

Installé en 1999 sur le domaine familial, Thierry Mosny exploite 14 ha. Le vignoble, implanté sur des sols propices, sableux et graveleux mêlés d'argile, jouit de l'exposition au midi des côtes du Cher. Autant d'atouts pour produire de bons vins, comme ce sec issu d'une vendange bien mûre et saine. Les nuances de coing sont omniprésentes jusqu'en finale tandis que l'acidité semble reléguée au second plan. Le **demi-sec Le Chesneau 2005** obtient la même note.

EARL Daniel et Thierry Mosny, 8, rue des Vignes,
37270 Saint-Martin-le-Beau, tél. et fax 02.47.50.61.84,
e-mail thierry.mosny@wanadoo.fr
t.l.j. 8h-19h

DAMIEN ET MICKAËL MOYER Brut 2004 *

2 ha 10 000 5 à 8 €

C'est au duc de Choiseul que l'on doit l'élégant pavillon de chasse (XVII[e]s.) qui sert de maison d'habitation, mais c'est au grand-père et au père des deux frères Moyer que le domaine viticole est redevable de sa notoriété. Ces derniers ne déméritent pas depuis leur installation en 2002. Voyez cette méthode traditionnelle, fruitée, à la mousse abondante, où rondeur et vivacité font une paire joyeuse. Tout ce qu'il faut pour l'apéritif. Cité, le **demi-sec Origine 2005** accompagnera rillons, rillettes et autres charcuteries de Touraine.

Dom. Moyer,
2, rue de la Croix-des-Granges, Husseau,
37270 Montlouis-sur-Loire, tél. 02.47.50.94.83,
fax 02.47.45.10.48, e-mail domaine.moyer@wanadoo.fr
t.l.j. sf dim. 9h-12h 15h-19h

CH. DE PINTRAY

Sec tendre Cuvée du Maître Lissier 2005 *

2 ha 4 000 5 à 8 €

Ancienne propriété du gouverneur d'Amboise, le château a été démoli au XVII[e]s. puis reconstruit en 1825 dans le style d'une chartreuse du Bordelais. Par le miracle d'Internet, les propriétaires actuels sont entrés en contact avec les descendants des seigneurs qui l'avaient édifié en 1590. Le terroir de Pintray a eu ses heures de gloire bien avant la guerre quand les appellations n'existaient pas encore. Aujourd'hui, il montre à nouveau ses possibilités avec ce sec tendre qui livre sans retenue ses riches arômes qui évoluent de la bergamote à la pomme et à la poire en passant par les agrumes. L'attaque est douce, la finale fraîche et au milieu, on découvre une ampleur peu commune. Quant aux **moelleux Cuvée du Clos de Pintray 2005**, il obtient une citation.

Marius Rault, Ch. de Pintray, RD 283,
37400 Lussault-sur-Loire, tél. 02.47.23.22.84,
fax 02.47.57.64.27, e-mail marius.rault@wanadoo.fr
t.l.j. 10h-19h; dim. sur r.-v.

DOM. DE LA ROCHEPINAL

Sec Les Landes 2005 *

1 ha 6 000 3 à 5 €

Installé en 1989 avec des vignes en location, Hervé Denis s'est constitué au fil des ans un domaine qui s'étend aujourd'hui sur 16 ha. Les sols perrucheux (riches en silex) ont la réputation en Touraine de marquer les vins, leur donnant un accent de terroir, une touche de minéralité. Celui-ci, né sur les premières côtes de Montlouis, présente ce caractère qui en fait le charme. Un beau fruité, une finale subtile contribuent également à l'harmonie de cette bouteille bien équilibrée.

Hervé Denis,
Dom. de la Rochepinal, 4, rue de la Barre,
37270 Montlouis-sur-Loire, tél. 02.47.45.16.65,
fax 02.47.50.71.70,
e-mail herve.denis.vigneron@wanadoo.fr
r.-v.

LE ROCHER DES VIOLETTES

Sec Touche Mitaine 2005 *

2 ha 7 500 5 à 8 €

Ce domaine de 9 ha, qui s'étend sur les pentes graveleuses des coteaux du Cher, a été cédé il y a deux ans par deux vignerons partis à la retraite. Longtemps négligées, les vignes, conduites en agriculture biologique, ont demandé un gros travail de remise en état. C'est donc ses tout premiers vins que Xavier Weisskopf présente aujourd'hui. Des résultats plus qu'encourageants avec ce sec au nez franc, reflet d'une vendange saine et bien mûre, et au palais équilibré où rondeur et vivacité font une paire harmonieuse. Le **sec La Négrette 2005 (8 à 11 €)** décroche lui aussi une étoile. Une propriété à suivre.

Weisskopf, 38, rue du Rocher des Violettes,
37400 Amboise, tél. 02.47.23.52.03, fax 02.47.23.57.82,
e-mail xavier.weisskopf@netcourrier.com r.-v.

DOM. FRANTZ SAUMON

Sec tendre Minérale + 2005

2,5 ha 10 000 8 à 11 €

Technicien forestier à l'origine, Frantz Saumon est du bois dont on fait les bons vignerons. Installé en 2002 sur 5 ha qu'il conduit en agriculture biologique, il propose un demi-sec intéressant. Bien calé en bouche par son gras et son équilibre sucre-acidité, ce 2005 se montre également expressif par ses notes de tilleul et de vanille. La finale fraîche ajoute à son agrément. Une coquille Saint-Jacques à la fondue de poireaux formerait une bonne alliance gourmande avec cette bouteille.

Dom. Frantz Saumon, 15, chem. des Cours, 37270 Montlouis-sur-Loire, tél. 02.47.35.83.65, e-mail frantzsaumon@tele2.fr r.-v.

DOM. DE LA TAILLE AUX LOUPS
Moelleux Cuvée des Loups 2005 *

n.c. 5 000 30 à 38 €

Il y a dix-huit ans que Jacky Blot s'est installé à Montlouis sur une petite superficie. Nouveau venu dans la viticulture mais passionné, il a porté son domaine à 20 ha et pris position avec succès dans d'autres appellations. Cette année, deux de ses vins ont obtenu une étoile. Ce moelleux à 80 g/l de sucres résiduels se distingue par la complexité de ses arômes, où des notes de fruits confits traduisent une vendange surmûrie, et par l'harmonie du palais où sucres et fraîcheur font assaut d'élégance. Il pourrait vivre une éternité, et on peut aussi bien le découvrir à présent que l'attendre dix ans. La deuxième étoile est attribuée au **sec Les 10 arpents 2005 (5 à 8 €)**, un peu boisé, aromatique et droit.

Dom. de La Taille aux Loups, 8, rue des Aîtres, 37270 Montlouis-sur-Loire, tél. 02.47.45.11.11, fax 02.47.45.11.14, e-mail latailleauxloups@jackyblot.com
t.l.j. 9h-12h30 14h30-18h
Jacky Blot

Vouvray

Un long vieillissement en cave et en bouteilles révèle toutes les qualités des vouvray, blancs nés au nord de la Loire, sur un vignoble de 2 170 ha qu'écorne au nord l'autoroute A10 (le TGV passe en tunnel) et que traverse la large vallée de la Brenne. Le cépage blanc de Touraine, le chenin (ou pineau de la Loire), donne ici des vins tranquilles de haut niveau, colorés, très racés, secs ou moelleux selon les années, et des vins mousseux ou pétillants, très vineux. Si ces derniers sont bus assez jeunes, les vins tranquilles sont parfaitement aptes à une longue garde qui leur donne de la complexité aromatique. Poissons, fromages de chèvre iront bien avec les uns ; plats fins ou desserts légers avec les autres, qui feront aussi d'excellents apéritifs. Le millésime 2006 a produit 129 599 hl.

JEAN-CLAUDE ET DIDIER AUBERT Sec 2005 *

5 ha 15 000 3 à 5 €

Un domaine une fois de plus présent dans le Guide, et en bonne place : ce n'est pas une surprise. Faut-il y voir l'excellente exposition est-ouest de ce vignoble situé le long de la vallée Coquette, les influences de la Loire toute proche ou le tour de main de ce tandem père-fils ? Les trois facteurs entrent certainement en ligne de compte. Des raisins récoltés à maturité, un travail en cave méticuleux sont à l'origine de ce sec des plus réussis. Le nez frais, fruité et fleuri à la fois, l'emporte sur une bouche un petit peu en retrait mais impatiente de s'exprimer. À attendre trois petites années ; Traduisant un respect du terroir et du raisin, le **moelleux Vieilles Vignes 2005 (11 à 15 €)** obtient la même note, tandis que le **demi-sec 2005 (5 à 8 €)**, frais et citronné, est cité.

Jean-Claude et Didier Aubert, 10, rue Vallée-Coquette, 37210 Vouvray, tél. 02.47.52.71.03, fax 02.47.52.68.38
t.l.j. 9h-12h30 14h-19h

DOM. DE BEAUMONT Réserve 2005 *

0,3 ha 400 15 à 23 €

Mathieu Cosme a pris en 2004 la suite de trois générations à la tête du domaine familial implanté sur les premières côtes de Noizay. Il exploite les 10 ha de la propriété en culture raisonnée et pratique le travail du sol. Il signe un authentique moelleux. Le nez suave s'oriente vers les fruits secs, tandis qu'en bouche, c'est l'abricot qui prend le pas. Rondeur et longueur s'affichent ouvertement, et la finale est marquée par la douceur (190 g/l de sucres résiduels). Un vin prometteur. Le jury cite par ailleurs un **moelleux 2005 (11 à 15 €)** à 90 g/l de sucres résiduels, plutôt chaleureux, et un **sec 2005 (5 à 8 €)** assez tendre.

Mathieu Cosme, 86, rue du Bois-de-l'Olive, 37210 Noizay, tél. et fax 02.47.52.15.44 r.-v.

DOM. DES BERGEONS Demi-sec 2005

1,12 ha 5 600 5 à 8 €

Denise Bongars a repris en 1996 l'exploitation familiale avec sa mère. Depuis deux ans, elle gère seule le domaine (près de 13 ha). Elle vient de lui donner un nom, les Bergeons, terme local qui désigne des rangs de vignes courts qui terminent une parcelle géométrique. Elle présente un demi-sec frais et fruité au nez comme en bouche, cité pour son équilibre sucre-acidité. Le pamplemousse, envahissant jusqu'à la finale, suggère un mariage avec une tarte au citron.

Denise Bongars, 232, coteau de Venise, 37210 Noizay, tél. 02.47.52.11.64, fax 02.47.52.05.73, e-mail earl_bongars@hotmail.com
t.l.j. 9h-19h; dim. sur r.-v.

PASCAL BERTEAU ET VINCENT MABILLE
Demi-sec 2005 *

1 ha 2 500 3 à 5 €

Situé au confluent des vallées de la Loire, de la Cisse et de la Brenne, Vernou-sur-Brenne vit de la vigne, et du chenin en particulier. Associés depuis seize ans, Pascal Berteau et Vincent Mabille signent des vins régulièrement retenus dans le Guide. Le plus intéressant cette année est un demi-sec à 24 g/l de sucres résiduels. Le nez surprend par son fruité, tandis que la bouche droite est un modèle d'harmonie. Le **moelleux 2005 (8 à 11 €)**, à 88 g/l de sucres résiduels, est cité pour ses arômes de pomme et de coing. Même note pour un **effervescent demi-sec (5 à 8 €)** assez délicat, qui pourrait convenir à l'apéritif.

GAEC B.M., P. Berteau - V. Mabille, Vaugondy, 37210 Vernou-sur-Brenne, tél. 02.47.52.03.43, e-mail vincent.mabille1@libertysurf.fr r.-v.

CHRISTIAN BLOT 2004 *

10 ha 15 000 5 à 8 €

Qu'ils soient de Venise ou de Beauclair, les coteaux ensoleillés de Noizay savent produire le meilleur. À

LOIRE

l'origine viticulteurs et pépiniéristes, les Blot ont peu à peu agrandi leur exploitation qui compte aujourd'hui 25 ha. On les retrouve cette année avec une méthode traditionnelle au nez subtil de fruits exotiques et de grillé. Tout en finesse, légèrement dosée, la bouche donne une impression de souplesse tout en montrant une bonne structure. Un vin d'apéritif.

Christian Blot, 306, coteau de Venise, 37210 Noizay, tél. 02.47.52.11.32, fax 02.47.52.07.48, e-mail freddyblot@aol.com
t.l.j. 9h-12h 14h-19h; dim. 9h-12h

MARC BRÉDIF Moelleux Nectar 2005 *

4 ha 5 000 15 à 23 €

Plus d'un siècle d'existence pour cette maison installée sur les bords de Loire dans des caves immenses creusées il y a mille ans, où trônent de vieux pressoirs en bois du XVI[e]s. Le plus ancien établissement élaborateur de méthodes traditionnelles du Vouvrillon a élargi sa gamme et présente aussi des vins tranquilles de bonne facture, témoin ce moelleux à 110 g/l de sucres résiduels. L'attaque apparaît riche et dense, coing et fruits confits sont bien présents. Un vin à fort potentiel. (Bouteilles de 37,5 cl.) Un **brut méthode traditionnelle (8 à 11 €)** est par ailleurs cité pour son équilibre réussi.

Marc Brédif, 87, quai de la Loire, 37210 Rochecorbon, tél. 02.47.52.50.07, fax 02.47.52.53.41, e-mail bredif.loire@wanadoo.fr
r.-v.
de Ladoucette

YVES BREUSSIN Sec GT 2005

0,5 ha 2 000 5 à 8 €

Chez les Breussin père et fils, la dégustation se fait devant un bon feu, dans une pièce troglodytique qui servait jadis d'habitation. Yves vous parle du terroir et des traditions et vous vous laissez aller hors du temps. Mais ces vignerons « bloguent » aussi sur la Toile. Leur sec exprime des senteurs d'amande grillée, de pamplemousse et d'abricot. Il se montre équilibré et généreux en bouche où une touche boisée se fond dans la poire et la pêche. La finale vive est bien rafraîchissante. Même note pour une **méthode traditionnelle brut** dominée par la souplesse.

EARL Yves et Denis Breussin, 47, vallée de Vaugondy, 37210 Vernou-sur-Brenne, tél. 02.47.52.18.75, fax 02.47.52.13.66, e-mail breussindenis@aol.com r.-v.

VIGNOBLES BRISEBARRE 2003 **

3 ha 12 000 5 à 8 €

Pour assurer des responsabilités professionnelles, Philippe Brisebarre ne néglige pas son vignoble – 22 ha couvrant les premières côtes de Vouvray –, témoin cette méthode traditionnelle brut au fruité remarquable. La robe dense animée de longs cordons de fines bulles scintille à la lumière. Sa délicatesse et sa longueur impressionnante valent à cette bouteille un coup de cœur. Deux autres vins sont également retenus : un **sec 2005** plutôt volumineux, cité, et un **demi-sec 2005** charnu, qui obtient une étoile.

EARL Philippe Brisebarre, 34, La Vallée-Chartier, 37210 Vouvray, tél. 02.47.52.63.07, fax 02.47.52.65.59, e-mail brisebarre.ph@wanadoo.fr
t.l.j. 9h-12h30 14h-19h; dim. sur r.-v.

ROGER FÉLICIEN BROU **

n.c. 80 000 3 à 5 €

Fondée en 1969, cette société est devenue l'un des principaux élaborateurs de vouvray effervescents. Ses caves immenses au bord de la Loire, ses équipements et son expérience lui permettent de proposer des méthodes traditionnelles de bon niveau, comme cette cuvée qui a frôlé le coup de cœur. Un vin vineux, où brioche et amande se disputent la première place et qui sait ce que typicité veut dire. Quant à la cuvée **Antoinette Vignon**, elle est citée.

SAS Roger Félicien Brou, 10, rue Vauvert, 37210 Rochecorbon, tél. 02.47.52.54.85, fax 02.47.52.82.05, e-mail rf.brou@wanadoo.fr

DOM. GEORGES BRUNET Demi-sec 2005 *

1 ha 3 000 5 à 8 €

Les côtes ensoleilées des hauts de la Vallée Coquette, au sol chargé de silex et de calcaire – nommé aubuis en Touraine – sont pour beaucoup dans la réussite de ce demi-sec où le citron le dispute à l'amande grillée. Un vin de caractère auquel la teneur raisonnable en sucres résiduels (22 g/l) ouvre une large palette d'accords gourmands : viande blanche, poisson en sauce et fromage de chèvre comme le sainte-maure. Du même producteur, une **méthode traditionnelle brut**, bien typée vouvray, reçoit une citation.

Georges Brunet, 12, rue de la Croix-Mariotte, 37210 Vouvray, tél. 02.47.52.60.36, fax 02.47.52.75.38, e-mail info@vouvray-brunet.com r.-v.

VIGNOBLES CARÊME Moelleux La Décennale 2005 **

5 ha n.c. 15 à 23 €

En douze ans, Olivier Carême a porté la superficie de son domaine de 3,5 ha à plus de 13 ha. En cette année 2005, très favorable aux vendanges tardives, il a soigné particulièrement sa récolte en procédant par tries. Opération réussie avec un vin à 100 g/l de sucres résiduels. D'une robe soutenue fusent des évocations de fleurs et de fruits confits. Riche au palais, ce vin montre une fraîcheur inattendue qui accentue sa finesse. Équilibré et harmonieux, il ne pourra qu'embellir avec le temps. Le **sec 2005 (5 à 8 €)** obtient une étoile pour sa matière de qualité qui lui assurera une bonne tenue dans le temps.

Olivier Carême, 14, rue la Vallée-Chartier, 37210 Vouvray, tél. et fax 02.47.52.69.79, e-mail careme.vin@wanadoo.fr r.-v.

VINCENT CARÊME Brut 2005 *

2,5 ha 13 000 5 à 8 €

Exploité en agriculture biologique, le domaine de Vincent Carême s'étend sur 14 ha et couvre en partie les pentes qui dominent le lit majeur de la Loire. C'est le plein midi et les vignes ne s'en plaignent pas... Elles ont donné cette méthode traditionnelle fruitée et longue, ce qui confirme l'excellente maturité du raisin. Un **demi-sec 2005 (11 à 15 €)** de style tendre obtient pour sa part une citation.

Vincent Carême, 1, rue du Haut-Clos,
37210 Vernou-sur-Brenne, tél. 02.47.52.71.28
r.-v.

JEAN-CHARLES CATHELINEAU
Demi-sec 2004 ★★

2,8 ha 24 000 5 à 8 €

Jean-Charles Cathelineau aime faire partager ses connaissances de vigneron à ses visiteurs. Il les emmène dans un circuit de caves qui passe par un véritable musée de la Vigne, du Vin et de la Tonnellerie. Il a élaboré cette année une superbe méthode traditionnelle qui embaume la brioche. La bouche est équilibrée, d'une grande subtilité, et la finale d'une longueur infinie, toujours sur des accents de viennoiserie. Un coup de cœur fut mis aux voix.

Jean-Charles Cathelineau, 24, rue des Violettes,
37210 Chançay, tél. et fax 02.47.52.20.61 r.-v.

CHAMPALOU Sec 2005 ★

12 ha 80 000 8 à 11 €

La maison, une ancienne closerie vigneronne, les caves et le chai bien équipés s'intègrent harmonieusement dans ce hameau du Grand-Ormeau typiquement vouvrillon. Catherine et Didier Champalou exploitent leur 21 ha de vignes en agriculture raisonnée et cherchent à révéler le caractère du terroir et du millésime. Leur sec 2005 se distingue par sa richesse aromatique qui se révèle au-dessus du verre et se prolonge au palais jusqu'en finale. Une légère sucrosité tempérée par un brin de fraîcheur le rend facile sans rien enlever à son expression. Une **méthode traditionnelle brut**, bien structurée, reçoit une étoile, tandis que la **Cuvée des Fondraux demi-sec 2005** est citée pour son élégance.

Catherine et Didier Champalou,
7, rue du Grand-Ormeau, 37210 Vouvray,
tél. 02.47.52.64.49, fax 02.47.52.67.99,
e-mail champalou@wanadoo.fr r.-v.

CLOS BAUDOIN Sec 2005 ★

2,7 ha 9 000 11 à 15 €

Après avoir fait ses premières armes à Montlouis, François Chidaine n'a pas hésité à franchir la Loire en 2002 pour exploiter en biodynamie le célèbre Clos Baudoin, sis sur les hauts bien exposés de Vouvray. Il en a tiré un vin sec de couleur jaune d'or au fruité soutenu par un boisé élégant. La matière est là, qui donne onctuosité et longueur. Un bel ambassadeur de l'appellation que l'on pourra servir sur un sandre ou un brochet de Loire.

GAEC François Chidaine, 5, Grande-Rue,
37270 Montlouis-sur-Loire, tél. 02.47.45.19.14,
fax 02.47.45.19.08,
e-mail francois.chidaine@wanadoo.fr
r.-v. à la Cave insolite : 30, quai A. Baillet

DOM. DU CLOS DE L'ÉPINAY
Brut Tête de cuvée ★

5 ha 40 000 5 à 8 €

Luc Dumange a fêté à sa manière le tricentenaire de sa propriété en y plantant un févier (*Gleditsia triacanthos*). Un arbre d'origine canadienne introduit en France en 1700 et qui profitera pleinement, comme les 16 ha de vignes et les vénérables bâtiments, du soleil généreux des hauts de Vouvray. Bien structurée, la méthode traditionnelle Tête de cuvée agrémentera tout un repas. Le fruit y est présent et une robe jaune paille soutenu, aérienne par ses chapelets de bulles, contribuera sur la table au plaisir de l'œil.

Luc Dumange, Dom. du Clos de L'Épinay,
37210 Vouvray, tél. 02.47.52.61.90, fax 02.47.52.71.31,
e-mail domaine.clos.epinay@cegetel.net
t.l.j. sf dim. 14h-18h; f. nov. fév. mars 4

CLOS DE NOUYS
Moelleux Cuvée des grains dorés 2005 ★★

5 ha 3 600 23 à 30 €

Fondé en 1900, le Clos des Nouys est l'un des domaines les plus anciens de l'appellation. Coup de cœur dans l'édition 2007 du Guide pour le 2003, cette cuvée or brillant, issue de vignes de cinquante ans, montre de remarquables qualités dans le millésime 2005. Discrets au nez, les arômes se font exubérants au palais, explosion de fruits mûrs. La finale fraîche et persistante s'agrémente d'une touche de menthol. Du corps, de l'harmonie et un avenir assuré pour ce vin (bouteilles de 50 cl.) à servir à l'apéritif ou avec du foie gras. Le **sec 2005 (8 à 11 €)**, un vin boisé, prometteur lui aussi, est cité, tout comme le **moelleux Clos du Gaimont 2005 (11 à 15 €)**, qui plaira aux amateurs de boisé.

François et Myrella Chainier,
46, rue de la Vallée-de-Nouy, 37210 Vouvray,
tél. 02.47.52.73.35, fax 02.47.52.13.17,
e-mail myrella.chainier@wanadoo.fr r.-v.

DOM. DU CLOS DES AUMÔNES Brut 2004 ★

6 ha 53 000 5 à 8 €

« C'est à Vouvray le renom mais à Rochecorbon le bon », dit-on. Le domaine de Philippe Gaultier s'étend sur 18 ha sur les premières côtes de cette commune qui dominent la Loire, réputées pour donner des vins de caractère. C'est bien le cas de cette méthode traditionnelle très vineuse et surtout typique de l'appellation. De la même exploitation, le **moelleux 2005** est cité pour sa bouche légère et élégante. Il trouvera sa place à l'apéritif ou au dessert.

Philippe Gaultier, 18, rue Vaufoynard,
37210 Rochecorbon, tél. 02.47.54.69.82,
fax 02.47.42.62.01, e-mail dcagaultier@aol.com
r.-v.

DOM. THIERRY COSME Brut 2004 ★

10 ha 10 000 5 à 8 €

Les coteaux de Noizay qui dominent le lit majeur de la Loire sont aux avant-postes pour profiter des influences du fleuve. Exposés plein sud, ils portent aisément à maturité les raisins les plus tardifs. Un atout pour Thierry Cosme qui réussit cette année une méthode traditionnelle d'une rare délicatesse. Elle a le fond d'un vin tranquille avec son fruit et sa rondeur. Le **demi-sec 2005**, peu chargé en sucres résiduels, se placera sur de nombreux plats. Il est cité.

EARL Thierry Cosme, 1127, rte de Nazelles,
37210 Noizay, tél. 02.47.52.05.87, fax 02.47.52.11.36,
e-mail thierrycosme@wanadoo.fr r.-v.

LOIRE

MAISON DARRAGON
Moelleux Cuvée Simone Mignot 2005

2 ha 3 000 8 à 11 €

Le domaine de 28 ha s'étend le long du coteau qui domine la Loire. Les caves, immenses, ont été complétées pour les opérations de vinification par un chai imposant. Simone Mignot, la grand-mère de l'actuel exploitant, n'aurait pas renié ce moelleux à 70 g/l de sucres résiduels. Du verre s'échappent des nuances de tilleul, de verveine et de citron confit. Après une attaque d'une plaisante fraîcheur, le vin monte en puissance et laisse en finale une impression d'équilibre. Il accompagnera des plats en sauce, même assez relevés. Plus chargé en sucres (100 g/l), le **moelleux Magnificence 2005 (15 à 23 € – bouteilles de 50 cl)** est cité.

SCA Maison Darragon, 34, rue de Sanzelle, 37210 Vouvray, tél. 02.47.52.74.49, fax 02.47.52.64.96, e-mail scea.darragon@wanadoo.fr
t.l.j. 9h-12h 13h30-19h

DOM. DE LA FONTAINERIE Brut 2004

3 ha 8 000 5 à 8 €

Les bâtiments des XIVe et XV[e]s. ne passent pas inaperçus quand on remonte la Vallée Coquette. Quant au vignoble, modeste par sa superficie (6 ha), il s'inscrit sur les coteaux des alentours. Chez Catherine Dhoye-Déruet, on travaille avec la nature : nul levurage, nulle chaptalisation durant la fermentation. Il en résulte des vins authentiques tels que Balzac devait les déguster quand il parcourait ces lieux. Voici une méthode traditionnelle bien vineuse où le chenin a toute sa place. Les arômes de coing l'emportent sur ceux du grillé. Un vin d'apéritif et de petits fours. Cité lui aussi, le **sec Le « C » 2005 (8 à 11 €)** plaira aux amateurs de vins boisés.

Catherine Dhoye-Déruet, Dom. de La Fontainerie, 64, Vallée-Coquette, 37210 Vouvray, tél. 02.47.52.67.92, fax 02.47.52.79.41, e-mail lafontainerie@club-internet.fr r.-v.

RÉGIS FORTINEAU
Moelleux Vieilles Vignes 2005 *

2 ha 3 000 8 à 11 €

La famille Fortineau est installée depuis trois générations dans une ancienne maison vigneronne de la Vallée Coquette. Les caves troglodytiques bénéficient de l'équipement dernier cri, et une salle de dégustation accueillante a été aménagée. On pourra y découvrir ce moelleux à 75 g/l de sucres résiduels. De la robe brillante émanent des évocations de coing. La bouche séduit par son équilibre sucre-alcool et son caractère. Un vouvray typique où le sucre ne domine pas, laissant au chenin sa liberté d'expression.

EARL Régis Fortineau, 4, rue de la Croix-Mariotte, 37210 Vouvray, tél. 02.47.52.63.62, fax 02.47.52.69.97, e-mail regis.fortineau@cegetel.net
t.l.j. sf dim. 8h30-19h

DOM. FRESLIER Brut *

1 ha 8 000 5 à 8 €

Le domaine de 10 ha couvre les coteaux du haut de la Vallée Coquette. Que leur orientation soit à l'ouest et à l'est, les vignes implantées sur des pentes doucement inclinées reçoivent un ensoleillement maximum. André Freslier dispose de caves profondes et bien équipées. Il a élaboré une méthode traditionnelle authentique, marquée par le terroir, et qui exprime résolument le chenin. Un vin de repas qui résistera à bien des mets.

Dom. Freslier, 92, rue Vallée-Coquette, 37210 Vouvray, tél. 02.47.52.76.61, fax 02.47.52.78.65, e-mail fresliervouvray@aol.com
t.l.j. sf dim. 9h-12h 13h-20h

CH. GAUDRELLE
Moelleux Réserve personnelle 2005 **

n.c. 4 530 15 à 23 €

Année faste pour Alexandre Monmousseau qui gère ce domaine de 18 ha entourant une élégante gentilhommière du XVII[e]s. Trois vins présentés, trois vins retenus. Le préféré du jury est ce liquoreux (140 g/l de sucres résiduels) qui a frôlé le coup de cœur. Menthol, miel, fruits confits... : le nez est prolixe. C'est l'harmonie entre les composants qui séduit, la richesse et l'onctuosité qui impressionnent dans ce vin qui pourrait vivre trente ans. Il faut essayer de le garder (bouteilles de 37,5 cl). Le **sec tendre 2005 (5 à 8 €)** obtient une étoile et la **méthode traditionnelle 2004 brut (5 à 8 €)** une citation.

EARL A. Monmousseau, Ch. Gaudrelle, 87, rte de Monnaie, 37210 Vouvray, tél. 02.47.52.67.50, fax 02.47.52.67.98, e-mail gaudrelle1@libertysurf.fr
t.l.j. sf dim. 9h-12h 14h-18h

GILLES GAUDRON Moelleux Le Grain d'or 2005

1,4 ha 2 000 8 à 11 €

Gilles Gaudron a repris en 1993 la propriété fondée par son père et conduit 24 ha de vignes. Son Grain d'or ? On aime à imaginer Jeanne d'Arc mettant pied à terre alors que, venant d'Orléans, elle descendait la rue Neuve pour se rendre à Chinon. Elle aurait trouvé un réconfort certain dans ce moelleux, riche de 90 g/l de sucres résiduels. Un vouvray net, souple, sans fioritures et bien équilibré. Des arômes de coing flottent agréablement au dessus du verre. Une bouteille (50 cl.) à boire ou à garder.

EARL Dom. Sylvain Gaudron, 59, rue Neuve, 37210 Vernou-sur-Brenne, tél. 02.47.52.12.27, fax 02.47.52.05.05, e-mail sylvain.gaudron@wanadoo.fr
r.-v.
Gilles Gaudron

BENOÎT GAUTIER Moelleux Vouvray de Gautier Cuvée du 05 novembre 2005 *

2 ha 1 200 15 à 23 €

Cuvée du 5 novembre ? C'est la date des vendanges. Pour un moelleux complet, à 120g/l de sucres résiduels. Au nez comme en bouche, des arômes tout en finesse de fruits bien mûrs et de coing traduisent une richesse inhabituelle et persistent longuement en finale. Ce vin provient certainement des premières côtes de Rochecorbon, où est située une partie du vignoble de Benoît Gautier, et elles ont donné ici le meilleur d'elles-mêmes. (Bouteilles de 50 cl.)

Benoît Gautier, Dom. de La Châtaigneraie, 37210 Rochecorbon, tél. 02.47.52.84.63, fax 02.47.52.84.65, e-mail info@vouvraygautier.com
r.-v.

DOM. GENDRON
Moelleux Cuvée Guillaume 2005 **

1,5 ha 6 050 8 à 11 €

Un domaine de 23 ha sur les bonnes côtes de Vouvray c'est un capital, à condition de ne pas ménager sa peine. C'est le cas de Philippe Gendron, qui a creusé sa cave dans le roc. Il a élaboré un moelleux à la richesse en sucre modérée mais aux arômes prenants de coing et d'acacia. On pourra servir ce vin à l'apéritif. Du même style, le **sec Cuvée Clos Cartaud 2005** se distingue par une petite rondeur. Il est cité.

EARL Dom. Philippe Gendron, 10, rue de la Fuye, 37210 Vouvray, tél. 02.47.52.63.98, fax 02.47.52.74.71, e-mail gendron@terre-net.fr
t.l.j. 8h-12h30 14h-19h30; f. 15-30 août

DOM. GILET Moelleux 2005

1 ha 3 000 5 à 8 €

L'abbaye de Marmoutier qui savait choisir ses terroirs était autrefois propriétaire d'une bonne partie du vignoble de Parçay-Meslay, où Jean-Pierre Gilet exploite 8 ha. Ce dernier propose un moelleux à 80 g/l de sucres résiduels plein de jeunesse. Une bouteille à déboucher aujourd'hui pour profiter de sa gaieté.

Jean-Pierre Gilet, 5, rue de Parçay, 37210 Parçay-Meslay, tél. 02.47.29.12.99, fax 02.47.29.07.96 r.-v.

LA GRAND TAILLE Moelleux 2005 ★★

0,5 ha 2 000 5 à 8 €

Jeunes vignerons, Jean-François Boitelle et Sébastien Bonzon n'ont pas manqué d'audace en 2001 quand, simples ouvriers viticoles, ils ont racheté le vignoble de leur patron. Aujourd'hui, avec 27 ha, ils sont sur le chemin de la réussite. D'une douceur mesurée (50 g/l), leur moelleux est placé sous le signe de l'intensité : à l'œil par sa couleur or, au nez par sa puissance aux accents de fruits blancs, et en bouche par ses évocations de poire et de mûre, son ampleur et sa longueur peu communes. L'équilibre sucre-acidité est parfait : coup de cœur ! Le **demi-sec 2005 (3 à 5 €)** et le **sec 2005 (3 à 5 €)** obtiennent chacun une citation.

GAEC de La Grand Taille, Pouvray, 37210 Vernou-sur-Brenne, tél. 02.47.52.06.98, fax 02.47.52.06.43, e-mail bedus@wanadoo.fr
r.-v.

C. GREFFE Tête de cuvée ★

n.c. 29 000 5 à 8 €

Une maison spécialisée en vins effervescents. Créée en 1965, elle a été rachetée en 1999 par J. Savard. Depuis elle s'est imposée auprès du consommateur par le canal de la grande distribution et grâce à la qualité de ses produits régulièrement mentionnés dans le Guide. Cette méthode traditionnelle Tête de cuvée (étiquette dorée) est printanière au nez et agréable en bouche par sa rondeur, son fruit prononcé et sa finale longue et délicate. Fraîche et persistante, la cuvée **Carte noire brut** est citée. Deux vins d'apéritif.

SAS C. Greffe Savard, 35, rue Neuve, 37210 Vernou-sur-Brenne, tél. 02.47.52.12.24, fax 02.47.52.09.56, e-mail contact@c-greffe.fr
r.-v.
Jacques Savard

DOM. GUERTIN Brut 2004 ★★

4,2 ha 27 000 5 à 8 €

Établi au bord de la route nationale, à la sortie du bourg de Vouvray, le domaine de Gérard Guertin n'échappe pas à la vue de l'automobiliste de passage et bon nombre de visiteurs s'y arrêtent. Cette année, ils feront halte d'autant plus volontiers que cette méthode traditionnelle s'est classée en tête des coups de cœur. Elle est certainement issue d'un vin de base très expressif car on retrouve les caractères du chenin à toutes les étapes. S'y ajoutent des arômes originaux tels que le raisin de Cortinthe et l'airelle. Une douceur réveillée par une petite pointe de vivacité constitue une finale heureuse. De la même propriété et en vins tranquilles, le **doux 2005 (8 à 11 € la bouteille de 50 cl)** et un **sec** obtiennent chacun une citation.

Dom. Gérard Guertin, 3, RN 152, 37210 Vouvray, tél. 02.47.52.77.77, fax 02.47.52.65.13, e-mail cellierverrine@aol.com t.l.j. 9h30-19h30

LAURENT KRAFT Demi-sec 2005 ★

2 ha 3 000 5 à 8 €

C'est la septième génération de la même famille qui exploite ce domaine des bords de Loire, aujourd'hui fort de 18 ha. Laurent Kraft s'est converti dès son installation en 1992 à la culture raisonnée. Il signe un demi-sec pas trop riche en sucres résiduels et qui évoque les agrumes tant au nez qu'en bouche. D'un très bon équilibre sucre-acidité, ce 2005 achève de convaincre par sa note de fraîcheur en finale. Le **moelleux 2005 (8 à 11 €)** de la propriété est cité.

Laurent Kraft, 29, rue du Petit-Coteau, 37210 Vouvray, tél. et fax 02.47.52.61.82, e-mail lkraft@wanadoo.fr t.l.j. 9h-12h 14h-19h

DOM. LE CAPITAINE Brut 2004 ★

14 ha 30 000 5 à 8 €

Les premières côtes de Rochecorbon, ou le rêve de tout vigneron vouvrillon... Les frères Le Capitaine on démarré leur exploitation en 1989 avec une petite parcelle. Ils exploitent aujourd'hui près de 21 ha. Leur méthode traditionnelle a tout pour plaire : bulles fines, arômes de fleurs et de noix, fraîcheur et longueur. Issu du même terroir, le **moelleux Réserve 2005 (11 à 15 €)** obtient lui aussi une étoile tandis que le **demi-sec cuvée Adrien 2005** est cité.

Dom. Le Capitaine, 11, rue Saint-Georges, 37210 Rochecorbon, tél. 02.47.52.51.84, fax 02.47.52.85.23, e-mail contact@domainelecapitaine.com r.-v.

FRANCIS MABILLE Sec 2005 *

0,34 ha 2 328 5 à 8 €

Dans l'arrière-pays de Vernou, les pentes de la vallée de Vaugondy jouissent d'une bonne réputation. Les sols érodés chargés d'éléments grossiers confèrent de la typicité aux vins. Celui-ci, un sec minéral au nez, montre fraîcheur et rondeur en bouche, avec des accents de terroir. Avec son côté aimable, il trouvera sa place à table, sur du poisson notamment. Assez simple mais agréable, minéral lui aussi, le **demi-sec 2005**, cité, se mariera avec charcuteries et feuilletés. Il obtient une citation.

Francis Mabille, 17, Vallée-de-Vaugondy, 37210 Vernou-sur-Brenne, tél. 02.47.52.01.87, fax 02.47.52.19.41, e-mail earl.francis.mabille@wanadoo.fr r.-v.

GILLES MADRELLE Sec 2005 *

1 ha 2 000 5 à 8 €

Les hauts de la Vallée Chartier dominent le lit majeur de la Loire par où arrivent les influences atlantiques si bénéfiques aux vins de Vouvray. Celui-ci a su en tirer profit. Discret au nez, il se rattrape en bouche par une texture délicate, souple et une finale fraîche. Un ensemble sympathique.

EARL Gilles Madrelle, 9/24, rue Vallée-Chartier, 37210 Vouvray, tél. 02.47.52.78.59, fax 02.47.52.78.63, e-mail gmadrelle@wanadoo.fr
t.l.j. 8h-12h 14h-19h; groupes sur r.-v.

MAILLET PÈRE ET FILS Brut 2004

4,2 ha 25 000 5 à 8 €

Deux frères ont pris la succession de leur père sur un domaine de 24 ha établi sur les pentes de la Vallée Coquette. L'équipement est de premier ordre, et les caves profondes constituent un outil indispensable pour l'élaboration des méthodes traditionnelles. Celle-ci est bien typée vouvray. La robe jaune paille soutenu est parcourue de fines bulles qui portent des senteurs de fruits confits. En bouche, on découvre une solide structure qui incite à servir ce vin au repas.

EARL Laurent et Fabrice Maillet, 101, rue de la Vallée-Coquette, 37210 Vouvray, tél. 02.47.52.76.46, fax 02.47.52.63.06
t.l.j. 10h-19h

DOM. DU MARGALLEAU Sec 2005

2 ha 10 000 5 à 8 €

Trois vallées donnent au village de Chançay un caractère bucolique et les amoureux de tourisme vert pourront arpenter ses trois parcours de randonnée. Exploité par deux frères, ce domaine de 25 ha implanté sur les coteaux qui bordent la vallée de Vaux s'est distingué l'an dernier avec un effervescent. Son sec offre un nez flatteur d'agrumes. Après une attaque franche, sur la pomme, il révèle une bouche ronde et une finale tendre. Un ensemble équilibré et prêt à boire.

EARL Bruno et Jean-Michel Pieaux, vallée de Vaux, rue du Clos-Baglin, 37210 Chançay, tél. 02.47.52.25.51, fax 02.47.52.27.59, e-mail earl.pieaux@terre-net.fr
t.l.j. sf dim. 8h-12h 14h-18h30

MAISON MIRAULT Brut *

n.c. 24 000 5 à 8 €

Une maison de tradition qui œuvre à Vouvray depuis des décennies. Sa réussite tient à son exigence dans le choix des moûts et des vins acquis auprès des vignerons ainsi qu'à sa longue expérience dans l'élaboration des effervescents. Celui-ci, doté d'une bonne structure, tapisse bien la bouche mais avec délicatesse et en montrant son fruit à tout instant. Un vin d'apéritif qui laissera les papilles fraîches. Autre effervescent, le **touraine rosé sec Méthode traditionnelle** est cité.

Maison Mirault, 15, av. Brûlé, 37210 Vouvray, tél. 02.47.52.71.62, fax 02.47.52.60.90, e-mail maisonmirault@wanadoo.fr
t.l.j. 8h-12h 14h-18h; dim. sur r.-v.

CH. MONCONTOUR
Brut Cuvée prédilection 2004 **

16 ha 40 000 5 à 8 €

Une bâtisse du XVe s. que Balzac rêva d'acquérir et où il a situé l'action de *La Femme de trente ans*, roman qui décrit bien les paysages du Vouvrillon. Le vignoble (plus de 100 ha) est important pour la région et le chai superbement équipé. Malgré la taille du domaine, ses propriétaires ne transigent pas avec la qualité, à en juger par les deux cuvées retenues. Prédilection mérite bien son nom, car elle l'emporte. Elle affiche un cordon vert pâle sur fond d'or et une rare délicatesse à toutes les étapes de la dégustation. La typicité du vouvray n'est pas oubliée et s'impose en finale. La **méthode traditionnelle brut (étiquette blanche)** est plus légère : 450 000 bouteilles d'un vin très réussi.

Ch. Moncontour, rue de Moncontour, 37210 Vouvray, tél. 02.47.52.60.77, fax 02.47.52.65.50, e-mail infos@moncontour.com r.-v.
M. Feray

CH. DE MONTFORT Demi-sec 2005 **

1,67 ha 11 545 5 à 8 €

Authentique château classé Monument historique, Montfort est entouré d'un vignoble de 35 ha agrémenté de rangées de rosiers rouges et jaunes. Ce souci du beau se conjugue avec la recherche du bon, témoin ce demi-sec riche et volumineux, qui s'étire à n'en plus finir. Une touche de guimauve ajoute à sa séduction. Une excellente bouteille commercialisée par les établissements Blanc-Foussy à Rochecorbon (Les Grandes Caves Saint-Roch).

SC Ch. de Montfort, 827, rue de la Rochère, Les Quarts, 37210 Noizay, tél. 02.47.52.14.57, fax 02.47.52.06.09, e-mail lydia.gourgourio@blancfoussy.com
t.l.j. sf dim. 9h-18h; sam. sur r.-v.
(65, quai de la Loire à Rochecorbon)
SA Blanc Foussy

DOM. D'ORFEUILLES
Moelleux Tries de novembre 2005

3 ha 1 400 23 à 30 €

De l'ancien château médiéval d'Orfeuilles qui a donné son nom au domaine, il ne reste que des dépendances. Un vignoble de 20 ha l'entoure, conduit par Bernard Hérivault et son fils Arnaud, installé en 2000. Le domaine signe un moelleux très riche (125 g/l de sucres résiduels), voire un peu lourd, mais qui séduit par ses arômes de coing, de mangue et d'abricot. À laisser mûrir. (Bouteilles de 50 cl.)

EARL Bernard Hérivault, La Croix-Blanche, 37380 Reugny, tél. 02.47.52.91.85, fax 02.47.52.25.01, e-mail earl.herivault@france-vin.com r.-v.

JEAN-MARIE PELTIER Brut 2005 *

1 ha 12 000 5 à 8 €

Jean-Marie Peltier exploite un domaine d'une douzaine d'hectares fondé par son arrière-grand-père et agrandi au fil des ans. Il conduit son exploitation en culture raisonnée pour ménager l'environnement. Des pratiques sérieuses qui se retrouvent dans cette méthode traditionnelle, très florale au verre et fruitée au palais, à déboucher dès l'apéritif.

Jean-Marie Peltier, 43, rue de la Mairie, 37210 Chancay, tél. 02.47.52.24.49 t.l.j. sf dim. 8h-12h30 14h-19h30

VINCENT PELTIER Brut 2005 ***

1,5 ha 12 000 5 à 8 €

Maisons et bâtiments ont été construits à la fin du XIXes. à l'emplacement d'une carrière d'où étaient extraits les matériaux qui ont servi à la mise en place de la ligne de chemin de fer de la vallée de la Brenne. Bien plus récent (1995), le chai utilise à maints endroits la gravité pour acheminer grappes et jus, préservant ainsi la qualité. Une cave attenante, creusée dans la roche, assure la conservation des vins. Celui-ci, qui a manqué de peu le coup de cœur, sort du lot par son nez expressif auquel répondent rondeur et fruité en bouche. La finale vive et fraîche est d'une rare séduction. Le **demi-sec 2005 (3 à 5 €)** est cité.

Vincent Peltier, 41 bis, rue de la Mairie, 37210 Chançay, tél. et fax 02.47.52.93.34 t.l.j. sf dim. 8h-12h30 14h-19h

DOM. DU PETIT COTEAU
Moelleux L'Étoile 2005 *

2 ha 4 000 8 à 11 €

La rue du Petit Coteau, où alternent maisons bourgeoises et demeures traditionnelles avec quelques grands parcs, est en quelque sorte le quartier chic de Vouvray. On y domine la Loire et les premiers et derniers rayons du soleil sont pour elle. Les vignes implantées sur le coteau n'ont pas à se plaindre non plus de l'ensoleillement. Cultivées ici en bio, elles ont donné ce moelleux à 50 g/l de sucres résiduels qui s'exprime au nez progressivement. La bouche séduit par sa longueur mais elle fait l'impasse sur l'acidité. Un sytle qui trouvera ses amateurs. À servir à l'apéritif ou au dessert. Fin et subtil, rond en finale, le **sec Les Grenouilles 2005 (5 à 8 €)** aimera un poisson vapeur. Il est cité.

SARL Le Petit Coteau, 71, rue du Petit-Coteau, 37210 Vouvray, tél. 02.47.52.60.77, fax 02.47.52.65.50, e-mail infos@moncontour.com r.-v.

DOM. DE LA POULTIÈRE Brut 2004 **

5 ha 44 000 5 à 8 €

Michel Pinon s'est associé à son fils Damien en 2000. Le tandem est fort de 22 ha de vignes situées en premières côtes, d'un chai bien équipé et d'un savoir-faire éprouvé, témoin de remarquables méthodes traditionnelles sélectionnées ces dernières années. Celle-ci offre un nez intense de fruits secs. Le palais, solide sans excès, montre un bon ancrage au terroir. Les dernières notes tout en rondeur s'égrènent longuement. En vins tranquilles, le **moelleux 2005 (8 à11 €)** recueille une étoile et le **demi-sec 2005 (3 à 5 €)** est cité.

GAEC Michel et Damien Pinon, 29, rte de Château-Renault, 37210 Vernou-sur-Brenne, tél. 02.47.52.15.16, fax 02.47.52.07.07, e-mail gaec.pinon@wanadoo.fr t.l.j. 9h-12h 13h30-19h30

VIGNOBLE ALAIN ROBERT ET FILS
Sec Les Charmes 2005 **

1,5 ha 10 000 3 à 5 €

Alain Robert s'est installé en 1973, son fils l'a rejoint en 2000. Une association qui gère aujourd'hui 26 ha et un chai superbement équipé. Le soin porté à la vigne, conduite en culture raisonnée, et aux vendanges, triées délicatement, explique les bons résultats de ces deux vignerons. Ce sec tendre aux arômes de fleurs et de cire exprime le terroir à travers un équilibre réussi. Une cuvée bien nommée. Intense et pétri d'onctuosité, le **moelleux Larmes d'automne 2005 (8 à 11 €)** obtient une étoile.

Alain et Cyril Robert, Charmigny, 37210 Chançay, tél. 02.47.52.97.95, fax 02.47.52.27.24, e-mail vignoblerobert@wanadoo.fr r.-v.

DOM. DE ROCHE BLONDE Brut 2004 *

3,5 ha 30 000 5 à 8 €

Henri Gaudron a créé le domaine en 1963 ; son fils Christophe lui a succédé en 1996. La surface en vignes a été portée à 12 ha et la cave, largement agrandie, comporte un équipement de pressurage et de régulation des températures. Les vins en sont les premiers bénéficiaires, telle cette méthode traditionnelle à la robe jaune intense et au nez délicat, qui flirte avec les agrumes. D'un bel or et respirant l'abricot, le **moelleux 2005** obtient une étoile.

Christophe Gaudron, Dom. de Roche Blonde, 90, rue Neuve, 37210 Vernou-sur-Brenne, tél. 02.47.52.12.17, fax 02.47.52.08.56, e-mail christophegaudron@wanadoo.fr t.l.j. sf dim. 9h-19h

DOM. DE LA ROCHE FLEURIE Brut 2004

6 ha 40 000 5 à 8 €

Installé en 1974 sur un domaine qu'il a équipé et agrandi au fil des ans, Michel Brunet a été rejoint en 2006 par son fils Sébastien. Plus de 15 ha de vignes implantées sur les coteaux de Chançay qui bordent la Brenne : un bel avenir se dessine pour ce jeune vigneron. En attendant, c'est le père qui présente cette méthode traditionnelle jaune vert à la fine mousse persistante où le coing s'exprime en premier. La bouche riche et ronde s'attarde en finale sur le fruit confit. Un vin d'apéritif.

EARL Michel et Sébastien Brunet, 6, rue Roche-Fleurie, 37210 Chançay, tél. 02.47.52.90.72, fax 02.47.52.96.25, e-mail earlmsbrunet@aol.com r.-v.

DOM. RONSARD Brut *

17 ha 40 580 5 à 8 €

C'est l'ancien domaine de Raoul Diard, une figure du monde professionnel vouvrillon disparue il y a bien longtemps, qu'Ève Dumange a repris et dédié à l'un des grands poètes du Val de Loire. Les vignes couvrent 17 ha sur les coteaux de la Vallée Coquette. Elles sont à l'origine d'un vin à la brillante robe jaune soutenu, animée d'un cordon persistant. Le nez apparaît vineux et floral. L'attaque est marquée par des notes de croûte de pain avec une touche de caramel, et la finale tout en délicatesse laisse un excellent souvenir. À déboucher à l'apéritif.

🔑 Ève Dumange, Dom. Ronsard, la Vallée-Chartier, 37210 Vouvray, tél. 02.47.52.54.85, fax 02.47.52.82.05

DOM. DE LA ROULETIÈRE Sec 2005

5 ha 10 000 5 à 8 €

À Parçay-Meslay, les vignes ont élu domicile par la volonté des moines de l'abbaye de Marmoutier. François et Jean-Marc Gilet, qui ont succédé à leur père en 2003, y exploitent un domaine de 15 ha. Ils ont élaboré un sec un peu rond. Un vin facile qui laisse une impression de fraîcheur mêlée du fruit du cépage.

🔑 Jean-Marc et François Gilet, Dom. de La Rouletière, 20, rue de la Mairie, 37210 Parçay-Meslay, tél. 02.47.29.14.88, fax 02.47.29.08.50, e-mail scea.gilet@wanadoo.fr t.l.j. sf dim. 10h-12h 15h-19h

DOM. DE LA TAILLE AUX LOUPS Moelleux Clos de Venise 2005

1 ha 3 200 15 à 23 €

Installé avec succès à Montlouis il y a presque deux décennies, Jacky Blot est venu taquiner les Vouvrillons sur leur terroir en reprenant un domaine il y a quelques années. Cette cuvée de liquoreux à 80 g/l de sucres résiduels est nettement marquée par le bois. Il faudra lui laisser le temps d'assimiler le fût. En attendant, vanille, coing et chèvrefeuille diffusent agréablement à travers cet arôme dominant. À laisser en cave une demi-douzaine d'années.

🔑 Dom. de La Taille aux Loups, 8, rue des Aîtres, 37270 Montlouis-sur-Loire, tél. 02.47.45.11.11, fax 02.47.45.11.14, e-mail lataillleauxloups@jackyblot.com t.l.j. 9h-12h30 14h30-18h

🔑 Jacky Blot

YVES ET ÉRIC THOMAS Demi-sec 2005

1 ha 2 600 3 à 5 €

Ce sont deux cousins qui se battent pour la qualité ; ils conduisent un domaine qu'ils viennent de porter à 11 ha sur les pentes de Parçay. Cette année, ils vont compléter leur équipement de cave. Ce vin à 22 g/l de sucres résiduels se place bien dans la catégorie des demi-secs. Fruits mûrs et litchi s'offrent généreusement tandis que les agrumes relèvent une finale ronde et fraîche. Une bouteille à servir avec de la charcuterie tourangelle.

🔑 GAEC Yves et Éric Thomas, 24, rue des Boissières, 37210 Parçay-Meslay, tél. et fax 02.47.29.09.13 r.-v.

CHRISTOPHE THORIGNY Brut 2004 *

1,5 ha 11 000 3 à 5 €

Installé en 1989 sur le vignoble familial, Christophe Thorigny est un battant et croit en l'avenir du vin et de son appellation. Ne vient-il pas de replanter 21 ha sur les pentes de Parçay ? Les résultats sont encourageants. Voyez cette méthode traditionnelle : fruitée, délicate, rafraîchissante, elle tiendra sa place aussi bien à l'apéritif qu'au cours du repas. Un classique.

🔑 Christophe Thorigny, 30, rue des Auvannes, 37210 Parçay-Meslay, tél. et fax 02.47.29.13.33 r.-v.

CH. DE VALMER Brut 2004

0,7 ha 5 000 5 à 8 €

Le château a brûlé bien avant la guerre, mais il reste les jardins suspendus à l'italienne, ouverts au public, qui épousent la pente du coteau sur huit niveaux. Il reste également pour notre plaisir les vignes, à l'origine de cette méthode traditionnelle, qui sent bon la fleur et l'amande et qui révèle beaucoup de fraîcheur en bouche.

🔑 Aymar de Saint-Venant, Valmer, 37210 Chançay, tél. 02.47.52.93.12, fax 02.47.52.26.92, e-mail vins@chateau-de-valmer.com r.-v.

DOM. DE VAUGOUDY Brut *

6 ha 60 000 5 à 8 €

La vallée de Vaugondy est l'un des hauts lieux de la production de vouvray à Vernou grâce à ses coteaux érodés, bien exposés. Philippe Perdriaux en a tiré trois vins intéressants. Le mieux noté est une méthode traditionnelle aux senteurs prononcées de brioche, de grillé et d'amande. Ces arômes se prolongent en bouche, où l'équilibre des autres constituants les porte agréablement. Les deux autres, un **demi-sec 2005** et un **sec 2005**, alertes, ont été cités.

🔑 SARL Perdriaux, 3, Les Glandiers, 37210 Vernou-sur-Brenne, tél. 02.47.52.60.77, fax 02.47.52.65.50 r.-v.

VIGNEAU-CHEVREAU Sec Cuvée Domaine 2005 *

6 ha 20 000 5 à 8 €

Les 26 ha du vignoble sont cultivés en biodynamie, qui impose les principes suivants : travail du sol, pas d'utilisation de produits chimiques de synthèse, emploi de tisane de plantes et compost, et travaux liés au rythme planétaire. Bien entendu les vendanges sont manuelles avec tries successives. Des principes qui ont réussi à ce sec au nez expressif de fleurs, d'agrumes et d'amande et au palais rond et bien équilibré. Les agrumes et l'amande font un retour remarqué dans la longue finale. Marqué par une forte sucrosité (135 g/l), le **moelleux cuvée Château Gaillard 2005 (23 à 30 €)** obtient la même note.

🔑 EARL Vigneau-Chevreau, 4, rue du Clos-Baglin, 37210 Chançay, tél. 02.47.52.93.22, fax 02.47.52.23.04, e-mail contact@vigneau-chevreau.com t.l.j. sf dim. 8h-12h 14h-18h

DOM. DU VIKING Brut

10 ha 20 000 5 à 8 €

Pourquoi le « Viking » ? Parce que Lionel Gauthier, qui mène ses 15 ha de vignes comme un bon vigneron tourangeau, semble par son physique venir tout droit des côtes de Scandinavie. Sa méthode traditionnelle est un exemple de vin bien fait. Un ensemble floral, vif, équilibré, où les fruits mûrs sont sous-jacents en permanence. Il saura ouvrir les appétits rebelles. Le **moelleux cuvée Aurélie 2005 (30 à 37 €)**, à 100 g/l de sucres résiduels, est cité et possède une certaine aptitude à la garde.

🔑 Gauthier, 5, chem. de la Bonneterie, Melotin, 37380 Reugny, tél. 02.47.52.96.41, fax 02.47.52.24.84, e-mail domaine-du-viking@wanadoo.fr r.-v.

CAVE DES PRODUCTEURS DE VOUVRAY Brut Tête de cuvée 2004 *

17 ha 135 280 5 à 8 €

Située à mi-chemin de la Vallée Coquette, un haut lieu de la production du vouvray, cette coopérative regroupe 40 adhérents qui détiennent 400 ha de vignes, soit le cinquième de l'appellation. Le visiteur sera surpris par les caves profondes (2,5 km de galeries) où mûrissent des vins d'un très bon niveau, telle cette méthode traditionnelle. Le nez, marqué par les fruits frais et les fleurs, laisse percer la jacinthe, tandis que le grillé domine au palais avec un retour sur les petits fruits. Un vin d'apéritif élégant.

Cave des Producteurs de Vouvray,
38, la Vallée-Coquette, 37210 Vouvray,
tél. 02.47.52.75.03, fax 02.47.52.66.41,
e-mail cavedesproducteurs@cp-vouvray.com
t.l.j. 9h-12h30 14h-19h; groupes sur r.-v.

Cheverny

Consacré AOC le 26 mars 1993, cheverny était né VDQS en 1973. Dans cette appellation (plus de 2 000 ha délimités, 532 ha en production), dont le terroir à dominante sableuse (des sables sur argile de Sologne aux terrasses de la Loire) s'étend le long de la rive gauche du fleuve depuis la Sologne blésoise jusqu'aux portes de l'Orléanais, les cépages sont nombreux. Les producteurs ont réussi à les assembler, en proportions variant légèrement selon les terroirs, pour trouver le « style » cheverny. Les vins rouges à base de gamay et de pinot noir sont fruités dans leur jeunesse et acquièrent, en évoluant, des arômes animaux... en harmonie avec l'image cynégétique de cette région. Les rosés à base de gamay sont secs et parfumés. Rouges et rosés ont représenté 13 215 hl en 2006. Les blancs (11 543 hl), où le sauvignon est assemblé avec un peu de chardonnay, sont floraux et fins.

DOM. DE L'AUMONIÈRE 2006 ★

6,55 ha 8 000 3 à 5 €

Ce millésime marque le cent-cinquantième anniversaire du domaine ! Il se présente dans une robe dont les nuances violettes révèlent la jeunesse. Si le pinot noir (60 %) domine à l'olfaction, le gamay apporte rondeur et onctuosité en bouche. À servir sur des grillades.

Gérard Givierge, Dom. de L'Aumonière,
41700 Cour-Cheverny, tél. 02.54.79.25.49,
fax 02.54.79.27.06
t.l.j. 8h-12h 14h-20h; groupes sur r.-v.

MICHEL ET CHRISTOPHE BADIN 2005 ★

4 ha 25 000 3 à 5 €

En 1955, la famille Badin acquit les premières vignes qui constituent aujourd'hui ce domaine de plus de 13 ha. La troisième génération est au travail et propose un assemblage classique de pinot noir et gamay, relevé par une pointe de côt (3 %). Puissant au nez, souple et rond en bouche, ce vin révèle une belle matière. Cette bouteille sympathique accompagnera avantageusement le petit gibier.

GAEC Michel et Christophe Badin, L'Aubras,
41120 Cormeray, tél. et fax 02.54.44.23.43,
e-mail cave-badin@wanadoo.fr
t.l.j. sf dim. 8h-12h 14h-19h

PASCAL BELLIER 2006 ★★★

4,65 ha 30 533 3 à 5 €

Le coup de cœur de la précédente édition. S'il ne réitère pas son exploit, ce nouveau millésime décroche néanmoins trois étoiles ! Habillé de jaune paille à nuances claires, ce vin délivre au nez toute la délicatesse de senteurs printanières. D'une belle expression en bouche, il offre un équilibre parfait et une finale rafraîchissante.

Pascal Bellier, 3, rue Reculée, 41350 Vineuil,
tél. 02.54.20.64.31, fax 02.54.20.58.19,
e-mail vinsbellier@wanadoo.fr
lun. mer. ven. sam. 9h-12h 14h-19h

ÉRIC CHAPUZET Mont-Crochet 2006 ★

3 ha 15 000 3 à 5 €

Voilà vingt ans qu'Éric Chapuzet a pris la tête de ce domaine, ancienne closerie du château de Fougères (XVe s.). D'un rouge intense, son cheverny libère des parfums encore discrets, mais il surprend en bouche par son équilibre et sa présence tannique. Une bouteille pleine de promesses. Le **blanc Les Souchettes 2006** obtient également une étoile pour ses senteurs printanières et sa fraîcheur. Un vin élégant.

Éric Chapuzet, La Gardette, 9 bis, rte de Chitenay,
41120 Fougères-sur-Bièvre, tél. et fax 02.54.20.27.21,
e-mail e.chapuzet@orange.fr r.-v.

CHESNEAU ET FILS 2006 ★★★

1,1 ha 6 500 3 à 5 €

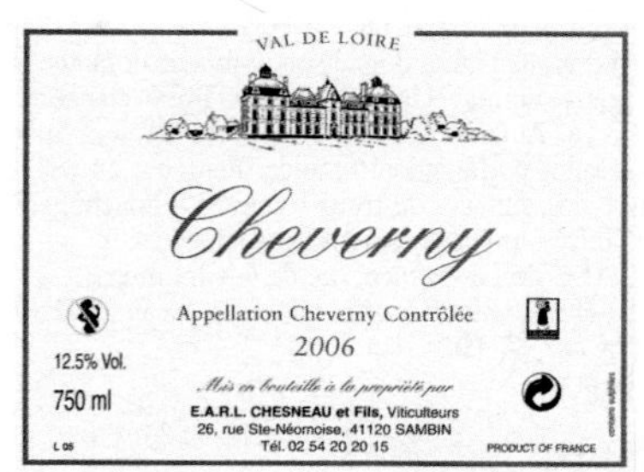

Un modèle de rosé. Dans sa belle robe saumonée, il offre au nez l'élégance et la grâce d'un bouquet de fleurs de printemps. La bouche associe rondeur, équilibre et fraîcheur. La séduction même. Le **rouge 2006** est cité. Typique par son nez de griotte, il possède une bouche gracieuse et des tanins soyeux. Une citation va encore au **blanc 2006** pour ses arômes de fruits exotiques et sa finale rafraîchissante.

EARL Chesneau et Fils, 26, rue Sainte-Néomoise,
41120 Sambin, tél. 02.54.20.20.15, fax 02.54.33.21.91,
e-mail contact@chesneauetfils.fr r.-v.

DOM. DU CROC DU MERLE 2006

1 ha 7 000 5 à 8 €

Une partie des vignes de ce domaine de 10 ha est située au bord de Loire. Celles qui ont servi à élaborer cette cuvée sont plantées sur des sols argilo-siliceux. Elles ont produit un vin saumoné pâle à reflets orangés qui surprend agréablement par son équilibre et sa fraîcheur. À servir sur de la charcuterie.

GAEC Hahusseau,
Dom. du Croc du Merle, 38, rue de La Chaumette,
41500 Muides-sur-Loire, tél. 02.54.87.58.65,
fax 02.54.87.02.85, e-mail gaec.hahusseau@orange.fr
t.l.j. 9h-13h 14h-19h; dim. 9h-13h; groupes sur r.-v.

DOM. DE LA GAUDRONNIÈRE
Cuvée Laetitia 2006 ★

	4,42 ha	18 000		5 à 8 €

Ce cheverny se présente dans une robe jaune pâle à reflets verts. S'il est encore timide au nez, il a beaucoup de présence et de longueur en bouche. La **cuvée Élégance rouge 2005** évolue favorablement . Elle est citée.

Christian Dorléans, Dom. de La Gaudronnière, 41120 Cellettes, tél. 02.54.70.40.41, fax 02.54.70.38.83
r.-v.

MICHEL GENDRIER Le Pressoir 2005

	3 ha	23 000		5 à 8 €

La famille Gendrier cultive la vigne depuis 1846. Aujourd'hui Michel Gendrier exploite un peu plus de 34 ha de vignes. Il pratique la culture biodynamique. Pinot noir (80 %) et gamay ont donné cette cuvée Le Pressoir tout en rondeur, à la finale soyeuse. Le **domaine des Huards blanc 2006**, cité pour sa vivacité, accompagnera des crustacés.

Jocelyne et Michel Gendrier, Les Huards, 41700 Cour-Cheverny, tél. 02.54.79.97.90, fax 02.54.79.26.82, e-mail infos@gendrier.com
t.l.j. 9h-12h 14h-19h; dim. sur r.-v.

DOM. DE LA GRANGE 2006 ★★

	3,47 ha	10 000		3 à 5 €

La grange qui a donné son nom à ce domaine était une grange dîmière. On y entreposait l'impôt en nature dû au clergé. Aujourd'hui, elle recèle une cuvée à la robe rouge rubis parfaitement limpide. Flatteuse au nez, elle délivre des senteurs de fruits rouges. La bouche, équilibrée, offre une finale tout en rondeur.

GAEC de La Grange, rue de la Charmoise, 41350 Huisseau-sur-Cosson, tél. et fax 02.54.20.31.17
r.-v.
Genty

DOM. HUGUET 2006 ★

	1,16 ha	9 340		3 à 5 €

Idéalement situé à équidistance des châteaux de Chambord et de Blois, le domaine Huguet a été retenu pour deux cuvées. Le jury a donné la préférence à ce blanc issu de vignes plantées sur les terrasses de la Loire et qui offre toute la puissance du terroir. Bien équilibré en bouche, il s'achève sur des notes rafraîchissantes. À servir sur des asperges de Vineuil-Saint-Claude. Même note pour le **rouge 2006** qui possède l'élégance des arômes du pinot et la rondeur du gamay. Les tanins sont encore présents en finale. Pour une grillade.

Patrick Huguet, 12, rue de la Franchetière, 41350 Saint-Claude-de-Diray, tél. 02.54.20.57.36, fax 02.54.20.58.57 r.-v.

DOM. MAISON PÈRE ET FILS 2006 ★

	4 ha	15 000		5 à 8 €

Un siècle d'existence pour le domaine Maison qui a été retenu dans les trois couleurs. Les dégustateurs ont montré une préférence pour le rosé, assemblage de gamay (70 %) et de pineau d'Aunis. Saumoné à l'œil et discret au nez, ce vin se montre équilibré en bouche avec une finale fraîche. À servir sur des grillades. Même note pour le **blanc 2006**, pâle mais brillant. Il offre en bouche des flaveurs délicates de fruits à chair blanche et beaucoup de gras en finale. Le **rouge 2006** est cité pour son caractère gouleyant et ses tanins bien fondus (le 2004 fut coup de cœur de l'édition 2006).

EARL Maison Père et Fils, 22, rue de la Roche, 41120 Sambin, tél. 02.54.20.22.87, fax 02.54.20.22.91, e-mail domaine.maison@wanadoo.fr
t.l.j. 8h-19h

DOM. JÉRÔME MARCADET
Cuvée de l'Orme 2006 ★

	2,8 ha	15 000		3 à 5 €

Dans les années 1900-1910, les arrière-grands-parents de Jérôme Marcadet travaillaient à la tâche dans les vignes de Chitenay. Ses grands-parents ont acquis la propriété, son père s'est lancé dans la vente directe. En Cheverny, son blanc, son rosé et son rouge reçoivent chacun une étoile. Commençons par le blanc, la Cuvée de l'Orme. C'est un vin tout en finesse et en fraîcheur qui accompagnera des asperges de Sologne. Le **rosé 2006**, gouleyant, possède de la personnalité. Il agrémentera des grillades. Enfin, la **Cuvée des Gourmets rouge 2006**, intense, est marquée par les fruits rouges. Ses tanins encore jeunes lui confèrent une bonne structure.

Jérôme Marcadet, 5, rte de l'Orme, Favras, 41120 Feings, tél. et fax 02.54.20.28.42, e-mail domaine-jeromemarcadet@wanadoo.fr
t.l.j. 8h-12h30 14h-19h; dim. sur r.-v.

DOM. DE MONTCY
Cuvée Louis de La Saussaye 2006 ★

	2 ha	11 000		5 à 8 €

Le vignoble de ce domaine remonte au XVI^e^s. Il dépendait alors du château de Troussay, gentilhommière Renaissance. Aujourd'hui, c'est un chai moderne qui accueille le visiteur venu découvrir les vins de Raymonde et Serge Simon. Leur assemblage de pinot noir (65 %) et de gamay complétés par du côt (15 %) offre une intéressante évolution aromatique où fruits noirs et épices se marient parfaitement. La bouche se montre équilibrée, élégante et racée. Cette cuvée pourra accompagner un gibier. Le **Clos des Cendres blanc 2006**, cité, ne décevra pas sur une terrine de poisson... de la Loire, bien sûr.

R. et S. Simon, La Porte Dorée, 32, rte de Fougères, 41700 Cheverny, tél. 02.54.44.20.00, fax 02.54.44.21.00, e-mail info@domaine-de-montcy.com
t.l.j. sf dim. 10h-19h

LES VIGNERONS DE MONT-PRÈS-CHAMBORD Cuvée royale 2006 ★

	25 ha	157 300		3 à 5 €

La cave de Mont-près-Chambord est construite dans le plus pur style des années 1930 en Sologne : imposante charpente métallique rivetée sous une toiture de tuiles et des murs de briques. Vous pourrez y découvrir cette Cuvée royale, assemblage de pinot noir (50 %) et de gamay complétés par 10 % de cabernet franc. Robe rouge intense à reflets violets, nez discret ; en bouche, chaleur et longueur. La **Cuvée royale rosé 2006** est citée. C'est un vin agréable et gouleyant à servir sur des grillades. La **Cuvée royale blanc 2006** est également citée.

Les Vignerons de Mont-Près-Chambord, 816, la Petite-Rue, 41250 Mont-Près-Chambord, tél. 02.54.70.71.15, fax 02.54.70.70.65, e-mail cavemont@club-internet.fr
t.l.j. sf dim. et lun. matin 9h-12h 14h-18h

PIERRE PARENT Cuvée charpentée 2005 ★

■ 3,72 ha 27 000 ■ 5 à 8 €

Situé sur l'itinéraire des châteaux de la Loire à vélo, le domaine de Pierre Parent s'étend sur 9 ha. Il a produit cette Cuvée charpentée de couleur foncée, de bonne intensité aromatique, d'une agréable fraîcheur en bouche avec une finale tout en rondeur. Une étoile également pour le **blanc 2006** à la bouche enveloppante et bien équilibrée. À servir sur une assiette de charcuterie.

Pierre Parent, 201, rue de Chancelée, 41250 Mont-Près-Chambord, tél. 02.54.70.73.57, fax 02.54.70.89.72 r.-v.

LE PETIT CHAMBORD 2006 ★★

■ 4,5 ha 27 000 ■ 5 à 8 €

Une pointe de cot (8 %) complète le pinot noir et le gamay qui composent cette cuvée de teinte soutenue. L'évolution aromatique sur les fruits rouges et la cerise est intéressante. La bouche possède souplesse et rondeur et révèle des tanins soyeux. Un vin complet.

François Cazin, Le Petit Chambord, 41700 Cheverny, tél. 02.54.79.93.75, fax 02.54.79.27.89 r.-v.

DOM. DE LA PLANTE D'OR 2006

■ 3 ha 14 000 ■ 5 à 8 €

Une ferme solognote du XIX[e]s. abrite le caveau de dégustation et un musée du Vin, à visiter avant ou après avoir goûté de ces deux cheverny sélectionnés par le jury. Les dégustateurs ont apprécié l'harmonie en bouche du blanc. Ils ont également cité le **rouge 2006** pour ses arômes de fruits mûrs et son équilibre au palais.

Philippe Loquineau, Dom. de La Plante d'Or, La Demalerie, 41700 Cheverny, tél. 02.54.44.23.09, fax 02.54.44.22.16, e-mail domainedelaplantedor@wanadoo.fr r.-v.

DOM. DU SALVARD 2006 ★

■ 15 ha 100 000 ■ 5 à 8 €

Un bâtiment vieux de trois cents ans, typiquement solognot avec son architecture en forme de U, gouverne ce domaine de 39 ha. Dans le millésime 2006, son blanc offre un nez intense qui mêle harmonieusement le buis et les agrumes. En bouche, il monte en puissance et s'achève sur des notes rafraîchissantes. Le **rouge 2006** est cité pour son équilibre et son onctuosité.

EARL Delaille, Dom. du Salvard, 41120 Fougères-sur-Bièvre, tél. 02.54.20.28.21, fax 02.54.20.22.54, e-mail delaille@libertysurf.fr r.-v.

DOM. SAUGER 2006 ★★★

■ 8 ha 40 000 ■ 5 à 8 €

Une année faste pour le domaine Sauger : deux de ses cheverny ont été particulièrement remarqués par le jury qui leur attribue trois étoiles et un coup de cœur à chacun. Commençons par le rouge. Des raisins récoltés au bon moment et un judicieux assemblage de pinot noir (60 %), gamay (30 %) et cot ont permis d'élaborer un vin au nez délicat de fruits très mûrs. La dégustation révèle un équilibre parfait et s'achève sur des tanins soyeux. Le **blanc Vieilles Vignes 2006** se présente dans une robe jaune paille brillant, parfaite, qui donne le ton. Le nez, aromatique, est marqué par le sauvignon (60 % de

l'assemblage), et la bouche se montre harmonieuse. Une belle maturité des raisins, le contrôle de la vinification, une réelle maîtrise de l'élevage ont donné cette excellente bouteille. La **cuvée principale blanc 2006**, sauvignon à 80 %, obtient une étoile pour sa richesse en bouche.

EARL Dom. Sauger, 4, rue des Touches, 41700 Fresnes, tél. 02.54.79.58.45, fax 02.54.79.03.35, e-mail sauger.domaine@club-internet.fr r.-v.

DOM. PHILIPPE TESSIER 2006 ★

■ 1 ha 6 500 ■ 5 à 8 €

Installé depuis une vingtaine d'années sur ce domaine fondé en 1962, Philippe Tessier exploite ses 21 ha en agriculture biologique. Pinot noir (30 %), gamay (50 %) et cabernet-sauvignon composent ce rosé de couleur pâle discrètement épicé au nez, qui séduit par son élégance et sa fraîcheur. Ce vin caractéristique du Val de Loire accompagnera agréablement un repas de début d'automne.

EARL Philippe Tessier, 3, voie de la Rue-Colin, 41700 Cheverny, tél. 02.54.44.23.82, fax 02.54.44.21.71, e-mail domaine.ph.tessier@wanadoo.fr r.-v.

CHRISTIAN TESSIER 2006 ★

■ 6,9 ha 35 000 ■ 5 à 8 €

Ce cheverny blanc offre une complexité aromatique intéressante où les notes de buis s'associent avec les agrumes. La bouche est gracieuse, bien équilibrée et d'une bonne longueur. Cité, le **Domaine de La Désoucherie rouge 2006 Cuvée du Portail** est encore jeune et les tanins impétueux. Il faut l'attendre.

Christian et Fabien Tessier, Dom. de La Désoucherie, 47, voie de la Charmoise, 41700 Cour-Cheverny, tél. 02.54.79.90.08, fax 02.54.79.22.48, e-mail infos@christiantessier.com r.-v.

DANIEL TÉVENOT 2006 ★★

■ 1,3 ha 7 000 ■ 3 à 5 €

Louis XII, qui séjourna à plusieurs reprise à Madon, aurait dit du vignoble « C'est l'un des plus bel et bon qui soit en Blaisois. » Une parole qui ne sera pas démentie par ce vin issu d'une vendange mûre à point. Le bouquet libère généreusement des senteurs de fleurs blanches. Avec une bonne longueur en bouche et sa finale ample, ce cheverny accompagnera parfaitement des asperges de Sologne. Le **rouge 2006** est cité pour la souplesse de son attaque. Ses tanins encore jeunes en finale indiquent qu'il faudra l'attendre quelques mois. Également cité, le **rosé 2006** possède un bon équilibre en bouche.

🔑 Daniel Tévenot, 4, rue du Moulin-à-Vent, Madon, 41120 Candé-sur-Beuvron, tél. et fax 02.54.79.44.24, e-mail daniel.tevenot@wanadoo.fr ☒ 🍷 🚶 r.-v.

Cour-cheverny

Le décret du 24 mars 1993 a reconnu l'AOC cour-cheverny. Celle-ci est réservée aux vins blancs de cépage romorantin, produits dans l'aire de l'ancienne AOS cour-cheverny mont-près-chambord et quelques communes des alentours où ce cépage s'est maintenu. Le terroir est typique de la Sologne (sable sur argile). La vendange de 2006 a représenté 1 826 hl pour une superficie de 51 ha.

CAVE DE LA CHARMOISE 2006

n.c. n.c. 3 à 5 €

Derrière une robe pâle, le nez se montre discret et fin. Souple et équilibré en bouche, ce romorantin se mariera parfaitement avec un plateau de fruits de mer. Le **cheverny rouge 2006** est également cité.

🔑 GAEC Jacky et Laurent Pasquier, La Charmoise, 41700 Cour-Cheverny, tél. 06.87.11.15.19, fax 02.54.79.92.76 ☒ 🍷 r.-v.

LUC PERCHER 2005 *

0,41 ha 2 200 5 à 8 €

Le 1er janvier 2005, Luc Percher a repris ce domaine d'un peu plus de 9 ha. Dans la foulée, il a construit un chai. Et aujourd'hui, il décroche une étoile dans le Guide, pour son tout premier millésime. La robe pâle à reflets verts dénote le soin apporté à la vinification de ce vin au nez délicat mais puissant. La bouche est toute d'élégance et d'équilibre. Une bouteille qui pourrait bénéficier d'une petite garde.

🔑 Luc Percher, 12, voie de la Marigonnerie, 41700 Cour-Cheverny, tél. 02.54.79.95.39, e-mail lucpercher@wanadoo.fr ☒ 🍷 🚶 r.-v.

LE PETIT CHAMBORD Cuvée Renaissance 2005

2 ha 8 500 5 à 8 €

Ce Petit Chambord, bien qu'encore fermé au nez, est un moelleux riche (20 g/l de sucres résiduels) avec beaucoup d'avenir. Il faudra l'attendre.

🔑 François Cazin, Le Petit Chambord, 41700 Cheverny, tél. 02.54.79.93.75, fax 02.54.79.27.89 ☒ 🍷 🚶 r.-v.

CHRISTIAN TESSIER 2005

4,24 ha 24 000 5 à 8 €

Voilà plus de trente ans que Christian Tessier est à la tête de ce domaine qui compte aujourd'hui une trentaine d'hectares. Dans le millésime 2005, il propose un vin sympathique, encore fermé au nez, mais prometteur, qui devrait accompagner avantageusement un fromage de chèvre.

🔑 Christian et Fabien Tessier, Dom. de La Désoucherie, 47, voie de la Charmoise, 41700 Cour-Cheverny, tél. 02.54.79.90.08, fax 02.54.79.22.48, e-mail infos@christiantessier.com ☒ 🍷 🚶 r.-v. 🏠 D

Orléans

Anciennement AOVDQS, ce vignoble a été reconnu en AOC par un décret du 23 novembre 2006. Parmi les « vins françois », ceux d'Orléans eurent leur heure de gloire à l'époque médiévale. À côté des jardins, des pépinières et des vergers, la vigne a encore sa place aujourd'hui (90 ha). Les vignerons ont su adapter des cépages mentionnés depuis le Xes. et que l'on disait venir d'Auvergne mais qui sont identiques à ceux de Bourgogne : auvernat rouge (pinot noir), auvernat blanc (chardonnay) et gris meunier, auxquels est venu s'ajouter le cabernet (ou breton), qui donne des vins au bouquet de groseille et de cassis.

La tradition s'est notamment maintenue sur les terrasses sablo-graveleuses de la rive sud de la Loire, où l'INAO a reconnu l'appellation orléans-cléry (30 ha), réservée aux vins rouges issus du cabernet franc. L'appellation orléans s'étend quant à elle des deux côtés de la Loire. Elle est réservée aux vins blancs de chardonnay et aux vins rouges et rosés issus du pinot meunier et du pinot noir qui donne ici des vins très originaux. On pourra boire les vins rouges sur du perdreau ou du faisan rôti, des pâtés de gibier de la Sologne voisine, et les blancs avec des fromages cendrés du Gâtinais.

VIGNOBLE DU CHANT D'OISEAUX 2006 ***

1,52 ha 3 000 3 à 5 €

Ce jeune viticulteur, qui prend la succession de Jacky Legroux, signe un premier millésime d'une belle puissance aromatique où s'associent l'élégance des senteurs florales et la finesse des fruits exotiques. La bouche offre onctuosité, équilibre et longueur. Le **rouge 2006** obtient deux étoiles pour son élégance aromatique et sa puissance en bouche. Il possède un intéressant potentiel. Enfin, l'**orléans-cléry 2006** est cité.

🔑 Édouard Montigny, Vignoble du Chant d'Oiseaux, 321, rte des Muids, 45370 Mareau-aux-Prés, tél. 02.38.45.60.31, fax 02.38.45.62.35, e-mail montignye@yahoo.fr ☒ 🍷 🚶 r.-v.

CLOS SAINT-FIACRE 2006 **

4 ha 14 400 5 à 8 €

Cette propriété, qui appartient à la même famille depuis le XVII[e]s., apparaît régulièrement dans le Guide aux meilleures places (coup de cœur notamment pour un rosé 2005 dans l'édition 2007). Ce nouveau millésime est dans la même lignée. Jaune paille brillant, ce vin d'une belle intensité au nez offre une bouche parfaitement équilibrée et onctueuse en finale. Une étoile a été attribuée au **rosé 2006** à la charmante robe saumonée, rond en attaque, fruité en bouche : un vin plaisir. Le **rouge 2006**, cité, encore timide, est prometteur.

Montigny-Piel,
Clos Saint-Fiacre, 560, rue de Saint-Fiacre,
45370 Mareau-aux-Prés, tél. 02.38.45.61.55,
fax 02.38.45.66.58
t.l.j. sf dim. 9h-12h30 14h-19h

VALÉRIE DENEUFBOURG Rencontres 2006 *

1 ha 6 000 5 à 8 €

Jeune viticultrice installée depuis seulement deux ans, Valérie Deneufbourg propose un assemblage de pinot meunier et de pinot noir séducteur, souple et léger, aux arômes typiques de griotte. La cuvée **Rencontres blanc 2006**, jaune pâle nuancé de vert, obtient une citation pour ses arômes de fleurs et de pêche blanche. Un vin sympathique.

Valérie Deneufbourg, 28, rue du Village,
45370 Cléry-Saint-André, tél. 02.38.45.97.53,
fax 02.38.45.72.04,
e-mail unvinunerencontre@deneufbourg.fr r.-v.

LES VIGNERONS DE LA GRAND'MAISON 2006 **

8,88 ha 35 000 3 à 5 €

Une élégante robe pâle, rose saumoné, habille ce vin qui révèle de la rondeur et un bon équilibre en bouche. Une note acidulée accentue la fraîcheur en finale. La coopérative a également proposé un **blanc 2006** qui obtient une étoile pour son intensité aromatique et sa longueur. À servir sur un poisson au beurre blanc.

Les Vignerons de la Grand'Maison,
550, rte des Muids, 45370 Mareau-aux-Prés,
tél. 02.38.45.61.08, fax 02.38.45.65.70,
e-mail vignerons.orleans@free.fr
t.l.j. sf dim. lun. 8h30-12h 13h30-17h30

DOM. SAINT-AVIT 2006 *

2,5 ha n.c. 3 à 5 €

Les ancêtres de Javoy cultivaient déjà la vigne à la fin du XVIII[e]s. Ce vin se caractérise par sa puissance aromatique ; sa palette est dominée par les fruits rouges. Après une attaque ronde, la dégustation révèle des tanins encore jeunes. Une étoile également pour le **blanc 2006** dont la couleur jaune doré dénote la bonne maturité des raisins. Les soins apportés à la vinification ont donné un bel équilibre à cette bouteille qui ne manque pas de longueur. Le **rosé 2006** obtient une citation pour son bouquet marqué par des arômes poivrés. Un vin généreux et frais.

EARL Javoy et Fils, 450, rue du Buisson,
45370 Mézières-lez-Cléry, tél. 02.38.45.66.95,
fax 02.38.45.69.77, e-mail javoy.pascal@wanadoo.fr
t.l.j. sf dim. 9h-12h 14h-19h
Pascal Javoy

Orléans-cléry

Cette appellation, qui porte le nom de la commune de Cléry dont la basilique renferme le tombeau de Louis XI, a été reconnue comme AOC fin 2006.

CLOS SAINT-FIACRE 2006 ***

2,83 ha 17 300 5 à 8 €

Cette exploitation familiale, transmise à la nouvelle génération en 2001, montre une belle continuité dans la qualité. Présente dans la première édition avec un remarquable vin rouge, elle obtient son sixième coup de cœur. Un rouge, après un rosé l'année dernière. Ce vin pourpre à reflets violets reflète toute la générosité du terroir. Le bouquet intense marqué par les fruits noirs révèle une parfaite maturité des raisins. Une bouteille à la forte personnalité qui associe grâce et élégance en bouche. Elle est prête.

Montigny-Piel,
Clos Saint-Fiacre, 560, rue de Saint-Fiacre,
45370 Mareau-aux-Prés, tél. 02.38.45.61.55,
fax 02.38.45.66.58
t.l.j. sf dim. 9h-12h30 14h-19h

LES VIGNERONS DE LA GRAND'MAISON 2006 **

22,92 ha 35 000 3 à 5 €

Une agréable couleur rouge brillant habille cette bouteille. Au nez se révèle toute la puissance du cabernet franc aux arômes caractéristiques. Un vin parfaitement réussi qui, par son équilibre en bouche, accompagnera aisément un gibier de Sologne.

Les Vignerons de la Grand'Maison,
550, rte des Muids, 45370 Mareau-aux-Prés,
tél. 02.38.45.61.08, fax 02.38.45.65.70,
e-mail vignerons.orleans@free.fr
t.l.j. sf dim. lun. 8h30-12h 13h30-17h30

DOM. SAINT-AVIT 2006 *

6,12 ha n.c. 3 à 5 €

Voici un rouge bien vinifié, au nez élégant de fruits rouges. La bouche, équilibrée, révèle des tanins enrobés en finale. Cette bouteille gagnera à être attendue.

EARL Javoy et Fils, 450, rue du Buisson,
45370 Mézières-lez-Cléry, tél. 02.38.45.66.95,
fax 02.38.45.69.77, e-mail javoy.pascal@wanadoo.fr
t.l.j. sf dim. 9h-12h 14h-19h

Coteaux-du-vendômois

Les coteaux-du-vendômois ont été reconnus en appellation d'origine en 2001. La particularité, unique en France, de cette appellation produite entre Vendôme et Montoire est constituée par le vin gris de pineau d'Aunis, dont la robe doit rester très pâle et les arômes exprimer des nuances poivrées. On y apprécie également un blanc de chenin, comme dans les AOC coteaux-de-loir et jasnières voisines, au terroir similaire.

Depuis quelques années, les rouges tendent à se développer. La nervosité légèrement épicée du pineau d'Aunis est tempérée par le calme gamay et rehaussée soit en finesse par le pinot noir, soit en tanins par le cabernet. La production a atteint 7 063 hl en 2006 pour une superficie d'environ 149 ha.

Le touriste pourra apprécier les bords du Loir, les coteaux truffés d'habitations troglodytiques et de caves taillées dans le tuffeau.

DOM. DE LA CHARLOTTERIE Gris 2006 *

0,79 ha 4 000 3 à 5 €

Ce domaine a obtenu un coup de cœur pour un rouge 2005 dans la dernière édition. Cette année, le jury a donné la préférence à un gris. Le jury a apprécié la robe œil-de-perdrix de ce pineau d'Aunis. Si le nez se montre encore timide, la bouche élégante est caractéristique de l'appellation avec ses notes poivrées. La dégustation se conclut par une finale rafraîchissante. La **cuvée Prestige blanc 2006** possède également un nez discret qui devrait s'épanouir avec le temps. C'est un vin équilibré et chaleureux en finale. Il est cité.

Dominique Houdebert,
Dom. de la Charlotterie, 2, rue du Bas-Bourg,
41100 Villiersfaux, tél. 02.54.80.29.79,
fax 02.54.73.10.01,
e-mail dominique.houdebert@wanadoo.fr r.-v.

PATRICE COLIN Vieilles Vignes 2006 **

1,2 ha 6 000 5 à 8 €

Le chenin était mûr à point lorsqu'il a été cueilli. Parfaitement vinifié, il a donné ce vin au nez élégant, minéral et fruité, et à la bouche équilibrée, en harmonie avec l'olfaction. En finale, un retour minéral renforce la personnalité de cette bouteille qui gagnera à être attendue, mais qui peut aussi être bue dès maintenant. Le **Vieilles Vignes rouge 2005** est très réussi. Derrière une robe de teinte soutenue, le nez complexe associe les senteurs de fruits noirs et d'épices. La bouche révèle une belle présence. La cuvée **Pente des Coutis blanc 2005 (8 à 11 €)** est citée. C'est un vin charmeur qui évolue favorablement. Il est à boire.

Patrice Colin, La Gaudetterie,
41100 Thoré-la-Rochette, tél. 02.54.72.80.73,
fax 02.54.72.75.54, e-mail patrice.colin1@orange.fr
r.-v.

DOM. DU FOUR À CHAUX 2006 *

6 ha 10 000 3 à 5 €

Dominique Norguet représente la septième génération sur le domaine. Il propose un pineau d'Aunis à la robe brillante qui libère des arômes typiques du cépage. Équilibré et frais, ce vin est à déboucher sans attendre. Le jury a attribué la même note au **blanc 2006** pour ses parfums généreux dominés par la minéralité du terroir. Ample et équilibrée, cette bouteille accompagnera un fromage de chèvre du pays.

EARL Dominique Norguet, Berger,
41100 Thoré-la-Rochette, tél. 02.54.77.12.52,
fax 02.54.80.23.22,
e-mail norguet.dominique@wanadoo.fr r.-v.

CHARLES JUMERT 2006 **

0,66 ha 2 000 3 à 5 €

La robe jaune doré révèle la maturité des raisins qui ont servi à élaborer cette cuvée. Une intéressante complexité aromatique accompagne une bouche élégante et racée. Un fleuron de l'appellation. Le **rosé 2006**, de couleur saumonée, est presque aussi bien réussi (une étoile). Le nez libère des senteurs florales auxquelles se mêlent des notes poivrées. La bouche, équilibrée, est de bonne longueur. À servir bien frais. Le **rouge 2006**, intense et brillant, obtient également une étoile. Timide au nez, il offre une bouche équilibrée et de bonne longueur. Les tanins de la finale confèrent un bel avenir à cette bouteille.

Charles Jumert, 4, rue de la Berthelotière,
41100 Villiers-sur-Loir, tél. et fax 02.54.72.94.09
r.-v.

DOM. J. MARTELLIÈRE
Gris Cuvée Jasmine 2006 **

1,2 ha 6 500 3 à 5 €

Ce gris est un vrai vendômois qui reflète bien toute l'expression du terroir. D'une belle couleur œil-de-perdrix, avec un nez complexe et épicé, une bouche ample et généreuse, il sera apprécié en début de repas. Une étoile revient au **blanc 2006 (5 à 8 €)**, jaune pâle à reflets verts. Le bouquet associe des senteurs florales à des notes de coing et la bouche offre équilibre et longueur. La **Réserve Jean-Vivien rouge 2006**, citée, révèle des tanins encore jeunes. Elle peut être bue dès maintenant, mais gagnera à être attendue.

SCEA du Dom. J. Martellière,
46, rue de Fosse, Fosse, 41800 Montoire-sur-le-Loir,
tél. et fax 02.54.85.16.91,
e-mail domainejmartelliere@free.fr r.-v.

DOM. MINIER 2006 *

n.c. n.c. 3 à 5 €

L'association des trois cépages, pineau d'Aunis, pinot noir et cabernet, confère à ce vin une belle intensité aromatique dominée par la griotte et les notes poivrées. Élégante en bouche, il est charmeur. Le **blanc 2006**, généreux au nez, offre des senteurs de fruits très mûrs. L'attaque est franche et la finale de bonne longueur. Il obtient également une étoile.

GAEC Minier, Les Monts, 41360 Lunay,
tél. 02.54.72.02.36, fax 02.54.72.18.52
r.-v.

LES VIGNERONS DU VENDÔMOIS
Gris 2006 ***

5,4 ha 41 000 3 à 5 €

Coup de cœur dans la précédente édition du Guide, le vin gris de la cave du Vendômois obtient dans ce nouveau millésime trois étoiles. La teinte de la robe est parfaite, représentative de l'appellation. Le nez subtil délivre des notes épicées. La bouche se caractérise par son équilibre et sa fraîcheur en finale. Un excellent représentant des coteaux-du-vendômois. La **cuvée Prestige rouge 2005** est citée pour son nez élégant et son équilibre en bouche.

Cave des Vignerons du Vendômois,
60, av. du Petit-Thouars, 41100 Villiers-sur-Loir,
tél. 02.54.72.90.69, fax 02.54.72.75.09,
e-mail caveduvendomois@wanadoo.fr r.-v.
Parmentier

Valençay

Dans cette région marquée par le passage de Talleyrand, aux confins du Berry, de la Sologne et de la Touraine, la vigne alterne avec les forêts, la grande culture et l'élevage de chèvres. Les sols sont à dominante argilo-siliceuse ou argilo-limoneuse. Le vignoble s'étend sur plus de 300 ha, dont moins de la moitié déclarée en valençay (139 ha en 2006). L'encépagement y est classique de la moyenne vallée de la Loire et les vins sont à boire jeunes le plus souvent. Le sauvignon fournit des vins aromatiques aux touches de cassis ou de genêt, avec un complément apporté par le chardonnay. Les vins rouges assemblent gamay, cabernets, côt et pinot noir. La production 2006 a atteint 1 822 hl en blanc et 4 978 hl en rouge et rosé.

La même appellation désigne un fromage de chèvre, qui a obtenu l'AOC en 1998. Ces pyramides s'accordent, selon leur degré d'affinage, avec les vins rouges ou les vins blancs.

DOM. AUGIS 2006 *

2,6 ha 15 000 3 à 5 €

Ce domaine est exploité par la même famille depuis cinq générations. Aujourd'hui, il propose un assemblage de gamay (60 %), de pinot noir (20 %) et de côt dont la teinte rouge intense laisse présager une forte personnalité. Les senteurs de cassis dominent l'olfaction. La bouche révèle un bon équilibre et les tanins, présents en finale, assurent un réel potentiel de garde. Un vin à attendre quelques mois. Le **touraine côt 2005 rouge** est cité.

Dom. Augis, 1465, rue des Vignes, 41130 Meusnes,
tél. 02.54.71.01.89, fax 02.54.71.74.15,
e-mail philippeaugis@domaineaugis.com
t.l.j. sf dim. 8h-12h 14h-19h; f. 15-31 août
Philippe Augis

DOM. DES CHAMPIEUX Cuvée du Terroir 2006 *

1,15 ha 8 000 3 à 5 €

Mère et fils dirigent conjointement ce domaine de plus de 17 ha. Ils ont élaboré un assemblage de gamay (40 %), côt (35 %) et pinot noir (25 %) de couleur rubis. Souple et soyeux en bouche, ce valençay est marqué par les fruits rouges. La **cuvée Prestige blanc 2006**, composée presque exclusivement de sauvignon (85 %), est citée. Jaune pâle dans le verre, elle offre un nez subtil et généreux. C'est un vin chaleureux à servir sur une pyramide de Valençay.

Régis Mandard, 17, Puits-de-Saray, 36600 Lye,
tél. 02.54.41.02.44, fax 02.54.41.09.66
t.l.j. sf dim. 8h30-19h30

LE CLOS DELORME 2005 *

6 ha 40 000 5 à 8 €

C'est une fois encore avec talent qu'Albane et Bertrand Minchin ont élaboré ce valençay, assemblage de gamay, côt, cabernet et pinot. Ce vin rouge foncé mêle au nez des senteurs de fruits rouges à des notes boisées. En bouche, il offre un bel équilibre et la finale révèle des tanins fondus. Une étoile va également au **blanc 2006** dont le bouquet, généreux, exprime toute la complexité du terroir. Est-ce le soupçon de chardonnay dans l'assemblage qui apporte une note de rondeur en finale ?

Albane et Bertrand Minchin,
EARL Le Clos Delorme, 8, rue des Landes,
41130 Selles-sur-Cher, tél. 02.48.25.02.95,
fax 02.48.25.05.03 r.-v.

E. ET O. GARNIER Les Sources 2006 **

2 ha 15 000 3 à 5 €

Dans la famille Garnier, on est vigneron de père en fils depuis 1822. À en juger par ces trois cuvées qui ont séduit le jury, le savoir-faire s'est transmis avec le domaine. Cet assemblage, à parts égales, de gamay et de pinot noir complétés par le côt (20 %) se présente dans une robe rubis intense à reflets pourpres, et développe des parfums de fruits rouges. La bouche révèle une belle présence et des tanins soyeux en finale. La cuvée **Les Sources rosé 2006** obtient une étoile. C'est un vin brillant et parfaitement limpide. Les senteurs épicées du nez se retrouvent en bouche où une note acidulée vient renforcer la finale. Enfin, le **touraine sauvignon 2006 Olivier Garnier** est cité.

Dom. Garnier, 81, rue Delacroix, Chamberlin,
41130 Meusnes, tél. 02.54.00.10.06, fax 02.54.05.13.36,
e-mail garnier@terre-net.fr r.-v.

VIGNOBLE GIBAULT 2006 *

1,7 ha 9 000 5 à 8 €

70 % de sauvignon et 30 % de chardonnay sont à l'origine de ce valençay jaune pâle. Si le nez est encore un peu timide, la bouche est intéressante par sa souplesse. Une étoile également pour le **rouge 2005**, assemblage de pinot noir, de gamay et de malbec, qui évolue parfaitement. La dégustation révèle un bon équilibre et la rondeur des tanins.

Vignoble Patrick et Chantal Gibault,
183, rue Gambetta, 41130 Meusnes, tél. 02.54.71.02.63,
fax 02.54.71.58.92, e-mail vignoblegibault@wanadoo.fr
t.l.j. sf dim. 8h-12h 14h-19h

FRANCIS JOURDAIN Cuvée Chèvrefeuille 2006 *

2,5 ha 10 000 3 à 5 €

Le sauvignon et le chardonnay se marient parfaitement dans cette cuvée Chèvrefeuille. Élégante au nez, elle offre équilibre et fraîcheur en bouche. Un joli valençay blanc. Une étoile également pour la **cuvée des Griottes rouge 2006**, assemblage classique de gamay, de côt et de pinot noir. Le nez est marqué par les fruits rouges. La bouche, encore un peu jeune, incite à garder cette bouteille

LOIRE

un an ou deux en cave. La cuvée **Les Terragots blanc 2006** est issue d'une vendange très mûre. Elle est citée pour sa teinte jaune doré et sa bouche ample et généreuse.
Francis Jourdain, Les Moreaux, 36600 Lye,
tél. 02.54.41.01.45, fax 02.54.41.07.56,
e-mail jourdain.earl@wanadoo.fr ☑ Y ⚲ r.-v.

DOM. MALET 2006 ★★

2 ha 13 000 3 à 5 €

Le coup de cœur de la précédente édition du Guide ne démérite pas dans ce nouveau millésime. Mais cette fois, c'est un blanc, de teinte jaune paille, qui a retenu l'attention du jury. Le nez exprime d'élégantes senteurs d'agrumes auxquelles se mêlent des notes exotiques. Après une attaque souple, le vin évolue agréablement en bouche. À servir sans tarder. La **cuvée Prestige rouge 2006** reçoit une étoile pour son nez floral, sa délicatesse en bouche et ses tanins fondus.
GAEC Malet Frères, 3, rue Pointeau, 36600 Lye,
tél. 02.54.41.05.36, fax 02.54.41.01.24
☑ Y ⚲ t.l.j. sf dim. 8h-19h

JACKY ET PASCAL PREYS Cuvée Prestige 2006 ★

5 ha 30 000 3 à 5 €

La commune de Meusnes abrite le musée de la Pierre à fusil, une église du XIe s. et le domaine de Jacky et Pascal Preys. Leur cuvée Prestige, composée de gamay et de pinot noir à parts égales complétés par du côt, se présente dans une robe rubis soutenu. Le nez est marqué par les fruits rouges et les épices, la bouche est souple en attaque. Une finale tannique rappelle la jeunesse de cette bouteille. La **cuvée la Châtelaine blanc 2006** est citée pour son nez intense et sa bouche équilibrée à la finale minérale.
Dom. Jacky Preys, 536, rue Debussy, Bois Pontois, 41130 Meusnes, tél. 02.54.71.00.34, fax 02.54.71.34.91,
e-mail domainepreys@wanadoo.fr ☑ Y ⚲ r.-v.

JEAN-FRANÇOIS ROY 2006 ★★

2 ha 10 000 3 à 5 €

Dans sa robe pâle à reflets verts, ce valençay exhale des senteurs de fleurs blanches. D'une belle attaque, il finit sur des notes fraîches. Le **rosé 2006**, encore timide au nez, devrait s'ouvrir avant la sortie du Guide et offrir alors toute la typicité du terroir.
Jean-François Roy, 3, rue des Acacias, 36600 Lye,
tél. 02.54.41.00.39, fax 02.54.41.06.89,
e-mail jfr@jeanfrancoisroy.fr
☑ Y ⚲ t.l.j. sf dim. 8h-12h 14h-19h; f. fin août

HUBERT ET OLIVIER SINSON Prestige 2006 ★★★

2,46 ha 10 000 3 à 5 €

Une cuvée Prestige qui porte bien son nom. Une robe d'un rouge intense et profond, un parfait mariage des arômes de petits fruits rouges et d'épices. L'attaque est souple, la bouche onctueuse ; la charpente tannique confère un bel avenir à cette bouteille, coup de cœur unanime. Le **blanc 2006** a été également très apprécié. Il reçoit une étoile pour sa richesse aromatique et son équilibre en bouche. Le **rouge 2006**, avec la même note, se présente dans une belle robe rubis. Le nez est généreux, la bouche ample ; les tanins encore jeunes en finale promettent à ce vin une longue vie.

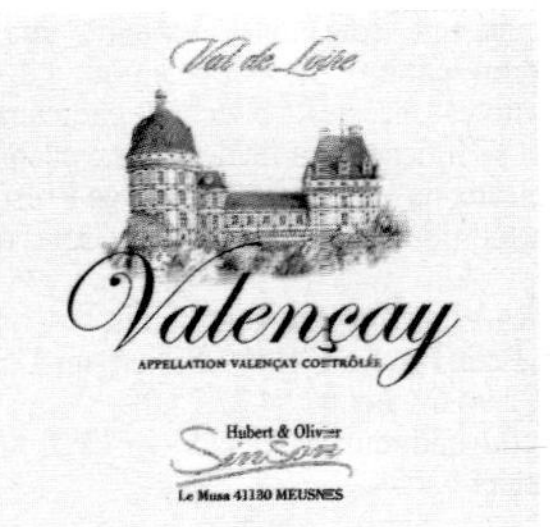

EARL Hubert et Olivier Sinson,
1397, rue des Vignes, 41130 Meusnes,
tél. 02.54.71.00.26, fax 02.54.71 50.93,
e-mail o.sinson@wanadoo.fr ☑ Y ⚲ r.-v.

GÉRARD TOYER Cuvée du Prince 2006 ★

1,1 ha 6 500 3 à 5 €

D'un rouge léger, ce 2006 fait preuve d'élégance au nez et se montre gouleyant en bouche. En finale, les tanins se révèlent encore jeunes. Le **blanc 2006**, séducteur, ne laisse pas indifférent. D'une bonne intensité aromatique, il offre en bouche rondeur et fraîcheur et reçoit une étoile.
Gérard Toyer, 63, Grande-Rue-Champcol,
41130 Selles-sur-Cher, tél. 02.54.97.49.23,
fax 02.54.97.46.25 ☑ Y r.-v.

VIGNERONS RÉUNIS DE VALENÇAY Terroir 2006 ★★★

4,08 ha 32 000 3 à 5 €

Ce valençay a fait l'unanimité du jury. Issu d'une vendange parfaitement mûre et sélectionnée, ce vin jaune pâle à reflets verts offre au nez toutes les senteurs florales du printemps. En bouche, il associe l'équilibre, la présence et la longueur. La cuvée **Terroir rouge 2006**, bien qu'encore un peu jeune, est jugée intéressante par son côté aromatique. Elle est citée.
Cave des Vignerons réunis de Valençay,
La Lie, 36600 Fontguenand,
tél. 02.54.00.16.11, fax 02.54.00.05.50,
e-mail vigneronvalencay@aol.com
☑ Y ⚲ t.l.j. sf dim. 8h-12h 14h-18h

Les vignobles du Centre

Des côtes du Forez à l'Orléanais, les secteurs viticoles du Centre occupent les endroits les mieux exposés des coteaux ou plateaux modelés au cours des âges géologiques par la Loire et ses affluents, l'Allier et le Cher. Ceux qui, sur les côtes d'Auvergne, à Saint-Pourçain en partie ou à Châteaumeillant, sont implantés sur les flancs est et nord du Massif central, restent cependant ouverts sur le bassin de la Loire. Siliceux ou calcaires, les sols viticoles de ces régions portent un nombre restreint de cépages, parmi lesquels ressortent surtout le gamay pour les vins rouges et rosés, et le sauvignon pour les vins blancs. Quelques spécialités : tressallier à Saint-Pourçain et chasselas à Pouilly-sur-Loire pour les blancs ; pinot noir à Sancerre, Menetou-Salon et Reuilly pour les rouges et rosés, avec encore le délicat pinot gris dans ce dernier vignoble ; et enfin le meunier qui, près d'Orléans, fournit l'original « gris meunier ».Tous les vins du Centre ont en commun légèreté, fraîcheur et fruité, qui les rendent particulièrement agréables et en harmonie avec la cuisine régionale.

Châteaumeillant AOVDQS

Le gamay retrouve ici les terroirs qu'il affectionne, dans un site très anciennement viticole qui compte 91 ha en 2006 pour une production de 3 956 hl.

La réputation de Châteaumeillant s'est établie grâce à son célèbre « gris », vin issu du pressurage immédiat des raisins de gamay et présentant un grain, une fraîcheur et un fruité remarquables. Les rouges (à boire jeunes et frais), produits de sols d'origine éruptive, allient légèreté, bouquet et gouleyance.

DOM. DU CHAILLOT Parenthèse 2006 ★★

■ 1,5 ha 9 000 5 à 8 €

Encore un millésime gagnant pour Pierre Picot : les trois 2006 qu'il a présentés sont retenus, ce qui traduit une grande constance dans la qualité de ses châteaumeillant. Cette Parenthèse grenat profond livre un nez expressif et finement ciselé, aux notes de fruits rouges. La structure en bouche est solide et bien équilibrée, la finale agréable sur des arômes de griotte. Un vin à boire, mais qui pourra se conserver un peu. La **cuvée principale 2006 rouge**, encore jeune, est à garder un à deux ans. Le **rosé 2006** du domaine, aromatique et agréable, se mariera sans attendre à des plats exotiques. Ces deux vins décrochent une étoile.

🔑 Dom. du Chaillot, pl. de la Tournoise, 18130 Dun-sur-Auron, tél. 02.48.59.57.69, fax 02.48.59.58.78, e-mail pierre.picot@wanadoo.fr ☑ Ï ⛹ r.-v.

DOM. GEOFFRENET-MORVAL Version originale 2006 ★★

■ 3,3 ha 16 000 ▮ 5 à 8 €

Coup de cœur en 2005, cette cuvée Version originale reste sur les sommets dans le millésime 2006. La robe rubis sombre laisse présager de la concentration. Le palais confirme : les tanins sont serrés, bien équilibrés par du gras ; un vin charnu. Les nuances aromatiques mêlent le fruité (prune bien mûre), le floral (violette) et les épices (poivre). Un excellent châteaumeillant qu'on saura apprécier sur une pièce de bœuf.

🔑 EARL Geoffrenet-Morval, 2, rue de La Fontaine, 18190 Venesmes, tél. 02.48.60.50.15, fax 02.48.60.55.64, e-mail fabien.geoffrenet@wanadoo.fr ☑ Ï ⛹ r.-v.

PRESTIGE DES GARENNES Gris 2006

■ 5 ha 30 000 ▮ 3 à 5 €

Coup de cœur l'an dernier, cette cuvée assemblant 10 % de pinot noir au gamay s'affiche cette année avec plus de modestie. D'un rose saumoné franc, elle fait preuve d'une bonne intensité olfactive, d'une finesse remarquée. L'attaque est tendre, l'ensemble onctueux, avant un retour aromatique sur des notes de pêche jaune. La même cuvée en **rouge 2006** est citée.

🔑 Cave du Tivoli, rte de Culan, 18370 Châteaumeillant, tél. 02.48.61.33.55, fax 02.48.61.44.92, e-mail cave@chateaumeillant.com ☑ Ï ⛹ t.l.j. sf dim. 8h-12h 13h30-17h30; dim. mai, juin, juil., août

Côtes-d'auvergne AOVDQS

Qu'ils soient issus de vignobles des puys, en Limagne, ou de vignobles des monts (dômes) en bordure orientale du Massif central, les bons vins d'Auvergne proviennent du gamay, très anciennement cultivé ainsi que du pinot noir pour les rouges et rosés et du chardonnay pour les blancs. Ils ont droit à la dénomination AOVDQS depuis 1977 et naissent de 412 ha de vignes. Les rosés malicieux et les rouges agréables sont particulièrement indiqués sur les fameuses charcuteries locales ou les plats régionaux réputés. Dans les crus, Boudes, Chanturgue, Châteaugay, Corent et Madargues, ils peuvent prendre un caractère, une ampleur et une personnalité surprenants. 16 550 hl sont produits dont 1 822 hl en blanc.

YVAN BERNARD Corent 2006 ★

■ 1 ha 5 000 ▮ 3 à 5 €

Les vignes de gamay qui ont donné naissance à ce Corent sont plantées sur un sol de pouzzolane (cendres volcaniques très poreuses). Ce 2006 se présente dans une robe pourpre. Le nez associe aux arômes épicés des notes empyreumatiques. Les tanins bien présents confèrent une bonne structure à cette bouteille qu'il faudra néanmoins attendre quelques mois pour qu'elle atteigne sa plénitude. Le **pinot noir 2006** possède un nez très fruits rouges. C'est un vin sympathique, à boire dès maintenant. Il est cité.

Yvan Bernard, rue de la Reine, 63114 Montpeyroux, tél. 04.73.55.31.97, e-mail bernard_corent@hotmail.com r.-v.

M. BLOT Granit Boudes 2005 ★

■ 0,4 ha 2 000 8 à 11 €

Michel Blot est installé à Boudes sur 0,50 ha. C'est donc la quasi-totalité de ses vignes qui compose cette cuvée de gamay d'un rouge rubis intense. L'olfaction libère des senteurs de fruits noirs auxquelles se mêlent des notes de réglisse. Un vin de plaisir, bien équilibré et typé.

Michel Blot, 63340 Boudes, tél. 04.73.96.41.42, fax 04.73.96.58.34, e-mail sauvat@terre-net.fr r.-v.

NOËL BRESSOULALY Chardonnay 2005

0,5 ha n.c. 3 à 5 €

La visite du conservatoire des anciens cépages d'Auvergne ne manquera certainement pas d'intérêt. C'est un cépage plus courant qui compose cette cuvée au nez floral ; une touche boisée lui apporte de la complexité. Un vin original et tout en finesse. Le **gamay-pinot 2005**, cité, accompagnera une potée d'Auvergne.

Noël Bressoulaly, chem. des Palles, 63114 Authezat, tél. et fax 04.73.24.18.01, e-mail m.bressoulaly@wanadoo.fr r.-v.

A. CHARMENSAT Boudes 2006 ★

■ 1,1 ha 5 300 ▮ 5 à 8 €

Dans sa charmante robe œil-de-perdrix, ce rosé a retenu toute l'attention du jury. À la fois délicat et puissant au nez, bien équilibré en bouche, il accompagnera salade ou grillade. Tout aussi réussi, le **Boudes blanc 2006** offre une couleur jaune doré qui dénote la belle maturité du raisin. Un vin généreux qui sera un bon compagnon d'un fromage frais. Le **Boudes rouge 2006**, dominé à 75 % par le gamay, est cité pour ses nuances de violette et son intensité aromatique. Après une attaque franche, il révèle des tanins bien fondus.

EARL Charmensat, rue du Coufin, 63340 Boudes, tél. 04.73.96.44.75, fax 04.73.96.58.04, e-mail charmensat@freesurf.fr r.-v.

DOM. DE LA CROIX ARPIN Châteaugay 2006 ★

■ 12 ha 60 000 ▮ 3 à 5 €

Pierre Goigoux a créé son vignoble en 1989. Il exploite 18 ha de vignes. Avec ce Domaine de La Croix Arpin, il propose un vin sympathique, dominé par le gamay. Souple et léger, bien fruité, il exprime la jeunesse et la gaieté. Le **Domaine de La Croix Arpin rosé 2006** libère des parfums de bonbon anglais, il est cité. Frais et gouleyant, il se mariera très bien avec les grillades.

Pierre Goigoux, Dom. de la Croix Arpin, Pompignat, 63119 Châteaugay, tél. 04.73.25.00.08, fax 04.73.25.17.07, e-mail gaec.pierre.goigoux@63.sideral.fr t.l.j. sf lun. mer. dim. 10h-11h30 15h-18h

PIERRE DESPRAT La Légendaire Élevé en fût et vieilli dans un buron 2005

25 ha 2 520 8 à 11 €

Ce vin a vieilli six mois à 1 200 m d'altitude, dans les caves d'un buron cantalien. Une olfaction complexe caractérise ce 2005 qui garde encore sa jeunesse. C'est un vin boisé au nez comme en bouche, que l'on goûtera sur du fromage. Même élevage et même note pour **La Légendaire Élevé en fût et vieilli dans un buron rouge 2005**. Cette cuvée rouge cerise, assemblage de gamay et de pinot à parts égales, libère des notes vanillées. On la boira dès maintenant sur une potée auvergnate.

Vins Desprat, 10, av. Jean-Baptiste-Veyre, 15000 Aurillac, tél. 04.71.48.25.16, fax 04.71.48.45.45, e-mail desprat.vins@wanadoo.fr r.-v.

DOM. DE LACHAUX Chardonnay 2006 ★

0,33 ha 1 700 ▮ 3 à 5 €

Né sur un sol argilo-calcaire, ce chardonnay libère au nez des senteurs de fleurs blanches intenses et printanières. C'est un vin frais et équilibré. Le **Corent rosé 2006**, marqué par des arômes amyliques, se caractérise en bouche par sa fraîcheur et sa légèreté. Il est cité.

Thierry Sciortino, Dom. de Lachaux, 63270 Vic-le-Comte, tél. 06.64.18.48.84, fax 04.73.69.08.06 r.-v.

ODETTE ET GILLES MIOLANNE Volcane 2006 ★

■ 2,13 ha 3 400 ▮ 5 à 8 €

La cuvée Volcane est déjà connue des lecteurs du Guide. Elle reçut même un coup de cœur en rouge dans le millésime 2004. Aujourd'hui, c'est dans sa version rosée qu'elle a séduit le jury. Assemblage à parts égales de gamay et de pinot noir, elle porte une robe claire brillante aux nuances violettes. Le nez, d'une bonne intensité, associe le fruité à des notes de bonbon anglais. La dégustation révèle un vin bien équilibré dont la finale amylique, légèrement acidulée, renforce la fraîcheur.

Odette et Gilles Miolanne, EARL de la Sardissère, 17, rte de Coudes, 63320 Neschers, tél. 04.73.96.72.45, fax 04.73.96.25.79, e-mail gilles.miolanne@wanadoo.fr r.-v.

BENOÎT MONTEL Châteaugay Vieilles Vignes Élevé en fût de chêne 2005 ★★

■ 0,55 ha 4 000 5 à 8 €

Depuis 2004, Benoît Montel dirige ce domaine de 9 ha. Après un blanc très remarqué l'an dernier, ce rouge issu de ceps de quatre-vingt-dix ans obtient un coup de

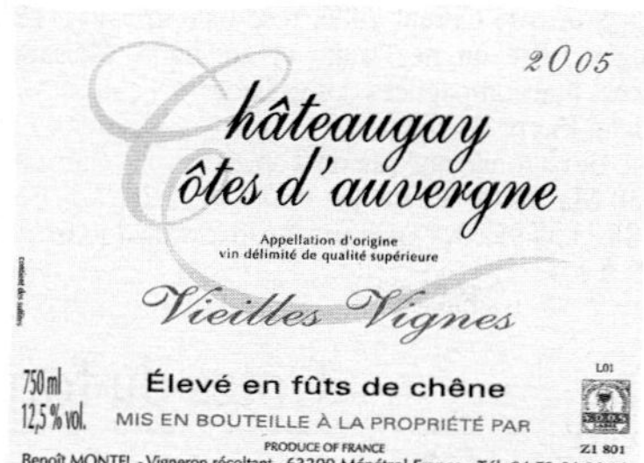

cœur. D'un rouge très soutenu, ce vin offre au nez toute la puissance et la délicatesse des fruits noirs ; la mûre ressort particulièrement. Après une attaque souple, la bouche se montre généreuse et les tanins soyeux s'accompagnent d'un boisé bien dosé. Le **Châteaugay blanc 2006**, une étoile, s'exprime au nez sur des notes d'agrumes. En bouche, il n'est que douceur et rondeur. À essayer sur un bleu d'Auvergne.

🔑 Benoît Montel, 33, Grande-Rue, 63200 Ménétrol, tél. 06.74.50.00.24, fax 04.73.64.96.14 ☑ Ꮖ ☦ r.-v.

DAVID PÉLISSIER Boudes 2006 ★★

■ 1,25 ha 6 000 ▮ 5 à 8 €

Des raisins cueillis à pleine maturité, une macération parfaite ont donné à ce côtes-d'auvergne de pur gamay une robe particulièrement foncée, grenat à reflets violets, et des senteurs de fruits rouges mûrs. L'attaque est souple et les tanins fondent agréablement en bouche. Remarquablement équilibrée, une bouteille à réserver à une côte de bœuf.

🔑 David Pélissier, rue de Dauzat, 63340 Boudes, tél. et fax 04.73.96.43.45, e-mail dfpelissier@hotmail.com ☑ Ꮖ ☦ r.-v.

MICHEL PÉLISSIER Boudes Cuvée Prestige Vieilles Vignes Élevé en fût de chêne 2005 ★

■ 1 ha 5 000 ⦀ 5 à 8 €

Les deux Boudes de Michel Pélissier, dominés par le gamay, on été remarqués par le jury, dont la préférence va à la cuvée Prestige 2005. D'une couleur sombre, celle-ci révèle au nez une intéressante complexité : les fruits noirs se mêlent à une note boisée. Après une attaque souple, la bouche révèle des tanins très présents qui suggèrent d'attendre un an ou deux avant de déboucher cette bouteille. Le **Boudes rouge 2006** est encore un peu fermé au nez, mais sa structure tannique encore jeune lui prédit un bel avenir. Il obtient une citation.

🔑 Michel Pélissier, rue de Dauzat, 63340 Boudes, tél. et fax 04.73.96.43.45, e-mail dfpelissier@hotmail.com ☑ Ꮖ ☦ r.-v.

GILLES PERSILIER Celtil Vieilles Vignes 2005

■ 1 ha 6 500 5 à 8 €

Gérard Persilier est installé à Gergovie et un Gaulois moustachu orne son étiquette. Après avoir décroché un coup de cœur dans la précédente édition du Guide, il propose aujourd'hui une cuvée de gamay plus modeste. Après une attaque franche, le vin emplit agréablement la bouche et les tanins encore bien présents en finale sont séduisants.

🔑 Gilles Persilier, 27, rue Jean-Jaurès, 63670 Gergovie, tél. 04.73.79.44.42, fax 04.73.87.56.95, e-mail gilles-persilier@wanadoo.fr ☑ Ꮖ ☦ r.-v.

MARC PRADIER
Pinot noir Élevé en fût de chêne 2005 ★

■ 0,8 ha 3 000 ⦀ 5 à 8 €

Une belle intensité aromatique marquée par la cerise, le pruneau très mûr et le boisé caractérise le nez de ce pinot noir. Après une attaque souple, la bouche se montre généreuse et les tanins soyeux en finale assurent un bel avenir à cette bouteille. Une étoile également pour la **cuvée Tradition 2006 (3 à 5 €)**, assemblage de gamay (70 %) et de pinot noir aux senteurs de fruits rouges, qui révèle toute sa jeunesse en bouche. On pourra l'associer à une volaille. Le **Corent rosé 2006 (3 à 5 €)** est cité pour sa fraîcheur et sa note épicée en finale.

🔑 Marc Pradier, 9, rue Saint-Jean-Baptiste, 63730 Les Martres-de-Veyre, tél. 04.73.39.86.41, fax 04.73.39.88.17, e-mail pradiermarc@orange.fr ☑ Ꮖ ☦ r.-v.

DOM. ROUGEYRON
Châteaugay Cuvée Bousset d'or 2006 ★

■ 9,1 ha 47 300 ▮ 3 à 5 €

La cuvée Bousset d'or, coup de cœur dans la précédente édition du Guide, a été jugée harmonieuse

Le Centre

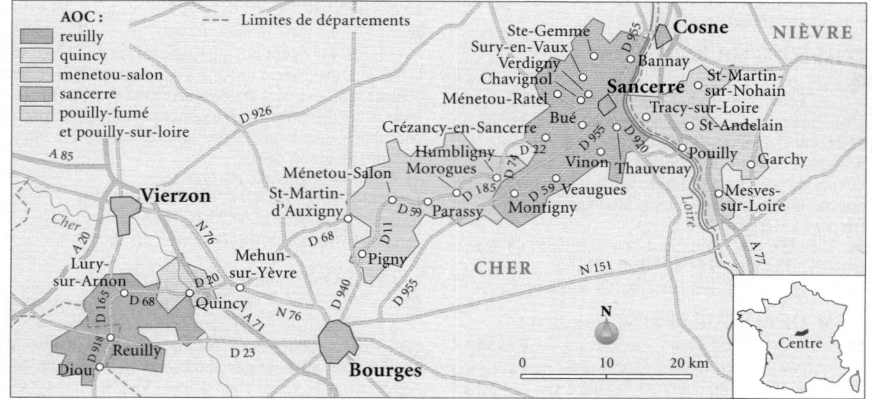

dans ce nouveau millésime. Ce vin de pur gamay affiche une robe soutenue à reflets noirs. Après une attaque franche, on retrouve en bouche les arômes fruités du nez. Par sa structure tannique, cette bouteille devrait faire un vin de garde. À boire sur un fromage d'Auvergne. Tout aussi réussie, la **cuvée Vieilles Vignes rouge 2006**, également à base de gamay, se montre charnue et révèle des tanins bien fondus. Elle est prête.

🔑 Dom. Rougeyron, 27, rue de La Crouzette, 63119 Châteaugay, tél. 04.73.87.24.45, fax 04.73.87.23.55, e-mail domaine.rougeyron@wanadoo.fr ☑ 𝐈 r.-v.

🔑 Roland Rougeyron

SAINT-VERNY Renaissance 2004 ★

▪ 25 ha 13 000 ▮ 5 à 8 €

Saint-Verny, patron des vignerons auvergnats, a donné son nom à cette coopérative créée en 1993. Derrière une robe jaune doré, le nez de cette cuvée se montre intense et complexe, sur les fruits mûrs et le miel. Après une attaque franche, la dégustation révèle un fort bel équilibre avant de s'achever tout en fraîcheur sur des arômes de fruits exotiques. Le **Corent rosé 2005 (3 à 5 €)** est un vin harmonieux dont la finale acidulée renforce la fraîcheur. Pour des charcuteries d'Auvergne. Même note pour le **Renaissance rouge 2005**, assemblage à parts égales de gamay et de pinot noir. Le nez intense est dominé par les fruits rouges. Les tanins encore bien présents en finale assurent à cette bouteille une bonne conservation.

🔑 Cave Saint-Verny, rte d'Issoire, BP 2, 63960 Veyre-Monton, tél. 04.73.69.60.11, fax 04.73.69.65.22, e-mail saint.verny@limagrain.com ☑ 𝐈 🚶 r.-v.

ANNIE SAUVAT Boudes Prestige Mythique Élevage bois 2005

▪ 0,6 ha 2 800 ⦀ 11 à 15 €

Cette cuvée Mythique, 100 % gamay, est très marquée par son élevage en fût de douze mois. Les notes boisées sont présentes au nez comme en bouche. Il faudra attendre un an pour laisser au bois et au fruit le temps de se marier harmonieusement. Quant à la cuvée **Boudes Prestige Pinot noir Élevage bois 2005 (5 à 8 €)**, plus souple, elle peut être bue maintenant. Elle obtient une citation.

🔑 Claude et Annie Sauvat, rte de Dauzat, 63340 Boudes, tél. 04.73.96.41.42, fax 04.73.96.58.34, e-mail sauvat@terre-net.fr ☑ 𝐈 🚶 r.-v.

DOM. SOUS-TOURNOËL 2006 ★

▪ 2,55 ha 6 500 ⦀ 5 à 8 €

À Volvic, on produit aussi du bon vin. Les vignes croissent sur les pentes dominées par les ruines du château de Tournoël. Des vignes de gamay âgées de quarante-cinq ans sont à l'origine de cette bouteille rubis grenat intense nuancé de noir. Le nez respire la mûre et la myrtille. En bouche, onctuosité et souplesse dominent. À servir sur un fromage auvergnat.

🔑 Alain Gaudet, Dom. Sous-Tournoël, 63530 Volvic, tél. 04.73.33.52.12, fax 04.73.33.62.71 ☑ 𝐈 🚶 t.l.j. sf dim. 10h-12h 15h-19h; groupes sur r.-v.

DOM. DES TROUILLÈRES Corent 2006 ★

▪ 2,5 ha 8 500 ▮ 3 à 5 €

Après avoir travaillé avec son père, puis avec son frère, Jean-Pierre Pradier s'est installé à son compte en 2005. Son rosé Corent 2006, rose pâle brillant à reflets orangés, offre un nez fruité et amylique. Plaisant en bouche, il accompagnera des grillades.

🔑 Jean-Pierre Pradier, Dom. des Trouillères, rue de Tobize, 63730 Martres-de-Veyre, tél. 06.72.40.75.26, fax 04.73.39.95.63, e-mail pradierjp@wanadoo.fr ☑ 𝐈 🚶 r.-v.

Côtes-du-forez

C'est à une somme d'efforts intelligents et tenaces que l'on doit le maintien d'un bel et bon vignoble sur 17 communes autour de Boën-sur-Lignon (Loire). La production s'élève à 6 608 hl de vins rouges et rosés récoltés sur 146 ha.

La quasi-totalité des excellents vins rosés et rouges, secs et vifs, exclusivement à base de gamay, est issue de terrains du tertiaire au nord et du primaire, au sud. Ils proviennent en majorité d'une belle cave coopérative. On consomme jeunes ces vins qui ont été reconnus en AOC en 2000.

CLOS DE CHOZIEUX Vieilles Vignes 2006

▪ 2 ha 6 000 ⦀ 5 à 8 €

En 2001, Jean-Luc et Yves Gaumon ont repris l'exploitation familiale et rénové le cuvage ; il ne leur reste plus qu'à remplacer le pressoir en bois de la fin du XIX^e^s. qui a fini sa carrière avec l'élaboration du 2006. Ce vin de teinte violine livre des parfums vineux de framboise et de fraise, auxquels se mêlent des nuances minérales complexes, des touches vanillées et torréfiées. Il est tout aussi expressif au palais, avec des saveurs fraîches de groseille et des notes grillées et épicées apportées par les tanins bien fondus. À boire dans les deux ans avec un fromage de tête.

🔑 Clos de Chozieux, 42130 Leigneux, tél. 04.77.24.38.54, fax 04.77 24.39.75 ☑ 𝐈 🚶 t.l.j. 9h-12h 14h-19h

🔑 J.-Luc et Yves Gaumon

LES VIGNERONS FORÉZIENS Tradition 2006 ★

▪ 10 ha 60 000 ▮ 3 à 5 €

La cave coopérative, qui vinifie le fruit de 140 ha, est le plus gros producteur de l'aire d'appellation. Cette cuvée couleur rubis livre des senteurs agréables de fruits rouges mûrs. Sa matière fruitée, charpentée par des tanins ronds, contribue à une bonne expression du terroir. Un vin à attendre un an ou deux.

🔑 Cave des Vignerons Foréziens, Le Pont-Rompu, BP 42, 42130 Trelins, tél. 04.77.24.00.12, fax 04.77.24.01.76, e-mail vignerons.foreziens@wanadoo.fr ☑ 𝐈 🚶 r.-v.

LA MADONE Gamay sur Volcan 2006

▪ 3 ha 18 000 ▮ 5 à 8 €

Le biologique est de rigueur chez Gilles Bonnefoy, tant dans la culture des vignes que dans les matériaux choisis pour les nouveaux bâtiments de l'exploitation. Après un coup de cœur pour sa cuvée Vieilles Vignes 2005

l'an passé, il a élaboré à partir de ceps d'une quinzaine d'années, implantés sur des sols volcaniques, ce 2006 rubis, frais, à la fois fruité (fraise, cassis) et floral. La première impression de rondeur, soulignée d'arômes de cassis et de poivre, s'estompe progressivement jusqu'à une finale plus austère. Une bouteille à boire dès maintenant.
EURL Gilles Bonnefoy, Jobert, 42600 Champdieu, tél. 04.77.97.07.33, fax 04.77.97.79.38, e-mail g.bonnefoy@42.sideral.fr r.-v.

DOM. DE LA PIERRE NOIRE Gamay 2006

2 ha 8 000 3 à 5 €

Christian Gachet restaure une ancienne ferme vigneronne datant de 1884, dont l'ouverture au public est prévue pour 2009. D'ici là, vous pourrez découvrir ce vin rubis aux reflets plus sombres, grenat, qui évoque avec intensité la framboise, la groseille et la feuille de cassis. Après une attaque ronde et ample, il se prolonge tout en légèreté, sur des arômes fruités et minéraux. N'attendez pas pour déboucher cette bouteille.
Hélène et Christian Gachet, Dom. de La Pierre Noire, 9, chem. de l'Abreuvoir, 42610 Saint-Georges-Hauteville, tél. 04.77.76.08.54 r.-v.

DOM. DU POYET
Gamay Cuvée des Vieux Ceps 2006

1,5 ha 7 200 5 à 8 €

À la tête de ce domaine depuis 1996, Jean-François Arnaud a vinifié le fruit de ses plus vieilles vignes, âgées d'une cinquantaine d'années. Ainsi est née cette cuvée rubis, aux notes d'épices et de petits fruits rouges, qui révèle de la vivacité en attaque, puis une chair légère, parfumée de cassis et de mûre. Une petite austérité apparaît en finale, mais en fin d'année, elle se sera estompée.
Jean-François Arnaud, Dom. du Poyet, Le Bourg, 42130 Marcilly-le-Châtel, tél. 04.77.97.48.54, fax 04.77.97.48.71 t.l.j. 8h-20h; groupes sur r.-v.

SAINTE ANNE Fleur de vigne 2006 ★★

1,35 ha 5 500 5 à 8 €

Installée en 2005, Stéphanie Guillot voit pour la deuxième année consécutive son côtes-du-forez élu coup de cœur. Elle a vinifié une faible récolte en raison d'une chute de grêle au mois de mai 2006, qui a réduit le rendement. « Après la pluie, le beau temps », dit le proverbe. À présent, c'est un vin grenat intense, brillant de reflets rubis, qui apparaît dans le verre. Ouvert sur des senteurs persistantes de fraise des bois confite et d'épices, il y ajoute des nuances minérales, réminiscences des schistes du sol. La bouche est franche, charnue et ronde, empreinte de longues flaveurs de cerise et de confiture de fruits rouges, avec une note de pierre à fusil en finale. Vin de terroir équilibré, qui a encore des arômes en réserve et qui saura attendre avant d'accompagner une viande rouge ou un fromage.
Stéphanie Guillot, RN 89, La Loge des Pères, 42130 Sainte-Agathe-la-Bouteresse, tél. 06.82.49.26.44, fax 04.77.97.37.40, e-mail cave.stephanieguillot@orange.fr r.-v.

O. VERDIER ET J. LOGEL La Volcanique 2006 ★

3 ha 15 000 5 à 8 €

Cette ferme traditionnelle du Forez se situe sur les coteaux exposés au levant qui dominent la plaine de la Loire. Le gamay a tiré profit des sols basaltiques pour donner naissance à ce 2006 rubis brillant, ouvert sur des arômes expressifs de myrtille, de cassis, de fleurs et d'épices. La matière vineuse et ronde bénéficie du soutien de tanins présents mais fins, accompagnés de flaveurs de fruits mûrs et d'une bonne minéralité. À servir dès l'automne. La **cuvée des Gourmets rouge 2006 (3 à 5 €)** est citée.
Odile Verdier et Jacky Logel, La Côte, 42130 Marcilly-le-Châtel, tél. 04.77.97.41.95, fax 04.77.97.48.80, e-mail cave.verdierlogel@wanadoo.fr t.l.j. sf dim. 9h-12h 14h-19h

Coteaux-du-giennois

Sur les coteaux de Loire réputés depuis longtemps, tant dans la Nièvre que dans le Loiret, s'étendent des sols siliceux ou calcaires. En 2006, les trois cépages traditionnels, le gamay, le pinot et le sauvignon, ont donné 8 396 hl dont 3 607 hl de vins blancs, légers et fruités, peu tanniques, authentique expression d'un terroir original ; les rouges peuvent être servis jusqu'à cinq ans d'âge, sur toutes les viandes.

Les plantations progressent toujours nettement dans la Nièvre, elles reprennent aussi dans le Loiret, attestant la bonne santé du vignoble qui atteint 191 ha. Les coteaux-du-giennois ont accédé à l'AOC en 1998.

DOM. DES BEAUROIS 2005 ★

0,8 ha 2 600 5 à 8 €

Établie au cœur de la Puisaye touristique, Anne-Marie Marty est bien équipée pour vous recevoir : un chai où vous pourrez déguster ce vin et des chambres d'hôtes pour le séjour. Au nez, son 2005 rouge révèle un joli fondu de notes vineuses (fruits rouges, pruneau) et des touches boisées (vanille, chocolat). Après une attaque souple, la bouche évolue sur des tanins sans aspérités. Un ensemble équilibré et de bonne tenue.
Anne-Marie Marty, Dom. des Beaurois, 89170 Lavau, tél. et fax 03.86.74.16.09 t.l.j. sf dim. 11h-12h30 16h-19h

EMMANUEL CHARRIER Prémices 2006 ★

1 ha 2 500 3 à 5 €

Dans l'Antiquité, les prémices étaient les premiers fruits de la terre qu'on offrait aux divinités. Jeune vigneron, Emmanuel Charrier propose son troisième millésime, remarqué par le jury tout comme les deux précédents. Un nez au fruité intense agrémenté de vanillé et

LOIRE

d'une pointe de noix de coco annonce un vin rond et plein qui enveloppe bien la bouche. De la vivacité sans excès, une finale ample et fraîche, laissent augurer un bel avenir à cette bouteille.
Emmanuel Charrier, L'Épineau, Paillot, 58150 Saint-Martin-sur-Nohain, tél. 03.86.26.13.11, fax 03.86.26.17.80, e-mail emmanuel.charrier58@free.fr
t.l.j. 8h-12h 13h-19h30

LYCÉE AGRICOLE DE COSNE-SUR-LOIRE 2005

3 ha n.c. 3 à 5 €

Le lycée agricole et viticole de Cosne-sur-Loire s'attache à bien travailler ses crus, tant pour l'enseignement de ses élèves que pour la satisfaction de ses clients. Les nuances florales et fruitées dominent la palette aromatique de ce 2005, agréablement rehaussées par une subtile note végétale (asperge) qui apporte fraîcheur et complexité. La bouche attaque sur la rondeur qui fait place, ensuite, à de la nervosité et à la chaleur. La finale évoque le zeste de pamplemousse. Un coteaux-du-giennois typé.
Lycée agricole de Cosne-sur-Loire, 66, rue Jean-Monnet, Les Cottereaux, BP132, 58206 Cosne-sur-Loire Cedex, tél. et fax 03.86.26.99.84, e-mail claude.raulet@educagri.fr
t.l.j. sf sam. dim. 8h-12h30 13h30-17h; f. 8-31 août
Ministère AGR

DOM. COUET 2006 *

3 ha 13 000 3 à 5 €

Un sol riche en silex a enfanté cette bouteille. L'olfaction intense est dominée par les fruits rouges ; des notes végétales et des nuances d'agrumes apportent du relief. C'est un vin souple et équilibré, friand, dont les tanins auront besoin d'un à deux ans pour se fondre. Pour une viande rouge.
Emmanuel Couet, Croquant, 58200 Saint-Père, tél. 03.86.28.14.80, e-mail e-couet@hotmail.fr
t.l.j. 8h-20h

DOM. DE LA GRANGE ARTHUIS Les Daguettes 2006 **

3,5 ha 15 000 5 à 8 €

200 ha de forêts et plusieurs étangs entourent le château du XVIe s., à la couverture bourguignonne, situé près de la cave. Là, vous pourrez découvrir ce vin aux arômes intenses alliant nuances fruitées (agrumes) et florales (souci). En bouche, volume, rondeur et fraîcheur s'équilibrent sur des notes douces évocatrices de salade de fruits. Un coteaux-du-giennois flatteur et gourmand.
Dom. de la Grange Arthuis, Lieu-dit La Grange Arthuis, 89170 Lavau, tél. 03.86.74.18.01, fax 03.86.74.06.20
t.l.j. sf dim. 8h-12h 14h-18h 3 D
M. Reynaud

MICHEL LANGLOIS 2006 **

3,5 ha 20 000 5 à 8 €

Grâce à la reprise du domaine des Granges en 2004, Michel Langlois propose une production très variée issue de près de 17 ha de vignes. Son coteaux-du-giennois blanc a séduit le jury par ses arômes intenses, persistants et frais, marqués par l'orange, la tubéreuse et le fumé. Rond, plein et charnu au palais, harmonieux et de bonne longueur, ce vin a de la noblesse.
Michel Langlois, Le Bourg, 58200 Pougny, tél. 03.86.28.06.52, fax 03.86.28.59.29, e-mail catmi-langlois@wanadoo.fr
t.l.j. 9h-12h30 15h-19h; dim. 9h-12h30

DOM. DES ORMOUSSEAUX 2005 *

6 ha 25 000 5 à 8 €

Rubis soutenu, avec quelques reflets orangés, ce coteaux-du-giennois est issu d'un terroir calcaire. Ses arômes, de bonne intensité, sont dominés par les épices (poivre vert) sur une trame fruitée. Au palais, les premières sensations sont marquées par la souplesse avant de laisser la place à des tanins encore jeunes, qui demandent quelques mois d'attente.
SCEA Hubert Veneau, Les Ormousseaux, 58200 Saint-Père, tél. 03.86.28.01.17, fax 03.86.28.44.71, e-mail hubert.veneau@wanadoo.fr
t.l.j. 8h30-12h30 14h-18h

POUPAT ET FILS Le Trocadéro 2006 *

2,4 ha 14 000 5 à 8 €

Une couleur foncée, cerise noire, de beaux reflets pourpres, voilà pour l'aspect. Le nez, plutôt discret, mêle à des notes fruitées une nuance animale bien présente. Après une attaque tout en souplesse, les tanins, encore jeunes, révèlent leur concentration. Ce vin, d'un excellent potentiel, est à laisser vieillir un à deux ans. Une étoile également pour le **Rivotte blanc 2006** au bel équilibre entre douceur et fraîcheur.
Dom. Poupat et Fils, Rivotte, 45250 Briare, tél. et fax 02.38.31.39.76, e-mail domainepoupat@hotmail.fr r.-v.

DOM. DES RATAS 2006

2,1 ha 12 000 5 à 8 €

Profitez de la visite des remparts de Bonny-sur-Loire pour faire un tour aux Ratas et découvrir ce coteaux-du-giennois. À l'aération, on décèle des senteurs d'agrumes (orange) et une pointe végétale. La dégustation révèle vivacité, rondeur et mâche. Un vin qui a de la présence même s'il reste encore sur la réserve. On gagnera à l'attendre un peu.
SCEA Dom. des Ratas, Les Ratas, 45420 Bonny-sur-Loire, tél. 02.38.31.62.59, fax 02.38.07.18.99 r.-v.

SÉBASTIEN TREUILLET 2006 *

1,5 ha 10 000 5 à 8 €

Vous n'aurez pas de mal à trouver l'exploitation de Sébastien Treuillet. Elle est située à proximité de l'A77, à la sortie de Maltaverne. Vous y découvrirez ce vin pourpre foncé tirant sur le grenat. Framboise, épices et notes florales composent une séduisante palette aromatique. La bouche, ronde et d'une grande souplesse, possède des tanins plutôt fondus. L'ensemble, léger, se termine sur une agréable note de fruit.
Sébastien Treuillet, 12, rte de Boisfleury, Fontenille, 58150 Tracy-sur-Loire, tél. et fax 03.86.26.17.06
r.-v.

DOM. DE VILLARGEAU Les Genêts gris 2005 **

1 ha 2 000 5 à 8 €

À l'origine créée par deux frères, cette exploitation réunit désormais quatre associés issus de la même famille. Elle signe un blanc remarquable par la richesse de son expression olfactive : notes minérales (pierre à fusil), épi-

ces, orange très mûre, souci. En bouche, rondeur, fraîcheur, volume et nervosité se succèdent harmonieusement. Un vin encore dans sa jeunesse qui possède consistance et tonus. Une étoile revient à la cuvée **Les Licotes rouge 2005** pour sa concentration et sa complexité.
GAEC Thibault, Villargeau, 58200 Pougny,
tél. 03.86.28.23.24, fax 03.86.28.47.00,
e-mail fthibault@wanadoo.fr
t.l.j. sf dim. 9h-12h 14h-19h

DOM. DE VILLEGEAI 2006 ★★

3,5 ha 26 000 5 à 8 €

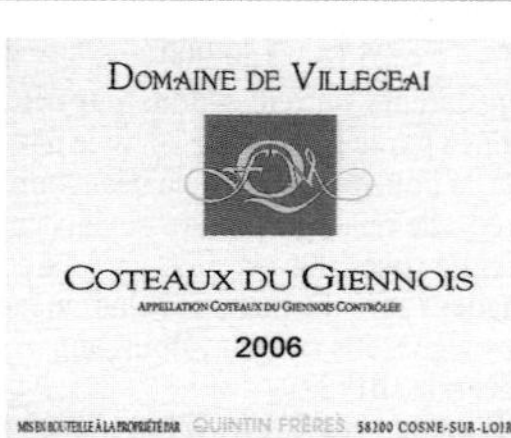

Les frères Quintin, à la tête de ce domaine depuis 1991, décrochent pour la deuxième année consécutive un coup de cœur pour leur coteaux-du-giennois blanc. Les arômes de ce nouveau millésime, expressifs et d'une grande finesse, mêlent le floral et le minéral à une pointe d'anis et de menthe. Volume, gras et rondeur caractérisent la bouche dont la finale persiste sur des notes de rhubarbe et d'agrumes. Un vin complet. La cuvée **Terre des Violettes rouge 2006** et le **rosé 2006 (3 à 5 €)** obtiennent chacun une citation.
SCEA Quintin Frères, Villegeai,
58200 Cosne-sur-Loire, tél. 03.86.28.31.77,
fax 03.86.28.20.77, e-mail quintin.francois@wanadoo.fr
r.-v.

Saint-pourçain AOVDQS

Le paisible et plantureux Bourbonnais (département de l'Allier) possède aussi, sur dix-neuf communes, un beau vignoble de 577 ha au sud-ouest de Moulins qui produit environ 29 000 hl. Les coteaux et les plateaux calcaires ou graveleux bordent la charmante Sioule ou sont proches d'elle. C'est surtout l'assemblage des vins issus de gamay et de pinot noir qui confère aux vins rouges et rosés leur charme fruité. Les blancs ont fait autrefois la réputation de ce vignoble ; un cépage local, le tressallier, est assemblé au chardonnay et au sauvignon, donnant une grande originalité aromatique à ces vins.

DOM. DE BELLEVUE Les Roches grises 2005 ★

1,7 ha 11 000 5 à 8 €

Chaque année, au mois de mai, la cave du domaine accueille un marché des producteurs fermiers locaux, l'occasion idéale pour goûter ce 2005 dominé par le pinot noir (65 %), d'une engageante teinte rubis à reflets orangés. Encore un peu timide, le nez laisse cependant déjà poindre sa complexité à travers des notes florales et boisées. Équilibré en bouche, c'est un vin bien fait. La **Grande Réserve rouge 2006 (3 à 5 €)**, issue de gamay et de pinot noir à parts égales, obtient une citation. Après une bonne attaque, la dégustation révèle des tanins encore très présents. Il faudra donc laisser un peu de temps à cette bouteille pour lui permettre de s'exprimer.
Jean-Louis Pétillat, Bellevue, 03500 Meillard,
tél. 04.70.42.05.56, fax 04.70.42.09.75,
e-mail jean-louis.petillat1@wanadoo.fr
t.l.j. sf dim. 8h30-12h30 14h-19h

CH. COURTINAT 2006 ★

2 ha 8 000 3 à 5 €

Le rouge 2005 fut coup de cœur l'an dernier. Jaune pâle à l'œil, ce vin, assemblage de tressallier (70 %) et de chardonnay, libère des parfums intenses marqués par des arômes amyliques. Une attaque souple précède une bouche généreuse à la finale fraîche.
Christophe Courtinat, 11, rue de Venteuil,
03500 Saulcet, tél. 04.70.45.44.84, fax 04.70.45.80.13,
e-mail cavecourtinat@wanadoo.fr
t.l.j. 9h-12h 14h-19h

BERNARD GARDIEN ET FILS
Le Nectar des Fées 2006 ★

5 ha 33 000 3 à 5 €

Ce domaine de 21 ha est géré par deux frères, Olivier et Christophe. Le chardonnay (60 %), complété par le tressallier et le sauvignon à parts égales, compose ce Nectar des Fées dont la couleur jaune soutenu révèle la belle maturité des raisins. C'est un vin ample et généreux, équilibré jusqu'à la longue finale. La **Réserve des grands Jours rouge 2005 (5 à 8 €)**, assemblage de gamay et de pinot noir, est citée. Si elle possède une bonne ampleur en bouche, les tanins sont encore présents en finale. Pour un civet de lièvre.
Dom. Gardien, 7 Chassignolles, 03210 Besson,
tél. 04.70.42.80.11, fax 04.70.42.80.99,
e-mail c.gardien@03.sideral.fr
t.l.j. sf dim. 8h-12h 14h-19h

DOM. GROSBOT-BARBARA
Le Vin d'Alon 2006 ★

1,6 ha 10 000 3 à 5 €

Le chardonnay et le tressallier ont dû être cueillis à bonne maturité à en juger par la teinte jaune paille de cette cuvée. Le nez intense de fruits exotiques et la bouche souple et équilibrée surprennent agréablement. Le **rouge 2005 (5 à 8 €)**, assemblage de pinot (80 %) et de gamay, est cité, tout comme l'autre **rouge 2005**, assemblage des mêmes cépages mais dans des proportions inverses. On les servira avec des spécialités locales.
Dom. Grosbot-Barbara,
Montjournal, rte de Montluçon, 03500 Cesset,
tél. et fax 04.70.45.39.92,
e-mail barbaradenis@orange.fr
t.l.j. 10h-12h 13h-19h

DOM. JALLET Tradition 2006

0,75 ha 4 000 3 à 5 €

La quatrième génération exploite ce domaine de 6,60 ha. Tressallier et chardonnay à parts égales complétés par le sauvignon (10 %) ont donné un vin jaune paille limpide. Encore un peu sévère, il devrait s'arrondir avec le temps. Également citée, la cuvée **Les Ceps centenaires rouge 2006** provient de vignes de cent cinq ans. Dominée par le gamay (90 %), elle est encore fermée au nez, mais révèle une bonne présence en bouche.

⊶ Dom. Jallet, 30, pl. des Cailles, 03500 Saulcet,
tél. et fax 04.70.45.39.78 ☑ Ɪ ⚘ t.l.j. 8h-12h 13h-19h

FAMILLE LAURENT

Élevé en fût de chêne 2005 ★★★

■ 5 ha 19 000 ⦀ 5 à 8 €

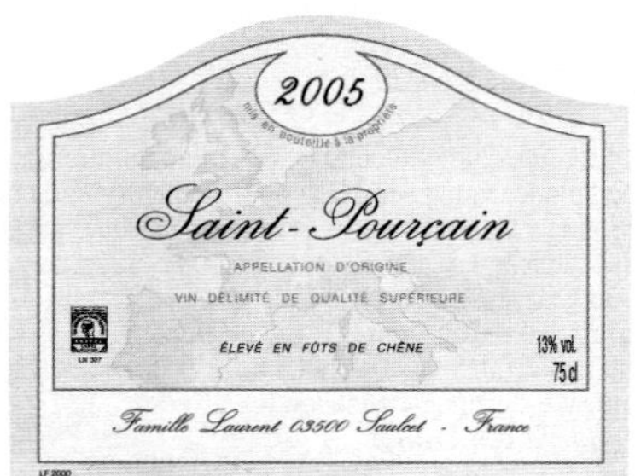

La famille Laurent est établie à Saulcet depuis plusieurs siècles. En 2005, Jean-Pierre et Corinne ont modernisé leur cave de vinification. Cette même année, ils ont élaboré un superbe vin, pinot noir à 70 %, qui a obtenu la note maximale et un coup de cœur ! Derrière une robe très sombre, le nez, complexe, libère des senteurs de fruits noirs rehaussées par des notes toastées et un léger boisé. L'équilibre en bouche est parfait et la dégustation s'achève sur des notes de vanille. Prêt à boire, ce 2005 est apte à une petite garde. La **cuvée Prestige rouge 2005** donne, elle, le premier rôle au gamay (75 %) et son boisage est plus léger. Elle obtient une étoile pour son caractère floral, son équilibre et ses tanins soyeux en finale. Enfin la **cuvée Prestige blanc 2006**, issue de chardonnay et de tressallier complétés par un soupçon de sauvignon (5 %), est citée.

⊶ Famille Laurent, Montifaud, 03500 Saulcet,
tél. 04.70.45.90.41, fax 04.70.45.90.42,
e-mail cave.laurent@wanadoo.fr
☑ Ɪ ⚘ t.l.j. sf dim. 9h-12h 14h-19h

DOM. NEBOUT Élevé en fût de chêne 2005

■ 3 ha 16 000 ⦀ 5 à 8 €

Aujourd'hui, la quatrième génération est à la tête de cette propriété de 45 ha. Elle a vinifié ce vin de pinot noir (60 %) et de gamay, au nez sauvage, et qui présente un bon équilibre en bouche. Le **Tressallier des Gravières blanc 2005 (3 à 5 €)** marie 70 % de tressallier au chardonnay. Il obtient une citation pour son nez qui mêle harmonieusement les fleurs blanches et le miel. En bouche, il se montre chaleureux et il termine sur une note végétale.

⊶ Dom. Nebout, rte de Montluçon,
03500 Saint-Pourçain-sur-Sioule, tél. 04.70.45.31.70,
fax 04.70.45.12.54, e-mail julienebout@yahoo.fr
☑ Ɪ ⚘ t.l.j. sf dim. 8h-12h 14h-19h

FRANÇOIS RAY Cuvée des Gaumes 2006 ★

■ 3 ha 14 000 ▮ 5 à 8 €

Coup de cœur pour un blanc dans la précédente édition du Guide, François Ray ne démérite pas cette année. Il décroche une étoile pour un saint-pourçain composé à 80 % de gamay. Vêtue de rouge grenat, cette bouteille révèle un nez encore jeune. Son bon équilibre en bouche permettra de l'associer à une côte de bœuf. Assemblage de chardonnay, de tressallier et de sauvignon, le **blanc 2006**, cité, libère des senteurs de fleurs et de fruits confits. Il possède une belle maturité.

⊶ Cave François Ray, 8, rue Louis-Neillot,
03500 Saulcet, tél. 04.70.45.35.46, fax 04.70.45.64.96,
e-mail ray.francois@akeonet.com
☑ Ɪ ⚘ t.l.j. sf dim. 9h-12h 15h-19h; groupes sur r.-v.

LES VIGNERONS DE SAINT-POURÇAIN

Réserve spéciale 2006 ★★

■ 25 ha 150 000 ▮ 3 à 5 €

Les dégustateurs ont été séduits par cette Réserve spéciale dominée par le gamay (80 %). Si le nez se montre encore discret, la bouche réserve déjà beaucoup de plaisir. Bien équilibrée, elle révèle des tanins soyeux en finale. La **Réserve spéciale rosé 2006** est citée. Fraîche et plaisante, elle accompagnera agréablement des charcuteries locales.

⊶ Union des vignerons de Saint-Pourçain,
3, rue de la Ronde, BP 27,
03500 Saint-Pourçain-sur-Sioule, tél. 04.70.45.42.82,
fax 04.70.45.99.34, e-mail udv@udvstpourcain.com
☑ Ɪ r.-v.

DOM. DE LA SOURDE Cuvée estivale 2006

■ 3 ha 10 000 ▮ 3 à 5 €

Ce domaine fut créé en 1942 par le grand-père de Jean-Pierre Purseigle. Celui-ci n'ayant pas d'héritier, Cédric Bonvin, un petit-fils de viticulteur, a pris la relève. Cette Cuvée estivale, 100 % gamay, porte bien son nom. Elle se montre souple en bouche et une note acidulée vient rafraîchir la finale. À boire sous la tonnelle pendant les beaux jours de l'arrière-saison.

⊶ Purseigle et Bonvin,
EARL La Sourde, 9, rue Sainte-Catherine,
03500 Louchy-Montfand, tél. 04.70.45.42.53,
fax 04.70.45.69.13,
e-mail domainedelasourde@cegetel.net
☑ Ɪ ⚘ t.l.j. sf dim. 8h-12h 14h-19h

Y. TOUZAIN 2006

■ 4 ha 1 500 ▮ 3 à 5 €

Après une première expérience dans le Bordelais, Yves Touzain s'est installé dans l'Allier en 2001. Il exploite 10 ha de vignes. Les feuilles de vignes représentées sur ses étiquettes changent de teinte en fonction de la couleur du vin. Pour cet assemblage de pinot noir et de gamay, la feuille est pourpre. Le pinot (65 %) donne à la robe une couleur tuilée. Encore discret au nez, ce 2006 est déjà plaisant en bouche. Le **blanc 2006** obtient la même note. C'est un assemblage de tressallier (75 %), d'aligoté (21 %) et de sauvignon. Un saint-pourçain jaune citron à servir sur une truite aux amandes.

⊶ Yannick Touzain, 9, RN 9, 03500 Contigny,
tél. et fax 04.70.45.95.05 ☑ Ɪ r.-v.

Côte-roannaise

Des sols d'origine éruptive face à l'est, au sud et au sud-ouest, sur les pentes d'une vallée creusée par une Loire encore adolescente : voilà un milieu naturel qui appelle aussi le gamay.

Quatorze communes (220 ha) situées sur la rive gauche du fleuve produisent d'excellents vins rouges et de frais rosés, plus rares. La production (10 000 hl) de vins originaux et de caractère intéresse les chefs les plus prestigieux de la région. On évoque les traditions viticoles au musée forézien d'Ambierle.

ALAIN BAILLON 2006

■ 1 ha 6 500 ■ 5 à 8 €

Après la visite du joli village d'Ambierle, rendez-vous dans ce domaine de 6,50 ha qui propose un 2006 couleur saumon, ouvert sur des senteurs de raisin. La chair ronde et franche exprime un agréable fruité persistant. La cuvée **Montplaisir 2006 rouge**, fruitée avec une pointe animale, est citée. À boire en 2007-2008.

Alain Baillon, Montplaisir, 42820 Ambierle, tél. 04.77.65.65.51, fax 04.77.65.65.65 r.-v.

PAUL ET JEAN-PIERRE BENETIÈRE

Vieilles Vignes 2006 ★★

■ 1,2 ha 7 000 ■ 5 à 8 €

En 1994, Jean-Pierre Benetière a pris la tête de cette petite propriété familiale de 4,20 ha. Il s'est aussi lancé dans la création d'un atelier de fabrication de vannerie traditionnelle, dont les articles sont exposés dans le caveau. Principal sujet d'admiration : ce vin grenat qui s'ouvre sur des senteurs de petits fruits rouges nuancés de poivre et de minéral. L'attaque ronde, marquée par les arômes du terroir, introduit une bouche fruitée, soutenue par des tanins souples. Un côte-roannaise harmonieux et typé, à savourer en 2008 avec des charcuteries ou un rôti de veau farci.

Jean-Pierre Benetière, pl. de la Mairie, 42155 Villemontais, tél. et fax 04.77.63.18.29 r.-v.

CH. DE CHAMPAGNY 2006 ★★

■ 4,5 ha 30 000 ■ 3 à 5 €

Tout proche de la cité médiévale de Saint-Haon, ce domaine fut repris efficacement par André Villeneuve dès 1968 : des 2 ha rescapés de la crise phylloxérique, le vignoble s'est agrandi à 11,50 ha. Le 2005 était passé très près du coup de cœur dans la précédente édition. L'essai est transformé cette année grâce à ce vin rubis qui affiche des arômes de framboise, de fraise et de mûre, associés à une pointe de gingembre. Sa bouche ample et souple livre dès l'attaque des flaveurs de fruits et de bonbon anglais ; elle est soutenue par des tanins de qualité et laisse une impression de fraîcheur persistante. Un côte-roannaise équilibré, plaisant dès maintenant. Une citation est attribuée à la **Grande Réserve 2006 rouge**.

André et Frédéric Villeneuve, Champagny, 42370 Saint-Haon-le-Vieux, tél. 04.77.64.42.88, fax 04.77.62.12.55 r.-v.

MICHEL ÉRIC THIERRY DÉSORMIÈRE

Perdrizière 2006

■ 3,5 ha 16 000 ■ 3 à 5 €

Michel Désormière, qui a commencé à vendre ses premières bouteilles en 1974, travaille aujourd'hui avec ses deux fils, Éric et Thierry. Tous trois ont produit un vin rubis, issu de vignes d'une quinzaine d'années, plantées sur sols sableux. Ce côte-roannaise livre des senteurs de groseille et de cassis avant d'emplir le palais de sa chair ronde en attaque, puis légère et élégamment fruitée. Un 2006 simple et agréable, à boire dans l'année. La cuvée **Les Têtes 2006 rouge** est citée également.

Michel Désormière et Fils, Le Perron, 42370 Renaison, tél. 04.77.64.48.55, fax 04.77.62.12.73, e-mail domaine.desormiere@orange.fr t.l.j. 8h-12h 13h30-19h; dim. sur r.-v.

DOM. DU FONTENAY L'Authentique 2006 ★

■ 2 ha 11 000 ■ 5 à 8 €

Déjà notée une étoile dans la précédente édition, cette cuvée non levurée, non chaptalisée et non filtrée fait preuve de régularité. Le 2006, rubis à reflets plus pâles, s'affirme après aération en exprimant d'élégantes notes de groseille, de fraise, d'épices et de réglisse. Sa bonne mâche, non dénuée de vivacité, s'agrémente d'une touche anisée en finale. Un vin équilibré qui pourra accompagner des charcuteries ou des fromages au cours des deux prochaines années.

Dom. du Fontenay, 42155 Villemontais, tél. 04.77.63.12.22, fax 04.77.63.15.95, e-mail hawkins@tele2.fr t.l.j. 8h-19h 4

Hawkins

FRANÇOIS LASSEIGNE Malème 2006

■ 0,51 ha 2 400 ■ 3 à 5 €

Déjà en 1877, la famille Lasseigne cultivait cette parcelle de vignes exposée plein sud, à flanc de coteau, au lieu-dit Malème. De teinte rouge sombre, légèrement tuilée, ce 2006 livre d'intenses parfums de petits fruits rouges en cours d'évolution. Sa chair bénéficie de tanins fondus et d'un bon équilibre entre rondeur et fraîcheur. Profitez-en dès 2007.

François Lasseigne, Le Bourg, 42640 Saint-Romain-la-Motte, tél. 04.77.64.54.72, e-mail vinmale5eme42@aol.com r.-v.

DOM. DE LA PAROISSE Tradition 2006 ★★

■ 5 ha 25 000 ■ 3 à 5 €

Cette cuvée Tradition, notée une étoile l'an passé, frôle le coup de cœur dans le millésime 2006. Habillée de

rouge sombre à reflets violets, elle livre des parfums intenses de framboise, de mûre et de fraise des bois, complétés de notes de violette, de réglisse. La bouche souple et aromatique gagne en puissance en s'appuyant sur une structure de qualité qui ne masque pas le fruité. Un côte-roannaise gouleyant qui trouvera sa place à table tout au long de l'année 2008.
Jean-Claude Chaucesse, La Paroisse, 42370 Renaison, tél. et fax 04.77.64.26.10, e-mail la.paroisse@laposte.net r.-v.

DOM. DU PAVILLON 2006 *

0,95 ha 5 500 3 à 5 €

Un pavillon entouré de vignes de plus de cinquante ans sur près de 9 ha, telle est cette propriété, dont le rosé se distingue par sa teinte saumon comme par ses arômes soulignés d'une touche d'abricot bien perceptible et persistante. La chair souple et fraîche emplit le palais d'un fruité aussi généreux qu'élégant. À proposer lors de votre prochain apéritif ou barbecue entre voisins.
Dom. du Pavillon, 42820 Ambierle, tél. 04.77.65.64.35, fax 04.77.65.69.69
t.l.j. 8h-12h 14h-19h

DOM. DES POTHIERS 2006 **

1 ha 6 000 3 à 5 €

Ancienne ferme de polyculture, ce domaine compte aujourd'hui plus de 8 ha de vignes. Remarquable dans sa robe grenat, ce vin s'ouvre sur de discrètes notes de cassis, de myrtille et de fruits rouges qui trouvent plus d'écho encore au palais, souple et vineux, mises en valeur par une légère vivacité. Les tanins harmonieux garantiront une bonne évolution au cours des deux ans à venir, mais il est d'ores et déjà possible de servir cette bouteille avec un bœuf bourguignon, un civet de lapin ou un petit gibier.
Denise, Georges et Romain Paire, Dom. des Pothiers, 42155 Villemontais, tél. 04.77.63.15.84, fax 04.77.63.19.24, e-mail domainedespothiers@yahoo.fr
r.-v. B

DOM. DE LA ROCHETTE
Gamay Les Vieilles Vignes du Château 2006

2 ha 9 000 3 à 5 €

Élevé en fût, huit mois durant, ce vin grenat aux élégantes senteurs de fruits rouges et de fleurs. D'attaque ronde, nuancée de minéral, il se développe harmonieusement grâce à des tanins assez souples qui respectent le fruité. Pour des plats de charcuteries ou des fromages de chèvre.
Antoine Néron, Dom. de La Rochette, 42155 Villemontais, tél. 04.77.63.10.62, fax 04.77.63.35.54, e-mail antoine-neron@wanadoo.fr
t.l.j. sf dim. 8h-12h 14h-19h C

DOM. ROBERT SÉROL Les Vieilles Vignes 2006 *

7 ha 40 000 3 à 5 €

Stéphane Sérol a pris en 1996 la tête de ce domaine dont les origines remontent à 1700 et que son père, Robert, a fait connaître dès 1971 en pratiquant la vente directe en bouteilles. Si la cuvée **Les Originelles 2006 rouge** est citée, ce vin rubis à reflets violacés a eu la préférence du jury pour ses parfums complexes de fruits rouges et de bourgeon de cassis. La bouche, d'abord tendre, évolue vers des tanins plus accrocheurs en raison de leur jeunesse, mais la structure et la matière de qualité garantissent une bonification d'ici fin 2008.
Dom. Robert Sérol, Les Estinaudes, 42370 Renaison, tél. 04.77.64.44.04, fax 04.77.62.10.87, e-mail contact@domaine-serol.com
t.l.j. 9h-12h 14h-19h; dim. sur r.-v.

PHILIPPE ET JEAN-MARIE VIAL
Boutheran Fût de chêne 2006 *

0,5 ha 3 000 5 à 8 €

Boutheran est un lieu-dit réputé de Saint-André-d'Apchon. Cette cuvée rouge sombre, éclairée de quelques reflets violets, y est née. Elle s'ouvre sur des arômes de fruits compotés, de pivoine et de grillé. Sa chair, encore dominée par l'empreinte de l'élevage en fût de cinq mois, s'avère puissante et longue. Quelques mois de garde suffiront à l'affiner. Une bouteille pour amateurs de vins boisés.
Dom. Vial, Bel-Air, 42370 Saint-André-d'Apchon, tél. et fax 04.77.65.81.04, e-mail gaec.vial@akeonet.com
t.l.j. sf dim. 9h-12h 14h-18h30

Menetou-salon

Menetou-Salon doit son origine viticole à la proximité de la métropole médiévale qu'était Bourges ; Jacques Cœur y eut des vignes. À la différence de nombreux vignobles jadis célèbres, la région est demeurée viticole, et son vignoble de 549 ha est de qualité. Sur ses coteaux bien adaptés, Menetou-Salon partage, avec son prestigieux voisin Sancerre, sols favorables et cépages nobles : sauvignon blanc et pinot noir sur kimméridgien. D'où ces vins blancs frais, épicés, ces rosés délicats et fruités, ces rouges harmonieux et bouquetés, à boire jeunes. Fierté du Berry viticole, ils accompagnent à ravir une cuisine classique mais savoureuse (apéritif, entrées chaudes pour les blancs ; poisson, lapin, charcuterie pour les rouges, à servir frais). La production a atteint 16 781 hl de vin blanc et 9 121 hl de vin rouge et rosé en 2006.

FRANCIS AUDIOT
Mathilde Élevé en fût de chêne 2005

0,5 ha 3 500 8 à 11 €

Issue de vignes d'une quarantaine d'années, cette cuvée Mathilde a été élevée en fût pendant douze mois. Les arômes de torréfaction (cacao, café) se marient bien au fruité du raisin. Sur un fond assez léger, les tanins sont soyeux, lisses et tout en finesse. Un lièvre ou une daube de sanglier conviendrait parfaitement à cette bouteille.
Francis Audiot, Dom. de Coquin, 18510 Menetou-Salon, tél. 02.48.64.80.46, fax 02.48.64.84.51
t.l.j. sf dim. 8h-12h 14h-18h30

DOM. DE BEAUREPAIRE
Cuvée du Grand Argentier Élevé en fût de chêne 2005

0,25 ha 1 200 5 à 8 €

Une ferme du XIXe s. abrite le caveau de dégustation où vous pourrez découvrir cette cuvée du Grand Argen-

tier dominée par les notes vanillées, tandis que les arômes vineux de framboise bien mûre se font plus discrets. L'élevage en barrique a été bien mené, mais il faudra attendre un à deux ans pour que le tout se fonde.
Cave Gilbon, Beaurepaire, 18220 Soulangis, tél. 02.48.64.41.09, fax 02.48.64.39.89, e-mail cave-gilbon@wanadoo.fr
t.l.j. sf dim. 9h-12h 14h-18h30; sam. sur r.-v.; f. 15-31 août

DOM. DE CHATENOY
La Dame de Chatenoy 2005

3 ha 20 000 8 à 11 €

Depuis 2005, le domaine possède un nouveau centre de réception des vendanges. Les raisins qui ont servi à élaborer cette cuvée l'ont donc inauguré. Parée d'une robe d'un or intense à reflets clairs, cette Dame de Chatenoy se montre d'abord discrète. Son bouquet délivre des senteurs de fruits cuits et de raisin sec. Sa bouche, ample, révèle une douceur marquée qui fait ressortir le fruité en finale. Une bouteille qui accompagnera des plats à sauce aigre-douce.
Isabelle et Pierre Clément, Dom. de Chatenoy, 18510 Menetou-Salon, tél. 02.48.66.68.70, fax 02.48.66.68.71, e-mail ip.clement@wanadoo.fr
t.l.j. sf sam. dim. 8h30-12h 13h30-17h30; f. août

G. CHAVET ET FILS 2006 *

11,55 ha 97 000 8 à 11 €

Les ancêtres des Chavet cultivaient déjà la vigne au début du XVIIIe. Depuis 2005, le domaine bénéficie de la double qualification « Agriculture raisonnée » et « Quali'Terre ». Cette année encore, il est retenu pour deux vins de qualité. Ce blanc, au nez exotique (mangue) agrémenté d'une touche mentholée, manifeste une belle fraîcheur en bouche. Un vin de plaisir à servir maintenant. Frais et fruité, le **rosé 2006** est cité.
G. Chavet et Fils, GAEC des Brangers, rte de Bourges, 18510 Menetou-Salon, tél. 02.48.64.80.87, fax 02.48.64.84.78, e-mail contact@chavet-vins.com
t.l.j. sf dim. 8h-12h 13h30-18h E

DOM. DES COTEAUX 2006

8 ha 70 000 5 à 8 €

Issu d'une famille tourangelle, Jean-Paul Godinat a acquis en 1998 un domaine s'étendant sur les appellations quincy et menetou-salon. Son 2006 blanc présente une expression aromatique discrète, tout en finesse florale. La bouche est légère et vive.
SCEA Les Coteaux, 34, rte de Bourges, 18510 Menetou-Salon, tél. 02.48.64.88.88, fax 02.48.64.87.97, e-mail chais.du.val.de.loire@wanadoo.fr
t.l.j. sf sam. dim. 8h-11h45 13h45-17h15
Jean-Paul Godinat

DOM. DE L'ERMITAGE 2006 *

6,3 ha 56 000 5 à 8 €

Laurence et Géraud de La Farge ont décidé, en 2003, de voler de leurs propres ailes. Ils proposent aujourd'hui leur quatrième millésime, un joli vin blanc au nez fruité (raisin bien mûr) et puissant. Riche et plein, le palais est dominé par des impressions de douceur. Pour l'apéritif.
Géraud et Laurence de La Farge, Dom. de L'Ermitage, 18500 Berry-Bouy, tél. 02.48.26.87.46, fax 02.48.26.03.28, e-mail domaine-ermitage@wanadoo.fr
r.-v. 4 E

DOM. BERNARD FLEURIET ET FILS
La Vigne au Paul 2006 **

0,5 ha 4 000 5 à 8 €

En 1990, cette exploitation tournée vers l'agriculture et l'élevage a décidé de se consacrer également à la viticulture. Un choix judicieux, à en juger par ce remarquable menetou-salon qui a frôlé le coup de cœur. Si le nez est encore fermé, il laisse cependant deviner toute la complexité de ses arômes de bourgeon de cassis, d'agrumes (citron) et de fleurs. Souple en attaque, il révèle ensuite sa vivacité sans aucune agressivité et emplit bien la bouche. Long, bâti sur la fraîcheur, très harmonieux, c'est un grand menetou-salon. Une étoile pour le **sancerre blanc 2006 Tradition (8 à 11 €)**.
Bernard Fleuriet et Fils, La Vauvise, Menetou-Ratel, 18300 Sancerre, tél. 02.48.79.34.09, fax 02.48.79.34.38, e-mail fleuriet.vauvise@wanadoo.fr r.-v.

FOURNIER 2006

7,56 ha 55 000 5 à 8 €

À la fois vigneron et négociant, la maison Fournier est bien implantée dans les vignobles du Centre-Loire. Elle signe un menetou-salon au nez plein de verve, associant les fruits confits et le miel accompagnés d'une touche végétale. La bouche se révèle équilibrée, vive sans excès et épicée en finale. Un vin printanier pour une sole grillée. Une citation également pour le **sancerre blanc 2006**.
SAS Fournier Père et Fils, Chaudoux, BP 7, 18300 Verdigny, tél. 02.48.79.35.24, fax 02.48.79.30.41, e-mail claude@fournier-pere-fils.fr
t.l.j. 8h-12h 13h30-18h30; sam. dim. sur r.-v.
GFA Chanvrières

DOM. PHILIPPE GILBERT 2006 *

11 ha 80 000 8 à 11 €

En 1998, à la suite d'une longue lignée familiale, Philippe Gilbert a pris les rênes de cette ancienne propriété viticole. Dans ce millésime, toutes les sensations évoquent la vendange très mûre. D'abord, le nez aux arômes de litchi complétés d'une touche miellée. Puis la texture en bouche, riche, chaleureuse, avec un gras surprenant. Un vin de gourmand. Une étoile est également attribuée à la cuvée **Les Renardières blanc 2005 (15 à 23 €)** pour le beau fondu de son boisé.
Dom. Philippe Gilbert, Les Faucards, 18510 Menetou-Salon, tél. 02.48.66.65.90, fax 02.48.66.65.99, e-mail info@domainegilbert.fr
t.l.j. sf sam. dim. 8h-12h 13h30-18h

ARNAUD LEJUS Clos de Rutier 2006 *

2 ha 4 000 8 à 11 €

Arnaud Lejus vous recevra dans une petite cave voûtée installée dans une maison berrichonne qu'il a lui-même restaurée. Vous pourrez y déguster ce menetou-salon au nez d'une grande finesse, marqué par les agrumes et les fruits blancs. C'est un vin vif, bien équilibré, avec un potentiel de conservation certain. Mêlant notes fruitées et boisées, le **Clos de Fourchet rouge 2006** est cité.

LOIRE

Arnaud Lejus, 1, rte de Vinon, 18300 Veaugues, tél. 02.48.79.23.26, fax 02.48.79.24.80, e-mail lejus.arnaud@wanadoo.fr
t.l.j. 9h-12h 13h-16h; sam. dim. sur r.-v.; f. 1er-15 août

JOSEPH MELLOT Les Thureaux 2006

n.c. 25 000 5 à 8 €

Spécialisée dans les vins du Centre-Loire, la maison Joseph Mellot offre un menetou-salon atypique mais intéressant. Les senteurs ne sont que fruits (litchi, pêche, abricot), comme s'il y avait de la surmaturation. Les sensations gustatives réunissent gras et fraîcheur. Un ensemble plaisant. Également cité, le **coteaux-du-giennois La Gaupière 2006 blanc**.

SA Joseph Mellot, rte de Ménétréol, 18300 Sancerre, tél. 02.48.78.54.54, fax 02.48.78.54.55, e-mail josephmellot@josephmellot.com
t.l.j. sf sam. dim. 8h15-12h 13h30-17h
Catherine Corbeau-Mellot

DOM. HENRY PELLÉ Morogues 2006 **

15 ha 130 000 8 à 11 €

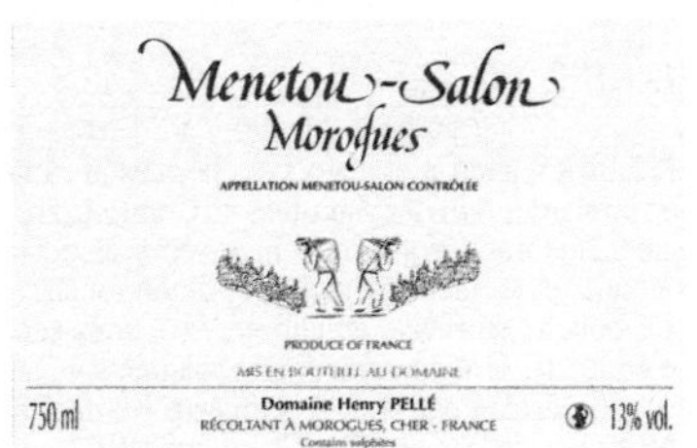

Entourée par une solide équipe, Anne Pellé conduit avec brio ce domaine dont la cave est située au cœur du vieux village de Morogues. On n'est pas surpris de retrouver une fois encore sa cuvée Morogues au sommet. Le 2004 avait lui aussi été couronné, pour s'en tenir aux coups de cœur les plus récents. Le 2006, d'une grande complexité, délivre d'intenses nuances de fruits mûrs, vivifiées par un trait d'agrumes. Le vin puissant, persistant et bien équilibré emplit bien la bouche. Le **Clos de Ratier blanc 2006 (11 à 15 €)** obtient une citation.

Dom. Henry Pellé, rte d'Aubinges, 18220 Morogues, tél. 02.48.64.42.48, fax 02.48.64.36.88, e-mail info@henry-pelle.com
t.l.j. sf dim. 8h30-12h 13h30-17h30; sam. sur r.-v.
Anne Pellé

LE PRIEURÉ DE SAINT-CÉOLS 2006 *

3 ha 22 000 5 à 8 €

À 12 km de Saint-Céols, chaque année en juillet, le château de Boucard accueille un festival de musique classique. Chez Pierre Jacolin, c'est dans un ancien prieuré bénédictin que vous pourrez goûter ce menetou-salon. Encore un peu fermé, le nez demande de l'aération pour libérer des arômes de fruits rouges confits et de pruneau, qui révèlent cependant une bonne maturité. Après une attaque tout en rondeur, les tanins prennent le dessus et se montrent même un peu envahissants en finale. Un vin de garde que l'on attendra de un à deux ans. La **Cuvée des Bénédictins rouge 2006 (8 à 11 €)** et le **blanc 2005** sont tous deux cités.

Pierre Jacolin, Le Prieuré de Saint-Céols, 18220 Saint-Céols, tél. 02.48.64.40.75, fax 02.48.64.41.15, e-mail sarl-jacolin@cegetel.net
t.l.j. 8h-19h; sam. dim. sur r.-v.

DOM. JEAN TEILLER 2006 *

8 ha 50 000 5 à 8 €

Au cœur du village de Menetou-Salon, une jolie bâtisse des années 1930 abrite la cave de ce domaine familial. Dans le millésime 2006, les parfums, aussi intenses qu'élégants, sont dominés par un fruité exotique évoquant le litchi. La dégustation révèle un vin rond, long et gras. Tout simplement, une bonne bouteille.

Dom. Jean Teiller, 13, rue de la Gare, 18510 Menetou-Salon, tél. 02.48.64.80.71, fax 02.48.64.86.92, e-mail domaine-teiller@wanadoo.fr
t.l.j. sf dim. 8h30-12h 14h-18h; f. 1 sem. en janv.
Jean-Jacques Teiller

LA TOUR SAINT-MARTIN Célestin 2005

1 ha 3 600 15 à 23 €

Il y a vingt ans que Bertrand Minchin se consacre avec passion à la viticulture, avec le souci permanent de la qualité. D'un grenat soutenu, cette cuvée Célestin allie avec dextérité les nuances fruitées et les notes grillées, vanillées, apportées par l'élevage en fût. Une belle matière en bouche, mais aussi beaucoup de finesse. Un vin de garde qui a du grain et que l'on servira sur du gibier ou des daubes. On peut l'attendre un an ou deux. La **cuvée Honorine blanc 2005**, boisée, est également citée.

Minchin, EARL La Tour Saint-Martin, 18340 Crosses, tél. 02.48.25.02.95, fax 02.48.25.05.03, e-mail tour.saint.martin@wanadoo.fr r.-v.

Pouilly-fumé et pouilly-sur-loire

Œuvre de moines, et qui plus est de bénédictins, voilà l'heureux vignoble des vins blancs secs de Pouilly-sur-Loire ! La Loire s'y heurte à un promontoire calcaire qui la rejette vers le nord-ouest, mais dont le sol, moins calcaire cependant qu'à Sancerre, sert de support privilégié au vignoble exposé sud-sud-est. C'est là que l'on retrouve les vignes de sauvignon « blanc fumé », lequel aura bientôt entièrement supplanté le chasselas, pourtant historiquement lié à Pouilly et producteur d'un vin non dénué de charme lorsqu'il est cultivé sur sols siliceux. Le pouilly-sur-loire (1 987 hl) est produit sur 34 ha alors que le pouilly-fumé représente 1 190 ha qui ont donné 70 412 hl en 2006 d'un vin qui traduit bien les qualités enfouies en terres calcaires : une fraîcheur qui n'exclut pas une certaine fermeté, un assortiment d'arômes spécifiques du cépage, affinés par le milieu de culture et les conditions de fermentation du moût.

Ici encore la vigne s'intègre harmonieusement aux paysages de Loire où le charme des lieux-dits (les Cornets, les Loges, le calvaire de Saint-Andelain...) fait pressentir la qualité des vins. Fromages secs et fruits de mer leur conviendront, mais ils seront séduisants aussi en apéritif, servis bien frais.

Pouilly-fumé

CH. DE L'ABBAYE DE SAINT-LAURENT 2006

4 ha 290 000 5 à 8 €

En entrant au château de l'Abbaye, vous découvrirez de magnifiques bâtiments qui abritent les nouveaux chais. Pascal et Patrice Morlat signent un pouilly-fumé au nez intense marqué par son expression variétale. La minéralité perce nettement à l'aération. Après une attaque souple, on trouve beaucoup de gras ; la fraîcheur, si elle est discrète, n'en est pas moins bien présente.

Pascal et Patrice Morlat, 4, rte de Villiers, 58150 Saint-Laurent-L'Abbaye, tél. 03.86.26.11.96, fax 03.86.26.19.78, e-mail pascal.patrice.morlat@hotmail.fr t.l.j. sf dim. 10h-12h 14h-19h

JEAN-PIERRE BAILLY 2006 ★★

13 ha 60 000 5 à 8 €

Voilà plus de quarante ans que Jean-Pierre Bailly est à la tête de ses 15 ha de vignes. Fidèle au rendez-vous du Guide, il propose un assemblage provenant de parcelles situées sur des sols argilo-calcaires. Un vin qui a besoin d'être aéré pour exprimer toutes ses qualités. Les senteurs de buis évoluent alors vers des nuances pleines de délicatesse (fleurs blanches, ananas, pamplemousse). Le gras et la fraîcheur acide s'équilibrent en parfaite harmonie. Une sobre élégance, une belle longueur pour cette bouteille qui conviendra à des fruits de mer.

Jean-Pierre Bailly, Les Girarmes, 58150 Tracy-sur-Loire, tél. 03.86.26.14.32, fax 03.86.26.16.13 r.-v.

MICHEL BAILLY 2006

14 ha 60 000 5 à 8 €

Cette propriété poullyssoise est viticole depuis plus de deux siècles. Aujourd'hui, Michel Bailly et son fils David ont étendu leur domaine sur le vignoble voisin des coteaux-du-giennois. Leur pouilly-fumé présente un nez expressif et très variétal par des notes végétales (buis, bourgeon de cassis) et fruitées (agrumes, ananas). En revanche, la structure en fait un vin original : elle privilégie le gras, et la fraîcheur est à peine marquée. Souple lui aussi, le **pouilly-fumé 2005 Les Bines (8 à 11 €)** est cité pour l'intensité de ses arômes exotiques et muscatés.

Michel Bailly et Fils, 3, rue Saint-Vincent, Les Loges, 58150 Pouilly-sur-Loire, tél. 03.86.39.04.78, fax 03.86.39.05.25, e-mail domaine.michel.bailly@wanadoo.fr t.l.j. 8h-12h 14h-18h; sam. dim. sur r.-v.

CÉDRICK BARDIN Cuvée des Bernadats 2006 ★★

1,5 ha 10 000 8 à 11 €

Cédrick Bardin aura au moins deux raisons pour réjouir ses amis en cette année 2007 : il est le détenteur du Saint-Vincent de la confrérie des Baillis de Pouilly-sur-Loire et il obtient le coup de cœur pour cette cuvée des Bernadats ! Avec ses nuances exotiques bien mûres (mangue, ananas), le nez intense et très frais est des plus flatteurs. Après une attaque franche, dans une évolution fondue et sur un fond fruité, on passe d'une tendre rondeur à une fine vivacité. Un pouilly-fumé riche et gourmand, modèle d'harmonie.

Cédrick Bardin, 12, rue Waldeck-Rousseau, 58150 Pouilly-sur-Loire, tél. 03.86.39.11.24, fax 03.86.39.16.50, e-mail cedrick.bardin@wanadoo.fr r.-v.

DOM. DE BEL AIR Cuvée Riquette 2006 ★

13 ha 10 000 5 à 8 €

Au moins huit générations se sont succédé à la tête de ce domaine qui s'étend sur près de 14 ha. Le 2003 avait obtenu un coup de cœur. Issue d'argilo-calcaires et de sables, la cuvée Riquette libère au premier nez des parfums de banane, puis des notes de fleurs et de fruits bien mûrs percent pour s'imposer jusqu'à la finale. Une vivacité bien typée est présente au palais. Un vin plaisir que l'on pourra apprécier tout au long d'un « apéritif dînatoire ». La **Cuvée des Acoins 2006** est par ailleurs citée pour son harmonie.

Mauroy-Gauliez, Dom. de Bel Air, Le Bouchot, 6 rue Waldeck-Rousseau, 58150 Pouilly-sur-Loire, tél. 03.86.39.15.85, fax 03.86.39.19.52, e-mail mauroygauliez@aol.com t.l.j. 8h30-12h30 13h30-19h

Mauroy

LA BERGERIE 2006 ★

n.c. n.c. 8 à 11 €

Bien dans le style traditionnel, sur la colline des Moulins à vent, les bâtiments qui abritent cette coopérative figurent dans le Guide du Patrimoine de la Nièvre. La cave vinifie par terroirs. Ainsi, cette cuvée provient de calcaires compacts et de marnes à petites huîtres. La teinte or franc est animée de reflets argentés. L'expression est d'une belle finesse. Typé, ce pouilly-fumé ne manque pas de... fumé ! Fleuri et équilibré en bouche, il pourra accompagner un crottin de chèvre chaud. Issue d'argiles à silex et de silices, la cuvée **La Baudière 2006** obtient elle aussi une étoile pour l'intensité de son fruité.

Caves de Pouilly-sur-Loire, Les Moulins à Vent, 39, av. de la Tuilerie, 58150 Pouilly-sur-Loire, tél. 03.86.39.10.99, fax 03.86.39.02.28, e-mail caves.pouilly.loire@wanadoo.fr r.-v.

FRANCIS BLANCHET Calcite 2006

4 ha 30 000 5 à 8 €

Francis Blanchet a créé cette cuvée Calcite en 2005, en référence au terroir de marnes argilo-calcaires qui la produit. Discrètement aromatique, le 2006 est dominé par les agrumes (citron) au nez comme en bouche. L'équilibre

LOIRE

est fondé sur l'acidité, et la finale révèle une bonne vivacité. Sans aucun doute, ce vin a besoin de quelques mois pour s'ouvrir. Une côte de veau à la crème et aux morilles lui conviendra.

EARL Francis Blanchet, Le Bouchot, 58150 Pouilly-sur-Loire, tél. 03.86.39.05.90, fax 03.86.39.13.19, e-mail francisblanchet@cario.fr t.l.j. 9h-12h 14h-19h; dim. sur r.-v.

GILLES BLANCHET 2006

7 ha 50 000 5 à 8 €

Gilles Blanchet est installé à l'entrée des Berthiers, célèbre village vigneron de la commune de Saint-Andelain. Son pouilly-fumé exprime d'abord les arômes variétaux du sauvignon, puis l'aération fait ressortir au nez comme en bouche de délicates notes florales. Frais en attaque, vif en finale, c'est un vin léger et agréable. La cuvée **Les Champs des Plantes 2006** obtient la même note pour ses arômes gourmands et fruités, évoquant la pêche jaune. Également cité, le **pouilly-sur-loire 2006 (3 à 5 €)**.

EARL Gilles Blanchet, Le Bourg, 58150 Saint-Andelain, tél. 03.86.39.14.03, fax 03.86.39.00.54 r.-v.

BONNARD PÈRE ET FILS 2006

1,5 ha 10 000 5 à 8 €

Acheté par la famille Bonnard en 1951, le domaine de Congy a été agrandi à partir de 1990 (7,50 ha aujourd'hui). Son 2006 libère des parfums discrets mais fort plaisants et typés, floraux et fruités (litchi, poire). La structure est marquée par de la rondeur en attaque, suivie d'une vivacité plaisante. Un pouilly-fumé bien équilibré, à servir avec du poisson.

SCEA Bonnard, Dom. de Congy, 58150 Saint-Andelain, tél. 03.86.39.14.20, fax 03.86.39.10.79, e-mail c.bonnard@cerb.cernet.fr r.-v.

DOM. BOUCHIÉ-CHATELLIER Argile à S 2006

2 ha 10 000 8 à 11 €

À l'origine couvertes d'acacia et de genêts, les terres à silex ont été défrichées par le grand-père dans les années 1930. Elles sont à l'origine d'une cuvée qui a retenu une fois de plus l'attention du jury. Pour être discrets, ses arômes dévoilent déjà toute leur finesse minérale. La bouche elle aussi est encore austère, comme on l'observe dans les vins issus de ce type de terroir. Elle laisse entrevoir sa complexité et son équilibre. Un potentiel qu'il faudra savoir attendre. On n'oublie pas le coup de cœur obtenu par une autre cuvée du millésime 2002.

EARL Bouchié-Chatellier, La Renardière, 58150 Saint-Andelain, tél. 03.86.39.14.01, fax 03.86.39.05.18, e-mail pouilly.fume.bouchie.chatellier@wanadoo.fr r.-v.

DOM. DU BOUCHOT Regain 2006

1,5 ha 6 000 5 à 8 €

La famille Kerbiquet exploite 10 ha de vignes autour de Saint-Andelain. Sa cuvée Regain naît sur un terroir de marnes kimméridgiennes. Effluves fruités, senteurs florales : le nez est fin mais demande à s'ouvrir. Gourmande en attaque, la bouche devient rapidement nerveuse sur des notes citronnées. Un vin agréable qu'il faudra savoir attendre (un à deux ans) pour le présenter avec une viande blanche.

EARL Dom. du Bouchot, Le Bouchot, 58150 Saint-Andelain, tél. 03.86.39.13.95, fax 03.86.39.05.92 r.-v.
Kerbiquet

HENRI BOURGEOIS La Demoiselle de Bourgeois 2005

5 ha 41 120 11 à 15 €

À sa création par Henri Bourgeois en 1950, la propriété comptait 1,50 ha de vignes. Aujourd'hui, Arnaud Bourgeois, qui s'est installé en 2006, est à la tête de 69 ha dans le Centre-Loire, sans parler des 30 ha acquis en Nouvelle-Zélande, dans la région de Marlborough où prospère le sauvignon du Nouveau Monde. Revenons à Pouilly. Depuis bon nombre d'années, la Demoiselle de Bourgeois ne quitte plus le Guide. L'expression olfactive, ouverte, du 2005 dévoile une belle complexité : fruits mûrs, fleur de sureau, pointe mentholée, réglisse. L'attaque est souple, le milieu de bouche plein et ferme. Fraîcheur et minéralité sont au rendez-vous. Un beau potentiel qui ne demande qu'à se développer. À noter que le domaine exporte 70 % de sa production. En Nouvelle-Zélande aussi...

SAS Henri Bourgeois, Chavignol, 18300 Sancerre, tél. 02.48.78.53.20, fax 02.48.54.14.24, e-mail secretariat@henribourgeois.com r.-v.

A. CAILBOURDIN Triptyque 2006 *

0,8 ha 4 000 11 à 15 €

Habitué du Guide, Alain Cailbourdin exploite 16 ha de vignes, répartis en plusieurs terroirs qui donnent naissance à des cuvées différentes. De vieux ceps (environ soixante ans), des chênes séculaires du proche Tronçais (élevage en fût de 300 et 600 l) et un séjour de dix mois sur lies sont à l'origine de cette cuvée Triptyque. Cette origine et cette vinification se traduisent dans le verre par une palette aromatique complexe mêlant des notes mentholées, grillées, beurrées avec une touche de vanille. Après une attaque franche, le terroir s'efface encore devant le boisé, au demeurant de qualité. À conserver un à deux ans au minimum. Élevée en cuve, la **cuvée de Boisfleury 2006 (8 à 11 €)** obtient elle aussi une étoile pour son nez exotique et sa souplesse.

Dom. Alain Cailbourdin, Maltaverne, 58150 Tracy-sur-Loire, tél. 03.86.26.17.73, fax 03.86.26.14.73, e-mail domaine-cailbourdin@wanadoo.fr t.l.j. 8h-18h; sam. dim. sur r.-v.

DOM. J.-P. CHAMOUX Les Arables 2006 *

1 ha 6 000 8 à 11 €

Étant lui-même collectionneur, Jean-Pierre Chamoux aime accueillir des groupes d'amateurs de voitures anciennes. Il tient aussi table d'hôtes. Une façon de découvrir ce pouilly-fumé au nez bien ouvert et délicat fait de douces nuances de fleurs et de fruits blancs. La finesse se prolonge dans une bouche équilibrée, tendre et légère. Une blanquette de lotte conviendra tout à fait à cette bouteille.

Jean-Pierre Chamoux, 2, pl. de la République, 58150 Pouilly-sur-Loire, tél. 03.86.39.15.58, fax 03.86.39.10.45, e-mail jeanpierre.chamoux@free.fr r.-v. 4

DOM. CHAMPEAU Sélection Vieilles Vignes 2005

n.c. 1 800 11 à 15 €

Franck et Guy Champeau sont installés au cœur du village de Saint-Andelain, près de l'église au clocher de pierre. Leur Sélection Vieilles Vignes naît de sols argilo-siliceux. L'élevage en fût a préservé la jeunesse de cette cuvée. Il a aussi marqué la palette aromatique associant des touches de grillé à des évocations de crème de marrons. Mais le cru reste présent. La bouche, structurée et ample, révèle des notes d'acacia et d'écorce d'orange bien fondues. On pensera à cette bouteille pour accompagner un plateau de fromages. Le 2001 avait obtenu un coup de cœur.

Franck et Guy Champeau, Le Bourg, 58150 Saint-Andelain, tél. 03.86.39.15.61, fax 03.86.39.19.44, e-mail domaine.champeau@wanadoo.fr t.l.j. sf mer. matin 8h30-12h 14h-18h; dim. sur r.-v.

DOM. DES CHANTALOUETTES 2006

1,4 ha 13 300 8 à 11 €

Issu de marnes kimméridgiennes, ce 2006 se présente dans une robe d'un or pâle classique ; il attire l'attention par son nez complexe, partagé entre les fruits à chair blanche (pêche, poire) et les fruits exotiques (ananas). La maturité est aussi marquée au palais, avec des impressions de chaleur heureusement bien contenues par la fraîcheur de la finale. À servir sur un fromage de chèvre.

EARL Les Chantalouettes, 1, rue René-Couard, 58150 Pouilly-sur-Loire, tél. 03.86.39.56.60, fax 03.86.39.08.30, e-mail bruno.mineur@guy-saget.com r.-v.

JEAN-CLAUDE CHATELAIN Les Chailloux 2006

2,3 ha 19 500 5 à 8 €

Les Chatelain perpétuent une tradition viticole remontant au milieu du XVII[e]s. Ici tout est affaire de famille : Jean-Claude, le père, préside aux destinées du domaine ; Vincent, le fils, est responsable de la cave et des vins, tandis que Vincent Vatan, le gendre, s'occupe des vignes (22,5 ha). Ces Chailloux proviennent de terres à silex. Au nez, de la finesse et de la complexité sur un fruité exotique. En bouche, une structure équilibrée et une finale expressive. À déboucher courant 2008. La cuvée **Prestige 2005 (11 à 15 €)** est citée pour sa minéralité et sa persistance.

SAS Dom. Chatelain, Les Berthiers, 58150 Saint-Andelain, tél. 03.86.39.17.46, fax 03.86.39.01.13, e-mail jean-claude.chatelain@wanadoo.fr t.l.j. 8h-12h 13h30-17h30; sam. dim. sur r.-v.

DOM. LES CHAUMES 2006

14,8 ha 120 000 5 à 8 €

Si vous êtes curieux de matériel œnologique traditionnel, Jean-Jacques Bardin pourra vous montrer un vieux pressoir à écureuil. Il a proposé deux pouilly-fumés issus de marnes kimméridgiennes. La cuvée principale développe des arômes puissants à dominantes d'agrumes (citron, pamplemousse), nuancés de notes florales. La bouche est plutôt légère, équilibrée, et non sans finesse. À servir sur des coquillages. La **cuvée Pauliacum Vieilles Vignes 2005 (8 à 11 €)** obtient la même note pour sa souplesse.

SCEV Jean-Jacques Bardin, Lieu-dit Les Chaumes, 58150 Pouilly-sur-Loire, tél. 03.86.39.15.87, fax 03.86.39.08.77, e-mail jean-jacquesbardin@wanadoo.fr t.l.j. 9h-12h 14h-19h

DOM. CHAUVEAU La Charmette 2006 ★★★

8 ha 60 000 8 à 11 €

Benoît Chauveau a repris en 1998 la propriété familiale : 11,50 ha de vignes. Issue de marnes kimméridgiennes et de calcaires de Villiers, la Charmette est la cuvée la plus importante du domaine. Le nez, bien typé, annonce déjà la puissance et la richesse de ce vin. Les nuances fruitées (fruits de la Passion, ananas), la minéralité, les notes épicées sont intenses. Le palais confirme cette excellente impression : l'acidité équilibre parfaitement le gras, la persistance aromatique est remarquable. Une bouteille passée tout près du coup de cœur. Quant à la cuvée **Sainte-Clélie 2006 (11 à 15 €)**, elle décroche deux étoiles pour son intensité et sa finesse olfactive, tandis que celle des **Croqloups 2006** reçoit une étoile pour l'harmonie entre ses arômes et sa structure. Ici, le millésime 2006 aura été décidément faste.

EARL Dom. Chauveau, Les Cassiers, 58150 Saint-Andelain, tél. 03.86.39.15.42, fax 03.86.39.19.46, e-mail pouillychauveau@aol.com r.-v.

DOM. PAUL CORNEAU Cyllène 2006 ★

3 ha 20 000 5 à 8 €

Un terroir argilo-siliceux a permis de créer cette cuvée Cyllène à la robe limpide animée de reflets dorés et argentés. L'expression olfactive est intense et on sait qu'elle peut encore se développer. Un nez très typé sur le citron, le pamplemousse et le buis. Après une attaque ronde, la bouche se montre ample et volumineuse, soutenue par une petite amertume pas désagréable et par une belle acidité. La vivacité souligne la longueur de la finale. Une bouteille à attendre un à deux ans puis à servir sur du ris de veau.

Paul Corneau, Le Bouchot, 58150 Pouilly-sur-Loire, tél. 03.86.39.17.95, fax 03.86.39.16.32, e-mail domainecorneau@wanadoo.fr r.-v.

DOM. COUET 2006

0,5 ha 4 000 5 à 8 €

Le domaine Couet, producteur traditionnel de coteaux-du giennois, s'est enrichi en 2005 d'une parcelle de pouilly-fumé sur terroir calcaire. Celle-ci a donné naissance à un 2006 au nez très doux tout en finesse, fait de fleurs blanches et de fruits mûrs. La bouche est dominée par des impressions de gras qui confinent à la lourdeur. Des notes beurrées marquent la finale.

Emmanuel Couet, Croquant, 58200 Saint-Père, tél. 03.86.28.14.80, e-mail e-couet@hotmail.fr t.l.j. 8h-20h

SERGE DAGUENEAU ET FILLES 2006

15 ha 110 000 8 à 11 €

Serge Dagueneau et ses filles exploitent 17 ha de vignes sur terres blanches, désignation locale des marnes kimméridgiennes. Ce 2006 attire d'emblée l'attention par les reflets dorés de sa robe. Au nez, il est marqué par un fruité très mûr évoquant la mirabelle, nuancé de touches florales. La bouche est dominée par des impressions de souplesse et de rondeur ; la finale laisse une sensation de douceur. Quelques notes d'agrumes, bien réparties, contribuent à l'équilibre de ce pouilly-fumé, qui s'entendra avec une viande blanche.

Serge Dagueneau et Filles, Les Berthiers, 58150 Saint-Andelain, tél. 03.86.39.11.18, fax 03.86.39.05.32, e-mail sergedagueneau@wanadoo.fr r.-v.

MARC DESCHAMPS
Cuvée Vieilles Vignes 2006 ★★

2,3 ha 13 000 8 à 11 €

Un domaine habitué du Guide. Issue de calcaire sur marnes, cette cuvée Vieilles Vignes a été jugée remarquable, comme dans le millésime précédent. Florales et minérales, les senteurs sont aussi élégantes que puissantes. La bouche dévoile beaucoup de fraîcheur pour s'affirmer avec fermeté en finale. La matière est bien présente, tout comme la complexité et la longueur. L'ensemble accompagnera un poisson au beurre blanc. **Les Porcheronnes 2006** reçoivent une étoile pour leur expression olfactive et leur gras, tandis que la **Tradition des Loges 2006** est citée pour ses arômes discrets mais typés.

Marc Deschamps, Les Loges, 3, rue des Pressoirs, 58150 Pouilly-sur-Loire, tél. 03.86.69.16.43, fax 03.86.39.06.90 r.-v.

Colette Figeat

JEAN DUMONT La Grande Pièce 2006 ★

11 ha 94 533 8 à 11 €

Installée à Pouilly-sur-Loire, cette maison de négoce, fondée il y a trente ans, est régulièrement sélectionnée dans le Guide. C'est encore le cas cette année avec ce 2006 au nez discret mais d'une grande délicatesse. Sa fraîcheur et sa longueur assurent au palais un bel équilibre. Le type de vin à servir avec une friture de Loire. La cuvée **Le Grand Plateau 2006**, ronde, grasse et charnue, s'accommodera d'un sandre. Elle obtient la même note.

Jean Dumont, BP 26, 58150 Pouilly-sur-Loire, tél. 03.86.39.56.60, fax 03.86.39.08.30

t.l.j. sf sam. dim. 8h-12h 14h-18h

CH. FAVRAY 2006 ★

15 ha 105 000 8 à 11 €

Un pressoir du XVIII^e^s. atteste que la viticulture fut une activité florissante sur cette propriété pendant de nombreuses générations. Elle fut abandonnée après la crise phylloxérique jusqu'au début des années 1980. Quentin David a replanté le vignoble qui s'étend aujourd'hui sur 15 ha. Son 2006 offre un bouquet de fleurs blanches (acacia, aubépine, églantine). L'attaque est franche et équilibrée, sur les agrumes, avec quelques notes d'abricot à peine mûr. Cette nervosité contribue à l'harmonie de cette bouteille qui ne manque pas de potentiel. On pourra l'attendre deux ans.

Ch. Favray, 58150 Saint-Martin-sur-Nohain, tél. 03.86.26.19.05, fax 03.86.26.11.59, e-mail chateaufavray@wanadoo.fr r.-v.

Quentin David

ANDRÉ ET EDMOND FIGEAT
Côte du Nozet 2006

4 ha 15 000 8 à 11 €

Dans le verre, un or vif, bien brillant. Le nez, expressif, se partage entre des nuances variétales (buis et bourgeon de cassis) et des notes de pierre à fusil plus caractéristiques des marnes kimméridgiennes. Très agréable, la bouche révèle une vivacité marquée qui sera en parfait accord avec des coquillages.

André et Edmond Figeat, Côte du Nozet, 58150 Pouilly-sur-Loire, tél. 03.86.39.19.39, fax 03.86.39.19.00, e-mail domaine.andre.figeat@wanadoo.fr

t.l.j. 8h-19h30

DOM. GAUDRY Les Longues Échines 2006

4,61 ha 40 000 8 à 11 €

Très clair à l'œil, il doit être aéré et sollicité pour révéler ses arômes : les fleurs s'expriment, puis les fruits, tandis que des notes minérales marquent la bouche. Son bel équilibre est fait de plénitude et de rondeur. La finale laisse une impression d'harmonie. À servir avec du poisson.

Loiret Frère, BP 26, 58150 Pouilly-sur-Loire, tél. 03.86.39.56.60, fax 03.86.39.08.30

Gaudry

DOM. DENIS GAUDRY 2006 ★

6 ha 50 000 5 à 8 €

Or clair, ce 2006 exhale des senteurs de vendange très mûre, avec une étonnante mais agréable nuance muscatée, puis des notes épicées. L'attaque dévoile une belle matière, on retrouve au palais un fruité exotique et des arômes floraux. La finale n'est pas très longue mais elle laisse une impression de légèreté printanière.

Denis Gaudry, 21, rue des Gominets, Boisgibault, 58150 Tracy-sur-Loire, tél. 03.86.26.17.92, fax 03.86.26.18.05

t.l.j. 8h-12h 13h30-17h15; sam. dim. sur r.-v.

KARINE LAUVERJAT 2006

0,9 ha 7 700 5 à 8 €

Installée comme négociant depuis 2006, Karine Lauverjat entre dans le Guide avec son premier millésime. Du fruité (pêche, banane), mais aussi des fragrances de rose, voilà pour l'accueil aromatique. De la fraîcheur, une vivacité gouleyante, une légère amertume en finale composent une bouteille équilibrée qui sera très agréable à l'apéritif.

Christian Lauverjat, Moulin des Vrillères, 18300 Sury-en-Vaux, tél. 02.48.79.38.28, fax 02.48.79.39.49, e-mail lauverjat.christian@wanadoo.fr

r.-v. 3

DOM. DE LA LOGE Renaissance 2006 ★★

0,3 ha 2 400 8 à 11 €

David Millet, à la tête du domaine familial depuis cinq ans, exploite quelque 8 ha de vignes. Sa cuvée Renaissance est une sélection issue de ceps de quatre-vingts ans, plantés sur des argiles à silex. Si l'élevage en fût marque discrètement le nez de notes vanillées et grillées, les arômes d'agrumes (pamplemousse) et de fleurs blanches tiennent toute leur place. Gras et fraîcheur se complètent harmonieusement au palais. Une élégante personnalité qui mérite d'accompagner des langoustes ou du poisson au beurre blanc. Une citation pour le **pouilly-sur-loire 2006 (3 à 5 €)**.

Millet, Soumard, 58150 Saint-Andelain, tél. 03.86.39.10.83, fax 03.86.39.05.49 r.-v.

DOM. MARIE-FRANCE MARCHAND 2006

0,53 ha 3 000 8 à 11 €

Ici, on cultive la vigne depuis le milieu du XVII^e^s. Marie-France Marchand a pris la succession de son mari Jacques Marchand en 2004. L'exploitation est installée dans une ancienne maison de mariniers de Loire et comporte une cave voûtée typique. Un fruité vif, aux évocations de bonbon anglais, se dégage avec discrétion de ce 2006. La nervosité au palais n'enlève rien à son élégance. La finale sur des notes d'agrumes (citron, mûr) est agréable. Un joli vin d'apéritif.

⊶ Marie-France Marchand, 47, rue Saint-Vincent, Les Loges, 58150 Pouilly-sur-Loire, tél. 09.50.53.28.84, fax 03.86.39.16.85, e-mail clementmarchand@hotmail.fr ☑ Ɪ ⛹ r.-v.

DOM. MASSON-BLONDELET Villa Paulus 2006

▒ 5,5 ha 36 000 ▮ 8 à 11 €

Jean-Michel Masson a commencé sa carrière à la Direction générale des Impôts. En 1975, il a épousé Michelle Blondelet, d'une vieille famille vigneronne. Leurs deux enfants travaillent sur le domaine. Jean-Michel Masson sélectionne ses cuvées selon les terroirs. Régulièrement retenue, la cuvée Villa Paulus naît de marnes kimméridgiennes. Le nez, typé et élégant, mêle les épices, des notes fumées et une nuance briochée. Ample en attaque, le palais fait preuve de rondeur, avant de finir sur une franche nervosité. L'ensemble devrait être prêt à la fin de l'année 2007 ; il pourra accompagner des noix de Saint-Jacques. Également cité, le **sancerre blanc Thauvenay 2006**.

⊶ Jean-Michel Masson, 1, rue de Paris, 58150 Pouilly-sur-Loire, tél. 03.86.39.00.34, fax 03.86.39.04.61, e-mail info@masson-blondelet.com ☑ Ɪ t.l.j. 9h-12h 13h30-17h30

JOSEPH MELLOT Le Troncsec 2006 ★★

▒ 9,19 ha 78 000 ▮ 8 à 11 €

Après la disparition d'Alexandre Mellot en 2006, c'est Catherine Corbeau-Mellot qui préside aux destinées d'un domaine fondé par un ancêtre sous le règne de François Ier. La complexité du terroir (argilo-calcaire recouvert de silex) fait ici la complexité du cru. La typicité est bien définie : les notes minérales du terroir se mêlent aux nuances végétales du cépage, les arômes fruités côtoient les senteurs florales. Sucrosité et vivacité se fondent pour donner à l'ensemble élégance et puissance. Un pouilly-fumé riche pour un poisson au beurre blanc.

⊶ SARL Vignobles Joseph Mellot, rte de Ménétréol, 18300 Sancerre, tél. 02.48.78.54.54, fax 02.48.78.54.55, e-mail josephmellot@josephmellot.com ☑ Ɪ ⛹ t.l.j. sf sam. dim. 8h15-12h 13h30-17h

⊶ Catherine Corbeau-Mellot

FRÉDÉRIC MICHOT
Cuvée Sainte-Clara Vieilles Vignes 2006 ★

▒ 1,36 ha 8 000 ▮ 5 à 8 €

Frédéric Michot a repris en 2004 le domaine familial et ses pouilly-fumés sont régulièrement retenus. Un terroir d'argiles à silex, des vignes âgées, une vinification soignée aboutissent à cette cuvée au nez aussi intense qu'agréable, associant les agrumes et les fruits confits à une touche végétale. On retrouve la fraîcheur des agrumes, assortie de notes épicées, au sein d'une bouche riche et équilibrée. Cette bouteille s'accordera aussi bien avec des crustacés qu'avec un poisson en sauce.

⊶ Frédéric Michot, 11, rue de la Citadelle, Soumard, 58150 Saint-Andelain, tél. 03.86.39.03.54, fax 03.86.39.08.57, e-mail michot.frederic@wanadoo.fr ☑ Ɪ r.-v.

JEAN-PAUL MOLLET Les Sables 2006 ★★

▒ 2 ha 15 000 ▮ 8 à 11 €

Comme son nom ne le signifie pas, cette cuvée Les Sables provient de marnes kimméridgiennes. Au nez, elle dévoile des nuances fruitées intenses (pêche, poire) d'une grande finesse. En bouche aussi, on croque le fruit. La structure est construite sur le gras, la finale se montre longue et assez chaleureuse. Un ensemble équilibré et gourmand que l'on pourra déboucher à l'apéritif. Classique de l'appellation, la cuvée **L'Antique 2006** est citée.

⊶ Jean-Paul Mollet, 11, rue des Écoles, Boisgibault, 58150 Tracy-sur-Loire, tél. 02.48.54.13.88, fax 02.48.54.09.28, e-mail jpmollet@wanadoo.fr ☑ Ɪ ⛹ t.l.j. 8h-12h 14h-19h

JONATHAN PABIOT 2006

▒ 2 ha 10 000 ▮ 8 à 11 €

Tout jeune vigneron, Jonathan Pabiot a repris les vignes de son grand-père en 2005. Pour son second millésime, il propose cette cuvée à l'olfaction dominée par les notes variétales : nuances végétales (buis, genêt) et agrumes (citron, pamplemousse). L'attaque se fait *mezzo voce*, puis la bouche prend de l'ampleur, soutenue par une légère amertume. Un côté acidulé réveille la finale. Un archétype de l'appellation à servir avec du poisson en sauce.

⊶ Jonathan Pabiot, 1, rue Saint-Vincent, Les Loges, 58150 Pouilly-sur-Loire, tél. 03.86.39.01.32, fax 03.86.39.03.27, e-mail pabiot-jonathan@wanadoo.fr ☑ Ɪ ⛹ t.l.j. 9h-12h 14h-18h30; sam. dim. sur r.-v.

DOMINIQUE PABIOT Cuvée Plaisir 2006 ★★

▒ 1,06 ha 4 080 ▮ 11 à 15 €

Les Pabiot sont légion à Pouilly-sur-Loire. Fils de Jean, Dominique s'est installé en 1997 sur 10 ha de vignes. Sa cuvée Plaisir plaît déjà dans le verre : sa robe s'anime de reflets argentés. Expressif, fondu et complexe, le nez associe un fruité exotique, des notes confiturées d'abricot et des nuances briochées et beurrées. La bouche riche et ample s'impose par son gras. La finale acidulée souligne les arômes et leur communique une belle persistance. L'objectif est atteint, le nom de la cuvée bien choisi.

⊶ Dominique Pabiot, pl. des Mariniers, Les Loges, 58150 Pouilly-sur-Loire, tél. 03.86.39.19.09, fax 03.86.39.09.91, e-mail contact@dominiquepabiot.com ☑ Ɪ ⛹ r.-v.

DOM. DIDIER PABIOT 2006 ★

▒ 1 ha 6 000 ▮ 8 à 11 €

Du haut d'une colline, au-dessus du vieux village des Loges, Didier Pabiot a une vue imprenable sur la Loire. Il signe un pouilly-fumé au nez d'une « délicatesse d'aquarelle », fait de citron et de fleurs blanches (aubépine). L'attaque est souple, le milieu de bouche délivre doucement d'agréables impressions. La finale est marquée par un retour du citron tout en finesse. De la même propriété, la **cuvée principale** (étiquette jaune, 80 000 bouteilles) est citée pour l'intensité de ses arômes.

⊶ Didier Pabiot, 1, rue Saint-Vincent, Les Loges, 58150 Pouilly-sur-Loire, tél. 03.86.39.01.32, fax 03.86.39.03.27, e-mail didier-pabiot@wanadoo.fr ☑ Ɪ ⛹ t.l.j. 9h-12h 14h-18h30; sam. dim. sur r.-v.

DOM. DU PETIT SOUMARD 2006

▒ 16 ha 106 000 ▮ 5 à 8 €

En mémoire de leur père Marcel qui aimait aller de l'avant, Emmanuel et Thierry Langoux ont mis en œuvre des techniques modernes de vinification. Leur cuvée principale s'annonce par un nez joliment fleuri (rose), légèrement brioché. Après une attaque ample, une fraîcheur minérale apparaît jusqu'à la finale pleine de vivacité.

Pour accompagner des fruits de mer. La cuvée **Vieilles Vignes 2006 (8 à 11 €)**, élevée en fût, obtient la même note pour son potentiel de garde. On l'attendra un an avant de la servir avec une volaille à la crème.
EARL Marcel Langoux, Dom. du Petit Soumard, 58150 Saint-Andelain, tél. 03.86.39.11.17, fax 03.86.39.13.62 t.l.j. 9h-12h 13h30-19h

DOM. DES RABICHATTES 2006 **

10 ha 60 000 5 à 8 €

Gérard Grebet et son fils sont installés dans le village vigneron des Loges, tout près de la Loire. Ils signent un pouilly-fumé très typé. Le nez exprime toute la gamme des arômes variétaux : fleurs blanches, citron, lierre, avec une touche minérale. L'attaque est remarquable d'équilibre et goûteuse. Le palais réunit, dans un beau fondu, gras et vivacité. Un pouilly-fumé complexe et nuancé qui appelle une poularde de Bresse en sauce. Une étoile pour le **pouilly-sur-loire 2006 Grebet et Fils (3 à 5 €)**.
Gérard Grebet et Fils, Les Loges, 58150 Tracy-sur-Loire, tél. 03.86.39.00.11, fax 03.86.39.04.50, e-mail scea.grebet@tiscali.fr
r.-v.

GUY SAGET Les Logères 2006 **

10,67 ha 92 533 8 à 11 €

Importante maison de négoce, la cave Guy Saget voit encore deux de ses cuvées bien accueillies dans ce millésime 2006. Déjà fort remarquée l'an dernier, la cuvée Les Logères présente un nez encore timide, mais d'une remarquable finesse, mêlant fruits blancs (pêche, poire) et fleurs blanches. En bouche, ce pouilly-fumé conjugue rondeur et vivacité en un bel équilibre. Il fait preuve d'une réelle complexité et d'une superbe longueur. Un coup de cœur fut mis aux voix... La cuvée **Les Genièvres 2006** est citée, pour la minéralité de ses arômes.
SA Guy Saget, La Castille, 58150 Pouilly-sur-Loire, tél. 03.86.39.57.75, fax 03.86.39.08.30
t.l.j. sf dim. 8h-12h 14h-19h
J.-L. Saget

DOM. HERVÉ SEGUIN Cuvée Prestige 2006 *

2 ha 14 000 8 à 11 €

Hervé Seguin et son fils Philippe perpétuent une tradition vigneronne qui remonte à la fin du XIXe s. Leur cuvée Prestige délivre des parfums intenses, dominés par les agrumes. L'attaque est directe et nette, le milieu de bouche et la finale apparaissent construits autour d'une acidité suffisamment contrebalancée par de la sucrosité ; la finale montre une belle persistance. Un ensemble agréable et bien fait, qui peut attendre un an ou deux.
Dom. Seguin, Le Bouchot, 58150 Pouilly-sur-Loire, tél. 03.86.39.10.75, fax 03.86.39.10.26, e-mail herve.seguin@wanadoo.fr
t.l.j. 9h-12h 14h-18h

DOM. THIBAULT 2006

15 ha 95 000 8 à 11 €

C'est en 1980 qu'André Dezat et ses fils, producteurs illustres de sancerre, se sont constitué un vignoble en pouilly-fumé. Ils signent un 2006 au nez intense marqué par un fruité mêlé de notes florales. Le palais équilibré est dominé par des impressions acidulées aux nuances de citron mûr ; cette bouteille s'entendra assurément avec des crustacés.
SCEV André Dezat et Fils, rue des Tonneliers, Chaudoux, 18300 Verdigny, tél. 02.48.79.38.82, fax 02.48.79.38.24 r.-v.

JEAN-BAPTISTE THIBAULT La Chesnaie 2006 **

n.c. 40 000 8 à 11 €

Catherine Mellot, entourée d'une équipe expérimentée, perpétue aujourd'hui la longue tradition de la maison Joseph Mellot. Le résultat se traduit dans la qualité de cette belle bouteille. Pierre à fusil et fleur d'acacia composent un nez aussi élégant que typé. La bouche ample et volumineuse associe harmonieusement le gras et la vivacité. Déjà remarquable, l'ensemble devrait se bonifier encore : gratin de cèpes, ris de veau aux morilles, cassolette de pétoncles ou de noix de Saint-Jacques : les accords suggérés sont décidément gastronomiques.
SA Joseph Mellot, rte de Ménétréol, 18300 Sancerre, tél. 02.48.78.54.54, fax 02.48.78.54.55, e-mail josephmellot@josephmellot.com
t.l.j. sf sam. dim. 8h15-12h 13h30-17h
Catherine Corbeau-Mellot

F. TINEL-BLONDELET Genetin 2006 *

3 ha 20 000 8 à 11 €

Régulièrement mentionnée, cette cuvée issue de calcaires de Villiers rappelle par son nom le genêt. De fait, elle livre d'emblée des parfums végétaux (buis, lierre) avant que le nez ne s'ouvre sur les fruits jaunes (pêche). L'attaque est marquée par l'équilibre des saveurs : l'acidité est bien contenue en une jolie fraîcheur. La persistance est bonne et la finale donne l'impression de croquer dans le fruit. Un réel potentiel pour ce vin que l'on peut attendre un à deux ans. Le **sancerre blanc La Croix Canat 2006** du domaine est cité.
Dom. Tinel-Blondelet, La Croix-Canat, 58150 Pouilly-sur-Loire, tél. 03.86.39.13.83, fax 03.86.39.02.94, e-mail tinel-blondelet@wanadoo.fr
t.l.j. 9h-12h30 14h-18h
Annick Tinel

Pouilly-sur-loire

GILLES CHOLLET 2006 *

0,75 ha 2 500 3 à 5 €

Cela fait presque vingt ans que Gilles Chollet est à la tête de ce domaine d'un peu plus de 10 ha, qu'il tient de son père. Dans le millésime 2006, son pouilly-sur-loire offre un nez de bonne intensité avec des senteurs d'amande fraîche auxquelles se mêlent une nuance végétale et une note florale. À la rondeur et au gras de l'attaque succède une belle vivacité, soulignée en finale par des notes citronnées. Un vin bien structuré que l'on suggère sur une salade de raie. Le **pouilly-fumé 2006 (5 à 8 €)** est cité.
Gilles Chollet, Le Bouchot, 58150 Pouilly-sur-Loire, tél. 03.86.39.02.19, fax 03.86.39.06.13, e-mail gilleschollet@wanadoo.fr
t.l.j. 10h-12h15 14h-18h; f. 15-30 août

DOM. NICOLAS GAUDRY 2006 **

0,54 ha 4 830 3 à 5 €

Jeune viticulteur, Nicolas Gaudry reste fidèle au chasselas, et cette cuvée lui donne raison. Les arômes expressifs évoquent le souci et le bois fendu, auxquels

s'ajoute une insistante nuance poivrée. Mâche, rondeur et fermeté caractérisent la bouche qui persiste longuement sur des saveurs d'agrumes. Pour des quenelles de brochet.
Nicolas Gaudry, Boisgibault, 58150 Tracy-sur-Loire, tél. 06.08.98.95.78, fax 03.86.26.18.05
t.l.j. 9h-12h 14h-17h; sam. dim. sur r.-v.

DOM. LANDRAT-GUYOLLOT
La Roselière 2006 ★

0,6 ha 4 800 5 à 8 €

Une parure or pâle à jolis reflets verts et argentés habille cette bouteille au nez intense, qui exprime tout son terroir à l'aération. Plein en bouche, vif en finale, ce qui lui confère du relief, et avec un beau retour aromatique, c'est un digne représentant de l'appellation. À réserver à une brochette de la mer.
Dom. Landrat-Guyollot, Les Berthiers, 58150 Saint-Andelain, tél. 03.86.39.11.83, fax 03.86.39.11.65
t.l.j. 9h-12h 13h-18h; sam. dim. sur r.-v.

DOM. DE RIAUX Vieilles Vignes 2006

0,4 ha 3 000 5 à 8 €

Les parfums de ce pouilly-sur-loire sont prenants et les nuances olfactives variées : pistache, notes végétales, citron vert. Après une attaque pleine et même charnue, la bouche se fait plus légère. Une fine vivacité avec des nuances d'agrumes relève la finale avec bonheur. Un pouilly-sur-loire caractéristique des terroirs d'argiles à silex, qui s'entendra bien avec des crustacés.
GAEC Jeannot Père et Fils, Dom. de Riaux, 58150 Saint-Andelain, tél. 03.86.39.11.37, fax 03.86.39.06.21, e-mail alexis.jeannot@wanadoo.fr
r.-v.

Quincy

C'est sur les bords du Cher, non loin de Bourges et près de Mehun-sur-Yèvre, lieux riches en souvenirs historiques du XVIe s., que les vignobles de Quincy et de Brinay s'étendent sur 223 ha, sur des plateaux de graves sablo-argileuses sur calcaires lacustres.

Le seul cépage sauvignon blanc fournit les quincy (12 283 hl en 2006), qui présentent une grande légèreté, une certaine finesse et de la distinction dans le type frais et fruité.

Si, comme l'écrivait le Dr Guyot au XIXe s., le cépage domine le cru, le quincy apporte aussi la démonstration que, dans une même région, la même variété peut s'exprimer en vins différents selon la nature des sols ; et c'est tant mieux pour l'amateur, qui trouvera ici l'un des plus élégants vins de Loire, à déguster avec les poissons et les fruits de mer aussi bien qu'avec les fromages de chèvre.

DOM. DES BALLANDORS 2006 ★

n.c. 66 900 5 à 8 €

Les vignes de ce domaine, gouverné par une demeure du XIVe s, sont implantées sur d'anciennes terrasses sableuses du Cher. Elles ont donné un vin dominé par des arômes végétaux (buis) avec des notes florales bien présentes. À la vivacité de l'attaque succède de la souplesse jusqu'à une finale marquée par les agrumes. Un quincy bien typé.
Chantal Wilk et Jean Tatin, Le Tremblay, 18120 Brinay, tél. 02.48.75.20.09, fax 02.48.75.70.50, e-mail jeantatin@wanadoo.fr r.-v.

GÉRARD BIGONNEAU 2006 ★

2,5 ha 15 000 5 à 8 €

Cette cuvée a inauguré le nouveau chai, construit en 2006 par Gérard Bigonneau avec les conseils avisés de sa fille Virginie, œnologue. Ses arômes sont complexes et intenses : anis, fraise des bois, pâte d'amandes. La bouche montre dès l'attaque beaucoup d'onctuosité et même une pointe de douceur, équilibrées par une fraîcheur citronnée. Un quincy sympathique qui s'accommodera d'un sandre au beurre blanc.
Gérard Bigonneau, La Chagnat, 18120 Brinay, tél. 02.48.52.80.22, fax 02.48.52.83.41
r.-v.

DOM. DES BRUNIERS 2006

10 ha 50 000 5 à 8 €

Encore discrète à l'olfaction, cette bouteille révèle néanmoins de l'élégance à travers des notes fruitées et minérales. En bouche, la présence d'un petit perlant n'empêche pas ses qualités de transparaître : attaque soutenue, finesse et équilibre.
Jérôme de La Chaise, Les Bruniers, 18120 Quincy, tél. et fax 02.48.51.34.10
t.l.j. 10h-12h 14h-18h; dim. sur r.-v.

DOM. DE CHEVILLY Cuvée Tradition 2006

6,5 ha 51 000 5 à 8 €

Installés depuis 1994, Yves et Antoine Lestourgie ont développé leur domaine en plantant chaque année. Deux termes résument leur millésime 2006 : fraîcheur et acidulé. L'olfaction délivre, en effet, des senteurs amyliques mêlées de notes d'agrumes et de buis. Au palais, la nervosité succède à la souplesse de l'attaque. Plaisante, cette bouteille sera en harmonie avec un crottin de Chavignol.
Lestourgie, 52, rte de Chevilly, 18120 Méreau, tél. et fax 02.48.52.80.45, e-mail domaine.de.chevilly@free.fr r.-v.

CLOS DE LA VICTOIRE 2006 ★★

1,75 ha 14 700 5 à 8 €

Les arômes enchanteurs dansent avec subtilité dans le verre : fruits mûrs (coing), pointe florale, touche de réglisse. La bouche est charmeuse : franche en attaque, elle déroule un tapis de gras et de vivacité. Bien équilibrée, elle persiste longuement sur des notes de fruits blancs et de la minéralité. De la matière, de la complexité, pour un vrai vin de plaisir passé pas très loin du coup de cœur...
SARL Dom. Jean-Michel Sorbe, Le Buisson-Long, rte de Quincy, 18120 Brinay, tél. 02.48.51.30.17, fax 02.48.51.35.47, e-mail jeanmichelsorbe@jeanmichelsorbe.com
r.-v.
Catherine Mellot

DOM. DE LA COMMANDERIE 2006 ★

7,14 ha 50 000 5 à 8 €

Un domaine qui n'en est pas à sa première mention dans le Guide. Son 2006, dans une robe or pâle à reflets

LOIRE

argentés, fait preuve d'une grande douceur à l'olfaction. Pâte de fruits et poire, les arômes élégants demandent à s'ouvrir. La sucrosité de la bouche met en valeur la belle concentration et l'agréable fruité. Un vin équilibré à servir sur un poisson.
🔑 EARL de La Commanderie, Boisgisson,
18120 Cerbois, tél. 02.48.51.30.16, fax 02.48.51.32.94,
e-mail jcborgnat@aol.com ☑ Y 🚶 r.-v. 🏠 Ⓑ
🔑 Borgnat

DOM. DES CROIX 2006

▒ 3,5 ha 12 000 ▮ 5 à 8 €

Ce quincy a besoin d'être aéré pour libérer ses arômes assez discrets, plutôt végétaux. Souple en attaque, la bouche montre ensuite de la chaleur avant une agréable finale bien bâtie sur la minéralité. Un vin de caractère, pour un poisson grillé à l'oseille.
🔑 Sylvie Rouzé, chem. des Vignes, 18120 Quincy,
tél. 02.48.51.35.61, fax 02.48.51.05.00,
e-mail rouze@terre-net.fr ☑ Y 🚶 r.-v.

PIERRE DURET 2006 *

▒ 11,72 ha 86 000 ▮ 5 à 8 €

Après aération, ce 2006 révèle un bouquet marqué par un fruité exotique (ananas, mangue) et de la minéralité. Après une attaque souple, la bouche est grasse et ample et affiche une longue finale. Un vin croquant qui sera prêt à la sortie du Guide.
🔑 SARL Dom. Pierre Duret,
Le Buisson-Long, rte de Quincy, 18120 Brinay,
tél. 02.48.51.30.17, fax 02.48.51.35.47,
e-mail domainepierreduret@wanadoo.fr ☑ Y 🚶 r.-v.
🔑 Catherine Mellot

JEAN-PAUL GODINAT
Cuvée traditionnelle 2006 *

▒ 7 ha 60 000 ▮ 5 à 8 €

Le jury a retenu dans le millésime 2006 trois vins de Jean-Paul Godinat. Cette Cuvée traditionnelle est la mieux notée. De bonne intensité, elle exhale des senteurs fruitées (pomme, poire) et fraîches (végétal, agrumes). Équilibrée et souple en attaque, assez douce puis citronnée, elle monte en puissance et laisse une bonne impression. Une réussite pour ce millésime. Séduisants par leur intensité olfactive, le **Domaine des Coudereaux 2006** et la cuvée **Jean-Paul Godinat 2006** sont cités.
🔑 SCEA Les Coudereaux, 34, rte de Bourges,
18510 Menetou-Salon, tél. 02.48.64.88.88,
fax 02.48.64.87.97,
e-mail chais.du.val.de.loire@wanadoo.fr
☑ Y 🚶 t.l.j. sf sam. dim. 8h-11h45 13h45-17h15
🔑 Jean-Paul Godinat

DOM. DU GRAND ROSIÈRES 2006 *

▒ 4 ha 20 000 ▮ 5 à 8 €

Producteur de poulets et de céréales jusqu'en 1994, Jacques Siret a alors diversifié son activité en achetant 1,5 ha de vignes. Aujourd'hui, il en possède cinq. Son quincy revêt une robe dorée qui annonce un nez surmûri d'agrumes et de fruits mûrs auxquels s'ajoute une touche beurrée. Tout en souplesse et en rondeur, la bouche se montre chaleureuse et néanmoins équilibrée et de bonne longueur. Un quincy caractéristique de son millésime.
🔑 Jacques Siret, SCEA Dom. du Grand Rosières,
18400 Lunery, tél. 02.48.68.90.34, fax 02.48.68.03.71,
e-mail jacquessiret@wanadoo.fr ☑ Y 🚶 r.-v.

DOM. LECOMTE Vieilles Vignes 2006 **

▒ 1 ha 44 000 ▮ 5 à 8 €

C'est en 1995 que Bruno Lecomte a acheté son premier hectare de vigne. Il a ensuite progressivement agrandi sa propriété qui totalise aujourd'hui 7 ha et qu'il travaille avec passion et sérieux comme en témoigne ce coup de cœur. Cette bouteille se présente dans une robe éclatante à reflets dorés. De bonne intensité, le nez exhale une belle palette d'arômes : fleurs, cassis, fruits exotiques, touche muscatée. En bouche, le gras est ciselé d'une fine acidité et, en finale, on retrouve la richesse aromatique du nez (mangue, fruit de la Passion, pêche, anis). Puissant et complexe, voici un quincy d'une maturité remarquable. Deux étoiles également pour le **Domaine Lecomte 2006**, délicat et expressif.
🔑 Lecomte, 105, rue Saint-Exupéry, 18520 Avord,
tél. 02.48.69.27.14, fax 02.48.69.16.42,
e-mail quincy.lecomte@wanadoo.fr Y 🚶 r.-v. 🏠 Ⓒ

DOM. MARDON Cuvée Saint-Edme 2006 *

▒ 1,5 ha 12 000 ▮ 5 à 8 €

De jolies senteurs – cassis, abricot très mûr, fleurs blanches (acacia, jasmin), menthe sauvage – réjouissent le palais dès le premier abord. La bouche est bien construite, franche tout en restant légère. Un quincy friand, gourmand qui saura entretenir la convivialité d'un apéritif. Élégant et complexe, le **Domaine Mardon 2006 (cuvée principale)** reçoit également une étoile.
🔑 Dom. Mardon, 40, rte de Reuilly, 18120 Quincy,
tél. 02.48.51.31.60, fax 02.48.51.35.55,
e-mail contact@domaine-mardon.com ☑ Y 🚶 r.-v.
🔑 Hélène Mameaux

DAVID ET VIRGINIE PAEPEGAEY
Vieilles Vignes 2005

▒ 5,66 ha 25 000 ▮ 5 à 8 €

Jeune vigneron et autodidacte, David Paepegaey a repris cette propriété en 1999. Sa cuvée Vieilles Vignes naît de ceps de plus de cinquante ans. Vivacité et persistance animent un nez qui respire la jeunesse (agrumes, seringa). Après une attaque fluide, on reste sur des impressions de souplessse. La finale est agréablement rehaussée par une fraîcheur bienvenue. Pour un brochet à la crème.
🔑 David Paepegaey, 3, rte de Mehun, 18120 Quincy,
tél. 02.48.51.39.76, fax 02.48.51 35.37,
e-mail david.paepegaey@netcourrier.com ☑ Y 🚶 r.-v.

DOM. ANDRÉ PIGEAT 2006

▒ 6 ha 20 000 ▮ 5 à 8 €

Depuis 2001, Philippe Pigeat est seul aux commandes du domaine créé par son père en 1967 et qui porte

toujours le prénom de ce dernier. Son quincy mêle au nez des notes de fleurs blanches, de citron et des nuances fruitées. Après une attaque souple, le vin glisse en bouche et finit sur des arômes amyliques (banane). À servir sur un fromage de chèvre.
Dom. André Pigeat, 18, rte de Cerbois, 18120 Quincy, tél. 02.48.51.31.90, fax 02.48.51.03.12, e-mail gaec.pigeat.viticulteur@wanadoo.fr
t.l.j. 8h30-12h30 13h30-20h
Philippe Pigeat

PHILIPPE PORTIER 2006 *

13 ha 80 000 8 à 11 €

Allez tout d'abord admirer les fresques des XIe et XII[e]s. de l'église de Brinay, représentée sur l'étiquette de cette bouteille. Puis arrêtez-vous au domaine pour goûter ce vin au nez intense qui développe avec beaucoup d'élégance des arômes de fleurs, d'agrumes et de réglisse. La dégustation est dans le même registre. Elle commence tout en douceur puis révèle du gras tandis qu'une impression de fraîcheur coiffe parfaitement l'ensemble. Un quincy plein de personnalité à réserver à un poisson.
EARL Philippe Portier, Bois-Gy-Moreau, 18120 Brinay, tél. 02.48.51.04.47, fax 02.48.51.00.96, e-mail philippe.portier@wanadoo.fr r.-v.

VALÉRY RENAUDAT 2006 **

3 ha 24 000 5 à 8 €

Des senteurs intenses et complexes se dégagent : fleurs blanches, notes fumées avec une pointe muscatée. Ample, la bouche révèle du gras et de la puissance. La persistance aromatique est remarquable sur de très fines nuances de menthe et de gelée de coings. Un quincy plein de charme pour accompagner des crustacés.
Dom. Valéry Renaudat, 3, pl. des Écoles, 36260 Reuilly, tél. 02.54.49.38.12, fax 02.54.49.38.26, e-mail domainevaleryrenaudat@cegetel.net r.-v.

DOM. ADÈLE ROUZÉ 2006 *

1,46 ha 12 500 5 à 8 €

La nouvelle cave, avec son équipement modernisé, offre davantage de place pour recevoir les visiteurs. C'est là que vous pourrez découvrir ce vin au nez harmonieux, où les parfums floraux et fruités cèdent avec élégance la place à des arômes minéraux et à des nuances fumées. La bouche montre également une belle progression : après une attaque douce et fruitée, une légère fraîcheur citronnée se prolonge jusqu'à la finale marquée par un retour fruité. Un quincy dynamique à apprécier sur des produits de la mer.
Adèle Rouzé, chem. des Vignes, 18120 Quincy, tél. 02.48.51.35.61, fax 02.48.58.90.56, e-mail adelerouze@wanadoo.fr r.-v.

JACQUES ROUZÉ 2006 *

11 ha 80 000 5 à 8 €

Pour les vendanges 2007, Jacques Rouzé annonce qu'il sera installé dans son nouveau chai en construction. Mais intéressons-nous plutôt à ce 2006 au nez intense marqué par des notes de fleurs blanches et d'agrumes. Après une attaque fraîche, la bouche évolue en souplesse jusqu'à la finale légère et équilibrée. Sont citées la **cuvée Vignes d'Antan 2006** pour sa suavité et la **cuvée Les Noces 2005 (8 à 11 €)** pour son nez très aérien.
Jacques Rouzé, chem. des Vignes, 18120 Quincy, tél. 02.48.51.35.61, fax 02.48.51.05.00, e-mail rouze@terre-net.fr r.-v.

DOM. VINCENT SIRET COURTAUD 2006

2 ha 10 000 5 à 8 €

Après avoir travaillé à Gaillac comme œnologue pendant quatre ans, Vincent Siret Courtaud s'est installé en 2006 sur ce domaine de 10 ha. Voici donc sa première récolte. Son vin délivre des parfums légers et de bonne qualité de pamplemousse et de poire. Souple en attaque et suave, il s'achève avec discrétion et délicatesse sur de belles sensations fruitées. Pour accompagner des fruits de mer.
Vincent Siret Courtaud, Le Grand Rosières, 18400 Lunery, tél. et fax 02.48.68.92.18, e-mail vincesiret@hotmail.com r.-v.

DOM. DU TREMBLAY 2006 **

7 ha 50 000 5 à 8 €

Un domaine du XVIII[e]s., caractéristique des grandes fermes du Berry avec sa vaste cour carrée, auquel Jean Tatin a ajouté une cave enterrée et un caveau de dégustation pour les groupes. Pour la deuxième année consécutive, ce producteur décroche un coup de cœur. Cette bouteille en séduira plus d'un avec son nez riche aux arômes fruités et floraux nuancés de minéralité et de fumé. La bouche laisse monter très harmonieusement fruité mûr et vivacité. Riche et pur, c'est un vin racé. Une citation va à la **cuvée Vieilles Vignes 2006** pour son volume et sa fraîcheur soutenue. Toute la production de l'exploitation est ainsi retenue.
Jean Tatin, Le Tremblay, 18120 Brinay, tél. 02.48.75.20.09, fax 02.48.75.70.50, e-mail jeantatin@wanadoo.fr r.-v.

DOM. TROTEREAU 2006

10 ha 20 000 5 à 8 €

Dans ce domaine familial, c'est le plus ancien qui goûte les raisins et donne son assentiment pour commencer la vendange. Toutefois, Pierre Ragon apprécie les technologies modernes, à condition qu'elles renforcent la tradition. Après un premier nez discrètement floral, l'aération révèle un fruité surmûri qui se confirme dans une bouche au gras prononcé et d'une rondeur qui peut déconcerter. Une note fraîche d'agrumes réveille la finale. Cette bouteille sera prête à la sortie du Guide. La **cuvée Vieilles Vignes 2006** est citée pour ses qualités aromatiques.

LOIRE

🔑 Pierre Ragon, rte de Lury, 18120 Quincy,
tél. et fax 02.48.51.32.23, e-mail p-ragon@hotmail.com
r.-v.

DOM. DES VICTOIRES 2006 *

	4 ha	25 000		8 à 11 €

D'une teinte pâle, plus proche du platine que de l'or, ce vin possède un nez discret et fin aux senteurs d'ananas et de buis. La bouche, droite, est pleine de vivacité, nerveuse même. Un quincy équilibré sur lequel on peut miser sans risque.

🔑 Dom. des Victoires, Bois Rameau, 18120 Brinay,
tél. 02.48.51.04.47, fax 02.48.51.00.96,
e-mail philippe.portier@wanadoo.fr r.-v.

Reuilly

Par ses coteaux accentués et bien ensoleillés, ses sols remarquables, Reuilly était prédestiné à la plantation de la vigne. Sur une superficie de 186 ha, l'appellation recouvre sept communes situées dans l'Indre et le Cher, dans une région charmante traversée par les vertes vallées du Cher, de l'Arnon et du Théols. Elle a produit 8 941 hl en 2006.

Le sauvignon blanc produit 4 528 hl dans la gamme des blancs secs et fruités, qui prennent ici une ampleur remarquable. Le pinot gris fournit localement un rosé de pressoir tendre, délicat, distingué à souhait, mais qui risque de disparaître, supplanté par le pinot noir dont on tire également d'excellents rosés, plus colorés, frais et gouleyants, mais surtout des rouges pleins, enveloppés, toujours légers, au fruité affirmé.

DOM. AUJARD 2006

	3,5 ha	17 200		5 à 8 €

Après un coup de cœur dans la précédente édition du Guide pour un rosé, Bernard Aujard est aujourd'hui retenu dans les deux autres couleurs. Le blanc, reuilly de grande maturation, offre un nez expressif évoquant la pâte de fruits et le sucre d'orge. Après une attaque tendre, l'équilibre se fait sur la douceur. Cette bouteille pourra vieillir deux ou trois ans et accompagner un foie gras poêlé. Avec ses tanins légers et fondus, le **rouge 2006** est également cité.

🔑 EARL Bernard Aujard, 2, rue du Bas-Bourg,
18120 Lazenay, tél. 02.48.51.73.69, fax 02.48.51.79.74,
e-mail domaineaujard@wanadoo.fr
t.l.j. 8h-12h 14h-18h30; dim. sur r.-v.

LES BERRYCURIENS Les Chatillons 2006 ***

	0,7 ha	4 000		5 à 8 €

Vingt-huit amis ayant en commun l'amour de leur région, le Berry, et du vin se sont associés pour créer en 1995 les BerryCuriens. Depuis, ils poursuivent leur aventure avec opiniâtreté comme en témoignent ces trois étoiles qui distinguent aujourd'hui leur reuilly rosé. D'une couleur pâle, saumonée, à reflets argentés, ce vin délivre des senteurs élégantes et complexes de fraise et de pêche ainsi que des notes minérales. La bouche associe harmonieusement élégance et vinosité et la persistance aromatique est remarquable... Un superbe rosé à ouvrir en début de repas et à ne plus lâcher jusqu'à la fin. Le **quincy Villalin Vieilles Vignes 2006** est cité.

🔑 SCEV Les BerryCuriens,
Le Buisson Long, rte de Quincy, 18120 Brinay,
tél. 02.48.51.30.17, fax 02.48.51.35.47,
e-mail lesentierduvin@lesentierduvin.com r.-v.

FRANÇOIS CHARPENTIER 2006 **

	3,5 ha	15 000		5 à 8 €

Souvent sélectionné dans le Guide, et en bonne place, François Charpentier poursuit avec sérieux et ténacité sa quête de qualité. En témoigne ce reuilly blanc couronné par le jury. Le nez puissant et fruité se partage entre l'ananas frais et l'abricot. Après une attaque tendre, la bouche se montre riche et puissante, bien onctueuse et fait preuve d'une longue persistance aromatique. Pour un foie gras poêlé ou un poisson à la crème. Une citation revient au **rouge 2006**.

🔑 François Charpentier,
SCEA du Bourdonnat, 12, rue Jean-Jaurès,
36260 Reuilly, tél. 02.54.49.28.74, fax 02.54.49.29.91
r.-v.

CHANTAL ET MICHEL CORDAILLAT 2006 **

	0,7 ha	4 000		5 à 8 €

Année faste pour Chantal et Michel Cordaillat dont trois vins ont été remarqués par le jury ! Tout d'abord, ce rosé d'une belle couleur saumon clair aux reflets argentés, qui reçoit un coup de cœur. Le nez révèle une belle finesse fruitée ainsi qu'une grande minéralité. Riche et charpenté, ce vin fait montre d'une rare persistance. À servir sur une volaille à la crème. Le **rouge 2006** aux arômes fruités reçoit une étoile. Enfin, le **blanc 2006** est cité pour son volume en bouche.

🔑 Dom. Cordaillat, Le Montet, 18120 Méreau, tél. 02.48.52.83.48, fax 02.48.52.83.09, e-mail michel.cordaillat@wanadoo.fr
☑ Y ⚘ t.l.j. 10h-12h 15h-19h; dim. matin

LES DEMOISELLES TATIN
La Commanderie 2006

■ 1,5 ha n.c. ▮ 5 à 8 €

Le logo qui figure sur l'étiquette est inspiré d'un bronze de Tempereau, artiste angevin, consacré aux trois Grâces et qui entremêle le végétal et l'humain. Rubis clair à légers reflets violets, ce vin dégage avec puissance des notes de fruits rouges et de sous-bois. Il possède de la matière en bouche et quelques mois achèveront d'harmoniser sa structure.

🔑 SCEV Les Demoiselles Tatin, Le Tremblay, 18120 Brinay, tél. 02.48.75.20.09, fax 02.48.75.70.50
☑ Y ⚘ r.-v. 🏠 E

DYCKERHOFF 2006 *

■ 1,1 ha 10 000 5 à 8 €

Issu de jeunes vignes de sept ans, ce vin n'en est pas moins fort intéressant. Après un premier nez floral (aubépine), il dévoile à l'aération des notes fruitées (pêche blanche). En bouche, la finesse est le trait d'union entre la tendresse et la fraîcheur. Un reuilly jovial qui pourra accompagner un poisson en sauce dans les deux à trois prochaines années.

🔑 Bénédicte et Christian Dyckerhoff, Le Carroir-du-Gué, 18290 Plou, tél. 02.48.26.20.46, fax 02.48.26.22.67, e-mail contact@carroirdugue.com
☑ Y r.-v.

JEAN-SYLVAIN GUILLEMAIN 2006 *

■ 1,4 ha 5 500 ▮ 5 à 8 €

Une robe pourpre à reflets violets habille cette bouteille au nez puissant, agréable et complexe (cassis, mûre, fraise). Les tanins sont de bonne qualité et bien équilibrés jusque dans une finale sur le fruit. Un reuilly prometteur, à réserver à une viande rouge. Le **rosé 2006** reçoit une étoile pour sa maturité. Quant au **blanc 2006**, il est cité pour son intensité aromatique.

🔑 EARL Guillemain, Palleau, 18120 Lury-sur-Arnon, tél. 02.48.52.99.01, fax 02.48.52.99.09, e-mail contact@guillemain.com ☑ Y ⚘ r.-v.

CLAUDE LAFOND La grande Pièce 2006 **

■ 3,04 ha 16 800 ▮ 5 à 8 €

Issu d'une famille ancrée depuis longtemps dans l'appellation, Claude Lafond s'est diversifié dans les vignobles voisins (AOC valençay et vins de pays du Jardin de la France). Dans le millésime 2006, son rosé de couleur pâle et brillante libère des senteurs fruitées intenses. Souple en attaque, il développe ensuite une agréable fraîcheur et le friand le dispute à la finesse. Une belle longueur pour ce vin que l'on pourra servir sur un ris de veau. Les **Grandes Vignes rouge 2006** obtiennent une citation pour leurs arômes typiques de griotte.

🔑 Claude Lafond, Le Bois-Saint-Denis, rte de Graçay, 36260 Reuilly, tél. 02.54.49.22.17, fax 02.54.49.26.64, e-mail claude.lafond@wanadoo.fr ☑ Y ⚘ r.-v.

ALAIN MABILLOT 2006 *

■ 0,6 ha 4 000 ▮ 5 à 8 €

Une robe rose pâle nuancée de reflets cuivrés habille ce vin au nez à la fois léger et complexe dominé par des arômes de fraise. Frais et agréable, le palais se montre riche, sans lourdeur, et fait preuve d'un bel équilibre. Cette bouteille se mariera parfaitement avec de la cuisine exotique. Du même producteur, le **blanc 2006**, frais et minéral, obtient une citation.

🔑 Alain Mabillot, Villiers-les-Roses, 36260 Sainte-Lizaigne, tél. 02.54.04.02.09, fax 02.54.04.01.33, e-mail alain.mabillot@wanadoo.fr
☑ Y ⚘ r.-v.

VALÉRY RENAUDAT 2006 *

■ 3 ha 24 000 ▮ 5 à 8 €

Valéry Renaudat, coup de cœur dans les deux précédentes éditions : en blanc pour le 2005, en rouge pour le 2004. Cette année, le blanc cède la place au rouge. Ce nouveau millésime affiche une robe foncée, de couleur cerise noire. Le nez, d'une grande intensité, est dominé par le pruneau. La bouche, suave, est marquée par la chaleur et des tanins si souples qu'on a une impression de sucrosité. Un vin fruité d'une belle persistance aromatique. Pour une terrine de lièvre. Le **blanc 2006** obtient une citation pour ses arômes intenses et sa bouche ample.

🔑 Dom. Valéry Renaudat, 3, pl. des Écoles, 36260 Reuilly, tél. 02.54.49.38.12, fax 02.54.49.38.26, e-mail domainevaleryrenaudat@cegetel.net ☑ Y ⚘ r.-v.

DOM. DE REUILLY 2006 *

■ 3,7 ha 20 000 ▮ 5 à 8 €

Depuis 1988, Denis Jamain est à la tête de ce vignoble dont les origines remontent au VII[e]s. Il propose un reuilly rouge né d'une parcelle au sol argilo-calcaire (marne kimméridgienne). La couleur rubis soutenu attire l'œil. Les arômes laissent deviner une bonne maturité : les fruits cuits dominent, nuancés d'une touche de torréfaction. Après une attaque franche, les tanins se montrent équilibrés et bien fondus. Un vin élégant qui aura sa place sur la table avec une côte de bœuf. La **Cuvée de la Comtesse rouge 2005 (8 à 11 €)**, boisée, reçoit une citation.

🔑 Dom. de Reuilly, chem. des Petites-Fontaines, 36260 Reuilly, tél. 02.38.66.16.74, fax 02.38.66.74.69, e-mail denis-jamain@wanadoo.fr ☑ Y ⚘ t.l.j. 8h-18h
🔑 Jamain

DOM. DES ROUESSES Les Rouesses 2006 *

■ 1,54 ha 10 000 ▮ 5 à 8 €

Issu d'un sol graveleux, ce reuilly rose pâle à reflets argentés possède un nez riche, fin et fruité. En bouche, vivacité, fraîcheur et minéralité se conjuguent harmonieusement. À servir sur une pizza ou une grillade. Pour les amateurs de surmaturité, signalons **La Commanderie rouge 2006 (8 à 11 €)**, une étoile.

🔑 SARL Dom. Jean-Michel Sorbe, Le Buisson-Long, rte de Quincy, 18120 Brinay, tél. 02.48.51.30.17, fax 02.48.51.35.47, e-mail jeanmichelsorbe@jeanmichelsorbe.com
☑ Y ⚘ r.-v.
🔑 Catherine Mellot

DOM. DE SERESNES 2006

■ 1,12 ha 7 500 ▮ 5 à 8 €

À la tête de la propriété depuis près de trente ans, Jacques Renaudat est régulièrement retenu dans le Guide, souvent aux meilleures places : ses rouges 2002 et 2003 décrochèrent un coup de cœur. Son rosé 2006 est tout en

LOIRE

légèreté : teinte pâle, senteurs élégantes d'ananas et de pamplemousse, bouche fine et pleine de vivacité rappelant la dentelle. À servir sur des poissons grillés.
Jacques Renaudat, EARL de Seresnes, 36260 Diou, tél. 02.54.49.21.44, fax 02.54.49.30.42
t.l.j. 8h-12h 14h-19h; f. 15-31 août

JEAN-MICHEL SORBE 2006 **

■ 4 ha 25 000 5 à 8 €

À l'entrée de la cave, vous découvrirez le « Sentier du vin », parcours d'initiation à la viticulture, situé à proximité du caveau de dégustation où vous pourrez goûter ce reuilly. Cette bouteille se présente dans une robe intense rubis tirant sur le violet. Richesse et finesse se conjuguent au nez et les notes de fruits rouges caractéristiques (framboise, groseille) s'expriment avec intensité. La bouche ample et équilibrée révèle des tanins bien ciselés et persiste sur des arômes de griotte et d'épices.
SARL Dom. Jean-Michel Sorbe, Le Buisson-Long, rte de Quincy, 18120 Brinay, tél. 02.48.51.30.17, fax 02.48.51.35.47, e-mail jeanmichelsorbe@jeanmichelsorbe.com
r.-v.
Catherine Mellot

ÉTIENNE VANDEWALLE 2006 *

■ 1 ha 6 000 5 à 8 €

En juillet 2006, Étienne Vandewalle a repris le vignoble d'André Barbier, bien connu des lecteurs du Guide. Et la réussite est déjà au rendez-vous avec ce reuilly à la robe intense, couleur cerise ornée de reflets violets. Une extraction légère a donné un vin aux tanins souples et au corps ample marqué par des arômes de fruits rouges puissants et élégants. Une bouteille bien représentative de son appellation qui accompagnera une viande rouge. Le **blanc 2006** est cité pour son harmonie et sa fraîcheur.
Étienne Vandewalle, 2, rte de Vatan, 18120 Chéry, tél. et fax 02.48.51.74.71 r.-v.

JACQUES VINCENT 2006

■ 2,5 ha 12 000 5 à 8 €

Jacques Vincent présente, dans le millésime 2006, un rouge à la teinte cerise. Les arômes ont la gaieté du primeur, sur laquelle joue une note de pruneau. Souple et frais au palais, c'est un reuilly qu'on pourra apprécier dès la sortie du Guide, par exemple sur une viande blanche.
Jacques Vincent, 11, chem. des Caves, 18120 Lazenay, tél. 02.48.51.73.55, fax 02.48.51.14.96, e-mail jacques.vincent56@wanadoo.fr
t.l.j. 9h-12h 14h-19h; dim. sur r.-v.

Sancerre

Sancerre, c'est avant tout un lieu prédestiné dominant la Loire. Sur quatorze communes, s'étend un magnifique réseau de collines parfaitement adaptées à la viticulture, bien orientées, exposées et protégées. Les sols portent des noms locaux : « Terres blanches » (marnes argilo-calcaires du kimméridgien) ; « caillottes » et « griottes » (calcaires) ; « cailloux » ou « silex » (siliceux du tertiaire). Ils conviennent à la vigne et contribuent à la qualité des vins ; 2 745 ha sont plantés et ont produit 162 700 hl en 2006 dont 128 737 hl de vin blanc.

Deux cépages règnent à Sancerre : le sauvignon blanc et le pinot noir, deux raisins éminemment nobles, capables de traduire l'esprit du milieu et du terroir, d'exprimer au mieux les dons des sols qui s'épanouissent dans des blancs (les plus nombreux) frais, jeunes, fruités ; dans des rosés tendres et subtils ; dans des rouges légers, parfumés, enveloppés.

Mais Sancerre, c'est aussi un milieu humain particulièrement attachant. Il n'est pas facile, en effet, de produire un grand vin avec le sauvignon, cépage de deuxième époque de maturité, non loin de la limite nord de la culture de la vigne, à des altitudes de 200 à 300 m qui influencent encore le climat local et sur des sols qui comptent parmi les plus pentus de notre pays, d'autant plus que les fermentations se déroulent dans une conjoncture délicate de fin de saison tardive !

On appréciera particulièrement le sancerre blanc sur les fromages de chèvre secs, comme l'illustre « crottin » de Chavignol, village lui-même producteur de vin, mais aussi sur les poissons ou les entrées chaudes peu épicées ; les rouges iront sur les volailles et les préparations locales de viandes.

DOM. AUCHÈRE 2006

5 ha 20 000 8 à 11 €

La cave se situe au pied du célèbre cirque de La Poussie. Assemblage de raisins issus de parcelles argilo-calcaires, cette cuvée laisse paraître sa jeunesse dans ses premiers arômes de genêt et de mie de pain ; le fruité apparaît au second plan, prouvant que le potentiel d'évolution est bien là. La bouche, tout en vivacité à cette heure, s'arrondira également au fil des mois, si bien qu'en fin d'année 2007 cette bouteille devrait être prête à passer à table.
Jean-Jacques Auchère, 18, rue de l'Abbaye, 18300 Bué, tél. 02.48.54.15.77, fax 02.48.78.03.46, e-mail jean-jacques.auchere@terre-net.fr r.-v.

DOM. SYLVAIN BAILLY Terroirs 2006

n.c. 75 000 8 à 11 €

La butte de Bellechaume qui réserve un point de vue remarquable, domine le village de Bué, au cœur duquel se trouve le domaine de Sylvain Bailly. Ici, a été vinifié ce vin encore timide, qui laisse percevoir quelques notes d'iris et de sureau. Frais en attaque, il emplit bien la bouche et se prolonge sur une note de minéralité. Des huîtres formeront un bon accord avec cette bouteille. Élevée pour un tiers en fût de chêne, la cuvée **La Louée 2006 rouge**, puissante, est citée, tout comme le **quincy Beaucharme 2006 (5 à 8 €)**.

🔑 SCEA Dom. Sylvain Bailly, 71, rue de Venoize, 18300 Bué, tél. 02.48.54.02.75, fax 02.48.54.28.41, e-mail jacquesbailly3@wanadoo.fr
☑ 🍷 🚶 t.l.j. 8h-12h 14h-18h; dim. sur r.-v.
🔑 Jacques Bailly

DOM. BAILLY-REVERDY 2006 *

■ 2 ha 14 000 ▮ 8 à 11 €

Régularité notable au domaine Bailly-Reverdy, puisque trois cuvées ont été sélectionnées. Ce rosé, saumon clair, offre un nez discret, mais raffiné, aux notes fruitées (pêche) et minérales. Fraîcheur et gras s'associent, avec en finale l'agréable retour des arômes de fruits. Un sancerre équilibré, typique du pressurage direct. Sont cités la cuvée **La Mercy-Dieu 2006 blanc**, pour sa finesse, et le **Domaine Bailly-Reverdy 2005 rouge**, élevé en fût.
🔑 Bailly-Reverdy, 43, rue de Venoize, 18300 Bué, tél. 02.48.54.18.38, fax 02.48.78.04.70, e-mail bailly.reverdy@wanadoo.fr
☑ 🍷 🚶 t.l.j. 9h-12h 14h-18h; sam. dim. sur r.-v.

ÉMILE BALLAND Le Champ des Scandales 2005 *

■ 0,13 ha 700 ⦀ 15 à 23 €

C'est à partir de 2003 qu'Émile Balland a planté des vignes en sancerre et a repris une parcelle de pieds de pinot noir de trente-cinq ans que sa famille possédait. Cette cuvée confidentielle, pourpre à reflets noirs, livre des arômes intenses de fruits mûrs, ainsi que des notes boisées bien présentes. La rondeur de l'attaque est vite rattrapée par les tanins du fût. Le vin a sans nul doute la puissance nécessaire pour supporter cette empreinte de l'élevage, mais il lui faudra entre deux et trois ans pour parfaire son équilibre. Léger, aromatique, le **coteaux-du-giennois blanc 2006 Les Beaux Jours (5 à 8 €)** est cité.
🔑 Émile Balland, RN 7, BP 9, 45420 Bonny-sur-Loire, tél. 03.86.39.26.51, fax 03.86.39.22.57, e-mail emile.balland@orange.fr ☑ 🍷 🚶 r.-v.

DOM. JEAN-PAUL BALLAND Grande Cuvée 2005 *

■ 2,6 ha 15 000 ▮ ⦀ 11 à 15 €

Aidé de ses filles Isabelle, œnologue, et Élise, commerciale, Jean-Paul Balland conduit depuis 1972 ce vignoble bien réparti entre argilo-calcaires et caillottes. De ce dernier terroir est né un sancerre expressif, qui s'ouvre sur le bourgeon de cassis, la mangue et le grillé. Doté de beaucoup de gras, voire d'une certaine douceur, il se montre puissant et apte à la garde. Il saura tenir son rang en compagnie d'une volaille à la crème. Une étoile brille pour le **Domaine Jean-Paul Balland 2006 blanc (5 à 8 €)**, rond, et le **Domaine Jean-Paul Balland 2005 rouge (8 à 11 €)**, élégant.
🔑 SAS Dom. Jean-Paul Balland, 10, chem. de Marloup, 18300 Bué, tél. 02.48.54.07.29, fax 02.48.54.20.94, e-mail balland@balland.com
☑ 🍷 🚶 r.-v.

PASCAL BALLAND 2005 *

■ 1,75 ha 10 000 ▮ 5 à 8 €

Issu d'une lignée de vignerons qui remonterait au moins au milieu du XVII[e]s., selon les archives, Pascal Balland mène ce vignoble de 9,30 ha depuis 1984. Il propose un sancerre rubis, brillant de discrets reflets violets, comme un vin jeune. Intense, le vin révèle des notes pimpantes de fruits rouges (groseille), puis affiche une structure de tanins soyeux. Un 2005 friand qui sera apprécié pour son naturel. La cuvée **Saveurs 2005 blanc (8 à 11 €)**, au fruité presque surmûri, est citée.
🔑 EARL Pascal Balland, rue Saint-Vincent, 18300 Bué, tél. 02.48.54.22.19, fax 02.48.78.08.59, e-mail pascalballand@wanadoo.fr
☑ 🍷 t.l.j. 8h-12h 13h30-18h; dim. sur r.-v.

JOSEPH BALLAND-CHAPUIS Le Vallon 2006

□ 2,75 ha 20 000 ▮ 8 à 11 €

Le Vallon est une parcelle de caillottes, terme local qui désigne les terroirs calcaires. La fraîcheur du printemps, c'est bien ce qu'évoque ce vin aux arômes de menthe, d'anis et de fleurs. Il se développe avec légèreté et suavité avant de conclure sur une agréable minéralité. Des crustacés lui conviendront.
🔑 SARL Joseph Balland-Chapuis, La Croix-Saint-Laurent, 18300 Bué, tél. 02.48.54.06.67, fax 02.48.54.07.97, e-mail balland-chapuis@wanadoo.fr
☑ 🍷 🚶 r.-v.
🔑 Jean-Louis Saget

DOM. CÉDRICK BARDIN 2006 *

□ 3,6 ha 30 000 ▮ 5 à 8 €

Petit-fils d'une fille de vigneron sancerrois et d'un fils de vignerons pouillyssois, Cédrick Bardin sait préserver l'identité de ces deux terroirs. Témoin, ce vin or franc, de bonne intensité aromatique, qui évoque la pêche jaune et le minéral. Frais en attaque, il fait preuve de rondeur et de volume à mesure de l'aération, puis laisse une impression de vendanges bien mûres à travers des flaveurs finales de fruits exotiques.
🔑 Cédrick Bardin, 12, rue Waldeck-Rousseau, 58150 Pouilly-sur-Loire, tél. 03.86.39.11.24, fax 03.86.39.16.50, e-mail cedrick.bardin@wanadoo.fr
☑ 🍷 r.-v.

HENRI BOURGEOIS La Côte des Monts damnés 2006

□ 5,6 ha 41 150 ▮ 11 à 15 €

Célèbre lieu-dit du Sancerrois, la Côte des Monts-Damnés est un terroir exposé sud sud-est, aux pentes impressionnantes. Sur des sols de marnes kimméridgiennes, le sauvignon a donné naissance à un 2006 encore sur la réserve, mais non dénué de finesse dans ses nuances florales et fruitées (coing) qui lui donnent un air printanier. Équilibré, il tire profit d'une juste vivacité pour s'étirer en finale. Un sancerre typé qui devrait commencer à exprimer ses qualité dès l'automne. Le **quincy 2005 Haute-Victoire (8 à 11 €)** est cité.
🔑 SAS Henri Bourgeois, Chavignol, 18300 Sancerre, tél. 02.48.78.53.20, fax 02.48.54.14.24, e-mail secretariat@henribourgeois.com ☑ 🍷 🚶 r.-v.

HUBERT BROCHARD Aujourd'hui comme autrefois 2006

□ 3,78 ha 25 300 ▮ 8 à 11 €

Aimée et Hubert Brochard ont créé cette propriété en 1977, mais ce sont aujourd'hui leurs trois petits-enfants, Jean-François, Daniel et Benoît, qui écrivent les nouveaux chapitres de son histoire. Récolté sur les coteaux de Chavignol, le sauvignon affiche dans ce vin un caractère minéral qui communique de la finesse aux autres arômes, encore timides. Au palais, on perçoit le potentiel de la matière, franche et volumineuse. Quelques mois de garde suffiront à révéler la personnalité d'une bouteille vouée à l'apéritif.

Hubert Brochard, Chavignol, 18300 Sancerre, tél. 02.48.78.20.10, fax 02.48.78.20.19, e-mail domaine@hubert-brochard.fr
t.l.j. 8h30-12h 13h30-18h

DOM. DES BUISSONNES 2006

2 ha 15 000 **8 à 11 €**

Dominique Naudet, le fils de Roger Naudet, s'est associé à son beau-frère, Régis Jouan, pour reprendre le domaine familial : le premier prend soin des 16 ha de vignes, le second veille aux vinifications. Ils proposent ainsi un 2006 rose pâle aux légers reflets saumon, dont les arômes discrets font preuve de complexité (fraise, ananas, pain d'épice). L'attaque est souple, riche en gras, puis la vivacité prend la vedette et soutient la finale aux accents d'agrumes. Pour des entrées. Le **Domaine des Buissonnes 2006 blanc (5 à 8 €)**, aux parfums de coing marqués, est cité.

Roger Naudet et Fils, SCEA des Buissonnes, Maison Sallé, 18300 Sury-en-Vaux, tél. et fax 02.48.79.34.68, e-mail regis.jouan@wanadoo.fr
t.l.j. 10h-13h 14h-19h

DOM. DU CARROIR PERRIN 2006

8,6 ha 50 000 **8 à 11 €**

Quoi de neuf au domaine ? L'arrivée de Bertrand, le fils de Pierre Riffault, sur cette propriété de 10,70 ha, située à 4 km de Sancerre. Le 2006, fortement marqué par les arômes de fruits blancs (pêche) et souligné d'une note fraîche de menthol, se montre franc et vif, doté de flaveurs d'agrumes (citron) qui appellent un accord gourmand avec des fruits de mer. Le **Domaine du Carroir Perrin 2005 rouge**, fruité et gouleyant, est cité également.

Pierre Riffault, Chaudoux, 18300 Verdigny, tél. 02.48.79.31.03, fax 02.48.79.35.68, e-mail pierre.riffault@tiscali.fr
t.l.j. sf dim. 9h-12h 13h-19h

LE CAVEAU À CHAVIGNOL 2006 *

0,4 ha 3 400 **8 à 11 €**

Seuls les coteaux de Chavignol accueillent les vignes de ce domaine. Des caillottes, donc, pour terroir de ce vin parfumé, évocateur de fruit de la Passion, de fleur de sureau et d'épices. À la vivacité de l'attaque répond une pointe de douceur qui lui donne du volume, puis une finale de bonne longueur, marquée par des arômes variétaux et minéraux. À marier avec des poissons.

Fontaine, Le Caveau, Cidex M73, 18300 Chavignol, tél. 02.48.54.13.47 t.l.j. 8h-20h

ROGER CHAMPAULT Le Clos du Roy 2006

2,3 ha 19 500 **8 à 11 €**

Un colombier du XVI[e]s., restauré, sert de caveau de dégustation ; vous y découvrirez ce sancerre qui décline des arômes variés, allant du fruité (agrumes) au végétal (genêt), en passant par le minéral. L'attaque est souple, la chair onctueuse et assez ample pour flatter le palais à l'apéritif. La cuvée **Côte de Champtin 2005 rouge (11 à 15 €)**, aromatique, est citée.

EARL Roger Champault et Fils, Champtin, 18300 Crézancy-en-Sancerre, tél. 02.48.79.00.03, fax 02.48.79.09.17, e-mail roger.champaultetfils@neuf.fr r.-v.

DANIEL CHOTARD 2006

1,43 ha 11 000 **5 à 8 €**

Amateur éclairé et musicien, Daniel Chotard aime organiser des événements musicaux dans la région sancerroise. Il n'en délaisse pas ses vignes (11,75 ha) et la vinification. Pour preuve, ce 2006 couleur saumon à reflets argentés, qui libère des arômes légers, mais typés : aux notes amyliques premières succèdent des nuances fruitées de cerise. Puissant et rond, c'est un rosé destiné à accompagner des viandes grillées. Le **2005 rouge (8 à 11 €)**, souple et friand, est cité.

Daniel Chotard, Reigny, 18300 Crézancy-en-Sancerre, tél. 02.48.79.08.12, fax 02.48.79.09.21, e-mail daniel.chotard@wanadoo.fr
t.l.j. 9h-12h 14h-19h; dim. sur r.-v.

DOM. DES CLAIRNEAUX 2006 *

0,82 ha 6 800 **5 à 8 €**

Jean-Marie Berthier a créé de toutes pièces ce domaine qui se partage entre les AOC sancerre et coteaux-du-giennois. Il propose un vin de teinte vieux rose à nuances orangées, dont l'élégance est perceptible dans les discrets arômes de pêche de vigne et de framboise. Net en attaque, celui-ci exprime ensuite un peu de fraîcheur avant de conclure tout en souplesse. Pour la cuisine exotique. Le **Domaine des Clairneaux 2006 blanc**, aux parfums floraux, est cité. Le **coteaux-du-giennois blanc 2006 Domaine de Montbenoit (3 à 5 €)** obtient également une citation.

Jean-Marie Berthier, Dom. des Clairneaux, 18240 Sainte-Gemme-en-Sancerrois, tél. 02.48.79.40.97, fax 02.48.79.39.55, e-mail domaine-des-clairneaux@wanadoo.fr
r.-v.

DOM. DU COLOMBIER 2006 **

2,03 ha 17 000 **8 à 11 €**

Si la nuance rose est pâle, les arômes sont intenses et complexes. La discrète touche amylique du premier nez disparaît à l'aération, au profit d'un fruité fin, dominé par la pêche blanche. Bien en chair, le vin fait preuve de volume et d'élégance, puis laisse persister dans une certaine douceur des flaveurs fruitées relevées d'épices. À servir avec des brochettes de rognons de veau. Le **Domaine du Colombier 2005 rouge**, élevé en fût, reçoit une étoile.

Roger Neveu et Fils, rte des Monts-Damnés, 18300 Verdigny, tél. 02.48.79.40.34, fax 02.48.79.32.93, e-mail neveu@terre-net.fr t.l.j. sf dim. 8h-19h

COMTE DE LA PERRIÈRE 2006

4 ha 30 000 **8 à 11 €**

Produite sur les parcelles des Royeux (commune de Bannay) et des Chevillots (commune de Saint-Satur), cette cuvée est 100 % silex. Si le premier nez est discret, un beau fruité ne tarde pas à apparaître (poire et pêche), qui invite à découvrir la chair souple en attaque, puis plus vive. Ce sancerre a du potentiel : il faudra l'attendre un an ou deux. Classique, le **Pierre Archambault 2006 blanc** est cité.

SA Pierre Archambault, Cave de la Perrière, 18300 Verdigny, tél. 02.48.54.16.93, fax 02.48.54.11.54, e-mail info@domainelaperriere.com
t.l.j. 8h-12h 14h-17h30; f. sam. et dim. 15 déc-15 mars
J.-L. Saget

DANIEL CROCHET 2006 *

4,27 ha 32 000 5 à 8 €

Réparties entre Sancerre et Bué, les vignes couvrent aujourd'hui 9,15 ha. Un assemblage de raisins récoltés sur sols calcaires et argilo-calcaires est à l'origine de ce vin marqué par les arômes d'agrumes (orange, pamplemousse) et de fruits exotiques. Tendre en attaque, celui-ci laisse peu à peu s'installer la fraîcheur, sans rien perdre de son équilibre. Un compagnon plaisant des poissons en sauce. Le **2006 rosé** obtient une étoile pour sa rondeur et sa finesse, tandis que le **2005 rouge**, partiellement élevé sous bois, est cité.

Daniel Crochet, 61, rue de Venoize, 18300 Bué, tél. 02.48.54.07.83, fax 02.48.54.27.36, e-mail daniel-crochet@wanadoo.fr t.l.j. sf dim. 9h-12h 14h-18h

DOMINIQUE ET JANINE CROCHET 2006 **

6 ha 40 000 5 à 8 €

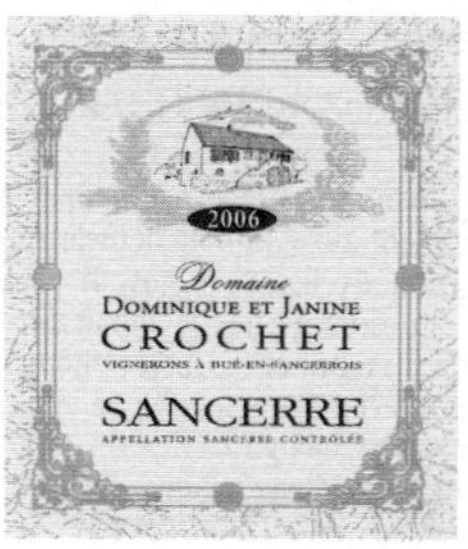

Dominique et Janine Crochet avaient déjà reçu un coup de cœur, il y a deux ans, pour leur sancerre rouge 2004. Les voici distingués pour un vin blanc complet et harmonieux. Aux arômes aussi intenses que complexes de fleurs blanches (acacia), de litchi, de citron et de pêche, ponctués de notes minérales, répond une chair concentrée et persistante, non dénuée de vivacité. Un sancerre déjà plaisant, mais également apte à la garde. Une citation est accordée à la **cuvée Prestige 2006 blanc (8 à 11 €)** pour sa finesse aromatique.

Dom. Dominique et Janine Crochet, 64, rue de Venoize, 18300 Bué, tél. 02.48.54.19.56, fax 02.48.54.12.61, e-mail earlcrochetdominiqueetjanine@wanadoo.fr t.l.j. 8h-12h 14h-19h

FRANÇOIS CROCHET 2006

1 ha 5 000 8 à 11 €

Un rosé obtenu par pressurage direct des raisins de pinot noir. De couleur rose pâle, il exprime de francs arômes de fruits rouges (fraise, framboise), puis offre une chair ronde de prime abord, mais qui ne tarde pas à révéler toute sa vivacité et se termine sur une certaine fermeté. Un mets asiatique sera en accord avec ses saveurs.

François Crochet, Marcigoué, 18300 Bué, tél. 02.48.54.21.77, fax 02.48.54.25.10, e-mail francoiscrochet@wanadoo.fr t.l.j. 9h-12h 13h30-19h; dim. sur r.-v.

DOM. LA CROIX SAINT-LAURENT 2006 *

5,5 ha 40 000 5 à 8 €

Puissance et complexité définissent les arômes de ce vin printanier : parmi les senteurs d'ananas, de pêche et de poire se décèlent des notes florales, végétales et citronnées. Annonce d'une attaque vive, puis d'une bouche équilibrée, tout en fraîcheur. Un sancerre plein d'allant. La cuvée **Vieilles Vignes 2005 rouge (11 à 15 €)**, élevée en fût, est citée pour sa structure qui lui assurera une bonne tenue dans le temps.

Joël et Sylvie Cirotte, 1, imp. de la Grand'Vigne, 18300 Bué, tél. 02.48.54.30.95, fax 02.48.78.02.03, e-mail scea-cirotte@wanadoo.fr r.-v.

DOM. DAULNY Le Clos de Chaudenay 2005 **

0,9 ha 7 000 8 à 11 €

Le Clos de Chaudenay, terroir de marnes kimméridgiennes, est à l'origine de ce vin élevé sur lies pendant onze mois. Les arômes de fruits (ananas, agrumes) nuancés de bourgeon de cassis et de buis forment un bouquet expressif, bien en accord avec l'équilibre des saveurs, entre gras et fraîcheur. Élégant et complexe, voilà un bon ambassadeur de l'appellation. Le **Domaine Daulny 2006 blanc (5 à 8 €)**, finement aromatique, obtient une étoile.

Étienne Daulny, Chaudenay, 18300 Verdigny, tél. 02.48.79.33.96, fax 02.48.79.33.39 r.-v.

DOM. VINCENT DELAPORTE
Cuvée Maxime Vinifié en fût de chêne 2006

1 ha 4 000 8 à 11 €

Sept mois d'élevage en fût ont apporté à ce sancerre rubis, nuancé de pourpre, des arômes de vanille et de grillé en contrepoint de ceux de cassis. Une même empreinte légèrement boisée apparaît au palais, mais respecte l'expression du raisin de pinot noir. Seuls les tanins encore jeunes méritent de se fondre à la faveur de deux ou trois ans de garde.

SCEV Vincent Delaporte et Fils, Chavignol, 18300 Sancerre, tél. 02.48.78.03.32, fax 02.48.78.02.62, e-mail delaportevincent.sancerre@wanadoo.fr r.-v.

ANDRÉ DEZAT ET FILS 2006 *

5 ha 30 000 8 à 11 €

Consacrés en appellation à une date plus récente que les vins blancs, les sancerre rouges ont leurs pionniers, parmi lesquels André Dezat. C'est donc tout naturellement dans cette couleur que le domaine se distingue. Un 2006 grenat qui mêle la griotte, les épices et la vanille avant de développer une chair élégante et pleine, empreinte d'une ligne boisée harmonieuse. Dans un an ou deux, il sera à son meilleur niveau. Le **2006 blanc** est cité pour la finesse de ses arômes variétaux classiques.

SCEV André Dezat et Fils, rue des Tonneliers, Chaudoux, 18300 Verdigny, tél. 02.48.79.38.82, fax 02.48.79.38.24 r.-v.

DOM. DOUDEAU-LÉGER 2006 *

0,3 ha 2 000 5 à 8 €

Le village des Giraults, sur la commune de Sury-en-Vaux, est situé au cœur d'un terroir argilo-calcaire du portlandien. Le pinot noir s'exprime joliment dans ce vin rose franc, nuancé de reflets orangés, offrant des arômes amyliques et fruités (framboise, cerise). Frais en attaque, le palais révèle aussi une certaine rondeur qui témoigne d'une vinification réussie. Pour un plateau de charcuteries. Une étoile revient également au **Domaine Doudeau-Léger 2006 blanc**, minéral.

🔑 Dom. Doudeau-Léger, Les Giraults,
18300 Sury-en-Vaux, tél. 02.48.79.32.26,
fax 02.48.79.29.80
✉ 🍷 🚶 t.l.j. sf dim. 9h30-12h 15h-19h 🏠 ©
🔑 Pascal Doudeau

DOM. GÉRARD FIOU

La Cabarette Cuvée Silex 2005 ★

0,3 ha 1 400 11 à 15 €

Un viaduc, un golf et... les bords de Loire : Saint-Satur a une vocation touristique indéniable. Le vin est un autre de ses atouts. Voyez ce 2005 qui s'ouvre progressivement à mesure de l'aération : d'abord végétal, puis fruité (agrumes) et floral, légèrement boisé enfin. Léger et frais au palais, il a su tirer parti de son élevage en fût pour gagner en volume et saura se bonifier au cours de la garde. Le **Domaine Gérard Fiou 2006 blanc (8 à 11 €)**, persistant, est cité.

🔑 Gérard Fiou, 15, rue Hilaire-Amagat,
18300 Saint-Satur, tél. 02.48.54.16.17,
fax 02.48.54.36.89
✉ 🍷 🚶 t.l.j. 8h-12h 14h-19h; sam. dim. 10h;
f. début août

DOM. FOUASSIER

Mélodie de Gustave Fouassier 2005 ★★

1 ha 2 900 11 à 15 €

L'agriculture biologique et la biodynamie font leur entrée dans les méthodes de conduite de la vigne de ce domaine. Le travail du sol est aussi privilégié, comme au temps de l'aïeul, Gustave, auquel cette cuvée rend hommage. Mangue, fleurs de viorne, fruit de la Passion composent une élégante partition d'arômes, tandis que le palais révèle un boisé bien maîtrisé (touches grillées et vanillées). Un vin charnu, tout en nuances, issu d'un raisin de qualité, que vous destinerez à des mets raffinés, comme une langouste en sauce. **Le Clos de Bannon 2006 blanc (5 à 8 €)**, rond et riche de notes de surmaturation, est cité.

🔑 Dom. Fouassier, 180, av. de Verdun,
18300 Sancerre, tél. 02.48.54.02.84, fax 02.48.54.35.61,
e-mail contact@fouassier.fr ✉ 🍷 🚶 r.-v.

DOM. DE LA GARENNE 2006 ★

7 ha 55 000 8 à 11 €

Les sols argilo-calcaires et calcaires composent 75 % de la superficie du vignoble de ce domaine. Les vendanges des vignes qui y sont implantées ont été assemblées pour composer ce vin typé, évocateur de rose, de pamplemousse et de citron vert. Velouté en attaque, celui-ci laisse monter une fraîcheur plaisante qui persiste sous des accents d'agrumes. Une belle expression du sancerre qui sera mise en valeur par la compagnie d'une lotte au beurre blanc.

🔑 Bernard-Noël Reverdy,
Dom. de La Garenne, rue Saint-Vincent,
18300 Verdigny, tél. 02.48.79.35.79, fax 02.48.79.32.82,
e-mail domaine-de-la-garenne@wanadoo.fr
✉ 🍷 🚶 t.l.j. sf dim. 9h-12h 14h-19h

DOM. LA GEMIÈRE 2006 ★

1,6 ha 13 000 5 à 8 €

Réservez votre prochain week-end de l'Ascension à la visite du domaine de Daniel Millet qui organise chaque année des journées portes ouvertes. En attendant, goûtez ce rosé de teinte saumon pâle, élégamment parfumé de fraise des bois, de framboise et de cerise. Subtil et vif, franc et net : un sancerre classique, en somme. La cuvée **Vieilles Vignes 2005 blanc (8 à 11 €)**, délicatement aromatique, est citée.

🔑 Daniel Millet et Fils, Dom. La Gemière, Champtin,
18300 Crézancy-en-Sancerre, tél. 02.48.79.07.96,
fax 02.48.79.02.10, e-mail daniel.millet5@wanadoo.fr
✉ 🍷 🚶 t.l.j. 8h-12h 13h30-19h; groupes sur r.-v.

MICHEL GIRARD ET FILS 2006 ★

1,2 ha 8 500 8 à 11 €

Ce rosé est issu de parcelles « tous terroirs » : calcaires, argilo-calcaires, silex. Le voici, couleur pelure d'oignon à reflets rose pâle, qui exprime des arômes intenses de bonbon anglais et de menthol. Il fait preuve de puissance, de rondeur et de chaleur, sans omettre des flaveurs fruitées persistantes qui lui donnent de la fraîcheur.

🔑 Dom. Michel Girard et Fils, Chaudoux,
18300 Verdigny, tél. 02.48.79.33.36, fax 02.48.79.33.66,
e-mail michelgirard.fils@wanadoo.fr
✉ 🍷 🚶 t.l.j. 9h-12h 14h-18h; dim. sur r.-v.

DOM. DES GRANDES PERRIÈRES 2006

7,1 ha 55 000 5 à 8 €

Jérôme Gueneau a créé ce domaine en 1993 et l'a étendu patiemment aux 11,58 ha actuels en reprenant et en plantant de nouvelles parcelles. Il propose un vin discret, mais fin, dominé par la minéralité et les notes florales. Souple, la bouche semble même très ronde, heureusement relevée d'une touche de vivacité en finale. Pour un crottin de Chavignol.

🔑 Jérôme Gueneau, Panquelaine,
18300 Sury-en-Vaux, tél. 02.48.79.39.31,
fax 02.48.79.40.27, e-mail gueneau.jerome@wanadoo.fr
✉ 🍷 🚶 r.-v.

GUILLERAULT-FARGETTE

Cuvée Les Chassenoys 2005 ★

0,6 ha 4 000 8 à 11 €

Gilles Guillerault et Sébastien Fargette ont fondé cette entreprise de négoce qui leur permet d'acheter le raisin sur pied et de le vinifier eux-mêmes. Ce sancerre dominé par d'intenses notes épicées, poivrées, auxquelles se mêle une touche de pierre à fusil, respire le terroir. Rond en attaque, il révèle plus de nerf en milieu de bouche, avec une pointe d'amertume en finale. Un vin bien constitué, original, qui s'accordera avec des viandes blanches. La cuvée **Facétie 2005 blanc (11 à 15 €)**, élevée en fût, obtient une étoile : dotée d'arômes de fruits mûrs et de torréfaction, vive, elle devrait s'être parfaitement fondue en fin d'année 2007 et pourra rejoindre un poisson en sauce.

🔑 Guillerault-Fargette, Reigny,
18300 Crézancy-en-Sancerre, tél. 02.48.79.02.84
✉ 🍷 🚶 t.l.j. 9h-12h 14h-18h

DOM. SERGE LALOUE 2005 ★★

3 ha 18 000 8 à 11 €

Un petit gibier ou un rôti de porc à l'antillaise : tels sont les accords que suggère la dégustation de ce vin grenat violacé. Cassis, framboises, myrtilles en confiture s'accompagnent de notes vanillées et annoncent remarquablement les sensations gustatives. Une chair ronde enveloppe une structure de tanins bien présents, mais fins, garante d'une bonne évolution dans le temps. À servir dans un an ou deux.

🔑 SAS Serge Laloue, rue de la Mairie,
18300 Thauvenay, tél. 02.48.79.94.10,
fax 02.48.79.92.48, e-mail contact@serge-laloue.fr
☑ Y 🚶 r.-v.

DOM. SERGE LAPORTE 2006

9 ha 50 000 ▮ 5 à 8 €

Comme beaucoup de domaines sancerrois, cette propriété est très morcelée : plus de quarante-cinq parcelles la composent, reposant sur presque autant de terroirs, tant les nuances géologiques sont multiples. Ce 2006 arbore un nez intense, marqué par un fruité mûr que nuancent des notes florales. En bouche, la rondeur domine, à peine rehaussée d'une pointe de vivacité. Équilibré, le **Domaine Serge Laporte 2005 rouge (8 à 11 €)** est cité.

🔑 Dom. Serge Laporte, Chavignol, 18300 Sancerre,
tél. 02.48.54.30.10, fax 02.48.54.28.91,
e-mail domaine.serge.laporte@wanadoo.fr ☑ Y 🚶 r.-v.

LAPORTE La Comtesse 2005 *

0,45 ha 2 967 ▮ 15 à 23 €

La Comtesse est un lieu-dit réputé, sis sur les pentes de Chavignol et marqué par un sol de marnes kimméridgiennes. Il est à l'origine de ce vin de caractère dans lequel s'imposent les notes de bourgeon de cassis et d'agrumes avant que l'aération ne favorise l'expression de nuances minérales (pierre à fusil) qui se prolongent au palais. Une vivacité modérée caractérise l'équilibre gustatif, appelant à un accord avec des fruits de mer, comme un poulpe à l'huile d'olive. À boire dès maintenant ou après une garde d'un an ou deux.

🔑 Dom. Laporte,
Cave de la Cresle, rte de Sury-en-Vaux,
18300 Saint-Satur, tél. 02.48.78.54.20,
fax 02.48.54.34.33,
e-mail domaine@domaine-laporte.com ☑ Y 🚶 r.-v.
🔑 Bourgeois

CHRISTIAN LAUVERJAT
Moulin des Vrillères 2006 *

5 ha 42 000 ▮ 5 à 8 €

Moulin des Vrillères est le nom de la parcelle où se trouve la cave des Lauverjat. Vous y trouverez ce sancerre tout en vivacité qui ne demande qu'à rejoindre un brochet de la Loire à la crème. Au nez, ce sont les notes d'agrumes (citron, pamplemousse) qui s'expriment en premier, avant que ne se manifestent des arômes de mangue, de litchi, ainsi que des nuances florales et végétales (fougère). Une citation est attribuée à la cuvée **Perle blanche 2006 blanc (8 à 11 €)**.

🔑 Christian Lauverjat, Moulin des Vrillères,
18300 Sury-en-Vaux, tél. 02.48.79.38.28,
fax 02.48.79.39.49,
e-mail lauverjat.christian@wanadoo.fr
☑ Y 🚶 r.-v. 🏠 3

FRANCINE LEMAIN-POUILLOT 2005 *

0,5 ha 2 200 ▮ 8 à 11 €

Francine Lemain-Pouillot tient cette exploitation de son père qui l'avait créée en 1960 et attend que son fils la rejoigne dans quelques années. Elle propose un sancerre rubis vif à reflets violines qui libère quelques notes animales fugaces avant de s'orienter vers les fruits rouges à l'aération. La chair est dense et fruitée, bien que les tanins fassent preuve de fermeté encore. Ce n'est là que gage de bonne conservation. Dans un an ou deux, le vin sera apprécié avec un rôti de porc aux pruneaux. Le **2005 blanc**, bien typé, est cité.

🔑 Francine Lemain-Pouillot, rue des Juifs, 18300 Bué,
tél. 02.48.54.11.09,
e-mail francine-lemain-pouillot@wanadoo.fr
☑ Y 🚶 r.-v.

DOM. RENÉ MALLERON 2006 *

1,37 ha 11 289 ▮ 8 à 11 €

Le domaine est basé à Champtin, village vigneron typique sur la commune de Crézancy. Une promenade à pied vous y conduira pour apprécier ce rosé de teinte saumon pâle que soulignent des reflets plus orangés. La dégustation commence avec subtilité par des notes de fruits, puis monte en puissance au contact de la chair souple en attaque, ronde et fruitée. Un vin destiné aux crudités.

🔑 EARL Dom. René Malleron, Champtin,
18300 Crézancy-en-Sancerre, tél. 06.12.26.00.10,
fax 02.48.79.42.18, e-mail vernaymalleron@tele2.fr
☑ Y r.-v.

DOM. YVES MARTIN 2006 *

9 ha 40 000 ▮ 5 à 8 €

Un chai gravitaire pour la technique et une cave voûtée pour le style : telles sont les installations d'Yves Martin qui a élaboré cette cuvée or vert soutenu. Celle-ci ne demande qu'à s'ouvrir et à développer ses arômes floraux. Elle propose une chair ronde en attaque, dense, justement relevée d'une fraîcheur minérale avant de revenir à la douceur et à des notes de coing. Crustacés et poissons lui conviendront. Le **2006 rosé**, construit sur la vivacité, mérite une citation.

🔑 Dom. Yves Martin, EARL La Duval, Chavignol,
18300 Sancerre, tél. et fax 02.48.54.24.57,
e-mail chavipierrot@wanadoo.fr ☑ Y 🚶 r.-v.

LA MÉRISIÈRE 2006 *

n.c. 14 000 ▮ 8 à 11 €

Timide ? Et pourtant, l'on perçoit le potentiel aromatique de ce vin qui décline à l'aération des notes d'abricot, d'ananas, de genêt et de menthe. Le palais le prouve par son volume et son intensité, son gras que relève une pointe vive bienvenue pour soutenir les flaveurs fruitées en finale.

🔑 Jean Pabiot et Fils, 9, rue de la Treille, Les Loges,
58150 Pouilly-sur-Loire, tél. 03.86.39.10.25,
fax 03.86.39.10.12, e-mail info@jean-pabiot.com
☑ Y t.l.j. 8h-12h 14h-18h; sam. dim. sur r.-v.

THIERRY MERLIN-CHERRIER 2005 *

2 ha 13 000 ▮ 8 à 11 €

Pourpre de bonne intensité, ce sancerre présente un nez marqué par les fruits rouges sous des nuances variées : cerise, kirsch, cassis, liqueur de fruits, sur un fond légèrement fumé. Il se montre souple, sans aspérité en attaque, puis des tanins bien disposés lui donnent du relief. Un vin bien élaboré et typé, qui peut suivre tout un repas.

🔑 Thierry Merlin-Cherrier, 43, rue Saint-Vincent,
18300 Bué, tél. 02.48.54.06.31, fax 02.48.54.01.78
☑ Y r.-v.

DOM. GÉRARD MILLET 2006

13,86 ha 11 700 ▮ 8 à 11 €

Gérard Millet a construit une cave moderne et fonctionnelle à quelques centaines de mètres du village de

Bué, sur la route de Bourges. Il y a vinifié ce vin qui joue les classiques par des arômes de fleurs blanches et d'agrumes. Tout en rondeur, la chair n'est que souplesse jusqu'en finale. Pour une volaille à la crème.

Gérard Millet, rte de Bourges, 18300 Bué, tél. 02.48.54.38.62, fax 02.48.54.13.50, e-mail gmillet@terre-net.fr r.-v.

DOM. FRANCK MILLET 2006 ★★

8 ha 70 000 8 à 11 €

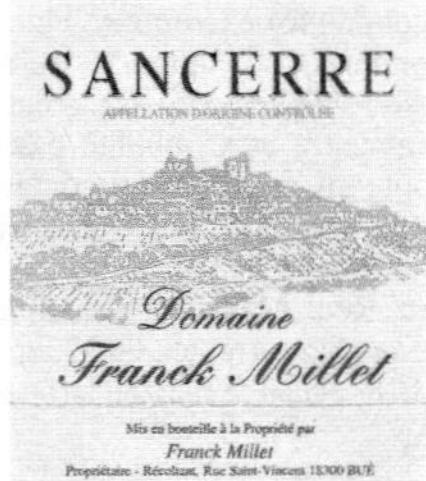

Après avoir repris le domaine familial en 1991, Franck Millet s'est attaché à développer la commercialisation de ses vins tant en France qu'à l'étranger ; il exporte ainsi dans douze pays 50 % de sa production issue de ses 20 ha. À Bué, c'est dans une vaste cave voûtée, autour d'une belle table en orme, qu'il vous recevra et vous proposera ce 2006 qui, dans l'anonymat des dégustations, a fait chavirer le cœur du jury. Sur fond floral, de délicats arômes s'ouvrent dans le registre du cassis, des fruits exotiques et des agrumes. Une même élégance est perceptible en bouche : le gras et la fraîcheur s'équilibrent harmonieusement pour laisser une impression de charnu et de persistance.

Franck Millet, 68, rue Saint-Vincent, 18300 Bué, tél. 02.48.54.25.26, fax 02.48.54.39.85, e-mail franck.millet@wanadoo.fr r.-v.

FLORIAN MOLLET Roc de l'Abbaye 2006

4 ha 32 000 8 à 11 €

Ancien bien domanial de l'abbaye de Saint-Satur, ce domaine compte aujourd'hui 11 ha sur des coteaux argilo-siliceux. Il a produit un vin discret, qui laisse poindre des notes d'écorce d'orange, de citron et de fleurs blanches. Franc en attaque, celui-ci développe du gras en milieu de bouche et se termine en douceur. Quelques mois de garde devraient lui permettre d'affirmer sa personnalité.

Florian Mollet, 84, av. de Fontenay, 18300 Saint-Satur, tél. 02.48.54.13.88, fax 02.48.54.09.28, e-mail mollet.jean-paul@wanadoo.fr t.l.j. 8h-12h 14h-19h

PATRICE MOREUX 2005 ★

1,27 ha 9 500 8 à 11 €

Par ses grands-parents, Patrice Moreux a des origines vigneronnes à Sancerre et à Pouilly-sur-Loire. Est-ce intuitivement qu'il élabore des sancerre bien typés à l'image de ce 2005 pourpre qui exprime d'intenses arômes de cerise et de framboise à l'eau-de-vie, nuancés de vanille ? Souple en attaque, le vin laisse percevoir son gras, mais est vite rattrapé par sa structure de tanins denses et une légère vivacité en finale. Il a au moins trois ans devant lui pour se parfaire.

Patrice Moreux, 1, chem. des Vallées, Les Loges, 58150 Pouilly-sur-Loire, tél. 03.86.39.13.55, fax 03.86.39.17.79, e-mail patrice.moreux@wanadoo.fr r.-v.

ROGER ET CHRISTOPHE MOREUX Les Bouffants 2006

3 ha 13 000 5 à 8 €

Roger et Christophe Moreux reçoivent dans leur caveau de Chavignol, ainsi qu'à Sancerre où ils ont ouvert une galerie d'art dans laquelle on déguste aussi les vins du domaine. Ce 2006 fruité (poire) et épicé (poivre) s'ouvre agréablement, puis laisse une impression de fraîcheur au palais, soulignée par les notes minérales finales. À la sortie du Guide, il sera prêt à rejoindre des coquilles Saint-Jacques. Souple et fruité, le **2006 rosé** est cité.

SARL Roger et Christophe Moreux, Chavignol, 18300 Sancerre, tél. 02.48.54.05.79, fax 02.48.54.09.55, e-mail rcmoreux@wanadoo.fr t.l.j. sf dim. 9h-12h 14h-19h

DOM. DU NOZAY 2006

15 ha 90 000 8 à 11 €

Ce domaine de 15 ha, créé de toutes pièces à partir de 1970 par Philippe de Benoist et entièrement consacré au sauvignon (les derniers ceps ont été plantés en 2006), entoure un château du XVIIIes. Le 2006, or pâle à reflets argentés, exhale des arômes fins de fleurs blanches avant de révéler son corps franc en attaque, tout en rondeur et souple jusqu'en finale. À table, il se mariera à un crottin de Chavignol.

SAS Dom. du Nozay, Ch. du Nozay, 18240 Sainte-Gemme-en-Sancerrois, tél. 02.48.79.30.23, fax 02.48.79.36.64, e-mail nozays@aol.com r.-v.

LES CELLIERS DE LA PAULINE 2005

2 ha 15 000 8 à 11 €

Thauvenay se trouve en bordure du canal latéral à la Loire, aujourd'hui très fréquenté par le tourisme fluvial. Éric Louis cultive ses vignes sur les coteaux sud-est de l'aire d'appellation, constitués de silex et d'argilo-calcaires. Il a élaboré un 2005 d'un pourpre intense attrayant. L'empreinte vanillée du bois apparaît au premier nez, mais les notes de griotte et de mûre percent après aération. Rond, le vin possède de la consistance en milieu de bouche, puis révèle des tanins encore fermes en finale. Pour une viande grillée, dans un an ou deux. Le **Celliers de Pauline 2006 blanc (5 à 8 €)**, mûr et généreux, est également cité.

Éric Louis, Le Bourg, 18300 Thauvenay, tél. 02.48.79.91.46, fax 02.48.79 93.48, e-mail ericlouis@celliersdelapauline.fr t.l.j. sf sam. dim. 8h30-12h 13h30-17h30

DOM. DE LA PERRIÈRE 2005 ★★

2 ha 14 000 11 à 15 €

Fort de 40 ha de sauvignon et de 2 ha de pinot noir, le domaine de La Perrière bénéficie aussi de belles caves creusées dans la pierre, celle-là même qui servit à la construction de la cathédrale de Bourges. Il a assemblé le fruit de trois parcelles pour composer cette cuvée : celle des Bouloises, argilo-calcaire, sur la commune de Saint-Satur, celle des Coudraies, à Sancerre, et celle du Vallon, à Bué. Élevé pour moitié en cuve et en fût, le vin s'affiche dans une robe grenat éclairée de violine et libère un nez puissant, association de fruits (quetsche mûre, griotte), de cuir et de sous-bois. Après une attaque souple, il révèle une chair ample, structurée par des tanins serrés. Un sancerre séveux, au caractère affirmé, qui rejoindra un gibier dans un an ou deux. La cuvée **Mégalithe 2005 blanc (15 à 23 €)** brille de deux étoiles pour sa plénitude, tandis que le **Domaine de La Perrière 2006 blanc (8 à 11 €)**, à l'élégante palette aromatique, obtient une étoile.

SCEA Dom. de La Perrière, Caves de La Perrière, 18300 Verdigny, tél. 02.48.54.16.93, fax 02.48.54.11.54, e-mail info@domainelaperriere.com
t.l.j. 8h-12h 14h-17h30; f. sam. dim. 15 déc.- 15 mars
J.-L. Saget

JEAN-PAUL PICARD Cuvée Prestige 2005 ★★

1 ha 5 000 8 à 11 €

La totalité des 12 ha de vignes de Jean-Paul Picard se situe sur le territoire de Bué, argilo-calcaire. Le sauvignon a donné naissance à un vin or franc, brillant de reflets verts et argentés. Les arômes fruités (orange sanguine) nuancés de notes de tubéreuse trouvent écho au palais, en accompagnement d'une chair ronde et fraîche à la fois, non dénuée de complexité. D'une réelle finesse, ce sancerre n'est qu'au début d'une carrière prometteuse. Le **2005 rouge (5 à 8 €)**, élevé en cuve, obtient une étoile pour son nez raffiné de fruits rouges.

Jean-Paul Picard, 11, chem. de Marloup, 18300 Bué, tél. 02.48.54.16.13, fax 02.48.54.34.10, e-mail jean-paul.picard18@wanadoo.fr
t.l.j. sf dim. 8h-12h 13h30-18h30

DOM. DU PRÉ SEMELÉ 2006 ★

1,4 ha 7 300 5 à 8 €

Chaque année, le 15 août, la fête du groupe folklorique de la Sabotée sancerroise se tient au village de Maimbray, dans le pré voisin de la cave de la famille Raimbault. Pour vous mettre dans l'ambiance, goûtez ce rosé saumon pâle qui dispense d'élégants arômes de cerise et d'épices, puis une chair ronde et suave, au fruité tout aussi raffiné. Un vin de terroir. Frais et floral, le **Domaine du Pré Semelé 2006 blanc** est cité.

SCEV Claude Rémy et Julien Raimbault, Maimbray, 18300 Sury-en-Vaux, tél. 02.48.79.36.42, fax 02.48.79.32.95, e-mail craimbault@terre-net.fr
t.l.j. sf dim. 8h-12h 14h-18h

PIERRE PRIEUR ET FILS
Cuvée Maréchal Prieur 2005 ★★

0,9 ha 5 400 11 à 15 €

CUVÉE
Maréchal Prieur
Sancerre
13% vol.
Appellation Sancerre contrôlée
75cl
2005
Mis en bouteille au Domaine de Saint-Pierre par
Prieur Pierre et Fils, Verdigny-en-Sancerre
Produit de France

Coup de cœur l'an passé pour leur Domaine de Saint-Pierre, Bruno et Thierry Prieur témoignent à nouveau de leur talent par cette cuvée 2005 d'un même niveau de qualité. Issue de sols de silex et d'argilo-calcaires, elle a hérité d'un élevage de douze mois sous bois des notes empyreumatiques finement mêlées à la cerise et à la framboise pour composer un bouquet complexe. Prévisible à la simple vue de la teinte pourpre profond, la densité est réelle au palais qui concilie puissance et élégance. Délicieux dès maintenant, ce vin vieillira fort bien au cours des dix années à venir. Deux sancerre blancs sont, par ailleurs, cités : la **cuvée Maréchal Prieur 2005** pour sa minéralité et le **Domaine de Saint-Pierre 2006 (8 à 11 €)** pour sa rondeur.

SAS Pierre Prieur et Fils, Dom. de Saint-Pierre, 18300 Verdigny, tél. 02.48.79.31.70, fax 02.48.79.38.87, e-mail prieur-pierre@netcourrier.com
t.l.j. sf dim. 9h-12h 14h-18h

PAUL PRIEUR ET FILS 2006 ★

11,22 ha 95 000 8 à 11 €

Une boutique de vente de style 1900, du mobilier régional, un four à pain : au domaine Paul Prieur, les traditions sont préservées. Vous y découvrirez ce sancerre au nez expressif, floral et fruité (agrumes), ponctué d'une touche de noisette. Rond, presque doux, il est équilibré par une juste vivacité qui lui donne une agréable dynamique. Après cette dégustation, partez à travers vignes chercher quelques crottins de Chavignol chez le producteur voisin.

Paul Prieur et Fils, rte des Monts-Damnés, 18300 Verdigny, tél. 02.48.79.35.86, fax 02.48.79.36.85, e-mail paulprieurfils@wanadoo.fr
t.l.j. 9h-12h 14h-18h; dim. sur r.-v.

DOM. ANDRÉ RAFFAITIN 2006

1 ha 4 000 5 à 8 €

Pour un rosé, la teinte est primordiale : celui-ci apparaît saumon pâle, aux nuances pelure d'oignon. Discret et fin, il décline des notes de fruits rouges et de pêche, puis offre une matière très fraîche, subtilement minérale. Il sera fort agréable avec une grillade. Caractérisé par des arômes d'agrumes et par la souplesse, le **Domaine André Raffaitin 2006 blanc** est cité.

Jacques Raffaitin, 39, rue Saint-Vincent, 18300 Bué, tél. 02.48.54.25.62, fax 02.48.54.11.87, e-mail domaineandreraffaitin@wanadoo.fr r.-v.

PHILIPPE RAIMBAULT Les Godons 2006 ★

3,3 ha 25 000 8 à 11 €

La cave enterrée, construite il y a bientôt dix ans, est située au pied du vignoble du lieu-dit Les Godons, argilo-calcaire. Philippe Raimbault propose un 2006 déjà complexe : même si ses arômes fruités et floraux semblent encore discrets, on perçoit un réel potentiel en réserve. L'attaque est souple, puis la vivacité gagne peu à peu le palais et soutient la finale fruitée. Une bouteille à mettre de côté un an ou deux. La cuvée **Apud Sariacum 2006 rosé**, souple et équilibrée, reçoit une étoile également.

Philippe Raimbault, rte de Maimbray, 18300 Sury-en-Vaux, tél. 02.48.79.29.54, fax 02.48.79.29.51, e-mail philipperaimbault@terre-net.fr r.-v.

LOIRE

ROGER ET DIDIER RAIMBAULT 2006

10 ha 60 000 5 à 8 €

Les terroirs argilo-calcaires produisent des vins aptes à la garde et qui demandent du temps avant de trouver leur pleine expression. Tel est le cas de ce sancerre encore timide, mais raffiné dans ses évocations de fleurs blanches et de pêche. S'il est tendre en attaque, il montre plus de

fermeté en finale, indication que quelques mois d'évolution lui seront favorables. À déboucher au cours de l'automne, pour accompagner un poisson en sauce.
Roger et Didier Raimbault, Chaudenay,
18300 Verdigny, tél. 02.48.79.32.87, fax 02.48.79.39.08,
e-mail didier@raimbault-sancerre.com
t.l.j. 8h-12h 13h30-18h30; dim. sur r.-v.

DOM. RAIMBAULT-PINEAU 2006

8,5 ha 70 000 5 à 8 €

Ce sancerre or blanc à nuances platine exhale de discrets arômes fruités, ponctués de notes végétales, puis offre une chair souple, assez ample en milieu de bouche et vive en finale. Une bouteille pour l'apéritif. Destinée à 80 % au marché français, la **cuvée Lucien Prestige 2005 rouge (8 à 11 €)**, élevée en fût, est citée.
Dom. Raimbault-Pineau, rte de Sancerre,
18300 Sury-en-Vaux, tél. 02.48.79.33.04,
fax 02.48.79.36.25,
e-mail scev.raimbaultpineau@terre-net.fr
r.-v.

DOM. HIPPOLYTE REVERDY 2006 **

10,5 ha 65 000 8 à 11 €

Poursuivant dans la voie de la rigueur, le domaine a produit à nouveau un sancerre blanc remarquable en 2006. De doux parfums de fleurs blanches nuancés de notes d'agrumes flattent le nez par leur élégance, tandis que la chair, toute fruitée, s'ouvre sur la rondeur, puis enchaîne gras et fraîcheur. Doté de tanins bien domptés et d'un beau fruité, le **2005 rouge** est cité.
Dom. Hippolyte Reverdy,
rue de la Croix-Michaud, Chaudoux, 18300 Verdigny,
tél. 02.48.79.36.16, fax 02.48.79.36.65,
e-mail domaine.hreverdy@wanadoo.fr r.-v.

PASCAL ET NICOLAS REVERDY
Vieilles Vignes 2005 *

1,2 ha 4 200 11 à 15 €

Partis du vieux village de Maimbray il y a une quinzaine d'années, Pascal et Nicolas Reverdy se sont fait une place jusqu'à l'autre bout du monde en introduisant leurs vins sur les meilleures tables. Cette cuvée a été élevée dix mois en fût et pourtant le boisé reste imperceptible tant les arômes de fleurs blanches et de tilleul sont intenses. À la fois ronde et structurée par des tanins fermes, elle a un potentiel certain d'évolution.
Pascal et Nicolas Reverdy, Maimbray,
18300 Sury-en-Vaux, tél. 02.48.79.37.31,
fax 02.48.79.41.48, e-mail reverdypn@wanadoo.fr
t.l.j. sf mer. dim. 10h30-12h 14h30-18h

DOM. REVERDY-DUCROUX
Les Vignes Louys Marie 2005 **

0,5 ha 3 000 11 à 15 €

Dans ce sancerre, le bois n'aura pas le dernier mot : si la vanille et le grillé sont encore prononcés, les notes de fruits rouges sont bien présentes. L'attaque est équilibrée, le fond riche. Certes, les tanins se manifestent en finale, mais l'évolution est en cours. Une bouteille à conserver entre trois et cinq ans avant de la proposer avec un tournedos. Élevée en fût et jouant sur la rondeur, la cuvée **Montée de Bouffant 2005 blanc** reçoit une étoile, tandis que la cuvée **Beau Roy blanc 2006 (8 à 11 €)**, fruitée, est citée.
Dom. Reverdy-Ducroux, rue du Pressoir,
18300 Verdigny, tél. 02.48.79.31.33, fax 02.48.79.36.19,
e-mail reverdy.ducroux-sancerre@wanadoo.fr
r.-v.

BERNARD REVERDY ET FILS 2005

1,79 ha 10 000 5 à 8 €

Le cadre est ici des plus agréables, le domaine étant régulièrement primé pour ses parterres de fleurs et de plantes ornementales. Dans le verre, c'est un joli fruité (cerise) qui vous accueille, auquel des notes de fumé et de grillé apportent de la complexité. Le vin s'introduit avec rondeur au palais, puis des tanins nerveux se dessinent, bientôt rejoints par d'agréables saveurs de fruits en finale. Le **2006 blanc** et le **rosé 2006** sont cités.
Bernard Reverdy et Fils,
rte des Petites-Perrières, Chaudoux, 18300 Verdigny,
tél. 02.48.79.33.08, fax 02.48.79.37.93,
e-mail reverdybernard@aol.com r.-v.

DANIEL REVERDY ET FILS Anthéa 2005 **

0,2 ha 1 500 5 à 8 €

Issue de vignes âgées d'une cinquantaine d'années en moyenne, cette cuvée a été élevée pour un quart en fût, ce qui lui confère une ligne vanillée en complément des arômes floraux intenses du premier nez ; des notes anisées et épicées se manifestent ensuite à l'aération. Ronde et vive à la fois, souple, elle réussit à allier les contraires au palais. À attendre un peu.
GAEC Daniel Reverdy et Fils,
rue du Graveron, Chaudenay, 18300 Verdigny,
tél. et fax 02.48.79.33.29,
e-mail daniel-et-fils.reverdy@wanadoo.fr
t.l.j. 8h-12h 13h30-18h

JEAN REVERDY ET FILS La Reine blanche 2006

9 ha 60 000 8 à 11 €

Délivrant une sensation immédiate de fraîcheur grâce à des arômes fruités aussi présents au nez qu'en bouche, ce 2006 garde un caractère amylique prononcé, témoignant de sa jeunesse. L'équilibre se réalise dans ce vin net et droit, de bonne persistance, qui ne pourra que gagner à vieillir.
Jean Reverdy et Fils, Chaudoux, 18300 Verdigny,
tél. 02.48.79.31.48, fax 02.48.79.32.44,
e-mail jreverdy@wanadoo.fr r.-v.

CLAUDE RIFFAULT Les Pierrottes 2006 **

0,8 ha 5 500 8 à 11 €

SANCERRE
APPELLATION SANCERRE CONTRÔLÉE
LES PIERROTTES
CLAUDE RIFFAULT
VIGNERON À MAISON SALLÉ - SURY-EN-VAUX

En 2002, Stéphane Riffault a pris le relais de son père Claude pour conduire le vignoble et les vinifications. Néanmoins, ce dernier continue sans doute de lui prodiguer ses conseils : ainsi se transmet le savoir-faire familial

dont témoigne ce sancerre riche d'arômes très frais de fleurs blanches et de fruits (mirabelle) nuancés de minéral. Gras et minéralité se mêlent au palais et persistent durablement. Un vin complexe, de grande finesse. La cuvée **Les Boucauds 2006 blanc** est citée.
Claude Riffault, Maison-Sallé, 18300 Sury-en-Vaux, tél. 02.48.79.38.22, fax 02.48.79.36.22, e-mail claude.riffault@wanadoo.fr
t.l.j. 8h-12h 14h-19h; dim. sur r.-v.

DOMINIQUE ROGER Cuvée La Jouline 2005 *

0,7 ha 3 300 11 à 15 €

Ce 2005, grenat profond, libère des arômes intenses de fruits noirs et de pain grillé. Annonce d'une bouche tendre au premier contact, puis riche en tanins. Puissant, ce vin mérite une garde de deux ans au moins.
Dominique Roger, 7, pl. du Carrou, 18300 Bué, tél. 02.48.54.10.65, fax 02.48.54.38.77, e-mail dominique.roger11@wanadoo.fr
t.l.j. 8h30-12h 13h30-19h; dim. sur r.-v.

DOM. DE LA ROSSIGNOLE 2005 *

2 ha 8 000 8 à 11 €

Récolté sur sol argilo-calcaire, le pinot noir a donné naissance à un vin grenat brillant, aux arômes typés et intenses : les notes de fruits rouges dominent, soulignés d'un boisé discret. La bouche ample et bien construite par des tanins fondus est de bon augure : ce sancerre devrait s'ouvrir dans l'année. Le **Domaine de La Rossignole 2006 blanc**, tendre et frais, est cité.
Pierre Cherrier et Fils, rue de la Croix-Michaud, Chaudoux, 18300 Verdigny, tél. 02.48.79.34.93, fax 02.48.79.33.41, e-mail cherrier@easynet.fr r.-v.

DOM. DE SAINT-ROMBLE 2005 *

1,8 ha 10 500 8 à 11 €

Le château médiéval de Buranlure est à 7 km de Sury-en-Vaux et Sancerre à 6 km. Entre deux visites, vous ferez halte à Verdigny pour découvrir ce 2005 habillé de pourpre intense et typiquement fruité (mûre, framboise). Plein, il laisse une impression de rondeur grâce à des tanins soyeux. Le **Domaine de Saint Romble 2006 blanc (5 à 8 €)**, fruité et chaleureux, mérite une citation.
SARL Paul Vattan, Dom. de Saint-Romble, BP 45, Maimbray, 18300 Sury-en-Vaux, tél. 02.48.79.30.36, fax 02.48.79.30.41, e-mail claude@fournier-pere-fils.fr
r.-v. chez Fournier à Verdigny

DOM. CHRISTIAN SALMON Classic 2006 **

15 ha 104 800 8 à 11 €

Des grappes de sauvignon bien mûres, peut-être même légèrement surmûries, ont légué à ce vin des arômes intenses de poire et de fruits confits, que soulignent des nuances de menthe et d'épices. La vivacité fait bon ménage avec le gras au palais, de sorte que l'impression d'ampleur et de persistance l'emporte. Un sancerre flatteur qui saura traverser le temps. La cuvée **Le Chêne Marchand 2006 blanc (11 à 15 €)** est citée.
Dom. Christian Salmon, Le Carroir, 18300 Bué, tél. 02.48.54.20.54, fax 02.48.54.30.36, e-mail domainechristiansalmon@wanadoo.fr
r.-v.

CH. DE SANCERRE
Passe avant le meilleur 2005 **

4,5 ha 36 000 11 à 15 €

En 1920, Alexandre Marnier-Lapostolle, fondateur de la liqueur Grand-Marnier, a acquis le château de Sancerre, ainsi que la tour des Fiefs qui domine la ville. Ces deux édifices demeurent le symbole du domaine et illustrent les étiquettes de vin. Ce 2005 pourpre à reflets cerise noire décline les arômes de fruits rouges et noirs (framboise et mûre) attendus du pinot noir, ainsi que des nuances de café et de grillé dues à l'élevage. C'est un vin charnu, dense et concentré, doté de tanins soyeux qui lui assurent une bonne tenue pour les dix prochaines années. Une étoile pour le **Château de Sancerre 2006 blanc (8 à 11 €)**, fruité et frais, et la **Cuvée du Connétable 2005 blanc (15 à 23 €)**.
Sté Marnier-Lapostolle, Ch. de Sancerre, 18300 Sancerre, tél. 02.48.78.51.52, fax 02.48.78.51.56, e-mail cherrier.g@grandmarnier.tm.fr r.-v.

DAVID SAUTEREAU 2005

0,5 ha 3 500 5 à 8 €

Un sol argilo-calcaire a nourri les ceps de pinot noir qui ont donné naissance à ce vin encore timide au nez, mais très nettement marqué par les fruits rouges au palais. Après une attaque ample, les tanins laissent une impression un peu austère. L'équilibre n'en est pas moins réussi et l'ensemble fort plaisant.
David Sautereau, Les Epsailles, 18300 Crézancy-en-Sancerre, tél. 02.48.79.42.52, fax 02.48.79.44.12, e-mail david.sautereau@wanadoo.fr
t.l.j. 8h-12h 13h30-19h; dim. sur r.-v.

DOM. MICHEL THOMAS Silex 2005 *

0,84 ha 5 500 8 à 11 €

Or vert : une teinte qui pourrait être celle d'un vin de l'année. Pourtant, ce sancerre est bien de 2005. Aux arômes floraux (chèvrefeuille), végétaux (tubéreuse et genêt) et fruités (poire) répond une bouche ronde en attaque, puis de plus en plus vive, agrémentée de flaveurs d'agrumes. De la jeunesse, sans nul doute, et un bel avenir. Le **Domaine Michel Thomas 2006 blanc (5 à 8 €)** est cité pour ses arômes de fleurs blanches.
SCEV Michel Thomas et Fils, Les Égrots, 18300 Sury-en-Vaux, tél. 02.48.79.35.46, fax 02.48.79.37.60, e-mail thomas.mld@wanadoo.fr
t.l.j. sf dim. 8h-12h 14h-19h

JEAN THOMAS Ultimus 2006 **

0,5 ha 2 000 15 à 23 €

Des vignes de soixante ans cultivées sur un sol argilo-calcaire du kimméridgien supérieur, une fermentation parcellaire en fût et un élevage sur lies : telles sont les clés de la réussite de ce vin évocateur de grillé, de vanille, d'agrumes (citron) et de genêt. Un sancerre riche et structuré, plein et long, qui témoigne d'un excellent travail de vinification. Il ne devrait pas être débouché avant 2009.
Dom. Thomas et Fils, Chaudoux, 18300 Verdigny, tél. 02.48.79.38.71, fax 02.48.79.38.14, e-mail thomasgntt@wanadoo.fr
t.l.j. 8h30-18h30; dim. sur r.-v.

CLAUDE ET FLORENCE THOMAS LABAILLE Vieilles Vignes Les Aristides 2006 **

2 ha 10 000 8 à 11 €

Florence et Jean-Paul Labaille ont ouvert un caveau de dégustation sur la place de Chavignol. Vous y trouverez

LOIRE

ce vin aux arômes mesurés, mais complexes : les notes florales sont suivies d'un agréable fruité (ananas) et d'une subtile note de minéralité. La bouche se dessine avec finesse, révélant une fraîcheur délicieuse qui soutient longuement les arômes de pêche blanche et de pamplemousse. Un sancerre harmonieux et de garde.
EARL Thomas-Labaille, Chavignol, 18300 Sancerre, tél. 02.48.54.06.95, fax 02.48.54.07.80, e-mail thomas.labaille@wanadoo.fr t.l.j. 10h-12h30 15h-18h

DOM. ROLAND TISSIER ET FILS 2005 *

0,75 ha 6 000 5 à 8 €

Des senteurs de prune mûre marquent le premier nez, puis ce sont celles de fruits rouges (cerise) qui apparaissent. De la souplesse en attaque, des tanins qui se révèlent progressivement, une finale vive aux accents fruités : tous les éléments sont réunis pour une agréable impression générale. Fruité et vif, le **2006 rosé** reçoit une étoile.
Dom. Roland Tissier et Fils, Le Petit Morice, 18300 Sancerre, tél. 02.48.54.02.93, fax 02.48.78.04.32, e-mail sancerretissier@wanadoo.fr r.-v.

DOM. DES TROIS NOYERS 2006 *

1 ha 7 000 5 à 8 €

Georges, puis Roger et aujourd'hui Claude Reverdy Cadet ont conduit ce domaine familial. Un joli sancerre d'un rose soutenu, signe de puissance. Un fruité intense de cassis, de mûre et de groseille se manifeste, introduction d'une matière dense et équilibrée. Une cuisine épicée n'intimidera pas ce rosé. Le **Domaine des Trois Noyers rouge 2005**, à la forte structure tannique, obtient une étoile.
Reverdy Cadet et Fils, rte de la Perrière, Chaudoux, 18300 Verdigny, tél. 02.48.79.38.54, fax 02.48.79.35.25 t.l.j. 8h-12h 14h-18h; dim. sur r.-v.
Claude et Fabienne Reverdy Cadet

JEAN-PIERRE VACHER ET FILS 2006 ***

0,5 ha 2 000 5 à 8 €

Le vignoble de Jean-Pierre Vacher et de son fils, Jérôme, se répartit sur les communes de Verdigny et de Menetou-Ratel. L'association des terroirs se traduit par un sancerre rosé d'exception en 2006. De teinte saumon franc à reflets framboise, celui-ci séduit par son expression fruitée rappelant la cerise et la fraise. Il est droit, gras et élégant en bouche, doté d'une longue finale. Le **sancerre 2006 rouge**, fin et gouleyant, est cité.
EARL Jean-Pierre Vacher et Fils, rte de Sancerre, 18300 Menetou-Ratel, tél. 02.48.79.38.89, fax 02.48.79.27.31 r.-v.

DOM. VACHERON 2006 *

25 ha 170 000 11 à 15 €

Un dédale de caves souterraines du XV^e^s. où les tonneaux sont logés dans de petits caveaux : beau cadre pour l'élevage des vins. Ce 2006 est en passe de s'ouvrir sur les arômes d'agrumes, de buis et surtout sur la minéralité. La bouche semble tendue encore, fraîche en attaque, puis ferme en finale, mais le temps saura apporter le fondu attendu. La cuvée **Les Romains 2005 blanc (15 à 23 €)**, au caractère exotique, est citée.
Dom. Vacheron, 1, rue du Puits-Poulton, BP 49, 18300 Sancerre, tél. 02.48.54.09.93, fax 02.48.54.01.74, e-mail vacheron.sa@wanadoo.fr r.-v.

DOM. ANDRÉ VATAN Saint-François 2006 **

0,3 ha 2 500 11 à 15 €

Issu d'un terroir riche en silex, ce vin a noué de bonnes relations avec le bois. Encore discret, le nez associe subtilement le fruité (pamplemousse, abricot) et le grillé du fût. S'ensuit une bouche ample, charnue et charpentée, d'une persistance aromatique notable. De la personnalité. Dotée d'un bon potentiel de garde, la cuvée **Maulin Bèle 2006 rouge (8 à 11 €)** est citée.
André Vatan, rte des Petites-Perrières, Chaudoux, 18300 Verdigny, tél. 02.48.79.33.07, fax 02.48.79.36.30, e-mail avatan@terre-net.fr r.-v.

DOM. MICHEL VATTAN 2006 **

0,25 ha 2 300 5 à 8 €

À l'heure de la parution du Guide, la nouvelle salle de réception de Michel Vattan et le caveau enterré devraient être achevés. Prenez rendez-vous pour découvrir sans attendre ce rosé de teinte saumon à reflets orangés, non dénué d'élégance, qui livre des arômes typés de cassis et d'agrumes. De l'attaque à la finale, les saveurs s'équilibrent : fraîcheur, délicatesse, fruité suave.
Michel Vattan, Maimbray, 18300 Sury-en-Vaux, tél. 02.48.79.40.98, fax 02.48.79.41.20, e-mail vattan-michel@cario.fr r.-v.

DOM. DES VIEUX PRUNIERS 2005 **

0,3 ha 1 700 8 à 11 €

Christian Thirot fait partie de ces vignerons chercheurs, soucieux d'innovation. À la vigne, il a ainsi choisi d'enherber 30 % de son domaine ; au chai, il réserve un élevage en fût à son sancerre rouge. Voici un vin rubis à reflets cerise noire qui offre un fruité mûr de griotte et de pruneau, nuancé de torréfaction (café). Des tanins soyeux contribuent à sa souplesse et à sa rondeur jusqu'en finale. Frais et discret, le **Domaine des Vieux Pruniers 2006 rosé (5 à 8 €)** est cité.
Christian Thirot-Fournier, 1, chem. de Marcigoi, 18300 Bué, tél. 02.48.54.09.40, fax 02.48.78.02.72, e-mail thirot.fournier-christian@wanadoo.fr r.-v.

DOM. DE LA VOLTONNERIE 2005

1,7 ha 10 000 8 à 11 €

Voici un 2005 rubis brillant, aux arômes intenses de cerise et de liqueur de cassis. Les tanins se manifestent progressivement dans la chair chaleureuse et fruitée, laissant une sensation d'austérité en finale. Un an ou deux de garde permettront à ce sancerre de gagner en harmonie.
Jack Pinson, Le Bourg, 18300 Crézancy-en-Sancerre, tél 02.48.79.00.94, fax 02.48.79.00.11, e-mail j.pinson@terre-net.fr r.-v.

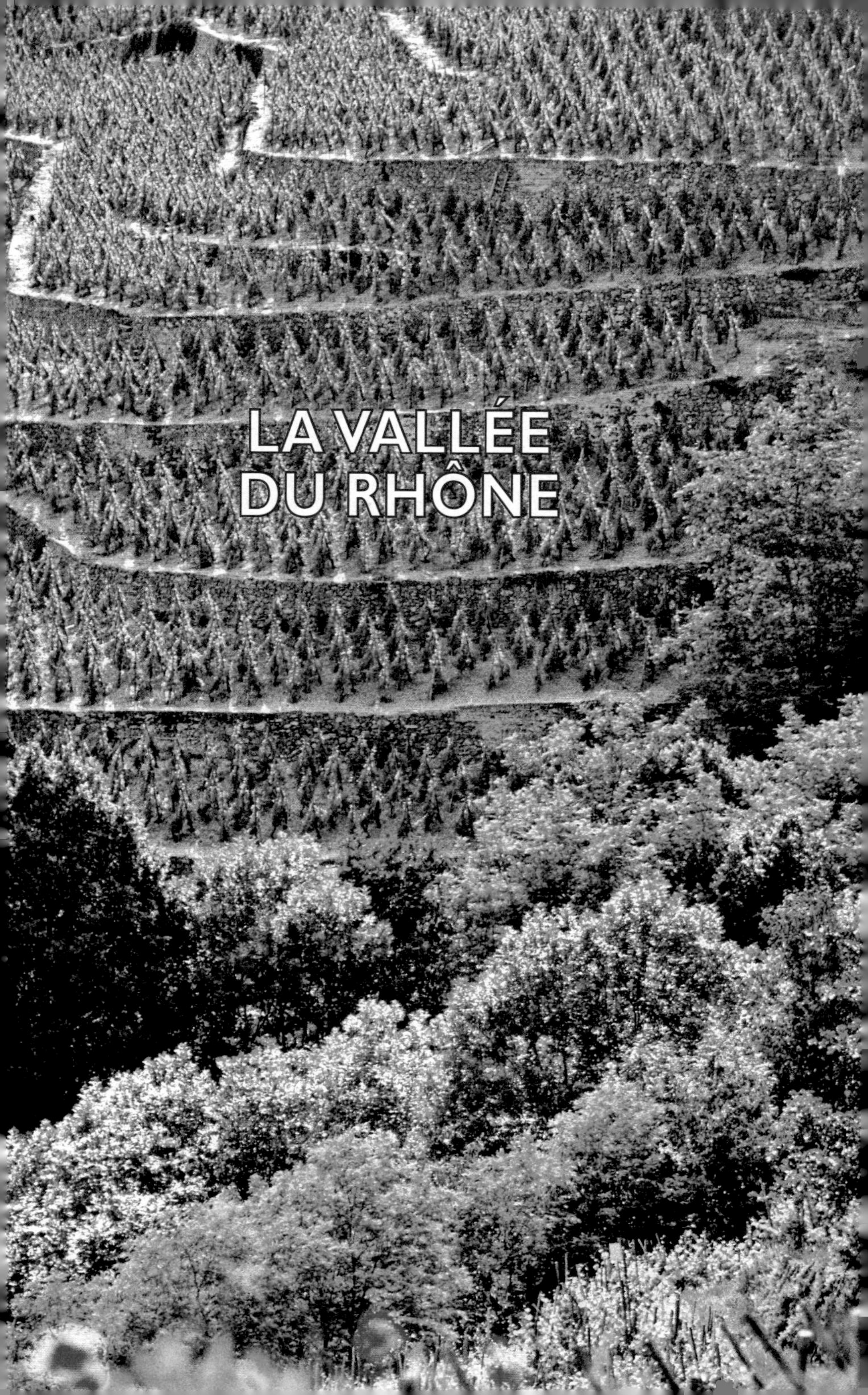
LA VALLÉE
DU RHÔNE

LA VALLÉE DU RHÔNE

Fougueux, le Rhône file vers le Midi, vers le soleil. Sur ses rives, le long des pays qu'il unit plus qu'il ne les divise, s'étendent des vignobles parmi les plus anciens de France, ici prestigieux, plus loin méconnus. La vallée du Rhône est, en production de vins fins, la seconde région viticole de l'Hexagone après le Bordelais. En qualité aussi, elle peut rivaliser sans honte avec certains de ses crus, suscitant l'intérêt des connaisseurs autant que quelques-uns des bordeaux ou des bourgognes les plus réputés.

Longtemps, pourtant, le côtes-du-rhône fut mésestimé : gentil vin de comptoir un peu populaire, il n'apparaissait que trop rarement aux tables élégantes. « Vin d'une nuit » qu'une si brève cuvaison rendait léger, fruité et peu tannique, il voisinait avec le beaujolais dans les « bouchons » lyonnais ; mais les vrais amateurs appréciaient pourtant les grands crus et goûtaient un hermitage ou un côte-rôtie avec tout le respect dû aux plus grandes bouteilles. Aujourd'hui, l'image des côtes-du-rhône s'est redressée. S'ils continuent à couler allègrement sur le zinc des bistrots, ils prennent une place de plus en plus grande sur les meilleures tables, et, tandis que leur diversité fait leur richesse, ils ont regagné désormais le succès que l'histoire, déjà, leur avait accordé.

Peu de vignobles sont en effet capables de se prévaloir d'un passé aussi glorieux que ceux-ci, et, de Vienne jusqu'en Avignon, il n'est pas un village qui ne puisse retracer quelques pages parmi les plus mémorables de l'histoire de France. On revendique en outre, aux abords de Vienne, l'un des plus anciens vignobles du pays, développé par les Romains, après avoir été créé par des Phocéens « montés » depuis Marseille. Vers le IVᵉs. avant notre ère, des vignobles étaient attestés dans les secteurs des actuels hermitage et côte-rôtie, tandis que ceux de la région de Die apparaissaient dès le début de l'ère chrétienne. Les Templiers, au XIIᵉs., ont planté les premières vignes de Châteauneuf-du-Pape, œuvre poursuivie par le pape Jean XXII deux siècles plus tard. Quant aux vins de la Côte du Rhône gardoise, ils connurent une grande vogue aux XVIIᵉ et XVIIIᵉs.

Aujourd'hui, dans le secteur méridional, sur la rive gauche du fleuve, le château médiéval de Suze-la-Rousse s'est reconverti au service du vin : l'université du Vin y siège et y organise stages, formations professionnelles et manifestations diverses.

Tout le long de la vallée, les vins sont produits sur les deux rives, certains experts séparant cependant les vins de la rive gauche, plus lourds et capiteux, de ceux de la rive droite, plus légers. Mais on distingue plus généralement deux grands secteurs nettement différenciés : celui de la vallée du Rhône septentrionale, au nord de Valence, et celui de la vallée du Rhône méridionale, au sud de Montélimar, coupés l'un de l'autre par une zone d'environ cinquante kilomètres où la vigne est absente.

Il ne faut pas oublier non plus les appellations voisines de la vallée du Rhône, qui, si elles sont moins connues du grand public, produisent pourtant des vins originaux et de qualité. Ce sont le coteaux-du-tricastin au nord, le côtes-du-ventoux et le côtes-du-luberon à l'est, le côtes-du-vivarais au nord-ouest. Il existe trois autres appellations que leur situation géographique éloigne davantage de la vallée proprement dite : la clairette-de-die et le châtillon-en-diois, dans la vallée de la Drôme, en bordure du Vercors, et le coteaux-de-pierrevert, produit dans le département des Alpes-de-Haute-Provence. Il convient enfin de citer les deux appellations de vins doux naturels du Vaucluse : muscat-de-beaumes-de-venise et rasteau.

Selon les variations de sol et de climat, il est encore possible de repérer trois sous-ensembles dans cette vaste région de la vallée du Rhône. Au nord de Valence, le climat est tempéré à influence continentale, les sols sont le plus souvent granitiques ou schisteux, disposés en coteaux à très forte pente ; les vins sont issus du seul cépage syrah pour les rouges, des cépages marsanne et roussanne pour les blancs, et le cépage viognier est à l'origine du château-grillet et du condrieu. Dans le Diois, le climat est influencé par le relief montagneux, et les sols calcaires sont constitués par des éboulis de bas de pente ; les cépages clairette et muscat se sont bien adaptés à ces conditions naturelles. Au sud de Montélimar, le climat est méditerranéen, les sols très variés sont répartis sur un substrat calcaire (terrasses à galets roulés, sols rouges argilo-sableux, molasses et sables) ; le cépage principal est alors le grenache, mais les excès climatiques obligent les viticulteurs à utiliser plusieurs cépages pour obtenir des vins parfaitement équilibrés : la syrah, le mourvèdre, le cinsault, la clairette, le bourboulenc, la roussanne.

Après une nette diminution des superficies plantées au XIXe s., le seul vignoble de la vallée du Rhône s'est à nouveau étendu. Dans son ensemble, il couvre 61 172 ha, pour une production de 2,510 millions d'hectolitres en 2006 ; dans le secteur septentrional 50 % de la production est commercialisé par le négoce alors que, dans le secteur méridional, 70 % l'est par les coopératives. S'y ajoute désormais la production des costières-de-nîmes qui ont choisi de s'inscrire dans le contexte des vins du Rhône, soit 216 000 hl.

Côtes-du-rhône

L'appellation régionale côtes-du-rhône a été définie par décret en 1937. En 1996, un nouveau décret a fixé les conditions d'encépagement appliquées depuis 2004 : en rouge, le grenache devra représenter 40 % minimum, syrah et mourvèdre devant tenir leur place. Cette disposition n'est bien sûr valable que pour les vignobles méridionaux situés au sud de Montélimar. La possibilité d'incorporer des cépages blancs n'existera plus que pour les rosés. L'AOC s'étend sur six départements : Gard, Ardèche, Drôme, Vaucluse, Loire et Rhône. Produits sur 41 220 ha situés en quasi-totalité dans la partie méridionale, ces vins ont représenté en 2006 une production de 1 789 670 hl, les vins rouges et rosés se taillant la part du lion avec 97 % de la production. 10 000 vignerons sont répartis entre 1 610 caves particulières (35 % des volumes) et 70 caves coopératives (65 % des volumes). Sur les trois cents millions de bouteilles commercialisées chaque année, 40 % sont consommées à domicile, 30 % dans la restauration et 30 % sont exportées.

Grâce aux variations des microclimats, à la diversité des sols et des cépages, ces vignobles produisent des vins qui pourront réjouir tous les palais : vins rouges de garde, riches, tanniques et généreux, à servir sur de la viande rouge, produits dans les zones les plus chaudes et sur des sols de diluvium alpin (Domazan, Estézargues, Courthézon, Orange...) ; vins rouges plus légers, fruités et plus nerveux, nés sur des sols eux-mêmes plus légers (Puyméras, Nyons, Sabran, Bourg-Saint-Andéol...) ; vins primeurs enfin (environ 3,5 millions de cols), fruités et gouleyants, à boire très jeunes, à partir du troisième jeudi de novembre, et qui connaissent un succès sans cesse grandissant.

La chaleur estivale prédispose les vins blancs et les vins rosés à une structure caractérisée par l'équilibre et la rondeur. L'attention des producteurs et le soin des œnologues permettent d'extraire le maximum d'arômes et d'obtenir des vins frais et délicats, dont la demande augmente continuellement. On les servira respectivement sur les poissons de mer, sur les salades ou la charcuterie.

CH. LES AMOUREUSES Tradition 2005 ★

■ 6 ha 28 000 **8 à 11 €**

Quelques parcelles de vignes centenaires composent ce domaine dont le nom rappelle qu'autrefois les jeunes gens de Bourg-Saint-Andéol se donnaient rendez-vous à la source des Amoureuses. Alain Grangaud propose un vin riche d'arômes de fruits confiturés et encore empreint des notes de torréfaction dues aux neuf mois d'élevage en fût. La bouche ne manque pas d'attraits, équilibrée, fraîche et charnue. Ce côtes-du-rhône aura juste besoin de deux ans de garde pour que le boisé se fonde.

Alain Grangaud, chem. de Vinsas, 07700 Bourg-Saint-Andéol, tél. 04.75.54.51.85, fax 04.75.54.66.38, e-mail alain.grangaud@wanadoo.fr

r.-v.

RHÔNE

DOM. LES ASSEYRAS 2005

■ 3 ha 10 500 ▮ 3 à 5 €

Relais de chevaux sur la route d'Orange à Valréas au XIXe s., ce domaine a retrouvé pleinement la vocation viticole qu'il avait déjà au Moyen Âge : 25 ha sur sols argilo-calcaires, dont des pieds de grenache et de syrah qui sont à l'origine de ce 2005 sombre, dominé par des senteurs de petits fruits rouges. C'est un côtes-du-rhône équilibré, tout en rondeur mais non dénué de fraîcheur, que vous dégusterez sans façons dès aujourd'hui.

Daniel Blanc, Dom. Les Asseyras, rte de Visan, 26790 Tulette, tél. et fax 04.75.98.30.81, e-mail daniel.blanc@cegetel.net r.-v.

DOM. DES BACCHANTES 2005 ★

■ 4 ha 15 000 ▮ 5 à 8 €

À 5 km du pont du Gard, cette cave fondée en 1965 mérite une halte, ne serait-ce que pour découvrir ce vin déjà agréable, mais également apte à une garde jusqu'en 2009. Intensément coloré, il laisse peu à peu s'épanouir des arômes de confiture, annonce d'une chair plus aromatique encore, sur des flaveurs de fruits cuits, structurée par des tanins au grain soyeux.

Cave des Vignerons d'Estézargues, rte des Grès, 30390 Estézargues, tél. 04.66.57.03.64, fax 04.66.57.04.83, e-mail les.vignerons.estezargues@wanadoo.fr
t.l.j. sf dim. 8h-12h 14h-18h

LA BASTIDE SAINT-DOMINIQUE

Cuvée Jules Rochebonne 2005 ★★

■ 2 ha 10 000 ▮ 8 à 11 €

À Courthézon, village perché au-dessus du Rhône, serré derrière ses remparts du XIIe s., le troubadour Raimbaud d'Orange tenait ses cours d'amour. Au cœur des vignes, dans la bastide entourée de cyprès datant de 1653, on trouve un **côtes-du-rhône-villages 2005 rouge (5 à 8 €)**, une étoile, et, dominée par la syrah, cette cuvée d'un rouge grenat qui possède une remarquable structure accompagnée d'arômes persistants de cacao, de moka et de café, sans oublier ceux de fruits à l'eau-de-vie. Une chair dense et chaleureuse l'enveloppe, promettant des accords réussis avec des plats relevés. Une étoile est accordée à **La Bastide Saint-Dominique blanc 2006 (5 à 8 €)**, côtes-du-rhône floral et rond qui trouvera sa place aux côtés d'une terrine de légumes ou de crustacés.

Gérard et Éric Bonnet, La Bastide Saint-Dominique, 84350 Courthézon, tél. 04.90.70.85.32, fax 04.90.70.76.64, e-mail contact@bastide-st-dominique.com
t.l.j. 8h30-12h 13h30-18h; sam. dim. sur r.-v.

DOM. LA BASTIDE SAINT-PIERRE 2006 ★

■ 0,5 ha 3 000 ▮ 5 à 8 €

Pierry Reynaud rend hommage à son grand-père, Pierre, qui lui a insufflé la passion de la vigne et du vin. Il a élaboré un 2006 agréablement fruité (fruits des bois) qui, sous une apparente fraîcheur, ne manque ni de charpente ni de matière. Le résultat d'un beau travail de vinification que l'on appréciera encore davantage après une garde de trois ou quatre ans.

Pierry Reynaud, chem. de Sarrette-Crestet, 84110 Vaison-la-Romaine, tél. et fax 04.90.28.77.33, e-mail bastidestpierre@orange.fr r.-v.

DOM. BEAU MISTRAL

Grande Réserve gastronomique 2005 ★

■ 2 ha 5 000 ▮ 3 à 5 €

Beau Mistral, fort de 25 ha, ménage un joli point de vue sur les Dentelles de Montmirail et sur le mont Ventoux. C'est à un accord avec la « cuisine des mères lyonnaises » que vous convie ce vin de caractère, riche d'arômes d'épices et de fruits rouges. Des tanins fins et serrés assurent la structure de sa matière chaleureuse qui saura bien évoluer dans les trois ans à venir. Un classique.

Jean-Marc Brun, Le Village, rte d'Orange, 84110 Rasteau, tél. 04.90.46.16.90, fax 04.90.46.17.30
t.l.j. 9h-12h 14h-18h

CH. DU BOIS DE LA GARDE 2005 ★★

■ 63 ha 340 000 ▮ 5 à 8 €

La légende – ou serait-ce l'histoire – raconte que la garde napoléonienne aurait implanté la vigne sur ces terres, à l'époque où elle était installée à Avignon. Commandés par une bastide du XIXe s., ce sont aujourd'hui 125 ha qui se répartissent sur galets et argiles rouges. Pas moins de cinq cépages complètent le grenache (70 %) dans l'assemblage de ce vin puissant et épicé. Les arômes évoquent ceux d'une tartelette aux fruits rouges saupoudrée d'une pointe de noix de muscade, tandis qu'au palais des flaveurs de fruits cuits se glissent dans la chair ronde. Si les tanins sont bien présents, ils se laissent sagement envelopper. Un côtes-du-rhône déjà plaisant, mais qu'il serait dommage de ne pas laisser évoluer un an ou deux.

Robert Barrot, Ch. des Fines Roches, 1, av. du Baron-Le-Roy, 84230 Châteauneuf-du-Pape, tél. 04.90.83.51.73, fax 04.90.83.52.77, e-mail chateaux@vmb.fr
t.l.j. 10h-19h
Catherine Barrot

DOM. DU BOIS DE SAINT-JEAN

Cuvée de Voulongue Réserve 2006 ★★

■ 1,5 ha 6 000 ▮ 5 à 8 €

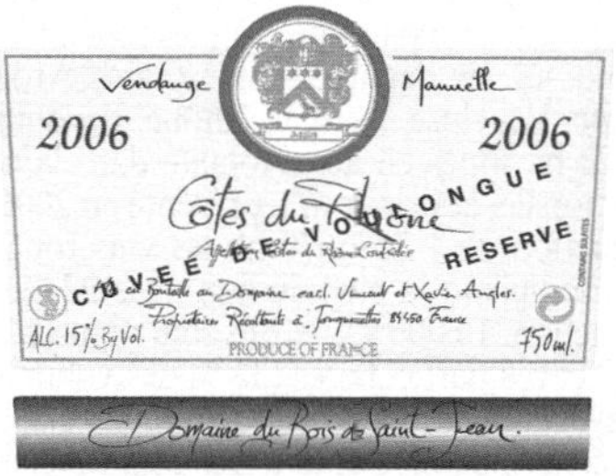

Un domaine de 45 ha dont une parcelle fut plantée en 1912. C'est dans l'ancien lieu-dit de Voulongue Vieille où, au XIIIe s., le seigneur de Chasteuneuf possédait déjà des vignes, que le grenache a été vendangé pour élaborer cette cuvée. Le jury a été séduit par la robe sombre comme par le bouquet puissant de cassis, de truffe et de sous-bois. La bouche souple et ronde prolonge remarquablement ce caractère aromatique. Les tanins apportent la structure nécessaire à une bonne garde, sans nuire à l'harmonie générale. Deux étoiles brillent également pour le chaleureux **Domaine du Bois de Saint-Jean 2006 rouge (3 à 5 €)**, assemblage de grenache, de syrah et de mourvèdre.

La vallée du Rhône (partie septentrionale)

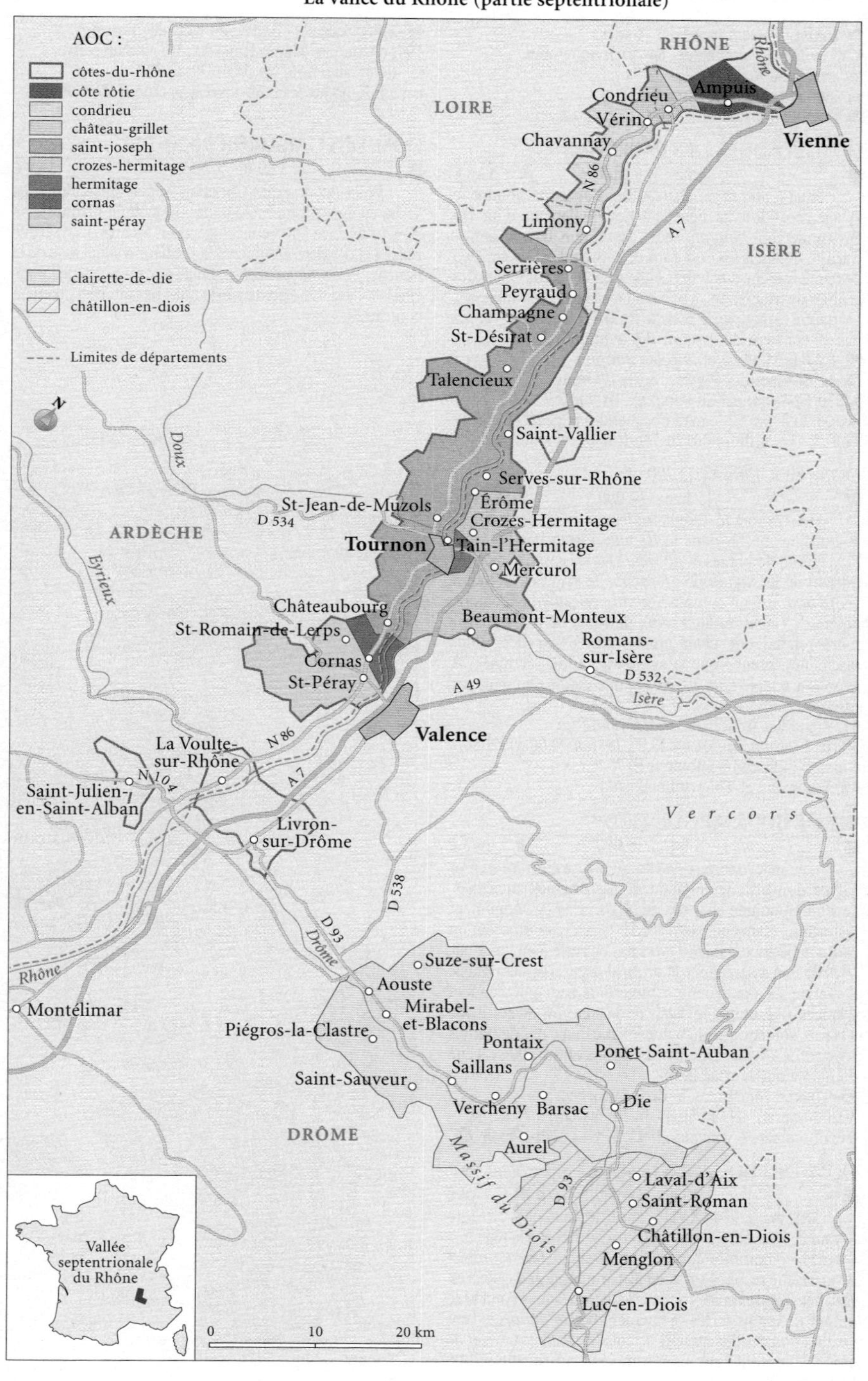

AOC :
côtes-du-rhône
côte rôtie
condrieu
château-grillet
saint-joseph
crozes-hermitage
hermitage
cornas
saint-péray
clairette-de-die
châtillon-en-diois
Limites de départements
RHÔNE
LOIRE
ISÈRE
ARDÈCHE
DRÔME
Rhône
Ampuis
Condrieu
Vérin
Chavannay
Vienne
N 86
A 7
Limony
Serrières
Peyraud
Champagne
St-Désirat
Talencieux
Saint-Vallier
Serves-sur-Rhône
Érôme
Crozes-Hermitage
St-Jean-de-Muzols
D 534
Doux
Tournon
Tain-l'Hermitage
Mercurol
Eyrieux
Châteaubourg
Beaumont-Monteux
St-Romain-de-Lerps
Cornas
St-Péray
Romans-sur-Isère
D 532
A 49
Isère
Valence
La Voulte-sur-Rhône
N 104
Saint-Julien-en-Saint-Alban
Livron-sur-Drôme
Vercors
D 538
D 93
Drôme
Suze-sur-Crest
Aouste
Montélimar
Mirabel-et-Blacons
Piégros-la-Clastre
Pontaix
Ponet-Saint-Auban
Saillans
Saint-Sauveur
Vercheny
Barsac
Die
Aurel
Massif du Diois
Laval-d'Aix
Saint-Roman
Châtillon-en-Diois
Menglon
Luc-en-Diois
Vallée septentrionale du Rhône
0
10
20 km

EARL Vincent et Xavier Anglès,
126, av. de la République, 84450 Jonquerettes,
tél. et fax 04.90.22.53.22,
e-mail xavier.angles@wanadoo.fr
t.l.j. 8h-12h 14h-20h

DOM. BOSQUET DES PAPES 2005 *

■ 3 ha 7 500 ▮ 5 à 8 €

Situé à 300 m du château des Papes qui domine le village, ce domaine bénéficie non seulement d'un bel environnement culturel, mais aussi d'un terroir argilo-calcaire de qualité. C'est dans ce cadre qu'est né ce 2005 de teinte franche aux reflets violets qui livre volontiers des arômes de fruits mûrs, à peine nuancés de notes animales. L'attaque est souple, la bouche fruitée et légère. Ne tardez pas : il convient de le servir dès aujourd'hui.

EARL Maurice et Nicolas Boiron,
Dom. Bosquet des Papes, 18, rte d'Orange,
84230 Châteauneuf-du-Pape, tél. 04.90.83.72.33,
fax 04.90.83.50.52, e-mail bosquet.des.papes@orange.fr
t.l.j. sf dim. 9h-12h 14h-18h30; sam. sur r.-v.

DOM. BOUDINAUD 2005 *

■ 15 ha 30 000 ▮ 8 à 11 €

Une propriété familiale depuis 1626 qui compte aujourd'hui 55 ha dans le triangle formé par les villes d'Avignon, de Nîmes et d'Uzès. Des sols argilo-calcaires portent ici les vignes de grenache, de syrah et de mourvèdre dont le fruit compose ce vin profondément coloré, animé de reflets violines. Aux parfums de fruits rouges mûrs répond une chair ample, étayée par des tanins disciplinés, preuve que la syrah est ici bien éduquée. À proposer à table d'ici 2010 avec une daube de bœuf, par exemple.

Vignobles Boudinaud, 43, Grand-Rue,
30210 Fournès, tél. 04.66.37.27.23, fax 04.66.37.03.56,
e-mail boudinaud@infonie.fr r.-v.
Véronique et Thierry Boudinaud

CH. DE BOUSSARGUES 2005 **

■ 5 ha 30 000 ▮ 3 à 5 €

Une stèle funéraire du I[ers]. av. J.-C. a été mise au jour sur ce domaine, témoignant de ses origines anciennes, cependant qu'une chapelle du XII[e]s., classée Monument historique, et un château des XIIe et XV[e]s. composent un cadre majestueux. Le vin n'est pas en reste à en juger par ce 2005 issu de grenache et de syrah à parts égales. Rubis, il s'ouvre sur une palette complexe de fruits, de fleurs et d'épices, puis emplit le palais de sa chair ronde et fraîche à la fois, soutenue jusqu'à une longue finale par des tanins soyeux. Le **Château de Boussargues blanc 2006** est cité de même que le **rosé 2006**.

Chantal Malabre, Ch. de Boussargues,
30200 Sabran, tél. 04.66.89.32.20, fax 04.66.79.81.64,
e-mail malabre@wanadoo.fr t.l.j. 9h-19h

DOM. DES BOUZONS Cuvée La Félicité 2006 **

■ 4 ha 16 000 ▮ 5 à 8 €

Une bergerie du XVII[e]s. abrite les bouteilles de Marc Serguier. Joli cadre voué à la gourmandise et à la félicité... Cuvée bien nommée que ce côtes-du-rhône né de syrah et de grenache récoltés sur des galets roulés argilo-calcaires. Des fleurs et des épices pour arômes, une chair équilibrée autour de tanins serrés et finement boisés qui respectent l'expression des flaveurs persistantes de fruits confits et de cassis. Une étoile brille pour la **cuvée La Friandise 2005 (3 à 5 €)**, déjà soyeuse.

Marc Serguier, EARL du Mas des Bouzons,
194, chem. des Manjo-Rassado, 30150 Sauveterre,
tél. 04.66.90.04.41, fax 04.66.39.43.52,
e-mail domaine.des.bouzons@wanadoo.fr r.-v.

DOM. DES CARABINIERS 2005 *

■ 20 ha 50 000 ▮ 5 à 8 €

Voilà dix ans que Christian Leperchois cultive ses 45 ha en agriculture biologique. Il récolte les fruits de sa rigueur avec ce 2005 concentré, dont les arômes de fruits rouges et d'épices annoncent la rondeur chaleureuse de la bouche. Et de surprendre en finale par ses notes de kirsch et de violette. Une petite garde n'est pas interdite, bien au contraire.

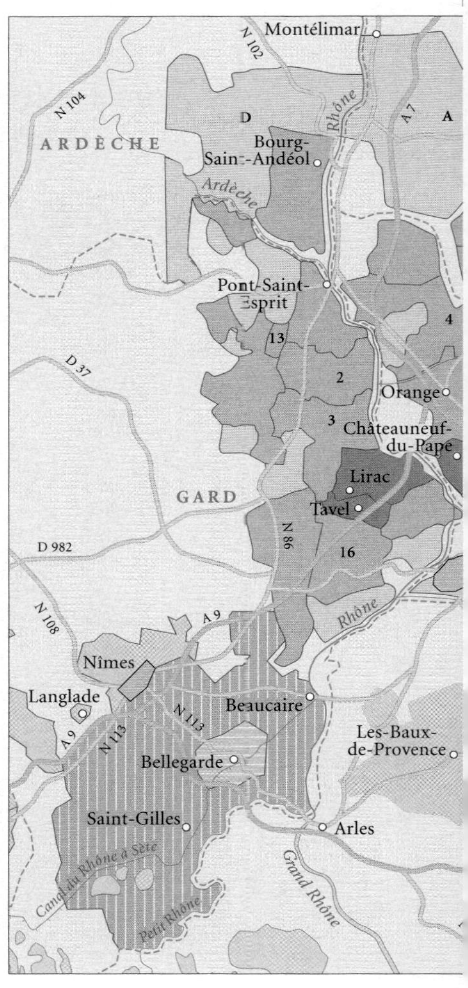

🔑 Christian Leperchois, Dom. des Carabiniers,
30150 Roquemaure, tél. 04.66.82.62.94,
fax 04.66.82.82.15, e-mail carabinier@wanadoo.fr
☑ 🍷 🚶 t.l.j. sf sam. dim. 9h-12h 14h-18h

DOM. CASTAN

Cantabril Élevé en fût de chêne 2005 ★

■	2 ha	5 000	🍾	5 à 8 €

Une forte proportion de syrah (80 %) confère à cette cuvée un caractère floral intense, agrémenté d'épices. Le soyeux de la matière, la finesse des tanins et la persistance de la finale sont ses principaux atouts à cette heure et auront toutes les chances de le rester pour les trois ans à venir.

🔑 SCEA Chantecler, mas Chantecler,
30390 Domazan, tél. 04.66.57.00.56,
fax 04.66.57.07.57, e-mail damien.castan@orange.fr
☑ 🍷 🚶 t.l.j. sf dim. 8h-12h 14h-19h 🏠 Ⓔ
🔑 Damien Castan

DOM. DES CHANSSAUD 2005 ★

■	10 ha	65 000	🍾	5 à 8 €

Commandé par une ancienne bâtisse du XIVᵉs., ce domaine de 48 ha appartient à la famille de Patrick Jaume depuis le début du XIXᵉs. Un assemblage complexe a donné naissance à ce vin grenat profond qui décline avec subtilité les fruits rouges et le sous-bois. La bouche révèle du gras et une structure de tanins fondus, respectueux du

La vallée du Rhône (partie méridionale)

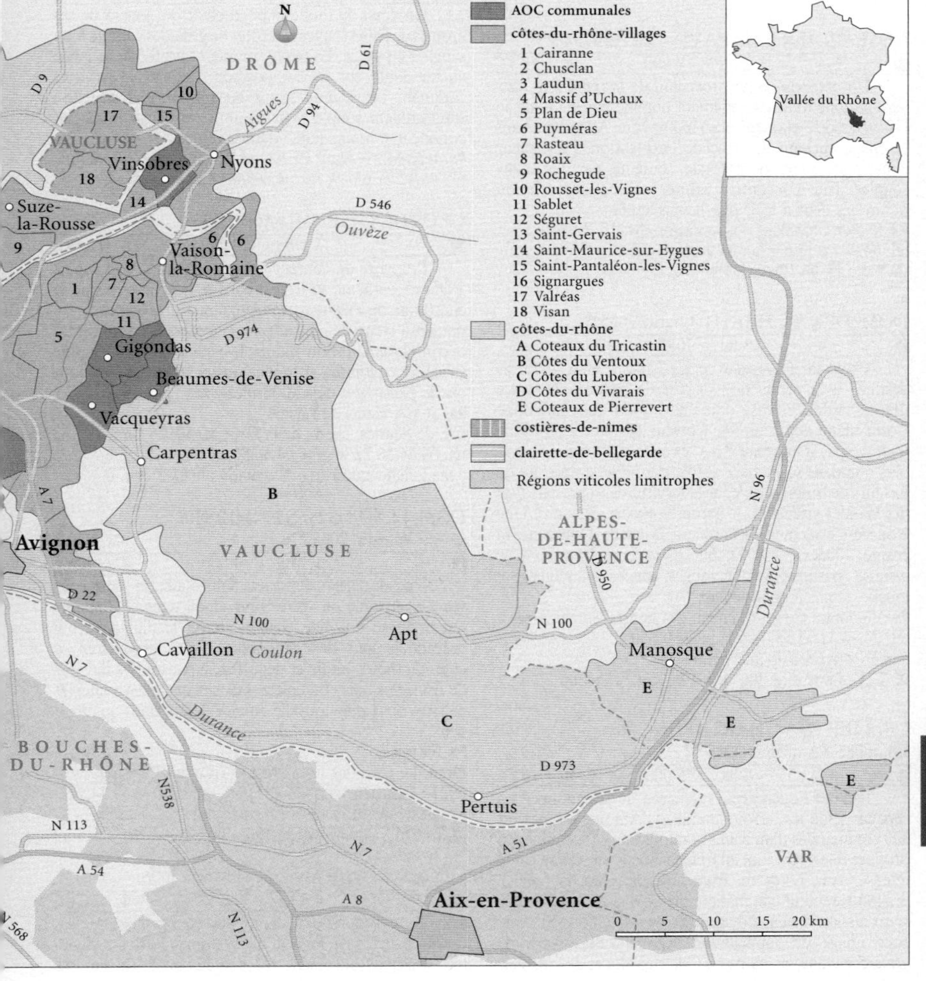

RHÔNE

fruité. Le temps de le servir est arrivé, mais une garde est encore possible pendant trois ans.
🔑 SAS Les Vignobles Patrick Jaume, Dom. des Chanssaud, quartier Cabrières, 84100 Orange, tél. 04.90.34.23.51, fax 04.90.34.50.20, e-mail chanssaud@wanadoo.fr
▼ 🍷 ⛹ t.l.j. 8h30-12h 13h30-18h; sam. dim. sur r.-v.

CHANTECÔTES Rosélia 2006

■ n.c. 50 000 3 à 5 €

Rosélia, un nom en accord avec la teinte de ce vin fruité qui évolue tendrement au palais et conclut tout en douceur sur des notes de framboise mûre. Avec son caractère méridional, il conviendra aux charcuteries fines et aux grillades du week-end.
🔑 Chantecôtes, cours Maurice-Trintignan, 84290 Sainte-Cécile-les-Vignes, tél. 04.90.30.83.25, fax 04.90.30.74.53, e-mail chantecotes@wanadoo.fr
▼ 🍷 t.l.j. 8h30-12h30 14h-18h30

DOM. DIDIER CHARAVIN Lou Paris 2005 ★★

■ 2 ha 7 000 ▮ 5 à 8 €

Un côtes-du-rhône provenant de la région de Rasteau et donc tout naturellement dominé par le grenache (70 %), associé à la syrah et au mourvèdre. Au nez puissant et épicé, enchanteur, succède l'expression d'une chair dense aux accents de garrigue, soutenue par des tanins souples. Tout concourt à assurer une bonne évolution durant les deux à trois prochaines années.
🔑 Didier Charavin, rte de Vaison, 84110 Rasteau, tél. 04.90.46.15.63, fax 04.90.46.16.22
▼ 🍷 ⛹ t.l.j. 9h-12h 14h-18h

DOM. DE LA CHARITÉ Charité 2005 ★

■ 13 ha 70 000 ▮ 3 à 5 €

L'ancienne parcelle de La Charité était autrefois destinée à la production de vin de messe ; elle entre désormais dans un vaste domaine de 41 ha que Christophe Coste mène depuis 1998. Couleur carmin, le 2005 ne manque pas d'intensité dans ses évocations épicées, non plus que dans sa matière ample et souple, empreinte de flaveurs de fruits cuits. Vous le servirez dès à présent avec des viandes grillées ou le garderez encore deux ans. Une étoile est également accordée à la cuvée **Dame noire rouge 2005 (5 à 8 €)**, pur mourvèdre travaillé avec justesse : parfums de fruits rouges, bouche volumineuse et longue, tanins à grain soyeux.
🔑 Vignobles Coste, 5, chem. des Issarts, 30650 Saze, tél. 04.90.31.73.55, fax 04.90.26.92.50, e-mail earlvc@club-internet.fr
▼ 🍷 ⛹ t.l.j. sf dim. lun. 17h-19h; sam. 15h-19h

CELLIER DES CHARTREUX
Chevalier d'Anthelme 2006 ★★

□ 4 ha 25 000 ▮ 3 à 5 €

Pauline Fouchereau se charge de sélectionner les cépages selon les terroirs, tandis qu'Antoine Gomez est aux commandes d'un chai ultramoderne. Une équipe qui propose une cuvée tout en fraîcheur sous une teinte jaune intense. Aux notes de fruits à chair blanche (pêche, brugnon) répond une matière pleine d'allant qui laisse le souvenir de flaveurs d'agrumes (pamplemousse). Une belle image de l'appellation née de l'assemblage de grenache blanc, de marsanne, de clairette et de viognier.

🔑 SCA Cellier des Chartreux, RN 580, 30131 Pujaut, tél. 04.90.26.39.40, fax 04.90.26.46.83, e-mail cellier.des.chartreux@wanadoo.fr ▼ 🍷 ⛹ r.-v.

CH. CHEVALIER BRIGAND 2006 ★

■ 12 ha 64 000 ▮ 5 à 8 €

Un côtes-du-rhône bien en chair qui jouera de ses arômes de fruits rouges aux côtés de grillades comme d'un sanglier en sauce. La teinte sombre et profonde ne laisse aucun doute sur sa composition : grenache, syrah et carignan. Les tanins serrés lui offrent une structure suffisamment souple pour garantir un plaisir immédiat comme une bonne tenue dans le temps.
🔑 Jean-Marie Saut, Chevalier-Brigand, 30200 Laudun, tél. 06.12.21.63.69, fax 04.66.90.11.57 ▼ 🍷 ⛹ r.-v.

CLOS DE L'HERMITAGE 2005 ★

■ 3,5 ha 20 000 ⏸ 11 à 15 €

Propriété du coureur automobile Jean Alési depuis 1995, ce domaine se trouve dans le quartier haut de la chartreuse de Villeneuve-lès-Avignon. Carte blanche a été donnée à Henri de Lanzac pour élaborer ce vin concentré et complexe. Un fruité intense le caractérise, ainsi qu'une structure équilibrée et fondue, juste comme il faut pour que le plaisir soit déjà au rendez-vous.
🔑 SCEA Henri de Lanzac, Ch. de Ségriès, chem. de la Grange, 30126 Lirac, tél. 04.66.50.22.97, fax 04.66.50.17.02, e-mail chateaudesegries@wanadoo.fr ▼ 🍷 ⛹ r.-v.

DOM. LE CLOS DES LUMIÈRES
Cuvée Valentin 2005 ★★

■ 1,2 ha 4 000 ▮ 5 à 8 €

Une idée originale pour la Saint-Valentin : emmenez votre compagne ou votre compagnon dans ce domaine qui organise une fête chaque année, le dimanche qui précède le jour des Amoureux. Vous lui offrirez ce côtes-du-rhône ample et généreux, aux exquises flaveurs de fruits des bois et d'épices. Gardez quelques bouteilles en cave pour une nouvelle Saint-Valentin dans un an ou deux.
🔑 Serrano, Dom. Le Clos des Lumières, 14, rue des Cerisiers, 30210 Fournès, tél. 04.66.01.05.89, fax 04.66.37.14.18, e-mail closdeslumieres@yahoo.fr
▼ 🍷 ⛹ t.l.j. 9h30-12h 15h-19h; dim. 9h30-12h

CLOS DES MIRAN Cuvée spéciale 2006

■ 6,5 ha 30 000 ▮ 3 à 5 €

Cette propriété a connu un changement radical depuis l'arrivée de Vincent Sauvestre en 2001. Le vignoble, presque totalement reconstitué, bénéficie de sols

sablo-limoneux. Syrah, grenache et carignan composent ce vin légèrement saumoné qui mêle des arômes de fruits rouges et de fruits au sirop (abricot). Un léger perlant apporte de la fraîcheur à la bouche souple. La **Cuvée spéciale blanc 2006**, chaleureuse quoique parfumée de fleurs blanches et de fruits acidulés, est citée.
SCEA Clos des Miran, plaine du Mas-Conil, 30130 Pont-Saint-Esprit, tél. 03.80.21.22.45, fax 03.80.21.28.05, e-mail v.sauvestre@bejot.com

DOM. LE CLOS DU BAILLY 2006 *

■ 1 ha 3 000 ▮ 3 à 5 €

Avec sa cave intégrée et sa cour intérieure, ce mas bâti au tournant du XVIII[e]s. fait partie du patrimoine architectural et viticole de la région. Il commande un domaine de 40 ha sur sol argilo-calcaire. De son vin, il faut contempler la robe profonde, puis humer les arômes de fruits rouges et de garrigue. Ce 2006 puissant se goûte longuement, tant il est soyeux au palais. Vous l'accorderez à une gardiane de taureau.
Richard Soulier, Dom. Le Clos du Bailly, 17, rue d'Avignon, 30210 Remoulins, tél. 04.66.37.12.23, fax 04.66.37.38.44, e-mail clos.du.bailly@wanadoo.fr
r.-v.

CLOS DU CAILLOU Réserve 2005 *

■ 1,58 ha 6 200 15 à 23 €

La cave de Sylvie Vacheron fut creusée dans le safre par Élie Dussaud, constructeur des ports de Suez et de Marseille. Ce côtes-du-rhône élevé dix-huit mois sous bois mêle des arômes de fruits rouges à des notes vanillées. Chaleureux, il se développe avec rondeur, sans aucune aspérité jusqu'à une longue finale. Le **Clos du Caillou Bouquet des garrigues blanc 2006 (8 à 11 €)**, fin et discret, est cité. Il trouvera sa place à l'apéritif.
Sylvie Vacheron, Clos du Caillou, 84350 Courthézon, tél. 04.90.70.73.05, fax 04.90.70.76.47, e-mail closducaillou@wanadoo.fr
t.l.j. sf dim. 9h-12h30 13h30-17h30

DOM. DES COCCINELLES 2006 *

■ 25 ha 100 000 ▮ 3 à 5 €

Agriculture biologique, telle est la philosophie de ce domaine qui développe également l'œnotourisme. Typicité gardoise pour ce 2006 à base de grenache et de syrah qui conserve une juste fraîcheur tout en étant puissant. Le **Château des Coccinelles rouge 2006 (5 à 8 €)** brille lui aussi d'une étoile ; il se distingue du précédent par une pointe de mourvèdre dans l'assemblage.
Ch. des Coccinelles, rue des Écoles, 30390 Domazan, tél. 04.66.57.03.07, fax 04.66.81.41.18, e-mail domcoccinelles@aol.com
t.l.j. 8h-19h
Fabre

DOM. DU CORIANÇON 2006 *

■ 4 ha 5 000 ▮ 5 à 8 €

D'abondantes larmes coulent lentement le long du verre. C'est là la marque du grenache qui compose à 90 % ce vin, complété de cinsault. La palette est tout aussi typée, alliant notes de cerise, de mûre et de groseille, tandis que la bouche ample rivalise de gras et de fraîcheur. À découvrir avec une salade de crevettes.
François Vallot, Dom. du Coriançon, Hauterives, 26110 Vinsobres, tél. 04.75.26.03.24, fax 04.75.26.44.67, e-mail fvallot@domainevallot.com
t.l.j. sf dim. 9h-12h 14h-19h

COSTEBELLE Cuvée Notre-Dame-du-Roure 2005 *

■ 4,5 ha 20 892 ▮ 3 à 5 €

Notre-Dame-du-Roure est une petite chapelle romane située dans le vignoble de Tulette. Elle donne son nom à cette cuvée issue d'un terroir de marnes caillouteuses. Composée de 75 % de grenache et de 25 % de syrah, celle-ci défend bien les couleurs de l'appellation. Voyez les larmes qui s'écoulent sur fond rubis. Les arômes intenses de fruits et d'épices douces se déclinent jusqu'au palais, participant à l'impression gourmande laissée par le gras. Pour un plaisir immédiat.
SCA Cave Costebelle, av. de Provence, 26790 Tulette, tél. 04.75.97.23.19, fax 04.75.98.38.61, e-mail cave.costebelle@wanadoo.fr r.-v.

DOM. JEAN DAVID 2005 **

■ 10 ha 12 000 ▮ 5 à 8 €

Depuis vingt ans conduit en agriculture biologique, ce domaine de 17 ha bénéficie de vignes cinquantenaires plantées sur sol argilo-calcaire, propres à léguer aux vins un indéniable caractère. En témoigne ce 2005 d'un rouge soutenu et brillant qui exhale d'agréables parfums de fruits rouges, agrémentés d'une pointe de violette. Il se distingue plus encore par sa structure élégante, enveloppée d'une chair des plus rondes. Ne boudez pas votre plaisir dès maintenant.
Jean David, Le Jas, 84110 Séguret, tél. 04.90.46.95.02, fax 04.90.46.86.21, e-mail domaine-jean.david@libertysurf.fr
t.l.j. sf dim. 9h-19h

DOM. DUPLESSIS 2005 *

■ 6,5 ha 30 000 ▮ 3 à 5 €

Une propriété de 22 ha d'un seul tenant que Lionel Duplessis a reprise en 1999. Cet ancien sommelier propose des cours de dégustation dans cette bastide qui fait face aux Dentelles de Montmirail. L'exercice sera intéressant avec ce vin de grenache, de syrah et de carignan né d'un terroir argilo-calcaire. Avenant, le 2005 livre des arômes de fruits des bois nuancés d'épices (cannelle) et trouve dans des tanins fins une structure de qualité. Pour une viande en sauce ou un gibier à partir de 2008.
Dom. Duplessis, 271, chem. du Haut-Débat, 84150 Jonquières, tél. 04.90.70.55.00, fax 04.90.70.57.77, e-mail domaine-duplessis@wanadoo.fr
t.l.j. sf dim. 8h-19h

DOM. DURIEU 2006 **

□ 0,5 ha 2 600 ▮ 5 à 8 €

Fondateur de ce domaine de 90 ha en 1976, Paul Durieu est épaulé depuis 2003 par ses fils, Vincent et François. L'élevage des vins se déroule à Châteauneuf-du-Pape, dans une vaste cave voûtée du XVIII[e]s. Du grenache blanc (60 %) complété de clairette et de bourboulenc à parts égales compose ce vin or pâle brillant de reflets dorés plus profonds. Le nez d'agrumes relevés de pointes anisées et grillées laisse une impression délicate de fraîcheur, mais au palais la palette s'oriente vers la poire et la pêche blanche, très légèrement épicées. Du volume

sans nuire à l'élégance, des arômes qui reviennent en leitmotiv en finale : un côtes-du-rhône prêt à rejoindre la table.

🔑 Paul Durieu, 27, av. Pasteur, 84850 Camaret, tél. 04.90.37.28.14, fax 04.90.37.76.05 ☑ 🍷 🚶 r.-v.

ÉCLATANTE 2005 ★

■ 9 ha 50 000 ▮ 3 à 5 €

De la cave particulière créée en 1897, les descendants de Ferdinand Delaye ont fait une coopérative en 1937. Lors d'une visite, demandez à voir la cave de vieillissement creusée dans le safre. Vous goûterez ensuite ce côtes-du-rhône de grenache et de syrah, alliant un élégant velouté à de la puissance. Les arômes francs de fruits rouges ne sont pas le moindre de ses atouts. Un vin complet, bien vinifié, à boire dès à présent.

🔑 SCA Cave Les Coteaux de Visan, BP 22, 84820 Visan, tél. 04.90.28.50.80, fax 04.90.28.50.81, e-mail cave@coteaux-de-visan.fr
☑ 🍷 🚶 t.l.j. 9h-12h 14h-18h30

LES VIGNERONS DE L'ENCLAVE DES PAPES
Les Coudriers 2006

■ 35 ha 160 000 ▮ 3 à 5 €

Un côtes-du-rhône harmonieux, dominé par les arômes de fruits rouges confiturés que relèvent quelques notes animales légères. Il faudra le servir dans l'année avec des charcuteries ou des viandes grillées. Une citation revient en outre à la **Réserve Vieilles Vignes rouge 2006 (moins de 3 €)**, vin structuré, et, dans un registre plus léger, au **Grégoire XI rouge 2006 (moins de 3 €)**, lequel est une marque distribuée par l'enseigne Édouard Leclerc.

🔑 Vignerons de l'Enclave des Papes, rte d'Orange, BP 51, 84602 Valréas Cedex, tél. 04.90.41.91.42, fax 04.90.41.90.21, e-mail uvep@enclavedespapes.com

DOM. DES ESCARAVAILLES
Cuvée Les Antimagnes 2005 ★

■ 4 ha 20 000 5 à 8 €

Une propriété familiale de 65 ha dont la création remonte à plus de cinquante ans. Elle jouit d'un joli panorama sur les villages environnants et sur les Dentelles de Montmirail. Rubis intense, cette cuvée a de la prestance. Un fruité prononcé l'accompagne dans son développement ample et équilibré. Sa bonne structure lui permettra d'attendre un an ou deux. Un classique. Citée, la cuvée **La Ponce blanc 2006** séduit par son bouquet floral et sa vivacité.

🔑 Ferran et Fils, Dom. des Escaravailles, 84110 Rasteau, tél. 04.90.46.14.20, fax 04.90.46.11.45, e-mail domaine.escaravailles@wanadoo.fr ☑ 🍷 🚶 r.-v.

DOM. DE L'ESPIGOUETTE 2005 ★

■ 10 ha 40 000 ▮ 3 à 5 €

Ce domaine de 26 ha sait tirer parti de ses sols argilo-calcaires propices à l'expression du grenache, du carignan et de la syrah. Des cépages qui composent un côtes-du-rhône équilibré, au fruité intense sous une teinte rubis brillant. Les tanins se font oublier au profit d'un caractère gouleyant et frais. Pour un service immédiat.

🔑 Bernard Latour, Dom. de L'Espigouette, BP 6, 84150 Violès, tél. 04.90.70.95.48, fax 04.90.70.96.06, e-mail espigouette@aol.com ☑ 🍷 🚶 r.-v.

LES ÉVÊQUES Les Grandes Cuvées 2005 ★★

■ 6 ha 30 000 ▮ 🛢 5 à 8 €

Un 2005 qui fait référence à l'histoire de la région. Habillé d'une robe soutenue au disque violacé, il mêle des arômes de fruits rouges à des notes épicées et à un boisé discret. Des tanins ronds et fondus étayent sa matière dense qui laisse en finale de délicieuses et longues flaveurs de cassis. Déjà agréable, ce vin le restera encore jusqu'à 2009 au moins. La **cuvée Syranne rouge 2006**, qui doit son nom à la syrah qui la compose à 99 % (pour 1 % de grenache), est encore jeune, mais promise à un bel avenir. Une citation lui revient.

🔑 Maison Gabriel Meffre, Le Village, 84190 Gigondas, tél. 04.90.12.32.40, fax 04.90.12.32.49

DOM. DU FAUCON DORÉ
Dédicace Élevé en fût de chêne 2004

■ 1,57 ha 2 100 🛢 23 à 30 €

En agriculture biologique depuis 1999, ce domaine de 28 ha propose des cours de dégustation pour mieux comprendre les accords entre les mets et les vins. Alliance gourmande toute trouvée avec ce 2004 : une viande rouge. Un côtes-du-rhône de pure syrah qui séduira les amateurs de boisé, car l'empreinte du fût est évidente dans la palette aromatique comme dans la chair ample et ronde. Les tanins bien fondus autorisent une dégustation dès aujourd'hui.

🔑 EARL Jean Beaumont, Dom. du Faucon Doré, 92, chem. du Jas, 84110 Faucon, tél. 04.90.46.46.01, fax 04.90.46.44.73, e-mail faucon.dore@free.fr ☑ 🍷 🚶 r.-v.

DOM. FOND CROZE Cuvée Confidence 2005 ★★

■ n.c. 35 000 ▮ 3 à 5 €

Il serait dommage de ne pas parler haut et fort de cette cuvée qui ne doit pas seulement rester dans les confidences... De teinte profonde, elle laisse d'abondantes larmes le long du verre : nul doute, le grenache est majoritaire devant la syrah. Le nez puissant de violette se nuance de notes animales évocatrices de fourrure, puis c'est une chair puissante, mûre et complexe qui enveloppe le palais, tenue par des tanins serrés. L'élégance demeure intacte jusqu'en finale. Un 2005 déjà agréable, mais qui saura vieillir deux ou trois ans avant de rejoindre un civet de sanglier, par exemple.

🔑 Long Père et Fils, Dom. Fond Croze, Le Village, 84290 Saint-Roman-de-Malegarde, tél. et fax 04.90.28.97.07, e-mail fondcroze@hotmail.com ☑ 🍷 🚶 r.-v.

DOM. GALÉVAN Partages 2006 ★

■ 1 ha 4 000 5 à 8 €

Coralie Goumarre vinifie les vins du domaine dont elle a repris les rênes après son père. Son rosé pourra être

servi à l'apéritif ou avec des grillades. Une agréable fraîcheur est perceptible dans ses arômes de pêche persistants comme dans sa chair souple et légère. Une bouteille très justement nommée « Partages ».
Coralie Goumarre, 127, rte de Vaison, 84350 Courthézon, tél. 04.90.70.84.26, fax 04.90.70.28.70, e-mail contact@domaine-galevan.com
t.l.j. sf dim. 8h30-12h30 13h30-19h

DOM. DE LA GAYÈRE Cuvée de Chris 2005 *

■	2,3 ha	13 000	▮	3 à 5 €

C'est en 1902 que fut créé ce domaine. Le temps a passé, la technologie a évolué, mais le souci de bien faire est le même. En témoigne ce 2005 aux arômes intenses d'épices et à la bouche gourmande, d'un juste équilibre. Vous le réserverez à une viande ou à un fromage frais.
Dom. de La Gayère, Les Garrigues, 84290 Cairanne, tél. 04.90.30.83.34, fax 04.90.30.83.27, e-mail plantevin.christele@wanadoo.fr r.-v.
Christèle Plantevin

DOM. DU GRAND BÉCASSIER 2005

■	n.c.	n.c.	◖◗	3 à 5 €

Résolument marqué par le bois, ce 2005 grenat brillant n'en est pas moins accessible à tous. Sur les coteaux ensoleillés du domaine, le raisin a mûri à point : en témoignent la bonne structure et la chair puissante qui laisse une impression chaleureuse en finale. Pour lui tenir tête, un gibier ne sera pas de trop.
Dom. du Grand Bécassier, Cadignac sud, 30200 Sabran, tél. et fax 04.66.79.04.42 r.-v.
Philip

DOM. DE LA GRAND'RIBE 2006

▒	1,5 ha	6 600	▮	3 à 5 €

La maison chablisienne Jean-Claude Fromont a acquis en février 2007 ce domaine de 35,50 ha resté dans la même famille pendant plus d'un siècle et conduit en agriculture biologique. Pour l'heure, c'est un côtes-du-rhône rubis clair qui a retenu l'attention du jury par ses reflets intenses. Issu d'un assemblage de 80 % de grenache et de 20 % de carignan, il révèle des parfums puissants de fruits rouges et de bonbon anglais, puis trouve un juste équilibre entre rondeur et vivacité, avec en finale de franches notes de groseille.
SCEA Dom. de La Grand'Ribe, rte de Bollène, 84290 Sainte-Cécile-les-Vignes, tél. 04.90.30.83.75, fax 04.90.30.76.12
t.l.j. sf dim. 9h-12h 14h-18h; sam. sur r.-v.
Fromont

DOM. GRAND VENEUR 2006 **

□	1 ha	5 000	▮	8 à 11 €

Odile et Alain Jaume ont créé il y a bientôt trente ans ce domaine qui compte aujourd'hui 55 ha, non loin d'Orange. En 2002, leurs fils Sébastien et Christophe ont repris le flambeau et ont acquis en complément le vignoble du Clos de Sixte. Ils signent un côtes-du-rhône des plus représentatifs, issu de pur viognier. Sous une teinte jaune pâle à reflets verts, le vin affiche un fruité puissant, réminiscences de fruits à chair blanche et d'agrumes, nuancées de touches florales. L'élégance caractérise le palais charnu et frais à la fois, de bonne longueur. Deux étoiles brillent également pour la **Réserve Grand Veneur blanc 2006 (3 à 5 €)**, ronde et complexe, à base de roussanne majoritairement. La **Réserve Grand Veneur rouge 2005 (3 à 5 €)**, pleine et structurée, est citée. Elle mérite d'être servie dans les deux ans à venir.
Alain Jaume, Dom. Grand Veneur, rte de Châteauneuf-du-Pape, 84100 Orange, tél. 04.90.34.68.70, fax 04.90.34.43.71, e-mail jaume@domaine-grand-veneur.com r.-v.

DOM. DE LA GUICHARDE
Autour de la Chapelle 2006 *

□	2 ha	3 000	▮	5 à 8 €

Un assemblage intéressant de viognier et de grenache blanc : le vin ne peut être dominé que par la rondeur et le gras. Il n'en est pas moins équilibré et bénéficie de la fraîcheur de ses arômes de fruits blancs intenses. Servez-le aussi bien à l'apéritif qu'avec des poissons en sauce.
Arnaud Guichard, Derboux, 84430 Mondragon, tél. 04.90.30.17.84, fax 04.90.40.05.69, e-mail domaine.de.la.guicharde@wanadoo.fr
t.l.j. sf dim. 10h-18h 6

DOM. DE L'HARMAS 2005

■	3 ha	5 000	◖◗	5 à 8 €

Un petit domaine familial de 6 ha que Nathalie Fabre a fait sien en 2000 et qu'elle a équipé d'une cave pour élaborer ses propres vins. Ici, nulle trace de bois neuf, mais des foudres et des pièces de trois vins utilisés alternativement. Il en résulte un côtes-du-rhône de couleur franche, mêlant fruits rouges et épices (poivre). Les tanins paraissent encore austères, et il faudra attendre un an ou deux que jeunesse se passe.
Nathalie Fabre, quartier Bois Lauzon, 84100 Orange, tél. et fax 04.90.51.02.71, e-mail nathalie.fabre84@wanadoo.fr r.-v.

DOM. DE LA JANASSE Les Garrigues 2005 **

■	1,5 ha	4 000	◖◗	15 à 23 €

Au domaine de La Janasse, le grenache domine sur les multiples parcelles éparpillées sur 55 ha. Il compose à lui seul cette cuvée vouée à un bel avenir et pourtant si plaisante déjà. Aux arômes intenses de fruits mûrs confiturés répond une chair déjà bien affinée, ronde et ample. Les tanins fins sont certes présents, mais des plus diplomates, ne laissant en finale que quelques notes de réglisse.
EARL Aimé Sabon, Dom. de La Janasse, 27, chem. du Moulin, 84350 Courthézon, tél. 04.90.70.86.29, fax 04.90.70.75.93, e-mail lajanasse@free.fr r.-v.

DOM. DU JAS Cuvée Prestige 2005 *

■	5 ha	20 000	▮	5 à 8 €

Autrefois propriété du marquis de Suze-la-Rousse, le domaine fut acquis par la famille Pradelle à la fin du XIX^{e}s. Aujourd'hui fort de 33 ha, il est reconnaissable au vieux mas protégé de remparts. Sur ses sols argilo-siliceux, grenache et syrah ont produit un vin de teinte sombre, rond et structuré, que dominent des arômes de fruits noirs et d'épices. Ce 2005 peut attendre, certes, mais il est déjà si agréable qu'il sera difficile d'y résister plus longtemps. La cuvée **La Chèvre d'Or rouge 2005 (8 à 11 €)**, encore sous l'emprise du bois, est citée.
Hubert Pradelle, Dom. du Jas, 26790 Suze-la-Rousse, tél. 04.75.98.23.20, fax 04.75.04.83.82, e-mail domainedujas@club-internet.fr
t.l.j. 10h-12h 14h-19h; dim. sur r.-v.

RHÔNE

LE JAS DES VIOLETTES 2005 *

■ 0,6 ha 4 000 ▮ 3 à 5 €

Juste 4 ha dans la plaine des Dentelles de Montmirail. C'est amplement suffisant pour produire un joli vin typé, né de grenache et de syrah à parts égales. Le sol ? Argilo-calcaire, bien sûr. Vous êtes ici dans la région de Gigondas et de Vacqueyras. Nul étonnement donc devant les arômes de griotte, les tanins serrés mais fins, la chair ronde déjà et de bonne fraîcheur. Dès la sortie du Guide, on se régalera de ce 2005 avec une viande rouge ou un fromage.

François Guigue, chem. des Violettes, 84150 Violès,
tél. 06.26.16.26.59, fax 04.90.70.94.62,
e-mail jasdesviolettes@free.fr r.-v.

DOM. JAUME Génération 2005 *

■ 23 ha 15 000 ▮ 3 à 5 €

Une propriété de 80 ha qui sait mettre en scène le vin dans son caveau tout neuf, ouvert il y a un an. Typique de l'appellation, ce 2005 composé de grenache, de syrah et de mourvèdre accompagnera idéalement une daube provençale. Sous une teinte grenat, des arômes d'épices et de fruits rouges confiturés se manifestent et se prolongent au palais. Les tanins sont serrés, le gras imposant et chaleureux. À servir d'ici 2010.

Dom. Jaume, 24, rue Reynarde, 26110 Vinsobres,
tél. 04.75.27.61.01, fax 04.75.27.68.40,
e-mail cave.jaume@wanadoo.fr r.-v.

K 2005 *

■ n.c. 15 000 ▮ 3 à 5 €

Le K... Rien à voir avec les nouvelles de Dino Buzzati. Et pourtant, le style de ce vin est aussi complexe et secret que celui de l'auteur italien. Sombre, éclairé d'un liseré violacé, il est encore sur la réserve au nez, ne laissant percevoir que quelques notes de fruits noirs et d'épices. Mais au palais, c'est une chair ample et pleine qui se manifeste, étayée par des tanins fins et serrés jusqu'à la finale évocatrice de pâte de fruits. Dans un an, ce 2005 se sera ouvert un peu plus, dans trois ans, plus encore.

Vignobles et Domaines du Rhône,
ZI Les Troques, 6, rue Jules-Verne, 69630 Chaponost,
tél. 04.37.24.24.50, fax 04.72.74.41.23,
e-mail b.seguin@vignobles-domaines-du-rhone.fr

DOM. LAFOND Roc-Épine 2005 *

■ 25 ha 130 000 ▮ **5 à 8 €**

Jean-Pierre et Pascal Lafond signent un côtes-du-rhône sans faille. De la subtilité dans les arômes de fruits rouges mûrs à point, de l'élégance dans la chair pourtant puissante et structurée, d'une longueur fort honorable. Ce vin sera le compagnon des viandes rouges en sauce.

Dom. Lafond Roc-Épine, rte des Vignobles,
30126 Tavel, tél. 04.66.50.24.59, fax 04.66.50.12.42,
e-mail lafond@roc-epine.com
t.l.j. sf sam. dim. 8h-12h 13h30-17h30

DOM. DE LASCAMP Tradition 2006 *

■ 4 ha 4 900 ▮ 3 à 5 €

Les 45 ha de ce domaine familial remontant au tout début du XVIIIe s. bénéficient de sols argilo-calcaires, tous bien exposés au sud-est. Les trois couleurs de sa production sont représentées dans cette édition, signe de la régularité du travail qui y est mené. Le rosé, d'abord, rond et élégant sous des accents fruités et des tonalités orangées. Le **Domaine des Roches rouge 2006**, ensuite, parfumé de fruits des bois et suffisamment souple pour être apprécié sans attendre. Le **Domaine de Lascamp Tradition blanc 2006 (5 à 8 €)**, enfin, sur la vivacité. Tous deux méritent une citation.

Imbert Père et Fils, hameau de Cadignac,
30200 Sabran, tél. 06.75.21.69.39, fax 04.66.89.62.44,
e-mail domaine.de.lascamp@wanadoo.fr
t.l.j. sf dim. 8h-12h 14h-18h

DOM. DES LAURIBERT Tradition 2005

■ 6,7 ha 40 000 ▮ **3 à 5 €**

Ici, on assemble les prénoms des membres de la famille comme on assemble les cépages. Ainsi, Lauribert pour Laurent, Marie et Robert. Dans ce vin, grenache à 80 % et syrah sont à l'appel. Généreux, chaleureux, riche d'arômes de fruits à l'eau-de-vie ; un côtes-du-rhône sympathique qui trouvera sa place à table aux côtés de viandes rouges.

Laurent Sourdon, Dom. des Lauribert,
84820 Visan, tél. 04.90.35.26.82, fax 04.90.37.40.98,
e-mail lauribert@wanadoo.fr
t.l.j. 8h-12h 14h-19h

DOM. LA LÔYANE 2006 **

■ 10 ha 25 000 ▮ 3 à 5 €

Juste derrière le mont Ventoux, face au Castelas, ce domaine s'étend sur trois communes : Rochefort-du-Gard, Saint-Laurent-des-Arbres et Saze. Jean-Pierre Dubois a remarquablement maîtrisé le millésime 2006 en assemblant le grenache, la syrah, le cinsault et le carignan. La robe distinguée, de forte intensité, semble annoncer la concentration des arômes de fruits rouges et noirs (griotte, cassis notamment) nuancés de touches de violette au fil de l'aération. Le dégustateur les retrouve au palais, en contrepoint d'une chair ample et ronde, efficacement structurée. Incontestablement du haut de gamme. Pour une garde de deux ou trois ans.

Dominique, J.-Pierre et Romain Dubois,
GAEC Dom. La Lôyane, quartier La Lôyane,
30650 Rochefort-du-Gard, tél. et fax 04.90.26.68.04,
e-mail la-loyane-jean-pierre.dubois@orange.fr
t.l.j. sf lun. mar. dim. 9h-12h 15h-19h

DOM. MABY Variations 2006 *

□ 4 ha 22 000 ▮ 3 à 5 €

En 2005, Richard Maby, le petit-fils du fondateur de ce domaine créé en 1945, est venu rejoindre l'équipe familiale pour conduire les 63 ha sur galets roulés et sables. De la clairette (80 %), du grenache et une pointe de piquepoul composent un 2006 des plus agréables par ses tonalités de fleurs blanches suivies d'accents de pêche mûre. Surprenant de fraîcheur et aérien au palais, il dévoile en finale une légère douceur fort avenante.

Dom. Maby, rue Saint-Vincent, 30126 Tavel,
tél. 04.66.50.03.40, fax 04.66.50.43.12,
e-mail domaine-maby@wanadoo.fr
t.l.j. 8h-18h; sam. dim. sur r.-v.

DOM. DE MAGALANNE 2005 *

■ 3 ha 6 000 ▮ 3 à 5 €

André et Jean-Baptiste Crouzet sont à la pointe des nouveaux moyens de communication : ils ont créé leur blog pour partager avec les amateurs la vie de leur vignoble au jour le jour. Pour l'heure, c'est dans le Guide que vous trouverez l'avis du jury sur ce vin classique de l'appellation, chaleureux sans être lourd, aussi puissant au nez qu'au palais. Des arômes de fruits et de réglisse à l'envi pour un plaisir immédiat ; de la structure pour une bonne aptitude à la garde. Le **rosé 2006** obtient une étoile également : un vin cajôleur, tout en finesse.

André et Jean-Baptiste Crouzet,
SCEA Dom. de Magalanne, rte de Signargues,
30390 Domazan, tél. 06.67.41.65.21,
fax 04.66.57.21.58,
e-mail domainedemagalanne@wanadoo.fr ▼ ⌶ ⛹ r.-v.

DOM. LE MALAVEN 2005 ★

■ 3 ha 14 000 ▮ 3 à 5 €

Un jeune couple, issu d'une famille de vignerons, installé dans une cave neuve en 2002. Le succès n'a pas tardé, fruit de leurs efforts sur plus de 22 ha. Le 2005, dominé par des senteurs de mûre et autres fruits noirs, présente une certaine fraîcheur en attaque, puis enveloppe ses tanins fins mais serrés d'une chair ronde, longuement fruitée. Un équilibre très réussi. Une viande rouge en sauce, un fromage de caractère... Et pourquoi pas une tarte aux mûres pour l'accompagner ?

EARL Isabelle et Dominique Roudil,
Dom. Le Malaven, rte de la Commanderie, BP 28,
30126 Tavel, tél. 04.66.50.20.02, fax 04.66.50.90.42,
e-mail dominique.roudil527@orange.fr
▼ ⌶ ⛹ t.l.j. sf sam. dim. 8h-12h 13h30-18h

CH. DE MANISSY 2006 ★★

■ 3,5 ha 15 000 ▮ 3 à 5 €

En 2004, Florian André a repris cette propriété taveloise de 37 ha d'un seul tenant, commandée par un château du XVII[e]s. Un domaine qui était resté dans le giron des pères de la Sainte Famille depuis 1907. Malgré sa jeunesse, ce 2006 est déjà d'une remarquable souplesse. Rouge intense, riche d'un fruité frais, il développe une chair ample et persistante, subtilement soutenue par des tanins équilibrés. Ce sera le compagnon d'un gigot d'agneau aux pommes de terre poêlées à la provençale.

Florian André,
Ch. de Manissy, rte de Roquemaure, 30126 Tavel,
tél. 04.66.82.86.94, fax 04.66.33.13.59,
e-mail vins-de-tavel@chateau-de-manissy.com
▼ ⌶ ⛹ r.-v.

DOM. MARIE-BLANCHE 2005 ★

■ 20 ha 50 000 ▮ 3 à 5 €

Un côtes-du-rhône issu de 70 % de grenache complété par la syrah, dont la vinification a été menée avec doigté. Sous une teinte grenat à reflets légèrement violacés apparaissent des arômes intenses de fruits agrémentés de menthol. L'attaque est franche, délicatement mentholée et réglissée, la structure de qualité et la chair persistante. Certes, les tanins présentent encore une petite austérité, mais ils promettent de se fondre d'ici deux ou trois ans. Pour des viandes en sauce. Le **Domaine Marie-Blanche rosé 2006**, fleurant bon la fraise et laissant une impression chaleureuse, est cité.

Dom. Marie-Blanche, 30650 Saze,
tél. 04.90.31.77.26, fax 04.90.26.94.48,
e-mail domainemarieblanche@wanadoo.fr
▼ ⌶ t.l.j. 10h-12h 15h30-19h

CH. DE MARJOLET 2005 ★

■ 16 ha 90 000 ▮ 3 à 5 €

De l'élégance, ce vin n'en manque pas, que ce soit par sa palette de fruits mûrs et d'épices douces ou par sa bouche franche en attaque, chaleureuse et ronde dans son développement. Est-il à boire ou à attendre ? Disons que vous pourrez ouvrir une bouteille de temps à autre jusqu'en 2010.

Bernard et Laurent Pontaud,
Dom. de Marjolet, BP 3, 30330 Gaujac,
tél. 04.66.82.00.93, fax 04.66.82.92.58,
e-mail chateau.marjolet@wanadoo.fr ▼ ⌶ ⛹ r.-v.

MAS GRANGE BLANCHE 2005 ★★

■ 2 ha 10 000 5 à 8 €

Un domaine de taille modeste – 22 ha, dont 2,5 ha en côtes-du-rhône –, implanté sur sols de galets roulés et d'argile. Remarquable résultat que celui obtenu à partir de grenache (60 %) et de syrah. Un 2005 rubis qui flatte les sens par son bouquet intense à dominante de fruits rouges comme par l'expressivité de sa bouche fraîche et équilibrée, longuement parfumée de fruits mûrs, de violette et de réglisse. Une garde de deux ans est à sa portée. Ne négligez pas le **Mas Grange Blanche blanc 2006 (8 à 11 €)** qui décline des notes de fleurs blanches et offre une chair chaleureuse. Une étoile lui est attribuée.

EARL Cyril et Jacques Mousset,
Ch. des Fines Roches, 84230 Châteauneuf-du-Pape,
tél. 04.90.22.36.80, fax 04.90.22.35.85,
e-mail cyril.mousset@wanadoo.fr
▼ ⌶ ⛹ t.l.j. 10h-19h; f. jan.

MAS POUPÉRAS
Pour toi, je décrocherai la lune 2006 ★★

■ 2 ha 6 500 5 à 8 €

Le nom de cette cuvée en fait déjà un cadeau à offrir. Ce n'est pas la lune qu'elle décroche ici, mais des étoiles bien brillantes. Pour sa deuxième année seulement de vinification, cette propriété de 11 ha a produit un grand côtes-du-rhône à partir du grenache (80 %) et de la syrah récoltés à 400 m d'altitude, sur le flanc sud de Vaison-la-Romaine. Complet et puissant, ce 2006 est promis à une garde de trois à cinq ans grâce à sa structure de qualité, enveloppée d'une chair ample, empreinte de fruits rouges (cerise, fraise).

SCEA Mas Poupéras, Les Bourelles,
84110 Vaison-la-Romaine, tél. 06.74.63.49.35,
fax 04.90.36.07.51, e-mail maspouperas@wanadoo.fr
▼ ⌶ ⛹ t.l.j. 9h-12h 15h-18h; f. jan. 🏠 D
Chevalier

CH. DE MONTFAUCON Baron Louis 2005 ★★★

■ 10 ha 45 000 ▮ ▥ 11 à 15 €

Le baron Louis est l'arrière-grand-oncle de Rodolphe de Pins, qui, en 1890, entreprit de restaurer le château du XI[e]s. en donnant à sa façade un style écossais. Hommage lui est rendu avec cette cuvée qui a suscité

RHÔNE

maints éloges de la part du jury. Couleur grenat, elle livre un nez intense de fruits rouges mûrs ou cuits, à peine vanillés, puis offre sa chair chaleureuse, dense mais souple dans laquelle le bois s'est parfaitement fondu. Et la finale de se prolonger agréablement. À savourer dès maintenant ou à attendre trois ans, c'est au choix. Réservez-lui simplement des plats relevés et des viandes en sauce.

Rodolphe de Pins, Ch. de Montfaucon,
30150 Montfaucon, tél. 04.66.50.37.19,
fax 04.66.50.62.19,
e-mail contact@chateaumontfaucon.com
t.l.j. sf sam. dim. 14h-18h

MONTIRIUS Jardin secret 2005 *

1 ha 2 500 11 à 15 €

Le grenache, cépage roi de la vallée du Rhône méridionale, compose seul cette cuvée chaleureuse, évocatrice d'épices et de fruits rouges, de confiture de mûres même. Du charnu et un fruité poivré pour le côté aimable ; des tanins bien présents, un rien austères en finale pour une bonne évolution dans le temps (un an ou deux).

Christine et Éric Saurel,
SARL Montirius, Le Devès, 84260 Sarrians,
tél. 04.90.65.38.28, fax 04.90.65.48.72,
e-mail montirius@wanadoo.fr r.-v.

CH. DE MONTMIRAIL Cuvée Jeune Vigne 2006 *

2 ha 6 500 5 à 8 €

Un domaine de 50 ha au pied des Dentelles de Montmirail. Des vignes de vingt ans – syrah, grenache et cinsault – sont à l'origine de ce vin charpenté, mais non dénué de gras. Un à deux ans de garde suffiront à le rendre des plus aimables à table, aux côtés de viandes rouges et de fromages.

Ch. de Montmirail, Cours Stassart, BP 12,
84190 Vacqueyras, tél. 04.90.65.86.72,
fax 04.90.65.81.31,
e-mail archimbaud@chateau-de-montmirail.com
t.l.j. sf dim. 9h-12h 14h-18h30
Archimbaud

DOM. DE LA MORDORÉE 2006 **

14 ha 40 000 5 à 8 €

D'octobre à mars, il est un oiseau migrateur que vous pourrez apercevoir au domaine : la bécasse des bois, dite « dame rousse ». Depuis 1986, elle est le symbole de La Mordorée, propriété de 60 ha répartis sur huit communes. Le côtes-du-rhône se distingue en 2006 par ses notes réglissées qui complètent délicieusement les arômes de fruits rouges (cerise bien mûre) persistants. Grâce à sa chair ample et ronde, il se montre déjà aimable tout en présentant une bonne capacité de garde.

Dom. de La Mordorée, chem. des Oliviers,
30126 Tavel, tél. 04.66.50.00.75, fax 04.66.50.47.39,
e-mail info@domaine-mordoree.com
t.l.j. sf dim. 8h-12h 14h-18h
Delorme

CH. NOËL SAINT-LAURENT 2006

4 ha 4 300 8 à 11 €

Ancienne ferme fortifiée qui accueillait les pèlerins en route vers Saint-Jacques-de-Compostelle, ce domaine propose un vin brillant d'éclats verts et jaunes. Au nez intense de fruits et d'épices succède une bouche grasse et suave qui traduit bien la présence du viognier (75 % de l'assemblage). Il serait judicieux de servir ce 2006 avec une poêlée de coquilles Saint-Jacques ou un sandre au beurre blanc.

SCEA Dom. Saint-Laurent,
Ch. Saint-Laurent, rte de Noves,
84310 Morières-les-Avignon, tél. et fax 04.90.33.34.90,
e-mail argentines@wanadoo.fr r.-v.
Alain-Didier Noël

DOM. NOTRE-DAME-DE-COUSIGNAC Hommage à Léon Pommier 2005 *

3 ha 13 000 8 à 11 €

Une chapelle du VIe s. se trouve sur ce domaine resté dans la même famille depuis la seconde moitié du XIXe s. Depuis le mas sis à flanc de colline, cerné de vignes et de bois, la vue est dégagée sur la vallée du Rhône. Grenache et syrah ont donné naissance à ce vin rubis, dont les fines notes boisées se mêlent aux arômes de fruits noirs. La bouche est structurée et chaleureuse, vouée à s'harmoniser au cours des deux à trois prochaines années.

M. Pommier,
Dom. Notre-Dame-de-Cousignac, quartier de Cousignac,
07700 Bourg-Saint-Andéol, tél. 04.75.54.61.41,
fax 04.75.54.68.53, e-mail ndcousignac@wanadoo.fr
t.l.j. sf sam. dim. 9h-12h 15h-19h 3

DOM. NOTRE-DAME DES ANGES Réserve du domaine 2006 *

6 ha 25 000 3 à 5 €

Une chapelle située à proximité, au hameau des Géants, a donné son nom à ce domaine dont le vin est confié à une toute jeune maison de négoce créée en 2004. Le 2006 est un côtes-du-rhône à partager en toute simplicité entre copains. Car il est rond et friand, sans aucune agressivité et laisse le souvenir plaisant de ses arômes de fruits rouges relevés d'épices légères. Il sera excellent avec un émincé de volaille à la crème. Produit par les mêmes négociants, le **Dauvergne et Ranvier rouge 2005 (5 à 8 €)**, assemblage de grenache et de syrah à parts égales, est cité. Deux vins prêts à boire.

R & D Vins, Ch. Saint-Maurice, RN 580,
L'Ardoise, 30290 Laudun, tél. 04.66.82.96.57,
fax 04.66.82.96.58, e-mail rdvins@wanadoo.fr
Jean-Philippe Bréchet

CH. NUIT DES DAMES Cuvée Prestige 2005 *

n.c. n.c. 8 à 11 €

Le terroir de la région du Gard, argilo-sableux, s'exprime bel et bien dans ce 2005 de couleur sombre. Il suffit, pour s'en convaincre, de distinguer les arômes de fruits à noyau très mûrs, puis de goûter cette chair franche en attaque, ronde et grasse. En finale, les tanins laissent une petite austérité, signe que le vin est apte à une garde de trois ans.

EARL Richard Verdier,
Ch. Nuit des Dames, RD 138, 30200 Venejan,
tél. 04.66.79.21.56, fax 04.66.79.26.21 r.-v.

DOM. DE L'OLIVIER 2005 *

8,5 ha 50 000 3 à 5 €

Un assemblage équilibré des deux cépages grenache et syrah a permis de réussir ce côtes-du-rhône aux arômes complexes de cerise, de mûre et autres fruits confiturés. Les tanins fins et serrés assurent une structure de qualité qui s'affinera au cours des deux ou trois prochaines années.

Éric Bastide,
EARL Dom. de L'Olivier, 1, rue de la Clastre,
30210 Saint-Hilaire-d'Ozilhan, tél. 04.66.37.08.04,
fax 04.66.37.00.46 t.l.j. 8h-12h 14h-19h

CH. DE PANERY Tradition 2005 ★

■ 4 ha 17 000 ▮ 5 à 8 €

Un domaine gardois remontant au XVIIIes., vaste de 528 ha et sur lequel sont produits aussi bien du raisin que des céréales, du tournesol, des pois chiches, des truffes et du miel. Cette cuvée d'un rouge profond est typée par le grenache qui la compose à 60 %, contre 40 % de syrah. Suave par ses arômes de fruits mûrs, elle garde un même caractère gourmand au palais tant elle est ronde et persistante. La **cuvée Henry 2005 Élevée en fût** est citée. Dominée par la syrah, elle doit encore fondre ses tanins au cours d'un ou deux ans de garde.

SCEA Ch. de Panery, rte d'Uzès, 30210 Pouzilhac, tél. 04.66.37.04.44, fax 04.66.37.62.38, e-mail contact@panery.fr
t.l.j. sf dim. 9h-12h 14h-18h

CAVES DES PAPES Oratorio 2005 ★

■ n.c. 35 000 5 à 8 €

Cuvée régulièrement présente dans le Guide, Oratorio trouve à nouveau sa place grâce à un millésime 2005 plein et structuré. On ne change pas un assemblage qui gagne : grenache et syrah s'associent à parts égales. Un passage sous bois de douze mois a légué au vin une palette boisée et épicée juste comme il faut, qui laisse aux arômes de fruits noirs la possibilité de s'exprimer. Une citation revient à la cuvée **Héritages 2005 rouge Élevé en foudre de chêne (3 à 5 €)**, puissante et empreinte de notes de garrigue (romarin).

Ogier-Caves des Papes, 10, av. Louis-Pasteur, 84232 Châteauneuf-du-Pape Cedex, tél. 04.90.39.32.00, fax 04.90.83.72.51, e-mail ogiercavesdespapes@ogier.fr
t.l.j. sf dim. 9h30-12h 14h-18h30

PARC SAINT-CHARLES
Jean-Baptiste Poquelin 2005 ★

■ 5,5 ha 25 000 ▮ 5 à 8 €

Avec ses meurtrières en façade et sa cour close défensive, cette bastide a des allures de forteresse. Elle date pourtant du XVIIes. et commande aujourd'hui un vaste domaine de 95 ha. Composé pour moitié de mourvèdre, complété de syrah et de grenache, ce 2005 ne pouvait être que puissant. D'un rouge intense, il livre des arômes de fruits rouges, nuancés de cuir, puis une chair structurée et ronde, témoin de la belle maturité du raisin. Les flaveurs de cuir et d'épices reviennent au palais, marque de la syrah. Pour un civet de sanglier ou une viande en sauce relevée. Une citation revient au **Domaine du Parc Saint-Charles rosé 2006 (3 à 5 €)**, frais et rond à la fois, fleurant bon la groseille, ainsi qu'à la **cuvée des Lys blanc 2006** qui offre les arômes d'abricot vanillé typiques du viognier passé sous bois.

Dom. du Parc Saint-Charles, rte de Jonquières-Saint-Vincent, 30490 Montfrin, tél. 04.66.57.22.82, fax 04.66.57.54.41, e-mail vinstcharles@aol.com
t.l.j. sf mer. sam. dim. 8h-12h 14h-18h

DOM. PÉLAQUIÉ 2006 ★★

□ 2 ha 5 000 ▮ 5 à 8 €

Luc Pélaquié a vinifié le seul viognier pour obtenir ce vin intensément parfumé de fleurs, d'agrumes et de pêche blanche. Le gras est au rendez-vous, sans lourdeur aucune, grâce à une juste fraîcheur et à une finale marquée par les fruits exotiques (litchi). Nul besoin d'attendre plus longtemps pour profiter de ce côtes-du-rhône.

Dom. Pélaquié, 7, rue du Vernet, hameau de Palus, 30290 Saint-Victor-la-Coste, tél. 04.66.50.06.04, fax 04.66.50.33.32, e-mail contact@domaine-pelaquie.com
t.l.j. sf dim. 9h-12h 14h-18h
GFA du Grand-Vernet

PERRIN Réserve 2006 ★★

□ 20 ha 80 000 ▮ 5 à 8 €

D'une teinte attrayante, jaune à reflets verts, ce côtes-du-rhône exhale des parfums intenses de fruits exotiques qui trouvent écho au palais, en accompagnement d'une chair ronde et équilibrée. Un remarquable vin blanc du Sud. Les vins rouges ne sont pas en reste. Le **Perrin Réserve 2005** est sélectionné, de même que le **Coudoulet de Beaucastel 2004 (11 à 15 €)** qui obtient une étoile pour son caractère velouté et frais à la fois.

Perrin et Fils, La Ferrière, rte de Jonquières, 84100 Orange, tél. 04.90.11.12.00, fax 04.90.11.12.19, e-mail tperrin@vinsperrin.com r.-v.

PRIEURÉ LA CLASTRE 2005 ★

■ 5 ha 22 000 ▮ 5 à 8 €

Installé sur un terroir de marnes caillouteuses et de galets roulés, le domaine de 53 ha garde trace du prieuré roman du Xes. qui lui a donné son nom. Syrah, grenache, mourvèdre et carignan entrent dans l'élaboration de ce vin pourpre, doté d'une délicate palette d'arômes de fruits confiturés. La matière ronde est soutenue par des tanins déjà soyeux qui autoriseront bientôt une dégustation avec un gigot d'agneau aux herbes ou un canard aux olives.

Vignobles David, Dom. de La Clastre, 30210 Saint-Hilaire-d'Ozilhan, tél. 04.66.37.03.99, fax 04.66.37.06.90, e-mail vignobles.david@wanadoo.fr
t.l.j. 9h-19h

DOM. DU PRIEURÉ SAINT-FRANÇOIS 2006

■ 50 ha 220 000 ▮ 3 à 5 €

Le domaine se trouve juste à l'entrée du village de Domazan, dont le terroir argilo-calcaire est réputé produire des vins de caractère. Le 2006 joue la simplicité, pourtant. Dans une robe rubis à reflets carmin, il exprime de francs arômes de fruits rouges, puis se structure autour de tanins bien disciplinés qui lui confèrent un charme immédiat et une certaine élégance.

EARL Prieuré Saint-François, rte de Sinargues, 30390 Domazan, tél. 04.90.12.32.42, fax 04.90.12.32.49

CAVE DE RASTEAU
Les Secrets des Terroirs 2006 ★

■ n.c. 130 000 3 à 5 €

Rouge profond, ce vin se déclare d'emblée sur les fruits rouges et noirs (framboise et cassis), avant d'affirmer une chair dense, solidement structurée, qui laisse en finale une impression chaleureuse. Quelques tanins se montrent encore indisciplinés, mais ils rentreront dans le rang à la faveur d'un à trois ans de garde. Une étoile brille également pour la cuvée **Ortas Les Viguiers 2006 rosé**, fraîche, florale et fruitée (framboise), tandis qu'une citation est attribuée à la **Grande Cuvée 2006 rouge**, apte au vieillissement.

⊶ Les Vignerons de Rasteau et de Tain-l'Hermitage, rte des Princes-d'Orange, 84110 Rasteau, tél. 04.90.10.90.10, fax 04.90.46.16.65, e-mail vrt@rasteau.com ☒ Y r.-v.

DOM. LA RÉMÉJEANNE
Les Chèvrefeuilles 2006 *

■ 12 ha 50 000 ▮ 5 à 8 €

Les bois font concurrence à la vigne sur ces collines de loess et de grès calcaire. Pourtant, Rémy Klein possède ici 40 ha qu'il conduit avec sérieux depuis la fin des années 1980. La fraîcheur, tel est bien le profil de cette cuvée dont les parfums de fruits noirs et de réglisse se révèlent à l'aération. Des tanins au grain fin lui assurent une bonne structure tout en respectant l'expression persistante du fruit au palais. Dans un an, elle sera déjà plaisante. Une citation est attribuée au **Domaine La Réméjeanne Les Arbousiers blanc 2006**, vin printanier et frais, ainsi qu'à la cuvée **Les Églantiers blanc 2006 (11 à 15 €)**, qui a connu le bois.

⊶ EARL Rémy Klein, Dom. La Réméjeanne, Cadignac, 30200 Sabran, tél. 04.66.89.44.51, fax 04.66.89.64.22, e-mail remejeanne@wanadoo.fr ☒ Y 🚶 r.-v.

CH. LA RENJARDIÈRE 2005 *

■ 20 ha 15 000 ▮ 5 à 8 €

125 ha d'un seul tenant sur un terroir argilo-calcaire recouvert de galets. Vaste propriété que commande une demeure du XIX^{e}s. intéressante par son architecture puisqu'elle présente une galerie et des voûtes à l'image des maisons de l'Italie du Sud. De la personnalité également dans ce vin rubis brillant qui associe des arômes de fruits rouges (groseille notamment) à des nuances florales. Le fruité souligne avec finesse la chair ronde dans laquelle se fondent les tanins. Accordez à ce 2005 encore un an de garde : il s'épanouira davantage. Une étoile revient aussi au **Château Joanny Grande Réserve 2005**, élevé douze mois en fût : bon classique issu de grenache et de syrah.

⊶ Pierre Dupond, 235, rue de Thizy, BP 79, 69653 Villefranche-sur-Saône, tél. 04.74.65.24.32, fax 04.74.68.04.14, e-mail p.dupond.cvc@wanadoo.fr 🚶 r.-v.

⊶ Hervé Dupond

DOM. RIGOT Prestige des Garrigues 2005

■ 7,5 ha 40 000 ▮ 5 à 8 €

Du grenache à 80 % complété de syrah récoltés sur sol argilo-calcaire. Au résultat, un vin de caractère, de bonne intensité aromatique sur les fruits rouges et de structure équilibrée. Il accompagnera volontiers des fromages forts et des viandes grillées au cours des deux prochaines années.

⊶ Camille Rigot, Les Hauts Débats, 84150 Jonquières, tél. 04.90.37.25.19, fax 04.90.37.29.19, e-mail contact@domaine-rigot.fr ☒ Y 🚶 t.l.j. 8h-12h 15h-19h; dim. sur r.-v. ⌂ G

DOM. ROCHE-AUDRAN César 2005

■ 10 ha 12 000 ⫴ 11 à 15 €

Au nez de fruits rouges mûrs, macérés dans l'eau-de-vie, se mêlent des notes d'épices héritées des douze mois d'élevage en fût. C'est là un premier signe du caractère chaleureux de ce vin typique de cette région de grand soleil. La structure soutient fermement la matière empreinte de flaveurs boisées. À servir avec des viandes grillées ou des poivrons rouges farcis.

⊶ Vincent Rochette, Dom. Roche-Audran, rte de Saint-Roman, 84110 Buisson, tél. 04.90.28.96.49, fax 04.90.28.90.96, e-mail contact@roche-audran.com ☒ Y 🚶 r.-v.

CH. ROCHECOLOMBE 2005 **

■ 8,3 ha 50 000 ▮ 3 à 5 €

En 1925, Robert Herberigs, auteur-compositeur flamand, fit l'acquisition de ce château Directoire pour en faire sa résidence secondaire. Roland Terrasse conduit aujourd'hui la destinée du domaine de 24 ha implanté sur argilo-calcaire. Des ceps cinquantenaires de grenache et de syrah ont donné naissance à ce 2005 dont les reflets violacés témoignent de sa jeunesse. Aux parfums de fruits à l'eau-de-vie s'associent des notes de cuir et de sous-bois, mais au palais le fruité domine nettement, rehaussant la chair équilibrée, aux tanins déjà fondus. À savourer d'ici 2010-2012 avec une viande en sauce. Le **Château Rochecolombe rosé 2006** brille d'une étoile : il affiche une vivacité surprenante en bouche, au regard de ses arômes chaleureux de fruits et de Zan.

⊶ Roland Terrasse, Ch. Rochecolombe, 07700 Bourg-Saint-Andéol, tél. 04.75.54.50.47, fax 04.75.54.80.03, e-mail rochecolombe@aol.com ☒ Y 🚶 t.l.j. 9h-12h 14h-19h; dim. 9h-12h

DOM. DE ROCHEMOND 2006 *

■ 20 ha 100 000 ▮ 3 à 5 €

Étonnant par son attaque florale qui cède place à un beau fruité, ce 2006 rubis trouve un juste équilibre entre une chair ronde et des tanins fins qui se fondent déjà volontiers. La finale suffisamment persistante confirme la réussite de ce vin prêt à boire. Une citation revient au **Domaine de Rochemond Fût de chêne rouge 2005 (5 à 8 €)** comme au **Domaine de Rochemond 2006 blanc (5 à 8 €)**, vif et fruité.

⊶ Dom. de Rochemond, 1, rue des Cyprès, Cadignac-Sud, 30200 Sabran, tél. et fax 04.66.79.04.42, e-mail domaine-de-rochemond@wanadoo.fr ☒ Y 🚶 r.-v.

DOM. DES ROMARINS 2005 *

■ 5 ha 20 000 ▮ 3 à 5 €

Une propriété familiale de 15 ha sur la terrasse villafranchienne du Rhône. Syrah, grenache et carignan forment un trio efficace dans ce vin grenat foncé, au nez concentré de fruits noirs (pruneau) et d'épices. La bouche puissante et de bonne longueur trouve l'appui de tanins abondants, mais fins. Un côtes-du-rhône apte à un vieillissement de trois à quatre ans.

⊶ SARL Dom. des Romarins, rte d'Estézargues, 30390 Domazan, tél. 04.66.57.43.80, fax 04.66.57.14.87, e-mail domromarin@aol.com ☒ Y 🚶 r.-v.

⊶ Fabre

DOM. DE LA RONCIÈRE Rescator 2005 **

■ 3 ha 8 000 ▮ 8 à 11 €

Sur le versant sud, au sol très caillouteux de Châteauneuf-du-Pape, ce domaine a choisi le grenache pour signature de ce côtes-du-rhône puissant, véritable vin de soleil. Ample et charnu, celui-ci fait preuve par ailleurs d'une réelle intensité dans ses arômes de fruits et d'épices. A-t-il de la finesse ? Certes. Car le travail de vinification et d'élevage en cuve dix-huit mois durant a été mené avec sérieux. Un gibier lui ira bien.

Jean-Louis et Geoffrey Canto,
Dom. de La Roncière, quartier Mascaronnes, BP 86,
84232 Châteauneuf-du-Pape Cedex, tél. 04.90.83.78.08,
fax 04.90.83.74.52,
e-mail domaine.de.la.ronciere@wanadoo.fr
r.-v.; vente au 3, rue de la République

LES VIGNERONS DE ROQUEMAURE
Cuvée 1737 Élevé en fût de chêne 2005 ★★

5 ha 20 000 3 à 5 €

Roquemaure est le berceau historique des côtes-du-rhône : là, en 1737, les vignerons ont été autorisés à marquer leurs tonneaux des lettres CDR. Fondée en 1922, la coopérative a également joué un rôle important et elle demeure un pilier de l'appellation grâce à des vins aussi typés que ce 2005. Résolument fruité – griotte, fraise et framboise –, celui-ci bénéficie de tanins fins qui se glissent dans sa chair ronde tout en lui assurant une persistance appréciable. Un plaisir pour maintenant et pour les deux prochaines années encore.

Les Vignerons de Roquemaure,
1, rue des Vignerons, 30150 Roquemaure,
tél. 04.66.82.82.01, fax 04.66.82.67.28,
e-mail contact@vignes-de-roquemaure.com
t.l.j. sf dim. 9h-12h 14h-18h

DOM. SAINT-ÉTIENNE Les Albizzias 2006 ★

4 ha 30 000 3 à 5 €

N'attendez pas : il est à boire... Le nez de fruits cuits annonce une chair veloutée, aux tanins parfaitement enrobés. Il ne vous reste plus qu'à mettre les grillades sur le feu et réunir quelques amis. La cuvée **Les Albizzias rosé 2006**, aux arômes de mandarine et à la fraîcheur friande, obtient une étoile également.

Michel Coullomb,
Dom. Saint-Étienne, chem. des Agaches,
30490 Montfrin, tél. 04.66.57.50.20, fax 04.66.57.22.78
r.-v.

CAVE DES VIGNERONS DE SAINT-GERVAIS 2006 ★

30 ha 150 000 3 à 5 €

Fondée en 1924, la cave coopérative défend bien les couleurs des côtes-du-rhône. En témoigne ce vin que vous emporterez en pique-nique juste pour le plaisir. À la fois fruité et floral, il surprend par sa puissance aromatique et sa rondeur des plus avenantes. Tout simplement bon.

Cave des Vignerons de Saint-Gervais,
rue des Vignerons, 30200 Saint-Gervais,
tél. 04.66.82.77.05, fax 04.66.82.78.85,
e-mail contact@cavesaintgervais.com r.-v.

DOM. SAINT-JUSTIN 2006 ★

4,2 ha 10 000 8 à 11 €

Un domaine de 11 ha, ancienne résidence d'été de bourgeois avignonnais. À sa tête depuis 2006, Jean-Pierre Vogt récolte les premiers fruits de ses efforts : un vin né de l'assemblage de grenache blanc, de viognier, de roussanne et de marsanne qui se livre sous une teinte jaune clair étincelant. De la jeunesse, de la fraîcheur perceptibles dans les arômes d'agrumes (pamplemousse) qui se développent jusqu'en bouche, avant une légère pointe de douceur en finale. Pour l'apéritif ou des coquillages.

EARL Dom. Vogt, 2720, chem. de Monclard,
84250 Le Thor, tél. 06.07.34.31.24,
e-mail vogt.jean-pierre@wanadoo.fr r.-v.

CH. SAINT-MAURICE Les Parcellaires 2005 ★

10 ha 40 000 5 à 8 €

Un château entouré d'un parc aux cèdres du Liban tricentenaires. Un caveau abritant des cuvées représentatives des côtes-du-rhône. Celle-ci, tout en puissance, exhale des arômes de cerise et de cassis, nuancés de notes animales, et laisse une impression de finesse par ses saveurs équilibrées. Pour maintenant comme pour demain, avec un gigot d'agneau. La cuvée **Les Coteaux rouge 2005 (3 à 5 €)**, plus simple et friande, est citée.

Christophe Valat, SCA Ch. Saint-Maurice,
L'Ardoise RN 580, 30290 Laudun,
tél. 04.66.50.29.31, fax 04.66.50.40.91,
e-mail chateau.saint.maurice@wanadoo.fr
t.l.j. 9h-12h 14h-19h

CAVES SAINT-PIERRE
Vieilles Vignes Préférence 2005 ★★

20 ha 100 000 3 à 5 €

Dans un an à peine, la cave Saint-Pierre fêtera son centenaire. Elle ne manquera pas de beaux vins pour cette célébration, à commencer par cette cuvée d'un grenat profond à reflets violines. Les arômes de cassis frais trouvent un long écho au palais, en accompagnement d'une matière soyeuse et bien structurée. Vous servirez avantageusement ce vin d'ici 2009 avec un tajine d'agneau aux pruneaux. Le **Caves Saint-Pierre Préférence rouge 2005 (moins de 3 €)** obtient deux étoiles pour son caractère tout aussi velouté, riche de flaveurs de fruits mûrs et d'épices, tandis que la **Préférence blanc 2006 (moins de 3 €)**, évocatrice d'agrumes et de fleur d'oranger, est citée. Le **Château de Beaulieu La Majeure rouge 2005**, fin, fruité et réglissé, est noté une étoile.

Skalli, av. Pierre-de-Luxembourg,
84230 Châteauneuf-du-Pape, tél. 04.90.83.58.35,
fax 04.90.83.77.23

CH. SIMIAN Saint Martin de Jocundaz 2006 ★★★

0,75 ha 4 500 11 à 15 €

« Nationale 7 », chantait Charles Trenet. La route mythique n'existe plus et le petit musée qui lui était consacré au domaine a fermé en 2006. Mais on n'en reste pas moins « heureux nationale 7 », car le propriétaire a aménagé un espace ludique de pique-nique et d'expositions. Il réserve aussi l'heureuse surprise de ce vin issu à 100 % de viognier. Un côtes-du-rhône jaune soutenu à reflets verts. Le nez est-il discret ? Le temps devrait y remédier. Le palais, lui, explose en arômes de miel et de

RHÔNE

fruits exotiques, soulignant une rondeur avenante. Le **Château Simian 2006 rosé (5 à 8 €)** obtient deux étoiles pour sa complexité : senteurs de fraise et de groseille, puis flaveurs d'épices et de réglisse. Attention : ce sont deux cuvées confidentielles.

Jean-Pierre Serguier,
SCEA Ch. Simian, D172, rte d'Uchaux, 84420 Piolenc,
tél. 04.90.29.50.67, fax 04.90.29.62.33,
e-mail chateau.simian@wanadoo.fr
t.l.j. sf dim. 8h30-12h 14h-19h

DOM. DES TEMPLIERS Conquête 2004 ★★

2 ha 3 000 15 à 23 €

Un souterrain relie ce domaine au Rhône, passage qui permettait aux Templiers de s'échapper en cas d'attaque. Aucune marque de faiblesse dans ce 2004 judicieusement baptisé. Il part à la conquête du dégustateur avec pour seule arme ses arômes de fruits frais et un fin boisé hérité de vingt-quatre mois d'élevage. Au palais, le fruit épicé et les notes de réglisse l'emportent en finale, mais la structure solide n'a pas laissé le jury indifférent car c'est elle qui permettra au vin de traverser le temps. Un côtes-du-rhône riche et complexe qui traduit remarquablement le potentiel de la syrah.

Les Vignobles des Templiers, Dom. d'Aiguilhon,
30150 Sauveterre, tél. 04.66.82.54.33,
fax 04.66.89.83.05,
e-mail aiguilhon@charriere-distribution.com
t.l.j. 9h-12h 14h-17h
Charrière

TERRE DES LAUZERAIES 2006 ★★

17 ha 100 000 3 à 5 €

Un terroir argilo-calcaire est à l'origine d'un vin de teinte soutenue qui charme dès que les premiers arômes s'évasent du verre. Si la palette est discrète au nez, elle se précise au palais dans le registre des fruits rouges et souligne longuement la chair équilibrée et déjà ronde. Nul besoin d'attendre pour servir cette cuvée avec des viandes grillées, des charcuteries ou des fromages à pâte dure.

Les Vignerons de Tavel,
rte de la Commanderie, 30126 Tavel,
tél. 04.66.50.03.57, fax 04.66.50.46.57,
e-mail tavel.cave@wanadoo.fr r.-v.

DOM. DE LA VALÉRIANE
Cuvée Vieilles Vignes 2005 ★★

5 ha 5 000 3 à 5 €

Les parents de Valérie Collomb avaient vu juste en baptisant leur domaine Valériane à sa création en 1982. Devenue œnologue, leur fille a repris les rênes en 2004 et apporte ses compétences en matière de vinification. Remarquable résultat que ce vin de grenache et de syrah à parts égales. Riche en arômes de fruits rouges (griotte), il possède aussi beaucoup de gras, soutenu par des tanins fins et soyeux. Longue, très longue, la finale déroule les épices.

Valérie Collomb, rte d'Estézargues,
30390 Domazan, tél. et fax 04.66.57.04.84,
e-mail valeriane.mc@orange.fr
t.l.j. sf dim. 10h-12h 14h-18h

DOM. VAUCROZE 2005 ★

3 ha 18 500 3 à 5 €

Vinifié par le cellier des Princes, ce côtes-du-rhône décline à l'envi ses arômes de fruits rouges et de réglisse. Attaque fraîche, structure de tanins fins quoique légèrement fermes encore, il saura imposer sa rondeur et son gras au cours de l'année 2008.

Cave Coop. le Cellier des Princes,
758, rte d'Orange, 84350 Courthézon,
tél. 04.90.70.21.44, fax 04.90.70.27.56,
e-mail lesvignerons@cellierdesprinces.com r.-v.

VICTOR CONTIS 2005

5 ha 30 000 3 à 5 €

Un vin classique, issu de grenache et de syrah, dans un registre élégant. La bouche fraîche et ronde à la fois prolonge les arômes de fruits mûrs déjà perçus au nez. À réserver aux grillades et aux petits farcis préparés pour des repas improvisés.

Vignobles Victor Contis, La Gineste,
30290 Saint-Victor-la-Coste, tél. 04.66.50.68.48,
fax 04.66.39.27.78, e-mail info@victorcontis.fr
t.l.j. 9h-12h 14h-18h

J. VIDAL-FLEURY 2006

n.c. 384 000 5 à 8 €

Maison de la vallée du Rhône, fondée en 1781, Vidal-Fleury propose dans sa large gamme un côtes-du-rhône destiné à un plaisir simple. Rubis, le vin offre de francs arômes de fruits et d'épices douces, tandis qu'en bouche il laisse la rondeur prendre le pas sur la charpente. De l'harmonie.

J. Vidal-Fleury, 19, rte de la Roche, 69420 Ampuis,
tél. 04.74.56.10.18, fax 04.74.56.19.19,
e-mail vidal-fleury@wanadoo.fr r.-v.

DOM. LE VIEUX LAVOIR 2005 ★★

7,78 ha 20 000 3 à 5 €

Serez-vous sensible à la ressemblance du vieux lavoir du village avec l'architecture du caveau de vente qui présente en façade les mêmes huit colonnes ? Ne vous y attardez pas trop longtemps, cependant, car une autre surprise vous attend à l'intérieur. Celle d'un vin au fort potentiel de garde, riche de senteurs de fruits compotés et poivrés. Des tanins fins assurent une agréable structure qui laisse la vedette à la chair ronde et dense, fruit d'une vendange mûre à point. Une étoile revient au **Domaine Le Vieux Lavoir blanc 2006**, composé à 90 % de grenache blanc. Tout en finesse, il laisse un sillage floral.

EARL Roudil-Jouffret,
rte de la Commanderie, Le Palai-Nord, 30126 Tavel,
tél. 04.66.82.85.11, fax 04.66.82.84.18,
e-mail roudil.jouffret@wanadoo.fr
t.l.j. 8h-12h 14h-18h; sam. dim. sur r.-v.
Didier Jouffret

Côtes-du-rhône-villages

À l'intérieur de l'aire des côtes-du-rhône, quelques communes ont acquis une notoriété certaine grâce à des terroirs qui produisent des vins dont la typicité et les qualités sont unanimement reconnues et appréciées. Les conditions de production de ces vins sont soumises à des critères plus restrictifs en matière notamment de délimitation, de rendement et de degré alcoolique par rapport à ceux des côtes-du-rhône. Une très faible production de blanc (6 702 hl en 2006) complète l'important volume des côtes-du-rhône-villages (292 249 hl en 2006).

Il y a d'une part les côtes-du-rhône-villages (5 219 ha) pouvant mentionner un nom de commune, dont quatorze noms historiquement reconnus et qui sont : Chusclan, Laudun et Saint-Gervais dans le Gard ; Cairanne, Sablet, Séguret, Rasteau, Roaix, Valréas et Visan dans le Vaucluse ; Rochegude, Rousset-les-Vignes, Saint-Maurice, Saint-Pantaléon-les-Vignes dans la Drôme. Ont été récemment reconnus Sinargues, dans le Gard, Massif d'Uchaux, Plan de Dieu et Puymeras dans le Vaucluse.

Il y a d'autre part les côtes-du-rhône-villages sans nom de commune (2 671 ha), sur le reste de l'ensemble des communes du Gard, du Vaucluse et de la Drôme dans l'aire côtes-du-rhône. Soixante-dix communes ont été retenues. Cette délimitation avait pour premier objectif de permettre l'élaboration de vins de semi-garde.

DOM. DE L'ABBAYE DE PRÉBAYON 2006

■ 50 ha 250 000 ▮ 3 à 5 €

Les vastes étendues de bois dits « des Dames » furent durant dix siècles une possession des Chartreusines de Prébayon, avant que la Révolution ne s'approprie ce domaine temporel comme Bien national. Et dans l'après-guerre, la Providence et les hommes du cru en firent un vignoble. La robe de couleur rouge-prune brille de reflets violets, le nez pointe des senteurs de fruits rouges et de cuir, la bouche révèle un équilibre puissant. Communiera avec gibier, daube ou civets.

SCEA Dom. du Bois des Dames, rte de Cairanne, 84150 Violès, tél. et fax 04.90.70.92.10, e-mail hmeffre@free.fr r.-v.

DOM. D'AÉRIA
Cairanne Bouto Novo Cuvée Prestige 2004 *

■ 1 ha 2 000 11 à 15 €

L'étiquette est revêtue d'une antéfixe, réapparue un jour entre les galets. Ces sculptures de terre cuite décoraient le faîte des villas antiques. Un vestige, pense-t-on, d'une cité grecque enfouie sous les vignes et le vieux mas d'Aéria, aux pieds de chênes séculaires, au voisinage d'une source. Ce 2004, de couleur violine aux éclats noirs, élevé dix-huit mois en fût, respire le cuir et la viande, les fruits confits, sur une touche boisée discrète. En bouche, de la souplesse, des épices et du poivron. Le magret de canard lui conviendra.

SARL Dom. d'Aéria, rte de Rasteau, 84290 Cairanne, tél. 04.90.30.88.78, fax 04.90.30.78.38, e-mail domaine.aeria092@orange.fr r.-v.

Rolland Gap

DOM. DES AMADIEU
Cairanne Cuvée Vieilles Vignes 2005 *

■ 3 ha 12 000 5 à 8 €

Ce domaine propose un 2005 issu de vieilles vignes de grenache et de syrah, agrémentés de mourvèdre et de carignan. Un vin suave, à boire sous peu. Très fin et élégant, le bois des barriques lui confère un joli velouté. Il ravira la tablée quand arrivera le gigot d'agneau sur un tian de légumes parfumés.

SCEA Corine et Yves-Jean Houser, quartier Beauregard, 84290 Cairanne, tél. et fax 04.90.66.03.48, e-mail yves-jean.houser@wanadoo.fr r.-v.

DOM. D'ANDEZON Sinargues 2005 **

■ 10 ha 40 000 5 à 8 €

Chez les vignerons d'Estézargues, non loin du pont du Gard, la syrah prédomine : 80 % dans cette cuvée. Un complément de mourvèdre, de grenache, de counoise et de carignan ajoute une diversité de parfums. La couleur est intense. La vanille et le chêne font bon ménage. Les tanins sont charnus, les arômes complexes. Équilibre, structure, longueur caractérisent cette bouteille. Les viandes rouges lui iront à merveille. Elle atteindra sa plénitude dans trois voire cinq ans. Issu majoritairement de grenache (65 %), le **Domaine Montagnette rouge 2005**, souple et fin, sera à boire tout de suite. Il obtient une étoile.

Cave des Vignerons d'Estézargues, rte des Grès, 30390 Estézargues, tél. 04.66.57.03.64, fax 04.66.57.04.83, e-mail les.vignerons.estezargues@wanadoo.fr t.l.j. sf dim. 8h-12h 14h-18h

LES APHILLANTHES Vieilles Vignes 2004 *

■ 4 ha 9 200 11 à 15 €

Au village de Travaillan, Daniel Boulle fête pile sa vingtième vendange dans ses vieilles vignes de grenache, qui ont l'âge fort respectable de cinquante-cinq ans. Il trace son sillon sur l'étiquette, comme le cheval de labour d'autrefois au labeur entre les rangs. Le travail soigneux – vendanges à la main, tri des grappes, long élevage en fût – fournit un vin puissant, rempli d'arômes chocolatés, vanillés, épicés, aux fins tanins boisés, très souples et onctueux, où paraît la réglisse, et qui laisse une impression longue et persistante. À déboucher après la chasse.

Daniel Boulle, Dom. des Aphillanthes, quartier Saint-Jean, 84850 Travaillan, tél. et fax 04.90.37.25.99 r.-v.

ARBOUSIER Massif d'Uchaux 2005

■ 10 ha 20 000 5 à 8 €

L'arbousier peuple les collines d'Uchaux où serpentait la *via Agrippa*. Les centurions se régalaient au bivouac de ses fruits sucrés à la peau écarlate et granitée. L'arbuste

RHÔNE

est l'emblème du domaine, et les vins de l'endroit, où règne le grenache, sont imprégnés de fruits rouges (fraise et cerise), soutenus par des tanins fins et élégants. À voir à Sérignan, l'Harmas, la propriété de l'entomologiste J.-H. Fabre, « l'Homère des insectes », son cabinet de travail, ses collections et ses aquarelles.

Cave coopérative Les Côteaux-du-Rhône,
84830 Sérignan-du-Comtat, tél. 04.90.70.04.22,
fax 04.90.70.09.23, e-mail coteau.rhone@wanadoo.fr
t.l.j. sf dim. 8h-12h 14h-18h

DOM. DES AUZIÈRES Roaix 2005

■ 3 ha 8 000 5 à 8 €

À Roaix, joli village rose à 3 km de Vaison-la-Romaine, Christophe Cuer produit un vin issu de raisins certifiés AB (agriculture biologique). Ses grenache, syrah et cinsault ont pris de la hauteur, gagnant un peu de fraîcheur : ils poussent à 300 m d'altitude. Ils donnent ici des tons de fruits bien mûrs, légèrement épicés ; un vin souple et franc, bien fait, où affleure la cerise parmi des tanins fondus. Une bouteille prête à boire.

Christophe Cuer, Les Auzières, 84110 Roaix,
tél. 04.90.46.15.54, fax 04.90.46.12.75,
e-mail christophe@auzieres.fr r.-v. 6

DOM. DES BANQUETTES Rasteau 2004

■ 16 ha 6 605 8 à 11 €

Les parcelles sont séparées, l'une à Rasteau et l'autre au Plan de Dieu, et de l'une à l'autre, les terroirs sont différents, ici les cailloux, là les argiles. Quand le fils a rejoint le père en 1993, le vignoble a pris un nouvel essor. Terrassant et recreusant la roche, il a bâti une cave à demi-enterrée, pemettant une vendange gravitaire. Le vin a une expression compotée, des nuances de fruits confits. L'élevage en barrique, bien maîtrisé, apporte des notes vanillées agréables. La **cuvée Anaïs Rasteau rouge 2004 (15 à 23 €)** est citée.

Patrice André, quartier La Chevalière,
84110 Rasteau, tél. 04.90.46.10.22, fax 04.90.46.19.66,
e-mail patriceandre84@aol.com r.-v.

DOM. DE LA BARALIÈRE Valréas 2005 *

4 ha 20 000 5 à 8 €

Un « quatre-quarts » de grenache, ugni blanc, clairette et bourboulenc. Ce joli bouquet de cépages typiquement provençaux répand une abondance de parfums tout en fraîcheur. Les reflets sont fluides, brillants, des éclats verts irisant le jaune paille. Les senteurs fruitées, riches de poire, de pêche, de miel et de fleurs blanches. Les saveurs rondes et aiguisées de pointes vives et fraîches, entre pomme verte, citron et ananas. À retenir en cave un an, le temps d'embellir son bouquet.

SCEA Dom. de La Baralière,
rte de Saint-Pierre, quartier Ravel, 84600 Valréas,
tél. 03.80.21.22.45, fax 03.80.21.28.05,
e-mail v.sauvestre@bejot.com

DOM. BEAU MISTRAL
Rasteau Fût de chêne 2006 *

1 ha 3 500 5 à 8 €

Une base de viognier accordée aux roussanne, marsanne et grenache dans une parure dorée. D'un séjour en fût de chêne percent des senteurs et des saveurs boisées, mariées harmonieusement au fruit. La dégustation le révèle très mûr, goûteux, sucré, bien en bouche, d'une grande longueur. Même note, le **Beau Mistral rouge cuvée Florianaëlle 2005 (15 à 23 €)**, élevé dix-huit mois de cuve en barrique, s'exprime par un velouté de notes de café, de cacao et de fruits rouges.

Jean-Marc Brun, Le Village, rte d'Orange,
84110 Rasteau, tél. 04.90.46.16.90, fax 04.90.46.17.30
t.l.j. 9h-12h 14h-18h

DOM. DE BEAURENARD Rasteau 2005

■ 13 ha 50 000 11 à 15 €

Le musée des vignerons de Rasteau expose les outils des temps anciens : instruments aratoires, fouloirs, bouteilles et photographies jaunies. De nombreuses pièces proviennent de la famille Coulon établie depuis sept générations dans ces parages. Sur les banquettes sculptées dans le coteau au pied du village, ils proposent un vin rouge tendre, fin et floral, au fruit agréable.

Paul Coulon et Fils,
Dom. de Beaurenard, av. Pierre-de-Luxembourg,
84230 Châteauneuf-du-Pape, tél 04.90.83.71.79,
fax 04.90.83.78.06, e-mail paul.coulon@beaurenard.fr
t.l.j. sf dim. 9h-12h 13h30-17h30

DOM. BERTHET-RAYNE Cairanne 2005 **

■ 4 ha n.c. 8 à 11 €

D'en haut de l'éminence de Cairanne, passé la tour carrée des Templiers, sur les paves des vieux remparts, on découvre l'un des plus beaux panoramas sur le mont Ventoux, au lointain, sur les Dentelles de Montmirail et la colline Saint-Andéol. La propriété présente une bouteille typique, « bien de chez nous », où syrah et mourvèdre appuient le grenache (70 %). Quelques ceps ont cent dix ans d'âge. Les raisins attendent une maturité accomplie, les cuvaisons durent jusqu'à vingt jours, suivies d'un élevage d'une année en barrique neuve. Et le vin tapisse le palais d'un fruité où la cerise burlat s'épanouit dans une rondeur et un gras de belle allure.

Michel et André Berthet-Rayne, rte d'Orange,
84290 Cairanne, tél. 04.90.30.88.15, fax 04.90.30.83.17,
e-mail m.berthetrayne@free.fr r.-v.

DOM. DU BOIS DES MÈGES
Plan de Dieu 2005 *

■ 1,5 ha 8 000 5 à 8 €

Sur les terrasses de cailloutis et de galets roulés, petit à petit le vigneron trace ses rangs de vigne. De 5 petits hectares de gigondas, il a étendu son domaine jusqu'à 18 ha aujourd'hui, produisant une dizaine de vins différents. Ce côtes-du-rhône-villages pointe un nez intense de fruits noirs et de garrigue et fait preuve d'une longueur impressionnante. Mais le civet de lièvre devra patienter trois bonnes années avant que la bouteille ne soit accomplie.

Ghislain Guigue, Les Tappys, rte d'Orange,
84150 Violès, tél. 04.90.70.92.95 fax 04.90.70.97.39,
e-mail meges@netcourrier.com r.-v.

DOM. BOISSON Cairanne L'Exigence 2005 *

■ 2 ha 6 000 11 à 15 €

L'Exigence, ainsi que Régis et Bruno Boisson, père et fils, ont baptisé leur meilleure cuvée de l'année, résume tous leurs secrets de vignerons, comme un chef-d'œuvre d'artisan. Ce millésime exprime des accents animaux et livre des senteurs de cuir et de jeune bois ; il a du corps et déjà de la rondeur, sous des tanins encore jeunes. De belles promesses, qui se révéleront dans deux ou trois ans. De l'exigence : pas d'impatience.

⊶ Dom. Boisson, Le Grand-Vallat, 84290 Cairanne,
tél. 04.90.30.70.01, fax 04.90.30.89.03,
e-mail domaineboisson@hotmail.com ☑ Y 🚶 r.-v.

LES BORNES PAPALES Valréas 2005 *

■ n.c. 10 500 ▮ 3 à 5 €

Jean XXII, pape d'Avignon, fit poser des bornes de pierre gravées de la mitre et des clés de saint Pierre autour de l'enclave de Valréas qu'il venait d'acquérir en 1317. Aujourd'hui, celles-ci délimitent les meilleurs terroirs des vins du cru. Ce 2005 élaboré par la coopérative La Gaillarde a revêtu non la pompe et la pourpre, mais une sobre chasuble rubis, et porte des parfums de baies noires parmi les saveurs soyeuses et souples. À boire autour d'une daube à l'orange sans attendre le carême.

⊶ Cave La Gaillarde,
av. de l'Enclave-des-Papes, BP 95, 84602 Valréas Cedex, tél. 04.90.35.00.66, fax 04.90.35.11.38,
e-mail cave.lagaillarde@wanadoo.fr
☑ Y t.l.j. 9h-12h 14h30-19h

DOM. BOUCHE La Grappe d'or 2006 *

□ 2 ha 3 300 ▮ 8 à 11 €

Viognier et clairette en duo s'associent à la carte de cette Grappe d'or, une cuvée confidentielle au domaine. D'entrée, elle laisse s'échapper des parfums de fruits verts et de banane, puis le miel et l'abricot les suivent en douceur au palais. La dernière impression révèle un équilibre harmonieux entre la persistance aromatique et une pointe d'acidité légère en finale. Une botte d'asperges croquantes à la sauce Mornay conviendrait à cette bouteille.

⊶ Dominique Bouche, chem. d'Avignon,
84850 Camaret-sur-Aigues, tél. 06.62.09.27.19,
fax 04.90.37.74.17, e-mail domaine.bouche@orange.fr
☑ Y 🚶 r.-v.

DOM. BRESSY-MASSON
Rasteau Cuvée Paul-Émile 2005 *

■ 2 ha 8 000 (ll) 8 à 11 €

Le classique des assemblages sous ces horizons : le grenache roi dans sa rondeur, entouré de ses courtisans, l'élégante syrah et le fier mourvèdre. La robe arbore des reflets rouge orangé, les arômes complexes roulent sur des fruits mûrs et finissent sur les épices. Les tanins sont présents et fins, le gras agréable. À déboucher tout de suite. Une citation pour le **Bressy-Masson rouge 2004 (5 à 8 €)** pourpre vif, aux nuances de cerise, de kirsch, d'épices et de poivre.

⊶ Marie-France Masson, Dom. Bressy-Masson,
84110 Rasteau, tél. 04.90.46.10.45, fax 04.90.46.17.78,
e-mail marie-francemasson@club-internet.fr
☑ Y 🚶 t.l.j. 9h-12h 14h-19h

DOM. ANDRÉ BRUNEL 2005 *

■ 10 ha 40 000 ▮ 5 à 8 €

Les savoirs d'une lignée de vignerons à Châteauneuf-du-Pape, des terrasses caillouteuses et un soleil nourricier, une longue méditation en cave durant dix-huit mois, voilà bien des atouts. La pourpre est sombre, selon la coutume ici. La réglisse, le pain grillé et les fruits rouges comblent le nez avec subtilité. C'est un vin de race, capiteux et flatteur, mêlant en harmonie tanins et fruits, ampleur et fraîcheur. Deux ans d'attente lui permettront de s'affirmer.

⊶ SCEA des Vignobles Brunel,
6, chem. du Bois-de-la-Ville,
84230 Châteauneuf-du-Pape, tél. 04.90.83.72.62,
fax 04.90.83.51.07, e-mail brunel.andre@wanadoo.fr
⊶ André Brunel

DOM. BRUSSET Cairanne Les Chabriles 2005 *

■ 3 ha 15 000 ▮ (ll) 11 à 15 €

En vue des Dentelles de Montmirail, les rubans de vignes s'étirent sur soixante-huit terrasses exposées en plein sud. Les marches du coteau. Une côte de bœuf sur la braise appellera ce vin plaisir, friand, à la belle présence, où s'invitent les fruits noirs confits et la réglisse. Une pluie d'étoiles arrive chez les Brusset cette année, toujours en Cairanne : l'une va à la cuvée **Les Travers blanc 2006 (8 à 11 €)** pour ses saveurs de fruits méditerranéens, l'autre à la cuvée **Les Travers rouge 2005 (8 à 11 €)**, « un beau *villages* », note un dégustateur.

⊶ Dom. Brusset, Le Village, 84290 Cairanne,
tél. 04.90.30.82.16, fax 04.90.30.73.31,
e-mail domaine-brusset@wanadoo.fr
☑ Y 🚶 t.l.j. 10h-12h 14h-19h; f. jan.

DOM. DE CABASSE Séguret Cuvée Garnacho 2004

■ 3 ha 12 220 (ll) 8 à 11 €

« Garnacho » est un vieux nom pour grenache. Ce cépage règne en maître dans cette bouteille (80 %). « Casa bassa », la maison basse du temps des papes d'Avignon, est devenu Cabasse. Et pour utiliser les mots du vin d'aujourd'hui : le cassis en dominante au nez, un bon équilibre tanins, acide, alcool. La cuvée **Les Primevères blanc 2006 (5 à 8 €)**, vive et cristalline, est citée. À signaler, un hôtel-restaurant trois étoiles, établi sur la propriété.

⊶ Dom. de Cabasse, 84110 Séguret,
tél. 04.90.46.91.12, fax 04.90.46.94.01,
e-mail info@cabasse.fr ☑ Y 🚶 r.-v.

DOM. LA CABOTTE
Massif d'Uchaux Garance 2005 *

■ 4 ha 20 000 ▮ 8 à 11 €

Les vignerons épierraient sans fin leurs terres pour y planter la vigne et l'olivier, et avec les pierres sèches posées à plat une à une, ils construisaient des abris rudimentaires, les cabottes, les boiries de la Bourgogne. La vigneronne est bourguignonne, une d'Ardhuy, sa propriété s'étend d'une seule pièce sur 40 ha ; son vin est bien rhodanien, fleurant la cerise et les fruits frais ensoleillés. Il est fruité, net et franc en bouche. Il demande cependant à vieillir encore un an ou deux.

⊶ Marie-Pierre Plumet, Dom. La Cabotte,
84430 Mondragon, tél. 04.90.40.60.29,
fax 04.90.40.60.62, e-mail domaine@cabotte.com
☑ Y 🚶 t.l.j. 9h-12h 14h30-18h30; sam. dim. sur r.-v.

CAMP ROMAIN Laudun 2006

□ n.c. 25 000 ▮ 5 à 8 €

La coopérative de Laudun date de 1925, l'âge des pionniers. Aujourd'hui, la cave regroupe soixante exploitations et 800 ha de vignoble. Tout le caractère de leur vin de grenache et de clairette, un assemblage classique, repose sur l'élégance de ses arômes acidulés, sur sa légèreté et sa fraîcheur. Des senteurs de fleurs blanches, de poire, de pêche, de bonbon anglais. Un clair et joli apéritif.

🗝 Les Vignerons de Laudun, 105, rte de l'Ardoise, 30290 Laudun, tél. 04.66.90.55.20, fax 04.66.90.55.21, e-mail contact@laudun-vignerons.com
☑ 🍷 t.l.j. 8h-12h 14h-18h; dim. 9h-13h

M. CHAPOUTIER Rasteau 2005

■ n.c. 100 000 **5 à 8 €**

Est-il encore besoin de présenter la maison Chapoutier ? Ses vignobles s'étendent des coteaux de la vallée du Rhône – son terroir d'élection – jusqu'au Roussillon et en Australie du Sud, aux antipodes. Ce Rasteau livrera tous ses secrets d'ici deux ou trois ans. Sa robe est sombre, un peu tuilée. La vanille, la réglisse marquent le nez puis la bouche, sur les fruits très mûrs et des tanins qui devront s'arrondir. Une attention bienvenue : l'étiquette est doublée en écriture braille, à l'usage des malvoyants.

🗝 M. Chapoutier, 18, av. Paul-Durand, BP 38, 26600 Tain-l'Hermitage, tél. 04.75.08.28.65, fax 04.75.08.81.70, e-mail chapoutier@chapoutier.com
☑ 🍷 🚶 t.l.j. 9h-12h30 14h-19h; dim. 10h-13h 14h-18h

DOM. CHAUME-ARNAUD La Cadène 2006 ★★

▒ 3,5 ha 13 000 ▮ **8 à 11 €**

Par une nuit funeste tous les oliviers du domaine succombèrent au grand gel de 1956 ; de jeunes ceps de vigne les remplacèrent. Les anciennes bergeries furent aménagées en chais et la parcelle des blancs plantée de cépages rhodaniens les plus nobles. Viognier et marsanne composent l'esprit de cette bouteille avec une goutte de clairette. Au dehors, dans la vigne, les soins naturels excluent les artifices de la chimie (la vigne est cultivée en « bio ») ; au-dedans, en cave, le travail est minutieux. Et le vin remarquable : des reflets dorés diaphanes, des senteurs de fruits à chair blanche, un corps souple, une perfection d'équilibre entre acide et sucré.

🗝 EARL Chaume-Arnaud, Les Paluds, 26110 Vinsobres, tél. 04.75.27.66.85, fax 04.75.27.69.66, e-mail chaume-arnaud@wanadoo.fr
☑ 🍷 🚶 r.-v.

DOM. CLAVEL Saint-Gervais Syrius 2006 ★

▒ 0,75 ha 4 000 ▮ **5 à 8 €**

Le village de Saint-Gervais s'enroule autour de son église renfermant les reliques des martyrs saint Victor et saint Firmin. L'été, les baigneurs de la petite plage du Gravas plongent dans l'eau fraîche de la Cèze. Et chez les Clavel, Denis, Françoise et Claire, on se « relooke » : étiquettes et logos sont changés et les outils de communication repensés. Issu de roussanne et de viognier à parts égales et produit d'une macération préfermentaire à froid suivie d'une fermentation à basse température, leur cuvée Syrius rappellerait presque par ses reflets un vin gris. La banane et le rhum se disputent le nez. La poire fond en bouche, des tons vifs marquent la longue finale. La **cuvée Regulus côtes-du-rhône rosé 2006** obtient une citation.

🗝 Dom. Clavel, rue du Pigeonnier, 30200 Saint-Gervais, tél. 04.66.82.78.90, fax 04.66.82.74.30, e-mail clavel@domaineclavel.com
☑ 🍷 🚶 t.l.j. sf dim. 9h-12h 14h-19h 🏠 ❹

CLOS PETITE BELLANE Valréas Les Échalas 2005 ★

■ 2,85 ha 10 000 ▮ ⦀ **11 à 15 €**

Les bâtiments à l'architecture moderne, la cave aux lignes basses, sont enfouis parmi les arbres, au cœur des rangs de vignes. Sur l'horizon, au lointain, se découpe la pyramide du Ventoux. La syrah est dans son pays de prédilection, la vallée du Rhône, une pure syrah, apprivoisée huit mois en fût de chêne. En robe sombre à reflets violets, elle donne toute sa noblesse et sa sève, son joli fruit fondu en finesse. La bouche est suave et d'une grande longueur. Elle sera dès maintenant en agréable compagnie au côté d'un canard aux cerises

🗝 SARL foncière Clos Petite Bellane, chem. Sainte-Croix, rte de Vinsobres, 84600 Valréas, tél. 04.90.35.22.64, fax 04.90.35.19.27, e-mail clos-petite-bellane@wanadoo.fr
☑ 🍷 🚶 t.l.j. sf dim. 9h-12h 14h-18h; sam. sur r.-v.
🗝 Olivier Peuchot

DOM. DE COSTE CHAUDE Visan L'Argentière Élevé en fût de chêne 2004 ★

■ 3,6 ha 16 840 ⦀ **5 à 8 €**

Depuis leur installation en 1994, les propriétaires de Coste Chaude ont procédé à d'importantes rénovations : la cave a été climatisée, équipée de matériel moderne, un chai à barriques construit, le vignoble remis en état et restructuré. La cuvée L'Argentière, après avoir attendu son heure un an durant en fût de chêne, dévoile des nuances de framboise et de cerise, allant ensuite vers les épices. Des tanins déjà arrondis, une élégance « tonique ». Déjà plaisante, cette bouteille devrait atteindre son apogée dans deux ou trois ans. La cuvée **Les 4 saisons rouge 2005**, élevée en cuve, est citée pour son nez de confiture et sa bouche onctueuse.

🗝 SARL Dom. de Coste Chaude, rte de Saint-Maurice par la montagne, 84820 Visan, tél. 04.90.41.91.04, fax 04.90.41.96.52, e-mail info@domaine-coste-chaude.com ☑ 🍷 🚶 r.-v.
🗝 Marianne Fues

LES COTEAUX DE VISAN Cuvée du Marot 2005

■ 8 ha 20 000 **15 à 23 €**

Devenue coopérative en 1937, la cave de Visan fut fondée en 1897 par Ferdinand Deloye. Les trois directeurs qui se sont succédé depuis lors sont tous ses descendants. La Cuvée du Marot n'est distribuée qu'en magnums sérigraphiés. Un vin agréable, léger, sans excès, au fruité plaisant. La cuvée **La Garde des Lions rosé 2006 (3 à 5 €)** est citée. Un vin plaisir, frais et gourmand.

🗝 SCA Cave Les Coteaux de Visan, BP 22, 84820 Visan, tél. 04.90.28.50.80, fax 04.90.28.50.81, e-mail cave@coteaux-de-visan.fr
☑ 🍷 🚶 t.l.j. 9h-12h 14h-18h30

DOM. DE LA COUDETTE Signargues 2006 ★★

■ 8 ha 40 000 ▮ **3 à 5 €**

Il tire son nom de la collinette qui domine les vignes, à Signargues, le plus méridional des villages de l'AOC. Les rangs s'allongent sur les galets roulés du piémont, sur les terres rougies par l'oxyde de fer, sur les terrasses scandant le coteau. La qualité de ses vins aux senteurs si provençales est inversement proportionnelle à la taille de la propriété. Le grenache, épaulé par la syrah et le mourvèdre, a donné un vin d'une grande finesse en dépit de sa puissance et de sa charpente. Gourmand et friand, plein de cerise mûre, d'épices et d'aromates, ce millésime se montre à la fois corsé et complexe, équilibré et persistant. On peut le servir dès maintenant ou l'attendre quatre à cinq ans. La cuvée **François Arnaud rouge 2006** est citée.

R & D Vins, Ch. Saint-Maurice, RN 580, L'Ardoise, 30290 Laudun, tél. 04.66.82.96.57, fax 04.66.82.96.58, e-mail rdvins@wanadoo.fr

CH. COURAC Laudun 2006 ★★

■ 22 ha 112 000 ▮ 5 à 8 €

Année après année un familier du Guide, ce Courac. Un « galactique » dirait-on à Madrid, ou une star, à Hollywood, ou bien un chasseur d'étoiles (trois coups de cœur) autour de Bagnols-sur-Cèze. Ce 2006 confirme sa constance remarquable dans l'excellence. Son rouge est sombre, voire noir pruneau, brillant d'étincelles, le violet des syrah. La gamme aromatique va de la truffe à la mûre en passant par la violette et les fruits rouges. Sur la palette du goût suivent le soyeux, la puissance, la longueur. Une « belle trame » pour résumer, selon le mot d'un dégustateur. À déboucher sans hâte et à savourer avec une côte de bœuf. La cuvée **Terre rouge 2003 (8 à 11 €)**, élégante et fruitée, est citée.

SCEA Frédéric Arnaud, Ch. Courac, 30330 Tresques, tél. 04.66.82.90.51, fax 04.66.82.94.27, e-mail chateaucourac@wanadoo.fr r.-v.

CH. LA COURANÇONNE Plan de Dieu Gratitude 2005 ★

■ 3 ha 10 000 ▮ 5 à 8 €

L'évêché d'Orange fut longtemps propriétaire de cette imposante bastide des XVIIe et XVIII[e]s. qui s'entoure de vignes. Sur des sols calcaires riches de galets, le grenache, la syrah et le mourvèdre ont donné naissance à ce vin rubis qui rappelle la mûre et les fruits rouges surmûris. D'attaque chaleureuse, il se développe avec suffisamment de gras et dispose de tanins fins. L'expression de la syrah et du terroir ressort agréablement.

EARL Ch. La Courançonne, Le Plan de Dieu, 84150 Violès, tél. 04.90.70.92.16, fax 04.90.70.90.54, e-mail info@lacouranconne.com

t.l.j. sf sam. dim. 9h-12h 14h-17h30

CRISTIA COLLECTION Rasteau 2005 ★

■ 2 ha 9 200 ▮ 8 à 11 €

Les Grangeon et Fils, négociants, ont fait le bon choix. Ils assemblent dans cette « collection » du grenache pour moitié, une grande part de syrah et une petite de mourvèdre. L'ensemble affiche une couleur rubis profond qui exprime des accents animaux et s'ouvre sur des fruits bien mûrs. Le vin se révèle souple, rond et puissant ; ses tanins sont fondus, l'alcool et la vivacité s'équilibrent dans une juste harmonie. Déjà prête, cette bouteille peut se garder deux à trois ans.

SARL Grangeon et Fils, 31, fg Saint-Georges, 84350 Courthézon, tél. 04.90.70.24.09, fax 04.90.70.25.38, e-mail domainedecristia@hotmail.com

t.l.j. 8h-12h 14h-18h; ven. a.-m. sam. dim. sur r.-v.

OLIVIER CUILLERAS Visan Vieilles Vignes 2005 ★

■ 3,75 ha 20 000 ▮ 8 à 11 €

D'anciennes bornes papales du XIV[e]s. gardent les vieilles vignes. Après ses premières armes faites en saint-joseph, Olivier Cuilleras s'est installé en 2000 et confirme ici la valeur de l'héritage vigneron familial. Il propose un vin rouge à forte présence de grenache, dans la fougue de sa prime jeunesse. Un 2005 qui trouvera son plein accomplissement dans deux, voire trois ans. Avec une robe rouge cerise, un caractère un rien épicé, l'ensemble se montre déjà harmonieux et souple.

Olivier Cuilleras, Dom. La Guintrandy, Le Devès, 84820 Visan, tél. 04.90.41.91.12, fax 04.90.41.97.53, e-mail olivier.cuilleras@wanadoo.fr

t.l.j. sf dim. 9h-12h 15h-18h

CH. LA DÉCELLE Valréas Cuvée Saint-Paul 2005 ★

■ 3 ha 11 000 ▮ 8 à 11 €

Saint-Paul-Trois-Châteaux n'en possède aucun en réalité, bien que le blason de la cité figure trois donjons, rehaussés d'une couronne. Son nom n'est qu'une déformation de celui de Tricastin, la peuplade gauloise établie dans ces contrées autrefois. La cuvée Saint-Paul marie les contraires : la fraîcheur et la finesse s'allient avec la puissance et l'intensité que procure un élevage de douze mois. L'union du grenache et de la syrah est heureuse, et engendre un vin de caractère, et facile à boire. La **cuvée Victor côtes-du-rhônes blanc 2006 (5 à 8 €)** obtient une citation.

Ch. La Décelle, rte de Pierrelatte, D 59, 26130 Saint-Paul-Trois-Châteaux, tél. 04.75.04.71.33, fax 04.75.04.56.98, e-mail ladecelle@wanadoo.fr

t.l.j. sf dim. 9h-12h 14h-18h

DOM. DELUBAC Cairanne Les Bruneau 2005

■ 6,6 ha 26 000 ▮ 8 à 11 €

Bruno et Vincent Delubac sont des partisans des longues cuvaisons, qui, chez eux, durent de douze à dix-huit mois, parfois jusqu'à deux ans. Elles confèrent à leurs vins une couleur profonde, des notes animales, sur des fruits mûrs confits et des épices. La cuvée Les Bruneau est prête à boire, à déboucher lors d'une joyeuse soirée entre amis. Citée, la cuvée **L'Authentique rouge 2005 (15 à 23 €)**, issue de grenache et de syrah, est à servir maintenant, elle aussi.

Bruno et Vincent Delubac, rte de Carpentras, Les Charoussans, 84290 Cairanne, tél. 04.90.30.82.40, fax 04.90.30.71.18, e-mail vincent.delubac@libertysurf.fr r.-v.

DOM. DE L'ÉCHEVIN Saint Maurice Guillaume de Rouville 2004 ★★

■ 2 ha 8 000 8 à 11 €

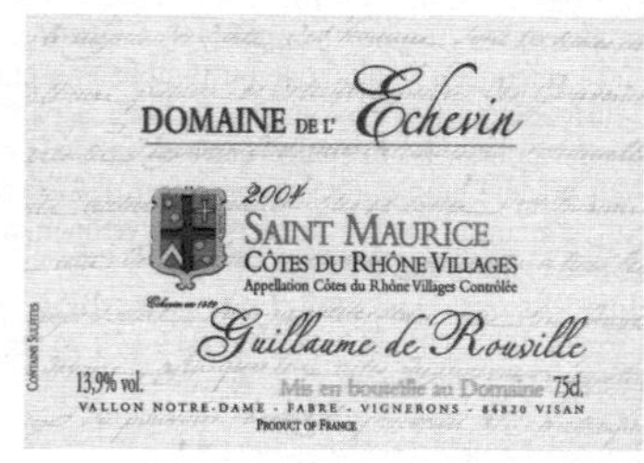

Le village de Visan donna au XVI[e]s. un échevin à Lyon, Guillaume de Rouville. Ses armoiries, croix et chevron, ornent l'étiquette. Sur le coteau, oliviers et chênes truffiers vénérables encadrent le vignoble. La syrah, accordée à une légère pointe de grenache, se livre ici en toute-puissance. D'un carmin soutenu et brillant à l'œil, très présent au nez, ce 2004 s'ouvre sur la fraise, la vanille, la réglisse, puis le fumé. D'une grande ampleur en bouche, il se révèle gras, élégant, soutenu par des tanins doux enfin, et s'achève en un bouquet épicé. Deux étoiles pour la cuvée **l'Échevin blanc 2005 (11 à 15 €)**, très aromatique.

Dom. de L'Échevin, Vallon Notre-Dame,
84820 Visan, tél. 04.90.41.90.72, fax 04.90.12.02.85,
e-mail contact@domainedelechevin.com r.-v.
Fabre

LES VIGNERONS DE L'ENCLAVE DES PAPES
Valréas Cuvée Prestige 2006 *

■ 100 ha 150 000 ■ 3 à 5 €

Trois bouteilles retenues chez les Vignerons de l'Enclave des Papes, à Valréas. Au premier rang, cette cuvée Prestige 2006, riche et chaleureuse, au potentiel certain. Le rouge brille, prend des nuances grenat foncé ; la fraicheur des petits fruits rouges, cassis et framboise, est soulignée d'épices. La bouche apparaît ronde, malgré des tanins encore jeunes, qu'une garde d'environ deux ans adoucira. Les cuvées **Domaine de la Belaise rouge 2006** et **Les Molières rouge 2006** sont citées. La dernière, fraîche et fruitée, est faite pour un plaisir immédiat.

Vignerons de l'Enclave des Papes,
rte d'Orange, BP 51, 84602 Valréas Cedex,
tél. 04.90.41.91.42, fax 04.90.41.90.21,
e-mail uvep@enclavedespapes.com

DOM. DES ESCARAVAILLES
Cairanne La Boutine 2005

■ 1 ha n.c. 11 à 15 €

Le scarabée ou *escaravay* en occitan, était le surnom moqueur donné par les habitants de Rasteau aux pénitents Noirs d'Avignon, seigneurs des lieux à l'époque, priant sous capes. Le grenache est majoritaire dans les cuvées du domaine. La Boutine se distingue par son fruité suave, presque miellé. Elle pourra se garder deux ans encore. Également citée, la cuvée **Héritage 1924 rouge 2005** a des senteurs plus épicées, approchant le clou de girofle.

Ferran et Fils, Dom. des Escaravailles,
84110 Rasteau, tél. 04.90.46.14.20, fax 04.90.46.11.45,
e-mail domaine.escaravailles@wanadoo.fr r.-v.

DOM. DE L'ESPIGOUETTE Plan de Dieu 2005 **

■ 7 ha 20 000 ■ 5 à 8 €

Violès est au cœur d'une mer de vignes, que parcourt un sentier balisé. De père en fils, petit à petit au long des saisons, chacun des Latour a apporté son labeur et sa pierre à l'Espigouette. Une étoile est tombée l'an passé, deux cette fois, sur cette cuvée du Plan de Dieu, la parcelle de toutes les grâces. Le nez flâne entre la garrigue et le cassis. La bouche ample, tout en rondeur, persiste longuement. À savourer dans les deux ans qui viennent avec un confit de canard, par exemple.

Bernard Latour, Dom. de L'Espigouette, BP 6,
84150 Violès, tél. 04.90.70.95.48, fax 04.90.70.96.06,
e-mail espigouette@aol.com r.-v.

DOM. LA FLORANE Visan 2004 **

■ 4 ha 8 000 ■ 5 à 8 €

Sur le versant du vallon plein sud, les vieux ceps de grenache peuplent la partie haute du domaine, racines dans les galets, grappes dans le mistral. À mi-coteau se tiennent le cinsault et quelques lignées de mourvèdre, à l'abri de grands chênes, puis la syrah au piémont. Belle distinction pour ce vin rouge issu de grenache dominant, d'un ton cerise. Il respire les fruits noirs, la framboise, et les nuances vanillées d'un boisé léger. Il flatte le palais par son ampleur et ses tanins ronds très soyeux. Une étoile pour la cuvée **À Fleur de pampre rosé 2006**, délicate, fraîche, aux senteurs exotiques. « Un vin esthétique » note un dégustateur.

Dom. La Florane, Vallon Notre-Dame,
84820 Visan, tél. 04.90.41.90.72, fax 04.90.12.02.85,
e-mail contact@domainelaflorane.com r.-v.
Fabre

CONFIDENTIA DE FONT DU VENT 2005 *

■ 1 ha 3 500 11 à 15 €

La syrah prend l'avantage dans cette cuvée sur son comparse habituel le grenache qui n'apparaît que pour un petit tiers dans l'assemblage. Le plateau de Signargues, à Domazan, offre ces 3 500 bouteilles de Confidentia élevées un an en fût. Le grenat dense de la robe révèle du cassis, des senteurs de fruits mûrs, épicées enfin. « Explosif ! » s'exclame un dégustateur. Les tanins et les arômes se fondent avec harmonie. La dernière impression est réglissée, fine et élégante. Mérite le détour autour d'une fricassée de grives aux truffes ou autre petit gibier.

SCEA Étienne Gonnet,
Domaines Font de Michelle et Font du Vent,
14, imp. des Vignerons, 84370 Bédarrides,
tél. 04.90.33.00.22, fax 04.90.33.20.27,
e-mail egonnet@terre-net.fr r.-v.

DOM. DE FONTVIVE Sablet 2005

■ 13 ha 35 000 ■ 5 à 8 €

Sablet fait l'escargot, en colimaçon autour de son clocher ; ses remparts et ses tours serrent dans une étreinte de pierre les maisons du village et les ruelles ombragées. Christian Bonfils cultive 50 ha aux alentours. Avec ce 2005, il propose un vin d'une forte structure. Ce millésime devrait s'ouvrir, l'âge de raison venant, s'il prend un peu de repos. Sur une puissante charpente tannique, il montrera alors toute sa chaleur, sa générosité et la rondeur de son fruit.

Christian Bonfils, 3, rue de Saint-André,
84110 Sablet, tél. 04.90.46.93.30, fax 04.90.46.99.46,
e-mail c.bonfils@wanadoo.fr
t.l.j. 8h-12h 14h-18h; dim. sur r.-v.;
f. 15-30 août

DOM. GALUVAL Cairanne Grand Cœur 2004 **

■ 8 ha 10 000 11 à 15 €

Grand Cœur, Petit Cœur : pas étonnant qu'ils la jouent charmeur en diable. Le maître des lieux, talentueux vigneron et dynamique propriétaire, propose aux beaux jours des expositions d'art contemporain dans ses chais et un raid-visite pédagogique du vignoble en 4x4. Entre syrah et grenache à parité, les saveurs fleurent la crème de cassis : c'est le qualificatif unanime des dégustateurs, parlant du Grand Cœur. Et son côté très flatteur les a séduits. Certains y ont senti l'eucalyptus et relevé des tanins bien fondus. Pas étonnant ce coup de cœur. Un original. Le **Petit Cœur rouge 2005 (8 à 11 €)** s'octroie une étoile.

Vincent Moreau, Dom. Galuval, rte de Rasteau, 84290 Cairanne, tél. 04.32.80.97.18, fax 04.32.80.27.03, e-mail galuval@galuval.com
t.l.j. 10h-12h30 14h-18h30

DOM. DES GIRASOLS Rasteau 2004 *

3,5 ha 13 000 8 à 11 €

Aux Girasols, les vénérables grenaches du lieu-dit Malalangue furent plantés en 1914. De ces vieux ceps perclus de nœuds et d'ans ne coule plus qu'un mince suc de vertus. Venu de Lyon, le propriétaire, Paul Joyet, a confié son domaine à ses filles. Son épouse expose l'été des créations modernes de patchwork, art textile. Sur une dominante de grenache, voici un 2004 sortant de deux années de cave ; il sent la garrigue des coteaux, la compote de fruits et le pruneau. Les tanins se sont fondus avec le temps, donnant du gras et de la rondeur, et la bouche finit sur des notes de réglisse.

Famille Paul Joyet, Dom. des Girasols, 84110 Rasteau, tél. 04.90.46.11.70, fax 04.90.46.16.82, e-mail domaine@girasols.com
t.l.j. sf dim. 9h-12h 14h-18h
Joyet-Larum

DOM. GRAND NICOLET
Rasteau Vieilles Vignes 2005

3,5 ha 16 000 8 à 11 €

Les premiers rameaux de vignes furent plantés là en 1875, les vins conquirent leur première médaille en 1924, et la cave, construite en 1926, fut la première à Rasteau. Cette sélection de Vieilles Vignes, aux nuances de fruit et de sous-bois, se compose de grenache et d'une pointe de syrah. Son expression est typique du vignoble. Sa forte charpente et ses accents boisés suggèrent de garder cette bouteille en cave trois à quatre ans.

Jean-Pierre Bertrand, Dom. Grand Nicolet, rte de Violès, 84110 Rasteau, tél. 04.90.46.12.40, fax 04.90.46.11.37, e-mail cave-nicolet-leyraud@wanadoo.fr
r.-v. 8

DOM. LE GRAND RETOUR Plan de Dieu 2005

4 ha 10 000 5 à 8 €

Le « grand retour » ? Celui de ces propriétaires dans l'Hexagone. C'est une famille de rapatriés d'Algérie qui a défriché la garrigue des coteaux, planté de larges surfaces de vignes (150 ha) et construit de toutes pièces les chais de ce domaine. Confit et épicé au nez, ce 2005 se montre harmonieux et gras en bouche, alliant des tanins fondus et le fruit bien présent.

GAEC Aubert Frères, Dom. Le Grand Retour, 84850 Travaillan, tél. 04.90.70.90.16, fax 04.90.70.95.94, e-mail legrandretour@wanadoo.fr
r.-v.

DOM. LES GRANDS BOIS
Cairanne Cuvée Mireille 2005 *

2 ha 8 000 8 à 11 €

Mireille et Marc Besnardeau sont les hôtes de ces Grands Bois – un domaine créé dans les années 1920 par Albert Farjon, ancien ouvrier agricole. La cuvée Mireille a conservé son étoile. Choyée dix-huit mois en cave, elle marie grenache et mourvèdre, assortis d'une pointe de syrah. Le nez de belle facture est très grenache, tout en petits fruits vanillés par le bois du fût. Un vin élégant, long en bouche, finissant sur des notes de baies à l'eau-de-vie. Le **Rasteau cuvée Marc rouge 2005 (11 à 15 €)**, plus porté sur la syrah, plus marqué par le boisé, obtient une citation.

Dom. Les Grands Bois, 55, av. Jean-Jaurès, 84290 Sainte-Cécile-les-Vignes, tél. 04.90.30.81.86, fax 04.90.30.87.94, e-mail mbesnardeau@grands-bois.com r.-v.
M. Besnardeau

LE GRAVILLAS Sablet 2005

13 ha 66 000 5 à 8 €

« Depuis 1935 » proclame avec fierté l'étiquette de la cave coopérative. Le vignoble coule en douces cascades autour des villages de Sablet et de Séguret et s'en va s'étendre sur les terrasses du Plan de Dieu. La fraise et la framboise donnent une tonalité fraîche à ce vin vif à l'attaque, équilibré et assez long. Il s'accordera dès maintenant et pendant un an ou deux à toute la cuisine des copains et des bons moments partagés.

Cave Le Gravillas, Le Gravillas, 84110 Sablet, tél. 04.90.46.90.20, fax 04.90.46.96.71, e-mail cave.gravillas@wanadoo.fr r.-v.

DOM. DE LA GUICHARDE
Massif d'Uchaux Cuvée Genest 2005

5 ha 20 000 5 à 8 €

Du château de Derboux, refuge des Cathares aux confins de Mondragon, détruit au XIIIe s., il ne reste que des pans de murailles que l'on découvre dans le domaine. Les vignes de grenache et de syrah s'enracinent dans des sables orangés. La cuvée Genest aux reflets grenat chatoyants se montre fine au nez, fraîche et fruitée. Ses tanins encore très présents recommandent d'attendre de six à douze mois sa plénitude.

Arnaud Guichard, Derboux, 84430 Mondragon, tél. 04.90.30.17.84, fax 04.90.40.05.69, e-mail domaine.de.la.guicharde@wanadoo.fr
t.l.j. sf dim. 10h-18h 6

DOM. LES HAUTES CANCES
Cairanne Cuvée Vieilles Vignes 2005

1,5 ha 4 200 8 à 11 €

Un sang de paysan coulait dans son cœur de petite-fille de cultivateurs, mais elle s'orienta vers la médecine comme son père, épousa un médecin, puis le temps venu retourna avec ardeur à ses racines. Anne-Marie Astart et Jean-Marie Achiary ont fait en 1981 le pari de reprendre le domaine ancestral. Le rubis rouge, profond et brillant, de leur cuvée Vieilles Vignes annonce des parfums de cuir et d'épices, soulignés de tanins charnus. Citation aussi pour la **cuvée Tradition rouge 2005 (5 à 8 €)**, assemblage des six cépages du domaine.

SCEA Achiary-Astart, quartier Les Travers, 84290 Cairanne, tél. 04.90.30.76.14, fax 04.90.38.65.02, e-mail contact@hautescances.com r.-v.

CH. HAUT MUSIEL
Signargues Cuvée Tralamont 2005

2,15 ha 10 000 8 à 11 €

Tra-la-la ! On y chante et on y danse, on y fête en musique la fin des vendanges. Un couple de trentenaires

juste arrivés (2003) revisite le château, ses vignes et sa vieille cave voûtée du XVᵉs. Après dix mois de répétitions studieuses en fût, ce Tralamont s'ouvre en poivre et en épices, sur des notes de boisé léger. L'attaque est souple, la bouche fraîche et emplie de fruits noirs. Une bouteille que l'on pourra garder une paire d'années.
M. et J.-M. Popelin,
Ch. Haut-Musiel, pl. de l'Église, 30390 Domazan,
tél. 04.66.03.69.54, fax 04.66.03.04.71,
e-mail contact@hautmusiel.com
t.l.j. sf dim. lun. 10h-13h 16h-20h

PAUL JABOULET AÎNÉ 2006 *

n.c. 66 500 5 à 8 €

Une grande page de l'histoire du vin se tourne dans la vallée du Rhône. La Compagnie financière Frey, champenoise, a annexé la maison Paul Jaboulet Aîné, fondée en 1834. Les 100 % du capital et 120 ha de vignobles, qui s'ajouteront à La Lagune à Bordeaux, et une part de champagnes Billecart-Salmon. Ce *villages* brille de reflets violacés et libère des senteurs de fruit et de confiture. Il se présente joliment charpenté, ses tanins enrobés d'épices et de réglisse. De la complexité et de la longueur pour cette bouteille que l'on pourra garder deux à trois ans.
Paul Jaboulet Aîné, Les Jalets, RN 7,
26600 La Roche-de-Glun, tél. 04.75.84.68.93,
fax 04.75.84.56.14, e-mail info@jaboulet.com
r.-v.

DOM. DE LA JANASSE Terre d'Argile 2005 **

7 ha 20 000 11 à 15 €

Avec plus de soixante parcelles, La Janasse est un puzzle. Loin de s'en désoler, Aimé Sabon s'en félicite. Ainsi chaque cépage atteindra son optimum en exacte concordance avec sa nature. Le mourvèdre sur les galets gagnera en maturité, la syrah, dans le sable, plus de fraîcheur. Aimé et son fils Christophe, bardé de diplômes en Bourgogne, et sa fille Isabelle, œnologue, élèvent douze à quatorze mois leurs vins en cave : foudres pour le grenache, barrique pour la syrah et le mourvèdre. Ces trois-là composent à parts égales la cuvée Terre d'Argile aux reflets intenses, aux arômes épicés et boisés, aux tanins élégants. Harmonie, équilibre, justesse, du beau travail. À apprécier dans deux à trois ans.
EARL Aimé Sabon,
Dom. de La Janasse, 27, chem. du Moulin,
84350 Courthézon, tél. 04.90.70.86.29,
fax 04.90.70.75.93, e-mail lajanasse@free.fr r.-v.

DOM. DE LASCAMP 2006 *

2 ha 2 700 5 à 8 €

Le hameau de Cadignac, à côté de Sabran, perche sur une butte d'où s'écoulent les vignes en pente douce. Mistral bienfaiteur, soleil au plein sud, sur les coteaux de cailloutis s'épanouissent les raisins dans l'été. La robe de ce 2006 est presque noire, profonde, aux reflets de cerise burlat. Les senteurs capiteuses de fruits rouges, de fraise et de cerise s'accompagnent d'un soupçon de cannelle. Le palais riche et dense persiste sur des arômes de fruits écrasés, de confiture et de cacao. Des mérites qui se confirmeront dans deux à trois ans.
Imbert Père et Fils, hameau de Cadignac,
30200 Sabran, tél. 06.75.21.69.39, fax 04.66.89.62.44,
e-mail domaine.de.lascamp@wanadoo.fr
t.l.j. sf dim. 8h-12h 14h-18h

DOM. DE LUCÉNA Visan 2005

2,5 ha 10 000 8 à 11 €

Lucéna = Lucie + Cédric + Nathan, addition des prénoms des enfants de la famille. Lucéna est un vin original, rouge rubis intense, à la fois minéral, épicé et boisé. En bouche, des évocations de brioche sur une matière aux tanins présents mais ronds, avant une finale chaleureuse. La cuvée **rosé 2006 (5 à 8 €)**, assemblage de grenache (60 %) et de cinsault (40 %), obtient elle aussi une citation pour ses fragrances de fleurs des champs et de fruits rouges.
Laurent et Pierrick Michel,
Dom. de Lucéna, quartier Le Rastelet, 84820 Visan,
tél. et fax 04.90.28.71.22,
e-mail domainelucena@wanadoo.fr
t.l.j. 9h-12h 15h-19h

MAS DE BOISLAUZON Les 2 Chênes 2005 **

6 ha 25 000 5 à 8 €

Aux portes d'Orange, Boislauzon mérite le détour pour sa collection de vignes. L'une de ses parcelles rassemble les dix-huit cépages du Rhône. Un cours magistral *in situ* pour des élèves ampélographes. Et un casse-tête pour le vigneron à l'heure des assemblages. La cuvée Les 2 Chênes accumule dithyrambes et superlatifs : intense l'œil, puissant le nez, riche le palais. En détail : un nez foisonnant de fruits noirs sur des touches de réglisse et de confiture, une bouche opulente, complexe et harmonieuse où les tanins se fondent dans l'épice. En conclusion : superbe. Une étoile l'an passé et deux cette année, le coup de cœur se rapproche !
Christine et Daniel Chaussy,
Mas de Boislauzon, rte de Châteauneuf-du-Pape,
84100 Orange, tél. 04.90.34.46.49, fax 04.90.34.46.61,
e-mail masdeboislauzon@wanadoo.fr
t.l.j. sf dim. 10h-12h 13h-18h

MAS DE LIBIAN Khayyâm 2005 *

4 ha 18 000 8 à 11 €

Cette cuvée est dédiée à Omar Khayyâm, le grand mathématicien et poète persan du XIᵉs. Dans ses *rubaïyat* (quatrains), le vin, très présent, est une source de sagesse : « Boire du vin et étreindre la beauté vaut mieux que l'hypocrisie du dévot », « Si je bois du vin, c'est pour respirer un moment en dehors de moi-même. » Il aurait admiré les couleurs très intenses et profondes de ce 2005. Un temps d'aération sera nécessaire avant l'épanouissement des mystères qu'il contient. Alors la lampe d'Aladin libérera son génie : sa toute puissance, sa force tannique, sa chaleur irradiante. Une bouteille destinée au gibier et aux plats relevés.
Mas de Libian, Libian,
07700 Saint-Marcel-d'Ardèche, tel. 04.75.04.66.22,
fax 04.75.98.66.38, e-mail h.thibon@wanadoo.fr
r.-v.

LE MAS DES FLAUZIÈRES Le Laurias 2004 *

1 ha 4 000 5 à 8 €

Depuis les racines du Géant de Provence jusqu'aux gracieuses Dentelles de Montmirail, des ventoux gouleyants aux gigondas et vacqueyras corsés, sur les coteaux de l'Ouvèze, la propriété recouvre quatre appellations différentes. Les senteurs vanillées du bois flottent avec élégance dans cette cuvée Le Laurias ; le grain est fin, le corps équilibré entre matière et fruit. Un pigeon rôti aux fèves ou un civet sera à la fête avec ce vin.

Le Mas des Flauzières, rte de Vaison-la-Romaine, 84340 Entrechaux, tél. 04.86.38.02.30, fax 04.90.46.00.08, e-mail lemasdesflauzieres@yahoo.fr
t.l.j. 9h-19h
Jérôme Benoit

CH. MONGIN 2005 ★

11 ha	11 000	5 à 8 €

C'est dans les vignes et les chais du château que les élèves du lycée viticole d'Orange font leur apprentissage du métier et leurs travaux pratiques au grand air. La proposition est classique : grenache (60 %) avec syrah (40 %) et douze mois d'élevage, mais la composition joliment maîtrisée. Et l'expression illustre le modèle type des côtes-du-rhône-villages. Robe d'un rouge grenat profond et franc, aux reflets violacés. Nez complexe, tout en finesse, aux nuances intenses de fruits rouges et d'épices. Bouche tout en rondeur, tenant en équilibre alcool et tanins fins, enrobés de fruits mûrs et de confiture. Félicitations étoilées du jury.

Ch. Mongin, 2260, rte du Grès, 84100 Orange, tél. 04.90.51.48.04, fax 04.90.51.48.20, e-mail juliette.muret@educagri.fr
t.l.j. sf sam. dim. 9h-12h 14h-17h
Lycée viticole

LES MONTICAUTS
Chusclan Esprit de terroir 2005 ★

15 ha	60 000	5 à 8 €

La forteresse de Gicon, tour martiale sur son éperon ébouriffé, veille sur la marqueterie des vignes. Pas moins de cinquante vignerons de Chusclan se sont ralliés à la coopérative du village, ce qui représente 1 125 ha. Et depuis vingt ans, la cave confie des parcelles en fermage à des jeunes. La syrah l'emporte dans ces Monticauts, son rouge vif, aux arômes frais de fruits rouges et de cassis avec une touche de violette caractéristique. De l'ampleur, de la rondeur en bouche et des fruits qui font un joli retour. Ce vin sera à sa plénitude en 2008.

SCA Vignerons de Chusclan, rte d'Orsan, 30200 Chusclan, tél. 04.66.90.11.03, fax 04.66.90.16.52, e-mail cave.chusclan@orange.fr
t.l.j. 9h-12h 14h-18h30

DOM. MONTMARTEL Valréas 2005 ★

2 ha	8 000	5 à 8 €

Ce 2005 a tout du vin de garde, tous les atouts. Laissez le temps au temps. Qu'il repose en paix encore cinq bonnes années et il réapparaîtra dans sa splendeur, embaumé des fragrances qu'il garde en lui, prisonnières aujourd'hui. On pressent ses mérites qui s'annoncent considérables au vu de sa complexité naissante. Syrah pour les trois quarts, grenache pour un quart, il s'est endurci dix-huit mois en cave, il s'y est forgé un corps superbe, une puissance, une charpente remarquable ; s'achevant en réglisse très agréable. Attendre et voir.

SCEA Monnier-Marres, 2, rte de Saint-Roman, 26790 Tulette, tél. 04.75.98.01.82, fax 04.75.98.39.09, e-mail vmarres@hotmail.com
t.l.j. sf sam. dim. 9h-12h 14h-18h

DOM. MORICELLY Rasteau 2005 ★

8 ha	5 000	5 à 8 €

Camaret-sur-Aigues, sur la route des princes qui mène à Orange. On y entre par le ravelin, la porte au campanile de fer forgé flanquée de deux tours. Une tour carrée sarrasine garde les ruelles voûtées et le cours du Levant bordé de platanes séculaires. La cave des Moricelly est la plus ancienne du village. Le vin a de l'étoffe certes, mais il dévoile une certaine douceur, avec ses fruits rouges mûrs qu'avivent les agrumes. Il est agréable et frais, et devra se boire sans attendre.

François Moricelly, rte de Violès, 84850 Camaret-sur-Aigues, tél. 04.90.37.24.74, fax 04.90.37.75.20, e-mail domaine-moricelly@hotmail.fr r.-v.

DOM. MOUN PANTAÏ Cairanne 2005

1,11 ha	6 000	5 à 8 €

Moun Pantaï, c'est « mon rêve » en provençal. Celui sans doute de Frédéric Penne, depuis vingt ans à la tête du domaine familial, qui produit en cave particulière depuis 1992. Son 2005 est un assemblage de grenache (75 %) et de syrah nés sur argilo-calcaire. Un vin grenat intense, marqué par les fruits mûrs, les épices et la garrigue au nez, qui offre en bouche une matière ample aux tanins fondus. À boire dès aujourd'hui sur une côte de bœuf.

Frédéric Penne, Dom. Moun Pantaï, 84290 Sainte-Cécile-les-Vignes, tél. et fax 04.90.30.81.01, e-mail frederic-penne@wanadoo.fr
t.l.j. sf dim. 8h30-12h 14h-18h

DOM. DE MOURCHON Séguret Tradition 2005 ★

10 ha	29 000	8 à 11 €

Les McKinlay sont des vendangeurs d'étoiles, leur récolte dessinera bientôt une constellation au-dessus de Séguret. Une nouvelle est accrochée cette saison, pour ce vin de caractère, élégant, à la typicité affirmée. La nouvelle cave tout en Inox, ultra-moderne, est une curiosité, avec ses cuves agencées en rond, côte à côte. Le rouge brillant de ce 2005 touche au pourpre profond. Le nez expressif exhale les fruits de bois, les baies rouges puis la réglisse. La bouche ronde finit sur une agréable étoffe soyeuse et fruitée.

Dom. de Mourchon, La Grande-Montagne, 84110 Séguret, tél. 04.90.46.70.30, fax 04.90.46.70.31, e-mail info@domainedemourchon.com
t.l.j. sf dim. 8h-12h 14h-18h; sam. sur r.-v.
Famille McKinlay

NOTRE DAME DES VEILLES Valréas 2005 ★

9 ha	50 200	5 à 8 €

Des tanins encore impétueux masquent les fruits qu'on devine à l'arrière-plan. Avec le temps, quand les premiers se seront fait aimables, ils ouvriront le passage aux seconds qui s'épanouiront comme primevères dans un pré. L'alchimie sera accomplie dans quatre ou cinq ans. L'habit est d'un grenat soutenu. Le nez apparaît encore fermé pour l'instant, mais l'équilibre est au rendez-vous. Un vin intéressant en perspective ; sa vérité reste à découvrir, plus tard.

Laurence Bonnefoy, Ch. Notre Dame des Veilles, 84600 Valréas, tél. et fax 04.90.35.00.25 r.-v.

DOM. DE L'OBRIEU Visan Tradition 2005 ★

2 ha	1 000	5 à 8 €

À Visan, la pittoresque rue pavée en calade de la Porte du Martel longe les hôtels particuliers Renaissance et XVIII^{e}s. aux portes ouvragées. Près du village, la chapelle Notre-Dame des Vignes, plantée dans son écrin végétal, renferme de riches décorations intérieures.

L'Obrieu est un velours de fruits noirs à l'eau-de-vie, de sous-bois, enveloppés dans des tanins fondus d'une belle finesse. Un typique *villages* au grenache omniprésent, qui accompagnera pendant deux ans une côte à l'os.
Jean-Yves Perez, Dom. de L'Obrieu, 84820 Visan, tél. et fax 04.90.41.92.82, e-mail domaine@lobrieu.fr
r.-v.

DOM. DE L'OLIVIER L'Orée du bois 2004 ★

1 ha 4 500 **8 à 11 €**

La syrah y occupe la place en solo, elle a laissé en chemin son compagnon de toujours, le grenache. On la retrouve telle qu'en elle-même, avec sa sève et ses parfums, la pourpre sombre de son habit, frangé de violine, son caractère trempé, imprégné d'épices et de poivre. Un séjour de dix-huit mois en fût de chêne y a ajouté des notes vanillées, des tanins suaves et fondus. Une citation pour le **Domaine de l'Olivier rouge 2005 (5 à 8 €)**, un medley de grenache et de syrah à parts égales pour ceux qui aiment le boisé.
Éric Bastide,
EARL Dom. de L'Olivier, 1, rue de la Clastre, 30210 Saint-Hilaire-d'Ozilhan, tél. 04.66.37.08.04, fax 04.66.37.00.46 t.l.j. 8h-12h 14h-19h

DOM. DE L'ORATOIRE SAINT-MARTIN
Cairanne Haut-Coustias 2004 ★

5 ha 15 000 **11 à 15 €**

« Les Toqués des Dentelles » : les frères Alary font partie du club. Pas un club d'amateurs de fanfreluches, ces dentelles-là sont celles de Montmirail. Les vignerons des alentours se sont regroupés pour mieux faire, en commun. Le mourvèdre s'impose, fait rare ici, mais c'est le cépage préféré des deux frères. Ils l'assemblent à 60 % au grenache et à la syrah et l'élèvent vingt-quatre mois en cave. Le nez est riche de senteurs de la garrigue et d'épices. Franc et rond, un vin qui a du caractère, à apprivoiser encore deux à trois ans.
Frédéric et François Alary,
Dom. de L'Oratoire Saint-Martin, rte de Saint-Roman, 84290 Cairanne, tél. 04.90.30.82.07, fax 04.90.30.74.27, e-mail falary@wanadoo.fr
t.l.j. sf dim. 8h-12h 14h-19h

DOM. DU PARANDOU Sablet 2006 ★

1 ha 3 500 **5 à 8 €**

Les amateurs d'escapades nomades trouveront là, au milieu des vignes, une aire de stationnement pour les camping-cars et une borne de service. Vous en profiterez pour découvrir ce vin blanc très clair, or pâle, fait de viognier, de roussanne et de bourboulenc. Au nez, des senteurs d'acacia. En bouche, les fruits à chair blanche et l'abricot viennent compléter la palette aromatique. Une bouteille pour l'apéritif.
Denis Grangeon, Le Parandou, 84110 Sablet, tél. 04.90.46.96.12, fax 04.90.46.96.13, e-mail dgrangeon@wanadoo.fr
t.l.j. 8h-12h 13h30-19h; sam. dim. sur r.-v.
Denis Grangeon

DOM. DE PARC SAINT-CHARLES
Mons Ferinus Élevé en fût de chêne 2006 ★

2 ha 6 500 **5 à 8 €**

C'est à Montfrin que se trouve la maison du Tartarin d'Alphonse Daudet, son matamore de modèle, qui n'était autre que son cousin et pas natif de Tarascon. Deux tiers de syrah pour un de grenache dans ce vin rouge puissant et charpenté. Cerise et épices au nez, tanins réglissés et chaleur en bouche. De la puissance sans forfanterie. À garder par devers soi encore une paire d'années.
Dom. du Parc Saint-Charles
rte de Jonquières-Saint-Vincent, 30490 Montfrin, tél. 04.66.57.22.82, fax 04.66.57 54.41, e-mail vinstcharles@aol.com
t.l.j. sf mer. sam. dim. 8h-12h 14h-18h

DOM. DES PASQUIERS Plan de Dieu 2005 ★★

25 ha 40 000 **5 à 8 €**

Le domaine est vaste : une centaine d'hectares, du Plan de Dieu à Violès, jusqu'au pied des Dentelles de Montmirail devant Sablet. Et ils n'en sont pas à leur première étoile, aux Pasquiers. Un coup de cœur l'an dernier (en gigondas). Ce *villages* au nez intense et fin découvre, mais encore en pointillé, sous-bois, garrigue (laurier) et fruit. C'est un vin de garde, puissant, à la forte constitution tannique, de grande longueur. Vous l'ouvrirez en 2010, pas avant. Il doit encore travailler sur lui-même, une introspection sera salutaire à sa juste expression. Alors il sera particulièrement indiqué pour les plats consistants de l'hiver, comme le gibier.
SCEA Vignobles des Pasquiers, rte d'Orange, 84110 Sablet, tél. et fax 04.90.46.83.97, e-mail domainedespasquiers@terre-net.fr
t.l.j. 8h-12h 13h30-18h30; sam. dim. sur r.-v.

DOM. PÉLAQUIÉ Laudun 2005

8 ha 40 000 **5 à 8 €**

Saint-Victor-la-Coste s'étend sous les ruines du Castellas, le château fort médiéval des seigneurs de Sabran perché sur une arête acérée scrutant la plaine de la Tave. Luc Pélaquié, qui exploite 80 ha de vignes, signe un *villages* paille clair brillant. Un vin qui respire l'acacia, le miel, les fruits au sirop avec des senteurs citronnées plus vives. Un juste compromis entre le moelleux et la fraîcheur. En bouche, la pêche et la poire dansent la farandole et se prolongent agréablement.
Dom. Pélaquié, 7, rue du Vernet, hameau de Palus, 30290 Saint-Victor-la-Coste, tél. 04.66.50.06.04, fax 04.66.50.33.32, e-mail contact@domaine-pelaquie.com
t.l.j. sf dim. 9h-12h 14h-18h
GFA du Grand Vernet

DOM. PESSEGRIER Laudun 2005 ★

3 ha 4 500 **5 à 8 €**

À Tresques, l'arrêt pique-nique s'impose sur les berges de la Tave, sous les ombrages des vieux platanes, sur la place où l'on danse au bal du 14 juillet. Emportez-y une bouteille de ce Pessegrier qui hume les fruits noirs et le chocolat, avec des tanins soyeux sur un fruité en longueur. Sortez le panier de fromages, un pélardon ou un brebis des Cévennes sur une tranche de pain aux châtaignes, ils iront bien ensemble. Dépliez la nappe à carreaux, et bon pique-nique.
Jean-Luc Payan, Dom. de Pessegrier, 30330 Tresques, tél. 04.66.82.99.72, e-mail jean-luc.payan@laposte.net
t.l.j. sf dim. 9h-12h 14h-19h

DOM. PHILIPPE PLANTEVIN
Cairanne La Daurelle 2005 ★

■ 4 ha 17 000 ▮ 5 à 8 €

Plantevin, un joli nom pour un vigneron, un nom prédestiné. Inutile d'aller chercher plus loin pour l'étiquette du domaine. L'exploitation familiale se répartit sur quatre communes, ce qui offre une diversité de terroirs à la palette des cépages. La couleur est ici intense, violacée. Des notes de fruits rouges d'abord, évoluant en fruits macérés à l'alcool. L'attaque est franche, une impression de souplesse et de maturité s'ensuit, jusqu'à la finale assez persistante.

Philippe Plantevin,
La Daurelle, rte de Sainte-Cécile-les-Vignes,
84290 Cairanne, tél. 04.90.30.71.05, fax 04.90.30.77.75,
e-mail philippe-plantevin@wanadoo.fr r.-v.

LE PLAN VERMEERSCH GT-S 2005

■ 1,5 ha 6 000 15 à 23 €

Marquée par la syrah, cette cuvée a été produite par Dirk Vermeersch, ancien pilote automobile flamand, et sa fille Ann. De l'élégance, ce 2005 n'en manque certes pas : le cépage, bien vinifié, lègue au vin des arômes plaisants de violette, nuancés de petits fruits rouges. Le bois, bien dosé, souligne l'ensemble, tandis que des tanins fins portent loin la finale.

Le Plan Vermeersch, Dom. Le Plan, 26790 Tulette,
tél. 04.75.98.36.84, fax 04.75.98.60.75,
e-mail info@leplan.net r.-v.

DOM. DE LA PRÉSIDENTE La Baume 2005 ★

■ 20 ha 80 000 ▮ 5 à 8 €

Max Aubert fut l'un des fondateurs de l'Université du vin de Suze-la-Rousse, son fils René a pris sa suite. Pourquoi La Présidente ? Parce que le château de Sainte-Cécile appartenait jadis à l'épouse d'un président au Parlement d'Aix, prénommée Lucrèce, dont l'esprit était légendaire dans la contrée. Elle offre ici un rouge de charme, des arômes de qualité, poivrés et mentholés. Une certaine chaleur en finale, signe de maturité des raisins. La cuvée **Cairanne Galifay blanc 2005 (11 à 15 €)** vive, est citée.

René Aubert,
Dom. de La Présidente, rte de Cairanne,
84290 Sainte-Cécile-les-Vignes, tél. 04.90.30.79.76,
fax 04.90.30.72.93, e-mail aubert@presidente.fr
t.l.j. 9h-12h 14h-18h

DOM. DE LA PRÉVOSSE Valréas 2006

1 ha 2 600 3 à 5 €

Ici, de père en fils, on porte le même prénom, Henri, depuis cinq générations. Il y a peu, le père, Henri le quatrième, a passé la main à son fils, Henri le cinquième, toujours à l'écoute des anciens. Les vignes sont vieilles, soixante-dix ans pour le carignan, soixante pour le grenache. Ce vin blanc de grenache blanc, de clairette et de viognier, se montre muscaté au premier nez, puis très fruité, sur les fruits secs et la pêche blanche. La cuvée **Château de Montplaisir Valréas rouge 2005** est citée.

EARL Davin Père et Fils, Dom. de La Prévosse,
84600 Valréas, tél. 04.90.35.67.13, fax 04.90.35.61.81,
e-mail domaine-de-la-prevosse@wanadoo.fr
t.l.j. sf dim. 9h-12h 14h-19h

DOM. RABASSE CHARAVIN Rasteau 2004 ★★

■ 8 ha 30 000 ▮ 8 à 11 €

Corinne Couturier sert du Christian Lacroix ! Elle a marié son chaleureux grenache (60 %) et son ombrageux mourvèdre, veillé sur leur liaison secrète durant trente-six mois et recueilli le fruit de leurs amours : un cru au caractère puissant et racé, à l'onctuosité typique. Sa robe est rutilante, telles les créations chatoyantes de l'Arlésien. Quant à son nez, si baroque, les dégustateurs en perdent la mesure : cerise, fruits mûrs, garrigue, et enfin, poivre et réglisse. « Un panier de fruits épicés », écrit l'un d'entre eux. La pulpe de la bouche n'est pas en reste, qui déploie une étoffe élégante et soyeuse. Et un souvenir ému qui persiste. Une étoile pour la cuvée **Cairanne rouge 2005**.

Corinne Couturier,
Dom. Rabasse Charavin, La Font d'Estévenas,
84290 Cairanne, tél. 04.90.30.70.05, fax 04.90.30.74.42,
e-mail couturier.corinne@wanadoo.fr
t.l.j. 9h-12h 14h-17h (été 14h30-18h30); dim. sur r.-v.

CAVE DE RASTEAU
Rasteau Ortas Tradition 2006 ★

■ n.c. 1 000 000 ▮ 5 à 8 €

Notez sur votre agenda l'invitation à « l'Escapade des gourmets », en mai, à travers le vignoble de Rasteau. Une joyeuse occasion de découvrir les délices parfumés du terroir, en compagnie des vignerons. Leur cave coopérative est l'une des plus anciennes de la vallée du Rhône (1925). En revanche, cet Ortas Tradition où la syrah pointe son nez par-dessus l'épaule du grenache est un peu juvénile encore, quoiqu'ample et souple, charpenté de fins tanins, fruité et long. Mais il vous faudra patienter au moins un an avant qu'il ne soit prêt. Les promesses sont bien là, en tout cas.

Cave de Rasteau, rte des Princes-d'Orange,
84110 Rasteau, tél. 04.90.10.90.10, fax 04.90.46.16.65,
e-mail rasteau@rasteau.com r.-v.

DOM. DE LA RENJARDE
Massif d'Uchaux 2005 ★

■ 50 ha 180 000 8 à 11 €

Sur la colline de La Renjarde, un éperon annonçant les Préalpes du Diois, entre Sérignan et Uchaux, les Romains avaient édifié un *oppidum*. Les vignes qui se dorent au bord des terrasses au midi ont donné un vin rouge très fruit rouge, très cerise griotte. Un ensemble plaisant, rond et frais, d'agréable expression. Profitez sans trop attendre de ses parfums fruités, qui accompagneront idéalement un agneau grillé au thym, cuit rosé.

Dom. de La Renjarde, rte d'Uchaux,
84830 Sérignan-du-Comtat, tél. 04.90.83.59.01,
fax 04.90.70.12.66, e-mail alaindugas@wanadoo.fr
r.-v.

LES VIGNERONS DE ROAIX SÉGURET
Séguret Vieilles Vignes Vieilli en fût de chêne 2005 ★★

■ n.c. n.c. 5 à 8 €

L'union, en 1960, entre les vignerons de Séguret et ceux de Roaix, forte de cent soixante vaillants vignerons, porte ses fruits : la coopérative conquis quatre étoiles à cette campagne. La cuvée Séguret Vieilles Vignes en habit sombre, respire les fruits mûrs et de truffe, tapisse la bouche de tanins serrés et cacaotés et n'en finit plus de se prélasser avant de s'estomper lentement. Deux autres étoiles distinguent la cuvée **Roaix Vieilles Vignes rouge vieillie en fût de chêne 2005**, onctueuse, partagée entre

le pruneau et le coulis de fruits rouges, qui appréciera la daube de sanglier. Deux bouteilles à déboucher dans les trois ans à venir.
⚷ Les Vignerons de Roaix Séguret, 84110 Séguret, tél. 04.90.46.91.13, fax 04.90.46.94.59, e-mail vignerons.roaix-seguret@wanadoo.fr ☑ Y ⚲ r.-v.

CH. ROCHECOLOMBE 2005 *

■ n.c. 7 000 ▮ 5 à 8 €

Ce vin est prometteur et sera bien typé, si l'on sait l'attendre (trois à cinq ans). Le nez encore fermé ne se livre qu'après une longue aération ; les tanins sont encore très vigoureux, sur des nuances fruitées et mentholées.
⚷ Roland Terrasse, Ch. Rochecolombe, 07700 Bourg-Saint-Andéol, tél. 04.75.54.50.47, fax 04.75.54.80.03, e-mail rochecolombe@aol.com
☑ Y ⚲ t.l.j. 9h-12h 14h-19h; dim. 9h-12h

DOM. DE ROCHEMOND 2006 *

■ 0,5 ha 5 000 ▮ 8 à 11 €

La commune de Sabran compte six églises et chapelles et s'éparpille en huit hameaux disséminés dans la vallée de la Cèze. À Mégier, sur le plateau, Éric Philip a réservé 60 a et tout son art à cette sélection : « le type même du côtes-du-rhône-villages », note un dégustateur. Un rubis clair, un nez de cerise macérée et d'épices, des saveurs bien charpentées autour d'arômes persistants de violette, de fruits confits un peu poivrés. Sa structure permettra de garder trois ans cette bouteille, qui donnerait volontiers la réplique à un gigot en croûte.
⚷ Dom. de Rochemond, 1, rue des Cyprès, Cadignac-Sud, 30200 Sabran, tél. et fax 04.66.79.04.42, e-mail domaine-de-rochemond@wanadoo.fr
☑ Y ⚲ r.-v.
⚷ Philip

DOM. LA ROUBINE
Sablet La Grange des Briguières 2005 *

■ 2 ha 10 000 5 à 8 €

La route des Dentelles (de Montmirail), qui entoure les sculptures minérales, descend de Vaison-la-Romaine, Sablet, Gigondas, et remonte par Beaumes-de-Venise, Lafare et Suzette, en traversant des villages à campaniles égrenés dans le paysage cardé de vignes. À l'étape de Sablet, vous découvrirez ce vin rouge corsé et chaleureux, né de grenache et de syrah attendris par le pimpant cinsault. Un bel équilibre est créé par des tanins très fins et une longue persistance de fruits rouges (cerise), de mûre et de sous-bois.
⚷ Éric Ughetto, Dom. La Roubine, 84190 Gigondas, tél. 04.90.65.81.55, fax 04.90.12.36.28, e-mail domaine-laroubine@laposte.net ☑ Y ⚲ r.-v.

DOM. ROUGE GARANCE Garances 2005 *

■ 4 ha 14 000 ▮ 5 à 8 €

L'acteur Jean-Louis Trintignant fut le parrain du domaine. Le nom de la propriété rappelle la belle, mystérieuse et volage Garance-Arletty des *Enfants du Paradis*. Le carignan est au cœur de la cuvée Garances. Elle joue sa jeunesse avec un nez tout en fruit frais et tient un équilibre habile entre tanins, acidité et alcool. Une rondeur prometteuse en devenir. Les vignes sont soignées en agriculture biologique. Le **Rouge Garance 2005 (8 à 11 €)**, plus marqué par la syrah, obtient une citation.
⚷ Dom. Rouge Garance, chem. de Massacan, 30210 Saint-Hilaire-d'Ozilhan, tél. et fax 04.66.37.06.92, e-mail contact@rougegarance.com
☑ Y ⚲ t.l.j. sf dim. 9h-12h 14h-17h
⚷ Cortellini

DOM. SAINT-ANGE Laudun 2006 *

□ 2,15 ha 11 789 ▮ 5 à 8 €

Une minuscule propriété d'à peine plus de cinq hectares, un clos au milieu des géants. Bernard Vidal, qui l'a reprise l'année dernière, y a trouvé de vieilles vignes blanches âgées de cinquante ans : grenache, bourboulenc et piquepoul. Le grenache entre pour 60 % dans ce 2006 qui est le premier millésime de ce vigneron. Fruits verts, fleurs blanches et fraîcheur résument ce vin blanc au teint pâle et transparent comme les joues diaphanes des angelots qui ornent l'étiquette.
⚷ Bernard Vidal, La Condamine, 30330 Tresques, tél. 06.89.77.93.54, e-mail bernard.vidal1@tiscali.fr
Y r.-v.

DOM. SAINTE-ANNE
Cuvée Notre-Dame des Cellettes 2004

■ 5 ha 20 000 ▮ 8 à 11 €

Le domaine des Stenmaier, au Prieuré des Cellettes à Saint-Gervais, présente cette saison un vin gourmand, friand, léger et souple. Autrement dit bien différent des millésimes précédents, que l'on connaissait plus charpentés et puissants (pas moins de seize coups de cœur dont une demi-douzaine pour cette cuvée). Une exception. C'est une bouteille plaisante, toujours très expressive, imprégnée d'un fruité agréable de myrtille et de fruits rouges, à déboucher maintenant.
⚷ EARL Dom. Sainte-Anne, Les Cellettes, 30200 Saint-Gervais, tél. 04.66.82.77.41, fax 04.66.82.74.57
☑ Y ⚲ t.l.j. sf sam. dim. 9h-11h 14h-18h

DOM. SAINT-ÉTIENNE Les Molières 2004 **

■ 2 ha 5 000 ⦀ 8 à 11 €

La légende dit, mais que ne dit-elle pas, que Jean-Baptiste Poquelin, roulant carrosse du côté de Montfrin en compagnie de la Béjart, apprécia tant le vin des coteaux des Molières, qu'il lui vola son patronyme pour s'en faire un nom de scène. Sans fourberie ni tartufferie aujourd'hui, sans être précieux ni ridicule, on peut attester que Les Molières de Michel Coullomb méritent l'hommage. La pourpre du costume, rubis sombre, annonce l'élégance et la complexité du nez où se mêlent pruneau, cuir neuf et épices douces, que suit au palais une harmonie fruitée sur une soie de tanins ; l'ensemble, long en bouche, s'esquive sur des notes vanillées.

🔑 Michel Coullomb,
Dom. Saint-Étienne, chem. des Agaches,
30490 Montfrin, tél. 04.66.57.50.20, fax 04.66.57.22.78
r.-v.

CAVE DES VIGNERONS DE SAINT-GERVAIS
Saint-Gervais Sélection Terroir 2006

■ 11,11 ha 65 000 3 à 5 €

La Sélection Terroir des vignerons de Saint-Gervais, rubis clair à l'œil, où le grenache (50 %) s'accorde à la paire syrah et mourvèdre, ne masque pas son origine. C'est un vin bien d'ici et de nulle part ailleurs. Prune et épices au nez, puis confiture, puissance et longueur en bouche, sont les traits de famille. Un *villages* typique pour maintenant. Citations aussi pour la **Sélection Terroir blanc 2006**, bien vive, et la **Sélection Terroir rosé 2006**, à la robe pétale de rose étincelante.

🔑 Cave des Vignerons de Saint-Gervais,
rue des Vignerons, 30200 Saint-Gervais,
tél. 04.66.82.77.05, fax 04.66.82.78.85,
e-mail contact@cavesaintgervais.com r.-v.

CH. SAINT-JEAN Plan de Dieu 2005 *

■ 3,75 ha 20 000 5 à 8 €

Partant du bourg de Travaillan, au bord de l'Aygues, un sentier de randonnée en boucle (10,5 km/3h) passe par les hameaux épars de Saint-Pierre, Saint-Paul et Saint-Jean, à travers bois, bosquets et rangs de vignes. Au retour de ce parcours champêtre, le randonneur aimera déboucher une bouteille de ce *villages* rouge aux couleurs vives, sentant la cerise burlat. Un vin aux accents jeunes et frais, mais néanmoins pourvu d'une agréable constitution.

🔑 SCEA du Ch. Saint-Jean, Plan de Dieu,
84850 Travaillan, tél. 04.90.65.88.93,
fax 04.90.65.88.96, e-mail chateau.raspail@wanadoo.fr
t.l.j. sf sam. dim. 8h30-12h 14h-17h
🔑 Christian Meffre

DOM. SAINT-LAURENT La Tamardière 2004 *

■ 8 ha 20 000 5 à 8 €

Au lieu-dit Mourre de Saint-Laurent, la Tamardière est un vieux mas provençal du XVIIe s., agrandi au fil des générations. Assemblage de grenache (70 %) et de mourvèdre, ce vin possède un caractère méridional entier, tout en puissance et en chaleur. Le rouge est intense, le bouquet puissant, composé d'herbes de Provence et d'épices douces où affleure le cassis. Des tanins fondus et soyeux dominent une bouche souple et ronde qui finit sur une longue note vanillée. Un tel tempérament mérite une confrontation gourmande avec un gigot à l'ail. À savouver sans se hâter à partir de 2008.

🔑 Laurent Sinard,
La Tamardière, chem. Saint-Laurent,
84350 Courthézon, tél. 04.90.70.87.92,
fax 04.90.70.78.49,
e-mail contact@domaine-saintlaurent.com
t.l.j. sf dim. 9h-12h 14h-18h

CH. SAINT-MAURICE
Laudun Les Parcellaires 2006 *

■ 4 ha 20 000 5 à 8 €

Le château à l'allure sévère fut construit par le baron de Ripert au XIXe s., qui a pris la suite de plusieurs familles de la haute noblesse. Dans le parc, les cèdres du Liban sont tricentenaires. D'élégants appartements de vacances sont en location dans une dépendance. Dans la cave datant du XVIIe s., ancienne magnanerie, a été élevé ce vin rouge typé par le grenache, franc, où les fruits mûrs se mêlent aux aromates, où la cerise macérée fond en bouche. Une citation pour la cuvée **Les Grès rouge 2006**, pleine de chaleur et d'onctuosité.

🔑 Christophe Valat,
SCA Ch. Saint-Maurice, L'Ardoise RN 580,
30290 Laudun, tél. 04.66.50.29.31, fax 04.66.50.40.91,
e-mail chateau.saint.maurice@wanadoo.fr
t.l.j. 9h-12h 14h-19h 6 E

LA CAVE DE SAINT-PANTALÉON-LES-VIGNES
Rousset-les-Vignes Cuvée de La Chapelle Notre-Dame de Beauver 2004 **

■ n.c. 8 000 5 à 8 €

Deux bergers trouvèrent un jour, dit-on, une statue de la Vierge dans les broussailles, et les habitants de Rousset lui bâtirent une chapelle, perdue sur une colline, au bout d'un chemin de pierre sinueux. Une bénédiction sur ce vin rouge au grenat intense. Après un temps de respiration, il relâche ses senteurs de garrigue, d'épices et de fruits rouges. Il se fait friand, ses tanins bien fondus. Parfait avec un couscous ou un cassoulet. Le côtes-du-rhône-villages **Saint-Pantaléon-les-Vignes élevé en fût de chêne rouge 2004** décroche lui aussi deux étoiles grâce à sa rondeur, sa longueur, ses accents boisés légers.

🔑 Cave de Saint-Pantaléon-les-Vignes, rte de Nyons,
26770 Saint-Pantaléon-les-Vignes, tél. 04.75.27.90.44,
fax 04.75.27.96.43, e-mail sca@cave-st-pantaleon.com
r.-v.

DOM. SALADIN Per Èl 2006 *

□ 1,48 ha 6 000 8 à 11 €

Per Èl : « Pour Elle » en provençal. De ses enfants à leur mère qui tenait une guinguette autrefois au milieu des vignes, des chênes truffiers et des haies de mûriers. Charmant hommage filial. La vie continue, on s'oriente vers le « bio » et on s'active de nouveau aux fourneaux du *Mazet*, à Saint-Marcel d'Ardèche. On y sert ce vin blanc, issu de cinq cépages, la robe jaune paille doré, aux doux arômes de banane, d'une élégante légèreté. On le débouchera à l'apéritif ou on l'accordera à des noix de Saint-Jacques ou à un picodon crémeux.

🔑 Dom. Saladin, La Tour, Les Pentes de Salaman,
07700 Saint-Marcel-d'Ardèche,
tél. et fax 04.75.04.63.20,
e-mail domaine.saladin@wanadoo.fr r.-v.

CH. SIGNAC Chusclan Cuvée Combe d'Enfer 2005

■ 38 ha 24 133 8 à 11 €

La dent de Signac, ainsi nomme-t-on l'éperon en vigie surplombant le cours de la Cèze. Une ferme fortifiée autour d'une cour carrée s'abrite à ses pieds, enfouie dans le feuillage. Au devant se déroulent les vignes. De la Combe d'Enfer vient ce vin coloré dans des tons violacés, plus effacé au nez, restant sur le fruit et de légères notes animales. Le corps rond et souple, les tanins discrets permettent de boire ce *villages* dès aujourd'hui.

🔑 SCA Ch. Signac,
rte d'Orsan, chem. de la Dent de Signac,
30200 Bagnols-sur-Cèze, tél. 04.66.89.58.47,
fax 04.66.50.28.32, e-mail chateausignac@orange.fr
t.l.j. sf dim. 9h-12h 14h-18h; sam. sur r.-v.

TERRE ROUGE Cairanne 2005 ★★

■ 20 ha 100 000 ▮ 5 à 8 €

À Cairanne, ils sont tous vignerons de père en fils depuis des lustres, et les arbres généalogiques ressemblent à des ceps de vignes qui s'entrecroisent et se nouent. La coopérative, créée en 1929, vinifie 1 150 ha de vignes. Les terrasses d'argile rouge, ventées par le mistral, ont façonné un 2005 gras, au bouquet généreux. Le grenache roi (65 %) apporte ses arômes, et la syrah, le vieux carignan et le mourvèdre consolident sa charpente. Le nez reflète la garrigue et les épices, les tanins affichent leur élégance dans une bouche tout en longueur. Dans deux ou trois ans, il faudra à cette bouteille, une gardianne de taureau, macérée une nuit dans le vin rouge, pour soutenir sa fougue et sa puissance.

Cave de Cairanne, 84290 Cairanne,
tél. 04.90.30.82.05, fax 04.90.30.74.03,
e-mail info@cave-cairanne.fr
t.l.j. 9h-18h30 (été 19h)

DOM. DE TRAPADIS Rasteau 2004 ★

■ 8 ha 25 000 ▮ 8 à 11 €

Le domaine est réputé pour ses vins bio, somme d'un travail de chaque instant dans le respect de la plante et de la terre, de soins attentifs dans les chais, afin d'en extraire des vins reflétant leur terroir. Ce 2004 s'est apprêté vingt mois en cuve, « une infusion douce », et l'embouteillage se fait à la pleine lune. Après ce long élevage, le nez est entouré de senteurs de truffe, de sous-bois et de poivre. Des fruits bien mûrs sur des tanins jeunes, une impression animale marquent la bouche. Une bouteille pour 2008.

Dom. du Trapadis, rte d'Orange, 84110 Rasteau,
tél. 04.90.46.11.20, fax 04.90.46.15.96,
e-mail hd@domainedutrapadis.com r.-v.
Helen Durand

CH. DU TRIGNON Sablet 2004 ★★

■ 11,5 ha 15 000 ▮ 8 à 11 €

Changement d'époque du château. La dynastie des Roux, qui y siégeait depuis cinq générations, cède la place à la famille Quiot. Une page se tourne à Sablet. Les vins demeurent, eux, dans la tradition et le talent se perpétue avec ce 2004 d'une grande finesse, où les fruits rouges, mûre et cerise, glissent sur de légères notes épicées. La bouche est ample, ronde et riche. La bouteille pourrait accompagner un carré de porc au fenouil, ou se garder deux ou trois ans. Le **Rasteau rouge 2004** reçoit une étoile.

Famille Quiot, 5, av. Baron-Leroy,
84230 Châteauneuf-du-Pape, tél. 04.90.83.73.55,
fax 04.90.83.78.48, e-mail contact@jeromequiot.com
r.-v.

DOM. DE VERQUIÈRE Sablet 2005 ★★

■ 4 ha 15 000 ▮ 5 à 8 €

La bastide s'agence en fer à cheval, selon la coutume provençale, la maison de maître fait face et ses ailes sur la cour abritent les chais et les communs. Une année faste pour le domaine de Verquière : ce Sablet et un **Rasteau Sambiche rouge 2005 (8 à 11 €)**, deux étoiles chacun. Les robes portent un rubis brillant. Dans les deux cas, un nez discret, mais élégant où pointent les fruits rouges et le noyau. Quant aux saveurs, le Sablet serait plus classique et le Rasteau plus moderne. Gras, riche et long le premier. Friand, frais, élégant, long sur le fruit le second. Les deux cousins sont à garder précieusement au moins trois ans.

Bernard Chamfort, Dom. de Verquière,
84110 Sablet, tél. 04.90.46.90.11, fax 04.90.46.99.69,
e-mail chamfort@domaine-de-verquiere.com
t.l.j. sf dim. 8h-12h 14h-18h

DOM. DU VIEUX CHÊNE
Plan de Dieu Cuvée de la Haie aux Grives 2005 ★★

■ 8 ha 12 000 ▮ 5 à 8 €

Un domaine de 48 ha conduit en agriculture biologique. Aussi puissant que le chêne du domaine, ce vin issu de petits rendements fait preuve d'une rondeur et d'une ampleur remarquables. Sous une teinte sombre, brillant de reflets violacés, il laisse un long sillage épicé, rejoint en finale par des flaveurs de fruits noirs. Un ensemble majestueux, riche et structuré, qui pourra patienter en cave trois ans durant.

Jean-Claude et Béatrice Bouche,
rte de Vaison-la-Romaine, 813, rue Buisseron,
84850 Camaret-sur-Aigues, tél. 04.90.37.25.07,
fax 04.90.37.76.84,
e-mail contact@bouche.duvieuxchene.com
t.l.j. sf dim. 9h-12h 14h-18h

Côte-rôtie

Situé à Vienne, sur la rive droite du fleuve, c'est le plus ancien vignoble de la vallée du Rhône réparti entre les communes d'Ampuis, de Saint-Cyr-sur-Rhône et de Tupins-Sémons. Il représente 9 769 hl en 2006 sur 233 ha 83 a. La vigne est cultivée sur des coteaux très abrupts, presque vertigineux. Et si l'on peut distinguer la Côte Blonde et la Côte Brune, c'est en souvenir d'un certain seigneur de Maugiron, qui aurait, par testament, partagé ses terres entre ses deux filles, l'une blonde, l'autre brune. Notons que les vins de la Côte Brune sont les plus corsés, ceux de la Côte Blonde les plus fins.

Le sol est le plus schisteux de la région. Les vins sont uniquement des rouges, obtenus à partir du cépage syrah, mais aussi du viognier, dans une proportion maximale de 20 %. Le côte-rôtie est d'un rouge profond, et offre un bouquet délicat, fin, à dominante de framboise et d'épices, avec une touche de violette. D'une bonne structure, tannique et très long en bouche, il a indéniablement sa place au sommet de la gamme des vins du Rhône et s'allie parfaitement aux mets convenant aux grands vins rouges.

DOM. GILLES BARGE Côte Brune 2004

■ 1,5 ha 5 000 ▮▮ 30 à 38 €

Transmis de père en fils depuis 1860, ce domaine propose un 2004 expressif, qui mêle les fruits noirs, le cuir et le tabac. En bouche, des tanins encore jeunes s'affirment dans un ensemble néanmoins souple et plein de fraîcheur qui joue en finale sur des notes de violette. À laisser deux ans en cave pour un meilleur fondu.

⊶ Gilles Barge, 8, bd des Allées, 69420 Ampuis, tél. 04.74.56.13.90, fax 04.74.56.10.98, e-mail barge.gilles@wanadoo.fr ☑ Ⲩ ⛹ t.l.j. sf sam. dim. 9h-12h 14h-18h 🏠 3

PATRICK ET CHRISTOPHE BONNEFOND 2005 ★

■ 4 ha 15 000 ⏸ 23 à 30 €

Les deux frères Bonnefond ont repris en 1990 le domaine familial. Régulièrement sélectionnés dans le Guide, ils proposent cette année un 2005 à la robe profonde, presque noire. Le bois assez présent donne au nez un caractère vanillé, mais les fruits noirs et les épices entrent ensuite en scène, conférant une certaine complexité à l'ensemble. La bouche va crescendo, confirmant l'élégance de ce vin : elle attaque en souplesse, se développe sur des tanins soyeux pour finir longuement sur la fraîcheur et les fruits noirs. À découvrir dans cinq ans.

⊶ Patrick et Christophe Bonnefond, Mornas, 69420 Ampuis, tél. 04.74.56.12.30, fax 04.74.56.17.93, e-mail gaec.bonnefond@terre-net.fr ☑ Ⲩ ⛹ r.-v.

DOM. DE BONSERINE La Garde 2004 ★

■ 0,6 ha 2 600 ⏸ 38 à 46 €

Ce domaine a été racheté en mars 2006 par la maison Guigal, déjà propriétaire de nombreuses parcelles en côte-rôtie. Malgré son nom, cette cuvée pourra être servie dès aujourd'hui, même si une petite garde lui conviendra également. Son nez de griotte a un petit air bourguignon, mais la touche d'épices et de fumé est là pour rappeler que vous êtes bien au sud de Lyon. La bouche montre beaucoup de gras, des tanins présents et soyeux et une bonne persistance sur des notes grillées et vanillées. Un vin original et assez gourmand, pour un gibier à plume.

⊶ Dom. de Bonserine, 2, chem. de la Viallière, Verenay, 69420 Ampuis, tél. 04.74.56.14.27, fax 04.74.56.18.13, e-mail bonserine@wanadoo.fr ☑ Ⲩ ⛹ t.l.j. sf dim. 9h-17h

⊶ Guigal

DOM. BOUCHAREY Élevé en fût de chêne 2005 ★

■ 2 ha 9 000 ⏸ 23 à 30 €

Sur des coteaux escarpés, granitiques et schisteux, la syrah a donné un 2005 déjà ouvert mais que l'on gardera quelques années en cave afin que l'effet chaleur du millésime s'estompe et que l'ensemble atteigne une pleine harmonie. On découvrira alors l'élégance du bouquet de cerise burlat, de violette et d'épices, et la matière riche et concentrée aux tanins fondus.

⊶ Ogier-Caves des Papes, 10, av. Louis-Pasteur, 84232 Châteauneuf-du-Pape Cedex, tél. 04.90.39.32.00, fax 04.90.83.72.51, e-mail ogiercavesdespapes@ogier.fr ☑ Ⲩ ⛹ t.l.j. sf dim. 9h30-12h 14h-18h30

M. CHAPOUTIER Les Bécasses 2005 ★

■ n.c. 32 000 30 à 38 €

Entre Les Bécasses et La Mordorée, le jury a cette année donné la préférence à la première. Un vin grenat profond, qui s'ouvre avec élégance sur les fruits mûrs et les épices, accompagnés d'une note vanillée. Le palais riche et ample livre une belle mâche et des tanins fins et enrobés. La finale se prolonge avec gourmandise sur une touche d'olive noire. Un vin généreux, solide et harmonieux, à découvrir dans deux ou trois ans. **La Mordorée 2005 (plus de 76 €)**, qui possède une bonne matière mais qui se montre encore fermée aujourd'hui, est citée et devra être attendue au moins cinq ans.

⊶ M. Chapoutier, 18, av. Paul-Durand, BP 38, 26600 Tain-l'Hermitage, tél. 04.75.08.28.65, fax 04.75.08.81.70, e-mail chapoutier@chapoutier.com ☑ Ⲩ ⛹ t.l.j. 9h-12h30 14h-19h; dim. 10h-13h 14h-18h

BENJAMIN ET DAVID DUCLAUX 2005

■ 5,5 ha 20 000 ⏸ 30 à 38 €

Les Duclaux ne produisent qu'un seul vin, ce côte-rôtie issu de syrah et de viognier (5 %) nés sur les coteaux très escarpés de la commune de Tupin-et-Semons. Leur 2005 est un vin solide et brut comme le terroir granitique d'où il est issu. Le nez est marqué par les notes boisées et grillées de l'élevage, sous lesquelles commencent néanmoins à percer quelques petits fruits rouges surmûris. Concentré, le palais est structuré par des tanins très présents, qui profiteront d'un long séjour en cave (cinq à huit ans) pour s'arrondir.

⊶ Benjamin et David Duclaux, RN 86, 69420 Tupin-et-Semons, tél. 04.74.59.56.30, fax 04.74.56.64.09, e-mail contact@coterotie-duclaux.com ☑ Ⲩ r.-v.

DOM. FAURY 2005 ★★

■ 1 ha 5 000 ⏸ 23 à 30 €

Reprenant le domaine familial en 1979, Philippe Faury l'agrandit et le rénove au fil des années. Établi sur 14 ha aujourd'hui, il vient d'être rejoint sur l'exploitation par son fils Lionel. Assemblant 15 % de viognier à la syrah, son 2005 s'affiche comme un joli vin de terroir. Très aromatique, le nez exprime les baies sauvages, la violette, le fumé et la vanille. Après une attaque franche, on trouve au palais des tanins de raisin plus que de bois, dans un ensemble soyeux et équilibré. Une bouteille à servir maintenant ou à attendre trois ans. Elle accompagnera une viande rouge marinée.

⊶ EARL Dom. Faury, La Ribaudy, 42410 Chavanay, tél. 04.74.87.26.00, fax 04.74.87.05.01, e-mail p.faury@42.sideral.fr ☑ Ⲩ ⛹ r.-v. 🏠 E

PIERRE GAILLARD Rose Pourpre 2005 ★

■ 0,8 ha 5 600 ⏸ 46 à 76 €

Si Rose Pourpre est son nom, ce n'est pas la couleur de ce vin qui sort de son élevage de seize mois en fût habillé d'une robe profonde, presque noire. Au nez, les notes boisées dominent encore, mais le cacao et les fruits mûrs sont en embuscade. La bouche, d'attaque souple, développe une matière aux tanins fondus qui se prolongent dans une finale aux senteurs de réglisse et d'épices (poivre). Un vin qui n'a pas encore pris toute son ampleur mais qui possède un grand avenir. On aura donc soin de le garder cinq ans en cave. Assemblant 15 % de viognier à la syrah, la **cuvée principale 2005 (30 à 38 €)** est citée.

⊶ Pierre Gaillard, Lieu-dit Chez Favier, 42520 Malleval, tél. 04.74.87.13.10, fax 04.74.87.17.66, e-mail vinsp.gaillard@wanadoo.fr ☑ Ⲩ ⛹ r.-v.

LES HAUTS DES CHEYS 2005 ★★

■ n.c. 8 000 ⏸ 23 à 30 €

Ce 2005 est en devenir, marqué par ses dix-huit mois d'élevage, mais d'une richesse et d'une pureté qui lui prédisent un avenir radieux. Huit à dix ans de garde seront nécessaires, mais l'attente sera récompensée. Le nez est dominé par des notes boisées et empyreumatiques, même si les fruits mûrs n'en sont pas totalement absents. La bouche apparaît riche, la matière noble, le grain des tanins fin et la finale persiste sur des notes fumées.

SEAR, 2, chem. de la Viallière, Verenay, 69420 Ampuis, tél. 04.74.56.14.27, fax 04.74.56.18.13, e-mail bonserine@wanadoo.fr t.l.j. 9h-17h

Guigal

LA LANDONNE 2003 ★★★

■ n.c. n.c. + de 76 €

Des trois « mousquetaires » en côte-rôtie de la maison Guigal, La Landonne est sans doute celui qui se déguste le mieux aujourd'hui. Issu de pure syrah née sur des coteaux argilo-calcaires riches en oxydes de fer, ce 2003 a été élevé quarante-deux mois en pièces neuves. Il a hérité du millésime de la canicule une richesse et une puissance extraordinaires sans se départir d'une grande fraîcheur qui vient équilibrer l'ensemble. L'expression aromatique se fait aujourd'hui sur le cuir neuf, le moka et le fruit rouge léger. Même si cette bouteille semble déjà prête, il faudra l'attendre encore, et découvrir au fil des années sa complexité, car c'est un vin taillé pour les décennies à venir.

É. Guigal, Ch. d'Ampuis, 69420 Ampuis, tél. 04.74.56.10.22, fax 04.74.56.18.76, e-mail contact@guigal.com r.-v.

DOM. DU MONTEILLET Fortis 2005 ★

■ 1 ha 3 333 30 à 38 €

Ce vin provient des coteaux de terres blondes granitiques situés au sud de l'appellation. Stéphane Montez y cultive syrah et viognier (15 %) et les assemble pour donner cette cuvée Fortis élevée dix-huit mois en fût, dont le nom fait référence à la devise du propriétaire du domaine au XVII^{e}s. : *Fortis, fortuna fortior*, la chance renforce la vaillance. Très intense, le bouquet de ce 2005 allie avec complexité le cacao, la violette et les épices (poivre, piment). Ample et riche, le palais est équilibré par une bonne fraîcheur. Les tanins sont légèrement boisés. Un vin moderne, typique d'une certaine côte-rôtie.

Stéphane Montez, Dom. du Monteillet, 42410 Chavanay, tél. 04.74.87.24.57, fax 04.74.87.06.89, e-mail stephanemontez@aol.com t.l.j. sf dim. 8h-12h 14h-18h

LA MOULINE 2003 ★★

■ n.c. n.c. + de 76 €

Coup de cœur dans l'édition 2005, La Mouline reçut à cette occasion la Grappe d'Or des vingt ans du Guide. C'est l'un des côte-rôtie mythiques, issu de vignes de la Côte Blonde de soixante-quinze ans d'âge moyen, plantées sur des coteaux en terrasses en forme d'amphithéâtre. Assemblant syrah et viognier (11 %) nés sur un terroir de gneiss et de loess calcaire, La Mouline affiche dans le millésime 2003 des arômes complexes et intenses de fruits confiturés (fraise, mûre) et des notes animales. Marquée par le millésime, la bouche se montre encore fermée, mais on perçoit déjà son côté velouté, fin et élégant. On attendra quelques années que cette bouteille se révèle.

É. Guigal, Ch. d'Ampuis, 69420 Ampuis, tél. 04.74.56.10.22, fax 04.74.56.18.76, e-mail contact@guigal.com r.-v.

DOM. MOUTON 2005

■ 1,2 ha 4 500 23 à 30 €

Jean-Claude Mouton vient en 2006 d'agrandir et de réaménager la cave du domaine. Ce 2005, qui comprend 2 % de viognier dans son assemblage, n'a pas profité de ces travaux ; il n'en est pas moins réussi. Sa robe profonde et son nez de fruits rouges, de cacao et de réglisse agrémentés d'une touche d'olive en font un côte-rôtie bien typé. Sa bouche n'est pas très volumineuse, mais ses tanins fins et son expression aromatique mêlant le poivre et la minéralité sont séduisants. Un vin délicat, à attendre quelques années.

Jean-Claude Mouton, Le Rozay, 69420 Condrieu, tél. 04.74.87.82.36, fax 04.74.87.84.55, e-mail domainemouton.jc@orange.fr r.-v.

DOM. NIERO 2005

■ 0,9 ha 5 000 23 à 30 €

Venant du monde de la banque, Robert Niero s'est reconverti il y a vingt ans en créant ce domaine. Il a été rejoint en 2004 par son fils Rémi. Tous deux proposent un côte-rôtie dont l'assemblage comprend une touche de viognier (5 %) ; les dégustateurs ont apprécié le bouquet mêlant la minéralité du terroir aux fruits rouges et aux épices de la syrah, sur un fond boisé hérité de l'élevage. La bouche ronde est bien équilibrée par une fraîcheur florale. À apprécier dans trois ans.

Rémi et Robert Niero, imp. du Pressoir, rue de la Mairie, 69420 Condrieu, tél. et fax 04.74.56.86.99, e-mail domaine.niero@wanadoo.fr r.-v.

DOM. STÉPHANE PICHAT Le Champon 2004

■ 2 ha 4 000 23 à 30 €

Stéphane Pichat a repris en 2001 le domaine créé en 1960 par ses grands-parents qui étaient viticulteurs et maraîchers. Cette cuvée de pure syrah, qui porte le nom d'un lieu-dit, possède un nez assez expressif mariant les fruits confits, les épices et la vanille. On retrouve ces arômes, accompagnés de notes de violette et de poivre, dans la bouche fraîche et boisée aux tanins présents. Une petite garde de deux ans permettra à ce vin de gagner en harmonie.

Dom. Pichat, 6, chem. de la Viallière, 69420 Ampuis, tél. 04.74.48.37.23, fax 04.74.48.30.35, e-mail info@domainepichat.com r.-v.

SAINT-COSME 2005 ★

■ n.c. 8 000 23 à 30 €

Louis Barruol gère cette affaire de négoce-éleveur qu'il a créée il y a dix ans à Gigondas. Il s'y entend également en côte-rôtie, comme le montre cette cuvée charpentée et concentrée qui s'annonce comme un vin de bonne garde (cinq à dix ans). Dès la robe pourpre profonde, presque noire, on devine la puissance. Le nez mûr et poivré, aux notes de torréfaction, confirme cette impression. La bouche révèle une mâche importante, des tanins fermes et une finale sur la fraîcheur et le boisé. Un ensemble élégant au bon potentiel.

Louis Barruol, Saint-Cosme, 84190 Gigondas, tél. 04.90.65.80.80, fax 04.90.65.81.05, e-mail louis@chateau-st-cosme.com t.l.j. 9h-17h

LA TURQUE Côte Brune 2003 ★★★

■ n.c. n.c. + de 76 €

Une parcelle restée en friche pendant plus d'un demi-siècle, ressuscitée par la volonté d'Étienne Guigal. Exceptionnel, ce terroir de la Côte Brune est exposé au soleil toute la journée quand les parcelles voisines n'y ont droit qu'au levant ou au couchant. Le viognier (7 %)

vient compléter la syrah pour donner, après un élevage de quarante-deux mois en pièces neuves, un vin qui résonne longtemps au plus profond du dégustateur – telles les notes de violoncelle de Rostropovitch dans un concerto de Dvoràk. Le nez se promène entre des notes de foin coupé, de fruits à l'eau-de-vie et une touche mentholée. La bouche, veloutée et toujours fraîche, offre une longue finale dont on ne compte plus les caudalies. L'extraordinaire étiquette est signée Moretti.

🔑 É. Guigal, Ch. d'Ampuis, 69420 Ampuis,
tél. 04.74.56.10.22, fax 04.74.56.18.76,
e-mail contact@guigal.com ☑ 🍷 🚶 r.-v.

FRANÇOIS VILLARD La Brocarde 2005 *

■ 0,22 ha 1 300 ⓘⓘ 38 à 46 €

De la sobriété pour ses étiquettes, de l'intensité pour ses vins mais dans les deux cas, de l'élégance : François Villard a fait le bon choix. Cette Brocarde, qui comprend 15 % de viognier, est encore sur la réserve, mais on devine déjà tout son potentiel. Fruits rouges, fruits noirs et notes de grillé se partagent le bouquet. Le palais racé et charnu, encadré par des tanins présents mais enrobés, ne manque pas de fraîcheur. À découvrir dans quatre ou cinq ans. Pure syrah, **Le Gallet blanc 2005 (30 à 38 €)**, d'une facture classique, est cité.

🔑 François Villard, Montjoux,
42410 Saint-Michel-sur-Rhône, tél. 04.74.56.83.60,
fax 04.74.56.87.78, e-mail vinsvillard@wanadoo.fr
☑ 🍷 r.-v.

CAVE DE LA VISITATION 2005

■ 2 ha 6 000 ⓘⓘ 23 à 30 €

Les vins de ce négociant, destinés pour la plus grande partie aux restaurants de la région lyonnaise, sont élevés dans des caves du XVII[e]s. situées sous le couvent de la Visitation. Ce 2005, élevé dix-huit mois en fût, exprime la violette et les épices sous une robe pourpre soutenu et brillant. Ses tanins sont fins et sa bouche assez grasse trouve des accents fruités en finale. À boire ces prochaines années.

🔑 Vins Dénuzière, 73, rue Nationale, 69420 Condrieu,
tél. 04.74.59.50.33, fax 04.74.56.61.01,
e-mail vins.denuziere@m-p.fr ☑ 🚶 r.-v.

Condrieu

Le vignoble est situé à 11 km au sud de Vienne, sur la rive droite du Rhône et sur des sols granitiques. Seuls les vins provenant uniquement du cépage viognier peuvent bénéficier de l'appellation. L'aire d'appellation, répartie sur sept communes et trois départements, n'a qu'une superficie de 130,36 ha. Ces caractéristiques contribuent à donner au condrieu une image de vin très rare puisqu'il a produit 4 756 hl en 2006. Blanc, il est riche en alcool, gras, souple, mais avec de la fraîcheur. Très parfumé, il exhale des arômes floraux – où domine la violette – et des notes d'abricot. Un vin unique, exceptionnel et inoubliable, à servir jeune (sur toutes les préparations à base de poisson), mais qui peut se développer en vieillissant. Il apparaît depuis peu une production de vendanges tardives avec des tries successives des raisins (allant parfois jusqu'à huit passages par récolte).

DE BOISSEYT-CHOL Les Corbonnes 2006

□ 0,4 ha 1 800 ⓘⓘ 23 à 30 €

Ce vignoble créé en 1797 a été détruit par le phylloxéra moins d'un siècle plus tard. À l'abandon après la Première Guerre mondiale, il a été entièrement replanté par Eugène Chol, puis par son fils Jean. De jeunes vignes ont produit ce 2006 or pâle à reflets verts dont le nez assez intense exprime les fleurs et les fruits blancs, accompagnés d'une pointe de minéralité. Après une attaque plutôt franche et légèrement épicée, on découvre une bouche équilibrée mais aussi marquée par le bois. Un condrieu à attendre un peu, puis à servir pour accompagner une rigotte... de Condrieu !

🔑 De Boisseyt-Chol, 178, RN 86, 42410 Chavanay,
tél. 04.74.87.23.45, fax 04.74.87.07.36,
e-mail infos@deboisseyt-chol.com
☑ 🍷 🚶 t.l.j. sf dim. 9h-12h 14h-18h; f. 15 août-10 sept.
🔑 Didier Chol

DOM. DU CHÊNE 2005 *

□ 3,5 ha 15 000 ▮ⓘⓘ 15 à 23 €

Le domaine du Chêne au lieu-dit Le Pêcher... Et en effet, cette cuvée élevée en partie sous bois livre des arômes de pêche, mais également d'abricot, d'aubépine et de rose, sous sa robe or pâle à reflets verts. Riche, équilibré et ample, le palais termine sur une note minérale. Un condrieu que l'on pourra attendre un peu.

🔑 Marc et Dominique Rouvière, 8, Le Pêcher,
42410 Chavanay, tél. 04.74.87.27.34,
fax 04.74.87.02.70, e-mail m.rouviere@terre-net.fr
☑ 🍷 🚶 r.-v.

DOM. CHEZE Cuvée de Breze 2005

□ 1,5 ha 5 000 ⓘⓘ 23 à 30 €

Cela fait près de trente ans que Louis Cheze a créé son domaine, qui compte aujourd'hui 25 ha. Ce 2005 est encore marqué par le boisé de l'élevage, mais on y distingue déjà au nez des notes de fleurs et de fruits exotiques. La bouche assez équilibrée affiche suffisamment d'acidité pour envisager un épanouissement d'ici trois ans. Cette bouteille devrait alors gagner en typicité et personnalité.

🔑 Dom. Louis Cheze, Pangon, 07340 Limony,
tél. 04.75.34.02.88, fax 04.75.34.13.25,
e-mail domaine.cheze@wanadoo.fr ☑ 🍷 🚶 r.-v.

CUILLERON Les Chaillets 2005 **

□ 3 ha 16 000 ⓘⓘ 30 à 38 €

Quatrième coup de cœur pour Yves Cuilleron dans cette appellation, et un joli doublé. La cuvée **Vertige 2004**

RHÔNE

(38 à 46 €) est une remarquable expression du viognier dans un écrin de délicatesse. Elle décroche deux étoiles, mais la préférence va à ces Chaillets, dont le bouquet complexe et ouvert, plein de fraîcheur, a enchanté les dégustateurs. Ils y ont trouvé du miel, de l'abricot, des agrumes (pamplemousse) et des notes de torréfaction. Au palais, le boisé est parfaitement marié au fruit, dans un ensemble riche et gras bien rafraîchi par une pointe acidulée et qui se prolonge dans une finale réglissée. À boire dès maintenant.

Yves Cuilleron, 58, RN 86, Verlieu,
42410 Chavanay, tél. 04.74.87.02.37,
fax 04.74.87.05.62, e-mail cave@cuilleron.com
r.-v.

LA DORIANE 2005 ★★

n.c. n.c. **38 à 46 €**

Un seul cépage, le viognier, mais deux types de terroirs : les sols schisteux et silico-calcaires de la Côte Châtillon, et les arènes granitiques du Colombier ; c'est en partie de là que viennent la richesse et la complexité de ce vin, coup de cœur il y a deux ans. La vinification et l'élevage soignés en petits fûts de chêne neuf pendant neuf mois n'y sont sans doute pas non plus étrangers. La robe jaune doré, pleine de promesses, invite à la contemplation. On se plonge ensuite dans le bouquet riche et mûr aux notes d'abricot et de mangue. La bouche ronde, grasse et puissante, a la chaleur du millésime, que vient rafraîchir en finale une touche de réglisse. Un vin élégant à servir sur un foie gras.

É. Guigal, Ch. d'Ampuis, 69420 Ampuis,
tél. 04.74.56.10.22, fax 04.74.56.18.76,
e-mail contact@guigal.com r.-v.

PAUL JABOULET AÎNÉ Les Cassines 2006

3 ha 14 000 **23 à 30 €**

Planté sur des coteaux en terrasses, le viognier a donné ce vin jeune mais déjà plaisant, au bouquet complexe mêlant le tilleul, la poire et les fruits exotiques. De l'attaque incisive à la finale acidulée, la fraîcheur marque la bouche tout au long de la dégustation. Un ensemble équilibré à servir dès maintenant.

Paul Jaboulet Aîné, Les Jalets, RN 7,
26600 La Roche-de-Glun, tél. 04.75.84.68.93,
fax 04.75.84.56.14, e-mail info@jaboulet.com
r.-v.
Frey

VIGNOBLES DU MONTEILLET
Les Grandes Chaillées 2005 ★★

1,5 ha 5 000 **23 à 30 €**

Coup de cœur il y a deux ans, cette cuvée brille à nouveau de deux étoiles. Drapée dans une robe jaune or très intense, elle affiche une belle complexité au nez, où la minéralité côtoie la pêche, le miel et la vanille. On retrouve ces arômes en bouche, accompagnés de violette, dans un ensemble bien construit qui termine sur la fraîcheur. Le **Domaine de Monteillet 2005** reçoit une étoile pour son nez fleuri et sa bouche gentiment acidulée.

Stéphane Montez, Dom. du Monteillet,
42410 Chavanay, tél. 04.74.87.24.57,
fax 04.74.87.06.89, e-mail stephanemontez@aol.com
t.l.j. sf dim. 8h-12h 14h-18h

MOUTON PÈRE ET FILS Côte Châtillon 2005 ★★

0,65 ha 2 300 **15 à 23 €**

Ce vignoble situé au cœur de l'appellation est la propriété d'une vieille famille condriote. Elle porte haut les couleurs de sa cité avec cette cuvée jaune intense à reflets verts, dont le nez très ouvert, frais et intense mêle la violette, les agrumes et la minéralité. L'attaque se fait en finesse sur les arômes du bouquet, complétés par la pêche, avant de laisser la place au gras, bien équilibré par l'acidité. Un vin harmonieux, à découvrir sur des quenelles de brochet.

Jean-Claude Mouton, Le Rozay, 69420 Condrieu,
tél. 04.74.87.82.36, fax 04.74.87.84.55,
e-mail domainemouton.jc@orange.fr r.-v.

RÉMI ET ROBERT NIERO Cuvée de Chery 2005

0,8 ha 3 700 **23 à 30 €**

Cette cuvée, élevée à 60 % en cuve et à 40 % en fût, joue la simplicité du début à la fin. Son nez léger penche vers le tilleul et les fruits blancs. Sa bouche franche et équilibrée affiche une bonne minéralité et quelques arômes de fruits secs. Un vin plaisant à servir sans attendre.

Rémi et Robert Niero,
imp. du Pressoir, rue de la Mairie, 69420 Condrieu,
tél. et fax 04.74.56.86.99,
e-mail domaine.niero@wanadoo.fr r.-v.

DOM. DE PIERRE BLANCHE La Légende 2005 ★

0,2 ha 1 000 23 à 30 €

La légende dit que les premiers fruits servis à la table de Louis II de Bourbon venaient de ce lieu brûlé par le soleil, au-dessus du village médiéval de Malleval. La vigne a supplanté les arbres fruitiers mais il reste le soleil, qui a brillé fort en 2005 et favorisé la maturation des raisins pour donner ce vin aux arômes de confiture d'abricots et aux nuances muscatées. L'ensemble est gras et puissant, sans aucune lourdeur. À essayer sur un foie gras.

Xavier Mourier,
Dom. de Pierre Blanche, 53, RN 86, 42410 Chavanay,
tél. et fax 04.74.87.04.07,
e-mail xavier@domainemourier.fr r.-v.

CAVES SAINT-PIERRE Préférence 2006 ★

2 ha 6 600 23 à 30 €

Un condrieu très typé, au nez comme en bouche. La dégustation commence par un bouquet riche et ouvert sur les fruits exotiques ; elle continue au palais sur une matière ronde et ample pour se terminer tout en longueur sur des notes de pêche et d'abricot. À boire dès aujourd'hui.

Skalli, av. Pierre-de-Luxembourg,
84230 Châteauneuf-du-Pape, tél. 04.90.83.58.35,
fax 04.90.83.77.23

DOM. VALLET 2005 ★

0,5 ha 2 000 15 à 23 €

Le père quitte la coopérative en 1989. Le fils Anthony le rejoint dix ans plus tard, et c'est le début d'un nouveau chantier avec la création d'une cave et d'un caveau en 2001. Dans celui-ci, vous dégusterez ce condrieu au bouquet mariant le boisé, les fleurs blanches et la minéralité. Vous apprécierez plus particulièrement sa bouche équilibrée aux arômes d'amande, évoluant en finale sur les fruits exotiques (mangue). Un vin assez original et intéressant, à ouvrir dans deux ans.

Dom. Vallet, La Croisette RN 86, 07340 Serrières,
tél. 04.75.34.04.64, fax 04.75.34.14.68,
e-mail domainevallet@wanadoo.fr r.-v.

DOM. GEORGES VERNAY
Les Chaillées de l'Enfer 2005 ★

1,5 ha 6 000 38 à 46 €

Les Chaillées de l'Enfer sont pavées de bonnes intentions. Elles ont d'ailleurs déjà valu à Georges Vernay l'un de ses nombreux coups de cœur en condrieu. C'est une robe jaune doré intense aux reflets verts qui habille ce 2005 très minéral, au nez de violette et d'épices. On trouve en bouche des arômes de fruits mûrs et de vanille qui participent à la richesse de l'ensemble, équilibré et rafraîchi par l'acidité. La longue finale complexe invite à attendre ce vin encore un peu.

Dom. Georges Vernay, 1, rte Nationale,
69420 Condrieu, tél. 04.74.56.81.81, fax 04.74.56.60.98,
e-mail pa@georges-vernay.fr r.-v.

DOM. DU VERSANT DORÉ 2005

1,5 ha 2 500 30 à 38 €

Les raisins qui ont servi à élaborer cette cuvée proviennent de parcelles de Christophe Pichon : 1 ha au lieu-dit La Roche Coulante et 0,5 ha au lieu-dit Meve. Le vin s'ouvre sur les fleurs (acacia) et les fruits (pêche), accompagnés par des notes de vanille. La bouche est équilibrée, tout en finesse et d'une bonne persistance. À marier dès aujourd'hui à une lotte en sauce.

Brotte, Le Clos, rte d'Avignon, BP 1,
84231 Châteauneuf-du-Pape Cedex, tél. 04.90.83.70.07,
fax 04.90.83.74.34, e-mail brotte@brotte.com
t.l.j. 9h-12h 14h-18h

LES VINS DE VIENNE La Chambée 2005

n.c. n.c. 23 à 30 €

Ce vin fait partie de la série des « Amphores d'or » créée par trois vignerons associés dans cette affaire de négoce-éleveur (Y. Cuilleron, P. Gaillard et F. Villard), rejoints en 2003 par P.-J. Villa. Doré, c'est en effet la couleur de ce 2005, qui a retiré de ses douze mois d'élevage en fût des notes de torréfaction et un côté praliné. La minéralité n'est pas absente, plus marquée au nez qu'en bouche, dont l'attaque ronde aux arômes d'élevage masque encore la typicité. Mais la richesse et la puissance sont là, et il suffira d'attendre deux ans pour profiter pleinement de ce vin.

Les Vins de Vienne,
1108, rte de Roche-Couloure, Le Bas-Seyssuel,
38200 Seyssuel, tél. 04.74.85.04.52, fax 04.74.31.97.55,
e-mail vdv@lesvinsdevienne.fr r.-v.

FRANÇOIS VILLARD DePoncins 2005 ★

2 ha 10 000 30 à 38 €

Excellent vigneron, François Villard a créé son vignoble en 1991 à Saint-Michel-du-Rhône. À côté des **Terrasses du Palat 2005 (23 à 30 €)**, citées pour leur belle minéralité, ce DePoncins élevé onze mois en fût livre un nez de fleurs et de fruits blancs, agrémentés d'une note gourmande de noisette. Encore sur la réserve en bouche, il laisse cependant entrevoir un bon potentiel.

François Villard, Montjoux,
42410 Saint-Michel-sur-Rhône, tél. 04.74.56.83.60,
fax 04.74.56.87.78, e-mail vinsvillard@wanadoo.fr
r.-v.

CAVE DE LA VISITATION 2005

0,9 ha 3 700 15 à 23 €

Ce vin se distingue par ses arômes de fleurs, d'orange et par sa fraîcheur due à son côté minéral. L'ensemble est plaisant et la finale agrémentée de notes d'écorce de citron. Un condrieu à boire maintenant ou à attendre un peu, et à servir sur un poisson grillé.

Vins Dénuzière, 73, rue Nationale, 69420 Condrieu,
tél. 04.74.59.50.33, fax 04.74.56.61.01,
e-mail vins.denuziere@m-p.fr r.-v.

Saint-joseph

Sur la rive droite du Rhône, dans le département de l'Ardèche, l'appellation saint-joseph s'étend sur vingt-six communes de l'Ardèche et de la Loire et totalise 1 096 ha déclarés en 2006. Les coteaux sont constitués de pentes granitiques rudes, qui offrent de belles vues sur les Alpes, le mont Pilat et les gorges du Doux. Issus de syrah, les saint-joseph rouges (37 528 hl en 2006) sont élégants, fins, relativement légers et tendres, avec des arômes subtils de framboise, de poivre et de cassis, qui se révéleront sur les volailles grillées ou sur certains fromages. Les vins blancs (3 566 hl), issus des cépages roussanne et marsanne, rappellent ceux de l'hermitage. Ils sont gras, avec un parfum délicat de fleurs, de fruits et de miel. Il est conseillé de les servir assez jeunes.

DE BOISSEYT-CHOL 2006

0,8 ha 3 500 11 à 15 €

Six générations se sont succédé sur cette propriété rachetée en 1797. La roussanne (70 %) et la marsanne se marient pour donner un vin au bouquet intense, encore dominé par le fût. La bouche assez ample, moins marquée par l'élevage, offre d'agréables notes florales. Un saint-joseph à garder cinq ans, le temps que le boisé se fonde harmonieusement.

De Boisseyt-Chol, 178, RN 86, 42410 Chavanay, tél. 04.74.87.23.45, fax 04.74.87.07.36, e-mail infos@deboisseyt-chol.com
t.l.j. sf dim. 9h-12h 14h-18h; f. 15 août-10 sept.
Didier Chol

DOM. BOISSONNET Extrem 2004 *

1 ha 2 000 15 à 23 €

Depuis 1990, Frédéric Boissonnet conduit ce domaine et y fait vivre la passion du vin qui animait déjà ses ancêtres aux siècles précédents. Dans les caves voûtées de la propriété, ce 2004 a été élevé dix-huit mois en fût de chêne. Il en retire des notes torréfiées et boisées, que l'on retrouve en bouche accompagnées de fruits rouges, dans un ensemble souple aux tanins bien fondus. Une cuvée élégante, à boire dès maintenant sur du gibier.

Frédéric Boissonnet, EARL de la Voûte, rue de la Voûte, 07340 Serrières, tél. 04.75.34.07.99, fax 04.75.34.04.55 r.-v.

M. CHAPOUTIER Deschants 2005 *

n.c. 180 000 11 à 15 €

Si vous optez pour le filet de sandre au beurre blanc, vous ouvrirez une bouteille de **Deschants blanc 2005**, qui obtient une étoile pour ses arômes floraux (aubépine) et sa minéralité distinguée. Si vous préférez le carré d'agneau aux fines herbes, vous choisirez ce rouge, qui développe un côté animal léger associé à de la mûre dans un ensemble complexe et ne manquant pas de vivacité. Un lièvre à la royale ? Dirigez-vous alors vers la cuvée **Les Granits rouge 2005 (38 à 46 €)**, ample et veloutée, aux arômes de fruits noirs et de vanille. Elle est citée. Mais ne vous mettez pas en cuisine tout de suite. Elle doit attendre trois à cinq ans que ses tanins se fondent.

M. Chapoutier, 18, av. Paul-Durand, BP 38, 26600 Tain-l'Hermitage, tél. 04.75.08.28.65, fax 04.75.08.81.70, e-mail chapoutier@chapoutier.com
t.l.j. 9h-12h30 14h-19h; dim. 10h-13h 14h-18h

AURÉLIEN CHATAGNIER 2005 *

0,5 ha 2 500 11 à 15 €

Installé en 2002, Aurélien Chatagnier a construit sa cuverie en 2006 pour vinifier au domaine ses propres cuvées. Auparavant, il travaillait chez Pierre Gaillard. Ce 2005 est donc le dernier millésime produit « à l'extérieur ». C'est un vin rond et harmonieux, au nez de cassis, d'épices et de sous-bois, au palais ample et équilibré. Les tanins sont présents mais bien enrobés. On pourra commencer à boire cette bouteille aujourd'hui ou l'attendre quelques années.

Aurélien Chatagnier, Les Barges, 42520 Saint-Pierre-de-Bœuf, tél. et fax 04.74.31.75.53
r.-v.

DOM. DU CHÊNE 2005 **

6 ha 18 000 11 à 15 €

Régulièrement sélectionné, ce domaine propose cette année un 2005 pourpre intense à reflets violacés ouvert sur les épices et les fruits rouges confiturés. La bouche montre une bonne vivacité à l'attaque, puis un boisé bien fondu. La matière riche et la longue finale indiquent un potentiel de garde intéressant pour ce vin : à ouvrir dans trois à cinq ans.

Marc et Dominique Rouvière, 8, Le Pêcher, 42410 Chavanay, tél. 04.74.87 27.34, fax 04.74.87.02.70, e-mail m.rouviere@terre-net.fr
r.-v.

DOM. COURBIS Les Royes 2005 **

4 ha n.c. 15 à 23 €

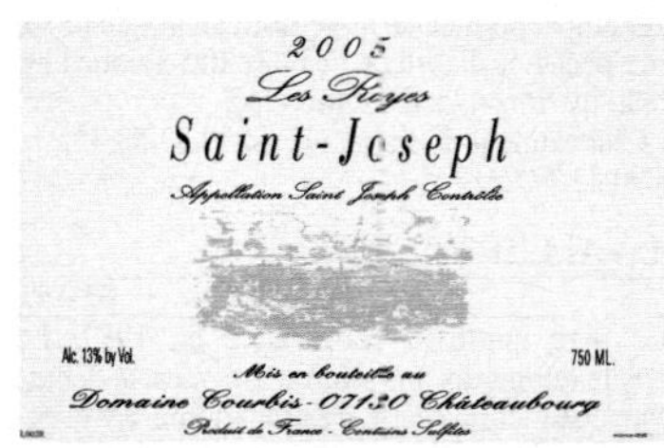

Ce domaine de 32 ha avait obtenu le coup de cœur pour cette cuvée dans le millésime 1999. Le voici à nouveau distingué pour ce 2005 intense et d'une grande complexité, qui se présente dans une robe noire à franges violines. Le nez marie les fruits noirs compotés à la vanille et aux épices (dix-huit mois d'élevage en fût). Au palais, la matière soyeuse aux tanins denses, voire opulents, persiste longuement dans une finale aux accents réglissés. La **cuvée principale rouge 2005** reçoit une étoile pour sa matière veloutée et fruitée.

Dom. Courbis, rte de Saint-Romain, 07130 Châteaubourg, tél. 04.75.81.81.60, fax 04.75.40.25.39, e-mail domaine.courbis@numeo.fr
t.l.j. sf dim. 9h-12h 14h-18h; sam. sur r.-v.

PIERRE ET JÉRÔME COURSODON La Sensonne 2005 **

n.c. 4 000 30 à 38 €

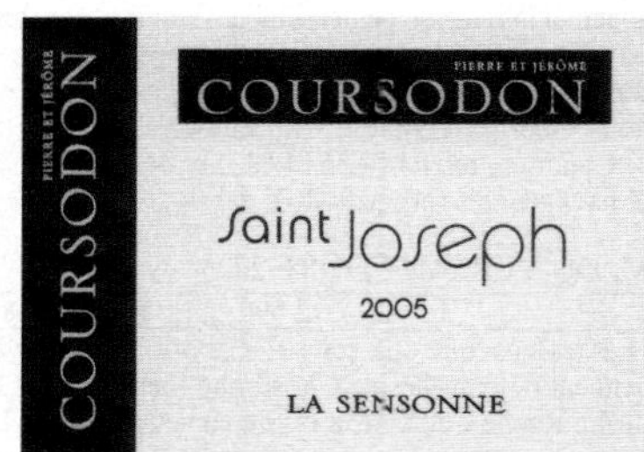

Mythique. Le mot n'est pas trop fort pour décrire le millésime 2005 des vins de ce domaine. Quatre cuvées sont en effet sélectionnées avec deux étoiles, dont deux

remportent un coup de cœur ! Comme il est d'usage dans le Guide, on ne reproduit qu'une étiquette. Ce sera celle de La Sensonne à la robe d'un rouge profond, presque noir, dont le bouquet intense exprime les fruits rouges un peu cuits, la violette et le tabac, sur un léger fond boisé. La bouche attaque en souplesse sur le fruit, puis livre des tanins présents mais fins, qu'une garde de deux ans permettra d'arrondir complètement. Le deuxième coup de cœur est pour **Le Paradis Saint-Pierre 2005 blanc (23 à 30 €)**, rond et gras, structuré et prêt à boire. **Le Paradis Saint-Pierre rouge 2005**, puissant et complexe, livre des arômes de fruits noirs et d'épices ; il faudra l'attendre entre trois et cinq ans. Pour patienter, on pourra déguster **L'Olivaie rouge 2005 (23 à 30 €)**, gourmand dès aujourd'hui mais au potentiel de garde certain.
EARL Pierre Coursodon, pl. du Marché, 07300 Mauves, tél. 04.75.08.18.29, fax 04.75.08.75.72, e-mail pierre.coursodon@wanadoo.fr r.-v.

CUILLERON Saint-Pierre 2005 ★

1 ha 5 600 15 à 23 €

Ce domaine conduit en lutte raisonnée propose une cuvée de roussanne pure, vinifiée et élevée en barrique (neuf mois). Jaune paille doré, celle-ci livre un nez marqué par le miel, les fruits mûrs (pêche) et l'amande grillée. D'attaque franche, le palais évolue vers le gras et la rondeur, avant une finale sur la fraîcheur. Un vin blanc de gastronomie, qui préférera la volaille rôtie au poisson en sauce.
Yves Cuilleron, 58, RN 86, Verlieu, 42410 Chavanay, tél. 04.74.87.02.37, fax 04.74.87.05.62, e-mail cave@cuilleron.com r.-v.

LES ÉDILES 2005 ★

n.c. 6 500 15 à 23 €

La SEAR, Société d'exploitation agricole rhodanienne, a été récemment rachetée par la maison Guigal. Ce 2005 mêle l'élégance et la force. L'élégance, avec son bouquet complexe (fruits rouges et noirs, réglisse), et son attaque souple. La force, avec ses tanins bien présents, mais prometteurs, et ses notes épicées (poivre). Une heureuse alliance à découvrir dans deux ou trois ans.
SEAR, 2, chem. de la Viallière, Verenay, 69420 Ampuis, tél. 04.74.56.14.27, fax 04.74.56.18.13, e-mail bonserine@wanadoo.fr t.l.j. 9h-17h
Guigal

DOM. FAURY La Gloriette 2005 ★★

0,9 ha 4 150 11 à 15 €

Cette cuvée est une sélection de vignes d'une quarantaine d'années. Un vin au nez riche mêlant le cassis et le cacao. La bouche bien structurée retrouve le fruit, agrémenté d'épices et de légères notes de sous-bois. Un ensemble captivant et élégant, à boire d'ici deux ans.
EARL Dom. Faury, La Ribaudy, 42410 Chavanay, tél. 04.74.87.26.00, fax 04.74.87.05.01, e-mail p.faury@42.sideral.fr r.-v.

LA FAVIÈRE 2005

1,6 ha 8 000 8 à 11 €

Cette propriété, encore majoritairement fruitière dans les années 1970, s'est progressivement tournée vers la culture de la vigne. Pierre Boucher a été rejoint en 2004 par sa fille Patricia. Ils proposent un 2005 au bon potentiel. Ses atouts sont actuellement un nez de fruits noirs et de torréfaction, et des tanins bien présents et boisés. Patience ! Une garde de deux ans devrait permettre à cette bouteille de se révéler dans toute son ampleur.
Pierre Boucher, GAEC de La Favière, Chez Favier, 42520 Malleval, tél. et fax 04.74.87.15.25, e-mail domainedelafaviere@hotmail.com r.-v.

GILLES FLACHER Cuvée Prestige 2005 ★

1 ha 3 500 11 à 15 €

Sur ce domaine de 7 ha aujourd'hui, on est viticulteur de père en fils depuis 1806. Bien qu'encore fermé, le nez de ce 2005 laisse percer des notes de fruits macérés et d'épices. L'attaque franche ouvre sur une bouche équilibrée aux tanins fondus. Un vin tout en finesse et plein de charme, déjà agréable mais capable de tenir quelques années.
Gilles Flacher, Le Village, 07340 Charnas, tél. 04.75.34.09.97, fax 04.75.34.09.96, e-mail earl-flacher@orange.fr r.-v.

PIERRE GAILLARD 2005 ★★

4 ha 8 900 11 à 15 €

Les cuvées présentées en rouge par ce producteur sont retenues. Le **Clos de Cuminaille 2005 (15 à 23 €)**, cité pour sa matière puissante et concentrée, a besoin de temps pour s'assagir. **Les Pierres 2005 (23 à 30 €)** est un vin harmonieux et charpenté, en devenir, qui reçoit une étoile. La cuvée principale est la plus séduisante, avec son bouquet complexe, fruité (confiture de mûres), animal (cuir) et toasté (seize mois d'élevage). La bouche charnue dévoile des tanins denses typiques du millésime, qui demanderont quatre à cinq ans de garde pour se fondre dans l'ensemble.
Pierre Gaillard, Lieu-dit Chez Favier, 42520 Malleval, tél. 04.74.87.13.10, fax 04.74.87.17.66, e-mail vinsp.gaillard@wanadoo.fr r.-v.

PIERRE GONON Les Oliviers 2005

2 ha 9 000 15 à 23 €

Il y a une tradition de vins blancs dans ce domaine. 2005 le confirme avec ce millésime au nez ouvert sur des arômes surmûris de litchi et de mangue. La bouche riche réalise un bon équilibre entre le gras et la fraîcheur. À boire dès maintenant.
Pierre Gonon, 34, av. Ozier, 07300 Mauves, tél. 04.75.08.45.27, fax 04.75.08.65.21, e-mail gonon.pierre@wanadoo.fr r.-v.

DOM. BERNARD GRIPA Le Berceau 2005 ★

1 ha 3 500 23 à 30 €

Fabrice Gripa, fils de Bernard, a repris la tête du domaine en 2006. Ce 2005 est donc encore un millésime du père. Il se présente dans une robe noir profond. C'est un vin racé, au boisé actuellement prononcé, qui lui donne de la puissance. La palette des arômes va des épices aux notes torréfiées en passant par un côté floral. C'est un ensemble remarquable, bien équilibré par la minéralité. Il faut attendre quelques années pour que tout s'harmonise complètement.
Bernard Gripa, 5, av. Ozier, 07300 Mauves, tél. 04.75.08.14.96, fax 04.75.07.06.81 r.-v.

PASCAL MARTHOURET 2005

2 ha 5 000 8 à 11 €

Cette petite propriété (5 ha) propose un 2005 pourpre intense aux reflets violines. Ce millésime joue sur

RHÔNE

le fruité plus que sur la puissance, aussi bien au nez qu'en bouche. Souplesse et fraîcheur s'équilibrent au palais pour donner ce vin de plaisir immédiat à servir sur des charcuteries.
⊶ Pascal Marthouret, Les Coins, 07340 Charnais, tél. et fax 04.75.34.15.82 ☑ Y ⛹ r.-v.

DOM. DU MONTEILLET 2005

■ 1,5 ha 6 000 ⅡⅠ 11 à 15 €

Sous sa robe noire à reflets rouges, ce 2005 livre un nez marqué par les épices, la réglisse et une touche de cuir. La bouche aux tanins soyeux ne joue pas les prolongations mais sait rester gourmande. À déguster avec une entrecôte cuite sur la braise des douelles de barriques... de saint-joseph, bien sûr !
⊶ Stéphane Montez, Dom. du Monteillet, 42410 Chavanay, tél. 04.74.87.24.57, fax 04.74.87.06.89, e-mail stephanemontez@aol.com ☑ Y ⛹ t.l.j. sf dim. 8h-12h 14h-18h 🏠 ©

DIDIER MORION Les Échets 2005 ★★

■ 0,7 ha 3 000 ⅡⅠ 11 à 15 €

Cette propriété, à l'origine en polyculture, s'est spécialisée dans la vigne depuis quinze ans et compte aujourd'hui 9 ha. Une présentation irréprochable pour ce 2005 à la robe très profonde, violet brillant, au nez complexe de torréfaction, de tabac, de cuir, de fruits rouges et de réglisse. La bouche vineuse et chaleureuse est marquée par des tanins serrés, qu'un séjour de cinq ans en cave permettra d'arrondir. Un vin à la fois fin et puissant, qui n'attend pas moins qu'un civet de sanglier comme compagnon de table. La **cuvée principale rouge 2005 (8 à 11 €)** décroche une étoile.
⊶ Didier Morion, Epitaillon, 42410 Chavanay, tél. 04.74.87.26.33, fax 04.74.48.23.57, e-mail domaine.didier.morion@cegetel.net ☑ Y ⛹ t.l.j. sf dim. 8h-12h 14h-18h; sam. sur r.-v.

ALAIN PARET 420 Nuits 2005 ★

■ 3 ha 12 000 ⅡⅠ 15 à 23 €

« 420 nuits », soit quatorze mois... Et pourtant, ce 2005 a passé dix-huit mois en fût, et il en ressort avec un nez explosif de fruits mûrs, de vanille et d'épices. Sa bouche charnue et veloutée se prolonge dans une finale aux notes empyreumatiques. Un vin à l'élevage parfaitement maîtrisé, qui pourra attendre quatre à cinq ans avant de retrouver à table une pièce de gibier.
⊶ Alain Paret, pl. de l'Église, 42520 Saint-Pierre-de-Bœuf, tél. 04.74.87.12.09, fax 04.74.87.17.34 ☑ Y ⛹ r.-v.

DOM. DES REMIZIÈRES 2005 ★

■ 2,5 ha 12 000 ⅡⅠ 11 à 15 €

Des vignes âgées de quarante-cinq ans en moyenne ont donné ce 2005 au nez expressif et ouvert sur les fruits noirs confiturés. La bouche attaque en souplesse, puis livre des tanins fins dont l'intensité monte jusqu'à la finale, marquée aujourd'hui par une pointe d'austérité. L'harmonie sera parfaite d'ici deux ans pour ce vin racé et typé.
⊶ Cave Desmeure, Dom. des Remizières, rte de Romans, 26600 Mercurol, tél. 04.75.07.44.28, fax 04.75.07.45.87, e-mail desmeure.philippe@wanadoo.fr ☑ Y ⛹ r.-v.

SAINT COSME 2005 ★

■ n.c. 11 800 ⅡⅠ 11 à 15 €

Ce 2005 n'est pas prêt à être porté à table, car il faudra encore quatre à cinq ans de garde pour que ses tanins, d'excellente qualité, se soient arrondis. On pourra alors profiter de ses arômes d'épices et de fruits rouges mûrs, et de sa bouche charnue, équilibrée par une bonne fraîcheur.
⊶ Louis Barruol, Saint-Cosme, 84190 Gigondas, tél. 04.90.65.80.80, fax 04.90.65.81.05, e-mail louis@chateau-st-cosme.com ☑ Y t.l.j. 9h-17h

CAVES SAINT-PIERRE Préférence 2005

■ 24 ha 100 000 ⅡⅠ 8 à 11 €

Un vin de plaisir, plein de gourmandise, aux notes de fruits mûrs et aux tanins soyeux. À savourer dès aujourd'hui sur une viande grillée. La cuvée **Préférence blanc 2006**, assemblage de 70 % de marsanne et de 30 % de roussanne, est citée pour son harmonie et ses parfums de fleurs et de fruits blancs.
⊶ Skalli, av. Pierre-de-Luxembourg, 84230 Châteauneuf-du-Pape, tél. 04.90.83.58.35, fax 04.90.83.77.23

CAVE DE TAIN Les Hauts de Pavières 2005 ★

■ n.c. 50 000 8 à 11 €

Une touche de petits fruits rouges, une touche de vanille, la cave de Tain a trouvé la recette pour séduire. Rondeur et souplesse, tanins fins, légères notes torréfiées, la bouche n'est pas en reste quand il s'agit de plaire. Un 2005 vinifié et élevé sans excès et déjà prêt.
⊶ Les Vignerons de Rasteau et de Tain-l'Hermitage, rte des Princes-d'Orange, 84110 Rasteau, tél. 04.90.10.90.10, fax 04.90.46.16.65, e-mail vrt@rasteau.com ☑ Y r.-v.

FRANÇOIS VILLARD Reflet 2005 ★★

■ 2,5 ha 12 000 ⅡⅠ 23 à 30 €

« Le vin est exigeant », affirme François Villard sur son étiquette. Ce 2005 sait se montrer au niveau de cette exigence. Robe rubis très foncé, limpide et brillante : la présentation est impeccable. Après aération, le nez développe des notes fraîches de petits fruits rouges légèrement épicés. La bouche structurée aux accents de fruits noirs se montre généreuse et d'une grande persistance. Un saint-joseph bien typé, à boire ou à attendre deux à trois ans.
⊶ François Villard, Montjoux, 42410 Saint-Michel-sur-Rhône, tél. 04.74.56.83.60, fax 04.74.56.87.78, e-mail vinsvillard@wanadoo.fr ☑ Y r.-v.

Crozes-hermitage

Cette appellation, couvrant des terrains moins difficiles à cultiver que ceux de l'hermitage, s'étend sur onze communes environnant Tain-l'Hermitage. C'est le plus grand vignoble des appellations septentrionales : la superficie de production est de 1 411 ha et le volume a représenté 57 806 hl en rouge et 3 967 hl en blanc en 2006. Les sols, plus riches que ceux de l'hermitage, donnent des vins moins puissants, fruités et à servir jeunes. Rouges, ils sont assez souples et aromatiques ; blancs, ils sont secs et frais, légers en couleur, à l'arôme floral, et, comme les hermitage blancs, ils iront parfaitement sur les poissons d'eau douce.

DOM. BERNARD ANGE 2005 *

■ 5 ha 20 000 8 à 11 €

L'étiquette représente la cave troglodytique du domaine, installée dans une ancienne carrière de molasse. Le 2003 fut coup de cœur. Le 2005 est bien typé crozes, avec ses arômes de fruits rouges, sa bouche solide mais sans excès, marquée d'une pointe acidulée. Il est prêt à accompagner une pintade rôtie aux olives et à l'ail.

Bernard Ange, Pont-de-l'Herbasse, 26260 Clérieux, tél. et fax 04.75.71.62.42

t.l.j. sf dim. 9h-12h15 13h30-19h

DOM. BELLE Cuvée Louis Belle 2005 **

■ 9,5 ha 25 000 15 à 23 €

Depuis 2002, Philippe Belle est aux commandes de ce domaine de 24 ha ; il propose ce 2005 élevé seize mois en fût. Les notes boisées et torréfiées sont présentes au nez mais elles laissent le fruit rouge, plutôt frais, s'exprimer. La bouche développe une matière ronde et riche, volumineuse, sur des tanins déjà un peu enrobés. L'harmonie sera atteinte dans deux ans.

Philippe Belle, Dom. Belle, Les Marsuriaux, 26600 Larnage, tél. 04.75.08.24.58, fax 04.75.07.10.58, e-mail domaine-belle@wanadoo.fr r.-v.

DOM. LES BRUYÈRES

Georges Reynaud Vignes authentiques 2005 **

■ 3 ha 10 000 8 à 11 €

Cet ancien coopérateur, installé en cave particulière depuis 2003 et conduisant son vignoble en biodynamie depuis 2005, a fait son entrée dans le Guide il y a deux ans. Ce coup de cœur confirme aujourd'hui la qualité de son travail. Le nez complexe séduit par ses arômes de fruits rouges, de réglisse et de boisé, relevés d'une note poivrée. La bouche souple se développe avec fraîcheur sur un lit de tanins fondus. On prendra du plaisir à boire ce vin dès maintenant, mais il est conseillé de l'attendre encore un an. La cuvée **Les Croix rouge 2005 (11 à 15 €)** obtient une étoile ; encore marquée par le bois, elle doit rester deux à trois ans en cave pour parvenir à l'harmonie.

David Reynaud, Dom. Les Bruyères, 12, chem. du Stade, 26600 Beaumont-Monteux, tél. 04.75.84.74.14, fax 04.75.84.14.06, e-mail domainelesbruyeres@orange.fr r.-v.

YANN CHAVE 2005 **

■ 11 ha 53 000 11 à 15 €

2005 a été une année chaude ici et on ne s'étonnera pas de retrouver dans ce vin des arômes de fruits à l'eau-de-vie. La maturité du raisin donne des tanins très doux, bien parfumés, qui laissent en bouche une sensation veloutée. Un vin de plaisir, gourmand, à déboucher maintenant et qui vous permettra de patienter jusqu'à ce que la cuvée **Le Rouvre rouge 2005 (15 à 23 €)**, plus charpentée car élevée en fût, se soit arrondie. Elle est citée.

Yann Chave, La Burge, 26600 Mercurol, tél. 04.75.07.42.11, fax 04.75.07.47.34, e-mail chaveyann@yahoo.fr

DOM. LES CHENÊTS Mont Rousset 2005

■ 1 ha 3 700 11 à 15 €

Des syrah trentenaires ont produit ce vin chaleureux, dont le nez marie les fruits mûrs et confits (cerise) à des notes de torréfaction (dix mois sous chêne). La bouche puissante retrouve ces arômes encadrés par des tanins encore très boisés et austères en finale. Un à deux ans de garde permettront à l'ensemble de se fondre et de gagner en complexité.

Étienne Berthoin, Dom. Les Chenêts, 26600 Mercurol, tél. 04.75.07.48.28, fax 04.75.07.45.60, e-mail etienne.berthoin@wanadoo.fr

t.l.j. 9h-12h 14h-18h; dim. sur r.-v.

CAVE DES CLAIRMONTS 2005

■ 12,5 ha 80 000 5 à 8 €

Cette cave propose deux cuvées qui ont été citées. Celle-ci tout d'abord, élevée un an en cuve, qui mise sur le fruit et la simplicité, sans sacrifier à la typicité. L'harmonie est déjà présente et on pourra en profiter sans attendre. La **cuvée Jardin Zen rouge 2004 (8 à 11 €)**, à l'élevage plus long (dix-huit mois), possède une matière plus charnue, aux tanins enrobés soutenus par la fraîcheur.

Cave des Clairmonts, Vignes Vieilles, 26600 Beaumont-Monteux, tél. 04.75.84.61.91, fax 04.75.84.56.98, e-mail contact@cavedesclairmonts.com

t.l.j. sf dim. 9h-12h 14h-18h

DELAS Les Launes 2005 *

■ n.c. 95 000 8 à 11 €

Fondée en 1835, cette maison rachetée par Deutz en 1977 est aujourd'hui dans le giron du groupe Roederer. Très régulièrement sélectionnée dans le Guide, cette cuvée fut coup de cœur l'an dernier. Ce 2005 exprime des arômes intenses de cassis et de mûre, du début à la fin de la dégustation. La bouche souple et longue est marquée en finale par une pointe tannique, caractéristique du millésime. On aura soin d'attendre un peu que cette bouteille gagne en plénitude.

Delas Frères, ZA de l'Olivet, 07300 Saint-Jean-de-Muzols, tél. 04.75.08.60.30, fax 04.75.08.53.67, e-mail france@delas.com

r.-v.

Champagne Deutz

FERRATON PÈRE ET FILS La Matinière 2005 *

■ 12 ha 60 000 8 à 11 €

Cette cuvée récolte une étoile dans les deux couleurs. La **Matinière blanc 2006**, issue de marsanne, est un vin souple et vif, aux arômes de poire et de fruits secs, qui nécessite un carafage. En rouge, elle offre des effluves de

RHÔNE

tabac blond qui viennent se mêler aux fruits rouges. Son palais, concentré, n'est pas dénué de fraîcheur. Enfin, **Le Grand Courtil rouge 2005 (15 à 23 €)**, plus charpenté, obtient une étoile, et accompagnera dans un an ou deux une joue de bœuf braisée aux haricots blancs.
Ferraton Père et Fils, 13, rue de la Sizeranne, 26600 Tain-l'Hermitage, tél. 04.75.08.59.51, fax 04.75.08.81.59, e-mail sferraton@ferraton.fr
r.-v.

GUYOT Le Millepertuis 2005

10 ha 50 000 5 à 8 €

Il faudra carafer ce vin avant de le déguster. Fermé de prime abord, il révèle à l'aération des notes de fruits rouges surmûris, de cuir et d'épices. Très frais à l'attaque, il plaît ensuite par sa rondeur et reste équilibré jusqu'à la finale chaleureuse.
Guyot, 230, rte des Fontaines, 69440 Taluyers, tél. 04.78.48.70.54, fax 04.78.48.77.31, e-mail contact@guyot-gourmet.com
t.l.j. sf dim. 7h30-12h 13h30-17h

DOM. PHILIPPE ET VINCENT JABOULET 2005 *

1,2 ha 6 500 8 à 11 €

Philippe et Vincent Jaboulet se sont installés sur une partie du domaine de Collonge en 2005, après la vente de la maison familiale. Ce vin de pure marsanne est une vraie réussite : nez frais d'agrumes (citron, pamplemousse) et de miel, bouche souple et vive de bonne longueur. Un crozes savoureux pour un poisson d'eau douce à la chair délicate. Le **rouge 2005** est cité pour sa fraîcheur et ses notes de framboise et de grillé.
Philippe et Vincent Jaboulet, La Négociale, 26600 Mercurol, tél. 04.75.07.44.32, fax 04.75.07.44.06, e-mail jabouletphilippeetvincent@wanadoo.fr
r.-v.

PAUL JABOULET AÎNÉ Les Jalets 2005 *

n.c. 269 000 11 à 15 €

Les nouveaux acquéreurs de cette vénérable maison, fondée en 1834, ont choisi l'an dernier une double démarche environnementale et de certification. Ces Jalets (les galets roulés du terroir) offrent une bonne typicité de crozes : un nez intense de cassis, de vanille et d'épices, et une bouche souple et équilibrée aux tanins fondus. Une étoile également pour le **Domaine de Thalabert rouge 2005 (15 à 23 €)**, au boisé marqué, et pour le **Domaine Raymond Roure rouge 2005 (23 à 30 €)**, à l'élevage maîtrisé.
Paul Jaboulet Aîné, Les Jalets, RN 7, 26600 La Roche-de-Glun, tél. 04.75.84.68.93, fax 04.75.84.56.14, e-mail info@jaboulet.com
r.-v.
M. Frey

LES MEYSONNIERS 2006

n.c. 10 000 8 à 11 €

Depuis 1808, les Chapoutier sont présents dans la vallée du Rhône. En 1879, Polydon Chapoutier achète ses propres vignes, signant ainsi la naissance de ce qui allait devenir une des plus célèbres maisons, présente aujourd'hui dans de nombreuses appellations et même hors de France. Celle-ci reste néanmoins fidèle à ses terroirs d'origine et propose ici un vin dans chaque couleur. **Les Varonniers rouge 2005 (30 à 38 €)** sont cités. Le boisé intense nécessitera un à deux ans de garde pour se fondre. Ce 2006 blanc est en revanche déjà prêt à offrir ses arômes d'agrumes, de fruits mûrs et sa matière souple et grasse, rafraîchie par une pointe d'acidité.
M. Chapoutier, 18, av. Paul-Durand, BP 38, 26600 Tain-l'Hermitage, tél. 04.75.08.28.65, fax 04.75.08.81.70, e-mail chapoutier@chapoutier.com
t.l.j. 9h-12h30 14h-19h; dim. 10h-13h 14h-18h

DOM. MICHELAS-SAINT-JEMMS La Chasselière 2005 *

5 ha 9 000 11 à 15 €

Plantées sur un terroir d'alluvions fluvio-glaciaires et de galets roulés, des vignes de syrah trentenaires ont produit ce crozes-hermitage les deux pieds dans son appellation. Le fruit (rouge, confituré) vous accompagne tout au long de la dégustation. Les tanins fins et enrobés sont portés par une bonne acidité. La longue finale laisse entrevoir un potentiel de garde de deux ans.
Dom. Michelas-Saint-Jemms, Bellevue, Les Châssis, 26600 Mercurol, tél. 04.75.07.86.70, fax 04.75.08.69.80, e-mail michelas.st.jemms@wanadoo.fr r.-v.

DOM. MUCYN 2005

2,2 ha 12 000 8 à 11 €

Découvert en blanc l'an dernier, ce nouveau producteur installé en 2001 est sélectionné cette année pour son rouge. Cassis et réglisse se marient au nez. La bouche souple aux tanins ronds s'anime d'une pointe d'épices. Un crozes à boire sur un coq au vin.
Dom. Mucyn, quartier des Îles, 26600 Gervans, tél. et fax 04.75.03.34.52, e-mail mucyn@club-internet.fr r.-v.

DOM. DU MURINAIS Cuvée Vieilles Vignes 2005

4 ha 20 000 11 à 15 €

Bientôt dix ans que Luc Tardy vinifie en cave particulière. Est-on vieux à trente ans ? C'est en tout cas l'âge moyen des vignes à l'origine de cette cuvée élevée un an en fût, qui livre des notes chaleureuses de fruits rouges, de kirsch et de vanille. Au palais, l'acidité vient soutenir les tanins et équilibrer la rondeur. Pour une daube de bœuf.
Dom. du Murinais, quartier Champ-Bernard, 26600 Beaumont-Monteux, tél. 04.75.07.34.76, fax 04.75.07.35.91, e-mail lltardy@aol.com r.-v.

DOM. DES REMIZIÈRES Cuvée particulière 2005 **

6 ha 25 000 8 à 11 €

Particulière, cette cuvée ? Par ses quinze mois de fût, peut-être, encore que cela ne soit pas si rare. En tout cas remarquable par son bouquet de fruits rouges et d'amande grillée porté par un boisé délicat. Au palais, le vin semble encore jeune avec son acidité et ses tanins fermes, mais quel potentiel ! On attendra deux ans que l'ensemble s'arrondisse et gagne en harmonie. La **cuvée Christophe blanc 2005 (11 à 15 €)**, intense et complexe (miel, fruits secs, fleurs blanches), au boisé bien intégré, reçoit une étoile.
Cave Desmeure, Dom. des Remizières, rte de Romans, 26600 Mercurol, tél. 04.75.07.44.28, fax 04.75.07.45.87, e-mail desmeure.philippe@wanadoo.fr r.-v.

ÉRIC ROCHER Chaubayou 2005

■ 2,8 ha 12 000 8 à 11 €

Depuis vingt ans, Éric Rocher sélectionne et défriche des terroirs nobles. Aujourd'hui à la tête d'un domaine de près de 25 ha, il propose un vin issu de vignes logiquement assez jeunes (douze ans), qui exprime à l'aération des notes florales, épicées et boisées (six mois d'élevage en fût). La bouche souple, aux tanins fins, évolue avec fraîcheur vers une finale encore un peu austère. Une petite garde devrait permettre d'arrondir les angles.

Éric Rocher, Dom. de Champal, quartier Champal, 07370 Sarras, tél. 04.78.34.21.21, fax 04.78.34.30.60, e-mail vignobles.rocher@wanadoo.fr r.-v.

CAVE DE TAIN Les Hauts de Pavières 2005 *

■ n.c. 120 000 5 à 8 €

Les caves de Rasteau et de Tain se sont associées il y a quinze ans pour créer cette structure de vente à destination des grandes et moyennes surfaces. La quantité ne nuit en aucune façon à la qualité dans leur production, comme le montre ce 2005 chaleureux et gourmand, au nez de cerise à l'eau-de-vie, réussissant en bouche un heureux mariage entre les tanins, l'alcool et l'acidité. À carafer et à servir sur une viande braisée. La cuvée **Les Perdrigolles blanc 2006**, fraîche, aux notes d'agrumes, obtient la même note.

Les Vignerons de Rasteau et de Tain-l'Hermitage, rte des Princes-d'Orange, 84110 Rasteau, tél. 04.90.10.90.10, fax 04.90.46.16.65, e-mail vrt@rasteau.com r.-v.

CHARLES ET FRANÇOIS TARDY
Les Machonnières 2005 *

■ 4 ha 7 400 11 à 15 €

Ce domaine dispose de 26 ha en crozes-hermitage. C'est dire s'il connaît son sujet, comme le prouve le coup de cœur obtenu l'an dernier. Grenat intense à reflets violacés, ce 2005 exprime au nez les fruits noirs sur fond boisé. Les tanins encore un peu fermes demandent deux ans pour s'adoucir, mais tout le potentiel est là. La cuvée **Les Pends blanc 2005** (deux tiers marsanne, un tiers roussanne) est citée pour son bouquet floral et toasté ainsi que pour son bel équilibre.

Dom. des Entrefaux, quartier de La Beaume, 26600 Chanos-Curson, tél. 04.75.07.33.38, fax 04.75.07.35.27, e-mail entrefaux@wanadoo.fr t.l.j. sf dim. 9h-12h 14h-18h; sam. sur r.-v.

Tardy

J. VIDAL-FLEURY 2005 *

■ 9 ha 46 000 8 à 11 €

Cette maison, fondée en 1781, a donné un banquet mémorable en l'honneur de Thomas Jefferson en 1787. Ce 2005, vin gourmand, flatteur, offre une belle expression de la syrah, sans trop d'extraction ni de boisé. Souple et friande, sa bouche se prélasse sur un lit de tanins fondus.

J. Vidal-Fleury, 19, rte de la Roche, 69420 Ampuis, tél. 04.74.56.10.18, fax 04.74.56.19.19, e-mail vidal-fleury@wanadoo.fr r.-v.

LES VINS DE VIENNE Les Palignons 2005 **

■ n.c. n.c. 15 à 23 €

Cette maison de négoce a un pied dans de nombreuses appellations de la vallée du Rhône septentrionale. Cela fait beaucoup de pieds, mais surtout de bons vins, à l'image de ce 2005 à la robe profonde et violacée, au nez complexe associant les fruits rouges, la vanille et les notes de torréfaction. L'attaque souple et veloutée ouvre sur une matière ample et grasse au boisé bien fondu. À servir dans un an sur une pièce de gibier un peu relevée.

Les Vins de Vienne, 1108, rte de Roche-Couloure, Le Bas-Seyssuel, 38200 Seyssuel, tél. 04.74.85.04.52, fax 04.74.31.97.55, e-mail vdv@lesvinsdevienne.fr r.-v.

Hermitage

Le coteau de l'Hermitage, très bien exposé au sud, est situé au nord-est de Tain-l'Hermitage. La culture de la vigne y remonte au IV^e^s. av. J.-C., mais on attribue l'origine du nom de l'appellation au chevalier Gaspard de Sterimberg qui, revenant de la croisade contre les Albigeois en 1224, décida de se retirer du monde. Il édifia un ermitage, défricha et planta de la vigne.

L'appellation couvre 135 ha. Le massif de Tain est constitué à l'ouest d'arènes granitiques, terrain idéal pour la production de vins rouges (les Bessards). Dans les parties est et sud-est, formées de cailloutis et de lœss, se trouvent les zones ayant vocation à produire des vins blancs (les Rocoules, les Murets).

L'hermitage rouge (3 626 hl en 2006) est un vin tannique, extrêmement aromatique, qui demande un vieillissement de cinq à dix ans, voire vingt ans, avant de développer un bouquet d'une richesse et d'une qualité rares. C'est donc un très grand vin de garde, que l'on servira entre 16 °C et 18 °C, sur le gibier ou les viandes rouges goûteuses. L'hermitage blanc (1 209 hl) – roussanne, et surtout marsanne – est un vin très fin, peu acide, souple, gras et parfumé. Il peut être apprécié dès la première année, mais atteindra son plein épanouissement après un vieillissement de cinq à dix ans. Cependant les grandes années, en blanc comme en rouge, peuvent supporter un vieillissement de trente ou quarante ans.

DOM. BELLE 2004

□ 0,5 ha 1 900 30 à 38 €

Un assemblage d'un tiers de roussanne et de deux tiers de marsanne. L'élevage de dix-huit mois en barrique a donné à ce vin un nez puissant marqué par un boisé vanillé. La bouche attaque sur la souplesse, atteignant l'équilibre entre le gras et l'acidité sur des notes miellées, avant une finale empreinte d'une pointe d'amertume due à l'élevage. Deux ans de garde au moins seront nécessaires pour que cette bouteille atteigne sa plénitude.

Philippe Belle, Dom. Belle, Les Marsuriaux, 26600 Larnage, tél. 04.75.08.24.58, fax 04.75.07.10.58, e-mail domaine-belle@wanadoo.fr r.-v.

M. CHAPOUTIER Les Greffieux 2005 ★★

■ n.c. 3 600 + de 76 €

2005 restera sans nul doute comme un grand millésime pour la maison Chapoutier. Produite en biodynamie, comme tous les vins de la maison, cette cuvée affiche un fruité impressionnant (fruits rouges confiturés) et une matière imposante, discrètement marquée par l'élevage, aux tanins fins et soyeux. La finale, bien équilibrée, revient longuement sur les fruits. À déboucher dans cinq ans, et pour de nombreuses années encore. **Le Méal rouge 2005**, au bon potentiel, encore marqué par son élevage aujourd'hui, décroche une étoile. Pour patienter, on dégustera la cuvée **Monier de la Sizeranne rouge 2005 (38 à 46 €)**, citée.

M. Chapoutier, 18, av. Paul-Durand, BP 38,
26600 Tain-l'Hermitage, tél. 04.75.08.28.65,
fax 04.75.08.81.70, e-mail chapoutier@chapoutier.com
t.l.j. 9h-12h30 14h-19h; dim. 10h-13h 14h-18h

M. CHAPOUTIER De l'Orée 2005 ★★

n.c. 9 300 + de 76 €

Si le coup de cœur s'affiche en rouge cette année chez Chapoutier, les vins blancs sont loin d'être en reste comme le prouve cette cuvée de pure marsanne pleine de classe, couleur jaune paille, qui développe un bouquet d'une grande complexité mêlant le miel, les fleurs blanches et les fruits mûrs. La fraîcheur et le gras trouvent un équilibre parfait, conférant à cet ensemble un potentiel de garde certain. La cuvée **Chante-Alouette 2005 (30 à 38 €)**, appréciée pour son gras, sa vivacité, sa minéralité et ses notes de tabac blond, reçoit aussi deux étoiles.

M. Chapoutier, 18, av. Paul-Durand, BP 38,
26600 Tain-l'Hermitage, tél. 04.75.08.28.65,
fax 04.75.08.81.70, e-mail chapoutier@chapoutier.com
t.l.j. 9h-12h30 14h-19h; dim. 10h-13h 14h-18h

YANN CHAVE 2005

■ 1,2 ha 5 600 46 à 76 €

Bernard Chave a transmis son domaine à son fils Yann en 1996. Ce 2005, bien dans la lignée du millésime, exprime des arômes de fruits rouges associés à des notes de cacao, d'épices et de tabac. La bouche puissante est encore marquée par l'élevage, avec sa trame de tanins serrée et sa finale sur une pointe d'amertume. Il faudra laisser ce vin s'arrondir et s'harmoniser en cave pendant quelques années (quatre à six ans).

Yann Chave, La Burge, 26600 Mercurol,
tél. 04.75.07.42.11, fax 04.75.07.47.34,
e-mail chaveyann@yahoo.fr

DOM. JEAN-LOUIS CHAVE 2004 ★★★

■ n.c. n.c. + de 76 €

Ce 2004 est le dixième coup de cœur du domaine dans cette appellation. On pourrait presque dire que la question n'est plus de savoir s'il va en obtenir un, mais plutôt si ce sera pour le rouge ou le blanc... Ce vin vous entraîne dans un voyage sur la route de la soie, à la rencontre de joyaux orientaux comme Samarkand. La vue sur la robe profonde est éblouissante, les senteurs raffinées : petits fruits, fleurs et note de cuir. La bouche, d'un toucher délicat, étoffe de tanins fins, se déroule en finale sans qu'on en voit le bout. Un hermitage réellement exceptionnel.

Jean-Louis Chave, 37, av. du Saint-Joseph,
07300 Mauves, tél. 04.75.08.24.63, fax 04.75.07.14.21

DOM. JEAN-LOUIS CHAVE 2004 ★★

n.c. n.c. + de 76 €

Ce vin est de la race des seigneurs. Il s'impose sans écraser, laissant chacun de ses composants s'exprimer tout en maintenant une heureuse harmonie tout au long de la dégustation. Le bouquet complexe livre des notes florales, acacia, rose et genêt, accompagnées d'une fraîcheur mentholée. La bouche est grasse et puissante, mais très équilibrée.

Jean-Louis Chave, 37, av. du Saint-Joseph,
07300 Mauves, tél. 04.75.08.24.63, fax 04.75.07.14.21

DOM. DU COLOMBIER 2004 ★

■ 1,6 ha 8 000 38 à 46 €

Ce domaine établi sur 16 ha propose un 2004 issu de vieilles vignes d'une soixantaine d'années. Son bouquet intense marie les fruits noirs, les notes animales (cuir) et les épices. On retrouve cette palette aromatique en bouche, sur une matière ample aux tanins serrés mais soyeux et porteurs d'avenir. Attendre au moins cinq ans avant de songer au gibier à plume.

SCEA Viale, Dom. du Colombier, Les Chenets,
26600 Mercurol, tél. 04.75.07.44.07, fax 04.75.07.41.43
r.-v.

DELAS Marquise de la Tourette 2004

■ 9 ha 17 100 30 à 38 €

Cette maison fondée en 1835 veille sur 10 ha d'hermitage. Sa Marquise s'habille en rouge et en blanc. En rouge, elle offre des senteurs de fruits confiturés (fraise et mûre), dans un ensemble souple et plein de fraîcheur. Elle est prête à faire son entrée dans le monde. En **blanc 2004 (23 à 30 €)**, elle affiche sans complexe un peu de gras et de délicates notes miellées.

Delas Frères, ZA de l'Olivet,
07300 Saint-Jean-de-Muzols, tél. 04.75.08.60.30,
fax 04.75.08.53.67, e-mail france@delas.com
r.-v.
Champagne Deutz

FAYOLLE FILS ET FILLE Les Dionnières 2005 ★

■ 0,5 ha 1 500 23 à 30 €

Le fils, c'est Laurent, œnologue, qui veille sur les vins ; la fille, c'est Céline, qui assure les tâches administratives et commerciales. Ce 2005, plein de franchise, aux notes de fruits rouges concentrés et de toasté, est très séduisant. Les tanins sont encore présents mais racés, et la finale harmonieuse. **Les Dionnières blanc 2005 (15 à 23 €)**, exprimant en finesse les fleurs blanches et le miel, reçoit la même note. Deux bouteilles qui méritent de vieillir.

Cave Fayolle Fils et Fille, 9, rue du Ruisseau, 26600 Gervans, tél. 04.75.03.33.74, fax 04.75.03.32.52, e-mail laurent@cave-fayolle.com r.-v.

FERRATON PÈRE ET FILS Le Méal 2005 ★★

■ 0,8 ha 2 700 46 à 76 €

Depuis 1994, Samuel Ferraton, représentant la quatrième génération de vignerons, est aux commandes de ce domaine qui travaille en partenariat avec la maison Chapoutier depuis 1998. Sa cuvée Le Méal joue dans la cour des grands. Parée d'une robe pourpre dense, nette et sombre, elle arbore un nez au boisé présent et à la fraîcheur vivifiante. Sa bouche, à l'attaque franche, est structurée, ample, parfumée de notes de fruits noirs, d'olive et de tabac. À garder au moins cinq ans en cave. La cuvée **Le Reverdy blanc 2005 (30 à 38 €)**, florale et miellée, saura bien vieillir et reçoit également deux étoiles. La cuvée **Les Dionnières rouge 2005 (30 à 38 €)**, une étoile, a besoin de mûrir.

Ferraton Père et Fils, 13, rue de la Sizeranne, 26600 Tain-l'Hermitage, tél. 04.75.08.59.51, fax 04.75.08.81.59, e-mail sferraton@ferraton.fr r.-v.

PAUL JABOULET AÎNÉ
La Petite Chapelle 2004 ★★

■ n.c. 28 000 30 à 38 €

La chapelle Saint-Christophe domine le vignoble en terrasses de l'Hermitage. Elle est emblématique de l'appellation, tout comme la cuvée **La Chapelle rouge 2004 (plus de 76 €)**, tout en fruits, aux tanins fins et soyeux, qui reçoit une étoile. La « Petite » pourra quant à elle faire l'objet d'un plaisir immédiat tout en ayant un potentiel de garde. Très expressive, elle marie au nez les fruits mûrs et les notes animales, et affiche au palais une rondeur et un gras remarquables, avant une longue finale sur la réglisse.

Paul Jaboulet Aîné, Les Jalets, RN 7, 26600 La Roche-de-Glun, tél. 04.75.84.68.93, fax 04.75.84.56.14, e-mail info@jaboulet.com r.-v.

Frey

PAUL JABOULET AÎNÉ
Le Chevalier de Sterimberg 2005 ★★

□ 5 ha 17 000 30 à 38 €

Ce Chevalier reste fidèle à sa (grande) réputation. Le nez fin et d'une grande complexité n'en finit plus de décliner ses arômes : abricot, coing, mangue, miel... La bouche intense au boisé fondu affiche une richesse bien équilibrée par une pointe d'acidité. Finale d'une longueur remarquable. À ne pas ouvrir avant cinq ans.

Paul Jaboulet Aîné, Les Jalets, RN 7, 26600 La Roche-de-Glun, tél. 04.75.84.68.93, fax 04.75.84.56.14, e-mail info@jaboulet.com r.-v.

DOM. DES MARTINELLES 2005

□ 0,25 ha 1 485 23 à 30 €

Une cuvée de marsanne que l'on pourrait qualifier de moderne, tant dominent les notes grillées et vanillées de l'élevage. La matière est néanmoins présente, complexe, introduite par une attaque non dénuée de fraîcheur. À attendre deux ou trois ans.

Dom. des Martinelles, 2, rte des Vignes, 26600 Gervans, tél. et fax 04.75.07.70.60, e-mail contacts@domaine-des-martinelles.fr r.-v.

DOM. DES REMIZIÈRES Cuvée Émilie 2005 ★

■ 2 ha 9 000 30 à 38 €

L'étiquette de cette cuvée a changé, mais on ne pourra pas vous la montrer ; après trois coups de cœur consécutifs, Émilie revient cette année avec une étoile. Très jeune et marquée par le bois, elle ne s'exprime pas encore pleinement. Le jury lui reconnaît néanmoins toutes les qualités pour devenir une grande : nez complexe (fruits noirs, épices et boisé), équilibre général et surtout persistance impressionnante. Il faudra attendre au moins cinq ans pour qu'elle se révèle.

Cave Desmeure, Dom. des Remizières, rte de Romans, 26600 Mercurol, tél. 04.75.07.44.28, fax 04.75.07.45.87, e-mail desmeure.philippe@wanadoo.fr r.-v.

Cornas

En face de Valence, l'appellation (111 ha 01 a déclarés en 2006) s'étend sur la seule commune de Cornas. Les sols, en pente assez forte, sont composés d'arènes granitiques, maintenues en place par des murets. Avec des rendements faibles (30 hl/ha), le cornas (3 961 hl) est un vin rouge viril, charpenté, qu'il faut faire vieillir au moins trois années (mais il peut attendre parfois beaucoup plus) afin qu'il puisse exprimer ses arômes fruités et épicés sur viandes rouges et gibiers.

LES ARLETTES 2005 ★★

■ 1 ha 700 30 à 38 €

Née d'une collaboration entre Mathieu Barret, propriétaire de la parcelle située au lieu-dit Les Arlettes, et la maison Brotte, cette cuvée confidentielle n'en est pas moins remarquable. Si le nez est encore un peu fermé, la bouche séduit par sa matière riche et structurée et ses

tanins fins et mûrs. Un vin élégant, plein de personnalité et bien typé cornas, déjà agréable à boire, mais que vous pourrez naturellement attendre un peu.
🔑 Brotte, Le Clos, rte d'Avignon, BP 1, 84231 Châteauneuf-du-Pape Cedex, tél. 04.90.83.70.07, fax 04.90.83.74.34, e-mail brotte@brotte.com
☑ Ɪ ✶ t.l.j. 9h-12h 14h-18h

M. CHAPOUTIER 2004 ★★

■ n.c. 6 000 15 à 23 €

Étiquette traduite en braille, vin bien structuré : une cuvée de la maison Chapoutier. Côté arômes, on retrouve le cassis et la griotte, au nez comme en bouche. Le boisé est bien fondu et les tanins mûrs contribuent à l'harmonie de l'ensemble. Un cornas de grande classe, à un prix très intéressant, que l'on pourra commencer à boire.
🔑 M. Chapoutier, 18, av. Paul-Durand, BP 38, 26600 Tain-l'Hermitage, tél. 04.75.08.28.65, fax 04.75.08.81.70, e-mail chapoutier@chapoutier.com
☑ Ɪ ✶ t.l.j. 9h-12h30 14h-19h; dim. 10h-13h 14h-18h

DOM. CLAPE 2005 ★★

■ 4 ha 16 000 ⊕ 38 à 46 €

Ce domaine, appartenant à la même famille depuis plus de deux cent cinquante ans, a souvent changé de nom au gré des transmissions par les branches féminines : Frugier, Rousset, Clape. C'est l'un des domaines phares du vignoble français, qui exporte près des trois quarts de sa production aux quatre coins du monde. Élevé vingt mois en foudres, ce jeune 2005 se présente dans une robe brillante d'un magnifique rouge profond. Le nez exprime des arômes de fraises confiturées bien rafraîchis par une touche de minéralité. La bouche, encore fermée, est déjà tout en puissance et en générosité contenue. Un vin à laisser vieillir tranquillement en cave pendant plusieurs années.
🔑 SCEA Dom. Clape, 146, rte Nationale, 07130 Cornas, tél. 04.75.40.33.64, fax 04.75.81.01.98
Ɪ ✶ r.-v.

DOM. COURBIS La Sabarotte 2005 ★★

■ 1,5 ha n.c. ⊕ 38 à 46 €

Créé au XVIe s., ce domaine exploite une trentaine d'hectares de vignes. Sa cuvée Sabarotte, élevée dix-huit mois en fût, se présente dans une robe d'un rouge-violet foncé, presque noir. Si le boisé est bien présent au nez comme en bouche, il ne domine jamais et se fond élégamment dans la matière. Les tanins structurent le palais, sans agressivité. Un élevage maîtrisé pour ce vin, moderne, qui respecte le terroir ; il devra attendre quelques années avant de passer à table sur une pièce d'agneau grillé.
🔑 Dom. Courbis, rte de Saint-Romain, 07130 Châteaubourg, tél. 04.75.81.81.60, fax 04.75.40.25.39, e-mail domaine.courbis@numeo.fr
☑ Ɪ ✶ t.l.j. sf dim. 9h-12h 14h-18h; sam. sur r.-v.

ÉRIC ET JOËL DURAND Empreintes 2005

■ 3 ha 12 000 ⊕ 23 à 30 €

Cette cuvée porte bien son nom, car elle a en effet gardé l'empreinte de son millésime. 2005 fut chaud ici, et ce vin en garde la trace dans sa finale encore un peu tannique. Discret au nez, il se montre néanmoins très dense en bouche, bien équilibré par l'acidité et digne de son appellation. Quelques années de garde permettront à ses tanins de s'arrondir.
🔑 Éric et Joël Durand, 2, imp. de la Fontaine, 07130 Châteaubourg, tél. 04.75.40.46.78, fax 04.75.40.29.77, e-mail ej.durand@wanadoo.fr
☑ Ɪ ✶ r.-v.

DOM. JOHANN MICHEL 2005 ★

■ 1,63 ha 5 400 ⊕ 15 à 23 €

L'arrière-grand-père de Johann Michel fut à l'origine de la reconnaissance de l'appellation. On ne s'étonnera donc pas si ce vin est bien typé cornas. Pas tant pour son nez, encore fermé (même si les fruits mûrs sont en embuscade), que pour sa bouche généreuse aux tanins souples et son boisé fondu. La longue finale achève de convaincre de la qualité de ce millésime que l'on pourra boire un peu jeune sur une viande grillée, mais que l'on attendra plus sûrement quelques années pour un gibier.
🔑 Dom. Johann Michel, 52, Grande-Rue, 07130 Cornas, tél. et fax 04.75.40.56.43, e-mail johann-michel@wanadoo.fr
☑ Ɪ ✶ t.l.j. 9h-12h 13h-19h

DOM. VINCENT PARIS
Granit 60 Vieilles Vignes 2005

■ 0,8 ha 4 000 ▮⊕ 23 à 30 €

Parti de 1 ha de vignes repris au grand-père il y a dix ans, ce domaine s'est bien développé pour atteindre aujourd'hui près de 6 ha. « Granit », c'est le terroir ; « 60 », l'âge moyen des pieds de syrah qui ont produit cette cuvée au nez boisé et fumé. La bouche joue tout en finesse sur des tanins légers et des notes florales. À boire ou à garder un peu.
🔑 Vincent Paris, chem. des Peyrouses, 07130 Cornas, tél. 04.75.40.13.04, fax 04.75.80.03.24, e-mail vinparis@wanadoo.fr ☑ Ɪ ✶ r.-v.

LES VINS DE VIENNE Les Barcillants 2004 ★

■ n.c. n.c. ⊕ 23 à 30 €

Sous la robe rouge carmin soutenu, le nez intense et franc mêle les notes de réglisse et de sous-bois à une pointe minérale (silex). Les fruits à noyaux (cerise noire, prune) viennent compléter en bouche la palette aromatique, parfumant une matière ronde aux tanins présents mais bien enveloppés. À ouvrir dans deux ans sur un civet de lièvre.
🔑 Les Vins de Vienne, 1108, rte de Roche-Couloure, Le Bas-Seyssuel, 38200 Seyssuel, tél. 04.74.85.04.52, fax 04.74.31.97.55, e-mail vdv@lesvinsdevienne.fr ☑ Ɪ ✶ r.-v.

ALAIN VOGE Les Vieilles Fontaines 2004 ★

■ 1 ha 3 000 ⊕ 38 à 46 €

Ce 2004 sort d'un élevage de vingt-quatre mois en fût ; il semble normal que des notes boisées, toastées, torréfiées apparaissent au nez, sans toutefois dominer, laissant les fruits à l'eau-de-vie s'exprimer. La bouche attaque en souplesse, puis développe une matière riche et puissante, structurée par des tanins d'élevage bien enrobés, avant une longue finale. Une belle expression de syrah, un vrai cornas à garder deux ans au moins avant de le servir sur une gigue de chevreuil.
🔑 Dom. Alain Voge, 4, imp. de l'Équerre, 07130 Cornas, tél. 04.75.40.32 04, fax 04.75.81.06.02, e-mail contact@alain-voge.com
☑ Ɪ ✶ t.l.j. sf dim. 8h-18h, sam. sur r.-v.

Saint-péray

Situé face à Valence, le vignoble de Saint-Péray (70,50 ha, 2 299 hl en 2006) est dominé par les ruines du château de Crussol. Un microclimat relativement plus froid et des sols plus riches que dans le reste de la région sont favorables à la production de vins plus acides, secs et moins riches en alcool, remarquablement bien adaptés à l'élaboration de blanc de blancs par la méthode traditionnelle. C'est d'ailleurs la principale production de l'appellation, et l'un des meilleurs vins effervescents de France. On y trouve aussi des vins blancs secs tranquilles.

BIGUET Brut 2004

3 ha 15 000 5 à 8 €

Le brut du Biguet va finir par devenir un rendez-vous au chapitre saint-péray du Guide. Cet effervescent élaboré uniquement avec de la marsanne se présente dans une robe jaune pâle brillante. La mousse ainsi que les bulles sont fines. Le nez de citron et de noisette est plein de vivacité. La bouche, minérale, affirme le terroir. Un vin complet et harmonieux. Le **saint-péray tranquille 2005** est cité pour ses notes de fleurs blanches et d'agrumes.

Jean-Louis et Françoise Thiers,
Dom. du Biguet, quartier Biguet, 07130 Toulaud,
tél. 04.75.40.49.44, fax 04.75.40.33.03 r.-v.

DOM. BERNARD GRIPA Les Figuiers 2005

1,5 ha 6 000 15 à 23 €

Des coups de cœur, il n'y en eut pas beaucoup en saint-péray, mais Bernard Gripa en compte pourtant déjà deux à lui tout seul. Il revient cette année avec un 2005 plus modeste mais bien vinifié, élaboré avec 50 % de roussanne et 50 % de marsanne. Le passage en fût lui donne un côté beurré, grillé, associé à des notes de poivre et de clou de girofle. Franche d'attaque, la bouche se développe ensuite sur des arômes de noisette, dans un ensemble marqué par la minéralité du terroir. Prêt à boire sur un poisson aux épices.

Bernard Gripa, 5, av. Ozier, 07300 Mauves,
tél. 04.75.08.14.96, fax 04.75.07.06.81 r.-v.

CAVE DE TAIN 2005

n.c. 60 000 5 à 8 €

La cave coopérative propose cette cuvée assemblant marsanne (70 %) et roussanne, élevée un an sous chêne, qui a besoin de vieillir car pour l'instant le grillé et le fumé s'imposent. Ce vin ne manque pour autant pas de finesse, avec ses notes de muscat et de caramel et sa bouche grasse et de bonne longueur. À découvrir dans deux ans.

Cave de Tain-l'Hermitage, 22, rte de Larnage,
26603 Tain-l'Hermitage Cedex, tél. 04.75.08.20.87,
fax 04.75.07.15.16, e-mail contact@cavedetain.com
r.-v.

DOM. DU TUNNEL 2005 ★★

1 ha 1 400 11 à 15 €

Les rangs de vigne ont heureusement remplacé ici les voies ferrées. Ne subsiste de ce passé ferroviaire qu'un ancien tunnel de pierre, représenté de façon stylisée sur l'étiquette. La roussanne pure (50 % de fût, 50 % de cuve) donne un vin fruité (pêche blanche, abricot) agrémenté de notes de girofle et de vanille. La structure est solide mais ne manque pas de finesse, créant un ensemble très plaisant. La **Cuvée Prestige 2005**, au bouquet de noisette, de pâte d'amandes et de cannelle, est puissante mais manque encore d'harmonie. À attendre ; elle reçoit une étoile.

Stéphane Robert,
Dom. du Tunnel, 20, rue de la République,
07130 Saint-Péray, tél. 04.75.80.04.66,
fax 04.75.80.06.50,
e-mail domaine-du-tunnel@wanadoo.fr
t.l.j. sf dim. 10h-12h 14h-19h;
f. 1re sem. d'août; sept. sur r.-v.

LES VINS DE VIENNE Les Bialères 2005 ★★

n.c. n.c. 11 à 15 €

Marsanne (60 %) et roussanne se complètent harmonieusement pour offrir ce vin jaune pâle, au nez intense et complexe mêlant la noisette, le miel, la réglisse et l'amande. Au palais, le gras et l'acidité font bon ménage sur des notes vanillées et grillées (douze mois d'élevage en fût). Un vin très long et déjà agréable, mais qui a aussi la concentration pour attendre.

Les Vins de Vienne,
1108, rte de Roche-Couloure, Le Bas-Seyssuel,
38200 Seyssuel, tél. 04.74.85.04.52, fax 04.74.31.97.55,
e-mail vdv@lesvinsdevienne.fr r.-v.

ALAIN VOGE Cuvée boisée 2005 ★★

1 ha 5 000 11 à 15 €

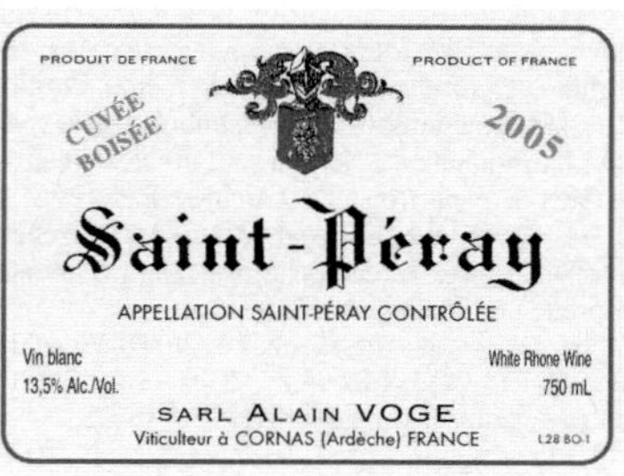

Marsanne à 100 %, cette cuvée ne trahit pas son nom. Boisée ? Certes, les douze mois en fût ont laissé à ce vin plus que des souvenirs, mais l'élevage est superbement maîtrisé et lui confère richesse, structure et puissance. Le miel et la fleur blanche s'expriment au nez et une touche minérale vient judicieusement rafraîchir et équilibrer la bouche. À ouvrir dans trois ou quatre ans, quand le boisé sera totalement fondu et l'harmonie parfaite.

Dom. Alain Voge, 4, imp. de l'Équerre,
07130 Cornas, tél. 04.75.40.32.04, fax 04.75.81.06.02,
e-mail contact@alain-voge.com
t.l.j. sf dim. 8h-18h, sam. sur r.-v.

Vinsobres

L'appellation a été reconnue par le décret du 17 février 2006. Elle concerne uniquement les vins rouges nés sur la commune de Vinsobres, dans la Drôme, délimitée sur une superficie de 1 387 ha. C'est la quinzième AOC locale. En 2006, la déclaration s'étendait sur 386 ha pour 14 333 hl soit 37 hl/ha de moyenne.

Les vins doivent provenir d'un assemblage d'au moins deux cépages principaux dont le grenache qui doit représenter 50 % minimum ; la syrah et/ou le mourvèdre devant atteindre 25 % minimum à l'horizon 2015.

DOM. DU CORIANÇON 2004 *

■ 4,3 ha 15 000 ▮ 5 à 8 €

Un domaine familial, certainement parmi les plus anciens de la région. Dans ce 2004, les fruits mûrs (cerise noire) s'expriment sur un fond d'épices douces. La bouche puissante mais équilibrée retrouve ces arômes qu'elle exprime longuement dans une finale agréable. Le **Haut des Côtes 2004 (11 à 15 €)** a connu le fût pendant dix mois. Les notes torréfiées se mêlent aux fruits frais. Intense, la bouche n'oublie jamais la fraîcheur ni la finesse. Une étoile également.

François Vallot, Dom. du Coriançon, Hauterives, 26110 Vinsobres, tél. 04.75.26.03.24, fax 04.75.26.44.67, e-mail fvallot@domainevallot.com ☑ Y t.l.j. sf dim. 9h-12h 14h-19h

DOM. JAUME Cuvée du centenaire 2005 **

■ 1 ha 2 000 15 à 23 €

Cette cuvée à l'étiquette sépia célèbre l'anniversaire de l'exploitation dans une robe profonde et élégante. Viennent ensuite les fruits, en particulier le cassis, alliés à un vanillé bien fondu. Le duo joue la même partition en bouche, sur des tanins arrondis équilibrés par la vivacité. Un vin harmonieux à l'élevage parfaitement maîtrisé, à boire dans deux ou trois ans. La cuvée **Référence 2004 (8 à 11 €)** se distingue par des notes torréfiées et légèrement fumées et décroche également deux étoiles. Déjà prête, elle accompagnera un civet.

Dom. Jaume, 24, rue Reynarde, 26110 Vinsobres, tél. 04.75.27.61.01, fax 04.75.27.68.40, e-mail cave.jaume@wanadoo.fr ☑ Y ☨ r.-v.

DOM. DU MOULIN Cuvée ++ 2004 **

■ 1,5 ha 6 000 5 à 8 €

Un ancien domaine mais une cave rénovée et surtout une longue histoire de famille : le père à la vigne, la mère au chai et un fils nouvellement arrivé sur l'exploitation, la tête pleine d'idées. Cuvée ++, un nom prédestiné pour ce vin qui obtient deux étoiles et un coup de cœur. La robe grenat précède d'intenses notes de fruits noirs et d'épices. Une pointe de grillé et l'on devine la richesse et la complexité qui s'installent. Tous ces arômes se retrouvent en bouche, agrémentés de notes de fruits rouges qui apportent de la fraîcheur. Une bonne structure, des tanins ronds et soyeux, et une longue finale complètent le tableau. Un vin harmonieux, à attendre un an. Les **Vieilles Vignes de Jean Vinson 2005** jouent sur le même registre. Les fruits noirs et les épices se mêlent ici au grillé, relevé d'une pointe poivrée, tandis que la bouche affiche une rondeur gourmande. Une étoile.

Denis Vinson, Dom. du Moulin, 26110 Vinsobres, tél. 04.75.27.65.59, fax 04.75.27.63.92 ☑ Y ☨ r.-v.

DOM. DE LA PÉQUÉLETTE Émile 2005 *

■ 4 ha 13 000 ▮ 5 à 8 €

2005, l'année de la sortie de la cave coopérative pour ce domaine déjà ancien. Premier essai concluant si l'on en croit les deux cuvées sélectionnées. La cuvée Émile assemble les cépages principaux dans un bouquet fruité intense. La bouche grasse s'appuie sur des tanins ronds. Un vin déjà prêt à boire. Quant aux **Muses 2005 (8 à 11 €)**, à dominante de syrah (80 %), elles révèlent en bouche des notes d'épices et de fruits noirs. Une étoile.

Cédric Guillaume-Corbin, Le Plan de Moye, 26110 Vinsobres, tél. 04.75.27.68.69, e-mail guillaumecorbin@wanadoo.fr ☑ Y ☨ r.-v.

PERRIN ET FILS Les Cornuds 2005

■ 20 ha 80 000 ▮ 5 à 8 €

Moitié syrah, moitié grenache plantés sur marnes caillouteuses, ce 2005 élevé pour un tiers en fût présente des notes de fruits rouges intenses. Rond et équilibré, le palais termine sur une note épicée. Un vin à boire maintenant ou à attendre un peu.

Perrin et Fils, La Ferrière, rte de Jonquières, 84100 Orange, tél. 04.90.11.12.00, fax 04.90.11.12.19, e-mail tperrin@vinsperrin.com ☑ Y ☨ r.-v.

CH. DE ROUANNE 2005 *

■ 4 ha 12 000 ▮ 8 à 11 €

Des vignes de trente-cinq ans sur argilo-calcaires, un assemblage de grenache (70 %), de syrah (25 %) et de mourvèdre ont donné ce vin à la robe pourpre profond. Le nez est marqué par des notes de cassis et de fruits à l'eau-de-vie. La bouche se montre plus fraîche, souple et équilibrée, s'offrant le luxe d'une finale sur une note de truffe. À boire dès maintenant sur un civet de lièvre.

Ch. de Rouanne, D 94, 26110 Vinsobres, tél. 04.75.27.77.40, fax 04.75.27.76.67, e-mail chateauderouanne@orange.fr ☑ Y ☨ t.l.j. 9h-12h 14h-18h

Lambert, Ferrentino

CAVE LA VINSOBRAISE Émeraude 2005 *

■ 4 ha 20 000 5 à 8 €

Une Émeraude rubis sombre à reflets violacés, ce n'est pas banal mais c'est pourtant la couleur de cette cuvée issue de grenache (60 %) et de syrah. Les fruits rouges et les épices se mêlent harmonieusement au boisé vanillé. L'équilibre, respecté par un élevage en fût maîtrisé, s'appuie sur des tanins marqués mais bien arrondis dans un ensemble plein de rondeur. Un vin à attendre un peu pour un meilleur fondu. Le **Diamant noir 2005**, élevé en cuve, aux notes de fruits rouges, est plus rond et souple. Déjà prêt à boire, il obtient également une étoile.

Cave coop. La Vinsobraise, 26110 Vinsobres, tél. 04.75.27.64.22, fax 04.75.27.66.59, e-mail infos@la-vinsobraise.com ✉ 🍷 🚶 r.-v.

Gigondas

Au pied des étonnantes Dentelles de Montmirail, le célèbre vignoble de Gigondas ne couvre que la commune de Gigondas et est constitué d'une série de coteaux et de vallonnements. La vocation viticole de l'endroit est très ancienne, mais son réel développement date du XIXes. (vignobles du Colombier et des Bosquets), sous l'impulsion d'Eugène Raspail. D'abord côtes-du-rhône, puis, en 1966, côtes-du-rhône-villages, gigondas obtient ses lettres de noblesse en tant qu'appellation spécifique en 1971. L'AOC couvre 1 233 ha déclarés en 2006 pour un volume de 40 345 hl.

Les caractéristiques du sol et son climat font que les vins de gigondas sont, dans une très grande proportion, des vins rouges à forte teneur en alcool, puissants, charpentés et bien équilibrés, tout en présentant une finesse aromatique où se mêlent épices et fruits à noyau. Bien adaptés au gibier, ils mûrissent lentement et peuvent garder leurs qualités pendant de nombreuses années. Il existe également quelques vins rosés, puissants et capiteux.

LA BASTIDE SAINT-VINCENT 2005 *

■ 5 ha 16 000 ▮ 8 à 11 €

Propriété familiale depuis la fin du XVIIIes., la Bastide Saint-Vincent occupe une place stratégique sur les coteaux argilo-calcaires, cernée par les crus vauclusiens de la vallée du Rhône et à deux pas de nombreux villages pittoresques, sans oublier les Dentelles de Montmirail. Richesse et complexité font la réussite de ce vin aux fines évocations de réglisse, de garrigue et d'eucalyptus. L'équilibre se réalise au palais, entre des tanins serrés, mais fins et une chair ronde qui s'épanouit progressivement pour faire la roue en finale sur des notes de fruits noirs (cassis).

Laurent Daniel,
La Bastide Saint-Vincent, rte de Vaison-la-Romaine, 84150 Violès, tél. 04.90.70.94.13, fax 04.90.70.96.13, e-mail bastide.vincent@free.fr
✉ 🍷 t.l.j. sf dim. 9h-12h 14h-18h30

DOM. DU BOIS DES MÈGES 2005 *

■ 0,5 ha 2 400 ▮ 🛢 8 à 11 €

Le domaine a connu une extension progressive depuis 1994, passant de 5 ha aux 18 ha actuels sur un plateau de molasses, de sables et de calcaires. Assemblage de grenache (80 %) et de syrah, son 2005 fait appel aux compétences de gastronomes pour définir ses arômes : épices multiples (vanille notamment) et fruits mûrs qui reviennent en finale avec persistance. De forte densité, le vin impose sa structure encore austère, mais le temps sera son allié et lui permettra de s'assagir.

Ghislain Guigue, Les Tappys, rte d'Orange, 84150 Violès, tél. 04.90.70.92.95, fax 04.90.70.97.39, e-mail meges@netcourrier.com ✉ 🍷 🚶 r.-v.

DOM. DES BOSQUETS 2004 *

■ 10 ha 27 000 ▮ 🛢 11 à 15 €

Depuis la tour à créneaux et le chemin de ronde de la bâtisse du XVIIe, le point de vue est remarquable sur la vallée du Rhône. Le domaine, qui s'étend sur les argiles bleues et les sables de deux plateaux, au pied des Dentelles de Montmirail, propose un 2004 de teinte foncée qui donne une juste idée de la concentration et de la maturité de la matière. Effectivement, ce sont de riches arômes qui s'expriment, rappelant les fruits confits et confiturés, ainsi que le cacao. Tout en rondeur dès l'attaque, la bouche se développe avec suavité, autour de tanins veloutés, et renoue en finale avec la palette aromatique perçue préalablement au nez. Un gigondas qui pourra s'accorder à un gâteau au chocolat.

Dom. des Bosquets, 84190 Gigondas, tél. 04.90.65.80.45, e-mail julien.brechet@famillebrechet.fr ✉ 🍷 🚶 r.-v.
Famille Brechet

DOM. LA BOUÏSSIÈRE 2005 **

■ 8 ha 25 000 🛢 11 à 15 €

La robe profonde annonce la concentration du vin. À la couleur noir violine répondent des arômes de fruits noirs et de chocolat noir. La bouche n'est pas en reste, puissante, ronde et d'une persistance remarquable sur les fruits épicés. À servir avec des plats relevés ou des viandes soulignées d'une sauce au poivre.

EARL Faravel, rue du Portail, 84190 Gigondas, tél. 04.90.65.87.91, fax 04.90.67.82.16, e-mail labouissiere@aol.com
✉ 🍷 🚶 t.l.j. 9h-12h 14h-19h

DOM. LA BOUSCATIÈRE 2005 **

■ 8 ha 30 000 8 à 11 €

Des sols argilo-calcaires caillouteux ont nourri les ceps quadragénaires de grenache, de mourvèdre et de syrah, dont le fruit a donné naissance à un gigondas aussi expressif qu'élégant. Vêtu d'une robe profonde, celui-ci livre un bouquet puissant et complexe de fruits rouges mûrs (cerise), de fleurs et d'épices avant d'emplir le palais d'une matière ronde et dense, héritage d'une vendange réalisée à parfaite maturité. La structure imposante s'enrobe de cette chair, tandis que les arômes se prolongent durablement sur des accents de kirsch du meilleur effet. Le **Domaine Le Péage 2005** obtient une citation.

🔑 Saurel-Chauvet, La Beaumette, 84190 Gigondas, tél. et fax 04.90.70.96.80, e-mail saurel-chauvet@wanadoo.fr ☑ 🍷 🚶 r.-v.

DOM. BRUSSET Les Hauts de Montmirail 2005 *

■ 8 ha 20 000 ▮ ⬮ 15 à 23 €

Deux frères, Daniel et Laurent Brusset, conduisent ce domaine créé par leur père en 1947, lorsqu'il quitta le système coopératif. Un plat raffiné à base de truffe, tel est l'accord que suggère un dégustateur, séduit par les arômes de garrigue et de fruits confits qui se libèrent à l'aération de ce vin presque noir. Franche en attaque, la bouche évolue avec puissance, s'appuyant sur des tanins fins qui laissent la part belle aux fruits et aux épices, puis à la réglisse et à la violette en finale. Un gigondas gourmand.

🔑 Dom. Brusset, Le Village, 84290 Cairanne, tél. 04.90.30.82.16, fax 04.90.30.73.31, e-mail domaine-brusset@wanadoo.fr ☑ 🍷 🚶 t.l.j. 10h-12h 14h-19h; f. jan.

BURLE Les Pallieroudas 2005 *

■ 1,29 ha 6 200 ▮ 8 à 11 €

Au hameau de La Baumette se trouve ce domaine familial de 20 ha qui vinifie dans deux chais le fruit de ses vendanges sur sol argilo-calcaire. Le grenache ne s'appuie que sur 15 % de mourvèdre dans ce vin étonnamment frais par ses évocations de fruits rouges. De la simplicité, diriez-vous ? Pas si sûr. Car la chair puissante et ronde témoigne de la concentration du raisin, sans jamais se départir du fruité qui contribue à son charme.

🔑 EARL Burle, La Beaumette, 84190 Gigondas, tél. 04.90.70.94.85, fax 04.90.70.94.61 ☑ 🍷 🚶 r.-v.

DOM. DE CABASSE 2004

■ 3 ha 10 110 ⬮ 11 à 15 €

L'Union européenne subventionne un projet intitulé *Growing Greener Grapes* auquel participe ce domaine de 20 ha, aux côtés de producteurs espagnols du Priorat. Alfred et Nicolas Haeni vous en diront plus si vous venez découvrir leur gigondas. Au bouquet naissant, un peu sauvage par ses tonalités animales, ses senteurs de champignon et de fruits des bois, répond une chair puissante et charpentée par des tanins encore un peu austères en finale. Laissez ce vin en cave deux ans au moins.

🔑 Dom. de Cabasse, 84110 Séguret, tél. 04.90.46.91.12, fax 04.90.46.94.01, e-mail info@cabasse.fr ☑ 🍷 🚶 r.-v.

🔑 Alfred Haeni

DOM. DE CASSAN 2005

■ 7,5 ha 28 000 ▮ ⬮ 8 à 11 €

En 1996, Marie-Odile Croset et son mari ont repris les rênes de ce domaine de 27 ha, sis au cœur des Dentelles de Montmirail. Un assemblage classique des trois cépages leur a permis d'obtenir ce gigondas marqué par les fruits rouges mûrs et une chair aussi ronde que puissante. La structure, encore bien perceptible, est suffisamment solide pour affronter le temps et donner au vin une chance de développer ses flaveurs de fruits à noyau, à ce jour encore discrètes au palais.

🔑 Dom. de Cassan, Lafare, 84190 Beaumes-de-Venise, tél. 04.90.62.96.12, fax 04.90.65.05.47, e-mail domainedecassan@wanadoo.fr ☑ 🍷 🚶 t.l.j. sf dim. 8h-12h 14h-19h

🔑 Famille Croset

DOM. DE LA CHAPELLE 2005 *

■ 7,5 ha 33 000 ▮ 8 à 11 €

« Domaine de La Chapelle » parce que le vignoble domine la chapelle Saint-Cosme-et-Saint-Damien bâtie au XII[e]s. En 2008-2009, vous pourrez déjà profiter de ce vin avec une viande agrémentée de champignons. Très généreux, celui-ci laisse s'épanouir des arômes d'épices et de fruits rouges, puis une chair suave dans laquelle les tanins réglissés jouent les discrets.

🔑 Christian Meffre, Dom. de La Chapelle, 84190 Gigondas, tél. 04.90.12 32.42, fax 04.90.12.35.40

DOM. LES CHÊNES BLANCS 2005 **

■ 9 ha 7 000 ▮ ⬮ 11 à 15 €

Une touche de clairette se glisse dans l'assemblage de grenache (50 %), de syrah et de mourvèdre. Résultat ? Un vin complexe et expressif, tout disposé à libérer son bouquet de fruits noirs mûrs, d épices douces, de garrigue et de cuir. À chaque gorgée se renouvelle la palette qui trouve en finale des accents de cacao et de réglisse. L'harmonie est remarquable entre la chair ample et des tanins veloutés. Pour un gibier.

🔑 Jean Roux, Dom. Les Chênes Blancs, 84190 Gigondas, tél. 04.90.65 85.04, fax 04.90.65.82.94 ☑ 🍷 r.-v.

DOM. DU COL SAINT-PIERRE 2004

■ 14 ha 10 000 ▮ ⬮ 8 à 11 €

Domaine familial depuis trois cents ans, le Col Saint-Pierre se situe à 4 km seulement des Dentelles de Montmirail. Six mois d'élevage en fût ont suffi à nuancer la palette de ce vin grenat : notes d'épices et de torréfaction complètent ainsi les arômes de fruits confits et de fruits à noyau. Au palais, le caractère charnu et puissant laisse une agréable sensation, même si la finale paraît encore austère. Un style traditionnel.

🔑 SCEA Col Saint-Pierre, rte de Vaison, 84190 Vacqueyras, tél. 04.90.65.86.53, fax 04.90.65.80.73 ☑ 🍷 r.-v. 🏠 Ⓔ

🔑 Raymond Bertrand

DOM. CROS DE LA MÛRE 2005

■ 1 ha 3 000 ▮ 15 à 23 €

Des reflets violets éclairent la robe pourpre, signe de la jeunesse de ce vin dont les arômes de fruits des bois et de myrtille s'allient à des nuances chocolatées typiques du grenache (80 %). La bouche apparaît dense, inscrite de tanins encore sensibles, mais qui promettent de se fondre à la faveur de deux à trois ans de garde. La finale de petits fruits des bois est, elle, déjà charmante.

🔑 EARL Michel et Fils, Dom. Cros de la Mûre, 84430 Mondragon, tél. 04.90.30.12.40, fax 04.90.30.46.58, e-mail crosdelamure@wanadoo.fr ☑ 🍷 🚶 r.-v.

LA FONT SEREINE 2005 *

■ 15 ha 33 000 ▮ 8 à 11 €

« La source qui ne tarit jamais », telle est la signification du nom de Font Sereine. Ce vin ne tarira pas d'arômes à la dégustation, rappelant les senteurs de garrigue qui enchantent les promeneurs autour des Dentelles de Montmirail. Quelques fruits noirs et une pointe de violette précèdent l'expression des fruits à noyau plus présents au palais. L'attaque est franche, les tanins veloutés, la chair puissante mais déjà agréable grâce à une certaine fraîcheur.

⊶ Famille Bréchet, La Font Sereine, 84190 Gigondas, tél. 04.90.83.70.31, fax 04.90.83.51.97, e-mail julien.brechet@famillebrechet.fr

DOM. LA FOURMONE Cuvée Cigaloun 2005 ★★

■ 3 ha 13 400 ▮ 11 à 15 €

Le cuvée Cigaloun est une valeur sûre en AOC gigondas. En témoignent ses mentions régulières dans le Guide et ce millésime 2005 de belle facture. Intensément marqué par les fruits noirs et la confiture de fruits rouges, celui-ci fait preuve d'équilibre entre une juste fraîcheur, des tanins bien proportionnés et une chair ronde qui exprime sa maturité par des accents de cerise noire et de pâte de fruits avant une finale réglissée.

⊶ Roger Combe et Filles,
Dom. La Fourmone, rte de Bollène,
84190 Vacqueyras, tél. 04.90.65.86.05,
fax 04.90.65.87.84, e-mail contact@fourmone.com
☑ Y t.l.j. sf dim. 9h30-12h 14h-18h;
ouv. dim. de Pâques à sept.

LA CAVE DES VIGNERONS DE GIGONDAS
Le Forlancier 2005 ★

■ n.c. 300 8 à 11 €

Un gigondas typé et puissant, qui exprime la maturité du raisin qui le compose par des arômes de fruits à l'eau-de-vie, de fruits mûrs, d'épices douces et de garrigue. Les tanins soutiennent solidement la chair ronde et ample, empreinte de flaveurs de cassis, de poivre et de cuir. Une étoile brille aussi pour la cuvée **La Font des Grières 2005** qui joue dans le registre des fruits rouges et de la violette, et qui se fait déjà charmeuse.

⊶ La Cave des Vignerons de Gigondas,
rte de Sablet, Les Blaches, 84190 Gigondas,
tél. 04.90.65.86.27, fax 04.90.65.80.13,
e-mail gigondas.lacave@wanadoo.fr ☑ Y ♿ r.-v.

DOM. DU GOUR DE CHAULÉ
Cuvée Tradition 2004 ★★

■ 4 ha 15 000 ▮ 🛢 11 à 15 €

Ce domaine de 10 ha, répartis sur pas moins de vingt-trois parcelles, est conduit depuis 1970 par des femmes. Aline Bonfils a assemblé le grenache (80 %) à la syrah et à une touche de mourvèdre pour composer cette cuvée remarquablement typée. Le nez puissant décline des arômes de fruits noirs et de fruits confits, agrémentés de notes de café et d'une pointe minérale. Au palais, la chair monte en puissance tout en développant des flaveurs de fruits mêlés de cacao et de garrigue, sans omettre la signature minérale. Les tanins fins apportent un soutien efficace à l'ensemble et assureront une bonne tenue pendant les quatre à cinq prochaines années.

⊶ SCEA Beaumet-Bonfils, Dom. du Gour de Chaulé,
84190 Gigondas, tél. 04.90.65.85.62,
fax 04.90.65.82.40, e-mail gourdechaule@free.fr
☑ Y ♿ r.-v.

DOM. DU GRAND BOURJASSOT
Cuvée Cécile 2005

■ 1,9 ha 8 500 ▮ 🛢 11 à 15 €

Quelques signes d'évolution apparaissent dans la robe grenat profond, tandis qu'au nez s'expriment intensément des arômes de fruits noirs, de fruits cuits et même confiturés, de fleurs et un léger boisé. Le vin a beau traduire la générosité du soleil dans sa chair enveloppante et ronde, il n'en garde pas moins une certaine fraîcheur. Ses flaveurs de fruits rouges (cerise) le rendent « à croquer ».

⊶ Pierre et Cécile Varenne,
GAEC Dom. du Grand Bourjassot, quartier Les Parties,
84190 Gigondas, tél. 04.90.65.88.80, fax 04.90.65.89.38
☑ Y t.l.j. 10h-12h 14h30-18h; f. jan.-mai

DOM. DU GRAND MONTMIRAIL
Cuvée Vieilles Vignes 2005

■ 8 ha 35 000 ▮ 11 à 15 €

60 ha d'un seul tenant dans un amphithéâtre, au pied du versant sud des Dentelles de Montmirail, à 350 m d'altitude. Grenache et syrah composent un vin aux arômes de garrigue intenses, de fruits frais, d'épices, nuancés d'une pointe de kirsch. Par sa souplesse et sa fraîcheur, ce gigondas pourra être servi dès maintenant avec un pâté de lièvre.

⊶ Dom. du Grand Montmirail, 84190 Gigondas,
tél. 04.90.62.94.28, fax 04.90.65.85.91
☑ Y ♿ t.l.j. sf sam. dim. 10h-12h 14h-18h; f. août
⊶ Denis Chéron

DOM. DU GRAPILLON D'OR 2005 ★★

■ 14,5 ha 54 000 ▮ 🛢 8 à 11 €

Le caveau a gardé des éléments typiques du XVIII[e]s., époque de construction de ce mas en pierre. Il réserve la surprise d'une collection de tire-bouchons réunie par Bernard Chauvet. Belle surprise aussi que ce 2005 élevé en foudre pendant un an, ni collé ni filtré. Aux senteurs de fruits et d'épices répond une chair toute ronde, douce et fruitée qui laisse une impression durable d'harmonie. La cuvée **Excellence 2005 (15 à 23 €)**, issue de vignes de soixante à quatre-vingts ans, obtient une étoile. Après aération, elle révèle des arômes d'épices, de fumé et de fruits. Une garde de deux ou trois ans lui sera favorable.

⊶ Bernard Chauvet,
Dom. du Grapillon d'Or, Le Péage, 84190 Gigondas,
tél. 04.90.65.86.37, fax 04.90.65.82.99,
e-mail c.chauvet@domainedugrapillondor.com
☑ Y ♿ r.-v.

DOM. LA HAUTE MARONE
Le Cœur du Mistral 2004 ★★

■ 3 ha 15 000 ▮ 8 à 11 €

Nul n'est prophète en son pays. Et c'est en vallée du Rhône méridionale que Paul Boutinot, négociant venu de Bourgogne Sud, se distingue grâce à ce gigondas aux arômes de fruits mûrs intenses, nuancés d'épices fines. L'expression du grenache domine en bouche, une chair ronde, empreinte de fruits noirs et de cacao tapissant les papilles. Un vin puissant qui s'accordera à une viande en sauce.

🔑 Paul Boutinot, La Roche, 71570 Saint-Vérand, tél. 03.85.23.05.40, fax 03.85.23.09.55

ALAIN JAUME Terrasses de Montmirail 2005 *

■ n.c. 13 000 8 à 11 €

Alain Jaume, propriétaire du Domaine Grand Veneur et du Clos de Sixte, s'est lancé dans une activité de négociant en 2000, ce qui lui permet de proposer ce gigondas. Sous une robe intense qui a gardé les reflets violets de la jeunesse, apparaissent des arômes de fruits mûrs bien présents. La palette promet d'évoluer encore dans le temps, à l'instar de la chair ronde, non dénuée de finesse et bien persistante, qui trouve l'appui de tanins serrés, mais non agressifs. Un vin puissant et élégant, à attendre cinq ans.

🔑 Alain Jaume,
Dom. Grand Veneur, rte de Châteauneuf-du-Pape,
84100 Orange, tél. 04.90.34.68.70, fax 04.90.34.43.71,
e-mail jaume@domaine-grand-veneur.com r.-v.

LOUIS BERNARD 2005 **

■ 11 ha 50 000 8 à 11 €

La chartreuse de Bonpas, couvent fortifié du XIIe s., est le siège de cette maison de négoce créée au milieu des années 1970 et qui défend bien les couleurs de l'appellation. En témoigne ce vin de couleur sombre, dont le caractère aromatique s'impose d'emblée : fruits mûrs et épices (poivre). Assemblage classique de grenache et de syrah, il ne présente aucune faille dans son équilibre ni aucune agressivité. Il faudra cependant attendre entre deux et quatre ans pour l'apprécier à son meilleur niveau. Une citation revient au **Domaine des Carbonnières 2005** et au **Domaine de La Souchière 2005**, deux gigondas qui doivent s'assouplir à la garde.

🔑 Louis Bernard,
Chartreuse de Bonpas, 1, chem. de Reveillac,
84510 Caumont-sur-Durance, tél. 04.90.23.09.59,
fax 04.90.23.67.96, e-mail louisbernard@sldb.fr
t.l.j. 9h-18h (à partir de 10h en hiver)
🔑 Boisset FGVS

DOM. LA MACHOTTE 2005

■ 30 ha 85 000 8 à 11 €

Sis en coteaux, à 400 m d'altitude, ce domaine de 60 ha propose un assemblage de grenache et de syrah qui a connu une longue macération et un élevage en foudre de douze mois. Le vin n'accorde cependant que peu de place au boisé dans sa palette de fruits rouges (cerise, framboise) et noirs, pleine de fraîcheur. C'est à l'attaque que l'empreinte du bois, bien maîtrisé, se manifeste, suivie de l'expression d'une chair chaleureuse, aux tanins encore fermes. À attendre un an ou deux.

🔑 Claude Amadieu,
SCEA de Gigondas, Dom. La Machotte,
84190 Gigondas, tél. 04.90.65.85.90,
fax 04.90.65.82.14,
e-mail claude.amadieu@pierre-amadieu.com
r.-v.

GABRIEL MEFFRE La Fontboissière 2005

■ 22 ha 100 000 8 à 11 €

Grenache, syrah et cinsault issus de parcelles distinctes, mais bien abritées au pied des Dentelles de Montmirail, composent ce vin de couleur sombre qui livre volontiers des arômes d'épices douces et de poivre suivis de légères nuances animales. Le palais repose sur des tanins de qualité, mais encore jeunes, garants d'un avenir favorable.

🔑 Maison Gabriel Meffre, Le Village,
84190 Gigondas, tél. 04.90.12 32.40, fax 04.90.12.32.49

MONTIRIUS Confidentiel 2004 **

■ 2 ha 7 000 23 à 30 €

Conduit en biodynamie, ce domaine de 58 ha se distingue régulièrement. Il propose ici une cuvée confidentielle et d'un remarquable niveau. Difficile de rester insensible aux arômes puissants et chaleureux : sous-bois et épices commencent à se mêler aux fruits noirs (cassis) et rouges (cerise). Difficile de résister à la tentation de la chair concentrée, ample et majestueuse qui se développe jusqu'à une longue finale. Le **Montirius 2004 (15 à 23 €)**, aux bouteilles plus nombreuses (45 000), obtient une étoile. Une petite échappée du côté du cacao et le voici qui revient sur le cassis avant de révéler sa bouche dense, aux tanins serrés.

🔑 Christine et Éric Saurel,
SARL Montirius, Le Devès, 84260 Sarrians,
tél. 04.90.65.38.28, fax 04.90.65.48.72,
e-mail montirius@wanadoo.fr r.-v.

CH. DE MONTMIRAIL Cuvée de Beauchamp 2005

■ 24 ha 50 000 11 à 15 €

Le domaine occupe le site de l'ancienne station thermale de Montmirail, connue pour ses eaux purgatives, sulfureuses et magnésiennes. Encore un peu sur la réserve, ce 2005 offre de délicates notes de fruits compotés mêlés d'épices, puis une chair ronde, aux tanins soyeux. La petite proportion de mourvèdre (10 %) devrait bientôt se manifester. Il suffira d'attendre un an ou deux.

🔑 Ch. de Montmirail, Cours Stassart, BP 12,
84190 Vacqueyras, tél. 04.90.65.86.72,
fax 04.90.65.81.31,
e-mail archimbaud@chateau-de-montmirail.com
t.l.j. sf dim. 9h-12h 14h-18h30
🔑 Archimbaud

MOULIN DE LA GARDETTE
Cuvée Tradition 2004 *

■ 7 ha 14 000 11 à 15 €

Petit domaine de moins de 10 ha, Le Moulin de la Gardette propose un assemblage de grenache, de cinsault et de mourvèdre. Un gigondas aux notes fruitées intenses, entre fruits mûrs et fruits confits. Quelques tanins un peu accrocheurs se manifestent, bien vite rattrapés par la rondeur naturelle du grenache. La finale est en outre de bonne longueur. **La cuvée Ventabren 2005 (15 à 23 €)** est citée : tout en finesse, elle ne doit plus attendre.

🔑 Jean-Baptiste Meunier,
Moulin de la Gardette, pl. de la Mairie,
84190 Gigondas, tél. 04.90.65.81.51,
fax 04.90.65.86.80, e-mail moulingardette@wanadoo.fr
r.-v.

DOM. NOTRE-DAME-DES-PALLIÈRES
Fût neuf 2005 *

■ 5 ha 3 000 11 à 15 €

C'est à l'oratoire de Notre-Dame-des-Pallières qu'au Moyen Âge les Provençaux venaient en pèlerinage demander à la Vierge de les protéger de la peste. Le nom désigne aujourd'hui un joli mas à la tête de 60 ha. Fût neuf, dit l'étiquette. Les dégustateurs n'ont pas eu de mal à le

percevoir à l'aveugle, tant les arômes de cacao, de pain grillé et de vanille sont intenses, en accompagnement des senteurs de fruits à l'eau-de-vie ; à l'aération, les épices prennent le relais. L'attaque est souple, les tanins veloutés et une douce rondeur enveloppe le palais, les notes boisées et grillées venant clore la dégustation. Un travail d'élevage bien maîtrisé. Légère et charmeuse par ses effluves de fruits confiturés sur fond d'épices orientales, la **cuvée Isabelle 2005 (8 à 11 €)** est citée.
Jean-Pierre et Claude Roux,
Dom. Notre-Dame-des-Pallières,
chem. des Tuileries-de-Lencieu, 84190 Gigondas,
tél. et fax 04.90.65.83.03,
e-mail n.d-pallieres@wanadoo.fr r.-v.

OGIER CAVES DES PAPES
Marquis de Valclair 2005

n.c. 80 000 8 à 11 €

Actuellement sur la réserve, ce gigondas laisse percevoir quelques nuances sauvages, puis offre une bouche délicate, agrémentée de flaveurs de fruits rouges et noirs, d'épices et, en finale, de réglisse. Sa rondeur chaleureuse le rend déjà appréciable.
Ogier-Caves des Papes, 10, av. Louis-Pasteur, 84232 Châteauneuf-du-Pape Cedex, tél. 04.90.39.32.00, fax 04.90.83.72.51, e-mail ogiercavesdespapes@ogier.fr
t.l.j. sf dim. 9h30-12h 14h-18h30

DOM. LES PALLIÈRES 2005

25 ha 70 000 15 à 23 €

C'est au domaine du Vieux Télégraphe, à Châteauneuf-du-Pape, que vous pourrez déguster ce gigondas. Si la robe peut paraître légère, ne vous y fiez pas. La présence de nombreux cépages (grenache, syrah, cinsault, mourvèdre et divers cépages blancs en proportions confidentielles) n'y est pas étrangère. Le nez est généreux, chaleureux même, riche d'épices et de fruits à l'alcool. Au palais, l'équilibre se réalise et le fruit persiste. Dans deux ans, vous servirez ce vin avec un gigot d'agneau.
Dom. Les Pallières, rte d'Encieu, 84190 Gigondas, tél. 04.90.33.00.31, fax 04.90.33.18.47,
e-mail vignobles@brunier.fr
D. et F. Brunier et K. Lynch

DOM. DU POURRA 2004 *

8,5 ha 21 400 11 à 15 €

Jean-Christian Mayordome, médecin généraliste, a acquis en 1998 ce domaine de 25,50 ha, non loin du village classé de Séguret. Son 2004, bon représentant de l'appellation, saura bien évoluer au cours des cinq prochaines années. Le jury apprécie déjà sa robe intense, son nez plus intense encore de fruits confits nuancés d'une pointe animale. D'une belle ampleur, la bouche se montre généreuse et corsée : les flaveurs de garrigue, de petits fruits noirs et de poivre se disputent la vedette jusqu'en finale.
J.-C. Mayordome,
Dom. du Pourra, 16, rte de Vaison, 84110 Sablet,
tél. 04.90.46.93.59, fax 04.90.46.98.71,
e-mail domaine.du.pourra@wanadoo.fr r.-v.

CH. RASPAIL 2005 *

20,45 ha 20 000 8 à 11 €

Caractéristique de l'appellation, la teinte soutenue de ce vin. Le nez, cependant, présente de l'originalité tant il est explosif et complexe : les fruits rouges et noirs (cassis) cèdent place à de subtiles notes florales, puis aux épices douces comme la cannelle. À l'attaque fraîche succède une chair tout en finesse, portée par des tanins présents, mais souples. Les arômes se mêlent au palais : fruits noirs, réglisse, tabac et tant d'autres. « Une main de fer dans un gant de velours », conclut un dégustateur. Et un autre de suggérer un accord avec un tajine d'agneau, dans deux ou trois ans.
Christian Meffre, Ch. Raspail, 84190 Gigondas, tél. 04.90.65.88.93, fax 04.90.65.88.96,
e-mail chateau.raspail@wanadoo.fr
t.l.j. sf sam. dim. 8h-12h 14h-17h

DOM. RASPAIL-AY 2005 *

16,15 ha 20 000 11 à 15 €

Le vignoble de 18 ha entoure la demeure et la cave de Dominique Ay qui peut donc surveiller chaque cep à toute heure. Le 2005 ajoute à sa palette d'arômes de fruits rouges et noirs compotés (cerise, mûre, cassis) des notes de cacao, d'épices et une touche fraîche d'eucalyptus. Le gras et l'ampleur de la chair s'imposent au palais, sans que le caractère chaleureux desserve ce bel ordonnancement. À conserver deux ou trois ans.
Dominique Ay, Dom. Raspail-Ay, 84190 Gigondas, tél. 04.90.65.83.01, fax 04.90.65.89.55,
e-mail domaine.raspail-ay@wanadoo.fr
r.-v.

DOM. SAINT-DAMIEN Les Souteyrades 2005 *

4,5 ha 14 000 11 à 15 €

Le domaine a déjà connu deux coups de cœur dans des précédentes éditions du Guide. Son sérieux lui permet de se distinguer une fois encore avec trois cuvées. Les Souteyrades présente un bouquet complexe, non seulement de type animal et épicé, mais aussi riche de fruits mûrs. Gras, il laisse une impression de rondeur et de puissance, soutenu par des tanins soyeux, puis se prolonge durablement sur la réglisse. À garder deux ou trois ans. Une étoile est également attribuée à la cuvée classique **Domaine Saint-Damien 2005 (8 à 11 €)**, fraîche et pourtant dotée de tanins solides, ainsi qu'à **La Louisianne 2005**, friande et veloutée, qui pourra être servie dans un an.
Joël Saurel, Dom. Saint-Damien, 84190 Gigondas, tél. et fax 04.90.70.96.42
t.l.j. sf dim. 10h-12h 15h-19h

DOM. SAINT-GAYAN Tradition 2005

15 ha 60 000 8 à 11 €

Propriété familiale depuis le début du XVIII^e^s., implantée sur un site de l'époque romaine dont témoignent les vestiges mis au jour, Saint-Gayan couvre 38 ha. Dans son ancien chai a été élevé douze mois durant ce 2005 aux arômes de fruits noirs intenses, nuancés d'épices et d'un léger sillage fumé. L'attaque est franche et fraîche, les tanins structurants et corsés, mais sans austérité excessive. Un vin fait pour se bonifier au cours de trois ans de garde et qui pourra ensuite rejoindre un gibier.
SCEA Jean-Pierre et Martine Meffre,
Dom. Saint-Gayan, 84190 Gigondas,
tél. 04.90.65.86.33, fax 04.90.65.85.10,
e-mail martine@saintgayan.com
t.l.j. 9h-11h45 14h-18h30; sam. dim. sur r.-v.

DOM. DU TERME 2004 *

■	12 ha	30 000	▮ ⑪	8 à 11 €

Le domaine doit son nom à sa situation à la limite de l'ancienne principauté d'Orange, c'est-à-dire à son « terme ». Grenache et syrah composent ce vin couleur cerise noire aux reflets encore rubis, qui brille comme au premier jour. Intense et riche, le nez développe des arômes de fruits noirs mûrs, d'épices, de sous-bois et de cuir, tandis que la bouche ample, bien structurée par des tanins en passe de se fondre, se prolonge sur des flaveurs épicées et des notes de fruits sauvages.

Rolland Gaudin,
Dom. du Terme, 84190 Gigondas,
tél. 04.90.65.86.75, fax 04.90.65.80.29,
e-mail domaine.terme@free.fr
t.l.j. 9h-12h 14h-18h; r.-v. en hiver

DOM. VARENNE 2005

■	4 ha	17 000	▮	8 à 11 €

Changement de génération aux commandes de ce domaine de 8 ha. Le jury a retenu ce 2005 rubis, dont la réussite réside dans la maturité de la vendange, notamment du grenache (80 % pour 20 % de syrah). Les arômes de fruits noirs s'accompagnent d'épices et de réglisse au nez, puis le palais laisse apparaître des tanins puissants et encore fermes.

Dom. Varenne, Le Petit Chemin, 84190 Gigondas,
tél. 04.90.65.86.55, fax 04.90.12.39.28
t.l.j. 9h30-12h30 14h-19h

Beaumes-de-venise

Cette appellation, reconnue par le décret du 25 octobre 2005, concerne uniquement les vins rouges issus de quatre communes du Vaucluse : Beaumes-de-Venise, Lafare, la Roque-Alric, Suzette qui représentent une surface délimitée de 1 456 ha, limitrophes des AOC gigondas et vacqueyras. C'est la quatorzième AOC locale de la Vallée du Rhône.

Les vins doivent provenir d'un assemblage de deux cépages principaux dont le grenache noir représente 50 % minimum de l'encépagement et la syrah 25 % minimum à l'horizon 2015. En 2006, la déclaration concerne 541 ha pour 17 949 hl, soit un rendement de 33 hl/ha en moyenne.

DOM. DE FENOUILLET Terres blanches 2005 *

■	4 ha	20 000	▮	5 à 8 €

Dans la même famille depuis un siècle et demi, ce domaine propose cette cuvée issue de grenache (60 %), de syrah (25 %) et de mourvèdre nés sur argilo-calcaire, qui se présente dans une robe grenat brillant. Le nez marie les fruits rouges, les cerises à l'eau-de-vie et les épices. La bouche joue la finesse et l'élégance sur un lit de tanins souples et fondus. Un 2005 déjà prêt à boire. La **cuvée des Générations 2004 (11 à 15 €)**, élevée deux ans en fût, obtient également une étoile.

Patrick et Vincent Soard,
Dom. de Fenouillet, allée Saint-Roch,
84190 Beaumes-de-Venise, tél. 04.90.62.95.61,
fax 04.90.62.90.67,
e-mail contact@domaine-fenouillet.fr
t.l.j. sf dim. 9h-12h 14h-19h

DOM. DE LA FERME SAINT-MARTIN
Cuvée Saint-Martin 2005 *

■	3 ha	12 000	▮	11 à 15 €

Cette cuvée issue de raisins bio (90 % de grenache, 10 % de syrah) fut coup de cœur l'an dernier : le premier de cette jeune appellation. En 2005, on découvre un vin grenat à reflets violacés, qui exprime les fruits très mûrs et les épices (note poivrée). La bouche retrouve le fruité intense du nez, dans un ensemble rond et gras de bonne longueur. À boire ou à attendre un an ou deux.

EARL Guy Jullien,
Dom. de La Ferme Saint-Martin, 84190 Suzette,
tél. 04.90.62.96.40, fax 04.90.62.90.84,
e-mail guyjullien.vin@orange.fr
t.l.j. sf dim. 10h-12h30 13h30-18h;
jan. fév. sur r.-v.

DOM. DES GARANCES Cuvée La Treille 2004

■	5 ha	30 000	▮	5 à 8 €

Des vignes de grenache (70 %) et de syrah d'une trentaine d'années ont produit ce 2004 rubis soutenu au nez puissant de fruits à l'alcool. La bouche souple et ronde évolue sur des tanins fondus, avant une finale légèrement épicée. À apprécier dès aujourd'hui.

SCEA La Treille, Bres, La Treille, 84190 Suzette,
tél. et fax 04.90.65.07.97,
e-mail domaine-des-garances@wanadoo.fr
t.l.j. 9h-12h 14h-19h

LES GARRIGUES D'ÉRIC BEAUMARD
2005 **

■	4,1 ha	21 160	▮	5 à 8 €

La cave coopérative de Beaumes a été créée en 1956 par M. Blachon, pharmacien. Elle propose cette cuvée au bouquet fin et complexe exprimant les fruits noirs, les épices et la réglisse. La bouche est très ronde, vineuse, dotée de tanins soyeux, et se prolonge sur une touche épicée. À boire ou à laisser en cave pendant un an. La cuvée **Terres des Farisiens 2005** obtient une étoile.

SCA Vignerons de Beaumes-de-Venise,
quartier Ravel, 84190 Beaumes-de-Venise,
tél. 04.90.12.41.00, fax 04.90.12.41.35,
e-mail vignerons@beaumes-de-venise.com r.-v.
Vénitia Balma

GIGONDAS LA CAVE Terrissimo 2005 *

■	0,66 ha	206	▮ ⑪	5 à 8 €

La cave de Gigondas, qui vinifie la production de quelque 250 ha, propose un beaumes-de-venise confidentiel mais très bien fait. Fruits rouges confits, cuir et épices se partagent le nez. Attaquant sur la souplesse, la bouche évolue avec beaucoup de rondeur sur des tanins présents mais enrobés, avant une finale vanillée. Un vin agréable, gourmand, à boire dans deux ans sur une épaule d'agneau aux herbes.

La Cave des Vignerons de Gigondas,
rte de Sablet, Les Blaches, 84190 Gigondas,
tél. 04.90.65.86.27, fax 04.90.65.80.13,
e-mail gigondas.lacave@wanadoo.fr r.-v.

CH. REDORTIER 2004 ★

■ n.c. 100 000 ▮ 8 à 11 €

Étienne de Menthon, ministre sous la IVe République, crée cette propriété en 1956. Ses deux filles jumelles Sabine et Isabelle reprennent le flambeau en 2000. Leur 2004, où la counoise (10 %) vient compléter le classique duo grenache-syrah, s'affiche tout de grenat foncé vêtu. Son nez intense marie le fruit rouge (framboise) et le fruit noir (mûre). Ces arômes se retrouvent en bouche, sur des tanins fins et fondus, avant une finale confiturée. Un vin équilibré à déguster dans un an.

Sabine de Menthon, Ch. Redortier, 84190 Suzette, tél. 04.90.62.96.43, fax 04.90.65.03.38, e-mail chateau-redortier@wanadoo.fr
t.l.j. 9h-12h 14h-18h

DOM. SAINT-AMANT Grangeneuve 2005

■ 3,5 ha 8 000 ▮ 8 à 11 €

Situé à 500 m d'altitude sur le flanc du mont Saint-Amant, ce domaine est partagé en quatre clos, dont celui de Grangeneuve, qui destine ses vignes de grenache, de syrah et de viognier à la production de beaumes-de-venise. Ce 2005 rubis à reflets violines livre un nez intense de fruits rouges cuits et d'épices, relevé d'une note florale. Souple en attaque, sa bouche ronde et chaleureuse retrouve le fruit légèrement poivré. Un vin aux tanins encore jeunes mais prometteurs, à attendre deux ans.

Dom. Saint-Amant, 84190 Suzette, tél. 04.90.62.99.25, fax 04.90.65.03.56, e-mail contact@saint-amant.com r.-v.

Famille Wallut

Vacqueyras

L'appellation d'origine contrôlée vacqueyras, dont les conditions de production ont été définies par décret du 9 août 1990, est la treizième des AOC communales de la vallée du Rhône.

Elle rejoint gigondas et châteauneuf-du-pape à ce niveau hiérarchique dans le département du Vaucluse. Situé entre Gigondas au nord et Beaumes-de-Venise au sud-est, son territoire s'étend sur les deux communes de Vacqueyras et de Sarrians. En 2006, les 1 391 ha de vignes ont produit 44 581 hl de vin rouge et rosé et 998 hl de vin blanc.

Les vins rouges, élaborés à base de grenache, de syrah, de mourvèdre et de cinsault, sont aptes au vieillissement (trois à dix ans). Les rosés (4 %) sont issus d'un encépagement similaire. Les blancs restent confidentiels (cépages : clairette, grenache blanc, bourboulenc, roussanne).

DOM. DES AMOURIERS Les Genestes 2004 ★

■ 4 ha 13 000 ▮ 11 à 15 €

Les mûriers, *amouriers* en provençal, qui servaient à l'élevage du ver à soie, ont donné leur nom à ce domaine de 22 ha. Il a été remarqué par le jury pour sa cuvée Les Genestes où la concentration dispute à la complexité le premier rôle. Le nez mêle des senteurs de pruneau et de cerise à l'eau-de-vie à des notes de sous-bois et d'épices, puis le grillé apparaît accompagné de quelques effluves d'olive verte. Après une attaque agréable, une kyrielle de saveurs s'exprime en bouche où les tanins imposent une structure jeune mais dénuée d'agressivité. Un vin rond et harmonieux.

Indivision Chudzikiewicz, Dom. des Amouriers, Les Garrigues de l'Étang, 84260 Sarrians, tél. 04.90.65.83.22, fax 04.90.65.84.13, e-mail domaine-des-amouriers@aliceadsl.fr r.-v.

ARNOUX ET FILS 1717 2004 ★★

■ 0,5 ha 2 000 15 à 23 €

Le nom de cette cuvée rappelle le don, en 1717, d'une parcelle de vigne à la famille Arnoux par le seigneur de Lauris. La concentration et la complexité de ce 2004 révèlent un réel savoir-faire. Dans un premier temps, l'olfaction délivre un boisé intense qui se déploie en senteurs d'épices, de tabac, de cacao et de vanille, accompagnées de fruits rouges et de guimauve. En bouche, le vin est profond, rond, concentré : tout y est. Le **gigondas Seigneur de Lauris 2004 (11 à 15 €)** obtient une citation.

Arnoux et Fils, Cave du Vieux Clocher, 84190 Vacqueyras, tél. 04.90.65.84.18, fax 04.90.65.80.07, e-mail info@arnoux-vins.com
t.l.j. sf dim. 9h-12h 14h-18h

LA BASTIDE SAINT VINCENT Cabridon 2005 ★

■ 1 ha 3 200 ▮ 8 à 11 €

Cette propriété familiale depuis la fin du XVIII[e]s., compte aujourd'hui 22 ha de vignes. Celles qui ont donné naissance à ce vin de couleur sombre s'étalent sur des terrasses argilo-calcaires. Le nez, encore discret, libère déjà des arômes de fruits noirs bien mûrs et quelques notes florales. On retrouve le fruité dans une bouche ample et chaleureuse qui révèle un bon potentiel. Une bouteille qu'il faudra avoir la patience d'attendre.

Laurent Daniel, La Bastide Saint-Vincent, rte de Vaison-la-Romaine, 84150 Violès, tél. 04.90.70.94.13, fax 04.90.70.96.13, e-mail bastide.vincent@free.fr
t.l.j. sf dim. 9h-12h 14h-18h30

DOM. LE CLOS DES CAZAUX Vieilles Vignes 2005 ★

0,6 ha 2 000 11 à 15 €

Ancien domaine des Templiers, cette propriété s'étale sur une colline de Vacqueyras. Le jury a retenu trois de ses cuvées. Sa préférence est allée au blanc, petite production de vieilles vignes de clairette (60 %), de roussanne (30 %) et de viognier. Le nez fin se partage entre senteurs fruitées et boisées. Après une attaque agréable, la bouche révèle des flaveurs de fruits mûrs et un bon équilibre jusqu'à la finale marquée par la barrique. Un vin de caractère qui gagnera à attendre un peu. La **cuvée Saint-Roch rouge 2004 (5 à 8 €)** est citée pour sa fraîcheur ; elle est prête. Même note pour la **cuvée Prestige rouge 2004 (15 à 23 €)**, qui après une attaque soyeuse se montre bien tannique et demande deux à trois ans de garde.

🔑 EARL Archimbaud-Vache,
Dom. Le Clos des Cazaux, 84190 Vacqueyras,
tél. 04.90.65.85.83, fax 04.90.41.75.32,
e-mail closdescazaux@wanadoo.fr
☑ 🍷 ⛹ t.l.j. sf dim. 9h-11h30 14h-18h

DOM. LE COLOMBIER Cuvée «G.» 2005

■ 0,71 ha 3 330 ▮◖◗ 11 à 15 €

Depuis 1995, Jean-Louis Mourre, géologue de formation, a pris les rênes de ce domaine familial. Sa cuvée « G. », assemblage de grenache et de syrah dans les mêmes proportions, se présente dans une robe grenat foncé. Le nez puissant mêle des notes de jasmin et de sous-bois. Le bois et la vanille sont très présents en bouche. Une bouteille à attendre un peu avant de la servir sur un tajine d'agneau aux coings et à la cannelle.

🔑 Jean-Louis Mourre, Dom. Le Colombier,
84190 Vacqueyras, tél. 04.90.12.39.71,
fax 04.90.65.85.71 ☑ 🍷 r.-v.

DOM. LE COUROULU Vieilles Vignes 2004 ★★

■ 4 ha 70 000 ▮ 11 à 15 €

Le domaine tient son nom du couroulu (courlis), un échassier au long bec recourbé qui figure sur l'étiquette de ce vin pour lequel les dégustateurs ne tarissent pas d'éloge. Le nez, aussi puissant que complexe mêle des senteurs de fruits (mûre, framboise, myrtille) à des notes de réglisse et d'épices. Après une belle attaque, la bouche structurée révèle une matière riche, de la rondeur, de la souplesse et des tanins nobles. On retrouve les épices et les fruits du bouquet en finale. Cette bouteille atteindra son apogée dans quatre ou cinq ans.

🔑 EARL Le Couroulu, La Pousterle,
84190 Vacqueyras, tél. 04.90.65.84.83,
fax 04.90.65.81.25 ☑ 🍷 ⛹ r.-v.
🔑 Guy Ricard

REMY FERBRAS Les Hautes Vacquières 2005

■ 4,28 ha 20 000 ◖◗ 8 à 11 €

Cela fait six ans que Michel Picard a repris en main cette maison de négoce qui commercialise des vins de la vallée du Rhône méridionale, tel ce vacqueyras de couleur rubis. Le nez développe des arômes fruités que l'on retrouve en bouche. Soyeux, bâti sur des tanins doux, l'ensemble se montre agréable, quoiqu'un peu léger pour certains. Il accompagnera dès maintenant de la charcuterie ou un carré d'agneau.

🔑 Les Grandes Serres, rte de l'Islon-Saint-Luc, BP 17,
84231 Châteauneuf-du-Pape Cedex, tél. 04.90.83.72.22,
fax 04.90.83.78.77,
e-mail les-grandes-serres@wanadoo.fr ☑ 🍷 ⛹ r.-v.
🔑 Picard

LA FONT DE PAPIER 2005

■ 5 ha n.c. ▮ 11 à 15 €

La Font de Papier, ou fontaine des papes comme le précise l'étiquette, se caractérise dans ce millésime par un nez intense légèrement animal, fruité (crème de cassis) et floral (violette) rehaussé d'une pointe de réglisse. La bouche, dominée par les fruits, révèle des tanins encore austères qui ont besoin d'un peu de temps pour se fondre. À laisser un an en cave.

🔑 F. Chastan, Clos du Joncuas, 84190 Gigondas,
tél. 04.90.65.86.86, fax 04.90.65.83.68,
e-mail clos-du-joncuas@wanadoo.fr ☑ 🍷 r.-v.

DOM. FONT SARADE Cuvée Prestige 2005 ★

■ 0,5 ha 2 500 ◖◗ 11 à 15 €

Ce domaine est né de l'association de deux familles de vignerons, l'une de Vacqueyras, l'autre de Gigondas. Derrière une robe intense et brillante, sa cuvée Prestige dévoile un bouquet complexe de cassis, de vanille, de cacao et de fruits sur un fond boisé. En bouche, le vin se révèle puissant. La finesse de ses tanins, son équilibre général et sa présence aromatique lui réservent un bel avenir.

🔑 Bernard Burle, Dom. Font Sarade, La Ponche,
84190 Vacqueyras, tél. 06.30.08.81.93,
fax 04.90.65.82.97, e-mail fontsarade@aol.com
☑ 🍷 ⛹ r.-v.

DOM. LA FOURMONE Trésor du poète 2005

■ 3 ha 13 000 ▮ 8 à 11 €

Coup de cœur de la précédente édition pour cette même cuvée dans le millésime précédent, ce domaine figure cette année dans le Guide pour une palette de vins qui joue sur les assemblages – le grenache étant toujours majoritaire. Le Trésor du poète, classique assemblage de grenache (70 %) et de syrah, possède un nez discret et fin de fruits rouges et noirs bien mûrs (cerise, cassis). En bouche, il développe une belle matière, et une pointe de vivacité réveille la finale. On attendra un an cette bouteille qui n'a pas encore livré tout son potentiel. La **Sélection Maître de chais rouge 2005** est composée de grenache, de syrah et de mourvèdre. Elle est citée, tout comme les **Ceps d'or 2005 rouge**.

🔑 Roger Combe et Filles,
Dom. La Fourmone, rte de Bollène,
84190 Vacqueyras, tél. 04.90.65.86.05,
fax 04.90.65.87.84, e-mail contact@fourmone.com
☑ 🍷 t.l.j. sf dim. 9h30-12h 14h-18h;
ouv. dim. de Pâques à sept.

DOM. LA GARRIGUE Cuvée de l'hostellerie 2005 ★

■ 6 ha 14 000 ▮ 8 à 11 €

Une teinte rubis habille cette cuvée au nez particulièrement fruité (fruits macérés et crème de cassis), nuancé d'une pointe de violette. En bouche, l'élégance et la finesse s'appuient sur des tanins bien présents mais fondus. L'harmonie est déjà au rendez-vous.

🔑 SCEA A. Bernard et Fils, Dom. La Garrigue,
84190 Vacqueyras, tél. 04.90.65.84.60,
fax 04.90.65.80.79
☑ 🍷 ⛹ t.l.j. 8h-12h 14h-18h30; dim. sur r.-v.

DOM. DU GRAND MONTMIRAIL 2005 ★

■ 7,4 ha 25 000 ▮ 8 à 11 €

Le nez puissant sur les fruits et les épices est caractéristique du grenache (55 %). La dégustation agréa-

ble révèle la présence de mourvèdre (15 %) qui donne toute sa personnalité à ce vin. La syrah signe la finale sur la réglisse. À attendre un peu.
Dom. du Grand Montmirail, 84190 Gigondas, tél. 04.90.62.94.28, fax 04.90.65.85.91
t.l.j. sf sam. dim. 10h-12h 14h-18h; f. août
Denis Chéron

LOUIS BERNARD 2005 *

3,8 ha 20 000 8 à 11 €

Cette importante maison de négoce de la vallée du Rhône met en valeur, avec cette bouteille, les qualités d'un grenache bien vinifié complété par 15 % de syrah. Le nez développe agréablement des senteurs de fruits mûrs, d'épices et de réglisse. Le boisé est bien intégré. Un vin équilibré, complexe et rond qui doit encore se bonifier.
Louis Bernard,
Chartreuse de Bonpas, 1, chem. de Reveillac,
84510 Caumont-sur-Durance, tél. 04.90.23.09.59,
fax 04.90.23.67.96, e-mail louisbernard@sldb.fr
t.l.j. 9h-18h (à partir de 10h en hiver)

DOM. LA MONARDIÈRE Vieilles Vignes 2004 **

4 ha 10 000 15 à 23 €

En 2007, Christian et Martine Vache ont célébré les vingt ans de leur domaine. Une expression complexe caractérise cet assemblage de grenache (60 %) complété par la syrah et le mourvèdre à parts égales. À l'olfaction, les fruits macérés confiturés précèdent des notes de garrigue, de pin ou de résine, d'eucalyptus et de cyprès. Après une attaque pleine, la dégustation révèle une structure intéressante, de la concentration, de la puissance et de la souplesse. Des flaveurs de sous-bois relevées d'épices et de poivre complètent cette bouche de belle longueur. La cuvée **Les 2 Monardes rouge 2005 (8 à 11 €)** reçoit une étoile pour la finesse de ses arômes (réglisse, fruits cuits) et pour la qualité de ses tanins.
Dom. La Monardière, Les Grès, 84190 Vacqueyras, tél. 04.90.65.87.20, fax 04.90.65.82.01,
e-mail monardiere@wanadoo.fr
t.l.j. sf dim. 9h-12h 14h-18h; jan. sur r.-v.
Christian Vache

CH. DE MONTMIRAIL
Cuvée des Deux Frères 2005

10 ha 20 000 8 à 11 €

Situé à l'emplacement d'une ancienne station thermale, le château de Montmirail propose un vin rubis au nez discret de fruits rouges et de cassis qui s'ouvre doucement sur les épices. On retrouve ces arômes dans une bouche ronde et longue, structurée par des tanins encore un peu fermes.
Archimbaud,
Ch. de Montmirail, cours Stassart, BP 12,
84190 Vacqueyras, tél. 04.90.65.86.72,
fax 04.90.65.81.31,
e-mail archimbaud@chateau-de-montmirail.com
t.l.j. sf dim. 9h-12h 14h-18h30

DOM. DE MONTVAC
Vinifié et élevé en barrique 2005 **

1 ha 5 000 11 à 15 €

Une robe limpide, jaune à reflets verts habille cet assemblage des quatre cépages dominé par la clairette et la roussanne dans les mêmes proportions. Le nez se révèle

fin et subtil et, au palais, les agrumes se mesurent au grillé. Le boisé est agréablement fondu, la bouche complexe et de bonne longueur. La **cuvée Tradition rouge 2005 (5 à 8 €)** est citée. Au nez, des effluves animaux se mêlent à la réglisse, à la violette et à la framboise cuite. Si les tanins se montrent encore un peu sévères, l'équilibre est solide et l'harmonie plaisante.
Cécile Dusserre, Dom. de Montvac,
84190 Vacqueyras, tél. 04.90.65.85.51,
fax 04.90.65.82.38,
e-mail dusserre@domaine-de-montvac.com
t.l.j. sf dim. 9h-12h 14h-18h

DOM. LES ONDINES 2005 *

4 ha 15 000 5 à 8 €

Ce domaine familial créé il y a une petite dizaine d'années entre dans le Guide avec une étoile. Le nez élégant et racé est marqué par les fruits rouges confiturés auxquels se mêle une note épicée. Après une attaque agréable, la bouche révèle de l'ampleur et du gras, de la rondeur et de la fraîcheur. Une belle bouteille.
Jérémy Onde,
Dom. Les Ondines, Les Garrigues Sud,
84260 Sarrians, tél. et fax 04.90.65.86.45,
e-mail jeremy.ondines@wanadoo.fr
t.l.j. sf dim. 9h-12h 14h-18h30

DOM. DU PESQUIER 2005 *

1 ha 4 000 8 à 11 €

Derrière une robe moirée, le nez puissant développe des senteurs de fruits noirs (cassis) et rouges légèrement confits ainsi que des notes animales et des senteurs de garrigue. Cette complexité aromatique annonce la puissance de la bouche et sa persistance. Les tanins sont d'une belle finesse.
Boutière et Fils, Dom. du Pesquier,
84190 Gigondas, tél. 04.90.65.86.16,
fax 04.90.65.88.48, e-mail domainedupesquier@free.fr
t.l.j. 9h-12h 14h-18h

CH. DES ROQUES 2006

2,5 ha n.c. 8 à 11 €

Le trio grenache, marsanne et bourboulenc compose cette cuvée où vivacité, fraîcheur et finesse sont à l'unisson. Derrière une robe pâle, le nez se montre plutôt floral. Après une attaque vive, primesautière, la bouche révèle une intéressante persistance aromatique.
SCEA Ch. des Roques, BP 9, 84190 Vacqueyras,
tél. 04.90.65.85.16, fax 04.90.65.88.18
t.l.j. sf sam. dim. 8h-12h 14h-18h
Séroul

DOM. LA ROUBINE 2005 ★★

■ 3 ha 10 000 ▮ 🛢 8 à 11 €

Ce petit domaine (5 ha) relativement récent (créé en 1985) propose un assemblage de grenache, de syrah et de mourvèdre complété par quelques grappes de cinsault. Grenat foncé à reflets pourpres, il possède un nez expressif marqué par les fruits à noyau et les fruits noirs, arômes que l'on retrouve en bouche, enrichis de notes de fruits confits et de nuances cacaotées. La matière ample est portée par une structure tannique qui promet un bel avenir à cette bouteille.

🔑 Éric Ughetto, Dom. La Roubine, 84190 Gigondas, tél. 04.90.65.81.55, fax 04.90.12.36.28, e-mail domaine-laroubine@laposte.net ☑ 🍷 🚶 r.-v.

DOM. SAINT-PIERRE 2005 ★★

■ 4,3 ha 17 000 🛢 8 à 11 €

En 2004, le domaine exploitait seulement 1 ha en vacqueyras. Depuis 2005, il vinifie 3,3 ha supplémentaires. Les reflets violacés dans la robe grenat témoignent de la jeunesse de ce millésime, tout comme la note de fruits rouges qui s'impose dès le premier nez. L'olfaction révèle ensuite des senteurs de fruits mûrs, d'eucalyptus, de réglisse et d'épices. En bouche, la puissance s'affirme, la concentration s'impose mais sans rudesse. À la sortie du Guide, cette cuvée, qui sera à peine adolescente, mérite une bonne place dans votre cave. Elle pourra y rester trois ans.

🔑 Jean-François Fauque, Dom. Saint-Pierre, rte d'Avignon, 84150 Violès, tél. 04.90.70.92.64, fax 04.90.70.90.27, e-mail domaine.saint-pierre@wanadoo.fr ☑ 🍷 🚶 t.l.j. sf dim. 8h-12h 13h30-19h

DOM. LE SANG DES CAILLOUX

Cuvée Doucinello 2005

■ 10 ha 20 000 **15 à 23 €**

Un curieux contraste entre les effluves particulièrement légers des fleurs blanches et les notes plus lourdes de jasmin. C'est un vin structuré, chaleureux et particulièrement tannique qui gagnera à être attendu.

🔑 Dom. Le Sang des Cailloux, rte de Vacqueyras, 84260 Sarrians, tél. 04.90.65.88.64, fax 04.90.65.88.75, e-mail le-sang-des-cailloux@wanadoo.fr ☑ 🍷 🚶 r.-v.

🔑 Férigoule

DOM. DE VAL FRAIS 2005

■ 3 ha 6 000 ▮ 🛢 **5 à 8 €**

Une bâtisse à l'architecture provençale traditionnelle gouverne ce domaine familial qui propose un vin élevé en barrique avec une grande maîtrise. Les amateurs de boisé vanillé seront comblés. À servir sur un faisan rôti.

🔑 SCEA André Vaque, Dom. de Val Frais, 84350 Courthézon, tél. 04.90.70.84.33, fax 04.90.70.73.61, e-mail domaine.valfrais@cario.fr ☑ 🍷 🚶 r.-v.

LES VINS DE VIENNE La Sillote 2005 ★★

■ n.c. n.c. ▮ 🛢 **15 à 23 €**

Le bouquet se distingue par sa richesse : il mêle des notes de fruits noirs, d'épices, d'eucalyptus, de poivre et les nuances d'un élevage bien maîtrisé. C'est un vin puissant, ample et généreux, avec une rétro-olfaction particulièrement complexe. En résumé, une grande bouteille de garde.

🔑 Les Vins de Vienne, 1108, rte de Roche-Couloure, Le Bas-Seyssuel, 38200 Seyssuel, tél. 04.74.85.04.52, fax 04.74.31.97.55, e-mail vdv@lesvinsdevienne.fr ☑ 🍷 🚶 r.-v.

VIGNERONS DE CARACTÈRE

Soirée d'automne 2005

■ n.c. 41 000 ▮ **8 à 11 €**

La robe grenat profond s'accorde avec le premier nez concentré, encore un peu fermé. La dégustation révèle une belle fraîcheur et de l'ampleur. Un vin à la fois fin et rond.

🔑 Vignerons de Caractère, rte de Vaison-la-Romaine, BP 1, 84190 Vacqueyras, tél. 04.90.65.84.54, fax 04.90.65.81.32, e-mail vacqueyras@vigneronsdecaractere.com ☑ 🍷 r.-v.

Châteauneuf-du-pape

Le territoire de production de l'appellation, la première à avoir défini légalement ses conditions de production en 1931, s'étend sur la quasi-totalité de la commune qui lui a donné son nom et sur certains terrains de même nature des communes limitrophes d'Orange, de Courthézon, de Bédarrides et de Sorgues (3 153 ha déclarés en 2006). Ce vignoble est situé sur la rive gauche du Rhône, à une quinzaine de kilomètres au nord d'Avignon. Son originalité provient de son sol, formé notamment de vastes terrasses de hauteurs différentes, recouvertes d'argile rouge mêlée à de nombreux cailloux roulés. Les cépages sont très divers, avec prédominance du grenache, de la syrah, du mourvèdre et du cinsault. Le rendement ne dépasse pas 33 hl/ha en 2006.

Les châteauneuf-du-pape ont toujours une couleur très intense. Ils seront mieux appréciés après un vieillissement qui varie en fonction des millésimes. Amples, corsés et charpentés, ce sont des vins au bouquet puissant et complexe, qui accompagnent avec succès les viandes rouges, le gibier et les fromages à pâte fermentée. Les blancs, produits en petite quantité (6 328 hl), savent cacher leur puissance par leur saveur et la finesse de leurs arômes. La production globale atteint les 102 782 hl en 2006.

DOM. PAUL AUTARD Cuvée La Côte ronde 2005

■ 10,5 ha 15 000 🛢 **30 à 38 €**

Le domaine Autard s'est équipé d'une nouvelle cave. Creusé dans le roc, son chai à barriques ressemble à une grotte. Né de grenache et de syrah à parité, ce 2005 est très marqué par son élevage de treize mois en fût qui imprime des notes de café torréfié et de pain grillé. Les tanins sont encore présents, assez sévères, mais le gras apporte beaucoup d'ampleur. Une bouteille à garder en cave deux ou trois ans.

Dom. Paul Autard, rte de Châteauneuf-du-Pape, 84350 Courthézon, tél. 04.90.70.73.15, fax 04.90.70.29.59, e-mail jean-paul-autard@wanadoo.fr r.-v.

DOM. DE BANNERET 2004 *

3 ha 8 000 15 à 23 €

La famille de Jean-Claude Banneret est enracinée à Châteauneuf-du-Pape comme un vieux cep dans les galets roulés : ses ancêtres y vivaient au début du XVe s. et la propriété aurait quatre siècles d'existence. Pas moins de sept cépages (avec dominante de grenache) dans cette cuvée née d'argilo-calcaires et de sables. Deux ans de fût, qui ne se font pas oublier : la vanille accompagne les fruits noirs et rouges tout au long de la dégustation et les tanins sont bien marqués. Un vin très équilibré, à attendre trois ou quatre ans avant de le servir sur quelque gibier en sauce.

Jean-Claude Vidal, 35, rue Porte-Rouge, 84230 Châteauneuf-du-Pape, tél. et fax 04.90.83.72.04 t.l.j. sf dim. 9h-18h

DOM. LA BARROCHE Pure 2004 **

1,6 ha 4 000 30 à 38 €

Installé en 2003 sur 10 ha, Julien Barrot perpétue une tradition vigneronne qui remonterait à l'époque des papes d'Avignon. Sa cuvée Pure naît d'une parcelle de grenache centenaire planté sur sol sablonneux. Elle macère plus de quatre semaines en cuve et passe dix-huit mois en vieux foudres : aussi n'est-elle pas marquée par le bois. Elle exprime avec intensité et finesse des arômes de fruits rouges. Ses tanins sont déjà souples : on peut apprécier dès maintenant cette bouteille, ou la garder cinq ou six ans. Son élégance appelle un gigot d'agneau ou une côte de bœuf.

Julien Barrot, 19, av. des Bosquets, 84230 Châteauneuf-du-Pape, tél. 06.83.85.72.04, fax 04.90.83.71.94, e-mail julien@domainelabarroche.com r.-v.

LA BASTIDE SAINT-DOMINIQUE 2006 *

1,8 ha 6 000 15 à 23 €

Ce vignoble a été repris en 1976 par Gérard Bonnet, qui a commencé la vente en bouteilles en 1980. Son fils Éric l'a rejoint en 1999 et le tandem exploite aujourd'hui 33 ha. Grenache, roussanne et clairette rose sont assemblés à parts égales dans leur châteauneuf blanc. Les agrumes s'associent aux fleurs blanches et la fraîcheur vient souligner la longueur de la finale. Une bouteille qui devrait bien s'entendre avec du saumon au fenouil. On peut l'apprécier maintenant ou la conserver quatre à cinq ans.

Gérard et Éric Bonnet, La Bastide Saint-Dominique, 84350 Courthézon, tél. 04.90.70.85.32, fax 04.90.70.76.64, e-mail contact@bastide-st-dominique.com t.l.j. 8h30-12h 13h30-18h; sam. dim. sur r.-v.

DOM. BERTHET-RAYNE Cuvée Cadiac 2004 ***

1 ha 3 000 15 à 23 €

Christian Berthet-Rayne représente la quatrième génération sur le domaine : une vingtaine d'hectares, principalement en châteauneuf-du-pape. Il a orienté l'exploitation vers l'agriculture biologique. Mi-grenache mi-mourvèdre, élevée quinze mois en fût, sa cuvée Cadiac a

fait l'unanimité par sa puissance et sa sève. La robe a la profondeur et l'intensité voulues. Complexe, le nez mêle les fruits confits ou macérés aux épices. Le volume est impressionnant, les tanins apparaissent déjà soyeux. La générosité propre aux châteauneuf ne manque pas, ni la longueur. Bref, ce vin n'a qu'un seul défaut : il y en a peu. On l'attendra cinq ans. Également de garde, le **châteauneuf Vieilli en fût de chêne 2004 (11 à 15 €)** obtient deux étoiles.

Berthet-Rayne, 2334, rte de Caderousse, 84350 Courthézon, tél. 04.90.70.74.14, fax 04.90.70.77.85, e-mail christian.berthet-rayne@wanadoo.fr t.l.j. sf sam. dim. 8h-12h 13h30-18h30

BOIS DE PIED REDON 2006 *

n.c. 25 000 11 à 15 €

Cette maison, qui a pignon sur rue à Châteauneuf depuis 1859, s'est beaucoup développée : elle a pris le statut de négociant-éleveur en 1948, a fusionné avec d'autres établissements et acquis des vignobles. Elle propose ici un châteauneuf blanc issu de l'agriculture biologique. Un « quatre quarts » de grenache, roussanne, bourboulenc et clairette nés sur des *pié redoun* (« petites collines » en provençal), des terrasses perchées et pierreuses. Un vin flatteur par ses flaveurs de fleurs blanches et sa fraîcheur, à servir dès maintenant pour profiter de ses arômes. Le **Clos de l'Oratoire des Papes rouge 2005 (15 à 23 €)** est cité.

Ogier-Caves des Papes, 10, av. Louis-Pasteur, 84232 Châteauneuf-du-Pape Cedex, tél. 04.90.39.32.00, fax 04.90.83.72.51, e-mail ogiercavesdespapes@ogier.fr t.l.j. sf dim. 9h30-12h 14h-18h30

BOISRENARD 2005 **

10 ha 20 000 38 à 46 €

Beaurenard ou Boisrenard, selon l'orthographe du XVIIe s. Sept générations se sont succédé sur ce domaine : de quoi monter un musée du Vin très complet, en plusieurs salles. Paul Coulon et ses fils Daniel et Frédéric pensent aussi à l'avenir, s'agrandissent (vers les côtes-du-rhône-villages Rasteau), s'équipent (nouvelle cave à cuvées de chêne tronconiques). Les fidèles lecteurs du Guide savent qu'il s'agit d'une valeur sûre, qui a cinq coups de cœur à son actif et lauréat de la Grappe d'Argent du Guide 2006. Ce 2005 naît de vieux ceps (au moins soixante ans) des treize cépages de l'appellation (avec une majorité de grenache) plantés sur argilo-calcaires. Les dix-huit mois passés dans le bois se révèlent avec finesse et élégance dans sa palette aromatique. En bouche, le vin apparaît un peu fermé, mais les tanins soyeux inspirent confiance. À mettre en cave quatre ou cinq ans et à servir avec du gibier

RHÔNE

ou quelque autre plat goûteux. Le **Domaine de Beaurenard rouge 2005 (23 à 30 €)**, plus souple, peut s'apprécier dès maintenant.
Paul Coulon et Fils,
Dom. de Beaurenard, av. Pierre-de-Luxembourg,
84230 Châteauneuf-du-Pape, tél. 04.90.83.71.79,
fax 04.90.83.78.06, e-mail paul.coulon@beaurenard.fr
t.l.j. sf dim. 9h-12h 13h30-17h30

DOM. BOSQUET DES PAPES Tradition 2006 *

1,25 ha 4 000 11 à 15 €

Situé à 300 m du château de Châteauneuf, le caveau de dégustation est implanté dans le quartier des Bosquets : le nom du domaine était tout trouvé. Clairette (45 %), grenache (35 %) et bourboulenc sont à l'origine d'un joli bouquet à dominante florale, composé d'iris, d'œillet et de fenouil. Pas trop de gras, mais une fraîcheur agréable et une réelle élégance. Ce vin mérite trois à cinq ans de cave.
EARL Maurice et Nicolas Boiron,
Dom. Bosquet des Papes, 18, rte d'Orange,
84230 Châteauneuf-du-Pape, tél. 04.90.83.72.33,
fax 04.90.83.50.52, e-mail bosquet.des.papes@orange.fr
t.l.j. sf dim. 9h-12h 14h-18h30; sam. sur r.-v.

DOM. DE LA CHARBONNIÈRE
Cuvée Mourre des perdrix 2005 *

6,46 ha 25 000 23 à 30 €

On attend avec curiosité les résultats de ce domaine qui a brillé dans les millésimes précédents. (Trois coups de cœur.) Cette cuvée provient de vieux ceps de grenache (70 %), de syrah et de mourvèdre. Six mois de cuve et un an de fût. Il en résulte un nez intense où les fruits rouges (cerise noire) se marient au pain grillé de l'élevage. En bouche, ce vin montre une belle présence, avec du fruit, de la fraîcheur, de la densité, un boisé réussi. Ses tanins déjà soyeux permettent aux impatients de l'apprécier dès maintenant, mais sa structure lui ouvre une perspective de garde de dix à quinze ans.
EARL Michel Maret et Filles,
Dom. de La Charbonnière, 26, rte de Courthézon,
84230 Châteauneuf-du-Pape, tél. 04.90.83.74.59,
fax 04.90.83.53.46,
e-mail maret-charbonniere@club-internet.fr r.-v.

CLOS DU CAILLOU Réserve 2005

1,84 ha 7 000 46 à 76 €

Ce domaine a été acquis en 1936 par la famille Vacheron. Depuis 1996, Sylvie est aux commandes. Mi-cuves mi-fûts (bois neuf), son 2005 affiche un nez complexe et une longueur prometteuse. Sa structure tannique, encore très présente, en fait un vin de grande garde qu'il faut oublier en cave sept ou huit ans.
Sylvie Vacheron, Clos du Caillou,
84350 Courthézon, tél. 04.90.70.73.05,
fax 04.90.70.76.47, e-mail closducaillou@wanadoo.fr
t.l.j. sf dim. 9h-12h30 13h30-17h30

CLOS LA ROQUÈTE 2006

2 ha 7 000 15 à 23 €

Depuis 1898, Hippolyte, Jules, Henri et aujourd'hui Daniel et Frédéric Brunier ont choyé et développé un important vignoble en châteauneuf-du-pape et en gigondas. Acheté en 1986, le domaine de La Roquète est une de leurs propriétés. Roussanne, grenache, clairette et bourboulenc sont élevés pour partie en cuve, pour partie en fût et demi-muid. Or brillant, ce 2006 s'annonce par un nez puissant où les fleurs blanches côtoient le coing. Son attaque franche et sa vivacité lui permettront d'accompagner les produits de la mer. À servir dès maintenant.
Dom. La Roquète, 2, av. Louis-Pasteur,
84230 Châteauneuf-du-Pape, tél. 04.90.33.00.31,
fax 04.90.33.18.47, e-mail vignobles@brunier.fr
t.l.j. sf dim. 8h-12h 13h30-17h30; ouv. sam. en été

CLOS SAINT-MICHEL 2004 *

8 ha 30 000 15 à 23 €

Installés il y a une dizaine d'années, Olivier et Franck Mousset représentent la quatrième génération sur ce domaine situé au milieu des vignes. Leur Clos Saint-Michel ne donne qu'une majorité relative au grenache, complété par la syrah et le mourvèdre à parts égales (30 %). Sa palette mêle les fruits cuits, confits ou macérés à une pointe de chocolat. Élégamment boisé, c'est un vin riche et séveux, qui mettra en valeur civet et gibier. On peut le déboucher maintenant ou l'attendre quatre ou cinq ans.
Vignobles Guy Mousset et Fils,
Le Clos Saint-Michel, rte de Châteauneuf-du-Pape,
84700 Sorgues, tél. 04.90.83.56.05, fax 04.90.83.56.06
t.l.j. 9h-18h

DOM. DE LA CÔTE DE L'ANGE
Vieilles Vignes 2004 *

1 ha 3 200 23 à 30 €

L'Ange de l'étiquette qui atterrit sur les vignes en gobelet a cette année encore rempli son office : il a bien gardé les vieux ceps qui croissent sur le lieu-dit donnant son nom au domaine. Yannick Gaspari en a tiré un vin mi-cuve mi-fût élevé neuf mois. Déjà bien ouvert, chaleureux, le nez exprime un fruité rouge surmûri, compoté, confit, macéré. Ces arômes prennent des accents de framboise dans une bouche finement boisée, bien structurée et d'un bel équilibre. Potentiel de garde : quatre ou cinq ans.
Yannick Gasparri,
Dom. de La Côte de l'Ange, 9 La Font du Pape,
84230 Châteauneuf-du-Pape, tél. 04.90.83.72.24,
fax 04.90.83.54.88, e-mail cotedelange@libertysurf.fr
t.l.j. sf dim. 9h-12h 14h-18h

DOM. DE CRISTIA Renaissance 2005 **

2 ha 6 000 46 à 76 €

Domaine de Cristia
2005 2005
Renaissance
Châteauneuf-du-Pape
APPELLATION CHÂTEAUNEUF-DU-PAPE CONTRÔLÉE
Mis en bouteille au Domaine
Alc. 15% by vol SCEA Domaine de Cristia Alain et Baptiste GRANGEON Propriétaires-Récoltants - COURTHEZON 84350 FRANCE PRODUCT OF FRANCE - CONTAINS SULFITES 750 ml.

Le grand-père crée le domaine, le père plante de bons cépages et fait progresser les techniques de vinification. Installé en 1999, Baptiste Grangeon poursuit ses efforts et développe la commercialisation en bouteilles à l'aide de sa sœur Dominique. Fille de ceps centenaires de grenache (60 %), de mourvèdre et de syrah, élevée dix-huit mois en fûts (un quart neufs), sa cuvée Renaissance obtient un coup de cœur, après un 2003 déjà couronné. Derrière une robe profonde et jeune, presque noire, avec des reflets violets, le nez laisse entrevoir une complexité naissante : on y trouve du grillé, mais aussi du fruit noir, de la réglisse. Ample, concentré, déjà harmonieux, ce 2005 est soutenu par une trame de tanins encore austères. Un vin de garde, qui atteindra son apogée entre cinq et huit ans.

Baptiste et Dominique Grangeon,
31, fg Saint-Georges, 84350 Courthézon,
tél. 04.90.70.24.09, fax 04.90.70.25.38,
e-mail domainedecristia@hotmail.com
t.l.j. 8h-12h 14h-18h; ven. sam. dim. sur r.-v.

DOM. DUCLAUX 2004 *

■ 12 ha 11 500 15 à 23 €

Le domaine a gardé le nom d'une vieille famille de Châteauneuf-du-Pape qui l'a constitué, développé et mis en valeur pendant plus de trois siècles. Les Quiot ont hérité en 2001 de ce vaste vignoble (93 ha) très morcelé. Construit sur le grenache (70 %), le mourvèdre et de nombreux autres cépages en proportion infime, ce 2004 respire le fruit rouge mûr et se montre déjà soyeux. On peut le servir dès maintenant avec des plats mijotés ou le garder en cave trois ou quatre ans.

Famille Quiot, 5, av. Baron-Leroy,
84230 Châteauneuf-du-Pape, tél. 04.90.83.73.55,
fax 04.90.83.78.48, e-mail contact@jeromequiot.com
r.-v.

PAUL DURIEU Réserve Lucile Avril 2005 *

■ 2 ha 6 600 15 à 23 €

Créée en 1976, la cave porte le nom de son fondateur. Ses fils Vincent et François l'ont rejoint en 2003 sur la propriété qui s'étend sur 90 ha. Cette cuvée assemble 75 % de grenache avec un appoint de syrah et un soupçon de mourvèdre. Encore discrète au nez, elle révèle des nuances animales et des touches de garrigue. La mise en bouche dévoile une bonne matière concentrée et des tanins séveux. Un vin très extrait qui demandera cinq à six ans pour se fondre.

Paul Durieu, 27, av. Pasteur, 84850 Camaret,
tél. 04.90.37.28.14, fax 04.90.37.76.05 r.-v.

DOM. ISABEL FERRANDO Colombis 2005

■ 2,3 ha 5 000 23 à 30 €

Un domaine acquis en 2004 par Isabel Ferrando et qui vient compléter ses autres vignobles. Il s'agit d'une parcelle de vieux grenache planté sur terrain sableux. Elle a donné naissance à un vin au nez de sauge et de romarin. Celui-ci affiche déjà une belle maturité et une texture soyeuse : il ne lui faudra pas plus de deux à trois ans pour être prêt.

Isabel Ferrando, quartier des Serres,
84230 Châteauneuf-du-Pape, tél. 04.90.83.75.03,
fax 04.90.33.26.23, e-mail iferrando@aol.com
r.-v.

DOM. DE FONTAVIN 2005 *

■ 9 ha 30 000 15 à 23 €

Constitué par Michel Chouvet, ce domaine s'étend sur 40 ha. Il a été repris en 1996 par sa fille Hélène. Complété par la syrah, son 2005 comprend 85 % de grenache, un cépage qui était particulièrement mûr cette année-là. Ce millésime en exprime toute la richesse aromatique et toute la finesse, avec un côté épicé. Complexe, puissant et rond, très bien équilibré, il peut passer à table dès maintenant pour accompagner une côte de bœuf, tout en offrant un potentiel de garde de quatre à cinq ans au moins.

EARL Hélène et Michel Chouvet,
Dom. de Fontavin, 1468, rte de la Plaine,
84350 Courthézon, tél. 04.90.70.72.14,
fax 04.90.70.79.39,
e-mail helene-chouvet@fontavin.com r.-v.

CH. DE LA FONT DU LOUP 2005 **

■ 13 ha 42 000 23 à 30 €

La Font du Loup ? Le nom figure sur le cadastre napoléonien. Il désigne une fontaine, une résurgence. Le domaine est dans la famille depuis quatre générations. L'année 2005 a vu la rénovation de la cave de vinification. C'est aussi l'année de ce remarquable millésime associant grenache (60 %), syrah, mourvèdre et cinsault, dans l'ordre décroissant. Six mois de cuve, un an de fût pour ce vin encore discret au nez (du fruit cuit, de la cerise macérée, une touche fumée), mais déjà magnifique en bouche. Généreux, expressif, élégant et long, il offre un « toucher soyeux » qui traduit une réelle maîtrise de l'élevage. À déboucher sans hâte ou à attendre cinq ans. Une étoile pour le **rouge Les Fondateurs 2004 (30 à 38 €)**.

SCEA Mélia, Ch. de La Font du Loup,
84350 Courthézon, tél. 04.90.33.06.34,
fax 04.90.33.05.47, e-mail f.loup@melia.fr r.-v.
Charles Mélia

CH. FORTIA Cuvée du Baron 2005

■ 12 ha 46 000 15 à 23 €

Un domaine historique : il a eu un propriétaire célèbre, le baron Pierre Le Roy de Boiseaumarie (1890-1967) qui créa un syndicat de producteurs et qui fut avec Joseph Capus et Édouard Barthe l'artisan des appellations d'origine contrôlée. Associant le grenache (50 %) à la syrah, avec un rien de mourvèdre, cette cuvée lui est dédiée. Ce 2005 est ample et souple avec des notes de fruits rouges à l'alcool. Il accompagnera dès aujourd'hui des viandes rouges ou du gibier en sauce.

SARL Ch. Fortia, rte de Bédarrides, BP 13,
84231 Châteauneuf-du-Pape Cedex, tél. 04.90.83.72.25,
fax 04.90.83.51.03, e-mail fortia@terre-net.fr
t.l.j. 9h30-12h30 14h-18h

DOM. DU GALET DES PAPES Vieilles Vignes 2005

■ 3 ha 10 000 15 à 23 €

Domaine familial constitué sous le Second Empire, cave construite en 1929. Le tout est géré depuis 1976 par Jean-Luc Mayard. Le vignoble est très morcelé et ses 13 ha se répartissent sur trois terroirs distincts : galets roulés au sud, sables au sud-est, argilo-calcaires au nord. Cette cuvée, issue de vieux ceps de grenache (60 %), de mourvèdre (30 %) et de syrah, se distingue dans ce millésime par sa puissance et son côté chaleureux. Ses arômes de fruits rouges à l'alcool et d'épices sont intenses, accompagnés d'un léger boisé. Les tanins, encore très présents, suggèrent une garde de deux ou trois ans. À déguster avec un gigot.

J.-L. Mayard,
Dom. du Galet des Papes, 15, rte de Bédarrides,
84230 Châteauneuf-du-Pape, tél. 04.90.83.73.67,
fax 04.90.83.50.22, e-mail galet.des.papes@terre-net.fr
r.-v.

CH. DE LA GARDINE Cuvée Tradition 2005

n.c. 10 000 23 à 30 €

Gaston Brunel a légué à ses héritiers un vaste domaine : plus de 100 ha en châteauneuf-du-pape et en côtes-du-rhône-villages. Aussi, ses cuvées n'ont-elles rien de confidentiel. Le blanc cuvée Tradition 2005 marie le grenache (50 %) avec la roussanne, le bourboulenc et la clairette. Il est aromatique, gras et long. Le **rouge cuvée Tradition 2005** assemble grenache (60 %), mourvèdre et syrah : il est cité.

Brunel, Ch. de La Gardine, rte de Roquemaure, 84230 Châteauneuf-du-Pape, tél. 04.90.83.73.20, fax 04.90.83.77.24, e-mail chateau@gardine.com

r.-v.

CH. GIGOGNAN Clos du Roi 2004 *

15 ha 11 000 15 à 23 €

Domaine ecclésiastique avant la Révolution, Gigognan a été repris en 1996 par Jacques Callet qui a créé une cave de vinification moderne en 1998. Deux tiers de grenache et un tiers de syrah se marient dans ce Clos du Roi au nez intense de fruits rouges, de fruits des bois, de poivre et de réglisse. Élégant, typé et assez long, ce vin révèle un très bon équilibre qui autorise un potentiel de garde intéressant (quatre à cinq ans).

Ch. Gigognan, chem. du Castillon, 84700 Sorgues, tél. 04.90.39.57.46, fax 04.90.39.15.28, e-mail info@chateau-gigognan.fr

t.l.j. sf dim. 10h-12h 14h-18h

J. Callet

DOM. GIRAUD Les Gallimardes 2004 *

2 ha 39 700 23 à 30 €

Le domaine, qui compte aujourd'hui 19 ha, se transmet de génération en génération depuis l'époque des papes d'Avignon. Sa cuvée Les Gallimardes doit presque tout au grenache. Elle s'impose par sa présence chaleureuse, son ampleur et par ses arômes de fruits cuits. Cinq à six ans de cave lui permettront de tempérer ses ardeurs de jeunesse et d'affirmer ses arômes. Le **rouge cuvée classique (15 à 23 €)** comporte plus de syrah. Il obtient lui aussi une étoile pour son fruité intense et complexe. Il peut se conserver tout en étant déjà prêt.

Dom. Pierre Giraud, 19, Le Bois de la Ville, 84230 Châteauneuf-du-Pape, tél. 04.90.83.73.49, fax 04.90.83.52.05, e-mail giraud.pierre@wanadoo.fr

r.-v.

DOM. GRAND VENEUR 2005 *

15 ha 30 000 15 à 23 €

La famille Jaume cultive la vigne à Châteauneuf-du-Pape depuis 1826. Deux vins déclinent grenache, syrah et mourvèdre, le premier dominant dans cette cuvée classique. Celle-ci est encore fermée : un soupçon de fruits rouges, de poivre, de vanille. Sa matière est belle et invite à laisser évoluer cette bouteille en cave pendant trois ou quatre ans. Une étoile pour la cuvée **Les Origines (23 à 30 €)**.

Alain Jaume, Dom. Grand Veneur, rte de Châteauneuf-du-Pape, 84100 Orange, tél. 04.90.34.68.70, fax 04.90.34.43.71, e-mail jaume@domaine-grand-veneur.com

r.-v.

DOM. DE LA JANASSE Chaupin 2005 *

5 ha 20 000 30 à 38 €

Le père, Aimé Sabon, est à la vigne ; le fils, Christophe, au chai. Les vins sont fidèles au rendez-vous du Guide (trois coups de cœur déjà) ; cette année, deux cuvées, une étoile chacune. Celle-ci est un pur grenache planté sur le lieu-dit Chaupin, un terroir sableux et froid du fait de son exposition au nord. Le nez associe les fruits rouges compotés, le sous-bois et une touche de cuir. Une attaque fraîche prélude à une bouche ample, longue et solidement structurée. Déjà prêt à accompagner quelque gibier, ce vin solide pourra tenir cinq à huit ans. La cuvée **Vieilles Vignes (46 à 76 €)** est complexe (fruits mûrs, cuir, boisé épicé) et encore plus charpentée.

EARL Aimé Sabon, Dom. de La Janasse, 27, chem. du Moulin, 84350 Courthézon, tél. 04.90.70.86.29, fax 04.90.70.75.93, e-mail lajanasse@free.fr r.-v.

CH. JAS DE BRESSY 2005 **

4,5 ha 12 000 15 à 23 €

Un ancien refuge de berger (*jas* en provençal) qui a pris une certaine envergure jusqu'à prendre le nom de château : en réalité demeure de style néo-provençal. Le domaine a été acquis en 2003 par la famille Barrot qui possède de nombreux vignobles en châteauneuf, en côtes-du-rhône et en *villages*, pour s'en tenir aux vins d'appellation (125 ha en tout). Premier millésime produit, ce 2005 est un grand vin de garde, à attendre cinq ans. Issu d'un terroir de galets roulés, cet assemblage dominé par le grenache est encore très marqué par un élevage de quatorze mois en fût mais le bois est d'une remarquable élégance. Cette finesse se prolonge dans un palais gras et long. À déguster avec un gigot d'agneau de Sisteron, par exemple.

Robert Barrot, Ch. des Fines Roches, 1, av. du Baron-Le-Roy, 84230 Châteauneuf-du-Pape, tél. 04.90.83.51.73, fax 04.90.83.52.77, e-mail chateaux@vmb.fr

t.l.j. 10h-19h

Catherine Barrot

DOM. MATHIEU 2004 *

14 ha 40 000 11 à 15 €

Cette famille est enracinée depuis quatre siècles à Châteauneuf où elle conduit 25 ha de vignes autour et à l'intérieur des remparts du château. À la fin du XIX[e]s., Anselme Mathieu, *félibre* et ami de Mistral, fut un des premiers de la ville à vendre son vin en bouteilles. Dominé par le grenache planté sur argilo-calcaire, ce millésime séduit par sa rondeur et par ses arômes de fruits rouges et de vanille (quatorze mois de fût). Bien représentatif de l'appellation, il devra patienter quatre ou cinq ans avant d'exprimer toutes ses qualités. Le **Vin di Felibre 2004 (30 à 38 €)** est cité.

SCEA Dom. Mathieu, rte de Courthézon, BP 32, 84231 Châteauneuf-du-Pape, tél. 04.90.83.72.09, fax 04.90.83.50.55, e-mail dnemathieu@aol.com

r.-v.

CH. MONT-REDON 2006 *

12,9 ha 45 000 15 à 23 €

Ce domaine est dans la famille depuis 1923. Pas moins de cinq cépages, plantés sur calcaire urgonien, sont assemblés dans ce châteauneuf blanc : du grenache et de la clairette surtout, mais aussi de la roussanne, du picquepoul et du bourboulenc. Or blanc dans le verre, ce vin offre

un nez suave et déjà complexe, fait de fleurs blanches et de poire. Sa rondeur et son gras laissent entrevoir une évolution des plus intéressantes. À garder sept ou huit ans pour apprécier toute la richesse d'un châteauneuf blanc.
Ch. Mont-Redon, 84230 Châteauneuf-du-Pape, tél. 04.90.83.72.75, fax 04.90.83.77.20, e-mail contact@chateaumontredon.fr r.-v.
Abeille-Fabre

DOM. DE LA MORDORÉE
La Reine des bois 2005 *

4,5 ha 15 000 **38 à 46 €**

De vieille souche vigneronne, les Delorme ont abandonné il y a une vingtaine d'années leurs entreprises pour se consacrer à plein temps à la vigne. Au fil des ans, ils ont agrandi leur domaine qui compte aujourd'hui plus de 50 ha. La Mordorée a décroché plus d'un coup de cœur (trois dans cette AOC). Mi-cuve mi-fût, cette cuvée de la Reine des bois assemble beaucoup de grenache et quatre autres variétés ; elle provient de vieux ceps plantés sur galets roulés. Elle exhale des parfums de vanille et de pain grillé et montre une belle longueur. Ses tanins demandent à s'assouplir : on l'attendra trois ou quatre ans avant de la servir sur une viande en sauce.
Dom. de La Mordorée, chem. des Oliviers, 30126 Tavel, tél. 04.66.50.00.75, fax 04.66.50.47.39, e-mail info@domaine-mordoree.com
t.l.j. sf dim. 8h-12h 14h-18h
Delorme

DOM. DE NALYS 2005 **

40 ha 170 000 11 à 15 €

L'un des plus anciens domaines de Châteauneuf-du-Pape, déjà mentionné au XVII[e]s. ; Nalys est implanté au milieu des vignes et regarde le village et le mont Ventoux. Ce 2005 fait suite à d'autres remarquables millésimes et y ajoute un coup de cœur : un amateur de châteauneuf-du-pape se doit de l'avoir dans sa cave ! Dans la vieille tradition de l'appellation, il assemble de nombreux cépages, nés sur des terrasses caillouteuses : pas moins de huit, avec le vaccarèse, la counoise, le terret, le muscardin et le cinsault. Mais c'est le grenache (60 %) et la syrah (30 %) qui dominent. Expressif, fin et long en bouche, il joue sur les fruits confits et le boisé vanillé de l'élevage. Avec ses tanins déjà arrondis, il se montre harmonieux, mais il mérite d'attendre cinq à six ans. Perspectives de garde : huit à dix ans.
Dom. de Nalys, rte de Courthézon, 84230 Châteauneuf-du-Pape, tél. 04.90.83.72.52, fax 04.90.83.51.15, e-mail domaine.nalys@orange.fr
t.l.j. sf dim. 9h-18h; sam. 9h30-18h30; groupes sur r.-v.
Groupama

CH. LA NERTHE 2006 *

5 ha 20 000 **23 à 30 €**

Sans doute le champion des coups de cœur : pas moins de dix, trois en rouge et sept en blanc (le dernier dans l'édition précédente). Il s'étend sur 90 ha et s'est converti au « bio ». Ce 2006 assemble la roussanne (48 %), le grenache (34 %), la clairette (13 %) et le bourboulenc. Floral et exotique au nez, il est vif et gras au palais. Aujourd'hui, il donne une impression de légèreté qui le fera apprécier à l'apéritif. Mais le potentiel est là : dans sept à huit ans, il accompagnera un plateau de fromages.
SCA Ch. La Nerthe, rte de Sorgues, 84230 Châteauneuf-du-Pape, tél. 04.90.83.70.11, fax 04.90.83.79.69, e-mail alaindugas@chateaulanerthe.fr
t.l.j. sf dim. 9h-12h 14h-18h
P. Richard

DOM. DE PANISSE Noble Révélation 2005 *

0,25 ha 1 200 **30 à 38 €**

Vers la fin du XV[e]s., un Dominique de Panisse fut seigneur de ces terres et maître d'hôtel de Louis XII. Que n'était-il échanson ! Depuis 1992, Jean-Marie Olivier conduit l'exploitation (18 ha). Deux de ses cuvées sont retenues, issues toutes deux de vignes de quarante ans plantées sur des sols argilo-calcaires sablonneux. Du grenache (50 %), du mourvèdre (30 %) et de la syrah pour cette Noble Révélation que le jury a préférée. Au nez, du fruit rouge, du tabac blond ; en bouche, une matière bien extraite aux tanins déjà arrondis mais qui gagneront en soyeux avec trois à quatre ans de garde. Citée, la cuvée **Confidence vigneronne (15 à 30 €)** fait davantage parler le grenache qui s'exprime avec chaleur et fraîcheur.
Jean-Marie Olivier, 161, chem. de Panisse, 84350 Courthézon, tél. 04.90.70.78.93, fax 04.90.70.81.83, e-mail domainedepanisse@wanadoo.fr r.-v.

DOM. ROGER PERRIN
Réserve des Vieilles Vignes 2005

2 ha 9 000 **30 à 38 €**

Luc Perrin conduit depuis 1986 les 41 ha du vignoble familial. Le nom de sa cuvée n'est pas usurpé puisque les ceps de grenache (70 %), syrah, mourvèdre, counoise et autres qui composent ce 2005 remontent à la fondation du domaine, il y a un siècle. Mais c'est surtout le chêne qui s'exprime, laissant le fruit à l'arrière-plan. Il est toutefois bien fondu. À réserver aux amateurs de vins boisés, qui déboucheront cette bouteille dans deux à trois ans sur une côte de bœuf grillée.
EARL Dom. Roger Perrin, La Berthaude, rte de Châteauneuf-du-Pape, 84100 Orange, tél. 04.90.34.25.64, fax 04.90.34.88.37, e-mail dne.rogerperrin@wanadoo.fr r.-v.
Luc Perrin

DOM. PONTIFICAL 2006 *

0,84 ha 1 900 **11 à 15 €**

Le vignoble s'étend sur 18 ha ; il a été fondé vers 1885. Dès les années 1920, l'arrière-grand-père vend sa production en bouteilles. Celle-ci assemble roussanne (35 %), bourboulenc (30 %), clairette et grenache. Intense au nez, elle mêle les fleurs blanches et les agrumes. Elle conjugue le gras et la fraîcheur dans une belle harmonie. À servir dès maintenant ou dans deux ou trois ans avec un poisson en sauce ou une poularde à la crème.

🔑 SCEA Vignobles F. Laget-Royer,
19, av. Saint-Joseph, BP 67,
84232 Châteauneuf-du-Pape, tél. 04.90.83.70.91,
fax 04.90.83.52.97, e-mail francois.laget@wanadoo.fr
☑ Ῑ 🚶 r.-v.

DOM. DES RELAGNES 2005

■ 2 ha 6 000 ▮ 🛢 15 à 23 €

Ce domaine de 7,50 ha vient de changer de mains. Il a été acquis en 2006 par Philippe Kessler, déjà propriétaire en coteaux-d'aix-en-provence. Issu d'un assemblage classique dominé par le grenache, ce 2005 se partage entre les fruits rouges à l'alcool et des notes grillées. Sa structure assez ferme demandera quatre ou cinq ans pour se fondre. Une certaine fraîcheur en bouche lui permettra de trouver facilement sa place à table, même avec des viandes blanches.

🔑 Dom. des Relagnes, rte de Bédarrides,
84230 Châteauneuf-du-Pape, tél. 04.90.83.73.37,
fax 04.90.83.52.16 ☑ Ῑ 🚶 r.-v.
🔑 CIPM Internationale

DOM. DE LA RONCIÈRE Flor de Ronce 2005

■ 4 ha 9 000 🛢 23 à 30 €

Un tandem père-fils exploite les 30 ha de ce domaine : Jean-Louis, depuis 1979, rejoint par Geoffrey en 2002. Dominé par le grenache (90 %), ce 2005 livre des parfums discrets mais subtils de fruits rouges et noirs cuits que l'on retrouve en rétro-olfaction. Des tanins souples soulignent la finale. Une bouteille à garder cinq à six ans avant de la servir sur des viandes en sauce, rouges ou blanches.

🔑 Jean-Louis et Geoffrey Canto,
Dom. de La Roncière, quartier Mascaronnes, BP 86,
84232 Châteauneuf-du-Pape Cedex, tél. 04.90.83.78.08,
fax 04.90.83.74.52,
e-mail domaine.de.la.ronciere@wanadoo.fr
Ῑ r.-v.; vente au 3, rue de la République

DOM. SAINT-LAURENT 2005

■ 3 ha 11 000 ▮ 🛢 15 à 23 €

Grenache (90 %) et syrah de cinquante ans plongent leurs racines dans des sols argilo-calcaires et de galets pour donner naissance à ce 2005 au nez de cassis et de mûre. Sa solide structure révèle des tanins qui s'arrondiront après deux ou trois ans de garde. À servir avec des viandes en sauce.

🔑 Laurent Sinard,
La Tamardière, chem. Saint-Laurent,
84350 Courthézon, tél. 04.90.70.87.92,
fax 04.90.70.78.49,
e-mail contact@domaine-saintlaurent.com
☑ Ῑ 🚶 t.l.j. sf dim. 9h-12h 14h-18h

DOM. DE SAINT-PAUL 2004 ★★

■ 7 ha 15 000 11 à 15 €

Plantés sur des terrains silico-argileux et des sols de galets, grenache et syrah, complétés par d'autres variétés, ont engendré ce 2005 fort apprécié. Le nez, intense et complexe, se porte vers les épices et le gibier. Les fruits rouges et la torréfaction viennent compléter cette palette aromatique en bouche. Des tanins déjà enrobés donnent une charpente solide à ce vin puissant, qui mérite d'attendre cinq ou six ans avant d'accompagner une viande rouge grillée ou en daube.

🔑 SCEA Élie Jeune,
Clos Saint-Paul, rte de Sorgues BP 58,
84230 Châteauneuf-du-Pape, tél. 04.90.83.70.28,
fax 04.90.83.78.07,
e-mail beatrice@domainesaintpaul.com ☑ Ῑ 🚶 r.-v.

DOM. DES SAUMADES 2005 ★

□ n.c. 1 500 🛢 15 à 23 €

Murielle et Franck Mousset ont acquis en 1995 ce domaine qui livre ici un blanc né de grenache (50 %), de clairette (30 %) et de bourboulenc plantés sur argilo-calcaires et sables. Le nez frais mêle les fleurs blanches à une touche anisée. Cette agréable fraîcheur et ces arômes se prolongent dans un palais bien équilibré, gras, rond et long. Ce vin, à servir dans les trois ans qui viennent, s'accordera avec un poisson à la vapeur.

🔑 Franck et Murielle Mousset, 20, fg Saint-Georges,
84350 Courthézon, tél. et fax 04.90.70.83.04,
e-mail saumades@wanadoo.fr ☑ Ῑ 🚶 r.-v.

DOM. DES SÉNÉCHAUX 2005 ★

■ 22 ha 80 000 🛢 15 à 23 €

Cette propriété de 26 ha a été vendue en 2007 à J.-M. Cazes, propriétaire entre autres domaines de Lynch-Bages à Pauillac. Les deux millésimes présentés ont été élaborés par la famille Roux. Le rouge assemble cinq cépages (dont deux tiers de grenache) issus d'argilo-calcaires et de galets roulés. Avec son nez sur les fruits rouges, la réglisse et les épices et son côté chaleureux, c'est un châteauneuf de tradition. On l'attendra cinq ans avant de le servir sur du gibier ou une viande en sauce. Le **blanc 2006** marie quatre cépages. Gras et rond, il reçoit lui aussi une étoile.

🔑 Dom. des Sénéchaux, 5, rue de la Nouvelle-Poste,
84230 Châteauneuf-du-Pape, tél. 04.90.83.73.52,
fax 04.90.83.52.88,
e-mail senechaux@domaine-des-senechaux.com
☑ Ῑ 🚶 t.l.j. sf sam. dim. 8h-12h30 13h30-18h30

CUVÉE DE LA SERRIÈRE 2005

■ 6 ha 26 000 ▮ 11 à 15 €

Assemblage de grenache (80 %) et de syrah, la sélection de ce négociant est destinée au consommateur impatient : en effet, on peut la servir dès aujourd'hui, même si elle peut se garder quatre ou cinq ans. Le nez est déjà bien ouvert, la bouche tout en rondeur, avec du gras et des tanins enrobés. Un ensemble flatteur à servir sur une viande rouge.

🔑 Découvertes et Sélections, rte de Beauchêne,
84420 Piolenc, tél. 04.90.11.15.50, fax 04.90.51.73.36,
e-mail clubdeschateaux@chateaubeauchene.com

DOM. PIERRE USSEGLIO ET FILS
Tradition 2004 ★

■ 15 ha 40 000 ▮ 🛢 15 à 23 €

Le grand-père était venu d'Italie pour travailler chez des propriétaires. Il a réussi à créer son domaine en 1949. Aujourd'hui, Thierry et Jean-Pierre Usseglio exploitent 23 ha de vignes. Leur cuvée Tradition donne la vedette au grenache, complété par trois autres variétés. Elle sent la réglisse et la violette, arômes que l'on retrouve dans une bouche fruitée, ample et puissante. On pourra garder deux ans cette bouteille pour en apprécier toute la richesse. Un magret de canard devrait la mettre en valeur.

🗝 Dom. Pierre Usseglio et Fils, 10, rte d'Orange, 84230 Châteauneuf-du-Pape, tél. 04.90.83.72.98, fax 04.90.83.56.70, e-mail domaine-usseglio@wanadoo.fr ☑ Ɪ ⛹ r.-v.

DOM. RAYMOND USSEGLIO ET FILS
Cuvée impériale 2005 ★

■ 3 ha 6 000 ▮ ❚❚ 23 à 30 €

La parcelle à l'origine de cette cuvée provient de ceps centenaires ! Du grenache surtout, et de nombreuses autres variétés, plantés sur argilo-calcaires et galets. Le vin affiche une grande maturité et se partage entre les épices et le cacao. En bouche, il révèle déjà une belle finesse, tout en pouvant encore se bonifier pendant quatre ou cinq ans.

🗝 Dom. Raymond Usseglio, 16, rte de Courthézon, BP 29, 84230 Châteauneuf-du-Pape, tél. 04.90.83.71.85, fax 04.90.83.50.42, e-mail info@domaine-usseglio.fr ☑ Ɪ ⛹ r.-v.

CUVÉE DU VATICAN Réserve sixtine 2005

■ 10 ha 30 000 ❚❚ 38 à 46 €

Assemblage de grenache (55 %), de syrah (30 %) et de mourvèdre, cette Réserve sixtine n'a pas dévoilé tous ses secrets, mais elle laisse percevoir au nez des fruits noirs, des notes animales, des épices et du boisé un peu cacaoté. Souple et ample en attaque, elle finit sur des tanins austères qui demandent trois à cinq ans pour se fondre. Sa persistance inspire confiance.

🗝 Vignobles Diffonty, 10, rte de Courthézon, BP 33, 84231 Châteauneuf-du-Pape Cedex, tél. 04.90.83.70.51, fax 04.90.83.50.36, e-mail vignoblesdiffonty@free.fr ☑ Ɪ ⛹ t.l.j. sf dim. 9h-12h 14h-18h; groupes sur r.-v.

CH. DE VAUDIEU 2006 ★★

□ 10 ha 6 500 ▮ ❚❚ 15 à 23 €

Le château, construit pour un notable florentin en 1767, campe sa silhouette monumentale au-dessus du vignoble : 70 ha d'un seul tenant. L'ensemble a été acquis par la famille Bréchet en 1955. Après un coup de cœur en rouge dans l'édition précédente, voici un blanc très remarqué, dominé par le grenache (70 %), avec un appoint de roussanne et un rien de picardan. Intense et élégant, le nez joue sur la pêche blanche et les fruits exotiques. Cette délicatesse et ce registre aromatique se poursuivent dans une bouche grasse, vivifiée en finale par une belle acidité. Cette bouteille saura donner la réplique à des noix de Saint-Jacques ou à des fromages. Perspectives de garde : sept à dix ans.

🗝 Famille Bréchet, Ch. de Vaudieu, rte de Courthézon, 84230 Châteauneuf-du-Pape, tél. 04.90.83.70.31, fax 04.90.83.51.97, e-mail julien.brechet@famillebrechet.fr ☑ Ɪ ⛹ t.l.j. sf sam. dim. 8h30-18h

Lirac

Dès le XVIe s., Lirac produisait des vins de qualité que les magistrats de Roquemaure authentifiaient en apposant sur les fûts, au fer rouge, les lettres « C d R ». Nous y trouvons à peu près le même climat et le même terroir qu'à Tavel, au nord, sur une aire répartie entre Lirac, Saint-Laurent-des-Arbres, Saint-Geniès-de-Comolas et Roquemaure. Depuis l'accession de vacqueyras à l'AOC, ce n'est plus le seul cru méridional qui offre les trois couleurs : les rosés et les blancs, tout de grâce et de parfums, se marient agréablement avec les fruits de la Méditerranée toute proche et se boivent jeunes et frais ; les rouges, puissants, au goût de terroir prononcé, généreux, accompagnent parfaitement les viandes rouges. En 2006, l'appellation a produit 21 478 hl, dont 1 843 hl en blanc, sur 661 ha.

CH. D'AQUÉRIA 2005 ★

■ 10 ha 60 000 ▮ ❚❚ 8 à 11 €

Avec son fronton et ses jardins à la française, ce château du XVIe s. ne manque pas d'allure. Les vins sont à la hauteur du cadre : dix coups de cœur au fil des éditions du Guide, dans les trois couleurs (trois en tavel, sept en lirac). Cette année, une étoile brille sur un rouge et un blanc. Assemblage de grenache (50 %), de syrah et de mourvèdre à parts égales, le premier, intense à l'œil, reste fermé au nez. La bouche dévoile une belle structure et des arômes de cerise et de vanille (six mois de fût). Une certaine fermeté en finale incite à garder cette bouteille deux ans en cave avant de la servir sur une viande rouge. En revanche, le **blanc 2006** vous offrira dès maintenant sa fraîcheur, son gras et ses parfums pêche-pamplemousse.

🗝 SCA Jean Olivier, Ch. d'Aquéria, 30126 Tavel, tél. 04.66.50.04.56, fax 04.66.50.18.46, e-mail contact@aqueria.com ☑ Ɪ ⛹ r.-v.

DOM. BEAUMONT La Cuvée de David 2005 ★

■ 1 ha 1 600 ❚❚ 11 à 15 €

Presque un siècle d'existence pour cette propriété fondée par l'arrière-grand-père et dont la cave servait de salle de cinéma dans les années 1950. Aujourd'hui, 18 ha. Quatre cépages au service de ce lirac : le grenache pour moitié, complété par la syrah et le mourvèdre, avec un rien de carignan. Dix-huit mois de fût, qui ne passent pas inaperçus. Le boisé épicé s'impose au palais. Derrière, on pressent un bon fond. La bouche est ample et déjà pointent quelques fruits rouges. Attente recommandée.

🗝 Dom. Beaumont, chem. de la Filature, 30126 Lirac, tél. 04.66.50.02.37, fax 04.66.50.07.17, e-mail domainebeaumont@wanadoo.fr ☑ Ɪ ⛹ r.-v.

CH. DE BOUCHASSY 2006 ★★

▒ 1 ha 4 000 ▮ 5 à 8 €

Propriété en 1626 de M. Bouchassy, premier consul de Roquemaure, les vignes ont été acquises par la famille Degoul dans les années 1970. Cette année encore, le jury hisse les couleurs du rosé. Deux tiers de grenache, un quart de cinsault, un peu de mourvèdre : une combinaison gagnante ; une macération de 24 h avant saignée. Il en résulte un vin vif et franc, aux reflets bleutés. Les parfums intenses et fins de petits fruits rouges (groseille, fraise, framboise) annoncent une bouche gourmande, vineuse, complexe, minérale et fraîche, qui s'achève sur un joli retour fruité. Le type même du rosé de repas. Le **rouge 2005 (8 à 11 €)**, élevé en fût, est cité.

🗝 Gérard Degoul, Ch. de Bouchassy, rte de Nîmes, 30150 Roquemaure, tél. 04.66.82.82.49, fax 04.66.82.87.80, e-mail gerard.degoul@wanadoo.fr ☑ Ɪ ⛹ t.l.j. sf dim. 8h-12h 14h-18h

PIERRE CHANAU 2005 ★

■ n.c. 60 000 3 à 5 €

La marque d'Auchan, qui propose de nombreuses appellations. Son lirac est élaboré par la maison Skalli. Grenache, syrah, mourvèdre et cinsault sont assemblés dans ce vin grenat intense au nez de fruits rouges et de sous-bois. L'attaque gourmande prélude à un palais équilibré, rond et fondu où un boisé vanillé souligne un fruit persistant. À servir dès maintenant sur un pigeon aux olives, par exemple.

🗝 Skalli, av. Pierre-de-Luxembourg,
84230 Châteauneuf-du-Pape, tél. 04.90.83.58.35,
fax 04.90.83.77.23

CH. DE CLARY 2006 ★

■ 2 ha 900 ▮ 8 à 11 €

Une création de l'intendant du Languedoc, qui acheta les terres en 1775, les planta et fit construire le château. Aujourd'hui, la bastide, son vignoble et son oliveraie servent de cadre aux sessions de l'Académie du Vin et du Goût, qui organise des stages professionnels et ludiques autour du vin et de l'huile. Ce lirac doit presque tout au grenache. Dans sa robe aux reflets violets, il cultive un style friand : il est gourmand et frais, aromatique du premier nez à la longue finale de fruits rouges.

🗝 Ch. de Clary, 30150 Roquemaure,
tél. 04.66.33.04.86, fax 04.66.33.04.87,
e-mail chateaudeclary@voila.fr ☑ Y 🚶 t.l.j. 9h-19h

CLOS DE SIXTE 2005 ★

■ 15 ha 55 000 ▮ ⦀ 8 à 11 €

Il suffit de traverser le Rhône pour passer de Châteauneuf-du-Pape à Lirac : c'est ce qu'a fait la famille Jaume, qui, en 2002, a acquis ce Clos de Sixte dont ce millésime est aussi intéressant par sa qualité que par son volume. Majorité relative de grenache, syrah et mourvèdre en complément, élevage en cuve et en fût pour ce 2005 bien coloré, qui s'ouvre à l'aération sur des notes de fruits compotés assorties de touches de tabac et d'épices. Ample, soutenue par une charpente de tanins bien enrobés, la bouche mêle les fruits rouges des bois à un boisé torréfié. On attendra cette bouteille deux à trois ans avant de la servir sur un tajine d'agneau.

🗝 Alain Jaume,
Dom. Grand Veneur, rte de Châteauneuf-du-Pape,
84100 Orange, tél. 04.90.34.68.70, fax 04.90.34.43.71,
e-mail jaume@domaine-grand-veneur.com ☑ Y 🚶 r.-v.

DOM. COUDOULIS Cuvée Bacchus 2004 ★

■ 2 ha 7 000 ▮ ⦀ 11 à 15 €

Établi sur une terrasse alluvionnaire dominant le village de Saint-Laurent-des-Arbres, le domaine – 30 ha d'un seul tenant sur galets roulés – a été racheté par Bernard Callet en 1996. Une étoile brille sur ses deux lirac rouges. L'assemblage est le même : deux tiers de grenache pour un tiers de syrah, mais cette cuvée Bacchus provient de vignes plus âgées et résulte d'un élevage partiel dans le chêne. Elle offre des senteurs méditerranéennes de garrigue, d'arbouse et d'airelle qui se prolongent dans une bouche riche et puissante, construite sur des tanins de qualité. L'autre **rouge 2004 (5 à 8 €)** n'a pas connu le bois. Il séduit par son équilibre et par ses arômes de fruits rouges confiturés.

🗝 Dom. Coudoulis, rte de Saint-Victor-la-Coste,
30126 Saint-Laurent-des-Arbres,
tél. et fax 04.66.22.85.89,
e-mail guillaumeperraud@orange.fr ☑ Y 🚶 r.-v.
🗝 B. Callet

CRISTIA Collection 2004 ★★

■ 0,5 ha 900 ▮ 8 à 11 €

Ce vin pourpre naît de vieilles vignes plantées sur argilo-calcaires et galets roulés ; il a été élevé vingt-quatre mois. Deux tiers de grenache, de la syrah et un soupçon de mourvèdre. Au nez, il évolue sur le fruit confituré, arôme qui imprègne la bouche gourmande et d'une belle longueur. Très bien fait et prêt à boire.

🗝 SARL Grangeon et Fils, 31, fg Saint-Georges,
84350 Courthézon, tél. 04.90.70.24.09,
fax 04.90.70.25.38,
e-mail domainedecristia@hotmail.com
☑ Y 🚶 t.l.j. 8h-12h 14h-18h; ven. a.-m. sam. dim. sur r.-v.

DOM. LA GENESTIÈRE Cuvée Raphaël 2005 ★★

■ 20 ha 16 000 ⦀ 8 à 11 €

À l'époque où Pasteur venait s'installer à Alès pour étudier la maladie du ver à soie, La Genestière était une magnanerie. Aujourd'hui, seuls les bâtiments et le bassin qui servait à la filature témoignent de cette ancienne activité. La propriété, acquise par les Garcin en 1994, est de longue date vouée au vin. La soie, on la trouve dans les tanins de cette jolie cuvée en robe soutenue, née de grenache (70 %), de syrah et de mourvèdre plantés sur galets roulés. Avec ses arômes intenses de petits fruits rouges épicés, sa souplesse et sa fraîcheur, c'est un vin friand impatient de passer à table.

🗝 J.-C. Garcin,
Dom. de La Genestière, chem. de Cravailleux,
30126 Tavel, tél. 04.66.50.07.03, fax 04.66.50.27.03,
e-mail garcin-layouni@domaine-genestiere.com
☑ Y 🚶 r.-v.

DOM. DU JONCIER 2005 ★

■ 6 ha 20 000 ▮ 8 à 11 €

Domaine créé par Pierre Roussel, ingénieur agronome, aujourd'hui rejoint par sa fille Marine qui signe les vins. Grenache, syrah, mourvèdre, cinsault et carignan mûrissent leurs grappes sur de vastes étendues de galets de couleur ocre. Le premier cépage domine dans ce lirac élevé dix-huit mois en cuve. On y trouve beaucoup de fruité, de l'ampleur, une bonne structure de tanins arrondis, une finale longue et aromatique. Une bouteille équilibrée dont on profitera dès maintenant.

🗝 Marine Roussel,
Dom. du Joncier, rue de la Combe, 30126 Tavel,
tél. 04.66.50.27.70, fax 04.66.50.34.07,
e-mail domainedujoncier@free.fr ☑ Y 🚶 r.-v.

DOM. LAFOND Cuvée KR 2005 ★★

■ 15 ha 60 000 ▮ 8 à 11 €

Propriétaire-négociant, Valery Taulier bâtit la première cave particulière à Tavel en 1948, un an après la reconnaissance du lirac en AOC. En 1970, Jean-Pierre Lafond, son gendre, crée la cave actuelle. Il est rejoint en 1979 par Pascal Lafond. Le domaine, qui s'étend sur 80 ha, s'est distingué maintes fois en lirac rouge : avec ce millésime, il obtient son sixième coup de cœur. Le grenache (70 %) s'associe à la syrah pour donner cette robe profonde, ce nez complexe, où les fruits noirs se nuancent de réglisse et de poivre, cette bouche riche, ample, fondue et longue à la finale élégante et fraîche. À déboucher dès la fin 2008. Le **blanc cuvée Roc-Épine 2006** est cité.

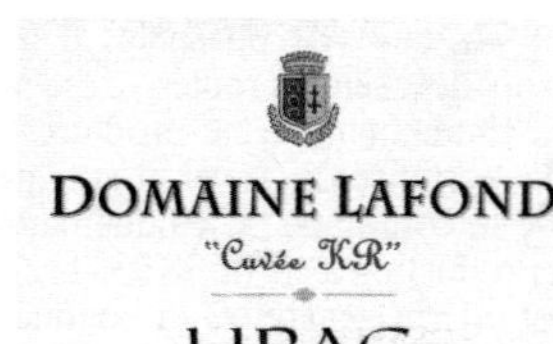

🔑 Dom. Lafond Roc-Épine, rte des Vignobles, 30126 Tavel, tél. 04.66.50.24.59, fax 04.66.50.12.42, e-mail lafond@roc-epine.com
t.l.j. sf sam. dim. 8h-12h 13h30-17h30

DOM. LA LÔYANE Cuvée Marie 2005 ★★

■ 2,2 ha 3 000 15 à 23 €

La famille Dubois est installée à Rochefort-du-Gard, en face d'Avignon. Sa cuvée Marie provient de ceps centenaires de grenache, plantés sur sable et galets roulés. Intense à l'œil, ce 2005 associe les fruits noirs (mûre, cassis) à des notes de vanille et de cacao héritées d'un séjour de huit mois en fût. Cette complexité se retrouve dans une bouche construite sur des tanins soyeux. Le bois marque l'attaque, puis le fruit rouge macéré prend le dessus dans la longue finale. Une bouteille à garder deux ans. Mariant le grenache et trois autres cépages, la **cuvée classique La Lôyane rouge 2005 (5 à 8 €)** n'a pas connu le bois. Assez proche de la précédente, le chêne en moins, elle gagnera elle aussi à attendre un peu.

🔑 Dominique, J.-Pierre et Romain Dubois, GAEC Dom. La Lôyane, quartier La Lôyane, 30650 Rochefort-du-Gard, tél. et fax 04.90.26.68.04, e-mail la-loyane-jean-pierre.dubois@orange.fr
t.l.j. sf lun. mar. dim. 9h-12h 15h-19h

DOM. MABY La Fermade 2005 ★★

■ 11 ha 20 000 5 à 8 €

Fondé en 1945 par Armand Maby, ce domaine (63 ha) affiche une belle continuité. Deux étoiles dans la première édition du Guide, cinq coups de cœur ; deux étoiles encore pour les deux lirac rouges signés par Richard Maby, le petit fils, qui a pris les rênes du domaine en 2005. Les deux vins assemblent le grenache (50 %) à la syrah et au mourvèdre à parts égales. Cette Fermade s'impose d'emblée par sa robe soutenue, qui annonce le nez puissant de fruits noirs. L'attaque riche et puissante introduit un palais aux tanins élégants imprégné d'arômes de fruits rouges, où la rondeur s'allie à une belle fraîcheur. La **Fermade rouge cuvée Prestige 2005 (8 à 11 €)** est proche de la précédente, le boisé vanillé en plus. Deux bouteilles déjà agréables et susceptibles d'une petite garde.

🔑 Dom. Maby, rue Saint-Vincent, 30126 Tavel, tél. 04.66.50.03.40, fax 04.66.50.43.12, e-mail domaine-maby@wanadoo.fr
t.l.j. 8h-18h; sam. dim. sur r.-v.

DOM. DE LA MORDORÉE Cuvée de la Reine des bois 2005 ★

■ 15 ha 40 000 11 à 15 €

Dame rousse ou Reine des bois, La Mordorée a vendangé les coups de cœur au fil des éditions du Guide, en lirac, tavel ou châteauneuf-du-pape : dix en tout. Du grenache, de la syrah et du mourvèdre à parts égales. Le 2005 séduit par la profondeur de sa robe, ses arômes de fruits rouges et sa bonne structure de tanins épicés. La **Dame rousse (8 à 11 €)**, mi-grenache, mi-syrah, est très colorée. Peu de nez, mais si on la sollicite, elle dévoile du fruit noir, du poivre et du laurier. Ce côté aromatique et épicé s'affirme dans un palais aux tanins assez présents. Deux bouteilles à sortir sans hâte de la cave à partir de l'automne.

🔑 Dom. de La Mordorée, chem. des Oliviers, 30126 Tavel, tél. 04.66.50.00.75, fax 04.66.50.47.39, e-mail info@domaine-mordoree.com
t.l.j. sf dim. 8h-12h 14h-18h
🔑 C. Delorme

DOM. DES MURETINS Élevé en barrique 2005 ★

■ 1,4 ha 5 600 8 à 11 €

Cuvée proposée par la maison Louis Bernard (groupe Boisset) installée dans la superbe chartreuse de Bonpas (XIIe s.). Deux tiers de grenache, un tiers de syrah et un élevage d'un an en fût ont engendré un vin intense à l'œil, dont le nez encore réservé dévoile une complexité naissante. On y respire le fruit noir et le sous-bois. Ample en bouche, ce 2005 révèle une trame tannique serrée qui demande un peu de temps pour se fondre. Le bois apporte une note de fumée et de cacao qui ajoute à sa richesse. Cette cuvée peut affronter une garde de deux à trois ans.

🔑 Les Domaniales, 555, rte d'Orange, 84350 Courthézon, tél. 04.90.70.42.10, fax 04.90.70.42.15
🔑 FGVS Boisset

DOM. LA ROCALIÈRE Gardé secret 2005 ★

■ 1,5 ha 5 000 15 à 23 €

Gardé secret ? Oui, cet assemblage de grenache (80 %) et de syrah né sur terrains sablonneux et galets roulés ne se dévoile pas. Il montre une belle matière, riche, ronde, ample, bien structurée, qui inspire confiance, mais il reste décidément fermé. Aérez-le pendant deux heures, et il finira bien par le livrer, ce secret – si toutefois vous dénichez la bouteille, une goutte de vin dans la production de la propriété.

🔑 Dom. La Rocalière, Le Palais-Nord, BP 21, 30126 Tavel, tél. 04.66.50.12.60, fax 04.66.50.23.45, e-mail rocaliere@wanadoo.fr
t.l.j. 8h-12h 14h-18h; sam. dim. sur r.-v.

LES VIGNERONS DE ROQUEMAURE Terra ancestra 2005 ★★

■ 1 ha 4 000 11 à 15 €

Fondée en 1922, la coopérative de Roquemaure vinifie 350 ha de vignes. Trois remarquables cuvées (deux étoiles) témoignent de ses efforts qualitatifs. Cette Terra ancestra, assemblage à parts égales de grenache, syrah et mourvèdre, obtient même un coup de cœur. Habillée d'une robe profonde aux reflets violines, elle captive par la complexité de sa palette où un subtil boisé laisse toute sa place à un cortège d'arômes : cerise, cassis, laurier, Zan et poivre. Dans le même registre, la bouche fait preuve d'une rare ampleur et persiste longuement sur une touche de café. Une bouteille élégante à ouvrir à partir de 2008 et pendant cinq ans. Le **rouge cuvée Saint-Valentin 2005 (5 à 8 €)**, aromatique, complexe, gourmand et long, est assez proche du précédent ; le **rosé Tradition 2006 (5 à 8 €)** est un très beau rosé de repas, fruité, riche et persistant.

Les Vignerons de Roquemaure, 1, rue des Vignerons, 30150 Roquemaure, tél. 04.66.82.82.01, fax 04.66.82.67.28, e-mail contact@vignes-de-roquemaure.com
t.l.j. sf dim. 9h-12h 14h-18h

CH. SAINT-ROCH 2004 ★★★

15 ha 60 000 8 à 11 €

Des Brunel étaient déjà vignerons sous le règne du Roi Soleil. Leur vaste royaume viticole s'étend de part et d'autre du Rhône. En 1998, Maxime et Patrick Brunel ont acquis le Château Saint-Roch (42 ha). Sur des coteaux aux sols silico-calcaires, grenache (50 %), mourvèdre et syrah âgés de quarante ans ont engendré cette cuvée qui a figuré parmi les candidates au coup de cœur. Bien coloré, ce 2004 s'impose en bouche, avec complexité. La structure tannique est de qualité. Le boisé fondu laisse s'exprimer le vin ; frais puis plus confituré, un fruité puissant tapisse le palais et persiste longuement. Une citation pour le **blanc 2006**.

Ch. Saint-Roch Brunel Frères, chem. de Lirac, 30150 Roquemaure, tél. 04.66.82.82.59, fax 04.66.82.83.00, e-mail brunel@chateau-saint-roch.com
t.l.j. 8h-12h 14h-17h; f. 1er-15 août
M. et P. Brunel

DOM. TOUR DES CHÊNES Cuvée Fût de chêne 2005

n.c. 7 000 8 à 11 €

Cette cuvée habillée d'une étiquette originale illustrée par Claude Clarbous est dédiée à Michel Butor. La syrah (50 %) se marie au grenache avec un appoint de mourvèdre, assemblage qui donne ce vin cité pour ses plaisants arômes de cassis, de fruits mûrs et d'épices et pour sa bouche généreuse, qui finit sur un plaisant retour fruité. À servir dès maintenant.

Dom. Tour des Chênes, chem. de la Coste-de-l'Évêque, 30126 Saint-Laurent-des-Arbres, tél. 04.66.50.01.19, fax 04.66.50.34.69, e-mail tour-des-chenes@wanadoo.fr
t.l.j. sf sam. dim. 9h-12h 15h-19h
J.-C. Sallin

Tavel

Considéré par beaucoup comme le meilleur rosé de France, ce grand vin de la vallée du Rhône provient d'un vignoble situé dans le département du Gard, sur la rive droite du fleuve. Sur des sols de sable, d'alluvions argileuses ou de cailloux roulés, c'est la seule appellation rhodanienne à ne produire que du rosé, sur le territoire de Tavel et sur quelques parcelles de la commune de Roquemaure, soit 933 ha ; la production a été de 38 933 hl en 2006. Le tavel est un vin généreux, au bouquet floral puis fruité, qui accompagnera le poisson en sauce, la charcuterie et les viandes blanches.

CH. D'AQUERIA 2006 ★

45,38 ha 100 000 **8 à 11 €**

Ils sont six, ensemble dans la farandole. Le grenache mène la ronde, suivi des clairette et cinsault, et pour un dernier quart, des mourvèdre, syrah et bourboulenc. Une jolie musique du terroir composée par les frères Vincent et Bruno de Bez. Le rose est d'une nuance tavel, soutenue, le nez apporte des notes de fruits rouges, telles que la cerise, la fraise et la framboise, la bouche est charnue et minérale, la fraîcheur vive. Un tavel pur race, qui accommodera les cuisines chinoises ou créoles.

SCA Jean Olivier, Ch. d'Aquéria, 30126 Tavel, tél. 04.66.50.04.56, fax 04.66.50 18.46, e-mail contact@aqueria.com r.-v.

DOM. LA GENESTIÈRE Cuvée Raphaël 2006 ★

40 ha 80 000 **8 à 11 €**

Le rosé Raphaël, d'un rose intense, s'ouvre sur une boîte de bonbons anglais, acidulés et sucrés, puis sur un panier de fruits rouges. L'élégance, la présence et la rondeur tournent en bouche tandis que chemine le fruit. Une cuisine épicée comme une moussaka aux aubergines conviendra à cette bouteille.

J.-C. Garcin, Dom. de La Genestière, chem. de Cravailleux, 30126 Tavel, tél. 04.66.50.07.03, fax 04.66.50.27.03, e-mail garcin-layouni@domaine-genestiere.com
r.-v.

DOM. DE LANZAC Cuvée Grande Tradition 2006

6 ha 36 000 **8 à 11 €**

Raoul de Lanzac, le fondateur, ne possédait qu'un hectare de vignes à Tavel à ses débuts après-guerre, et il entreposait ses fûts dans la cave sous la maison familiale au cœur du village, près de la fontaine. Le temps a passé, son domaine s'est agrandi (18 ha aujourd'hui). Voici un vin léger, vif, frais, prêt à boire et à offrir ses arômes pimpants de fruits jaunes (pêche et abricot) et de fraise juste mûre.

Norbert de Lanzac, rte de Pujaut, 30126 Tavel, tél. 04.66.50.22.17, fax 04.66.50.47.44, e-mail domainedelanzac@hotmail.com
t.l.j. 9h-12h 15h-19h

DOM. MABY Prima Donna 2006 ★

4 ha 20 000 **5 à 8 €**

Une Prima Donna est pleine de grâce et capricieuse à la Scala. Celle des Maby ne s'embarrasse pas de fioritures : parmi les neuf cépages sélectionnés du tavel, elle n'a retenu que le rond et chaleureux grenache, et le cinsault élégant et fin, assemblés à parité. La diva s'habille en rubis vif, le corps est souple et fin, avec du grain en bouche. Le risotto aux vongoles ou les tortellinis della nonna s'imposent, et un tiramisu vénitien pour finir.

🔑 Dom. Maby, rue Saint-Vincent, 30126 Tavel, tél. 04.66.50.03.40, fax 04.66.50.43.12, e-mail domaine-maby@wanadoo.fr
☑ Y 🚶 t.l.j. 8h-18h; sam. dim. sur r.-v.

DOM. LE MALAVEN Cuvée Prestige 2006 ★

■ 1,13 ha 5 000 ▮ 5 à 8 €

Les lauzes, des cailloux éclatés des veines calcaires, tapissent le vallat du Malaven, coulant entre les pentes légères déclinant du plateau de garrigues. Les flammèches noires des ceps, l'hiver, se balancent dans le lit de pierres blanches. Étrange paysage, joli vin. Des reflets violets teintent le rose. Des parfums de fleurs et d'épices douces caressent le nez. Un vin frais, aux tanins très fins, et gorgé de fruits rouges. Ses auteurs se sont installés en 1999 et ont construit leur cave en 2002.

🔑 EARL Isabelle et Dominique Roudil, Dom. Le Malaven, rte de la Commanderie, BP 28, 30126 Tavel, tél. 04.66.50.20.02, fax 04.66.50.90.42, e-mail dominique.roudil527@orange.fr
☑ Y 🚶 t.l.j. sf sam. dim. 8h-12h 13h30-18h

CH. DE MANISSY 2006 ★

■ 15 ha 70 000 5 à 8 €

Robert Skalli propose ce millésime en provenance de l'un des plus vénérables vignobles de Tavel. Ce vin élégant est bien représentatif de l'appellation avec sa robe rose vif, son nez de fleurs blanches et de fruits frais, un peu minéral. Sa rondeur et son gras s'harmonisent avec la fraîcheur des fruits où perce l'agrume. Tout ce qu'il faut pour les petits légumes farcis de Provence.

🔑 Skalli, av. Pierre-de-Luxembourg, 84230 Châteauneuf-du-Pape, tél. 04.90.83.58.35, fax 04.90.83.77.23

GABRIEL MEFFRE Les Nonciades 2006 ★★

■ n.c. 25 000 ▮ 5 à 8 €

« Créateur de vins », Gabriel Meffre préfère cette désignation tendance, plutôt que celle de négociant. Il signe en tavel une ligne de vins élégants. Proche du coup de cœur, la cuvée Les Nonciades emporte l'adhésion. La robe cerise intense, irisée de reflets violacés, lance des parfums de fruits cuits et de coing, et des étincelles de fraise. La bouche d'abord se fait légère et souple, avant que n'arrive le gras, enrobé de framboise et de cassis. Une étoile pour la cuvée **Les Amarines 2006 (8 à 11 €)** au nez confit. L'amarine ainsi appelée car ces terres étaient couvertes autrefois, au XVI[e]s., de chênes destinés aux vaisseaux de la Marine royale.

🔑 Maison Gabriel Meffre, Le Village, 84190 Gigondas, tél. 04.90.12.32.40, fax 04.90.12.32.49

DOM. DE LA MORDORÉE La Dame rousse 2006

■ 10 ha 60 000 **8 à 11 €**

Venue du plateau de Vallongue, battu par le mistral, La Dame rousse cache ses parfums : le nez où affleurent des arômes de fruits et d'agrumes reste encore discret. La bouche se donne en souplesse et rondeur, tout en équilibre. Les 2002, 2003 et 2004 avaient obtenu un coup de cœur, le 2005 trois étoiles.

🔑 Dom. de La Mordorée, chem. des Oliviers, 30126 Tavel, tél. 04.66.50.00.75, fax 04.66.50.47.39, e-mail info@domaine-mordoree.com
☑ Y 🚶 t.l.j. sf dim. 8h-12h 14h-18h
🔑 C. Delorme

DOM. MOULIN-LA-VIGUERIE 2006 ★

■ 2,27 ha 13 000 ▮ 5 à 8 €

La cave est située au cœur du village. Son tavel couleur cerise s'agrémente de reflets framboise. Les fruits s'y expriment avec délicatesse. L'attaque est vive et minérale, puis la bouche s'allonge sur le fruit. L'alliance entre fraîcheur et gras est accomplie. Préparez donc un plat d'aubergines frites à la tomate et à l'ail, spécialité de la grand-mère de la productrice.

🔑 SCEA les Vignobles Mireille Petit-Roudil, rue de la Combe, 30126 Tavel, tél. 04.66.50.06.55, fax 04.66.79.37.04, e-mail gael.petit2@wanadoo.fr
☑ Y 🚶 t.l.j. sf dim. 10h-12h 14h-19h30

DOM. PÉLAQUIÉ 2006 ★

■ 1,6 ha 8 900 ▮ 5 à 8 €

La cigale chante sur l'étiquette de ce tavel. Grenache et cinsault se font écho en bouteille, habillés d'une robe légère aux reflets pétale de rose. Ce vin, avant tout frais, vif et minéral, se donne à boire sans complexes dans sa simplicité fruitée. Un soupçon de gras vient l'arrondir.

🔑 Dom. Pélaquié, 7, rue du Vernet, hameau de Palus, 30290 Saint-Victor-la-Coste, tél. 04.66.50.06.04, fax 04.66.50.33.32, e-mail contact@domaine-pelaquie.com
☑ Y 🚶 t.l.j. sf dim. 9h-12h 14h-18h
🔑 GFA du Grand Vernet

DOM. LA ROCALIÈRE 2006 ★★★

■ 23 ha 130 000 8 à 11 €

Grenache noir, cinsault, syrah, mourvèdre : un quarté de choc pour un coup de cœur chic. La mise est gagnante de l'avis des dégustateurs. La Rocalière porte une casaque aux couleurs brillantes d'un rose vif triomphant, le nez fleure l'aubépine et un fruité mêlé de framboise et de grenadine. L'allure est puissante, harmonieuse et riche, dans un déboulé aromatique extrême. Ce tavel mettra en valeur les plats provençaux : brandade de morue, papeton d'aubergines, tian de légumes, ou encore des fromages frais. L'usage veut que l'on marie le vin au fromage le plus proche de sa terre d'origine. Le saint-marcellin de la Drôme fera aussi l'affaire.

🔑 Dom. La Rocalière, Le Palais-Nord, BP 21, 30126 Tavel, tél. 04.66.50.12.60, fax 04.66.50.23.45, e-mail rocaliere@wanadoo.fr
☑ Y 🚶 t.l.j. 8h-12h 14h-18h; sam. dim. sur r.-v.
🔑 Borrelly-Maby

DOM. ROC DE L'OLIVET 2006

■ 3,3 ha 2 400 ▮ **5 à 8 €**

La cuvée confidentielle d'un petit bout de domaine familial (4,4 ha), relevé il y a une dizaine d'années en

souvenir du père vigneron, Alfred. Petite propriété mais non sans qualités. Voyez ce vin rose pâle, au nez de primeur, vif et fin sur la langue, s'appuyant sur une fraîche minéralité. Il fera un apéritif revigorant, servi avec des tartines grillées à la tapenade.
Thierry Valente, chem. de la Vaussière, 30126 Tavel, tél. 06.87.71.42.87, fax 04.66.50.37.87, e-mail valente.thierry@wanadoo.fr r.-v.

LES VIGNERONS DE TAVEL Cuvée Tableau Sélection parcellaire de terres blanches 2006 ★★

12,5 ha 75 000 5 à 8 €

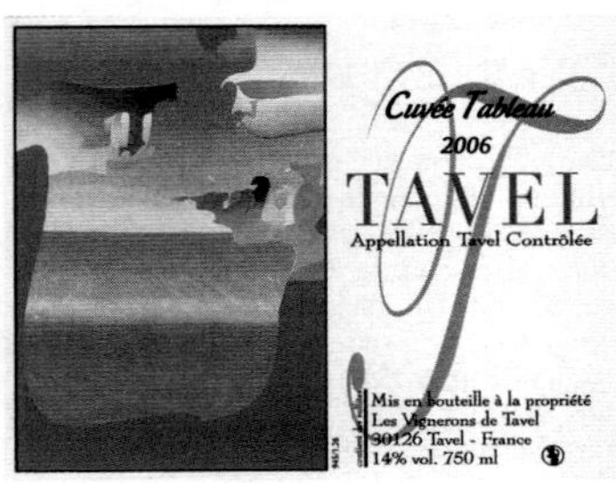

Les vignerons de Tavel représentent la moitié de l'appellation. Les années se suivent et les coups de cœur se succèdent. Que de chemin parcouru depuis l'inauguration de la cave par le président Albert Lebrun, en 1938. Autour du roi grenache qui se réserve la meilleure place, la moitié, se pressent syrah, cinsault, vieux carignan, clairette, bourboulenc et piquepoul en parts variables selon les cuvées. Celle-ci se distingue par sa prestance : vive et minérale au nez, puis ronde et grasse en bouche où festoient le bonbon anglais et la fraise. La **Cuvée royale Sélection parcellaire de galets roulés 2006** et le **Prestige des Lauzeraies Sélection parcellaire de lauzes 2006** reçoivent chacune une étoile. Une belle vendange.
Les Vignerons de Tavel, rte de la Commanderie, 30126 Tavel, tél. 04.66.50.03.57, fax 04.66.50.46.57, e-mail tavel.cave@wanadoo.fr r.-v.

DOM. LE VIEUX MOULIN 2006

5,02 ha 29 000 5 à 8 €

Le cinsault se fait pour une fois dominateur (60 %) dans ce tavel, accompagné de ses complices habituels, grenaches noir et blanc, et d'un doigt de bourboulenc. Les raisins cueillis très mûrs ont donné un nez de fruits rouges presque confits. La bouche grasse est marquée par une onctuosité fruitée.
EARL Roudil-Jouffret, rte de la Commanderie, Le Palai-Nord, 30126 Tavel, tél. 04.66.82.85.11, fax 04.66.82.84.18, e-mail roudil.jouffret@wanadoo.fr
t.l.j. 8h-12h 14h-18h; sam. dim. sur r.-v.
Didier Jouffret

Costières-de-nîmes

Ce sont 25 000 ha de terrains de cailloutis du villafranchien classés en AOC dont 4 193 ont été déclarés en 2005. Les vins rouges, rosés ou blancs sont élaborés dans un vignoble établi sur les pentes ensoleillées de coteaux constitués de cailloux roulés, dans un quadrilatère délimité par Meynes, Vauvert, Saint-Gilles et Beaucaire, au sud-est de Nîmes, au nord de la Camargue. 216 042 hl de vin ont été agréés en 2005 sous l'appellation costières-de-nîmes (dont 9 496 hl de blanc), produits sur le territoire de vingt-quatre communes. Les cépages autorisés en rouge sont le carignan, le cinsault, le grenache noir, le mourvèdre et la syrah ; en blanc, ce sont la clairette, la marsanne, la roussanne et le rolle. Les rosés s'associent aux charcuteries des Cévennes, les blancs se marient fort bien aux coquillages et aux poissons de la Méditerranée et les rouges, chaleureux et corsés, préfèrent les viandes grillées. Une route des Vins parcourt cette région au départ de Nîmes.

CH. DE L'AMARINE Cuvée de Bernis 2006 ★

3 ha 10 000 5 à 8 €

Cette propriété de 25 ha appartenait autrefois au cardinal de Bernis auquel cette cuvée rend hommage. Ce vin se distingue par sa finesse et son harmonie. Finesse de la robe jaune clair, harmonie des arômes intenses de fleurs blanches, d'agrumes et de peau de pêche. La bouche offre un équilibre délicat, de la légèreté et de la fraîcheur dans une finale aérienne. Une bouteille que l'on peut déguster pour elle-même.
Ch. de L'Amarine, Campuget, 30129 Manduel, tél. 04.66.20.20.15, fax 04.66.20.50.57, e-mail chateaulamarine@wanadoo.fr
t.l.j. sf dim. 9h-12h 14h-18h
Dalle

CH. DES AVEYLANS Les Templiers 2005

3 ha 12 000 11 à 15 €

Situé sur le versant sud des costières, ce domaine offre le gîte, point de départ de nombreuses balades à la découverte de la Camargue. À votre retour, vous pourrez y déguster la cuvée des Templiers. Elle présente une robe d'un beau rubis profond et un nez complexe où s'exprime le fruit noir rehaussé d'une note iodée sur une base nettement boisée. Au palais, cette accroche se fond sur des tanins souples, et une légère sucrosité, alors qu'apparaît une note mentholée. Un vin capiteux à attendre encore deux ans.
SCEA Ch. des Aveylans, 700, chem. de Sautebraut, 30127 Bellegarde, tél. 04.66.70.10.28, fax 04.66.70.10.89 r.-v.
Martin Artigue

CH. BEAUBOIS Élégance 2006 ★★

2 ha 10 000 8 à 11 €

Le vignoble de ce domaine dominant les étangs de la Petite Camargue fut créé au XIIIe s. par les moines cisterciens de l'abbaye de Franquevaux toute proche. Aujourd'hui Fanny et François Boyer, le frère et la sœur, se sont associés pour élaborer cette bien nommée cuvée Élégance à la robe lumineuse. Le nez agréable apparaît marqué par les agrumes et offre en rétro-olfaction une note d'abricot sec. En bouche, l'équilibre est réussi et l'ensemble harmonieux avec une belle finale. La cuvée

Élégance rouge 2006 reçoit une étoile. Riche de promesses, pleine, fruitée et épicée, dotée de tanins de qualité, une bouteille à attendre deux à trois ans.
Fanny et François Boyer, Ch. Beaubois, 30640 Franquevaux, tél. 04.66.73.30.59, fax 04.66.73.33.02, e-mail chateau-beaubois@wanadoo.fr
t.l.j. 9h-12h 14h-18h

CH. DE BELLE-COSTE Cuvée Saint-Marc 2005 *

■ 30 ha 5 000 **5 à 8 €**

Dans un écrin de verdure au cœur des Costières, le caveau évoque le souvenir du marquis de Baroncelli, célèbre *félibre* camarguais. Rouge grenat rehaussé de reflets rubis, cette cuvée Saint-Marc offre un nez complexe et charmeur, évoquant les fruits rouges, la mûre, puis le poivre et le sous-bois. En bouche, les fruits rouges dominent. Après une attaque douce, la structure ferme s'arrondit sur des tanins lisses. Du plaisir assuré pour tous.
Bertrand du Tremblay, Dom. de Belle-Coste, 30132 Caissargues, tél. 04.66.20.26.48, fax 04.66.20.16.90, e-mail dutremblay@belle-coste.com
r.-v.

CH. DE BEZOUCE 2006 *

■ 4,5 ha 35 866 3 à 5 €

Situé au nord-est de l'appellation, ce petit domaine relève d'un long passé viticole. Le corps de ferme typique, datant du XVIII[e]s., est doté d'une tour ornée d'une horloge. Habillée de grenat foncé, cette cuvée développe un nez complexe, fruité et agréable, où s'expriment la framboise et la mûre, agrémentées d'une touche de violette. En bouche, le cassis domine sur des tanins fondus. À apprécier dans l'année.
Denis Roux, RN 47, 30320 Bezouce, tél. et fax 04.66.75.26.67, e-mail chateaubezouce@wanadoo.fr r.-v.

LE BOIS DE MAGNAN 2006 *

■ 15 ha 100 000 **5 à 8 €**

Marque produite par les vignobles Gassier (château de Nages). Cette cuvée, parée d'une robe grenat à reflets violines, allie richesse et maturité. Sa complexité (fraise et cerise, fruits secs et épices douces, cacao et cuir) n'a d'égal que son équilibre gustatif. Souple, moelleuse et d'une agréable fraîcheur aromatique, elle accompagnera les premiers mets de l'automne.
Vignobles Michel Gassier, Mas de Nages, chem. des Canaux, 30132 Caissargues, tél. 04.66.38.44.30, fax 04.66.38.44.39, e-mail info@michelgassier.com r.-v.

CH. BOLCHET Cuvée Tradition Amaury 2006 *

■ 9,8 ha 26 000 **5 à 8 €**

Ce domaine familial possède des bâtiments à l'architecture typiquement régionale avec une chapelle du XVIII[e]s. et une fontaine adossée à un pigeonnier. C'est là qu'a été élaboré ce vin à la teinte brillante aux reflets violets. Le nez joue sur des arômes de violette et de fruits des bois, puis révèle des notes de musc et de camphre, ponctuées d'une touche animale. La bouche, dans le même registre, possède une belle charpente. Un costières charnu à servir aujourd'hui comme dans trois ans.
Béatrice Becamel, Ch. Bolchet, 30132 Caissargues, tél. et fax 04.66.29.14.79, e-mail vin.chateau.bolchet@wanadoo.fr
t.l.j. sf dim. 9h-12h 14h-19h

CH. BONICE 2006

■ 2,5 ha 12 000 **5 à 8 €**

Cette cuvée se présente dans une robe grenat parée de reflets violets. Les arômes de fruits rouges un peu amyliques s'associent avec simplicité et harmonie à la structure souple et chaleureuse conférée par le grenache (70 %). Un vin de plaisir à apprécier sans attendre.
Vignoble Bois et Fils, Mas Sainte-Olympe, 30129 Manduel, tél. 04.66.01.10.35, fax 04.66.01.75.35, e-mail vignoble.bois@wanadoo.fr r.-v.

DOM. CABANIS Jardin secret 2006 *

■ 1 ha 4 000 **11 à 15 €**

Ce vin à la production confidentielle est issu de vignes cultivées selon les techniques de l'agriculture biologique. Derrière une robe profonde, pourpre à reflets bleutés, l'expression olfactive papillonne sur une palette variée : touches de violette, petits fruits noirs, senteurs de pin et de garrigue. Au palais, légèreté et fraîcheur l'emportent sur des notes gourmandes de fruits rouges. Une bouteille à déguster entre amis, au fond du jardin.
Cabanis, Mas Madagascar, 30600 Vauvert, tél. 04.66.88.78.33, fax 04.66.88.41.73, e-mail domaine.cabanis@orange.fr r.-v.

DOM. DE LA COLOMBIÈRE 2006 *

■ 0,5 ha 2 700 **5 à 8 €**

Ce rosé marque l'entrée dans le Guide de ce producteur installé depuis 1998, après une reconversion professionnelle. La couleur est pâle, légèrement orangée, les arômes sont finement anisés, mentholés, et la bouche se montre vive, acidulée et équilibrée. Un ensemble aérien.
Philippe Nicol, Dom. de La Colombière, rte d'Arles, 30128 Garons, tél. et fax 04.66.20.72.14 r.-v.

CH. LA COURBADE 2006 *

■ 1,1 ha 7 100 3 à 5 €

Un vin de propriétaire mis en bouteilles par une importante maison de négoce reprise par le groupe bourguignon Boisset et installée sur les bords de la Durance. Voici un rosé tout en légèreté, avec sa robe pâle saumonée. Fleurs blanches et caractère minéral au nez, notes grillées et finale suave, framboisée en bouche, composent ce vin tendre et délicat.
Louis Bernard, Chartreuse de Bonpas, 1, chem. de Reveillac, 84510 Caumont-sur-Durance, tél. 04.90.23.09.59, fax 04.90.23.67.96, e-mail louisbernard@sldb.fr
t.l.j. 9h-18h (à partir de 10h en hiver)
Boisset FGVS

RHÔNE

DOM. DE DONADILLE
Cuvée de l'École Élevé en fût de chêne 2005 *

■ 0,5 ha 2 700 **5 à 8 €**

La cuvée de l'École est élaborée avec la participation active des élèves du lycée agricole. Très appréciée, elle montre que ces futurs vignerons sont fin prêts à voler de leurs propres ailes. Les reflets encore jeunes de la robe sombre annoncent l'élégance discrète du nez où se mêlent

épices, réglisse, notes de garrigue et vanille. Après un début timide, en souplesse, la bouche s'affirme, ample et longue. La finale nettement boisée gagnera à s'arrondir et la richesse aromatique s'épanouira d'ici un à deux ans.
🔑 Dom. de Donadille,
Lycée agricole Marie-Durand, av. Yves-Cazeaux,
30230 Rodilhan, tél. 04.66.20.67.68, fax 04.66.20.67.69,
e-mail expl.nimes@educagri.fr
☑ Y 🚶 t.l.j. sf dim. lun. 13h30-17h30, sam. 9h-12h

CH. L'ERMITAGE Via Compostelle 2006 ★★

■ 2,25 ha 15 000 ▮ 5 à 8 €

Ce domaine familial dépendait d'une abbaye avant la Révolution. Il signe un vin traditionnel, séducteur, franc et complet, qui revendique la typicité. Des reflets grenat égayent une robe sombre. La cerise et la framboise, la violette et la réglisse charment le nez agrémenté d'une note minérale et d'une pointe d'épices. Un mélange de fruit et de légèreté, de fraîcheur et de plénitude assure l'équilibre parfait destiné à un plaisir immédiat. Grenat foncé, la cuvée **Tradition rouge 2006** reçoit une étoile. Son équilibre porté par des tanins fermes s'établira pleinement d'ici un à deux ans.
🔑 Jérôme Castillon, rte de Nîmes, 30800 Saint-Gilles,
tél. 04.66.87.04.49, fax 04.66.87.16.02,
e-mail contact@chateau-ermitage.com
☑ Y 🚶 t.l.j. sf dim. 9h-12h 14h-17h30

CH. D'ESPEYRAN 2005 ★

■ 10 ha 5 000 **5 à 8 €**

Derrière la robe foncée, ombrée de légers reflets bruns, les senteurs de cassis s'accompagnent d'arômes plus évolués de griotte à l'eau-de-vie. Doté de tanins fondus et d'une bonne longueur, un vin riche et racé.
🔑 SCEA Ribasse et Argentière, Ch. d'Espeyran,
30800 Saint-Gilles, tél. 04.66.87.30.11,
fax 04.66.87.01.84, e-mail mdebordas@aol.com
☑ Y 🚶 r.-v.

FRANÇOIS ARNAUD 2006 ★

■ n.c. 120 000 ▮ 3 à 5 €

R & D Vins, jeune maison de négoce portant les initiales de ses créateurs, a son siège dans le secteur des côtes-du-rhône. Elle signe un costières-de-nîmes, un vin plein de jeunesse : robe violine, nez de violette, de tabac blond et d'épices douces (cannelle et muscade), bouche ample et souple, tanins lisses et alcool généreux. Ne pas laisser échapper cette belle jeunesse !
🔑 R & D Vins, Ch. Saint-Maurice, RN 580,
L'Ardoise, 30290 Laudun, tél. 04.66.82.96.57,
fax 04.66.82.96.58, e-mail rdvins@wanadoo.fr

CH. GRANDE CASSAGNE 2006 ★★

▒ 15 ha 120 000 ▮ 3 à 5 €

Domaine traditionnel, probablement l'un des plus anciens du vignoble des costières-de-nîmes, le château Grande Cassagne élabore des vins de qualité régulièrement présents dans le Guide. Le jury a particulièrement apprécié le rosé de couleur cerise à reflets bleutés. Le nez exhale des notes de fruits rouges bien mûrs ; plein, long en bouche, d'une structure soutenue, ce vin accompagnera sans faiblir tout un repas. La **Civette rouge 2006**, traditionnelle et typique, une étoile, mêle fruits rouges (groseille), garrigue et épices. La bouche offre un excellent équilibre.
🔑 Dardé Fils, Ch. Grande Cassagne,
30800 Saint-Gilles, tél. et fax 04.66.87.32.90,
e-mail chateaugrandecassagne@wanadoo.fr
☑ Y 🚶 t.l.j. sf dim. 9h-12h 14h-18h

HAUT COQUILLON Élevé en fût de chêne 2005 ★

□ 3 ha 2 500 ⏸ **8 à 11 €**

À la limite sud des costières, à la recherche des manades et des étangs, sur un terroir de galets aux accents de Camargue, vous trouverez la cave de Gallician. Elle a produit ce vin jaune pâle brillant au premier nez intense et agréable, marqué par les fruits exotiques accompagnés d'une pointe vanillée. On retrouve la vanille, bien fondue, dans une attaque ronde et équilibrée. La finale est nette. À apprécier dès maintenant.
🔑 Cave pilote de Gallician, av. des Costières,
30600 Gallician, tél. 04.66.73.31.65, fax 04.66.73.34.95,
e-mail cavegallician@wanadoo.fr ☑ Y 🚶 r.-v.

CH. DE LA HAUTE CASSAGNE 2006 ★★

■ 37,32 ha 16 000 5 à 8 €

Issu d'une famille de viticulteurs depuis 1928, le propriétaire, Christian Ajasse, a su faire revivre ce vignoble méditerranéen de tradition. La rénovation du chai et la conduite en agriculture raisonnée l'inscrivent dans la modernité. Le rouge 2006 non seulement signe l'entrée du domaine dans le Guide, mais récolte un coup de cœur. Paré d'une robe grenat foncé à reflets vifs, il offre au nez richesse et intensité aromatique, sur des notes de fruits rouges et de prune à l'eau-de-vie qui persistent longuement en bouche et auxquelles se mêle une touche briochée. La concentration et l'équilibre sont de mise. La finale est flattée par une pointe de sucrosité. Ce vin exprime toute la générosité du grenache. Le **blanc 2006** a été jugé très réussi (une étoile) avec ses senteurs de fruits à chair blanche, sa touche de miel en rétro-olfaction et sa bouche puissante, grasse et complexe. Le **rosé 2006** est un vin chaleureux aux arômes de grenadine. Il est cité.
🔑 Ch. de La Haute Cassagne, rte de Générac,
30800 Saint-Gilles, tél. 04.66.87.09.03,
fax 04.66.87.10.87, e-mail hautecassagne@wanadoo.fr
☑ Y 🚶 t.l.j. sf dim. 8h-12h 14h-18h
🔑 Ajasse

INSTANTS LOVÉS 2006 ★★

■ 20 ha 100 000 - de 3 €

Une robe très foncée presque noire, aux nuances pourpres soutenues, habille cette bouteille. Le nez, complexe, développe des notes florales (violette), puis révèle des arômes de vanille, de cacao, de caramel, de réglisse... La bouche est dominée par des tanins ronds, chocolatés et finement épicés. Un vin à la fois concentré et harmonieux que l'on peut déguster dès à présent. Le **Château des Sources rouge 2006 (3 à 5 €)** obtient une étoile. Il exprime la puissance et la générosité du terroir.

La Compagnie rhodanienne, chem. Neuf, 30210 Castillon-du-Gard, tél. 04.66.37.49.50, fax 04.66.37.49.51, e-mail pierre.martin@rhodanienne.com

LES VIGNERONS DE JONQUIÈRES

Mille X 2006 ★

■ 5 ha 40 000 ■ 3 à 5 €

Ce nom étonnant vous indique que, par la voie Domitienne, dix milles romains séparent Nîmes des vignes de Jonquières-Saint-Vincent. D'une couleur saumon orange bien vive, ce rosé dévoile une richesse olfactive où fleurs et fruits s'expriment à profusion. Une élaboration maîtrisée lui assure un équilibre parfait en bouche, avec quelques notes plus rondes de poire et de coing. Un vin à la fois bien dans le style de l'appellation et empreint de modernité.

SCA Jonquières-Saint-Vincent, 20, rue de Nîmes, 30300 Jonquières-Saint-Vincent, tél. 04.66.74.50.07, fax 04.66.74.49.40

t.l.j. sf dim. 9h-12h30 14h30-18h

CH. LAMARGUE 2006

■ 5,94 ha 46 000 ■ 3 à 5 €

Les 73 ha de ce domaine d'un seul tenant s'étendent sur un terroir vallonné dominant la petite Camargue. Près de 6 ha de roussanne et de grenache ont servi à élaborer ce vin jaune clair dont les reflets lumineux attirent l'œil. Le nez exhale des arômes de fruits mûrs, puis de boulangerie (mie de pain, brioche). L'équilibre se fait dans la rondeur, avec une fraîcheur qu'apporte un léger perlant. Une bouteille agréable et harmonieuse.

Ch. Lamargue, rte de Vauvert, 30800 Saint-Gilles, tél. 04.66.87.31.89, fax 04.66.87.41.87, e-mail domaine-de-lamargue@wanadoo.fr r.-v.

Campari

MAS CARLOT Cuvée Tradition 2006 ★★

■ 0,8 ha 3 500 ■ 3 à 5 €

Un mas du XVIII[e]s. et une maison de maître du XVII[e]s. avec sa chapelle signalent le domaine, aujourd'hui dirigé par Nathalie Blanc-Marès. Dans le millésime 2006, cette dernière a élaboré un vin jaune aux reflets verts brillants, à la palette aromatique dominée par les fleurs blanches et agrémentée de notes d'abricot frais et de fruits exotiques. Charnue dès l'attaque, la bouche puissante est soulignée par des arômes de noisette. Équilibrée et harmonieuse, la finale laisse une plaisante impression de fraîcheur. Le **Château Paul Blanc blanc 2006 (8 à 11 €)** est jugé très réussi. Équilibré, franc, frais et long en bouche, il plaira aux amateurs de boisé.

Nathalie Blanc-Marès, Mas Carlot, rte de Redessan, 30127 Bellegarde, tél. 04.66.01.11.83, fax 04.66.01.62.74, e-mail mascarlot@aol.com

t.l.j. sf sam. dim. 8h-12h 14h-17h

MAS DES BRESSADES

Cuvée Excellence Élevé en fût de chêne 2006 ★

■ 1 ha 7 000 8 à 11 €

Issu de roussanne (80 %), agrémentée de viognier (10 %) et de grenache blanc (10 %), et d'une fermentation suivie d'un élevage sous bois, ce vin, à la couleur jaune citron parsemée de reflets verts, promet un belle complexité. Aujourd'hui, le nez est encore sous l'emprise des notes boisées (vanille et cire), mais l'impression de plénitude, après une attaque ronde et une longue finale, préfigure un avenir harmonieux.

Cyril Marès, Le Grand Plagnol, rte de Bellegarde, 30129 Manduel, tél. 04.66.01.66.00, fax 04.66.01.80.20, e-mail masdesbressades@aol.com

t.l.j. 9h-12h 13h30-16h30; sam. dim. sur r.-v.

CH. MAS NEUF La Mourvache 2005

■ n.c. 6 000 15 à 23 €

Deux parcelles de cinquante ans, l'une de mourvèdre, l'autre de grenache, faisant face à la Petite Camargue, des raisins récoltés à maturité optimale, une extraction maîtrisée ont donné naissance à cette cuvée rubis foncé. Le passage prolongé (douze mois) dans le bois couvre encore une palette aromatique complexe où l'on sent poindre l'épice poivrée, le pain toasté et les fruits à l'alcool. La texture et le volume en bouche s'appuient sur des tanins serrés qui laissent s'exprimer la mûre et le menthol.

Ch. Mas Neuf, 30600 Gallician, tél. 04.66.73.33.23, fax 04.66.73.33.49, e-mail contact@chateaumasneuf.com

t.l.j. sf sam. dim. 9h-12h 14h-17h 4

Luc Baudet

DOM. DE LA MIRAVINE 2006 ★

■ 3 ha 20 000 ■ 3 à 5 €

Le domaine de 15 ha est vinifié par la coopérative de Vauvert. Derrière une robe brillante, ce vin offre une complexité aromatique faite de prune, de fraise et de cerise confite. Une touche mentholée ponctuée de camphre apporte originalité et fraîcheur. En harmonie avec le nez, la bouche enrobée de tanins souples montre de l'ampleur. Une longue finale compotée conclut un ensemble plaisant que l'on pourrra apprécier sans attendre.

Cave des vignerons de Vauvert, 12, rue Ausselon, 30600 Vauvert, tél. 04.66.88.20.31, fax 04.66.88.35.09, e-mail cavedesvigneronsdevauvert@wanadoo.fr

r.-v.

CH. MOURGUES DU GRÈS

Les Galets rouges 2006 ★★

■ 20 ha 100 000 ■ 5 à 8 €

On ne compte plus les mentions dans le Guide, jusqu'aux coups de cœur, pour ce domaine de Beaucaire. Cette année, la préférence du jury va à la cuvée Les Galets rouges, un joli vin d'assemblage où la syrah (60 %) s'exprime sur des notes caractéristiques de violette et de cassis dans une robe très sombre nuancée de grenat. Le grenache (30 %) apporte de la souplesse à une bouche charnue aux tanins soyeux. La finale est marquée par l'épice (poivre blanc) et la figue surmûrie. À apprécier sur une viande en sauce comme sur des plats très simples. Les **Capitelles rouge 2005 (11 à 15 €)** obtiennent une étoile. Aromatique : fruits confiturés, pruneau, épices et menthol, un vin harmonieux qui gagnera encore en complexité d'ici un à deux ans.

François Collard,
Ch. Mourgues du Grès, rte de Bellegarde,
30300 Beaucaire, tél. 04.66.59.46.10,
fax 04.66.59.34.21,
e-mail mourguesdugres@wanadoo.fr
t.l.j. sf sam. dim. 9h-12h 14h-18h30

CH. DE NAGES Vieilles Vignes 2005 ★

15 ha 80 000 8 à 11 €

Dans ce domaine, l'un des plus importants de l'appellation, rigueur et traçabilité vont de pair pour assurer qualité et régularité des produits. Cette sélection Vieilles Vignes est particulièrement harmonieuse. Une robe dense et sombre, un nez franc et tout en finesse avec une note minérale et une pointe d'eucalyptus, une mise en bouche charnue glissant sur des tanins aux accents de réglisse et de fumé forment un ensemble agréable qui s'enrichira encore au cours des deux à trois prochains hivers.

Roger Gassier, Ch. de Nages, chem. des Canaux,
30132 Caissargues, tél. 04.66.38.44.20,
fax 04.66.38.44.21, e-mail info@chateaudenages.com
r.-v.

DOM. DE NOTRE DAME 2006

3,9 ha 27 000 3 à 5 €

Le domaine, ancienne propriété d'une abbaye cistercienne qui y produisait son vin de messe, a été racheté en 2006 par David Benoit. Ce vin léger et agréable lui ouvre la porte du Guide. Derrière la robe à reflets grenat et brillants, cette cuvée révèle une matière équilibrée, souple et ronde, dominée par la cerise bien mûre.

David Benoit, 28, rue de Beaucaire,
30127 Bellegarde, tél. 06.20.72.50.69,
fax 04.66.01.15.09, e-mail nd.c@orange.fr
t.l.j. sf dim. lun. 9h-19h
SARL Notre-Dame des Clairettes

CH. D'OR ET DE GUEULES
Cuvée Trassegum 2005 ★

6 ha 20 000 8 à 11 €

Coup de cœur l'an dernier pour la cuvée Les Cimels 2005, en rouge, le château retient cette fois l'attention pour sa cuvée Trassegum, élégante, ronde, équilibrée. Habillé d'une robe sombre, couleur cerise bien mûre, ce vin exhale des arômes de fruits rouges confiturés et de figue, sur une pointe vanillée tout en finesse. L'équilibre en bouche repose sur la rondeur du bois fondu et une finale très longue. Les dégustateurs suggèrent de servir cette bouteille dès l'entrée de repas en accompagnement de petits pains toastés tièdes.

Ch. d'Or et de Gueules,
rte de Générac, chem. des Cassagnes,
30800 Saint-Gilles, tél. 04.66.87.32.86,
fax 04.66.87.39.11,
e-mail chateaudoretdegueules@wanadoo.fr
t.l.j. sf dim. 9h-12h 13h30-19h
Diane de Puymorin

DOM. PASTOURET 2005 ★

5 ha 10 000 3 à 5 €

Un domaine conduit en agriculture biologique, une cave rénovée par un couple de vignerons accueillants qui propose un vin aussi plaisant à l'œil qu'au nez. Une robe à reflets cerise annonce les arômes de petits fruits rouges. Des tanins souples étayent une bouche chaleureuse. Pour des charcuteries ou une viande rouge rôtie.

Jeanne et Michel Pastouret, rte de Jonquières,
30127 Bellegarde, tél. et fax 04.66.01.62.29,
e-mail contact@domaine-pastouret.com r.-v.

DOM. DE LA PATIENCE Tradition 2005 ★

4 ha 24 000 3 à 5 €

Le rosé 2005 avait obtenu une étoile l'an dernier, le rouge qui porte bien son nom, a su attendre et décroche lui aussi aujourd'hui une étoile. Derrière une teinte grenat sombre, des arômes intenses et gourmands de fruits mûrs et de confiture de fraises, suivis d'une touche poivrée, s'ouvrent sur une bouche fraîche, aux tanins soyeux et délicats. À apprécier sur une grillade.

EARL Dom. de La Patience, RN 86,
30320 Bezouce, tél. 04.66.75.95.94, fax 04.66.37.40.99,
e-mail domaine-patience@tele2.fr
t.l.j. sf dim. 8h-12h 14h-18h
Christophe Aguilar

LE PIGEONNIER 2006 ★

3,5 ha 25 000 3 à 5 €

La coopérative de Pazac, située à la limite orientale de l'appellation, regroupe 200 ha de vignes, dont ce domaine du Pigeonnier, ancien relais de diligence. Sous des reflets clairs et brillants, le rosé exprime des notes de fleurs et de fruits bien mûrs d'une grande finesse. L'attaque fraîche et légèrement perlante soutient une note amylique en finale.

SCA des Grands Vins de Pazac, 30840 Meynes,
tél. 04.66.57.59.95, fax 04.66.57.57.63,
e-mail cavedepazac@aol.com r.-v.

CH. ROUSTAN 2006 ★

8 ha 60 000 3 à 5 €

Ce vin est sans nul doute à l'image du domaine, typiquement camargais. Une robe grenat, des notes de fruits rouges (framboise), d'épices et d'herbes aromatiques (Zan et laurier), une structure ronde et chaleureuse donnent de l'élégance à la tradition. Une bouteille à servir légèrement rafraîchie.

Michel Castillon, Ch. Roustan, rte de Nîmes,
30800 Saint-Gilles, tél. 04.66.87.04.49,
fax 04.66.87.16.02,
e-mail contact@chateau-ermitage.com r.-v.

CH. SAINT-BÉNÉZET
Les Hauts de Coste-Rives 2006

22 ha 160 000 3 à 5 €

La robe grenat présente des reflets violines ; le nez délivre des parfums de fruits rouges (cerise), de cassis et de violette. La bouche suit, vive et gouleyante, avant la finale gourmande et chaleureuse. À servir sur des charcuteries.

SCEA Saint-Bénézet, Dom. Saint-Bénézet,
30800 Saint-Gilles, tél. 04.66.70.17.45,
fax 04.66.70.05.11, e-mail saint-benezet@wanadoo.fr
r.-v.
Bosse-Platière et Soulairac

CH. SAINT-LOUIS LA PERDRIX
Cuvée Marianne 2006 ★

n.c. 5 000 5 à 8 €

Philippe Lamour, ancien propriétaire du domaine et grande figure de la viticulture française du XXe s., fut à l'origine de la reconnaissance de l'appellation costières-de-nîmes. Derrière ses jolis reflets verts, cette cuvée respire l'harmonie et la finesse. Une note délicate de fleurs blanches et de tilleul est suivie en rétro-olfaction par des arômes généreux de citron confit et de fruits secs. L'ensemble apparaît rond et équilibré tout autant que désaltérant. Moins confidentiel, le **rouge 2006 (3 à 5 €)** assemblage à parts égales de syrah, de grenache et de carignan, obtient la même mention. De couleur sombre à reflets framboise, ce vin semble vouloir conserver encore un peu son secret... Dans deux à trois ans, cette bouteille accompagnera une viande rôtie ou un gibier en sauce.

Ch. Saint-Louis La Perdrix,
Mas Saint-Louis La Perdrix, 30127 Bellegarde,
tél. 04.66.01.13.58, fax 04.66.01.17.03,
e-mail chateau-saint-louis@cegetel.net
t.l.j. 10h-12h 14h-19h; sam. dim. sur r.-v.
GFA Lamour

CH. SAINT-PÈRE 2006 ★★

n.c. 90 000 **3 à 5 €**

Implanté à l'emplacement d'une nécropole romaine, le domaine acquit ses lettres de noblesse au XII[e]s., lorsque Guy Foulques, enfant du pays, accède à la chaire pontificale sous le nom de Clément IV. Vinifié par la coopérative de Saint-Gilles, ce 2006 se distingue à son tour en revêtant la pourpre. Sa robe profonde jette des éclats violines, son nez libère des parfums intenses de réglisse et de griotte à l'eau-de-vie. En bouche, les tanins très présents n'en sont pas moins enrobés et contribuent à l'équilibre solide de cette bouteille. L'alcool amène une longue finale sur le fruit. Un vin soigné déjà appréciable et que l'on pourra oublier deux à trois ans en cave.

SCA Les Vignerons de Saint-Gilles,
quai du Canal-Port sud, 30800 Saint-Gilles,
tél. 04.66.87.30.97, fax 04.66.87.09.36,
e-mail cavecoopstgilles@wanadoo.fr
t.l.j. sf dim. lun. 9h-12h 15h-19h

CH. DE SURVILLE Prestige 2006 ★

20 ha 30 000 **8 à 11 €**

Une magnifique allée de pins conduit à la maison de maître datant du XVIII[e]s. La Provence se lit aussi dans cette cuvée à la robe sombre aux reflets bleutés. Le nez intense et concentré mêle les fruits noirs (cassis et mûre) et la garrigue (thym et laurier). Les tanins enrobés par le moelleux de l'alcool confèrent à la bouche son caractère opulent et suave. Si ce vin peut s'apprécier immédiatement, il saura aussi attendre trois à cinq ans en cave. Le **Château de Valcombe Garance rouge 2005 (15 à 23 €)** obtient une citation pour sa puissance, son intensité et ses arômes concentrés de fruits mûrs et de kirsch, encore dominés par le fût.

EARL Les Vignobles Dominique Ricome,
Ch. de Valcombe, 30510 Générac, tél. 04.66.01.32.20,
fax 04.66.01.92.24, e-mail valcombe@wanadoo.fr
t.l.j. sf dim. 10h-12h 14h-18h; sam. sur r.-v.

CH. DES TOURELLES La Cour des glycines 2005 ★

4 ha 21 000 **5 à 8 €**

Un voyage dans le temps vous attend au château des Tourelles. Du jardin à la vigne, de la vigne au vin, vous y découvrirez la reconstitution d'une cave gallo-romaine et des vins « archéologiques » aux goûts oubliés. Surprenant ! Plus contemporaine, cette Cour des glycines se pare d'un rouge profond. Ses arômes complexes et légèrement évolués (cerise noire, malaga) sont agrémentés en bouche d'une touche de figue fraîche. Après une attaque franche, la dégustation révèle un bel équilibre et des tanins serrés en finale.

Hervé et Guilhem Durand,
Ch. des Tourelles, 4294, rte de Bellegarde,
30300 Beaucaire, tél. 04.66.59.19.72,
fax 04.66.59.50.80, e-mail tourelles@tourelles.com
r.-v.

CH. DE LA TUILERIE 2006 ★

4,5 ha 35 000 **5 à 8 €**

Avec sa centaine d'hectares et plus de cinquante ans d'existence, le domaine de La Tuilerie figure sans aucun doute parmi les plus importants du vignoble des costières-de-nîmes. Le jury s'est attardé cette année sur le rosé 2006 à la robe légère aux nuances saumonées, qui titille le nez avec des senteurs de litchi, d'ananas et de fruits de la Passion. Au palais, une pointe citronnée vient relever un ensemble tout en rondeur. À servir sur des crustacés *a la plancha*.

Chantal Comte,
Ch. de La Tuilerie, rte de Saint-Gilles, 30900 Nîmes,
tél. 04.66.70.07.52, fax 04.66.70.04.36,
e-mail chantal.comte@chateautuilerie.com r.-v.

VIGNOBLES DE LA VALLÉE DU RHÔNE 2006 ★

5 ha 10 000 **- de 3 €**

Jusqu'au graphisme stylisé de l'étiquette, esquisse dorée de taureau, la coopérative de Bellegarde regarde résolument vers son terroir. Elle propose un vin grenat, à reflets cerise, fruité et équilibré. L'attaque est souple et les tanins se montrent soyeux. Un vin de soif à réserver à des grillades.

SCA la Clairette, Ancienne rte d'Arles,
30127 Bellegarde, tél. 04.66.01.10.39,
fax 04.66.01.14.90 r.-v.

CH. VIRGILE 2006 ★

4,3 ha 20 000 **3 à 5 €**

La plus vieille parcelle de grenache de ce domaine a quatre-vingt-cinq ans passés, mais ce sont des vignes de syrah, de grenache et de mourvèdre âgées seulement de quarante-cinq ans qui ont donné naissance à ce vin grenat sombre. Le nez développe des senteurs de cassis et de mûre puis d'épices douces. Après une attaque ample et grasse, la bouche révèle des tanins qui devront s'arrondir. À conserver deux à trois ans en cave.

Serge et Thierry Baret,
Mas Virgile, rte du Pont-des-Tourradons-Gallician,
30600 Vauvert, tél. 04.66.73.32.97, fax 04.66.51.47.80,
e-mail domaine-virgile@wanadoo.fr
t.l.j. sf dim. 8h-12h 14h-19h

Clairette-de-bellegarde

Reconnue en AOC en 1949, la clairette-de-bellegarde est produite dans la partie sud-est des Costières de Nîmes, dans une petite région comprise entre Beaucaire et Saint-Gilles, et entre Arles et Nîmes, sur des sols rouges caillouteux. Produite à partir du cépage clairette, elle présente un bouquet caractéristique. En 2005, 1 659 hl de vin ont été produits.

LA CLAIRETTE 2006 *

2 ha 5 000 3 à 5 €

La cave de Bellegarde, créée en 1929, regroupe une douzaine de producteurs de l'appellation. Cette cuvée est issue de vignes conduites en agriculture biologique. Derrière la couleur jaune pâle, l'expression est intense, mariant les fruits frais (ananas, pomme) et les fruits secs (amande) ainsi qu'une note de sureau. La bouche est pleine et d'une rondeur agréable, signe d'une bonne maturité des raisins.

SCA la Clairette, Ancienne rte d'Arles, 30127 Bellegarde, tél. 04.66.01.10.39, fax 04.66.01.14.90 r.-v.

MAS CARLOT 2006 *

5 ha 18 000 3 à 5 €

Une femme vigneronne préside depuis 1998 aux destinées de ce domaine déjà réputé au début du XX[e]s. Cette clairette brille d'un jaune paille à reflets verts. Des arômes de fruits secs (noisette et amande) et d'abricot confit emplissent le nez, tandis qu'une douce onctuosité s'empare du palais. Une note légèrement fumée vient agrémenter la longue et agréable finale.

Nathalie Blanc-Marès, Mas Carlot, rte de Redessan, 30127 Bellegarde, tél. 04.66.01.11.83, fax 04.66.01.62.74, e-mail mascarlot@aol.com t.l.j. sf sam. dim. 8h-12h 14h-17h

CH. LES SOURCES DE LA MARINE 2006 *

5,4 ha 40 000 3 à 5 €

La famille Teissonnière est vigneronne depuis trois générations, mais ce n'est qu'en 2001 qu'Alain et Georges font le grand saut et décident de vinifier en cave particulière. Cette clairette simple et typique leur ouvre la porte du Guide. La robe est d'un jaune clair délicat. Délicats aussi les arômes de poire fraîche et de mirabelle du nez. L'équilibre s'établit entre vivacité et suavité, avant une finale sur les fruits secs. À consommer à l'apéritif ou sur un sorbet.

Ch. Les Sources de la Marine, Les Sources de la Marine, 30127 Bellegarde, tél. et fax 04.66.01.12.57, e-mail lessourcesdelamarine@wanadoo.fr t.l.j. sf dim. 10h-12h 15h-18h

Teissonnière

Clairette-de-die

La clairette-de-die est l'un des vins les plus anciennement connus au monde. Le vignoble occupe les versants de la moyenne vallée de la Drôme, entre Luc-en-Diois et Aouste-sur-Sye. On produit ce vin mousseux essentiellement à partir du cépage muscat (75 % minimum). La fermentation se termine naturellement en bouteille. Il n'y a pas adjonction de liqueur de tirage. C'est la méthode dioise ancestrale. La production a atteint 85 298 hl en 2005.

CUVÉE CÉSAR Tradition 2005 *

40 ha 300 000 5 à 8 €

Trois cuvées de cette association du producteur ont été distinguées par le jury. La **cuvée Élégance 2005** tout en simplicité, aux notes de pomme, joue sur la douceur ; la cuvée **Prestige 2005**, fraîche, est marquée par les agrumes (orange, citron). Ces deux cuvées sont citées mais rendons à César... Ce 2005 riche en arômes (tilleul, verveine, mangue), bien équilibré, possède une belle finale qui se prolonge sur la pêche mûre. Un bon représentant de l'appellation.

Union des Jeunes Viticulteurs-récoltants, La Plaine, rte de Die, 26340 Vercheny, tél. 04.75.21.70.88, fax 04.75.21.73.73, e-mail contact@ujvr.fr t.l.j. 9h30-12h 14h-18h30

LA COMBA AROMATICA 2005 *

3,75 ha 30 000 5 à 8 €

Issu de muscat (75 %) et de clairette sur argilo-calcaire conduits en agriculture biologique, ce 2005 or brillant montre une mousse légère. Le nez de tilleul s'agrémente d'un soupçon de litchi. L'attaque est franche, la bouche pleine, équilibrée par la fraîcheur des agrumes. La finale, élégante, est d'une bonne longueur.

SARL Carod, 26340 Vercheny, tél. 04.75.21.73.77, fax 04.75.21.75.22, e-mail caves-carod@wanadoo.fr r.-v.

MONGE GRANON 2005

28 ha 100 000 5 à 8 €

Le domaine a été créé par le regroupement de deux familles de vignerons de Vercheny installées en 1984 dans les caves voûtées d'une ancienne cimenterie du XVIII[e]s. Ce vin effervescent présente une mousse abondante et laisse échapper des notes de pétale de rose et de litchi. La bouche, marquée de douceur, est équilibrée par une fraîcheur convenable.

Monge Granon, Saint Pierre, 26340 Vercheny, tél. 04.75.21.74.93, fax 04.75.21.73.43, e-mail emonge@wanadoo.fr t.l.j. 10h-12h 14h-18h

GEORGES RASPAIL Tradition 2005 **

4 ha 15 000 5 à 8 €

Plantés sur des coteaux argilo-calcaires et pierreux, le muscat et la clairette (20 %) donnent ce 2005 à la robe dorée qui livre un nez intense marqué par les fruits mûrs (mangue) et les fruits secs. La bouche riche, pleine et puissante, dans la ligne aromatique du bouquet, offre une finale citronnée qui vient apporter équilibre et fraîcheur à l'ensemble. Une clairette que l'on ouvrira plutôt sur un dessert qu'à l'apéritif.

EARL Georges Raspail, rte du Camping-Municipal, La Roche, 26340 Aurel, tél. et fax 04.75.21.71.89 t.l.j. 9h30-12h30 13h30-19h30

JEAN-CLAUDE RASPAIL Tradition 2005 ★

6,9 ha 48 453 8 à 11 €

Flavien Raspail a créé la propriété en 1942... En 2003, Frédéric, le petit-fils, prend les rênes. Cette clairette est agréable à l'œil, avec sa robe pâle brillante et sa mousse persistante. Le nez est fin, marqué par des notes de pomme. Attaque vive et bouche plaisante, sur des nuances d'orange, avant une finale longue. Un classique de l'appellation.

Jean-Claude Raspail et Fils, Dom. de la Mûre, 26340 Saillans, tél. 04.75.21.55.99, fax 04.75.21.57.57, e-mail jc.raspail@wanadoo.fr

t.l.j. 9h-12h 14h-18h30; f. 8-31 jan.

Crémant-de-die

Le décret du 26 mars 1993 a reconnu l'AOC crémant-de-die, produite uniquement à partir du cépage clairette selon la méthode dite traditionnelle qui consiste en une seconde fermentation en bouteille. En 2005, l'appellation a produit 2 238 hl.

CHAMBÉRAN 2004

3 ha 21 168 5 à 8 €

En 1962, sept vignerons décident de s'associer et de mettre en commun leurs vignobles pour créer un grand domaine d'une soixantaine d'hectares. Leur 2004 présente une mousse très fine et persistante, dans une palette jaune pâle. Les parfums s'expriment avec délicatesse sur des notes de fleurs blanches (aubépine). On retiendra l'équilibre et la fraîcheur de la bouche. À servir en apéritif.

Union des Jeunes Viticulteurs-récoltants, La Plaine, rte de Die, 26340 Vercheny, tél. 04.75.21.70.88, fax 04.75.21.73.73, e-mail contact@ujvr.fr t.l.j. 9h30-12h 14h-18h30

COMBE ARMAND 2004 ★

6 ha 48 000 5 à 8 €

Cette maison de négoce a été créée pour prolonger l'activité du domaine familial. On y trouve un musée consacré à la clairette-de-die. C'est bien un crémant que l'on découvre ici, avec un nez assez discret sur les notes florales. La mousse est fine, la bouche ronde et agréable, bien équilibrée.

SARL Carod, 26340 Vercheny, tél. 04.75.21.73.77, fax 04.75.21.75.22, e-mail caves-carod@wanadoo.fr

r.-v.

JACQUES FAURE

1 ha 6 400 5 à 8 €

Dans le caveau de dégustation, situé dans une cave voûtée datant du XIX[e]s., vous pourrez goûter ce crémant-de-die à la mousse assez fine et persistante, qui se présente dans une robe jaune pâle à reflets verts. La bouche vive et racée livre des notes muscatées agréables.

Luc Faure, La Plaine, 26340 Vercheny, tél. 04.75.21.72.22, fax 04.75.21.71.14

t.l.j. 9h-12h 14h-19h

GEORGES RASPAIL 2004 ★★

1 ha 3 000 5 à 8 €

Ce domaine conduit en agriculture raisonnée propose un crémant remarquable en tout point : la mousse est fine et persistante ; le nez exprime de délicates notes de fleurs blanches ; la bouche ronde et équilibrée est marquée par des notes de réglisse et de noisette qui lui apportent fraîcheur et élégance.

EARL Georges Raspail, rte du Camping-Municipal, La Roche, 26340 Aurel, tél. et fax 04.75.21.71.89

t.l.j. 9h30-12h30 13h30-19h30

JEAN-CLAUDE RASPAIL
Élevé en fût de chêne 2003 ★

1,5 ha 8 318 8 à 11 €

Ce domaine possède une collection d'anciens pressoirs de la région, certains datant du XII[e]s. Il pratique la culture biologique et fut coup de cœur l'an dernier pour un brut-extra. On découvre cette année un brut aux notes de fleurs blanches et de noisette grillée. La bouche équilibrée offre une longue finale sur des nuances de fruits secs.

Jean-Claude Raspail et Fils, Dom. de la Mûre, 26340 Saillans, tél. 04.75.21.55.99, fax 04.75.21.57.57, e-mail jc.raspail@wanadoo.fr

t.l.j. 9h-12h 14h-18h30; f. 8-31 jan.

Châtillon-en-diois

Le vignoble du châtillon-en-diois occupe 50 ha, sur les versants de la haute vallée de la Drôme, entre Luc-en-Diois (550 m d'altitude) et Pont-de-Quart (465 m). L'appellation produit des rouges (cépage gamay), légers et fruités, à consommer jeunes, ou des blancs (cépages aligoté et chardonnay), agréables et nerveux. Production totale : 1 794 hl en 2005.

DIDIER CORNILLON Les Gamay d'antan 2005 ★

2,5 ha 9 000 5 à 8 €

Coup de cœur il y a deux ans, Didier Cornillon propose cette année ces Gamay d'antan à la robe grenat et au bouquet de fruits rouges légèrement macérés (griotte). La bouche harmonieuse et équilibrée joue dans le droit fil aromatique du nez. Le **Clos de Beylière 2005 blanc**, 100 % chardonnay et vinifié en barrique, est fait pour les amateurs de boisé. Marqué par les notes de vanille et de pain grillé, il est cité.

Didier Cornillon, 26410 Saint-Roman, tél. 04.75.21.81.79, fax 04.75.21.84.44, e-mail info@cave-cornillon.com

t.l.j. 10h-12h30 14h30-19h; d'oct. à avr. sur r.-v.

DOM. DE LAYE 2006 ★

n.c. n.c. 5 à 8 €

Issu uniquement d'aligoté cultivé en agriculture biologique, ce 2006 séduit par son côté floral. La bouche est d'une grande élégance, pleine de finesse. Un vin à servir à l'apéritif. Proposée par la même cave, la cuvée **Altitude 640 rouge 2006**, tout en vivacité sur des notes d'airelles, est citée.

La Cave de Die Jaillance, av. de la Clairette, BP 79, 26150 Die, tél. 04.75.22.30.00, fax 04.75.22.21.06, e-mail technique@jaillance.com

t.l.j. 9h-12h30 14h-19h

RHÔNE

Coteaux-du-tricastin

Cette appellation couvre 2 576 ha répartis sur vingt-deux communes de la rive gauche du Rhône, depuis La Baume-de-Transit au sud, en passant par Saint-Paul-Trois-Châteaux, jusqu'aux Granges-Gontardes, au nord. Les terrains d'alluvions anciennes très caillouteuses et les coteaux sableux, situés à la limite du climat méditerranéen, ont produit 91 526 hl de vins en 2005.

CH. BIZARD
Cuvée Serre de Courrent En fût de chêne 2005 ★★

■ 5 ha 15 000 8 à 11 €

Syrah et grenache règnent en maîtres sur le terroir d'argile et de calcaires durs du domaine Bizard, et c'est tout naturellement qu'on les retrouve associés dans l'assemblage des deux cuvées de rouge sélectionnées. Ce 2005 offre un bouquet fin et boisé où l'on trouve des notes de fruits et une touche poivrée. La bouche élégante est marquée par les épices et des tanins en train de se fondre. À ouvrir dans un an sur une côte de bœuf grillée au barbecue. La **cuvée Montagne de Raucoule 2006 rouge (5 à 8 €)** est citée pour sa rondeur fruitée et réglissée.

Lépine, Ch. Bizard, chem. de Bizard, 26780 Allan, tél. 04.75.46.64.69, fax 04.75.46.67.56, e-mail contact@chateaubizard.fr

t.l.j. 10h-12h30 14h-18h30; f. jan.

CH. LA CROIX CHABRIÈRE La Diva 2005

1 ha 4 500 8 à 11 €

La Marquise s'habillait en rouge l'an dernier, la Diva se présente en blanc cette année. Le viognier lui va si bien. Il donne à son teint une couleur dorée et parfume son nez de fruits exotiques. Elle montre une certaine rondeur mais tient debout car elle est bien élevée... sous bois. Elle laisse après son passage une sensation vanillée assez agréable. Une Diva que l'on n'aura même pas besoin d'attendre... c'est suffisamment rare pour être signalé.

Patrick Daniel, Ch. La Croix Chabrière, rte de Saint-Restitut, 84500 Bollène, tél. 04.90.40.00.89, fax 04.90.40.19.93, e-mail chateaucroixchabriere@wanadoo.fr

t.l.j. 9h-12h 14h-18h; dim. 9h-12h; groupes sur r.-v.

CH. LA DÉCELLE Cuvée S 2005

■ 3 ha 10 000 8 à 11 €

Un terroir d'alluvions du Rhône et de galets, voilà de quoi donner de la richesse à cette cuvée S. Comme syrah ? Il y en a en effet dans l'assemblage, associée au grenache. Le résultat est un vin marqué par des notes animales au nez comme en bouche, dont la matière concentrée et grasse se développe sur des tanins fondus et réglissés. À carafer avant de servir sur un pavé de biche. La cuvée classique **rouge 2005 (5 à 8 €)**, souple et friande, est également citée.

Ch. La Décelle, rte de Pierrelatte, D 59, 26130 Saint-Paul-Trois-Châteaux, tél. 04.75.04.71.33, fax 04.75.04.56.98, e-mail ladecelle@wanadoo.fr

t.l.j. sf dim. 9h-12h 14h-18h

LE DÔME D'ELYSSAS Le Gros Chêne 2004 ★

■ 5 ha 6 600 5 à 8 €

Le vignoble est installé dans l'ancien lit du Rhône... à l'époque quaternaire. En se retirant, le fleuve a mis au jour un terroir de gravier et d'argile sur lequel ont prospéré la garrigue, et la vigne bien sûr. Une cuvée de Gros Chêne élevée vingt mois en cuve, aux notes de cassis et de violette héritées de la syrah, à la bouche riche et suave marquée de fines épices. Un vin généreux à marier avec un civet de lièvre.

Le Dôme d'Elyssas, quartier La Combe d'Elissas, 26290 Les Granges-Gontardes, tél. 04.75.98.61.55, fax 04.75.98.63.12, e-mail info@domeelyssas.com

t.l.j. sf dim. 9h-12h 14h-18h

CH. DES ESTUBIERS 2005 ★★

■ n.c. 40 000 8 à 11 €

Une étiquette en braille, la devise *Fac et spera* sous le blason, des vignes cultivées en biodynamie : le Château des Estubiers, c'est Michel Chapoutier dans ses œuvres tricastines. Syrah et grenache sur alluvions et galets roulés ont donné ce 2005 profond et chaleureux, dont le bouquet marie les fruits noirs, les épices et le sous-bois. Alliant puissance et souplesse, la bouche aux tanins soyeux se révèle harmonieuse et équilibrée. Un vin à ouvrir dans un an. La cuvée **La Ciboise 2006 blanc (3 à 5 €)**, proposée par la structure de négoce, obtient une citation pour ses notes florales et son ampleur.

M. Chapoutier, 18, av. Paul-Durand, BP 38, 26600 Tain-l'Hermitage, tél. 04.75.08.28.65, fax 04.75.08.81.70, e-mail chapoutier@chapoutier.com

t.l.j. 9h-12h30 14h-19h; dim. 10h-13h 14h-18h

DOM. DE GRANGENEUVE V 2006 ★★

2 ha 7 500 8 à 11 €

2006 restera sans doute comme un millésime de blancs pour la famille Bour. V comme... viognier, cépage dont cette cuvée est issue à 100 %. Vinifiée et élevée en fût de chêne, elle livre un bouquet expressif et complexe d'abricot, de pêche blanche et de miel d'acacia. La bouche ample et ronde est marquée en finale par une touche de fraîcheur qui vient équilibrer l'ensemble. Un vin à boire ou à attendre un an. Dans la même couleur, la cuvée **Les Dames blanches du Sud 2006 (5 à 8 €)**, qui n'a pas connu le bois, est plus simple, mais fine, florale et assez tendre. Elle est citée. Les **Vieilles Vignes 2005 rouge (5 à 8 €)** décrochent une étoile.

Domaines Bour, Grangeneuve, 26230 Roussas, tél. 04.75.98.50.22, fax 04.75.98.51.09, e-mail domaines.bour@wanadoo.fr

t.l.j. 9h-12h30 14h-19h

MAS THÉO Griffon 2005 ★★

■ n.c. 4 000 8 à 11 €

2004 a été une année riche pour Laurent Clapier qui a obtenu son label d'agriculture biologique. La réussite ne s'est pas fait attendre comme le montre ce 2005 au premier nez boisé évoluant ensuite vers plus de complexité (fruits, épices). La bouche montre un élevage bien maîtrisé : volume, tanins soyeux, longue finale. Un vin fin et élégant à attendre un ou deux ans pour un meilleur fondu. Élevée en cuve, la **QV To 2005 (5 à 8 €)**, moitié grenache, moitié syrah, est citée.

Laurent Clapier, Mas Théo, quartier Combe-d'Elissas, 26290 Les Granges-Gontardes, tél. 06.82.69.50.64, fax 04.75.98.61.87, e-mail info.mastheo@neuf.fr r.-v.

DOM. DE MONTINE Gourmandises 2006 ★★

■ 10 ha 30 000 3 à 5 €

Les Monteillet proposent une série de cuvées Gourmandises, sélectionnées ici en rosé et en blanc. Les **Gourmandises blanc 2006 (5 à 8 €)** obtiennent une étoile pour leur fraîcheur florale. Quant au rosé, il a séduit par son nez intense de fruits rouges (groseille, fraise, framboise). La bouche équilibrée se montre gourmande et friande. Pour compléter le tableau des couleurs, le **rouge 2006 Secret de terroir (5 à 8 €)** est cité pour ses tanins fondus et ses notes de fraise et de réglisse.

Jean-Luc et Claude Monteillet, Dom. de Montine, La Grande Tuilière, 26230 Grignan, tél. 04.75.46.54.21, fax 04.75.46.93.26, e-mail domainedemontine@wanadoo.fr r.-v.

DOM. DES ROSIER Plaisir des Rosier 2006 ★

6 ha 27 000 5 à 8 €

Ici, complexité rime avec subtilité. Les quatre cépages présents dans l'assemblage (viognier majoritaire, grenache blanc, roussanne, marsanne) se marient pour donner un nez fin et expressif où l'on perçoit également une note vanillée héritée de l'élevage. La bouche fraîche est ample et bien équilibrée. À boire en entrée sur une salade de chèvre chaud. La cuvée **Paul 2005 rouge (8 à 11 €)** est citée pour ses arômes de fruits cuits, d'épices et de boisé. Un civet de sanglier saura lui convenir.

Dom. des Rosier, quartier Saint-Maurice, 26230 Chantemerle-lès-Grignan, tél. et fax 04.75.98.53.84 r.-v.

DOM. SAINT-GUERY Serre-Blanc 2004 ★

■ n.c. 10 000 5 à 8 €

Cette cuvée est issue uniquement de grenache né sur des argilo-calcaires. Au nez, les fruits mûrs et le pruneau s'agrémentent de touches épicées. Puissante et ronde, la bouche trouve des notes de fruits à noyau qu'elle exprime sur un lit de tanins soyeux, avant une finale sur les épices. Un petit gibier en sauce fera un bon compagnon de table, et ce dès aujourd'hui.

Guy Reynaud, quartier Les Rouveyrolles, 26790 La Baume-de-Transit, tél. et fax 04.75.98.19.18 r.-v.

DOM. SAINT LUC Tradition 2006 ★

0,8 ha 4 178 3 à 5 €

Ce domaine a été racheté en février 2006 par deux œnologues. Ce rosé est donc un de leurs premiers vins. Issu de grenache (80 %) et de syrah (20 %), il exprime de façon intense la framboise, le bonbon anglais et la groseille. L'ampleur et le gras de la bouche sont équilibrés par une bonne vivacité. Un rosé de gastronomie qui s'accommodera bien de tomates farcies au chèvre. La **cuvée Émiliane 2005 rouge (5 à 8 €)** est citée pour son élégance et sa souplesse, tandis que **L'Excellence de Saint Luc 2004 rouge (11 à 15 €)** obtient une étoile.

Dom. Saint Luc, rte de Suze-la-Rousse, 26790 La Baume-de-Transit, tél. 04.75.98.11.51, fax 04.75.98.19.22, e-mail info@dom-saint-luc.com t.l.j. 9h-19h
Rémi Cook, Stéphane Hémard

DOM. DU SERRE ROUGE Harmony 2005

■ 4 ha 7 000 5 à 8 €

J. Brachet reprend le domaine en 2006, année où une tornade emporte presque toute la toiture. Pas découragé, il a su mener à bien l'élevage en cuve (dix-huit mois) de ce 2005 au nez de cerise et d'épices ponctué d'une note animale. Fruité et friand en bouche, ce vin accompagnera un chili con carne légèrement relevé.

EARL Jean Brachet, Dom. du Serre Rouge, 26230 Valaurie, tél. 04.75.98.50.11, fax 04.75.98.60.78, e-mail gaec-brachet@wanadoo.fr t.l.j. sf dim. 9h30-12h 14h-18h30; f. 2e et 3e semaines de fév.

LA SUZIENNE Sélection le Lutin 2006 ★

10 ha 35 000 3 à 5 €

À 500 m de l'université du Vin, la cave de Suze propose un Lutin blanc, marqué par le cépage viognier (90 %), qui lui confère de délicates notes florales et des senteurs de pêche et d'abricot. L'attaque est souple, la bouche ronde et soutenue par une bonne fraîcheur. Pour un brochet aux truffes du Tricastin ou une caillette de la Drôme.

Cave La Suzienne, 26790 Suze-la-Rousse, tél. 04.75.04.48.38, fax 04.75.98.23.77, e-mail caveau.la.suzienne@orange.fr r.-v.

CELLIER DES TEMPLIERS
Cuvée du Diamant noir 2005

■ 1,5 ha 10 000 3 à 5 €

Le Cellier des Templiers est situé dans l'Enclave des Papes, cette portion du département du Vaucluse enchassée dans la Drôme. Il propose une cuvée qui s'ouvre à l'aération sur des notes de fruits mûrs et d'épices. La bouche généreuse destine ce vin à un sauté de sanglier au curry.

Cellier des Templiers, 84600 Richerenches, tél. 04.90.28.01.00, fax 04.90.28.02.47, e-mail cellier.templiers@wanadoo.fr t.l.j. sf dim. 8h30-12h30 14h30-18h30

DOM. VAL D'AÉRIA Passion d'une femme 2005 ★

■ 3,3 ha 7 312 3 à 5 €

L'exploitation familiale, en polyculture (abricotiers, vignes, lavande, truffiers) a été reprise en 2005 par la fille des anciens producteurs. Du nom de sa cuvée jusqu'à l'étiquette mauve et argentée aux dessins arrondis, la féminité s'affiche. Et le vin ? Épices, sous-bois et fruits rouges se partagent le bouquet. L'attaque est souple, les tanins veloutés et la finale, assez longue, retrouve le fruité. Un 2005 agréable pour accompagner un bœuf en daube.

Audrey Chauvin, EARL Val d'Aéria, Serre-des-Vignes, 26770 Roche-Saint-Serret, tél. et fax 04.75.53.56.37, e-mail audreychauvin@wanadoo.fr t.l.j. 8h-19h

Côtes-du-ventoux

À la base du massif calcaire du Ventoux, le Géant du Vaucluse (1 912 m), des sédiments tertiaires portent ce vignoble qui s'étend sur cinquante et une communes (6 400 ha déclarés en 2006), entre Vaison-la-Romaine au nord et Apt au sud. Les vins produits sont essentiellement des rouges et des rosés. Le climat, plus froid que celui des côtes-du-rhône, entraîne une maturité plus tardive. Les vins rouges sont de moindre degré alcoolique, mais frais et élégants dans leur jeunesse ; ils sont cependant davantage charpentés dans les communes situées le plus à l'ouest (Caromb, Bédoin, Mormoiron). Les vins rosés sont agréables et demandent à être bus jeunes. La production totale a atteint 287 486 hl en 2006.

L'ÂME DU TERROIR 2006 *

■ 12 ha 67 000 ∎ 3 à 5 €

L'Âme du Terroir est une marque du distributeur Cora. Ce 2006 à la robe profonde, brillant de reflets violacés, offre d'emblée des arômes de fruits frais ponctués de touches réglissées. Un vin jeune dont les tanins bien présents demandent à se fondre. Il devra attendre deux à trois ans.

Vignobles du Peloux, 526, rte d'Orange, 84350 Courthézon, tél. 04.90.70.42.00, fax 04.90.70.42.15, e-mail marketing@boisset.fr
r.-v.
Boisset FGVS

DOM. DES ANGES L'Archange 2005 **

■ 2 ha 5 500 11 à 15 €

Ce domaine a été racheté en 1998 par deux Irlandais. Ils ont restructuré l'ensemble du parcellaire et rénové, en 2002, la cave de vinification. Cet Archange s'affiche dans une robe intense à reflets rubis et livre un bouquet complexe mêlant les fruits frais et des notes florales. Un vin élégant par son harmonie et sa rondeur en bouche. Servez-le avec un gigot d'agneau. **L'Archange blanc 2006** obtient une étoile pour la finesse de son bouquet aux nuances boisées et grillées. Citée, la cuvée classique de **rosé 2006 (5 à 8 €)** se distingue par son côté exotique.

SCA Dom. des Anges, 84570 Mormoiron, tél. 04.90.61.88.78, fax 04.90.61.98.05, e-mail contact@domaindesanges.com
r.-v.

DOM. AYMARD 2006 *

■ 4 ha 15 000 ∎ 3 à 5 €

Exploitation familiale depuis quatre générations, le domaine Aymard a créé sa cave particulière en 1979. Ce rosé à la robe soutenue offre un bouquet de fruits frais qui contribue à son caractère gouleyant et rehausse sa rondeur. À recommander sur des grillades ou à l'apéritif. Le **blanc 2006**, au nez à la fois floral et fruité, reçoit une citation. Il accompagnera volontiers un gratin de coquilles Saint-Jacques.

Dom. Aymard, Les Galères, Serres, 84200 Carpentras, tél. 04.90.63.35.32, fax 04.90.67.02.79, e-mail jeanmarie.aymard@free.fr
t.l.j. sf dim. 8h30-12h 13h30-19h

DOM. DE LA BASTIDONNE 2006 *

■ 3 ha 16 000 ∎ 5 à 8 €

Le domaine de la Bastidonne est une vieille ferme rénovée, située sur la route touristique entre Fontaine-de-Vaucluse et Gordes. Gérard Marreau a élaboré ce 2006 au bouquet encore un peu fermé. C'est un vin prometteur dont les arômes fruités apportent au palais beaucoup de fraîcheur. À déguster sur une charcuterie ou un poisson. Une citation pour le **blanc 2006** au nez floral et fruité relevé de notes épicées, et pour le **rouge 2005 Les Coutilles (11 à 15 €)**, très rond et dominé par les fruits rouges confits.

Gérard Marreau, SCEA Dom. de La Bastidonne, 84220 Cabrières-d'Avignon, tél. 04.90.76.70.00, fax 04.90.76.74.34, e-mail domaine.bastidonne@orange.fr
t.l.j. sf dim. 9h-12h 14h-18h

CAVE BEAUMONT DU VENTOUX Cuvée Saint Roch 2006 *

■ 3 ha 19 986 ∎ 3 à 5 €

Une robe jaune doré à reflets verts, un nez floral tout en finesse accompagné d'une note poivrée pour ce 2006 qui se révèle bien équilibré en bouche avec de la rondeur et une finale plaisante. Le **rosé 2006 Tradition**, floral et fruité, exprime beaucoup de fraîcheur et de finesse. Il reçoit une citation, tout comme la cuvée **Prestige de nos vignes rouge 2004 (5 à 8 €)**, élégante par son équilibre entre fruit et bois.

Cave Beaumont du Ventoux, 84340 Beaumont-du-Ventoux, tél. 04.90.65.21.01, fax 04.90.65.13.59 t.l.j. 9h-12h 14h-18h

DOM. DE BÉRANE Les Agapes 2005 *

■ 4 ha 12 000 ∎ 5 à 8 €

Situé au pied du mont Ventoux, le domaine de Bérane s'étend sur une douzaine d'hectares de vignes. Assemblage de grenache (70 %) et de syrah (25 %), complété de mourvèdre, ce rouge présente un nez complexe et fruité (fraise, framboise, cerise). On retrouve le fruit tout au long de la dégustation, dans la bouche souple et équilibrée et jusque dans la longue finale. Un vin de plaisir, à boire dès maintenant.

Rabatel et Ferary, rte de Flassan, 84570 Mormoiron, tél. 04.90.61.77.32, e-mail domainedeberane@wanadoo.fr
t.l.j. sf dim. lun. 10h-12h30 16h-19h30; f. 1er nov.-31 mars

CH. BLANC 2006 *

■ 3 ha 13 000 ∎ 3 à 5 €

Situé face aux falaises d'ocre de Roussillon, un des plus beaux villages de France, ce domaine propose un rosé limpide, à la robe pâle et aux reflets bleutés. Au nez, le cinsault s'exprime en développant un bouquet subtil et fruité. Équilibrée, cette cuvée charme le palais par ses touches amyliques et sa fraîcheur. À servir à l'apéritif ou sur un plat exotique. Le **rouge 2005** possède un bouquet intense de fruits rouges et une bouche aromatique et pleine de rondeur. Il reçoit une étoile.

SCEA Ch. Blanc,
quartier Grimaud, rte de Saint-Saturnin-les-Apt,
84220 Roussillon, tél. 04.90.05.64.56,
fax 04.90.05.72.79,
e-mail chateaublanc-chasson@wanadoo.fr
t.l.j. 8h-12h 14h-18h30

DOM. BRUSSET Les Boudalles 2005 *

5 ha 20 000 3 à 5 €

L'étiquette représente un paysage provençal avec, en arrière-plan, le géant du Vaucluse, le massif du Ventoux. Un nez intense de fruits rouges (griotte), des arômes persistants de fruits noirs (mûre, cassis), des tanins ronds et soyeux, font de ce 2005 un vin gourmand, à boire dès aujourd'hui sur une entrecôte grillée.

Dom. Brusset, Le Village, 84290 Cairanne,
tél. 04.90.30.82.16, fax 04.90.30.73.31,
e-mail domaine-brusset@wanadoo.fr
t.l.j. 10h-12h 14h-19h; f. jan.

DOM. DE LA CAMARETTE Armonia 2005

20 ha 50 000 3 à 5 €

Le domaine de la Camarette abrite un conservatoire comprenant quarante-deux cépages différents. C'est du cinsault, du grenache et du carignan qu'est né ce rouge 2005, encore un peu fermé (fruits et épices en embuscade), à la matière dense, structurée par des tanins bien présents. Un vin de garde qui fera alliance dans deux ou trois ans avec une viande en sauce ou un gibier.

Dom. de La Camarette, 439, chem. des Brunettes,
84210 Pernes-les-Fontaines, tél. 04.90.61.60.78,
fax 04.90.66.46.20,
e-mail contact@domaine-camarette.com
t.l.j. sf dim. 8h-12h 14h-18h (été jusqu'à 19h); sam sur r.-v.
Nancy Gontier

LES CAPITELLES 2006 *

n.c. 150 000 3 à 5 €

Une macération très courte, une fermentation à basse température et un élevage sur lies fines ont permis d'obtenir ce rosé dont le nez fruité intense et expressif s'orne de quelques notes fleuries. En bouche, à l'attaque fraîche succède une impression de rondeur plaisante. Un vin qui sera le compagnon idéal des viandes et poissons grillés.

Ogier-Caves des Papes,
10, av. Louis-Pasteur, 84232 Châteauneuf-du-Pape Cedex, tél. 04.90.39.32.00, fax 04.90.83.72.51,
e-mail ogiercavesdespapes@ogier.fr
t.l.j. sf dim. 9h30-12h 14h-18h30

DOM. CHAUMARD 2006

2 ha 8 970 3 à 5 €

Ce 2006, assemblage de grenache blanc et de clairette (45 % chacun), complété de bourboulenc et de roussanne, développe des notes florales et fruitées. La bouche, ronde et longue, bien équilibrée, ne manque pas de finesse ni d'élégance avec ses notes anisées. À boire dès maintenant.

Gilles Chaumard, 475, rte d'Aubignan,
84330 Caromb, tél. 04.90.62.43.38, fax 04.90.62.35.84,
e-mail domaine.chaumard@free.fr
t.l.j. sf dim. 8h-12h 14h30-18h30

CLOS DES PATRIS Cerise et réglisse 2005

4 ha 12 000 8 à 11 €

Après vingt-cinq ans passés au Liban, Yves Morard est rentré au pays. Sous l'impulsion de son fils Cyrille, il a orienté, depuis 2001, le domaine vers l'agriculture biologique. Son 2005 tout en fruits rouges est élégant dans sa robe pourpre aux reflets sombres : il possède beaucoup de matière et devra attendre deux ans.

Yves Morard,
Clos des Patris, 251, rte de Beaumes-de-Venise,
84330 Caromb, tél. 06.03.78.19.72, fax 04.90.62.58.16
t.l.j. 13h-20h

DOM. DU COULET ROUGE Terra ocra 2005 *

2 ha 10 000 5 à 8 €

Le domaine se trouve en pleine campagne, dans un paysage de collines ocre (les « coulets » rouges), parsemées de pins. Cette cuvée, hommage au terroir, porte une robe couleur cerise et offre un nez de fruits mûrs enrobé de notes boisées et vanillées. Lorsque le bois sera un peu plus fondu en bouche, on le servira sur une terrine de lièvre ou un faisan farci.

Bonnelly Père & Fils,
Dom. du Coulet Rouge, Les Bâtiments Neufs,
84220 Roussillon, tél. et fax 04.90.05.61.40,
e-mail le.coulet.rouge@wanadoo.fr r.-v.

CH. EDEM 2005 *

8,06 ha 28 000 5 à 8 €

Cet important domaine de 90 ha réussit cette année un triplé, avec un vin sélectionné dans chaque couleur. Le rouge, à la robe soutenue, développe un bouquet de fruits rouges (dominante framboise) et de menthol. La bouche, vive et ample, repose sur des tanins soyeux et offre une finale aromatique. Le **blanc 2006**, une étoile, mêle les fruits mûrs, l'anis, la vanille ainsi que des nuances boisées. Enfin, le **rosé 2006** obtient une étoile.

Eduard et Emmanuelle Van Wely,
Ch. Edem, rte de Lacoste, 84220 Goult,
tél. 04.90.72.36.02, fax 04.90.72.34.71 r.-v.
SCEA Saint-Véran

FAGALE Élevé en fût de chêne 2005 *

0,64 ha 4 000 5 à 8 €

Assemblage de grenache (70 %) et de syrah, cette cuvée, élevée neuf mois en fût, apparaît dans une robe profonde et offre un bouquet plaisant de fruits mûrs accompagnés de notes finement boisées. Bien équilibrée, longue en bouche, elle termine sur le fruit (cassis) et les épices. À déguster dans un an. La cuvée **Les Estelles rouge 2006 (3 à 5 €)** aux arômes de fruits frais, est citée.

SCA Cave du Luberon,
hameau de Coustellet, 229, rte de Cavaillon,
84660 Maubec, tél. 04.90.76.90.01, fax 04.90.76.72.92,
e-mail contact@caveduluberon.com
t.l.j. sf sam. dim. 8h-12h 14h-18h

LE FAÎTE DU MONT 2005 *

n.c. 20 000 3 à 5 €

TerraVentoux est née en décembre 2002, de la fusion des caves Les Roches Blanches à Mormoiron et La Montagne Rouge à Villes-sur-Auzon. Grenache et syrah sur argilo-calcaire ont donné ce 2005 couleur rubis au nez dominé par les fruits rouges. C'est un vin de plaisir, bien représentatif de son appellation, à déguster dès la sortie du

Guide. Le **rosé 2006 Clair des roches** obtient une citation pour son bouquet exotique plaisant. Cité également, le **blanc 2006 Terrasses brûlées**, souple et fruité.
Cave TerraVentoux, rte de Carpentras,
84570 Villes-sur-Auzon, tél. 04.90.61.78.10,
fax 04.90.61.97.23,
e-mail a.fournier@cave-terraventoux.com
t.l.j. sf dim. 8h-12h15 14h-18h15

DOM. DE LA FERME D'HIPPOLYTE 2006 *

■ 4,38 ha 28 500 3 à 5 €

Située à proximité des célèbres Dentelles de Montmirail, la coopérative de Beaumes-de-Venise produit de nombreuses appellations. Le grenache est majoritaire (85 %) dans l'assemblage de cette cuvée, qui comprend également de la syrah et une touche de carignan. Le bouquet complexe et intense marie les fruits confiturés et la réglisse. Une note florale vient compléter en bouche cette palette aromatique et parfumer les tanins souples et bien enrobés. Un vin prêt à boire. Le **rosé 2006 cuvée des Toques**, gouleyant, est cité.
SCA Vignerons de Beaumes-de-Venise,
quartier Ravel, 84190 Beaumes-de-Venise,
tél. 04.90.12.41.00, fax 04.90.12.41.35,
e-mail vignerons@beaumes-de-venise.com r.-v.

DOM. DE FONDRÈCHE Persia 2005 **

■ 6 ha 20 000 15 à 23 €

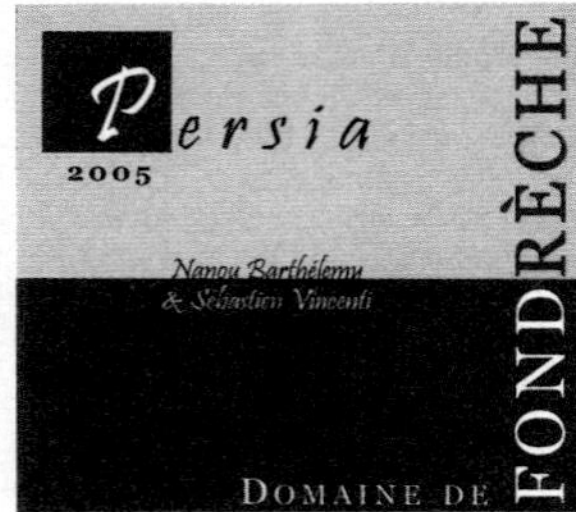

Au domaine de Fondrèche, la valorisation du terroir est un souci constant. Le vignoble est travaillé mécaniquement sans l'utilisation de désherbant. Tous les amendements sont réalisés avec de la fumure organique naturelle. Coup de cœur l'an dernier pour la cuvée Nadal, coup de cœur cette année avec cette cuvée Persia, l'exigence est récompensée. Le nez associe parfaitement les fruits noirs, les notes animales, les épices et la violette. La bouche retrouve ces arômes, portés par une bonne acidité, jusque dans une longue finale. Attendre deux à trois ans que l'ensemble se fonde et servir sur un pavé de biche. La cuvée **Fayard 2005 rouge (5 à 8 €)** obtient une étoile pour la complexité de son bouquet. Le **blanc 2006 Éclat blanc (8 à 11 €)** est cité.
Dom. de Fondrèche, quartier Fondrèche,
84380 Mazan, tél. 04.90.69.61.42, fax 04.90.69.61.18
t.l.j. sf sam. dim. 14h-18h
Vincenti

GRAINS ELECTIO 2006

■ 5,5 ha 30 000 3 à 5 €

Grenache et syrah composent l'assemblage de cette cuvée à la robe grenat soutenu, qui libère des arômes complexes de fruits rouges. Elle ne manque pas de caractère grâce à des tanins présents, mais bien enrobés, qui contribuent à son charme immédiat. À boire dès maintenant. La cuvée **In Fine rouge 2006**, au bouquet subtil de fruits rouges et de cuir, est également citée.
Caravinsérail, quartier du Roland,
84570 Villes-sur-Auzon, tél. 04 90.61.72.18,
fax 04.90.61.94.09, e-mail cascavel@voila.fr

DOM. GRANDJACQUET Le Rabassier 2006

■ 1,3 ha 7 000 5 à 8 €

Parallèlement à son activité viticole, Joël Jacquet a relancé la culture de l'olivier et du chêne truffier sur une dizaine d'hectares. Si son rosé a un peu connu le chêne, il n'exprime pas d'arômes de truffe mais de délicates nuances florales et fruitées sous sa robe pétale de rose. Gouleyant, un vin de copains, que l'on peut apprécier à l'apéritif ou sur une charcuterie.
SCEA GrandJacquet, 2869, rte de Carpentras,
84380 Mazan, tél. et fax 04.90.63.24.87,
e-mail contact@domaine-grandjacquet.com r.-v.
Joël Jacquet

DOM. LE GRAND VALLAT 2005 *

■ n.c. 10 000 5 à 8 €

Un terroir argilo-calcaire, des vignes de vingt ans d'âge, un assemblage de grenache et de syrah à parts égales, ont permis d'obtenir ce 2005 rubis au bouquet de fruits frais (cassis) et d'épices. La bouche équilibrée, de bon volume, est structurée par des tanins bien présents. Un vin de garde qui fera alliance avec une viande rouge.
SCEA Valentini, Le Grand Vallat, Saint-Estève,
84570 Blauvac, tél. 06.87.60.31.05, fax 04.90.61.73.65,
e-mail valentini@infonie.fr r.-v.

DOM. LES HAUTES BRIGUIÈRES
Rosé d'une nuit 2006 *

■ 1,8 ha 10 000 3 à 5 €

Une dominante de cinsault et de syrah pour ce rosé d'une nuit, à la robe pâle et aux reflets bleutés, qui développe un bouquet fruité agréable. La bouche équilibrée offre rondeur et vivacité. Un vin simple et bien fait que l'on appréciera avec une cuisine exotique. La **cuvée Prestige rouge 2005** obtient une étoile. Elle demande à s'ouvrir pour exprimer pleinement ses notes florales (violette) et fruitées (fruits noirs). Elle se mariera alors très bien avec une viande rouge grillée ou un plat épicé. La **cuvée Élégance rouge 2005 (5 à 8 €)** est citée.
François-Xavier Rimbert,
Dom. Les Hautes-Briguières, 84570 Mormoiron,
tél. 04.90.61.71.97, fax 04.90.61.85.80,
e-mail fxrimbert@aol.com
t.l.j. 10h-12h 14h-18h;
sam. dim. 10h-12h 14h30-17h30

PAUL JABOULET AÎNÉ Les Traverses 2006 *

□ n.c. 34 000 5 à 8 €

Issu d'un terroir argilo-calcaire, ce 2006 se présente dans une robe claire aux reflets verts et dorés. Un vin tout en finesse, franc, souple, marqué par des arômes exotiques agréables et frais. Il est à boire, mais peut attendre un an environ. **Les Traverses rouge 2005**, issues de 80 % de grenache et de 20 % de syrah, sont citées pour leur bouquet fruité et réglissé. À servir dès aujourd'hui.
Paul Jaboulet Aîné, Les Jalets, RN 7,
26600 La Roche-de-Glun, tél. 04.75.84.68.93,
fax 04.75.84.56.14, e-mail info@jaboulet.com
r.-v.
M. Frey

MARTINELLE 2005 ★★

■ 7,5 ha 30 000 ▮ 5 à 8 €

Installée en 2002, avec le statut de jeune agriculteur, Corina Kruse a perdu ses deux premières récoltes (à cause des pluies en 2002 et de la grêle en 2003) et n'a donc commencé la vinification et la mise en bouteilles qu'en 2004. Sa persévérance a payé, comme le montre ce 2005. Assemblage de grenache (68 %), de syrah (28 %) et de cinsault (4 %), il livre avec élégance des parfums de fruits rouges et noirs que l'on retrouve en bouche, accompagnés d'une note de fruits secs (noix). De la souplesse, du gras, une structure de qualité et de la persistance : chaque élément est à sa place. Un vin bien travaillé qui se mariera avec une daube provençale ou des côtes d'agneau.

Martinelle, 84190 Lafare, tél. et fax 04.90.65.05.56, e-mail info@martinelle.com r.-v.

Kruse

DOM. LE MAS DES OISEAUX 2004

■ 10 ha 10 000 ▮ 5 à 8 €

Un côtes-du-ventoux rouge sombre à reflets violets et au bouquet intense de fruits rouges. Souple, structurée, très présente, la bouche affiche un bon fruité accompagné de notes épicées. Un vin plaisant, qui conviendra à une grillade ou à un gigot à l'ail.

Dom. le Mas des Oiseaux, 689, chem de Bacchus, hameau de Serres, 84200 Carpentras, tél. 04.90.63.27.68, fax 04.90.60.33.20, e-mail info@domainelemasdesoiseaux.com

t.l.j. 9h-19h; f. vacances fév.

MAS DU FADAN Les Fées 2005 ★

■ 6,5 ha 15 000 ▮ 5 à 8 €

Au Mas du Fadan, David Fayet vous accueillera dans la chapelle du XVIIIe s., transformée en caveau. Vous aurez l'occasion d'apprécier son 2005 à la robe rouge profond et au nez complexe de fruits mûrs et de réglisse. La bouche, parfaitement équilibrée, souple, est également aromatique, empreinte de flaveurs fruitées et poivrées. Un vin en accord avec un gigot d'agneau ou un tian d'aubergines.

David Fayet, Mas du Fadan, hameau Les Grands Cléments, 84400 Villars, tél. 06.62.85.02.64, fax 04.90.06.03.27, e-mail davidfayet@aol.com

t.l.j. sf dim. 10h-12h 15h-19h; f. déc. jan.

CH. PESQUIÉ Quintessence 2004 ★

■ 7 ha 30 000 15 à 23 €

Une démarche d'agriculture raisonnée, une restructuration du vignoble, des amendements exclusivement organiques, ont permis une mise en valeur du domaine. Cette cuvée rouge sombre développe un nez expressif de fruits mûrs, agrémenté de notes boisées, grillées, vanillées (un an d'élevage en fût). La bouche ample, généreuse et structurée montre une réelle persistance. Un vin de garde, recommandé avec un civet de sanglier.

Ch. Pesquié, rte de Flassan, BP 6, 84570 Mormoiron, tél. 04.90.61.94.08, fax 04.90.61.94.13, e-mail contact@chateaupesquie.com

t.l.j. 9h-12h 14h-18h; f. dim. oct.-Pâques

Famille Chaudière Bastide

DOM. DU PUY MARQUIS Cuvée Prestige 2004 ★★

■ 1 ha 4 000 8 à 11 €

À la tête d'un domaine d'une dizaine d'hectares, Claude Leclercq propose cette cuvée (deux tiers syrah, un tiers grenache), en tous points remarquable : une robe rouge sombre, un bouquet concentré de fruits mûrs et de notes vanillées et grillées, une matière dense aux arômes boisés et épicés d'une grande élégance. Alliant complexité et finesse, ce vin est à boire, dès maintenant, sur une côte de bœuf.

Claude Leclercq, Dom. du Puy Marquis, rte de Rustrel, 84400 Apt, tél. 04.90.74.51.87, fax 04.90.04.69.80

t.l.j. 9h30-18h30

CH. LE PUY SAURETTE Cuvée des Grands Buis 2005 ★

■ 3 ha 8 000 ▮ 5 à 8 €

Au pied des monts du Vaucluse, le domaine s'étend sur le versant sud-ouest de la colline des Puys à Apt. Il a élaboré un 2005 (moitié syrah, moitié grenache) au nez fin de cerise et de réglisse qui possède beaucoup de matière. Un côtes-du-ventoux puissant et harmonieux, qui s'épanouira au cours des deux ou trois ans à venir.

SCEA Le Puy Saurette, rte de Villars, 84400 Apt, tél. 04.90.75.45.33, fax 04.90.75.54.69, e-mail info@lepuy.org r.-v.

Philippe Pollet

DOM. LE REPAISE DU GÉANT Le Bouquet du géant 2006 ★

■ 2 ha 4 600 ▮ 8 à 11 €

Après une conversion réussie en agriculture biologique en 2005, Sylvie et Franck Moulette ont décidé de sortir de la coopérative en 2006 pour vinifier leurs propres cuvées. Pari réussi, comme le montre ce vin à la robe intense, qui possède un bouquet complexe de fruits rouges et de vanille, complété de notes de truffe et de sous-bois. Au palais, il développe une matière dense marquée par une légère austérité en finale qui appelle à une petite garde avant de le servir sur un sauté d'agneau du Ventoux. Le **Baiser du géant 2006 rouge (5 à 8 €)**, cité, sera plutôt à boire jeune pour son caractère fruité.

SCEA Le Repaire du Géant, 952, chem. de Modène, 84380 Mazan, tél. et fax 04.90.69.81.93, e-mail contact@repairedugeant.com

r.-v.

DOM. DE LA ROYÈRE La Garance 2005 ★

■ 3,5 ha 5 500 ▮ 5 à 8 €

Cette cuvée n'affiche pas une robe garance, mais plutôt rubis profond. Elle livre des arômes de poivre et de fruits frais. Après une attaque franche, la bouche fait preuve de complexité aromatique et de rondeur grâce aux tanins en passe de se fondre.

Anne Hugues, Dom. de La Royère, quartier La Royère, 84580 Oppède, tél. 04.90.76.87.76, fax 04.90.76.79.50, e-mail info@royere.com

t.l.j. sf dim. 9h-12h 14h-18h; f. sam. en hiver

SAINT AUSPICE 2006 ★★

■ 2,4 ha 16 000 ▮ 3 à 5 €

Grenache (50 %), cinsault (30 %) et syrah (20 %) se sont alliés pour donner ce 2006 à la couleur pétale de rose qui a séduit les dégustateurs par son bouquet fruité très élégant et ses notes amyliques subtiles. En bouche, les arômes de fruits rouges se manifestent intensément et participent à l'impression de fraîcheur. Un vin harmonieux que l'on pourra, dès maintenant, proposer sur une grillade ou une viande blanche. Le **rouge 2006 Obage (5 à 8 €)**, au nez fruité intense accompagné de nuances de garrigue, devra attendre pour exprimer totalement son potentiel. Il obtient également deux étoiles.

SCA Vins de Sylla, BP 141, 84405 Apt Cedex,
tél. 04.90.74.05.39, fax 04.90.04.72.06,
e-mail sylla@sylla.fr t.l.j. 9h-19h

CAVE SAINT MARC

Cuvée Étienne de Vesc Élevé en barrique 2004 ★

5,35 ha 19 266 5 à 8 €

La cave doit son nom à la proximité d'un oratoire dédié à saint Marc. Fondée en 1928, elle vinifie 1 200 ha de vignes et compte trois cents coopérateurs. Le 2004 se distingue par son bouquet floral, élégant, ponctué de touches grillées. D'attaque souple, la bouche développe des notes fruitées sur un lit de tanins fins et délicats. Un vin subtil à déguster sur une blanquette de veau. La **cuvée Clocher rouge 2005 (3 à 5 €)** est citée pour son bouquet de fruits mûrs et sa bouche légère.

Cave Saint-Marc, 667, av. de l'Europe, BP 16,
84330 Caromb, tél. 04.90.62.40.24, fax 04.90.62.48.83,
e-mail contact@cave-saint-marc.com
t.l.j. 9h-12h 13h-19h

SEIGNEUR DE LAURIS 2005 ★

3 ha 10 000 3 à 5 €

On découvre un vin intensément coloré qui offre un bouquet de fruits noirs d'une grande finesse. La bouche, marquée par des arômes de fruits mûrs bien présents, affiche une puissance harmonieuse. À apprécier dès maintenant.

Arnoux et Fils, Cave du Vieux Clocher,
84190 Vacqueyras, tél. 04.90.65.84.18,
fax 04.90.65.80.07, e-mail info@arnoux-vins.com
t.l.j. sf dim. 9h-12h 14h-18h

CH. TALAUD Cuvée Antoine 2005

n.c. 20 000 5 à 8 €

Syrah (80 %) et grenache forment l'assemblage de ce 2005 à la robe rouge profond et au nez de fruits mûrs. La bouche puissante et ronde rejoue la même gamme aromatique avant une finale longue, sur la vivacité.

Ch. Talaud, D 107, 84870 Loriol-du-Comtat,
tél. 04.90.65.71.00, fax 04.90.65.77.93,
e-mail chateautalaud@infonie.fr
r.-v.

DOM. DE TARA Hautes Pierres 2004 ★★

n.c. 6 700 8 à 11 €

Tara, cela ne vous rappelle rien ? C'est bien en hommage au roman de Margaret Mitchell *Autant en emporte le vent* que ce domaine a été ainsi baptisé. Situé au cœur du Parc naturel régional du Luberon, il propose ce vin, élevé un an en fût, au nez boisé agrémenté de notes d'épices. Le palais affiche un remarquable équilibre entre matière et alcool. Puissant sans excès, dense sans lourdeur, un 2004 harmonieux qui gagnera en finesse dans un an environ. Il saura tenir tête à un fromage de caractère.

SCEA Dom. de Tara, Les Rossignols,
84220 Roussillon, tél. 04.90.05.74.87,
fax 04.90.05.71.35, e-mail domainedetara@orange.fr
t.l.j. 9h-19h
Follea

DOM. TERRES DE SOLENCE Cippus 2004 ★

2 ha 7 000 8 à 11 €

Quand un jeune couple, l'un œnologue, l'autre agronome, sélectionne des terroirs et les cultive en agriculture biologique à la recherche de vins authentiques, le résultat mérite attention. Cette cuvée Cippus ne déçoit pas avec son nez de cassis expressif et sa bouche puissante mais équilibrée aux arômes de fruits à l'eau-de-vie et aux notes boisées agréables. Il faudra la carafer quand elle sortira de cave dans deux ans. **Les Trois Pères rouge 2005 (5 à 8 €)**, une étoile, structuré, conviendra à une viande en sauce.

Anne-Marie et Jean-Luc Isnard,
Dom. Terres de Solence, chem. de la Lègue,
84380 Mazan, tél. et fax 04.90.60.55.31,
e-mail domaine@terres-de-solence.com
t.l.j. sf dim. 10h-18h30; sur r.-v. de nov. à mars

TERRES ROUGES 2004 ★

7 ha 35 000 5 à 8 €

Grenache et syrah à parts égales pour ce 2004 tout en fruits rouges et épices. Harmonieux, équilibré, il ne demande que quelques années pour accompagner un gibier à plume ou des pieds paquets. Le **rosé 2006 Orphéa (3 à 5 €)**, cité, présente beaucoup de fraîcheur et de vivacité. À recommander à l'apéritif. Enfin, la cuvée **Terre d'antan rouge 2004 (11 à 15 €)**, aux arômes boisés et vanillés, obtient une étoile.

Cave de Bonnieux, quartier de la Gare,
84480 Bonnieux, tél. 04.90.75.80.03, fax 04.90.75.98.30,
e-mail caveau@cave-bonnieux.com r.-v.

DOM. TERRUS 2006 ★★

3,6 ha 21 000 3 à 5 €

Coup de cœur en blanc l'an dernier, la cave de Goult est cette année distinguée pour un rosé, assemblage de grenache (85 %) et de syrah, plantés sur argilo-sableux. On découvre sous la robe rose légère et élégante l'intensité du bouquet de fruits rouges. Ce vin typique de l'appellation, gouleyant, ne manque pas de vivacité. À offrir à l'apéritif. Le **blanc Aubépine 2006**, bien équilibré, est cité. La cuvée **Roque de l'amant rouge 2005 (8 à 11 €)**, qui présente beaucoup de matière, reçoit une étoile. Elle devra attendre encore deux ans pour être appréciée sur une daube de bœuf à la provençale.

SCA Cave de Lumières, 84220 Goult,
tél. 04.90.72.20.04, fax 04.90.72.42.52,
e-mail info@cavedelumieres.com r.-v.

DOM. DU TIX Cuvée de Bramefan 2005

4 ha 10 968 11 à 15 €

Marie Pirsch a acheté en 2001 cette propriété, dont elle a patiemment restructuré le vignoble de 8 ha. Une belle

couleur rouge intense à reflets noirs habille cette cuvée dominée par la syrah (90 %), qui exprime les fruits rouges et la vanille. Bien fait, harmonieux mais assez marqué par l'élevage, ce 2005 doit patienter encore un ou deux ans.
Dom. du Tix, quartier Notre-Dame-des-Anges, 84570 Mormoiron, tél. et fax 04.90.61.84.43, e-mail contact@domaine-du-tix.fr r.-v.
Marie Pirsch

DOM. LE VAN Alizarine 2004

■ 1,8 ha 5 000 **11 à 15 €**

Situé au pied du mont Ventoux, sur sol argilo-limono-calcaire, ce domaine assemble grenache noir, carignan et syrah, cultivés de façon traditionnelle et sans produits chimiques. Fruits rouges et épices donnent le ton alors que s'affirme une structure tannique qui s'assouplira dans deux ans environ. À servir avec un plat raffiné et de caractère.
Dom. Le Van, rte de Carpentras, 84410 Bedoin, tél. 04.90.12.82.56, fax 04.90.12.82.57, e-mail froissard@domaine-le-van.com
t.l.j. 10h-12h30 14h30-19h; f. hiver

DOM. DE LA VERRIÈRE
Le Haut de la Jacotte 2005 ★★

■ 3,7 ha 17 000 **5 à 8 €**

À 10 km de Gordes et son village des Bories, à 8 km de Roussillon réputé pour ses ocres, le domaine de La Verrière se situe dans un site magnifique, un peu sauvage, entouré de vignes. Sous une robe intense aux reflets noirs, le bouquet harmonieux est dominé par les fruits et les épices, auxquels des senteurs florales (violette) viennent apporter une touche d'originalité. Ample, puissante, la bouche a tous les attributs des grands vins. Des notes boisées et grillées, héritage de l'élevage en fût, accompagnent la dégustation jusqu'à la longue finale. À servir sur un gibier. La cuvée principale **rouge 2005**, une étoile, possède également beaucoup de matière dans un registre plus classique.
Jacques Maubert, Dom. de La Verrière, 84220 Goult, tél. 04.90.72.20.88, fax 04.90.72.40.33, e-mail laverriere2@wanadoo.fr
t.l.j. sf dim. 9h-12h 14h-18h

Côtes-du-luberon

L'appellation côtes-du-luberon a été promue AOC par décret du 26 février 1988. Le vignoble des trente-six communes que compte cette appellation, s'étendant sur les versants nord et sud du massif calcaire du Luberon, représente environ 4 000 ha dont 3 060 déclarés en 2006 pour une production de 123 500 hl. L'appellation donne de bons vins rouges et rosés marqués par un encépagement de qualité (grenache, syrah) et un terroir original. Le climat, plus frais qu'en vallée du Rhône, et les vendanges plus tardives expliquent la part importante des vins blancs (25 % en moyenne) ainsi que leur qualité, reconnue et recherchée.

CAVE DE BONNIEUX Les Sentes 2006

■ 5 ha 15 000 **3 à 5 €**

Grenache et syrah à parts égales, nés sur un terroir argilo-calcaire, sont à l'origine de ce 2006 à la robe brillante. Le nez subtil et discret laisse percevoir quelques arômes de fraise. En bouche, on apprécie la fraîcheur des notes d'agrumes (citron). Poissons grillés et bouillabaisse seront en harmonie avec ce vin.
Cave de Bonnieux, quartier de la Gare, 84480 Bonnieux, tél. 04.90.75.80.03, fax 04.90.75.98.30, e-mail caveau@cave-bonnieux.com
r.-v.

CH. LA CANORGUE 2006 ★

4 ha 22 000 **8 à 11 €**

Le film de Ridley Scott *Une grande année* a été tourné en 2006 au château La Canorgue, qui date du XVII^{e}s. Adepte de l'agriculture biologique et de la biodynamie, Jean-Pierre Margan propose un 2006 à la robe jaune pâle et aux reflets verts. Il exhale des parfums de fleurs blanches très agréables, qui annoncent l'élégance de la bouche, ronde, longue et équilibrée. Le **rouge 2005**, à la robe profonde à reflets noirs, tout en petits fruits rouges (groseille) et épices, est cité.
EARL J.-P. et N. Margan, Ch. La Canorgue, 84480 Bonnieux, tél. 04.90.75.81.01, fax 04.90.75.82.98, e-mail j.pierre.margan@wanadoo.fr
t.l.j. sf dim. 9h-12h 14h-18h

DOM. DE LA CAVALE L'Origine de Cavale 2006 ★

2 ha 7 600 **5 à 8 €**

PDG du groupe hôtelier Accor, Paul Dubrule a choisi le Luberon pour faire vivre sa passion de la vigne. Trois vins sont sélectionnées cette année. Ce blanc d'abord, assemblage de grenache blanc, de clairette, de roussanne et d'ugni blanc, se présente dans une robe jaune paille et livre un nez de fruits à chair blanche. C'est un vin rond, bien équilibré, que l'on dégustera avec un poisson en sauce ou des noix de Saint-Jacques en gratin. Cette même cuvée déclinée en **rouge 2005**, une étoile, affiche un bouquet de sous-bois et de fruits noirs (mûre). Jeune encore, mais prometteuse. Elle ne demandera que quelques années d'attente avant d'accompagner une viande en sauce. Le **Blason de Cavale rouge 2004 (11 à 15 €)**, fruité et vanillé, marqué par des notes animales, obtient aussi une étoile.
Paul Dubrule, Dom. de La Cavale, rte de Lourmarin, 84160 Cucuron, tél. 04.90.77.22.96, fax 04.90.77.25.64, e-mail domaine-cavale@wanadoo.fr r.-v.

DOM. CHASSON
Cuvée Guillaume de Cabestan 2005 ★

■ 2,5 ha 13 000 **8 à 11 €**

Roussillon, superbe village, est réputé pour ses falaises d'ocre. La cuvée Guillaume de Cabestan, issue de syrah (70 %) et de grenache noir, est élevée un an en fût, élevage réussi tant le boisé est fin et élégant, accompagnant des arômes de réglisse et de framboise. Ce vin encore jeune mais prometteur sera apprécié avec un gigot d'agneau aux herbes. Le **Secret de famille rouge 2004 (11 à 15 €)**, dominé par le bois, reçoit une citation. Le **blanc 2006 (5 à 8 €)**, moitié grenache blanc, moitié vermentino, est cité pour sa finesse et sa fraîcheur.
Dom. Chasson, quartier Grimaud, 84220 Roussillon, tél. 04.90.05.64.56, fax 04.90.05.72.79 t.l.j. 8h-12h 14h-18h30
Lelièvre

RHÔNE

DOM. DE LA CITADELLE Le Châtaignier 2006 *

1 ha 6 000 5 à 8 €

Ménerbes est un des plus beaux village de France où l'on peut visiter la maison de la Truffe et du Vin et, sur ce domaine, le musée du Tire-bouchon qui regroupe plus de 1 500 pièces du XVII[e]s. à nos jours. Ce 2006 jaune pâle brillant se distingue par un nez subtil d'ananas confit. Souple et équilibré, il est prêt pour l'apéritif. Le **Gouverneur Saint-Auban rouge 2005 (15 à 23 €)** obtient une étoile pour la complexité de son bouquet (fruits, épices, grillé...) et sa finale pleine de fraîcheur. Cité, **Le Châtaignier rouge 2006** est fruité et friand.

Rousset-Rouard,
Dom. de la Citadelle, rte de Cavaillon,
84560 Ménerbes, tél. 04.90.72.41.58,
fax 04.90.72.41.59,
e-mail domainedelacitadelle@wanadoo.fr
t.l.j. 10h-12h 14h-19h; f. sam. dim. oct.-mars

CH. DE CLAPIER 2006

2 ha n.c. 5 à 8 €

Clapier ? Y avait-il ici des lapins ? Non, plutôt des agriculteurs qui cultivaient la terre autour des *clapas*, des tas de pierres. Ancienne propriété des marquis de Mirabeau achetée en 1880 par l'ancêtre de Thomas Montagne, ce domaine propose un rosé de saignée, vif, de bonne longueur qui exprime des arômes de fruits rouges frais. Un pâté de foie de volaille fera un bon accord.

Thomas Montagne, Ch. de Clapier, RN 96,
84120 Mirabeau, tél. 04.90.77.01.03,
fax 04.90.77.03.26,
e-mail chateau-de-clapier@wanadoo.fr
r.-v. 4 D

COLLET D'AYGUES 2006

n.c. 1 800 3 à 5 €

Voici le deuxième millésime de cette structure issue en 2005 de la fusion des deux caves coopératives de la ville. La cuvée Collet d'Aygues est sélectionnée dans les trois couleurs. Le blanc au nez agréable de fruits confits et de bonbon anglais, équilibré et frais, est destiné à l'apéritif. Le **rosé 2006** exprime des arômes de fraise et de pamplemousse. Le **rouge 2006**, gouleyant et friand, accompagnera une grillade.

SCA Valdèze, 288, bd de la Libération,
84240 La Tour-d'Aigues, tél. 04.90.07.42.12,
fax 04.90.07.49.08, e-mail valdeze@valdeze.fr
t.l.j. sf lun. 9h-12h30 15h-19h; dim. 9h-12h30

CH. CONSTANTIN-CHEVALIER 2006

14 ha 10 000 5 à 8 €

Site d'intérêt historique et architectural, Lourmarin est également une capitale gastronomique et un village exquis. On comprend que les Chevalier aient été séduits en 1990. Leur rosé 2006 à la robe couleur cerise développe des parfums intenses de bonbon et de fraise des bois. En bouche, on retrouve ces arômes dans un ensemble chaleureux et équilibré. À déguster dès la sortie du Guide.

EARL Constantin-Chevalier et Filles,
Ch. de Constantin, 84160 Lourmarin,
tél. 04.90.68.38.99, fax 04.90.68.37.37,
e-mail allen.chevalier@wanadoo.fr
t.l.j. sf dim. 10h-12h 15h-18h
Marie-Laure et Allen Chevalier

CH. LA DORGONNE
L'Expression du terroir 2005 *

4,21 ha 11 100 11 à 15 €

Pour exprimer son terroir, ce domaine fait le choix du bio. Tout le travail de la vigne est manuel et réalisé sans produit de synthèse. La dégustation du 2005 montre que ces efforts sont judicieux. Sa robe rouge à reflets noirs, ses arômes de fruits, d'épices et de cuir accompagnés de notes boisées (quatorze mois d'élevage en fût), tout est prometteur. Certes, les tanins ne sont pas encore fondus, mais l'équilibre et l'ampleur de la matière garantissent, après deux ans de garde, un bel accord gourmand (grive ou poularde aux truffes).

SCEA Ch. la Dorgonne, rte de Mirabeau,
84240 La Tour-d'Aigues, tél. 04.90.07.50.18,
fax 04.90.07.56.55, e-mail info@ladorgonne.com
t.l.j. 8h-20h 7

CH. EDEM Seigneurie du Luberon 2006 *

10,5 ha 53 900 5 à 8 €

Installés en 1985, les Van Wely, aujourd'hui à la tête de 90 ha, vinifient en cave particulière depuis 2001. Leur rosé choisit au nez la banane et les fruits secs. En bouche, les notes d'agrumes (clémentine) et de griotte lui apportent beaucoup de fraîcheur. Pour l'apéritif. La même cuvée en **blanc 2006**, fraîche et florale, reçoit une citation.

Eduard et Emmanuelle Van Wely,
Ch. Edem, rte de Lacoste, 84220 Goult,
tél. 04.90.72.36.02, fax 04.90.72.34.71 r.-v.
SCE Saint-Véran

CH. LES EYDINS L'Ouvière 2005 **

5 ha 15 000 5 à 8 €

Serge Seignon a repris en 1999 le domaine créé par son arrière-grand-père en 1907 et a construit la cave de vinification en 2002. Son 2005, dans une robe pourpre intense aux reflets violet profond, se distingue par l'intensité de son bouquet dominé par les fruits et les épices. La réglisse et la violette viennent parfumer la bouche, y laissant une impression de fraîcheur et d'élégance. Équilibré et long, il passe tout près du coup de cœur.

Serge Seignon, rte du Pont-Julien, 84480 Bonnieux,
tél. 06.81.74.61.58, fax 04.90.75.61.58,
e-mail serge.seignon@club-internet.fr r.-v.

DOM. FAVEROT
Cuvée du Général Élevé en fût de chêne 2004

1 ha 4 000 11 à 15 €

Située au pied des premiers contreforts du massif du Luberon, la propriété est une ancienne magnanerie convertie en domaine viticole dans les années 1920. Assemblage de syrah et de grenache, ce 2004 grenat profond livre des arômes de fruits mûrs et de notes toastées. Plus souple que puissant, il est à boire dès maintenant. Également citée, la cuvée **Le Mazet rouge 2005 (5 à 8 €)** demande encore à s'ouvrir.

Dom. Faverot,
SCEA Dom. de L'Allée, 771, rte de Robion,
84660 Maubec, tél. et fax 04.90.76.65.16,
e-mail domainefaverot@wanadoo.fr
t.l.j. 9h-12h 14h30-19h E

DOM. FONDACCI Vieilli en fût de chêne 2005 *

1 ha 4 000 5 à 8 €

Syrah (50 %), grenache et carignan (25 % chacun) composent l'assemblage de ce 2005 élevé un an en fût, qui se présente dans une robe grenat foncé aux reflets violacés. Le bouquet puissant et plaisant mêle les arômes de fruits noirs et les épices. La bouche ronde possède une structure tannique importante, qui devra s'affiner avec une petite garde (un an). On ouvrira alors cette bouteille sur un carré d'agneau aux herbes.

Dom. Fondacci, quartier La Sablière,
84580 Oppède, tél. 04.90.76.95.91, fax 04.90.71.40.38,
e-mail guyfondacci@aol.com r.-v.

CAVE DES VIGNERONS DE GRAMBOIS
Secret d'un terroir 2006 *

n.c. 2 600 3 à 5 €

Issu de vermentino et de grenache blanc, ce 2006 à la robe jaune pâle présente un nez intense de fruits confits ; la bouche, marquée par les agrumes, affiche une bonne fraîcheur. À servir sur des coquillages ou des crustacés. Une étoile également pour le **rosé 2006 Secret d'un terroir**, un vin gourmand, aux arômes de fruits rouges.

Cave Les Coteaux de Grambois, Moulin-du-Pas,
84240 Grambois, tél. 04.90.77.92.04,
fax 04.90.77.94.51, e-mail cave@cavegrambois.com
r.-v.

CH. GRAND CALLAMAND Nous 2004

3 ha n.c. 8 à 11 €

Le château Grand Callamand, situé à l'intérieur du Parc national du Luberon, domine la vallée de la Durance. Composé à majorité de syrah (80 %), ce 2004 livre un bouquet puissant de sous-bois et de cuir, finement boisé. Rond et équilibré, il peut être dégusté dès aujourd'hui ou attendre deux ans. Il accompagnera une daube ou une viande grillée.

Nathalie et Albert Souzan,
Dom. du Grand Callamand, SCEA L'Arche,
rte de la Loubière, 84120 Pertuis,
tél. et fax 04.90.09.61.00,
e-mail chateaugrandcallamand@wanadoo.fr
t.l.j. 10h-12h 15h-18h;
sam. dim. sur r.-v.

CH. DE L'ISOLETTE Cuvée Sélection 2006 *

5 ha 20 000 8 à 11 €

Luc Pinatel, issu d'une famille de vignerons, crée ce domaine aujourd'hui confié à sa fille et à son gendre. Issue de clairette, de grenache blanc, de roussanne et de bourboulenc, cette cuvée jaune pâle aux reflets verts, élégante, décline des notes de litchi et de fruits confits. Bien équilibrée et marquée par la fraîcheur, elle accompagnera un poulet à la crème. Le **Sable rouge 2005 (3 à 5 €)** est cité.

EARL Luc Pinatel,
Ch. de L'Isolette, rte de Bonnieux, 84400 Apt,
tél. 04.90.74.16.70, fax 04.90.04.70.73,
e-mail pinatel@chateau-isolette.com
t.l.j. sf dim. 8h-11h30 14h-17h30

CAVE DE LOURMARIN-CADENET
Hau Coulobre 2006 *

6 ha 10 000 3 à 5 €

Une touche de grenache (5 %) vient compléter la syrah plantée sur un sol de colluvions pour donner ce 2006 à la robe rose clair qui se distingue par son bouquet original de litchi et de pamplemousse. En bouche, on apprécie la fraîcheur et les notes fruitées. À choisir pour une salade de chèvre chaud. Le **Bastide de Rhodarès rouge 2005 (11 à 15 €)** obtient une étoile.

SCA Cave de Lourmarin-Cadenet-Lauris,
montée du Galinier, 84160 Lourmarin,
tél. 04.90.68.06.21, fax 04.90.68.25.84,
e-mail robert.barthelemy@cario.fr
t.l.j. sf dim. 8h-12h 14h-18h

CAVE DU LUBERON Quercus 2005 *

0,84 ha 5 600 5 à 8 €

La cave du Luberon se situe dans le hameau de Coustellet, distant de 7 km d'Isle-sur-la-Sorgue, commune réputée pour ses brocantes. La cuvée Quercus, on l'aura deviné, a connu le chêne. Elle en ressort avec un bouquet puissant de fruits rouges aux nuances boisées. Beaucoup de finesse en bouche, des tanins en passe de se fondre, et une finale doucement vanillée.

SCA Cave du Luberon,
hameau de Coustellet, 229, rte de Cavaillon,
84660 Maubec, tél. 04.90.76.90.01, fax 04.90.76.72.92,
e-mail contact@caveduluberon.com
t.l.j. sf sam. dim. 8h-12h 14h-18h

CELLIER DE MARRENON
Grande Toque 2006 **

9,6 ha 72 000 3 à 5 €

Le Cellier de Marrenon est une union qui regroupe onze caves coopératives du Luberon, représentant près de trois mille cinq cents viticulteurs. La qualité n'est en rien sacrifiée à la quantité, grâce à des sélections parcellaires et à des cahiers des charges rigoureux. Ce 2006, jaune pâle à reflets verts, possède un nez subtil de fleurs blanches. Les fruits blancs s'expriment au palais. L'ensemble élégant pourra accompagner une cuisine de terroir méditerranéenne. La cuvée **Orca III rouge 2004 Élevé en fût de chêne (8 à 11 €)**, ronde et équilibrée, très fruitée (groseille et mûre), obtient une étoile.

Cellier de Marrenon, La Tour-d'Aigues, BP 13,
84125 Pertuis Cedex, tél. 04.90.07.40.65,
fax 04.90.07.30.77, e-mail marrenon@marrenon.com
t.l.j. 8h-12h 14h-18h (été 8h-12h 15h-19h)

DOM. DE MAYOL 2006

4 ha 25 000 5 à 8 €

D'une couleur soutenue, ce 2006 au bouquet fruité se révèle agréable et équilibré, marqué par une légère amertume en finale. Il accompagnera des toasts de tapenade au moment de l'apéritif. La **cuvée Tradition rouge 2004 (11 à15 €)**, citée, offrira dès cet automne son bouquet puissant de fruits rouges confiturés.

Bernard Viguier,
Dom. de Mayol, rte de Bonnieux, D 3, 84400 Apt,
tél. 04.90.74.12.80, fax 04.90.04.85.64,
e-mail domaine.mayol@free.fr
t.l.j. sf dim. 9h-12h 14h-18h30

CH. DE MILLE 2006

n.c. 7 000 8 à 11 €

Le château de Mille, ancienne propriété des évêques d'Apt, est une demeure chargée d'histoire, qui donne à voir nombre de curiosités : un vieux fouloir, un four à pain, une chapelle, un pigeonnier du XIIe s. Paré d'une robe jaune pâle, ce 2006 livre un nez gourmand de bonbon anglais et de fruits confits et une bouche fraîche et équilibrée. À ouvrir à l'apéritif.

Pierre Pinatel, Ch. de Mille, rte de Bonnieux,
84400 Apt, tél. 04.90.74.11.94, fax 04.90.74.56.82,
e-mail pinatel@chateau-de-mille.fr
t.l.j. 8h-12h 13h30-19h

DOM. DE RÉGUSSE 2006 ★

	4,2 ha	20 000		3 à 5 €

Le domaine de Régusse compte près de 240 ha . Son rosé 2006, à la robe pâle, séduit par son bouquet expressif de fruits rouges (grenade, groseille, fraise). Vif, ample et équilibré, il s'accordera avec une pizza ou une grillade.

SAS Régusse,
Dom. de Régusse, rte de la Bastide-des-Jourdans, 04860 Pierrevert, tél. 04.92.72.30.44, fax 04.92.72.69.08, e-mail domaine-de-regusse@wanadoo.fr r.-v.

DOM. DE LA ROYÈRE L'Oppidum 2006 ★★

	2,6 ha	9 000	5 à 8 €

Anne Hugues a effectué sa première vinification en 1988. La voici récompensée par un coup de cœur pour ce rosé, issu de syrah (90 %) et de grenache, paré d'une robe pâle et brillante. Le nez intense joue sur toute la gamme des fruits rouges (cerise, grenade, fraise). En bouche, on apprécie les arômes de fruits frais et d'agrumes et le très bel équilibre. Cité, **L'Oppidum blanc 2006**, aux reflets jaune d'or, reste encore un peu fermé. Le **rouge 2004 Sélection de vieilles vignes élevage en barrique (8 à 11 €)**, riche, tannique, boisé et animal, décroche une étoile.

Anne Hugues,
Dom. de La Royère, quartier La Royère, 84580 Oppède, tél. 04.90.76.87.76, fax 04.90.76.79.50, e-mail info@royere.com
t.l.j. sf dim. 9h-12h 14h-18h; f. sam. en hiver

CH. SAINT-PIERRE DE MEJANS
Cuvée du Prieuré 2004 ★

	0,5 ha	2 000		15 à 23 €

Syrah (80 %) et grenache (20 %) implantés sur un sol argilo-calcaire ont donné ce 2004 à la robe grenat soutenu élevé dix-huit mois en fût ; il s'affirme par un nez complexe de fruits noirs et de truffe, agrémenté de notes boisées ; sa bouche ronde, fruitée, équilibrée a séduit l'ensemble du jury. À servir dès la sortie du Guide avec une viande en sauce ou un gibier.

Brice Doan de Champassak,
Ch. Saint-Pierre de Mejans, 84160 Puyvert, tél. 04.90.08.40.51, fax 04.90.08.41.96, e-mail bricedoan@yahoo.fr
t.l.j. sf mar. 9h30-12h 14h30-19h; f. jan.

CH. TURCAN Louis Turcan 2006 ★★

	n.c.	4 400		15 à 23 €

Au château Turcan, un musée de la Vigne et du Vin rassemble près de 3 000 pièces, dont certaines datent du XVe s. Cette cuvée rend hommage au créateur du domaine, pharmacien-viticulteur de son état. De teinte soutenue à reflets violacés, elle développe une palette complexe de fruits rouges et d'épices. Lorsque ses tanins seront fondus, dans un an ou deux, ce vin équilibré pourra être servi sur un fromage à pâte moelleuse. Le **Château Turcan blanc 2006 (8 à 11 €)**, très harmonieux, obtient également deux étoiles. À servir sur un poisson en sauce.

Dominique Laugier, Ch. Turcan, rte de Pertuis, 84240 Ansouis, tél. et fax 04.90.09.83.33, e-mail pierrehenry.laugier@club-internet.fr
r.-v.

DOM. LES VADONS 2006

	1,05 ha	1 500		5 à 8 €

Ce domaine est en conversion à l'agriculture biologique depuis 2005. Son blanc 2006 issu de nombreux cépages (grenache blanc, roussanne, clairette, ugni blanc, bourboulenc) possède une robe brillante à la couleur jaune pâle. Fruité, vif et harmonieux, c'est un vin de début de repas qui représente bien l'appellation.

Louis-Michel Bremond,
Dom. Les Vadons, La Resparine, 84160 Cucuron, tél. 06.03.00.10.29, fax 04.90.77.13.40, e-mail les.vadons@wanadoo.fr r.-v. 2

CH. VAL JOANIS Réserve Les Griottes 2004 ★

	16 ha	40 000		11 à 15 €

Un terroir argilo-calcaire et des galets roulés, une dominante de syrah (90 %) complétée de grenache, tels sont les atouts de cette cuvée qui livre un bouquet intense de fruits confits et de réglisse. Structure, rondeur et longueur permettront à ce vin de patienter deux à trois ans en cave, le temps que le boisé se fonde complètement dans l'ensemble. À servir avec un gibier en sauce.

SC du Ch. Val Joanis, 84120 Pertuis, tél. 04.90.79.20.77, fax 04.90.09.69.52
t.l.j. 10h-19h
Chancel

Coteaux-de-pierrevert

Dans le département des Alpes-de-Haute-Provence, la majeure partie des vignes se trouve sur les versants de la rive droite de la Durance (Corbières, Sainte-Tulle, Pierrevert, Manosque...) et couvre 338 ha. Les conditions climatiques, déjà rigoureuses, cantonnent la culture de la vigne dans une dizaine de communes sur les quarante-deux que compte légalement l'aire d'appellation. Les vins rouges, rosés et blancs (15 955 hl en 2005), d'assez faible degré alcoolique et d'une bonne nervosité, sont appréciés par ceux qui traversent cette région touristique. Les coteaux-de-pierrevert ont été reconnus en appellation d'origine contrôlée en 1998.

DOM. LA BLAQUE Cuvée Collection 10 2004 ★★

	2 ha	6 000		11 à 15 €

Issue d'un terroir argilo-calcaire et composée quasi exclusivement de syrah, cette cuvée 2004 a séduit l'ensemble des dégustateurs par sa couleur rubis foncé, son bouquet complexe de cacao, de réglisse et de pruneaux à l'eau-de-vie. Un vin aux tanins soyeux, dont la persistance aromatique est d'une rare longueur. À servir sur une côte

de bœuf ou un gibier. La **cuvée principale rouge 2005 (5 à 8 €)** obtient une étoile pour ses notes de garrigue et d'épices et ses tanins fins et souples.

Dom. Châteauneuf La Blaque, Dom. La Blaque, 04860 Pierrevert, tél. 04.92.72.39.71, fax 04.92.72.81.26, e-mail domaine.lablaque@wanadoo.fr
t.l.j. sf dim. 8h-12h 14h-18h

CAVE DES VIGNERONS DE PIERREVERT 2006 ★

n.c. 60 000 3 à 5 €

Pierrevert est un joli village perché sur un rocher situé à proximité de Manosque. « Un village d'or semblable à une barque portée par une vague de rochers », comme l'écrit Jean Giono. La cave propose ce 2006 à la couleur rose pâle, brillant et plaisant. S'annonçant par un bouquet intense de fruits rouges (fraise et framboise), ce vin souple, équilibré et friand, accompagnera une cuisine provençale ou exotique. Le **blanc 2006 cuvée du Village d'or** ainsi que le **rouge 2005** décrochent une étoile.

Cave des Vignerons de Pierrevert, 1, av. Auguste-Bastide, 04860 Pierrevert, tél. 04.92.72.19.06, fax 04.92.72.85.36, e-mail cave.pierrevert@wanadoo.fr
t.l.j. sf dim. 9h-12h 14h-18h

CH. RÉGUSSE 2006 ★★

10,5 ha 30 000 5 à 8 €

Le château de Régusse est une ancienne bastide provençale. En 2003, le domaine a été acquis par des investisseurs passionnés par l'univers du vin. Ce 2006 possède une robe pâle, un nez complexe et intense aux nuances florales (rose) et fruitées (pamplemousse). En bouche, c'est un vin franc, souple et bien équilibré. Le **blanc 2006 (3 à 5 €)** obtient une étoile pour ses notes florales et sa fraîcheur, tout comme le **Domaine de Régusse cuvée Prestige rouge 2004**, élevé en fût.

SAS Régusse, Dom. de Régusse, rte de la Bastide-des-Jourdans, 04860 Pierrevert, tél. 04.92.72.30.44, fax 04.92.72.69.08, e-mail domaine-de-regusse@wanadoo.fr r.-v.

CH. DE ROUSSET 2006

8 ha 45 000 5 à 8 €

Domaine familial depuis plus de cent cinquante ans, repris en 1985 par Hubert et Roseline Emery, rejoints depuis trois ans par leur fils Thomas. Ce 2006 se présente dans une robe pétale de rose très pâle. Le nez élégant décline des notes de fleurs et d'agrumes, puis une fraîcheur équilibrée envahit le palais. Une cuisine provençale (filets de rougets grillés aux fines herbes) conviendra parfaitement à ce vin gouleyant et plaisant. Le **Grand Jas rouge 2004 (8 à 11 €)** reçoit une citation. Son potentiel est réel, mais il ne s'exprime pas encore actuellement.

Hubert et Roseline Emery, SCEV Ch. de Rousset, 04800 Gréoux-les-Bains, tél. 04.92.72.62.49, fax 04.92.72.66.50, e-mail roseline.emery@wanadoo.fr
t.l.j. sf dim. 9h-12h 14h-18h30

Côtes-du-vivarais

À la limite nord-ouest des Côtes du Rhône méridionales, les côtes-du-vivarais chevauchent les départements de l'Ardèche et du Gard, sur 647 ha. Les vins, produits sur des terrains calcaires, sont essentiellement des rouges à base de grenache (30 % minimum), de syrah (30 % minimum), et des rosés, caractérisés par leur fraîcheur et à boire jeunes. Notez que ce VDQS a été reconnu en AOC en mai 1999 et qu'il a produit 20 133 hl en 2005 sur 554 ha déclarés.

DOM. BEL AIR Grande Réserve 2006 ★

7 ha 36 000 3 à 5 €

Syrah (60 %), grenache (30 %) et cinsault composent l'assemblage de ce 2006 au nez chaleureux de fruits cuits. Les tanins occupent très vite en bouche le devant de la scène, finissant par céder la place aux fruits rouges et aux épices avant une longue finale. L'Ardèche voisine produit des charcuteries qui sauront s'entendre avec ce vin.

R & D Vins, Ch. Saint-Maurice, RN 580, L'Ardoise, 30290 Laudun, tél. 04.66.82.96.57, fax 04.66.82.96.58, e-mail rdvins@wanadoo.fr

LE CLOS DES SENTEURS Les Murettes 2005

1 ha 5 500 **3 à 5 €**

Représentant de la quatrième génération de viticulteurs, Serge Coste propose un 2005 à majorité de grenache (60 %) né sur argilo-calcaire, qui affiche un bouquet puissant de fruits rouges. La bouche attaque en souplesse et continue dans ce registre gouleyant, retrouvant jusqu'en finale les notes fruitées du nez. Un vin simple et agréable pour une volaille rôtie.

Serge et Françoise Coste, Hameau de Massargues, 07150 Orgnac-l'Aven, tél. 06.70.93.91.33, e-mail sercoste@wanadoo.fr r.-v.

NOTRE-DAME DE COUSIGNAC Hommage à Auguste Pommier 2005 ★

6,5 ha 22 000 **8 à 11 €**

Créé en 1864, le domaine comptait 7 ha avant la Première Guerre mondiale, puis il s'est développé dans les années 1960 pour atteindre aujourd'hui près de 40 ha. Hommage réussi avec ce vin dominé par les notes de fruits mûrs au nez. La bouche attaque en souplesse sur des fruits devenus confiturés, puis prend du relief avec l'arrivée des tanins encore un peu vifs, avant une finale chaleureuse. Une petite garde s'impose. Le **rosé 2006 (5 à 8 €)** du domaine, souple et vif, est cité.

🔑 M. Pommier,
Dom. Notre-Dame-de-Cousignac, quartier de Cousignac, 07700 Bourg-Saint-Andéol, tél. 04.75.54.61.41, fax 04.75.54.68.53, e-mail ndcousignac@wanadoo.fr
▼ Y ⛹ t.l.j. sf sam. dim. 9h-12h 15h-19h 🏠 ③

UNION DES PRODUCTEURS D'ORGNAC-L'AVEN Cuvée de l'Aven 2005

■ 2 ha 10 000 ▮ 3 à 5 €

Après l'incontournable visite de l'aven d'Orgnac, seule grotte à être labellisée « Grand site de France », faites une halte à la cave coopérative pour découvrir ce vin à la robe profonde. Le nez intense exprime des arômes de fruits rouges relevés de quelques notes épicées. La bouche souple et bien faite invite à un accord avec des côtes d'agneau grillées.

🔑 Union des Producteurs d'Orgnac-l'Aven, Le Village, 07150 Orgnac-l'Aven, tél. 04.75.38.60.08, fax 04.75.38.65.90, e-mail cave.orgnac@orange.fr
▼ Y ⛹ r.-v.

DOM. VIGNE 2006

■ 2,5 ha 15 000 3 à 5 €

Moitié grenache, moitié syrah, ce 2006 affiche un nez encore jeune mais déjà tourné vers les fruits rouges. On retrouve ces arômes en bouche, de façon plus prononcée, bien rafraîchie par une pointe de vivacité qui les accompagne jusqu'en finale. À ouvrir au moment du fromage, sur un picodon de l'Ardèche.

🔑 Bernard Vigne, Dom. Vigne, vallée de l'Ibie, 07150 Lagorce, tél. 04.75.37.19.00
▼ Y ⛹ t.l.j. sf dim. 9h-19h

Les vins doux naturels de la vallée du Rhône

Rasteau

Tout au nord du département du Vaucluse, ce vignoble s'étale sur deux formations distinctes : sols de sables, marnes et galets au nord ; terrasses d'alluvions anciennes du Rhône (quaternaire), avec des galets roulés, au sud. Partout, le cépage utilisé est le grenache. La production moyenne est confidentielle : 1 344 hl en 2006 pour 41 ha 53 a.

DOM. DE BEAURENARD 2005

■ 3,7 ha 6 000 ⏸ 15 à 23 €

Un musée du vigneron, un nouveau caveau de dégustation : ce domaine, tenu par la même famille depuis sept générations, ne manque pas d'intérêt. Le moindre n'est pas ce rasteau rouge élevé quinze mois en fût, qui exprime des notes de noix et d'agrumes. Sa rondeur et sa présence en bouche le destinent à accompagner un fromage à pâte persillée ou des pâtisseries chocolatées.

🔑 Paul Coulon et Fils,
Dom. de Beaurenard, av. Pierre-de-Luxembourg, 84230 Châteauneuf-du-Pape, tél. 04.90.83.71.79, fax 04.90.83.78.06, e-mail paul.coulon@beaurenard.fr
▼ Y ⛹ t.l.j. sf dim. 9h-12h 13h30-17h30

DOM. BRESSY MASSON Rancio

▒ n.c. n.c. ⏸ 8 à 11 €

Les vieilles vignes (cinquante ans) de grenache du domaine ont produit ce rasteau élevé quatre ans en fût. Il en sort empreint de délicates notes de noix caractéristiques du rancio. Ses tanins fondus et sa rondeur agréable en font un bon compagnon pour le roquefort ou le touron.

🔑 Marie-France Masson, Dom. Bressy-Masson, 84110 Rasteau, tél. 04.90.46.10.45, fax 04.90.46.17.78, e-mail marie-francemasson@club-internet.fr
▼ Y ⛹ t.l.j. 9h-12h 14h-19h

DOM. DIDIER CHARAVIN 2004 ★

▒ 2 ha 7 000 ▮ 5 à 8 €

Didier Charavin produit ses vins doux sur l'ancien domaine des Papillons. Est-ce pour cette raison que son rasteau blanc affiche finesse et légèreté ? Souple et fondu, aux arômes de garrigue et de raisins secs, il constitue une excellente introduction pour qui souhaite découvrir cette appellation. On le servira alors un peu frais, pour lui-même, à l'apéritif.

🔑 Didier Charavin, rte de Vaison, 84110 Rasteau, tél. 04.90.46.15.63, fax 04.90.46.16.22
▼ Y ⛹ t.l.j. 9h-12h 14h-18h

DOM. DES COTEAUX DES TRAVERS 2005 ★

■ n.c. 1 700 ⏸ 8 à 11 €

Toute l'expression du grenache est concentrée dans cette bouteille. Né sur un terroir argileux et très calcaire, élevé un an en fût, il donne ce rasteau aux notes de fruits rouges et de fruits secs (amande). La bouche ronde et fondue offre quelques notes de cacao, avant une longue finale gourmande. À déguster maintenant ou à attendre sept ou huit ans pour découvrir les délicates notes d'évolution qui ne manqueront pas d'apparaître.

🔑 Robert Charavin,
Dom. des Coteaux des Travers, BP 5, 84110 Rasteau, tél. 04.90.46.13.69, fax 04.90.46.15.81, e-mail coteaux-des-travers@wanadoo.fr ▼ Y ⛹ r.-v.

CAVE DE RASTEAU Signature 2004 ★

■ 10 ha 30 000 ▮⏸ 8 à 11 €

Créée en 1925, la cave de Rasteau fut pionnière dans l'élaboration des vins doux naturels issus de grenache. Elle expérimente ces vinifications entre 1930 et 1945, sous la houlette de M. Galabert, dynamique gérant de l'époque. En 1944, l'AOC rasteau voit le jour. Aujourd'hui, on découvre un 2004 parfaitement équilibré entre puissance et finesse. Les fruits confits, les notes de cacao et de torréfaction composent la palette aromatique de ce vin que l'on pourra déguster maintenant ou dans quatre ou cinq ans sur un gâteau au chocolat.

Cave de Rasteau, rte des Princes-d'Orange, 84110 Rasteau, tél. 04.90.10.90.10, fax 04.90.46.16.65, e-mail rasteau@rasteau.com r.-v.

DOM. DU TRAPADIS 2005 ★★

1 ha 5 000 11 à 15 €

10 % de carignan viennent compléter le grenache dans l'assemblage de ce rasteau élevé un an en cuve. Il affiche une grande finesse et une fraîcheur aromatique, avec son bouquet de fruits rouges et de menthe. Bien structuré et d'une bonne longueur, il pourra rester en cave pendant quelque temps (cinq ans au moins) ou être apprécié dès maintenant pour son fruit, à l'apéritif.

Dom. du Trapadis, rte d'Orange, 84110 Rasteau, tél. 04.90.46.11.20, fax 04.90.46.15.96, e-mail hd@domainedutrapadis.com r.-v.

DOM. WILFRIED 2003 ★

2 ha 5 000 8 à 11 €

Ce domaine familial de 36 ha est géré par Jean-Luc Pouzoulas, secondé par ses enfants Réjane et Wilfried, ce dernier occupant la fonction de maître de chai. Vendangé le 8 octobre 2003, le grenache a donné ce rasteau blanc d'une grande rondeur, élevé deux ans en cuve, qui affiche déjà des notes de noix caractéristiques d'un début d'évolution. On pourra le laisser poursuivre son vieillissement en cave pendant quelques années, ou l'ouvrir dès aujourd'hui sur un dessert à l'orange amère.

Dom. Wilfried, rte d'Orange, hameau de Blovac, 84110 Rasteau, tél. 04.90.46.10.66, fax 04.90..46.15.87, e-mail caveau@domainewilfried.com
t.l.j. 9h-12h 14h-18h; dim. sur r.-v. C
Jean-Luc Pouzoulas

Muscat-de-beaumes-de-venise

Au nord de Carpentras, sous les impressionnantes Dentelles de Montmirail, le paysage doit son aspect à des calcaires grisâtres et à des marnes rouges. Une partie des sols est formée de sables, de marnes et de grès, une autre de terrains tourmentés datant du trias et du jurassique. Ici encore, sur 503 ha sont produits des vins doux naturels dont le principe d'élaboration est identique à celui des vins doux naturels du Languedoc-Roussillon (voir ce chapitre). Le seul cépage est le muscat à petits grains ; mais dans certaines parcelles, une mutation donne des raisins roses. Les vins (12 324 hl en 2006) doivent avoir au moins 110 g de sucre par litre de moût ; ils sont aromatiques, fruités et fins, et conviennent parfaitement à l'apéritif ou sur certains fromages.

DOM. DE BEAUMALRIC 2006

9 ha 40 000 8 à 11 €

Conduit en lutte intégrée, ce domaine vinifie en cave particulière depuis 1991. Il propose un muscat doré, qui exprime au nez des notes d'abricot et de fruit de la Passion. La bouche se distingue par sa finesse et sa légèreté. Un vin que l'on dégustera dans sa jeunesse, à l'apéritif.

Begouaussel, Dom. de Beaumalric, Saint-Roch, 84190 Beaumes-de-Venise, tél. 04.90.65.01.77, fax 04.90.62.97.28 r.-v. E

DOM. BOULETIN 2006

6 ha 22 000 8 à 11 €

Ce domaine d'une trentaine d'hectares produit, sur un terroir argilo-sableux, un muscat tout en fraîcheur, aux notes de verveine et de menthol. La bouche souple et équilibrée retrouve les mêmes arômes. Un 2006 à boire dans les deux ans sur son fruit, avec des fromages de chèvre.

Dom. Bouletin et Fils, quartier La Plantade, 84190 Beaumes-de-Venise, tél. 04.90.62.95.10, fax 04.90.62.98.23, e-mail jerome.bouletin@wanadoo.fr
t.l.j. 9h30-12h 14h-19h D

M. CHAPOUTIER 2005 ★★

n.c. 6 000 15 à 23 €

Quasi omniprésente en vallée du Rhône, la maison Chapoutier n'oublie pas les vins doux naturels comme ce muscat-de-beaumes-de-venise qui montre une large palette aromatique allant des fruits exotiques aux notes mentholées. Sa rondeur est bien équilibrée en bouche par la fraîcheur, avant une finale d'une remarquable longueur. On a envie de le conseiller seul à l'apéritif pour en profiter pleinement, mais il ne refusera pas un mariage avec un dessert aux fruits.

M. Chapoutier, 18, av. Paul-Durand, BP 38, 26600 Tain-l'Hermitage, tél. 04.75.08.28.65, fax 04.75.08.81.70, e-mail chapoutier@chapoutier.com
t.l.j. 9h-12h30 14h-19h; dim. 10h-13h 14h-18h

CH. SAINT SAUVEUR 2004 ★★

7,4 ha 13 000 8 à 11 €

La cave de vinification dans un ancien monastère, le caveau de dégustation dans une chapelle médiévale : ce domaine s'inscrit résolument dans l'histoire. Son 2004 séduit par ses notes de fleurs blanches et d'amande, et par la finesse de sa bouche aux accents de nougat et de miel. Un muscat élégant et gourmand à servir sur une tarte aux mirabelles.

EARL Les Héritiers de Marcel Rey, Ch. Saint-Sauveur, rte de Caromb, BP 2, 84810 Aubignan, tél. 04.90.62.60.39, fax 04.90.62.60.46, e-mail vins@domaine-st-sauveur.fr
t.l.j. sf dim. 9h-12h15 14h15-19h
Guy Rey

LES VINS DE PAYS

LES VINS DE PAYS

On appelle « vins de pays », certains « vins de table portant l'indication géographique du secteur, de la région ou du département d'où ils proviennent ». C'est par le décret général du 1er septembre 2000 abrogeant le décret du 4 septembre 1979 modifié, qu'une réglementation spécifique a déterminé leurs conditions particulières de production, recommandant notamment l'utilisation de certains cépages et fixant des rendements plafonds. Des normes analytiques, tels la teneur en alcool, l'acidité volatile ou les dosages de certains additifs autorisés, ont été établies, permettant de contrôler et de garantir au consommateur un niveau de qualité qui place les vins de pays parmi les meilleurs vins de table français. Comme les vins d'appellations, les vins de pays sont soumis à une procédure d'agrément rigoureuse complétée par une dégustation spécifique. L'Office national interprofessionnel des vins (Viniflhor) assure la tutelle des vins de pays. Avec les organismes professionnels agréés et les syndicats de défense de chaque vin de pays, Viniflhor participe en outre à leur promotion, tant en France que sur les marchés extérieurs, où ils ont pu conquérir une place relativement importante.

Il existe trois catégories de vins de pays, selon l'extension de la zone géographique dans laquelle ils sont produits et qui compose leur dénomination. Les premiers sont désignés sous le nom du département de production, à l'exclusion bien sûr des départements dont le nom est aussi celui d'une AOC (Jura, Savoie ou Corse) ; les seconds, vins de pays de zone ; les troisièmes sont dits « régionaux », issus de six grandes zones regroupant plusieurs départements et pour lesquels des assemblages sont autorisés afin de garantir une expression constante. Il s'agit du vin de pays du Jardin de la France (Val de Loire), du vin de pays de l'Atlantique du vin de pays du Comté tolosan, du vin de pays d'Oc, du vin de pays des Comtés rhodaniens et du vin de pays Portes de Méditerranée. Chaque catégorie de vin de pays est soumise aux conditions générales de production dictées par le décret du 1er septembre 2000. Mais pour chaque vin de pays de zone et chaque vin de pays régional, il existe en plus un décret spécifique mentionnant les conditions de production plus restrictives auxquelles ces vins sont soumis.

Les vins de pays, dont 11 millions d'hectolitres font l'objet d'un agrément, sont essentiellement vinifiés par des coopératives. Entre 1980 et 2000, les volumes agréés en vin de pays ont pratiquement triplé (4 à 11 millions hl). Les vins de pays agréés en « vin primeur ou nouveau » représentent aujourd'hui 200 à 250 000 hl. Les vinifications en vin de cépage prennent également beaucoup d'importance. La plus grande part (85 %) est issue des vignobles du Midi. Ils ont pour vocation d'accompagner agréablement les repas quotidiens, ou de participer, dans les étapes des voyages, à la découverte des régions dont ils sont issus, accompagnant les mets selon les usages habituels de leurs types. L'ensemble des zones de production est présenté ci-dessous selon le découpage régional de la législation spécifique des dénominations de vins de pays, qui ne correspond pas à celui des régions viticoles d'AOC ou AOVDQS. À l'origine, l'élaboration de vins de pays était interdite dans certains vignobles d'appellation. Le décret du 4 mai 1995 excluait encore des zones autorisées à produire des vins de pays les départements du Rhône, du Bas-Rhin, du Haut-Rhin, de la Gironde, de la Côte-d'Or et de la Marne. En 2006, une réforme a ouvert à certains départements viticoles l'autorisation de proposer des vins de pays.

Les vins de pays

1 Vin de pays des Coteaux de Coiffy
2 Vin de pays de Franche-Comté
3 Vin de pays des Coteaux de l'Auxois
4 Vin de pays de Sainte-Marie-la-Blanche
5 Vin de pays des Coteaux du Cher et de l'Arnon
6 Vin de pays des Coteaux charitois
7 Vin de pays des Coteaux de Tannay
8 Vin de pays du Bourbonnais
9 Vin de pays d'Allobrogie
10 Vin de pays d'Urfé
11 Vin de pays des Balmes dauphinoises
12 Vin de pays des Coteaux du Grésivaudan
13 Vin de pays des Coteaux de l'Ardèche
14 Vin de pays des Collines rhodaniennes
15 Vin de pays des Coteaux des Baronnies
16 Vin de pays du Comté de Grignan
17 Vin de pays des Coteaux de Montélimar
18 Vin de pays des Coteaux du Verdon
19 Vin de pays de Mont-Caume
20 Vin de pays des Maures
21 Vin de pays d'Argens
22 Vin de pays de la Sainte Baume
23 Vin de pays des Alpilles
24 Vin de pays d'Aigues
25 Vin de pays de la Principauté d'Orange
26 Vin de pays des Sables du Golfe du Lion
27 Vin de pays du Duché d'Uzès
28 Vin de pays des Cévennes
29 Vin de pays de la Vistrenque
30 Vin de pays des Côtes du Vidourle
31 Vin de pays de la Vaunage
32 Vin de pays des Coteaux de Cèze
33 Vin de pays des Coteaux du Pont du Gard
34 Vin de pays des Coteaux flaviens
35 Vin de pays du Val de Montferrand
36 Vin de pays du Mont Baudile
37 Vin de pays des Côtes du Ceressou
38 Vin de pays des Monts de la Grage
39 Vin de pays des Coteaux d'Enserune
40 Vin de pays des Coteaux du Libron
41 Vin de pays des Coteaux de Murviel
42 Vin de pays des Coteaux de Laurens
43 Vin de pays des Côtes de Thongue
44 Vin de pays de la Bénovie
45 Vin de pays de Cassan
46 Vin de pays de la Haute Vallée de l'Orb
47 Vin de pays de Saint-Guilhem-le-Désert
48 Vin de pays des Coteaux de Bessilles
49 Vin de pays des Côtes du Brian
50 Vin de pays de Cessenon
51 Vin de pays des Coteaux du Salagou
52 Vin de pays de la Vicomté d'Aumelas
53 Vin de pays des Collines de la Moure
54 Vin de pays de Caux
55 Vin de pays des Coteaux de Fontcaude
56 Vin de pays de Bessan
57 Vin de pays du Bérange
58 Vin de pays des Côtes de Thau
59 Vin de pays des Coteaux de Peyriac
60 Vin de pays de la Haute Vallée de l'Aude
61 Vin de pays des Coteaux de Narbonne
62 Vin de pays des Côtes de Prouilhe
63 Vin de pays de la Cité de Carcassonne
64 Vin de pays de Cucugnan
65 Vin de pays du Val de Dagne
66 Vin de pays des Coteaux du Littoral audois
67 Vin de pays des Côtes de Pérignan
68 Vin de pays des Coteaux de la Cabrerisse
69 Vin de pays des Hauts de Badens
70 Vin de pays du Torgan
71 Vin de pays des Côtes de Lastours
72 Vin de pays du Val de Cesse
73 Vin de pays de la Vallée du Paradis
74 Vin de pays des Coteaux de Miramont
75 Vin de pays d'Hauterive
76 Vin de pays cathare
77 Vin de pays des Côtes catalanes
78 Vin de pays de la Côte Vermeille
79 Vin de pays charentais
SEINE-MARITIME
MANCHE
CALVADOS
EURE
ORNE
FINISTÈRE
CÔTES-D'ARMOR
ILLE-ET-VILAINE
MAYENNE
EURE-ET-LOIR
SARTHE
MORBIHAN
LOIR-ET-CHER
LOIRE-ATLANTIQUE
MAINE-ET-LOIRE
INDRE-ET-LOIRE
VIN DE PAYS DU JARDIN DE LA FRANCE
VENDÉE
INDRE
DEUX-SÈVRES
VIENNE
CHARENTE-MARITIME
HAUTE-VIENNE
79
CHARENTE
VIN DE PAYS DE L'ATLANTIQUE
DORDOGNE
80
GIRONDE
Garonne
LOT
LOT-ET-GARONNE
82
81
83
84
LANDES
TARN-ET-GARONNE
VIN DE PAYS
GERS
85
DU COMTÉ TOLOSAN
87
88
89
HAUTE-GARONNE
PYRÉNÉES-ATLANTIQUES
90
HAUTES-PYRÉNÉES
ARIÈGE

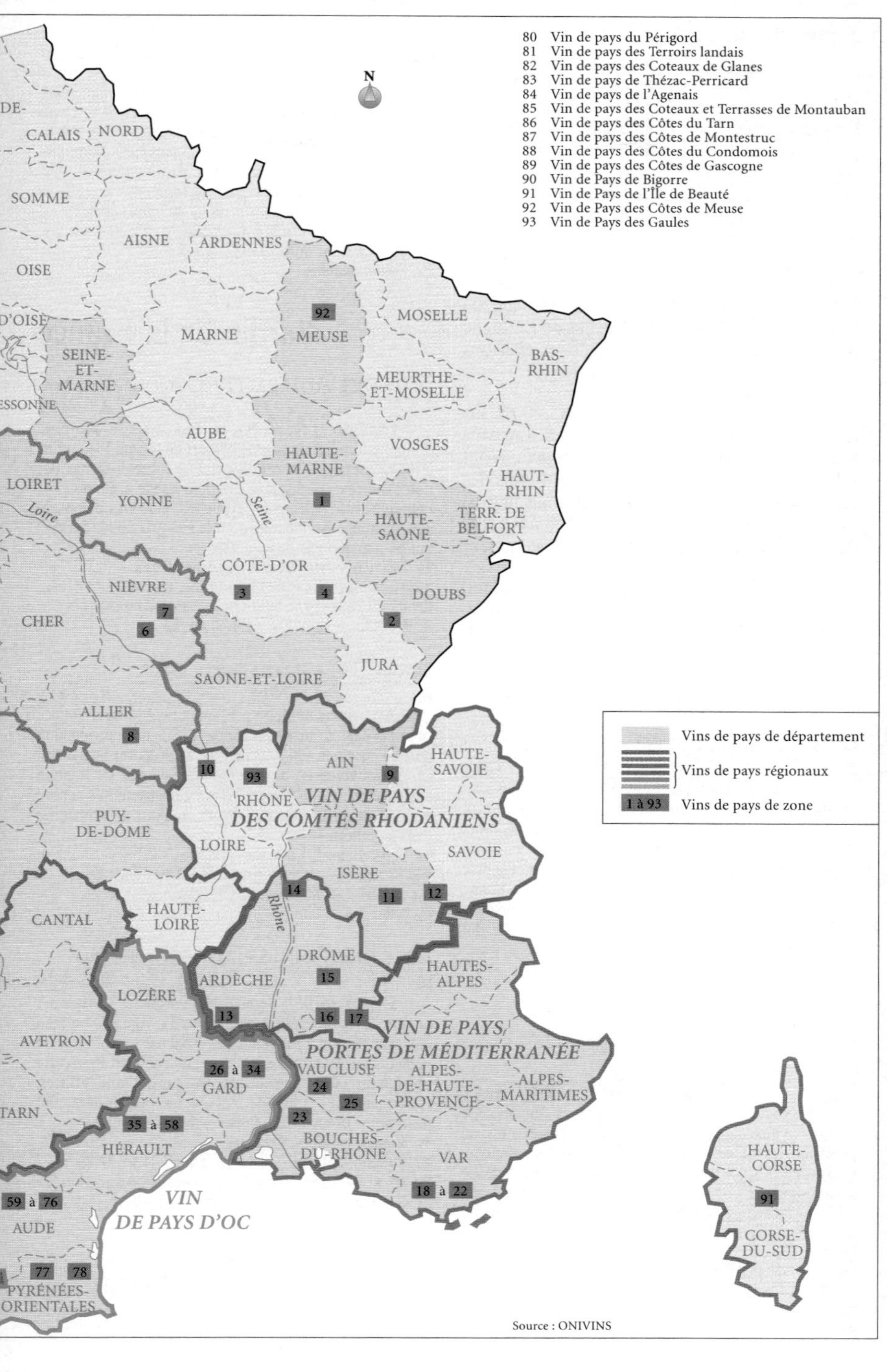

Source : ONIVINS

Vallée de la Loire

Les vins de pays du Jardin de la France, dénomination régionale, représentent, à l'heure actuelle, 95 % de l'ensemble des vins de pays produits en vallée de la Loire ; une vaste région qui regroupe treize départements : Maine-et-Loire, Indre-et-Loire, Loiret, Loire-Atlantique, Loir-et-Cher, Indre, Allier, Deux-Sèvres, Sarthe, Vendée, Vienne, Cher, Nièvre. À ces vins s'ajoutent les vins de pays de départements et les vins de pays à dénominations locales qui sont ici : les vins de pays de Retz (au sud de l'estuaire de la Loire), des Marches de Bretagne (au sud-est de Nantes) et des Coteaux charitois (aux alentours de La Charité-sur-Loire).

La production globale repose sur les cépages traditionnels de la région. Les vins blancs qui représentent 45 % de la production sont secs, frais et fruités, et principalement issus des cépages chardonnay, sauvignon et grolleau gris. Les vins rouges et rosés proviennent, quant à eux, des cépages gamay, cabernets et grolleau noir.

Ces vins de pays sont, en général, à servir jeunes. Cependant, dans certains millésimes, le cabernet peut se bonifier en vieillissant.

Coteaux charitois

DOM. LA PETITE FORGE Pinot noir 2005 *

■ 0,75 ha 4 000 5 à 8 €

C'est au domaine de la Petite Forge que l'on a vu renaître les vins de la Charité-sur-Loire. Ce pinot noir rouge foncé aux reflets violacés est très expressif, fin et complexe, mariant au nez les fruits noirs à des notes florales délicates. En bouche, l'attaque soyeuse et souple cède la place à une trame fruitée, soutenue par une bonne vivacité. Les tanins sont encore assez marqués en finale et on attendra donc un an avec de servir ce vin sur des viandes en sauce ou des fromages de caractère.

Daniel et Katrin Pabion, La Petite Forge, 58400 Raveau, tél. 03.86.70.30.80, e-mail katpabio@club-internet.fr r.-v.

DOM. DU PUITS DE COMPOSTELLE Chardonnay 2005 *

1,15 ha 7 000 5 à 8 €

Œnologue, Emmanuel Rouquette a fondé cette propriété viticole de près de 4 ha avec quelques amis, en 1999. Son chardonnay se pare d'une robe doré soutenu. Il exprime des notes truffées, briochées et beurrées. Le boisé domine en bouche, sur un fond aromatique complexe mêlant fruits tropicaux, poire et épices. Un vin structuré, opulent et harmonieux, pour des viandes blanches en sauce.

Dom. du Puits de Compostelle, Mauvrain, 58700 La Celle-sur-Nièvre, tél. 03.86.70.03.29, fax 03.86.70.06.74 r.-v.

E. Rouquette

DOM. DE LA VERNIÈRE Pinot noir 2005 *

■ 4,5 ha 12 000 5 à 8 €

La Vernière est un château du XVIIIe s. qui se trouve à quelques kilomètres du site clunisien de la Charité-sur-Loire, classé au patrimoine mondial de l'Unesco. Denis Beaulieu a eu raison de s'enthousiasmer pour la renaissance de ce vignoble au début des années 1990. Son pinot noir a beaucoup de classe. Habillé de rouge grenat tuilé, très ouvert sur des arômes de cerise à l'eau-de-vie, il affiche de la chaleur en bouche, sur un lit de tanins épicés.

Dom. de La Vernière, La Vernière, 58350 Chasnay, tél. et fax 03.86.70.06.74 r.-v.

Simon-Beaulieu

Jardin de la France

DOM. DE L'AUJARDIÈRE Chardonnay 2005 *

2,7 ha 8 000 3 à 5 €

En 2006, Éric Chevalier, œnologue, a repris le domaine familial de Saint-Philbert-de-Grand-Lieu, dans le pays nantais. Son chardonnay se caractérise par des notes fruitées, épicées et légèrement miellées. En bouche, l'attaque est franche, puis la fraîcheur et le gras persistent agréablement. Même note pour le **Fié gris 2006 (5 à 8 €)** qui ne manque pas de caractère.

Éric Chevalier, Dom de L'Aujardière, 44310 Saint-Philbert-de-Grand-Lieu, tél. 06.27.43.81.91, fax 02.40.78.05.19, e-mail ericchevalier@laposte.net t.l.j. sf dim. 8h30-19h30

SERGE BATARD Red Gamay 2006 *

■ 4 ha 20 000 3 à 5 €

Avec un tel nom, on peut imaginer une cuvée taillée pour l'export. Pourtant, seulement 15 % de la production part à l'étranger. On pourra donc se procurer facilement ce vin rouge cerise à reflets violets, au nez de bonbon anglais et à la bouche équilibrée La dégustation s'achève sur une fraîcheur presque citronnée. Pour accompagner des charcuteries.

Serge Batard, La Haute Galerie, 44710 Saint-Léger-les-Vignes, tél. 02.40.31.53.49, fax 02.40.04.87.80, e-mail sb.lhn@wanadoo.fr r.-v.

DOM. DES BONNES GAGNES Grolleau 2006 *

■ 2 ha 7 000 - de 3 €

Depuis 1610, la famille Héry exploite les Bonnes Gagnes, près du chateau de Brissac. Le vignoble est bien antérieur puisqu'il fut planté dès 1020 par les abbesses du Ronceray d'Angers. Ce grolleau d'un rubis profond offre une remarquable intensité gustative sur des notes grillées. La bouche très tannique, encore un peu austère, fait néanmoins preuve d'équilibre et de longueur.

Vignerons Héry, Orgigné, 49320 Saint-Saturnin-sur-Loire, tél. 02.41.91.22.76, fax 02.41.91.21.58, e-mail hery.vignerons@wanadoo.fr t.l.j. 9h-12h 14h-19h; dim. sur r.-v.

BOUGRIER Cabernet franc 2006 **

7,5 ha 60 000 - de 3 €

Faut-il encore présenter la maison Bougrier, établie au cœur de la Touraine entre Amboise et Montrichard ? Son cabernet franc a séduit le jury avec sa robe rose à

légers reflets mauves, son nez intense de framboise et sa chair grasse et soyeuse qui ne demande qu'à s'épanouir sur des langoustines ou des crevettes.
SA Bougrier, 1, rue des Vignes,
41400 Saint-Georges-sur-Cher, tél. 02.54.32.31.36

LE CELTIQUE
Marches de Bretagne Pinot gris 2006 *

2 ha 20 000 3 à 5 €

Ce vin est issu d'un sol de micaschiste du Massif armoricain, dans la région nantaise. Dans une robe jaune doré, il délivre des senteurs de fruits secs et de pêche. En bouche, le fruité domine et se conjugue avec la fraîcheur. Une bouteille qui pourra aussi bien être débouchée à l'apéritif que sur des poissons grillés.
Bideau-Giraud, La Cornillère,
44690 La Haye-Fouassière, tél. 02.40.54.83.24,
fax 02.40.54.89.85,
e-mail scea.bideau.giraud@wanadoo.fr r.-v.

CHON ET FILS Marches de Bretagne Pinot noir Élevé en fût de chêne 2005 *

1 ha n.c. 5 à 8 €

Depuis 1650, la famille Chon exploite ce vignoble situé au lieu-dit La Maison Neuve et qui s'étend aujourd'hui sur 48 ha. Rubis intense et bien ouvert au nez, ce pinot noir est marqué par des arômes de bonbon nuancés de légères notes végétales (sève) et boisées. Après une attaque souple et ample, la bouche développe des nuances de vanille qui dominent le fruit. Les tanins restent très présents et demandent encore un an pour se fondre.
EARL Chon et Fils, La Maison Neuve,
44430 Le Loroux-Bottereau, tél. 02.40.06.43.15,
fax 02.40.06.46.76 r.-v.

DOM. DU CLODY
Cabernet Cuvée Prestige Élevé en fût de chêne 2005 *

0,26 ha 2 800 3 à 5 €

Ce domaine conduit en lutte intégrée a produit une cuvée confidentielle d'un vin rouge soutenu brillant. Des arômes vanillés et épicés témoignent de son passage en fût (sept mois). En bouche, l'attaque est vive et les saveurs de fruits rouges s'allient aux notes boisées. Une bouteille équilibrée qui accompagnera gibier, viande rouge ou fromage.
Anthony Gillet, EARL du Clody, 5, le Clody,
44680 Saint-Mars-de-Coutais, tél. et fax 02.40.31.58.22
r.-v.

DOM. DE LA COCHE
Pays de Retz Chardonnay 2006 *

7,5 ha 14 000 3 à 5 €

Deux cousins, Emmanuel et Laurent Guitteny, ont repris en 2000 la tête du domaine familial de 28 ha dans le pays nantais. Leur chardonnay à reflets jaune doré exprime un bouquet complexe et fin mêlant le raisin mûr et la minéralité. L'attaque généreuse conduit à une bouche robuste d'une bonne longueur. Le **cabernet-sauvignon rosé 2006** obtient également une étoile.
Emmanuel et Laurent Guitteny,
SCEA dom. de La Coche, La Coche,
44680 Sainte-Pazanne, tél. 02.40.02.44.43,
fax 02.40.02.43.55, e-mail lacochevins@aol.com
r.-v.

DOM. DE LA COUPERIE Sauvignon 2006 **

10 ha 100 000 3 à 5 €

Yan Cogné signe avec ce 2006 son deuxième millésime et décroche... son deuxième coup de cœur. Le jury n'a pas tari d'éloges pour décrire ce vin jaune brillant à reflets verts qui libère d'élégantes fragrances florales et fruitées (pamplemousse). Les dégustateurs ont également apprécié la fraîcheur de son attaque et sa persistance aromatique. Un vin racé. Le **pinot noir 2006** obtient une étoile pour ses arômes de fruits rouges.
EARL Claude Cogné, La Couperie,
49270 Saint-Christophe-la-Couperie,
tél. 02.40.83.73.16, fax 02.40.83.76.71,
e-mail cogne.vin@orange.fr
ven. 8h30-12h 14h-19h

DAHERON Sauvignon 2006 **

1 ha 6 000 - de 3 €

Depuis la fin du XVIIIe s, ce domaine est exploité par la même famille. Gaël Daheron a élaboré un 2006 paré d'une robe jaune brillant. Les notes de menthol et d'agrumes se retrouvent dans une bouche qui révèle une belle harmonie entre la fraîcheur et une certaine opulence.
EARL Pierre Daheron, Le Parc,
44650 Corcoué-sur-Logne, tél. 02.40.05.86.11,
fax 02.40.05.94.98, e-mail pierredaheron@aol.com
r.-v.
Sylvie Garcia

LE DEMI-BŒUF Chardonnay 2006 *

5 ha 20 000 3 à 5 €

Un emblème original sur l'étiquette, Le Demi-Bœuf, dont on demandera l'histoire au maître du lieu... Le 2006 présente une robe jaune doré, un nez de pêche et de poire et une bouche tout aussi parfumée, équilibrée, d'une bonne longueur.
EARL Vignoble Malidain, Le Demi-Bœuf,
44310 La Limouzinière, tél. 02.40.05.82.29,
fax 02.40.05.95.97,
e-mail ledemiboeuf@vignoblemalidain.com r.-v.

BRUNO DUBOIS
Cabernet du Breil Élevé en fût de chêne 2005 *

1,5 ha 8 000 5 à 8 €

Ce domaine du pays nantais a élaboré un 2005 rubis foncé, au nez flatteur de cassis et de mûre confite. La bouche, tout en rondeur, est marquée par des saveurs de cassis, de vanille et de boisé. Un cabernet franc qui accompagnera parfaitement des viandes grillées.

Bruno Dubois, 53, La Févrie, 44690 Maisdon-sur-Sèvre, tél. 02.40.36.93.84, fax 02.40.36.98.87, e-mail fief-dubois@wanadoo.fr r.-v.

DOM. DE L'ERRIÈRE Cabernet 2006 ★

n.c. 3 000 - de 3 €

La troisième génération de vignerons gère depuis maintenant près de vingt ans ce domaine d'une trentaine d'hectares. Ce cabernet-sauvignon rose violacé se caractérise par un nez de petits fruits frais. La bouche, après une attaque franche, offre une belle tenue et des flaveurs de plantes aromatiques. Le côté ferme et sec de cette bouteille conviendra à des salades ou à des viandes blanches.

GAEC Jean-Paul et Hervé Madeleineau, L'Errière, 44430 Le Landreau, tél. 02.40.06.43.94, fax 02.40.06.48.82 r.-v.

DOM. DE L'ESPÉRANCE Sauvignon 2006 ★

0,45 ha 5 000 - de 3 €

Établi à Tillières en Anjou, aux frontières du pays nantais, ce domaine a élaboré un sauvignon qui se présente bien dans sa robe brillante à reflets verts. Le nez fruité délivre des notes puissantes d'agrumes, que l'on retrouve dans une bouche marquée par la fraîcheur et un fin perlant.

Patrice et Anne-Sophie Chesné, Dom. de L'Espérance, 49230 Tillières, tél. et fax 02.41.70.46.09 t.l.j. sf dim. 9h-12h30 14h-18h30

DOM. DE GAGNEBERT Chardonnay 2006 ★

4 ha 10 000 3 à 5 €

Un caveau de dégustation en ardoise, typiquement angevin, accueille le visiteur dans la vaste propriété (90 ha) des Moron. Leur chardonnay jaune doré exprime la pomme et la poire bien mûres. Complexe en bouche, ce vin élégant accompagnera parfaitement les poissons en sauce.

GAEC Moron, Dom. de Gagnebert, 2, chem. de la Naurivet, 49610 Juigné-sur-Loire, tél. 02.41.91.92.86, fax 02.41.91.95.50, e-mail moron@domaine-de-gagnebert.com t.l.j. sf dim. 8h-12h 14h-19h

DOM. DE LA GARNIÈRE Cabernet franc 2006 ★

2,5 ha 5 000 - de 3 €

Une propriété familiale depuis trois générations : le grand-père, en polyculture, puis le père, Camille Fleurance, qui spécialise le domaine dans la vigne ; aujourd'hui les deux fils, Olivier et Pascal, à la tête de 28 ha sur les coteaux de la Moine. Leur rosé de cabernet est un vin plein de jeunesse et de fraîcheur, au nez de petits fruits rouges et de fleurs, qui offre une bouche gourmande, ronde et douce, aux arômes de fraise. À marier à des salades composées.

GAEC Camille Fleurance et Fils, 202, La Garnière, 49230 Saint-Crespin-sur-Moine, tél. 02.41.70.40.25, fax 02.41.70.68.84, e-mail fleurance@garniere.com t.l.j. sf dim. 8h30-12h30 14h-19h 3

DOM. LE GRAND FÉ
Pays de Retz Grolleau 2006 ★

1,7 ha 3 000 - de 3 €

Régulièrement retenu dans le Guide et souvent aux meilleures places, ce domaine propose des vins facilement identifiables par leur étiquette en forme de verre à pied. Une robe pétale de rose à reflets mauves précède un nez intense de fraise nuancé de quelques notes minérales. Après une attaque vive, la bouche retrouve les fruits rouges, accompagnés d'un perlant rafraîchissant. À déguster seul ou avec des grillades. Le **cabernet-sauvignon rouge 2006** obtient la même note.

Jean Boutin, Le Poirier, 44310 La Limouzinière, tél. et fax 02.40.05.83.66, e-mail jean-boutin@wanadoo.fr t.l.j. sf dim. 10h-12h30 15h-19h30; sam. 15h-17h

DOM. DU GRAND FIEF
Chardonnay Cuvée Prestige 2006 ★

3,2 ha 30 000 3 à 5 €

Dominique Guérin possède près de 25 ha de vigne à Vallet, au cœur du pays nantais. Il a élaboré un vin vif, très marqué au nez comme en bouche par le fruit : fruits secs, fruits blancs (pomme, pêche) et fruits exotiques (ananas). Un vin de plaisir qui accompagnera des poissons en sauce.

EARL Dominique Guérin, Les Corbeillères, 44330 Vallet, tél. 02.40.36.27.37, fax 02.40.36.27.16, e-mail dominiqueguerin13@wanadoo.fr t.l.j. sf dim. 8h30-20h

DOM. DE LA HAUTE-VRIGNAIS
Groslot 2006 ★★

0,9 ha 6 000 3 à 5 €

Située sur un chemin de Compostelle, ce domaine implanté sur les terres d'une ancienne abbaye propose un rosé à reflets mauves, dont le nez exprime des senteurs de groseille et de fraise. On retrouve ces arômes en attaque, puis la bouche développe de la rondeur, du gras et une certaine douceur. Une bouteille à servir sur du saumon ou des charcuteries vendéennes.

SCEA Abbaye de Sainte-Radegonde, Sainte-Radegonde, 44430 Le Loroux-Bottereau, tél. 02.40.03.74.78, fax 02.40.03.79.91, e-mail info@radegonde.fr r.-v.

DOM. HERBAUGES Chardonnay Élégance 2006 ★

5,06 ha 60 800 3 à 5 €

Aujourd'hui, la cinquième génération est à la tête de cette grande propriété (73 ha) de la région nantaise. Claire et limpide, cette cuvée délivre des arômes de fruits frais et d'épices. En bouche, elle évoque une coupe de fruits exotiques, parfumée et pleine de fraîcheur. Un vin de plaisir.

Luc et Jérôme Choblet, Les Herbauges, 44830 Bouaye, tél. 02.40.65.44.92, fax 02.40.65.58.02, e-mail domherbauges@wanadoo.fr r.-v.

DOM. DE LA HOUSSAIS Gamay 2006 ★

1,3 ha 12 000 3 à 5 €

Une bâtisse typique de la région commande ce domaine d'une quinzaine d'hectares en pays nantais. Rouge grenat intense à reflets violets, ce gamay se distingue par ses arômes de cassis et de framboise agrémentés de notes de mie de pain. Après une attaque fruitée, le vin évolue avec rondeur, jusqu'à une finale enveloppée par des tanins fondus.

Bernard Gratas, Dom. de La Houssais, 44430 Le Landreau, tél. 02.40.06.46.27, fax 02.40.06.47.25, e-mail gratas-bernard@wanadoo.fr t.l.j. sf dim. 9h-12h30 14h30-19h

DOM. DE L'IMBARDIÈRE
Cabernet Élevé en fût de chêne 2005 ★★

■	0,5 ha	2 000		3 à 5 €

Ce cabernet franc, élaboré par Joseph Abline dans l'ouest de l'Anjou, se présente dans une robe rouge soutenu à légers reflets orangés. Le nez est dominé par des notes boisées, vanillées et grillées, que l'on retrouve en bouche, bien fondues dans le vin. Un 2005 équilibré à l'élevage maîtrisé, qui conviendra à du gibier à plume. Le **sauvignon 2006 (moins de 3 €)** obtient une étoile pour son caractère fruité.

Joseph Abline, L'Imbardière, 49270 Saint-Christophe-la-Couperie, tél. 02.40.83.90.62, fax 02.40.83.74.02, e-mail abline49vins@aol.com
sam. 9h30-18h; f. 15-31 août

LES JARDINS DE LA PLACELIÈRE
Chardonnay 2006 ★

	3 ha	30 000		3 à 5 €

Au pays du muscadet, le chardonnay sait aussi s'exprimer comme le montre cette cuvée née sur le terroir silico-argileux de Château-Thébaud. Dès la robe, jaune paille doré, on devine la bonne maturité des raisins, que confirme le bouquet marqué par le coing, la poire et une touche de miel. La chair souple et ronde retrouve les accents du nez, qu'elle exprime longuement dans une finale relevée d'une note de poivre. On pourra marier ce vin à une viande blanche à la crème.

EARL La Fruitière, La Fruitière, 44690 Château-Thébaud, tél. 02.40.06.53.05, fax 02.40.06.54.55, e-mail domainedelafruitiere@wanadoo.fr r.-v.

KIWI CUVÉE Sauvignon 2006 ★

	40 ha	300 000		- de 3 €

90 % de la production est destinée à l'exportation ; l'étiquette de la Kiwi Cuvée est d'ailleurs en anglais. Un heureux assemblage de sauvignon de plusieurs zones viticoles du Val de Loire a donné un séduisant vin jaune paille brillant aux arômes intenses de bourgeon de cassis et d'agrumes. La bouche ample et fraîche affiche une bonne complexité.

SAS Lacheteau, La Sablette, 44194 Mouzillon, tél. 09.40.36.66.00
GCF

MANOIR DE L'HOMMELAIS
Chardonnay 2006 ★

	1,4 ha	14 000		3 à 5 €

En pays nantais, non loin de l'abbaye de Saint-Philibert-de-Grand-Lieu, d'origine carolingienne, un manoir du XVIIe s. signale la propriété au visiteur. Ce chardonnay, légèrement perlant, développe les arômes classiques de son cépage : fleurs blanches, tilleul, acacia. Équilibré en bouche, gras en finale, il accompagnera des poissons en sauce ou grillés.

Dominique Brossard, Manoir de L'Hommelais, 44310 Saint-Philbert-de-Grand-Lieu, tél. 02.40.78.96.75, fax 02.40.78.76.91, e-mail ets.brossard@wanadoo.fr
r.-v.

DOM. DES MATINES Chardonnay 2006 ★★

	1,5 ha	12 000		5 à 8 €

Situé en Anjou, le vignoble des Matines possède une cave creusée dans le roc où reposent depuis 1950 les vins élaborés par la famille Mallard. Aujourd'hui, David et Vincent, petits-fils du fondateur du domaine, perpétuent la tradition. Leur chardonnay jaune doré, d'abord floral, développe ensuite des arômes de fruits blancs. C'est un vin élégant, souple et puissant à servir sur des saint-jacques.

Dom. des Matines, 31, rue de la Mairie, 49700 Brossay, tél. 02.41.52.25.36, fax 02.41.52.25.50, e-mail contact@domainedesmatines.fr
r.-v.
Etchegaray

VIGNOBLES MERCIER
Sauvignon Cuvée Plaisir 2006 ★

	6 ha	5 000		3 à 5 €

De la production de plants à celle de bouteilles : depuis quatre générations, les Mercier travaillent dans les métiers de la vigne et du vin. Ils ont élaboré un 2006 jaune brillant, au nez marqué par une vivacité minérale et mentholée. Le fruit tapisse agréablement le palais souple et équilibré. Cette bouteille, qui porte bien son nom, se mariera avec des coquillages ou des fromages de chèvre.

Vignobles Mercier, 16, rue de la Chaignée, BP 6, 85770 Vix, tél. 02.51.00.60.87, fax 02.51.00.67.60, e-mail vignobles@mercier-groupe.com
t.l.j. 8h-12h 14h-18h

DOM. DU MOULIN CAMUS Cabernet 2006 ★★

■	1,52 ha	17 300		3 à 5 €

Le vin, c'est ici une histoire de famille et une passion, transmise de père en fille et partagée aujourd'hui entre mari et femme. Ce cabernet franc à la robe pourpre soutenu révèle au nez la puissance des fruits rouges confits. En bouche, le vin se montre corpulent, structuré, complexe et équilibré. Cette bouteille accompagnera aussi bien des viandes que des fromages. Le **chardonnay 2006** décroche une étoile pour ses notes de fruits exotiques et d'agrumes.

Huteau-Hallereau, 41, rue Saint-Vincent, 44330 Vallet, tél. 02.40.33.93.05, fax 02.40.36.29.26, e-mail domainedumoulincamus@wanadoo.fr
r.-v.
Catherine et François Boulanger

LE MOULIN DE LA TOUCHE
Pays de Retz Grolleau 2006 ★

	2 ha	10 000		3 à 5 €

Si le moulin date de 1745, le vignoble familial qui l'entoure, établi sur un coteau exposé au sud, a été créé en 1970. D'un rose éclatant, ce vin aux arômes de fruits rouges révèle, après une attaque franche, une bouche fraîche, fruitée et équilibrée. Une bouteille distinguée et harmonieuse, pour des viandes blanches.

Joël Hérissé, EARL Le Moulin de la Touche, 44580 Bourgneuf-en-Retz, tél. et fax 02.40.21.47.89, e-mail herisse.joel@cegetel.net r.-v.

DOM. DU PETIT CLOCHER
Chardonnay 2006 ★★★

	3 ha	12 000		3 à 5 €

Les trois jeunes vignerons qui composent ce groupement sont âgés de vingt et un à trente ans et pourtant ils font déjà preuve d'un savoir-faire indéniable, comme en témoigne ce coup de cœur et ces trois étoiles décernés par un jury sous le charme. Derrière une robe jaune d'or intense extrêmement séduisante, le nez délivre des senteurs florales. Après une attaque puissante, la dégustation

VDP

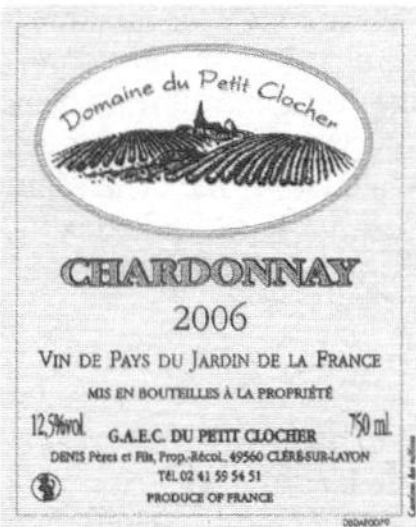

révèle des saveurs de fruits blancs, de la concentration, du gras, de la souplesse et une certaine tendreté. Un vin à savourer au cours des deux années à venir.
GAEC du Petit Clocher, 3, rue du Layon, 49560 Cléré-sur-Layon, tél. 02.41.59.54.51, fax 02.41.59.59.70, e-mail petit.clocher@wanadoo.fr t.l.j. sf dim. 8h-12h30 14h-18h
Jean-Noël Denis

DOM. DES PRIÉS Pays de Retz Grolleau 2006 *

2 ha 6 000 3 à 5 €

Ce nouveau millésime confirme la maîtrise de la vinification en rosé du grolleau de Gérard Padiou. Derrière une teinte saumonée orangée, les parfums de fruits rouges révèlent une bonne macération des raisins bien mûrs. La dégustation s'achève dans l'harmonie, l'élégance et la fraîcheur. Un rosé pour la cuisine exotique.
Gérard Padiou, SCEA des Priés, 44580 Bourgneuf-en-Retz, tél. 02.40.21.45.16, fax 02.40.21.47.48 t.l.j. sf dim. 10h-12h 15h-18h30

DOM. DE ROCHANVIGNE Sauvignon 2006 *

1,3 ha 4 000 - de 3 €

Ce domaine de 15 ha situé dans le pays nantais propose un vin jaune lumineux, au nez intense dominé par la fleur de genêt, les herbes aromatiques et la cire d'abeille. Ce sauvignon développe en bouche un caractère fumé très distingué. À essayer sur une quiche lorraine.
Yann Concessin, Le Plessis, 44116 Vieillevigne, tél. et fax 02.51.43.92.95, e-mail yiconcessin@wanadoo.fr r.-v.

LA ROCHERIE Cabernet Cuvée Douceur 2006 *

1,2 ha 5 000 - de 3 €

Une couleur saumonée habille ce 2005 aux arômes intenses de fraise accompagnés de quelques notes minérales. En bouche, les fruits compotés dominent, conférant de la rondeur équilibrée par une touche de fraîcheur. Un vin pour accompagner des viandes grillées épicées ou des desserts.
Daniel Gratas, Dom. de La Rocherie, 44430 Le Landreau, tél. 02.40.06.41.55, fax 02.40.06.48.92 t.l.j. 8h-19h; dim. sur r.-v.

LA RONCIÈRE Pinot noir 2006 **

1 ha 10 000 3 à 5 €

Installée dans le Sancerrois, Arielle Vatan propose un pinot noir d'un rouge foncé prononcé, expressif par ses arômes de fruits rouges confiturés relevés d'une pointe d'épices. En bouche, les fruits mûrs sont très présents aux côtés de tanins vanillés et enrobés. Un vin complexe et riche.
Arielle Vatan, rte des Petites-Perrières, Chaudoux, 18300 Verdigny, tél. 02.48.79.33.07, fax 02.48.79.36.30, e-mail avatan@terre-net.fr r.-v.

DOM. DE SAINTE-ANNE Sauvignon 2006 *

7 ha 20 000 3 à 5 €

Le domaine de Sainte-Anne est établi à seulement quelques mètres du prestigieux château de Brissac. Sa visite mérite le détour ; vous pourrez ensuite vous arrêter chez Marc Brault pour déguster ce sauvignon doré à reflets verts. Il se distingue par un nez de genêt et par la finesse et la longueur de sa bouche. Un vin de plaisir.
EARL Marc Brault, Dom. de Sainte-Anne, 49320 Brissac-Quincé, tél. 02.41.91.24.58, fax 02.41.91.25.87, e-mail eva.brault@wanadoo.fr t.l.j. sf dim. 9h-12h 14h-18h

JEAN-MICHEL SORBE Sauvignon La Bacchusate 2006 **

2,5 ha 15 000 3 à 5 €

Au cœur des vignobles de Quincy et de Reuilly, dans la région Centre, se dresse la cave d'architecture moderne de Jean-Michel Sorbe. Elle abrite ce sauvignon à reflets verts, au fruité intense et à la bouche perlante en attaque, puis charnue et étoffée en finale. Une bouteille prête à la sortie du Guide.
SARL Jean-Michel Sorbe, Le Buisson-Long, rte de Quincy, 18120 Brinay, tél. 02.48.51.30.17, fax 02.48.51.35.47, e-mail jeanmichelsorbe@jeanmichelsorbe.com r.-v.
Catherine Mellot

DOM. DE LA THÉBAUDIÈRE Merlot 2005 *

0,37 ha 2 500 3 à 5 €

Ce domaine établi en plein pays du muscadet possède une petite parcelle de merlot qui a servi à élaborer cette cuvée assez confidentielle. D'une expression aromatique intense, celle-ci révèle une bouche équilibrée mais encore jeune, qu'il faudra laisser s'arrondir un peu. À servir sur des escalopes de veau à la milanaise.
EARL Philippe Pétard, La Thébaudière, 44430 Le Loroux-Bottereau, tél. et fax 02.40.33.81.81, e-mail philippe.petard@wanadoo.fr r.-v.

Vendée

LA CHAUME Orfeo 2004 **

2 ha 9 000 8 à 11 €

Il y a dix ans, Estelle et Christian Chabirand s'installent en créant de toutes pièces ce vignoble. Leur 2004 est un assemblage original de trois cépages : merlot (40 %), cabernet-sauvignon (30 %) et négrette. Il présente une teinte pourpre et affiche un nez mêlant avec justesse les fruits rouges et le boisé. L'attaque est puissante, le développement équilibré et la finale fruitée. Un vin harmonieux, à ouvrir dans un an.
Christian et Estelle Chabirand, Prieuré La Chaume, 85770 Vix, tél. et fax 02.51.00.49.38, e-mail contact@la-chaume.net r.-v.

Aquitaine et Charentes

Cette région est formée par les départements de Charente et Charente-Maritime, Gironde, Landes, Dordogne et Lot-et-Garonne. Une majorité de vins rouges souples et parfumés sont produits dans le secteur aquitain, issus des cépages bordelais que complètent quelques cépages locaux plus rustiques (tannat, abouriou, bouchalès, fer). Charentes et Dordogne donnent surtout des vins de pays blancs, légers et fins (ugni blanc, colombard), ronds (sémillon, en assemblage avec d'autres cépages) ou corsés (baroque). Charentais, Agenais, Terroirs landais et Thézac-Perricard sont les dénominations sous-régionales ; Dordogne, Gironde et Landes constituent les dénominations départementales.

À l'origine, le Bordelais n'était pas autorisé à proposer des vins de pays. Un décret de 2006 créant les vins de pays de l'Atlantique met fin à cette situation. Les vins, rouges, rosés ou blancs, proviennent d'une zone qui inclut la Gironde. Outre ce département, elle comprend les deux Charentes, la Dordogne et quelques cantons à l'ouest du Lot-et-Garonne.

Agenais

CÔTES DES OLIVIERS 2005 ★

■ 2 ha 8 000 ▮ 3 à 5 €

Les vendanges sont particulièrement conviviales au domaine : même les enfants de maternelle y sont conviés ! Les deux cabernets associés au merlot composent cette cuvée puissante aux tanins serrés et aux arômes marqués par une forte présence du cassis. Dans deux à trois ans, cette bouteille de moyenne garde pourra accompagner des confits du pays gascon. Les impatients pourront toutefois le déboucher sans trop attendre.

Richarte, Les Oliviers, 47140 Auradou,
tél. 05.53.41.28.59,
e-mail cotes-des-oliviers@wanadoo.fr
t.l.j. 9h-12h 14h-19h

DOM. LOU GAILLOT

Réserve Élevé en fût de chêne 2005 ★

■ 1,5 ha 9 000 5 à 8 €

Outre le circuit Ludivigne, parcours de découverte du vignoble, le domaine propose cet assemblage de merlot et de cabernet-sauvignon à parts égales. Encore un peu marqué par le bois, c'est un vin fruité et structuré digne d'accompagner magrets et entrecôtes. Les dégustateurs conseillent une garde d'un an ou deux pour cette bouteille.

Gilles Pons, Les Gaillots, 47440 Casseneuil,
tél. 05.53.41.04.66, fax 05.53.01.13.89,
e-mail lougaillot@wanadoo.fr
t.l.j. sf dim. 9h-12h 14h-19h

PRINCE DE MONSÉGUR

Élevé en fût de chêne 2005 ★

■ n.c. 5 350 3 à 5 €

Une balade œno-touristique à la découverte des bastides et des châteaux de Biron et de Bonaguil vous conduira peut-être à la cave des Sept Monts où vous pourrez goûter cet assemblage de merlot et de cabernet de couleur pourpre. Le nez, fruité et complexe, mêle aux arômes de pruneau des notes de chocolat, et annonce une bouche souple, équilibrée, de bonne longueur.

Cave des Sept Monts, ZAC de Mondésir,
47150 Monflanquin, tél. 05.53.36.33.40,
fax 05.53.36.44.11, e-mail cave7monts@terres-du-sud.fr
r.-v.

Atlantique

ATLANTIDE 2006 ★★

■ 12 ha 60 000 ▮ 3 à 5 €

Atlandide, un nom bien choisi pour ce vin de pays de l'Atlantique de teinte profonde. Du fruité, il n'en manque pas, non plus que de rondeur. Car les tanins se font velours au profit d'une sensation suave.

Yvon Mau, rue Sainte-Pétronille,
33190 Gironde-sur-Dropt, tél. 05.56.61.54.54,
fax 05.56.61.54.61, e-mail info@ymau.com

BALLAN-LARQUETTE Merlot 2006 ★

■ 0,69 ha 7 500 ▮ 5 à 8 €

Il serait bon d'attendre un ou deux ans ce vin de merlot. Car s'il exprime déjà de beaux arômes de fruits noirs tant au nez qu'en bouche, ses tanins s'affirment dans la chair dense et chaleureuse.

Vignobles Chaigne et Fils, Ch. Ballan-Larquette,
33540 Saint-Laurent-du-Bois, tél. 05.56.76.46.02,
fax 05.56.76.40.90, e-mail rchaigne@vins-bordeaux.fr
r.-v.

CAP 270 Merlot 2006 ★★

■ n.c. n.c. ▮ - de 3 €

« Charmeur », écrit un dégustateur pour qualifier ce vin drapé d'un rouge soutenu et dont le nez concentré de fruits rouges annonce la chair ronde et chaleureuse, agréablement structurée.

Ginestet, 19, av. de Fontenille,
33360 Carignan-de-Bordeaux, tél. 05.56.68.81.82,
fax 05.56.68.81.81, e-mail contact@ginestet.fr
r.-v.

DOM. DE CASTENET Merlot 2006 ★★

■ 8,5 ha 60 000 ▮ - de 3 €

Premier millésime dans cette nouvelle dénomination de vins de pays, premier coup de cœur. Ce domaine arboré compte 30 ha de vignes, les premiers ceps ayant été plantés par les arrière-grands-parents de François Greffier, au tout début du XXe s. Grenat à reflets violines, ce merlot charme par l'intensité de ses arômes de fruits rouges et noirs, nuancés d'une pointe florale, comme par sa matière dense qu'une certaine fraîcheur souligne. Certes, les tanins sont présents, mais ils offrent une texture déjà soyeuse, de sorte que l'on pourra boire dès maintenant ce 2006 ou l'attendre une petite année.

VDP

EARL François Greffier, Ch. Castenet, 33790 Auriolles, tél. 05.56.61.40.67, fax 05.56.61.38.82, e-mail ch.castenet@wanadoo.fr r.-v.

SAMUEL CHAMPLAIN Merlot 2006 ★

■ 50 ha 100 000 ▮ 3 à 5 €

Est-ce l'Atlantique qui a inspiré à cette coopérative le nom de Samuel Champlain, navigateur charentais qui découvrit le Québec ? Ce vin rouge profond convie à une agréable expérience gustative : des arômes de fruits évocateurs de groseille et de framboise, une chair équilibrée, ronde et légère. Il ne lui faudra pas attendre longtemps en cave pour vous satisfaire.

Cave des Hauts de Gironde, La Cafourche, 33860 Marcillac, tél. 05.57.32.48.33, fax 05.57.32.49.63, e-mail contact@tutiac.com r.-v.

TERRES D'ERROY Sauvignon 2006

3,9 ha 46 600 ▮ - de 3 €

Brillant de reflets nacrés, ce sauvignon décline le registre des fruits frais – senteurs de pomme et d'agrumes –, puis livre toute sa fraîcheur dès l'attaque, sans perdre son équilibre. Pour l'apéritif.

SCA Les Vignerons de Landerrouat-Duras, Cazaugitat, 33790 Landerrouat, tél. 05.56.61.31.21, fax 05.56.61.40.79, e-mail vignerons.landerrouat@wanadoo.fr r.-v.

Charentais

DENIS ET VINCENT BENOIT Merlot 2005 ★★

■ 1,55 ha 8 000 ▮ 3 à 5 €

Les rendements très raisonnables (40 hl/ha) du merlot qui s'enracine dans un terroir de sables et de graves expliquent, en partie, la remarquable qualité – « surprenante », affirme même un dégustateur – d'un vin à la parure intense et lumineuse. Complexe, marqué par des arômes de fruits rouges relevés d'épices subtiles, ce vin, à la fois rond et puissant, s'équilibre harmonieusement. Des tanins fermes en finale suggèrent une garde de deux ou trois ans. Les impatients pourront déjà le savourer aujourd'hui avec un carré d'agneau rôti.

GAEC du Sourdour, Sainte-Radegonde, 16360 Baignes-Sainte-Radegonde, tél. 05.45.78.40.60, fax 05.45.98.69.05, e-mail gaec-du-sourdour@wanadoo.fr r.-v.

Denis et Vincent Benoit

HENRI DE BLAINVILLE Sauvignon 2006 ★

45,81 ha 43 000 ▮ - de 3 €

Créée à l'origine pour produire du cognac, la cave du Liboreau propose des vins de pays depuis les années 1980. Ce pur sauvignon, vinifié avec rigueur, témoigne de son savoir-faire. Il délivre des arômes légers de fleurs blanches et d'agrumes. La bouche, franche en attaque et de bonne longueur, se révèle gourmande et équilibrée. Pour l'apéritif.

Cave du Liboreau, 18, rue de l'Océan, 17490 Siecq, tél. 05.46.26.61.86, fax 05.46.25.68.01, e-mail cave-du-liboreau@wanadoo.fr r.-v.

DOM. DE LA CHAUVILLIÈRE Merlot 2006 ★

■ 6 ha 45 000 ▮ - de 3 €

Ce domaine, coup de cœur pour un chardonnay dans la précédente édition du Guide, présente dans ce nouveau millésime un vin plus modeste, issu de merlot planté sur des terres argilo-siliceuses. Paré d'une robe lumineuse à reflets framboisés, ce 2006 se montre vif au nez comme en bouche. Rond et souple, il trouvera sa place sur des charcuteries locales comme les gratons charentais.

EARL Hauselmann et Fils, Dom. de La Chauvillière, 17600 Sablonceaux, tél. 05.46.94.44.40, fax 05.46.94.44.63, e-mail lachauvilliere@wanadoo.fr r.-v.

DOM. GARDRAT Rosae 2006 ★

■ 3 ha 33 000 ▮ - de 3 €

Il faut remonter loin en arrière, dans les années précédant la Révolution pour trouver les premières traces de la famille Gardrat, qui devint propriétaire des premiers arpents de l'actuel domaine viticole en 1894. Le Rosae, assemblage de merlot et de cabernet franc à parts égales complétés par du cabernet-sauvignon (10 %), décline à l'aération des notes légères de fruits rouges que l'on retrouve en bouche, soutenues par une vivacité classique. Pour accompagner des légumes printaniers.

Lionel Gardrat, La Touche, 17120 Cozes, tél. 05.46.90.86.94, fax 05.46.90.95.22, e-mail lionelgardrat@hotmail.com t.l.j. sf dim. 9h-12h 14h-18h

DOM. DU GROLLET 2005 ★

■ 7,5 ha 53 000 8 à 11 €

La robe grenat intense de cet assemblage de merlot et de cabernet-sauvignon laisse paraître quelques reflets tuilés. La structure imposante apparaît dès l'olfaction, marquée par un puissant fruité nuancé d'épices. Un séjour prolongé en barrique (douze mois) contribue à la complexité de ce vin pas très long mais robuste, qui gagnera à attendre un an avant d'affronter plats en sauce ou viandes grillées.

La Maison des Maines, au Malestier, BP 46, 16130 Segonzac, tél. 05.45.36.48.38, fax 05.45.36.48.36, e-mail contact@maison-des-maines.com r.-v.

GUIMBELOT Chardonnay 2005

0,8 ha 4 000 8 à 11 €

La parcelle de chardonnay qui a donné naissance à cette bouteille a été plantée sur un coteau exposé plein sud grâce à soixante-cinq souscripteurs. Ceux-ci ne doivent pas regretter leur engagement à en juger par ce vin boisé (onze mois d'élevage en fût) qui délivre des arômes toastés et vanillés. Pour mieux apprécier sa matière ample et son volume en bouche, il est conseillé de l'attendre un à deux ans. On le servira alors sur une blanquette de veau à l'ancienne.

Henri Jammet, EARL Le Guimbelot, La Fenêtre, 16220 Saint-Sornin, tél. 05.45.70.40.06, fax 05.45.63.14.37, e-mail famillejammet@wanadoo.fr r.-v.

LES HAUTS DE TALMONT Le Colombard 2006 *

1,96 ha 16 600 5 à 8 €

Trois passionnés de vin, séduits par Talmont-sur-Gironde et son église romane regardant l'estuaire, ont planté leurs premières vignes en 2003 et réalisé leur première vendange en 2005. C'est donc leur deuxième millésime qui est aujourd'hui sélectionné. Il a été élaboré à partir de colombard, un cépage qui retrouve ces dernières années la faveur des viticulteurs. Des plants enracinés dans le calcaire dominant la Gironde, et soigneusement vendangés en petits cagettes. Le résultat ? Un vin équilibré, de belle intensité florale à l'olfaction. Pour une poêlée de langoustines.

SARL Gardrat et Associés, rue du Port, 17120 Talmont-sur-Gironde, tél. 05.46.90.86.54, fax 05.46.90.95.22, e-mail leshautsdetalmont@wanadoo.fr t.l.j. 10h-19h; f. 15 oct.-31 mars

MAINE AU BOIS Sauvignon 2005 *

2,15 ha 5 000 3 à 5 €

Une robe limpide habille ce vin blanc, élevé pour un tiers en fût de chêne, qui se montre encore discret au premier nez, mais qui révèle, après aération, un fruité mûr et avenant. Équilibré, il laisse au palais une délicieuse sensation de fraîcheur stimulée par des notes citronnées. Un dégustateur suggère de le servir sur une tourte au thon et au crabe.

Doni, 24, chem. de l'Alambic, 17520 Saint-Eugène, tél. 05.46.70.02.40, fax 05.46.70.02.03, e-mail maineaubois@wanadoo.fr r.-v.

MOINE FRÈRES
Moine Prestige Élevé en fût de chêne 2005 *

5 ha 680 3 à 5 €

Après avoir repris la petite exploitation familiale en 1980, les frères Moine, Jean-Yves et François, ont créé dix ans plus tard, le « circuit du chêne » pour expliquer le rôle du chêne dans le vieillissement du cognac. Ils n'en ont pas pour autant négligé leur production à en juger par cet assemblage de merlot et de cabernet franc issus de sols argilo-calcaires. Le vin se montre encore discret au premier nez, mais après aération, il délivre de séduisants arômes de fruits noirs. La bouche, gourmande et équilibrée, mène progressivement jusqu'à une finale élégante où fruits et épices s'accordent harmonieusement.

Jean-Yves et François Moine, Villeneuve, 16200 Chassors, tél. 05.45.80.98.91, fax 05.45.80.96.01, e-mail lesfreres.moine@wanadoo.fr r.-v.

DOM. DE PIERRE LEVÉE Île d'Oléron 2006 **

2 ha 16 000 3 à 5 €

Très séduisant dans son élégante livrée rose nuancée de reflets gris, ce rosé à frôlé le coup de cœur. Il déploie un charme olfactif juvénile dont les fragrances fruitées s'équilibrent autour des vivacités du bonbon anglais. Souple et rond en bouche, il procure de subtiles sensations friandes qui devraient faire de lui l'invité obligé d'un barbecue.

Guy Videau, 75, rte des Chateliers, 17310 Saint-Pierre-d'Oléron, tél. 05.46.47.03.97, fax 05.46.47.44.81, e-mail contact@guyvideau.fr r.-v.

LE ROYAL Île de Ré 2006 *

40 ha 216 000 - de 3 €

Avec cet assemblage de colombard, de sauvignon et de chardonnay, les vignerons de l'Île de Ré offrent un vin bien sympathique, au bouquet floral, et qui révèle en bouche une note acidulée. On l'appréciera avec des fruits de mer.

Coop. des Vignerons de l'Île de Ré, 17580 Le Bois-Plage-en-Ré, tél. 05.46.09.23.09, fax 05.46.09.09.26 r.-v.

SORNIN ET PRÉHISTOIRE
Merlot Cabernet Super Cuvée 2005 *

0,6 ha 600 15 à 23 €

Tous les troisièmes dimanches d'octobre, une vente aux enchères de vins se déroule à Saint-Sornin. Vous aurez peu de chance d'y trouver une bouteille de cette cuvée très confidentielle. Assemblage de merlot (70 %) et de cabernet-sauvignon, ce millésime se caractérise par sa robustesse, résultat d'une bonne extraction. Perceptible dès le premier nez, le boisé s'est bien intégré à un fruité imposant. La finale, équilibrée, laisse augurer un bon vieillissement (un à trois ans). Une confrontation avec des fromages forts ne serait pas pour lui déplaire.

Cave de Saint-Sornin, Les Combes, 16220 Saint-Sornin, tél. 05.45.23.92.22, fax 05.45.23.11.61, e-mail contact@cavesaintsornin.com t.l.j. sf sam. dim. 8h-12h 14h-18h; groupes sur r.-v.

TERRA SANA 2006 *

17 ha 40 000 5 à 8 €

Une parure élégante, un bouquet au charme discret reposant sur des arômes de fruits blancs, une vivacité jeune et raffinée qui s'achève en bouche sur un retour fruité agréable, concourent à l'harmonie de ce vin né de l'agricIture biologique, assemblage de sauvignon (80 %) et de colombard. La patte sans défaut des vinifications signées Lurton.

Jacques et François Lurton, Dom. de Poumeyrade, 33870 Vayres, tél. 05.57.55.12.12, fax 05.57.55.12.13, e-mail com@jflurton.com

VIGNOT DES PERTUIS Île d'Oléron 2006

2,32 ha 20 000 - de 3 €

Les randonneurs cyclistes qui font étape à La Fromagerie ne pensent pas forcément y découvrir... du vin. Avec ce 2006 d'assemblage où merlot et cabernet franc jouent la carte de la parité, ils découvriront un rosé frais, légèrement acidulé, équilibré, qui marie harmonieusement les fruits rouges.

SCEA Favre et Fils, La Fromagerie,
17310 Saint-Pierre-d'Oléron,
tél. 05.46.47.05.43, fax 05.46.75.03.18,
e-mail vignoble.faure@wanadoo.fr
t.l.j. sf dim. 9h-12h 15h-19h
Pascal Favre

Landes

ROUGE DE BACHEN 2005 **

■ 6 ha 30 000 11 à 15 €

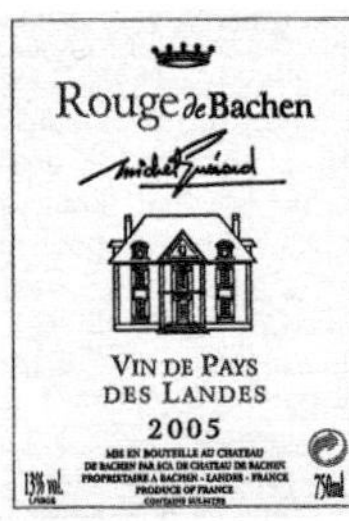

Michel Guérard, au sommet avec ce Rouge de Bachen. Les millésimes 2001 et 2004 avaient déjà été couronnés. Dans cette cuvée, le tannat équilibre parfaitement la chaude et voluptueuse présence du merlot (80 %). Le long élevage en cuves thermorégulées, puis en fût ont donné un vin au bouquet délicat qui joue sur la finesse du boisé et l'harmonie des fruits mûrs. La bouche est à l'unisson. Ronde, suave et séveuse, elle conduit vers une finale soyeuse rehaussée d'épices douces. Cette bouteille pourra accompagner une pièce de viande rôtie dès maintenant.

Michel Guérard,
Cie hôtelière et fermière d'Eugénie-les-Bains,
40320 Eugénie-les-Bains, tél. 05.58.71.76.76,
fax 05.58.71.77.77,
e-mail direction@michelguerard.com r.-v.

FLEUR DES LANDES Cabernet Tannat 2006 *

■ 3 ha 20 000 - de 3 €

Cette Fleur des Landes se présente dans une belle livrée pourpre. Au nez, des senteurs de fruits rouges, intenses et un brin confiturés, s'expriment avec bonheur. On les retrouve en bouche, soutenues par des tanins discrets.

SARL Duprat Frères,
quai Pièce-Noyée, chem. Saint-Bernard,
64100 Bayonne, tél. 05.59.55.65.65, fax 05.59.55.79.20

IMAGIN Merlot Cabernet-sauvignon 2006 *

■ 6 ha 40 000 3 à 5 €

Dans la maison typiquement landaise qui abrite un agréable caveau de vente, vous goûterez ce vin aux chatoyants reflets pourpres. Souple en bouche – « fondant », note un dégustateur, il est équilibré et convivial.

Les Vignerons Landais,
30, rue Saint-Jean, 40320 Geaune, tél. 05.58.44.51.25,
fax 05.58.44.40.22, e-mail tech.landais@wanadoo.fr
r.-v.

Périgord

VIN DE DOMME
Périgord noir Élevé en fût de chêne 2005 *

■ 3 ha 15 000 5 à 8 €

Domme, « Acropole du Périgord noir », juchée sur un promontoire dominant un des plus beaux cingles de la vallée de la Dordogne, propose depuis quelques années pour exalter sa gastronomie de beaux vins de pays. Celui-ci se distingue par une robe rubis et par une bouche grasse qui révèle un potentiel intéressant (deux à trois ans) mais qui devra s'affranchir d'un boisé encore un peu autoritaire.

SCA des Vignerons des Coteaux du Céou,
Moncalou, 24250 Florimont-Gaumier,
tél. 05.53.28.14.47, fax 05.53.28.32.48,
e-mail vindedomme@wanadoo.fr
t.l.j. 9h-12h 14h-18h

Terroirs landais

DOM. D'AUGERON Sables fauves 2006 *

5 ha 20 000 - de 3 €

Venue d'Italie du Nord, autre terre de vignes, la famille Bubola est arrivée en 1950 sur l'exploitation. Elle l'a cultivée en métayage puis en fermage avant de l'acquérir en 1974. Aujourd'hui, elle propose un vin très plaisant en bouche. Le merlot (80 %) apporte de la rondeur et le cabernet franc un zeste d'élégance aromatique. À essayer sur des charcuteries et des grillades.

Régine Bubola, Dom. d'Augeron,
40190 Le Frèche, tél. 05.58.45.82.30,
fax 05.58.03.13.81,
e-mail domaine.augeron@wanadoo.fr r.-v.

DOM. DE LABAIGT Coteaux de Chalosse 2006 *

■ n.c. 20 000 3 à 5 €

C'est sur des sols argilo-limoneux que grandit le robuste tannat qui, associé au cabernet, a donné naissance à ce vin drapé de rouge sombre. En bouche, on retrouve les fruits rouges perçus lors de l'olfaction. La finale, tannique, un rien sévère, appelle des accords avec de solides plats régionaux.

Dominique Lanot, Dom. de Labaigt,
40290 Mouscardès, tél. 05.58.98.02.42,
fax 05.58.98.80.75,
e-mail dominique.lanot@wanadoo.fr r.-v.

DOM. DU TASTET 2006

2,65 ha 9 000 3 à 5 €

Sur les coteaux de Chalosse, gros et petit mansengs se sont unis pour donner un vin moelleux, jovial, à la robe jaune d'or, qui dispense de légers arômes miellés. Sa bouche ronde et équilibrée lui permettra de trouver sa place à l'apéritif.

EARL Romain et Fils,
Dom. du Tastet, 2350, chem. d'Aymont,
40350 Pouillon, tél. 05.58.98.28.27, fax 05.58.98.27.63,
e-mail domaine-du-tastet@voila.fr r.-v.

Thézac-Perricard

VIN DU TSAR Le Bouquet 2005 *

■ 4,2 ha 34 000 ▮ 3 à 5 €

Napoléon III, le président Fallières et Nicolas II apprécièrent, en leur temps, les vins de Thézac-Perricard. Aujourd'hui, les Vignerons de Thézac-Perricard proposent une cuvée de merlot d'une teinte brillante aux arômes de fruits rouges bien mûrs. Souple, frais et léger en bouche, ce vin offre un bon équilibre. À marier avec une viande blanche ou un poisson à chair rose.

Les Vignerons de Thézac-Perricard, Plaisance, 47370 Thézac, tél. 05.53.40.72.76, fax 05.53.40.78.76, e-mail info@vin-du-tsar.tm.fr

t.l.j. sf dim. 9h15-12h 14h-18h

Pays de la Garonne

Avec Toulouse en son cœur, cette région regroupe dans la dénomination régionale « vins de pays du Comté tolosan » les départements suivants : Ariège, Aveyron, Haute-Garonne, Gers, Landes, Lot, Lot-et-Garonne, Pyrénées-Atlantiques, Hautes-Pyrénées, Tarn et Tarn-et-Garonne. Les dénominations sous-régionales ou locales sont : côtes du Tarn, coteaux de Glanes (Haut-Quercy au nord du Lot : rouges pouvant vieillir), coteaux et terrasses de Montauban, côtes de Gascogne (zone de production de l'armagnac dans le Gers et quelques communes des départements limitrophes), côtes du Condomois et de Montestruc, et enfin Bigorre.

La diversité des sols et des climats, des rivages atlantiques au sud du Massif central, alliée à une gamme particulièrement étendue de cépages, en fait une région aux vins de pays d'une variété extrême : c'est à la fois son originalité et son attrait. L'ensemble de la région produit environ 1,5 million d'hectolitres, dont plus de 800 000 hl de blancs en Côtes de Gascogne et 250 000 hl en Comté Tolosan.

Ariège

COTEAUX D'ENGRAVIÈS Roc de Maillols 2005 **

■ 2,5 ha 7 000 5 à 8 €

Il vient du piémont pyrénéen, entre Mirepoix et Pamiers ; ici, les rivières ressemblent encore à des torrents, mais les lignes s'arrondissent et l'habitat prend un visage languedocien. Le domaine est cultivé en « bio ». Enfant de la syrah (60 %), du merlot (25 %) et du cabernet-sauvignon, ce 2005 affiche une robe limpide ; son nez aguicheur tire sa séduction de la complicité des fruits rouges et d'un doux vanillé ; sa bouche souple retrouve vigueur en finale. Tout concourt à de cordiaux

accords avec un pigeon laqué au miel. Du même domaine, le **Fount Cassat rouge 2005**, vigoureux et tannique, est cité.

Babin, EARL d'Embayourt, 09120 Vira, tél. 05.61.68.68.68, fax 05.61.68.73.97

t.l.j. sf dim. 8h-12h 13h30-18h

DOM. DU SABARTHÈS La Plantaurel 2005 *

■ 1,5 ha 6 500 5 à 8 €

Belle réussite que cet assemblage de cabernet franc (45 %), de cabernet-sauvignon (25 %) et de merlot. Rond et aromatique, avec juste ce qu'il faut de présence boisée, il se montre harmonieux en bouche sur de gourmandes saveurs de fruits noirs. À boire dans les deux ans.

Entreprise adaptée Le Sabarthès, 09120 Montegut-Plantaurel, tél. 05.61.05.33.33, fax 05.61.05.33.60

t.l.j. sf sam. dim. 9h-12h 14h-18h

Comté tolosan

CABIDOS Comte Philippe de Nazelle Petit Manseng doux 2004 **

7 ha 4 000 15 à 23 €

Pour accéder au chai, il faut suivre une allée plantée de cyprès et de pins parasols : la Toscane en Béarn ! Mais le domaine vaut surtout le détour pour ce moelleux, coup de cœur unanime du jury. Issu de petit manseng en vendange passerillée, ce 2004 se présente dans une robe vieil or. Le bouquet intense exhale de multiples parfums de fruits (mangue, litchi, ananas, poire, coing...) et révèle un boisé léger et élégant. Volumineux et équilibré en bouche, ce vin riche présente une bonne persistance aromatique. Pour accompagner un foie gras.

🔑 Vivien de Nazelle,
Dom. viticole du Ch. de Cabidos, 64410 Cabidos,
tél. 05.59.04.43.41, fax 05.59.04.41.83,
e-mail dom.de.cabidos@wanadoo.fr
t.l.j. 8h-12h 13h30-17h30

L'ILLUSTRE DE CANDIE 2006 *

■ 4 ha 10 000 5 à 8 €

Ce domaine, qui appartient à la ville de Toulouse, est commandé par une ferme fortifiée des XIe et XIII^{e}s. Une robe violette intense à nuances aubergine annonce un nez de fruits mûrs (crème de cassis et confiture de framboises) accompagnés d'une note de vanille. L'attaque est franche, la bouche chaleureuse et équilibrée ; le volume est intéressant et on retrouve au palais les fruits mûrs et un boisé bien intégré.

🔑 Dom. de Candie,
Régie agricole de Toulouse, 17, chem. de la Saudrune, 31100 Toulouse, tél. 05.61.07.51.65, fax 05.61.07.38.88
r.-v.

HÉLIOS DE CHAMBERT 2006 *

■ 2,4 ha 17 067 3 à 5 €

Producteurs de vins de Cahors de haute expression, les vignobles Chambert dédient cette cuvée au dieu du soleil, qui nourrit ce vignoble d'une lumière intense. Le nez, plaisant, exprime de légères senteurs fruitées. La bouche, ronde, fraîche et harmonieuse, est empreinte d'arômes de bonbon acidulé qui s'épanouissent dans une agréable finale. Pour des salades et des grillades.

🔑 Vignobles Chambert, Les Hauts Coteaux,
46700 Floressas, tél. 05.65.31.95.75, fax 05.65.31.93.56,
e-mail info@chambert.com
t.l.j. sf dim. 8h30-12h30 14h-18h30
🔑 Ampelidées

VIN LE FLEUR Sélection 2006 *

■ 15 ha 120 000 - de 3 €

Le château de Crouseilles est distant de seulement 500 m de la cave où vous pourrez goûter cette Sélection d'une teinte grenat clair, moyennement intense. L'olfaction s'ouvre sur des notes de fruits frais qu'accompagnent des nuances florales. Souple et fruité, le palais évolue agréablement sur des tanins veloutés. Un vin gourmand à servir sur une cuisine moderne. Le **Vin de Fleur Sélection rosé 2006** obtient une étoile pour sa bouche ronde et fruitée.

🔑 Cave de Crouseilles, 64350 Crouseilles,
tél. 05.62.69.66.77, fax 05.62.69.66.08,
e-mail m.darricau@crouseilles.com
r.-v.

DOM. GENOUILLAC Fer Servadou 2005 **

■ 0,5 ha 2 500 8 à 11 €

Alban et Marthe de Genouillac ont repris en 2005 cette propriété viticole laissée à l'abandon depuis les années 1960. C'est donc un premier millésime, très prometteur, qu'ils présentent aujourd'hui. À l'œil, il est soutenu, presque noir. Puissant et complexe, le nez fruité exprime des senteurs vanillées, torréfiées et cacaotées. La bouche impressionne par la richesse de sa matière aux tanins boisés agréablement fondus dans le vin. Une bouteille harmonieuse à servir sur un foie gras poêlé aux poires.

🔑 Dom. Genouillac,
chem. Toulze, Sainte-Cécile-Daves, 81600 Gaillac,
tél. et fax 05.63.57.17.52,
e-mail contact@degenouillac.com
t.l.j. sf dim. 9h-12h30 13h30-19h

MONGINAUT Las Parats 2005 *

■ 1 ha 2 000 8 à 11 €

Après un coup de cœur l'an passé pour un rosé, le domaine de Monginaut est sélectionné cette année pour un vin rouge issu du seul merlot. Derrière une teinte rubis de bonne intensité, le nez exprime les fruits rouges compotés, la cerise, le pruneau et les épices douces. On retrouve les fruits cuits au côté d'un boisé bien fondu dans une bouche plutôt chaleureuse. La cuvée **chardonnay 2006** reçoit aussi une étoile pour sa présence aromatique en bouche.

🔑 Ernst Wirz, Dom. de Monginaut,
09130 Carla-Bayle, tél. 05.61.68.47.53,
e-mail monginaut@wanadoo.fr r.-v.

SEIGNEUR DE MONTFORT
Cuvée Béatrice 2006 **

n.c. 100 000 - de 3 €

Depuis 1755, la maison de négoce Rigal se consacre aux vins du Sud-Ouest. La préférence du jury est allée vers la Cuvée Béatrice, un blanc sec issu de colombard. Jaune pâle à reflets verts, ce vin offre un nez délicat et frais qui évoque le buis et les agrumes. Après une attaque ronde, la bouche se montre vive avec un fruité persistant. Même note pour la **Cuvée L'Amaury rouge 2006** dont les dégustateurs ont apprécié le caractère fruité et la matière équilibrée.

🔑 SAS Rigal, Ch. Saint-Didier-Parnac, 46140 Parnac,
tél. 05.65.30.70.10, fax 05.65.20.16.24,
e-mail marketing@rigal.fr

Corrèze

MILLE ET UNE PIERRES
Élevé en fût de chêne 2005 *

■ 14 ha 75 000 5 à 8 €

Nichée dans un creux pittoresque du Quercy corrézien, la cave de Branceilles assure avec brio la renaissance d'un vignoble qui s'étendait au début du XIX^{e}s. sur des centaines d'hectares. Cabernet franc (80 %) et merlot, plantés sur un terrain truffier, ont engendré un vin rouge éclatant aux tanins fins. Bien équilibré, celui-ci se développe longuement révélant le fruité charnu d'une vendange bien mûre.

🔑 Cave viticole de Branceilles, Le Bourg,
19500 Branceilles, tél. 05.55.84.09.01,
fax 05.55.25.33.01, e-mail cavebranceilles@wanadoo.fr
t.l.j. sf dim. 10h-12h 15h-18h

Coteaux de Glanes

LES VIGNERONS DU HAUT-QUERCY
Tradition 2005 *

■ 27,4 ha 227 870 3 à 5 €

Cette petite coopérative réunit huit producteurs et vinifie 35 ha de vigne. Sa cuvée rubis limpide offre un nez encore discret mais fin aux parfums de fruits relevés d'une pointe de réglisse. La bouche est souple, simple et bien équilibrée. Un vin agréable à boire sur son fruit.

Les Vignerons du Haut-Quercy, Le Bourg, 46130 Glanes, tél. et fax 05.65.39.73.42, e-mail coteauxdeglanes@wanadoo.fr ☑ Y ⁂ r.-v.

Coteaux et terrasses de Montauban

DOM. DU BIARNÈS 2005

■ 1,56 ha 5 000 ■ 3 à 5 €

Nathalie Patard est à la tête de la propriété depuis 2005. Son rouge est un assemblage de cabernet franc (46 %), de merlot (34 %) et de tannat. Rubis sombre, il possède un nez assez intense sur les fruit rouges relevés d'épices (poivre). La bouche, plaisante et souple, équilibrée, se révèle fraîche et aromatique, avant une finale sur des tanins serrés et réglissés.

Nathalie Patard, Dom. du Biarnès, Les Falgasses, 82230 La Salvetat-Belmontet, tél. 05.63.24.00.97, e-mail domainebiarnes@wanadoo.fr ☑ Y ⁂ r.-v.

DOM. DE MONTELS Doux Prestige 2006 *

4 ha 10 000 ■ 5 à 8 €

Chaque année, début septembre, une fête des vendanges est organisée au domaine. L'occasion idéale pour découvrir ce moelleux de pur sauvignon. Derrière une robe légère de teinte or pâle, le nez intense délivre des senteurs de bonbon acidulé, de pomme et de poire auxquelles se mêlent de délicates nuances de fleurs blanches. La bouche légèrement perlante, assez concentrée et bien parfumée, persiste agréablement sur des arômes de fruits. Une bouteille à déboucher à l'apéritif ou au dessert sur une tarte aux pommes.

Philippe et Thierry Romain, Dom. de Montels, 82350 Albias, tél. 05.63.31.02.82, fax 05.63.31.07.94, e-mail philippe.romain@aliceadsl.fr ☑ Y ⁂ t.l.j. sf dim. 9h-12h 14h-19h

Côtes du Condomois

DONA FLORA 2006 *

■ n.c. 120 000 ■ 3 à 5 €

Cette bouteille se présente dans une robe brillante, grenat soutenu à reflets violacés. Le bouquet puissant délivre d'agréables nuances de fruits rouges et noirs agrémentés de quelques notes d'épices douces. La bouche, ronde, ample et gourmande, se caractérise par l'intensité de ses saveurs fruitées et sa finale sur des tanins soyeux. Un vin de plaisir. La cuvée **Dona Flora rosé 2006** obtient également une étoile pour son fruité.

Vignoble de Gascogne, 32400 Saint-Mont, tél. 05.62.69.62.87, fax 05.62.69.66.71, e-mail f.lhau@plaimont.fr ☑ Y ⁂ t.l.j. sf sam. dim. 9h-12h30 14h-19h

Côtes de Gascogne

ARAMIS Tannat cabernet 2006 *

■ 26 ha 250 000 ■ 3 à 5 €

Pierre Laplace maîtrise bien le tannat et le prouve dans cette cuvée expressive, parfumée de fruits mûrs, d'épices et de notes de poivron. La chair puissante bénéficie de tanins bien domptés et se prolonge avec rondeur en finale. Une citation revient à la cuvée **Aramis colombard ugni blanc 2006**, aux senteurs d'agrumes et de fruits blancs.

SARL Pierre Laplace, Ch. d'Aydie, 64330 Aydie, tél. 05.59.04.08.00, fax 05.59.04.08.08, e-mail pierre.laplace@wanadoo.fr ☑ t.l.j. 9h-12h30 14h-19h

DOM. CACHIQUET 2005 **

■ 5,4 ha 20 000 ◍ 8 à 11 €

Des chais des XVIIe et XVIIIes. ont accueilli ce vin bien né sur des sols argilo-calcaires. Après douze mois d'élevage en fût, celui-ci révèle une teinte rubis à reflets violacés, ainsi que des arômes complexes de fruits rouges, de cassis et d'épices. La bouche est ample, confiturée, structurée par des tanins plaisants aux accents vanillés. Pour la cuisine du terroir.

Guiter, Cachiquet, 32250 Montréal-du-Gers, tél. et fax 05.62.29.49.00, e-mail christiane.guiter@wanadoo.fr ☑ Y ⁂ r.-v.

DOM. CAPMARTIN Chardonnay sauvignon 2006 *

0,5 ha 2 000 ■ 3 à 5 €

On ne présente pas Guy Capmartin aux amateurs de madiran. Il propose ici un vin de pays de chardonnay et de sauvignon intensément aromatique : acacia, agrumes, fruits secs. La chair harmonieuse, ample et grasse laisse le souvenir des fruits exotiques en finale. La **syrah 2006**, épicée et gourmande, obtient également une étoile.

Guy Capmartin, Le Couvent, 32400 Maumusson, tél. 05.62.69.87.88, fax 05.62.69.83.07, e-mail gcapmart@wanadoo.fr ☑ Y ⁂ t.l.j. sf dim. 9h-13h 14h-19h

DOM. DES CASSAGNOLES Gros manseng Sélection 2006 *

6 ha 50 000 ■ 3 à 5 €

Le gros manseng est le cépage vedette de ce domaine en vin de pays. De couleur dorée, ce 2006 affiche des senteurs de fleurs, de fruits jaunes et de pamplemousse, annonce d'une bouche fraîche et persistante qui ajoute à cette palette des notes de poire. Du même auteur, l'**Éclat de sauvignon 2006**, très rond, est cité.

J. et G. Baumann, Dom. des Cassagnoles, 32330 Gondrin, tél. 05.62.28.40.57, fax 05.62.28.42.42, e-mail j.baumann@domainedescassagnoles.com ☑ Y t.l.j. sf dim. 9h-18h; sam. 10h-17h30

DOM. CHIROULET Terres blanches 2006 *

5 ha 30 000 5 à 8 €

En patois, *chiroula* désigne le vent qui souffle sur les coteaux. Des terres blanches, en effet, que les sols de calcaires et d'argiles blanches sur lesquels ont été récoltés le gros manseng, le sauvignon et l'ugni blanc pour composer ce vin. À l'élégance des arômes de fleurs blanches et de pêche répondent la souplesse et le charnu d'une matière très aromatique, aux notes de chèvrefeuille et d'abricot. Cité, le **Domaine Chiroulet Terroir gascon 2005**, issu de merlot, de cabernets et de tannat, est un vin solide, fruité et réglissé.

EARL Famille Fézas, Dom. de Chiroulet, 32100 Larroque-sur-l'Osse, tél. 05.62.28.02.21, fax 05.62.28.41.56, e-mail chiroulet@wanadoo.fr ☑ Y ⁂ t.l.j. sf dim. 9h-12h 15h-19h

VDP

DOM. D'EMBIDOURE
Petit manseng Clin d'œil 2005 ★★★

0,18 ha	3 000	11 à 15 €

Ce n'est pas un clin d'œil mais un coup de cœur du jury pour ce petit manseng présenté par les sœurs Nathalie et Sandrine Ménégazzo qui ont repris le domaine familial en 2006. Sous une teinte doré intense se manifestent des arômes exubérants d'abricot, de pêche, d'ananas, nuancés d'une légère pointe de miel. La bouche ronde, grasse et volumineuse persiste durablement sans jamais perdre son équilibre. Un enchantement en accompagnement de fromages, de desserts ou bien apprécié seul, tout simplement. Des mêmes productrices, le **cabernet-sauvignon cuvée Élégance Élevé en fût de chêne 2003 rouge (5 à 8 €)** obtient deux étoiles. Nez de fruits noirs compotés, chair soyeuse : c'est un vin gourmand.

🔑 EARL Ménégazzo Filles, Dom. d'Embidoure, 32390 Réjaumont, tél. et fax 05.62.65.27.40, e-mail menegazzo.embidoure@wanadoo.fr
☒ 🍷 🚶 t.l.j. 9h-19h; dim. sur r.-v.

DOM. DE FORTUNET
Sauvignon chardonnay Plaisir d'Emma 2006 ★★

4 ha	20 000	5 à 8 €

Un hommage à Emma, la fille du producteur née en 2003. Vêtu de jaune pâle à reflets verts, le vin évoque avec franchise les agrumes et les fruits exotiques. Il fait preuve d'équilibre au palais, en s'appuyant sur une juste vivacité pour se prolonger durablement.

🔑 Dom. de Fortunet, 32110 Lanne-Soubiran, tél. 06.80.32.74.50, fax 05.62.09.16.01 ☒ 🍷 🚶 r.-v.
🔑 Famille Debets

DOM. GUILLAMAN
Colombard ugni blanc 2006 ★★

12 ha	130 000	3 à 5 €

La teinte dorée invite à découvrir plus avant le profil de ce vin complexe, mêlant les arômes de miel, d'acacia et de coing. La bouche charnue et fraîche insiste sur des flaveurs de mirabelle gourmandes. De l'apéritif au dessert, ce 2006 trouvera aisément sa place. Une étoile brille pour le **gros manseng Frisson d'automne 2005**, vin moelleux.

🔑 Dominique Ferret, lieu-dit Guillaman, 32330 Gondrin, tél. et fax 05.62.29.13.82, e-mail dominiqueferret@free.fr
☒ 🍷 🚶 t.l.j. 10h-19h; dim. sur r.-v., f. jan.

DOM. DE LARTIGUE 2006 ★

4 ha	6 000	3 à 5 €

Pépiniériste, Francis Lacave s'est orienté vers la viniculture avec succès. Voyez son rosé attirant dans sa robe soutenue. Aux arômes de fraise, de framboise et de groseille répond une sensation de fraîcheur persistante au palais. Le **Domaine de Lartigue 2006 rouge**, issu de merlot et de cabernet-sauvignon, est cité.

🔑 EARL Francis Lacave, Au village, 32800 Bretagne-d'Armagnac, tél. 05.62.09.79.60, fax 05.62.09.90.09, e-mail francis.lacave@wanadoo.fr
☒ 🍷 🚶 r.-v.

DOM. DU MAGE Merlot syrah 2006 ★

11,15 ha	80 000	3 à 5 €

Incontournable en blanc, le château du Tariquet montre ici son savoir-faire en matière de vins rouges. Rubis violacé, ce 2006 exprime volontiers des arômes de fruits rouges épicés, alliance des influences du merlot et de la syrah. La chair est ronde, de bonne tenue, autorisant une dégustation immédiate. Tout aussi expressif, le **Domaine du Tariquet sauvignon 2006 (5 à 8 €)** obtient une étoile.

🔑 SCV Ch. du Tariquet, Saint-Amand, 32800 Eauze, tél. 05.62.09.87.82, fax 05.62.09.89.49, e-mail i.bouchard@tariquet.com ☒ 🍷 r.-v.

DOM. DE MAUBET Petit manseng 2006 ★★

4 ha	28 000	5 à 8 €

Couleur paille à reflets dorés, ce petit manseng affiche des arômes de fruits blancs, de poire et d'ananas, nuancés de grillé et d'orange confite. Il se montre élégant, à la fois rond et frais au palais, toujours aromatique. Une étoile revient au **gros manseng 2006**, vin blanc charnu rappelant les agrumes.

🔑 Vignobles Fontan, Dom. de Maubet, 32800 Noulens, tél. 05.62.08.55.28, fax 05.62.08.58.94, e-mail contact@vignoblesfontan.com
☒ 🍷 🚶 t.l.j. 9h-12h 14h-18h; sam. dim. sur r.-v. 🏠 Ⓒ

DOM. DE MILLET 2006 ★★

4 ha	40 000	3 à 5 €

Francis Dèche conduit avec sa fille ce domaine de 56 ha sur les collines d'Eauze. Son rosé bien structuré séduit d'emblée par sa teinte rose pâle brillant, puis par son nez friand de cassis et de banane. Frais et souple, il ne se départ pas de ses arômes au palais. Le **Domaine de Millet merlot 2005** est cité.

🔑 Famille Dèche, Ch. de Millet, 32800 Eauze, tél. 05.62.09.87.91, fax 05.62.09.78.53, e-mail chateaudemillet@wanadoo.fr
☒ 🍷 🚶 t.l.j. 9h-12h 14h-18h; dim. sur r.-v. 🏠 Ⓔ

DOM. DE PAPOLLE
Gros manseng Moelleux 2005 ★★

12 ha	12 420	5 à 8 €

Pas moins de onze cépages sont cultivés sur ce domaine de plus de 47 ha, parmi lesquels le gros manseng qui a donné naissance à ce vin paille à reflets or. Une palette de fruits mûrs, de coing et de mirabelle se décline, tandis que la bouche apparaît souple et ample, discrètement moelleuse et bien fraîche. Le **Domaine de Papolle syrah-merlot 2006 rosé (3 à 5 €)** est cité.

🔑 Dom. de Papolle, 32240 Mauléon-d'Armagnac, tél. 05.62.09.62.85, fax 05.62.09.68.72, e-mail papolle@wanadoo.fr ☒ 🍷 🚶 r.-v.
🔑 Piffard

DOM. DE PELLEHAUT
Harmonie de Gascogne 2006 ★★

40 ha	150 000	3 à 5 €

Un domaine de 40 ha en polyculture qui réserve une bonne place à la vigne. En témoigne ce vin composé de six cépages. Or patiné, il libère à profusion des arômes de mangue et de pamplemousse rose, puis offre une chair ample et persistante. Une citation revient à l'**Harmonie de Gascogne 2006 rouge**.

SCV Béraut, Ch. de Pellehaut, 32250 Montréal-du-Gers, tél. 05.62.29.48.79, fax 05.62.29.49.90, e-mail contact@pellehaut.com
r.-v.

DOM. DES PERSENADES 2006 **

	25 ha	50 000		3 à 5 €

Sous une teinte jaune lumineux à reflets verts, des agrumes et des fruits exotiques à l'envi. Voici un vin expressif, qui charme par sa rondeur et qui ajoute à une palette déjà riche des flaveurs persistantes de litchi en finale. Une fraîcheur que vous apprécierez à l'apéritif ou avec des fruits de mer. Le **Domaine des Persenades petit manseng 2006 liquoreux (5 à 8 € la bouteille de 50 cl)** est cité.

Christian Marou, Dom. des Persenades, 32800 Cazeneuve, tél. 05.62.09.99.30, fax 05.62.09.84.64, e-mail christian.marou@wanadoo.fr
t.l.j. 7h-19h

RIGAL
Gros manseng Réserve Les Palombières 2005 **

	n.c.	100 000		- de 3 €

Remontant au milieu du XVIII[e]s., cette maison de négoce réussit un joli tir groupé. En premier lieu, ce gros manseng doré, au nez complexe de fruits exotiques et de miel. Concentré, ponctué de coing et de mirabelle au palais, il garde son équilibre d'un bout à l'autre de la dégustation. La cuvée **Les Palombières tannat merlot 2006**, fruitée et épicée, obtient une étoile, de même que **Les Palombières colombard ugni blanc 2006**, sur les fleurs et les agrumes.

SAS Rigal, Ch. Saint-Didier-Parnac, 46140 Parnac, tél. 05.65.30.70.10, fax 05.65.20.16.24, e-mail marketing@rigal.fr

RIVE HAUTE Colombard sauvignon 2006 **

	n.c.	10 000		3 à 5 €

Le jardin des Hespérides, telle est bien l'inspiration de ce vin or pâle, aux arômes d'agrumes et de fruits exotiques (goyave, papaye). L'équilibre se réalise au palais et la finale s'étire remarquablement. De la même veine, le **Rive Haute sauvignon 2006** reçoit deux étoiles pour sa fraîcheur, ses senteurs de fleurs et de fruits jaunes. Une citation revient au **Colombelle 2006 blanc (moins de 3 €)**, issu de colombard, de listan et d'ugni blanc.

Producteurs Plaimont, rte d'Orthez, 32400 Saint-Mont, tél. 05.62.69.62.87, fax 05.62.69.61.68, e-mail f.lhau@plaimont.fr
r.-v.

DOM. DE SAINT-LANNES 2006 *

	32 ha	250 000	3 à 5 €

Un assemblage de colombard, d'ugni blanc et de gros manseng. Le premier cépage domine à 80 % et c'est sans conteste sa présence que l'on perçoit dans les arômes de fruits blancs, de fruits exotiques et de buis. Le vin apparaît rond, presque gras au palais, laissant une impression gourmande en finale. Une citation est attribuée au **Domaine de Saint-Lannes 2005 rouge**, à dominante de merlot et de cabernets, qui demande un peu de temps pour s'exprimer.

Vignobles Duffour, Dom. de Saint-Lannes, 32330 Lagraulet-du-Gers, tél. 05.62.29.11.93, fax 05.62.29.12.71, e-mail contact@domaine-de-saint-lannes.com
r.-v.

LES TERRASSES DE RUBENS
Petit manseng Élevé en fût de chêne 2005 **

	3,7 ha	5 500		5 à 8 €

Olivier Martin est un « bec à confiture » – entendez qu'il apprécie avant tout les douceurs. Coup de cœur dans la précédente édition du Guide, il revient avec un moelleux de petit manseng remarquable de complexité. Jaune paille à reflets dorés, le vin offre une chair ample, si ample, et surtout longue, si longue. Les arômes ne cessent de se déployer, fruités, grillés, vanillés. Pour une tarte à la rhubarbe. (Bouteilles de 50 cl.) La **cuvée petit manseng Prestige moelleux 2005 (8 à 11 €)** obtient deux étoiles pour sa fraîcheur bien préservée, ainsi que pour ses notes de fruits jaunes et de miel. (Bouteilles de 50 cl.)

Olivier Martin, Dom. de Rubens, 32110 Nogaro, tél. et fax 05.62.69.02.38 t.l.j. 10h-21h

LES TROIS DOMAINES
Vignes de Martissens Cuvée Prestige 2004 *

	3 ha	5 000		3 à 5 €

Mariage de tannat et de cabernet, cette cuvée aux arômes de fraise et de cassis affiche une étonnante souplesse : les deux cépages sont en effet plus réputés pour leurs solides tanins. Il en résulte une impression de rondeur des plus plaisantes dès maintenant. Le **Vigne du Gran Jouan cuvée Émotion 2004 rouge (5 à 8 €)**, issu de cabernet-sauvignon et de merlot, est cité. Un vin souple, fruité et animal, un rien torréfié.

GAEC des Trois Domaines, Lassalle, 32390 Réjaumont, tél. 05.62.65.28.83, fax 05.62.65.27.52, e-mail 3domaines@3domaines.com
t.l.j. sf dim. 8h-12h30 14h-19h

LA TUILERIE 2006 *

	2 ha	12 000		- de 3 €

Rubis lumineux, ce vin présente une réelle harmonie entre le merlot et le cabernet franc. Tout en fruits (mûre, framboise), il bénéficie de tanins enrobés qui contribuent à sa rondeur avenante. **La Tuilerie 2006 rosé**, assemblage de merlot, de gamay et de cabernet franc, est cité pour sa générosité.

Joël Pellefigue, Dom. de La Tuilerie, 32810 Roquelaure, tél. 05.62.65.50.30, fax 05.62.65.58.35, e-mail pellefigue.joel@wanadoo.fr
r.-v.

UBY Colombard ugni blanc 2006 ***

	60 ha	200 000	3 à 5 €

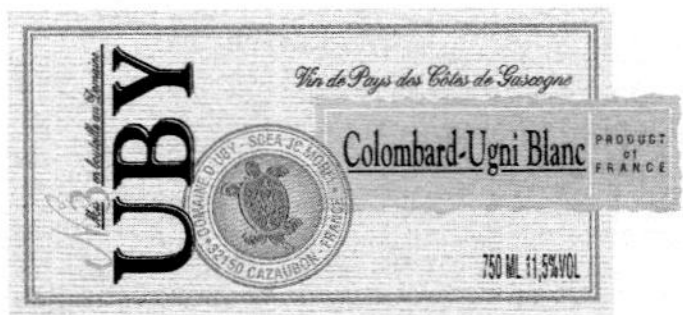

Déjà coup de cœur dans le Guide 2006, Uby revient en force avec ce millésime expressif et complexe. Élégamment vêtu d'or pâle à reflets verts, il offre un nez intense,

VDP

typique de l'ugni blanc : fruits jaunes, fruits exotiques et agrumes. Au palais, il se montre ample et frais, longuement aromatique. Il ne faudrait pas en oublier la cuvée **Les Tortues colombard sauvignon 2006 (5 à 8 €)**, notée une étoile pour son fruité mûr et sa souplesse.
SCEA Jean-Charles Morel, Uby, 32150 Cazaubon, tél. 05.62.09.51.93, fax 05.62.09.58.94, e-mail domaineuby@wanadoo.fr
t.l.j. 8h-12h 14h-18h; f. déc.

Côtes du Tarn

DOM. CHAUMET-LAGRANGE Braucol Les Marguerites 2006 ★

3 ha 20 000 3 à 5 €

Passionné de vigne et de vin, Christophe Boizard a acheté, en 2001, ce vignoble planté en 1958 par la famille Chaumet-Lagrange. Le braucol, cépage typiquement gaillacois, compose à 100 % cette cuvée grenat profond. Net et intense, le nez marqué par le cassis et les épices précède une bouche ronde et fruitée aux tanins souples et à la finale relevée par des notes poivrées. La cuvée **Les Marguerites muscadelle blanc 2006** est citée pour sa rondeur.
SCEA Chaumet-Lagrange, Les Fediès, 81600 Gaillac, tél. 05.63.57.07.12, fax 05.63.57.64.12, e-mail chateau.ch.lagrange@wanadoo.fr r.-v.
Christophe Boizard

DOM. SARRABELLE Chardonnay 2006 ★★

1 ha 12 000 3 à 5 €

Ce domaine de 36 ha a été repris en l'an 2000 par Laurent et Fabien Caussé. Son chardonnay jaune paille brillant s'ouvre à l'aération sur des senteurs de fleurs blanches, de miel, de pomme au four et d'agrumes. La bouche, riche et ample, ronde, grasse et chaleureuse, parfaitement équilibrée de bout en bout, se montre bien parfumée. Une jolie bouteille pour accompagner une volaille à la crème.
Laurent et Fabien Caussé, Dom. Sarrabelle, Les Fortis, 81310 Lisle-sur-Tarn, tél. 05.63.40.47.78, fax 05.63.81.49.36, e-mail contact@sarrabelle.com
t.l.j. sf dim. 9h-12h 14h-19h

VIGNÉ-LOURAC Sauvignon Prestige 2006 ★

10 ha 120 000 3 à 5 €

Derrière une robe jaune pâle, claire et brillante, le nez assez intense et fin évoque le buis, les agrumes et les fruits exotiques. La bouche attaque sur la rondeur et de gourmandes notes de poire, avant de s'équilibrer en finale sur la fraîcheur. Une belle expression du sauvignon.
Vignobles Gayrel, 103, av. Foch, 81600 Gaillac, tél. 05.63.81.21.11, fax 05.63 81.21.09, e-mail cave-gaillac@wanadoo.fr
t.l.j. 9h30-12h30 14h30-19h30

Gers

FACE À FACE Merlot tannat 2006 ★

n.c. 40 000 3 à 5 €

Castelmore, le village où naquit d'Artagnan, n'est pas très éloigné de la coopérative de Saint-Mont. Les vignerons de Gascogne ont élaboré deux intéressants vins de pays bi-cépage. Ce rouge de couleur claire et limpide affiche un nez franc et de belle expression évoquant les fruits rouges et les épices (vanille, poivre, clou de girofle...). La bouche, souple et légère, gourmande, se montre équilibrée. La finale tout en douceur se déploie sur des tanins lisses et un cocktail de fruits rouges nuancé par des notes vanillées. La cuvée **Face à Face colombard sauvignon 2006** reçoit également une étoile.
Vignoble de Gascogne, 32400 Saint-Mont, tél. 05.62.69.62.87, fax 05.62.69.66.71, e-mail f.lhau@plaimont.fr
t.l.j. sf sam. dim. 9h-12h30 14h-19h

Lot

LE GRAVIS 2006 ★

1 ha 9 600 3 à 5 €

Habillé de rose foncé à nuances mauves, ce vin possède un nez délicat et fin aux accents à la fois floraux et fruités. Après une attaque souple, la bouche particulièrement fruitée révèle rondeur et équilibre. La finale déploie de riches flaveurs. À déguster sans attendre.
EARL de Nozières, Maradenne-Guitard, Bru, 46700 Vire-sur-Lot, tél. 05.65.36.52.73, fax 05.65.36.50.62, e-mail chateaunozieres@wanadoo.fr
t.l.j. sf dim. 8h-12h 14h-19h; dim. r.-v.

ROSÉ D'UN SOIR 2006 ★

2 ha 5 000 3 à 5 €

Les vignes de ce domaine de 20 ha sont plantées sur des coteaux argilo-calcaires, exposés plein sud. Elles ont donné un rosé issu à 100 % de malbec à la robe framboise soutenu. Le nez, plutôt intense, possède un caractère floral. À l'attaque fraîche et ronde succède une bouche pleine de charme marquée jusqu'en finale par les fruits rouges, les agrumes et la pêche. Une bouteille harmonieuse.
Ch. Plat Faisant, Les Roques, 46140 Saint-Vincent-Rives-d'Olt, tél. 05.65.30.76.38, e-mail chateauplatfaisan@wanadoo.fr
r.-v.

TROTELIGOTTE Malbec 2006 ★★

1,5 ha 10 000 3 à 5 €

En 1987, le vignoble familial a été réhabilité et, afin d'améliorer la qualité des vins, les rendements ont été réduits. Christian et Emmanuel Rybinski marient respect de la tradition et nouvelles technologies. Ils ont ainsi élaboré un vin à l'élégante robe couleur framboise. Le nez est ouvert sur des notes florales et fruitées. Après une attaque douce, la bouche agréablement aromatique se montre ronde et fraîche, tout en souplesse. Elle se prolonge plaisamment sur une note acidulée qui rappelle le bonbon.

Christian et Emmanuel Rybinski, Le Cap Blanc, 46090 Villesèque, tél. 06.74.81.91.26, fax 05.65.36.94.58, e-mail clostroteligotte@hotmail.com t.l.j. sf dim. 9h30-12h30 14h-19h

Pyrénées-Atlantiques

CABIDOS Comte Philippe de Nazelle
Petit manseng Sec 2005 ★★★

7 ha 5 000 11 à 15 €

Depuis le début des années 1990, Vivien de Nazelle fait revivre le domaine familial, avec l'aide notamment de son épouse et de son frère. Le vignoble s'étend sur plus de 8 ha autour du château de Cabidos, classé à l'inventaire des Monuments historiques. Cette cuvée, qui honore la mémoire du père du producteur, se présente dans une robe jaune d'or, brillante et limpide. Elle exprime des senteurs de fruits exotiques, de gelée de coing et de miel. La bouche, ample, riche et aromatique, affiche une matière somptueuse bien équilibrée par la fraîcheur. Un vin élégant que l'on peut commencer à apprécier ou attendre quelques années.

Vivien de Nazelle, Dom. viticole du Ch. de Cabidos, 64410 Cabidos, tél. 05.59.04.43.41, fax 05.59.04.41.83, e-mail dom.de.cabidos@wanadoo.fr t.l.j. 8h-12h 13h30-17h30

Tarn et Garonne

CARESSE D'AUTOMNE 2005 ★

0,92 ha 1 200 5 à 8 €

Cette petite exploitation familiale de 2 ha se consacre également au maraîchage. Elle propose un vin pourpre intense, presque opaque. Puissant, le nez associe le cassis, les épices et le menthol. Vive, la bouche est bâtie sur des tanins solides. Pour accompagner du gibier.

Patrick Ozil, lieu-dit Lacoste, 82270 Montalzat, tél. 05.63.66.97.19, e-mail syllaozil@aol.com r.-v.

Les étiquettes signalent les vins élus coups de cœur.

Languedoc et Roussillon

Vaste amphithéâtre ouvert sur la Méditerranée, la région Languedoc-Roussillon décline ses vignobles du Rhône aux Pyrénées catalanes. Premier ensemble viticole français, elle produit près de 80 % des vins de pays de France. Les vins de pays de départements (Aude, Gard, Hérault et Pyrénées-Orientales) représentent 3,1 millions d'hectolitres. Dans chacun de ces département les vins de pays produits sur une zone plus restreinte sont nombreux (57 zones) pour 1 million d'hectolitres. Enfin, le vin de pays régional « Vin de Pays d'Oc », constitué à 80 % des vins de cépage avec six grands cépages essentiellement (cabernet-sauvignon, merlot, syrah en rouge et chardonnay, sauvignon, viognier en blanc) représente 3,5 millions d'hectolitres.

Obtenus par la vinification séparée de cuvées, les vins de pays de la région Languedoc-Roussillon sont issus non seulement de cépages traditionnels (carignan, cinsault et grenache, syrah pour les vins rouges et rosés, clairette, grenache blanc, macabeu, muscat, terret pour les blancs) mais aussi de cépages non méridionaux : merlot, cabernet-sauvignon, cabernet franc, cot, petit verdot et pinot noir pour les vins rouges ; chardonnay, sauvignon et viognier pour les vins blancs.

Aude

BLANCS MALINS Muscat sec 2006 ★

0,95 ha 7 600 3 à 5 €

La cave de Leucate a fusionné en 1999 avec la coopérative de Quintillan, petit village des Hautes Corbières, créant ainsi un trait d'union entre les vignobles de la mer et ceux de la terre. Né sur des coteaux argilo-calcaires, le muscat à petits grains a donné ce vin à la robe pâle brillante, ornée de reflets verts, qui exprime au nez la maturité de la vendange par ses notes intenses de fruits exotiques. La bouche rejoue la même partition, équilibrant la rondeur du fruit par une bonne vivacité. Une bouteille parfaite pour l'apéritif.

Les Vignerons du Cap Leucate, 2, av. Francis Vals, 11370 Leucate, tél. 04.68.40.01.31, fax 04.68.40.08.90, e-mail cave-leucate@wanadoo.fr r.-v.

Cathare

VOIE ROMAINE 2006 ★

1,5 ha 10 000 3 à 5 €

Vous l'aurez deviné : cette coopérative se trouve sur la *via Aquitania*, la voie romaine qui assurait les échanges entre la mer Méditerranée et l'océan Atlantique. Du merlot (50 %), du cabernet-sauvignon et du cot pour un vin

VDP

rouge vif, au nez gourmand de fruits rouges (fraise) et noirs (mûre). De la fraîcheur et un même fruité au palais finissent de composer un profil jovial.
Vignerons de La Voie Romaine, 11170 Villeséquelande, tél. 04.68.76.01.11, fax 04.68.76.68.35, e-mail contact@voie-romaine.com r.-v.

Cévennes

CLOS LA ROQUE
Chardonnay Élevé en fût de chêne 2006 *

n.c. 5 000 5 à 8 €

Le caveau de vente de ce domaine a été aménagé dans un ancien temple protestant. Vous y découvrirez ce chardonnay vinifié en barrique neuve, aux arômes typiques de fruits secs. Vêtu d'or, le vin apparaît ample et rond, structuré par des tanins bien fondus qui laissent s'exprimer en finale des flaveurs de noisette.
Yves Simon, 589, Le Ranquet, 30500 Saint-Ambroix, tél. et fax 04.66.24.12.00, e-mail vignoblesimon@wanadoo.fr r.-v.

DOM. DE GOURNIER Chardonnay 2006 *

7 ha 42 000 5 à 8 €

Voici un élégant chardonnay vêtu d'or pâle à reflets verts. Aux senteurs typiques du cépage succède une bouche ronde et ample qui conserve une agréable fraîcheur et persiste bien. Une étoile brille aussi pour la **cuvée Templière 2005 rouge**.
Maurice Barnouin, Dom. de Gournier, ancienne Route Nationale, 30190 Boucoiran, tél. 04.66.83.30.91, fax 04.66.83.31.08, e-mail domaine.gournier@wanadoo.fr t.l.j. sf sam. dim. 8h-12h 14h-18h

PUECHCAMP Antarès 2004 *

1,3 ha 3 000 11 à 15 €

Domaine de 5 ha implanté à 300 m d'altitude dans le piémont cévénol (puechamp signifiant en langue d'oc « champ sur la montagne »). La syrah à 80 % et le grenache sont à l'origine de ce vin de teinte bigarreau, déclinant les fruits confits, le grillé et les épices. Des tanins bien fondus soulignent la chair ample, dense, qui égrène en finale des flaveurs balsamiques et réglissées. Pour civets et daubes.
Daniel Faure, SCEA Puechcamp, Les Près de Novis, 30460 Vabres, tél. et fax 04.66.85.01.52, e-mail puechcamp@wanadoo.fr r.-v.

VIGNES DE L'ARQUE Muscat 2006 *

1,4 ha 9 000 3 à 5 €

Non loin de la pittoresque cité d'Uzès dont les charmes furent si bien évoqués par André Gide, ces deux producteurs associés ont su tirer le meilleur d'un millésime délicat. Un muscat très typé, aux légers reflets verts, qui enchante par la finesse et la fraîcheur de sa chair persistante.
Fabre et Rouveyrolles, rte d'Uzès, 30700 Baron, tél. 04.66.22.37.71, fax 04.66.03.04.34, e-mail vigne-de-larque@wanadoo.fr t.l.j. 9h-12h 14h-19h

Cité de Carcassonne

DOM. LALANDE Les Hauts de Lalande 2005 *

5 ha 50 000 5 à 8 €

Un vin bien travaillé (six mois d'élevage en fût, pigeages répétés et microbullage), issu de l'assemblage de merlot, de cabernet-sauvignon, de syrah et de petit verdot. De la couleur, il n'en manque pas, non plus que de structure. C'est un 2005 taillé pour la garde, mais qui sait aussi être cajoleur grâce à ses arômes de fruits cuits et de réglisse. Il saura accompagner les plats régionaux. Une étoile revient aussi à la cuvée **Les Hauts de Lalande 2006 blanc**.
SCEA Ch. Lalande, 11610 Penautier, tél. 04.68.24.71.88, t.l.j. sf sam. dim. 8h-20h
Degroote

DOM. DE MILLEGRAND Merlot 2005 *

14,75 ha 45 000 3 à 5 €

Balayés par la tramontane, les plateaux graveleux sillonnés par le canal du Midi offrent de bonnes terres pour la vigne, sur lesquelles se situe le vaste domaine de Millegrand. Ce 2005 couleur grenat se signale par des arômes persistants de fruits rouges et une bouche ronde et équilibrée, soutenue par des tanins fins qui laissent une impression d'élégance. À servir avec des grillades et des charcuteries.
SCEA Ch. Millegrand, Dom. de Millegrand, 11800 Trèbes, tél. et fax 04.68.78.30.96 r.-v.

Coteaux de Fontcaude

DOM. MILHAU-LACUGUE
Pinot noir Élevé en fût de chêne 2006 *

0,26 ha 1 400 8 à 11 €

Non loin de l'abbaye de Foncaude, le domaine de Milhau-Lacugue constitue une étape agréable sur les anciens chemins de Saint-Jacques-de-Compostelle. Vous y trouverez ce pinot noir de teinte soutenue, tout disposé à livrer ses arômes de fruits rouges en confiture et sa chair aromatique, ronde et bien structurée. La typicité du cépage.
Ch. Milhau-Lacugue, Dom. de Milhau, rte de Cazedarnes, 34620 Puisserguier, tél. 04.67.93.64.79, fax 04.67.93.51.93, e-mail lacuguejean@yahoo.fr t.l.j. 10h-12h 14h-17h; sam. dim. sur r.-v.
Lacugue

ROC DELS NOVIS 2005 **

1,1 ha 7 000 5 à 8 €

Fondée en 1936, la coopérative de Puisserguier réserve un vin de chardonnay et de viognier des plus charmeurs. De la délicatesse dans la teinte paille à reflets verts, de la complexité dans les arômes de fruits blancs nuancés de grillé et de beurre, de l'équilibre dans la chair ample et persistante. Une cuvée qui appréciera sans attendre les gourmandises maritimes.

🔑 Les Vignerons de Puisserguier,
29, rue Georges-Pujol, 34620 Puisserguier,
tél. 04.67.89.49.22, fax 04.67.89.30.76,
e-mail info.france@v3t.fr
t.l.j. sf dim. lun. 10h30-12h30 13h30-17h;
f. 1re sem. de déc., 2 sem. fin jan.

DOM. DE SÉRIÈGE
Merlot cabernet-sauvignon 2005 *

■ 10 ha 80 000 3 à 5 €

Un très ancien domaine familial dont les premiers ceps furent plantés en 1533. Des cépages aussi atlantiques que le merlot et le cabernet-sauvignon se sont adaptés au climat héraultais pour donner ce vin rond et gouleyant. Rubis brillant, celui-ci décline une palette complexe, dominée par l'abricot et la cerise.

🔑 Barthélémy d'Andoque de Sériège,
Dom. de Sériège, 34310 Cruzy, tél. 04.67.89.77.01,
fax 04.67.89.49.03, e-mail bdandoque@yahoo.fr
t.l.j. sf sam. dim. 9h-12h 13h30-17h

Coteaux de Murviel

DOM. DES QUATRE RODES Syrah 2005 **

■ 1,3 ha 2 300 5 à 8 €

Un domaine cultivé selon les principes de la culture biologique, situé parmi les amandiers de la plaine de Thézau-les-Béziers. La syrah dans toute sa pureté s'exprime dans ce vin épicé et fruité, d'une remarquable concentration. La bouche est structurée par des tanins bien présents, mais au grain fin, qui laissent toute la place aux flaveurs de fruits en finale. Un passage en carafe de quelques heures ne sera que bénéfique avant un service avec une épaule d'agneau aux herbes.

🔑 Gilbert Querelle,
lieu-dit Les Vignals, 1, chem. des Quatre-Rodes,
34490 Thézan-les-Béziers, tél. 06.75.75.78.03,
fax 04.67.32.02.90,
e-mail nadine@querelle-conseils.com r.-v.

Coteaux de Peyriac

DOM. SANTORIN Pinot noir 2006 *

■ 1 ha 2 000 8 à 11 €

Audacieux et créatifs, les vignerons du Minervois... Plantée sur sol argilo-calcaire, une vigne encore adolescente, mais prometteuse a donné ce pinot noir rubis, de bonne intensité aromatique (fruits rouges). La fraîcheur est un autre de ses atouts qui lui permettra de s'associer à un gigot d'agneau à l'ail.

🔑 Michel Christin, Dom. Santorin, rue des Caves,
11160 Peyriac-Minervois, tél. et fax 04.68.78.16.51,
e-mail serranoh@wanadoo.fr r.-v.

Coteaux du Salagou

DOM. DU PIC SAINT-JEAN D'AUREILHAN
Les Pivoines 2005 **

■ 1 ha 2 000 5 à 8 €

La création du lac de Salagou a eu pour conséquence de réduire de moitié la superficie de ce domaine. Il reste heureusement 15 ha sur des terres de schistes et de grès où le merlot a donné naissance à ce vin pourpre sombre, finement parfumé de fruits mûrs et de touches florales. L'équilibre se réalise entre la rondeur et une fraîcheur bienvenue qui souligne le fruité. Les tanins soyeux contribuent au caractère aimable d'un 2005 prêt à passer à table.

🔑 Christian Arboux,
Dom. du Pic Saint-Jean-d'Aureilhan, 34800 Liausson,
tél. et fax 04.67.96.66.18,
e-mail christian.arboux@wanadoo.fr r.-v.

Côtes catalanes

ROUGE BAUX 2004 **

■ 2,8 ha 9 700 11 à 15 €

Depuis son rachat en 1997, le vieux mas catalan a été remis en état dans le respect de l'architecture d'origine et 80 % des vignes ont été replantées. Du grenache et du cabernet-sauvignon à parts égales est né ce 2004 drapé de grenat, dont le bouquet ouvert évoque les fruits rouges et les épices douces. Harmonieux dès l'attaque, le palais se déploie avec ampleur, étayé par des tanins présents, mais fondus.

🔑 Mas Baux, voie des Coteaux,
66140 Canet-en-Roussillon, tél. et fax 04.68.80.25.04,
e-mail contact@mas-baux.com r.-v.
🔑 Serge Baux

DOM. CAZES
Muscat viognier Le Canon de Maréchal 2006 *

□ 14,5 ha 40 000 5 à 8 €

Ancienne propriété du maréchal Joffre, ce vignoble cultivé en agriculture biologique et en biodynamie couvre 150 ha d'un seul tenant. Jaune paille brillant, le 2006 mêle les influences du muscat et du viognier (abricot mûr) dans sa palette intense, puis développe une chair ample et ronde, durablement fruitée et non dénuée de fraîcheur.

🔑 Dom. Cazes, 4, rue Francisco-Ferrer,
66602 Rivesaltes, tél. 04.68.64.08.26,
fax 04.68.64.69.79, e-mail info@cazes.com r.-v.
🔑 A. & B. Cazes

DOM. LAFAGE Grenache noir 2005 *

■ 3 ha 6 000 8 à 11 €

Un domaine dynamique qui n'a cessé de se développer depuis 1995. En 2006, Jean-Marc Lafage a fait l'acquisition d'un mas du XVe s. implanté sur un site archéologique. Ce grenache noir, bien en chair, révèle une coquette couleur brillante. Finement parfumé de fruits rouges, il fait preuve non seulement de structure, mais aussi de fraîcheur.

🔑 Jean-Marc Lafage,
SCEA Maison Lafage, Mas Miraflors, rte de Canet,
66000 Perpignan, tél. 04.68.80.35.82,
fax 04.68.80.38.90, e-mail contact@domaine-lafage.com
r.-v.

DOM. LAPORTE Muscat sec Siloe 2006 *

□ 7 ha n.c. 5 à 8 €

Couleur or pâle à reflets gris-vert, presque argentés, ce vin délivre d'intenses arômes muscatés, nuancés de fleurs blanches. Il laisse une impression de finesse et de fraîcheur au palais, sans rien perdre de son caractère aromatique jusqu'en finale.

Dom. Laporte, Ch. Roussillon, 66000 Perpignan,
tél. 04.68.50.06.53, fax 04.68.66.77.52,
e-mail domaine-laporte@wanadoo.fr
t.l.j. sf sam. dim. 9h-12h 14h-18h

DOM. DE TERRE ROUSSE Gren'H 2004 ★★

■ 5 ha 6 000 ▮ 5 à 8 €

À 2 km du château cathare de Queribus, Serge Rousse s'est installé dans les Fenouillèdes en 2003. Aidé de son fils, il a élaboré un grenache aux puissants arômes de fruits mûrs, qui se distingue par sa souplesse et sa rondeur caressante, tout en finesse. Le jury associerait volontiers ce vin à une épaule d'agneau confite.

Serge Rousse, Dom. de Terre Rousse,
31, rue Eugène-Delacroix, 33500 Libourne,
tél. 06.12.94.10.35, fax 05.57.51.05.73,
e-mail sergerousse@wanadoo.fr

VAQUER L'Expression Carignan 2005 ★★★

■ 2 ha 5 000 ▮ 11 à 15 €

Frédéric Vaquer, d'origine bourguignonne, a repris en 2001 un vieux mas entouré de 15 ha de vignes presque d'un seul tenant. Il rend ses lettres de noblesse au carignan grâce à cette cuvée pourpre profond qui livre un nez discret mais complexe de fruits surmûris, témoin d'une vendange parfaitement mûre. La chair est ample, structurée par des tanins au grain fin qui respectent le fruité et la fraîcheur de l'ensemble. Un vin prêt à boire, mais qui saura aussi attendre.

Dom. Vaquer, 1-2, rue des Écoles,
66300 Tresserre, tél. 04.68.38.89.53,
fax 04.68.38.84.42, e-mail domainevaquer@terre-net.fr
r.-v.

Côtes de Pérignan

DOM. DE BOÈDE Le Pavillon 2006 ★

■ 3 ha 23 700 3 à 5 €

Dominant l'assemblage (50 %), le cinsault bénéficie du renfort du grenache, du carignan et du mourvèdre dans ce vin riche de petits fruits rouges. Celui-ci apparaît fringant et croquant au palais, d'un juste équilibre. Apportez à table un plateau de charcuteries.

Paux Rosset, Ch. de La Négly,
11560 Fleury-d'Aude,
tél. 04.68.32.41.50, fax 04.68.32.10.69,
e-mail lanegly@wanadoo.fr
t.l.j. 10h-12h 14h-16h30; sam. dim. sur r.-v.

Côtes de Thongue

DOM. DE L'ARJOLLE
Sauvignon viognier Équilibre 2006 ★

6 ha 25 000 ▮ 5 à 8 €

Créé il y a une trentaine d'années, ce domaine est tenu aujourd'hui par six hommes de la même famille. C'est pourtant un vin féminin que l'on découvre, issu de la complicité du sauvignon et du viognier, dont le nez exprime la finesse de notes florales. Attaquant sur la fraîcheur, la bouche trouve un bon équilibre avant une finale sur le fruit.

Dom. de L'Arjolle, 7 bis, rue Fournier,
34480 Pouzolles, tél. 04.67.24.81.18, fax 04.67.24.81.90,
e-mail domaine@arjolle.com
t.l.j. sf dim. 9h-12h 14h-18h
Teisserenc

BARONNIE DE BOURGADE
Cabernet franc Les 3 Poules 2006 ★

■ 2 ha 10 000 ▮ 5 à 8 €

« Quand trois poules vont aux champs », comme le dit la chanson, que trouvent-elles ? Sur 2 ha argilo-caillouteux de la ferme fortifiée du domaine de Bourgade, sûrement quelques grains de cabernet franc. Ce cépage a transmis son élégante finesse à un rouge haut en couleur qui laisse apparaître en bouche de jolies saveurs fruitées, agrémentées d'un soupçon de poivre vert. Un vin harmonieux, à boire dès aujourd'hui.

Gilles de Latude, Baronnie de Bourgade,
34500 Béziers, tél. et fax 04.67.39.24.19,
e-mail info@les3poules.com
t.l.j. sf dim. 15h-19h

DOM. BASSAC Armonia 2006 ★

■ 20 ha 65 000 ▮ 3 à 5 €

Bassac est un domaine cultivé en agriculture biologique. Armonia est un heureux assemblage de six cépages, comprenant une forte proportion de merlot (60 %), raison pour laquelle le rouge vif de sa robe paraît porteur d'un classicisme atlantique. Le nez est plus méridional. Il s'appuie sur un fruit intense et un brin confit. La bouche, ronde et ample, est équilibrée par une bonne fraîcheur.

GAEC Delhon Frères, 92, rue de la Condamine,
34480 Puissalicon, tél. 04.67.36.05.37,
fax 04.67.36.63.27, e-mail domainebassac@wanadoo.fr
r.-v.

DOM. DE BRESCOU Cabernet-sauvignon 2005 ★

■ 4 ha 13 000 8 à 11 €

Au XVIIIe s., le domaine produisait du vin de messe. Aujourd'hui, les vignes de cabernet âgées d'un quart de siècle donnent ce vin à la robe sombre, presque noire, à reflets violines. Il fera merveille avec une poêlée de cèpes par la richesse de ses notes fruitées, grillées et épicées, et par ses tanins charnus et soyeux. Un ensemble d'une grande harmonie.

Dom. de Brescou,
SARL Saint-Victor, rte de Margon,
34290 Alignan-du-Vent, tél. 04.67.24.96.66,
fax 04.67.24.96.29, e-mail info@brescou.com
r.-v.
C. Bernadotte

DOM. LA CROIX BELLE N° 7 2004 ★

■ 17 ha 35 000 11 à 15 €

Pourquoi n ° 7 ? Parce que ce vin est issu de pas moins de sept cépages ! Avec ses arômes d'épices, de poivron et de cannelle soutenant l'expression d'un beau fruit, il se pose en champion du métissage. Le boisé élégant marque les tanins qui structurent une bouche ample, ronde et équilibrée. À déboucher pour accompagner une pièce de gibier.

SCEA Jacques et Françoise Boyer,
Dom. La Croix-Belle, 34480 Puissalicon,
tél. 04.67.36.27.23, fax 04.67.36.60.45,
e-mail information@croix-belle.com
t.l.j. 8h-12h 14h-18h; sam. dim. sur r.-v.

DOM. DESHENRYS Sauvignon 2006 ★

3 ha 10 000 3 à 5 €

Les Bouchard tirent de beaux accords des 3 ha de sauvignon sur argilo-calcaire qui s'offrent aux vents marins. Ce vin évolue, au nez, sur des notes de buis, de chèvrefeuille et de fruits exotiques. Équilibrée, la bouche allie de la rondeur à la fraîcheur des agrumes. À ouvrir sans attendre à l'apéritif.

Bouchard, Dom. Deshenrys, 3, rue de Fraïsse,
34290 Alignan-du-Vent, tél. 04.67.24.91.67,
fax 04.67.24.94.21,
e-mail info@vignoblesbouchard.com
t.l.j. sf sam. dim. 9h-12h 14h-18h

DOM. LES FILLES DE SEPTEMBRE 2006 ★

■ 1,75 ha 5 000 3 à 5 €

La gaieté semble la marque de fabrique de ce rosé qui reflète d'agréables éclairs bleutés. Floral et délicat, il affiche en bouche une finesse et une fraîcheur, écho d'un beau terroir argilo-calcaire, avant de s'épanouir sur des flaveurs fruitées. Dans le même style équilibré, la cuvée **Danaé rouge 2005** décroche une étoile.

Roland Géraud,
Dom. Les Filles de septembre, 30, av. Guynemer,
34290 Abeilhan, tél. et fax 04.67.39.01.65,
e-mail les-filles-de-septembre@club-internet.fr
t.l.j. sf dim. 10h-12h 15h-19h; f. fév.

JEU DE PATIENCE 2004 ★

■ 1 ha 3 000 15 à 23 €

« Patience et longueur de temps font plus que force ni que rage ! » L'adage s'applique à cette cuvée élevée un an en fût, qui assemble syrah et grenache. Le bouquet riche et complexe marie les fruits rouges aux épices. Ce duo revient parfumer une chair structurée et équilibrée d'une grande longueur. Pour accompagner un pavé de biche aux airelles.

Alingrin, Dom. de l'Horte, 34480 Magalas,
tél. et fax 04.67.36.62.75,
e-mail domaine-horte@hotmail.fr r.-v.

DOM. MAGELLAN
Grenache carignan Vieilles Vignes 2005 ★

■ 6 ha 20 000 8 à 11 €

Cette propriété en déshérence a été reprise en 1999 par Bruno Lafon. L'important travail accompli pour la revalorisation des terroirs villafranchiens atteste la volonté de filer vers un cap de « bonne espérance ». Les vieilles vignes de grenache (70 %) et de carignan affichent une belle vigueur que l'on retrouve dans ce rouge aux intenses reflets violacés. Charnue, savoureuse, la bouche est marquée par un fruité agréable. Pour faire la cour à une côte d'agneau grillée.

Dom. Magellan, 467, av. de la Gare,
34480 Magalas, tél. 04.67.36.20.83, fax 04.67.36.61.98,
e-mail contact@domainemagellan.com
t.l.j. sf sam. dim. 9h-12h 13h30-17h30
Bruno Lafon

DOM. MONPLEZY Félicité 2004 ★

■ 2 ha 3 300 11 à 15 €

À l'énoncé des noms de baptême des cuvées, on pénètre la philosophie des lieux. Cette Félicité est un bonheur gustatif aux intenses notes fruitées et poivrées, aux tanins fins et soyeux étoffant une bouche ample et ronde. Le rosé du domaine **Plaisirs interdits 2006** obtient également une étoile.

Sutra de Germa-Gil,
Dom. Monplezy, chem. Mère-des-Fontaines,
34120 Pézenas, tél. 04.67.98.27.81, fax 04.67.01.47.44,
e-mail domainemonplezy@orange.fr r.-v.

LES FLEURS DE MONTBLANC
Muscat viognier 2006 ★

3,85 ha 20 000 3 à 5 €

Un assemblage muscat-viognier, vendangés en fin de nuit et en début de matinée pour profiter des températures les plus fraîches. Enfant des terroirs villafranchiens, ce 2006 resplendit dans sa tenue jaune pâle. Un doux fruité de pêche et de litchi annonce une bouche ensoleillée, pleine de finesse et de fraîcheur. **Les Fleurs de Montblanc rosé 2006** proposent un joli flacon issu de syrah. Ce vin obtient une étoile.

Les Vignerons de Montblanc, av. d'Agde,
34290 Montblanc, tél. 04.67.98.50.26,
fax 04.67.98.61.00,
e-mail cavecoop.montblanc@wanadoo.fr r.-v.

DOM. DE MONTMARIN Sauvignon 2006 ★

18 ha 100 000 - de 3 €

Ancienne seigneurie royale, le domaine de Montmarin est établi en bordure d'une ancienne voie romaine, à proximité du Cap d'Agde. Exposées aux vents garantissant une fraîcheur quasi permanente, les parcelles de sauvignon ont engendré des baies porteuses de vertus bien connues : arômes de buis, notes de fleurs blanches, bouche rafraîchissante et de bonne longueur. Pour l'apéritif.

Philippe de Bertier, Dom. de Montmarin,
34290 Montblanc, tél. 04.67.77.47.70,
fax 04.67.77.58.50 r.-v.

DOM. MONTROSE Doux 2005 ★★

0,4 ha 2 400 5 à 8 €

C'est dans une ancienne magnanerie reconvertie en exploitation viticole que travaille la famille Coste. On ne lézarde pas au soleil languedocien, comme pourrait le laisser penser le blason de la propriété. Sur une mini-parcelle de cailloutis villafranchien, le muscat a donné ce vin dont la robe d'or fin annonce une olfaction aux complexités délicates. Très élégante, la bouche maintient longtemps sa fraîcheur sur des notes fruitées.

Bernard Coste, Dom. Montrose, RN 9,
34120 Tourbes, tél. 04.67.98.63.33, fax 04.67.98.65.27,
e-mail contact@domaine-montrose.com
t.l.j. sf sam. dim. 9h-12h30 14h-18h30

VDP

DOM. SAINTE-ROSE Syrah Le Pinacle 2005 **

■	1,24 ha	4 000	15 à 23 €

Déjà distinguée par deux étoiles l'an dernier pour le 2004, cette cuvée se situe à nouveau dans les sommets gustatifs. Au nez, les parfums des baies noires mûres rencontrent les douces épices et un boisé finement mesuré. Ample et ronde, la chair trouve en finale des accents vanillés.

Dom. de Sainte-Rose, 34290 Servian, tél. 04.67.39.07.54, fax 04.67.39.09.76, e-mail info@sainterose.com r.-v.

Simpson

DOM. SAINT-GEORGE D'IBRY
Excellence 2006 *

	2 ha	8 000	5 à 8 €

Le chardonnay (50 %) est le chef de file d'une compagnie qui comprend le sauvignon, le muscat et le viognier. Paré d'une robe légère et lumineuse à reflets verts, ce 2006 livre un nez expressif aux accents floraux. La chair fine et délicate s'épanouit longuement au palais. Parfait pour l'apéritif.

Michel Cros, Dom. Saint-Georges d'Ibry, rte d'Espondeilhan, 34290 Abeilhan, tél. 04.67.39.19.18, fax 04.67.39.07.44, e-mail info@saintgeorgesdibry.com
t.l.j. 9h-12h 14h-18h; dim. sur r.-v.

TARRAL Sauvignon 2006 **

	n.c.	40 000	3 à 5 €

La cave a recherché dans cette cuvée l'extraction juste et précise du fruit, négligeant les maquillages boisés. Bonne expression du terroir argilo-calcaire au travers d'une minéralité perceptible dès l'olfaction. Les notes de buis, de fleurs blanches et de citron mûr jouent la partition du sauvignon. Équilibrée, pleine de fraîcheur, la bouche joue la carte de la séduction sur des notes de fruits. Pour un flirt avec des moules marinières.

Les Vignerons de Pouzolles-Margon, av. de Roujan, 34480 Pouzolles, tél. 04.67.24.61.62, fax 04.67.24.82.57, e-mail d.quer@tarral.com r.-v.

Côtes du Brian

CONFIDENCES DES TROIS BLASONS 2006 *

■	1,33 ha	13 330	- de 3 €

Confidence pour confidence... Les dégustateurs ne sont pas restés insensibles à la teinte pimpante de ce vin, non plus qu'à ses arômes de fruits intenses qui lui donnent un profil jovial. Une même ligne aromatique souligne la bouche fraîche et pourtant non dénuée d'ampleur.

SCV Les Crus du Haut-Minervois, Cave Les Trois Blasons, 34210 Azillanet, tél. 04.68.91.22.61, fax 04.68.91.19.46, e-mail les3blasons@wanadoo.fr
t.l.j. 8h30-12h30 14h30-18h30

Duché d'Uzès

LES COTEAUX CÉVENOLS 2006 *

■	19,33 ha	25 000	3 à 5 €

Syrah (80 %) et grenache composent ce vin bien construit autour de tanins de qualité. Sous une teinte d'un rouge soutenu éclairée de reflets violets apparaissent des arômes élégants de petits fruits rouges, rehaussés de notes épicées. Une fraîcheur gouleyante au palais invite à un service immédiat avec des plats régionaux.

SCA Les Coteaux Cévenols rte Canaules, 30170 Durfort, tél. 04.66.77.50.55, fax 04.66.77.02.83, e-mail coteaux.cevenols@wanadoo.fr
t.l.j. sf sam. dim. 9h-12h 14h-18h

ORÉNIA 2006 *

■	22 ha	50 000	5 à 8 €

Élu meilleur sommelier de France en 1986, Philippe Nusswitz s'est installé dans une magnanerie du XVII[e]s. du piémont cévenol qu'il a transformée, aménageant gîte et chambres d'hôtes. Les deux dernières lettres des prénoms de ses enfants composent le nom de cette cuvée, née de syrah et de grenache. Teinte rubis, nez expressif de fruits rouges, chair ronde et souple, d'une agréable fraîcheur aromatique : autant d'atouts à l'heure de passer à table.

SARL Philippe Nusswitz, La Bruguière, 30170 Durfort, tél. 04.66.80.40.45, e-mail philippe@orenia.fr r.-v.

DOM. DE L'ORVIEL 2005 *

■	3 ha	5 000	5 à 8 €

En 2002, Jean-Pierre Cabane a quitté la coopérative pour voler de ses propres ailes. Il signe un 2006 de syrah et de grenache, dont la teinte presque noire annonce la concentration. Aux arômes intenses de fruits nuancés de fumée répond une matière structurée, puissante, qui s'épanouira avec le temps.

SCEA Cabane Frères, Mas Flavard, 30350 Saint-Jean-de-Serres, tél. et fax 04.66.83.45.96, e-mail jean-pierre.cabane@orviel.com
t.l.j. 10h-12h 14h-19h

Gard

DOM. LES BAÏLLOUX
Syrah carignan Fruité 2006 *

■	0,5 ha	2 200	5 à 8 €

Le contenu tient les promesses de l'étiquette. « Fruité », ce vin l'est bel et bien par ses évocations de cassis et de fruits rouges variés. Les tanins jouent les taquins au palais, mais ils sont de bonne naissance et sauront se fondre dans la chair ample et persistante. Une étoile a également été attribuée au **Domaine Les Baïlloux Corsé cabernet-sauvignon merlot 2006 rouge**.

Baïlle, 3, rue de la Bombe, 30470 Aimargues, tél. 06.26.76.92.76, e-mail lesbailloux@hotmail.fr
r.-v.

DOM. COMBE DE LA BELLE
Grenache Jonas 2005 ***

■	1,6 ha	5 000	5 à 8 €

Un pur grenache de couleur vive et brillante, exprimant des arômes intenses de fruits, d'épices et de garrigue. Équilibré, il fait preuve d'ampleur et de rondeur jusque dans la longue finale fruitée. Quand la puissance rejoint l'élégance.

Philippe Briday, 1783, chem. de Bouillagues, 30800 Saint-Gilles, tél. et fax 04.66.27.45.31, e-mail combedelabelle@wanadoo.fr r.-v.

DOM. DE DONADILLE Viognier 2006 *

0,44 ha n.c. 5 à 8 €

Les élèves du lycée agricole n'ont pas ménagé leurs efforts pour élaborer ce viognier de belle allure, offrant au regard sa robe vieil or. Les senteurs d'agrumes et de fruits exotiques sont au rendez-vous et trouvent un long écho au palais, en accompagnement d'une chair ronde.

Dom. de Donadille, Lycée agricole Marie-Durand, av. Yves-Cazeaux, 30230 Rodilhan, tél. 04.66.20.67.68, fax 04.66.20.67.69, e-mail expl.nimes@educagri.fr t.l.j. sf dim. lun. 13h30-17h30; sam. 9h-12h

DOM. DE SAINT-ANTOINE Syrah 2006 **

4 ha 12 000 3 à 5 €

Autrefois propriété de religieux et rattaché au duché d'Uzès, le domaine couvre aujourd'hui 25 ha aux portes de la Camargue. Cette syrah, vêtue de pourpre, décline de fins arômes de violette et de cassis mûr, puis développe sa chair ample, ronde et longuement savoureuse. Une étoile revient au **Merlot 2006**.

Jean-Louis Emmanuel, EARL Dom. de Saint-Antoine, 30800 Saint-Gilles, tél. et fax 04.66.01.87.29 t.l.j. sf dim. 8h-12h 14h-18h

DOM. DE TAVERNEL 2006 **

65 ha 400 000 - de 3 €

Le père du poète Frédéric Mistral possédait cette propriété, une maison de maître encadrée par deux pavillons aux tuiles vernissées vertes. Pas moins de six cépages, cultivés en agriculture biologique, entrent dans ce vin, dont 30 % de caladoc et 10 % de marselan. Sous une teinte burlat à reflets violines se manifestent de puissantes évocations de cassis, de myrtille et de framboise, sur fond floral et réglissé. La bouche est fraîche, souple grâce à des tanins bien fondus qui autorisent un service immédiat comme une petite garde.

GFA Dom. de Tavernel, rte de Fourques, 30300 Beaucaire, tél. 04.66.58.57.01, fax 04.66.59.38.30, e-mail tavernel@wanadoo.fr t.l.j. sf dim. 8h-18h; sam. 9h-12h

Vous trouverez la clé des symboles p. 6 et sur le marque-page.

Haute vallée de l'Aude

DOM. D'ANTUGNAC
Pinot noir Côté Pierre Lys 2005 **

2 ha 10 000 11 à 15 €

Les Collovray et Terrier, producteurs en Mâconnais, ont repris ce domaine il y a dix ans. Rien d'étonnant à ce qu'ils produisent ici des vins issus de pinot noir, cépage bourguignon par excellence. Ce 2005 montre qu'ils en maîtrisent parfaitement la vinification et l'élevage. La robe élégante à reflets grenat invite à découvrir un bouquet complexe, mêlant les fruits confits aux notes de girofle. L'équilibre est atteint au palais entre une chair fruitée et un fin boisé. À découvrir sur un filet mignon de porc.

Collovray et Terrier, Ch. d'Antugnac, 4, rue du Château, 11190 Antugnac, tél. 04.68.74.22.38, fax 04.68.74.22.60, e-mail info@collovrayterrier.com r.-v.

Hauterive

DOM. DE VAUGELAS 2005 *

12 ha 120 000 3 à 5 €

Fondé en 1604 par les moines bénédictins, ce domaine compte aujourd'hui 120 ha sur sols argilo-calcaires. Merlot (70 %), carignan et syrah s'unissent dans ce vin rouge brillant qui a hérité de son séjour de six mois sous bois des arômes de café en complément de senteurs de fruits rouges. La bouche ample, bien structurée s'étire durablement en finale pour laisser le souvenir de flaveurs de réglisse. Pour des grillades et des fromages forts.

SCEA Ch. de Vaugelas, 11200 Camplong-d'Aude, tél. 04.68.43.68.41, fax 04.68.43.57.43, e-mail chateauvaugelas@wanadoo.fr r.-v. E

Bonfils

Hérault

DOM. BÉRÉNAS L'Iris 2004 *

1,4 ha 5 700 15 à 23 €

La famille Tison a acquis en 2006 ce domaine de plus de 18 ha, qui comprend des bâtiments vieux de deux cents ans. Assemblage audacieux composé d'une majorité de petit verdot pour 30 % de syrah, ce vin grenat exprime des arômes variés, hérités des douze mois d'élevage sous bois : grillé, tabac, cacao, par exemple. La chair est riche, dense, enveloppant parfaitement les tanins. Une petite garde est envisageable.

Dom. Bérénas, RN 9, 34800 Nébian, tél. 04.67.96.27.80, fax 04.67.96.39.57, e-mail contact@berenas.com r.-v.

Tison

MAS DE L'ONCLE Cuvée Denis 2004 **

1 ha 1 500 8 à 11 €

Gérard Véziès a repris une partie des vignes de son oncle pour créer son propre domaine en 2004. Il propose un vin de chenançon, cépage obtenu par croisement de grenache noir et de jurançon noir. Vêtu de grenat, celui-ci décline une palette complexe nuancée de notes torréfiées, puis emplit le palais d'une chair équilibrée, toujours soulignée d'une ligne boisée harmonieuse.

🔑 Gérard Véziès, 4, rue Castillon, 34000 Montpellier, tél. 06.84.49.99.38, fax 04.67.06.95.22, e-mail jolilaur@wanadoo.fr ☑ 🍷 🚶 r.-v.

DOM. DE MOULINES Cuvée Prestige 2004 *

■ 4,5 ha 25 000 ⚫ 5 à 8 €

Entre Nîmes et Montpellier, ce domaine, commandé par une grande maison de maître, couvre 55 ha. Un long élevage de vingt-quatre mois a été réservé à sa cuvée Prestige, assemblage de merlot, de cabernet franc et de cabernet-sauvignon. Il en résulte une teinte pourpre, des nuances vanillées et mentholées en contrepoint du fruit, puis une chair ronde et ample, bien structurée. Une cuvée prête à affronter une gardiane de taureau, mais qui saura aussi se faire désirer un an ou deux.

🔑 Michel Saumade, Dom. de Moulines, 34130 Mudaison, tél. 04.67.70.20.48, fax 04.67.87.50.05 ☑ 🍷 🚶 t.l.j. sf dim. 9h-12h 14h-19h

DOM. LES QUATRE PICAS La Croix du Jubilé 2005 **

□ 0,9 ha 4 400 ⚫ 8 à 11 €

Doté d'un vaste chai de 550 m², ce domaine est bien équipé pour vinifier le fruit de ses 25 ha. Heureuse cohabitation que celle du viognier et du chardonnay dans un vin doré brillant, au boisé fondu. La fraîcheur s'équilibre avec la rondeur de la chair, suffisamment ample pour persister agréablement en finale. Une daurade au four devrait mettre en valeur le caractère de ce 2005.

🔑 Joseph Bousquet, chem. de Pignan, 34570 Murviel-lès-Montpellier, tél. et fax 04.67.47.89.32 ☑ 🍷 🚶 r.-v.

Oc

DOM. D'AIGUES BELLES Cuvée Nicole 2004 *

■ 3,1 ha 5 430 ▮⚫ 11 à 15 €

Rénovés de fond en comble, les chais du domaine d'Aigues Belles affrontent sans broncher les canicules. Un élevage bien mené a donné naissance à cette séduisante cuvée Nicole, un vin d'assemblage où la syrah et le cabernet-sauvignon jouent le premier rôle, qui se présente dans une élégante livrée grenat. Le nez se révèle d'abord empyreumatique avant de délivrer des arômes de fruits noirs macérés dans l'alcool. Harmonieuse, la bouche possède des tanins fondus. Une bouteille à réserver à des viandes rouges.

🔑 Palatan, Dom. d'Aigues Belles, Aiguebelle, 30260 Brouzet-les-Quissac, tél. 06.07.48.74.65, e-mail gilles.palatan@traxys.com ☑ 🍷 🚶 r.-v. 🏠 E

AUBAÏ MEMA La Douzième 2005 *

■ 0,75 ha 4 960 ⚫ 11 à 15 €

Depuis 2002, Mark Haynes, un Franco-Britannique, a repris le domaine (près de 11 ha, conduits en biodynamie) et a converti l'ancienne coopérative du village en chais et en bar à vins. Vous pourrez y goûter celui-ci issu de vieilles vignes de syrah. Un 2005 qui s'exprime sans emphase sur de puissants arômes de fruits cuits et qui développe des tanins de velours. Une bouteille à servir sans tarder.

🔑 SARL Les Terres d'Aubais, 20, av. Émile-Léonard, 30250 Aubais, tél. 04.66.73.52.76, fax 04.66.77.02.67, e-mail mark.haynes@aubaimema.com ☑ 🍷 🚶 t.l.j. 10h30-15h 17h30-24h; f. fév. 🏠 6

🔑 Mark Haynes

DOM. BELOT Merlot 2005 *

■ 4,4 ha 25 000 ▮ 5 à 8 €

Récemment restauré, ce domaine où Louis XIV effectua un court séjour lors d'une chasse royale en Languedoc offre un merlot gourmand. Ce vin se caractérise par un nez de fruits mûrs relevés d'une élégante note mentholée et par une bouche aux tanins veloutés. Une bouteille pleine de promesses.

🔑 Ch. Belot, Dom. Le Tendon, rte de Cessenon-sur-Orb, 34360 Pierrerue, tél. et fax 04.67.38.08.96, e-mail vignoble.belot@wanadoo.fr ☑ 🍷 🚶 t.l.j. sf dim. 9h-12h 14h-19h

JEAN BERTEAU Viognier 2006 *

□ 12,5 ha 116 000 ▮ 3 à 5 €

Jean Berteau est le nom d'un ancien directeur de la Compagnie rhodannienne qui commercialise ce viognier de facture classique. Le nez évoque les fruits exotiques (ananas et mangue). On retrouve ces arômes dans un palais rond et légèrement épicé. À servir à l'apéritif.

🔑 La Compagnie rhodanienne, chem. Neuf, 30210 Castillon-du-Gard, tél. 04.66.37.49.50, fax 04.66.37.49.51, e-mail pierre.martin@rhodanienne.com

🔑 Taillan

LE ROSÉ DE BESSAN Syrah 2006 **

■ 1,67 ha 5 400 3 à 5 €

Fondée en 1938, la coopérative de Bessan vinifie 520 ha. Drapé dans un manteau fuchsia brillant, son rosé déploie à l'olfaction de riches parfums de fruits exotiques. Le parcours gustatif est également marqué par les fruits et se prolonge agréablement. Une bouteille qui pourra accompagner tout un repas. Le **Cuvée spéciale rosé 2006** obtient une étoile.

🔑 SCA Le Rosé de Bessan, Chem. de la Coopérative, 34550 Bessan, tél. 04.67.77.42.03, fax 04.67.77.50.42 ☑ 🍷 t.l.j. sf dim. 9h-12h30 15h-19h

DANIEL BESSIÈRE Merlot Signature 2006 *

■ 58 ha 350 000 ▮ - de 3 €

De nouveau distingué cette année, ce vin rouge éclatant de vitalité est porteur des qualités du cépage merlot : nez expressif sur les fruits rouges un brin confiturés, bouche ronde et équilibrée, à la finale aromatique et persistante.

🔑 SA Bessière, 40, rue du Port, 34140 Mèze, tél. 04.67.18.40.40, fax 04.67.43.77.03, e-mail bessiere@bessiere.fr

DOM. LE BOUÏS Zoé 2006 **

■ 3 ha 6 600 ▮ 5 à 8 €

Une de ces promesses de l'Aude dont on ne se lasse pas. Plantées à proximité du littoral, sur des colluvions argilo-limoneuses, les vignes de carignan, de mourvèdre et de syrah ont donné un vin à la bouche riche qui bénéficie au maximum de la structure de ces différents cépages. Une bouteille dense et fruitée, à marier à des cuisines régionales lors d'un repas sans façons, mais non sans saveurs.

🔑 De Kerouartz, SCEA Ch. Le Bouïs, rte Bleue, 11430 Gruissan, tél. 04.68.75.25.25, fax 04.68.75.25.26, e-mail chateau.le.bouis@wanadoo.fr ☑ 🍷 t.l.j. sf dim. 9h-12h 14h-18h; en été t.l.j. 10h-13h 15h-19h 🏠 7

DOM. BRESSON 2006 ★

■	20 ha	40 000	▮	3 à 5 €

Pimpant dans sa robe vive à reflets gris bleuté, ce rosé aromatique mi-syrah mi-cabernet offre un nez marqué par la fraise des bois. La bouche, fraîche et ronde, développe des arômes de fruits rouges.

CVR Bourdouil, Dom. Bresson, chem. du Mas Bresson, 66000 Perpignan, tél. 04.68.85.01.42, fax 04.68.68.03.54

CAMAS Pinot noir 2005 ★

■	5 ha	15 000		3 à 5 €

Terre de chardonnay, la région de Limoux deviendra-t-elle aussi terre de pinot noir ? Un cépage qu'elle aurait cultivé dans le passé. Variété de culture délicate dans le Sud, le cépage bourguignon se plaît dans les zones fraîches de la haute vallée de l'Aude où sa présence va croissant. Finement vinifié, celui-ci ravit par sa vivacité ; la bouche est construite autour de tanins de qualité. Un vin à l'allure conquérante.

Anne de Joyeuse, 34, promenade du Tivoli, 11300 Limoux, tél. 04.68.74.79.40, fax 04.68.74.79.49, e-mail commercial.france@cave-adj.com
t.l.j. sf dim. 9h-12h30 15h-19h

DOM. CAPENDU Cuvée Prestige 2005 ★★

■	10 ha	80 000		3 à 5 €

Ce domaine de 87 ha est installé dans l'aire des Corbières. Pour ce vin de pays, il a assemblé le merlot et le cabernet-sauvignon. Cette cuvée Prestige est un petit chef-d'œuvre de puissance et d'équilibre. Au nez, elle s'annonce avec une énergie toute cathare : le bouquet de fruits noirs s'agrémente d'une pointe épicée. La bouche, charpentée et séveuse à souhait, montre aussi de beaux muscles. Un vin à boire entre amis.

Ch. Capendu, pl. de la Mairie, 11700 Capendu, tél. 04.68.79.00.61, fax 04.68.79.08.61, e-mail contact@chateau.capendu.com
t.l.j. sf sam. dim. 8h-12h 14h-18h
Didier Ragaru

CAPION 2C Cardinal Collection 2005 ★

■	3 ha	5 000	◧	11 à 15 €

Dans la vallée du Gassac, le vignoble entoure un château du XVII[e]s. bordé de jardins à la française. Roussanne, viognier et chardonnay plantés sur un terroir argilo-calcaire ont donné un vin élégant. La bouche boisée développe de fraîches saveurs citronnées conformes aux espérances olfactives. Pour l'apéritif.

SCA de Ch. Capion, Dom. de Capion, 34150 Gignac, tél. 04.67.57.71.37, fax 04.67.57.47.39, e-mail chateau.capion@wanadoo.fr
t.l.j. sf sam. dim. 8h-12h 14h-18h

DOM. DU CHÊNE Grenache 2006 ★★★

■	3 ha	6 000	▮	3 à 5 €

Il trône au beau milieu du domaine, le chêne millénaire avec, dit-on, enfoui parmi ses racines, le trésor des Templiers... Cette cuvée de grenache entrera-t-elle, elle aussi, dans la légende ? Telle n'est pas la vocation d'un rosé ! Mais elle réjouira peut-être votre table cette année. Sa carnation délicate évoque les jeunes pétales de rose et la tendre fleur de pêcher. À l'olfaction, elle suscite mille évasions et rêveries : minéralité un peu acide du calcaire,

parfums des premiers iris au printemps, senteurs vives des bourgeons de cassis écrasés. D'une grande élégance, la bouche se montre fine, légère, dansante et équilibrée.

Dom. du Chêne, rue Mistral, 30190 Castelnau-Valence, tél. et fax 04.66.83.21.91, e-mail sylvain.ozil@free.fr t.l.j. 8h-20h

DOM. DE LA CLAPIÈRE 2005 ★

■	2 ha	8 000	◧	5 à 8 €

Le terroir du domaine de la Clapière engendre régulièrement des vins complexes comme ce millésime 2005. Le merlot majoritaire (90 %) complété par une pointe de cabernet et un appoint de syrah a donné un vin pourpre, gracieux, qui révèle au nez comme en bouche une palette intéressante : fruits confits nuancés de poivre et arômes cacaotés légués par un élevage méthodique. Des tanins souples rendent cette bouteille fort harmonieuse. À servir sur un civet de marcassin.

SARL Dom. de la Clapière, 34530 Montagnac, tél. 06.17.74.35.33, fax 04.67.24.06.16, e-mail sophie.palatsi@laclapiere.com
r.-v. 7
Sophie et Xavier Palatsi

DOM. DES DEUX RUISSEAUX Sauvignon 2006 ★

□	25 ha	19 500	▮	5 à 8 €

Le domaine est implanté entre canal du Midi et Méditerranée, sur l'emplacement d'une villa romaine, près de l'antique *via Domitia*. Il s'est modernisé depuis 1980, tant dans son encépagement que dans ses équipements. Il possède depuis cette année un nouveau chai de vieillissement que n'a donc pas connu ce sauvignon 2006. Sec et nerveux, légèrement végétal à l'olfaction, c'est un vin agréable. Le « vin de soif » par excellence.

Valery, Dom. des Deux Ruisseaux, rte de Béziers, 34410 Sauvian, tél. 04.99.41.02.74, fax 04.67.39.54.00, e-mail domainedes2ruisseux@wanadoo.fr
t.l.j. sf dim. 10h-13h 15h-20h; (ouv. dim. en été)

DOM. DEVOIS DU CLAUS La Clef des Champs 2004 ★

■	1,8 ha	4 000	▮◧	5 à 8 €

Les premières vignes du domaine furent plantées en 1835 au pied du château de Montferrand sur un terrain de rocailles et de marnes calcaires. Aujourd'hui, elles s'étendent également autour du Pic Saint-Loup. Un assemblage équilibré (50 % de merlot, 25 % de grenache et de carignan) a présidé à la naissance de ce vin expressif. Cette cuvée se caractérise par des arômes de fruits secs, une bouche ample et finement boisée. Une bouteille à boire dès maintenant sur une brouillade aux truffes.

VDP

André Gély, Devois du Claus, 38, rue du Porche, 34270 Saint-Mathieu-de-Tréviers, tél. 06.75.37.19.58, fax 04.67.55.06.86 r.-v.

GEORGES DUBŒUF Chardonnay 2006 ★★

n.c. 40 000 3 à 5 €

Certes, le lieu de prédilection du chardonnay est la Bourgogne ! Mais Georges Dubœuf, habile découvreur de terroirs et de talents, a enrôlé sous sa bannière de bons vignerons qui ont tiré le meilleur du cépage planté sur cailloutis calcaires. Un vin remarquable de densité et d'équilibre. Sa fraîcheur appelle des produits de mer délicats, comme des coquilles Saint-Jacques. Même note pour **La Syrah 2006**.

Les Vins Georges Dubœuf, La Gare, 71570 Romanèche-Thorins, tél. 03.85.35.34.20, fax 03.85.35.34.25, e-mail gduboeuf@duboeuf.com t.l.j. 10h-18h au Hameau du Vin; f. début jan.

DOM. DE L'ÉCOLE Cabernet-sauvignon Cuvée Élite 2005 ★

2 ha 1 600 8 à 11 €

Le domaine de l'École, comme le suggère son nom, dépend de l'établissement d'enseignement agricole des Pyrénées-Orientales. Il propose un vin issu de raisins soigneusement triés à la parcelle et vinifiés avec précaution. Souple et avec des tanins bien fondus, cette cuvée se mariera parfaitement avec un curry d'agneau.

Dom. pédagogique, Le Mas de la Garrigue, 3, bd des Pyrénées, 66600 Rivesaltes, tél. et fax 04.68.64.86.25, e-mail expl.legta.rivesaltes@educagri.fr lun. au ven. 15h30-18h30; sam. 9h30-12h30

DOM. DE EMBASTIES 2006 ★

15 ha 34 000 - de 3 €

Un chardonnay planté dans des terres minervoises. Derrière une robe jaune paille à beaux reflets, le nez délivre de fins arômes de pain grillé. La bouche, ample, développe des saveurs de pain d'épice. Ce vin accompagnera une friture de petits poissons.

Les Coteaux du Minervois, 7, av. des Cathares, 11700 Pépieux, tél. 04.68.91.41.04, fax 04.68.91.41.07, e-mail geraud-pepieux@wanadoo.fr r.-v.

ENCLOS DE LA CROIX 2002 ★★

6 ha 18 000 11 à 15 €

La huitième génération est aujourd'hui à l'ouvrage sur ce domaine de 23 ha de vignes d'un seul tenant entièrement ceint d'un mur de pierre bordé d'oliviers. Un millésime dominé par le merlot, avec un appoint de cabernets. La teinte rouge légèrement tuilée de la robe annonce un début d'évolution. La bouche, ronde et de belle maturité, est marquée par la chaleureuse présence des fruits caressés par des épices douces et possède des tanins agréables. À servir sans trop attendre sur des viandes rouges ou blanches.

Dom. des Plantades, Enclos de la Croix, 2, av. Marius-Ales, 34130 Lansargues, tél. 06.62.61.08.13, fax 04.67.86.72.11, e-mail fd@enclosdelacroix.com t.l.j. sf dim. 10h-12h30 14h-19h

DOM. DE L'ENGARRAN 2005 ★

3 ha 16 000 5 à 8 €

Un château du XVIII[e]s. classé Monument historique, un jardin à la française et un vignoble de 50 ha. Sur l'étiquette de cette bouteille, une statue du parc qui figure une lionne dévorant des raisins symbolise le mariage de la force et de la gourmandise. Ce vin moderne recherche l'élégance portée par le merlot (15 %) et le cabernet franc (30 %) ainsi qu'une puissance tannique transmise par le carignan (33 %) et la syrah (22 %). Cette cuvée se distingue également par des notes empyreumatiques aux accents de moka et de cacao, léguées par l'élevage. La bouche charnue, les tanins fins et enrobés en font une bouteille de charme.

Ch. de L'Engarran, 34880 Lavérune, tél. 04.67.47.00.02, fax 04.67.27.87.89, e-mail lengarran@wanadoo.fr t.l.j. 10h-13h 15h-19h

Grill

DOM. FERRI ARNAUD Chardonnay 2006 ★★

1 ha 9 000 5 à 8 €

Les plages ne sont qu'à 15 km de ce domaine constitué à partir de 1963 par des acquisitions successives. Aujourd'hui, la propriété propose un chardonnay au nez exubérant d'agrumes, avec une belle rétro-olfaction tout en fraîcheur. En bouche, l'équilibre est parfait. Un vin élégant et de bonne tenue qui pourra accompagner, par exemple, une lotte au poireau ou une poularde demi-deuil.

EARL Ferri Arnaud, av. de l'Hérault, 11560 Fleury-d'Aude, tél. 04.68.33.62.43, fax 04.68.33.74.38, e-mail catyferri-domaineferriarnaud@wanadoo.fr t.l.j. 9h30-13h 15h-20h

Richard Ferri

DOM. DES FONTAINES Cabernet-sauvignon Fleur des fontaines 2005 ★

13,9 ha 139 000 5 à 8 €

Voilà cent ans que ce domaine est entre les mains de la famille Montariol. Grâce à son savoir-faire et à un élevage mesuré de six mois en barrique, ce vin rouge tannique et structuré dévoile une touche d'élégance qui fait la différence. Les arômes fruités et épicés tapissent agréablement la bouche.

Stéphan Montariol, EARL Dom. des Fontaines, 34290 Lieurant-les-Béziers, tél. 04.67.37.22.36, fax 04.67.37.65.90, e-mail domainelanguedocie@wanadoo.fr t.l.j. sf sam. dim. 8h-20h

Degroote

DOM. FONTARÈCHE Syrah 2006 ★

3,73 ha 10 000 3 à 5 €

Ancienne propriété des archevêques de Narbonne, ce domaine fut acheté en 1682 par la famille Mignard qui compte parmi ses membres le célèbre peintre. Il appartient toujours aujourd'hui à des descendants. La robe pourpre profond de cette syrah annonce le nez de violette et de fruits et la bouche structurée autour de tanins fermes.

Arnaud de Lamy, SCEA Ch. Fontarèche, Canet-d'Aude, 11200 Lézignan-Corbières, tél. 04.68.27.10.01, fax 04.68.27.48.15, e-mail domaine.de.lamy@wanadoo.fr t.l.j. sf sam. dim. 9h-12h 14h-17h

FRENCH RABBIT Chardonnay 2006 ★★

22,06 ha 200 000 3 à 5 €

Avec un tel nom, on ne sera pas surpris qu'une importante partie de la production soit destinée à l'expor-

tation. Ne tardez donc pas si vous voulez avoir une chance d'attraper ce lapin aux agréables senteurs florales et qui mêle au palais fraîcheur de citron et tendreté de la noisette.
Louis Bernard, Chartreuse de Bonpas, 84510 Caumont-sur-Durance, tél. 04.90.23.09.59, fax 04.90.23.67.96, e-mail louisbernard@sldb.fr
t.l.j. 9h-12h 14h-18h (10h en hiver)
FGVS Boisset

DOM. DE GOURGAZAUD Quintus 2005 *

■ 1 ha 3 600 ▮ 15 à 23 €

Situé en Minervois, le domaine de 100 ha est gouverné par un château restauré qui se dresse au milieu du vignoble. La syrah agrémentée d'un soupçon de mourvèdre (5 %) a engendré un vin au nez flatteur de fruits rouges confiturés. Souple, dense et fruitée en bouche, cette cuvée accompagnera parfaitement une pièce de gibier.
SAS Ch. de Gourgazaud, 34210 La Livinière, tél. 04.68.78.10.02, fax 04.68.78.30.24, e-mail contact@gourgazaud.com r.-v.
Famille Piquet

GRANGE DES ROUQUETTE Agrippa 2006 *

■ 2,26 ha 6 000 5 à 8 €

Des vestiges gallo-romains sur certaines parcelles témoignent de l'ancienneté de la culture de la vigne en ces lieux. Ce vin de caractère à l'assemblage très sudiste (90 % de syrah complétés par le mourvèdre) se présente dans une robe rubis intense et développe des arômes complexes. Puissant et riche, il pourra accompagner la célèbre daube des mariniers du Rhône.
Vignobles Boudinaud, 43, Grand-Rue, 30210 Fournès, tél. 04.66.37.27.23, fax 04.66.37.03.56, e-mail boudinaud@infonie.fr r.-v.

VIGNOBLES CHARLES GUITARD
Cabernet merlot Cuvée Recoude 2005 **

■ 4 ha 10 000 ▮ 3 à 5 €

Ce troisième millésime vinifié par les vignobles Guitard est prometteur. L'assemblage de cabernet-sauvignon et de merlot dans des proportions proches ferait plutôt penser aux rives atlantiques... La parure grenat annonce un vin conquérant au somptueux bouquet associant les fruits frais à la garrigue. La bouche est généreuse et persistante. Deux étoiles brillent également au-dessus de la **cuvée Pélissière 2006**.
Vignoble Charles Guitard, RN 113, Le Recoude, 30670 Aigues-Vives, tél. 04.66.51.78.15, fax 04.66.71.52.18, e-mail contact@vignoble-charlesguitard.fr
t.l.j. 9h-12h 14h-19h

DOM. DES HAUTES LAUSSES Viognier 2006 *

□ 1,79 ha 4 000 ▮ 3 à 5 €

Un viognier sans lourdeur, plein de fraîcheur fruitée (agrumes, fruits exotiques) et dont la plénitude aromatique permettra des accords variés : poissons, crustacés, chèvres secs.
Bernard Reveillas, 3, chem. du Moulin-d'Abram, 34370 Creissan, tél. et fax 04.67.93.84.80, e-mail bernard.reveillas@orange.fr r.-v.

DOM. DES LAURIERS Cabernet syrah 2006 *

■ 4 ha 10 000 ▮ 3 à 5 €

Agréable et primesautier, ce vin rosé exprime par son agilité en bouche, la vitalité d'une parfaite fusion entre le cabernet-sauvignon et la syrah. Pour l'apéritif.
Marc Cabrol, Dom. des Lauriers, 15, rte de Pézenas, 34120 Castelnau-de-Guers, tél. 04.67.98.18.20, fax 04.67.98.96.49, e-mail cabrol.marc@wanadoo.fr
r.-v.

DOM. DE LONGUEROCHE
Syrah Élevé en fût de chêne 2005 ***

■ 1 ha 6 000 5 à 8 €

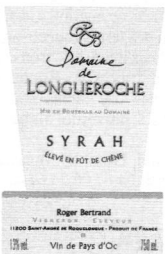

La syrah issue de terres argilo-calcaires cultivées en biodynamie a donné naissance à ce vin à la robe profonde et brillante. Le nez, expressif et franc, délivre des parfums de fruits rouges et noirs, de café, d'épices... Après une attaque nette sur des tanins fins et un milieu de bouche sur des notes boisées, la finale puissante persiste longuement, soutenue par une fine pointe d'acidité. Matière, équilibre et potentiel aromatique caractérisent cet ensemble élégant et séducteur.
Roger Bertrand, Dom. de Longueroche, 11200 Saint-André-de-Roquelongue, tél. 04.68.41.48.26, fax 04.68.32.22.43, e-mail contact@rogerbertrand.fr
r.-v.

LA MADELEINE SAINT-JEAN
Cuvée la Maison blanche 2006 **

□ 1 ha 4 700 ▮ 5 à 8 €

Ce nouveau millésime présenté par le domaine La Madeleine Saint-Jean a autant séduit le jury que le précédent de la même cuvée. Les dégustateurs sont tombés sous le charme de la robe jaune paille lumineux, de ses senteurs de pâtisserie et de l'onctuosité de la bouche. Un vin aimable et élégant, équilibré, qui respecte parfaitement le fruit. Il pourra dès maintenant accompagner un gratin de fruits de mer.
Banq Frères et Fils, Dom. La Madeleine Saint-Jean, rue Édouard-Adam, Port Rive gauche, 34340 Marseillan, tél. et fax 04.67.26.12.42
t.l.j. 9h30-12h30 14h30-19h30

DOM. DE MAIRAN Cabernet franc 2005 *

■ 4 ha 30 000 ▮ 5 à 8 €

C'est ici que serait né Monsieur de Mairan, physicien anobli sous Louis XIV et qui a donné son nom au domaine. Aujourd'hui, les expériences visent à élaborer de beaux vins comme celui-ci, dont la robe couleur cerise témoigne de la présence du cabernet franc. Le nez fleure les petits fruits rouges. La bouche, franche et gouleyante, développe des rondeurs fruitées. Le jury a également remarqué le **chardonnay 2005**.

Jean-Baptiste Peitavy, SCEA Dom. de Mairan, 34620 Puisserguier, tél. 04.67.11.98.01, fax 04.67.11.92.67, e-mail mairan@domainedemairan.com
t.l.j. sf dim. 10h-12h 14h-19h

DOM. DE MALAVIEILLE Charmille 2005 ★★

4 ha 23 000 5 à 8 €

Le portan, cépage issu d'un croisement entre le grenache et le portugais bleu, apporte couleur et fruité à ce vin issu à 70 % de merlot. Ce Charmille projette dans sa robe le feu des terres rougeoyantes qui bordent le lac de Salagou. Le nez intense de fruits rouges ne manque cependant pas de fraîcheur. Ronde et équilibrée, la bouche s'appuie sur des tanins souples pour révéler son harmonie. Le **Charmille blanc 2006** reçoit une étoile.

Mireille Bertrand, Dom. de Malavieille, 34800 Mérifons, tél. 04.67.96.34.67, fax 04.67.96.32.21
r.-v.

LES VIGNERONS DE MARUÉJOLS-LÈS-GARDON Chardonnay 2006 ★

5 ha 8 000 3 à 5 €

Située entre les Cévennes et la Méditerranée, la cave de Maruéjols-lès-Gardon célèbre cette année son soixantième anniversaire. Nul doute que ce chardonnay, dont la robe brillante annonce la légèreté aromatique, sera de la fête. Après un nez mêlant fruits et fleurs, la bouche se montre enjôleuse. Pour l'apéritif et le poisson.

SCA Les Vignerons de Maruéjols-lès-Gardon, 30350 Maruéjols-lès-Gardon, tél. 04.66.83.40.52, fax 04.66.83.44.73, e-mail vignerons.mlg@neuf.fr
r.-v.

LES DOMAINES PAUL MAS

Chardonnay viognier Vignes de Nicole Élevé en barrique 2006 ★★

8 ha 55 000 5 à 8 €

L'étiquette représente Vinus, le héron qui préférait le raisin aux goujons de la rivière ! Il aurait certainement apprécié cette cuvée au bouquet floral plein de charme, rehaussé par de fines notes grillées. L'élégance de la bouche destine cette bouteille à un loup au basilic.

Domaines Paul Mas, Dom. de Nicole, rte de Villeveyrac, 34530 Montagnac, tél. 04.67.90.16.10, fax 04.67.98.00.60, e-mail bbarreiro@paulmas.com
t.l.j. sf sam. dim. 10h-12h 16h-18h
J.-C. Mas

LE MAS DE MON PÈRE

Comme par magie... 2006 ★

0,25 ha 1 800 5 à 8 €

Installé en 2005, Frédéric Palacios est un jeune vigneron tout juste âgé de trente ans. Il a pris le temps de soigner la vinification de cette cuvée, issue à 100 % de chasan, qui fait chanter le terroir. Après un nez frais et minéral, la bouche se développe harmonieusement sur des notes d'agrumes. Pour l'apéritif.

Frédéric Palacios, 11290 Arzens, tél. et fax 04.68.76.23.07, e-mail f.palacios@tiscali.fr
r.-v.

MAS DES AVEYLANS

Syrah Cuvée Prestige 2005 ★★

3 ha 12 000 8 à 11 €

Cette propriété qui compte aujourd'hui une trentaine d'hectares fut créée, *ex nihilo*, par une famille de rapatriés d'Algérie. Les vignes s'étendent sur le plateau des Costières, sur un sol de galets roulés. Syrah (70 %) et grenache composent cette bien nommée cuvée Prestige, élégante et de bonne maturité phénolique. Le nez superbe s'ouvre sur des notes de violette et de garrigue. Nette, souple et dotée d'une trame serrée, la bouche se montre charmeuse, déployant ses séductions jusqu'à une finale discrètement réglissée.

SCEA Ch. des Aveylans, 700, chem. de Sautebraut, 30127 Bellegarde, tél. 04.66.70.10.28, fax 04.66.70.10.89
r.-v.

MAS DU NOVI

Chardonnay Élevé en fût de chêne 2004 ★★

5,88 ha 16 000 11 à 15 €

Ce vignoble ancien, qui remonte au XIIIes., était à l'époque entretenu par les moines novices – qui ont donné leur nom au domaine actuel – de la toute proche abbaye de Valmagne. Ses sols argilo-calcaires portent aujourd'hui du chardonnay qui a donné naissance à ce vin au délicat bouquet floral et brioché. Alliant puissance et rondeur, la bouche s'étire langoureusement.

SAS Saint-Jean du Noviciat, Mas du Novi, rte de Villeveyrac, 34530 Montagnac, tél. et fax 04.67.24.07.32, e-mail carobeziers@wanadoo.fr
t.l.j. 10h-19h
Famille Palu

MAS NEUF Avec des si... 2004 ★★

2 ha 3 000 15 à 23 €

Des vignes de syrah plantées sur des galets roulés sont à l'origine de cette cuvée Avec des si... Derrière une robe sombre et mystérieuse, le nez se révèle fin, balsamique et légèrement marqué par l'élevage sous bois (dix-huit mois). La bouche, dense et grasse, soutenue par une bonne acidité, développe des saveurs de fruits noirs avant une agréable finale.

SAS Ch. Mas Neuf, 30600 Gallician, tél. 04.66.73.33.23, fax 04.66.73.33.49, e-mail contact@chateaumasneuf.com
r.-v.

LAURENT MIQUEL Viognier Nord Sud 2006 ★★

15 ha 100 000 8 à 11 €

Laurent Miquel est le fils d'Henri, propriétaire de Cazal-Viel en saint-chinian. Il signe un viognier au charme discret reposant sur des dominantes abricotées. La finesse de ses saveurs évoluant entre la fraîcheur et le gras (fruit et bois se respectent) devrait conduire à des accords de grande tenue avec des cuisines d'inspiration orientale.

Laurent Miquel, hameau Cazal-Viel, 34460 Cessenon-sur-Orb, tél. 04.67.89.74.93, fax 04.67.89.65.17, e-mail laurent@laurent-miquel.com
r.-v.

DOM. DE MOLINES Sauvignon 2006 ★

10 ha 40 000 5 à 8 €

Fraîchement équilibré en bouche, typé au nez avec ses caractéristiques arômes de buis, ce sauvignon, qui ne craint pas d'afficher un air conquérant dans son brillant uniforme jaune, fera un bel apéritif.

Roger Gassier,
Dom. de Molines, chem. des Canaux,
30132 Caissargues, tél. 04.66.38.44.20,
fax 04.66.38.44.21, e-mail info@chateaudenages.com
r.-v.

DOM. DU MOULIN DE LÈNE
Alphonse de Lène 2006 *

8,63 ha 7 200 **3 à 5 €**

Dès l'Antiquité, les Romains s'intéressèrent au site du Moulin de Lène pour ses nombreuses sources et construisirent d'ailleurs un aqueduc. Aujourd'hui, l'endroit est réputé pour ses vins. Celui-ci est un harmonieux assemblage de syrah (34 %), de mourvèdre (33 %) et de merlot (33 %). Frais, équilibré, imprégné d'arômes de fruits rouges, il se montre persistant et accompagnera charcuteries et grillades.

SCEA Famille Frayssinet,
Dom. Moulin de Lène, rte de Fouzilhon,
34480 Magalas, tél. 04.67.36.06.32, fax 04.67.36.46.89,
e-mail s.molina@moulindelene.com
t.l.j. 9h-12h 14h-18h; sam. dim. sur r.-v.

MOULIN GINIÉ Chardonnay 2005 *

1,8 ha 13 000 **5 à 8 €**

Ancien moulin à eau, le Moulin Ginié est arrêté depuis longtemps. Autour de ses murs vénérables datant du XVII^e^s., s'étend un vignoble planté sur des terres argilo-siliceuses où le chardonnay se plaît, comme en témoigne cette bouteille. Aux évocations florales, fines et aériennes du nez succède une bouche fraîche et gourmande, agréablement persistante. Pourquoi pas une blanquette pour lui tenir compagnie ?

François Ginié, 49, rue Gambetta,
34310 Capestang, tél. 06.12.99.20.18,
fax 04.67.93.34.46, e-mail moulinginie@hotmail.fr
r.-v.

MUS Marsanne sauvignon 2006 *

5 ha 18 000 **3 à 5 €**

Au structurant sauvignon (65 %), s'ajoute la marsanne (30 %), intensément aromatique, dans un assemblage bien construit qui s'agrémente d'un zeste de muscat. « Vin très original », note un dégustateur séduit par le brillant lumineux de la robe, le surprenant caractère floral du nez et la sensation de fraîcheur qui se manifeste en bouche. Turbot grillé ? Pourquoi pas ?

Ch. de Mus, 34490 Murviel-lès-Béziers,
tél. 04.67.62.36.15, fax 04.67.35.19.38,
e-mail vinbj@wanadoo.fr r.-v.

NEFFIEZ Grenache 2006 **

4,51 ha 45 000 **- de 3 €**

De la cave des Coteaux de Neffiès, située sur les premiers contreforts de la Montagne Noire, on découvre la plaine de Pézenas jusqu'à la Méditerranée. Ce rosé, coup d'essai magistral, rond et friand en bouche, offre une finale légèrement épicée. Il se mariera à des salades composées et des grillades.

Les Coteaux de Neffiès,
28, av. de la Gare, 34320 Neffiès,
tél. 04.67.24.61.98, fax 04.67.24.62.12,
e-mail cavecoop.neffies@wanadoo.fr
t.l.j. sf dim. 9h-12h 14h-18h

DOM. LE NOUVEAU MONDE Carabènes 2006 *

1 ha 8 000 **3 à 5 €**

Le Nouveau Monde ? Un nom donné par l'aventurier et écrivain Henri de Monfreid. Le domaine est situé près de Béziers. La syrah, plantée sur des sables marins, a donné un vin festif, généreux et plein d'allégresse. L'olfaction révèle des senteurs de violette et de cassis. En bouche, le vin se montre épicé, prêt à accompagner une viande rouge.

Famille Borras-Gauch, Dom. Le Nouveau Monde,
34350 Vendres-Plages, tél. 04.67.37.33.68,
fax 04.67.37.58.15,
e-mail domaine-lenouveaumonde@wanadoo.fr
r.-v.

PECH DE CALADE Roussanne 2006 **

3 ha 30 000 **5 à 8 €**

Un pech désigne dans l'ancienne langue d'oc, une colline, une hauteur. Et ce Pech de Calade domine la sélection avec ses deux étoiles. Attrayant dans sa robe claire, il possède un nez fin de fleurs blanches et s'anime en bouche sur des notes parfumées de citron. Soutenue par une belle acidité, la dégustation s'achève sur des saveurs fruitées très épanouies.

Pierre Degroote, Scea Dom. Montariol-Degroote,
34440 Nissan-lez-Ensérune, tél. 04.67.37.22.36,
e-mail domainelanguedocie@wanadoo.fr
t.l.j. sf sam. dim. 8h-20h

DOM. PEYRONNET
Muscat petits grains Harmonie 2005 *

2 ha 5 000 **8 à 11 €**

Dans une ancienne forge située près de l'église fortifiée de Frontignan, Bacchus a pris la place de Vulcain. Et ce pour le plaisir des amateurs de vins onctueux comme ce muscat brillant et joliment ouvert sur les fleurs blanches et les fruits. Élégante, la bouche caresse les papilles. Pour accompagner des toasts au foie gras à l'apéritif.

EARL Dom. Peyronnet, 9, av. de la Libération,
34110 Frontignan, tél. 04.67.48.34.13,
fax 04.67.48.14.42, e-mail caves.favier-bel@wanadoo.fr
t.l.j. 9h-12h 14h-19h

PREIGNES Grains de cabernet franc 2006 **

4 ha 30 000 **5 à 8 €**

Trésor de l'histoire occitane, le village de Preignes, site classé, est un vrai repaire de créativités vigneronnes, comme en témoigne ce cabernet franc. Aguichant dans sa livrée pourpre, expressif et vivant sur des arômes de petits fruits rouges, porteur de fringantes et persistantes saveurs, ce vin promet beaucoup de plaisir.

SARL Les Domaines Robert Vic,
Dom. Preignes-le-Vieux, 34450 Vias,
tél. 04.67.21.67.82, fax 04.67.21.76.46,
e-mail contact@preignes.com
t.l.j. sf dim. 9h-19h, sam. 9h-13h

DOM. SAINT-HILAIRE Le Rosé 2006 **

2,7 ha 9 000 **5 à 8 €**

Cet assemblage de grenache (67 %) et de syrah se présente dans une robe chatoyante et offre une intéressante persistance aromatique. Rond et fruité, il semble idéal pour accompagner des entrées froides.

🔑 SARL Saint-Hilaire, 34530 Montagnac, tél. 04.67.24.00.08, fax 04.67.24.04.01, e-mail info@domainesaint-hilaire.com
☑ 🍷 🚶 t.l.j. 8h-12h 13h-17h; sam. dim. sur r.-v.
🔑 A et J. James

DOM. SAINT-ROCH Sauvignon 2005 ★

	1 ha	60 000		3 à 5 €

Ce domaine, entré dans la famille des propriétaires actuels au XVII[e]s., s'étend sur 85 ha de coteaux. Il propose un vin élégant vêtu de jaune clair à reflets émeraude. Ses arômes de buis et de fleurs blanches sont caractéristiques du sauvignon. Sa fraîcheur en bouche le destine aux apéritifs.
🔑 Jacqueline Ménard de Ginestous, 12, rue Toulzane, 11300 Limoux, tél. 04.68.31.00.22, fax 04.68.31.13.72, e-mail domaines.deginestous@wanadoo.fr
☑ 🍷 🚶 r.-v.
🔑 SCEA Ménard de Ginestous

LES SALICES
Viognier Élevé en fût de chêne 2006 ★★

	14 ha	95 000		5 à 8 €

Jacques et François Lurton proposent un viognier issu d'un terroir argilo-calcaire qui s'étend au pied de la Montagne Noire. Vêtue d'une splendide parure or à nuances nacrées, cette bouteille possède un nez particulièrement aromatique où des touches minérales côtoient des notes d'agrumes. La bouche développe d'élégantes saveurs fruitées auxquelles se mêlent de discrètes nuances boisées. Un vin chic et tendre.
🔑 Jacques et François Lurton, Dom. de Poumeyrade, 33870 Vayres, tél. 05.57.55.12.12, fax 05.57.55.12.13, e-mail com@jflurton.com

VIGNERONS DU SOMMIÉROIS
Viognier 2006 ★★

	1,05 ha	6 600		3 à 5 €

En 1995, la cave de Sommières s'est associée à celle d'Aspènes pour former Les Vignerons du Sommiérois. Ces gardiens de la tradition – les vendanges se font à l'ancienne avec un cheval de trait – ont élaboré un viognier aux puissants parfums exotiques. En bouche, le vin se montre équilibré et frais et devrait être mis en valeur par des plats relevés.
🔑 SCA Les Vignerons du Sommiérois, rte de Saussines, 30250 Sommières, tél. 04.66.80.03.31, fax 04.66.77.14.31, e-mail vigndusommierois@aol.com
☑ 🍷 🚶 r.-v.

DOM. LES YEUSES Syrah Les Épices 2005 ★

	7,5 ha	30 000		5 à 8 €

À l'origine planté de chênes verts (yeuses), le domaine est antérieur à la Révolution. Parée de grenat, cette syrah dévoile un nez fin aux notes grillées et une bouche aux tanins savoureux et à la longue finale fruitée.
🔑 Jean-Paul et Michel Dardé, Dom. Les Yeuses, rte de Marseillan, 34140 Mèze, tél. 04.67.43.80.20, fax 04.67.43.59.32, e-mail domaine.yeuses@tiscali.fr
☑ 🍷 🚶 t.l.j. sf dim. 9h-12h 15h-19h

DOM. DE LA YOLE 1771 2003 ★

	0,34 ha	3 190		11 à 15 €

1771 ? C'est à cette date que l'on trouve des traces précises de ce domaine où, depuis l'époque gallo-romaine, se mêlaient activités viticoles et navales. Avec un souci de la flore et de la faune, Jean Gassier, ingénieur agronome, prend grand soin de son vignoble de 110 ha. Il a négocié le millésime caniculaire de 2003 à travers cet assemblage de syrah, de merlot et de cabernet. Ce vin présente une robe à peine tuilée. Le nez élégant libère un fin boisé, tandis que la bouche déploie une large palette aromatique. À servir sans trop attendre sur un tournedos aux cèpes.
🔑 Dom. de La Yole, BP 23, 34350 Valras-Plage, tél. 04.67.37.37.85, fax 04.67.26 64.05, e-mail info@domaine-la-yole.com ☑ 🍷 🚶 r.-v.
🔑 Gassier

Sables du Golfe du Lion

DOM. DU PETIT CHAUMONT
Gris de gris 2006 ★★

	25 ha	70 000		3 à 5 €

Entre mer et étangs, ce domaine de 120 ha d'un seul tenant entoure une bâtisse du XIX[e]s. Pas moins de quatre cépages composent ce vin gris à la robe légère, tendrement pastel. Au doux bouquet de fruits, évocateur de pêche et d'abricot, succède une chair élégante, à la fois ronde et fraîche. Pour un apéritif amical avec tapas, suivi de plats typiquement méditerranéens.
🔑 GAEC Bruel, Dom. du Petit Chaumont, 30220 Aigues-Mortes, tél. 04.66.53.60.63, fax 04.66.53.64.31, e-mail gaec.bruel@wanadoo.fr
☑ 🍷 🚶 r.-v.

Val de Montferrand

CLOS DES AUGUSTINS Joseph 2005 ★

	2,01 ha	9 252		11 à 15 €

Roger et Frédéric Mézy ont choisi de donner à chacune de leurs cuvées le nom d'un membre de leur famille. Joseph, issu de chardonnay et de roussanne, présente une personnalité tendre et expressive. Frais et aromatique, ce vin appelle des accords avec une poêlée de chipirones à la catalane, suivis de goûteux rocamadours.
🔑 EARL Les Augustins, 111, chem. de la Vieille, 34270 Saint-Mathieu-de-Tréviers tél. 04.67.54.73.45, fax 04.67.54.52.77, e-mail closdesaugustins@wanadoo.fr ☑ 🍷 🚶 r.-v.
🔑 Mézy

Vicomté d'Aumélas

DOM. HAUT-BLANVILLE
Élevé en fût de chêne 2005 ★★

	4 ha	8 000		8 à 11 €

Entouré d'un parc de 2 ha, ce château de la seconde moitié du XVIII[e]s. commande un vignoble de 50 ha. Une histoire d'amitié fait vivre ce domaine, puisque Béatrice et Bernard Nivollet peuvent compter sur l'appui de leurs amis depuis le début de leur aventure, en 1997. Du sauvignon, du chardonnay, du grenache et du viognier entrent dans la composition de ce vin qui a flirté huit mois durant avec le chêne. La palette complexe allie notes vanillées et arômes de fruits secs (abricot, noisette), tandis que la bouche ample et ronde se développe agréablement jusqu'à une finale réglissée. Un 2005 prêt à boire, mais qui saura aussi attendre.

Bernard et Béatrice Nivollet,
Ch. Rieutort, rte de Gignac, 34230 Saint-Pargoire,
tél. 04.67.25.22.53, fax 04.67.25.22.54,
e-mail deblanville@wanadoo.fr
t.l.j. sf dim. 9h-12h30 14h-19h

Provence, basse vallée du Rhône, Corse

Majorité de vins rouges dans cette vaste zone, constituant 60 % des 900 000 hl produits dans les départements de la région administrative Provence-Alpes-Côte d'Azur. Les rosés (30 %) sont surtout issus du Var, et les blancs, du Vaucluse et du nord des Bouches-du-Rhône. On retrouve dans ces régions la diversité des cépages méridionaux, mais ceux-ci sont rarement utilisés seuls ; en proportions variables et selon des conditions climatiques et pédologiques, ils sont assemblés à des cépages internationaux : chardonnay, sauvignon, cabernet-sauvignon ou merlot, cépages bordelais, auxquels s'ajoute la syrah venue de la vallée du Rhône. Les dénominations départementales s'appliquent au Vaucluse, aux Bouches-du-Rhône, au Var, aux Alpes-de-Haute-Provence, aux Alpes-Maritimes et aux Hautes-Alpes ; les dénominations de zones historiques sont les suivantes : principauté d'Orange, Petite Crau (au sud-est d'Avignon), Mont Caumes (à l'ouest de Toulon), Argens (entre Brignoles et Draguignan, dans le Var), Maures, Coteaux du Verdon (Var), Aigues (Vaucluse), reconnues récemment, et Île de Beauté (Corse). Depuis la récolte 1999, le vin de pays Portes de Méditerranée à vocation régionale vient compléter ce panorama. Son bassin de production couvre les régions PACA (à l'exception du département des Bouches-du-Rhône) et Corse, ainsi que la Drôme et l'Ardèche dans la région Rhône-Alpes.

Alpes-de-Haute-Provence

LA MADELEINE Muscat à petits grains 2006

6 ha 10 000 3 à 5 €

Jaune pâle brillant de reflets verts, ce vin livre des arômes d'agrumes et de fleurs. C'est un muscat à petits grains, assurément. La bouche équilibrée, longuement aromatique, rappelle à un dégustateur une pâtisserie orientale parfumée à la rose. D'ici 2010, vous apprécierez cette bouteille à l'apéritif.

Pierre Bousquet, Cave La Madeleine, 04130 Volx,
tél. 04.92.72.13.91, fax 04.92.72.05.99
t.l.j. sf dim. 9h-12h 14h-18h30

DOM. DE RÉGUSSE Merlot 2006

2,5 ha 16 000 3 à 5 €

Ancienne bastide sur les contreforts des Alpes, le château de Régusse commande un domaine immense de 240 ha. Son merlot, intensément parfumé de fruits rouges, fait preuve d'équilibre, bien que les tanins encore jeunes demandent à se fondre à la faveur de deux ans de garde. Dès lors, vous lui proposerez des charcuteries. Une citation revient également au **viognier 2006 (5 à 8 €)**, un vin blanc souple et frais.

SAS Régusse,
Dom. de Régusse, rte de la Bastide-des-Jourdans,
04860 Pierrevert, tél. 04.92.72.30.44,
fax 04.92.72.69.08,
e-mail domaine-de-regusse@wanadoo.fr r.-v.

DOM. DE SAINT-JEAN Muscat à petits grains 2006

5 ha 7 000 3 à 5 €

Un muscat délicatement parfumé de fruits exotiques, habillé d'une robe pâle, à peine nuancée d'or. Une juste vivacité le soutient au palais et lui donne suffisamment d'allant pour s'accorder à un plateau de fruits de mer dès maintenant.

Emmanuel d'Herbès, Dom. de Saint-Jean,
04100 Manosque, tél. 04.92.72.50.20,
fax 04.92.87.84.01
t.l.j. sf dim. 9h-12h 14h30-18h30

Argens

PESQUE LUNE 2006

3,2 ha 15 000 3 à 5 €

Depuis dix ans, toutes les parcelles vinifiées par la cave de Correns sont conduites en agriculture biologique. Assemblage de grenache (70 %) et de cinsault, ce rosé est un vin plein de fraîcheur, aussi bien au nez qu'en bouche, qui accompagnera un plateau de charcuterie ou des salades composées. Le **Pesque Lune 2006 blanc** est également cité.

Les Vignerons de Correns, chem. de l'Église,
83570 Correns, tél. 04.94.59.59.46, fax 04.94.59.50.32,
e-mail lesvignerons-correns@wanadoo.fr r.-v.

CELLIER DE SAINT-LOUIS Gris Terroirs du Var 2006 *

42,5 ha 340 000 - de 3 €

À Brignoles, vous pourrez visiter l'ancien palais des comtes de Provence, aujourd'hui reconverti en musée du Pays brignolais. Non loin de là, le Cellier de Saint-Louis élabore des cuvées, tel ce rosé issu d'un assemblage de cinsault (60 %) et de grenache, dont la robe saumon s'ouvre sur des notes amyliques et fruitées. D'une bonne rondeur, la chair est équilibrée en finale par une touche de fraîcheur. À marier à une paella.

Le Cellier de Saint-Louis, ZI Les Consacs,
83170 Brignoles, tél. 04.94.37.21.00, fax 04.94.59.14.84,
e-mail info@cercleprovence.fr

Bouches-du-Rhône

DOM. BAGRAU Merlot 2006

0,5 ha 3 000 3 à 5 €

Mireille Bastard a repris ce domaine de 13 ha en 2005. Elle propose un merlot aux arômes de fruits rouges

et de sous-bois. Aussi rond que le veut le cépage, ce vin s'associera dès maintenant à une viande grillée.
Mireille Bastard,
EARL Dom. Bagrau, Le Grand-Saint-Paul,
rte des Mauvares, 13840 Rognes,
tél. et fax 04.42.50.12.53,
e-mail domainebagrau@wanadoo.fr r.-v.

DOM. DE BEAUPRÉ 2006 ★

2 ha 16 000 3 à 5 €

Ancien relais entre Marseille et Saint-Laurent dans le Vaucluse, ce domaine a été planté de vignes en 1892 par Émile Double. Ses descendants le conduisent aujourd'hui. À partir de grenache et de merlot, ils ont obtenu ce vin intensément floral qui offre une agréable rondeur au palais. Vous le dégusterez frais à l'apéritif, puis avec des grillades.
Phanette Double, Ch. de Beaupré, RN 7,
13760 Saint-Cannat, tél. 04.42.57.33.59,
fax 04.42.57.27.40, e-mail chbeaupre1@aol.com
t.l.j. 9h-12h 14h-18h30

DOM. DES BEYNES Marselan 2006 ★

2 ha 12 000 3 à 5 €

Remontant au XII[e]s., cette propriété de 90 ha est aujourd'hui conduite en agriculture biologique. Le marselan, cépage obtenu par l'Inra de Vassal en croisant le cabernet-sauvignon et le grenache noir, est à l'origine de ce vin charpenté qui décline des notes animales en complément d'arômes fruités. Quatre ans de garde lui permettront d'arrondir ses tanins. Viandes en sauce et gibier seront alors de bons compagnons de table.
Odile Cavard, Dom. du Haut-Attilon,
13104 Mas-Thibert, tél. 04.90.98.70.04,
fax 04.90.98.72.30 r.-v.

DOM. LA COSTE Chardonnay 2006 ★

4 ha 20 000 3 à 5 €

Un chardonnay au nez timide mais typé de beurre et de noisette. La bouche est souple et légère, aromatique. Une invitation à un accord avec une salade de fruits de mer ou un poisson en sauce.
SCEA du Ch. La Coste,
13610 Le Puy-Sainte-Réparade, tél. 04.42.61.89.98,
fax 04.42.61.89.41 r.-v.

LE CELLIER D'ÉGUILLES Cuvée Émelyne 2006 ★

6 ha 12 000 - de 3 €

Une cuvée rouge sombre qui laisse dans son sillage des senteurs de framboise et de cassis persistant au palais. La structure solide autorise une garde de deux à trois ans qui permettra à l'ensemble de se fondre. Une étoile revient aussi à la **cuvée Émelyne 2006 rosé**, aromatique.
Le Cellier d'Éguilles, 1, pl. Lucien-Fauchier,
13510 Éguilles, tél. 04.42.92.51.12, fax 04.42.92.38.57,
e-mail cellierdeguilles@tiscali.fr
t.l.j. 9h-12h 14h-19h

LOU GOUSTOUS 2005 ★

6 ha 2 500 3 à 5 €

Une sélection parcellaire en coteau est à l'origine de ce vin composé à 80 % de grenache et à 20 % de syrah. Sous une teinte rouge intense apparaissent des arômes de sous-bois, puis une chair ronde, non dénuée de fruit. Après deux ans de garde, les tanins se seront parfaitement fondus, autorisant un service avec une viande en sauce ou un gibier.
Les Vignerons du Garlaban,
8, chem. Saint-Pierre, 13390 Auriol,
tél. 04.42.04.70.70, fax 04.42.72.89.49,
e-mail vignerons.garlaban@wanadoo.fr
t.l.j. sf dim. 9h-12h 15h-19h

DOM. NAÏS Cabernet-sauvignon 2004 ★

1 ha 2 400 3 à 5 €

Laurent Bastard et Éric Davin, amis d'enfance, dirigent ce domaine de 42 ha et ont créé leur chai en 2002. Leur cabernet-sauvignon, pourpre intense, a atteint sa maturité. En témoignent les arômes de fruits mûrs épicés, la chair ronde et persistante aux tanins bien fondus. À déguster dès aujourd'hui avec une viande grillée ou un gigot d'agneau.
Laurent Bastard et Éric Davin, rte du Puy,
13840 Rognes, tél. et fax 04.42.50.16.73,
e-mail domainenais@club-internet.fr
t.l.j. sf dim. 9h-12h 15h-18h30

DOM. L'OPPIDUM DES CAUVINS Rosé fruité 2006

2 ha 22 000 3 à 5 €

Domaine situé au cœur du massif de la Trévaresse. Un rosé élaboré à partir de cinsault et de muscat de Hambourg. Ce dernier cépage a laissé son empreinte dans la palette fruitée qui accompagne une chair souple et ronde. Une citation est également attribuée au **sauvignon Cassus 2006 (moins de 3 €)**, vin blanc vif et aromatique, nuancé de notes de beurre.
Ravaute,
EARL Dom. L'Oppidum des Cauvins, RD 543,
Les Cauvins, 13840 Rognes, tél 04.42.50.13.85,
fax 04.42.50.29.40,
e-mail oppidumdescauvins@wanadoo.fr
t.l.j. 9h-12h 14h-19h; dim. 9h-12h

LES VIGNERONS DU ROY RENÉ Merlot 2005 ★

50 ha 40 000 3 à 5 €

Un merlot joliment vêtu de rubis à reflets violets au nez fruité (cassis), nuancé de poivre et au palais souple et rond ; il ne demande qu'à faire plaisir dès aujourd'hui et jusqu'en 2010.
Les Vignerons du Roy René,
6, av. du Gal-de-Gaulle, RN 7, 13410 Lambesc,
tél. 04.42.57.00.20, fax 04.42.92 91.52,
r.-v.

Hautes-Alpes

DOM. ALLEMAND 2006 ★

2 ha 12 000 5 à 8 €

Marc Allemand travaille ses 14 ha de vignes au pays de Serre-Ponçon, entre Durance et Ubaye, là où l'érosion a créé des colonnes rocheuses surmontées d'un chapeau de pierre, que l'on appelle Les Demoiselles coiffées. Vous décoifferez cette bouteille pour découvrir un vin jaune pâle à reflets verts, au bouquet intense et muscaté, que sa vivacité destine à animer un apéritif ou à accompagner des fruits de mer. Une étoile également pour le **rosé Rêveries d'été 2006**, aux notes de fruits exotiques.

Dom. Allemand et Fils, La Plaine de Théüs, 05190 Théüs, tél. 04.92.54.40.20, fax 04.92.54.41.50, e-mail marc.allemand@wanadoo.fr
t.l.j. sf dim. 9h-12h 14h-18h

LA CAVE DES HAUTES VIGNES
Réserve 2006 ★★

2 ha 10 000 3 à 5 €

Située à une trentaine de kilomètres du Parc naturel des Écrins et à 670 m d'altitude, la cave était à sa création, en 1950, la plus haute d'Europe. Haute en qualité également, elle propose deux cuvées notées deux étoiles. Ce rosé pâle à l'œil mais intense au nez, joue tout au long de la dégustation sur les fruits rouges (fraise, framboise) dans un ensemble gourmand mariant finesse et rondeur. Le **chardonnay 2006**, aux notes de fleurs blanches, est d'une grande persistance.

Cave des Hautes Vignes, Le Village, 05130 Valserres, tél. 04.92.54.33.02, fax 04.92.54.31.34, e-mail cavedeshautesvignes@wanadoo.fr
t.l.j. sf dim. 8h-12h 14h-17h30

Île de Beauté

VIGNERONS D'AGHIONE
Chardonnay Corsica 2006 ★★

60 ha 300 000 3 à 5 €

La cave a été créée en 1975. Ses vins ont été retenus cette année dans les trois couleurs. La préférence du jury va au blanc. Drapée d'une robe or paille limpide, la cuvée Corsica délivre des senteurs de noisette auxquelles se mêle l'exotisme de la papaye. En bouche, la vivacité lui donne une bonne tenue et de l'allant. Son équilibre invite à la servir aussi bien sur des poissons grillés que sur des viandes blanches. La cuvée **Tendance grenache sciaccarellu rosé 2006** obtient une étoile pour sa bouche ample, vive et fruitée. Même note pour la **Collection privée rouge 2006** aux délicates senteurs de fraise des bois.

Cave coop. d'Aghione, Samuletto, 20270 Aghione, tél. 04.95.56.60.20, fax 04.95.56.61.27, e-mail coop.aghione.samuletto@wanadoo.fr r.-v.

DOM. CASABIANCA Muscat Petits Grains
Cantabilé Nectar d'automne 2006 ★★

15 ha 30 000 8 à 11 €

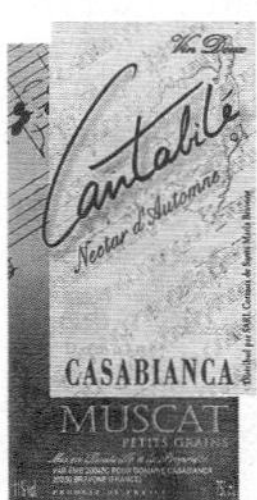

Les 255 ha du domaine s'étalent sur les coteaux de Bravone et produisent des vins régulièrement remarqués par les jurys du Guide. Après un coup de cœur dans l'édition 2006 (pour un 2005), les Casabianca réitèrent l'exploit avec ce Cantabilé qui joue à merveille sa partition : robe vieil or, puissant nez muscaté évoluant vers des notes de miel, d'abricot surmûri et d'orange confite, bouche croquante, fine et suave. Un grand classique pour un foie gras poêlé. Le jury attribue une citation au **Cirnéa rouge 2006 (3 à 5 €)**, assemblage de nielluciu (55 %), de syrah (20 %) et de cabernet-sauvignon.

SCEA du Dom. Casabianca, Coteaux de Santa Maria, 20230 Bravone, tél. 04.95.38.96.00, fax 04.95.38.81.91, e-mail domainecasabianca@wanadoo.fr r.-v.

GASPA MORA 2006 ★

40 ha 180 000 - de 3 €

Les vins de la cave de Saint-Antoine affirment avec force leur générosité insulaire. Au nez puissant et complexe de poivron, agrémenté d'une note de clou de girofle, répond une bouche harmonieuse. Cette bouteille sera la compagne idéale d'un pique-nique. Le **Gaspa Mora rosé 2006** tire sa séduction autant de sa teinte gris orangé que de sa vivacité en bouche. Il décroche lui aussi une étoile. Le **Monte e Mare rosé 2006**, vin gris, obtient une citation.

Coop. de Saint-Antoine, Saint-Antoine, 20240 Ghisonaccia, tél. 04.95.56.61.00, fax 04.95.56.61.60, e-mail info@cavesaintantoine.com
r.-v.

DOM. DU MONT SAINT-JEAN Aléatico 2006 ★

7,5 ha 50 000 3 à 5 €

La propriété est située près d'Aléria, dans le village d'Antisanti que certains considèrent comme un des trois joyaux de la Corse. Allez le vérifier par vous-même et au retour faites une halte au domaine du Mont Saint-Jean. Vous y découvrirez cette cuvée issue d'aléatico, un cépage local répandu aussi en Italie, qui donne des vins aux parfums originaux. Celui-ci se révèle fruité, délicatement muscaté, caressé par des fragrances de rose. Léger et aérien, il imposera sans peine son élégance avec des plats exotiques.

Dom. du Mont Saint-Jean, Campo Quercio Antisanti, BP 19, 20270 Aléria, tél. 04.95.57.13.21, fax 04.95.56.16.99, e-mail montstjean@wanadoo.fr r.-v.
Roger Pouyau

DOM. PETRA CORSA 2006 ★

n.c. n.c. 3 à 5 €

Un rosé suave, de bonne longueur, exhalant des arômes de fruits blancs, qui ne dédaignera pas la complicité gourmande des charcuteries.

Marie Poli, Linguizzetta, 20230 San-Nicolao, tél. 04.95.38.86.38, fax 04.95.38.94.71, e-mail domaine.de.piana@wanadoo.fr r.-v.

DOM. DE PETRAPIANA Vermentinu 2006 ★

5 ha n.c. 3 à 5 €

Une robe brillante à reflets verts habille cette cuvée au nez expressif, à la fois fruité et floral, et qui délivre de fraîches saveurs en bouche. C'est avec ce cépage, le vermentinu, que la notion de vin blanc corse prend tout son sens. Un vin typé, représentatif de l'Île de Beauté.

Éric et Antoine Poli, Linguizzetta, 20230 San-Nicolao, tél. 04.95.38.86.38, fax 04.95.38.94.71, e-mail domaine.de.piana@wanadoo.fr r.-v.

RÉSERVE DU PRÉSIDENT Merlot 2006 ★★

■ n.c. 1 000 000 - de 3 €

Pour la troisième année consécutive, la cave des Vignerons de l'Île de Beauté décroche un coup de cœur avec sa série des Réserves du Président qui rend hommage à son fondateur. Issu du seul merlot planté sur des terres argilo-limoneuses et calcaires, ce 2006, dans une robe de couleur sombre, affiche un air conquérant que confirme un nez ouvert sur les fruits rouges. De bonne longueur, la bouche apporte son lot de friandises fruitées. Une petite garde (deux à trois ans) devrait permettre aux tanins de s'assagir. En attendant, le vin se montrera déjà à son avantage en compagnie de magrets de canard ou de lapin au romarin. La **Réserve du Président chardonnay 2006**, croquante en fin de bouche, et la suave **Réserve du Président gris de grenache 2006** reçoivent chacune une étoile.

Union des Vignerons de l'Île de Beauté, Padulone, Coop. Aléria, 20270 Aléria, tél. 04.95.57.02.48, fax 04.95.57.09.59, e-mail aleymarie@uvib.fr r.-v.

DOM. TERRA VECCHIA 2006 ★★

23 ha 27 000 3 à 5 €

Saluons ici la constance de ce domaine qui décroche pour la deuxième année consécutive un coup de cœur. Chardonnay (80 %) et vermentinu, complantés sur un site pittoresque le long d'une sorte de fjord méditerranéen, ont donné naissance à ce vin typique. La richesse des arômes (citron vert, fruits exotiques, jasmin...) captive. Le palais expressif évoque avec insistance les fruits blancs. Un 2006 vif, volumineux et équilibré qui devrait apprécier la compagnie d'un noble produit de la mer. Un dégustateur suggère des brochettes de gambas à l'ananas. Le **rouge 2006**, souple et fruité, présente un remarquable équilibre : deux étoiles. Enfin, le **Corsica vermentinu-chardonnay blanc 2006 (moins de 3 €)** obtient une étoile pour son gras et sa longueur.

SAS Terra Vecchia, Dom. Terra Vecchia, 20270 Tallone, tél. 04.95.57.20.30, fax 04.95.57.08.98, e-mail elise.costa@skalli.com r.-v.

Famille Skalli

TERRAZZA ISULA Niellucciu merlot 2006 ★

■ 40 ha 230 000 3 à 5 €

Trois cuvées présentées par les Vignerons Corsicans ont obtenu une étoile. Toutefois, la préférence du jury est allée au rouge. Majoritaire dans l'assemblage, le cépage niellucciu s'associe au merlot dans ce vin fruité, aux tanins équilibrés. Un vin solide, à marier avec du sanglier rôti aux châtaignes. La cuvée **Alba Rosa rosé 2006** opère dans un registre plus délicat. Sa fraîcheur conviendra aux plats d'inspiration méditerranéenne. Un peu plus sudiste, le **rosé Terrazza Isula sciaccarellu-cinsault 2006**, vif et épicé, accompagnera des spécialités orientales.

Uval, Les Vignerons Corsicans, Rasignani, 20290 Borgo, tél. 04.95.58.44.00, fax 04.95.38.38.10, e-mail uval.sica@corsicanwines.com

t.l.j. sf dim. 9h-12h 15h-19h

DOM. LES TERRES ROUGES 2006 ★

5 ha 40 000 - de 3 €

Créé en 1967 sur un plateau entre mer et montagne, à proximité du site romain d'Aléria, le domaine des Terres Rouges doit son nom aux alluvions anciennes d'argile rouge sur lesquelles prospère la vigne. Le sciaccarellu (qui signifie « craquant » en langue corse), à parité avec le grenache, apporte sa typicité à ce rosé de couleur pâle. Le nez, un brin anisé, et la bouche équilibrée, marquée par les fruits rouges destinent cette bouteille à accompagner des entrées ou des grillades.

SCA du Dom. Saint-Anne, 20270 Tallone, tél. 04.95.57.04.18, fax 04.95.57.94.80, e-mail mgandoin@aliceadsl.fr r.-v.

Gandoin

Maures

DOM. LES APIÈS 2006

1,91 ha 5 000 3 à 5 €

Luc Wouters rachète cette propriété en 2001, restructure le vignoble puis construit en 2003 un chai de vinification dans les murs de l'ancienne cave abandonnée. C'est là qu'il a assemblé grenache (80 %) et cinsault pour faire naître ce rosé œil-de-perdrix qui marie les agrumes et les fleurs blanches, et trouve en bouche une fraîcheur friande sur des notes citronnées et anisées. Un bon compagnon pour un poisson grillé.

Ch. Les Apiès, Clos Saint-Jean, 83460 Les Arcs-sur-Argens, tél. et fax 04.98.10.42.12 r.-v.

Wouters

DOM. D'ASTROS 2006 ★

2 ha 23 000 3 à 5 €

Créée au début du XIX^{e}s., cette propriété a vu se succéder sept générations de vignerons. Coup de cœur l'an dernier pour un blanc, elle propose cette année deux rosés. Celui-ci d'abord, assemblage de cinsault, grenache, carignan et cabernet, qui joue au nez la carte des fruits rouges (fraise, framboise, groseille) et en bouche celle de

la fraîcheur. À déguster avec des salades ou des fromages de chèvre frais. Le **Domaine du Vieil Astros 2006 rosé**, plus vineux, pourra accompagner un repas. Il est cité.
Bernard Maurel, Ch. d'Astros, rte de Lorgues, 83550 Vidauban, tél. 04.94.99.73.00, fax 04.94.73.00.18, e-mail chateau-astros@wanadoo.fr
t.l.j. sf dim. 8h30-12h30 14h-18h

DOM. BEAUMET Merlot 2006 *

1 ha 5 500 **5 à 8 €**

Depuis sa reprise en 2002, ce domaine a bénéficié de gros investissements, avec notamment la rénovation de la cave en 2003. Cette cuvée de merlot, au nez délicat de fruits mûrs, offre en bouche rondeur et souplesse sur des notes de cassis et de groseille. Un vin de plaisir, à boire dès maintenant sur une viande rouge.
SCEA Ch. Beaumet, quartier Beaumet, 83590 Gonfaron, tél. 04.98.05.21.00, fax 04.94.78.27.40, e-mail chateaubeaumet@wanadoo.fr
t.l.j. sf dim. 9h-12h 14h-18h
Gierling

DOM. RÊVA 2005

2,6 ha 4 500 **3 à 5 €**

En 2004, la famille Maillard achète cette propriété d'une trentaine d'hectares, qu'elle rebaptise et dont elle rénove la cave. Elle propose aujourd'hui un vin grenat intense, issu du seul cabernet-sauvignon qui exprime des arômes de fruits mûrs et des notes animales. La chair fruitée, souple à l'attaque repose sur des tanins serrés qui se fondent dans une finale légèrement poivrée. À marier à une entrecôte.
GFA Ch. Rêva, rte de Bagnols, 83920 La Motte, tél. 04.94.70.24.57, fax 04.94.84.31.43, e-mail chateaureva@wanadoo.fr r.-v.
Maillard

CELLIER SAINT-BERNARD Chardonnay 2006

n.c. 3 000 **3 à 5 €**

La cave de Flassans est à nouveau sélectionnée pour son chardonnay, un vin jaune pâle à reflets verts, au nez expressif mêlant les agrumes à une touche d'abricot frais. En bouche, des notes amyliques et florales agrémentent un ensemble équilibré et frais. À servir avec des beignets de crevettes.
SCA Cellier Saint-Bernard, av. du Gal-de-Gaulle, 83340 Flassans-sur-Issole, tél. 04.94.69.71.01, fax 04.94.69.71.80, e-mail cellier.st-bernard@wanadoo.fr r.-v.

Mont-Caume

LA CADIÉRENNE Cuvée spéciale 2006

10,35 ha 50 000 **- de 3 €**

Depuis 2003, trois coopératives sont regroupées sous le nom de La Cadiérenne, soit 420 adhérents. Ugni blanc et clairette entrent dans la composition de ce vin très pâle à reflets verts, au nez discret d'agrumes et de fleurs blanches. La fraîcheur est son atout majeur pour accompagner des poissons grillés et des fruits de mer.
SCV La Cadiérenne, quartier Le Vallon, 83740 La Cadière-d'Azur, tél. 04.94.90.11.06, fax 04.94.90.18.73, e-mail cadierenne@wanadoo.fr
r.-v.

DOM. DU PEY-NEUF 2006

5 ha 30 000 **3 à 5 €**

Poissons, salades estivales décorées de crevettes, voilà de jolis accords pour ce rosé de couleur pâle, rehaussée de reflets saumon. L'attaque est vive, la bouche riche de flaveurs d'agrumes et de fruits frais. Une certaine idée de l'élégance.
Guy Arnaud, 367, rte de La Cadière, 83740 La Cadière-d'Azur, tél. 04.94.90.14.55, fax 04.94.26.13.89, e-mail domaine.peyneuf@wanadoo.fr r.-v.
Arnaud et Fils

Portes de Méditerranée

LA BASTIDE SAINT-DOMINIQUE 2006 *

2 ha 8 000 **3 à 5 €**

Créé il y a une trentaine d'années, ce domaine a évolué pas à pas. En 1980, c'est la première mise en bouteilles pour les appellations. Puis, après l'arrivée d'Éric sur l'exploitation en 1999, le développement des vins de pays. Le grenache confère à ce 2005 rose soutenu à reflets bleutés de l'ampleur en bouche et une longue persistance aromatique. La touche de syrah (5 %) participe au fruité du bouquet et à la rondeur du palais. Un vin à boire dans l'année. Les cuvées **rouge 2005** et **blanc 2006** obtiennent chacune une citation. La première pour son corps épicé, la seconde pour ses parfums de fleurs blanches et sa fraîcheur.
Gérard et Éric Bonnet, La Bastide Saint-Dominique, 84350 Courthézon, tél. 04.90.70.85.32, fax 04.90.70.76.64, e-mail contact@bastide-st-dominique.com
t.l.j. 8h30-12h 13h30-18h; sam. dim. sur r.-v.

DOM. DE LA BASTIDONNE Chardonnay 2006

1,2 ha 4 000 **5 à 8 €**

Une ferme fortifiée s'élevait ici autrefois. Quand, à l'injonction de François 1er, Oppède la catholique attaqua Cabrières l'hérétique, la forteresse fut démantelée et ses défenseurs massacrés. C'est du passé, et l'on découvre aujourd'hui un chardonnay à la robe claire et brillante. Frais et plaisant, avec ses notes légères d'acacia, ce vin pourra être servi dans les deux ans à venir.
Gérard Marreau, SCEA Dom. de La Bastidonne, 84220 Cabrières-d'Avignon, tél. 04.90.76.70.00, fax 04.90.76.74.34, e-mail domaine.bastidonne@orange.fr
t.l.j. sf dim. 9h-12h 14h-18h

DOM. LA BLAQUE Viognier 2006

5,5 ha 13 000 **5 à 8 €**

Un apéritif, telle sera la destinée de ce viognier de la Blaque, un régal de vivacité. À cette hauteur, 420 m d'altitude, du côté de Pierrevert sur les contreforts du Luberon, la fraîcheur de l'air dévalant des Alpes le long de la Durance trempe le caractère et impose des vendanges plus tardives, comme celles-ci qui eurent lieu ici le 20 septembre 2006.

🔑 Dom. La Blaque, Dom. Châteauneuf La Blaque, 04860 Pierrevert, tél. 04.92.72.39.71, fax 04.92.72.81.26, e-mail domaine.lablaque@wanadoo.fr
☑ 𝐈 ✦ t.l.j. sf dim. 8h-12h 14h-18h

DOM. DE BOURNISSAC Merlot 2006 *

■ 6,06 ha 26 700 ▮ - de 3 €

Les Terres d'Avignon sont nées de la fusion de quatre caves coopératives. Ce merlot de couleur foncée, parfumé de cassis, dévoile beaucoup de finesse. Il fait preuve de rondeur, étayé par des tanins fondus et persistants. À boire sur une côte de bœuf grillée.

🔑 Terres d'Avignon, 457, av. Aristide-Briand, 84310 Morières-lès-Avignon, tél. 04.90.22.65.65, fax 04.90.33.43.31, e-mail contact@terresdavignon.com
☑ 𝐈 ✦ r.-v.

CLOS DES PATRIS
Carignan Le Jas des Abeilles 2005

■ 4 ha 10 000 ▮ 5 à 8 €

Yves Morard est revenu au pays après un quart de siècle passé au Liban, au château Kefraya au pied du mont Barouk, dans la vallée de la Bekaa. Plantées sur les terres rouges sablonneuses de Caromb, ses vignes de carignan octogénaires ont donné naissance à un vin sombre et puissant, aux arômes de fruits cuits et d'épices. La spécialité du coin, le gratin de haricots blancs au porc, est un plat solide. « Le cassoulet à côté, c'est de la rigolade », disent les villageois. Vous saurez avec quoi l'accompagner.

🔑 Yves Morard, Clos des Patris, 251, rte de Beaumes-de-Venise, 84330 Caromb, tél. 06.03.78.19.72, fax 04.90.62.58.16
☑ 𝐈 ✦ t.l.j. 13h-20h

DOM. EDEM
Chardonnay Élevé en fût de chêne 2006 **

□ 0,9 ha 6 000 ◍ 5 à 8 €

Les raisins de chardonnay vendangés à la main, égrappés, soumis à une brève macération pelliculaire sont ensuite pressurés, puis le jus clair regagne les barriques où le vin est élevé sur lies fines pendant cinq mois. La robe jaune paille scintille de reflets verts. Le bouquet est floral, le palais à la fois vif et rond, avec en arrière-plan des notes de boisé fondues. Un millésime distingué. La **cuvée Saint-Castor rouge 2005 (3 à 5 €)** reçoit une citation. Elle porte le nom de l'évêque d'Apt au Moyen Âge, qui cheminait dans les parages.

🔑 Eduard et Emmanuelle Van Wely, Ch. Edem, rte de Lacoste, 84220 Goult, tél. 04.90.72.36.02, fax 04.90.72.34.71 ☑ 𝐈 ✦ r.-v.
🔑 SCEA Saint-Véran

LES VIGNERONS DU MONT VENTOUX
Grenache Cinsault 2006 *

■ 6 ha 40 000 ▮ 3 à 5 €

Couleur pivoine, ce rosé de grenache et de cinsault (66 % et 34 %) marie les flaveurs puissantes de fruits épicés du premier à la fraîcheur et la finesse du second. Un équilibre complexe s'établit en bouche entre la rondeur du fruit et un caractère vif. Le **rouge 2005 grenache merlot** est cité pour ses tanins fondus et ses senteurs de fruits mûrs.

🔑 SCA Les Vignerons du Mont Ventoux, quartier La Salle, 84410 Bédoin, tél. 04.90.12.88.00, fax 04.90.65.64.43 ☑ 𝐈 ✦ r.-v.

PÈRE ANSELME 2006 *

■ 7 ha 25 000 ▮ - de 3 €

Un visiteur inhabituel se cache dans l'assemblage de ce 2006 : le marselan, issu du croisement entre cabernet-sauvignon et grenache noir. Il accompagne ici les grenache, syrah et mourvèdre, cépages phares du Sud de la France. Puissant, fruité et épicé, ce Père Anselme offre une bouche réglissée et ronde, aux tanins fondus. Des charcuteries de pays lui conviendront.

🔑 Brotte, Le Clos, rte d'Avignon, BP 1, 84231 Châteauneuf-du-Pape Cedex, tél. 04.90.83.70.07, fax 04.90.83.74.34, e-mail brotte@brotte.com
☑ 𝐈 ✦ t.l.j. 9h-12h 14h-18h

PESQUIÉ Viognier 2006 *

□ 4,31 ha 16 000 ▮ 5 à 8 €

Le domaine était jadis une possession des Daudet. Ce 2006 se présente dans une robe pâle aux reflets argentés, brillante et limpide. Son nez s'ouvre sur des notes légères de fleurs blanches. La bouche est souple et fraîche, d'une bonne ampleur. À table, ce viognier s'accordera volontiers avec des asperges, une lotte à la sariette ou des gambas à l'huile d'olive et au citron vert. Une étoile également pour le **chardonnay 2006**.

🔑 Ch. Pesquié, rte de Flassan BP 6, 84570 Mormoiron, tél. 04.90.61.94.08, fax 04.90.61.94.13, e-mail contact@chateaupesquie.com
☑ 𝐈 ✦ t.l.j. 9h-12h 14h-18h; f. dim. oct.-Pâques 🏠 Ⓔ
🔑 Famille Chaudière-Bastide

DOM. DE RÉGUSSE
Chardonnay Moelleux 2006 **

□ 1 ha 2 000 ▮ 8 à 11 €

À Pierrevert, non loin de Manosque, aux confins de la Haute-Provence chère à Giono, le domaine de Régusse s'étend sur quelque 240 ha. Ce pur chardonnay rayonnant d'un jaune or vif, exhale à profusion des arômes de fleurs blanches et de thé vert, puis se montre souple et moelleux en bouche. Un accord exquis en perspective avec le foie gras. Le **rouge syrah 2006 (5 à 8 €)**, puissant et animal, à la bouche réglissée, fruitée et boisée, obtient une étoile. Il réclame encore une année d'attente.

🔑 SAS Régusse, Dom. de Régusse, rte de la Bastide-des-Jourdans, 04860 Pierrevert, tél. 04.92.72.30.44, fax 04.92.72.69.08, e-mail domaine-de-regusse@wanadoo.fr ☑ 𝐈 ✦ r.-v.

DOM. LA RIGOULINE 2004 *

■ 2 ha 3 600 ▮◍ 8 à 11 €

À Venelles, depuis le belvédère du château, on admire la campagne aixoise et ses riches bastides sur fond de montagne Sainte-Victoire. Le marselan élevé douze mois en fût de chêne a produit un vin impressionnant de puissance, à la robe d'un rouge sombre qui frôle le noir. Le nez évoque les fruits cuits, les épices, le caramel et le cacao. Un 2004 charnu qui s'accordera à une daube ou à un gibier. Il se bonifiera encore cinq ou six ans.

🔑 Les Quatre Tours, 56, av. de la Grande-Bégude, RN 96, 13770 Venelles, tél. 04.42.54.71.11, fax 04.42.54.11.22, e-mail 4tours@wanadoo.fr ☑ 𝐈 ✦ r.-v.

DOM. DES ROSIER
Viognier À l'Envol de l'hirondelle 2006 ⋆

1,5 ha	4 000	11 à 15 €

Quand l'hirondelle prend son envol à la Saint-Michel, l'automne venant, on cueille sur les coteaux les grappes de viognier dorées au soleil, gorgées de sucre. Ces baies surmûries donnent un vin délicieusement moelleux, doux comme les parfums de pruneau et de liqueur d'orange qui emplissent le nez. Des nuances boisées et des notes de fruits exotiques parfument le palais suave et long. À réserver au dessert, quand arrive la tarte aux abricots ou la Tatin.

Dom. des Rosier, quartier Saint-Maurice,
26230 Chantemerle-lès-Grignan,
tél. et fax 04.75.98.53.84 r.-v. C

LA CHAPELLE SAINT-BACCHI
Carignan 2006 ⋆⋆

0,75 ha	1 400	5 à 8 €

La chapelle Saint-Bacchi se trouve à l'emplacement d'un ancien temple romain dédié au dieu Bacchus. Refaite à neuf, elle est consacrée désormais aux mariages, fêtes de famille et réunions. Tout à côté, Christian Valensisi, arrivé en 2003, travaille ses 5 ha de vignes. Son rosé de carignan ne manque pas d'originalité, avec du saumon dans la robe aux éclats bleutés. Son nez fruité, tout comme sa bouche fraîche et légère, est plein de distinction. À déguster à l'apéritif.

Dom. Saint-Bacchi,
La Chapelle Saint-Bacchi, RD 561, 13490 Jouques,
tél. et fax 04.42.67.62.92,
e-mail valensisi.christian@neuf.fr r.-v. D
Christian Valensisi

LES TERRASSES D'ÉOLE
Vent di Damo Viognier 2006

2 ha	10 000	5 à 8 €

Chaque vin porte le nom d'un vent : le Vènt di Damo, le vent des Dames, c'est ce vin de viognier, tout en rondeur et en puissance, empreint de fruits confits. Ici aussi, on vole le vent : une éolienne a poussé dans le paysage, sur le coteau.

Famille Saurel,
Les Terrasses d'Éole, chem. des Rossignols,
84380 Mazan, tél. 04.90.69.84.82, fax 04.90.69.84.90,
e-mail contact@terrasses-eole.fr
t.l.j. sf dim. 9h-12h 14h-18h30 E

THUERRY Exception ² 2004 ⋆

0,44 ha	1 900	30 à 38 €

Exception (puissance 2) représente le fleuron de Thuerry, un vin d'excellence à garder quelques années en cave ou à déguster tout de suite, pour le plaisir. Issu exclusivement du cabernet-sauvignon cher à Bordeaux, il en a tous les charmes. Un séjour de douze mois en barriques (un tiers françaises, deux tiers américaines) a conforté sa puissance. Le boisé est fin, les tanins ronds. Dans le rubis orangé de la robe, on devine les épices, les fruits à l'alcool, le café. À servir chambré en carafe avec une côte de bœuf saignante.

Ch. Thuerry, 83690 Villecroze, tél. 04.94.70.63.02,
fax 04.94.70.67.03, e-mail thuerry@chateauthuerry.com
t.l.j. 9h-17h30 (19h en été);
f. dim. en hiver E
Croquet

Principauté d'Orange

DOM. DE DIONYSOS Viognier 2006

3 ha	12 600	5 à 8 €

Un domaine dont le nom rappelle qu'une famille d'origine grecque créa ce hameau des Farjons au XVIIIᵉ s. Gras et ample comme il se doit, ce viognier décline aussi les notes de fleurs et de miel attendues. Il accompagnera volontiers et sans attendre des poissons en sauce.

Farjon, EARL Dionysos, Les Farjons,
84100 Uchaux, tél. 06.80.05.33.33, fax 04.90.40.60.33
r.-v.

DOM. FOND CROZE Chardonnay 2006 ⋆

0,8 ha	3 000	3 à 5 €

Un chardonnay floral évoluant vers le miel, qui laisse au palais une sensation de gras plaisante. Des poissons en sauce lui tiendront compagnie dès maintenant. Le **merlot 2006** obtient lui aussi une étoile : un vin puissant destiné à des viandes relevées.

Dom. Fond Croze, Le Village,
84290 Saint-Roman-de-Malegarde,
tél. et fax 04.90.28.97.07,
e-mail fondcroze@hotmail.com r.-v.
Long Frères

DOM. MORICELLY 2006

5 ha	10 000	3 à 5 €

Carignan, grenache et merlot forment un trio efficace dans un vin très fruité, soutenu par une trame de tanins encore imposante. Il suffira d'attendre que jeunesse se passe pour apprécier cette bouteille avec des charcuteries.

François Moricelly, rte de Violès,
84850 Camaret-sur-Aigues, tél. 04.90.37.24.74,
fax 04.90.37.75.20,
e-mail domaine-moricelly@hotmail.fr r.-v.

DOM. DU PARANDOU 2005 ⋆

1 ha	8 000	3 à 5 €

De la charpente, certes, mais aussi de la rondeur. Le merlot n'est-il pas majoritaire dans l'assemblage, complété de cabernet et de syrah ? L'expression aromatique intense ajoute au caractère agréable de ce vin à déguster dans les trois ans avec un lapin aux pruneaux.

Denis Grangeon, Le Parandou, 84110 Sablet,
tél. 04.90.46.96.12, fax 04.90.46.96.13,
e-mail dgrangeon@wanadoo.fr
t.l.j. 8h-12h 13h30-19h; sam. dim. sur r.-v.

Var

LA CARÇOISE 2006

50 ha	40 000	3 à 5 €

Un moulin à huile à pressurage à l'ancienne est la curiosité de cette cave coopérative créée en 1910. Les vins méritent en outre votre attention. Ce 2006 profondément coloré laisse de belles larmes sur le bord du verre et flatte le nez par ses senteurs de cassis et de mûre. Les tanins encore très présents étayent une chair dense, apte à bien évoluer au cours de deux ou trois ans de garde.

Cave La Carçoise, 66, av. Ferrandin, 83570 Carcès,
tél. 04.94.04.38.08, fax 04.94.04.34.25 r.-v.

DOM. GRANDE BASTIDE Othello 2006

■ 3 ha 13 300 ■ 3 à 5 €

Une jeune équipe à peine trentenaire a investi dans ce domaine depuis 2001. Elle a assemblé le cinsault, la syrah et le grenache pour obtenir ce vin gouleyant, de teinte claire et légèrement aromatique. Une simplicité de bon aloi qui séduira tout un chacun au cours d'un repas amical.

SCEA La Grande Bastide Production, chem. de la Grande Bastide, 83440 Tourrettes, tél. et fax 04.94.76.00.74, e-mail domgrandebastide@aol.com r.-v.

DOM. LAFOUX 2006 *

■ 1,5 ha 5 000 ■ - de 3 €

Au château Lafoux, bastide du XVIII[e]s., vous emprunterez le sentier de promenade pour découvrir la flore méditerranéenne et les cépages. Saurez-vous reconnaître le grenache et le cinsault qui ont permis d'élaborer ce vin pétale de rose, légèrement doré sur le bord du verre ? D'un fruité frais, celui-ci joue sur la finesse au palais, avec une pointe de minéralité. Pour l'apéritif.

SCEA Ch. Lafoux, RN 7, Le Boulon, 83170 Tourves, tél. et fax 04.94.78.77.86, e-mail sales@chateaulafoux.com t.l.j. 10h-19h30 en été

Boisdron

DOM. LUDOVIC DE BEAUSÉJOUR 2005 *

■ 1,5 ha 13 000 ■ 3 à 5 €

Carignan, grenache et cabernet composent ce 2005 pourpre intense, au nez de fruits rouges légèrement épicés. Une solide structure étaye la chair dense et fruitée, laissant en finale une légère austérité qui invite à une garde d'un an ou deux. Une citation revient au **Domaine Ludovic de Beauséjour 2006 rosé**, issu à parts égales de grenache et de cinsault.

Dom. Ludovic de Beauséjour, hameau de la Basse-Maure, rte de Salernes-Flayosc, 83510 Lorgues, tél. 04.94.50.91.90, fax 04.94.47.24.94

Maunier

VAL D'IRIS Parcelle K 2005 *

■ 1,5 ha 5 600 ■ 15 à 23 €

Sur les coteaux de ce domaine, la vigne a remplacé les iris destinés autrefois à la parfumerie grassoise. Merlot et cabernet-sauvignon composent ce vin d'un rouge intense, finement boisé et fruité. La chair puissante bénéficie d'une solide charpente qui devrait se fondre au cours de trois ans de garde. À terme, vous destinerez cette bouteille à des viandes en sauce. La **cuvée Léonore 2005 rouge (8 à 11 €)** obtient également une étoile pour la fraîcheur de son fruit.

Anne Dor, Val d'Iris, 341, chem. de la Combe, 83440 Seillans, tél. 04.94.76.97.66, fax 04.94.76.89.83, e-mail valdiris@wanadoo.fr r.-v.

Vaucluse

BALMA VÉNITIA Sec muscat de B. 2006 *

6 ha 50 000 ■ 3 à 5 €

Pierre Blachon, pharmacien et président du syndicat d'initiative du village, fonda la cave balméenne en 1956. Le nez de ce muscat plonge dans les grappes fraîchement pressées, débordantes de senteurs florales (acacia). La bouche croque la pulpe des raisins et se remplit de saveurs rondes et vives, agréables et équilibrées. Un délicieux apéritif.

SCA Vignerons de Beaumes-de-Venise, quartier Ravel, 84190 Beaumes-de-Venise, tél. 04.90.12.41.00, fax 04.90.12.41.35, e-mail vignerons@beaumes-de-venise.com r.-v.

Balma Vénitia

DOM. DE LA BASTIDONNE Les Grès 2005 *

1,5 ha 4 000 8 à 11 €

Viognier, chardonnay et roussanne ont connu un élevage de dix mois en fût neuf, avec bâtonnage régulier des lies. Il en résulte un vin jaune doré, au nez fin de fleurs blanches, qui développe en bouche un léger boisé fondu dans les flaveurs de brioche.

Gérard Marreau, SCEA Dom. de La Bastidonne, 84220 Cabrières-d'Avignon, tél. 04.90.76.70.00, fax 04.90.76.74.34, e-mail domaine.bastidonne@orange.fr t.l.j. sf dim. 9h-12h 14h-18h

DOM. BOUCHE Sauvignon 2006 *

0,6 ha 6 000 ■ 5 à 8 €

Ce joli sauvignon du Vaucluse offre un bouquet riche et fin de fleurs blanches, puis une bouche ronde. Très agréable, il accompagnera une poularde à la crème ou un poisson en sauce.

Dominique Bouche, chem. d'Avignon, 84850 Camaret-sur-Aigues, tél. 06.62.09.27.19, fax 04.90.37.74.17, e-mail domaine.bouche@orange.fr r.-v.

CANORGUE Viognier 2006

3 ha 15 000 11 à 15 €

Une grande année, le film de Ridley Scott tiré du roman de Peter Mayle, a été tourné dans et autour de la bastide du XVII[e]s. Côté vin, le viognier de La Canorgue mérite une citation : un nez expressif d'agrumes et de fruits exotiques, une bouche plus discrète mais équilibrée. Pour un loup grillé au fenouil.

EARL J.-P. et N. Margan, Ch. La Canorgue, 84480 Bonnieux, tél. 04.90.75.81.01, fax 04.90.75.82.98, e-mail j.pierre.margan@wanadoo.fr r.-v.

CHANTE COUCOU Cabernet-sauvignon 2006 *

■ n.c. 4 000 ■ 3 à 5 €

Les vignerons de la Tour d'Aigues se sont regroupés à l'ombre de l'élégant château Renaissance qui s'ouvre par un portail majestueux comme un arc de triomphe. Un musée de faïences est installé dans les caves. Ce cabernet-sauvignon, rose léger, développe une matière ample, ronde et très fruitée. Une bouteille légère et gouleyante à déboucher sur une grillade. Le **Chante Coucou viognier 2006 (5 à 8 €)** obtient une citation.

SCA Valdèze, 288, bd de la Libération, 84240 La Tour-d'Aigues, tél. 04.90.07.42.12, fax 04.90.07.49.08, e-mail valdeze@valdeze.fr t.l.j. sf lun. 9h-12h30 15h-19h; dim. 9h-12h30

DOM. DE FONDRÈCHE
Alpha blanc Chardonnay 2006 *

1,5 ha 4 000 5 à 8 €

Voilà dix ans que Nanou Barthélemy et Sébastien Vincenti se sont établis à Mazan. Ils ont construit la cave,

l'ont perfectionnée au fil des ans et ont recomposé le vignoble. Cet Alpha blanc exprime non seulement le beurre et la brioche, mais aussi de tendres fleurs blanches. Rond juste comme il faut et vanillé à souhait par le chêne, il pourra accompagner des saint-jacques.
Dom. de Fondrèche, quartier Fondrèche, 84380 Mazan, tél. 04.90.69.61.42, fax 04.90.69.61.18
t.l.j. sf sam. dim. 14h-18h
Vincenti

DOM. DE LA GASQUI
Cuvée spéciale Élevé en fût de chêne 2003

2,5 ha 8 000 5 à 8 €

Situé aux portes de l'Isle-sur-la-Sorgue, la Mecque des antiquaires et des brocanteurs (on en compte trois cents), la bastide dans les vignes appartenait autrefois à l'illustre famille avignonnaise des Gasqui. Cette cuvée de grenache et de carignan a fait l'objet d'un long élevage de vingt-quatre mois en fût. Elle développe des notes de fruits rouges à l'alcool et de pruneau confit. Un vin à maturité, pour accompagner une daube de bœuf.
EARL Jean Feraud et Fils, Dom. de La Gasqui, Saint-Antoine, 84800 L'Isle-sur-la-Sorgue, tél. et fax 04.90.38.01.28, e-mail earl.jeanferaud@wanadoo.fr
t.l.j. sf dim. 9h-12h 14h-19h

MARRENON Chardonnay 2006 *

6,2 ha 74 000 3 à 5 €

Le Cellier de Marrenon rassemble onze caves du Luberon et près de 3 500 vignerons. L'union est née en 1966 sous l'impulsion d'Amédée Giniès, qui en resta le président pendant plus d'un quart de siècle. Ce chardonnay doré offre au nez de fines nuances de fleurs et de fruits exotiques. Sa bouche est harmonieuse, ronde et persistante. Le **merlot rouge 2005 (3 à 5 €)** obtient lui aussi une étoile pour son fruité.
Cellier de Marrenon, La Tour-d'Aigues, BP 13, 84125 Pertuis Cedex, tél. 04.90.07.40.65, fax 04.90.07.30.77, e-mail marrenon@marrenon.com
t.l.j. 8h-12h 14h-18h (été 8h-12h 15h-19h)

MAS CASCAL
À la recherche du temps perdu 2005 *

0,23 ha 753 38 à 46 €

Une cuvée confidentielle et positionnée haut de gamme. Un flacon de collection ? Première constatation, les ingrédients sont de qualité : roussanne en avant-plan (65 %), grenache blanc, vermentino, viognier et muscat, ayant partagé six mois de barrique. Le nez est expressif et complexe, la bouche riche et fondue, empreinte de fruits exotiques. À déguster dès aujourd'hui... Si vous arrivez à vous en procurer une bouteille !
Jean Natoli, Mas Cascal, 2, chem. des Centurions, 34170 Castelnau-le-Lez, tél. 04.67.84.84.90, fax 04.67.84.85.02, e-mail mascascal@yahoo.fr

LE CADET DE MONTIRIUS 2005

8 ha 25 000 5 à 8 €

Montirius : un assemblage des prénoms Manon, Justine et Marius, les trois enfants de la famille. Pur grenache, ce Cadet provient d'une parcelle située sur les berges de l'Ouvèze, cultivée en biodynamie. Il se promène dans le sous-bois où il a ramassé des fraises. La vigueur de ses tanins encore jeunes lui impose un séjour en cave pour gagner en souplesse.
Christine et Éric Saurel, SARL Montirius, Le Devès, 84260 Sarrians, tél. 04.90.65.38.28, fax 04.90.65.48.72, e-mail montirius@wanadoo.fr r.-v.

Alpes et pays rhodaniens

De l'Auvergne aux Alpes, la région regroupe les huit départements de Rhône-Alpes et le Puy-de-Dôme. La diversité des terroirs y est donc exceptionnelle et se retrouve dans l'éventail des vins régionaux. Les cépages bourguignons (pinot, gamay, chardonnay) et les variétés méridionales (grenache, cinsault, clairette) se rencontrent. Ils côtoient les enfants du pays que sont la syrah, la roussanne, la marsanne dans la vallée du Rhône, ainsi que la mondeuse, la jacquère ou le chasselas en Savoie, ou encore l'étraire de la dui et la verdesse, curiosités de la vallée de l'Isère. L'usage des cépages bordelais (merlot, cabernet, sauvignon) se développe également.

Dans une production de 500 000 hl, l'Ardèche et la Drôme contribuent largement à la primauté des rouges. Ain, Ardèche, Drôme, Isère et Puy-de-Dôme sont les cinq dénominations départementales (30 000 hl). Neuf dénominations régionales couvrent la région : Allobrogie (Savoie et Ain, 7 500 hl de blancs, en forte majorité), coteaux du Grésivaudan (moyenne vallée de l'Isère, 1 500 hl), Balmes dauphinoises (Isère, 1 500 hl), Urfé (vallée de la Loire entre Forez et Roannais, 1 300 hl), Collines rhodaniennes (16 000 hl, majorité de rouges), comté de Grignan (sud-ouest de la Drôme, 13 000 hl de rouges surtout), coteaux des Baronnies (sud-est de la Drôme, 30 000 hl de rouges) et coteaux de l'Ardèche (400 000 hl en rouges, rosés et blancs) ; la dernière étant celle des coteaux de Montélimar (4 000 hl).

Il existe également deux vins de pays régionaux : le vin de pays des Comtés rhodaniens (environ 3 000 hl), qui peut être produit sur les huit départements de la région (Ain, Ardèche, Drôme, Isère, Loire, Rhône, Savoie, Haute-Savoie) ; le vin de pays Portes de Méditerranée, qui peut être revendiqué dans la région Provence-Alpes-Côte d'Azur, en Corse, ainsi que dans la Drôme et en Ardèche.

Alpilles

DOM. GLAUGES DES ALPILLES
Chardonnay Expression terroir 2006 *

2 ha 5 300 5 à 8 €

Ce domaine est situé en plein cœur du massif des Alpilles, à Eyguières, commune qui fait partie du nouveau

VDP

Parc naturel régional des Alpilles crée en janvier 2007. Le chardonnay s'y épanouit sur des sols sableux et caillouteux pour donner un vin dont l'expression aromatique intense évoque les fleurs blanches. D'une bonne ampleur en bouche, il s'accordera avec des fromages de chèvre.
Berrebi, Dom. des Glauges, voie d'Aureille, 13430 Eyguières, tél. 04.90.59.81.45, fax 04.90.57.83.19, e-mail info@glaugesdesalpilles.com
t.l.j. sf dim. 10h-12h30 14h30-18h

Collines rhodaniennes

DOM. CHEZE Syrah 2005

4 ha 25 000 5 à 8 €

Cela fait près de trente ans que Louis Cheze a repris le domaine familial, qu'il a agrandi au fil des ans, portant sa surface de 1 à 28 ha aujourd'hui. Née sur un terroir granitique, cette syrah décline les arômes classiques de violette et d'épices. Sa souplesse en bouche invite à l'apprécier sans attendre avec une viande rouge grillée.
Dom. Louis Cheze, Pangon, 07340 Limony, tél. 04.75.34.02.88, fax 04.75.34.13.25, e-mail domaine.cheze@wanadoo.fr r.-v.

XAVIER GÉRARD Viognier 2006 *

1,04 ha 4 300 8 à 11 €

Premier millésime pour Xavier Gérard, qui a racheté cette parcelle de viognier en 2006, après avoir passé deux ans à vinifier à l'étranger, des États-Unis à l'Australie en passant par la Suisse. Des notes de violette, de pêche et d'abricot se partagent le nez, complétées en bouche par les agrumes qui viennent apporter une touche de fraîcheur. Un bon vin pour l'apéritif, et un vigneron à suivre.
Xavier Gérard, Côte Chatillon, 69420 Condrieu, tél. et fax 04.74.87.88.64, e-mail xaviergerard2005@yahoo.fr t.l.j. 8h-19h

CHRISTINE POCHON Les Égrèves 2005 *

2 ha 13 000 3 à 5 €

Christine Pochon a repris en 1992 l'exploitation familiale, s'attachant d'abord à travailler et à développer le vignoble. En 2003, elle crée une cave où elle vinifie désormais elle-même son vin de pays. Cette cuvée de pure syrah née sur sols sableux se montre bien structurée autour de notes fruitées et poivrées. Un vin à attendre un ou deux ans puis à servir avec une daube de bœuf.
Chrisitine Pochon, Le village, 26260 Chavannes, tél. 06.70.56.52.05, fax 04.75.45.07.13, e-mail christine.pochon@orange.fr r.-v.

LES VINS DE VIENNE Sotanum 2004 **

7 ha 25 000 23 à 30 €

Les Vins de Vienne, c'est l'association de trois producteurs désireux de faire revivre le terroir de Seyssuel, vignoble qui avait acquis une grande renommée au temps des Romains. Sur les sols schisteux, ils replantent la syrah et élaborent des cuvées portant le nom des vins jadis loués par Pline l'Ancien. Élevé dix-huit mois en fût, le Sotanum réussit le parfait mariage entre le boisé de l'élevage et le fruit mûr de la syrah. D'une rondeur gourmande et d'une grande persistance, il accompagnera dans un ou deux ans un sauté de sanglier. La cuvée **Heluicum 2005 (11 à 15 €)**, issue de plus jeunes vignes et élevée un an sous bois, pourra être bue en attendant. Elle obtient une étoile.

Les Vins de Vienne, 1108, rte de Roche-Couloure, Le Bas-Seyssuel, 38200 Seyssuel, tél. 04.74.85.04.52, fax 04.74.31.97.55, e-mail vdv@lesvinsdevienne.fr
r.-v.

Comté de Grignan

DOMAINES ANDRÉ AUBERT Chardonnay 2006

25 ha 30 000 3 à 5 €

Jaune doré, ce chardonnay dévoile des notes de fleurs blanches et de beurre. Une palette typique, en somme. La bouche n'est pas moins caractéristique : ronde, avec une pointe de fraîcheur. Un équilibre gustatif qui autorise un accord avec des poissons en sauce.
GAEC Aubert Frères, Le Devoy, 26290 Donzère, tél. et fax 04.75.51.63.01, e-mail vins-aubert-freres@wanadoo.fr
t.l.j. 10h-19h

LA VINSOBRAISE Merlot 2006 *

3 ha 25 000 - de 3 €

Des fruits rouges et de la réglisse dans une palette intense. Agréable introduction de ce vin rouge sombre qui reste souple jusqu'en finale. Pour des viandes grillées dès maintenant et jusqu'en 2010.
Cave coop. La Vinsobraise, 26110 Vinsobres, tél. 04.75.27.64.22, fax 04.75.27.66.59, e-mail infos@la-vinsobraise.com r.-v.

Coteaux de l'Ardèche

L'ABBÉ DUBOIS Cuvée Vitalys 2005 *

0,5 ha 2 000 3 à 5 €

L'abbé Dubois, natif de Saint-Remèze, était parti à Pondichéry prêcher la bonne parole au XVIIIe s. Il a laissé son nom gravé dans la clé de voûte de la cave et sur l'étiquette du clos. L'assemblage de syrah et de merlot est convaincant. Derrière le grenat sombre de la robe se révèlent des senteurs de fruits rouges mûrs et de réglisse, puis une chair ronde et persistante, dont les tanins puissants ont des accents de Zan. Le magret de canard aux myrtilles sera en bonne compagnie. Une citation pour le **chardonnay 2006 (5 à 8 €)**, plein de finesse et de fraîcheur.
Claude Dumarcher, Clos de l'Abbé Dubois, 07700 Saint-Remèze, tél. et fax 04.75.98.98.44, e-mail clos-abbe-dubois@worldonline.fr
t.l.j. sf mer. dim. 10h-12h 15h-18h

DOM. DE BOURNET
Cuvée Notre-Dame des Songes 2005 ★★

■ 9 ha 8 000 5 à 8 €

En 1755, Louis XV consentit à la plantation de vignes au domaine de Bournet. On trouve aujourd'hui le gîte et le couvert autour du mas ardéchois du XVII[e]s. Les cabernet-sauvignon et merlot aquitains s'expriment ici : fruits mûrs et épices, bouche franche et charpentée. Ce vin gagnera encore en expression avec une petite garde.

GAEC Dom. de Bournet, 07120 Grospierres, tél. 04.75.39.68.20, fax 04.75.39.06.96, e-mail domaine_de_bournet@hotmail.com
r.-v.

DOM. LES CLAPAS Syrah Fontaury 2005 ★★

■ 0,5 ha 2 000 5 à 8 €

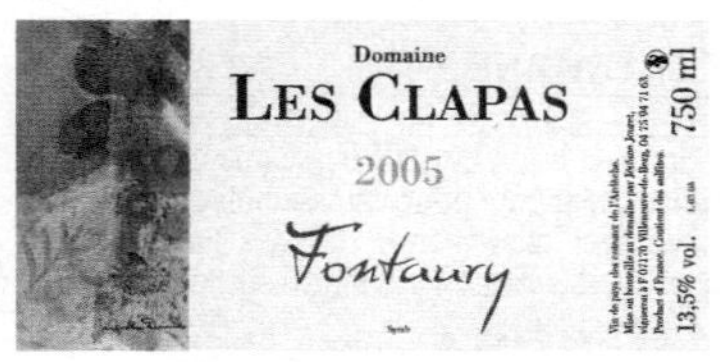

De jeunes ceps de syrah, plantés il y a quatre ans et qui n'attendent pas pour produire un fruit de qualité. Une jeunesse, qui veut tout, qui donne tout, et tout de suite. Le vigneron n'y est pas pour rien, qui a bien élevé ses enfants, en pension durant quinze mois en fût. La robe est bigarreau sombre, scintillante de reflets grenat et orangés. Le nez libère à l'envi des arômes de fruits rouges confiturés, de pruneau, sur un fond épicé. Ce vin charnu régale la bouche de son ampleur et de sa rondeur. Le **Saint-Giraud viognier 2006 (8 à 11 €)** est cité.

Dom. Les Clapas, Le petit Tournon, 07170 Villeneuve-de-Berg, tél. et fax 04.75.94.71.63, e-mail jouret.j@wanadoo.fr
r.-v.
Jérôme Jouret

CLOS DELORME Chardonnay 2005 ★

1 ha 2 000 5 à 8 €

Un chardonnay sous le soleil ardéchois de Saint-Just. D'élégants reflets dorés miroitent dans la robe, tandis que des parfums de pêche blanche et de fleur d'acacia, mêlés à la vanille, flattent le nez. La bouche est ronde et fraîche, pulpeuse au premier abord, puis empreinte de noisette et de notes de brioche chaude. Une truite de mer poêlée à la ratatouille fera un bon accord avec ce vin.

Clos Delorme, quartier Larignier, 07700 Saint-Just-d'Ardèche, tél. et fax 04.75.04.60.58, e-mail clos.delorme@wanadoo.fr r.-v.

DOM. DE COURON Marselan 2006 ★

■ 1 ha 9 300 3 à 5 €

Au débouché des gorges de l'Ardèche, les grottes de Saint-Marcel méritent le détour. Les galeries s'étendent sur quarante kilomètres, traversant des cathédrales de stalactites et de stalagmites illuminées en son et lumière. Du rouge bigarreau s'envolent des senteurs de fruits mûrs, de confiture et de grillé. La bouche est ronde, ample et longue, étoffée par des tanins fondus, avant une finale sur des nuances réglissées et épicées.

Jean-Luc Dorthe, Dom. de Couron, 07700 Saint-Marcel-d'Ardèche, tél. 04.75.98.72.67, fax 04.75.98.67.86, e-mail jldorthe@free.fr
t.l.j. sf dim. 9h-12h30 15h-19h30; f. nov.

ALAIN DUMARCHER
Cabernet-sauvignon Cuvée des Aguiaps 2005 ★

■ 3,1 ha 2 500 3 à 5 €

Les vignes sont perchées sur le plateau caillouteux de Gras, entre les champs de lavande et la garrigue. Ce cabernet-sauvignon de bonne tenue évoque le poivre et le cassis. C'est un vin corsé solidement charpenté qui profitera d'un séjour en cave pour s'arrondir.

Alain Dumarcher, Le Clos de Prime, 07700 Gras, tél. 04.75.01.31.82, fax 04.75.04.31.82, e-mail domaine_alain_dumarcher@tiscali.fr
r.-v.

CELLIER DES GORGES DE L'ARDÈCHE
Syrah 2006 ★

■ n.c. 7 000 - de 3 €

Les vignerons du Cellier portent en emblème stylisé l'aigle de Bonelli, l'un des plus menacés des grands rapaces, qui a été réintroduit dans le parc des monts d'Ardèche. Cette syrah aux éclats violines et au nez subtil de fruits cuits se montre charnue puis épicée en finale. Ses tanins présents mais fondus autorisent une dégustation immédiate comme une petite garde. Une citation pour le **merlot 2006** et pour la cuvée **Promesse blanc 2006 (3 à 5 €)**.

SCA Cave Saint-Just Saint-Marcel, rte de la Gare, 07700 Saint-Marcel-d'Ardèche, tél. 04.75.04.66.83, fax 04.75.98.73.20, e-mail cave.stjust.stmarcel@free.fr
r.-v.

CAVE LABLACHÈRE Chatus Trias Cévenol 2005 ★

■ 10 ha 24 000 5 à 8 €

Les vignerons de Lablachère font œuvre de mémoire en présentant cette curiosité : le chatus, vieux cépage des Cévennes ardéchoises. Très répandu au XIX[e]s., il avait disparu du paysage, détruit par le phylloxéra. Il a donné naissance à ce 2005 ample et charpenté, qui offre des parfums de nèfle, de poivre blanc, de griotte. Un vin à carafer puis à servir sur des plats solides comme le cassoulet.

Cave coop. Lablachère, La Vignolle, 07230 Lablachère, tél. 04.75.36.65.37, fax 04.75.36.69.25, e-mail cave.lablachere@free.fr
t.l.j. sf dim. 8h30-12h 14h-19h

CAVE COOP. DE MONTFLEURY Pinot 2005

■ n.c. 12 000 3 à 5 €

C'est un pinot, il ne s'en cache pas. Il porte toutes les particularités du grand cépage bourguignon et champenois, exaltées par le soleil du Sud. Le jus peu teinté de ses raisins habille le vin d'une robe légère, un peu ambrée. Le nez suggère le sous-bois avec des notes animales, tandis qu'en bouche, c'est la chaleur de l'été. À réserver aux viandes en sauce comme la blanquette.

Cave coop. de Montfleury, quartier Gare, 07170 Villeneuve-de-Berg, tél. 04.75.94.82.76, fax 04.75.94.89.45, e-mail cooperative-montfleury@wanadoo.fr
r.-v.

DOM. DE PEYRE BRUNE
Les Chênes Élevé en fût de chêne 2006 *

■ 1,3 ha 7 000 5 à 8 €

Régis Quentin, ex-informaticien, a accordé syrah et grenache, le couple de la vallée du Rhône, et les a élevés six mois en fût. Le boisé maîtrisé développe des flaveurs finement vanillées, qu'équilibre une fraîcheur des plus agréables.

Dom. de Peyre Brune, Pléoux, 07460 Beaulieu, tél. et fax 04.75.39.29.01, e-mail contact@peyrebrune.com
t.l.j. sf dim. 9h-19h en été; 17h-19h hors-saison

DOM. MARIUS PRADAL Cuvée de l'Ours 2006 *

■ 2 ha 8 500 3 à 5 €

Marius le patriarche s'était installé ici en 1906. Cent vendanges plus tard, son arrière-petit-fils, Gilles, signe sa première création. Il a entendu et suivi les leçons de l'aïeul. Un rosé de caractère, à la couleur soutenue, au nez dominé par les agrumes, à la bouche équilibrée, ronde et longue aux arômes de fruits rouges et de réglisse. La **cuvée de l'Ours rouge 2006** obtient une citation.

Éliette Pradal, Le Petit Champagne, 07220 Saint-Montan, tél. 06.88.52.08.47, fax 04.75.52.65.56, e-mail pradal.gilles@orange.fr
t.l.j. 9h-12h 14h-18h

DOM. CH. DE LA SELVE
Syrah merlot grenache Serre de Berty 2005 ***

■ 4 ha 20 000 11 à 15 €

Cette cuvée est un vin de fête, un grand vin de syrah, de merlot et de grenache. La robe cerise brille de mille feux, puis fusent les arômes : épices, cuir, fruits rouges et fruits des bois. Des tanins fins soutiennent la chair généreuse et ample, qui marie durablement le boisé et le fruité. En tout point exceptionnel. Pour une garde de quelques années – dans l'attente d'une grande occasion.

Ch. de La Selve, 07120 Grospierres, tél. 04.75.93.02.55, fax 04.75.93.09.37, e-mail contact@chateau-de-la-selve.fr
t.l.j. sf dim. 9h-12h30 14h-18h30
Chazallon

TERRE DE FRIGOULE Syrah 2005

■ 12 ha 45 000 3 à 5 €

Cette Terre de Frigoule ? Une expression aromatique fidèle, la syrah telle qu'en elle-même, avec ses tonalités intenses de fruits mûrs. Après un élevage de six mois en fût, l'intégration du bois est accomplie. Un bon compagnon des grillades.

Cave coop. d'Alba-la-Romaine, 07400 Alba-la-Romaine, tél. 04.75.52.40.23, fax 04.75.52.48.76 r.-v.

DOM. DE VIGIER Chardonnay Cuvée Inès 2005 *

■ 1 ha 6 000 5 à 8 €

Un charmant chardonnay, bien élevé en barrique pendant neuf mois. Une tenue jaune d'or, une étoffe soyeuse et délicate parfumée d'agrumes et de fleurs blanches. Un vin blanc élégant à déguster frais avec un plateau de fruits de mer.

Dupré et Fils, Dom. de Vigier, 07150 Lagorce, tél. 04.75.88.01.18, fax 04.75.37.18.79 r.-v.

Coteaux de Montélimar

LES VIGNES DE JULIANNE 2005 *

■ n.c. 8 000 5 à 8 €

N'est-elle pas élégante cette cuvée riche d'arômes de fruits rouges et de poivron ? Elle trouve un juste équilibre au palais entre rondeur et fraîcheur, de sorte qu'elle pourra accompagner dans les deux ans des viandes grillées ou rôties.

M. Chapoutier, 18, av. Paul-Durand, BP 38, 26600 Tain-l'Hermitage, tél. 04.75.08.28.65, fax 04.75.08.81.70, e-mail chapoutier@chapoutier.com
t.l.j. 9h-12h30 14h-19h; dim. 10h-13h 14h-18h

Coteaux des Baronnies

LA COMTADINE 2006

■ 10 ha 30 000 - de 3 €

Fruité et léger, ce 2006 laisse une impression rafraîchissante, étonnante pour un assemblage de grenache et de syrah. Les charcuteries de pays lui iront bien dès maintenant, mais il n'est pas impossible de le conserver un an ou deux en cave.

Cave La Comtadine, 84110 Puyméras, tél. 04.90.46.40.78, fax 04.90.46.43.32, e-mail cave-la-comtadine@wanacoo.fr
t.l.j. 8h-12h 14h-18h

DOM. DU RIEU FRAIS Viognier 2005 *

■ 2 ha 8 000 5 à 8 €

Sainte-Jalle, petit bourg niché dans la vallée de l'Ennuyé, bleutée de lavande, au cœur des Baronnies drômoises. L'olivier, le tilleul, la truffe et la vigne sont d'autres richesses de ces terroirs. Ce viognier aux notes d'abricot, de pêche et de fleurs blanches se montre fin et rond. À déguster dès aujourd'hui ou à garder jusqu'en 2010. En cuisine, préparez une brouillade de truffes noires, dont le secret réside dans une cuisson à feu doux...

Jean-Yves Liotaud, Dom. du Rieu Frais, 26110 Sainte-Jalle, tél. 04.75.27.31.54, fax 04.75.27.34.47, e-mail jean-yves.liotaud@wanadoo.fr
t.l.j. 9h-12h 14h-18h; f. dim. nov.-fév.

Régions de l'Est

On trouvera ici des vins originaux, fort modestes, vestiges de vignobles décimés par le phylloxéra mais qui eurent leur heure de gloire, bénéficiant du voisinage prestigieux de la Bourgogne ou de la Champagne. Ce sont d'ailleurs les cépages de ces régions que l'on retrouve, avec ceux de l'Alsace ou du Jura, vinifiés le plus souvent individuellement ; les vins ont alors le caractère de leur cépage : auxerrois, chardonnay, pinot noir, gamay ou pinot gris.

Vins de pays de Franche-Comté, de la Meuse, de Saône-et-Loire, de la Haute-Marne ou de l'Yonne, ils sont le plus souvent fins, légers, frais et bouquetés ; en augmentation, surtout pour les vins blancs, la production n'est encore que de 9 000 hl dont 5 000 hl en blanc et 3 000 hl en rouge.

Coteaux de l'Auxois

VIGNOBLE DE FLAVIGNY-ALÉSIA
La Vivacité Aligoté 2005

1,1 ha 11 000 5 à 8 €

Les curiosités ne manquent pas alentour : le champ de bataille d'Alésia, les sources de la Seine, l'abbaye de Fontenay et le village médiéval de Flavigny connu pour son abbaye. La propriété occupe une ancienne dépendance du monastère. Elle présente un aligoté aux reflets argentés, aux senteurs de fruits confits puis d'agrumes. Après une attaque vive, la bouche révèle sa rondeur et affiche un caractère affirmé d'aligoté. À servir frais avec des escargots de Bourgogne.

Ida Nel, Vignoble de Flavigny-Alésia, Pont-Laizan, 21150 Flavigny-sur-Ozerain, tél. 03.80.96.25.63, fax 03.80.96.25.83, e-mail vignoble-de-flavigny@wanadoo.fr r.-v.

DOM. DE VILLAINES-LES-PRÉVÔTES-VISERNY
Auxerrois 2006 *

1,6 ha 7 000 5 à 8 €

Un vignoble ressuscité par la foi d'une bande d'amis. Ils ont élaboré un vin or blanc, pâle et brillant, aux parfums de fleurs blanches et d'agrumes, de miel et de tilleul. Le moelleux agréable est soutenu par une pointe vive de bon aloi. Après une bénéfique aération, on servira cette bouteille à l'apéritif ou sur des poissons et des crustacés.

SA des Coteaux de Villaines-Les-Prévôtes-Viserny, 1, rue Amont, 21500 Villaines-les-Prévôtes, tél. 03.80.96.71.95, e-mail vins.villainesviserny@wanadoo.fr
t.l.j. sf sam. dim. 14h-18h; sam. 10h-12h; groupes sur r.-v.

Coteaux de Coiffy

LES COTEAUX DE COIFFY Auxerrois 2005 *

4,12 ha 9 000 3 à 5 €

Ici, la vigne se taille en lyre et les vins jouent des airs légers et printaniers. Quant aux buveurs d'eau, ils se rendent à Bourbonne-les-Bains, la station thermale voisine. Le vignoble Renaut-Camus a été replanté il y a vingt-cinq ans, et les rangs d'auxerrois dans la fleur de l'âge livrent aujourd'hui un joli fruit. Derrière l'or vert et limpide de la robe, le nez exprime un fin bouquet de violette, d'iris et de narcisse, ainsi qu'une fraîcheur fruitée. Rond et gouleyant en bouche, ce vin révèle une franche gaieté. Le **pinot noir 2005 (5 à 8 €)**, typique du cépage, est à servir sans attendre. Il est cité.

Renaut-Camus, SCEA les Coteaux de Coiffy, rue des Bourgeois, 52400 Coiffy-le-Haut, tél. et fax 03.25.84.80.12, e-mail renautlaurent@aol.com r.-v.

Franche-Comté

VIGNOBLE GUILLAUME
Chardonnay Collection réservée 2005 *

1 ha 3 800 15 à 23 €

Sur les coteaux de Gy, les Guillaume s'adonnent à la viticulture depuis 1732. Ce domaine compte douze coups de cœur à son actif, et propose aujourd'hui un chardonnay de teinte claire, or paille brillant, au nez flatteur de girofle et de vanille, à la bouche fraîche et longue, marquée par l'amande et la noisette. Pour les amateurs de boisé. Une étoile distingue également la **Collection réservée pinot noir 2005**. Grenat profond, celle-ci libère de légères senteurs de cerise, puis se montre soyeuse en bouche malgré des tanins qui devront encore mûrir.

Vignoble Guillaume, rte de Gy, 70700 Charcenne, tél. 03.84.32.77.22, fax 03.84.32.84.06, e-mail vignoble@guillaume.fr
t.l.j. sf dim. 9h-12h 14h-18h; groupes sur r.-v.

Haute-Marne

LE MUID MONTSAUGEONNAIS
Pinot noir Élevé en fût de chêne 2005

0,5 ha 2 400 8 à 11 €

La forteresse de Montsaugeon, forte de neuf tours, siégeait au Moyen Âge aux confins de la Lingonie, le pays de Langres, grande ville de foire entre Champagne et Bourgogne. Dans le fief des seigneurs de Montsaugeon, le vignoble renaît depuis deux décennies. Ce pinot noir rubis sombre, riche de senteurs de fruits rouges cuits, de vanille et de réglisse, est d'une puissance magistrale. Ses flaveurs boisées éclipsent parfois le fruit, mais les tanins sont soyeux. Une bouteille pour amateurs de boisé, à garder de quatre à cinq ans. Même note pour le **chardonnay 2006 (3 à 5 €)**. C'est un vin friand, aux légers parfums floraux.

SA Le Muid Montsaugeonnais, 23, av. de Bourgogne, 52190 Vaux-sous-Aubigny, tél. et fax 03.25.90.04.65, e-mail muidmontsaugeonnais@wanadoo.fr r.-v.

Meuse

L'AUMONIÈRE Pinot noir 2006 *

1,15 ha 8 400 3 à 5 €

Non loin du château d'Hattonchatel, ce domaine d'un peu plus de 5 ha propose un pinot noir bien typé dans sa robe rubis brillant. Au nez intense, marqué par les fruits noirs répond une bouche puissamment structurée. Les tanins encore très présents méritent de se fondre à la faveur de la garde, de même que la finale un peu acidulée. Le **vin gris 2006 (moins de 3 €)** est cité. Issu de pinot noir et de chardonnay, il est frais et fruité.

L'Aumonière, Viéville-sous-les-Côtes, 55210 Vigneulles, tél. 03.29.89.31.64, fax 03.29.90.00.92 r.-v.

DOM. DE COUSTILLE Gris 2006 **

0,6 ha 4 000 3 à 5 €

Ce vin gris, d'abord, couleur saumon à reflets roses, a convaincu le jury par son nez expressif de fraise et de groseille comme par sa bouche fraîche et fruitée, alliant les

VDP

flaveurs de fraise et de citron. C'est un vin souple et persistant. Une citation est attribuée au **pinot noir 2005**, élevé en fût, ainsi qu'à l'**auxerrois 2006**.

Jean Philippe, SCEA de Coustille, 23, Grand-Rue, 55300 Buxerulles, tél. 03.29.89.33.81, fax 03.29.90.01.88, e-mail jean.philippe55@orange.fr
r.-v.

DOM. DE LA GOULOTTE Pinot noir 2005 *

1,13 ha 9 000 3 à 5 €

Un pinot noir vêtu de rouge soutenu à reflets violacés. Une petite note animale ouvre la gamme aromatique, bientôt relayée par la cerise et les épices. Le palais structuré et équilibré fait la part belle aux flaveurs de griotte. Une légère tannicité en finale est une invitation à une garde de six mois. Cité, le **blanc 2006**, pur auxerrois, laisse une impression de fraîcheur.

Philippe et Évelyne Antoine, Dom. de La Goulotte, 6, rue de l'Église, 55210 Saint-Maurice, tél. 03.29.89.38.31, fax 03.29.90.01.80, e-mail domainedelagoulotte@wanadoo.fr r.-v.

DOM. DE GRUY Auxerrois 2006 *

0,5 ha 4 000 3 à 5 €

Un poisson grillé trouvera un bon compagnon dans ce vin jaune paille, aux notes de pêche et autres fruits jaunes. La chair est ronde et fruitée, d'une juste fraîcheur grâce à une finale citronnée. Avez-vous prévu une quiche ? C'est le **gris 2006**, cité, qu'il vous faut : floral, doté d'une pointe d'agrumes et de cerise, il se montre souple.

Laurent Degenève, Dom. de Gruy, 7, rue des Lavoirs, 55210 Creuë, tél. et fax 03.29.89.30.67 t.l.j. 8h-12h 14h-19h

DOM. DE MONTGRIGNON 2006 *

0,75 ha 4 200 3 à 5 €

Le pinot gris a donné naissance à un 2006 jaune légèrement ambré qui développe une ligne fruitée, nuancée de noisette au palais. L'équilibre se réalise et la petite pointe végétale qui se manifeste en finale promet de disparaître à la faveur de quelques mois de garde. Une étoile également pour le **gris 2006**, expressif (fraise, groseille) et généreux. Enfin, le **pinot noir 2006** est cité.

Pierson Frères, GAEC de Montgrignon, 9, rue des Vignes, 55210 Billy-sous-les-Côtes, tél. 03.29.89.58.02, fax 03.29.90.01.04 r.-v.

DOM. DE MUZY
Pinot noir Élevé en fût de chêne 2005 ***

3 ha 10 000 5 à 8 €

Jean-Marc Liénard vous montrera sans doute le puits enterré dans la cave qui permet de capter l'eau de source, puis il vous indiquera le circuit de randonnée le long du vignoble qui conduit vers le site historique de la bataille des Éparges. Auparavant, demandez à goûter ce vin rubis qui libère un boisé expressif, de qualité, accompagné de notes de fruits noirs. Le palais est marqué par un fruité évocateur de cassis et de cerise, nuancé de vanille. Les tanins sont si soyeux qu'une impression de suavité ressort de la dégustation. Deux étoiles brillent en outre pour la cuvée **La Côte pinot noir 2006**, élevée en fût, fruitée et ample. À boire ou à garder.

Jean-Marc Liénard, EARL Dom. de Muzy, 3, rue de Muzy, 55160 Combres-sous-les-Côtes, tél. 03.29.87.37.81, fax 03.29.87.35.00
r.-v.

DOM. DE MUZY
Auxerrois Les vieilles Vignes 2006 **

2 ha 10 000 5 à 8 €

Une seule étiquette coup de cœur peut être reproduite dans le Guide ; il n'en reste pas moins que cet auxerrois a été salué par le jury de la même distinction que le vin précédent. Robe jaune paille, nez puissant de fruits exotiques, bouche ronde, structurée et longue. Un peu de sucres résiduels, sans excès, apporte une souplesse agréable à ce 2006 friand qui pourra aussi attendre. Une étoile revient au **gris Terre amoureuse 2006 (3 à 5 €)**, fruité et frais.

Jean-Marc Liénard, EARL Dom. de Muzy, 3, rue de Muzy, 55160 Combres-sous-les-Côtes, tél. 03.29.87.37.81, fax 03.29.87.35.00
r.-v.

Saône-et-Loire

VIN DES FOSSILES 2006 *

n.c. n.c. 5 à 8 €

Derrière une teinte doré pâle, cette cuvée de pinot gris offre un nez élégant, dominé par la poire, la pâte de fruits et de coings. La bouche allie fraîcheur et souplesse. Une bouteille caractéristique de son cépage. Le **pinot noir 2005**, élevé en fût, marqué par la cerise et le cassis devra être attendu pour permettre aux tanins de se fondre. Il est cité.

Jean-Claude Berthillot, Les Chavannes, 71340 Mailly, tél. et fax 03.85.84.01.23
sam. 14h-19h

LE LUXEMBOURG

LES VINS DU LUXEMBOURG

Petit État prospère au cœur de l'Union européenne, situé à la charnière des mondes germanique et latin, le Grand-Duché de Luxembourg est un pays viticole à part entière. La consommation de vin par habitant y est proche de celle que l'on observe en France et en Italie. Le vignoble s'inscrit le long du cours sinueux de la Moselle, dont les coteaux portent des ceps depuis l'Antiquité. Il donne des vins blancs secs, vifs et aromatiques.

La production vinicole du Grand-Duché est confidentielle (140 000 hl), à la mesure de sa modeste superficie (1 300 ha). Les vins sont produits par des viticulteurs membres d'une coopérative vinicole (63 % de la production), par des vignerons indépendants (21 %) et par des négociants (16 %). Remich est le siège d'un centre de recherche et de l'organisation officielle de la viticulture.

On sait l'importance que prit le vignoble mosellan au IVe s., lorsque Trèves – très proche de la frontière actuelle du Grand-Duché de Luxembourg – devint résidence impériale et l'une des quatre capitales de l'Empire romain. Aujourd'hui, de Schengen à Wasserbillig, les coteaux de la rive gauche de la Moselle forment un cordon continu de vignobles, autour des cantons de Remich et de Grevenmacher. Orientés au sud et au sud-est, ceux-ci bénéficient de l'effet bienfaisant des eaux du fleuve, qui estompent les courants d'air froid venant du nord et de l'est, et modèrent l'ardeur du soleil de l'été. En raison de leur latitude septentrionale (49 degrés de latitude N.), ils produisent presque exclusivement des vins blancs. Près de 30 % d'entre eux proviennent du cépage rivaner (ou müller-thurgau). L'elbling, cépage typique du Luxembourg (9 % de la surface viticole), donne un vin léger et rafraîchissant. Les vins les plus recherchés proviennent des cépages auxerrois, riesling, pinot blanc, chardonnay, pinot gris, pinot noir et gewurztraminer.

Créée en 1935, la marque nationale des vins de la Moselle luxembourgeoise a pour objet d'encourager la qualité et de permettre au consommateur de réaliser ses choix sous la garantie officielle de l'État. En 1985 est apparue l'appellation contrôlée moselle luxembourgeoise. Il existe aussi une hiérarchie des vins (marque nationale, appellation contrôlée, vin classé, premier cru, grand premier cru). L'originalité du classement des vins, en fonction de leur notation lors de chaque agrément, mérite d'être soulignée : les vins qui ont obtenu entre 18 et 20 points sont qualifiés de grand premier cru, entre 16 et 17,9 de premier cru, entre 14 et 15,9 de vin classé, entre 12 et 13,9 de vin de qualité sans mention particulière et en dessous de 12 points de simple vin de table. En 1991 est née l'appellation crémant-de-luxembourg. Depuis 2001, les viticulteurs peuvent produire des vins de vendanges tardives, des vins de glace et des vins de paille.

Moselle luxembourgeoise

DOM. MATHIS BASTIAN

Wellenstein Foulschette Pinot gris 2006

Gd 1er cru 1,33 ha 8 270 ■ 8 à 11 €

Des reflets vert pâle brillent dans le verre, invitant à saisir les arômes de fruits exotiques, de noisette et de brioche, avec une nuance de champignon. Une bonne ampleur est perceptible au palais, soulignée par le fruité et une ligne minérale qui donne au vin de la typicité. Un pinot gris à découvrir dès maintenant. Cité également, le **pinot gris 1er cru Wellenstein Foulschette 2006**, souple, chaleureux et gras, aux évocations de mangue.

Mathis Bastian, 29, rte de Luxembourg, 5551 Remich, tél. 23.69.82.95, fax 23.66.91.18, e-mail domaine.mathisbastian@pt.lu r.-v.

DOM. BECK-FRANK

Greiveldenger Primerberg Pinot gris 2005 *

Gd 1er cru 0,4 ha 3 500 ■ 5 à 8 €

Il vous sera aisé de trouver ce domaine de 7,5 ha au détour du sentier touristique de Greiveldange. Une pause y est vivement conseillée, ne serait-ce que pour découvrir ce pinot gris d'abord ouvert sur des arômes de fleurs et de silex, puis, à la faveur de l'aération, sur des notes d'abricot sec et d'amande. Ne cherchez pas la complexité dans son équilibre gustatif, mais le plaisir d'une chair fruitée et

fraîche, à la finale citronnée. Un dégustateur propose un accord gourmand avec un râble de lapin en habit de ventrèche, c'est-à-dire bardé de lard maigre.
Dom. viticole Beck-Frank, 10, Bréil,
5426 Greiveldange, tél. 23.69.82.92, fax 23.69.76.07,
e-mail vins.beck@pt.lu r.-v.

DOM. CLOS DES ROCHERS

Grevenmacher Fels Pinot blanc 2006 *

Gd 1er cru	0,8 ha	4 800	5 à 8 €

Propriété de la famille Clasen, le Clos des Rochers couvre 15 ha sur les coteaux de Grevenmacher, de Wormeldange et d'Ahn. Sur la première commune, le sol est constitué de calcaire à coquilles, un terroir propice à la maturation du pinot blanc qui a produit en 2006 ce vin jaune clair, prêt à décliner les arômes de tous les fruits blancs connus, sur fond minéral. Au palais, la vivacité domine, signe de jeunesse, mais les flaveurs continuent de flatter les sens.
SARL Dom. Clos des Rochers, 8, rue du Pont,
6773 Grevenmacher, tél. 75.05.451, fax 75.06.06,
e-mail info@bernard-massard.lu
t.l.j. 9h30-18h; f. 1er nov.-31 mars

DOM. CHARLES DECKER

Remerschen Kreitzberg Auxerrois
Vin de paille 2006 **

	n.c.	470	30 à 38 €

De l'or jaune enveloppant tout le verre, des arômes de fruits secs, de fruits confits, de miel et d'épices nobles qui s'évasent. La richesse, en somme. Celle-ci se confirme au palais, équilibrée par une juste vivacité et une finale acidulée sur les agrumes. Pour des fromages bleus ou des gâteaux. Le **vin de paille de pinot blanc de Remerschen Kreitzberg 2006** est noté une étoile pour l'intensité de ses arômes et sa fraîcheur.
Charles Decker, 7, rte de Mondorf,
5441 Remerschen, tél. 23.60.95.10, fax 23.60.95.20,
e-mail deckerch@pt.lu r.-v.

DOM. MME ALY DUHR ET FILS

Hohfels Pinot gris Domaine et tradition 2005 ***

	0,3 ha	6 339	5 à 8 €

Un domaine de 8 ha dirigé par Nelly Duhr-Hirtt et réparti sur pas moins de sept lieux-dits, dont Ahn Hohfels qui est à l'origine de ce pinot gris doré clair. Un joli fruité se dessine sous des tonalités de pêche jaune, de coing et de mangue, accompagné d'une ligne florale évocatrice d'acacia. L'attaque est vive, mais la bouche renoue bientôt avec la rondeur et le charnu de sorte que le vin garde son élégance jusqu'à la finale de fruits exotiques. Une citation est attribuée au **riesling Ahn Palmberg 2005 (8 à 11 €)**, ainsi qu'à l'**auxerrois Koeppchen 2005**.
Mme Aly Duhr et Fils, 9, rue Aly-Duhr, 5401 Ahn,
tél. 76.00.43, fax .76.05.70, e-mail aduhrvin@pt.lu
r.-v.

DOM. HÄREMILLEN

Mertert Herrenberg Pinot gris 2006 **

Gd 1er cru	n.c.	13 000	5 à 8 €

C'est au vieux moulin de Ehnen qu'il faudra vous rendre pour déguster ce vin bien épanoui sous une teinte jaune clair. Le fruit s'exprime volontiers, dans le registre exotique, puis une attaque franche introduit une bouche équilibrée, longuement soutenue par la fraîcheur aux accents d'agrumes. La typicité du pinot gris, l'harmonie en plus.

Le Luxembourg

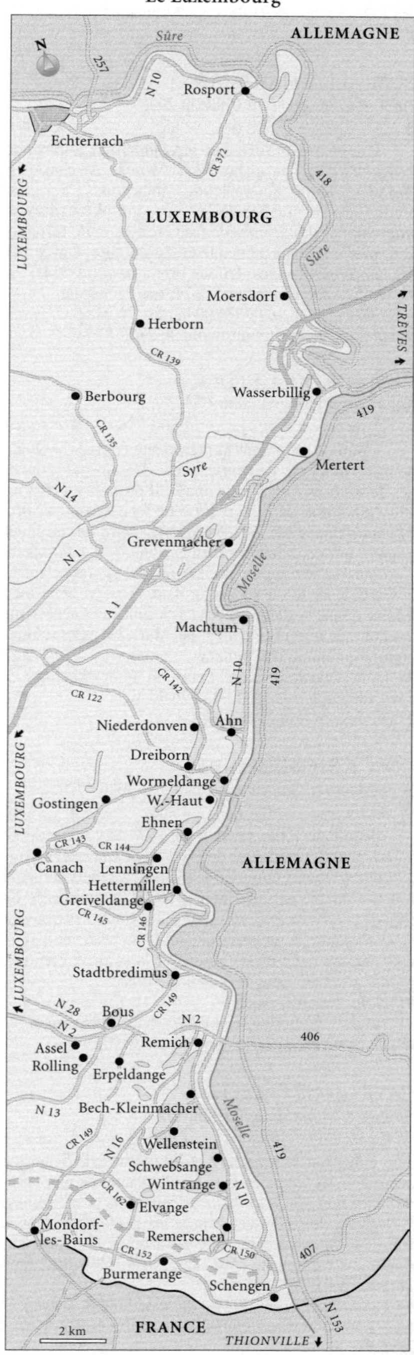

Dom. Häremillen, 3, op der Borreg, 5419 Ehnen, tél. 76.84.36, fax 76.91.93, e-mail hmillen@pt.lu
r.-v.

DOM. ALICE HARTMANN

Pinot noir Sélection du Château 2005 **

	n.c.	n.c.	23 à 30 €

Une charmante demeure aux murs roses commande le vignoble de 3,5 ha, au bord de la Moselle. Au chai, c'est Hans-Jörg Befort qui veille aux vinifications : il a ainsi produit ce pinot noir habillé de rouge sombre, tout disposé à développer des arômes de fruits rouges et de torréfaction, puis une chair puissante et chaleureuse, étayée par des tanins bien fondus. Un vin prêt à passer à table.

Dom. Alice Hartmann, 72-74, rue Principale, 5480 Wormeldange, tél. 76.00.02, fax 76.04.60, e-mail domaine@alice-hartmann.lu r.-v.

DOM. R. KOHLL-LEUCK

Kelterberg Pinot gris 2006 ***

Gd 1er cru	0,7 ha	4 500	5 à 8 €

Coup de cœur dans la précédente édition du Guide pour son pinot gris de Rousemen, le domaine ne se défait pas de ses trois étoiles cette année. Il propose en effet un autre pinot gris, de Kelterberg cette fois, terroir calcaire. Brillant d'une teinte jaune-vert, le vin offre un nez fin et élégant, qui cède tout aux fruits. Puis c'est une palette d'arômes variés qui se décline au palais, rappelant la noisette, la figue ou encore la datte. Une vivacité bien fondue donne beaucoup d'éclat à ce 2006 qui s'achève sur des notes de miel et de pain grillé. Mariez-le à des viandes blanches, comme une pintade.

Dom. viticole R. Kohll-Leuck, 4, an der Borreg, 5419 Ehnen, tél. 76.02.42, fax 76.90.40, e-mail dukohll@pt.lu r.-v.

DOM. KRIER-BISENIUS

Bech-Maacher Galgenberg Pinot gris 2006 ***

Gd 1er cru	0,4 ha	4 300	5 à 8 €

Jean-Paul Krier possède un tout petit vignoble de 0,8 ha, planté de riesling et de pinot gris. Ce dernier cépage a donné naissance à un vin jaune pâle à reflets verts qui retient l'intérêt par son intense fruité, réminiscence du fruit de la Passion et de raisin surmûri. Ces notes trouvent écho au palais, complétées par celles de pêche et d'agrumes comme pour mieux rehausser la chair concentrée, ronde, jusqu'à la longue et délicate finale.

Dom. Krier-Bisenius, 91, rte du Vin, Bech-Kleinmacher, 5405 Wellenstein, tél. 23.66.92.06, e-mail krierjp@pt.lu r.-v.

CAVES PAUL LEGILL

Schengen Markusberg Riesling 2006

Gd 1er cru	0,15 ha	1 400	5 à 8 €

Schengen Markusberg et les coteaux de Schengen accueillent les 5,6 ha de Paul Legill, plantés de pinot gris, de pinot noir, de pinot blanc, d'auxerrois et de riesling. L'élégance de ce dernier cépage est perceptible dans la fraîcheur du palais et le fruité des arômes. Simple ? Sans doute, mais simplicité n'est-elle pas vertu lorsque l'équilibre se réalise ?

Caves Paul Legill, 27, rte du Vin, 5445 Schengen, tél. 23.66.40.38, fax 23.60.90.97, e-mail plegill@pt.lu
r.-v.

DOM. JEAN LINDEN-HEINISCH

Ehnen Wousselt Riesling 2005 *

Gd 1er cru	0,4 ha	3 000	5 à 8 €

Des reflets verts animent la robe de ce riesling qui se livre volontiers sous des tonalités minérales et citronnées, puis sous des accents de fruits mûrs comme l'abricot. Au palais, il laisse une sensation de fraîcheur intense, encore rehaussée par les flaveurs d'agrumes persistantes. Le **gewurztraminer Ehnen Bromelt Grand 1er cru 2005** est cité.

Jean Linden-Heinisch, 8, rue Isidore-Comes, 5417 Wormeldange, tél. 76.06.61, fax 76.91.29
r.-v.

DOM. PUNDEL-HOFFELD

Ahn Palmberg Riesling 2005

Gd 1er cru	0,15 ha	1 800	5 à 8 €

Dans les caves du XVIIIe s. de ce domaine de 6,8 ha a été élevé neuf mois durant ce riesling, éclairé de reflets verts. Discret, frais et tout en légèreté, le vin n'en est pas moins agréablement fruité tout au long de la dégustation, avec quelques notes d'épices en complément.

Dom. viticole Pundel-Hoffeld, 6, rue de l'Église, 6841 Machtum, tél. 75.02.76, fax 75.94.95 r.-v.
Claude Pundel

DOM. SAINT-MARTIN

De nos Rochers Pinot blanc 2006 **

Gd 1er cru	0,41 ha	4 000	5 à 8 €

C'est bien dans le rocher que sont creusées les longues galeries souterraines servant de cave au domaine Saint-Martin. Les effervescents s'y plaisent, certes, mais les vins tranquilles n'y sont pas en reste comme en témoigne ce pinot blanc qui attire le regard par ses reflets verts sur fond jaune pâle. Aux arômes de citron et d'amande répond une bouche souple et fraîche, empreinte de flaveurs persistantes de fruits mûrs (pêche blanche). Un 2006 typé qui se bonifiera encore à la faveur d'un an de garde.

SA Caves Saint-Martin, BP 20, 5501 Remich, tél. 23.61.991, fax 23.69.90.34
t.l.j. sf lun. 10h-12h 14h-18h; f. déc.-jan.

CAVES SAINT REMY-DESOM

Wormeldange Kœppchen Riesling 2006 ***

Gd 1er cru	0,4 ha	4 000	5 à 8 €

C'est à Vianden que vécut le poète Dicks, de son vrai nom Edmond de La Fontaine (1823-1891), mais c'est à Remich qu'il possédait une tisserie, dans les bâtiments qui abritent aujourd'hui les caves Saint Remy-Desom. Lisez ou relisez ce classique de la littérature luxembourgeoise tout en savourant ce riesling jaune doré qui fait rimer des

arômes de fruits jaunes, de pomme mûre et de melon frais avec des notes de fleurs blanches comme le lys. Une même intensité aromatique caractérise la bouche franche en attaque, d'une rondeur parfaitement équilibrée par la fraîcheur qui porte loin la finale. Un grand caractère.
Caves Saint Remy-Desom, 9, rue Dicks, BP 19, 5521 Remich, tél. 23.60.40, fax 23.69.93.47, e-mail desom@pt.lu r.-v.

CH. DE SCHENGEN Auxerrois 2006 ★★★

0,35 ha 2 600 5 à 8 €

L'élégante étiquette reproduit un dessin du château de Schengen réalisé par Victor Hugo et conservé au Musée national d'histoire et d'art à Luxembourg. C'est l'une des soixante illustrations que le poète a esquissées pendant ses séjours dans le grand-duché, et notamment à Vianden. L'élégance caractérise aussi cet auxerrois dont la teinte jaune pâle brillant se rehausse de reflets dorés plus intenses. À l'aération, le vin dévoile une vaste palette aromatique allant des fleurs blanches aux agrumes et plus particulièrement au zeste de citron. L'attaque intense, l'équilibre idéal entre le gras et la vivacité, la complexité des flaveurs de fruits et de genêt, comme leur persistance témoignent d'une vendange réalisée à parfaite maturité sur le terroir de marnes keupériennes. À savourer dès maintenant et jusqu'en 2011. Deux étoiles brillent pour le **Château de Schengen pinot gris 2006 (8 à 11 €)**, puissant et rond, riche de notes d'agrumes et de fruits confits.
Dom. Thill Frères, 8, rue du Pont, 6773 Grevenmacher, tél. 75.05.45.400, fax 75.92.36, e-mail info@bernard-massard.lu t.l.j. 9h30-18h; f. 1er nov.-31 mars

MAISON SCHMIT-FOHL

Ahn Hohfels Chardonnay 2005 ★

0,9 ha 5 000 8 à 11 €

Un domaine de 7,8 ha conduit par Armand et Patrizia Schmit depuis 1985. Un élevage en fût a été réservé à ce chardonnay jaune pâle, animé de reflets verts, de sorte que des accents boisés et vanillés se mêlent aux arômes de fruits blancs, d'agrumes et de fleurs. Au palais, la vivacité l'emporte sur la rondeur, mais elle reste équilibrée et assure une bonne persistance des flaveurs.
Maison viticole Schmit-Fohl, 8, rue de Niederdonven, 5401 Ahn, tél. 76.02.31, fax 76.91.46, e-mail hsf@pt.lu r.-v.

DOM. SCHRAM ET FILS

Bech-Kleinmacher Enschberg Pinot blanc 2005

Gd 1er cru n.c. n.c. 5 à 8 €

Marc, Mil et Paul Schram sont cousins ; tous trois exploitent le vignoble et vinifient les vins. Du pinot blanc est né ce vin clair et limpide, à peine souligné de reflets verts. Au nez finement fruité, typique du cépage, succède une vivacité bien présente, équilibrée par un certain gras. En fin d'année, ce 2005 sera parvenu à sa plénitude.
Dom. viticole Schram et Fils, 16, rte du Vin, 5405 Bech-Kleinmacher, tél. 23.66.91.43, fax 23.69.72.62 r.-v.

DOM. SCHUMACHER-KNEPPER

Wintrange Felsberg Riesling Vendanges tardives 2005 ★★★

Gd 1er cru 0,4 ha 650 15 à 23 €

Une histoire viticole commencée en 1714. Un nouveau chapitre s'est ouvert en 2003 sous la plume de Frank et Martine Schumacher. Deux ans plus tard, le couple signe ce riesling liquoreux, intensément parfumé de miel et d'abricot sec. Tout naturellement, le fruit revient en attaque, suivi d'une impression de gras et de fraîcheur en parfaite harmonie, et d'une longue finale sur les fruits secs. Un vin promis à un bel avenir. Deux étoiles brillent pour le **riesling Wintringer Felsberg Grand 1er cru 2005 (8 à 11 €)**, vin presque opulent et fruité, qui offre une remarquable traduction du terroir argilo-calcaire par sa ligne minérale.
Dom. Schumacher-Knepper, 28, rte du Vin, 5495 Wintrange, tél. 23.60.451, fax 23.66.48.03, e-mail contact@schumacher-knepper.lu r.-v.

DOM. SCHUMACHER-LETHAL ET FILS

Elterberg Pinot gris 2006 ★★

Gd 1er cru 1,38 ha 12 800 5 à 8 €

Une jeunesse remarquable est perceptible dans ce vin. Voyez ces reflets verts, humez ces arômes floraux, ses accents de thé et de menthe, ses notes de mirabelle aussi. Au palais, une attaque discrète laisse place à un fruité généreux (poire et mirabelle) dans une rondeur avenante.
Dom. Schumacher-Lethal et Fils, 114, rue Principale, 5450 Wormeldange, tél. 76.01.34, fax 76.85.04, e-mail contact@schumacher-lethal.lu r.-v.

STEINMETZ-JUNGERS

Grevenmacher Fels Riesling 2005 ★★★

0,2 ha 1 400 8 à 11 €

Carlo Steinmetz cultive 5,8 ha sur Wormeldange, Ahn et Grevenmacher, avec une large part consacrée au riesling. Et l'on comprend parfaitement ce choix à la dégustation de ce vin. Sous une teinte jaune à reflets verts se manifestent sans ambages des arômes de fruits blancs et de fruits exotiques, relevés de notes citronnées. L'équilibre se réalise entre les saveurs, avec une préférence pour la fraîcheur typique du cépage. Un riesling qui fait honneur au vignoble grand-ducal.
Dom. Steinmetz-Jungers, 7, rue de Niederdonven, 5401 Ahn, tél. 76.00.70, fax 26.74.71.90, e-mail winedeluxe@yahoo.lu r.-v.
Steinmetz

DOM. THILL

Gewurztraminer Domaine et tradition 2006 ★★★

0,35 ha 1 550 11 à 15 €

Déjà bien représenté par le Château de Schengen, dont il est propriétaire (voir plus haut), le domaine Thill propose aussi un gewurztraminer de la meilleure veine. Sur les parois du verre, des larmes s'écoulent lentement, donnant à la robe jaune-vert brillant une autre dimension. Des arômes de rose se révèlent dès le premier nez, suivis de notes de miel, de melon et de pain grillé. En toute cohérence, la bouche veloutée dès l'attaque monte en puissance, sans rien perdre de son équilibre ni de son caractère aromatique. Un vin de dessert, indéniablement.

🔑 Dom. Thill Frères, 8, rue du Pont,
6773 Grevenmacher, tél. 75.05.45.400, fax 75.92.36,
e-mail info@bernard-massard.lu
☒ Y 🚶 t.l.j. 9h30-18h; f. 1er nov.-31 mars

DOM. VINSMOSELLE
Grevenmacher Fels Riesling 2005 ★★

■ Gd 1er cru 4,15 ha n.c. ∎ 5 à 8 €

Élaboré par la cave de Grevenmacher, l'une des six coopératives regroupées sous la marque Domaine Vinsmoselle, ce riesling jaune franc livre des arômes de pêche, de citron et de fruits exotiques, puis une bouche fraîche et minérale à souhait, traduction fidèle du terroir des bords de la Moselle.

🔑 Dom. Vinsmoselle,
Caves de Grevenmacher, 12, rue des Caves,
6718 Grevenmacher, tél. 75.01.75, fax 75.95.13
☒ Y 🚶 t.l.j. sf dim. lun. 10h-12h 13h-18h

DOM. VINSMOSELLE
Auxerrois Vin de paille 2005 ★★

■ Gd 1er cru n.c. 700 **30 à 38 €**

Des larmes abondantes se dessinent sur les parois du verre, signe d'un vin liquoreux riche et onctueux. Il en est ainsi, en effet, de sa chair douce, mais une juste vivacité évite toute lourdeur et lui confère une indéniable élégance, rehaussée en finale de notes de pamplemousse. Les arômes se déclinent de manière complexe : fruits confits (orange), pêche cuite et une légère touche de tabac blond. Servez ce vin avec une fourme d'Ambert, puis une tarte fine aux poires. Une étoile est attribuée au **riesling Wellenstein Kurschels Grand 1er cru 2006 (5 à 8 €)**, frais et fruité.

🔑 Domaines de Vinsmoselle,
Caves de Wellenstein, 37, rue des Caves,
5404 Bech-Kleinmacher, tél. 26.66.14.1,
fax 23.69.76.54, e-mail info@vinsmoselle.lu
☒ Y 🚶 t.l.j. 10h-19h

DOM. VINSMOSELLE
Stadtbredimus Primerberg Auxerrois 2006

■ Gd 1er cru 4 ha 10 000 ∎ 5 à 8 €

Les domaines Vinsmoselle comptent 800 ha de vignobles, ce qui en fait, de loin, le plus grand producteur du Luxembourg. De la cave de Stadtbredimus est né cet auxerrois qui mérite une petite garde d'un an pour se présenter sous son meilleur jour sur votre table. Aujourd'hui jaune assez intense, brillant de reflets verts, il se montre encore timide, libérant quelques notes de menthol, d'acacia et de miel. Même discrétion en attaque : le vin ne commence à se révéler qu'en milieu de bouche, avec une petite pointe de vivacité. La finesse restera son atout premier.

🔑 Domaines de Vinsmoselle,
Caves de Stadtbredimus, Kellereiswee,
5450 Stadtbredimus, tél. 76.82.11, fax 76.82.15

Crémant-de-luxembourg

DOM. MATHIS BASTIAN ★

● 3,5 ha 16 008 ∎ 8 à 11 €

Au cœur du vignoble remichois, Mathis Bastian, à l'œuvre depuis 1972, est l'un des membres fondateurs de l'association Domaine et Tradition qui vise à promouvoir les terroirs luxembourgeois. Il a élaboré à partir du riesling, du pinot blanc et de l'auxerrois un crémant jaune paille qui s'ouvre sur les fruits blancs comme la pêche de vigne, sans négliger pour autant les notes briochées gourmandes. S'il est brut, il n'en présente pas moins une avenante rondeur qui le rend gouleyant. L'apéritif sera un moment opportun pour le partager.

🔑 Mathis Bastian, 29, rte de Luxembourg,
5551 Remich, tél. 23.69.82.95, fax 23.66.91.18,
e-mail domaine.mathisbastian@pt.lu ☒ Y 🚶 r.-v.

DOM. BECK-FRANK ★★

● 0,45 ha 5 000 ∎ 5 à 8 €

Vous n'aurez pas à vous éloigner beaucoup du sentier touristique de Greiveldange pour découvrir ce domaine de 7,5 ha et déguster son crémant remarquable de finesse. Laissez la mousse se former délicatement en haut du verre, sur fond jaune à reflets verts, regardez monter les bulles régulières qui semblent porter les arômes complexes. Au palais se confirme le caractère minéral typique du terroir.

🔑 Dom. viticole Beck-Frank, 10, Bréil,
5426 Greiveldange, tél. 23.69.82.92, fax 23.69.76.07,
e-mail vins.beck@pt.lu ☒ Y 🚶 r.-v.

BERNARD-MASSARD Cuvée de l'Écusson 2004

● 6 ha 45 000 ∎ 8 à 11 €

À Grevenmacher, deux adresses sont à connaître : celle du jardin aux papillons et celle de Bernard-Massard, maison de négoce connue pour ses crémants. Celui-ci, or pâle, laisse monter d'élégantes bulles, ainsi que des arômes intenses de fleurs et de fruits. La concentration du raisin se traduit en bouche par un juste équilibre entre le gras et la vivacité, puis une finale sur les fruits mûrs. Parce que cet effervescent a du corps, il pourra accompagner une viande blanche ou un poisson en sauce.

🔑 SA Caves Bernard-Massard, 8, rue du Pont,
6773 Grevenmacher, tél. 75.05.45.1, fax 75.06.06,
e-mail info@bernard-massard.lu
☒ Y 🚶 t.l.j. 9h30-18h; f. 1er nov.-31 mars

CAVES GALES Héritage

● n.c. 60 000 ∎ 8 à 11 €

Un crémant de teinte jaune paille, à la mousse dense alimentée par un chapelet continu de bulles fines. Le nez offre des arômes de brioche et de fleurs blanches, nuancés de notes miellées. Prélude d'une bouche souple, ronde et fraîche à la fois, aux flaveurs persistantes d'agrumes, de fruits exotiques (fruit de la Passion, ananas) et de menthol.

🔑 SA Caves Gales, BP 49, 5501 Remich,
tél. 23.69.90.93, fax 23.69.94.34, e-mail info@gales.lu
☒ Y 🚶 r.-v.

ALICE HARTMANN ★

● n.c. n.c. **11 à 15 €**

Connu pour ses jolis vins de riesling issus des terrasses de Wormeldange, le domaine produit aussi des crémants de belle facture, à l'image de ce vin jaune paille,

aux bulles fines. Le nez révèle un fond de vinosité derrière des notes de fleurs blanches et de brioche à peine sortie du four. Au palais, un fruité vanillé accompagne un développement tout en fraîcheur, avec, en finale, d'étonnantes notes de cassis et de framboise, insoupçonnables dans un crémant. Pour une viande blanche ou un poisson.
Dom. Alice Hartmann, 72-74, rue Principale, 5480 Wormeldange, tél. 76.00.02, fax 76.04.60, e-mail domaine@alice-hartmann.lu r.-v.

DOM. KOHLL-REULAND
Cuvée du domaine ★★★

n.c. 8 800 8 à 11 €

Le village d'Ehnen mérite une halte, ne serait-ce que pour une visite du musée du Vin et une promenade à travers les vignobles plantés sur calcaires. Vous y découvrirez ce domaine de 6,5 ha qui a produit un crémant jaune pâle, inscrit de bulles fines. La finesse caractérise également les arômes évocateurs de fruits blancs, ainsi que la bouche légère et typée, pleine d'allant.
Dom. Kohll-Reuland, 5, am Stach, 5418 Ehnen, tél. 76.00.18, fax 76.06.40, e-mail mkohll@pt.lu r.-v.

POLL-FABAIRE 2003 ★★

3 ha 27 000 8 à 11 €

Impossible de parler de crémant-de-luxembourg sans mentionner le nom de Poll-Fabaire, marque de la coopérative Vinsmoselle qui se répartit dans différentes aires du vignoble. Celui de la cave de Stadtbredimus pourra être servi en accompagnement de plats relevés, épicés. Car sous une teinte jaune pâle, animée d'un cordon de bulles fines, se manifestent des arômes de fruits mûrs et de torréfaction, sans oublier une ligne minérale fraîche. En bouche, on apprécie la rondeur, le gras souligné de longues flaveurs de fruits confits (abricot).
Domaines de Vinsmoselle, Caves de Stadtbredimus, Kellereiswee, 5450 Stadtbredimus, tél. 76.82.11, fax 76.82.15

POLL-FABAIRE ★

5 ha 44 900 5 à 8 €

Au tour de la cave de Wellenstein de défendre les couleurs du crémant-de-luxembourg. Un nez floral et fruité, de la souplesse, de l'harmonie dans les saveurs, des flaveurs persistantes de fruits mûrs épicés. Autant de qualités qui se cachent sous cette teinte jaune doré avenante et cette mousse fine.
Domaines de Vinsmoselle, Caves de Wellenstein, 37, rue des Caves, 5404 Bech-Kleinmacher, tél. 26.66.14.1, fax 23.69.76.54, e-mail info@vinsmoselle.lu t.l.j. 10h-19h

POLL-FABAIRE

100 ha 800 000 5 à 8 €

Un crémant brillant de reflets dorés et de bulles dynamiques, qui cède toute sa palette aromatique aux fruits. Après une attaque franche, il offre un caractère rafraîchissant, sans agressivité aucune, puis conclut bien vite sur le fruité. À boire dès la première occasion.
Domaines de Vinsmoselle, Caves des Crémants Poll-Fabaire, 115, rte du Vin, 5481 Wormeldange, tél. 76.82.11, fax 76.82.15, e-mail info@vinsmoselle.lu r.-v.

DOM. PUNDEL-HOFFELD ★★★

1,1 ha 3 100 8 à 11 €

Dans les caves du XVIII[e]s. a été élevé neuf mois durant ce crémant de teinte or. Les fruits bien mûrs, dominés par l'abricot composent la palette aromatique, rejoints au palais par des notes persistantes de fruits secs et de pamplemousse. L'équilibre se réalise parfaitement entre la fraîcheur et la richesse due à un juste dosage. Un vin puissant qui pourra être servi à table avec des écrevisses, par exemple.
Dom. viticole Pundel-Hoffeld, 6, rue de l'Église, 6841 Machtum, tél. 75.02.76, fax 75.94.95 r.-v.
Claude Pundel

DOM. STEINMETZ-JUNGERS 2004

0,4 ha 5 400 8 à 11 €

Un assemblage de pinot blanc et de riesling bien équilibré a donné naissance à ce crémant de teinte jaune-vert pâle, animé de nombreuses bulles élégantes. Au nez minéral, nuancé de notes d'agrumes, d'épices, de fleur d'amandier et de vanille succède une bouche ronde à souhait et pourtant non dénuée de fraîcheur grâce à ses flaveurs de fruits blancs, puis d'agrumes en finale. Servez ce vin à l'apéritif avec quelques fruits de mer en guise de tapas.
Dom. Steinmetz-Jungers, 7, rue de Niederdonven, 5401 Ahn, tél. 76.00.70, fax 26.74.71.90, e-mail winedeluxe@yahoo.lu r.-v.
Steinmetz

LA SUISSE

LES VINS SUISSES

Comparé à ses voisins européens, le vignoble suisse est modeste avec ses 14 900 ha de superficie. Il s'étend à la naissance des trois grands bassins fluviaux drainés par le Rhône à l'ouest des Alpes, par le Rhin au nord et par le Pô au sud de cette chaîne. Il compte ainsi une grande diversité de sols et de climats qui forment autant de terroirs différents malgré leur relative proximité. Traditionnellement cultivée sur les coteaux ensoleillés, très pentus ou en terrasses, la vigne compose le paysage. On distingue trois régions viticoles principales en fonction du découpage linguistique du pays. Cependant celles-ci sont loin d'être uniformes, tant les contrastes qu'elles présentent sont saisissants. À l'ouest, le vignoble de la Suisse romande couvre plus des trois quarts de la surface viticole du pays. De Genève, il s'étire jusqu'au cœur des Alpes dans le canton du Valais, en longeant les rives du lac Léman, dans le canton de Vaud. Plus au nord, il s'approprie encore les rives des lacs de Neuchâtel, de Morat et de Bienne (Canton de Berne) sur les contreforts du Jura. Beaucoup plus éparpillé, le vignoble de la Suisse alémanique totalise 17 % de la surface viticole. Il s'égrène tout au long de la vallée du Rhin où, à partir de Bâle, il remonte le cours du fleuve jusqu'à l'est du pays. Il pénètre également loin à l'intérieur du territoire sur les meilleurs sites des coteaux dominant de nombreux lacs et vallées. En Suisse italophone, la vigne se concentre dans les vallées méridionales du Tessin où les conditions naturelles du versant sud des Alpes se distinguent nettement de celles des autres régions viticoles. Outre toute une gamme de spécialités, les vignerons de Suisse romande privilégient par tradition le cépage blanc chasselas. Le pinot noir est ici le cépage rouge le plus cultivé, suivi du gamay. Le pinot noir domine en Suisse alémanique où il côtoie le cépage blanc müller-thurgau et diverses variétés locales très recherchées par les amateurs. En Suisse italienne, c'est le merlot qui fait la renommée des vins de cette partie du pays où les cépages blancs sont peu représentés. Signalons enfin un événement majeur de la vie viticole suisse : la fête des Vignerons de Vevey. Remontant au Moyen Âge, cette manifestation somptueuse associe l'ensemble des vignerons et des habitants et célèbre leur travail dans la vigne. La dernière s'est déroulée en août 1999 ; la prochaine se tiendra entre 2021 et 2023.

Lac de Bienne

« De toutes les habitations où j'ai demeuré (et j'en ai eu de charmantes), aucune ne m'a rendu si véritablement heureux et ne m'a laissé de si tendres regrets que l'île de Saint-Pierre au milieu du lac de Bienne. » J.-J. Rousseau – *Rêveries du promeneur solitaire*, Cinquième promenade.

Face à l'île, le pied du Jura, d'où dévale le vignoble. Retenu dans son élan par les murs de pierre, celui-ci forme un long ruban en épousant les contours calcaires de la montagne, se faufile entre les villages viticoles pour rattraper les rives du lac.

Sur les 235 ha des surfaces viticoles, 45 % sont occupés par le chasselas, 36 % par le pinot noir. À côté de ces cépages principaux d'autres variétés gagnent du terrain : pinot gris, chardonnay, sauvignon blanc, riesling x sylvaner (müller-thurgau).

Le chasselas produit un subtil vin blanc léger et perlant qui traduit bien son terroir. Il est apprécié à l'apéritif et accompagne les poissons du lac. Le pinot noir progresse dans les vignobles ; il est à l'origine de vins élégants et fruités.

DOM. DE LA VILLE DE BERNE

Schafiser Bielersee Pinot noir 2006

■ 6 ha 25 000 ■ 8 à 11 €

La famille Louis gère ce domaine de 20 ha, propriété de la ville de Berne, depuis cent ans. Le pinot noir représente 35 % de l'encépagement, la faveur étant donnée au chasselas. 2006 fut marqué par les caprices du ciel : un millésime difficile donc que Hubert Louis a su maîtriser. Son pinot noir rubis chatoyant présente un nez encore timide, mais au palais se révèlent des arômes de baies noires et de cerise. Les tanins structurent aimablement la chair, de sorte qu'une garde de deux ou trois ans suffira à harmoniser ce vin. Pour des grillades et des viandes blanches.

Dom. de la ville de Berne, Chem. de Poudeille, 2520 La Neuveville, tél. 32.751.21.75, fax 32.751.58.03, e-mail rebgut.neuveville@freesurf.ch r.-v.

E. ET H. KLÖTZLI Twanner Chasselas 2006

0,5 ha 4 000 5 à 8 €

L'année prochaine, c'est Andrian Klötzli, le fils d'Edith et Hermann, qui reprendra le domaine de 2,20 ha : un ancien moulin situé au pied d'une cascade. En attendant de le voir à l'œuvre, le jury a retenu un chasselas jaune clair brillant, aux discrets arômes floraux. Un léger perlant, de la minéralité : le palais présente toute la finesse du cépage et exprime bien le terroir.

Hermann Klötzli,
Weingut zum Twannbach, Kleintwann 25,
2513 Twann, tél. 32.315.10.84, fax 32.315.70.87,
e-mail kloetzli-h@bluewin.ch r.-v.

SCHOTT Twanner Pinot gris 2006

0,2 ha 1 500 11 à 15 €

Peter Schott a réservé au pinot gris les coteaux en terrasse bénéficiant d'un microclimat favorable à la maturation du cépage. Ainsi a-t-il élaboré ce vin riche et rond, évocateur de coing mûr. Le plaisir est déjà au rendez-vous, mais une garde de trois ou quatre ans n'est pas impossible.

Peter Schott, Dorfgasse 43, 2513 Twann,
tél. 32.315.24.86, fax 32.315.74.22,
e-mail peterschott@bluewin.ch r.-v.

Canton de Fribourg-Vully

FRANZISKA ET JEAN-DANIEL CHERVET Vully Chasselas Sélection du Domaine 2006 ★★

6 ha 30 000 5 à 8 €

Un domaine de 15 ha qui élabore des vins monocépage à partir de huit variétés. Doté d'un nez intense aux notes fruitées et minérales, ce chasselas s'exprime tout en finesse. La bouche délicate et équilibrée séduit aussi par sa persistance.

Jean-Daniel Chervet, ruelle des Gerles 4,
1788 Praz-Vully, tél. 26.673.17.41, fax 26.673.31.73,
e-mail domainechervetjd@bluewin.ch
mer. jeu. ven. sam. 9h-12h 14h-18h

DOM. DE VILLAROSE Vully Pinot noir 2006 ★★

4 ha 15 000 8 à 11 €

Alain Besse, qui a pris les rênes de ce domaine familial en 1985, a donné une nouvelle orientation au vignoble en plantant des cépages rouges en plus du chasselas. Il propose aujourd'hui un vin à reflets rubis dont le nez intense évoque les fruits. La rondeur associée à une juste vivacité met en évidence le caractère fruité au palais. Les tanins se manifestent, sans dureté, pour mieux étayer la finale.

Alain Besse, Dom. de Villarose, 1787 Mur,
tél. 26.673.12.40, fax 26.673.14.95,
e-mail p.a.besse@bluewin.ch r.-v.

Canton de Vaud

Au Moyen Âge, les moines cisterciens ont défriché une grande partie de cette région de la Suisse et constitué le vignoble vaudois. Si, au milieu du siècle passé, celui-ci était le premier canton viticole devant le vignoble zurichois, les ravages du phylloxéra imposèrent une reconstitution complète. Aujourd'hui, avec 3 850 ha, il vient en deuxième position derrière le Valais.

Depuis plus de quatre cent cinquante ans, le vignoble vaudois s'est donné une véritable tradition viticole reposant aussi bien sur ses châteaux – on en compte près d'une cinquantaine – que sur l'expérience des grandes familles de vignerons et de négociants.

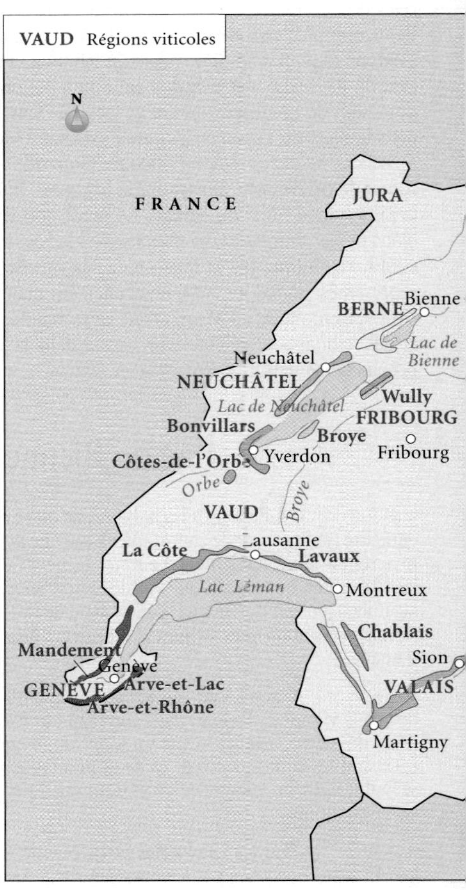

En juin 2007, le paysage de vignes en terrasses de Lavaux a été inscrit au patrimoine mondial de l'Unesco.

Les conditions climatiques déterminent quatre grandes zones viticoles : les rives vaudoises du lac de Neuchâtel et celles de l'Orbe produisent des vins friands aux arômes délicats. Les rives du Léman, entre Genève et Lausanne, protégées au nord par le Jura et bénéficiant de l'effet régulateur thermique du lac, donnent naissance à des vins tout en finesse. Les vignobles de Lavaux, entre Lausanne et Château-de-Chillon, avec en leur cœur les vignobles en terrasses du Dézaley, bénéficient à la fois de la chaleur accumulée dans les murets et de la lumière reflétée par le lac ; ils produisent des vins structurés et complexes qui se distinguent souvent par des notes de miel et des saveurs grillées. Enfin, les vignobles du Chablais sont situés au nord-est du Léman et remontent la rive droite du Rhône. Les terroirs se caractérisent par des sols pierreux et un climat très marqué par le fœhn ; les vins sont puissants avec des arômes de pierre à fusil.

La spécificité du vignoble vaudois tient à son encépagement. C'est la terre d'élection du chasselas (70 % de l'encépagement) qui atteint ici sa pleine expression.

Les cépages rouges représentent quant à eux 27 % : 15 % de pinot noir et 12 % de gamay. Ces deux cépages souvent assemblés sont connus sous l'appellation d'origine contrôlée salvagnin.

Quelques spécialités (variétés) représentent 3 % de la production : pinot blanc,

La Suisse

pinot gris, gewürztraminer, muscat blanc, sylvaner, auxerrois, charmont, mondeuse, plant-robert, syrah, merlot, gamaret, garanoir, etc.

CÉDRIC ALBIEZ ET PIERRE-ANDRÉ MEYLAN Vinzel Symphonie N° 2 2005 **

■ 0,8 ha 600 15 à 23 €

Cédric Albiez compose chaque année depuis 2003 une Symphonie différente. Celle-ci joue la partition de la syrah, du marcelan, du gamay, du diolinoir, du merlot et du cabernet-sauvignon. Robe carmin à reflets violacés, nez fumé et torréfié, attaque sur les fruits noirs, puis bouche dense et ronde, portant l'empreinte d'un boisé bien fondu. Un carré de veau s'associera de concert avec un tel vin.

Cédric Albiez, rte de Mont-Dessus 6,
1185 Mont-sur-Rolle, tél. 21.825.49.28,
e-mail c.albiez@bluewin.ch r.-v.

CH. D'ALLAMAN La Côte Chasselas 2006 **

Gd cru 4 ha 35 000 5 à 8 €

Samuel Brocard n'en est pas à son premier coup de cœur dans le Guide. Il propose ici un chasselas des plus avenants, doré, animé d'un léger perlant qui semble porter les senteurs de tilleul et de fruits blancs comme la poire. Le gras apporte au vin de la rondeur, rehaussée d'une juste minéralité et de flaveurs d'amande grillée en finale. Ce 2006 sera le bienvenu avec des filets de perche du lac Léman, après avoir été servi à l'apéritif. Deux étoiles brillent aussi pour le **Château d'Allaman Vin doux passerillé 2005 (11 à 15 €, la bouteille de 37,5 cl)**, issu de chardonnay et de gewurztraminer. Un vin liquoreux complexe et structuré qui accompagnera une tarte bagnarde aux pommes.

Samuel Brocard, SA Cave de Jolimont,
1185 Mont-sur-Rolle, tél. 21.822.22.02,
fax 21.822.03.03 r.-v.

ASSOCIATION VITICOLE D'AUBONNE Aubonne Gewürztraminer 2006 *

0,7 ha 2 000 3 à 5 €

Créée en 1906, il y a cent ans, cette cave coopérative se situe dans la vieille ville d'Aubonne, dont on peut voir le château. Chaque année, au mois de juin, elle organise des portes ouvertes. L'occasion de découvrir ce gewürztraminer or à reflets verts, riche d'arômes de rose fanée et de litchi tout au long de la dégustation. Une juste vivacité s'allie à une légère douceur, de sorte qu'un accord sera des plus réussis avec une salade de fruits exotiques. (Bouteilles de 50 cl.)

Association viticole d'Aubonne, rue Tavernier 15,
1170 Aubonne, tél. 21.821.32.20, fax 21.821.32.28,
e-mail ava@aubonne.com
t.l.j. sf dim. 8h-12h 14h-18h; lun 14-h18h; sam. 9h-12h; f. 1re sem. jan.

ROGER BARBEY Saint-Saphorin Les Fossés 2006 *

1 ha 6 000 8 à 11 €

Sur leurs parchets de vignes en terrasses, totalisant 3 ha, Christophe Francey et son grand-père, Roger Barbey, unissent leurs compétences. Ils ont élaboré un chasselas des plus typés, jaune doré, exprimant la note de brûlon héritée du terroir. C'est un vin puissant, gras, doté de la petite amertume finale non moins typique.

Francey-Barbey, rue du Bourg-de-Piaît 4,
1071 Chexbres, tél. 79.243.87.76, fax 21.946.20.83,
e-mail francey@bluewin.ch r.-v.

STÉPHANE BORTER Ollon Chasselas 2006

0,2 ha 2 800 8 à 11 €

Stéphane Borter possède 1,5 ha de vignes, réparties sur pas moins de trois communes. Son chasselas, tout doré, est encore sur la réserve, mais il présente une bonne structure, ainsi qu'une certaine minéralité et la légère amertume attendues. Pour une fondue et autres mets au fromage.

Stéphane Borter, Fontanney, 1860 Aigle,
tél. 24.466.53.52, fax 24.466.53.32,
e-mail st.borter@bluewin.ch r.-v.

DOM. DE LA BRAZIÈRE Tartegnin Pinot Gamay Élevé en fût 2005 *

■ 2 ha 3 500 8 à 11 €

Un rien de gamaret vient se joindre à l'assemblage de pinot noir (45 %) et de gamay (50 %), cépages récoltés sur les sols graveleux de Tartegnin. Il en résulte un vin brillant de reflets violacés, encore marqué au nez par l'empreinte de dix mois d'élevage en fût. Les arômes de fruits noirs se manifestent au palais, derrière un boisé et des tanins encore dominants. Une garde s'impose pour mieux redécouvrir ce 2005 aux côtés d'une viande rouge.

Serge Dentan, Dom. de La Brazière, Le Cotalet 5,
1180 Tartegnin, tél. 21.825.23.70, fax 21.825.31.22,
e-mail braziere@bluewin.ch r.-v.

DOM. LA CAPITAINE Begnins Chardonnay 2005 *

Gd cru 1 ha 3 500 11 à 15 €

Reynald Parmelin, ancien enseignant à l'école d'œnologie de Changins, a repris en 1990 ce domaine où il a produit les premiers vins vaudois issus d'une culture biologique. Son chardonnay, jaune pâle, offre un fruité d'agrumes (citron) particulièrement frais, puis une chair vive, toute acidulée en finale. Des filets de rougets lui tiendront compagnie à table.

Reynald Parmelin, Dom. La Capitaine,
1268 Begnins, tél. et fax 22.366 08.46,
e-mail info@lacapitaine.ch r.-v.

CHANT DES RESSES Yvorne 2006 *

10 ha 87 500 8 à 11 €

Cette coopérative forte de cent vingt adhérents fait la part belle au chasselas qui représente 86 % du raisin encavé, contre 14 % de cépages rouges. Son 2006 jaune pâle, au perlant marqué, se développe tout en légèreté et en vivacité. Il conviendra à l'accompagnement de poissons en sauce, comme un féra du lac Léman.

🔑 Association viticole d'Yvorne,
Les Maisons Neuves, CP 43, 1853 Yvorne,
tél. 24.466.23.44, fax 24.466.59.19, e-mail auy@span.ch
☑ Y ✶ r.-v.

DOM. DE LA CHENALETTAZ Dézaley 2005 *

■ Gd cru 0,12 ha 1 000 ⏸ 15 à 23 €

Jean-François Chevalley est le descendant d'une famille vigneronne depuis 1434. Il connaît bien l'histoire du vignoble de Dézaley constitué par les moines cisterciens en trois siècles. En assemblant le merlot à la syrah et au cabernet franc, il a élaboré un vin grenat, encore marqué par les arômes du chêne, complétés d'une note de cuir. L'attaque est souple, la structure puissante, mais prête à se fondre à la faveur de la garde. Dans trois ou quatre ans, vous servirez ce 2005 avec un gigot d'agneau à l'ail doux.

🔑 Jean-François Chevalley, Dom. de La Chenalettaz,
1096 Le Treytorrens-en-Dézaley, tél. 21.799.13.00,
fax 21.799.39.21, e-mail jf.chevalley@lavaux.ch
☑ Y ✶ r.-v.

DOM. DU CHÊNE
Bex Chardonnay Clos de la Chatelle 2005 **

0,46 ha 2 200 ⏸ 11 à 15 €

Implanté sur les mines de sel de Bex, le domaine bénéficie d'une large variété de parcelles dans le Chablais vaudois. Un sol calcaire caillouteux a porté les vignes de chardonnay qui ont donné naissance à ce vin or pâle, au nez très pur de fleurs et d'agrumes. Le fruit et la minéralité introduisent la dégustation au palais, suivis d'une chair structurée et équilibrée. Laissez ce 2005 en cave quelques années, il ne s'exprimera que mieux à l'heure de l'accorder avec un mets au curry vert thaï.

🔑 Dom. du Chêne, Le Chêne-sur-Bex, 1880 Bex,
tél. 24.463.12.75, fax 24.463.15.87,
e-mail admin@chene.ch ☑ Y ✶ r.-v.

BERNARD CHEVALLEY
Saint-Saphorin Les Fosses 2006 *

1 ha 10 000 ▮ 8 à 11 €

L'histoire du village de Saint-Saphorin remonte au I[er]s. de notre ère et l'on peut voir dans l'église du XVe les murs d'une construction plus ancienne. Le domaine de Bernard Chevalley date quant à lui de la seconde moitié du XIX[e]s. On y découvrira ce chasselas or à reflets argentés, dont les notes de beurre annoncent le caractère gras et riche de la matière. La minéralité n'est pas absente cependant, non plus que la touche d'amertume finale caractéristique du cépage qui assure une bonne persistance. Pour un poisson du lac Léman.

🔑 Bernard Chevalley, pl. du Peuplier,
1071 Saint-Saphorin, tél. 21.921.73.20, fax 21.921.73.80
☑ Y ✶ r.-v. 🏠 ❸

CAVES CIDIS Garanoir Cabernet La Côte 2005 *

■ 3 ha 12 000 ⏸ 8 à 11 €

Le garanoir, créé en 1970 par André Jaquinet à la station de Changins, est issu du croisement du gamay noir et du reichensteiner, plant allemand. On retrouve dans ce vin la teinte rubis caractéristique de ce cépage, ainsi que son fruité, mais les cabernets y ajoutent une note de poivron. Un 2005 charnu, équilibré et légèrement structuré qui accompagnera sans façons une terrine de campagne.

🔑 SA Caves Cidis, Z.I. Le Saux, 1131 Tolochenaz,
tél. 21.804.54.64, fax 21.804.54.55,
e-mail cidis@cidis.ch Y ✶ r.-v.

CLOS DE L'ABBAYE Yvorne 2006 **

1,2 ha 12 000 11 à 15 €

Un chasselas né des sols de moraines argilo-calcaires d'Yvorne. Robe claire et brillante, il exprime d'élégants arômes de fleurs, puis offre une rondeur chaleureuse sans jamais perdre son équilibre. Remarquable illustration du cépage que ce vin à savourer pour lui-même, à l'apéritif.

🔑 Dom. de la Commune d'Yvorne, La Grappe,
1853 Yvorne, tél. 24.466.25.22 ☑ Y ✶ r.-v.

CLOS DE LA GEORGE
Yvorne Chardonnay 2005 **

0,5 ha 4 000 ⏸ 11 à 15 €

Dix mois d'élevage en barriques de chêne du Tronçais et des Vosges ont permis d'affiner ce vin de teinte or, qui décline un boisé fin, toasté et vanillé. D'un bon équilibre entre fraîcheur et rondeur, celui-ci laisse une impression de rondeur et d'élégance. Accord souhaitable avec un filet de truite fumée.

🔑 Clos de la George, 1853 Yvorne, tél. 21.822.07.07,
fax 21.822.07.00, e-mail hammel@bluewin.ch
☑ Y ✶ r.-v.

CLOS DES MOINES Dézaley 2005 **

Gd cru 3,5 ha 20 000 ⏸ 11 à 15 €

La ville de Lausanne a acquis en 1998 cet ancien domaine créé au XII[e]s. par les moines cisterciens et qui fut la propriété du couvent de Haucrêt jusqu'en 1536 avant que le bailli d'Oron ne le reprenne. Le deuxième samedi de décembre, une mise aux enchères publique des vins a lieu. Vous y trouverez ce chasselas d'un or gris qui évoque la poire mûre et le miel. Sa structure et sa chair puissante le portent loin en finale, sur des accents de fruits confits et d'amande grillée. Le jury conseille un accord avec un vacherin Mont-d'Or.

🔑 Ville de Lausanne, Au Boscal, CP 27,
1000 Lausanne 25, tél. 21.315.42.77, fax 21.315.42.83,
e-mail vignobles@lausanne.ch Y ✶ r.-v.

DOM. LA COLOMBE Féchy Le Brez 2006 *

1 ha 8 000 ▮ 5 à 8 €

De l'exotisme (mangue) et de la minéralité dans ce chasselas plein d'allant et de fraîcheur. Une pointe d'amertume lui confère une bonne tenue en finale et une typicité indéniable. Poissons du lac et fromages d'alpage, évidemment, seront ses meilleurs alliés.

🔑 Raymond Paccot, Dom. La Colombe, 1173 Féchy,
tél. 21.808.66.48, fax 21.808.52.84,
e-mail domaine@lacolombe.ch
☑ Y ✶ t.l.j. sf dim. 14h-18h; sam. 9h30-12h30 🏠 ❷

DOM. DE LA COURONNETTE

Perroy Chasselas Réserve du Domaine 2006

1,1 ha 2 000 8 à 11 €

Un chasselas encore timide sous une teinte dorée, mais un chasselas structuré et équilibré qui porte en finale la marque du terroir : cette légère amertume sied bien aux mets au fromage (croûte, beignets, fondue).

R. Taurian et C. Dupuis, Dom. de La Couronnette, Grand-Rue 70, 1166 Perroy, tél. 78.712.78.52, fax 21.825.11.38, e-mail christian.dupuis@bluewin.ch r.-v.

Courvoisier et Louis

DOM. DE CROCHET

Mont-sur-Rolle Cuvée Charles Auguste 2005 ★★

Gd cru n.c. 5 500 23 à 30 €

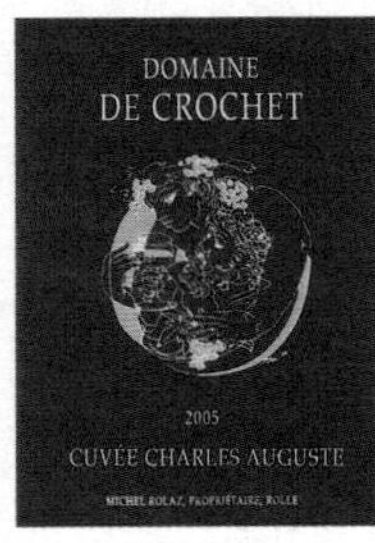

Au Moyen Âge, les vignes appartenaient à la seigneurie de Mont Legrand. En témoignent les archives remontant au XIIᵉs. Aujourd'hui, le domaine, implanté sur les moraines rhodaniennes et les sols graveleux, se distingue par un assemblage de syrah, de cabernets et de merlot. Un vin grenat à reflets violacés qui livre un nez de cardamome et de poivre, marque de la syrah. La bouche est souple, fruitée et épicée, avec en finale un rien d'austérité. Après une garde de quelques années, ce 2005 pourra rejoindre un gibier à plume (un faisan par exemple).

Dom. de Crochet, 1185 Mont-sur-Rolle, tél. 21.822.07.07, fax 21.822.07.00, e-mail hammel@bluewin.ch r.-v.

UNION VINICOLE DE CULLY

Calamin Son Excellence 2006 ★★

Gd cru 0,2 ha 2 100 8 à 11 €

Un chasselas brillant de reflets dorés, au nez expressif de miel et de résine. Souple, il révèle toute son opulence au palais et laisse en finale une impression chaleureuse. À savourer sans attendre avec un fromage affiné de l'AOC l'Étivaz. L'**Épesses Le Replan 2006 (5 à 8 €)** est noté une étoile : un chasselas flatteur, aux notes d'agrumes.

Union vinicole de Cully, rue de la Gare 10, 1096 Cully, tél. 21.799.12.96, fax 21.799.12.66, e-mail info@uvc.ch r.-v.

DAME VAUDOISE Aigle Chasselas 2006 ★

n.c. 5 000 8 à 11 €

L'association vinicole d'Aigle, née en 1904, produit aujourd'hui un tiers des vins de ce terroir, fruit de quelque cent quarante vignerons. Le chasselas, vedette de l'appellation, est à l'origine de cette Dame Vaudoise vêtue d'or pâle et parfumée de tilleul. À l'attaque fraîche succède un agréable fruité, puis une finale pleine d'allant, portée par des notes minérales. À proposer à l'apéritif avec du saucisson vaudois.

Association vinicole d'Aigle, av. Margencel 9, 1860 Aigle, tél. 24.466.24.51, fax 24.466.62.15, e-mail info@vinicole-aigle.ch r.-v.

DOM. DELAHARPE

Vinzel Cuvée des Druides 2005 ★★

0,7 ha 1 500 15 à 23 €

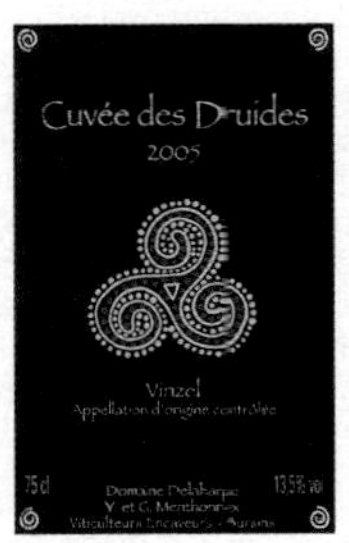

Lancée dans le millésime 2001, la cuvée des Druides, née de gamaret, de merlot et de cabernet franc, trouve dans le 2005 la consécration. Sous une teinte rouge sombre, éclairée de reflets violacés, apparaissent des arômes intenses de bois toasté. L'attaque puissante introduit une chair ronde, ample et chaleureuse, soutenue par des tanins fondus. De la complexité.

Yann et Karine Menthonnex, Dom. Delaharpe, rue de l'Église 11, 1183 Bursins, tél. 21.824.22.30, fax 21.824.22.23, e-mail yannmenthonnex@hotmail.com r.-v.

DOM. DES FRÈRES DUBOIS

Dézaley-Marsens De La Tour 2004 ★

0,6 ha 3 000 15 à 23 €

La fierté des frères Dubois ? Le chasselas, bien sûr, vendangé sur les terrasses du cru Dézaley. Leur 2004 revêt une parure or et mêle des arômes de miel et d'agrumes. Vif en attaque, ample en milieu de bouche, il présente une touche vanillée héritée de dix-huit mois d'élevage en fût, avant de revenir sur la fraîcheur en finale. Mettez sur la table un vieux gruyère AOC ou un vacherin Mont-d'Or.

SA Les Frères Dubois, Le Petit Versailles, 1096 Cully, tél. 21.799.22.22, fax 21.799.22.54, e-mail office@lfd.ch r.-v.

DANIEL ET CHRISTINE DUPUIS

Perroy La Fine Goutte Élevé sur lies 2005 ★★

1 ha 2 000 11 à 15 €

Une fine goutte de chasselas à servir avec une viande blanche ou un vacherin Mont-d'Or. Dans le verre, de l'or brillant. Au nez, un bouquet opulent de fruits mûrs. Puis au palais, de la fraîcheur suivie d'une bonne structure et d'un gras équilibré. La finale s'étire longuement, confirmant le caractère remarquable de ce vin. Le jury a apprécié la **Réserve 2006**, belle illustration du millésime.

Famille Dupuis, Grand-Rue 70, 1166 Perroy, tél. et fax 21.825.11.38, e-mail daniel.dupuis@bluewin.ch r.-v.

ÉLIXIR Vendanges tardives 2005 ★★★

1 ha 3 500 11 à 15 €

Les vendanges se sont étalées fin octobre et début novembre 2005 sur les parcelles de Bex, de Villeneuve et

de Mont-sur-Rolle, puis les raisins ont poursuivi leur passerillage hors souches. Il en résulte ce vin liquoreux couleur ambre, aux arômes de mirabelle et autres fruits confits. La fraîcheur de l'attaque cède place à un bel équilibre entre la vivacité et la douceur, avec en finale une note saline typée. Parfait avec une terrine de foie gras aux figues. (Bouteilles de 37,5 cl.) Autre production de la société Hammel, le **Villeneuve Clos du Châtelard Pinot noir Cuvée des Sens Élevé en barrique 2005 rouge** obtient deux étoiles : un vin fruité et boisé, chaleureux, qui devra patienter en cave.

SA Hammel, Les Cruz, 1180 Rolle,
tél. 21.822.07.07, fax 21.822.07.00,
e-mail hammel@bluewin.ch
t.l.j. sf sam. dim. 8h-12h 14h-17h

JEAN-MARC FAVEZ
Réserve Élevé en fût de chêne 2005 ★

0,2 ha 1 200 11 à 15 €

Jean-Marc Favez s'en souviendra de cette journée du 18 juillet 2005, marquée par un violent orage de grêle qui a détruit entre 60 et 100 % de sa future récolte, selon les parcelles. Il a toutefois pu élaborer cet assemblage de gamaret, de garanoir et de pinot noir : un vin rouge foncé, au nez de sous-bois nuancé de notes animales. Non dénué de corps, ce 2005 bénéficie de tanins fondus et d'une certaine fraîcheur en attaque. Pour un civet de chevreuil dès maintenant.

Jean-Marc Favez, Sentier des Curtis 2,
1806 Saint-Légier, tél. et fax 21.943.58.51,
e-mail jm.favez@freesurf.ch r.-v.

NOÉ GRAFF Begnins Gamay Le Satyre 2006 ★★

2 ha 10 000 5 à 8 €

En 2007, Noémie Graff a rejoint son père, Noé, sur ce domaine de 7,5 ha, où l'on est soucieux d'écologie. Le gamay joue les bons satyres dans ce 2006 violacé, au nez de violette et de fumée. La trame de tanins serrés, aux accents réglissés, soutient efficacement la matière et augure d'une bonne évolution à la garde. Dans un an ou deux, vous servirez ce vin avec des papets vaudois (saucisse au chou et aux poireaux).

Noé Graff, ch. Fleuri 1, 1268 Begnins,
tél. et fax 22.366.12.96 r.-v.

HAUTE-COUR Mont-sur-Rolle 2006 ★★

4 ha 12 000 5 à 8 €

Par les ruelles étroites, vous parviendrez à cette ancienne maison vigneronne qui commande un vignoble de 7 ha. Le chasselas récolté sur les sols argilo-calcaires assez profonds de Mont-sur-Rolle a donné naissance à un vin tout d'or vêtu, dont le bouquet évoque le raisin mûr et le tilleul. Gras, riche et tendre, celui-ci possède en outre ce caractère minéral qui fait les grands chasselas. Après l'apéritif, vous le servirez avec une viande blanche.

Luc Pellet, chem. du Stand 11,
1185 Mont-sur-Rolle, tél. 21.825.44.48,
fax 21.825.54.25, e-mail lu.pellet@bluewin.ch
r.-v.

DOM. DE MARCELIN
Morges Chardonnay 2004 ★★

0,5 ha 1 300 11 à 15 €

Créé en 1921, ce domaine d'un peu plus de 7 ha permet aux étudiants en viticulture de passer de la théorie à la pratique. Beau résultat que ce 2004 à l'avenante teinte dorée. Le nez ample et puissant fait la part belle au boisé (vanille et fumé), de même que la bouche riche et structurée. Il faudra juste patienter deux ou trois ans avant de proposer ce chardonnay aux côtés d'une volaille de Bresse nappée de sauce aux morilles.

Dom. de Marcelin,
c/o Office cantonal de la Viticulture, av. Marcelin 29,
CP 849, 1110 Morges 1, tél. 21.557.92.68,
fax 21.557.92.70, e-mail pascal.vullianoz@vd.ch
lun. jeu. ven. sam. 16h-19h; sam. 9h-12h30
État de Vaud

DOM. DU MARTHERAY
Féchy Chardonnay Élevé en barrique 2005 ★★

Gd cru 13,5 ha 80 000 8 à 11 €

L'élevage de six mois en barrique de chêne a respecté l'expression du chardonnay dans ce vin or pâle, au nez élégant de fruits mûrs. La chair est ronde, équilibrée, un peu douce, un peu fraîche aussi grâce au fruité. Pour une caille farcie aux raisins.

Dom. du Martheray, Exclusivité Schenk SA,
1180 Rolle, tél. 21.822.02.02, fax 21.822.03.03 r.-v.

MEYLAN Ollon Cabernet Élevé en barrique 2005 ★★

0,5 ha 3 000 15 à 23 €

Le coteau de Verschiez est aménagé en terrasses particulièrement escarpées. C'est là que Pierre-Alain Meylan a vendangé le cabernet franc pour élaborer ce vin qui fleure bon le raisin mûr et le cassis. Certes, l'empreinte du bois est encore sensible dans les arômes de réglisse et de toasté qui se prolongent au palais, mais le gras est bien présent et l'équilibre respecté. À attendre deux ou trois ans avant de le servir avec une côte de bœuf cuite sur des sarments de vigne. Deux étoiles sont également attribuées au **gamaret d'Ollon 2005**, vin rouge dense, en devenir.

Pierre-Alain Meylan, rue de la Chapelle 5,
1867 Ollon, tél. 79.210.98.14, fax 24.499.26.29,
e-mail pameylan@planet.ch r.-v.

DOM. DE MONTAUBAN
Bonvillars Pinot noir 2005 ★

■ Gd cru 45 ha 6 000 ▮ 8 à 11 €

La maison Testuz, fondée en 1538, au bord du lac Léman, a créé à Bonvillars ce domaine dans la seconde moitié des années 1980. Le pinot noir est à l'origine de ce vin carmin, dont la personnalité se révèle dans les arômes de cerise noire. Les tanins font encore assaut de jeunesse au palais, mais le temps saura y remédier. Un bœuf braisé fera alors alliance avec ce 2005.

SA Jean et Pierre Testuz, Treytorrens-en-Dézaley, 1096 Cully, tél. 21.799.99.11, fax 21.799.99.22, e-mail info@testuz.ch r.-v.

DOM. DU MONTET Bex Quatuor 2005 ★★

■ Gd cru 1 ha 5 400 15 à 23 €

Vendangés sur les moraines glaciaires reposant sur gypse du trias, un quatuor composé de merlot, de cabernet franc, de cabernet-sauvignon et de syrah. Pourpre intense, le vin mêle aux arômes de fruits mûrs les accents boisés et balsamiques issus de quinze mois d'élevage en barrique. Un même duo se joue au palais, soutenu par une juste vivacité. Pour un filet d'agneau servi avec un gratin dauphinois. Du même domaine, le **Bex Côte Rousse 2005 rouge (23 à 30 €)** obtient aussi deux étoiles. Provenant des mêmes cépages, en proportions distinctes, il privilégie la rondeur, tout en révélant des nuances minérales aux côtés du fruit.

Dom. du Montet, 1880 Bex, tél. 21.822.07.07, fax 21.822.07.00, e-mail hammel@bluewin.ch r.-v.

ALAIN PARISOD Dézaley Belle Dame 2006 ★

0,2 ha 300 8 à 11 €

La Belle Dame est un chasselas or pâle, au bouquet d'agrumes élégant. Gras, riche, doté de flaveurs de fruits très mûrs (poire), c'est en soi une gourmandise à déguster avec une tarte aux pommes.

Alain Parisod, Dom. de la Grille, Grand-Rue 24, 1091 Grandvaux, tél. 21.799.48.15, fax 21.799.48.16, e-mail alain.parisod@parisod.ch r.-v.

YVAN PARMELIN
Vinzel Assemblage de vins rouges 2005 ★★

■ 1 ha 1 680 15 à 23 €

Installé sur Bursins, Gilly et Vinzel, Yvan Parmelin emprunte progressivement la voie de la culture biologique depuis 2001. Il propose un assemblage de pinot noir, de gamaret et de garanoir : un vin de teinte soutenue, nuancé de reflets violets, au nez de fruits surmûris et de moka. L'attaque est souple, les tanins bien enrobés et la chair chaleureuse. Pour un foie de veau à la vénitienne.

Yvan Parmelin, rte de Rolle 10, 1183 Bursins, tél. 21.824.20.55, fax 21.824.25.44, e-mail parmelin.betancourt@bluewin.ch r.-v.

JACQUES PELICHET Féchy Mon Pichet 2005 ★

■ 0,5 ha 3 000 ▮ 8 à 11 €

Mi-gamaret mi-garanoir, ce 2005 se montre encore discret dans ses évocations de confiture de fruits. Après une attaque chaleureuse, il se développe avec légèreté, tout en présentant quelques tanins malicieux. Un vin simple qui ne demande qu'à accompagner une grillade.

Jacques Pelichet, Féchy-Dessus 25, 1173 Féchy, tél. 21.808.51.41, fax 21.808.51.01 r.-v.

LES ROMAINES
Nyon Gewürztraminer Grande Réserve 2005 ★

0,2 ha 1 000 15 à 23 €

Une ancienne ville romaine fondée par Jules César est à l'origine de Nyons. Christian et Julien Dutry ont souhaité le rappeler en baptisant ainsi leur cuvée dont 2005 est le premier millésime. Un gewürztraminer jaune or, parfumé de miel et d'agrumes, qui emplit le palais de sa chair ample et ronde, nuancée de notes balsamiques. Nulle vivacité, mais de la douceur, uniquement de la douceur. Une glace au caramel ou à la vanille, nappée de raisinée (vin cuit de pommes et de poires, typique de la Suisse romande) fera bel effet avec un tel vin. (Bouteilles de 37,50 cl.)

Christian et Julien Dutruy, Grand-Rue 18, 1297 Founex, tél. 22.776.54.02, e-mail dutruy@lesfreresdutruy.ch r.-v.

CH. LE ROSEY Vinzel Pinot noir 2005 ★

■ 0,62 ha 3 000 ▮ 8 à 11 €

En 2001, Pierre et Silvia Bouvier sont tombés sous le charme de ce domaine viticole commandé par une maison forte du XIIIes. Ils y ont ouvert une table d'hôtes pour des dîners gastronomiques. Leur pinot noir saura accompagner un filet mignon de porc grâce à ses arômes de fruits rouges et de fumée, sa rondeur et sa souplesse. (Bouteilles de 75 et de 50 cl.)

Pierre et Silvia Bouvier, SA Ch. Le Rosey, Chem. du Rosey 8, 1183 Bursins, tél. 21.824.14.49, fax 21.824.14.59, e-mail info@lerosey.ch r.-v. 7

CAVE DES RUAZ Vinzel 2006 ★

2,4 ha 18 500 ▮ 5 à 8 €

Au milieu des vignes, l'église de Luins. À quelques pas seulement, cette cave installée voilà plus de cinquante ans dans une ancienne grange et écurie. Vous y trouverez ce chasselas or pâle, au nez de fruits frais rappelant la pêche blanche. D'attaque florale et fruitée, le vin se développe avec élégance, laissant en finale le souvenir de la minéralité du terroir. Idéal à l'apéritif.

Jean-Daniel Monachon, Cave des Ruaz, 1184 Vinzel, tél. 21.824.16.00, fax 21.824.20.44, e-mail hjd.monachon@freesurf.ch r.-v.

DOM. DE SAINT-AGNAN
Concise Gewürztraminer passerillé La Réussite 2004

0,2 ha 450 ▮ 11 à 15 €

Un gewürztraminer tout d'or vêtu, libérant des arômes de rose fanée et de fruits confits. La fraîcheur envahit le palais dès l'attaque, tandis que la finale revient sur une importante douceur. Pourquoi ne pas associer ce vin à des loukoums à la rose ?

Dom. de Saint-Agnan, sur Montet, 1426 Concise, tél. 79.604.56.56, fax 24.434.20.58, e-mail stagan@bluewin.ch jeu. 17h-19h sam. 10h-12h

Philippe Dyens

DOM. DE SARRAUX-DESSOUS
Luins Pinot noir 2005 ★★

■ Gd cru 1 ha 5 000 ▮ 8 à 11 €

Un pinot noir né sur les sols argilo-calcaires de Luins, qui se livre dans le verre, sous une teinte rubis. Au nez de fruits rouges répond une chair dense, encore sous l'emprise des tanins qui laissent en finale une pointe d'austérité. Toutefois, le potentiel est grand. Il suffira d'attendre

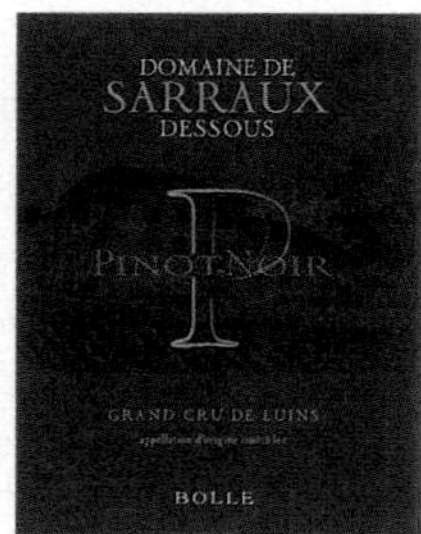

quelques années pour en saisir toute la mesure en accompagnement d'un magret de canard au cassis. La maison de négoce Bolle et Cie propose aussi le **Morges Domaine de la ville de Morges Chasselas 2006 (5 à 8 €)**, noté une étoile.

⊶ SA Bolle et Cie, rue Louis-de-Savoie 75, 1110 Morges, tél. 21.801.27.74, fax 21.803.00.76, e-mail bolle@bolle.ch ☒ Y 🚶 r.-v.

SIRE THOMAS AU CLOS DE SAINT-BONNET
Bursinel Élevé en barrique 2005 ★

■ 0,6 ha 4 200 ⫴ 8 à 11 €

Le vin porte le nom de Thomas de Saint-Bonnet, noble français auquel appartenait l'actuel lieu-dit au XIII[e]s. L'assemblage de gamaret, de garanoir et de diolinoir élevé douze mois sous bois se traduit par une teinte carmin, un nez empyreumatique intense, puis une bouche puissante, dotée de tanins fins et de flaveurs de cerise noire. Dans un an ou deux, ce 2005 rejoindra un filet d'agneau au thym sur la table.

⊶ Bernard Steiner, Saint-Bonnet 4, 1195 Dully, tél. 21.824.16.08, fax 21.824.16.36, e-mail b-steiner@freesurf.ch ☒ Y 🚶 r.-v.

JEAN-JACQUES STEINER
La Côte Grain noir Parfum de Vigne 2005 ★

■ 1,3 ha 11 000 ▮⫴ 8 à 11 €

Jean-Jacques Steiner est un chercheur... d'arômes. Ces parfums, il les décèle dans les cépages et dans les terroirs. L'alliance des gamaret, garanoir et diolinoir sur sols graveleux lui a donné ce vin carmin qui libère de puissants arômes de pivoine, de cerise noire et de cassis. La chair est dense, solidement structurée par des tanins encore austères en finale, mais qui ne demandent qu'à s'assagir à la faveur du temps. Une étoile brille aussi pour le **Château de Vincy Coteau de Vincy Pinot noir 2006**, fruité et léger.

⊶ Jean-Jacques Steiner, Parfum de Vigne, Sous-les-Vignes 26, 1195 Dully, tél. 21.824.11.22, fax 21.824.23.38, e-mail info@parfumdevigne.ch ☒ Y 🚶 r.-v.

RENÉ TAURIAN Perroy Clair-Obscur 2006 ★

□ 0,5 ha 4 500 5 à 8 €

Les peintres ne sont pas les seuls à être sensibles aux effets de lumière du Soleil et de la Lune sur les vignes et le lac. René Taurian y a puisé son inspiration pour élaborer cette cuvée de chasselas jaune doré. Au nez de pêche blanche succède une bouche ronde et puissante, avec la touche d'amertume attendue en finale. Un vin typé qui accompagnera des poissons grillés.

⊶ René Taurian, Grand-Rue 62, 1166 Perroy, tél. et fax 21.825.40.65, e-mail rtaurian@freesurf.ch ☒ Y 🚶 r.-v.

DOM. DE TERRE NEUVE Morges Gamay 2006 ★

■ 0,6 ha 3 500 5 à 8 €

Un gamay rubis, évocateur de sous-bois et de groseille à maquereau dans le verre. Il ne se départ pas de son fruité au palais, sous des accents de griotte qui soulignent sa chair équilibrée. Des charcuteries ou un jambon à l'os lui iront bien.

⊶ David Kind, Dom. de Terre-Neuve, 1162 Saint-Prex, tél. 79.216.94.44, fax 21.803.63.34, e-mail dkind@swissonline.ch ☒ Y 🚶 r.-v.

TREIZE COTEAUX Côtes de l'Orbe 2005 ★

□ 4,5 ha 45 000 ▮ 3 à 5 €

Porte-bonheur le chiffre 13 ? Les vignes des adhérents de la cave sont réparties sur treize communes et le nom de la marque compte treize lettres. Un chasselas placé sous une bonne étoile dans le Guide : jaune pâle, il décline une palette fraîche de fruits et de fleurs, parmi lesquelles le tilleul. Sa rondeur, puis sa juste vivacité finale aux accents citronnés et minéraux en font un bon représentant de l'appellation. Vous le servirez à l'apéritif ou avec des fromages à pâte dure.

⊶ Cave coopérative d'Orbe et environs, CP 22, Caveau des Treize coteaux, 1321 Arnex-sur-Orbe, tél. 24.441.39.93, fax 24.441.39.48, e-mail caveautreizecoteaux@freesurf.ch ☒ Y r.-v.

CAVE DE VEVEY-MONTREUX
Montreux Pinot noir Gobelins 2004

■ 2 ha 12 000 ⫴ 5 à 8 €

Une charmante étiquette figurant une scène médiévale – deux joueurs d'échecs installés dans les vignes – habille ce vin dont les dégustateurs ont pu apprécier la teinte rubis, le nez ouvert sur les fruits, nuancé d'une note animale, et le corps léger. Un vin destiné à être partagé en toute simplicité avec un saucisson vaudois.

⊶ La cave de Vevey-Montreux, av. de Belmont 28, 1820 Montreux, tél. 21.963.13.48, fax 21.963.34.34, e-mail cvm@lacave-vevey-montreux.ch Y 🚶 r.-v.

Canton du Valais

Pays de contrastes, la vallée du haut Rhône a été façonnée au cours des millénaires par le retrait du glacier. Un vignoble a été implanté sur des coteaux souvent aménagés en terrasses.

Le Valais, un air de Provence au cœur des Alpes : à proximité des neiges éternelles, la vigne côtoie l'abricotier et l'asperge. Sur le sentier des bisses (nom local des canaux d'irrigation), le promeneur rencontre l'amandier et l'adonis, le châtaignier et le cactus, la mante religieuse et le scorpion ; il peut palper le long des murs, l'absinthe et l'armoise, l'hysope et le thym.

Plus de quarante cépages sont cultivés dans le Valais, certains introuvables ailleurs tels l'arvine et l'humagne, l'amigne et le cornalin. Le chasselas se nomme ici fendant et, dans un heureux mariage, le pinot noir et le gamay donnent la dôle, tous deux crus AOC qui se distinguent selon les divers terroirs par leur fruité ou leur noblesse.

CAVE ARDÉVAZ Humagne rouge 2006 ★★★

■ 1 ha 3 500 ▮ 11 à 15 €

Michel Boven, à la tête de 12 ha de vignes, a tiré la quintessence du cépage humagne rouge dans ce vin rouge sombre qui libère sans ambages un bouquet de baies sauvages et de violette. L'attaque est souple, la bouche structurée, agrémentée de flaveurs fruitées. Le côté habituellement un peu sauvage de l'humagne est bien dompté et les tanins jouent les discrets au bénéfice de la rondeur en finale. Pour un plateau de fromages d'alpage.

Michel Boven, Cave Ardévaz, rue de Latigny 4, 1955 Chamoson, tél. 27.306.28.36, fax 27.306.74.00, e-mail michel@boven.ch r.-v.

LA BACHOLLE Chamoson Fendant 2006 ★★★

0,5 ha n.c. ▮ 8 à 11 €

Une bacholle désignait autrefois un récipient servant à transporter la vendange jusqu'à la cave. Tel est le nom choisi par Jacques Rémondeulaz pour ce domaine créé en 1980 et qui compte aujourd'hui 3,5 ha complantés d'une dizaine de cépages. Le fendant se distingue ici grâce à un vin jaune pâle à reflets gris, dont le nez délicat évoque les fleurs, le tilleul et le minéral. Après une attaque franche, une fraîcheur équilibrée se manifeste, soulignée d'un léger perlant, de flaveurs de fleurs blanches et d'une ligne minérale subtile. En finale, une agréable amertume confère au vin une longueur inhabituelle pour un chasselas.

Jacques Rémondeulaz et Fils, Cave La Bacholle, chem. neuf 11, 1955 Chamoson, tél. 27.306.40.62, fax 27.306.51.44, e-mail stephane.remondeulaz@netplus.ch r.-v.

LE BANNERET Chamoson Johannisberg 2006 ★★

1,5 ha 11 000 ▮ 8 à 11 €

Le nom de Banneret rappelle que l'ancêtre de la famille fut capitaine de *La Bannière* sous Napoléon. Dans ce domaine de 7 ha, le fendant et le johannisberg ont la préférence de Jean-Charles Maye. Voyez ce vin jaune clair à reflets dorés, tout disposé à livrer ses arômes de poire, d'amande et de fruits confits. Une pointe de douceur confère un caractère séducteur au corps bien structuré, ponctué d'arômes d'amande amère et de notes finales de citron. Une bouteille destinée à des mets au fromage ou à du poisson.

Carlo et Jean-Charles Maye, Cave Le Banneret, rte de La Crettaz 13/15, CP 12, 1955 Chamoson, tél. 27.306.40.51, fax 27.306.85.55, e-mail info@banneret.ch r.-v.

GÉRALD BESSE

Martigny Syrah Les Serpentines 2005 ★★

■ 1,5 ha 6 600 15 à 23 €

La gamme Les Serpentines rassemble des vins élevés sous bois, comme cette syrah grenat, encore marquée par des reflets violets sur les bords du disque. Aux fines notes boisées et réglissées se mêlent après aération des arômes de fruits, tandis qu'en bouche le corps se montre d'emblée très structuré, riche de flaveurs épicées. Les tanins sont encore fermes, mais ils promettent un bel avenir à ce 2005. À attendre deux ans au moins.

Gérald et Patricia Besse, Les Rappes, 1921 Martigny-Croix, tél. 27.722.78.81, fax 27.723.21.94, e-mail gerald@besse.ch r.-v.

ANTOINE ET CHRISTOPHE BÉTRISEY

Gamay 2006 ★★

■ 1 ha 8 000 8 à 11 €

Dans le caveau des frères Bétrisey, ont est autant séduit par l'architecture du début du XVIII[e]s. que par les vins issus des 10 ha répartis sur des sols caillouteux légers. Ce gamay accompagnera en toute simplicité des charcuteries et des viandes blanches grâce à sa structure souple, agrémentée de notes animales et fruitées. La teinte rubis est déjà une invitation au partage.

Antoine et Christophe Bétrisey, Cave Bétrisey, rue du Château 12, 1958 Saint-Léonard, tél. 27.203.11.26, fax 27.203.40.26, e-mail betrisey.vins@bluewin.ch r.-v.

CAVE DES BONDES

Les Coteaux de Sierre Humagne rouge 2006 ★★

■ 0,15 ha 1 200 ▮ 8 à 11 €

La colline du Rawir est réputée pour ses terroirs sableux, graveleux et calcaires favorables aux cépages locaux, parmi lesquels l'humagne rouge. D'un grenat soutenu, ce vin demande un peu de temps avant de s'ouvrir sur des senteurs de sous-bois. Au palais, il développe un joli fruité rappelant la groseille et laisse une impression de fraîcheur jusqu'en finale. À servir avec un steak au poivre ou un plateau de fromages.

Jean-François Berclaz, Cave des Bondes, Les Bondes, 3973 Venthône, tél. 27.455.75.36, fax 27.455.81.75, e-mail cave_des_bondes@bluewin.ch r.-v.

LA BONNE CONDUITE

Coteaux de Sierre Fendant 2006 ★★

0,8 ha 8 000 ▮ 8 à 11 €

Dôle, pinot et fendant sont les classiques du Valais que Guy Rey vinifie sous l'étiquette Bonne Conduite. Ce chasselas jaune citron clair laisse une première impression minérale avant qu'une touche de banane ne se manifeste. L'attaque est souple, tout en rondeur, puis une agréable vivacité apparaît, soutenant durablement les arômes fruités, avec une légère amertume finale. Les poissons du lac et les mets au fromage lui iront bien.

SA Vins Bruchez, rte de Granges 91, 3978 Flanthey, tél. 27.458.12.14, fax 27.458.46.10, e-mail info@vinsbruchez.ch r.-v.

BONVIN Syrah Noble Cépage 2006 ★★★

■ 2 ha 10 000 ▮ 15 à 23 €

La maison Bonvin a le sens de la communication : chaque week-end, elle accueille les amateurs dans la guérite Brûlefer, au milieu des vignes en terrasses du bisse de Claveau. L'occasion de découvrir cette syrah de teinte sombre, à peine éclairée de reflets violets. De prime abord discrète, elle s'épanouit avec subtilité sur des arômes de thym, d'olive noire et de poivre vert. Mêmes élégance et délicatesse au palais, les tanins formant une trame soyeuse, tout en dentelle. D'ici 2010, vous pourrez servir ce vin avec des cailles farcies, une perdrix au chou ou des viandes rouges.

Charles Bonvin Fils, av. Grand-Champsec 30, 1950 Sion 4, tél. 27.203.41.31, fax 27.203.47.07, e-mail info@charlesbonvin.ch t.l.j. 10h-12h 14h-18h30

PIERRE-MAURICE CARRUZZO ET FILS
Syrah 2006 ★★

■ 0,8 ha 3 000 ▮ 11 à 15 €

Pas moins de vingt-quatre cépages sont cultivés sur les 6 ha de ce domaine créé en 1979. Cette syrah trouvera alliance avec une viande d'agneau. Elle est si délicate dans ses senteurs de poivre, de fruits rouges et de violette. Un même fruit épicé, charmeur, la caractérise au palais, en accompagnement de tanins bien enveloppés. Un vin prêt à savourer et qui gardera son niveau au moins quatre ans.

🔑 Pierre-Maurice Carruzzo, rue Pré-de-Monthey 24, 1955 Chamoson, tél. 27.306.37.56, fax 27.306.37.46, e-mail vinspmc@bluewin.ch ☑ Ϫ ⁂ r.-v.

LA CAVE DES CHAMPS
Les Coteaux de Sierre Cornalin 2006 ★

■ n.c. 3 000 ▮ 11 à 15 €

Claudy Clavien a porté la superficie de ce domaine de 2 ha à 6 ha sur les coteaux de Sierre. Son cornalin ne manque pas de potentiel. Tout en puissance en attaque, il développe une trame de tanins fins enveloppée d'une chair fruitée et épicée, bien en accord avec les arômes de myrtille et de cassis perceptibles au nez. À déguster d'ici 2012 avec des viandes rouges.

🔑 Claudy Clavien, Cave des Champs, 3972 Miège, tél. 27.455.24.23, e-mail vins@claudy-clavien.ch
☑ Ϫ ⁂ r.-v.

CAVE DU CHAVALARD
Fully Humagne rouge 2006 ★★

■ 0,8 ha 3 500 ▮ 11 à 15 €

Réparti entre les communes de Martigny, de Charrat et de Fully, ce domaine de 15 ha propose un 2006 d'humagne profondément coloré et épicé. Dès l'attaque, une chair ronde emplit le palais, soutenue par une trame de tanins suffisamment solide pour assurer une garde de deux à quatre ans. Viande de bœuf et gibier à plume formeront des accords réussis avec un tel vin.

🔑 Vincent et Gilles Carron,
Cave de Chavalard, rte de Martigny 203, 1926 Fully,
tél. 27.746.23.55, fax 27.746.30.79,
e-mail info@vins-chavalard.ch
☑ Ϫ ⁂ t.l.j. sf dim. 9h-18h; sam. 9h-12h

VINS DES CHEVALIERS Johannisberg 2006 ★★

□ 1 ha 11 000 ▮ 8 à 11 €

En 2004, la maison a quitté le giron des descendants de son fondateur pour passer aux mains de la famille Constantin-Barmaz. Le johannisberg, alias sylvaner, est à l'origine d'un vin jaune clair, aux notes originales de mangue et de bonbon acidulé. Le gras est équilibré par une vivacité surprenante pour ce cépage, mais la finale revient sur un caractère plus chaleureux, avec une délicate note florale. Poissons, crustacés et même choucroute pourront s'accorder à ce 2006.

🔑 Vins des Chevaliers, Varenstrasse 40,
3970 Salgesch, tél. 27.455.14.34, fax 27.455.34.28,
e-mail info@chevaliers.ch ☑ Ϫ ⁂ r.-v.

FERNAND CINA
Salquenen Pinot noir Sélection Pachien 2006 ★★★

■ 1 ha 5 500 11 à 15 €

Le pinot noir représente 40 % de l'encépagement de ce domaine qui compte vingt-six autres cépages. Les frères Cina en ont fait une spécialité dont témoigne ce vin rubis qui charme par la fraîcheur de son fruité, sa souplesse et sa chair élégamment structurée. De la dentelle. À marier à un perdreau rôti ou à un magret de canard.

🔑 Manfred et Damian Cina,
SA Caves Fernand Cina, Bahnhofstrasse 27,
3970 Salgesch, tél. 27.455.09.08, fax 27.456.43.81,
e-mail info@fernand-cina.ch
☑ Ϫ ⁂ t.l.j. sf dim. 9h-12h 14h-17h

GÉRALD CLAVIEN Muscat 2006 ★★

□ 4,4 ha 4 000 ▮ 11 à 15 €

Pour les avoir fréquentés, Gérald Clavien connaît les exigences des grands restaurants de Suisse et des États-Unis. Il applique une même philosophie de qualité dans sa cave et propose un muscat d'un jaune lumineux, finement aromatique : pétale de rose, litchi. Tout aussi délicat au palais, le vin fait preuve d'équilibre jusqu'à la longue finale. Un apéritif délicieux.

🔑 Gérald Clavien, SA Cave Les Deux Crêtes,
3972 Miège, tél. 27.455.57.13, fax 27.455.57.02,
e-mail info@clavien.ch ☑ Ϫ ⁂ r.-v.

CLOS DE LA COMBETTAZ Pinot noir 2006 ★★★

■ 3 ha 9 000 8 à 11 €

Maurice Zufferey n'a pas peur des cépages aussi délicats que le cornalin ou le pinot noir. Les résultats obtenus lui donnent raison. Voyez ce 2006 rubis brillant. Avec un peu de patience, vous découvrirez des arômes de fraise mûre alliés à une touche de fumée. Dès l'attaque, le vin livre généreusement sa chair ronde et fruitée, élégamment soutenue par les tanins. À déguster dans les quatre ans à venir avec des viandes rouges.

🔑 Maurice Zufferey, rue des Moulins 52, 3960 Sierre,
tél. 27.455.47.16, fax 27.456.35.27,
e-mail maurice.zufferey@netplus.ch ☑ Ϫ ⁂ r.-v.

DOM. DES CRÊTES
Les Coteaux de Sierre Humagne rouge 2005 ★★★

■ 1 ha 3 500 11 à 15 €

Le domaine de 26 ha s'étend sur cinq collines au sol calcaire : Grande Crête, Crête à Feu, Crête Raby, Crête du Pont et Crête des Chevey. L'humagne est à l'origine d'un vin grenat brillant de reflets violacés, dont le bouquet intense charme par ses arômes de lierre typiques du cépage, mêlés à une touche de menthol. Le fruité apparaît au palais, dans une chair équilibrée, sans tanins excessifs. La finale très fraîche ajoute à la personnalité de ce vin qui trouvera alliance avec une selle de chevreuil.

🔑 Joseph Vocat et Fils, Dom. des Crêtes, 3976 Noës,
tél. 27.458.28.88, fax 27.458.26.49,
e-mail info@vocatvins.ch
☑ Ϫ ⁂ t.l.j. sf dim. 9h30-11h30 14h-17h; sam. 9h30-12h

PHILIPPE DARIOLI
Humagne rouge Vieilles Vignes 2006 ★★★

■ 0,4 ha 2 500 ▮ 11 à 15 €

Philippe Darioli a fêté en 2006 les dix ans de son domaine de 2,5 ha, dont les vignes se trouvent sur les communes de Chamoson, de Leytron et de Fully. De ces parchets plantés d'humagne rouge, il a obtenu ce vin espiègle, dénué du caractère rustique que l'on connaît à ce cépage. Sous une teinte rouge sombre à peine violacée apparaît un bouquet discret, mais typé de lierre, de cerise noire et de violette. Dès l'attaque, la bouche séduit par sa fraîcheur et sa souplesse, les tanins étant parfaitement intégrés. À boire dans les quatre ans avec un gibier ou en accompagnement d'un plateau de fromages.

🔑 Philippe Darioli, av. de la Fusion 160,
1920 Martigny, tél. et fax 27.723.27.66,
e-mail philippe.darioli@bluewin.ch ☑ 🍷 r.-v.

DEFAYES ET CRETTENAND Cornalin 2006 ★★

■ 0,8 ha 4 000 ▮ 15 à 23 €

Dans ce domaine, ne cherchez pas du fendant, vous n'en trouverez pas trace. Demandez plutôt des cépages locaux aussi originaux que le cornalin. Vous serez charmé par ce 2006 grenat intense qui offre des senteurs de fruits sauvages et une chair dense, puissante, structurée par des tanins serrés. Un fromage vieux ou une viande séchée typique du Valais se marieront dès maintenant à cette bouteille qui saura aussi attendre.

🔑 Stéphane Defayes,
Cave Defayes et Crettenand, rte de Dorman 23,
1912 Leytron, tél. 27.306.28.07, fax 27.306.28.84,
e-mail vins@defayes.com ☑ 🍷 🚶 r.-v.

CAVE DES DEUX RIVES Vétroz Fendant 2006 ★

□ 0,3 ha 3 000 ▮ 8 à 11 €

Christophe Fournier accorde la faveur aux cépages blancs dans son vignoble de 2,5 ha sis sur le coteau de Vétroz. Son fendant jaune clair à reflets verts mêle des senteurs minérales à des parfums floraux et à une touche de menthe verte. D'attaque souple et tendre, il possède du gras tout en développant une ligne minérale et florale. À servir à l'apéritif ou avec des mets au fromage.

🔑 Claude Fournier et Fils,
Cave des Deux Rives, Le Bioley, 1996 Brignon,
tél. et fax 27.207.15.37,
e-mail cavedeuxrives@bluewin.ch ☑ 🍷 🚶 r.-v.

BENOÎT DORSAZ
Fully Arvine Les Perches 2006 ★★★

□ 0,6 ha n.c. ▮ 11 à 15 €

Les Perches est une parcelle située sur Fully. Si les cépages rouges ont la vedette dans ce domaine, la petite arvine se distingue depuis longtemps puisque les premiers ceps ont été plantés en 1931. Elle se révèle dans ce vin à travers des notes de pamplemousse, de rose et de fruit de la Passion. L'attaque est vive, pleine d'allant, la bouche fruitée et délicatement minérale. En finale, une note saline typique se manifeste. Pour des mets au curry et des crustacés.

🔑 Benoît Dorsaz, chem. du Midi 37, 1926 Fully,
tél. 27.746.11.25, fax 27.746.20.45,
e-mail info@benoit-dorsaz.ch ☑ 🍷 🚶 r.-v.

DUBUIS ET RUDAZ Fendant Privilège 2006 ★

□ 1,5 ha 12 000 8 à 11 €

Vedette du domaine, le fendant est à l'origine de ce vin jaune pâle à reflets gris, mêlant aux senteurs fruitées de subtiles notes de pain frais. Vif en attaque, un peu perlant, celui-ci affiche une structure légère et une agréable vivacité, soutenu en finale par une pointe d'amertume. Servez-le en apéritif, puis avec une raclette ou une fondue.

🔑 Cave Dubuis et Rudaz, chem. des Perdrix 9,
1950 Sion, tél. 27.321.13.13, fax 27.321.13.14,
e-mail info@dubuis.rudaz.ch ☑ 🍷 🚶 r.-v.

GABRIEL DUC
Les coteaux de Sierre Pinot noir Vieilles Vignes 2005 ★

■ 0,15 ha 1 500 ▮ 🛢 8 à 11 €

Le hibou grand-duc est l'emblème de la famille de Chrisophe Venetz. Il illustre l'étiquette de ce vin rouge sombre à reflets rubis qui s'ouvre à l'aération sur des notes de cacao et de réglisse héritées de douze mois d'élevage sous bois. Des flaveurs de fruits mûrs et de réglisse accompagnent le développement d'une chair fortement structurée, dont les tanins demandent à se fondre à la faveur de trois à cinq ans de garde.

🔑 Gabriel Duc, Rte Principale 27,
3971 Ollon-Chermignon, tél. et fax 27.458.36.57,
e-mail gabriel.duc@bluewin.ch ☑ 🍷 🚶 r.-v.

JACQUES DUMOULIN Païen 2006 ★★★

□ 0,3 ha 2 000 ▮ 8 à 11 €

Le païen est l'autre nom du savagnin. Il compose un vin jaune paille brillant, associant des notes de foin coupé à des arômes de noix et de pain grillé. De structure légère, la bouche fait preuve de vivacité, de sorte qu'une alliance avec des huîtres et autres fruits de mer est conseillée.

🔑 Jacques Dumoulin, rte du Belvédère,
1965 Chandolin/Savièse, tél. 27.395.37.37 ☑ 🍷 🚶 r.-v.

CELLIER DE LA DZAQUETTE
Chamoson Humagne blanche 2006 ★★

□ 0,2 ha 1 500 ▮ 8 à 11 €

Un vignoble de 2 ha, planté de quinze cépages avec une large place réservée aux variétés autochtones comme l'humagne blanc. Un jambon fumé ou des poissons de rivière s'accorderont volontiers avec ce vin jaune clair à reflets verts qui libère des senteurs discrètes de fleurs et de fruits exotiques, nuancées d'une pointe de résine. L'attaque est fine, la suite ronde et chaleureuse, avec toujours cette touche résineuse en finale.

🔑 Pierre-Luc Rémondeulaz,
cellier de la Dzaquette, rue de Latigny 27,
1955 Chamoson, tél. 27.306.55.58, fax 27.307.14.08
☑ 🍷 🚶 r.-v.

MAURICE ET JEAN-CLAUDE FAVRE
Petite arvine Sélection Excelsus 2006 ★★

□ 0,45 ha n.c. ▮ 11 à 15 €

Une petite arvine qui a tout pour accompagner les crustacés et les poissons de mer. Sous une teinte jaune clair, elle égrène de subtiles senteurs citronnées, florales et minérales. La finesse la caractérise au palais, ainsi que le gras rehaussé de flaveurs d'agrumes et d'une touche minérale. Un vin plus charmeur que puissant, à boire dans les deux ans.

🔑 Jean-Claude Favre, rue de la Palud 9,
1955 Chamoson, tél. 27.306.14.00, fax 27.306.39.11,
e-mail excelsus@teltron.ch ☑ 🍷 🚶 r.-v.

LES FILS DE CHARLES FAVRE
Dôle Hurlevent 2005 ★★★

■ 4 ha 57 800 ▮ 8 à 11 €

Jean-Pierre Favre, petit-fils du fondateur de ce domaine, propose dans la gamme Hurlevent les cépages typiques du Valais. Cette dôle (assemblage de pinot noir, de diolinoir et de gamay) en est l'illustration. Un vin rouge sombre brillant de reflets grenat, qui livre les arômes intenses d'un pinot noir bien mûr : fruits rouges, violette, réglisse et champignon. Il tient toutes ses promesses au palais : ample dès l'attaque, il développe du gras et une agréable fraîcheur rehaussée de notes de fruits rouges. Les tanins délicats assurent une longue finale. À boire ou à attendre de deux à quatre ans.

🔑 Jean-Pierre Favre,
Les Fils Charles Favre, av. de Tourbillon 29,
1951 Sion, tél. 27.327.50.50, fax 27.327.50.51,
e-mail info@favre-vins.ch ☑ Ῑ 🚶 r.-v.

FIN BEC Dôle 2005 *

■ 1 ha 6 350 ▮ 8 à 11 €

Une délicate étiquette figurant à l'aquarelle un oiseau habille cette dôle, assemblage de pinot noir, de gamay et de cabernet-sauvignon récoltés sur schistes. Rubis intense à reflets violets, le vin semble austère de prime abord, mais il suffit de l'aérer pour percevoir des notes de fleurs, d'épices et de poivron de bel effet. Rond, chaleureux, il bénéficie de tanins bien fondus qui laissent une impression de souplesse. À boire d'ici 2010 avec des charcuteries et des viandes blanches.

🔑 SA Cave Fin Bec, Châtroz, CP 239, 1951 Sion,
tél. 27.346.20.17, fax 27.346.52.17,
e-mail info@finbec.ch ☑ Ῑ 🚶 r.-v.
🔑 Yvo Mathier

CAVE DU FORUM
Chamoson Fendant Cuvée Tradition 2006 **

▒ 0,2 ha 2 000 5 à 8 €

Un fendant dans la pure tradition valaisanne : jaune citron, parfumé de discrets arômes minéraux et de notes de fruits exotiques, il dévoile toute sa personnalité au palais, sans jamais perdre sa fraîcheur et sa minéralité. Accords classiques avec des mets au fromage et des poissons d'eau douce après un service à l'apéritif.

🔑 Henri Magistrini,
Cave du Forum, rue du Bourg 40, CP 682,
1920 Martigny, tél. 27.722.50.76, fax 24.466.46.37,
e-mail cave-du-forum@bluewin.ch ☑ r.-v.

MAURICE GAY Dôle Les Mazots 2006 **

■ 3 ha 30 000 ▮ 8 à 11 €

Entre Martigny et Sion, cette maison possède 20 ha de vignes en terrasses, mais elle vinifie aussi le fruit de récoltants. Sa dôle séduit non par son intensité mais par la subtilité de ses senteurs de noisette et de myrtille. Souple et ronde, elle ne joue pas davantage la puissance au palais, mais l'harmonie grâce à des tanins bien intégrés. Les arômes du bouquet sont complétés de touches de framboise et d'épices. Pour une volaille, un rôti de veau ou un lapin grillé.

🔑 SA Maurice Gay, rue de Ravanay 1,
1955 Chamoson, tél. 27.306.53.53, fax 27.306.53.88,
e-mail mauricegay@mauricegay.ch
☑ Ῑ 🚶 t.l.j. sf sam. dim. 8h-17h; f. 23 juil.-10 août

JEAN-RENÉ GERMANIER
Vétroz Amigne 2006 ***

▒ 4 ha 30 000 ▮▮ 23 à 30 €

Vétroz est réputé pour ses sols schisteux favorables à la vigne. L'amigne y trouve une place de choix et s'illustre dans ce vin délicatement parfumé de fleurs et de mandarine. Après une attaque en rondeur, la bouche se fait vineuse et pourtant non dénuée de fraîcheur. Une petite amertume lui confère de l'élégance en finale. Foie gras en brioche, fromage de chèvre frais au miel sont des accords plus que souhaitables.

🔑 SA Jean-René Germanier, rte cantonale 285,
1963 Vétroz, tél. 27.346.12.16, fax 27.346.51.32,
e-mail info@jrgermanier.ch ☑ Ῑ 🚶 r.-v.

GRAND BRÛLÉ Leytron Petite arvine 2006 ***

▒ 0,48 ha 4 000 ▮ 11 à 15 €

Un domaine de 12,5 ha sis sur le cône d'alluvions de la Lonsentze et complanté de vingt-sept cépages, parmi lesquels la petite arvine, dont l'œnologue Corinne Clavien a su tirer le meilleur parti. Sous une teinte jaune paille brillant se révèle une palette intense dominée par la rhubarbe, puis nuancée de notes de pamplemousse, de poire, de groseille et d'acacia. D'attaque puissante, la bouche bénéficie d'une juste vivacité qui équilibre la douceur. À la complexité du fruité persistant se mêle en finale la petite touche saline typique du cépage.

🔑 Dom. du Grand Brûlé, État du Valais,
1912 Leytron, tél. 27.306.21.05, fax 27.306.36.05,
e-mail grandbrule1@bluewin.ch ☑ Ῑ 🚶 r.-v.

LAURENT HUG Gamay 2006 ***

■ 0,5 ha 3 000 8 à 11 €

Sur le coteau de Sion, ce domaine de 5,5 ha étale ses vignes en terrasses soutenues par des murets en pierre sèche. Dix cépages y sont cultivés, dont le classique gamay. Ce 2006 saura mettre de la gaieté lors d'un repas simple fait de viandes froides ou de volaille. Rubis à reflets violacés, il offre un bouquet aussi intense que complexe de fruits et d'épices qui trouve écho au palais. Une trame de tanins fins étaye la chair non dénuée de fraîcheur.

🔑 Laurent Hug, Cave des Places, 1971 Champlan,
tél. 27.398.31.43, fax 27.398.31.01,
e-mail info@hugvins.ch ☑ Ῑ 🚶 r.-v.

IMESCH Fendant Soleil de Sierre 2006 **

▒ 3 ha 20 000 ▮ 8 à 11 €

Soleil de Sierre est la gamme historique de cette cave fondée en 1898 : elle décline johannisberg, œil-de-perdrix, dôle, gamay, pinot noir et... fendant. Ce dernier, jaune pâle à reflets gris, révèle une élégante minéralité, puis une fraîcheur vivifiante, rehaussée d'un léger perlant. Un vin gouleyant qui fera un excellent apéritif.

🔑 Imesch Vins Sierre, pl. Beaulieu 8, 3960 Sierre,
tél. 27.455.10.65, fax 27.455.36.89,
e-mail info@imesch-vins.ch
☑ Ῑ 🚶 t.l.j. sf dim. lun. 9h30-12h 14h-17h30;
sam. 9h-12h

LEUKERSONNE Johannisberg 2006 *

	6 ha	5 000	8 à 11 €

C'est un vin surprenant que proposent les frères Jörg et Damian Seewer. Sous une teinte jaune soutenu apparaissent des arômes de fruits confits issus d'une vendange très mûre. L'attaque est souple et harmonieuse, puis la fraîcheur prend le dessus avec, en finale, une légère amertume typique du cépage. Une cassolette de champignons fera alliance avec ce johannisberg (sylvaner).

R. & Söhne Seewer,
Kellerei Leukersonne, Sportplatzstrasse 5, 3952 Susten,
tél. 27.473.20.35, fax 27.473.40.15,
e-mail info@leukersonne.ch r.-v.

MADELEINE ET JEAN-YVES MABILLARD-FUCHS Venthône Fendant 2006 **

	0,35 ha	3 500	5 à 8 €

Le château de Venthône abrite un restaurant servant les plats de la gastronomie locale. Ce domaine se trouve à quelques pas seulement. Vous y trouverez le vin en accord avec les mets valaisans, notamment ce fendant réunissant tous les arômes typiques du cépage : minéraux, floraux et fruités (abricot). Un vin charmeur qui séduit durablement par sa finesse et sa fraîcheur.

Madeleine et Jean-Yves Mabillard-Fuchs,
Cave Mabillard-Fuchs, rte de Montana,
3973 Venthône, tél. 27.455.34.76, fax 27.456.34.00,
e-mail mabillard-fuchs@bluewin.ch r.-v.

LA MADELEINE Vétroz 2006 **

	1 ha	8 000	8 à 11 €

André Fontannaz possède à Vétroz 25 ha sur les 35 ha que compte son domaine. Le fendant lui a permis d'élaborer ce 2006 typé, élégamment marqué par le terroir. Après une attaque vive, il laisse une impression de fraîcheur gouleyante, encore rehaussée par un perlant bien présent. « Un vin de soif qui a pour remarquable qualité de ne pas couper la soif dès le premier verre », conclut un dégustateur.

André Fontannaz,
Cave La Madeleine, rte cantonale 118, 1963 Vétroz,
tél. 27.346.46.54, e-mail info@fontannaz.ch r.-v.

ADRIEN MATHIER
Salquenen Dôle Sang de l'enfer 2006 **

	3 ha	20 000	8 à 11 €

Pinot noir (80 %) et gamay récoltés sur les éboulis calcaires de Salquenen ont donné naissance à cette dôle rubis brillant, évocatrice de griotte, de framboise et de myrtille. La voici qui développe un joli fruité et une délicate fraîcheur au palais, sans imposer outre mesure sa structure, même si les tanins, plus marqués en finale, demandent à s'assouplir un peu. Dans deux ans, il ne devrait plus y paraître et cette bouteille pourra rejoindre des viandes blanches ou des charcuteries sur votre table.

Adrian Mathier,
Nouveau Salquenen, Bahnhofstrasse 50, 3970 Salgesch,
tél. 27.455.75.75, fax 27.456.24.13,
e-mail info@nouveau-salquenen.ch r.-v.
Diego Mathier

ALBERT MATHIER ET FILS Cornalin 2006 **

	1 ha	5 000	11 à 15 €

Amédée Mathier dirige cette maison familiale créée en 1928, qui vinifie le fruit de 60 ha, dont une moitié qu'elle possède en propre. Grenat sombre, le cornalin affiche une bonne complexité aromatique par ses senteurs de réglisse, de kirsch associées à une fine touche de violette. À l'attaque souple ne tarde pas à répondre une chair toute fruitée qui laisse la sensation à croquer dans des cerises noires bien mûres. Les tanins fondus autorisent une dégustation immédiate comme une garde de deux ou trois ans.

Albert Mathier et Söhne, Bahnhofstrasse 3,
3970 Salgesch, tél. 27.455.14.19, fax 27.456.36.07,
e-mail albert@mathier.ch
t.l.j. sf dim. 8h-12h 13h30-17h30

LES FILS MAYE
Païen Traminer Franc-Tireur 2006 **

	0,8 ha	10 000	11 à 15 €

Léonide Maye fut bien inspirée en créant en 1889 sa cave tout près de la gare flambant neuve de Riddes qui allait favoriser la commercialisation de ses vins. Ce 2006 a la couleur des blés mûrs et les parfums du fruit de la Passion, du citron vert et de la rose. Frais, il garde durablement cette expression exotique au palais, tout en faisant preuve d'ampleur et de richesse. À servir dans les deux ans avec des plats asiatiques.

Les Fils Maye, rue des Caves, 1908 Riddes,
tél. 27.305.15.00, fax 27.305.15.01,
e-mail info@maye.ch r.-v.

DOM. DU MONT D'OR Saint-Martin Johannisberg Élevé en fût de chêne 2005 ***

	1,3 ha	4 000	15 à 23 €

Il fallut bien de la constance à François-Eugène Masson pour défricher ces terres de la colline de Montorge et aménager des terrasses à l'aide de murs en pierre sèche. C'était au milieu du XIXe s. Son fils rapporta du célèbre Schloss Johannisberg, en Allemagne, le cépage sylvaner (johannisberg) auquel on doit aujourd'hui ce vin liquoreux jaune paille brillant de reflets dorés. Un bouquet intense s'exprime d'emblée, mélange de senteurs d'abricot sec, de confiture de coings, de miel, de cire d'abeille et de citron confit. De la douceur et de la fraîcheur en attaque, une structure impressionnante mais parfaitement équilibrée... et une extraordinaire complexité aromatique jusque dans l'interminable finale. Vingt ans de garde sont à sa portée. (Bouteilles de 50 cl.)

SA Dom. du Mont d'Or, CP 240, 1964 Conthey 1,
tél. 27.346.20.32, fax 27.346.51 78,
e-mail montdor@montdor-wine.ch
t.l.j. 9h30-19h30; groupes sur r.-v.

GEORGES MORAND ET FILS
Clavoz Muscat 2006 **

	0,1 ha	1 300	8 à 11 €

Clavoz est un secteur viticole de la commune de Sion, au sol de schistes. Stéphane Zufferey y a vendangé le muscat à parfaite maturité pour élaborer ce vin typé, fleurant les épices et laissant au palais une impression d'ampleur et de rondeur, sans omettre la fraîcheur. Aucune lourdeur, mais une finale longue et agréable. Servi à l'apéritif, ce 2006 pourra s'accorder avec une bisque de homard présentée en entrée.

Morand et Zufferey,
Cave de la Brunière, rue du Stand 18,
1958 Saint-Léonard, tél. 27.203.21.62, fax 27.203.45.61,
e-mail info@bruniere.ch ☑ 𝐈 ⚲ r.-v.

DOM. DES MUSES Petite arvine 2006 ★★★

6,3 ha 3 000 ▮ 15 à 23 €

Dans sa cave moderne de l'Île Falcon, à Sierre, Robert Taramarcaz ne sollicite pas seulement les muses pour trouver l'inspiration, mais vinifie le fruit de ses 9 ha de vignes disséminées sur plusieurs communes viticoles de Fully à Salquenen. La petite arvine lui a inspiré ce vin aux arômes complexes de grapefruit, de glycine, de citron vert et de bourgeon de cassis, complétés d'une ligne minérale. Le palais est en cohérence, frais, structuré et persistant, avec en finale la note saline typique du cépage. Pour des fruits de mer.

Robert Taramarcaz,
Dom. des Muses, rue du Manège 2, Île Falcon,
3960 Sierre, tél. 27.455.73.09, fax 27.455.18.69,
e-mail domainedesmuses@bluewin.ch ☑ 𝐈 r.-v.

L'ORPAILLEUR Dôle 2006 ★★★

■ n.c. 6 000 8 à 11 €

L'or de la terre, voilà ce que recherche Frédéric Dumoulin sur ses 3,5 ha. Des schistes, il a tiré la quintessence des pinot noir et gamay pour élaborer une dôle rouge sombre à reflets violets, riche de fruits et de notes de noisette grillée. Souple en attaque, le vin se développe sur des flaveurs de fruits noirs, étayé par des tanins élégants qui autorisent une dégustation immédiate comme une petite garde. Un magret de canard ou une viande de veau lui iront bien.

SA Frédéric Dumoulin, rte d'Italie 81, 1958 Uvrier,
tél. 27.203.04.46, fax 27.203.37.10,
e-mail info@orpailleur.ch ☑ 𝐈 ⚲ r.-v.

CAVES ORSAT Cornalin Primus Classicus 2005 ★★

■ 3 ha 14 000 ▮ 11 à 15 €

À 1 km de Martigny et de sa fondation Gianadda, cette maison créée en 1874 a été reprise par la famille Rouvinez en 1998. Ce cornalin s'inscrit dans sa gamme phare, Primus Classicus. Sous une teinte grenat, percent des senteurs de myrtille et de cerise noire, annonce d'une bouche fraîche, soutenue par des tanins déjà bien enveloppés. La longue finale est un autre atout de ce vin prêt à boire et apte à une petite garde.

Caves Orsat, rte du Levant 99, 1920 Martigny,
tél. 27.721.01.01, fax 27.721.01.03,
e-mail info@cavesorsat.ch
☑ 𝐈 ⚲ t.l.j. sf dim. 8h-12h 13h30-17h30

CAVE DU PARADOU Pinot noir 2006 ★★★

■ 0,7 ha 6 300 ▮ 5 à 8 €

Les fidèles du Guide connaissent l'étiquette charmante de ce domaine, illustrée d'un iris bleu. Ici, le vignoble s'élève jusqu'à 1 000 m d'altitude et vingt-quatre cépages y sont cultivés. Les vins rouges ont fait ces dernières années la réputation de la cave. On le comprendra aisément à la dégustation de ce 2006 rubis, au bouquet intense et complexe de mûre, de groseille, de cerise et de cannelle. Dès l'attaque, celui-ci se montre puissant, sans rien perdre de son élégance car la trame tannique s'intègre parfaitement à la chair ronde. Aux flaveurs de fruits rouges s'ajoutent des notes de pruneau et de quetsche. Déjà appréciable, ce pinot noir saura aussi attendre entre deux et cinq ans.

Cave du Paradou, La Villetaz, 1973 Nax,
tél. 27.203.23.59, fax 27.203.61.13,
e-mail paradou.vins@bluewin.ch ☑ 𝐈 ⚲ r.-v.

RÉGINE PENON-GUEX Vétroz Dole 2006 ★★★

■ 0,53 ha 5 300 ▮ 8 à 11 €

Pinot noir et gamay représentent la moitié de l'encépagement de ce vignoble familial de 1,5 ha sur sols ardoisiers. Ils se partagent équitablement la composition de cette dôle charmeuse, au bouquet de fruits mûrs (mûre, myrtille, griotte). Tout en rondeur et en fraîcheur, le vin bénéficie d'une trame de tanins soyeux qui le rend agréable dès maintenant. Viandes froides et fromages seront ses meilleurs alliés à l'heure de passer à table.

Régine Penon-Guex, rte de l'Abbaye 38,
1963 Vétroz, tél. 27.346.36.31, fax 27.346.47.68,
e-mail jm.penon@netplus.ch ☑ 𝐈 ⚲ r.-v.

LES FRÈRES PHILIPPOZ
Leytron La Barme Fendant 2006 ★★★

0,5 ha 3 000 ▮ 5 à 8 €

Le chasselas représente 25 % de l'encépagement de ce domaine de 7 ha et se répartit sur trois terroirs distincts, dont celui, argilo-calcaire, de La Barme qui a donné naissance à ce 2006 d'un jaune citron clair, aux fins arômes de pêche blanche nuancés de notes minérales. La fraîcheur s'impose dès l'attaque, relevée d'un léger perlant. Le vin n'impressionne pas tant par sa structure que par une délicate harmonie et une complexité raffinée. Le charme, en somme. Pour l'apéritif.

Philippoz Frères, rte de Riddes 13, 1912 Leytron,
tél. 27.306.30.16, fax 27.306.71.33,
e-mail r.philippoz@bluewin.ch ☑ 𝐈 ⚲ r.-v.

PROVINS VALAIS Heida Maître de chais 2006 ★★★

80 ha 30 000 ▮ 15 à 23 €

La cave Provins, fondée en 1930, compte aujourd'hui une centaine d'adhérents. Madeleine Gay, Gérarld Carrupt et Luc Sernier, ses œnologues, proposent un vin séducteur qui s'associera parfaitement avec les poissons, les crustacés et la cuisine exotique. Des reflets dorés brillent sur fond jaune paille, tandis qu'au nez se révèle un bouquet fin de rose, de poire et de rhubarbe. Délicatement moelleuse en attaque, la bouche développe ensuite une vicacité tonique qui soutient bien les arômes, avec en complément des flaveurs d'agrumes persistantes. L'**humagne rouge Maître de chais 2005 (23 à 30 €)** obtient la même note.

MAÎTRE DE CHAIS
2006
Heida
Valais Appellation d'origine contrôlée
Elevé dans nos caves
75cl ℮
MISE D'ORIGINE PAR PROVINS VALAIS SION (SUISSE)
14% Vol

Provins Valais, rue de l'Industrie 22, 1951 Sion, tél. 840.666.112, fax 27.328.66.60, e-mail info@provins.ch r.-v.

DOM. DE RÉGALESSE

Saillon Humagne blanc 2006 ★★★

n.c. 3 500 8 à 11 €

Le domaine de Régalesse est l'un des six vignobles de la cave Taillefer dirigée par Philippe Orsat. Cette humagne jaune pâle libère des senteurs exotiques de mangue, puis développe une chair chaleureuse en attaque, ronde dans son développement, toujours empreinte des flaveurs un peu rustiques du cépage. Vous la servirez à l'apéritif ou avec des poissons d'eau douce.

Jacques-Alphonse et Philippe Orsat, Cave Taillefer SA, rue de l'Indivis 6, 1906 Charrat, tél. 27.747.15.25, fax 27.747.15.29, e-mail ja.orsat@cavetaillefer.ch r.-v.

CAVE DES REMPARTS Gamay 2006 ★★

0,4 ha 3 500 8 à 11 €

Évelyne et Yvon Cheseaux cultivent 3 ha de vignes sur Saillon, Leytron et Fully. Leur gamay s'affiche dans une robe grenat et livre un nez intense de framboise, de fraise, de mûre et de groseille légèrement confites. Tout en finesse en attaque, il renoue avec le fruité au palais et charme par sa rondeur. En finale, quelques notes de réglisse lui donnent de la complexité. À servir dès à présent avec des charcuteries ou un rôti de porc.

Yvon Cheseaux, Cave des Remparts, 1913 Saillon, tél. et fax 27.744.33.76, e-mail cave.des.remparts@saillon.ch r.-v.

JEAN-MARIE REYNARD

Pinot noir Les Glaneuses 2006 ★★

0,34 ha 3 000 23 à 30 €

Pas moins d'une soixantaine de parcelles de vignes pour un total de 3,8 ha : le morcellement est grand et les cépages, au nombre de quatorze, bénéficient de terroirs et de microclimats bien adaptés. Le pinot noir s'exprime dans ce vin rubis à travers de arômes de fruits nuancés de menthe, plus intenses au palais qu'au nez. L'attaque est souple, la chair ronde et élégamment soutenue par des tanins bien présents qui laissent augurer un bon potentiel de garde (deux à cinq ans).

Jean-Marie Reynard, rue du Caro, 1965 Savièse, tél. 27.395.24.23, fax 27.395.24.57 r.-v.

CAVE DU RHODAN Syrah 2006 ★★★

0,7 ha 6 500 11 à 15 €

L'œnologue de cette cave, Roland Moser, a su élaborer une syrah charmeuse, vêtue d'une robe rouge sombre à reflets violets. Le bouquet intense, évocateur d'épices (poivre vert) trouve écho au palais, en accompagnement d'une chair souple et ronde qui enveloppe parfaitement les tanins. À boire avec un gigot d'agneau dès maintenant ou à attendre encore entre deux et cinq ans.

Cave du Rhodan, AG Mounir Weine, Flantheystrasse 1, 3970 Salgesch, tél. 27.455.04.07, fax 27.455.82.07, e-mail mounir@rhodan.ch t.l.j. sf dim. 8h-12h 13h30-17h30; sam; 10h-16h

CAVE RODUIT ET ARLETTAZ

Fully Ermitage 2006 ★★

0,6 ha 3 000 11 à 15 €

La totalité des 8 ha de vignes de ce domaine se trouve dans la commune de Fully, notamment dans le village de Branson et l'aire des Follatères. L'ermitage est l'un des quatre cépages à l'origine de vins doux, mais c'est un vin sec qui se distingue ici. Un 2006 jaune paille, encore sur la réserve, car le fruité est actuellement caché par le caractère minéral et fumé. Les promesses sont là, cependant. La minéralité du bouquet se confirme au palais, avec une touche de résine en complément, tandis que la finale s'étire longuement grâce à une élégante amertume. La finesse. Pour un fromage de chèvre.

Gérard Roduit & Jean-Marie Arlettaz, ch. de Liaudise 31, 1926 Fully, tél. 27.746.28.10, fax 27.746.48.80, e-mail caveroduit@bluewin.ch r.-v.

ROUVINEZ Montibeux Cornalin 2005 ★★

12 ha 30 000 11 à 15 €

Maison familiale fondée en 1947, Rouvinez s'est agrandi au fil du temps en rachetant de grands domaines, ce qui lui a permis de porter la superficie de son vignoble à 82 ha. Son cornalin présente sous une teinte grenat un bouquet encore sur la retenue, mais délicat de fruits rouges, de réglisse et de fumée légère. D'attaque vive, il garde une agréable fraîcheur jusqu'en finale et trouve le soutien de tanins bien sages, parfaitement intégrés. Un service immédiat avec un gibier à plume est permis, mais une garde de deux ou trois ans est possible également.

Rouvinez Vins, Colline de Géronde, 3960 Sierre, tél. 27.452.22.52, fax 27.452.22.44, e-mail info@rouvinez.com r.-v.

CAVE DES RUINETTES

Vétroz Humagne blanche 2006 ★★

0,3 ha 2 100 11 à 15 €

Un nouveau chai à barriques vient d'être inauguré dans ce domaine, où Serge Roh propose une humagne jaune pâle, marquée par de frais arômes de fleurs. Après une attaque élégante, un beau gras emplit le palais, équilibré par une juste vivacité qui soutient bien les flaveurs florales, tandis qu'en finale persiste une impression chaleureuse. Terrine de canard et fromages constitueront de bons accords.

Serge Roh, Cave Les Ruinettes, rue de Conthey 43, 1963 Vétroz, tél. 27.346.13.63, fax 27.346.50.53, e-mail serge.roh@bluewin.ch r.-v.

CAVE SAINTE-ANNE Sion Cornalin 2006 ★★

0,24 ha 2 467 46 à 76 €

À condition d'avoir du souffle, partez à l'assaut des terrasses qui bordent la bisse de Clavau et montez jusqu'à la maison des Vignes de Moligon. Vous y trouverez ce cornalin grenat, caractérisé par des arômes de cerise noire, d'épices et de sous-bois. Issu de jeunes vignes de onze ans, le vin exprime une touche végétale au palais, mais bien vite le fruit prend le dessus, accompagnant des tanins souples et légers. Un 2006 élégant, à boire ou à garder deux ans.

SA Héritier et Favre,
Cave Sainte-Anne, av. Saint-François 2, CP 2176,
1950 Sion 2, tél. 27.322.24.35, fax 27.322.92.21,
e-mail info@cave-sainte-anne.ch r.-v.

CAVE SAINT-GEORGES Heida 2006 ★★★

2,5 ha 10 000 11 à 15 €

En 2000, cette cave familiale créée en 1961 a été rachetée par le groupe Schenk. Elle se distingue ici par un heida jaune lumineux, aux arômes très frais de citron et de tilleul. Fraîcheur confirmée au palais, dans un équilibre parfait. Le fruité persiste longuement, laissant une impression de délicatesse. À l'apéritif, avec une terrine, puis avec des fromages : le vin de tout un repas.

SA Georges Clavien et Fils,
Cave Saint-Georges, rte du Simplon 12, 3960 Sierre,
tél. 27.455.11.50, fax 27.456.58.10,
e-mail info@saintgeorges.ch r.-v.

SAINT.-JODERN KELLEREI
Visperterminen Heida 2005 ★★★

n.c. 20 000 8 à 11 €

Avec le pinot noir, le heida représente 65 % des vignes récoltées par les vignerons coopérateurs. Vedette de cette cave créée en 1980, il fait honneur au plus haut vignoble d'Europe, le Visperterminen, dans le millésime 2005. Sous une teinte jaune d'or, se révèle un bouquet intense de miel, de résine, de fruits exotiques (mangue bien mûre), puis une chair douce, rehaussée d'une vivacité bienvenue. La palette aromatique ne cesse de se décliner, avec le miel et la mangue pour leitmotiv. Des tommes et des fromages d'alpage seront du meilleur effet à table.

Saint-Jodernkellerei, Unterstalden,
3932 Visperterminen, tél. 27.946.41.46,
fax 27.946.80.76, e-mail info@jodernkellerei.ch
r.-v.

CAVE SAINT-MATHIEU Cornalin 2006 ★★

0,6 ha 4 000 15 à 23 €

La cave de Jean-Louis Mathieu se trouve tout près du téléphérique montant à Vercorin. Il vous sera aisé de venir découvrir ce cornalin grenat, aux senteurs de griotte et de cerise bigarreau. Dès l'attaque, le vin révèle sa concentration et une structure puissante, faite de tanins serrés qui portent loin la finale. Pour un gibier aujourd'hui comme demain.

Jean-Louis Mathieu,
cave Saint-Mathieu, rte du Téléphérique 26, CP 1,
3966 Chalais, tél. 27.458.27.63, fax 27.458.42.44,
e-mail jean-louis@mathieu-vins.ch r.-v.

CAVE SAINT-PIERRE
Heida Réserve des Administrateurs 2006 ★★

2 ha 10 000 8 à 11 €

Récolté sur schistes, le savagnin, ou heida, a donné naissance à un vin jaune clair brillant, au caractère juvénile par ses senteurs de fruits exotiques. Au palais, la fraîcheur domine harmonieusement, soulignée de notes de confiture d'oranges et d'amande. Fromages et poissons de rivière trouveront dans cette bouteille un faire-valoir.

SA Cave Saint-Pierre, rue de Ravanay 1,
1955 Chamoson, tél. 27.306.53.54, fax 27.306.53.88,
e-mail saintpierre@saintpierre.ch
t.l.j. sf sam. dim. 8h-17h; f. 23 juil.-10 août

CAVEAU DE SALQUENEN
Salquenen Pinot noir Collection Artiste 2006 ★★★

2,5 ha 18 000 11 à 15 €

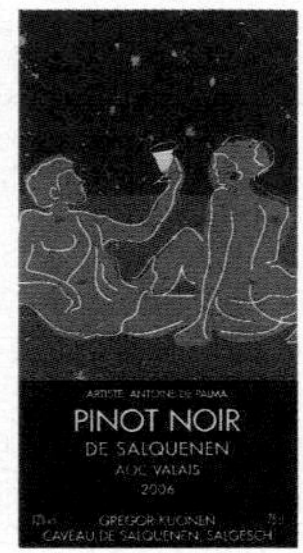

Antoine de Palma signe l'étiquette de ce vin de la collection Artiste, mais au chai, les artistes se nomment François Kuonen et Hansueli Pfenninger. Leur pinot noir, rubis à reflets violacés, livre les senteurs de fruits noirs attendues, puis emplit le palais d'une chair puissante, mais souple, structurée par des tanins fondus qui laissent toute sa place au fruité. Un 2006 de grand potentiel, qui accompagnera dans trois ans une côte de bœuf ou un gibier.

Gregor Kuonen,
Caveau de Salquenen, Unterdorfstrasse 11,
3970 Salgesch, tél. 27.455.82.31, fax 27.455.82.42,
e-mail gregor.kuonen@rhone.ch
t.l.j. sf dim. 8h-12h 13h-17h; sam. 8h-12h

DOM. DE LA SARVAZ Pinot noir 2006 ★★

1 ha 3 000 11 à 15 €

Dans la commune de Saillon, le domaine de La Sarvaz est le fer de lance de Nicolas Thétaz et de sa sœur Véronique Bender qui possèdent en propre 34 ha de Martigny à Ardon. Le pinot noir y a donné naissance à ce vin grenat, tout en fruits rouges comme il se doit, à chaque étape de la dégustation. Une belle matière s'exprime au palais, dotée d'une petite touche acidulée et d'un rien d'austérité en finale. Dans deux ou trois ans, ce 2006 aura atteint son meilleur niveau.

Thétaz Vins,
Cave des Vignerons SARL, rue des Sports 15, CP 258,
1926 Fully, tél. 27.746.13.27, fax 27.746.13.43,
e-mail office@thetaz-vin.ch r.-v.

CAVE LES SENTES
Les Coteaux de Sierre Johannisberg 2006 ★★★

0,25 ha 2 200 8 à 11 €

Entre Noës et Miège, Serge Heymoz cultive 4 ha, sur sols calcaires. Il a opté pour des cépages locaux très typés comme la rèze, mais c'est le johannisberg qui lui apporte ici le succès. Un vin qui charme plus par sa finesse que par son intensité. Notes minérales et florales se mêlent, rejoints au palais par des arômes de fruits exotiques.

L'ensemble est svelte, frais et persistant. De quoi réjouir les convives autour de poissons frits.
Serge Heymoz,
Cave Les Sentes, Entre-deux-Torrents 39, 3960 Sierre,
tél. 27.456.25.75, fax 27.456.52.44,
e-mail serge@heymozvins.ch r.-v.

LA SISERANCHE Chamoson Fendant 2006 *

0,5 ha 3 700 5 à 8 €

La Siseranche est une petite rivière située au nord du vignoble de Chamoson, là où Maurice et Xavier Giroud possèdent 5,5 ha de cépages variés. C'est un fendant vinifié de manière traditionnelle que le jury a apprécié. Jaune pâle à reflets argentés, il offre des senteurs de fruits mûrs et exotiques, puis développe beaucoup de gras. Certains auraient aimé plus de fraîcheur. Qu'importe, c'est un fendant gourmand et ample.
Maurice et Xavier Giroud,
Cave La Siseranche, rue de Pommey 21, CP 56,
1955 Chamoson, tél. 27.306.44.52, fax 27.306.90.19,
e-mail infos@siseranche.ch
t.l.j. sf dim. 8h-12h 13h-18h

CAVE LA TINE Vétroz Amigne 2006 ***

0,44 ha 3 774 11 à 15 €

À Clavoz, à la sortie de Sion, le voyageur est impressionné par les murs qui soutiennent les vignes. Hervé Fontannaz y possède des parcelles, ainsi qu'à Vétroz, sur le coteau d'Ardon. Son amigne or pâle livre un bouquet intense de miel, de cire d'abeille, d'écorce de mandarine et de fleurs. L'attaque est souple, moelleuse, puis une chair puissante emplit le palais et semble ne jamais devoir le quitter. Un gâteau aux épices ou un crumble sera du meilleur effet aux côtés d'un tel vin.
Hervé Fontannaz,
Cave La Tine, chem. du Repos 8, 1963 Vétroz,
tél. et fax 27.346.47.47, e-mail info@cavelatine.ch
t.l.j. sf dim. 8h-12h 13h30-18h;
lun. 13h30-18h sam. 8h-12h

LA TORNALE Chamoson Fendant 2006 ***

0,4 ha 3 300 8 à 11 €

Depuis 2002, Jean-Daniel Favre a repris le domaine familial de 17 ha. Il propose un fendant jaune pâle brillant au bouquet complexe de fruits, de noisette et de pierre à fusil. Le fruité domine au palais, dans une chair ronde et persistante.
Jean-Daniel Favre,
Cave La Tornale, rue de Plantys 22, CP 21,
1955 Chamoson, tél. 27.306.22.65, fax 27.306.64.43,
e-mail jd.favre@bluewin.ch r.-v.

LA TOURMENTE
Chamoson Johannisberg 2006 ***

n.c. 2 000 8 à 11 €

Implanté sur le cône de déjection de Chamoson, ce domaine de 3 ha donne la faveur au johannisberg auquel ce terroir argilo-calcaire convient si bien. Le 2006 en apporte l'illustration. Jaune comme les blés mûrs, il décline les arômes typiques du cépage (poire, amande) complétés d'une fine touche minérale. Tout en rondeur, à peine rehaussé d'un léger perlant, il se développe avec délicatesse sur fond d'amande amère et laisse un souvenir pérenne en finale. Des mets aux asperges ainsi que des poissons d'eau douce lui tiendront compagnie à table.
Les Fils et Bernard Coudray,
Cave La Tourmente, CP 14, 1955 Chamoson,
tél. 27.306.59.61, fax 27.306.34.56,
e-mail tourmente.cave@bluewin.ch r.-v.

RAPHAËL VERGÈRE-GENOUD
Vétroz Fendant 2006 **

0,2 ha 2 000 8 à 11 €

À la tête de 5 ha, dont 2 ha en propre, Raphaël Vergère est non seulement vigneron, mais aussi pépiniériste. Il propose un fendant jaune pâle à reflets argentés, d'une fraîcheur séduisante par ses senteurs d'agrumes (citron) et de fruits exotiques. Souple et ample en attaque, le vin complète ces arômes par des flaveurs de banane, de bonbon anglais et de tilleul qui accentuent sa rondeur plutôt que sa fraîcheur.
Raphaël Vergère,
Cave Chantevigne, rue de Conthey 25, 1963 Vétroz,
tél. 27.346.34.48, e-mail info@chantevigne.ch r.-v.

CAVE DU VIDÔMNE
Chamoson Johannisberg 2006 **

0,5 ha 4 000 8 à 11 €

Si des cépages internationaux et des variétés italiennes (barbera et sangiovese) ont été plantés dans ce domaine de 2,5 ha, les spécialités valaisannes ne sont pas en reste. En témoigne ce johannisberg (sylvaner) qui présente toute la typicité attendue : couleur soutenue, minéralité presque austère, gras généreux et notes d'amande qui confèrent une subtile amertume à la finale légère. À vin classique, accords classiques : asperges et fromages à pâte dure.
Meinrad Gaillard,
Cave du Vidômne, rue du Prieuré 8,
1955 Saint-Pierre-de-Clages, tél. 27.306.27.80,
fax 27.306.27.02 r.-v.

CAVE DU VIEUX-MOULIN
Vétroz Amandoleyre Fendant 2006 **

0,8 ha 4 000 8 à 11 €

Romain et Gladys Papilloud ont repris le domaine familial et ont tout appris sur le terrain, 4 ha de vignes. Leur fendant jaune pâle à reflets gris présente le caractère minéral (pierre à fusil) lié au terroir de schistes noir argileux et de moraine glacière. Il y ajoute une fine touche citronnée et laisse une impression durable de fraîcheur sans jamais se départir de cette ligne aromatique.
Romain Papilloud,
Cave du Vieux-Moulin, rue des Vignerons 43,
1963 Vétroz, tél. 27.346.43.22, fax 27.346.05.22,
e-mail papilloud@bluewin.ch r.-v.

VIEUX SALQUENEN
Pinot noir Élevé en barrique 2005 **

0,5 ha 4 000 15 à 23 €

Un élevage sous bois de sept mois a été réservé à ce pinot noir de teinte soutenue qui mêle harmonieusement les notes boisées au fruité (senteurs de pruneau au nez). La chair ample et souple flatte par sa rondeur, même si quelques tanins encore austères se manifestent en finale. Déjà agréable, ce vin le sera plus encore après deux à cinq ans de garde.
Gebrüder Kuonen AG,
Vieux Salquenen, Dorfstrasse 11, 3970 Salgesch,
tél. 27.455.02.52, fax 27.455.82.42
t.l.j. sf dim. 8h-12h 13h30-17h30; sam. 8h-12h

Canton de Genève

Déjà présente en terre genevoise avant l'ère chrétienne, la vigne a survécu aux vicissitudes de l'histoire pour s'épanouir pleinement dès la fin des années 1960.

Avec un climat tempéré dû à la proximité du lac, à un très bon ensoleillement et à un sol favorable, le vignoble genevois se partage entre trente-deux appellations. Les efforts entrepris pour améliorer le potentiel des vins genevois, par des méthodes culturales respectueuses de l'environnement, le choix de cépages moins productifs et appropriés à un sol généralement caractérisé par une forte teneur en calcaire, permettent de garantir au consommateur un vin de haute qualité. Les exigences contenues dans les textes de loi traduisent autant la volonté des autorités que celle de la profession de mettre sur le marché des vins qui satisfont aux normes des AOC.

Outre les principaux crus provenant du chasselas pour les blancs, du gamay et du pinot noir pour les rouges, les spécialités comme le chardonnay, le pinot blanc, l'aligoté, le gamaret et le cabernet rencontrent un franc succès auprès de l'amateur avisé.

DOM. DES ALOUETTES Satigny Gamay 2005 ★

■ 6 ha 5 000 **5 à 8 €**

Satigny est la plus grande commune viticole de Suisse. C'est sur son territoire que se situe le hameau de Bourdigny où la famille Ramu s'est établie. Le gamay se traduit en 2005 par un vin profondément coloré, mais non dénué des reflets violacés typiques du cépage. Au nez de fruits rouges répond une bouche ronde et souple qui invite à une dégustation immédiate.

⚷ Jean-Daniel Ramu,
36, chem. de la Vieille-Servette, Bourdigny,
1242 Satigny, tél. et fax 22.753.13.70 ☑ Y r.-v.

DOM. BEAUVENT Coteau de Lully Pinot noir La Croix Élevé en barrique 2004 ★★★

■ 1er cru 3 ha 3 000 ⬮⬮ 11 à 15 €

Depuis le coteau du Signal, l'on jouit d'un beau panorama sur le vignoble. Peut-être distinguerez-vous ce domaine de 13 ha implanté en coteau, qui cultive pas moins de quatorze cépages. Le pinot noir, récolté sur un sol argileux reposant sur un banc de molasse, s'exprime remarquablement dans ce 2004 rubis, au nez de fruits rouges (framboise) typé. La bouche est ronde, structurée par des tanins serrés qui laissent en finale des accents vanillés et toastés.

⚷ Bernard Cruz, 265, rue de Bernex, 1233 Bernex,
tél. 22.757.11.96, fax 22.757.10.74,
e-mail bcruz@cave-de-beauvent.ch
☑ Y ⛹ t.l.j. sf dim. 17h-19h; sam. 9h-12h;
f. sam. jan.-fév.

DOM. DE CHAMPVIGNY
Bourdigny Scheurebe 2005 ★★

□ 0,28 ha 2 050 ▮ **8 à 11 €**

Le scheurebe est un cépage allemand issu du croisement de sylvaner vert et de riesling. Il est réputé produire des vins aromatiques, mais doit être vendangé parfaitement mûr pour ne pas léguer trop de vivacité. Raymond Meister sait y faire à en juger ce 2005 brillant, au nez de rose légèrement muscaté. De l'ampleur, de la rondeur et une remarquable structure confirment la bonne maturité du raisin.

⚷ Raymond Meister, 29, rte de Champvigny,
1242 Satigny, tél. 22.753.01.35, fax 22.753.01.78,
e-mail info@champvigny.ch ☑ Y ⛹ r.-v.

DOM. DES CHARMES
Peissy Gamay Le Baron rouge 2005 ★★

■ 1 ha 8 000 ▮ 5 à 8 €

Dans la campagne genevoise, vous ferez halte dans cette ferme du XVII[e]s. où Anne et Bernard Conne vinifient le fruit de leurs 10 ha de vignes. Leur gamay s'habille d'une robe profonde et décline des notes épicées avant d'emplir le palais de sa chair ample, aux accents poivrés. Des tanins, on ne perçoit que le soyeux de leur trame serrée.

⚷ Bernard Conne,
Dom. des Charmes, 14, rte de Crédery, Peissy,
1242 Satigny, tél. 22.753.22.16, fax 22.753.18.45,
e-mail info@domainedescharmes.ch ☑ Y ⛹ r.-v.

DOM. DU CHÂTEAU DE COLLEX
Gewürztraminer 2005 ★

□ 1er cru 0,15 ha 1 200 ▮ **8 à 11 €**

Frédéric Probst a un jour retrouvé dans la maison du XVII[e]s. une vieille étiquette millésimée 1954, datant de son grand-père. Une découverte qui lui donna envie de se lancer à son tour dans la vitiviniculture. Son gewurztraminer affiche toutes les caractéristiques du cépage : une teinte dorée intense, des arômes de rose, une bouche expressive, chaleureuse et persistante. Il rehaussera un poisson de toutes ses flaveurs exotiques.

⚷ Frédéric Probst, 35, chem. des Chaumets,
1239 Collex, tél. 79.418.01.34, fax 22.774.30.51,
e-mail fprobst@worldcom.ch ☑ Y ⛹ r.-v.

LES CRÊTETS
Peissy Merlot Élevé en fût de chêne 2004 ★

■ 0,35 ha 2 500 ⬮⬮ **8 à 11 €**

Un sol argileux molassique est réservé au merlot sur de domaine de 8,35 ha. Après dix mois d'élevage sous bois est né ce vin rubis, au nez de réglisse et de cuir. Les tanins serrés assurent un soutien efficace à la matière qui devra dans les années à venir envelopper cette puissante structure.

Albert François, 24, chem. des Crêtets,
1242 Satigny, tél. 22.753.10.97, fax 22.753.13.30,
e-mail info@lescretets.ch r.-v.

L'ESSENTIEL Coteau de Lully Gamaret 2004 ★★★

1er cru 2 ha 1 200 8 à 11 €

Le gamaret, croisement de gamay et de reichensteiner, a été vinifié en vin doux après mutage, c'est-à-dire ajout d'alcool vinique neutre pour interrompre la fermentation et conserver le maximum de sucre naturel. Sous une teinte foncée se manifestent des arômes de kirsch, de griotte à l'eau-de-vie qui se prolongent au palais, complétés de notes de pruneau mûr. Un 2004 complexe et d'une incroyable persistance.

Jacques et Christophe Dupraz,
Dom. des Curiades, 49, ch. des Curiades, 1233 Lully,
tél. 22.757.28.15, fax 22.757.47.85,
e-mail info@curiades.ch r.-v.

DOM. LES FAUNES Dardagny Syrah 2003 ★

2,5 ha 4 000 8 à 11 €

Une histoire de famille dont un nouveau chapitre s'est ouvert sous la plume des petits-fils du fondateur du domaine. Tout proche du château de Dardagny, Frédéric et Ludovic Mistral possèdent 16 ha. Leur syrah d'un rouge soutenu décline des notes épicées et animales, puis emplit le palais d'une chair dense, aux tanins serrés, qui laisse des accents de girofle.

F. et L. Mistral-Monnier, 540, rte du Mandement,
1283 Dardagny, tél. 22.754.14.46, fax 22.754.19.46,
e-mail info@les-faunes.ch
t.l.j. sf mar. dim. 8h-12h 16h-18h

CAVE DE GENÈVE Mélomane 2005 ★

3 ha 25 000 5 à 8 €

Riesling-sylvaner (80 %) et pinot blanc composent ce vin doré, au nez floral et à la bouche ronde. Une juste fraîcheur souligne l'harmonie de l'ensemble et invite à un service à l'apéritif.

SA La Cave de Genève, 30, Pré Bouvier,
1242 Satigny, tél. 22.753.11.33, fax 22.753.21.10,
e-mail info@cavedegeneve.ch r.-v.

LES HUTINS Dardagny Gamay 2005 ★★

1,5 ha 8 000 5 à 8 €

Après une randonnée pédestre dans la campagne genevoise, une halte chez Pierre et Jean Hutin, non loin du château de Dardagny, sera l'occasion de découvrir ce gamay bien typé. Violacé, parfumé de fruits noirs mûrs, celui-ci se montre rond et gras, étayé par des tanins serrés mais fins.

Pierre et Jean Hutin, 8, chem. de Brive,
1283 Dardagny, tél. 22.754.12.05, fax 22.754.12.27,
e-mail domaine.les.hutins@bluewin.ch r.-v.

DOM. DE LA MERMIÈRE
Merlot Expression 2004 ★

0,2 ha 600 11 à 15 €

Yves Batardon est à la tête de ce domaine de 11 ha. Son merlot est déjà avenant par son nez épicé et sa chair ample, mais les tanins puissants permettront aussi d'envisager une petite garde. Les accords avec les viandes rouges et les gibiers seront de mise.

Yves Batardon,
Dom. de La Mermière, 9, rue du Faubourg,
1286 Soral, tél. 22.756.19.33, fax 22.756.19.35
r.-v.

DOM. DU PARADIS Divine Prophétie 2003 ★★★

1 ha 6 000 11 à 15 €

Un « petit coin de paradis », pas si petit que cela (44 ha), que Rosette et Roger Burgdorfer ont créé près de Satigny, avec l'aide de leur œnologue Didier Cornut. Divin, en effet, que cet assemblage de diolinoir (80 %) et de merlot : robe rouge intense à nuances violacées, nez de fruits noirs, bouche ronde et longue, soutenue par des tanins souples. Il ne faut pas être devin pour savoir qu'un tel vin accompagnera dès maintenant une viande rouge.

Roger Burgdorfer, 275, rte du Mandement,
1242 Satigny, tél. 22.753.10.05, fax 22.753.18.55,
e-mail info@domaine-du-paradis.ch r.-v.

CAVE DU PETIT GRIS Bernex Chasselas 2005 ★

0,25 ha n.c. 5 à 8 €

Un chasselas limpide, minéral comme il se doit, avec en plus une note fumée typique du terroir de molasses. Friand, c'est un vin d'apéritif idéal, à servir avec quelques amuse-bouches au fromage.

Denis Vionnet, 277, rue de Bernex, 1233 Bernex,
tél. 22.757.10.18 r.-v.

DOM. DES TROIS ÉTOILES
Peissy Sauvignon 2005 ★★

1 ha 5 000 8 à 11 €

Ce ne sont pas trois, mais deux belles étoiles qui brillent pour ce sauvignon typé, issu d'un sol molassique. Au nez : du buis et du cassis comme une évidence. Au palais, de la fraîcheur et une persistance remarquable des arômes. Accords classiques comme un tartare de saumon.

Jean-Charles Crousaz,
Dom. des Trois Étoiles, Peissy, 1242 Satigny,
tél. 22.753.11.08, fax 22.753.41.55,
e-mail troisetoiles@bluewin.ch r.-v.

LES VALLIÈRES
Rives du Rhône Viognier 2005 ★★★

0,16 ha 1 200 8 à 11 €

Au sud-ouest du coteau de Satigny, sur les pentes du vallon du Nant de Châtelet, se trouvent le chai de la famille Serex et quelques-unes des parcelles de leur vignoble de 20 ha. Le viognier, cépage caractéristique du Rhône, est à l'origine d'un vin aux reflets or brillant, qui livre un nez fruité intense, rappelant comme il se doit l'abricot mûr. Ample et chaleureux, ce 2005 s'associera volontiers à un pavé de saumon.

🗝 Les Vallières, 36, rte de Charny, 1242 Satigny, tél. 22.753.16.04, fax 22.753.03.33, e-mail lesvallieres@bluewin.ch ☑ 𝐈 🚶 r.-v.
🗝 Famille Serex

DOM. VIGNE BLANCHE
Cologny Réserve de la Commune 2004 ★★

■ 0,6 ha 3 070 ⅡⅠ 11 à 15 €

Un domaine de 7,5 ha, dont la principale parcelle, qui fut aussi son point de départ dans les années 1970, se trouve à La Vigne Blanche, sur sol argilo-calcaire. Un assemblage de merlot et de garanoir est à l'origine d'un 2004 de teinte sombre, aux arômes de fruits noirs épicés. Les tanins soyeux contribuent à la souplesse de la matière et au charme de ce vin non seulement prêt à boire, mais aussi apte à une petite garde.
🗝 Roger Meylan, 13, rte de Vandœuvres, 1223 Cologny, tél. 22.736.80.34, fax 22.700.34.16, e-mail sarahmeylan@hotmail.com
☑ 𝐈 🚶 t.l.j. sf dim. 17h-19h; sam. 9h-12h; sinon, sur r.-v.

DOM. VILLARD ET FILS
Anières Gewürztraminer Vendange passerillée Les Raretés 2005 ★★★

□ 0,4 ha 1 500 ⅡⅠ 11 à 15 €

Remontant au début du XVII[e]s., ce domaine de 5 ha se situe sur le coteau d'Anières, rive gauche du Léman, et profite de l'influence protectrice du lac contre les gelées. Parmi les raretés, un gewürztraminer passerillé, habillé d'or et richement aromatique : des fruits exotiques, du pamplemousse. La douceur est certes de mise, mais la fraîcheur est bien présente pour équilibrer l'ensemble.
🗝 Philippe Villard, Dom. Villard et Fils, 46, rue Centrale, 1247 Anières, tél. 22.751.25.56, e-mail vinsvillard@bluewin.ch
☑ 𝐈 🚶 r.-v.

Canton de Neuchâtel

Proche du lac qui reflète le soleil, adossé aux premiers contreforts du Jura qui lui offrent une exposition privilégiée, le vignoble neuchâtelois s'étire sur une étroite bande de 40 km entre Le Landeron et Vaumarcus. Le climat sec et ensoleillé de cette région, de même que les sols calcaires jurassiques qui y prédominent conviennent bien à la culture de la vigne, ce que confirment encore les historiens qui nous apprennent que la première vigne y fut officiellement plantée en 998 ; à Neuchâtel, la vigne est donc millénaire.

Dans ce petit vignoble de 610 ha, le chasselas et le pinot noir règnent en maître ; il y a bien quelques spécialités (pinot gris, chardonnay, gewürztraminer et riesling x sylvaner), mais leur culture occupe à peine 6 % des surfaces. Cet encépagement apparemment limité cache en réalité une très large palette de vins et de saveurs différentes, grâce au savoir-faire des vignerons et à la diversité des terroirs.

Les vins rouges issus du pinot noir, élégants et fruités, souvent racés sont aptes au vieillissement. Le très typique œil-de-perdrix est un rosé inimitable originaire du vignoble neuchâtelois, ainsi que la Perdrix blanche obtenue par pressurage sans macération. Quelques caves élaborent même un vin mousseux.

La variété des sols du canton, d'est en ouest, ainsi que les styles personnels des vinificateurs, sont à l'origine d'une grande diversité de goûts et d'arômes des vins blancs de chasselas et promettent à l'amateur curieux plus d'une découverte intéressante. On relèvera encore deux spécialités locales issues du même cépage : le « Non filtré », vin primeur qui ne peut pas être mis en vente avant le troisième mercredi du mois de janvier et les vins sur lies.

Chacune des dix-huit communes viticoles produit sa propre appellation, alors que l'appellation Neuchâtel est applicable à l'ensemble des productions du canton de première catégorie.

DOM. DES CÈDRES Cortaillod 2006 ★★★

□ 3,2 ha 16 000 ⅡⅠ 5 à 8 €

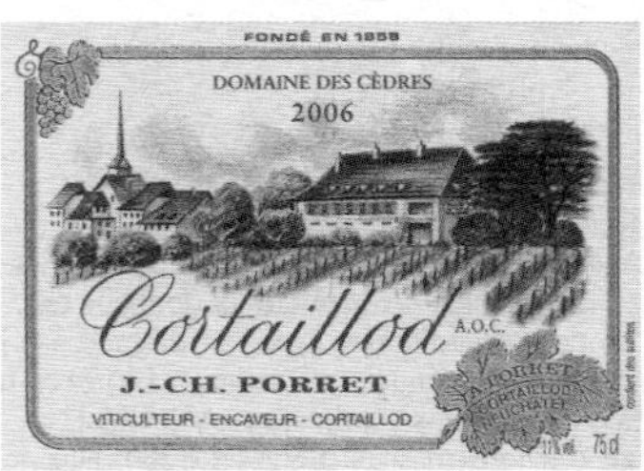

Entreprises familiale créée en 1858, le domaine des Cèdres illustre ses étiquettes de la même feuille d'or depuis ses origines. Jean-Christophe Porret présente un chasselas de grande classe. D'une puissance aromatique presque insolente, ce 2006 allie la minéralité du terroir au fruité délicat du cépage. Un nez de tilleul et un corps de dentelle pour un vin parfait.
🗝 J.-Ch. Porret, Goutte d'Or 20, Dom. des Cèdres, 2016 Cortaillod, tél. 32.842.10.52, fax 32.842.18.41, e-mail porretvins@bluewin.ch ☑ 𝐈 🚶 r.-v.

DOM. DU CHÂTEAU VAUMARCUS
Œil-de-perdrix 2006 ★★

■ 4 ha 15 000 ▮ 8 à 11 €

En l'an 1476, le château de Vaumarcus avait hébergé le temps d'une nuit Charles le Téméraire, duc de Bourgogne. Le duc est reparti, mais le pinot noir semble se plaire sur les coteaux entourant l'ancienne forteresse. Exclusivité de la maison Châtenay-Bouvier, le domaine du château Vaumarcus propose plusieurs vins haut de gamme dont cet œil-de-perdrix fruité, bien représentatif du millésime 2006. Sa robe rose pâle, sa longueur et sa fraîcheur sauront séduire. Le **pinot noir 2005** du

domaine est lui aussi un exemple de délicatesse. Décidément, il semble que l'œnologue de la maison Châtenay, Madame Schaer, détienne le secret pour apprivoiser mieux que quiconque toute la finesse aromatique du pinot noir.
SA Caves Châtenay-Bouvier, rte du Vignoble 27, 2017 Boudry, tél. 32.842.23.33, fax 32.842.54.71, e-mail info@chatenay.ch
t.l.j. sf. sam. dim. 8h-12h 13h30-17h30; f. juil.

DOM. DES COCCINELLES Œil-de-perdrix 2006 ★★

3,5 ha 28 000 8 à 11 €

Les caves de la Béroche regroupent les producteurs de la région du même nom, située à l'ouest du vignoble neuchâtelois. Parmi ces vignerons, le domaine des Coccinelles, propriété de la famille Lambert, cultive la totalité de ses vignes en culture biologique. Cet œil-de-perdrix, vinifié avec brio par la jeune maître de chais Annick Hippenmeyer, offre une palette complexe de fruits mûrs. La robe est typique de l'appellation, d'un rose saumoné. Le **pinot gris 2006** est également une belle réussite.
Caves de la Béroche, Crêt-de-la-Fin 1-2, 2024 Saint-Aubin, tél. 32.835.11.89, fax 32.835.31.80, e-mail caves@beroche.ch r.-v.

ALAIN GERBER Prélude 2005 ★★★

0,15 ha 700 15 à 23 €

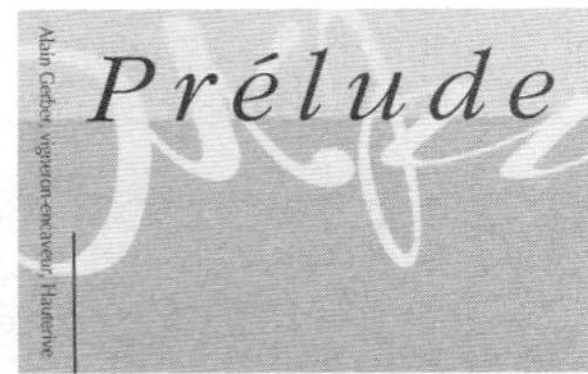

Alain Gerber est sans cesse à la recherche du détail qui fera la différence. À la tête d'un domaine de 7 ha, il signe un petit chef-d'œuvre avec son Prélude, vin liquoreux jaune paille obtenu par passerillage. Le nez est un feu d'artifice de parfums parmi lesquels le miel, les fruits confits et des notes toastées subtiles. Ce 2005 allie richesse et fraîcheur sans tomber dans la lourdeur. On ne regrettera qu'une chose : la rareté du produit... (Bouteilles de 37,5 cl.) S'il venait à faire défaut, l'amateur averti pourra, lors d'une visite à Hauterive, se délecter d'un **Pinot noir 2005** fort bien vinifié.
Alain Gerber, imp. Alphonse-Albert 8, 2068 Hauterive, tél. 32.753.27.53, fax 32.753.02.41, e-mail info@gerber-vins.ch r.-v.

LA MAISON CARRÉE
Hauterive Pinot noir 2005 ★★

1,01 ha 5 300 11 à 15 €

Fondé en 1827, ce domaine tire son nom de la forme particulière du bâtiment d'habitation situé au-dessus des caves. Perpétuant la tradition en conservant opérationnels deux pressoirs verticaux, Jean-Denis Perrochet n'en est pas moins avant-gardiste, cherchant constamment à améliorer les systèmes de culture. D'une robe sombre, laissant exhaler un nez de cerise noire et quelques notes de kirsch, ce pinot noir est un monument. De prime abord assez austère, il se laisse petit à petit apprivoiser et livre alors toute sa complexité. À découvrir également, le **pinot noir Auvernier 2005**, de la même veine démontrant la richesse des terroirs du vignoble neuchâtelois.
J.-Jacques et J.-Denis Perrochet, La Maison Carrée, Grand-Rue 33, 2012 Auvernier, tél. 32.731.21.06, fax 32.731.21.26, e-mail info@lamaisoncarree.ch r.-v.

DOM. E. DE MONTMOLLIN FILS
Auvernier Goutte d'or 2006 ★★

2 ha 15 000 5 à 8 €

Depuis le XVI[e]s., la famille de Montmollin cultive la vigne dans le canton de Neuchâtel dans une des plus remarquables demeures (XVII[e]s.) d'Auvernier. La parcelle dénommée Goutte d'or, située sur l'un de coteaux de l'appellation Auvernier, est à l'origine d'un chasselas riche et complexe, dévoilant des arômes d'abricot et de poire. D'une belle persistance en bouche, il sera le compagnon idéal d'un plat de poisson du lac. Notons également dans cette même cave le **pinot gris 2005 Vendanges tardives**, élevé patiemment en barrique. Un vin moelleux, rare et délicieux.
Dom. E. de Montmollin Fils, Grand-Rue 3, 2012 Auvernier, tél. 32.731.10.00, e-mail info@montmollinwine.ch r.-v.

CAVES DE LA VILLE DE NEUCHÂTEL
Chardonnay Assemblage barriques 2005 ★★★

0,5 ha 2 000 + de 76 €

Propriété de la ville de Neuchâtel, ce domaine d'une dizaine d'hectares, conserve ses chais en plein centre-ville, dans une aile du prestigieux Hotel du Peyrou. À la tête de cette cave, Willy Zahnd propose un chardonnay or pâle, au nez puissant et riche, laissant s'échapper des notes de coing et de brioche chaude. Idéal pour accompagner une mousse de bondelle fumée. Autre vin sortant de la même cave, petit joyaux rare et convoité, un **gewürztraminer 2006** très apprécié du jury.
Cave de la ville de Neuchâtel, av. Dupeyrou 5, 2000 Neuchâtel, tél. 32.717.76.95, fax 32.717.70.95, e-mail info@cavevillentel.ch r.-v.

SAINT-SÉBATTE Pinot noir Barrique 2004 ★★

1 ha 2 500 11 à 15 €

Grâce à des parcelles situées sur plusieurs communes et à un solide savoir-faire familial, Jean-Pierre Kuntzer propose une gamme complète. Son pinot noir est une réussite : la robe rubis ne présente aucune marque d'évolution, le nez au boisé parfaitement maîtrisé livre des notes de fruits rouges et de cacao. C'est un vin typé, de grande classe, aux tanins bien fondus. Notons également le remarquable **chardonnay Barrique 2004**.
J.-C. Kuntzer et Fils, Daniel-Dardel 11, 2072 Saint-Blaise, tél. 32.753.14.23, fax 32.753.14.57, e-mail info@kuntzer.ch t.l.j. 8h-12h 14h-18h
Jean-Pierre Kuntzer

Canton d'Argovie

FEHR & ENGELI Pinot noir Barrique 2003 ★★★

■ 1 ha n.c. 15 à 23 €

Des reflets violacés animent encore la robe de ce pinot noir, malgré son âge. Au nez, l'évolution est plus évidente : senteurs balsamiques d'eucalyptus, notes de moka héritées de l'élevage de douze mois en barrique. La chair est pleine, ample et ronde tant les tanins ont gagné en velouté. Puis la finale revient avec insistance sur des arômes chaleureux d'épices. Un vin prêt à déguster. Deux étoiles brillent pour le **Ueken Cabernet-sauvignon Barrique 2003**, élégant, comme pour le **Ueken Pinot noir Auslese 2005**, vin ample et rond qui n'a pas connu le bois.

Fehr et Engeli Weinbau, Hauptstrasse 33, 5028 Ueken, tél. 62.871.33.73, fax 62.871.56.05, e-mail info@fehr-engeli.com r.-v.

Urs Gasser

HARTMANN
Remigen Blauburgunder Salvia 2006 ★★

■ 3 ha 8 000 8 à 11 €

Ruth et Bruno Hartmann conduisent ce domaine de 7,50 ha depuis plus de vingt ans. Leur 2006 présente tous les caractères du pinot noir : une teinte rubis nuancée de violet sur le bord du disque, des arômes de fraise et de framboise, des tanins fins, une juste fraîcheur et des accents de poivre noir en finale. Un vin équilibré qui trouvera sa place lors d'un repas froid, composé de viande séchée.

Weinbau Hartmann, Rinikerstrasse 17, 5236 Remigen, tél. 56.284.27.43, fax 56.284.27.28 r.-v.

KELLER MEINRAD
Doettingen Pinot noir St. Johannser 2006 ★★

■ 0,6 ha 2 500 11 à 15 €

Aucune trace de bois dans ce pinot rubis bleuté, mais le fruité pur de ce cépage : mûre et autres fruits noirs. La bouche est ample, les tanins jeunes encore mais prometteurs, et la finale d'une persistance de bon augure.

Weinbau Keller Meinrad, Trottenweg 1, 5312 Döttingen, tél. 56.245.36.03, fax 56.245.74.16 r.-v.

NAUER
Tegerfelden Pinot noir Prestige Barrique 2003 ★★★

■ 1,6 ha 8 000 15 à 23 €

Des reflets de jeunesse brillent encore dans ce vin de teinte sombre, dont les arômes chaleureux évoquent les fruits noirs. Des tanins au grain velouté soutiennent la chair ample jusqu'à une longue finale qui réunit harmonieusement notes boisées et fruitées. À boire ou à attendre : le choix vous est laissé.

Gebrüder Nauer AG, Oberebenestrasse 3, 5620 Bremgarten 2, tél. 56.648.27.27, fax 56.648.27.17, e-mail info@nauer-weine.ch r.-v.

SCHINZNACH
Schinznach Sauvignon blanc 2006 ★★

n.c. 7 000 8 à 11 €

Les fidèles du Guide connaissent cette cave coopérative qui fut coup de cœur dans l'édition 2005 pour un kerner 2003. C'est un sauvignon de belle présentation, jaune doré, qui se distingue par son fruité exotique comme par sa vivacité qui lui assure une bonne structure et une longue finale.

Weinbaugenossenschaft Schinznach, Trottenstrasse 1B, 5107 Schinznach-Dorf, tél. 56.463.60.20, fax 56.463.60.28, e-mail info@weinbaugenossenschaft.ch r.-v.

Canton de Bâle

MUTTENZ Rosé de pinot noir 2006 ★★

n.c. 2 000 5 à 8 €

La cave de Muttenz, fondée en 1930, réunit deux encaveurs et des vignerons à temps partiel. Ce rosé laisse une impression de douceur dès le premier regard porté sur sa robe couleur framboise. Les arômes sont en cohérence, fruités, de même que la bouche ample, empreinte de flaveurs de framboise et rehaussée d'un léger perlant qui apporte de la fraîcheur. Deux étoiles également sont attribuées au **Muttenzer Blauburgunder Barrique 2005 (11 à 15 €)**, un pinot noir fruité et vanillé, déjà aimable mais aussi apte à une petite garde.

Weinbauverein Muttenz, Rosenweg, 4132 Muttenz, tél. et fax 61.461.29.09 r.-v.

SYYDEBÄNDEL Pinot noir Sélection 2006 ★★

■ 8 ha 30 000 8 à 11 €

Le pinot noir décliné en rouge comme en blanc, c'est ce que propose cette cave. Le premier, rubis violacé, évoque avec franchise la framboise et l'amande, puis emplit le palais d'une chair finement structurée par des tanins veloutés et toujours fraîche. Le second, le **Blanc de noir 2006**, a beau afficher une teinte jaune citron, il libère lui aussi les arômes de fruits rouges typiques du cépage. Il obtient deux étoiles.

Genossenschaft Syydebändel, Wintersingerstrasse 4, 4464 Maisprach, tél. 61.971.40.88, fax 61.971.46.19 r.-v.

Canton des Grisons

WEINGUT HEROLD Churer Schiller 2006 ★★

1 ha 1 600 8 à 11 €

Pinot gris (80 %) et pinot noir récoltés sur sols schisteux et calcaires s'assemblent dans ce rosé de teinte framboise légèrement orangé. Une agréable palette de fruits noirs se décline jusqu'au palais, en accompagnement d'une chair tendre, rehaussée d'une légère amertume.

Kellerei Wieland, Compagnastrasse, 6, 7430 Thusis, tél. 81.651.11.22, fax 81.651.18.60 r.-v.

Christian Komposch

H. NIGG Maienfelder Blauburgunder 2006 ★★

■ 3,5 ha 4 000 8 à 11 €

Un pinot noir qui s'accordera bien avec les viandes séchées typiques des Grisons. D'un rubis violacé, il s'ouvre sur des arômes de framboise et de mûre, puis séduit en toute simplicité par sa fraîcheur et sa légèreté.

Nigg Weinbau, Untere Industrie 4, 7304 Maienfeld, tél. 81.302.71.09, fax 81.302.41.60, e-mail info@nigg-weine.ch r.-v.

Hansjörg Nigg-Eberle

OBRECHT Jeninser Pinot noir 2006 ★★

■ 1,5 ha 12 000 8 à 11 €

Élevé sept mois en cuve, ce pinot noir a gardé toute la fraîcheur du fruit. Des arômes de framboise tout juste

cueillie, une chair ample et longuement aromatique, soutenue par des tanins encore jeunes mais qui ne tarderont pas à s'assouplir. Deux étoiles reviennent aussi au **Jeninser Pinot gris 2006**, vin blanc moelleux qui bénéficie d'une juste fraîcheur.
Obrecht Weine, Ausserdorf 14, 7307 Jenins,
tél. 81.302.26.80, fax 41.302.29.83,
e-mail info@obrechtweine.ch r.-v.
Jürg Obrecht

Canton de Schaffhouse

AAGNE VOM SCHOPF

Pinot noir Spätlese 2006 ★★

■ n.c. 3 000 **11 à 15 €**

Un pinot noir récolté tardivement (*Spätlese* en allemand) qui, sous une teinte rubis, libère de subtils arômes de fruits rouges rôtis. La bouche ample et ronde, malgré quelques tanins encore jeunes, laisse en finale le souvenir de la framboise. Un vin prêt à boire, mais qui saura aussi patienter en cave. Deux étoiles brillent aussi pour le **Pinot blanc Chardonnay 2006**, vin blanc floral et citronné, non dénué d'élégance.
Aagne vom Schopf, Atlingerstrasse 27, 8215 Hallau,
tél. 52.681.38.10, fax 52.682.26.42,
e-mail info@aagne.ch r.-v.
Erich Gysel

BAD OSTERFINGEN Osterfinger Badwy 2005 ★★

■ 1,5 ha 10 000 **8 à 11 €**

Ancienne résidence d'été de l'abbé de Rheinau, une imposante demeure du XV[e]s. commande ce domaine de 2,4 ha. Le pinot noir est à l'origine de ce vin densément coloré qu'éclairent des reflets violets de jeunesse. La framboise et autres fruits rouges composent une palette aromatique bien typée qui se décline jusqu'au palais, soutenue par une agréable fraîcheur. Du même domaine, l'**Osterfinger Blauburgender Réserve privée 2005 (23 à 30 €)**, un pinot noir plein de promesses, obtient deux étoiles, tout comme l'**Osterfinger Blauburgender Badreben 2005 (11 à 15 €)**, plus souple, et que l'**Osterfinger Pinot blanc 2006 (11 à 15 €)**, floral et élégant.
Bad Osterfingen, 8218 Osterfingen,
tél. 52.681.21.21, fax 52.681.43.01 r.-v.
Ariane et Michael Meyer

RAHM HALLAU

Hallauer Blanc de noir Réserve du patron 2006 ★★

■ n.c. 20 000 **5 à 8 €**

Un blanc de pinot noir, revêtu d'une couleur tendre et riche de senteurs intenses de fruits exotiques. Joyeux, agréablement perlant, il trouve un équilibre remarquable entre fraîcheur et rondeur, et décline ses arômes jusqu'en finale. Deux étoiles ont été également attribuées au **Gnädig Herre Wy Malanser Blauburgunder 2006 rouge**, un pinot noir fruité et poivré, tout en légèreté. Il en va de même du **Burgritter Wy Wilchinger Blauburgunder 2005**.
Rimuss-Kellerei Rahm AG, Dickistrasse 1,
8215 Hallau, tél. 52.687.37.30, fax 52.687.37.39
r.-v.
Peter Rahm

RÖIBERG KELLEREI

Wilchingen Aalts Holz Pinot noir 2005 ★★

■ 0,6 ha 3 000 **11 à 15 €**

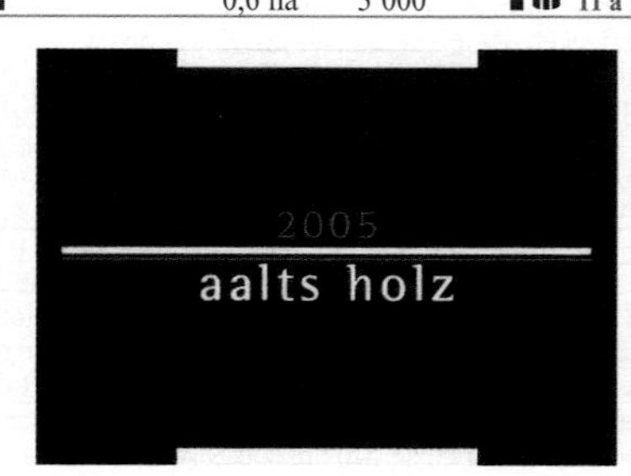

Fondée en 1980, la cave coopérative produit le vin d'état du canton de Schaffhouse. Ce pinot noir fait bel effet dans le verre par sa teinte grenat à reflets violets. Des arômes intenses de fraise se libèrent dès le premier nez, rejoints au palais par des notes poivrées persistantes. La chair apparaît puissante, bien structurée, mais non dénuée de fraîcheur. Un vin croquant qui saura affronter une moyenne garde.
Kellerei Röiberg, Dorfstrasse 141, 8217 Wilchingen,
tél. 52.681.19.21, fax 52.681.19.25 r.-v.
Ralph Heule

SCHACHENMANN Steiner 2006 ★★

■ 0,5 ha 1 500 **8 à 11 €**

Couleur sirop de framboise, à peine nuancée de bleu, ce rosé adopte le registre fruité pour toute la dégustation. De la framboise, encore et toujours, dans la palette aromatique qui décline aussi bien d'autres petits fruits rouges. Un léger perlant souligne l'impression de fraîcheur de la chair souple et croquante.
Gus Schachenmann AG, Gennersbrunnerstrasse 61,
8207 Schaffhausen, tél. 52.631.18.00, fax 52.631.18.01
r.-v.

STAMM Cabernet Merlot 2005 ★★

■ n.c. 1 500 **15 à 23 €**

Un élevage de douze mois en barrique de bois schaffhousois a été réservé à cet assemblage de cabernets (70 %) et de merlot. Il en résulte un vin de teinte presque noire, éclairée de reflets violacés. Au nez de poivre, d'eucalyptus et de réglisse répond une bouche dense et persistante, encore sous l'emprise de tanins quelque peu austères. Il faudra attendre que jeunesse se passe.
Thomas et Mariann Stamm, Vordergasse 37,
8200 Schaffhausen, tél. 52.620.18.85, fax 52.620.18.86,
e-mail info@weinstamm.ch r.-v.

Canton de Zurich

R. BAUMANN Pfungener Regent Rubin vom Multberg Barrique 2005 ★★

■ 0,5 ha 2 200 🍷 11 à 15 €

Le regent est la spécialité de Robert Baumann. Ce cépage, issu d'un croisement de sylvaner x müller-thurgau et de chambourcin, produit des vins riches en tanins. Ce 2005, rouge sombre, ne fait pas exception, mais sa trame est veloutée, en parfaite harmonie avec la chair ample et persistante sur les arômes hérités de l'élevage en barrique (cannelle et autres épices), sans omettre le fruité (prune).

Weinbau Baumann, Berghof, 8422 Pfungen, tél. 52.315.13.56, fax 52.315.17.54, e-mail baumann.weinbau@bluewin.ch r.-v.

WEINGUT GEHRING Pinot noir Barrique 2005 ★★

■ 0,5 ha 1 500 11 à 15 €

Chez Peter Gehring, le pinot noir est décliné sur tous les tons, jusqu'en *Eiswein* (vin de glace). Des reflets violets éclairent la robe rouge sombre de ce 2005 élevé douze mois en barrique. Au nez d'épices intenses et de baies noires cuites répond une bouche ample, dans laquelle l'empreinte du bois se fond remarquablement, laissant au fruité toute sa place en finale. Un vin prêt à passer à table.

Weingut Gehring, Peter Gehring, Im Geissstig, 8427 Freienstein, tél. 44.865.27.15, fax 44.865.27.65 r.-v.

FAMILIE HERTER Hettlinger Mösli Blanc de noir 2006 ★★

0,53 ha 1 800 3 à 5 €

Un pinot noir vinifié en rosé qui se présente sous une teinte saumon dans le verre et libère des notes de framboise, de mangue et de melon. Un léger perlant souligne la fraîcheur au palais et contribue à l'élégance de l'ensemble. Un apéritif idéal. (Bouteilles de 50 cl.)

W. et M. Herter-Hug, Alte Schaffhauserstrasse 110, 8442 Hettlingen, tél. 52.316.11.86, fax 52.305.11.53 r.-v.

LÜTHI Sternenhalder Scheurebe 2006 ★★

0,2 ha 1 000 11 à 15 €

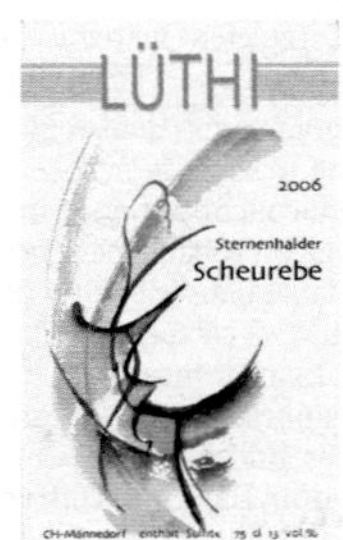

Le scheurebe doit son nom à Georges Scheu qui, en 1916, a obtenu ce cépage en croisant le sylvaner vert et le riesling. Un plant de maturité tardive, récolté à la mi-octobre sur les sols argileux du domaine Lüthi (1,60 ha). Jaune citron, le vin laisse d'emblée une sensation de fraîcheur que le nez ne dément pas : fruits exotiques, fruit de la Passion, touche de basilique. Une juste vivacité soutient bien les arômes au palais, équilibre la rondeur et donne de l'allant en finale. Deux étoiles reviennent également au **Stäfner Pinot noir 2004 Élevé en barrique (15 à 23 €)**, vin richement fruité et de bonne garde.

Weinbau fam. E. et S. Lüthi, Alte Landstrasse 330, 8708 Männerdorf, tél. 44.920.49.23, e-mail info@luethiweinbau.ch r.-v.

URS PIRCHER Stadtberger Eglisauer Pinot noir 2005 ★★

■ 1 ha 4 000 15 à 23 €

Ce domaine de 6 ha cultivé en terrasses accorde une bonne place au pinot noir dont il élève une partie de la production en barrique. Ainsi est né ce 2005 qui a gardé quelques reflets de jeunesse dans sa robe foncée. Aux arômes de fruits des bois se mêle une touche de goudron complexe. Les tanins fins assurent à la chair élégante et longuement aromatique une bonne structure pour affronter la garde.

Urs Pircher, Stadtbergstrasse 368, 8193 Eglisau, tél. 44.876.00.76, fax 44.876.10.29, e-mail urs.pircher@bluewin.ch r.-v.

AUGUST PÜNTER Stäfa Chardonnay 2006 ★★

0,16 ha 1 000 8 à 11 €

Depuis 1980, Auguste Pünter dirige la destinée de ce domaine familial remontant au milieu du XVIIIes. Les 4 ha de vignes en terrasses comptent des pieds de chardonnay qui ont donné naissance à ce 2006 jaune d'or à reflets verts. Du citron, du melon et de la pêche : la fraîcheur est au rendez-vous dans la palette aromatique. Elle demeure présente au palais, équilibrée par une pointe de douceur. En finale, les flaveurs de fruits exotiques laissent l'agréable souvenir d'un vin à savourer dès l'apéritif, puis avec un poisson.

Weinbau August Pünter, Glärnischstrasse 53, 8712 Stäfa, tél. 44.926.12.24, fax 44.796.26.24, e-mail puenter-weinbau@dplanet.ch r.-v.

HERMANN SCHWARZENBACH Meilen Pinot noir 2005 ★★

■ 2,5 ha 3 000 11 à 15 €

Dix-huit mois d'élevage en barrique ont été réservés à ce vin d'un rouge intense. Pour autant, l'empreinte du bois reste discrète et laisse aux arômes de fruits noirs la place qui leur revient. De même, les tanins bien présents respectent l'harmonie d'une chair ample et équilibrée. Deux ou trois ans de garde sont encore à la portée de ce 2005.

Hermann Schwarzenbach, Seestrasse 867, 8706 Meilen, tél. 44.923.01.25, fax 44.923.00.37, e-mail reblaube@bluewin.ch r.-v.

VOLG Malans Completer Quercibus 2003 ★★

0,29 ha 1 400 11 à 15 €

Volg est un nom connu dans toute la Suisse alémanique puisque cette maison de négoce, fondée en 1899, encave le fruit de viticulteurs répartis sur tout le territoire. Le completer, cépage probablement originaire des Grisons, est bien implanté dans le canton de Zurich. Il offre ici un vin jaune paille, exhalant des arômes d'épices et de coing, nuancés de touches muscatées. Une juste vivacité et un boisé fin se manifestent au palais, suivis d'une longue finale. Deux étoiles brillent aussi pour le **Winterthur Stadtwein Pinot noir Barrique 2005**, vin rouge ample, riche de flaveurs de fruits, de chocolat noir et d'épices douces (vanille).

Volg Weinkellereien AG, Schaffhauserstrasse 6, 8401 Winterthur, tél. 52.264.26.61, fax 52.264.65.60, e-mail mailbox@volgweine.ch r.-v.

FAMILIE ZAHNER Pinot blanc Barrique 2005 ★★

1,2 ha 8 500 11 à 15 €

Tout d'or vêtu, ce pinot blanc décline à l'envi ses arômes de fruits frais, nuancés de touches fumées. L'empreinte boisée apparaît avec subtilité au palais, témoignant d'une excellente maîtrise de l'élevage de huit mois en barrique. Un sillage citronné apporte du relief à la chair ronde et invite à un accord avec des poissons grillés.

Weinbau Familie Zahner, 8467 Truttikon, tél. 52.317.19.49, fax 52.317.20.95, e-mail zahner@swissworld.com t.l.j. sf dim. 8h-12h 13h-17h

ZWEIFEL & CO
Luttenberg Stüfu Sauvignon blanc 2005 ★★

0,6 ha 2 500 15 à 23 €

Maison de négoce remontant à la fin du XIXe s., Zweifel propose un sauvignon typé, aux arômes de pamplemousse et de fruits exotiques séchés. La vivacité bien présente s'équilibre avec une certaine rondeur, héritage de neuf mois d'élevage en barrique, puis souligne en finale le caractère aromatique de ce vin prêt à déguster. Le **Remigen Pinot noir Centenaire IV 2003 (30 à 38 €)** obtient deux étoiles : un vin de garde, au boisé parfaitement intégré.

Zweifel & Co AG, Regensdorferstrasse 20, 8049 Zürich, tél. 44.344.22.11, fax 44.344.24.03 r.-v.

Canton du Tessin

Le vignoble tessinois s'étend de Giornico au nord à Chiasso au sud, sur une surface de 1 020 ha. Une grande partie des trois mille huit cents viticulteurs du canton possèdent des petites parcelles auxquelles ils consacrent leurs loisirs ; depuis quelques années, une trentaine se consacrent à la viticulture, vinifient et commercialisent. Environ cent viticulteurs travaillent leurs vignes à plein temps et vendent leur raisin aux coopératives. Le cépage prince du canton est le merlot d'origine bordelaise, qui a été introduit dans le Tessin au début du XXe s. Actuellement, le merlot recouvre 85 % de la surface viticole du canton. Ce cépage permet la production de plusieurs types de vins : le blanc, le rosé et le rouge. Le vin rouge de merlot, sans doute le plus répandu, peut être léger ou bien corsé, apte au vieillissement en fonction du temps de cuvage. Certains sont élevés en barrique. La production moyenne décennale de merlot du Tessin se monte à 55 000 quintaux. 2006 est l'année du centenaire de ce cépage dans le canton.

AGRA Merlot-Riserva 2004 ★★

1 ha 3 200 15 à 23 €

Lorsque cette cave fut créée au début des années 1990, les vins produits étaient uniquement réservés à la consommation familiale. Fort heureusement, les temps ont changé et les amateurs peuvent eux aussi apprécier les vins des Pelossi. Ce merlot de teinte profonde se montre d'abord timide, subtilement épicé, mais il révèle toute sa puissance au palais, ainsi que des tanins taillés pour la garde.

Azienda Vitivinicola Pelossi et Co, Via Carona 8, 6912 Lugano-Pazzallo, tél. et fax 91.994.56.77, e-mail s.pelossi@gmail.com r.-v.

COLLE D'AVRA Merlot Riserva 2003 ★

6,5 ha 8 980 15 à 23 €

Suivez le parcours pédestre du Mendrisiotto, vous parviendrez aisément à cette propriété implantée sur une colline. Sur des sols argileux, exposés sud et sud-ouest, le merlot a donné naissance à un vin grenat, au notes de boîte à cigares. D'attaque fraîche, la chair bénéficie de tanins souples qui autorisent une dégustation immédiate.

Azienda Agricola Avra, Caspiera SAGL, 6874 Castel-San-Pietro, tél. 91.646.92.73, fax 91.646.84.33, e-mail info@colledavra.ch r.-v.

V. Carozza

ANGELO DELEA Merlot Carato Riserva 2003 ★★★

1 ha 8 000 30 à 38 €

Des sols granitiques, le merlot d'Angela Delea a su tirer la quintessence pour produire ce vin riche d'arômes de fruits des bois, de mûre et de cerise. Après une attaque chaleureuse, se développe une chair souple et épicée, à l'élégante finale. Aucune austérité dans les tanins, mais un caractère rond, déjà aimable.

SA Vini e Distillati Angelo Delea, Zandone 11, 6616 Losone, tél. 91.791.08.17, fax 91.791.59.08, e-mail vini@delea.ch r.-v.

ROBERTO FERRARI
Rosso ticinese Castanar Riserva Barrique 2003 ★★★

1,5 ha 2 500 15 à 23 €

À 2,5 km du monte San Giorgio, inscrit au patrimoine mondial de l'Unesco, ce domaine de 8 ha propose un assemblage de cabernet-sauvignon, de cabernet franc, de merlot et de carminoir. Un vin grenat, au caractère affirmé, mais que des tanins mûrs rendent avenant. Les épices, le tabac et le café, autant d'arômes hérités de trente mois d'élevage en fût, accompagnent durablement son développement, avec en finale une certaine fraîcheur.

Tenuta Roberto et Andrea Ferrari, Via Mulino 6, 6855 Stabio, tél. 91.647.12.34, fax 91.647.12.51, e-mail info@agrivino.ch r.-v.

MONTE CARASSO Merlot Barrique 2003 ★★

■ n.c. 4 800 🍷 11 à 15 €

Sur des sols sablonneux légers, le merlot a donné naissance à ce 2003 grenat qui décline avec délicatesse des notes de fruits des bois (framboise). Souple en attaque, équilibré, le vin s'appuie sur des tanins de qualité qui mêlent à un fruité expressif leurs accents épicés. À boire dès maintenant.

🔑 SA Cagi-Cantina Giubiasco, via Linoleum 11, 6512 Giubiasco, tél. 91.857.25.31, fax 91.857.79.12, e-mail info@cagivini.ch ☑ Y ⭑ r.-v.

MONTICELLO Merlot Incento 2003 ★

■ n.c. 6 500 15 à 23 €

Un merlot né sur un sol brun de moraines qui s'habille de grenat profond et livre sans ambages de frais arômes épicés. Les tanins bien présents paraissent aimables, apportant un soutien équilibré à une chair pleine de sève et persistante.

🔑 SA Vini Monticello, via Monticello 3, 6854 San Pietro, tél. et fax 91.630.25.54 ☑ Y ⭑ r.-v.

TENIMENTO DELL'ÖR Merlot Riserva 2004 ★★★

■ 4 ha 5 000 🍷 23 à 30 €

Dès le XVII^e^s. domaine important de la région du Mendrisiotto, le tenimento dell'Ör a connu des heures sombres au tournant du XX^e^s., lors de la crise phylloxérique. Il fallut attendre les années 1980 pour le voir renaître sous la houlette de M. C. Perler. Celui-ci propose un 2004 au nez de poivre blanc. Les arômes de fruits rouges, mis en valeur par la fraîcheur de l'attaque, ne sont pas en reste et persistent au palais, tandis que les tanins encore jeunes assurent une structure solide, garante d'un bel avenir.

🔑 SA Agriloro, Tenimento Dell'Ör, 6864 Arzo, tél. 91.646.74.03, fax 91.646.32.33, e-mail info@agriloro.ch ☑ Y ⭑ r.-v. 🏠 Ⓐ

🔑 M. C. Perler

ORO DI GUDO Merlot Barrique 2003 ★

■ n.c. 3 000 🍷 15 à 23 €

Accordez deux ou trois ans de garde à ce merlot grenat pour qu'il révèle toutes ses senteurs de fruits des bois (fraise). Car il a besoin de temps pour arrondir ses tanins encore jeunes et gagner en fondu. Dès lors, vous le servirez avec une viande rouge ou un fromage à pâte dure.

🔑 Cantina Pian Marnino, Tettamanti Tiziano, 6515 Gudo, tél. 91.859.09.60, fax 91.826.41.46 ☑ Y ⭑ r.-v.

IL QUERCETO Merlot Barrique 2004 ★★★

■ 1 ha 6 500 🍷 15 à 23 €

Le vin n'est pas la seule production de ce domaine, mais il atteint un excellent niveau de qualité. Voyez ce 2004 au nez frais de fraise et d'épices. Une matière dense et ronde se manifeste dès l'attaque, avec pour soutien des tanins totalement fondus qui laissent la vedette aux notes de cannelle en finale. Pour des viandes rouges et des fromages.

🔑 SA Terreni alla Maggia, Via Muraccio 105, 6612 Ascona, tél. 91.792.33.11, fax 91.792.33.55, e-mail info@terreniallamaggia.ch ☑ Y ⭑ r.-v.

RUBRO Merlot 2004 ★★

■ 2,5 ha 15 000 🍷 23 à 30 €

Récolté sur un sol calcaire, ce merlot vêtu de grenat décline volontiers ses arômes de fruits mûrs, invitation à découvrir la chair intense et élégante, toute fruitée elle aussi (pruneau) et persistante. Pour un gibier ou un fromage d'alpage.

🔑 SA F.lli Valsangiacomo, viale Cantine 6, 6850 Mendrisio, tél. 91.683.60.53, fax 91.683.70.77, e-mail info@valswine.ch ☑ Y ⭑ r.-v.

SAN MATTEO Merlot Riserva del Ronco 2004 ★

■ 0,3 ha 3 000 🍷 15 à 23 €

Ce petit domaine familial créé dans les années 1970 propose un merlot encore timide sous une teinte grenat. Mais ce n'est que jeunesse, comme en témoignent les tanins épicés encore très présents qui ne demandent qu'à se fondre à la faveur du temps.

🔑 Vitivinicola San Matteo, via San Matteo 1, 6955 Cagiallo, tél. 91.943.23.78, fax 91.943.50.71, e-mail cattaneo.family@ticino.com ☑ Y ⭑ r.-v.

🔑 F. et N. Cattaneo

SASSI GROSSI Merlot 2004 ★★★

■ n.c. 23 000 🍷 23 à 30 €

Déjà élu coup de cœur dans le Guide, ce merlot du Tessin garde un même niveau de qualité d'une année à l'autre. En témoigne ce 2004 grenat profond, aux arômes intenses d'épices et de cigare cubain. Dès l'attaque, les dégustateurs ont perçu sa grande personnalité. La chair se développe avec élégance et persistance, soutenue par des tanins au grain fin. Un merlot à attendre quelques années.

🔑 SA Vini Gialdi, via Vignöo 3, 6850 Mendrisio, tél. 91.640.30.30, fax 91.640.30.31, e-mail info@gialdi.ch ☑ Y ⭑ r.-v.

TAMBORINI Merlot Comano 2005 ★★

■ 1,5 ha 3 500 🍷 23 à 30 €

Une viande en sauce s'accordera avec ce merlot intensément coloré, dont on perçoit les subtiles notes de fruits mûrs et de cerise à l'eau-de-vie. La chair dense dès l'attaque, d'une réelle persistance, bénéficie de tanins de qualité, quoique encore austères. Le temps sera le meilleur allié de ce 2005.

🔑 SA eredi Carlo Tamborini, strada Cantonale, 6814 Lamone, tél. 91.935.75.45, fax 91.935.75.49, e-mail info@tamborini-vini.ch ☑ Y ⭑ r.-v.

🔑 Claudio Tamborini

LES CÉPAGES FRANÇAIS

Le vin, c'est du raisin. Certes, mais la vigne domestiquee, *Vitis vinifera*, admet plusieurs variétés, plus proprement dénommées cultivars ou cépages, dont les caractères sont fort différents dans la nature comme dans le vin produit à partir de leurs fruits. L'ampélographe Pierre Galet a recensé quelque 9 600 cépages dans le monde : un patrimoine incommensurable dont les vignerons n'exploitent aujourd'hui qu'une infime partie.

Certains cépages, casaniers, ont trouvé une niche dans des régions précises, dans des aires viticoles limitées ; d'autres, grands voyageurs, ont fait carrière dans les deux hémisphères. Ainsi de la syrah qui a essaimé depuis la vallée du Rhône pour gagner non seulement la Suisse toute proche, mais aussi le Languedoc ; elle a traversé les océans jusqu'en Californie et surtout en Australie, dont elle a forgé la réputation vinicole. Casaniers ou voyageurs, les cépages participent de l'identité d'une région.

Toutefois, seul, le cépage serait bien incapable de donner aux vins leur caractère : quelle différence y aurait-il entre des chenins de Loire et d'Afrique du Sud, entre des sauvignons du Bordelais et de Nouvelle-Zélande ? Le vin n'est pas un produit industriel, reproductible partout à l'identique. Il entretient un lien privilégié avec un sol, un climat, un relief, un cours d'eau... avec un terroir. La Bourgogne est à ce titre exemplaire, car elle se consacre presque entièrement à la culture de deux cépages : le pinot noir pour ses vins rouges, le chardonnay pour ses vins blancs. Or, ses vins sont loin de se ressembler. Les amateurs débutants sauront distinguer un chablis de tout autre cru bourguignon ; les plus expérimentés percevront le raffinement du bâtard-montrachet et la rigueur du chevalier-montrachet, deux grands crus du sud de la Côte de Beaune : le premier est récolté sur une faible pente aux sols bruns calcaires et argileux, le second plus haut sur le coteau, exposé à l'est et au sud, sur des sols pierreux très légers. C'est bien là que réside toute la différence, le terroir apportant au vin sa structure. Aujourd'hui, partout dans le monde, les vignerons ont saisi l'intérêt de sélectionner les terroirs, et les producteurs de vins de pays ne sont pas en reste.

Un cépage, un terroir... Un terroir et des cépages alliés aussi. Car le vin peut être issu d'un seul cépage (il est alors monocépage) ou de l'assemblage de plusieurs variétés de raisin qui se complètent : le merlot apporte de la rondeur au cabernet-sauvignon ; le carignan de la puissance au grenache. S'il doit respecter les règles en vigueur dans son aire d'appellation d'origine, chaque producteur possède une marge de liberté qui lui permet de moduler les proportions de tel ou tel cépage dans son vin. Autre individualité. Les vins sont différents d'un pays à l'autre, d'une région à l'autre, d'une aire à l'autre, d'un vigneron à l'autre.

Cette table des cépages est une nouvelle porte d'entrée dans le *Guide Hachette des vins*. Classés par ordre alphabétique, les cépages renvoient aux vins d'appellation d'origine auxquels ils participent. Le lecteur se reportera à l'index des appellations pour retrouver la présentation des vins et la sélection de l'année. Chaque nom de cépage est suivi d'un symbole indiquant sa couleur. Les vins dont il constitue la seule composante sont identifiés par une étoile.

■ ABOURIOU
Sud-Ouest : côtes-du-marmandais.

▒ ALIGOTÉ
Beaujolais : coteaux-du-lyonnais.
Bourgogne : bourgogne-aligoté* ; bouzeron* ; crémant-de-bourgogne.
Bugey.
Rhône : châtillon-en-diois.

▒ ALTESSE
Bugey.
Savoie : roussette-de-savoie* ; seyssel ; vin-de-savoie.

▒ ARAGNAN
Provence : palette.

▒ ARRUFIAC
Sud-Ouest : béarn ; béarn-bellocq ; côtes-de-saint-mont ; pacherenc-du-vic-bilh.

▒ AUXERROIS
Alsace : alsace-pinot blanc ; crémant-d'alsace.
Est : moselle.

■ BARBAROSSA
Corse : ajaccio ; vin-de-corse.

■ BARBAROUX

Provence : cassis.

■ BAROQUE

Sud-Ouest : tursan.

■ BOURBOULENC (DOUCILLON)

Languedoc : corbières ; coteaux-du-languedoc ; minervois.

Provence : bandol ; cassis ; coteaux-d'aix-en-provence.

Rhône : châteauneuf-du-pape ; côtes-du-rhône ; côtes-du-rhône-villages ; côtes-du-ventoux ; lirac ; tavel ; vacqueyras.

■ BRAQUET (BRACHET)

Provence : bellet.

■ CABERNET FRANC (BRETON ; BOUCHY)

Bordelais : bordeaux ; bordeaux supérieur ; bordeaux clairet ; bordeaux rosé ; bordeaux-côtes-de-francs ; côtes-de-blaye ; canon-fronsac ; côtes-de-bourg ; côtes-de-castillon ; fronsac ; graves-de-vayres ; haut-médoc ; graves ; lalande-de-pomerol ; lussac-saint-émilion ; margaux ; médoc ; montagne-saint-émilion ; moulis-en-médoc ; pauillac ; pessac-léognan ; pomerol ; premières-côtes-de-bordeaux ; puissseguin-saint-émilion ; sainte-foy-bordeaux ; saint-émilion ; saint-émilion grand cru ; saint-estèphe ; saint-georges-saint-émilion ; saint-julien.

Loire : anjou, anjou-villages ; anjou-villages-brissac ; bourgueil ; cabernet-d'anjou ; cabernet-de-saumur ; cheverny ; chinon ; coteaux-d'ancenis ; coteaux-du-loir ; coteaux-du-vendômois ; crémant-de-loire ; fiefs-vendéens ; haut-poitou ; orléanais ; rosé-d'anjou ; rosé-de-loire ; saint-nicolas-de-bourgueil ; saumur ; saumur-champigny ; touraine ; touraine-amboise ; touraine-mesland ; valençay.

Poitou-Charentes : pineau-des-charentes.

Provence : coteaux-varois.

Sud-Ouest : béarn ; béarn-bellocq ; bergerac ; buzet ; coteaux-du-quercy ; côtes-de-bergerac ; côtes-de-duras ; côtes-de-saint-mont ; côtes-du-brulhois ; côtes-du-frontonnais ; côtes-du-marmandais ; floc-de-gascogne ; gaillac ; irouléguy ; madiran ; marcillac ; pécharmant ; saint-sardos ; tursan ; vin-d'entraygues-et-du-fel.

■ CABERNET-SAUVIGNON

Bordelais : côtes-de-blaye ; bordeaux ; bordeaux supérieur, bordeaux clairet ; bordeaux rosé ; bordeaux-côtes-de-francs ; canon-fronsac ; côtes-de-bourg ; côtes-de-castillon ; fronsac ; graves ; graves-de-vayres ; haut-médoc ; lalande-de-pomerol ; listrac-médoc ; lussac-saint-émilion ; margaux ; médoc ; montagne-saint-émilion ; moulis-en-médoc ; pauillac ; pessac-léognan ; pomerol ; premières-côtes-de-bordeaux ; puissseguin-saint-émilion ; sainte-foy-bordeaux ; saint-émilion ; saint-émilion grand cru ; saint-estèphe ; saint-georges-saint-émilion ; saint-julien.

Languedoc : cabardès ; côtes-de-la malepère ; limoux.

Loire : anjou ; anjou-villages ; anjou-villages-brissac ; bourgueil ; cabernet-d'anjou ; cabernet-de-saumur ; chinon ; crémant-de-la-loire ; orléanais ; rosé-d'anjou ; rosé-de-loire ; saint-nicolas-de-bourgueil ; saumur ; saumur-champigny ; touraine ; valençay.

Poitou-Charentes : pineau-des-charentes.

Provence : baux-de-provence ; coteaux-d'aix-en-provence ; côtes-de-provence.

Sud-Ouest : béarn ; béarn-bellocq ; bergerac ; buzet ; côtes-de-bergerac ; côtes-de-duras ; côtes-de-millau ; côtes-de-saint-mont ; côtes-du-brulhois ; côtes-du-frontonnais ; côtes-du-marmandais ; floc-de-gascogne ; gaillac ; irouléguy ; madiran ; marcillac ; pécharmant ; tursan ; vin-d'entraygues-et-du-fel.

■ CALITOR

Provence : tavel.

■ CAMARALET

Sud-Ouest : béarn ; béarn-bellocq.

■ CARIGNAN

Languedoc : corbières ; costières-de-nîmes ; coteaux-du-languedoc ; faugères ; fitou ; limoux ; minervois ; saint-chinian.

Roussillon : banyuls, banyuls grand cru ; collioure ; côtes-du-roussillon, côtes-du-roussillon-villages.

Provence : bandol ; baux-de-provence ; cassis ; coteaux-d'aix-en-provence ; coteaux-varois ; côtes-de-provence.

Rhône : coteaux-de-pierrevert ; coteaux-du-tricastin ; côtes-du-rhône, côtes-du-rhône-villages ; lirac ; tavel.

■ CARMENÈRE

Bordelais : bordeaux ; bordeaux supérieur.

■ CÉSAR

Bourgogne : irancy.

■ CHARDONNAY

Alsace : crémant-d'alsace.

Beaujolais : beaujolais* ; coteaux-du-lyonnais.

Bourgogne : aloxe-corton* ; auxey-duresses* ; bâtard-montrachet* ; beaune* ; bienvenues-bâtard-montrachet* ; bourgogne*, bourgogne-côtes-chalonnaise* ; bourgogne-hautes côtes-de-beaune* ; bourgogne-hautes-côtes-de-nuits* ; chablis* ; chablis grand cru* ; chablis premier cru* ; chassagne-montrachet* ; chevalier-montrachet* ; chorey-lès-beaune* ; corton* ; corton-charlemagne* ; côte-de-beaune* ; côte-de-nuits-villages* ; crémant-de-bourgogne ; criots-bâtard-montrachet* ; fixin* ; givry* ; ladoix* ; mâcon*, mâcon-villages* ; maranges* ; marsannay ; mercurey* ; meursault* ; montagny* ; monthélie* ; montrachet* ; morey-saint-denis ; musigny* ; nuits-saint-georges* ; pernand-vergelesses* ; petit-chablis* ; pouilly- fuissé* ; pouilly-loché* ; pouilly-vinzelles* ; puligny-montrachet* ; rully* ; saint-aubin* ; saint-romain* ; saint-véran* ; santenay* ; savigny-lès-beaune* ; viré-clessé* ; vougeot*.

Bugey

Champagne : champagne ; coteaux- champenois.

Jura : arbois ; côtes-du-jura ; crémant-du-jura ; l'étoile ; macvin-du-jura.

Languedoc : blanquette-de-limoux ; crémant-de-limoux ; limoux.

Loire : anjou ; cheverny ; côtes-d'auvergne ; crémant-de-loire ; fiefs-vendéens ; orléanais ; saint-pourçain ; saumur ; touraine-mesland ; valençay.

Poitou-Charentes : haut-poitou.
Provence : bellet.
Rhône : châtillon-en-diois.

CHASSELAS
Loire : pouilly-sur-loire*.
Savoie : crépy* ; vin-de-savoie.

CHENIN BLANC (PINEAU DE LA LOIRE)
Loire : anjou ; anjou-coteaux-de-la-loire* ; bonnezeaux* ; chinon ; coteaux-d'ancenis ; coteaux-de-l'aubance* ; coteaux-du-layon* ; coteaux-du-loir ; coteaux-du-vendômois ; crémant-de-loire ; fiefs-vendéens ; jasnières* ; montlouis-sur-loire* ; quarts-de-chaume* ; saumur ; savennières* ; savennières-coulée-de-serrant* ; savennières-roche-aux-moines* ; touraine ; touraine-amboise* ; touraine-mesland ; vouvray.
Languedoc : blanquette-de-limoux ; crémant-de-limoux ; limoux.
Sud-Ouest : côtes-de-duras ; côtes-de-millau ; vin-d'entraygues-et-du-fel.

■ CINSAULT
Corse : ajaccio.
Languedoc : corbières ; costières-de-nîmes ; coteaux-du-languedoc ; côtes-de-la-malepère ; faugères ; minervois ; saint-chinian.
Provence : bandol ; baux-de-provence ; bellet ; cassis ; coteaux-d'aix-en-provence ; coteaux-varois ; côtes-de-provence ; palette.
Rhône : châteauneuf-du-pape ; coteaux-de-pierrevert ; coteaux-du-tricastin ; côtes-du-luberon ; côtes-du-rhône ; côtes-du-rhône-villages ; côtes-du-ventoux ; gigondas ; lirac ; tavel ; vacqueyras.
Roussillon : collioure.

CLAIRETTE
Languedoc : clairette-de-bellegarde* ; clairette-du-languedoc* ; costières-de-nîmes ; coteaux-du-languedoc.
Provence : bandol ; cassis ; coteaux-d'aix-en-provence ; coteaux-varois ; côtes-de-provence ; palette.
Rhône : châteauneuf-du-pape ; clairette-de-die ; coteaux-de-pierrevert ; coteaux-du-tricastin ; côtes-du-luberon ; côtes-du-rhône ; côtes-du-rhône-villages ; côtes-du-ventoux ; côtes-du-vivarais ; crémant-de-die ; lirac ; tavel ; vacqueyras.
Sud-Ouest : côtes-de-saint-mont.

COLOMBARD
Bordelais : côtes-de-blaye ; premières-côtes-de-blaye ; côtes-de-bourg ; crémant-de-bordeaux.
Poitou-Charentes : pineau-des-charentes.
Sud-Ouest : floc-de-gascogne.

■ COUNOISE
Provence : baux-de-provence ; coteaux-d'aix-en-provence.
Rhône : côtes-du-rhône ; côtes-du-rhône-villages.

COURBU
Sud-Ouest : béarn ; béarn-bellocq ; côtes-de-saint-mont ; irouléguy ; jurançon, jurançon sec ; pacherenc-du-vic-bilh.

■ DURAS
Sud-Ouest : gaillac.

■ DURIF
Provence : palette.

■ FER-SERVADOU (BRAUCOL, PINENC)
Sud-Ouest : béarn ; béarn-bellocq ; côtes-de-millau ; floc-de-gascogne ; gaillac ; madiran ; marcillac ; vin-d'entraygues-et-du-fel.

FOLLE BLANCHE (GROS PLANT)
Loire : gros-plant du pays nantais*.
Sud-Ouest : floc-de-gascogne.

■ FUELLA NERA
Provence : bellet.

■ GAMAY NOIR
Beaujolais : beaujolais* ; beaujolais-villages* ; brouilly* ; côtes-de-brouilly* ; chénas* ; chiroubles* ; coteaux-du-lyonnais* ; côte-roannaise* ; fleurie* ; juliénas* ; morgon* ; moulin-à-vent* ; régnié* ; saint-amour*.
Bourgogne : bourgogne-passetoutgrain ; crémant-de-bourgogne ; mâcon.
Bugey
Est : côtes-de-toul ; moselle.
Loire : aujou-gamay* ; châteaumeillant ; cheverny ; coteaux-d'ancenis ; coteaux-du-giennois ; coteaux-du-loir ; coteaux-du-vendômois ; côte-roannaise ; côtes-d'auvergne ; côtes-du-forez* ; fiefs-vendéens ; rosé-d'anjou ; saint-pourçain ; saumur ; touraine ; touraine-amboise ; touraine-mesland ; valençay.
Poitou-Charentes : haut-poitou.
Rhône : châtillon-en-diois.
Savoie : vin-de-savoie.
Sud-Ouest : coteaux-du-quercy ; côtes-de-millau ; côtes-du-marmandais ; gaillac ; vin-d'entraygues-et-du-fel.

GEWURZTRAMINER
Alsace : alsace-gewurztraminer* ; alsace grand cru gewurztraminer*.

GRENACHE BLANC
Languedoc : corbières ; costières-de-nîmes ; coteaux-du-languedoc ; faugères ; minervois ; saint-chinian.
Provence : coteaux-d'aix-en-provence ; coteaux-varois ; palette.
Roussillon : banyuls ; banyuls grand cru ; côtes-du-roussillon ; maury ; rivesaltes.
Rhône : châteauneuf-du-pape ; coteaux-de-pierrevert ; coteaux-du-tricastin ; côtes-du-luberon ; côtes-du-rhône, côtes-du-rhône-villages ; côtes-du-ventoux ; côtes-du-vivarais ; lirac ; rasteau ; vacqueyras.

GRENACHE GRIS
Provence : coteaux-varois.
Rhône : rasteau.
Roussillon : banyuls ; banyuls grand cru ; collioure ; maury ; rivesaltes.

■ GRENACHE NOIR
Corse : ajaccio ; patrimonio ; vin-de-corse.
Languedoc : cabardès ; corbières ; costières-de-nîmes ; coteaux-du-languedoc ; fitou ; minervois ; saint-chinian.
Provence : bandol ; baux-de-provence ; bellet ; cassis ; coteaux-d'aix-en- provence ; coteaux-varois ; côtes-de-provence ; palette.
Rhône : châteauneuf-du-pape ; coteaux-de-pierrevert ; coteaux-du-tricastin ; côtes-de-la-malepère ; côtes-du-luberon ; côtes-du-rhône- villages ; côtes-du-ventoux ; côtes-du-vivarais ; gigondas ; lirac ; rasteau ; tavel ; vacqueyras.
Roussillon : banyuls, banyuls grand cru ; collioure ; côtes-du-roussillon ; rivesaltes.

■ GROLLEAU (GROSLOT)
Loire : coteaux-du-loir ; fiefs-vendéens ; crémant-de-loire ; rosé-d'anjou ; rosé-de-loire ; saumur.

■ LLEDONER PELUT
Languedoc : coteaux-du-languedoc ; minervois.
Rousillon : côtes-du-roussillon ; côtes-du-roussillon-villages.

▒ JACQUÈRE
Bugey.
Savoie : vin-de-savoie.

■ JURANÇON NOIR
Sud-Ouest : cahors.

▒ LEN DE L'EL
Sud-Ouest : gaillac.

▒ MACABEU (MACCABÉO)
Languedoc : corbières ; minervois.
Roussillon : banyuls, banyuls-grand cru ; côtes-du-roussillon ; maury ; rivesaltes.

■ MALBEC (CÔT ; AUXERROIS)
Bordelais : bordeaux ; bordeaux supérieur ; bordeaux-côtes-de-francs ; canon-fronsac ; côtes-de-bourg ; fronsac ; haut-médoc ; lalande-de-pomerol ; médoc ; moulis-en-médoc ; pessac-léognan ; pomerol ; premières-côtes-de-bordeaux ; saint-julien.
Est : côtes-de-toul.
Languedoc : côtes-de-la malepère ; limoux.
Loire : cheverny ; coteaux-du-loir ; rosé-d'anjou ; saumur ; touraine ; touraine-amboise ; touraine-azay-le-rideau ; touraine-mesland ; valençay.
Sud-Ouest : bergerac ; cahors ; coteaux-du-quercy ; côtes-de-bergerac ; côtes-de-duras ; côtes-du-brulhois ; côtes-du-frontonnais ; côtes-du-marmandais ; floc-de-gascogne ; pécharmant.

▒ MALVOISIE (VERMENTINO)
Corse : ajaccio ; patrimonio ; vin-de-corse.
Languedoc : corbières ; minervois.
Rhône : coteaux-de-pierrevert ; côtes-du-luberon.
Roussillon : banyuls ; banyuls grand cru ; côtes-du-roussillon ; maury ; rivesaltes.

■ MANOSQUIN
Provence : palette.

▒ MANSENG (PETIT)
Sud-Ouest : béarn ; béarn-bellocq ; côtes-de-saint-mont ; floc-de-gascogne ; irouléguy ; jurançon ; jurançon sec ; pacherenc-du-vic-bilh.

▒ MANSENG (GROS)
Sud-Ouest : béarn ; béarn-bellocq ; irouléguy ; jurançon ; jurançon sec ; pacherenc-du-vic-bilh.

▒ MARSANNE
Languedoc : corbières ; costières-de-nîmes ; coteaux-du-languedoc ; faugères ; minervois ; saint-chinian.
Provence : cassis.
Rhône : coteaux-du-tricastin ; côtes-du-rhône ; côtes-du-rhône-villages ; côtes-du-vivarais ; crozes-hermitage ; hermitage ; lirac ; saint-joseph ; saint-péray.
Roussillon : côtes-du-roussillon.

▒ MAUZAC
Languedoc : blanquette-de-limoux ; crémant-de-limoux ; limoux.
Sud-Ouest : côtes-de-duras ; côtes-de-millau ; floc-de-gascogne ; gaillac ; vin-d'entraygues-et-du-fel.

▒ MELON DE BOURGOGNE
Loire : fiefs-vendéens ; muscadet* ; muscadet-sèvre-et-maine* ; muscadet-coteaux-de-la-loire* ; muscadet-côtes-de-grandlieu*.

■ MÉRILLE
Sud-Ouest : bergerac ; bergerac sec ; côtes-de-bergerac ; côtes-du-frontonnais.

■ MERLOT
Bordelais : blaye ; bordeaux ; bordeaux supérieur ; bordeaux clairet ; bordeaux rosé ; bordeaux-côtes-de-francs ; canon-fronsac ; côtes-de-bourg ; côtes-de-castillon ; fronsac ; graves ; graves-de-vayres ; haut-médoc ; lalande-de-pomerol ; listrac-médoc ; lussac-saint-émilion ; margaux ; médoc ; montagne-saint-émilion ; moulis-en-médoc ; pauillac ; pessac-léognan ; pomerol ; premières-côtes-de-bordeaux ; puisseguin-saint-émilion ; sainte-foy-bordeaux ; saint-émilion ; saint-émilion grand cru ; saint-estèphe ; saint-georges-saint-émilion ; saint-julien.
Languedoc : côtes-de-la-malepère ; limoux.
Poitou-Charentes : pineau-des-charentes.
Sud-Ouest : bergerac ; buzet ; cabardès ; cahors ; côtes-de-bergerac ; côtes-de-duras ; côtes-de-saint-mont ; côtes-du-brulhois ; côtes-du-marmandais ; floc-de-gascogne ; gaillac ; marcillac ; pécharmant ; saint-sardos.

▒ MOLETTE
Bugey
Savoie : seyssel.

■ MONDEUSE
Bugey.
Savoie : vin-de-savoie.

▒ MONTILS
Poitou-Charentes : pineau-des-charentes.

■ MOURVÈDRE
Corse : vin-de-corse.
Languedoc : costières-de-nîmes ; coteaux-du-languedoc ; faugères ; fitou ; minervois ; saint-chinian.
Provence : bandol ; baux-de-provence ; cassis ; coteaux-d'aix-en-provence ; coteaux-varois ; côtes-de-provence ; palette.

Rhône : châteauneuf-du-pape ; côtes-du-luberon ; côtes-du-rhône ; côtes-du-rhône-villages ; côtes-du-ventoux ; gigondas ; lirac ; tavel ; vacqueyras.

Roussillon : côtes-du-roussillon ; côtes-du-roussillon-villages.

MUSCADELLE

Bordelais : barsac ; côtes-de-blaye ; premières-côtes-de-blaye ; bordeaux-côtes-de-francs ; bordeaux sec ; cadillac ; cérons ; côtes-de-bourg ; crémant-de-bordeaux ; entre-deux-mers ; graves supérieures ; graves-de-vayres ; loupiac ; pessac-léognan ; premières-côtes-de-bordeaux ; sainte-croix-du-mont ; sainte-foy-bordeaux ; sauternes.

Languedoc : corbières.

Roussillon : collioure.

Sud-Ouest : bergerac ; bergerac sec ; côtes-de-bergerac ; côtes-de-duras ; côtes-du-marmandais ; gaillac ; monbazillac ; montravel ; saussignac.

■ MUSCARDIN

Rhône : châteauneuf-du-pape.

MUSCAT BLANC À PETITS GRAINS

Alsace : alsace-muscat ; alsace grand cru muscat.

Corse : muscat-du-cap-corse*.

Languedoc : muscat-de-frontignan* ; muscat-de-lunel* ; muscat-de-mireval* ; muscat-de-saint-jean-de-minervois*.

Provence : palette.

Rhône : clairette-de-die* ; muscat-de-beaumes-de-venise*.

Roussillon : muscat-de-rivesaltes.

MUSCAT D'ALEXANDRIE

Roussillon : muscat-de-rivesaltes.

MUSCAT OTTONEL

Alsace : alsace-muscat ; alsace grand cru muscat.

MUSCAT ROSE À PETITS GRAINS

Alsace : alsace-muscat ; alsace grand cru muscat.

■ NÉGRETTE

Loire : fiefs-vendéens.

Sud-Ouest : côtes-du-frontonnais.

■ NIELLUCCIU

Corse : patrimonio ; vin-de-corse.

ONDENC

Sud-Ouest : côtes-de-duras ; gaillac.

■ PETIT VERDOT

Bordelais : bordeaux ; bordeaux supérieur ; haut-médoc ; listrac-médoc ; médoc ; moulis-en-médoc ; pessac-léognan ; saint-estèphe ; saint-julien.

PICARDAN

Rhône : châteauneuf-du-pape.

PIQUEPOUL

Languedoc : coteaux-du-languedoc (Picpoul-de-Pinet*) ; minervois.

Provence : palette.

Rhône : châteauneuf-du-pape ; lirac ; tavel.

■ PINEAU D'AUNIS

Loire : cheverny ; coteaux-du-loir ; coteaux-du-vendômois ; crémant-de-loire ; rosé-d'anjou ; rosé-de-loire ; saumur ; touraine.

PINOT BLANC

Alsace : alsace-pinot blanc ; crémant-d'alsace.

Bourgogne : marsannay ; morey-saint-denis.

Est : moselle.

PINOT GRIS

Alsace : alsace-tokay-pinot gris* ; alsace grand cru tokay-pinot gris* ; crémant-d'alsace.

Est : moselle.

Jura : crémant-du-jura.

Loire : châteaumeillant ; reuilly (rouge) ; coteaux-d'ancenis ; touraine-noble-joué (rosé).

PINOT MEUNIER

Champagne : champagne ; coteaux-champenois.

Loire : orléanais ; touraine-noble-joué (rosé).

■ PINOT NOIR

Alsace : alsace-pinot noir* ; crémant-d'alsace.

Bourgogne : aloxe-corton* ; auxey-duresses* ; beaune* ; blagny* ; bonnes-mares* ; bourgogne* ; bourgogne-côte-chalonnaise* ; bourgogne-hautes côtes-de-baune* ; bourgogne-hautes-côtes-de-nuits* ; bourgogne-passetougrain* ; chambertin* ; chambertin-clos-de-bèze* ; chambolle-musigny* ; chapelle-chambertin* ; charmes-chambertin* ; chassagne-montrachet* ; chorey-lès-beaune* ; clos-de-la- roche* ; clos-des-lambrays* ; clos-de-tart* ; clos-de-vougeot* ; clos-saint-denis* ; corton* ; côte-de-beaune* ; côte-de-nuits-villages* ; crémant-de-bourgogne ; échézeaux* ; fixin* ; gevrey-chambertin* ; givry* ; la grande-rue* ; grands-échézeaux* ; griotte-chambertin* ; irancy* ; ladoix* ; latricières-chambertin* ; mâcon ; maranges* ; marsannay* ; mazis-chambertin* ; mazoyères-chambertin* ; mercurey* ; meursault* ; monthélie* ; morey-saint-denis* ; musigny* ; nuits-saint-georges* ; pernand-vergelesses* ; pommard* ; puligny-montrachet* ; richebourg* ; la romanée* ; romanée-conti* ; romanée-saint-vivant* ; ruchottes-chambertin* ; rully* ; saint-aubin* ; saint-romain* ; santenay* ; savigny-lès-beaune* ; la tâche* ; volnay* ; vosne-romanée* ; vougeot*.

Bugey

Champagne : champagne ; coteaux-champenois ; rosé-des-riceys.

Est : côtes-de-toul ; moselle.

Jura : arbois ; côtes-du-jura ; crémant-du-jura ; macvin-du-jura.

Loire : châteaumeillant ; cheverny ; coteaux-du-giennois ; coteaux-du-vendômois ; côtes-d'auvergne ; crémant-de-loire ; fiefs-vendéens ; menetou-salon ; reuilly ; saint-pourçain ; sancerre* ; touraine-noble-joué ; valençay.

Rhône : châtillon-en-diois.

Savoie : vin-de-savoie.

■ POULSARD

Jura : arbois ; côtes-du-jura ; crémant-du-jura ; l'étoile ; macvin-du-jura.

Bugey

RIESLING
Alsace : alsace-riesling* ; alsace grand cru riesling* ; crémant-d'alsace.

ROLLE
Languedoc : costières-de-nîmes.

Provence : bellet ; coteaux-d'aix-en-provence ; coteaux-varois ; côtes-de-provence.

ROMORANTIN
Loire : cour-cheverny*.

ROUSSANNE
Languedoc : corbières ; costières-de-nîmes ; coteaux-du-languedoc ; faugères ; minervois ; saint-chinian.

Rhône : châteauneuf-du-pape ; coteaux-de-pierrevert ; coteaux-du-tricastin ; côtes-du-luberon ; côtes-du-rhône ; côtes-du-rhône-villages ; côtes-du-ventoux ; crozes-hermitage ; hermitage ; lirac ; saint-joseph ; saint-péray ; vacqueyras.

Roussillon : côtes-du-roussillon.

Savoie : vin-de-savoie.

SAUVIGNON (BLANC FUMÉ)
Bourgogne : saint-bris*.

Bordelais : barsac ; côtes-de-blaye ; premières-côtes-de-blaye ; bordeaux-côtes-de-francs ; bordeaux sec ; cadillac ; cérons ; côtes-de-bourg ; crémant-de-bordeaux ; entre-deux-mers ; graves ; graves supérieures ; graves-de-vayres ; loupiac ; pessac-léognan ; premières-côtes-de-bordeaux ; sainte-croix-du-mont ; sainte-foy-bordeaux ; sauternes.

Loire : anjou ; cheverny ; coteaux-du-giennois ; fiefs-vendéens ; menetou-salon* ; pouilly-fumé ; quincy* ; reuilly* ; saint-pourçain ; sancerre* ; saumur ; touraine ; touraine-mesland ; valençay.

Poitou-Charentes : haut-poitou.

Provence : bandol ; cassis ; coteaux-d'aix-en-provence.

Sud-Ouest : béarn ; béarn-bellocq ; bergerac ; bergerac sec ; buzet ; côtes-de-bergerac ; côtes-de-duras ; côtes-du-marmandais ; floc-de- gascogne ; gaillac ; monbazillac ; montravel ; pacherenc-du-vic-bilh ; saussignac.

SAVAGNIN
Jura : arbois ; château-chalon* ; côtes-du-jura ; crémant-du-jura ; l'étoile ; macvin-du-jura.

SCIACCARELLU
Corse : ajaccio ; patrimonio ; vin-de-corse.

SÉMILLON
Bordelais : barsac ; côtes-de-blaye ; premières-côtes-de-blaye ; bordeaux-côtes-de-francs ; bordeaux sec ; cadillac ; cérons ; côtes-de-bourg ; crémant-de-bordeaux ; entre-deux-mers ; graves ; graves supérieures ; graves-de-vayres ; loupiac ; pessac-léognan ; premières-côtes-de-bordeaux ; sainte-croix-du-mont ; sainte-foy-bordeaux ; sauternes.

Poitou-Charentes : pineau-des-charentes.

Provence : coteaux-d'aix-en-provence ; coteaux-varois ; côtes-de-provence.

Sud-Ouest : bergerac ; bergerac sec ; buzet ; côtes-de-bergerac ; côtes-de-duras ; côtes-du-marmandais ; floc-de-gascogne ; gaillac ; monbazillac ; montravel ; pacherenc-du-vic-bilh ; saussignac.

SYLVANER
Alsace : alsace-sylvaner*.

SYRAH
Languedoc : cabardès ; corbières ; costières-de-nîmes ; coteaux-du-languedoc ; faugères ; fitou ; limoux ; minervois ; saint-chinian.

Provence : bandol ; baux-de-provence ; coteaux-d'aix-en-provence ; coteaux-varois ; côtes-de-provence.

Rhône : châteauneuf-du-pape ; châtillon-en-diois ; cornas* ; coteaux-de-pierrevert ; coteaux-du-tricastin ; côtes-du-rhône ; côtes-du-rhône-villages ; côtes-du-luberon ; côtes-du-ventoux ; côtes-du-vivarais ; côte-rôtie ; crozes-hermitage* ; gigondas ; hermitage* ; lirac ; saint-joseph* ; tavel ; vacqueyras.

Roussillon : collioure ; côtes-du-roussillon ; côtes-du-roussillon-villages.

Sud-Ouest : côtes-de-millau ; côtes-du-frontonnais ; côtes-du-marmandais ; gaillac ; saint-sardos.

TANNAT
Sud-Ouest : béarn ; béarn-bellocq ; cahors ; coteaux-du-quercy ; côtes-de-saint-mont ; côtes-du-brulhois ; floc-de-gascogne ; irouléguy ; madiran ; saint-sardos ; tursan.

TERRET
Provence : palette.

Rhône : châteauneuf-du-pape.

TIBOUREN
Provence : coteaux-varois ; côtes-de-provence ; palette.

TRESSALIER
Loire : saint-pourçain.

TROUSSEAU
Jura : arbois ; côtes-du-jura ; crémant-du-jura ; macvin-du-jura.

UGNI BLANC
Bordelais : crémant-de-bordeaux.

Corse : ajaccio ; patrimonio.

Poitou-Charentes : pineau-des-charentes.

Provence : bandol ; bellet ; cassis ; coteaux-d'aix-en-provence ; coteaux-varois ; côtes-de-provence ; palette.

Rhône : coteaux-de-pierrevert ; lirac.

Sud-Ouest : bergerac ; bergerac sec ; côtes-de-duras ; côtes-du-marmandais ; floc-de-gascogne.

VACCARÈSE
Rhône : châteauneuf-du-pape.

VIOGNIER
Languedoc : coteaux-du-languedoc.

Rhône : château-grillet* ; condrieu* ; coteaux-du-tricastin ; côte-rôtie ; côtes-du-rhône ; côtes-du-rhône-villages ; lirac.

INDEX DES APPELLATIONS

INDEX DES COMMUNES

COMMUNES

COMMUNES

COMMUNES

COMMUNES

COMMUNES

W

Y

Z

COMMUNES

INDEX DES PRODUCTEURS

L'indexation ne tient pas compte de l'article défini

PRODUCTEURS

PRODUCTEURS

PRODUCTEURS

D

PRODUCTEURS

PRODUCTEURS

PRODUCTEURS

H

I

PRODUCTEURS

PRODUCTEURS

M

PRODUCTEURS

PRODUCTEURS

PRODUCTEURS

S

PRODUCTEURS

PRODUCTEURS

INDEX DES VINS

L'indexation ne tient pas compte de l'article défini

A

VINS

B

VINS

VINS

C

VINS

VINS

VINS

D

VINS

E

F

VINS

VINS

VINS

H

I

J

VINS

VINS

M

VINS

VINS

VINS

N

O

P

VINS

VINS

Q

R

VINS

VINS

T

VINS

U

V

W

Y

Z

Bibliothèque **HACHETTE** du **VIN**

NOUVEAUTÉ

À boire ou à garder
Antoine Lebègue
160 p., 190 x 220 mm, 19,90 €
Toutes les clés pour connaître les vins et leur garde, et les conseils pour se constituer une cave. Un livre de cave électronique est joint au livre.

Dictionnaire des vins de France
384 p., 190 x 220 mm, 19,90 €
Toutes les appellations de France : leurs cépages, leurs terroirs, leur goût, les accords mets-vins.

Le Goût de l'origine
256 p., 190 x 220 mm, 19,90 €
L'histoire des appellations et un panorama des produits d'origine (AOC et IGP) de France.

Grands cépages
Pierre Galet
160 p., 190 x 220 mm, 12,50 €
Découvrir 36 cépages parmi les plus connus dans le monde.

Arômes du vin
M. Moisseeff et P. Casamayor
160 p., 190 x 220 mm, 12,50 €
Comprendre l'origine des arômes qui composent la palette des vins...

Le vin en 80 questions
Pierre Casamayor
176 p., 190 x 220 mm, 12,50 €
Une encyclopédie du vin en format pratique.

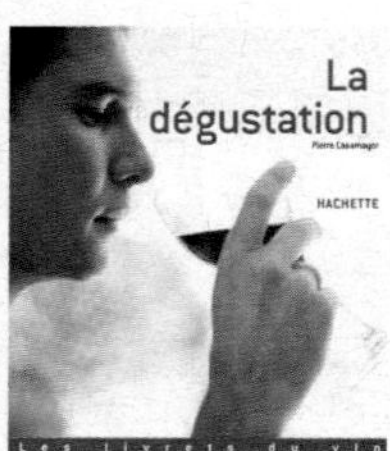

La Dégustation
Pierre Casamayor
128 p., 190 x 220 mm, 12,50 €
Apprendre à déguster, reconnaître les types et styles de vins, servir le vin.

Soirées dégustation
Michael Moisseeff
160 p., 185 x 285 mm, 18 €
Toutes les clés pour organiser des soirées de dégustation entre amis. 14 dégustations, plus de 280 vins et cépages, des quiz pour développer vos connaissances tout en vous amusant.

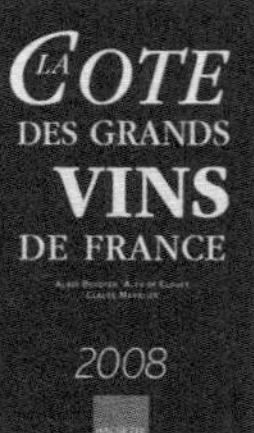

La Cote des grands vins de France 2008
Alain Bradfer, Alex de Clouet, Claude Maratier
480 p., 115 x 210 mm, 29,00 €
L'argus des vins : 150 ventes aux enchères, plus de 21 000 millésimes. Entièrement mis à jour.

1000 vins du monde
384 p., 115 x 210 mm, 19,90 €
La sélection de l'Union des œnologues de France.

2000 mots du vin
Michel Dovaz
306 p., 125 x 220 mm, 12,00 €
Pour tout savoir sur la vigne et le vin.

DECLARATION DU BIEN VIVRE CLIMADIFF

Bibliothèque HACHETTE du VIN

L'école de la dégustation
Pierre Casamayor
272 p., 230 x 285 mm,
350 illustrations en couleurs,
25 €
À la découverte du goût du vin. Comprendre l'influence des cépages et des terroirs sur les arômes et les saveurs.

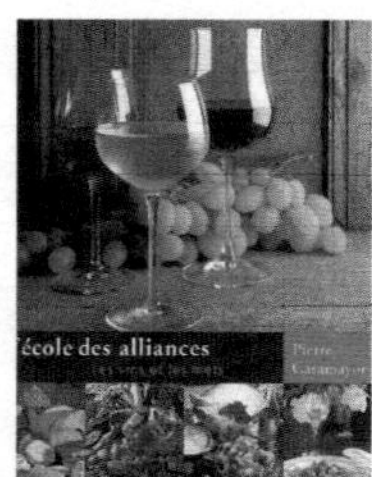

L'école des alliances
Pierre Casamayor
304 p., 230 x 285 mm,
350 illustrations en couleurs,
32,50 €
Le vin à table : comment réussir les accords gourmands.

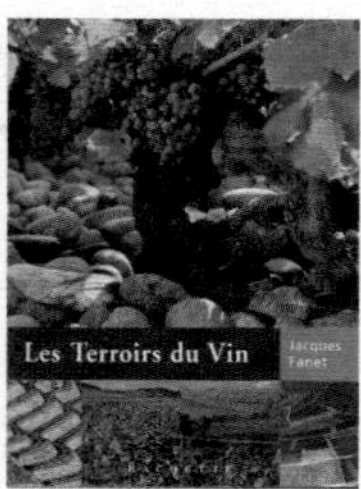

Les Terroirs du vin
Jacques Fanet
240 p., 230 x 285 mm,
78 coupes et cartes géologiques en couleurs, 29,90 €
Les grands terroirs viticoles de France et du monde expliqués à l'amateur de vin.

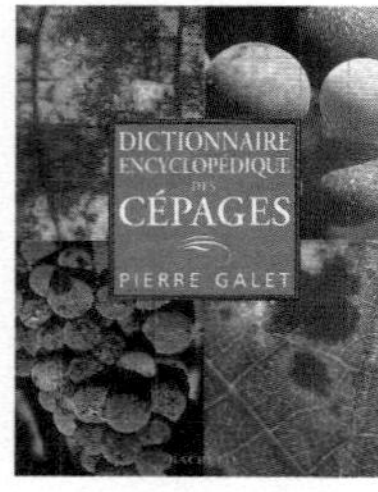

Dictionnaire encyclopédique des cépages
Pierre Galet
1 024 p., 36 planches ampélographiques, 415 dessins,
190 x 250 mm, 54,70 €
Tout savoir sur les cépages. Plus de 9 600 cépages du monde décrits par un ampélographe de renommée internationale.

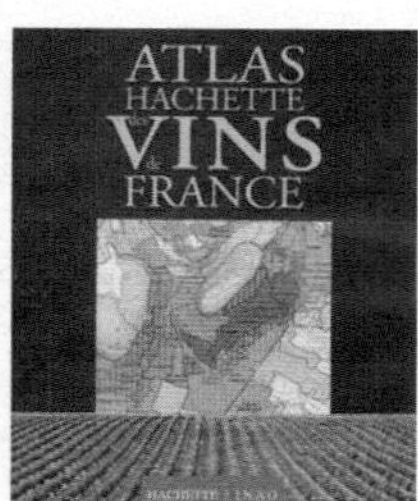

Atlas Hachette des vins de France
300 p., 250 x 300 mm,
500 photos et 74 cartes en couleur, 54,70 €
Un panorama complet de la civilisation du vin en France et la présentation des appellations d'origine.

L'Encyclopédie touristique des vins de France
448 p., 205 x 285 mm,
21,80 €
Promenade au cœur des paysages viticoles de France, cet ouvrage propose une double approche du vin : il est à la fois guide touristique et guide de consommation.

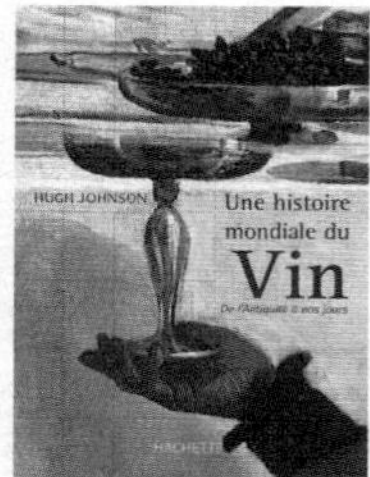

Une histoire mondiale du vin
Hugh Johnson
480 p., 175 x 250 mm,
49,90 €
À une échelle universelle, l'histoire du vin de ses origines à nos jours, racontée par un spécialiste mondial.

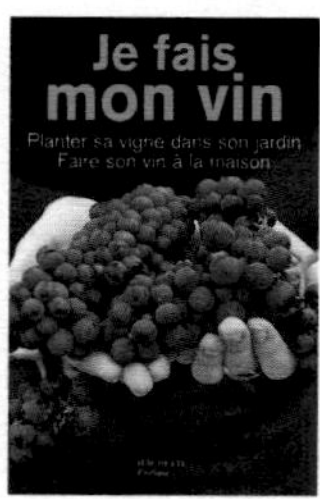

Je fais mon vin
Christian Chervin
128 p., 157 x 260 mm,
14,90 €
Tout savoir pour cultiver sa vigne dans son jardin ou sur son balcon et pour faire son vin à la maison.

LIEBHERR